S0-AKB-210

ANGOL–MAGYAR
KÉZISZÓTÁR

A CONCISE
ENGLISH–HUNGARIAN
DICTIONARY

AKADÉMIAI KIADÓ

ORSZÁGH–MAGAY
FUTÁSZ–KÖVECSES

ANGOL MAGYAR

KÉZISZÓTÁR

A CONCISE ENGLISH–HUNGARIAN DICTIONARY

AKADÉMIAI KIADÓ

Készült az Akadémiai Kiadó Szótárműhelyében • Published by the Dictionary Workshop of Akadémiai Kiadó

Főszerkesztők • Editors-in-Chief

ORSZÁGH LÁSZLÓ †, MAGAY TAMÁS, FUTÁSZ DEZSŐ, KÖVECSES ZOLTÁN

Projektvezető szerkesztő • Managing Editor

BERKÁNÉ DANESCH MARIANNE

Nyelvi adatbázis-szerkesztő • Lexical Database Editor

MOLNÁR OTTÓ TAMÁS

Szerkesztők • Editors

BÁCSI-NAGY ANDRÁS, BÁLINT GÁBOR, BARTOS ÁDÁM, BÉRES ENDRE, BORI EDIT, CSÁBI SZILVIA, DÓCZI TAMÁS, FUTÁSZ RÉKA, JENEY NÓRA, VAJDA MÁRTON

Lektor • General Consultant

SZIGETI LÁSZLÓ

Kiejtési szerkesztők • Pronunciation Editors

NÁDASDY ÁDÁM *(Szakértő/Consultant)*, CSIDES CSABA, GOLLOB SZABOLCS, GRÁF ZOLTÁN BENEDEK, SZIGETVÁRI PÉTER

Korrektorok • Proof-readers

BERKA ÁDÁM, CSENGERI MÓNIKA, SÁNDOR ISTVÁN, SOMOGYI ÁGNES

Számítógépes feldolgozás • Computer Staff

Invenció Kft. – *Felelős vezető • Managing Director:* MOLNÁR CSABA

Programozók • Programmers: KOZÁK PÉTER, SARMASÁGI PÁL, CSABA ZSOLT, GÁL ZOLTÁN, SZABÓ GÁBOR

Tördelők • Lay-out: BÉKEFI ANDRÁS, VIGH ÁGNES, JANIK STEFÁNIA

A hangosszótár munkatársai • Staff of the Audio Dictionary

Projektvezető szerkesztő • Managing Editor

KISÉRY ISTVÁN

Programozók • Programmers

GÁL ZOLTÁN, MILE ISTVÁN

A stúdiómunkálatok koordinátora • Studio Coordinator

POPRÓCSI ÁRPÁD

Anyanyelvi hangok • Native Speakers

BREN BRENNAN, NICK CHANDLER, TIM GITTINS

Hangmérnök • Sound Engineer

VÖRÖS ANDOR

Arculatterv • Design

MOLNÁR ISTVÁN, KECSKÉS ZSOLT

Borítóterv • Cover design

GERHES GÁBOR

Termékmenedzser • Technical Editor

KISS ZSUZSA

Nyomdai előállítás • Print

Akadémiai Nyomda Kft., Martonvásár – *Felelős vezető • Managing Director:* UJVÁROSI LAJOS

ISBN 978 963 05 8489 0

Kiadja az Akadémiai Kiadó,
az 1795-ben alapított Magyar Könyvkiadók és Könyvterjesztők Egyesülésének tagja
1117 Budapest, Prielle Kornélia u. 19.
www.akademiaikiado.hu

Első kiadás: 1999
Második kiadás: 2001
Változatlan utánnyomás: 2008

A kiadásért felelős az Akadémiai Kiadó igazgatója
A szerkesztésért felelős: POMÁZI GYÖNGYI

Terjedelem 105,1 (A/5) ív
Printed in Hungary

ELŐSZÓ

A jelen Angol-magyar szótár az 1998-ban Magay Tamás átdolgozásában, a Klasszikus Nagyszótárak sorozatban megjelent Országh-Magay: Angol-magyar nagyszótár anyagára épül. Ez biztosíték arra, hogy az új szótár címszóállománya friss, és tartalmazza mindazokat a szavakat, melyekre a szótárhasználónak szüksége lehet. Természetesen a nagyszótár címszóanyagát jelentős mértékben csökkentenünk kellett, de a szótárban így is mintegy 60 ezer címszó és több, mint 100 ezer idiomatikus szókapcsolat, vonzatos kifejezés, példamondat, szólás és közmondás található.

E szótár azonban nem egyszerűen a nagyszótár redukált változata, hanem számos új vonással is rendelkezik.

1999. június

Futász Dezső *Kövecses Zoltán*

BEVEZETÉS

A szótár új vonásai

A szócikkek belső struktúrájának megváltozása

A szótárban megváltozott a több szófajjal rendelkező szavak szócikkeinek felépítése. A szófajok felsorolása az adott szócikkre legjellemzőbb szófajjal kezdődik, azaz az új szótárban a szócikkek szerkezete a szóhasználatot követi: a *cut* szó például az angolban leggyakrabban igeként fordul elő, ezért – a nagyszótárral szemben, amelyben a *cut* szócikk melléknévként kezdődik – az új szótár a *cut* szócikket az igei szófaj tárgyalásával kezdi. Ez általában is a szótár egyik szerkesztési alapelve volt, azaz amennyiben a szóra jellemző legtipikusabb szófaj a főnév, akkor a szócikk tárgyalása a főnévvel, ha melléknév, akkor a melléknévvel stb. kezdődik.

A jelentések és a magyar megfelelők új sorrendje

A fenti törekvés vezette a szótár szerkesztőit a különböző jelentések és a magyar megfelelők új sorrendjének kialakításában is. Számos esetben változott az egy szófajon belül található jelentések felsorolásának rendje aszerint, hogy milyen az adott jelentés használata és gyakorisága.

A különböző jelentésekre megadott magyar szavak és kifejezések is ehhez az elvhez igazodnak: előre kerültek a gyakrabban használt, illetve átfogóbb magyar megfelelők.

Új szavak és jelentések

Annak ellenére, hogy jellegénél fogva a szótár a nagyszótárhoz képest kevesebb címszót és jelentést tartalmaz, az Angol-magyar szótárban tekintélyes mennyiségű azoknak az angol szavaknak a száma, amelyek a nagyszótárban nem szerepelnek. Az új címszók mellett a szótárba bekerültek új, a nagyszótárban nem szereplő idiomatikus szókapcsolatok is.

A jelentések vonatkozásában is változott, megújult az Angol-magyar szótár. Amellett, hogy ritkább, elavult vagy kevésbé gyakori jelentéseket elhagy, egy-egy címszóhoz új jelentést, jelentéseket is rendel, illetve új, modernizált magyar megfelelőket alkalmaz.

A képzett szavak

E szótár nem teszi meg címszóvá azokat a képzett angol szavakat, melyek jelentése rendszerszerűen következik egy másik, képzett vagy képzetlen szó, valamint a hozzárendelt angol képző együttes jelentéséből. Felsorolja viszont a származékszavakat annak az angol szócikknek a végén, amelyből a címszóként nem szereplő származékszó jelentése leginkább adódik, legkönnyebben kikövetkeztethető.

Ilyen eset például, amikor melléknévből (pl. *cold*) a *-ly* képző segítségével határozószót alkotunk (*coldly*). Itt a képzett származék jelentése rendszerszerűen következik az alapszó és a képző jelentéséből. Ezért nem szótárazza önálló címszóként a képzett származékszót (*coldly*) a szótár, viszont szófajával megjelölve felsorolja azt a neki megfelelő szócikk (*cold*) végén. Így a használó számára elérhetővé, értelmezhetővé tesz a szótár számos olyan angol szót, melyek részletes tárgyalása meghaladta volna terjedelmének kereteit.

Természetesen számos esetben ez az elv nem alkalmazható. Például a *sincere* 'őszinte' melléknév esetében a képzett szó (*sincerely*) egyik jelentése, magyar megfelelője – levélzáró formulaként: 'őszinte híve/tisztelettel'. Ez a megfelelő nem adódik magától értetődően, rendszerszerűen a *sincere* szóból és a *-ly* képzőből. Ezért mind a *sincere*, mind a *sincerely* külön címszót igényelt és kapott a szótárban.

Új minősítésrendszer

Az Angol-magyar szótár egy új, az angol-magyar, illetve magyar-angol nagyszótárak tapasztalatai alapján egységesített minősítésrendszert használ. Ez a rendszer könnyen érthető formában írja le az angol és magyar szavak stilisztikai, szakmai és nyelvtani jellemzőit. (A használt minősítések külön táblázatban találhatók.)

A szócikkek felépítése

A szótár szócikkeinek felépítése a következő:

angol címszó – kiejtés – szófaj – jelentés/magyar megfelelő

Ezt az információt a szótárhasználó a szótár minden egyes szócikkében megtalálja – az esetek többségében közvetlenül a szócikkben. (Többelemű címszók esetén azonban a kiejtés csak közvetve, más címszóknál található meg. Erről bővebben ld. a *Kiejtés*-ben.)

A szócikk alapszerkezete – nem kötelező elemekkel – a következő módokon egészülhet ki: (A szócikkek alapstruktúrájába nem kötelezően tartozó elemeket zárójelbe tesszük.)

angol címszó – kiejtés – (írásváltozat/rendhagyó alak) – szófaj – (minősítés) – jelentés/magyar megfelelő – (utalás) – (képzett szó) – (vonzatos ige)

A szótár könnyebb használhatósága érdekében az alábbiakban a szócikkek ezen felépítéséről adunk rövid, részletező áttekintést.

Címszó

A szócikkeket félkövér betűs címszó vezeti be a sor elején. A címszók között a homonimákat, vagyis az azonos alakú, de egymással nem rokon jelentésű szavakat, felső indexszámmal jelöltük. Például:

eagre
ear^{1}
ear^{2}
earache

A címszók többeleműek is lehetnek. Ezek általában főnévi összetételek:

phone book
phone booth
plain-clothes man

Kiejtés

A címszót szögletes zárójelben a kiejtés jelölése követi:

daddy [ˈdædi]
eat [iːt]
fruit [fruːt]

A többelemű címszók kiejtése a szótárban az ezeket alkotó egyes elemek kiejtéséből állítható össze. A kiejtést a többelemű címszók esetében csak akkor jelöljük külön, ha ez eltér az alkotó elemek szokásos kiejtésétől vagy hangsúlyviszonyaitól:

plain-clothes man [pleɪnˈkloʊðzmən]

Amennyiben a címszó kiejtésének brit és amerikai variánsa is van, akkor ezeket dupla függőleges vonallal || választjuk szét:

ear[1] [ɪə || ɪr]

Ha a kiejtési variáció általában (vagyis a brit-amerikai különbségtől függetlenül) jellemző a címszóra, akkor ezeket a variánsokat vesszővel választjuk el egymástól:

eat [...] *pt* **ate** [et, eɪt]

Amennyiben a variánsok kiejtésbeli különbözősége csak a címszó egy részére korlátozódik, a jel előtt vagy után csak az eltérő részt adjuk meg:

earful [ˈɪəfʊl || ˈɪr–]

Ha a kiejtés szófajfüggő, akkor az eltérő kiejtés a szófaji minősítés után következik:

pervert I. *fn* [ˈpɜːvɜːt || ˈpɜrvɜrt] ... **II.** *tsi* [pəˈvɜːt || pərˈvɜrt] ...

A szótárban használt kiejtési jelekre vonatkozó magyarázatokat külön részben tárgyaljuk.

Írásváltozatok

Amennyiben a címszónak létezik a címszó alakjától eltérő írásváltozata, akkor ezt a kiejtés után adjuk meg:

Faeroe [ˈfəroʊ || ˈfe-] **Faroe**

Az amerikai írásváltozatot *US* minősítéssel jelöljük:

fervour [ˈfɜːvə || ˈfɜːrvər] *US* **fervor**

Amennyiben a címszó írásmódja a toldalékolt alakokban megváltozik, akkor ez is a kiejtés után következik. A leggyakoribb ilyen változás a szóvégi mássalhangzó kettőződése:

quit [...] **I. -tt-**

Ez azt jelenti, hogy például a **quit** szó alakja az **-ing** végződés hozzáadása után **quitting** lesz.

Rendhagyó többes szám, igealakok és melléknévi formák

Többes számban rendhagyó főnév esetén a többes számú alakot a kiejtés vagy az írásváltozat után adjuk meg (ha szükséges, a rendhagyó többes számú alak kiejtésének megadásával együtt):

factum [...] *fn tsz* **facta** [–tə]
woman [...] *fn tsz* **women** [ˈwɪmɪn]

Külön jelöljük a főnevek többes számát akkor is, ha a többes számú alak jelentése idiomatikus az egyes számú alak jelentéséhez képest:

brain [...] **I.** *fn* **1.** agy, ész... **2.** ... **3.** *tsz* **brains** képzelőerő

Rendhagyó igék esetében megadjuk a múlt idő (és/vagy a múlt idejű melléknévi igenév) rendhagyó alakját (ha szükséges, kiejtésével együtt):

> **eat** [...] *pt* **ate** [et, eɪt]

Rendhagyóan képzett mellékneveknél megadjuk a közép- és/vagy felsőfok rendhagyó alakját (ha szükséges, ugyancsak kiejtésével együtt):

> **early** [...] *kfok* **earlier**, *ffok* **earliest**

Szófaj

A kiejtést (vagy az eltérő írásváltozatot) a címszó szófaja követi:

> **daddy** [...] *fn*
> **eager** [...] *mn*

Amennyiben a címszó kiejtését nem adjuk meg (erről ld. fent), akkor a címszó után közvetlenül a szófaji minősítés következik:

> **package tour** *mn* szervezett társasutazás

Amennyiben a szócikknek több szófaja van, a különböző szófajokat római számokkal különítjük el egymástól:

> **daily** [...] **I.** *mn* mindennapi, ... **II.** *hsz* naponként, ... **III.** *fn* ... napilap ...

A vagylagos szófajú szavakat a következő módon adja meg:

> **Mongol** [...] *mn/fn* mongol

Ha a címszó ige (vagy ige is), és ez rendelkezik mind tárgyas, mind tárgyatlan változattal, akkor ezeket **A.** és **B.** betűkkel jelöljük:

> **fade** [...] **I. A.** *tsi* ... elhalványít ... **B.** *tni* ... elhalványul **II.** *fn* ...

Helykímélés céljából bizonyos esetekben a tárgyas és tárgyatlan használattal egyaránt rendelkező igéket az alábbi módon is jelöljük:

> **bode** [...] *tsi/tni* előre jelez/jelent, jósol...

Minősítések

A szófaj jelölése után a címszó minősítése következik (ha van ilyen), vagyis közöljük, hogy a címszó milyen stilisztikai osztályba sorolható (*biz, szl, vál, tréf, tud* stb.) és hogy milyen szakma terminológiájához tartozik (*orv, infor, ir.tud, pénz* stb.):

> **log file** *fn infor* naplóállomány

Egy-egy minősítés vonatkozhat a címszónak csak egy adott szófajára, vagy csak egy jelentésére, vagy csupán egy jelentésen belüli idiómára:

> **chill** [...] **I.** *fn* ... **II.** *mn vál* **1.** hűvös, hideg, fagyos ... **2.** hűvös, fagyos, jeges *[fogadtatás]*
> **Gallic** [...] **1.** *tréf* francia **2.** gall, galliai
> **hoe** [...] **I.** *fn* ... **II. A.** *tsi* megkapál, gyomtalanít; *Ausz ÚjZ szl* ~ **in** *[gyorsan megeszi]* belapátol *[ételt]*

Ha a magyar megfelelők minősítése megegyezik az angol címszó (vagy annak egy jelentésének) minősítésével, akkor ezt külön nem jelöljük. Megadjuk viszont a magyar megfelelő minősítését akkor, ha ez az angolétól nagymértékben eltér. Ez különösen a szleng rétegéhez tartozó szavaknál fordul elő:

bag lady *fn US szl* hajléktalan nő *stand*

Jelentés és magyar megfelelő

A címszó jelentésének megfelelő magyar szót vagy szavakat az angol szó szófajának (és esetleges minősítésének) jelölése után adjuk meg:

guenon [...] *fn áll* cerkóf

Ha nincs az angol címszó adott jelentésének pontos magyar megfelelője, akkor ezt a jelentést magyarul körülírjuk. A körülírásokat csúcsos zárójelek közé tesszük:

cabbage [...] *fn* **1.** ... **2. a)** ... **b)** *szl* ‹szellemileg visszamaradt/sérült személy, aki gondoskodásra szorul›

Az angol szlengszavak jelentését indokolt esetben szögletes, dőlt zárójelbe tett magyarázattal adtuk meg:

brown-nosed *mn US szl [hízelgő]* seggnyaló

Egy címszón belül a különböző jelentéseket arab számok vezetik be:

facultative [...] **1.** szabadon választott, fakultatív **2.** esetleges **3.** képesítő

Ha a címszó több szófajhoz tartozik, és ezek egyikének több elkülöníthető jelentése van az angolban, akkor az előzővel megegyező módon jártunk el:

daily [...] **I.** *mn* ... **II.** *hsz* ... **III.** *fn* **1.** napilap **2.** ... mindennapos bejárónő

Ha a címszó egyik szófaján belül szorosan összefüggő aljelentések (jelentésárnyalatok) vannak, ezeket **a)**, **b)**, **c)** stb. betűkkel vezettük be:

facsimile [...] **I.** *fn* **a)** hasonmás..., fakszimile **b)** hasonmás/másolat készítése dokumentumról... **II.** ...

Ezt a jelölést használtuk az arab számokkal már elkülönített esetekben is:

faculty [...] **1.** *fn* **a)** képesség... **b)** tehetség... **2. a)** ... (egyetemi) kar, fakultás **b)** ... tantestület **3.** ... **4.** ...

Egy adott jelentés terjedelmét, megszorítását szögletes, dőlt zárójelek között adjuk meg (általában a magyar megfelelő(k) után):

facsimile [...] **I.** *fn* **a)** hasonmás *[szövegé, írásé]*, fakszimile ... **b)** hasonmás/másolat készítése dokumentumról *[pl. szkennerrel]* **II.** ...

Példák és idiomatikus szókapcsolatok

Sok esetben az egyes jelentéseket példák illusztrálják. Ilyenkor (a legtöbb esetben) nem írjuk ki újra a címszót, hanem csak tildével (~) jelöljük:

> **pack** [...] **I.** *fn* ... **II.** *tsi* **1. a)** becsomagol, bepakol; **~ one's things** becsomagol(ja a holmiját) **b)** ...

Ez vonatkozik az egyes jelentésekhez kapcsolódó idiomatikus szókapcsolatokra is:

> **part** [...] **I.** *fn* **a)** rész, darab; **it is ~ and parcel of**... vmnek szerves/fontos/ nélkülözhetetlen része **b)** ...

Kiírjuk viszont a címszót akkor, ha a példában vagy idiómában a címszó más vagy rendhagyó alakban szerepel:

> **foggy** [...] ... **I haven't got the foggiest idea** halvány sejtelmem sincs róla
> **inquiry** [...] ... **make inquiries about/after sy/sg** érdeklődik/kérdezősködik vk/vm felől...
> **foggy** [...] ... **what is it made of?** miből van ez?

Ha egy idiómának több jelentése van, ezeket (i), (ii) stb. jellel különítettük el:

> **batten**[1] [...] ... **~ down the hatches** (i) *hajó* fedélzeti nyílást bedeszkáz ... (ii) *átv* felkészül a legrosszabbra...

Utalások

Egyes címszók írásváltozatait a megfelelő betűrendi helyen vettük fel a szótárban, és a ritkábban előforduló írásváltozat felől utalunk a gyakoribbra, ahol a szót részletesen tárgyaljuk:

> **phantasy** [...] → **fantasy**

Hasonló megoldást alkalmaztunk az amerikai írásváltozatokra is:

> **mold** [...] *US* → **fantasy**

Ha az angol szó egyik ritkább írásváltozata a gyakoribb írásváltozatnak csak egy adott jelentésére vonatkozik, akkor csak erre a jelentésre utalunk (és csak ennél adjuk meg a magyar megfelelőket):

> **daimon** [...] → **demon** 4.

Képzett szavak

Önálló címszóként a szótárban nem szereplő képzett angol származékok a jelentés(ek)/magyar megfelelő(k) után, a szócikk végén, félkövéren szedve, vastag ponttal leválasztva állnak:

> **harpoon** [...] **I.** *fn* szigony **II.** *tsi* megszigonyoz • *fn* **harpooner**

Ha több ilyen, szófajában is eltérő szó tartozik a szócikkhez, a következő rendben soroljuk fel őket: *tsi, tni, fn, mn, hsz.*

> **intellectual** [...] *mn* ... • *tsi* **intellectualize** *fn* **intellectuality**

Ha több azonos szófajú szó szerepel egymás után a felsorolásban, akkor a szófajt csak egyszer, az első szó előtt jelöljük.

Vonzatos igék

A vonzatos igéket a szótárban nem tekintjük önálló címszónak, és közvetlenül a szócikk után, beljebb kezdve, a címszavak szoros rendjéből kiemelve adjuk meg őket:

> **move** [...]
>   **move along**
>   **move away**
>   **move in**
>   stb.

Tehát a szótár használója a **move away** vonzatos igét nem ennek a szoros ábécé szerinti helyén (a **moveable** szó szócikke után) találja meg a szótárban, hanem a **move** igénél.

PREFACE

The present English-Hungarian Dictionary is based on the unabridged English-Hungarian Dictionary revised by Tamás Magay in 1998. This guarantees that the new dictionary consists of up-to-date headwords and contains all the words that the user of the dictionary might need. Obviously, the editors had to reduce the number of headwords found in the unabridged version, nevertheless the new version includes approximately 60.000 entries and several thousand idioms.

However, the present work is not a mere reduction of the unabridged version, since it has several new features.

June 1999

Futász Dezső *Kövecses Zoltán*

INTRODUCTION

The new features of the dictionary

Changes in the internal structure of entries

The structure of entries that belong to two or more word classes (or parts of speech) was changed. The listing of word classes begins with the word class that is most typical of the headword. This means that the structure of entries in the dictionary is based on the frequency of word usage. For example, the word *cut* in English is used most typically as a verb, thus the presentation of the entry for *cut* in the dictionary begins with its verbal use, unlike in the unabridged version, which begins with the adjectival use of the word. Indeed, this was one of the general principles in making the present dictionary: if the headword is typically a noun, then its presentation begins with the word class noun, if it is an adjective, with the word class adjective, etc.

The new order of senses and Hungarian equivalents

The same principle was followed by the editors in establishing the new order of different senses and Hungarian equivalents. The order of senses within a given word class was changed according to the relative frequency of senses.

The Hungarian equivalents that express the different senses are also listed according to this principle: the more frequent Hungarian equivalents or the ones that are more comprehensive are given first.

New words and senses

Although it contains fewer headwords and senses, due to its smaller size, the present English-Hungarian Dictionary includes many words that are not found in the unabridged work. In addition, it contains a large number of new idiomatic expressions not found in the larger volume either.

The English-Hungarian dictionary is revised with respect to its treatment of the senses of headwords. Besides leaving out rare or obsolete senses, it cites many new ones, while also providing new, more up-to-date Hungarian equivalents.

Derived words

The present dictionary does not make headwords out of English words whose meaning follows predictably and systematically from the meaning of another (derived or base) word and the meaning of an affix that is attached to it. However, it lists English derived words at the end of an entry from which the meaning of a derived word (unlisted as a headword) most naturally follows.

One such case is provided by the combination of an adjective (e.g. *cold*) with a suffix (e.g. *-ly*) to yield a derived word (e.g. *coldly*). In such a case, the meaning of the derived word is fully predictable from the meaning of the base and the suffix. For this reason, no separate entry is given to the derived word (*coldly*), but it is listed at the end of the entry for the corresponding base (*cold*) with its word class marked. In this way, the dictionary makes available to its user many English words whose inclusion in the dictionary would have been impossible due to lack of space.

Obviously, this principle cannot be applied in all cases. For example, the English word *sincere* has as one of its derivatives *sincerely,* which, in one of its uses (a fixed formula at the end of a letter), can be translated into Hungarian as *őszinte híve/tisztelettel*. This sense is not predictable from the word *sincere* and the suffix *-ly*. Thus both *sincere* and *sincerely* occur as headwords in the dictionary.

New system of usage labels

The English-Hungarian Dictionary employs a new and consistent system of usage labels that was worked out as a result of our experiences with the unabridged English-Hungarian and Hungarian-English Dictionaries. The new system describes in an easy-to-understand manner the major usage characteristics of English and Hungarian words. (The usage labels used in this dictionary are listed in a separate table.)

The structure of entries

The basic structure of entries in the dictionary is as follows:

English headword – pronunciation – word class – sense/Hungarian equivalent

The user will find this information in each entry of the dictionary, in the majority of cases directly in the entry. (In the case of multiple-word entries, however, pronunciation can only be found indirectly, that is, in other entries. For more about this, see the section on Pronunciation.)
The basic structure of entries can be complemented with non-obligatory elements in the following ways: (Non-obligatory elements are given in parentheses.)

English headword – pronunciation – (variant spelling/irregular form) – word class – (usage label) – sense/Hungarian equivalent – (cross-reference) – (derived word) – (phrasal verb)

For the sake of facilitating the use of the dictionary, we provide more detailed information about each of these elements below.

Headwords

The entries are introduced by headwords placed at the left margin and printed in boldface. Homonyms, that is, words with the same form but unrelated meaning, are marked by superscript numbers. For example:

eagre
ear¹
ear²
earache

Headwords may consist of multiple words. Most of these are nominal compounds:

phone book
phone booth
plain-clothes man

Pronunciation

Headwords are followed by their pronunciation in square brackets:

daddy [ˈdædi]
eat [iːt]
fruit [fruːt]

The pronunciation of multiple-word entries can be obtained from the pronunciation of the elements making them up. The pronunciation of multiple-word entries is given explicitly only if this is different from the pronunciation or stress pattern of its component parts:

plain-clothes man [pleɪnˈkloʊðzmən]

If the headword has both a British and an American pronunciation, these are separated by double vertical lines:

ear[1] [ɪə ‖ ɪr]

If there is variation in the pronunciation of the headword independently of British-American differences, the general variants are separated by a comma:

eat […] *pt* **ate** [et, eɪt]

If the difference in the pronunciation of variants is limited to a particular part of the headword, only this part is given before or after the sign –:

earful [ˈɪəfʊl ‖ ˈɪr –]

If pronunciation is dependent on word class, the different variants follow the word class labels:

pervert I. *fn* [ˈpɜːvɜːt ‖ ˈpɜrvɜrt] … **II.** *tsi* [pəˈvɜːt ‖ pərˈvɜrt] …

Information concerning pronunciation symbols can be found in a separate section.

Variant spellings

If a headword has variant spellings, these are given after the pronunciation:

Faeroe [ˈfəroʊ ‖ ˈfe-] **Faroe**

Variant spellings in American usage are marked with the label *US:*

fervour [ˈfɜːvə ‖ ˈfɜːrvər] *US* **fervor**

If the spelling of the headword changes in inflected or derived forms, this is also given after the pronunciation. Most commonly this involves the doubling of word-final consonants:

quit […] **I. -tt-**

This means that, for example, after adding the ending **-ing** to the word **quit**, it will become **quitting**.

Irregular plurals, verb and adjective forms

In the case of nouns with irregular plural forms, the irregular form of the headword is provided after the pronunciation or variant spelling (together with the pronunciation of the irregular form, if necessary):

factum […] *fn tsz* **facta** [– tə]
woman […] *fn tsz* **women** [ˈwɪmɪn]

Plural forms are also given if the meaning of the plural form is idiomatic with respect to the meaning of the singular form:

brain […] **I.** *fn* **1.** agy, ész… **2.** … **3.** *tsz* **brains** képzelőerő

With irregular verb forms, the irregular form of the past tense (and/or that of the past participle form) is provided (together with its pronunciation, if necessary) after the *pt* or *pp* signs:

eat [...] *pt* **ate** [et, eɪt]

In the case of irregular adjectives, the irregular form of the comparative and/or superlative is also given (with pronunciation, if necessary):

early [...] *kfok* **earlier**, *ffok* **earliest**

Word classes

Pronunciation (or variant spelling) is followed by information on word class:

daddy [...] *fn*
eager [...] *mn*

If the pronunciation of the headword is not given (see above), the headword is immediately followed by information on word class:

package tour *mn* szervezett társasutazás

If the headword belongs to multiple word classes, these are marked by Roman numerals:

daily [...] **I.** *mn* mindennapi, ... **II.** *hsz* naponként, ... **III.** *fn* ... napilap ...

Words with alternative word classes are given as follows:

Mongol [...] *mn/fn* mongol

If the headword is a verb (in at least one of its functions) and it has both transitive and intransitive uses, these are indicated by the boldfaced capitals **A.** and **B.** :

fade [...] **I. A.** *tsi* ... elhalványít ... **B.** *tni* ... elhalványul **II.** *fn* ...

To save space, transitive and intransitive verbs are also indicated as follows:

bode [...] *tsi/tni* előre jelez/jelent, jósol...

Usage labels

After the marking of word class, information on usage is provided (if it is called for); that is, the dictionary specifies to which stylistic register (such as *biz, szl, vál, tréf, tud*) and/or to which specialist language (such as *orv, infor, ir.tud, pénz*) a headword belongs:

log file *fn infor* naplóállomány

A usage label may apply to a word class, a sense, or an idiom attaching to a sense:

chill [...] **I.** *fn* ... **II.** *mn vál* **1.** hűvös, hideg, fagyos ... **2.** hűvös, fagyos, jeges *[fogadtatás]*
Gallic [...] **1.** *tréf* francia **2.** gall, galliai
hoe [...] **I.** *fn* ... **II. A.** *tsi* megkapál, gyomtalanít; *Ausz ÚjZ szl* **~ in** *[gyorsan megeszi]* belapátol *[ételt]*

If the usage label of the Hungarian equivalents agrees with that of the English headword (or one of its senses), the label is not repeated. However, the label is given after the Hungarian equivalent if it differs markedly from that of the English word. This is especially common with slang words:

> **bag lady** *fn US szl* hajléktalan nő *stand*

Sense and Hungarian equivalent

Hungarian equivalents corresponding to a sense of a headword are given after the information on word class (or usage, if applicable):

> **guenon** [...] *fn áll* cerkóf

If a sense of an English headword cannot be rendered by an exact Hungarian equivalent, the sense is explained in Hungarian. Such explanatory descriptions are given in pointed brackets:

> **cabbage** [...] *fn* **1.** ... **2. a)** ... **b)** *szl* ‹szellemileg visszamaradt/sérült személy, aki gondoskodásra szorul›

When necessary, the meaning of English slang words is explicated in italicized square brackets:

> **brown-nosed** *mn US szl [hízelgő]* seggnyaló

Different senses of an entry are introduced by Arabic numerals:

> **facultative** [...] **1.** szabadon választott, fakultatív **2.** esetleges **3.** képesítő

If the entry belongs to more than one word class and one of these has more than one sense, the same procedure as above is followed:

> **daily** [...] **I.** *mn* ... **II.** *hsz* ... **III.** *fn* **1.** napilap **2.** ... mindennapos bejárónő

If, within a word class, an entry has more than one closely related sense (or shade of meaning), these are distinguished by lower-case letters in boldface:

> **facsimile** [...] **I.** *fn* **a)** hasonmás..., fakszimile **b)** hasonmás/másolat készítése dokumentumról... **II.** ...

The same marking is used in cases where the different senses are already set apart by Arabic numerals:

> **faculty** [...] **1.** *fn* **a)** képesség... **b)** tehetség... **2. a)** ... egyetemi kar, fakultás **b)** ... tantestület **3.** ... **4.** ...

The range of application of a particular sense and constraints on its use are given in italicized square brackets (usually after the Hungarian equivalent(s)):

> **facsimile** [...] **I.** *fn* **a)** hasonmás *[szövegé, írásé]*, fakszimile ... **b)** hasonmás/másolat készítése dokumentumról *[pl. szkennerrel]* **II.** ...

Examples and idioms

In many cases, particular senses are illustrated by examples. When this is the case, the headword is usually not repeated but replaced by a tilde (~):

> **pack** [...] **I.** *fn* ... **II.** *tsi* **1. a)** becsomagol, bepakol; **~ one's things** becsomagol(ja a holmiját) **b)** ...

The same applies to idioms attaching to a particular sense:

> **part** [...] **I.** *fn* **a)** rész, darab; **it is ~ and parcel of**... vmnek szerves/fontos/ nélkülözhetetlen része **b)** ...

However, we do repeat the headword if in the example or idiom the form of the headword changes:

> **foggy** [...] ... **I haven't got the foggiest idea** halvány sejtelmem sincs róla
> **inquiry** [...] ... **make inquiries about/after sy/sg** érdeklődik/kérdezősködik vk/vm felől...
> **foggy** [...] ... **what is it made of?** miből van ez?

If an idiom has more than one meaning, these are distinguished by the signs (i), (ii), etc.:

> **batten**[1] [...] ... **~ down the hatches** (i) *hajó* fedélzeti nyílást bedeszkáz ... (ii) *átv* felkészül a legrosszabbra...

Cross-references

Variant spellings of headwords are entered in the dictionary at their appropriate alphabetical places, and cross-references are made from the less to the more frequent spellings, where the word is presented in detail:

> **phantasy** [...] → **fantasy**

The same applies to American spelling variants:

> **mold** [...] *US* → **fantasy**

If the less common spelling variant of an English word applies to a particular sense of the more common variant only, then cross-reference is made to this sense alone (and Hungarian equivalents are only given here).

> **daimon** [...] → **demon 4.**

Derived words

English words derived from others that do not appear in the dictionary as independent entries are listed after the sense(s)/Hungarian equivalent(s) at the end of the entry, printed in boldface, and separated from the entry by a dot in boldface:

> **harpoon** [...] **I.** *fn* szigony **II.** *tsi* megszigonyoz **•** *fn* **harpooner**

If there are several derived words listed that belong to different word classes, they are listed in the following order: *tsi, tni, fn, mn, hsz.*

> **intellectual** [...] *mn* ... **•** *tsi* **intellectualize** *fn* **intellectuality**

If several derived words belong to the same word class in the list, word class is indicated only once before the first word of the same word class.

Phrasal verbs

Phrasal verbs are not given the status of independent entries in the dictionary. They are placed immediately below an entry, indented, and removed from their position in the strict alphabetical order of entries:

move [...]
  move along
  move away
  move in
  etc.

Thus, the user of the dictionary will find the phrasal verb **move away** not at the place where it would be in a strict alphabetical order (i.e., after the entry **moveable**) but immediately following the entry for **move**.

ISMERTETŐ A KIEJTÉSI JELEKRŐL

A kiejtési átírásban a Nemzetközi Fonetikai Ábécé (IPA) jeleit alkalmaztuk a legutóbbi évek angol szótárainak hagyományait követve. A szögletes zárójelek között található kiejtések először a brit, majd kettős vonal után az amerikai kiejtést jelölik (pl. **dance** [dɑːns ‖ dæns], **hot** [hɒt ‖ hɑt], **murder** [ˈmɜːdə ‖ ˈmɜrdər]). Az amerikai kiejtésnél gyakran a szónak csak az a része található, amely feltűnően eltér a brit variánstól (pl. **motor** [ˈmoʊtə ‖ -ər]). A kétféle kiejtés között természetesen vannak a megadottakon kívül is különbségek (pl. az amerikai „lebbentett" **t** mint **city** [ˈsɪti]), ám ezek kiszámíthatóak és kevésbé feltűnőek, mint a **dance** vagy a **murder** esetén. Nem adtunk kiejtést azokhoz az összetett szavakhoz, amelyeknek tagjai címszóként is megtalálhatók a szótárban.

A mássalhangzók közé szorult vagy mássalhangzó után szó végére került **n** és **l** önálló szótagként ejtendő, pl. **seventeen** [ˈsevntiːn], azaz [ˈse vn tiːn], illetve **seven** [ˈsevn], azaz [ˈse vn]. A magánhangzóval kezdődő szótag előtt álló szótagértékű **n**-re és **l**-re kis pont emlékeztet, pl. **listener** [ˈlɪsn·ə], azaz [ˈlɪ sn ·ə].

A főhangsúly jele [ˈ] a szó leghangsúlyosabb szótagja előtt áll, ezen kívül – bár egy szóban több mellékhangsúlyos szótag is lehet – csak egy, mégpedig az első mellékhangsúlyos szótagot láttuk el [ˌ] jellel.

A kiejtési átírásokban az alábbi jelek találhatók (a magyar példaszavak csak hozzávetőleges eligazításul szolgálnak, a bennük szereplő hang nem pontos megfelelője az angolnak):

NOTE ON THE TRANSCRIPTION SYMBOLS

For transcribing the pronunciation of words, we used the symbols of the International Phonetic Alphabet (IPA), as is done in most current English dictionaries. The transcriptions found between square brackets represent first the Standard Southern British, then the General American pronunciation following double vertical lines (e.g. **dance** [dɑːns ‖ dæns], **hot** [hɒt ‖ hɑt], **murder** [ˈmɜːdə ‖ ˈmɜrdər]). The American pronunciation often represents only that part of the word which is significantly different from the British variant (e.g. **motor** [ˈmoʊtə ‖ -ər]). There are, of course, other differences between the two pronunciations than what we have given (e.g. American flapped **t** as **city** [ˈsɪti]), but these are usually predictable and less noticable than those in **dance** or **murder**. We do not usually give the pronunciation of compound words, whose components can be found in the dictionary separately.

When flanked by consonants or word-finally following a consonant, **n** or **l** are to be pronounced as a separate syllable, e.g. **seventeen** [ˈsevntiːn], that is [ˈse vn tiːn], or **seven** [ˈsevn], that is [ˈse vn]. Before a vowel, syllabic **n** and **l** are marked by a raised dot, e.g. **listener** [ˈlɪsn·ə], that is [ˈlɪ sn ·ə].

Main stress is indicated by an upper tick [ˈ] before the most prominent syllable of the word; of less prominently stressed syllables we only mark the first by a lower tick [ˌ].

Those symbols which are not obvious for the Hungarian reader have been listed in the Hungarian version of this Note, along with English words exemplifying their use and their Hungarian descriptions.

Hangsúlyjelek – Stress marks

ˈ főhangsúly/primary stress
ˌ mellékhangsúly/secondary stress

Egynemű magánhangzók – Monophthongs

Mind a brit, mind az amerikai kiejtésben
In both British and American transcriptions:

HANG	PÉLDA	LEÍRÁS
ɪ	kin	laza *i*, mint a magyar rövid *i*, pl. *kinn*
e	Ben	mint a magyar *e*, pl. *benn*
æ	bad	mint a nyílt, tájszólásban honos magyar *e*, pl. *ember*
ə	ago	mint a magyar rövid *ö*, de ajakkerekítés nélkül
ʌ	love	röviden ejtett *á*, mint az idegen szavakban, pl. *pizza hut*
ɒ	shop	mint a magyar rövid *o*, pl. *lop*
ʊ	foot	mint a magyar rövid *u*, pl. *fut*
i	happy	„feszes" *i*, mint a magyar rövid *i*
iː	sea	mint a magyar hosszú *í*
ɑː	calm	hosszan ejtett *a*-szerű hang
ɜː	bird	mint a magyar hosszú *ő*, de ajakkerekítés nélkül
ɔː	law	mint a magyar hosszú *ó*
uː	too	mint a magyar hosszú *ú*

Csak az amerikai kiejtésben
Only in American transcription:
(Bár hosszúságjelet nem tartalmaz, mindhárom hang hosszú!)

HANG	PÉLDA	LEÍRÁS
ɑ	got	mint a magyar *á*
ɔ	long	mint a magyar hosszú *ó*
ɜ	bird	mint a magyar hosszú *ő*, az amerikai *r*-rel együtt ejtve

Kettőshangzók – Diphthongs

HANG	PÉLDA	LEÍRÁS
eɪ	tape	mint a magyar *éj*
aɪ	type	mint a magyar *áj*
ɔɪ	boil	mint a magyar *oj*
aʊ	how	magyar *áu* egy hangként
oʊ	know	magyar *ou* egy hangként
ɪə	beer	magyar *ia* nagyon gyorsan
eə	bear	magyar *ea* nagyon gyorsan
ʊə	cure	magyar *ua* nagyon gyorsan

Mássalhangzók – Consonants (a magyartól különösen eltérőek) (peculiar for some reason)

HANG	PÉLDA	HASONLÓ HANG A MAGYARBAN
tʃ	chin	magyar *cs* [ts]
dʒ	joy	magyar *dzs*
θ	thin	„pösze" *sz*
ð	thus	az előző zöngés párja
s	sin	magyar *sz*
ʃ	shoe	magyar *s*
ʒ	beige	magyar *zs*
ŋ	king	*n* a *munka* szóban
w	win	*v*-szerű *u*
x	loch	*h* a *doh* szóban

MINŐSÍTÉSEK ÉS RÖVIDÍTÉSEK
LABELS AND ABBREVIATIONS

áll	állattan	zoology
állatorv	állatorvostan	veterinary science
ált	általában	generally
ásv	ásványtan	mineralogy
átv	átvitt értelemben	in an extended sense
Ausz	ausztrál szóhasználatban	Australian usage
bány	bányászat	mining
bec	becéző	hypocoristic
bibl	bibliai	biblical
biol	biológia	biology
biz	bizalmas, kötetlen szóhasználat	informal, colloquial usage
bőr	bőripar	leatherwork
cím	címertan	heraldry
csill	csillagászat	astronomy
durva	durva stílus	rude, impolite usage
el	elektronika	electronics
elölj	elöljáró	preposition
előtag	előtag, előképző	prefix
épít	építészet, építőipar	architecture, building industry
esz	egyes szám	singular
EU	az Európai Unió nyelvhasználata	used by the European Union
euf	eufemisztikus, szépítő értelemben	euphemistic; euphemism
fémip	fémipar	metalworking, metallurgy
fényk	fényképészet	photography
ffok	felsőfok	superlative
fil	filozófia	philosophy
film	filmművészet	film, cinematography
fiz	fizika, atomfizika	physics, nuclear physics
fn	főnév	noun
földr	földrajz	geography
francia	francia eredetű	of French origin
gaszt	gasztronómia, konyhaművészet	gastronomy, cooking
gazd	gazdaság, kereskedelem	economy, commerce
GB	brit angol szóhasználat	British usage
geod	geodézia	geodesy
geol	geológia	geology
gk	gépkocsi, gépjármű	car
gyerm	gyermeknyelv	baby talk
H	sajátosan magyar intézmény/ fogalom/jelenség	specific to Hungary
hajó	hajózás	nautical term
hiv	hivatalos/formális szóhasználat	official use, formal

hsz	határozószó	adverb
i	ige	verb
India	India, Indiában használatos angol	India; English used in India
infor	informatika, számítástechnika	computer/information (science)
ip	ipar	industry
ir.tud	irodalomtudomány	literary history
iron	ironikus, gúnyos	ironic
Írorsz	írországi angolság	Irish English
isz	indulatszó	interjection
ját	játékok, kártyajátékok	games, card games
jelzői haszn.	jelzői használatban	attributively
jog	jogtudomány	law, legal term
Kan	Kanada; kanadai angolság	Canada; Canadian English
kat	katonaság, hadtudomány	military term
kb.	körülbelül	approximately
kert	kertészet	horticulture
kif	kifejezés, szólás, állandósult szókapcsolat	set phrase, idiom
kölcs nm	kölcsönös névmás	reciprocal pronoun
körny	környezetvédelem, ökológia	environmental protection, ecology
közg	közgazdaságtan	economics
közl	közlekedés, közút, vasút	public transportation
közm	közmondás	proverb
ksz	kötőszó	conjunction
kül	külügy, nemzetközi kapcsolatok, diplomácia	foreign affairs, international relations, diplomacy
latin	latin	Latin term
márkanév	márkanév	proprietary name
mat	matematika	mathematics
média	sajtó, média	media
meteo	meteorológia	meteorology
mezőg	mezőgazdaság	agriculture
mn	melléknév	adjective
mut nm	mutató névmás	demonstrative pronoun
műsz	műszaki, mérnöki kifejezés	technical term, engineering
műv	művészet, képzőművészet	art
német	német eredetű	of German origin
népr	néprajz	ethnography
nm	névmás	pronoun
növ	növénytan	botany
nyelv	nyelvtudomány, nyelvtan	linguistics, grammar
nyomd	nyomdászat	printing
okt	oktatás, iskola, nevelés	education, school (term)
olasz	olasz eredetű	of Italian origin
orosz	orosz eredetű	of Russian origin
orv	orvostudomány (összes ágazata)	(all branches of) medicine
összet	összetételben	in compounds
pej	elítélő, pejoratív szóhasználat	pejorative, derogatory usage
pénz	pénzügyek, bank és tőzsde	finance, stock exchange
pl.	például	for example
pol	politika, politológia, diplomácia	politics, political science, diplomacy

pp	múlt idejű melléknévi igenév	past participle
pr.p	jelen idejű melléknévi igenév	present participle
pszich	pszichológia	psychology
pt	(egyszerű) múlt idő	(simple) past tense
régész	régészet	archeology
rendsz.	rendszerint	usually
rep	repülés, repülőgépek	aviation, airplanes
ritk	ritka, ritkán	rare(ly)
röv	rövidítve, rövidítés	abbreviated, abbreviation
sg	valami	something
Sh	Shakespeare	Shakespeare
si	segédige	auxiliary
skót	skót szóhasználatban	Scottish usage
sp	sport	sports
spanyol	spanyol eredetű	of Spanish origin
stand	köznyelvi, semleges stilisztikai értékű	standard, stylistically neutral
stb.	s a többi	etcetera/etc.
swhere	valahol	somewhere
sy	valaki	somebody
szính	színház	theatre
szl	szleng	slang
szn	számnév	numeral
tabu	tabu, kerülendő szó/használat	taboo
táj	tájnyelvi	regional usage
távk	távközlés	telecommunications
tex	textilipar	textile industry
tni	tárgyatlan ige	intransitive verb
tört	történettudomány, történelem	history
tsi	tárgyas ige	transitive verb
tsz	többes szám	plural
tud	tudományos szó/kifejezés	scientific term
tul	tulajdonnév	proper name
US	amerikai angol szóhasználat	American usage
űr	űrkutatás	space research
v.	vagy	or
vad	vadászat	hunting
vál	választékos szóhasználat	refined usage
vall	vallás, egyházak	religion
vegy	vegyészet, kémia	chemistry
vhol	valahol	somewhere
vill	villamosságtan	electricity
vízügy	vízerőtan, vízgazdálkodás	hydraulics, water engineering
vk	valaki	somebody
vm	valami	something
vmely	valamely	some
W	Wales; walesi/velszi nyelven	Wales, Welsh
zene	zeneművészet, zenetudomány	music, musicology

JELEK – SIGNS

~ a címszót helyettesíti
stands for the headword

→ „ugyanaz, mint”, illetőleg „lásd még”
“same as” and/or “see also”

‹ › az angol szó jelentésének körülírása, ha a szónak nincs magyar megfelelője
definition of the meaning of the English word when there is no equivalent in Hungarian

[ ] a magyar megfelelőket magyarázó dőlt szedésű szöveg
Hungarian in italics disambiguating the meanings of English words

/ a vagylagosságot, felcserélhetőséget jelzi két szó között
slash used between interchangeable words

( ) a szavak, illetve kifejezések elhagyható, kiegészítő részeit jelzi
indicates the complementary parts of words and phrases

• a címszóból képzett, önálló címszóként nem szereplő alakokat vezeti be
intruduces words derived from others that do not appear in the dictionary as independent entries

A

A¹, **a** [eɪ] *fn tsz* **a's 1.** a (betű/hang); **A for Alpha** A mint Aladár; **from A to Z** ától-cettig, elejétől végéig, teljes egészében **2.** *zene* a (hang); **give the tuning ~** megadja a normál á-t **3.** *okt* jeles, kitűnő *[osztályzat iskolában]*

A², **a** *röv* **1.** *ampere* **2.** *Ångstrom* **3.** *argon* **4.** *Austria*

a¹ [ə, eɪ] *htlan ne* **1.** egy, egy bizonyos, egy meghatározott; **a house** (egy) ház; **a Mr. Brown** egy bizonyos Brown úr; **he hasn't got a penny** egy krajcárja/vasa sincs **2. a) one and a half** másfél; **a shilling a dozen** tucatja egy shilling; **six pieces a head** fejenként 6 darab; **half a pound** fél font; **four times a week** négyszer egy héten, hetenként négyszer **b) at a draught** egy húzásra/slukkra; **in a measure** egy bizonyos mértékben/fokig; **all of a size** azonos méretű, egy méretű; **we are of a mind** egy véleményen vagyunk; egyet gondolunk; egyetértünk (vmben); **come and see me on a Tuesday** gyere el (v. ugorj fel) hozzám egy keddi napon (v. valamelyik kedden); **they were killed to a man** elpusztultak (v. megölték őket) egy szálig, mind odavesztek **3. many a** jó egynéhány/pár; **a few** néhány, pár, egy kevés; **a great many** sok, számos; **not a one** egy sem

a² [ə] *utótag biz* **1. kinda** *kind of* **2. mighta** *might have* **3. oughta** *ought to*

a- [ə] *előtag* ‹nyomatékosító értelemben v. az egykori *on*-előrag maradványaként› ... közben, ... alatt, -va, -ve; **a-singing** éneklés közben, énekelve

A1 *röv* **1.** első osztályú hajó *[Lloydnál]* **2.** *kat* frontszolgálatra alkalmas **3.** *biz* elsőrendű; kitűnő *[minőség]*

AA *röv* **1.** *US Alcoholics Anonymous* **2.** *GB Automobile Association*

AAA *röv US American Automobile Association* Amerikai Autóklub

Aaron ['eərən ‖ 'er–] *tul* **1.** Áron **2.** *átv* főpap

aback [ə'bæk] *hsz hajó* vissza *[fog a vitorla]*, hátba *[kapja a szelet a vitorla]*

abacus ['æbəkəs] *fn* **1.** (golyós) számológép **2.** *épít* oszlopfőlap, oszlopfejlemez, abakusz

abaft [ə'bɑːft ‖ ə'bæft] **I.** *hsz hajó* hajó fara/tatja felé, hajó farához/tatjához közel, hátrafelé **II.** *elölj* **~ the mast** árboc mögött, a far/tat felőli részen

abandon [ə'bændən] **I.** *tsi* **1. a)** elhagy, cserbenhagy, sorsára hagy **b)** felad *[reményt]*, felhagy *[szokással]*, leszokik (vmről), lemond *[jogairól]*, letesz *[ötletről]* **c)** elhagy *[járművet, épületet]* **2. ~ oneself** átadja magát *[szenvedélynek]*; enged *[ösztöneinek]* **II.** *fn* **a)** hányavetiség, hanyagság, nemtörődömség **b)** féktelenség, fegyelmezetlenség, szabadosság, túlzott fesztelenség, zabolátlanság **c)** fesztelen viselkedés **d)** önfeledtség • *fn* **abandonment**

abandoned [ə'bændənd] *mn* **1.** elhagy(at)ott, magára hagyott/maradt, elárvult, lakatlan, kiürített *[jármű]*; **~ private property** elhagyott magántulajdon **2.** züllött, feslett (életű)

abase [ə'beɪs] *tsi* lealacsonyít, megaláz; **~ oneself** lealacsonyítja magát, megalázkodik • *fn* **abasement**

abash [ə'bæʃ] *tsi* zavarba hoz, kellemetlen helyzetbe hoz, meghökkent, elképeszt; **stand ~ed** zavarban van, kínosan érzi magát, kínban van • *fn* **abashment**

abate [ə'beɪt] **A.** *tsi* **1. a)** csökkent, kisebbít, ront, mérsékel, enyhít *[fájdalmat]* **b)** *jog* megszüntet *[eljárást]*, hatálytalanít, megsemmisít *[jogi rendelkezést]* **2.** *régi* tompít, élét elveszi *[szerszámnak, eszköznek]* **B.** *tni* **a)** csökken, fogy(atkozik), alábbhagy, megcsappan, kisebbedik, apad *[ár]*, enyhül, tompul *[fájdalom]*; **be abating** múlófélben van **b)** *jog* hatályát veszti, érvénytelenné válik • *fn* **abatement**

abatis ['æbətɪs], **abattis** *fn régi* **1.** fatorlasz, mesterséges akadály **2.** szögesdrót akadály

abattoir ['æbətwɑː ‖ –twɑr] *fn francia* (köz)vágóhíd

abbacy ['æbəsi] *fn* apáti rang, apátság

abbatial [ə'beɪʃl] *mn* apátsági, apáti

abbé ['æbeɪ ‖ æ'beɪ] *fn* abbé

abbess ['æbes ‖ 'æbəs] *fn vall* apátnő

abbey ['æbi] *fn* **1.** apátság *[intézmény, épület]* **2.** apátsági templom

Abbey Theatre *fn* ‹a dublini nemzeti színház›

abbot ['æbət] *fn* apát, rendházfőnök

abbr(ev). *röv abbreviation* rövidítés, röv.

abbreviate I. *tsi* [ə'briːvɪeɪt] rövidít *[nevet, szót]* **II.** *mn* [ə'briːvɪət] (le)rövidített

abbreviation [əˌbriːvi'eɪʃn] *fn* **1.** rövidítés *[szavak ábrázolása]* **2.** (le)rövidítés *[cselekvés]*

abdicate ['æbdɪkeɪt] *tsi/tni* **1.** lemond *[trónról, jogról]*, lemond, leköszön *[hivatali tisztségről]* **2.** kitagad

abdication [ˌæbdɪ'keɪʃn] *fn* lemondás *[trónról]*, leköszönés *[tisztségről]*

abdomen ['æbdəmən] *fn* **1.** *orv* has(üreg), altest **2.** *áll* potroh

abdominal [æb'dɒmɪnl ‖ –'dɑ–] *mn orv* **1.** has(üreg)i, altesti; **~ cavity** hasüreg; **~ pain** hastáji fájdalom **2.** *áll* potroh-, potrohi

abduct [æb'dʌkt] *tsi* **1.** *jog* (erőszakkal) elrabol, elszöktet (vkt) **2.** *orv* elmozdít *[a test tengelyéhez képest]*, eltávolít

abductor [æb'dʌktə ‖ –ər] *fn* **1.** *jog* leányszöktető, nőrabló, gyermekrabló **2.** *orv* távolító izom

Abe [eɪb] *tul bec* Abraham

abeam [ə'biːm] *hsz hajó rep* oldalára merőlegesen; **with the wind ~** oldalszéllel; **right ~** éppen oldalt, oldalirányban (a hajótól)

abecedarian [ˌeɪbiːsiː'deərɪən ‖ –'der–] *mn* **1.** betűrendi, alfabetikus **2. a)** elemi, kezdeti fokon levő **b)** tudatlan

Abel ['eɪbl] *tul* Ábel

abele [ə'biːl, 'eɪbl] *fn növ* fehér/ezüst nyárfa

Aberdeen [ˌæbə'diːn ‖ –bər–] *tul földr* Aberdeen

Aberdonian [ˌæbə'dounɪən ‖ ˌæbər–] *mn/fn* aberdeeni

aberrant [æ'berənt] *mn* **1.** *biol* (átlagostól) eltérő, eltévedt **2.** megtévedt, eltévelyedett **3.** *orv* eltévelyedett, aberrált • *fn* **aberrance, aberrancy**

aberration [ˌæbə'reɪʃn] *fn* **1.** letérés, letévedés *[útról]*, *átv* tévelygés, tévút **2.** *jog* elmezavar; **momentary mental ~** pillanatnyi elmezavar **3.** *fiz mat* eltérés, elhajlás **4.** *fényk* torzítás **5.** *biol* rendellenesség, aberráció

abet [ə'bet] *tsi* **-tt- 1. ~ sy in a crime** felbujt vkt bűntett elkövetésére **2.** elősegít *[bűntettet]*, részt vesz, közreműködik *[bűncselekményben]*

abetment [ə'betmənt] *fn jog* bűnpártolás; **~ in crime** bűnsegédi bűnrészesség

abetter [ə'betə ‖ –ər] *jog* bűnsegéd; **~ of a crime** bűnrészes, bűntárs, felbujtó

abetting [ə'betɪŋ] **I.** *mn* felbujtó, bűnpártoló **II.** *fn* **aiding and ~** bűnrészesség és felbujtás

abettor [ə'betə ‖ –ər] → **abetter**

abeyance [ə'beɪəns] *fn* **in ~** függőben lévő, felfüggesztett, hatályon kívül helyezett; **fall into ~** felfüggesztésre kerül; hatályon kívül helyezik; *jog* **in ~** uratlan, gazdátlan, örökös nélküli • *mn* **abeyant**

abhor [əb'hɔː ‖ æb'hɔr] *tsi* **-rr-** irtózik, iszonyodik (vmtől), utál (vmt); **she ~s cruelty to animals** az állatokkal való kegyetlenkedés borzalommal tölti el • *fn* **abhorrer**

A

abhorrence [əbˈhɒrəns || –ˈhɔr–] *fn* **1.** irtózás, iszony(at) **2.** gyűlölet/utálat tárgya; **hypocrisy is my ~** gyűlölöm a képmutatást

abhorrent [əbˈhɒrənt || –ˈhɔr–] *mn* **1.** elrémítő, iszonyatos, visszataszító **2.** összeegyeztethetetlen, ellentmondó

abide [əˈbaɪd] *i pt/pp* **abode** [əˈboud], **abided A.** *tsi* **1.** kiáll, elvisel, eltűr; **~ the test** (ki)állja a próbát; **I can't ~ him!** (ki) nem állhatom!; **he couldn't ~ to look at it** rá sem bírt nézni **2.** bevár, megvár, kivár; **I ~ my time** kivárom az alkalmat, eljön még az én időm **B.** *tni* **1.** *régi vál* marad, időz, tartózkodik, lakik **2. a) ~ by sg** tartja magát vmhez; **~ by the law** megtartja a törvényt; **~ by a promise** állja a szavát; megtartja ígéretét **b) he will ~ by his opinion** kitart a véleménye mellett, ragaszkodik álláspontjához **3.** *Sh* felel, lakol, bűnhődik (vmért) • *fn* **abidance**, **abider**

abiding [əˈbaɪdɪŋ] *mn* maradandó, időtálló, tartós • *hsz* **abidingly**

Abigail [ˈæbɪgeɪl] **I.** *tul* Abigél **II.** *fn* szobalány, komorna

ability [əˈbɪləti] *fn* **1. a)** képesség **b)** *jog* jogosultság **c)** *skót* testi/fizikai erő **2.** tehetség, ügyesség, készség; **do sg to the best of one's ~** legjobb tudása szerint tesz/csinál vmt **3. a)** szellemi adottság/képesség **b)** vagyon, gazdagság, fizetőképesség

abiogenesis [ˌeɪbaɪouˈdʒenɪsɪs] *fn* ősnemzés, ősfejlődés, abiogenezis • *mn* **abiogenic**

abiosis [ˌeɪbaɪˈousɪs] *fn biol* ‹az érzékelhető élet megszűnése› életképtelenség, abiózis

abiotic [ˌeɪbaɪˈɒtɪk || –ˈɑtɪk] *mn biol* élettelen, abiotikus

abirritant [æˈbɪrɪtənt] *mn orv* ingercsökkentő, csillapító, nyugtató

abirritation [æˌbɪrɪˈteɪʃn] *fn orv* **1.** gyenge reagálás **2.** gyengeség, kimerültség

abject [ˈæbdʒekt] *mn* **1.** nyomorult, nyomorúságos, szánalmas; **live in ~ poverty** (legsötétebb) nyomorban él; **~ terror** pánik, páni rémület **2. a)** aláváló, aljas, hitvány **b)** szolgalelkű, talpnyaló • *fn* **abjectness** *hsz* **abjectly**

abjection [æbˈdʒekʃn] *fn* **1. a)** megalázás **b)** megalázottság **2. a)** nyomorúság **b)** letörtség **3.** aláválóság

abjure [əbˈdʒuə || æbˈdʒur] *tsi* **1.** (eskü alatt) megtagad *[hitet]*, (eskü alatt) lemond *[követelésről]* **2.** önkéntes száműzetést fogad • *fn* **abjuration**

Abkhaz [æbˈkɑːz] → **Abkhazian**

Abkhazian [æbˈkeɪzɪən, –ʒən] **I.** *fn* abház *[ember]* **II.** *mn* **a)** abház *[nyelv]* **b)** abház(iai)

ablation [æbˈleɪʃn] *fn* **1.** *orv* eltávolítás, levétel *[szöveté, testrészé]* **2.** *geol* lehordás; elhordás *[víz/szél által]*, leolvadás *[gleccseré, jéghegyé]* • *tsi* **ablate**

ablative [ˈæblətɪv] **I.** *fn nyelv* ablativus **II.** *mn nyelv* **~ case** ablativus eset

ablaut [ˈæblaut] *fn nyelv* (tő)hangzóváltozás, ablaut

ablaze [əˈbleɪz] *mn/hsz* lángoló, ragyogó, tündöklő, sugárzó, *átv* lángvörös *[indulattól]*; **be ~ with light** fényárban úszik; **her face was ~ with anger** lángvörös volt az arca a dühtől

able [ˈeɪbl] *mn* **1. a) be ~ to do sg** tud vmt tenni; csinálhat/tehet vmt, -hat, -het; **I will not be ~ to write today** ma nem tudok (v. fogok tudni) írni; **I was not ~ to resist** nem tudtam ellenállni **b)** képes (vmre); *kat* **~ for duty** katonai szolgálatra alkalmas; **~ to work** munkaképes; **I do as I am ~** azt teszem, ami tőlem telik **2.** ügyes, hozzáértő, rátermett; **~ piece of work** tehetségre valló (v. dicséretre méltó) munka; **the ~st man in the trade** a legjobb/legügyesebb ember a szakmában

able-bodied *mn* erős, egészséges, jó erőben levő, *kat* katonai szolgálatra alkalmas; *hajó* **~ seaman** (speciális kiképzést kapott) tengerész közlegény, matróz

abled → **able-bodied**

able-minded *mn* értelmes, fogékony, gyors felfogású

abloom [əˈbluːm] **I.** *mn* virágzó, virágba borult **II.** *hsz* virágozva, virágjában

ablush [əˈblʌʃ] **I.** *mn* piruló, elvörösödött **II.** *hsz* elpirulva, elvörösödve

ablution [əˈbluːʃn] *fn* (szertartásos) mosakodás/mosdás, ablutio; **perform one's ~s** tisztálkodik, (meg)mosdik • *mn* **ablutionary**

ably [ˈeɪbli] *hsz* ügyesen, hathatósan, hozzáértéssel, rátermetten, szakértelemmel

abnegate [ˈæbnɪgeɪt] *tsi* megtagad magától *[örömöt, élvezetet]*, megtagad *[hitet]*, lemond *[kiváltságról, jogról]*

abnegation [ˌæbnɪˈgeɪʃn] *fn* **1.** megtagadás *[tané, hité]* **2.** lemondás, önmegtagadás, önfeláldozás

abnormal [æbˈnɔːməl || –ˈnɔr–] *mn* **1.** rendellenes, természetellenes, szabálytalan, szokatlan, abnormális **2.** kóros, beteges, torz • *hsz* **abnormally**

abnormality [ˌæbnɔːˈmæləti || –nɔr–] *fn* **1.** rendellenesség, természetellenesség, szabálytalanság **2. a)** kóros jelenség, torzság **b)** különösség, szokatlanság

Abo [ˈæbou] *fn Ausz biz* őslakos, bennszülött

aboard [əˈbɔːd || əˈbɔrd] **I.** *hsz* **1. a)** hajón, repülőgépen, vonaton, hajó/repülőgép fedélzetén; **all ~!** mindenki a fedélzetre!, beszállás! **b)** hajóra, repülőgépre, vonatra **2.** *hajó* közvetlenül mellette **II.** *elölj* **~ (a) ship** hajón; hajóba rakva; **~ a train** vonaton, vonatban; *US* **~ a bus** autóbuszon; **~ a camel** teveháton

abode[1] [əˈboud] *fn* lakóhely, tartózkodási hely; **of/with no fixed ~** bejelentett lakással nem rendelkező; **place of ~** állandó/bejelentett lakóhely/lakás

abode[2] → **abide**

abolish [əˈbɒlɪʃ || əˈbɑ–] *tsi* eltöröl, megszüntet *[intézményt]*, véget vet (vmnek), érvénytelenít *[intézkedést]*, hatályon kívül helyez *[törvényt]*, megsemmisít *[határozatot]* • *fn* **abolisher**, **abolishment** *mn* **abolishable**

abolition [ˌæbəˈlɪʃn] *fn* **1.** eltörlés, megszüntetés, érvénytelenítés **2.** *US tört* a rabszolgaság megszüntetése, abolíció

abolitionism [ˌæbəˈlɪʃənɪzm] *fn US tört* rabszolga-felszabadítási mozgalom, abolicionizmus

abolitionist [ˌæbəˈlɪʃənɪst] *fn US tört* a rabszolga-felszabadítás híve, abolicionista

abomasum [ˌæbouˈmeɪsəm] *fn tsz* **abomasa** *állatorv* oltógyomor, abomasum • *mn* **abomasal**

A-bomb [ˈeɪbɒm] *röv atomic bomb* atombomba

abominable [əˈbɒmɪnəbl || əˈbɑ–] *mn* **1.** utálatos, undorító, förtelmes, visszataszító; **A~ Snowman** jeti, himalájai (óriási) majomember **2.** *biz* pocsék, kellemetlen, vacak *[pl. időjárás]*

abominate [əˈbɒmɪneɪt || əˈbɑ–] *tsi* utál, gyűlöl, ki nem állhat

abomination [əˌbɒmɪˈneɪʃn || əˌbɑ–] *fn* **1.** utálat, undor, irtózat **2. a)** irtózat/gyűlölet tárgya; **it is an ~ before the Lord to...** valósággal/valóságos szentségtörés **b)** *biz* **this coffee is an ~** valami borzalmas/förtelem ez a kávé

aboral [æbˈɔːrəl] *mn orv* szájtól távoli, aborális

aboriginal [ˌæbəˈrɪdʒənl] **I.** *mn* **1.** ősállapotban levő, ősi, őslakos, ős- **2.** *[főleg ausztráliai]* bennszülött/őshonos/őslakó **II.** *fn* **A~** (ausztráliai) bennszülött/őslakó • *fn* **aborigine**, **Aborigine**

abort [əˈbɔːt || əˈbɔrt] **I. A.** *tsi* **1.** elvetél *[magzatot]* **2.** elvetélést/abortuszt idéz elő (vknél) **3. a)** *átv* nem enged érvényesülni/megvalósulni/kifejlődni **b)** *átv* félbehagy, azonnal leállít **c)** *infor rep* leállít *[programot]* **B.** *tni* **1. a)** *orv* koraszülése van, elvetél, abortál **b)** *növ* csökevényesen fejlődik **2. a)** *átv* elvetél, semmi sem lesz belőle, meddőnek bizonyul, *kat biz* nem ér el eredményt **b)** azonnal leáll **II.** *fn* **1.** *infor* program megszakítása/leállítása **2.** félbehagyás, felfüggesztés

aborted [əˈbɔːtɪd || –ˈbɔr–] *mn* **1.** koraszülött, elvetélt, abortált **2.** tökéletlen, befejezetlen, kezdetleges, fejletlen, csökevényes

abortifacient [əˌbɔːtɪˈfeɪʃnt || –ˌbɔr–] *mn/fn orv* magzatelhajtó, magzatűző (szer)

abortion [əˈbɔːʃn || –ˈbɔr–] *fn* **1.** *orv* **a)** (el)vetélés, abortusz, abortálás; **spontaneous ~** spontán vetélés **b) (artificial/induced) ~** a terhesség művi megszakítása, terhességmegszakítás, művi vetélés/abortusz; **have an ~**

abortusza van, a terhességet megszakítja **2.** *növ* sorvadás, csökevényesedés **3. a)** *biz* torzszülött, korcs **b)** *biz* elrontott/elhibázott/félbemaradt dolog/munka, kudarc, balsiker; **the project proved an ~** a projekt kudarcot vallott

abortionist [ə'bɔːʃənɪst ‖ –'bɔr–] *fn* **1.** abortuszt támogató, abortuszpárti **2.** magzatelhajtó, abortőr

abortive [ə'bɔːtɪv ‖ –'bɔr–] *mn* **1. a)** korai, idő előtti *[szülés]* **b)** *biol* fejlődés kezdeti állapotában levő, kezdetleges *[szerv]* **c)** enyhe lefolyású, rövid ideig tartó, abortív *[betegség]* **d) ~ treatment** magzat elhajtása, terhesség művi megszakítása **e)** *növ* elkorcsosult, üres *[termésű]*, fejletlen *[gomba]* **2.** *biz* halva született, félbemaradt, elhibázott *[terv]*, meddő, sikertelen *[vállalkozás]*; **prove ~** eredménytelennek/meddőnek bizonyul; megbukik, kudarcba fullad • *hsz* **abortively**

aboulia [ə'buːlɪə] *fn orv* (kóros) akarathiány, akaratképtelenség, elhatározóképtelenség *[elmebetegé]*, abulia • *mn* **aboulic**

abound [ə'baʊnd] *tni* **1.** bőven/bőségesen (v. szép számmal) van **2. ~ in/with sg** (természettől fogva) bővelkedik/gazdag/dús(lakodik)/dúskál (vmben), bővében van (vmnek)

about [ə'baʊt] **I.** *elölj* **1. a)** (vk, vm) felől, -ról/-ről, után, miatt, (vmvel) kapcsolatban; **~ that** erről szólva, ami ezt illeti; **~ what?** miről?; **what is it all ~?** (tulajdonképpen) miről is van szó?; **what ~ that?** mit szólsz hozzá?, mi a véleményed róla?; *biz* **what ~ my breakfast?** mi van a reggelimmel?; **how ~ a game of chess?** nem volna kedved egy játszma sakkhoz?, játsszunk egy parti sakkot?; **what ~ you?** hát veled/magával mi van?; no és te/maga?; **be quick ~ it!** gyorsan fogj/láss hozzá!; siess vele!; csak gyorsan-gyorsan!; egy-kettő! **b)** vmlyen célból, vm miatt; **go ~ one's task** nekilát a dolgának/feladatának; **it was ~ her that the quarrel arose** őmiatta tört ki a veszekedés **2. a)** vk/vm körül/köré; **they gathered ~ the fire** a tűz köré gyűltek; **beat ~ the bush** *biz* köntörfalaz, kerülgeti, mint a macska a forró kását **b)** közel vmhez, -nál, -nél; **~ town** a városban, a város környékén; **I have no money ~ me** nincs nálam pénz; **there is something uncommon ~ him** van benne vm rendkívüli/furcsa/szokatlan **c)** körülbelül, közel, megközelítőleg, cirka; **he is ~ 30** körülbelül 30 éves, 30 körül jár; **be ~ right** nagyjából igaza van; **it is ~ done** már nem sok híja (és kész); **it is ~ time to...** itt az ideje, hogy...; *iron* már éppen/legfőbb ideje, hogy... **d)** táján, tájban *[időben]*; **he arrived ~ 5 o'clock** 5 óra körül/felé/tájban jött/érkezett (meg) **II.** *hsz* **1. a)** mindenfelé, körös-körül; **follow sy ~** nyomon követ, kísérget (vkt); **order sy ~** ide-oda küldözget, ugráltat (vkt), parancsolgat (vknek); **there were several men lying ~ on the grass** a gyepen mindenfelé emberek hevertek; **don't leave waste paper ~!** ne szórd el a papírt! ne szemetelj!; **he is ~ again** már talpon van (v. kijár) *[beteg]* **b)** nem messze, a közelben, a környéken; **he must be somewhere ~** itt kell lennie vhol; **there was nobody ~** senki sem volt látható (v. a közelben); **flu is ~** influenzajárvány van (a környéken); **it's a long way ~** nagy kerülő **2. be ~ to do sg** készül (vmt) tenni; azon a ponton van, hogy...; **be ~ to leave** menőfélben/indulófélben van; **what were you ~ to say?** mit is akartál mondani? **3. a)** ellenkező irányba(n) **b)** felváltva; **do sg turn (and turn) ~** sorjában (v. egymás után) csinálnak vmt

about-face *US* **I.** *fn* (teljes) fordulat, *kat* hátra arc, *átv* pálfordulás **II.** *tni* hátraarcot csinál, sarkon fordul

about-turn *GB* → **about-face**

above [ə'bʌv] **I.** *elölj* **1. a)** fölé, felett; **one ~ the other** egymás fölé/felett; **the water reached ~ their knees** a víz a térdük fölé emelkedett; **a hill rises ~ the lake** hegy emelkedik a tó fölött **b) ~ all** mindenekelőtt, mindenekfelett; legelsősorban, legfőképp; **he is ~ me in rank** felettem áll rangban; felettesem **c) get ~ oneself** *biz* magas lovon ül, nagy a szája **2.** (vmt) felülmúló/meghaladó; **it is ~ me** (v. **my comprehension/head)** *biz* ez nekem magas; **be ~ suspicion** felette áll minden gyanúnak; a gyanú árnyéka sem férhet hozzá; **he is ~ criticism** őt nem illetheti bírálat; **he is ~ telling a lie** a világért sem mondana valótlanságot; **live ~ one's means** erején túl költekezik **3.** több mint, felül; **over and ~** azonkívül, vmn felül; **~ forty** több mint negyven; negyvenen felül; **~ the average** átlagon felül **II.** *hsz* **1.** felett, felül, fent; **from ~** felülről, fentről, *átv* az égből; **view from ~** felülnézet; **the Powers ~** az égi hatalmak; **a voice from ~** felülről jövő hang; égi hang **2.** fentebb; **as ~** mint fent; **the article referred to ~** a fentiekben idézett cikkely, a hivatkozott paragrafus **III.** *mn* fenti, fent említett, fentebbi; **the ~ facts** a fenti/felsorolt tények; **the ~ person** a fent nevezett személy **IV.** *fn* a fenti, a fent említett, az idézett

aboveboard I. *mn* nyílt, őszinte *[viselkedés]*, tisztességes, becsületes, fair, korrekt *[eljárás, üzlet]* **II.** *hsz* **above board** nyíltan; **play fair and ~** nyílt kártyákkal játszik, tisztességesen jár el

ab ovo [ˌæb'oʊvoʊ] *hsz latin* a kezdet kezdetétől, kezdettől/elejétől fogva, legelejétől, eleve

abracadabra [ˌæbrəkə'dæbrə] **I.** *isz* abrakadabra, csiribí-csiribá **II.** *fn* varázserejű/bűvös szó, varázsige

abrade [ə'breɪd] **A.** *tsi* **a)** ledörzsöl, lehorzsol, levakar **b)** (le)koptat, lecsiszol, felhorzsol *[bőrt]* **c)** *geol* letarol, abradál, erodál *[kőzetet]* **B.** *tni* ledörzsölődik, felhorzsolódik, lehorzsolódik, lekopik • *fn* **abrader**

Abraham ['eɪbrəhæm] *tul* Ábrahám

abrasion [ə'breɪʒn] *fn* **1.** (le)horzsolás, (le)dörzsölés, koptatás, csiszolás **2.** (le)dörzsölődés, (le)morzsolódás, kopás, elhasználódás *[pénzdarabé]*, *geol* abrázió **3.** *orv* horzsolás, karcolás *[bőrön]* **4.** *pol* súrlódás, konfliktus, ellentét

abrasive [ə'breɪsɪv] **I.** *mn* **1.** köszörülő, csiszoló, koptató; **~ paper** csiszolópapír, dörzspapír, *biz* smirgli(papír) **2.** *átv* nyers *[hang, természet]*, rámenős *[egyéniség]*, durva, goromba **II.** *fn* csiszolóanyag

abreact [ˌæbri'ækt] *tsi pszich* lereagál

abreaction [ˌæbri'ækʃn] *fn pszich* lereagálás • *mn* **abreactive**

abreast [ə'brest] *hsz* **1.** egymás mellett, váll váll (v. fej fej) mellett; **march two ~** párosával/kettesével mennek; kettős sorokban menetelnek **2.** *átv* **keep ~ of/with sg** lépést tart vmvel; **be/keep ~ of/with the times** lépést tart (v. halad) a korral **3.** jól informált/értesült (vmről)

abridge [ə'brɪdʒ] *tsi* **1.** kivonatol *[könyvet]*, (le)rövidít, megkurtít *[szöveget]* **2.** megnyirbál, korlátoz *[jogokat]*, csökkent *[hatáskört]* • *fn* **abridger** *mn* **abridgeable**

abridged [ə'brɪdʒd] *mn* rövidített; **~ edition** rövidített/kivonatos kiadás

abridgment [ə'brɪdʒmənt], **-ement** *fn* **1.** (tartalmi) kivonat, kivonatos/lerövidített írásmű **2. a)** (meg)rövidítés, lerövidítés, összevonás **b)** kivonatolás *[írásműé]* **c)** csökkentés *[kiadásoké]*, megnyirbálás *[hatásköré]*, korlátozás *[jogoké]*

abroad [ə'brɔːd] *hsz* **1.** külföldön, idegenben, külföldre; **from ~** külföldről; **go ~** külföldre megy/utazik; *gazd* **payable ~** külföldön fizetendő **2.** széltében-hosszában, mindenfelé; **there's a rumour ~ that** az a hír járja hogy, úgy hírlik hogy, azt beszélik hogy

abrogate ['æbrəgeɪt] *tsi* hatályon kívül helyez, érvényteleníti, visszavon *[törvényt]*, megszüntet, eltöröl *[szokást]* • *fn* **abrogation**, **abrogator**

abrupt [ə'brʌpt] *mn* **1. a)** hirtelen, váratlan, összefüggéstelen, szaggatott, kapkodó *[stílus]*; **come to an ~ halt** hirtelen megáll **b)** meredek, hirtelen esésű **c)** lökésszerű **2.** udvariatlan, nyers *[modor]* **3.** *növ* (le)nyesett, megnyesett • *fn* **abruptness** *hsz* **abruptly**

ABS *röv gk anti-lock braking system, antilock brake* blokkolásgátló fékberendezés/rendszer, ABS

abscess ['æbses] *fn orv* tályog • *mn* **abscessed**

abscissa [æb'sɪsə] *fn tsz* **abscissae** [–siː], **abcissas** *mat* abszcissza; **axis of ~s** abszcisszatengely

abscission [æb'sɪʃn, –'sɪʒn] *fn* **1.** lemetszés, kimetszés **2.** *növ* lombhullatás, lombhullás

A

abscond [əb'skɒnd ‖ əb'skɑnd] *tni* elszökik, megszökik *[törvény/hitelezők elől]* • *fn* **absconder**
abseil ['æbseɪl] **I.** *fn* leereszkedés **II.** *tni* ~ **down** leereszkedik *[kötél segítségével sziklafalról, helikopterből]*
absence ['æbsns] *fn* **1.** távollét, hiányzás, távolmaradás; **in the ~ of sy** vk távollétében; **~ with leave** engedélyezett távollét, eltávozás; **~ without leave** engedély nélküli távollét/eltávozás/kimaradás **2.** hiány; **~ of vitamin** vitaminhiány; **in the ~ of sg** vmnek híján/hiányában **3. ~ (of mind)** szórakozottság, figyelmetlenség
absent I. *mn* ['æbsənt] **1.** távol levő, távol maradó, hiányzó (személy); **be ~** hiányzik, nincs jelen; **~ with leave** engedéllyel hiányzik, eltávozási/kimaradási engedélye van; **~ without leave** engedély nélkül van/marad távol (v. hiányzik); nincs eltávozási/kimaradási engedélye **2.** nem levő/létező, hiányzó (vm) **3.** szórakozott, figyelmetlen **II.** *tsi* [æb'sent] **~ oneself** távol marad, távol tartja magát
absentee [ˌæbsn'tiː] *fn* távollevő; hiányzó, távol maradó személy, munkahelyén meg nem jelenő dolgozó; *kat* bevonulási parancsnak nem engedelmeskedő katona
absenteeism [ˌæbsn'tiːɪzm] *fn* **1.** gyakori/rendszeres/igazolatlan hiányzás/távolmaradás *[munkahelyről, szolgálatból]*, munkakerülés, iskolakerülés **2.** *kat* önkényes távolmaradás
absenteeist [ˌæbsn'tiːɪst] *fn* munkakerülő
absent-minded *mn* **a)** szórakozott, figyelmetlen, szétszórt **b)** feledékeny • *fn* **absent-mindedness** *hsz* **absent-mindedly**
absinth ['æbsɪnθ], **absinthe** *fn* **1.** *gaszt* abszint **2.** *növ* fehér üröm
absolute ['æbsəluːt] **I.** *mn* **1. a)** teljes, tökéletes, korlátlan, abszolút; **~ alcohol** abszolút/tiszta/vízmentes alkohol; **~ majority** abszolút többség; **~ temperature** abszolút hőmérséklet; *mat* **~ value** abszolút érték; *fiz* **~ zero** abszolút zérus *[−273,15 C°]* **b)** *biz* teljes, tiszta, valódi, igazi, kimondott; **it is an ~ nonsense** ez hatalmas/tiszta ostobaság, abszolút marhaság **c)** *fil* feltétlen, független, örök érvényű, abszolút *[igazság stb.]* **d)** *nyelv* önálló, független *[szerkezet, szókapcsolat]*, abszolút, tárgyatlan használatú *[tárgyas ige]* **2. a)** ellentmondást nem tűrő, határozott, parancsoló *[hang, modor]* **b)** *jog* feltétlen, végérvényes, jogerős, kizárólagos *[tulajdon, jog]*; *jog* **~ decree** jogerős ítélet **c) ~ ruler/monarch** korlátlan hatalmú (v. abszolutisztikus) uralkodó, egyeduralkodó **II. 1.** *fn fil* abszolútum **2.** *vall* végső valóság, Isten • *fn* **absoluteness**
absolutely ['æbsəluːtli] *hsz* **a)** feltétlen(ül), teljesen, abszolúte; **~ necessary** feltétlenül/okvetlenül szükséges; **it is ~ correct/true** teljesen/tökéletesen igaz, pontosan úgy/így van; **it is ~ forbidden to...** szigorúan tilos **b)** *biz* **~!** úgy van!, úgy, ahogy mondja!, pontosan (erről van szó)! **c)** korlátlanul *[uralkodik]* **d)** *nyelv* tárgy nélkül
absolution [ˌæbsə'luːʃn] *fn* **1.** felmentés *[vád alól]*, kegyelem **2.** *vall* feloldozás, bűnbocsánat
absolutism ['æbsəluːtɪzm] *fn* **1. a)** *pol* abszolutizmus, korlátlan hatalom elve, önkényuralom, zsarnokság **b)** feltétlenség, kizárólagosság **2.** *fil* az egyetemes és mindentől független (v. abszolút) létező elve • *fn/mn* **absolutist**
absolve [əb'zɒlv ‖ −'zɑlv] *tsi* **1. a)** feloldoz; **he was ~d all blame for...** teljesen mentesült a vád alól hogy... **b)** *vall* felold(oz), megbocsát *[bűnt vknek]* **2.** felment, felold *[felelősség/eskü alól]*, mentesít *[következményektől]*; **~ sy from an obligation** mentesít/felment (vkt) kötelezettsége alól
absorb [əb'sɔːb, −'zɔːb ‖ −'sɔrb, −'zɔrb] *tsi* **1. a)** elnyel, felszív, magába szív, beiszik, abszorbeál *[folyadékot]* **b)** *fiz vegy* elnyel, abszorbeál *[hőt, energiát]*, befog **c)** csökkent, enyhít, csillapít, felfog, elnyel; **~ a sound** hangot tompít/elnyel **2.** (át)vállal, fedez, áll *[költséget]* **3.** leköt, lefoglal *[figyelmet]*; **his work ~s him** teljesen elmerül/belemélyed a munkájába; munkája teljesen leköti; **be ~ed in sg** teljesen belemerül/belefelejtkezik vmbe • *fn* **absorbability, absorber** *mn* **absorbable**
absorbed [əb'sɔːbd, −'zɔːbd ‖ −'sɔrbd, −'zɔrbd] *mn* elmerült, elmélyedt • *hsz* **absorbedly**
absorbent [əb'sɔːbənt, −'zɔː− ‖ −'sɔr−, −'zɔr−] **I.** *mn* elnyelő, felszívó, abszorbeáló, abszorbens, *fiz* sugárzást elnyelő; **~ cotton-wool** higroszkópos vatta **II.** *fn* abszorbens (anyag), elnyelőanyag, hangnyelő anyag/közeg, nyelő • *fn* **absorbency**
absorbing [əb'sɔːbɪŋ, −'zɔː− ‖ −'sɔr−, −'zɔr−] *mn* **1.** figyelmet lekötő, (teljes) elmélyülést igénylő, rendkívül érdekes, érdekfeszítő **2.** felszívó, elnyelő, abszorbens
absorption [əb'sɔːpʃn, −'zɔː− ‖ −'sɔr−, −'zɔr−] *fn* **1. a)** elnyelés, felszívás, abszorpció **b)** *biol* felszívódás *[tápláléké]* **2.** csökkentés, csillapítás *[rezgésé]*, halkítás, tompítás *[hangé]* **3.** (szellemi) elmélyedés, elmerülés, feloldódás • *mn* **absorptive**
abstain [əb'steɪn] *tni* **1. ~ from (doing) sg** tartózkodik vmtől (v. vm fogyasztásától); **~ from meat** nem eszik (többé) húst **2.** tartózkodik a szeszes italtól, nem iszik (szeszes italt) **3.** tartózkodik *[szavazásnál]* • *fn* **abstainer**
abstemious [əb'stiːmɪəs] *mn* mértékletes, önmegtartóztató *[személy, életmód]* • *fn* **abstemiousness** *hsz* **abstemiously**
abstention [əb'stenʃn] *fn* **1.** tartózkodás **2.** tartózkodás *[szavazástól]*; **six votes in favour, two ~s** 6 igen szavazat, 2 tartózkodás
abstentionism [əb'stenʃənɪzm] *fn pol* a félreállás/tartózkodás politikája • *fn* **abstentionist**
abstinence ['æbstɪnəns] *fn* önmegtartóztatás, absztinencia, tartózkodás
abstinent ['æbstɪnənt] **I.** *mn* önmegtartóztató, mértékletes, szeszes italtól tartózkodó, absztinens **II.** *fn* a szesztilalom híve • *hsz* **abstinently**
abstract I. *mn* ['æbstrækt] **1.** elvont, absztrakt, elméleti, valóságtól elvonatkoztatott *[gondolkodás, művészet]* **2.** *biz* homályos, nehezen érthető/felfogható **II.** *tsi* [æb'strækt] **1. a)** kivonatot készít, kivonatol **b)** elvon *[figyelmet]*; **his mind was ~ed by other objects** más dolgok foglalkoztatták (v. kötötték le a figyelmét) **c)** *vegy* kivon, *fiz* elvon *[hőt]* **d)** eltulajdonít, elvesz, elemel, ellop; **his watch was ~ed from him in the crowd** a nagy tömegben kiemelték/elcsenték az óráját **2.** elvonatkoztat, elkülönít *[fogalmat, tulajdonságot]* **III.** *fn* ['æbstrækt] **1. the ~** az absztrakt(um); **in the ~** elvontan; elméletben; absztrakt/elméleti szempontból **2.** *tud* (rövid) (tartalmi) kivonat, absztrakt **3.** *vegy* kivonat, abstractum • *fn* **abstractor** *hsz* **abstractly**
abstracted [əb'stræktɪd] *mn* **1.** szórakozott, figyelmetlen, gondolatokba mélyedt/mélyedő **2.** elvonatkoztatott, absztrakt • *hsz* **abstractedly**
abstraction [əb'strækʃn] *fn* **1. a)** elvonatkoztatás **b)** elvont fogalom, absztrakció **2. a)** *vegy* kivonás, absztrahálás, *fiz* elvonás *[hőé]* **b)** eltulajdonítás, elorzás, ellopás **3. ~ (of mind)** szórakozottság, figyelem hiánya, figyelmetlenség; **in a moment of ~** pillanatnyi szórakozottságában **4.** *műv* absztrakt mű/alkotás
abstractionism [əb'strækʃənɪzm] *fn* absztrakt művészet(i irány) • *fn* **abstractionist**
abstractness ['æbstræktnəs] *fn* elvontság, absztraktság, absztrakt jelleg
abstruse [æb'struːs] *mn* nehezen érthető, homályos, rejtett értelmű • *fn* **abstruseness** *hsz* **abstrusely**
absurd [əb'sɜːd ‖ −'sɜrd] **I.** *mn* **1.** képtelen, lehetetlen, abszurd, esztelen, elképzelhetetlen, nevetséges; *biz* **it's ~!** ostobaság!, nevetséges!; **it is ~ to blame him for that** képtelenség/nevetséges őt ezért felelőssé tenni **2.** lehetetlen, esztelen, nevetséges *[ember, viselkedés]*; **you are ~!** bolond vagy!, lehetetlenül viselkedsz **II.** *fn* **the ~** az abszurd

A

absurdity [əb'sɜːdəti ‖ –'sɜrdəti] *fn* képtelenség, lehetetlenség, abszurdum; **speak absurdities** ostobaságokat/képtelenségeket/összevissza beszél

abundance [ə'bʌndəns] *fn* **1. a)** bőség, fölös/nagy menynyiség, sokaság; **an ~ of good food** finom ételek bőségben; **in ~** bőven, bőségesen, bővében **b)** jólét, jómód, gazdagság, bőség; **live in ~** bőségben/jólétben él **c)** túláradás *[érzelemé]* **2.** *fiz* (izotóp) gyakoriság

abundant [ə'bʌndənt] *fn* bőséges, kiadós, gazdag, bőven elég, *fiz* gyakori *[elem, izotóp]*; *mat* **~ number** bővelkedő szám; **there is ~ water to...** van elég víz, hogy...; **there's ~ time** van idő bőven • *hsz* **abundantly**

abuse [ə'bjuːz] **I.** *tsi* **1. a)** visszaél *[hatalommal, vk bizalmával]*; **~ sy's patience** visszaél vk türelmével **b)** helytelenül/rosszul használ fel (v. alkalmaz), rossz célra fordít, rongál **c)** rosszul bánik (vkvel) **d)** erőszakot követ el *[nőn]*, megbecstelenít *[nőt]* **2.** ócsárol, gyaláz, becsmérel, sérteget, sértésekkel halmoz el **II.** *fn* [ə'bjuːs] **1. a)** helytelen/téves használat/alkalmazás, rongálás; **~ of the highway** útrongálás **b)** visszaélés, túlkapás, szabálytalanság, jogtalanság; **~ of authority** hivatali hatalommal való visszaélés **c)** durva bánásmód **d)** *jog* **(sexual) ~** nemi erőszak, erőszakos nemi közösülés **2.** ócsárlás, gyalázkodó/sértő beszéd, sértés; **word of ~** sértő kifejezés • *fn* **abuser**

abusive [ə'bjuːsɪv] *mn* **1.** sért(eget)ő, gyaláz(kod)ó, ócsárló *[beszéd]*, durva beszédű, goromba *[ember]* **2.** csalárd, megtévesztő, félrevezető • *fn* **abusiveness** *hsz* **abusively**

abut [ə'bʌt] *i* **-tt- A.** *tni* **1.** határos, szomszédos, összeér; **his garden ~s on the road** kertje kiér az útig, kertjét az út határolja **2.** nekitámaszkodik, felfekszik **3.** összeilleszkedik, összekapcsolódik *[fa alkatrész]*, *műsz* csatlakozik **B.** *tsi* határos, szomszédos; **two gardens ~ting each other** két szomszédos kert

abutment [ə'bʌtmənt] *fn* alátámasztás(i pont), érintkezés(i pont/felület); *épít* tám(asz)pillér, ellenfal, támfal, támoszlop

abutting [ə'bʌtɪŋ] *mn* határos, szomszédos, határos

abysmal [ə'bɪzml] *mn* feneketlen, *átv* mérhetetlen, mélységes, végtelen *[tudatlanság]*, *biz* szörnyű(séges), pocsék • *hsz* **abysmally**

abyss [ə'bɪs] *fn* **a)** szakadék, örvény, feneketlen mélység **b)** föld mélye, alvilág, őskáosz, idők végtelenje

abyssal [ə'bɪsl] *mn* *geol* mélytengeri, abisszális, abisszikus, mélység(bel)i

Abyssinia [ˌæbɪ'sɪnɪə] *tul földr* Abesszínia, *hiv* Etiópia

Abyssinian [ˌæbɪ'sɪnɪən] **I.** *mn* abessziniai, abesszín, *hiv* etiópiai **II.** *fn* abesszín, etióp (személy/nyelv)

ac, **A/C** *röv* *account current* folyószámla, fszla.; *air-conditioner* légkondicionáló berendezés, klímaberendezés

AC *röv* **1.** *el alternating current* váltakozó áram, AC **2.** *Ante Christum* Krisztus előtt, Kr.e., időszámításunk kezdete előtt, i.e.

acacia [ə'keɪʃə] *fn* *növ* (valódi) akác; **false ~** fehér akác

academe ['ækədiːm] *fn* **a)** a tudományos/egyetemi világ **b)** *vál* akadémia, egyetem

academia [ˌækə'diːmɪə] *fn* egyetemi/tudományos körök/világ

academic [ˌækə'demɪk] **I.** *mn* **1. a)** egyetemi, főiskolai; **~ life** főiskolai/egyetemi (diák)élet; **~ year** egyetemi tanév **b)** tudományos *[humán]*; **~ achievement** tudományos eredmények/teljesítmény/előremenetel; **~ qualification(s)** tudományos minősítés(ek)/fokozatok; **~ performance** tanulmányi előmenetel; **~ requirements** tanulmányi követelmények **2.** akadémiai, akadémikus, elméleti *[kérdés]*, elvont *[probléma]* **3.** konvencionális, hagyományos, formalista; *pej* **~ style** erőltetett stílus **II.** *fn* **a)** egyetemi/főiskolai oktató/tanár **b)** a tudomány embere/tudora, tudományos pályán dolgozó szakember/értelmiségi, tudós • *hsz* **academically**

academical [ˌækə'demɪkl] **I.** *mn* főiskolai, akadémiai, egyetemi **II.** *fn* *tsz* **academicals** *GB* egyetemi/főiskolai öltözék/viselet; **in full ~s** teljes egyetemi díszben

academician [əˌkædə'mɪʃn] *fn* **a)** akadémikus, akadémiai tag **b)** *GB* **Royal A~** a Királyi Szépművészeti Akadémia tagja

academy [ə'kædəmi] *fn* **1.** akadémia, tudományos társaság; **the A~** Platón Akadémiája; a Francia Akadémia; *GB* **the Royal A~ (of Arts)** Királyi Szépművészeti Akadémia **2. a)** főiskola, akadémia **b)** *US skót* középiskola, szakközépiskola *[katonai, zenei]*

Academy Award *fn* Oscar-díj *[a díj hivatalos neve]*

a cappella [ˌɑːkə'pelə] *mn zene* a cappella *[zenekari kíséret nélküli pl. kórus]*

Acapulco [ˌækə'pʊlkoʊ] *tul földr* Acapulco

acaricide [ə'kærəsaɪd] *fn* atkaölő szer

acarid ['ækərɪd] *fn áll* atka • *fn* **acarology**

acarpellous [ˌækɑː'peləs ‖ ˌækɑr–] *mn növ* termőlevél nélküli

accede [ək'siːd] *tni* **1. ~ to an office** hivatalba lép, elfoglal hivatalt; **~ to the throne** trónra lép **2.** beleegyezik; teljesít *[kérést]* **3.** csatlakozik *[egyezményhez]*

accelerando [ækˌselə'rændoʊ ‖ –'rɑndoʊ] *hsz zene* accelerando, gyorsítva

accelerate [ək'seləreɪt] **A.** *tsi* **1.** (meg)gyorsít, előmozdít *[fejlődést]* **2.** siettet, sürget *[elintézést, távozást]* **B.** *tni* **1.** gyorsul, felgyorsul, felfut **2.** *gk* gyorsít, gázt ad

acceleration [əkˌselə'reɪʃn] *fn* **1.** *ált* (meg)gyorsítás, siettetés **2.** *fiz* gyorsulás

accelerative [ək'selərətɪv ‖ –'reɪtɪv] *mn* gyorsító, gyorsulást előidéző

accelerator [ək'seləreɪtə ‖ –ər] *fn* **1.** *gk* gázpedál, töltésszabályozó *[dízelmotoron]* **2.** *fiz* (részecske)gyorsító **3.** *vegy* gyorsító(szer), akcelerátor

accelerometer [əkˌselə'rɒmɪtə ‖ –'rɑmətər] *fn fiz* gyorsulásmérő

accent I. *fn* ['æksnt ‖ 'æksent] **1. a)** kiejtésmód, hanghordozás, akcentus; **speak with a foreign ~** idegenszerű kiejtéssel/hanghordozással beszél **b) there was an ~ of irony** ironikus színezete volt...; irónia csendült ki belőle; kissé ironikusan hangzott **2.** hangsúly *[beszédben, versben, zenében]* **3. a)** *nyelv* ékezet, hangsúlyjel **b)** *zene* **~ (mark)** hangsúlyjel, sforzato (jel) *[hangjegy fölött]* **4.** *átv* hangsúlyozás, hangsúly, nyomaték **II.** *tsi* [æk'sent ‖ 'æksent] **1.** hangsúlyoz, hangsúllyal ejt **2.** ékezettel ellát, felrakja/felteszi az ékezetet (vmre) **3.** *átv* hangsúlyoz, kidomborít

accentuate [ək'sentʃueɪt] *tsi* hangsúlyoz, kiemel, nyomatékosan kijelent, súlyt helyez vmre • *fn* **accentuation**

accept [ək'sept, æk–] *tsi* **1.** elfogad, hozzájárul *[indítványhoz]*, beleegyezik *[kérésbe]*, aláveti magát *[kötelezettségnek]*, (magára) vállal *[felelősséget]*, befogad *[társaságba]*, felvesz *[egyetemre, iskolába]*; **~ the inevitable** beletörődik az elkerülhetetlenbe; **~ (delivery of) goods** árut átvesz; **~ office** tisztséget elvállal **2.** biztató választ ad **3.** hajlandó elhinni • *mn* **accepted**

acceptable [ək'septəbl, æk–] *mn* **a)** elfogadható *[kifogás, magyarázat]*, megfelelő **b)** szívesen fogadott *[ajándék]*, szívesen látott *[vendég]* **c)** elviselhető, kibírható • *fn* **acceptability** *hsz* **acceptably**

acceptance [ək'septəns, æk–] *fn* **1. a)** elfogadás, jóváhagyás, beleegyezés, hozzájárulás, biztató válasz; **~ speech** jelölést elfogadó programbeszéd **b) ~ of life** életigenlés; **~ of persons** kivételezés, részrehajlás; *jog* **~ of a judgement** belenyugvás ítéletbe; ítélet tudomásulvétele **2. a)** *gazd* elfogadás *[váltóé]* **b)** *gazd pénz* elfogadvány, elfogadott váltó **3.** *gazd* (áru)átvétel; **~ test/trial** átvételi ellenőrzés/próba/vizsgálat; minőségvizsgálat

acceptant [ək'septənt, æk–] *mn* fogékony

acceptation [ˌæksep'teɪʃn] *fn nyelv* elfogadott/általános/szokásos jelentés, jelentésváltozat *[szóé, szókapcsolaté]*

acceptor [ək'septə, æk– ‖ –ər] *fn* **1.** *gazd pénz* elfogadó, intézvényezett **2.** *fiz vill* akceptor

access ['ækses] *fn* **I. 1. a)** bejárás, belépés, bemenet(el), bejárat, megközelítés, megközelíthetőség, hozzáférhetőség; **difficult of ~** nehezen megközelíthető/elérhető/hozzáférhető; **easy of ~** könnyen megközelíthető/elérhető/hozzá-

A

férhető; **find/obtain ~ to sy** utat talál (vkhez), beengedik (vkhez); bejut (vkhez); **have ~ to sg** hozzáfér vmhez; **have ~ to sy** (szabad) bejárása van (vkhez); bejáratos (vhová, vkhez) **b)** (vhová vezető) út, bejárat; *közl* **except for ~** célforgalom **2.** *infor* elérés, hozzáférés **II.** *tsi infor* elér *[adatot]*, hozzáfér *[adathoz, fájlhoz]*

accessible [əkˈsesəbl, æk–] *mn* **1.** hozzáférhető, könnyen megközelíthető *[hely, személy]*, elérhető *[tudás]*, nyitva álló *[pálya]*, hozzáférhető, rendelkezésre álló *[könyvek könyvtárban]* **2.** követhető, érthető • *fn* **accessibility**

accession [əkˈseʃn, æk–] **I.** *fn* **1.** bejutás *[fényé/levegőé vhova]* **2.** *jog* **~ to an estate** birtokbalépés; **~ to office** hivatalba lépés; (vmlyen) tisztség elfoglalása; **~ to power** hatalomra jutás; **~ to the throne** trónra lépés **3.** *[könyvtárban, levéltárban]* **a)** szerzeményezés, gyarapítás **b)** gyarapodás, növekedés; **new ~(s)** gyarapodás *[új darab]*; új szerzemények **4. ~ to a treaty** hozzájárulás *[egyezményhez]*, csatlakozás *[szerződéshez]* **II.** *tsi* szerzeményez, (be)katalogizál

accessorize [əkˈsɛsəˌraɪz], **–ise** *tsi* felszerel, felszereléssel/tartozékkal ellát

accessory [əkˈsesəri, æk–] **I.** *mn* járulékos, pótlólagos, mellékes, kiegészítő, pót-, mellék-, segéd- **II.** *fn* **1.** *gk* **a)** tartozék, kellék, kiegészítő rész **b)** *tsz* **accessories** tartozékok, kellékek, hozzávaló(k), felszerelés, szerelvények, kiegészítők **2.** *jog* **~ (to a crime)** bűnrészes, bűntárs; cinkostárs, tettestárs

access provider *fn infor* Internet(hozzáférés)-szolgáltató

access road *fn* bekötőút, feljáró (út)

access television *fn média* közösségi televízió

accidence [ˈæksɪdəns] *fn nyelv* alaktan

accident [ˈæksɪdənt] *fn* **1.** véletlen(ség); **by ~** véletlenül, véletlenségből; **nothing was left to ~** semmit sem bíztak a véletlenre **2.** baleset, szerencsétlenség; **fatal ~** halálos végű/kimenetelű szerencsétlenség/baleset; **car ~** autóbaleset; **~ surgery** baleseti sebészet

accidental [ˌæksɪˈdentl] **I.** *mn* véletlen, előre nem látott/látható, akaratlan, esetleges; **~ death** véletlen balesetből származó haláleset **II.** *fn zene* módosító jel • *hsz* **accidentally**

accident-prone *mn* balesetre hajlamos *[személy]*

accidie [ˈæksɪdi] *fn* **1.** (szellemi) restség **2.** apátia

accipiter [ækˈsɪpɪtə ‖ –ər] *fn áll* ‹bármely sólyomhoz hasonló madár›

acclaim [əˈkleɪm] **I.** *fn* **1.** nyilvános elismerés **2.** tetszésnyilvánítás, éljenzés **II. A.** *tsi* **1.** nyilvánosan elismer **2. a)** zajos tetszésnyilvánítással üdvözöl/fogad, (meg)éljenez, megtapsol; **the news was ~ed by the crowd** a tömeg zajos tetszésnyilvánítással (v. ujjongva) fogadta a hírt **b) Matthias was ~ed king** Mátyást királynak kiáltották ki **B.** *tni* éljenez, tapsol

acclamation [ˌækləˈmeɪʃn] *fn* éljenzés, üdvrivalgás, tetszésnyilvánítás, taps(olás); **carried by/with ~** *US* közfelkiáltással elfogadva/megszavazva *[javaslat]*

acclimate [ˈæklɪmeɪt] *US* → **acclimatize**

acclimatize [əˈklaɪmətaɪz], **-ise A.** *tsi* meghonosít, betelepít, *átv* megszoktat, akklimatizál; **get/become ~d** meghonosodik, akklimatizálódik, megszokik (vhol); **~ oneself** hozzászokik, beleszokik, akklimatizálódik, megszokik (vhol) **B.** *tni* meghonosodik, megszokik, *átv* alkalmazkodik, hozzáidomul, akklimatizálódik • *fn* **acclimatization**

acclivity [əˈklɪvəti] *fn* meredek emelkedés, emelkedő, kapaszkodó, kaptató • *mn* **acclivitous**

accolade [ˈækəleɪd] *fn* lovaggá avatás/ütés

accommodate [əˈkɒmədeɪt ‖ –ˈkɑ–] **A.** *tsi* **1. a)** elhelyez, elszállásol, szállást ad (vknek); **be well ~d** jól/kényelmesen van elhelyezve **b)** befogad, férőhelyet nyújt/biztosít (vknek); **the hotel can ~ 500 guests** a szálloda 500 személy befogadására képes (v. 500 férőhelyes) **2. a)** hozzáigazít, hozzáidomít, (hozzá)alkalmaz; **~ to** hozzáilleszt vmhez, összeegyeztet vmvel; **~ oneself to sg** alkalmazkodik vmhez; beleilleszkedik vmbe/vhová **b)** elsimít *[nézeteltérést]*, kibékít, összebékít *[vitatkozókat]* **3.** szolgálatára/segítségére van (vknek); **~ sy with sg** ellát vkt vmvel, nyújt vknek vmt **B.** *tni* egyetért, megegyezésre jut

accommodating [əˈkɒmədeɪtɪŋ ‖ –ˈkɑ–] *mn* szolgálatkész, előzékeny, szíves, készséges • *hsz* **accommodatingly**

accommodation [əˌkɒməˈdeɪʃn ‖ –ˌkɑ–] *fn* **1. a)** szállás, elhelyezés(i lehetőség), befogadóképesség, férőhely; **~ for 500 persons** férőhely 500 személy számára/részére, 500 személyt befogadó férőhely **b)** *tsz* **accommodations** *US* szállás, lakás (ellátással) **2. a)** alkalmassá tétel, hozzáalkalmazás, hozzáigazítás; összeegyeztetés **b)** alkalmazkodás; *orv* alkalmazkodás, alkalmazkodóképesség *[szemé]* **c)** elsimítás, elintézés *[vitás ügyé]*

accommodation address *fn* levelezési cím, postacím

accommodation road *fn* bekötőút, feljáró(út)

accommodation train *fn US* személyvonat

accompaniment [əˈkʌmpənɪmənt] *fn* **1.** *zene* kíséret; **with a piano ~** zongorakísérettel **2.** járulék, tartozék, kísérőjelenség; **to the ~ of loud cheers** hangos éljenzés kíséretében

accompanist [əˈkʌmpənɪst] *fn zene* kísérő

accompany [əˈkʌmpəni] *tsi* **1.** (el)kísér; **be accompanied by sy** kíséri vk, vele jön/megy vk **2.** kísér (vmt), együttjár (vmvel), velejárója, kísérő jelensége (vmnek); **be accompanied by sg** vmvel (v. vmely következménnyel) jár; **his illness was accompanied by/with high fever** betegsége nagy lázzal járt **3.** *zene* kísér; **~ sy on the piano** zongorán kísér vkt

accompanyist [əˈkʌmpəniɪst] → **accompanist**

accomplice [əˈkʌmplɪs ‖ –ˈkɑmpləs] *fn* bűnrészes, bűnsegéd, bűntárs, tettestárs

accomplish [əˈkʌmplɪʃ ‖ –ˈkɑm–] *tsi* elvégez, megcsinál, befejez, véghez visz, végrehajt, teljesít, valóra vált *[ígéretet]*, elér, betölt *[kort]*, elér *[célt]*; **he will never ~ anything** soha nem viszi semmire

accomplished [əˈkʌmplɪʃt ‖ –ˈkɑm–] *mn* **1.** befejezett, bevégzett, kész; **~ fact** befejezett/kész tény **2. a)** művelt, tökéletes, kiváló, gyakorlott **b)** csiszolt *[modor]*, jártas *[társasági érintkezés formáiban]*, könnyedén mozgó *[társaságban]*; **an ~ pianist** kitűnő zongorista; **an ~ teacher** kiváló (v. nagy szakmai tudással/múlttal rendelkező) tanár/pedagógus

accomplishment [əˈkʌmplɪʃmənt ‖ –ˈkɑm–] *fn* **1.** teljesítés, megvalósítás, beteljesítés, beteljesülés, véghezvitel, elkészítés, befejezés; **the ~ of our desires** vágyaink/kívánságaink beteljesülése/megvalósulása **2.** teljesítmény, tett, (elért) eredmény; **the scientific ~s of the 20th century** a XX. század tudományos eredményei/vívmányai **3.** készség, tudás; **have many ~s** sokoldalúan képzett, sokféléhez ért

accord [əˈkɔːd ‖ əˈkɔrd] **I.** *fn* **1. a)** egyetértés, összhang, egyezés; **with one ~** egyhangúlag, teljes egyetértésben; **be in ~ with sg** összhangban van vmvel; **be out of ~ with sg** ellentétben van/áll vmvel **b)** *műv* összhang, harmónia **2. of one's own ~** önszántából, önként, saját akaratából/elhatározásából, magától **3. a)** *jog* megegyezés, megállapodás, egyezség **b)** *jog* egyezmény **II. A.** *tsi* ad, adományoz, nyújt *[kegyet, kiváltságot]*, teljesít *[kérést]*; **~ due praise to sy** megérdemelten dicséretben részesít vkt **B.** *tni* megegyezik, összhangban van/áll; **this ~s well with sg** ez összhangban áll vmvel

accordance [əˈkɔːdns ‖ əˈkɔr–] *fn* egyetértés, harmónia, összhang, (meg)egyezés, összeegyeztethetőség; **in ~ with sg** vmnek megfelelően, vm szerint/értelmében/alapján; **in ~ with the law** a törvény értelmében/alapján/szerint

accordant [əˈkɔːdənt ‖ əˈkɔr–] *mn* összhangban álló/levő, megegyező; megfelelő

according [əˈkɔːdɪŋ ‖ əˈkɔr–] *hsz* **1. ~ to sg** vm szerint/alapján, vmnek az értelmében; vmhez híven; vmnek megfelelően; **~ to him** szerinte; **~ to authors** szerzők szerint *[katalógusban]*; **~ to circumstances** a körülményektől függően; **~ to the orders** a rendelkezések értelmében/szerint; **~ to plan** terv szerint, a tervnek megfelelően **2. ~ as** aszerint, hogy...; amennyiben...; ahogy

accordingly [əˈkɔːdɪŋli ‖ əˈkɔr–] *hsz* aszerint, eszerint, annak/ennek megfelelően, ilyenformán, következésképpen, így, tehát, ezért; **act ~** (vmnek) megfelelően cselekszik

accordion [əˈkɔːdɪən ‖ əˈkɔr–] *fn zene* (tangó)harmonika • *fn* **accordionist**

accost [əˈkɒst ‖ əˈkɔst] *tsi szl [utcán megszólít vkit]* leszólít

accouchement [əˈkuːʃmɒn] *fn francia* szülés

account [əˈkaʊnt] **I.** *fn* **1. a)** számítás, számvetés; **cast an ~** számítást végez, számvetést csinál; **find/lay one's ~ in sg** megtalálja a számítását vmben; **be quick at ~s** gyorsan számol **b) take sg into ~, take ~ of sg** számításba/figyelembe/tekintetbe vesz vmt, számol vmvel; nem hagy figyelmen kívül; **taking everything into ~** mindent számba véve, mindent egybevetve; **leave sg out of ~** nem számol vmvel; figyelmen kívül hagy vmt **2. a)** *gazd pénz* számla; **current ~, ~ current** folyószámla; **settle an ~** rendez/kiegyenlít/kifizet számlát; *átv biz* leszámol vkvel; **have an ~ to settle with sy** leszámol(ni valója van) vkvel, (egy kis) elintéznivalója van vkvel; **buy sg on one's own ~** saját számlájára vásárol/vesz vmt; **put it down to my ~** írja (ezt) az én számlámra **b)** *gazd* **A~** hóvégi elszámolás *[tőzsdén]* **c)** jegyzék, kimutatás, elszámolás **d) the ~s** könyvelés, könyvvitel *[gazdasági egységé]*; **keep the ~s** könyvel, számadást/könyvet vezet **3.** *gazd pénz* haszon, előny **4.** *gazd pénz* **a)** elszámolási kötelezettség, beszámolás; **bring sy to ~** számadásra kényszerít vkt; **call sy to ~ for sg** (v. **for doing sg**) felelősségre von (vkt vmért); számon kér (vktől vmt); **give/render/yield an ~ of sg** elszámol vmvel; számot ad vmről; beszámol(ót tart) vmről; **give a favourable ~ of sg** előnyös képet fest vmről; **go to one's ~** meghal, befejezi földi pályafutását **b)** beszámoló, elbeszélés, leírás, közlés, jelentés; **by his own ~** saját állítása/szavai szerint; ha hinni lehet neki...; **by all ~s** azt mondják, ahogy mindenki állítja **5.** fontosság, jelentőség; **of small/little ~** nem számottevő, csekély jelentőségű; **be of no ~** jelentéktelen; nincs jelentősége; **man of no ~** jelentéktelen ember; **of high/some ~** jelentős, jelentékeny, számottevő *[dolog]*; fontos, jelentős *[személyiség]*; **be held in ~** számottevő személyiségnek tartják; nagyra becsülik, sokra/nagyra tartják **6. a) on ~ of** miatt, következtében; **on every ~** mindenképp, minden tekintetben/vonatkozásban; **on no ~, not on any ~** semmiképpen, semmi esetre sem, semmilyen körülmények között; **on what ~?** milyen címen?, milyen/mi okból?; ugyan miért?; **I did it on your ~** a te érdekedben tettem, temiattad/teérted tettem **b) on one's own ~** saját felelősségére/szakállára; saját feje után; önszántából **II. A.** *tsi* tart, tekint, gondol (vkt vmnek); **~ sy (to be) guilty** bűnösnek tart vkt; **~ oneself lucky** szerencsésnek mondhatja magát; **be ~ed rich** gazdagnak tartják, a gazdagok közé sorolják **B.** *tni* **~ for sg** számot ad vmről, elszámol vmvel; megmagyaráz; magyarázattal/magyarázatul szolgál vmre; **I can't ~ for it** nem tudom mivel magyarázni

accountable [əˈkaʊntəbl] *mn* **1.** felelős(ségre vonható), számadásra/elszámolásra köteles/kötelezhető; **be ~ to sy for sg** vknek felelősséggel tartozik vmért, vk előtt felel vmért **2.** érthető, tiszta, egyértelmű, világos • *fn* **accountability** *hsz* **accountably**

accountancy [əˈkaʊntənsi] *fn* könyvelés, könyvvitel, könyvelői munka/szakma

accountant [əˈkaʊntənt] *fn* könyvelő; **chief ~** főkönyvelő

account executive *fn* ‹törzsvásárlói ügyintéző›

account holder *fn pénz* számlatulajdonos

accounting [əˈkaʊntɪŋ] *fn* → **accountancy**; **the ~ department** könyvelés(i osztály), számfejtés

accounts department *fn pénz* könyvelési/számviteli osztály, számfejtés

accoutre [əˈkuːtə ‖ –ər] *tsi francia* **a)** felpáncéloz *[lovagot]*, páncélba/mezbe öltöztet **b)** felfegyverez, felszerel

accoutrement [əˈkuːtrəmənt ‖ əˈkuːtər–], **accoutrements** *fn tsz francia* **a)** mez, (alkalmi) öltözék, lovagi felszerelés, páncélzat **b)** katonai felszerelés *[öv, borjú stb.]*

accredit [əˈkredɪt] *tsi* **1. ~ sg to sy, ~ sy with sg** vknek tulajdonít vmt; **he was ~ed with the remark...** neki tulajdonították azt a kijelentést/megjegyzést... **2.** *okt tud* akkreditál, elismer *[oktatási intézményt, képzést, egyetemi fokozatot]* **3.** megbízólevéllel ellát, akkreditál *[diplomatát]*; **be ~ed to (a country)** akkreditálják *[vhova, egy országba]*

accreditation [əˌkredɪˈteɪʃn] *fn* **1.** meghatalmazás, megbízás, akkreditálás *[követé]* **2.** *okt tud* akkreditálás, akkreditáció

accredited [əˈkredɪtɪd] *mn* **1.** elismert, elfogadott *[személy, intézmény]* **2.** meghatalmazott, megbízott, akkreditált *[követ]* **3.** garantáltan jó minőségű *[mezőgazdasági termék]* **4.** *okt tud* akkreditált, elismert *[oktatási intézmény, egyetemi fokozat stb.]*

accrete [əˈkriːt] *tni* **a)** növekszik, gyarapodik, sokasodik, szaporodik **b) ~ to** (i) hozzánő, hozzánöveszt (vmhez) (ii) összekeveredik, összekever (vmvel)

accretion [əˈkriːʃn] *fn* **1.** *[vmhez]* **a)** növekedés *[organikus]* **b)** *biol orv* összenövés, hozzánövés, odanövés **2.** gyarapodás, nagyobbodás, növekedés *[lerakódás útján]*

accrue [əˈkruː] *tni* **1.** növekszik, felhalmozódik, (fel)szaporodik; **interest ~s from...** a kamat... óta esedékes **2.** *épít* hozzáépül **3. a)** jön, származik, fakad; **~ from** *[vmből]* ered, keletkezik **b) ~ to sy** vknek jut *[pénz]*; vk részesévé válik *[pénznek, előnynek]* • *fn* **accrual** *mn* **accrued**

acculturate [əˈkʌltʃəreɪt] *tsi/tni* beilleszkedik *[idegen kultúrába]*, (idegen kultúrához) alkalmazkodik, asszimilál(ódik) • *fn* **acculturation** *mn* **acculturative**

accumulate [əˈkjuːmjəleɪt] **A.** *tsi* (fel)halmoz, összegyűjt, összehord, akkumulál, összeszed *[vagyont]* **B.** *tni* felhalmozódik, felgyülemlik, megszaporodik, megsokasodik, összejön, akkumulálódik

accumulation [əˌkjuːmjəˈleɪʃn] *fn* **1. a)** felhalmozás, összegyűjtés, akkumulálás; *közg* **~ of capital** tőkefelhalmozás **b)** felhalmozódás, felgyülemlés, felszaporodás, akkumuláció **2.** halom, halmazat, halmaz

accumulative [əˈkjuːmjələtɪv ‖ –leɪtɪv] *mn* **1. a)** összegyülemlő, felhalmozódó, halomba/rakásra gyűlő **b)** tárolóképes, tároló **2.** (fel)halmozó, összegyűjtő *[személy]*; *jog* **~ sentence** halmazati ítélet • *hsz* **accumulatively**

accumulator [əˈkjuːmjəleɪtə ‖ –ər] *fn műsz* akkumulátor

accuracy [ˈækjərəsi] *fn* **1.** (hajszál)pontosság, precizitás; **four figure ~** négy tizedes pontosság(gal) **2.** élethűség, hitelesség *[ábrázolásé]*, gondosság *[kivitelezésé]*

accurate [ˈækjərət] *mn* **1.** pontos, helyes, gondos, alapos, hibátlan *[számítás]*, biztos *[szem]*, akkurátus, precíz; **~ to the fourth (decimal) place** négy tizedes pontossággal **2.** hiteles, élethű *[ábrázolás]*, hű, igazságnak megfelelő *[beszámoló]* • *hsz* **accurately**

accursed [əˈkɜːsɪd ‖ əˈkɜr–] *mn* **1.** *vál* (meg)átkozott, elátkozott, balvégzetű **2.** *biz* undok, átkozott, utálatos

accusal [əˈkjuːzl] *jog* → **accusation**

accusation [ˌækjuˈzeɪʃn ‖ –kjə–] *fn* **1.** *ált* (meg)vádolás, *jog* vádemelés, vád alá helyezés; *jog* **bring an ~ against sy** vádat emel vk ellen; megvádol vkt **2.** *jog* vádirat

accusative [əˈkjuːzətɪv] *nyelv* **I.** *fn* tárgyeset **II.** *mn* tárgyesettel járó

accusatorial [əˌkjuːzəˈtɔːrɪəl] *mn jog* vádbeli, a vádat illető

accusatory [əˈkjuːzətəri ‖ –tɔri] *mn* vád(o)ló *[szavak, hangnem]*

accuse [əˈkjuːz] *tsi* **1.** (meg)vádol (vmvel), hibáztat, okol (vmért) **2.** *jog* vádat emel (vk ellen), vád alá helyez (vkt) • *fn* **accuser** *hsz* **accusingly**

accused [əˈkjuːzd] *fn jog* **the ~** a vádlott; a terhelt

accustom [əˈkʌstəm] *tsi* (hozzá)szoktat, (rá)szoktat, megszoktat, megedz; ~ **to** hozzászoktat *[vmhez]*; ~ **oneself to cold weather** hozzászokik/megedződik a hideg időhöz, megszokja a hideget; **get ~ed to sg** rászokik vmre; szokásává válik vm; hozzászokik vmhez

accustomed [əˈkʌstəmd] *mn* **1.** vmhez szokott/szoktatott; vmre rászoktatott; **be ~ to (doing) sg** hozzászokott vmhez, rászokott vmre **2.** megszokott, szokásos, mindennapi; **in his ~ manner** ahogy szokta, szokása szerint; (meg)szokott modorában

AC/DC [ˌeɪsiːˈdiːsiː] **I.** *röv alternating current/direct current* **II.** *fn szl [biszexuális]* biszex, sztereo, langyos

ace [eɪs] **I.** *fn* **1. a)** *ját* ász, egypontos dominó/kocka; ~ **in the hole** vk utolsó ütőkártyája; **have an ~ up one's sleeve** van még egy ütőkártyája, tartogat még vmt a tarsolyában **b)** *szl [kitűnőség, kiválóság]* ász, sztár, nagyágyú, (nagy)menő, tanár, penge, király **2.** *sp* ász *[fogadhatatlan adogatás teniszben]* **3.** *biz* **be within an ~ of sg** nagyon közel jár vmhez, majdnem... **II.** *mn szl [kiváló, kitűnő]* tökjó, kafa, király, klassz

acellular [ˌeɪˈseljʊlə ‖ –ər] *mn biol* nem sejtes

acephalous [ˌeɪˈsefələs, ə–] *mn* **1.** *áll* fejetlen, fej nélküli **2.** *biz* vezető/fej nélküli *[állam, gyülekezet]* **3.** *ir.tud* első szótag/láb nélküli *[verssor]*

acer [ˈeɪsə, –ər] *fn növ* juharfa, jávorfa

acerbic [əˈsɜːbɪk ‖ əˈsɜrbɪk] *mn* **1.** savanyú, keserű, csípős **2.** *átv* kíméletlen, maró *[kritika, stílus]* • *fn* **acerbity**

acetabulum [ˌæsɪˈtæbjʊləm ‖ –bjə–] *fn tsz* **acetabula** [–lə] **1.** *orv* (csípő)ízületi vápa, ízvápa *[csonton]* **2.** *áll* szívótárcsa, szívópajzs, szívószemölcs *[pl. polipé]*

acetal [ˈæsɪtæl] *fn vegy* acetál

acetaldehyde [ˌæsɪˈtældɪhaɪd] *fn vegy* acetaldehid

acetate [ˈæsəteɪt] *fn vegy* ecetsavas só/észter, acetát

acetic [əˈsiːtɪk] *mn vegy* ecetes, ecet-; ~ **acid** ecetsav

acetone [ˈæsətoʊn] *fn vegy* aceton

acetous [ˈæsɪtəs] *mn* **1.** ecetes, ecetsavas **2.** ecetesedő, ecetsavanyúságú

acetyl [ˈæsɪtaɪl ‖ ˈæsətl] *fn vegy* acetil(gyök), ecetsavgyök

acetylene [əˈsetəliːn] *fn vegy* acetilén

acetylsalicylic acid [ˌæsɪtaɪlsæləsɪklɪkˈæsɪd‖əˌsiːtəl–] *fn vegy* acetilszalicilsav, aszpirin

ache [eɪk] **I. 1.** *fn* fájás, fájdalom; *biz* **be all ~s and pains** fáj/sajog minden tagja/porcikája, mindene fáj **2.** szellemi/mentális fáradtság/kimerültség **II.** *tni* fáj, sajog; **I am aching all over** minden porcikám fáj; *átv* **it makes my heart ~** fáj a szívem érte, a szívem vérzik miatta; **she was aching to begin work** égett a munkavágytól

achene [əˈkiːn] *fn növ* kaszat *[termés]*

achieve [əˈtʃiːv] **A.** *tsi* **a)** megvalósít, valóra vált *[szándékot]*, sikeresen befejez, véghezvisz, végrehajt *[feladatot]*, elér *[célt, eredményt]*, elnyer *[dicsőséget, hírnevet]*; ~ **success** sikert ér el; **he will never ~ anything** sohasem viszi semmire; *sp* ~ **a record** csúcsot/rekordot állít fel **b)** bevégez *[művet]*, megtesz *[utat]* **B.** *tni* eléri a célt, teljesít (vmt) • *mn* **achievable**

achievement [əˈtʃiːvmənt] *fn* **1.** teljesítmény, előmenetel, tett, vívmány, eredmény; **academic ~** tanulmányi előmenetel; tudományos eredmény; **scientific ~s** tudományos eredmények **2.** véghezvitel, megvalósítás, befejezés, bevégzés, elvégzés, teljesítés **3.** *cím* címer(pajzs)

achillea [ˌækɪˈliːə] *fn növ* cickóró, cickafark

Achilles [əˈkɪliːz] *tul mit* Akhillész, Achilles

Achilles heel *fn* Achilles-sarka vknek, gyenge/sebezhető oldala vknek

Achilles tendon *fn orv* Achilles-ín

achoo [əˈtʃuː] *isz* hapci!

achromat [ˈækrəmæt] *fn fiz* akromát

achromatic [ˌækroʊˈmætɪk] *mn* **1.** *fiz* akromatikus, színhibamentes **2.** *biol* színtelen, nem festhető/színezhető, színérzéketlen **3.** *zene* akromatikus • *fn* **achromaticity**, **achromatism**

achy [ˈeɪki] *mn biz* **I feel rather ~** minden tagom/porcikám sajog/fáj

acid [ˈæsɪd] **I.** *fn* **1.** *vegy* sav **2.** *szl [LSD kábítószer]* sav **II.** *mn* **1. a)** savanyú, fanyar, csípős; ~ **drops** savanyú cukor(ka) **b)** *vegy* savas, savanyú; ~ **reactions** savas reakció, savanyú kémhatás; ~ **resistance** savállóság; ~ **salt** savanyú só, hidrogénsó; ~ **stomach** gyomorsavtúltengés **2.** *átv* maró, csípő, keserű, éles *[hang]*; ~ **remark** csípős/maró/rosszmájú megjegyzés; **give an ~ flavour to one's praise** a dicsérő szavaknak bántó élt ad, kétes értékű bókot mond **3.** ragyogó, pompás *[szín]*

acid head *fn szl [LSD-fogyasztó]* trinyós, savzabáló

acid house *fn zene* ‹egyszerű ritmusú, elektronikus tánczene›

acidify [əˈsɪdɪfaɪ] **A.** *tsi* savasít, savaz **B.** *tni* savvá válik, savasodik • *fn* **acidification**

acidity [əˈsɪdəti] *fn* **1.** *vegy* savasság, aciditás, savtartalom, savfok **2.** *orv* ~ **of the stomach** gyomorsavtúltengés

acidosis [ˌæsɪˈdoʊsɪs] *fn orv* savmérgezés, savtúltengés, acidózis • *mn* **acidotic**

acid rain *fn* savas eső

acid rock *fn* **1.** *zene* pszichedelikus rockzene **2.** *ásv* savanyú kőzet

acid test *fn* **1.** *átv* tűzkeresztség, nagyon nehéz próba, döntő próba **2.** *vegy* savpróba

acidulate [əˈsɪdʒʊleɪt ‖ –dʒə–] *tsi vegy* megsavanyít, savassá tesz • *fn* **acidulation**

acidulous [əˈsɪdʒʊləs ‖ –dʒə–] *mn* savas, savanyú, savanykás

acinus [ˈæsɪnəs] *fn tsz* **acini** [–naɪ] **1.** *orv* tüsző *[mirigyeké]*, acinus **2.** *növ* bogyó *[gyümölcsé]*

ack-ack [ˈæk æk] **I.** *mn kat biz* légvédelmi, légelhárító **II.** *fn anti-aircraft biz* légvédelmi fegyver/eszköz

acknowledge [əkˈnɒlɪdʒ ‖ –ˈnɑ–] *tsi* **1. a)** elismer *[tényt, igazságot]*, elfogad *[vmt tényként]*, beismer, elismer *[tévedést, vereséget]*, elismer **b)** méltányol, elismer(éssel fogad) *[munkát, teljesítményt]*, köszönetet mond (vknek vmért), elismerését fejezi ki (vm felett) **2. a)** tudomásul vesz, megerősít **b)** nyugtáz, visszaigazol *[átvételt, levél vételét]* • *mn* **acknowledgeable**, **acknowledged**

acknowledgement [əkˈnɒlɪdʒmənt ‖ –ˈnɑ–] *fn* **1. a)** elismerés, tudomásulvétel, visszaigazolás, nyugtázás; ~ **of receipt** az átvétel elismerése, (átvételi) elismervény; **in ~ of** elismerésképpen, vmnek elismeréseképpen/elismeréséül **b)** *US* közjegyzői hitelesítés **c)** beismerés *[hibáé]* **2.** *tsz* **acknowledgements** köszönetnyilvánítás *[szerzőé]*

acknowledgment [əkˈnɒlɪdʒmənt ‖ –ˈnɑ–] → **acknowledgement**

acme [ˈækmi] *fn* **1. a)** csúcspont, tetőpont, tetőfok **b)** *orv* krízis *[betegségé]* **2.** érett kor, virágkor *[emberé]*

acne [ˈækni] *fn orv* akne, pattanás, pörsenés, faggyúmirigygyulladás • *mn* **acned**

acolyte [ˈækəlaɪt] *fn* **1.** *vall* oltárszolga, ministráns **2.** segéd, asszisztens

aconite [ˈækənaɪt] *fn* **a)** sisakvirág **b) (winter)** ~ téltemető

aconitine [əˈkɒnətiːn ‖ əˈkɑ–] *fn vegy* akonitin *[sisakvirágból nyert méreg]*

acorn [ˈeɪkɔːn ‖ ˈeɪkɔrn] *fn növ* makk

acotyledon [əˌkɒtɪˈliːdn ‖ ˌeɪkɑtə–] *fn növ* sziklevél nélküli (v. sziktelen) növény • *mn* **acotyledonous**

acoustic [əˈkuːstɪk] **I.** *mn* **1.** hallási, akusztikai, akusztikus, hang-, halló-, hangzó; *infor* ~ **coupler** akusztikus csatoló; ~ **guitar** akusztikusgitár **2.** *épít* hangtompító, hangszigetelő **II.** *fn* **a)** *esz* **acoustics** akusztika, hangtan **b)** *tsz* **acoustics** akusztika *[teremé]*; **the ~s of the new concert hall are excellent** az új hangversenyterem akusztikája kiváló • *mn* **acoustical** *hsz* **acoustically**

acoustician [ˌækuːˈstɪʃn] *fn* hangmérnök, hangtechnikus

acoustics [əˈkuːstɪks] → **acoustic II.**

acquaint [ə'kweɪnt] *tsi* **1. a)** (meg)ismertet, értesít; **be ~ed with sy** ismer vkt, ismeretségben áll vkvel; **be ~ed with sg** ismer/tud vmt, jártatos vmben; értesült vmről, tudomása van vmről **b) become/get** (v. **make oneself**) **~ed with sy** megismerkedik vkvel, ismeretséget köt vkvel **2.** felvilágosít, tudtul ad, informál (vkt); **~ sy with the facts** feltárja vk előtt a tényeket/helyzetet; vknek tudomására hozza a dolgot

acquaintance [ə'kweɪntəns] *fn* **1. a)** ismerős; **~s** ismerősök, ismeretségi kör **b)** ismeretség; **make sy's ~, make the ~ of sy** megismerkedik vkvel, ismeretséget köt vkvel; **have a bowing/nodding ~ with sy** köszönő viszonyban van vkvel; **have a passing/nodding ~ with sg** vm kis felületes ismerete van *[egy tárgykörben]*; **drop ~ with sy** megszünteti/abbahagyja az érintkezést vkvel, megszakítja a kapcsolatot vkvel **2.** tudás/tájékozottság/jártasság; **make ~ with** (meg)ismerkedik vmvel • *fn* **acquaintanceship**

acquiesce [ˌækwi'es] *tni* beleegyezik, belenyugszik, hozzájárul, beleegyezését adja • *fn* **acquiescence** *mn* **acquiescent**

acquire [ə'kwaɪə ‖ –ər] *tsi* **1. a)** (meg)szerez **b)** szert tesz (vmre), hozzájut (vmhez), elsajátít *[tudást]*; **~ a language** elsajátít/megtanul vmlyen (idegen) nyelvet **2.** felvesz *[szokást]*, rákap *[szokásra]*; **~ a taste for coffee** rákap/rászokik a kávé(zás)ra; megszereti a kávét • *mn* **acquirable** *fn* **acquirer**

acquired immune deficiency syndrome → **AIDS**

acquirement [ə'kwaɪəmənt ‖ –'kwaɪər–] *fn* **1.** szerzett képesség, tudás **2. a)** megszerzés **b)** elsajátítás

acquisition [ˌækwə'zɪʃn] *fn* **1.** (meg)szerzés, vagyongyűjtés **2. a)** beszerzés, vétel, vásárlás **b)** szerzemény; **latest ~s** legújabb szerzemények **3.** elsajátítás *[tudásé]*; **language ~** nyelvelsajátítás, nyelvtanulás

acquisitive [ə'kwɪzətɪv] *mn* nyereségvágyó, kapzsi, anyagias • *fn* **acquisitiveness** *hsz* **acquisitively**

acquit [ə'kwɪt] *tsi* **-tt- 1.** felment *[vádlottat]*; **~ sy of sg** mentesít vkt vm alól; **he ~ted himself of suspicion** tisztázta magát a vád alól **2. ~ oneself** (jól) viselkedik; **he ~ted himself well** (v. **like a man**) derekasan/férfiasan viselkedett; kitett magáért **3.** rendez, kiegyenlít *[adósságot]*, eleget tesz *[kötelességének]*, letud *[kötelességet]*

acquittal [ə'kwɪtl] *fn* **1.** *jog* felmentő ítélet, felmentés, szabadon bocsátás *[vádlottê]* **2.** teljesítés *[kötelességé]*

acquittance [ə'kwɪtns] *fn* **a)** kiegyenlítés, rendezés *[adósságé]* **b)** mentesülés, megszabadulás *[adósságtól]* **c)** *gazd* nyugta(tvány)

acre ['eɪkə ‖ –ər] *fn* ‹angol hold; 4840 négyzetyard v. 4046,86 négyzetméter›; *biz* **he owns ~s of land** sok földje van • *utótag* **-acred**

acreage ['eɪkərɪdʒ] *fn* ‹acre-ben mért/megadott föld(terület)›

acrid ['ækrɪd] *mn* **1.** fanyar, keserű, csípős *[íz]* **2.** kegyetlen, élesen támadó *[kritika]*, maró *[gúny]*, fanyar, csípős *[stílus, nyelv]* • *fn* **acridity** *hsz* **acridly**

acrimonious [ˌækrɪ'mouniəs] *mn* csípős, maró, fanyar, kesernyés *[humor]*, rosszmájú, harapós *[ember]*, epés *[megjegyzés]*, elkeseredett *[küzdelem]*; **discussion became ~** a vita elmérgesedett • *fn* **acrimoniousness** *hsz* **acrimoniously**

acrimony ['ækrɪməni ‖ –mouni] *fn* fanyarság, keserűség, kesernyésség *[szavaké]*

acrobat ['ækrəbæt] *fn* **1.** akrobata, artista **2.** *átv biz* köpönyegforgató • *mn* **acrobatic** *hsz* **acrobatically**

acrobatics [ˌækrə'bætɪks] *fn esz* **1.** akrobatika **2.** *tsz* akrobatamutatványok, artistaszámok; *átv* **mental ~** szellemi mutatvány

acromegaly [ˌækrou'megəli] *fn orv* akromegália *[a fej/végtagok beteges megnagyobbodása]* • *mn* **acromegalic**

acronym ['ækrənɪm] *fn nyelv* betűszó, mozaikszó, akronim *[pl. NATO]*

acropetal [ə'krɒpɪtl ‖ ə'krɑ–] *mn* akropetális, csúcs felé haladó

acrophobia [ˌækrou'foubɪə] *fn orv* ‹kóros félelem a magas helyektől› akrofóbia • *mn* **acrophobic**

acropolis [ə'krɒpəlɪs ‖ ə'krɑ–] *fn* **1.** fellegvár **2. the A~** Akropolisz *[Athénben]*

across [ə'krɒs ‖ ə'krɔs] *hsz/elölj* **1.** át, keresztbe(n), keresztül; **help sy ~** átsegít/átkísér vkt a túloldalra; **with arms ~** keresztbe font karokkal; **throw a bridge ~ a river** hidat ver a folyón; **he lives ~ the street** a túloldalon lakik, az utca másik oldalán lakik **2.** *US* **~ from sy/sg** szemben vkvel/vmvel **3.** vmn túl; **~ boundaries** határokon túl

across the board *mn* általános, egyenlő arányú, össz-

acrylic [ə'krɪlɪk] **I.** *mn vegy* akril; **~ acid** akrilsav; **~ fibre** akrilszál **II.** *fn* akril, akrilszál, akrilgyanta

act [ækt] **I.** *fn* **1.** tett, cselekedet; **the A~s of the Apostles** az Apostolok cselekedetei **2. a)** *jog* törvény, határozat; **A~ of Parliament** törvény; törvényhozó testület határozata; **A~ of State** államcselekedet **b) I deliver this as my ~ and deed** ezt az okiratot saját kezű aláírásommal látom el **3.** cselekvés, aktus (folyamata); **sexual ~** nemi aktus, közösülés; **catch sy in the very ~** tetten ér vkt, rajtakap/rajtacsíp vkt (vmn); *biz* **put on an ~** megjátssza magát **4.** *szính* felvonás **5.** *tud* **A~s** Acta *[tudományos társaság folyóirata]* **II. A.** *tsi* megjátszik, (el)játszik, alakít *[szerepet]*, *átv* színlel, szerepet játszik; **~ the part of** (vmlyen) szerepet játszik, (vmként) szerepel, betölti (vmnek a) szerepét; **~ the part of a judge** a bíró szerepét tölti be **B.** *tni* **1. a)** cselekszik, működik; **it is time to ~** eljött a cselekvés ideje/órája; **he did not know how to ~** nem tudta, hogy hogyan viselkedjék (v. mit is tegyen/csináljon) **b)** működik (vm) **c)** vmként (v. vmlyen minőségben) működik, vmlyen teendőket lát el; **~ as secretary** titkári teendőket lát el; titkárként (v. titkári minőségben) működik; titkára vknek **d)** vm gyanánt szolgál (vm); **~s as (a switch)** (villanykapcsoló) gyanánt szolgál **2.** intézkedik; **(the police) declined to ~** (a rendőrség) nem kívánt beleavatkozni/közbelépni (v. megtagadta a beavatkozást) **3. a)** *szính* játszik, szerepel **b)** *átv* színlel; **she was only ~ing** csak színlelt/komédiázott **c)** *szính* előadásra alkalmas, előadható *[darab]*

act for *tni* képvisel, helyettesít vkt

act on → **act upon**

act out *tsi* **1.** *szính* **~ the play out** végigjátssza a darabot; végig szerepel a darabban **2.** *átv* átviszi a gyakorlatba, megcselekszi *[amit hisz]* **3.** kiél *[szenvedélyt]*

act over *tsi szính* elejétől végig megismétel, újra végigjátszik *[darabot]*

act up *tni biz* **1.** rosszalkodik, gyengélkedik *[pl. autó]* **2.** alakít, kellemetlenkedik, arénázik (vk) **3. ~ up to one's principles** elveinek megfelelően cselekszik (v. jár el)

act upon *tni* hat(ással van) vmre; **~ upon the bowels** hat a belekre; **~ upon advice** tanácsot követ/megszívlel, vk tanácsára cselekszik; **~ upon order** parancsot hajt végre, utasításra cselekszik

ACT *röv Ausz Australian Capital Territory* Ausztrál Fővárosi Terület

actin ['æktɪn] *fn biol* izomfehérje, aktin

acting ['æktɪŋ] **I.** *fn* **1.** eljárás **2. a)** *szính* játék, alakítás *[színészé]*, eljátszás *[színdarabé]*; **~ area** játszótér *[színpadon]* **b)** színészet, színjátszás; **go in for ~** színésznek megy; színészetre adja magát **II.** *mn* **1. a)** ható, működő **b)** helyettes; **~ head** megbízott igazgató; **~ manager** ügyvezető igazgató; *szính* (színész-)rendező **2. a) ~ company** színjátszó társulat, színtársulat **b)** játszható, játszó, előadásra alkalmas

actinia [æk'tɪnɪə] *fn tsz* **actiniae** [–nii:] *áll* tengeri rózsa, aktínia

actinide ['æktɪnaɪd] *fn vegy* aktinida

actinism ['æktɪnɪzm] *fn* sugarak vegyi hatóképessége, aktinizmus • *mn* **actinic**

actinium [æk'tɪnɪəm] *fn vegy* aktínium

actinometer [ˌæktɪ'nɒmɪtə ‖ –'nɑmətər] *fn fiz* sugárzásmérő, aktinométer, *fényk* fényerőmérő

A

actinotherapy [ˌæktɪnoʊˈθerəpi] *fn orv* besugárzásos gyógykezelés, sugárterápia, aktinoterápia
action [ˈækʃn] **I.** *fn* **1. a)** tett, eljárás, cselekvés, művelet *[személyé]*, tevékenység, működés, ténykedés, intézkedés, akció; **freedom of ~** cselekvési szabadság; **man of ~** tettek embere; **full of ~** tevékeny, agilis, szorgalmas; **I do not know what line of ~ to take** nem is tudom, hogy milyen lépéseket/intézkedéseket tegyek; **take ~** intézkedik; akcióba lép, cselekszik, közbelép; **be in ~** működik; **bring sg into ~**, **put/set sg in ~** megindít/elindít vmt, működésbe hoz vmt; **come into ~** működésbe lép; megindul *[gép]*; működni kezd; **be out of ~** nem működik; **put a plan into ~** tervet végrehajt/megvalósít; **put sg out of ~** leállít *[gépet]*; elzár *[gyújtást]*; elront; harcképtelenné tesz *[harckocsit]* **b)** hatás, behatás **2. a)** cselekmény *[színdarabé]*, történés; **the scene of ~ is Minneapolis** a cselekmény színhelye Minneapolis **b)** *biz* akció, izgalom; **where the ~ is** ahol mindig történik vm, a dolgok (v. az események) sűrűjében **3.** viselkedés, játék, taglejtés *[színészé]* **4.** szerkezet, mechanika *[zongoráé]*, szerkezet *[óráé]*, óramű, mechanizmus **5.** kereset, peres ügy; *jog* **~ at law**, **legal ~** per, kereset; **take ~ against sy** pert/keresetet/eljárást indít vk ellen, beperel vkt, perbe fog vkt, megteszi a törvényes lépéseket vk ellen; lépéseket tesz vk ellen; **no ~ will lie** keresetnek nincs helye; **through the ~ of this law** jelen törvény hatályánál fogva **6.** *kat* hadművelet, akció, támadás, harctevékenység, bevetés; **decisive ~** döntő ütközet; **go in(to) ~** megkezdi a harcot, támadást indít; **ready for ~** harcra kész(en) **7.** *gazd* részvény **8.** *film* ‹jeladás felvétel kezdetére›; **~!** felvétel indul! **II.** *tsi jog* **~ sy** (be)perel vkt, pert/keresetet/eljárást indít vk ellen
actionable [ˈækʃənəbl] *mn jog* (be)perelhető, beperelendő, peresíthető
action committee *fn* akcióbizottság
actionless [ˈækʃnləs] *mn* **1. a)** mozdulatlan, tehetetlen **b)** *vegy* indifferens *[gáz]*, nem tevékeny *[fehérje]* **2.** cselekmény nélküli *[színdarab]*
action painting *fn műv* ‹a modern festészet egyik fajtája, ahol a festmény cselekménye és a festékkel való munka áll a középpontban› foltfestés
action point *fn* akciópont, az akció helye
action replay *fn média* visszajátszás, ismétlés *[tévében, sportközvetítésnél]*, lassított felvétel
action stations *fn tsz kat* harcálláspont, harckészültség, harci felállás
activate [ˈæktɪveɪt] *tsi* **1.** beindít, elindít, élénkít, működésbe hoz, aktivál **2.** *fiz vegy* aktivál, radioaktívvá tesz, gerjeszt • *fn* **activation**, **activator**
activated [ˈæktɪveɪtɪd] *mn vegy* aktivált; **~ carbon** aktív szén; **~ sludge** aktív iszap *[szennyvíz üledéke]*
active [ˈæktɪv] *mn* **1. a)** aktív, tevékeny, élénk, szolgálatban levő, működésben levő, működő, eleven *[fantázia]*; **~ imagination** élénk fantázia; **be still ~** még dolgozik *[öreg korban, késő este]*; **take an ~ part in sg** tevékenyen közreműködik/részt vesz vmben **b)** (még) működésben levő, (még) működő *[tűzhányó]* **c)** valóságos, valódi *[érték]* **d)** ható, hatékony; **~ agent** hatóanyag **e)** *fiz* radioaktív **f)** *pénz* **~ balance** aktív mérleg; **there is an ~ demand for sg** nagy a kereslet (v. nagy kereslet van) vmben **g)** *infor* aktív, futó *[program]*; **~ element** aktív elem; **~ hyperlink** élő csatlakozópont; **~ page** aktív oldal; **~ window** aktív ablak **2. ~ voice** cselekvő (ige)alak; **~ vocabulary** aktív szókincs **3.** *vill* **~ current** hasznos áram **4.** *kat* tényleges, aktív; **~ duty** tényleges/aktív szolgálat • *fn* **activeness** *hsz* **actively**
activism [ˈæktɪvɪzm] *fn pol* aktív politizálás
activist [ˈæktɪvɪst] *fn* aktivista
activity [ækˈtɪvəti] *fn* **1. a)** tevékenység, ténykedés, működés, aktivitás; **man of ~** tevékeny/energikus ember; **in full ~** teljes lendülettel/iramban; nagy buzgalommal **b)** *tsz* **activities** elfoglaltság, tevékenység, foglalkozás *[pl. gyerekek számára]*, gyakorlat(ok) *[pl. nyelvkönyvben]*; **his numerous activities leave him little leisure** sok/nagy elfoglaltsága miatt alig marad szabad ideje **c) scope/sphere of activities** hatáskör, munkakör; **that does not come within my activities** ez nem tartozik a hatáskörömbe **2.** hatékonyság, hatás, hatóerő **3.** *fiz* radioaktivitás
act liability insurance *fn gk* gépjármű-felelősségbiztosítás
actor [ˈæktə ‖ –ər] *fn* **1.** színész, színművész **2.** *átv biz* színész *[aki másnak adja ki magát]* **3.** kémiai hatóanyag
actress [ˈæktrəs] *fn* színésznő, színművésznő
actual [ˈæktʃuəl] *mn* **1.** való(ságos), valódi, tényleges, fennálló; **in ~ fact...** ténylegesen; gyakorlatilag, a gyakorlatban; igazában, való(já)ban; *vall* **~ sin** személyes bűn *[szemben az eredendő bűnnel]* **2.** jelenlegi, aktuális • *tsi* **actualize** *fn* **actualization**
actuality [ˌæktʃuˈæləti] *fn* **1. a)** való(di)ság, realitás **b)** időszerűség, alkalomszerűség **2.** *tsz* **actualities** jelenlegi/mostani helyzet/körülmények, tényleges helyzet
actually [ˈæktʃuəli, –tʃəli] *hsz* valójában, ténylegesen, igazá(ba)n, igazából, tulajdonképpen, voltaképpen; **it ~ happened** volt (már) rá eset
actuary [ˈæktʃuəri ‖ –tʃueri] *fn* biztosítási matematikus/statisztikus; **actuaries' tables** halálozási táblázat(ok) • *mn* **actuarial** *hsz* **actuarially**
actuate [ˈæktʃueɪt] *tsi* **1.** mozgásba/működésbe hoz, elindít, megindít, vezérel, működtet *[gépet]* **2.** hajt, ösztönöz, indít, vezérel (vkt vmre); **~d by anger** haragtól fűtve/hajtva; **~d by the best intentions** a legjobb szándék által vezetve/vezérelve/indítva • *fn* **actuation**, **actuator**
acuity [əˈkju:əti] *fn* **1.** hegyesség *[tűé]*, erősség *[savé]*, élesség *[fájdalomé]*, hevesség *[betegségé]* **2.** éleselméjűség, gyors felfogás, érzék (vmhez)
aculeate [əˈkju:lɪət] *mn* **1.** *áll* fullánkos, *növ* tüskés **2.** *átv* szúrós, csípős, gúnyos, csipkelődő, maró *[megjegyzés]*
acumen [ˈækjumən ‖ əˈkju: –] *fn* éles ész/elme, éleselméjűség, gyors felfogás, ítélőképesség; **critical ~** kritikai érzék
acuminate [əˈkju:mɪnət] *mn áll növ* kihegyesedő, hegyben végződő
acupressure [ˈækjəpreʃə ‖ –ʃər] *fn orv* akupresszúra
acupuncture [ˈækjupʌŋktʃə ‖ –ər] *fn orv* akupunktúra, tűgyógyítás • *fn* **acupuncturist**
acushla [əˈkuʃlə] *fn írorsz* kedvesem, drágám
acute [əˈkju:t] *mn* **1. a)** hegyes *[szög stb.]*; *mat* **~ angle** hegyesszög **b)** *nyelv* **~ accent** éles ékezet **2. a)** éles, átható *[hang]*, sajgó, heves *[fájdalom]*, kínzó *[lelkiismeret-furdalás]* **b)** égető, időszerű *[kérdés]*, válságos, súlyos, kritikus *[helyzet]* **c)** *orv* heveny, hirtelen fellépő, akut *[megbetegedés]* **3. a)** éles, jó *[hallás, látás]* **b)** éles *[ész]*, eszes, agyafúrt, ügyes, ravasz **c) an ~ critic** éles hangú kritikus • *fn* **acuteness** *hsz* **acutely**
acyl [ˈæsɪl] *fn vegy* acil csoport, acilgyök
ad [æd] *fn biz* (apró)hirdetés
AD [ˌeɪˈdi:], **A.D.** *röv in the year of our Lord* Krisztus után, Kr.u., időszámításunk szerint, i.sz.
A/D *röv infor analog-to digital* analóg-digitális, A/D
adage [ˈædɪdʒ] *fn* bölcs mondás, szállóige, közmondás
adagio [əˈdɑ:dʒioʊ] *zene* **I.** *hsz* adagio, lassan **II.** *mn* adagio, lassú **III.** *fn* adagio *[lassú tétel]*
Adalbert [əˈdælbət ‖ –bərt] *tul* Adalbert
Adam [ˈædəm] *tul* Ádám; **not know sy from ~** fogalma sincs róla, hogy ki az illető; **the old ~** *átv* a gyarló ember; az örök ember(i gyarlóság)
adamant [ˈædəmənt] **I.** *mn* tántoríthatatlan, rendíthetetlen, hajthatatlan **II.** *fn régi* gyémánt • *fn* **adamance** *mn* **adamantine** *hsz* **adamantly**
Adam's ale *fn tréf* víz
Adam's apple *fn* ádámcsutka
adapt [əˈdæpt] **A.** *tsi* **1.** alkalmaz/hozzáilleszt; alkalmassá tesz, alkalmaz (vmt vmre), adaptál; **be ~ed to/for sg** alkalmas/való vmre, megfelel *[vmlyen célnak, kívánalomnak]*; *[vmlyen célt]* szolgál; **~ oneself to** alkalmazkodik *[körülményekhez, helyzethez]*; beleilleszkedik *[vmlyen kör-*

nyezetbe] **2.** átalakít, átdolgoz, adaptál *[művet]*; **~ a novel for the stage** regényt színre alkalmaz **B.** *tni* alkalmazkodik, megszokik (vhol), adaptálódik • *mn* **adaptive**

adaptable [əˈdæptəbl] *mn* **1. a)** alkalmazható, ráillő, (rá)illeszthető **b)** *[célnak]* megfelelő, *[célt]* szolgáló, *[célra]* alkalmas **2.** alkalmazkodó; **~ mind** rugalmas lelkület/gondolkodás; **he proved ~** nagy alkalmazkodóképességről tett tanúbizonyságot, igen alkalmazkodónak bizonyult • *fn* **adaptability** *hsz* **adaptably**

adaptation [ˌædəpˈteɪʃn] *fn* **1. a)** alkalmazás, alkalmassá tétel; átalakítás (vm mássá), (rá)illesztés, hozzáillesztés, adaptálás, adaptáció **b)** átírás, átdolgozás *[színdarabé, műé]*, színre alkalmazás **2.** *biol ált* alkalmazkodás, adaptáció, *ált* beilleszkedés

adapter [əˈdæptə ‖ –ər] *fn* **1.** feldolgozó, átdolgozó, színre alkalmazó *[műé]* **2.** *távk vill* előtét, adapter

adaptor [əˈdæptə ‖ –ər] *fn* → **adapter**

add [æd] *tsi* **1. a)** hozzáad, hozzátesz, hozzájárul (*to* vmhez), összeköt (*to* vmvel); **~ to sy's difficulties** még nehezebbé teszi vk dolgát, növeli vk nehézségeit **b)** hozzátesz *[közlést kiegészít]* **2.** *mat* összead; **~ed to...** hozzáadva, meg, plusz; **~ 6 to 9** hat meg kilenc • *mn* **added**

add in *tsi* beleszámít, belefoglal

add up A. *tsi* **1.** összead, hozzáad **2.** megszámol **3.** véleményt alkot (vkről), kiértékel (vkt) **B.** *tni biz* **it just doesn't ~ up** ennek semmi értelme sincs, ennek se füle se farka; itt vm nem stimmel

addendum [əˈdendəm] *fn tsz* **addenda** [–də] függelék, pótlás, toldalék, kiegészítés

adder [ˈædə ‖ –ər] *fn áll* keresztes vipera

adder's tongue *fn növ* kígyónyelv

addict I. *fn* [ˈædɪkt] **1.** rab *[kóros szenvedélyé]*, -függő; **cocaine ~** kokainista; **drug ~** kábítószerfüggő **2.** *átv biz* szenvedélyes híve vmnek, -rajongó; **film ~** mozirajongó **II.** *tsi* [əˈdɪkt] **1. be ~ed to drink** az ital rabja **2. ~ oneself to science** a tudománynak szenteli magát/életét; **be ~ to computer games** él-hal (v. megőrül) a számítógépes játékokért

addiction [əˈdɪkʃn] *fn* **a)** függőség; **~ to morphia** morfinizmus; → **drug addiction b)** szenvedélyes szeretet/ragaszkodás/odaadás (vm iránt), teljes belemerülés (vmbe)

addictive [əˈdɪktɪv] *mn* függőséget okozó, addiktív *[kábítószer, szokás]*

Addison's disease [ˈædɪsnz dɪziːz] *fn orv* Addison-kór, bronzkór

addition [əˈdɪʃn] *fn* **1. a)** hozzáadás, hozzátevés, hozzákeverés, (hozzá)toldás, kiegészítés, gyarapodás, gyarapítás *[létszámé]*, ráadás; **in ~ (to)** ráadásul, tetejében, vmn felül/kívül, azonkívül **b)** pótlás, pótlék, toldalék, kiegészítés **2.** *mat* hozzáadás, összeadás **3.** *vegy* adalék, addíció

additional [əˈdɪʃnəl] *mn* kiegészítő, hozzáadott, további, járulékos; *gazd* **~ charge(s)** felár, pótdíj, többletköltség • *hsz* **additionally**

additive [ˈædɪtɪv] **I.** *mn* összeadási, összeadandó, addíciós, additív; *vegy* **~ reaction** addíciós reakció **II.** *fn* adalék(anyag)

addle [ˈædl] **I. A.** *tsi* **1.** *biz* összezavar, megzavar (vkt), összekever *[dolgokat]* **2.** megrohaszt (vmt); **become ~d** megzápul, megromlik **B.** *tni* megzápul, megromlik **II.** *mn* **1.** *biz* üres *[fej]* **2.** megzápult, záp *[tojás]*

add-on *fn* pótalkatrész, járulékos alkatrész, kiegészítő, kellék, toldalék, *infor* segédprogram

address I. *fn* [əˈdres ‖ ˈædres] **1. a)** cím(zés) *[levélen, csomagon]*; **(home) ~** lak(ás)cím; **of no ~** lakcíme ismeretlen **b) (form of) ~** megszólítás, címzés **2.** készség, ügyesség, jártasság; **handle a matter with ~** jól/ügyesen/szakértelemmel jár el egy ügyben **3.** *tsz* **adresses** udvarlás; **pay one's ~es to sy** udvarol vknek, teszi a szépet vknek; **reject sy's ~es** visszautasítja vk közeledését/udvarlását **4.** (üdvözlő) beszéd *[konferencián, találkozón]*; **deliver a short ~** rövid beszédet mond **5.** *infor* cím **II.** [əˈdres] **A.** *tsi* **1.** címez *[levelet]*; *infor* (meg)címez **2. a)** megszólít (vkt), szólít (vkt vmnek); **she ~ed me as 'professor'** professzornak szólított **b)** üdvözöl *[tömeget, résztvevőket]*, beszédet mond *[gyűlésen]*, beszédet intéz *[összegyűltekhez, tömeghez]* **3. a) ~ oneself to sg** nekigyürkőzik (vmnek); hozzáfog/hozzálát (vm elvégzéséhez) **b)** beszédet/levelet intéz (vkhez), ír (vknek) **B.** *tni sp* ütőállásba helyezkedik *[golfozó]* • *fn* **addresser** *mn* **addressable**

address book *fn* címjegyzék, *infor* címtár, címjegyzék

addressee [ˌædreˈsiː] *fn* címzett

Addressograph [əˈdresoʊgrɑːf ‖ –græf] *fn* ‹borítékra címet nyomtató gép›

adduce [əˈdjuːs ‖ əˈduːs] *tsi* felhoz, előhoz *[okokat]*, hivatkozik vkre/vmre, *[tanúként]* állít, hoz, bizonyítékként idéz • *mn* **adducible**

adducent [əˈdjuːsnt ‖ əˈduː–] *mn orv* közelítő *[izom]*

adduct [əˈdʌkt] *tsi biol* közelít *[a test középsíkja felé]* • *fn* **adduction**, **adductor**

Adelaide [ˈædəleɪd] *tul földr* Adelaide

Aden [ˈeɪdn] *tul földr* Áden

adenine [ˈædəmiːn] *fn vegy* adenin

adenoiditis [ˌædɪnɔɪˈdaɪtɪs] *fn orv* garatmandula-gyulladás

adenoma [ˌædəˈnoumə] *fn orv* mirigydaganat; **malignant ~** mirigyrák

adenosine [əˈdenəsiːn] *fn vegy* adenozin

adept I. *mn* [əˈdept] hozzáértő, ügyes; **be ~ in/at doing sg** ért vmhez, ügyes/járatos vmben **II.** *fn* [ˈædept] műértő, szakértő

adequate [ˈædɪkwət] *mn* **1.** elegendő, elég(séges); alkalmas, kielégítő, adekvát, a szükséges kívánalmaknak megfelelő; **~ reward** méltányos jutalom/ellenszolgáltatás; **he is not ~ to his job** nem alkalmas (v. nem a megfelelő ember) a munkájához (v. feladatának ellátására) **2.** arányos, arányban álló • *fn* **adequacy** *hsz* **adequately**

adhere [ədˈhɪə ‖ ədˈhɪr] *tni* **1. ~ to sg** (következetesen) ragaszkodik vmhez (v. vm betartásához), tartja magát vmhez; **the instructions must be carefully ~d to** az utasításokat pontosan be kell tartani; **~ to one's decision** (állhatatosan) kitart elhatározása mellett (v. ragaszkodik elhatározásához); **~ to one's principles** kitart elvei mellett; **~ to his promise** állja/megtartja az ígéretét/szavát; **~ to a treaty** *jog* csatlakozik *[szerződéshez]* **2. ~ (to sg)** tapad, ragad vmhez, odaragad, hozzáragad

adherent [ədˈhɪərənt ‖ –ˈhɪr–] **I.** *fn* **1.** követő, támogató, híve; **the idea is gaining ~s** az eszme követőkre talál **2.** párttag **II.** *mn* **a)** (hozzá)tapadó; ragadós **b)** hozzátartozó, csatlakozó • *fn* **adherence**

adhesion [ədˈhiːʒn] *fn* **1. a)** (oda)tapadás, (oda)ragadás, hozzátapadás, hozzáragadás **b)** *fiz műsz* tapadás, adhézió, ragadás **c)** *gk* tapadás, adhézió **2.** ragaszkodás, hűség *[párthoz, ügyhöz]* **3.** *orv* összenövés, hozzánövés, lenövés

adhesive [ədˈhiːsɪv] **I.** *mn* **1.** ragadó(s), (oda)tapadó; **~ capacity** kötési képesség, tapadóképesség *[ragasztóé]*; **~ envelope** enyvezett boríték; **~ plaster** ragtapasz, sebtapasz; **~ tape** ragasztószalag, szigetelőszalag **2.** *fiz műsz* tapadó, tapadási, adhéziós **II.** *fn* ragasztó(szer), ragasztóanyag, kötőanyag • *fn* **adhesiveness** *hsz* **adhesively**

adhibit [ədˈhɪbɪt] *tsi* **1.** hozzáerősít, hozzáragaszt, hozzátesz **2.** alkalmaz, használ *[orvosságot]* • *fn* **adhibition**

ad hoc [ˌæd ˈhɒk ‖ –ˈhɑk] *mn/hsz* ad hoc, erre a célra való/készült, alkalmi, időszaki, ideiglenes; **an ~ committee** ad hoc bizottság

ADI *röv acceptable daily intake* maximális napi adag *[gyógyszerből, vitaminból]*

adiabatic [ˌædɪəˈbætɪk] *mn fiz* hőcseremendes, adiabatikus

adieu [əˈdjuː ‖ əˈduː] *francia* **I.** *isz* viszontlátásra, isten vele(tek) **II.** *fn* **bid sy ~** búcsút int/mond vknek; búcsút vesz vktől

A

ad infinitum [ˌæd ɪnfɪˈnaɪtəm] *hsz latin* végtelenségig, vég nélkül
ad interim [æd ˈɪntərɪm] *mn/hsz jog latin* átmeneti(leg), ideiglenes(en)
adios [ˌædiˈɒs ‖ –ˈoʊs] *isz spanyol* viszlát!
adipocere [ˌædɪpəˈsɪə ‖ –ˈsɪr] *fn* hullaviasz, tetemviasz, adipocera
adipose [ˈædɪpoʊs] *mn* **1.** hájas, zsíros, elhízott, kövér **2.** zsírtartalmú; **~ tissue** *orv* zsírszövet • *fn* **adiposity**
adit [ˈædɪt] *fn bány* tárna, táró
adj. *röv nyelv adjective*
adjacent [əˈdʒeɪsnt] *mn* szomszédos, határos, egymás melletti; *mat* **~ angles** mellékszögek, kiegészítő szögek; **lying immediately ~ to the river** közvetlenül a folyó mellett fekvő (v. folyóparti) • *fn* **adjacency**
adjective [ˈædʒəktɪv] **I.** *fn nyelv* melléknév **II.** *mn* mellékes; melléknévi • *mn* **adjectival** *hsz* **adjectivally**
adjoin [əˈdʒɔɪn] *tsi* határos, érintkezik, szomszédos, találkozik (vmvel)
adjourn [əˈdʒɜːn ‖ əˈdʒɜrn] **A.** *tsi* berekeszt, elhalaszt, elnapol *[gyűlést, tárgyalást]*; **~ sg to/till the next day** másnapra halaszt vmt **B.** *tni* **1. the meeting ~ed at three o'clock** a gyűlést háromkor berekesztették/bezárták/félbeszakították **2.** visszavonul *[bíróság]*, szünetet tart/elrendel
adjournment [əˈdʒɜːnmənt ‖ –ˈdʒɜrn–] *fn* **a)** elhalasztás, elnapolás **b)** megszakítás, felfüggesztés, berekesztés *[tárgyalásé]*, visszavonulás
adjudge [əˈdʒʌdʒ] *tsi* **1.** *jog* döntést hoz, (bírói úton) dönt, határoz(atot hoz) *[jogi kérdésben]*; **~ sy to be guilty** bűnösnek/vétkesnek mond ki vkt **2.** megítél, odaítél; **~ damages** megítél kártérítést; **~ (a prize) to sy** (díjat) odaítél vknek **3.** (ki)mond, ítél (vmnek); **he was ~d the winner** őt jelentették be (v. mondták ki v. nyilvánították) győztesnek • *fn* **adjudgement**
adjudicate [əˈdʒuːdɪkeɪt] **A.** *tsi* határozatot hoz, (bírói) ítéletet hoz, megítél, odaítél, eldönt (vmt); **~ sg to sy** megítél/odaítél vmt vknek **B.** *tni* ítélkezik • *fn* **adjudication**, **adjudicator** *mn* **adjudicative**
adjunct [ˈædʒʌŋkt] **I.** *mn* járulékos, mellékes, kísérő, segéd- **II.** *fn* **1.** járulék, függelék, tartozék, kiegészítés **2.** *nyelv* (állítmány)kiegészítő, (nyelvtani) bővítmény • *mn* **adjunctive**
adjure [əˈdʒʊə ‖ –ʊr] *tsi* **~ sy to do sg** ünnepélyesen felszólít vkt vm megtevésére; Isten nevében (v. eskü terhe alatt) parancsol vknek vmt; az Istenre kér (vkt vmre) • *fn* **adjuration** *mn* **adjuratory**
adjust [əˈdʒʌst] **A.** *tsi* **1.** eligazít, rendbe hoz *[ügyet]*, összhangba hoz, kiegyenlít; **~ an account** számlát kiegyenlít; **~ a claim/loss** *[biztosító társaság kárbecslője]* kárigény összegét megállapítja **2.** hozzáigazít, arányosít; **~ oneself to sg** alkalmazkodik, igazodik *[vmhez, körülményekhez]*; beleilleszkedik *[új helyzetbe]* **3. a)** *műsz gk* beállít, megigazít, beszabályoz **b)** megigazít, átalakít *[ruhadarabot]* **4.** *orv* helyreilleszt *[törést]* **B.** *tni* alkalmazkodik, beilleszkedik • *fn* **adjustability**, **adjuster** *mn* **adjustable**
adjustment [əˈdʒʌstmənt] *fn* **1.** eligazítás *[ügyé]*, korrigálás, helyesbítés, módosítás, kisebb változtatás; **~ of complaint** panasz/reklamáció elintézése; **bring about an ~** megegyezést hoz létre **2. ~ (of claims)** kártérítési igény megállapítása *[biztosításban]*; **~ of damages** kárrendezés **3.** *műsz gk* beigazítás, beszabályozás, (finom)beállítás, korrekció, *geod* kiegyenlítés; *műsz* **~ for wear** kopásutánállítás; **out of ~** szabálytalanul/rosszul működik/működő, elromlott *[szerkezet]* **4.** *orv* helyreillesztés *[törött csontvégeké]*
adjutage [ˈædʒətɪdʒ] *fn* porlasztófej *[permetezőgépé]*, szórócső, (cső)toldat, toldalékcső, kifolyócső *[szökőkúté]*
adjutant [ˈædʒʊtənt] *fn kat* szárnysegéd, adjutáns, segédtiszt, hadsegéd • *fn* **adjutancy**
adjuvant [ˈædʒʊvənt ‖ ˈædʒə–] **I.** *mn* **1.** segítő, segítőkész, segéd- **2.** *orv* erősítő, kisegítő *[kezelés]* **II.** *fn* **1.** segítő, segítség(et nyújtó) **2.** *orv* hatásjavító (gyógy)szer, adjuváns
ad lib [ˌæd ˈlɪb] **I.** *mn* rögtönzött, közbeiktatott, hevenyészett **II.** *hsz* tetszés szerint; **you may play the violin ~** hegedülhetsz kedvedre (v. kedved szerint v. amennyit csak akarsz) **III.** *fn* rögtönzés, rögtönzött műsorszám **IV.** *tsi/tni* **-bb-** rögtönöz, bemondást szúr be szövegbe *[színész]*, improvizál • *fn* **ad-libber**
ad lib. *röv according to pleasure, freely* tetszés szerint
admass *fn GB média* ‹a média eszközeivel könnyen befolyásolható/irányítható társadalmi rétegek›
admeasure [ædˈmeʒə ‖ –ər] *tsi* lemér, kimér, adagol, kalibrál • *fn* **admeasurement**
adminicle [ədˈmɪnɪkl] *fn* **1.** segítség, segédeszköz **2.** *skót jog* bizonyító körülmény
administer [ədˈmɪnɪstə ‖ –ər] **A.** *tsi* **1. a)** kormányoz, igazgat *[országot]*, vezet, intéz, adminisztrál *[ügyeket]*, alkalmaz *[törvényt]*, kezel *[birtokot]*; **~ justice** igazságot szolgáltat **b) ~ an/the oath to sy** felesket; megesket vkt **c) ~ a rebuke to sy** rendre utasít, megdorgál vkt; megrovásban részesít vkt **d) ~ extreme unction** *vall* feladja az utolsó kenetet **2.** bead *[orvosságot vknek]* **B.** *tni* hozzájárul • *mn* **administrable**
administrate [ədˈmɪnɪstreɪt] *US* → **administer A.**
administration [ədˌmɪnɪˈstreɪʃn] *fn* **1. a)** intézés *[ügyeké]*, ügyvitel, igazgatás, vezetés *[intézményé]*, kezelés *[vagyoné]*, igazgatás *[birtoké]*, irányítás *[gazdaságé]* **b) after the ~ of the oath** a feleskétés után **2.** vezető testület, vezetés, adminisztráció *[intézményé]* **3.** *US* a kormányzat, a kormány, a kabinet, kormányzás, államigazgatás, államapparátus
administrative [ədˈmɪnɪstrətɪv ‖ –nəstreɪ–] *mn* közigazgatási, adminisztratív, adminisztrációs, igazgatási, hivatali • *hsz* **administratively**
administrator [ədˈmɪnɪstreɪtə ‖ –ər] *fn* **1. a)** ügykezelő, ügyintéző, ügyvezető, igazgató, üzletvezető, adminisztrátor **b)** (jó) szervező **2.** *jog* gyám, kirendelt gondnok/vagyonkezelő, végrendeleti végrehajtó **3.** beadó *[orvosságé]*
administratrix [ədˌmɪnɪˈstreɪtrɪks] *fn tsz* **administratrices** [–treɪtrɪsiːz] **1.** ügyvezetőnő, ügyintézőnő, kezelőnő, igazgatónő **2.** *[kirendelt]* vagyonkezelőnő, gondnoknő, női gyám, kurátornő
admirable [ˈædmərəbl] *mn* csodás, csodálatos, bámulatos, bámulatra méltó • *hsz* **admirably**
admiral [ˈædmərəl] *fn* tengernagy, admirális; **A~ of the Fleet** vezérlő tengernagy, a flotta főparancsnoka • *fn* **admiralship**
admiralty [ˈædmərəlti] *fn* **1.** *GB tört* **the A~** az Admiralitás **2. ~ law** tengerészeti törvény, tengeri jog; **~ mile** angol tengeri mérföld (= 1853,2 m)
Admiralty Board *fn GB tört* ‹a haditengerészetet felügyelő hadügyminisztériumi bizottság›
admiration [ˌædmɪˈreɪʃn] *fn* **a)** csodálat, bámulat, rajongás; **be lost in ~ of sy** önfeledten csodál vkt **b)** (vk) csodálatának tárgya; **be the ~ of everyone** mindenki bámulatának/csodálatának a tárgya
admire [ədˈmaɪə ‖ –ər] **A.** *tsi* (meg)csodál, csodálatot/tiszteletet érez (vk iránt), nagyra becsül (vkt); **I ~ your audacity** bámulom/csodálom a merészségét **B.** *tni* csodálkozik • *mn* **admiring** *hsz* **admiringly**
admirer [ədˈmaɪərə ‖ –ər] *fn* **a)** bámuló, rajongó, tisztelő **b)** hódoló, imádó, tisztelő *[hölgyé]*, lovag, gavallér, udvarló
admissible [ədˈmɪsəbl] *mn* **1.** elfogadható *[bizonyíték, panasz, indítvány]*, kinevezhető, alkalmazható, felfogadható *[állásra]*, felvehető, beengedhető **2.** *műsz* megengedhető, megengedett *[játék]*; **~ load** megengedett teher/terhelés; **~ wear** megengedett/tűrt kopás/avulás • *fn* **admissibility**
admission [ədˈmɪʃn] *fn* **1. a)** belépés *[helyiségbe, intézménybe, országba]*, bebocsátás, bejutás, befogadás *[társaságba]*, felvétel *[iskolába]*, felvétel, kinevezés *[állásba]*; **~ to hospital** kórházi (beteg)felvétel; **gain ~** felvételt nyer, felveszik; **~ requirements** felvételi követelmények; **~ free** a belépés díjtalan, belépődíj nélkül; ingyen(esen), díjta-

lan(ul); **have free ~ to a place** szabad belépése van vhova, szabadjegye van vhova **b)** belépődíj; **~ is 800 Ft** a belépődíj 800 Ft **c)** belépési/bebocsátási engedély **d)** kórházi beteg, (felvételt nyerő) beteg **2. a)** elismerés, elfogadás *[bizonyítéké, tételé]* **b)** *jog* beismerés, bevallás *[bűné]*, beismerő vallomás

admit [əd'mɪt] *i* **-tt- A.** *tsi* **1.** bevall *[vétket]*, beismer, belát *[tévedést]*, elismer, elfogad *[tényt]*; **I must ~ that** meg/be kell vallanom, hogy ..., el kell ismernem, hogy ...; **I was wrong I ~** belátom, hogy tévedtem, belátom, hogy nem volt igazam **2. a) ~ to** bebocsát, beenged, beenged, befogad *[társaságba]*, beválaszt *[társulat tagjai közé]*, felvesz *[kórházba, egyetemre, tagnak stb.]*; **be ~ed to the EU** felveszik az EU-ba; **dogs not ~ted** kutyákat behozni tilos, kutyákkal belépni tilos; **harbour that ~s large ships** nagy hajókat befogadó kikötő **b)** *műsz* beereszt, bebocsát *[gázt, folyadékot]* **B.** *tni* **a) ~ of** hagy, enged, lehetővé tesz; **it ~s of no excuse** nincs rá mentség; **it ~s of no delay** nem tűr halasztást; **her conduct ~s of no excuse** viselkedésére nincs mentség; **it ~s of no doubt** kétség nem fér hozzá; kétségtelen; kétségkívül **b) ~ to** elismer, beismer, bevall (vmt); **he ~ted to taking drugs** bevallotta, hogy kábítószert szed **c) this door ~s to the living-room** ez az ajtó a nappaliba nyílik

admittance [əd'mɪtns] *fn* **1.** bejárás, bebocsátás, beengedés, hozzáférés, hozzájutás; **~ to** (vhova/vmhez); **gain ~ to sy** bejut vkhez, bebocsátást nyer vkhez; **have ~ to sy** bejárása van vkhez; bejáratos vhova; **no ~!** belépni tilos!; **give sy ~** bebocsát/beenged vkt (vhova) **2.** *vill* admittancia

admittedly [əd'mɪtɪdli] *hsz* kétségkívül, minden kétséget kizáróan, az általános felfogás szerint, minden bizonnyal, saját bevallása szerint

admix [əd'mɪks] **I. A.** *tsi* **~ sg with sg** összevegyít, összekever vmt vmvel; belekever, hozzákever **B.** *tni* vegyül, elegyedik, keveredik *[egyik anyag a másikkal]* **II.** *fn* összevegyítés, összevegyülés, összekeverés, összekeveredés

admixture [əd'mɪkstʃə ‖ –ər] *fn* **1.** hozzákeverés, hozzáadás, elegyítés, kiegészítés **2.** elegyedés, keverék, adalék(anyag), pótlás

admonish [əd'mɒnɪʃ ‖ –'mɑ–] *tsi* **1. a)** megdorgál, (meg)int, figyelmeztetésben/intelemben részesít **b) ~ sy to do sg** buzdít/int/felszólít vkt arra, hogy vmt megtegyen **2. a) ~ sy of a danger** vkt veszélyre figyelmeztet; vkt veszélytől óv **b)** (jó)tanácsot ad (vknek) • *fn* **admonishment, admonition** *mn* **admonitory**

ad nauseam [ˌæd'nɔːziæm] *hsz* túlzott (v. undort keltő) mértékben, megcsömörlésig

adnominal [ˌæd'nɒmɪnl ‖ –'nɑ–] *mn nyelv* jelzői, melléknévi

adnoun ['ædnaʊn] *fn nyelv* főnévként használt melléknév

ado [ə'duː] *fn* **1.** izgalom, hűhó, teketória, fontoskodás, felhajtás; **much ~ about nothing** sok hűhó semmiért; **without further/more ~** minden további nélkül, rögtön **2.** nehézség, bonyodalom, gond, utánjárás

adobe [ə'doʊbi] *fn* **1.** vályog(tégla), napon szárított tégla **2.** vályog, agyag **3.** vályogtéglás épület, vályogház

adolescent [ˌædə'lesnt] **I.** *mn* fiatalkori, serdülőkori, kamaszkori, serdülő, fiatal; *orv* **~ insanity** serdülőkori elmezavar **II.** *fn* **1.** serdülő, kamasz **2.** kamaszlány, bakfis • *fn* **adolescence**

Adonis [ə'doʊnɪs] *tul/fn* **1.** *mit* Adonisz *[Vénusz szerelme]* **2.** férfiszépség, Adonisz • *mn* **Adonic**

adopt [ə'dɒpt ‖ ə'dɑpt] *tsi* **1.** örökbe fogad, adoptál *[gyermeket]* **2.** magáévá tesz *[nézetet, ügyet]*, átvesz, felvesz *[divatot, szokást]*, csatlakozik *[javaslathoz]*, elfogad *[eljárást, véleményt]*, alkalmaz *[javaslatot, módszert]*; **~ a candidate** vkt vmlyen politikai szerepre jelöl, képviselőnek jelöl; *átv* **~ a course** irányt vesz; vmlyen vonalat követ; **~ a measure** intézkedéshez nyúl; rendszabályhoz folyamodik; **~ a policy** álláspontot elfoglal/kialakít; **~ a procedure** eljárást alkalmaz; **~ a profession** vmlyen pályára lép, vmlyen pályát választ; **~ a resolution** határozati javaslatot elfogad; határozatot hoz • *fn* **adoption**

adoptive [ə'dɒptɪv ‖ ə'dɑp–] *mn* örökbe fogadott, adoptált *[gyermek]*; **~ children** adoptált (v. örökbe fogadott) gyermekek; **~ parents** adoptáló szülők, örökbe fogadó szülők, nevelőszülők

adorable [ə'dɔːrəbl] *mn* imádni való, elragadó, bájos • *hsz* **adorably**

adore [ə'dɔː ‖ ə'dɔr] *tsi* imád, bálványoz(ásig szeret), rajong (vkért, vmiért) • *fn* **adoration** *mn* **adoring** *hsz* **adoringly**

adorer [ə'dɔːrə ‖ ə'dɔrər] *fn* imádó, rajongó, bálványozó; **her ~s** imádói, rajongói, tisztelői, hódolói, lovagjai

adorn [ə'dɔːn ‖ ə'dɔrn] *tsi* (fel)díszít, (fel)ékesít, szépít, díszbe öltöztet, felcicomáz, dekorál • *fn* **adornment**

adrenal [ə'driːnl] *mn orv* mellékvese-; **~ (gland)** mellékvese

adrenalin [ə'drenəlɪn], **adrenaline** *fn orv* adrenalin, mellékvese-kivonat, mellékvesehormon, epinefrin

Adrian ['eɪdriən] *tul* ‹férfinév›

Adrianople [ˌeɪdriə'noʊpl] *tul földr* Drinápoly

Adriatic [ˌeɪdri'ætɪk] **I.** *mn földr* **~ Sea** Adriai-tenger **II.** *fn* **the ~** az Adria

adrift [ə'drɪft] *hsz hajó* sodródva, hányódva; **be ~** sodródik, hányódik *[hajó]*; *átv* hányódik-vetődik *[személy]*; eltévedt; **go ~** hányódik, hányódni kezd *[hajó]*, *átv* hajótörést szenved *[projekt]*; *átv* **you are all ~** eltér(sz) a tárgytól, elvesztetted a fonalat, összezavarodtál

adroit [ə'drɔɪt] *mn* ügyes, biztos kezű, talpraesett, leleményes • *fn* **adroitness** *hsz* **adroitly**

adscription [əd'skrɪpʃn] → **ascription**

adsorb [æd'sɔːb ‖ –'sɔrb] *tsi fiz vegy* felszív, (felületileg) elnyel, adszorbeál, leköt *[gázt]* • *fn* **adsorption** *fn/mn* **adsorbent** *mn* **adsorbable**, **adsorptive**

adsorbate [æd'sɔːbət ‖ –'sɔr–] *fn fiz vegy* adszorbeált (v. felületileg elnyelt) anyag, adszorbátum, adszorbeáló és adszorbeált anyag együtt

adulate ['ædʒʊleɪt] *tsi* (szolgai módon) hízeleg vknek, tömjénez vkt • *fn* **adulation**, **adulator** *mn* **adulatory**

adult ['ædʌlt ‖ ə'dʌlt] *mn/fn* **a)** felnőtt; **~ baptism** felnőttek keresztelése, felnőttkeresztség; **~ film/movie** ‹szexfilm›; **~ education institution** felnőttoktatási intézmény **b)** *áll* kifejlett *[állat]* • *fn* **adulthood** *hsz* **adultly**

adulterant [ə'dʌltərənt] **I.** *mn* (meg)hamisító *[anyag]* **II.** *fn* hamisítószer, szennyezőanyag, szaporítóanyag

adulterate I. *mn* [ə'dʌltərət] *vál* hamis(ított) *[élelmiszer, ital]* **II.** [–reɪt] **A.** *tsi* hamisít *[pénzt, bort, élelmiszert, beszédet, nyelvet]*, hozzáad *[idegen anyagot]*; **~d wine** hamisított/pancsolt bor **B.** *tni* házasságtörést követ el • *fn* **adulteration**, **adulterator**

adulterer [ə'dʌltərə ‖ –ər] *fn* házasságtörő (férfi)

adulteress [ə'dʌltərəs] *fn* házasságtörő (nő)

adulterine [ə'dʌltəriːn] *mn* **1.** házasságtörésből származó, törvénytelen **2.** hamis(ított)

adulterous [ə'dʌltərəs] *mn* **1.** házasságtörő **2.** hűtlen, hitehagyó, hitehagyott • *hsz* **adulterously**

adultery [ə'dʌltəri] *fn* házasságtörés

adumbrate ['ædʌmbreɪt] *tsi* **1.** (fel)vázol, körvonalaz *[tervet, rendszert]*, elgondol, kitervez **2.** sejtet, betekintést enged *[iratokba, tervekbe]* • *fn* **adumbration** *mn* **adumbrative**

adv. *röv* **1.** *advantage* **2.** *adverb* **3.** *adverbial* **4.** *advertisement* **5.** *advice*

advance [əd'vɑːns ‖ əd'væns] **I. A.** *tsi* **1. a)** lép *[pl. sakkban]* **b)** *átv* előrehoz, előrevisz, előretol *[határidőt, csapatokat]*, előléptet (vkt), elősegít, előmozdít *[fejlődést, tudományt]*; **~ sy** vk szekerét tolja **c)** *vill* siettet; *növ* hajtat, siettet *[érést]*; *műsz* **~ the spark** előgyújtást ad **2. a)** (fel)emel *[árat stb.]* **b)** *régi* felmagasztal, dicsőít, eszményít **3.** előlegez, kölcsönöz, kölcsönad *[pénzt]*, leelőlegez (vmt), előre lefizet *[összeget]*; **money ~d** előleg

A

4. előad, kifejt *[véleményt, álláspontot]*, közbevet **B.** *tni* **1.** *átv* (előre)lép, halad, előremegy, előrejut, előlép *[rangban]*, előrenyomul, előretör *[csapat]* **2.** halad, fejlődik **3.** emelkedik, felmegy *[ár]*, drágul *[értékpapír stb.]* **II.** *fn* **1.** *átv* haladás, fejlődés, előremenetel, fejlesztés; *kat* **~ base** előretolt támaszpont; **~ booking** előjegyzés *[jegyé, szobáé]*, (jegy)elővétel, helyfoglalás; *kat* **~ guard** felderítők, elővéd, előcsapat; **~ information** előzetes tájékoztatás; *kat* **~ post** előretolt (figyelő)állás; **in ~** előzetesen, előre; **pay a sum in ~** előre lefizet egy összeget; előleget fizet; leelőlegez; **well in ~** jó előre/korán; **make an ~** halad, előrejut; közeledik vk felé, megteszi az első lépést/lépéseket vk felé **2.** *tsz* **advances** barátságos közeledés, udvarias/figyelmes felajánlás, kínálkozás; **make ~s to a man** kikezd egy férfival; **respond to sy's ~s** vk közeledésére reagál (v. nem marad érzéketlen) **3. a)** emelés *[áré]*, áremelkedés, hossz *[tőzsdén]* **b)** *pénz* előleg, foglaló, leelőlegezés, kölcsön; **~ (payment)** előleg; **the publisher gave him an ~ of 100.000 Ft** a kiadó 100000 Ft előleget adott neki; **~ on securities** értékpapír-fedezet mellett nyújtott kölcsön **c)** nagyobb/magasabb ajánlat **4. a)** *kat* előrenyomulás **b)** előrenyomulásra adott parancs/jel **5.** sietés *[óráé]*, *vill* fázissietés **III.** *mn* megelőlegezett, előre elkészített • *fn* **advancer**

advanced [əd'vɑ:nst ‖ əd'vænst] *mn* **1. a)** haladó, fejlett, magas fokon álló; **~ country** fejlett (iparral rendelkező) ország **b)** *okt* haladó *[szint, tanfolyam]* **2.** korát megelőző, haladó *[gondolkodás, eszme]* **3. a)** késői *[időpont]*, előrehaladott *[kor]*; **~ in years** öreg, élemedett, koros **b)** *kat* előretolt *[állás]*; **~ guard** előőrs, elővéd

advancement [əd'vɑ:nsmənt ‖ əd'væns–] *fn* **1.** fejlődés, (előre)haladás, előrenyomulás, előlép(tet)és, előmenetel *[rangban]* **2.** *pénz* előleg(ezés) **3. a)** növekedés, fejlődés **b)** fejlettség

advantage [əd'vɑ:ntɪdʒ ‖ əd'væntɪdʒ] **I.** *fn* **1. a)** előny, fölény, kedvező helyzet/alkalom; **to my ~** előnyömre, javamra; hasznomra; **to the best ~** legelőnyösebben; **gain ~ over sy** előnyt szerez vkvel szemben; **have the ~ of sy** fölényben/előnyben van vkvel szemben; **you have the ~ of me** kihez van szerencsém?; nincs szerencsém önt ismerni; **show off sg to ~** legjobb/előnyös oldaláról mutat be vmt; **show to (great) ~** jól fest/mutat, jól néz ki; előnyös oldalát mutatja; **take sy at ~** meglep vkt, rajtaüt vkn; vkvel szemben fölényt/előnyt kihasznál/érvényesít **b)** *sp* **~ in/server** előny az adogatónál *[teniszben]*; **~ out/striker** előny a fogadónál **2.** nyereség, haszon; **sell sg to (good) ~** előnyösen (v. jó áron) értékesít (v. ad el) vmt; **take ~ of sg** kihasznál vmt; él vmnek a lehetőségével; visszaél vmvel; kiaknázza a lehetőséget; hasznát veszi; **take ~ of sy** becsap/kihasznál/félrevezet vkt **II. A.** *tsi* elősegít, előmozdít, előbbre visz *[ügyet]*, előnyben részesít **B.** *tni* hasznot hajt/húz (vmből) • *mn* **advantageous** *hsz* **advantageously**

advantage rule *fn sp* előnyszabály

advection [æd'vekʃn] *fn* vízszintes légáram/légmozgás

advent ['ædvent] *fn* **1.** *vall* **A~** Advent; **A~ Sunday** Advent első vasárnapja; **the Second A~** Krisztus második eljövetele, az Utolsó Ítélet napja **2.** *átv* megérkezés, megjelenés, beköszöntés, eljövetel; **since the ~ of the aeroplane** a repülőgép megjelenése óta

Adventist ['ædvəntɪst ‖ 'ædventɪst] *fn vall* adventista, Krisztus második/közeli eljövetelében hívő; **seventh-day ~** (hetednapi) adventista • *fn* **Adventism**

adventitious [ˌædvən'tɪʃəs] *mn* **1. a)** véletlen, esetleges, nem tervezett **b)** járulékos, mellékes, kívülről eredő, pót-, mellék-; *orv* **~ organ** járulékos szerv; *orv* **~ sounds** mellékzörejek *[szívé, tüdőé]* **c)** *jog* **~ property** idegenről/oldalágról háramló vagyon **2.** *növ* szokatlan helyen előforduló, véletlenül megjelenő **3.** *orv* szerzett *[betegség]* • *hsz* **adventitiously**

adventure [əd'ventʃə ‖ –ər] **I.** *fn* **1.** kaland **2.** kockázat, kockázatos/merész vállalkozás, vakmerő vállalkozás/játék **3.** váratlan/meglepő eset/történés/élmény/fordulat **II. A.** *tsi* (meg)kockáztat, kockára tesz, megkísérel **B.** *tni* **~ oneself into a place** megkísérel vhová (el)jutni; **~ oneself on an undertaking** (merész) vállalkozásba fog • *mn* **adventuresome**

adventure playground *fn* játszótér *[fa- és gumijátékokkal, építőelemekkel]*

adventurer [əd'ventʃərə ‖ –ər] *fn* **1.** kalandor, szerencsevadász **2.** *biz* (pénzügyi) spekulátor

adventuress [əd'ventʃərəs] *fn* kalandornő

adventurism [əd'ventʃərɪzm] *fn* kalandorpolitika • *fn* **adventurist**

adventurous [əd'ventʃərəs] *mn* kalandos, vállalkozó szellemű, vakmerő, merész • *fn* **adventurousness** *hsz* **adventurously**

adverb ['ædvɜ:b ‖ –vɜrb] *fn nyelv* határozószó

adverbial [əd'vɜ:bɪəl ‖ –'vɜr–] *mn nyelv* határozói; **~ phrase** határozós szerkezet; határozó

adverbially [əd'vɜ:bɪəli ‖ –'vɜr–] *hsz nyelv* határozói módon/szerkezettel

adversarial [ˌædvə'seərɪəl ‖ ˌædvər'serɪəl] *mn* ellentétes, szemben álló

adversary ['ædvəsəri ‖ 'ædvərseri] *fn* ellenfél *[sportban]*; ellenség; **the A~** a Sátán

adversative [əd'vɜ:sətɪv ‖ –'vɜr–] *mn nyelv* ellentétes (értelmű), antitézist alkotó *[szavak, kifejezések]*

adverse ['ædvɜ:s ‖ æd'vɜrs] *mn* **1. a)** ellenséges, szemben álló, ellentétes; *jog* **~ party** szembenálló/ellenérdekű fél **b)** kedvezőtlen, ártalmas, káros; **~ circumstances** mostoha/szerencsétlen körülmények; **~ days** rossz idők, sötét napok; **~ fate/fortune** balsors **2.** túlsó, szemközti, átellenes; **~ page** túlsó oldal *[könyvben]*; **~ wind** ellenszél **3.** *orv* kóros, ártalmas, káros; **~ effect** mellékhatás *[gyógyszeré]* • *fn* **adverseness** *hsz* **adversely**

adversity [əd'vɜ:səti ‖ æd'vɜrsəti] *fn* balsors, balszerencse; szerencsétlenség, csapás, nyomor; **the adversities of this life** a földi élet megpróbáltatásai/viszontagságai

advert[1] [əd'vɜ:t ‖ æd'vɜrt] *tni vál* hivatkozik, utal, rátér, figyelmet irányít (*to* vmre); **he ~ed briefly to the events** röviden utalt/kitért az eseményekre

advert[2] ['ædvɜ:t ‖ –vɜrt] *fn GB biz* hirdetés

advertise, *US* **-ize** ['ædvətaɪz, –vər–] **A.** *tsi* **1.** hirdet, közzétesz, közread *[hírt médiában]*, reklámoz (vmt) **2.** értesít, tudat; **~ of/that** tudat arról, hogy... **B.** *tni* hirdet, hirdetést ad fel (v. tesz közzé), hirdetés útján keres, reklámot csinál (v. fejt ki) • *fn* **advertiser**

advertisement [əd'vɜ:tɪsmənt ‖ ˌædvər'taɪzmənt] *fn* **1. a)** reklám **b)** (újság)hirdetés, plakát, falragasz, reklámcédula; **~ curtain** reklámfüggöny *[színházban]*; **puffing ~** (erőszakos) reklám **2.** reklámozás, hirdetés *[tette/folyamata]*

advertisement manager *fn* reklámfőnök, reklámmenedzser

advertising ['ædvətaɪzɪŋ ‖ –vər–] **I.** *mn* hirdető; **~ agency** reklámiroda, hirdetési iroda/ügynökség; **~ column/space** hirdetési rovat *[újságban]*; **~ gimmick** reklámfogás, reklámhúzás, reklámtrükk; **~ manager** reklámfőnök; **~ medium** hirdetési eszköz, reklámeszköz **II.** *fn* (a) reklámszakma

advice [əd'vaɪs] *fn* **1.** *[vknek adott]* tanács; **~ bureau** tanácsadó iroda; **piece of ~** (jó)tanács; **at/by/on/under sy's ~** vk tanácsára, vk tanácsa/útmutatása szerint; **ask/seek ~** tanácsot kér; **take ~ from sy** hallgat vk tanácsára, megfogadja vk tanácsát; **seek/take legal ~** jogi tanácsot kér; ügyvédhez fordul **2.** *gazd* értesítés; **~ note, letter of ~** értesítés, értesítvény, szállítólevél **3.** *tsz* **advices** hír, értesítés, közlés, értesülés

advisable [əd'vaɪzəbl] *mn* ajánlatos, tanácsos, helyes, üdvös • *fn* **advisability** *hsz* **advisably**

advise [ədˈvaɪz] **A.** *tsi* **1.** tanácsot ad, tanácsol, javasol, ajánl; **be ~d by me** fogadja meg (v. kövesse) tanácsomat **2.** *hiv* **a)** tájékoztat, értesít **b) ~ sy on a question** informál/tájékoztat vkt egy kérdésről; **~ sy of sg** tájékoztat/értesít/felvilágosít vkt vmről; **keep sy ~d of sg** vkt vmről rendszeresen/állandóan tájékoztat **B.** *tni US* **~ with sy** tanácskozik vkvel; értekezik/konzultál vkvel; vk tanácsát (ki)kéri

advised [ədˈvaɪzd] *mn* megfontolt, meggondolt, józan, bölcs; **it would be well ~ to go there** ajánlatos/tanácsos lenne odamenni (v. elmenni oda) • *hsz* **advisedly**

advisement [ədˈvaɪzmənt] *fn* szakvélemény, (szak)tanács

adviser, advisor [ədˈvaɪzə ‖ –ər] *fn* tanácsadó; **legal ~** jogtanácsos; jogi tanácsadó; **medical ~** háziorvos, vk orvosa; **spiritual ~** lelkiatya

advisory [ədˈvaɪzəri] *mn* tanácskozási, tanácsadó; **~ board/body** felügyelőség, kuratórium; tanácsadó szerv/testület; **~ council** tanácsadó testület/vélemény; **~ opinion of the Hague Court** a Nemzetközi Bíróság tanácsadó véleménye

advocacy [ˈædvəkəsi] *fn* **1.** pártolás, pártfogás, támogatás, képviselet *[ügyé]*; **speak in ~ of sg/sy** vm/vk érdekében szól (v. szót emel) **2.** pártolói/támogatói/képviselői funkció

advocate I. *fn* [ˈædvəkət] **1.** szószóló, támogató, védő, pártoló *[ügyé]*; **he is a good ~** ügyesen/jól érvel; *vall biz* **Devil's ~** az ördög prókátora/ügyvéde, advocatus diaboli; *átv* népszerűtlen/kellemetlen ügy védője **2.** *sk jog* ügyvéd; **the Faculty of A~s** ügyvédi kar; **the Lord A~** Skócia főügyésze; **A~ General** főügyész **II.** *tsi* [ˈædvəkeɪt] támogat *[ügyet]*, szót emel *[vm/vk érdekében]*, helyesel • *fn* **advocateship**

advowson [ədˈvaʊzn] *fn GB* kegyuraság, egyházi javadalomra való ajánlás joga

adytum [ˈædɪtəm] *fn tsz* **adyta** [–tə] *régi vall* legbelső szentély, szentek szentje

adze, *US* **adz** [ædz] **I.** *fn* bárd, ácsbárd, fejsze **II.** *tsi* bárdol, megfarag, kifarag

adzuki bean [ædˈzuːki biːn] *fn növ* adzuki bab

AEC *röv US Atomic Energy Commission* Atomenergia Bizottság

AEF *röv Allied/American Expeditionary Force*

Aegean [ɪˈdʒiːən] *mn földr* **the ~ Sea** az Égei-tenger; **the ~ Islands** az Égei-szigetek

aegis [ˈiːdʒɪs] *fn* védelem, védőszárny, égisz; **under the ~ of the European Union** az Európai Unió égisze/védelme alatt; az Európai Unió jegyében

aegrotat [ˈaɪgroʊtæt] *fn GB* **1.** orvosi igazolás *[egyetemi hallgató hiányzásának igazolására]* **2.** ‹betegség miatt vizsgaengedménnyel szerzett egyetemi képesítés›

aeolian [iˈoʊlɪən] *mn* **a)** széllel kapcsolatos, széltől hajtott, szélhordta; **~ harp** eolhárfa; **~ soil** lösz (talaj) **b)** *zene* **A~ mode** eol skála/hangsor/hangnem

aeon [ˈiːən ‖ ˈiːɑn], **eon** *fn* **1.** eón, mérhetetlenül hosszú időegység/korszak; *biz* **during/upon ~s** egy örökkévalóságon (v. évezredeken) át **2.** örökkévalóság *[végtelenül hosszú idő]* **3.** *csill* ‹egymilliárd év›

aerate [ˈeəreɪt ‖ ˈer–] *tsi* **1.** (ki/át)szellőztet, levegőztet **2.** levegő/gázok hatásának kitesz, gázosít, szénsavval telít/tölt *[vizet, bort]*, habzóvá/pezsgővé tesz • *fn* **aeration, aerator**

aerial [ˈeərɪəl ‖ ˈer–] **I.** *fn GB távk gk* antenna; **~ wire** antenna(huzal) **II.** *mn* **1.** légi, repülési, repülő *[repüléssel, repülőgéppel kapcsolatos]*; **~ attack** légitámadás; **~ battle** légiharc; **~ combat** légi ütközet; **~ defence** légvédelem; **~ mine** légiakna; **~ navigation** repülés; légi közlekedés/forgalom; **~ perspective** légi perspektíva; **~ photograph** légi felvétel; **~ sickness** légi betegség; **~ war(fare)** légi hadviselés **2.** *vill* **~ contact line** felső vezeték; **~ ladder** tűzoltólétra; **~ railway** függővasút; drótkötélpálya; *növ* **~ root** léggyökér **3.** *átv* testetlen, éteri, légies, nem reális • *fn* **aeriality** *hsz* **aerially**

aerie [ˈeəri ‖ ˈeri] *fn áll* ragadozó madár fészke, *átv* sasfészek

aero- [ˈeəroʊ ‖ ˈeroʊ] *előtag orv* **1.** lég- **2.** légi, repülő(-); **~engine** repülőgépmotor

aerobatics [ˌeəroʊˈbætɪks ‖ ˌer–] *fn tsz* műrepülés

aerobe [ˈeəroʊb ‖ ˈeroʊb] *fn biol* oxigénigényes/aerob mikroorganizmus

aerobic [eəˈroʊbɪk ‖ eˈroʊ–] *mn* oxigénigényes, levegőigényes, aerob

aerobics [eəˈroʊbɪks ‖ eˈroʊ–] *fn esz sp* aerobik

aerobiology [ˌeəroʊbaɪˈɒlədʒi ‖ ˌerəbaɪˈɑ–] *fn biol* aerobiológia • *fn* **aerobiologist** *mn* **aerobiologic**

aerodrome [ˈeərədroʊm ‖ ˈer–] *fn* (kis) repülőtér

aerodynamics [ˌeəroʊdaɪˈnæmɪks ‖ ˌer–] *fn esz fiz* aerodinamika • *fn* **aerodynamist** *mn* **aerodynamic** *hsz* **aerodynamically**

aerofoil [ˈeərəfɔɪl ‖ ˈerə–] *fn rep* szárnyszelvény, szárnymetszet *[repülőgép felszállását segítő eszköz/felület]*

aerogram(me) [ˈeərəgræm ‖ ˈer–] *fn* ‹borítékul is szolgáló légipostai levélpapír› aerogram

aerolite [ˈeərəlaɪt ‖ ˈer–] *fn csill* kőmeteorit, meteorkő • *mn* **aerolitic**

aerology [eəˈrɒlɪdʒi ‖ eˈrɑ–] *fn meteo* magaslégkörtan, aerológia • *mn* **aerological**

aeronaut [ˈeərənɔːt ‖ ˈerə–] *fn* léghajós

aeronautics [ˌeərəˈnɔːtɪks ‖ ˌer–] *fn* **1.** *esz* repüléstan, léghajózástan **2.** repülés, léghajózás • *mn* **aeronautic, aeronautical**

aeronomy [eəˈrɒnəmi ‖ eˈrɑ–] *fn fiz meteo* aeronómia *[a felső légkör fizikai és kémiai folyamataival foglalkozó tudomány]*

aeroplane [ˈeərəpleɪn ‖ ˈerə–] *fn* repülőgép

aerosol [ˈeərəsɒl ‖ ˈerəsɑl] *fn* aeroszol(os doboz)

aerospace [ˈeərəspeɪs ‖ ˈer–] *fn* **1.** *rep* légtér; **~ industry** ‹repüléssel és űrhajózással kapcsolatos ipar› **2.** világűr

aerostat [ˈeərəstæt ‖ ˈer–] *fn* léggömb, léghajó

aerotowing [ˈeərətoʊɪŋ ‖ ˈer–] *fn* légi vontatás *[pl. vitorlázó repülőé]*

aerotrain [ˈeərətreɪn ‖ ˈer–] *fn* légpárnás vonat

Aesop [ˈiːsɒp ‖ ˈiːsɑp] *tul* Aiszóposz, Aesopus

Aesopian [iːˈsoʊpɪən] *mn* aiszóposzi, ezópusi *[mesék]*

aesthete [ˈiːsθiːt ‖ ˈes–] *fn* esztéta

aesthetic, aesthetical [iːsˈθetɪk(l) ‖ es–] *mn* **1.** esztétikai, esztétikus, művészi **2.** jó ízlésű **3.** ízléses, gusztusos *[látvány]*, tetszetős, szép • *fn* **aestheticism** *hsz* **aesthetically**

aesthetician [ˌiːsθəˈtɪʃn ‖ ˌes–] *fn* **1.** esztéta **2.** *US* → **beautician**

aesthetics [iːsˈθetɪks ‖ es–] *fn esz* esztétika

aestival [iːˈstaɪvl ‖ ˈestəvəl] *mn növ* nyári, nyáron megjelenő

aestivate [ˈiːstɪveɪt ‖ ˈes–] **1.** *tni* nyári álmot alszik *[állat]* **2.** eltölti a nyarat, nyaral

aestivation [ˌiːstɪˈveɪʃn ‖ ˌes–] *fn* **1.** *növ* rügyborulás, rügyképződés **2.** *áll* nyári álom

aether [ˈiːθə ‖ –ər] → **ether**

aethereal [ɪˈθɪərɪəl ‖ ɪˈθɪr–] → **ethereal**

aetiology [ˌiːtiˈɒlədʒi ‖ –ˈɑlə–] *fn* **1.** okkutatás, etiológia **2.** *orv* kóroktan, kórokkutatás, etiológia • *mn* **aetiologic, aetiological** *hsz* **aetiologically**

AF [æf] *röv* **1.** *air force* **2.** *Anglo-French* **3.** *audio frequency*

afar [əˈfɑː ‖ əˈfɑr] *hsz* távol; **from ~** távolról, távolból

AFB *röv air force base* légitámaszpont

AFC *röv* **1.** *Air Force Cross* **2.** *Association Football Club*

affable [ˈæfəbl] *mn* barátságos, nyájas, udvarias, megnyerő *[modor]* • *fn* **affability** *hsz* **affably**

affair [əˈfeə ‖ əˈfer] *fn* **1. a)** ügy, dolog, eset; **public ~s** közügyek; **at the head of ~s** a kormány élén; **in the present state of ~s** a dolgok jelenlegi állása mellett; **that is my ~** ez rám tartozik; ez az én dolgom **b) (love) ~** (szerelmi) viszony/kapcsolat; **have an ~ with sy** viszonya van vkvel **c)** ~ **of honour** lovagias/becsületbeli ügy; párbaj **2.** *kat* csetepaté, csatározás, összetűzés **3.** *tsz* **affairs a)** (hétköz)napi ügyek/tevékenységek **b)** üzleti kapcsolatok

affaire *fn francia* **1.** szerelmi kapcsolat/viszony **2.** ügy, kapcsolat

affect I. *tsi* [əˈfekt] **1. a)** érint, hat, (ki)hatással van (vmre), befolyásol (vmt); **it ~s me personally** személyesen/személyemben érint engem; **this will ~ business** ez kihat az üzleti életre (v. a gazdasági helyzetre/viszonyokra) is **b)** megtámad *[egészséget]*, hat, átterjed *[bántalom]* **c)** bánt, lelkileg érint (vkt); **be ~ed by sg** vm érint/elszomorít (vkt), hatással van vm (vkre) **2. a)** felvesz, ölt *[alakot]* **b)** felvesz *[modort]*; ~ **big words** nagy szavakat használ **c)** tettet, mutat, színlel (vmt); ~ **a pose** pózol **3.** kedvel, szeret *[ruhadarabot, stílust]*; **she ~s jeans** kedveli a farmert **II.** *fn* [ˈæfekt, əˈfekt] *pszich* érzelem, érzelmi jelenség

affectation [ˌæfekˈteɪʃn] *fn* **1.** színlelés, tettetés *[érdeklődésé, unalomé]* **2. a)** mesterkéltség, cikornyásság, keresettség *[stílusé]* **b)** affektálás, kényeskedés, bájolgás **3.** túlzott előszeretet/kedvelés (vmé)

affected [əˈfektɪd] *mn* **I. a)** mesterkélt, affektált, keresett *[modor]* **b)** kényeskedő, affektáló, mesterkélt (stílusú/viselkedésű) *[ember]* **II. 1.** színlelt, tettetett; ~ **indifference** színlelt közöny **2.** meghatott, megindult, elérzékenyült • *hsz* **affectedly**

affection [əˈfekʃn] *fn* **1. a)** szeretet, ragaszkodás, jóindulat; **he is held in great ~** nagy szeretetnek örvend, nagy szeretettel veszik körül **b)** lelkiállapot, hangulat **2.** *orv* baj, bántalom, megbetegedés; **nervous ~** idegbaj, idegbetegség **3.** lelki alkat, beállítottság • *mn* **affectional**

affectionate [əˈfekʃnˑət] *mn* szerető, szeretetteljes, gyengéd • *hsz* **affectionately**

affective [əˈfektɪv] *mn* **1. a)** érzékeny, ingerlékeny **b)** *pszich* érzelmi, indulati, affektív **2.** érzelmileg színezett *[beszéd]*, érzelmi színezetű • *fn* **affectivity**

affenpinscher [ˈæfənpɪntʃə ‖ –ər] *fn áll német* majompincsi

afferent [ˈæfərənt] *mn orv biol* szállító, tápláló, afferens

affettuoso [æˌfetʃuˈouzou ‖ –sou] *hsz zene* több érzéssel, érzelmesen, affettuoso

affiance [əˈfaɪəns] **I.** *tsi vál* eljegyez (vkt) **II.** *fn vál* eljegyzés, jegyesség

affiant [əˈfaɪənt] *fn US jog* ‹vallomást esküvel megerősítő tanú›

affidavit [ˌæfɪˈdeɪvɪt] *fn jog* ‹eskü alatti írásbeli nyilatkozat› affidavit; **swear an ~** esküvel megerősít vallomást/nyilatkozatot

affiliate I. *tsi* [əˈfɪlieɪt] **A. 1.** *[társaság]* tagul felvesz/fogad **2.** kapcsolatot létesít vmvel, (filiációs) kapcsolatba hoz (vmt) **B.** *tni* **1.** csatlakozik *[szervezethez, csoporthoz, párthoz]* **2.** kapcsolatban/összeköttetésben van; ~ **to** (*US* **with) a church** vmlyen egyháznak tagja **II.** *fn* [–lɪət] tag *[egyesületé, párté, egyházé, csoporté]*

affiliation [əˌfɪliˈeɪʃn] *fn* **a)** belépés *[egyesületbe, társaságba]*, csatlakozás *[mozgalomhoz]* **b)** taggá választás, (társaságba) befogadás **c)** hovatartozás *[vmely felekezethez, párthoz stb.]*

affined [əˈfaɪnd] *mn* **1.** *régi* rokon(i viszonyban álló) **2.** rokon, (vmvel) kapcsolatos

affinity [əˈfɪnəti] *fn* **1.** vonzódás, rokon vonás, kapcsolat, affinitás **2.** rokonság, rokoni viszony *[házasság útján]*, sógorság **3.** jellembeli/jellegbeli hasonlóság/rokonság/azonosság **4.** *vegy* **(chemical)** ~ affinitás, vegyrokonság

affirm [əˈfɜːm ‖ əˈfɜrm] *tsi* **1.** (határozottan/tényként) állít, erősítget, bizonygat; *jog* **to ~ in lieu of oath** eskü helyett állít **2.** jóváhagy, megerősít *[ítéletet, hírt]* • *fn* **affirmer** *mn* **affirmatory**

affirmation [ˌæfəˈmeɪʃn ‖ ˌæfər–] *fn* **1. a)** állítás **b)** *jog* esküpótló nyilatkozat **2.** jóváhagyás, megerősítés, helyeslés

affirmative [əˈfɜːmətɪv ‖ əˈfɜr–] **I.** *mn* **1. a)** igenlő, jóváhagyó, megerősítő; *US pol* ~ **action** pozitív diszkrimináció **b)** igen(lő), hozzájáruló *[szavazat]* **2.** *mat* pozitív, plusz előjelű **II.** *fn* **1.** igenlés; **in the ~** igenlő esetben/értelemben; **reply in the ~** igenlően/igennel válaszol; igenlő válasz **2.** hozzájárulás; **the ~** „igen"-nel szavazók **III.** *isz US* igen, oké • *hsz* **affirmatively**

affix I. *fn* [ˈæfɪks] **1.** toldalék, járulék, kiegészítés **2.** *nyelv* toldalék, affixum *[pl. igekötő, rag, jel, toldalék]* **II.** *tsi* [əˈfɪks] **a)** (hozzá)csatol, ráragaszt, ráerősít, hozzátesz, hozzáerősít **b)** ellát *[aláírással, pecséttel okiratot]*; ~ **stamps to a letter** levelet felbélyegez • *fn* **affixation**

afflatus [əˈfleɪtəs] *fn* (isteni) sugallat, inspiráció

afflict [əˈflɪkt] *tsi* **1.** (le)sújt, megver *[bajjal]*, kínoz *[betegség]*; **be ~ed with the gout** köszvény kínozza **2.** ~ **oneself at/over sg** bánkódik (v. emészti/eszi magát) vm miatt • *mn* **afflictive**

affliction [əˈflɪkʃn] *fn* szenvedés, szerencsétlenség, nyomorúság, csapás, baj; **~s of old age** öregkori betegségek/nyavalyák/elesettség

affluence [ˈæfluəns] *fn* **1.** bőség, gazdagság; **rise to ~** jómódba kerül, meggazdagszik **2.** *orv* vérbőség, vértolulás

affluent [ˈæfluənt] **I.** *mn* **1.** dús, gazdag, bővelkedő; ~ **society** ‹magas életszínvonalú és luxuscikkekre is költeni tudó társadalom› **2.** gazdag, bőséges; **an ~ fountain** bővízű forrás **II.** *fn földr* mellékfolyó • *hsz* **affluently**

afflux [ˈæflʌks] *fn* véráram; tódulás, tolulás *[véré, folyadéké]*

afford [əˈfɔːd ‖ əˈfɔrd] *tsi* **1.** (anyagilag) elbír, megengedhet magának, győzi pénzzel/anyagilag, megteheti; **I cannot ~ it** nem engedhetem meg magamnak; erre nekem nem telik; **I can ~ to wait** várhatok, ráérek, van időm **2.** nyújt, ad; **this ~s me great pleasure** nagy örömömre szolgál • *fn* **affordability** *mn* **affordable**

afforest [əˈfɒrɪst ‖ əˈfɔ–, əˈfɑ–] *tsi körny* erdősít, fásít, fákkal/erdővel beültet • *fn* **afforestation**

affranchise [əˈfræntʃaɪz] *tsi* felszabadít *[jobbágyot, rabszolgát]*; ~ **sy from an oath** esküje/kötelezettsége alól mentesít/felold vkt • *fn* **affranchisement**

affray [əˈfreɪ] *fn* zendülés, zavargás, garázdálkodás, rendbontás, csetepaté, összetűzés

affricate [ˈæfrɪkət] *fn nyelv* zárréshang, affrikáta

affront [əˈfrʌnt] **I.** *fn* (nyílt) sértés, támadás, bántás; **suffer an ~** megtámadják, megsértik; **feel it an ~** sértésnek/támadásnak érzi (v. fogja fel) **II.** *tsi* **1. a)** megsért, megbánt **b)** megaláz, megszégyenít (vkt), rápirít (vkre) **2.** szembeszáll, dacol (vmvel)

Afghan [ˈæfgæn] **I.** *mn* afgán *[ember, nyelv]* **II.** *fn* **1.** afgán *[ember]* **2.** afgán nyelv **3. a~** gyapjúsál, gyapjúkendő **4.** ~ **(coat)** *GB* afgán báránybőr kabát

Afghan hound *fn* afgán agár

Afghanistan [æfˈgænɪstɑːn, –stæn ‖ æfˈgænɪstæn] *tul földr* Afganisztán

aficionado [əˌfɪʃɪəˈnɑːdou] *fn spanyol* rajongó(ja vknek/vmnek)

afield [əˈfiːld] *hsz* **1.** mezőn, szabadban **2.** távol, messze; **far ~** távol, messze kinn, szerteszét; letérve, eltérve *[tárgytól, gondolatmenettől]*

afire [əˈfaɪə ‖ –ər] **I. 1.** *mn* égő, tűzben/lángban álló, lángoló **2.** izgatott, felindult **II.** *hsz* **1.** égve, égően, lángolva, tűzben/lángban állva; **set sg ~** felgyújt vmt **2.** *átv* izgatottan, felindultan

aflame [əˈfleɪm] **I.** *mn* → **afire** I. **II.** *hsz* → **afire** II.; **set sg ~** felgyújt vmt, lángra lobbant vmt

afloat [əˈflout] *hsz* **1.** vízen úszva, úszó állapotban, tengeren, hajón; **serve ~** tengerészetnél szolgál; **service ~** tengeri szolgálat/beosztás; **set ~** vízre bocsát, zátonyról elszabadít *[hajót]* **2.** lebegve, levegőben úszva **3.** forgalomban, elterjedve; **there is a story ~** azt mesélik..., úgy hírlik..., rebesgetik,... **4.** teljes gőzzel/hévvel

afoot [ə'fʊt] *hsz* **1.** *US* gyalog(osan); **be ~** talpon van **2.** *átv* folyamatban, mozgásban (van), tervben, készülőben (van); **there's sg ~** vm készül(őben van), vm van a levegőben

afore [ə'fɔː ‖ ə'fɔr] *hsz/elölj/ksz régi táj* **1.** előtt(e) **2.** előbb, előző(en) **3.** elöl, előre; *hajó* **~ the mast** árboc előtt; *átv* a (köz)matrózok/legénység között

aforethought I. *mn* **(with/of malice) ~** előre megfontolva; szándékosan, szántszándékkal **II.** *fn* szándékosság

a fortiori [ˌeɪfɔːti'ɔːraɪ ‖ ˌeɪfɔrʃi'ɔri] *hsz/mn* annál inkább

afoul [ə'faʊl] *hsz* **1.** összebonyolódva, összegabalyodva **2.** *US* **fall ~ of sy** nekitámad vknek; **run ~ of sg** beleütközik/belebonyolódik vmbe, nehézségei támadnak vm miatt

afraid [ə'freɪd] *mn* félő(s), (meg)ijedt, riadt; **be ~ (of)** fél (vktől/vmtől); **be ~ to do** (v. **of doing**) fél (v. nem mer) vmt (meg)tenni; *biz* **be ~ of work** restelli a munkát, nem fűlik a foga a munkához; **I am ~** sajnos, attól tartok (hogy), félek (hogy)

afresh [ə'freʃ] *hsz* ismét, újra, újból; **start sg ~** újra elkezd vmt

Africa ['æfrɪkə] *tul földr* Afrika; *tört* **Union of South ~** Dél-afrikai Unió; **Republic of South ~** Dél-afrikai Köztársaság

African ['æfrɪkən] **I.** *mn* afrikai; **~ fever** malária, váltóláz; **~ lethargy** álomkór **II.** *fn* afrikai *[személy]*

African-American *mn/fn* afroamerikai, afrikai/fekete amerikai

Africanist ['æfrɪkənɪst] *fn* afrikanista *[tudós, kutató]*

Africanize ['æfrɪkənaɪz], **-ise** *tsi* afrikaiasít *[intézmény személyi állományát, munkaterületét]* • *fn* **Africanization**

Afrikaans [ˌæfrɪ'kɑːns] *fn* dél-afrikai holland (nyelv), afrikaans

Afrikander [ˌæfrɪ'kɑːndə ‖ –ər] *fn* dél-afrikai holland telepes leszármazottja, afrikander

Afrikaner [ˌæfrɪ'kɑːnə ‖ –ər] *fn* holland származású dél-afrikai, afrikander

Afro ['æfroʊ] *fn* **~ (hairdo/hairstyle)** afro-frizura, afrostílus

Afro- ['æfroʊ] *előtag* afrikai, afro-

Afro-American → African-American

Afro-Asian *mn* afroázsiai

Afro-Asiatic *mn* **1.** afroázsiai **2.** *nyelv* hamito-sémi

aft [ɑːft ‖ æft] *hsz* **1.** *hajó* vége/tatja felé, hátul, hátrafelé; **~ of the mast** árboc mögött; **bring the wind ~** széllel fut; hátba kapja a szelet **2.** *rep* farnál, hátul

after ['ɑːftə ‖ 'æftər] **I.** *elölj* **1.** után, mögött; **~ this date** e nap után, e napot követően; **~ dinner** vacsora/ebéd után; **~ six (o'clock)** hat (óra) után; *US* **ten ~ six** hat óra tíz perc, hat óra múlt tíz perccel; **~ you sir!** csak ön után!; **the day ~ tomorrow** holnapután; **one ~ another** (v. **the other**) egymás után **2.** *biz* **be ~ sg** keres/kutat/kíván vmt, megvalósítani/elérni igyekszik vmt; **be ~ sy** (i) vk nyomában van, üldöz vkt (ii) vk barátságát keresi, *biz* fut vk után; **the police are ~ him** a rendőrség körözi/keresi (v. nyomában van) **3. ~ all** végül is, elvégre; mindent egybevetve, mindennek ellenére **4.** szerint; **~ a pattern** minta/sablon szerint; **landscape ~ Munkácsy** Munkácsy modorában/stílusában festett tájkép; **that's a car ~ my heart** ez egy szívem szerint való autó/kocsi **II.** *ksz* **1.** miután, azután hogy; **I arrived ~ he went** akkor érkeztem amikor már elment, távozása után érkeztem **2. they lived happily ever ~** boldogan éltek, míg meg nem haltak **III.** *hsz* utána, azután, azt követően, után; **come ~** utána/soron következik; **long ~** hosszú/hosszabb idő után/múlva; jóval utána; **soon ~** nemsokára (azután); rövidesen, hamarosan; **the year ~** a következő évben; **years ~** évek elmúltával, sok év után, évekkel azután **IV.** *mn* **1.** utóbbi, későbbi, követ(kez)ő, (vm) utáni **2.** *hajó* hátulsó

afterbirth *fn* méhlepény és magzatburok

afterburner *fn rep* utánégő, utánégető/utóégető kamra

aftercare *fn* **1.** *orv* utókezelés *[betegé]* **2.** *jog* rehabilitáció; ‹szociális gondoskodás büntetőintézetből kibocsátott egyénről› **3. a)** karbantartás **b)** használati/kezelési utasítás

afterdamp *fn bány* égési gázok *[robbantás után]*

after-effect *fn* utóhatás, utókövetkezmény

afterglow *fn* **1.** utánizzás, utánvilágítás, utóvilágítás **2.** utóhang, utórezgés(ek) *[vmely kellemes élményé]*

after-hours I. *fn tsz* **1.** munkaidő (v. hivatalos idő v. zárás) utáni idő/órák **2.** túlóra **II.** *mn* (hivatalos) munkaidő utáni

after-image *fn* **1.** emlékkép **2.** *orv* utókép *[recehártyán]*

afterlife *fn* **1.** a későbbi évek, az élet későbbi szakasza, az élet eljövendő évei **2.** túlvilág; **in ~** öregkorban, az élet későbbi szakaszában; a túlvilágon

aftermarket *fn* **1.** (a) pótalkatrészpiac **2.** *pénz gazd* kibocsátás utáni részvénypiac

aftermath ['ɑːftəmæθ ‖ 'æftər–] *fn* **1.** következmény, utóhatás *[kellemetlen eseményé]*; **the ~ of war** a háború következményei/utóhatásai **2.** *mezőg* sarjú, sarjúkaszálás

aftermost *mn hajó* leghátulsó, a hajófarhoz legközelebb eső

afternoon [ˌɑːftə'nuːn ‖ ˌæftər–] **I.** *fn* délután; **in the ~** délután (folyamán); **good ~!** jó napot! *[csak délután]*; **the ~ of life** java kora vknek, az öregkor küszöbe **II.** *mn* délutáni; **~ farmer** rest gazda, „Pató Pál"; **~ tea** délutáni tea **III.** *isz biz* **~!** 'napot!, 'pot!

afterpains *fn tsz orv* (szülési) utófájások

afterplay *fn* (szexuális) utójáték *[közösülés után]*

afterproduct *fn* utótermék, másodtermék

afters ['ɑːftəz ‖ 'æftərz] *fn GB gaszt biz* desszert, édesség

after-sales service *fn* vevőszolgálat *[eladás utáni]*

after-school *mn* iskola utáni

after-season *fn* utószezon

aftershave *fn* **~ (lotion)** borotválkozás utáni arcvíz/arcszesz

aftershock *fn geol* utólökés, utórezgés, utórengés

aftertaste *fn* utóíz

aftertax *mn* adók levonása után maradó *[jövedelem, nyereség]*

afterthought *fn* utólagos gondolat/megfontolás; **add a condition as an ~** utólag vmlyen feltételt szab

afterward ['ɑːftəwəd ‖ 'æftərwərd] **→ afterwards**

afterwards ['ɑːftəwədz ‖ 'æftərwərdz] *hsz* azután, később, utóbb, utólag; **soon ~** nem sokkal azután, kis idő múlva

afterword *fn* utószó, zár(ó)szó, epilógus

AG *röv* **1.** *Accountant General* **2.** *Adjutant General* **3.** *Attorney General*

aga ['ɑːgə] *fn tört* aga *[magas török tiszti rang]*

again [ə'gen, ə'geɪn] *hsz* **1. a)** újra, újból, ismét(elten), megint; **never ~!** soha többé!; **once/over ~** még egyszer, újból; **here we are ~** megint csak itt volnánk!; itt vagyunk ismét!; **I told you so ~ and ~** százszor is megmondtam már; **as much ~** még egyszer annyi; kétszer annyi; kétszerese; **half as much ~** másfélszer annyi; **ever and ~, now and ~** hébe-hóba; **time and ~** (jó)néhányszor; **come ~** tessék?, pardon?; *biz* **what is his name ~?** hogy is hívják?, mi is a neve? **b)** vissza-; **come ~** visszajön; **come to oneself ~** magához tér *[ájulásból]* **2. a)** ezenkívül, ezenfelül, továbbá **b) then ~..., (and) ~ ...** viszont, ellenben; **but then ~ it is more expensive** viszont drágább (v. többe kerül)

against [ə'genst, ə'geɪnst] *elölj* **1. a)** ellen(ében), szemben; **be ~ sg** ellenez/rosszall vmt, nem helyesel vmt; **this is ~ the rules** ez a szabályokba (v. az előírásokba) ütközik; **I have nothing to say ~ it** nincs ellene kifogásom, nem szólhatok ellene semmit; **conditions are ~ us** a körülmények ellenünk szólnak (v. kedvezőtlenek számunkra v. nem kedveznek nekünk); **~ the grain** nem szívesen, kedve ellen(ére); **~ the wall** a falnak dőlve/támasztva/támaszkodva; **his age is ~ him** a kora ellene szól *[túl öreg/fiatal vmhez]*; **warn ~ sy/sg** óv vktől/vmtől; **be up ~ it** *biz* pechje van **b)** ellenében, fejében, valamiért; **exchange ~ eggs**

A

tojásért elcserél **c)** neki-; **rush ~ the wall** nekiront a falnak; **lean ~ the wall** (neki)támaszkodik a falnak; **the picture hangs ~ the wall** a kép a falon lóg **2.** szemben; **over ~ the school** az iskolával szemben; **race ~ time** versenyfutás az idővel **3.** előtt; **~ a white background** fehér háttérben, fehér háttér előtt **4.** felkészülve, készülődve, készenlétben; **make preparations ~ his coming** előkészületeket tesz érkezése alkalmából; felkészül érkezésére **5. as ~ sg** vmvel szemben/ellentétben, vmhez hasonlítva

agamic [eɪ'gæmɪk] → **agamous**

agamogenesis [ˌægəmoʊ'dʒenɪsɪs] *fn biol* ivartalan szaporodás, szűznemzés

agamous ['ægəməs] *mn biol* ivartalan *[szaporodás]*

agape[1] [ə'geɪp] **I.** *mn* bámuló, csodálkozó, várakozó, tátongó, tátott (szájjal) **II.** *hsz* bámulva, csodálkozva, várakozva, (ki)tátva, tátongva; **be ~** bámészkodik; **stand ~** tátong, tátva áll; szeme-szája eláll a csodálkozástól; *biz* **my shoes are ~** lyukas (v. enni kér) a cipőm

agape[2] ['ægəpi ‖ ɑ'gɑpeɪ] *fn* **1.** *vall* agapé **2.** (keresztényi) szeretet

agaric ['ægərɪk] *fn növ* csiperke(gomba)

agate ['ægət] *fn ásv* achát

Agatha ['ægəθə] *tul* Ágota, Agáta

agave [ə'geɪvi ‖ ə'gɑvi] *fn növ* agávé, agáve

agaze [ə'geɪz] *hsz* bámészkodva, kíváncsian, bámulva

-age [ɪdʒ] *utótag* **1.** ‹a cselekvés, vagy annak eredménye›; **breakage** törés(kár); **wastage** hulladék, veszteség **2.** ‹vmnek az ára, ill. teljesítmény›; **postage** postaköltség; **mileage** mérföldteljesítmény

age [eɪdʒ] **I.** *fn* **1. a)** (élet)kor; **~ limit** korhatár; **be under ~** kiskorú; **of (full) ~** nagykorú, teljeskorú; **come of ~** nagykorú lesz, nagykorúvá válik, eléri nagykorúságát; **of middle ~** meglett korú, középkorú; **be ten years of ~** tízéves; **be tall for his ~** korához képest magas/nagy; **be over ~ to do sg** túl öreg/idős vmhez/vmre; **he does not look his ~** nem látszik meg rajta a kora; fiatalabbnak látszik, mint amennyi (v. ahány éves v. a koránál); **live/reach great ~** magas kort ér meg; **what ~ are you?** hány éves vagy?; **when I was your ~** én a te korodban... **b) (old) ~** öregkor, öregség **2.** generáció, élettartam **3.** *tört* kor(szak); **Augustan A~** Augustus kora/százada; XIV. Lajos kora; *GB* Anna királynő kora; **bronze ~** bronzkor(szak); **golden ~** aranykor; **iron ~** vaskor(szak); **neolithic ~** csiszolt kőkorszak; **the Middle A~s** középkor; **from ~ to ~** minden korban; **in our ~** korunkban, napjainkban; **~s ago** időtlen ideje; **throughout all ~s** minden kor(szak)ban; **to all ~** örökkön-örökké; **I haven't seen her for/in ~s** régóta (v. időtlen idők óta) nem láttam őt **II.** *i* **ag(e)ing** ['eɪdʒɪŋ] **A.** *tsi* **1.** öregít, vénít; **this dress ~s you** ez a ruha öregít **2.** *ip* érlel **B.** *tni* **1.** öregszik, vénül **2.** érik **3. a)** elavul **b)** (el)használódik, (el)öregedik, (el)kopik

age bracket *fn* korosztály

aged[1] ['eɪdʒɪd] *mn* **1.** öreg, koros, idős; **the ~** az öregek/idősek **2.** avult, kopott

aged[2] [eɪdʒd] *mn* -korú; **~ seventeen years** tizenhét éves

age gap *fn* (nagy) korkülönbség

age group *fn* korosztály, korcsoport, évjárat

ageing ['eɪdʒɪŋ] → **aging**

ageism ['eɪdʒɪzm] *fn* életkor miatti diszkrimináció • *fn/mn* **ageist**

ageless ['eɪdʒləs] *mn* **1.** örökifjú **2.** időtlen, kor nélküli, kortalan, örökkévaló

age limit *fn* korhatár

age-long *mn* hosszú ideig/ideje tartó

agency ['eɪdʒənsi] *fn* **1.** tevékenység, működés **2.** (közvetítő) eszköz, közvetítő (anyag); **by the ~ of friends** barátok segítségével/közreműködésével **3. a)** képviselet, ügynökség; **advertising ~** hirdetőiroda; **news ~** hírügynökség; **employment ~** munkaközvetítő iroda **b)** *pénz* (bank)fiók, bankügynökség **c)** *gazd* külföldi fiók/kirendeltség; **sole ~** kizárólagos képviselet

agenda [ə'dʒendə] *fn tsz* **1.** napirend, tárgysorozat; **items of/on the ~** napirendi pontok; **be on the ~** napirenden van/szerepel; **place a question on the ~** napirendre tűz egy kérdést **2.** *esz* napirendi pont

agent ['eɪdʒnt] *fn* **1.** cselekvő személy; **free ~** szabad/független ember; *sp* szabadügynök *[szabadon igazolható játékos]* **2.** (természeti) erő, hajtóerő; **physical ~s** természeti erők **3. a)** *gazd* ügynök, közvetítő, képviselő; *gazd* **bank ~** bankfiókvezető; **general ~** általános meghatalmazott, vezérképviselő; **land** (v. **real estate) ~** ingatlanügynök; *gazd* **sole ~** kizárólagos képviselő; *US* **ticket ~** vasúti pénztáros, jegyárus **b)** *jog* megbízott, meghatalmazott **c)** diplomáciai képviselő/ügyvivő **4.** kém, hírszerző, politikai/titkos ügynök **5.** közeg, közvetítő anyag/szerv, (ható)-anyag, reagens **6.** *nyelv* **~ noun**, **noun of ~** nomen agentis

agent-general *fn tsz* **agents-general** *pol* ‹Ausztrália és Kanada egyes államainak és területeinek londoni állandó megbízottja›

agent provocateur [ˌæʒɒn prəvɒkə'tɜː ‖ ˌɑʒɑn proʊvɑkə'tɜːr] *fn* (rendőrségi) besúgó, beugrató

age-old *mn* régóta létező, ősrégi

age-ring *fn* évgyűrű *[fáé]*

agglomerate I. *i* [–reɪt] **A.** *tsi* felhalmoz, összegyűjt, összehord, agglomerál **B.** *tni* felhalmozódik, összegyűlik, agglomerálódik **II.** *fn* [–rət] *geol* breccsa, agglomerátum **III.** *mn* [ə'glɒmərət ‖ ə'glɑ–] (fel)halmozott, összehordott, agglomerált • *hsz* **agglomerative**

agglomeration [əˌglɒmə'reɪʃn ‖ əˌglɑ–] *fn* **1. a)** halmaz, felhalmozódás **b)** csomósodás, megalvadás **c)** agglomeráció *[város vonzásköre]* **d)** *geol* agglomeráció **2.** felhalmozás, agglomerálás

agglutinate I. *i* [ə'gluːtɪneɪt] **A.** *tsi* hozzáragaszt, összeragaszt, összetapaszt **B.** *tni* **1.** hozzáragad, összeragad, odaragad, odatapad **2.** összeforr *[seb]* **II.** *mn* [ə'gluːtɪnət] **1. a)** hozzáragasztott, összeragasztott, hozzáillesztett, összeillesztett **b)** összeforrott *[seb]* **2.** *nyelv* agglutinációs, agglutináló • *fn* **agglutination** *mn* **agglutinative**

aggrandize [ə'grændaɪz], **-ise** *tsi* **1. a)** (meg)növel, (meg)nagyobbít, (fel)nagyít **b)** ‹valós jelentőségénél/méreténél nagyobbnak mutat› eltúloz **2.** magasabb rangra emel, hatalmassá tesz, növel *[erőt, hatalmat, vagyont]* • *fn* **aggrandizement**, **aggrandizer**

aggravate ['ægrəveɪt] *tsi* **1. a)** súlyosbít, növel, súlyosabbá tesz *[bajt, sérülést]*, elmérgesít *[vitát, helyzetet]* **b)** *jog* súlyosbít *[körülmény]* **2.** *biz* bosszant, idegesít, kétségbe ejt • *fn* **aggravation** *mn* **aggravating**

aggregate I. *mn* ['ægrɪgət] **1.** összes(ített), együttes, teljes; **~ amount** teljes összeg, végösszeg; **~ capacity** teljes/összesített teljesítmény; **~ output** teljes/összes termelés **2.** egyesített, összekapcsolt, összekötött, aggregált **II.** *fn* [–gət] **1. a)** összeg, összesség; **in the ~** összesen, együttvéve; **man in the ~** az átlagember **b)** *sp* **~ (score)** összesített eredmény/pontszám; **~ (time)** összesített idő(eredmény) *[csapaté]* **2. a)** tömeg, felhalmozódás, halmazat **b)** *geol* alkotórész, aggregátum, ásványösszenövés *[kőzetben]* **3.** *műsz* gépcsoport, aggregát **III.** ['ægrɪgeɪt] **A.** *tsi* összegyűjt, összekapcsol, összeköt, összeállít, egybeköt, egybeépít, csoportosít, aggregál **B.** *tni* **1.** összegyűlik, összeáll, felhalmozódik, csoportosul, aggregálódik **2.** (számszerűleg) kitesz *[összeget]*, vmlyen összegre rúg; **these armies ~d 300,000 men** ezeknek a seregeknek az összlétszáma 300 000 fő volt • *fn* **aggregation** *mn* **aggregative**

aggression [ə'greʃn] *fn* **a)** (meg)támadás, megrohanás, agresszió **b)** agresszivitás, erőszak(osság)

aggressive [ə'gresɪv] **I.** *mn* **1.** támadó, agresszív, ellenséges, kötekedő *[természet, viselkedés]*, bántó, sértő *[hang]* **2.** rámenős, erőszakos *[fellépés]* **3.** *vegy* káros/támadó hatású, agresszív **II.** *fn* **assume the ~** támad(ásba megy át); offenzívába kezd • *fn* **aggressiveness** *hsz* **aggressively**

aggressor [ə'gresə ‖ –ər] *fn* támadó (fél), aggresszor; **~ nation** támadó/agresszor nemzet/ország
aggrievance [ə'gri:vəns] *fn* **1.** bánat, bosszankodás **2.** sértés
aggrieve [ə'gri:v] *tsi* bosszant, bánt, (jogaiban) sért; **be/feel ~d** megsértődik, megbántva érzi magát
aggrieved [ə'gri:vd] *mn* **1.** sértett, bántalmazott **2.** *jog* sértett • *hsz* **aggrievedly**
aggro ['ægroʊ] *fn szl [verekedés]* bunyó, balhé
aghast [ə'gɑ:st ‖ ə'gæst] *mn* megdöbbent, megrémült, megrendült
agile ['ædʒaɪl ‖ 'ædʒl] *mn* mozgékony, fürge, tevékeny, agilis • *fn* **agility** *hsz* **agilely**
agin [ə'gɪn] *elölj táj* → **against**
aging ['eɪdʒɪŋ] **I.** *mn* **a)** öregedő, idősödő, vénülő **b)** elkopó, elhasználódó, avuló **c)** érő *[bor]* **II.** *fn* **1.** (meg)öregedés, korosodás *[emberé]* **2.** avulás, (el)kopás *[anyagé]* **3.** érlelés *[boré]*
agio ['ædʒioʊ] *fn pénz* **1. a)** felár, árfolyam-különbözet, ázsió **b)** → **agiotage 2.** pénzváltó szakma/üzlet
agist [ə'dʒɪst] *tsi [idegen nyájat/csordát saját földjén]* bérért legeltet • *fn* **agistment**
agitate ['ædʒɪteɪt] **A.** *tsi* **1.** felzavar, felkavar *[víz felszínét]* **2.** felizgat, felzaklat, felkavar *[érzéseket, kedélyt], [nyugtalanságot]* szít, kelt, bujtogat **B.** *tni* agitál, kampányt vezet, korteskedik, bujtogat, ágál, dolgozik (vk/vm érdekében/ellen) • *mn* **agitated** *hsz* **agitatedly**
agitation [ˌædʒɪ'teɪʃn] *fn* **1. a)** *átv is* mozgás, felkavarodás, megzavarodás **b)** mozgatás, felkavarás, megzavarás **2.** izgatottság, izgalom, nyugtalanság; **in a state of ~** izgatott/feldúlt (lelki)állapotban **3.** agitálás, kampányvezetés *[politikában]*
agitato [ˌædʒɪ'tɑ:toʊ] *hsz zene* izgatottan, hevesen, szenvedélyesen
agitator ['ædʒɪteɪtə ‖ –teɪtər] *fn* **1.** izgató, lázító, bujtogató, agitátor **2.** keverő(szerkezet), keverőedény, keverőgép, agitátor
agitprop ['ædʒɪtprɒp ‖ –prɑp] *fn tört* agitációs propaganda, agitprop
aglet ['æglɪt ‖ 'eɪg–] *fn* **1.** fémvég *[cipőfűzőé]*; **~ hole** fűzőlyuk *[cipőn]* **2.** nadrágzsinór, zsinórzat *[ruháé]* **3.** *növ* barka
aglow [ə'gloʊ] *hsz* ragyogva, tündökölve, izzóan, lángolva; **I was all ~** ragyogott (v. lángba borult) az arcom; elpirultam, elvörösödtem
agnail ['ægneɪl] *fn* **1.** beszakadt köröm(ágy)/körömbőr **2.** körömdaganat
agnate ['ægneɪt] *mn/fn* **1.** vérrokon *[férfiágon]* **2.** *biz* lelki rokon • *fn* **agnation** *mn* **agnatic**
Agnes ['ægnɪs] *tul* Ágnes
agnosia [æg'noʊzɪə ‖ –'noʊʒə] → **agnosis**
agnosis [æg'noʊsɪs] *fn pszich* érzékletelvesztés, felismerési képtelenség, agnosis
agnostic [æg'nɒstɪk ‖ –'nɑ–] *mn/fn* agnosztikus • *fn* **agnosticism** *hsz* **agnostically**
Agnus Dei [ˌægnʊs 'deɪi:] *fn vall* Agnus Dei *[Isten báránya: Jézus egyik megjelölése és miseima]*
ago [ə'goʊ] *hsz* **1.** ezelőtt, (egy bizonyos idő) előtt; **a few minutes ~** néhány perce, néhány perccel ezelőtt; **that was a good while ~** ez már jó régen volt; **ten days ~** tíz nappal ezelőtt, tíz napja **2. long ~** régen; hosszú ideje; jó régen
agog [ə'gɒg ‖ ə'gɑg] **I.** *mn* **1.** várakozó **2.** vágyakozó, türelmetlen, izgatott **II.** *hsz* örömteli/kíváncsi várakozásban, várakozóan, vágyakozóan, türelmetlenül, izgatottan; **be all ~ to do sg** izgatottan/alig várja, hogy megtehessen vmt
agonic [ə'gɒnɪk ‖ –'gɑ–] *mn fiz* zérus deklinációjú; **~ line** mágneses deklináció nélküli észak-déli vonal
agonist ['ægənɪst] *fn* **a)** *orv* agonista *[izom, izomcsoport]* **b)** *vegy [biológiai működést kiváltó]* serkentő (gyógyszer), agonista
agonistic [ˌægə'nɪstɪk] *mn* **1.** harcos, harcias, harci **2.** serkentő *[gyógyszer]*, agonista • *hsz* **agonistically**
agonize ['ægənaɪz], **-ise A.** *tsi* kínoz, gyötör **B.** *tni* **1. a)** kínlódik, gyötrődik, kínokat szenved (v. áll ki) **b)** vívódik, haldoklik, halállal küzd, agonizál **2.** küzd • *hsz* **agonizingly**
agony ['ægəni] *fn* **1.** lelki/testi gyötrelem/kín, aggódás, vívódás; **suffer** (v. **be in**) **agonies** gyötrődik, kínlódik **2.** haláltusa, halálküzdelem **3. ~ of joy** mámoros öröm, boldogság révülete; **~ of pleasure** eksztatikus kéj, az élvezet tetőfoka
agony aunt *fn biz* személyi rovatvezető, levelező *[újságírónő, aki az olvasók személyes jellegű leveleire válaszol, tanácsot ad]*
agony column *fn* olvasói levelek rovat, személyi rovat *[családi, egészségügyi, magánéleti problémák/kérdések rovata újságban]*
agora ['ægərə] *fn tört* **1.** agora, piactér **2.** népgyűlés
agoraphobia [ˌægərə'foʊbɪə] *fn orv* nyitott tértől való irtózás, agorafóbia • *fn* **agoraphobe** *mn* **agoraphobic**
agrarian [ə'greərɪən ‖ ə'grer–] **I.** *mn* **1.** mezei, mezőgazdasági, föld-, agrár-; **~ reform** agrárreform; földreform; **~ riot** parasztfelkelés, parasztlázadás **2.** *növ* vadon élő **II.** *fn* **1.** mezőgazdasági/agrár szakember **2.** földreform/földosztás pártolója/híve
agrarianism [ə'greərɪənɪzm ‖ ə'grer–] *fn* agrárreform/kisbirtokrendszer elve
agree [ə'gri:] **A.** *tsi* **1.** egyeztet *[számlákat stb.]*; **~ accounts** számlákat egyeztet **2.** *GB* megegyezik, kiegyezik, megállapodik *[vmben/vmről]* **3.** összhangba hoz, egyeztet **B.** *tni* **1.** egyetért, beleegyezik, hozzájárul, megállapodik; **~ formally to sg** hivatalosan hozzájárul/beleegyezik (v. beleegyezését adja); **~ to differ** megállapítják a nézetek különbözőségét; **he ~d to my conditions** elfogadta feltételeimet/kikötéseimet; **I ~ that...** egyetértek abban, hogy...; beleegyezem abba, hogy...; **I can't agree more** a számból vette ki a szót, tökéletesen egyetértek/egyetértünk **2.** megegyezik, egyezséget köt; **~d!** megegyeztünk!; áll az alku!; **they have ~d about the prices** megegyeztek az árakat illetően **3. a)** egyezik, harmonizál, összhangban áll (vmvel), megfelel (vmnek) **b)** *nyelv* egyezik *[alany állítmánnyal stb.]* **4.** ízlik, jót tesz; **milk does not ~ with me** a tejet nem bírja a gyomrom **5.** egyetért, kijön/megfér vkvel
agreeable [ə'gri:əbl] *mn* **1.** kellemes, kedves, szeretetre méltó, nyájas; **~ manners** kellemes/jó modor; **if that is ~ to you** ha ez megfelel önnek; **make oneself ~** kedveskedik vknek, kedvében jár vknek **2. be ~ to sg** hozzájárul vmhez • *fn* **agreeability**, **agreeableness** *hsz* **agreeably**
agreed [ə'gri:d] *mn* kölcsönösen megállapított/megállapodott, megegyezés szerinti *[időben]*, megbeszélt *[helyen]*, megkötött, jóváhagyott *[szerződés]*; **~ unanimously** egyhangúan elfogadva; *jog* **conditions ~ upon** megállapodás/megegyezés szerinti feltételek; **at the ~ time** a megbeszélt időben; → **agree**
agreement [ə'gri:mənt] *fn* **1.** megállapodás, megegyezés, egyezmény, szerződés; **amicable ~** baráti egyezség; **trade ~** kereskedelmi szerződés; **verbal ~** szóbeli megállapodás; **gentleman's/gentlemen's ~** becsületbeli megegyezés/egyezség; **Articles of A~** a szerződés/megállapodás pontjai; **arrive at** (v. **come to**) **an ~ with sy** megállapodásra/megegyezésre jut vkvel; **conclude** (v. **enter into**) **an ~ with sy** megállapodást/szer-ződést köt vkvel; **~ by collective bargaining** kollektív szerződés; **~ for sale** adásvételi megállapodás/szerződés **2.** egyetértés; *jog* **bring about an ~** egyezséget/megállapodást hoz létre (v. közvetít); **by** (v. **as per**) **~** megállapodásszerű(en); megállapodás értelmében/szerint; **by mutual ~** közös megegyezéssel/akarattal; **in ~ with sy** vkvel egyetértésben/megállapodva **3. a)** egyezés, egyezőség *[fogalmaké, dolgoké]* **b)** *nyelv* egyezés, egyeztetés *[alanyé és állítmányé]* **4.** összhang, harmónia
agribusiness ['ægrɪbɪznəs] *fn* mezőgazdasági ipar
agricultural [ˌægrɪ'kʌltʃərəl] *mn* mezőgazdasági, agrár, földművelés(ügy)i, földmívelő, földműves; **~ college** mezőgazdasági intézet/főiskola; **~ economics** mezőgazdasági

üzem(gazdaság)tan; ~ **economist** mezőgazdász, agronómus; ~ **engineer** mezőgazdasági gépészmérnök; ~ **machinery** mezőgazdasági gépek (v. gépi felszerelés) • *hsz* **agriculturally**

agriculturalist [ˌægrɪˈkʌltʃərəlɪst] *fn* mezőgazda, mezőgazdász

agriculture [ˈægrɪkʌltʃə ‖ –ər] *fn* mezőgazdaság, földművelés; *GB* **Board of A~ and Fisheries** Földművelésügyi és Halászati Minisztérium

agriculturer [ˈægrɪkʌltʃərə ‖ –ər] *fn* földműves, (mező)gazda

agriculturist [ˌægrɪˈkʌltʃərɪst] → **agriculturalist**

agro- [ˈægroʊ] *előtag* mezőgazdasági, agro-

agronomy [əˈgrɒnəmi ‖ əˈgrɑ–] *fn* mezőgazdasági üzemtan, mezőgazdaság-tudomány, agronómia • *fn* **agronomist** *mn* **agronomic**, **agronomical** *hsz* **agronomically**

agropolitics [ˌægroʊˈpɒlɪtɪks ‖ –ˈpɑl–] *fn esz* agrárpolitika

aground [əˈgraʊnd] *hsz hajó* megfenekletten, zátonyon, zátonyra/partra futva; **run** ~ zátonyra/partra fut, megfeneklik *[hajó]*

ague [ˈeɪgjuː] *fn orv* mocsárláz, váltóláz, malária; **fit of** ~ lázroham, hideglelés; **shaking** ~ hidegrázás • *mn* **agued**, **aguish**

ah [ɑː] *isz* ó!, ah!, óh!, jaj!, nahát!

aha [ɑːˈhɑː] *isz* aha!, na ugye!, (na) persze!, vagy úgy!

ahead [əˈhed] *hsz* **1.** előre, előbbre, elé; ~ **of the/sy's age** korát megelőzve; *hajó* **full speed** ~! teljes gőzzel előre!; *átv biz* **get** ~ előrejut, boldogul, viszi vmre; **get** ~ **of sy** túlszárnyal/felülmúl vkt, túltesz vkn; *biz* **go** ~! csak tessék!, csak ön után!; folytasd csak!, rajta!, ne zavartasd magad!, csináld csak!; **go** ~ **with sg** (habozás nélkül) nekilát vmnek; **look** ~ előrenéz, távolba néz; gondol a jövőre; **see** ~ a jövőbe lát; **straight** ~ egyenesen (előre), (közvetlen) előtte; **run** ~ előreszalad, előresiet **2. a)** elöl, előtte; ~ **of sy/sg** vk/vm előtt; vkt/vmt megelőzve; ~ **of schedule** határidő előtt; **be** ~ **of time** idő előtt érkezik; **be two hours** ~ **of sy** két óra előnye van vkvel szemben, két órával előbbre van vknél **b) draw** ~ **of sg** vmt lehagy/elhagy/megelőz; **sg lies** ~ **of sy** vm vár rá (a jövőben); **there is danger** ~ veszély fenyeget **c)** *kat* **line** ~ hadoszlop(ban)

A-hour *fn röv* az atomháború órája

ahoy [əˈhɔɪ] *isz hajó* **boat** ~! hajó a láthatáron!

ai [aɪ] *fn áll* háromujjú lajhár

AI [ˌeɪˈaɪ] *röv* **1.** *Amnesty International* **2.** *artificial intelligence* mesterséges értelem/intelligencia

aid [eɪd] **I.** *fn* **1. a)** segítség, segély, támogatás, segédeszköz; **first** ~ elsősegély; **hearing** ~ hallókészülék; **medical** ~ orvosi tanács/kezelés/ápolás; ~ **man** *kat* egészségügyi katona, szanitéc; **go to sy's** ~ vk segítségére siet **b)** pénzügyi segély, anyagi támogatás; ~ **programme** segélyakció, segélyprogram; **in** ~ **of** vm/vk javára/támogatásául, vmlyen jótékony célra **2.** segéderő, kisegítő, segítség **3.** segélyszervezet, segélyesemény *[pl. koncert]* **4.** *[lovaglásban]* szár(segítség), comb(segítség) **5.** *jog* jogsegély **II.** *tsi* **1.** (meg)segít, segélyez (vkt), segítségére van/siet (vknek), támogat (vkt); ~ **the digestion** elősegíti az emésztést; ~ **and abet** segítséget/segédkezet nyújt bűncselekménynél **2.** felkarol, pénzügyi/anyagi segélyben részesít

AID [eɪd] *röv* **1.** *US Agency for International Development* **2.** *artificial insemination by donor* **3.** *acute infectuous disease*

aide [eɪd] *fn* **1.** segítő személy, kisegítő **2.** → **aide-de-camp**

aide-de-camp [ˌeɪd də ˈkɑːmp ‖ –ˈkæmp], **aid-de-camp** *fn tsz* **aides-de-camp** *kat francia* szárnysegéd, adjutáns, segédtiszt

aid package *fn* segélycsomag

AIDS [eɪdz], **aids** *orv röv Acquired Immune Deficiency Syndrome* AIDS, szerzett immunhiányos tünetcsoport

AIDS carrier *fn* AIDS-hordozó

aigrette [ˈeɪgrət, eɪˈgret], **aigret** *fn* **1.** *áll* kis kócsag **2.** (toll)bóbita, szőrcsomó *[állat fején]* **3.** kócsag(toll), (kócsag)forgó, sisakdísz, fejdísz

aiguillette [ˌeɪgwɪˈlet] *fn kat* vállzsinór *[egyenruhán]*

aikido [aɪˈkiːdoʊ] *fn sp* ‹japán küzdősport› aikidó

ail [eɪl] **I.** *fn* betegség, baj, fájdalom **II.** *tni* **be ailing** szenved, betegeskedik, vm bántja, gyengélkedik

Aileen [ˈeɪliːn, ˈaɪ– ‖ eɪˈliːn, aɪ–] *tul* ‹női név›

aileron [ˈeɪlərɒn ‖ –rɑn] *fn rep* csűrőlap, csűrőkormány

ailing [ˈeɪlɪŋ] *mn* **1.** gyengélkedő, beteges(kedő) **2.** (krónikus) beteg

ailment [ˈeɪlmənt] *fn* gyengélkedés, betegeskedés, (kisebb) betegség

aim [eɪm] **I.** *fn* **1.** cél(kitűzés), törekvés, szándék; **end and** ~ szándék és cél; végső cél; ~ **in life** életcél; **with the** ~ **of doing sg** azzal a céllal, hogy... **2. a)** *átv* célzás; **he is a good** ~ jó lövő; **miss one's** ~ nem talál célba, elhibázza a célt; **take** ~ (meg)céloz, célba vesz **b)** cél, *kat* irányzék, célgömb **II. A.** *tsi* **1.** (meg)céloz, ráirányít; **~ed fire** célzott tűz; ~ **a pistol at sy** pisztolyt/fegyvert fog/emel vkre; ~ **one's remarks at sy** megjegyzéseivel vkre céloz **2.** szán (vmt vmre); **be ~d at sg** vmre szánták; vmre irányul **B.** *tni* **1. a)** ~ **at sy** vkre céloz, célba vesz vkt *[fegyverrel]* **b)** ~ **at sg** vm felé mutat **2.** ~ **at doing sg** szándékozik/igyekszik/törekszik vmt megtenni, az a szándéka hogy; ~ **high** nagyra/magasra tör, nagy célokat tűz ki maga elé; ~ **for the stars** a határ a csillagos ég; ~ **at power** hatalomra tör(ekszik)/vágyik

aimless [ˈeɪmləs] *mn* céltalan, cél/terv nélküli, hiábavaló • *fn* **aimlessness** *hsz* **aimlessly**

ain't [eɪnt] **1.** *am/is/are not* → **be 2.** *have/has not* → **have II.**

aioli [aɪˈoʊli, eɪ–] *fn gaszt* fokhagymás majonéz

air [eə ‖ er] **I.** *fn* **1. a)** levegő, lég, szellő, huzat; **beat the** ~ *biz* eltűnik, meglóg, meglép, elszelel; szélmalomharcot folytat; **clear the** ~ *átv* tiszta helyzetet teremt; **give** ~ **to sg** kinyilvánít/kijelent vmt; **take** ~ nyilvánosságra kerül, kitudódik; **take the** ~ levegőzik, friss levegőt szív; sétál; **by** ~ repülőgépen, légi úton; **in the open** ~ szabadban; **be in the** ~ hírlik, szó van róla; **there is sg in the** ~ vm készül, vm van a levegőben; **castles in the** ~ légvárak; **be up in the** ~ bizonytalan, eldöntetlen; még bármi lehet; **dissolve/melt into thin** ~ elillan/eloszlik, mint a buborék; eltűnik (mint a kámfor); **let some fresh** ~ **into the room** kiszellőzteti a szobát; *biz* **he can't live on** ~ nem tud a semmiből/levegőből megélni; **tread/walk on** ~ nem tud hová lenni örömében; boldog izgalomban ég **b)** *média* **on the** ~ adásban van *[televízióban, rádióban]*; **put on the** ~ műsorra tűz, lead; **go off the** ~ megszakad *[rádióadás]*; *biz* elmegy *[adóállomás]* **2.** légi-, légügyi-, repülő **3.** fellépés, látszat, külszín; ~ **of assurance** (maga)biztos fellépés; **give oneself ~s**, **put on ~s** felvág; nagyképűsködik, megjátssza magát; affektál; **~s and graces** affektáltság, póz(olás), kelletés, megjátszás; **put on an** ~ **of innocence**, **put on an innocent** ~ ártatlan képet vág, adja az ártatlant **4.** *zene* dal, dallam **II.** *tsi* **1.** szellőztet, szárít; ~ **oneself** levegőzik, sétál **2.** ~ **one's knowledge** tudását fitogtatja; **the question needs to be ~ed** ezt a problémát nyilvánosság elé kell vinni **3.** *média* ad, közvetít, sugároz

air alert *fn kat* bevetési készenlét (jelzése)

air attack *fn* légitámadás

air bag *fn gk* légzsák

air ball *fn sp* gyertya *[labdarúgásban]*, homály *[kosárlabdában]*

airbase *fn kat* légi támaszpont, légibázis

airbed *fn GB* felfújható (gumi)matrac

air bladder *fn* **1.** *áll* úszóhólyag *[halé]* **2.** *növ* légzősejt *[növényeké]*

airborne *mn* **1.** levegő által hordott, levegőben lebegő/terjedő **2.** *kat rep* légi úton (v. repülőgéppel) szállított; ~ **attack** légitámadás **3.** *rep* felszállt

air brake *fn* **1.** *gk* légfék **2.** *rep* szárnyfék, zuhanófék

airbrick *fn* likacsos/üreges tégla, sejttégla

air bridge *fn rep* **1.** utashíd *[reptéren]* **2.** légifolyosó *[két város stb. között]*
airbrush I. *fn* festékszóró/dukkózó pisztoly, légkefe **II.** *tsi* festékszóróval (be)fest, *fényk* amerikai retust végez (vmn) *[festékszóróval]*
Airbus *fn rep* légibusz
air cargo *fn* légi teheráru
air carrier *fn* **1.** légiközlekedési/légiforgalmi vállalat/társaság **2.** *rep* (szállító)repülőgép
air chamber *fn* **1.** *műsz* légkamra **2.** *vízügy* légmentes bura/harang
air channel *fn* légvezeték, szellőzőcsatorna
Air Chief Marshal *fn GB kat* repülő vezérezredes
air combat *fn* légicsata
air-conditioner *fn* klímaberendezés, légkondicionáló berendezés, *biz* klíma
air-conditioning *fn* **1.** légkondicionálás, klimatizálás, klímaszabályozás **2.** klímaberendezés • *mn* **air-conditioned**
air-cooled *mn* léghűtéses, léghűtésű
air-cooling *fn műsz* léghűtés
air corridor *fn rep* légi folyosó
aircraft ['eəkrɑːft ‖ 'erkræft] *fn tsz* **aircraft** légi jármű, légiközlekedési eszköz *[repülőgép, helikopter]*; **fighter ~** harci repülőgép; **long-range ~** távolsági repülőgép
aircraft carrier *fn* repülőgép-hordozó, repülőgép-anyahajó
aircraftman ['eəkrɑːftmən ‖ 'erkræft(s)–] *fn tsz* **-men** [–mən] *GB kat* fedélzeti repülő-tiszthelyettes *[férfi]*
aircraft mechanic *fn* repülőgép-szerelő
aircraft tanker *fn* légi utántöltő repülőgép
aircraftwoman *fn tsz* **-women** fedélzeti repülő-tiszthelyettes *[nő]*
air crash *fn* repülőgép-szerencsétlenség, légiszerencsétlenség
aircrew *fn* **1.** repülőgép legénysége, repülőszemélyzet **2.** repülőgép személyzetének tagja
air current *fn* légáram, léghuzat
air cushion *fn* **1.** légpárna, felfújható párna **2.** pneumatikus lökéstompító *[légpárnás járműn]* • *mn* **air-cushioned**
air defence, *US* **defense** *fn* légvédelem
air depression *fn* légnyomáscsökkenés
air display *fn* légi parádé/bemutató, repülőbemutató
air division *fn kat* repülőhadosztály
air dock *fn* repülőgéphangár
air-drag *fn rep* légellenállás
air drain *fn épít* szellőzőcsatorna, légszigetelő hézag, légcsatorna *[tűzhelyhez, alapozáshoz]*
airdrop I. 1. *fn* (ejtőernyővel) ledobott utánpótlás **2.** utánpótlás ledobása ejtőernyővel **II.** *tsi* **-pp-** repülőgépből (ejtőernyővel) ledob *[utánpótlást, csapatokat]*
Airedale ['eədeɪl ‖ 'er–] *fn* airedale-terrier; ‹nagy drótszőrű terrier›
airer ['eərə ‖ 'erər] *fn* ruhaszárító, fehérnemű-szárító, fregoli
airfield *fn* repülőtér
air filter *fn gk* légszűrő, légtisztító
airflow *fn* légáramlás, levegőáramlás
airfoil *fn US* szárnyszelvény, szárnymetszet
air force *fn kat* légierő, légi haderő; *GB* **the Royal Air Force** a királyi légi haderő
airframe *fn* repülőgépváz
airfreight I. *fn* **1.** légi (úton való) teherszállítás **2. a)** légi teherszállítmány **b)** (légi úton való) teherszállítási díj **II.** *tsi* légi úton szállít *[teherárut]*
airgun *fn* légpuska
airhead *fn* **1.** *szl [buta, zavart elméjű]* dilis, tökfej **2.** *kat* légi hídfő
air hostess *fn* (légi) utaskísérő(nő), stewardess, légikisasszony *[repülőgépen]*
air house *fn* (műanyag) légsátor
airing ['eərɪŋ ‖ 'erɪŋ] *fn* **1. a)** szellőz(tet)és **b)** levegőn szárítás **c)** szárítás *[ruháé, szárítóberendezéssel/szárítógéppel]* **2.** séta; **take an ~** sétál egyet, kimegy egy kicsit levegőzni **3.** nyilvánosságra hozatal, közlés; **give sg an ~** szellőztet vmt, nyilvánosságra hoz vmt
air jacket *fn* **1.** (felfújható) úszómellény **2.** *műsz* légköpeny
air lane *fn* légifolyosó, légi útvonal
air-launch *tsi űr* levegőben/levegőből/fedélzetről indít *[rakétát]* • *mn* **air-launched**
airless ['eələs ‖ 'er–] *mn* **1.** levegőtlen, szellőzetlen, áporodott **2.** nyugodt, csendes, zavartalan *[idő, este]*
air letter *fn [önborítékoló]* légipostai levél, aerogram
airlift I. *fn rep* **a)** légihíd **b)** légi utánpótlás **c)** légihídon szállított teher; → **air** I. 2. **II.** *tsi* légihídon szállít *[kis távolságra idegen/ellenséges terület felett]*
airline *fn* **1. a)** *esz* **airlines** légiforgalmi társaság **b)** légi járat, repülőjárat **c)** repülővonal, légi(forgalmi) útvonal **2.** légcső
airliner *fn* utasszállító repülőgép
airlock *fn* **1.** *műsz* légdugó, légbuborék *[csőben]* **2.** légkamra, zsilipkamra, keszon
airmail I. *fn* légiposta; **by ~** légipostával, légi úton **II.** *tsi* légipostával küld
airman ['eəmən ‖ 'er–] *fn tsz* **-men** [–mən] repülő, pilóta, léghajós
Air Marshal *fn GB kat* repülő altábornagy
air mattress *fn US* → **air-bed**
air mile *fn* repülőmérföld *[= 6076,1 láb = 1851,96 m]*; **five ~s from sg** légvonalban öt mérföldnyire
airmiss *fn* ‹épphogy elkerült ütközés a levegőben›
airmobile *mn kat* légimozgékony(ságú) *[csapat]*
Air Officer *fn GB kat* repülő-összekötő tiszt, repülőtiszt
air passages *fn tsz orv* légutak *[a légcső és a hörgők]*
air passenger *fn* légiutas, (repülőgép)utas
air piracy *fn* légi kalózkodás, repülőgép-eltérítés, géprablás
air pirate *fn* légi kalóz, repülőgéprabló
airplane *fn US* repülőgép
air plant *fn növ* léggyökeres növény
airplay *fn média* rádióban való lejátszás
air pocket *fn* **1.** *rep* légtölcsér, légzsák, légűr **2.** légzsák, légpárna *[szivattyúké]*
airpolice *fn kat* a légierő katonai rendőrsége
air pollution *fn körny* levegőszennyezés, légszennyezés
airport *fn* (közforgalmi) repülőtér, légikikötő (vámhivatallal); **~ tax** repülőtéri illeték
air power *fn kat* légi haderő, légi hatalom
air pressure *fn* **1.** légnyomás **2.** sűrített levegő nyomása
air pump *fn* (dugattyús) légszivattyú
air quotes *fn tsz* ‹idézőjelek érzékeltetése beszéd közbeni kézmozdulattal›
air racing *fn US sp* gyorsasági repülés
air raid *fn* légitámadás
air raid precautions service *fn* polgári védelem, *[korábban:]* légoltalom
air raid shelter *fn* légoltalmi óvóhely, légópince
air raid siren *fn* légoltalmi sziréna
air rifle *fn* légpuska
air sac *fn biol* légzsák, léghólyag, légkamra, légzősejt
airscrew *fn GB rep* légcsavar, propeller
air-sea rescue *fn* tengeri-légi mentés *[mentés a tengerből/tengerről légijárművel]*; **~ service** tengeri-légi kutató- és mentőszolgálat
air service *fn* légi közlekedés; **~s** légi járatok
airshaft *fn* **a)** szellőzőakna **b)** világítóudvar
airship *fn* (kormányozható) léghajó, léggömb
air show *fn* légiparádé
airsick *mn* légibeteg • *fn* **airsickness**
airspace *fn rep* légtér
air speed *fn rep* repülési sebesség; légsebesség; levegőhöz viszonyított sebesség; **~ indicator** légsebességmérő, sajátsebesség-mérő

airstream *fn* légáram(lat)
air strike *fn kat* légicsapás
airstrip *fn rep* (szükség)felszállóhely
air terminal *fn rep* **1.** terminál, forgalmi épület, fogadóépület **2.** *GB* városi iroda *[légitársaságé]*
air ticket *fn* repülőjegy
airtight *mn* **1.** légmentes, légátnemeresztő, hermetikusan/ teljesen (el)zárt, légmentesen záródó **2.** *átv* megtámadhatatlan • *fn* **airtightness**
airtime *fn média* műsoridő, adásidő *[rádióban, tévében]*
air-to-air *mn kat* levegő-levegő *[rakéta]*, repülőgépről légi célra kilőtt; ~ **refuel(l)ing** légi utántöltés *[két repülőgép között]*; ~ **missile** levegőből levegőbe irányított lövedék; ~ **rocket** levegő-levegő rakéta
air-to-ground *mn kat* levegő-föld *[rakéta, lövedék]*
air-to-surface *mn kat* levegőből a (víz)felszínre kilőtt *[rakéta, lövedék]*
air-to-underwater *mn kat* levegőből a víz alá kilőtt *[rakéta, lövedék]*
air traffic *fn* légi forgalom
air traffic control *fn rep* légiforgalom-irányítás, repülésbiztosítás, repülésirányítás • *fn* **air traffic controller**
air transport *fn* légi szállítás, légi közlekedés/forgalom
air travel *fn* repülés, légi utazás
Air Vice-Marshal *fn GB kat* repülő vezérőrnagy
airwaves *fn tsz média* ‹adáshoz használt rádióhullámok›; **over the** ~ az éter hullámain át
airway *fn* **1. a)** *rep* légifolyosó **b)** légi(forgalmi) útvonal; ~**s** légiforgalmi társaság, légitársaság **2.** *orv* légút **3.** *bány* szellőzőakna, szellőzőnyílás, légjárat
airwoman *fn tsz* **-women** pilótanő, repülőnő
airworthy *mn* repülésre (v. légi közlekedésre) alkalmas, repülőképes *[légijármű]* • *fn* **airworthiness**
airy [ˈeəri ‖ ˈeri] *mn* **1.** levegős, szellős, jól szellőzött **2. a)** *vál* fennkölt, magasröptű, emelkedett **b)** kecses, törékeny, légies **c)** könnyű, könnyed *[lépés]*, fesztelen, könnyed *[viselkedés]*
airy-fairy *mn* **a)** légvárszerű, meseszerű, valótlan **b)** *biz* könnyed, pajkos, pajzán, ingerkedő
aisle [aɪl] *fn* **1.** *épít* (templomi) oldalhajó, oldalfolyosó **2.** *US* padsorok/ülőhelyek/polcok közti átjáró/folyosó *[repülőgépen, templomban, teremben]* • *mn* **aisled**
aitch [eɪtʃ] *fn* ‹a h-hang és betű angol neve›; **drop one's** ~**es** ‹a szóeleji h-hangot nem ejti ki›
aitch-bone [ˈeɪtʃboʊn] *fn* **1.** csípőcsont **2.** marhafartő; ~ **steak** fehérpecsenye
ajar[1] [əˈdʒɑː ‖ əˈdʒɑr] **I.** *mn* félig nyitott/tárt **II.** *hsz* félig nyitva/tárva; **set the door** ~ félig (ki)nyitja/(ki)tárja az ajtót
ajar[2] *hsz* meghasonulva, vmvel ellentétben; **with nerves** ~ felborzolt idegekkel
AK *röv US Alaska*
a.k.a., aka [ˈækə, ˌeɪkeɪˈeɪ], **AKA** *röv also known as*
akimbo [əˈkɪmboʊ] *hsz* **with arms** ~ csípőre tett/szorított kézzel
akin [əˈkɪn] *mn* **1.** (vér)rokon **2.** rokon, hasonló
aknee [əˈniː] *hsz* térdelve, térden állva
-al *utótag* **I.** *[főnévképző]* -ás/-és, -ság/-ség; **arrival** (meg)érkezés; **refusal** elutasítás **II.** *[melléknévképző]* -as/-es/-os, -ó/-ő/-i, -(n)ális, -us, stb.; **postal** postai; **functional** funkcionális; **political** politikai
AL *röv US* Alabama
Al[1] [æl] *tul bec* ‹*Allan* ill. *Albert* férfinevek becézett alakja›
Al[2] *röv* alumínium
à la *előtag francia* -módra, szerinti
Ala. *röv Alabama*
Alabama [ˌæləˈbæmə] *tul földr US* Alabama *[az USA tagállama]*
Alabaman [ˌæləˈbæmən] *mn/fn* alabamai, Alabama állambeli
alabaster [ˈæləbɑːstə ‖ −bæstər] **I.** *fn ásv* alabástrom **II.** *mn* alabástrom *[fehér]* • *mn* **alabastrine**
à la carte [ˌæləˈkɑːt ‖ ˌɑlɑˈkɑrt] *mn/hsz francia* étlap szerint(i)
alack [əˈlæk] *isz régi* sajnos!, sajna!, ó borzalom!
alacrity [əˈlækrəti] *fn* fürgeség, készségesség
Aladdin's lamp *fn* Aladdin (csoda)lámpája
à la mode *francia* **I.** *mn* **1.** divatos, divatban levő **2.** *gaszt* ~ **beef** spékelt, borban párolt marhahús **3.** *US* fagylalttal körített *[édesség]* **II.** *hsz* divat szerinti, divatot követő
Alan [ˈælən] *tul* ‹férfinév›
alanine [ˈæləniːn] *fn vegy* alanin
alar [ˈeɪlə ‖ −ər] *mn* **a)** szárnyas **b)** szárnyszerű, szárny alakú
alarm [əˈlɑːm ‖ əˈlɑrm] **I.** *fn* **1. a)** riadó, készültség **b)** riasztás, riasztójelzés **2. a)** vészjel, figyelmeztető kiáltás; **sound the** ~ riadót fúj; vészjelet ad **b)** vészjelző készülék, riasztóberendezés; **smoke** ~ füstriasztó **c)** ébresztőóra **3.** riadalom, ijedtség, aggodalom; **false** ~ téves riasztás, vaklárma; **spread** ~ rémhíreket terjeszt; **in** ~ ijedten, rémülten **4.** *sp* dobbantás *[vívásban]* **II.** *tsi* **1. a)** (meg)ijeszt, megrémít, (fel)izgat; **be ~ed at sg** aggódik/megrémül vm miatt; **do not** ~ **yourself!** nem kell megijedni **b)** felriaszt, felver, fellármáz **2.** riaszt, készenlétbe helyez *[csapatokat]* • *mn* **alarmable**
alarmed [əˈlɑːmd ‖ əˈlɑrmd] *mn* aggódó, (meg)rémült, ijedt, (fel)izgatott
alarming [əˈlɑːmɪŋ ‖ əˈlɑr−] *mn* aggasztó, nyugtalanító, ijesztő, riasztó, vészjósló • *hsz* **alarmingly**
alarmist [əˈlɑːmɪst ‖ əˈlɑr−] **I.** *fn* rémhírterjesztő **II.** *mn* vészhírterjesztő, vészmadárkodó • *fn* **alarmism**
alarm reaction *fn* pánikreakció
alarm signal *fn* vészjel(zés), riasztójel(zés)
alarm system *fn* riasztóberendezés
alas [əˈlæs] *isz* ó jaj!, sajnos!, sajna!, ó borzalom!; ~ **for him!** jaj neki!
Alas. *röv US Alaska*
Alaska [əˈlæskə] *tul földr US* Alaszka *[az USA tagállama]*
Alaskan [əˈlæskən] *mn/fn* alaszkai
Alastair [ˈæləstə ‖ −ər] *tul* ‹*Alistair* skót férfinév változata›
alate [ˈeɪleɪt] *mn* szárnyas, szárnnyal bíró
alb [ælb] *fn vall* karing, miseing, alba; **A~ Sunday** fehérvasárnap
albacore [ˈælbəkɔː ‖ −kɔr] *fn áll* germon, hosszú tonhal
Albania [ælˈbeɪnɪə] *tul földr* Albánia
Albanian [ælˈbeɪnɪən] **I.** *mn/fn* albán(iai) **II.** *fn* albán (nyelv)
Albany [ˈɔːlbəni] *tul földr US* Albany *[New York állam fővárosa]*
albatross [ˈælbətrɒs ‖ −trɔs, −trɑs] *fn* **1.** *áll* albatrosz, viharmadár **2.** *átv* teher, kellemetlenség, bukás/reményvesztettség oka
albedo [ælˈbiːdoʊ] *fn* **1.** *fiz* (sugár)visszaverő képesség **2.** *csill* albedó
albeit [ɔːlˈbiːɪt] *ksz vál* jóllehet, noha, (ha)bár, holott, ámbá(to)r
Albert [ˈælbət ‖ −bərt] *tul* Albert; **a~ chain** (nagy szemű) óralánc; **Royal** ~ **Hall** ‹világhírű hangversenyterem Londonban›
Alberta [ælˈbɜːtə ‖ −ˈbɜr−] *tul földr Kan* Alberta
albescent [ælˈbesnt] *mn* halványodó, sápadó, fehéredő
albino [ælˈbiːnoʊ ‖ −ˈbaɪ−] *fn tsz* **-s** albínó • *fn* **albinism** *mn* **albinotic**
Albion [ˈælbɪən] *tul vál* Albion *[Anglia költői neve]*
albite [ˈælbaɪt] *fn ásv* nátronföldpát, albit
album [ˈælbəm] *fn* **1.** album **2.** vendégkönyv, emlékkönyv **3.** *média* album, nagylemez
albumen [ˈælbjʊmən ‖ −ˈbjuː−] *fn* **1.** (tojás)fehérje **2.** → **albumin**
albumin [ˈælbjʊmɪn ‖ −ˈbjuː−] *fn orv* albumin, fehérje *[tojásban, tejben, vérben]* • *fn* **albuminoid** *mn* **albuminous**

alcaic [æl'keɪɪk] **I.** *mn* alkaioszi **II.** *fn tsz* **alcaics** alkaioszi versszakok
alchemy ['ælkəmi] *fn* **1.** alkímia, aranycsinálás **2.** (csodával határos) átalakítás, átformálás • *fn* **alchemist** *i* **alchemize** *mn* **alchemic**, **alchemical** *hsz* **alchemically**
alcohol ['ælkəhɒl ‖ –hɔl, –hɑl] *fn* **1.** alkohol, szesz; **dehydrated ~** tiszta szesz; **~ burner** spirituszégő **2.** szeszesital; **~ addict** alkoholista
alcohol abuse *fn* alkoholfüggőség, alkoholizmus
alcohol-free *mn* **1.** alkoholmentes **2.** alkoholt nem forgalmazó *[üzlet]*
alcoholic [ˌælkə'hɒlɪk ‖ –'hɔl–, '–hɑl–] **I.** *mn* alkoholos, szeszes, alkohol-, szesz-; **~ beverages** szeszes italok, alkoholtartalmú italok; **~ fermentation** szeszes erjedés; **~ insanity** delirium tremens; alkoholos pszichózis; **~ poisoning** alkoholmérgezés **II.** *fn* alkoholista, iszákos; **A~s Anonymous** ‹amerikai szervezet az alkoholizmus leküzdésére/gyógyítására›
alcoholism ['ælkəhɒlɪzm ‖ –hɔ–, –hɑ–] *fn* alkoholizmus, iszákosság
alcoholometer [ˌælkəhɒ'lɒmɪtə ‖ –hɔ'lɑmətər, –hɑ–] *fn vegy* szeszmérő, alkoholmérő, szeszfokoló • *fn* **alcoholometry**
Alcoran ['ælkɔːræn] *fn* **the ~** a Korán
alcove ['ælkoʊv] *fn* (ablaktalan) benyíló, falmélyedés, félkörívű (fali) fülke, alkóv • *mn* **alcoved**
aldehyde ['ældɪhaɪd] *fn vegy* aldehid • *mn* **aldehydic**
alder ['ɔːldə ‖ –ər] *fn növ* éger(fa)
alder buckthorn *fn növ* kutyabenge
alderman ['ɔːldəmən ‖ –dər–] *fn tsz* **-men** [–mən] **1.** *GB tört* helyi törvényhatóság/önkormányzat kinevezett tagja, városatya **2.** *US Kan Ausz* városi kepviselőtestület választott tagja • *fn* **aldermanship** *mn* **aldermanic**
alderperson → **alderman**→ **alderwoman**
alderwoman ['ɔːldəwʊmən ‖ –dər–] *fn tsz* **-women** *US Kan Ausz* törvényhatósági főtisztviselőnő, önkormányzati képviselőnő
aldrin ['ɔːldrɪn] *fn vegy* aldrin, rovarölő szer
ale [eɪl] *fn* ‹kissé kesernyés, középnehéz, 6% alkoholtartalmú angol sör› ale
aleatoric [ˌælɪə'tɒrɪk ‖ –'tɔrɪk] → **aleatory**
aleatory [ˌæli'eɪtəri ‖ 'eɪlɪətɔri] *mn* **1.** véletlen(en múló), esetleges; **~ contract** szerencseszerződés; **~ variable** véletlen változó **2.** *zene* aleatorikus *[rögtönzésen alapuló]*
alec ['ælɪk] *fn Ausz szl [becsapható ember]* balek, tökfilkó
alee [ə'liː] *hsz hajó* szél alatt
alehouse *fn régi* sörcsarnok, korcsma
alembic [ə'lembɪk] *fn régi* lombik, lepárlókészülék
alert [ə'lɜːt ‖ ə'lɜrt] **I.** *mn* **1.** éber, felkészült, készenlétben levő **2.** élénk, mozgékony, eleven; **~ answer** talpraesett válasz **II.** *fn* **a)** riadó(készültség), (légvédelmi) készültség; **be on the ~** készültségben/készenlétben áll, résen van **b)** *kat* légiriadó jele (v. ideje) **III. A.** *tsi kat* riadókészültségbe helyez, riaszt **B.** *tni* vészjelet ad, riaszt • *fn* **alertness** *hsz* **alertly**
aleuron [ə'ljʊərɒn ‖ 'æljərɑn] → **aleurone**
aleurone ['æljəroʊn] *fn biol növ* sikér, aleuronszemcse, proteinszemcse
A level *fn GB advanced level* ‹egyetemi felvételhez megkívánt magasabb szintű érettségi vizsga egy(es) tárgy(ak)ból›; **~ math** ‹magasabb szintű matematika érettségi›; **she has three ~s** három tárgyból tette le (v. letette) a magasabb szintű érettségit
alewife ['eɪlwaɪf] *fn tsz* **alewives** [–waɪvz] *áll* fatytyúhering
Alex ['æleks] *tul bec* ‹ *Alexander* férfi, ill. *Alexandra* női név becézett alakja›
Alexander [ˌælɪg'zɑːndə ‖ –'zændər] *tul* Sándor
Alexandra [ˌælɪg'zɑːndrə ‖ –'zæn–] *tul* Alexandra
Alexandria [ˌælɪg'zɑːndrɪə ‖ –'zæn–] *tul földr* Alexandria
Alexandrian [ˌælɪg'zɑːndrɪən ‖ –'zæn–] *mn* alexandriai
alexandrine [ˌælɪg'zændraɪn] *mn/fn* alexandrinus *[versforma, verssor]*, Sándor-vers
alexandrite [ˌælɪg'zændraɪt] *fn ásv* alexandrit *[drágakő]*
alexia [ə'leksɪə] *fn orv* szófelismerési képtelenség, szóvakság • *mn* **alexic**
Alexis [ə'leksɪs] *tul* ‹női név›
Alf [ælf] *tul bec* ‹ *Alfred*›
ALF *röv Animal Liberation Front*
alfalfa [æl'fælfə] *fn növ* lucerna
Alfie ['ælfi] *tul bec* ‹ *Alfred*›
Alfred ['ælfrəd] *tul* Alfréd
alfresco [æl'freskoʊ] **I.** *mn* szabadban történő, szabad ég alatti **II.** *hsz* (kinn a) szabadban, szabad levegőn
alga ['ælgə] *fn tsz* **algae** ['ældʒiː] *növ* moszat, alga • *mn* **algal**
algebra ['ældʒəbrə] *fn mat* algebra, betűszámtan • *fn* **algebraist** *mn* **algebraic**, **algebraical** *hsz* **algebraically**
Algeria [æl'dʒɪərɪə ‖ –'dʒɪr–] *tul földr* Algéria
Algerian [æl'dʒɪərɪən ‖ –'dʒɪr–] *mn/fn* algériai
Algerine [ˌældʒə'riːn] **I.** *mn* algíri **II.** *fn* algíri
Algernon ['ældʒənən ‖ –dʒər–] *tul* ‹férfinév›
algicide ['ældʒɪsaɪd] *fn vegy* algicid
Algiers [æl'dʒɪəz ‖ –'dʒɪrz] *tul földr* Algír *[Algéria fővárosa]*
algolagnia [ˌælgoʊ'lægnɪə] *fn orv* algolagnia; **active ~** szadizmus; **passive ~** mazochizmus • *mn* **algolagnic**
algology [æl'gɒlədʒi ‖ –'gɑ–] *fn* algákkal foglalkozó tudomány • *fn* **algologist** *mn* **algological**
algorithm ['ælgərɪðm] *fn mat* algoritmus • *mn* **algorithmic** *hsz* **algorithmically**
Algy ['ældʒi] *tul bec* Algernon
alias ['eɪlɪəs] **I.** *hsz* más néven, másképpen, másként **II.** *fn* álnév, fedőnév, felvett név
alibi ['æləbaɪ] **I.** *fn* **a)** alibi, máshollét igazolása; **establish an ~** alibit igazol; **produce an ~** alibit igazol/szerez; alibiről gondoskodik **b)** kifogás **II. A.** *tni* kimagyarázkodik, alibit talál/igazol **B.** *tsi* kimagyaráz (vkt), alibit ad/igazol (vknek)
Alice ['ælɪs] *tul* Aliz
alicyclic [ˌælɪ'saɪklɪk] *mn vegy* aliciklusos, aliciklikus
alidade ['ælɪdeɪd] *fn tud* alhidádé
alien ['eɪlɪən] **I.** *mn* **1. a)** idegen, külföldi **b)** távol álló, idegen, idegenszerű; **be ~ from sg** távol áll vmtől; **~ to sg** vmvel ellenkező, vmvel szemben álló **2.** földöntúli, földönkívüli **II.** *fn* **1.** idegen, külföldi (állampolgár); **undesirable ~s** nemkívánatos idegenek **2.** földönkívüli
alienable ['eɪlɪənəbl] *mn jog* elidegeníthető • *fn* **alienability**
alienage ['eɪlɪənɪdʒ] *fn* külföldiség, idegenség (vké), idegen állampolgárság
alienate ['eɪlɪəneɪt] *tsi* elidegenít, eltávolít, átruház *[javakat]* • *fn* **alienator**
alienation [ˌeɪlɪə'neɪʃn] *fn* **1. a)** elhidegülés, elidegenedés, elidegenülés, eltávolodás **b)** *átv* elidegenítés **2.** *jog* elidegenítés *[javaké]*; **declaration of ~** lemondás állampolgárságról **3.** *szính* elidegenítési hatás
alienist ['eɪlɪənɪst] *fn US [hatósági]* elmeorvos, elmegyógyász
aliform ['ælɪfɔːm ‖ 'eɪləfɔrm] *mn biol* szárny alakú
alight[1] [ə'laɪt] *tni pt/pp* **alighted 1.** *GB* **a)** kiszáll, leszáll *[járműből]* **b)** leszáll *[nyeregből]*, lóról leszáll **2.** leszáll, földet ér *[madár, repülőgép]* **3. ~ on sg** (véletlenül) rátalál/ráakad vmre
alight[2] [ə'lɪt] **I.** *mn* **1.** (lángban) égő, lángoló; **set sg ~** meggyújt vmt, lángra lobbant vmt **2.** kivilágított **3.** izgatott, lángoló *[személy]* **II.** *hsz* **1.** égve, lángolva **2.** kivilágítva **3.** izgatottan, lángolva
align [ə'laɪn] *tsi* **1.** (fel)sorakoztat *[katonákat]*, sorba állít/igazít *[tárgyakat]*; **~ oneself with** igazodik vmhez/vkhez; **a country politically ~ed to the West** politikailag a nyugathoz igazodó ország; **non-~ed** (politikailag) el nem

kötelezett **2.** egyenesbe állít/hoz, kiegyenesít **3.** *[nézeteket]* összehangol, csatlakozik *[másokhoz vm ügyben]* • *fn* **alignment**

alike [ə'laɪk] **I.** *mn* hasonló, (ugyan)olyan; **you are all ~!** nincs különbség köztetek!; mind egyformák vagytok!; **all things are ~ to him** minden közömbös számára; neki minden mindegy **II.** *hsz* ugyanúgy, hasonlóan, hasonlóképpen

aliment ['ælɪmənt] *fn* **1.** táplálék, élelem, élelmiszer **2.** támogatás, segítség *[lelki értelemben is]* • *mn* **alimental**

alimentary [ˌælɪ'mentəri ‖ 'ælɪmənteri] *mn* **1.** tápláló, táp-; **~ substances** tápanyagok **2.** *orv* **~ canal** tápcsatorna, emésztőcsatorna

alimentation [ˌælɪmen'teɪʃn] *fn* **1.** ellátás *[élelmiszerrel]*, táplálás **2.** fenntartás, támogatás *[anyagi is]*

alimony ['ælɪməni ‖ –mouni] *fn US jog* tartásdíj *[elvált házastárs részére]*

aliquant ['ælɪkwənt] *mn mat* maradék nélkül nem osztható, nem osztó, aliquant *[rész]*

aliquot ['ælɪkwɒt ‖ –kwɑt] *mat* **I.** *mn* maradék nélkül osztható, aliquot *[rész]* **II.** *fn* aliquot rész

Alison ['ælɪsən] *tul* ‹női név›

Alistair ['ælɪstə ‖ –ter] *tul skót* ‹férfinév›

alive [ə'laɪv] *mn* **1. a)** élő, életben levő, eleven; *biz* **be ~ and kicking** *biz* él és virul; **~ and well** *biz [a pletykák ellenére]* életben van (v. dolgozik); **come ~** feléled, magához tér; **dead or ~** élve vagy halva; **more dead than ~** félholt(an); se holt se eleven; **keep sy's memory ~** ápolja vk emlékét **b) be (still) ~** (még mindig) él a köztudatban, hatása (még mindig) érződik **2. be ~ to sg** tudatában van vmnek; tisztában van vmvel **3.** eleven, élénk, életerős; **he is very much ~** nagyon eleven/tevékeny; eleven (eszű) **4. be ~ with sg** nyüzsög/hemzseg vmtől, tele van vmvel **5. a)** működő *[gép]* **b)** *vill* feszültség alatt levő *[huzal]* • *fn* **aliveness**

alizarin [ə'lɪzərɪn] *fn vegy* alizarin, buzérvörös

alkahest ['ælkəhest] *fn* alkahest *[az alkimisták által keresett egyetemes oldószer]*

alkali ['ælkəlaɪ] *fn vegy* alkáli, lúg • *fn* **alkalimeter**, **alkalimetry**

alkali metal *fn vegy* alkálifém

alkaline ['ælkəlaɪn] *mn vegy* alkalikus, alkáli, lúgos; *el távk* **~ battery** alkáli elem; **~ earth** alkáliföld; **~ earth (metal)** alkáliföld(fém) • *fn* **alkalinity**

alkali soil *fn vegy* alkálitalaj, szikes talaj

alkaloid ['ælkəlɔɪd] *fn vegy* alkaloid

alkalosis [ˌælkə'lousɪs] *fn orv* alkáli mérgezés

alkanet ['ælkənet] *fn növ* ebnyelvfű

alky ['ælki], **alkie** *fn szl [alkoholista]* piás, szeszkazán

all [ɔ:l] **I.** *mn/hsz/nm* **1. a)** egész(en), összes(en), valamennyi(en), teljes(en), mind, csupa; **~ along** mindvégig; elejétől a végéig, hosszában; **~ alone** teljesen/egészen egyedül; **~ day** egész/álló nap; **~ men** minden ember/férfi; **~ of a sudden** hirtelen; **she is ~ ears** csupa fül; **be ~ over sy** *biz* egészen odavan vkért; sokat sürög-forog vk körül; **it is written (large) ~ over him...** ordít róla hogy..., rá van írva hogy...; **he is English ~ over** minden ízében angol; **it's ~ over with him** *biz* neki már befellegzett; teljesen tönkrement/kikészült; **(s)he is not ~ there** nincs ott az esze; hiányzik egy kereke; **~ the way** az egész (v. végig az) úton, egész végig; **in ~ manner of ways** minden úton-módon; **with ~ speed** a lehető leggyorsabban; amilyen gyorsan (csak) lehet/tud; **above ~** mindenekelőtt; mindenek felett **b) almost ~** majdnem mind/valamennyien, majdnem az egész; **~ but he** rajta kívül (v. őt kivéve) mind; **~ but one** egy kivételével, kivéve egyet; **~ together** ők mindannyian/valamennyien/mind(nyájan); **~ you have to do is...** nem kell mást tenned, mint..., csak az a dolgod, hogy... **c) I know it ~** mindezt jól tudom, mindezzel tökéletesen tisztában vagyok; tudom az egészet *[művet, tananyagot]*; *sp* **(we are) five ~** 5:5(-re állunk) *[játékban]*; *sp* **fifteen ~** tizenöt egyenlő *[teniszben]*; **~ is not lost** még nem veszett el minden, még nincs vége, még van remény **d)** *GB biz* nagyon, meglehetősen **2. a) after ~** mégis(csak), végül is; elvégre, tulajdonképpen; **he is a good boy after ~** mégiscsak derék/jó fiú **b) at ~** egyáltalá(ba)n; **not at ~** egyáltalá(ba)n nem; szót sem érdemel *[válasz megköszönésre/köszönetmondásra]*; **nothing at ~** (egyáltalán) semmi (sem); **~ the better (for me)** annál jobb (számomra); **~ at once** hirtelen, váratlanul; egyszerre, egyidejűleg **3. a) once (and) for ~** egyszer s mindenkorra **b) for ~ I care** felőlem (akár); **for ~ I know** már amennyire tudom, legjobb tudomásom szerint; **for ~ that** annak ellenére, ami azt illeti; **for ~ his wealth** minden vagyona ellenére; **I am ~ for it** *biz* teljes mértékben helyeslem; benne vagyok; **that's ~** ez minden; csak erről van szó; **that's ~ nonsense** ez (az egész) ostobaság; **~ the same** mégis, ennek ellenére **4. a) ~ change!** végállomás!; **~ right!** (i) (minden) rendben (van)!; jól van! (ii) megértettem!, megbeszéltük!; **he is ~ right** jól van; → **all-right**; **it's ~ right for you to laugh** könnyű neked nevetni; **~'s well that ends well** minden jó, ha jó a vége; **that's ~ very well but...** ez mind szép és jó de...; *közm* **~ that glitters is not gold** nem mind arany, ami fénylik; **~ told** mindent összevéve/egybevetve **b) ~ in** kimerült, kivan; **(taking it) ~ in ~** mindent egybevetve; összesen; **in ~** összesen, összességében; **~ included** mindenestül, mindent magába foglal(va); **thirty men in ~** összesen 30 fő; **on ~ fours** négykézláb **c) and ~** *biz* stb.; és/meg minden; és az egész mindenség; **~ and sundry** mindenki, boldog-boldogtalan; **each and ~** egyenként és összesen; **you are not as ill as ~ that** nem is vagy olyan beteg; **most of ~** legfőképpen **II.** *fn* **1.** az egész, az összes, minden(ség); **my ~** mindenem, amim csak van; **I will do my ~** minden lehetőt (v. tőlem telhetőt) megteszek **2. the A~** a világmindenség; → **all told**

alla breve [ˌælə'brevi, –'breveɪ] *mn/hsz zene* gyorsítva, alla breve (ütemben)

alla cappella [ˌælə kə'pelə] → **a cappella**

Allah ['ælə, 'ɑ:lə] *tul vall* Allah

all-American **I.** *mn* **1.** összamerikai, egész Amerikát képviselő (v. magában foglaló); **an ~ team** amerikai nemzeti válogatott **2.** teljesen/mindenestől amerikai **II.** *fn* amerikai nemzeti válogatott *[csapattag]*

Allan ['ælən] *tul* ‹férfinév›

all-around *US* → **all-round**

allay [ə'leɪ] *tsi* **1.** megnyugtat, csillapít, lecsendesít *[vihart, haragot]*, csillapít, enyhít *[fájdalmat, büntetést]*, tompít *[lázat]*, olt *[szomjat]* **2.** eloszlat *[félelmet, gyanút]*

all-clear *fn* **~ (signal)** légiveszély/légiriadó elmúlt, légiriadó lefúvása *[jelzés]*

all-comprehensive *mn* mindent átfogó (v. magába foglaló)

all-day *mn* egész napos; **~ school** *okt* egész napos iskola

allegation [ˌælə'geɪʃn] *fn* **1. a)** állítás, vád **b)** *jog* vallomás **c)** *jog* (bizonyítandó) perbeli tényállítás **2. false ~** valótlan állítás; ürügy, kibúvó

allege [ə'ledʒ] *tsi* **1.** állít, felhoz *[indokként, okul]*; **~ ill health as a reason** rossz egészségi állapotát hozza fel indokként/indoklásul, rossz egészségi állapotára hivatkozik **2.** felhoz, ismertet *[példát, érvet]*

alleged [ə'ledʒd] *mn* állítólagos

allegedly [ə'ledʒɪdli] *hsz* állítólag(osan)

allegiance [ə'li:dʒəns] *fn* **1.** hűség, engedelmesség, lojalitás; **profession of ~** hűségnyilatkozat; **cast off one's ~ to an organization** kilép vmlyen szervezetből; **give one's full ~ to an organization** elkötelezi magát egy szervezet mellett, teljes támogatásáról biztosít (egy) szervezetet **2.** alattvalói/állampolgári kötelezettség/hűség; *GB* **oath of ~** állampolgári eskü; hűségeskü **3.** *tört* hűbéri viszony/kötelezettség

allegoric [ˌælə'gɒrɪk ‖ –'gɑ–], **allegorical** *mn* jelképes, képletes, allegorikus • *hsz* **allegorically**

allegorize [ˈæləgəraɪz], **-ise** *tsi/tni* allegorizál, allegóriá(k)ban/jelképesen/képletesen fejezi ki magát • *fn* **allegorization**
allegory [ˈæləgəri ‖ –gɔri] *fn* **1.** allegória, kép(let)es beszéd, példázat **2.** jelkép, szimbólum • *fn* **allegorist**
allegro [əˈlegrou, əˈleɪgrou] *hsz/fn* **1.** *zene* allegro **2.** ~ **form** *nyelv* allegro alak, haplológia
allel [əˈlel] → **allele**
allele [əˈliːl] *fn biol* allél *[gén]*
allelomorph [æˈliːləmɔːf ‖ –mɔrf] → **allele** • *mn* **allelomorphic**
alleluia [ˌæləˈluːjə] **I.** *isz* (h)alleluja!, dicsőség! **II.** *fn* örvendező/hálaadó imádság, (h)alleluja
alleluja → **alleluia**
all-embracing *mn* mindent felölelő (v. magában foglaló), mindenre kiterjedő
Allen [ˈælən] *tul* ‹férfinév›
allergen [ˈælədʒən ‖ ˈælər–] *fn orv* allergiát okozó/kiváltó anyag, allergén • *mn* **allergenic**
allergic [əˈlɜːdʒɪk ‖ əˈlɜr–] *mn* **1.** *orv* allergiás, túlérzékeny **2.** *biz* háklis, allergiás
allergy [ˈælədʒi ‖ –ər–] *fn* **1.** *orv* allergia, túlérzékenység **2.** *biz* ellenszenv, undor; **drug** ~ gyógyszerérzékenység • *fn* **allergist**
alleviate [əˈliːvieɪt] *tsi* enyhít, csillapít *[fájdalmat]*, könnyít *[helyzetet]*, csökkent *[gondot]* • *fn* **alleviation**, **alleviator** *mn* **alleviative**, **alleviatory**
alley[1] [ˈæli] *fn* **1.** fasor **2.** köz, sikátor, utcácska; *átv* **right up his** ~ éppen az ő területén, ez éppen neki való dolog **3. a)** átjáró *[padsorok között]* **b)** folyosó *[teniszpályán]* **4.** tekepálya
alley[2] *fn* → **ally**
alley cat *fn* **1.** kóbor macska **2.** *szl [prostituált]* prosti, ribi
alley-oop shot [ˌæliˈuːp ʃɒt ‖ –ʃɑt] *fn sp* ‹kosárradobás nagy ívben›
All Fools' Day *fn biz* Bolondok Napja
All Hallows *fn vall* ~ **(Day)** Mindenszentek (napja) *[nov. 1.]*
alliaceous [ˌæliˈeɪʃəs] *mn növ* (fok)hagymaféle, fokhagyma jellegű/ízű/szagú
alliance [əˈlaɪəns] *fn* **1.** szövetség, szövetkezés; **enter into an** ~ szövetkezik, szövetséget köt, szövetségre lép, (*with* vkvel); *tört* **the Triple A~** a Hármasszövetség; **fight in** ~ együtt harcol **2.** ~ **by marriage** házassági/sógorsági kapcsolat/rokonság **3.** választási szövetség *[pártok között]* **4.** *növ* alrend
allied [ˈælaɪd, əˈlaɪd] *mn* **1.** szövetséges, szövetkezett, társult; *tört* **the A~ Powers** a szövetséges hatalmak, a szövetségesek **2.** azonos jellegű, hasonló, rokon, kapcsolatos
alligator [ˈælɪgeɪtə ‖ –ər] *fn* **1.** *áll* aligátor **2.** aligátorbőr **3. alligators**, ~ **shoes** aligátorbőr cipő **4.** *kat régi* ‹lapos fenekű kétéltű partra szálló jármű›
alligator clip *fn műsz* krokodilcsipesz
alligator pear *fn növ* avokádó(fa)
alligator snapper *fn áll* aligátorteknős
all-important *mn* létfontosságú, rendkívül fontos, nagyfontosságú
all-in *mn* **1.** átfogó, mindent felölelő *[jelleg]* **2.** ~ **price** *[minden költséget magában foglaló]* teljes ár **3.** *sp* ~ **wrestling** szabadfogású birkózás
all-inclusive *mn* minden költséget (v. mindent) magában foglaló
all-in-one *mn* ‹több alkotóelemből/egységből álló› „minden egyben"
alliterate [əˈlɪtəreɪt] **A.** *tsi* **1.** alliterációt/betűrímet készít **2.** alliterációkban beszél **B.** *tni* alliterál • *mn* **alliterative**
alliteration [əˌlɪtəˈreɪʃn] *fn ir.tud* alliteráció, betűrím
allium [ˈælɪəm] *fn növ* hagyma
all-knowing *mn* mindentudó
all-merciful *mn* végtelenül irgalmas
all-night *mn* (egész) éjszakai, egész éjjel *[üzemben levő, elérhető]*; ~ **service** éjszakai szolgálat
allo- [ˈælou] *előtag orv* idegen (eredetű), más, (a normálistól) eltérő
allocate [ˈæləkeɪt] *tsi* **1. a)** kiutal, juttat *[javakat stb.]* **b)** kijelöl *[vmre]* **2.** meghatároz, megállapít • *fn* **allocator** *mn* **allocable**
allocation [ˌæləˈkeɪʃn] *fn* **1.** kiutalás, juttatás, szétosztás *[költségé]*, kijelölés *[munkaköröké]*; ~ **of contract** szerződés odaítélése *[versenytárgyaláson]*; ~ **of resources** anyagi/természeti/munkaerő készletek/erőforrások szétosztása (v. rendelkezésre bocsátása) **2.** helykijelölés, elhelyezés
allochthonous [æˈlɒkθənəs ‖ æˈlɑ–] *mn növ körny* allochton, *geol körny* nem helyben keletkezett, máshol termett, *áll körny* más területről jött
allocution [ˌæləˈkjuːʃn] *fn* buzdító/ünnepélyes beszéd/szózat, allokució
allogamy [əˈlɒgəmi ‖ əˈlɑ–] *fn növ* idegen beporzás, allogámia
allogenic [ˌæləˈdʒenɪk] *mn* allogén, kívülről hozott, külső eredetű
allograft [ˈæləgrɑːft ‖ –græft] *fn orv* allograft *[genetikailag eltérő azonos fajú egyedből]*
allomorph [ˈæləmɔːf ‖ –mɔrf] *fn nyelv* alakváltozat, allomorf • *mn* **allomorphic**
allopath [ˈæləpæθ ‖ –ˈlɑ–] *fn orv* allopata *[allopátiával gyógyító személy]*
allopathy [əˈlɒpəθi ‖ –ˈlɑ–] *fn orv* allopátia • *fn* **allopathist** *mn* **allopathic**
allophone [ˈæləfoun] *fn nyelv* hangváltozat, allofón • *mn* **allophonic**
allot [əˈlɒt ‖ –ˈlɑt] *tsi* **-tt- 1.** kioszt, feloszt, szétoszt, juttat, kiutal *[összeget, munkát, árut]* **2.** kimér, parcelláz *[földet, telket]*; **~ted land** juttatott föld
allotment [əˈlɒtmənt ‖ əˈlɑt–] *fn* **1.** földdarab, földjuttatás; **~s** parcellák; *GB* dolgozóknak kiosztott házhelyek **2.** juttatott részvény **3.** kiutalás, kiosztás, juttatás, kijelölés, jegyzés, beosztás *[időé]*; *pénz* **letter of** ~ részvényjegyzés/kötvényjegyzés igazolása
allotrope [ˈælətroup] *fn vegy* allotróp (módosulat)
allotropism [əˈlɒtrəpɪzm ‖ əˈlɑ–] → **allotropy**
allotropy [əˈlɒtrəpi ‖ əˈlɑ–] *fn vegy* allotróp átalakulás, allotrópia • *mn* **allotropic**, **allotropical**
allottee [ˌælɒˈtiː ‖ ˌæləˈtiː] *fn [földhöz, részvényhez]* juttatott, juttatásban részesülő
all-out I. *mn* **1.** (mindent) átfogó, mindenre kiterjedő, teljes; **with** ~ **support of the press** a sajtó legteljesebb támogatásával **2.** teljes sebességű **II.** *hsz* **go** ~ **for/in sg** szívvel-lélekkel harcol/küzd vmért; minden erejét vmnek szenteli
all-over *mn* teljes(en betöltő/kitöltő/elborító)
allow [əˈlau] **A.** *tsi* **1.** (meg)enged, engedélyez, hozzájárul; ~ **sy to do sg** (meg)enged/engedélyez vknek vmt; ~ **me!** szabad!; engedjen! *[felszólítás út szabaddátételére]*; ~ **me to...** engedd/engedje meg, hogy..., legyen szabad...; **he was ~ed out** kiengedték, kimehetett, kimenőt kapott; *gazd* ~ **sy a discount** vknek (ár)engedményt nyújt; **as soon as circumstances shall** ~ mihelyt a körülmények lehetővé teszik; **not ~ed** tilos, nem szabad; *hajó* **passengers are not ~ed on the bridge** (az utasoknak) a (parancsnoki) hídra lépni tilos; **we must ~ an hour for dressing** öltözködésre egy órát kell adnunk/hagynunk, egy órát kell szánnunk az öltözködésre **2. a)** megenged, elismer; ~ **a claim** kérést/követelést elismer; ~ **a debt** adósságot elismer; ~ **sg to be true** igaznak ismer el vmt **b)** vél, ítél, állít **B.** *tni* **1.** ~ **of sg** enged, hagy; **the matter ~s of no delay** az ügy nem tűr halasztást; **tone which ~ed of no reply** ellentmondást nem tűrő hang **2.** ~ **for sg** figyelembe/számításba vesz vmt, tekintettel van vmre; **~ing for...** figyelembe véve, hogy... • *mn* **allowable** *hsz* **allowably**

A

allowance [əˈlaʊəns] **I.** *fn* **1.** járadék, tartásdíj, rendszeres pénzsegély, juttatás, *US Kan* zsebpénz; **make sy an ~** járadékot biztosít vknek; **stop sy's ~** vknek a járadékát megszünteti; **~ for rent** lakbér-hozzájárulás, lakáspénz; **live within (the compass of) one's ~** addig nyújtózkodik, ameddig a takarója ér **2. a)** *gazd* engedmény, (vissza)térítés; **make an ~ on an article** vmely cikk árából engedményt ad/nyújt **b)** pótlék, térítés; **cost-of-living ~** drágasági pótlék; **travelling ~** (kb.) napidíj, kiszállási díj **3. a)** engedélyezés **b)** tekintetbevétel, engedmény, eltekintés (vmtől); **make ~(s) for sg** figyelembe/számításba vesz vmt, tekintettel van vmre; **with all due ~s** minden lehetőt figyelembe véve, mutatis mutandis **c)** *műsz* megengedett eltérés/tűrés, ráhagyás, tolerancia **II.** *tsi* **1.** járadékot állapít meg **2.** tolerál, türelemmel van (vk iránt)

allowedly [əˈlaʊɪdli] *hsz* az általános felfogás szerint

alloy I. *fn vegy* [ˈælɔɪ] ötvözet, elegy; **~ steel** ötvözött acél, nemesacél **II.** *tsi* [əˈlɔɪ] **A.** ötvöz, elegyít, ötvözetet készít **B.** *tni* ötvöződik, elegyedik

all-party *mn* pártok feletti, minden pártot magában foglaló, minden párttal egyeztetett

all-pervading *mn* mindent betöltő/átható *[illat, szag]*, uralkodó, mindenre kiterjedő *[befolyás]*

all-pervasive *mn* mindent átható *[illat]*, általános, mindenre kiterjedő *[befolyás]*

all-play-all *fn sp* körmérkőzés

all-powerful *mn* mindenható, korlátlan hatalmú, teljhatalmú

all-purpose *mn* sok/minden célnak/célra megfelelő/használható/alkalmas, univerzális

all-right *mn* **1.** *biz* jó, klassz, megbízható **2.** rendben levő, megfelelő

all-risk *mn* minden rizikót vállaló; **~ insurance** teljes körű biztosítás

all-round *mn* átfogó, sokoldalú, *biz* több sportágban járatos *[sportember]*; **~ man** sokoldalú ember

all-rounder *fn GB* sokoldalú egyén/személy/sportoló

all-Russian *mn* összorosz(országi)

All Saints' Day *fn vall* Mindenszentek napja *[nov. 1.]*

all-seater *mn/fn sp* ‹csak ülőhelyekkel rendelkező stadion›

allseed *fn növ* sokmag(v)ú növény

All Souls' Day *fn vall* Halottak Napja *[nov. 2.]*

allspice *fn* **1.** *növ* jamaicaibors, szegfűbors **2.** vegyes fűszer

all-star *mn* **~ cast** sztárszereposztás; *sp* **~ game** gálamérkőzés, all-star meccs/mérkőzés; **~ performance** sztárparádé

all-terrain bike *fn sp* terepkerékpár, terepgép

all-terrain vehicle *fn gk* terepjáró

all-time *mn* **~ high** csúcs(teljesítmény), csúcseredmény; rekord; **~ low** negatív rekord, utolérhetetlenül/végtelen rossz

all told *hsz* összesen, mindennel együtt

allude [əˈluːd] *tsi* céloz, utal, hivatkozik, említ (vmt)

all-up weight *fn* **1.** bruttó súly **2.** *rep* teljes repülési tömeg

allure [əˈljʊə ‖ əˈlʊr] **I.** *tsi* vonz, csábít, csalogat, kecsegtet **II.** *fn* egyéni vonzerő/varázs/báj • *fn* **allurement**

allusion [əˈluːʒn] *fn* célzás, utalás, hivatkozás; **make an/some ~ to sg** célozgat vmre, célzást tesz vmre; **in ~ to sg** célozva/célzásképpen vmre

allusive [əˈluːsɪv] *mn* célzó, utaló, célzást tartalmazó • *fn* **allusiveness** *hsz* **allusively**

alluvial [əˈluːvɪəl] **I.** *mn geol* allúviumi, alluviális, allúvium korszakból való; **~ deposit** hordalék **II.** *fn geol* allúvium, alluviális lerakódás

alluvion [əˈluːvɪən] *fn* feliszapolódás

alluvium [əˈluːvɪəm] *fn tsz* **alluvia** [–vɪə], **alluviums** *geol* **1.** alluvium, alluviális képződmény, lerakódás *[földé, iszapé]* **2.** hordalék(föld)

all-weather *mn* minden időjárásnak megfelelő, minden időjárásnál használható; *gk* **~ equipment** átalakítható karosszéria

all-weather track *fn sp* rekortán (pálya), műanyag pálya/út, tartánpálya

all-wheel drive *fn US Kan* négykerékhajtás, összkerékhajtás

all-wool *mn* tiszta gyapjú(ból készült)

almacantar [ˌælməˈkæntə ‖ –ər] → **almucantar**

Alma Mater [ˌælmə ˈmɑːtə ‖ –ər] *fn okt* vk iskolája/egyeteme, alma mater

almanac [ˈɔːlmənæk] *fn* **1.** kalendárium, almanach **2.** évkönyv

almandine [ˈælməndaɪn] *fn ásv* vasgránát, almandin

almightiness [ɔːlˈmaɪtinəs] *fn* mindenhatóság, mindenre kiterjedő hatalom

almighty [ɔːlˈmaɪti] **I.** *mn* **1.** mindenható, teljhatalmú; **the A~** a Mindenható *[Isten]*; **the ~ dollar** a mindenható dollár/pénz **2.** *US biz* baromi/bazi nagy; **he's in an ~ fix** nagy pácban van, kutyaszorítóban van **II.** *hsz biz [nagyon]* irtóra, baromira

almond [ˈɑːmənd ‖ ˈæl–] *fn* **1.** mandula **2.** mandulafa

almond eyes *fn tsz* mandulavágású szem(ek)

almond oil *fn* mandulaolaj

almond paste *fn gaszt* marcipán

almond tree *fn növ* mandulafa

almoner [ˈɑːmənə ‖ ˈælmənər] *fn* **1.** *tört* alamizsnaosztó, alamizsnás **2.** *GB* szociális nővér; **lady ~** női szociális munkás *[kórházban]*

almost [ˈɔːlmoʊst] *hsz* **1.** majdnem, csaknem; **~ always** csaknem/majdnem mindig **2.** *US* **~ never** szinte soha(sem)

alms [ɑːmz] *fn tsz* alamizsna, könyöradomány

almshouse *fn tört* szeretetház, szegényház, menhely

aloe [ˈæloʊ] *fn* **1.** *növ* áloé, aloe; **American ~** amerikai agávé **2.** áloénedv; **(bitter) ~s** áloé-keserű *[hashajtó]*

aloe vera [ˈæloʊˈverə] *fn* **1.** *növ* áloé vera *[Karib-tengeri áloé-fajta]* **2.** az áloé vera nedve *[kozmetikai alapanyag]*

aloft [əˈlɒft ‖ əˈlɑft] *hsz* **1.** fel, fenn, fent, a magasban **2.** *hajó* fent *[árbocon]*; **all hands ~!** mindenki a fedélzetre!

alogical [eɪˈlɒdʒɪkl, –ˈlɑ–] *mn* logikátlan, a logikával ellentétes

aloha [əˈloʊhə ‖ –hɑ] *isz/fn* viszontlátásra!, szervusz(tok) *[hawaii üdvözlésforma]*

Aloha State *tul földr US biz* ‹Hawaii›

alone [əˈloʊn] *mn/hsz* **1.** egyedül, csupán, csak, önmagában, kizárólag(os); **I did it ~** egyedül tettem/csináltam; **go it ~** egymaga végzi/intézi el, nem vesz igénybe segítséget; **man does not live by bread ~** nemcsak kenyérrel él az ember; **with that charm which is hers ~** sajátos/egyedülálló/egyéni bájával; **work that stands ~** egyedülálló/páratlan mű/munka; **Tom ~ knew the way out** egyedül Tom ismerte a kivezető utat **2. let ~ the costs** a költségekről nem is beszélve/szólva; **let/leave sy/sg ~** békén hagy vkt/vmt; **let/leave me ~!** hagyj békén!, ne nyúlj hozzám! **3.** csak, kizárólag • *fn* **aloneness**

along [əˈlɒŋ ‖ əˈlɔŋ] **I.** *elölj* mentén, mentében (végig), hosszában, mellett **II.** *hsz* **1.** tovább, előre; **move ~** előrehalad, előremegy, (tovább)megy **2. a)** vele, magával; **come ~** gyere/jöjj/tarts velünk; **he had his axe ~** nála volt a fejszéje (is); **~ with** (i) (vkvel/vmvel) együtt (ii) *átv* vm mellett, vmn kívül/felül **b)** *US* **he will be soon ~** hamarosan itt lesz **3.** hosszában, hosszirányban; **all ~** hosszában (végig); egész idő alatt, kezdettől fogva; mindenütt, mindenfelé

alongside *hsz/elölj hajó* mellett, mentén, (oldala egész) hosszában; **~ vessel** hajóhoz szállítva; *biz* **~ of sy/sg** vk/vm mellett, vkvel/vmvel együtt/felváltva

aloof [əˈluːf] **I.** *mn* tartózkodó, zárkózott, (vm/vk iránt) közömbös **II.** *hsz* távol, tartózkodóan, tartózkodva; **hold/keep/stand ~** elzárkózik; távol tartja magát, nem vesz részt vmben • *fn* **aloofness** *hsz* **aloofly**

aloud [əˈlaʊd] *hsz* **1.** fennhangon, jól hallhatóan **2.** *régi* hangosan

alow [əˈloʊ] *hsz hajó* hajó mélyébe(n)/gyomrába(n)/fenekére/fenekén

alp [ælp] *fn* **1.** magas hegység; → **Alps 2.** havasi legelő

alpaca [æl'pækə] *fn* **1.** *áll* alpaka **2. a)** *tex* alpaka (gyapjú) **b)** *tex* lüszter (anyag)

alpargata [ˌælpə'gɑːtə ‖ ˌælpər–] *fn* spárgatalpú vászoncipő

alpenhorn ['ælpənhɔːn ‖ –hɔrn] *fn* havasi kürt

alpenstock ['ælpənstɒk ‖ –stɑk] *fn* turistabot, hegymászóbot

alpha ['ælfə] *fn* **1.** alfa *[a görög ábécé első betűje]*; **~ and omega** a kezdet és a vég; a legfontosabb rész(ek); **~ plus** a legeslegjobb, osztályon felüli **2.** *GB* jeles, kitűnő *[osztályzat]* **3.** *csill* **A~** ‹vmely csillagkép legfényesebb csillaga›

alphabet ['ælfəbet] *fn* **a)** ábécé, betűrend **b)** elemi/alapfokú ismeretek **c) ~ soup** *biz* betűleves

alphabetic [ˌælfə'betɪk] *mn* betűsoros, betűrendes, ábécé, alfabetikus; **~ subject catalogue** betűrendes tárgyszókatalógus

alphabetical [ˌælfə'betɪkl] *mn* → **alphabetic**; **~ order** ábécérend, betűrend • *hsz* **alphabetically**

alphabetize ['ælfəbetaɪz], **-ise** *tsi* ábécérendbe szed, beábécéz • *fn* **alphabetization**

alpha decay *fn fiz* alfa-bomlás

alphanumeric [ˌælfənjuː'merɪk ‖ –nu–] *mn infor* alfanumerikus

alpha particle *fn fiz* alfa-részecske

alpha radiation *fn fiz* alfa-sugárzás

alpha ray *fn fiz* alfa-sugár

alpha rhythm *fn biol fiz* alfa-ritmus

Alphonso [æl'fɒnzoʊ ‖ –'fɑnsoʊ] *tul* Alfonz

alpine ['ælpaɪn] **I.** *mn* **a)** alpi, alpesi, havasi **b)** alpok-beli **c)** *sp* **A~ races/events** alpesi (verseny)számok **II.** *fn* alpi/alpesi növény; **~ garden** sziklakert

alpinist ['ælpɪnɪst] *fn* hegymászó, alpinista • *fn* **alpinism**

Alps [ælps] *tul földr* **the ~** az Alpok

already [ɔːl'redi] *hsz* már, immár(on); **as I have ~ mentioned** mint már említettem

alright [ˌɔːl'raɪt] *hsz* rendben (van); → **all I. 4 a**

Alsace [æl'sæs] *tul földr* Elzász

Alsace-Lorraine [ˌælsæslə'reɪn] *tul földr* Elzász-Lotaringia

Alsatian [æl'seɪʃn] *mn/fn* **1.** *GB áll* német juhászkutya, farkaskutya **2.** *földr* elzászi

alsike ['ælsaɪk] *fn növ* korcs/svéd here

also ['ɔːlsoʊ] *hsz* szintén, is, nemkülönben, ugyancsak, ezenfelül; **~ ran** → **also-ran**; **not only Alan but ~ Tom** nemcsak Alan, hanem Tom is

also-ran *fn* **1.** helyezetlen (v. nem helyezett) versenyló/versenyző, átlagember, középszerű ember **2.** nem valami nagy siker *[kiadvány, műsor]*; → **also**

alt [ælt] *fn zene* **in ~** ‹violinkulcsban írt kottánál a hangjegyvonalak feletti hangjegyek›; **C in ~** kontra C (hang)

Altaic [æl'teɪɪk] *mn/fn nyelv* altaji

altar ['ɔːltə ‖ –ər] *fn* oltár; **high ~** főoltár; **side ~** mellékoltár; **lay one's ambitions on the ~** feláldozza becsvágyát (v. érvényesülési vágyát); **lead to the ~** oltárhoz vezet *[feleségül vesz]*; **raise to the ~s of the Church** boldoggá avat; szentté avat

altar boy *fn vall* ministráns(fiú)

altar bread *fn vall* ostya

altarist ['ɔːltərɪst] *fn vall* sekrestyés

altarpiece *fn* oltárkép

altar table *fn vall* oltárasztal

alter ['ɔːltə ‖ –ər] **A.** *tsi* **1.** (meg)változtat, átalakít, módosít, átdolgoz; **~ sg for the better** megjavít vmt; javít vmn; **~ one's course** megváltoztatja magatartását; irányt vált; **that ~s matters**, **that ~s the case** ez változtat az ügyön/helyzeten; ez már más; **~ the time (to summer-time)** átigazítja/átállítja az órát (nyári időszámításra) **2.** megmásít *[tényeket, szöveget]* **3.** *US Ausz biz* sterilizál, kiherél, kasztrál *[férfit]*, exstirpál *[nőt]*, kiherél, miskárol *[állatot]* **B.** *tni* (meg)változik, átalakul, módosul • *fn* **alteration** *mn* **alterable**

alterative ['ɔːltərətɪv ‖ –reɪtɪv] *mn* **1.** változást okozó, változtató **2.** *orv* (kedvezőtlenül) módosító, változtató, változást előidéző (szer)

altercate ['ɔːltəkeɪt ‖ 'ɔltər–] *tni* veszekszik, civakodik, pörlekedik • *fn* **altercation**

alter ego [ˌæltər 'iːgoʊ, 'ɔːl– ‖ ˌɑltər–] *fn tsz* **alter egos a)** (vk) második énje **b)** hasonmás **c)** kebelbarát

alternant [ɔː'tɜːnənt ‖ 'ɔltər–] **I.** *mn* váltakozó, alternáló **II.** *fn* **1.** *mat* determináns **2.** *nyelv* változat • *fn* **alternance**

alternate I. ['ɔːltəneɪt ‖ –tər–] **A.** *tsi* váltogat, cserélget, felváltva használ/alkalmaz **B.** *tni* váltakozik; **~ between laughter and tears** hol sír hol nevet **II.** *mn* [ɔːl'tɜːnət ‖ 'ɔːltərnət] **1. a)** váltakozó, változó, egymást felváltó; *mat* **~ angle** váltószög; *vill* **~ current** váltakozó áram **b)** minden második; **come on ~ days** más(od)naponként jön **c)** másik; **give me an ~ time** adjon egy másik időpontot *[opcióként]* **2.** *US* helyettes, pót-; **~ member** póttag *[testületben]* **III.** *fn* [ɔːl'tɜː-nət ‖ 'ɔːltərnət] helyettes (vké), váltópár, váltótárs • *mn* **alternating** *hsz* **alternately**

alternating current *fn vill* váltakozó áram

alternation [ˌɔːltə'neɪʃn ‖ ˌɔltər–] *fn* **1.** váltakozás, cserélődés; *mezőg* **~ of crops** vetésforgó, váltógazdaság; *biol* **~ of generations** nemzedékváltás **2.** váltogatás, cserélgetés

alternative [ɔːl'tɜːnətɪv ‖ –'tɜr–] **I.** *mn* **a)** vagylagos, kétféle, alternatív; **~ airport** szükségrepülőtér **b)** (egy) más(ik), alternatív; **~ option** alternatív megoldás, alternatíva, választás(i lehetőség); **~ plans** tervváltozatok **c)** több, többféle **d)** *orv* **~ fuel** ‹nem kőolajszármazék gépjármű-üzemanyag›; **~ medicine** alternatív gyógyászat **e)** alternatív *[a hagyományostól eltérő, azzal szembehelyezkedő]*; **~ music** alternatív zene; **~ theatre** alternatív színház **II.** *fn* **1.** választás (két lehetőség közül), alternatíva, választás több lehetőség közül, lehetőség *[több közül egy]* **2.** egy (v. a másik) lehetőség/megoldás; **have no ~** nincs más választás/lehetőség; csak egy út van/áll előtte; nincs más hátra • *hsz* **alternatively**

alternator ['ɔːltəneɪtə ‖ 'ɔltərneɪtər] *fn vill* váltakozó áramú generátor, szinkrongenerátor

althea [æl'θiːə], **althaea** *fn* **a)** *növ* ziliz **b)** orvosi ziliz, fehérmályva; **~ tea** mályvatea

althorn ['ælthɔːn ‖ –hɔrn] *fn zene* altszaxkürt

although [ɔːl'ðoʊ] *ksz* (ám)bár, habár, noha, jóllehet; **even ~** még akkor sem ha

altimeter ['æltɪmiːtə ‖ æl'tɪmətər] *fn rep* magasságmérő

altitude ['æltɪtjuːd ‖ –tuːd] *fn* **a)** (tengerszint feletti) magasság; **at high ~** nagy magasságban; **lose ~** veszít a magasságából *[repülőgép]*, csökken a magassága *[repülőgépnek]* **b)** *mat* magasság *[háromszögé, tárgyaké]* **c)** magaslat **d)** felsőbb régiók • *mn* **altitudinal**

altitude sickness *fn orv* magaslati betegség, hegyibetegség

alto ['æltoʊ] *fn tsz* **-s** *zene* **1. a)** alt (szólam); **sing ~** alt szólamot (v. altot) énekel **b)** alt (hang) *[nőé, gyereké]* **c)** kontratenor, férfialt **2.** alt (énekesnő/énekes) **3.** brácsa, mélyhegedű

alto clef *fn zene* altkulcs, brácsakulcs, C-kulcs

altocumulus [ˌæltoʊ'kjuːmjʊləs] *fn meteo* párnafelhő, középmagas gomolyfelhő, altocumulus

altogether [ˌɔːltə'geðə ‖ ˌɔltə'geðər] *hsz* **1.** teljesen, egészen, tökéletesen; **~ bad** végképp/egészen rossz; **he is ~ right** teljesen/tökéletesen igaza van **2.** általában, nagyjából (véve), egészben véve, mindent egybevetve; **taken ~** mindent egybevetve, egészében véve; **~ I spent £5** összesen/mindössze/összevissza 5 fontot költöttem; **in the ~** *biz* (anyaszült) meztelenül, pucéran

alto saxophone *fn zene* altszaxofon

altostratus [ˌæltoʊ'streɪtəs] *fn meteo* lepelfelhő, középmagas rétegfelhő, altostratus

altricial [æl'trɪʃl] *áll* **I.** *mn* fészekben maradó, fészeklakó **II.** *fn* fészekben maradó madár

altruism ['æltruɪzm] *fn* önzetlenség, emberbarátság, altruizmus • *fn* **altruist** *mn* **altruistic** *hsz* **altruistically**
alum ['æləm] **I.** *fn vegy* timsó; **ammonia ~** ammónium-alumínium timsó; **~ earth** timföld; **iron/feather ~, ~ feather** vastimsó; **~ bath** timsófürdő, *[fényképészeti]* timsóoldat **II.** *tsi* timsóz, timsóval kezel *[bőrt]*
alumina [ə'lu:mɪnə] *fn vegy* timföld, korund, alumíniumoxid
aluminium [ˌælə'mɪnɪəm] *fn vegy* alumínium
aluminium foil *fn* alufólia
aluminize [ə'lu:mɪnaɪz], **-ise** *tsi* alumíniummal bevon • *fn* **aluminization**
aluminosilicates [əˌlu:mɪnoʊ'sɪlɪkeɪts] *fn tsz vegy* alumínium-szilikátok
aluminum [ə'lu:mɪnəm] *US Kan* → **aluminium**
alumna [ə'lʌmnə] *fn tsz* **alumnae** [–ni:] *US okt* volt/végzett (leány)növendék, öregdiák *[nő]*
alumnus [ə'lʌmnəs] *fn tsz* **alumni** [–naɪ] *US okt* volt/végzett növendék/diák, öregdiák *[férfi]*
alveolar [ˌælvi'oʊlə, æl'vɪələ ‖ –ər] **I.** *mn* **a)** *orv* fogmedri, alveoláris **b)** *nyelv* alveoláris **II.** *fn nyelv* alveoláris hang/mássalhangzó, foghang
alveolus [ˌælvi'oʊləs] *fn tsz* **alveoli** [–laɪ] *orv* **1.** üreg, meder **2.** fogüreg, fogmeder **3.** léghólyag *[tüdőben]*, (tüdő)alveolus • *mn* **alveolate**
Alvin ['ælvɪn] *tul* ‹férfinév›
always ['ɔ:lweɪz, –wəz] *hsz* mindig, folyton(osan), állandóan; **she is ~ here** mindig/folyton itt van; **office ~ open** az iroda állandóan nyitva/működik, állandó ügyelet van
ally I. *fn* ['ælaɪ] **1.** szövetséges *[ember, állam]*; **the Allies** a szövetséges hatalmak; **become allies** szövetkeznek, szövetségre lépnek **2. they are great allies** *biz* nagyon jóban vannak **II.** *tni* [ə'laɪ] szövetségre lép, szövetkezik
allyl ['ælaɪl ‖ 'æləl] *fn vegy* allilgyök, allilcsoport
alyssum ['ælɪsm ‖ ə'lɪsm] *fn növ* ternye
am [m, əm, æm] → **be**[1]
a.m. [ˌeɪ'em], **A.M.**, **am**, **AM** *röv* ante meridiem, *before noon* délelőtt, de.
amadou ['æmədu:] *fn* tapló *[tűzgyújtáshoz, vérzéscsillapításra]*
amalgam [ə'mælgəm] *fn* **a)** ötvözet **b)** *átv* keverék **c)** amalgám, foncsor
amalgamate [ə'mælgəmeɪt] **A.** *tsi* **a)** foncsoroz, amalgámoz, (higannyal) ötvöz *[fémet]* **b)** egybeolvaszt, egyesít, összeolvaszt, egybeforraszt, összeelegyít, kever **B.** *tni* **a)** elegyedik, vegyül, amalgámot alkot *[fém]* **b)** összeolvad, egyesül • *fn* **amalgamation**
Amanda [ə'mændə] *tul* ‹női név›
amanita [ˌæmə'naɪtə] *fn növ* galóca; **deadly ~** gyilkos galóca
amaranth ['æmərænθ] *fn* **1.** *növ* disznóparéj, amaránt **2.** *műsz* amarántvörös *[szín]*, amarántszín • *mn* **amaranthine**
amaryllis [ˌæmə'rɪlɪs] *fn növ* **1.** fokföldi liliom, hölgyliliom **2.** amarillisz, lovagcsillag
amass [ə'mæs] *tsi* (fel)halmoz, összegyűjt, összehord, öszszevon • *fn* **amasser**, **amassment**
amateur ['æmətə ‖ 'æmətʃʊr] *mn/fn* **a)** nem hivatásos, amatőr *[sportoló]*, műkedvelő; **he is an ~ in music** műkedvelő muzsikus, kedvtelésből muzsikál **b)** *pej* dilettáns, kontár
amateurish ['æmətərɪʃ ‖ ˌæmə'tʊrɪʃ] *mn pej* kontár(kodó), dilettáns, amatőr • *fn* **amateurishness** *hsz* **amateurishly**
amatory ['æmətəri ‖ –tɔri] *mn* **a)** szerelmes *[levél]*, szerelmi *[költészet]* **b)** érzéki **c)** szeretkezési
amaurosis [ˌæmɔ:'roʊsɪs] *fn orv* fekete hályog, teljes vakság, amaurosis • *fn* **amaurotic**
amaze [ə'meɪz] *tsi* elképeszt, (nagyon) meglep, csodálatba/ámulatba ejt; **be ~d at sg** meg van lepődve (vmn), elámul/elhűl (vmtől) • *fn* **amazement**, **amazingness** *mn* **amazing** *hsz* **amazingly**
Amazon[1] ['æməzn ‖ –zɑn] *fn* **1.** amazon **2.** ‹erős/magas (v. atléta alkatú) nő› • *mn* **Amazonian**
Amazon[2] ['æməzn ‖ –zɑn] *tul földr* Amazonas • *mn* **Amazonian**
ambassador [æm'bæsədə ‖ –ər] *mn* **1.** nagykövet; **~ extraordinary and plenipotentiary** rendkívüli és meghatalmazott nagykövet **2. a)** követ, hírnök, hírvivő **b)** közvetítő, közbenjáró, megbízott *[vmely ügyben]* • *fn* **ambassadorship** *mn* **ambassadorial**
ambassador-at-large *fn US Kan* különleges megbízatású nagykövet
ambassadress [æm'bæsədres] *fn* **a)** nagykövetnő, női nagykövet **b)** női megbízott/közbenjáró/közvetítő *[vmely ügyben]* **c)** nagykövetné, nagykövet felesége
amber ['æmbə ‖ –ər] **I.** *fn* **1.** borostyán(kő) **2. ~ (light)** sárga fény, (a) sárga *[forgalmi jelzőlámpán]* **II.** *mn* borostyán-/aranyossárga színű
ambergris ['æmbəgri:s ‖ –bərgrɪs] *fn áll* ámbra
ambi- ['æmbi] *előtag* mindkét-, kettős-, két-
ambidextrous [ˌæmbɪ'dekstrəs] *mn* **1.** kétkezes, mindkét kezét egyformán jól használó **2.** sokoldalú • *fn* **ambidexterity**, **ambidextrousness** *hsz* **ambidextrously**
ambience ['æmbɪəns] *fn* környezet, légkör, hangulat *[helyé]*
ambient ['æmbɪənt] *mn* körülvevő, környezeti, környező *[levegő, légkör]*; **~ temperature** környezeti hőmérséklet
ambiguity [ˌæmbɪ'gju:əti] *fn* **1.** kettős értelem, félreérthetőség **2.** *nyelv* kétértelműség, kétértelmű megjegyzés/kifejezés **3.** homályosság, titokzatosság
ambiguous [æm'bɪgjuəs] *mn* **1.** *nyelv* kétértelmű, félreérthető **2.** homályos, zavaros, nehezen érthető, bizonytalan • *fn* **ambiguousness** *hsz* **ambiguously**
ambit ['æmbɪt] *fn* **1.** kiterjedés, terület *[településé]* **2.** környék, határ *[településé]*
ambition [æm'bɪʃn] *fn* **1.** becsvágy, érvényesülési vágy/törekvés, szándék, ambíció; **he has reached the summit of his ~** elérte vágyainak netovábbját **2.** kitűzött cél
ambitious [æm'bɪʃəs] *mn* **a)** becsvágyó, ambiciózus **b)** nagyravágyó, nagyratörő; *orv* **~ monomania** nagyzási hóbort **c) be ~ of sg** sóvárog vm után, (nagyon) vágyódik vmre, áhítozik vmre • *fn* **ambitiousness** *hsz* **ambitiously**
ambivalence [æm'bɪvələns] *fn* **1.** kétértelműség, ambivalencia, ellentétes értékűség **2.** vegyes érzelmek • *mn* **ambivalent** *hsz* **ambivalently**
ambivalency → **ambivalence**
ambivert ['æmbɪvɜ:t ‖ –vɜrt] *mn pszich* ambivertált *[az extrovertált és az introvertált közötti személyiségtípusba tartozó]* • *fn* **ambiversion**
amble ['æmbl] **I.** *tni* **1. a)** poroszkál *[lovon]* **b)** poroszkál *[ló]* **2. ~ (along)** baktat, bandukol, ballag, mendegél *[ember]* **II.** *fn* **1.** poroszkálás, kocogás *[lóé]* **2.** baktatás, bandukolás *[emberé]*
amblyopia [ˌæmbli'oʊpɪə] *fn orv* tompalátás • *mn* **amblyopic**
amboyna [æm'bɔɪnə] *fn* indiairózsafa
Ambrose ['æmbroʊz] *tul* Ambrus
ambrosia [æm'broʊzɪə ‖ æm'broʊʒə] *fn* **1.** *vall* ambrózia, istenek eledele *[a görög és római mitológiában]* **2.** isteni/remek/finom étel/illat **3.** *[méhészetben]* méhkenyér • *mn* **ambrosial**, **ambrosian**
ambry ['æmbri] *fn* **a)** (fali)szekrény, ételszekrény **b)** templomi falfülke
ambulance ['æmbjələns] *fn* **1.** mentőautó, mentőkocsi, esetkocsi; **call an ~** kihívja a mentőket **2.** *kat* mozgó hadikórház, tábori kórház; **~ station** mentőállomás, (első)segélyhely
ambulance chaser *fn US Kan szl* ‹rámenős ügyvéd, aki más kárából, pl. balesetek áldozataiból akar hasznot húzni›
ambulance man *fn tsz* **-men** mentős *[férfi]*
ambulance woman *fn tsz* **-women** mentős *[nő]*

ambulant ['æmbjələnt] *orv* **I.** *mn* **a)** ambuláns, járó *[beteg]* **b)** ambuláns, járóbeteg- *[rendelés]* **II.** *fn* járó beteg

ambulatory [ˌæmbju'leɪtəri ‖ 'æmbjələtɔri] **I.** *mn* **1. a)** → **ambulant b)** mozgó, vándorló, vándor- *[iskola, bíróság]* **2.** ideiglenes, időszaki **II.** *fn* **a)** sétány, sétahely, sétatér **b)** fedett körfolyosó *[templomban, kolostorban]*, ambulatórium, kerengő

ambuscade [ˌæmbə'skeɪd ‖ 'æmbəskeɪd] → **ambush**

ambush ['æmbuʃ] **I.** *fn* **1.** rajtaütés(szerű támadás) **2.** les(hely), rejtek, csapda *[ellenségnek]*; **be/lie in ~** lesben áll; **troops in ~** elrejtőzött/rejtőző (v. lesben álló) csapatok **3.** les(ben állás), *kat* lesállás **II. A.** *tsi* **1. ~ the enemy** lesből rajtaüt az ellenségen, lesből támad az ellenségre **2.** lesbe/lesre állít *[csapatokat]*, lesállást foglal el **B.** *tni* lesbe(n) áll, leskelődik

ameba [ə'mi:bə] *US* → **amoeba** • *mn* **amebic**, **ameboid**

ameer [ə'mɪə ‖ ə'mɪr] *fn* emír

Amelia [ə'mi:lɪə] *tul* Amália

ameliorate [ə'mi:lɪəreɪt] **A.** *tsi* (meg)javít, feljavít, fejleszt, enyhít **B.** *tni* (meg)javul, enyhül, jobbra fordul *[vk sorsa, rossz állapot]* • *fn* **amelioration**, **ameliorator** *mn* **ameliorative**

amen [ˌɑ:'men, ˌeɪ–, 'eɪmen] *isz/fn* **1.** *vall* ámen; *biz* **and we all say ~ to that** erre mi is mindnyájan áment mondunk **2.** igenlés, beleegyezés, jóváhagyás

amenable [ə'mi:nəbl] *mn* **1. a)** felelős(ségre vonható); **~ to justice** törvény elé állítható, törvényesen felelősségre vonható **b) ~ to sy** vk illetékessége alá tartozó **c) ~ to the touch but invisible to the eye** tapintható, de nem látható **2. a)** irányítható, engedelmes, megbízható; **~ child** engedelmes/szófogadó gyermek; **~ to discipline** fegyelmezhető; **be ~ to the law** meghajol a törvény előtt, hallgat a törvény szavára **b) ~ to advice** fog rajta a tanács, hallgat a tanácsra; **~ to reason** szép szóval meggyőzhető, hajlik az okos (v. a jó) szóra • *fn* **amenability**, **amenableness** *hsz* **amenably**

amend [ə'mend] *tsi* módosít *[törvényt, szerződést, szöveget]*, megváltoztat *[tervet]*, helyreigazít, módosít *[szöveget, számlát, szerződést]*, kiegészít, kijavít, átjavít; **~ one's ways** megjavul, jó útra tér • *fn* **amender** *mn* **amendable**

amendment [ə'mendmənt] *fn jog* **1.** *US* alkotmánykiegészítés, alkotmánymódosítás **2.** módosítás *[törvényen, alkotmányon]*, helyesbítés *[számláé]*; **move an ~ (to a bill)** módosítást javasol, módosítási indítványt nyújt be (törvényjavaslathoz)

amends [ə'mendz] *fn esz* kártalanítás, kárpótlás, jóvátétel, elégtétel; **make ~ for an injury** jóvátesz sértést/igazságtalanságot, elégtételt ad okozott sérelemért/kárért; **make ~ to sy for sg** kártalanít/kárpótol vkt vmért; kártérítést fizet vknek vmért

amenity [ə'mi:nəti] *fn* **1. a)** kellemesség *[helyé]*, kényelem, szép fekvés **b)** kedvesség, szeretetreméltóság, rokonszenves vonás, báj *[emberben]* **2.** *tsz* **amenities the amenities of life** az életet kellemessé/könnyebbé tevő dolgok; kényelem, komfort

amenity bed *fn GB* különszobai elhelyezés *[kórházban]*

amenorrhoea [ˌeɪmenə'rɪə ‖ eɪˌmenə'rɪə], *US* **amenorrhea** *fn orv* havivérzés/menstruáció elmaradása

ament ['æmənt] *fn növ* barka(virágzat)

amentia [eɪ'menʃə] *fn orv* veleszületett gyengeelméjűség, elmegyengeség, amentia

amentum [ə'mentəm] *fn tsz* **amenta** [–tə] → **ament**

Amerasian [ˌæmə'reɪʃn, –'reɪʒn] *mn* amerikai és ázsiai szülőktől származó *[különösképp a Vietnamban/Koreában szolgáló amerikai katonák leszármazottai]*

amerce [ə'mɜ:s ‖ –'mɜrs] *tsi jog* megbírságol, pénzbírsággal sújt (vkt), (meg)büntet • *fn* **amercement** *mn* **amerceable**

America [ə'merɪkə] *tul földr* Amerika; **the ~s** Észak-, Dél- és Közép-Amerika

American [ə'merɪkən] **I.** *mn* amerikai; *nyelv* **~ English** amerikai angol *[nyelv]*; **~ Studies** amerikanisztika; *sp* **~ football** amerikai futball; **~ Indian** indián **II.** *fn* **a)** amerikai; **Native ~** amerikai őslakos; **African-~**, **Afro-~** afroamerikai, afrikai (származású) amerikai **b)** *nyelv* amerikai angol *[nyelv]*

Americana [əˌmerɪ'kɑ:nə] *fn tsz* ‹Amerikával kapcsolatos, illetve onnan eredő dolgok›

American dream *fn* ‹az amerikai nép hagyományos ideáljai: személyes szabadság, jog előtti egyenlőség, demokrácia, jólét›

Americanism [ə'merɪkənɪzm] *fn* **1.** *nyelv* amerikai (nyelvi) sajátosság, amerikanizmus **2. a)** amerikai jelleg/sajátság **b)** amerikai életforma követése/utánzása

Americanist [ə'merɪkənɪst] *fn* **1.** *nyelv* amerikai indián nyelvek ismerője/kutatója **2.** amerikanisztikával foglalkozó, amerikanista, amerikai filológus/történész

Americanize [ə'merɪkənaɪz], **-ise A.** *tsi* elamerikaiasít, amerikanizál **B.** *tni* elamerikaiasodik, amerikanizálódik, amerikai jelleget ölt/kap • *fn* **Americanization**

American plan *fn US Kan* teljes ellátás; (az) amerikai rendszer *[vendéglátóiparban]*

americium [ˌæmə'rɪsɪəm] *fn vegy* amerícium

Amerind ['æmərɪnd] *mn/fn US* **1.** indián(ok), amerikai őslakos **2.** amerikai őslakos népesség

Amerindian [ˌæmə'rɪndɪən] → **Amerind**

Ameslan ['æməslæn] *röv American Sign Language* amerikai jelnyelv *[süketnémáknak]*

amethyst ['æməθɪst] *fn ásv* ametiszt • *mn* **amethystine**

amiable ['eɪmɪəbl] *mn* szeretetre méltó, kedves, nyájas, barátságos • *fn* **amiability**, **amiableness** *hsz* **amiably**

amianthus [ˌæmi'ænθəs] *fn ásv* (amfibol) azbeszt, amiant

amicable ['æmɪkəbl] *mn* baráti, barátságos, szívélyes *[modor]*, jóindulatú, barátságos *[ember]*, békés *[szándék]*; *jog gazd* **~ settlement** baráti megegyezés; peren kívüli egyezség • *fn* **amicability**, **amicableness** *hsz* **amicably**

amice[1] ['æmɪs] *fn vall* vállkendő, amictus, humerale *[miséző papé]*

amice[2] ['æmɪs] *fn* prémmel bélelt csuklya/kámzsa

amid [ə'mɪd] *elölj* **1.** köz(öt)t, közepett(e), közepén **2.** *[idő]* alatt

amide ['æmaɪd] *fn vegy* amid

amidships [ə'mɪdʃɪps] *hsz* a hajó derekán/közepén/közepére; **helm ~!** kormányt középre!

amidst [ə'mɪdst] → **amid**

amigo [æ'mi:gou] *fn biz spanyol* barát, haver, cimbora

amine ['æmi:n] *fn vegy* amin

amino- [ə'mi:nou] *előtag vegy* amino-; **aminoalcohol** aminoalkohol; **amino group** aminocsoport

amir [ə'mɪə ‖ ə'mɪr] → **emir**

amirate [ə'mɪərət ‖ ə'mɪrət] → **emirate**

Amish ['ɑ:mɪʃ] **I.** *fn* amish, ámis *[mennonita szekta főképp Pennsylvaniában, Ohióban, Indianában és Kanadában]* **II.** *mn* amish, ámis (vallású)

amiss [ə'mɪs] **I.** *mn* **what's ~ with you?** mi bajod van? **II.** *hsz* **1.** rosszul, helytelenül; **judge ~** tévesen/helytelenül/rosszul ítél (meg); **take sg ~** megsértődik vm miatt, zokon (v. rossz néven) vesz vmt; **all went ~** rosszul ment/sikerült minden, semmi sem sikerült **2. nothing comes ~ to him** (minden helyzetben) feltalálja magát

amity ['æməti] *fn* barátság, egyetértés, baráti viszony; **treaty of ~** barátsági szerződés

ammeter ['æmi:tə ‖ –ər] *fn vill* ampermérő, áramerősség-mérő

ammo ['æmou] *fn biz* lőszer, muníció

ammonia [ə'mounɪə] *fn vegy* **1.** ammónia **2.** szalmiákszesz

ammoniacal [ə'mouniækl] ammóniás, ammóniatartalmú, ammónia-

ammoniate [ə'mounieɪt] *tsi* ammóniával kezel/vegyít, ammonizál

ammonite ['æmənaɪt] *fn áll* ammonit(a)

ammonium [ə'mounɪəm] *fn vegy* ammónium; ~ **carbonate** ammónium-karbonát, repülősó; ~ **chloride** ammónium-klorid, szalmiáksó
ammunition [ˌæmju'nɪʃn ‖ –jə–] *fn* **1.** lőszer(készlet); ~ **depot/dump** lőszerraktár; **dummy** ~ vaklőszer, vaktöltény **2.** *kat* kincstári holmi/felszerelés *[katonáé]* **3.** *átv* fegyvertár *[lehetséges érvek vitában]*; **out of** ~ kifogyott az érvekből
ammunition belt *fn* **1.** töltényöv **2.** heveder
ammunition pouch *fn* tölténytáska
amnesia [æm'ni:zɪə ‖ –ʒə] *fn orv* emlékezetkiesés, emlékezetvesztés, amnézia • *fn* **amnesiac** *mn* **amnesic**
amnesty ['æmnəsti] **I.** *fn* amnesztia, (köz)kegyelem **II.** *tsi* megkegyelmez, kegyelmet/amnesztiát ad, kegyelemben/amnesztiában részesít
Amnesty International *tul* ‹nemzetközi emberi jogvédő szervezet›
amniocentesis [ˌæmniousen'ti:sɪs] *fn tsz* **-ses** *orv* amniocentézis
amnion ['æmnɪən ‖ –niɑn] *fn tsz* **amnia** [–nɪə] *orv* magzatburok, amnion • *mn* **amniotic**
amniotic fluid [ˌæmniɒtɪk 'flu:ɪd ‖ –ɑtɪk–] *fn orv* magzatvíz
amoeba [ə'mi:bə] *fn tsz* **amoebas**, **amoebae** [–bi:] *áll* amőba, sejtállatka, véglény • *mn* **amoebic**
amok [ə'mɒk ‖ ə'mɑk] *hsz* **run** ~ (i) ámokfutást rendez (ii) fékevesztetten őrjöng, garázdálkodik
among [ə'mʌŋ] *elölj* **a)** között, közt; **house standing ~ trees** fák között álló ház; **a figure rose from ~ the crowd** egy alak emelkedett/vált ki a tömegből; **he is one ~ many** ő csak egy a sok közül, ő nem az egyetlen; **he is one ~ a thousand** ezer közül, ha egy van/akad hozzá fogható/hasonló; ~ **other things** többek/egyebek között; **we are not ~ savages** nem vagyunk az (ős)erdőben; **they killed him ~ them** közös erővel/akarattal (v. együttesen) megölték **b)** közé; **go ~ people** emberek közé megy/jár; **count sy ~ one's friends** barátai közé sorol/számít vkt **c)** együtt(esen); **they quarrelled ~ themselves** veszekedtek (egymással); **they haven't ten pounds ~** összesen nincs tíz fontjuk, mindnyájuknak együtt nincs tíz fontjuk
amongst [ə'mʌŋst] → **among**
amoral [ˌeɪ'mɒrəl ‖ –'mɑr–, –'mɔr–] *mn* erkölcstelen, erkölcs nélküli, immorális • *fn* **amoralism**, **amoralist**, **amorality**
amoretto [ˌæmə'retou] *fn olasz* amorett *[szobor, amely Ámort gyermekként ábrázolja]*
amoroso[1] [ˌæmə'rousou ‖ ˌɑmə–] *hsz zene* amoroso, bensőségesen, érzelmesen
amoroso[2] [ˌæmə'rousou ‖ ˌɑmə–] *fn gaszt* amoroso *[félszáraz spanyol sherry]*
amorous ['æmərəs] *mn* **1. a)** szerelmes(kedő), érzéki *[természet, hajlam]*; **be of an ~ disposition** szerelmes/érzéki természetű **b)** (szenvedélyesen) szerelmes **2.** szerelmes, szerelmi *[írásmű]* • *fn* **amorousness** *hsz* **amorously**
amorphous [ə'mɔ:fəs ‖ –'mɔr–] *mn* **1.** alaktalan, amorf *[ásvány stb.]* **2.** *biz* rendszertelen, zavaros *[elme, gondolkodás]*, alaktalan, formátlan *[írásmű]*, homályos, zavaros, ködös *[elgondolás, képzetek]* • *fn* **amorphousness** *hsz* **amorphously**
amortize [ə'mɔ:taɪz ‖ 'æmərtaɪz], **-ise** *tsi* **1.** *pénz* (le)törleszt, leír, amortizál **2.** *tört* holtkéznek/egyháznak elad/elidegenít *[földet]* • *fn* **amortization**
amount [ə'maʊnt] **I.** *fn* **1.** (vég)összeg *[számláé]*; ~ **brought forward** áthozat; **(up) to the ~ of...** ...összeg erejéig **2. a)** mennyiség; *US* **any ~ of** rengeteg, tömérdek; **in small ~s** kis mennyiségekben/tételekben/adagokban, apránként **b)** (százalékos) tartalom **II.** *tni* ~ **to 500 dollars** 500 dollárt tesz ki; 500 dollárra rúg; **it ~s to the same thing** egyre megy; **it ~s to saying that Elvis is alive** (ezzel az erővel) akár úgy/azt is mondhatnánk/mondhatjuk, hogy Elvis él, más szóval azt jelenti, hogy Elvis él, ez annyit tesz, mintha Elvis élne
amour [ə'muə ‖ ə'mʊr] *fn francia* (titkos) szerelmi ügy/viszony
amour propre [ˌæmuə'prɒprə ‖ ˌɑmʊr'prouprə] *fn francia* önbecsülés, önérzet
amp[1] [æmp] *fn vill* amper
amp[2] [æmp] *fn biz* erősítő *[hangszeré]*
ampelopsis [ˌæmpɪ'lɒpsɪs ‖ –'lɑ–] *fn növ* borostyánszőlő, vadszőlő
amperage ['æmpərɪdʒ] *fn fiz vill* áramerősség (amperben), amperszám
ampere ['æmpeə ‖ 'æmpɪr] *fn fiz vill* amper *[az áramerősség SI egysége]*
ampersand ['æmpəsænd ‖ 'æmpər–] *fn nyomd* & jel *["és" jel]*
amphetamine [æm'fetəmi:n, –mɪn] *fn orv vegy* amfetamin
amphibian [æm'fɪbɪən] **I.** *mn* **1.** *áll* kétéltű **2.** *átv* kétéltű *[jármű]* **II.** *fn* **1.** *áll* kétéltű (állat) **2. a)** kétéltű jármű/gépkocsi **b)** kétéltű repülőgép
amphibious [æm'fɪbɪəs] *mn* **1.** *biol* kétéltű **2.** kétéltű; ~ **operations** (vízi és szárazföldi) kombinált hadműveletek, katonai partraszállási hadműveletek; ~ **warfare** partra szálló hadviselés • *hsz* **amphibiously**
amphibole ['æmfɪboul] *fn ásv* amfibol
amphibolite [æm'fɪbəlaɪt] *fn ásv* amfibolit
amphibology [ˌæmfɪ'bɒlədʒi ‖ –'bɑ–] *fn* kétértelműség, kétértelmű fogalmazás, kettős értelműség, amfibólia • *mn* **amphibiological**
amphimixis [ˌæmfɪ'mɪksɪs] *fn orv biol* amphimixis, apai és anyai kromatin egyesülése *[a pete megtermékenyülése után]* • *mn* **amphimictic**
amphioxus [ˌæmfi'ɒksəs ‖ –'ɑk–] *fn áll* lándzsahal
amphipod ['æmfɪpɒd ‖ –pɑd] *fn áll* bolharák
amphitheatre ['æmfɪθɪətə ‖ –ər], *US* **-theater** *fn* **1. a)** amfiteátrum, körszínház **b)** ‹félkörben lépcsőzetesen emelkedő nézőtér/előadóterem› auditorium (maximum) **2.** *átv* porond, küzdőtér, aréna • *mn* **amphitheatrical**
amphora ['æmfərə] *fn tsz* **amphorae** [–ri:], **amphoras** amfora *[ókori tárolóedény]*
amphoteric [ˌæmfə'terɪk] *mn vegy* amfoter
ample ['æmpl] *mn* **1.** számos, bőséges, sok; ~ **choice** bő/dús/gazdag választék; **have ~ means** nagyon gazdag/jómódú, bővelkedik (v. nem szűkölködik) anyagiakban **2.** méretes, nagydarab, megtermett *[személy]* **3.** elég, elegendő, bőséges; **she has ~ reason to...** minden oka megvan rá, hogy... • *fn* **ampleness** *hsz* **amply**
amplifier ['æmplɪfaɪə ‖ –ər] *fn el távk* erősítő
amplify ['æmplɪfaɪ] **A.** *tsi* **1.** *távk vill* (fel)erősít *[hangot, elektromos jelet]* **2.** eltúloz, kiszínez *[hírt]*, felnagyít *[érdekes eseményt]*; **amplified edition** bővített kiadás **B.** *tni* fecseg, locsog, hetet-havat összehord • *fn* **amplification**
amplitude ['æmplɪtju:d ‖ –tu:d] *fn* **1.** *fiz* amplitúdó, (rezgés)tágasság, kitérés, (kilengési) csúcsérték *[ingánál]*; *el távk* ~ **modulation** amplitúdómoduláció, *röv* AM **2.** bőség, széles választék; nagy méret/arányok, nagyság **3.** *vál* ~ **of sg** vm elegendő/elégséges/kielégítő volta
ampoule ['æmpu:l], *US* **ampule** *fn orv* ampulla, fiola
ampulla [æm'pʊlə] *fn tsz* **ampullae** [–li:] **1. a)** olajos korsó *[rómaiaknál]* **b)** *vall* szenteltolajtartó, misekancsó, ámpolna **2.** *orv* korsószerű tágulat, ampulla • *mn* **ampullar**
amputate ['æmpjʊteɪt] *tsi orv* amputál, eltávolít, csonkol *[testrészt]* • *fn* **amputation**, **amputator**
amputee [ˌæmpju'ti:] *fn orv* amputált/csonkolt személy
Amsterdam ['æmstədæm ‖ –tər–] *tul földr* Amszterdam
amtrac ['æmtræk], **amtrak** *fn US kat* kétéltű (jármű) *[katonai csapatok partraszállásához]*

amuck [əˈmʌk] → **amok**
amulet [ˈæmjulət] *fn* amulett
amuse [əˈmjuːz] *tsi* szórakoztat, mulattat; ~ **oneself** szórakozik, (jól) mulat, jól érzi magát; ~ **oneself with gardening** kedvtelésből/hobbiként kertészkedik; **be ~d at/by sg** vm szórakoztatja/mulattatja/megnevetteti, szórakozik/mulat vmn; **keep the company ~d** elszórakoztatja a társaságot • *mn* **amusing** *hsz* **amusingly**
amusement [əˈmjuːzmənt] *fn* **1. a)** szórakozás, mulatság, élvezet **b)** időtöltés; ~ **arcade** játékterem; ~ **park** vidámpark; **do sg for ~** szórakozásból/mulatságból/kedvtelésből/hobbiként csinál/tesz vmt **2.** szórakoztatás, mulattatás
Amy [ˈeɪmi] *tul* ‹női név›
amygdaloid [əˈmɪgdəlɔɪd] *mn* mandula alakú
amyl [ˈæməl] *fn vegy* amil
amyloid [ˈæməlɔɪd] **I.** *mn vegy* keményítőszerű **II.** *fn orv* hyalinos szövetközi lerakódás, amyloid, amiloid
an [ən, n] *htlan ne [magánhangzóval ejtendő szavak előtt]* egy; → **a**[1]
-an [ən], **-ian** *utótag* **I.** ‹főnévképző és melléknévképző›; -i, -iánus; **republican** republikánus; **Elizabethan** Erzsébet-korabeli; **American** amerikai **II.** ‹főnévképző›; -ász/-ész, -as/-es/-us; **historian** történész; **dietician** diétás (nővér), dietetikus; **Parisian** párizsi
ana [ˈɑːnə ‖ ˈænə] *fn* híres ember mondásainak (v. róla szóló anekdotáknak) gyűjteménye, adomatár
Anabaptism [ˌænəˈbæptɪzm] *fn vall* anabaptizmus, újrakeresztelők tana • *fn* **Anabaptist**
anabas [ˈænəbæs, –bəs] *fn áll* labirinthal, kúszóhal, járóhal
anabasis [əˈnæbəsɪs] *fn tsz* **-ses** ‹a hadseregnek egy ország belseje felé való vonulása› anabázis, katonai expedíció
anabatic [ˌænəˈbætɪk] *mn meteo* felfelé haladó, felszálló, anabatikus *[légáramlat]*
anabiosis [ˌænəbaɪˈousɪs] *fn biol ritk* feléledés, anabiózis • *mn* **anabiotic**
anabolic [ˌænəˈbɒlɪk ‖ –ˈbɑl–] *mn* **1.** *biol* anabolikus, asszimilációs **2.** *orv* (fel)építő, anabolikus, metabolizmust fokozó *[szer, folyamat]*
anabolic steroid *fn orv* anabolikus szteroid *[gyógyszer]*
anabolism [əˈnæbəlɪzm] *fn biol* anabolizmus
anabranch [ˈænəbrɑːntʃ ‖ –bræntʃ] *fn Ausz* folyó mellékága
anachronism [əˈnækrənɪzm] *fn* **1.** kortévesztés, anakronizmus **2. a)** korszerűtlenség, korszerűtlen jelenség/intézmény **b)** régimódi/maradi ember • *mn* **anachronistic** *hsz* **anachronistically**
anacoluthon [ˌænəkəˈluːθɒn ‖ –θɑn] *fn tsz* **anacolutha** [–θə] *nyelv* szerkezetszakadás, következetlenség a mondatszerkesztésben, anakolutia • *mn* **anacoluthic**
anaconda [ˌænəˈkɒndə ‖ –ˈkɑn–] *fn áll* anakonda
anacrusis [ˌænəˈkruːsɪs] *fn tsz* **-ses** *ir.tud zene* ütemelőző, anakruzis, felütés *[zenében, időmértékes versben]*
anadromous [əˈnædrəməs] *mn áll* íváskor folyóból tengerbe igyekvő *[hal]*
anaemia [əˈniːmɪə], *US* **anemia** *fn orv* vérszegénység, anémia; **pernicious** ~ vészes vérszegénység
anaemic [əˈniːmɪk], *US* **anemic** *mn* **a)** *orv* vérszegény, anémiás **b)** *átv* vérszegény, erőtlen, gyenge
anaerobe [ˈænəroub, əˈneə– ‖ ˈænəroub, əˈner–] *fn biol* **1.** levegőben nem tenyésző *[baktérium]*, anaerob **2.** *orv* oxigénmentes környezet • *mn* **anaerobic**
anaesthesia [ˌænəsˈθiːzɪə ‖ –ˈθiːʒə], *US* **anesthesia** *fn orv* **a)** érzéstelenség **b)** érzéketlenség *[testrészé]* **c)** érzéstelenítés, anesztézia; **endotracheal/inhalation ~** gépi altatás; **local ~** helyi érzéstelenítés • *fn* **anaesthesiology**
anaesthetic [ˌænəsˈθetɪk], *US* **anesthetic** *orv* **I.** *fn* érzéstelenítő (szer), anesztetikum; **under the ~** az érzéstelenítés hatása alatt; **local ~** helyi érzéstelenítő (szer) **II.** *mn* **1.** érzéstelenítő **2.** érzéstelen(ségi)
anaesthetist [əˈniːsθətɪst ‖ əˈnesθətəst], *US* **anesthetist** *fn orv* érzéstelenítő szakorvos, aneszteziológus, altatóorvos
anaesthetize [əˈniːsθətaɪz ‖ əˈnes–], *US* **anesthetize**, **-ise** *tsi orv* érzéstelenít • *fn* **anaesthetization**
anaglyph [ˈænəglɪf] *fn* **1.** *fényk* térhatású képpár, anaglifa **2.** *műv épít* síkdomborművű díszítés, féldombormű • *mn* **anaglyphic**
anagnorisis [ˌænəgˈnɔːrɪsɪs] *fn tud* (vég)kifejlet, megoldás *[drámában]*
anagram [ˈænəgræm] *fn nyelv* anagramma • *tsi* **anagrammatize** *mn* **anagrammatic**, **anagrammatical**
anal [ˈeɪnl] *mn* **a)** végbél-, végbélen át történő, anális **b)** *szl biz [kuporgató]* szarrágó, szarevő • *hsz* **anally**
analecta [ˌænəˈlektə] → **analects**
analects [ˈænəlekts] *fn tsz tud* válogatott/szemelvényes darabok/írások, analekták
analeptic [ˌænəˈleptɪk] *orv* **I.** *mn* frissítő, erősítő *[szer]* **II.** *fn* frissítő(szer), erősítő(szer), roboráns (szer)
analgesia [ˌænəlˈdʒiːzɪə] *fn orv* **1.** a fájdalomérzés hiánya, analgézia **2.** fájdalomcsillapítás
analgesic [ˌænəlˈdʒiːzɪk] *orv* **I.** *mn* **a)** fájdalomcsillapító, analgetikus **b)** fájdalommentes, fájdalom nélküli, fájdalmatlan **II.** *fn* fájdalomcsillapító (szer), analgetikum
analog [ˈænəlɒg ‖ –lɔg] *mn/fn US infor* analóg; → **analogue**
analogize [əˈnælədʒaɪz], **-ise** *fil* **A.** *tsi* **a)** analógia alapján ábrázol/magyaráz **b)** ~ **sg with sg** analógiát/hasonlóságot állapít meg (v. mutat ki) vm és vm között **B.** *tni* analógiásan okoskodik, hasonlóság/analógia alapján következtet
analogous [əˈnæləgəs] *mn* **1.** hasonló, rokon (vmvel), analóg **2.** *biol* analóg *[azonos rendeltetésű, de más evolúciós eredetű]*; ~ **organs** analóg szervek • *hsz* **analogously**
analogue [ˈænəlɒg ‖ –lɔg] **I.** *fn* **1.** hasonló dolog/tárgy/eset **2.** *vegy* hasonló/analóg vegyület **II.** *mn* **1.** *infor műsz* analóg **2.** hasonló
analogy [əˈnælədʒi] *fn* **1.** hasonlóság, (meg)egyezés, rokonság, analógia, párhuzam; **by ~ with sg, on the ~ of sg** vmnek az analógiája alapján; vm mintájára **2.** *nyelv* analógia **3.** *biol* analógia **4.** → **analogue I.** • *mn* **analogical** *hsz* **analogically**
analphabetic [ˌænælfəˈbetɪk] *mn* írástudatlan, analfabéta
analysand [əˈnælɪsænd] *fn pszich orv* pszichoanalitikai vizsgálat alatt/előtt álló személy
analyse [ˈænəlaɪz], *US* **-yze** *tsi* **a)** elemez, analizál, (meg)vizsgál, vizsgálgat **b)** *pszich orv* analizál *[pszichoanalitikus]* • *fn* **analyser** *mn* **analysable**
analysis [əˈnælɪsɪs] *fn tsz* **analyses** [–siːz] **1.** elemzés, analízis, vizsgálat; **sequential ~** megismételt (v. többlépcsőjű) vizsgálat; **in the final/last ~** végső elemzésben, mindent számba véve, végül is **2.** (vegy)elemzés, analízis **3.** *pszich* pszichoanalízis, lélekelemzés **4.** *mat* analízis
analyst [ˈænəlɪst] *fn* **1.** elemző, analitikus (vegyész); **market ~** piacelemző *[közgazdász]* **2.** *orv pszich* pszichoanalitikus
analytic [ˌænəˈlɪtɪk] *mn* **1.** elemző, elemzési, analitikus, analitikai; *vegy* **~(al) chemistry** analitikai kémia; *mat* **~ geometry** analitikai/analitikus geometria, koordináta-geometria; *orv pszich* **~ psychology** analitikus lélektan **2.** *fil* analitikus *[pl. ítélet logikában]* **3.** *nyelv* analitikus *[nyelv]*
analyze [ˈænəlaɪz] *tsi US* → **analyse**
anamnesis [ˌænæmˈniːsɪs] *fn tsz* **-ses** *orv* **1.** az emlékezés képessége, emlékezőképesség **2.** emlékezet **3.** kórelőzmény, anamnézis
anamorphosis [ˌænəˈmɔːfəsɪs ‖ –ˈmɔr–] *fn tsz* **anamorphoses** [–siːz] **1.** torzítás, torzított ábrázolás **2.** *biol* (fokozatos) átalakulás *[növényé]* • *mn* **anamorphic**

anandrous [æn'ændrəs] *mn növ* ivartalan, termős, hímtelen *[virág]*
anapaest ['ænəpi:st ‖ –pest], *US* **anapest** *fn nyelv ir.tud* anapesztus • *mn* **anapaestic**
anaphase ['ænəfeɪz] *fn biol* anafázis
anaphora [ə'næfərə] *fn* **1.** *ir.tud* előismétlés *[visszatérő szóé mondat/versszak elején]*, anafora **2.** *nyelv* visszautalás, anafóra **3.** *vall* úrfelmutatás *[görögkeleti szertartásban]* • *mn* **anaphoric**
anaphrodisiac [ˌænæfrə'dɪziæk] *orv* **I.** *mn* nemi vágyat csökkentő *[szer]* **II.** *fn* nemi vágyat csökkentő szer, anaphrodisiacum
anaphylaxis [ˌænəfɪ'læksɪs] *fn orv* túlérzékenység *[szérumra]*, anaphylaxis, anafilaxia • *mn* **anaphylactic**
anaptyctic [ˌænəp'tɪktɪk] *mn nyelv* ejtéskönnyítő *[magánhangzó]*
anarchic [æ'nɑ:kɪk ‖ ə'nɑr–], **anarchical** *mn* zűrzavaros, fejetlen, rendezetlen, anarchisztikus *[állapot]*, rendbontó, felforgató *[törekvés]*, törvény nélküli • *hsz* **anarchically**
anarchism ['ænəkɪzm ‖ –ər–] *fn* anarchizmus
anarchist ['ænəkɪst ‖ –ər–] *fn/mn* anarchista • *mn* **anarchistic**
anarchy ['ænəki ‖ –ər–] *fn* fejetlenség, zűrzavar, felfordulás, anarchia
anastasis [ə'næstəsɪs] *fn* **1.** helyreállítás **2.** *orv* gyógyulás • *mn* **anastatic**
anastigmat [æ'næstɪgmæt, ˌænə'stɪg–] *fn fényk fiz* anasztigmát, anasztigmatikus lencse • *mn* **anastigmatic**
anastomose [ə'næstəmouz] *tni* egybeömlik, egybefolyik, egymásba torkollik *[két folyó, ér]* • *fn* **anastomosis**
anastrophe [ə'næstrəfi] *fn ir.tud* anastrófa
anathema [ə'næθəmə] *fn* **1.** egyházi átok, kiátkozási irat/bulla, anatéma **2. a)** irtózat/utálat tárgya **b)** kiátkozott, kiközösített *[személy]*, megátkozott *[dolog]*
anathematize [ə'næθəmətaɪz], **-ise** *tsi* **a)** elátkoz, átokkal sújt **b)** egyházi átokkal sújt, kiátkoz
anatomical [ˌænə'tɒmɪkl ‖ –'tɑ–] *mn orv* anatómiai, bonctani; ~ **theatre/theater** anatómiai/bonctani előadóterem • *hsz* **anatomically**
anatomist [ə'nætəmɪst] *fn orv* anatómus
anatomize [ə'nætəmaɪz], **-ise** *tsi* **1.** *orv* (fel)boncol **2.** *átv* boncolgat, taglal, elemez, ízekre szed *[művet, előadást]*
anatomy [ə'nætəmi] *fn orv* **1.** anatómia, bonctan **2.** boncolás **3.** anatómiai preparátum/készítmény **4.** (emberi) test, fizikum, testalkat
anatto [ə'nætou] *fn* orleán(festék), (u)ruku; *növ* ~ **(tree)** orleánfa
anaxial [ə'næksɪəl] *mn* aszimmetrikus
ANC *röv African National Congress*
-ance [–əns] *utótag* ‹főnévképző› -ás/-és, -ság/-ség; **resemblance** hasonlóság
ancestor ['ænsestə ‖ –ər] *fn* **1.** ős(apa), előd **2.** prototípus, ős
ancestral [æn'sestrəl] *mn* **a)** ősi, családi *[kastély]* **b)** *biol* ősi
ancestress ['ænsestrəs] *fn* ősanya
ancestry ['ænsestri] *fn* **a)** származás, eredet, nemzetség, család felmenő ága **b)** ősök, elődök, felmenő ági rokonok
anchor ['æŋkə ‖ –ər] **I.** *fn* **1.** *hajó* horgony, vasmacska; *biz* **cast ~, come to ~** horgonyt vet, lehorgonyoz, *átv* révbe jut, lehorgonyoz, kiköt (vhol); **drop the ~** horgonyt vet; lehorgonyoz; **weigh ~** horgonyt felszed **2. a)** *épít* (kő)kapocs, kőhorgony, *bány* horgony, feszke **b)** horgony, anker *[órában]* **3.** *infor* kapcsolt (hivatkozási) hely **4.** *US sp* váltófutás utolsó futója **II. A.** *tsi* **a)** *hajó* lehorgonyoz *[hajót]* **b)** rögzít, leköt, biztosít **B.** *tni* **1.** horgonyt vet, lehorgonyoz **2.** *biz átv* betelepszik, beveszi/befészkeli magát
anchorage ['æŋkərɪdʒ] *fn* **1.** *hajó* horgonyzóhely, rév **2.** *hajó* (le)horgonyzás **3.** *hajó* horgonyzóbér, horgonyzási díj **4.** *műsz épít* kifeszítés, lehorgonyzás **5.** *orv* rögzítés, pillérképzés *[fogászatban]*
anchored ['æŋkəd ‖ –ərd] *mn* **1. a)** *hajó* lehorgonyzott, horgonyzó **b) firmly ~ faith** *biz* szilárd/rendíthetetlen (v. jól megalapozott v. biztos alapokon nyugvó) hit/meggyőződés **2.** horgony alakú, *cím* horgony-
anchoring ['æŋkərɪŋ] *fn* **1.** *hajó* (le)horgonyzás, horgonyvetés **2.** *infor* bekapcsolás, bekötés
anchorite ['æŋkəraɪt ‖ –ret] *fn* **1.** remete **2.** *átv biz* zárkózott személy • *mn* **anchoretic**
anchorman *fn tsz* **-men 1.** *sp* befutó *[váltóban]* **2.** televíziós műsor vezetője
anchorperson → **anchorman** → **anchorwoman**
anchorwoman *fn tsz* **-women 1.** *sp* befutó *[női versenyző váltóban]* **2.** televíziós műsor vezetője *[nő]*
anchoveta [ˌæntʃə'vetə ‖ –tʃou–] *fn áll* ‹pici szardellaféle csalihal›
anchovy ['æntʃəvi ‖ –tʃouvi] *fn* szardella; ~ **paste** szardellapaszta; ~ **ring** szardellagyűrű, ringli
anchovy pear *fn növ* Anchovy körtéje *[mangószerű gyümölcs]*
anchusa [æŋ'kju:sə ‖ –'ku:–] *fn növ* ‹az Anchusa nemzetséghez tartozó bármely növény, az orvosi atracél rokona›
anchylose ['æŋkɪlouz] *orv* **A.** *tsi* megmerevít *[ízületet]* **B.** *tni* megmerevedik, összenő *[ízület]*
anchylosis [ˌæŋkɪ'lousɪs] *fn orv* ízületmerevség, ankylosis
ancien régime [ˌɒnsiæn reɪ'ʒi:m ‖ ˌɑnsjæn–] *francia* **1.** *tört* ancien régime *[a forradalom előtti Franciaország]* **2.** *átv* letűnt kormányrendszer
ancient[1] ['eɪnʃənt] **I.** *mn* **1. a)** régi, ó, ódon, ókori, egykori, hajdani; *GB* ~ **monument** műemlék *[épület]* **b)** *régi* agg, öreg *[ember]* **2.** *jog* ősi/régi jogon bírt, elbirtokolt *[20 évi háborítatlan birtoklás után]* **II.** *fn* **the ~s** a régi görögök és rómaiak; az ókori klasszikusok • *fn* **ancientness**
ancient[2] *fn régi* **1.** zászló, lobogó **2.** zászlótartó, zászlóvivő, zászlós
ancientry ['eɪnʃəntri] *fn régi* régiség *[családé, fajé]*; *vál* **~ of sg** régi/ősi volta vmnek
ancillary [æn'sɪləri ‖ 'ænsəleri] **I.** *mn* alárendelt, kisegítő, segéd-, mellék-; ~ **staff/workers** segédszemélyzet, (egészségügyi) szakdolgozók; ~ **undertaking** leányvállalat; **become ~ to...** szolgálatába szegődik vmnek; alárendelődik vmnek **II.** *fn* **1.** segéd **2.** (gép)alkatrész, tartozék
ancon ['æŋkən] *fn tsz* **ancones** [æŋ'kouni:z] *épít* párkánytartó/oszloptartó konzol, oszlopalap, falkiugrás
-ancy *utótag* → **-ency**
and [ənd, ænd] *ksz* **1. a)** és, meg, továbbá; **three hundred ~ five** háromszázöt; **five ~ half** öt és fél; **two ~ two make four** kettő meg kettő az négy; **an hour ~ a half** másfél óra; **you ~ I** te meg én, mi ketten **b) nice ~ hot** kellemes(en) meleg **c) better ~ better** egyre jobb(an), jobbnál jobb; **worse ~ worse** egyre/mind rosszabb(ul), rosszabbnál rosszabb; **walk two ~ two** kettesével/párban sétál/jár/megy; **there are books ~ books** sokféle könyv van; különbség van könyv és könyv között; **I tried ~ tried but...** bárhogy próbáltam is, nem... **d) day ~ night** éjjel-nappal, éjt nappallá téve; **summer ~ winter** télen-nyáron; **(every) now ~ then** hébe-hóba, időnként, néha(napján); **buy ~ sell** ad-vesz **e) he speaks French ~ that very well** tud/beszél franciául, méghozzá/mégpedig nagyon jól; **you doubt it ~ with reason** ön joggal kételkedik ebben **f) ~ (what about) you?** hát te?, veled meg mi lesz/legyen? **2. a) come ~ see me** látogasson meg; **go ~ look for it** menj (és) keresd meg!; **go ~ see!** menj és nézz utána! (v. győződj meg róla!); **wait ~ see** várjon/várjunk csak, várja/várjuk ki a végét, majd meglátja/meglátjuk, csak türelem; → **to**; **try ~ learn it!** próbáld meg megtanulni! **b) stir ~ you are a dead man** egy moccanás/mozdulat és

véged (van) **c)** ~ **not**... anélkül, hogy..., úgy hogy ne(m)... **3. and/or** és/vagy *[egyik(et) vagy mindkettő(t) két lehetőség/választás közül]*
Andalusia [ˌændəˈluːsɪə ‖ –ʒə] *tul földr* Andalúzia
Andalusian [ˌændəˈluːsɪən ‖ –ˈluːʒən] **I.** *mn* andalúziai **II.** *fn* **1.** andalúziai (lakos) **2.** andalúz (nyelv) **3.** andalúziai ló
andante [ænˈdænti] *hsz/fn zene* andante
andantino [ˌændænˈtiːnoʊ] *hsz/fn zene* andantino
Andean [ænˈdiːən] *mn* az Andokban élő/lakó/tenyésző, andokbeli, Andok vidéki
Andes [ˈændiːz] *tul tsz földr* **the** ~ az Andok
andesite [ˈændɪzaɪt] *fn ásv* andezit
Andine [ˈændɪn] *mn* → **Andean**
andiron [ˈændaɪən ‖ –ərn] *fn* **a)** kandallóvas, kis tuskótartó vasbak *[kandallóban]* **b)** tűzikutya *[sütéshez]*
Andorra [ænˈdɔːrə ‖ –dɔr–] *tul földr* Andorra
Andorra la Vella [anˈdɔrra la ˈbela] *tul földr* Andorra la Vella *[Andorra fővárosa]*
Andrea [ænˈdreɪə] *tul* Andrea
Andrew [ˈændruː] *tul* András, Endre
androecium [ænˈdriːsɪəm] *fn tsz* **androecia** [–sɪə] *növ* porzótáj, hímkör
androgen [ˈændrədʒən] *fn biol* androgén hormon • *mn* **androgenic**
androgyne [ˈændrədʒaɪn] *fn* **1.** *biol* **a)** kétnemű növény/állat **b)** hímnős egyed **2.** hermafrodita *[személy]*
androgynous [ænˈdrɒdʒənəs ‖ –ˈdrɑ–] *mn biol* **a)** hímnős *[virágú]* **b)** hím és női jellegű, hermafrodita
androgyny [ænˈdrɒdʒəni ‖ –ˈdrɑ–] *fn* kétneműség, hímnősség, androgínia, hermafroditizmus
android [ˈændrɔɪd] *fn* android *[ember külsejű robot]*
Andy [ˈændi] *tul bec* Andrea, Andrew
anecdotage [ˈænɪkdoʊtɪdʒ] *fn* **1.** *tréf* adomáz(gat)ó öregkor **2.** anekdotagyűjtemény, adomagyűjtemény
anecdotal [ˌænɪkˈdoʊtl] *mn* **1.** adomaszerű, anekdotaszerű, anekdotikus, anekdotán alapuló, anekdotázó **2.** *orv* ~ **result** nem kontrollált vizsgálati eredmény
anecdote [ˈænɪkdoʊt] *fn* adoma, anekdota • *fn* **anecdotalist**, **anecdotist** *mn* **anecdotic**
anechoic [ˌænɪˈkoʊɪk] *mn* visszhangmentes
anele [əˈniːl] *tsi régi* **1.** feladja az utolsó kenetet (vknek) **2.** felken *[királyt]*
anemia [əˈniːmɪə] *US* → **anaemia**
anemic [əˈniːmɪk] *US* → **anaemic**
anemograph [əˈneməgrɑːf ‖ –græf] *fn meteo* szél(sebesség)író készülék, anemográf • *mn* **anemographic**
anemometer [ˌænɪˈmɒmɪtə ‖ –ˈmɑmətər] *fn* szélmérő, légsebességmérő, anemométer
anemometry [ˌænɪˈmɒmətri ‖ –ˈmɑ–] *fn* szélsebesség/szélerősség mérése, szél(sebesség)mérés, anemometria • *mn* **anemometric**
anemone [əˈneməni] *fn növ* kökörcsin, szellőrózsa, anemóna
anemophilous [ˌænɪˈmɒfɪləs ‖ –ˈmɑ–] *mn növ* szél útján termékenyülő/beporzódó
anent [əˈnent] *elölj régi skót US* (vmre) vonatkozólag, (vmt) illetőleg, (vmvel) kapcsolatban
aneroid [ˈænərɔɪd] **I.** *mn* folyadékmentes, aneroid *[barométer]*; ~ **barometer** fémbarométer, aneroid (barométer) **II.** *fn* fémbarométer, aneroid (barométer)
anesthesia → **anaesthesia**
anethum [əˈniːθəm] *fn növ* kapor
aneurin [əˈnjʊərɪn ‖ ˈænjərɪn] *fn orv vegy* B1-vitamin, aneurin
aneurism [ˈænjərɪzm] *fn orv* körülírt verőértágulat, aneurizma • *mn* **aneurismal**
aneurysm [ˈænjərɪzm] → **aneurism**
anew [əˈnjuː ‖ əˈnuː] *hsz* **1.** újra, újból, megint **2.** újjá-, át-; **form sg** ~ újjáalakít, átalakít **3.** máshogy, más módon
anfractuosity [ˌænfræktʃʊˈɒsəti ‖ –ˈɑsəti] *fn* **1.** *átv* tekervényesség **2.** bonyolultság, bonyodalmasság
angary [ˈæŋgəri] *fn jog* ‹hadviselő joga semleges tulajdon hadiérdekből való (kártérítés melletti) lefoglalására/elpusztítására› angária
angel [ˈeɪndʒəl] *fn* **1.** angyal; **an** ~ **face** ártatlan/szelíd arckifejezés; **she is an** ~ **of a woman** angyali nő, (igazi/valóságos) angyal ez a nő; *közm* **talk of ~s and you will hear the flutter of their wings** kb.ne fesd az ördögöt a falra(, mert megjelenik) **2.** *szl [színielőadást/vállalkozást pénzelő ember]* szponzor, mecénás **3.** *távk* indokolatlan/értelmezetlen radarvisszhang
Angela [ˈændʒələ] *tul* Angéla
angel cake *fn gaszt* piskótatorta
angel dust *fn szl* ‹igen erős hallucinogén szer› PCP
Angeleno [ˌændʒɪˈliːnoʊ] *mn US biz* Los Angeles-i ember
angelfish *fn tsz* angyalcápa, tengeri angyal
angelic [ænˈdʒelɪk] *mn* **1.** angyali; *vall* **the A~ Doctor** az angyali doktor *[Aquinói Szt. Tamás]*; *vall* **the A~ Salutation** az angyali üdvözlet, üdvözlégy **2.** angyali, csodás, gyönyörű • *mn* **angelical** *hsz* **angelically**
angelica [ænˈdʒelɪkə] *fn növ* angyalgyökér, angelikagyökér, arkangyalfű
Angelica [ænˈdʒelɪkə] *tul* Angelika
angels-on-horseback *fn gaszt* sültszalonnás osztriga
angelus [ˈændʒələs] *fn vall* az angyali üdvözlet, Úrangyala *[az Úr angyala kezdetű imádság]*
angel-worship *fn* angyalimádás, angyalok tisztelete
anger [ˈæŋgə ‖ –ər] **I.** *fn* harag, düh, méreg; **bottle up one's** ~ visszafojtja dühét **II.** *tsi* (meg)haragít, (fel)dühít, (fel)dühösít, (fel)bosszant, (fel)mérgesít, haragra gerjeszt; **he is easily ~ed** könnyen feldühödik, könnyen dühbe gurul
Angevin [ˈændʒəvɪn] *tört* **I.** *mn* **1.** Anjou- **2.** Plantagenet **II.** *fn* **1.** Anjou (dinasztia) **2.** Plantagenet *[uralkodó család tagja]*
Angie [ˈændʒi] *tul bec* Angela
angina [ænˈdʒaɪnə] *fn orv* **1.** ~ **(pectoris)** angina pectoris, szívtáji szorító fájdalom, görcsös fájdalom **2.** angina, torokgyulladás
angiogram [ˈændʒɪoʊˌgræm] *fn orv* angiogram
angiography [ˌændʒɪˈɒgrəfi ‖ –ˈɑ–] *fn orv* angiográfia
angioma [ˌændʒiˈoʊmə] *fn tsz* **angiomas**, **angiomata** [–mətə] *orv* érdaganat, angióma
angiosperm [ˈændʒɪəspɜːm ‖ –spɜrm] *fn növ* zárvatermő növény • *mn* **angiospermous**
angle[1] [ˈæŋgl] **I.** *fn* **1.** szög, szöglet; *mat* **acute** ~ hegyesszög; *mat* **obtuse** ~ tompaszög; *mat* **right** ~ derékszög; *kat* **striking** ~ becsapódási szög; ~ **of elevation** *épít* emelkedési szög; *kat* ~ **of fall/impact** becsapódási szög; ~ **of incidence** *fiz* beesési szög; *kat* becsapódási szög; *mat* ~ **of inclination** hajlásszög; *fiz* ~ **of reflection** visszaverődési szög; *fiz* ~ **of refraction** törési szög; ~ **of roof** fedélhajlás; ~ **of sight** *fényk* látószög, *kat* irányzékszög; **at an** ~ ferdén, rézsútosan, szögben; **at an** ~ **of** ... szögben, ... szög alatt; **at right ~s** merőlegesen **2.** sarok, szöglet, zug **3.** szögvas **4.** *átv* szempont, szemszög, irány, szemléleti mód; **consider all ~s of the question** minden oldalról meghányja-veti a kérdést; **that's a new ~ on the problem** ez más megvilágításba helyezi az ügyet **II. A.** *tsi* **1. a)** eltérít, elfordít, (szög alakban) meghajlít, *sp* keresztbe üt *[labdát oldalvonalhoz, teniszben]* **b)** egyoldalúan vmlyen szempontból állít be, elferdít *[információt]* **2.** kiélez, hangsúlyoz (vmt), figyelem középpontjába állít **B.** *tni* **1.** szögben/ferdén eltér, elfordul *[út]*, szögben fordul *[menetelő csapat]* **2.** *sp* keresztlabdákkal játszik *[teniszező]*
angle[2] [ˈæŋgl] **I.** *tsi* horgászik; *biz* ~ **for compliments** bókokat hajhászik; *biz* ~ **for a husband** férjre vadászik **II.** *fn régi* horog; horgászbot
angle bracket *fn* hegyesszögű zárójel
angled [ˈæŋgld] *mn* **1.** elferdített, vmlyen beállítottságú **2.** *sp* ~ **shot** keresztütés *[teniszben]* **3.** sarkos, szögletes

A

angle parking *fn* ferde parkolás *[a járdához képest 45 fokos szögben]*
anglepoise ['æŋglpɔɪz] *fn* ~ **(lamp)** állítható asztali lámpa
angler ['æŋglə ‖ –ər] *fn* **1.** horgász **2.** *áll* ördöghal
Angles ['æŋglz] *fn tsz* angelek *[az angolok germán ősei]*
anglewise *hsz* szögletesen, sarkosan
angleworm *fn* csaligiliszta
Anglia ['æŋglɪə] → **East-Anglia**
Anglian ['æŋglɪən] *mn/fn* ‹az angolokkal kapcsolatos›
Anglican ['æŋglɪkən] *vall* **I.** *mn* anglikán; **the A~ Church** az anglikán egyház; **A~ Communion** ‹anglikanizmust valló egyházak (összessége)› **II.** *fn* anglikán • *fn* **Anglicanism**
anglice ['æŋglɪsi] *hsz* angolul
Anglicism ['æŋglɪsɪzm] *fn* **1.** *nyelv* anglicizmus, angolosság, sajátosan angolos (nyelvi) fordulat/kifejezés *[más nyelvben]* **2.** angolos felfogás/szemlélet • *fn* **Anglicist**
Anglicize ['æŋglɪsaɪz], **-ise A.** *tsi* (el)angolosít **B.** *tni* elangolosodik
angling ['æŋglɪŋ] *fn sp* sporthorgászat
angling rod *fn* horgászbot
Anglist ['æŋglɪst] *fn* anglista • *fn esz* **Anglistics**
Anglo- ['æŋgloʊ] *összet* angol(-), anglo-
Anglo-American *mn/fn* angol-amerikai, angol származású amerikai
Anglo-Catholic *mn/fn* ‹a katolicizmussal rokonszenvező anglikán›
Anglocentricity [ˌæŋglousen'trɪsəti] *fn* angolközpontúság
Anglo-French I. *mn* angol–francia; *tört* **the ~ Wars** az angol–francia háborúk **II.** *fn* normann francia nyelv *[a mai Anglia területén a betelepedett franciák által a középkorban beszélt nyelv]*
Anglo-Hungarian *mn* angol-magyar
Anglo-Indian I. *mn* **1.** angol-hindu (félvér) **2.** *biz* Indiában született (v. élő v. szolgálatot teljesítő) angol **3.** *nyelv* hindu eredetű *[szó az angol nyelvben]* **II.** *fn* **1.** angol-hindu félvér **2.** *biz* Indiában született (v. élő v. szolgálatot teljesítő) angol *[személy]*
Anglomania [ˌæŋglou'meɪnɪə] *fn* angolimádat, anglománia • *fn/mn* **anglomaniac**
Anglo-Norman I. *mn* anglo–normann **II.** *fn* **1.** anglo–normann *[ember]* **2.** *nyelv* normann nyelv *[a mai Anglia területén a betelepedett normannok által beszélt nyelv a középkorban]*
Anglophile ['æŋgloʊfaɪl, –fɪl] *mn/fn* angolbarát, anglofil
Anglophobe ['æŋgləfoʊb] *mn/fn* angolgyűlölő
anglophone ['æŋgləfoʊn] **I.** *mn* angolul beszélő, angol ajkú/nyelvű *[nem angol születésű]* **II.** *fn* angolul beszélő *[személy]*
Anglo-Saxon I. *mn* **a)** angolszász **b)** angolszász, óangol *[nyelv]* **II.** *fn* **1.** angolszász *[ember]* **2.** *nyelv* angolszász (nyelv), óangol (nyelv/ember) **3.** *US nyelv [a modern]* angol nyelv
Angola [æŋ'goʊlə] *tul földr* Angola
Angolan [æŋ'goʊlən] *mn/fn* angolai
angora [æŋ'gɔːrə] *fn* **1.** angóra(szövet), moher **2.** ~ **(cat)** angóra(macska); ~ **goat** angórakecske; ~ **rabbit** angóranyúl
angostura [ˌæŋgə'stjʊərə ‖ –'stʊrə] *fn növ* ~ **(bark)** angosztúra kéreg
Angostura Bitters [ˌæŋgəstjʊərə 'bɪtəz‖–stʊrə 'bɪtərz] *fn esz gaszt* ‹Angostura venezulai városból származó tonikféle ital›
angry ['æŋgri] *mn* **1.** dühös, mérges, haragos, indulatos; **be ~ with sy** dühös/mérges/haragszik vkre; **get ~** megharagszik, mérges lesz, felbosszantja magát, dühbe gurul/jön; **get/make sy ~** felbosszant/feldühít/felmérgesít vkt **2.** gyulladt, égő, fájó *[testfelület]*; elfertőzött, fájdalmas *[seb, heg]* **3.** haragos *[tenger]*, fenyegető *[természeti jelenség]* • *hsz* **angrily**
angst [æŋst ‖ ɑŋst] *fn* **1.** félelem, szorongás **2.** bűntudat, lelkiismeret-furdalás
angstrom ['æŋgstrəm] *fn fiz* ~ **unit** angström *[10^{-10} m, 0,1 nanométer]*
anguiform ['æŋgwɪfɔːm ‖ –fɔrm] *mn* **a)** kígyószerű, kígyó alakú **b)** kanyargó(s), kígyózó
anguillule [æŋ'gwɪljuːl] *fn* fonalféreg
anguine ['æŋgwɪn] *mn* → **anguiform**
anguish ['æŋgwɪʃ] **I.** *fn* **1.** (heves) fájdalom, szenvedés, kín(szenvedés), gyötrelem; **the ~ of grief** mardosó/emésztő bánat **2.** *orv* félelemérzés, szorongás **II. A.** *tsi* gyötör, aggaszt, kínoz (vkt) **B.** *tni* gyötrődik, szenved
anguished ['æŋgwɪʃt] *mn* gyötrődő, kínlódó, szenvedő
angular ['æŋgjʊlə ‖ –gjələr] *mn* **1.** szögletes, sarkos; ~ **face** szögletes/csontos arc; ~ **figure** csontos/szikár alak/alkat **2.** összeférhetetlen, akadékoskodó *[ember, természet]* **3.** *fiz* szög-; ~ **diameter** szögátmérő; ~ **distance** szögtávolság; ~ **velocity** szögsebesség • *fn* **angularity** *hsz* **angularly**
Angus ['æŋgəs] *tul* ‹skót férfinév›
anhydride [æn'haɪdraɪd] *fn vegy* anhidrid
anhydrite [æn'haɪdraɪt] *fn ásv* anhidrit, víztelen kalciumszulfát
anhydrous [æn'haɪdrəs] *mn vegy* vízmentes, száraz
aniline ['ænəlɪn] *fn vegy* anilin
aniline dye *fn* anilinfesték, anilinszínezék
anima ['ænɪmə] *fn pszich* anima
animadvert [ˌænɪmæd'vɜːt ‖ –'vɜrt] *tni* bírálgat, kritizál • *fn* **animadversion**
animal ['ænɪməl] **I.** *fn* **1.** állat, barom **2.** *átv biz* állat, barom *[faragatlan/civilizálatlan személy]* **II.** *mn* **1.** állati, állat-; ~ **habitat** állatfaj élőhelye; **the ~ kingdom** állatvilág **2.** testi; ~ **needs** testi/emberi szükségletek; ~ **spirit** életerő; természetes életösztön
animalcule [ˌænɪ'mælkjuːl] *fn áll* mikroszkopikus állat, parány • *mn* **animalcular**
animalism ['ænɪməlɪzm] *fn* **1. a)** állati/ösztönös életmegnyilvánulások **b)** állatiasság, érzékiség **2.** animalizmus *[tan, amely az embert az állatokkal egyenrangúnak tekinti]*
animality [ˌænɪ'mæləti] *fn* **1.** állatvilág **2.** állati természet/élet
animalize ['ænɪməlaɪz], **–ise** *tsi* **1.** elállatiasít; **become ~d** elállatiasodik **2.** állati anyaggá átalakít, állati test anyagává átalakít/feldolgoz *[szervezet táplálékot]* • *fn* **animalization**
animal liberation *fn* ‹az állatok kizsákmányolásának felszámolása›
Animal Liberation Front *fn* ‹radikális brit állatvédő szervezet›
animal rights *fn tsz* az állatok jogai
animate I. *mn* ['ænɪmət] élő, eleven; **the live and the ~** minden ami él és mozog **II.** *tsi* [–meɪt] **1.** életre kelt, megelevenít **2. a)** életet önt/lehel (vmbe), (fel)éleszt, élénkít (vmt) **b)** élénkít, színez *[társalgást]*, színt/élénkséget visz (vmbe) **c)** (fel)bátorít, biztat, lelkesít, buzdít; **~d by/with the highest motives** a legjobb szándéktól vezérelve
animated ['ænɪmeɪtɪd] *mn* **1.** eleven, élénk; ~ **conversation** élénk/érdekfeszítő társalgás; ~ **discussion** heves vita **2.** ~ **cartoon** rajzfilm; ~ **picture** mozgókép, film • *hsz* **animatedly**
animation [ˌænɪ'meɪʃn] *fn* **1. a)** élénkség, elevenség *[arcé, mozgásé]*; **suspended ~** tetszhalál **b)** elevenség, lendület **2.** serkentés, biztatás, buzdítás **3.** *film* animáció, animációs filmkészítés(i technika/eljárás)
animator ['ænɪmeɪtə ‖ –ər] *fn* **1.** rajzfilmkészítő, animátor **2.** kezdeményező, mozgató, szervező *[mozgalomé, vitáé]*; **he is the ~ of the movement** ő a mozgalom lelke
animé ['ænɪmeɪ] *fn műsz* kopál, animgyanta
animism ['ænɪmɪzm] *fn fil* animizmus, spiritualizmus • *fn* **animist** *mn* **animistic**
animosity [ˌænɪ'mɒsəti ‖ –'mɑ–] *fn* **a)** rosszindulat, ellenérzés, ellenszenv **b)** ellenségeskedés, gyűlölködés

animus ['ænɪməs] *fn* **1.** ellenséges érzés/indulat, gyűlölet; **have/feel/show (an) ~ against sy** ellenséges vk iránt **2.** *jog* szándék, akarat **3.** szellemiség, szellem (vmé)
anion ['ænaɪən] *fn fiz vegy* anion *[negatív töltésű ion]*
anionic [ˌænaɪ'ɒnɪk ‖ –'ɑnɪk] *mn fiz vegy* anionos
anise ['ænɪs] *fn* **1.** ánizs(mag) **2.** ánizs(növény)
aniseed ['ænɪsiːd] *fn* ánizs(mag); **~ cake** ánizsos sütemény
anisette [ˌænɪ'zet] *fn* ánizslikőr
anisotropic [ænˌaɪsoʊ'trɒpɪk ‖ –sə'trɑ–] *mn fiz* anizotropikus, anizotrop • *fn* **anisotropy**
Anita [ə'niːtə] *tul* Anita
Ankara ['æŋkərə] *tul földr* Ankara *[Törökország fővárosa]*
ankle ['æŋkl] *fn* **a)** boka **b)** bokaízület, bokacsont
ankle-biter *fn US Ausz szl [kisgyerek]* kölyök, poronty
ankle-bone *fn* bokacsont
ankle-deep I. *mn* bokáig érő *[hó, víz, sár]* **II.** *hsz* bokáig
ankle dislocation *fn orv* bokaficam
ankle-length *mn* bokáig érő *[ruha]*
ankle-ring *fn* bokaperec
ankle socks *fn tsz* bokazokni, bokafix
ankle-strap *fn* bokapánt *[cipőn]*
anklet ['æŋklɪt] *fn* **1.** bokaperec, bokalánc **2. a)** bokavédő, kamásli **b)** *US* bokafix *[zokni]*
ankylose ['æŋkɪlouz, –lous] → **anchylose**
ankylosis [ˌæŋkɪ'lousɪs] → **anchylosis**
Ann [æn] *tul* Anna
anna ['ænə] *fn* anna *[indiai pénzegység: 1/16 rúpia]*
Anna ['ænə] *tul* Anna
Annabel(le) ['ænəbel] *tul* Annabella
annalist ['ænəlɪst] *fn* évkönyvíró, krónikás
annals ['ænlz] *fn* **1.** évkönyv(ek), annales(ek) **2.** *tört* (évi) krónika
annates ['æneɪts, –nəts] *fn* annaták *[egyházi javadalmak szentszéki adója]*
annatto [ə'nætou] → **anatto**
Anne [æn] *tul* Anna
anneal [ə'niːl] *ip* **I.** *tsi* temperál, megereszt, kiizzít, lágyít *[fémet, üveget]* **II.** *fn* temperálás, megeresztés, lágyítás, kiizzítás *[fémé, üvegé]*
annelid ['ænəlɪd] *fn áll* gyűrűs féreg
Annette [ə'net] *tul* Anett
annex I. *fn* ['æneks] **1.** melléklet, függelék **2.** *épít* melléképület, toldaléképület, épületszárny **II.** *tsi* [ə'neks] **1.** mellékel, csatol **2.** annektál, hozzácsatol, bekebelez *[területet]* **3.** megszab *[feltételeket, kikötéseket]* **4.** *biz* ellop, lenyúl, elcsen • *fn* **annexation**
annexe ['æneks] *fn GB* **1.** melléklet, függelék **2.** *épít* melléképület, toldaléképület, épületszárny
Annie ['æni] *tul bec* Anna
annihilate [ə'naɪəleɪt] *tsi* **1.** megsemmisít **2.** lerombol, szétrombol • *fn* **annihilator**
annihilation [əˌnaɪə'leɪʃn] *fn* **a)** megsemmisítés **b)** megsemmisülés **c)** *fiz* annihiláció, sugárzásos megsemmisülés
anniversary [ˌænɪ'vɜːsəri ‖ –'vɜr–] *fn* évforduló
Anno Domini [ˌænou 'dɒmɪnaɪ ‖ –'dɑməniː] **I.** *hsz* időszámításunk szerint, i.sz., Krisztus után, Kr. u. **II.** *fn biz* öregkor, öregség
annotate ['ænəteɪt] *tsi* jegyzetekkel/magyarázatokkal ellát, annotál *[könyvet, szöveget]*; **~d edition** jegyzetekkel ellátott kiadás • *fn* **annotation** *mn* **annotative**
announce [ə'nauns] *tsi* **1.** bejelent, kihirdet, közhírré tesz, nyilvánosságra hoz, bemond, közöl *[műsort]* **2. a)** kijelent, közöl, tudtára ad **b)** bejelent *[vendéget, szándékot]* • *fn* **announcement**
announcer [ə'naunsə ‖ –ər] *fn* **1.** hirdető, bejelentő **2.** *média* műsorközlő, bemondó **3.** *szính* konferanszié
annoy [ə'nɔɪ] *tsi* **1.** bosszant, idegesít, bosszúságot okoz; **get ~ed at sg** felbosszantja vm **2. be ~ed/** mérges/bosszús (vm miatt); bosszankodik (vmn v. vm felett) **3.** zaklat, háborgat, alkalmatlankodik (vknek) • *fn* **annoyance**, **annoyer**
annoyed [ə'nɔɪd] *mn* bosszús, mérges
annoying [ə'nɔɪɪŋ] *mn* bosszantó, kellemetlen, bántó, zavaró *[dolog]*, terhes, alkalmatlankodó, idegekre menő *[személy]*
annual ['ænjuəl] **I.** *mn* **1.** évi, éves, év-; **~ rainfall** évi csapadékmennyiség **2.** évenkénti, évente ismétlődő **II.** *fn* **1.** évkönyv, évenként megjelenő kiadvány **2.** egynyári (v. nem évelő) növény • *hsz* **annually**
annualize ['ænjuəlaɪz], **-ise** *tsi pénz* éves szintre vetít
annual ring *fn növ* évgyűrű
annuitant [ə'njuːɪtənt ‖ ə'nuːətənt] *fn* életjáradékot élvező, járadékos *[személy]*
annuity [ə'njuːəti ‖ ə'nuːəti] *fn pénz* **1.** éves részlet/törlesztés, annuitás **2.** évjáradék, éves törlesztés, annuitás; **government ~** államkötvény; **life ~** életjáradék
annul [ə'nʌl] *tsi* **-ll-** megsemmisít, semmisnek nyilvánít *[ügyletet, végrendeletet, házasságot]*, érvénytelenít, hatálytalanít, hatályon kívül helyez *[rendeletet, törvényt]*, felmond, felbont *[szerződést]*, eltöröl *[intézkedést]*
annular ['ænjulə] *mn* gyűrű alakú, gyűrűszerű; gyűrűs *[ujj]* • *hsz* **annularly**
annulate ['ænjuleɪt] *mn* **1.** gyűrűs, gyűrűkből felépülő **2.** *épít* gyűrűzött *[oszlop]* • *fn* **annulation**
annulet ['ænjulɪt ‖ –jə–] *fn* **1.** *épít* gyűrű *[oszlopfőn]*, léctag *[oszlopfejezeten]*, gyűrűs díszítés **2.** kis gyűrű, gyűrűcske
annulment [ə'nʌlmənt] *fn* megsemmisítés, semmissé nyilvánítás, hatálytalanítás, hatályon kívül helyezés, érvénytelenítés; **decree of ~** eltörlő/érvénytelenítő/hatálytalanító végzés
annulus ['ænjuləs] *fn tsz* **annuli** [–laɪ], **annuluses** **1.** *biol* gyűrű, gallér, annulus **2.** *mat* körgyűrű
annunciate [ə'nʌnsieɪt] *tsi* **1.** bejelent, kihirdet, közzé tesz **2.** bejelent *[vendéget, közelgő eseményt]*
annunciation [əˌnʌnsi'eɪʃn] *fn* **1. a)** *vall* **the A~** az angyali üdvözlet **b)** *vall* **A~ (Day)** Gyümölcsoltó Boldogasszony (ünnepe) *[márc. 25.]* **2.** kihirdetés, közzététel, bejelentés, kinyilatkoztatás
annunciator [ə'nʌnsieɪtə ‖ –ər] *fn* **1.** kinyilatkoztató **2. a)** *vill távk* elektromágneses jelzőberendezés, hívásjelző, indikátor **b)** *vasút* **electrical ~** elektromos jelzőberendezés
anode ['ænoud] *fn fiz* anód, pozitív elektróda • *mn* **anodal**, **anodic**
anodize ['ænoudaɪz], **–ise** *tsi vegy* galvanizál *[fémet]* • *fn* **anodizer**
anodyne ['ænədaɪn] **I.** *mn* **1.** fájdalomcsillapító *[szer]* **2.** ártalmatlan, steril **II.** *fn* fájdalomcsillapító (szer), gyógyír; **time is the only ~ for sorrow** az idő a legjobb gyógyír/gyógyszer
anoint [ə'nɔɪnt] *tsi* **1.** bedörzsöl, beken **2.** felken *[királyt]*, felszentel *[püspököt]* • *fn* **anointer**
anole [ə'noul] *fn áll* ‹amerikai rovarevő, színváltoztatásra képes gyíkfajta› anolis
anomalistic [əˌnɒmə'lɪstɪk ‖ əˌnɑ–] *mn* **1.** szabálytalan, rendellenes **2.** *csill* anomalisztikus *[év, hónap]*
anomalous [ə'nɒmələs ‖ ə'nɑ–] *mn* rendellenes, szabálytalan, abnormális, anomáli(á)s, visszás, fonák *[helyzet]* • *fn* **anomalousness** *hsz* **anomalously**
anomaly [ə'nɒməli ‖ ə'nɑ–] *fn* rendellenesség, szabálytalanság, eltérés, visszásság, anomália, abnormitás; *csill* anomália
anomie ['ænoumi ‖ 'ænəmi] *fn* erkölcstelenség; az erkölcsi törvények/normák hiánya • *mn* **anomic**
anomy ['ænoumi] → **anomie**
anon [ə'nɒn ‖ ə'nɑn] *hsz régi vál* mindjárt, tüstént, rögvest, íziben
anon. *anonymous* ismeretlen *[szerző]*, N.N.
anonym ['ænənɪm] *fn* **1.** névtelen szerző/mű **2.** álnév

A

anonymous [əˈnɒnɪməs ‖ əˈnɑ–] *mn* **1.** névtelen, ismeretlen; **remain ~** megőrzi a névtelenségét, nem fedi fel kilétét; *infor* **~ FTP** anonim FTP, nyilvános FTP szolgáltatás **2.** jeltelen, ismeretlen eredetű • *fn* **anonimity** *hsz* **anonimously**
anopheles [əˈnɒfəliːz ‖ əˈnɑ–] *fn tsz* **anopheles** *áll* anopheles moszkitó, maláriaterjesztő szúnyog
anorak [ˈænəræk] *fn* **1.** anorák **2.** *biz* unalmas/mogorva/egyhangú személy **3.** jellegtelen, személytelen
anorectic [ˌænəˈrektɪk] *fn orv* **1.** étvágytalan (v. étvágycsökkenésben szenvedő) személy **2.** étvágycsökkentő (szer)
anorexia [ˌænəˈreksɪə ‖ nər] *fn orv* étvágytalanság; **~ nervosa** *orv* anorexia nervosa, pszichés eredetű étvágytalanság
anosmia [æˈnɒzmɪə ‖ æˈnɑz–] *fn orv* szagláshiány, szaglóérzék elvesztése/csökkenése • *mn* **anosmic**
another [əˈnʌðə ‖ –ər] *mn/nm* **1.** még egy, (egy) további; **~ five minutes and we are off** öt perc múlva indulunk; **in ~ ten years** (további) tíz év múlva, még tíz év és...; **without ~ word** se szó, se beszéd; **many ~ has seen it** mások is látták **2.** más, (egy) másik; **~ time** máskor; **in ~ way** másképpen, más módon; **that is quite ~ matter** ez egészen más, ez már más; ez más lapra tartozik; **ask (me) ~** kérdezz vm könnyebbet; **bring me ~** hozzon egy másikat; hozzon még egyet; **I am quite ~ man** teljesen megváltoztam, egészen más ember vagyok (mint voltam); **~ place it might have been possible** másutt talán megtörténhetett/bekövetkezhetett volna **3.** (egy) második, egy új/valóságos; **he is ~ Byron** ő egy második/új Byron; **there is no such ~ man** nincs még egy ilyen ember, párját ritkítja **4. science is one thing art is ~** más dolog a tudomány és más a művészet; **I have heard it from one and ~** többektől hallottam; **one way or ~** így vagy úgy, vmlyen módon **5. one ~** egymást; **near one ~** közel egymáshoz
A. N. Other [ˌeɪ en ˈʌðə ‖ –ər] *GB biz* ‹meg nem nevezett személy/játékos›
anoxia [əˈnɒksɪə ‖ –ˈnɑk–] *fn orv* oxigénhiány • *mn* **anoxic**
ansaphone [ˈɑːnsəfoʊn ‖ ˈæn–] *fn biz* (telefon-)üzenetrögzítő
anschluss [ˈænʃlʊs ‖ ˈɑn–] *fn pol német* bekebelezés, erőszakos hozzácsatolás, annexió; *tört* **A~** Ausztria bekebelezése 1938-ban
anserine [ˈænsəraɪn] *mn* **1. a)** *áll* liba-, lúd- **b) ~ skin** libabőr **2.** *biz* buta, ostoba
ANSI [ˈænsi] *röv American National Standards Institution* Amerikai Nemzeti Szabványügyi Intézet
answer [ˈɑːnsə ‖ ˈænsər] **I.** *fn* **1. a)** válasz, felelet; **in ~ to his request** kérésének eleget téve, kérésére; **she made no ~** nem felelt/válaszolt, nem adott választ; **I could not find an ~** nem tudtam mit válaszolni; **this reply is not an ~** ez nem kielégítő válasz; **know all the ~s** *biz* mindent tud *[az adott kérdésről]* **b)** *jog* válasz, válaszbeszéd, védekezés; **~ to a charge** válasz/cáfolat a/egy vádra, védekezés a/egy vád ellen **c)** *zene* válasz *[fúgában]* **d)** *sp* visszavágás, riposzt *[vívásban]* **2.** megoldás *[példáé, feladványé, rejtvényé]* **II.** *tsi/tni* **1. a)** (meg)válaszol, felel (vmre); **~ sy** válaszol/felel vknek; **~ back** (vissza)felesel, szemtelenül válaszol; **~ the bell** csengetésre ajtót nyit; **~ the door** megy/jön ajtót nyitni; **~ a letter** megválaszolja a levelet, válaszol a levélre; **~ a question** válaszol/felel a/egy kérdésre; **~ the roll, ~ one's name** jelentkezik *[névsorolvasáskor]*; **~ for** (v. **instead of) sy** vk helyett/nevében válaszol/felel; **the dog ~s to the name of Pluto** a kutya a Plutó névre hallgat, a kutyát Plutónak hívják **b) ~ a charge** megválaszol/visszautasít/megcáfol egy vádat **2.** megfelel (vmnek); **~ (to) a description** megfelel a leírásnak; **~ one's expectations** megfelel a várakozás(ai)nak, beváltja a reményeket/reményeit **3.** kifizetődik, érdemes **4. ~ a problem** megoldja a példát/feladványt **5. ~ for sy/sg** kezeskedik/felel/jótáll vkért/vmért; **he has a lot to ~ for** sok mindenért kell felelnie, sok mindenről kell számot adnia; **for his crime he ~ed with his life** életével fizetett bűn(tett)éért **6.** beszámol, felelősséggel tartozik (*to* vknek)
answerable [ˈɑːnsərəbl ‖ ˈæn–] *mn* **1.** felelős, felelősségre vonható **2. a)** megválaszolható *[kérdés]*, megoldható *[probléma]* **b) ~ charge** cáfolható vád • *fn* **answerability**
answering machine *fn* üzenetrögzítő
answering service *fn* hangposta *[telefonos üzenetrögzítő szolgáltatás]*
answerphone [ˈɑːnsəfoʊn ‖ ˈæn–] *GB* → **answering machine**
ant [ænt] *fn* hangya; **white ~** termesz; **~s in one's pants** *biz* be van sózva; **Adam got the ~s** *biz* Ádámnak viszket a talpa
antacid [ænˈtæsɪd] *orv* **I.** *fn* sav(le)kötő szer **II.** *mn* **1.** sav(le)kötő **2.** saválló
antagonism [ænˈtægənɪzm] *fn* ellentét(esség), kibékíthetetlen ellentét, ellentmondás, ellenséges érzület, antagonizmus; **come into ~ with sy** ellentétbe/összeütközésbe kerül vkvel
antagonist [ænˈtægənɪst] *fn* **1.** ellenfél, ellenség, ellenzője (vmnek) **2.** *biol* ellentétes hatású izom/szerv, antagonista izom/szerv • *mn* **antagonistic** *hsz* **antagonistically**
antagonize, -ise [ænˈtægənaɪz] *tsi* **1. a)** *US* szembeszáll, szembehelyezkedik (vmvel), ellenszegül (vmnek), ellenez (vmt) **b)** ellenhatást fejt ki *[erő]*, gátol, akadályoz *[erő másikat]* **c)** *orv* semlegesít *[izom másik izom működését]* **2.** ellenszenvet kelt/ébreszt (vkben), magára haragít (vkt), elidegenít (vkt) magától • *fn* **antagonization**
Antarctic [æntˈɑːktɪk ‖ ˈɑr–] **I.** *mn* déli-sarki, déli-sarkvidéki, antarktiszi; **~ Circle** Déli-sarkkör; **~ Ocean** Déli-Jeges-tenger **II.** *fn* **the ~** Déli-sarkvidék, Antarktisz
ant-bear *fn áll* hangyászmedve, sörényes hangyász
ante [ˈænti–] **I.** *fn* **1. a)** *ját* kezdő tét, nyitás *[pókerben]* **b)** *pénz gazd* kezdő tőke, betársuló összeg **2.** *ját* nyitó *[pókerben]* **II.** *tsi* **~ (up)** (i) *ját* nyit, (első tétet) tesz *[pókerben]* (ii) *US biz* fizet *[adósságot]*; **~ up money on sg** pénzt tesz vmre
ante- [ænti] *előtag* elő-, előtti, előbbi, előbbre, előre, korábbi; **antedate** előbbre keltez, antedatál; **~ meridiem** *[röv. a.m.]* reggel, délelőtt; **ten a.m.** reggel/délelőtt tíz óra
anteater *fn áll* hangyász; **great ~** → **ant-bear**; **scaly ~** tobzoska
ante-bellum [ˌæntiˈbeləm] *mn* háború előtti, *US* a polgárháború előtti
antecede [ˌæntɪˈsiːd] *tsi* megelőz, előtte jár
antecedent [ˌæntɪˈsiːdnt] **I.** *fn* **1.** *tsz* **antecedents** előélet, múlt *[vké]* **2.** *nyelv* antecedens, előzmény *[amire a névmás visszautal]* **3.** *fil* előtétel **4.** *mat* előtag *[arányé]* **5.** *zene* téma *[fúgáé]* **II.** *mn* **1.** előbbi, korábbi, megelőző **2.** *nyelv* előidejű; **~ clause** előtag **3.** *fil* megelőző, a priori • *fn* **antecedence** *hsz* **antecedently**
antechamber [ˈæntitʃeɪmbə ‖ –ər] *fn* előszoba, váróterem
antechapel [ˈæntitʃæpl] *fn épít* kápolna előcsarnoka
antedate I. *tsi* [ˌæntɪˈdeɪt] **1. a)** korábbra keltez, antedatál *[okmányt, számlát, levelet]* **b)** tévesen korábbi/régebbi időpontot tulajdonít (vmnek) **2.** megelőz *[eseményt]*, előbb történik (vmnél) **II.** *fn* [ˈæntideɪt] korábbi keltezés *[levélen]*
antediluvian [ˌæntidɪˈluːvɪən] *mn* **1.** *átv* vízözön/özönvíz előtti **2.** ósdi, elavult
antelope [ˈæntɪloʊp] *fn tsz* **~s/~** *áll* **1.** antilop; **barbary ~** gazella **2.** antilopbőr *[anyag]*
Antelope State *tul földr US biz* ‹Nebraska állam›
ante meridiem [ˌænti məˈrɪdɪəm], **a.m.** *before noon* délelőtt, de.
antenatal [ˌæntiˈneɪtl] *mn GB orv* **1.** születés előtti, születést megelőző; **~ clinic** terhességi tanácsadó, terhesgondozó **2.** terhességi, terhességgel kapcsolatos

antenna [æn'tenə] *fn tsz* **antennae** [–ni:] **1.** *áll* csáp, tapogató *[rovaroké]*, szarv *[csigáé]* **2.** *tsz* **antennas** *távk* antenna; **got ~ everywhere** *biz* mindenről tud • *mn* **antennal**, **antennary**
antenuptial [ˌænti'nʌpʃl] *mn GB* házasság előtti, házasságot megelőző
antepenult [ˌæntipɪ'nʌlt] → **antepenultimate**
antepenultimate [ˌæntipɪ'nʌltɪmət] **I.** *mn* **1.** *nyelv* utolsó előtti szótag előtti; hátulról a harmadik *[hangsúly, szótag]* **2.** hátulról a harmadik *[személy, tárgy]* **II.** *fn* **1.** *nyelv* hátulról a harmadik szótag **2.** *nyelv* harmadhangsúlyos szó **3.** hátulról a harmadik *[személy, tárgy]*
anterior [æn'tɪərɪə ‖ æn'tɪrɪər] *mn* **1.** elülső, elő-; *nyelv* **~ constituent (of a compound)** előtag *[összetételé]* **2.** megelőző, (vm) előtti, korábbi, előbbi, régebbi (vmnél) • *fn* **anteriority** *hsz* **anteriorly**
ante-room ['æntirʊm, –ru:m] *fn* előszoba, előcsarnok, váróSZOBA
Anthea ['ænθɪə] *tul* ‹női név›
anthelion [ænt'hi:lɪən] *fn tsz* **anthelia** [–lɪə] *csill* vaknap, ellennap, anthelion
anthelmintic [ˌænθel'mɪntɪk] *mn/fn orv* bélféregirtó (szer), féreghajtó (szer)
anthem ['ænθəm] *fn* **1.** *zene* ‹kóruskompozíció istentiszteleteken› **2. a) national ~** (nemzeti) himnusz **b)** *vál* öröménének, dicsőítő ének
anther ['ænθə ‖ –ər] *fn növ* (hím)portok • *mn* **antheral**
anther-dust *fn növ* virágpor, hímpor
antheridium [ˌænθə'rɪdɪəm] *fn tsz* **antheridia** [–dɪə] *növ* spóratok
anthill *fn* **1.** hangyaboly **2.** boly, tömörülés *[emberekből]*
anthologize, -ise [æn'θɒlədʒaɪz ‖ –'θɑ–] **A.** *tsi* antológiában közöl, antológiába felvesz **B.** *tni* antológiát szerkeszt/készít
anthology [æn'θɒlədʒi ‖ –'θɑ–] *fn* antológia, versgyűjtemény, szöveggyűjtemény
Anthony ['æntəni ‖ –θəni] *tul* Antal
anthozoan [ˌænθə'zoʊə] *fn tsz áll* virágállatok, korallok
anthracene ['ænθrəsi:n] *fn ásv* antracén
anthracite ['ænθrəsaɪt] *fn ásv* antracit • *mn* **anthracitic**
anthrax ['ænθræks] *fn tsz* **anthraces** ['ænθrəsi:z] *orv* lépfene, pokolvar • *mn* **anthracic**
anthropocentric [ˌænθrəpoʊ'sentrɪk] *mn fil* antropocentrikus • *fn* **anthropocentrism** *hsz* **anthropocentrically**
anthropogenesis [ˌænθrəpə'dʒenɪsɪs] *fn tud* antropogenezis, az emberfaj fejlődéstörténete
anthropogeny [ˌænθrə'pɒdʒəni ‖ –'pɑ–] → **anthropogenesis**
anthropoid ['ænθrəpɔɪd] *áll* **I.** *fn* emberszabású majom, antropoid **II.** *mn* emberszabású, emberszerű
anthropology [–'pɒlədʒi ‖ –'pɑ–] *fn* **1.** *biol* embertan, antropológia **2.** *népr* kulturális antropológia • *fn* **anthropologist** *mn* **anthropological**
anthropometry [ˌænθrə'pɒmətri ‖ –'pɑ–] *fn tud* embermeréstan, antropometria • *mn* **anthropometric**
anthropomorphic [ˌænθrəpoʊ'mɔ:fɪk ‖ –'mɔr–] *mn tud* antropomorf, antropomorfisztikus • *hsz* **anthropomorphically**
anthropomorphism [ˌænθrəpoʊ'mɔ:fɪzm ‖ –'mɔr] *fn tud* antropomorfizmus • *tsi* **anthropomorphize**
anthropomorphous [–'mɔ:fəs ‖ –'mɔrfəs] *mn* emberszabású, ember alakú
anthropophagy [ˌænθrə'pɒfədʒi ‖ –'pɑ–] *fn* emberevés, kannibalizmus • *mn* **anthropophagous**
anthroposophy [ˌænθrə'pɒsəfi ‖ –'pɑ–] *fn tud* antropozófia
anti ['ænti ‖ 'æntaɪ, ænti] *fn tsz* **antis** *biz* ellenlábas
anti- ['ænti ‖ 'æntaɪ, 'ænti] *előtag* ellen-, elleni, ellenes, anti-; **antisocial** antiszociális
anti-aircraft [ˌænti'eəkrɑ:ft ‖ –'erkræft] *mn kat* légvédelmi, légelhárító; **~ defence** légvédelem, légelhárítás
anti-allergic *mn orv* allergia elleni
anti-baby pill *fn* fogamzásgátló tabletta
antibacterial [ˌæntɪbæk'tɪrɪəl ‖ ˌæntaɪ–] *mn* antibakteriális, baktériumölő
antibiosis [ˌæntɪbaɪ'oʊsɪs ‖ ˌæntaɪ–] *fn biol* antibiózis
antibiotic [ˌæntɪbaɪ'ɒtɪk ‖ –'ɑtɪk] *orv* **I.** *mn* antibiotikus **II.** *fn* antibiotikum
antibody ['æntɪbɒdi ‖ –bɑdi] *fn orv* ellenanyag, ellentest, antitest
anti-British *mn* angolellenes
antic ['æntɪk] *fn tsz* **antics** ugrándozás/bohóckodás, szökdécselés; **play/perform one's antics** bolondozik, bohóckodik, *biz* játssza az eszét
anticathode [ˌæntɪ'kæθoʊd] *fn vill* antikatód
Antichrist ['æntɪkraɪst] *fn* antikrisztus
antichristian [ˌæntɪ'krɪstʃən] *mn* **1.** keresztényellenes/keresztyénellenes **2.** antikrisztusi • *fn* **antichristianism**
anticipant [æn'tɪsɪpənt] *mn/fn* vmre váró/számító, vmt előre látó
anticipate [æn'tɪsɪpeɪt] *tsi* **1. a)** előre lát, anticipál, megérez (vmt), előre érez (vmt), számít (vmre); **~ the worst** el van készülve a legrosszabbra **b)** *US* anyai örömöknek néz elébe **2.** idő előtt (meg)tesz (vmt), megelőz (vkt/vmt), elébe vág (vknek/vmnek); **~ the events** elébe vág az eseményeknek **3.** előrebocsát, előre jelez/sejtet *[elbeszélésben]* **4. a)** felgyorsít, siettet (vm megtörténtét) **b)** előbbre hoz, korábbra tesz *[időpontot]* **5.** kíváncsian/érdeklődéssel vár • *fn* **anticipator** *mn* **anticipative**, **anticipatory**
anticipation [ænˌtɪsɪ'peɪʃən] *fn* **1. in ~** előre, vmnek az elvártában; **in ~ of your consent...** hozzájárulására biztosan számítva, utólagos beleegyezésével **2.** előrelátás, várakozás, számítás; **the general ~ was** az általános elképzelés/(köz)elvárás az volt, hogy... **3. a)** megelőzés, elébevágás vmnek **b)** (ösztönös) megérzés, előérzet **4.** *zene* anticipáció **5.** *nyelv* elővételezés
anticlerical [ˌæntɪ'klerɪkl] *mn/fn* egyházellenes, pap(ság)-ellenes, antiklerikális (ember) • *fn* **anticlericalism**
anticlimax [ˌæntɪ'klaɪmæks] *fn ir.tud* antiklimax, nagy csalódás • *mn* **anticlimactic** *hsz* **anticlimactically**
anticline ['æntɪklaɪn] *fn geol* antiklinális, széthajló redő • *mn* **anticlinal**
anticlockwise [ˌæntɪ'klɒkwaɪz ‖ –'klɑk–] *mn/hsz GB* az óramutató járásával ellenkező irányú/irányba(n), balmenetes, balraforgó
anticoagulant *mn/fn orv* alvadásgátló
anticonstitutional *mn* alkotmányellenes
anticorrosion [ˌæntɪkə'roʊʒn] *mn* rozsdagátló, korróziógátló
anticyclone ['æntɪsaɪkloʊn] *fn meteo* anticiklon • *mn* **anticyclonic**
antidepressant [ˌæntɪdɪ'presnt ‖ ˌæntaɪ–] *orv* **I.** *mn* depresszióellenes, depressziógátló **II.** *fn* depresszió elleni szer
antidote ['æntɪdoʊt] *fn* **1.** *orv* ellenméreg, ellenszer, antidózis **2.** *átv* ellenméreg, ellenszer • *mn* **antidotal**
antifascist [ˌæntɪ'fæʃɪst] *fn* antifasiszta
antifreeze *mn/fn gk rep vegy* fagyálló, fagyásgátló (anyag), folyadék
antigen ['æntɪdʒən] *fn orv* ellenanyagképző, antigén
antigenic [ˌæntɪ'dʒenɪk] *mn orv* ellenanyagképzést kiváltó
anti-g suit *fn rep* ‹felfújható különleges repülőruha a légnyomáskülönbséggel járó rosszullét kiküszöbölésére› űrszkafander
Antigua [æn'ti:gə] *tul* Antigua • *mn* **Antiguan**
anti-hero *fn ir.tud* negatív hős *[irodalmi műben]*
antihistamine [ˌæntɪ'hɪstəmi:n] *fn orv* antihisztamin, hisztamingátló anyag
antihormone [ˌæntɪ'hɔ:moʊn ‖ –'hɔr–] *fn orv* hormongátló

A

anti-inflammatory *orv* **I.** *fn* gyulladáscsökkentő szer **II.** *mn* gyulladáscsökkentő (hatású)
anti-Jewish *mn* zsidóellenes, zsidógyűlölő, antiszemita
antiknock *mn gk* kopogásgátló *[szer]*
Antilles [æn'tɪliːz] *tul földr* **the** ~ az Antillák; **the Greater** ~ a Nagy Antillák
anti-lock brake [ˌæntɪlɒk– ‖ –lɑk–], **ALB**, **ABS** *fn* blokkolásgátló fék(berendezés), ABS
antilogarithm [ˌæntɪ'lɒgərɪðm ‖ –'lɑ–] *fn mat* numerus logarithmi, antilogaritmus
antilogy [æn'tɪlədʒi] *fn* ellentmondás
antimatter ['æntɪmætə ‖ –ər] *fn fiz* antianyag
antimilitarism [ˌæntɪ'mɪlɪtərɪzm] *fn* hadsereg-ellenesség, antimilitarizmus • *fn* **antimilitarist**
antimonial [ˌæntɪ'moʊnɪəl] *mn vegy* antimonos, antimon tartalmú, antimon-
antimonic [ˌæntɪ'mɒnɪk ‖ –'mɑ–] *mn vegy* antimon-
antimonious [ˌæntɪ'moʊnɪəs] *mn vegy* antimonos
antimony ['æntɪməni ‖ –moʊni] *fn ásv vegy* antimon • *mn* **antimonial**, **antimonic**, **antimonious**
antineuralgic [ˌæntɪnjʊ'rældʒɪk] *orv* **I.** *mn* neuralgiát/idegzsábát gyógyító, neuralgiacsillapító **II.** *fn* neuralgiát/idegzsábát gyógyító szer, neuralgiacsillapító (szer), antineuralgikum
antinode ['æntɪnoʊd] *fn fiz* maximális rezgés/kilengés helye, amplitúdópont, interferenciamaximum
antinomian [ˌæntɪ'noʊmɪən] *fn* **I.** *vall tört* anti-nomista **II.** *mn* anti-nomista • *fn* **antinomianism**
antinomy [æn'tɪnəmi] *fn fil* ellentmondás, antinómia • *mn* **antinomic**
antinovel ['æntɪnɒvl ‖ 'æntɪnɑvl] *fn ir.tud* formabontó regény
antioxidant [ˌæntɪ'ɒksɪdənt ‖ –'ɑk–] *fn vegy* antioxidáns, oxidációgátló
antiparticle ['æntɪpɑːtɪkl ‖ –pɑrtɪkl] *fn fiz* antirészecske
antipathetic [ˌæntɪpə'θetɪk] *mn* össze nem illő, elütő, ellenszenves • *mn* **antipathetical** *hsz* **antipathetically**
antipathic [ˌæntɪ'pæθɪk] *mn* **1.** ellenszenves **2.** *orv* ellenkező szimptómákat okozó • *hsz* **antipathically**
antipathy [æn'tɪpəθi] *fn* ellenszenv, idegenkedés, antipátia (*to/against* vmvel szemben;, *between* vkk között)
anti-personnel [ˌæntɪpɜːsə'nel ‖ –pɜr–] *mn kat* szárazföldi csapatok (v. polgári személyek) tömegpusztítására szolgáló, élő erő elleni; ~ **bomb** repeszbomba; ~ **mine** gyalogsági akna
antiperspirant [ˌæntɪ'pɜːspərənt ‖ –'pɜr–] **I.** *mn* izzadáscsökkentő **II.** *fn* izzadáscsökkentő (szer), dezodor
antiphon ['æntɪfən] *fn vall zene* antifóna, karvers
antiphonal [æn'tɪfənl] *vall zene* **I.** *mn* antifónás, antifónaszerű **II.** *fn* antifonárium • *hsz* **antiphonally**
antiphonary [æn'tɪfənəri ‖ –neri] *fn vall zene* antifonárium
antiphony [æn'tɪfəni] *fn vall zene* antifóna, karvers
antipode ['æntɪpoʊd] *fn* **1.** ellentéte **2.** *földr* **the** ~**s** a Föld másik oldala, *GB biz* Ausztrália és Új-Zéland; antipódusok • *mn* **antipodal**, **antipodean**
antipoison ['æntɪpɔɪzən] *fn* ellenméreg
antipope ['æntɪpoʊp] *fn tört* ellenpápa
antiprohibitionist [ˌæntɪproʊɪ'bɪʃn·ɪst] *fn tört* a szesztilalom ellenzője
antiprotectionist [ˌæntɪprə'tekʃn·ɪst] *fn* a védővámrendszer ellenzője
antiproton ['æntɪproʊtən] *fn atfiz* antiproton
antiptosis [ˌæntɪp'toʊsɪs] *fn nyelv* helytelen esethasználat, esetek felcserélése
antipyretic [ˌæntɪpaɪ'retɪk] *mn/fn orv* lázcsillapító (szer)
antiquarian [ˌæntɪ'kweərɪən ‖ –'kwer–] **I.** *mn* régiségtani, régiséggel (v. régi könyvekkel) kapcsolatos/foglalkozó; ~ **bookseller** antikvárius **II.** *fn* **1.** → **antiquary 2.** régiségkereskedő • *fn* **antiquarianism**
antiquary ['æntɪkwəri ‖ –kweri] *fn* régiségkereskedő, régiséggyűjtő, régiségbúvár
antiquated ['æntɪkweɪtɪd] *mn* elavult, divatjamúlt, régimódi, ósdi
antique [æn'tiːk] **I.** *mn* **1.** ókori, antik **2.** *vál* régi, ősi, ódon **3.** *tréf is* elavult, divatjamúlt, régimódi, ósdi **II.** *fn* **1.** régiség; ~ **dealer** régiségkereskedő; ~ **shop** régiségkereskedés **2. the** ~ az antik/ókori művészet/ízlés/stílus **III.** *tsi* régiessé (v. régies külsejűvé) tesz
antiquity [æn'tɪkwəti] *fn* **1.** *tört* (klasszikus) ókor, antikvitás **2. of great** ~ ősrégi; nagymúltú, nagy múltra visszatekintő **3.** *tsz* **antiquities a)** régiségek, antikvitások **b)** antik/ókori emlékek *[épületek, művészi alkotások]* **4.** ókori emberek
antireligious *mn* vallásellenes
antirepublican *mn/fn* köztársaságellenes, *US pol* antirepublikánus
antirrhinum [ˌæntɪ'raɪnəm] *fn növ* oroszlánszáj, medveszáj, tátincs, tátika
anti-rust *mn* rozsdavédő *[szer, réteg, bevonat]*, rozsdamentes *[ötvözet]*
antiscorbutic [ˌæntɪskɔː'bjuːtɪk ‖ –skɔr–] *orv* **I.** *mn* skorbutellenes, skorbut elleni *[szer]* **II.** *fn* skorbutellenes szer; ~ **vitamin** C-vitamin
anti-Semitism [ˌæntɪ'semətɪzm] *fn* zsidóellenesség, zsidógyűlölet, antiszemitizmus • *fn* **anti-Semite** *mn* **anti-Semitic**
antisepsis [ˌæntɪ'sepsɪs] *fn orv* antiszepszis
antiseptic [ˌæntɪ'septɪk] **I.** *mn* **1.** *orv* fertőzésgátló, csíraölő, antiszeptikus **2.** *orv* steril, tiszta **3.** jellegtelen, stílustalan, karakter nélküli **II.** *fn orv* fertőzésgátló szer, antisepticum • *hsz* **antiseptically**
antiserum ['æntɪsɪərəm ‖ –sɪrəm] *fn tsz* **antiserums**, **antisera** *orv* ellenszérum
anti-skidding *mn gk* csúszásgátló, csúszásmentes *[futófelület]*
anti-slavery [ˌæntɪ'sleɪvəri] *mn* rabszolgaság-ellenes
antisocial [ˌæntɪ'soʊʃl] *mn* **1.** társadalomellenes, antiszociális **2.** nehezen alkalmazkodó/beilleszkedő, kerüli a társaságot/embereket
antistatic [ˌæntɪ'stætɪk, ˌæntaɪ–] *mn* antisztatikus, feltöltődésgátló, feltöltődésmentes
antistrophe [æn'tɪstrəfi] *fn ir.tud* ellenversszak, antistrófa
anti-sub, **anti-submarine** *mn kat* tengeralattjáró elhárító
anti-tank *mn kat* tankelhárító, páncéltörő
antitetanic [ˌæntɪtɪ'tænɪk] *mn/fn orv* tetanusz elleni (szer)
anti-theft *mn* biztonsági, betörésmentes *[zár]*
antithesis [æn'tɪθəsɪs] *fn tsz* **-theses** [–siːz] **1. a)** *vál* ellentét, szembeállítás **b)** *fil* ellentétel, antitézis **2. a)** ellentétesség, különbözőség **b)** az ellenkezője, ellentéte
antithetic [ˌæntɪ'θetɪk], **antithetical** *mn* ellentétes, ellenkező, ellentétekben gazdag, antitetikus • *hsz* **antithetically**
antitoxin [ˌæntɪ'tɒksɪn ‖ –'tɑk–] *fn orv* ellenméreg, antitoxin • *mn* **antitoxic**
antitrade ['æntɪtreɪd] *fn meteo* ~**s** antipasszát (szél)
antitrust [ˌæntɪ'trʌst] *mn US* trösztök elleni, trösztellenes
antitype ['æntɪtaɪp] *fn* **1.** előkép, előfutár **2.** ellentípus • *mn* **antitypical**
antivenin [ˌæntɪ'venɪn] *fn orv* kígyómarás elleni szérum, antivenin
antivenom [ˌæntɪ'venəm] *mn* → **antivenin**
antiviral [ˌæntɪ'vaɪrəl] *mn orv* vírusölő, vírusellenes, vírus-elleni
antivivisectionism [ˌæntɪvɪvɪ'sekʃn'ɪzm] *fn* élveboncolás-ellenes politikai irányzat • *fn/mn* **antivivisectionist**
anti-waste *mn* **1.** *orv* védő- *[étel, ital]* **2.** ~ **campaign** anyagtakarékossági mozgalom
antler ['æntlə ‖ –ər] *fn* agancs(ág), bog • *mn* **antlered**
ant-lion *fn áll* hangyaleső

Antonia [æn'toʊnɪə] *tul* Antónia
Antony ['æntəni] *tul* Antal
antonym ['æntənɪm] *fn* ellentétes értelmű szó, antonim szó, antonima • *mn* **antonymous**
antrum ['æntrəm] *fn tsz* **antra** [–trə] *orv* (test)üreg, tágulat • *mn* **antral**
antsy ['æntsi] *mn US Kan szl* **be ~** *[türelmetlen]* be van sózva
Antwerp ['æntwɜːp ‖ –wɜrp] *tul földr* Antwerpen
anuran [ə'nʊərən ‖ ə'nʊrə] *fn tsz áll* farkatlanok
anus ['eɪnəs] *fn orv* végbélnyílás, anus
anvil ['ænvɪl] *fn* **1.** üllő; **on the ~** munka/döntés/tárgyalás alatt álló; **be on the ~** munkában/folyamatban van **2.** *orv* üllő *[fülben]*
anxiety [æŋ'zaɪəti] *fn* **1. a)** aggódás, aggodalom, nyugtalanság **b)** *orv pszich* szorongás **c)** aggodalom oka/tárgya **2.** buzgóság, türelmetlen vágyakozás, sóvárgás
anxious ['æŋkʃəs] *mn* **1. a)** nyugtalan, aggódó, gondterhelt, gondterhes *[arckifejezés]*; **be ~ for sy('s safety)** aggódik vkért; félt vkt **b)** nyugtalanító, aggasztó *[dolog]*, kínos *[pillanat]* **2.** igyekvő, buzgó, sóvárgó, türelmetlen; **be ~ to do sg** ég a vágytól hogy vmt csinálhasson/tehessen; alig várja hogy vmt megtehessen; **be ~ to please sy** mindent megtesz hogy kedvében járjon vknek • *fn* **anxiousness** *hsz* **anxiously**
Anzac ['ænzæk] *röv* ausztráliai/új-zélandi katona(ság)
Anzac Day *fn Ausz ÚjZ [április 25-e]* ‹Ausztrália és Új-Zéland hivatalos nemzeti ünnepe, az 1915. április 25-én a Galippoli-félszigeten történt partraszállás évfordulója›
Anzus Pact [ˌænzəs 'pækt] *fn tört* Csendes-óceáni Védelmi Szerződés *[1952–1986]*
any ['eni] **I.** *mn* **1. a)** valami, valamilyen, valamennyi; **have you got ~ money** van (valami) pénzed?; **have you got ~ matches?** van gyufád?; **not... ~** semmi(féle), semmilyen, semennyi **b)** semmi(féle), semmilyen, semennyi **2.** bármely(ik), akármelyik, bármilyen, akármilyen, bármiféle, akármiféle, tetszés szerinti; **~ ideas?** kinek van ötlete?; **~ day** bármely nap(on); **I expect him ~ minute** (v. **at ~ moment)** minden percben megérkezhet; rövidesen itt kell lennie; **~ one of us** bármelyikünk, közülünk bárki; → **anyone**; **at ~ hour of the day** a nap bármely/minden órájában; **at ~ rate** mindenképp(en); **at ~ time** bármikor; **in ~ case** mindenesetre, feltétlenül, mindenképp(en); **under ~ circumstances** minden/bármilyen körülmények között **3.** nagy, jókora; **~ amount of** nagy mennyiségű **II.** *nm* **1.** valami, *[tagadásban]* semmi; **if ~** ha egyáltalában valami **2.** bármelyik, akármelyik, valamelyik, bárki, bármi; **~ but he would have refused** bárki más visszautasította/megtagadta volna **III.** *hsz* valamivel, valamennyire, valamicskét, *[tagadásban]* semmivel sem, egyáltalán nem; **~ more** valamivel több(et); többé; **will you have ~ more tea?** parancsol még teát?; **not ~ more** egyáltalán nem, semmit sem; ne többet; **I cannot stay ~ longer** nem maradhatok tovább
anybody ['enibɒdi ‖ –bɑdi] *fn/nm* **1. a)** valaki; **is he ~?** *biz* számít ő valakinek?, hát már ő is valaki?; **everybody who was ~ was invited** *biz* mindenkit meghívtak aki csak valamit is számított **b)** *[tagadásban]* senki; **he doesn't care for ~ or anything** senkivel és semmivel sem törődik; nem törődik senkivel, semmivel; **he will never be ~** *biz* sohasem fogja semmire sem vinni **2.** bárki, akárki
anyhow ['enihaʊ] **I.** *hsz* bárhogyan, akárhogyan, így-úgy, jól-rosszul, éppen hogy; **work done ~** összecsapott/hevenyészett munka; **do sg all ~** *biz* kapkodva/rendetlenül/összecsapva csinál vmt, összecsap *[munkát]* **II.** *ksz* mindenesetre, mindenképpen, akárhogyan is, különben is
anymore ['enimɔː ‖ –mɔr] *US* → **any III.**
anyone ['eniwʌn] → **anybody**→ **any I.2.**
anyplace ['enipleɪs] *hsz US* bárhol, akárhol, bárhová, akárhová; → **anywhere**
anything ['eniθɪŋ] *nm* **1. a)** valami; **can I do ~ for you?** miben lehetek a szolgálatára?, tehetek vmt önért (v. az ön érdekében)?; **~ else madam?** még valamit asszonyom?, szolgálhatok még valamivel, asszonyom?; **if ~ should happen to him** ha valami baja történne; ha valami baleset érné; **is he ~ of an artist?** valóban művész?, valami művészféle? **b)** *[tagadásban]* semmi; **hardly ~** majdnem/szinte semmi **2.** bármi, akármi; **~ will do** bármi megteszi; **~ you like** amit csak akar(sz), ahogy jónak látja; **he would do ~ for me** bármit/mindent megtenne értem; **I would give ~ to know** sokat adnék (érte) ha tud(hat)nám; **~ but...** minden, csak nem...; mindent, csak ...t ne; **he is ~ but stupid** ő minden csak nem hülye; egyáltalán nem hülye; **~ up to, ~ approaching...** mintegy, körülbelül...; **without doing ~ (whatever)** anélkül, hogy bármit is csinálna/tenne (v. csinált/tett volna); **not that he knows ~ about it** nem mintha bármit is tudna róla (v. értene hozzá) **3. like ~** *biz* nagyon hevesen; ahogy csak lehet(ett), ahogy csak tud(ta), teljes erőből; **it's as simple/easy as ~** *biz* pofonegyszerű, úgy megy mint a karikacsapás
anyway ['eniweɪ] **I.** *hsz* **1.** valahogyan, valamiképp, bárhogy álljon is (ez) a dolog, úgyis **2.** akárhogyan, bárhogyan **II.** *ksz* mindenesetre, szóval; **he isn't in ~** (ne keresd,) úgysincs itthon; **I couldn't come ~** egyébként/amúgy sem tudnék eljönni
anywhere ['eniweə ‖ –hwer] *hsz* **1. a)** *[kérdésben]* valahol, valahová **b)** *[tagadásban]* sehol, sehová **2.** akárhol, bárhol, akárhová, bárhová; **~ else** bárhol másutt, bárhová máshová; **it is miles from ~** *biz* a világ végén van, az isten háta mögött van; *átv* **earn ~ from 2000 to 3000 dollars a month** úgy havi 2000-3000 dollárt keres
anywise ['eniwaɪz] *hsz* **1. a)** *[kérdésben]* valahogy(an), valamiképp(en) **b)** *[tagadásban]* sehogy(an), semmiképp(en) **2.** bárhogyan, akárhogyan, bármiképpen
a/o *röv account of* számlájára
A-OK *röv US all (systems) OK*
aorta [eɪ'ɔːtə ‖ –'ɔrtə] *fn tsz* **aortas**, **aortae** [–tiː] *orv* főütőér, aorta • *mn* **aortic**
AP *röv Associated Press*
apace [ə'peɪs] *hsz vál* gyorsan, gyors léptekkel, fürgén
apache [ə'pæʃ] *fn* apacs, huligán *[Párizsban]*
Apache [ə'pætʃi] *mn/fn* apacs *[nép és nyelv]*
apanage ['æpənɪdʒ] *fn* **1.** ‹a királyi család eltartására szolgáló összeg› **2.** rendszeres juttatás(ok), apanázs **3.** a munkabéren túli juttatások
apart [ə'pɑːt ‖ ə'pɑrt] *hsz* **1. a class ~** külön osztály/fajta; **hold oneself ~** félrehúzódik, távoltartja magát; **take sy ~** félrevon vkt **2. a)** szét, ketté, külön; **come ~** leválik, szétválik; szétesik, tönkremegy; **get two things ~** különválaszt/szétválaszt két dolgot; **keep ~** külön/elkülönítve tart; **live ~** külön élnek *[házasfelek]*; **move ~** elválnak, szétköltöznek; **it is difficult to tell them ~** nehéz megkülönböztetni őket **b)** távol(ságra) egymástól; **they are a mile ~** egy mérföldnyi távolságra vannak egymástól **3. jesting/joking ~** tréfán kívül; **~ from** vmt nem számítva/nézve, vmtől eltekintve, vmn kívül; *US* kivéve; **~ from the fact that** attól a ténytől/körülménytől eltekintve hogy, teljesen függetlenül attól, hogy
apartheid [ə'pɑːtheɪt, –haɪt ‖ ə'pɑrteɪt] *fn* **a)** apartheid, szegregáció, faji elkülönítés **b)** *tört* apartheid politika/rendszer *[Dél-Afrikában]*
apartment [ə'pɑːtmənt ‖ –'pɑrt–] *fn* **1. a)** szoba **b)** lakosztály; **take ~s** lakást vesz ki (v. bérel); **let furnished ~s** bútorozott lakást ad ki/bérbe **2.** *US* **a)** lakás **b)** → **apartment building**
apartment building *fn US* (többlakásos) lakóház, bérház
apartment hotel *fn* apartman(hotel) *[komplett lakást/lakosztályt akár hosszabb távra is kínáló szálloda, panzió]*
apartment house *fn US* → **apartment building**
apathetic [ˌæpə'θetɪk] *mn* fásult, egykedvű, érzéketlen, közönyös, apatikus • *hsz* **apathetically**

A

apathy ['æpəθi] *fn* érzéketlenség, szenvtelenség, egykedvűség, fásultság; közöny, eltompultság, apátia
apatite ['æpətaɪt] *fn ásv* apatit
ape [eɪp] **I.** *fn* **1.** *áll [nagy farkatlan]* majom; **anthropoid/higher ~s** emberszabású majmok **2. a)** *szl* (utánozó) majom; **go ~** *szl [mérges lesz]* begőzöl, felhúzza magát, *[megőrül]* bedilizik **b)** majomforma ember **II.** *tsi* majmol, utánoz, imitál
Apennines ['æpənaɪnz] *tul tsz* **the ~** az Appenninek
aperient [ə'pɪərɪənt ‖ –'pɪr–] *mn/fn orv* hashajtó (szer)
aperiodic [ˌeɪpɪəri'ɒdɪk ‖ –pɪri'ɑ–] *mn* **1.** rendszertelen, összefüggéstelenül/rendszertelenül fellépő/megjelenő **2.** *fiz* nem időszakos, szakasz nélküli, aperiodikus *[rezgés, áramkör]*, *távk el* hangolatlan *[antenna]* • *fn* **aperiodicity**
aperitif [əˌperə'tiːf] *fn* aperitif
aperçu [ˌæpɜː'sjuː ‖ ˌæpɜr'suː] *fn* **1.** (összefoglaló) áttekintés, rövid vázlat **2.** betekintés, rálátás
aperture ['æpətʃə ‖ 'æpərtʃur] *fn* nyílás, rés, *fényk* rekesz, apertúra
apery ['eɪpəri] *fn biz* majomkodás, majmolás
apetalous [eɪ'petələs] *mn növ* sziromtalan
apex ['eɪpeks] *fn tsz* **apexes, apices** ['eɪpɪsiːz] **1.** csúcs, hegy, végződés, apex **2.** *mat* csúcspont, tetőpont; **~ angle** csúcsszög
APEX ['eɪpeks] *röv* **1.** *advance purchase excursion* ‹kedvezményes árú menettérti jegy› APEX-jegy **2.** *GB Association of Professional, Executive, Clerical and Computer Staff*
apfelstrudel [ˌæpfəl'struːdl] *fn gaszt német* almásrétes
aphasia [ə'feɪzɪə ‖ ə'feɪʒə] *fn orv* beszédzavar, beszédképtelenség, afázia • *mn* **aphasic**
aphelion [æ'fiːlɪən] *fn tsz* **aphelia** *csill* naptávol, afélium
aphesis ['æfəsɪs] → **aphaeresis** • *mn* **aphetic** *hsz* **aphetically**
aphid ['eɪfɪd] → **aphis**
aphis ['eɪfɪs] *fn tsz* **aphides** ['eɪfɪdiːz] levéltetű
aphonia [eɪ'founɪə] *fn orv* hangvesztés, hangtalanság, afónia
aphony ['æfəni] → **aphonia**
aphorism ['æfərɪzm] *fn* aforizma, velős mondás • *tni* **aphorize** *fn* **aphorist** *mn* **aphoristic** *hsz* **aphoristically**
aphrodisiac [ˌæfrə'dɪziæk] **1.** *mn* nemi vágyat keltő/fokozó *[szer]* **2.** *fn* nemi vágyat keltő/fokozó szer, afrodiziákum
Aphrodite [ˌæfrə'daɪti] *tul mit* Aphrodité
aphtha ['æfθə] *fn tsz* **aphthae** [–θiː] *orv* szájfekély, afta • *mn* **aphthous**
aphyllous [eɪ'fɪləs, ə'fɪləs] *mn növ* levéltelen
apian ['eɪpɪən] *mn áll* a méhekkel kapcsolatos, méh-
apiary ['eɪpɪəri ‖ 'eɪpieri] *fn* méhes, méhészet • *fn* **apiarist**
apical ['æpɪkl, 'eɪ–] *mn* csúcs-, tető-
apices ['eɪpɪsiːz] → **apex**
apiculture ['eɪpɪkʌltʃə ‖ –ər] *fn* méhészet, méhtenyésztés • *fn* **apiculturist** *mn* **apicultural**
apiece [ə'piːs] *hsz* darabonként, fejenként; **cost 2000 forints ~** 2000 forint darabja
apish ['eɪpɪʃ] *mn* **1.** majomszerű, majom- **2.** *régi* nagyképű, pózoló, affektált • *fn* **apishness** *hsz* **apishly**
aplanatic [ˌæplə'nætɪk] *mn fényk* **~ lens** aplanatikus lencse, aplanát
aplasia [ə'pleɪzɪə ‖ ə'pleɪʒə] *fn orv* aplasia • *mn* **aplastic**
aplenty [ə'plenti] *hsz* bőségesen, bőven, bőviben, nagyon alaposan
aplomb [ə'plɒm ‖ ə'plɑm] *fn* biztos fellépés, öntudatos magatartás, önbizalom
apnoea [æp'niːə], *US* **apnea** *fn orv* légzésszünet, légzésleállás, légzésmegállás, apnoé
apocalypse [ə'pɒkəlɪps ‖ ə'pɑ–] *fn* **1.** apokalipszis; *vall* **the A~ (of St John)** Jelenések könyve, Apokalipszis **2.** ‹nagy/utolsó időket sejtető (apokaliptikus) esemény›
apocalyptic [əˌpɒkə'lɪptɪk ‖ əˌpɑ–] *mn* **1.** apokaliptikus, jelenésszerű **2.** *átv* homályos, titokzatos • *hsz* **apocalyptically**
apocarpous [ˌæpoʊ'kɑːpəs ‖ –'kɑr–] *mn növ* különálló termőlevelű
Apocrypha [ə'pɒkrɪfə ‖ ə'pɑ–] *fn tsz* **1.** *vall bibl* **the A~** az apokrifák, apokrif iratok/könyvek **2. a~** hitelteten (v. nem valódi) írások
apocryphal [ə'pɒkrɪfl ‖ ə'pɑ–] *mn* **1.** *vall* apokrif **2. a)** kétes hitelességű, bizonytalan eredetű **b)** nem hiteles/valódi, hamis(ított), koholt
apodal ['æpədl] *mn áll* lábatlan, lábhíjas, uszony nélküli
apodeictic [ˌæpə'daɪktɪk], **apodictic** *mn fil* szükségszerűen igaz, bizonyításra nem szoruló, cáfolhatatlan, apodiktikus
apodosis [ə'pɒdəsɪs ‖ ə'pɑ–] *fn tsz* **apodoses** [–siːz] *nyelv* feltételes mondatnak a következményt tartalmazó része
apogee ['æpədʒiː] *fn* **1.** *csill* földtávol *[égitesté]* **2.** *átv* tetőpont, csúcspont, zenit; **he reached the ~ of his fame** dicsőségének zenitjére/tetőpontjára ért el • *mn* **apogean**
apolitical [ˌeɪpə'lɪtɪkl] *mn* **1.** apolitikus, politikamentes **2.** politikailag közömbös, a politikától elzárkózó *[személy/szervezet,]*
Apollo [ə'pɒlou ‖ –'pɑ–] *tul mit* Apolló
Apollonian [ˌæpə'lounɪən] *mn* rendezett, racionális, fegyelmezett, kiegyensúlyozott
apologetic [əˌpɒlə'dʒetɪk ‖ əˌpɑ–] *mn* **1.** bocsánatkérő, elnézést kérő, mentegető(d)ző; **in an ~ tone** bocsánatkérő hangon; **be very ~ for coming so late** mély sajnálkozását fejezi ki késése miatt **2.** igazoló, védekező, védő, apologetikus • *hsz* **apologetically**
apologia [ˌæpə'loudʒɪə] *fn* védőirat, apológia
apologist [ə'pɒlədʒɪst ‖ ə'pɑ–] *fn* **1.** védelmező, méltató, igazoló **2.** hitvédő, apologéta *[egyházatya]*
apologize, -ise [ə'pɒlədʒi ‖ ə'pɑ–] *tsi* **1.** mentegetődzik, bocsánatot/elnézést kér **2.** magyarázkodik
apologue ['æpəlɒg ‖ –lɔg, –lɑg] *fn* tanmese, példázat
apology [ə'pɒlədʒi ‖ ə'pɑ–] *fn* **1.** bocsánatkérés, mentegető(d)zés; **letter of ~** bocsánatkérő levél; **make/offer an ~** bocsánatot kér; **make a full ~ to sy** teljes elégtételt ad vknek **2.** *biz* (silány) pótlék, szükségmegoldás; **an ~ for a lunch** összecsapott/hevenyészett ebéd; **an ~ of a curtain** hevenyészett függöny, egy függönyként odacsapott valami **3.** → **apologia**
apolune ['æpəluːn] *fn csill* holdtávol, apolunium
apophthegm ['æpəθem] *fn* velős mondás, aforizma • *mn* **apophthegmatic**
apoplectic [ˌæpə'plektɪk] *mn* **1.** *orv* (szív)szélhűdéses, szélütéses, gutaütéses; *orv* **~ fit/stroke** (szív)szélhűdés, gutaütés **2.** *orv* gutaütésre hajlamos **3.** *biz* mérges, dühös • *hsz* **apoplectically**
apoplexy ['æpəpleksi] *fn orv* **1.** (szív)szélhűdés, szélütés, guta(ütés); **cerebral ~** agyvérzés; **heat ~** hőguta **2.** hirtelen érzelemkitörés *[különösen haragé]*
apostasy [ə'pɒstəsi ‖ –'pɑ–] *fn* **1.** hitehagyás, aposztázia **2.** megtagadás, feladás *[pártállásé, elveké]*
apostate [ə'pɒsteɪt, –tət ‖ –'pɑ–] *mn/fn* **1.** hitehagyott, aposztata **2.** pártütő, fogadalomszegő • *mn* **apostatical**
apostatize, -ise [ə'pɒstətaɪz ‖ ə'pɑ–] *tni* **1.** feladja elveit, megszegi fogadalmát **2.** elhagyja hitét, aposztatál
a posteriori [ˌeɪpɒsteri'ɔːraɪ ‖ ˌɑpoustɪri'ɔri] **I.** *mn* empirikus, tapasztalati, induktív, utólagos, a posteriori **II.** *hsz* empirikusan, tapasztalati úton, induktívan, utólag, a posteriori
apostle [ə'pɒsl ‖ ə'pɑsl] *fn* **1.** apostol; *vall* **the A~s' Creed** az apostoli hitvallás, hiszekegy **2.** vezető személy(iség) *[csoporté, mozgalomé]* **3.** képviselő, küldött • *fn* **apostleship**

apostle-bird *fn áll* ‹többféle, 12-es csapatokban élő ausztál madárfaj összefoglaló neve›
apostolate [ə'pɒstələt ‖ –'pɑs–] *fn* **1.** apostoli hivatás/küldetés **2.** apostolkodás, új eszmék/tan hirdetése
apostolic [ˌæpə'stɒlɪk ‖ –'stɑ–] *mn vall* apostoli; **A~ benediction** pápai áldás; **~ college** bíborosi kollégium; **~ delegate** pápai/apostoli delegátus; **the A~ Fathers** a II. századi egyházatyák (írásai); **A~ See** a (római) Szentszék
apostrophe [ə'pɒstrəfi ‖ –'pɑ–] *fn* **1.** aposztróf (vessző) **2.** szónoki megszólítás, aposztrofálás • *tsi/tni* **apostrophize**
apothecary [ə'pɒθəkəri ‖ ə'pɑθəkeri] *fn* **1.** gyógyszerész, patikus; **apothecaries' weight** gyógyszerész-súlymérték-(rendszer) **2.** gyógyszertár
apothegm ['æpəθem] *fn US* → **apophthegm**
apothem ['æpəθem] *fn mat* ‹szabályos sokszögbe írt kör sugara› apotéma
apotheosis [əˌpɒθi'oʊsɪs ‖ –ˌpɑ–] *fn tsz* **-ses** [–si:z] **1.** istenítés, istenné nyilvánítás **2.** dicsőítés, (fel)magasztalás, apoteózis **3.** megdicsőülés, istenített/felmagasztalt ideál/eszmény
apotheosize, -ise [ˌæpə'θi:əsaɪz] *tsi* **1.** istenít, istenné nyilvánít **2.** dicsőít, (fel)magasztal
apotropaic [ˌæpoutrə'peɪɪk] *mn* apotropaikus, rontás ellen védő
app. *röv appendix* függelék, függ.
appal [ə'pɔ:l] *tsi* **-ll- a)** megrémít, elborzaszt, megdöbbent, meghökkent **b) be ~led at (the sight of) sg** elborzad, visszaretten, megrémül, meghűl benne a vér (vm láttán/láttára)
Appalachian [ˌæpə'leɪtʃɪən] *mn földr* **the ~ Mountains** Appalache-hegység
appall [ə'pɔ:l] *US* → **appal**
appalling [ə'pɔ:lɪŋ] *mn* ijesztő, megdöbbentő, visszataszító • *hsz* **appallingly**
appanage ['æpənɪdʒ] → **apanage**
apparat [ˌæpə'rɑ:t ‖ ˌɑp–] *fn tört pol* az apparátus *[kommunista pártállamban]*
apparatus [ˌæpə'reɪtəs ‖ –'rætəs] *fn tsz* **~/~es 1. a)** készülék, szerkezet, segédeszköz, műszer **b)** berendezés, felszerelés **c)** *orv* **digestive ~** emésztőszervek **2.** *átv* gépezet, apparátus; **state ~** államgépezet, államapparátus **3. critical ~** kritikai apparátus
apparel [ə'pærəl] **I.** *fn* **1.** *US hiv* ruházat, öltözék, mez **2.** *hajó* felszerelés **II.** *tsi* **-ll-**, *US* **-l 1.** *régi* **a)** felruház, felöltöztet **b)** feldíszít, díszbe öltöztet **2.** *hajó* felszerel(éssel ellát)
apparent [ə'pærənt] *mn* **1.** látszólagos **2.** nyilvánvaló, szemmel látható, kézzelfogható; **the heir ~** vélelmezett/prezumtív örökös; trónörökös; **as will presently become ~** amint az a továbbiakból rövidesen kitűnik; *iron* **that's quite ~** ez aztán világos
apparently [ə'pærəntli] *hsz* **1.** úgy tűnik, úgy látszik hogy **2.** nyilván(valóan), kétségtelenül, szemmel láthatólag, kézzelfoghatóan
apparition [ˌæpə'rɪʃn] *fn* **1.** megjelenés, láthatóvá válás **2.** kísértet, szellem, látomás, jelenés
appeal [ə'pi:l] **I. A.** *tsi US* **~ a case** ítéletet megfellebbez **B.** *tni* **1.** *jog* fellebbez vm ellen **2.** folyamodik, fordul; **~ to the law** a törvényhez/bírósághoz fordul; **~ to sy for help** segítségért folyamodik vkhez; **~ to the country** (feloszlatja az országgyűlést és) új választásokat ír ki **3. ~ to sy('s imagination)** vkre (v. vknek a képzeletére) hat, vkt vonz; **the plan ~s to me** a terv tetszik nekem, a tervet vonzónak találom **II.** *fn* **1.** *jog* fellebbezés, felfolyamodás, fellebbvitel; **Court of A~** fellebbviteli bíróság; **Final Court of A~**, **Supreme Court of A~** Legfelsőbb Bíróság, Semmítőszék; **military ~ court** katonai fellebbviteli bíróság; **without ~** megfellebbezhetetlenül, fellebbezés kizárásával, legfelső fokon; **notice of ~** idézés; **right of ~** fellebbezési/fellebbviteli jog; **an ~ lies** fellebbezésnek helye van; **lodge an ~**, **give notice of ~** fellebbez; **acquitted on ~** másodfokon felmentve **2. a)** fordulás, folyamodás; **an ~ to arms** fegyverekhez folyamodás; **make an ~ to sy's generosity** vknek a nagylelkűségére hagyatkozik/apellál **b)** kérés, esdeklés, könyörgés **3.** vonzerő, varázs, csáb; **sex(ual) ~** szexuális vonzerő, szexepil; **the ~ of the sea** a tenger vonzereje/varázsa
appealable [ə'pi:ləbl] *mn jog* megfellebbezhető *[döntés, ítélet]*
appeal fund *fn* segélyalap
appealing [ə'pi:lɪŋ] *mn* **1.** kérő, könyörgő, esdeklő *[tekintet]*, megindító, megható *[hang]* **2.** vonzó, szimpatikus, megnyerő *[egyéniség]*, tetszetős • *hsz* **appealingly**
appear [ə'pɪə ‖ ə'pɪr] *tni* **1.** feltűnik, előtűnik, megjelenik, láthatóvá válik **2. a)** megjelenik (vhol); *jog* **~ before a court** (idézésre) megjelenik a bíróság előtt; *jog* **fail to ~** idézésre nem jelenik meg; **~ for sy** vknek a képviseletében megjelenik, vkt képvisel/véd *[bíróság előtt]* **b)** fellép; **~ on the stage** színpadra lép; fellép *[színész]* **c)** megjelenik, nyilvánosságra kerül *[könyv, cikk]*; **~ in print** *[vk műve]* nyomtatásban megjelenik **3.** tűnik, látszik; **~ from** kitűnik vmből; **so it ~s, so it would ~** úgy látszik (igen) **4. a)** kitűnik, megmutatkozik, nyilvánvalóvá válik; **make it ~ that** úgy tünteti fel, hogy; úgy állítja be, hogy; azt a látszatot kelti, hogy **b)** *gazd* **it shall ~ in your credit** számláján jóvá fogjuk írni
appearance [ə'pɪərəns ‖ ə'pɪr–] *fn* **1. a)** megjelenés, *szính* fellépés; **make an/one's ~** megjelenik; **make one's first ~** debütál, első ízben lép fel *[színházban]* **b)** *jog* megjelenés *[bíróság előtt]*; *jog* **day of ~** (bírósági) határidő, terminus; *gazd* **make ~** bemutat *[váltót]* **c)** megjelenés *[kiadványé]* **2. a)** külső, megjelenés; **have a good ~** jó külsejű/megjelenésű; **at first ~** első látásra/tekintetre, felületesen; **judge by ~s** külsőségek alapján ítél **b)** látszat, külsőségek; **keep up ~s** fenntartja a látszatot; **for the sake of ~** a látszat kedvéért; **to all ~s** a látszat szerint, minden arra mutat hogy **c) there was not the slightest ~ of Mr. Miller** nyoma sem volt Mr. Millernek
appease [ə'pi:z] *tsi* **1.** megbékít, lecsillapít, lecsendesít, megnyugtat (vkt) **2.** kielégít *[szenvedélyt]*, csillapít, enyhít *[éhséget]*, olt *[szomjat]* **3.** *[politikai/gazdasági/katonai engedmények árán]* ellenfelet megbékít/kiengesztel • *fn* **appeasement**, **appeaser**
appellant [ə'pelənt] *mn/fn jog* fellebbező, felfolyamodó (fél)
appellate [ə'pelət] *mn jog* fellebbviteli; **~ court** fellebbviteli bíróság
appellation [ˌæpə'leɪʃn] *fn hiv* név, cím(zés), nomenklatúra
appellative [ə'pelətɪv] *mn nyelv* **~ noun** köznév
append [ə'pend] *tsi* **1.** csatol, mellékel, hozzáfüggeszt, rátesz *[pecsétet]*; **~ a signature to a document** iratot aláír (v. kézjegyével ellát) **2.** ráakaszt, felfüggeszt
appendage [ə'pendɪdʒ] *fn* **1.** tartozék, függelék, toldalék; **a house with ~s** ház melléképületekkel **2.** *orv biol* függelék, nyúlvány
appendant [ə'pendənt] **I.** *mn* **1.** járulékos, kiegészítő **2.** hozzáfűzött, hozzáerősített **II.** *fn* **1.** → **appendage** 1. **2.** függő(ségben lévő) személy
appendectomy [ˌæpən'dektəmi] *fn orv* féregnyúlvány eltávolítása, vakbélműtét
appendicetomy *fn GB orv* → **appendectomy**
appendicitis [əˌpendə'saɪtɪs] *fn orv* vakbélgyulladás, féregnyúlványlob, appendicitis; **purulent/gangrenous ~** gennyes/heveny vakbélgyulladás
appendix [ə'pendɪks] *fn tsz* **appendices** [–dɪsi:z] **1.** függelék *[könyvben]*, toldalék *[okiraté]* **2.** *geol* nyúlvány
apperceive [ˌæpə'si:v ‖ ˌæpər–] *tni pszich* tudatosan észlel, appercipiál • *mn* **apperceptive**
apperception [ˌæpə'sepʃn ‖ ˌæpər–] *fn pszich* **1.** tudatos észlelés, appercepció **2.** tudatossá válás, tudatosulás

appertain [ˌæpəˈteɪn ‖ ˌæpər–] *tni* **1.** (hozzá)tartozik; *hiv* **lands ~ing to the Crown** kincstári birtokok; *hiv* **as ~s to my office** hivatalomnál fogva **2.** vonatkozik

appetence [ˈæpɪtəns] → **appetency**

appetency [ˈæpɪtənsi] *fn* erős vágy, sóvárgás; **~ for learning** tudásszomj; **~ for power** hatalomvágy

appetite [ˈæpətaɪt] *fn* **1. a)** étvágy; *orv* **loss of ~** étvágytalanság; **give an ~** étvágyat csinál; **have a good ~** jó étvágya van; **spoil sy's, take away sy's ~** elveszi vknek az étvágyát; **the ~ grows with what it feeds on** evés közben jön meg az étvágy **b)** szexuális vágy **2.** erős vágy; **~ for revenge** bosszúszomj, bosszúvágy • *mn* **appetitive**

appetizer, -iser [ˈæpətaɪzə ‖ –ər] *fn* étvágygerjesztő *[ital, előétel]*

appetizing, -ising [ˈæpətaɪzɪŋ] *mn* étvágygerjesztő, ínycsiklandó, kívánatos, gusztusos • *hsz* **appetizingly**

applaud [əˈplɔːd] **A.** *tsi* **1.** megtapsol; **be ~ed** megtapsolják, tapsot kap **2.** helyesel, dicsér, üdvözöl (vmt); **~ sy's conduct** helyesli vk viselkedését **B.** *tni* tapsol

applause [əˈplɔːz] *fn* **1.** taps; **win ~** tapsot kap, tapsot vált ki, megtapsolják **2.** helyeslés, dicséret

apple [ˈæpl] *fn* **1.** alma; **the Big A~** *US biz* New York (városa); *Ausz* **A~ Island** Tasmánia; **upset the ~-cart** *biz* keresztülhúz *[tervet]*; **~ turnover** almás lepény **2.** *biz* **~ of one's eye** vk szeme fénye

apple brandy *fn GB* almapálinka

apple butter *fn* almalekvár, almakrém

apple-cheeked *mn* pirospozsgás (arcú)

applejack *fn US Kan* almapálinka

apple juice *fn* almalé

apple-pie *fn* almás lepény/pite; **be in ~ order** *biz* tökéletesen/legnagyobb rendben van

apple-sauce [ˌ–ˈ– ‖ ˈ– –] **I.** *fn* **1.** párolt alma, almakompót **2. a)** *US biz* hízelgés, (talp)nyalás **b)** *US biz* szamárság, badarság **II.** *isz US biz* üres beszéd!, lári-fári!, badarság!, maszlag!

applet [ˈæplət] *fn infor* kisalkalmazás, applet

apple-tart *fn* almatorta

appliance [əˈplaɪəns] *fn* **a)** szerkezet, készülék, berendezés; **safety ~** biztonsági berendezés **b)** *tsz* **appliances** szerelékek, szerelvények, tartozékok *[gépé]* **c) household ~s** háztartási gépek

applicable [əˈplɪkəbl, ˈæplɪkəbl] *mn* **1.** rászerelhető, ráilleszthető **2.** alkalmas, alkalmazható, megfelelő, felhasználható • *fn* **applicability** *hsz* **applicably**

applicant [ˈæplɪkənt] *fn* pályázó, jelölt *[állásra, pályázatra]*

application [ˌæplɪˈkeɪʃn] *fn* **1. a)** alkalmazás, felhasználás, használat; *orv* **for external ~** külsőleg **b)** ráillesztés, ráhelyezés, bevonás (vmvel); **cold ~** hideg borogatás **c)** *infor* alkalmazás, felhasználói program **2. a)** kérvény, kérelem, pályázat; *kat* **~ for leave** eltávozási kérelem; **~ for a patent** szabadalmi bejelentés; **call for ~s** pályázatot hirdet; pályázat kihirdetése; **hand in one's ~** pályázatot benyújt; **invite ~s for** pályázatot hirdet vmre; **make an ~ for sg** kérvényez/kérelmez vmt; megpályáz vmt **b)** *gazd* **make ~ for shares** részvényeket jegyez **3. a)** szorgalom, igyekezet, iparkodás **b)** figyelem, szellemi erőfeszítés, elmélyedés

application form *fn* jelentkezési lap, (kérvény)űrlap, kérőlap, pályázati űrlap

application program *fn infor* felhasználói program

applicator [ˈæplɪkeɪtə ‖ –ər] *fn* ‹kenőcsöt, permetet felrakó/ráfúvó eszköz› applikátor

applied [əˈplaɪd] *mn* alkalmazott, felhasznált; **~ art(s)** iparművészet; **~ mathematics** alkalmazott matematika; **~ music** gyakorlati zeneoktatás *[hangszeres képzés]*; **~ linguistics** alkalmazott nyelvészet; **~ sciences** (az) alkalmazott tudományok

appliqué [əˈpliːkeɪ ‖ ˌæpləˈkeɪ] **I.** *fn* rátétes/rátűzött/applikált díszítés/hímzés/munka **II.** *mn* rátétes, applikált; **hand ~ initials** kézzel hímzett monogram; **~ lace** rátűzött csipke **III.** *tsi* rátéttel díszít/hímez

apply [əˈplaɪ] **A.** *tni* **1.** vonatkozik, érvényes; **this also applies to you** ez rád is vonatkozik; **this rule applies to all cases** ez a szabály minden esetben érvényes, ez alól a szabály alól nincs kivétel; **delete whichever does not ~** a nem kívánt (rész) törlendő **2.** pályázik (vmért vhová); **~ to sy for sg** pályázik/fordul/folyamodik vkhez vmért; **~ within** felvilágosítás itt; **~ to Mr. Goodman** forduljon Goodman úrhoz **B.** *tsi* **1.** alkalmaz, (fel)használ, fordít; **~ one's mind to sg** figyelmét vmre fordítja/összpontosítja; **~ oneself to sg** vmre adja magát, vmvel (komolyan) kezd foglalkozni **2.** alkalmaz, ráilleszt, ráhelyez, ráerősít, felrak (*sg to sg* vmt vmre), bevon (vmvel vmt), felhord, felvisz *[festéket]*; **~ a bandage/dressing** bekötöz *[sebet, sérülést]*; **~ first-aid** elsősegélyt nyújt; **~ a coat of paint to sg** festékréteggel bevon vmt, (át)fest vmt

appoggiatura [əˌpɒdʒəˈtʊərə ‖ əˌpɑdʒəˈtʊrə] *fn zene* előke

appoint [əˈpɔɪnt] *tsi* **1. a)** kinevez; **~ sy to a professorship** vkt egyetemi tanárnak nevez ki **b)** kijelöl; **~ sy to a ship** vkt egy (hadi)hajóra oszt be (v. vezényel) **2.** kijelöl *[helyet]*, kitűz *[időpontot]* **3.** *jog* kijelöl/kinevez végrendeletben *[gyámot, végrendeleti végrehajtót]*; **~ sy (as) one's heir** vkt (végrendeletileg) örökösének nevez meg/ki **4.** felszerel, berendez, ellát • *fn* **appointee**, **appointer** *mn* **appointive**

appointed [əˈpɔɪntɪd] *mn* **1.** kijelölt, kinevezett *[személy]*; **~ agent** állandó megbízott/meghatalmazott **2.** kijelölt *[hely]*, kitűzött *[időpont]*; **at the ~ time** a megadott/kitűzött időpontban, a megbeszélt időben

appointment [əˈpɔɪntmənt] *fn* **1. a)** (megbeszélt) találkozó, (előzetes) bejelentés, (megbeszélt) időpont, megbeszélés; **keep an ~** pontosan megjelenik a megbeszélt helyen és időben; **break an ~** nem megy el a találkozóra; **I have an ~ with Mr. Rollins at 2 p.m.** du. 2-re vagyok bejelentve Rollins úrnál/úrhoz; du. 2-kor találkozom Rollins úrral; **make/fix an ~ with sy** találkozót beszél meg vkvel; előzetesen bejelenti magát vknél; **by ~** megbeszélés/megállapodás szerint **b)** *US okt* konzultáció **2. a)** kinevezés, kijelölés; **by (special) ~ to His Majesty** (v. **to the Queen**) udvari/kamarai (szállító) **b)** tisztség, hivatal, megbíz(at)ás; **hold an ~** hivatalos tisztségben van **3. a)** felszerelés *[csapatoké, hajóé]* **b)** *tsz* **appointments** berendezés, felszerelés *[házé]*

apport [əˈpɔːt ‖ əˈpɔrt] *fn* ‹az okkult szeánsz során materializálódott tárgyak›

apportion [əˈpɔːʃn ‖ əˈpɔrʃn] *tsi* **1.** (arányosan) feloszt, megoszt, apportál *[költségeket]*, felparcelláz *[telket]* **2. ~ sg to sy** kijelöl/kiutal vmt vk részére • *mn* **apportionable**

apportionment [əˈpɔːʃnmənt ‖ əˈpɔr–] *fn* **1.** felosztás, szétosztás, felparcellázás **2.** kiutalás

apposite [ˈæpəzɪt] *mn* időszerű, helyénvaló, találó *[megjegyzés]*; **an ~ answer** időszerű/helyénvaló/találó válasz; **~ to a case** vmely esetre helyesen alkalmazott • *fn* **appositeness** *hsz* **appositely**

apposition [ˌæpəˈzɪʃn] *fn* **1.** egymás mellé helyezés **2.** *nyelv* értelmező (jelző), appozíció; **words in ~** (egymást) értelmező szavak • *mn* **appositional**

appraisal [əˈpreɪzl] *fn* **1.** becslés, (fel)értékelés, felbecsülés; **official ~** hivatalos becslés **2.** ár **3.** méltatás, méltánylás, értékelés

appraise [əˈpreɪz] *tsi* (meg)becsül, felbecsül, értékel • *fn* **appraisee** *mn* **appraisable**, **appraisive** *hsz* **appraisingly**

appraisement [əˈpreɪzmənt] *fn* → **appraisal**

appraiser [əˈpreɪzə ‖ –ər] *fn* **a)** becsüs, ármegállapító **b)** tűzkárbecslő

appreciable [əˈpriːʃəbl] *mn* észlelhető, észrevehető • *hsz* **appreciably**

appreciate [ə'pri:ʃieɪt] **A.** *tsi* **1. a)** méltányol, (meg)becsül, értékel, nagyra becsül *[szívességet, személyt]*; **I really ~ your help** igazán nagyra becsülöm a segítségét **b)** élvez, értékel *[műalkotást]*; **songs greatly ~d** közkedvelt/népszerű dalok **2.** helyesen ítél meg, tisztán (meg)lát/felfog *[fontosságot, nehézséget]*, (pontosan) érzékel *[különbségeket]*; *US* **I fully ~ the fact that...** teljesen tisztában vagyok azzal, hogy... **3.** felbecsül, értékel, áraz *[árut]* **B.** *tni* nő/növekszik az értéke, emelkedik/felmegy az ára, megdrágul • *fn* **appreciativeness**, **appreciator** *mn* **appreciative**, **appreciatory** *hsz* **appreciatively**

appreciation [əˌpri:ʃi'eɪʃn] *fn* **1. a)** méltánylás, megbecsülés, értékelés, nagyrabecsülés *[szívességé, személyé]*, elismerés, méltatás **b)** élvezet, értékelés *[műalkotásé]* **2.** helyes megítélés, tiszta/pontos felfogás *[fontosságé, nehézségé]*, érzékelés **3.** értéknövekedés **4.** méltatás, (pozitív) kritika *[könyvé, filmé, kiállításé]*

apprehend [ˌæprɪ'hend] *tsi* **1. a)** *vál* megért, felfog **b)** érzékel, észrevesz **2.** letartóztat, lefog **3.** *vál* (előre) fél, tart *[bekövetkezendő bajtól]*; **I ~ (that) it will repeat itself** félek (v. tartok tőle), hogy megismétlődik

apprehensible [ˌæprɪ'hensəbl] *mn* felfogható, megérthető; **~ by/to the senses** érzékelhető • *fn* **apprehensibility**

apprehension [ˌæprɪ'henʃn] *fn* **1.** aggódás, nyugtalanság, rossz előérzet, balsejtelem; **be under some ~s about sg** némi aggálya/balsejtelme van vmvel kapcsolatban **2. a)** felfogás, megértés **b)** érzékelés, észrevétel **c)** nézet, elképzelés, felfogás; **according to popular ~** közfelfogás szerint **3.** letartóztatás, elfogás

apprehensive [ˌæprɪ'hensɪv] *mn* **1. a)** érzékelő, érzékelési, észlelési **b)** felfogó; **the ~ faculty** felfogóképesség **2.** *régi* értelmes, intelligens, jó felfogású **3.** félénk, aggódó, nyugtalan (vm miatt); **be ~ about/of/for danger** veszélytől tart/fél; **be ~ about/of/for sy** félt vkt, aggódik vkért, nyugtalan vk/vm miatt • *fn* **apprehensiveness** *hsz* **apprehensively**

apprentice [ə'prentɪs] **I.** *fn* **1. a)** (ipari) tanuló, tanonc; **bind ~** ipari tanulónak fogad/szerződtet **b)** növendék, tanítvány, famulus *[orvosé, építészé]* **2.** *átv* kezdő, újonc, inas **II. A.** *tsi* **a) ~ sy to sy** inasnak/tanulónak (be)ad vkt vkhez **b)** szerződtet *[tanulót]* **B.** *tni* inasnak/tanulónak szerződik • *fn* **apprenticeship**

apprise[1] [ə'praɪz] *tsi régi* értesít, informál; **~ sy of sg** tudomására hoz vknek vmt; **be ~d of sg** tud vmt/vmről, tájékozott vmről (v. vmvel kapcsolatban)

apprise[2] [ə'praɪz], **-ise** *régi* → **appraise**

appro ['æprəʊ] *fn GB gazd biz* **on ~** megtekintésre, fenntartással *[rendel]*; → **approval 1.**

approach [ə'prəʊtʃ] **I. A.** *tsi* **1. a)** megközelít (vmt), közelít (vmhez), közeledik (vmhez); **he is ~ing sixty** közel jár a hatvanhoz, hatvan felé jár **b) he is difficult to ~** nehéz közel férkőzni hozzá **2. ~ sy** kipuhatolja/kifürkészi vk álláspontját/szándékát, puhatolózik vknél **3. ~ a question** rátér egy kérdésre **B.** *tni* **1.** közeledik, közeleg, közelít **2.** *hajó* kikötőt/partot megközelít, *rep* repülőteret/leszállóhelyet megközelít **3.** *sp* lyukhoz közelít *[golflabdát]* **II.** *fn* **1. a)** közeledés, közelgés **b) make ~es to sy** közeledni próbál (v. közeledik) vkhez **2.** *ját* (meg)közelítés, fokozatos licit *[bridzsben]* **3. a)** *átv* megközelítés, felfogás, szemlélet(mód); **artistic ~** művészi felfogás/megközelítés/szemlélet **b)** *átv* viszony(ulás), beállítottság, hozzáállás **4.** feljáró, felhajtó *[ház elé]*, bekötőút **5.** *sp* **~ putt/shot** megközelítő üres *[golfban]* **6.** *rep* ‹a repülés leszállás előtti része›

approachable [ə'prəʊtʃəbl] *mn* **1.** megközelíthető, hozzáférhető **2.** nyitott, barátságos *[ember, egyéniség]* • *fn* **approachability**

approach road *fn GB közl* felhajtóút, bevezető út, bekötőút

approbate ['æprəbeɪt] *US* → **approve**

approbation [ˌæprə'beɪʃn] *fn* **1.** jóváhagyás, helybenhagyás, hozzájárulás, igazolás **2.** elismerés, helyeslés, kedvező vélemény/ítélet • *mn* **approbative**, **approbatory**

appropriacy [ə'prəʊprɪəsi] *fn nyelv* a legmegfelelőbb/legodaillőbb szó használata

appropriate I. *mn* [ə'prəʊprɪət] **a)** helyénvaló, helyes, helyhez/alkalomhoz illő, találó *[szó, név]* **b)** hozzáillő, alkalmas; **an ~ example** találó/jó példa; **the ~ part** a megfelelő rész **II.** *tsi* [–prieɪt] **1.** kisajátít, magáévá tesz, eltulajdonít **2.** előirányoz, fordít, szán *[összeget vmre]*, juttat, kiutal, átutal (vknek) • *fn* **appropriateness**, **appropriation**, **appropriator** *hsz* **appropriately**

approval [ə'pru:vl] *fn* **1.** jóváhagyás, beleegyezés, hozzájárulás; **nod ~** beleegyezőleg/helyeslően bólint **2.** *gazd* → **approbation**; **send goods on ~** megtekintésre/próbára küld árut

approve [ə'pru:v] **A.** *tsi* helyesel, jóváhagy *[cselekedetet]*, helybenhagy, megerősít *[határozatot]* **B.** *tni* **~ of sg** helyesel, jóváhagy (vmt); **I ~ of him** egyetértek vele, megfelelőnek tartom (vmre) • *hsz* **approvingly**

approved school *fn régi* javítóintézet

approx. *röv approximate(ly)*

approximate I. *mn* [ə'prɒksɪmət ‖ ə'prɑk–] **1.** (meg)közelítő, hozzávetőleges; *mat* **~ calculation** közelítő számítás **2.** közeli, közelálló **II.** [–meɪt] **A.** *tsi* **a)** közelebb hoz, közelít; *mat* **~ a decimal** tizedest felkerekít **b)** megközelít **B.** *tni* közeledik, közel jár, megközelít vmt • *fn* **approximation**

approximately [ə'prɒksɪmətli ‖ ə'prɑk–] *hsz* hozzávetőleg(esen), megközelítően, körülbelül

appurtenance [ə'pɜ:tɪnəns ‖ ə'pɜrtnˑəns] *fn* tartozék, kellék, járulék

appurtenant [ə'pɜ:tɪnənt ‖ ə'pɜrtnˑənt] *mn* járulékos, (vmhez) tartozó, (vmvel) járó

APR *röv annual purchase rate*; *annual(ized) percentage rate*

Apr. *röv April* április, ápr.

apricot ['eɪprɪkɒt ‖ 'æprɪkɑt] **I.** *fn* **1.** kajszibarack(fa), kajszi, sárgabarack(fa) **2.** (sárga)barackszín, baracksárga **II.** *mn* barackszín(ű), baracksárga (színű)

April ['eɪprəl] *fn* április; **~ Fool** április bolondja; **~ Fools' Day** április elseje

a priori [ˌeɪ praɪ'ɔ:raɪ ‖ ˌɑpri'ɔri:] **I.** *mn* a priori, deduktív **II.** *hsz* a priori, deduktíve, eleve • *fn* **apriorism**

apron ['eɪprən] *fn* **1.** kötény **2.** *rep* hangárelőtér, betonkifutó *[reptéri épület előtt]* **3.** *szính* kiugró proszcénium **4.** *műsz* futószalag, (csuklós) szállítószalag(-elem) • *fn* **apronful** *mn* **aproned**

apropos [ˌæprə'pəʊ] **I.** *mn* **a very ~ remark** nagyon találó/helyénvaló megjegyzés **II.** *elölj* **~ of sg** vm kapcsán, vmnek az apropóján/apropójából **III.** *hsz* találóan, helyénvalóan

apse [æps] *fn* **1.** *épít* apszis, félkör alakú (oltár)fülke, szentély **2.** *csill* → **apsis 1.** • *mn* **apsidal**

apsis ['æpsɪs] *fn tsz* **apsides** [æp'saɪdi:z] **1.** *csill* apszis **2.** *épít* → **apse 1.** • *mn* **apsidal**

apt [æpt] *mn* **1.** megfelelő, helyes, találó *[szó, kifejezés]*, talpraesett *[válasz]* **2.** alkalmas, megfelelő (*for* vmre) **3. a) be ~ to do sg** hajlik/hajlamos vmt megtenni; **be ~ to take offence** sértődékeny, sértődős, könnyen megsértődik; **be ~ to break** törékeny, könnyen törik **b)** *US biz* **am I ~ to find Roy at home?** vajon otthon találom Royt? **4.** értelmes, fogékony, tehetséges (*at* vmben); **an ~ pupil** tanulékony/jó tanítvány • *fn* **aptness** *hsz* **aptly**

apt. *röv apartment*

apterous ['æptərəs] *mn tud* szárnyatlan

apteryx ['æptərɪks] *fn tsz* **-es** *áll* kivi

aptitude ['æptɪtju:d ‖ –tu:d] *fn* hajlam, adottság, rátermettség, fogékonyság, alkalmasság, tehetség; **~ test** *kat* alkalmassági vizsga, *okt* pályaalkalmassági vizsga/vizsgálat

AQL *infor acceptable quality level* elfogadható minőségszint

A

aqua [ˈækwə] **I.** *fn* **1.** *vegy* víz; ~ **fortis** választóvíz, (tömény) salétromsav; ~ **regia** királyvíz **2.** vízszín, zöldeskék áttetsző szín **II.** *mn* vízszín(ű), zöldeskék
aquaculture [ˈækwəkʌltʃə ‖ –ər] *fn* vízi állatok tenyésztése; vízi növények termesztése
aqualung [ˈækwəlʌŋ] *fn* lélegzőkészülék *[könnyűbúváré]*
aquamarine [ˌækwəməˈriːn] **I.** *fn* **1.** akvamarin, kékes-(zöld) berill **2.** világoskék *[szín]*, akvamarin **II.** *mn* világoskék, aquamarin *[színű]*
aquanaut [ˈækwənɔːt] *fn* mélytengeri búvár/kutató
aquaplane [ˈækwəpleɪn] **I.** *fn* akvaplán **II.** *tni gk* akvaplánozik, vízen csúszik *[vizes úttesten kormányozhatatlanná vált gépkocsi]*
aquarelle [ˌækwəˈrel] *fn* vízfestmény, akvarell
aquarium [əˈkweərɪəm ‖ –ˈkwer] *fn tsz* **~s, aquaria** [–rɪə] akvárium
Aquarius [əˈkweərɪəs ‖ –ˈkwer–] *tul birt* **Aquarii** [əˈkweərɪˌaɪ ‖ –ˈkwer–] *csill* Vízöntő (csillagkép) • *mn/fn* **Aquarian**
aquashow [ˈækwəʃoʊ] *fn sp* (zenés) vízi bemutató/parádé
aquatic [əˈkwætɪk] **I.** *mn* vízi *[növény, állat, sport]*; ~ **sports** → **aquatics II.** *fn* vízi állat/növény
aquatics [əˈkwætɪks] *fn tsz* vízi sportok
aquatint [ˈækwətɪnt] *fn műv* tinta, foltmaratás
aquavit [ˈækwəvɪt ‖ ˈɑkwəviːt] *fn gaszt* ‹krumpliból készült skandináv szeszes ital› akvavit
aqua vitae [ˌækwəˈviːtaɪ, –vaɪti] *fn* tömény szesz(esital) *[különösen brandy* v. *whisky]*
aqueduct [ˈækwədʌkt] *fn* **1.** vízvezeték **2.** *orv* csatorna *[a fejben]*
aqueous [ˈeɪkwɪəs, ˈæ–] *mn* **1.** vizes, vizenyős; *orv* ~ **humour** csarnokvíz *[szemben]* **2.** *geol* vízi eredetű, akvatikus *[kőzet]*
aquiculture [ˈækwɪkʌltʃə ‖ –ər] *fn* vízművelés, víziállatok tenyésztése, haltenyésztés
aquifer [ˈækwɪfə ‖ –ər] *fn geol* víztartó kőzeg/réteg
Aquila [ˈækwɪlə, əˈkwɪlə] *tul birt* **Aquilae** [ˈækwɪˌliː] *csill* Sas (csillagkép)
aquilegia [ˌækwɪˈliːdʒɪə] *fn növ* harangláb, cámoly, sasfű, galambvirág; → **columbine**
aquiline [ˈækwɪlaɪn] *mn* sas-, sasszerű; ~ **nose** sasorr
Aquinas [əˈkwaɪnəs] *tul* **St. Thomas** ~ Aquinói Szent Tamás
Aquitaine [ˌækwɪˈteɪn] *tul földr* Aquitania
Aquitanian [ˌækwɪˈteɪnɪən] *mn* aquitániai
AR *röv US földr Arkansas*
ara [ˈɑːrɑː] *fn áll* arapapagáj
Arab [ˈærəb] **I.** *mn* arab **II.** *fn* **1. a)** arab (ember) **b)** arab nyelv **2.** arab ló
Arabella [ˌærəˈbelə] *tul* Arabella
arabesque [ˌærəˈbesk] **I.** *mn* **1.** arabos, arab/mór stílusú/ízlésű **2.** cikornyás, díszes **3.** *átv* különös, fantasztikus **II.** *fn műv zene* arab/mór díszítés, arabeszk
Arabia [əˈreɪbɪə] *tul földr* Arábia
Arabian [əˈreɪbɪən] **I.** *mn* arábiai, arab; **The ~ Nights' Entertainments** Az ezeregyéjszaka meséi **II.** *fn* **1.** arab (ember) **2.** arab ló
Arabic [ˈærəbɪk] **I.** *mn* arab; ~ **numerals** arab számok/számjegyek **II.** *fn* arab (nyelv)
Arabist [ˈærəbɪst] *fn* arab nyelvész, arabista, az arabisztika szakembere
arable [ˈærəbl] **I.** *mn* felszántható, (fel)szántott; *földr* ~ **farming** szántóföldi művelés **II.** *fn* szántó(föld), termőföld
Araby [ˈærəbi] *tul vál régi* Arábia
arachnid [əˈræknɪd] *fn tsz* **arachnida** [–də] pókféle • *mn/fn* **arachnidan**
arachno- [əˈræknoʊ] *előtag* pók-
arachnoid [əˈræknɔɪd] **I.** *mn* pókháló(szerű), pókhálóvékony **II.** *fn orv* pókhálóburok *[agyvelőé]*
arachnophobia [əˌræknɔˈfəʊbɪə] *fn orv* arachnofóbia, pókiszony • *fn* **arachnophobe** *mn* **arachnophobic**
arak [ˈærək] *fn gaszt* rizspálinka, arak
Aramaic [ˌærəˈmeɪɪk] **I.** *mn* arám (nyelvű) **II.** *fn* arám(i) (nyelv)
arbalest [ˈɑːbəlɪst ‖ ˈɑrb–] *fn tört* számszeríj
arbiter [ˈɑːbɪtə ‖ ˈɑrbətər] *fn* **1.** (döntő)bíró, választott bíró **2.** teljhatalmú úr
arbitrage [ˈɑːbɪtrɑːʒ ‖ ˈɑr–] *fn* **1.** *pénz gazd* arbitrázs **2.** *pénz* külföldi piacokkal kötött áruüzletek/pénzüzletek **3.** *ritk* döntőbíráskodás, döntőbírói (v. választott bírói) ítélet • *fn* **arbitrager**
arbitral [ˈɑːbɪtrəl ‖ ˈɑr–] *mn* döntőbírói, döntőbírósági, választott bírói/bírósági
arbitrary [ˈɑːbɪtrəri ‖ ˈɑrbətreri] *mn* **a)** tetszőleges, tetszés szerinti, önkényes, önkéntes **b)** önkényes, önhatalmú, kiszámíthatatlan; **be** ~ önkényeskedik • *fn* **arbitrariness** *hsz* **arbitrarily**
arbitrate [ˈɑːbɪtreɪt ‖ ˈɑr–] **A.** *tsi* **a)** eldönt *[vitát]*, ítél *[két fél ügyében]* **b)** döntőbíróilag (v. választott bíróilag) (el)dönt *[nemzetközi vitás kérdést]* **B.** *tni* **1. a)** döntőbíró(ság)i (v. választott bírói/bírósági) ítéletet/döntést hoz **b)** döntőbíráskodik **2.** ~ **between** közvetít *[két szembenálló fél között]*
arbitration [ˌɑːbɪˈtreɪʃn ‖ ˌɑr–] *fn* döntőbíró(ság) (v. választott bíróság/bíró) döntése/ítélete, döntőbíráskodás, választott bíráskodás, egyezségi eljárás, közvetítés *[két fél között]*
arbitrator [ˈɑːbɪtreɪtə ‖ ˈɑrbətreɪtər] *fn* döntőbíró, választott bíró • *fn* **arbitratorship**
arbitress [ˈɑːbɪtrəs ‖ ˈɑr–] *fn* **1.** (döntő)bírónő **2.** teljhatalmú úrnő
arblast [ˈɑːblɑːst ‖ ˈɑrblæst] *fn régi* számszeríj
arbor[1] [ˈɑːbə ‖ ˈɑrbər] *fn műsz* tengely, tüske, orsó, rúd
arbor[2] [ˈɑːbə ‖ ˈɑrbər] *fn tsz* **arbores** [ˈɑːbəriːz] **1.** fa **2.** *US* **A~ Day** fák napja; ‹tavaszi szünnap amerikai középiskolákban, amelyen a diákok fákat ültetnek› **3.** *US* → **arbour**
arboraceous [ˌɑːbəˈreɪʃəs ‖ ˌɑr–] *mn* **1.** fa alakú/jellegű, faszerű **2.** fás, fával borított, erdős
arboreal [ɑːˈbɔːrɪəl ‖ ɑr–] *mn* **1.** fa-, fa jellegű **2.** *áll* fák ágai között lakó, fán élő
arboreous [ɑːˈbɔːrɪəs ‖ ɑr–] *mn* **1.** fás, fákkal borított, erdős **2.** fa jellegű
arborescent [ˌɑːbəˈresnt ‖ ˌɑr–] *mn* **1. a)** fa formájú/jellegű **b)** elfásodó **2.** szerteágazó, ágas-bogas, sokágú, szétágazó • *fn* **aroborescence**
arboretum [ˌɑːbəˈriːtəm ‖ ˌɑr–] *fn tsz* **arboretums, arboreta** [–tə] botanikus kert, élőfagyűjtemény, arborétum
arboriculture [ˈɑːbərɪkʌltʃə ‖ ˈɑr–] *fn* fatermelés, fanevelés, erdőművelés • *fn* **arboriculturist** *mn* **arboricultural**
arbor vitae [ˌɑːbɔːˈvaɪtiː ‖ ˌɑrbərˈvaɪtiː] *fn növ* (nyugati) tuja, életfa
arbour [ˈɑːbə ‖ ˈɑrbər] *fn GB* lugas, lombsátor • *mn* **arboured**
arbovirus [ˈɑːboʊvaɪərəs ‖ ˈɑr–] *fn orv* ‹betegséget okozó, szúnyogok, kullancsok stb. által terjesztett vírus› arbor vírus
arbutus [ɑːˈbjuːtəs ‖ ɑr–] *fn növ* (vad) szamócafa
arc [ɑːk ‖ ɑrk] **I.** *fn* **1.** *mat* ív; *csill* látszólagos ívpálya *[égitesteké]*; *mat* ~ **length** ívhossz; *mat* ~ **of a circle** körív, ív, arcus; *mat* **major** ~ nagy ív *[körben]*; **minor** ~ kis ív *[körben]*; *vill* **3 seconds of** ~ 3 ívmásodperc **2.** *fiz vill* ív(kisülés) **II.** *tni* ~ **(over)** ívet képez/húz, átível
arcade [ɑːˈkeɪd ‖ ɑr–] *fn* **1.** árkád, oszlopos/boltozatos folyosó, árkádsor; *US* **game/penny** ~ ‹pénzbedobós játékautomaták sorozata› **2.** *orv* ív(járat) **3.** *épít* árkád(sor) • *fn* **arcading** *mn* **arcaded**
Arcadian [ɑːˈkeɪdɪən ‖ ɑr–] **I.** *mn* árkádiai, *átv* idilli, jámbor **II.** *fn* árkádiai (férfi/nő)
Arcady [ɑːˈkeɪdɪə ‖ ɑr–] *tul* Árkádia
arcane [ɑːˈkeɪn ‖ ɑr–] *mn* **1.** misztikus, titkos, rejtett **2.** ősrégi, elavult • *hsz* **arcanely**

arcanum [ɑ:ˈkeɪnəm ‖ ɑr–] *fn tsz* **arcana** [–nə] **1.** titok **2.** csodatévő szer, csodaszer, elixír
arch- [ɑ:k ‖ ɑrk] *előtag* **1.** fő-, a legfőbb, vezető **2.** ős-
arch¹ [ɑ:tʃ ‖ ɑrtʃ] **I.** *fn épít is* (bolt)ív, bolthajtás, boltozat; *orv* **fallen ~es** *biz* bokasüllyedés, lúdtalp; **perfect/round/semicircular ~** félkörív; **railway ~** (utcát keresztező) vasúti híd **II. A.** *tsi* **1.** *épít* (be)boltoz, átboltoz *[kaput, átjárót]* **2.** ív alakúra (v. ívszerűen) hajlít/görbít, domborít; **~ one's eyebrows** felhúzza a szemöldökét; **the cat ~es its back** a macska felhúzza/púpozza a hátát; **the horse ~es its neck** a ló leszegi a fejét **B.** *tni* ível, ívben fejeződik be, ívet/boltozatot alkot
arch² [ɑ:tʃ ‖ ɑrtʃ] *mn* ravaszkás, pajkos, pajzán, huncut *[mosoly]* • *fn* **archness** *hsz* **archly**
archaean [ɑ:ˈki:ən ‖ ɑr–], **archean** *biol geol* **I.** *mn* archaikum **II.** *fn* archaikum
archaeology [ˌɑ:kiˈɒlədʒi ‖ ˌɑrkiˈɑ–] *fn* régészet, archeológia • *tni* **archaeologize, -ise** *fn* **archaeologist** *mn* **archaeologic(al)** *hsz* **archaeolologically**
archaic [ɑ:ˈkeɪɪk ‖ ɑr–] *mn* **1.** régi(es), ódon **2.** *nyelv* archaikus *[kifejezés]* **3.** *műv* korai *[kultúrtörténeti szempontból]*
archaism [ˈɑ:keɪɪzm ‖ ˈɑrki–] *fn* **1.** régi(es)ség **2.** *nyelv* régies/elavult szó/kifejezés, archaizmus • *mn* **archaistic**
archaize [ˈɑ:keɪaɪz ‖ ˈɑrki–], **-ise A.** *tsi* régiessé/archaikussá tesz **B.** *tni* régies/archaikus kifejezéseket használ, archaizál
archangel [ˈɑ:keɪndʒl ‖ ˈɑrk–] *fn* **1.** *vall* arkangyal **2.** *növ* orvosi angyalgyökér • *mn* **archangelic**
archbishop [ɑ:tʃˈbɪʃəp ‖ ɑrtʃ–] *fn vall* érsek
archbishopric [ɑ:tʃˈbɪʃəprɪk ‖ ɑrtʃ–] *fn vall* **1.** érsekség (területe) **2.** érsekség, érseki méltóság
archconservative [ˌɑ:tʃkənˈsɜ:vətɪv ‖ ˌɑrtʃkənˈsɜrvətɪv] *mn* őskonzervatív, megrögzött konzervatív
archdeacon [ɑ:tʃˈdi:kən ‖ ɑrtʃ–] *fn vall* főesperes, archidiakónus • *fn* **archdeaconry**, **archdeaconship**
archdiocese [ɑ:tʃˈdaɪəsɪs ‖ ɑrtʃ–] *fn vall* érsekség (területe), érseki egyházmegye
archduchess [ɑ:tʃˈdʌtʃɪs ‖ ɑrtʃ–] *fn* főhercegnő, főhercegasszony
archduchy [ɑ:tʃˈdʌtʃi ‖ ɑrtʃ–] *fn* főhercegség
archduke [ɑ:tʃˈdju:k ‖ ɑrtʃˈdu:k] *fn* főherceg • *mn* **archducal**
archegonium [ˌɑ:kɪˈgounɪəm ‖ ˌɑrkɪ–] *fn tsz* **-nia** *növ* ‹virágtalan növények petesejtet termelő női ivarszerve› archegonium
arch-enemy [ˌɑ:tʃˈenəmi ‖ ˌɑrtʃ–] *fn* **1.** főellenség **2.** *vall* sátán, főgonosz
archeology [ˌɑ:kɪˈɒlədʒi ‖ –ˈɑlə–] → **archaeology**
archer [ˈɑ:tʃə ‖ ˈɑrtʃər] *fn* **1.** íjász **2.** *csill* **the A~** a Nyilas
archer fish *fn áll* ‹a sügérfélék családjába tartozó, keletindiai hal, amely szájából vizet lövell a zsákmányrovarra›
archery [ˈɑ:tʃəri ‖ ˈɑr–] *fn sp* íjászat
archetype [ˈɑ:kɪtaɪp ‖ ˈɑrk–] *fn* **1.** őstípus, archetípus, ősminta, prototípus, mintapéldány **2.** *pszich* archetípus, őstípus **3.** *műv* visszatérő szimbólum/motívum • *mn* **archetypal**, **archetypical**
Archibald [ˈɑ:tʃɪbɔ:ld ‖ ˈɑrtʃə–] *tul* ‹férfinév›
archidiaconal [ˌɑ:kɪdaɪˈækənl ‖ ˌɑr–] *mn vall* főesperesi • *fn* **archidiaconate**
Archie [ˈɑ:tʃi ‖ ˈɑr–], **Archy** *tul bec* Archibald
archiepiscopal [ˌɑ:kiɪˈpɪskəpl ‖ ˌɑr–] *mn* érseki • *fn* **archiepiscopate**
archil [ˈɑ:tʃɪl, ˈɑ:kɪl ‖ ˈɑr–] *fn* **1.** *növ* lakmuszzuzmó **2.** lakmuszfesték
Archimedean [ˌɑ:kɪˈmi:dɪən ‖ ˌɑr–] *mn* arkhimédészi
Archimedes' principle [ˌɑ:kɪmi:di:z ˈprɪnsɪpl ‖ ˌɑr–] *fn mat* Arkhimédész/Archimédesz törvénye, arkhimédészi/archimédeszi törvény
archipelago [ˌɑ:kɪˈpeləgou ‖ ˌɑr–] *fn tsz* **-(e)s** *földr* szigetcsoport, szigetvilág

architect [ˈɑ:kɪtekt ‖ ˈɑr–] *fn* (tervező) építész, építészmérnök, építőmester; **everybody is the ~ of one's own fortunes** ki-ki a maga szerencséjének kovácsa
architectonic [ˌɑ:kɪtekˈtɒnɪk ‖ ˌɑrkɪtekˈtɑnɪk] **I.** *mn* **1. a)** építészeti, szerkezeti, architektonikus **b)** építő **2.** *fil* rendszerező, rendszeralkotó **II.** *fn* **architectonics 1. a)** architektonika, épületszerkezet-tan **b)** építészeti kiképzés/kivitelezés, építésmód **2.** *fil* rendszerezés, rendszeralkotás
architecture [ˈɑ:kɪtektʃə ‖ ˈɑrkətekʃtər] *fn* **1.** építészet, építőművészet **2. a)** felépítés, megszerkesztés **b)** felépítés, szerkezet *[szövegé is]* **c)** *infor* felépítés, struktúra, szerkezet, architektúra **3.** (belső) felépítés, struktúra, belső felépítettség • *mn* **architectural** *hsz* **architecturally**
architrave [ˈɑ:kɪtreɪv ‖ ˈɑr–] *fn épít* **1.** párkánygerenda, hevedergerenda, architráv **2.** *[öntött]* ajtókeret, ablakkeret
archive [ˈɑ:kaɪv ‖ ˈɑr–] **I.** *fn tsz* **archives a)** levéltár, irattár, archívum **b)** levéltári/irattári irat(ok)/gyűjtemény/anyag **II.** *tsi* **a)** *infor* archivál, hosszú időre tárol, archív tárba helyez **b)** levéltárban/irattárban elhelyez • *mn* **archival**
archivist [ˈɑ:kɪvɪst ‖ ˈɑr–] *fn* levéltáros
archivolt [ˈɑ:kɪvoult ‖ ˈɑr–] *fn épít* gerendaív, ívpárkány, archivolt
archon [ˈɑ:kən ‖ ˈɑrkɑn] *fn tört* archón • *fn* **archonship**
archway [ˈɑ:tʃweɪ ‖ ˈɑrtʃ–] *fn épít* **1.** boltíves folyosó/átjáró, kapuboltozat **2.** árkádsor
arc lamp *fn* ívlámpa
arc light *fn* ívfény
arctic [ˈɑ:ktɪk ‖ ˈɑr–] **I.** *mn* **1.** (északi-)sarki, (északi-) sarkvidéki, arktikus; *földr* **A~ Circle** Északi-sarkkör; *földr* **A~ Ocean** Északi-Jeges-tenger **2.** *biz* zimankós/nagyon hideg **3.** sarkvidéki *[körülmények, ruházat]* **II.** *fn* **1.** *földr* **the A~** az Északi-sark; az Északi-sarkvidék; az északi sarkkör(i övezet) **2.** *US* hócipő
arcuate [ˈɑ:kjʊət ‖ ˈɑr–] *mn* **1.** ívelt, ív alakú, ívben hajlított **2.** árkádos
arc welding *fn vill* (elektromos) ívhegesztés
Ardennes [ɑ:ˈdenz ‖ ɑr–] *tul tsz földr* **the ~** az Ardennek
ardent [ˈɑ:dnt ‖ ˈɑr–] *mn* **1. a)** tüzes, heves, szenvedélyes *[érzelem]* **b)** buzgó, lelkes *[csodáló]*, tüzes *[szerető]* **2.** perzselő, égető *[napsütés, hőség]* • *fn* **ardency** *hsz* **ardently**
ardour [ˈɑ:də ‖ ˈɑrdər], **ardor** *fn* **1. a)** hév, nagy buzgóság, lelkesedés, lángolás **b)** hevesség, tűz *[szenvedélyé]* **2. a)** perzselő/tüzes hőség **b)** forróság *[láztól]*
arduous [ˈɑ:djʊəs ‖ ˈɑrdʒʊəs] *mn* **1. a)** terhes, fáradságos, vesződséges, sok/nagy fáradsággal járó *[feladat]*; **an ~ winter** kemény tél **b)** meredek, fárasztó *[út]*; **an ~ path** nehéz/küzdelmes út; meredek út **2.** dolgos, szorgos, munkabíró, energikus • *fn* **arduousness** *hsz* **arduously**
are¹ [ə, ɑ: ‖ ər, ɑr] → **be**
are² [ɑ: ‖ ɑr] *fn* ár *[100 m²]*
area [ˈeərɪə ‖ ˈerɪə] *fn* **1. a)** terület, térség, övezet; *kat* **hostile ~** ellenséges terület; *mat* **~ of a circle** kör területe; **200 square miles in ~** 200 négyzetmérföld területű/kiterjedésű **b)** környék; **in the ~** a környéken **c)** telek **d)** színtér, helyszín **2.** tudományos/kutatási terület, *geol* kutatási terep **3.** *[városi]* terület, körzet; **the London ~** a londoni körzet; **postal ~** postai körzet/kerület **4.** *sp biz* büntetőterület, *[futballban]* tizenhatos **5.** alagsor bejárója *[az utcáról]*; **~ steps** személyzeti lépcső *[az utcáról az alagsorba]* • *mn* **areal**
area code *fn US* körzeti hívószám *[távhívásban]*
area study *fn* (komplex társadalmi) tereptanulmány
areaway *fn US Kan* **1.** alagsori bejárat, alagsori világítóudvar **2.** sikátor, folyosó
areca [əˈri:kə] *fn növ* **~ (palm)** arékapálma, bételpálma
areca nut *fn növ* arékadió, bételdió
arête [əˈreɪt] *fn geol* éles hegygerinc, sziklahát
areflexia [ˌeɪrɪˈfleksɪə] *fn orv* reflexhiány

A

arena [əˈriːnə] *fn* **1.** *átv is* aréna, porond, küzdőtér; ~ **stage** körszínpad; ~ **theatre/theater** körszínház **2.** színtér *[háborúé, vitáé]*
arenaceous [ˌærɪˈneɪʃəs] *mn* **1.** *ásv* homokszerű, homokos, szemcsés **2.** *növ* homoki *[növény]*
aren't [ɑːnt ‖ ɑrnt] *röv are not*→ **be**
areola [əˈrɪələ] *fn tsz* **areolae** [–liː], **areolas 1. a)** kis terület/felület **b)** *orv* szövetrés *[szerves anyagban]* **2.** *orv* **a)** bimbóudvar **b)** oltás helye, oltási udvar *[bőrön]* • *mn* **areolar**
argali [ˈɑːgəli ‖ ˈɑr–] *fn áll* perzsa muflon
argent [ˈɑːdʒnt ‖ ˈɑr–] *cím* **I.** *mn* ezüstös, ezüstözött, ezüstfehér **II.** *fn* ezüst
argentiferous [ˌɑːdʒnˈtɪfərəs ‖ ˌɑr–] *mn* ezüsttartalmú
Argentina [ˌɑːdʒnˈtiːnə ‖ ˌɑr–] *tul földr* Argentína
argentine [ˈɑːdʒntaɪn ‖ ˈɑr–] *mn* **1.** ezüst(ös) **2.** ezüst hangú, ezüst csengésű
Argentine [ˈɑːdʒəntiːn ‖ ˈɑr–] **I.** *mn* argentin, argentínai **II.** *fn* **1.** *tul földr* **the** ~ Argentína **2. the ~s** az argentínaiak/argentinok
Argentinian [ˌɑːdʒnˈtɪnɪən ‖ ˌɑr–] *mn/fn* argentínai
argil [ˈɑːdʒɪl ‖ ˈɑr–] *fn ásv* (fazekas)agyag, fehér agyag, agyagföld • *mn* **argillaceous**
argol [ˈɑːgɒl ‖ ˈɑrgɑl] *fn vegy* tisztítatlan/nyers borkő
argon [ˈɑːgɒn ‖ ˈɑrgɑn] *fn vegy* argon
argot [ˈɑːgoʊ ‖ ˈɑr–] *fn nyelv* argó, tolvajnyelv, szleng, zsargon, csoportnyelv
arguable [ˈɑːgjʊəbl ‖ ˈɑr–] *mn* **1.** vitatható **2.** védhető, tartható *[vélemény]* • *hsz* **arguably**
argue [ˈɑːgjuː ‖ ˈɑr–] **A.** *tsi* **1.** (meg)vitat, megbeszél, érvekkel alátámaszt; *GB* ~ **the toss** *biz* vitatkozik, veszekszik **2.** ~ **sy into doing sg** rábeszél vkt vm megtételére; ~ **sy out of doing sg** lebeszél vkt vm megtételéről **3.** bizonyít, mutat vmt vmlyennek **B.** *tni* **1.** vitatkozik; *biz* **don't ~!** ne okoskodj!; ~ **that Mr. Manson is a good man** azt bizonygatja/állítja hogy Mr. Manson (egy) jó ember **2.** érvel, okoskodik **3.** ~ **for sg** vm mellett érvel; ~ **for sy's honesty** vk becsületességét bizonyítja, vk becsületessége mellett szól/érvel; ~ **in sy's favour** vk mellett szól/érvel • *fn* **arguer**
argufy [ˈɑːgjʊfaɪ ‖ ˈɑrgjə–] *tni biz* okoskodik, akadékoskodik, a kákán is csomót keres, csak a szót szaporítja
argument [ˈɑːgjʊmənt ‖ ˈɑrgjə–] *fn* **1. a)** vita(tkozás); **it is beyond ~ that** vitathatatlan, hogy, nem vitás/kétséges, hogy; **for ~'s sake** a vita kedvéért **b)** szóváltás, veszekedés, civódás **2.** érv, indok, argumentum, okozat **3.** érvelés, indokolás, okoskodás; **follow sy's (line of) ~** követi vk érvelését/okoskodását **4.** rövid tartalom, tartalmi összefoglalás, tárgy, téma *[irodalmi műé, színdarabé]* **5.** *mat* független változó, argumentum
argumentation [ˌɑːgjʊmenˈteɪʃn ‖ ˌɑrgjə–] *fn* **1.** érvelés, indokolás, okoskodás **2.** vitatkozás
argumentative [ˌɑːgjʊˈmentətɪv ‖ ˌɑrgjə–] *mn* **1.** vitázó, vitatkozó, okoskodó **2.** érvelő, érvekre támaszkodó, logikus • *fn* **argumentativeness** *hsz* **argumentatively**
Argus [ˈɑːgəs ‖ ˈɑr–] *tul átv* éles szemű őr/felvigyázó
Argus-eyed *mn* árgus szemű, éber
argute [ɑːˈgjuːt ‖ ɑr–] *mn vál* **1.** éles eszű, eleven eszű, talpraesett **2.** éles *[hang]*
argy-bargy [ˌɑːdʒiˈbɑːdʒi ‖ ˌɑrdʒiˈbɑrdʒi] *GB biz* **I.** *fn* vita, aréna, balhé **II.** *tni [vitatkozik]* balhézik, arénázik
aria [ˈɑːrɪə] *fn zene* ária, ének, dalbetét
Arian [ˈeərɪən ‖ ˈerɪən] *mn/fn vall tört* ariánus • *fn* **Arianism**
arid [ˈærɪd] *mn* száraz, kiszáradt, kiszikkadt *[talaj]*, *földr* sivatagi, sivatagos, víztelen *[terület]*, száraz, terméketlen *[elme]*, száraz, vérszegény *[mű]* • *fn* **aridity**, **aridness** *hsz* **aridly**
Aries [ˈɛəriːz] *tul birt* **Arietis** [əˈraɪɪtɪs] *csill* Kos (csillagkép)
aright [əˈraɪt] *hsz* helyesen, jól, pontosan; **set/put sg ~** helyrehoz/rendbe hoz vmt
aril [ˈærəl] *fn növ* maglepel, arillus • *mn* **arillate**
arise [əˈraɪz] *tni pt* **arose** [əˈroʊz], *pp* **arisen** [əˈrɪzn] **1. a)** keletkezik, támad, felmerül *[kérdés]*, adódik *[körülmény]*; **new problems ~** új problémák merülnek fel; **a shout arose** kiáltás hallatszott; **if complications ~** ha bonyodalmak/problémák adódnak/mutatkoznak (v. merülnek fel); **should the need ~**, **when the need ~s** amenynyiben szükségessé válik/válnék **b)** fakad, ered, folyik, származik, adódik; **thence it ~s that** ebből az következik/folyik hogy; **accidents ~ from carelessness** a balesetek gondatlanságból erednek, a baleseteket gondatlanság okozza **2.** *vál régi* felkel *[ágyból]*, felkel, felemelkedik, feláll *[fektéből]*, felkel, feljön *[égitest]*; *bibl* ~ **from the dead** feltámad halottaiból
aristocracy [ˌærɪˈstɒkrəsi ‖ –ˈstɑ–] *fn* **1.** *tört* főnemesség, arisztokrácia **2.** arisztokratikus állam **3.** *átv* felső (társadalmi) réteg, arisztokrácia
aristocrat [ˈærɪstəkræt ‖ əˈrɪ–] *fn* főnemes, arisztokrata
aristocratic [ˌærɪstəˈkrætɪk ‖ əˌrɪ–] *mn* **1.** főnemesi, arisztokratikus, arisztokrata **2. a)** kifinomult modorú **b)** lenyűgöző, impozáns • *hsz* **aristocratically**
Aristotelian [ˌærɪstəˈtiːlɪən] *fil* **I.** *mn* arisztotelészi **II.** *fn* az arisztotelészi filozófia híve, Arisztotelész követője
Aristotle [ˈærɪstɒtl ‖ –tɑtl] *tul* Arisztotelész
arithmetic [əˈrɪθmətɪk] *mat* **I.** *mn* számtani, aritmetikai; *infor* ~ **logic unit** → **ALU**; ~ **mean** számtani középarányos; ~ **progression** számtani sor **II.** *fn* számtan, aritmetika • *fn* **arithmetician** *mn* **arithmetical** *hsz* **arithmetically**
Ariz. *röv US Arizona*
Arizona [ˌærɪˈzəʊnə] *tul földr US* Arizóna
Arizonan [ˌærɪˈzoʊnən] *mn* arizonai, Arizona állambeli
ark [ɑːk ‖ ɑrk] *fn bibl* **1. Noah's ~** Noé bárkája; *biz* **out of the ~** vízözön előtti, ócska **2. the A~ of the Covenant** Szövetségláda, az Úr ládája, frigyláda
Ark. *röv US Arkansas*
Arkansan [ɑːˈkænzn ‖ ɑr–] *fn* arkansasi
Arkansas[1] [ˈɑːkənˌsɔː ‖ ˈɑr–] *tul földr US* Arkansas
Arkansas[2] [ɑːˈkænzəs ‖ ˈɑr–] *tul földr US* ‹folyó az Egyesült Államokban›
arm[1] [ɑːm ‖ ɑrm] *fn* **1. a)** kar; **at ~'s reach** keze ügyében; ~ **in ~ with sy** karonfogva vkvel; **carry sg under one's ~** a hóna alatt visz vmt; **draw one's hand through sy's ~** belekarol vkbe, karon fog vkt; *átv biz* **have a long ~** messzire elér a keze; **infant in ~s** csecsemő, karon ülő gyermek, pólyás (baba); **have sy on one's ~** karonfogva megy vkvel; *biz* **keep sy at ~'s length** távol tart magától vkt, három lépés távolságra tart vkt; **offer one's ~ to sy** karját nyújtja vknek; **put one's ~ round sy** átkarol/átölel vkt; **receive sy with open ~s** tárt karokkal fogad vkt; **twist sy's ~** hátracsavarja/kificamítja vk karját **b)** hatalom, erő, befolyás; **the secular ~** a világi hatalom; **the ~ of the law** a törvény keze **c)** mellső láb *[gerinces állaté]* **2.** ujj *[ruháé]* **3.** kar *[emelőé, mérlegé, lemezjátszóé]*, kar(fa) *[széké]*, szár *[szemüvegé]*; *mat* ~ **of an angle** a szög szára **4. a)** ág *[folyóé, fáé, horgonyé]*, keskeny tengeröböl/tengerszoros, széles torkolat **b)** *átv* ág(azat) **5.** (épület)szárny • *fn* **armful** *mn* **armless**
arm[2] [ɑːm ‖ ɑrm] **I.** *fn* **1.** *tsz* **arms** fegyver; **basic ~s** lőfegyver; **magazine ~s** ismétlőfegyver; **small ~s** kézi lőfegyverek; **bear ~s** fegyvert visel; **call to ~s** fegyverbe hív/szólít; **carry ~s** fegyvert hord magán(ál); **lay down one's ~** leteszi a fegyvert, megadja magát; leszerel; **present ~s** fegyverrel tiszteleg; **resort to ~s** fegyverhez folyamodik; **take up ~s**, **rise up in ~s** fegyvert fog/ragad, fegyverre kel; **by force of ~s** fegyveres erővel, fegyverrel; **be up in ~s (against sy)** *biz* fel van indulva/bőszülve/zúdulva (vk ellen), lázadozik (vk ellen); **nation in/under ~s** fegyverben álló nemzet; **to ~s!** fegyverbe!, fegyverre!; **parade under ~s** díszszemle, katonai parádé **2.** fegyvernem, csapatnem **3.** *tsz* **arms** címer; *cím* **coat of ~s** címer(pajzs); **assign/grant ~s** nemességet adományoz **II. A.** *tsi* **a)** felfegyverez; ~ **oneself**

(fel)fegyverkezik **b)** *kat* élesít, kibiztosít; **~ a mine** aknát élesít/kibiztosít **c)** felszerel (vmvel) **d)** *átv* felfegyverez, felvértez **B.** *tni* felfegyverkezik • *mn* **armless**
armada [ɑːˈmɑːdə ‖ ɑr–] *fn* armada, hajóhad; *tört* **the Spanish/Invincible A~** a spanyol/győzhetetlen armada *[II. Fülöp hajóhada]*
armadillo [ˌɑːməˈdɪləʊ ‖ ˌɑr–] *fn tsz* **armadillos** *áll* **1.** örvös állat, tatu **2.** gömbászka
Armageddon [ˌɑːməˈgedn ‖ ˌɑr–] *fn* **1.** *bibl* ‹Isten ítéletének beteljesedése, a vég: a világ elsüllyed, és helyet kell adni az új teremtésnek› a végső katasztrófa **2.** véres csata/ütközet
armament [ˈɑːməmənt ‖ ˈɑr–] *fn* **1.** felfegyverzés *[csapatteste, hadseregé]*, fegyverkezés; **nuclear ~** nukleáris fegyverkezés **2.** fegyverzet, fegyver(ek), (hajó)felszerelés, ágyúfelszerelés
armamentarium [ˌɑːməmenˈteərɪəm‖ˌɑrməmenˈterɪəm] *fn* ‹gyógyászati eszköztár és gyógyszerkészlet›
armature [ˈɑːmətʃə ‖ ˈɑrmətʃʊr] *fn* **1.** *vill* armatúra, forgórész, fegyverzet; **~ reaction** armatúra-visszahatás **2.** *biol* páncél *[állaté, növényé]* **3.** *épít* betonacél, vasalás, vasbetét, betonvasszerelés **4.** *műv* fémváz *[szoboré]* **5.** *régi* fegyver(zet), felszerelés
armband *fn* karszalag
armchair *fn* karosszék, fotel
Armenia [ɑːˈmiːnɪə ‖ ɑr–] *tul földr* Örményország
Armenian [ɑːˈmiːnɪən ‖ ɑr–] **I.** *mn* **1.** örmény, örményországi **2.** örmény *[nyelv]* **II.** *fn* **1.** örmény (ember) **2.** örmény katolikus (ember)
armhole *fn* **a)** karkivágás, karöltő, hónalj *[ruháé]* **b)** hónalj
armiger [ˈɑːmɪdʒə ‖ ˈɑrmɪdʒər] *fn tört* **1.** fegyverhordozó *[lovagé]* **2.** (címeres) nemes (ember)
Arminian [ɑːˈmɪnɪən ‖ ɑr–] *fn vall fil* arminiánus, remonstráns • *fn* **Arminianism**
armistice [ˈɑːmɪstɪs ‖ ˈɑr–] *fn* fegyverszünet; *tört* **A~ Day** ‹az első világháborút befejező 1918. évi fegyverszünet ünnepe (nov. 11.)›
armlet [ˈɑːmlət ‖ ˈɑrm–] *fn* **1.** karszalag **2.** kis tengeröböl
armlock *fn sp* karkulcs *[birkózásban, cselgáncsban]*
armoire [ɑːˈmwɑː ‖ ˈɑrmər] *fn* (díszes/antik) szekrény
armor *US* → **armour**
armory[1] [ˈɑːməri ‖ ˈɑr–] *fn* címertan, heraldika • *mn* **armorial**
armory[2] *US* → **armoury**
armour [ˈɑːmə ‖ ˈɑrmər] **I.** *fn* **1.** fegyverzet, páncél, vért *[lovagé]*; **suit of ~** teljes fegyverzet/páncélzat/vért(ezet); **in full ~** állig felfegyverkezve **2.** páncélzat, páncélburkolat *[páncélvonaté, hadihajóé]*; **~ defeating power** páncélátütő képesség **3.** *kat* páncélos erő *[hadosztályé]* **4.** *műsz* vasalás, vértezés, *vill* páncél **5.** *biol* védőburkolat *[növényé, állaté]* **6.** címer **II.** *tsi* **1. a)** felfegyverez, felvértez **b)** (fel)páncéloz, páncéllal borít *[hajót, vonatot]* **2.** *vill* bevon *[huzalt, drótkötelet]* **3.** *műsz* vasal
armoured [ˈɑːməd ‖ ˈɑrmərd] *mn* **1.** páncélos, páncélozott, páncéllal bevont/borított; **~ car** páncélkocsi, harckocsi, tank; **~ train** páncélvonat; **~ utility vehicle** páncélozott szállító jármű **2.** *kat* páncélkocsikkal/tankokkal ellátott; **~ division** páncélos hadosztály; **~ troops** páncélos alakulatok, a páncélosok
armourer [ˈɑːmərə ‖ ˈɑrmərər] *fn* **1. a)** fegyvergyáros **b)** fegyverkovács **2.** *kat* fegyvermester
armoury [ˈɑːməri ‖ ˈɑr–] *fn* **1. a)** fegyverraktár, fegyvertár, arzenál **b)** *US* fegyvergyár **2.** *US Kan* gyakorlóterem; ‹nemzeti gárda/polgárőrség kiképző körlete›
armpit *fn* **1.** hónalj **2.** *US Kan szl [kellemetlen, piszkos hely]* koszfészek, putri, szemétdomb
armrest *fn* könyöklő, karfa, kartámla, kartámasz
arms control *fn* leszerelés, fegyverkorlátozás
arms race *fn* fegyverkezési verseny
arms supply *fn* fegyverkészlet, fegyverellátmány
arms talks *fn tsz* leszerelési tárgyalások
arm-twisting *fn US* ‹meggyőzés fizikai erő vagy lelki ráhatás/presszió alkalmazásával›
army [ˈɑːmi ‖ ˈɑrmi] *fn* **1.** hadsereg, haderő; **regular/standing ~** állandó hadsereg, sorkatonaság; **~ command** hadsereg-parancsnokság; **~ reserve** tartalékos állomány; hadseregtartalék; **the ~** a katonai hivatás/pálya; **be in the ~** a hadseregben szolgál; **enter/join the ~, go into the ~** katonának áll, belép a hadseregbe; megkezdi katonai szolgálatát **2.** *biz* sokaság, tömeg, sereg, csapat
army chaplain *fn kat* tábori lelkész/pap
army contractor *fn* hadseregszállító
army corps *fn kat* hadtest
army furnisher *fn* hadseregszállító
Army List *fn GB kat* tiszti címtár
army officer *fn* katonatiszt, (aktív) tiszt
army unit *fn kat* egység
army worm *fn US áll* amerikai sereghernyó
arnee [ˈɑːniː ‖ ˈɑr–] *fn áll* vadbölény
arnica [ˈɑːnɪkə ‖ ˈɑr–] *fn növ* árnika
Arnold [ˈɑːnld ‖ ˈɑr–] *tul* Arnold
aroid [ˈeərɔɪd ‖ ˈer–] *fn növ* kontyvirág
aroma [əˈrəʊmə] *fn* **1.** íz, zamat, aroma **2.** illat
aromatherapy [əˌrəʊməˈθerəpi] *fn* aromaterápia • *fn* **aromatherapeutist** *mn* **aromatherapeutic**
aromatic [ˌærəˈmætɪk] **I. 1.** *mn* fűszeres, illatos, aromás **2.** *vegy* aromás *[vegyület]* **II.** *fn* **1.** aroma, ízanyag **2.** illatanyag • *fn* **aromaticity** *hsz* **aromatically**
aromatize [əˈrəʊmətaɪz], **-ise** *tsi vegy* aromatizál • *fn* **aromatization**
arose [əˈrəʊz] → **arise**
around [əˈraʊnd] **I.** *hsz* **1. a)** körülötte; **all ~** körös-körül; *US* **from all ~** mindenfelől; **for 5 kilometres ~** öt kilométeres körzetben; **the woods ~** a környező erdők **b) ~ the clock** szakadatlanul, éjjel-nappal, non-stop; **work ~ the clock** három műszakban dolgoznak **2. a)** körülbelül, megközelítőleg, közel **b)** itt-ott **3.** *US biz* fenn, talpon *[gyógyultan]*; **he's still ~** *US biz* fel-felbukkan, még mindig itt él/dolgozik, még mindig látható (v. lehet látni) **II.** *elölj* **1.** körül, körös-körül, minden oldalon; **the people ~ him** a környezetében levő emberek **2.** *US* körülbelül, közel; **~ ten o'clock** tíz óra tájban/körül; **~ a hundred** körülbelül/közel száz
arouse [əˈraʊz] *tsi* **1.** (fel)kelt *[vkben érzést]*, felkorbácsol *[szenvedélyt]*, kivált *[megvetést]* **2.** felébreszt *[vkt álmából]*, felráz *[vkt a lustálkodásból/közömbösségből]* **3.** felizgat *[szexuálisan]* • *fn* **arousal** *mn* **arousable**
arpeggio [ɑːˈpedʒɪəʊ ‖ ɑr–] *fn zene* arpeggio, tört akkord/hangzat
arr [ɑː ‖ ɑr] *fn táj* seb(hely), sebforradás
arr. *röv arrival*
arrack [ˈærək] *fn gaszt* rizspálinka
arraign [əˈreɪn] *tsi* **1.** *jog* (be)vádol (*for* vmvel), vádat emel (vk ellen), büntető törvényszék elé állít (vkt) **2.** megkérdőjelez *[cselekvés helyességét, álláspontot]*, nyíltan hibáztat (vkt)
arraignment [əˈreɪnmənt] *fn* **1. a)** *jog* vád alá helyezés **b)** *jog* vádirat **c)** *jog* ‹a vádlott felszólítása annak kijelentésére, hogy bűnösnek érzi-e magát› büntetőjogi perkezdő tárgyalás **2.** megvádolás, vádaskodás **3.** ellenséges bírálat/kritika *[könyvé, cselekedeté]*
arrange [əˈreɪndʒ] **A.** *tsi* **1.** (el)rendez, rendbe hoz/tesz, megigazít, beoszt, csoportosít; *mat* **~ terms** rendez egy (többtagú) kifejezést **2.** elrendez; előkészít; megszervez *[műsort]*; összeállít; **~ a marriage** házasságot összehoz/közvetít; **~ oneself** elkészül/felkészül vmre **3.** elrendez, eltervez, megtervez; **~ it among yourselves** intézzék/rendezzék el egymás/maguk között **4.** kiegyenlít, rendez *[számlát, tartozást]* **5.** *zene* átdolgoz, átír, alkalmaz *[hangszerre, énekkarra]*, feldolgoz *[népdalt]*; **piece ~d for the piano** zongorára átírt darab, zongoraátirat **6.** *régi* elsimít *[nézeteltérést, nézeteket]* **B.** *tni* **1.** lépéseket tesz, terveket készít, utasítást ad, intézkedik; **I have ~d for a car**

A

to meet you at the station intézkedtem (v. gondoskodtam arról,) hogy egy kocsi várja önt a pályaudvaron; **we ~d to meet at noon** megállapodtunk(v. azt beszéltük meg) hogy délben találkozunk **2.** megegyezik, megállapodik (*with sy about/for sg* vkvel vmben) • *fn* **arranger** *mn* **arrangeable**

arrangement [ə'reɪndʒmənt] *fn* **1.** elrendezés, rendberakás, beosztás, rendelkezés, utasítás **2. a)** elsimítás *[vitáé]*, megegyezés, *jog* kiegyezés, (per)egyezség **b)** előkészítés, megbeszélés, elintézés, lebonyolítás **c)** *tsz* **arrangements** előkészületek; **make ~s for** (v. **to do**) **sg** lépéseket/előkészületeket tesz vmre; intézkedik (vm ügyben); elintéz vmt; **make all necessary ~s** megtesz minden szükséges előkészületet/lépést, megteszi a kellő intézkedéseket/lépéseket **3.** megállapodás; *gazd* **make** (v. **come to**) **an ~ with sy** megállapodást köt vkvel, kiegyezik vkvel; **price by ~** ár megállapodás szerint **4.** rendelkezés; **testamentary ~s** végrendelet, végakarat; **food ~s** étrend, diéta **5.** *zene* átirat, feldolgozás; **~ for piano** zongoraátirat

arrant ['ærənt] *mn* notórius, cégéres, hírhedt; **~ knave** címeres gazember • *hsz* **arrantly**

arras ['ærəs] *fn régi* falikárpit, faliszőnyeg, függöny

array [ə'reɪ] **I.** *fn* **1. a)** sor, rend, elrendezés **b)** *kat* csatasor, alakulat; **in battle ~** csatarendben, csatasorban; **in close ~** zárt sorokban **2. a)** kirakat, bemutatás **b)** *infor* (adat)tömb, (áramköri) elrendezés **3. a)** *jog* az esküdtek névsorának felolvasása **b)** *jog* esküdtek névsora **4.** *vál* pompa, dísz, ékes ruházat; **in full/rich ~** *biz* teljes parádéban/díszben; **wolf in sheep's ~** *biz* báránybőrbe bújtatott farkas **II.** *tsi* **1.** (el)rendez, rendbe hoz, felállít, sorba állít, felsorakoztat *[csapatokat]* **2.** *jog* **~ a panel** összeállítja az esküdtek névsorát **3.** *vál* kicicomáz, kiöltöztet, (fel)díszít (*sy in sg* vkt vmvel)

arrears [ə'rɪəz ‖ ə'rɪrz] *fn tsz* **1.** *pénz gazd* hátralék(os tartozás), elmaradás; **~ of interest** hátralékos kamatok; **~ of pay/salary** elmaradt fizetés; **rent in ~** lakbérhátralék; **be in ~ with sg** hátralékban van vmvel, el van maradva vmvel **2.** lemaradás, elmaradás *[munkában/munkával]*; **make up ~ of work** behozza lemaradását a munkában • *fn* **arrearage**

arrest [ə'rest] **I.** *tsi* **1.** letartóztat, őrizetbe vesz, elfog (vkt) **2.** megállít, leállít, lefékez, feltartóztat **3.** *jog* **~ judgement** felfüggeszti az ítélet végrehajtását **II.** *fn* **1.** letartóztatás, őrizetbe vétel; **~ in quarters** szobafogság; **be under ~** letartóztatásban/őrizetben van, letartóztatás/őrizet alatt áll; **place/put under ~** letartóztat, őrizetbe vesz **2.** megállítás, megfékezés, feltartóztatás **3.** *jog* **~ of judgement** ítélet felfüggesztése • *hsz* **arrestingly**

arrestable [ə'restəbl] *mn* **1.** *jog* lefoglalandó, zár alá veendő **2.** *jog* lefoglalható, zár alá vehető

arrester [ə'restə ‖ –ər] *fn műsz* ütköző/fékező/arretáló berendezés; *rep* **~ hook** lefékező kampó

arrestment [ə'restmənt] *fn jog skót* lefoglalás, zár alá helyezés

arrestor [ə'restə ‖ –ər] → **arrester**

arrest warrant *fn* letartóztatási parancs

arrhythmia [ə'rɪðmɪə] *fn orv* szabálytalan szívműködés, aritmia

arris ['ærɪs] *fn épít* tetőgerinc, élgerinc, (tető)él

arrival [ə'raɪvl] *fn* **1.** (meg)érkezés; **~s** érkezés *[kiírás repülőtéren/pályaudvaron]*; **on ~** (vknek/vmnek a) megérkezésekor **2.** *gazd* szállítmány; **fresh ~s** új szállítmányok; **delayed ~s** késve érkezett áru **3.** jövevény *[épp megérkezett személy]*, *biz* az újszülött

arrival lounge *fn* érkezési csarnok *[pályaudvaron, repülőtéren]*

arrive [ə'raɪv] *tni* **1. a)** megérkezik, (meg)jön, elér (*at/in* vhová); **(s)he is expected to ~ tomorrow** holnapra várják (megérkezését) **b) ~ at (an age)** megér/elér (bizonyos kort) **2. ~ at the conclusion (that)** arra a következtetésre jut (hogy); **~ at a decision** elhatározásra jut, dönt(ést hoz) **3.** befut *[sikert ér el]* **4.** *biz* világra jön, megszületik *[gyermek]*

arriviste [ˌæri:'vi:st] *fn* törtető, karrierista

arrogant ['ærəgənt] *mn* öntelt, gőgös, pimasz, erőszakos, arrogáns • *fn* **arrogance** *hsz* **arrogantly**

arrogate ['ærəgeɪt] *tsi* **1.** követel, jogot formál vmre; **~ sg to oneself** illetéktelenül követel vmt, magának követel/tulajdonít vmt **2. ~ sg to sy** *[igazságtalanul]* vmt vknek tulajdonít • *fn* **arrogation**

arrow ['ærou] **I.** *fn* **1.** nyíl(vessző); **flight/shower of ~s** nyílzápor; **straight as an ~** nyílegyenes(en) **2.** nyíl *[jelölés]* **II. A.** *tsi* **1.** nyilaz **2.** nyíllal jelez/jelöl *[utat, irányt]* **B.** *tni* repül (mint a nyíl), nyílsebesen száguld • *mn* **arrowy**

arrow bracket *fn* csúcsos zárójel

arrow-grass *fn növ* kígyófű

arrowhead *fn* **1.** nyílhegy **2.** nyíl *[alakú jel rajzon, térképen]* **3.** *növ* nyílfű

arrowroot *fn* **1.** *növ* nyílgyökér **2.** ‹nyílgyökérből készült étkezési keményítő›

arse [ɑ:s ‖ ɑrs] *szl* **I.** *fn* **1.** *[fenék]* segg **2.** *[buta/bolond ember]* segg(fej) **II.** *tni* **~ about/around** *[bolondozik]* marháskodik, baromkodik

arsehole *fn szl durva* **1.** *[végbélnyílás]* segglyuk **2.** *[buta/ellenszenves személy]* segg(fej)

arse-licking *fn szl durva [túlzott kedveskedés/igyekezet előnyszerzés céljából]* seggnyalás • *fn* **arse-licker**

arsenal ['ɑ:snəl ‖ 'ɑr–] *fn* **1.** fegyverraktár, lőszerraktár, arzenál **2.** fegyvergyár **3.** *átv* fegyvertár, arzenál

arsenic ['ɑ:sənɪk ‖ 'ɑr–] *vegy* **I.** *mn* arzén-, arzénes- **II.** *fn* arzén

arsenical [ɑ:'senɪkl ‖ ɑr–] *mn vegy* arzénes, arzéntartalmú; **~ intoxication** arzénmérgezés

arsenious [ɑ:'si:nɪəs ‖ ɑr–] *mn vegy* arzénes

arsine ['ɑ:si:n ‖ 'ɑr–] *fn vegy* arzén-hidrogén, arzin

arsis ['ɑ:sɪs ‖ 'ɑr–] *fn tsz* **arses** [–si:z] **a)** *zene* arszisz, emelkedés *[ütemben]* **b)** *ir.tud* hangsúlyos ütemrész, hangsúlyos szótag, arszisz *[prozódiában]*

arson ['ɑ:sn ‖ 'ɑrsn] *fn* gyújtogatás (bűntette/bűncselekménye); **commit ~** gyújtogat • *fn* **arsonist**

art. *röv article*

art[1] [ɑ:t ‖ ɑrt] *fn* **1. a)** művészet; **~s and crafts, applied ~** iparművészet; **the fine ~s** képzőművészet, szépművészet; *US* **~ museum** képtár, galéria; **~ object** műtárgy; **work of ~** műalkotás, műremek; **~ for ~'s sake** öncélú művészet **b)** tudomány **2. the (liberal) ~s** bölcsész(et)tudományok; **Faculty of A~s** bölcsészettudományi kar, bölcsészkar **3.** ügyesség, tehetség, készség **4.** mesterség, művészet *[tevékenységé]*; **the ~ of wine-making** a borkészítés/borászat mestersége/művészete

art[2] [ət ‖ ərt] *régi* → **be**

art critic *fn* műkritikus, műbíráló

art deco [ˌɑ:t 'dekou ‖ ˌɑrt deɪ'kou] *fn műv* ‹a húszas, harmincas években népszerű iparművészeti stílus› art deco

artefact ['ɑ:tɪfækt ‖ 'ɑrtɪ–] *fn* **1. a)** termék, készítmény **b)** *biol orv* mesterségesen előidézett változás *[szövetekben]* **2.** *régész* tárgyi lelet

artemisia [ˌɑ:tɪ'mɪzɪə ‖ ˌɑrtə'mɪʒə] *fn növ* **1.** üröm **2.** *tsz* **artemisias** ürömfélék

arterial [ɑ:'tɪərɪəl ‖ ɑr'tɪr–] *mn* **1.** *orv* ütőeres, ütőéri, artériás **2. ~ highway/road** főútvonal

arterialize [ɑ:'tɪərɪəlaɪz ‖ ɑr'tɪr–], **-ise** *tsi* **1.** *orv [vénás vért]* artériás vérré változtat **2.** főútvonalakkal ellát • *fn* **arterialization**

arteriole [ɑ:'tɪərioul ‖ ɑr'tɪr–] *fn orv* kis ütőér, verőerecske, arteriola

arteriosclerosis [ɑ:ˌtɪəriouskla'rousɪs ‖ ɑrˌtɪr–] *fn orv* érelmeszesedés, arteriosclerosis • *mn* **arteriosclerotic**

artery ['ɑ:təri ‖ 'ɑrtəri] *fn* **1.** *orv* ütőér, artéria **2.** (közúti/vasúti) főútvonal

artesian [ɑ:'ti:zɪən ‖ ɑr'ti:ʒn] *mn geol* **~ spring/well** artézi kút; **~ basin** *földr* artézi medence

art form *fn műv* műforma
artful ['ɑ:tfl ‖ 'ɑrt–] *mn* **1.** ügyes, jártas, találékony, eszes **2.** ravasz, fortélyos, agyafúrt • *fn* **artfulness** *hsz* **artfully**
art gallery *fn* képtár, műcsarnok, képcsarnok, szépművészeti múzeum/kiállítás, galéria
arthritis [ɑ:'θraɪtɪs ‖ ɑr–] *fn orv* ízületi gyulladás, arthritis • *mn* **arthritic**
arthropod ['ɑ:θrəpɒd ‖ 'ɑrθrəpɑd] *fn áll* ízeltlábú
Arthur ['ɑ:θə ‖ 'ɑrθər] *tul* Artúr
Arthurian [ɑ:'θjuəriən ‖ ɑr'θʊriən] *mn vál tört* az Arthur/Artus-mondakörhöz tartozó
artichoke ['ɑ:tɪtʃoʊk ‖ 'ɑrtətʃoʊk] *fn növ* articsóka; **globe ~** articsókavirág *[a növény ehető része]*
article ['ɑ:tɪkl ‖ 'ɑrtɪkl] **I.** *fn* **1.** *nyelv* névelő **2.** *jog* **a)** cikk(ely), szakasz, paragrafus, bekezdés *[szerződésé, megállapodásé]*; **~s and conditions** feltételek *[eladásé, szerződésé]*; *hajó* **ship's ~s** hajóbérleti szerződés; személyzeti létszámjegyzék; **~s of association** korlátolt felelősségű társaság (v. részvénytársaság) alapszabályai; **~s of apprenticeship** tanoncszerződés; **serve one's ~s** inaséveit tölti; **~s of marriage** házassági szerződés; **~s of a partnership** társulási szerződés; **~s of war** katonai büntető törvénykönyv; **appointed/provided by the ~s** szabályszerű, a rendelkezéseknek/előírásoknak megfelelő; **under the ~s, in accordance with the ~s** az alapszabályoknak megfelelően **b)** vádpont, a vád tárgya **3.** cikk *[újságban, lexikonban]* **4. a)** (áru)cikk, gyártmány; **~ of clothing** ruhadarab, ruházati cikk **b) ~ of virtu** műtárgy **5. ~ of faith** hitcikkely, hitágazat **II.** *tsi* inasszerződéssel (v. tanoncszerződéssel) köt (vkt vhová)
articled clerk *fn jog* ügyvédjelölt, joggyakornok
articular [ɑ:'tɪkjʊlə ‖ ɑr'tɪkjələr] *mn orv* ízületi, ízület-
articulate I. *mn* [ɑ:'tɪkjʊlət ‖ ɑr–] **1. a)** magát kifejezni képes *[személy]* **b)** érthető, tiszta, világos *[kiejtés]* **2. a)** *áll* tagolt, több ízületű; **~ animal** ízelt testű állat **b) ~ speech** tagolt beszéd **II.** [–leɪt] **A.** *tsi* **1.** tagoltan ejt *[szót]* **2.** *orv* összeilleszt, egybeilleszt *[csontvázat]* **B.** *tni* tagoltan/érthetően/világosan beszél, artikulál • *fn* **articulacy, articulateness, articulator**
articulated [ɑ:'tɪkjʊleɪtɪd ‖ ɑr–] *mn* **1. a)** *áll* ízelt **b)** *nyelv* tagolt, artikulált **2.** *műsz* csuklós(an összekapcsolt); *gk* csuklós *[jármű]*; *GB* **~ lorry** kamion; **~ train** több részes motorvonat
articulation [ɑ:ˌtɪkjʊ'leɪʃn ‖ ɑrˌtɪkjə–] *fn* **1.** *nyelv* kiejtés, hangképzés, tagolás, artikuláció, tagolt beszéd **2.** *orv* összeillesztés, összeilleszkedés, ízesülés **3.** tagozódás, tagozottság
artifact ['ɑ:tɪfækt ‖ 'ɑr–] *US* → **artefact**
artifice ['ɑ:tɪfɪs ‖ 'ɑr–] *fn* **1.** (ügyes) szerkezet **2. a)** ravaszság, csel(fogás), fortély, furfang, mesterkedés **b)** ügyes fogás **3.** ügyesség, leleményesség), találékonyság
artificer [ɑ:'tɪfɪsə ‖ ɑr'tɪfəsər] *fn* **1.** feltaláló **2. a)** kézműves, mesterember, iparos **b)** műszerész **3.** *kat* szerelő, mechanikus
artificial [ˌɑ:tɪ'fɪʃl ‖ ˌɑr–] *mn* **1.** mesterséges, mű-, utánzott, művi, *vegy* szintetikus; **~ cotton** papírvatta; *orv* **~ crown** fogkorona *[fémből]*; **~ fertilizer/manure** műtrágya; *biol* **~ insemination** mesterséges megtermékenyítés; *infor* **~ intelligence, AI** mesterséges értelem/intelligencia; *orv* **~ kidney** művese; *orv* **~ respiration** mesterséges lélegeztetés **2.** mesterkélt, megjátszott, csinált, hamis, imitált; *mat* **~ numbers** logaritmusok **3.** *jog* **~ person** jogi személy • *fn* **artificiality** *hsz* **artificially**
artillery [ɑ:'tɪləri ‖ ɑr–] *fn kat* **1.** tüzérség: **heavy ~** nehéztüzérség; **light ~** könnyű tüzérség; **~ barrage** tüzérségi zárótűz; **~ practice** tüzérségi lőgyakorlat; **~ preparation** tüzérségi előkészítés; **~ support** tüzérségi támogatás **2.** (nehéz) ágyú • *fn* **artillerist**
artilleryman [ɑ:'tɪlərimən ‖ ɑr–] *fn tsz* **-men** [–mən] *kat* tüzér
artillery shell *fn kat* tüzérségi gránát
artiodactyl [ˌɑ:tɪə'dæktɪl ‖ ˌɑr–] *áll* **I.** *mn* párosujjú *[patás állat]* **II.** *fn* párosujjú patás
artisan [ˌɑ:tɪ'zæn ‖ 'ɑrtəzən] *fn* kézműves, mesterember, iparos; *tört* **the ~ class** a kézművesség
artist ['ɑ:tɪst ‖ 'ɑr–] *fn* **1. a)** művész **b)** festő(művész) **c)** *szl* **con ~** szélhámos **2.** *biz* ügyes szakmunkás, jó szakember, szakértő, művésze vmnek
artiste [ɑ:'ti:st ‖ ɑr–] *fn* színész, zenész, táncos *[hivatásos előadóművész]*
artistic [ɑ:'tɪstɪk ‖ ɑr–] *mn* művészi, művészeti; *sp* **~ impression** művészi hatás *[műkorcsolyában, műúszásban]* • *hsz* **artistically**
artistry ['ɑ:tɪstri ‖ 'ɑr–] *fn* **1.** művészi tökély/tökéletesség, művésziesség; **~ of sg** vmnek művészi volta **2.** művészi érzék, műérzék
artless ['ɑ:tləs ‖ 'ɑrt–] *mn* **1.** művészietlen, nem művészi **2.** természetes, egyszerű, mesterkéletlen, ártatlan, naiv *[ember, gondolkodásmód]*
art lover *fn* művészetrajongó, művészetkedvelő
art nouveau [ˌɑ:t nu:'voʊ ‖ ˌɑr–] *fn műv* ‹a 19. sz. végének szecessziós művészeti irányzata› art nouveau
art paper *fn GB* illusztrációs/műnyomó papír
art school *fn* képzőművészeti iskola/akadémia
art show *fn* (művészeti) kiállítás, tárlat
artwork *fn* **1. a)** grafika, grafikai/illusztrációs anyag *[kiadványé]* **b)** *infor* mesterrajz **2.** iparművészmunka, művészi dísztárgy
arty ['ɑ:ti ‖ 'ɑrti] *mn biz* **1. a)** mesterkélt, művész(ies)kedő **b)** hatásvadászó **2.** giccses • *fn* **artiness** *hsz* **artily**
arty-crafty *mn GB biz* **1.** (dilettáns módon) művészkedő **2.** ‹művészi(es), de kényelmetlen›
arty-farty [ˌɑ:ti'fɑ:ti ‖ ˌɑrti'fɑrti] *mn szl biz* ‹művész(ies)kedő, fellengzősen intellektuális›
arum ['eərəm ‖ 'erəm] *fn növ* kontyvirág; *növ* **~ lily** kontyvirág
arvo ['ɑ:voʊ ‖ 'ɑrvoʊ] *fn Ausz szl* délután *stand*
-ary *utótag* **I.** ‹főnévképző: aki/ami vmt végez/végrehajt/helyettesít›; **missionary** misszionárius **II.** ‹melléknévképző›; **elementary** elemi, alapvető
Aryan ['eəriən ‖ 'er–] *mn/fn* **1.** ‹az indoeurópai nyelvcsalád indiai és iráni ágához tartozó› árja **2.** *tört* árja *[a náci ideológiában]*
aryl ['ærɪl] *fn vegy* aril, aromás vegyület/csoport
as [əz, æz] **I.** *hsz* **1.** olyan, ugyanolyan, mint, mintha; **is he ~ tall ~ that?** (ő) ilyen magas?; *biz* **she is ~ deaf ~ deaf** süket, mint egy ágyú **2. I shall help you ~ far ~ I can** segítek önnek, amennyire csak tudok(v. amennyire tőlem telik); **I worked ~ long ~ I could** dolgoztam, amíg csak bírtam/tudtam **3. ~ for/regards/to that** ami azt illeti; **~ far ~ I am concerned** ami engem illet; **good ~ it is** bármennyire jó is; **~ to you** ami pedig téged illet **II.** *hsz/ksz* **1.** mint (amilyen), aminő; **~ if/though** mintha; **~ well ~** továbbá, valamint; **she is ~ tall ~ he** egyforma magasak; **I came down ~ fast ~ I could** olyan gyorsan jöttem le, ahogy (v. amilyen gyorsan) csak tudtam; **by day ~ well ~ by night** nappal csakúgy, mint éjjel; **~ clear ~ day** *biz* világos, mint a nap; **quick ~ thought** gyors, mint a gondolat; **~ pale ~ death** halálsápadt; **it's ~ easy ~ anything** ez nagyon könnyű; ez pofonegyszerű **2. a)** amennyire, bármennyire, bár(hogy); **much ~ I like him** bármennyire is szeretem; **be that ~ it may** bárhogy legyen is **b) covered with dust ~ he was** oly porosan, ahogy volt, azonmód porosan **3. a)** ahogyan, amint; **act/do ~ you like** tegyen, amit akar, cselekedjék belátása szerint; **~ it were** mintegy, (azt) mondhatni; **it happened ~ I told you** úgy történt, ahogy mondtam/megjósoltam; **A is to B ~ C is to D** A úgy aránylik a B-hez, mint C a D-hez **b)** ahogy(an), csakúgy, mint; **~ a rule** rendszerint; *közm* **~ you make your bed so you must lie (on it)** ki mint veti ágyát, úgy alussza álmát; *közm* **~ it is with the parents so it is with the children** az alma nem esik messze fájától **c)** *US* **~ of** vmlyen időponttól kezdve/számítva **d) ~ I am an honest man** hitemre,

szavamra, becsületemre **e)** mint (vk/vm), -ként; **~ one man** egy emberként; **treat sy ~ a stranger** idegenként kezel vkt (v. bánik vkvel); **recognize sy ~ one's son** fiának ismer el vkt; **she was often ill ~ a child** sokat betegeskedett gyermekkorában, gyermekkorában sokszor volt beteg; **act ~ interpreter** tolmácsol, tolmácsként működik; **act ~ a father** apaként cselekszik **4. a)** amint (éppen); **~ I was opening the window** amint (éppen) kinyitottam az ablakot; **he went out just ~ I came in** épp akkor ment ki, amikor bejöttem/beléptem; **she trembled ~ she spoke** reszketve beszélt **b)** amint, ahogy; **~ much again, twice ~ much** kétszer annyi; kétszeres(e); **he grew more charitable ~ he grew older** jótékonyabbá vált, ahogy öregedett **5.** mivel, minthogy; **~ you are not ready we cannot start** mivel nem vagy kész, nem indulhatunk **6. he so arranged matters ~ to please everyone** úgy intézte el a dolgokat, hogy mindenkinek kedvére legyen **III.** *nm* **I had the same trouble ~ you** ugyanaz a bajom volt, mint önnek; **such ~** úgymint, mint például; **I am old ~ you can see** (miként) láthatja, öreg vagyok; **~ usual** szokás szerint; *gazd* **~ per advice** tudósítás szerint

AS *röv* **1.** *Academy of Science* **2.** *Anglo-Saxon*

a.s.a.p. [ˈeɪsæp] *röv as soon as possible* amilyen gyorsan csak lehet

asbestos [æsˈbestəs] *fn* **1.** azbeszt *[ásvány]* **2.** azbeszt *[tűzálló ruhák, szigetelések anyagaként]* • *mn* **asbestine**

asbestosis [ˌæsbeˈstoʊsɪs] *fn orv* ‹azbesztrészecskék belélegzéséből származó betegség› azbesztózis

ascaris [ˌæskərɪs] *fn tsz* **ascarides** [æˈskærɪdiːz] *orv áll* galandféreg, orsóféreg, orsógiliszta

ascend [əˈsend] **A.** *tsi* **1. ~ the throne** trónra lép **2. ~ a mountain** megmászik egy hegyet; **~ a tree** felmászik egy fára **3. ~ a river** a folyón felfelé halad **B.** *tni* **1.** felmegy, feljön, (fel)emelkedik, fellép, felszáll *[hang, léggömb]*, felfelé halad **2. ~ towards the source of a river** folyó forrása felé halad **3.** felmegy, visszamegy *[leszármazási ág]*

ascendancy [əˈsendənsi] *fn* hatalom, tekintély, uralom (*over sy* vk fölött), befolyás, (szellemi) hatás, fölény (*over sy* vkvel szemben); **gain ~ (over)** elhatalmasodik (vmn), fölénybe kerül (vkvel szemben)

ascendant [əˈsendənt] **I.** *mn* **1.** emelkedő, *csill* emelkedésben levő *[csillag]*, *mat* növekvő *[haladvány]*; **~ position** kiemelkedő/kiváló helyzet **2.** *növ* **~ stem** fa főága **II.** *fn* **1. a)** *csill* felemelkedő csillag mozgása **b)** horoszkóp; **be in the ~** (i) nagy tekintélye/befolyása van (ii) *csill* emelkedőben van; **his star is in the ~** *biz* csillaga felmenőben van **2.** *jog* ős, előd, felmenő ági rokon

ascendency [əˈsendənsi] → **ascendancy**

ascendent [əˈsendənt] → **ascendant**

ascension [əˈsenʃn] *fn* **1.** felemelkedés, felszállás **2.** *vall* **A~** mennybemenetel • *mn* **ascensional**

Ascension Day *fn vall* áldozócsütörtök

Ascensiontide [əˈsenʃəntaɪd] *fn vall* ‹áldozócsütörtök és pünkösd közötti időszak›

ascent [əˈsent] *fn* **1. a)** felszállás, felemelkedés **b)** megmászás *[hegyé]*; **make the ~ of** megmássza a hegyet **c) ~ of salmon** ívó lazacok felfelé úszása **2.** *átv* előmenetel, felemelkedés, felfelé haladás **3. a)** emelkedő út, kaptató **b)** meredek hegyoldal

ascertain [ˌæsəˈteɪn ‖ ˌæsər–] *tsi* kiderít, kipuhatol, megtud, tisztáz, meggyőződik (vmről) • *fn* **ascertainment** *mn* **ascertainable**

ascesis [əˈsiːsɪs] *fn* aszkézis, aszkéta életmód

ascetic [əˈsetɪk] **I.** *mn* aszketikus, önsanyargató **II.** *fn* aszkéta • *fn* **asceticism** *hsz* **ascetically**

ascidian [əˈsɪdɪən] *áll* **I.** *mn* zsákállatszerű, zsákállat- **II.** *fn* zsákállat

ASCII [ˈæski] *röv American Standard Code for Information Interchange* amerikai szabványos kódkészlet információcseréhez, ASCII

ascorbic acid [əˌskɔːbɪk– ‖ əˌskɔr–] *fn vegy* aszkorbinsav, C-vitamin

Ascot [ˈæskət] *tul* **1.** *földr* Ascot **2.** *sp* **a)** az ascoti lóverseny/derbi **b)** az ascoti lóversenypálya

ascribe [əˈskraɪb] *tsi* tulajdonít, betud, beszámít (*to* vmnek); **~ a characteristic to sy** jellemvonást tulajdonít vknek • *mn* **ascribable**

ascription [əˈskrɪpʃn] *fn* **1.** tulajdonítás *[vmnek]* **2.** *vall* fennálló ének, hálaadás szentbeszéd végén

ASEAN [ˈæsiæn] *röv Association of Southeast Asian Nations* Délkelet-Ázsiai Nemzetek Társulása

asepsis [eɪˈsepsɪs] *fn orv* **1.** csírátlanítás, fertőtlenítés **2.** fertőzésmentesség, aszepszis

aseptic [əˈseptɪk, eɪ– ‖ eɪ–] *orv* **I.** *mn* **1.** fertőzésmentes, aszeptikus, steril **2.** csírátlanító, fertőtlenítő **II.** *fn* fertőzésmentes/aszeptikus szer

asexual [eɪˈsekʃuəl] *mn biol* nem nélküli, nemi jelleg nélküli, meddő, ivartalan, aszexuális; *növ* **~ propagation** ivartalan szaporítás • *fn* **asexuality** *hsz* **asexually**

ash¹ [æʃ] *fn növ* kőris(fa)

ash² [æʃ] *fn* **1. a)** hamu; **pale as ~es** hamuszürke, holtsápadt; **burn/reduce sg to ~es** lerombol (v. porig éget) vmt **b)** tökéletlenül elégett széndarab, salak **2.** *tsz* **ashes** hamvak *[holtaké]*; **peace to his ~es!** béke hamvaira/porára! **3.** *sp* **Ashes** ‹évenkénti krikettverseny Anglia és Ausztrália között›

ashamed [əˈʃeɪmd] *mn* szégyenkező, megszégyenített, megszégyenült; **be ~ of sy/sg** szégyell vkt/vmt, szégyenkezik vk/vm miatt; **you ought to be ~ of yourself** szégyellhetné magát, szégyellje magát; **I am ~ for you** helyetted is szégyellem magam • *hsz* **ashamedly**

ash blonde, *US* **ash blond I.** *fn* hamvasszőke (szín) **II.** *mn* hamvasszőke (színű)

ashcan *fn US* szemetes, szemétláda

ashen¹ [ˈæʃn] *mn* **1. ~ (grey)** hamuszürke **2.** hamvas, hamuszerű

ashen² [ˈæʃn] *mn* **1.** kőris-, kőrisfa- **2.** kőrisfából készült/való

ashet [ˈæʃɪt] *fn skót ÚjZ* nagy ovális tál

ashing [ˈæʃɪŋ] *fn* elhamvasztás

Ashkenazi [ˌæʃkəˈnɑːzi ‖ ˌɑʃ–] *fn tsz* **Ashkenazim** [–zɪm] askenázi *[kelet-európai zsidó]* • *mn* **Ashkenazic**

ash-key *fn GB növ* lependék *[kőrisé]*

ashlar [ˈæʃlə ‖ –ər] *fn épít* **1.** épületkő, kockakő, terméskő **2.** falburkolat

ashlaring [ˈæʃlərɪŋ] *fn épít* **1.** terméskő burkolat **2.** ‹manzardtető függőleges válaszfala›

ashore [əˈʃɔː ‖ əˈʃɔr] *hsz* **1.** parton, partra **2.** partra vetve; **be driven ~** partra vetődik

ashpan *fn* kályhaelő, tűzfogó

ashplant *fn táj* vándorbot

ashram [ˈæʃrəm] *fn vall* **1.** asrám *[hindu szent emberek elvonulási helye]* **2.** a közös hitélet helyszíne

ashtray *fn* hamutartó, hamutálca

Ash Wednesday *fn vall* hamvazószerda

ashy [ˈæʃi] *mn* **1.** hamuval fedett/borított **2.** → **ashen¹** 2.

Asia [ˈeɪʃə ‖ ˈeɪʒə] *tul földr* Ázsia; **~ Minor** Kis-Ázsia

Asian [ˈeɪʃn ‖ ˈeɪʒn] *mn/fn* ázsiai

Asiatic [ˌeɪʃiˈætɪk ‖ ˌeɪʒi–] *mn/fn* ázsiai

aside [əˈsaɪd] **I.** *hsz* **1. a)** el(-), félre(-), oldalra, oldalt, oldalvást, mellé; **glance ~** félrenéz; **speak ~** félreszól; **I drew her ~** félrevontam; **set ~** (i) *jog* megváltoztat *[ítéletet]* (ii) félretesz *[vmt későbbi használat céljából]*; **take sy ~** félrevon (vkt), elvon (vkt) a társaságtól; *szính* **words spoken ~** félre/félhangosan mondott szavak **b)** *[mint színpadi utasítás]* félre **2. ~ from** eltekintve vmtől, nem számítva vmt; azonfelül **II.** *fn* (halkan/félre mondott) megjegyzés, félreszólás *[színpadon]*

A-side *fn* ‹analóg hanglemez első oldala›

asinine [ˈæsɪnaɪn] *mn* **1.** szamár- *[fajta, típus]* **2.** *biz [buta, ostoba]* szamár, csacsi • *fn* **asinity**

ask [ɑːsk ‖ æsk] *tsi* **1.** (meg)kérdez (*sy sg* vktől vmt); **~ sy a question** kérdést tesz fel vknek, kérdést intéz vkhez, megkérdez vkt; **~ the time** megkérdezi, hány óra van; **it**

may be ~ed whether kérdéses, hogy; **if you ~ me** *biz* véleményem/nézetem szerint; **~ me another** *biz* mit tudom én, sejtelmem sincs (róla); kérdezz könnyebbet; *biz* **isn't it awful I ~ you?** mondd/hát nem szörnyű/borzasztó? **2. a)** kér (*sy sg/sy for sg* vktől vmt); **~ advice** tanácsot kér; **~ a favour of sy, ~ sy a favour** szívességet kér vktől; **what did you ~ of him?** mit kértél/akartál/óhajtottál tőle?; **I ~ you!** na de kérem! *[felháborodás, undor kifejezése]*; **if it isn't ~ing too much...** elnézését kérem (v. bocsánat) merészségemért; ha nem veszi rossz néven (úgy kérem) **b)** kér *[árat, fizetést]* **3. a)** megkér, felkér (*sy to do sg* vkt vmre) **b)** (meg)hív; **~ sy out** randevúra hív, meghív vacsorázni; **~ sy to dinner** meghív vkt vacsorára/ebédre • *fn* **asker**

ask about *tni* kérdezősködik, érdeklődik (vkről/vmről)

ask after *tni* keres (vkt), kérdezősködik (vkről), érdeklődik (vk felől)

ask back *tsi* **1. ~ sg back** visszakér *[könyvet, pénzt, kölcsönadott tárgyat stb.]* **2. ~ sy back** visszahív vkt, meghív *[vkt udvariasság viszonzása céljából]*

ask for A. *tni* **1. ~ for sy** keres vkt, beszélni akar vkvel *[telefonon]* **2. a) ~ for sg** kér vmt; **how much are you ~ing for it?** mennyit kér érte?, mennyiért/hogy adja?; **~ for a lift** *biz* felkéredzkedik *[járműre]*; **~ for it/trouble** *biz* keresi a bajt, vesztébe rohan; **you ~ed for it** *biz* magadnak köszönheted; ezt a ziccert nem hagyhattam ki! **b)** igényel; **it ~s for attention/care** figyelmet/gondoskodást igényel **B.** *tsi* **~ sy for sg** kér vktől vmt

askance [ə'skæns] *hsz* oldalra, ferdén, görbén, a szeme sarkából *[néz]*; **look ~ at sy/sg** bizalmatlanul/gyanakodva (v. görbe/ferde szemmel) néz vkt/vmt

askari [æ'skɑːri] *fn* aszkari; ‹gyarmatosítók hadseregében szolgáló afrikai bennszülött katona›

askew [ə'skjuː] **I.** *mn* lejtős, rézsútos, görbe, ferde **II.** *hsz* ferdén, görbén, keresztbe

asking price *fn gazd* kínálati/ajánlati ár(folyam), tájékoztató/körülbelüli ár

aslant [ə'slɑːnt ‖ ə'slænt] **I.** *hsz* ferdén, lejtősen (keresztbe), rézsút(osan) **II.** *elölj* keresztül, keresztben, haránt

asleep [ə'sliːp] **I.** *mn/hsz* alva, álomban, alvó; **be ~** alszik, szundikál; **my foot is ~** elzsibbadt a lábam; **be fast/sound ~** mélyen alszik; **fall/drop ~** elalszik **II.** *hsz* tompán, korlátoltan, bárgyú módon

aslope [ə'sloʊp] **I.** *mn* ferde, lejtős, rézsútos **II.** *hsz* ferdén, lejtősen, keresztbe, rézsút(osan)

asocial [eɪ'soʊʃl] *mn* aszociális, antiszociális, társaságkerülő

asp [æsp] *fn áll* áspisvipera

asparagine [ə'spærədʒaɪn] *fn vegy* aszparagin

asparagus [ə'spærəgəs] *fn növ* spárga, csirág; nyúlárnyék

asparagus fern *fn növ* díszspárga, tollasfű, aszparágusz

aspartame [ə'spɑːteɪm ‖ ə'spɑr–] *fn* ‹alacsony kalóriatartalmú édesítőszer›

aspartic acid [əˌspɑːtɪk 'æsɪd ‖ əˌspɑr–] *fn vegy* aszparaginsav

aspect ['æspekt] *fn* **1.** szempont, szemlélet, nézőpont, megvilágítás, jelleg; **study every ~ of a question** megvizsgálja a kérdés minden oldalát, minden szempontból tanulmányozza a kérdést **2.** külső, megjelenés, kép, külső forma, arckifejezés, tekintet; **facial ~** arckifejezés; **general ~** összkép, összbenyomás; **see sg in its true ~** a maga valóságában lát vmt **3.** fekvés, helyzet; **the house has a southern ~** a ház déli fekvésű, a ház délre néz **4.** *nyelv* igeszemlélet, (igei) aspektus **5.** *csill* **~ of planets** csillagállás, aspektus **6.** *távk* **~ angle** látószög • *mn* **aspectual**

aspect ratio *fn* **a)** *rep* szárnykarcsúság, (szárny)oldalviszony **b)** *infor* oldalarány **c)** *távk média* képoldalarány, képméretarány

aspen ['æspən] *fn növ* rezgő nyár(fa)

asperity [æ'sperəti] *fn* **1.** nyersesség, érdesség, élesség *[hangé]*, barátságtalanság, zordonság *[jellemé]*, szigorúság, zordság *[éghajlaté]*; **asperities of character** jellem zordonsága **2.** *tsz* **asperities** kemény/szigorú szavak; **they exchanged some asperities** kemény/durva szavakat váltottak egymással

asperse [ə'spɜːs ‖ ə'spɜrs] *tsi* (meg)rágalmaz, becsmérel, leszól

aspersion [ə'spɜːʃn ‖ ə'spɜrʒn] *fn* rágalom, rágalmazás, becsmérlés; **cast ~s on sy** becsmérel, (meg)rágalmaz, rágalmakkal halmoz el (vkt)

asphalt ['æsfælt ‖ 'æsfɔlt] **I.** *fn* aszfalt **II.** *tsi* aszfaltoz, aszfalttal borít • *mn* **asphaltic**

asphodel ['æsfədel] *fn* **a)** *növ* (sárga) aszfodélusz, aszfodélosz **b)** *ir mit* aszfodélosz; ‹az elíziumi mezőkön örökké virágzó virág (klasszikus mitológiában)›

asphyxia [æs'fɪksiə] *fn orv* fulladás, asphyxia • *fn/mn* **asphyxiant** *mn* **asphyxial**

asphyxiate [æs'fɪksieɪt] *tsi orv* megfullaszt, megfojt • *fn* **aspyhxiation, asphyxiator**

aspic ['æspɪk] *fn* kocsonya, aszpik

aspirant ['æspərənt] **I.** *mn* pályázó, folyamodó *[vmre/vmért]* **II.** *fn* pályázó, folyamodó (*to/after* vmre/vmért), jelölt

aspirate I. *mn* ['æspɪrət] *nyelv* hehezetes **II.** *fn nyelv* **a)** hehezetes betű/hang **b)** h hang/betű **III.** *tsi* [–reɪt] **1.** *nyelv* hehezetesen/aspirálva ejt, aspirál **2.** belélegzik, beszív *[gázt]*, felszív *[folyadékot]*

aspiration [ˌæspə'reɪʃn] *fn* **1.** törekvés, vágyakozás, vágyódás, aspiráció (*for/after* vm után) **2.** belélegzés, (be)szívás, kiszívás, felszívás *[levegőé, gázé]* **3.** *nyelv* hehezet(es ejtés) • *mn* **aspirational**

aspirator ['æspəreɪtə ‖ –ər] *fn* **1.** *fiz* szívóventillátor, vízlégszivattyú **2.** *orv* szívókészülék, aszpirátor

aspire [ə'spaɪə ‖ –ər] *tni* **1. a)** törekszik/vágyik (*to/after* vmre), vágyakozik, sóhajtozik (*to/after* vm után) **b)** törekszik (*after/to* vmre), fűti a becsvágy; **~ to honours** kitüntetésre/tisztségre/babérokra vágyik/pályázik **2.** *vál régi* felszáll, felemelkedik *[gondolat, füst]*

aspirin ['æsprɪn] *fn orv* aszpirin

asquint [ə'skwɪnt] **I.** *mn* **eyes ~** kancsal/bandzsa szem **II.** *hsz* a szeme sarkából, kancsalul, sandán; **look sy/sg ~** a szeme sarkából néz vkt/vmt (v. vkre/vmre), ferdén/sandán néz vkre/vmre

ass[1] [æs] **I. 1.** *fn* szamár; csacsi **2.** *biz [buta személy]* szamár, bolond; **play the ~** adja/megjátssza az ostobát; **make an ~ of oneself** szamárságot/ostobaságot követ el; kinevetteti (v. nevetségessé teszi) magát **II.** *tni* **~ (about)** *biz* bolondozik, hülyéskedik

ass[2] [æs] *fn US Kan szl* → **arse**; **up your ~!** ezt neked!, *durva* lófasz a seggedbe!; **drag/tear/haul ~** *[elmegy]* elhúzza a belét, elhúzza a csíkot; **have one's ~ in a sling** szarban van

assail [ə'seɪl] *tsi* **1.** megtámad, letámad, megrohan *[ellenséget, erődöt]* **2.** *átv* **a) ~ the ear** fülét megüti (vm hang) **b) fear ~ed us** félelem fogott el bennünket **3.** eláraszt (*with* vmvel); **~ sy with questions** kérdésekkel áraszt el vkt **4.** nekilát, hozzáfog *[feladatnak]* • *mn* **assailable**

assailant [ə'seɪlənt ‖ –ər] *fn* támadó, agresszor

Assamese [ˌæsə'miːz] **I.** *mn* asszámi **II.** *fn* **1.** asszámi *[ember]* **2.** *nyelv* asszámi

assassin [ə'sæsɪn] *fn* merénylő, orgyilkos

assassinate [ə'sæsɪneɪt] *tsi* **1.** (orvul) meggyilkol, merényletet követ el (vk ellen) **2.** meghurcol, megrágalmaz (vkt) • *fn* **assassination, assassinator**

assassin bug *fn* ‹a *Reduviiade* családba tartozó élősködő/vérszívó félfedeles szárnyú rovar›

assault [ə'sɔːlt] **I.** *fn* **1. a)** roham, ostrom; **take/carry a town by ~** rohammal bevesz egy várost; **make an ~** rohamot indít, megrohamoz **b)** (meg)támadás, megrohanás, lerohanás **2.** *sp* csörte *[vívásban]* **3.** *jog* **a)** tettlegesség (kísérlete), testi sértéssel való fenyegetés, testi sértés; **aggravated ~** minősített súlyos testi sértés; **~ (on the police)** hatósági közeg elleni erőszak; *jog* **~ and battery** testi sértés(sel való fenyegetés); tettlegesség (kísérlete)

A

b) criminal/sexual ~ nemi erőszak, erőszakos nemi közösülés; **indecent** ~ szeméremsértés (vétsége) **4.** nekiiramodás, nekilátás, utolsó nekifutás *[hosszas, nehéz feladatnak]* **II.** *tsi* **a)** (meg)támad, (meg)rohamoz, (meg)ostromol *[várost, létesítményt]* **b)** megtámad, tettleg bántalmaz (vkt) **c)** megerőszakol (vkt), erőszakot követ el (vkn) • *fn* **assaulter** *mn* **assaultive**

assault rifle *fn orv* támadó fegyver/puska

assay I. *fn* [əˈseɪ ‖ ˈæseɪ] **1. a)** *koh* próba, vizsgálat *[fémé, ásványé]*, meghatározás, ércelemzés; **mark of** ~ fémjel(zés) *[ezüsttárgyon]* **b)** *átv* próba, vizsgálat **2.** *vegy* (vegy)elemzés **II.** *tsi* [əˈseɪ] **1. a)** *koh* becsül, minőségi próbát végez, mennyiségileg elemez *[ércet]* **b)** *vegy* elemez, vizsgál **c)** *átv* elemez, (meg)vizsgál **2.** *régi* megkísérel, megpróbál (*to do sg* vmt) • *fn* **assayor**

assay office *fn* **1.** *GB* fémjelző hivatal **2.** *US* érc-/fémjelző hivatal

assemblage [əˈsemblɪdʒ] *fn* **1.** összeszerelés, összeillesztés *[alkatrészeké]*, összeállítás, kötés(mód), ácsolás, kötés **2. a)** összejövetel, gyülekezés, csoportosulás **b)** gyűjtemény, kollekció *[tárgyaké]* **3.** *műv* ‹összefüggéseikből kiragadott tárgyak ötletszerű halmaza› assemblage

assemble [əˈsembl] **A.** *tsi* **1.** összegyűjt *[embereket, adatokat, könyveket]*, összehív *[tagokat, parlamentet]*, *kat* összevon, sorakoztat *[csapatokat]* **2. a)** (össze)szerel, összeállít, (össze)illeszt *[alkatrészeket]* **b)** ácsol **3.** *infor* fordít *[programot]* **B.** *tni* összegyűlik, gyülekezik, összejön; *jog* **the right to** ~ gyülekezési jog

assembler [əˈsemblə ‖ –ər] *fn* **1.** szerelő(munkás) **2.** *infor* asszembler-(fordító)program **3.** → **assembly language**

assembly [əˈsembli] *fn* **1. a)** gyűlés, gyülekezés, gyülekezet, összejövetel; **general** ~ közgyűlés; **General A~ of the United Nations** az Egyesült Nemzetek Közgyűlése; **the National A~** nemzetgyűlés; *jog* **right of** ~ gyülekezési jog **b)** *kat* sorakozó **2.** (össze)szerelés, összeállítás, összerakás, összeillesztés *[alkatrészeké, gépé]*, ácsolás *[bútoré]*

assembly language *fn infor* asszembler nyelv

assembly line *fn műsz* futószalag, szerelősor, szerelőszalag

assembly room *fn* → **assembly shop**

assembly rooms *fn tsz* **a)** díszterem, táncterem **b)** *okt* aula

assembly shop *fn műsz gk* összeszerelő üzem, szerelőműhely, szerelőcsarnok

assent [əˈsent] **I.** *fn* hozzájárulás, beleegyezés, *jog* engedély, beleegyezés, jóváhagyás; **verbal** ~ szóbeli hozzájárulás/beleegyezés; **by common** ~ közös megegyezés alapján, közös megegyezéssel; **with one** ~ egyhangúlag **II. A.** *tni* **1.** ~ **to** hozzájárul vmhez, beleegyezik vmbe; elfogad/helyesel vmt; ~ **to a proposal** javaslathoz hozzájárul, javaslatot elfogad **2.** ~ **to the truth of sg** beismeri vmnek az igaz voltát **B.** *tsi* jóváhagy *[uralkodó az eléje terjesztett törvényt]* • *fn* **assenter**, **assentor**

assentient [əˈsenʃnt] **I.** *mn* jóváhagyó, helyeslő, beleegyező **II.** *fn* → **assenter**

assentive [əˈsentɪv] *mn* beleegyező, jóváhagyó

assert [əˈsɜːt ‖ əˈsɜrt] *tsi* **1.** állít, bizonygat, kijelent; ~ **one's innocence** ártatlanságát bizonyítja **2.** (magának) követel; ~ **oneself** jogait hangsúlyozza; tolakodik; **he was never able to** ~ **himself sufficiently** sohasem sikerült neki előtérbe kerülnie, sohasem volt eléggé rámenős

assertion [əˈsɜːʃn ‖ əˈsɜrʃn] *fn* **1.** állítás, bizonygatás, kijelentés; **make an** ~ megerősít (vmt) **2.** követelés, igény érvényesítése; ~ **of one's rights** jogainak követelése

assertive [əˈsɜːtɪv ‖ əˈsɜr–] *mn* **a)** tolakodó, rámenős **b)** öntudatos, magabiztos **c)** ellentmondást nem tűrő, nyers *[hang]* • *fn* **assertiveness** *hsz* **assertively**

assess [əˈses] *tsi* **a)** megállapít *[kárt, értéket]*, kiró, kivet *[adót]*; ~ **sy in/at 15 %** 15 % adót vet ki vkre; ~ **a fine** pénzbüntetést kiszab/kiró **b)** felmér, felbecsül, megállapít; ~ **the damages** felbecsüli/megállapítja a károkat; ~ **the fault** megállapítja a felelősséget *[balesetnél]* **c)** (ki)értékel *[dolgozatot, felmérést]* • *mn* **assessable**

assessment [əˈsesmənt] *fn* **a)** kivetés, kirovás *[adóé]*; **actual** ~ fizetendő adó; ~ **on income** jövedelemadó **b)** felbecsülés, megbecsülés, értékelés *[káré, vagyontárgyé]*, minősítés; ~ **of damages** kármegállapítás **c)** (meg)adóztatás *[ingatlané stb.]* **d)** *infor* értékelés

assessor [əˈsesə ‖ –ər] *fn* **1.** adóbecslő, adófelügyelő; ~ **of taxes** adóellenőr **2.** kárbecslő **3.** *jog* ülnök, szavazóbíró, törvényszéki szakértő **4.** *sp* (játékvezető-)ellenőr

asset [ˈæset] *fn* **1. a)** vagyon(tárgy), birtok **b)** forrás, tulajdon, aktíva; **fixed** ~ állóeszköz **c)** *átv* előny, erősség **2.** *tsz* **assets a)** *jog gazd* tőke, vagyon, vagyoni érdekeltség, aktívák *[csőd felszámolása után]*; **company's** ~**s** társasági tőke/vagyon; **liquid/ready** ~**s** rendelkezésre álló anyagi eszköz(ök), likvid tőke/vagyon/eszközök; **permanent/fixed** ~**s** beruházott/álló tőke, beruházott vagyon; **personal** ~**s** ingó vagyon, személyes ingó(ságo)k; **real** ~**s** ingatlan vagyon **b)** *pénz* kintlevőség, követelések; ~**s and liabilities** aktívák és passzívák; **frozen** ~**s** behajthatatlan követelések

asset-stripping *fn gazd* ‹vállalat felvásárlása és vagyontárgyainak eladása nyereséggel›

asseverate [əˈsevəreɪt] *tsi* (ünnepélyesen) kijelent, kinyilatkoztat, állít, vmnek a fontosságát hangoztatja; **he** ~**s his innocence** ártatlanságát bizonygatja • *fn* **asseveration**

asshole *fn US Kan szl durva* → **arsehole**

assiduity [ˌæsɪˈdjuːəti ‖ –ˈduːəti] *fn* **1.** pontosság, szorgalom (*in doing sg* vmnek a végzésében), odafigyelés **2.** gondoskodás (*to* vkről), előzékenység

assiduous [əˈsɪdjuəs ‖ –dʒuəs] *mn* **1.** szorgalmas, kitartó *[személy]* **2.** folytonos, kitartó, lankadatlan *[munka]* • *fn* **assiduousness** *hsz* **assiduously**

assign [əˈsaɪn] **I.** *fn jog* jogutód, (fel)jogosított, illetékes (személy), megbízott, felhatalmazott **II.** *tsi* **1. a)** kijelöl (*to* vknek), meghatároz (vmt), kioszt *[szerepet]*, kinevez, kijelöl, beoszt *[munkakörbe]*; ~ **to** beutal *[kórházba]* **b)** kijelöl, megjelöl; ~ **an hour** megjelöl egy időpontot; ~ **a task/duty to sy** kijelöli/megjelöli a feladatát/kötelességét vknek **c)** tulajdonít, kölcsönöz *[értelmet]*; ~ **a special meaning to a word** különleges/sajátságos értelmet tulajdonít egy szónak **2.** *jog* átad, átenged, átruház; ~ **a right to sy** jogot átenged vknek • *fn* **assigner**, **assignor** *mn* **assignable**

assignation [ˌæsɪgˈneɪʃn] *fn* **1. a)** kijelölés, megállapítás *[időponté, helyé]* **b)** találka, randevú, (szerelmi) légyott **2. a)** elosztás, felosztás, szétosztás *[javaké]* **b)** *jog* tulajdonátruházás, átengedés *[javaké]*, átruházás *[adósságé]*

assignee [ˌæsaɪˈniː] *fn jog* engedményes *[akire jogot/követelést átruháztak]*; → **assign** I.

assignment [əˈsaɪnmənt] *fn* **1.** megbízás, (kijelölt) feladat, kinevezés, újságírói feladat/megbízás **2. a)** elosztás, felosztás, szétosztás *[javaké]*, beosztás (vké vhova) **b)** *jog* (tulajdon) átruházás, juttatás **3.** felsorolás, idézés *[okoké, érveké]*

assimilate [əˈsɪməleɪt] **A.** *tsi* **1.** magába foglal/olvaszt, elnyel **2.** *biol* beépít, feldolgoz, asszimilál; ~ **food** (élettanilag) felvesz/feldolgoz/emészt táplálékot **3. a)** hasonlóvá tesz, hasonít, hozzá alkalmaz **b)** összehasonlít, egybevet (*to* vmvel); **these two cases cannot be** ~**d** ez a két eset nem hasonlítható össze, ez két különálló/különböző eset **4.** *nyelv* hasonít, asszimilál **B.** *tni* **1. a)** beilleszkedik, (el)vegyül, asszimilálódik **b)** *biol* beépül, feldolgozódik/asszimilálódik *[táplálék]*; **food that** ~**s well** jól emészthető táplálék **c)** *nyelv* hasonul, asszimilálódik *[nyelv]* **2.** hasonul, hasonlóvá lesz/válik, asszimilálódik; ~ **to/with sy** hasonlóvá lesz vkhez; összehasonlítja magát vkvel • *fn* **assimilator** *mn* **assimilable**, **assimilative**, **assimilatory**

assimilation [əˌsɪməˈleɪʃn] *fn* **1. a)** hasonulás, hasonlóvá válás, hozzáidomulás, asszimiláció, asszimilálódás (*to/with* vmhez) **b)** *nyelv* hasonulás, illeszkedés, asszimiláció *[más-*

salhangzóké] **c)** *biol* beépítés, asszimiláció **2. a)** hasonítás, hasonlóvá tevés, hozzáidomítás (*to/with* vmhez) **b)** *biol* áthasonítás, asszimilálás, feldolgozás *[tápláléké]* **c)** *nyelv* hasonítás, asszimiláció **3.** összehasonlítás (*to sy/sg* vkvel/vmvel)

assist [ə'sɪst] **I. A.** *tsi* **a)** (meg)segít, támogat (vkt), segédkezik, asszisztál (vknek); **~ sy in his/her career** támogatja vk karrierjét; **~ sy to the door** kikísér vkt, az ajtóig kísér vkt **b) ~ sg** elősegít (vmt), hozzájárul (vmhez) **B.** *tni* **1.** segít, segédkezik, asszisztál **2.** részt vesz, jelen van; **~ at/in a ceremony** szertartásnál jelen van, szertartáson részt vesz **II.** *fn* **a)** *US* segítség, támogatás **b)** *sp* gólpassz • *fn* **assister**

assistance [ə'sɪstəns] *fn* segítség, segély, támogatás; **give/render/tend sy ~** segítséget nyújt vknek; **be of ~ to sy** segít vknek; **come to sy's ~** segítségére siet vknek; **with the ~ of sy/sg** vknek/vmnek a segítségével

assistant [ə'sɪstənt] **I.** *mn* **1.** (ki)segítő, helyettes **2.** mellérendelt, segéd-, pót-, al-, helyettes; **~ member** póttag *[bizottságban]* **II.** *fn* **a)** (ki)segítő, asszisztens, helyettes **b)** (bolti) alkalmazott, (kereskedő)segéd, kiszolgáló; *US okt* **~ professor** egyetemi tanársegéd

assize [ə'saɪz] *fn* **1.** *jog* bírói határozat/rendelet **2.** bírói tárgyalás

ass-kissing *fn szl US Kan* → **arse-licking**

ass-licking *fn szl US Kan* → **arse-licking**

assoc. *röv* **1.** *associated* **2.** *association*

associable [ə'soʊʃəbl] *mn* társítható, kapcsolatba hozható (*with* vmvel) • *fn* **associability**

associate I. [–ʃieɪt] **A.** *tsi* **a)** társít, összekapcsol, összeköt, kapcsolatba hoz (*with* vkvel/vmvel); **be ~d with sg/sy** kapcsolatban van vmvel/vkvel **b)** egyesít, asszociál, hozzáad **c) ~ oneself with sy/sg** csatlakozik vkhez/vmhez **d)** *infor* társít **B.** *tni* **a) ~ with sy in sg** társul/egyesül/szövetkezik vkvel vmre **b) ~ with sy** barátkozik/érintkezik vkvel **II.** *mn* [ə'soʊʃɪət] **1.** társított, társult, társuló; *US* **~ professor** *kb* (egyetemi) docens **2.** összekötött, összekapcsolt, kisegítő **III.** *fn* [–ʃɪət] **1. a)** üzlettárs, partner **b)** vmnek a tagja, tudományos munkatárs **c)** társ, barát **2.** járulék, tartozék, kellék • *fn* **associateship**, **associator**

associated [ə'soʊʃieɪtɪd] *mn* **1. ~ states/countries** társult államok/országok *[pl. az EU-ban]* **2.** *geol* **~ rock** mellékkőzet

association [əˌsoʊʃi'eɪʃn, əˌsoʊsi–] *fn* **1. a)** társítás, egyesítés, asszociáció; **~ of ideas** képzettársítás, gondolattársítás; képzettársulás, asszociáció; **free ~** szabad asszociáció **b)** *vegy* asszociáció; **~ heat** asszociációs hő **2. a)** társulás, egyesülés, kapcsolattartás, érintkezés (*with* vkvel), kapcsolat **b)** szövetség, társaság, társulat, egyesület; *sp* **~ football** labdarúgás, futball *[ellentétben a rögbivel]*; *EU* **A~ Council** Társulási Tanács *[az EU és a társult államok között]* **3.** *biol vegy* asszociáció • *mn* **associational**

associative [ə'soʊʃɪətɪv ‖ –eɪtɪv] *mn* **1.** asszociációs **2.** társuló, csatlakozó, kapcsolódó, társulási, csatlakozási, asszociatív **3.** *infor mat* asszociatív

assonance ['æsənəns] *fn ir.tud nyelv* **1. a)** magánhangzós rím, asszonánc **b)** magánhangzó-ismétlés, asszonancia **2.** együtthangzás, összehangzás • *tni* **assonate** *mn* **assonant**

assort [ə'sɔːt ‖ ə'sɔrt] **A.** *tsi* **a)** összeválogat, összeállít, csoportosít **b)** (ki)válogat, osztályoz, szortíroz **B.** *tni* **~ (well) with sy/sg** összeillik/megegyezik/összefér vkvel/vmvel

assortative [ə'sɔːtətɪv ‖ ə'sɔr–] *mn* (össze)válogató, csoportosító, szortírozó

assorted [ə'sɔːtɪd ‖ ə'sɔrtɪd] *mn* **a)** válogatott, osztályozott, vegyes **b)** összeillő

assortment [ə'sɔːtmənt ‖ ə'sɔrt–] *fn* választék, készlet, mintagyűjtemény

assuage [ə'sweɪdʒ] *tsi* **a)** megnyugtat, lecsendesít, lecsillapít *[dühöngőt]*, enyhít, csillapít *[fájdalmat]* **b)** kielégít, olt *[étvágyat, szomjat, vágyat]* • *fn* **assuagement**

assume [ə'sjuːm ‖ ə'suːm] *tsi* **1.** feltesz, feltételez, elfogad *[igazságként/valóságként]*; **let us ~ that ...** tegyük fel, hogy ..., feltételezzük, hogy ...; **let us ~ that such is the case** tegyük fel, hogy így van **2.** színlel, tettet; **~ an air of innocence** ártatlan arcot vág **3.** magára vállal/vesz, elvállal *[munkát, tisztet]*; **~ command** átveszi a parancsnokságot; **~ authority/power** átveszi a hatalmat **4.** felvesz, (fel)ölt *[magatartást, alakot]*, felvesz *[szó új értelmet]*; **~ considerable proportions** nagy méreteket ölt **5.** magának követel/tulajdonít *[jogot, címet]*; **~ a name** nevet (jogtalanul) felvesz; *jog* **~ a succession** igényt támaszt örökségre • *mn* **assumable**

assumed [ə'sjuːmd ‖ ə'suːmd] *mn* **1.** tettetett, hamis, ál; **~ name** álnév, felvett név **2.** feltételezett, állítólagos, hipotetikus

assuming [ə'sjuːmɪŋ ‖ ə'suːmɪŋ] *mn* elbizakodott, dölyfös, követelődző

assumption [ə'sʌmpʃn] *fn* **1.** feltevés, feltételezés, hipotézis, *fil* posztulátum, követelmény; *mat* **fundamental ~** alapfeltevés, axióma **2. a)** felvétel, felöltés *[alaké, jellegé]* **b) ~ of office** hivatalba lépés **3. a)** tettetés, színlelés; **with an ~ of indifference** közömbösséget tettetve/színlelve **b)** elbizakodottság, önteltség, nagyravágyás **4.** *vall* **A~** Mária mennybemenetele **5.** *jog* **~ agreement** adósság átvállalása; **~ of a succession** igény támasztása örökségre; **unauthorized ~ of a right** jogbitorlás

assumptive [ə'sʌmptɪv] *mn* **1. a)** elfogadható, elismerhető, beismerhető, beismert *[tett]* **b)** *fil* feltett, feltevésszerű, hipotetikus *[okoskodás]* **2.** elbizakodott, öntelt, arrogáns

assurable [ə'ʃʊərəbl ‖ ə'ʃʊr–] *mn* biztosítható, biztosításra elvállalható

assurance [ə'ʃʊərəns ‖ ə'ʃʊr–] *fn* **1. a)** bizonyosság **b)** biztosíték, (határozott) ígéret, garancia, szavatolás, jótállás; **give an ~** biztosítékot ad **c)** *GB* (élet)biztosítás **2.** *jog* **~ (of property)** jogok *[egy birtokra]*; jogok átruházása *[egy birtokra]* **3. a)** (ön)bizalom, magabiztosság, határozottság, magabiztos/öntudatos fellépés; **have plenty of ~** biztos fellépésű, magabiztos **b)** elbizakodottság, önhittség, önteltség

assure [ə'ʃʊə ‖ ə'ʃʊr] *tsi* **a)** (be)biztosít; **~ with a company** biztosítást köt egy biztosító társaságnál **b)** biztosít, biztossá tesz; **~ the happiness of sy** biztosítja vk boldogságát **c)** bizonygat, állít; **I can ~ you!** biztosíthatom (önt)!

assured [ə'ʃʊəd ‖ ə'ʃʊrd] *mn* biztos (*of* vmben), bizonyos (vm felől); **an ~ success** biztos siker; **~ of the future** jövője biztosítva van; bizakodó, magabiztos; **be well ~ that** legyen biztos abban hogy; **you may rest ~ that** nyugodt/biztos lehet afelől, hogy

assuredly [ə'ʃʊərɪdli ‖ ə'ʃʊr–] *hsz* biztosan, bizonyosan, kétségtelenül

Assyria [ə'sɪrɪə] *tul földr* Asszíria

Assyrian [ə'sɪrɪən] **I.** *mn* asszíriai, asszír **II.** *fn* **1.** asszír, asszíriai **2.** asszír (nyelv)

Assyriology [əˌsɪri'ɒlədʒi ‖ –'ɑlə–] *fn* asszirológia • *fn* **Assyriologist**

AST *röv US Atlantic Standard Time* atlanti időzóna

astable [eɪ'steɪbl] *mn* **1.** bizonytalan, instabil **2.** *el* astabil *[rezgőkör]*

astatic [eɪ'stætɪk] *mn fiz vill* sarkítatlan *[mágnestűnél]*, asztatikus

astatine ['æstətiːn] *fn vegy* asztácium

aster ['æstə ‖ –ər] *fn növ* őszirózsa

asterisk ['æstərɪsk] **I.** *fn* **a)** csillag *[jelölés]* **b)** *nyomd infor* csillag *[karakter]* **II.** *tsi* csillaggal megjelöl

asterism ['æstərɪzm] *fn* **1.** *csill* csillagzat, csillagcsoport, csillagkép, konstelláció **2.** *ásv* csillagosság, asztéria

A

astern [ə'stɜːn ‖ ə'stɜrn] *hsz* **a)** vmnek a végén/végére, hátul, hátra(felé) **b)** *hajó* hajó farán
asteroid ['æstərɔɪd] *fn* **1.** *csill* kisbolygó, aszteroida; ~ **belt** kisbolygóöv **2.** *áll* tengeri csillag
asthenia [æs'θiːnɪə] *fn orv* gyengeség, elgyengülés, erőtlenség, aszténia
asthenic [æs'θenɪk] *orv* **I.** *mn* erőtlen, elgyengült, aszténiás *[alkatú]* **II.** *fn* aszténiás (testalkatú) ember
asthma ['æsmə ‖ 'æzmə] *fn orv* asztma
asthmatic [æs'mætɪk ‖ æz'mætɪk] **I.** *mn orv* asztmás, asztmatikus **II.** *fn* **1.** *orv* asztmás ember **2.** *orv* asztma elleni szer • *hsz* **asthmatically**
astigmatism [ə'stɪgmətɪzm] *fn fiz orv* (szem)tengelyferdülés, asztigmatizmus, asztigmia • *mn* **astigmatic**
astigmia [ə'stɪgmɪə] → **astigmatism**
astir [ə'stɜː ‖ ə'stɜr] *mn/hsz* **1.** mozgásban, élénken; **be ~ with sg** tele van vmvel, nyüzsög vmtől **2.** izgalomban, izgatottan; **the whole town was ~ with the news** a hír az egész várost izgalomba hozta **3.** fenn, talpon; **be early ~** korán kel(ő)
astonish [ə'stɒnɪʃ ‖ ə'stɑ–] *tsi* csodálatba/bámulatba ejt, meglep, elképeszt, megdöbbent; **be ~ed at seeing sg, be ~ed to see sg** megdöbbenve/meglepődve/elképedve látja (v. lát vmt); **look ~ed** elképedve bámul, nagy szemeket mereszt • *fn* **astonishment** *mn* **astonishing** *hsz* **astonishingly**
astonished [ə'stɒnɪʃt ‖ ə'stɑ–] *mn* meglepődött, megdöbbent, elképedt
astound [ə'staʊnd] *tsi* (igen) meglep, meghökkent, megdöbbent, elképeszt, megrémít; **it ~s me!, I'm ~ed!** ez elképesztő/megdöbbentő!, meg vagyok döbbenve! • *mn* **astounding** *hsz* **astoundingly**
astraddle [ə'strædl] *mn/hsz* lovaglóülésben, lovaglóhelyzetben
astragal ['æstrəgl] *fn épít* domborléc, asztragál, hornyolás *[oszlopfőn, oszloplábon]*
astragalus [ə'strægələs] *fn tsz* **astragali** [–laɪ] *orv* köbcsont, ugrócsont
astrakhan [ˌæstrə'kæn] *fn* **1.** asztrahán(prém) **2.** *tex* asztrahánszövet
astral ['æstrəl] *mn* **1.** csillagokra vonatkozó, csillagászati, csillag-, asztrál- **2.** csillagos, csillagokból álló
astraphobia [ˌæstrə'foʊbɪə] *fn* → **astrophobia**
astray [ə'streɪ] *mn/hsz* **I.** *hsz* **a)** félre **b)** eltévedve, téves irányba; **go ~** eltéved, letér az útról; megtévedt, eltévelyedik, rossz útra tér; *átv* **lead sy ~** tévútra vezet/visz vkt; félrevezet vkt; **his calculations are ~** számításai tévesek/hibásak **c)** bűnösen, bűnbe esve **II.** *mn* **a)** félreeső **b)** eltévedt, téves irányú **c)** bűnös, bűnbe esett
astride [ə'straɪd] *hsz* **a)** lovaglóülésben, lovaglóhelyzetben; **get ~ a horse** lóra kap/ül **b) stand ~** szétterpesztett lábakkal áll
astringent [ə'strɪndʒənt] *orv* **I.** *mn* összehúzó, vérzéselállító, adstringens **II.** *fn* összehúzó/vérzéselállító szer • *fn* **astringency** *hsz* **astringently**
astro- ['æstroʊ] *előtag csill* csillag(ok)ra vonatkozó, asztro-
astrodome ['æstrədoʊm] *fn csill* csillagvizsgáló kupola
astroid ['æstrɔɪd] *fn mat* csillaggörbe, asztroid
astrolabe ['æstrəleɪb] *fn csill* csillag-magasságmérő, asztrolábium
astrology [ə'strɒlədʒi ‖ ə'strɑ–] *fn* csillagjóslás, asztrológia • *fn* **astrologer, astrologist** *mn* **astrological**
astronaut ['æstrənɔːt] *fn* űrhajós, asztronauta • *mn* **astronautical**
astronautics [ˌæstrə'nɔːtɪks] *fn esz* űrhajózás, asztronautika
astronavigation [ˌæstroʊnævɪ'geɪʃn] *fn* csillagászati navigáció
astronomic [ˌæstrə'nɒmɪk ‖ –'nɑ–] → **astronomical**
astronomical [ˌæstrə'nɒmɪkl ‖ –'nɑ–] *mn* **1.** *csill* csillagászati, asztronómiai; ~ **unit** csillagászati/asztronómiai egység; ~ **year** csillagászati év/esztendő **2.** *átv* végtelenül/mérhetetlenül nagy; ~ **figures** csillagászati számok • *hsz* **astronomically**
astronomy [ə'strɒnəmi ‖ ə'strɑ–] *fn* csillagászat, asztronómia • *fn* **astronomer**
astrophobia [ˌæstrə'foʊbɪə] *orv* asztrofóbia *[beteges félelem a villámlástól és a mennydörgéstől]*
astrophysics [ˌæstroʊ'fɪzɪks] *fn esz* asztrofizika
astroturf ['æstroʊtɜːf ‖ –tɜrf] *fn* műfű, műgyep *[sportpályákon]* • *mn* **astroturfed**
astute [ə'stjuːt ‖ ə'stuːt] *mn* **1.** okos, ügyes **2.** ravasz, agyafúrt, furfangos • *fn* **astuteness** *hsz* **astutely**
asunder [ə'sʌndə ‖ –ər] *mn/hsz vál* szét, el (egymástól), ketté
asylum [ə'saɪləm] *fn* **1. a)** menedék(jog); *jog* **political ~** politikai menedékjog; **seek ~, ask for (political) ~** politikai menedékjogot kér **b)** *tört is* menedékhely, azilum **2. a)** menhely **b)** süketek/vakok/fogyatékosok intézete
asymmetry [eɪ'sɪmətri] *fn* (rész)aránytalanság, aszimmetria • *mn* **asymmetric, asymmetrical** *hsz* **asymmetrically**
asymptomatic [ˌeɪsɪmptə'mætɪk] *mn orv* tünetmentes
asymptote ['æsɪmptoʊt] *fn mat* aszimptóta • *mn* **asymptotic**
asynchronous [eɪ'sɪŋkrənəs] *mn infor* aszinkron
asyndeton [æ'sɪndɪtən ‖ ə'sɪndətɑn] *fn nyelv* aszindeton *[a kötőszó elhagyása]* • *mn* **asyndetic**
at [ət, æt] *elölj* **1.** -on, -en, -ön, -n; ~ **the centre** középen; ~ **sea** tengeren; ~ **my side** az oldalamon, mellettem **2. a)** ~ **school** iskolában; ~ **war** háborúban **b) be good ~ sports** a sport(ok)ban ügyes, ügyes játékos **c) sick ~ heart** szívbeteg; nagyon szomorú; búskomor **3.** -nál, -nél; ~ **hand** kéznél, keze ügyében; ~ **home** otthon; ~ **table** asztalnál; ~ **the tailor's** a szabónál; ~ **work** munkában **4. a)** -kor *[időpont kifejezése]*; ~ **six o'clock** hat órakor; ~ **Christmas** karácsonykor; ~ **dinner time** ebédidőben; ~ **night** éjjel; ~ **noon** délben **b)** ~ **the beginning** kezdetén, kezdetben; ~ **first** először, elsőnek; ~ **last** végül, utoljára; ~ **present** jelenleg; **two ~ a time** egyszerre ketten, kettesével **5.** -ért; ~ **a dollar a pound** fontonként egy dollárért **6.** -ra, -re; ~ **all events** mindenesetre; ~ **his command** parancsára; ~ **random** találomra, vaktában; ~ **my request** kérésemre; ~ **your service** szolgálatára; **arrive ~ one's destination** célhoz érkezik; **estimate the crowd ~ ten thousand** tízezer fő(nyi)re becsüli a tömeget; **hint ~ sg** céloz(gat)/utal vmre; **look ~ sg** néz vmt, (rá)néz vmre **7. be ~ sg** foglalkozik vmvel; **what are you ~?** mit csinálsz?; *US biz* **where are we ~?** hol hagytuk abba?, hol tartunk?; hányadán állunk?; **she is ~ it again** már megint kezdi, már megint ezzel foglalkozik; **while we are ~ it** ha már itt tartunk; **be ~ sy** acsarkodik vk ellen, veszekszik vkvel, nem hagy békén vkt; ~ **all** egyáltalán, egyáltalában; **not ~ all** egyáltalán/egyáltalában nem; ~ **least** legalább; ~ **once** egyszerre, azonnal, rögtön
ataractic [ˌætə'ræktɪk] **I.** *mn* megnyugtató, csillapító **II.** *fn orv* nyugtató
ataraxia [ˌætə'ræksɪə] *fn* → **ataraxy**
ataraxic [ˌætə'ræksɪk] → **ataractic**
ataraxy ['ætəræksi] *fn fil orv* lelki nyugalom, ataraxia, szenvtelenség
atavism ['ætəvɪzm] *fn* visszaütés *[ősre]*, tulajdonságok öröklése *[távolabbi ősöktől]*, atavizmus • *mn* **atavistic** *hsz* **atavistically**
ataxia [ə'tæksɪə] → **ataxy**
ataxy [ə'tæksi] *fn orv* ataxia *[a mozgás koordinációjának hiánya]* • *mn* **ataxic**
ate [et ‖ eɪt] → **eat**

-ate [ət, eɪt] **I.** ‹melléknévképző› -as/-es/-és/-os/-ös/-ő; **fortunate** szerencsés; **affectionate** szerető, szenvedélyes, gyengéd **II.** ‹főnévképző›; **climate** éghajlat; **delegate** küldött **III.** ‹igeképző: vmvé tesz/lesz›; **delegate** delegál, küld; **regulate** szabályoz

Atebrin [ˈætəbrɪn], **Atebrine** *fn vegy orv* atebrin *[malária elleni szer]*

atelier [əˈtelieɪ ‖ ˌætlˈjeɪ] *fn* műterem, stúdió

atheism [ˈeɪθiɪzm] *fn* istentagadás, ateizmus • *fn* **atheist** *mn* **atheistic**, **atheistical**

atheling [ˈæθəlɪŋ] *fn tört* angolszász nemesember/herceg

athematic [ˌæθiːˈmætɪk] *mn* **1.** *nyelv* kötőhangzó/tővéghangzó nélküli, közvetlenül kapcsolódó *[rag, képző]* **2.** *zene* atematikus, téma nélküli

athenaeum [ˌæθɪˈniːəm], *US* **atheneum** *fn* **1.** irodalmi/tudományos kör/intézmény **2.** könyvtár, levéltár, olvasóterem

Athenian [əˈθiːnɪən] *fn/mn* athéni

Athens [ˈæθɪnz] *tul földr* Athén *[Görögország fővárosa]*

athirst [əˈθɜːst ‖ əˈθɜrst] *mn vál* szomjas (*for* vmre), vmre vágyódó; **~ for blood** vérszomjas; **~ for information** türelmetlenül lesi/várja a híreket

athlete [ˈæθliːt] *fn* **1.** sportoló; **~'s foot** ‹lábujjak közötti gombás kipállás› **2.** *GB* atléta **3.** egészséges/sportos ember, sportember

athletic [æθˈletɪk] *mn* **1.** atlétikai, sport-, torna- **2.** erős, életerős, kisportolt, izmos, atlétikus • *fn* **athleticism** *hsz* **athletically**

athletics [æθˈletɪks] *fn esz* **1.** *GB* atlétika *[futás, ugrás, dobás]*; **~ meeting** atlétikai verseny **2.** *US* testgyakorlás, sport(olás)

at-home [ətˈhoʊm] *fn [vki otthonában tartott]* fogadás, fogadónap; **~ day** fogadónap

athwart [əˈθwɔːt ‖ əˈθwɔrt] **I.** *hsz* keresztben, keresztül, haránt, ferdén, rézsút(osan) **II.** *elölj* **1.** keresztben, keresztül, haránt; **run ~ a ship's course** keresztezi egy hajó útját **2.** furcsán, ferdén, rendetlenül, szabálytalanul

-atic [ˈætɪk] *utótag* ‹melléknévképző› -atikus; **diplomatic** diplomatikus; **idiomatic** idiomatikus

atilt [əˈtɪlt] *hsz* meghajolva, meghajlítva, lehajtva, előrehajtva; **with hat ~** félrecsapott kalappal

-ation [ˈeɪʃn] *utótag* ‹főnévképző› -áció, -vány/-vény, -mány/-mény, -ás/-és, -ság/-ség; **creation** alkotás, teremtmény; **examination** vizsga, vizsgáztatás; **civilization** civilizáció

Atlantean [ˌætlænˈtiːən] *mn* **1.** *vál* Atlaszhoz méltó, hatalmas, óriási *[erő]* **2.** *földr* **A~** atlantiszi

atlantes [ətˈlæntiːz] *fn tsz épít* erkélyt/épületet tartó emberalak, atlasz, kariatida

Atlantic [ətˈlæntɪk] **I.** *mn földr* atlanti(-óceáni), az Atlanti-óceánra vonatkozó **II.** *tul földr* **the ~ (Ocean)** Atlanti-óceán

Atlantic Standard Time, **Atlantic Time** *fn* atlanti középidő

Atlantis [ətˈlæntɪs] *tul mit* Atlantisz *[az elsüllyedt világrész]*

atlas [ətˈlæntiːz] *fn* **1. a)** atlasz, térképgyűjtemény **b)** *tud* atlasz *[képes monográfia]* **2.** *orv* atlasz(csigolya), az első nyakcsigolya

Atlas [ˈætləs] *tul* **1.** *mit* Atlasz **2.** *földr* Atlasz(-hegység)

ATM *röv* **1.** *infor asynchronous transfer mode* aszinkron átvitelmódú adatátviteli eljárás, ATM **2.** *automated teller/telling machine* bankjegykiadó automata

atman [ˈætmən ‖ ˈɑtmən] *fn* **1.** *vall* lélek **2. A~** Világlélek *[hindu bölcseletben]*

atmosphere [ˈætməsfɪə ‖ –sfɪr] *fn* **1. a)** *földr* légkör, atmoszféra **b)** *fiz* atmoszféra *[nyomás egysége]* (1 atm = 1.013x105 Pa), *fényk* légköri ködmennyiség **2.** *átv* légkör, hangulat; **a tense ~ prevailed at the meeting** feszült légkör jellemezte a gyűlést

atmospheric [ˌætməˈsferɪk], **atmospherical** *mn* **1.** légköri, atmoszferikus; **~ disturbances** légköri zavarok; **~ electricity** légköri villamosság; **~ pressure** légköri nyomás; légnyomás; **~ vortex** légörvény **2.** hangulatfelidéző *[írásmű]* • *hsz* **atmospherically**

atmospherics [ˌætməˈsferɪks] *fn tsz* **1.** *fiz* atmoszferikus/légköri zavarok, recsegés, zörej *[rádióban]* **2. a)** légkört/hangulatot kialakító tényezők **b)** mesterségesen/szándékosan létrehozott/csinált hangulat

atoll [ˈætɒl ‖ ˈætɑl] *fn földr* (lagunát körülzáró) korallzátony, atoll

atom [ˈætəm] *fn* **1.** *fiz* atom **2.** apró/parányi rész; **not an ~ of water** egy csöpp víz sem; **not an ~ of sg** egy cseppnyi(t)/szemernyi(t) sem vmből; **break/smash to ~s** apró darabokra tör, porrá zúz

atom bomb *fn* atombomba

atomic [əˈtɒmɪk ‖ əˈtɑ–] *mn* **1.** *fiz* atom-, atomokra vonatkozó; **~ blast/explosion** atombomba-robbanás; **~ bomb** atombomba; **~ clock** atomóra; **~ energy** atomenergia; **~ mass** atomtömeg; **~ mass unit** (atom-)tömegszámegység; **~ nucleus** atommag; **~ number** atom(rend)szám; Z-rendszám; **~ physics** atomfizika, magfizika; **~ pile** atommáglya; **~ power** atomenergia; **~ warfare** atomhadviselés; atomháború; **~ weight** atomsúly **2.** *vegy* szabad atomokból álló **3.** rendkívül kicsi/kis, parányi • *hsz* **atomically**

atomicity [ˌætəˈmɪsəti] *fn fiz* atomos állapot, vegyérték

atomism [ˈætəmɪzm] *fn* **1.** *fiz* atomelmélet, *fil* atomizmus, atomisztika **2.** *pszich* atomisztika • *fn* **atomist** *mn* **atomistic**

atomize [ˈætəmaɪz], **-ise** *tsi* **a)** (el)porlaszt, atomizál **b)** *fiz* részeire bontva szemlél/vizsgál (vmt) **c)** *fiz* külön kis egységekre bont • *fn* **atomization**

atomizer [ˈætəmaɪzə ‖ –ər], **-iser** *fn* porlasztó, permetező

atom smasher *fn fiz* atomgyorsító

atomy [ˈætəmi] *fn régi* csontváz, lesoványodott test

atonal [eɪˈtoʊnl] *mn zene* hangnem nélküli, atonális • *fn* **atonality**

atone [əˈtoʊn] *tsi* vezekel, (meg)lakol (*for* vmért); **~ a fault by (doing) sg** levezekli hibáit vmvel; *vall* **atoning act** vezeklés

atonement [əˈtoʊnmənt] *fn* (le)vezeklés, jóvátétel, bűnhődés (*for* vmért), *vall* megbékélés (megváltás által); **make ~ for a fault** levezekli/jóváteszi bűnét; *vall* **Day of A~** engesztelés napja

atonic [eɪˈtɒnɪk ‖ –ˈtɑ–] *mn* **1.** *orv* (el)lankadt, petyhüdt, atóniás **2.** *nyelv* hangsúlytalan *[szótag]* • *fn* **atony**

atop [əˈtɒp ‖ əˈtɑp] *hsz/elölj* rajta, fenn, (a) tetején, legfelül; **~ (of) the cliff** a szikla(fal) tetején; **~ of one another** egymás hegyén-hátán

atrabilious [ˌætrəˈbɪlɪəs] *mn vál* komor, rosszkedvű, búskomor, melankolikus

atremble [əˈtrembl] *mn/hsz* reszkető, remegő, reszketve, remegve; **a man all ~** minden ízében reszkető ember

atrium [ˈeɪtrɪəm] *fn tsz* **atriums**, **atria** [ˈeɪtrɪə] **1.** *épít* előcsarnok, átrium *[régi Rómában]*, négyszögletes oszlopcsarnokos udvar *[bazilika főhomlokzata előtt]* **2.** *orv* (szív)pitvar

atrocious [əˈtroʊʃəs] *mn* **1.** kegyetlen, gonosz *[személy]*, galád *[bűntett]* **2.** förtelmes, csapnivaló, pocsék, szörnyű; **~ manners/behaviour** minősíthetetlen viselkedés; **~ weather** csapnivaló/pocsék idő(járás) • *fn* **atrociousness** *hsz* **atrociously**

atrocity [əˈtrɒsəti ‖ əˈtrɑ–] *fn* **1.** embertelenség, kegyetlenség, atrocitás **2.** aljasság

atrophy [ˈætrəfi] **I. A.** *tni* elsorvad, elcsökevényesedik, visszafejlődik **B.** *tsi* elsorvaszt, elcsökevényesít **II.** *fn* sorvadás, (össze)zsugorodás, elcsökevényesedés, visszafejlődés *[szervé]*, elcsenevészesedés *[növényé]*, atrófia

atropine [ˈætrəpiːn] *fn orv* atropin

A

attach [ə'tætʃ] **A.** *tsi* **1. a)** odaerősít, hozzáfűz, hozzáköt(öz), hozzákapcsol (*sg to sg* vmt vmhez), ráköt (*on* vmre), összeköt(öz), összekapcsol, összefűz (*sg to sg* vmt vmvel), (hozzá)csatol, mellékel *[okmányt]*, tulajdonít (*sg to sg* vmt vmnek); **house with garage ~ed** ház hozzáépített/hozzátartozó garázzsal; **become ~ed to sy** megszeret vkt; **~ blame to sy for an accident** felelősnek tart (v. hibáztat v. felelőssé tesz) vkt a balesetért; **a curse is ~ed to it** átok ül rajta, meg/el van átkozva; **~ hopes to sg** reményt fűz vmhez; **~ importance/significance to sg** jelentőséget/fontosságot tulajdonít vmnek; *US biz* **no strings ~ed** (mindenféle) kikötés/feltétel nélkül **b)** *infor* hozzácsatol **2.** *jog* letartóztat *[személyt]*, lefoglal, elkoboz *[ingóságot]*; zár alá vesz **B.** *tni* hozzáragad, hozzátapad, hozzáfűződik, velejár, együttjár; **no blame ~es to him** semmi vád/gáncs nem érheti; **no suspicion ~es to him** gyanú felett áll • *mn* **attachable**

attaché [ə'tæʃeɪ ‖ ˌætə'ʃeɪ] *fn* **1.** attasé **2.** *US* → **attaché case**

attaché case *fn* irattáska, aktatáska

attachment [ə'tætʃmənt] *fn* **1.** odakötés, odaerősítés, egybekötés, összekapcsolás, összefűzés, rögzítés **2. a)** tartozék, kellék, szerelék **b)** függelék, tartozék, toldalék **3.** *infor* melléklet, mellékelt állomány, levélmelléklet **4.** ragaszkodás, szeretet (*for* iránt), érzelmi kötelék, barátság; **have another ~** mást szeret, máshoz vonzódik; **have/entertain an ~ for sy** gyengéd szálak fűzik vkhez, gyengéd érzelmeket táplál vk iránt **5. a)** *jog* letartóztatás, fogvatartás *[személyé]*, (le)foglalás, zár alá vétel *[vagyontárgyé]* **b)** *jog* elővezetési/letartóztatási parancs

attack [ə'tæk] **I.** *tsi* **1. a)** (meg)támad, megrohan, (meg)rohamoz, rátör, támadást intéz (vm ellen) **b)** támad (érvekkel) **2.** hozzáfog, hozzálát *[vmnek]*; **~ sy's rights** sérti/veszélyezteti vknek a jogait/jussát; **~ a task** hozzálát, hozzáfog *[munkához]*; nekigyürkőzik *[feladatnak]*; belefog, belevág *[munkába]* **3.** *sp* támad(ást vezet) **II.** *fn* **1. a)** támadás, roham; **rush/surprise/sudden ~** hirtelen/meglepetésszerű támadás/rajtaütés; *sp* **~ing zone** támadó harmad *[jégkorongban]*; **make an ~ upon sy** rátámad vkre, támadást intéz vk ellen; **make an ~ upon sg** (meg)támad vmt; nekilát, nekifog vmnek; hozzálát, hozzáfog vmhez **b)** *sp* támadó(játékoso)k **2.** roham, görcs *[betegségé]* • *fn* **attacker**

attackable [ə'tækəbl] *mn* (meg)támadható

attain [ə'teɪn] **A.** *tsi* elér, megvalósít *[célt]*, elnyer, elér *[rangot]*, elér, megér *[kort]* **B.** *tni* elér, eljut (*to* vhova, vmre) • *fn* **attainability**, **attainableness** *mn* **attainable**

attainment [ə'teɪnmənt] *fn* **1.** megvalósítás, elérés, kivívás *[célé]*, elnyerés, megszerzés *[dologé]*; **for the ~ of his purpose** célja elérése végett, terve/szándéka megvalósítása céljából; **easy of ~** könnyen elérhető/megvalósítható; **impossible of ~** elérhetetlen, megvalósíthatatlan, elsajátíthatatlan, végrehajthatatlan **2.** *tsz* **attainments** tudományos eredmény, teljesítmény, (megszerzett) tudás, (szellemi) képesség(ek), tehetség, tudomány (vké); **man of great ~s** nagy tudású ember

attaint [ə'teɪnt] *tsi* **1.** *jog* a polgári jogok megfosztásával sújt, halálra és jogfosztásra ítél **2.** beszennyez, bemocskol *[jellemet]*, elhomályosít *[hírnevet]*, szégyenfoltot ejt *[vk dicsőségén]*

attar ['ætə ‖ 'ætər] *fn* **~ (of roses)** rózsaolaj

attempt [ə'tempt] **I.** *tsi* **1. ~ (to do) sg** megkísérel/megpróbál (vmt tenni); törekszik vmre; **~ a conversation** beszélgetésbe próbál elegyedni; **~ the impossible** megkísérli a lehetetlent; **she ~ed a vague smile** halvány mosolyt erőltetett az arcára **2. ~ sy's life** merényletet/gyilkosságot kísérel meg vk ellen; **~ a fortress** erődöt megrohamoz/megrohan; **~ed murder** gyilkossági kísérlet **II.** *fn* **1.** kísérlet, megkísérlése vmnek, próba, próbálkozás; **first ~** első próbálkozás/kísérlet; **give up the ~** felhagy a próbálkozással/kísérlettel; **make an ~ at sg** megkísérel/megpróbál vmt; megpróbálkozik vmvel **2.** merénylet; **~ on sy's life, ~ the life of sy** *régi* merénylet vk élete ellen, gyilkossági kísérlet • *mn* **attemptable**

attend [ə'tend] **A.** *tsi* **1.** jelen van, eljár (vhova), látogat *[tanfolyamot]*, részt vesz *[konferencián]*; **~ school** iskolába jár; **~ a lecture** előadást/felolvasást (meg)hallgat, előadásra jár **2. a)** ellát (vkt), vigyáz (vkre/vmre) **b)** ellát, ápol *[beteget]* **3. a)** velejár, követ *[vm eredményeként]*, kísér (vmt vm); **success ~ed my efforts** fáradozásom sikerrel járt; **may good luck ~ you!** minden jót!, sok szerencsét! **b)** kísér, elkísér *[vkt]* **B.** *tni* **1. a) ~ to sg** vigyáz/figyel/ügyel vmre, figyelmet fordít vmre, figyelembe vesz vmt, figyelmet szentel vmnek; **I'll ~ to it!** majd gondom lesz rá! **b) ~ to sy** (meg)hallgat vkt; figyel vkre; foglalkozik vkvel; vigyáz/felügyel vkre; **~ to a customer** vevőt kiszolgál **2. ~ (up)on sy** szolgálatára áll (v. segédkezik) vknek • *fn* **attender**

attendance [ə'tendəns] *fn* **1.** járás *[iskolába, előadásra]*, látogatás *[előadásé, tanfolyamé]*, részvétel, jelenlét (vhol); **regular ~** rendszeres jelenlét; **~ register** jelenléti ív; **how many ~s has (s)he made?** hányszor jelent meg?, hányszor volt jelen? **2. a)** látogatottság **b)** jelenlevők, résztvevők, hallgatóság (száma) **c)** *sp* nézőszám **3.** kiszolgálás *[szállodában, üzletben stb.]*; **hours of ~** hivatalos órák

attendant [ə'tendənt] **I.** *mn* **a)** kísérő, velejáró, együttjáró; **~ (up)on sy/sg** vkt/vmt kísérő/követő; vknek/vmnek kíséretében/társaságában levő; vkt kiszolgáló; vkre/vmre váró; vmvel járó; **old age and its ~ ills** az öreg korral járó betegségek; **the ~ circumstances** kísérő körülmények **b) the ~ crowd** a jelenlevő/egybegyűlt tömeg **c)** *zene* **~ keys** párhuzamos hangnemek **II.** *fn* **1. a)** kísérő **b)** kiszolgáló **c) medical ~** kezelőorvos *[vké]* **d)** *tsz* **attendants** kíséret *[magas rangú személyé]*, személyzet *[üzleté]* **2.** látogató *[iskoláé, előadásé]*, résztvevő *[előadáson, tanfolyamon]*

attendee [əˌten'diː] *fn* jelenlevő, résztvevő

attention [ə'tenʃn] *fn* **1.** figyelem, figyelés, ügyelés (*to* vmre); **attract ~** felhívja a figyelmet, figyelmet kelt, magára irányítja a figyelmet; **attract/call/draw sy's ~ to sg** vk figyelmét felhívja vmre; **draw away sy's ~** eltereli/eltéríti vk figyelmét (vmről); **give one's ~ to sy** figyel vkre; rendelkezésére áll vknek; **engage/hold sy's ~** leköti (vk) figyelmét; **may I have your ~, please** szíveskedjenek idefigyelni, tessék idefigyelni; **pay (particular) ~ to sg** (különös gonddal) figyel, (különös) gondot fordít vmre; **turn one's ~ to sg** figyelmét vmre fordítja/irányítja; **with ~ given to details** a részletek gondos szem előtt tartásával **2.** gondozás, ápolás, kezelés; **the injured man received ~** kezelésbe vették a sérültet, a sérült kezelésben részesült **3. a)** figyelem, figyelmesség, előzékenység, udvariasság; **be all ~ for sy, be full of ~ for sy** csupa figyelem/előzékenység/udvariasság vk iránt; **press one's ~s upon sy** vkt üldöz a figyelmével; **show sy ~** figyelmet tanúsít vk iránt; figyelmes vkvel **b) pay ~ to sy** udvarol vknek **c)** *gazd* **your letter will receive early ~** levelével a legrövidebb időn belül foglalkozunk; **for the ~ of Mr. Brown** Brown úr figyelmébe (ajánljuk); *US* **~ Mr. Smith** Smith úr kezéhez *[irományon]* **4.** *kat* vigyázzállás; **~!** vigyázz!; **stand at/to ~** vigyázzban áll • *mn* **attentional**

attention span *fn pszich* a koncentrálóképesség időtartama

attentive [ə'tentɪv] *mn* **1.** figyelmes, figyelő (*to* vmre) **2.** gondos, vigyázó, (vmt) szem előtt tartó, (vmre) gondosan ügyelő, figyelemmel levő; **be ~ to one's interests** nem feledkezik meg a saját érdekéről **3.** figyelmes, gondos, előzékeny, udvarias, készséges (*to sy* vkvel/vk iránt); **be very ~ to sy** figyelmével halmoz el vkt • *fn* **attentiveness** *hsz* **attentively**

attenuate **I.** *tsi* [ə'tenjʊeɪt] **1. a)** vékonyít, keskenyít, karcsúsít, soványít **b)** (meg)ritkít *[gázt, levegőt stb.]*, hígít **c)** *vill* csillapít **d)** *vegy* csökkent, kisebbít **2.** *átv* szépít, enyhít; **~ history** megszépíti a történelmet; **attenuating**

circumstances enyhítő körülmények **II.** *mn* [–ət] **a)** vékony, elvékonyodott, vékonyuló, vékonyodó **b)** lesoványodott, sovány, karcsú **c)** *átv* felhígított, erőtlenné vált, csökkent • *fn* **attenuator** *mn* **attenuated**

attenuation [əˌtenjʊ'eɪʃn] *fn* **1. a)** csökkenés, elgyengülés, elerőtlenedés **b)** hígulás, ritkulás **2. a)** csökkentés, gyöngítés, hígítás, ritkítás **b)** *átv* enyhítés, szépítés **3.** *műsz* csillapítás, gyengítés, csillapodás

attest [ə'test] **A.** *tsi* **1.** bizonyít, tanúsít *[tényt]*, vall, állít, (hitelesen) igazol, hitelesít; **these facts ~ his generosity** ezek a tettek/tények (is) bizonyítják jószívűségét; **~ed copy** hiteles/hitelesített másolat **2.** *kat* besoroz **B.** *tni* **~ to sg** bizonyít, tanúsít vmt, tanúskodik/kezeskedik vmről; kezességet vállal vmért • *fn* **attestor** *mn* **attestable**

attestation [ˌæte'steɪʃn] *fn jog* **a)** tanúvallomás, tanúságtétel **b)** tanúsítás, hitelesítés *[aláírásé]*, bizonylat, tanúsítvány, bizonyítvány

attic ['ætɪk] *fn épít* **1.** padlás, tetőtér **2.** padlásszoba, manzárdszoba

Attic ['ætɪk] **I.** *mn* **1.** attikai, athéni, görög **2.** választékosan egyszerű és finom *[ízlés]*; **~ salt/wit** szellemesség, finom elmésség **II.** *fn* attikai tájszólás, (irodalmi) görög nyelv

atticism ['ætɪsɪzm] *fn* kifinomult/választékos beszédmód/stílus

attire [ə'taɪə ‖ –ər] **I.** *fn* ruha, ruházat, öltözet, öltözék, viselet **II.** *tsi* (fel)öltöztet, (fel)díszít, (fel)ékesít; **~ oneself in sg** vmbe öltözik, felölt vmt; kiöltöz(köd)ik

attitude ['ætɪtjuːd ‖ 'ætətuːd] *fn* **1.** (test)tartás, póz; **strike an ~** (vmlyen) pózba vágja magát **2.** hozzáállás, állásfoglalás, magatartás, viselkedés; **~ of mind** állásfoglalás, álláspont, (szellemi) beállítottság **3.** állás, (test)tartás *[lóé]* **4.** *rep* helyzet **5.** *US* **a)** önteltség, arrogancia, szemtelenség **b)** hencegés, fontoskodás • *mn* **attitudinal**

attitudinize [ˌætɪ'tjuːdɪnaɪz ‖ ˌætə'tuːdn·aɪz], **-ise** *tni* pózol, affektál, nagyképűsködik, feltűnősködik

attorney [ə'tɜːni ‖ ə'tɜr–] *fn jog* **1.** megbízott, (jogi) meghatalmazott; **by ~** meghatalmazottal *[képviselteti magát]*; **letter/warrant of ~** meghatalmazás, megbízólevél; **power of ~** meghatalmazás által biztosított hatáskör; (ügyvédi) meghatalmazás **2.** *US* ügyvéd; **district ~** államügyész • *fn* **attorneyship**

Attorney-General *fn GB* legfőbb államügyész, *US* igazságügy-miniszter

attract [ə'trækt] *tsi* **1.** *fiz* vonz **2.** vonz, vonzóerővel bír/hat (vkre), magára irányít/von, csábít; **~ attention/notice** magára irányítja (v. felkelti) a figyelmet; **feel ~ ed to sy** vkhez vonzódik • *fn* **attractor** *mn* **attractable**

attraction [ə'trækʃn] *fn* **1.** *fiz* vonzás, vonzóerő **2.** *átv* vonzás, csábítás, vonzerő, vonzó tulajdonság/hatás; **physical ~s** vonzó külső, testi vonzóerő **3.** szórakozás, kellemes időtöltés; **the main/chief ~** fénypont, fő attrakció *[műsoré]*

attractive [ə'træktɪv] *mn* bájos, vonzó *[személy]*, kellemes, megnyerő *[modor]*, csábító *[ajánlat]*, előnyös, csábító *[ár]* • *fn* **attractiveness**, **attractivity** *hsz* **attractively**

attribute I. *fn* ['ætrɪbjuːt] **1. a)** sajátosság, sajátos/jellegzetes tulajdonság, jellegzetesség **b)** vele született tulajdonság, örökség **c)** *infor* jellemző, tulajdonság **2.** jelkép, ismertető/megkülönböztető jel, velejáró, szimbólum **3.** *nyelv* jelző **4.** *fil* attribútum **II.** *tsi* [ə'trɪbjuːt ‖ –bjət] **~ to** tulajdonít, betud (vknek/vmnek vmt), (vk/vm) számlájára/javára ír (vmt)

attribution [ˌætrɪ'bjuːʃn] *fn* **1.** tulajdonítás (*to* vknek/vmnek) *[hatásé, műé, alkotásé]* **2.** (vknek tulajdonított) tulajdonság **3.** *nyelv* jelzői kapcsolat/viszony • *hsz* **attributively**

attrit [ə'trɪt] *tsi* **-tt-** *US biz* kifáraszt, elcsigáz

attrition [ə'trɪʃn] *fn* **1. a)** dörzsölődés, súrlódás, elkopás/elhasználódás dörzsölés/súrlódás által **b)** dörzsölés, elkoptatás **c)** lemorzsolódás, kimaradás, (természetes) létszámcsökkenés **2.** *US Ausz* pazarlás, haszontalan tékozlás • *mn* **attritional**

attune [ə'tjuːn ‖ ə'tuːn] *tsi* **1.** összeegyeztet, összehangol, összhangba hoz (*to* vmvel); **~ oneself to sg** beállítja magát vmre, alkalmazkodik vmhez **2.** *zene* egybehangol, (össze)hangol *[hangszereket]*, (fel)hangol *[hangszert]*

ATV *röv* **1.** *GB Associated Television* **2.** *all-terrain vehicle*

at. wt. *röv atomic weight*

atypical [eɪ'tɪpɪkl] *mn* nem tipikus, a tipikustól eltérő, atípusos • *hsz* **atypically**

Au *röv vegy* arany *[vegyjele]*

AU *röv csill astronomical unit* csillagászati egység

aubade [oʊ'bɑːd] *fn* hajnali szerenád

auberge [ˌoʊ'beəʒ ‖ –'berʒ] *fn francia* vendéglő, kocsma, (vendég)fogadó

aubergine ['oʊbəʒiːn ‖ –bər–] *GB* **I.** *fn* **1.** *növ* padlizsán, tojásgyümölcs **2.** padlizsánszín, sötétlila szín **II.** *mn* padlizsánlila színű, sötétlila

auburn ['ɔːbən ‖ 'ɔbərn] **I.** *mn* aranybarna, vörösesbarna, gesztenyebarna **II.** *fn* aranybarna/vörösesbarna/gesztenyebarna szín

au courant [oʊ 'kʊrɒn ‖ ˌoʊ kʊ'rɑn] *mn francia* jól értesült, (kellően) tájékozott

auction ['ɔːkʃn] **I.** *fn* **1. ~ (sale)** árverés, (el)árverezés, aukció; *GB* **sell by ~**, **put up to/for/at ~**, **sell at ~** elárverez, árverésen (v. árverés útján) ad el **2.** licit *[bridzsben]* **II.** *tsi* (el)árverez(tet), árverésen elad, árverésre bocsát

auctioneer [ˌɔːkʃə'nɪə ‖ –'nɪr] **I.** *fn* **1.** becsüs **2.** árverési kikiáltó **3. a)** árverező **b)** árvereztető **II.** *tsi* → **auction II.** • *fn* **auctioneering**

auction house *fn* aukciós ház/cég

auction room *fn* árverési csarnok

auction sale *fn* → **auction I. 1.**

audacious [ɔː'deɪʃəs] *mn* **1.** merész, elszánt, rettenthetetlen **2.** arcátlan, szemtelen, pimasz • *fn* **audaciousness**, **audacity** *hsz* **audaciously**

audible ['ɔːdəbl] *mn* (füllel) hallható, kivehető, (meg)érthető *[beszéd, hang]* • *fn* **audibility**, **audibleness** *hsz* **audibly**

audience ['ɔːdɪəns] *fn* **1.** hallgatóság, publikum *[gyűlésen, előadáson]*, (néző)közönség *[színházban]*, hallgatóság, közönség *[hangversenyen]*, (olvasó)közönség, olvasótábor *[íróé]* **2.** kihallgatás, audiencia, meghallgatás; **give ~ to sy** kihallgatáson fogad vkt

audile ['ɔːdaɪl] *mn* **1.** → **auditory I. 2.** *pszich* auditív, hangokra érzékenyen reagáló

audio(-) ['ɔːdioʊ] *mn/előtag* **1.** hallásbeli, halló **2.** *távk* audio-, hang-

audio cassette [ˌɔːdioʊkə'set] *fn* audiokazetta, magnókazetta

audio frequency *fn el távk* hangfrekvencia

audiology [ˌɔːdi'ɒlədʒi ‖ –'ɑlə–] *fn* hallástan • *fn* **audiologist**

audiometer [ˌɔːdi'ɒmɪtə ‖ ˌɔdi'ɑmətər] *fn orv* hallásmérő (készülék)

audiometry [ˌɔːdi'ɒmətri ‖ ˌɔdi'ɑ–] *fn orv* hallásvizsgálat • *mn* **audiometric**

audiophile ['ɔːdioʊfaɪl] *fn biz* hifirajongó

audio tape *fn* → **audiotape I.**

audiotape ['ɔːdioʊteɪp] **I.** *fn* magnószalag **II.** *tsi* (magnószalagra) felvesz

audiotypist ['ɔːdɪətaɪpɪst] *fn* diktafonról dolgozó gépíró(nő)

audio-visual [ˌɔːdioʊ'vɪʒʊəl] *mn* audiovizuális; **~ aids** szemléltető eszközök

audit ['ɔːdɪt] **I.** *fn* ellenőrzés, felülvizsgálat, átvizsgálás, könyvvizsgálat, revízió *[mérlegé, könyvvitelé]* **II. A.** *tsi* **1.** ellenőriz, megvizsgál, felülvizsgál, átvizsgál, revideál *[mérleget, könyvelést]* **2.** *US okt* vendéghallgató(skodik) *[órákon, előadásokon]*, órára vendéghallgatóként jár **B.** *tni* könyvvizsgálatot/számlaellenőrzést tart

audition [ɔː'dɪʃn] **I.** *fn* **1.** meghallgatás, próbaéneklés, próbaszavalás, próbajáték **2.** hallás, hallóképesség, hallóérzék **II.** *tsi* meghallgat *[énekest, színészt válogatáson]*

A

auditive ['ɔːdətɪv] *mn* hallásra vonatkozó, hallással kapcsolatos, halló-
audit-office *fn* állami számvevőszék
auditor ['ɔːdɪtə ‖ −ər] *fn* **1. a)** számvizsgáló, számvevő **b)** könyvszakértő, könyvvizsgáló, könyvelési szakértő, számlaellenőr, revizor **2.** *US okt* vendéghallgató • *mn* **auditorial**
auditorium [ˌɔːdɪ'tɔːrɪəm] *fn tsz* **auditoriums**, **auditoria** [−rɪə] **1.** nézőtér **2.** *US* előadóterem, auditórium *[egyetemen, főiskolán]* **3.** *US* csarnok, hangversenyterem
auditory ['ɔːdɪtəri ‖ −tɔri] *mn* halló-, hallási, hallásra vonatkozó
Audrey ['ɔːdri] *tul* ‹női név›
Aug. *röv August* augusztus, aug.
auger ['ɔːgə ‖ −ər] *fn* **1.** *műsz* hosszú nyelű rúdfúró/ácsfúró, nagy kézifúró **2.** *bány épít* földfúró, talajfúró
aught [ɔːt] *fn* **1.** *vál* valami, bármi, valamennyi, bármennyi **2.** *régi* semmi, semennyi
augite ['ɔːdʒaɪt] *fn ásv* piroxén, augit
augment I. [ɔːg'ment] **A.** *tsi* növel, szaporít, gyarapít, nagyobbít, fokoz (*with/by* vmvel), fokoz, súlyosbít *[büntetést]*, emel *[létszámot]* **B.** *tni* nő, növekszik, nagyobbodik, emelkedik, fokozódik, terjed, gyarapszik **II.** *fn* ['ɔːgment] fokozódás, nagyobbodás, kiterjedés • *fn* **augmenter**
augmentation [ˌɔːgmen'teɪʃn] *fn* **1. a)** nagyobbítás, növelés, fokozás, hosszabbítás **b)** nagyobbodás, megnövekedés, gyarapodás, emelkedés **2.** *zene* témanyújtás, hosszabbítás, augmentáció
augmentative [ɔːg'mentətɪv] *mn* **1. a)** erősítő, fokozó, nagyító **b)** erősödő, fokozódó, nagyobbodó **2.** *nyelv* erősödő, fokozódó
augmented [ɔːg'mentɪd] *mn zene* bővített; ~ **interval** bővített hangköz
au gratin [oʊ 'grætæn ‖ −'grɑtn] *mn francia* au gratin, csőben sütve
augur ['ɔːgə ‖ −ər] **I. A.** *tsi* megjósol, előrelát, megjövendöl; **it ~s no good** semmi jót nem ígér **B.** *tni* **it ~s well** jóval biztat/kecsegtet, jónak ígérkezik; **it ~s ill** nem sok jóval kecsegtet/biztat **II.** *fn tört* augur, jövendőmondó, jós, látnok • *mn* **augural**
augury ['ɔːgjəri] *fn* **1.** jövendölés, előjelekből való jóslás/jövendőmondás, madárjóslás **2.** előjel, ómen
august [ɔː'gʌst] *mn* fenséges *[személy]*, magasztos *[gyülekezet]*, tiszteletre méltó, méltóságteljes *[magatartás]*
August ['ɔːgəst] *fn* augusztus
Augusta [ɔː'gʌstə] *tul* Auguszta
Augustan [ɔː'gʌstən] *mn tört* **1. the ~ age** (i) Augustus császár kora; a latin irodalom aranykora (ii) *ált* fénykor *[vmely irodalomé]* **2.** *GB* Anna királynő korabeli
Augustine [ɔː'gʌstɪn ‖ −tiːn] **I.** *tul* Ágoston **II.** *fn vall* Ágoston-rendi szerzetes/barát
Augustinian [ˌɔːgə'stɪnɪən ‖ ˌɔ−] **I.** *mn vall* **1.** Ágoston-rendi, Szent Ágoston rendjébe tartozó; **the ~ Canons** Szent Ágoston regulái **2.** *fil* ágostoni *[tanok]* **II.** *fn* Szt. Ágoston tanításának követője
auk [ɔːk] *fn áll* alkamadár
au naturel [oʊˌ nætʃə'rel] *francia* **I.** *mn* **1.** ‹nyers, a legegyszerűbb módon főzött› **2.** természetes (állapotú) **II.** *hsz* **1.** ‹nyersen, a legegyszerűbben főzve› **2.** természetes állapotban
aunt [ɑːnt ‖ ænt] *fn* **1.** nagynéni **2.** *biz GB* **A~ Sally** (i) ‹vásári népi szórakozás: pipázó női bábu dobálása› (ii) *átv* ‹sajtóhadjárat v. a közönség állandó támadásainak céltáblája›
auntie ['ɑːnti ‖ 'ænti] *fn biz* nénike
aunty ['ɑːnti ‖ 'ænti] *biz* → **auntie**
au pair [oʊ 'peə ‖ −'per] *fn* au pair (lány); **an ~ girl** gyermekőrző, baby-sitter, háztartási alkalmazott (lány), au pair *[külföldi családnál]*
aura ['ɔːrə] *fn tsz* **auras**, **aurae** ['ɔːriː] **1.** kigőzölgés, kipárolgás, illat **2.** vkből kiáradó/kisugárzó hatás, aura **3.** *orv* előjel, előérzet, aura *[epilepsziás roham előtt]* • *mn* **aural**, **auric**
aural ['ɔːrəl] *mn* füllel kapcsolatos, fül-, füllel hallható
aureate ['ɔːrɪət] *mn* **1.** arany-, aranyozott, aranyból való **2.** ékes, díszes *[nyelv, nyelvhasználat]*
Aurelia [ɔː'riːlɪə] *tul* Aurélia
aureola [ɔː'rɪələ] *fn átv* dicsfény, sugárkorona, fénykoszorú, fénykör, aureola, glória, nimbusz
aureole ['ɔːrioʊl] *fn* **1.** → **aureola 2.** *csill* fénykoszorú, fényudvar, aureola
au revoir [ˌoʊ rə'vwɑː ‖ −'vwɑr] *isz francia* viszontlátásra!
auric ['ɔːrɪk] *mn* aranytartalmú, arany-
auricle ['ɔːrɪkl] *fn* **1.** *orv* fülkagyló, külső fül **2.** *növ* karéjka *[levél alján]*
auricula [ɔː'rɪkjʊlə] *fn növ* medvefű, fülvirág
auricular [ɔː'rɪkjʊlə ‖ −kjələr] *mn* **a)** fül-, füllel kapcsolatos, halló-; *orv* ~ **nerve** hallóideg; ~ **tradition** szájhagyomány; *jog* ~ **witness** fültanú **b)** fülszerű
auriculate [ɔː'rɪkjələt] *mn* **a)** *áll* fülecskés, fülecskével ellátott **b)** *növ* karéjkával ellátott *[levél]*
auriferous [ɔː'rɪfərəs] *mn* aranyban gazdag, aranytermő, aranytartalmú
aurochs ['ɔːrɒks ‖ 'ɔrɑks] *fn áll* bölény
aurora [ə'rɔːrə] *fn* **1.** sarki fény; ~ **australis** déli-sarki fény; ~ **borealis** északi-sarki fény **2.** *vál* hajnalpír, pirkadat • *mn* **auroral**
Aurora [ə'rɔːrə] *tul mit* Auróra *[a hajnal istennője a római mitológiában]*
auscultation [ˌɔːskəl'teɪʃn] *fn orv* meghallgatás *[füllel vagy sztetoszkóppal]* • *mn* **auscultatory**
auspice ['ɔːspɪs] *fn tsz* **auspices** ['ɔːspɪsɪz] **1. a)** előjel, auspicium; **under favourable ~s** kedvező előjelekkel, kedvező körülmények között **b)** (madár)jóslat, (madár)jóslás **2.** védnökség, védelem, oltalom; **under the ~s of sy/sg** vknek/vmnek az égisze alatt, vknek/vmnek a támogatásával (v. védnöksége alatt)
auspicious [ɔː'spɪʃəs] *mn* kedvező, szerencsés, ígéretes, kecsegtető, sokat/jót ígérő • *fn* **auspiciousness** *hsz* **auspiciously**
Aussie ['ɒzi ‖ 'ɑsi, 'ɔsi] *mn/fn biz* ausztrál
austere [ɔː'stɪə ‖ ɔ'stɪr] *mn* **a)** szigorú, kemény, zord, barátságtalan *[időjárás]*, rideg, barátságtalan *[tekintet]*, merev, szigorú *[erkölcsi felfogás]* **b)** egyszerű, dísztelen, szerény, mértékletes, puritán • *hsz* **austerely**
austerity [ɒ'sterəti ‖ ɔ−] **I.** *mn* szükség-; ~ **measures** takarékossági intézkedések; ~ **plan** szükségterv **II.** *fn* **1. a)** szigorúság, keménység, zordonság, ridegség **b)** egyszerűség, puritánság **c)** önmegtartóztatás, mértékletesség **d)** gazdasági megszorítások, szűkös gazdasági viszonyok **2.** *tsz* **austerities** önsanyargatás, vezeklés
Austin ['ɒstɪn ‖ 'ɔs−] *mn* → **Augustinian**
austral ['ɔːstrəl] *mn* déli, délvidéki
Austral ['ɒstrəl ‖ 'ɔs−] *mn* ausztrál(iai)
Australasia [ˌɒstrə'leɪʒə ‖ ˌɔs−] *tul földr* Ausztrálázsia *[Ausztrália, Új-Guinea és Új-Zéland együtt]*
Australasian [ˌɒstrə'leɪʒən ‖ ˌɔs−] *mn/fn* ausztrálázsiai
Australia [ɒ'streɪlɪə ‖ ɔ−] *tul földr* Ausztrália
Australian [ɒ'streɪlɪən ‖ ɔ−] **I.** *mn* ausztrál(iai) **II.** *fn* **a)** ausztrál, ausztráliai ember/férfi/nő **b)** ausztráliai nyelv *[Ausztrália őslakosainak nyelve/nyelvjárásai]* **c)** ausztráliai angolság *[nyelv]* • *fn* **Australianism**
Australian English *fn* → **Australian** II. c.
Austria ['ɒstrɪə ‖ 'ɔ−] *tul földr* Ausztria
Austrian ['ɒstrɪən ‖ 'ɔ−] *mn/fn* osztrák
Austro-Hungarian [ˌɒstroʊhʌŋ'geərɪən ‖ ˌɔ−] *mn/fn* osztrák-magyar
Austro-Hungary [ˌɒstroʊ'hʌŋgəri ‖ ˌɔ−] *fn tört* Osztrák-Magyar Monarchia

autarchy [ˈɔːtɑːki ‖ ˈɔtɑrki] *fn* **1.** korlátlan/abszolút egyeduralom/szuverenitás, autokrácia **2.** → **autarky** • *mn* **autarchic**, **autarchical**

autarky [ˈɔːtɑːki ‖ ˈɔtɑrki] *fn* nemzeti gazdasági önellátás, autarkia *[nemzeté]* • *fn* **autarkist** *mn* **autarkic**

auteur [ɔːˈtɜː ‖ oʊˈtɜr] *fn film* író-rendező

authentic [ɔːˈθentɪk] *mn* **a)** hiteles, valódi, igaz, hitelt érdemlő, autentikus; ~ **act** hiteles irat; közokirat; ~ **representation** korhű/hiteles ábrázolás **b)** hivatott, feljogosított, meghatalmazott *[személy]*, mérvadó **c)** *zene* ~ **modes** autentikus hangsorok • *hsz* **authentically**

authenticate [ɔːˈθentɪkeɪt] *tsi* **1.** hitelesít, hivatalosan elismer/jóváhagy **2.** okmányokkal igazol, tanúsít, dokumentál **3.** meggyőződik vmnek hitelességéről/valódiságáról • *fn* **authentication**, **authenticator**

authenticated [ɔːˈθentɪkeɪtɪd] *mn* **1.** hitelesített, hivatalosan elismert/jóváhagyott **2.** hiteles, valódi, igazolt

authenticity [ˌɔːθenˈtɪsəti] *fn* **1.** hitelesség, érvényesség **2.** hihetőség **3.** valódiság *[aláírásé]*, eredetiség *[műalkotásé]*

author [ˈɔːθə ‖ –ər] **I.** *fn* **1.** szerző, író **2.** megalkotó, megteremtő, kezdeményező, értelmi szerzője vmnek **II.** *tsi* **1.** ír *[cikket, könyvet]* **2.** kezdeményez, értelmi szerzője vmnek • *mn* **authorial**

authoring [ˈɔːθərɪŋ] *fn infor* multimédia anyagok létrehozása publikálás céljából; programkészítés

authoritarian [ɔːˌθɒrɪˈteəriən ‖ ɔˌθɔrəˈter–] **I.** *mn* tekintélyelvű, önkényeskedő **II.** *fn* tekintélyelvű/önkényeskedő ember • *fn* **authoritarianism**

authoritative [ɔːˈθɒrətətɪv ‖ əˈθɔrəteɪtɪv] *mn* **1.** határozott, parancsoló, ellentmondást nem tűrő, önkényeskedő **2.** hiteles, mérvadó, irányadó • *fn* **authoritativeness** *hsz* **authoritatively**

authority [ɔːˈθɒrəti ‖ əˈθɔrəti] *fn* **1. a)** törvényen/hivatalon alapuló hatalom, tekintély, autoritás; **the ~ of custom** a szokás hatalma; **who gave you ~ to do this?** ki hatalmazott fel az ilyen eljárásra?; **have/exercise ~ over sy** hatalmat gyakorol v. hatalma van vk fölött **b)** (tudáson alapuló) tekintély, szakmai hozzáértés **c)** szaktekintély (*on* vmben) **2.** felhatalmazás, megbízás, engedélyezés; **have ~ to** fel van hatalmazva (vmre); **have the ~ of sy to do sg** vktől felhatalmazása van vmre; **act on sy's ~** vknek megbízásából jár el **3. a)** hatósági szerv; **the London Port A~** a Londoni Kikötő Hatósága; **administrative ~** közigazgatási szerv **b)** *tsz* **the authorities** a hatóságok, a kormány; **the local authorities** helyi hatóságok/szervek, az önkormányzati/helyhatósági testület

authorization [ˌɔːθəraɪˈzeɪʃn ‖ ˌɔθərə–], **-isation** *fn* felhatalmazás, meghatalmazás, feljogosítás, jóváhagyás, engedély(ezés); ~ **in writing** írásbeli meghatalmazás; írásbeli engedély

authorize [ˈɔːθəraɪz], **-ise** *tsi* engedélyez, engedélyt ad, felhatalmaz, meghatalmaz, feljogosít; ~ **sy to do sg** felhatalmaz/meghatalmaz vkt vmnek az elvégzésére; **be ~d to** illetékes (vmben)

authorized [ˈɔːθəraɪzd], **-ised** *mn* **a)** felhatalmazott, meghatalmazott, feljogosított, jogosult **b)** hivatalosan jóváhagyott, engedélyezett

authorship [ˈɔːθəʃɪp ‖ –ər–] *fn* **1.** szerzőség; **establish the ~ of a book** megállapítja egy könyv szerzőjét **2.** írói mesterség; **take to ~** írói pályára megy/lép

autism [ˈɔːtɪzm] *fn orv* autizmus • *fn* **autist** *mn* **autistic**

auto [ˈɔːtoʊ] *fn tsz* **-s** *US biz* gépkocsi, autó

autobahn [ˈɔːtəbɑːn] *fn közl* autópálya *[német, svájci* v. *osztrák]*

autobiography [ˌɔːtoʊbaɪˈɒgrəfi ‖ –ˈɑgrəfi] *fn* **a)** önéletrajz **b)** önéletrajzírás • *fn* **autobiographer** *mn* **autobiographic**, **autobiographical**

autocar [ˈɔːtəkɑː ‖ –kɑr] *fn régi* gépkocsi, autó

autocephalous [ˌɔːtəˈsefələs] *mn vall* önálló, független, autokefál *[püspök, egyház]*

autochthon [ɔːˈtɒkθən ‖ ɔˈtɑk–] *fn tsz* **~s**, **~es** [–niːz] **1.** őslakos, bennszülött, autochton *[ember, nép]* **2.** őshonos növény/állat

autoclave [ˈɔːtəkleɪv] *fn* **1.** *vegy* autokláv **2.** *orv* túlnyomásos fertőtlenítő (készülék)

autocracy [ɔːˈtɒkrəsi ‖ ɔˈtɑ–] *fn* **1.** (korlátlan/abszolút) egyeduralom, zsarnokság, autokrácia **2.** zsarnoki/diktatorikus hatalom **3.** autokratikus/diktatorikus állam

autocrat [ˈɔːtəkræt] *fn* egyeduralkodó, zsarnok, autokrata • *mn* **autocratic** *hsz* **autocratically**

autocross [ˈɔːtoʊkrɒs ‖ ˈɔtəkrɔs] *fn sp* autós terepverseny, autókrossz

autocue [ˈɔːtoʊkjuː ‖ ˈɔːtə–] *fn GB szính* súgógép, autocue; → **teleprompter**

auto-da-fé [ˌɔːtoʊdəˈfeɪ] *fn tsz* **autos-da-fé** *tört* **1.** elégetés, máglyahalál, autodafé *[eretneké]* **2.** inkvizíciós máglya

autodidact [ˈɔːtoʊdaɪdækt] *fn* iskola/vezetés nélkül önmagát képző személy, autodidakta • *mn* **autodidactic**

autodrome [ˈɔːtoʊdroʊm] *fn* autodróm, autóverseny-körpálya

auto-eroticism [ˌɔːtoʊɪˈrɒtɪsɪzm ‖ –ˈrɑ–] *fn* **1.** *pszich* külső behatás nélkül magától fellépő erotikus érzés, autoeroticizmus, autoerotika **2.** önkielégítés, maszturbáció • *mn* **auto-erotic**

auto-erotism [ˌɔːtoʊˈerətɪzm] → **auto-eroticism**

autofocus [ˌɔːtoʊˈfoʊkəs] *fn fényk* autofókusz *[önműködő gyújtópont-beállító]*

autogamy [ɔːˈtɒgəmi ‖ ɔˈtɑ–] *fn növ* önmegtermékenyítés, önbeporzás, autogámia

autogenesis [ˌɔːtoʊˈdʒenɪsɪs] *fn biol* ősfejlődés, ősnemzés, autogenezis

autogenetic [ˌɔːtoʊdʒəˈnetɪk] *mn* **a)** *biol* ősnemzés/ősfejlődés útján keletkezett **b)** *körny* önmagától keletkezett, autogenetikus, autogén

autogenous [ɔːˈtɒdʒənəs ‖ ɔˈtɑ–] *mn* **1.** őseredeti, ősi, autogén **2.** *orv biol* a testben keletkezett, autogén; ~ **vaccine** autovakcina **3.** *műsz* autogén *[hegesztés]*; ~ **welding** gázhegesztés, autogénhegesztés

autograft [ˈɔːtəgrɑːft ‖ ˈɔtəgræft] *fn orv* bőrátültetés saját testről, autotranszplantáció

autograph [ˈɔːtəgrɑːf ‖ ˈɔtəgræf] **I.** *fn* **1.** kézírás **2.** névaláírás, autogram **3.** kézirat **II.** *tsi* **1.** aláír, dedikál *[fényképet, könyvet]*, aláír, aláírásával ellát *[okmányt]* **2.** kézzel ír **III.** *mn* saját kézzel írott, saját kezű

autography [ɔːˈtɒgrəfi ‖ ɔˈtɑ–] *fn* **1.** kézírás **2.** faxmásolat *[írásról, illusztrációról]* • *mn* **autographic**

autoimmune [ˌɔːtoʊɪˈmjuːn] *mn orv* autoimmun • *fn* **autoimmunity**

autointoxication [ˌɔːtoʊɪntɒksɪˈkeɪʃn ‖ –tɑk–] *fn orv* önmérgezés *[főleg a bélben fejlődő méreganyagokkal]*

autoload [ˈɔːtoʊloʊd] *fn fényk infor* automatikus betöltés

autolysis [ɔːˈtɒlɪsɪs ‖ ɔˈtɑ–] *fn biol* autolízis, bomlás, önemésztés *[szerves anyagé]* • *mn* **autolytic**

automaker *fn* autógyártó

automat [ˈɔːtəmæt] *fn US* **1.** *[pénzbedobós]* automata **2.** büféautomata, automata büfé

automate [ˈɔːtəmeɪt] *tsi* automatizál *[üzemet, munkafolyamatot]*

automated teller machine, **automated telling machine** *fn* bankjegykiadó automata, ATM, készpénzautomata

automatic [ˌɔːtəˈmætɪk] *mn* **1.** *ált* önműködő, automatikus, automata; *gk* ~ **drive**, ~ **gear(box)**, ~ **transmission** automata sebességváltó; *infor* ~ **hyphenation** automatikus szóelválasztás; *infor* ~ **link** automatikus csatolás; *rep* ~ **pilot** robotpilóta, önműködő kormánygép; ~ **rifle** sorozatlövő kézifegyver; ~ **stability control** (kerék)kipörgésgátló berendezés; *gk* ~ **starter** önindító; ~ **tracking** automatikus célkövetés *[radar]*; ~ **weapon** sorozatlövő fegyver **2.** spontán, öntudatlan, automatikus *[reakció, viselkedés]* **3.** *pszich* tudat alatti, öntudatlan • *fn* **automaticity** *hsz* **automatically**

A

automation [ˌɔːtəˈmeɪʃn] *fn* **1.** *műsz* automatizálás, automatika **2.** elektronikus önműködő hibajavító és irányító berendezés
automatism [ɔːˈtɒmətɪzm ‖ ɔˈtɑ–] *fn* **1.** gépiesség, gépszerűség, automatizmus **2.** önkéntelen/akaratlan cselekedet
automatize [ɔːˈtɒmətaɪz ‖ ɔˈtɑ–], **-ise** *tsi* automatizál, önműködővé tesz • *fn* **automatization**
automaton [ɔːˈtɒmətən ‖ ɔˈtɑmətən] *fn tsz* **automatons, automata** [–tə] **1.** automata, önműködő gép **2.** (akarat nélküli) báb, gépiesen mozgó/cselekvő ember
automobile [ˈɔːtəmoubiːl] *fn US Kan* személygépkocsi, autó, gépjármű; *GB* **A~ Association (AA)** Autóklub
automotive [ˌɔːtəˈmoutɪv] *mn* **a)** önmagától mozgó, önműködő **b)** autó-, gépkocsi-, gépjármű-; **~ engineer** közlekedési mérnök; **~ industry** gépkocsiipar
autonomic [ˌɔːtəˈnɒmɪk ‖ ˌɔtəˈnɑmɪk] *mn orv* **~ nervous system** vegetatív/autonóm idegrendszer
autonomous [ɔːˈtɒnəməs ‖ ɔˈtɑ–] *mn* önkormányzati joggal felruházott, önálló, autonóm • *hsz* **autonomously**
autonomy [ɔːˈtɒnəmi ‖ ɔˈtɑ–] *fn* **1.** önrendelkezési/önkormányzati jog, autonómia **2.** személyes szabadság **3.** *fil* önállóság, függetlenség *[szabad akaraté]* **4.** autonóm közösség • *fn* **autonomist**
autopilot [ˈɔːtoupaɪlət] *fn rep* robotpilóta, önműködő kormánygép
autopista [ˌɔːtouˈpiːstə] *fn közl spanyol* autópálya
autopsy [ˈɔːtɒpsi ‖ ˈɔtɑpsi] **I.** *fn* **1. a)** (hulla)boncolás **b)** halottszemle **2.** (kritikai) elemzés, boncolgatás, vizsgálat **3.** önészlelés, önszemlélet **II.** *tsi* boncolást végez vkn
autoradiograph [ˌɔːtouˈreɪdiougrɑːf ‖ –græf] *fn fiz* autoradiogram • *fn* **autoradiography** *mn* **autoradiographic**
autorotation [ˌɔːtərouˈteɪʃn] *fn rep is* önpörgés, autorotáció
autoroute [ˈɔːtouruːt] *fn közl francia* autópálya, autósztráda
autosaving [ˈɔːtouseɪvɪŋ] *fn infor* automatikus (adat)mentés
autoserum [ˌɔːtəˈsɪərəm] *fn tsz* **autosera** [–rə], **autoserums** *orv* sajátsavó *[oltáshoz]*
autosome [ˈɔːtəsoum] *fn biol* autoszóma
autostrada [ˈɔːtoustrɑːdə ‖ ˈautou–] *fn közl olasz* (autó)sztráda, autópálya
auto-suggestion [ˌɔːtouсəˈdʒestʃn] *fn* önszuggesztió, autoszuggesztió
autotelic [ˌɔːtouˈtelɪk] *mn* öncélú, önálló, autotelikus
autotomy [ɔːˈtɒtəmi ‖ ɔˈtɑtəmi] *fn áll* védekező öncsonkítás, autotómia *[állatoké]*
autotoxin [ˌɔːtouˈtɒksɪn ‖ ˌɔtouˈtɑksɪn] *fn biol* autotoxin, sajátméreg • *mn* **autotoxic**
autotransfusion [ˌɔːtoutrænzˈfjuːʒn] *fn orv* sajátvér-átömlesztés
autotransplantation [ˌɔːtoutrɑːnsplənˈteɪʃn‖–træns–] *fn orv* saját szövet átültetése, autotranszplantáció
autotrophic [ˌɔːtouˈtrɒfɪk ‖ ˌɔtouˈtrɑfɪk] *mn növ* szénsavat asszimiláló, autotróf, önmagából táplálkozó *[növény]*
autotype [ˈɔːtoutaɪp] *fn* **1.** *nyomd* autotípia **2.** *áll növ* alaptípus
autumn [ˈɔːtəm] *fn* **1.** ősz **2.** *csill* (csillagászati) ősz **3.** *átv* alkony, hanyatlás
autumnal [ɔːˈtʌmnəl] *mn* őszi(es), ősszel termő; **~ equinox** őszi napéjegyenlőség
autumn equinox → **autumnal**
aux. [ɔːks] *röv auxiliary*
auxiliary [ɔːgˈzɪlɪəri, ɔːkˈsɪ–] **I.** *mn* kiegészítő, kisegítő, pótlólagos, tartalék, pót-, *infor* segéd-, *távk* mellék-, kiegészítő; **~ to** kiegészítő (vmhez); *kat hajó* **~ cruiser** segédcirkáló; **~ language** nemzetközi segédnyelv; **~ circuit** mellékáramkör; **~ load** járulékos terhelés; **~ school** kisegítő iskola; *nyelv* **~ verb** segédige; *rep* **~ wing** segédszárny **II.** *fn* **1. a)** segéd, kisegítő, segítség, szövetséges **b)** *US Kan* kisegítő csoport/segédcsapat **2.** *nyelv* segédige
auxin [ˈɔːksɪn] *fn* auxin *[a növények növekedését szabályozó hormon]*
AV *röv audio-visual*; *Authorized Version*
Av. *röv avenue* sugárút
Ava [ˈɑːvə, ˈeɪvə] *tul* ‹női név›
avail [əˈveɪl] **I. A.** *tsi vál* segít, használ (*sy* vknek); **what ~s his youth** mi haszna van a fiatalságából?, mire megy a fiatalságával?; **~ oneself of sg** igénybe vesz/felhasznál vmt; él vmvel; **~ oneself of the opportunity** megragadja az alkalmat **B.** *tni vál* segítségére van, hasznot hoz, hasznos, hasznára van (*to* vknek); **nothing ~ed against the storm** semmi sem használt/segített a vihar ellen **II.** *fn vál* előny, haszon, segítség; **of no ~** hasztalan, hiábavaló; **to no ~** hiába, eredménytelenül; **be of little ~ to sy** nem sokat használ vknek; **without ~** eredménytelenül, hasztalanul, hiába
availability [əˌveɪləˈbɪləti] *fn* **a)** könnyű elérhetőség, hozzáférhetőség, *infor* rendelkezésre állás **b)** felhasználhatósági fok, alkalmassági fok *[személyé]* **c)** aki rendelkezésre áll, aki számba jöhet/vehető, aki elérhető
available [əˈveɪləbl] *mn* **a)** rendelkezésre álló, elérhető, hozzáférhető, kapható, beszerezhető, megszerezhető, felhasználható, igénybe vehető **b)** (szexuálisan) megkapható, független *[személy]* • *hsz* **availably**
aval [æˈvæl] *fn pénz gazd* készfizető kezes
avalanche [ˈævəlɑːntʃ ‖ –læntʃ] **I.** *fn* **1.** hógörgeteg, lavina **2.** áradat, rengeteg; *átv* **an ~ of words** szóáradat **II. A.** *tni átv* alázúdul, lezúdul **B.** *tsi* alázúdít, lezúdít
avant-garde [ˌævɒŋˈgɑːd ‖ ˌɑvɑnˈgɑrd] *fn* **I. 1.** úttörő, újító *[művészetekben]* **2.** élcsapat, élgárda **II.** *mn* újító, progresszív, avantgárd • *fn* **avant-gardism, avant-gardist**
avarice [ˈævərɪs] *fn* **a)** kapzsiság, pénzéhség **b)** fösvénység, fukarság, zsugoriság • *fn* **avariciousness** *mn* **avaricious** *hsz* **avariciously**
avast [əˈvɑːst ‖ əˈvæst] *isz hajó* hagyd!, engedd el!, elég!
avatar [ˈævətɑː ‖ –tɑr] *fn* **1.** *vall* ‹hindu istenség, rendszerint Visnu földi megtestesülése/inkarnációja› **2.** megtestesülés *[eszméé]*
avdp. *röv avoirdupois*
ave [ˈɑːveɪ, ˈɑːvi] **I.** *fn* **1.** üdvözlégy *[köszöntés]* **2. A~ (Maria)** üdvözlégy; angyali üdvözlet, Ave Maria *[ima]* **II.** *isz [köszönéskor]* isten hozott, légy üdvözölve, *[elköszönéskor]* Isten áldjon
Ave. *röv Avenue* sugárút
avenge [əˈvendʒ] *tsi* megtorol, megbosszul (*sy/sg* vkt/vmt), jogos bosszút áll, elégtételt vesz (*sy/sg* vkért/vmért)/(*on/upon* vkn), megfizet (*on/upon* vknek vmért); **~ oneself, be ~d** jogos bosszút áll (*on/upon* vkn)/(*by* vmvel) • *fn* **avenger**
avens [ˈeɪvnz ‖ ˈævnz] *fn növ* gyömbér (gyökér)
avenue [ˈævənjuː ‖ –nuː] *fn* **1. a)** *US* sugárút **b)** fasor **2.** felhajtó *[házhoz]*, házhoz vezető út **3.** *átv* mód vmre, út vhová; **the best ~ to success** a sikerhez vezető legbiztosabb út; **explore every ~, leave no ~ unexplored** minden lehetőt elkövet/megpróbál; **provide new ~s for industry** új piacokat v. felvevő területet teremt/szerez az ipar számára
aver [əˈvɜː ‖ əˈvɜr] *tsi* **-rr- 1.** *hiv* bizonyít, állít, megerősít *[vmnek igazságát]*, kimutat, igaznak nyilvánít vmt **2.** *jog* bebizonyít *[állítást]*
average [ˈævərɪdʒ] **I.** *mn* átlagos, közepes, középszerű; **~ crop** átlagtermés; **the ~ Englishman** az átlag angol; *gk* **~ fuel consumption** átlagfogyasztás; **~ life** átlagos élettartam; *gk* **~ speed** átlagsebesség **II.** *fn* **1.** átlag, átlagérték, középérték; **above the ~** átlagon felüli; **on (an) ~** nagy átlagban, átlagosan, átlagban véve **2.** *jog* hajókár, havária, hajórakományban esett kár; **free from ~** hajókártól mentes, hajókár ellen biztosított; **~ adjustment** hajókárbecslés, hajókár (megállapítása) **III. A.** *tsi* **1.** átlagot/középértéket

kiszámít/kiszámol/megállapít, átlagol **2.** arányosan eloszt; **he ~d 100 miles a day** átlag napi 100 mérföldet tett meg **B.** *tni* átlagosan/átlagban kitesz, vmlyen átlagot elér • *hsz* **averagely**

averment [ə'vɜːmənt ‖ –'vɜr–] *fn* **1.** állítás, igenlés, megerősítés **2.** *jog* állítás, (be)bizonyítás, erősítés

averse [ə'vɜːs ‖ ə'vɜrs] *mn* idegenkendő, vonakodó; **be ~ to/from sg** ellenez vmt, idegenkedik vmtől, elzárkózik vm elől; **he is ~ to all changes** idegenkedik/irtózik minden változástól

aversion [ə'vɜːʃn ‖ ə'vɜrʒn] *fn* **1.** idegenkedés, vm kerülése, ellenszenv, averzió; **feel/have ~** idegenkedik/undorodik (*to/for* vktől/vmtől) **2.** vk idegenkedésének/ellenszenvének tárgya

avert [ə'vɜːt ‖ ə'vɜrt] *tsi* **1.** elfordít, félrefordít *[tekintetet]*, eltérít, elterel (*from* vmről) elhesseget *[gondolatot]*; **~ one's eyes** elfordítja tekintetét **2.** elhárít *[ütést, veszélyt]*, megelőz, megakadályoz *[konfliktust, szerencsétlenséget]*

avertable [ə'vɜːtəbl ‖ ə'vɜrtəbl] *mn* elhárítható, megelőzhető, megakadályozható

avertible [ə'vɜːtɪbl ‖ ə'vɜr–] → **avertable**

avian ['eɪvɪən] *mn* madárszerű, madárhoz hasonló, madár-

aviary ['eɪvɪəri ‖ 'eɪvieri] *fn* madárház, nagy madárkalitka

aviate ['eɪvieɪt] *tni* **1.** repül *[repülőgéppel]*, repülőgépen utazik **2.** repülőgépet vezet

aviation [ˌeɪvi'eɪʃn] *fn* **a)** repülés, légi közlekedés, repülésügy, aviatika **b)** repülőgépgyártás

aviator ['eɪvieɪtə ‖ –ər] *fn rep* repülő, pilóta

aviatrix ['eɪvieɪtrɪks ‖ ˌeɪvi'eɪ–] *fn rep* pilótanő

aviculture ['eɪvɪkʌltʃə ‖ –ər] *fn áll* madártenyésztés • *fn* **aviculturist**

avid ['ævɪd] *mn* mohó, sóvár (*of/for* vmre/vm után), kapzsi, *átv* éhes; **~ hunger** maró éhség • *hsz* **avidly**

avidity [ə'vɪdəti] *fn* **1. a)** mohóság, falánkság *[evésben]* **b)** sóvárgás, mohó vágy; **he read with ~** mohón/buzgón olvasott, falta a betűket **c)** kapzsiság, pénzéhség, bírvágy **2.** *vegy* mohóság, aviditás, támadóerő *[savé]*

avifauna ['eɪvɪfɔːnə] *fn áll* madárvilág, madárfauna *[tájé, országé]* • *mn* **avifaunal**

avionics [ˌeɪvi'ɒnɪks ‖ –'ɑnɪks] *fn rep* repülőelektronika

avitaminosis [ˌeɪvɪtæmɪ'noʊsɪs ‖ ˌeɪvaɪtə–] *fn orv* kóros vitaminhiány, avitaminózis

avizandum [ˌævɪ'zændəm] *fn skót jog* halasztás, elnapolás *[az ügy további tárgyalásáig]*

avocado [ˌævə'kɑːdoʊ] *fn növ* **a)** avokádófa **b)** avokádókörte, avokádó *[gyümölcs]*

avocation [ˌævə'keɪʃn] *fn* **1.** *biz* elhivatottság, mellékfoglalkozás **2.** foglalkozás, foglalatosság

avoid [ə'vɔɪd] *tsi* **1. a)** elkerül, kikerül vkt/vmt, kitér vk/vm elől **b)** *[ügyesen]* kivonja/kihúzza magát *[büntetés/munka alól]*, távol marad, távol tartja magát vmtől **2.** *jog* felbont, érvénytelenít, megsemmisít, semmisnek nyilvánít *[szerződést]* • *fn* **avoider**

avoidable [ə'vɔɪdəbl] *mn* **1.** elkerülhető, kikerülhető **2.** *jog* megtámadható, megsemmisíthető, megsemmisítendő • *hsz* **avoidably**

avoidance [ə'vɔɪdəns] *fn* **1.** elkerülés **2.** *jog* megsemmisítés, hatályon kívül helyezés; **~ of an agreement** szerződés felbontása/megsemmisítése/érvénytelenítése v. hatályon kívül helyezése; **condition of ~** bontófeltétel, szerződést hatálytalanító ok

avoirdupois [ˌævədə'pɔɪz, ˌævwɑːdjuː'pwɑː ‖ ˌævərdə'pɔɪz] *fn* **1.** **~ weight** ⟨angol nyelvterületen a tízes mértékrendszerre való áttérés előtt használatos egyik súlyrendszer neve⟩ **2.** súly, vmnek a nehéz volta

avouch [ə'vaʊtʃ] *régi vál* **A.** *tsi* **1.** megerősít, állít, kijelent **2. ~ sg** kezeskedik/jótáll vmért, garantál vmt **B.** *tni* **~ for sg** kezeskedik, jótáll, szavatol, garanciát vállal vmért • *fn* **avouchment**

avow [ə'vaʊ] *tsi* **1.** elismer, beismer, bevall; **~ one's principles** nyíltan hirdeti elveit; **~ oneself a Chelsea fan** a Chelsea szurkolójának vallja/mondja magát; **~ oneself in the wrong** beismeri, hogy hibázott/tévedett **2.** *jog* elismer *[tényállást]*, állít *[jogszerűséget]* • *hsz* **avowedly**

avowal [ə'vaʊəl] *fn* nyílt vallomás, bevallás, beismerés, elismerés

avulsion [ə'vʌlʃn] *fn* **1.** kitépés, kiszakítás, letépés, leszakítás **2.** *jog* földdarab elsodrása/leszakítása *[víz által]*

avuncular [ə'vʌŋkjʊlə ‖ –kjələr] *mn* nagybácsis, bácsikás, nagybácsihoz illő, atyáskodó; **~ affection** atyáskodó szeretet

aw [ɔː] *isz US skót* ugyan (már)!, na(, ne)!

Awacs ['eɪwæks], **AWACS** *röv Airborne Warning and Control System*

await [ə'weɪt] *tsi* **1.** vár, várakozik (*sy/sg* vkre, vmre) **2.** vár, várakozik (*sy* vkre) *[esemény, meglepetés]*; **the fate that ~s him** a rá váró sors/végzet

awake [ə'weɪk] **I.** *pt* **awoke** [ə'woʊk], *pp* **awoken** [ə'woʊkn] **A.** *tsi* (fel)ébreszt, felkelt *[vkt, gyanút, lelkiismeretet, kíváncsiságot]*; **~ sy's conscience** felrázza vk lelkiismeretét **B.** *tni* felébred, felrázódik *[közönyből]*; **~ to the danger** tudatára ébred a veszélynek, ráébred a veszélyre **II.** *mn* **1. be ~** ébren van, felébredt; **wide ~** teljesen éber, teljesen ébren van; éber, résen áll **2. be ~ to** tudatában van vmnek; **be ~ to danger** tudatában van a veszélynek, felismeri a veszélyt, ráébred a veszélyre

awaken [ə'weɪkən] **A.** *tsi* **~ sy to sg** tudatára ébreszt vkt vmnek, rádöbbent vkt vmre **B.** *tni* → **awake I. B.**

awakening [ə'weɪkənɪŋ] **I.** *mn* **a)** felébresztő *[személy]*, ébredő, bimbózó *[szerelem]* **b)** szemet felnyitó *[előadás]*, felrázó, ösztönző *[beszéd]* **II.** *fn* **1. a)** felébredés **b)** felébresztés *[álomból]* **2.** *átv* kijózanodás; **a rude ~** kegyetlen kijózanodás, szörnyű ébredés

award [ə'wɔːd ‖ ə'wɔrd] **I.** *fn* **1.** kitüntetés, díj, jutalom, *okt* ösztöndíj; **make an ~** díjat/jutalmat odaítél; **list of ~s** megjutalmazottak/kitüntetettek névsora **2.** *jog* döntés, választottbírósági/döntőbírósági ítélet **II.** *tsi* odaítél, megad (*sg to sy* vmt vknek), *jog* megítél, *sp* (meg)ítél *[játékvezető büntetőt]*, megad *[kedvezményt]*, adományoz, kitüntet *[díjjal]* • *fn* **awarder**

awarding [ə'wɔːdɪŋ ‖ ə'wɔr–] **I.** *mn* odaítélő, megítélő, megadó, juttató **II.** *fn* odaítélés, megítélés *[jutalomé, díjé, kártérítésé]*, döntés

aware [ə'weə ‖ ə'wer] *mn* **1. be ~ of sg** tudatában van vmnek; tud, tudomással bír vmről; tájékozott/értesült vmről; **I wasn't ~ of him** nem vettem észre, nem tudtam, hogy ott van; **I am fully/well ~ that** teljesen tisztában vagyok azzal, hogy; **I often do it without being ~ of it** sokszor egészen önkéntelenül teszem; **become ~ of sg** tudomást szerez vmről **2.** óvatos, körültekintő, elővigyázatos • *fn* **awareness**

awash [ə'wɒʃ ‖ ə'wɑʃ, ə'wɔʃ] *mn/hsz* **1. a)** víztől (v. víz által) mosott, vízmosta **b) the street was ~** az utcát elárasztotta a víz, az utca vízben állt **2. ~ in/with** gazdag (vmben)

away [ə'weɪ] **I.** *hsz* **1. a)** el, messzire, távolra **b) ~ with you!** menj innen! **2. a) keep ~** félrehúzódik, távol tartja magát; **he is ~** távol van, nincs itt/ott/jelen **b) far ~** a messzeségben, a messze távolban; **~ from home** otthonától/hazájától/szülőföldjétől távol **3. a) he digged ~ for hours** órák hosszat ásott; **sing ~!** csak énekelj tovább!, folytasd az éneklést! **b) right/straight ~** azonnal, rögtön, nyomban **II.** *mn sp* **~ match** idegenben lejátszott mérkőzés; *sp* **~ goal** idegenben lőtt gól

awe [ɔː] **I.** *fn* **a)** félelemmel vegyes tisztelet/bámulat **b)** áhítat, megilletődés; **strike sy with ~** félelemmel vegyes bámulatot ébreszt vkben; **stand in ~ of sy** (i) fél, retteg vktől (ii) tisztelettel néz fel vkre, respektál vkt **II.** *tsi* **a)** félelemmel vegyes tisztelettel tölt el, megfélemlít **b)** áhítatot kelt, lenyűgöz

aweary [ə'wɪəri ‖ ə'wɪri] *mn régi vál* fáradt

A

awe-inspiring *mn* **a)** félelmetes, döbbenetes **b)** megkapó, áhítatot/csodálatot/bámulatot/tiszteletet keltő

awesome [ˈɔːsəm] *mn* **1.** megdöbbentő, bámulatot keltő **2.** *szl [nagyon jó]* isteni, klassz, óriási • *fn* **awesomeness** *hsz* **awesomely**

awestricken *mn* **a)** lenyűgözött, elragadtatott **b)** megfélemlített, megrémített

awestruck → **awestricken**

awful [ˈɔːfl] *mn* **1.** rettenetes, szörnyű, borzasztó, borzalmas, rémes; **~ weather** pocsék/förtelmes idő(járás) **2. a)** *vál* tiszteletet/áhítatot keltő **b)** *vál* áhítatos, áhítattal telt **3.** *biz* **what an ~ scoundrel!** micsoda aláváló/kötnivaló gazember!; **he is an ~ bore** végtelenül/szörnyen unalmas ember **4.** óriási, hatalmas; **an ~ lot of money** rengeteg pénz, hatalmas (pénz)összeg • *fn* **awfulness**

awfully [ˈɔːfli] *hsz biz* rettenetesen, szörnyen, borzasztóan, irtózatosan; **I am ~ sorry** végtelenül/szörnyen/borzasztóan sajnálom; **thanks ~!** nagyon köszönöm! ezer köszönet!

awhile [əˈwaɪl] *hsz* egy rövid/kis ideig; **wait ~** várj egy kicsit

awkward [ˈɔːkwəd ‖ ˈɔkwərd] *mn* **1.** ügyetlen, esetlen, nehézkes, kétbalkezes *[személy]*, félresikerült, nem helyén való *[mondat, kijelentés]*, célszerűtlen, alkalmatlan *[eszköz]*; **the ~ age** a kamaszkor; a bakfiskor; **be ~ with one's hands** ügyetlen, kétbalkezes **2.** *GB* kínos, kellemetlen, feszélyező, visszás; **feel very ~** feszélyezetten/kellemetlenül érzi magát, zavarban van; **arrive at an ~ moment** a legrosszabbkor jön • *fn* **awkwardness**

awkwardly [ˈɔːkwədli ‖ ˈɔkwərdli] *hsz* **1.** ügyetlenül, esetlenül **2. a)** zavartan, feszélyezetten **b)** kínosan, kellemetlenül, feszélyezően

awl [ɔːl] *fn* ár *[szerszám]*

awn [ɔːn] *fn növ* szálka, bajusz, toklász *[kalászon]* • *mn* **awned**

awning [ˈɔːnɪŋ] *fn* ponyvatető, vászonernyő *[kirakaté]*, napellenző, *hajó* ponyvasátor

awoke [əˈwoʊk] → **awake** I.

AWOL [ˈeɪwɒl] *röv absent without leave* engedély nélküli eltávozás

awry [əˈraɪ] **I.** *mn* ferde, félrehúzott *[száj]*, félrecsúszott *[ruhadarab]*, fonák, helytelen *[nézet]* **II.** *hsz* **a)** ferdén, fonákul; **wear one's hat ~** félrecsapott kalappal jár **b) go all ~** nem sikerül, kudarcba fullad, rosszul megy

ax [æks] *US* → **axe**

axe [æks] **I.** *fn* **1.** fejsze, balta, bárd, szekerce; *biz* **have an ~ to grind** a saját pecsenyéjét süti, érdekelve van benne; **have no ~ to grind** nincs érdekelve, elfogulatlan fél; *átv* **set the ~ to a tree** hozzáfog vmhez; *átv biz* **set the ~ to the root of an evil** gyökerestül kiirtja a bajt **2. a)** *biz* **the ~** költségvetés nagymérvű csökkentése; általános létszámcsökkentés **b)** terv/tervezet feladása/módosítása **II.** *tsi* **a) ~ expenditures** erősen leszállítja a költségtételeket **b)** *szl [elbocsát]* kirúg, lapátra tesz; **he has been ~d** kirúgták, lapátra tették **c)** tervet felad/módosít

axel [ˈæksl] *fn sp* axel *[műkorcsolyázó-ugrás]*

axes [ˈæksiːz] → **axis**

axial [ˈæksɪəl] *mn* tengelyszerű, tengely-, tengelyirányú, axiális • *hsz* **axially**

axil [ˈæksɪl] *fn növ* hónalj *[levélé]*, ágzug

axilla [ækˈsɪlə] *fn tsz* **axillae** [–liː] **1.** *orv* hónalj **2.** *növ* → **axil**

axillary [ˈæksɪləri ‖ –leri] *mn* **1.** *orv* hónalji **2.** *növ* hónalj-, ágzug-

axiom [ˈæksɪəm] *fn mat is* alaptétel, alapigazság, axióma

axiomatic [ˌæksɪəˈmætɪk] *mn* **1.** *mat* axiomatikus **2.** nyilvánvaló, természetes, magától értetődő, evidens • *hsz* **axiomatically**

axis [ˈæksɪs] *fn tsz* **axes** [ˈæksiːz] **1.** tengely *[képzeletbeli]* **2.** *mat* tengely, axis **3. a)** *orv* második nyakcsigolya, axis **b)** tengely **4.** *pol* tengely; *tört* **the A~** a tengelyhatalmak

axle [ˈæksl] *fn* keréktengely *[járműé]*

axolotl [ˌæksəˈlɒtl ‖ ˈæksəlɑtl] *fn áll* ‹közép-amerikai szalamandrafajta› axolotl

axon [ˈæksɒn ‖ –sɑn] *fn biol* axon

axonometric projection [ˌæksənəmetrɪk prəˈdʒekʃn] *műv mat* axonometrikus ábrázolás

ayah [ˈaɪə] *fn* hindu dajka/dada/komorna *[európai családoknál]*

ayatollah [ˌaɪəˈtɒlə ‖ –ˈtoʊlə] *fn vall* ajatollah *[mohamedán síita főpap]*

aye[1] [aɪ] **I.** *hsz/isz* **a)** *táj régi* igen, hogyne **b)** *hajó kat* **aye aye sir!** (i) igen/igenis/értettem kapitány/uram! (ii) parancsára! **II.** *fn* **the ~s and noes** mellette és ellene szóló szavazatok; **the ~s have it** a többség a javaslatra szavazott

aye[2] [eɪ] *hsz régi* mindig, mindenkor; **for (ever and) ~** örökre, örökkön-örökké, mindhalálig, mind a sírig

Aymara [ˈaɪmərɑː] *mn/fn* ajmara, aymara *[nép és nyelv]*

Ayrshire [ˈeəʃə ‖ ˈerʃər] **I.** *tul földr* Ayrshire **II.** *fn áll* Ayrshire(-i szarvasmarha)

AZ *röv US Arizona*

azalea [əˈzeɪlɪə] *fn növ* azálea

azeotrope [əˈziːətroʊp ‖ eɪ–] *mn vegy* azeotróp • *mn* **azeotropic**

Azerbaijan [ˌæzəbaɪˈdʒɑːni, –ˈʒɑːn ‖ ˌɑzər–] *tul földr* Azerbajdzsán

Azerbaijani [ˌæzəbaɪˈdʒɑːni, –ˈʒɑːni ‖ ˌɑzər–] *mn* azerbajdzsáni

Azeri [əˈzeəri] *mn/fn* azeri *[nép és nyelv]*

azimuth [ˈæzɪməθ] *fn geol mat távk* oldalszög, vízszintes irányszög, azimut • *mn* **azimuthal**

azo- [ˈæzoʊ] *előtag vegy* azo-; **~ compounds** azovegyületek; **~ dyes** azoszínezékek

azoic [əˈzoʊɪk] *mn* **1.** élettelen, élet(jel) nélküli **2.** *geol* állatmaradvány nélküli *[terület]*, geológiai őskorból való/származó, élőlény nélküli, azoikus

azonal [eɪˈzoʊnl] *mn* azonális, zónán kívüli, zónátlan

Aztec [ˈæztek] *mn/fn* azték (személy/nyelv)

azure [ˈæʒə, ˈæʒjʊə ‖ ˈæʒər] **I.** *mn* **1.** égszínkék, azúrkék, világoskék **2.** *vál* felhőtlen *[égbolt]* **3.** nyugodt, gondtalan **II. 1.** *fn* égszínkék szín/festék, azúrkék **2.** *cím* kék szín **3.** *vál* tiszta/felhőtlen égbolt

azymous [ˈæzɪməs] *mn* kovásztalan

B

B[1], **b** *fn tsz* **B's 1.** B, b (betű/hang); **B for Bravo** B mint Béla **2.** *zene* h (hang) **3.** *okt* jó *[osztályzat iskolában]*
B[2], **b** *fn röv* **1.** *Bachelor* **2.** *bass(o)* **3.** *billion* **4.** *bishop* **5.** *black* **6.** *born* született, szül. **7.** *bowled by*
BA *röv* **1.** *Bachelor of Arts* **2.** *British Academy* **3.** *British Airways*
baa [bɑː] **I.** *tni* béget **II.** *fn* bégetés
BAA *röv British Airports Authority*
Baal [bɑːl ‖ beɪl] *tul* **1.** Baál *[sémi termékenységisten]* **2.** *átv* hamis isten, bálvány • *fn* **Baalism**, **Baalist**
baa-lamb *fn gyerm* bari(ka)
baas [bɑːs] *fn Dél-Af* gazda, főnök
baaskap [ˈbɑːskæp] *fn Dél-Af* fehéruralom
baba [ˈbɑːbɑː] *fn gaszt* ‹rumos sütemény›
babbitt [ˈbæbɪt] *fn* csapágyfém, fehérfém, babbit
Babbitt [ˈbæbɪt] *tul US biz* nyárspolgár • *fn* **Babbitry**
babble [ˈbæbl] **I. A.** *tsi* elfecseg, kifecseg, elpletykál; **~ (out) a secret** titkot kifecseg **B.** *tni* **1.** gagyog, gügyög **2.** cseveg, tereferél, fecseg, csacsog **3.** mormol, csobog *[patak]* **II.** *fn* **1.** gagyogás, gügyögés **2.** csevegés, fecsegés, csacsogás **3.** mormolás, csobogás *[pataké]* **4.** áthallás *[telefonban]* • *fn* **babblement**
babbler [ˈbæblə ‖ −ər] *fn* **1.** gagyogó, gügyögő (személy) **2.** fecsegő, szószátyár
babe [beɪb] *fn* **1.** *vál* csecsemő, kisgyermek, baba; **out of the mouth of ~s and sucklings...** a gyermekszáj igazat mond **2.** *biz* tapasztalatlan/naiv ember, zöldfülű, nagy gyerek *[felnőttről]*; **~ in the woods** *kb* tájékozatlan/becsapható ember **3.** *US szl* bébi, csajszi
Babel [ˈbeɪbl] **I.** *tul* **the Tower of ~** Bábel tornya **II.** *fn* **1.** ~ bábeli hangzavar/zűrzavar **2.** zajos összejövetel
baboo [ˈbɑːbuː] *fn* → **babu**
baboon [bəˈbuːn ‖ bæ−] *fn* **1.** *áll* babuin *[cerkófmajom féle]* **2.** durva/faragatlan alak
baboonery [bəˈbuːnəri ‖ bæ−] *fn* majomkodás
babu [ˈbɑːbuː] úr *[hindu megszólítás]*, hindu úr, *pej* elangolosodott hindu; ‹angolul írni tudó indiai tisztviselő›
baby [ˈbeɪbi] **I.** *fn* **1.** csecsemő, (kis)baba, pólyás(baba), bébi; **the ~ of the family** a legfiatalabb gyermek a családban, a család benjáminja; **I have known him from a ~** kisgyermekkora óta ismerem; **carry/hold the ~** tartja a hátát, övé a felelősség; **throw out the ~ with the bath water** kiönti a fürdővízzel a gyereket **2.** *szl* baba *[nőről]* **3.** *átv* **his new ~** az ő gyereke **II.** *mn* **1.** gyerekes, (kis)gyermeki, gyerek-, bébi- **2.** *biz* kicsi, apró, miniatűr; **~ camera** zsebfényképezőgép **III.** *tsi* gyermekként/csecsemőként kezel, kényeztet, babusgat, csínján bánik vkvel • *fn* **babyhood**
baby blue *mn/fn* babakék, világoskék
baby boom *fn biz* (hirtelen) születésszám-emelkedés, baby boom
baby boomer *fn* baby boomos *[baby boom idején született személy]*
baby bouncer *fn GB* járóka
baby buggy *fn* **1.** *GB* gyerekkocsi **2.** *US* babakocsi
baby carriage *fn US* babakocsi
baby face *fn* **1.** babaarc **2.** *biz* csinibaba • *mn* **baby-faced**
baby grand *fn zene* rövid zongora
Babygro [ˈbeɪbigrou] *tul GB márkanév* rugdalózó *[gyermekruha]*
babyish [ˈbeɪbiɪʃ] *mn* csecsemőszerű, kisgyermekszerű, babaszerű, gyerekes, gyermeteg
Babylon [ˈbæbɪlən] *tul tört földr* Babilon
Babylonian [ˌbæbɪˈlounɪən] **I.** *fn* babiloni (férfi, nő) **II.** *mn* babilóniai, babiloni; **the ~ Captivity** a babiloni fogság
baby-minder *fn* bébiőr(ző), pesztra
baby-sit *tni pt/pp* **-sat** más kisgyermekére felügyel/vigyáz *[szülők távollétében]*
baby-sitter *fn* gyer(m)ekőrző, pótmama
baby-snatcher *fn biz* gyermekrabló
baby talk *fn* gőgicsélés, gagyogás, gyermeknyelv, gügyögés
baby tooth *fn tsz* **-teeth** *US* tejfog
baby walker *fn* járóka
BAC *röv blood alcohol content*
Bacardi [bəˈkɑːdi ‖ −ˈkɑr−] *tul gaszt* Bacardi-rum
baccalaureate [ˌbækəˈlɔːrɪət] *fn* **1.** ‹legalacsonyabb egyetemi fokozat› baccalaureatus, bachelori fokozat **2.** *kb* érettségi *[Európában]*
baccarat [ˈbækərɑː ‖ ˈbɑː−] *fn ját* baccarat, bakkara *[kártyajáték]*
bacchanal [ˈbækənl, ˌbækəˈnæl] **I.** *fn* **1.** → **bacchant** I. **2.** tivornyázó, mulatozó, dáridózó **3.** tivornya, dáridó, mulatozás **II.** *mn* tivornyázó, mulatozó
Bacchanalia [ˌbækəˈneɪlɪə] *fn tsz* Bacchus-ünnep, bacchanália • *fn/mn* **Bacchanalian**
bacchant [ˈbækənt ‖ bəˈkænt] **I.** *fn* **1.** Bacchus papja/papnője, bacchánsnő **2.** Bacchus-hívő/-imádó **3.** tivornyázó, mulatozó **II.** *mn* **1.** bacchusi, bacchikus **2.** féktelen, szilaj • *mn* **bacchantic**
bacchante [bəˈkænti] *fn* bacchánsnő, tivornyázó nő
Bacchic [ˈbækɪk] *mn* bacchusi, bacchikus, Bacchus tiszteletére rendezett *[ünnepély]*
baccy [ˈbæki] *fn biz* dohány, bagó
bach [bætʃ] *US biz* **I.** *fn* agglegény, nőtlen ember; **keep ~** (agg)legényéletet él **II.** *tsi/tni* **~ it** agglegényéletet/hajadonéletet él; magányosan él
bachelor [ˈbætʃələ ‖ −ər] *fn* **1.** agglegény, nőtlen ember **2.** baccalaureatusi fokozatot elnyert férfi/nő, baccalaureus *[legalsó egyetemi fokozat]*; **B~ of Arts** a bölcsészettudományok/társadalomtudományok/filológia baccalaureusa, Baccalaureus Artium; **B~ of Science** a természettudományok baccalaureusa **3.** *tört* lovaggá avatandó ifjú • *fn* **bachelorhood**, **bachelorship**
bachelor girl *fn* önálló fiatal nő
bacillary [bəˈsɪləri ‖ ˈbæsəleri] *mn* bacilusos, bacilus okozta, bacilaris
bacilliform [bəˈsɪlɪfɔːm ‖ −fɔrm] *mn* pálcika alakú
bacillus [bəˈsɪləs] *fn tsz* **bacilli** [−laɪ] bacilus
back [bæk] **I.** *fn* **1. a)** hát *[testrész]*; **~ to ~** egymásnak háttal (állva), (háttal) egymásnak támaszkodva, *US* egymást szorosan követő, feltorlódó; **~ to front** megfordítva *[hátulját veszi előre]*; összekuszált; **at the ~ of** mögött; **be at the ~ of sy** sarkában van vknek; támogat/segít vkt; **there is something at the ~ of it** van a dolog mögött vm; **behind sy's ~** vknek a háta mögött (v. tudta nélkül); **be on one's ~** nyomja az ágyat, ágyban fekvő beteg; **with one's ~ to the wall** háttal a falnak támaszkodva; *átv* sarokba szorítva; szorult helyzetben; **stand with one's ~ to sy** háttal áll vknek; hátat fordít vknek; **the Government has a broad ~** a kormány sokat elbír/kibír; *biz* **put one's ~ into sg** nekigyürkőzik/nekilát/nekirugaszkodik vmnek; **put/get one's ~ up** megmakacsolja magát, makacsul ellenkezik/ellenszegül; *biz* **put/set/get sy's ~ up** felbosszant/feldühít (v. méregbe hoz) vkt; **be glad to see the ~ of sy** örül vk távozásának/elmenetelének; örül hogy megszabadul vktől; **turn one's ~ on sy** hátat fordít vknek; elhagy/otthagy/cserbenhagy vkt **b)** (hát)gerinc; **break one's ~** eltöri a hátgerincét; *átv* tönkreteszi magát; agyondolgozza/túlterheli magát; **break sy's ~** agyondolgoztat vkt; **straighten**

B

one's ~ kiegyenesedik, kihúzza magát; *átv* nem görnyed (v. nem alázkodik meg) tovább **2. a)** hát *[tárgyé]*, hátoldal, hátlap *[papíré, okmányé]*, hátoldal *[éremé]*, fonák, visszája *[szöveté]*, fok *[késé, baltáé]*; **~ of a book** könyvborító hátoldala; **the ~ of the hand** kézfej *[szemben a tenyérrel]*; **know like the ~ of one's hand** ismeri, mint a tenyerét; **~ of a chair** széktámla; **~ and edge of a knife** kés foka és éle **b)** hátulsó rész, hátulja (vmnek) **3.** *biz* **on the ~ of** még ráadásul, a tetejébe **4.** mélye vmnek; *szính* **the ~ of the stage** színpad hátsó része; **at the ~ of one's mind** homályosan az emlékezetében; emlékei mélyén; **you never know what is in the ~ of his mind** soha nem lehet tudni mit forgat a fejében; **the ~ of beyond** Isten háta mögötti hely **5. the B~s** ‹a Cam folyóig húzódó egyetemi terület Cambridge-ben› **6.** *sp* hátvéd, bekk **II.** *hsz* **1. a)** hátra(felé), visszafelé; **~ and forth** előre-hátra, ide-oda, oda-vissza; **far ~** messze hátul (kullogva), lemaradva; **lie ~** hátradől *[székben, ülésben]*, hanyatt fekszik, hátradől *[fekvő alkalmatosságon]*; **stand ~!** vissza!, hátra!, félre (az útból)! **b)** vissza; **get one's own ~** megmondja/megadja a magáét, megtorol; **make one's way ~** visszatér, visszafordul, visszamegy; **~ to the drawing board** kezdhetjük elölről; **~ to school** iskolaév kezdete **c)** haza, újra itt(hon); **he is just ~ from Paris** éppen most (v. nemrégen) érkezett vissza Párizsból; **when will he be ~?** mikor jön meg/vissza?; mikor lesz itt?; **I expect him ~ tomorrow** holnapra várom (vissza); *biz* **~ in Hungary** odahaza Magyarországon; *US* **~ home** nálunk otthon **d)** *US* **~ of sy/sg** vk/vm mögött; **the streets ~ of the park** a park mögötti utcák **2.** ezelőtt, régen; **some few years ~** néhány évvel ezelőtt; **far ~ in the Middle Ages** valamikor régen a középkorban; **as far ~ as 1914** már 1914-ben **III. A.** *tsi* **1. a)** hátlappal ellát/megerősít, kitölt, hátfallal ellát *[falazatot]* **b)** segít, támogat, pártfogol, *gazd* finanszíroz, szubvencionál; **be well ~ed** befolyásos támogatói vannak, jó összeköttetései vannak; **~ sy in an argument** vitában pártját fogja vknek **c)** *zene* kísér **2.** visszatol, visszahúz, hátrahúz *[kocsit, taligát]*, hátráltat *[lovat]*, visszakoztat, hátrál, (vissza)tolat *[autó, vonat]*, hátrafelé megy, visszafelé működtet *[szerkezetet]*; **~ the car** tolat (kocsival) **3. ~ a horse** egy lóra tesz/fogad, megtesz egy lovat; *átv* **~ the wrong horse** rossz lóra tesz **4. a)** vm mögött van/elterül, háttérül szolgál (vmnek); **the hills that ~ the town** a város mögött elterülő/emelkedő dombok; a várost környező/körülvevő dombok **b) ~ on to sg** hátával érintkezik, végéhez kapcsolódik, háttal fekszik vm felé *[pl. ház]* **B.** *tni* **1. a)** hátrál, visszafelé/hátrafelé megy/hajt, tolat, farol; **~ into sg** nekifarol (v. háttal nekimegy) vmnek; **~ into the garage** betolat/befarol a garázsba; *hajó* **~ astern** hátravezet *[motoros hajóval]*; *US biz* **~ and fill** habozik, ingadozik, tétovázik, nem tud határozni; kertel, köntörfalaz, hímez-hámoz **b)** megfordul *[szél]* **2. the house ~s on the high road** a ház háttal áll az országútnak **IV.** *mn* **1.** hátsó, hátulsó; *kat* **~ area** hátország; **~ premises** hátsó helyiségek; **the ~ streets of a town** félreeső mellékutcák, sikátorok; *nyelv* **~ vowel** hátul képzett (v. veláris) magánhangzó **2.** visszafelé irányuló, hátramenő, vissz- **3. a)** hátralékos, kifizetetlen *[bér]* **b)** régi *[folyóiratpéldány]*

back away *tni* eltér, eltávolodik *[elvtől stb.]*

back down *tni* **1.** lemond *[igényről, követelésről]*, viszszavon *[panaszt]* **2.** visszatáncol, visszaszívja amit mondott; → **backdown**

back off *tni* visszavonul, meghátrál

back out *tni* visszatáncol, visszakozik, megszeg *[ígéretet]*, kivonja/kihúzza magát vm alól, kiugrik *[megállapodásból]*; **~ out of a bargain** visszalép/visszavonul a megkötött üzlettől, kiszáll

back up A. *tsi* **1.** segít, támogat, pártfogol (vkt), pénzel, finanszíroz, szubvencionál (vmt), alátámaszt *[állítást, érvelést]* **2.** *infor* (biztonsági) másolatot készít **B.** *tni* **1. a)** (autóval) hátrál, hátrafelé hajt **b) ~ up!** vissza! **2. a)** felgyülemlik, felduzzad *[folyóvíz gátnál]* **b)** *közl* feltorlódik *[forgalom]*

backache *fn* hátfájás, derékfájás

back alley I. *fn* mellékutca, sikátor, zugutca **II.** *mn* sötét, alvilági

backbar [−bɑr] *fn US* italpolc, italtartó állvány

backbencher *fn GB pol* (egyszerű) parlamenti képviselő *[aki sem a kormánynak, sem az ellenzéki kormánylistának nem tagja]*

backbite *tsi pt* **backbit**, *pp* **backbitten** rágalmaz/szapul/kibeszél/fúr vkt, intrikál vk ellen • *fn* **backbiter**

backbiting *fn* rosszindulatú pletyka, fúrás, intrika, szapulás, kibeszélés

backblocks *fn tsz Ausz* ‹az ország belsejében elterülő részek/területek›

backboard *fn* **a)** támla, háttartó *[padon, csónakon]* **b)** *sp* palánk *[kosárlabdában]* **c)** hátegyenesítő deszka *[gyermeknek]*

back boiler *fn GB* ‹tűzhellyel egybeépített vízmelegítő›

backbone *fn* **1. a)** hátgerinc, gerincoszlop **b)** *átv* gerinc; **he has got ~** gerinces/jellemes ember; **he is the ~ of the team** ő a csapat motorja, rajta áll vagy bukik a csapat **2.** gerinc *[hegyé, könyvé stb.]*

back-breaking *mn* fárasztó, kimerítő *[munka]* • *fn* **backbreaker**

back burner *fn* **1.** hátsó láng *[tűzhelyen]* **2. put the case on the ~** félreteszi az ügyet

back channel *mn US* titkos, félhivatalos *[tárgyalás]*

backchat *fn GB biz* feleselés, visszabeszélés, szemtelen felelet

backcloth *fn GB* **a)** *szính* háttérfüggöny **b)** *átv* háttér *[helyzeté, jeleneté]*

backcomb *tsi GB* **a)** hátrafésül **b)** felfésül *[kopaszodást eltakar]*, ráfésül *[hajat kopasz foltra]*

backcountry *fn US* lakatlan terület, vadon, puszta

back crawl *fn sp* hátúszás, kallózás/krallozás háton

backcross *biol* **I.** *tsi* visszakereszt **II.** *fn* visszakeresztezés

back-current *fn távk* visszáram, ellenáram

backdate *tsi* korábbra keltez

back door I. *fn* **1.** hátsó ajtó **2.** *átv* tisztességtelen/kerülő út **II.** *mn* **back-door intent** hátsó gondolat

backdown *fn* **1.** igényről/követelésről való lemondás **2. a)** visszavonulás, visszakozás, meghátrálás **b)** vereség; → **back down**

backdrop *fn szính* háttérfüggöny

backer [ˈbækə ‖ −ər] *fn* **1.** *pol* támogató, pártoló, párt híve, szimpatizáns **2.** tőkés társ, csendes társ **3.** *sp* fogadó *[lóversenyen]*

backfall *fn átv biz* vereség, kudarc

backfield *fn sp* **1.** saját/védekező térfél **2.** a védelem *[amerikai futballban]*

backfill *tsi* feltölt, betemet *[gödröt]*

backfire I. *tni* [bækˈfaɪə ‖ −ər] **1.** *gk* visszagyújt *[motor]*, láng kicsap *[kipufogóból]*, pufog *[motor]* **2.** *átv* visszafelé sül el; **the plot ~d** az összeesküvés visszafelé sült el **II.** *fn* [ˈbækfaɪə ‖ −ər] *gk* visszagyújtás, utórobbanás *[motorban]*, lángkicsapódás *[kipufogóból]*, belső láng *[Bunsenégőn]*

backflip *fn sp* **1.** hátraszaltó **2.** kézenátfordulás hátra

back-formation *fn nyelv* elvonás

backgammon [ˈbækgæmən] *fn ját* triktrak, ostábla *[játék]*, puffjáték

background *fn* **1.** *átv* háttér, alap(szín); **against a dark ~** sötét alapon; **keep (oneself)/stay in the ~** félreáll, félrehúzódik, a háttérben marad; **push sy into the ~** a háttérbe szorít vkt **2.** (családi) származás, neveltetés; **give sy the ~, fill sy in on the ~** felvilágosít vkt az előzményekről, elmondja mi van a dolog hátterében **3.** *fiz el* háttér(zaj), interferencia

background application *fn infor* inaktív alkalmazás

background brightness *fn távk* alapfényerő, alapfényintenzitás

background information *fn* háttérinformáció
background music *fn* háttérzene; kísérőzene, aláfestő zene
background noise *fn* alapzaj; *távk* zavarháttér
backhand *fn sp* fonák *[ütés]*
backhanded *mn* **1.** visszakezes; **~ blow** váratlan/alattomos ütés; **~ compliment** kétélű bók **2.** sunyi, nem egyenes, alattomos
backhander *fn* **1.** fonákütés **2.** *biz* váratlan/hirtelen ütés/visszavágás/riposzt, alattomos támadás **3.** *GB szl [kenőpénz]* jatt
backing [ˈbækɪŋ] *fn* **1.** hátlap, hátrész **2. a)** (erkölcsi) támogatás **b)** támogatók (összessége) **3. a)** megerősítés, megszilárdítás *[falé]*, hátfalazás **b)** erősítés, támaszték, tartó, tartószerkezet *[falé]*, fedezet *[pénz]* **4.** *zene* kíséret **5.** *átv* **have no ~ room** nincs helye (hova) hátrálni, nincs mozgástere
back issue → **back number**
backlash *fn* **1.** *átv* következmény, visszahatás, visszavágás **2.** *műsz* (holt)játék, kotyogás, hézag, holtjárat *[csavaré, fogaskeréké]*, zötyögés, ráng(at)ás *[szerkezetnél]* **3.** légvisszacsapás *[robbanásnál]*, ellenlökés *[puskánál]*
backless [ˈbækləs] *mn* hát nélküli *[ruha]*, támla nélküli *[pad]*
backlight I. *fn* [ˈbæklaɪt] hátsó megvilágítás, ellenfény **II.** *tsi* [bækˈlaɪt] hátulról megvilágít
backline *fn sp* alapvonal
backlist *fn* raktári állomány *[régebben megjelent könyvekből]*
backlog [–lɔg] *fn* restancia, elvégzésre váró munka, hátralék *[munkában]*
backmarker *fn GB sp* sereghajtó
backmost [ˈbækmoʊst] *mn* leghát(ul)só, legtávolabbi, legmesszebb fekvő/levő
back number *fn* régi példány/szám *[újság]*
back office *fn* hátsó irodahelyiség *[csak alkalmazottak részére]*
back order *fn gazd* ki nem elégített rendelés
backpack I. *fn* hátizsák **II.** *tni* túrázik • *fn* **backpacker**
back-pedal *tni GB* **-l-**, *US* **-ll- 1.** visszafelé hajtja a pedált *[kerékpáron]* **2.** *átv* visszakozik
back projection *fn film* háttérvetítés
back rent *fn US* lakbértartozás
backrest *fn* háttámasz, támla
back room *fn* ‹háttérmunka helye›
back-room boy *mn biz* szürke eminenciás
back-scratcher *fn* **1.** hátvakaró **2.** *átv biz* hízelgő, talpnyaló (ember) • *fn/mn* **back-scratching**
back seat *fn* hátsó ülés, kis ülés; *átv* **take a ~** alárendelt szerepet vállal/játszik; a háttérbe húzódik; a csendestárs szerepét játssza
backseat driver *fn* **1.** fogadatlan prókátor **2.** ‹a dolgokat háttérből irányító személy›
backsheesh [ˌbækˈʃiːʃ] → **baksheesh**
backside *fn biz* hátsórész, ülep, fenék
backsight *fn* **1.** irányzék *[puskán]* **2.** hátrairányzás, hátrametszés *[földmérésnél]*
back slang *fn nyelv* ‹visszafelé olvasott/kiejtett szó, melyből szlengszó lett›
backslapping *mn* kedélyeskedő, bizalmaskodó, hátbaveregető
backslash *fn nyomd infor* balra dőlő virgula *[\]*
backslide *tni pt/pp* **-slid** visszaesik *[bűnbe, hibába]* • *fn* **backslider, backsliding**
backspace [ˈbækspeɪs] **I.** *fn* visszalépés *[írógépen, számítógépen]*; **~ (key)** visszaléptető billentyű **II.** *tsi/tni* visszaléptet, hátraléptet *[számítógépen]*, visszavált *[írógépen]*
backspin *fn* visszapörgés, geller *[golflabdáé, biliárdgolyóé]*
backstage I. *hsz* **1.** a színfalak/kulisszák mögött **2.** a háttérben *[a színpadon]* **3.** titokban **II.** *mn átv* a színfalak/kulisszák mögötti
backstair influence *fn biz* rejtett jó összeköttetés, protekció, kiskapu, titkos/rejtett/alattomos üzelmek
backstairs *fn tsz* szolgálati/hátsó lépcső
backstay *fn hajó* patrác *[hajó két oldalán levő árbocfeszítő kötél]*
backstitch *fn* hátöltés, fonáköltés, visszaöltés
backstop *fn* **1.** *sp* hátsó mezőnyjátékos *[baseballban]* **2.** *átv* óvintézkedés
backstreet I. *mn* illegális, törvénytelen; **~ abortion** illegális abortusz **II.** *fn* mellékutca, félreeső utca
backstroke *fn* hátúszás (kartempója)
back talk *US biz* → **backchat**
backtrack *tni US biz* **1.** visszatáncol, kihúzza magát vmből, visszalép **2.** *[ugyanazon az útvonalon]* visszamegy, visszatér; **~ home** hazamegy, hazafelé veszi útját • *fn* **backtracking**
back-up file *fn infor* másodpéldány, fájl-másolat *[arra az esetre, ha az eredeti megsérülne]*
backup light *fn US gk* tolatólámpa
backveld [ˈbækfelt] *fn Dél-Af* elmaradott, távoli vidék
backward [ˈbækwəd ‖ –wərd] **I.** *mn* **1.** hátrafelé/visszafelé irányuló *[mozgás, tekintet]*; **read ~** visszafelé olvas **2.** fejletlen, (fejlődésben) szellemileg visszamaradt *[gyermek]*, kései, későn érő *[gyümölcs]*; **~ country** fejlődésben visszamaradt ország **II.** *hsz* → **backwards** • *fn* **backwardness**
backwardation [ˌbækwəˈdeɪʃn ‖ –wərd–] *fn GB pénz* deportügylet *[tőzsdén]*
backwards [ˈbækwədz ‖ –wərdz] *hsz* **1.** hátra(felé), vissza(felé); **~ and forwards** előre-hátra, oda-vissza, ide-oda; **look ~** hátranéz, visszanéz; visszanéz, visszatekint (a múltba); **seat facing ~** a vezetőnek/menetiránynak háttal levő ülés **2.** *átv* **know ~** betéve tudja
backwash *fn* **1.** sodrás *[folyóé ellenirányban]*, (hajó által vert) hullám, farhullám **2.** utóhatás, utórezgés **3.** visszahatás
backwater I. *fn* **1.** holt ág *[folyóé]* **2. a)** elmaradott terület, kezdetleges civilizációjú terület **b)** szellemi tespedés, az irodalom tespedése **3.** *hajó* farhullám, farvíz **II.** *tni hajó* hátrafelé evez, árral szemben evez
backwind *fn hajó* hátszél, visszavágó szél
backwoods [ˈbækwʊdz] *fn tsz* **1.** isten háta mögötti terület **2.** őserdő, ősvadon
backwoodsman [ˈbækwʊdzmən] *fn tsz* **-men** [–mən] **1.** őserdőben élő telepes/gyarmatos, erdőt irtó telepes **2. a)** *GB* ‹a Lordok Házának ülésein csak szavazások alkalmával megjelenő tag› **b)** ügyefogyott/faragatlan ember
backyard *fn US* hátsókert, kiskert, udvar; **in one's own ~** háza táján, környéken, közelben
bacon [ˈbeɪkən] *fn gaszt* (angol) szalonna; **bring home the ~** (i) (anyagilag) gondoskodik a családjáról (ii) övé a pálma/dicsőség
Baconian [beɪˈkoʊnɪən] **I.** *mn* baconi, baconista **II.** *fn* Bacon-követő, baconista
bacterial [bækˈtɪərɪəl ‖ –ˈtɪr–] *mn* baktériumos, baktérium-; **~ contamination** baktériumos fertőzés; baktériumszennyeződés
bactericide [bækˈtɪərɪsaɪd ‖ –ˈtɪr–] *fn orv* csíraölő/baktériumölő (anyag), baktericid
bacteriology [bækˌtɪəriˈɒlədʒi ‖ –ˌtɪriˈɑ–] *fn* bakteriológia • *fn* **bacteriologist** *mn* **bacteriological**
bacteriolytic [bækˌtɪərɪəˈlɪtɪk ‖ –ˌtɪrɪə–] *mn biol* bakteriolitikus, baktériumölő
bacteriostatic [bækˌtɪərɪəˈstætɪk] *mn biol* bakteriosztatikus, baktériumnövekedés-leállító
bacterium [bækˈtɪərɪəm ‖ –ˈtɪr–] *fn tsz* **bacteria** [–rɪə] baktérium
Bactrian camel *fn áll* kétpúpú teve
bad [bæd] **I.** *mn kfok* **worse** [wɜːs ‖ wɜrs], *ffok* **worst** [wɜːst ‖ wɜrst] **1.** (erkölcsileg) rossz, gonosz; **~ language** disznó beszéd, káromkodás; **have a ~ name** rossz híre van (v. hírben áll); **call people ~ names** sértegeti az embereket **2.** (minőségileg) rossz; **~ air** rossz/elhasznált levegő; **~**

B

B

blood gyűlölet, harag; gyűlölködés, leszámolnivaló; ~ **egg** záptojás; *szl* senkiházi, sötét alak; ~ **meat** romlott hús; **go** ~ elromlik, megromlik *[étel]*; megzápul *[tojás]* **3.** helytelen, hibás *[terv]*, alkalmatlan, nem megfelelő *[eszköz]*, behajthatatlan *[követelés]*; ~ **form** modortalanság, neveletlenség; ~ **light** rossz/elégtelen világítás; *átv* rosszindulatú megvilágítás; **be** ~ **at** ügyetlen, járatlan, gyenge (vmben); **be on** ~ **terms with sy** rossz viszonyban van, nem fér meg/össze vkvel; **speak** ~ **English** rosszul/hibásan beszél angolul, töri az angolt; **that's very** ~ **of you** ez igazán nem szép tőled **4.** kellemetlen *[ügy]*, súlyos *[baj]*, szerencsétlen *[eset]*, csúnya *[seb, esés]*; ~ **accident** súlyos baleset; ~ **news** (i) rossz hír (ii) *biz [ellenszenves/kellemetlen ember, kellemetlen helyzet]* gáz; **he is in a** ~ **temper** rossz kedve van; mérges; ~ **weather** rossz idő(járás); *biz* **it's not (so)** ~, **it isn't half so** ~ nem is olyan rossz, tűrhető, kielégítő; *biz* **it is (really) too** ~!, **that's too** ~! ez már baj!, (nagy) kár!, sajnálom!; **be in a** ~ **streak** szorult helyzetben van, rossz passzban van; **come to a** ~ **end** rossz véget ér; **feel** ~ **about sg** bántja vm; sajnál vmt; **have a** ~ **headache** kínzó fejfájás gyötri, erős fejfájása van; *biz* **that looks** ~ ez nem sok jót ígér, ez nem sok jóval biztat **5. be** ~ **for sy/sg** rossz/ártalmas vknek/vmnek; ~ **for the eyes** ártalmas a szemnek **6.** beteg; **a** ~ **leg** fájós láb; *biz* **feel** ~ rosszul (v. nem jól) érzi magát; *biz* **I'm not so** ~ (már) jobban vagyok **7.** *kfok* **badder**, *ffok* **baddest** *US szl [jó]* állat, király; → **worse** → **worst II.** *fn* **1.** a rossz; **take the** ~ **with the good** jóban-rosszban kitart; **things are going from** ~ **to worse** a helyzet egyre rosszabb/romlik; **go to the** ~ elzüllik, lezüllik; tönkremegy **2. he is 1000 forints to the** ~ 1000 forinttal tartozik a folyószámláján • *mn* **baddish**

badass *fn US szl* **I.** *mn* **1.** kemény **2.** rossz, hitvány **II.** *fn* rosszfiú, bajkeverő

bad breath *fn* rossz lehellet

baddie [ˈbædi] *fn biz* rosszfiú *[filmen]*

bade [bæd, beɪd] → **bid II.**

bad faith *fn* rosszhiszeműség, rosszindulat; **do sg in** ~ becsap

badge [bædʒ] **I.** *fn* **1.** jelvény *[egyesületé, ezredé stb.]*, szolgálati jelvény *[detektívé, rendőré]*, szám *[hordáré]*, bárca *[utcai árusé]* **2.** *átv* jelkép, szimbólum **II.** *tsi* **a)** jelvénnyel ellát, megjelöl **b)** kitüntet • *mn* **badged**

badger [ˈbædʒə ‖ –ər] **I.** *fn* **1.** *áll* borz; amerikai borz **2.** borzszőrecset, borzszőrpamacs **II.** *tsi* zaklat, nyakára jár vknek, bosszant, idegesít, szekál; ~ **a favour out of sy** addig jár a nyakára vknek, amíg az el nem intéz neki vmt • *mn* **badgering**

Badger State *tul földr US biz* Wisconsin állam

badinage [ˈbædɪnɑːʒ] *fn* tréfálkozás, csipkelődés

badlands [ˈbædlændz] *fn tsz* **1.** terméketlen eróziós vidék **2.** *US* **B**~ Nebraska és Dél-Dakota terméketlen területei

bad loan *fn pénz* behajthatatlan kölcsön

bad-looking *mn biz* rossz kinézésű, rossz külsejű, csúnya, rosszképű

badly [ˈbædli] *hsz* **1.** rosszul; ~ **dressed** rosszul/szegényesen öltözött; **be** ~ **off** rossz anyagi helyzetben van, szűkölködik; **he took it very** ~ mellbevágta, mellre szívta; nagyon rosszul esett neki **2. a)** nagyon, súlyosan, életveszélyesen, csúnyán; ~ **wounded** súlyosan/életveszélyesen megsebesült **b)** *biz* nagyon, égetően; **to want/need** ~ igen nagy szüksége van vmre, nagyon vágyódik vm után

badminton [ˈbædmɪntən] *fn* **1.** tollaslabda (játék) **2.** *GB* édesített vörösborfröccs

bad-mouth [ˈbædmaʊθ, –maʊð] *tsi US szl [ócsárol, szidalmaz]* lecikiz

bad-tempered *mn* **a)** zsémbes, zsörtölődő, házsártos, összeférhetetlen **b)** kedvetlen, rosszkedvű

Baedeker [ˈbeɪdɪkə ‖ –ər] *fn* útikalauz, bédekker *[könyv]*

baffle [ˈbæfl] **I.** *tsi* **1. a)** meghiúsít *[tervet, reményt]* **b)** keresztülhúz *[számítást]* **c)** csalódást okoz (vknek), kiábrándítólag hat (vkre) **d)** megzavar **e)** megtéveszt **f)** leráz magáról *[üldözőket]*, félrevezet *[rendőrséget]* **2.** (el)terel *[áramlást stb.]*, akadályoz *[egyenes irányú mozgást]* **II.** *fn műsz* terelőlap, terelőlemez, *fiz* áramlást eltérítő v. szabályozó lemez • *fn* **bafflement** *mn* **baffled**

baffle board *fn távk* hangterelő *[hangfalban]*

baffle plate → **baffle II.**

baffler → **baffle II.**

baffling [ˈbæflˑɪŋ] *mn* zavarba ejtő, elképesztő, érthetetlen

BAFTA [ˈbæftə] *röv British Association of Film and Television Arts*

bag [bæg] **I.** *fn* **1. a)** zsák, zacskó; *átv biz* **it's in the** ~ vm el van intézve, méreget lehet rá venni; ~ **and baggage** cókmók, cucc; mindenestül, szőröstül-bőröstül; *biz* **pack up** ~ **and baggage** szedi a sátorfáját; *átv* **hold the** ~ **for sy** vk helyett elviszi a balhét **b)** erszény, táska, retikül, bőrönd, tarisznya; *biz* ~ **of tricks** teljes felszerelés, összes kellékek **c)** *GB biz* ~**s of** rengeteg, állati sok, egész csomó **2. a)** *áll* zacskó, tasak, lebernyeg, erszény *[kengurué]*, tőgy *[tehéné]*; **he is a** ~ **of bones** (csupa) csont és bőr; csontkollekció **b)** ~**s under the eyes** táskás szem **3.** *pej [idős nő]* vén szatyor **4. the** ~ vadászzsákmány **5.** *tsz* **bags** *GB biz* hosszú nadrág, pantalló **6.** *szl [szenvedély]* dili, mánia; **his** ~ **is Indian music** az indiai zene a dilije **II.** *i* **-gg- A.** *tsi* **1.** ~ **up** zsákba/zacskóba tesz/csomagol/tölt **2. a)** *biz* zsebre tesz/vág, bezsebel, megkaparint, ráteszi a kezét (vmre); *GB* ~**s I (that)!** ide vele, stipp-stopp; ~ **the best seats** lefoglalja/megkaparintja/stoppolja magának a legjobb helyeket **b)** *szl [ellop]* elcsór **3.** *Ausz szl [kritizál, becsmérel]* (le)cikiz **4.** elejt, leterít *[vadat]* **B.** *tni* **1.** kidagad, dagadozik **2.** lazán csüng *[ruhadarab, vitorla]*; **trousers that** ~ **at the knees** kitérdelt nadrág • *fn* **bagful**

bagatelle [ˌbægəˈtel] *fn* **1. a)** csekélység, apróság, semmiség **b)** *zene* kis/rövid zenemű, bagatelle **2.** lyukbiliárd

bagel [ˈbeɪgl] *fn* bagel *[péksütemény]*

baggage [ˈbægɪdʒ] *fn* **1. a)** *kat* katonai felszerelés, poggyász, málha **b)** → **luggage 2.** *biz* **a saucy** ~ szemtelen fruska **3.** (szellemi) teher, sallang, slepp

baggage claim *fn* poggyászkiadó *[repülőtéren]*

baggage rack *fn* csomagtartó *[rács]*

baggage reclaim → **baggage claim**

baggage room *fn* csomagmegőrző

bag lady *fn US szl* hajléktalan nő *stand*

bagman [ˈbægmən] *fn tsz* **-men** [–mən] **1.** *GB szl [kereskedelmi utazó, ügynök]* vigéc **2.** *Ausz szl* csavargó *stand* **3.** *Kan* pénzfelhajtó, pénzszerző *[politikai párté]* **4.** *US szl* ‹bűnszövetkezet tagja v. pénzbehajtója›

bagnio [ˈbænjoʊ ‖ ˈbɑn–] *fn* nyilvánosház, bordélyház

bagpipe *fn* duda, csimpolya • *fn* **bagpiper**

BAgr(ic) *röv Bachelor of Agriculture*

bagsnatcher *fn* retikültolvaj

baguette [bæˈget] *fn gaszt* bagett

baggy [ˈbægi] *mn* bő, lötyögős, buggyos *[ruha]*, kitérdelt *[nadrág]*; ~ **cheeks** petyhüdt arc; ~ **eyes** táskás szem

bah [bɑː] *isz* áh!, ugyan!

Baha'i [bəˈhaɪ] *fn tsz* **Baha'is** *vall* Baha'i-hívő

Bahama [bəˈhɑːmə] *tul földr* **the** ~ **Islands, the** ~**s** a Bahama-szigetek • *fn/mn* **Bahamian**

bail[1] [beɪl] *jog* **I.** *fn* **1.** biztosíték, óvadék, kezességi összeg, kaució; *biz* **jump (one's)** ~ megszökik (v. nem jelenik meg a bíróság előtt) *[az óvadék ellenében szabadlábra helyezett]* **2.** kezes, jótálló *[szabadlábra helyezett gyanúsítottért]*; **go** ~ **for sy** kezeskedik/jótáll vkért **3.** ‹ideiglenes szabadlábra helyezés óvadék ellenében›; **be out on** ~ óvadék ellenében szabadlábon van; **accept/grant** ~ óvadék ellenében ideiglenesen szabadlábra helyez; **refuse** ~ elutasítja az ideiglenes szabadlábra helyezés iránti kérelmet **II.** *tsi* ~ **sy (out)** (i) óvadék ellenében szabadlábra helyeztet vkt *[a kezes]* (ii) (átmenetileg) kisegít vkt (a bajból), beugrik vk helyett • *mn* **bailable**

bail² [beɪl] **I.** *fn* **1. a) (swinging) ~** oldalazórúd, választórúd *[istállóban]* **b)** *Ausz ÚjZ* tehén fejét rögzítő szerkezet *[fejéskor]* **2.** *sp* krikettpálcika a wicket tetején keresztbe téve **II. A.** *tsi* **~ up sy** feltartóztat és kirabol vkt **B.** *tni* **~ up** megadja magát

bail³ A. *tsi* **~ a boat out** kimeri a vizet a csónakból; **~ out the water** vizet kimer *[csónakból]* **B.** *tni US* repülőgépből kiugrik *[ejtőernyővel]* • *fn* **bailer**

bail bandit *fn biz* ‹óvadék ellenében szabadlábon lévő bűnöző, aki újabb bűnt követ el›

bail-bond *fn jog* óvadéklevél

bailee [ˌbeɪˈliː] *fn gazd* letéteményes

bailer [ˈbeɪlə ‖ –ər] → **bailor**

bailey [ˈbeɪli] *fn* **1. a)** védőmű, cölöpsor *[várban]* **b)** erődövezet *[váré]* **c)** várudvar **2.** *biz* **the Old B~** a londoni központi büntetőbíróság épülete

Bailey bridge *fn* Bailey-híd *[gyorsan összeszerkeszthető rácstartós híd]*

bailiff [ˈbeɪlɪf] *fn* **1. a)** *GB* **(sheriff's) ~** bírósági végrehajtó **b)** *US* törvényszolga **2.** *GB* jószágigazgató, tiszttartó, intéző **3.** *tört* ‹a király tartományi bírói és közigazgatási főtisztviselője›

bailiwick [ˈbeɪlɪwɪk] *fn* **1.** *jog* ‹a bailiff joghatósági/közigazgatási kerülete› **2.** *tréf* működési terület/kör

bail-jumper *fn* szökésben levő gyanúsított *[akit óvadék ellenében helyeztek szabadlábra]*

bailment [ˈbeɪlmənt] *fn gazd* ‹megőrzésbe/bérletbe adás meghatározott rendeltetéssel és visszaadási kötelezettséggel›

bailor [ˌbeɪˈlɔː ‖ –ˈlɔr] *fn* **1.** *gazd* letétbe helyező **2.** *jog* kezes

bailout [ˈbeɪlaʊt] *fn pénz* szubvenció, segély, mentőakció

bailsman [ˈbeɪlzmən] *fn tsz* **-men** [–mən] *jog* kezes

bain-marie [ˌbænməˈriː] *fn tsz* **bains-marie** ‹forró vízzel töltött edény, melybe a melegítendő étel edényét állítják›

bairn [beən ‖ bern] *fn skót* gyermek

bait [beɪt] **I.** *fn* **1. a)** csalétek, csali, csalikukac, giliszta; **live ~** csalihal **b)** *átv* csalétek, maszlag, ámítás, csábítás, hiú ábránd; *biz* **swallow/take the ~, rise to the ~** bekapja a csalétket/horgot, lépre megy **2.** *régi* pihenő(hely), megállóhely **II. A.** *tsi* **1. a)** felcsaliz, csalétket tesz *[horogra stb.]*, csalit dob *[vízbe]* **b) ~ (the hook)** csábít, (csalétekkel) csalogat, magához édesget (vkt); kiveti a horgot (vkre) **2.** gyötör, kínoz *[állatot]* **3.** *régi* abrakoltat, (meg)etet, (meg)itat *[lovat út közben]* **B.** *tni* pihenőt tart, pihen, kipiheni magát *[út közben]*

bait tin *fn* csalisdoboz

baize [beɪz] *fn* posztó, filc *[biliárdasztalra]*

bake [beɪk] **I. A.** *tsi* **a)** (meg)süt, kisüt **b)** pörköl, szárít **c)** (ki)éget *[téglát]* **B.** *tni* sül *[kemencében kenyér stb.]*, fő(l); *átv biz* **we are baking in the heat** megsülünk a forróságtól/hőségtől **II.** *fn* **1.** sütés (folyamata) **2.** keksz **3.** *US* ‹társas összejövetel, melyen vmlyen süteményfélét szolgálnak fel› • *fn/mn* **baking**

baked [beɪkt] *mn* (ki)sütött, megsütött, (ki)sült, megsült, megpörkölt; **~ beans** szárazbab főzelék

bakehouse *fn* sütöde, pékség

Bakelite [ˈbeɪkəlaɪt] *fn* bakelit

baker [ˈbeɪkə ‖ –ər] *fn* pék

Baker day *fn GB biz* ‹pedagógusok rendszeres továbbképzésének napja›

baker's dozen *fn* tizenhárom

bakery [ˈbeɪkəri] *fn* **a)** pékműhely, pékség, sütöde **b)** péküzlet, pékbolt

bakeware [ˈbeɪkweə ‖ –wer] *fn* tűzálló edényáru

baking powder *fn* sütőpor

baking soda szódabikarbóna

baking tin *fn* sütőforma

baking tray *fn* sütőlap

baklava [ˈbɑːkləvɑː] *fn gaszt* baklava *[édes török sütemény]*

baksheesh [ˌbækˈʃiːʃ] *fn* baksis, borravaló *[Keleten]*

bal. [bæl] *röv pénz balance*

balaclava [ˌbæləˈklɑːvə] *fn* ‹hegymászók, katonák és terroristák arcot-nyakat fedő kötött sapkája›

balalaika [ˌbæləˈlaɪkə] *fn zene* balalajka *[pengető hangszer]*

balance [ˈbæləns] **I.** *fn* **1. a)** mérleg; **tip/turn the ~** lenyomja a mérleg serpenyőjét, vk javára billenti a mérleget; **be/hang in the ~** függőben van, el nem döntött *[dolog]*; **his life is in the ~** élete forog kockán; **on ~** mindent összevéve **b)** óra ingája, órabillegő *[zsebórában]* **c)** *műsz* ellensúly, (kiegyensúlyozó) nehezék **d)** *távk vill* szimmetria, kiegyenlítés **2.** egyensúly(i helyzet), kiegyensúlyozottság; **the ~ of power** hatalmi/politikai egyensúly; **keep one's ~** egyensúlyban van/marad; *átv* megőrzi hidegvérét/nyugalmát; **lose one's ~** elveszti egyensúlyát; **throw sy off his ~** felborítja vk (lelki) egyensúlyát; *átv* megzavar/meghökkent (v. zavarba hoz) vkt **3. a)** *gazd pénz* (könyvelési) mérleg, egyenleg, mérlegszámla; **~ of payments** fizetési mérleg; **~ of trade** külkereskedelmi mérleg; **strike a ~** áthidaló megoldást/kompromisszumot talál **b)** egyenleg, szaldó, maradék, fennmaradó összeg, többlet, maradvány *[számlán stb.]*; **outstanding ~** kinnlevőség; **~ carried forward** egyenlegátvitel; **~ due** tartozik egyenleg **4.** maradvány, maradék, hátralevő rész, többlet **5.** *csill* **the B~** a Mérleg **II. A.** *tsi* **1.** (le)mér, mázsál **2.** mérlegel, (meg)fontol, latolgat *[következményt stb.]* **3. a)** egyensúlyba hoz, egyensúlyban tart *[tárgyat]*, ellensúllyal ellát (vmt) **b)** (ki)egyensúlyoz, kiegyenlít *[erőket stb.]*, ellensúlyoz *[hatalmat]*; **~ oneself on one foot** fél lábon állva egyensúlyozza magát; **~ the budget** egyensúlyba hozza (v. egyensúlyban tartja) a költségvetést; **one thing ~s another** az egyik dolog ellensúlyozza/kiegyenlíti a másikat; **the losses ~ the profits** a veszteség kiegyenlíti a nyereséget **c)** *gazd pénz* kiegyenlít, egyenlegbe hoz, lezár *[számlát]*, kifizet, kiegyenlít *[adósságot]*; **~ an account** számlát kiegyenlít; **~ the books** elszámol; egyenleget vet **B.** *tni* **1. a)** egyensúlyban van *[mérleg]* **b)** kiegyensúlyozza (v. egyensúlyban tartja) magát; **the two things ~** a két dolog kiegyensúlyozza/kiegyenlíti egymást **2.** habozik, ingadozik **3.** *gazd pénz* egyenleggel zárul, egyenleget mutat *[számla]* • *fn* **balancer**

balanced [ˈbælənst] *mn* **1. a)** kiegyensúlyozott, egyensúlyban levő, kiegyenlített, egalizált **b) ~ stairs** forduló karú lépcső **2. a)** egyenlő számú, azonos/egyenlő erejű/értékű, arányos; *ját* **~ hand** egyenletes elosztású lap; **the two parties are pretty well ~** a két tábor/párt nagyjából egyenlő erős **b)** *vill* **~ load** szimmetrikus terhelés **3.** tehermentesített

balance sheet *fn pénz* mérleg(számla)

balance weight *fn műsz* ellensúly, (kiegyensúlyozó) nehezék

balance wheel *fn* **1.** órabillegő *[zsebórában]*, szabályozó készülék *[óráé]* **2.** *műsz* lendítőkerék, lendkerék

balancing act *fn átv* kötéltáncot/tojástáncot járás *[egy ingatag helyzet egyensúlyban tartása]*

balcony [ˈbælkəni] *fn* **1.** erkély, balkon **2.** *szính* erkélyzsöllye, erkélypáholy • *mn* **balconied**

bald [bɔːld] *mn* **1. a)** kopasz, csupasz, szőrtelen, tar, tollatlan, megkopasztott, lekopasztott; *biz* **~ as a coot (v. an egg v. a billiard ball)** olyan csupasz mint a tenyerem, kopasz mint egy biliárdgolyó **b)** levéltelen, lombtalan **c)** kopár, csupasz, kietlen, letarolt *[hegytető stb.]*; **~ tyre** simára kopott gumiabroncs **2. a)** egyszerű, dísztelen **b)** száraz, unalmas, színtelen, sivár *[stílus stb.]* **c) ~ egotism** leplezetlen önzés; **the ~ facts** a puszta tények; **a ~ lie** leplezetlen/szemérmetlen hazugság **3.** *áll* **~ horse** hóka ló, fehérfoltos fejű ló • *fn* **baldness** *mn* **balding** *hsz* **baldly**

baldachin [ˈbɔːldəkɪn] *fn* **1.** díszmennyezet, oszlopokon nyugvó mennyezet, baldachin, dísztető *[oltáré, szószéké, tróné, ágyé]* **2.** *tex* ‹brokátfajta›

balderdash [ˈbɔːldədæʃ ‖ ˈbɔldər–] *fn* **a)** sületlen/zagyva beszéd, üres fecsegés, hanta **b)** halandzsa

baldhead *fn* kopasz fej, tar koponya, kopasz ember
baldric [ˈbɔːldrɪk] *fn tört* (vállon átvetett) kardszíj, kardkötő, antantszíj
baldy [ˈbɔːldi] *mn/fn* kopasz
bale[1] [beɪl] **I.** *fn gazd* bála, csomag, köteg; **~ of cotton** gyapotbála **II. A.** *tsi* bálákba csomagol, (be)csomagol, báláz *[árut]* **B.** *tni* → **bail**[3] **B.**
bale[2] [beɪl] *fn régi vál* **a)** csapás, szerencsétlenség, balsors **b)** fájdalom, gyász **c)** kín, kínszenvedés, gyötrelem
baleen [bəˈliːn] → **whalebone**
baleen whale *fn áll* sziláscet
baleful [ˈbeɪlfl] *mn* káros, vésztjósló, baljós(latú), fenyegető, ártó, (meg)rontó, megbabonázó
bale-loader *fn mezőg* bálarakodó *[gép]*, felszedő bálarakodó *[teherautó stb.]*
baler [ˈbeɪlə ‖ –ər] *fn* bálázó/csomagoló prés
Bali [ˈbɑːli] *tul földr* Bali
Balinese [ˌbɑːlɪˈniːz] **I.** *mn* Bali szigetéről való, Bali szigeti **II.** *fn* Bali szigeti férfi/nő
balk [bɔːk] **I. A.** *tsi* **a)** ellenez, szembeszáll, akadályoz, hátráltat, gátol **b)** csalódást okoz **c)** kerül, mellőz *[témát]*, kivonja magát (vm alól), (szándékosan) elszalaszt/elmulaszt *[alkalmat]* **B.** *tni* **a)** megmakacsolja magát *[ló]*; *biz* **~ at a difficulty** visszariad/visszahőköl nehézségtől **b)** kihagy, akadozik *[pl. motor]* **II.** *fn* **1.** akadály, nehézség, fennakadás, zökkenő **2.** *épít* (nagy) gerenda, mestergerenda **3.** *sp* kiindulási helyzet/állás *[snookerbiliárdban]* **4.** *mezőg* mezsgye, vakbarázda, megműveletlen (v. fel nem szántott) földsáv *[barázdák/szántók között]*
Balkan [ˈbɔːlkən] *mn* balkáni, a Balkán-félszigettel kapcsolatos; **the ~ States** a Balkán-államok; **the ~ Peninsula** a Balkán-félsziget
Balkanize [ˈbɔːlkənaɪz], **-ise** *tsi* balkanizál • *fn* **Balkanization, Balkanisation**
Balkans [ˈbɔːlkənz] *fn tsz földr* **1.** a Balkán-félsziget **2.** a Balkán-hegység
balking [ˈbɔːkɪŋ] *fn* **a)** megmakacsolás, megtorpanás, visszatorpanás *[lóé]* **b)** habozás, ingadozás, tétovázás **c)** kihagyás *[motoré]*
balky [ˈbɔːki] *mn* csökönyös *[ló]*
ball[1] [bɔːl] **I.** *fn* **1. a)** (puska)golyó, ágyúgolyó, lövedék **b)** labda, gömb, golyó *[biliárd, krikett stb.]*, csapágygolyó; **~ of earth** rög, göröngy; földlabda *[faátültetéskor]*; **~ of eye** szemgolyó; **the ~ is with you** ön következik; **have the ~ at one's feet** kedvező alkalma nyílik, jó kilátásai vannak; *biz* **keep the ~ rolling/up** fenntartja a beszélgetést; folyamatban tartja az ügyet; **set/start the ~ rolling** elindít/beindít vmt; *biz* **be on the ~** szemfüles, résen van; **play ~** labdázik; *átv biz* együttműködik vkvel **c)** *tsz* **~s** *szl [herék]* tök(ök), golyók **d)** gombolyag *[gyapjúé, spárgáé]*, bojt, pompon **e)** gomb, forgó, fogantyú **2. a)** ‹az emberi talpnak a lábujjak és az ív közé eső párnázott része› **b)** hüvelykujjpárna **c) ~ of knee** térdkalács **3.** *GB biz* hülyeség, szamárság **4.** *GB biz* mersz, bátorság **II. A.** *tsi* **1.** felhalmoz, összetömörít, tömegbe gyűjt, összeprésel **2.** *tex* (fel)gombolyít, (fel)göngyölít, (fel)teker *[fonalat]*, gombolyagba csavar/teker *[gyapjút, pamutot stb.]* **3.** *szl [közösül]* megdug, megkefél **B.** *tni* csomóban áll, összecsomósodik, rögösödik, összetapad, összepréselődik, összeragad
ball up *tsi szl [összezavar, elront]* összekutyul, elcsesz; **get ~ed up** belezavarodik, összezavarodik, zavarba jön
ball[2] [bɔːl] *fn* **1.** bál, estély; **coming-out ~** első bál **2.** *biz* **have a ~** klasszul/szuperül érzi magát vhol
ballad [ˈbæləd] *fn ir.tud zene* **1.** népdal, népi dal **2.** ballada
ballade [bæˈlɑːd, bə–] *fn ir.tud zene* (francia típusú) ballada
balladeer [ˌbæləˈdɪə ‖ –ˈdɪr] *fn* **1.** balladaíró **2.** balladaénekes
balladry [ˈbælədri] *fn* balladaköltészet
ball-and-socket joint *fn műsz* gömbcsukló, *orv* gömbízület
ballast [ˈbæləst] **I.** *fn* **1.** holtsúly, nehezék, ballaszt, fenéksúly *[vitorlásé]* **2. a)** kőtörmelék, kavicságy; **pit ~** bányakavics **b)** vasúti felépítmény ágyazata **II.** *tsi* **a)** ballaszttal megterhel **b)** stabilizál
ball bearing *fn műsz* golyóscsapágy
ball boy *fn sp* labdaszedő fiú *[tenisznél]*
ballcock *fn műsz* golyós szelep, úszógolyós vízelzáró csap
ballerina [ˌbæləˈriːnə] *fn* balett-táncosnő, balerina
ballet [ˈbæleɪ ‖ bæˈleɪ] *fn* **1.** balett, táncjáték **2.** balettkar, tánckar
ballet dancer *fn* balett-táncos(nő), balerina
ball game *fn* **1.** labdajáték, meccs, mérkőzés **2.** *US* → **baseball 3.** *US biz* dolog, ügy
ball girl *fn sp* labdaszedő lány *[tenisznél]*
ballista [bəˈlɪstə] *fn tsz* **ballistae** [–tiː] *tört* ostromgép, hajítógép
ballistic [bəˈlɪstɪk] *mn* **1.** ballisztikai, lövedékmozgástani **2.** ballisztikus; *US szl* **go ~** *[bedühödik]* elszáll az agya, bedurran a feje, felkapja a vizet
ballistic missile *fn* ballisztikus rakéta(lövedék)
ballistics [bəˈlɪstɪks] *fn esz* ballisztika
ballocks → **bollocks**
balloon [bəˈluːn] **I.** *fn* **1.** (játék) léggömb, luftballon **2.** léggömb, léghajó, gázzal töltött gömb; *GB biz* **when the ~ goes up** amikor a problémák elkezdődnek **3.** *biz* szövegbuborék *[képregényben]* **4.** gömb alakú nyakas üvegedény, ballon(palack) **II. A.** *tsi* **a)** felfúj *[hasat stb.]* **b)** *sp* gyertyát rúg, labdát magasra rúgja *[futballban]* **B.** *tni* **a)** *rep* léghajózik, léghajón/léggömbön felszáll **b)** felfúvódik, kiduzzad, kidagad, kidomborodik • *fn* **balloonist**
ballot [ˈbælət] **I.** *fn* **1. a)** szavazócédula **b)** titkos szavazás/választás; **take a ~** (titkosan) választ, szavaz; **vote by ~** titkosan választ **2.** sorshúzás *[parlamentben a javaslatok/felszólalások sorrendjének eldöntésére]* **II. A.** *tsi* megszavaztat, leszavaztat **B.** *tni* **a)** *[titkosan]* szavaz, választ; **~ for sy** vk mellett szavaz **b)** sorsot húz
ballot box *fn* választási urna
ballot paper *fn* szavazólap, szavazócédula
ballpark *fn US* **1.** baseball-stadion **2.** (durva) megközelítés; **in the right ~** megközelítően, körülbelül
ballpoint *fn* gömbvégződés, golyós vég/csúcs; **~ (pen)** golyóstoll
ball-race *fn műsz* golyóscsapágy-gyűrű
ballroom *fn* bálterem, táncterem
ballroom dancing *fn* társasági tánc, társastánc
balls-up *fn GB szl [elrontott dolog]* zűr, zűrös helyzet, elcseszett ügy/dolog
ballsy [ˈbɔːlzi] *mn szl [férfias, bátor]* tökös, van vér a pucájában
ball valve *fn műsz* golyós szelep, gömbszelep
balm [bɑːm ‖ bɑm, bɑlm] *fn* **1. a)** *átv* balzsam, gyógyír, vigasz **b)** csillapítószer, enyhítőszer, nyugtató **2.** *növ* mézfű, orvosi citromfű **3.** kellemes illat
balm-cricket *fn áll* énekes kabóca, cikáda
balmoral [bælˈmɒrəl ‖ –ˈmɔr–] *fn* ‹csónak alakú szalagos skót katonasisak›
Balmoral [bælˈmɒrəl ‖ –ˈmɔr–] *tul földr* Balmoral *[az angol királyi család nyaralója Skóciában]*
balmy [ˈbɑːmi ‖ ˈbɑmi] *mn* **1.** balzsamos, balzsamszerű **2. a)** balzsamos, illatos *[levegő]*, (igen) kellemes, (igen) enyhe *[időjárás]* **b)** megnyugtató, csillapító, édes *[álom]* **3.** *GB szl* kótyagos, ütődött, dilis • *fn* **balminess**
balneology [ˌbælniˈɒlədʒi ‖ –ˈɑl–] *fn* vízgyógyászattan, balneológia • *fn* **balneologist**
balneotherapy [ˌbælnioυˈθerəpi] *fn orv* vízgyógyászat, fürdőkkel való gyógykezelés, balneoterápia
baloney [bəˈloυni] *fn szl [halandzsa]* süket duma, rossz szöveg
balsa [ˈbɔːlsə] *fn* **1.** *növ* balsafa **2.** balsafa *[anyag]*
balsam [ˈbɔːlsəm] *fn* **1. a)** balzsam, gyógyír **b)** *vegy* olaj- és gyantakeverék **2. garden/yellow ~** *növ* balzsamfű • *mn* **balsamic**

Baltic [ˈbɔːltɪk] **I.** *mn* **1.** balti, Keleti-tenger melléki, a Balti-tenger partvidékére vonatkozó; **the ~ Sea** a Balti/Keleti-tenger **2.** a balti államokra vonatkozó **3.** a balti nyelvekre vonatkozó **II.** *fn* **1.** balti férfi/nő **2. the ~** a Balti/Keleti-tenger

baluster [ˈbæləstə ‖ –ər] *fn épít* baluszter, mellvédbáb, tartóoszlop, karfatartó

balustrade [ˌbæləˈstreɪd ‖ ˈbæləstreɪd] *fn* **a)** balusztrád, mellvéd, oszlopos korlát, baluszteres díszítés **b)** korlát, karfa, könyöklő *[ablaké stb.]*

bally [ˈbæli] *GB szl* **I.** *mn* átkozott, nyomorult, istenverte, nyavalyás; **you ~ fool!** te hülye! **II.** *hsz [rettenetesen, nagyon]* átkozottul, piszkosul

ballyhoo [ˌbæliˈhuː ‖ ˈbælihuː] *fn* **1.** durva/ízléstelen hirdetés/reklám(ozás), nagy hűhó **2.** üres szócséplés

ballyrag [ˈbæliræg] *tsi* **-gg-** *szl [bosszant, heccel (vkt)]* cukkol, húz

bambino [bæmˈbiːnoʊ] *fn biz* kisgyerek, kölyök

bamboo [ˌbæmˈbuː] *fn* bambusz(nád)

bamboo shoot *fn gaszt* bambuszrügy

bamboozle [bæmˈbuːzl] *tsi biz* (el)ámít, áltat, (el)bolondít, rászed, becsap • *fn* **bamboozler**

ban[1] [bæn] **I.** *tsi* **-nn-** (meg)tilt, betilt (vmt), kitilt, *pol* törvénytelennek nyilvánít; **~ a book** könyvet betilt (v. indexre tesz) **II.** *fn* **a)** tilalom, tiltó rendelkezés, kitiltás **b)** *vall* kiátkozás, kiközösítés, egyházi átok

ban[2] [bæn ‖ bɑn] *fn tört* (horvát) bán

banal [bəˈnɑːl] *mn* közönséges, köznapi, elcsépelt, banális • *fn* **banality**

banana [bəˈnɑːnə ‖ –ˈnænə] *fn* **1. a)** banán **b)** banánfa **2.** *szl* **go ~s** *[feldühödik, megőrül]* bedilizik, bezsong

banana republic *fn pej* banánköztársaság

banana skin *fn* **1.** banánhéj **2.** *átv* banánhéj, megszégyenülés/leégés oka

banana split *fn gaszt* banánhajó *[hosszában felvágott banánnal felszolgált fagylalt]*

banausic [bəˈnɔːzɪk ‖ –ˈnɔs–] *mn pej* sivár, unalmas, hétköznapias

band[1] [bænd] **I.** *fn* **1.** szalag, hajszalag, gézpólya, vászonpólya, kötés **2.** *tsz* **~s a)** *átv* kötelék, bilincs, béklyó **b)** szegély, dísz, paszomány, rangjelzés **c)** (papi) gallér **3.** vaspánt, abroncs, vasalás *[hordóé, keréké]*; karikagyűrű **4.** *műsz* **a)** szállítószalag, futószalag; **endless ~** futószalag **b)** hajtószíj, összekötő heveder/pánt **5.** *távk* hullámsáv **II.** *tsi* **1. a)** összeköt, beköt *[csomagot, újságot stb.]*, *épít* összekapcsol **b)** megvasal *[kerékagyat stb.]* **2. a)** sávoz, sávokkal ellát, sávokra oszt **b)** besorol, osztályoz

band[2] [bænd] **I.** *fn* **1. a)** (katona)zenekar; **brass ~** rézfúvós zenekar **b)** popegyüttes, tánczenekar **2. a)** csapat, csoport, banda **b)** társaság, egyesület, érdekcsoport, klikk; *GB* **B~ of Hope** Alkoholellenes Egyesület **3.** *US* csorda, falka **II.** *tni* **~ (together)** csoportosul, összeáll, összefog; szövetkezik; összeverődik

bandage [ˈbændɪdʒ] **I.** *fn* kötés, kötszer, sebpólya, bandázs **II.** *tsi* bekötöz, bepólyáz *[sebet, testrészt]*

band-aid *fn* **1.** sebtapasz **2.** *átv* rögtönzött/átmeneti megoldás

bandana [bænˈdænə] *fn* **1.** tarka selyemkendő **2.** *US* ‹cowboyok által a nyakba kötött kendő›

b and b, b & b *röv bed and breakfast*

bandbox *fn* kalapdoboz; **look as if one had just stepped out of a ~** mintha skatulyából vették volna ki

band conveyor *fn* futószalag

bandeau [ˈbændoʊ ‖ bænˈdoʊ] *fn tsz* **bandeaux** [–doʊz] **1.** hajszalag **2.** szorítószalag *[női kalapon]*

banded [ˈbændɪd] *mn* vonalas, csíkos, *tud* harántcsíkolt

banderilla [ˌbændəˈrɪljə ‖ –ˈrɪə] *fn* banderilla *[bikaviadalon használt dárda]*

banderol [ˈbændəroʊl], **banderole** *fn* (templomi) csüngő zászló, jelmondatos felírás/szalag, *tört* lándzsazászlócska, *épít* tekercsdísz

band filter *fn távk* sávszűrő

bandicoot [ˈbændɪkuːt] *fn áll* **1.** bandikut **2.** indiai erszényes borz

banding [ˈbændɪŋ] *fn* **1.** abroncsozás **2.** szalag, sáv, kötözőzsineg **3.** besorolás *[képesség, érték, adózás szerinti]*, osztályzás

band iron *fn* szalagvas, abroncsvas, vaspánt

bandit [ˈbændɪt] *fn* zsivány, útonálló, bandita, haramia • *fn* **banditry**

bandleader *fn* karvezető

bandmaster *fn* karmester, karnagy

bandog [ˈbændɒg ‖ –dɔg] *fn régi* házőrző/láncos kutya, véreb

bandoleer [ˌbændəˈlɪə ‖ –ˈlɪr] *fn* (vállon átvetett) fegyverszíj, tölténytartó, vállszalag

bandpass *fn távk* sáváteresztő

bandsaw *fn* szalagfűrész

bandsman [ˈbændzmən] *fn tsz* **-men** [–mən] zenész

bandstand *fn* zenepavilon, (zene)kioszk

bandswitch *fn távk* távkapcsoló

bandwagon *fn US* zenészek kocsija *[felvonulás élén]*; *átv* **jump on** (v. **climb aboard**) **the ~** jól helyezkedik; csatlakozik az esélyesek táborához

bandwidth *fn távk* sávszélesség

bandy [ˈbændi] **I.** *mn* **1.** görbe *[láb]* **2.** dongalábú, karikalábú, lőcslábú, ó-lábú, csámpás **II.** *tsi* egymásnak ütöget/dobál *[labdát]*, egymás fejéhez vág *[szemrehányást, sértést]*; **~ words with sy** feleselgetnek, civakodnak

bandy-legged *mn* dongalábú, karikalábú, lőcslábú, ó-lábú, csámpás

bane [beɪn] *fn* **1.** *vál* romlás, vész, csapás, átok; **she has been the ~ of my life** ő az én keresztem **2.** *régi* méreg • *mn* **baneful**

bang[1] [bæŋ] **I.** *fn* **1.** csattanó ütés, csattanás *[ütésé]*, dörej, dörrenés, durranás *[fegyveré]*, becsapódás *[ajtóé]*; **go with a ~** sikerrel jár **2.** *szl tabu [szeretkezés]* dugás, kefélés **3.** *szl* belövés *[drog]* **II. A.** *tsi* **1.** becsap *[ajtót]*, ver *[dobot]*, püföl *[zongorát]*; **~ (one's fist on) the table** odacsap az asztalra, (öklével) üti/veri az asztalt **2.** *szl tabu [közösül]* megdönget, megdug, megkefél **B.** *tni* **1.** becsapódik *[ajtó]*, eldörren *[ágyú]* **2.** dönget, dörömböl, rácsap; **~ at/on the door** dörömböl az ajtón; **~ on the table with one's fist** ököllel veri az asztalt **3.** *szl tabu [közösül]* dönget, dug, kefél **III.** *hsz* **1.** nagy robajjal, zsupsz (neki vmnek); *biz* **go ~** felrobban; eldurran; **~ went a pound** odalett egy font! **2.** *biz* éppen, pont; **fall ~ in the middle** zsupsz bele (v. pont) a kellős közepébe

bang about *tni* nagy dérrel-durral csapkod

bang away *tni* **~ away at sg** szünet nélkül dolgozik vmn

bang down *tsi* rácsap *[fedőt, tetőt]*, lecsap (vmt vhová)

bang on *tsi GB biz* **~ on about** be nem áll a szája, löki a rizsát

bang up *tni* **~ up against sy** nekiütődik/nekiütközik vknek; *Ausz* **~ up to sy** találkozik vkvel

bang[2] [bæŋ] *US* **I.** *fn* csikófrizura, frufru huncutkával *[hajviselet]* **II.** *tsi* csikófrizurára/huncutkára vág *[hajat]*

banger [ˈbæŋə ‖ –ər] *fn GB* **1.** *szl [kolbász]* kókász **2.** *szl [régi/ócska autó]* rozzant járgány **3.** tűzijáték

Bangladesh [ˌbɑːŋgləˈdɛʃ, ˌbæŋ–] *tul földr* Banglades

Bangladeshi [ˌbæŋgləˈdeʃi] *mn/fn* bangladeshi

bangle [ˈbæŋgl] *fn* **1.** karkötő, karperec **2.** bokaperec

bangtail *fn* rövidre vágott farkú ló; *Ausz* **~ muster** szarvasmarha összeterelés és számlálás

bang-up *mn US szl [remek, pompás]* klassz, príma

banish [ˈbænɪʃ] *tsi* **a)** száműz **b)** elűz, elhesseget *[gondot]*, eloszlat *[félelmet]* • *fn* **banishment**

banister [ˈbænɪstə ‖ –ər] *fn* **1.** korlátoszlop, korlátbáb *[lépcsőn]* **2. banisters** lépcsőkorlát, lépcsőkarfa

banjo [ˈbændʒoʊ] *fn zene* bendzsó • *fn* **banjoist**

bank[1] [bæŋk] **I.** *fn* **1. a)** folyópart, tópart **b)** árokpart, töltésoldal *[út mentén, útkanyarban]* **2.** (föld)töltés, földsánc, földgát, *vasút* gurító(domb) **3.** homokzátony, sziklazátony, homokpad, sziklapad *[víz alatt]* **4.** *rep* harántdőlés szög **II. A.** *tsi* **1.** *rep* (fordulóban) bedönt *[gépet]* **2.** ~ **a river** folyót gátak közé szorít; *épít* ~ **a road (at a corner)** utat kanyarban feltölt **B.** *tni* **1.** felhalmozódik *[hó]*, tornyosulnak *[felhők]* **2.** bedől *[kerékpár/repülőgép kanyarban]*

bank up *tsi* feltölt *[földdel]*, feltorlaszol *[szél havat/homokot]*; ~ **up fire** tüzet lefojt

bank[2] [bæŋk] **I.** *fn* **1. a)** bank, pénzintézet; **the B~ of England** az Angol (Nemzeti) Bank; **in** ~ bankban; tartalékban **b)** *ját* (játék)bank **2.** persely, pénzgyűjtő kazetta **3.** *orv infor* bank *[vér-, adat- stb.]* **II. A.** *tsi* bankba tesz, betesz *[pénzt]*, bevált *[csekket]* **B.** *tni* **1. where do you ~?** melyik bankban tartod a pénzedet?, hol van a folyószámlád? **2.** *ját* bankot ad

bank on *tni biz* ~ **on sg** biztosan számít vmre, épít vmre

bank[3] [bæŋk] *fn* **1.** sorozat, tömb *[lámpáké stb.]*, csoport *[gépeké]*; *gk* ~ **of cylinders** hengersor **2.** *tört* evezősor *[gályán]*

bankable [ˈbæŋkəbl] *mn* **1.** *pénz* bankképes *[csekk, váltó, értékpapír]* **2.** megtérülő, hasznot/kasszasikert hozó **3.** megbízható

bank account *fn pénz* bank(folyó)számla

bank balance *fn pénz* bankkövetelés

bank bill *fn* **1.** bank(ár)i elfogadvány **2.** *US* bankjegy

bankbook *fn pénz* betétkönyv

bank card *fn pénz* bankkártya, ügyfélkártya

banker [ˈbæŋkə ‖ –ər] *fn* **1.** bankár; **~'s draft** bankutalvány **2.** *ját* pénzre menő kártyajáték

bank holiday *fn* munkaszüneti nap, hivatalos ünnep, bankszünnap

banking [ˈbæŋkɪŋ] *fn* bankárság, bankügy

banking hours *fn tsz* hivatalos idő *[bankban]*

banking industry *fn* bankvilág, pénzügyi élet/szféra

banking operation *fn* pénzügyi művelet, tranzakció

banknote *fn* bankjegy

bank paper *fn* **1.** bankképes érték *[csekk, utalvány, váltó, értékpapír]* **2. a)** bankjegypapír, biztonsági papír **b)** finom levélpapír

bank post *fn* nagy alakú levélpapír

bank post bill *fn GB pénz* bankelfogadvány, bankváltó, bankári elfogadvány

bank rate *fn pénz* jegybank leszámítolási kamatláb

bank robbery *fn* bankrablás

bankroll I. *fn US* **1.** bankjegyköteg **2.** *átv* vagyon, pénzeszközök **II.** *tsi biz* anyagilag támogat, tőkét biztosít

bank run *fn* bank megrohanása, tömeges pénzkivétel

bankrupt [ˈbæŋkrʌpt] **I.** *mn* **1.** csődbe ment, fizetésképtelen; **declare oneself** ~ fizetésképtelenséget jelent be, csődöt kér maga ellen; **go** ~ csődbe jut, megbukik *[vállalkozás]* **2.** *átv* **be** ~ **of sg** vmnek teljes híjával van, vmt nélkülöz **II.** *fn* **1. a)** csődbe jutott személy/cég **b)** nyakig eladósodott ember **2.** *átv* **moral** ~ erkölcsi hulla/halott **III.** *tsi* **1.** csődbe visz/juttat **2.** tönkretesz, romlásba dönt

bankruptcy [ˈbæŋkrʌptsi] *fn* **1.** csőd, fizetésképtelenség; **fraudulent** ~ csalárd csőd; *jog* **the B~ Act** csődtörvény **2.** *biz* tönkremenés, teljes elvesztése (vmnek)

bank statement *fn pénz* számlaegyenleg

bank transfer *fn pénz* bankátutalás

banner [ˈbænə ‖ –ər] *fn* **1.** zászló, lobogó; *átv* **follow/join sy's** ~ vknek a (párt)híve (lesz) **2.** transzparens

banneret [ˈbænərɪt] *fn tört* zászlósúr

banner headline *fn* szalagcím, egészoldalas címfej *[újságban]*

banner year *fn US* rekordév

bannister [ˈbænɪstə ‖ –ər] → **banister**

banns [bænz] *fn tsz* kihirdetés *[házasulandóké]*; **forbid the** ~ házassági akadályt bejelent

banquet [ˈbæŋkwɪt] **I.** *fn* díszebéd, díszvacsora, bankett **II. A.** *tsi* díszebédet/bankettet rendez/ad *[vk tiszteletére]* **B.** *tni* lakmározik, dőzsöl, tivornyázik

banquette [bæŋˈket] *fn* **1.** kárpitozott pad *[étteremben fal mellett]* **2.** *US* járda

banshee [ˈbænʃiː] *fn* ‹családi kísértet, mely sikolyaival előre jelzi egy családtag halálát Írországban v. Skóciában›

bantam [ˈbæntəm] *fn* **1.** bantam baromfi **2.** kis termetű harcias ember

bantamweight *fn sp* harmatsúly *[ökölvívásban]*, légsúly *[birkózásban, súlyemelésben]*

banter [ˈbæntə ‖ ˈbæntər] **I.** *fn* évődés, ugratás, húzás **II.** *tsi/tni* tréfálkozik (vkvel), ugrat, heccel (vkt)

Bantu [ˌbænˈtuː] *mn/fn* bantu *[nép és nyelv]*

Bantustan [ˌbæntuːˈstɑːn] *tul Dél-Af tört* Bantusztán *[feketék részére fenntartott területek]*

banzai [bænˈzaɪ] *japán* **I.** *isz* előre!, hajrá!, banzáj! **II.** *mn* vakmerő, öngyilkos

banyan [ˈbænjæn] *fn* **1.** *növ* indiai fügefa, indiai léggyökerű fa **2.** (indiai) bő flaneling **3.** hindu kereskedő

baobab [ˈbeɪəbæb] *fn növ* majomkenyérfa

bap [bæp] *fn gaszt* buci *[lapos zsemleszerű péksütemény]*

baptism [ˈbæptɪzm] *fn* keresztelés, keresztelő, keresztség; ~ **of blood** mártíromság; ~ **of fire** tűzkeresztség; **receive** ~ megkeresztel(ked)ik • *mn* **baptismal**

baptist [ˈbæptɪst] *fn* **1.** keresztelő; **John the B~** Keresztelő Szt. János **2. B~** baptista

baptistry [ˈbæptɪstri], **baptistery** *fn* **1.** keresztelőkápolna **2.** keresztelőmedence

baptize [bæpˈtaɪz ‖ ˈbæptaɪz], **-ise** *tsi* **1.** megkeresztel **2.** elkeresztel, elnevez

bar [bɑː ‖ bɑr] **I.** *fn* **1. a)** korlát, sorompó, keresztrúd, keresztfa; **be behind prison ~s** rács mögött (v. börtönben) van **b)** *sp* **horizontal** ~ nyújtó; **parallel ~s** korlát **2.** emelővas, feszítővas, bontóvas **3.** *[arany, ezüst]* rúd, *[csokoládé]* szelet, tábla, *[szappan]* darab **4. a)** *kat* csík, (rangjelző) sáv **b)** sáv, (fény)sugár, (sugár)nyaláb **5.** homokpad, zátony, torlasz **6.** akadály(oztatás), gát **7.** *zene* ütem, taktus; **~(-line)** ütemvonal; **double** ~ zenedarab végét jelző kettős vonal **8. a)** bár, italmérés **b)** pult *[italmérésben]* **c)** büfé, bisztró, falatozó **9.** *jog* **a)** ‹barrister rangú ügyvédek helye/padja bírósági tárgyalóteremben›; **the B~** a barristerek (testülete), az ügyvédi kar; ügyvédi kamara; *GB* **be called to the** ~ barrister rangú ügyvéddé avatják; **go to the** ~ felvéteti magát az ügyvédi kamarába **b)** bírói tárgyalóterem korlátja, vádlottak padja; **at** ~ bíróság előtt; **the ~ of conscience** a lelkiismeret ítélőszéke **c)** perbeli kifogás **10.** *fiz* bar *[nyomás egysége]* **11.** fűtőszál *[elektromos kandallóé]* **II.** *tsi* **-rr- 1.** *[korláttal, sorompóval]* elzár, lezár *[utat]*, elreteszel, elzár, eltorlaszol *[ajtót]*, rácsot tesz *[ablakra]*; ~ **the door against sy** kizár vkt; ~ **oneself in** bezárkózik, senkit sem ereszt be **2.** akadályoz, gátol, (meg)tilt, kizár *[lehetőséget]*; ~ **the way to progress** útját állja a haladásnak; ~ **sy from doing sg** megakadályoz vkt vmnek a megtevésében **3.** *jog* elutasít *[keresetet]* **4.** (meg)vonalaz *[papírost]* **III.** *elölj* kivéve; **all were there ~ a few** mindenki ott volt néhányat kivéve; ~ **none** kivétel nélkül

bar in *tsi* bezár

bar out *tsi átv* kizár

barb [bɑːb ‖ bɑrb] **I.** *fn* **1.** szakáll *[nyílhegyé, horogé]*, horgas vég *[kampóé]*, tüske *[szögesdróté]* **2.** *áll* **a)** bajusz, tapintócsáp *[halé]* **b)** tollrost, sugárka *[madár tollán]* **II.** *tsi* felhorgosít, felkampósít

Barbadian [bɑːˈbeɪdɪən ‖ bɑr–] **I.** *fn* barbadoszi férfi/nő **II.** *mn* barbadoszi

Barbados [bɑːˈbeɪdɒs ‖ bɑrˈbeɪdoʊs] *tul földr* Barbados

Barbara [ˈbɑːbrə ‖ ˈbɑrbrə] *tul* Barbara, Borbála

barbarian [bɑːˈbeərɪən ‖ bɑrˈberɪən] *mn/fn* barbár

barbaric [bɑːˈbærɪk ‖ bɑr–] *mn* barbár, durva, műveletlen, vad, primitív

barbarism [ˈbɑːbərɪzm ‖ ˈbɑr–] *fn* **1.** barbárság, durvaság, kegyetlenség, civilizálatlanság **2.** *nyelv* nyelvrontás, helytelen nyelvhasználat **3.** ízlésficam

barbarity [bɑːˈbærəti ‖ bɑr–] *fn* **1.** barbárság, kegyetlenség, embertelenség **2.** durvaság, faragatlanság, csiszolatlanság *[ízlésé, stílusé]*
barbarize [ˈbɑːbəraɪz ‖ ˈbɑr–], **–ise A.** *tsi* barbárságba süllyeszt *[népet]* **B.** *tni* elbarbárosodik, eldurvul
barbarous [ˈbɑːbərəs ‖ ˈbɑr–] *mn* **1.** barbár **2.** kegyetlen, embertelen, civilizálatlan, műveletlen, durva, faragatlan
Barbary [ˈbɑːbəri ‖ ˈbɑr–] *tul áll* **~ ape** berber-majom, magót
barbecue [ˈbɑːbɪkjuː ‖ ˈbɑr–] **I.** *fn* **1.** rostély, grill **2.** roston sült hús **3.** kerti sütés **II.** *tsi* roston süt *[húst]*
barbecue sauce *fn gaszt* barbecue-szósz
barbed [bɑːbd ‖ bɑrbd] *mn* **~ needle** horgolótű; **~ wire** szöges/tüskés drót
barbel [ˈbɑːbl ‖ ˈbɑrbl] *fn áll* **1.** márna **2.** bajusz, tapintócsáp *[halé]*
barbell [ˈbɑːbel ‖ ˈbɑr–] *fn sp* kis kézi súlyzó
barber [ˈbɑːbə ‖ ˈbɑrbər] **I.** *fn* borbély, fodrász **II.** *tsi* megborotvál, haját nyírja (vknek)
barberry [ˈbɑːbəri ‖ ˈbɑrberi] *fn növ* borbolya
barber-shop *fn* fodrászüzlet, borbély
barbican [ˈbɑːbɪkən ‖ ˈbɑr–] *fn épít* **1.** barbakán, kapuvédő torony, őrtorony **2.** külső erődítmény, hídfőerőd **3.** lőrés *[várfalon]*
barbie [ˈbɑːbi ‖ ˈbɑrbi] *Ausz szl* → **barbecue**
Barbie doll [ˈbɑːbi dɒl ‖ ˈbɑrbi dɑl] *tul* Barbie-baba
bar billiards *fn tsz GB* kocsmai biliárd
barbiturate [bɑːˈbɪtʃərət ‖ bɑr–] *fn* barbiturát *[altató- és fájdalomcsillapítószer]*
barbola [bɑːˈbəʊlə ‖ bɑr–] *fn* **~ work** ‹plasztilinből készült színes gyümölcs-/virágdíszítés›
barbule [ˈbɑːbjuːl ‖ ˈbɑr–] *fn* tollcimpa
bar chart *fn* oszlopgrafikon
bar code *fn gazd* vonalkód
bard[1] [bɑːd ‖ bɑrd] *fn* **1.** (kelta) bárd, lantos, énekmondó, dalnok **2.** *vál* költő; **the B~ (of Avon)** Shakespeare • *mn* **bardic**
bard[2] [bɑːd ‖ bɑrd] **I.** *fn* szalonnaszelet *[hústűzdeléshez]* **II.** *tsi* szalonnával tűzdel, (meg)spékel *[húst]*
bare [beə ‖ ber] **I.** *mn* **1. a)** meztelen, csupasz *[testrész]*, kivont, meztelen *[kard]*, puszta *[kéz, ököl]*; **with ~ hands** puszta kézzel; **grow ~** hámlik *[bőr]*; *biz* **~ as the back of my hand** teljesen csupasz/pőre, anyaszült meztelen **b)** kopár, kietlen *[vidék]*, kopasz, lombtalan *[fa]* **c)** üres, (vmtől) megfosztott; **~ cupboard** üres éléskamra; **~ walls** puszta falak; **hotel ~ of guests** üres szálloda; **room ~ of furniture** üres (v. hiányosan bútorozott) szoba **d)** puszta, kendőzetlen *[tény]*, száraz, szegényes *[stílus]* **e)** egyszerű, tiszta, nyilvánvaló **2.** hiányos, rosszul felszerelt, éppen csak hogy elegendő, egyedüli, kevés; **~ majority** csekély többség; **earn a ~ living** éppen hogy a puszta megélhetését (v. a létminimumot) keresi meg; **shudder at the ~ idea** a gondolatától is irtózik **II.** *tsi* kitakar *[elfedett dolgot]*; **~ one's teeth** fogát vicsorgatja
bareback *hsz* **ride ~** szőrén üli meg a lovat
barefaced [ˌbeəˈfeɪsɪd ‖ ˌber–] *mn* **a)** álarc nélküli **b)** arcátlan, pimasz, szemérmetlen *[hazugság]*
barefoot I. *mn* → **barefooted II.** *hsz* mezítláb; **go ~** mezítláb jár
barefoot doctor *fn* természetgyógyász, csontkovács *[Kínában]*
barefooted *mn* mezítlábas
barefoot skiing *fn sp* mezítlábas vízisí(elés)
barège [bəˈreʒ] *fn tex* könnyű fátyolszövet
bareheaded I. *mn* fedetlen fejű **II.** *hsz* fedetlen fővel, hajadonfőtt
bare-knuckle *mn* **1.** kesztyű nélküli *[ökölvívás]* **2.** *átv* kemény, kegyetlen
barely [ˈbeəli ‖ ˈberli] *hsz* **1.** szűkösen, hiányosan, pusztán; **~ furnished** szegényesen/szűkösen bútorozott szoba **2.** alig, éppen hogy/csak; **she is ~ sixteen** alig tizenhat (éves)
barf [bɑːf ‖ bɑrf] *szl* **A.** *tsi* **~ up** *[kihány]* kirókáz **B.** *tni* **1.** *[hány]* rókázik **2.** öklendez *stand*
barfly [ˈbɑːflaɪ ‖ ˈbɑrflaɪ] *fn biz* bártörzsvendég, kocsmatöltelék
bargain [ˈbɑːgɪn ‖ ˈbɑr–] **I.** *fn* **1.** üzletkötés, alkalmi vétel/eladás, előnyös megállapodás, alku; **it's a ~!** áll az alku !; *átv* ebben maradunk!; **strike/drive/make a ~ with sy** üzletet köt vkvel, megalkuszik vmre vkvel; **drive a hard ~ with sy** körömszakadtáig alkudozik vkvel; **make a good ~** jó üzletet köt **2.** (alkalmi) vétel *[mint eredmény]* **II. A.** *tsi* **1. ~ away** elkótyavetyél **2.** becserél (vmt vmért) **B.** *tni* **1.** alkuszik, alkudozik **2.** megalkuszik; *biz* **I didn't ~ for that** ez nem volt az alkuban; erre nem számítottam; *biz* **he got more than he ~ed for** (alaposan) megkapta a magáét • *fn* **bargainer**
bargain basement *fn* leértékelt/alkalmi áruk osztálya *[áruházban]*
bargain-basement *mn átv* nagyon olcsó
bargain fare *fn* utazási kedvezmény, kedvezményes jegyár
bargain hunter *fn* ‹olcsó árukra vadászó vásárló›
bargaining [ˈbɑːgɪnɪŋ ‖ ˈbɑr–] *fn* alku, alkudozás; **agreement by collective ~** kollektív szerződés
bargaining chip *fn* tárgyalási előny
bargaining position *fn* tárgyalási pozíció, alkupozíció
bargaining table *fn* tárgyalóasztal
bargain offer *fn* **1.** kedvező ajánlat **2.** *gazd* árleszállítás
bargain penny *fn* foglaló
bargain price *fn* alkalmi/leszállított/kiárusítási ár
bargain sale *fn gazd* kiárusítás
barge [bɑːdʒ ‖ bɑrdʒ] **I.** *fn* **1.** dereglye, bárka, uszály(hajó) **2.** ‹hosszú feldíszített ünnepi hajó› **3.** másodcsónak *[hadihajón]* **II. A.** *tsi* uszállyal szállít **B.** *tni* **1. ~ about** támolyog; **~ along** nehézkesen halad, vánszorog **2. ~ in** betolakodik; beleüti az orrát vmbe; alkalmatlankodik; **~ into/against sy/sg** beleütközik vkbe/vmbe; nekiütődik/nekiütközik vknek/vmnek
bargeboard *fn épít* oromvédő deszka
bargee [bɑːˈdʒiː ‖ bɑr–] *fn GB* dereglyés, *biz* folyami hajós *[csónakos, révész, uszályhajós]*
bargepole *fn* csáklya; *biz* **I wouldn't touch it with a ~** nekem semmi áron sem kell, hozzá nem nyúlnék semmi pénzért *[olyan gusztustalan]*
bar graph → **bar chart**
baritone [ˈbærɪtəʊn] *fn zene* → **barytone**
barium [ˈbeərɪəm ‖ ˈber–] *fn vegy* bárium
barium enema *fn orv* kontrasztanyag
barium meal → **barium enema**
bark[1] [bɑːk ‖ bɑrk] **I.** *fn* (fa)kéreg; **inner ~** háncs **II.** *tsi* **1.** lekérgez, lehántcsol *[fát]* **2.** kéreggel cserez
bark[2] [bɑːk ‖ bɑrk] **I. A.** *tsi* **1.** *biz* **~ sy away** elugat vkt *[kutya]*; **~ oneself hoarse** rekedtre ugatja magát, rekedtre ordítja magát **2.** nyers/parancsoló hangon szól **3.** *US* kikiált, hangosan reklámoz/árul **B.** *tni* **1.** ugat, csahol, megugat; **~ up the wrong tree** hamis nyomon jár; rossz helyen kereskedik **2.** *biz* köhög **II.** *fn* ugatás, csaholás; **give a ~** elvakkantja magát; *biz* **his ~ is worse than his bite** amelyik kutya ugat, az nem harap
bark[3] [bɑːk ‖ bɑrk] *fn vál* sajka, bárka
barkeeper *fn US* kocsmáros
barker [ˈbɑːkə ‖ ˈbɑrkər] *fn biz* vásári kikiáltó
barley [ˈbɑːli ‖ ˈbɑrli] *fn* árpa
barleycorn *fn* árpaszem
barley sugar *fn* árpacukor
barley water *fn* citromos árpaital
barm [bɑːm ‖ bɑrm] *fn* sörélesztő
barmaid *fn* **1.** *GB* csaposnő **2.** *US* pincérnő
barman [ˈbɑːmən ‖ ˈbɑr–] *fn tsz* **-men** [–mən] *GB* csapos *[italmérésben]*
Barmecide [ˈbɑːmɪsaɪd ‖ ˈbɑr–] *mn/fn* hitegető, üresen ígérgető
bar mitzvah [bɑːˈmɪtsvə ‖ bɑr–] *fn vall* **1.** bármicvó **2.** bármicvóját tartó fiú

barmy ['ba:mi ‖ 'barmi] *mn szl* ütődött, dilis, lökött
barn[1] [ba:n ‖ barn] *fn* **1. a)** csűr, pajta **b)** *US* istálló **2.** *US* kocsiszín, remiz **3.** *pej* tákolmány, ól
barn[2] [ba:n ‖ barn] *fn fiz* barn *[hatáskeresztmetszet egység atomfizikában, 10^{-24} cm^2]*
barnacle ['ba:nəkl ‖ 'bar–] *fn* **1.** *áll* kacsakagyló **2.** *biz* lerázhatatlan ember, kullancs
barn dance *fn US* táncház *[country zenére]*
barn door *fn* pajtaajtó, csűrkapu; *biz* **he couldn't hit a ~** igen rossz lövő/célzó
barney ['ba:ni ‖ 'barni] *fn GB biz* lármás vitatkozás
barn owl *fn áll* gyöngybagoly
barnstorm A. *tsi US* alkalmi repülést végez *[fizető utasoknak]* **B.** *tni* **1.** *US* (gyakran megszakított) körútra/kiutazásra megy **2.** *US* korteskörutat tesz, kortesbeszédeket tart **3.** tájol *[színtársulat stb.]* • *fn* **barnstormer**
barnstorming *mn* hatásvadászó
barnyard *fn* baromfiudvar, gazdasági udvar, tanyaudvar
barometer [bə'rɒmɪtə ‖ bə'ramətər] *fn* **1.** légnyomásmérő, barométer **2.** *átv* barométer *[általános közérzet jelzője]* • *fn* **barometry** *mn* **barometric, barometrical**
baron ['bærən] *fn* **a)** báró **b)** iparbáró, iparmágnás, pénzfejedelem
baronage ['bærənɪdʒ] *fn* **1. a)** báróság, bárói rang/cím **b)** főnemesség **2.** nemességi évkönyv/almanach
baroness ['bærənes] *fn* bárónő, báróné
baronet ['bærənɪt, ˌbærə'net] *fn* baronet *[öröklődő angol nemesi rang és cím]*
baronial [bə'rounɪəl] *mn* bárói, *átv* főúri, pazar, nagyszabású
barony ['bærəni] *fn* **1.** báróság, bárói rang/cím **2. a)** bárói birtok **b)** járás *[Írországban]* **c)** nagy földbirtok *[Skóciában]*
baroque [bə'rɒk, bə'rouk ‖ bə'rouk, –'rak] *mn/fn* barokk
bar person *fn GB* kocsmáros; pultos
Barrabas ['bærəbəs] *tul* Barabás
barrack[1] ['bærək] *fn* **1.** *kat* kaszárnya, laktanya **2. a)** bérkaszárnya **b)** barakk, deszkabódé
barrack[2] ['bærək] *tsi/tni GB Ausz ÚjZ* kifütyül, pfujoz, lehurrog; **~ for sy** biztat vkt, szurkol vknek
barrack accommodation *fn kat* laktanyaelhelyezés
barrack room manners *fn tsz* kaszárnyastílus
barrack square *fn GB* kaszárnya/laktanya-udvar
barracuda [ˌbærə'kju:də ‖ –'ku:də] *fn tsz* **~** v. **~s** *áll* barrakuda(hal)
barrage ['bæra:ʒ ‖ bə'raʒ, 'barɪdʒ] *fn* **1.** *GB* (duzzasztó)gát, völgyzáró gát **2.** *kat* zárótűz **3.** *kat* léggömbzár, aknazár, légelhárítóágyú-tüzelés **4.** *átv* kérdések özöne/kereszttüze, záporozó kritika **5.** *sp* holtverseny *[vívásban]* **6.** *sp* elugrás *[díjugratásban]*
barratry ['bærətri] *fn jog* **1.** *hajó* hajórongálás **2.** *régi* megvesztegethetőség *[bíróé]* • *fn* **barrator** *mn* **barratrous**
barre [ba: ‖ bar] *fn* korlát *[táncórán]*
barred [ba:d ‖ bard] *mn* **a)** elzárt, elreteszelt, elrekesztett; *pénz* **~ account** zárolt számla **b)** *zene* taktusvonallal elválasztott
barrel ['bærəl] **I.** *fn* **1.** hordó **2.** ‹űrmérték: 30-42 gallon között› **3. a)** cső *[ágyúé, puskáé]*; *biz* **over a ~** kutyaszorítóban, kiszolgáltatva **b)** henger, dob *[géprész]* **c)** rugóház *[órában]*, hüvely *[töltőtollé]*, nyak *[harangé]*, szár, nyél *[tollé]* **4.** törzs *[lóé, ököré]* **II.** *i GB* **-ll-**, *US* **-l-** **A.** *tsi* hordóba önt/tölt, hordóz **B.** *tni US* **~ (down)** (végig)száguld *[motoros járművel]*
barrel-chested *mn* domború mellkasú
barrel-organ *fn zene* kintorna, zongoraverkli
barrel-road *fn* domború úttest, bogárhátú út
barrel roll *rep* paláston végzett orsó *[műrepülésnél]*
barrel-roof *fn épít* dongatető, dongaboltozat
barrel vault *fn épít* dongaboltozat
barren ['bærən] **I.** *mn* **1.** terméketlen, meddő, puszta, sivár, kopár *[vidék]*; **union ~ of issue** gyermektelen házasság **2.** nélkülöző (*of* vmt), sivár, hálátlan *[téma]*, haszontalan, eredménytelen, meddő *[terv, vállalkozás]*, hiú *[ábrándozás]*; **~ of ideas** eszmeszegény **II.** *fn* pusztaság, terméketlen vidék • *fn* **barrenness**
barret ['bærət] *fn* svájci sapka, baszk sapka, barett
barrette [bə'ret] *fn* hajcsat, kontycsat, hajráf
barricade [ˌbærɪ'keɪd ‖ 'bærəkeɪd] **I.** *fn* (utcai) torlasz, barikád **II.** *tsi* eltorlaszol, elbarikádoz
barrier ['bærɪə ‖ –ər] *fn* korlát, sorompó, (városi) vámsorompó, *átv* gát, akadály, válaszfal, *sp* indító csapóajtó
barrier cream *fn GB* bőrvédő krém
barrier reef *fn földr* korallzátony
barring ['ba:rɪŋ] *elölj* kivéve, nem számítva; **~ accidents** hacsak vm közbe nem jön; **~ none** senkit sem véve ki
barrio ['bærɪou ‖ 'barɪou] *fn tsz* **barrios** *US* ‹spanyolajkúak lakta (szegény) városnegyed›
barrister ['bærɪstə ‖ –ər] *fn* **~(-at-law)** barrister, angol ügyvéd *[bíróság előtti felszólalási joggal]*
bar room *fn* bár
barrow[1] ['bærou] *fn* talicska, taliga, targonca • *fn* **barrowload**
barrow[2] ['bærou] *fn régész* sírdomb, sírhalom
barrow boy *fn GB* mozgóárus
bar stool ['ba:stu:l ‖ 'bar–] *fn* (magas) bárszék
bartender *fn US* csapos, pincér *[italmérésben, bárban]*
barter ['ba:tə ‖ 'bartər] **I.** *fn* csere, csereüzlet, árucsere, kompenzáció **II. A.** *tsi* elcserél, kicserél, cserébe ad **B.** *tni* cserekereskedelmet folytat, kompenzációs üzleteket köt
barter away *tsi* elveszteget, elkótyavetyél
barter agreement *fn gazd* kompenzációs megállapodás, barterszerződés
Bartholomew [ba:'θɒləmju: ‖ bar'θa:–] *tul* ‹férfinév›
bartizan ['ba:tɪzn ‖ 'bartəzn] *fn tört* kiugró őrtorony
Bartokian [ba:'toukɪən ‖ bar–] *mn zene* bartóki
baryon ['bærɪɒn ‖ –an] *fn fiz* barion
baryta [bə'raɪtə] *fn vegy* báriumoxid
barytone ['bærɪtoun] **I.** *fn* **a)** bariton *[hang]* **b)** baritonista; **high ~** magas/tenor bariton **c)** tenorkürt **II.** *mn zene* bariton
basal ['beɪsl] *mn* alap-, alapvető; *biol* **~ metabolism** alapanyagcsere
basalt ['bæsɔ:lt ‖ bə'sɔlt] *fn geol* bazalt • *mn* **basaltic**
bascule bridge *fn* felnyitható híd, csapóhíd
base[1] [beɪs] **I.** *fn* **1. a)** alap, alapzat, talp(azat), talapzat, alapfal, *nyelv* alapszó **b)** *vill* aljzat, szerelőlap **c)** alapanyag, festőpác, *orv* vivőanyag *[gyógyszerben]* **d)** *műsz* bázis **2.** *mat* alap *[háromszögé, számrendszeré]* **3. a)** *kat* támaszpont, kiindulási pont, bázis; *US szl* **be off ~** (i) el van tájolva (ii) készületlen *stand*; *US szl* **get to first ~** *[boldogul, sikerül neki, elér vmt]* bejön neki **b)** *sp* alappont, kiindulópont *[baseballban]* **4.** *vegy* lúg, bázis **II. 1.** *tsi átv* alapoz, alapít (on vmre); **~ oneself on sg** vmre támaszkodik **2.** *kat* állomásozik *[katonai alakulat]*
base[2] [beɪs] *mn* **1.** közönséges, aljas, hitvány, alávaló *[ember]*, alantas *[gondolkodásmód, munka]*, alantas, olcsó *[élvezet]*, galád, nemtelen *[indítóok]*, becstelen, megvetésre méltó *[tett]* **2. a)** értéktelen, hamis, elértéktelenedett; **~ coin** csekély nemesfém tartalmú pénz, hamis pénz(darab) **b) ~ metal** nem nemes fém • *fn* **baseness**
baseball *fn US sp* **1.** baseball *[labdajáték]* **2.** baseball labda
baseboard *fn US* **1.** alaplap, alapdeszka **2.** *épít* lambéria
base drum *fn zene* nagydob, mélydob
base hit *fn sp* alappont-ütés *[baseballban]*
base hospital *fn Ausz* vidéki kórház
base jump *fn sp* ‹ejtőernyős ugrás épületről v. toronyból›
baseless ['beɪsləs] *mn* alaptalan
baseline *fn* alapvonal, mérőbázis
baseline game *fn sp* alapvonaljáték
baseline judge *fn sp* vonalbíró
baseline player *fn sp* alapvonaljátékos

B

base load *fn vill* alapterhelés
basement [ˈbeɪsmənt] *fn* alagsor
base pairing *fn biol vegy* bázispár, komplementer pár *[nukleinsavakban]*
base rate *fn pénz* jegybanki alapkamat
bash [bæʃ] **I.** *tsi biz* **1.** megüt, bever; **~ one's head** beveri a fejét; **~ sy up** összever, eltángál vkt **2. ~ in** beüt, behorpaszt *[edényt, kalapot]* **3.** *US* keményen megbírál, lehúz, leránt **II.** *fn* **1.** *biz* **a)** erős ütés **b)** horpadás *[edényen, kalapon]* **2.** *skót* arculütés, ökölcsapás; *átv* **have a ~ at sg** megpróbál/megreszkíroz vmt; **give sy a ~ on the face** egy jót leken vknek, pofon vág vkt **3.** *szl [zajos összejövetel]* banzáj, elhajlás, buli
bashful [ˈbæʃfl] *mn* szemérmes, szégyenlős, félénk, bátortalan
bashing [ˈbæʃɪŋ] *fn biz* elpáholás, eltángálás
Bashkir [bæʃˈkɪə ‖ bɑʃˈkɪr] *mn/fn* baskír
basho [ˈbɑːʃoʊ] *fn sp japán* szumó-bajnokság
basic [ˈbeɪsɪk] *mn* **1.** alap-, *átv* alapvető, kiindulási, kulcs-; **~ economic law** gazdasági alaptörvény; **~ industry** kulcsiparág; *kat* **~ intelligence** általános felderítés; *nyelv* **~ language** szűkített nyelv; **~ research** alapkutatás; *nyelv* **~ vocabulary** alapszókincs; **~ wage** alapbér **2.** *vegy* lúgos, bázikus **3.** alpári, vulgáris
BASIC [ˈbeɪsɪk] *röv infor beginners' all-purpose symbolic instruction code*
basically [ˈbeɪsɪkli] *hsz* **1.** alapvetően, alapjában véve, lényegében **2.** tulajdonképpen
Basic English *fn nyelv* ‹850 szóra redukált angol nyelv›
basicity [beɪˈsɪsəti] *fn vegy* lúgosság, bázikusság
basics [ˈbeɪsɪks] *fn tsz* az alapok
basil [ˈbæzl] *fn növ* **common/sweet ~** kerti/közönséges bazsalikom
basilar [ˈbæzɪlə ‖ –ər] *mn orv növ* alapi, alap-, alaphoz tartozó; **~ artery** agyalapi artéria
basilica [bəˈzɪlɪkə, –ˈsɪ–] *fn épít* bazilika, főtemplom, székesegyház • *mn* **basilican**
basilisk [ˈbæzəlɪsk, ˈbæs–] *fn* **1.** baziliszkus *[mítikus hüllő]* **2.** *áll* koronás baziliszkus gyík
basin [ˈbeɪsn] *fn* **1. a)** mosdótál, lavór, mosdó(kagyló) **b)** tál(ka), csésze **c)** medence, folyadéktartály, vízgyűjtő **2. a)** *geol* (völgy)teknő, medence **b)** *földr* vízgyűjtő terület **3. a)** *hajó* kikötőmendence **b)** (téli) kikötőmedence *[folyónál, csatornánál]* • *fn* **basinful**
basis [ˈbeɪsɪs] *fn tsz* **bases** [–siːz] *átv* alap, alapeszme, kiindulási pont, lényeg; **take as a ~** alapul vesz, kiindulási pontul vesz
bask [bɑːsk ‖ bæsk] *tni* sütkérezik, *átv* fürdőzik vmben; **~ in the sun** napozik; *átv biz* **~ in sy's favour** vknek a kegyeit élvezi
basket [ˈbɑːskɪt ‖ ˈbæs–] *fn* **1. a)** kosár; *átv biz* **be left in the ~** petrezselymet árul; megmarad; nem kel el; **the pick of the ~** vmnek a java **b)** *műsz* puttony, kosár *[kotróé, léghajóé]* **2.** *GB biz euf* fattyú **3.** markolatkosár *[kardon, tőrön]* • *fn* **basketful**
basketball *fn sp* kosárlabda
basket case *fn US biz szl* **1.** ‹nyomorék, hadirokkant, aki kezét-lábát elvesztette› **2.** ‹reménytelen helyzet› **3.** idegroncs
basket chair *fn* kosárszék, fonott szék
basket lunch *fn US* piknikétkezés, kirándulásra hozott ennivaló (elfogyasztása)
basket-maker *fn* kosárfonó
basketry [ˈbɑːskɪtri ‖ ˈbæs–] *fn* **1.** kosárfonás **2.** kosáráru
basket-weave *fn tex* panamakötés, sejtkötés
basketwork *fn* **1.** kosárfonás, vesszőfonás **2.** kosáráru
basking shark *fn áll* óriáscápa
basmati [bæzˈmɑːti ‖ ˈbæsməti] *fn gaszt* hosszúszemű rizs
basque [bæsk] *fn* ruhaszárny, testhez álló mellény/derék/blúz
Basque [bæsk] *mn/fn* baszk
bas-relief [ˌbɑːrɪˈliːf, ˌbæs–] *fn* lapos dombormű, féldombormű
bass[1] [bæs] *fn tsz* **basses, bass** *áll* **1.** pisztrángsügér, feketesügér **2.** tengeri süllő
bass[2] [beɪs] **I.** *fn* **1. a)** basszus(hang); **deep ~** mély basszus, kontrabasszus **b)** basszus szólam **2.** basszus hangszer *[basszuskürt stb.]* **3.** *biz* **a)** basszusgitár **b)** basszusgitáros **II.** *mn zene* basszus; **~ string** basszus húr • *fn* **bassist**
bass[3] [bæs] → **bast**
bass clef [ˌbeɪsˈklef] *fn zene* basszuskulcs, F-kulcs
basset [ˈbæsɪt] → **basset-hound**
basset-horn *fn zene* basszetkürt, basszusklarinét, corno di basso
basset-hound *fn* borzeb
bassinet [ˌbæsɪˈnet] *fn* **1.** bölcső, mózeskosár **2. wheeled ~** gyermekkocsi
basso [ˈbæsoʊ] *fn tsz* **bassos, bassi** [ˈbæsiː] *zene* basszista; **~ profundo** mélybasszus (hang/énekes)
bassoon [bəˈsuːn] *fn zene* **1.** fagott; **double ~** kontrafagott **2.** ‹orgona 16-lábas ajaksípja› • *fn* **bassoonist**
basso-relievo [ˌbæsoʊrɪˈliːvoʊ, –rɪˈljeɪvoʊ] *fn* lapos dombormű
bass viol [ˌbeɪs ˈvaɪəl] *fn zene* **1.** viola da gamba **2.** gambajátékos, gambaművész
bast [bæst] *fn* **1.** háncs, kéreghéj **2.** *tex* rost, szál
bastard [ˈbɑːstəd ‖ ˈbæstərd] **I.** *fn* **1.** természetes/törvénytelen (v. házasságon kívül született) gyermek, fattyú **2.** *szl durva [ember]* pacák, hapsi; **rotten ~** rohadt alak; **poor ~** szerencsétlen flótás **3.** *szl durva [nehéz eset]* szar ügy **II.** *mn* **1.** házasságon kívül született, törvénytelen *[gyermek]* **2. a)** elfajult, elsatnyult, elkorcsosodott, korcs, hamis, silány **b)** *műsz* szokatlan (v. nem szabványos) méretű/alakú **c)** nem valódi, hamis • *fn* **bastardy**
bastardize [ˈbɑːstədaɪz ‖ ˈbæstər–], **–ise** *tsi* **1.** törvénytelenít *[gyermeket]* **2.** elkorcsosít, nem egyenértékűvel keresztez • *fn* **bastardization**
baste[1] [beɪst] *tsi* (össze)fércel, ideiglenesen összevarr
baste[2] [beɪst] *tsi* zsírral locsol *[sütés közben]*
baste[3] [beɪst] *tsi* **a)** megbotoz, megvesszőz, elnáspángol, elnadrágol, jól megver **b)** alaposan lehord/összeszid
bastille [bæˈstiːl] *fn tört* börtön
bastinado [ˌbæstɪˈneɪdoʊ, –ˈnɑː–] **I.** *fn tsz* **bastinadoes** talpverés **II.** *tsi* vk talpát veri
bastion [ˈbæstɪən ‖ ˈbæstʃən] *fn* **1.** bástya **2.** *átv* védőbástya; **~ of freedom** a szabadság bástyája **3.** *geol* ‹bástya alakú sziklatömb›
bat. *röv battalion; battery; battle*
bat[1] [bæt] **I.** *fn* **1.** ütő *[krikett, baseball]*; *US átv* **be at the ~** résen áll, a helyén van; **he is a good ~** jó krikettjátékos; *GB átv* **off one's own ~** a saját feje szerint, saját kezdeményezésére/felelősségére, egymaga; *US* **right off the ~** azonnal, tüstént **2.** *biz* sebesség, járásmód; **go full ~** szaporázza a lépést, nagyon siet **3.** *rep* forgalomirányító jelzőtárcsa *[repülőtéren]* **II.** *i* **-tt- A.** *tsi sp* üt *[labdát krikettben stb.]* **B.** *tni* **1.** *sp* rajta az ütés sora *[krikettben stb.]* **2. ~ around** megvitat, kitárgyal *[ötletet, javaslatot]*
bat[2] [bæt] *fn* **1.** denevér; **blind as a ~** vaksi, nem lát az orráig se; *átv biz* **have ~s in the belfry** hóbortos, kótyagos, eszelős; *biz* **he went down the street like a ~ out of hell** úgy rohant végig az utcán mint a szélvész **2.** *szl* ‹kellemetlen nőszemély›
bat[3] [bæt] *tsi* **-tt-** *biz* rezdül, rebben; **he never ~ted an eyelid/eyelash** szempillája sem rezzent, szeme sem rebbent
batch [bætʃ] *fn* **1. a)** egy tétel *[áru]*, *műsz* adag(olt mennyiség) **b)** csomó, rakás, halom; **of the same ~** egysütetű **2.** egy sütet *[kenyér]*
batch processing *fn infor* kötegelt adatfeldolgozás
batch production *fn ip* szériagyártás
batch program *fn infor* kötegelt/automatikusan végrehajtódó program
bate [beɪt] *fn GB szl [düh, méreg]* pipa; **be in an awful ~** irtó zabos, pipás

B

bated [ˈbeɪtɪd] *mn* **with ~d breath** lélegzet-visszafojtva, visszafojtott lélegzettel; halkan, suttogva

bath [bɑːθ ‖ bæθ] **I.** *fn* **1.** fürdés (kádban), fürdő; **have/take a ~** megfürdik; **half ~** ülőfürdő; **the Order of the B~** Bath angol lovagrend **2. a)** fürdő(víz); *átv biz* **he was in a ~ of perspiration** úszott a verejtékben **b)** *fényk* **fixing ~** fixírfürdő **3. a)** (fürdő)kád **b)** *fényk* előhívó tál **4. a)** *US* fürdőszoba **b) baths** fürdő(épület); **public ~s** nyilvános fürdő **II. A.** *tsi* (meg)fürdet, (meg)füröszt **B.** *tni* fürdőt vesz, fürdik *[kádban]*

Bath bun *fn GB gaszt* ‹zsemle alakú cukrozott sütemény›

Bath chair *fn* tolószék

bath cube *fn GB* fürdősó

bathe [beɪð] **I. A.** *tsi* **1. a)** fürdet, kimos *[sebet]*, áztat, *átv* füröszt, áztat; **town ~d in light** fényben úszó város **b)** lemos, öblít *[sebet]* **2.** mos, nyaldos *[víz partot]* **B.** *tni* **1.** fürdik *[szabadban]*, strandol **2.** úszkál **II.** *fn* fürdő(zés), fürdés *[szabadban]*, strandolás

bather [ˈbeɪðə ‖ –ər] *fn* **1.** fürd(őz)ő, strandoló **2.** *tsz* **bathers** *Ausz* fürdőruha

bathhouse *fn* fürdő

bathing cap *fn* fürdősapka

bathing costume *fn GB* fürdőruha

bathing suit *fn* fürdőruha

bathing trunks *fn tsz* fürdőnadrág *[bokszerszabású]*

bath mat *fn* **1.** fürdőszobaszőnyeg **2.** gumiszőnyeg *[zuhanyzóban, kádban]*

Bath Oliver [ˌbɑːθ ˈɒlɪvə ‖ ˌbæθ ˈɑlɪvər] *fn GB* ‹egyfajta gyógykeksz›

bathos [ˈbeɪθɒs ‖ –θɑs] *fn* **1.** lapos/hétköznapi/fakó stílus **2.** *ir.tud* antiklimax, hirtelen színvonalsüllyedés; ‹lezökkenés emelkedett stílusból hétköznapiságba› **3.** álpátosz

bathrobe *fn* fürdőköpeny, hálóköntös, (férfi) házikabát

bathroom *fn* **1.** fürdőszoba **2.** *US* W. C., toalett **3.** fürdőszoba-berendezés

bath salts *fn tsz* fürdősó

bathtub *fn* fürdőkád

bathyscaphe *fn* mélytengeri búvárkészülék/búvárgömb, batiszkaf

bathysphere [ˈbæθɪsfɪə ‖ –sfɪr] *fn* batiszféra *[gömb alakú mélytengeri búvárkészülék]*

batik [bəˈtiːk, ˈbætɪk] *fn tex* batikolás, batik(minta)

batiste [bæˈtiːst] *fn tex* batiszt, patyolat

batman [ˈbætmən] *fn tsz* **-men** [–mən] *kat* tisztiszolga, csicskás

baton [ˈbætɒn ‖ bəˈtɑn] *fn* **1.** bot, pálca, vessző, *sp* váltóbot, stafétabot; **conductor's ~** karmesteri pálca; **field-marshal's ~** marsallbot **2.** gumibot **3.** vonalka, jelölés *[óra számlapján]* **4.** *cím* zsineg, bot

baton round *fn* gumilövedék

batrachia [bəˈtreɪkɪə] *fn tsz áll* békafélék

batrachian [bəˈtreɪkɪən] *mn/fn áll* békaféle

bats [bæts] *mn szl [őrült]* dilis

batsman [ˈbætsmən] *fn tsz* **-men** [–mən] **1.** *sp* ütőjátékos **2.** ‹zászlójelekkel repülőgép leszállását irányító személy› • *fn* **batsmanship**

battalion [bəˈtælɪən] *fn* **1.** sereg **2.** *kat* zászlóalj

battels [ˈbætlz] *fn tsz GB okt* ‹ellátási költségek jegyzéke› *[oxfordi egyetemen]*; ‹negyedévi számla az összes egyetemi költségekre› *[Oxfordban]*

batten[1] [ˈbætn] **I.** *fn* **a)** (rögzítő)léc *[széklábak között, polc alatt]*, tartóléc, keresztléc, szegélyléc, pánt *[ládán]* **b)** keresztdeszka, hézagtakaró deszka/léc **c)** padlódeszka, palló **d)** *hajó* léc; **rigging ~** vitorlaléc **II.** *tsi* **a)** lécekkel biztosít/rögzít **b) ~ down the hatches** (i) *hajó* fedélzeti nyílást bedeszkáz; nyílás ponyváját lécekkel leszorítja (ii) *átv* felkészül a legrosszabbra, összeszedi magát

batten[2] [ˈbætn] *tni* **~ on sy** élősködik vkn, kiszipolyoz vkt

batter[1] [ˈbætə ‖ –ər] **I. A.** *tsi* **1. a)** üt, összezúz, szétzúz, üt-ver **b)** behorpaszt, rongál, tönkretesz **2.** ledorongol; (meg)kritizál **B.** *tni* **~ at the door** dörömböl az ajtón, döngeti az ajtót **II.** *fn* **1. a)** felvert híg tésztaanyag *[sütés előtt]* **b)** prézli **2. a)** *nyomd* sérülés *[betűé, szedésé]* **b)** sérült betű/szedés

batter[2] [ˈbætə ‖ –ər] *épít* **I.** *fn* **1.** falkiugrás, ferde/lejtős falsík **2.** rézsű, lejtés **II.** *tni* lejt *[fal, töltés]*

batter[3] [ˈbætə ‖ –ər] *fn sp* ütőjátékos *[baseballban]*

battered [ˈbætəd ‖ –tərd] *mn* megrongál(ódot)t, viharvert, roskadozó *[épület]*, ütött-kopott, rozoga *[bútor]*, elnyűtt, viharvert *[ruhadarab]*, kékre-zöldre vert *[arc]*, horpadt *[edény]*

battered wife *fn* ‹(férj által rendszeresen) bántalmazott feleség›

battering-ram *fn tört kat* faltörő kos

battery [ˈbætri ‖ ˈbætəri] *fn* **1. a)** csoport, sorozat, üteg *[gépeké, műszereké stb.]* **b)** *vill* elem, telep, akku(mulátor), batéria **c)** *pszich* tesztsorozat **2.** *kat* (tüzérségi) üteg; *biz* **turn sy's ~ against himself** saját érveit fordítja vk ellen, saját érveivel cáfol meg vkt **3. a)** tojófészek-sorozat *[baromfitelepen]* **b)** hizlalóketrec-sorozat *[baromfitelepen]* **4.** *jog* tettlegesség **5.** *sp* ‹baseballban a dobó és az elkapó játékosok együttese›

batting [ˈbætɪŋ] *fn* **1.** ütés, *sp* ütőkezelés *[krikett, baseball stb.]* **2.** *tex* szabóvatta *[válltömésnek, paplanhoz]*

batting average *fn sp* ütőhatékonyság *[baseballban, krikettben]*

battle [ˈbætl] **I.** *fn* csata, ütközet; **pitched ~** elkeseredett harc; szabályos ütközet; **line of ~** csatasor; harcérintkezés vonala; **the ~ of life** az élet küzdelmei/viszontagságai; **~ of words** szócsata, vita; **fight a ~** csatát (meg)vív; *biz* **fight sy's ~s** vknek pártját fogja; küzd (v. síkra száll) vknek az érdekében; **join ~ with sy** összecsap/összetűz vkvel; megütközik vkvel; **the ~ is to the strong** bátraké a győzelem; **do ~ for/against sy** vkért (v. vk ellen) hadakozik; **that's half the ~** ez már fél győzelem/siker **II. A.** *tsi* harcol vkvel, megharcol/megküzd vmvel; **~ one's way through difficulties/obstacles** nehézségeken/akadályokon keresztültöri magát **B.** *tni* küzd, harcol, viaskodik, hadakozik, verseng (*with/against* vkvel/vmvel, *for* vmért); **~ with/against public opinion** harcba száll a közvéleménnyel; **he was battling for breath** lélegzet után kapkodott • *fn* **battler**

battleaxe *fn* **1.** *tört* csatabárd **2.** *biz* házsártos vénasszony, vén csataló, boszorkány

battlebus *fn* kampánybusz

battle-cruiser *fn tört* csatahajó, cirkáló

battle-cry *fn* **1.** csatakiáltás **2.** jelszó *[politikai/üzleti versengésben]*

battledore [ˈbætldɔː ‖ –dɔr] *fn* **1.** *sp* tollaslabdaütő; **play at ~ and shuttlecock** tollaslabdázik **2.** sulyok

battledress *fn kat* tábori öltözet

battle fatigue *fn* ‹háborús idegkimerültség/neurózis› *[hosszas megerőltető frontszolgálatnál]*

battlefield *fn* csatatér, harcmező

battleground → **battlefield**

battlements [ˈbætlmənts] *fn tsz épít* pártázatos/csipkés/lőréses oromzat, pártázat

battle royal *fn* **1.** heves/nagyszabású harc **2.** *átv* tüzes vita

battleship *fn* csatahajó

battue [bæˈtuː] *fn* **1. a)** hajtóvadászat **b)** hajtóvadászaton összeterelt/elejtett vad **2.** *biz* tömegmészárlás, vérfürdő

batwing *mn* denevérszárny(ú); **~ collar** háromszögletű kihajtós gallér

batwoman *fn GB kat* női tisztiszolga

batty [ˈbæti] *mn szl [ütődött, hibbant, bolond]* dilis, flúgos

bauble [ˈbɔːbl] *fn* **1.** csecsebecse, mütyürke **2.** játékszer; *régi* **jester's ~** udvari bolond jogara **3.** semmiség, apróság, limlom

baulk [bɔːk] → **balk I., II.**

bauxite [ˈbɔːksaɪt] *fn ásv* bauxit • *mn* **bauxitic**

Bavaria [bəˈveərɪə ‖ –ˈver–] *tul földr* Bajorország

Bavarian [bəˈveərɪən ‖ –ˈver–] *mn/fn* bajor(országi)

bawd [bɔːd] *fn* **a)** kerítő(nő) **b)** bordélyosnő, kuplerosnő

bawdy ['bɔːdi] **I.** *mn* erkölcstelen, feslett, szemérmetlen, trágár, obszcén **II.** *fn* obszcén/erotikus töltetű beszéd, malackodás *[beszédben]* • *fn* **bawdiness**
bawdyhouse *fn régi* bordélyház
bawl [bɔːl] **A.** *tsi biz* ~ **sy out** lehord/leszid/leteremt/összeszid vkt; ráordít/rákiabál vkre **B.** *tni* ordít(ozik), bömböl, üvöltözik; ~ **for help** segítségért kiált; ~ **out abuse** átkozódik; szitkozódik
bay[1] [beɪ] *fn földr* **1.** (tenger)öböl **2.** félkör alakú bemélyedés *[hegygerincen]*
bay[2] [beɪ] *fn* **1.** *növ* **sweet** ~, ~ **laurel** európai nemes babér(fa) **2.** *tsz* **bays** hírnév, dicsőség, babérkoszorú; *átv biz* **carry off the ~s** elnyeri a babérokat, elviszi a pálmát
bay[3] [beɪ] *fn* **1.** *épít* oszlopköz, gerendaköz **2. a)** *épít* bemélyedés, ajtófülke, ablakfülke, alkóv **b)** *kat* kitérő, bemélyedés *[lövészárokban]* **3. a)** *GB vasút* (kisegítő) peron, kocsielőtér **b)** tár, rekesz, kamra *[repülőgép testében]* **4.** *ip* csarnokrész *[gyárban]*
bay[4] [beɪ] **I.** *fn* ugatás, csaholás *[vadászkutyáé]*; **be at ~** harci kedvet mutat; kétségbeejtő helyzetben van; **bring to ~** harcra (v. döntő küzdelemre) kényszerít; *átv* **keep sg/sy at ~** sakkban tart, uralkodik vkn; **stand at ~** sarokba van szorítva; kétségbeejtő helyzetben van; kétségbeesetten küzd/védekezik **II.** *tni* **a)** csahol, ugat *[vadászkutya]*; ~ **at sy** megugat vkt **b)** ~ **at the moon** ugatja a holdat, vonyít *[kutya]*; *átv* hiába kiabál/fenyegető(d)zik *[senki sem fél tőle]*
bay[5] [beɪ] *mn/fn* pej *[ló]*
Bay Area *tul földr US* ‹a San Franciscói öböl menti települések›
bayberry ['beɪbəri ‖ −beri] *fn növ* **1.** babérbogyó **2.** mirtuszfa **3.** *US* viaszbokor
bay leaf *fn tsz* **bay leaves** babérlevél
bayonet ['beɪənɪt, −net] **I.** *fn* **1.** szurony, bajonett; **fix ~s** szuronyt szegez **2.** *műsz* pecek **II.** *tsi* szuronnyal átszúr/átdöf
bayonet charge *fn* szuronyroham
bayonet plug *fn* bajonettdugó
bayou ['baɪuː ‖ 'baɪoʊ] *fn* **1.** *US* ‹folyó mocsaras ága mocsaras terület folyó deltájában› **2.** áradmányos terület
Bayou State *tul földr US biz* Mississippi állam
Bay State *tul földr US biz* Massachusetts állam
bay tree *fn növ* **1.** babérfa **2.** magnólia(fa)
bay window *fn épít* kis osztású zárt erkélyablak, kiugró ablakfülke
bazaar [bə'zɑː ‖ −'zɑr] *fn* **1. a)** keleti bazár **b)** bazár, olcsó áruház **2.** jótékony célú bazár/vásár
bazooka [bə'zuːkə] *fn* **1.** puskagránát **2.** páncélököl **3.** ‹kezdetleges fúvós hangszer›
BB *röv* **1.** *bed and breakfast* **2.** *double black (pencil lead)*
BBC *röv British Broadcasting Corporation*
BBQ *röv barbecue*
BBS *röv infor bulletin board system* elektronikus hirdetőtábla, BBS
BC *röv* **1.** *Bachelor of Chemistry* **2.** *Bachelor of Commerce* **3.** *Before Christ* Krisztus előtt, Kr. e. **4.** *British Columbia* **5.** *British Council*
BD *röv Bachelor of Divinity*
BDS *röv Bachelor of Dental Surgery*
be [bi, biː] *tsi/tni esz 1.szem* **am** [əm, m, æm], *esz/tsz 2.szem/tsz 1.szem/tsz 3.szem* **are** [ə, ɑː ‖ r, ər, ɑr], *esz 3.szem* **is** [z, ɪz], *pt* **was** [wəz, wɒz ‖ wəz, wʌz], **were** [wə, wɜː ‖ wr, wər, wɜr], *pp* **been** [biːn ‖ bɪn] **1. if I were you** én a te helyedben; **what is it?** mit akarsz?, mit kívánsz?; miről van szó?, mi baj?, mi történt?; **to live is to fight** élni annyi mint küzdeni **2.** van; **it is fine** szép idő van; **he doesn't know where he is** nem tudja hol van; *átv biz* nem tudja hányadán van (v. mihez tartsa magát); zavarban van; **here I am** itt vagyok, megjöttem; **how are you?** hogy vagy/van?, hogy érzed magad?, hogy érzi magát?; **that may ~** az lehet, meglehet, lehetséges; **the powers that ~** a (mindenkori) hatalmasságok; **how is it that ...?** hogy van az, hogy ...?; **how much is that?** mennyibe kerül?; **today is the seventeenth** ma tizenhetedike van **3.** létezik, van; **to ~ or not to ~** lenni vagy nem lenni; **let me ~!** hagyj békében! **4.** megy/jön vhova; **I have never been to London** sohasem jártam/voltam Londonban; *átv biz* **I've been there!** ismerem a szóban forgó helyet; saját tapasztalatomból ismerem az ön mostani érzését **5. he was near ~ing killed** majdnem meghalt/megölték; **that ~ing the case** így állván a helyzet, miután ez a helyzet; **he is gone** elment; **the room is to ~ let** kiadó a szoba; **what is to ~ done?** mit lehet tenni?, mit csináljunk?; **we were to meet at six** úgy volt hogy 6-kor találkozunk; **if we are to remain friends** ha jóban/barátok akarunk maradni **6. as it were** hogy úgy mondjam, úgyszólván, mintegy; **here you are** tessék, itt van, nesze; → **being**
be about *tni* **1.** a közelben van; **is the manager about?** itt van az igazgató? **2.** ~ **about to do sg** (éppen most) készül vmt tenni
be after *tni* ~ **after sy/sg** vk/vm mögött van *[sorban, sorrendben]*; üldöz/követ vkt/vmt; vágyik/áhítozik vk/vm után
be along *tni* odaér, eljut (egy helyre); **I'll ~ along in a few minutes** pár perc múlva ott leszek
be at *tni* ~ **at it again** már megint kezdi
be back *tni* visszajön, visszatér
be behind *tni* hátra van, elmaradt, késik; **the train is behind** késik a vonat
be by *tni* **1.** vm mellett van **2.** kéznél van, támogat
be down *tni* **1. a)** lemegy, lejön, leszáll, lent van, lejött (vhonnan), le van eresztve/húzva *[redőny stb.]*; **he says he will ~ right down** azt mondja, rögtön lejön **b)** elül, csökken *[szél]* **2. a)** le van nyúzva/strapálva, ki van *[idegileg]* **b)** *[anyagilag]* tönkrement, a tönk szélén áll, *[társadalmilag]* lecsúszott; **the computers are down** a számítógépek nem működnek **3.** *biz* ~ **down on sy** pikkel vkre, szigorúan/durván bánik vele **4.** ~ **down with (a cold/flu, etc.)** megfázással/influenzával stb. fekszik *[betegen]*
be for *tni* **1.** vhová megy/készül **2.** támogat, mellette van, pártol vmt **3.** *[büntetés]* vár rá; **you're for it this time, my boy** most nem fogod simán megúszni fiam
be in *tni* **1. he is in** itthon van, bent van *[hivatalban]* **2.** befutott, megjött *[hajó, vonat]* **3.** bejött *[jelölt/párt választáson]*; **the Conservatives are in** a konzervatív párt van kormányon; a konzervatívok megnyerték a választásokat **4. we are in for storm** viharra számíthatunk; **he is in for it** peche van, baja/kellemetlensége lesz belőle, benne van a pácban **5.** divatban van **6.** ~ **in on sg** jelen van, be van avatva vmbe; **I would like to ~ in on the business** én is szeretnék benne lenni az üzletben **7.** ~ **well in with sy** jó viszonyban van vkvel
be off *tni* **1.** *biz* elmegy, eltávozik; **I'm off** most már megyek; már itt sem vagyok **2.** vége van vmnek; **sorry, sir! beef's off** sajnálom uram a marhahús elfogyott *[étteremben]* **3.** lejött, levált, leszakadt *[gomb stb.]* **4.** nincs bekapcsolva *[rádió, fűtés]*, nem ég *[gáz, villany]* **5. how are you off for money?** hogy állsz pénz dolgában?; **he is well off** jó dolga van (anyagi szempontból), jól áll (anyagilag) **6.** téved; **you are at least 200 Forints off** legalább 200 forinttal téved(sz)
be on *tni* **1.** rendelkezésre áll, van, kapható **2.** ég *[gáz, villany]*, be van kapcsolva *[rádió, fűtés]* **3.** folyamatban van; **the fight is on** folyik a harc/küzdelem; **what is on at the Old Vic?** mit adnak az Old Vic színházban? **4. if there is going to ~ a fight I am on** ha harcra kerül sor én is részt vállalok benne (v. én is benne vagyok) **5. she is on to sg** tud róla, tudomása van róla; *biz* ~ **on sy** figyel vkt
be out *tni* **1.** kinn van az utcán, kimegy az utcára, házon kívül van, nincs otthon **2.** kiesett, megbukott *[jelölt]*; **the Liberals are out** a liberális párt nincs kormányon, a liberálisok megbuktak a választásokon **3.** végére ért, elfogyott; **school is out** vége az iskolának **4.** munka nélkül van, nem dolgozik *[sztrájk idején]* **5.** megjelent *[sajtó-*

B

termék], kitudódott, kipattant *[titok]* **6. ~ out for sg** (i) minden igyekezetével törekszik vmre (ii) *biz* rámegy vmre **7.** tévedésben van, téved (*in sg* vmben) **8. ~ out with sy** neheztel vkre; nincs jóban vkvel **9.** *US* **~ out to** az a szándéka, hogy ...

be over *tni* **1.** átmegy, átjön **2.** elmúlt, vége van **3. ~ all over sy** elhalmoz vkt figyelme minden jelével

be round *tni* itt/ott van, idejön, odamegy; **I'll ~ round in a minute** egy perc múlva itt leszek, mindjárt visszajövök

be through *tni* **1. you're through** tessék beszélni *[telefonon]* **2.** végére ér vmnek, elkészül vmvel; **are you through with that paper?** elolvastad már az újságot? **3.** *biz* elege van vmből

be up *tni* **1.** fenn van, nem fekszik le **2.** felkel **3.** magasan áll/van; **prices are up** felmentek az árak **4.** folyamatban van; **what's up?** (i) mi történik/van itt? (ii) *US biz* mi újság?, mizújs? **5.** elmúlt, lejárt, vége van; **our time is up** lejárt/letelt az időnk **6. he is up against a difficult task** nehéz feladattal áll szemben, nehéz feladatot kell megoldania **7. ~ up at Oxford** Oxfordban van egyetemen; **~ up in London** fenn van Londonban **8. ~ (well) up in a subject** alaposan ismeri a tárgyat **9. ~ up to sg** (i) felér vmvel; képes vmre (ii) vmben sántikál/mesterkedik; **~ not up to much** nem vm jó; nem sokat ér; **he is up to his job** megállja a helyét a munkájában, meg tud birkózni a munkájával **10. it is up to him** tőle függ, az ő dolga, rajta áll; **what are you up to?** miben töröd a fejed?, miben sántikálsz?

be- [bɪ] *előtag* **1.** meg-, el-; **~labour** megver, eldönget **2. ~wigged** parókás

BE *röv* **1.** *Bachelor of Education* **2.** *Bachelor of Engineering* **3.** *Bank of England* Angol Jegybank

beach [biːtʃ] **I.** *fn* homokos/fövenyes/kavicsos tengerpart/tópart, parti strand **II.** *tsi* **1.** partra visz, zátonyra futtat *[hajót]* **2.** partra húz *[csónakot]*, partra vontat *[hajót]*

beach ball *fn* strandlabda

beach-comber *fn* **1. a)** kikötők/strandok alkalmi munkása **b)** semmirekellő, naplopó **c)** hajóroncsok fosztogatója; ‹partra vetett v. a tengerparton található holmik gyűjtögetéséből élő ember› **2.** tarajos (v. zúgva megtörő) hullám

beached [biːtʃt] *mn* **a)** megfeneklett, partra húzott/vontatott *[vízi jármű]* **b)** partra vetett *[bálna]*

beachhead *fn kat* hídfő(állás), támaszpont *[inváziós partraszállásnál]*

Beach-la-mar [ˌbiːtʃləˈmɑː ‖ –ˈmɑr] *fn nyelv* pidgin-angol (nyelv), csendes-óceáni tört angolság

beachside *mn* tengerparti

beachwear [–wer] *fn* strandruha, strandviselet

beacon [ˈbiːkən] *fn* **1. a)** jel, jelzőtűz, irányfény, fényjel **b)** jelzőállomás, jelzőtűz dombja **c)** *GB* kiemelkedő domb/tereppont **2. a)** *hajó rep* jelzőfény, jelzővilágítás, világítótorony **b) (radio) ~** rádió-irányjeladó, rádiós irányadó (állomás) **3.** → **Belisha beacon**

bead [biːd] **I.** *fn* **1. a)** szem *[rózsafüzéré]* **b)** gyöngyszem *[üvegből, porcelánból stb.]*; **string of ~s** rózsafüzér, olvasó; gyöngysor; **tell one's ~s** a rózsafüzért mondja, morzsolgatja az olvasóját; **thread ~s** gyöngyöt (fel)fűz **2.** csepp *[olvadó anyagból]*, szemcse; **~s of dew** harmatcseppek; **~s of perspiration** izzadságcseppek, verejtékcseppek **3.** buborék *[borban, ásványvízben]*; **wine with a fine ~** szépen gyöngyöző bor **4.** célgömb, irányzék *[puskán]*, célgömb felső része *[fegyvereken]*; *biz* **draw a ~ on sy** megcéloz vkt, célba vesz vkt, rácéloz vkre **II. A.** *tsi* gyönggyel fed/díszít/kihímez/kivarr vmt **B.** *tni* gyöngyözik, pezseg *[folyadék]*; **the sweat ~ed on his brow** izzadság/verejték gyöngyözött a homlokán • *mn* **beaded**

beading [ˈbiːdɪŋ] *fn* **1.** gyöngydíszítés, szegélydísz **2.** *műsz* dudor, kidomborodás

beadle [ˈbiːdl] *fn GB* **1.** altiszt, pedellus *[egyetemen]* **2. a)** sekrestyés, egyházfi **b)** *tört* ‹egyházközség rendfenntartó alkalmazottja› • *fn* **beadleship**

beadsman [ˈbiːdzmən] *fn tsz* **-men** [–mən] *tört* **1.** → **almsman 2.** (megfizetett) imádkozó/sirató ember

beadwork *fn* gyöngyhímzés

beady [ˈbiːdi] *mn* **1.** gyöngyszerű **2.** pezsgő, habzó *[folyadék]* **3. ~ eyes** mélyen ülő apró szemek

beady-eyed *mn* **1.** mélyen ülő apró/kis szemű **2.** átható/szúrós tekintetű; mindenre odafigyelő

beagle [ˈbiːgl] **I.** *fn* **a)** (egyenes lábú) vadászkopó **b)** *tört* rendőrkopó, rendőrkém, rendőrségi besúgó, spicli **II.** *tni* kopóval vadászik

beagling [ˈbiːglˑɪŋ] *fn vad* kopóvadászat

beak[1] [biːk] *fn* **1. a)** csőr *[madáré, teknősbékáé]* **b)** *GB szl [(horgas/kampós) orr]* csőr, hefti **2. a)** *hajó* vágósarkantyú **b)** → **beak-head** • *mn* **beaked**, **beaky**

beak[2] [biːk] *fn szl* **1.** rendőrbíró *stand* **2.** *okt* tanító, tanár *stand*

beaker [ˈbiːkə ‖ –ər] *fn* **1.** *vál* serleg, széles szájú bögre **2.** *vegy* csőröspohár

Beaker Folk *fn régész népr* ‹Anglia kőkorszakvégi őslakói›

beam [biːm] **I.** *fn* **1. a)** gerenda **b)** mérlegrúd, mérlegkar **c)** gerendely *[ekéé]* **d)** kocsirúd **e)** himba *[gőzgépen]*, kiegyenlítő kar/rúd **f)** szár *[horgonyé]* **g)** zuboly, zugoly, fonalas dorong *[szövőszéken]* **h)** tímártőke **i)** középág *[agancsé]* **2. a)** napsugár, fénysugár, fénykéve, sugárnyaláb; *átv biz* **~ of satisfaction** megelégedés sugárzása *[arcon]*; **a ~ of hope** egy reménysugár **b)** *fiz* (elektron- v. részecske)nyaláb **c)** rádió/hangszóró (effektív) hatósugara **3.** *gk* fényszóró; **low ~** tompított fényszóró; **high ~** távolsági fényszóró **4.** (helyes) irány; **off (the) ~** nem a (rádióiránysugárral meghatározott) helyes irányban; *átv biz* el van tájolva; **on the ~** helyesen, pontosan, megfelelően, jól; *biz átv* (végre) kapcsolt; helyben vagyunk **5.** *hajó* fedélzettartó gerenda; **the ~s** *[rakomány elhelyezésénél használt]* keresztrúd; **extreme ~** legnagyobb hajószélesség; *átv biz* **broad in the ~** széles csípőjű/medencéjű/farú *[személy]* **II. A.** *tsi* sugároz; **~ (forth) rays** sugarakat lövell *[nap]*; **~ a programme** műsort sugároz *[rádió]* **B.** *tni* **1.** sugárzik, tűz *[nap]*; **~ forth** megjelenik, előbukkan, kisüt *[nap]* **2.** sugárzik, ragyog; **~ on sy** sugárzó/derűs/mosolygó arccal néz vkre, vkre mosolyog

beam-compass *fn* rúdkörző *[rajzolóé]*

beam-ends *fn tsz* **1. be on her ~** oldalt dől *[hajó]* **2.** *biz* **be on one's ~** pénzzavarban van, szorult helyzetben van

beamy [ˈbiːmi] *mn* **a)** tömör, masszív **b)** széles fedélzetű *[hajó]*

bean [biːn] **I.** *fn* **1. a)** bab, paszuly, karóbab; **dried ~s** szárazbab; **French/string ~s** zöldbab **b) baked ~** szárazbab-főzelék **2.** kávészem; **cocoa ~** kakaóbab **3.** *biz* guba, pénz; **be full of ~s** (i) sok pénze/gubája van (ii) eleven, mozgékony; **it isn't worth a ~** nem ér egy vasat sem; fabatkát sem ér; **hasn't (got) a ~** egy vasa sincs **4. not to know ~s** tudatlan **5.** *szl* **spill the ~s** *[elárul, kifecseg]* elköp *[titkot stb.]*, elfecseg **6.** *szl [fej, agy]* dió, kobak; *GB* **old ~** öreg fickó; **think no small ~s about oneself** nagyra tartja önmagát **II.** *tsi US szl [fejbe ver]* dión csap/vág

beanbag *fn* **1.** babzsák *[tornához, játékhoz]* **2.** süppedő fotel; ülőpárna *[polisztiréngolyókkal töltött]*

bean counter *fn biz pej* **1.** könyvelő **2.** zsugori alak

bean curd *fn gaszt* szójababsajt, tofu

beanery [ˈbiːnəri] *fn US szl [olcsó vendéglő, kifőzde]* éhezde

beanfeast *fn biz* **1.** mulatság, muri, lakoma **2.** *GB* ‹kis mulatság, amelyet a munkaadó évente rendez munkásai számára›

bean goose *fn tsz* – **geese** *áll* vetési lúd, lazsnak

beano [ˈbiːnoʊ] → **beanfeast**

beanpole *fn* **1.** babkaró **2.** *átv biz* langaléta, hosszú legény, égimeszelő

bean sprout *fn gaszt* étkezési babcsíra

beanstalk *fn* babszár, paszulyszár

bear[1] [beə ‖ ber] **I.** *fn* **1. a)** medve; **brown ~** barna medve; **polar ~** jegesmedve **b)** *biz* **be like a ~ with a sore head** gyilkos kedvében van; **cross as a ~** zsémbelődő; **what a ~!** milyen mogorva fráter! **2.** *pénz* besszjátékos, kontreminőr, besszre spekuláló *[tőzsdén]* **3.** *biz* **the B~** Oroszország **4.** *US szl [rendőr]* zsaru **II.** *tsi pt/pp* **beared** *pénz* besszre spekulál; **~ the market** árfolyamcsökkentést igyekszik előidézni *[tőzsdén]*

bear² [beə ‖ ber] *tsi/tni pt* **bore** [bɔː ‖ bɔr], **bare** [beə ‖ ber], *pp* **borne, born** [bɔːn ‖ bɔrn] **1.** hord, hordoz, visel, visz, cipel; **~ arms against sy** hadat visel vk ellen; **~ the blame** viseli a felelősséget, ő a hibás/felelős; **~ a date** keltezett *[levél]*; **~ a hand** segít, segítséget nyújt; részt vesz (vmben); **~ expenses** költségeket áll; **~ oneself well** jól érzi magát; **~ a part in sg** szerepet játszik vmben; részt vesz vmben; **~ the person of ...** megszemélyesít (vkt); **~ a price** ára van; **the document ~s your signature** az okmányon az ön aláírása szerepel **2.** visel, elvisel, tűr, eltűr, kibír, kiáll, elszenved; **~ a likeness to sy** hasonlít vkhez; **~ a loss** veszteséget elszenved/elvisel; **~ the mark of blows** ütés nyomai láthatók rajta; **~ proportion to sg** arányban áll vmvel; **~ a purpose** szándékában áll; **~ resemblance** hasonlít; **~ the responsibility of sg** vmért felelősséggel tartozik; vmért felelősséget vállal; **~ testimony/witness** tanúskodik, tanúsít vmt; **I cannot ~ (the sight of) him** nem bírom ezt az embert (látni), ki nem állhatom; **I cannot ~ to see it** nem tudom elviselni ezt a látványt; látni sem bírom; **I don't know how I can ~ to face him** nem tudom merjek-e a szeme/színe elé kerülni; **he can ~ this secret no longer** nem tudja tovább magába fojtani ezt a titkot; *mat* **quantity ~ing an index** indexszel jelzett szám; **~ a grudge** neheztel **3. a)** szül; **be born** születik; **when I was born** születésemkor, amikor megszülettem; **he was born in 1905** 1905-ben született; **he was borne by ... ...** gyermeke; **Ethel has borne a child** Etel (gyermeket) szült; **be ~ing a child** teherben/másállapotban van; állapotos **b)** termel, terem, hoz *[gyümölcsfa, tőke]* **4.** *hajó* **how does the land ~?** mi a szárazföld iránylata?

bear away *tsi régi vál* **1.** elvisz, elnyer; **~ away the prize** elnyeri a díjat **2. be borne away by force** vkt erőszakkal elhurcolnak/eltávolítanak

bear down A. *tsi* **~ down the enemy** legyőzi az ellenséget; **~ down all resistance** minden ellenállást megtör **B.** *tni* **~ down on the enemy** ráront/lecsap az ellenségre; **~ down (up)on sg** úton van vm felé, közeledik

bear in *tsi* **~ in mind** gondol rá; emlékezetében tart

bear off *tsi* **1.** elvisz, eltávolít, elhurcol **2.** elnyer *[díjat]*

bear on *tni* **1. ~ on sg** vmre támaszkodik/nehezedik; vmnek nekitámaszkodik; vmn nyugszik; hatással van vmre; **~ hard/heavily on sy** ránehezedik vkre; kíméletlen vkvel szemben; kemény kézzel bánik vkvel; **bring one's mind to ~ on sg** vmre irányítja/összpontosítja a figyelmét **2.** benyomást/hatást gyakorol, hat; **~ influence on sy** hat vkre, hatással van vkre **3. it ~s on the subject** vmre vonatkozik/ tartozik, vmt érint, vmvel összefügg/kapcsolatban van; → **bear upon**

bear out *tsi* igazol, megerősít, alátámaszt *[állítást, érvet]*; **~ sy out** vknek a kijelentését alátámasztja

bear to *tni* **~ to the right** jobbra tart/tér *[úton]*

bear up A. *tsi* támogat **B.** *tni* **~ up!** ne csüggedj!, bátorság!; **~ up against/under misfortune** szembenéz/ szembeszáll a bajjal; **~ up against pain** (ki)bírja a fájdalmat

bear upon *tni* **~ upon sg** kihatással van vmre; összefüggésben/kapcsolatban van vmvel; vonatkozik vmre

bear with *tni* **~ with sy** elnéző/türelmes vkvel szemben; **if you will ~ with me a little longer** ha volnál szíves még egy kis türelemmel lenni (és véghallgatni)

bearable ['beərəbl ‖ 'ber–] *mn* elviselhető, tűrhető; **the situation is no longer ~** a helyzet immár elviselhetetlen

beard [bɪəd ‖ bɪrd] **I.** *fn* **1.** szakáll **2.** *áll* szakállszerű szőrzet, szakáll **3.** *növ* szálka, bajusz, toklász *[kalászé]* **II.** *tsi* dacol, szembeszáll (vkvel); *biz* **~ the lion in his den** az oroszlánt a saját barlangjában ingerli; halálmegvető bátorsággal nagy kockázattal járó feladatot hajt végre • *mn* **beardless**

bearded ['bɪədɪd ‖ 'bɪrdɪd] *mn* szakállas, szakállú *[ember]*, szőrös, szakállas *[állat]*, szálkás, bajuszos *[kalász]*; **~ arrow** horgas/kampós nyíl

bearer ['beərə ‖ 'berər] *fn* **a)** vivő, hozó, hordozó *[személy]*; **the ~ of this letter is Mr Owen** e sorok átadója Owen úr **b) ~ of a cheque** csekk bemutatója; **~ of a passport** útlevél tulajdonosa **c)** hordár

bearer cheque *fn pénz* bemutatóra szóló csekk

bear garden *fn biz* zsibvásár, lármás/fejetlen gyűlés/társaság, zajos mulatóhely

bear-hug *fn* medveölelés, szoros ölelés, átnyalábolás *[vké]*

bearing ['beərɪŋ ‖ 'berɪŋ] *fn* **1. a)** viselkedés, magatartás, testtartás; **soldierly ~** katonás modor/magatartás **b)** elviselés *[bajoké]*, teherbíró képesség **2.** súly, fontosság, jelentőség, kihatás *[kérdésé, érvé]*; **~s of a question** egy kérdés különböző szempontjai/oldalai **3.** *épít* támaszték, pillér, kocka alakú alapkő, talpazat **4. a)** *átv* tájékozódás; **find/get one's ~s** kezdi kiismerni magát; rájön vmnek a nyitjára; **lose one's ~s** megzavarodik, zavarba jön; **take one's ~s** tájékozódik, orientálódik; témát/kérdést felvet **b)** irányhelyzet, iránymeghatározás; **radio ~ station** rádióirányadóállomás; **take a compass ~** irányoló műszerrel meghatározza az irányt **5. a)** termőképesség **b) be past ~** már nem termő/hozamképes **6. a)** *műsz* csapágy **b)** kengyelvas **7.** *tsz* **bearings** *cím* címer; **armorial ~s** címerpajzs

bearish ['beərɪʃ ‖ 'berɪʃ] *mn* **1. a)** medveszerű, esetlen **b)** mogorva, mord, morc *[személy]* **2.** *pénz* **~ tendency** csökkenő irányzat, lanyhaság *[tőzsdén]*

bear market *fn pénz* árfolyamesés *[tőzsdén]*

bearpit *fn* **1.** medveverem **2.** → **bear garden**

bearskin *fn* **1.** medvebőr **2. a)** medvebőrös/szőrmés sapka/süveg **b)** testőrkucsma

Bear State *tul földr US biz* Arkansas állam

beast [biːst] *fn* **1. a)** állat *[főleg négylábú]*, barom, vadállat; **wild ~** vad(állat); ragadozó **b)** *bibl* **the B~** a Fenevad **2. a) ~ of burden** teherhordó/igavonó állat; málhásállat **b)** hátasló **3.** *biz* vadállat, ellenszenves/nehéz pasas; **make a ~ of oneself** elállatiasodik; elbutul, eldurvul, elvadul; **it was a perfect ~ of a day** borzalmas nap volt, förtelmes nap volt; **a ~ of a job** pocsék/utálatos munka

beastie ['biːsti] *fn sk* kis állat, állat(ocs)ka

beastly ['biːstli] **I.** *mn* **1.** állati(as), bestiális, brutális, durva **2.** *biz* ronda, visszataszító, undorító, utálatos; **what ~ weather!** milyen ronda idő! **II.** *hsz GB biz* **~ difficult** szörnyen nehéz; **~ drunk** tökrészeg(en); **it is ~ cold** farkasordító hideg van

beat [biːt] **I.** *i pt* **beat** [biːt], *pp* **beaten** ['biːtn] **A.** *tsi* **1. a)** megüt, megver, sulykol, döngöl, porrá tör/zúz, *tex* ver, tilol; **~ a carpet** kiporol szőnyeget; **~ eggs** tojásokat felver; **~ a path** utat kitapos/tör, ösvényt nyit; **~ sy hollow** laposra ver **b) ~ the air/wind/water** eredménytelenül/ hiábavalóan/meddően fáradozik/erőlködik; **~ one's breast** veri a mellét; **~ one's brains** töri a fejét; *szl* **~ one's gums** *[beszél, fecseg]* veri a nyálát; *szl* **~ the meat** *[onanizál]* veri a farkát; **~ one's way to a place** elér/eljut egy helyre **c)** *US szl* **~ it** *[meglóg, elmegy]* meglép, kereket old, elkotródik; **~ sy to it** fölébe kerekedik vknek, elébe vág vknek, lepipál vkt; **~ its wings** szárnyaival csapkod *[madár]* **2.** megver, legyőz *[ellenséget, ellenfelet]* **3. a) ~ the charge** támadásra ad jelt; **~ a retreat** *kat* takarodót dobol/fúj; *biz* visszavonul; eláll vmtől; megfutamodik **b)** *US* **~ to a draw** megelőz (vkt valamennyivel); *biz* **this ~s me** ez rejtély előttem, ezt nem értem (v. nem tudom felfogni ésszel); ez magas nekem; *biz* **that ~s everything!** ez mindennek a teteje, ez mindenen túltesz; *biz* **can you ~ it?** hallottál már ilyet?, ehhez mit szólsz **c) ~ the record** megdönti a rekordot/csúcsot; **~ the clock** időre teljesít **d)** becsap, megcsal, rászed (vkt); **~ the customs** vámcsalást követ el **4.** kidobol; **~ a/the drum** dobol; *átv* nagy propagandát csinál (vmnek); **~ time (to music)** taktust üt/jelez **B.** *tni* **1.** üt, ver, ketyeg *[óra]*, dobog *[szív]*, dobol, kopog(tat); **the waves ~ against the shore**/

rocks a hullámok megtörnek a parton/sziklákon **2.** *hajó* **~ to windward, ~ off the wind** ferdéz/lavíroz szélirányban (v. szél ellenében); → **beaten II.** *fn* **1.** ütés, (szív)verés, dobogás, (kard)csapás, (dob)pergés, ketyegés *[óráé]* **2. a)** *zene ir.tud* ritmus, ütem, taktus, iktusz; **strong ~** hangsúlyos ütem; **weak ~** hangsúlytalan ütem **b)** *zene vál* ütemezés kézzel **3.** *fiz* lebegés, beat *[hanghullámoké, elektromágneses hullámoké]*; *távk* üttetés, lebegtetés **4.** felügyeleti körlet/körzet *[őrszemé]*, őrjárat, körjárat(i útvonal) *[rendőré]*; *biz* **it's off my ~ altogether** ez kívül esik a hatáskörömön; ez nem tartozik rám **5.** *US szl* szenzáció **6.** *US szl* csavargó, vándormunkás **III.** *mn* **1.** *biz* **dead ~** holtfáradt **2.** beat-

beat about *tni biz* **~ about the bush** kertel, köntörfalaz; **not to ~ about the bush** egyenesen a tárgyra tér

beat against *tni* nekiverődik; **the rain was ~ing against the window-panes** az eső csapdosta/verdeste az ablakokat

beat down A. *tsi* **1.** lerombol, leüt, lever; **~ down the soil** földet ledöngöl **2.** elnyom; **~ down the fire** elnyom/lever tüzet **3. ~ down the price of sg** lealkudja/leszorítja vmnek az árát; **~ sy down** alákínál *[vk által kínált árnak]*; lever(i az) árat **B.** *tni* (le)tűz *[nap]*

beat into *tsi* **~ sg into sg** bever vmbe vmt; *biz* **I can't ~ it into his head** nem tudom (czt) a fejébe verni

beat off *tsi* **~ sy off** eltaszít/elkerget vkt; **~ off an attack** rohamot visszaver/elhárít

beat out *tsi* **1. a) ~ out a path** utat kitapos, utat járhatóvá tesz **b) ~ out iron** vasat (laposra) kalapál **c) ~ out a rhythm** kitapsol/kikopog/kiüt/ütemez egy ritmust **2. a) ~ sy's brains out** agyonüt vkt; kiloccsantja vknek az agyvelejét **b) ~ out the dust from sg** kiporol vmt

beat up *tsi* **1.** felver *[tejszínt, tojást habnak]* **2. ~ sy up** elpáhol, összever vkt; → **beat-up**

beaten [ˈbiːtn] *mn* **1.** legyőzött, megvert **2.** *biz* kimerült **3.** nyújtott, kalapált *[vas, arany]*; **~ gold** vertarany; **~ iron** kovácsolt vas; **floor of ~ earth** döngölt padló **4.** használatos, általános; **~ path/track** kitaposott út; **house off the ~ track** magányos/félreeső ház; **that's off ~ track** távoli, félreeső; *átv* ez nem a megszokott/mindennapi; → **beat III.**

beater [ˈbiːtə ‖ –ər] *fn* **1. a)** ütő, verő *[munkás]*, cséplőmunkás **b)** hajtó *[vadászaton]* **2. a)** sulyok *[mészárosé, mosáshoz stb.]* **b)** (konyhai) habverő **c)** *zene* triangulumverő *[rudacska]*

Beat Generation *fn* beatnemzedék, a beatnikek

beatific [bɪəˈtɪfɪk] *mn* boldog(ító), üdvözítő, üdvözült; *biz* **wear a ~ smile** kegyes mosoly ül az arcán; üdvözülten mosolyog

beatification [biˌætɪfɪˈkeɪʃn] *fn vall* boldoggá avatás

beatify [biˈætɪfaɪ] *tsi* **1.** *vall* boldoggá avat **2.** boldoggá tesz, üdvözít

beating [ˈbiːtɪŋ] *fn* **a)** ütés, verés, elpáholás, elfenekelés, ütlegek; **give sy a ~** elnáspángol/elagyabugyál vkt **b)** vereség, kudarc *[csatában, sportban]*; *sp* **get a good ~** alulmarad *[versenyben]*; alaposan elverik; **take some** (v. **a lot of**) **~** nehéz felülmúlni

beatitude [biˈætɪtjuːd ‖ –tətuːd] *fn* **1.** *vál* (nagy) boldogság, üdvözültség, üdvösség **2.** *bibl* **the B~s** Jézus boldogmondásai

beat music *fn zene* beatzene

beatnik [ˈbiːtnɪk] *fn* beatnik

Beatrice [ˈbɪətrɪs ‖ ˈbiːətrəs] *tul* Beatrix

beat-up *mn biz* **a)** elnyűtt, elhordott, agyonstrapált **b)** kimerült, agyonstrapált *[személy]*; → **beat up**

beau [boʊ] *fn tsz* **beaus, beaux** [boʊz] **1.** *US* udvarló, lovag, szerető, kérő **2.** divathős, dandy, piperkőc

Beaufort [ˈboʊfət ‖ –fərt] *tul* **~ scale** szélerősségi skála, Beaufort-skála

beau monde [ˌboʊ ˈmɔːnd ‖ –ˈmɑnd] *fn francia* előkelő társaság

beaut [bjuːt] *szl* **I.** *fn US Ausz* szépség *[nő]* **II.** *mn Ausz* kiváló, csodaszép

beauteous [ˈbjuːtɪəs] *mn vál* elragadóan szép, szépséges, gyönyörű

beautician [bjuːˈtɪʃn] *fn* **1.** kozmetikus **2.** kozmetikai szalon

beautiful [ˈbjuːtɪfl] *mn* **1.** (nagyon) szép, gyönyörű **2.** *átv* **we had a ~ crossing** pompás átkelésünk volt; **he showed ~ patience** csodálatos türelmet tanúsított • *hsz* **beautifully**

beautify [ˈbjuːtɪfaɪ] *tsi* szépít, (ki)csinosít, díszít, ékesít • *fn* **beautifier**

beauty [ˈbjuːti] *fn* **1. a)** szépség; **~ is only skin-deep** a külső nem minden **b)** *biz* **that's the ~ of it!** éppen ez a szép benne!, ez a legszebb az egészben! **2. she was a ~ in her day** (ő) szépség volt a maga idejében; **the Sleeping B~** Csipkerózsika; **isn't she/it a ~?** hát nem gyönyörű?; **a thing of ~** szép tárgy/dolog

beauty contest *fn* szépségverseny

beauty parlour *fn* kozmetikai szalon

beauty queen *fn* szépségkirálynő

beauty salon → **beauty parlour**

beauty sleep *fn* éjfél előtti alvás

beauty spot *fn* **1. a)** (arcra ragasztott) szépségflastrom, szépségtapasz **b)** lencse *[arcon]* **2.** kies fekvésű hely, szép táj

beauty treatment *fn* kozmetikai kezelés

beaux-arts [boʊˈzɑː ‖ –ˈzɑr] *fn tsz francia* a képzőművészetek

beaver[1] [ˈbiːvə ‖ –ər] **I.** *fn* **1.** *áll* hód **2.** hódprém; *régi* **~ (hat)** hódprémes kalap **3. B~** kiscserkész **4. eager ~** stréber **5.** *tex* ‹vastag durva vászonkötésben szőtt téli cajg› **6.** *GB szl* **a)** szakáll **b)** szakállas ember **7.** *US szl* punci **II.** *tni biz* **~ away** keményen dolgozik, gürizik

beaver[2] [ˈbiːvə ‖ –ər] *fn tört* sisakrostély, sisakellenző

beaver cloth → **beaver**[1] I.5.

Beaver State *tul földr US biz* Oregon állam

bebop [ˈbiːbɒp ‖ –bɑp] *fn zene* bebop *[dzsesszstílus]*

becalmed [bɪˈkɑːmd] *mn* **be ~** védett helyen van *[hajó]*; szélcsend miatt leállott/vesztegló *[hajó]*

became [bɪˈkeɪm] → **become**

because [bɪkəz, bɪˈkɒz ‖ bɪˈkɔz] **I.** *ksz* mert, mivel **II.** *elölj* **~ of sg** vm miatt/következtében; vmre tekintettel; **the game was called off ~ of rain** az eső miatt a játékot/mérkőzést megszakították/lefújták

bechamel [ˌbeɪʃəˈmel] *fn gaszt* **~ (sauce)** besamelmártás

beche-de-mer [ˌbeʃdəˈmeə ‖ –ˈmer] *fn* **1.** *növ* tengeri uborkaféle, trepang **2. B~ (English)** a polinéziai szigeteken használatos kevert nyelvjárás

beck[1] [bek] *fn GB* hegyi (v. sziklás medrű) patak

beck[2] [bek] *fn vál* intés, jeladás *[fejjel, kézzel, ujjal]*; **be at sy's ~ and call** vknek mindig rendelkezésére/szolgálatára áll, lesi vk kívánságát

becket [ˈbekɪt] *fn hajó* (kötél)hurok, kampó, hám

beckon [ˈbekən] **A. 1.** *tsi* odahív *[vkt jeladással]* **2.** csalogat, csábít **B.** *tni* int, bólint (vknek); **~ to sy** vknek int; vkt kézmozdulattal hív

Becky [ˈbeki] *tul bec* ‹ *Rebecca* becéző alakja›

becloud [bɪˈklaud] *tsi átv* elhomályosít, elködösít

become [bɪˈkʌm] *i pt* **became** [bɪˈkeɪm], *pp* **become** [bɪˈkʌm] **A.** *tsi* megfelel (v. kedvére van) vknek, megfelelő/jó/alkalmas vmre, illik vkhez; **it ~s him/her** illik hozzá; jól áll neki; jót tesz neki *[étel, ital]*; ízlik neki *[étel, ital]*; **he thinks everything ~s him** azt hiszi, hogy neki mindent szabad (v. minden jól áll neki) **B.** *tni* **1.** válik/lesz vmvé; **~ accustomed (to)** hozzászokik (vmhez); **~ bankrupt** tönkremegy **2.** történik; **what will ~ of him?** mi lesz belőle/vele?

becoming [bɪˈkʌmɪŋ] *mn vál* **1.** illő, illendő, ildomos; **he answered with a modesty ~ his age** korához illő (v. korának megfelelő) szerénységgel válaszolt **2.** jól álló *[ruha stb.]*, kecses; **~ dress** előnyös ruha; **very ~ style of hair-dressing** divatos/sikkes/előnyös hajviselet • *hsz* **becomingly**

bête noire [ˌbeɪt ˈnwɑː ‖ ˌbetnəˈwɑr] *fn tsz* **bêtes noires** *francia* a réme vknek, szörny(eteg), utálatos/rémes alak

bed [bed] **I.** *fn* **1. a)** ágy, fek(vő)hely; **double ~** kétszemélyes ágy; **single ~** egyszemélyes ágy; **spare ~** vendégágy; pótágy; **~ of sickness** betegágy; **be in ~** ágyban fekszik; ágybanfekvő *[beteg]*; az ágyat nyomja; *régi* **be brought to ~ of a boy** fiút szül; **get out of ~** felkel *[az ágyból]*; **he got out of ~ on the wrong side** bal lábbal kelt fel; **give ~ and board to sy** lakást és ellátást ad vknek; **go to ~** lefekszik *[ágyba]*; *[újságról]* nyomdába megy, nyomják; **take to one's ~** az ágyat nyomja; **make the ~** (meg)ágyaz; *közm* **as you make your ~ so must lie on it** ki mint veti ágyát, úgy alussza álmát **b)** *biz* szeretkezés; **he only thinks of ~** csak arra tud gondolni; **be good in ~** jó az ágyban; **go to ~ with sy** lefekszik vkivel **c)** ágyállvány **2. a)** (folyam)ágy, (folyó)meder **b)** *mezőg* vetőbarázda, sor, virágágy, szegély; **~ of roses** *átv* kellemes helyzet; **not a ~ of roses** nem fenékig tejfel **c)** *áll* csomó, telep; **~ of oysters** osztrigatelep **d)** alj, fenék *[kocsié]* **e)** *geol* réteg, telep, vonulat, lerakódás, kőzetágy, *épít* kavicságy, pálya, alépítmény *[vasúté]*, alapkőréteg *[úté]* **II.** *i* **-dd- A.** *tsi* **1.** lefektet, ágyban elhelyez; **~ded for a week with influenza** egy hétig nyomta az ágyat influenzával **2. a)** éjjeli szállást ad **b)** közösül, hál (vkvel), lefekszik vkvel **c)** ágyba rak, lefektet *[gyereket]* **3.** *épít* alapoz, habarcsba rak/fektet/ágyaz; *átv* **the bullet ~ded itself in the wall** a golyó behatolt a falba (v. megakadt a falban) **4.** vackot csinál *[állatnak]* **5. ~ plants** palántákat átültet *[cserépből ágyba]*, pikíroz **B.** *tni* **1.** lefekszik **2.** lesüllyed *[alapépítmény, híd stb.]*; **~ (itself) in sg** befúródik vmbe *[golyó]*

bed down *tsi* **~ down horses** állást csinál lovaknak

bed out *tsi* **~ out plants** palántákat átültet/kiültet *[szabadba]*

BEd [ˌbiːˈed] *röv Bachelor of Education*

bedabble [bɪˈdæbl] *tsi* befröcsköl, bemocskol, beszennyez *[piszokkal]*

bedad [bɪˈdæd] *isz* ejnye!, na!, az ördögbe is!

bed and breakfast *fn* ‹éjszakai szállás reggelivel›

bedaub [bɪˈdɔːb] *tsi* **1.** bemázol, befest, összeken **2.** felcicomáz

bedazzle [bɪˈdæzl] *tsi* összezavar

bedbug *fn* poloska

bedchamber *fn régi* hálószoba; *GB* **Gentleman/Lord of the B~** királyi kamarás; **Lady of the B~** palotahölgy

bedclothes *fn tsz* ágynemű

bedcover *fn* lepedő

beddable [ˈbedəbl] *mn biz* szexi, csini

bedder [ˈbedə ‖ –ər] *fn* **1.** virágágyba való növény **2.** *GB* kollégiumi alkalmazott/takarító *[főleg Cambridge-ben]*

bedding [ˈbedɪŋ] *fn* **1.** ágynemű, ágyfelszerelés **2.** alom **3.** *geol* rétegezettség, rétegeződés **4.** *épít* alapozás

bedding plant *fn* dísznövény

beddy-byes [ˈbedibaɪz] *fn tsz gyerm [alvás]* hajcsi, szundi

bedeck [bɪˈdek] *tsi* beborít, (fel)díszít, felékesít

bedevil [bɪˈdevl] *tsi* **-ll- 1.** megbabonáz, elbűvöl (vkt) **2.** incselkedik, évődik (vkvel), bosszant (vkt) **3.** kínoz, gyötör (vkt) **4. be ~led** megszállta az ördög

bedew [bɪˈdjuː ‖ bɪˈduː] *tsi vál* harmattal nedvesít/permetez, harmatossá tesz; **cheeks ~ed with tears** könnyben úszó arc

bedfellow *fn* **1.** hálótárs **2.** társ, haver; **awkward/strange ~** furcsa pár

Bedfordshire [ˈbedfədʃə ‖ –fərdʃər] *tul* Bedfordshire

bedhead *fn* ágytámla, fejtámla

bed-hop *tni biz* ‹egyik ágyból a másikba fekszik, összeszűri a levet mindenkivel›

bedim [bɪˈdɪm] *tsi* **-mm-** *vál* elhomályosít, elsötétít; **eyes ~med with tears** könnyektől fátyolos szemek

bedizen [bɪˈdaɪzn] *tsi vál* (ízléstelenül) feldíszít, felcicomáz (vmt vmvel)

bedlam [ˈbedləm] *fn* **1.** *régi* elmegyógyintézet, bolondok háza **2.** *biz* zsivaj, lárma, káosz, zűrzavar

bedlinen *fn* ágynemű

bedmaker *fn GB* szobaasszony, takarítónő *[cambridge-i kollégiumokban]*

Bedouin [ˈbeduɪn] *mn/fn* **1.** beduin **2.** *átv* nomád vándor

bedpan *fn* ágytál

bedplate *fn műsz* ágyazat, alaplemez, fenéklemez

bedpost *fn* **1.** ágyláb **2.** tartóoszlop *[mennyezetes ágyé]*

bedraggle [bɪˈdrægl] *tsi* összesároz *[ruhát]*

bedridden *mn* ágyban fekvő, állandó ágyban fekvésre kényszerült *[beteg]*

bedrock *fn* **1.** *geol* fekükőzet, felszíni réteg alatti kőzetek **2.** *biz* alap *[hité, bizalomé]*; **~ prices** utolsó (v. mélyen leszállított) ár(ak)

bedroll *fn US* tábori ágynemű; hálózsák

bedroom [ˈbedruːm] *fn* hálószoba, szoba *[szállodában]*; **spare ~** vendégszoba

bedroom scene *fn* hálószoba-jelenet

bedside *fn* ágy széle/oldala; **at sy's ~** vknek a betegágyánál

bedside manners *fn tsz* ‹fekvő betegre jó hatást tevő viselkedés›

bedsit *fn* → **bedsitter**

bedsitter *fn GB biz* garzonlakás, egyszobás lakás

bedsitting-room → **bedsitter**

bedsore *fn* felfekvés, decubitus

bedspread *fn* díszes ágytakaró, ágyterítő

bedstead *fn* ágykeret, ágyváz

bedtime *fn* lefekvési idő

bedtime story *fn* esti mese

bed-wetting *fn* ágybavizelés

bee [biː] *fn* **1.** méh; **bumble/humble ~** poszméh; **working ~** dolgozó méh; viaszgyűjtő/mézelő méh; **keep ~s** méhei vannak, méhészkedik; **busy as a ~** hangyaszorgalmú; *biz* **have a ~ in one's bonnet** hóbortos, bogaras **2. a)** *US* közös munkára való egyesülés, kaláka **b)** versenyre való összejövetel; **spelling ~** helyesírási verseny

Beeb [biːb] *tul GB biz* **the B~** a BBC

beebread *fn* méhkenyér *[méhészetben]*

beech [biːtʃ] *fn növ* bükk(fa)

beech marten *fn áll* nyest

beechmast *fn* bükkmakk

beechnut *fn* → **beechmast**

beechwood *fn* bükkfa(anyag)

beef [biːf] **I.** *fn* **1.** marhahús; **boiled ~** főtt marhahús; **roast ~** marhasült, marhahátszín **2.** *biz* izomzat, izomerő **3.** *tsz* **beeves** szarvasmarha, hízómarha; *US* **a ~** egy marha/ökör/tehén **4.** *tsz* **beefs** *US szl [nyafogás]* sirám **II.** *tni* **1.** *szl [panaszkodik,zsörtölődik]* morog, sír **2. ~ up** megerősít, felerősít; rákapcsol

beefburger [ˈbiːfbɜːgə ‖ –bɜrgər] *fn gaszt* hamburger, marhafasírt, marhaburger

beefcake *fn szl* felpumpált/bedurrantott izom

beefeater [ˈbiːfiːtə ‖ –ər] *fn* **1.** *GB* alabárdos *[testőr a londoni Towerban]* **2.** ‹híres ginmárka›

beefsteak [ˈbiːfsteɪk] *fn gaszt* szeletben sütött marhapecsenye, bifsztek

beefsteak tomato *US* → **beef tomato**

beef tea *fn gaszt* (marhahúsból készült) erőleves

beef tomato *fn GB* óriásparadicsom

beefy [ˈbiːfi] *mn* **1.** *biz* izmos, tagbaszakadt **2.** nagydarab, húsos

beehive *fn* **1.** méhkas, kaptár **2.** *átv* zsúfolt/lármás/forgalmas hely

Beehive State *tul földr US biz* ‹Utah állam›

beekeeper *fn* méhész

beeline *fn* légvonal, egyenes (repülési) vonal; *biz* **make a ~ for sg** toronyiránt megy vhova, átvág *[erdőn-mezőn]*

Beelzebub [biˈelzɪbʌb] *tul* **1.** *vál* Belzebub **2.** az ördög, a Sátán

been [biːn ‖ bɪn] → **be**

B

beep [bi:p] **I.** *fn* **1.** ‹autóduda hangja› **2.** *US* sípjel **II. A.** *tsi* **1.** sípoltat, pittyegtet **2.** odacsipog/pittyeg *[vkinek személyhívóval]*, megcsipogtat *[vkit]* **B.** *tni* **1.** dudál **2.** sípol, pittyeg, jelez *[elektronikus szerkezet]*

beeper [ˈbi:pə ‖ –ər] *fn* **1.** hangjelző **2.** csipogó *[egyfajta személyhívó]*

beer [bɪə ‖ bɪr] *fn* sör; **bottled ~** palackozott sör; **small ~** gyönge sör; *átv biz* jelentéktelen dolog/ember; *biz* **think no small ~ of oneself** azt hiszi hogy a világ közepe; nagyra van (v. el van telve) önmagával; **let's have some ~** igyunk egy pohár sört; *GB* **life is not all ~ and skittles** az élet nem csupa gyönyörűség (v. fenékig tejfel)

beer belly *fn* sörhas

beer gut *fn szl* sörhas

beer hall *fn* sörcsarnok

beerhouse *fn GB* söröző, kocsma, söntés

beer mat *fn* söralátét

beery [ˈbɪəri ‖ ˈbɪri] *mn* **1.** sörszerű **2.** kissé pityókás, kapatos, becsípett

bee's knees *fn tsz szl* **the ~** *[tökély]* csúcs

beestings [ˈbi:stɪŋz] *fn esz* előtej, kolosztrum

beeswax [ˈbi:zwæks] **I.** *fn* **1.** méhviasz **2.** padlóviasz **II.** *tsi* padlót fényesít/beereszt *[viasszal]*

beet [bi:t] *fn növ* répa; **red ~** cékla; **white ~** fehér répa; cukorrépa

beetle[1] [ˈbi:tl] **I.** *fn* bogár; *biz* **as blind as a ~** teljesen vak **II.** *tni biz* **~ away/off** elsiet; eltűz, elhúzza a csíkot

beetle[2] [ˈbi:tl] **I.** *fn* fakalapács, cölöpverő, bunkó, kőtörő kalapács **II.** *tsi* kalapál, döngöl, sulykol

beetle[3] [ˈbi:tl] **I.** *mn* kiálló, kiugró; **~ brows** dús szemöldökű homlok; komor tekintet **II.** *tni* **1.** előredől, kinyúlik **2.** (fenyegetően) fölébe tornyosul

beetle-browed *mn* sűrű/bozontos szemöldökű

beetle-crusher *fn biz* **a)** nagy láb **b)** nagy cipő/bakancs

beetroot *fn növ* cékla(gyökér)

beet sugar *fn* répacukor

BEF *röv GB British Expeditionary Force*

befall [bɪˈfɔ:l] *tsi/tni pt* **befell** [bɪˈfel], *pp* **befallen** [bɪˈfɔ:lən] *vál* (meg)történik (vkvel), előfordul, bekövetkezik (vm); **it so befell that ...** úgy esett/történt, hogy ...; **what has ~en him?** mi történt vele?

befit [bɪˈfɪt] *tsi* **-tt-** illik (vkhez, vmhez), megfelel (vknek, vmnek) • *mn* **befitting**

befog [bɪˈfɒg ‖ bɪˈfɔg] *tsi* **-gg- 1.** ködbe borít/burkol **2.** zavarossá tesz, elködösít *[gondolatot stb.]*

befool [bɪˈfu:l] *tsi vál* bolonddá tesz

before [bɪˈfɔ: ‖ bɪˈfɔr] **I.** *hsz* **1.** előtt, előre; **go on ~** elöl/előre megy; megelőz (vkt), elébe kerül (vknek); **this page and the one ~** ez és az előző/előbbi (v. a megelőző) oldal **2.** előbb, előtt, azelőtt, (meg)előzőleg, már; **an hour ~** egy órával előbb/korábban; **the day ~** előző nap; **the year ~** (az) előző évben; **~ you know where you are** mielőtt észbe kaphatnál; **I have seen him ~** már láttam őt; már találkoztam vele; **go on as ~** úgy tesz mint eddig; **it will not be long ~ you know** nemsokára megtudjá(to)k **II.** *elölj* **1.** (vm) előtt; **~ the house** a ház előtt; **stand ~ sy/sg** vk/vm előtt áll, vkvel/vmvel szemben áll; **~ God and man** Isten és ember előtt; **~ my (very) eyes** saját/tulajdon szemem előtt/láttára; **~ the wind** hátszéllel; **appear ~ the judge** megjelenik a bíró előtt; **he fled ~ us** menekült előlünk; **I have the book ~ me** előttem van/fekszik a könyv; **we have two questions ~ us** két kérdés foglalkoztat bennünket **2.** előtt, elé, korábban, megelőzően; **~ Christ** Krisztus (születése) előtt; **~ our era** időszámításunk előtt; **~ long** nemsokára; **not ~ Christmas** karácsonyig már nem; **just ~ the meeting** közvetlenül az ülést/összejövetelt megelőzően; **we are ~ our time** korán jöttünk; megelőztük a korunkat; **I got here ~ you** megelőztelek; korábban érkeztem ide, mint te; *biz* **my ~-breakfast cigarette** a reggeli előtti cigarettám **3. ~ everything else ...** mindenekelőtt ...; **death ~ dishonour** inkább a halál, mint a becstelenség; **ladies ~ gentlemen** hölgyeké az elsőség (az urak előtt); **put virtue ~ wealth** az erényt a gazdagság fölé helyezi **III.** *ksz* **1.** mielőtt/inkább (mint)hogy; **not ~** addig nem, amíg; *biz* **~ I forget** mielőtt elfelejteném; **it was long ~ he came** soká váratott magára; **~ night comes I shall know** mire leszáll az éj, megtudom ... **2.** inkább, minthogy/semhogy; **I will die ~ I yield** inkább meghalok, mintsem hogy engedjek

beforehand [bɪˈfɔ:hænd ‖ bɪˈfɔr–] *hsz* **1.** előzőleg, előzetesen, vm előtt, előre, korábban; **come an hour ~** jöjjön egy órával korábban; **I knew it ~** ezt már (előbb) tudtam **2. give money ~** pénzt előlegez, pénzt előre folyósít

befoul [bɪˈfaul] *tsi vál* bemocskol, beszennyez

befriend [bɪˈfrend] *tsi* barátkozik (vkvel), segít, támogat, oltalmaz (vkt), segítséget nyújt (vknek)

beg [beg] *i* **-gg- A.** *tsi* **1.** koldul, (alamizsnáért) könyörög; **~ (for) one's bread** koldulással szerzi betevő falatját; **beg!** állj!, kér! *[mint vezényszó kutyához]*; **these jobs go (a)~ging** ezekért az állásokért nem igen tülekednek **2.** kér; **~ a favour of sy** vktől szívességet kér; **he ~s to be listened to** meghallgatásért esedezik; **I ~ to inform you** tisztelettel értesítem ön(öke)t; **I ~ your pardon!** bocsánatot kérek; de kérem!; **I ~ your pardon?** tessék?, mit tetszett mondani?; **I ~ to observe/remark/state that** bátorkodom megjegyezni hogy; **~ for peace** békét kér; **~ the question** (i) kérdést bizonyítottnak tekint, kérdéses dolgot bizonyítottnak vesz (ii) felveti a kérdést **B.** *tni* **I ~ of you!** kegyelem

beg off *tsi* **A.** *tsi* **~ sy off** vk számára kegyelmet kér **B.** *tni* **~ off for the afternoon** elkéredzkedik (v. szabadságot kér) délutánra

began [bɪˈgæn] → **begin**

beget [bɪˈget ‖ bɪˈgɑt] *tsi pt* **begot** [bɪˈgɒt], *bibl* **begat** [bɪˈgæt], *pp* **begot(ten)** [bɪˈgɒt(n)] **1.** nemz; **Abraham begat Isaac** Ábrahám nemzé Izsákot **2.** okoz, kelt, támaszt; → **begotten** • *fn* **begetter**

beggar [ˈbegə ‖ –ər] **I.** *fn* **1.** koldus, szegény (ember); *biz* **poor ~!** szegény ördög!; *közm* **~s cannot be choosers** éhes ember nem válogat **2.** *biz* egyén, alak, pasas; **lucky ~!** szerencsés fickó!; **you little ~** te kis kópé/huncut/csibész/betyár **II.** *tsi* **1. ~ sy** vkt koldusbotra juttat, nyomorúságba dönt **2.** *biz* **~ sg** felülmúl vmt; **~ description** leírhatatlan

beggarly [ˈbegəli ‖ –gər–] *mn* **1.** koldusszegény **2.** szánalmas, nyomorult, nyomorúságos, szegényes, silány; **~ wage** éhbér; silány (v. nevetségesen alacsony) fizetés

beggar-my-neighbour I. *mn* önelégült, öndicsőítő **II.** *fn* ‹egy fajta kártyajáték›

beggary [ˈbegəri] *fn* koldusbot, nyomorúság, szegénység; **reduce to ~** koldusbotra juttat; nyomorba dönt

begging bowl *fn* **1.** koldusk alap/tál **2.** *átv* könyörgés, segítségkérés

begging letter *fn GB* adománykérő levél

begin [bɪˈgɪn] *i pt* **began** [bɪˈgæn], *pp* **begun** [bɪˈgʌn] **A.** *tsi* megkezd, elkezd (vmt), belekezd (vmbe), hozzáfog, nekilát (vmnek); **~ to do sg, ~ doing sg** belefog vmbe; hozzákezd vmhez **B.** *tni* (el)kezdődik, keletkezik; **to ~ with** először is, mindjárt az elején, már a legelején; **there, it's ~ning again!** tessék, megint rákezd/kezdődik!; **never since the world began** soha a világ kezdete óta, soha mióta a világ világ/fennáll; **just where the hair ~s** a haj tövénél; *biz* **doesn't ~ to compare with** nem bírja ki az összehasonlítást, meg sem közelíti, a nyomába sem ér

beginner [bɪˈgɪnə ‖ –ər] *fn* kezdő, újonc, új ember

beginner's luck *fn* szűz kéz *[a kezdő szerencséje játékban, vállalkozásban]*

beginning [bɪˈgɪnɪŋ] *fn* kezdés, kezdet, az eleje *[szónoklaté, pályafutásé]*, teremtés *[világé]*, születés, származás *[személyé]*; **all ~s are difficult** minden kezdet nehéz; **everything has a ~** mindennek van kezdete; **start again from the very ~** újra kezdi a legelején; **since the ~ of things** a világ teremtése óta; **the ~ of the end** a vég kezdete, a végső eredmény első jele; **from the ~** kezdettől fogva; **from ~ to end** elejétől végig; **in the ~** eleinte, kezdetben

begone [bɪˈgɒn ‖ bɪˈgɑn] *isz vál* menj!, menjetek/menjenek innen!, ki innen!, takarodjanak!

begonia [bɪˈgoʊnɪə] *fn növ* begónia

begotten [bɪˈgɒtn ‖ –ˈgɑtn] *mn* **God's only ~ son** Isten egyszülött fia; → **beget**

begrime [bɪˈgraɪm] *tsi vál* befeketít, bepiszkít, bemocskol, bemaszatol

begrudge [bɪˈgrʌdʒ] *tsi* nem szívesen ad, vktől irigyel/sajnál (vmt); **~ doing sg** húzódozik vmnek a megtételétől; **they ~ him his food** sajnálják tőle az ételt

beguile [bɪˈgaɪl] *tsi vál* **1.** (el)ámít, (el)csábít, (el)szédít, megcsal, félrevezet; **~ sy with promises** vkt ígéretekkel hiteget/áltat; **~ sy out of sg** vkből kicsal/kihúz vmt **2.** szórakoztat, mulattat, elbájol vkt; **~ the time doing sg** vmvel agyoncsapja az időt; **~ hunger** elűzi/elveri éhségét *[pl. dohánnyal stb.]*; **~ one's sorrow** enyhíti vknek a bánatát • *fn* **beguilement** *mn* **beguiling**

begum [ˈbeɪgəm, ˈbiː–] *fn* **1.** bégum, indiai királynő/hercegnő (v. főrangú hölgy) **2.** ‹férjezett muszlim nő megszólítása›

begun [bɪˈgʌn] → **begin**

behalf [bɪˈhɑːf ‖ bɪˈhæf] *fn* **1.** *US* **in ~ of sy** vknek érdekében, vk kedvéért, vkért; **in my ~** érdekemben **2. on ~ of sy** vk helyett, vk nevében/érdekében, vkért; **I come on ~ of Mr Blair** Blair úr nevében/helyett/megbízásából jövök; **do much on ~ of the prisoners** sokat tesz a rabok érdekében; **I am sorry on ~ of his wife** (csak) a feleségét sajnálom

behave [bɪˈheɪv] *tni* **1.** viselkedik; **did the child ~?** jól viselkedett a gyerek?, jó volt a gyerek?; **she ~d well towards him** jól viselkedett vele szemben; **~ oneself** viselkedik, viseli magát; **~ yourself!** viselkedj(él) rendesen/tisztességesen **2.** működik *[gép stb.]*

behaved [bɪˈheɪvd] *mn* viselkedésű, viseletű; **well-~** jó magaviseletű, udvarias, illedelmes; **the best-~ boy in the class** a legjobb magaviseletű fiú az osztályban

behaviour [bɪˈheɪvɪə ‖ –ər], *US* **behavior** *fn* **1.** viselkedés(mód), magatartás, eljárás, bánásmód; **good ~** jó magaviselet; **put sy on his best ~** ajánlja vknek, hogy vigyázzon magára (v. rendesen viselkedjék) **2.** működés *[gépé]*, biztonság *[autóé, repülőgépé]*

behavioural [bɪˈheɪvjərəl], *US* **behavioral** *mn* viselkedési, magatartási

behaviourism [bɪˈheɪvjərɪzm], *US* **behaviorism** *fn pszich* viselkedéslélektan, behaviorizmus • *fn* **behaviourist, behaviorist**

behead [bɪˈhed] *tsi* lefejez (vkt), fejét veszi (vknek), lenyakaz (vkt)

beheld [bɪˈheld] → **behold**

behemoth [bɪˈhiːmɒθ ‖ –mɑθ] *fn bibl biz* behemót, szörnyeteg

behest [bɪˈhest] *fn vál* parancs(olat), rendelkezés, nyomatékos kérés; **do sg at sy's ~** vmt vknek a rendeletére tesz (meg)

behind [bɪˈhaɪnd] **I.** *elölj* **1.** mögött, mögé, vmnek a végén, hátul; **~ the house** a ház mögött; **be ~ sy in knowledge** tudásban alatta áll vknek; **~ the scenes** a kulisszák mögött; **be~ in time** elkésik, pontatlan; **be ~ the times** régimódi, elmaradt *[ember, vidék]*; **there must be sg ~ (it)** e mögött okvetlenül van/rejlik vm; **what is ~ all this?** vajon mi rejlik mind e mögött?; **put a thought ~ one** gondolatot elvet; **I put this offer ~ me** visszautasítottam ezt az ajánlatot **2. be ~ sy** vk mögött áll; vkt támogat; **he has the minister ~ him** (őt) a miniszter protezsáljа **3.** nyomában, nyomdokában **II.** *hsz* **1.** hátul, hátra; **fall/lag ~** késlekedik; lemaradozik; nem tud lépést tartani (vkvel); **remain/stay ~** hátramarad **2.** hátralékban *[pénzzel, munkával]*, elmaradva, lemaradva; **be ~ with one's payments** fizetési kötelezettségeivel hátralékban van; *sp* **come (in) from ~** vesztett állásból nyer; **I don't want to be ~** nem akarok elkésni/lemaradni; **we are ~ in business this year** az idén nem megy jól az üzlet **III.** *fn* hátulsó rész, ülep, fenék; *biz* **kick sy's ~** fenékbe/farba rúg vkt

behindhand [bɪˈhaɪndhænd] *mn/hsz* hátrafelé, visszafelé, elmaradt, visszamaradt, hátralékos, késlekedő; **be ~ with the rent** késedelmesen fizeti a lakbért; **I am ~ with my work** lemaradtam a munkámmal; **he is not ~ in generosity** a nagylelkűségben nem marad el; **be ~ in doing sg** késlekedik vmt megtenni

behold [bɪˈhoʊld] *tsi pt/pp* **beheld** [bɪˈheld] *vál* **1.** meglát, észrevesz (vmt); **I beheld a strange sight** különös látványnak voltam szemtanúja **2. ~!** nézd csak!; **and ~!** és íme!

beholden [bɪˈhoʊldən] *mn* **be ~ to sy** vknek hálás; lekötelezettje (vknek vmért)

beholder [bɪˈhoʊldə ‖ –ər] *fn* néző, jelenlevő, tanú

behoof [bɪˈhuːf] *fn tsz* **behooves** [bɪˈhuːvz] *régi* haszon, előny; **for/on/to sy's ~** vknek előnyére/hasznára; **for sy's own ~** saját érdekében

behoove [bɪˈhuːv] *US* → **behove**

behove [bɪˈhoʊv] *tsi vál* megillet, rá tartozik, illik; **it ~s him to ...** őrá tartozik, hogy ...; **it ~s us all to help them** mindannyiunk kötelessége, hogy segítsünk rajtuk; **it does not ~ him to boast** nem illik neki hencegni

beige [beɪʒ] *mn/fn* bézs

Beijing [ˌbeɪˈdʒɪŋ] *tul földr* Peking *[Kína fővárosa]*

being [ˈbiːɪŋ] **I.** *fn* **1.** lét(ezés); **then in ~** az akkor fennálló/létező; az akkori; **bring/call sg into ~** létrehoz, életre hív; **come into ~** létrejön, megszületik **2.** lény; **a human ~** emberi lény; **the Supreme B~** Isten, a legfőbb lény; **all his ~ revolted at the idea** egész lénye fellázadt arra a gondolatra **3.** tartózkodás **II.** *mn* **that ~ the case** így állván a helyzet, miután ez a helyzet; **for the time ~** ez idő szerint, egyelőre, jelenleg, pillanatnyilag

Beirut [ˌbeɪˈruːt, ˈbeɪruːt], **Beyrouth** *tul földr* Bejrút *[Libanon fővárosa]*

bejabers [bɪˈdʒæbəz ‖ –ərz], **bejabbers** *isz Írorsz* a krisztusát!

bejewelled [bɪˈdʒuːəld] *mn* felékszerezett

belabour [bɪˈleɪbə ‖ –ər], *US* **belabor** *tsi* **1.** *régi* **a) ~ sy (soundly)** jól helybenhagy/elpáhol/elver vkt **b)** megtámad **2.** agyonnyaggat, a végletekig visz *[témát, érvet]*

Belarus [ˈbelərʊːs] *tul földr* Fehéroroszország, Belarusz

belated [bɪˈleɪtɪd] *mn* **1.** késő *[bánat, megbánás]*, későn érkező/jövő *[vendég]* **2.** *régi* elkésett *[utas, akire ráesteledett]*

belay [bɪˈleɪ] **I.** *tsi* **1.** megköt, megerősít *[hajókötelet]*, kötéllel kiköt *[hajót]*; *hajó* **~ (there)!** elég!, állj! **2.** (biztosítókötéllel) megköt *[hegymászásban]* **II.** *fn* **1.** kötélerősítés **2.** kötélerősítésre alkalmas szikla(nyúlvány) *[hegymászásban]*

belaying-pin *fn hajó* kötélerősítő szarv, kötélfogó szeg

belch [beltʃ] **I. A.** *tsi* **~ forth/out smoke** füstöt okád; **~ forth/out blasphemies** átkozódik, szitkozódik **B.** *tni* (fel)böfög **II.** *fn* **a)** (fel)böfögés **b)** kitörés *[tűzhányóé, lángoké]*, okádás *[füstë]*

beldam [ˈbeldəm], **beldame** *fn régi* **1.** vén banya, boszorka **2.** nagyanya, öreg néni

beleaguer [bɪˈliːgə ‖ –ər] *tsi* ostromol, bekerít, körülzár, körülvesz *[várost, erődöt]*; *átv* **~ed with annoyances** bosszúságok közepette

Belfast [ˌbelˈfɑːst ‖ ˈbelfæst] *tul földr* Belfast

belfry [ˈbelfri] *fn* **a)** harangtorony, harangláb **b)** harangszék tere/helye

Belgian [ˈbeldʒən] **I.** *mn/fn* belgiumi, belga **II.** *fn* belga férfi/nő

Belgium [ˈbeldʒəm] *tul földr* Belgium

Belgrade [ˌbelˈgreɪd, ˈbel-] *tul földr* Belgrád *[Szerbia fővárosa]*

Belial [ˈbiːlɪəl] *tul* Belial, sátán, ördög

belie [bɪˈlaɪ] *tsi* meghazudtol *[szavakat]*, megcáfol, nem vált be *[ígéretet]*, nem vált valóra, halomra dönt *[reményeket]*; **his acts ~ his words** szavaira rácáfolnak tettei

belief [bɪˈliːf] *fn* **1. a)** hit, hiedelem, meggyőződés; **~ in God** Istenben való hit, istenhit; **it is my ~ that ...** meggyőződésem, hogy; **to the best of my ~** legjobb tudomásom szerint; **he entertains the ~ that** meg van győződve, hogy ...; **it is beyond ~** (ez) hihetetlen; **in his ~ that he would get better ...** abban a hitben, hogy meggyógyul **b)** hit (vkben/vmben) **2.** bizalom; **he has no ~ in doctors** nincs bizalma az orvosokban

believe [bɪˈliːv] **A.** *tsi* **a)** (el)hisz *[hírt stb.]*, hitelt ad *[állításnak stb.]*, gondol, vél; *biz* **~ it or not** akár hiszed akár nem; **he is ~d to be in Budapest** úgy tudják, hogy Budapesten van; **I don't ~ a word of it** (egy) szót sem hiszek el abból/belőle; **he could scarcely ~ his eyes** alig hitt a szemeinek; **it is generally ~d that** általánosan az a nézet hogy; **give sy to ~ sg** okot ad arra, hogy vk azt higgye; **make sy ~ sg** elhitet vkvel vmt; meggyőz vkt vmről; **make ~ to do sg** színlel vmlyen cselekvést; vmnek a látszatát kelti; *biz* **don't you ~ it!** nehogy elhidd; *biz* **would you ~ it?** el se hinnéd; **seeing is believing** hiszem, ha látom **b)** hisz (sy vknek); **he is not to be ~d** nem megbízható, megbízhatatlan; **~ me!** higgye el (nekem)! **B.** *tni* **1.** hisz, bízik (vkben); **he ~s in God** hisz Istenben, istenhívő; **~ in sy's word** hisz vk szavának **2.** hisz, gondol, vél; **I ~ so** úgy hiszem, azt hiszem igen • *mn* **believable**

believer [bɪˈliːvə ‖ –ər] *fn* **1.** hívő **2. he is a ~ in sg** hisz vmben; híve vmnek

Belisha beacon [bəˌliːʃə ˈbiːkən] *fn GB közl* villogó sárga fény *[gyalogátkelőhely jelzésére]*

belittle [bɪˈlɪtl] *tsi* (le)kicsinyel, bagatellizál, leértékel, lebecsül, becsmérel; **~ oneself** alábecsüli/lebecsüli saját magát

bell[1] [bel] **I.** *fn* **1. a)** harang, kisharang *[templomi stb.]*, csengő *[kapun, lakásban]*, jelzőcsengő, kolomp, csengettyű *[állat nyakán]*; **chime of ~s** harangszó; harangjáték; **the ~ rang** csengettek; **he rings the ~** csenget; harangozik; *átv biz* **it rings a ~** ez emlékeztet vmre, eszébe juttat az embernek vmt; **(as) sound as a ~** makkegészséges **b)** csengetés, harangozás; **answer the ~** csengetésre ajtót nyit; *hajó* **strike the ~s** jelzi az időt/órát *[haranggal]* **c)** *tsz* **bells** *zene* harangjáték **2. a)** kehely *[virágé]*, harang alakú virág **b)** tölcsér *[hangszóróé, trombitáé stb.]* **c)** *épít* kupola, hagymatető **II. A.** *tsi* haranggal ellát **B.** *tni* **a)** harang alakot vesz fel, harang alakúvá válik **b) ~ out** megduzzad, megdagad; kidudorodik; tölcsérszerűen kiszélesedik; → **bell-out**

bell[2] [bel] **I.** *fn* szarvasbőgés **II.** *tni* bőg *[szarvas]*, szarvasbőgést utánoz *[vadász]*

belladonna [ˌbeləˈdɒnə ‖ –ˈdɑnə] *fn* **1.** *növ* nadragulya **2.** *orv vegy* belladonna

bell-bottoms *fn tsz* trapéznadrág • *mn* **bell-bottomed**

bellboy *fn US* londiner, boy *[szállodában]*, (egyenruhás) kifutófiú

bell-buoy *fn* (veszélyt jelző) csengető/harangozó bója

belle [bel] *fn* szépség *[nő]*; **the ~ of the ball** bálkirálynő

belles-lettres [ˌbelˈletrə] *fn tsz francia* szépirodalom • *fn* **belletrist** *mn* **belletristic**

bell-founder *fn* harangöntő

bell-glass *fn* üvegbura

bellhop *US* → **bellboy**

bellicose [ˈbelɪkous] *mn* harcias, harckedvelő • *fn* **bellicosity**

bellied [ˈbelid] *mn* **a)** hasas(odó), kidudorodó, megdagadt, felpuffadt **b)** *összet* -hasú, -pocakú

belligerence [bəˈlɪdʒərəns] *fn* aggresszivitás, ellenségeskedés, harciasság

belligerency [bəˈlɪdʒərənsi] *fn* → **belligerence**

belligerent [bəˈlɪdʒərənt] **I.** *mn* **1.** hadviselő, hadban álló, háborúskodó **2.** ellenséges, agresszív **II.** *fn* hadviselő (fél)

bellman [ˈbelmən] *fn tsz* **-men** [–mən] *tört* kikiáltó *[hatósági hirdetményeké]*, kisbíró

bell metal *fn koh* harangfém

bellow [ˈbelou] **I. A.** *tsi* **he ~s (out) a song** elbömböl egy dalt **B.** *tni* **a)** bőg, bömböl, (el)bődül *[bika]* **b)** ordít, üvölt *[dühtől, fájdalomtól]* **c)** bömböl, morajlik *[vihar, tenger, ágyú]* **II.** *fn* **a)** bőgés, bömbölés *[bikáé]*; **give a ~** elbődül **b)** *biz* ordítás, üvöltés *[fájdalomtól stb.]* **c)** zúgás, morajlás *[viharé]*, (menny)dörgés

bellows [ˈbelouz] *fn tsz* **1. a)** fújtató *[kovácsé]*, fújtatómű *[orgonán]*; **a pair of ~** (kézi) fújtató **b)** légzsák **c)** *biz* tüdő **2.** kihuzat, harmonika *[fényképezőgépen]*

bell pepper *fn növ* zöldpaprika, csemegepaprika

bell pull *fn* csengőhúzó

bell push *fn* csengőgomb, nyomógomb

bell-ringer *fn* harangozó, harangjáték kezelője, csengető, aki csenget • *fn* **bell-ringing**

bell tent *fn* harangsátor

bell-wether *fn* **1.** vezérkos, vezérürü **2.** *átv* főkolompos, bandavezér

belong [bɪˈlɒŋ ‖ bɪˈlɔŋ] *tni* **1.** tartozik; **that ~s to his duties** ez (is) az ő kötelessége; **I ~ here** idevaló(si) vagyok; **he ~s in a hospital** kórházba való, kórházban volna a helye; **things that ~ together** összetartozó/összeillő dolgok **2. that book ~s to him** ez a könyv az övé **3. a) ~ in** vhova tartozik/való; beilleszkedik, vhol a megfelelő helyen van; **he does not ~** nem számít (jó) társaságbelinek **b) ~ with** összetartozik; illik egymáshoz

belongings [bɪˈlɒŋɪŋz ‖ bɪˈlɔŋ–] *fn tsz* holmi, cókmók; **personal ~** személyi tulajdon, személyes holmik

Belorussian → **Byelorussian**

beloved [bɪˈlʌvɪd] **I.** *mn* szeretett, kedvelt, szerelmetes **II.** *fn* kedves; **my ~** kedvesem, szerelmem

below [bɪˈlou] **I.** *elölj* **1.** (vm) alatt, lejjebb (vmnél), (vmn) alul; **~ the average** átlagon alul; **~ sea-level** tengerszint alatt; **temperature ~ normal** rendesnél alacsonyabb hőmérséklet; **ten degrees ~ zero** tíz fok fagypont alatt; **it would be ~ him to answer** méltóságán alulinak tartja hogy válaszoljon; **be ~ sy in intelligence** ész dolgában mögötte marad vknek **2.** alá, lejjebb (vmnél); **he never goes ~ the surface** sohasem hatol a dolgok mélyére **II.** *hsz* **1.** lent, alul, alant; **here ~ (on earth)** itt lenn a földön, e földi életben; **the place ~** a pokol; **the passage quoted ~** az alant/alább(iakban) idézett szakasz; **please state ~** kérem/kérjük alul/lent megjelölni/megnevezni **2.** le, alulra

belt [belt] **I.** *fn* **1.** öv, derékszíj, nadrágszíj; *átv* **hit below the ~** övön alul üt; **tighten one's ~** szűkösen él, meghúzza a nadrágszíjat; *átv biz* **under one's ~** a gyomrában; vm tulajdonában/birtokában; *biz* **with a couple of drinks below the ~** néhány kupicával a gallérja mögött **2.** (hajtó)szíj, gépszíj, heveder **3.** öv, sáv; **~ of hills** hegykoszorú **4.** övezet, zóna; **the calm ~s** szélcsendzóna **II.** *tsi* **1.** (fel)övez (vkt), övvel felköt (vmt); **~ on a sword** kardot köt **2.** övez, körülvesz, körülkerít (vmt) **3.** szíjjal összeköt *[két gépet stb.]* **4.** *biz* (nadrág)szíjjal elver/elnáspángol

belt along *tni biz* **~ along the road** végigszáguld az úton

belt out *tsi szl* bömböl, harsog, teli tüdőből énekel

belt up *tsi szl* **1.** csöndbe marad **2.** beköti magát

belting [ˈbeltɪŋ] *fn biz* **give a child a good ~** gyereket jól/alaposan elver/megver *[nadrágszíjjal]*

belt line *fn US* körvasút

beltman [ˈbeltmən] *fn tsz* **-men** [–mən] *Ausz* szörfös vízimentő

beltway *fn* **1.** *US* körgyűrű, elkerülő szakasz *[autópályáé]* **2. B~** *US* Washington, a kormányzat

belvedere [ˈbelvədɪə ‖ –dɪr] *fn* (üvegfalú) kilátótorony; kilátószoba, erkélyes toronyszoba

belly [ˈbeli] **I.** *fn* **1.** has; **rob one's ~ to cover one's back** megvonja a falatot a szájától, hogy öltözködhessen; *biz* **have fire in one's ~** (i) tehetséges (ii) beképzelt; *US biz* **go ~ up** csődbe megy; bedöglik **2.** has *[palacké, hegedűé stb.]*,

hangfenék *[zongoráé]* **II. A.** *tsi* kiduzzaszt, kidagaszt *[vitorlát]* **B.** *tni* ~ **out** (ki)duzzad, (ki)dagad, hasasodik *[vitorla]*
bellyache [ˈbelieɪk] **I.** *fn biz* hasfájás, hascsikarás **II.** *tni szl [panaszkodik, nyűgösködik]* nyafog, nyavalyog, sír
bellyband *fn* hasló *[lószerszám része]*
belly button *fn biz* köldök
belly dance *fn* hastánc • *fn* **belly dancer**
bellyflop *biz* **I.** *fn* hasas (ugrás) **II.** *tni* **-pp-** hasast ugrik
bellyful [ˈbelifʊl] *fn* bőséges étkezés, *átv* több mint elég vmből
belly landing *fn rep* hasleszállás
belly laugh *fn biz* öblös nevetés, hatalmas röhögés
BEM *röv* **1.** *British Empire Medal* ‹brit kitüntetés› **2.** *bug-eyed monster*
bemire [bɪˈmaɪə ‖ –ˈmaɪər] *tsi* besároz, sárral borít/beken
bemoan [bɪˈmoʊn] *tsi* megsirat, gyászol, fájlal (vmt), kesereg, siránkozik, jajgat (vmn, vm miatt)
bemuse [bɪˈmjuːz] *tsi* elkábít, elbódít, elhomályosít, elködösít, megzavar *[elmét, gondolkodást ital stb.]*
Ben [ben] *tul bec* ‹ *Benjamin* becéző alakja›
ben[1] [ben] *fn sk* belső/szép/tiszta szoba
ben[2] [ben] *fn sk* hegycsúcs, hegytető; **B~ Nevis** Ben Nevis
bench [bentʃ] **I.** *fn* **1.** pad, lóca; **~es** padsorok, széksorok *[parlamentben stb.]*; *pol* **back ~es** hátsó padsorok *[brit alsóházban miniszteri tárcát nem viselt képviselőknek]*; *pol* **front ~es** első padsorok *[brit alsóházban volt miniszterek és ellenzéki vezérek részére]*; **be on the ~** *sp* kispados, tartalék; *jog* tagja a bíróságnak; *vall* a püspöki kar tagja; *sp* **warm the ~** a kispadon ül *[tartalék játékos]* **2. the ~** bíróság; bírói/püspöki kar/testület; **Court of King's/Queen's B~** király/királynő ítélőszéke; **be raised to the ~** *jog* kinevezik bírónak; *vall* kinevezik anglikán püspöknek **3.** munkapad, munkaasztal, szerelőpad **4. a)** földpad, útszegély **b)** *geol* tereplépcső, terasz **II.** *tsi* **a) ~ a dog** kutyát kiállít *[kiállításon]* **b)** *US sp* lecserél *[játékost]*
bencher [ˈbentʃə ‖ –ər] *fn GB jog* **Inns of Court ~** ügyvédi kamara választmányi/vezetőségi tagja; → **backbencher** → **frontbencher**
benchmark *fn* **1.** *geol* magassági (fix) pont/alappont, magasságjegy, szintjel **2. a)** tesztfeladat, teljesítményvizsgáló program **b)** *infor* teljesítményértékelés, gépnyúzás
bench press *fn sp* fekvenyomás
bench seat *fn gk* padülés
bench test I. *fn infor* teljesítményteszt **II.** *tsi* letesztel, kipróbál
bend [bend] **I.** *i pt/pp* **bent** [bent] **A.** *tsi* **1.** (meg)hajlít, behajlít *[könyököt]*, meghajt *[térdet]*, lehajt *[fejet]*, meggörbít *[hátat, csövet, rudat, vasat]*, elgörbít *[vasat, rudat]*, megtör *[sugarat, fényt]*, elhajlít *[sugarat]* **2. ~ the rules** csűri-csavarja a szabályokat **3. ~ every effort** megtesz minden tőle telhetőt **4.** *hajó* összeköt, odaköt, odaerősít *[két hajókötelet, kötelet rudazathoz stb.]* **B.** *tni* (meg)hajlik, meghajol *[vk vk/vm előtt]*, kanyarog, kanyarodik *[út, folyó]*, elhajlik, meghajlik, elgörbül *[vas, fa]*, megvetemedik *[fa, acéllemez]*; *biz* **catch sy ~ing** vkt rossz/kényelmetlen helyzetben/állapotban talál **II.** *fn* **1.** hajlás, hajlat, kanyar(ulat) *[úté, folyóé]*, könyök, hajlat *[csőé]*, ív *[boltozaté]*; *biz* **drive sy round the ~** halálra bosszant, az idegeire megy vknek; megőrjít vkt; **take a ~** kanyarodik *[autóval]* **2.** *biz* **the ~s** keszonbetegség; légembólia **3.** *szl [mulatás, ivászat]* züllés; **go on the ~** kirúg a hámból, görbe éjszakát csinál
bend before *tni* meghajol (vk/vm előtt)
bend on *tsi* **be bent on doing sg** eltökélt szándéka (vmit) megtenni, ragaszkodik vmihez; **~ one's gaze on sg** vmre rászegezi tekintetét
bend over A. *tsi* meghajlít, összehajt *[bádoglemezt stb.]* **B.** *tni* (rá)hajol, ráhajlik (vmre), föléhajol (vmnek); *biz* **~ over backwards (to please sy)** kezét-lábát töri igyekezetében
bend to A. *tsi* **~ one's mind to study** hozzáfog/nekilát a tanulásnak **B.** *tni* **~ to the task** nekilát/hozzáfog a feladathoz; **~ to sy's will** meghajlik vk akarata előtt
bend towards *tsi* **~ one's steps towards swhere** vhova irányítja lépteit; vhova igyekszik
bend under *tni* **~ under a strain** (meg)hajlik teher/terhelés alatt
bender [ˈbendə ‖ –ər] *fn* **1.** *US szl [tivornya, iVászat]* elhalás, züllés; **go on a ~** züllik egyet **2.** *pej* homokos, buzi
bendy [ˈbendi] *mn biz* hajlékony
beneath [bɪˈniːθ] **I.** *elölj* **1. a)** alatt **b) ~ me** méltóságomon aluli; **~ contempt** figyelemre sem méltó; kritikán aluli; **marry ~ one** rangján alul házasodik **2.** alá **II.** *hsz* alul, alant, lent; **from ~** lentről; alulról
Benedictine [ˌbenɪˈdɪktiːn] **I.** *mn* benedekrendi, bencés **II.** *fn* **1.** benedekrendi/bencés szerzetes/apáca **2.** benedektiner *[likőr]*
benediction [ˌbenɪˈdɪkʃn] *fn* **1. a)** áldás *[szertartás végén, étkezésnél, atyáé stb.]* **b)** *vall* megáldás *[harangé stb.]* (be)szentelés **2.** áldás, kegy, ajándék
benedictory [ˌbenɪˈdɪktəri ‖ –tɔri] *mn* áldó
benefaction [ˌbenɪˈfækʃn] *fn* **1. a)** jótett, jótékony cselekedet **b)** adomány jótékony célra **2.** jótékonyság
benefactor [ˈbenɪfæktə ‖ –ər] *fn* **a)** jótevő **b)** jótékony adományozó, adakozó
benefactress [ˈbenɪfæktrɪs] *fn* jótékony nő, jótevőnő
benefice [ˈbenɪfɪs] *fn* **a)** egyházi javadalom **b)** alapítványi hely • *mn* **beneficed**
beneficent [bəˈnefɪsnt] *mn* **1.** jótékony, jótevő **2.** nagylelkű **3.** üdvös *[intézkedés, törvény]* • *fn* **beneficence**
beneficial [ˌbenɪˈfɪʃl] *mn* **1.** jótékony (hatású), üdvös, előnyös, hasznos; **be ~ to sy** jót tesz vknek; **be ~ to health** jót tesz (v. használ) az egészségnek, egészséges hatású **2.** fizetéses, fizetéssel járó **3.** *jog* **~ owner/occupant** haszonélvező
beneficiary [ˌbenɪˈfɪʃəri ‖ –ˈfɪʃieri] *fn* **1.** *jog* haszonélvező *[ingatlané, földbirtoké]*, kedvezményezett, megajándékozott **2.** *vall* segélyezett, segélyt élvező, egyházi javadalmas (v. javadalom élvezője)
benefit [ˈbenɪfɪt] **I.** *fn* **1.** előny, haszon; **public ~** közjó, közérdek; *jog* **~ of the doubt** in dubio mitius-elv (alapján dönt); kedvezőbb eshetőség feltételezése (kétség esetén); **give sy the ~ of the doubt** a jobbik eshetőséget tételezi fel vkről, vkről a legjobbat feltételezi (amíg csak más ki nem derül); **for the ~ of sy** vk javára/érdekében; vk miatt/kedvéért **2.** segély, juttatás; **be in ~** munkanélküli-segélyre jogosult **3.** *tört* **~ of clergy** illetékességi kiváltság *[klérusé]*; **without ~ of clergy** egyházi áldás nélkül **4.** jótékonyság **II.** *pt/pp* **benefited**, *US* **benefitted A.** *tsi* jót tesz, használ, hasznára van, előnyös (sy/sg vknek/vmnek), elősegít (vmt) **B.** *tni* **~ by/from sg** hasznot húz vmből; javára/hasznára fordít vmt; hasznát látja vmnek
benefit concert *fn* jótékonysági koncert
benefit society *fn US* (kölcsönös) segélyező egylet
Benelux [ˈbenɪlʌks] *röv Belgium, the Netherlands, Luxembourg Economic Union*
benevolent [bəˈnevələnt] *mn* **1.** jóindulatú, jóakaratú **2.** jótékony; **~ society** jótékonysági egyesület • *fn* **benevolence**
benevolent fund *fn* jótékonysági alap
BEng [ˌbiːˈeŋ] *röv Bachelor of Engineering*
Bengal [ˌbenˈgɔːl] *tul* **~ light** bengálitűz, görögtűz
Bengali [benˈgɔːli] *mn/fn* bengáli
benighted [bɪˈnaɪtɪd] *mn* **1.** *régi* **~ traveller** ‹utas, akire ráesteledett› **2.** *átv* tudatlanságban élő, szellemi sötétségben élő
benign [bəˈnaɪn] *mn* **a)** jóságos, jóindulatú, emberséges **b)** nyájas *[mosoly]*, enyhe, szelíd, szerencsés, kellemes *[éghajlat]*, termékeny, könnyen művelhető *[talaj]* **c)** *orv* jóindulatú *[daganat, betegség]*, üdvös *[befolyás]*

benignant [bə'nɪgnənt] *mn* **a)** jóságos, jóindulatú, kegyes, emberséges **b)** jóindulatú *[daganat, betegség stb.]* • *fn* **benignancy**

benignity [bə'nɪgnəti] *fn* **a)** jóság, jóindulat, jótett, emberségesség **b)** kellemesség, enyheség, szelídség

Benin [be'ni:n] *tul föld*r Benin

Benjamin ['bendʒəmɪn] *tul* Benjámin; *biz* **the ~** a család Benjáminja

bent[1] [bent] *mn* **1.** meghajlított, hajlott, hajlított, ívelt, (el)görbített; → **bend** I. **2.** *GB szl* **a)** *[becstelen]* simlis **b)** *[lopott]* japán **c)** *[homoszexuális]* meleg, homokos

bent[2] [bent] *fn* hajlam; **follow one's ~** hajlamait követi; **to the top of one's ~** amennyire csak akarja/bírja

bentwood ['bentwʊd] *fn* hajlított fa

bentwood chair *fn* tonettszék

benumb [bɪ'nʌm] *tsi* **a)** megdermeszt *[hideg]*; **fingers ~ed with cold** hidegtől meggémberedett ujjak **b)** megdermeszt, megbénít *[félelem stb.]*

benzene ['benzi:n, ben'zi:n] *fn vegy* benzol

benzene ring *fn vegy* benzolgyűrű

benzine ['benzi:ni, ben'zi:n] *fn vegy* (tiszta) benzin

benzol ['benzɒl ‖ –zoʊl], **benzole** *fn vegy* benzol

bequeath [bɪ'kwi:ð] *tsi* örökségül hagy, ráhagy (vkre), *átv* örökül hagy *[utókorra]*

bequest [bɪ'kwest] *fn* **1.** örökbehagyás **2. a)** *jog* hátrahagyott ingóságok **b)** *átv* hagyaték

berate [bɪ'reɪt] *tsi vál* szid, lehord, korhol

Berber ['bɜ:bə ‖ 'bɜrbər] *mn/fn* berber

bereave [bɪ'ri:v] *tsi* megfoszt (of vktől/vmtől); **the ~d** a hátramaradottak *[halálesetnél]*; az elhunyt hozzátartozói; a gyászoló család

bereavement [bɪ'ri:vmənt] *fn* közeli hozzátartozó elhunyta, gyász(eset), haláleset *[családban]*, veszteség

bereft [bɪ'reft] *mn* **~ of all hope** reményvesztetten; **~ of reason** őrült, eszeveszett; **he was ~ of his parents** elvesztette szüleit

beret ['bereɪ ‖ bə'reɪ] *fn* baszk/svájci sapka, barett

berg [bɜ:g ‖ bɜrg] *fn* **1.** jéghegy **2.** *Dél-Af* hegy

bergschrund ['bɜ:gʃrʌnd ‖ 'bɜrg–] *fn német* gleccserrés, lejtőrés, repedés, horhó

berk [bɜ:k ‖ bɜrk] *fn GB szl [bolond]* idióta

Berks. [bɑ:ks ‖ bɜrks] *röv Berkshire*

Berkshire ['bɑ:kʃə ‖ 'bɜrkʃər] *tul föld*r Berkshire

Berliner [bɜ:'lɪnə ‖ bər'lɪnər] *fn* **1.** berlini lakos **2.** *gaszt* berliner

berm [bɜ:m ‖ bɜrm] *fn* földpad, padka *[úttesté, lövészároké]*

Bermudas [bə'mju:dəz ‖ bər–] *tul tsz föld*r **the ~** Bermuda-szigetek

Bermuda shorts *fn* bermuda(nadrág)

Bermudian [bə'mju:dɪən ‖ bər–] *mn/fn* bermudai

Bernese [ˌbɜ:'ni:z ‖ ˌbɜr'ni:z] *mn/fn* berni

berry ['beri] **I.** *fn* **1. a)** bogyó(termés) **b)** szemtermés, (kemény száraz) mag, gabonaszem **2.** rákikra, halikra **II.** *tni* **1.** bogyót terem, bogyógyümölcsöt hoz *[bogyós növény]* **2.** bogyót szed, eprészik, szedrezik, málnát/szamócát szed • *mn* **berried**

berserk [bɜ:'zɜ:k ‖ bər'sɜrk] **I.** *mn* dühödt, megvadult, vad; **go ~** megvadul **II.** *fn* **~(er)** ‹vad dühvel harcoló legendás norvég harcos›

berth [bɜ:θ ‖ bɜrθ] **I.** *fn* **1.** hálóhely, fekhely, ágy *[hajón, hálókocsiban]* **2.** (védett) kikötőhely, horgonyzóhely; *biz* **give sy a wide ~** vkt messze (v. nagy ívben) elkerül **3.** *biz* hely, szállás, állás, pozíció; **have a good/safe ~** biztos állása van; **find a ~** révbe jut **II. A.** *tsi* **1. ~ a ship** hajónak horgonyzóhelyet jelöl ki; hajót kiköt/lehorgonyoz *[rakpart mentén]* **2.** hálóhelyet/fekhelyet ad/biztosít vknek **B.** *tni* **a)** horgonyt vet, lehorgonyoz **b)** parthoz odaáll (és kiköt), rakpartnál kiköt

bertha ['bɜ:θə ‖ 'bɜrθə] *fn* ‹csipkegallér mély kivágású ruhához›

beryl ['berəl] *fn ásv* berill

beseech [bɪ'si:tʃ] *tsi pt/pp* **besought** [bɪ'sɔ:t], **beseeched** *vál* **~ sy to do sg** könyörög/esdekel vknek (v. nagyon kér vkt), hogy az vmt megtegyen; **~ sy for pardon** vk bocsánatáért esedezik, bocsánatért könyörög vknek

beset [bɪ'set] *tsi pt/pp* **beset** *vál* **a)** bekerít, körülzár, szorongat, ostromol, támad *[ellenség]*, megszáll, elállt *[utat]* **b)** ostromol, zaklat, gyötör *[kérdésekkel]*; **career ~ with difficulties** küzdelmes (v. nehézségekkel teli) (élet)pálya **c)** kínoz, gyötör *[kísértés, éhség]*, üldöz *[balszerencse]*; **be ~ by doubts** kétségek gyötrik/környékezik; → **besetting**

besetting [bɪ'setɪŋ] *mn* **~ sin** megrögzött/visszatérő hiba/bűn

beside [bɪ'saɪd] *elölj* **1.** mellett; **close ~ sy/sg** vk/vm közvetlen közelében **2.** mellé **3. a) (that's) ~ the question/point/mark** nem tartozik a tárgyhoz, nem érinti a lényeget, lényegtelen, (ez) mellékes **b) ~ oneself** magánkívül

besides [bɪ'saɪdz] **I.** *elölj* (vkn, vmn kívül), (vkt, vmt) beszámítva; **~ which, he was unwell** nem is szólva arról hogy rosszul érezte magát; **~ the fact that ...** azonfelül/azonkívül hogy ... **II.** *hsz* azonkívül, ezenkívül, azonfelül, ezenfelül; **nothing ~** semmi más/több, ezenkívül semmi

besiege [bɪ'si:dʒ] *tsi* **1.** (meg)ostromol, ostrom alá vesz **2. ~ sy with requests** vkt kérésekkel ostromol **3.** (fenyegetően) körbevesz • *fn* **besieger**

besmear [bɪ'smɪə ‖ –'smɪr] *tsi vál* **a)** beken, összeken *[zsírral stb.]*, bemaszatol, bemázol **b)** bemocskol *[hírnevet]*

besmirch [bɪ'smɜ:tʃ ‖ –'smɜrtʃ] *tsi vál átv* bemocskol, beszennyez, bepiszkít

besom[1] ['bi:zəm] *fn* vesszőseprű, (nyír)ágseprű

besom[2] ['bi:zəm] *fn sk pej* szajha, lotyó, lompos nőszemély

besotted [bɪ'sɒtɪd ‖ –'sɑt–] *mn* buta, zavart, elbutított, tompa, megrészegült

besought [bɪ'sɔ:t] → **beseech**

bespangle [bɪ'spæŋgl] *tsi vál* feldíszít *[flitterrel, ragyogó/csillogó díszekkel]*, cicomáz • *mn* **bespangled**

bespatter [bɪ'spætə ‖ –ər] *tsi* befröcsköl, bever *[sárral stb.]*, szétfröcsköl *[sarat stb.]*, *átv* eláraszt *[szidalmakkal, dicsérettel]*, pocskondiáz

bespeak [bɪ'spi:k] *tsi pt* **bespoke** [bɪ'spoʊk], *pp* **bespoken** [bɪ'spoʊkən], **bespoke 1.** (meg)rendel *[cipőt, ruhát, szállodai szobát stb.]*, (le)foglal *[szobát, asztalt]* **2.** mutat, vall (vmre), elárul *[jelleget, tulajdonságot]*; **this ~s a kindly heart** ez jó szívre vall **3.** előjegyeztet *[könyvet kölcsönkönyvtárban]* **4.** *vál* **~ sy** megszólít vkt, szól vkhez

bespectacled [bɪ'spektəkld] *mn* szemüveges, szemüveget viselő

bespoke [bɪ'spoʊk] *mn GB* **1.** mérték után (v. rendelésre) készített *[ruha, cipő]*; **~ shoes** csináltatott cipő **2.** mérték után (v. rendelésre) dolgozó *[szabó, szabóság]*; → **bespeak**

besprinkle [bɪ'sprɪŋkl] *tsi vál* befröcsköl, megöntöz, meglocsol, meghint, megszór *[vízzel]*

best [best] **I.** *mn* **1.** legjobb **2. the ~ part of the way** az út java, az út nagyobbik fele; **he waited for the ~ part of an hour** majdnem egy óra hosszat várt; → **good** I. → **better[1]** I. **II.** *hsz* **a)** legjobban; **you know ~** ön tudja/tudhatja a legjobban **b)** leginkább; **the ~ known song** a legismertebb/legelterjedtebb/legnépszerűbb dal; → **well[2]** III. **1.** *fn* a (lehető) legjobb; **Sunday ~** ünneplő ruha; **the ~ of it is** az a legjobb a dologban ...; **beat one's previous ~** túlszárnyalja eddigi legjobb idejét/eredményét, megdönti egyéni csúcsteljesítményét; **do one's (level) ~ to ..., do the ~ in one's power to ...** minden tőle telhetőt elkövet, hogy ...; **get/have the ~ of it** haszna/előnye van vmből; **get the ~ of sy** legyőz/lefőz vkt, fölébe kerekedik vknek; **get the ~ out of sy** a legtöbbet hozza ki vkből; **look one's ~** a legjobban fest, a legelőnyösebb színben mutatkozik; **make the ~ of sg** beéri vmvel; kiaknáz vmt *[lehetőséget]*; **make the ~ of a bad job/bargain** jó képet vág a rosszhoz; **at**

(the) ~ (a) legjobb esetben; legfeljebb; **be at one's ~** legjobb formában van, felülmúlja önmagát, brillírozik; **be in the ~ of health** a legjobb (v. viruló) egészségnek örvend; **act for the ~** jóhiszeműen cselekszik, jót akar vmvel; **it is all for the ~** jól van ez így; **to the ~ of my judgment** amennyire meg tudom ítélni, szerény véleményem szerint; **to the ~ of my knowledge** legjobb tudomásom szerint, tudtommal; **to the ~ of one's ability** legjobb készsége/tehetsége szerint; **with the ~** úgy, mint akárki/senki más; → **better**[1] II. **2.** a nagyobb rész; **the ~ of five** ötből három **IV.** *tsi* **1.** *biz* legyőz, lefőz (vkt), fölébe kerekedik (vknek) **2.** *pej* csellel/fondorlattal legyőz, kijátszik

best buy *fn gazd* a legjobb vétel

bestial [ˈbestɪəl ‖ ˈbestʃəl] *mn* **1.** *átv* (vad)állatias, bestiális, brutális **2.** kiéhezett *[szexuálisan]* **3.** állati, baromi • *tsi* **bestialize**, **bestialise**

bestiality [ˌbestiˈæləti ‖ ˌbestʃiˈæləti] *fn* **1.** *átv* állatiasság vadállati kegyetlenség, bestialitás **2.** *jog* állatokkal való fajtalankodás

bestiary [ˈbestɪəri ‖ ˈbestʃieri] *fn* bestiárium *[erkölcsi célzatú középkori vadállatmesék gyűjteménye]*

bestir [bɪˈstɜː ‖ bɪˈstɜr] *tsi* **-rr- ~ oneself** (meg)moccan; nekigyürkőzik vmnek; rászánja magát ... (hogy megtegyen vmt)

best man *fn* tanú *[vőlegényé]*

bestow [bɪˈstoʊ] *tsi* **1.** adományoz, juttat (sg upon sy vmt vknek), ráruház (vmt vkre), felruház (vmvel vkt), kioszt *[díjat]*; **~ all one's energy on sg** minden erejét vmnek szenteli (v. vmre összpontosítja) **2.** (el)helyez, (el)tesz, (el)rak, letesz, letétbe helyez • *fn* **bestowal**

bestrew [bɪˈstruː] *tsi pt* **bestrewed**, *pp* **bestrewed**, **bestrewn** [bɪˈstruːn] **1. a)** *vál* meghint, behint, megszór, beszór **b)** széthint **2.** fed, borít, takar, elborít *[avar stb.]*

bestride [bɪˈstraɪd] *tsi pt* **bestrode** [bɪˈstroʊd], *pp* **bestridden** [bɪˈstrɪdn] **1. a)** megül, meglovagol *[lovat]*, lovaglóülésben ül *[széken]* **b)** terpeszállásban álló (vm fölött) **c)** oltalmazóan/védőn álló *[fekvő, elesett ember fölött]* **2.** átível *[szivárvány vmn]*

bestrode [bɪˈstroʊd] → **bestride**

best-seller [ˌbestˈselə ‖ –ər] *fn* **a)** óriási könyvsiker, bestseller, közönségsiker *[könyv]* **b)** *GB* nagysikerű író, bestseller-író

bet [bet] **I.** *i pt/pp* **-tt-**, **bet A.** *tsi* fogad *[tétben]*, feltesz *[tétet]*; **~ sy a pound** egy fontban fogad vkvel; **~ a hundred to one that ...** százat tesz egy ellen, hogy ...; *biz* **I'll ~ anything that ...** akármiben fogadok, hogy ...; **you ~ your life!** arra mérget vehetsz! **B.** *tni* fogad; **~ against sg** vm ellen fogad; **~ on sg** fogad vmre/vmben; **~ on a horse** lovat megtesz, lóra fogad, lovat megfogad; *biz* **you ~!**, *US* **you betcha!** biztos lehet benne! meghiszem azt!; **I ~ you don't** fogadok/fogadjunk, hogy nem (teszi meg) **II.** *fn* **1.** fogadás *[lóversenyen, pénzben, vmben]*; **make/lay a ~** fogad, fogadást köt; **take (up) a ~** állja a fogadást, tartja a tétet **2.** tét **3.** *biz* megérzés, (spontán) vélemény, tipp **4.** *biz* lehetőség, esély, választás; **he is our best ~** még ő a legjobb lehetőségünk/dobásunk; **that's our best ~** ez a legjobb esélyünk

beta [ˈbiːtə ‖ ˈbeɪtə] *fn* **1.** béta *[görög ábécé második betűje]* **2.** *GB okt* jó *[osztályzat]*, négyes

beta-blocker *fn orv* béta-blokkoló

betake [bɪˈteɪk] *tsi pt* **betook** [bɪˈtʊk], *pp* **betaken** [bɪˈteɪkən] *vál* **~ oneself to sy** (el)indul/(el)megy vkhez; **~ oneself to a place** (el)indul/(el)megy vhova

betel [ˈbiːtl] *fn gaszt* bétel

betel-nut *fn növ* bételdió

bethink [bɪˈθɪŋk] *tsi pt/pp* **bethought** [bɪˈθɔːt] *vál* **~ oneself** elgondolkozik; **~ oneself of sg** eszébe jut vm, visszagondol/visszaemlékszik vmre

Bethlehem [ˈbeθlɪhem] *tul földr* Betlehem

betide [bɪˈtaɪd] *vál* **A.** *tsi* történik (vkvel), ér (vkt); **woe ~ him if ever ...** jaj neki, ha ... **B.** *tni* történik; **whate'er ~** bármi történjék is

betoken [bɪˈtoʊkən] *tsi* **1.** jelent (vmt), jele (vmnek), mutat, vall vmre **2.** megjósol, előrejelez

betook [bɪˈtʊk] → **betake**

betray [bɪˈtreɪ] *tsi* **1.** elárul *[hazát, titkot stb.]*, cserbenhagy *[barátot]*, hűtlenné válik *[ügyhöz]*, elcsábít, hűtlenül elhagy, megcsal *[nőt]*, elad *[hazát, becsületet]*, kiad, felfed *[titkot]*, megszeg *[adott szót]*, visszaél *[bizalommal]*; **~ sy into doing sg** vkt vm (bűnös dolog) megtételére csábít/rávesz **2.** elárul, tanúsít *[tulajdonságot]*, vall *[tulajdonságra]*, tanúskodik *[tulajdonságról]*; **~ oneself** elárulja magát • *fn* **betrayal**, **betrayer**

betroth [bɪˈtroʊð] *tsi vál* feleségül ígér, eljegyez (vkt vkvel) • *fn* **betrothal**

betrothed [bɪˈtroʊðd] *vál régi* **I.** *mn* eljegyzett **II.** *fn* **the ~** a jegyesek, a jegyespár/mátkapár

better[1] [ˈbetə ‖ ˈbetər] **I.** *mn* **1.** jobb, különb; **~ half** jobbik fél, házastárs, feleség; **~ part** nagyobb(ik) rész; **for the ~ part of the day** a nap legnagyobb részében; **for ~ or for worse** jóban-rosszban; holtomiglan-holtodiglan *[esküvői szertartásban]*; lesz ami lesz; *biz* **six feet and ~** hat lábnál is magasabb **2. he is ~** jobban van (v. érzi magát) *[egészségileg]*; **he is ~ off** jobb helyzetben (v. anyagi körülmények között) van **3. ~ so** jobb, hogy így van, így jobb; **that's ~** ez már jobb; ez már igen; **~ than nothing** jobb, mint semmi; **~ late than never** jobb későn, mint soha; → **good** I. → **best II.** *hsz* **1.** jobban, különbül; **~ known** ismertebb, jobban ismert; **he knows ~** megjött az esze, észre tért; **go one ~ than sy** túltesz vkn, lefőz vkt, rálicitál vkre; **~ still ...** még jobban/inkább ...; ami még jobb; **you had ~** jobban tennéd, ha; **think ~ of it** meggondolja magát (v. a dolgot), megváltoztatja a nézetét/véleményét **2.** több(et) (mint); **the book was published ~ than 50 years ago** a könyvet több mint 50 évvel ezelőtt adták ki; → **well**[2] **III.** *fn* **1. the ~** a jobb(ik), a különb; **all** (v. **so much) the ~** annál jobb; **he gets the ~ of sy** fölébe kerekedik vknek, felülmúl/legyőz vkt; túljár vk eszén; **change for the ~** javulás; jobbrafordulás *[helyzeté, egészségé stb.]* **2. one's ~s** az elöljárók, feljebbvalók, felettesek **IV. A.** *tsi* **1.** helyesbít, kijavít *[szöveget stb.]*, (meg)javít *[bort stb.]*; *okt* **~ (one's mark)** (ki)javít *[osztályzatot]* **2.** felülmúl, meghalad *[teljesítményt stb.]*, túltesz (vmn); **you can't ~ that** ezen nem lehet túltenni, ez felülmúlhatatlan **B.** *tni* **a)** (meg)javul, feljavul, különb lesz **b)** fellendül

better[2] [ˈbetə ‖ ˈbetər] *fn* fogadó *[aki vmben/vmre fogad]*

betterment [ˈbetəmənt ‖ –ər–] *fn* **1. a)** (meg)javulás, (meg)javítás **b)** fellendülés **2.** *gazd* értéknövekedés, értékjavulás *[ingatlané]*

betting [ˈbetɪŋ] *fn* fogadás *[tétekben]*

betting shop *fn* fogadóiroda

bettor [ˈbetə ‖ –ər] → **better**[2]

between [bɪˈtwiːn] **I.** *elölj* **a)** között, közt *[térben, időben]*; közte, közötte; **~ two fires** két tűz között; **he is ~ life and death** élet és halál között van/lebeg; **~ now and Sunday** mostantól vasárnapig (terjedő időben) **b) be sg ~ ... and ...** középen/középúton van ... és ... között **c) (just) ~ ourselves**, **~ you and me** magunk között szólva, köztünk maradjon; *biz* **~ you, me and the bed-post** (v. **gate-post)** magunk között szólva, köztünk maradjon **d) we bought it ~ us** magunk/kettőnk részére vásároltuk; **there is no love lost ~ them** ki nem állhatják (v. nem bírják) egymást **II.** *hsz* között, közé, közben; **far ~** nagy időközökben; nagy távolságokban; **in ~** közbe(n), közöttük

betwixt [bɪˈtwɪkst] *régi* **I.** *elölj* között, közt *[térben, időben]*, köz(öt)te **II.** *hsz biz* **be ~ and between** átmeneti helyzetet foglal el

BeV *röv US billion electron-volts*

BEV *röv US Black English Vernacular*

bevel [ˈbevl] **I.** *fn* **1.** szög, szögben elhajlás **2.** (állítható) szögmérő, szögvonalzó **3.** ferdeség, rézsútosság, ferde szél/él **II.** *i* **-ll-**, *US* **-l- A.** *tsi* **a) ~ (away)** ferdén/rézsútosan levág/lemetsz/lefarag, lesarkít **b)** kúposít **B.** *tni* ferdén/rézsútosan megy (vm)

B

bevel gear *fn műsz* kúp(fogas)kerék, kúpos tányérkerék
bevel-square → **bevel** I. 2
bevel wheel *fn műsz* kúpfogaskerék
beverage [ˈbevərɪdʒ] *fn vál* ital
bevy [ˈbevi] *fn* **1.** csapat, csoport, (női) társaság **2.** fürj, fülemüle csapat, (madár)sereg, falka
bewail [bɪˈweɪl] *tsi* megsirat, meggyászol
beware [bɪˈweə ‖ bɪˈwer] **A.** *tsi* óvakodik, őrizkedik, tart (vmtől) **B.** *tni* óvakodik, őrizkedik, tartózkodik (*of* vmtől); **~!** vigyázat!, vigyázz(on)!; **~ of the dog!** vigyázat, harapós kutya!
bewilder [bɪˈwɪldə ‖ –ər] *tsi* **1.** megzavar(ja vk fejét), összezavar **2.** elképeszt, meghökkent • *fn* **bewilderment** *mn* **bewildering**
bewitch [bɪˈwɪtʃ] *tsi* **a)** megbabonáz, elbűvöl, elbájol, megigéz **b)** megront, elvarázsol • *mn* **bewitching**
bey [beɪ] *fn tört* bej, bég
beyond [bɪˈjɒnd ‖ biˈɑnd] **I.** *elölj* **a)** túl, felett *[térben]*; **~ this country** az országon kívül, a határon túl; **~ the mark** túllőve a célon; eltúlozva vmt **b)** túl *[időben]*; **he stayed ~ his time** túl soká(ig) maradt **c) ~ belief** hihetetlen, (minden) képzeletet felülmúl(óan); **~ all praise** nem lehet eléggé dicsérni; **beautiful ~ all others** mindenkinél szebb; **~ control** nem irányítható, kezelhetetlen; **it is ~ him** nem érti, ez neki túl magas; **this work is ~ me** ez a munka meghaladja erőmet/képességemet; **~ doubt/question** kétségkívül, vitán felül, vitathatatlanul; **~ one's expectations** várakozáson felül; **~ hope** reménytelen; **he succeeded ~ his hopes** várakozáson felül sikerült neki; **~ my means, ~ me** meghaladja anyagi erőmet, nem futja a pénzemből; **~ measure** mértéktelen(ül), módfelett; **~ memory** emberemlékezet óta; **~ possibility** nem lehetséges, lehetetlen; **~ one's reach** elérhetetlen, hozzáférhetetlen; **~ reason** értelmetlen; **~ recovery** menthetetlen, reménytelen, gyógyíthatatlan *[beteg]* **II.** *hsz* túl, felett, kívül (vmn); **~ that** ezen túlmenően **III.** *fn* **the ~** a túlvilág, a másvilág; **at the back of ~** (az) isten háta mögött, a világ végén
bezel [ˈbezl] *fn* drágakő csiszolt oldala, drágakőfoglalat
b.f. *röv* **1.** *GB biz bloody fool* **2.** *nyomd bold face* **3.** *brought forward*
Bhutan [ˌbuːˈtɑːn] *tul földr* Bhutan
Bhutanese [ˌbuːtəˈniːz] *mn/fn* bhutani (lakos)
bi- [baɪ] **I.** *előtag* kettős, kétszeres, iker **II.** *mn szl [biszexuális]* sztereó, biszex
biannual [baɪˈænjuəl] *mn* félévenkénti, évente kétszeri, félévenként megjelenő *[folyóirat]*
bias [ˈbaɪəs] **I.** *fn* **1. a)** elfogultság, előítélet, részrehajlás; **without ~** tárgyilagosan/elfogulatlanul **b)** hajlam; **have a ~ towards sg** hajlik vm felé; **nationalist ~** nacionalista elfogultság/beállítottság **2. a)** ferdeség, rézsútosság, ferde sík; **on the ~** átlósan, ferdén, rézsút **b)** rézsút/keresztbe fektetett anyag *[varrásnál, hímzésnél stb.]* **3. a)** súlypont-eltolódás *[tekegolyóé]* **b)** kitérés *[tekegolyó súlypontel-tolódása következtében]* **4. a)** aszimmetria **b)** *mat* torzítás **5.** *vill* előfeszítés, munkaponti (áram/feszültség) **II.** *tsi* **biased**, **biassed 1.** elfogulttá/részrehajlóvá tesz, befolyásol (vkt) **2. a)** eltérít, elhajlít **b)** súlypontot eltol *[tekegolyónál]*
biased [ˈbaɪəst] *mn* elfogult, tendenciózus, részrehajló, nem tárgyilagos
bib¹ [bɪb] *fn* **1.** előke, partedli *[gyermeké]* **2.** mellrész *[kötényé]*, melles kötény (előrésze); **in one's best ~ and tucker** (i) legjobb ruhájában (ii) előnyös oldaláról mutatkozva
bib² [bɪb] *tni* **-bb-** *régi* iszogat, iddogál • *fn* **bibber**
Bible [ˈbaɪbl] *fn* **1.** Biblia, Szentírás **2.** *átv biz* legfontosabb forrás, alapmű, a biblia *[vknek a bibliája]*
Bible belt *fn US* ‹Bibliát szó szerint értelmező tömegek által lakott terület›
Bible oath *fn* bibliára tett eskü
Bible-punching → **Bible-thumping**
Bible-thumping *fn szl* vallásosan eksztatikus beszéd/prédikáció
biblical [ˈbɪblɪkl] *mn* bibliai
biblio- [ˈbɪbliou] *előtag* biblio-, könyv-
bibliography [ˌbɪbliˈɒgrəfi ‖ –ˈɑgrəfi] *fn* **1.** könyvtudomány, bibliográfia **2.** tudományos könyvjegyzék, bibliográfia, irodalom *[vmely tárgyról/témáról]* • *fn* **bibliographer** *mn* **bibliographic(al)**
bibliomancy [ˈbɪblioumænsi] *fn* könyvjóslás, könyvből jóslás *[rendszerint Bibliából]*
bibliomaniac [ˌbɪblioʊˈmeɪnɪæk] **I.** *mn* könyvéhes, könyvbolond **II.** *fn* könyvbarát, könyvmoly
bibliophile [ˈbɪblioufaɪl] *fn* könyvbarát, könyvgyűjtő, bibliofil
bibliophily [ˌbɪbliˈɒfɪli ‖ –ˈɑfɪli] *fn* bibliofília, könyvszeretet, könyvimádat
bibliopole [ˈbɪblɪəpoul] *fn* könyvárus, könyvkereskedő *[főleg ritka és különleges könyveké]*
bibulous [ˈbɪbjʊləs] *mn* iszákos, ivó, becsípett
bicameral [baɪˈkæmərəl] *mn pol* kétkamarás *[törvényhozás, országgyűlés]*
bicarb [ˈbaɪkɑːb ‖ –kɑrb] *fn biz* szódabikarbóna
bicarbonate [baɪˈkɑːbənət ‖ –ˈkɑrbəneɪt] *fn vegy* bikarbonát, hidrokarbonát, bikarbóna; **~ of soda** szódabikarbóna
bice [baɪs] *fn vegy* kobaltkék/halványkék/halványzöld szín; **blue ~** kobaltkék; **green ~** kobaltzöld
bicentenary [ˌbaɪsenˈtiːnəri ‖ –ˈten–] **I.** *mn* kétszázados, kétszáz éves **II.** *fn* kétszáz éves évforduló (megünneplése)
bicentennial [ˌbaɪsenˈtenɪəl] → **bicentenary**
biceps [ˈbaɪseps] *fn orv* kétfejű izom, bicepsz
bicker [ˈbɪkə ‖ –ər] **I.** *tni* **1.** civódik **2.** veszekszik, pörlekedik **3.** *vál* **a)** mormol, csobog, csörgedez *[patak]* **b)** (bizonytalanul) lobog, reszket *[fény, láng]* **II.** *fn* **1.** civódás **2.** veszekedés
bickerer [ˈbɪkərə ‖ –ər] *fn* zsémbes alak
bicky [ˈbɪki] *fn GB biz* keksz
bicolor [ˈbaɪkʌlə ‖ –ər] *US* → **bicolour**
bicolour [ˈbaɪkʌlə ‖ –ər] *mn* kétszínű, két színből álló
bicultural [ˌbaɪˈkʌltʃərəl] *mn* **1.** kétkultúrájú **2.** két kultúrára vonatkozó, bikulturális
bicycle [ˈbaɪsɪkl] **I.** *fn* kerékpár, bicikli **II.** *tni* kerékpározik, biciklizik • *fn* **bicyclist**
bicycle chain *fn* biciklilánc, hajtólánc
bicycle clip *fn* nadrágcsiptető *[kerékpározáshoz]*
bicycle pump *fn* biciklipumpa
bicycle track *fn* kerékpárút, kerékpársövény
bid [bɪd] **I.** *i pt* **bid**, *régi* **bade** [beɪd], *pp* **bid**, *régi* **bidden** [ˈbɪdn] **A.** *tsi* **1. a)** (ár)ajánlatot tesz, ígér *[árat]*; **it ~s fair prospects** szép kilátásokkal biztat/kecsegtet; **he ~s for sg** árat kínál *[árverésen]*; árverez (vmre); ráígér vmre *[árverésen]*; **~ over sy** túllicitál vkt, rálicitál vkre; **~ up** felhajtja az árat **b)** *ját* bemond, licitál **2.** *régi vál* megparancsol, meghagy, elrendel, mond; **~ sy be silent** csendre int vkt **3.** *régi vál* **a)** meghív (vkt); **the ~den guests** a meghívott vendégek, a meghívottak **b) ~ defiance** dacol; **~ farewell** istenhozzádot/búcsút mond; **he ~s sy welcome** üdvözöl vkt *[érkezéskor]*; → **bidding B.** *tni* **1. a) ~ fair** jónak ígérkezik, jóval kecsegtet **b)** ráígér, licitál *[árverésen]* **2.** *régi vál* parancsol, rendelkezik; → **bide II.** *fn* **1.** (ár)ajánlat, ráígérés *[árverésen]*; **the last ~** utolsó/végső ár **2.** *ját* bemondás, licit, licitálás; **your ~** te licitálsz; **he raises the ~** emeli a bemondást/licitet *[bridzsnél]*; többet tesz, rálicitál (vkre) **3.** *biz* erőfeszítés/kísérlet vm megszerzésére/elérésére; **make a ~ for sg** árajánlatot tesz vmre; igyekszik megszerezni vmt; **make a ~ for power** kísérletet tesz a hatalom átvételére
biddable [ˈbɪdəbl] *mn* **1.** *US* engedelmes, szófogadó **2.** *ját* bemondható, licitálható • *fn* **biddability**
bidden [ˈbɪdn] *régi* → **bid** I. → **bide**
bidder [ˈbɪdə ‖ –ər] *fn* **1. a)** vevő; **the highest ~** a legtöbbet ígérő *[árverésen]* **b)** árverező **2.** *ját* licitáló

bidding [ˈbɪdɪŋ] *fn* **1. a)** (ár)ajánlat, ráígérés, licitálás *[árverésen]* **b) competitive ~** versenytárgyalás **c)** *ját* bemondás, licit(álás) **2. a)** rendelkezés, parancs; **at sy's ~** vk parancsára/utasítására; **he did my ~** teljesítette parancsomat **b)** meghívás **3.** *vall* **~ prayer** a jótevők lelki üdvösségéért mondott ima *[prédikáció előtt]*
biddy [ˈbɪdi] *fn szl pej* (öreg) tyúk
bide [baɪd] *i régi táj* **A.** *tsi* vár (vmt/vmre); **~s one's time** (ki)várja az alkalmas pillanatot/időt **B.** *tni* marad, tartózkodik
bidet [ˈbiːdeɪ ‖ bɪˈdeɪ] *fn* bidé, altestmosó tál, ülőmosdó
bid price *fn gazd* árajánlat
biennial [baɪˈenɪəl] **I.** *mn* **a)** kétéves, kétévi, másodévenkénti, minden második évben történő/előforduló **b)** *növ* kétnyári, kétnyaras **II.** *fn növ* kétnyári növény
bier [bɪə ‖ bɪr] *fn* ravatal
biff [bɪf] **I.** *fn biz* pofon, nyakleves, ütés **II.** *tsi* felképel, felpofoz, megüt
bifocal [ˌbaɪˈfoʊkl] *mn fiz* két gyújtópontú, kétfókuszú, bifokális
bifocals [ˌbaɪˈfoʊklz] *fn tsz* bifokális szemüveg
bifurcate I. *tsi vál* [ˈbaɪfəkeɪt ‖ –fər–] **A.** kettéválaszt, kettéoszt **B.** *tni* kettéágazik, kétfelé válik **II.** *mn* [baɪˈfɜːkeɪt ‖ –ˈfɜr–] kettéváló, elágazó, villás *[növény stb.]*
bifurcation [ˌbaɪfəˈkeɪʃn ‖ –fər–] *fn* kettéágaz(ód)ás, elágaz(ód)ás, elágazási pont/hely
big [bɪg] **-gg- I.** *mn* **1.** nagy, terjedelmes, testes; **~ brother** bátyja vknek; *biz* **~ deal!** nagy dolog/szám!; *biz* **~ gun/bug/noise/shot/wheel** nagyfejű, fejes, nagy kutya, főmufti; **~ sister** nővére vknek; **the ~ scene** a nagyjelenet *[színdarabban]*; **the ~ four/five** a(z) négy/öt nagy *[négy/öt nagyhatalom vezetői]*; *szl* **the ~ time** nagy siker; **he has a ~ heart** jószívű, jóságos; **he has ~ ideas** nagy elgondolásai/elképzelései/tervei vannak; *biz* **he earns ~ money** sokat (v. sok pénzt) keres; **in a ~ way** nagystílűen; nagy arányokban, nagyszabásúan; *biz* **he is getting too ~ for his shoes/boots** nagyképűsködik, túl sokat képzel magáról **2. ~ with child** terhes, viselős, állapotos; **~ with consequences** súlyos következményekkel járó **3.** felnőtt, nagy; **he is a ~ boy now** már kész felnőtt, már nagyfiú **4.** *biz* önzetlen, nagylelkű; **it was ~ of him** ez szép volt tőle **II.** *hsz* **look ~** fontoskodik; *biz* **pay ~** nagy árat fizet; **he talks ~** nagyképűsködik; nagyzol, túloz; henceg; **he thinks ~** nagy(stílű) terveket sző/fontolgat • *fn* **bigness** *mn* **biggish**
bigamy [ˈbɪgəmi] *fn* kettős házasság, kétnejűség, kétférjűség, bigámia • *fn* **bigamist** *mn* **bigamous**
Big Apple *tul földr US biz* New York
big band *fn zene* big band
Big Bang *fn fiz csill* ősrobbanás, Nagy Bumm
Big Ben *tul GB* ‹a londoni parlament toronyórája›
Big Bend State *tul földr US biz* Tennessee állam
Big Board *tul US biz* a new-yorki tőzsde
Big Brother *fn* nagy testvér, diktátor, teljhatalmú főnök
big business *fn gazd* nagy üzlet, nagy pénzek világa
big dipper *fn* **1.** *GB* hullámvasút **2.** *US csill* **B~ D~** Göncölszekér
biggie [ˈbɪgi] *fn* **1.** *szl* ‹nagy dolog, jelentős ügy› **2.** *szl [fontos ember]* nagyhal **3.** *tsz* **biggies** *gyerm* kaka
big-head *fn* beképzelt alak • *fn* **big-headedness** *mn* **big-headed**
big-hearted [ˌbɪgˈhɑːtɪd ‖ –ˈhɑrtɪd] *mn* jószívű, nemes lelkű, nagylelkű
bighorn *fn áll* kanadai vadjuh
bight [baɪt] *fn* **1.** *földr* (folyótorkolati) öböl, bemélyedés **2.** (kötél)hurok
big-league *mn biz* nagypályás, nagy, fontos
bigmouth [ˈbɪgmaʊθ] *fn szl [nagyszájú, fecsegő]* pletykafészek, nagy dumás, dumagép • *mn* **big-mouthed**
big-name *mn* híres, nagynevű
bigot [ˈbɪgət] *fn* vakbuzgó követő *[párté, világnézeté]*, szektáns, fanatikus, bigott *[vallási életben]* • *fn* **bigotry**
bigoted [ˈbɪgətɪd] *mn* bigott, szűklátókörű, elvakult
bigspender [bɪgˈspendə ‖ –ər] *fn* költekező v. nagy lábon élő ember
big-ticket *mn szl [drága,költséges]* húzós
big-timer [ˈbɪgtaɪmə ‖ –ər] *fn szl [sikeres ember]* nagymenő
big top *fn* cirkuszi sátor
bigwig [bɪgwɪg] *fn biz* fejes, nagy mufti
bijou [ˈbiːʒuː] **I.** *fn tsz* **bijoux** [ˈbiːʒuː] *francia* ékszer, csecsebecse, bizsu; **she is a ~** csecse/aranyos nő; valóságos kincs **II.** *mn* csinos, tetszetős *[kis személy/tárgy]*
bijouterie [biːˈʒuːtəri] *fn francia* ékszerek, csecsebecsék
bike [baɪk] **I.** *fn biz* **1.** bicikli, bringa, bicaj **2.** motor(bicikli) **II.** *tni biz* **1.** biciklizik, bringázik **2.** motorozik
bike lane *fn biz* biciklisáv
biker [ˈbaɪkə ‖ –ər] *fn biz* **1.** bicajos, bringás **2.** motoros
bikini [bɪˈkiːni] *fn* bikini, kétrészes női fürdőruha
bikini briefs *fn tsz* bikininadrág, csípőbugyi, szlip
bikini line *fn* bikinivonal
bikky [ˈbɪki] → **bicky**
bilabial [baɪˈleɪbɪəl] *nyelv* **I.** *mn* kétajki, bilabiális *[mássalhangzó]* **II.** *fn* kétajki v. bilabiális mássalhangzó
bilateral [baɪˈlætərəl] *mn* kétoldali, kétoldalú, kölcsönös, bilaterális *[szerződés stb.]*; *jog* **~ contract/agreement** kétoldalú egyezmény
bilberry [ˈbɪlbəri ‖ –beri] *fn növ* fekete áfonya
bilboes [ˈbɪlboʊz] *fn tsz tört* (láb)bilincs, béklyó
bile [baɪl] *fn* **1.** epe **2.** *biz* rosszindulat, ingerlékenység, epésség
bilge [bɪldʒ] **I.** *fn* **1.** *hajó* **a)** hajóalj, hajófenék(rész) **b)** fenékvíz, aljvíz, dohos/áporodott víz *[hajófenékben]* **2.** *biz* ostoba beszéd **II. A.** *tsi* rést/léket üt *[hajón, hordón]*, meglékel *[hajót, hordót]* **B.** *tni* **1.** léket kap *[hajó, hordó]* **2.** kidomborodik, kidudorodik, kihasasodik
bilge water *fn hajó* fenékvíz, aljvíz, dohos/áporodott víz
biliary [ˈbɪlɪəri] *mn* epe-, epéhez tartozó, epével kapcsolatos
bilingual [baɪˈlɪŋgwəl] *mn/fn* két nyelvet beszélő, kétnyelvű *[személy, közigazgatás, oktatás, kiadvány v. szótár]* • *fn* **bilingualism**
bilious [ˈbɪlɪəs] *mn* **1.** epés, epével kapcsolatos; **~ attack** epegörcs, eperoham, epeömlés; **~ patient** epebeteg **2.** *biz* epés, kötekedő, ingerlékeny *[vérmérsékletű]* • *fn* **biliousness**
bilk [bɪlk] *tsi biz* **1.** elbliccel *[fizetést]* **2. a)** megcsal, rászed, becsap **b)** faképnél hagy (vkt), elpárolog
bilker [ˈbɪlkə ‖ –ər] *fn biz [csaló]* szélhámos, bliccelő *[közlekedési eszközön]*
Bill [bɪl] *tul bec* ‹*William* becéző alakja›
bill[1] [bɪl] **I.** *fn* **1. a)** *gazd* jegyzék, számla; *gazd* **~ of goods** áruszámla; **make out a ~** számlát állít ki; **sell (sy) a ~ of goods** rásóz (vkre vmt) **b)** *okt* tanulók névsora, névsorolvasás **2.** *gazd pénz* **a)** kötelezvény, váltó, adóslevél; **foreign ~** külföldi pénznemre szóló váltó, deviza; **trade ~** áruváltó; **~ of debt** adóslevél; **~ of exchange** váltó; **~ of sale** adásvételi szerződés; **foot the ~** vállalja/fizeti a költségeket; vállalja a felelősséget/következményeket; **make a ~ payable to** váltót telepít *[vmelyik bankhoz]*; **meet a ~** váltót kifizet **b)** értékpapír, részvény, értékjegy; **~s in hand** tárcaváltó; értékpapír **c)** *US* papírpénz, bankjegy, bankó **d)** utalvány, bon **e)** kincstári jegy **3. a)** falragasz, plakát, hirdetmény, hirdetés; **stick no ~s!** plakátok/hirdetmények felragasztása tilos! **b)** *szính* műsor, program, (kiragasztott) színlap; *biz* **that will fill/fit the ~** ez megfelel a kívánalmaknak; ez menni/sikerülni fog; ennek sikere lesz; **he heads/tops the ~** ő a műsor fő attrakciója; ő a főszereplő **c)** névtábla **4.** *hajó* **~ of health** egészségügyi bizonylat *[hajó indulási kikötőjéből]*; **clean ~ of health** *[kikötőben a távozó hajó személyzetéről kiállított]* egészségügyi bizonylat; kifogástalan egészségi állapot; **~ of lading** hajóraklevél; *US* (vasúti) fuvarlevél **5.** beosztás *[szolgálati]* **6.** *pol* törvényjavaslat, törvénytervezet; *tört* **B~ of Rights** *GB* ‹Anglia parlamentáris alkotmányának

egyik alaptörvénye [1689]›; *US* ‹az Egyesült Államok alkotmányának módosítása [1791]›; alkotmánylevél; **pass/carry a ~** törvényjavaslatot megszavaz; elfogad; **reject a ~** törvényjavaslatot elutasít; **kill a ~, throw out a ~** nagy szótöbbséggel leszavaz/elvet törvényjavaslatot **II.** *tsi* **1. a)** falragaszon/plakáton hirdet (v. közhírré tesz) (vmt), falragaszokkal/plakátokkal teleragaszt *[falat stb.]* **b)** színlapot kiragaszt, műsorra tűz *[színdarabot]* **2.** számláz, számlát kiállít (vmről)

bill² [bɪl] **I.** *fn* **1.** (madár)csőr, csőrszerű száj *[csőrös emlősé]* **2.** *földr* (hegy)csúcs, hegyfok **3.** *hajó* horgonykapa **II.** *tni* **a)** csőrükkel egymást csipkedik *[madarak]*, csókolóznak *[galambok]* **b)** cirógatják egymást; *biz* **~ and coo** turbékolnak, enyelegnek, ölelkeznek

bill³ [bɪl] *fn* **a)** *tört* alabárd **b)** *tört* balta, bárd **c)** vincellérkés

billabong [ˈbɪləbɒŋ ‖ –bɔŋ] *fn Ausz földr* holtág *[folyóé]*

billboard [ˈbɪlbɔːd ‖ –bɔrd] *fn US* **a)** hirdetőtábla, plakát **b)** (falragaszok felragasztására való) palánk

billet¹ [ˈbɪlɪt] **I.** *fn* **1.** *kat* **a)** beszállás(olás)i utalvány, szállásutalvány **b)** elszállásolás, beszállásolás, bekvártélyozás *[magánlakásba]* **c)** *tsz* **billets** szállás, kvártély **2.** *biz* **a)** állás, alkalmaztatás **b)** munkaterület **II.** *tsi kat* beszállásol, (el)kvártélyoz; **~ troops on sy** beszállásol/bekvártélyoz csapatokat vknél • *fn* **billetee**

billet² [ˈbɪlɪt] *fn* **1. a)** tönk, tuskó, fadarab, farönk, fahasáb **b)** hasított tűzifa **2.** kantárszár (csatos része)

billfold *fn US* pénztárca *[csak papírpénznek]*

billhook *fn* kerti/nyeső/kacsozó kés, kertészkés, vincellérkés

billiard cue *fn* biliárddákó

billiards [ˈbɪljədz ‖ –jərdz] *fn/esz* biliárd(játék); **game of ~** biliárdjátszma

billiard table *fn* biliárdasztal

billing [ˈbɪlɪŋ] *fn* **1.** számlázás, számla kiállítása *[áruról]* **2. a)** falragasztás, falragaszon/plakáton való hirdetés/közzététel **b) double/twin ~** két filmből álló műsor **c)** felsorolási hely *[jegyzékben]*; **a star gets top ~** a sztár nevét vezető helyen közlik

billion [ˈbɪljən] *fn* **1.** milliárd *[10^9]* **2.** *GB ritk* billió *[10^{12}]* **3.** *biz* végtelen sok, kismillió • *mn/fn* **billionth**

billionaire [ˌbɪljəˈneə ‖ –ˈner] *fn* milliárdos

billow [ˈbɪloʊ] **I.** *fn* **1.** *vál* (nagy) hullám; **the ~s** a tenger, a habok; **~s of smoke** füstfelhők **2.** hullámzó tömeg, emberáradat **II.** *tni* **a)** hullámzik *[tenger]*, (fel)tornyosul *[hullám]* **b)** gomolyog *[füst]* **c)** hullámzik, hömpölyög *[tömeg]* • *mn* **billowy**

billposter *fn* plakátragasztó

billsticker *fn* plakátragasztó

billy [ˈbɪli] *fn* **1.** *Ausz* tábori csajka/teaforraló **2.** *US szl* gumibot *[rendőré] stand*

Billy [ˈbɪli] *tul bec* ‹ *William* becéző alakja›

billycan *fn Ausz* tábori csajka/teaforraló

billy-goat [ˈbɪligoʊt] *fn* bakkecske

billy-o [ˈbɪliˌoʊ] *fn biz* **like ~** nagyon, szörnyen, roppantul; hevesen; *biz* **it's raining like ~** szakad az eső, úgy esik, mintha dézsából öntenék

billy-oh [ˈbɪlioʊ] → **billy-o**

bimanal [ˈbɪmənl, baɪˈmeɪnl] *mn* kétkezes

bimbo *fn szl* **1.** ‹buta szépség› **2.** pasi, fickó

bimetal [ˌbaɪˈmetl] *fn fémip* bimetall, kettősfém, ikerfém

bimetallic [ˌbaɪmeˈtælɪk] *mn* **a)** *pénz* arany és ezüst valutájú, kettős valutájú, bimetallikus *[pénzrendszer]* **b)** *fémip* kettősfémes ikerfém(ből készült), bimetall

bimetallism [ˌbaɪˈmetlˑɪzm] *fn pénz* arany- és ezüstalapon nyugvó (v. két fémvalutás) pénzrendszer, bimetallizmus • *fn* **bimetallist**

bimillenary [ˌbaɪmɪˈliːnəri ‖ baɪˈmɪləneri] *fn* **1.** két évezred **2.** kétezer éves évforduló

bimonthly [ˌbaɪˈmʌnθli] **I.** *mn* **1.** kéthavi, kéthavonként történő/megismétlődő *[esemény stb.]*, kéthavonként/kéthavonta megjelenő *[kiadvány]* **2.** havonta kétszer történő *[esemény stb.]*, havonta kétszer megjelenő *[folyóirat, kiadvány]*, kétheti **II.** *hsz* **1.** kéthavonként, minden második/két hónapban **2.** havonta kétszer, kéthetenként **III.** *fn* **1.** kéthavonként/kéthavonta megjelenő folyóirat/kiadvány **2.** félhavonként megjelenő folyóirat/kiadvány

bin [bɪn] **I.** *fn* **a)** (fa)láda, tartály, tartó, tároló *[gabonáé, szénáé, szeméte stb.]* **b)** szemetes **II.** *tsi* **-nn- 1.** tárol *[gabonát, szenet]* **2.** *GB biz* kidob, kihajít; papírkosárba dob

binary [ˈbaɪnəri] *mn* **1.** kettős, dupla; **~ compound** két elemből álló vegyület; *csill* **~ stars** kettős csillag **2. a)** két számjegyből álló **b)** kettes számrendszerhez tartozó, kettes alapú, bináris; **~ code** bináris kód; **~ digit** kettes számrendszerbeli szám; bináris szám/jegy; bit; **~ notation/system** kettes számrendszer

bind [baɪnd] **I.** *i pt/pp* **bound** [baʊnd] **A.** *tsi* **1. a)** összeköt, (össze)kötöz, megköt; *átv* **bound by a spell** megbabonázva; varázs/igézet hatása alatt **b)** beköt *[könyvet]*, (be)kötöz *[sebet stb.]*; **bound in paper** fűzött *[könyv]* **c)** kiköt, kivarr *[gomblyukat]*, beszeg *[kelmét, kalapkarimát]* **2. a)** leköt *[futóhomokot, port stb.]* **b)** dugít, székrekedést okoz **3. ~ a bargain** üzletet köt, megköt egy üzletet **4. a)** *átv* összeköt, összekapcsol, összefűz **b)** köt(elez) *[ígéret, kötelezettség stb.]*; **he is bound to sy by gratitude** hálára van kötelezve (v. kötelezett) vk iránt **5.** felfogad, szolgálatba fogad, alkalmaz, szerződtet (vkt); **~ sy (over) as an apprentice (to sy)** tanoncnak szerződtet (v. fogad fel) **6.** *GB szl [panaszkodik]* sír **B.** *tni* **1.** összeáll, megkeményedik *[habarcs]*, megköt, megkeményedik *[cement, bitumen]* **2.** (össze)tapad, összeragad; → **bound¹ II.** *fn* **1.** *biz* untató/bosszantó dolog/személy; **in a ~** bajban, kutyaszorítóban **2.** kötés *[vívásban]*

bind down *tsi* **1.** leköt, odaköt, odaerősít (vmt vmhez) **2. he ~s sy down to do sg** kényszerít/kötelez vkt vm megtételére

bind over *tsi jog* kötelez; **~ sy over to appear when called upon** idézésre való megjelenésre kötelez vkt

bind up *tsi* **1.** beköt, bekötöz **2. chemistry is bound up with physics** a kémia kapcsolatos a fizikával

bind with *tsi* **1.** beköt/megköt vmt vmvel **2. ~ with a wreath** megkoszorúz, koszorút helyez (vmre)

binder [ˈbaɪndə ‖ –ər] *fn* **1. a)** könyvkötő **b)** (rugós) iratrendező, iratgyűjtő **c)** keresztkötés *[nyomtatványnak]* **2.** *mezőg* kévekötő-arató gép **3.** *épít* (kötő)habarcs, kötőanyag **4.** *gaszt* habarás *[ételben]*

bindery [ˈbaɪndəri] *fn* könyvkötészet, könyvkötő műhely

binding [ˈbaɪndɪŋ] **I.** *mn* **1. a)** (le)kötő *[anyag]*, rögzítő *[szerkezet stb.]* **b)** ragasztó, tapasztó *[anyag]* **2.** kötelező; **legally ~** törvénynél fogva kötelező; jogerős; **decision ~ on all parties** minden félre nézve kötelező érvényű/erejű elhatározás/határozat **II.** *fn* **1. a)** összeállás, összetapadás, megkeményedés, kötés *[cementé, köveké, tégláé]* **b)** (meg)kötés, megerősítés, megszorítás **2. a)** kötés, kötelék, bekötés *[gerendáé]*, abroncs, vasalás *[keréké]* **b)** kötés, fedél, tábla *[könyvé]* **3.** kötés *[sílécen]* **4.** *gaszt* habarás *[levesbe, mártásba]*

binding agent *fn* kötőanyag

bine [baɪn] *fn növ* futónövény, inda *[komlóé stb.]*

binge [bɪndʒ] *biz* **I.** *fn [nagy evészet és dáridó]* tivornya, dőzsölés; **go on the ~** mulatozik, bulizik **II.** *tni* bulizik, mulatozik, kirúg a hámból

bingo [ˈbɪŋgoʊ] **I.** *fn* bingó **II.** *isz* nagyszerű!, pompás!, bingó!

binman [ˈbɪnmən] *fn GB biz* szemetes

binocular [bɪˈnɒkjʊlə ‖ –ˈnɑkjələr] **I.** *mn* **a)** kétszemű, két szemmel történő, binokuláris; **~ vision** két szemmel való látás; távlatos látás **b)** kétszemlencsés, binokuláris **II.** *fn tsz* **binoculars** messzelátó, (kétcsöves) látcső

binocs [bɪˈnɒks ‖ –ˈnɑks] *fn tsz biz* látcső, messzelátó

binomial [baɪˈnoʊmɪəl] *mat* **I.** *mn* kéttagú, binomiális **II.** *fn* binom, kéttag, kéttagú/binom egyenlet

bint [bɪnt] *fn GB szl [nő]* csaj, luvnya, bige

bio- [ˈbaɪoʊ] *előtag* **1.** bio-, élet-; biológiával/élettel kapcsolatos **2.** természetes módszerekkel készített/termesztett

biochemistry [ˌbaɪoʊˈkemɪstri] *fn vegy* biokémia • *fn* **biochemist** *mn* **biochemical**
biocide [ˈbaɪəsaɪd] → **pesticide**
biodegradability [ˌbaɪoʊdɪgreɪdəˈbɪləti] *fn biol* biológiai lebomlóképesség
biodegradable [ˌbaɪoʊdɪˈgreɪdəbl] *mn biol* biológiailag lebomló • *fn* **biodegradation**
bioengineer [ˌbaɪoʊendʒɪˈnɪə ‖ –ˈnɪr] *fn* biomérnök
bioethics [ˌbaɪoʊˈeθɪks] *fn esz* orvosi/kutatási etika
biog [ˈbaɪɒg ‖ –ɑg] *fn GB biz* életrajz
biogas [ˈbaɪougæs] *fn ip* biogáz
biogenesis [ˌbaɪoʊˈdʒenɪsɪs] *fn* az élet keletkezése, biogenesis
biogeography [ˌbaɪədʒiˈɒgrəfi ‖ –dʒiˈɑ–] *fn* biogeográfia, növény- és állatvilág földrajza
biography [baɪˈɒgrəfi ‖ baɪˈɑ–] *fn* **1.** életrajz, életleírás, biográfia **2.** életút • *fn* **biographer** *mn* **biographic, biographical**
biological [ˌbaɪəˈlɒdʒɪkl ‖ –ˈlɑdʒɪkl] *mn* **1.** biológiai; ~ **warfare** baktériumháború **2.** *GB* enzimes mosóhatású *[mosószer]*
biologist [baɪˈɒlədʒɪst ‖ baɪˈɑ–] *fn* biológus
biology [baɪˈɒlədʒi ‖ baɪˈɑ–] *fn* **1.** biológia **2.** élővilág *[egy területé]*
biomass [ˈbaɪoʊmæs] *fn biol* biomassza
biomathematics [ˌbaɪoʊmæθəˈmætɪks] *fn esz* biomatematika
biometrics [ˌbaɪoʊˈmetrɪks] *fn esz* biometria
biometry [baɪˈɒmɪtri ‖ –ˈɑm–] *fn* **a)** orvosi statisztika, biometria **b)** várható élettartam-meghatározás, biometria • *mn* **biometric**
bionic [baɪˈɒnɪk ‖ –ˈɑnɪk] *mn orv* bionikus
bionics [baɪˈɒnɪks ‖ –ˈɑnɪks] *fn esz orv* bionika
bionomics [ˌbaɪəˈnɒmɪks ‖ –ˈnɑ–] *fn esz* környezettan, ökológia
biophysics [ˌbaɪoʊˈfɪzɪks] *fn esz* biofizika • *fn* **biophysicist** *mn* **biophysical**
biopic [ˈbaɪoʊpɪk] *fn biz* életrajzi film
bioplasm [ˈbaɪoʊplæzm] *fn biol* bioplazma *[sejtalapanyag]*, élő protoplazma
biopsy [ˈbaɪɒpsi ‖ –ɑp–] *fn orv* (élő szervezetből vett) szövettani vizsgálat, biopszia
biorhythm [ˈbaɪoʊrɪðm] *fn biol* bioritmus
biosphere [ˈbaɪəsfɪə ‖ –sfɪr] *fn* bioszféra
biota [baɪˈoʊtə] *fn biol* flóra és fauna *[területé* v. *koré]*
biotech [ˈbaɪoʊtek] *biz* → **biotechnology**
biotechnology [ˌbaɪoʊtekˈnɒlədʒi ‖ –ˈnɑ–] *fn* biotechnológia
biotic [baɪˈɒtɪk ‖ –ˈɑtɪk] *mn biol* élethez tartozó, természetes
biotin [ˈbaɪətɪn] *fn vegy* biotin, H-vitamin
bipartisan [ˌbaɪpɑːtɪˈzæn ‖ baɪˈpɑrtɪzn] *mn US* pártközi *[ahol két párt van]*, mindkét pártot érintő • *fn* **bipartisanship**
bipartite [baɪˈpɑːtaɪt ‖ –ˈpɑr–] *mn* **1. a)** kétrétű, kétoldali; *pol* ~ **agreement** kétoldali megállapodás *[pl. pártok között]* **b)** *jog* kettős, két részből álló *[okmány, okirat]*; ~ **contract/treaty** két példányban készült (v. két részből álló) szerződés **2.** *növ* kettős osztású *[levél]*
biped [ˈbaɪped] *áll* **I.** *fn* kétlábú állat **II.** *mn* kétlábú • *mn* **bipedal**
biplane [ˈbaɪpleɪn] *fn rep* kétfedelű repülőgép, biplán
bipod [ˈbaɪpɒd ‖ –pɑd] *fn* kétlábú állvány
bipolar [baɪˈpoʊlə ‖ –ər] *mn vill* kétsarkú, kétpólusú, *vegy* bipoláris • *fn* **bipolarity**
birch [bɜːtʃ ‖ bɜrtʃ] **I.** *fn* **a)** nyír(fa) **b)** nyírfa *[faanyag]* **c)** nyírfavessző, virgács **II.** *tsi* megvesszőz (vkt) • *mn* **birchen**
birch-bark [ˈbɜːtʃbɑːk ‖ ˈbɜrtʃbɑrk] *fn* **1.** nyírfakéreg **2.** *US* nyírfából készült könnyű csónak
Birchism [ˈbɜːtʃɪzm ‖ ˈbɜr–] *fn US* ‹a John Birch Society doktrínája, ultrakonzervatív antikommunizmus› birchizmus
birch-rod *fn* nyírfavessző, virgács
birchwood *fn* nyírfa *[faanyag]*
bird [bɜːd ‖ bɜrd] *fn* **1. a)** madár; **hen** ~ nősténymadár, tojó; **~s of a feather** hasonszőrű/egyívású emberek; ~ **of passage** költözőmadár, vándormadár; *átv* átutazó egyén; ~ **of peace** békegalamb; ~ **of prey** ragadozómadár; **a little** ~ **told me so** egy kis madár csiripelte, kémeim jelentették; **I'll do it like a** ~ igen szívesen (v. örömmel) megcsinálom; *biz* **(strictly) for the ~s** unalmas, érdektelen; hülyeség; **kill two ~s with one stone** két legyet fog/üt egy csapásra; *közm* **a** ~ **in hand is worth two in the bush** jobb ma egy veréb, mint holnap egy túzok **b)** baromfi, szárnyas **c) game ~s** szárnyasvad *[fogoly stb.]* **2.** *biz* alak, pofa, pasas, szivar; **an early** ~ korán kelő ember; *közm* **the early** ~ **catches the worm** ki korán kel, aranyat lel; **a late** ~ későn fekvő ember, éjjeli bagoly; **cunning old** ~ ravasz fickó/róka; finom madár/alak **3.** *szl* **a)** *[könnyűvérű nő]* csaj, tyúk **b)** *[utcanő]* kuruc **c)** *[barátnő]* vk csaja **4.** *szính* kifütyülés, pisszegés; **give sy the big** ~ kidob vkt, kiadja az útját vknek; kifütyül/lehurrog vkt; **get the** ~ kifütyülik **5.** *GB szl* **a)** *[börtön]* sitt, hűvös **b)** *[börtönbüntetést tölt]* sitten ül, bent van, hűvösön van; **the** ~ **is/has flown** a rab elszökött
bird-bath *fn* madárfürdő, fürdőtál *[madaraknak]*
birdbrain *fn biz* együgyű/ostoba alak
birdbrained *mn biz [buta]* borsóagyú, agyatlan
birdcage *fn* madárkalitka, madárház
bird call *fn* **1.** madárfütty, madárszó **2.** madár(csalogató)síp
birder [ˈbɜːdə ‖ ˈbɜrdər] *fn US* madár(meg)figyelő, madárfajták kutatója
birdfancier *fn* **a)** madártenyésztő **b)** madarász, madárkereskedő **c)** madárismerő, madárszakértő **d)** madá(meg)figyelő
birdie [ˈbɜːdi ‖ ˈbɜrdi] *fn* **1.** *biz* madárka, madaracska **2.** *sp* ‹lyukba találás a par-nál eggyel kevesebb golfütéssel›
birdlime *fn* madárenyv
bird-nesting *fn* fészekrablás
bird sanctuary *fn* madárrezervátum
birdseed *fn* szemes madáreleség/madáreledel
bird's-eye view *fn* madártávlat
bird-shot *fn* madársörét
bird-song *fn* madárdal
bird-strike *fn rep* **1.** ütközés madárral **2.** ‹madarak berepülése/beszívása lökhajtásos motorba›
bird-table *fn GB* etetőasztal(ka) *[madaraknak]*
bird-watcher *fn* madár(meg)figyelő *[ember]*, ornitológus • *fn* **bird-watching**
birefringence [ˌbaɪrɪˈfrɪndʒəns] *fn fiz* kettős törés *[optikai]* • *mn* **birefringent**
Birmingham [ˈbɜːmɪŋəm ‖ ˈbɜr–] *tul földr* Birmingham
biro [ˈbaɪroʊ] *fn GB* golyóstoll
birth [bɜːθ ‖ bɜrθ] *fn* **1. a)** születés; **premature** ~ koraszül(et)és **b)** szülés; **dead** ~ elvetélés, abortusz; halvaszülés; **give** ~ **to a child** gyermeket szül **c)** ellés *[tehéné, lóé stb.]*, fiadzás, malacozás *[disznóé]*, kölykezés *[kutyáé, macskáé, oroszláné stb.]*; **give** ~ **to ...** (meg)ellik *[tehén, ló stb.]*; (meg)fiadzik *[disznó]*; (meg)kölykezik *[kutya, macska, oroszlán stb.]* **d)** *átv* létrehoz; **it gave** ~ **to new disputes** új vitákra adott alkalmat **2.** születés, származás, keletkezés; **a man of (high)** ~ előkelő származású ember; **the** ~ **of an idea** egy gondolat/eszme (meg)születése/keletkezése; **crush a revolt at** ~ csírájában elfojt egy lázadást; **by right of** ~ születés/származás jogán; **Hungarian by** ~ magyar születésű
birth certificate *fn* születési bizonyítvány v. anyakönyvi kivonat
birth control *fn* születésszabályozás
birth control pill *fn* fogamzásgátló tabletta
birthday [ˈbɜːθdeɪ ‖ ˈbɜrθ–] *fn* születésnap, a születés napja; *biz tréf* **be in one's** ~ **suit** anyaszült meztelen(ül)
birthday cake *fn* születésnapi torta
birthday honours *fn tsz* ‹uralkodó születésnapján adományozott kitüntetések›

B

birthing [ˈbɜːθɪŋ ‖ ˈbɜr–] *fn* szülés; ~ **pool** szülőmedence
birthmark *fn* anyajegy
birth mother *fn* szülőanya
birth pill *fn GB* → **birth control pill**
birthplace *fn* **1. a)** születési hely **b)** szülőföld **c)** szülőház **2.** *biz* bölcső *[mozgalomé, vallásé stb.]*
birth rate *fn* születési arány(szám)
birthright *fn* **a)** elsőszülöttségi jog **b)** vkt születésénél/származásánál fogva megillető jog
birth sin *fn vall* eredendő bűn
birthstone *fn* talizmánkő
birth throes *fn tsz* szülési fájdalmak
birthweight *fn* **a)** születési súly **b)** ellési súly *[állatnál]*
Biscay [ˈbɪskeɪ] *tul földr* **the Bay of** ~ Vizcayai-öböl
Biscayan [bɪˈskeɪən] **I.** *mn földr* viscayai **II.** *fn földr* viscayai
biscuit [ˈbɪskɪt] **I.** *fn* **1. a)** keksz, kétszersült; *szl* **that takes the** ~ ez mindennek a teteje, nyerő vm; *szl* **you take the** ~! tiéd a pálma! **b)** *US* ‹piskótaszerű sütemény› **2.** ~ **(ware)** kiégetett máztalan porcelán, biszkvitporcelán **II.** *mn* világos kávészínű, izabellaszínű
bisect [baɪˈsekt] *tsi* **a)** kettéoszt, kettévág, kettészel **b)** *mat* felez *[szöget, vonalat]* • *fn* **bisection, bisector**
bisexual [ˌbaɪˈsekʃuəl] *mn/fn* kétnemű, biszexuális, hermafrodita, *növ* hímnős • *fn* **bisexuality**
bishop [ˈbɪʃəp] *fn* **1.** *vall* püspök; *szl* **bash the** ~ *[onanizál]* veri a farkát **2.** futó, futár *[sakkban]* **3.** édesített fűszerezett bor
bishopric [ˈbɪʃəprɪk] *fn* **a)** püspökség, egyházmegye **b)** püspökség, püspöki méltóság/hivatal
bison [ˈbaɪsn] *fn áll* bölény
bisque[1] [bɪsk] *fn gaszt* krémes rákleves
bisque[2] [bɪsk] *fn sp* pontelőny *[teniszben, golfban]*
bisque[3] [bɪsk] *fn* → **biscuit** I.2.
bistoury [ˈbɪstəri] *fn orv* szike
bistre [ˈbɪstə ‖ –ər] **I.** *mn* sötétbarna **II.** *fn* barnalakk, mangánbarna, biszter
bistro [ˈbiːstrou, ˈbɪ–] *fn* bisztró
bit[1] [bɪt] *fn* **1.** darab, falat, harapás *[kenyér, sajt stb.]*; ~**s and pieces/bobs** apró-cseprő holmik, maradékok; *biz* **have a** ~ **of sg** eszik egy falatot/harapást (v. vmt) **2. a)** *átv* kis darab, darabka, csepp, csipetnyi; **come/go to** ~**s** darabokra hull, szétesik; *biz* **do one's** ~ kiveszi a részét, megteszi a magáét; **make a** ~ jól keres; *szl* ~ **on the side** félrelépés **b)** **a** ~ **of** egy kevés/kicsi/csöpp (vmből); **a tiny little** ~ egy ici-pici darabka; egy icike-picike; **he is a** ~ **late** (egy) kissé elkésett; **a good** ~ **older** jóval idősebb; ~ **by** ~ lassanként, apránként, részletekben; **not a** ~ **(of it)!** egyáltalában nem!; szó sincs róla; **every** ~ teljesen, tökéletesen; ízig-vérig; *biz* **I don't care a** ~ nekem teljesen/tökéletesen mindegy; egyáltalában nem érdekel **c)** **a** ~ **of news** (egy) hír, újság; **a** ~ **of luck** szerencse **3. a)** pénzérme; **threepenny** ~ hárompennys pénz/érme **b)** *US biz* 12,5 cent; **two** ~**s** negyed dollár
bit[2] [bɪt] **I.** *fn* **1.** zabla; **champ the** ~ harapdálja a zablát *[ló]*; *biz* dúl-fúl magában; fogcsikorgatva (v. visszafojtott haraggal) tűr; **take the** ~ **in/between one's teeth** megbokrosodik, megvadul *[ló]*; *átv* ellenszegül, fellázad, nem tűri, hogy irányítsák, megmakacsolja magát **2.** *műsz* **a)** **(boring)** ~ fúró(hegy), fúróvég, fúrófej **b)** szorítópofa *[fogóé, satué]* **c)** vágóél *[fejszéé]*, gyaluvas, gyalukés **d)** forrasztópáka(fej) **3.** *műsz* kulcstoll **II.** *tsi* **1.** felzabláz, felkantároz *[lovat]* **2. a)** betör, megzaboláz, megszelídít *[lovat]* **b)** *átv* visszatart, féken tart, fékez *[szenvedélyt, vkt]*
bit[3] [bɪt] → **bite** I.
bit[4] [bɪt] *fn röv infor binary digit* bit
bitch [bɪtʃ] **I.** *fn* **1. a)** szuka **b)** nőstény *[kutyaféléké]* **2.** *szl [prostituált nő]* kurva; **son of a** ~ gazember, csirkefogó **3.** *szl [nehéz/bonyolult dolog/feladat]* szar ügy; **life is a** ~ szar az élet **II.** *tni biz* szitkozódik, morog, panaszkodik, nyafog *[vm miatt]*
bitchy [ˈbɪtʃi] *mn szl* (önzően) rosszindulatú, rosszkedvű *stand* • *fn* **bitchiness**
bite [baɪt] **I.** *i pt* **bit** [bɪt], *pp* **bitten** [ˈbɪtn] **A.** *tsi* **1.** megharap *[állat]*, megmar *[kígyó]*, megcsíp *[rovar]*; ~ **one's lips** harapdálja az ajkát *[mérgében]*; ~ **the dust** fűbe harap; *közm* **once bitten twice shy** akit a kígyó megmart, a gyíktól is fél; **he got bitten** megharapta, megmarta *[állat]*; megcsípte *[rovar]* **2.** *biz* rászedték, becsapták; ~ **one's thumb at sy** fittyet hány vknek, fügét mutat vknek; **what's bitten him?** mi lelte, mi ütött beléje?; *biz* **what's biting you** mi a baj?; *biz* ~ **the bullet** eltűr/hősiesen elvisel vmit; ~ **the hand that feeds one** beleharap a segítő kézbe **3. frost has bitten the leaves** a dér megcsípte a leveleket; **acid** ~**s metal** a sav megtámadja a fémet **B.** *tni* **1. a)** harap *[ember, állat]*, mar *[kígyó]*, csíp *[rovar]*; **the fish** ~**s** a hal harap (a horogra) **b)** *átv* bekapja a horgot, bedől **2.** *átv* mar *[sav]*, csíp, éget *[fűszer stb.]* **3. the wheels do not** ~ nem fognak/kapcsolódnak a kerekek **4.** ~ **at sg** vm után kap **II.** *fn* **1.** harapás, harapott seb, marás *[kígyóé]*, csípés *[rovaré]*; *biz* **make two** ~**s at a cherry** szőrszálhasogató; a kákán is csomót keres; habozik **2.** *átv* harapás; **eat sg up at one** ~ egy harapásra felfal/bekap vmt; **I haven't had a** ~ **all day** egy falatot/harapást sem ettem egész nap; egész nap nem akadt/harapott hal a horgomra; **put the** ~ **on** *US szl [pénzt kér (kölcsön)]* leakaszt, lenyúl *[pénzt]* **3.** harapás *[halé]* **4.** csípősség *[mártásé, italé]* **5.** *műsz* **a)** élesség **b)** egymásba kapaszkodás, egymásba akaszkodás *[kerekeké]* **c)** maró/roncsoló hatás *[savé]*
bite back *tsi* ~ **back an answer** lenyeli a választ
bite off *tsi* leharap; *biz* **don't** ~ **my head/nose off** (azért) ne harapd le a fejemet; ~ **off more than one can chew** túl nagy fába vágja a fejszéjét
biter [ˈbaɪtə ‖ ˈbaɪtər] *fn* harapós állat
bite-sized *mn* egy harapásnyi, egy falat
bit image *fn infor* bitkép
biting [ˈbaɪtɪŋ] *mn* **1. a)** metsző, csípős *[hideg, szél]* **b)** *átv* metsző, éles, csípős, gúnyos *[hang, stílus]*; ~ **irony** maró gúny **2. a)** harapós *[ló, kutya]* **b)** csípős, erős *[fűszer, ital]*
bitmap [ˈbɪtmæp] *infor* **I.** *fn* bittérkép **II.** *tsi* **-pp-** bitenként leképez
bit part *fn szính média* pár szavas szerep, epizódszerep
bit player *fn szính média* mellékszerepeket játszó színész, epizódista
bitten [ˈbɪtn] → **bite** I.
bitter [ˈbɪtə ‖ ˈbɪtər] **I.** *mn* **1.** keserű, kesernyés *[íz]*; *átv* ~ **pill** a keserű pirula/pohár; *biz* ~ **as gall/wormwood/aloes** keserű, mint a(z) epe/méreg **2.** *átv* metsző, átható *[szél, hideg]*, elkeseredett *[ellenség, küzdelem]*, keserves *[csalódás]*, keserű *[szemrehányás, könnyek, szavak]*; **be** ~ **against a project** élesen ellenez egy tervet; **to the** ~ **end** a végsőkig **II.** *fn* **a)** *GB* keserű sör, bitter **b)** **bitters** gyomorkeserű, keserű pálinka • *mn* **bitterish**
bitterness [ˈbɪtənəs ‖ –tər–] *fn* **1. a)** *átv* keserűség, fanyarság; **drain the cup of** ~ fenékig üríti a keserű poharat **b)** *átv* zordság, szigorúság *[időjárásé, arckifejezésé]*, elkeseredettség **2.** neheztelés, harag
bitter-sweet **I.** *mn* keserédes, kesernyés **II.** *fn* **the** ~**s of daily life** a mindennapi élet örömei és bánatai
bitumen [ˈbɪtʃumɪn ‖ bəˈtuːmən] *fn vegy ásv* aszfalt, bitumen
bituminize [bɪˈtjuːmɪnaɪz ‖ bəˈtuː–], **-ise** *tsi* bitumenez, bitumennel itat/kezel, aszfaltoz • *fn* **bituminization, bituminisation**
bituminous [bɪˈtjuːmɪnəs ‖ bəˈtuː–] *mn* bitumenes, aszfaltos; ~ **coal** zsírosszén, hosszú lángú/bitumenes szén
bitty [ˈbɪti] *mn* darabos, egyenetlen
bivalve [ˈbaɪvælv] **I.** *fn* kétteknős/kéthéjú kagyló **II.** *mn áll* kéthéjú, kétkagylós, kétteknős
bivouac [ˈbɪvuæk] **I.** *fn kat* (ideiglenes) táborozás *[szabadban]*; ~ **sheet** sátorpótló védőtakaró *[turistáknak]* **II.** *tni pt/pp* **bivouacked** szabadban táboroz, bivakol *[hegymászó]*

biweekly I. *hsz* **1.** kéthetenként **2.** hetenként kétszer **II.** *mn* **1.** kétheti, kéthetenként megjelenő *[kiadvány]* **2.** hetenként kétszer előforduló/megjelenő **III.** *fn* kéthetenként megjelenő folyóirat
biyearly I. *hsz* **1.** kétévenként, kétéves időszakokban **2.** évenként kétszer **II.** *mn* **1.** kétévenkénti **2.** félévenkénti
biz [bɪz] *biz* → **business**
bizarre [bɪˈzɑː ‖ bɪˈzɑr] *mn* bizarr, furcsa, groteszk
BL *röv* **1.** *Bachelor of Law(s)* **2.** *Bachelor of Letters* **3.** *Bachelor of Literature*
BLA *röv Bachelor of Liberal Arts*
blab [blæb ‖ –ər] **I.** *i* **-bb- A.** *tsi* ~ **out a secret** titkot elfecseg/kifecseg/kikottyant **B.** *tni* fecseg, locsog, pletykál, eljár a szája **II.** *fn* fecsegő, locsogó, pletykafészek
blabber [ˈblæbə ‖ –ər] *fn biz* → **blab II.**
blabbermouth [ˈblæbəmauθ ‖ –bər–] → **blab II.**
black [blæk] **I.** *mn* **1. a)** fekete; ~ **belt** feketeöv, feketeöves karatés/dzsúdós; ~ **book** feketekönyv, feketelista; *rep* ~ **box** fekete doboz; ~ **coffee** feketekávé; *biz* **the B~ Country** vasipari vidék *[Angliában]*; *tört* **B~ Death** fekete halál, pestis; ~ **economy** fekete gazdaság; **B~ English** ‹feketék által beszélt angol az USÁ-ban›; ~ **flag** kalózlobogó; **B~ Friar** domo(n)kosrendi/dominikánus szerzetes; ~ **hole** (i) *csill* fekete lyuk (ii) *kat biz* magánzárka; ~ **magic** fekete mágia; **B~ Maria** rabszállító autó, rabomobil; ~ **market** feketepiac; ~ **marketeer** zugárus, feketéző; ~ **mass** feketemise *[a sátán tiszteletére]*; **B~ Monk** bencés szerzetes; ~ **mould** humusz, kertiföld, virágföld; *GB* **B~ Rod** ‹brit Lordok Háza ceremóniamestere›; *biz* **the ~ sheep of the family** a család szégyene, fekete bárány a családban; *GB* ~ **spot** veszélyes hely *[úton]*; ~ **swan** (i) fekete hattyú (ii) *GB* ritkaság; ~ **tea** előfonnyasztott tea; ~ **tie** fekete csokornyakkendő; **it's a ~-tie dinner** a vacsorán megjelenés szmokingban; ~ **velvet** ‹sör és pezsgő keveréke›; *áll* ~ **widow** fekete özvegy **b)** ~ **eye** véraláfutásos/monoklis szem; **he was beaten ~ and blue** kékre-zöldre verték **c)** fekete, *pej* néger *[ember]*; *US* **the B~ Belt** négerek lakta (nagyobb) terület/zóna; *US* **B~ Panthers** Feketepárducok *[radikális polgárjogi mozgalom]*; ~ **power** fekete/néger hatalom **d)** fekete, piszkos, mocskos *[kéz, ruha stb.]* **2.** fekete, sötét, fenyegető; ~ **despair** sötét kétségbeesés; ~ **humour** abszurd/perverz humor(izálás); ~ **outlook** sötét kilátások; **give sy a ~ look** sötét/ferde/fenyegető pillantást vet vkre **II.** *fn* **1. a)** fekete szín; **bone ~** csontszén, állati szén; **the ~ of the eye** pupilla, szembogár; ~ **and white** ceruzarajz, tusrajz; **in ~ and white** (i) írásba(n), nyomtatásban (ii) leegyszerűsítve; **set sg down in ~ and white** írásba foglal vmt; → **black-and-white b)** fekete (ruha), gyász(ruha); **in ~** feketében; gyászban **2.** fekete, *pej* néger **3.** fekete figura *[sakk stb.]* **4. the ~** nettó jövedelem, hitelrész **III.** *tsi* **1.** feketít, feketére fest; ~ **boots** cipőt tisztít; *biz* ~ **sy's eye** monoklit ad vknek **2.** elsötétít *[ablakot stb. légónál is]* **3.** töröl, cenzúráz • *fn* **blackness** *mn* **blackish** *hsz* **blackly**
black out A. *tsi* **a)** elsötétít *[légónál is]* **b)** *szính* kioltják a lámpákat, elsötétítik a nézőteret **B.** *tni* **1.** elsötétül **2.** eszméletét veszti; → **black-out**
black and blue *mn* sötétkékes, véraláfutásos
black-and-white *mn távk* ~ **picture** fekete-fehér kép; ~ **television** fekete-fehér televízió
blackball *tsi [szavazásnál]* megbuktat, kizár
black beetle *fn GB áll* svábbogár, csótány
blackberry [ˈblækbəri ‖ –beri] *fn növ* földi szeder
blackbird *fn* **1.** *áll* **a)** feketerigó **b)** *US* vörösszárnyú gulyamadár **2.** *tört* **a)** néger rabszolga *[rabszolga-kereskedő hajón]* **b)** *Ausz* Polinéziából ültetvénymunkásnak elrabolt bennszülött
blackboard *fn* falitábla, (iskola)tábla
blackcurrant *fn növ* fekete ribiszke
blacken [ˈblækən] **A.** *tsi* **1.** befüstöl, bekormoz, bepiszkít **2.** befeketít, bemocskol, megrágalmaz; ~ **sy's character** befeketít/megrágalmaz vkt **B.** *tni* megfeketedik, besötétedik
blacketeer [ˌblækəˈtɪə ‖ –ˈtɪr] *fn biz* feketekereskedő *[feketepiacon]*, feketéző
Blackfoot [ˈblækfut] *fn tsz* **-feet** [–fiːt] feketelábúak *[indián törzs]*
blackguard [ˈblægɑːd, –gəd ‖ –gɑrd, –gərd] *régi* **I.** *fn* **a)** aljas/sötét/elvetemült gazember/csirkefogó, züllött alak/fráter **b)** mocskos szájú/trágár/közönséges ember **II.** *tsi* sérteget, szid(almaz), becsmérel, gyaláz • *mn* **blackguardly**
blackhead *fn* mitesszer
black-hearted *mn* gonosz, rosszindulatú, feketemájú
blacking [ˈblækɪŋ] *fn* cipőpaszta, cipőkrém
blackjack *fn* **1.** *ját* huszonegy **2. a)** *US* ólmosbot, gumibot **b)** bokszer **3.** ‹kátrányozott bőrből (v. lakkozott fémből) készült nagy korsó› **4.** *tört* kalózlobogó
blacklead [ˌblækˈled] **I.** *fn* **1.** grafit, ceruzabél **2.** grafitceruza **II.** *tsi* grafitporral fényesít *[kályhát stb.]*
blackleg *ip biz* **I.** *fn* sztrájktörő, áruló, sárga **II.** *tsi ip biz* sztrájktörést követ el, elárulja társait
blacklist I. *fn* **1.** feketelista **2.** index **II.** *tsi* **1.** feketelistára tesz **2.** indexre tesz *[könyvet]*
blackmail [ˈblækmeɪl] **I.** *fn* zsarolás **II.** *tsi* **1.** (meg)zsarol **2.** (meg)fenyeget • *fn* **blackmailer**
blackout *fn* **1. a)** eszméletvesztés, pillanatnyi ájulás **b) intellectual ~** szellemi elnyomás **2. a)** elsötétítés *[nézőtéré, légvédelmi stb.]* **b)** áramszünet **3. a)** titkolódzás, ködösítés **b)** hírzárlat; → **black out**
black pudding *fn GB gaszt* véreshurka
Blackshirt [ˈblækʃɜːt ‖ –ʃɜrt] *fn* **a)** *pol* feketeinges, fasiszta (párt tagja) **b)** *tört* rohamosztagos, SS-katona *[második világháborúban]*
blacksmith [ˈblæksmɪθ] *fn* (szeg)kovács, patkolókovács
blackthorn *fn* **1. a)** *növ* kökény(bokor); *GB* ~ **winter** tavaszi fagyok, hideg/fagyos április/május **b)** *növ* galagonya **2.** fütykös, furkósbot
blacktop *fn US* **1.** aszfalt (út)burkolat **2.** aszfaltozott felületű (v. aszfalt burkolatú) út(test)
bladder [ˈblædə ‖ –ər] *fn* **1. a)** (húgy)hólyag **b)** *növ* hólyag **c)** *orv* (víz)hólyag *[bőrön]* **2.** hólyag, tömlő *[felfújható]*, futballbelső
blade [bleɪd] *fn* **1. a)** penge *[késé, kardé]*, bárd *[nyaktilóé]*, lap *[fűrész, kard]* **b)** *vál* kard, tőr **2.** lapát *[turbináé, vízikeréké, ásóé, autón ablaktörlőé]*, lap, toll *[evezőé]*, szárny *[légcsavaré]*, jelzőkar *[vasúti]*, tolólemez *[buldózeré, hóekéé]*, ekevas **3.** *növ* **a)** szál *[fű, szalma, gabona]*; **corn in the ~** zöld vetés **b)** levél (lemez)
blade-bone *fn* **1.** *orv* lapockacsont **2.** lapocka *[marhahús]*
bladed [ˈbleɪdɪd] *mn* -élű, lapú, szárnyú, pengéjű, lapátos, szárnyas
blaeberry [ˈbleɪbəri ‖ –beri] *GB növ* → **bilberry**
blag *GB szl* **I.** *fn [rablás, betörés]* meló **II.** *tsi/tni [(ki)rabol, betör]* meghúz vmt
blague [blɑːg] *fn* hencegés, ámítás, humbug
blah [blɑː] *biz fn* link/süket duma, blabla
blah-blah *fn biz* blabla
blain [bleɪn] *fn* gennytüsző, gennyes pattanás
blakey [ˈbleɪki] *fn GB* vasalás *[cipő/csizma orrán* v. *sarkán]*
blame [bleɪm] **I.** *fn* **1.** szemrehányás, vád, feddés **2.** felelősség, vétkesség, hiba; **bear the ~** viseli (v. magára vállalja) a felelősséget; felelős(séggel tartozik); **lay/put/cast the ~ (for sg) upon sy, lay the ~ (for sg) at sy's door** hibáztat/okol vkt (vmért); ráhárítja a felelősséget vkre (vmért) **II.** *tsi* **1.** hibáztat, okol, szemrehányást tesz (vknek vmért); **she has only herself to ~** csak önmagát hibáztathatja/okolhatja **2. a) ~ sg for sg** vmnek tulajdonít vmt; vmt okol/hibáztat vmért **b) ~ sg on sy** vmt ráfog/ráken vkre *[hibát, bűnt]*; ráhárítja vkre a felelősséget vmért
blameable → **blameworthy**
blamed [bleɪmd] *US szl* **I.** *mn* átkozott; **I'll be ~ if ...** akármi legyek, ha ... **II.** *hsz* **it looks ~ dangerous** átkozottul/fene veszélyesnek látszik
blameful [ˈbleɪmful] → **blameworthy**

blameless [ˈbleɪmləs] *mn* ártatlan, feddhetetlen, kifogástalan

blameworthy [ˈbleɪmwɜːði ‖ –wɜrði] *mn* feddést/szemrehányást/megrovást érdemlő, elítélendő, kifogásolható *[viselkedés]*

blanch [blɑːntʃ ‖ blæntʃ] **A.** *tsi* **1.** előfőz *[főzeléket]*, fehérít *[fémet, textilt]*, ónoz *[vasat]*; ~ **almonds** mandulát hámoz *[forrázás után]* **2.** (el)sápaszt (vkt, arcot) **B.** *tni* elsápad, elfehéredik *[arc]*

blanch over *tsi* palástol, leplez, takargat *[hibát stb.]*, *átv* tisztára mos vkt, szépít

blancmange [bləˈmɒndʒ ‖ –ˈmɑndʒ] *fn gaszt* édes tejesrumos zselé

bland [blænd] *mn* **1.** szelíd, kedves, nyájas, udvarias, jóságos *[ember, beszéd]*, lágy *[hang]* **2.** enyhe *[idő]*, nyugtató, csillapító, enyhítő *[orvosság]*, kellemes, üdítő *[levegő, ital]*, ízetlen, fűszerezetlen *[étel]* • *hsz* **blandly**

blandish [ˈblændɪʃ] *tsi* cirógat, becéz, dédelget, hízeleg, kedveskedik (vknek)

blandishment [ˈblændɪʃmənt] *fn* hízelgés, kedveskedés

blank [blæŋk] **I.** *mn* **1. a)** üres, tiszta, kitöltetlen, fehér *[papír, nyomtatvány]*; *infor* ~ **character** szóköz-karakter; ~ **cartridge/shell** vaktöltény; ~ **map** vaktérkép; ~ **wall** csupasz/kopár fal; ~ **window** vakablak **b)** *gazd pénz* ~ **credit** nyílt (v. fedezet nélküli) hitel; blank/személyes hitel; ~ **cheque** csekklap; biankó csekk *[az összeg megjelölése nélkül]*; *biz* teljes felhatalmazás, szabad kéz **c)** *ir.tud* ~ **verse** rímtelen vers *[ötös jambusokban]* **2.** *átv* üres; ~ **despair** sötét/vigasztalan kétségbeesés; ~ **existence** sivár/tarthatatlan élet; ~ **face** üres/kifejezéstelen arc; ~ **future** kilátástalan jövő; ~ **impossibility** teljes lehetetlenség; ~ **stupidity** sötét ostobaság; **my mind went** ~ megállt az eszem **3.** kihagyott *[szó]* **II.** *fn* **1. a)** kitöltendő hely/rovat *[űrlapon]*, nyomtatvány, űrlap, blanketta; **paper signed in** ~ aláírással ellátott üres papírlap; korlátlan felhatalmazás **b)** űr, hiány; *biz* **there are ~s in his education** hiányos/hézagos a műveltsége/tudása; **his death leaves a** ~ halála űrt hagyott maga után; **his mind is a** ~ emlékezete teljesen kihagy; üres/kábult a feje; **the next five years of his life are a** ~ élete következő öt évét homály fedi **c)** céltábla közepe, *átv* cél **d)** vaktöltény **e) double** ~ dupla semmi *[dominójátékban]* **2.** nem nyerő sorsjegy/szám; **draw a** ~ nem nyerő számot húz; *átv* felkopik az álla; hoppon marad **3. a)** lapka *[pénzveréshez]* **b)** *műsz* nyersöntvény, sajtolandó/levágott munkadarab/nyersdarab **4.** gondolatjel *[nyomdafestéket nem tűrő szavak helyett]*; **leave** ~ térközt hagy **5.** *biz* **Mr/Mrs B~** ismeretlen/X úr/asszony **III.** *tsi* **1.** eltakar, láthatatlanná tesz; ~ **out an entry** bejegyzést/címszót töröl/kihúz; ~ **off** kikapcsol, kiiktat **2.** *US sp biz* nullára ver, lesimáz

blanket [ˈblæŋkɪt] **I.** *fn* **1.** takaró, pokróc; ~ **of fog/snow** ködfátyol, hótakaró; **(born) on (the) wrong side of (the)** ~ balkézről való *[gyerek]* **2.** *US* indián viselet **3.** *nyomd* nemez alátét **II.** *mn* mindenre/mindenkire kiterjedő/vonatkozó, általános **III.** *tsi* **1. a)** letakar, betakar; **~ed in fog** ködbe borult **b)** takargat, eltussol *[botrányt]* **2.** *biz* (meg)pokrócoz **3. a)** *hajó* elfogja a szelet (más hajó elől) **b)** felülmúl, túlszárnyal, háttérbe szorít

blanket bath *fn GB* ágyban mosdatás *[betegé]*

blanket stitch *fn* pelenkaöltés

blanket-weed *fn növ* békanyál

blankety [ˈblæŋkɪti] *mn/fn GB biz* ‹csúnya szó helyett használt kifejezés›

blankety-blank [ˌblæŋkɪti ˈblæŋk] → **blankety**

blankly [ˈblæŋkli] *hsz* **1. look** ~ **at sy** zavartan/meglepetten/elképedten/meghökkenten néz vkre; kifejezéstelenül/bambán néz vkre **2. he denies it** ~ kereken tagadja

blanquette [blɒŋˈket ‖ blɑŋ–] *fn gaszt* ~ **of veal** borjúbecsinált

blare [bleə ‖ bler] **I.** *fn* trombitaszó, rezes hang *[trombitáé]* **II. A.** *tsi* **the brass band ~d (out/forth) a march** a rezesbanda indulót játszott (v. rázendített egy indulóra); ~ **forth the news** kikürtöli az újságot (v. a hírt) **B.** *tni* (fel)harsan, harsog *[trombita]*, trombitál

blarney [ˈblɑːni ‖ ˈblɑrni] **I.** *fn biz* hízelgés, udvarlás, talpnyalás **II. A.** *tsi* körülhízeleg, (meg)főz **B.** *tni* hízeleg

Blarney Stone [ˈblɑːni stoun ‖ ˈblɑrni–] *tul Írorsz* ‹bűvös kő a corki Blarney-kastélyban, amely ékesszólással ruházza fel azt, aki megcsókolja›

blasé [ˈblɑːzeɪ ‖ ˌblɑːˈzeɪ] *mn* (el)fásult, megcsömörlött, unott, blazírt

blaspheme [blæˈsfiːm] **A.** *tsi* ~ **the name of God** Isten nevét káromolja **B.** *tni* káromkodik, szitkozódik, átkozódik, gyalázkodik

blasphemy [ˈblæsfəmi] *fn* istenkáromlás, gyalázkodás • *mn* **blasphemous**

blast [blɑːst ‖ blæst] **I.** *fn* **1.** széllökés, szélroham, erős légáramlat; **full** ~ teljes erővel/erőből, gőzerővel **2.** *hajó* szirénabúgás, szirénázás, tülkölés, sípszó, fütty; **sound a** ~ megszólaltatja a szirénát, szirénával jelt ad; tülköl, sípol; ~ **on the horn** tülkölés, dudálás **3. a)** *kat* légnyomás *[bombarobbanáskor]* **b)** *bány* robban(t)ás, robbanótöltet **c)** sújtólég **4.** *biz* megrovás, szidás **5.** *koh* fúvószél, befúvott levegő, fúvatás; **be in** ~ üzemben van, működik *[kohó, kemence]* **II. A.** *tsi* **1.** *bány* robbant, repeszt, fejt *[követ robbantással]* **2. a)** elhervaszt, megfonnyaszt, elperzsel, letarol *[növényt]* **b)** tönkretesz *[jövőt]*, romba dönt *[reményt, boldogságot]*, meggyaláz, bemocskol, tönkretesz *[hírnevet]*; ~ **hopes** reményeket meghiúsít/letör **3.** belecsap (vmbe) *[villám]* **4.** *biz* leszid, leteremt **5.** átkoz, fenébe/pokolba küld; ~ **you** fene egyen meg!, menj a fenébe/pokolba! **B.** *tni* **1.** recseg, harsog, üvölt *[hangszóró]* **2.** ~ **off** felemelkedik *[űrhajó]* **3.** *biz* lő; ~ **at sy** rálő vkre **III.** *isz GB* fenébe!

blasted [ˈblɑːstɪd ‖ ˈblæs–] *biz* **I.** *mn* átkozott, istenverte, fenеette **II.** *hsz GB* **I'm** ~ **hungry** átkozottul/irgalmatlanul/rettenetesen éhes vagyok

blast freezing *fn* gyorsfagyasztás

blast-furnace *fn* nagyolvasztó (kemence)

blast-off *fn űr* kilövés *[űrrakétáé, űrhajóé]*

blastula [ˈblæstjulə ‖ ˈblæstʃələ] *fn tsz* **blastulae** [–liː], **-s** *biol* blastula, csírahólyag

blat [blæt] *fn szl* újság *stand*

blatant [ˈbleɪtnt] *mn* **1.** hangoskodó, lármás, közönséges *[ember, modor]* **2.** kirívó, égbekiáltó *[igazságtalanság]*; ~ **error** szarvashiba, ordító/durva hiba **3.** nyilvánvaló, szembetűnő • *fn* **blatancy**

blather [ˈblæðə ‖ –ər] → **blether**

blatherskite [ˈblæðəskaɪt ‖ –ðər–] *régi biz* → **bletherskite**

blaxploitation [ˌblækspləɪˈteɪʃn] *fn US biz* ‹feketék sztereotíp ábrázolása filmekben, könyvekben›

blaze[1] [bleɪz] **I.** *fn* **1. a)** láng(ok), lobogó tűz; **set sg in a** ~ felgyújt, lángba borít vmt **b)** ~ **of anger** dühkitörés, dühroham **2.** fény, ragyogás, tündöklés *[napé, színeké, drágakőé]*; **in the full** ~ **of her beauty** ragyogó szépségének teljében **3.** *szl* **a) go to ~s!** eredj a pokolba/fenébe! **b) run like ~s** fut, mint egy őrült; **work like ~s** dolgozik, mint egy őrült/motolla **II.** *tni* **1. a)** lángol, lobog, ég *[tűz]* **b)** ~ **with anger** ég/lángol a haragtól/dühtől **2.** ragyog, tündöklik, csillog

blaze away *tni* **a)** ~ **away at the enemy** pergőtüzet zúdít az ellenségre **b)** *biz* ~ **away at sg** lázasan/lelkesen dolgozik vmn, beleveti magát vmlyen munkába

blaze down *tni* letűz *[nap]*

blaze forth *tni* kitör, kirobban *[felkelés stb.]*

blaze out *tni* **1.** kisüt *[nap]* **2.** kikürtöl, kikiabál, kitör *[szemrehányásokban, szidalmakban]*, rátámad

blaze up *tni* **1.** fellobog *[láng]*, lángba borul, lángra lobban, tüzet fog **2.** felfortyan, dühbe gurul

blaze[2] **I.** *fn* **1.** fehér folt/sáv *[ló/ökör fején]* **2.** jelzés, bemetszés *[fatörzsön útjelzésként]*, turistajelzés **II.** *tsi* bemetsz, megjelöl *[fatörzset]*; ~ **a trail** (i) nyomjelez/kitűz csapást/utat; utat vág *[erdőben]*; *átv* utat egyenget, úttörő munkát végez (ii) lerakja/megveti az alapját *[tudománynak stb.]*

blaze[3] *tsi* közhírré tesz; ~ **a rumour abroad** világgá kürtöl (v. nagydobra ver) egy hírt

blazer [ˈbleɪzə ‖ –ər] *fn* **1.** könnyű élénk színű sportkabát/ingkabát, blézer **2.** *biz* elképesztő hazugság **3.** *US biz* **a)** rikítóan ízléstelen dolog **b)** durva tapintatlanság, baklövés

blazing [ˈbleɪzɪŋ] *mn* **1. a)** lángoló, égő **b)** tűző *[nap]*, lobogó *[tűz]* **2. a)** *biz* **commit a ~ indiscretion** durva/szörnyű tapintatlanságot/indiszkréciót követ el **b)** *szl* **what's the ~ hurry?** miért ez az őrült sietség?

blazon [ˈbleɪzn] **I.** *tsi* **1.** magasztal, dicsőít, méltat *[erényeket]* **2.** ~ **out/forth sg** kikürtöl (v. közhírré tesz v. nyilvánosságra hoz) vmt; ~ **news abroad** hírt világgá kürtöl **3.** *cím* címerrel ékesít **4.** *cím* díszít, ékesít *[heraldikus rajzokkal]* **II.** *fn* **a)** címertan, címerleírás, heraldika **b)** *régi* magasztalás, dicsőítés, méltatás *[főleg erényeké]* • *fn* **blazonment**

blazonry [ˈbleɪznri] *fn* **1.** *cím* címertan, heraldika **2.** *cím* címerleírás, címerfejtés **3.** színpompás díszítés/látványosság

bldg *röv building* épület, ép.

bleach [bliːtʃ] **I. A.** *tsi* fehérít, színtelenít, halványít; **she ~es her hair** szőkíti a haját **B.** *tni* kifehéredik, megfakul, megőszül *[haj]* **II.** *fn* **1.** *tex* fehérítőszer, színtelenítőszer **2. a)** fehérítés, színtelenítés, fakítás **b)** elszíntelenedés, fakulás

bleacher [ˈbliːtʃə ‖ –ər] *fn* **1.** *tex* fehérítőkád, fehérítő **2.** vászonfehérítő (munkás) **3. bleachers** *US sp* fedetlen/nyílt tribün/lelátó

bleaching powder *fn* klórmész

bleak [bliːk] *mn* **1.** széljárta, kietlen, sivár, puszta, lakatlan, kopár *[terület]* **2.** zord, barátságtalan *[időjárás]*, hideg *[szél]* **3.** *átv* ~ **prospects** sötét/sivár kilátások; ~ **smile** halvány/fagyos mosoly

blear [blɪə ‖ blɪr] *régi* **I.** *mn* **1. a)** könnyes, fátyolos *[szem]* **b)** zavaros, ködös, homályos *[elme]* **2.** elmosódott, halvány, bizonytalan körvonalú **II.** *tsi* **1. a)** zavarossá/könnyessé/fátyolossá tesz, elhomályosít *[szemet]* **b)** megzavar, elködösít *[elmét]* **2.** elmos, bizonytalanná tesz *[körvonalat]*

bleary [ˈblɪəri ‖ ˈblɪri] → **blear I.**

bleat [bliːt] **I. A.** *tsi* **1.** mekegve mond **2.** elfecseg, elkotyog **B.** *tni* **1.** béget, bőg, mekeg **2. a)** remegő/mekegő hangon beszél **b)** ostobaságokat beszél **II.** *fn* bégetés, bőgés, mekegés

bleb [bleb] *fn* **1.** (lég)buborék *[üvegben, vízben]* **2.** *orv* kis hólyag, pattanás *[bőrön]*

bled [bled] → **bleed I.**

bleed [bliːd] **I.** *i pt/pp* **bled** [bled] **A.** *tsi* **1. a)** vért vesz, eret vág **b)** *biz* ~ **sy (for money)** pénzt csikar/vasal ki vkből; megvág/megzsarol vkt; ~ **sy white** megkopaszt/kiszipolyoz vkt **c)** leereszt, kifolyat, megcsapol; *szl* ~ **one's love muscle** *[vizel]* kitekeri a kígyót **2.** túlságosan megmetsz *[könyvet]*, képmezőbe belevág *[klisékészítéskor, könyvkötéskor]* **B.** *tni* **1. a)** vérzik, vért veszít; ~ **freely** erősen vérzik; ~ **to death** elvérzik; **my heart ~s at the thought** ... vérzik a szívem, ha arra gondolok ...; ~ **for one's country** vérét ontja hazájáért **b)** *biz* fizet, tejel **2. a)** könnyezik, nedvezik, nedvet ereszt *[fa, növény]* **b)** *műsz* folyik, ereszt *[tartály]*, szivárog *[gáz]* **c)** enged, ereszt *[szín mosásnál]*, vérzik *[textil]* **d)** *[festék]* összefut, összemosódik **II.** *fn* vérzés

bleeder [ˈbliːdə ‖ –ər] *fn* **1.** *durva szl [ellenszenves ember]* seggfej; **lucky ~** szerencsés barom **2.** *orv biz* vérzékeny ember

bleeding [ˈbliːdɪŋ] *mn/hsz szl* átkozott, nyavalyás

bleep [bliːp] **I.** *fn* csipogás, pittyegés *[elektronikus]* **II. A.** *tsi* sípoltat, pittyegtet, megcsipogtat **B.** *tni* sípol, pittyeg, csipog; jelez *[sípszóval]*; → **beep**

bleeper [ˈbliːpə ‖ –ər] *fn GB* személyhívó, csipogó

blemish [ˈblemɪʃ] **I.** *fn* **1.** hiba, hiányosság, fogyatékosság *[testi, erkölcsi]* **2. a)** piszok, folt, pecsét **b)** *átv* szennyfolt, szégyenfolt; **name without ~** feddhetetlen/makulátlan név **II.** *tsi* **1.** beszennyez, bemocskol *[becsületet]* **2.** elront, tönkretesz, megrongál

blench [blentʃ] *tni* megrezzen, megriad, visszariad, visszahőköl, meghátrál; **without ~ing** szemrebbenés nélkül

blend [blend] **I.** *fn* **1. a)** keverék *[tea, dohány]* **b)** kombináció **2.** *nyelv* vegyülékszó *[mint „ucsora", „csokréta"]* **II.** *i pt/pp* **blended**, *vál* **blent** [blent] **A.** *tsi* **1.** (össze)kever, (össze)vegyít, elegyít *[anyagokat]* **2.** egyesít, egybeolvaszt *[nemzeteket, pártokat]* **3.** összeolvaszt, kever *[színeket]*, összhangba hoz *[hangokat]* **4.** társít *[gondolatokat]* **B.** *tni* **1.** (össze)keveredik, (össze)vegyül, egybeolvad, (fokozatosan) átmegy **2.** egyesül, egybeolvad *[nemzetek, pártok]* **3.** egybeolvad, összeolvad *[színek]*, egybeolvad, összhangban van, harmonizál *[hangok]* **4.** társul *[gondolat]*

blender [ˈblendə ‖ –ər] *fn* **1. a)** keverő, elegyítő **b)** (háztartási) robotgép, turmixgép **2.** keverőmunkás

bless [bles] *tsi pt/pp* **blessed**, *régi* **blest** [blest] **1.** ~ **God** áldja/magasztalja/dicsőíti/imádja Istent **2.** ~ **a bell** harangot szentel; **(God) ~ you!** áldja meg az Isten!; egészségére! *[tüsszentéskor]* **3. God ~ed them with children** Isten gyermekekkel áldotta meg őket/házasságukat; **be ~ed/blest with sg** meg van áldva vmvel *[anyagi/szellemi javakkal]*; **God ~ me, God ~ my soul!** irgalmas/szent Isten!; ~ **one's stars** örül a szerencséjének; áldja a csillagát/szerencséjét; *régi biz* **(well,) I'm ~ed/blest!** no de ilyet!, ejha!

blessed [ˈblesɪd, blest] *mn* **a)** áldott, szent, szentelt; **the B~ Virgin** a Szent Szűz, Szűz Mária **b)** *vall* boldog(gá avatott) **c)** *euf* **what a ~ nuisance** bosszantó/átkozott egy dolog

blessedness [ˈblesɪdnəs] *fn* **1.** boldogság **2.** *vall* kegyelem állapota **3.** *tréf* **single ~** boldog legénykor

blessing [ˈblesɪŋ] *fn* áldás; **ask/say a ~ (at a meal)** elmondja az asztali áldást; **count one's ~s** megbecsüli magát; ~ **in disguise** ‹kellemetlenség, amiről csak később derül ki, hogy mennyi jó származik belőle›; **what a ~!** milyen szerencse!

blest [blest] *mn vál* → **blessed**

blether [ˈbleðə ‖ –ər] **I.** *fn sk* üres/ostoba fecsegés/locsogás/beszéd **II.** *tni* összevissza fecseg/locsog, hetet-havat összehord

bletherskite [ˈbleðəskaɪt ‖ –ðər–] *fn* ostoba fecsegő, locsogó/fecsegő ember

blew [bluː] → **blow**[1] **I.**

blight [blaɪt] **I.** *fn* **1.** *növ* **a)** penész; rozsda, ragya, üszög *[gabonán]*; leszáradás, barnulás, sárgulás *[növényé]* **b)** fagykár **2.** gyapjas levéltetű **3.** ártalmas/káros/romboló hatás, csapás **II.** *tsi* **1.** üszkössé/rozsdássá tesz *[gabonát]*, elhervaszt, (meg)fonnyaszt; **be ~ed by frost** elfagy *[csak termés]* **2.** meghiúsít, megsemmisít, megront; *átv* ~ **sy's hopes** reményétől megfoszt vkt

blighted [ˈblaɪtɪd] *mn* **1.** ~ **hope** szétfoszlott/rombadőlt remény/ábránd/terv; *biz* ~ **prospects** kilátástalan jövő, kettétört életpálya/karrier **2.** átkozott, feneette, istenverte, rohadt, nyamvadt; ~ **area** gazdaságilag elsorvadó terület

blighter [ˈblaɪtə ‖ ˈblaɪtər] *fn GB biz* ipse, pacák, csóró, csórikám; **a poor ~** szegény ördög

Blighty [ˈblaɪti] *fn* **1.** *GB kat szl* Anglia **2. a ~ one** ‹jó/könnyű harctéri sebesülés, mellyel haza lehet térni›

blimey [ˈblaɪmi] *isz GB szl* az ördögbe!, a fene egye meg!

blimp [blɪmp] *fn* **1.** *GB* túlzó hazafi; ‹a túlkonzervatív ostoba/soviniszta ember típusa› **2.** kis kormányozható megfigyelő/felderítő léghajó **3.** *US film* hangszigetelő burkolat **4.** kövér/dagi ember • *mn* **blimpish**

B

blind [blaɪnd] **I.** *mn* **1. a)** vak, világtalan; **~ prejudice** vak előítélet; *biz* **apply the ~ eye to sg** nem akar észrevenni vmt; **go ~** megvakul; **strike ~** (meg)vakít; **turn a ~ eye to sg** úgy tesz, mintha nem venne észre vmt **b)** meggondolatlan, hiábavaló, tudatlan; *biz* **~ bargain** meggondolatlan vásárlás/vétel; zsákbamacska; **~ excuse** elégtelen mentegetőzés; *biz* **~ side** gyenge oldala, gyengéje (vknek); *szl* **drink oneself ~** alaposan (v. a sárga földig) leissza magát; **go ~ with rage** éktelen haragra gerjed, dühbe gurul; **he is as ~ as a bat/beetle/mole** nem lát messzebb az orránál; **be ~ to one's interests** nem látja/nézi saját érdekeit; **be ~ to sy's faults** nem látja más hibáit; *GB biz* **not a ~ bit of** egyáltalán nem; *biz* **~ to the world** züllött, részeg(es) **2.** *közl* **~ corner** beláthatatlan útkanyarulat; **~ stitch** láthatatlan apró öltés *[varrásnál]*; → **blind-stitch**; **~ storey** ablaktalan emelet **3. ~ alley** zsákutca; *átv* **~-alley occupation** kilátástalan életpálya/foglalkozás; *biz* **~ date** (i) ‹harmadik személy által összehozott randevú› (ii) ‹ilyen randevún részt vevő személy›; *rep* **~ flight** vakrepülés, műszerrepülés; **~ spot** *orv* vakfolt *[szemben]*; érzéketlenség (vmre); *távk* csendes zóna **4. ~ letter** hiányosan címzett levél; címzett által el nem fogadott (v. át nem vett) levél **II. A.** *tsi* **a)** megvakít **b)** (el)vakít, elkápráztat; **~ sy to facts** port hint vk szemébe **B.** *tni GB biz* **~ along the road** eszeveszetten/vakon száguld (nem törődve a veszéllyel) **III.** *fn* **1. the ~** a vakok; **it is a case of the ~ leading the ~** vak vezet világtalant **2. a)** (sötétítő)függöny **b)** ablakroló, (vászon)roló, utcai vászonernyő *[üzleté]*, napellenző **c)** → **Venetian blind d)** ernyő, ellenző *[lámpáé]* **3.** álarc, tettetés, ürügy, kifogás **4.** *GB szl [iváscat]* buli, züllés **IV.** *hsz* **go at a thing ~** vakon/meggondolatlanul beleveti magát vmbe (v. fog neki vmhez); **fire ~** vaktában/találomra lő; *rep* **fly ~** vakrepülést végez • *fn* **blindness**

blinder [ˈblaɪndə ‖ –ər] *fn GB biz* nagyszerű előadás, jó játék/verseny

blinders [ˈblaɪndəz ‖ –ərz] *fn tsz US* szemellenző, szemernyő *[lovaké]*

blindfold [ˈblaɪndfould] **I.** *tsi* **1.** beköt *[szemet]*, szemkötőt tesz vkre **2.** *átv* elvakít **II.** *fn [szem bekötésére használt]* ruhadarab **III.** *mn/hsz* **1.** bekötött szemű/szemmel; **~ player** vak játékos *[sakkban]* **2. a)** vakon, vaktában, tájékozatlanul **b)** vakmerően, merészen

blindfolded [ˈblaɪndfouldɪd] *mn átv is* behunyt/bekötött szemmel

blinding [ˈblaɪndɪŋ] **I.** *mn* (el)vakító, kápráztató; *biz* **~ headache** migrén, igen erős fejfájás **II.** *fn* **a)** kőtörmelék *[úttöltéshez]* **b)** kőtörmelékkel/homokréteggel való elborítás, tömítés *[úton]*

blindly [ˈblaɪndli] *hsz* vakon; **go ~ on** tapogatózva/vakoskodva megy; **strike ~** találomra üt

blind-man's buff *fn GB ját* szembekötősdi

blind stamping *fn nyomd* vaknyomás

blind-stitch [ˈblaɪndstɪtʃ] *tsi/tni tex* láthatatlan (apró) öltésekkel varr; → **blind** I. 2

blink [blɪŋk] **I. A.** *tsi* szándékosan elkerül (v. nem vesz észre/tudomásul); **~ the facts** szemet huny az igazság felett; **~ the question** kitér egy kérdés elől **B.** *tni* **1. a)** pislog, hunyorít **b)** pislákol, csillog, (fel)csillan, vibrál, szikrázik *[fény]* **2. ~ at sy** ferdén (v. ferde szemekkel) néz vkre **3. a)** félig lehunyja a szemét **b)** szándékosan nem vesz észre/tudomásul (vmt); **~ at a fault** szemet huny egy hiba felett **II.** *fn* **1.** hunyorítás, pislogás **2.** (fel)villanás, csillámlás **3.** *szl* **on the ~** *[elromlott, nem működik]* kipurcant

blink back *tsi* **~ back a tear** pislogással visszafojtja a könnyeit

blinker [ˈblɪŋkə ‖ –ər] *fn* **1. a)** (nap)ellenző, szemellenző **b) blinkers** *GB* szemellenző; *átv* **he has ~s on** hályog van a szemén **c)** *szl* szemüveg **2.** (közlekedési) villanófény, irányjelző, index **3.** *szl [szem]* pislogók

blinkered [ˈblɪŋkəd ‖ –kərd] *mn* **1.** szemellenzős *[ló]* **2.** *átv* szemellenzős, szűk látókörű *[ember]*

blinkie [ˈblɪnki] *fn szl* ‹magát vaknak tettető koldus›

blinking [ˈblɪŋkɪŋ] *mn/hsz GB szl* abszolút, tiszta; **~ idiot** totál hülye

blip [blɪp] *fn* **1.** visszavert (radar)jel, radarkép **2.** pittyegés, csöppenés *[hangja]* **3.** kis hiba

bliss [blɪs] *fn* (tökéletes)mennyei boldogság, üdvösség, gyönyör, üdvözültség; **the realms of ~** a túlvilág; a boldogok (v. az üdvözültek) birodalma

blissful [ˈblɪsfl] *mn* igen boldog, üdvözült, áldott; **~ ignorance** jótékony tudatlanság • *fn* **blissfulness**

blister [ˈblɪstə ‖ –ər] **I.** *fn* **1. a)** hólyag *[bőrön]* **b)** *orv* hólyaghúzó **c)** buborék *[üvegben]*, felhólyagzás *[festéké]*, hólyag *[öntvényben]* **2.** *GB szl [idegesítő ember]* hólyag **II. A.** *tsi* **1. a)** hólyagot húz, felhólyagzást okoz *[kézen stb.]*; **~ the tongue** elégeti a nyelvét **b)** *orv* hólyaghúzót/hólyagtapaszt rak fel (vkre) **2.** bosszant (vkt), alkalmatlankodik (vknek) **B.** *tni* felhólyagzik *[bőr, festék]*, felpattogzik *[festék]*

blistering [ˈblɪstərɪŋ] *mn* **1.** erős, kemény *[kritika]* **2.** átkozottul nagy, gyors

blister pack *fn GB* buborékcsomagolás, buborékfólia

blithe [blaɪð] *mn* **1.** *vál* vidám, jókedvű **2.** naiv, tájékozatlan, meggondolatlan

blithering [ˈblɪðərɪŋ] *mn biz* **1.** értelmetlenül locsogó, hülye, szédült **2.** reménytelen

blithesome [ˈblaɪðsəm] → **blithe**

BLitt [ˌbiː ˈlɪt] *röv* Baccalaureus Litterarum; *Bachelor of Letters*

blitz [blɪts] **I.** *fn* **1.** → **blitzkrieg 2.** gyors munka **3.** *tört* **the B~** London bombázása 1940-ben **4.** *US* ‹az irányító letámadása/lerohanása amerikai futballban› **II.** *tsi* **a)** váratlan/pusztító légitámadást intéz (vm ellen) **b)** villámháborúval elfoglal területet, villámháborút intéz (vm ellen)

blitzkrieg [ˈblɪtskriːg] *fn* **a)** villámháború *[hirtelen támadás gépesített csapatok és a légierő bevetésével]* **b)** váratlan/rajtaütésszerű (v. igen heves) légibomba-támadás (v. bombázás)

blizzard [ˈblɪzəd ‖ –ərd] *fn* hóvihar, hófúvás

bloat[1] [blout] **A.** *tsi* **1.** felfúj, felduzzaszt, puffaszt **2.** elbizakodottá/felfuvalkodottá tesz **B.** *tni* megdagad, megduzzad, felpuffad, felfúvódik

bloat[2] [blout] *tsi* enyhén füstöl *[heringet sózás után]*

bloated [ˈbloutɪd] *mn* **1.** dagadt, duzzadt **2.** pöffeszkedő, felfuvalkodott

bloater [ˈbloutə ‖ –ər] *fn gaszt* füstölt sós hering

blob [blɒb ‖ blɑb] *fn* **1. a)** festékfolt, (tinta)folt, poca, paca **b)** vízcsepp *[asztalon stb.]* **2.** *sp szl* nulla pont *[krikettben]*

bloc [blɒk ‖ blɑk] *fn* **1.** *pol* koalíció, érdekszövetség **2.** *US* választási blokk, (választási) listaegyesítés

block [blɒk ‖ blɑk] **I.** *fn* **1. a)** márványtömb, vajtömb, vastömb, tömböntvény, (fa)rönk, (kő)lap, fésült parókás fej *[fodrászkirakatban]*, próbababu, kalaposforma, jegyzettömb; **~ of shares** részvénypakett; **~ of soap** nagy darab négyszögű szappan; *biz* **cut ~s with a razor** tehetségét hozzá méltatlan munkára fordítja; *US* **his goods went on the ~** holmiját elárverezték **b)** tőke, fatuskó, tönk; **butcher's ~** húsvágó deszka; tőke **c)** kőtuskó, fatuskó *[lóra szálláshoz]* **d)** féktuskó, blokk, keréksaru **e)** *szl [fej]* dió, kobak; **(he is) a chip off the old ~** apja fia!, az alma nem esett messze a fájától **f)** vérpad **2. a)** a háztömb, épülettömb; *GB* **~ of flats** nagy bérház(tömb); *US* **he lives two ~s from us** két saroknyira lakik tőlünk; *Ausz* **do the ~** a városban sétál **b)** telek, parcella **3. a)** akadály **b)** obstrukció *[parlamentben]* **c)** *orv* elzáródás, akadály, obstrukció **4.** *vasút* **a)** szakasz **b)** kocsisor, szerelvény **5.** *nyomd* alátét *[fából]*, klisé *[fémből]* **6. ~ and tackle** csiga(sor) **7.** *sp* **a)** blokk, prakker *[kosárlabdában]* **b)** blokk, elzárás *[amerikai futballban]* **II.** *tsi* **1. a)** eltöm, eltorlaszol, gátol, akadályoz, lezár, bezár *[kulccsal]*, reteszel; **~ the traffic** gátolja/akadályozza/eltorlaszolja a forgalmat; **~ sy's way** vknek útját állja; **road ~ed** út elzárva; **~ progress** megakasztja/gátolja a haladást; **~ a wheel** meghúz/megszorít/befékez egy kereket; **~ a bill** ellenez/obstruál egy törvényjavaslatot *[parlamentben]* **b)** *pénz* zárol, befagyaszt *[követelést]*, korlátoz *[valutaforgalmat]*; elzár *[kereskedelmi csatornát mások áruira]* **c)** formál, alakít; ~ **a sweater to a person's measurements** vk alakjára igazítja/vasalja a pulóvert **2.** *sp* **a)** ~ **the ball** megállítja a labdát továbbítás nélkül *[krikettben]* **b)** blokkol *[kosárlabdában]* **c)** szorít, blokkol *[amerikai futballban]* **3. a)** présel *[könyv kötését]* **b)** formára ráhúz, formáz *[kalapot]* **4.** *orv* blokál, elzár • *fn* **blocker**

block in *tsi* **1.** nagy vonalakban (fel)vázol, vázlatosan berajzol (vmt) **2.** bezár (vkt)

block out *tsi* **1. a)** kizár *[fényt, zajt]* **b)** elfelejt, elzár *[emléket]* **2.** vázlatosan kitervel, kinagyol, megkezd *[szobrot]*

block up *tsi* **1.** bedug, betöm, elzár *[nyílást]*, befalaz, eltorlaszol *[ajtót, ablakot]* **2.** bezár (vkt)

blockade [blɒ'keɪd ‖ blɑ–] **I.** *fn* **1.** ostromzár, blokád, tengeri zár; **run the** ~ áttöri a blokádot **2.** *US* vasúti forgalom elakadása *[hótorlaszok folytán]* **3.** elzáródás, eltömődés, gátlás **II.** *tsi* **1.** ostromzár alá vesz *[várost, kikötőt]*, körülzár, körülvesz *[megerősített helyet, erődöt]* **2.** *US* megakaszt *[forgalmat]*, eltorlaszol, elzár *[utcát]* • *fn* **blockader**

blockage ['blɒkɪdʒ ‖ 'blɑ–] *fn* **1.** gátlás, elzárás, akadály **2.** elzáródás, eltömődés

blockbuster *fn biz* **1.** rendkívül sikeres vm *[könyv, film stb.]*; bombasiker **2.** ‹egész háztömböt lerombolό légi bomba›

block capitals *fn tsz* nyomtatott nagybetűk(kel való kézírás)

block diagram *fn el* blokkdiagram, kapcsolási vázlat, elvi rajz

blockhead *fn biz* tökfilkó, tökfej

blockhouse *fn* **1.** gerendaház, ácsolt faház **2.** *kat* erődített őrhely/őrház, erődház, kiserőd **3.** *szl [börtön]* sitt

blockish ['blɒkɪʃ ‖ 'blɑ–] *mn* **1.** nehéz felfogású, lassú észjárású, ostoba **2.** ügyetlen, suta *[mozgású]*

block letter *fn* **1.** nagybetű, nagy kezdőbetű **2. block letters a)** nyomtatás, nyomtatott szöveg **b)** nyomtatást utánzó írott betűk, nyomtatott nagybetűk

block-out *fn* **mental** ~ emlékezetkihagyás, emlékezetkizárás

block system *fn közl* térközbiztosító rendszer *[vasútnál]*

block teaching *fn okt* ‹tantárgycsoportos oktatás›

block-type *fn nyomd* blokkírás, újsággroteszk, kövér groteszkírás

block vote *fn GB* tömbszavazás

bloke [bloʊk] *fn GB biz* pasas, pali, pacák, fickó

blokeish *mn GB biz* egyszerű, mindennapos

blokish → **blokeish**

blond [blɒnd ‖ blɑnd] **I.** *mn* szőke **II.** *fn* szőke (ember)

blonde [blɒnd ‖ blɑnd] **I.** *mn* szőke *[nő]* **II.** *fn* szőke nő

blood [blʌd] **I.** *fn* **1. a)** vér; **hot** ~ heves vér; **it makes my** ~ **boil** felforr tőle a vérem; ökölbe szorul az ember keze (ha ...); **his** ~ **ran cold** meghűlt/megdermedt a vér az ereiben; **draw** ~, **let** ~ **from sy** vért vesz (vktől); vért ont; **stain one's hand with** ~ vér tapad a kezeihez; *átv biz* **he is out for** ~ vérengző, vérszomjas; **in cold** ~ hidegvérrel; **taste** ~ érzi a siker ízét; **there is bad/ill** ~ **between them** rosszban vannak; harag/gyűlölködés van közöttük **b) new** ~ *átv* friss vér, új erő; új emberek/tagok; → **young I.2.**; **allied by** ~ vérrokonok; *átv* **infuse new** ~ **into an undertaking** fellendít egy vállalkozást; *átv* **it runs in the** ~ ez családi vonás/örökség; ez már a vérében van; **the call of** ~ a vér szava; ~ **is thicker than water** vér nem válik vízzé **c) blue** ~ kék vér, előkelő származás; **base** ~ törvénytelen származás; alacsony származás **2.** *GB szl [divatos ember]* divatdiktátor, piperkőc, dandy; **the ~s** az aranyifjúság **II.** *tsi* **a)** vérhez szoktat, húst szagoltat *[kutyával]* **b)** *kat* ~ **the troops** tűzkeresztségbe viszi a csapatokat; → **bleed**

blood-and-thunder story *fn* ponyvaregény, rémregény

blood bank *fn orv* véradó központ

bloodbath *fn* vérfürdő

blood blister *fn* vérhólyag

blood brother *fn* **1.** fivér **2.** vértestvér, édestestvér

blood cell *fn biol* (vörös) vérsejt

blood clot *fn* vérrög, thrombus

blood corpuscle *fn orv* (vörös) vértest

blood count *fn orv* vérsejtszámlálás; vérsejtszám

blood-curdling *mn* vérfagyasztó, hajmeresztő

blood donor *fn* véradó

blooded ['blʌdɪd] *mn* **1.** vérbeli, telivér **2. cold-~ animals** hüllők; hidegvérű állatok; **warm-~ animals** melegvérű állatok

blood feud *fn* vérbosszú

blood group *fn orv* vércsoport

blood-heat *fn* test/vér hőmérséklete

bloodhound *fn* **1.** véreb **2.** *átv biz* véreb, rendőrkopó

bloodless ['blʌdləs] *mn* **1. a)** vértelen, halvány, vérszegény **b)** (biz) hideg, érzéketlen, kedélytelen **c)** *biz* nincs vér az ereiben **2.** vér(zés) nélküli; ~ **victory** vérontás nélküli győzelem • *hsz* **bloodlessly**

bloodletting *fn* **1.** véreztetés **2.** vérontás, vérengzés, vérfürdő

bloodline *fn* vérvonal, pedigré

bloodlust *fn* vérontás vágya, vérszomj

blood-money *fn* **1.** vérdíj *[bérgyilkosnak]* **2.** adomány *[a meggyilkolt családjának]*

blood orange *fn növ* vérnarancs

blood poisoning *fn* vérmérgezés, szepszis

blood pressure *fn* vérnyomás; **high** ~ magas vérnyomás; **take one's/the** ~ vérnyomást mér

blood pudding *fn gaszt* véreshurka

blood-red *mn* vérvörös, vértől vörös, vörösen izzó

blood relation *fn* vérrokon

blood royal *fn* királyi család

bloodshed *fn* **1. a)** vérontás, gyilkosság **b)** háború **2.** vérfürdő

bloodshot *mn* véraláfutásos, vérben forgó

blood sport *fn* vadászat

bloodstain *fn* vérfolt

bloodstained *mn* vérfoltos *[ruhadarab]*, vérrel szennyezett *[kéz]*, gyilkos *[személy]*

bloodstock *fn* telivér lovak

bloodstream *fn* véráram

bloodsucker *fn* **1.** pióca **2.** *biz* vérszopó, vámpír

blood sugar *fn* vércukor

blood test *fn orv* vérvizsgálat

bloodthirsty *mn* vérengző, vérszomjas

blood transfusion *fn orv* vérátömlesztés

blood type *fn biol* vércsoport

blood vessel *fn orv* véredény

bloodwit ['blʌdwɪt], **bloodwite** *fn GB tört* vérdíj

bloodworm *fn áll* **1.** giliszta **2.** tubifex

bloody ['blʌdi] **I.** *mn* **1.** véres, vérfoltos; ~ **battle** véres csata **2.** vérengző, kegyetlen *[zsarnok]*; *gaszt* **B~ Mary** ‹vodka és paradicsomlé sóval-borssal› **3.** *GB szl* átkozott, istenverte, rohadt, kurva, hülye; **a** ~ **fool** eszeveszett bolond; nagy barom; **it is** ~ **hot!** átkozott(ul)/rohadt meleg van; **no** ~ **good** szart se ér **II.** *hsz GB szl [nagyon]* irtóra, rohadtul, kurvára **III.** *tsi* vérbe borít, bevérez, vérrel beszennyez • *hsz* **bloodily**

bloody-back *fn tört szl* vöröskabátos *[angol katona]*

bloody-minded *mn GB biz* nagyon rosszkedvű, bántóan morcos

bloom [bluːm] **I.** *fn* **1.** virág **2. a)** virágzás, nyílás, virulás; **burst into** ~ virágba borul; virágzik; **flower in** ~ nyíló virág; **in full** ~ teljes virágzásban/virágjában, virágzás teljében **b)** szépség, pír, rózsás arcszín, fiatalság; *biz* **in the first** ~ **of youth** az ifjúság virágjában/teljében **3.** hamvasság; **take the** ~ **off** elveszi a hamvasságát *[szilvának stb.]* **II.** *tni* **1.** kivirul, virágzik, virít; ~ **into sg** vm széppé válik/fejlődik **2.** ragyog, tündököl

B

bloomer ['blu:mə ‖ –ər] *fn* **1.** *GB régi biz* baklövés, elszólás, ballépés, baki, *átv* botlás, (nevetséges) tévedés **2.** *GB gaszt* bürli, hosszúkás kenyér **3.** virágzó növény **4.** *US átv* **a late ~** későn érő típus

bloomers ['blu:mə ‖ –ər] *fn tsz* ‹női melegítőnadrág›

blooming ['blu:mɪŋ] **I.** *mn* **1.** virágzó, viruló, nyíló **2.** *GB szl* nyomorult, átkozott, iszonyú; **you ~ idiot!** te átkozott hülye!; **it's a ~ lie** ez szemenszedett hazugság **II.** *hsz GB szl* átkozottul, iszonyúan

Bloomsbury ['blu:mzbəri] *tul földr* ‹Londonnak a British Museum körüli városnegyede›

blooper ['blu:pə ‖ –ər] *fn US biz [hiba, baklövés]* baki, gikszer

blossom ['blɒsm ‖ 'blɑsm] **I.** *fn* **a)** virág *[gyümölcsfáké]* **b)** virágzás; **tree in (full) ~** (teljesen) virágzó fa **II.** *tni* virágzik, kivirul *[fa]*; **~ into sg** vm széppé válik/fejlődik • *mn* **blossomy**

blot [blɒt ‖ blɑt] **I.** *fn* **1.** folt, poca, paca, mocsok *[folt]* **2.** szégyenfolt; **~ on the (e)scutcheon** vknek jó hírnevén esett folt/csorba; **cast a ~ upon sy's character** gyaláz/rágalmaz (v. rossz hírbe hoz/kever) vkt **II. A.** *tsi* **-tt- 1. a)** foltot ejt (vmre), foltosít, bepiszkít, beszennyez (vmt) **b)** bepacáz (vmt), elmaszatol (vmt) **2.** bemocskol **3.** felissza/felszívja/megszárítja a tintát *[levélen]*; **~ (up) the ink** felitatja a tintát itatóssal **B.** *tni* **fabric that ~s** könnyen piszkolódó kelme

blot out *tsi* **1.** kitöröl **2.** elfeledtet, kiirt *[emléket]*; **memory never to be ~ted out** kitörölhetetlen emlék **3.** elrejt, eltakar *[láthatárt]* **4.** kiirt *[egy fajt]*

blotch [blɒtʃ ‖ blɑtʃ] **I.** *fn* **1.** (festék-/tinta)folt **2. a)** piros/szederjes folt *[a bőrön]* **b)** gennyes pattanás, pörsenés **II.** *tsi* foltosít, piros foltossá tesz *[bőrt]*; **the wind ~es the face** a szél kifújja az arcot • *mn* **blotchy**

blotter ['blɒtə ‖ 'blɑtər] *fn* **1.** itatós (blokk) **2.** *US* regiszter, jegyzék, lajstrom *[letartóztatásoké stb.]*

blotting paper *fn* itatóspapír, szűrőpapír

blotto ['blɒtoʊ ‖ 'blɑtoʊ] *mn szl [nagyon részeg]* tökrészeg, holtrészeg, merev

blouse [blaʊz ‖ blaʊs] **I.** *fn* **1.** blúz **2.** *kat* zubbony, ujjas mellény **3.** paraszting **II. A.** *tsi* meglazít *[ruhát]*, buggyosít **B.** *tni* lötyög *[ruha]*

blow¹ [bloʊ] **I.** *i pt* **blew** [blu:], *pp* **blown** [bloʊn], **blowed A.** *tsi* **1.** fúj *[vmt szél]*; *biz* **how ~s the wind?** hogy áll a dolog?; *biz* **what wind ~s you here?** hát téged mi szél hozott ide? **2. a)** *biz* **~ sy a kiss** vknek csókot dob/int **b)** **~ the fire/coal** felszítja a tüzet; *átv* viszályt/egyenetlenséget szít; **~ hot and cold** habozó, egyszer így beszél, másszor úgy; **~ the organ** orgonát fújtat **c)** **~one's nose** kifújja az orrát; **~ a trumpet** trombitál; *biz átv* **~ one's own trumpet** *GB*/**horn** *US* saját dicséretét zengi; *biz* **~ one's top/stack** dühbe gurul, majd felrobban mérgében; *szl* **~ sy's mind** *[lenyűgöz]* kifektet **d)** **~ air into sg** felfúj vmt, befúj vmbe *[levegőt]*; **~ bubbles** szappanbuborékot ereget/fúj; **~ glass** üveget fúj **e)** felfúj *[állatot takarmány]* **f)** **~ open** felrobbant *[széf ajtaját]* **3.** kifullaszt *[lovat]* **4.** *vill* **~ a fuse** kiéget/kiolvaszt/kicsap biztosítékot; *átv szl [feldühödik]* eldurran az agya **5.** *US szl* szór *[pénzt]*; **~ the expense** szórja a pénzt, nyakára hág a pénznek **6.** *szl [elront (vmt)]* elszúr **7.** **~ it** a fene egye meg; **expense be ~ed!** fütyülök a kiadásokra!; **you be ~ed!** fütyülök rád!, le vagy szarva!; **I'll be ~ed if ...** akármi legyek, ha ....; az ördög vigyen el (engem), ha ...; itt süllyedjek el, ha ... **8.** beköp *[húst a légy]* **9.** *szl tabu [partnere nemi szervét szájával izgatja]* szop, ledurrant **B.** *tni* **1.** fúj *[szél]*; **it is ~ing (hard)** (erősen) fúj a szél; **~ to and fro** himbálódzik *[faág]*; **the door blew open** kinyílt az ajtó *[a széltől]* **2. a)** liheg, fújtat **b)** *zene* szól *[fúvóshangszer]* **c)** vizet kilövell *[fecskendőnyílásán a bálna]* **d)** petézik, petét rak *[légy]* **e)** *US szl [henceg]* nyomja a nagy sódert/szöveget **3.** *biz* dohányzik **4. a)** **~ upon sy's reputation** foltot ejt vk hírnevén **b)** *szl [árulkodik, besúg]* spicliskedik; **~ on sy** beköp vkt; **~ the gaff** *GB* véletlenül kikotyog titkot **5.** elpattan, kiég *[villanykörte]*, kiég, kiolvad, kicsap *[biztosíték]* **6.** ereszt *[autógumi]* **7.** *szl [távozik, elmegy]* elporol, elhúz, lekopik **8.** *szl* ‹kábítószert szív› **II.** *fn* **1. a)** széllökés, szélroham **b)** levegőzés **2. a)** lehelet, szusz **b)** fújás *[hangszeré, orré]*

blow away *tsi* **1.** elfúj, elkerget, eloszlat, elvisz **2.** *kat* **~ away an obstacle** szétlő/szétrobbant egy akadályt **3.** *szl [megöl]* hazavág, kinyír **4.** *szl [lenyűgöz]* kifektet, kész van vmtől

blow down *tsi* **1.** ledönt, lever *[fát, kéményt]*, megdönt *[gabonát]* **2. the wind ~s down the chimney** a szél lesüvít a kéménybe

blow in A. *tsi* benyom *[ajtót]*; **the gates were ~n in with dynamite** az ajtókat dinamittal törték be **B.** *tni* **1. the wind ~s in at the window** a szél befúj az ablakon **2.** *biz* váratlanul beállít, látogatóba benéz (vk)

blow off A. *tsi* **1. a)** elfúj, lefúj **b)** *US szl* **~ the lid off** leleplez, nyilvánosságra hoz *[botrányt]* **2.** *hajó* **~ off steam** megereszti a gőzt, szelepeket megnyit, kifújtatja a gőzt **3. ~ off a bomb** felrobbant egy bombát **4.** *szl [kapcsolatot befejez vkvel]* kirúg, lapátra tesz **B.** *tni szl [fingik]* durrant

blow on *tni* **1.** fúj *[hangszeren]*; **~ on one's fingers** az ujjaira lehel *[melegítés céljából]* **2.** *régi* **~ on sy** besúg/beköp vkt

blow out A. *tsi* **1.** elfúj, elolt *[gyertyát]* **2. ~ the air out (from gaspipes)** kifújja/kihajtja a levegőt (a gázcsövekből) **3. ~ sy's brain out** agyonlő, főbe lő vkt **B.** *tni* **1.** kialszik *[gyertya]* **2.** leereszt, defektet kap *[gumiabroncs]* **3.** kiolvad, kiég *[biztosíték]* **4.** *US szl* tönkremegy, elromlik, megromlik; → **blow-out**

blow over A. *tsi* → **blow down B.** *tni* elül, elvonul *[vihar, zaj]*, elsimul *[zavar]*, lezajlik (vm), elalszik *[ügy]*; *biz* **we must let it ~ over** várjuk meg a kedélyek lecsillapodását

blow up A. *tsi* **1.** felrobbant *[hidat, épületet]*, légbe röpít *[aknát, lőporraktárt]* **2.** felfújat *[gumiabroncsot]*, felfúj *[léggömböt]* **3.** *biz* **~ up a snapshot** (jó nagyra) felnagyít *[fényképet]* **4.** *GB biz* **~ sy up** letol/lehord vkt; megmossa a fejét vknek **B.** *tni* **1.** felrobban *[akna stb.]* **2.** felfúvódik; *biz* **~ up with pride** felfuvalkodik, gőgős **3.** *biz* ideges lesz; → **blow-up**

blow² [bloʊ] *fn* **1.** ütés, ökölcsapás, (bot)ütés, csapás, vágás; **at one ~** egyetlen ütéssel; *átv* egycsapásra; **deal sy's authority a ~, aim a ~ at sy's authority** csorbítja/sérti vknek a tekintélyét; **come/get to ~s** tettlegességre/verekedésre kerül sor; **strike a ~** ütést mér (vkre); **strike a ~ for** támogat **2.** (sors)csapás, szerencsétlenség, megrázkódtatás, sokk; **it was a ~ to me to hear that ...** mélyen megrendített az a hír, hogy ...

blow³ [bloʊ] *régi* **I.** *tni pt* **blew** [blu:], *pp* **blown** [bloʊn] virágzik, nyílik *[virág]* **II.** *fn* virágzás; **in full ~** teljes virágzásban

blow-ball *fn növ biz* gyermekláncfű gömbje, pitypang

blow-by-blow *mn* minden (apró) részletre kiterjedő

blow-dry I. *tsi* hajat szárít *[hajszárítóval]* **II.** *fn* hajszárítás • *fn* **blow-dryer**

blower ['bloʊə ‖ –ər] *fn* **1. a)** (fúvó)ventillátor **b)** **blowers** *esz* turboventillátor, turbófúvó *[tengeralattjárón]* **c)** fúvóeszköz *[rovarölőpor stb. részére]* **2.** *GB biz [telefon]* szócső, távbeszélő

blowfly *fn tsz* **-flies** *áll* fémzöld döglégy

blowgun *fn* fúvócső, nyílkilövő cső *[természeti népeké]*

blowhard *mn/fn biz* felvágós, hetvenkedő, hencegő (ember)

blow-hole *fn* **1.** orrnyílás *[bálnáé]* **2.** szellőzőnyílás *[alagúté]* **3.** jégbe vágott lyuk

blow job ['bloʊdʒɒb ‖ –dʒɑb] *fn szl tabu [felláció]* szopás, furulya; **give sy a ~** leszop vkit, furulyázik vkinek

blowlamp *fn GB műsz* forrasztólámpa, hegesztőlámpa, forrasztópisztoly

blown [bloʊn] *mn* → **blow¹ I.**

blow-out *fn* **1.** *biz* gumidefekt, szétpukkadás, kipukkadás **2.** *vill* ívoltás (villamos megszakítóban) **3.** *szl [lakomázás, eszem-iszom]* zabálás, dőzsölés, kaja/zaba party **4.** feltörés *[olajkútból]* **5.** *US szl [súlyos vereség]* zakó; → **blow out**

blowpipe *fn* **1.** (üveg)fúvócső **2.** forrasztócső, hegesztőcső **3.** síp, fúvócső *[dudáé]* **4.** fúvócső *[primitív fegyver]*

blowtorch *fn* → **blowlamp**

blow-up *fn* **1.** *biz* kitörés, kirobbanás **2.** *fényk* (fel)nagyítás, (óriásira) nagyított kép **3.** *bány* felrobban(t)ás, kőzetrobban(t)ás; → **blow up**

blowy [ˈbloʊi] *mn* szeles, viharos, huzatos

blowzy [ˈblaʊzi] *mn* **1.** piros arcú, pufók *[nő]* **2.** kócos, borzas hajú, rendetlen/elhanyagolt külsejű *[nő]*, torzonborz, zilált *[ruházat]*

blub [blʌb] *tni* **-bb-** *GB szl [sír, zokog]* bőg

blubber [ˈblʌbə ‖ –ər] **I.** *fn* **1.** bálnazsír, halzsír, bálnaszalonna **2.** sírás, zokogás **II. A.** *tsi* **cheeks ~ed with tears** könnyáztatta (v. sírástól duzzadt) arc **B.** *tni* **1.** bőg, zokog **2. begin to ~** elpityeredik **III.** *mn* **~ lip** duzzadt/vastag alsóajak • *fn* **blubberer**

blubber out *tsi* **~ out sg** zokogva/bőgve mond el vmt

bludgeon [ˈblʌdʒn] **I.** *fn* fütykös, husáng, bunkó(sbot), furkósbot, ólmosbot **II.** *tsi* **1.** megbotoz, erősen megver (vkt), furkósbottal hatalmas ütést mér vknek a fejére **2.** *átv* erőszakosan lerohan (vkt), (érvekkel) lehengerel

bludger [blʌdʒə ‖ –ər] *fn Ausz szl* mihaszna, naplopó

blue [bluː] **I.** *mn* **1. a)** kék, kék színű, kéklő *[hegy]*, kékes; **~ and black** kék és zöld *[ütéstől]*; **~ book** kékkönyv, *GB* országgyűlés jelentései, *US* állami alkalmazottak jegyzéke; **~ box** (i) *US* telefonlehallgató (ii) *Kan* újrahasznosítható anyagok gyűjtője; **~ cheese** márványsajt, rokfort; **~ gum** *növ* eukaliptuszfa; **~ jeans** farmer(nadrág); **~ water, the ~ sea** a nyílt tenger **b) once in a ~ moon** néha, hébe-hóba, egyszer-egyszer **2.** elszíntelenedett, elkékült; **~ baby** ‹(szívhiba miatt) cianózissal született csecsemő›; **~ in the face** (i) dühös (ii) kimerült; **feel ~** rossz hangulatban van; **things are looking ~** úgy látszik, rosszul állnak a dolgok; *biz* **till all is ~** igen sokáig; **(do sg) till one is ~ in the face** (addig csinál vmt) míg belekékül, ha lelkét kiteszi sem ...; **in a ~ funk** igen beijedve **3. a)** pornográf, trágár, obszcén; *US* **tell ~ stories, talk ~** malacságokat (v. sikamlós tréfákat) mond; *US szl* **turn the air ~** káromkodik, mint egy kocsis **b)** *szl* **~ balls** *[kielégítetlen szexuális vágy]* kangörcs, vőlegénybaj **4.** *Ausz szl [részeg]* piás, mátó **5.** *GB pol* konzervatív **II.** *fn* **1.** kék (szín); **dark ~** sötétkék (szín); **out of the ~ (sky)** váratlanul; hirtelen; derült égből **2.** *GB* ‹olyan személy, aki képviselte vmlyen sportágban az oxfordi vagy a cambridge-i egyetemet› **3. (a) true ~** (egy) igazi hazafi; *GB* (egy) konzervatív; jó ügy megbízható/kitartó harcosa; → **true-blue 4. a)** kék festék **b)** kékítő **5. blues a)** *biz* rossz hangulat, sötét gondolatok; **it gives me the ~s** lehangol, nyomasztólag hat a kedélyemre **b)** *zene* blueszene **c)** *zene* blues-szám **6.** *Ausz szl* **a)** csavargó batyuja/cucca **b)** ‹vörös hajú ember gúnyneve› **c)** *[veszekedés, verekedés]* patália, balhé **III.** *tsi pr.p* **blueing, bluing 1. a)** kékre fest/színez **b)** kékít *[fehérneműt]*, kékítőoldatba tesz **2.** *GB szl* **~ one's money** *[elherdálja/eltékozolja/elpazarolja a pénzét]* eltapsolja a pénzét • *fn* **blueness**

Bluebeard [ˈbluːbɪəd ‖ –bɪrd] *tul* Kékszakáll

bluebell *fn növ* **1. a)** csillagvirág **b)** *US* virginiai tüdőfű **2.** *sk* harangvirág, csengettyűke

blueberry [ˈbluːbəri ‖ –beri] *fn növ* (fekete) áfonya

bluebird [ˈbluːbɜːd ‖ –bɜrd] *fn US áll* amerikai barázdabillegető

blue-black *mn* kékesfekete *[tinta stb.]*

blue-blooded *mn* kékvérű, előkelő származású

bluebottle *fn* **1.** *áll* húslégy, dongó, kék dongólégy **2.** *növ* búzavirág **3.** *GB szl [rendőr]* zsaru, hekus

blue-collar *mn* **~ workers** fizikai dolgozók

blue-eyed *mn* **1.** kék szemű **2.** *GB biz* **the ~ boy** a főnök/pártfogó kedvence, liebling

bluegrass *fn US zene* ‹egyfajta countryzene›

Bluegrass State *tul földr US biz* Kentucky állam

blue-green *mn* kékeszöld; **~ alga** kékalga

blue helmet *fn* kéksisakos *[ENSZ-katona]*

Bluehen State [ˌbluːhen ˈsteɪt] *tul földr US biz* Delaware állam

blueish [ˈbluːɪʃ] → **bluish**

bluejacket *fn biz* haditengerész, matróz *[hadihajón]*

blue-pencil *tsi* **-ll-**, *US* **-l-** (meg)cenzúráz, kék ceruzával jelöl (vmt), töröl, kihúz (szövegből)

blueprint I. *fn* **1.** kéknyomat, kékmásolat **2.** terv(rajz), részletes tervezet, kidolgozott (kormány stb.) program/tervezet **3.** modell, követendő példa **II.** *tsi US* tervet készít, lefektet *[pontokat]*

blue ribbon *fn* **1.** első díj, nagydíj *[lóversenyen]*; **the ~ of the Atlantic** a kék szalag *[a leggyorsabb óceánjáró díja]* **2.** *GB* a térdszalagrend lovagja

bluestocking *fn pej* kékharisnya

bluesy [ˈbluːzi] *mn* bluesos, blues-szerű

blue whale *fn áll* kékbálna

bluey [ˈbluːi] *fn Ausz biz* **1.** csavargó batyuja/cucca, betyárbútor, csavargó/vándormunkás pokróca; **hump the ~** útrakel **2.** ‹vörös hajú ember gúnyneve›

bluff[1] [blʌf] **I. A.** *tsi* blöfföl, becsap, rászed **B.** *tni* imponálni akar, elijeszt *[kártyajátékban]*, linkel **II.** *fn* **1. a)** blöff, ámítás, becsapás, nagyotmondás, lódítás; **call sy's ~** vkt színvallásra kényszerít **b)** *biz* feldicsérés, reklám, hűhó **2.** túlzott fenyegetések (bel- v. külpolitikában) • *fn* **bluffer**

bluff[2] [blʌf] **I.** *mn* **1.** meredek, függőleges *[szirt, part]* **2.** jóindulatú, nyílt *[arc]*; **a straight/forward ~ man** egyenes/őszinte ember, egész ember **3.** nyers modorú, durva, rideg *[ember]* **II.** *fn* meredek sziklafal, szirt, partmeredély, kaptató, hegyfok

bluffly [ˈblʌfli] *hsz* nyersen, teketória nélkül

bluish [ˈbluːɪʃ] *mn* kékes, azúrkékbe/kékesbe játszó

blunder [ˈblʌndə ‖ –ər] **I.** *fn* baklövés, melléfogás, tévedés, hiba, ügyetlenség; **commit a ~** mellefog, szamárságot csinál, műhibát vét **II. A.** *tsi* hibát/ügyetlenséget követ el, bakot lő, eltol (vmt) **B.** *tni* téved, hibázik, botlik, tévelyeg, mellefog, *biz* durván/tapintatlanul beleszól vmbe

blunder along *tsi/tni* **~ one's way along** tapogatózva halad előre

blunder into *tsi/tni* **~into sy/sg** vkbe/vmbe beleütközik; **~ the country into war** baklövések/ügyetlenségek által háborúba sodorja az országot

blunder out *tsi* **~ out a secret** kikotyog egy titkot *[akaratlanul]*

blunder through *tni* **~ through an examination** nehezen (v. éppen hogy) átmegy/átevickél egy vizsgán; **~ through a passage (of a book)** akadozva olvas fel egy passzust (könyvből)

blunderbuss [ˈblʌndəbʌs ‖ –dər–] *fn tört* rövid/öblös (torkú) puska, mordály, flinta

blunderer [ˈblʌndərə ‖ –ər] *fn* hebehurgya/kelekótya/szeleburdi/kétbalkezes/ügyetlenkedő ember

blundering [ˈblʌndərɪŋ] *mn* (két)balkezes, ügyetlen, meggondolatlan, hebehurgya

blunderingly [ˈblʌndərɪŋli] *hsz* vaktában, találomra, tévesen

blunt [blʌnt] **I.** *mn* **1.** tompa, életlen, legömbölyített **2.** becsületes és nyersen őszinte *[ember]*; **the ~ fact is ...** a nyers/kendőzetlen tény/igazság/valóság az ... **II.** *tsi* életlenné/tompává tesz, kicsorbít *[kést]*, kitör *[ceruzahegyet]*, enyhít, tompít *[fájdalmat]*; *biz* **~ the feelings** eltompítja/gyengíti az érzést/érzelmeket • *fn* **bluntness**

bluntly [ˈblʌntli] *hsz* kereken, nyíltan, nyersen, magyarán; **to put it ~** őszintén szólva, kertelés nélkül; **speak ~** világosan/őszintén beszél

blur [blɜː ‖ blɜr] **I.** *i* **-rr- A.** *tsi* **1.** beken, bemázol, bepiszkít *[tintával stb.]*, elken, bemaszatol (vmt), elmos *[betűt, körvonalat]* **2.** elhomályosít; **~ one's memories** elhomályosítja vk emlékeit; **eyes ~red with tears** könnyfátyolos (v. könnyektől homályos) szemek; **the distant hills become ~red** a távoli dombok elmosódnak **B.** *tni* elkenődik *[nyomás]*, elmosódik, elhomályosodik **II.** *fn* **a)** homály(osság), ködösség, zavaros/homályos kép/külső, ködfátyol, homály, pára *[üvegen, tükrön]* **b)** (kép)életlenség • *mn* **blurry**

blurb [blɜ:b ‖ blɜrb] *fn* **a)** ‹kiadó előzetes hirdetése› kiadói reklám *[megjelenő könyvről]* **b)** fül(szöveg) *[könyv borítólapján]*

blurt [blɜ:t ‖ blɜrt] *tsi* kipattant, kikotyog, kikottyant, kifecseg

blurt out *tsi* ~ **out a secret** kikotyog egy titkot

blush [blʌʃ] **I.** *tni* **1.** elvörösödik, elpirul; ~ **for shame** elpirul szégyenében; **I ~ for you** zavarba hozol; helyetted pirulok; **I do not ~ to own** nem restellem/szégyellem/pirulok bevallani; **he did not ~ to** nem átallott ... **2.** *vál* piroslik, pirul *[virág, hajnal]* **II.** *fn* **1. a)** pír, (el)pirulás; **put sy to the ~** zavarba hoz vkt; rápirít vkre, megszégyenít vkt; **spare my ~es** ne dicsérj szembe; ne piríts rám; **the first ~ of the dawn** a hajnal első pírja; **in the first ~ of youth** ifjúsága hajnalán, kora/zsenge ifjúságban **b)** szégyen, szégyenpír **2. at/on the first ~** első látásra

blusher [ˈblʌʃə ‖ —ər] *fn* arcpirosító

blushless [ˈblʌʃləs] *mn* szemérmetlen, szemtelen

bluster [ˈblʌstə ‖ —ər] **I.** *tni* **1.** henceg, hetvenkedik, nagyzol, szájhősködik **2.** tombol, dühöng *[vihar]*, zúg, lökésszerűen/rohamokban fúj *[szél]* **II.** *fn* **a)** hencegés, hetvenkedés, kérkedés, szájhősködés, nagyzolás **b)** hangoskodás • *fn* **blusterer**

bluster at *tni* vkt megfélemlíteni igyekszik/próbál, fenyegetőzik

bluster out *tni* ~ **out threats** fenyegetőzik, szitkozódik

blvd [ˈbu:ləvɑ:d], **Blvd** *röv boulevard*

BM *röv* **1.** *Bachelor of Medicine* **2.** *Bachelor of Music*

B-movie [ˈbi:mu:vi] *fn film* **1.** kísérőfilm, kisfilm **2.** olcsó film

BMP *röv infor bitmap picture* bitpontokból álló kép, BMP

BMus *röv Bachelor of Music*

BMX *röv bicycle motocross* terepkerékpár

BMX bike *fn* BMX-kerékpár

boa [ˈbouə] *fn tsz* **boas** *áll* ~ **constrictor** óriáskígyó

BOAC *röv British Overseas Airways Corporation*

boar [bɔ: ‖ bɔr] *fn* **1.** kan *[emlős hím]* **2.** vadkan; **(wild-)~** vaddisznó, vadkan **3.** vaddisznóhús

board [bɔ:d ‖ bɔrd] **I.** *fn* **1. a)** (vastag) deszka(lap); **ironing ~** vasalódeszka; **bed of ~s** priccs, deszkaágy **b)** (hirdető)tábla **c)** *vill* kapcsolótábla **d)** *gk* műszertábla **2. a)** *szính* **the ~s** színpad; a világot jelentő deszkák; **take to the ~s** színésznek megy; **tread/walk the ~s** színi pályán működik, színész(nő) **b)** karton, keménypapír, papírlemez; **the ~s** borítólap *[könyvé]*; **front ~** előlap, címlap, fedőlap **3. a)** *régi* asztal; **(gaming) ~** játékasztal; **clean the ~** mindent elnyer **b)** élelmezés, ellátás, (rendszeres) koszt, penzió; **~ and lodging/residence** lakás és ellátás; **full ~** teljes penzió **c)** *átv* **above ~** tisztességesen, egyenesen, korrektül **d)** sakktábla **4. a)** tanács, tanácskozó testület, bizottság, választmány; **~ of enquiry** vizsgálóbizottság **b) B~ of Customs** vámhivatal; *GB* **B~ of Education** (köz)oktatásügyi minisztérium; **B~ of Trade** kereskedelemügyi minisztérium **c)** *gazd* **B~ of Directors** igazgatóság; **B~ of Managers** ügyvezető igazgatóság; ügyvezetőség; *biz* **~ meeting** választmányi/bizottsági/igazgatósági ülés; *biz* **be on the ~** igazgatóság/vezetőség tagja, igazgatósági/vezetőségi tag **5.** *hajó* **a)** fedélzet; **on ~** hajón, repülőgép fedélzetén; *US* vonaton van; *biz* **let sg go by the ~** elavulni hagy vmt, félredob vmt, sorsára bíz vmt; *átv biz* **take on ~** átgondol, megért vmt **b)** hajóoldal(fal) **II. A.** *tsi* **1. a)** hajóra száll, beszáll *[repülőgépbe]*, felszáll *[buszra vonatra]* **b)** megcsáklyáz, közvetlen közelről megtámad *[ellenséges hajót]* **c)** *átv* közeledik (vkhez) **2.** élelmez, ellát, kosztoltat *[diákokat stb.]* **3.** padlóz, deszkáz *[lakás padozatát]* **4.** kartonál, kartonba köt *[könyvet]* **5.** *sp* palánknak lök *[jégkorongban]* **B.** *tni* penzióban van, (vhol rendszeresen) étkezik; **~ at the school** az iskolában étkezik

board out A. *tsi* intézetbe/internátusba ad, családhoz kihelyez, kosztba ad *[gyermeket]* **B.** *tni* nem étkezik/eszik otthon, házon kívül étkezik

board up *tsi* **1.** bedeszkáz *[ablakot]*, eltorlaszol *[ajtót]* **2.** körüldeszkáz *[telket]*

boardcomputer *fn közl infor* fedélzeti számítógép

boarder [ˈbɔ:də ‖ ˈbɔrdər] *fn* **1. a)** bennlakó, intézeti/internátusi növendék; **the ~s** a bennlakók **b)** penzióban lakó/étkező **2.** *hajó* ‹idegen/ellenséges hajót támadással elfoglaló különítmény tagja›

board game *fn* társasjáték *[táblán játszott]*

boarding [ˈbɔ:dɪŋ ‖ ˈbɔrdɪŋ] *fn* **1. a)** padló, deszkaburkolat **b)** kartonkötés *[könyvé]* **2.** penzió, ellátás, élelmezés (lakással); **~ in** intézetben lakás; bentétkezés; **~ out** intézetbe adás, intézetben való elhelyezés; kintétkezés **3. a)** *hajó* kikötés, parthoz állás **b)** *hajó* hajóraszállás **4.** deszkázat

boarding card *fn közl* beszállókártya

boarding house *fn* (családi) penzió, családi (vendég)-otthon

boarding school *fn* internátus, nevelőintézet, kollégium

boardroom *fn* tanácskozóterem, ülésterem

boardwalk *fn US* deszkázott parti sétány, tengerparti sétány

boast [boust] **I. A.** *tsi* **1.** magasztal, dicsőít (vmt) **2.** büszkélkedik vmvel; **the town ~s a new school** a város új iskolával dicsekszik **B.** *tni* dicsekszik, henceg **II.** *fn* **1.** dicsekvés, öndicséret, hencegés **2. a)** büszkeség **b)** hírnév, dicsőség • *fn* **boaster**

boastful [ˈboustfl] *mn* dicsekvő, hencegő, kérkedő

boat [bout] **I.** *fn* **1. a)** csónak, dereglye, bárka **b)** hajó; **go by ~** hajózik, hajón megy/utazik; *biz* **be all (v. sail) in the same ~** mind ugyanabban a (v. hasonló/azonos) helyzetben vannak; mindnek ugyanaz a baja; egy csónakban eveznek; **burn one's ~s** minden hidat feléget maga mögött; **miss the ~** lekésik a hajóról, elmulasztja a csatlakozást; *átv* elszalaszt egy jó alkalmat; **push the ~ out** *GB biz* ünnepel, bulizik; **rock the ~** *biz* felkavarja az állóvizet **2.** (mártásos stb.) csésze/tál **3.** *szl [arc]* kép, pofa **4.** *szl tabu [vagina]* pina, luk **II.** *tni* hajózik, csónakázik

boat bridge *fn* pontonhíd, hajóhíd

boatel [bouˈtel] *fn* motel *[(motor)csónakos turisták részére]*

boater [ˈboutə ‖ ˈboutər] *fn* lapos karimájú kemény szalmakalap, zsirardi kalap

boatful [ˈboutful] *fn* **1.** hajórakománynyi *[fa stb.]* **2.** csónaknyi *[ember]*

boat-hook *fn* csónakcsáklya

boat-house *fn* csónakház

boatie [ˈbouti] *fn Ausz ÚjZ biz* hajós, vitorlás *[sportember]*

boating [ˈboutɪŋ] *fn* csónakázás; **go ~** csónaktúrára/csónakázni megy

boatload → **boatful**

boatman [ˈboutmən] *fn tsz* **-men** [—mən] **1.** (folyami) hajós, matróz **2. a)** csónakőr, csónakfelügyelő **b)** csónakbérbeadó **3.** *sp* **good ~** jó evezős

boat people *fn tsz* **1.** csónaklakók, dzsunkalakók **2.** tengeri menekültek *[Dél-Kelet Ázsiából/Karibi térségből az USA-ba]*

boat race *fn sp* csónakverseny, evezősverseny, regatta

boatswain [ˈbousn] *fn hajó* vitorlamester, fedélzetmester

boatswain's chair [ˌbousnz ˈtʃeə ‖ —ˈtʃer] *fn* függőszék *[házfalon, hajó oldalán végzett munkához]*

boat train *fn közl* vonat hajócsatlakozással, hajóvonat; ‹átkelő hajójárathoz csatlakozó (külön)vonat›

boatyard *fn hajó* csónaképítő/hajóépítő telep (kisebb hajóknak)

Bob [bɒb ‖ bɑb] *tul bec* ‹*Robert* becéző alakja›

bob[1] [bɒb ‖ bɑb] **I.** *tni* **-bb- 1.** fel-le mozog, nyugtalankodik **2. ~ to sy, ~ a curtsy** hajbókol/meghajlik vk előtt; (meg)biccent(i a fejét) vknek **3. ~ for apples** felakasztott (v. víz színén lebegő) almát foggal akar megragadni *[játék]* **II.** *fn* **1.** kis lökés/ütődés **2.** kis meghajlás, hajbók, (fej)biccentés **3.** harangszó, harangjáték

bob in *tni biz* (futólag) benéz *[látogatóba]*; ~ **in** (*at/on/sy*) bekukkant/beugrik vkhez
bob up *tni* hirtelen előbukkan/felbukkan (v. felszínre kerül), (ott) terem *[vk vhol]*
bob² [bɒb ‖ bɑb] **I.** *fn* **1. a)** ingalencse *[órán]*, ingasúly, szabályozó súly, mérőón **b)** úszó *[horgászzsinóron]* **c)** fülönfüggő, fülbevaló **d)** fityegő **2. a)** hajtincs **b)** női bubifrizura **c)** megkurtított farok *[lóé]* **3.** *régi* refrén; **bear a** ~ a refrént karban énekli/mondja **4.** → **bobsled**; *US* **II. -bb- A.** *tsi* ~ **one's hair** rövidre vágatja (a tarkóján) a haját *[nő]* **B.** *tni* szánkózik
bob³ [bɒb ‖ bɑb] *fn GB szl tört* → **shilling**
bob⁴ [bɒb ‖ bɑb] *fn GB szl* **~'s your uncle!** kész!
bobbed-up [bɒbd ‖ bɑbd] *mn* felnyírt *[haj]*
bobber [ˈbɒbə ‖ ˈbɑbər] *fn sp* bobozó
bobbery [ˈbɒbəri ‖ ˈbɑ–] *fn biz* lárma, zaj, felfordulás
bobbin [ˈbɒbɪn ‖ ˈbɑbən] *fn* **1.** *tex* (lánc)cséve, orsó, gombolyító **2.** *vill* tekercstartó, tekercstest, csévetest **3.** **~(-latch)** faretesz
bobble [ˈbɒbl ‖ ˈbɑbl] **I.** *fn* **1.** pompon, gömbölyű bojt **2.** *US sp* hiba, tévedés **II.** *tni US sp* hibát követ el
bobby [ˈbɒbi ‖ ˈbɑbi] *fn GB biz* (londoni) rendőr
Bobby [ˈbɒbi ‖ ˈbɑbi] *tul bec* ‹*Robert* becéző alakja›
bobby-dazzler *fn GB biz [lenyűgöző/kitűnő dolog* v. *személy]* csúcs; csúcsfazon
bobby pin *fn US Ausz* tolócsat, hullámcsat *[hajba]*
bobby socks *fn US* bokazokni
bobcat [ˈbɒbkæt ‖ ˈbɑb–] *fn áll* amerikai hiúz
bobsled *fn US* bob; **two-man** ~ kétszemélyes/kettes bob; **four-man** ~ négy(személy)es bob
bobsleigh → **bobsled**
bobtail *fn* **1.** kurta/megrövidített farok **2.** kurtított farkú kutya
bock beer *fn gaszt* baksör
bod [bɒd] *fn biz* **1.** *GB* fickó, pasas **2.** *US* test, badi
bodacious [boʊˈdeɪʃəs] *mn US* **1.** igazi, vérbeli, eltéveszthetetlen **2.** figyelemreméltó
bode [boʊd] *tsi/tni* előre jelez/jelent, jósol, jövendöl; **it ~s no good** nem sok jót jósol; ~ **ill** kedvezőtlen/rossz előjel
bodge [bɒdʒ ‖ bɑdʒ] *GB* → **botch**
bodice [ˈbɒdɪs ‖ ˈbɑ–] *fn* **1.** női ruhaderék, ingváll, pruszlik **2.** *régi* fűző
bodice-ripper *fn biz* történelmi-romantikus film
-bodied [ˈbɒdid ‖ ˈbɑdid] *mn összet* -testű
bodiless [ˈbɒdiləs ‖ ˈbɑ–] *mn* **a)** testetlen, test nélküli, megfoghatatlan **b)** *biz* alkoholmentes *[ital]*
bodily [ˈbɒdɪli ‖ ˈbɑ–] **I.** *mn* testi, fizikai; **he is in ~ fear of sy** retteg/fél vktől; fél, hogy vk meg akarja/fogja támadni **II.** *hsz* **1.** testileg, fizikailag **2.** együttesen, testületileg **3.** teljes egyetértésben; *átv* ~ **and all** valamennyien, mind együtt!
bodkin [ˈbɒdkɪn ‖ ˈbɑd–] *fn* **a)** (be)fűzőtű, lyukasztó, nagy tű, ár, szíjvarrótű **b)** hajtű **c)** régi tőr
body [ˈbɒdi ‖ ˈbɑdi] **I.** *fn* **1. a)** test, törzs *[emberé, állaté]*; **keep ~ and soul together** éppen csak megél/tengődik, eltengődik **b)** **(dead)** ~ holttest, hulla, tetem; *biz* **over my dead ~** csak a testemen keresztül **c)** *biz* ember; **she's a nice old ~** kedves öreg nő **2. a)** testület, szerv *[kormányé]*; **electoral ~** a választók összessége; **examining ~** vizsgabizottság, vizsgáztató bizottság; **legislative ~** törvényhozó testület; ~ **corporate** jogi személy **b)** tömeg, zöm; **large ~ of people** nagyszámú társaság; nagy embertömeg; *kat* **~ of troops** csapattest; **come in a ~** testületileg jönnek **c)** *jog* **strong ~ of evidence** bizonyítékok halmaza; **~ of laws** törvénytár **d)** **a large ~ of water** nagy víztömeg **3.** főrész *[épületé]*, hajó *[templomé]*, törzs *[fáé, repülőgépé, kazáné]*; **~ of a ship** hajótest **4.** *gk* kocsiszekrény, karosszéria **5.** (hangszer)szekrény, kas *[dobé]* **6.** **~ of air** légtömeg; **~ of a building** középépület; főépület; **in the ~ of the hall** a terem közepén; **~ of railroad** vasúti pályatest **7.** *csill* **heavenly ~** égitest **8. a)** testesség *[boré]*; **give ~ to a sauce** ízt ad a mártásnak; behabarja/berántja a mártást **b)** *zene* **give ~ to the tone** teltté teszi a hangot **9.** tárgyalás *[fogalmazványé]*, főrész *[okmányé, levélé]* **10.** *GB* body *[női ruhadarab]* **II.** *tsi* **~ sg (forth)** megformál, kialakít vmt
body art *fn* testművészet, testdíszítés
body bag *fn* hullaszállító zsák
body blow *fn* **1.** *sp* test(közép)re mért ütés **2.** *átv* megsemmisítő/súlyos csapás
body-building *fn sp* testépítés, izomfejlesztés • *fn* **body-builder**
body-check *fn sp* bodicsek *[jégkorongban]*
body count *fn US kat euf* okozott veszteség statisztika *[Vietnami háborúban]*
body double *fn film* dublőr
body fluids *fn tsz* testnedvek
bodyguard *fn* testőr
body language *fn* testbeszéd, gesztusnyelv
body odour, *US* – **odor** *fn* testszag
body piercing *fn* testlyukasztás *[különböző helyeken ékszerek viseléséhez]*
body politic *fn pol* állam(test), népközösség
body search *fn* motozás
body shop *fn* karosszérialakatos-műhely
body-snatcher *fn* **1.** *régi* hullatolvaj *[aki kiássa a holttestet és boncolás céljára eladja]* **2.** *kat szl* sebesültvivő, hordágyvivő, szanitéc, egészségügyi katona
body stocking → **bodysuit**
bodysuit *fn* body *[női ruhadarab]*
body text *fn infor* főszöveg
body warmer *fn* bélelt mellény, pufimellény
bodywork *fn gk* karosszéria, kocsiszekrény
Boeing [ˈboʊɪŋ] *fn* Boeing gyártmányú repülőgép
Boer [bʊə, bɔː ‖ bʊr, bɔr] **I.** *mn* búr; ~ **War** angol–búr háború (1899–1902) **II.** *fn* búr, dél-afrikai holland
B of E *röv Board of Education*
boffin [ˈbɒfɪn ‖ ˈbɑ–] *fn biz* tudományos/műszaki szakember, szakértő; fej
B of T *röv Board of Trade*
bog¹ [bɒg ‖ bɑg] **I.** *fn* mocsár, ingovány, láp, zsombék **II.** *i* **-gg-** *tsi* elnyel *[szekeret mocsár]*; **get ~ged down** megfeneklik, megreked • *mn* **boggy**
bog down A. *tsi* leköt *[ellenséget]* **B.** *tni* **a)** belesüpped, belesüllyed *[mocsárba]* **b)** elakad, megreked
bog off *tni GB szl* ~ **off!** húzz el!, tűnj el!
bog² [bɒg ‖ bɑg] *fn GB szl [árnyékszék]* budi, klotyó
bogey [ˈboʊgi] **I.** *fn* **1.** *sp [golfban]* ‹az előírtnál eggyel több ütés› **2.** mumus, kísértet **3.** *GB szl* fika **II.** *tsi sp [golfban]* ‹eggyel több ütéssel fejezi be a pályát›
bogeyman [ˈboʊgimæn] *fn tsz* **-men** [–men] a zsákos ember, mumus
boggle [ˈbɒgl ‖ ˈbɑgl] *tni biz* **1.** megijed, összerezzen, visszariad, visszaretten **2. a)** ~ **at/over sg** meghátrál vm elől; ~ **at/about doing sg** húzódozik vm megtételétől **b)** összezavarodik; **it ~s the mind** megáll az ész; ~ **over an exercise** belegabalyodik egy feladat megoldásába
bogie [ˈboʊgi] *fn* **1.** *vasút* forgó(al)váz, forgózsámoly *[mozdonyon, kocsin]* **2.** csille
bogland [ˈbɒglənd ‖ ˈbɑg–] *fn* mocsaras vidék, mocsárvidék
bogle [ˈboʊgl] *fn* **1.** madárijesztő **2.** szellem, kísértet, rém, mumus
bog oak *fn* ‹tőzegmocsárban található fényes fekete faanyag›
bog peat *fn geol* mohás tőzeg
bogtrotter *fn szl durva* ír paraszt, vidéki ír ember
bogus [ˈboʊgəs] *mn* ál, hamis, utánzott, színlelt, tettetett; *gazd* ~ **company** nem létező vállalat; piszkos üzletekkel foglalkozó társaság; *pénz* ~ **transactions** fiktív ügyletek *[piac befolyásolására]*
bogy [ˈboʊgi] *fn* rém, kísértet, manó, kobold
bogyman [ˈboʊgimæn] *fn tsz* **-men** mumus, virgácsos ember

Bohemia [boʊ'hiːmɪə] **I.** *tul tört földr* Csehország **II.** *fn biz* bohémvilág, művészvilág

Bohemian [boʊ'hiːmɪən] **I.** *fn* **1.** cseh(országi) (személy) **2.** bohém **II.** *mn* **1.** cseh(országi) **2.** bohém, vándor, nyughatatlan; ~ **life** bohém életmód

bohemianism [boʊ'hiːmɪənɪzm] *fn* bohémság, bohém életmód/erkölcs

boil¹ [bɔɪl] **I. A.** *tsi* **1.** (fel)forral *[vizet]*, (fel)főz *[habzásig cukrot]*, vízben főz *[borsót stb.]* **2.** kifőz *[fehérneműt]* **B.** *tni* **a)** (fel)forr, forrásba jön *[víz stb.]*, fő *[étel]*; ~ **fast** erősen forr; ~ **gently** lassan forr; **keep the pot ~ing** (i) vízforralót forrásban tart (ii) *biz* keres annyit, hogy megéljen (iii) nosza előre!, rajtad a sor!; *GB* **let the kettle ~ dry** elfőzi/elpárologtatja a vizet **b)** *biz* **it makes one's blood ~!** ez vérforraló!; ~ **with rage** eszi a méreg, forr benne a méreg **II.** *fn* forrás(pont); **bring meat to the ~** felforralja a húst *[a levest, amiben a hús fő]*; **come to the ~** forrni kezd, felforr *[víz stb.]*; **go off the ~** megszűnik forrni; **stay on the ~** forrásban marad; *átv* a feszültség tovább fennmarad

boil away A. *tsi* elfőz, befőz, elpárologtat **B.** *tni* elforr, elfő, elpárolog

boil down A. *tsi* (be)sűrít *[oldatot]*, elpárologtat, lepárol; *biz* ~ **down a report** röviden/tömören összefoglalja egy jelentés tartalmát **B.** *tni* besűrűsödik, beforr, összeszemegy; ~ **down to nothing** semmivé válik, szertefoszlik *[hír, pletyka stb.]*; **it ~s down to this ...** a következő *[eredmény, tény, konzekvencia]* szűrhető le a dologból ...; a lényeg az, hogy ...

boil over *tni* túlforr *[folyadék edényből]*, kifut *[tej]*; *biz* ~ **over with rage** forr (v. majd megpukkad) a méregtől; forr benne a düh

boil² [bɔɪl] *fn orv* kelés, kelevény, furunkulus

boiled [bɔɪld] *mn* **1.** forrpontra hozott **2.** (meg)főtt, párolt; ~ **egg** főtt tojás; **soft ~ egg** lágytojás **3.** ~ **shirt** (ki)keményített ing(mell), frakking **4.** *US pej* részeg, ittas **5.** *GB* ~ **sweet** cukorka

boiler ['bɔɪlə ‖ –ər] *fn ip* forraló (készülék), vízmelegítő, bojler, kazán, *műsz* gőzkazán

boilermaker *fn* kazánkovács, kazánkészítő

boiler room *fn ip* kazánház, kazántér, gőztér

boiler suit *fn GB* kék munkásruha, kezeslábas, overall

boiling ['bɔɪlɪŋ] *mn* forró, forrásban levő; *biz* ~ **hot** nagyon forró; ~ **water** bugyogó/bugyborékoló víz

boiling pan *fn* főzőüst

boiling point *fn* forráspont

boisterous ['bɔɪstərəs] *mn* **1.** lármázó, féktelen, szilaj *[ember]*, heves *[szél]*, háborgó *[tenger]*, viharos, zord(on) *[időjárás]*; ~ **spirits** kitörő jókedv; **be in ~ health** majd kicsattan az egészségtől **2.** erőszakos

bold [boʊld] *mn* **1.** merész, vakmerő, határozott, bátor *[hang, tekintet]*; ~ **stroke** vakmerő/bátor/merész/kockázatos cselekedet/tett/vállalkozás; **make so ~ as to do sg** merészel vmt megtenni, felbátorodik vmre; **put a ~ face on the matter** bátran viselkedik **2.** arcátlan, szemtelen; **as ~ as brass** határtalanul szemtelen **3. a)** ~ **cliff** meredek sziklafal/szirt **b)** *műv* ~ **style** merész/feltűnő stílus **4.** határozott, feltűnő, lendületes *[kézírás, betű]* **5.** *nyomd* félkövér • *hsz* **boldly**

boldface *fn nyomd* félkövér, félfett (betű) • *mn* **boldfaced**

boldness ['boʊldnəs] *fn* **1.** merészség, bátorság **2.** arcátlanság, szemérmetlenség, szemtelenség **3. a)** meredekség *[szirté]* **b)** *műv* merészség, könnyedség *[stílusban, ecsetkezelésben]*

bole [boʊl] *fn* (fa)törzs, rönk; ~ **of a tree** faderék

bolero [ˌbɒlәroʊ, bə'leəroʊ ‖ bə'leroʊ] *fn* **1.** boleró *[tánc]* **2.** boleró *[kis kabátka]*

bolivar ['bɒlɪvɑː ‖ 'bɑləvər] *fn* ‹venezuelai pénznem›

Bolivia [bə'lɪvɪə] *tul földr* Bolívia

Bolivian [bə'lɪvɪən] *mn/fn* bolíviai (férfi), nő

boll [boʊl] *fn* tok, toktermés *[gyapoté, lené]*, gyapotnövény magháza

bollard ['bɒləd ‖ 'bɑlərd] *fn* **1.** korlát, terelőoszlop *[járdaszigeten]* **2.** kikötőbak, kikötőcölöp *[rakparton]*, hajócövek **3.** kötélbak *[hajón]*

bollocking ['bɒləkɪŋ ‖ 'bɑ–] *fn GB szl tabu [korholás]* lebaszás, lecseszés

bollocks ['bɒləks] *fn tsz GB szl tabu* **1.** *[here]* tök, golyó **2.** hülyeség, faszság

Bolognese [ˌbɒlən'jiːz] *mn/fn* bolognai

Bolognian [bə'loʊnjən] *mn/fn* bolognai

boloney [bə'loʊni] *US szl* → **baloney**

Bolshevik ['bɒlʃəvɪk ‖ 'boʊl–] *mn/fn* bolsevik • *fn* **Bolshevism, Bolshevist**

Bolshie ['bɒlʃi ‖ 'boʊl–] *mn/fn biz* bolsevik, bolsi

bolster ['boʊlstə ‖ –ər] **I.** *fn* **1. a)** hengerpárna, párnaalj *[ágyon, kanapén]* **b)** ékpárna **c)** párna *[támaszkodásra]* **d)** aljzat **2. a)** *műsz* alsó szerszámtartó tömb, matrica *[sajtón, lég- és gőzkalapácson]* **b)** nyakcsapágy **c)** forgózsámoly **3.** *épít* baluszter, korlátbáb, nyereggerenda, párnafa, ászokfa **4.** kés foka **5.** *hajó* párna, ütköző *[vasszereléken]* **II.** *tsi* **1.** kipárnáz, kitöm **2. a)** alátámaszt **b)** támogat *[erkölcsileg, anyagilag]*

bolster up *tsi* ~ **up sy** feltámasztja párnákkal vknek a fejét; támogat vkt; vmnek megtételére (v. álláspont elfoglalására) biztat vkt

bolt¹ [boʊlt] **I.** *fn* **1. sliding ~** tolózár, retesz *[ajtón]*; zár nyelve; tolóka, závár; **top-and-bottom ~** elfordítható karú ablakkilincs; ~ **of a rifle** závárzat *[puskáé]*; **shoot the ~s** ráhúzza a reteszt **2.** *műsz* faszeg, csap(szeg), pecek, szegecs, csapszeg *[kocsin]*, csavar; ~ **and nut** anyáscsavar; ~ **of a lock** zárnyelv **3.** villámcsapás, mennykőcsapás; *biz* **a ~ from the blue** derült égből villámcsapás **4.** négyszögű nyílvessző; *átv biz* **he has shot his last ~** elmondta az utolsó érvét, kijátszotta minden/utolsó ütőkártyáját **5. a)** vég *[vászon]* **b)** köteg *[fűzfavessző]* **c)** (víz)sugár **II. A.** *tsi* **1.** elreteszel, keresztrúddal elzár *[ajtót]* **2.** *műsz* csapszeggel összekapcsol (v. erősít meg) vmt **B.** *tni* **the door ~s on the inside** az ajtó belülről zárható/elreteszelhető **III.** *hsz* ~ **upright** egyenesen (mint a gyertyaszál), kihúzva magát

bolt in *tsi* bezár (vkt)

bolt out *tsi* kizár vkt, vk elől elreteszeli az ajtót

bolt² [boʊlt] **I. A.** *tsi* **1.** mohón (v. rágás nélkül) nagyokat nyel; ~ **one's dinner** gyorsan kapja be az ebédjét/vacsoráját **2.** *US [pártból]* kilép, elhagy *[pártot]*, elpártol (vktől) **B.** *tni* **1.** elfut, elinal, elmenekül, elkotródik, futásnak ered, megugrik, megszökik **2.** megvadul, megbokrosodik *[ló]* **3.** *US* otthagyja a pártját, elpártol **4.** magba megy, felmagzik *[saláta]* **II.** *fn biz* futás, nekiiramodás, szökés, menekülés; **make a ~ for sg** ráveti magát vmre; **the dog made a ~ for the door** a kutya az ajtó felé iramodott

bolt down *tsi* (be)habzsol *[ételt]*

bolt³ [boʊlt] *tsi* szitál, rostál *[lisztet]*

bolter ['boʊltə ‖ –ər] *fn* **1.** ijedős/ideges ló **2.** szökevény

bolt-hole *fn* **1. a)** *átv* odú, vacok, lyuk, búvóhely, rejtekhely, menedék **b)** *kat* fedezék **c)** menekülési lehetőség **2.** *átv* kibúvó; *biz* **arrange a ~ for oneself** kibúvót talál magának

bolus ['boʊləs] *fn tsz* **boluses 1.** csomó, labdacs *[megrágott ételé]* **2.** *orv* nagy pirula, (gyógyszeres) kapszula

bomb [bɒm ‖ bɑm] **I.** *fn* **1.** (robbanó) bomba; *GB biz* **go down a ~** nagy sikere van; *GB biz* **like a ~** (i) bombasiker (ii) szélvészgyorsan; **the ~ bursts** felrobban a bomba; *átv* kitör a botrány **2.** *GB szl* csomó pénz **3.** *geol* **volcanic ~** vulkáni bomba, lávabomba **4.** *US szl [megszégyenülés]* lebőgés **5.** *GB szl [kábítószeres cigi]* spangli **II. A.** *tsi* bombáz, bombát vet *[városra stb.]*; ~ **out** kibombáz **B.** *tni US szl* **1.** *[lejáratja magát]* lebőg, ég **2.** *biz* száguld, elzúg

bombard [bɒm'bɑːd ‖ –'bɑrd] *tsi* **1. a)** *kat* bombáz, bombá(ka)t vet **b)** sugárzással bombáz **2.** támad **3.** *biz* ~ **sy with questions** kérdésekkel ostromol vkt

bombardier [ˌbɒmbə'dɪə ‖ ˌbɑmbər'dɪr] *fn kat* **1.** *GB* **a)** tüzér **b)** tisztes *[tüzéreknél]* **2.** *US* bombakioldó *[személy repülőgépen]*

bombardment [bɒm'bɑːdmənt ‖ bɑm'bɑrd–] *fn* **1.** *kat* bombázás, bombatámadás **2.** *fiz* **nuclear ~** atommagok bombázása

bombardon [bɒm'bɑːdn ‖ bɑm'bɑrdn] *fn zene* bombardon, basszusszaxkürt

bombast ['bɒmbɑːst ‖ –bæst] *fn* fellengzősség, dagály(osság), bombaszt *[stílusban, beszédben]* • *mn* **bombastic**

bomb attack *fn* bombatámadás, bombázás

Bombay duck [ˌbɒmbeɪ'dʌk ‖ ˌbɑm–] *fn gaszt* apró szárított hal

bomb bay *fn rep* bombarekesz, bombakamra *[repülőgépen]*

bomb crater *fn kat* bombatölcsér

bomb disposal *fn* hatástalanítás *[fel nem robbant bombáé]*, bombaeltávolítás

bomb disposal squad *fn* tűzszerész osztag

bombed [bɒmd ‖ bɑmd] *mn* **1.** bombázott **2.** *szl [részeg]* be van lőve/állva/tépve

bomber ['bɒmə ‖ 'bɑmər] *fn* **1.** *rep* bombázó/bombavető repülőgép **2. a)** *kat rep* bombavető (katona) **b)** terrorista

bomber jacket *fn* pilótadzseki, bomber(dzseki)

bombing ['bɒmɪŋ ‖ 'bɑm–] *fn* **1.** bombázás **2.** bombatámadás **3.** robbantás(os merénylet)

bombphlet ['bɒmflət ‖ 'bɑm–] *fn szl* ‹repülőgépről ledobott propagandaanyag›

bombproof *mn* bombabiztos

bombshell *fn* **1.** gránát; *biz* **this was a ~ to us all** ez (a hír/esemény) bombaként hatott (v. mindnyájunkat megdöbbentett) **2.** *szl [szexuálisan vonzó nő]* bombázó

bombsight *fn* bombavető célzókészülék

bomb-site *fn* lebombázott terület

bomb squad *fn* robbantási csoport *[rendőrségnél]*

bombyx ['bɒmbɪk ‖ 'bɑm–] *fn áll* szövőlepke

bona fide [ˌbounə'faɪdi] **I.** *mn* **a)** jóhiszemű **b)** komoly, őszinte, tisztességes **II.** *hsz* **a)** jóhiszeműen **b)** komolyan

bona fides [ˌbounə'faɪdiːz] *fn* **1.** *jog* jóhiszeműség **2.** *biz* referencia

bonanza [bə'nænzə] **I.** *fn* **1. a)** igen gazdag érclelőhely, gazdag telér *[bányában]* **b)** *átv* aranybánya, bombaüzlet **2.** gazdagság, jólét *[hirtelen jött]*, szerencsés lelet **II.** *mn* kedvező, virágzó; **~ year** gazdasági fellendülés/konjunktúra éve

Bonanza State *tul földr US biz* Montana állam

bonbon ['bɒnbɒn ‖ 'bɑnbɑn] *fn* cukorka, bonbon

bonce [bɒns ‖ bɑns] *fn GB* **1.** *szl [fej]* golyó(bis) **2.** nagy (játék) márványgolyó

bond [bɒnd ‖ bɑnd] **I.** *fn* **1. a)** póráz, szíj, kötél **b)** *tsz* **bonds** béklyók, bilincs, lánc **c)** gúzs *[rőzsekötözésre]* **2. a)** *átv* kötelék; *biz* **~s of friendship** baráti kötelékek **b)** *Dél-Af* liga, államszövetség **3. a)** kötelezettség, szerződés **b)** *jog* kötelem, jogügylet **c)** *jog* óvadék, biztosíték, kezeslevél **4.** *pénz* **a)** utalvány, bon **b)** kötvény, adóslevél; **public ~s** állami/közületi kötvények **5.** *gazd* elhelyezés vámszabad raktárban, vámzár; **be in ~** vámszabad raktárban van *[áru]* **6. a)** *épít* **(system of) ~** falkötés; téglakötés; kötésmód **b)** *vegy* kötés **II. A.** *tsi* **1.** *épít* összeköt, habarcságyba rak *[köveket]*, kötőanyaggal/malterral összeköt/falaz **2.** *gazd* vámszabad raktárban elhelyez, vámzár alá helyez *[árut]* **B. 1.** köt, megköt, megragad **2.** kötődik *[érzelmileg]*

bondage ['bɒndɪdʒ ‖ 'bɑn–] *fn* **1.** rabszolgaság, leigázottság; **be in ~ to sy** vktől függ; vknek az igáját nyögi; **escape from ~** széttöri a bilincseit; lerázza béklyóit **2.** *tört* jobbágyság **3.** *vál* rabság, fogság, iga, kötelék **4. a)** szexuális rabszolgaság **b)** szado-mazo megkötözés

bonded ['bɒndɪd ‖ 'bɑn–] *mn* **1.** *ip* kötőanyaggal készült, kötőanyaggal lemezzé/rúddá sajtolt/préselt **2.** *gazd* vámszabad raktárba helyezett *[áru]*; **~ warehouse** vámszabad raktár, vámraktár; **~ whiskey** ‹legalább négy évig érlelt whisky› **3.** *pénz* kötvényesített *[adósság]*, elzálogosított *[áruraktárban]*; **~ debt** kötvényesített tartozás

bondholder *fn pénz* kötvénytulajdonos

bondhouse *fn gazd* vámszabad raktár

bonding ['bɒndɪŋ ‖ 'bɑn–] *fn* **1. a)** kötőanyag, habarcs **b)** (össze)kötés **2.** *gazd* vámszabad raktárba helyezés *[árué]* **3.** kötődés (vkhez), kapcsolat

bondman ['bɒndmən] *fn tsz* **-men** [–mən] **1.** *tört* jobbágy **2.** *biz* rabszolga

bond paper *fn* bankpostapapír

bondsman ['bɒndzmən ‖ 'bɑndz–] *tsz* **-men** [–mən] → **bondman**

bondtimber *fn épít* kötőgerenda

bondwarehouse *fn gazd* vámszabad raktár, vámraktár

bone [boun] **I.** *fn* **1. a)** csont; **without more ~s** habozás nélkül; **he is (nothing but) a bag of ~s** zörögnek/kilátszanak a csontjai; csont és bőr, csontkollekció; *biz* **close to/near the ~** súrolja a jóízlés/durvaság határát; **I feel it in my ~s** a csontjaimban érzem; *átv biz* **I have a ~ to pick with him** (kellemetlen) elintézni való dolgom van vele; *szl* **he's got her in his ~s** majd megbolondul/megvesz érte; bomlik utána; **he laid his ~s there** otthagyta a fogát; **make no ~s about doing sg** nem aggályoskodik/tétovázik vmt megtenni; habozás nélkül cselekszik; őszintén (v. köntörfalazás nélkül) megmond vmt; **he won't make old ~s** nem fog megöregedni, nem lesz hosszú életű; *Ausz* **point the ~** vknek halálát kívánja, vknek rosszat kíván; **work one's fingers to the ~** agyondolgozza magát **b) ~ (of a fish)** szálka **c)** elefántcsont, gyöngyház **d)** *szl [merev pénisz]* álló farok **2.** *tsz* **bones a)** csontok *[halotté]* **b)** *biz* játékkockák, dominókövek; **rattle the ~s** kockázik **c)** *zene* csattogtató, kasztanyetta **d)** halcsont *[fűzőben]* **II. A.** *tsi* **1.** kicsontoz *[húst]*, szálkát eltávolít *[halból]* **2.** *GB szl [ellop]* elcsen, elcsór, elemel **3.** *biz* **~ a subject** bevág/bemagol/bebifláz egy tárgyat; **~ up sg** bemagol/bebifláz vmt **B.** *tni biz* magol; **~ up on sg** bemagol vmt; utánaolvas vmnek

bone china *fn* csontporcelán

-boned [bound] *mn összet* csontú

bone-dry *mn* **1.** csontszáraz, teljesen száraz **2.** *biz* szomjas

bone glass *fn* tejüveg

bonehead *fn szl [csökönyös, ostoba ember]* fafej • *mn* **boneheaded**

bone idle → **bone lazy**

bone lazy *mn biz* nagyon/dög lusta

boneless ['bounləs] *mn* **1. a)** kicsontozott **b)** csont nélküli **c)** szálkátlan *[hal]* **2.** *biz* **a)** gerinctelen, puhány, energia nélküli, erélytelen **b)** jellemtelen

bone marrow *fn orv* csontvelő

bone-meal *fn mezőg* csontliszt *[tápanyag]*

boner ['bounə ‖ –ər] *fn szl* **1.** *[nagyzolás, hencegés]* (nagy) szöveg **2.** *[nyelvbotlás/(óriási) baklövés]* baki **3.** *US [erekció, merevedés]* álló farok

bonesetter *fn* csontkovács, osteopatha *[aki kificamodott csontokat helyretesz]*

bone-shaker *fn* **1.** *biz* **an old ~** rossz rugózású jármű, tragacs; rozoga kocsi **2.** *tört* vasabroncsos kerékpár

boneyard *fn US szl* **a)** temető **b)** roncstemető, autótemető

bonfire ['bɒnfaɪə ‖ 'bɑnfaɪər] *fn* **1.** örömtűz **2.** hullott levelek stb. elégetése *[kertben]*

Bonfire Night *GB* → **Gunpowder Plot**

bong [bɒŋ ‖ bɑŋ] **I.** *fn* harangzúgás; zengő hang **II.** *tsi* kongat *[harangot]*

bongo ['bɒŋgou ‖ 'bɑŋgou] *fn zene* bongó-dob

bonhomie ['bɒnəmi ‖ ˌbɑnə'miː] *fn francia* mesterkéletlenség, kedélyesség

bonhomous ['bɒnəməs ‖ 'bɑ–] *mn* kedélyes, barátias

bonk [bɒŋk ‖ bɑŋk] **I. A.** *tsi* **1.** odakoppant **2.** beüti *[kezét* v. *lábát vmibe]* **3.** *GB szl [közösül]* megdönget, megprütyköl **B.** *tni* **1.** koppan; koppanó hangot ad **2.** nekiütődik **3.** *GB szl [közösül]* dönget, prütyköl **II.** *fn* **1.** koppanás, ütődés **2.** *szl [közösülés]* ungabunga

bonkers ['bɒŋkəz] *mn GB szl* ütődött, hülye

bon mot [ˌbɒn 'mou ‖ ˌbɑn–] *fn francia* szellemes mondás/megjegyzés, szellemesség

bonnet ['bɒnɪt || 'bɑnət] *fn* **1. a)** *sk* sapka, sipka *[perem és ellenző nélkül]* **b)** főkötő, fejkötő, szalagkötős kalap, gyermekfejkötő **c)** védősapka *[pilótáé]* **2.** tollas indián fejdísz **3. a)** *GB gk* motorháztető **b)** *műsz* fedél, sapka, (záró)süveg, sisak, kupak
bonnet rest *fn gk* motorháztető feltámasztója
bonnie ['bɒni || 'bɑni] → **bonny**
bonsai ['bɒnsaɪ || ˌbɑn'saɪ] *fn növ* bonszáj *[japán törpefa]*
bonus ['bоʊnəs] *fn tsz* **bonuses** (fizetésen felüli) jutalom, prémium, pótlék, nyereségrészesedés, bónusz; *GB pénz* ~ **on shares** rendkívüli osztalék; osztaléktöbblet *[garantált/ megállapított osztalékon felül]*; *GB pénz* ~ **to policyholders** biztosítottaknak kiutalt nyereségrészesedés, bónusz
bon vivant [ˌbɒn 'viːvɒn || ˌbɑn viː'vɑnt] *fn tsz* **bons vivants** *francia* **1.** ínyenc **2.** világfi, nagyvilági férfi
bonzer ['bɒnzə || 'bɑnzər] *mn Ausz* kitűnő, pompás
bony ['boʊni] *mn* **1.** csontos *[ember, állat, hús]*, szálkás *[hal]* **2. a)** nagy csontú, szögletes *[személy]* **b)** sovány *[ujj, arc]* **3.** kőkemény
bonny *mn* **1.** *sk* csinos, jóképű, pirospozsgás **2.** *biz* **make a ~ hand of sg** jó hasznot húz vmből • *hsz* **bonnily**
boo [buː] **I.** *isz* huhu! *[ijesztő szó]*, sicc! **II.** *fn* lehurrogás, gúnyos nevetés, kinevetés; **can't say ~ to a goose** szégyenlős **III. A.** *tsi* ~ **(at) sy** lehurrog/kifütyül lepisszeg vkt **B.** *tni* pfujoz, pfujol
boob [buːb] *fn szl* **1.** *[börtön]* jergli, hűvös, kaptár **2.** *[buta/ faragatlan ember]* bunkó, tuskó, tahó **3.** *GB* baklövés, baki, ostoba tévedés **4.** *tsz* **boobs** *[mellek]* cicik, didik
boo-boo ['buːbuː] *fn szl [ostoba tévedés]* baki
boob tube *fn szl* **1.** *GB* top *[vállpánt nélküli női felső]* **2.** *US [televízió]* sípláda
booby ['buːbi] *fn* **a)** ostoba, együgyű, mamlasz, mafla; *biz* **beat the ~** karjait lóbálva összecsapkodja *[felmelegedés céljából]* **b)** *GB* az utolsó *[versenyen]*, legrosszabb (eredményt elérő) *[kártyában, tanulmányokban]*
booby hatch *fn US szl [bolondokháza]* diliház
booby prize *fn* vigaszdíj
booby trap I. *fn* **1. a)** *kat* álcázott akadály/csapda **b)** otromba tréfa, átlátszó csel **2.** *átv* csapda, kelepce, tőr **II.** *tsi* **booby-trap**, **-pp- 1.** csapdába csal **2.** megsebesít/ felrobbant álcázott szerkezettel
boodle ['buːdl] *fn szl* **1. a)** *[pénz]* dohány, guba **b)** ‹kicsalt pénz› **c)** vesztegetés(i pénz), titkos pénzalap *[választási hadjáratra]* **2.** zsákmány
boogie ['buːgi ||] *szl* **I.** *fn* **1.** *[tánc]* csörgés **2.** *[száradt takony]* fika **II.** *tsi* **1.** *[táncol]* csörög, pörög **2.** *[közösül]* teker **3.** *[(intenzíven) dolgozni kezd]* ráver (a melóra), rákapcsol **4.** *[megy vhova]* szambázik, üget, oson
boogie-woogie [ˌbuːgi'wuːgi || ˌbugi'wugi] *fn zene* 8/4-es dzsessz(zene), bugivugi *[tánc]*
boohoo [buː'huː] **I.** *isz* hüp-hüp! **II.** *fn biz* pityergés, nyafogás **III.** *tni* ordít, bőg, nyafog, pityereg
book [bʊk] **I.** *fn* **1. a)** könyv; **be at one's ~s** tanul; **be a sealed ~ to sy** lepecsételt könyv vk számára *[ismeret, tárgy]*; **bring/call to ~** felelősségre/kérdőre von; megbüntet; **go by the ~** szabályok szerint játszik/jár el; **in my ~** szerintem; **know sg like a ~** úgy tudja mint az egyszeregyet; **know sy like a ~** úgy ismer vkt mint a tenyerét; **know off ~** kívülről/betéve (v. könyv nélkül) tudja; **one for the ~(s)** ezt fel kell vésni, feljegyzésre méltó; **speak by the ~** úgy beszél, mintha könyvből olvasná; tekintélyekre hivatkozik; *biz* **throw the ~ at sy** a törvény teljes szigorával sújt le; alaposan lehord vkt **b)** könyv, rész, ének *[irodalmi mű nagyobb része]* **c)** librettó, szövegkönyv *[operáé, színdarabé]* **d)** gyűjtemény *[daloké, imáké]* **e) blue/ white/etc.** ~ kék/fehér/stb. könyv *[diplomáciai* v. *kormány által közzétett más hivatalos iratok gyűjteménye]* **2. the B~ (of God)**, **divine ~**, **the Good B~** a Biblia, a Szentírás; **swear by/on the B~** a Bibliára/Szentírásra esküszik **3.** lajstrom, jegyzék, *gazd* üzleti könyv, számlakönyv, napló; **~ of accounts** főkönyv; **bring to ~** *gazd* elkönyvel; *átv* felelősségre von; **get into one's ~s** adósságot csinál vknél; kölcsönt vesz fel vktől **4.** *hajó* **ship's ~s** hajónapló; **be on the ~s** a tagok sorába tartozik; **not in the ~** tiltott, törvénytelen **5. a)** **~ of cheques** csekkfüzet; **~ of tickets** jegyfüzet **b) the telephone ~** telefonkönyv *[előfizetőké]* **6. ~ of matches** levélgyufa; **~ of needles** csomag varrótű **7.** *ját* hat ütés, pakett *[bridzsben]*; *biz* **the Devil's ~s** az ördög bibliája *[játékkártya]* **8.** *biz* **that just suits my ~** ez megegyezik terveimmel, ez megfelel nekem **9.** *biz* **be in sy's bad/black ~s** vknél kegyvesztett; vk fekete listáján van, vknek ellenszenves; **be in sy's good ~s** kegyben áll vknél **10.** *szl* ‹maximális börtönbüntetés› **II. A.** *tsi* **1.** (előre) (le)foglal, előjegyez *[szobát, asztalt stb.]*, fenntart *[ülőhelyet]*, *[bérletet, jegyet]* (előre) (meg)vált; *szính* **seats can be ~ed from ten to eight** jegyeladás tíztől nyolc óráig; **~ in advance** lefoglal; előjegyez; előre megvált, elővételben vesz *[jegyet]*; *szính* **all the seats are ~ed** minden jegy elkelt; **~ sy for dinner** meghív vkt ebédre/vacsorára **2. a)** feljegyez, felír, beír *[rendelést stb.]*, bevezet *[lajstromba, nyilvántartásba]* **b)** *gazd* könyvel, beír *[könyvelési tételt]* **c) ~ an order for sg** megrendel vmt, rendelést ad fel vmre; *ip* **we are heavily ~ed** sok rendelésünk van **3.** *vasút* kiad menetjegyet *[utasnak]* **4. be ~ed** (i) feladták *[halálos beteget]* (ii) sárga lapot ad vknek *[futballban]* **5.** *szl [letartóztat]* lekapcsol **B.** *tni* **1.** *vasút* menetjegyet vált **2.** *szl [hajt, száguld]* teper, dönget, tűz
book in *tsi/tni* **1.** belépést feljegyez, jelenléti ívet aláír *[dolgozó]* **2.** *GB* bejelentkezik *[hotelben]*
book up *tsi* **1.** *GB* előre megvált jegyet **2. ~ed up** minden helyet előre lefoglaltak; *biz* **I am ~ed up for this evening** mai estém foglalt (v. nem szabad)
bookable ['bʊkəbl] *mn* **1.** elővételben megváltható *[jegy]*, lefoglalható *[szoba]* **2.** *sp* sárgalap adható *[futballban]*
bookbinder *fn* könyvkötő(nő) • *fn* **bookbinding**
bookcase *fn* könyvszekrény, könyvállvány, könyvespolc
book club *fn* könyvbarátok klubja, könyvklub
booked [bʊkt] *mn* **1.** elkönyvelt, feljegyzett **2.** (előre) lefoglalt, rezervált, *GB* elővételben elkelt/elfogyott/vett
bookend *fn* könyvtámasz
bookfair *fn* könyvvásár, könyvkiállítás
bookie ['bʊki] *fn sp biz* könyves, bukméker
booking ['bʊkɪŋ] *fn* helyfoglalás, jegyrendelés, szobafoglalás, szállásfoglalás; *vasút* **~ of seats** helyfenntartás, helyfoglalás; helyjegyváltás; *szính* **~ of tickets** (i) jegyeladás; jegyárusítás (ii) jegyelővétel; jegyváltás; **make a ~** szobát foglal
booking clerk *fn GB* (jegy)pénztáros
booking hall *fn GB közl* pályaudvari jegypénztárak
booking office *fn* vasúti/színházi jegypénztár
bookish ['bʊkɪʃ] *mn* **1.** tanulni szerető, könyveket bújó *[személy]* **2.** könyvszagú, könyvízű, elméleti **3.** választékos *[egyén, stílus]*
bookkeeper *fn gazd* könyvelő • *fn* **bookkeeping**
book learning *fn* elméleti (v. könyvekből merített) tudás
booklet ['bʊklɪt] *fn* könyvecske, (ismertető) füzet, fűzött kis könyv, brosúra
bookmaker *fn* könyves, bukméker *[lóversenyen]*
bookmark *fn* **1.** könyvjelző **2.** *infor* könyvjelző, címtár
bookmobile ['bʊkməbiːl] *fn US* mozgókönyvtár, könyvtárbusz
bookplate *fn* ex-libris *[vk könyvtárából]*, könyvjegy
book rate *fn* (postai) nyomtatvány/könyv tarifája/díjszabása
book review *fn* könyvismertetés, könyvkritika
bookseller *fn* könyvkereskedő; **~'s shop** könyvkereskedés; **second-hand ~** antikvárius
bookshelf *fn tsz* **-shelves** könyvespolc, könyvállvány
bookshop *fn* könyvkereskedés
bookstall *fn* **1.** könyvkirakat **2.** könyvárusítóhely
bookstore *fn US* könyvkereskedés, könyvesbolt
booksy ['bʊksi] *mn GB biz* álentellektüel
book token *fn GB* könyvutalvány
book value *fn gazd* leltári (v. könyv szerinti) érték
bookworm *fn biz* könyvmoly *[személy]*

Boolean ['bu:lɪən] *mn* Boole-féle, Boole-; **~ algebra** Boole-algebra, kapcsolásalgebra, logikai algebra; *infor* **~ search** Boole-féle keresés *[számítógépes adatbankban "és", "vagy" és "nem" operátorokkal]*

boom¹ [bu:m] **I.** *fn* dörgés, dübörgés, morajlás *[ágyúé, mennydörgésé]*, zúgás *[harangé, hullámé]*, zengés *[hangé]*, búgás *[orgonáé]* **II.** *tni* dörög *[ágyú]*, morajlik *[tömeg]*, zúg *[harang]*, zeng *[hang]*, búg *[orgona]*, dobban *[láb]*

boom² [bu:m] **I.** *fn* **a)** *pénz* virágzó/jó konjunktúra, (gazdasági) virágzás/fellendülés **b)** felkapottság/kedveltség időszaka *[könyvé, árufajtáé]* **c)** népszerűség **II.** *tni* **his business is ~ing** vállalkozása/üzlete fellendül/virágzik (v. jól megy)

boom³ [bu:m] *fn* **1.** *hajó* alsó vitorlafa/vitorlarúd, öregfa; **rig the ~s** felszereli a rakodórudakat **2. a)** *ip épít* gém, darukar **b)** *távk* mikrofongém, zsiráf **3.** kikötővédőmű, kikötőbarikád, zárólánc, cölöpgát

boom-and-bust *fn biz* (gazdasági) konjunktúra és depresszió váltakozása

boom box *fn szl* hordozható magnó

boomer ['bu:mə ‖ –ər] *fn Ausz* **1.** nagy hím kenguru **2.** nagy hazugság **3.** nagy hullám

boomerang ['bu:məræŋ] **I.** *fn* **1.** bumeráng **2.** *átv* visszafelé ütő/elsült mesterkedés/próbálkozás **II.** *tni* **1.** váratlanul visszatér (vk vhova) **2.** váratlan (kellemetlen) következményei vannak, visszaüt

boom town *fn* konjunktúraváros; ‹rohamosan fejlődő város›

boomy ['bu:mi] *mn* sötét színezetű, kongó, begerjedt *[mikrofon, magnó, hang visszaadásnál]*

boon¹ [bu:n] *fn* **1.** *vál* **a)** adományozás **b)** kegy, kedvezmény, adomány **2.** jótét(emény), jótett, szívesség, szolgálat; **I found it a great ~** nagy előnyömre szolgált **3.** *régi* kérvény, folyamodvány

boon² [bu:n] *mn* kellemes, vidám; **~ companion** víg cimbora; ivócimbora

boondocks ['bu:ndɒks ‖ –dɑks] *fn tsz US szl* ‹elhagyatott, vad vidék›

boondoggle ['bu:ndɒgl ‖ –dɑgl] *US biz* **I.** *fn* haszontalan dolog, mütyürke **II.** *tni* haszontalansággal tölti idejét

boor [bʊə ‖ bʊr] *fn* paraszt, bugris • *mn* **boorish**

boost [bu:st] **I.** *tsi* **1. a)** fellendít, reklámot csinál vk/vm érdekében, reklámoz *[könyv/író/politikus mellett]*; **~ the morale** hangulatot javít *[katonaságnál]*; közszellemet emel; **~ sy into a position** beprotezsál vkt állásba, állásba segít vkt **b)** hátulról felemel (vkt), kezével/vállával felfelé segít (vkt) **2.** erősít, fokoz, feszültséget emel, túlerőltet *[motort]* **3.** felemel, felszöktet, növel *[árat, jövedelmet]* **II.** *fn* **1.** lökés, emelés *[hátulról, alulról]* **2.** reklám, reklámozás, fellendülés, fellendítés; **give sy a ~** reklámot csap vknek; hátulról felemel vkt; **give sg a ~** lökést ad vmnek; beindítás *[üzleté, ügyé]*

booster ['bu:stə ‖ –ər] *fn* **1.** *vill* feszültségnövelő autótranszformátor **2.** *űr* **~ rocket** gyorsítórakéta, indító segédrakéta **3.** reklámozó, reklámcsináló, hírverő

booster injection *fn orv* emlékeztető oltás

booster shot → **booster injection**

boost-up *fn* hírverés, reklámozás, fellendítés; *US* **give sg a ~** reklámot csinál vmnek

boot¹ [bu:t] **I.** *fn* **1. a)** magas szárú cipő, bakancs; **ankle ~** bakancs; **high ~s** csizma; **riding ~s** lovaglócsizma **b)** *tört* **(torture of) the ~** spanyolcsizma *[kínzóeszköz]* **c) seven league ~s** hétmérföldes csizmák **d)** *biz* **~ and all** kereken, kíméletlenül, nyíltan, ellentmondást nem tűrve; **the ~ is on the other/wrong leg** éppen ellenkezőleg/fordítva; *szl* **you bet your ~s** arra mérget vehetsz; *biz* **get the ~** kirúgják; útilaput kap, lapátra kerül; *szl* **give sy the (order of the) ~** elkerget/kidob/kirúg vkt; **go it ~s** tüstént energikusan nekifog (vmnek); **have one's heart in one's ~s** inába száll(t) a bátorsága; **he left his ~s there** otthagyta a fogát; **lick sy's ~s** a talpát nyalja vknek, hízeleg, megalázkodik; **too big for his ~s** nagy a mellénye **2.** *gk* csomagtartó **3.** *US* *[(tengerész)újonc]* kopasz **4.** *infor* rendszerindítás **5.** *biz* rúgás; *GB* **put the ~ in** (i) megrugdos vkt (ii) keményen fellép vk ellen **6. clumsy/lazy ~** ügyetlen/lusta fickó; **old/sly ~** ravasz fickó **II.** *tsi* **1.** *biz* megrugdal vkt; **~ sy out** kirúg vkt **2.** *infor* betölt *[rendszerprogramot]*

B

boot² [bu:t] *fn* **to ~** ezenfelül, ráadásul

bootblack *fn US tört* cipőtisztító

bootee ['bu:ti: ‖ bu:'ti:] *fn* **1.** gyermekcipő, kötött bébicipő/babacipő **2.** házicipő

booth [bu:ð ‖ bu:θ] *fn* **1.** bódé, sátor, elárusítóhely *[vásáron]*, ideiglenes faház **2.** fülke, kamra *[szavazás stb. céljaira]*, telefonfülke **3.** boksz *[étteremben, bárban]*

bootjack *fn* csizmahúzó, fakutya

bootlace *fn* cipőfűző, cipőzsinór

bootleg **I.** *mn* **1.** csempész **2.** illegális **3.** kalóz *[kazetta]* **II.** *tsi* **-gg- 1.** csempész **2.** kalózmásolatokat készít/terjeszt **III.** *fn* **1.** csempészáru **2.** kalózfelvétel *[illegális hang- v. videófelvétel]*, kalózmásolat • *fn* **bootlegger**

bootless ['bu:tləs] *mn régi* eredménytelen, hasz(on)talan, hiábavaló, kárba veszett

bootlicker *fn biz* talpnyaló, hízelgő • *tsi* **bootlick**

boots [bu:ts] *fn esz GB* (házi)szolga, cipőtisztító, londiner *[szállodában, penzióban]*

boot sale *fn* garázsvásár

bootstrap *fn* **1.** cipő füle, csizma húzója; *átv* **by one's ~s** saját erejéből **2.** *infor* önbetöltő program

booty ['bu:ti] *fn* **1.** hadizsákmány, préda, (tolvaj)zsákmány, rablott holmi; **share the ~** megosztozik a zsákmányon/hasznon **2. play ~ with sy** segít másnak a játékban; összejátszik vkvel

booze [bu:z] *szl* **I.** *fn* **1.** *[szeszes ital]* pia, tütü **2.** ivászat; **be on the ~** *[leissza magát, berúg]* bepiál, beszív; **go on the ~** *[ivásnak adja magát]* piálni kezd; **we had a ~** szittyóztunk egy kicsit **II.** *tni* piál

boozer ['bu:zə ‖ –ər] *fn szl* **1.** *[részeges, iszákos]* piás **2.** *GB [kocsma]* kricsmi

booze-up *fn szl [ivászat]* piálás

boozy ['bu:zi] *mn szl* **1.** *[iszákos, részeges]* piás **2.** becsípett, spicces, pityókos

bop¹ [bɒp ‖ bɑp] *fn biz* **I. 1.** → **bebop 2.** *GB* táncrendezvény, táncmulatság **II.** *tni* táncol *[popzenére]*

bop² [bɒp ‖ bɑp] *biz* **I.** *tsi* megüt *[gyengén]* **II.** *fn* ütés, csapás *[enyhe]*

bopper ['bɒpə ‖ 'bɑpər] *fn zene* **1.** bop-zenész **2.** bop-énekes **3.** bop-rajongó

bora ['bɔ:rə] *fn* bóra

boracic [bə'ræsɪk] *mn vegy* bóros, bór-

borage ['bɒrɪdʒ ‖ 'bɔrɪdʒ] *fn növ* orvosi atracél; borágófű

borak ['bɔ:rək] *fn Ausz szl [kigúnyolás, leszólás]* cikizés, cukkolás; **poke ~ at sy** *[kigúnyol]* cikiz, cukkol

borax ['bɔ:ræks] *fn vegy* **1.** bórax, nátriumtetraborát, tetrabórsavas nátrium **2.** tinkál

Bordeaux [bɔ:'doʊ ‖ bɔr–] *fn* bordeaux-(vidék)i bor

bordello [bɔ:'deloʊ ‖ bɔr–] *fn US szl [bordélyház]* kupi

border ['bɔ:də ‖ 'bɔrdər] **I.** *fn* **1. a)** határ, part, mezsgye, perem, szél *[úté, erdőé, városé]* **b) the B~** a skót határ(vidék), a skót végek **2. a)** szegély, szél, szegés *[ruhán]*, paszomány, szegődísz *[öltönyön]*, szegélyrész *[szőnyegen]*, párkány, perem *[épületen]*; **black ~** fekete szegély, gyászkeret *[levélpapíron]* **b)** *nyomd* keret **c) grass-~, turf-~** pázsitos virágszegély **II. A.** *tsi* **1.** szegélyez *[utat, öltönyt]*, (be)szeg *[zsebkendőt]*, szélez, *nyomd* keretez *[szöveget/képet léniával, képet szöveggel]*; **~ in gold** aranyba foglal *[ékkövet]* **2.** határol *[országot stb.]*, elhatárol (vmt) **B.** *tni* **~ on (sg)** (terület) érintkezik, határos (más területtel); *átv* **~ (up)on insanity** közel van a megőrüléshez

border clash *fn* határvillongás(ok)

border crossing *fn* határátkelés, határátlépés

borderer ['bɔ:dərə ‖ 'bɔrdərər] *fn* határvidéki lakos

bordering [ˈbɔːdərɪŋ ‖ ˈbɔr–] *mn* **1.** határos, összefüggő, (tő)szomszédos, érintő, határoló, szegélyező **2. colour ~ on red** pirosba játszó szín

borderland *fn* **1. a)** határvidék, határsáv **b)** mezsgye **2.** vitatott/vitás helyzet/kérdés

borderline I. *fn* határvonal *[két kategória/ország között]*, határterület, átmenet **II.** *mn* határ-

borderline case *fn* határeset

border patrol *fn* határőrség

border state *fn* **1.** határállam; *pol* ütköző-állam, peremállam **2.** *US* **a)** *tört* ‹rabszolgatartó Déllel határos állam› **b)** ‹Kanadával határos állam›

border town *fn* peremváros, határváros

bore[1] [bɔː ‖ bɔr] **I. A.** *tsi* **1.** (ki)fúr, kiváj **2. ~ (one's way) through the crowd** utat tör magának a tömegben; keresztültör a tömegen **B.** *tni* **1.** fúródik, fúrható; **~ through sg** kilyukaszt/keresztülszúr vmt; *bány* **~ for minerals** talajfúrást/próbafúrást végez ásvány után kutatva **2.** versenytársnak útját állja *[lóversenyen, futóversenyen]* **II.** *fn* **1.** belső átmérő, kaliber *[csőé, lőfegyveré]*, furat *[ágyúé, puskáé]* **2.** *bány* fúrólyuk, fúrás

bore out *tsi* kifúr, kiváj; **~ out a part** lyukfúróval megmunkál egy darabot

bore[2] [bɔː ‖ bɔr] **I.** *tsi biz* untat, bosszant, fáraszt, zaklat (vkt); **~ sy to tears/death** halálra untat vkt; **he ~s me stiff** halálra untat! **II.** *fn* **1.** tolakodóan unalmas ember, nehezen lerázható ember **2.** unalmas/bosszantó/terhes/kínos dolog; **what a ~** micsoda unalmas fecsegő!; már a könyökömön jön ki!

bore[3] [bɔː ‖ bɔr] *fn* (tengeri/folyamtorkolati)szökőár

bore[4] → **bear**[2]

boreal [ˈbɔːrɪəl] *mn* **1.** *földr* északi, északi félgömbi **2.** hideg, zord; **~ blast** viharos északi szél; **~ dawn** északi fény

boredom [ˈbɔːdəm ‖ ˈbɔr–] *fn* unalom, untatás

borehole *fn bány* fúrólyuk, repesztőlyuk

borer [ˈbɔːrə ‖ –ər] *fn* **1. a)** fúrószerszám, fúróeszköz **b)** dörzsár, lyuktágító **c)** fúrógép, *bány* talajfúró, vésőfúró, fúrófej **2.** *áll* **a)** hajóféreg **b)** szúró rovar

boric [ˈbɔːrɪk] *mn vegy* bóros, bór-; **~ acid** bórsav

boring *mn* unalmas, untató, bosszantó, fárasztó, kellemetlen, terhes

born [bɔːn ‖ bɔrn] *mn* **1. a)** *[asszonynév után:]* született ..., vmlyen születésű/származású; **be ~** (meg)születik; világra jön; **I am Hungarian-~** magyar (születésű) vagyok; *biz* **a ~ fool** tökéletesen hülye; **a ~ musician** született zenész; **~ with a silver spoon in one's mouth** gazdag születésű, gazdag családból származik; **in all my ~ days** egész életemben, születésem óta; világéletemben; *biz* **not ~ yesterday** nem ma jött le a falvédőről **b)** vmre született/termett; **~ to succeed** sikerre termett, boldogulni fog az életben **c) ~ in/with sy** veleszületett **2.** *vall* **(be) ~ again** újjászületik; **~-again Christian** újjászületett keresztény; → **bear**[2]

borne [bɔːn ‖ bɔrn] → **bear**[2]

borné [ˈbɔːneɪ ‖ bɔrˈneɪ] *mn francia* korlátolt, bornírt, szűk látókörű

Bornean [bɔːˈniːən ‖ bɔr–] *mn/fn földr* borneói (bennszülött, lakos)

Borneo [ˈbɔːnioʊ ‖ ˈbɔr–] *tul földr* Borneó

boron [ˈbɔːrɒn ‖ ˈbɔrɑn] *fn vegy* bór

borough [ˈbʌrə ‖ ˈbɜroʊ] *fn* **1.** *GB* város *[önkormányzattal]*, törvényhatóság; **the four royal ~s** ‹négy (szabad) királyi város Skóciában› **2.** városi (választó)kerület

borrow [ˈbɒroʊ ‖ ˈbɔroʊ] **A.** *tsi* **1. a)** kölcsönvesz, kölcsönkér **b)** *biz* elemel **2.** utánoz *[stílust stb.]*, plagizál; **~ a phrase from Cobain** Cobain szavait idézve, Cobain szavaival élve; *biz* **~ trouble** felesleges gondokat csinál magának **B.** *tni* ‹figyelembe veszi a szelet, a terep hajlatait stb. [golfozásnál]› • *fn* **borrower**

borrowed [ˈbɒroʊd ‖ ˈbɔroʊd] *mn* kölcsönadott, kölcsönzött, kölcsönvett; **living on ~ed time** ideje lejárt, túlélte magát; → **borrow**

borrowing [ˈbɒroʊɪŋ ‖ ˈbɔ–] *fn* **1.** kölcsön(vétel), kölcsönvevés; **live by ~** kölcsönökből él; **good at ~ but bad at giving back** a kölcsönnek híve, de a visszafizetésnek ellensége, rossz adós **2.** átvétel *[nyelvi, irodalmi]*; **~ of words** szókölcsönzés

Borstal [ˈbɔːstl ‖ ˈbɔrstl] *tul/fn GB jog* **~ (institution/school)** javítóintézet; **~ boy** javítóintézeti növendék, intézeti fiú/gyerek

bortsch [bɔːtʃ ‖ bɔrtʃ] *fn gaszt* borscs, céklaleves

borzoi [ˈbɔːzɔɪ ‖ ˈbɔr–] *fn áll* orosz agár

bosh [bɒʃ ‖ bɑʃ] *fn/isz biz* hülyeség!, marhaság!, eszed tokja!, ostoba beszéd, bolondozás

bosky [ˈbɒski ‖ ˈbɑski] *mn vál* **1.** cserjés, bokros **2.** árnyas

bo's'n [ˈbəʊsn] → **boatswain**

Bosnia [ˈbɒznɪə ‖ ˈbɑz–] *tul földr* Bosznia

Bosniac [ˈbɒzniæk ‖ ˈbɑz–] *mn/fn* bosnyák, boszniai

Bosnia-Herzegovina [ˌbɒznɪə hɜːtsəgoʊˈviːnə ‖ ˌbɑznɪə hɜr–] *tul földr* Bosznia-Hercegovina

Bosnian [ˈbɒznɪən ‖ ˈbɑz–] → **Bosniac**

bosom [ˈbuzəm] *fn* **1.** kebel, mell **2.** *átv* kebel, szív, mély(ség), öl; **in the ~ of one's family** családja körében; **in the ~ of the forest** az erdő mélyén; **he had taken me to his ~** szívébe fogadott/zárt; megszeretett engem **3.** (ing)-mell

bosom friend *fn* kebelbarát, testi-lelki jóbarát

bosomy [ˈbuzəmi] *mn* dúskeblű

Bosphorus [ˈbɒspərəs ‖ ˈbɑs–] *tul földr* **The ~** a Boszporusz

boss[1] [bɒs ‖ bɔs] **I.** *fn biz* **1. the ~** *[a főnök, az igazgató]* a tulaj; góré **2.** *US* **a)** pártvezér **b)** fejes, főbonc *[politikai pártban]*, *tréf pol* törzsfő **II.** *tsi biz* vezet, igazgat, irányít; **he wants to ~ the show** ő akar a fejes lenni **III.** *mn US szl [remek, nagyszerű]* frankó, szuper; **we had a ~ time** klasszul éreztük magunkat

boss[2] [bɒs ‖ bɔs] *fn* **1.** (ki)dudor(odás), kiemelkedés, domborulat, kidomborodás **2.** *épít* kerek domborulat/domborítás, felületből kiálló gomb, gombdísz

boss-eyed *mn GB biz* **1.** kancsal, bandzsi **2.** nem tisztességes, gyanús *[ügy]*

boss-shot *fn GB szl* **1.** rosszul célzott lövés/dobás; balfogás **2.** sikertelen kísérlet

bossy [ˈbɒsi ‖ ˈbɔsi] *mn biz* önkényeskedő, parancsolgató, hatalmaskodó

Boston [ˈbɒstən ‖ ˈbɔs–] *tul földr* Boston

Bostonian [bɒˈstoʊnɪən ‖ bɔ–] *mn/fn* bostoni

bo'sun [ˈbəʊsn] → **boatswain**

bot [bɒt ‖ bɑt] *fn áll* bögöly lárvája/álcája

botanize [ˈbɒtənaɪz ‖ ˈbɑ–], **-ise** *tni* növénytannal foglalkozik, növényt gyűjt

botany [ˈbɒtəni ‖ ˈbɑtnˈi] *fn* **1.** botanika, növénytan **2. B~ (wool)** ‹legjobb minőségű fésűsgyapjú fonal› • *fn* **botanist** *mn* **botanic(al)**

botch [bɒtʃ ‖ bɑtʃ] **I.** *fn biz* kontármunka, fusermunka, tákolmány; **you have made a ~ of the business** alaposan elrontottad a dolgot **II.** *tsi* **1.** *biz* összetákol, (durván) kifoldoz, (úgy-ahogy) kijavít, (össze)eszkábál (vmt) **2.** elront, elfuserál, tönkretesz; **~ed piece of work** összecsapott munka • *fn* **botcher**

botchy [ˈbɒtʃi ‖ ˈbɑtʃi] *mn* **1.** toldozott-foldozott **2.** *átv* elrontott, elfuserált

both [boʊθ] **I.** *mn/nm* mindkét, mind a kettő, mindkettő, mindketten, mindegyik *[kettő közül]*; **~ alike** mindketten egyaránt; **look at it ~ ways** vizsgálja/nézze meg mindkét oldalról/szempontból *[ügyet]*; **you can't have it ~ ways** nem lehet egyszerre mind a kétféleképpen; **~ of them** mindketten **II.** *hsz* mindketten; **~ ... and ...** mind ... mind ...; ... is ... is; **~ you and I** te is, meg én is, mindketten; **she attracts and repells me ~** vonzónak és egyben ellenszenvesnek találom őt

bother [ˈbɒðə ‖ ˈbɑðər] **I. A.** *tsi* zavar, háborgat, bosszant, terhel, nyaggat (vkt); **don't ~ me!** ne zaklass!, hagyj békén!; *biz* **I can't be ~ed with it** ezzel nem vesződöm/foglalkozom; nem izgat **B.** *tni* vesződik, törődik; **he doesn't ~ about anything** ő semmivel sem törődik; **without ~ing any further** további vesződség/teketória nélkül **II.** *fn* kellemetlenség, alkalmatlanság, bosszúság, méreg, baj, gond; **what a ~!** jaj de kellemetlen!, milyen bosszantó!; **what a ~ you are!** terhemre vagy!, idegeimre mész! **III.** *isz* **~!** bánom is én!, fene egye meg!

botheration [ˌbɒðəˈreɪʃn ‖ ˌbɑ–] *biz* **I.** *fn* **1.** alkalmatlankodás, bosszantás, kellemetlenkedés, zaklatás **2.** alkalmatlanság, bosszúság, kellemetlenség **II.** *isz* a fene egye meg!, a pokolba is/vele!

bothersome [ˈbɒðəsəm ‖ ˈbɑðər–] *mn* kellemetlenkedő, alkalmatlankodó, zaklató

Botswana [bɒtˈswɑːnə ‖ bɑt–] *tul földr* Botswana

bott → **bot**

bottle [ˈbɒtl ‖ ˈbɑtl] **I.** *fn* **1. a)** palack, üveg(cse), fiola, flaskó, kancsó; *szl* **hit the ~** piálni kezd; **keep sy from the ~** távoltart vkt az italtól; *szl* **on the ~** keményen iszik; *biz* **sit over a ~ with sy** együtt iddogál vkvel **b)** (illatszeres) flakon **2.** *GB* **feeding/child's ~** cumisüveg, cuclisüveg **3.** *GB szl [bátorság, magabiztosság]* spiritusz, vagányság, vér a pucájában **II.** *tsi* **1. a)** palackoz, lefejt *[italt]*; **~d wine** palack(ozott) bor **b)** *GB* elrak, befőz, konzervál *[gyümölcsöt, főzeléket]* **2.** *átv* elfojt, visszafojt, jégre tesz, elraktároz *[haragot]* **3.** bekerít, körbezár *[ellenséget]* **4.** *GB szl* **~d** *[részeg]* piás

bottle out *tsi GB szl [visszatáncol, beijed]* bemajrézik (és kiszáll)

bottle up *tsi* **1. a)** *kat* eltorlaszol, elzár *[szűk kikötőbejáratok által flottát]* **b) ~ up the traffic** elakasztja/eltorlaszolja/akadályozza az utcai forgalmat **2.** *biz* **~ up one's feelings** elnyomja/elfojtja érzelmeit; **~ up one's anger** magában fojtja a haragját

bottle bank *fn GB* üveggyűjtő konténer

bottlebrush *fn* palackmosó/üvegmosó kefe

bottle-feed *tsi pt/pp* **-fed** mesterségesen/üvegből táplál *[csecsemőt, állatot]*

bottle green *mn/fn* palackzöld *[szín]*

bottleneck *fn* **1.** útszűkület, torlódás, forgalom elakadása **2.** *ip* szűk keresztmetszet

bottleneck guitar *fn zene* slide-gitár

bottlenose *fn* **a)** nagy/kiálló orr, krumpliorr, uborkaorr **b)** borvirágos orr

bottle-opener *fn* sörnyitó (kulcs)

bottle party *fn GB* ‹baráti összejövetel, ahova vendégek hoznak italt›

bottler [ˈbɒtlˑə ‖ ˈbɑtlˑər] *fn* **1.** palackozó (munkás) **2.** *Ausz ÚjZ biz* kiváló ember/dolog

bottle rack *fn* üvegállvány, üvegrekesz, palackállvány, palackrekesz

bottle-washer *fn* mosogató, mindenes *[vendéglőben]*; *tréf* **head cook and ~** mindenes, tótumfaktum

bottom [ˈbɒtəm ‖ ˈbɑtəm] **I.** *fn* **1. a)** alsó rész, alj *[dombé, lépcsőé]*, alsó szegély *[ruháé]*, alsó szél *[lapé]* **b)** fenék *[tengeré, kúté]*, kavicságyazat, (vasúti) talp; **from top to ~** tetőtől talpig; **from the very ~ of her heart** szíve mélyéből; **find ~ again** újra talajt ér a lábával *[úszó]*; *átv* újra talpra áll; újra biztos talajt érez a lába alatt; **go to the ~** elsüllyed *[hajó]*; **strike/touch ~** mélyponthoz ér; a hajógerinc végével feneket ér (v. fenékhez ütődik) **c)** alap, (indító)ok; **examine/get/search/sift to the ~** alaposan megvizsgál (vmt); mélyére hatol (vmnek); **jealousy is at the ~ of it** irigység van (v. játszik közre) a dologban **d)** alap, a leglényegesebb/legfontosabb; **the ~ of the business is ...** a legfontosabb a dologban (v. a dolog lényege) az, hogy ...; **at ~ he's not a bad fellow** alapjában véve nem rossz fiú; **act/stand upon one's own ~** saját felelősségére cselekszik **2.** alapozás, pácolás, festékrögzítés **3.** *zene* mély hangok, alsó szólam **4.** mélyen fekvő terület, mélyföld, völgy; *US* **~ lands** árterület, ártér; áradmányos földek **5.** fenék, alj, talp *[tányéré, poharé]*, ülés *[széké]*, talapzat *[szoboré, oszlopé]*; **box with a false ~** kettős/dupla fenekű láda; **the ~ has fallen out of the market** a piac összeomlott; a részvények ára zuhant; *GB biz* **knock the ~ out of an argument** megdönt (v. halomra dönt) érvelést; *GB* **set sg ~ up(wards)** vmt fejetetejére állít **6.** *biz* fenék, hátulja, alfele (vknek), far; **~s up!** fenékig! *[iváskor]*; **venture all in one ~** mindent egy kártyára tesz/rak fel **7.** *hajó* **a)** hajófenék **b) in British ~s** (hajó) angol lobogó alatt **II.** *mn* legutolsó, legalsó; *US szl* **my ~ dollar** utolsó vasam/fityingem *[pénzem]*; **~ end of the table** asztal (alsó) vége; **~ prices** legolcsóbb/legkedvezőbb/legjutányosabb/utolsó árak; **the ~ row** az utolsó sor *[színház/mozi nézőterén]*; **~ stair** legalsó lépcsőfok **III. A.** *tsi* **1.** megfenekel *[ládát, széket]*, fenékkel ellát *[hordót]* **2. ~ an argument upon sg** vmre alapoz/épít egy érvet **B.** *tni* **1.** fenékre süllyed, feneket érint *[hajó]* **2. ~ (up)on sg** vmn alapszik **3.** *Ausz szl* **~ on the gold** kitűnő helyzetben van

bottom out *tni* eléri a legalsó szintet

bottom drawer *fn GB* stafírung

bottomland → **bottom** I.4.

bottomless [ˈbɒtəmləs ‖ ˈbɑ–] *mn* **1.** feneketlen; **the ~ pit** pokol **2.** megmérhetetlen *[mélység]* **3.** *átv* kifürkészhetetlen

bottom line *fn* **a)** (vég)eredmény **b)** végösszeg **c)** *átv* tanulság, a dolog lényege

bottommost [ˈbɒtəmmoust ‖ ˈbɑ–] *mn* legalsó, legmélyebb, legaluli

bottom-up, bottom-upwards *hsz* fejtetőn/fordítva fekvő

botulism [ˈbɒtjulɪzm ‖ ˈbɑtʃə–] *fn orv* konzervmérgezés, botulizmus

botty [ˈbɒti ‖ ˈbɑti] *fn biz* babapopsi

boudoir [ˈbuːdwɑː ‖ –wɑr] *fn* kis/intim női szalon, budoár

bough [bau] *fn* faág, gally

bought [bɔːt] → **buy**

bougie [ˈbuːʒi] *fn* **1.** *orv* vékony katéter, buzsi, hajlékony műanyag szonda **2.** viaszégő, viaszgyertya

bouillon [buːˈjɒn ‖ –ˈjɑn] *fn gaszt* húsleves, erőleves

boulder [ˈbouldə ‖ –ər] *fn* **1.** nagy gömbölyű kő **2.** leomlott (v. simára kopott) szikla(tömb)

boulder wall *fn geol* moréna

boulevard [ˈbuːləvɑːd ‖ ˈbuləvɑrd] *fn* **1.** körút, (fasorral szegélyezett) széles út, sugárút **2.** *US* nagy forgalmú főútvonal

boult [boult] → **bolt**[3]

bounce [bauns] **I. A.** *tsi* **1.** pattint, pattogtat, visszapattant *[labdát]* **2.** *biz* nem hagy vknek időt a gondolkodásra **3.** *szl* **a)** *[felmond vkinek]* kirúg (vkt) *[állásból]* **b)** kidob (vkt) *[szórakozóhelyről]* **4.** int, dorgál; **he was ~d for his carelessness** hanyagságáért jól megmosták a fejét **B.** *tni* **1.** ugrándozik, visszaugrik, visszapattan, ugrál, felugrik *[labda]* **2.** *GB biz* fontoskodik, nagyzol, kérkedik, henceg, lódít, blöfföl **3.** *biz* visszajön *[fedezetlen csekk]* **II.** *fn* **1. a)** felugrás, visszapattanás, visszaugrás *[labdáé]*; **catch/take the ball on the ~** röptében fogja el a labdát **b)** *sp* játékvezetői labda **c)** ugrálás, szökellés **d)** ruganyosság **2. a)** *biz* kérkedés, hencegés, dicsekvés, blöffölés, lármás viselkedés; **a piece of ~** lódítás; blöff; nagyotmondás **b)** *biz* szemtelenség

bounce back *tni* **1.** visszapattan, visszaverődik **2.** visszajön *[egészség, jólét]*

bounce in *tni* beront (vk vhova)

bounce into *tsi/tni átv* **~ into doing sg** beugrik vmbe; *GB biz* beugrat vkt vmbe

bouncer [ˈbaunsə ‖ –ər] *fn* **1. a)** nagy darab valami **b)** egészséges/stramm gyermek, vasgyúró **2.** *biz* kidobóember *[szórakozóhelyen]*

bouncing [ˈbaunsɪŋ] *mn* **1.** egészséges, élénk, vidor **2.** dicsekvő, hencegő, nagyzoló **3.** hatalmas, terjedelmes *[formák]*; **a ~ lie** bődületes hazugság

B

bouncy ['baunsi] *mn* **1.** ruganyos, jól rugózó *[ágy]* **2.** élénk, vidám *[beszédmód]* **3.** jól pattanó *[labda]*

bound[1] [baund] **I.** *tni* ugrándozik, ugrik, szökell, szökdécsel, visszaugrik, visszapattan *[labda]*; **his heart ~ed with joy** a szíve repesett az örömtől **II.** *fn* (fel)ugrás, szökkenés, felpattanás visszapattanás; **at a/one ~** egyetlen ugrással; *átv* **take sg at the ~** felhasználja a kedvező alkalmat; **by leaps and ~s** ugrásszerűen

bound[2] [baund, baund] **I.** *fn* határ, mezsgye, *kat* körlet, *mat* határ; **lower ~** alsó határ; **upper ~** felső határ; **go beyond all ~s** ez több a kelleténél/soknál; **know no ~s** határtalan, mértéktelen; nem ismer határt; **place within definite ~s** meghatározott keretek közé szorít; *biz* **set ~s to one's ambition** nagyravágyásának határt szab; **out of ~s** (i) *sp* kint van *[határon/játékterületen kívül]* (ii) tilos *[vhova menni]*; **within ~s** mértékkel, mértéktartással, mérséklettel; **within the ~s of probability/possibility** a valószínűség/lehetőség határain belül **II.** *tsi* **1.** korlátoz *[vágyakat]* **2.** elhatárol *[vidéket, országot]*

bound[3] *mn* **1.** kész(en áll/van) **2.** *biz* **where are you ~ for?** hová mész/tartasz?; **homeward ~** hazaúton; **outward ~** hazulról távolodó; kifelé menő, induló; **we were ~ upon a risky undertaking** kockázatos vállalkozásba kezdtünk

bound[4] [baund] *mn* **1. a)** (meg)kötött, összekötött, öszszekapcsolt, összefűzött **b)** *orv* székrekedéses, szorulásos **2. a)** köteles, kötelezett; **he is ~ to do sg** köteles/kötelessége megtenni (vmt); **he is ~ by an oath** eskü(je) köti/kötelezi **b) he's ~ to come** el kell jönnie; **it's ~ to rain tomorrow** holnap biztosan esni fog **3. a) ~ up in sg** elfoglalt, érdekli vm **b) ~ up with sg** függ vmtől; → **bind** I.

boundary ['baundəri] *fn* határ, mezsgye, körülhatárolás

boundary line *fn* határvonal, demarkációs vonal, jelvonal *[sportpályán]*

boundary rider *fn Ausz* határjáró, birtokhatár-ellenőr

bounder ['baundə ‖ –ər] *fn GB biz* nagyképű(sködő), hencegő, felvágó (személy), hangoskodó kellemetlen/modortalan fráter, modortalan, műveletlen és erőszakos fickó

boundless ['baundləs] *mn* határtalan, végtelen

bounteous ['bauntɪəs] *mn vál* **1.** bőkezű, nagylelkű, adakozó, jótékony(kodó) *[személy]* **2.** bőséges

bountiful ['bauntifl] *mn* **1.** jótékony, jótevő, üdvös **2.** nagylelkű, bőkezű **3.** bőséges

bounty ['baunti] *fn* **1.** *régi* jóság, bőkezűség, adakozás, jótékonyság, nagylelkűség **2.** ajándék, adomány *[föld, pénz]*, jutalmazás, pénzjutalom, prémium *[teljesítménytöbbletért]* **3.** pótlék, (kiviteli) prémium, pénzadomány, pénzbeli támogatás/segély, szubvenció

bouquet [bu:'keɪ] *fn* **1. a)** (virág)csokor, (fény)kéve *[tűzijátéknál]* **b)** bók, hódolat; **throw ~s** dicsér, magasztal; bókokat mond (vknek) **2.** zamat, buké *[boré]*

bourbon ['bɜ:bən ‖ 'bɜr–] *fn gaszt* (kukoricából és rozsból készült) whisky

bourgeois ['buəʒwɑ: ‖ 'burʒ–] *mn/fn* polgár(ias), nyárspolgár(ias), filiszter, burzsoá; **petty ~** kispolgár

bourgeoisie [ˌbuəʒwɑ:'zi: ‖ ˌburʒ–] *fn* polgárság, burzsoázia; **petty ~** kispolgárság; középosztály

bourn[1] [bɔ:n ‖ bɔ:n] *fn* patak

bourn[2] [bɔ:n ‖ bɔ:n], **bourne** *fn régi* **1.** vég(cél), célpont **2.** határ, mezsgye

bout[1] [baut] *fn* **1.** küzdelem, harc, forduló *[játékban stb.]*, csörte, asszó *[vívásban]*, menet *[ökölvívásban, birkózásban]*; *biz* **not this ~!** nem ez alkalommal! **2.** kísérlet, erőpróba; **have a ~ at sg** megpróbál/megkísérel vmt **3. a)** lázroham, influenzaroham; **he has had another ~ of fever** megint belázasodott **b)** → **drinking-bout**

bout[2] → **about**

boutique [bu:'ti:k] *fn* (kis) divatáruüzlet, butik

bouzouki [bu'zu:ki] *fn zene* buzuki, görög mandolin

bovine ['bouvaɪn] **I.** *mn* **1.** szarvasmarhaféle, ökörféle **2.** *biz* tunya, renyhe, tehetetlen, nehézkes, buta **II.** *fn tsz* **bovines** *áll* (szarvas)marhafélék, pároscsülkű kérődzők

bovver ['bɒvə ‖ 'bɑvər] *fn GB szl [garázdaság, verekedés]* balhézás, bunyó

bovver boot *fn* skinhead-bakancs *[vasalt orrú]*

bovver boy *fn GB szl* huligán

bow[1] [bou] **I.** *fn* **1. a)** ív, íj, nyíl; *biz* **draw the long ~** nagyokat hazudik/füllent; túllő a célon; *biz* **have many strings to one's ~** több lehetősége (is) van **b)** körív, görbe, ívvonalzó **2.** *zene* **a)** vonó *[hegedűé stb.]*; **~ instrument** vonós hangszer **b)** vonóhúzás **3.** csokor *[szalagé, nyakkendőé]* **4.** nyeregváz, nyeregállvány **5.** *műsz* kengyel, ív, hurok, fül *[kulcsé]*, fűrészkeret **6.** *vál* szivárvány **II.** *tsi zene* hegedül, vonót vezet

bow[2] [bau] **I. A.** *tsi* **1.** meghajt, lehajt *[fejet]*, fejet/térdet hajt; **~ one's head before sg** csodálattal adózik (v. kalapot emel) vm előtt **2.** meghajlít, meggörnyeszt, meggörbít *[hátát/vállát vknek]* **B.** *tni* **1.** meghajol; **~ to sy** köszönt vkt; (oda)köszön vknek; **~ and scrape to sy** hajlong vk előtt; **~ (down) to/before sy** megalázkodik/hajbókol vk előtt **2. ~ one's assent** beleegyezőleg bólint; **~ one's thanks to sy** fejbólintással fejezi ki köszönetét vkvel szemben **3. ~ to sy** meghajlik vk (akarata), nagysága előtt; **~ to a decision** meghajlik egy döntés/határozat előtt; egy döntésnek aláveti magát **II.** *fn* köszönés, meghajlás, fejbólintás; **make a deep/low ~ to sy** mélyen meghajol vk előtt, **make one's ~ to the company** köszönti a társaságot; elköszön a társaságtól; **take a ~** megköszöni a tapsot

bow down *tni* meghajol, lehajol, meghajlik, lehajlik

bow in *tsi* **~ sy in** hajlongva bevezet vkt

bow out A. *tsi* **~ sy out** ‹vktől az ajtónál hajlongva vesz búcsút›; ‹vkt ajtóig kikísér és ott elbúcsúzik tőle›; **~ oneself out** mély tisztelettel elköszön **B.** *tni US* **~ out** elbúcsúzik, lelép, leköszön, eltávozik *[állásból]*

bow[3] [bau] *fn* **1.** *hajó* hajó elôrésze/orra/eleje, orrtőke; **on the ~** a hajó elején/orrán; **cross the ~s of a ship** elvágja egy hajónak az útját; **shot across the ~s** figyelmeztetés **2.** *rep* orr *[kormányozható léghajóé]*

bow-compass ['bou kʌmpəs] *fn* **pair of ~es** nullkörző, íves/kijelölő körző, marokkörző; rajzolókörző

bowdlerize ['baudləraɪz], **-ise** *tsi* valláserkölcsi célzattal megcsonkít *[szellemi alkotást]*, részleteket töröl, rövidít *[szöveget]*, megtisztít *[irodalmi művet]* • *fn* **bowdlerization**, **-isation**

bowel ['bauəl] *fn* **a)** bél; **large ~** vastagbél; **small ~** vékonybél **b)** *tsz* **bowels** belek, belsőrészek; **have open/free ~s** széklete rendes; **move the ~s** hashajtót vesz; *biz* **the ~s of the earth** a föld belseje/méhe/gyomra

bowel movement *fn* **1.** székelés, defekáció **2.** széklet

bower[1] ['bauə ‖ –ər] *fn* **1.** lugas, filagória, kerti ház, falusi házikó **2.** *vál* női szoba/lakosztály, budoár

bower[2] ['bauə ‖ –ər] *fn hajó* **~(-anchor)** elülső horgony, főhorgony; **best ~(-anchor)** nagy/fő elülső horgony; **small ~(-anchor)** másod/kis elülső horgony

bowie knife ['boui naɪf] *fn tsz* – **knives** *US* nagy vadászkés/vadásztőr *[aminek tokja van]*

bowing ['bauɪŋ] *mn* **a ~ acquaintance** felületes/futólagos ismeretség; futólagos ismerős; **have a ~ acquaintance with sy** vkvel köszönő viszonyban van/áll

bowl[1] [boul] *fn* **1. a)** edény, (fületlen) (ivó)csésze, kisebb talpas gömbölyű tál, kis fatálka *[koldusé]*, *kat* csajka **b)** nagy mély tál, medence, kád **2.** pipa feje/öble, kanál feje/mélyedése, talpas pohár kelyhe, mérleg serpenyője **3.** *ip* tégely, tartály, kád, fürdő, vécécsésze **4. a)** *US* amfiteátrum, nagy egyetemi előadóterem **b)** betonteknő *[kerékpár versenypályán]* **c)** *US* stadion; **~ game** ‹amerikai futballmeccs vmlyen kupáért›

bowl[2] [boul] **I.** *fn* golyó; **(game of) ~s** golyójáték; *US* tekejáték; **play at ~s** golyózik; *US* tekézik **II. A.** *tsi* **1.** gurít, görget *[karikát]*, gördít **2.** ellök, elgurít *[golyót]* **3.** labdát dob/vet *[krikettben]* **B.** *tni* **1.** tekézik, kuglizik **2.** labdát dob/vet *[krikettben]*

bowl along *tni* gyorsan gördül *[kocsi]*, gyorsan siklik *[hajó]*; **cars were ~ing along the road** autók száguldottak az országúton
bowl out *tsi* **a)** *sp* ‹kapu (részleges) ledöntése által vkt kizár a játékból [labdaütőt krikettben]› **b)** megbuktat *[kormányt stb.]* **c)** *biz* vkt legyőz, vkt sarokba szorít, vknek torkára forrasztja a szót **d)** *átv* **he is ~ed out** nem tud hová lenni ámulatában
bowl over *tsi* **1. ~ over (skittles)** golyóval feldönt/felborít *[kuglibábukat]* **2.** *biz* megzavar, elképeszt, meghökkent; *átv* **be ~ed over** odavan vkért/vmért, majd hanyatt esik; **you can't ~ him over** nem hagyja magát kijátszani
bow-legs [ˈboulegz] *fn tsz* ó-lábak, karikalábak • *mn* **bow-legged**
bowler¹ [ˈboulə ‖ –ər] *fn* **1.** golyójátékos, tekejátékos, tekéző, kuglizó **2.** *sp* labdavető *[krikettben]*
bowler² [ˈboulə ‖ –ər] *fn* **~ (hat)** (férfi) keménykalap
bowler-hat *tsi GB biz* nyugdíjba küld *[katonatisztet]*
bowlful [ˈboulful] *fn* egy tálnyi (vmből)
bowline [ˈboulɪn] *fn hajó* vitorlafeszítő kötél; **running ~** szorító derékhurok
bowling [ˈboulɪŋ] *fn sp* **1.** golyójáték **2.** *US* teke **3.** bowling **4.** labdavetés *[krikettben]*
bowling alley *fn* tekepálya
bowling crease *fn sp* labdavető vonal *[krikettben]*
bowling green *fn* gyepes tekepálya/golyójátékpálya
bowls [boulz] *fn tsz* teke(játék)
bowman¹ [ˈboumən] *fn tsz* **-men** [–mən] íjász, nyilas
bowman² [ˈbaumən] *fn tsz* **-men** [–mən] első evezős, spicc *[evezésnél]*
bowsaw [ˈbou-] *fn* lombfűrész, kanyarítófűrész
bowser [ˈbauzə ‖ –ər] *fn* **1.** tartálykocsi **2.** benzinkút
bowshot [ˈbouʃɒt ‖ –ʃɑt] *fn* íjlövés, nyíllövés; **within ~** egy nyíllövésnyire, egy nyíllövésnyi távolságon belül
bowsprit [ˈbausprɪt] *fn hajó* orrárboc, orrfa, előárboc, ormányárboc
bowstring [ˈboustrɪŋ] **I.** *fn* íjhúr, íjzsinór **II.** *tsi* **~ sy** zsineggel megfojt vkt
bow tie *fn* csokor(nyakkendő)
bow-wow [ˌbauˈwau] **I.** *isz* vau-vau! **II.** *fn gyerm biz* kutyus, vau-vau
bowyer [ˈboujə ‖ –ər] *fn* íjkészítő, íjgyártó
box¹ [bɒks ‖ bɑks] **I.** *fn* **1. a)** doboz, lád(ik)a, tok, utazóláda, skatulya, (kalap)doboz; **~ of matches** gyufaskatulya, skatulya gyufa; *biz* **be** (v. **find oneself) in the wrong ~** rossz helyre tévedt be; benne van a slamasztikában; **be in the same ~** ugyanabban a kellemetlen helyzetben van; **be in a tight ~** veszélyes helyzetben van; szorul a kapcája **b)** *Ausz* zavar, tévedés, zűr; **make a ~ of sg** összekeveri a dolgokat **c)** *US biz [páncélszekrény]* mackó **d)** *US biz* börtön **e)** *biz* tévé, doboz, kaszni **2. a)** bak *[kocsis részére]* **b)** lóállás, jószágállás, boksz *[istállóban]* **c)** *sp* bokszutca *[autóversenyen]* **3. a)** *szính* páholy **b)** fülke, boksz *[étteremben]* **c)** postafiók **d)** *GB* halászlak, vadászlak, halásztanya, vadásztanya **4.** *jog* tanúk/esküdtek padja **5.** *műsz* szekrény, csapágytok, kerékagy **6.** keret *[papíron]* **7.** *sp biz* **the ~** tizenhatos *[futballban]* **8.** *szl [vagina]* buksza, sufni, bögre **II.** *tsi* dobozol, dobozba rak/csomagol
box in *tsi* dobozol, dobozba rak, bezár
box up *tsi biz* bepresel *[vkt kocsiba stb.]*; **feel ~ed up** feszélyezve érzi magát; **~ oneself up** bezárkózik
box² [bɒks ‖ bɑks] **I.** *fn* **~ on the ear** pofon **II. A.** *tsi* **~ sy's ears** megpofoz vkt **B.** *tni sp* bokszol; *szl* **~ it out** ökölpárharccal dönti el (az ügyet); *GB biz* **~ clever** okosan viselkedik
box on *tsi szl* **1.** továbbharcol **2.** folytatja a munkát
box camera *fn* bokszgép *[doboz alakú fényképezőgép]*
boxcar *fn US* fedett/zárt vasúti teherkocsi, poggyászkocsi, marhavagon
boxer¹ [ˈbɒksə ‖ ˈbɑksər] *fn* **1.** bokszoló, ökölvívó **2.** *tsz* **boxers** bokszer(nadrág) **3.** csomagoló **4.** *US biz* kasszafúró **5.** *Ausz szl* keménykalap
boxer² [ˈbɒksə ‖ ˈbɑksər] *fn áll* bokszer
boxer shorts *fn tsz* bokszer(nadrág)
boxful [ˈbɒksful ‖ ˈbɑks–] *fn* doboznyi, ládányi
boxing [ˈbɒksɪŋ ‖ ˈbɑk–] *fn sp* bokszolás, ökölvívás
Boxing Day *fn* ‹karácsony másnapja›
boxing glove *fn sp* bokszkesztyű
boxing match *fn sp* ökölvívó mérkőzés, bokszmeccs
boxing ring *fn sp* szorító, ring
boxing weight *fn sp* súlycsoport *[ökölvívásban]*
box junction *fn GB közl* kereszteződés *[sárga csíkokkal jelölve]*
box kite *fn* doboz alakú sárkány, rekeszes sárkány
box letters *fn tsz US* postafiókba címzett levelek
box number *fn* postafiókszám, jeligeszám *[újsághirdetésben]*
box office *fn* jegypénztár, elővételi pénztár *[színházban]*
box-office hit *fn* kasszasiker, közönségsiker
boxroom *fn GB* raktárszoba, lomtár, gardróbszoba
box spanner *fn műsz* (karos) csőkulcs/dugókulcs
boxwood [ˈbɒkswud ‖ ˈbɑks–] *fn növ* puszpáng(fa)
boxy [ˈbɒksi ‖ ˈbɑksi] *mn* ládához/dobozhoz hasonl(ít)ó, szögletes
boy [bɔɪ] **I.** *fn* **1. a)** fiú, gyerek; **from a ~** kisfiú korától fogva/kezdve; **I knew him as a ~** már gyermekkoromban ismertem; még gyerekkorából ismerem; **~s will be ~s** a gyerekek csak gyerekek maradnak, fiatalság bolondság; **we were ~ and girl together** együtt nőttünk fel; *biz* **my dear ~!** édes barátom! **b) an old ~** öregdiák, egykori növendék *[tanintézeté]*; kiöregedett sportoló; *biz* **the old ~** az öreg *[főnök, apa]* **c)** utcagyerek, suhanc **d)** *biz* **one of the ~s** mulatós/vidám fickó; *GB biz* **~s in the blue** rendőrök, rendőrség **2.** (hajós)inas **3.** *szl* férfi prostituált *[homoszexuális használatban]* **II.** *isz biz* **~! oh ~!** nahát!, te jó ég!, micsoda nagyszerű/klassz ...!
boyar [ˈbɔɪə ‖ bouˈjɑr] *fn tört* bojár
boycott [ˈbɔɪkɒt ‖ –kɑt] **I.** *tsi* bojkottál, kiközösít, kizár **II.** *fn* bojkott
boyfriend *fn* barát; szerető
boyhood [ˈbɔɪhud] *fn* gyermekkor, ifjúkor
boyish [ˈbɔɪɪʃ] *mn* **1.** fiús *[viselkedés]* **2.** gyerekes **3.** fiatalos
boyo [ˈbɔɪou] *fn GB biz* öregem, faszikám *[megszólítás]*
boy scout *fn* cserkész
boysenberry [ˈbɔɪznbəri ‖ –beri] *fn növ* ‹földi szeder és málna keresztezése›
bozo [ˈbouzou] *fn US szl [mafla, jelentéktelen ember]* bohóc
BP *röv* **1.** *Bachelor of Pharmacy* **2.** *Bachelor of Philosophy* **3.** *British Petroleum Company*
bps *röv bits per second* bitsebesség egysége, bit/s
bra [brɑː] *fn biz* melltartó
brace [breɪs] **I.** *fn* **1. a)** *épít* merevítő/összekötő rúd/lemez/szalagvas, pánt *[ládán]* **b)** *épít* kapocsvas, vaskapocs **c)** *épít* támasz, dúc(fa) **d)** *orv* fogszabályozó (drótszerkezet) **2. a) (diagonal) ~** vállszalag, derékszalag **b)** *tsz* **braces** *GB* nadrágtartó **3.** *tsz* **braces** *nyomd zene* kapcsolójel, accolade, kapcsos zárójel **4. ~ (and bit)** furdancs **II.** *tsi* **1.** *épít* összeerősít, összeköt, megerősít **2.** erősít *[testet, idegeket]*, felüdít; **~ oneself** nekigyürkőzik; **~ yourself!** légy erős!
brace in *tsi* **~ in the sails** vitorlákat bevon/behúz
brace up A. *tsi* **1. ~ sy up** megerősít, megedz; felfrissít vkt **2. ~ up the sails** vitorlákat kifeszít/megfeszít **B.** *tni* **~ (oneself) up to do sg** összeszedi/elszánja magát vm megtételére; nekigyürkőzik vmnek
bracelet [ˈbreɪslɪt] *fn* **1.** karkötő, karperec **2.** *szl [bilincs]* karperec
bracer [ˈbreɪsə ‖ –ər] *fn biz* kis pohár, stampedli (ital), szíverősítő, üdítő ital

B

brachial ['breɪkɪəl] *mn orv* kari, kar-, karhoz tartozó; *orv* ~ **artery** karverőér

brachiate I. *mn* ['brækɪət] *növ* kereszt alakú *[pl. ágak]* **II.** *tni* ['brækieɪt] függeszkedve halad

brachy- ['bræki] *előtag* rövid-

bracken ['brækən] *fn növ* saspáfrány, ölyvharaszt, sasharaszt

bracket ['brækɪt] **I.** *fn* **1.** *épít* **a)** falikar, (tartó)konzol, polc **b)** villany falikar **2.** *kat* belövővilla, támaszték **3. a)** zárójel; **round** ~ kerek zárójel; **square** ~ szögletes zárójel; **between** ~**s** zárójelben **b)** összefogójel, kapcsolójel, kapcsos zárójel **II.** *tsi* **1.** zárójelbe tesz **2. a)** kapcsolójellel/összefogójellel lát el, összefog **b)** *biz* egy kalap alá vesz, összepárosít **c)** egymás mellé helyez, összehasonlít **3.** *kat* befog *[célpontot]*; ~ **(a target)** belövi magát *[a tüzérség egy pontra]*

brackish ['brækɪʃ] *mn* **1.** sós **2.** kissé sós *[víz]*

bract ['brækt] *fn növ* murva(levél), fellevél, előlevél • *mn* **bracteal**, **bracteate**

brad [bræd] *fn* fej nélküli (v. tömbfejű) szeg, szegecs, kisfejű cipőszeg

Brad [bræd] *tul US* ‹férfinév›

bradawl ['brædɔːl] *fn* lyukfúró ár *[szegecsnek]*

brae [breɪ] *fn sk* **1.** domboldal, lejtő **2.** meredek folyópart

brag [bræg] **I.** *tsi/tni* **-gg-** henceg, hetvenkedik, kérkedik **II.** *fn* **(piece of)** ~ hetvenkedés, kérkedés, hencegés

braggadocio [ˌbrægəˈdoutʃiou] *fn* **1.** hetvenkedő, hencegő **2.** hetvenkedés, hencegés

braggart ['brægət ‖ –ərt] *mn/fn* hetvenkedő, hencegő, kérkedő, háryjános

Brahman ['brɑːmən] *fn* **1.** brahman, brahmin **2.** *US biz* értelmiség

Brahmin ['brɑːmɪn] **1.** → **Brahman 2.** *US* gőgös felső értelmiségi

Brahminic [brɑː'mɪnɪk] *mn* brahmanizmusra vonatkozó

Brahminism ['brɑːmɪnɪzm] *fn vall* brahmanizmus

braid [breɪd] **I.** *fn* **1. a)** (haj)fonat **b)** (haj)szalag **2.** szegély, zsinór, paszomány, karcsík, karsáv **II.** *tsi* **1. a)** copfba fon, befon **b)** szalagot köt *[hajba]* **2.** szegélyez, zsinóroz • *mn* **braided**

Braille [breɪl] *fn* Braille-írás *[vakok számára]*, vakírás

brain [breɪn] **I.** *fn* **1.** agy, ész; *biz* **have sg** (v. **a subject) on the** ~ vmnek a megszállottja; vm izgatja, vm jár a fejében; **turn sy's** ~ megszédít/elkapat vkt; fejébe száll a dicsőség vknek (vmtől); megbolondít vkt **2. a)** *tsz* **brains beat sy's** ~ **out** kiloccsantja vk agyvelejét, agyonver vkt; **blow sy's** ~**s out** főbe lő vkt **b)** *ip biz* **the** ~**s room** kutatószoba, kísérletezőterem *[üzemben]*; **call in the best** ~**s** minden tehetséget igénybe vesz; **he has** ~**s, he is a man of** ~**s** intelligens/eszes ember; *biz* **pick sy's** ~**s** kiszedi vkből a jó écákat/ötleteket; **beat/rack one's** ~**s** töri a fejét; *biz* ~**s trust** szakértőcsoport, agytröszt **3.** *tsz* **brains** képzelőerő, képzelőtehetség, hajlam, fantázia **II.** *tsi* betöri a fejét, kiloccsantja az agyvelejét (vknek), fejbever (vkt), agyonüt (vkt)

brainbox *fn szl [okos ember]* nagy agy

brainchild *fn tsz* **-children** elmeszülemény, szellemi gyermek

brain damage *fn orv* agykárosodás

brain dead *mn/fn orv* agyhalott

brain death *fn orv* agyhalál

brain drain *fn biz* agyelszívás, agyelvándorlás, értelmiség emigrálása, tudóscsábítás

brain fag *fn biz* szellemi kifáradás, (átmeneti szellemi) kimerültség, idegkimerültség

brain fever *fn* **1.** *orv* agyhártyagyulladás **2.** *orv* agyvelőgyulladás

brainless ['breɪnləs] *mn biz* ostoba, értelmetlen; **you** ~ **idiot!** (te) hülye!

brainpan *fn biz* koponya, fej

brainpower *fn* intelligencia, agybeli képesség

brainstem *fn orv* agytörzs

brainstorm *biz* **I.** *fn* **1.** *GB* hirtelen fellépő elmezavar, félrebeszélés, idegroham **2.** remek/nagyszabású/pompás ötlet, ötletroham **II.** *tni* ötleteket gyárt/megbeszél

brainstorming session *fn US biz* ‹spontánul felmerülő ötletek megbeszélése egy probléma megoldása során› ötletroham

brains trust *fn* agytröszt, szakértőcsoport

brain-teaser *fn* fejtörő

brainwash *tsi* (ideológiailag) átnevel (vkt), gondolkodását gyökeresen megváltoztatja (vknek)

brainwashing *fn* ideológiai átnevelés, agymosás

brain wave *fn* **1.** *biol* agyműködés által fejlesztett áram, agyi elektromos hullám **2.** *biz* hirtelen jó/ragyogó ötlet, mentő gondolat

brainy ['breɪni] *mn biz* okos, intelligens, eszes

braise [breɪz] *tsi gaszt* párol, dinsztel *[húst]*

brake[1] **I.** *fn* fék; *biz* **act as a** ~ **on sy's activities** fékezőleg hat vknek tetteire/cselekvésére; **put on the** ~ fékez, meghúzza/megnyomja a féket **II. A.** *tsi* fékez **B.** *tni* **1.** fékez **2.** (le)fékeződik, lelassul

brake[2] **I.** *fn tex* tiloló **II.** *tsi tex* tilol

brake[3] *fn* erdő sűrűje, bozót

brake[4] [breɪk] → **bracken**

brake disc *fn műsz* féktárcsa

brake drum *fn gk* fékdob

brake harrow *fn mezőg* **1.** porhanyító rögzúzó **2.** borona **3.** kendertiloló

brake horsepower *fn* féklóerő, fékteljesítmény

brake light *fn gk* féklámpa

brake lining *fn műsz* fékbetét, fékpofabélés

brake shoe *fn gk vasút* fékpofa, féksaru

brakesman ['breɪksmən] *fn tsz* **-men** [–mən] *US* vasúti fékező

brake van *fn vasút GB* fékezőkocsi, vonatfékező berendezés

bramble ['bræmbl] **I.** *fn növ* szeder, szedercserje; tüskebokor **II.** *tni* szedrezik, szedret szed • *mn* **brambly**

bran [bræn] *fn* korpa, darakorpa

branch [brɑːntʃ ‖ bræntʃ] **I.** *fn* **1.** (fa)ág; **the** ~**es** ágazat, lombozat; **root and** ~ szőröstül-bőröstül, gyökerestől **2. a)** elágazás, ágazat, ág *[vasúté, úté, folyóé stb.]*, (vasúti) mellékvonal, *US* patak **b)** ág *[családé]*, üzletág; **the various** ~**es of learning** a tudomány különféle ágazatai **c)** *gazd* fióküzlet, filiálé; **main** ~ központ, anyaintézet *[banké, vállalaté stb.]*; **provincial** ~ vidéki fiók, filiálé *[banké, vállalaté stb.]* **d)** *kat* fegyvernem **II.** *tni* **1.** ~ **forth** hajt *[növény]*; ~ **out** szétágazik *[fa]*; *átv* kinyúlik/kiterjed vmre; ~ **out into sg** vm új dologba kezd **2.** ~ **(off, away)** elágazik, szétágazik, ágakra oszlik *[út, folyó stb.]*; kiágazik; kettéválik *[út]* • *mn* **branchy**

branchia ['bræŋkɪə] *fn tsz* **branchiae** [–kiiː] *áll* kopoltyú, kopoltyúsok • *mn* **branchial**, **branchiate**

branchlet ['brɑːntʃlɪt ‖ 'bræntʃ–] *fn* kis ág, ágacska, galy-ly(acska)

branch library *fn* körzeti/kerületi könyvtár

branch-line *fn* vasúti szárnyvonal

branch office *fn* fiókiroda, kirendeltség

brand [brænd] **I.** *fn* **1. a)** *gazd* márka **b)** *biz* minőség, fajta *[árué]* **2. a)** izzó vas **b)** beégetett bélyeg/jegy, billog, megbélyegzés **3. a)** parázs, üszök **b)** *vál* tűzcsóva, láng **4.** *vál* kard **II.** *tsi* **1. a)** égetéssel megjelöl, megbélyegez, bélyeget/jegyet beéget **b)** ~ **sy with infamy** megbélyegez vkt, megszégyenít/meggyaláz vkt, a közmegvetés tárgyává tesz vkt; ~ **a man as a coward** gyávának bélyegez vkt **2.** ~ **sg on sy's memory** emlékezetébe vés vknek vmt **3.** *gazd* márkanévvel ellát

brander ['brændə ‖ –ər] *fn* rost, *mezőg* (sütő)rács, bélyegző(vas)

branding iron ['brændɪŋ aɪən ‖ –aɪərn] *fn* égetővas, billogvas

brandish ['brændɪʃ] *tsi* (meg)lóbál, lendít, (meg)suhogtat, forgat *[kardot]*

brand leader *fn gazd* slágercikk
brand name *fn gazd* márkanév, védjegy
brand-new [ˌbrændˈnjuː ‖ –ˈnuː] *mn* vadonatúj
brandy [ˈbrændi] *fn* borpárlat, konyak
brandy ball *fn GB gaszt* konyakos cukorka
brash[1] [bræʃ] *mn* **1. a)** rámenős, vakmerő, életerőtől duzzadó **b)** hetyke, tapintatlan **2.** *átv* nyers, éles **3.** törékeny *[faanyag]*
brash[2] [bræʃ] *fn* **1.** (szikla)omladék, törmelék(halom) **2.** omló jég, jégszakadás, jégzajlás
brass [brɑːs ‖ bræs] *fn* **1.** sárgaréz, vörösöntvény, ágyúbronz **2. a)** (sárga)réztábla, cégtábla **b)** *biz* **come/get down to ~ tacks** a tárgyra/lényegre tér **3.** *tsz* **brasses a)** rézszerelvények/fittingek, sárgaréz edények/csapok **b)** könyvaranyozó betű, sávozó *[könyvkötészetben]* **c)** *biz* katonai nagyfejűek, a magas parancsnokság **4. ~ section** a rézfúvósok *[zenekarban]*; **~ (wind) instrument** rézfúvós hangszer **5.** *GB szl [pénz]* dohány, guba **6.** *biz* merészség, arcátlanság, szemtelenség, pimaszság
brass off *tsi GB szl* **I'm ~ed off** tele a hócipőm
brassard [ˈbræsɑːd ‖ –sɑrd] *fn* karszalag, karjelzés
brass band *fn zene* rezesbanda
brasserie [ˈbræsəri ‖ ˌbræsəˈriː] *fn* söröző (hely)
brass hat *fn GB biz* vezérkari tisztek és tábornokok, katonai nagyfejűek
brassie [ˈbrɑːsi ‖ ˈbræsi] → **brassy**[2]
brassière [ˈbræzɪə ‖ brəˈzɪr] *fn* melltartó
brass monkey *fn* nagy hideg; **it's (cold enough to freeze the balls off a) ~** nagyon hideg van
brassy [ˈbrɑːsi ‖ ˈbræsi] *mn* **1. a)** rezes, rézszínű, rézből való **b)** rezes, harsogó *[hang]* **2.** szemtelen, arcátlan, pimasz **3.** hamis, ál-, mű- • *fn* **brassiness**
brat [bræt] *fn pej* rosszkölyök, rosszcsont
bravado [brəˈvɑːdoʊ] *fn* virtus(kodás)
brave [breɪv] **I.** *mn* **a)** bátor, merész, derék; *US* **Home of the B~** Amerika **b)** *vál* szép, mutatós, ízléses, nagyszerű, remek **II.** *fn* bátor ember *[főleg indián harcos]* **III.** *tsi* dacol, szembeszáll (vkvel) • *hsz* **bravely**
bravery [ˈbreɪvəri] *fn* bátorság, merészség
bravo[1] [ˈbrɑːvoʊ] **I.** *isz* bravó!, éljen! **II.** *fn* éljenzés
bravo[2] [ˈbrɑːvoʊ] *fn* **a)** vakmerő/merész gonosztevő **b)** orgyilkos, bérgyilkos
bravura [brəˈvjʊərə ‖ –ˈvjʊrə] *fn* **1.** *zene* **~ (air)** bravúrária, nehéz bravúros dal **2.** brilliáns alakítás
brawl [brɔːl] **I.** *fn* verekedés, veszekedés, zajos csetepaté **II.** *tni* **1.** civakodik, verekszik, veszekszik, pörlekedik, kiabál **2.** mormog, csobog *[patak]*
brawn [brɔːn] *fn* **1.** izom, fejlett izomzat, testi erő, izomerő; *közm* **more brain than ~** többet ésszel, mint erővel **2.** *GB* disznósajt
brawny [ˈbrɔːni] *mn* izmos, erős
bray[1] [breɪ] **I.** *fn* **1.** szamárbőgés **2.** trombitarecsegés, trombitaharsogás **II. A.** *tsi* **~ (a sound)** recsegtet *[trombitát]* **B.** *tni* **~ (out a sound)** recseg, recsegő/csikorgó hangot ad ki *[trombita, kürt stb.]*; ordít, i-áz, bőg *[szamár]*
bray[2] [breɪ] *tsi régi* mozsárban tör, összezúz *[apróra]*, finomra tör *[festéket stb.]*
braze [breɪz] *tsi* **a)** bronzzal bevon/befuttat **b)** *műsz* (össze)forraszt, hegeszt, keményen forraszt
brazen [ˈbreɪzn] **I.** *mn* **1.** szemtelen, arcátlan, cinikus, pimasz; **with a ~ face** arcátlanul, pléhpofával **2. a)** rézből való, réz-, bronzból való, bronz **b)** rezes, érces *[hang]* **II.** *tsi* **~ it out** hetykén viselkedik, henceg, hetvenkedik; szemtelenül kitart vm mellett • *fn* **brazenness**
brazenfaced *mn* szemtelen, arcátlan, cinikus, pimasz
brazier [ˈbreɪzɪə ‖ –ʒər] *fn* **1.** szénserpenyő, szárító kokszkályha **2.** rézműves, bronzöntő, rézkovács, üstkészítő
braziery [ˈbreɪzɪəri ‖ –ʒəri] *fn* kazánkovácsműhely/-telep, üstkészítő műhely, rézműáru-kereskedés
Brazil [brəˈzɪl] *tul földr* Brazília
Brazilian [brəˈzɪlɪən] *mn/fn földr* brazíliai (férfi, nő)
Brazil nut [brəˈzɪl nʌt] *fn növ* paradió, amerikai/brazíliai dió
breach [briːtʃ] **I.** *fn* **1.** megszegés, megsértés; **~ of close** birtokháborítás; **~ of domicile** magánlaksértés; **~ of faith** hűtlenség; **~ of the law** törvénysértés; **~ of (the) peace** béke/közrend megbontása; **~ of promise** ígéretszegés, szószegés; házassági ígéret megszegése (v. meg nem tartása); **~ of trust** bizalommal (v. hivatalos hatalommal) való visszaélés; *biz* **action for ~** házassági ígéret megszegése miatt indított kártérítési per; *átv biz* **heal the ~** elsimítja a nézeteltéréseket **2.** szakítás, viszály, meghasonlás, összeveszés *[barátok között]* **3.** rés, (át)törés, hasadás, hasadék *[falon stb.]*; **stand into the ~** nehéz helyzetben magára veszi a felelősséget/munkát **II.** *tsi* **1.** rést üt (vmn) **2.** megszeg *[törvényt, szerződést]*
bread [bred] **I. 1.** *fn* kenyér; **brown ~** rozskenyér; **loaf of ~** (kenyér)cipó, (egy) egész kenyér; **slice of ~** karéj kenyér, kenyérszelet; **~ and butter** vajas kenyér; *biz* **he knows which side the ~ is buttered** van magához való esze; tudja, honnan fúj a szél; *vall* **~ and wine** a kenyér és bor (színe alatt); **beg one's ~** koldul, kéreget; **break ~ with sy** együtt eszik vkvel; megosztja élelmét vkvel; **earn one's ~** kenyeret/pénzt keres, megkeresi a megélhetését/mindennapit, megél; **take the ~ out of sy's mouth** elveszi vk kenyerét, kiveszi a kenyeret vk szájából; **fry in ~(-crumbs)** kiránt; panírban süt; **be on ~ and water** (száraz) kenyéren és vizen él; **quarrel with one's ~ and butter** összevész a kenyéradójával, kritizálja kenyérkereseti forrását; maga alatt vágja a fát **2.** *US szl [pénz]* lóvé, dohány **II.** *tsi gaszt* paníroz, kiránt
bread-and-butter *mn* **1.** hálálkodó; *biz* **~ books** jól eladható könyvek; **~ letter** vendéglátást (v. szíves látást) megköszönő levél **2.** létszükségletet biztosító; **~ worries** kenyérgondok, megélhetési gondok; → **bread I.**
breadbasket *fn* **1. a)** kenyérkosár **b)** *US* legfontosabb gabonatermő/búzatermő vidék, az ország éléstára **2.** *szl [has, gyomor]* pocak; **get one in the ~** kap egy gyomrost, kap egyet a hasába/gyomrába *[ütést, rúgást]*
breadboard [ˈbredbɔːd ‖ –bɔrd] *fn* kenyérvágó deszka
breadboard construction *fn távk* kábelterv, ideiglenes kapcsolás
breadcrumb *fn* kenyérmorzsa, prézli
breaded [ˈbredɪd] *mn gaszt* panírozott *[hús stb.]*
breadfruit tree *fn növ* majomkenyérfa
breadline *fn* **1.** *US* **a)** sorban állás élelmiszerért (v. ingyen kosztért) **b)** kenyérért/élelmiszerért sorban állók sora **2.** *GB* létminimum
bread roll *fn gaszt* zsemle
breadth [bredθ, bretθ] *fn* **1.** szélesség, nyílásszélesség, belvilág; **~ of wings** szárnytávolság *[madáré, repülőgépé]*; **the carpet is ten feet in ~** a szőnyeg tíz láb széles **2.** *átv* emelkedettség, nagyvonalúság, nagyság *[gondolaté, kifejezésé stb.]*; **~ of view** liberális gondolkodás, széles látókör
breadthways [ˈbredθweɪz, ˈbretθ–] *hsz* széltében
breadthwise [ˈbredθwaɪz] *hsz* széltében
breadwinner *fn* kenyérkereső, családfenntartó
break [breɪk] **I.** *i pt* **broke** [broʊk], *régi* **brake** [breɪk], *pp* **broken** [broʊkən], *régi* **broke A.** *tsi* **1. a)** (össze)tör, megtör, (szét)zúz, (el)szakít, (el)hasít, megszakít, felvált *[pénzt]*; elront *[gépet]*; **~ sy** összetör/letör/megtör vkt *[bánat, öregség, betegség]*; tönkretesz vkt *[anyagilag stb.]*; **~ the back of** elvégzi a legnehezebb feladatot, túlhajt vkt; **~ the bank** felrobbantja a bankot; **~ a charm** megtöri a varázst; **~ a code** (titkosírás) jelkulcsát megfejti; *bány* **~ coal** szenet fejt; **~ cover** kitör *[vad a rejtekéből]*; **~ a fall** esést/zuhanást felfog/feltartóztat; **~ one's fast** megszegi a böjtöt; *hajó* **~ a flag** zászlót kibont; **~ ground** szűzföldet feltör, művelni kezdi a földet; *átv biz* úttörő munkát végez; *épít* az első csákányütéseket méri; **~ sy of the habit (of doing sg)** leszoktat vkt vmről; **~ a horse** lovat betör/belovagol; *átv* **~ ice** megtöri a jeget; **~ the news** elsőnek közli a hírt; **~ one's neck** nyakát töri/szegi, kitöri a nyakát; *kat* **~ an officer** rangjától megfoszt (v. lefokoz) egy tisztet;

B

~ **open** feltör, felfeszít, felbont; ~ **a record** rekordot javít/dönt; ~ **sy's resistance** megtöri vknek az ellenállását; ~ **the silence** megtöri a csendet; ~ **step** megbontja a lépést, nem megy lépésben; ~ **a strike** letöri a sztrájkot; ~ **a way** utat tör/vág; ~ **wind** szelet ereszt, szellent **b)** megfejt *[titkosírást, jelkulcsot stb.]* **2. a)** megszakít, félbeszakít *[utazást, gondolatmenetet]*; ~ **camp** sátrat bont; ~ **the thread of a story** megszakítja a történet gondolatmenetét/fonalát; ~ **one's journey** megszakítja/félbeszakítja útját/utazását **b)** *vill* megszakít *[áramot]* **3. a)** megsért, megszeg, áthág *[törvényt stb.]*; *US* ~ **jail** megszökik a börtönből; ~ **the peace** csendet/közrendet háborít; ~ **one's word/promise** megszegi (v. nem tartja meg) a szavát/ígéretét **b)** felbont, megsemmisít *[szerződést]*, hatályt megszüntet *[szerződésnél]* **4.** *Ausz biz* **what did that thing ~ you for?** mibe került/kóstált ez a dolog neked? **B.** *tni* **1. a)** (össze)törik, összezúzódik, szétzúzódik, törést szenved, megszakad, meghasad *[szív]*, megromlik *[egészség]*; elromlik *[gép]* **b)** megváltozik *[időjárás]*; **day was beginning to ~** hajnalodott, (meg)virradt; **the frost is ~ing** a hideg idő (v. fagy) enged; **their spirit did not ~** kedélyük nem tört meg; **the storm broke** kitört a vihar **c)** mutál *[hang]* **d)** csődbe jut/kerül, tönkremegy **e)** meghasonlik **f)** *kat* feloszlik, szétoszlik *[hadsereg]* **g)** felszakad, kifakad, felfakad *[seb, fekély]* **h)** ~ **even** nullszaldót csinál (v. ér el), egyenesbe jön **i)** *sp* ~ **serve** elveszi az adogatást *[teniszben]* **j)** kezdő/első lökést végzi *[biliárdban]* **2.** ~ **from work** megszakítja/félbeszakítja a munkát; rövid szünetet tart; ~ **from one's bonds** elszakítja kötelékeit, letöri bilincseit, lerázza láncait; ~ **free** kitör, kiszabadítja magát; ~ **loose** elszökik a pórázról, elszakítja pórázát *[kutya]*; elszabadul; feltámad; kitör *[zivatar, harag]* **3. a cry broke from his lips** kiáltás szakadt föl ajkáról (v. tört ki belőle) **II.** *fn* **1. a)** törés, hasadás, rés, (meg)szakítás; *vill* ~ **in the circuit** áramkör megszakítása/megszakadása **b)** *átv* törés, szakítás, megszakadás, megtorpanás, felfüggesztés; ~ **of continuity** folyamatosság megszakítása/megszakadása; ~ **of day** hajnalhasadás; ~ **between two friends** szakítás/összeveszés két barát között; ~ **in a journey** megállás *[utazás közben]*; útmegszakítás; *US biz* **give me a ~!** ne gyere nekem ezzel!, hagyjál már békén (ezzel a hülyeséggel) **2.** (rövid) szünet, pihenés, óraközi szünet, tízperc **3. a)** hirtelen változás; ~ **in/of the voice** hang elváltozása/elcsuklása *[indulattól, érzéstől]*; kamaszkori hangváltozás, mutálás; ~ **in the weather** időváltozás **b)** *pénz* ~ **in prices/stocks** áresés **c)** *biz* baki, hiba, baklövés, nyelvbotlás **4.** *biz* eshetőség, érvényesülési lehetőség, sansz; *US biz* **a lucky ~** szerencse; **give sy a ~** alkalmat ad/nyújt (vknek); **a bad ~** balszerencse, nagy pech/hiba/kudarc

break away A. *tsi* elszakít (vmtől) **B.** *tni* elszakad (vmtől), kiválik, kiszakítja magát (vmből), megszökik, elmenekül, szakít *[vmlyen szokással]*, (egymástól) szétválik, elválik *[vasúti kocsi]*; → **breakaway**

break down A. *tsi* **1.** letör, lebont, ledönt, lerombol; ~ **down every opposition** minden ellenállást legyőz/letör **2. a)** eloszt, osztályoz, csoportokra oszt, csoportosít **b)** felbont *[tervet]*, kiértékel *[adatokat]*, kielemez, kiértékel *[helyzetet]* **c)** *vegy* lebont, felbont, részekre/elemekre bont **B.** *tni* **1. a)** letörik, legyengül, megrendül, meginog *[egészség]*, elsötétül, elborul *[agy]*, megbetegszik *[kimerültségtől]*, belesül *[beszédbe]* **b)** *átv* összeomlik, ledől, megbukik, meghiúsul *[terv]* **c)** elromlik *[autó, motor, készülék]*, leáll *[gép hiba folytán]* **2.** könnyekre fakad, zokogásba tör ki **3.** (részekre) oszlik; → **breakdown**

break in A. *tsi* **a)** betör, feltör *[ajtót]*, beüt, beszakít; ~ **sg in(to) pieces** darabokra tör vmt **b)** összetör, betör, megfékez, belovagol *[lovat]*; ~ **sy in (to sg)** hozzászoktat vkt (vmhez) **B.** *tni* **1.** beszakad, leomlik, betörik **2. a)** betör *[betörő]*; ~ **in (up)on sy** vkre ráront/rátör **b)** közbelép, közbeveti magát, beleavatkozik; ~ **in upon a conversation** félbeszakítja/megszakítja a társalgást, közbeszól **c)** ~ **in upon sy** felbukkan/felmerül (v. eszébe jut) vm vk előtt *[gondolat, ötlet stb.]*; → **break-in**

break into *tni* **1.** betör, erőszakkal behatol **2.** kitör, (ki)fakad; ~ **(out) into a laugh** kitör belőle a nevetés, nevetésbe tör ki, nevetni kezd; ~ **into praise of sy** dicshimnuszt zeng vkről; ~ **into song** énekelni kezd, dalra zendít; ~ **into a trot** ügetni kezd

break off A. *tsi* **a)** letör, leszakít **b)** (hirtelen) abbahagy, megszakít *[kapcsolatot, barátságot]*; **the engagement is broken off** az eljegyzést felbontották, az eljegyzés felbomlott **c)** *[telefonbeszélgetést]* bont **B.** *tni* **a)** kiszabadul, elszabadul (vmből); elszakad, elválik (vmtől) **b)** abbamarad félbemarad; megszűnik, megszakad; ~ **off for five minutes** öt perc szünetet tart *[munka közben]* **c)** ~ **(it) off with sy** szakít vkvel

break out *tni* **1. a)** kitör *[tűz, háború]*; ~ **out into pimples** pattanásos lesz *[az arca]* **b)** feltör *[forrás]* **c)** kitör, kifakad, szóhoz jut, kifejeződik *[érzelem]* **2. a)** elszökik, megszökik *[fogságból]*, kiruccan, kirándul **b)** ~ **out into excesses** túlzásokba/szélsőségekbe esik **3.** elkiáltja magát, kiált, kiabál **4.** kivesz, kiszed; → **breakout**

break through A. *tsi* áttör, áthatol *[akadályon]*, áthág *[törvényt]*; ~ **one's way through** utat tör magának; ~ **through the enemy lines** áttöri az ellenséges vonalat, áthatol az ellenség vonalán/sorain **B.** *tni* kibújik, előjön; → **breakthrough**

break up A. *tsi* **1. a)** darabokra tör, szétzúz, feltör, tönkretesz **b)** feloszt, feldarabol, szétdarabol *[birodalmat, birtokot]*, feloszlat, szétoszlat *[háztartást, gyűlést stb.]*, szétszór *[családot, tömeget stb.]*, félbeszakít *[tárgyalást stb.]*; ~ **up the enemy** szétveri/megsemmisíti az ellenséget **c)** felbont, megbont *[egyezményt stb.]* **2.** *mezőg* porhanyít, fellazít *[földet]*, járhatatlanná tesz *[utat]* **B.** *tni* **1. a)** (fel)bomlik, bomladozik, feldarabolódik, szétporlik, szétmállik, szétesik *[birodalom stb.]*; *átv biz* **he is beginning to ~ up** fogytán az ereje, utolsó napjait éli **b)** feloszlik, szétoszlik *[tömeg, gyűlés, társaság stb.]*, elválik, szétválik *[csoport stb.]*, szakít *[partnerével]*, bezárja kapuit *[iskola tanév végén]*; **we ~ up on June 20** nálunk jún. 20-án van vége a(z) tanításnak/iskolának **c)** feltöredezik; olvadni/zajlani kezd *[jég]* **2.** elromlik, beborul *[idő]*; → **break-up**

break with *tni* **1.** véget vet vmnek, felhagy vmvel, beszüntet vmt; ~ **with his former ways of living** szakít korábbi életformájával/életmódjával **2.** szakít (vkvel), minden kapcsolatot megszakít (vkvel), összevész (vkvel)

breakable [ˈbreɪkəbl] **I.** *mn* törékeny, törhető **II.** *fn tsz* **breakables** törékeny áru

breakage [ˈbreɪkɪdʒ] *fn* **a)** törés, törött holmi **b)** töréskár, törésért kifizetett kártérítés

breakaway I. *mn* szakadár, kiváló, különváló *[egyén, csoport]* **II.** *fn* **1.** elszakadás, elszabadulás, kiválás, különválás **2.** *sp* **a)** elsietett start, kiugrás *[atlétikában]* **b)** belharcot folytatók szétválasztása *[bokszolásban]* **c)** kitörés, szöktetés, megugrás, előretörés *[futballban]* **3.** *Ausz* **a)** elbitangolt birka **b)** juhok/marhák pánikszerű rohanása; → **break away**

break-circuit *fn vill* árammegszakító

break-dancing *fn* breaktánc(olás) • *tni* **break-dance**

breakdown *fn* **1. a)** sikertelenség, bukás, csőd, összeomlás, kidőlés **b)** rongálódás, üzemzavar, defekt, műszaki hiba, motorhiba, adásszünet *[rádióban]*, váratlan (v. előre nem látott) leállás *[gépé]*, elakadás *[kocsié]*; **have a ~** (i) defektet kap, elromlik *[kocsi]* (ii) *átv* kátyúba/zsákutcába jut (iii) idegösszeomlása van **2.** felbontás, lebontás, tervfelbontás, (szét)elemzés; → **breakdown**

breaker [ˈbreɪkə ‖ −ər] *fn* **1. a)** törő, zúzó *[ember]*, *bány* kőfejtő, (fejtő)vájár **b)** (ló)idomár **2.** törőgép, zúzómalom, (papír)zúzda **3.** nagy hullám

break-even point *fn pénz* fedezeti pont, nyereségküszöb, nullszaldó

breakfast ['brekfəst] **I.** *fn* reggeli; **English ~** angol reggeli, komplett reggeli; **continental ~** egyszerű reggeli **II.** *tni* reggelizik
breakfast television *fn* reggeli tévéműsor
break-in *fn* betörés, próbafutam, bejáratás
breaking and entering *fn* betörés
breaking point *fn* **1.** töréspont *[anyagvizsgálat]* **2. stretched to ~** pattanásig feszült; **try sy's patience to the ~** végsőkig visszaél vk türelmével
break-line *fn nyomd* utolsó sor *[bekezdésé]*, kimenetsor
breakneck ['breɪknek] *mn* nyaktörő; **go at ~ speed/pace** nyaktörő sebességgel/tempóban száguld, gyilkos/őrületes iramban száguld
breakout *fn* **1.** kitörés *[egy helyről]* **2.** kitörés *[járványé]*; → **break out**
break point *fn* **1.** töréspont **2.** *sp* adogatáselnyerési lehetőség, brékpont *[teniszben]*
breakthrough *fn* **1.** *kat* áttörés *[arcvonalé]*, *átv* frontáttörés; → **break through 2.** *átv* áttörés
break-up *fn* **1.** felosztás, feloszl(at)ás, feldarabolás, felbomlás, elerőtlenedés; *gazd* **~ prices** végkiárusítási árak **2.** szakítás *[kapcsolaté]*; → **break up**
breakwater *fn* **1.** hullámtörő gát, kikötőgát, cölöpgát, móló **2.** (vágó)sarkantyú *[hídpilléren, hajó orrán]*
bream [bri:m] *fn áll* **a)** aranyosfejű hal **b)** (dévér)keszeg
breast [brest] **I.** *fn* **1. a)** mell, kebel, csecs, emlő; **have a child on the ~** gyereket szoptat **b)** kebel, mell(kas), szügy, fehér hús *[szárnyasé]*; **press sy to one's ~** magához/keblére ölel, szívére zár (vkt) **c)** szív, lélek, lelkiismeret; *biz* **make a clean ~ of it** őszintén bevallja, mindent beismer; **deep in his ~** szíve/lelke mélyén **2.** mellrész *[férfiöltönyé]* **II.** *tsi* **1.** szembeszáll, megküzd **2.** felkapaszkodik *[lejtőn]*; **~ the bar** húzódzkodik a nyújtón • *mn* **breasted**
breastbone *fn orv* mellcsont
breast cancer *fn orv* emlőrák, mellrák
breast-feed *pt/pp* **-fed A.** *tsi* szoptat, anyatejen nevel *[csecsemőt]* **B.** *tni* szopik *[csecsemő]*
breastpin *fn US* melltű, bross
breastplate *fn kat* mellvédő, plasztron, (mell)vért
breast pocket *fn* szivarzseb
breast pump *fn* mellszívó *[szoptató anyáé]*
breaststroke *fn sp* mellúszás
breastwork *fn kat* mellvéd *[erődön]*, könyöklő
breath [breθ] *fn* lélegzet, lehelet, szellő; **there is not a ~ of wind/air** szellő se fúj, ág/levél se rezdül; **not a ~ of suspicion attaches to him** a gyanúnak még az árnyéka sem fér hozzá; **catch one's ~** összeszedi magát, elámul; **draw ~** lélegzik; **draw one's last ~** utolsót lélegzik; kiadja lelkét; **hold one's ~** visszatartja (a) lélegzetét; **lose one's ~** elakad/kifogy a lélegzete, kifullad; **take ~** kifújja magát; **take a ~** lélegzetet vesz; **take one's ~ away** elállítja lélegzetét, meglep/elképeszt vkt; **get/recover one's ~** lélegzethez jut; újra lélegzik; **waste one's ~** hiába beszél; fölöslegesen fáradozik (v. vesztegeti idejét); **below/under one's ~** suttogva, alig hallhatóan, a bajusza alatt; **(all) in the same ~, in one and the same ~, at a ~** egy lélegzetre, egy szuszra, egy füst alatt; **they are not to be mentioned in the same ~** nem lehet őket egy napon említeni; **be short of ~** levegő után kapkod; zihál; szaggatottan lélegzik; liheg, kifullad; **out of ~** lihegve, lélekszakadva, kifulladva; **with his dying ~** utolsó szavaival (v. lélegzetével), halála előtt
breathable ['bri:ðəbl] *mn* lélegezhető
breathalyser ['breθəlaɪzə ‖ –ər] *fn* (rendőrségi) alkoholszonda • *tsi* **breathalyse**
breathe [bri:ð] **A.** *tsi* **a)** lélegzik, (be)lehel, (ki)lehel; **~ courage into sy** lelket lehel vkbe; bátorságot önt vkbe; **~ health** sugárzik róla az egészség, majd kicsattan; **~ one's last** kileheli/kiadja a lelkét **b)** megjártat *[lovat]* **c)** suttogva mond; **~ a sigh** sóhajt; **don't ~ a word of/about it** (egy) szót se róla! **B.** *tni* **a)** lélegzik, lélegzetet vesz, lehel; **~ hard** liheg, zihál, levegő után kapkod; **~ out** kifúj *[levegőt]*; **~ again/freely** fellélegez; **~ down sy's neck** vknek fenyegetően nyomában van **b)** lágyan fúj *[szellő]*, sóhajt **c) the spirit that ~s through his work** a művéből áradó szellem, a művét átható szellem
breather ['bri:ðə ‖ –ər] *fn* **1.** *biz* lélegzetvételnyi idő/pihenő, szusszanás; **have/take a ~** friss levegőt szív, kifújja magát; *biz* **go for a ~, stroll out for a ~** pihenni/levegőzni megy, kiszellőzteti a fejét **2.** *műsz* légzőcső, szívócső, szellőzőcső
breathing ['bri:ðɪŋ] **I.** *mn* lélegző; **win a ~ space** lélegzethez jut **II.** *fn* légzés, lélegzés
breathing-space *fn* **a)** lélegzetvétel ideje, szünet, pihenő **b)** lélegzéshez/pihenéshez szükséges hely
breathless ['breθləs] *mn* **1.** kifulladt, lihegő, lélekszakadva (rohanó) **2.** izgatott, lázas; **~ suspense** lázas/feszült/izgatott várakozás **3. ~ evening** csendes este • *hsz* **breathlessly**
breathtaking *mn* lélegzetelállító
breath test *fn* alkoholpróba, szondázás
breathy ['breθi] *mn* ziháló
bred [bred] → **breed I.**
breech [bri:tʃ] *fn* **1.** *régi* fenék, hátulja (vmnek), hátsó rész **2.** *tsz* **breeches a) (pair of) ~es** nadrág *[térd alatt gombolt]*, térdnadrág, bricsesz **b)** *biz* nadrág, gatya **3.** csőfar
breech birth *fn* farfekvéses szülés
breechblock *fn kat* lövegzár, závárzat
breech delivery *fn orv* farfekvéses szülés
breech-loader *fn kat* hátultöltő puska • *mn* **breech-loading**
breed [bri:d] **I.** *i pt/pp* **bred** [bred] **A.** *tsi* **1.** tenyészt, (fel)nevel, szaporít; **it was bred in the bone** családi örökség(e) **2. a)** nemz, költ, megtermékenyít; **~ a ram to a ewe** birkát hágat; kost anyajuhhal párosít **b)** létrehoz, okoz, előidéz; **~ ill blood** rossz vért szül; **unemployment ~s misery** a munkanélküliség nyomort idéz elő (v. okoz) **3.** (fel)nevel, kiképez **B.** *tni* **a)** szaporodik, tenyészik; **~ in (and in)** családon/törzsön belül házasodik; fajtán belül szaporodik **b)** *biz* (el)terjed *[vélemény stb.]* **II.** *fn* **a)** fajta, nem; **people of your ~** fajtádbeli/hasonszőrű emberek; **he belongs to a good ~** jó családból származik **b)** tenyésztés, tenyészet
breeder ['bri:də ‖ –ər] *fn* **1.** tenyésztő *[állatoké]* **2.** tenyészállat **3.** *átv* nemző
breeder reactor *fn fiz* tenyészreaktor, szaporító reaktor
breeding ['bri:dɪŋ] *fn* **1.** nemzés, tenyésztés; **selective ~** fajnemesítés; **animal kept for ~ purposes** tenyészállat **2.** nemzedék **3.** nevelés; **(good) ~** jólneveltség, jómodor; **ill ~** neveletlenség, modortalanság
breeding-ground *fn átv* táptalaj, melegágy
breeze[1] [bri:z] **I.** *fn* **1.** szellő, szél **2.** *GB biz* civakodás, veszekedés, családi jelenet **3.** *US biz* könnyű dolog, gyerekjáték **II.** *tni biz* **~ in/out** ki/belibben
breeze[2] [bri:z] *fn* **1.** *épít* betonba való rostált salak **2.** kőszéntörmelék, szénpor
breeze-block *fn GB épít* salakbeton-elem
breezeway ['bri:zweɪ] *fn épít* fedett átjáró
breezy ['bri:zi] *mn* **1.** szellős, szeles, levegős **2.** *biz* **a)** fesztelen, élénk, könnyed **b)** lendületes, indulatos • *fn* **breeziness**
Brenda ['brendə] *tul* ‹női név›
Bren gun *fn kat* golyószóró
brer [brɜ:, breə ‖ brɜr, brer] *US biz* (fiú)testvér, fivér; **B~ Fox** Róka koma; **B~ Rabbit** tapsifüles
brethren ['breðrən] *fn tsz* hittestvérek, felebarátok; → **brother**
Breton ['bretən] **I.** *mn* breton, bretagne-i **II.** *fn* breton nyelv/ember
breve [bri:v] *fn* **1.** *tört* meghatalmazás, hivatalos irat, bréve *[pápai]* **2. a)** rövid szótag/magánhangzó **b)** rövidség jele *[szótag/magánhangzó fölött]* **3.** *zene régi* brevis *[gregorián hangjegy]*
breviary ['breviəri ‖ –vieri] *fn vall* breviárium, papi zsolozsmakönyv

brevity [ˈbrevəti] *fn* rövidség, tömörség; **for ~'s sake** a rövidség kedvéért
brew [bru:] **I.** *fn* **1. a)** főzés *[söré, teáé]* **b)** egy főzet *[sör]*, egy üstnyi **2.** főzet, kotyvalék **II. A.** *tsi* **a)** főz *[italt, sört stb.]*; **~ (tea)** leforráz *[teát]* **b)** *biz* kifőz *[tervet]*; **~ mischief** rosszat forral **B.** *tni* **a)** fő(l), forr *[tea stb.]*; **~ up** teát főz **b)** készül(ődik); **there is a storm ~ing** vihar készül/keletkezik (v. van készülőben)
brewer [ˈbru:ə ‖ –ər] *fn* sörfőző
brewery [ˈbru:əri] *fn* sörfőzde
Brian [ˈbraɪən] *tul* ‹férfinév›
briar[1] [ˈbraɪə ‖ –ər] *fn* **1.** *növ* vadrózsa; *növ* **wild ~** csipkerózsa(bokor), rózsa(bokor) **2.** *esz* **briars** *biz* tüskebokor
briar[2] [ˈbraɪə ‖ –ər] *fn növ* fehérhanga bokor, hangagyökér, hangafa
bribe [braɪb] **I.** *fn* megvesztegetés(i összeg), (megvesztegetésszerű) juttatás, megkenés; **take a ~** hagyja, hogy megvesztegessék, megvesztegethető **II.** *tsi* **1.** megveszteget, lepénzel, megken **2.** édesget, csalogat (vkt), rávesz vmre (vkt) • *fn* **bribery** *mn* **bribable**
bric-a-brac [ˈbrɪkəbræk], **bric-à-brac** *fn* **a)** csecsebecse, nipp, apró régiségek **b)** ócskaság, kacat, limlom
brick [brɪk] **I.** *fn* **1. a)** tégla, brikett; **drop a ~** (ostobán) elszólja magát; tapintatlan megjegyzést tesz; *biz* **like a ton of ~s** lehengerlően; *GB* **make ~s without straw** nehéz és hiábavaló munkába fog; a semmiből akar valamit csinálni; **like a cat on hot ~s** tűkön ülve **b)** *GB* **box of ~s** építőjáték, építőkocka **2.** *biz* **a real ~** jó cimbora **II.** *tsi* téglával befalaz/kirak, téglákat rak; **~ in** befalaz; **~ up** befalaz; téglával burkol • *mn* **bricky**
brickbat *fn* **1.** tégladarab, csorba/törött tégla, téglatörmelék **2.** rágalom
brick-field *fn* téglagyár, téglaégető
brickie [ˈbrɪki] *fn GB biz* kőműves
bricklayer *fn* falazókőműves • *fn* **bricklaying**
brick red *mn* téglavörös, téglaszínű
brick wall *fn* **1.** téglafal **2.** *átv* áthághatatlan akadály; **see through a ~** kiváló látása van; **bang/knock/run one's head against a ~** falba/ellenállásba ütközik
brickwork *fn* **1.** téglafal(azat) **2.** kőművesmunka, falazás
brickyard *fn* téglagyár, téglaégető
bridal [ˈbraɪdl] *mn* menyegzői, lakodalmi, nász-, menyasszonyi
bride [ˈbraɪd] *fn* **a)** menyasszony *[az esküvő napján]* **b)** (pár hetes) fiatalasszony
bridegroom [ˈbraɪdgru:m] *fn* **a)** vőlegény **b)** (pár hetes) fiatal férj
bridesmaid [ˈbraɪdzmeɪd] *fn* koszorúslány, nyoszolyólány
bridge[1] [brɪdʒ] **I.** *fn* **1. a)** híd; *átv* **cross a ~ when one comes to it** ne vágjunk a dolgok elébe **b)** *hajó* **(fore) ~** parancsnoki híd; **after ~** hátsó híd **2.** *épít* szemöldökgerenda, áthidalás **3. a)** nyereg *[orré, szemüvegé]* **b)** hegedűláb *[a két f lyuk között]* **4.** *orv* híd *[fogpótlás]* **II.** *tsi* **1.** hidat épít/ver; *átv is biz* **~ a/the gap** szakadékot áthidal **2.** *átv* áthidal, felüljárót kiképez, átfed *[útépítésnél]*; **that will ~ over the difficulty** (ez) áthidalja a nehézségeket
bridge[2] *fn ját* bridzs *[kártyajáték]*
bridge-building *fn* **1.** hídépítés, hídverés **2.** *átv* kapcsolatteremtés, hídépítés
bridgehead *fn kat* hídfő(állás), támaszpont
bridge passage *fn* **1.** *ir.tud* összekötő szöveg **2.** *zene* átmenet
bridge roll *fn gaszt* ‹kis, ovális zsemleféle›
Bridget [ˈbrɪdʒɪt] *tul* Brigitta
bridgework *fn* foghíd(ak)
bridging loan *fn GB* kölcsön *[ház/lakás eladása és megvétele közötti időre]*
bridle [ˈbraɪdl] **I.** *fn* **1. a)** kantár *[lószerszám]* **b)** *átv* zabla, fék; **put a ~ on sg** megfékez *[szenvedélyt stb.]* **2.** *műsz* kengyel, függesztőkeret **II. A.** *tsi* **1.** felkantároz **2.** *átv* (meg)zaboláz, féken tart, megfékez *[szenvedélyt]*; **~ oneself** mérsékeli/fékezi magát; uralkodik magán **B.** *tni* **~ (up)** felhúzza az orrát, megsértődik
bridle path *fn* lovaglóút, ösvény
Brie [bri:] *fn gaszt* brie-sajt
brief [bri:f] **I.** *mn* rövid *[időtartam]*, tömör, rövid *[beszámoló]*; **in ~** röviden; **to be ~...** röviden, (tehát) ..., egyszóval ... **II.** *fn* **1.** rövid kivonat **2.** *jog* ügyvédi meghatalmazás *[bírósági ügyre]*; **hold a ~** ügyet képvisel/visz *[ügyvéd]*; **hold ~ for sy** védőbeszédet mond vk mellett; síkra száll vkért, kiáll vk mellett **3.** *tsz* **briefs** rövidnadrág, sort **4.** *vall* bréve **III.** *tsi* **1. ~ a barrister** ügyvédi megbízást ad **2. a)** *kat* eligazít, eligazítást ad *[támadás előtt, legénységnek stb.]* **b)** előkészít/kitanít/kioktat vkt vmre • *fn* **briefness** *hsz* **briefly**
briefcase *fn* aktatáska
briefing [ˈbri:fɪŋ] *fn* **a)** *kat* eligazítás, végső utasítások, végső utasítások megadása/megkapása **b)** kitanítás, kioktatás
briefless [ˈbri:fləs] *mn* ügy nélküli *[ügyvéd]*
brier [ˈbraɪə ‖ –ər] → **briar**
briery [ˈbraɪəri] *mn* tüskés, bozótos
brig[1] [brɪg] *fn* **1.** kétárbocos vitorláshajó, brigg **2.** *US* hajóbörtön
brig[2] [brɪg] *fn sk* híd
brigade [brɪˈgeɪd] **I.** *fn* **1.** *kat* dandár; *biz* **the old ~** törzsgárda **2.** brigád; **fire ~** tűzoltóság **II.** *tsi* brigádot/alakulatot alkot, brigádba tömörül
brigadier [ˌbrɪgəˈdɪə ‖ –ˈdɪr] *fn kat* dandárparancsnok, dandártábornok, brigadéros
brigadier general *fn* dandártábornok
brigand [ˈbrɪgənd] *fn* útonálló, bandita, briganti • *fn* **brigandage**
brigantine [ˈbrɪgənti:n] *fn* ‹kétárbocos vitorláshajó négyszögletű vitorlával›
bright [braɪt] **I.** *mn* **1. a)** világos, erős, tiszta *[fény]*, fényes *[csillag]*, élénk *[szín]*, tiszta, derült, verőfényes *[idő]*, csengő, tiszta *[hang]*, csillogó *[szem]*, ragyogó *[arc]*, derűs, boldog *[jövő]*, fényes, ragyogó *[példa]*; **see the ~ side of things** a dolgokat a jó oldaláról nézi, optimista, derűlátó **b)** *átv* fényes, nagyszerű; **~ prospects** nagyszerű kilátások **2.** okos, élénk, gyors eszű/felfogású *[gyerek]*, sziporkázó *[elme]*, ragyogó, fényes, nagyszerű *[ötlet]*; **I'm not too ~ today** ma nem vagyok valami jó formában **3. keep a ~ look-out** éberen őrködik/figyel **II.** *hsz* **the sun shone ~** fényesen sütött a nap; **~ and early** nagyon korán • *fn* **brightness** *hsz* **brightly**
brighten [ˈbraɪtn] **A.** *tsi* **~** (ki)fényesít, kitisztít *[fémtárgyat]*; élénkít *[színt, beszélgetést]*; felderít *[arcot]*; felvidít (vkt); derűsebbé tesz *[szobát]* **B.** *tni* **~ (up)** felélénkül, felvidul (vk); felderül *[arc]*; felcsillan *[szem]*; kiderül, kitisztul *[idő]*
bright-light district *fn* szórakozónegyed
brill[1] [brɪl] *fn áll* sima rombuszhal
brill[2] *mn GB biz* pompás, ragyogó
brilliance [ˈbrɪlɪəns] *fn* **1.** fényesség, ragyogás, tűz *[drágakőé]* **2.** éleselméjűség, ragyogó előadás/technika
brilliant [ˈbrɪlɪənt] **I. a)** *mn* fényes *[kivilágítás]*, ragyogó **b)** *átv* sugárzó *[szépség]*, nagyszerű, pompás, kiváló *[teljesítmény, elme]*, briliáns, fényes, ragyogó, nagyszerű *[ötlet]*; *biz* **he isn't ~** nem valami nagy lumen **II.** *fn* briliáns, csiszolt gyémánt
brim [brɪm] **I.** *fn* **1.** szél *[poharé, edényé, tengeré]*; **full to the ~** csordultig/színültig (tele) **2.** karima *[kalapé]* **II.** *i* **-mm- A.** *tsi* csordultig/színültig (meg)tölt **B.** *tni* színültig/csordultig (tele) van; **his eyes ~med with tears** szemei könnyben úsztak; **~ over** kicsordul, túlárad; **~ over with joy** örömmámorban úszik
brimful [ˌbrɪmˈful] *mn* csordultig/színültig tele; *biz* **~ of hope** reményteljes
brimstone [ˈbrɪmstoun] *fn régi* kén(kő), terméskén

brindled [ˈbrɪndld] *mn* (tarka)pettyes, tarkafoltos, barnával csíkos

brine [braɪn] **I.** *fn* **1.** sós víz, sóoldat, tengervíz **2.** *vál* tenger, óceán **II.** *tsi* sós lében pácol, besóz

bring [brɪŋ] *tsi pt/pp* **brought** [brɔːt] **1.** hoz; *jog* ~ **an action against sy** beperel vkt, keresetet indít vk ellen; ~ **to mind** eszébe juttat; ~ **sg to sy's knowledge** vk tudomására hoz vmt; ~ **sg to perfection** tökélyre visz vmt, tökéletesít vmt; ~ **sy under discipline** megfegyelmez, betör (vkt) **2. a)** okoz; *vál* ~ **sg to pass** előidéz vmt; ~ **tears (in)to sy's eyes** könnyeket csal vk szemébe; ~ **low** (i) megaláz (ii) elcsüggeszt, lever **b)** rávesz, rábír, indít; ~ **pressure to bear on sy** nyomást gyakorol vkre; ~ **oneself to do sg** (nagy nehezen) rááll vmre, szerét ejti vmnek; **I cannot ~ myself to believe** képtelen vagyok elhinni, nem megy a fejembe

bring about *tsi* **1.** előidéz, okoz, létrehoz **2.** véghezvisz, végrehajt **3.** visszafordít, megfordít *[hajót]*

bring around → **bring round**

bring back *tsi* **1.** visszahoz; ~ **back sy's health**, ~ **sy back to health** helyreállítja vk egészségét, meggyógyít vkt **2.** emlékezetbe idéz, felelevenít *[emlékeket]*

bring down *tsi* **1.** ~ **one's fist down heavily on the table** az asztalra csap; ~ **down sy's wrath on sy** ráuszít vkt vkre, ráharagít vkt vkre **2. a)** csökkent, leszállít, lenyom *[árat]* **b)** lehangol, elkedvetlenít, lelomboz **c)** elzülleszt, lealjasít (vkt), letör *[gőgöt, vk szarvát]* **3. a)** elejt, leterít *[vadat]*, lelő, leszed *[repülőgépet]*, leterít, földhöz vág *[ellenfelet]* **b)** legyengít, elerőtlenít, lefogyaszt *[betegség]*, kidönt, ledönt *[fát]* **4.** *szính* ~ **down the house/gallery** viharos tapsot kap, nagy sikert ér el *[színházban]*

bring forth *tsi vál* **1.** világra hoz, szül, ellik, terem *[gyümölcsöt]*, alkot *[művet]* **2.** okoz, előidéz, kivált

bring forward *tsi* **1.** elő(re)hoz, felhoz *[érvet]*, bemutat *[bizonyítékot]*, hoz, produkál *[tanút]* **2.** *gazd* átvitelez, átvisz, áthoz *[egyenleget]* **3.** előbbre hoz *[időpontot]*

bring in *tsi* **1.** *átv* behoz, bevezet, meghonosít **2.** hoz, jövedelmez; ~ **in interest** kamatozik **3. a)** benyújt *[törvényjavaslatot]* **b)** *jog* ~ **in a verdict** döntést hoz, ítéletet mond *[esküdtszék]*; ~ **sy in guilty** bűnösnek nyilvánít vkt *[esküdtszék]*

bring into *tsi átv* ~ **into action** működésbe hoz; megindít; ~ **sy into trouble** bajba sodor/kever vkt

bring off *tsi* véghezvisz, sikerre visz, sikerül (vknek vm)

bring on *tsi* **1.** előidéz, okoz *[lázat, betegséget]*; ~ **misfortune on sy** szerencsétlenséget hoz vkre **2.** *átv* (elő)segít; **the rain is ~ing on the crop** az eső kedvez a termésnek; *sp* **the new coach has brought on the team in no time** az új edző hamar felhozta a csapatot

bring out *tsi* **1.** közzétesz, kiad, kihoz *[könyvet]* **2.** kihangsúlyoz, kiemel, felszínre hoz, világosan kifejez *[rejtett értelmet]*

bring over *tsi* **1.** áthoz **2.** áttérít, meggyőz; ~ **sy over to one's cause** megnyer vkt a saját ügye számára

bring round *tsi* **1.** magával hoz; ~ **him round!** hozd (őt) magaddal! **2.** magához térít, eszméletre hoz, feléleszt **3. a)** meggyőz, megnyer, saját pártjára állít **b)** ~ **the conversation round to a subject** rátereli a beszélgetést vmre

bring through *tsi* átsegít; ~ **a patient through** beteget megment/meggyógyít

bring to *tsi* **1.** magához térít, eszméletre hoz **2.** megállít, feltartóztat *[hajót]* **3.** ~ **to book** elkönyvel; kérdőre von

bring under *tsi* **1.** leigáz, elnyom **2.** vm csoportba beoszt

bring up A. *tsi* **1.** felnevel **2.** felhoz, felvet *[témát]*, felelevenít, felidéz *[emléket]*; ~ **sg up against sy** felhoz vk ellen vmt, terhére ró vmt vknek, vkt kárhoztat vmért **3.** kiokád, kihány *[ételt]* **4. a)** *kat* ~ **up the reserve** tartalékokat bevet **b)** ~ **up the rear** *kat* hátvédet alkot; leghátul megy **5.** ~ **sy up before court** törvény elé idéz vkt **6.** (hirtelen) megállít **B.** *tni* (hirtelen) megáll, horgonyt vet *[hajó]*

bring-and-buy sale *fn GB* jótékonysági vásár *[ahol az eladók megveszik egymás áruját]*

brink [brɪŋk] *fn* **1.** vmnek a széle, meredély széle; *átv biz* **on the ~ of sg** közvetlenül vm előtt, vm szélén/határán; vmhez közel **2.** meredek part, meredély

brinkmanship [ˈbrɪŋkmənʃɪp] *fn pol biz* katasztrófapolitika

briny [ˈbraɪni] **I.** *mn* sós, sós vízű **II.** *fn biz* **the ~** a tenger

brio [ˈbriːoʊ] *fn* élénkség, elevenség

brioche [briˈɒʃ ‖ –ˈoʊʃ] *fn gaszt* briós

briquet [brɪˈket], **briquette** *fn* brikett

brisk [brɪsk] **I.** *mn* **a)** fürge, eleven, élénk; **at a ~ pace** frissen, élénken, szaporán **b)** mozgékony, tevékeny **II. A.** *tsi* ~ **up** felélénkít (vkt); meggyorsít *[lépteket]* **B.** *tni* ~ **up** felélénkül • *tsi/tni* **brisken** *hsz* **briskly**

brisket [ˈbrɪskɪt] *fn* marhaszegy, szegyhús

bristle [ˈbrɪsl] **I.** *fn* sörte; *biz* **set up sy's ~s** felingerel/feldühít vkt **II. A.** *tsi* ~ **(up)** felborzol *[hajat, tollat, sörényt]* **B.** *tni* **1. a)** ~ **up** felborzolja a szőrét/tollait, felborzolódik *[szőr]*, égnek áll *[haj]* **b)** dühbe gurul, megmakacsolja magát, ellenszegül **2.** hemzseg (with vmtől)

bristly [ˈbrɪstli] *mn* sörtés, szőrös, borotválatlan *[arc]*, szúrós *[bajusz, szakáll]*, tüskés, szúrós *[növény]*

Bristol [ˈbrɪstl] *tul földr* Bristol

Bristol board *fn* finom fehér kartonpapír

bristols [ˈbrɪstlz] *fn tsz GB szl [női mell]* cickó

Brit [brɪt] *fn biz* brit *[ember]*

Britain [ˈbrɪtn] *tul földr biz* Nagy-Britannia, Anglia; **Great ~** Nagy-Britannia; *biz* **Greater ~** a brit birodalom

Britannia [brɪˈtænɪə] *tul* **1.** *tört* Britannia **2.** Nagy-Britannia *[jelképes neve]*

Britannic [brɪˈtænɪk] *mn* brit; **His ~ Majesty** ő brit felsége

Briticism [ˈbrɪtɪsɪzm] *fn nyelv* anglicizmus

British [ˈbrɪtɪʃ] *mn/fn* **1.** brit, angol; ~ **Commonwealth of Nations** brit nemzetközösség; **the ~** a britek, az angolok; **the ~ Embassy** a(z) angol/brit nagykövetség; **the ~ Empire** a brit birodalom; **the ~ Isles** Nagy-Britannia; a brit szigetek **2.** *nyelv* angol köznyelv(i norma); ~ **English** brit angol

Britisher [ˈbrɪtɪʃə ‖ –ər] *fn US* brit, angol *[ember]*

Britishism [ˈbrɪtɪʃɪzm] → **Briticism**

Britishness [ˈbrɪtɪʃnəs] *fn* britség; brit jellemvonás

Briton [ˈbrɪtn] *fn* **1.** *tört* brit(on) *[Anglia őslakói]* **2.** brit, angol *[tágabb értelemben]*

Brittany [ˈbrɪtəni] *tul földr* Bretagne

brittle [ˈbrɪtl] **I.** *mn* törékeny **II.** *fn gaszt* grillázs • *fn* **brittleness**

bro [broʊ] *fn tsz* **bros** *biz* testvér *[fiú, férfi]*

broach [broʊtʃ] **I.** *tsi* **1.** *biz* szóba hoz, szóvá tesz, felhoz, felvet **2. a)** *műsz* üregel, tüskéz, tágít *[lyukat]* **b)** csapra ver *[hordót]*, megnyit *[dobozt, üveget]* **II.** *fn* **1.** nyárs **2.** *épít* toronycsúcs **3.** *műsz* üregelő tüske, dörzsár **4.** (fogorvosi) gyökérfúró

broad [brɔːd] **I.** *mn* **1. a)** széles; **three foot ~** 3 láb széles; ~ **seal** hivatalos állami pecsét; **have a ~ back** széles háta van; sokat elbír; *biz* **it is as ~ as it is long** egyre megy; egykutya **b)** nagy kiterjedésű, terjedelmes; **the ~ sea(s)** a hatalmas tenger **c)** átfogó, általános, tág, világos, félreérthetetlen; **the ~ facts** a puszta tények; ~ **hint** leplezetlen/félreérthetetlen célzás; **in ~ daylight** fényes nappal; **in the ~est sense** a legtágabb értelemben **2. a)** durva, parasztos; ~ **accent** parasztos beszéd **b)** szabadszájú, erős, szabados *[beszéd, kiejtés]*; ~ **story** sikamlós történet **c)** *nyelv* nyílt, széles (szájtartással ejtett) *[hang]* **3.** liberális, türelmes, nagylelkű; **B~ Church** ‹anglikán egyház liberális szárnya› **II.** *fn* **1. the ~ of the back** háta közepe, hátszélesség **2.** *földr* **the (Norfolk) B~s** norfolki tavak/lápok **3.** *US szl [(laza erkölcsű) nő]* tyúk, spiné, szotyka, ribi • *fn* **broadness**

broad-based *mn* széles körű támogatást élvező *[mozgalom]*

broad-brush *mn* durva, elnagyolt

broadcast [ˈbrɔːdkɑːst ‖ –kæst] **I.** *i pt/pp* **-cast, -casted A.** *tsi* **1.** rádión/televízióban ad/közvetít/sugároz **2. a)** *mezőg* szórva vet **b)** *biz* közhírré tesz, terjeszt **B.** *tni* **1.** ad, sugároz **2.** rádióban/televízióban szerepel/előad **II.** *fn* **1.** (műsor)adás, rádióadás, rádió-közvetítés, televíziós adás/közvetítés **2.** rádióműsor, leadott műsor **III.** *mn* **1.** rádión/televízión közvetített **2.** *mezőg* szórva vetett **IV.** *hsz mezőg* szórva *[vet]*

broadcaster [ˈbrɔːdkɑːstə ‖ –kæstər] *fn* **1. a)** adó *[készülék, állomás]* **b)** előadó *[személy rádióban/televízióban]*, műsorvezető **c)** rádiótársaság, televíziós társaság **2.** *mezőg* szórvavető gép

broadcasting [ˈbrɔːdkɑːstɪŋ ‖ –kæs–] *fn* **1.** műsorszórás, rádióadás, rádióközvetítés, televíziós adás/közvetítés; **the British B~ Corporation (BBC)** az angol rádiótársaság **2.** *mezőg* szórvavetés

broadcast time *fn* adásidő

broadcloth [ˈbrɔːdklɒθ] *fn* **1.** duplaszéles fekete gyapjúszövet **2.** (cérna)puplin, selyempuplin

broaden [ˈbrɔːdn] **A.** *tsi* szélesít, bővít, tágít **B.** *tni* (ki)szélesedik, bővül, tágul

broad-gauge *mn* széles nyomtávú *[vasút]*

broadloom [ˈbrɔːdluːm] *mn/fn* **~ (carpet)** faltól falig szőnyeg, feszített szőnyeg, szőnyegpadló

broadly [ˈbrɔːdli] *hsz* **1.** szélesen, nagyjában, nagyjából, nagy általánosságban; **~ speaking** nagyjában, nagyjából (véve) **2. talk ~** szabadosan/szabadszájúan beszél; nyíltan/őszintén beszél

broad-minded *mn* toleráns, elnéző, felvilágosult/liberális gondolkozású, megértő

broadsheet *fn* **1.** *nyomd* **a)** egy oldalon nyomtatott nyomdatermék, egylapos nyomtatvány *[plakát, röplap]* **b)** reklámcédula **2.** (nagyméretű) napilap *[nem pletykalap]*

broadside I. *hsz* széles oldalával (vm felé); *hajó* **be ~ on to the shore** oldalával a part felé (fordul) **II.** *fn* **1.** hajó oldala; **come up to ~** a hajót oldalról közelíti meg; **on the ~** hajó oldalánál; **fire a ~** oldalsortüzet ad; **exchange ~s** sortüzet vált *[két hajó]* **2.** *átv* támadások sorozata, rágalomhadjárat **III.** *tsi US* oldalával ütközik *[jármű]*; oldalon kap, meghúz

broad-spectrum *mn biol orv* széles spektrumú, általános hatású *[antibiotikum]*

broadsword [ˈbrɔːdsɔːd ‖ –sɔrd] *fn* pallos

broadtail [ˈbrɔːdteɪl] *fn* **1.** *áll* **~ sheep** perzsa juh, karakul **2.** karakulszőr

broadway *fn* fő út

Broadway [ˈbrɔːdweɪ] *tul* Broadway *[New York egyik főutcája, a színházi és éjszakai élet központja]*

broadways [ˈbrɔːdweɪz] *hsz* széltében

broadwise [ˈbrɔːdwaɪz] → **broadways**

brocade [brəˈkeɪd ‖ broʊ–] *tex* **I.** *fn* brokát **II.** *tsi* brokáttal sző

broccoli [ˈbrɒkəli ‖ ˈbrɑ–] *fn növ* brokkoli

brochette [brɒˈʃet ‖ broʊ–] *fn* kis sütőnyárs

brochure [ˈbroʊʃə ‖ broʊˈʃʊr] *fn* brosúra, füzet

brogue[1] [broʊg] *fn* bakancs, strapacipő; **fishing ~s** halászcsizma

brogue[2] *fn* ír kiejtés *[angol nyelvé]*

broil[1] [brɔɪl] **A.** *tsi US* roston süt **B.** *tni* **1.** roston sül *[hús]* **2.** sül napon *[személy]*

broil[2] [brɔɪl] *fn régi* pörlekedés, csetepaté

broiler [ˈbrɔɪlə ‖ –ər] *fn* **1.** csirke *[grillcsirkének tenyésztett]* **2.** *US* rost, grillsütő **3.** *biz* **today's a ~** szörnyű hőség van ma

broiling [ˈbrɔɪlɪŋ] *mn biz* perzselő *[nap]*, rekkenő *[hőség]*; **it is ~ hot in this room** rekkenő hőség van (v. meg lehet sülni) ebben a szobában

broke [broʊk] *mn biz* pénztelen; **be (stony, dead) ~, be ~ to the world** nincs egy vasa/grandja sem, le van égve; **go ~** tönkremegy; *szl* **go for ~** *[kockáztat]* mindent egy lapra tesz fel; *szl* **be ~ for sg** már nagyon vágyik/rászorul/éhezik vmre; → **break I.**

broken [ˈbroʊkən] *mn* **1. a)** (össze)törött, (össze)zúzott; **in ~ English** tört/rossz angolsággal; **he is ~ in health** rossz bőrben van, egészsége megrongálódott; **a ~ man** tönkrement ember; letört/elkeseredett ember; **in a ~ voice** megtört hangon **b)** izgatott, nyugtalan, egyenetlen, szabálytalan, félbeszakadt *[álom stb.]*; **~ home** felbomlott család, feldúlt családi élet/otthon **c)** bizonytalan, változó *[időjárás]* **d)** egyenetlen, változó, szaggatott, töredékes, barázdás, hepehupás *[út, föld stb.]*; **~ line** tört/szaggatott vonal **2.** rossz, nem működő, elromlott *[gép]*; → **break I.**

broken-down *mn* letört, leromlott, elromlott, kiszolgált, defektes, tönkrement, megrongált, munkaképtelen; **~ with age** öregségtől megtört

broken-hearted *mn* reményevesztett, sebzett/megtört szívű

broken-winded *mn* kehes *[ló]*

broker [ˈbroʊkə ‖ –ər] **I.** *fn* **1.** ügynök, közvetítő, alkusz, bróker **2.** *GB jog* árverési becsüs, bírósági végrehajtó, bírósági teremőr/szolga/kézbesítő **II.** *tsi* közvetít *[ügyben, üzletben]*

brokerage [ˈbroʊkərɪdʒ] *fn* **1.** alkuszság, ügynöki/közvetítői munka **2.** alkuszdíj, ügynöki/közvetítői jutalék

brokerage house *fn* brókerház, brókercég

broking [ˈbroʊkɪŋ] → **brokerage** 1.

brolly [ˈbrɒli ‖ ˈbrɑli] *fn GB* **1.** *biz* esernyő **2.** *kat szl* ejtőernyő *[stand]*

bromide [ˈbroʊmaɪd] *fn* **1.** *vegy* bromid **2.** bróm, idegcsillapító **3. a)** unalmas alak **b)** közhely, elcsépelt frázis/megjegyzés

bromine [ˈbroʊmiːn] *fn vegy* bróm

bronchial [ˈbrɒŋkɪəl ‖ ˈbrɑŋ–] *mn orv* hörg(ő)-; **the ~ tubes** légcsövek, hörgők

bronchiole [ˈbrɒŋkioʊl ‖ ˈbrɑŋ–] *fn orv* apró hörgő, bronchiolus

bronchitis [brɒŋˈkaɪtɪs ‖ brɑŋ–] *fn orv* hörghurut, bronchitis • *mn* **bronchitic**

broncho- [ˈbrɒŋkoʊ ‖ ˈbrɑŋ–] *előtag orv* hörg(ő)–

bronchus [ˈbrɒŋkəs ‖ ˈbrɑŋ–] *fn tsz* **bronchi** [–kaɪ] *orv* hörgő, bronchus

bronco [ˈbrɒŋkoʊ ‖ ˈbrɑŋ–] *fn* **1.** félvad (amerikai) ló, be nem tört ló **2.** *US biz* ló

brontosaur(us) [ˈbrɒntəsɔː ‖ ˈbrɑntəsɔr] *fn áll* brontoszaurusz

Bronx [brɒŋks ‖ brɑŋks] *tul földr US* Bronx

Bronx cheer *fn US szl* ‹nemtetszés, rosszallás gúnyos kifejezése szellentésszerű hang kiadásával›

bronze [brɒnz ‖ brɑnz] **I.** *fn* **1.** bronz **2.** *műv* bronztárgy **II.** *mn* **1.** bronz(ból való) **2.** bronzszínű **III. A.** *tsi* **1.** bronzzal bevon **2.** bronzszínűre fest; **~d skin** lesült/napbarnított bőr **B.** *tni* (napon) megbarnul • *mn* **bronzy**

Bronze Age *fn tört* bronzkor

bronze medal *fn* bronzérem

brooch [broʊtʃ] *fn* melltű

brood [bruːd] **I.** *fn* **1.** fészekalja, költés *[madáré]* **2. a)** *tréf* porontyok **b)** fajzat, banda, bagázs **II.** *tni* **1.** költ, kotlik *[tyúk]* **2. a)** mereng, tűnődik; **~ on/over sg** tépelődik/rágódik/kotlik/töpreng vmn **b) silence ~s over the scene** csend borul a tájra, csend honol a tájon

brooder [ˈbruːdə ‖ –ər] *fn US* keltető(gép)

brooding [ˈbruːdɪŋ] *mn* **a) ~ darkness** mindent beborító sötétség **b) ~ thoughts** borongó/sötét gondolatok

brood mare *fn* tenyészkanca

broody [ˈbruːdi] *mn* **1. ~ hen** kotlóstyúk **2.** *biz* töprengő, elmélázó **3.** *GB biz* gyereket akaró, gyermekre vágyó

brook[1] [brʊk] *fn* patak, csermely, ér

brook[2] [brʊk] *tsi vál* elszenved, (el)tűr *[csak tagadásban]*; **the matter ~s no delay** a dolog nem tűr halasztást

Brooklyn [ˈbrʊklɪn] *tul földr US* Brooklyn
broom [bru:m, brʊm] **I.** *fn* **1.** seprű, partvis; *közm* **a new ~ sweeps clean** új seprű jól seper **2.** *növ* rekettye **II.** *tsi* seper
broomstick [ˈbru:mstɪk] *fn* **1.** seprűnyél **2.** *tsz* **broomsticks** *biz* pipaszárlábak
bros., **Bros.** *röv brothers*
brose [broʊz] *fn sk gaszt* zabpehely *[tejben főzve]*; **(water-) ~** zabkása
broth [brɒθ ‖ brɔθ] *fn* **1.** *gaszt* erőleves, húsleves **2.** *biol* baktérium-táptalaj *[folyadék]*
brothel [ˈbrɒθl ‖ ˈbrɑ–, ˈbrɔ–] *fn* bordélyház
brother [ˈbrʌðə ‖ –ər] *fn tsz* **brothers 1.** fivér; **~ german, full ~** édestestvér *[fiú]*; **~ uterine** féltestvér *[egy anyától]*; **younger ~** öccse (vknek); **older ~** báty; *gazd* **Warner B~s** Warner Fivérek *[cég]* **2.** *tsz* **brethren** [ˈbreðrən] **a)** hittestvér **b)** felebarát, embertárs **c)** barát, testvér *[szerzetesrendben]* **3.** *jelzői haszn* -társ
brotherhood [ˈbrʌðəhʊd ‖ –ər–] *fn* **1.** fivéri viszony/kötelék, *átv* testvériség **2.** érdekképviseleti/szakmai testület/egyesülés, *US* szakszervezet
brother in arms *fn tsz* **brothers in arms** fegyvertárs, bajtárs
brother-in-law *fn tsz* **brothers-in-law** sógor
brotherly [ˈbrʌðəli ‖ –ər–] **I.** *mn* testvéri(es), felebaráti **II.** *hsz* testvériesen
brougham [ˈbru:əm] *fn tört* **a)** csukott kétüléses hintó **b)** ‹ma már nem használatos karosszériájú gépkocsi›
brought [brɔ:t] → **bring**
brouhaha [ˈbru:hɑ:hɑ:] *fn biz* **1.** hangzavar, zajongás **2.** nagy hűhó
brow [braʊ] *fn* **1.** *tsz* **brows** szemöldök; **pucker/knit/bend one's ~s** összehúzza a szemöldökét, homlokát ráncolja **2.** homlok, arc(kifejezés) **3.** hegyorom, meredély széle, hegycsúcs **4.** *biz* intelligenciaszint
browbeat *tsi pt* **-beat**, *pp* **-beaten 1.** megfélemlít vkt, erőszakoskodik vkvel, durván bánik vkvel; **~ sy into doing sg** belekényszerít vkt vmbe **2.** lehurrog vkt
brown [braʊn] **I.** *mn* barna; **~ bear** barnamedve; **~ coal** barnaszén, lignit; **~ rice** hántolatlan rizs; **~ sugar** nyerscukor; **in a ~ study** elgondolkozva, magába mélyedve **II.** *fn* barna (szín) **III. A.** *tsi* **1.** barnít, barnára süt, lesüt, pirít *[ételt]* **2.** *szl* **be ~ed off** (i) *[elege van]* unja a banánt (ii) *[dühös]* zabos, pipás **B.** *tni* **1.** lebarnul, lesül (vk) **2.** megbarnul, megpirul *[étel]* • *mn* **brownish**
brown ale *fn GB* barnasör
brown-bag *tni US biz* **1.** zacskóból ebédel **2.** utcán iszik *[barna papírzacskóval takart üvegből alkoholt]*
brownie [ˈbraʊni] *fn* **1.** (jóindulatú) manó **2. B~** kis leánycserkész **3.** *gaszt* **a)** csokoládés-mogyorós sütemény, barnasüti **b)** *Ausz ÚjZ* gyümölcskenyér
Brownie Guide → **brownie** 2.
brownie point *fn biz* jó pont
browning [ˈbraʊnɪŋ] *fn gaszt* **1.** ‹egyfajta ételszinezék, amitől sötétebb lesz az étel› **2.** karamell
brown-nosed *mn US szl [hízelgő]* seggnyaló
Brownshirt *fn* hitlerista, náci
brownstone *fn US* barna homokkő
browse [braʊz] **I. A.** *tsi* (le)legel **B.** *tni* **1.** böngészik, tallóz, olvasgat; **I'm just browsing** csak nézelődöm/böngészek **2.** legel(észik) **3.** *biz* **~ (about, around)** ténfereg, kószál **4.** *infor* böngészik *[interneten]* **II.** *fn* **1.** fiatal hajtás, rügyező ág **2.** legelészés
browser [braʊzə ‖ –ər] *fn infor* böngésző, keresőprogram *[interneten]*
Bruce [bru:s] *tul* ‹férfinév›
Bruin [ˈbru:ɪn] *tul* Brumi, Maci *[mesékben]*
bruise [bru:z] **I.** *fn* zúzódás, horzsolás, ütés nyoma *[testen]*, ütődés *[gyümölcsön]*, törődés *[árun]*, horpadás, sérülés *[fán, fémen]* **II. A.** *tsi* **1. a)** (össze)zúz, (fel)horzsol *[testet]*; **~d fruit** sérült/hibás gyümölcs **b)** (lelkileg) megsebez **2.** horpaszt, csorbít *[fémtárgyat]* **3.** összezúz, megtör *[mozsárban]* **B.** *tni* (össze)zúzódik, felhorzsolódik, megsérül
bruiser [ˈbru:zə ‖ –ər] *fn biz* (hivatásos) ökölvívó, bokszoló, verekedős vagány
bruit [bru:t] *régi* **I.** *fn* hír, híresztelés **II.** *tsi* **~ sg abroad/about** (el)híresztel vmt
Brum [brʌm] *tul földr GB biz* Birmingham
brumby [ˈbrʌmbi] *fn Ausz* vad/elszabadult/elbitangolt ló
brume [bru:m] *fn vál* köd
Brummie [ˈbrʌmi] *fn GB biz* birminghami lakos
brunch [brʌntʃ] *fn US biz* villásreggeli; ‹reggeli és ebéd egyvelege›
brunette [bru:ˈnet] *mn/fn* barna hajú (nő)
brunt [brʌnt] *fn* ütés/lökés ereje, *átv* vmnek a neheze, oroszlánrész *[nehézségé]*; **bear the ~ of sg** neki kell viselnie vmnek a nehezét; tartja a hátát vmért
brush [brʌʃ] **I.** *fn* **1. a)** kefe; **sweeping ~** partvis **b)** ecset, pamacs; **worthy of an artist's ~** festenivaló(an szép), festői szép; **paint with a full ~** vastagon rakja fel a festéket **c)** *távk vill* (áramszedő) kefe, kefeérintkező **2.** *vad* dús/bozontos farok *[rókáé, mókusé]*; *biz* **show one's ~** megfutamodik, felveszi a nyúlcipőt, kereket old **3.** csalit, bozót, aljfa **4.** kefélés **5.** (enyhe) horzsolás, karcolás, súrolás; *biz* **at the first ~** ... az első pillanatban; első látásra **6.** csatározás, csetepaté **II. A.** *tsi* **1.** (le)kefél, (le)söpör *[kefével]*; **~ one's hair** keféli a haját, fésülködik **2.** súrol, (éppen hogy) hozzáér (vmhez) **3.** felken, felvisz *[ecsettel]* **B.** *tni* **~ against/past sy** súrol vkt, hozzáér vkhez • *mn* **brushy**
brush aside *tsi* **1.** félresöpör, útjából eltávolít *[nehézséget, akadályt]* **2.** elvet *[javaslatot]*, elhesseget magától *[gondolatot]*
brush away *tsi* elsöpör, lefricskáz *[piszkot ruháról]*
brush by *tsi* elsiet/elmegy vk/vm mellett (és közben súrolja)
brush down *tsi* **1.** lekefél *[ruhát, kalapot]*, lesimít *[rojtot]* **2.** lecsutakol *[lovat]*
brush off *tsi* **1.** lesodor *[vhonnan vmt]* **2.** száműz, elűz, elhesseget *[gondot]*, leráz magáról *[felelősséget]*; → **brush-off**
brush over *tsi* átmeszel, vékonyan lefest
brush up A. *tsi* **1.** *GB* felkefél, felpucol, kitisztít **2.** felélénkít, felfrissít *[tudást]*; **~ up one's English** felfrissíti/feleleveníti/finomítja angol nyelvtudását **B.** *tni* **~ up on sg** felélénkíti/felfrissíti tudását vmben; → **brush-up**
brushed [brʌʃt] *mn tex* bolyhozott
brush fire *fn* **1.** bozóttűz **2.** *átv* szalmaláng
brush-off *fn biz* kerek elutasítás; **give sy the ~** leráz vkt; kiadja az útját vknek; → **brush off**
brush-up *fn* **1. have a ~** rendbe szedi magát; lekefél(tet)i magát **2. give one's English a ~** felfrissíti angol nyelvtudását; → **brush up**
brushwood [ˈbrʌʃwʊd] *fn* **1.** ágfa, rőzse, aljfa **2.** bozót, csalit(os)
brushwork *fn* **1.** ecsetmunka **2.** *műv* ecsetkezelés, festési technika
brusque [brʊsk ‖ brʌsk] *mn* nyers, rideg *[modor]*, durva, udvariatlan *[hangnem, válasz]* • *fn* **brusquerie**
Brussels [ˈbrʌslz] *tul földr* Brüsszel *[Belgium fővárosa]*
Brussels carpet *fn* brüsszeli szőnyeg *[vászonalapon gyapjú]*
Brussels lace *fn tex* brüsszeli csipke
Brussels sprouts *fn tsz növ* kelbimbó
brut [bru:t] *mn gaszt* száraz *[bor, pezsgő]*
brutal [ˈbru:tl] *mn* állatias, durva, embertelen, brutális; **~ facts/truth** nyers/könyörtelen valóság
brutalism [ˈbru:təlɪzm] *fn* **1.** durvaság, kegyetlenség, brutalitás **2.** *műv* brutalizmus *[egyszerű anyagokat kedvelő művészeti irányzat]*
brutality [bru:ˈtæləti] *fn* **1.** állatiasság **2.** durvaság, embertelenség, kegyetlenség

B

brutalize [ˈbruːtəlaɪz], **-ise** *tsi* **1.** elállatiasít, lealjasít **2.** kegyetlenkedik (vkvel), brutalizál (vkt) • *fn* **brutalization**
brute [bruːt] **I.** *fn* **1.** állat, barom; *biz* **it was a ~ of a job** állati/baromi munka volt **2.** brutális/kegyetlen ember; *biz* **what a ~!** micsoda aljas disznó! **II.** *mn* **1.** oktalan *[állat]*, élettelen *[anyag]* **2.** állati(as), baromi, nyers; **~ force** nyers erő(szak)
brutish [ˈbruːtɪʃ] *mn* **1.** állati, baromi **2.** állatias, embertelen, kegyetlen
Bryan [ˈbraɪən] *tul* ‹férfinév›
Brythonic [brɪˈθɒnɪk ‖ –ˈθɑnɪk] *mn/fn* nyugat-angliai kelta
BS *röv* **1.** *Bachelor of Surgery* **2.** *US Bachelor of Science* **3.** *British Standard* **4.** *szl bullshit*
BSA *röv Bachelor of Science in Agriculture*
BSc *röv Bachelor of Science*
BSE *röv bovine spongiform encephalopathy* kerge-marhakór
BSEd *röv Bachelor of Science in Education*
BT *röv* **1.** *Bachelor of Theology* **2.** *British Telecom*
BTU *röv* **1.** *Board of Trade Unit* **2.** *British Trade Union*
bub [bʌb] *fn US biz* fiú, *[mint megszólítás]* öcsi
bubble [ˈbʌbl] **I.** *fn* **1.** buborék, zárvány *[öntvényben, ásványban]*, hólyag *[üvegben]* **2.** látszat, csalás, panama; **burst one's ~** szertefoszlatja az illúziót **3.** pezsgés, bugyborékolás, buzogás **II.** *tni* **1.** buzog, pezseg, habzik **2.** bugyborékol *[víz, nevetés]*, bugyog *[patak, forrás]*
bubble over *tni* **1.** túlhabzik, kibuggyan **2.** **~ over with joy** túlárad az örömtől; **~ over with laughter** kitör belőle a nevetés
bubble up *tni* felbugyog *[forrás]*
bubble and squeak *fn GB gaszt* ‹káposzta benne főtt hússal›
bubble bath *fn* pezsgőfürdő
bubble car *fn GB gk* ‹átlátszó tetejű kisautó›
bubble gum *fn* (buborékká fújható) rágógumi
bubble memory *fn infor* buborékmemória
bubbly [ˈbʌbli] **I.** *mn* bugyborékoló, pezsgő, habzó **II.** *fn biz* pezsgő
bubby [ˈbʌbi] *fn biz* **1.** *[mell]* cici, duda **2.** *US* öcskös
bubonic [bjuːˈbɒnɪk ‖ –ˈbɑ–] *mn orv* **~ plague** bubópestis
buccal [ˈbʌkl] *mn orv* **1.** száj-, száji, pofa-, orális **2.** arc-, arci
buccaneer [ˌbʌkəˈnɪə ‖ –ˈnɪr] **I.** *fn* kalóz **II.** *tni* kalózkodik
Bucharest [ˌbuːkəˈrest, ˌbjuː ‖ ˈbuːkərest] *tul földr* Bukarest *[Románia fővárosa]*
buck¹ [bʌk] **I.** *fn* **1.** bak, hím *[szarvas, kecske, nyúl]* **2. a)** *régi* piperkőc **b)** *biz* **my/old ~!** öregem! **3. a)** *US* fűrészbak, állványbak **b)** *sp* **(vaulting) ~** bak *[tornaszer]* **4.** *US szl* dollár; **fast ~** könnyen szerzett pénz **II. A.** *tsi* **~ sy off** (i) nyeregből kiveti lovasát *[ló]* (ii) *biz* ellenszegül, ellenáll (vknek) **B.** *tni* bokkol *[ló]*
buck² [bʌk] *biz* **A.** *tsi* **~ sy up** lelkesít/felvidít vkt **B.** *tni* **~ up** összeszedi magát; felvidul, fellelkesedik; még jobban nekigyürkőzik, gyorsítja a tempót
buck³ [bʌk] *fn szl* ‹osztót jelző zseton (pókernél)›; *biz* **pass the ~** másra tolja/hárítja a felelősséget
buckboard *fn US* ‹rögtönzött kocsi/szekér kerekekre rakott hosszú deszkákból›
buck cart *fn US* könnyű szekér
bucked [bʌkt] *mn GB biz* felvidult, lelkes
bucket [ˈbʌkɪt] **I.** *fn* **a)** vödör, csöbör; *átv* **give sy the ~** kosarat ad vknek; *átv biz* **kick the ~** beadja a kulcsot, elpatkol **b)** *vízügy* markolóveder, markolókanál *[kotrón]* **II. A.** *tsi* **~ along** gyorsan/agresszívan vezet **B. 1.** **~ down** ömlik *[víz, eső]* **2.** *tni* **~ along** siet, felelőtlenül megy
bucketful [ˈbʌkɪtfʊl] *fn* (egy) vödörnyi
bucket seat *fn* **a)** *rep* pilótaülés **b)** *gk* ralliülés *[fotel típusú egyes ülés gépkocsiban]*
bucket shop *fn* **1.** *US* zugbank **2.** *GB* utazási iroda *[amely olcsó jegyek árusításával foglalkozik]*
buckeye [ˈbʌkaɪ] *fn US* amerikai vadgesztenyefa
Buckeye State *tul földr US biz* Ohio állam
buck fever *fn US biz* lámpaláz
buckhorn *fn* szarvasagancs
Buckingham [ˈbʌkɪŋəm], **Buckinghamshire** *tul földr* Buckingham(shire)
buckle [ˈbʌkl] **I.** *fn* csat, kapocs **II.** *i* **A.** *tsi* **1.** becsatol, összecsatol **2.** *műsz* meghajlít, megvetemít, meggörbít *[hosszirányú nyomással]*; **the front wheel of my bicycle is ~d** az első kerekem nyolcast kapott **B.** *tni* **1.** *gk* **~ up** biztonsági övet becsatol **2.** **~ (down) to sg** hozzálát vmhez; nekifog/nekigyürkőzik vmnek **3. a)** elgörbül, meggörbül, deformálódik, megvetemedik *[fa]* **b)** *biz* **~ up** meghátrál; összeroskad
buckler [ˈbʌklə ‖ –ər] *fn tört* kerek pajzs
Buckley [ˈbʌkli] *fn Ausz* **~'s (chance)** igen csekély esély/valószínűség
buckram [ˈbʌkrəm] *fn tex* kanavász, bukrám
buckshee [ˌbʌkˈʃiː ‖ ˈbʌkʃiː] *mn/hsz GB szl [ingyen(es)]* potya, potyán
buckshot *fn vad* őzsörét, öregszemű sörét
buckskin *fn* szarvasbőr
bucktooth *fn tsz* **-teeth** kiálló fog
buckwheat *fn növ* **a)** hajdina **b)** pohánka **c)** tatárka
bucolic [bjuːˈkɒlɪk ‖ –ˈkɑ–] **I.** *mn vál* falusias, pásztori **II.** *fn* pásztorköltemény
bud¹ [bʌd] **I.** *fn* **a)** *növ* bimbó, rügy, szem; *átv* **in the ~** csírájában; **be in ~** rügyezik; **artist in the ~** kezdő/kiforratlan művész **b)** **taste ~** ízlelőbimbó *[nyelven]* **II.** *i* **-dd- A.** *tsi mezőg* (be)szemez **B.** *tni* **1.** rügyezik, bimbózik, kihajt, sarjadzik **2.** kisarjad, megmutatkozik *[tehetség]*
bud² [bʌd] *fn US biz* pajtás, pajti
Buddha [ˈbʊdə] *vall* **I.** *tul* Buddha **II.** *fn* Buddha-kép/szobor
Buddhism [ˈbʊdɪzm] *fn* buddhizmus
budding [ˈbʌdɪŋ] **I.** *mn* bimbózó, rügyező; *biz* **~ artist** kiforratlan/kezdő művész **II.** *fn* **1.** bimbózás, rügyezés **2.** *mezőg* szempajzskimetszés, oltás
buddy [ˈbʌdi] *US biz* **I. 1.** *fn* pajtás, haver, pajti, öcskös **2.** önkéntes segítőtárs *[AIDS-betegé]* **II.** *tni* **~ up (with sy)** összehaverkodik (vkvel)
budge [bʌdʒ] **A.** *tsi* elmozdít, kizökkent, mozgat **B.** *tni* (meg)moccan, mozdul; **I won't ~ an inch** egy lépést sem tágítok
budgerigar [ˈbʌdʒərɪgɑː ‖ –gɑr] *fn áll* törpepapagáj
budget [ˈbʌdʒɪt] **I.** *fn* **1.** (szükséges) pénzösszeg; **on a ~** szűkében van vmnek **2.** (állami) költségvetés **3.** *jelzői haszn* olcsó, büdzsékímélő **II.** *tni* **~ for** költségvetésben előirányoz, költségvetésileg biztosít • *mn* **budgetary**
budget account *fn GB* átutalási betétszámla
budgie [ˈbʌdʒi] *biz* → **budgerigar**
buff [bʌf] **I.** *fn* **1.** barnássárga (szín) **2.** *biz* lelkes híve/rajongója vmnek **3.** (puhított) bivalybőr **4.** *biz* **in the ~** anyaszült meztelen(ül) **II.** *tsi* **1.** tükörfényesre csiszol, políroz **2.** *ip* puhít *[bőrt]*
buffalo [ˈbʌfəloʊ] *fn tsz* **-es**, **-s** *áll* **a)** bivaly **b)** bölény, bison
buffer¹ [ˈbʌfə ‖ –ər] **I.** *fn* **a)** *vasút műsz* ütköző, löktárcsa, *US gk* lökhárító **b)** *infor* közbenső tároló *[számítógépben]* **II.** *tsi* tompít, felfog *[ütést]*, hárít *[lökést]*
buffer² [ˈbʌfə ‖ –ər] *fn GB biz* szenilis öreg, vén salabakter
buffer state *fn pol* ütközőállam
buffer zone *fn pol* ütközőzóna
buffet¹ [ˈbʊfeɪ ‖ bəˈfeɪ] *fn* **1.** büfé *[pályaudvaron stb.]* **2.** **cold ~** hidegbüfé **3.** svédasztal; *jelzői haszn* svédasztalos *[reggeli stb.]* **4.** pohárszék, tálaló
buffet² [ˈbʌfɪt] **I. A.** *tsi* **1.** (arcul) üt, pofoz, öklöz **2.** hányvet *[sors, tenger]*, nekiütődik (vmnek) **B.** *tni* **~ with the waves** küzd a hullámokkal **II. 1.** *fn* ökölcsapás, pofon **2.** *átv* csapás
buffet car *fn* büfékocsi *[vonaton]*
buffeting [ˈbʌfɪtɪŋ] *fn rep* rázkódás

buffo [ˈbʊfoʊ ‖ ˈbuː–] **I.** *fn zene* énekes/zenész komédiás, buffo **II.** *mn* komikus, börleszk-

buffoon [bəˈfuːn] *fn* bohóc, pojáca, ripacs • *fn* **buffoonery**

bug [bʌg] **I.** *fn* **1. a)** poloska **b)** *US* bogár, rovar; **snug as a ~ in a rug** kényelmesen befészkelődve **2.** *biz* **big ~** fejes **3.** *biz [elektronikus lehallgatókészülék]* poloska **4. a)** üzemzavar, *infor* programhiba **b)** *US* hiba, akadály, nehézség, difi **5.** *szl* **a)** *[betegség]* kórság **b)** *[kórokozó]* baci **6.** *biz [mánia]* hepp, dili, flúg **II. -gg- A.** *tsi* **1.** *szl [idegesít, piszkál, molesztál]* le nem száll vkről, cseszeget **2.** lehallgatókészülékkel felszerel **B.** *tni US szl* **~ off** *[eltűnik]* lekopik

bugaboo [ˈbʌgəbuː] *fn* mumus, (lidérces) rémkép

bugbear *fn biz* mumus

bug doctor *fn US szl [pszichiáter, pszichológus]* agydoktor

bug-eyed *mn* dülledt szemű, gülüszemű

bugger [ˈbʌgə ‖ –ər] *fn* **I. 1.** *szl* **a)** seggfej, szarházi, gazember **b)** fickó, pasas, kölyök **c)** *[idegesítő dolog]* szar; *GB* **~ all** *[semmi]* túró **2.** homoszexuális férfi, szodomita *stand* **II.** *tsi* **1.** szodómiát követ el, análisan közösül **2.** *GB szl* **~ it!** francba! **3.** *GB szl* **a) ~ sg up** *[elront]* elszar vmt **b) be ~ed** holtfáradt **III.** *isz GB szl* francba!, fenébe!

bugger about *GB szl* **A.** *tsi [kitol vkvel]* pikkel vkre **B.** *tni [szerencsétlenkedik]* szarakodik

bugger off *tni GB szl [elmegy]* eltűnik, elhúz; **~ off!** húzz el innen!, kopj le!

buggery [ˈbʌgəri] *fn* szodomia, coitus in anum

bughouse *fn US szl [bolondokháza]* diliház, vicces ház

bugle[1] [ˈbjuːgl] **I.** *fn kat* kürt, harsona **II.** *tsi/tni* kürtöl, kürtöt fúj • *fn* **bugler**

bugle[2] [ˈbjuːgl] *fn* üveggyöngy

bugle-call *fn kat* kürtszó

bugology [bʌˈgɒlədʒi ‖ –ˈgɑ–] *fn US biz* rovartan • *fn* **bugologist**

buggy[1] [ˈbʌgi] *fn* homokfutó, (hajtó)kocsi, *régi* bricska

buggy[2] [ˈbʌgi] *mn* poloskás

buhl [buːl] *fn* gyöngyház/rézdíszes bútorberakás

build [bɪld] *tsi* **I.** *pt/pp* **built** [bɪlt] **a)** (fel)épít, megépít *[házat, hajót, hidat, utat stb.]*, szerkeszt *[gépet]*, emel *[épületet stb.]*, rak *[fészket]* (with vmből); *átv* **built on solid facts** szilárd tényekre alapozott *[érvelés stb.]*; **he ~s on sand** homokos/ingatag/bizonytalan talajon épít; **I ~ on you** számítok rád **b)** megteremt, elkészít, gyárt, létesít, képez; **I'm not built that way** (ez) nem egyezik elveimmel/nézetemmel, nem ízlésem szerint való **II.** *fn* **1.** alak, testalkat, termet **2.** szerkezet, alak, felépítés

build in *tsi* **a)** beépít, fallal körülvesz; **garden built in** házak közé beékelt kert, házakkal körülvett/körülzárt kert **b)** beszerel, beépít

build on A. *tsi* hozzáépít, hozzáad **B.** *tni* → **build upon**

build up A. *tsi* **1. a)** megerősít, helyrehoz, helyreállít *[egészséget stb.]*, állandósít **b)** kiépít, felépít, megszerkeszt, összetákol, felállít *[elméletet stb.]*; **he has built up a fine reputation for himself** hírnévre tett szert **c)** felhalmoz, egymásra halmoz **2. a)** reklámot csinál vknek/vmnek **b)** kiemel, kihangsúlyoz **B.** *tni* fokozódik *[nyomás]*; → **build-up**

build upon *tni* alapoz (vmre), bízik (vmben); **he ~s upon a promise** ígéretre épít

builder [ˈbɪldə ‖ –ər] *fn* **a)** építési vállalkozó, építész, építőmester, építőmunkás, szerkesztő *[hajóé, gépé]* **b)** *biz* teremtő, alkotó, alapító *[birodalomé stb.]*

building [ˈbɪldɪŋ] *fn* **1.** épület, ház, építmény, létesítmény; **public ~** középület **2.** felépítés, (meg)építés, építkezés, építészet, szerkesztés, tervezés

building block *fn* építőelem

building site *fn* **1.** építési terület **2.** házhely, telek *[amire építeni fognak]*

building society *fn GB* házépítő/lakásépítő szövetkezet

build-up *fn* **1.** növekedés, megerősödés *[forgalomé, hadseregé]* **2.** (fokozatos) kialakulás, képződés **3.** *átv* **a)** reklám publicitás **b)** elismerés, előnyös/elismerő kritika; → **build up**

built [bɪlt] *mn* építésű, termetű; **British ~ ships** angol gyártmányú hajók; → **build I.**

built-in *mn* beépített, (be)süllyesztett, beillesztett; **~ shelves** (falba) beépített polcok

built-up *mn* **1.** összetett, előregyártott elemekből összeszerelt **2.** beépített; **~ area** beépített/lakott terület

bulb [bʌlb] *fn* **1.** hagyma, gumó *[növényé]*, virághagyma *[tulipáné stb.]*; **~ of garlic** egy fej fokhagyma **2.** hagyma alakú duzzanat/kidudorodás *[emberen, fán]* **3. light ~** villanyégő, villanykörte; izzó(lámpa) **4.** üveggömb *[hőmérőé]*, golyó, hasas üveg, ampulla, fiola, lombik, bura, ballon, léggömb **5.** hólyag, buborék

bulbous [ˈbʌlbəs] *mn* hagymás, gumós, hagymaszerű, hagyma alakú, duzzasztott; **~ dome** hagymakupola

Bulgaria [bʌlˈgeərɪə, bʊl– ‖ –ˈger–] *tul földr* Bulgária

Bulgarian [bʌlˈgeərɪən, bʊl– ‖ –ˈgerɪən] **I.** *mn* bolgár *[ember]* **II.** *fn* **1.** bolgár férfi/nő **2.** bolgár nyelv

bulge [bʌldʒ] **I.** *fn* **1. a)** kidudorodás, kidomborodás, kiugró has *[korsóé, palacké]*, dudor, daganat, domborulat; *GB biz* **have/get the ~ on sy** (i) fölényben/előnyben van vkvel szemben, felülmúl/túlszárnyal vkt (ii) rászed, becsap, lóvá tesz vkt **b)** *kat* arcvonal kiöblösödő része **c)** *hajó* kidudorodás/behorpadás hajó héjazatán **2. a)** ár(folyam)-emelkedés *[értékpapíroké, részvényeké]*, hossz **b)** *átv* hirtelen létszámszaporulat, demográfiai hullám **II. A.** *tsi* **~ (out)** (ki)domborít, kidülleszt; felfúj; **~ his pockets** megtömi/kitömi a zsebeit (with vmvel) **B.** *tni* **1.** meghajlik, kidudorodik, kiáll, felpuffad; **~ out** kidagad, kipúposodik; **~ out one's cheeks** felfújja az arcát **2.** *biz* **~ in** betör, beront; **~ off** gyorsan (el)távozik, elinal; **~ for the door** az ajtó felé iramodik • *mn* **bulgy**

bulged [bʌldʒd] *mn* görbe, ferde

bulginess [ˈbʌldʒinəs] *fn* terjedelmesség

bulging [ˈbʌldʒɪŋ] *mn* domború *[homlok stb.]*, felfúvódott *[has]*; **~ eyes** kidülledő (v. kocsányon lógó) szem; **~ jaw** előreugró áll

bulimia [bjuːˈlɪmɪə] *fn orv* **1.** beteges éhség, farkaséhség **2.** bulimia • *mn* **bulimic**

bulk [bʌlk] **I.** *fn* **1. a)** tömeg, terjedelem, nagyság *[kiterjedés]* **b)** tömeg, nagy mennyiség; **in ~** nagyban, egy tételben *[vétel, eladás]*; ömlesztve tárolt áru **c)** növényi rostok *[táplálékban]* **2.** nagyobb része/zöme (vmnek); **the whole ~** összesség, egésze (vmnek) **3.** *hajó* rakomány, teher, szállítmány; **break ~** megkezdi a kirakodást, megbont, átömleszt *[rakományt]* **4. a)** térfogat, köbtartalom, űrtartalom **b)** (nagy) test, tömeg *[emberé]* **II. A.** *tsi* **1. a)** felhalmoz, egymásra halmoz, ömleszt **b)** összeköt, egybeköt *[csomagot]*, egybecsomagol **2.** terjedelmesít *[textíliát, műszálat, könyvet]* **B.** *tni* **a)** kiemelkedik, kidomborodik; **~ (large)** kiemelkedik; fontos szerepet játszik **b) ~ up** felhalmozódik, felgyülemlik; **~ up to ...** kitesz *[mennyiséget]*

bulk buying *fn* **1.** nagy tételben vásárlás **2.** felvásárlás

bulkhead *fn* válaszfal, rekeszfal *[hajón]*, *épít* tűzfal, válaszfal

bulky [ˈbʌlki] *mn* terjedelmes, nagy terjedelmű, testes, kövér, vastag, vaskos *[könyv]*

bull[1] [bʊl] **I.** *fn* **1. a)** bika, hím állat; **(he is) like a ~ in a china shop** mint elefánt a porcelánüzletben, kényes helyzetben rámenősen/durván viselkedő egyén; *GB* **he made six ~s** hatszor talált célba; **take the ~ by the horns** szarvánál fogja meg a bikát, egyenesen szembeszáll a veszéllyel, merészen nekivág (vmnek); *US biz* **to throw the ~** nagyzol, henceg, felvág **b) John B~** ‹Angliát megszemélyesítő alak› **2.** *pénz* hosszra/árfolyam-emelkedésre játszó ember, hosszista; **the market is all ~s** az árfolyam emelkedik *[tőzsdén]*; **go a ~** áremelkedésre/hosszra játszik/spekulál *[tőzsdén]* **3.** *szl* → **bullshit** **II. A.** *tsi* **1.** erőszakoskodik **2. a) ~ the market** árfolyamot/árat magasba hajtja *[tőzsdén]* **b)** hosszra játszik, hosszra/árfolyam-emelkedésre spekulál *[tőzsdén]* **B.** *tni* **1.** erőszakosan bánik vkvel **2.** árak/részvények emelkednek *[tőzsdén stb.]*

bull² [bʊl] *fn vall* bulla; **papal ~** pápai bulla
bull³ [bʊl] *fn* **1. Irish ~** mulatságos fogalmazási önellentmondás, értelmetlen beszéd; elszólás; következetlenség **2.** *US szl [hiba]* baklövés, ügyetlenség
bulldog [ˈbʊldɒg ‖ ˈbʊldɔg] *fn* **1.** *áll* buldog (kutya) **2.** *biz* elszánt/bátor ember **3.** nagy/nehéz pisztoly
bulldog clip *fn* papírcsiptető
bulldoze [ˈbʊldoʊz] *tsi* **1.** földtolással egyenget **2.** *biz* (meg)fenyeget, megfélemlít, durván bántalmaz (vkt)
bulldozer [ˈbʊldoʊzə ‖ –ər] *fn* **1.** talajegyengető (gép), talajgyalu, buldózer **2.** durva/goromba/brutális ember
bullet [ˈbʊlɪt] *fn* **1.** golyó, lövedék *[puskáé, revolveré]*; **bite (on) the ~** lenyeli a keserű pirulát; **get the ~** elbocsátják, kirúgják *[állásából]*; *biz* **stop a ~** megsebesül; golyó éri **2.** *infor nyomd* felsorolásjelző
bullet-headed *mn* kerek fejű *[ember]*
bulletin [ˈbʊlətɪn ‖ –tn] *fn* (közérdekű) hivatalos jelentés/közlemény, kommüniké, közlöny
bulletin board *fn* **1.** *US* hirdetőtábla, falitábla *[hirdetmények számára]* **2.** *infor* (elektronikus) hirdetőtábla
bulletproof *mn* golyóálló
bullet train *fn közl vasút* szupergyors vonat
bull fiddle *fn US zene* cselló, gordonka, kisbőgő
bullfight *fn* bikaviadal • *fn* **bullfighting**
bullfighter *fn* bikaviador, torreádor
bullfinch [ˈbʊlfɪntʃ] *fn áll* pirók; pusztai süvöltő; gimpli *[madár]*
bullfrog *fn áll* kecskebéka (egyik fajtája)
bull-headed *mn* **a)** heves, féktelen, zabolátlan **b)** makacs, csökönyös
bullhorn *fn* hangszóró, kézi elektromos megafon
bullion [ˈbʊlɪən] *fn* **a)** rúdarany, rúdezüst **b)** veretlen arany/ezüst, finomítatlan nemesfém
bullish [ˈbʊlɪʃ] *mn* **1.** bikaszerű **2.** *pénz* emelkedő árfolyamú, élénk *[tőzsde]* **3.** optimista, magabiztos • *fn* **bullishness**
bull market *fn pénz* hossz *[tőzsdei]*
bullock [ˈbʊlək] **I.** *fn* ökör, tulok; **young ~** tinó **II.** *tni Ausz biz* melózik *[fárasztó testi munkán]*
bullocky [ˈbʊləki] *fn Ausz biz* marhapásztor
bullring *fn* küzdőtér, aréna *[bikaviadalok rendezésére]*
bull session *fn US biz* beszélgetés, dumaparti
bull's-eye *fn* **1.** céltábla közepe/középpontja, célfekete; **you hit the ~** ráhibáztál, telibe találtad **2.** erős cukorka, fodormenta cukorka **3.** *hajó* **~ (window)** kerek hajóablak, ökörszemablak **4.** dudorodás/csomó öntött üveglapon
bullshit I. *fn szl [halandzsa, mellébeszélés]* duma, vaker, rizsa, sóder **II.** *tsi/tni* **-tt-** *szl [mellébeszél]* rizsál, vakerál, sóderol
bulrush [ˈbʊlrʌʃ] *fn* **1.** *növ* káka, sás **2.** *növ* gyékény **3.** *[bibliai szövegekben]* papirusz
bulwark [ˈbʊlwək ‖ –wərk] *fn* **a)** földsánc, (védő)bástya, védőfal *[városé]*, *átv* védőbástya, védőpajzs **b)** *régi* (védő)töltés, hullámtörő(gát) **c)** *hajó* párkányzat *[hajó felett]*, (széles) fedélzeti korlát
bully¹ [ˈbʊli] **I.** *fn* kötözködő/kötekedő fickó, zsarnok, diáktársait gyötrő/megfélemlítő fickó **II.** *tsi* megfélemlít, (durván) bántalmaz, hatalmaskodik, zsarnokoskodik, erőszakoskodik *[gyengébbekkel]*; **~ sy into doing sg** fenyegetésekkel/erőszakkal kényszerít vkt vmnek elvégzésére **III.** *mn US biz* kiváló, nagyszerű, pompás **IV.** *isz biz* nagyszerű!, óriási!; **~ for you!** szerencséd/szerencséje van!; bravó!
bully² [ˈbʊli] *sp* **I.** *fn* buli *[jégkorongban]* **II.** *tsi* játékba hozza a korongot *[jégkorongban]*
bully³ [ˈbʊli] *fn* **~ (beef)** marhahúskonzerv, konzervhús
bully boy *fn* verőlegény
bully off *fn sp* kezdés *[gyeplabdában]*
bullyrag [ˈbʊliræg] → **ballyrag**
bum¹ [bʌm] *fn GB szl [fenék]* popó, popsi
bum² [bʌm] *szl* **I.** *fn* **1.** *US* csavargó; **on the ~** vándorúton, csavarogva **2.** semmittevő/lusta/henye ember **II. -mm- A.** *tsi [kunyerál]* tarhál **B.** *tni* **~ about/around** kószál, csavarog, lustálkodik, henyél **III.** *mn* értéktelen, hitvány, vacak, pocsék
bum bag *fn GB biz* övtáska, szütyő
bumble¹ [ˈbʌmbl] *tni* **a)** motyog, dadog **b)** ügyetlenkedik, mafláskodik
bumble² [ˈbʌmbl] *tni* zümmög, dong, döngicsél *[méh, dongó]*
bumble-bee *fn áll* dongó, poszméh
bumbling [ˈbʌmbl·ɪŋ] *mn* ügyefogyott, kétbalkezes
bumf [bʌmf] *fn GB szl* **1.** *[iratok, papírok]* saláta **2.** *[vécépapír]* klozettpapír, seggtörlő
bummer [ˈbʌmə ‖ –ər] *fn US szl* **1.** (tarháló/kéregető) csavargó **2.** *[kellemetlenség]* szar ügy **3.** *[kudarc]* leégés, ciki
bump [bʌmp] **I.** *fn* **1. a)** zökkenés, összeütközés *[járműveké]* **b)** (tompa) ütődés, ütés, lökés **2. a)** daganat, dudorodás *[ütéstől]* **b)** hepehupa; **~s in a road** útegyenetlenségek, göröngyök **3.** *régi* koponyadudor **4. a)** *rep* emelő légroham **b)** *távk* légköri zavar **II. A.** *tsi* **a)** bever, beüt, megüt; **~ one's head on/against sg** beüti a fejét vmbe **b)** *US* kitúr, megfúr, félreállít, mellőz; **~ sy from his job** kifúr/kitúr vkt az állásából *[hogy maga kerüljön a helyére]* **B.** *tni* beveri/megüti magát, megbotlik, beleütközik, belebotlik, összeütközik (vmvel); *biz* **I ~ed into him in the street** egymásba szaladtunk/botlottunk az utcán; **~ along** döcög, rázkódik, zötyög *[szekéren, kocsin stb.]* **III.** *hsz* ütődve, hirtelen
bump off *tsi szl [lelő]* lepuffant
bumper [ˈbʌmpə ‖ –ər] *fn* **1.** lökhárító, ütköző *[autón]* **2.** színültig töltött pohár *[pezsgővel, vörösborral]* **3.** *biz* rekord **4.** magasba felpattanó labda *[krikettben]*
bumper car *fn US* dodzsem
bumper sticker *fn* lökhárító-matrica
bumph [bʌmf] → **bumf**
bumpkin [ˈbʌmpkɪn] *fn* **a)** falusi fajankó, nehézkes/lassú észjárású fickó **b)** otromba, bárdolatlan, bugris
bumptious [ˈbʌmpʃəs] *mn* fennhéjázó, nagyképű, beképzelt, felfuvalkodott
bumpy [ˈbʌmpi] *mn* göröngyös, hepehupás, egyenetlen, döcögős *[út stb.]*; *rep* **we had a ~ journey** dobálós/szeles utunk volt; *átv* **is a ~ road** göröngyös út
bun [bʌn] *fn* **1.** *gaszt* ‹hosszúkás zsemleféle›; *GB biz* **got a ~ in the oven** *[terhes]* bekapta a legyet **2.** konty(ba/csigába fésült haj) **3.** *tsz* **buns** *US szl [fenék]* popsi, popó
bunch [bʌntʃ] **I.** *fn* **1. a)** csokor, csomó, nyaláb, köteg, fürt; **a ~ of flowers** virágcsokor; **a ~ of keys** kulcscsomó; **the ~ of fives** ököl; ökölcsapás **b)** *biz* csoport, társaság; **he's the best of the ~** ő a legkülönb az egész társaságban; **pick of the ~** java (vmnek) **2.** *sp* boly *[kerékpár- v. futóversenyen]* **II. A.** *tsi* csoportosít, csomóba/nyalábba/kévébe/csokorba köt **B.** *tni* **~ (together)** összeverődik, összegyűlik, csoportosul • *mn* **bunchy**
bunco [ˈbʌŋkoʊ] *US szl* **I.** *fn* csalás, hamiskártyázás **II.** *tsi* csal *[főleg kártyánál]*, becsap
buncombe [ˈbʌŋkəm] → **bunkum**
bundle [ˈbʌndl] **I.** *fn* csomag, batyu, paksaméta, csomó, köteg *[spárga, bankjegy stb.]*, *orv* köteg, nyaláb; *GB biz* **go a ~ on** *[szeret, kedvel]* bukik vmre; *biz* **she is a ~ of nerves** ideges nő, hisztérika **II.** *tsi* **1.** (be)csomagol, bebugyolál, összeköt(öz), összerak, összedobál **2.** csomóba/kévébe/nyalábba köt
bundle into *tsi* **1.** batyuba rak, belegyömöszöl/belerak vmt (vmbe) **2.** betuszkol
bundle off A. *tsi* elzavar, elkerget, kidob **B.** *tni* elmegy, (angolosan) távozik, meglép
bundle out A. *tsi biz* kidob, elkerget, elzavar **B.** *tni* gyorsan/sietve távozik, elkotródik

bundle up *tsi* **1. a)** (be)csomagol, összeköt(öz); ~ **up one's hair** kontyba rakja/fésüli a haját *[sietve, rendetlenül]* **b)** melegen felöltöztet/bebugyolál **2.** csomóba/kévébe/nyalábba köt

bun fight *fn GB szl* zsúr, teadélután *stand*

bung[1] [bʌŋ] **I.** *fn* hordódugasz, parafadugó, palackdugó *[gumiból benne üvegcsővel]* **II.** *tsi* **1.** ~ **(up)** (be)dugaszol, betöm, elzár, bezár *[nyílást]*; *biz* **be ~ed up** szorulása van **2.** *GB szl* (meg)dob, (meg)hajlít, betör, bever; **his eye is ~ed up** bedagadt a szeme

bung[2] [bʌŋ] *mn Ausz szl* tönkrement, lecsúszott; **go ~** *[meghal]* bekrepál

bungalow [ˈbʌŋgəlou] *fn* ‹(pince nélküli) verandás földszintes villa/nyárilak› nyaralóház, bungaló

bungee jumping [ˈbʌndʒiː –] *fn sp* kötélugrás, bungee jumping

bung-hole *fn* lefolyó/leeresztő nyílás, szád *[hordón]*, hordónyílás

bungle [ˈbʌŋgl] **I. A.** *tsi* elront, elfuserál, rosszul/gondatlanul csinál, eltol vmt; *biz* **you have ~d it** ellőtted/eltoltad a dolgot **B.** *tni* kontárkodik, kontármunkát végez **II.** *fn* **a)** ügyetlenség, baklövés, kontármunka, fércmű **b)** *okt szl* zűrzavar, összevisszaság • *fn* **bungler**

bungling [ˈbʌŋglɪŋ] *mn* **1.** ügyetlen, balkezes **2.** kontárkodó, járatlan; **you ~ idiot!** te marha/hülye!

bunion [ˈbʌnɪən] *fn* bütyök *[láb hüvelykujj ízületén]*

bunk[1] [bʌŋk] **I.** *fn* **a)** hálóhely *[hajón, hálókocsin]*, (emeletes) ágy, priccs **b)** *GB szl* **do a ~** *[elmenekül]* meglép, meglóg **II.** *tni GB szl* ~ **off** *[elmenekül]* meglóg, meglép

bunk[2] [bʌŋk] *fn* → **bunkum**

bunk bed *fn US* emeletes ágy

bunker [ˈbʌŋkə ‖ –ər] **I.** *fn* **1. a)** *hajó* szénkamra, üzemanyagraktár **b)** tartály, adagolótölcsér, rekesz *[raktárban]* **2.** föld alatti erődítmény/óvóhely, bunker, (beton)fedezék **3.** *sp* homokakadály *[golfpályán]* **II.** *tsi* **1.** *hajó* felvesz, raktároz *[szenet]* **2.** *sp* **be ~ed** (i) homok (v. egyéb mesterséges) gödörbe került *[a golflabda]* (ii) *biz* megfeneklett, szorult/nehéz helyzetbe került

bunkhouse *fn* **a)** emeletes ágyakkal ellátott szállás *[famunkások/favágók részére]* **b)** ideiglenes munkásbarakk *[építkezés színhelyén]*

bunkum [ˈbʌŋkəm] *fn biz* üres beszéd/fecsegés, ostobaság, lárifári hencegés

Bunsen burner [ˌbʌnsn ˈbɜːnə ‖ –ˈbɜrnər] *fn tud* Bunsen-lámpa/égő

bunt [bʌnt] *fn hajó* vitorla hasa/kidudorodása

bunting[1] [ˈbʌntɪŋ] *fn áll* sármány

bunting[2] [ˈbʌntɪŋ] *fn* **1.** zászló(k), lobogó(k), zászlódísz; **hang with ~** feldíszít, felzászlóz, dekorál *[házat, utcát stb.]* **2.** *tex* etamin, szitaszövet *[zászló számára]*, molton *[gyapjúflanel zászló számára]*, dekorációs anyag

buntline [ˈbʌntlaɪn] *fn hajó* segéd-bevonókötél, vitorlarúd középkötele

bunny [ˈbʌni] *fn* **1.** *gyerm* nyuszi, nyulacska, tapsifüles **2.** felszolgálólány, pincérnő *[nyuszifüllel]* **3.** *Ausz szl [áldozat]* balek

bunny girl → **bunny** 2.

buoy [bɔɪ ‖ ˈbuːi] **I.** *fn* **1.** bója **2.** mentőöv **II.** *tsi* **1.** fenntart, felszínen tart; ~ **up an object** víz színén tart (vmt); *átv biz* ~ **sy up** támogat, gyámolít, segít **2.** bójákkal kijelöl; ~ **(out) a channel** csatornát/vízi utat hajózási jelzőkkel/bójákkal ellát/kijelöl

buoyancy [ˈbɔɪənsi] *fn* **1. a)** úszóképesség **b)** felhajtóerő **2. a)** élénkség, rugalmasság, könnyedség *[stílusé stb.]* **b)** derűlátás, alkalmazkodó képesség

buoyancy aid *fn* mentőmellény

buoyant [ˈbɔɪənt] *mn* **1.** úsztatható, úszóképes, könnyű; **~ force** felhajtóerő; **salt water is more ~ than fresh** a sós víznek nagyobb a felhajtóereje, mint az édesé **2.** *biz* derűlátó, jókedvű, élénk, lendületes; **~ market** élénk/szilárd piac

bur [bɜː ‖ bɜr] *fn* **a)** tüske, bojtorján, bogáncs **b)** *biz* nehezen lerázható ember, kullancs; **he sticks like ~** olyan mint, a kullancs

burble [ˈbɜːbl ‖ ˈbɜrbl] **I.** *tni* **a)** mormol, morog *[artikulátlan hangokat]*; **~ with laughter** fuldoklik a nevetéstől **b)** csacsog, butaságokat beszél **II.** *fn* **1.** mormolás, artikulátlan hangok **2.** buta beszéd

burden [ˈbɜːdn ‖ ˈbɜrdn] **I.** *fn* **1. a)** teher, súly, rakomány, megterhelés; *jog* **~ of proof** bizonyítási kötelezettség; **beast of ~** igavonó barom, málhás állat; **be a ~ to sy** terhére van vknek; **bear the ~ and heat of the day** minden gond/nehézség az ő vállát nyomja **b) ~ of a ship** hajó teherbírása/befogadóképessége/hordképessége; **ship of two thousand tons ~** kétezer tonna űrtartalmú hajó **2. a)** refrén, ismétlődő sor/dallam **b)** lényeg, vmnek a veleje *[értekezésé, panaszé]* **3.** nehéz sors, életteher **II.** *tsi* megnehezít, megrak, (meg)terhel, nehézkessé tesz, elnehezít

burdensome [ˈbɜːdnsəm ‖ ˈbɜr–] *mn* **a)** nehéz, terhes, fárasztó **b)** bosszantó, kellemetlen

burdock [ˈbɜːdɒk ‖ ˈbɜrdɑk] *fn növ* bojtorján

bureau [ˈbjuərou ‖ ˈbjurou] *fn tsz* **bureaux** [–rouz], **bureaus 1. a)** *GB* íróasztal, szekreter **b)** *US* tükrös fiókos szekrény, komód, sublód **2. a)** hivatal, iroda, irodai/hivatali helyiség **b)** *US* minisztérium, kormányhivatal

bureaucracy [bjuˈrɒkrəsi ‖ –ˈrɑ–] *fn* **1.** államigazgatási/közigazgatási hivatali szervezet/gépezet **2.** hivatalnoki kar **3.** *pej* bürokrácia, bürokratikus szellem/irányzat

bureaucrat [ˈbjuərəkræt ‖ ˈbjurə–] *fn pej* bürokrata, (kis)hivatalnok • *mn* **bureaucratic**

burg [bɜːg ‖ bɜrg] *fn US biz* (kis) város

burgage [ˈbɜːgɪdʒ ‖ ˈbɜr–] *fn tört* örökbérlet

burgeon [ˈbɜːdʒən ‖ ˈbɜr–] *vál* **I.** *fn* bimbó, rügy **II.** *tni* rügyez, kirügyezik, bimbózik

burger [ˈbɜːgə ‖ ˈbɜrgər] **I.** *fn biz* hamburger **II.** *összet* -burger; **cheeseburger** sajtburger

burgess [ˈbɜːdʒɪs ‖ ˈbɜr–] *fn* **1. a)** *GB* polgár, városi lakos **b)** *US* városi törvényhatóság tagja **2.** *GB tört* város/egyetem képviselője *[parlamentben]*

burgh [ˈbʌrə ‖ ˈbɜrg] *fn skót tört* kis város, önkormányzatú választókerület • *mn* **burghal**

burgher [ˈbɜːgə ‖ ˈbɜrgər] *fn* **1.** *régi* (szabad) polgár, városi lakos **2.** *Dél-Af tört* burgher *[a régi dél-afrikai búr köztársaságokban]*

burglar [ˈbɜːglə ‖ ˈbɜrglər] *fn* (éjszakai) betörő, tolvaj, lakásfosztogató

burglar alarm *fn* betörésjelző berendezés, riasztó

burglarious [bɜːˈgleərɪəs ‖ bɜrˈglerɪəs] *mn* **~ attempt** betörési/lopási kísérlet

burglarize [ˈbɜːgləraɪz ‖ ˈbɜr–], **-ise** *tsi/tni US* (éjjel) betör, (ki)rabol, (ki)foszt *[házat]*

burglary [ˈbɜːgləri ‖ ˈbɜr–] *fn* **a)** *jog* betöréses lopás, minősített lopás **b)** betörés(es lopás)

burgle [ˈbɜːgl ‖ ˈbɜrgl] *tsi* betör, betörőként behatol vhova *[éjjel]*

burgundy *fn* **1.** burgundi bor *[egyfajta vörösbor]* **2.** burgundi vörös *[szín]*

Burgundy [ˈbɜːgəndi ‖ ˈbɜr–] *tul földr* Burgundia

burial [ˈberɪəl] *fn* temetés, elföldelés, elhantolás

burial ground *fn* temető

burial service *fn* temetési szertartás, gyászszertartás

buried [ˈberid] *mn* **1.** eltemetett, elföldelt; **~ treasure** elásott kincs **2.** beásott, beépített; **~ cable** föld alatti kábel; → **bury**

burin [ˈbjuərɪn ‖ ˈbjurɪn] *fn* (fémvágó) véső, karcolótű, vésőtű

Burkina Faso [bɜːˌkiːnə ˈfɑːsou ‖ bər–] *tul földr* Burkina Faso

burl [bɜːl ‖ bɜrl] *fn* **1.** csomó, bog, idegen anyag *[posztóban]*, *US* csomó *[fában]* **2.** *Ausz biz* **give it a ~** megpróbál vmt

burlap [ˈbɜːlæp ‖ ˈbɜr–] *fn tex* zsákvászon, jutaszövet, vitorlavászon

burlesque [bɜːˈlesk ‖ bɜr–] **I.** *fn* **1. a)** burleszk, tréfás utánzás **b)** színlelt/tettetett komolyság **c)** paródia **2.** *US* varietéműsor, sztriptíz(műsor) **II.** *mn* bohóckodó, bohózatos **III.** *tsi* kifiguráz, parodizál

B

burly [ˈbɜːli ‖ ˈbɜr–] *mn* testes, erős, nagy, *biz* jól megtermett, tagbaszakadt • *fn* **burliness**

Burma [ˈbɜːmə ‖ ˈbɜr–] *tul földr* Burma, Mianmar

Burman [ˈbɜːmən ‖ ˈbɜr–] → **Burmese**

Burmese [bɜːˈmiːz ‖ bɜr–] **I.** *mn* burmai **II.** *fn* **1.** burmai férfi/nő **2.** a burmai nyelv

burn[1] [bɜːn ‖ bɜrn] **I.** *i pt/pp* **burnt** [bɜːnt ‖ bɜrnt], **burned A.** *tsi* **1. a)** (el)éget, megéget, kiéget, (fel)gyújt, (el)tüzel/fűt (vmvel), pörköl, (túl)hevít; ~ **one's boats/bridges** felégeti a hidakat *[maga mögött]*; ~ **the candle at both ends** mindkét végén égeti a gyertyát, habzsolja az életet; *biz* ~ **(the earth/wind)** teljes erővel siet, száguld; *biz* **he burnt his fingers over it** (jól) megégette az ujját (v. megütötte a bokáját) ebben az ügyben; ~ **the midnight oil** éjjelig olvas/dolgozik; *biz* **money ~s his fingers** lyukas a marka, két kézzelszórja a pénzt; *biz* **money ~s a hole in his pocket** viszket a pénz a zsebében; ~ **the iron** túlhevíti a vasat; **have money to ~** felveti a pénz; ~ **sg to ashes** elhamvaszt (v. porrá éget) vmt; **be burnt to death** szénné/porrá ég *[házban, tűzvészben]*; élve/elevenen égetik el **b)** (ki)éget *[téglát, faszenet]*, izzít *[vasat]*, oxidál *[fémet]*, vulkanizál *[gumit]* **c)** *orv* kiéget, kauterizál *[sebet, sérülést stb.]* **2.** éget, csíp, mar; **acid ~s one's hands** a sav kimarja az ember kezét **3. a)** *régi* megbélyegez *[izzó vassal a gonosztevőt]* **b)** *US szl* (fel)idegesít **B.** *tni* **1. a)** (el)ég, leég, lángol; ~ **low** pislákol *[tűz]*; ~ **with desire** ég a vágytól; **magnesium ~s white** a magnézium fehér lánggal ég; **his cheeks are ~ing with shame** ég az arca a szégyentől; **my ears are ~ing** cseng a fülem; **the milk has burnt** odakozmált a tej **b)** szikrázik, fénylik, világít; **the lamp ~ed all night** a lámpa egész éjjel égett **2.** *műsz* robban *[motor]* **3.** csíp, mar **II.** *fn* **1. a)** (meg)égés, égés(i seb) *[testen]* **b)** égett folt/hely *[ruhán]* **2.** *US* **a)** tűzvész által kiégett/elpusztult terület *[erdőben stb.]* **b)** *mezőg* talajjavításért felégetett erdőrész/mezőrész **3. a)** rakétahajtás, rakétahajtómű **b)** *GB szl* autóverseny **4.** *GB szl* cigi

burn away A. *tsi* eléget, kiéget, (tökéletesen) elpusztít **B.** *tni* elég, elpusztul, megsemmisül

burn down A. *tsi* felgyújt, felperzsel *[várost, házat stb.]* **B.** *tni* **1.** leég, elpusztul *[ház, stb.]* **2. the fire had ~ed down** a tűz leégett

burn in *tsi* beéget

burn into *tni* **acid that ~s into a metal** fémet maró sav; **incident that has ~t into my memory** ez az eset (mélyen) bevésődött az emlékezetembe

burn off *tsi* leéget *[festéket]*

burn out A. *tsi* **a)** kiéget **b) the candle has ~t itself out** a gyertya csonkig égett (v. teljesen leégett) **c)** ~ **out sy/sg** kifüstöl vkt/vmt **B.** *tni* elég, kiég, eleped, elsorvad, emészti magát; **the fire ~s out** a tűz kialszik/elsenyved/kiég; → **burn-out**

burn up A. *tsi* **1.** (teljesen) eléget, felemészt, (tökéletesen) elpusztít **2.** *biz* ~ **up the road** falja az utat *[jármű]* **3.** *US szl [felidegesít]* bepöccent **B.** *tni* fellángol, fellobban, feléled, feltámad *[tűz]*

burn[2] [bɜːnt ‖ bɜrnt] *fn skót* patak(ocska)

burner [ˈbɜːnə ‖ ˈbɜrnər] *fn* **a)** (gáz)rózsa; *biz* **on the back ~** félre van téve, háttérbe szorítva **b)** *műsz* égő, gázégő

burnie *fn US szl [félig szívott marihuánás cigaretta]* spangli

burning [ˈbɜːnɪŋ ‖ ˈbɜrnɪŋ] *mn átv* égő, égető, izzó, tüzes, lángoló, heves; *bibl* **the B~ Bush** az égő csipkebokor; **it's a ~ disgrace/shame** szégyen gyalázat, ez nagy szégyen; ~ **question** égető/izgalmas/kényes kérdés; ~ **thirst** égető szomjúság

burning glass *fn* gyújtólencse

burnish [ˈbɜːnɪʃ ‖ ˈbɜrnɪʃ] *tsi* barnára fest/színez, fémet csiszol/simít, políroz *[fát, fémet]*, tükröz *[fémet]*, fényesít

burnisher [ˈbɜːnɪʃə ‖ ˈbɜrnɪʃər] *fn* **1.** fémcsiszoló/fémsimító munkás(nő) **2.** csiszológép, padlófényesítő eszköz, polírvas

burnous [ˈbɜːnuːs ‖ ˈbɜr–] *fn* burnusz, arab köpeny

burn-out [ˈbɜːnaʊt ‖ ˈbɜr–] *fn* teljes kimerültség, depresszió, kiégés (állapota)

burnt [bɜːnt ‖ bɜrnt] *mn* **a)** megégett *[ember, tárgy]*; *vall* ~ **offering** égő áldozat; **be ~ beyond recognition** szénné ég; **a ~ child dreads the fire** aki egyszer megégette a kezét, nem nyúl a tűzhöz többé **b)** égetett *[agyag stb.]*; → **burn**[1] I.

burnt-out *mn* **a)** kialudt *[vulkán]* **b)** kiégett *[villanykörte, rádiócső stb.]* **c)** *átv* kiégett *[vk érzelmileg stb.]*

burp [bɜːp ‖ bɜrp] *biz* **I. A.** *tsi* böfögtet *[kisbabát]* **B.** *tni* böfög **II.** *fn* böffentés, csuklás

burr[1] [bɜː ‖ bɜr] → **bur**

burr[2] [bɜː ‖ bɜr] **I.** *fn* **1. a)** *nyelv* torok/raccsoló/uvuláris R; **speak with a ~** raccsol **b)** zörgés, zörej *[keréké, gépé]* **2.** *fémip* egyenetlen/érdes/szálkás él *[fémdarabé]* **3.** *orv* marófúró, lyukvágó, fogfúró **4.** malomkőnek/köszörűnek való kő **II. A.** *tsi* ~ **(one's r's)** raccsol **B.** *tni* búg, zúg, morog *[gép]*, csikorog *[kerék]*

burro [ˈbʊroʊ ‖ ˈbɜroʊ] *fn US* szamár, csacsi

burrow [ˈbʌroʊ ‖ ˈbɜroʊ] **I.** *fn* föld alatti vacok/lyuk/odú, rókalyuk **II. A.** *tsi* ás, fúr; ~ **one's way** utat ás magának *[bogár, vakond]*; átrágja magát *[könyvön, munkán]* **B.** *tni* **1. a)** kiás, feltúr *[nyúl földet]*, föld alatti vackot ás **b)** föld alatti vacokba bújik/rejtőzik **2.** beleássa magát vmbe; *biz* ~ **into the archives** levéltárban kutat

bursa [ˈbɜːsə ‖ ˈbɜrsə] *fn tsz* **bursae** [–siː], **bursas** *orv* tömlő, nyálkatömlő, bursa

bursar [ˈbɜːsə ‖ ˈbɜrsər] *fn* **1.** gazdasági igazgató, kvesztor, egyetemi pénztáros *[angol egyetemeken]* **2.** *GB* ösztöndíjas

bursarship [ˈbɜːsəʃɪp ‖ ˈbɜrsər–] *fn* **1.** gazdasági hivatal/intézőség **2.** → **bursary** 2

bursary [ˈbɜːsəri ‖ ˈbɜr–] *fn* **1.** gazdasági intéző/igazgató hivatala, pénztár **2.** *GB* tanulmányi ösztöndíj

burst [bɜːst ‖ bɜrst] **I.** *i pt/pp* **burst A.** *tsi* **1.** (szét)repeszt, (szét)robbant, szétpukkaszt *[léggömböt, autógumit]*, szétvet *[feszültség vmt]*, széttör, széttép, szétszaggat *[láncot, bilincset]*; **he ~ a blood-vessel** megrepedt/megpattant egy véredénye/ere; ~ **a gate** feltör/betör kaput; ~ **its banks** kilép a medréből; ~ **oneself** megszakad *[erőlködésben]*; ~ **sg open** felszakít, feltép, felránt *[ajtót]*, feltör *[fedelet, lakatot]* **2.** ~ **a hole in sg** lyukat üt vmn **3.** ~ **a conspiracy** összeesküvést meghiúsít **B.** *tni* szétreped, szétszakad, szétrobban, (fel)robban *[bomba, kazán stb.]*, kifakad, felfakad, megnyílik *[tályog]*, szétpukkan *[buborék]*, kipattan, fakad *[rügy]*; ~ **open** felpattan *[ajtó, fedél]*, kicsapódik, kivágódik *[ajtó]*; **he ate till he was fit to ~** pukkadásig teleette magát; **ready to ~** majd kibújik a bőréből (izgalmában) **II.** *fn* **1. a)** szétrobbanás, (fel)robbanás, szétpukkanás, szétdurranás *[bombáé stb.]*, szétpattanás, szétrepedés, megpattanás, megrepedés *[feszültségtől]* **b)** kirobbanás, kitörés; ~ **of anger** dühkitörés; ~ **of applause** tapsvihar; ~ **of flame** felcsapó láng, lángnyelv; ~ **of laughter** feltörő/kitörő kacagás **2.** lövéssorozat **3.** erőbedobás, hirtelen erőfeszítés; ~ **of activity** fellobbanás, nekilendülés, hajrázás; ~ **of speed** végső erőfeszítés/erőbedobás, hajrá *[versenyen]* **4.** *biz* **go on the ~** mulat, kirúg a hámból, züllik

burst in *tni* beront, betör *[helyiségbe]*, közbevág *[beszélgetésbe]*

burst into *tni* **1.** ~ **into a room** beront a szobába **2.** ~ **into bloom** virágba borul; ~ **into laughter** nevetésbe/hahotába tör ki, hahotázni kezd; ~ **into tears** könnyekbe tör ki, könnyekre fakad

burst on(to) *tni* ~ **on(to) sy's sight** megjelenik/mutatkozik/felbukkan vk előtt, vk szeme elé tárul

burst out *tni* **1.** felkiált, elkiáltja magát; **~ out crying** zokogásban tör ki, (hangosan) felzokog; **~ out laughing** hangos nevetésben/hahotában tör ki **2.** kiüt, kitör *[betegség, háború]*, kibuggyan, kitör, előtör *[folyadék]*
bursting [ˈbɜːstɪŋ ‖ ˈbɜr–] **I.** *mn* szétrobbanó, szétrepedő (with vmtől); **~ charge** robbantótöltet; *átv* **to the ~ point** robbanásig; **~ with health** egészségtől kicsattanó/duzzadó, pirospozsgás **II.** *fn* szétrobbanás, (fel)robbanás *[bombáé]*, kipukkadás *[autógumié]*, kitörés *[viharé]*
burstproof [ˈbɜːstpruːf ‖ ˈbɜrst–] *mn* **1.** törésbiztos **2.** betörésbiztos *[zár]*
burthen [ˈbɜːðən ‖ ˈbɜr–] *régi* → **burden**
burton [ˈbɜːtn ‖ ˈbɜrtn] *fn GB szl* **gone for a ~** (i) (légiharcban) elesett (ii) elveszett, lőttek vmnek
Burundi [bʊˈrʊndɪ] *tul földr* Burundi
Burundian [bʊˈrʊndɪən] *mn/fn* burundi
bury [ˈberi] *tsi* **a)** eltemet, elhantol, sírba tesz *[halottat]*, temet *[pap]*; **~ sy alive** vkt élve eltemet; *biz* **~ oneself (alive)** elvonul a világtól; **~ oneself in sg** beletemetkezik vmbe, elmerül vmben **b)** elás, elföldel, elrejt *[kincset stb.]* **c)** (el)temet *[emléket, haragot]* **d)** **~ a dagger in sy's heart** tőrt márt vk szívébe; **~ one's face in one's hands** kezébe temeti/rejti arcát; **~ one's head in the sand** homokba dugja a fejét; *átv* **~ the hatchet** elássa a csatabárdot; **~ sg in oblivion** a feledés fátylát/leplét borítja vmre
burying ground *fn* temető
bus [bʌs] **I.** *fn tsz* **buses, busses 1.** (autó)busz; *biz* **miss the ~** elszalasztja az alkalmat/lehetőséget; nem megy semmire; *szl* **step into one's last ~** *[meghal]* bemondja az unalmast **2.** *biz [rossz autó]* ócska kocsi, tragacs **3.** *biz [nagy repülőgép]* röpcsi **II. A.** *tsi* **1.** busszal szállít **2.** *US* buszoztat *[gyerekeket kevert etnikumú iskolába]* **3.** *US* leszed *[asztalt vendéglőben]* **B.** *tni pt/pp* **bused, bussed** (autó)buszon/(autó)busszal megy/utazik
busbar *fn vill* gyűjtősín
busby [ˈbʌzbi] *fn* ‹brit lovasság és lovastüzérség magas prémes díszcsákója›
bus driver *fn* autóbuszvezető
bush[1] [bʊʃ] **I.** *fn* **1.** bokor, cserje, törpefa; *biz* **beat about the ~** kertel; kerülgeti, mint macska a forró kását, köntörfalaz **2.** erdő sűrűje, bozót, cserjés **3.** *Ausz* erdős-bozótos terület **4.** bozont(os farok) *[rókáé stb.]* **5.** *tört* kocsmacégér(nek használt lombköteg/faág) **II. A.** *tsi* bokrokkal szegélyez/körülültet/beültet/véd **B.** *tni* bozontosan nő *[haj, szemöldök]*
bush[2] [bʊʃ] **I.** *fn* **a)** *műsz* fémgyűrű, foglalat, csapágypersely **b)** *vill* szigetelőgallér, szigetelőcső **II.** *tsi* perselyez, bélésez *[csapágyat]*
bushed [bʊʃt] *mn* **1.** *Ausz* **a)** a sűrűben/vadonban eltévedt/elveszett **b)** meglepett, meghökkent **2.** *biz* fáradt, kivan
bushel [ˈbʊʃl] *fn* véka *[gabonamérték: 36,35 liter]*; **hide one's light/candle under a ~** tehetségét véka alá rejti; *biz* **there are ~s of it** rengeteg/temérdek (v. nagyon sok) van belőle
bushelful [ˈbʊʃlfʊl] *fn* (egy) véka
bushfire *fn* erdőtűz, mezőtűz
bushie [ˈbʊʃi] *fn Ausz biz* isten háta mögött lakó ember, őserdei lakos
bushing [ˈbʊʃɪŋ] *fn* **a)** *műsz* (csapágy)persely **b)** *vill* szigetelőhüvely
bush jacket *fn* ‹könnyű vászonkabát övvel›
bush lawyer *fn Ausz ÚjZ* zugügyvéd
bush league *fn US sp biz* alacsonyabb szintű liga
bushman [ˈbʊʃmən] *fn tsz* **-men** [–mən] **1.** *Dél-Af* **B~** busman **2.** *Ausz* **a)** isten háta mögött lakó ember, őserdei lakos **b)** az ősvadonban jól tájékozódni tudó ember
bushranger *fn Ausz tört* az őserdőben tanyázó bandita/útonálló
bush telegraph *fn biz kb* zuhanyhiradó, a verebek csiripelik
bushveld [ˈbʊʃfelt] *fn Dél-Af* bozótos préri
bushwah [ˈbʊʃwɑː] *fn US biz [hazugság]* humbug
bushwhack [ˈbʊʃwæk ‖ –hwæk] **A.** *tsi US* **be ~ed** csapdába esik **B.** *tni US Ausz* **1.** a bozótban/vadonban kószál/él **2.** bozótot irt
bushwhacker [ˈbʊʃwækə ‖ –hwækər] *fn* **a)** *US Ausz* a bozótban élő/kószáló **b)** partizán, gerillaharcos **c)** *US Ausz* favágó *[őserdőben]* **d)** *Ausz szl [nyers/tudatlan ember]* mucsai
bushy [ˈbʊʃi] *mn* **1.** bokros, bozótos, (bokrokkal) sűrűn benőtt *[terület]*, cserjés **2.** bozontos, sűrű *[haj, szemöldök]* **3.** → **bushie**
busily [ˈbɪzɪli] *hsz* **1.** serényen, szorgosan **2. a)** nagy hévvel/buzgalommal **b)** tolakodóan
business [ˈbɪznəs] *fn* **1. a)** üzlet, üzleti ügy, (kereskedelmi) ügylet; **~ wear** utcai/mindennapi viselet; *US* **branch/line of ~** üzletág, szakma; **~ before pleasure** első mindig a munka/kötelesség; **how is ~?** hogy megy az üzlet?; **~ is ~** az üzlet üzlet; **do ~ with sy** üzletet köt/csinál vkvel; **give up ~** visszavonul az üzlettől (v. az üzleti élettől); *biz* **do you mean ~?** komolyan gondolja?, nem tréfál?; **talk ~** üzletről/szakmájáról beszél; **turn for ~** üzleti érzék/szellem; **be in ~** kereskedő, üzletember, üzleti pályán működik/mozog; **go into ~** kereskedő/üzletember lesz, üzleti pályára lép; **go out on ~** üzleti/hivatalos ügyben járkál/szaladgál, vmnek utánajár; **on ~** üzleti ügyben, hivatalos úton; **be out of ~** visszavonult az üzleti élettől **b)** üzlet, vállalat **2.** dolog, teendő; **~ meeting** ülés *[társaságé stb.]*; **the ~ before the meeting** az ülés napirendje; **it is my ~** az én feladatom/kötelességem/dolgom hogy ...; **it is not** (v. **none of**) **your ~** semmi közöd hozzá; *biz* **do the ~ for sy** ellátja vk baját; **have ~ with sy** dolga/elintéznivalója van vkvel; **you have no ~ to do so** nincs jogod ezt megtenni; *biz* **like nobody's ~** *[nagyon]* iszonyúan, hihetetlenül; **make it one's ~ to do sg** feladatául tűzi ki vmnek a megtevését; **mind your own ~** (te csak) törődj a magad dolgával!; **send sy about his ~** vkt leráz a nyakáról; vkt rendreutasít; **get (down) to ~** a lényegre/tárgyra/dologra tér **3.** ügy, eset, dolog; *biz* **good ~!** derék dolog!, jól van!; **it is quite a (big) ~** ez bajos/nehéz dolog/eset/ügy; **the best of the ~ is that ...** a dologban (v. az egészben) az a legjobb, hogy ....; **I am sick of the whole ~** elegem van az egész dologból, torkig vagyok az egész üggyel **4.** foglalkozás, hivatás, szakma, mesterség; **follow a ~** vmlyen mesterséget/foglalkozást űz/folytat **5.** *szính* **a)** színpadi játék, mimika, alakítás **b)** szerep
business card *fn* cégkártya, névjegy
business college *fn US* kereskedelmi főiskola
business end *fn biz* **the ~ of sg** vmnek a működő/funkcionális része
business hours *fn tsz* üzleti/hivatalos órák, nyitvatartás
businesslike [ˈbɪznəslaɪk] *mn* **1.** hozzáértő, gyakorlatias *[ember]* **2.** üzletszerű, szakszerű *[elintézés, ügylet]* **3.** komoly, hivatalos *[modor]*
businessman [ˈbɪznəsmən] *fn tsz* **-men** [–mən] üzletember, kereskedő
business park *fn* ipari terület/negyed
business school *fn* közgazdasági/kereskedelmi/üzleti tagozat *[egyetemen]*
business studies *fn tsz* üzleti tanulmányok
businesswoman *fn tsz* **-women** üzletasszony
busk [bʌsk] *tni* utcán zenél/előad *[pénzért]* • *fn* **busking**
busker [ˈbʌskə ‖ –ər] *fn* utcai zenész/előadóművész
bus lane *fn közl* buszsáv
busman [ˈbʌsmən] *fn tsz* **-men** [–mən] autóbuszvezető, autóbuszsofőr; **~'s holiday** ‹szabadidő/vakáció, amelyben az ember önként ugyanazt csinálja, amit munkaideje alatt szokott›
bus shelter *fn* várópavilon *[buszmegállóban]*
bus stop *fn* buszmegálló
bust[1] [bʌst] *fn* **1. a)** mell(kas), felsőtest **b)** (női) mell, kebel **c)** mellbőség **2.** mellrész *[női ruháé]* **3.** mellszobor

B

bust² [bʌst] *biz* **I. A.** *tsi* **1.** (szét)repeszt, szétszakít, szétvet **2.** lefokoz **3.** *szl [elbocsájt]* kirúg **4.** razziázik, megmotoz **5.** letartóztat **B.** *tni* szétszakad, szétreped **II.** *fn* **1.** *[kudarc]* csőd **2. go on the ~** mulat, kirúg a hámból **3.** *szl [razzia, letartóztatás]* begyűjtés **4.** *US* ütés, vágás **III.** *mn* tönkrement, csődbe jutott; **go ~** tönkremegy *[anyagilag]*; csődöt mond, megbukik *[vállalkozás]*

bust up *biz* **A.** *tsi* **1.** elront **2.** szétrobbant *[házasságot]* **B.** *tni* **1.** szétválik *[házaspár]* **2.** összeomlik, felrobban

bustard [ˈbʌstəd ‖ –ərd] *fn áll* túzok

buster [ˈbʌstə ‖ –ər] *fn* **1.** *US biz* romboló, pusztító *[személy]* **2. southerly ~** erős, hideg déli szél **3.** *szl [férfi]* hapsikám, fószer

bustier [bʌstˈjeɪ] *fn* női felsőrész *[ruháé]*

bustle [ˈbʌsl] **I. A.** *tsi* siettet, ösztökél **B.** *tni* **~ (about)** nyüzsög, sürgölődik, sürög-forog, buzgólkodik, tesz-vesz; **~ off** nagy garral (v. sebbel-lobbal) távozik **II.** *fn* nyüzsgés, sürgés-forgás, (lármás) jövés-menés

bustling [ˈbʌsl·ɪŋ] *mn biz* sürgölődő, serény, élénk, nyüzsgő

bust-up *fn GB* **1.** veszekedés **2.** szakítás **3.** összeomlás, robbanás

busty [ˈbʌsti] *mn biz* dúskeblű, begyes

busy [ˈbɪzi] **I.** *mn* **1. a)** elfoglalt; **be ~ at/with sg** vmvel el van foglalva, vmvel foglalatoskodik **b)** *US* **line ~** foglalt, mással beszél *[telefonszám]* **2.** dolgos, serény, szorgalmas, szorgos; **~ as a bee** nagyon serény, hangyaszorgalmú; **keep oneself ~** sürög-forog, elfoglalja magát; **be ~ doing sg** buzgón/javában csinál vmt; **get ~** akcióba lép, nekifog a dolognak **3.** forgalmas; **the ~ hours** csúcsforgalom ideje *[vasútnál stb.]*; **~ idleness** lázas semmittevés; **~ week** mozgalmas/programdús hét **4.** tolakodó, minden lében kanál, fontoskodó **II.** *tsi* **~oneself with/in/about sg** vmvel foglalkozik/foglalatoskodik, elfoglalja magát vmvel, serénykedik vmben **III.** *fn szl [rendőrfelügyelő, detektív]* hekus

busybody [ˈbɪzibɒdi ‖ –bɑdi] *fn* minden lében kanál, tolakodó/okvetetlenkedő/fontoskodó/kotnyeles személy; **play the ~** kotnyeleskedik, fontoskodik

busy signal *fn távk* foglalt jelzés *[telefonban]*

but¹ [bət, bʌt] **I.** *ksz* **1.** de, hanem, azonban; **~ yet** mégis, mindamellett, mindazonáltal **2. ~ that** hacsak/hogy/mintha nem; **~ that I saw it myself ...** ha nem a saját szememmel láttam volna (v. látom) ... **3. not ~ that/what I pity him** nem mintha nem sajnálnám, nem mondom (hogy nem) sajnálom; **who knows ~ that she may come again?** ki tudja, nem jön-e el újra?, hátha eljön megint? **II.** *elölj* **1.** kivéve, vmn kívül; **all ~ he/him** az ő kivételével mind, rajta kívül mindenki/mindnyájan, mindenki, kivéve őt; **anything ~ that** mindent, csak azt ne; **last ~ one** utolsó előtti; **next door ~ one** innen a második ajtó; **there is nothing for it ~ to obey** nincs mást mit tenni (v. nincs más hátra) engedelmeskedni kell **2. ~ for that** anélkül, ha ez nem volna; **~ for Dr. Jones she would be dead** csak Dr. Jones-nak köszönheti, hogy él; ha Dr. Jones nincs, ő már nem is él **3. all ~** majdnem; **he all ~ died of his wound** majdnem belehalt sebébe **III.** *hsz* **1.** csak, csupán; **~ an hour ago** alig egy órája, alig egy órával ezelőtt; **he is ~ a child** hiszen még gyermek, még jóformán/szinte gyermek; **I can ~ do it** hiszen/éppen megtehetem, ennyit csak meg tudok csinálni; **I cannot ~** nem tehetek mást, mint hogy **2.** legalább; **had I ~ known!** ha tudtam volna!; **I have no doubt ~ that all will come right** nem kétséges (v. biztos vagyok benne,) hogy minden jóra fordul; **he is not such a fool ~ that he understands you** nem olyan ostoba ő, hogy meg ne értené/értse önt; **I cannot ~ believe that ...** azt kell hinnem, hogy ...; **he cannot ~ have seen it** látnia kellett, lehetetlen, hogy ne látta volna **3. you can ~ try** legalább próbáld meg **IV.** *fn* **there is a ~** van egy de

but² [bʌt] *fn skót* külső/első szoba *[kétszobás házban]*

but and ben [ˌbʌtnˈben] *fn skót* kétszobás ház

butane [ˈbjuːteɪn] *fn* butángáz

butch [bʊtʃ] *szl* **I.** *mn* **1.** férfias *[nő]* **2.** macho, kemény **II.** *fn* **1. a)** homoszexuális nő (aki a férfi szerepet tölti be) **b)** férfias nő **2.** durva férfi/fiatalember

butcher [ˈbʊtʃə ‖ –ər] **I.** *fn* **a)** mészáros, hentes (és mészáros); **~'s meat** mészárszéki hús, nagy vágóállat húsa; **~'s (shop)** mészárszék, mészáros (üzlete), hentes(üzlet) **b)** *átv* hóhér, tömeggyilkos **c)** *átv biz* rossz sebész, hentes, sintér **II.** *tsi* **1. a)** (le)mészárol, (le)öl, levág, megöl **b)** *átv* vágóhídra küld *[katonákat]*, lemészárol *[embereket]* **2.** elfuserál, elpackáz *[munkadarabot]*, tönkretesz, agyoncsap *[művet rossz előadással]*

butchery [ˈbʊtʃəri] *fn* **1.** öldöklés, mészárlás **2.** mészárosság, hentesség **3.** *GB* mészárszék, vágóhíd

butler [ˈbʌtlə ‖ –ər] *fn* főkomornyik *[akinek a gondjára van bízva a borospince és az ezüstkészlet]*

butlery [ˈbʌtləri] *fn* éléskamra

butt¹ [bʌt] **I. A.** *tsi* fejjel nekimegy/támad (vknek, vmnek), lefejel (vkt), felöklel, megdöf *[kos]* **B.** *tni* **~ into/against sy/sg** fejjel nekimegy vknek/vmnek; nekiront/nekirohan vknek/vmnek; beleütközik vkbe/vmbe; *átv biz* **~ in** közbevág; beavatkozik *[társalgásba, vitába]* **II.** *fn* lökés, ütés *[fejjel]*, öklelés, döfés *[szarvval]*

butt² [bʌt] **I.** *fn* **1. a)** vastagabb/bunkós vége (vmnek), boldogabb vége *[botnak, ostornyélnek]*, (puska)tus, agy, *épít* levágott vég, bütü; **~ of revolver** revolvermarkolat **b)** (fa)tuskó, tönk, rönk, vég, csutka *[szivaré]*, csikk **2.** *US szl [fenék]* segg **3.** golyófogó domb/töltés *[lőtéren]* **4. a) the ~s** céltábla *[lőtéren]*; lőtér **b)** *átv* célpont, céltábla; **~ of ridicule** köznevetség tárgya **5.** lepényhal **II.** *tsi* összeilleszt, összekapcsol, tompán illeszt/kapcsol, egymásbailleszt *[fát, vasat]*

butt³ [bʌt] *fn* (nagy) hordó *[főleg sörnek/bornak]*

butte [bjuːt] *fn US földr* ‹ síkságból magányosan kiemelkedő lapos tetejű hegy ›

butt-end *fn* **a)** vastag/bunkós vége (vmnek), boldogabbik vége *[botnak]*, (puska)tus, agy **b)** tönkvég, tőfelőli vég *[fatörzsnél]* **c)** csikk

butter [ˈbʌtə ‖ –ər] **I.** *fn* **1. a)** vaj; *biz* **he looks as if ~ wouldn't melt in his mouth** olyan (ártatlan képe van) mintha kettőig sem tudna számolni **b) peanut ~** mogyoróvaj **2.** hízelgés, talpnyalás **II.** *tsi* **1. a)** megvajaz, vajjal megken **b)** vajjal készít/ránt, vajasan csinál *[főzeléket stb.]*; **he knows on which side his bread is ~ed** van magához való esze **2.** *biz* **~ sy up** hízeleg vknek, talpát nyalja vknek, nyal vknek

butter-bean *fn növ* vajbab

buttercup *fn növ* boglárka

butterfat *fn* vaj(zsír), a tej/sajt zsírtartalma

butter-fingers *fn esz biz* ügyetlen/kétbalkezes/lyukas kezű ember

butterfly [ˈbʌtəflaɪ ‖ ˈbʌtər–] *fn* **1. a)** lepke, pillangó **b)** *átv* pillangó, csapongó/léha/könnyelmű ember; *biz* **butterflies in the stomach** elfogódottságtól ideges *[szereplés előtt]*, lámpalázas **2.** *sp* **~ (stroke)** pillangó(úszás)

butterfly nut *fn műsz* szárnyascsavar

butterfly valve *fn* pillangószelep, (iker) fojtószelep *[motorban]*

buttermilk *fn gaszt* író

butternut *fn növ* amerikai vajdió, vajdiófa

Butternut State *tul földr US biz* Missouri állam

butterscotch [ˈbʌtəskɒtʃ ‖ ˈbʌtərskɑtʃ] *fn gaszt* tejkaramella

buttery¹ [ˈbʌtəri] *mn* **a)** vajas, vajjal készült **b)** vajszerű **c)** vajas, zsíros, olajos

buttery² [ˈbʌtəri] *fn* **1.** *régi* éléskamra, élelmiszerraktár **2.** *GB* büfé, étkezde *[egyetemeken]*

butt joint *fn épít* bütüillesztés, tompa illesztés, illesztőkötés

buttock [ˈbʌtək] *fn* **a)** far(pofa), félfar, tompor; **the ~s** fenék, ülep, far **b) the ~** fehérpecsenye

button [ˈbʌtn] **I.** *fn* **1. a)** gomb; *GB* **not worth a ~** fabatkát sem ér; *US szl* **on the ~** pontosan, fején találtad a szöget **b)** *US* gomblyukban hordható jelvény **2. a)** gomb *[csen-*

gőé], nyomógomb, kapcsológomb, billentyű *[készüléké]*, kioldógomb *[fényképezőgépé]* **b)** kallantyú *[gépen]*, felhúzó *[óráé]* **c)** *infor* nyomógomb ikon **3. chocolate ~s** csokoládépasztilla **4. a)** (ki nem pattant) bimbó, szem *[rózsáé]*, fiatal/kifejletlen gomba **b)** kecskeürülék, kecskebogyó **II. A.** *tsi* **1. ~ sg** begombol vmt **2.** gombo(ka)t varr *[ruhára]* **B.** *tni* gombolódik

button up A. *tsi* **1.** begombol *[ruhát]*; *szl* **~ (up) one's lip/mouth** *[lakatot tesz a szájára]* hallgat; *biz* **be ~ed up to the chin** állig be van gombolkozva **2.** *biz* **a)** elvégez, véghezvisz, teljesít *[parancsot]* **b)** befejezésre juttat, dűlőre visz **B.** *tni* **1.** *biz* elnémul, némaságba süllyed **2.** begombolkozik

buttonball [ˈbʌtnbɔːl] → **buttonwood**

button-down *mn* **~ collar** legombolós gallér *[ingé]*

buttonhole I. *fn* **1.** gomblyuk **2.** gomblyukvirág **II.** *tsi* **1.** *biz* **~ sy** hosszas fecsegéssel feltartóztat vkt *[bőbeszédű ember utcán stb.]* **2.** gomblyukaz **3.** gomblyukat (ki)varr/kiköt (vmn)

buttons [ˈbʌtnz] *fn esz GB biz* boy, londíner

buttonwood *fn US növ* **~ tree** platánfa

buttress [ˈbʌtrəs] **I.** *fn* **a)** *épít* támfal, ellenfal, támpillér, *bány* dúc, támasztógerenda **b)** *átv* támasz, pillér **c)** előhegy **II.** *tsi* **a)** *épít* támpillérrel/gyámfallal megtámaszt **b) ~ (up) an argument** alátámaszt egy érvet

butyric [bjuːˈtɪrɪk] *mn vegy* vaj-; **~ acid** vajsav

butty[1] [ˈbʌti] *fn GB biz* **1.** vajaskenyér **2.** szendvics

butty[2] [ˈbʌti] *fn* **1.** *tört* akkordáns *[bányában]* **2.** *biz* pajtás, társ, cimbora

buxom [ˈbʌksm] *mn* **1.** begyes, testes, telt, gömbölyded **2.** kicsattanóan egészséges *[nő]*

buy [baɪ] **I.** *tsi pt/pp* **bought** [bɔːt] **1.** (meg)vesz, (meg)vásárol (sg from/of sy vmt vktől), (meg)vált *[vasúti jegyet]*; **money cannot ~ happiness** a pénz nem boldogít; **victory was dearly bought** nagy ára volt a győzelemnek; **~ fame with one's life** életével fizet a hírnévért; **~ time** időt nyer, haladékot kap; **~ and sell** *[régiséget]* ad-vesz, alkalmi áruval kereskedik; *GB* **~ British!** vásároljunk hazai (ti. brit) árut!; **~ sy sg** vesz/vásárol vknek vmt **2. ~ a witness** tanút megveszteget/megvásárol/lepénzel **3.** *szl [elhisz]* bevesz **II.** *fn biz* vétel, üzlet; **it's a good ~** ez jó üzlet/vétel/befektetés

buy in *tsi* **1.** nagyobb tételben/mennyiségben beszerez, készleteket halmoz fel **2.** *[árverésen]*, visszavásárol *[az eladó számára]*

buy into *tni [részvényeket/állampapírokat/államkötvényeket]* vesz, jegyez

buy off *tsi* (pénzzel) megvált (vmt), pénzzel kielégít, kifizet *[zsarolót stb.]*, megvásárol vkt *[hogy az ne csináljon vmt]*

buy out *tsi* **1.** anyagilag teljesen kielégít/kártalanít *[üzlettársat stb.]*, üzletrészt/mindent megvásárol *[üzlettárstól stb.]* **2.** kivált *[katonai szolgálat alól]*; → **buy-out**

buy over *tsi* megveszteget, megvásárol, lepénzel

buy up *tsi* **a)** felvásárol *[teljes árukészletet]*, összevásárol, (fel)halmoz *[árut]* **b)** megvásárol *[egy egész céget]*

buy-back [ˈbaɪbæk] *fn gazd* visszavásárlásos ügylet

buyer [ˈbaɪə ‖ –ər] *fn* **1.** vásárló, vevő (of vmre); **~'s market** nagy kínálat **2.** beszerző, bevásárló *[cég számára]*, anyagbeszerző

buy-out *fn gazd* kivásárlás *[meghatározó részesedés szerzése]*

buzz [bʌz] **I.** *fn* **1. a)** zümmögés, dongás, döng(icsél)és *[rovaré]*, zsongás *[sok rovaré, kaptáré]*, zúgás, búgás, mormogás *[motoré, távoli repülőgépé]*, búgás, sercegés *[telefonban, rádióban]*, zsongás, zsibongás *[beszélgető társaságé]*, nyüzsgés; *biz* **everything goes with a ~** minden úgy megy, mint a karikacsapás **b)** *US biz* fecsegés, terefere **2.** *biz* kósza hír, pletyka **3.** *szl [telefonhívás]* csörgés **4.** *biz* **a)** izgalom, bizsergető érzés **b)** jó légkör *[munkahelyen]* **II. A.** *tsi* **1.** jelez, dudál vknek **2.** telefonál, odacsörög vknek **3.** *rep biz* gyorsan és alacsonyan repül (vm fölött) **4.** *biz* hajít, dob *[követ]* **B.** *tni* zümmög, dong, döng(icsél), zúg *[rovar]*, zúg, búg, (halkan) berreg *[motor]*

buzz about *tni* sürög-forog, sürgölődik, nyüzsög

buzz around *biz* → **buzz about**

buzz in *tni* **1.** zümmögve/döngve/dongva berepül *[méh]* **2.** *biz* befut *[sürgöny]*

buzz off *tni szl [megy, elsiet]* elkotródik, olajra lép, elhúzza a csíkot

buzzard [ˈbʌzəd ‖ –ərd] *fn áll* egerészölyv

buzzer [ˈbʌzə ‖ –ər] *fn* **a)** *vill* berregő, zümmögő, jelzőcsengő **b)** (villany)kürt, gőzsíp, (gyár)sziréna, duda

buzz saw *fn US* körfűrész

buzzword [ˈbʌzwɜːd ‖ –wɜrd] *fn biz* divatos frázis

by [baɪ] **I.** *elölj* **1. a)** mellett, közelében, -nál, -nél; **~ the river bank** a folyóparton, a folyó mellett; **~ Lincoln** Lincoln közelében/mellett; *címzésben:* Lincoln postai körzetében; **~ oneself** egyedül; **keep ~ oneself** félrevonul, félrehúzódik; elkerüli a társaságot (v. az embereket); *átv* **stand ~ sy** vk mellett/mellé áll, támogat vkt **b) she walked ~ me without speaking** szó nélkül ment el mellettem **c) North ~ East** északkeletre **2.** keresztül, át, -on, -en, -ön, végig (vmn); **travel ~ Vienna** Bécsen át (v. Bécs érintésével) utazik; **he entered the house ~ the back door** a hátsó ajtón át hatolt a házba *[betörő stb.]* **3. ~ day** nappal, napközben; **~ night** éjjel **4.** (legkésőbb) ...-ra; **~ now, ~ this time** mostanra, mostanig; **she will come ~ four o'clock** legkésőbb négy órára itt lesz **5.** által; -val, -vel; -tól, -től; miatt, minél fogva; -on, -en, -ön; **she is loved ~ everybody** mindenki szereti, közszeretetben áll; **David Copperfield ~ Charles Dickens** Charles Dickens David Copperfield-je; **have a baby ~ sy** gyereke van vktől; **made ~ hand** kézi-, kézzel gyártott/csinált; **die ~ one's own hand** saját kezével vet véget életének; **lead sy ~ the hand** vkt kézen fogva vezet; **pull up ~ the roots** gyökerestül kitép; **~ air** repülőgépen *[utazik]*; repülőgépen, légi úton *[szállít]*; légipostával *[küld levelet]*; **~ bus** (autó)buszon, busszal; **~ car** autón, autóval, kocsival; **~ land** szárazföldön; **~ sea** tengeren *[utazik]*; **~ tram** villamoson, villamossal; **live ~ bread** kenyéren él; **four feet ~ five** négyszer öt láb *[területmérték meghatározásánál]*; **divide ~ four** néggyel oszt; **~ chance** véletlenül; **~ force** erővel; erőszakkal; **~ the help of ...** ... segítségével; **do sg all ~ oneself** (teljesen) egyedül/önállóan (v. a maga erejéből) csinál/végez vmt; **what do you mean ~ that?** mit ért ezen (v. ez alatt)?, mit akar ezzel mondani?; **be known** (v. **go**) **~ the name of Sting** Sting néven ismerik; **call sy ~ his name** vkt nevén szólít; **know sy ~ sight** vkt látásból/arcról ismer; **he began ~ drinking a glass of water** először is ivott egy pohár vizet **6.** szerint, értelmében, alapján; **~ heart** könyv nélkül, betéve *[tud verset stb.]*; **~ rights** szigorúan/szorosan (v. szó szerint) véve, pontos(abb)an, tulajdonképpen; **~ rote** gépiesen; **~ my watch it is four** az én órám négyet mutat, nálam négy óra van; **judge ~ appearances** látszat alapján/után ítél **7. ~ the way** egyébként, amúgy; **~ way of a joke** tréfából, viccből; **~ way of introduction** bevezetésül, bevezetésként, elöljáróban **8.** tekintetében, vmre nézve, vmt illetőleg; **Spanish ~ blood** vér szerint spanyol, spanyol születésű/származású/eredetű; **timid ~ nature** félénk természetű, természettől/eredendően félénk **9.** -szám(ra), -val, -vel; **~ the dozen** tucatszám(ra); tucatjával; **~ degrees** fokozatosan, fokonként, apránként, lassanként; **~ turn(s)** felváltva, egymás után, sorjában; **day ~ day** naponta, naponként, napról napra, nap mint nap; **little ~ little** lassanként, lassacskán, apránként; **one ~ one** egyenként, egyesével, libasorban **10. longer ~ three inches** három hüvelykkel hosszabb; **~ far the best** a kiemelkedően/vitathatatlanul legjobb **11.** -ra, -re *[esküszik]*; **~ God** Istenemre!, Isten bizony!; **swear ~ all one holds sacred** megesküszik mindenre, ami neki szent **12. do one's duty ~ sy** megteszi/teljesíti kötelességét vkvel szemben **II.** *hsz* **1.** közel, a közelben; **~ and ~** idővel;

close/hard ~ egészen/közvetlen közel, közvetlen közelben; **stand ~** ott (v. a közelben) áll; készen áll; **~ and large** nagyjából, mindent összevéve **2. go/pass ~** elmegy/elhalad vk/vm előtt/mellett; **success has passed him ~** a siker elkerülte **3. lay/set/put sg ~** félretesz/félrerak vmt **4. ~ and ~** nemsokára, rövidesen, hamarosan, majd (csak), idővel, előbb-utóbb **III.** *fn* **by the ~** hogy el ne felejtsem! erről jut eszembe, apropó

by- *előtag* mellék-, mellékes, másodlagos

by-blow *fn* **1.** ferde/félrecsúszó ütés **2.** *biz* törvénytelen gyermek, fattyú, zabigyerek

bye[1] [baɪ] **I.** *előtag* mellék-, mellékes, másodlagos **II.** *fn* **by the ~** el ne felejtsem!, erről jut eszembe!, apropó

bye[2] [baɪ] *fn sp* erőnyerő, mérkőzés nélküli továbbjutás

bye[3] [baɪ] *isz biz* szia!, csáó!

bye-bye I. *isz biz [viszontlátásra!]* szervusz(tok)!, szia!, pápá! **II.** *fn gyerm* **go ~** alukálni/hajcsiba/tentélni megy *[a baba]*

by-effect *fn* mellékhatás, másodlagos/közvetett hatás, mellékjelenség

bye-law *fn* **1.** *GB* helyhatósági (szabály)rendelet **2.** társasági/testületi/igazgatósági rendelet/szabályzat

by-election *fn GB* pótválasztás, időközi választás

Byelorussian [biˌelouˈrʌʃən] *mn/fn* belorusz

bygone [ˈbaɪgɒn ‖ –gɑn] **I.** *mn* (el)múlt, régi, régmúlt, hajdani **II.** *fn* **let ~s be ~s** borítsunk fátylat a múltra, hagyjuk (v. ne hánytorgassuk fel) a múltat

by-law → **bye-law**

byline *fn* **1.** ⟨cikkíró nevét a cím alatt közlő sor⟩ **2.** mellékfoglalkozás

byname *fn* **a)** gúnynév, csúfnév, ragadványnév **b)** állandó melléknév (vké)

BYO(B) *röv Ausz bring your own (bottle)*

bypass I. *fn* **1.** kitérő, átvágó/összekötő út; **~ (road)** kitérőút, kerülőút, terelőút **2.** *műsz* megkerülő vezeték, áteresztő/kiegyenlítő szelep **3.** *vill* mellékáramkör, párhuzamos áramkör **II.** *tsi* **1. a)** kikerül, megkerül *[várost stb. út, közvetlen fellebbvalót személy]* **b) ~ the traffic** forgalmat/közlekedést elterel/eltérít **2.** mellőz, figyelmen kívül hagy, elken *[ügyet]*

bypass operation [ˈbaɪpɑːs ɒpəreɪʃn ‖ ˈbaɪpæs apə–] *fn orv* bypass műtét

bypath *fn* mellékösvény, dűlőút

byplay *fn szính* mellékesemény

by-product *fn* melléktermék

byre [ˈbaɪə ‖ –ər] *fn GB* tehénistálló

byroad [ˈbaɪroud] *fn* **a)** mellékút **b)** falvak közötti út, községi/járási út, ideiglenes/kisegítő út **c)** átvágó/összekötő út

bystander [ˈbaɪstændə ‖ –ər] *fn* szemlélő, néző; **the ~s** az ott ácsorgó/bámészkodó/nézelődő emberek

byte [baɪt] *fn infor* byte, bájt

byway [ˈbaɪweɪ] *fn* mellékút, ösvény, kerülőút; **~s of learning** a tudomány kevésbé művelt mellékterületei

byword [ˈbaɪwɜːd ‖ –wɜrd] *fn* **1.** (ékes) példa; **he is a ~ for meanness** közismerten fukar, a fukarság megtestesítője **2.** közmondás, szólásmondás, szállóige

Byzantine [bɪˈzæntaɪn ‖ ˈbɪzntiːn] **I.** *mn* **1.** bizánci; **the ~ Empire** a bizánci/kelet-római császárság/birodalom **2.** bizánci (stílusú) *[épület]* **3.** túlkomplikált, bonyolult, szövevényes *[politikai helyzet]* **II.** *fn* bizánci • *fn* **Byzantinism**

C

C[1], **c** [siː] *fn* **1.** c (betű/hang); **C for Charlie** C mint Cecil **2.** *zene* C (hang) **3.** *okt* közepes **4.** 100 *[mint római szám]*
C[2], **c** *röv carat*; *Celsius*; *centigrade*; *century*; *copyright*; *coulomb*; *cubic*
CA *röv US California*
ca. *röv circa* körülbelül, kb.
Caaba [ˈkeɪəbə] *fn* a Kába(-kő) *[Mekkában]*
cab[1] [kæb] *fn* **1. a)** taxi; **call a ~** taxit hív; **take a ~** taxiba ül, taxival megy vhova **b)** *gk* utastér **c)** konflis, bérkocsi **2.** vezetőfülke, gépészfülke
cab[2] [kæb] *fn biz* puska
cabal [kəˈbæl] *fn* **1.** titkos szövetkezés, összeesküvés **2. a)** titkos szövetség **b)** kisebb zárt társaság/klikk
cabala [kəˈbɑːlə] *fn* kabala *[zsidó misztikus bibliamagyarázó rendszer]*
cabalistic [ˌkæbəˈlɪstɪk] *mn* **1.** kabalisztikus **2.** titokzatos, titkos/rejtett értelmű, érthetetlen
caballero [ˌkæbəˈleərou ‖ –ˈljerou] *fn spanyol* **1.** spanyol úr **2.** *US* lovas (ember)
cabana [kəˈbɑːnə ‖ kəˈbænə] *fn* **1. a)** kabána *[a tengerre néző oldalán nyitott pihenőkabin]* **b)** öltözőfülke *[tengerparton, strandon]* **2.** víkendház, pihenőház
cabaret [ˈkæbəreɪ ‖ ˌkæbəˈreɪ] *fn* **1. ~ (show)** kabaréműsor, szórakoztató műsor **2. a)** zenés műsoros vendéglő/mulató **b)** *régi* kiskocsma
cabbage [ˈkæbɪdʒ] *fn* **1.** káposzta; **garden ~** fejes káposzta; **pickled ~** savanyú káposzta; **red ~** vöröskáposzta; **turnip ~** karalábé **2. a)** *biz pej* fantáziátlan/tétlen/közömbös személy **b)** *szl* ‹szellemileg visszamaradt/sérült személy, aki gondoskodásra szorul› **3.** *szl [pénz]* dudva, lé
cabbage-head *fn* **1.** káposztafej **2.** *szl [buta ember]* tökfej, tökfilkó, dinnye
cabbage-leaf *fn tsz* **-leaves** káposztalevél
cabbage-patch *fn* káposztaágy, káposztaföld
cabbage-rose *fn növ* százlevelű rózsa
cabbage-shredder *fn* káposztagyalu
cabbala [kəˈbɑːlə] → **cabala**
cabbie → **cabby**
cabby [ˈkæbi] *fn biz* taxisofőr
cab-driver *fn* taxisofőr
caber [ˈkeɪbə ‖ –ər] *fn* vörösfenyő fatörzs, lucfenyőrúd; **tossing the ~** fatörzslökés *[skót sport]*
cabin [ˈkæbɪn] **I.** *fn* **1. a)** kunyhó, házikó **b)** víkendház **2. a)** (hajó)kabin, fülke, kajüt **b)** vezetőfülke, pilótafülke **II.** *tsi* bezár, beszorít *[vkt szűk helyre]*
cabin-boy *fn* fiatal pincér/inas *[hajón]*
cabin class *fn* másodosztály *[hajón]*
cabin crew *fn* repülőgép-személyzet
cabin cruiser *fn* motoros yacht
cabinet [ˈkæbɪnət] *fn* **1. a) C~** kormány(tanács), kabinet; **a C~ was held** minisztertanácsot tartottak, a minisztertanács összeült; **form a C~** kormányt alakít **b)** kormány(tanács)/minisztertanács tanácskozóterme **2. a)** fiókos szekrény **b)** üvegszekrény, vitrin, tárló **c) medicine ~** házi patika **3.** (mű)gyűjtemény, ritkaséggyűjtemény **4.** *régi* kis (magán)szoba
cabinet edition *fn* díszkiadás
cabinet-maker *fn* műbútorasztalos
cabinet meeting kormányülés
cabinet reshuffle *fn* kormányátalakítás
cabinet-size *mn fényk* kabinet-nagyságú *[16–szor11 cm v. 15–ször 10 cm]*
cabin fever *fn Kan* ‹téli bezártság miatti erős depresszió›
cable [ˈkeɪbl] **I.** *fn* **1.** drótkötél, sodronykötél **2.** *vill* kábel, szigetelt huzal/vezeték; **lay a ~** kábelt lerak/fektet **3.** *hajó*, horgonykötél/lánc **4.** távirat, sürgöny **5.** kábeltelevízió **6.** *épít* kötéldíszű párkányzat **II.** *i* **A.** *tsi* **1.** (meg)táviratoz, (meg)sürgönyöz **2.** (drót)kötéllel kiköt/rögzít **B.** *tni* kábeltelevíziós rendszerhez kapcsol
cable-car *fn* **1.** sikló **2.** (drót)kötélpálya-csille/kabin
cablecast *fn infor* adás *[kábeltelevízión]*
cable-code *fn* távirati kód
cablegram [ˈkeɪblgræm] *fn* távirat
cable-laid *mn* kábelszerűen/hajókötélszerűen sodort
cable network *fn infor* kábelhálózat
cable-railway *fn* **a)** sikló(pálya) **b)** (drót)kötélpálya, drótkötélvasút
cable-ready *mn média* kábeltelevízió vételére alkalmas
cable-release *fn fényk* (zár)kioldózsinór
cable television *fn* kábeltelevízió
cable transfer *fn pénz* távirati átutalás
cabman [ˈkæbmən] *fn tsz* **-men** taxisofőr
caboodle [kəˈbuːdl] *fn US szl* **the whole ~** az egész társaság/pereputty; az egész mindenség
caboose [kəˈbuːs] *fn* **1. a)** hajókonyha **b)** hordozható tűzhely **2.** *US* fékezőkocsi *[vonat végén]*
cabotage [ˈkæbətɑːʒ] *fn* **a)** partmenti hajózás/kereskedelem **b)** *rep* belföldi/helyközi repülés
cabriole [ˈkæbrioul] *fn* **1.** karmos hajlított láb *[bútorokon]* **2.** szökellés, könnyed ugrás *[balettben]*
cabriolet [ˈkæbrɪəleɪ ‖ ˌkæbrɪəˈleɪ] *fn* **a)** *gk* kabriolet, nyitható tetejű autó **b)** könnyű egyfogatú kétkerekű ernyős kocsi, kabriolet
ca'canny [ˌkɔːˈkæni] *fn GB* **1.** a munkairam szándékos csökkentése, munkalassítás **2.** túlzott óvatosság
cacao [kəˈkɑːou ‖ kəˈkau] *fn növ* **1.** kakaóbab **2.** kakaófa
cachalot [ˈkæʃəlɒt ‖ –lou] *fn áll* ámbrás cet, kasalot bálna
cache [kæʃ] **I.** *fn* **1.** rejtekhely, titkos raktár **2.** elrejtett/rejtegetett készlet/holmi **3.** → **cache memory II.** *tsi* eldug/elrejt rejtekhelyre
cache memory *fn infor* átmeneti tároló, belső gyorsítótár; közvetítő tároló
cachepot [ˌkæʃˈpou ‖ ˈkæʃpɑt] *fn* vendégcserép, kaspó
cachet [ˈkæʃeɪ ‖ kæˈʃeɪ] *fn* **1. a)** *átv* fémjelzés **b)** támogató helyeslés **c)** presztízs **2.** ostya(tok), kapszula **3.** pecsét *[levélen]*
caching [ˈkæʃɪŋ] *fn infor* közvetítő tárolás
cachinnate [ˈkækɪneɪt] *tni* röhög, nyerítve nevet • *fn* **cachinnation** *mn* **cachinnatory**
cacique [kəˈsiːk] *fn* **a)** indiánfőnök, törzsfő *[a Karib-szigeteken]*, kacika **b)** politikai vezér *[spanyol/latin-amerikai politikában]*
cack [kæk] **I.** *fn táj biz* kaka **II.** *tni táj biz* kakál
cack-handed *mn biz* balkezes
cackle [ˈkækl] **I.** *fn* **1.** (kot)kodácsolás, kotkodálás *[tyúké]*, gágogás *[libáé]* **2.** fecsegés, locsogás; **cut your/the ~!** elég legyen ebből a fecsegésből!, nem kell a szöveg! **3.** vihogás, vihorászás **II.** *tni* **1.** (kot)kodácsol, kotkodál *[tyúk]*, gágog *[liba]* **2.** fecseg, locsog **3.** vihog, vihorászik • *fn* **cackling**
caco- [ˈkækou] *összet* rossz-, helytelen
cacoethes [ˌkækouˈiːθiːz] *fn* erős/leküzdhetetlen vágy/ösztön
cacology [kəˈkɒlədʒi ‖ –ˈkɑ–] *fn* hibás beszéd(mód)/kifejezés/kiejtés • *mn* **cacological**
cacophony [kəˈkɒfəni ‖ –ˈkɑ–] *fn nyelv* rossz hangzás, hangzavar, kakofónia • *mn* **cacophonous**
cactus [ˈkæktəs] *fn tsz* **-es**, **cacti** [ˈkæktaɪ] kaktusz
cad [kæd] *fn GB biz* gazember, gazfickó, csirkefogó • *mn* **caddish**

CAD [kæd] *röv infor computer-aided design* számítógéppel támogatott tervezés, CAD
cadastral [kəˈdæstrəl] *mn* kataszteri
cadaver [kəˈdeɪvə, kəˈdævə ‖ kəˈdævər] *fn* hulla, holttest, tetem • *mn* **cadaveric**
cadaverous [kəˈdævərəs] *mn* hullaszerű, hullaszínű, halálsápadt *[arc]* • *fn* **cadaverousness**
caddie [ˈkædi] **I.** *fn* labdaszedő és ütőhordó (fiú) *[golfban]* **II.** *tni* **~ for sy** labdát szed vknek és hordozza az ütőit *[golfban]*
caddy[1] [ˈkædi] → **caddie**
caddy[2] [ˈkædi] *fn* **1.** teásdoboz **2.** *infor* kompaktlemeztálca *[tok]*, floppy-tok **3.** *US* bádogkanna
cadence [ˈkeɪdns] *fn* **1. a)** ritmus, mérték, ütem, lejtés *[versé, mondaté]* **b)** hanglejtés, hanghordozás **2.** *zene* záró rész, zárlat, kadencia • *mn* **cadenced**
cadenza [kəˈdenzə] *fn zene* kadencia, zárlat
cadet [kəˈdet] *fn* **1.** kadét, hadapród(iskolás) **2.** *régi* kisebbik/második fiú • *fn* **cadetship**
cadge [kædʒ] **I.** *i* **A.** *tsi* (ki)kunyerál, koldul, potyáz (vmt) **B.** *tni* **1.** potyázik **2.** árusít, házal *[vidéken]* **II.** *fn biz* **be on the ~** nézi/lesi, hogy hol lehet potyázni • *fn* **cadger**
Cadmean victory *fn* pirruszi győzelem
cadmic [ˈkædmɪk] *mn vegy* kadmiumos, kadmium-
cadmium [ˈkædmɪəm] *fn ásv* kadmium
cadmium cell *fn el* kadmium-normálelem, kadmiumcella
cadmium yellow *fn* kadmium sárga, sárga színű festék
cadre [ˈkɑːdə ‖ ˈkædri] *fn* **1.** *kat* **a)** kiképzőtisztek **b)** (pót)keret, katonai keretszervezet, káder **2.** váz(lat), terv **3.** [ˈkeɪdə ‖ –dər] *pol* káder
caducous [kəˈdjuːkəs ‖ –ˈduː–] *mn* **1.** pusztulásnak indult, pusztuló **2.** *növ* lehulló **3.** múló, mulandó, tűnékeny • *fn* **caducity**
caecum [ˈsiːkəm] *fn tsz* **caeca** [ˈsiːkə] *orv* vakbél • *mn* **caecal**
caenozoic [ˌsiːnəˈzoʊɪk] → **cainozoic**
Caesar [ˈsiːzə ‖ –ər] *tul* **1.** Cézár; **appeal to ~** a legmagasabb fórumhoz fellebbez **2.** zsarnok, diktátor **3.** *orv szl [császármetszés]* császár
Caesarean [sɪˈzeərɪən ‖ –ˈzer–] *mn* **1.** cézári, császári **2.** *orv* **~ operation/section** császármetszés
caesious [ˈsiːzɪəs] *mn* kékeszöld, szürkészöld
caesium [ˈsiːzɪəm] *fn vegy* cézium
caesura [sɪˈzjuərə ‖ sɪˈzurə] *fn* sormetszet, cezúra • *mn* **caesural**
café [ˈkæfeɪ ‖ kæˈfeɪ] *fn* **1. a)** kávéház **b)** olcsó étterem *[amely egyszerű ételeket árusít]* **2.** *US* bár, éjszakai szórakozóhely
café-au-lait [ˌkæfeɪ oʊˈleɪ] *francia* **I.** *fn* tejeskávé **II.** *mn* tejeskávé színű, kávébarna
café noire [ˌkæfeɪˈnwɑː ‖ –ˈnwɑr] *fn francia* feketekávé
cafeteria [ˌkæfəˈtɪərɪə ‖ –ˈtɪrɪə] *fn* **1.** önkiszolgáló étterem; **~ car** büfékocsi *[vonaton]* **2.** kantin, üzemi étkező
caff [kæf] *fn GB szl* presszó
caffein [ˈkæfiːn ‖ –ˈfiːn], **caffeine** *fn* koffein
caffeinated [kæfɪˈneɪtɪd] *mn* koffeines, koffeintartalmú, koffeint tartalmazó
caftan [ˈkæftæn ‖ –tən] *fn* → **kaftan**
cage [keɪdʒ] **I.** *fn* **1. a)** ketrec, kalitka, kas **b)** *átv* börtön **2.** *bány* bányalift, (akna)kas **3.** *sp* kapu **II.** *tsi* **a)** kalitkába/ketrecbe zár **b)** *biz* **~ in** lecsuk
cage-bird [ˈkeɪdʒlɪŋ] *fn* rabmadár, kalitkába zárt madár
cagey [ˈkeɪdʒi] *mn biz* óvatos, gyanakvó, ravasz
cagy [ˈkeɪdʒi] → **cagey**
cahoot(s) [kəˈhuːts] *fn US biz* **1. be in ~ with sy** összejátszik, egy húron pendül, egy követ fúj **2.** szövetség, partnerség
caiman [ˈkeɪmən] *fn tsz* **~s** *áll* kajmán
Cain [keɪn] *tul* Káin, *átv* testvérgyilkos; *biz* **raise ~** felfordulást csinál, zavart kelt; nagy botrányt csap
caique [kaɪˈiːk] *fn* **1.** ‹könnyű, a Boszporuszon használt csónakfajta› **2.** ‹nagyobb, levantei vitorlás hajó›
cairn [keən ‖ kern] *fn* **1.** kőhalom *[síron, útjelzőként]*; *biz* **add a stone to sy's ~** elismeréssel adózik vk emlékének **2. ~ (terrier)** ‹kis termetű, rövid lábú, hosszú testű terrier›
cairngorm [ˌkeənˈgɔːm ‖ ˈkerngɔrm] *fn ásv* füstkvarc
Cairo [ˈkaɪroʊ] *tul földr* Kairó
caisson [ˈkeɪsn, kəˈsuːn ‖ ˈkeɪsɑn] *fn* **1.** *vízügy* süllyesztőszekrény, keszon; **~ disease** keszonbetegség **2.** *vízügy* úszógát **3.** *kat* **a)** lőszerkocsi **b)** lőszerszekrény, lőszerláda
caitiff [ˈkeɪtɪf] *vál* **I.** *fn* **1.** gazfickó, börtöntöltelék **2.** gyáva ember **II.** *mn* **1.** aljas, elvetemült **2.** gyáva
cajole [kəˈdʒoʊl] *tsi* hízeleg, behízelgi magát, (hízelgéssel) levesz a lábáról, hízelgéssel rávesz; **~ sg out of sy** kihízeleg/kicsal vmt vktől • *fn* **cajolery**
Cajun [ˈkeɪdʒən] *fn* francia anyanyelvű louisianaiak
cake [keɪk] **I.** *fn* **1.** sütemény, kalács; **fancy ~** torta; *átv* **~s and ale** mulatozás, dínomdánom; **(small) ~s** (apró tea)sütemény; *biz* **take the ~** elviszi a pálmát, övé a dicsőség; felülmúl *[ostobaságban]*; **a piece of ~** gyerekjáték; *biz* **they're going/selling like hot ~s** úgy veszik, mint a cukrot; *közm* **you can't eat your ~ and have it too** nem lehet, hogy a kecske is jóllakjon és a káposzta is megmaradjon **2. a)** pogácsa; **fish ~** halpogácsa **b)** *mezőg* (takarmány)pogácsa **3.** darab *[szappan, csokoládé]* **4.** összeállott/alvadt rög, massza **II.** *i* **A.** *tsi* masszává tömörít **B.** *tni* összeáll *[tészta]*, megalvad *[vér]*, megkeményedik, megszilárdul, vastagon rászárad *[pépes anyag]*, összesül, összeég
cake hole *fn szl [száj]* lepényleső
cakewalk *fn* **1.** ‹afro-amerikai tánc› kalácstánc **2.** *GB* ‹vidámparkban található játék› **3.** gyerekjáték
caky [ˈkeɪki] *mn* **1.** tortaszerű, torta-, sütemény- **2.** összeálló *[anyag]*, alvadó *[vér]*, csomós, csomósodó
Cal. *röv US California*
calabash [ˈkæləbæʃ] *fn* **1.** *növ* **~(-gourd)** lopótök **2. ~(-bottle)** tökkulacs, ivótök **3. ~(-pipe)** lopótök-pipa
calabash tree *fn növ* örökzöld trópusi fa
calamary [ˈkæləməri ‖ –meri] *fn áll* tintahal
calamine [ˈkæləmaɪn] *fn* **1.** *ásv* kalamin, hemimerfit, kovacinkérc **2.** *ásv* gálma *[cinkércek ipari gyűjtőneve]*
calamint [ˈkæləmɪnt] *fn növ* méhfű
calamity [kəˈlæməti] *fn* **1.** súlyos/elemi csapás, balsors, vész, szerencsétlenség **2.** szerencsétlen helyzet • *mn* **calamitous**
calamus [ˈkæləməs] *fn tsz* **calami** [ˈkæləmaɪ] **1.** *növ* palkaszár **2.** *régi* írónád, írótoll
calash [kəˈlæʃ] *fn* **1.** cséza **2. a)** (felhajtható) kocsiernyő **b)** merevített karimájú női főkötő
calc- [kælk] *összet* calci-, kalk-, mészkő-, tufa-
calcaneum [kælˈkeɪnɪəm] *fn orv* sarkcsont
calcareous [kælˈkeərɪəs ‖ –ˈker–] *mn ásv* mésztartalmú, meszes, mész-
calceolaria [ˌkælsɪəˈleərɪə ‖ –ˈlerɪə] *fn növ* papucsvirág
calciferol [kælˈsɪfərɒl ‖ –roʊl] *fn vegy* kalciferol, D-vitamin
calciferous [kælˈsɪfərəs] *mn ásv* mésztartalmú *[kőzet]*
calcify [ˈkælsɪfaɪ] **A.** *tsi* elmeszesít, megkövesít **B.** *tni* elmeszesedik, megkövesedik • *fn* **calcification**
calcine [ˈkælsaɪn] *i* **A.** *tsi* mésszé éget, kalcinál **B.** *tni* (el)meszesedik, mésszé ég, kalcinálódik • *fn* **calcination**
calcite [ˈkælsaɪt] *fn ásv* mészpát, kalcit
calcium [ˈkælsɪəm] *fn vegy* kálcium
calculable [ˈkælkjuləbl] *mn* **1. a)** kiszámítható **b)** megbízható, biztos **2.** várható, előrelátható, számítani lehet rá, számolni lehet vele • *fn* **calculability**
calculate [ˈkælkjuleɪt] *i* **A.** *tsi* **1.** kiszámít, összeszámol **2.** *átv* mérlegel, felbecsül, megfontol, tekintetbe vesz, kitervel **3.** *biz táj* gondol, vél, hisz **B.** *tni* **1.** számol, számítást végez, számvetést készít **2. ~ (up)on sg** számol vmvel, számít vmre • *mn* **calculative**
calculated [ˈkælkjʊleɪtɪd] *mn* **1.** kiszámított, kitervelt, szándékos; **~ risk** tudatos kockázat, számolás a veszéllyel **2.** alkalmas, megfelelő, hivatott

calculating [ˈkælkjʊleɪtɪŋ] *mn* **1.** számoló, kiszámító **2.** *átv* számító, megfontolt, ravasz • *hsz* **calculatingly**
calculation [ˌkælkjʊˈleɪʃn] *fn* **1.** számolás, (ki)számítás, mérlegelés, megfontolás, kitervelés **2.** terv **3.** költségvetés
calculator [ˈkælkjʊleɪtə ‖ –kjəleɪtər] *fn* **1.** számológép **2.** számoló, számító **3.** szorzótábla, számítási kulcs/táblázat
calculus [ˈkælkjʊləs] *fn tsz* **-es, calculi** [ˈkælkjəlaɪ] **1.** *mat* számítás(os eljárás); **differential ~** differenciálszámítás; **integral ~** integrálszámítás **2.** *orv* kő *[epe-, vese-]*
Calcutta [kælˈkʌtə] *tul földr* Kalkutta
calcspar [ˈkælkspɑː ‖ –spɑr] → **calcite**
caldera [kælˈdeərə ‖ –ˈderə] *fn geol* kaldera *[vulkán beomlásakor keletkezett medenceszerű kráter]*
caldron [ˈkɔːldrən] → **cauldron**
Caledonia [ˌkælɪˈdoʊnɪə] *tul földr* ‹Skócia régi neve›
calendar [ˈkæləndə ‖ –ər] **I.** *fn* **1. a)** naptár **b)** almanach **2. a)** jegyzék, lajstrom **b)** *GB* tanrend **c)** *US* napirend *[kongresszusé]* **II.** *tsi* **1.** előjegyzésbe vesz, előjegyez **2.** osztályoz, (el)rendez, nyilvántart • *mn* **calendrical**
calendar month *fn* naptári hónap
calendar year *fn* naptári év
calf[1] [kɑːf ‖ kæf] *fn tsz* **calves** [kɑːvz ‖ kævz] **1. a)** borjú; **kill the fatted ~** nagy lakomát csap **b)** borjú, kölyök *[pl. elefánté, bölényé]* **2.** (jéghegyről levált) jégtömb **3.** *biz* zöldfülű, tacskó, kamasz, bakfis
calf[2] [kɑːf ‖ kæf] *fn tsz* **calves** [kɑːvz ‖ kævz] lábikra
calfish [ˈkɑːfɪʃ ‖ ˈkæ–] *mn* éretlen, zöldfülű, tapasztalatlan
calf love *fn* bakfisszerelem, diákszerelem
calfskin *fn* borjúbőr
calf's pluck *fn* borjúfodor
calf's-teeth *fn tsz* tejfogak
calfy [ˈkɑːfi ‖ ˈkæfi] *mn* vemhes
caliber [ˈkæləbə ‖ –ər] *US* → **calibre**
calibrate [ˈkæləbreɪt] *tsi* **1. a)** (fok)beosztással ellát **b)** hitelesít, beállít, kalibrál *[mérőeszközt]* **2.** *kat* belő *[fegyvert]* • *fn* **calibration**
calibre [ˈkæləbə ‖ –ər] *fn* **1.** belső átmérő, furat, kaliber *[csőé, golyóé, fegyveré]*, űrméret **2.** *átv biz* képesség, rátermettség, tudás, súly, fontosság, ütőképesség *[csapaté]*; **a man of small ~** jelentéktelen (v. szűk látókörű) ember • *mn* **calibred**
calices [ˈkælɪsɪz] → **calix**
calico [ˈkælɪkoʊ] **I.** *fn* **1.** *tex* pamutvászon, karton, kalikó; **fine ~** sifon; **printed ~** nyomott karton **2.** *US* tarka/sokszínű/mintás vászon, karton **II.** *mn* (egyszínű) vászon-, karton-
calif [ˈkeɪlɪf] → **caliph**
California [ˌkælɪˈfɔːnɪə ‖ –ˈfɔr–] *tul* Kalifornia; *földr* **Gulf of ~** Kaliforniai-öböl • *fn/mn* **Californian**
California poppy *fn* sárga pipacs
californium [ˌkæləˈfɔːnɪəm ‖ –ˈfɔr–] *fn vegy* kalifornium
caliper [ˈkælɪpə ‖ –ər] *US* → **calliper**
caliph [ˈkeɪlɪf, ˈkæ–] *fn* kalifa • **caliphate**
calisthenics [ˌkælɪsˈθenɪks] → **callisthenic** II.
calk[1] [kɔːk] **I.** *fn* jégpatkó, jégszeg *[patkón]*, jégvas *[cipőtalpon]* **II.** *tsi* jégpatkót/jégvasat felver
calk[2] [kɔːk] → **caulk**
call [kɔːl] **I. A.** *tsi* **1.** (ki)kiált, hív, (hangosan) felolvas; **~ a halt** megállást parancsol, megálljt kiált; **~ the roll** névsort olvas; **~ a strike** sztrájkot hirdet **2. a)** (oda)hív, odaszólít, összehív, egybehív *[gyűlést]*, felhív, kihív, *szính* függöny elé szólít; **~ attention to sg** felhívja a figyelmet vmre; **~ (in) a doctor** orvost hív(at); **duty ~s (me)** hív a kötelesség **b)** felkelt, felébreszt **3.** nevez, hív; **he is ~ed Tom** Tamásnak hívják; **~ sy after sy** elnevez vkt vk után; **~ sy names** csúfol/gúnyol vkt, csúfnevekkel illet vkt; **~ one's own** sajátjának tart/nevez(het); **he ~s himself a writer** írónak nevezi/tartja magát; **let's ~ it a day** mára elég (lesz) **4. a)** *ját* bemond, licitál; **~ two spades** két pikket mond be **b)** **~ the game** játékot megkezdi; *US* **~ the shots** ő a főnök, ő a fejes **B.** *tni* **1. a)** kiált, beszél *[telefonon]*; **who is ~ing?** ki beszél? *[telefonban]* **b)** kiált, rikolt *[madár]* **2.** meglátogat, látogatást tesz (*at sy's place* vknél), beugrik, benéz, beszól (vkhez); **be asked to ~** meghívják, meghívást kap; **has anyone ~ed?** járt/volt itt vk? **II.** *fn* **1. a)** (hívó) kiáltás; **~ for help** segélykiáltás; *biz* **it's my ~** most én rendelek/fizetek, rajtam a sor **b)** madárfütty, állathang **c)** madárfütty/állathang utánzása **2. a)** hívás, (oda)szólítás, *szính* függöny elé szólítás/hívás; **answer** (v. **come at) sy's ~** vknek a hívására/felszólítására megjelenik; **be at/within ~** hívótávolságon belül van; rendelkezésre áll (vk); **give sy a ~** (oda)hív/szólít vkt; felébreszt/felkelt vkt *[kérésre]*; felhív vkt **b) telephone ~** telefonhívás; telefonbeszélgetés; **collect ~** R-beszélgetés *[a hívott fél fizet]*; **local ~** helyi (telefon)-beszélgetés; **put a ~ through** kapcsol *[telefonkezelő]* **c)** ébresztőhívás **d)** névsorolvasás **e)** *kat* hívójel *[gyülekezésre stb.]*; **be on ~** készültségben van **f)** *ját* bemondás, licit, megadás *[pókernél]*; **leave the ~ for one's partner** passzol, nem licitál **3. a)** *átv* hívó szó; **the ~ of conscience** a lelkiismeret hangja/szava; **the ~ of nature** a természet hívása, természeti szükség; **the ~ of the wild(s)** a vadon szava; *biz* **that was a close ~** egy hajszálon múlt; **answer the ~ of duty** eleget tesz kötelességének; **there is no ~ to...** semmi szükség arra, hogy..., nem szükséges/kell ...-ni **b)** *vall* hivatásérzet, elhivatottság; **he felt a ~ to the ministry** a papi pályára érzett hivatást **4.** (meg)látogatás; **make/pay a ~ on sy** meglátogat vkt; **return sy's ~** viszonozza vknek a látogatását/telefonhívását **5. a)** *pénz* fizetési felhívás **b)** *gazd* felhívás; **~ for offer(s)** ajánlatkérés; **~ for tenders** pályázati/versenytárgyalási kiírás **c)** *gazd* kereslet; **there is no ~ for this article** ezt a cikket nem keresik

call around *tni* benéz, beugrik
call aside *tsi* félrehív, félrevon (vkt)
call at *tni* látogatást tesz, benéz vhova; **~ at sy's house** látogatást tesz vknél, benéz vkhez
call away *tsi* **1. ~ away sy's attention** vknek a figyelmét elvonja **2. be ~ed away** elhívják, el kell mennie (vhová)
call back A. *tsi* **1. a)** visszahív, telefonon visszahív (vkt) **b)** visszakiált (vmt) **2. a)** visszaszív, visszavon **b)** felidéz, emlékezetébe idéz **B.** *tni* visszajön, beszól
call down *tsi* **1.** lehív (vkt) **2.** *US biz* **a)** szidalmaz, sérteget **b)** leszid, összeszid, lehord
call for *tni* **1. a)** kiált vmért; **~ for help** segítségért kiált **b)** hivat (vkt), (oda)hozat (vmt), rendel **c) an article much ~ed for** nagyon keresett (v. nagy keresletnek örvendő) árucikk **2.** érte jön, érte megy **3.** (meg)kíván, (meg)követel, igényel, szükségessé tesz; **~ for an apology** bocsánatkérést/jóvátételt kíván/igényel; **~ for an explanation** magyarázatot kér/követel (vk)
call forth *tsi* **a)** előidéz, eredményez, kelt *[bámulatot]* **b)** összeszed *[bátorságot]* **c)** felidéz, idéz *[szellemet]*, felelevenít *[emléket]*
call in *tsi* **1. a)** behív, behívat **b) ~ in a specialist** szakértőhöz fordul **2.** a forgalomból bevon/kivon **3. ~ in doubt/question** kétségbe von
call into *tsi* **1.** *kat* behív **2. a)** létrehoz; **~ into being/existence** létrehoz, létesít **b) ~ into play** működésbe hoz, latba vet; **~ into play all one's powers** minden erejét összeszedi **3. ~ into question** megkérdőjelez, kérdőre von
call off A. *tsi* **1.** felmond, érvénytelenít, semmisnek nyilvánít, visszavon, érvénytelenít, lemond, lefúj; **~ off a deal** kiugrik az üzletből, visszatáncol az üzlettől; **~ off a strike** sztrájkot lefúj/beszüntet **2.** *átv* elhív, elszólít, eltérít **3.** felolvas **B.** *tni* visszatáncol, visszalép; → **call-off**
call on *tni* meglátogat (vkt), benéz (vkhez)
call out A. *tsi* **1. a)** kihív, kihívat, kivezényel *[katonaságot]*, *biz* sztrájkba szólít **b)** kihív *[párbajra]* **2. ~ sy out of his name** más néven szólít vkt **B.** *tni* felkiált; odakiált, odaszól (vknek), segítségért kiált
call over *tsi* áthív
call round → **call around**

C

call to *tni* **1.** kiált (vknek) **2.** (oda)hív, odarendel; ~ **to account** felelősségre von; *kat* ~ **to arms** fegyverbe hív/szólít; ~ **to mind/memory/remembrance** emlékezetébe idéz, felidéz, emlékeztet; ~ **to order** rendreutasít
call together *tsi* egybehív, összehív
call up *tsi* **1.** felhív (vhová) **2.** *US* felhív *[telefonon]* **3. a)** felidéz, felelevenít *[emléket, múltat]* **b)** idéz *[szellemet]* **4.** behív *[katonának]*, fegyverbe szólít; **be ~ed up** behívták, megkapta a behívót
call upon *tni* **1. a)** fordul/folyamodik vkhez/vmhez; ~ **upon sy's help** segítséget kér vktől **b)** ~ **upon sy for sg** vkhez fordul vmért **2.** felszólít, felkér; ~ **upon sy to do sg** felszólít/felkér vkt, hogy tegyen meg vmt
call-bird *fn vad* **1.** csalimadár *[hanggal hívó]* **2.** ‹vevőcsalogató áru›
call box *fn GB* telefonfülke
callboy *fn* **1.** *szính* ‹színészt jelenéskor előszólító alkalmazott› beintő **2.** *US* londiner, küldönc *[szállodában]* **3.** ‹telefonon lakásra hívható férfi prostituált (a call-girl mintájára)› hímringyó
caller [ˈkɔːlə ‖ −ər] *fn* **1.** látogató **2. a)** kiáltó, hívó, bemondó **b)** hívó fél *[telefonbeszélgetésnél]* **3.** *Ausz* kommentátor, riporter *[sportversenyen]*
call-girl *fn* ‹(telefonon lakásra hívható) prostituált› call-girl
calligraphy [kəˈlɪgrəfi] *fn* szép kézírás, szépírás, kalligráfia • *fn* **calligrapher** *mn* **calligraphic**
calling [ˈkɔːlɪŋ] **I.** *fn* **1. a)** hívás, kiáltás **b)** összehívás, egybehívás **2. a)** (el)hivatottság, hajlam **b)** hivatás, foglalkozás, életpálya **3.** látogatás **II.** *mn* hívó
calling card *fn US* névjegy
Calliope [kəˈlaɪəpi] *tul mit* Kalliopé *[a hősköltészet múzsája]*
calliper [ˈkælɪpə ‖ −ər] **I.** *fn* **1. (pair of) ~s** tapintókörző, mérőkörző, kaliberkörző **2. a)** *gk* féknyereg **b)** tolómérő **II.** *tsi* mérőkörzővel/tapintókörzővel mér, kalibrál
calliper-splint *fn orv* kengyeles sínkötés
callisthenic [ˌkælɪsˈθenɪk] **I.** *mn* mozdulatművészeti, torna- **II.** *fn tsz* **callisthenics** tornagyakorlat, gimnasztika, szabadgyakorlatok, *kat* csuklógyakorlat
call-letter *fn pénz* ‹hátralékos alaptőkerészlet befizetésére felszólító levél›
call-loan *fn pénz* ‹azonnali visszafizetésre felmondható kölcsön› napi pénz
call-mark → **call-number** 1.
call-money → **call-loan**
call-number *fn* **1.** katalógusszám, raktári jelzet **2.** telefonszám **3.** *infor* hívószám **4.** sorszám *[hivatalban]*
callosity [kəˈlɒsəti ‖ kəˈlɑsəti] *fn* **1.** kérgesség; ~ **(of heart)** keményszívűség; érzéketlenség **2.** bőrkeményedés, tyúkszem, megkérgesedés **3.** → **callus** 2.
callous [ˈkæləs] *mn* **1.** érzéketlen, kőszívű, szívtelen **2.** kérges, bőrkeményedéses
callow [ˈkæloʊ] *mn* zöldfülű, éretlen, tapasztalatlan
call sign *fn* hívójel
call slip *fn* könyvtári kérőlap, kérőcédula; hívószám
callus [ˈkæləs] *fn tsz* **es**, **calli** [ˈkælaɪ] **1.** kérgesedés, bőrkeményedés, tyúkszem **2. a)** *orv* csontheg, csontforradás **b)** *növ* heg(szövet) **3.** → **callous**
calm [kɑːm] **I.** *mn* **1.** nyugodt, higgadt *[ember, modor]*, csendes, szélmentes *[idő]*, sima *[tenger]*, zavartalan, békés *[élet]*; **keep ~** nyugodt marad; türtőzteti magát **2.** *biz* szenvtelen, rideg, cinikus, magabiztos **II.** *fn* **1. a)** nyugalom, csend **b)** nyugodtság, higgadtság **2.** szélcsend **III. A.** *tsi* lecsendesít *[vihart]*, megnyugtat, lecsillapít *[kedélyeket]*, enyhít, csillapít *[fájdalmat]*; ~ **sy down** lecsillapít/nyugtat vkt **B.** *tni* ~ **down** lecsendesedik *[vihar, tenger]*; megnyugszik, lecsillapodik *[személy]*; enyhül, csillapodik *[fájdalom]*; elül *[szél]* • *fn* **calmness** *hsz* **calmly**
calmative [ˈkælmətɪv, kɑːm−] *mn/fn* nyugtató
calor gas [ˈkæləgæs ‖ ˈkælər−] *fn* palackos gáz, butángáz
caloric [kəˈlɒrɪk ‖ kəˈlɔrɪk] **I.** *mn* hő-, fűtő- **II.** *fn* **1.** *régi* hőanyag **2.** hőség
calorie [ˈkæləri] *fn* kalória
calorific [ˌkæləˈrɪfɪk] *mn* hőfejlesztő, hőtermelő, hő-, fűtő-; ~ **value** fűtőérték
calorimeter [ˌkæləˈrɪmɪtə ‖ −mətər] *fn* hőmennyiségmérő, kaloriméter • *fn* **calorimetry** *mn* **calorimetric(al)**
calory → **calorie**
calque [kælk] *fn* **1.** másolat, utánzat **2.** *nyelv* tükörfordítás, tükörszó
calumet [ˈkæljumet] *fn* békepipa
calumniate [kəˈlʌmnieɪt] *tsi* (meg)rágalmaz • *fn* **calumniation**, **calumniator** *mn* **calumniatory**
calumny [ˈkæləmni] *fn* rágalom, hamis vád • *mn* **calumnious**
calve [kɑːv ‖ kæv] *tsi/tni* **1.** (meg)ellik, (meg)borjazik *[tehén]* **2.** leválik *[jégtömb jéghegyről]*
calves [kɑːvz ‖ kævz] → **calf**[1] → **calf**[2]
Calvinism [ˈkælvənɪzm] *fn* kálvinizmus • *fn/mn* **Calvinist** *mn* **Calvinistic(al)**
calypso [kəˈlɪpsoʊ] *fn* ‹Karib-tengeri szatirikus dal/tánc›
cam [kæm] *fn műsz* (vezérlő) bütyök
CAM [kæm] *röv infor computer-aided manufacturing* számítógéppel támogatott gyártás
camarilla [ˌkæmeˈrɪlə] *fn pol* kamarilla
camber [ˈkæmbə ‖ −ər] **I.** *fn* **a)** hajlat, görbület, íveltség *[hídé]*, domborulat, *hajó* harántdomborulat *[fedélzeté]* **b)** *gk* kerékdőlés **II. A.** *tsi* ívben meghajlít *[gerendát]*, domborúra épít *[utat]*, ível *[boltozatot]* **B.** *tni* **1.** domborodik, meghajlik **2.** ívet alkot • *mn* **cambered**
Cambodia [kæmˈboʊdɪə] *tul földr* Kambodzsa • *fn/mn* **Cambodian**
Cambria [ˈkæmbrɪə] *tul tört vál* Wales • *fn/mn* **Cambrian**
cambric [ˈkeɪmbrɪk] *fn tex* batiszt, gyolcs; ~ **paper** vászonpapír
Cambridge [ˈkeɪmbrɪdʒ] *tul* Cambridge
camcorder [ˈkæmkɔːdə ‖ −kɔrdər] *fn* videó(felvevő)kamera
came [keɪm] → **come** I.
camel [ˈkæml] *fn* **1.** teve; **Arabian ~**, **one-humped ~** egypupú teve, dromedár; **Bactrian ~**, **two-humped ~** kétpupú teve **2.** teveszín **3.** *átv* nehezen elhihető dolog
cameleer [ˌkæməˈlɪə ‖ −ˈlɪr] *fn* tevehajcsár
camel-hair *fn* teveszőr
camelry [ˈkæməlri] *fn kat* tevés csapatok
camel's-hair *mn* teveszőr(ből való); ~ **brush** teveszőr ecset
Camembert [ˈkæməmbeə ‖ −ber] *tul gaszt* ~ **cheese** camembert sajt
cameo [ˈkæmioʊ] *fn* **1.** kámea **2.** *ir.tud* rövid leírás; kis szerep
camera [ˈkæmərə] *fn* **1. a)** fényképezőgép **b)** *film* kamera, filmfelvevő; **on ~** felvétel! **c)** tv-kamera; ~ **dolly** dolli, kamerakocsi **2.** *jog* bírói szoba; **in ~** zárt ajtók mögött, a nyilvánosság kizárásával; zárt tárgyaláson **3.** *orv* kamra, üreg
camera crew *fn film* operatőri csapat
cameraman *fn tsz* **-men** **1.** operatőr **2.** fotoriporter
camera-ready *mn nyomd* kamerakész
Cameroon [kæməˈruːn] *tul földr* Kamerun
camiknickers [ˈkæminɪkəz ‖ −ərz] *fn tsz* (női) ingnadrág, body
camisole [ˈkæmɪsoʊl] *fn* **1.** trikó **2.** *régi* pruszlik
camlet [ˈkæmlət] *fn tex* teveszőrszövet
camomile [ˈkæməmaɪl] *fn növ* **1.** nemes pipitér, kamilla(-virág) **2. wild ~** orvosi székfű, nagy kamillavirág
camomile-tea *fn* kamillatea
camouflage [ˈkæməflɑːʒ] **I.** *fn* **1.** *kat* álcázás **2.** *átv* leplezés, kendőzés, álcázás **3.** természetes rejtőszín *[állaté]* **II.** *tsi* **1.** *kat* álcáz **2.** *átv* leplez, kendőz
camp[1] [kæmp] **I.** *fn* **1.** (sátor)tábor, táborhely; **holiday/summer ~** üdülőtábor; **break (up) a ~** tábort bont; **pitch a ~** tábort üt **2.** *átv* ‹egy táborban levők összessége› tábor **3.** *átv* katonaélet **4.** *tört* őskori/ókori erődítmény **II. A.** *tsi*

táborban elhelyez **B.** *tni* **a)** ~ **out** táborozik; kempingezik, szabad ég alatt (v. sátorban) alszik **b)** *biz* ideiglenesen lakik, tanyázik

camp[2] [ˈkæmp] **I.** *mn* **1.** *szl* nőies **2.** *szl [homoszexuálisokra jellemző]* buzis **3.** *biz* mesterkélt, modoros **II.** *fn* **1.** szándékos/ironikus túlzás, megjátszott/nevetséges mesterkéltség **2.** groteszk/abszurd jelenség **III. A.** *tni* **1.** *szl* megjátssza magát, affektál **2.** *[feltűnést keltően viselkedik]* játssza az eszét **3.** *szl* szellemeskedik **B.** *tsi szl* ~ **it up** (i) affektál (ii) buziskodik

campaign [kæmˈpeɪn] **I.** *fn átv* hadjárat, kampány, mozgalom; **advertising** ~ reklámhadjárat; **electoral** ~ választási küzdelem/kampány; **lead/conduct a** ~ **against sy/sg** hadjáratot folytat (v. küzd) vk/vm ellen **II.** *tni* hadjáratban részt vesz, hadjáratot folytat • *fn* **campaigner**

campanile [ˌkæmpəˈniːli] *fn épít* különálló harangtorony, campanile

campanology [ˌkæmpəˈnɒlədʒi ‖ –ˈnɑlədʒi] *fn* **1.** harangöntészet **2.** *zene* harangjáték/harangkészítés tana

campanula [kæmˈpænjʊlə] *fn* harangvirág

camper [ˈkæmpə ‖ –ər] *fn* **1.** táborozó, kempingező, sátorlakó **2.** *US* ~ **(van)** lakókocsi

camphor [ˈkæmfə ‖ –ər] *fn vegy* kámfor

camphorate [ˈkæmfəreɪt] *tsi* kámforral telít

campsite *fn* táborhely, kemping

campus [ˈkæmpəs] *fn tsz* **~es** *US* ‹az egyetem v. a főiskola épületeinek és területének összessége› campus

campy [ˈkæmpi] *mn* **1. a)** *szl [mulatságosan túlzott]* megjátszott **b)** finomkodó **2.** *szl [feltűnően homoszexuális viselkedésű]* buzis; → **camp**[2] **I.**

camshaft *fn gk* bütykös tengely, vezérműtengely

Can. *röv Canada; Canadian*

can[1] [kæn] *i/si pt* **could** [kʊd] **1.** -hat, -het; ~ **it be that?** lehetséges, hogy?; **you** ~ **go** elmehet! **2. a)** képes vmre; **he will do what he** ~ meg fogja tenni a tőle telhetőt **b)** tud; **he** ~ **write** tud írni **3. could** -hatna, -hetne; **could have** -hatott/-hetett volna

can[2] [kæn] **I.** *fn* **1. a)** *US* konzervdoboz, doboz **b)** filmdoboz; *biz* **in the** ~ kész, elkészült, dobozban van *[film, hangfelvétel]* **2.** kanna, bödön; **carry/take the** ~ **(back)** ő a bűnbak; ő viseli a felelősséget; **a** ~ **of worms** darázsfészek, kiszámíthatatlan/csavaros helyzet/probléma **3. a)** *US szl [börtön]* kóter, sitt **b)** *GB szl* **~s** fejhallgató **c)** *US szl [WC, mosdó]* klotyó **II.** *tsi* **-nn- 1.** *US* tartósít, konzervál, befőz *[élelmiszert]* **2. a)** *US szl* félretesz, félreállít, kitesz, elbocsát, kirúg **b)** hűvösre/sittre/jégre tesz

Canaan [ˈkeɪnən] *tul* **a)** Kánaán, az ígéret földje **b)** *átv* tejjel-mézzel folyó ország

Canada [ˈkænədə] *tul földr* Kanada • *fn/mn* **Canadian**

Canada balsam *fn* jegenyefenyő

Canadianism [kəˈneɪdɪənɪzm] *fn* **1.** Kanada-hűség/-rajongás **2.** *nyelv* Kanadában szokásos kifejezés

canal [kəˈnæl] **I.** *fn* **1.** *vízügy* csatorna **2.** *orv* csatorna, vezeték **II.** *tsi* **-ll-**, *US* **-l-** csatornáz *[területet]*

canaliculus [ˌkænəˈlɪkjʊləs] *fn tsz* **canaliculi** [–laɪ] *orv* csatornácska • *mn* **canalicular**, **canaliculate**

canalize [ˈkænəlaɪz], **-ise** *i tsi* **1.** csatornáz **2. a)** *átv* irányít, vmely irányba terel **b)** *átv* levezet *[indulatot]* • *fn* **canalization**, – **isation**

canapé [ˈkænəpeɪ] *fn* **1.** kanapé, kerevet **2.** *gaszt* szendvicsfalatka, kanapé

canard [ˈkænɑːd ‖ kəˈnɑrd] *fn* **1.** hírlapi kacsa **2.** *rep* (régi típusú) kacsa repülőgép

canary [kəˈneəri ‖ –ˈneri] *fn* **1.** *áll* → **canary-bird 2.** ~ **(yellow)** kanárisárga **3.** (Kanári-szigetekről származó) édes fehér bor

Canary [kəˈneəri ‖ –ˈneri] *tul földr* **the Canaries, the** ~ **Islands** a Kanári-szigetek • *fn/mn* **Canarian**

canary-bird *fn áll* kanári(-madár)

canasta [kəˈnæstə] *fn ját* kanaszta

canaster [kəˈnæstə ‖ –ər] *fn* kapadohány

cancan [ˈkænkæn] *fn* kánkán (tánc)

cancel [ˈkænsl] **I. -ll-**, *US* **-l- A.** *tsi* **1. a)** lemond, visszavon *[meghívást, megállapodást]*, töröl *[jelzálogot]*, elenged, töröl *[tartozást]*, érvénytelenít, hatálytalanít *[intézkedést]*; ~ **an order (for sg)** lemondja a rendelést; **it has been ~led** elmarad, lemondták **b)** áthúz, töröl *[szót, sort]*, kiikszel, átikszel *[írógépen]* **c)** lepecsétel, érvénytelenít *[bélyeget]*, kezel, kilyukaszt *[jegyet]* **2. a)** kiegyenlít, semlegesít **b)** *mat* egyszerűsít **3.** töröl *[szöveget]* **B.** *tni mat* ~ **(out)** kiesik **II.** *fn* **1.** → **cancellation 2. (pair of) ~s** jegylyukasztó **3.** *nyomd* ~ **matter** törlendő/kihagyandó szedés **4.** *zene* feloldójel

C

cancellate, **cancellated** [ˈkænsəleɪt(ɪd)] *mn növ orv* rácsos, szivacsos, hálózatos

cancellation [ˌkænsəˈleɪʃn] *fn* **1.** érvénytelenítés, hatálytalanítás *[intézkedésé]*, visszavonás, lemondás *[megállapodásé]*, törlés, leírás *[tartozásé]*, bevonás *[engedélyé]*, felbontás *[szerződésé]* **2. a)** áthúzás, törlés, érvénytelenítés **b)** érvénytelenítő lebélyegzés

cancellous [ˈkænsələs] → **cancellate**

cancer [ˈkænsə ‖ –ər] *fn* **a)** *orv* rák, rosszindulatú daganat, tumor **b)** rákfene • *mn* **cancerous**

Cancer [ˈkænsə ‖ –sər] **I.** *tul birt* **Cancri** [ˈkæŋkriː] *csill* Rák (csillagkép); *földr* **Tropic of** ~ Ráktérítő **II.** *fn* Rák *[a Rák jegyében született ember]*

Cancerian [kænˈsɪərɪən ‖ –ˈsɪr–] *mn/fn* a Rák jegyében született

cancer stick *fn szl [cigaretta]* koporsószeg, bűzrúd

cancroid [ˈkæŋkrɔɪd] **I.** *mn* **1.** *áll* rákszerű, rák alakú **2.** *orv* rákszerű *[kinövés bőrön]* **II.** *mn orv* bőrrák

candelabrum [ˌkændəˈlɑːbrəm] *fn tsz* **~s**, **candelabra** [–brə] (karos) gyertyatartó

candescence [kænˈdesns] *fn* fehér(en) izzás • *mn* **candescent**

candid [ˈkændɪd] **I.** *mn* **1. a)** nyílt, őszinte; **to be perfectly** ~ őszintén szólva, az igazat megvallva **b)** pártatlan, elfogulatlan, tárgyilagos **2.** tiszta **II.** *fn* nem beállított arckép, természetes/pózmentes fénykép • *hsz* **candidly**

candidacy [ˈkændɪdəsi] *fn US* jelöltség, *[képviselőé]*, fellépés *[jelöltként]*

candidate [ˈkændɪdeɪt] *fn* **1.** jelölt, pályázó, várományos; **stand** (v. **offer oneself**) **as a** ~ jelölteti magát **2.** vizsgázó • *fn* **candidature**

candid camera *fn* **a)** rejtett (tévé)kamera **b)** kisfilmes/miniatűr fényképezőgép

candied [ˈkændid] *mn* **1.** cukrozott *[gyümölcs]*, cukorral bevont; ~ **peel** cukrozott/kandírozott gyümölcshéj **2.** *átv* mézesmázos

candle [ˈkændl] **I.** *fn* **1. a)** gyertya; **wax** ~ viaszgyertya; **burn the** ~ **at both ends** két végén égeti a gyertyát *[= nem kíméli erejét]*; **not worth the** ~ nem éri meg a fáradságot; **he is not fit to** (v. **cannot**) **hold a** ~ **to you** nem lehet veled egy napon/lapon említeni, össze sem lehet veled hasonlítani **b)** *fiz* gyertya *[fényerősség elavult egysége]* **2. Roman** ~ csillagszóró *[tűzijátékban]* **II.** *tsi* lámpáz *[tojást]*

candleberry [ˈkændlbəri ‖ –beri] *fn növ* viaszbokor, viaszcserje

candlelight *fn* **1.** gyertyafény, gyertyavilág; **by** ~ gyertyafénynél; este **2.** szürkület, alkony

Candlemas [ˈkændlmæs] *fn vall* gyertyaszentelő *[febr. 2.]*

candlepower *fn fiz* gyertyafény(erő); **twenty-five** ~ **lamp** huszonötös égő

candlestick *fn* gyertyatartó

candlewick *fn* **1.** kanóc, gyertyabél **2.** *tex* durva hulladékfonal

can-do [ˈkænˈduː] *mn biz* rátermett, alkalmas, hozzáértő

candor [ˈkændə ‖ –ər] *US* → **candour**

candour [ˈkændə ‖ –ər] *fn* **1.** őszinteség, nyíltság **2.** pártatlanság, elfogulatlanság

candy [ˈkændi] **I.** *fn US* cukorka, édesség **II.** *tsi* cukorral bevon, cukorszörpben tartósít, kandíroz *[gyümölcsöt]*

candy-floss *fn* vattacukor

candy-striped *mn* élénk csíkos • *fn* **candy stripe**
cane [keɪn] **I.** *fn* **1.** szál *[nádé, ciroké]*, vessző *[málnáé]*, venyige, vessző *[szőlőé]* **2. a)** tetőfedő nád **b)** cukornád **3. a)** sétapálca **b)** nádpálca, vessző, bot *[iskolában verésre]*; **get the ~** megvesszőzik, megverik **c)** lovaglópálca **d)** nád *[futónövények karózásához]* **II.** *tsi* **1.** megver, elver, megvesszőz **2.** náddal befon, nádaz *[széket]* **3.** *sp* megver, legyőz
cane-brake *fn* nádas
cane-sugar *fn* nádcukor, nádméz
Canicula [kəˈnɪkjʊlə] *tul csill* a Szíriusz
canine [ˈkeɪnaɪn, ˈkæ–] **I.** *mn* kutyaféle, kutya-; **~ madness** veszettség **II.** *fn* szemfog *[emberé]*, tépőfog *[állaté]*
caning [ˈkeɪnɪŋ] *fn* **1.** megvesszőzés, verés **2.** nádfonás
Canis Major [ˌkeɪnɪs ˈmeɪdʒə ‖ –ər] *fn birt* **Canis Majoris** [məˈdʒɔːrɪs] *csill* Nagy Kutya (csillagkép)
Canis Minor [ˌkeɪnɪs ˈmaɪnə ‖ –ər] *fn birt* **Canis Minoris** [maɪˈnɔːrɪs] *csill* Kis Kutya (csillagkép)
canister [ˈkænɪstə ‖ –ər] **I.** *fn* **1.** fémdoboz, bádogdoboz **2.** *kat* kartács, szórógolyós lövedék **II.** *tsi* dobozba rak/csomagol
canker [ˈkæŋkə ‖ –ər] **I.** *fn* **a)** üszög, üszkösödés, fekély *[emberen, állaton]*, patafekély *[lovon]* **b)** kéregfoltosodás, kéregelhalás *[növényen]* **c)** *átv* rákfene **II. A.** *tsi* **a)** elüszkösít, elpusztít *[növényt]* **b)** elüszkösít, elfekélyesít *[sebes testrészt]*, sebekkel/fekélyekkel borít **c)** *átv* megront, megfertőz **B.** *tni* **a)** (meg)üszkösödik *[növény]* **b)** elüszkösödik, elfekélyesedik *[sebes testrész]* • *mn* **cankerous**
cankered [ˈkæŋkəd ‖ –ərd] *mn* **1. a)** üszkös *[növény]*, foltos, korhadni kezdő *[fa]* **b)** elüszkösödött, elfekélyesedett *[sebes testrész]* **2. a)** keserű, fanyar *[ember]* **b)** *régi* rosszindulatú, házsártos
cankerworm *fn* kártevő hernyó *[több lepkefajé]*
cannabis [ˈkænəbɪs] *fn* **1.** *növ* kender **2.** hasis, marihuána
canned [kænd] *mn* **1.** konzervált, tartósított, konzerv- **2.** előre felvett *[zene, nevetés]*; **~ music** gépzene, konzervzene; **~ phrases** előregyártott/sztereotíp kifejezések; **~ show** előre felvett (nem élőben közvetített) program
canner [ˈkænə ‖ –ər] *fn* **a)** konzervgyári/konzervipari munkás **b)** konzervgyáros
cannery [ˈkænəri] *fn US* konzervgyár
cannibal [ˈkænɪbl] *mn/fn* **1.** emberevő, kannibál **2.** saját fajtájabelit felfaló
cannibalize [ˈkænɪbəlaɪz], **-ise** *tsi* **1.** *US* kibelez *[járművet]*, leszerel *[gépet]*, átszervez *[gyárat]* **2.** más gépből kiszerelt alkatrészekkel javít/új gépet állít össze
canning [ˈkænɪŋ] *fn US* tartósítás, konzerválás
cannon [ˈkænən] **I.** *fn tsz* **~s 1.** (tüzérségi) ágyú, löveg **2.** *GB* karambol *[biliárdban]* **3.** harangkorona **4.** lyukas rész, fül *[kulcsé, harangé]* **II.** *tni* **1.** ágyút elsüt **2.** karambolozik **3. ~ into/against/with** belerohan, nekiütközik
cannonade [ˌkænəˈneɪd] **I.** *fn* **a)** ágyúzás, ágyútűz **b)** ágyúdörej **II.** *tsi/tni* ágyúz
cannonball *fn* **1.** ágyúgolyó **2.** *sp* bomba labda/ütés **3.** expressz vonat
cannon-bit *fn* zablaszájrész
cannon-bone *fn* alsó lábszárcsont *[patásoké]*
cannon-curl *fn* hajtekercs
cannoneer [ˌkænəˈnɪə ‖ –ˈnɪr] *fn* lövegkezelő
cannon-fodder *fn biz* ágyútöltelék
cannon salute *fn* üdvlövés, díszlövés
cannot [ˌkæˈnɒt ‖ –ˈnɑt] → **can't**→ **can**[1]
canoe [kəˈnuː] **I.** *fn* kenu **II.** *tni* **-oeing** kenuzik • *fn* **canoeist**
canon[1] [ˈkænən] *fn* **1. a)** kánon, szabály, zsinórmérték, törvény; **~s of good taste** jóízlés elvei/követelményei **b)** *vall* kánon, egyházi törvény **c)** *jog* **~s of inheritance** törvényes öröklés rendje **2. C~ of the Mass** mise állandó része, (mise)kánon **3. a)** *bibl* **Books of the C~** kanonikus könyvek **b)** *vall* kanonizált szentek névsora **c)** kánon *[hitelesnek tekintett művek]*; **the literary ~** az irodalmi kánon **4.** *zene* kánon
canon[2] [ˈkænən] *fn* kanonok
canonical [kəˈnɒnɪkl ‖ –ˈnɑ–] **I.** *mn* **1. a)** kánoni, hitelesnek elismert **b)** kánonjogi, egyházjogi **2.** kánoni ortodox, katolikus; **~ hours** a kánoni (imádságok/ájtatosságok elvégzésére megszabott) órák; *GB jog* házasságkötésre engedélyezett órák **3.** kanonoki **4.** *zene* kánon(formá)ban írott, kánon- **II.** *fn tsz* **canonicals a)** papi dísz/ruha; **in full ~** teljes papi díszben **b)** akadémiai/hivatali dísz • *hsz* **canonically**
canonicate [kəˈnɒnɪkət ‖ –ˈnɑ–] *fn* kanonoki méltóság/javadalom, kanonokság
canonist [ˈkænənɪst] *fn vall* kánonjogász, egyházjogász • *mn* **canonistic**
canonize [ˈkænənaɪz], **-ise** *tsi* **1.** szentté avat, kanonizál **2.** szentesít *[szokást]* **3.** a kánonba emel, hitelesnek elismer *[szöveget]* • *fn* **canonization**, **-isation**
canon law *fn* kánonjog, egyházjog
canonry [ˈkænənri] *fn* **1.** kanonoki méltóság/javadalom, kanonokság **2.** kanonoki kar
canoodle [kəˈnuːdl] *i* **A.** *tsi* kedveskedéssel levesz a lábáról **B.** *tni* smacizik, nyalják-falják egymást
can-opener *fn* **1.** konzervnyitó **2.** *szl* ‹betörőszerszámálkulcs›
canopic [kəˈnoʊpɪk] *mn* **1.** kanopuszi **2. ~ jar/vase** (óegyiptomi) urna
canopy [ˈkænəpi] **I.** *fn* baldachin, ágymennyezet, hordozható mennyezet, ernyő, napellenző ponyva, vászontető *[járműé]*, ejtőernyőkupola, védőtető, *[kocsivezető fölé]* kiugró védőernyő, pilótafülke-tető, zárt lombozat; **the ~ of heaven** égbolt **II.** *tsi* **a)** baldachint emel, sátrat von (vm fölé) **b)** sátorként borul (vm fölé), boltoz, ernyőz (vmt)
canorous [kəˈnɔːrəs] *mn vál* dallamos, zengzetes
canst [kənst, kænst] *régi* → **can**
can't [kɑːnt ‖ kænt] *röv biz cannot*→ **can**[1]
cant[1] [kænt] **I.** *fn* **1. a)** álszent/szenteskedő frázisok **b)** ámító/szédítő beszéd, képmutatás, szenvelgés **c)** felkapott kifejezés, divatszó **2. a)** szakmai zsargon, csoportnyelv **b)** *régi* tolvajnyelv **c)** *régi* kántáló/éneklő beszédmodor **II.** *tni* üres/kegyes/kenetes frázisokat mond; **~ about sg** papol/szaval vmről **III.** *mn* **~ phrase** üres frázis, klisé; zsargonkifejezés
cant[2] [kænt] **I. A.** *tsi* **1. a)** megdönt, oldalt dönt, megbillent, meglök, lejtőssé tesz **b)** felborít, felfordít, felbillent **c)** félrelök, odébb lök/taszít **2.** ferdére vág, ferdeszögben metsz/csiszol **B.** *tni* **1.** hajlik, dől, ferdén/rézsútosan áll, lejt **2. a)** megbillen, megdől, oldalára dől, horgonya körül mozog *[hajó]* **b)** felbillen, feldől **II.** *fn* **1.** ferdeség, rézsútosság, lejtés, dőlés **2.** billentés, lökés; **give sg a ~** megdönt/megbillent vmt **3.** ferde/rézsútos lap/sík *[kristályé]*, ferde él/szél **4.** *ritk* sarok, szöglet
Cantabrigia [ˌkæntəˈbrɪdʒɪə] → **Cambridge**
Cantabrigian [ˌkæntəˈbrɪdʒɪən] **I.** *mn* **1.** *GB* cambridge-i **2.** *US* harvardi **II.** *fn* **1. a)** cambridge-i egyetemi hallgató **b)** Cambridge-ben végzett diák **c)** cambridge-i lakos **2.** *US* **a)** Harvard-egyetemi hallgató **b)** a Harvardon végzett diák **c)** a Massachusetts állambeli Cambridge lakosa
cantaloup [ˈkæntəluːp], **cantaloupe** *fn* ‹kb. sárgadinynye› kantalupdinnye
cantankerous [kænˈtæŋkərəs] *mn* kötekedő, izgága, veszekedős, civakodó, házsártos
cantata [kænˈtɑːtə] *fn zene* kantáta
canteen [kænˈtiːn] *fn* **1.** kantin, (üzemi) étkezde, büfé, kantin *[kaszárnyában]*; **students' ~** (diák)menza **2.** tábori kulacs **3. a)** (katonai/tiszti/tábori) főzőfelszerelés **b) ~ of cutlery** evőeszközkészlet
canter [ˈkæntə ‖ ˈkæntər] **I.** *fn* könnyű/rövid vágta; *átv* **at a ~** könnyedén; *átv* **win a ~** kenterben/könnyen győz **II. A.** *tsi* könnyű/rövid vágtában hajt/lovagol **B.** *tni* könnyű/rövid vágtában lovagol/fut

canterbury [ˈkæntəbəri ‖ –tərberi] *fn* **1.** többrekeszes kottatartó **2.** hanglemez-/újságtartó állvány
Canterbury [ˈkæntəbəri ‖ –tərberi] *tul földr* Canterbury
cantharis [ˈkænθərɪs] *fn tsz* **cantharides** [kænˈθærɪdi:z] *latin* **1.** *áll* kőrisbogár **2.** kőrisbogárpor
cant hook *fn* fafordító/rönkfordító kampó
canthus [ˈkænθəs] *fn tsz* **canthi** [–θaɪ] *latin orv* szemzug
canticle [ˈkæntɪkl] *fn* vallásos hálaadó/dicsőítő ének, himnusz; **the C~s, the C~ of C~s** az Énekek éneke
cantilever [ˈkæntɪli:və ‖ ˈkæntəli:vər] *épít* **I.** *fn* konzolos tartó **II. A.** *tsi/tni* konzolszerűen kiáll/túlnyúlik **B.** *tni* konzollal/konzolokkal megtámaszt
cantillate [ˈkæntɪleɪt] *tni vall zene* kántál, kántálva énekel
canto [ˈkæntoʊ] *fn zene* **1.** ének *[hosszabb versé]* **2.** vezérszólam
canton [ˈkæntɒn ‖ –tɑn] **I.** *fn* **1.** kanton **2.** *cím* bal felső címernégyszög **II.** *tsi* **1.** kantonokra oszt **2.** *kat* beszállásol *[katonákat]* • *mn* **cantonal**
Canton [ˌkænˈtɒn ‖ –ˈtɑn] *tul földr* Kanton • *fn/mn* **Cantonese**
cantonment [kænˈtu:nmənt ‖ –ˈtɑn–] *fn kat* **1.** beszállásolás **2.** *tört* (állandó) helyőrség *[Indiában]* **3.** szálláskörlet **4.** *régi* kiképzőhely
cantor [ˈkæntɔ: ‖ –tɔr] *fn* kántor
cantorial [kænˈtɔ:rɪəl] *mn* kántori, északi *[kórus-szárny]*, kántoroldali
Canuck [kəˈnʌk] *fn* **a)** *US* kanadai **b)** *[Kanadán belül:]* kanadai francia **c)** francia
canvas [ˈkænvəs] **I.** *fn* **1.** vitorlavászon, ponyvavászon, festővászon, kanavász; **under ~** sátor alatt *[katonaság]*; felvont/kifeszített vitorlával/vitorlákkal *[hajó]*; **win by a ~** nagyon kicsivel/mellbedobással nyer *[vitorlásversenyen]* **2.** *szl* padló *[ringé]* **3.** *műv* vászon, festmény **II.** *tsi* **-ss-**, *US* **-s-** vászonnal borít/burkol
canvass [ˈkænvəs] **I. A.** *tsi* **1.** tüzetesen/alaposan megvitat/megvizsgál, meghány-vet *[kérést, ügyet]* **2.** *pol* **a)** végigjár *[várost stb.]* **b)** ~ szavazatot koldul; megrendelőnek/előfizetőnek akar megnyerni **3.** *GB* javasol *[tervet, ötletet]* **B.** *tni* **a)** *pol* korteskedik, korteskörutat tesz, szavazókat toboroz, szavazatokat gyűjt/koldul, kampányol; **~ for signatures/subscriptions** aláírásokat gyűjt **b)** **~ from door to door** ügynököl, házal **II.** *fn* **a)** korteskedés, szavazatgyűjtés; **make a ~ (of constituency)** korteskörútra megy (egy választókerületben) **b)** megrendelések/előfizetések gyűjtése • *fn* **canvasser**
canzone [kæntˈsouneɪ] *fn zene* dal, canzone
canzonetta [ˌkænzəˈnetə] *fn zene* dalocska, canzonetta
canny [ˈkæni] *mn* **1.** ravasz, körültekintő, óvatos **2.** takarékos, jól gazdálkodó **3.** gunyoros, száraz humorú
canyon [ˈkænjən] *fn* kanyon, szurdok
cañon [ˈkænjən] *fn* kanyon, szurdok
caoutchouc [ˈkaʊtʃʊk] *fn* kaucsuk, gumi
cap. *röv capacity*; *capital*
cap[1] [kæp] **I.** *fn* **1. a)** sapka; **paper ~** papírzacskó, papírtölcsér; **skull ~** pileolus *[kis kerek püspöki sapka]*; **~ in hand** levetett kalappal, alázatosan; *biz* **set one's ~ at sy** kiveti hálóját vkre; **in ~ and gown** fövegben és talárban, egyetemi díszben; **if the ~ fits wear it!** akinek nem inge, ne vegye magára **b)** főkötő **2.** bóbita *[madáré]* **3. a)** *épít* pillérfej **b)** sapka *[szelepen]*, kupak *[palacké, töltőtollé]*, foglalat *[izzólámpáé]* **c)** *gk* **(top) ~** futófelület javítás/vulkanizálás **4.** könyvgerinc szegélye **5.** *geol* fedőkőzet **6.** *gk* tanksapka **II.** *i* **-pp- A.** *tsi* **1. a)** sapkát ad (vkre), sapkát tesz/húz *[vk fejére]* **b)** *skót* **~ a candidate** jelöltet (doktorrá) avat **c)** válogatott csapatba beválogat *[labdarúgót]* **2. a)** fedővel/kupakkal lát el (vmt), (védő)sapkát tesz/húz (vmre) **b)** *áll* (sapkaként) fedi (vmnek) a tetejét **c)** *gk* futófelületet javít/vulkanizál/felújít **3.** *biz* felülmúl(vkt/vmt), lefőz (vkt), túltesz (vkn), rádupláz (vmre); **to ~ it all ...** mindennek tetejébe ..., ráadásul még ...; **that ~s all!** ez mindennek a koronája!, már/még csak ez hiányzott! **4.** megszabja a határát **B.** *tni* kalapot emel
cap[2] [kæp] *fn szl* **1.** százados, kapitány **2.** *[úr]* főnök, góré
capability [ˌkeɪpəˈbɪləti] *fn* **1.** képesség, adottság (*for doing sg/to do sg* vm megtételére) **2. a)** tehetség; **the child has capabilities** a gyerek tehetséges **b)** lehetőség; **the subject has great capabilities** a tárgyban nagy lehetőségek rejlenek
capable [ˈkeɪpəbl] *mn* **1. a) be ~ of (doing) sg** képes vmre (v. vmt megtenni); *pej* kitelik tőle, képes (arra, hogy ...) **b)** alkalmas **2.** tehetséges, jó képességű, hozzáértő • *hsz* **capably**
capacious [kəˈpeɪʃəs] *mn* tág(as), nagy befogadóképességű, mély, bő
capacitance [kəˈpæsɪtəns] *fn* **1.** *fiz* kapacitás **2.** *el* kapacitancia, kapacitív ellenállás
capacitate [kəˈpæsɪteɪt] *tsi* **1.** alkalmassá tesz **2.** *jog* képessé/alkalmassá tesz, feljogosít
capacitor [kəˈpæsɪtə ‖ –ər] *fn el* kondenzátor, töltéstároló
capacity [kəˈpæsəti] **I.** *fn* **1. a)** kapacitás, befogadóképesség **b)** térfogat, űrtartalom, űrméret, *gk* hengerűrtartalom; **seating ~** befogadóképesség, ülőhelyek száma, férőhely *[színházban, járműben]*; **to ~** maximálisan, teljes (kihasználtsággal); **~ house/audience/crowd, house filled to ~** telt/zsúfolt ház/nézőtér **c)** teljesítmény, teherbírás, termelőképesség; *közg* **idle ~** kihasználatlan kapacitás **2.** tehetség, ügyesség, képesség; **a person of ~** tehetséges ember **3.** minőség *[hivatali]*; **in the ~ of ...** -i minőség(é)ben; **in my ~ as a doctor** doktori minőségemben, mint orvos **4.** *jog* jogképesség, épelméjűség **5.** → **capacitance II.** *mn* **1.** maximum, maximális **2.** telt *[ház]*
caparison [kəˈpærɪsn] **I.** *fn* **1.** *vál* díszes lószerszám/páncél **2.** *vál pej* cifra/cicomás öltözet **II.** *tsi* felszerszámoz, feldíszít *[lovat]*
cape[1] [keɪp] *fn* (hegy)fok, partfok; **the C~ (of Good Hope)** a Jóreménység foka; **C~ Colony** Fokföld
cape[2] [keɪp] *fn* **a)** (kör)gallér, pelerin, ujjatlan köpeny **b)** püspöki/papi körgallér • *mn* **caped**
Cape Coloured I. *mn* (dél-afrikai) félvér, vegyes házasságból származó **II.** *fn* dél-afrikai/fokföldi félvér(ek)
Cape Dutch *mn* **1.** afrikaans, búr, fokföldi (dél-afrikai) holland nyelv **2.** fokföldi építészeti stílus
caper[1] [ˈkeɪpə ‖ –ər] **I.** *fn* **1. a)** bakugrás, szökellés, fickándozás, szökdécselés; **cut a ~** a levegőbe ugrik/szökken; **cut ~s** ugrabugrál, ugrándozik, szökdécsel, ficánkol **b)** oldalugrás, megugrás **2.** viháncolás, csíny(tevés), ostoba tréfa **3.** *[nagyszabású bűntett]* nagy buli/balhé/meló **II.** *tsi* **~ (about)** szökdécsel, ugrándozik, ugrabugrál, ficánkol • *fn* **caperer**
caper[2] [ˈkeɪpə ‖ –ər] *fn* **1.** kapricserje **2.** kapribogyó
Cape Town *tul földr* Fokváros
capillaceous [ˌkæpɪˈleɪʃəs] *mn* **1.** hajszálszerű **2.** hajszálcsöves
capillarity [ˌkæpɪˈlærəti] *fn fiz* haj(szál)csövesség
capillary [kəˈpɪləri ‖ ˈkæpəleri] **I.** *mn* **1.** hajszálvékony, hajszálfinom, hajszál-, kapilláris; *orv* **~ vessels** hajszálerek **2.** *fiz* hajszálcsöves, kapilláris **II.** *fn* **1.** *orv* hajszálér **2.** *fiz* haj(szál)cső
capital [ˈkæpɪtl] **I.** *fn* **1.** főváros **2.** *közg* tőke, alaptőke, törzsvagyon; *biz* **make ~ out of sg** tőkét kovácsol, hasznot húz vmből **3.** nagybetű, nagy kezdőbetű **4.** tőkés **II.** *mn* **1.** fő, legfőbb, lényeges; **~ error** végzetes/szörnyű tévedés; *vall* **~ sin** halálos bűn; **~ town/city** főváros; **it is of ~ importance** nagy/döntő fontosságú **2. ~ letter** nagybetű; nagy kezdőbetű **3. ~ crime/offence** főbenjáró bűn/vétség; **~ punishment** halálbüntetés; **~ sentence** halálos ítélet; **~ treason** hazaárulás **4.** *biz* remek, kapitális; **~!** óriási!, nagyszerű!, remek!
capitalism [ˈkæpɪtlˌɪzm] *fn* kapitalizmus

capitalist [ˈkæpɪtl·ɪst] **I.** *fn* **a)** kapitalista, (nagy)tőkés **b)** vállalkozást pénzelő ember, csendestárs **II.** *mn* kapitalista, (nagy)tőkés • *mn* **capitalistic**
capitalization [ˌkæpɪtl·aɪˈzeɪʃn ‖ ˈkæpɪtl·ə–], **-isation** *fn* **1.** tőkésítés **2.** nagybetűs írás *[szóé,szövegé]*, nagy kezdőbetűvel való írás *[névé]* **3.** *infor* nagybetűkké alakítás
capitalize [ˈkæpɪtl·aɪz], **-ise** *i* **A.** *tsi* **1.** tőkésít **2.** nagybetűvel ír; nagy kezdőbetűvel ír **3.** megbecsül *[jövedelmet]* **B.** *tni átv* ~ **on sg** kihasznál/hasznosít vmt
capitally [ˈkæpɪtl·i] *hsz* remekül, nagyszerűen, pompásan, ragyogóan
capitation [ˌkæpɪˈteɪʃn] *fn* **1.** fejadó, fejpénz **2.** lélekszám, lakosságszám
capitation grant *fn* pénzkiutalás, segély *[intézménynek, létszámra való tekintettel]*
Capitol [ˈkæpɪtl] *fn* **1.** Capitólium *[Rómában]* **2. a)** a Kongresszus székháza, a Capitólium *[Washingtonban]* **b)** parlamentépület *[az Egyesült Államokban]*
capitulate [kəˈpɪtʃʊleɪt] *tni* kapitulál, leteszi/lerakja a fegyvert, megadja magát • *fn* **capitulator**
capitulation [kəˌpɪtʃʊˈleɪʃn] *fn* **1.** kapituláció, fegyverletétel **2.** fejezetek felsorolása
capitulationist [kəˌpɪtʃʊˈleɪʃn·ɪst] *fn* defetista, a harc feladására hajló, megalkuvó
capon [ˈkeɪpən ‖ –pɑn] *fn* kappan
cappuccino [ˌkæpʊˈtʃiːnoʊ ‖ ˌkɑːpə–] *fn olasz* capuccino, fekete kávé gőzölt tejjel
caprice [kəˈpriːs] *fn* **a)** szeszély, hóbort **b)** önfejűség
capricious [kəˈprɪʃəs] *mn* **1.** szeszélyes, hóbortos, önfejű **2.** szabálytalan, kiszámíthatatlan, csapongó • *fn* **capriciousness** *hsz* **capriciously**
Capricorn [ˈkæprɪkɔːn ‖ –kɔrn] **I.** *tul csill* Bak (csillagkép); **the Tropic of ~** Baktérítő **II.** *fn* Bak *[a Bak jegyében született ember]* • *fn/mn* **Capricornian**
caprine [ˈkæpraɪn] *mn áll* kecskeféle, kecskeszerű, kecske-
capriole [ˈkæprioʊl] **I.** *fn* szökellés, kapriola *[műlovaglásban és lovasmutatványban]* **II.** *tni* szökell *[ló]*
Capri pants [kəˈpriː–] *fn tsz* szűk női nadrág
caps [kæps], **caps.** *röv capital letters* nagybetűk, verzál betűk
capsize [kæpˈsaɪz ‖ ˈkæpsaɪz] *i* **A.** *tsi* felborít, felbillent *[csónakot]* **B.** *tni* felborul, felfordul *[csónak, autó]*, felbillen *[csónak]* • *fn* **capsizal**
capsleeve *fn* (egészen rövid) japán ujj *[ruháé]*
capstan [ˈkæpstən] *fn* **1.** *hajó* járgány, gugora, (függőleges tengelyű) csörlő **2.** *műsz* forgófej csúszószánja, továbbítógörgő
cap-stone *fn épít* **1.** sisakkő, sisakfedél, pillérfej **2.** nagy lapos kő *[dolmen/sír tetején]*
capsule [ˈkæpsjuːl ‖ –sl] **I.** *fn* **1.** kapszula **2.** (záró)kupak *[palackon]*; hüvely *[töltényé]* **3.** magtok, toktermés, gubó **4.** *orv* (ízületi) tok **5.** *rep* katapultálható pilótakabin, kis utaskabin *[űrhajóban]* **II.** *mn US* tömörített, sűrített, kivonatos, rövidre fogott, vázlatos **III.** *tsi* **1.** kupakol *[palackot]* **2.** *US* körvonalaz, sűrít, dióhéjban elmond • *mn* **capsulate**, **capsular**
capsulize [ˈkæpsjʊlaɪz ‖ –sə–], **-ise** *tsi* **1.** *átv* sűrít, kondenzál; tömörít, tömören és velősen összefoglal *[információt]* **2.** tokba zár/tesz
Capt. *röv Captain*
captain [ˈkæptən] **I.** *fn* **1.** kapitány, (csapat)kapitány *[sportcsapaté]*, parancsnok *[tűzoltóké]* **2.** *kat* százados **3. a)** hadvezér **b)** vezér, vezető; **~ of industry** iparmágnás **c)** *US* kerületi rendőrtiszt **4.** *US* pincérek/boyok felügyelője *[szállodában]* **II.** *tsi* **1.** parancsnokol, parancsnoka/kapitánya *[alakulatnak]* **2.** *biz* vezet • *fn* **captaincy**, **captainship**
caption [ˈkæpʃn] **I.** *fn* **1. a)** képszöveg, képaláírás, filmfelirat **b)** fej(léc), rovatcím, *nyomd* lapfej **2.** fej *[okirat, levél formális bevezető része]* **3.** *jog* határozat, végzés/vádirat bevezető része **II.** *tsi* felirattal/képaláírással ellát, feliratoz
captious [ˈkæpʃəs] *mn* **1.** gáncsoskodó, akadékoskodó, szőrszálhasogató *[ember]* **2.** furfangos, körmönfont, megtévesztő *[okoskodás, megjegyzés]*; **~ question** fogas kérdés
captivate [ˈkæptɪveɪt] *tsi* meghódít, megnyer, elbájol, elragad • *fn* **captivation** *mn* **captivating**
captive [ˈkæptɪv] **I.** *fn* fogoly, rab(nő) **II.** *mn* **1.** fogoly, rab-, foglyul/rabul ejtett; **~ state** rabság, fogság; **hold sy ~** fogságban/rabságban tart vkt; **lead/take sy ~** foglyul ejt; *átv* **~ audience** rabulejtett közönség **2. a)** letartóztatott **b)** bebörtönzött **3.** rögzített
captivity [kæpˈtɪvəti] *fn* rabság, fogság
captor [ˈkæptə ‖ –ər] *fn* foglyul ejtő
capture [ˈkæptʃə ‖ –ər] **I.** *tsi* **1.** elfog, elfoglal, bevesz *[várost, erődítményt]*, erővel elvesz/megszerez, hatalmába kerít; **~ the market** meghódítja a piacot **2.** *fiz* befog *[atomi részecskét]* **3.** megörökít, rögzít *[festmény, színészi alakítás formájában]* **4.** leüti az ellenfél figuráját *[társasjátékban, sakkban]* **5.** *vízügy* befog, elfog *[vízfolyást]* **6.** számítógépre visz, számítógépen rögzít *[adatot]* **II.** *fn* **1. a)** elfogás, zsákmányolás **b)** *fiz* (részecske)befogás **c)** *távk* befogás; **~ range** befogási tartomány **2.** zsákmány • *fn* **capturer**, **capturing**
capuchin [ˈkæpjʊtʃɪn ‖ –pjəʃən] *fn* **1.** C~ kapucinus, csuklyás barát **2.** csuklyás kabát/köpeny *[nőnek]* **3.** **~ (monkey)** *áll* csuklyás majom, apácamajom
car [kɑː ‖ kɑr] *fn* **1. a)** autó, kocsi; **by ~** autóval, kocsival **b)** kocsi *[villamosé]*, csille *[kötélpályáé]*, *US* vasúti kocsi, vagon, villamos(kocsi) **2.** fülke, kosár, gondola
car. *röv carat*
carabine [ˈkærəbiːn] *fn* → **carbine**
carabineer [ˌkærəbɪˈnɪə ‖ –ˈnɪr] *fn* → **carbineer**
carabiner [ˌkærəˈbiːnə ‖ –ər] → **karabiner**
caracal [ˈkærəkæl] *fn áll* karakál, sivatagi hiúz
caracole [ˈkærəkoʊl] **I.** *fn* **1.** félfordulat *[műlovaglásban]* **2.** csigalépcső **II.** *tni* körben forog, szökell, táncol *[ló]*, karéjoz
caracul [ˈkærəkʌl] → **karakul**
carafe [kəˈræf, kəˈrɑːf] *fn* kancsó
caramel [ˈkærəməl, –mel] *fn* **1. a)** karamell(a), égetett/pirított cukor **b)** karamellcukorka **2.** karamell(szín)
caramelize [ˈkærəməlaɪz], **-ise** *i* **A. 1.** *tsi* barnít, (meg)pirít, karamellizál *[cukrot]* **2.** karamellával bevon **B.** *tni* barnul, (meg)pirul, karamellizálódik *[cukor]* • *mn* **carmelization**, **-isation**
carapace [ˈkærəpeɪs] *fn* páncél *[rákféléké]*, héj, teknő *[teknősbékáé]*
carat [ˈkærət] *fn* **a)** karát *[arany finomságának jelzésére]*; **fourteen ~ gold** 14 karátos arany **b) (metric) ~** karát *[gyémánt stb. súlyának mérésére, 200 milligramm]*
caravan [ˈkærəvæn] **I.** *fn* **1.** lakókocsi *[autóhoz kapcsolva]*; cirkusz(os)kocsi **2. a)** karaván **b)** *US* fedett teherautó **II.** *i* **-nn- A.** *tsi* karavánnal szállít **B.** *tni* **a)** lakókocsis autóval (v. lakókocsival) utazik/kirándul, lakókocsizik **b)** lakókocsiban/cirkuszkocsiban utazik • *fn* **caravanning**
caravan site *fn* lakókocsi-parkoló
caravel [ˈkærəvel] *fn hajó tört* ‹gyors kis vitorláshajó›
caraway [ˈkærəweɪ] *fn* **a)** *növ* réti kömény **b)** köménymag
caraway seed *fn* köménymag
carbarn *fn US* kocsiszín, remiz *[villamosé]*
carbide [ˈkɑːbaɪd ‖ ˈkɑr–] *fn vegy* karbid
carbine [ˈkɑːbaɪn ‖ ˈkɑrbiːn] *fn* karabély
carbineer [ˌkɑːbɪˈnɪə ‖ ˌkɑrbɪˈnɪr] *fn* karabélyos
carbo- [ˈkɑːb(oʊ) ‖ ˈkɑr–] *előtag* szén-
carbo-hydrate [ˌkɑːboʊ ˈhaɪdreɪt ‖ ˌkɑr–] *fn vegy* szénhidrát
carbolic acid [kɑːˈbɒlɪk– ‖ kɑrˈbɑlɪk–] *fn vegy* karbolsav
carbolize [ˈkɑːbəlaɪz ‖ ˈkɑr–], **-ise** *tsi* karbolsavval lemos/kimos/átitat
carbon [ˈkɑːbən ‖ ˈkɑr–] *fn* **1.** *vegy* (elemi) szén; *régész*

~-14 **dating** karbon 14-gyel történő kormeghatározás, radiokarbon-kormeghatározás **2. a)** indigó, másolópapír **b)** indigómásolat, (átütéses) másolat **3.** szénrúd *[ívlámpában]*, szénelektród

carbonaceous [ˌkɑːbəˈneɪʃəs ‖ ˌkɑr–] *mn vegy geol* széntartalmú

carbonado [ˌkɑːbəˈneɪdoʊ ‖ ˌkɑr–] *fn* karbonádó, fekete gyémánt, fúrógyémánt

carbonate I. *fn* [ˈkɑːbənət ‖ ˈkɑr–] karbonát, szénsavas só **II.** *tsi* [ˈkɑːbəneɪt ‖ ˈkɑr–] **1.** karbonáttá alakít **2.** szénsavval telít *[italt]* • *fn* **carbonation** *mn* **carbonated**

carbon-copy I. *fn* másolat, átütéses másolat **II.** *tsi* kopíroz, másolatot készít

carbon dioxide *fn vegy* szén-dioxid

carbonic [kɑːˈbɒnɪk ‖ kɑrˈbɑnɪk] *mn vegy* (elemi) szén/karbon tartalmú, szén-, karbon; *vegy* ~ **acid** szénsav; ~ **acid gas** szénsavgáz, szén-dioxid

carboniferous [ˌkɑːbəˈnɪfərəs ‖ ˌkɑr–] *mn* széntartalmú *[talaj, kőzet]*

carbonize [ˈkɑːbənaɪz ‖ ˈkɑr–], **-ise** *i* **A.** *tsi* **1.** elszenesít, megszenesít, szénné éget **2.** *fémip* szénnel cementál, szenít **B.** *tni* elszenesedik, megszenesedik • *fn* **carbonization, -isation**

carbon monoxide *fn vegy* szén-monoxid, széngáz

carbon-paper *fn* **1.** indigó, másolópapír, karbonpapír **2.** *fényk* szénmásoló papír

carbonyl [ˈkɑːbənɪl ‖ ˈkɑr–] *fn vegy* karbonil

carboy [ˈkɑːbɔɪ ‖ ˈkɑr–] *fn* (sav)ballon, kosaras palack *[vegyszernek]*

car bra *fn US gk* védőhuzat *[a gépkocsi elejét menet közben védő köpeny]*

carbuncle [ˈkɑːbʌŋkl ‖ ˈkɑr–] *fn* **1.** *orv* karbunkulus, furunkulus, darázsfészek **2.** *ásv* gránátkő, karbunkulus • *mn* **carbuncular**

carburate [ˈkɑːbjʊreɪt ‖ ˈkɑrbə–] → **carburet**

carburation [ˌkɑːbjʊˈreɪʃn ‖ ˌkɑrbə–] *fn* szenítés

carburet [ˈkɑːbjʊret, –bə– ‖ ˈkɑrbəret] *tsi* **-tt-**, *US* **-t-** **a)** elgázosít, porlaszt **b)** szénnel vegyít **c)** szénhidrogénnel telít/dúsít/karburál

carburetter [ˌkɑːbjʊˈretə ‖ ˈkɑrbəreɪtər] *fn* karburátor, porlasztó *[robbanómotorban]*

carcase [ˈkɑːkəs ‖ ˈkɑr–] *fn* **1. a)** hulla, tetem *[levágott állaté]*, *pej* hulla, tetem, holttest *[emberé]* **b)** *tréf pej* test *[élő emberé]*; *biz* **save one's ~** menti a bőrét **2.** épületváz, vázszerkezet *[házé, hajóé]*, kocsiváz, ácsozat *[tetőé]*

carcase meat *fn* tőkehús

carcass [ˈkɑːkəs ‖ ˈkɑr–] → **carcase**

carcinogen [kɑːˈsɪnədʒən ‖ kɑrˈ–] *fn orv* karcinogén (anyag), rákot előidéző/okozó • *mn* **carcinogenic**

carcinology [ˌkɑːsɪˈnɒlədʒi ‖ ˌkɑrsəˈnɑ–] *fn tud* rákkutatás, cancerológia

carcinoma [ˌkɑːsɪˈnoʊmə ‖ ˌkɑrsə–] *fn tsz* **-s, carcinomata** [–mətə] **a)** *orv* carcinoma **b)** rák(betegség), rákos daganat • *mn* **carcinomatous**

car clamp *fn* kerékbilincs

card[1] [kɑːd ‖ kɑrd] **I.** *fn* **1.** (játék)kártya, (kártya)lap; **~s** kártyajáték; **house of ~s** kártyavár; *szl* **it's a sure ~** *[egész biztos]* tuti; **have a ~ up one's sleeve** van még egy (ütő)kártyája/aduja, még nem játszotta ki az utolsó kártyáját/lapját; **make a ~** ütést csinál, üt *[kártyajátékban]*; **play one's ~s well** jól kártyázik; tudja, mit hogyan csináljon, ügyesen intézi dolgait; **throw/lay/put** (v. **play with**) **one's ~s on the table** nyílt kártyával játszik; **throw in one's ~s** feladja a játékot; megadja magát; *biz* **it is (quite) on the ~s that** könnyen lehet, hogy, nagyon úgy fest, hogy **2. a)** (levelező)lap, (üdvözlő) lap; **invitation ~** meghívó **b)** névjegy, névkártya; **business ~** névjegy *[üzleti]*, cégkártya; *átv szl* **leave one's ~ on the doorsteps** otthagyja a névjegyét a küszöbön **c) admission ~** belépőjegy; **identity ~** személyazonossági igazolvány/lap; **reader's ~** olvasójegy *[könyvtárban]* **d)** kártya, karton(-lap), cédula *[katalógusé stb.]*; **loose ~** kartotéklap, (nyilvántartó) karton, cédula; **ask for/get one's ~s** felmond/megkapja a felmondását **e)** étlap, borlap **f)** (mutató)-tábla, találatok számát jelző lap *[golfban, krikettben]*; *US* **report ~** iskolai értesítő **3. a)** hitelkártya, bankkártya, (ATM-)kártya **b)** telefonkártya **4.** *el* áramköri kártya **5.** *tréf* alak, pasas, pofa; **he's a (great) ~** jópofa érdekes/eredeti ember **II. A.** *tsi* kartotékol *[adatot]*, katalogizál, állományba vesz, kicéduláz, cédulára/kartonra (ki)ír **B.** *tni* céduláz

card[2] [kɑːd ‖ kɑrd] **I.** *tsi* kártol **II.** *fn* **1.** kártoló, gyapjúfésű, gereben **2.** (ló)vakaró

cardan [ˈkɑːdn ‖ ˈkɑrdn] *fn műsz* kardán

cardan joint *fn műsz* csuklós tengelykapcsoló, kardáncsukló

cardan shaft *fn műsz* csuklóstengely, kardántengely

cardboard I. *fn* karton(lemez), kartonpapír; **~ box** kartondoboz **II.** *mn* **1.** kartonpapírból készült **2.** lapos, vékony **3.** *átv* sematikus, jellegtelen *[jellem, történet]*

card-carrying *mn US* tényleges, tagkönyvvel rendelkező *[párttag]*

cardiac [ˈkɑːdiæk ‖ ˈkɑr–] *orv* **I.** *mn* szív-; **~ arrest** szívleállás; **~ failure** szívgyengeség; **~ trouble** szívpanasz **II.** *fn* **1.** szívbeteg **2.** szíverősítő, szívgyógyszer

Cardiff [ˈkɑːdɪf ‖ ˈkɑrdəf] *tul földr* Cardiff

cardigan [ˈkɑːdɪgən ‖ ˈkɑr–] *fn* kardigán, kötött kabát

cardinal [ˈkɑːdnˈəl ‖ ˈkɑrd–] **I.** *fn* **1.** bíboros, kardinális **2.** tőszámnév **3.** *áll* kardinálispinty **4.** *tört* bíborköpeny *[csuklyás női köpönyeg]* **II.** *mn* **1.** legfőbb, sarkalatos; **~ number** tőszám(név); **the (four) ~ points** a négy világtáj/égtáj **2.** bíbor(színű) • *fn* **cardinalate, cardinalship** *hsz* **cardinally**

card-index I. *fn* **~ (file)** kartoték(rendszerű nyilvántartó), cédulakatalógus **II.** *tsi* kartotékol, kicéduláz

carding wool *fn tex* kártolt gyapjú

cardiogram [ˈkɑːdɪoʊgræm ‖ ˈkɑr–] *fn orv* kardiogram, szívműködési görbe

cardiograph [ˈkɑːdɪoʊgrɑːf ‖ ˈkɑrdɪoʊgræf] *fn orv* kardiográf • *fn* **cardiography**

cardiology [ˌkɑdiˈɒlədʒi ‖ ˌkɑrdiˈɑlədʒi] *fn orv* kardiológia • *fn* **cardiologist**

cardphone *fn* kártyás telefon(állomás)

card punch *fn infor* kártyalyukasztó gép

card-sharp *fn* hamiskártyás

care [keə ‖ ker] **I.** *tni* **1. a)** gondoskodik, törődik, foglalkozik **b) ~ for nothing** nem törődik semmivel; **I don't ~!** bánom is én!; **what do I ~?** mit bánom én!; *biz* **for all I ~** felőlem!; miattam!; **not that I ~** nem mintha érdekelne (v. törődnék vele); *biz* **who ~s?** ki törődik vele?, kit érdekel?; **I couldn't ~ less** (a leg)kisebb gondom is nagyobb annál!, fütyülök rá!, törődöm is vele! **2. ~ for** gondoskodik, gondoz(vkt) **3. a)** szeret, szívlel (vkt/vmt); **would you ~ for a cup of tea?** kér egy csésze teát? **b)** hajlandó, szívesen tesz; **he does not ~ to go out alone** nem szeret egyedül sétálni menni (v. kijárni) **II.** *fn* **1.** gond, baj **2.** gond(osság), gondoskodás, törődés, figyelem, elővigyázat; **tender ~** szerető gondoskodás, gyöngéd figyelem; **take ~!** vigyázz!, vigyázat!, óvatosan!; vigyázz magadra! *[búcsúzásképp]*; **take ~ of** gondját viseli, vigyáz; *US biz* megold *[problémát]*, elintéz (vmt/vkt), elsimít *[nehézséget]*; elhárít, eltesz útból; **take ~ of yourself** vigyázz magadra!; **take/show ~ in doing sg** figyelemmel/gonddal csinál vmt; **take (good) ~ to do sg** szerét ejti, hogy vmt megtegyen; **take ~ not to do sg** óvakodik attól, hogy vmt megtegyen; **handle with ~** (vigyázat) törékeny! **3.** gondozás, megőrzés, felügyelet; **~ of (c/o) Mr. Smith** Smith úr leveleivel/postájával/címén; **put/place sy/sg in/under the ~ of sy** vk gondjára bíz vkt/vmt, vkre rábíz vkt/vmt; *GB* **take/give into ~** állami gondozásba vesz/ad; *GB* **be in ~** hatósági felügyelet alatt/állami gondozásban van

CARE *röv Cooperative for American Relief Everywhere*

careen [kəˈriːn] **I. A.** *tsi* megdönt/felborít (v. oldalára fordít) *[javítás céljából]* **B.** *tni* **1. a)** felborul, felfordul, oldalára billen *[hajó]* **b)** *US* oldalra dől *[autó]* **2. a)** *US* száguld, rohan **b)** *US* **~ to sg** karriert csinál **II.** *fn* megdöntés *[hajóé javítás céljából]*; **on the ~** oldalt fekve

C

career [kəˈrɪə ‖ –ˈrɪr] **I.** *fn* **1.** életpálya, pályafutás, karrier **2.** történelmi fejlődés, alakulás *[társadalmi intézményé* v. *csoporté]* **3.** rohanás **II.** *tni* szalad, vágtat
career changer *fn* pályaelhagyó
career diplomat *fn* hivatásos diplomata, karrierdiplomata
careerist [kəˈrɪərɪst ‖ –ˈrɪrɪst] *fn* karrierista, törtető • *fn* **careerism**
careers adviser *fn* pályaválasztási tanácsadó
carefree *mn* gondtalan
careful [ˈkeəfl ‖ ˈker–] *mn* **1.** gondos, figyelmes, alapos **2.** óvatos, elővigyázatos, körültekintő; **be ~!** vigyázz!, vigyázat!; légy óvatos! **3.** *régi* aggódó **4.** takarékos **5. be ~ that .../to do sg** gondoskodik vmről, gondja van vmre **6. be ~ for/of** gondoskodik vmről, aggódik vm miatt • *hsz* **carefully**
careless [ˈkeələs ‖ ˈker–] *mn* **1. a)** gondatlan, figyelmetlen, nemtörődöm, elővigyázatlan; **be ~ of/about sg** nem érdekli vmi, nem törődik vmvel, nem vigyáz vmre **b)** meggondolatlan, könnyelmű; **a ~ remark** meggondolatlan megjegyzés **2.** gondtalan, vígkedélyű **3.** könnyű, erőfeszítést nem igénylő • *fn* **carelessness**
carer [ˈkeərə ‖ –ər] *fn* (szociális) gondozó
caress [kəˈres] **I.** *fn* simogatás, dédelgetés, ölelgetés, csókol(gat)ás, becézgetés **II.** *tsi* simogat, dédelget, ölelget, csókolgat, becéz (vkt) • *mn* **caressing**
caressive [kəˈresɪv] *mn* hízelkedő, becéző, simogató *[jellegű]*
caret [ˈkærət] *fn nyomd* ék alakú hiányjel, beszúrási jel
caretaker [ˈkeəteɪkə ‖ ˈkerteɪkər] *fn* házfelügyelő, házmester, házgondnok *[főleg lakatlan házban]*, teremőr *[múzeumban]* • *tni* **caretake**
caretaker government *fn* átmeneti/ideiglenes/ügyvivő kormány; hivatalnokkormány
care-worn *mn* gondterhelt, elcsigázott, megviselt
carfare [ˈkɑːfeə ‖ ˈkɑrfer] *fn US* viteldíj *[közúti járművön]*
cargo [ˈkɑːgoʊ ‖ ˈkɑr–] **I.** *fn* **1.** szállítmány, teher **2.** hajó/repülőgép rakomány, árurakomány **II.** *tsi* megrak *[hajót]*
Carib [ˈkærɪb] *fn népr* karib *[nép és nyelvcsalád]*
Caribbean [ˌkærəˈbɪən] *fn földr* **~ Islands** Karib-szigetek *[Antillák]*; **~ Sea** Karib-tenger
caribou [ˈkærəbuː] *fn áll* karibu, kanadai rén(szarvas)
caricature [ˈkærɪkətʃʊə ‖ –tʃʊr] **I.** *fn* **1.** karikatúra, torzkép **2.** nevetségesen gyönge/rossz utánzat v. karikatúra **II.** *tsi* kifiguráz, torzképet/karikatúrát rajzol • *fn* **caricaturist** *mn* **caricatural**
caries [ˈkeəriz ‖ ˈkeriz] *fn orv* fogszuvasodás, kariesz, odvasság
carillon [kəˈrɪljən ‖ ˈkærəlɑn] *fn zene* **1.** harangjáték **2.** harangjátékon megszólaltatott dallam
caring [ˈkeərɪŋ ‖ ˈkerɪŋ] **I.** *mn* gondoskodó, törődő, segítőkész; gondozó, gondozói **II.** *fn* törődés, gondoskodás
cariole [ˈkeərioʊl] → **carriole**
carious [ˈkeərɪəs ‖ ˈkerɪəs] *mn orv* szuvas • *fn* **cariosity**
caritative [ˈkærɪteɪtɪv] *mn* karitatív, jótékony
carjacking [ˈkɑːdʒækɪŋ ‖ ˈkɑr–] *fn* kocsirablás *[a gépkocsi vezetőjének kényszerítése a jármű átadására]*
carking [ˈkɑːkɪŋ ‖ ˈkɑr–] *mn* nyomasztó; **~ care** súlyos/emésztő gond
Carl [kɑːl ‖ kɑrl] *tul* Károly
Carla [ˈkɑːlə ‖ ˈkɑr–] *tul* ‹női név›
carload *fn* **1.** kocsirakomány, vagonrakomány, *bány* csillerakomány **2.** *US pénz* minimális árumennyiség *[kedvezményes díjtétellel]*
carman [ˈkɑːmən ‖ ˈkɑr–] *fn tsz* **carmen 1.** (teher)kocsis, fuvaros, gépkocsifuvarozó, mozdonyvezető, *bány* csillés **2.** *gazd* kihordó, kézbesítő **3.** *US* villamoskalauz, villamosvezető
car mechanic *fn* autószerelő
Carmelite [ˈkɑːməlaɪt ‖ ˈkɑr–] **I.** *fn* **1.** *vall* karmelita *[rend, apáca]* **2.** *tex* karmelitagyapjú **II.** *mn* karmelita
carminative [ˈkɑːmɪnətɪv ‖ kɑrˈmɪnətɪv] *orv mn/fn* szélhajtó *[szer]*
carmine [ˈkɑːmaɪn ‖ ˈkɑr–] **I.** *mn/fn* kármin(-), karmazsinvörös *[szín, festék]* **II.** *tsi* kárminnal/kárminvörösre fest
carnage [ˈkɑːnɪdʒ ‖ ˈkɑr–] *fn* mészárlás, vérontás
carnal [ˈkɑːnl ‖ ˈkɑrnl] *mn* **1.** testi, érzéki, nemi; **~ knowledge** nemi érintkezés, közösülés **2.** világi, hívságos • *tsi* **carnalize, -ise** *fn* **carnality** *hsz* **carnally**
carnassial [kɑːˈnæʃɪəl ‖ kɑr–] **I.** *mn* tépő *[fog]* **II.** *fn* tépőfog
carnation[1] [kɑːˈneɪʃn ‖ kɑr–] **I.** *mn* **1.** testszínű, rózsaszínű **2.** meggyszínű **II.** *fn* piros szín, meggyszín, hússzín
carnation[2] [kɑːˈneɪʃn ‖ kɑr–] *fn növ* szegfű
carnet [ˈkɑːneɪ ‖ kɑrˈneɪ] *fn* **a)** ideiglenes vámáru bizonyítvány, kártya **b)** határátlépési engedély *[gépjármű számára, meghatározott időre]*
carnival [ˈkɑːnɪvl ‖ ˈkɑr–] *fn* **1.** farsang, karnevál **2.** *biz* **a)** tobzódás, orgia **b)** karnevál, vidám jelmezes felvonulás **3.** *US* vidámpark, cirkusz • *mn* **carnivalesque**
carnivore [ˈkɑːnɪvɔː ‖ ˈkɑrnəvɔr] *fn* **1.** húsevő *[állat, növény]* **2.** *biz* ‹agresszíven törtető ember›
carnivorous [kɑːˈnɪvərəs ‖ kɑr–] *mn* **1.** húsevő, ragadozó, vérengző *[állat]* **2.** húsevő *[növény]* **3.** *biz* törtető • *hsz* **carnivorously**
carob [ˈkærəb] *fn növ* **1. ~(-bean)** szentjánoskenyér **2. ~(-tree)** szentjánoskenyérfa
carol [ˈkærəl] **I.** *fn* vidám ének, öröménel; **Christmas ~** karácsonyi ének **II.** *tsi/tni* **-ll-**, *US* **-l-** öröméneket/dalokat énekel • *fn* **caroller**
Carol(e) [ˈkærəl] *tul* ‹női név›
Carolean [ˌkærəˈliːən] *mn GB* I., ill. II. Károly király idejéből való
Carolina [ˌkærəˈlaɪnə] *tul földr* **1.** Karolina; **South ~** Dél-Karolina **2. the Carolinas** Észak- és Dél-Karolina
Caroline [ˈkærəlaɪn, –lɪn] **I.** *mn* **1.** *tört* karoling **2.** *GB tört* I., ill. II. Károly idejéből való **II.** *tul* ‹női név› Karolina
Carolingian [ˌkærəˈlɪndʒɪən ‖ ˌkɑr–] *mn/fn tört* Karoling
Carolinian [ˌkærəˈlɪnɪən] *mn/fn földr* karolinai *[férfi, nő]*
Carolyn [ˈkærəlɪn] *tul* ‹női név változata›
carom [ˈkærəm] **I.** *fn US* karambol *[biliárdban]* **II.** *tni* **1.** *US* karambolozik *[biliárdban]* **2. ~ off** visszapattan (vmről)
carotene [ˈkærətiːn] *fn vegy* karotin
carotid [kəˈrɒtɪd ‖ kəˈrɑtɪd] *mn/fn* **~ (artery)** nyaki verőér; fejütőér
carotin → **carotene**
carousal [kəˈraʊzl] *fn* tivornya, ivászat
carouse [kəˈraʊz] **I.** *fn* → **carousal II.** *tni* tivornyázik, dőzsöl, mulatozik, vigad • *fn* **carouser**
carousel [ˌkærəˈsel] **1.** (repülőtéri) csomagszállító-szalag, karusszel **2.** *régi US* körhinta *[lovakkal]*
carp[1] [kɑːp ‖ kɑrp] *fn áll* ponty
carp[2] [kɑːp ‖ kɑrp] *tni* ócsárol, kifogásol; **~ at sy** kritizál/bírálgat vkt • *fn* **carper** *fn/mn* **carping**
carpal [ˈkɑːpl ‖ ˈkɑr–] *orv* **I.** *mn* kéz-(-tövi-), kézfeji **II.** *fn* kéztőcsont
car park *fn* parkolóhely, parkolóház
Carpathians [kɑːˈpeɪθɪənz ‖ kɑr–] *tul tsz földr* Kárpátok
carpel [ˈkɑːpl ‖ ˈkɑr–] *fn növ* termőlevél • *mn* **carpellary**
carpenter [ˈkɑːpəntə ‖ ˈkɑrpəntər] **I.** *fn* ács **II. A.** *tsi* ácsol (vmt); **~ (together)** összeillleszt, összerak **B.** *tni* ácsmunkát végez • *fn* **carpentering**
carpentry [ˈkɑːpəntri ‖ ˈkɑr–] *fn* **1. a)** ácsmesterség **b)** ácsműhely **2.** ácsmunka, ácsolás
carpet [ˈkɑːpɪt ‖ ˈkɑrpət] **I.** *fn* **1. a)** szőnyeg; *biz* **be on the ~** *biz* terítéken van, dorgálást/szemrehányást kap; **sweep under the ~** szőnyeg alá seper, elrejt *[problémát, nehézséget]* **b) ~ of snow** hótakaró **c)** virágszőnyeg **2.** *épít*

útburkolat fedőrétege **II.** *tsi* **1.** szőnyeget leterít, szőnyeggel borít **2.** *biz* erősen összeszid, szemrehányásokkal illet (vkt) • *fn* **carpeting** *mn* **carpeted**
carpetbag *fn* útitáska
carpet-bagger *fn* **1.** *biz* választókerületben idegen/ismeretlen képviselőjelölt **2.** *US régi pej* jöttment; szerencselovag
car phone *fn* autótelefon
car pool *fn gk közl* telekocsi akció
carport *fn* fedett autóparkoló, (két oldalán nyitott) fészergarázs
carpus [ˈkɑːpəs ‖ ˈkɑr–] *fn tsz* **carpi** [ˈkɑːpaɪ ‖ ˈkɑrpaɪ] *orv* kéz, kéztő, csukló
carr [kɑː ‖ kɑr] *fn* bozótos/fűzfás terület; mocsár, láp
carrack [ˈkærək] *fn tört hajó* gálya
carrageen [ˈkærəgiːn], **carragheen** *fn növ* hínár, tengeri moszatfajta
carrel [ˈkærəl] *fn* **1.** ablakmélyedésbeli olvasóhely/olvasófülke, kutatófülke **2.** *tört* olvasófülke, cella *[kolostorban]*
car rental *fn* **a)** autókölcsönzés; autókölcsönző **b)** bérautó **c)** bérleti/kölcsönzési díj
carriage [ˈkærɪdʒ] *fn* **1. a)** szállítás, fuvarozás **b)** szállítmány, fuvar **c)** hordás, cipelés **2.** fuvardíj; ~ **free/paid** bérmentve, fuvar(díj) fizetve; ~ **forward** fuvardíj utánvételezve **3.** kivitelezés, végrehajtás **4.** testtartás, küllem **5.** kocsi, jármű, hintó **6.** *GB vasút* vagon, kocsi **7.** kocsi *[írógépé]*, gördülő/csúszó szerkezet, szán **8.** *kat* lövegtalp, ágyútalp
carriage trade *fn* úri/jómódú vásárlóközönség
carriageway *fn* úttest; **dual** ~ osztottpályás úttest
Carrie [ˈkæri] *tul bec* Caroline
carrier [ˈkærɪə ‖ –ər] **I.** *fn* **1.** hordár, küldönc **2. a)** *gazd* fuvarozó, szállítási vállalkozó; **official** ~ hivatalos szállító **b)** *gazd* fuvaros **3.** *kat* **a)** utánpótlást szállító **b)** repülőgépanyahajó **4.** tartó, keret, támasz, *US gk* csomagtartó **5.** *vegy* hordozóanyag, vehikulum **6.** *el* töltéshordozó **7.** *orv* bacilusgazda, bacilushordozó, vírushordozó, (gén)hordozó **8.** anyahajó **II.** *mn infor* hordozó, vivő
carrier bag *fn GB* bevásárlószatyor
carrier pigeon *fn* postagalamb
carrier wave *fn távk* vivő(hullám), hordozóhullám
carriole [ˈkærioʊl] *fn* carriole, kétkerekű kocsi
carrion [ˈkærɪən] **I.** *fn* **1.** dög, hulla *[állaté]* **2.** szennyes, visszataszító dolog **II.** *mn* rothadt, visszataszító, undorító, szennyes
carrot [ˈkærət] *fn* **1.** sárgarépa **2.** csábító v. vonzó dolog, csalétek; **dangle a ~ in front of the donkey** elhúzza vk orra előtt a mézesmadzagot; *kif* ~ **and stick** cukor és korbács, mézesmadzag és virgács **3.** *tsz* **carrots a)** *biz* vörös haj **b)** *biz* vörös hajú ember
carrotene [ˈkærətiːn] → **carotene**
carroty [ˈkærəti] *mn* **1.** sárgásvörös/narancssárga színű **2.** *biz* vörös színű *[haj]*
carrousel [ˌkærəˈsel] → **carousel**
carry [ˈkæri] **I. A.** *tsi* **1.** hord, (el)visz, (el)szállít (vmt); ~ **coals to Newcastle** Dunába vizet hord; ~ **diseases** betegségeket hordoz; **his car carries seven people** heten elférnek a kocsijában **2.** visz, átad, továbbít, vezet *[hangot, elektromos rezgést]* **3.** ~ **sg into effect/execution** megvalósít/végrehajt/kivitelez vmt; ~ **things too far** túlzásba viszi a dolgokat; **things were carried to such a point that** a dolgok odáig fejlődtek, hogy **4. a)** megnyer, elfoglal, bevesz, megvesz *[erődítményt]*; ~ **all before one** nagy/átütő sikere van; **his words carried the crowd** szavai megnyerték/magával ragadták a tömeget; **it does not ~ conviction** ez nem meggyőző; ~ **the day** győz; *biz* elnyeri a pálmát, tündököl; *US* ~ **a state** ‹elnökválasztáskor egy USA tagállamban többséget szerez› **b)** vmt előrevisz, lendít, a lelke/motorja vmnek **5.** elfogad, elfogadtat; **the bill/motion was carried** elfogadták a törvényjavaslatot **6. a)** hord, visel; ~ **a gun** fegyvert hord v. visel; ~ **weight** súlya/befolyása/tekintélye van; ~ **a heavy penalty** súlyos büntetést von maga után **b)** hord, magánál tart **c)** közöl, hoz *[hírlap]*, rendszeresen ad/sugároz *[rádió- v. televízióadó]* **d)** raktáron tart *[árut]* **e)** jár vmvel, eredményez; ~ **a guarantee of 12 months** 12 hónap garanciával jár **7. a)** ~ **a child** teherben van **b)** *biz* ~ **the can for** tarthatja a hátát, egyedül viseli a felelősséget **8.** ~ **one's head high** emelt fővel jár; ~ **oneself well** jól viselkedik **9.** *épít* alátámaszt *[gerendát, ívet]*, tart *[tetőszerkezetet]* **10.** hoz *[vidék termést]*, termel, eltart *[állatállományt]* **B.** *tni* hord *[ágyú, hang]*; **the sound carried 3 miles** (a hang) három mérföldnyire hallható volt **II.** *fn* **1. a)** szállítás, hordás **b)** *US Kan* ‹olyan szakasz, ahol vinni kell a csónakot› **2.** hordás, hordtávolság *[fegyveré]*, röppálya, röptáv(olság) *[lövedéké, labdáé]* **3.** helyértékváltozás *[számológépen]* **4.** *infor* átvitel
carry about *tsi* **a)** magánál hord **b)** *biz* cipel, hurcol
carry along *tsi* elvisz, magával ragad, előrevisz
carry away *tsi* **1.** elvisz, elragad, elhord **2. a)** elragad(tat) *[érzés vkt]*; **I got carried away** elragadtattam magam **b) be carried away by the music** elragadtatta a zene
carry back *tsi* **1.** visszahoz **2. a)** visszavisz **b)** ~ **sy back** emlékezetébe idéz vkt (vknek); **as far as my memory will ~ me back** amennyire (csak) vissza tudok emlékezni
carry forward *tsi* **1.** előrevisz **2.** folytat **3.** átvisz, áthoz *[elszámolást másik lapra]*; ~ **forward a balance** egyenleget átvisz; **carried forward** átvitel, áthozat *[könyvelésben]*; → **carry-forward**
carry off *tsi* **1.** elvisz; **he was carried off by illness** a betegség elragadta (v. halálát okozta) **2.** ~ **off the prize** elnyer díjat **3.** elfogadtat, elfogadhatóvá tesz; *biz* ~ **it off** sikerül neki
carry on A. *tsi* folytat (vmt), követ, tovább csinál, fenntart, űz *[ipart]*; ~ **on a conversation** folytatja a beszélgetést **B.** *tni* **1.** *kat* ~ **on!** tovább, folytatni! **2.** kitart (vmben) **3. a)** *biz* szokatlan módon viselkedik **b)** *biz* dühöng, jelenetet rendez **4.** *biz* ~ **on with** flörtöl, szerelmi viszonyt folytat; kikezd
carry out *tsi* **1.** kivisz **2.** végrehajt, kivitelez, eleget tesz *[kötelezettségének]*, elvégez *[küldetést]*, megvalósít *[elgondolást]* **3.** hazavisz *[ételt étteremből, kifőzdéből]*
carry over A. *tsi* **1.** átvisz, áthoz **2.** elhalaszt *[munkát]* **3.** prolongál *[tőzsdén]*; → **carry-over** **4.** átvisz, áthoz *[könyvelésben]* **B.** *tni* megmarad
carry through *tsi* **1.** áthoz **2.** végigcsinál, befejez **3.** átsegít *[nehézségen]*
carryall [ˈkæriɔːl] *fn* **1.** *US* utazózsák, nagy kézitáska **2.** egyfogatú kocsi **3.** *US* kétkerekű fedett kocsi
carrycot *fn* mózeskosár, hordozható gyermekfekhely
carry-forward *fn* átvitel *[könyvelésben]*; → **carry forward**
carrying agent *fn* **1.** *gazd* szállító, szállítmányozó, fuvarozó **2.** *vegy* hordozóközeg
carrying capacity *fn* **1.** *vill* maximális terhelhetőség **2.** *épít* teherbírás **3.** *hajó* hasznos szállítótér **4.** *közl* hordképesség, raksúly **5.** *mezőg* (környezet)eltartóképesség
carry-on *fn* **1.** *GB* (repülőgépre felvihető) kézipoggyász **2.** *GB szl* furcsa/bosszantó/helytelen viselkedés **3.** *GB szl* szerelmi viszony, flört **4.** *GB szl [zűrzavar]* felfordulás, felhajtás
carry-over *fn* **1.** átvitel *[könyvelési adaté, készleté]* **2.** tőzsdei prolongáció **3.** túlfolyás, túlömlés **4.** megmaradt áru v. készlet **5.** → **carry over**
carsick *mn* **be ~** nem bírja az autózást, rosszul lesz/hányingere van az autózástól • *fn* **carsickness**
cart [kɑːt ‖ kɑrt] **I.** *fn* **1.** *biz* **put the ~ before the horse** ‹fordítottt sorrendben csinál vmt, okot és okozatot összekever v. téveszt› fordítva üli meg a lovat; *GB szl* **be in the ~** *[nagy bajban van]* (nyakig) benne van a pácban/csávában, kutyaszorítóban van **2.** áruházi bevásárlókocsi **II.** *tsi* **1.** fuvaroz, talicskázik, szállít, hord **2.** *szl [szállít]* cipel, visz, hurcol *[hosszú távon]* • *fn* **carter**, **cartful**
cart about *tsi biz* cipel, hurcol, szállít
cart away *tsi* elszállít *[taligán]*

C

cart off *tsi* elszállít *[taligán]*, elhurcol
cartage [ˈkɑːtɪdʒ ‖ ˈkɑrtɪdʒ] *fn* **1.** fuvardíj, kézbesítési díj **2.** talicskázás, fuvarozás *[szekérrel]*
carte [kɑːt ‖ kɑrt] *fn* étlap; **à la ~ dinner** à la carte ebéd/vacsora; étlap szerint rendelt étkezés
carte blanche [ˌkɑːt ˈblɑːnʃ ‖ ˌkɑrt–] *fn tsz* **cartes blanches** [ˌkɑːt ˈblɑːnʃ ‖ ˌkɑrt–] *francia* korlátozás nélküli felhatalmazás; **be given a ~** szabad kezet kap
cartel [kɑːˈtel ‖ kɑr–] *fn* **1.** *közg* kartell **2.** egyezmény/paktum *[gazdasági/politikai csoportok között]* • *tsi* **cartellize, -ise** *fn* **cartellization, -isation**
Cartesian [kɑːˈtiːzɪən ‖ kɑrˈtiːʒn] *mn/fn fil* kartéziánus, Descartes-ra vonatkozó • *fn* **Cartesianism**
cart horse *fn* igásló, hámos ló
Carthusian [kɑːˈθjuːzɪən ‖ kɑrˈθuːʒn] *mn/fn* karthauzi *[szerzetes]*
cartilage [ˈkɑːtəlɪdʒ ‖ ˈkɑr–] *fn orv* porc(ogó)
cartilaginous [ˌkɑːtəˈlædʒənəs ‖ ˌkɑr–] *mn* **1.** porcos **2.** porcogós vázú *[hal]*
cartload *fn* szekérrakomány; *biz* **a ~ of trouble** egy rakás baj
cartogram [ˈkɑːtəgræm ‖ ˈkɑr–] *fn* kartogram
cartography [kɑːˈtɒgrəfi ‖ kɑrˈtɑ–] *fn* térképészet • *fn* **cartographer** *mn* **cartographic**
cartomancy [ˈkɑːtoʊmænsi ‖ ˈkɑrtə–] *fn* kártyavetés
carton [ˈkɑːtn ‖ ˈkɑrtn] **I.** *fn* **1. a)** karton **b)** kartondoboz, doboz; **a ~ of cigarettes** egy karton cigaretta; **a ~ of milk** egy doboz tej **2.** céltábla közepe, célfekete **II.** *tsi* dobozol, dobozba csomagol/kiszerel
cartoon [kɑːˈtuːn ‖ kɑr–] **I.** *fn* **1. a)** karikatúra, gúnyrajz, humoros/szatirikus rajzsorozat **b)** → **comic strip c) (animated) ~** rajzfilm **2.** rajzvázlat, freskóterv, szőnyegterv **II.** *tsi* **1.** karikatúrát/gúnyrajzot készít, gúnyképet rajzol **2.** vázlatot készít • *fn* **cartoonist** *mn* **cartoony**
cartouche [kɑːˈtuːʃ ‖ kɑr–] *fn épít* **a)** kártus **b)** (tekercs alakú) díszes keret
cartridge [ˈkɑːtrɪdʒ ‖ ˈkɑr–] *fn* **1.** *kat* **a)** töltény, patron **b)** gránáthüvely, kartács, petárda **2.** *ip* **filter ~** szűrőbetét **3.** *fényk* filmtekercs, kazetta(töltés) **4.** (tinta)patron *[töltőtollba]*; festékkazetta *[nyomtatóba]* **5.** hangszedőfej *[lemezjátszóé]* **6.** *infor* kazetta, tok
cartridge belt *fn kat* **1.** tölténytartó öv **2.** töltényszalag *[géppuskáé]*
cartridge case *fn kat* **1.** tölténytok **2.** töltényhüvely, tölténytartó doboz
cartridge clip *fn kat* töltényheveder, tölténytár
cartridge paper *fn* **1.** *kat* töltényhüvely-papír **2.** *tex* mintapapír **3.** kockás papír
cart road *fn* szekérút, földút, dűlőút
cart-shed *fn* (kocsi)szín, kocsifészer
cart-way *fn* szekérút, földút, dűlőút
cartwheel *fn* **1.** kerék *[taligáé, kocsié, szekéré]* **2. turn ~s** cigánykerekeket hány
cartwright [ˈkɑːtraɪt ‖ ˈkɑrt–] *fn* bognár, kerékgyártó, kocsigyártó
caruncle [kəˈrʌŋkl] *fn* **1.** *áll* taréj **2.** *orv* húskinövés, (húsos) szemölcs
carve [kɑːv ‖ kɑrv] *tsi* **1.** vés, metsz, (meg)farag, vág, kivés, kifarag *[szobrot, képet]*; **~ in/on marble** márványba vés; örökértékűen megörökít; **cut and ~** finomít, tökéletesít, csiszolgat **2.** szeletel, felmetél, szétdarabol, felvág *[húst]*, trancsíroz *[szárnyast]*
carve out *tsi* kivés, kifarag; **~ out a future** megalapozza a jövőjét
carve up *tsi* **1.** feldarabol, trancsíroz; *biz* **~ up a country** feldarabol egy országot **2.** bevág, elvágja az útját *[másik járműnek]* **3.** *biz sp* megegyezik az eredményben, bundázik **4.** *US szl* összekaszabol *[pl. borotvával]*
carvel [ˈkɑːvl ‖ ˈkɑr–] → **caravel**
carven [ˈkɑːvn ‖ ˈkɑr–] *mn vál* faragott, vésett
carver [ˈkɑːvə ‖ ˈkɑrvər] *fn* **1. a)** húsvágó/hússzeletelő kés **b) (a pair of) ~s** hússzeletelő készlet *[kés és villa]* **2. a)** képfaragó, fafaragó **b)** felszeletelő *[húsé, sülté]* **c)** felszolgáló pincér *[szállodában]*
carvery [ˈkɑːvərɪ ‖ ˈkɑrvərɪ] *fn GB gaszt* **1.** ‹éttermek büféjellegű hússzeletelő terme› **2.** ‹húsbüfét kínáló étterem›
carve-up *fn GB szl* **1.** ‹olyan buli, amelyben többen vesznek részt› **2.** zsákmány/szajré felosztása **3.** bunda *[versenyben]*
carving [ˈkɑːvɪŋ ‖ ˈkɑr–] *fn* **1. a)** vésés, metszés **b)** fametszés, fafaragás, fafaragvány **2.** felszeletelés, szétdarabolás, trancsírozás *[húsé]*
carving knife *fn tsz* **carving-knives** szeletelő/trancsírozó kés
carving-wood *fn* faragáshoz való fa
car wash *fn* autómosó, autómosás
caryatid [ˌkæriˈætɪd] *fn tsz* **~s** v. **~es** [–diːz] kariatid, tartószobor *[női alak]*
Casanova [ˌkæsəˈnoʊvə] *tul* Casanova; nőcsábász, szoknyavadász
casbah [ˈkæzbɑː] → **kasbah**
cascade [kæˈskeɪd] **I.** *fn* **1.** *földr* (lépcsős) vízesés, zuhatag **2.** zuhatag, leomló tömeg **3.** egymást követő események/vegyi v. fizikai folyamatok **4.** *infor* kaszkád, részben fedő ablakelrendezés **II.** *mn* lépcsőzetesen egymást elindító *[folyamat]* **III.** *tni* zuhog, alácsik *[vízesés]*
case¹ [keɪs] *fn* **1.** ügy, eset, esemény, történés, előfordulás; *biz* **hard ~** *átv* nehéz eset; hajthatatlan (ember); lehetetlen alak; **the ~ in point** a szóban forgó/fennforgó/különleges eset; **~ of conscience** lelkiismereti kérdés/ügy; **this is not the ~** nem ez a helyzet; nem így áll a dolog; **it is a ~ of now or never** most vagy soha; meg kell ragadni az alkalmat; **I put my ~ to him** előadtam neki az ügyemet/álláspontomat; **as the ~ may be** aszerint, amint; az esettől/körülményektől függően; **in ~** feltéve, hogy, amennyiben; **just in ~** arra az esetre, ha netalán; **in any ~** mindenképpen, mindenesetre; **in most ~s** többnyire; **in no ~** semmi esetre sem; **in this particular ~** a(z) jelen/szóban forgó/adott esetben; **in your ~** az ön helyében; az ön esetében; **in ~ of accident** baleset esetén **2. a)** *orv* (orvosi) eset, megbetegedés; **he's a mental ~** elmebeteg **b)** *biz* a beteg/sebesült **3. a)** *jog* eset, ügy, bűnügy; **leading ~** precedens; **state the ~** előadja az ügyet; kifejt (jogi) álláspontot; **win one's ~** megnyeri a pert **b) and with that, my Lord/your Honour, I rest my ~** és ezzel, tisztelt bíróság, befejeztem az érvelésemet; **there is no ~ against you** ön ellen nem folyik eljárás; **you have no ~** el fogják utasítani *[keresetét]* **c)** álláspont **4.** *nyelv* eset
case² [keɪs] **I.** *fn* **1.** (csomagoló)láda, doboz, csomag **2. a)** tok, tartó, tartály, táska, hüvely **b) (display) ~** kirakat; üveges szekrény, vitrin *[boltban]* **c)** fiók **3.** köpeny, váz, ház *[gépé]*, burkolat, burok, foglalat, párnahuzat **4.** kötés *[könyvé]* **II.** *tsi* **1.** becsomagol, ládába/tokba rak/tesz **2.** beborít, beburkol, bevon, behúz **3.** *US szl* **~ (the joint)** helyszíni/előzetes szemlét (v. terepszemlét) tart *[betörő]*; körülszaglászik
casebook *fn* **1.** *jog* döntvénytár **2.** *orv* esetnapló **3.** dokumentumgyűjtemény *[tanulmányi célokra]*, kritikai antológia
casebook example *fn* iskolapélda, tankönyvi eset
case-bound *mn* kemény kötésű *[könyv]*
case ending *fn nyelv* esetrag, esetvégződés
case-harden *tsi fémip* **1.** betétben edz, keményre edz, felületi edzést végez *[fémfelületen]*, kéregedzést végez **2.** *átv* megkeményít
case history *fn orv* (orvosi) kórtörténet; esetleírás; kórelőzmény
casein [ˈkeɪsiːn, ˈkeɪsiɪn] *fn vegy* kazein
case knife *fn tsz* **case knives** tokos kés, vadászkés
case law *fn* esetjog, bírói elvi döntéseken alapuló jog
case load *fn* (folyamatban levő) ügyek/esetek, esetterhelés *[ügyvédeké, orvosoké]*
case-lock *fn* szekrényzár

case-maker *fn* ládagyártó, ládagyáros
casemate ['keɪsmeɪt] **I.** *fn* **1.** bástyaboltozat, kazamata, bástyaüreg, erődbolt **2.** bombabiztos óvóhely **3.** *hajó* páncélos ágyúállás **II.** *tsi* kazamatával ellát
casement ['keɪsmənt] *fn* **1. a)** ablakszárny **b)** ablakkeret **2.** *vál* (szárnyas) ablak
casern [kə'zɜ:n ‖ –'zɜrn], **caserne** *fn* katonai barakk, kaszárnya
casesensitive *mn infor* nagybetű-kisbetű érzékeny
case sheet *fn orv* beteglap
case study *fn* esettanulmány
casette [kə'set] → **cassette**
casework *fn* (szociológiai) esettanulmány
caseworker *fn* szociális előadó
cash [kæʃ] **I.** *fn* **1.** készpénz; **net ~** fizetés levonás nélkül; **ready ~** készpénz; fizetés az áru átvételekor; **~ down** készpénzfizetés ellenében; **~ against documents** készpénzben okmányok ellenében, okmányos inkasszó; **be in ~** van pénze; **pay (in) ~** készpénzzel fizet; **be out of ~** nincs készpénze; **turn sg/everything into ~** vmt/mindent pénzzé tesz **2.** pénztár(állomány); **keep the ~** kezeli a pénztárt/kasszát **3.** *biz* gazdagság, vagyon **II.** *tsi* **1.** bevált *[csekket]*; **~ a cheque for sy** csekk összegét kifizeti vknek **2.** felvált *[bankjegyet]* **3.** *ját* lejátszik, hazavisz *[ütést]* • *mn* **cashable** *mn* **cashless**
cash in *tsi* **1.** készpénzre vált, bevált **2.** befizet/(be)tesz bankba *[pénzt]* **3. a)** kiegyenlít *[számlát]* **b)** lezár, rendez *[számadást]* **4.** *[zsetont]* bevált; **~ in on sg** hasznot húz vmből **5.** *US szl* **~ in one's checks** *[meghal]* elpatkol, beadja a kulcsot
cash up *tsi* **1.** behajt *[pénzt]* **2.** *US* kifizet, kiegyenlít **3.** *GB* elszámolja a napi bevételt, kasszát csinál
cash-advance *fn* készpénzelőleg
cash-book *fn* pénztárkönyv
cash-box *fn* pénzszekrény
cash card *fn* bankkártya, ATM-kártya *[automatához]*
cash-clerk *fn* pénztáros
cash cow *fn gazd átv biz* fejőstehén *[stabil* v. *lassan bővülő piacon a vállalat nagy piaci részesedésű terméke]*
cash crop *fn* árunövény, piacra termelt növény
cash desk *fn* pénztár(asztal/pult)
cash disbursements *fn* pénztári kifizetések
cash discount *fn* készpénzfizetési engedmény
cash dispenser *fn pénz* bankjegykiadó/pénzkiadó- automata
cashew ['kæʃu:] *fn növ* kesu; **~ nut** kesudió
cash flow *fn pénz* vállalati pénzforgalom/pénzáramlás, likviditás
cashier[1] [kæ'ʃɪə ‖ –'ʃɪr] *fn* pénztáros(nő); **~'s desk/office** pénztár, kassza
cashier[2] [kæ'ʃɪə ‖ –'ʃɪr] *tsi kat* elbocsát (büntetésből), rangjától megfoszt; megfenyít *[tisztet]*
cashmere ['kæʃmɪə ‖ 'kæʒmɪr] *fn tex* kasmír(szövet)
cash offer *fn* készpénzajánlat
cash on delivery *fn* utánvéttel, átvételkor fizetendő
cash payment *fn* készpénzfizetés
cashpoint → **cash dispenser**
cash price *fn gazd* készpénzár
cash-sale *fn* készpénzeladás
casing ['keɪsɪŋ] *fn* **1. a)** védőborítás, huzat; huzat anyaga **b)** kötés *[könyvé]* **2.** burkolat, köpeny *[hengeré, autógumié]*, keret *[ablaké,ajtóé]* foglalat **3.** abroncs
casino [kə'si:noʊ] *fn* (játék)kaszinó
cask [kɑ:sk ‖ kæsk] **I.** *fn* **1.** (fa)hordó **2.** hordó *[mennyiség]* **II.** *tsi* hordóba tölt *[bort]*
cask-conditioned *mn* hordóban érlelt *[sör]*
casket ['kɑ:skɪt ‖ 'kæskət] *fn* **1.** ékszeres ládika/szelence, ékszerdoboz **2.** *US* érckoporsó **3.** urna, hamvveder
Caspian Sea ['kæspɪən si:] *tul földr* Kaspi-tenger
casque [kæsk] *fn* **1.** sisak **2.** búb, sisak *[madár fején/csőrén]*
Cassandra [kə'sændrə] *tul mit* Kasszandra; *átv* **play ~** huhog, kuvikol
cassava [kə'sɑ:və] *fn* **1.** *növ* manióka, kasszava **2.** maniókaliszt **3.** maniókalepény
casserole ['kæsəroʊl] **I.** *fn* **1. a)** (fedett) tűzálló tál/edény **b)** serpenyő, lábas **2.** ragu/vagdalék tűzálló tálban **II.** *tsi* tűzálló edényben süt
cassette [kə'set] *fn* (magnó-, videó-) kazetta
cassette deck *fn* kazettás magnó
cassette player *fn* magnó
cassette recorder *fn* magnó
cassette tape *fn* magnószalag, kazetta
cassock ['kæsək] *fn* **1.** *vall* reverenda **2. magistrate's ~** bírák talárja (v. uszályos ruhája) • *mn* **cassocked**
cast [kɑ:st ‖ kæst] **I.** *i tsi pt/pp* **cast 1. a)** dob, vet, hajít; **~ ashore** partra vet *[tenger]*; **~ from one's mind** elveti az ötletet, kiveri a fejéből; **~ a glance at sg** rápillant vmre; **~ (sg) loose** mozgásba hoz (vmt); szabadjára enged (vmt); **~ lots** sorsot vet; **the die is ~** a kocka el van vetve; **not to ~ the first stone, but** nem azért, hogy kritizáljam, de **b)** ledob, levet *[ruhát]*, elhány, elhulla(j)t, elveszt; **~ its feather** tollát hányja *[madár]* **c)** kihány, kiöklendez *[emésztetlen anyagot ragadozó madár]* **2. ~ a vote** szavazatot lead, szavaz **3. ~ figures** számokat összead; összegez **4. ~ a horoscope** horoszkópot készít/felállít; **~ a spell** megbabonáz, elvarázsol **5.** leterít, földhözvág, kétvállra fektet *[birkózót]* **6. a)** *jog* elutasít, visszautasít **b)** félredob **7.** önt *[fémet]* **8.** *szính* kioszt *[szerepeket]*; **~ a play** darab szereposztását elkészíti (v. szerepeit kiosztja); **~ sy for a part** vkre kioszt egy szerepet **II.** *fn* **1. a)** dobás, hajítás, (ki)vetés **b)** dobás távolsága **c)** pillantás, mozgás, irány *[szemé, tekintete, fénysugáré, reflektoré]* **d)** horogzsinór toldaléka, dobóhorgászásra alkalmas hely **2. a)** dobás *[kockáé]* **b)** sors, osztályrész **3.** elhullatott tollak, ürülék *[madáré, rovaroké stb.]*, levedlett bőr *[állaté]* **4.** öntvény, öntőminta **5.** öntés **6.** *nyomd* kefelevonat **7. a)** (szín)árnyalat, színeződés, fluoreszkálás; **with a ~ of bitterness in his voice** kissé keserűen **b) ~ of features** arcvonások, arckifejezés; **~ of mind** lelkület; észjárás **8. have a ~ in one eye** az egyik szemére bandzsít/kancsal **9. a)** összeadás *[számoké]* **b)** számítás, (el)tervezés, elképzelés; **first ~** első próbálkozás/kísérlet; első/vázlatos terv **10.** *szính* szereposztás; **an all-star ~** sztár-szereposztás **III.** *mn* **1.** dobott, vetett, hajított; *műv* **~ shadow** árnyék *[tárgyé]* **2.** visszautasított, elvetett; **~ horses** kimustrált lovak; **~ wool** silány gyapjú **3.** olvasztott, öntött; **~ concrete** öntött beton; **~ iron** öntöttvas; → **cast-iron**; **~ steel** öntött acél; acélöntvény; **~ stone** műkő; **~ in one** egybeöntött, egy darabba öntött
cast about A. *tsi* **~ one's eyes about** körülnéz, körültekint **B.** *tni* **~ about for sg** keresgél vmt; **~ about for an excuse** mentséget keres
cast around → **cast about B.**
cast aside *tsi* félredob, félretesz
cast at *tsi* **~ an eye (v. a glance) at sy** (futólag) ránéz vkre, pillantást/tekintetet vet vkre, rápillant vkre; **~ oneself at sy's feet** vk lábai elé veti magát
cast away *tsi* **1. a)** eldob, félrehajít; **get ~ away** félredobják; hajótörést szenved **b)** elhesseget, száműz *[gondokat]* **2.** elherdál, elpocsékol
cast back A. *tsi* **1.** visszadob **2.** visszafordít *[vádat, érvet]* **B.** *tni átv* hátratekint, visszanéz, visszaemlékezik *[múltra]*
cast down *tsi* **1. a)** ledob, lehajít **b)** lesüt *[szemet]* **2. be ~ down** levert, lehangolt, deprimált
cast in *tsi* **1. ~ sg in sy's eye** szemére hány/vet vknek vmt; felhány(torgat) vknek vmt; **~ in one's lot with sy** vkvel közös kockázatot vállal; osztozik vk sorsában **2. ~ in bronze** bronzba önt **3. ~ in/into** rendez, formába foglal *[adatokat stb.]*
cast into *tsi* **~ into prison** börtönbe vet

cast off A. *tsi* **1. a)** ellök, elbocsát, elutasít **b)** megtagad, kitaszít (vkt) **2. a)** levet, ledob *[ruhát]*, elvet, levet, levetkőz *[szégyenérzetet]*; **he was ~ off by his family** családja megtagadta **b)** kikötőkötelet ereszt, kikötőből kifut **3.** szem(ek)et fogyaszt *[kötésen]* **4.** *nyomd* **~ off a manuscript** kézirat terjedelmét felbecsüli **B.** *tni hajó* elfordul a széltől

cast on A. *tsi* **1. a)** (el)kezd *[kötést]* **b)** szaporít; **~ on ten stitches** tíz szemet szaporít *[kötésen]* **2. ~ doubt on** kétségbe von, megkérdőjelez; **~ light on sg** fényt derít/vet vmre; **~ shadow on sg** árnyékot vet vmre; **~ the blame on sy** vkt vádol/okol vmért **B.** *tni* szemet szaporít *[kötésen]*

cast out *tsi* kidob, kitesz (vkt)

cast over *tsi* **1. ~ one's mind/thoughts over sg** fontolóra vesz (v. átgondol) vmt **2. the sky is ~ over** az ég beborult/felhős

cast round → **cast about**

cast up *tsi* **1. ~ sg up against/to sy** szemére vet vmt vknek **2.** összead, összegez *[számokat]* **3. ~ up (one's food)** kihány, kiokád; **the river ~s up its dead** a folyó kiveti a vízbefúltakat

castanet [ˌkæstə'net] *fn* kasztanyetta, csattogtató

castaway ['kɑ:stəweɪ ‖ 'kæst–] **I.** *fn* **1.** hajótörött **2. a)** száműzött, számkivetett **b)** hulladék, szemét; → **cast away II.** *mn* kitaszított

caste [kɑ:st ‖ kæst] *fn* kaszt; *biz* **lose ~** társadalmi helyzetét elveszti

castellan ['kæstɪlən] *fn régi* várnagy

castellated ['kæstɪleɪtɪd] *mn* **1. a)** fogazott, pártázott **b)** csipkés oromzatú lőrésekkel ellátott *[bástya, fal]* **2. a)** sok várral rendelkező, megerődített *[vidék]* **b)** régi stílusban épült, várszerű *[kastély]* • *fn* **castellation**

caster[1] ['kɑ:stə ‖ 'kæstər] *fn* **1.** dobó; **~ of horoscopes** horoszkópkészítő **2. a)** *fémip* öntő **b)** mintázó, (gipsz)öntő

caster[2] ['kɑ:stə ‖ 'kæstər] **1.** szórófej *[üvegen]* **2.** görgő *[bútor mozgatására]*

caster sugar *fn* finom kristálycukor

caster-up *fn* összeadó; → **cast up**

castigate ['kæstɪgeɪt] *tsi* **1.** fenyít, büntet **2.** kijavít, korrigál **3.** szigorúan bírál/ostoroz • *fn* **castigation**, **castigator**

Castile [kæ'sti:l] *tul földr* Kasztília • *fn/mn* **Castilian**

casting ['kɑ:stɪŋ ‖ 'kæstɪŋ] **I.** *fn* **1.** hajítás **2. a)** *ip* öntés **b)** öntvény **3.** *szính* szereposztás **4. a)** széltől elfordulás **b) ~ on** kezdősor készítése *[kötésé]*; szaporítás *[kötésben]* **c) ~ (up) of figures** számok összeadása **II.** *mn* **1.** öntő **2.** döntő **3.** szereposztó

casting couch *fn* szereposztó dívány

casting-line *fn* horgászzsinór

casting mould, *US* **- mold** *fn ip* öntőforma, minta

casting net *fn* vetőháló, dobóháló, pöndörháló *[halászathoz]*

casting office *fn* szerepnyilvántartó iroda; színészközvetítő iroda

casting vote *fn* döntő szavazat *[szavazategyenlőség esetén az elnök részéről]*

cast-iron I. *mn* **1.** öntött(vas) ötvözet **2.** *átv* merev, hajlíthatatlan; **~ discipline** vasfegyelem, szigorú fegyelem; **~ proof** megdönthetetlen (v. döntő erejű) bizonyíték; **have a ~ belief in sg** megingathatatlanul hisz (v. erős hite van) vmben **II.** *fn* → **cast** III.3.

castle ['kɑ:sl ‖ 'kæsl] **I.** *fn* **1.** vár, kastély, *[királyi]* palota; **build ~s in the air/in Spain** légvárakat épít; *közm* **my house is my ~** az én házam az én váram **2.** bástya *[sakkban]* **II.** *tsi* **~ the king** sáncolja a királyt *[sakkban]* • *fn* **castling**

cast list *fn* szereposztás, szereplők névsora

cast-off I. *mn* kiselejtezett, kidobott; **~ clothing** levetett/használt ruhák **II.** *fn* **1.** *tsz* **cast-offs** *biz* levetett ruhák, viselt holmik, használt/ócska ruha; *átv* eldobott/elhagyott személy; → **cast off 2.** *nyomd* kézirat terjedelmének felbecsülése

castor[1] ['kɑ:stə ‖ 'kæstər] → **caster**[2]

castor[2] ['kɑ:stə ‖ 'kæstər] *fn* **1. a)** hód **b)** *orv* hódzsír, kasztóreum **2.** *szl* hódprémsapka **3.** hódszőr, hódprém

castor action *gk* → **caster action**

castor bean *fn növ* **1.** ricinusbokor **2.** ricinusmag

castor oil *fn* ricinusolaj; **~ bean** ricinusmag

castor-oil plant *fn növ* ricinusbokor

castor sugar → **caster sugar**

castrate [kæ'streɪt ‖ 'kæstreɪt] **I.** *tsi* **1.** (ki)herél, kasztrál *[embert, állatot]*, miskárol *[kocát]* **2.** *biz* életerejétől, energiájától megfoszt; kiherél, megcsonkít *[szellemi alkotást]* **II.** *fn régi* herélt • *fn* **castration**, **castrator**

castrato [kæ'strɑ:toʊ] *fn tört* kasztrált *[énekes]*

casual ['kæʒuəl] **I.** *mn* **1.** véletlen, előre nem látott, nem szándékolt; **~ affair** futó kaland **2.** alkalmi, rendszertelen, közbevetett; **~ labour/work** alkalmi munka **3.** *biz* gondatlan, rendszertelen, közömbös, nemtörődöm *[személy]*; **give a ~ answer** félvállról válaszol; **a ~ remark** odavetett megjegyzés **4.** mindennapi, kényelmes, lezser, egyszerű, sport- *[viselet]*; **~ clothes/wear** utcai ruha/viselet **II.** *fn* **1.** alkalmi munkás **2.** → **casuals** • *hsz* **casually**

casuals ['kæʒuəlz] *fn tsz* mindennapi használatra szánt/utcai ruha/cipő

casualty ['kæʒuəlti] *fn* **1. a)** sérülés, sebesülés, haláleset *[balesetnél]* **b)** *GB* baleseti osztály/sebészet **c)** *tsz* **casualties** *kat* veszteség *[emberben]*, halálos áldozatok, szerencsétlenül jártak **2.** *kat* halott, sebesült **3.** veszteség; elveszett/tönkrement dolog/holmi

casualty department *fn* baleseti osztály *[kórházban]*

casualty ward → **casualty department**

casuist ['kæʒuɪst] *fn* **1.** *vall* kazuista **2.** *biz* szőrszálhasogató, álokoskodó • *fn* **casuistry** *mn* **casuistic(al)**

casus belli [ˌkɑ:sus 'beli:, ˌkeɪsəs 'belaɪ] *pol* casus belli, ok a háborúra, háborús ok

cat [kæt] **I.** *fn* **1. a)** macska; **tom-~** kandúr; *biz* **be like a ~ on hot bricks/a hot tin roof** tűkön ül, nem bír a helyén maradni; **let the ~ out of the bag** kikotyogja/kifecsegi a titkot, elszólja magát; **put the ~ among the pigeons** farkast ereszt a bárányok közé; *közm* **when the ~'s away the mice will play** nincs otthon a macska cincognak az egerek; *biz* **lead a ~-and-dog life** kutya-macska barátságban élnek **b)** ‹a macskafélék családjába tartozó ragadozó› nagymacska; **wild ~** vadmacska **2.** *biz* rosszindulatú/gonoszkodó/pletykás nő **3.** *szl [ember]* fickó, manus(z), hapsi, pasas, csávó **4.** *szl [prostituált]* prosti, kurva **II.** *i* **-tt-** *tsi hajó* felvon *[horgonyt]*

CAT [kæt] *röv orv computerized axial tomography*; *computer-assisted tomography*

catabolism [kə'tæbəlɪzm] *fn biol* katabolizmus, disszimiláció, lebontó anyagcsere • *mn* **catabolistic**

catachresis [ˌkætə'kri:sɪs] *fn tsz* **catachreses** [–ri:si:z] *nyelv* képzavar, helytelen szóhasználat, katakrézis • *mn* **catachrestic**

cataclasm ['kætəklæzm] *fn* törés, szakadás

cataclysm ['kætəklɪzm] *fn* **1.** felfordulás, kataklizma, özönvíz **2.** *átv* világfelfordulás, világkatasztrófa, összeomlás • *mn* **catachlysmic**

catacomb(s) ['kætəku:m(z) ‖ –koʊm(z)] *fn tsz* katakombák

catadromous [kə'tædrəməs] *mn áll* ívásra folyóból tengerbe igyekvő *[hal]*

catafalque ['kætəfælk ‖ –'fɔk] *fn* **1.** (díszes) ravatal **2.** halottszállító kocsi, halottaskocsi

catalectic [ˌkætə'lektɪk] *mn* hiányos lábú *[verssor]*

catalepsy ['kætəlepsi] *fn orv* dermedtség, merevedés, merevkór, catalepsia • *fn/mn* **cataleptic**

catalog ['kætəlɒg ‖ 'kætl·ɔg] *US* → **catalogue**

catalogue ['kætəlɒg ‖ 'kætl·ɔg], **catalog I.** *fn* **1.** katalógus, jegyzék **2.** *gazd* árjegyzék; **at the ~ price** a jelzett áron **3. a)** *US* évkönyv **b)** tanrend **II.** *pt/pp* **-gued**, *US* **-ged**, *pr.p* **-guing**, *US* **-ging** *tsi* katalogizál, jegyzékbe vesz • *fn* **cataloguer**, **cataloger**

catalogue house, **catalog-** *fn* csomagküldő szolgálat

catalyse ['kætəlaɪz], **catalyze** *tsi vegy* katalizál • *fn* **catalyser, -yzer**
catalysis [kə'tælɪsɪs] *fn vegy* katalízis • *mn* **catalytic**
catalyst ['kætəlɪst] *fn vegy* katalizátor
catalytic converter *fn gk* katalizátor
catalyze ['kætəlaɪz] → **catalyse**
catamaran [ˌkætəmə'ræn] *fn* **1.** *hajó* katamarán, kéttörzsű hajó/tutaj **2.** *biz* hárpia, zsémbes/harapós nő
catamite ['kætəmaɪt] *fn* pederaszta férfi fiúszeretője, örömfiú
catamount ['kætəmaunt] → **catamountain**
catamountain [ˌkætə'mauntɪn] *fn* **1.** közepes termetű macskaféle *[hiúz, puma]* **2.** *régi* veszekedős (v. heves/indulatos természetű) ember
cataphoric [ˌkætə'fɒrɪk ‖ –'fɔr–] *mn nyelv* előreutaló, katafórikus • *fn* **cataphora**
cataplexy [ˌkætə'pleksi] *fn orv* cataplexia
catapult ['kætəpʌlt] **I.** *fn* **1. a)** *tört* katapult, hajítógép, ostromgép **b)** parittya, csúzli **2.** *rep* hajítógép, vetőkészülék, (ki)röpítő/kilövő berendezés, katapult **II. A.** *tsi* **1.** megparittyáz, lecsúzliz **2. a)** *rep* hajítógéppel/vetőkészülékkel/katapulttal/csörlővel indít *[repülőgépet]* **b)** üléssel együtt kiröpít *[pilótát repülőgépből]*, katapultál **B.** *tni* (katapulttal) kilövi magát, katapultál
cataract ['kætərækt] *fn* **1.** vízesés, zuhatag **2.** *orv* (szürke) hályog *[szemen]*
catarrh [kə'tɑː ‖ –'tɑr] *fn orv* hurut • *mn* **catarrhal**
catastrophe [kə'tæstrəfi] *fn* **1. a)** katasztrófa, szerencsétlenség **b)** *geol* kataklizma, földindulás **2.** tragédia kifejlése, bukás, gyászos vég *[drámában]* **3.** a dolgok (sor)rendjét felforgató esemény • *fn* **catastrophism** *mn* **catastrophic**
catastrophe theory *fn mat* katasztrófaelmélet
catatonia [ˌkætə'tounɪə] *fn orv* psychomotoros izommerevség, katatónia • *mn* **catatonic**
catboat *fn hajó* kat-vitorlázatú kis csónak
cat-burglar *fn* bemászó/besurranó tolvaj
catcall I. *fn* **1.** kifütyülés, lehurrogás, nemtetszés nyilvánítása **2.** ⟨nőknek szóló tiszteletlen tetszésnyilvánítás fütytyentés/megjegyzések formájában⟩ **II. A.** *tsi* kifütyül, lehurrog **B.** *tni* fütyül, tüntet, nemtetszését nyilvánítja
catch [kætʃ] **I.** *i pt/pp* **caught** [kɔːt ‖ kɑt] **A.** *tsi* **1. a)** megfog, megragad, (el)fog, elcsíp, elkap; ~ **hold of** megragad **b)** fog *[halat]*, nyakon csíp *[tolvajt]* **c)** utolér, elér **d)** rajtakap, tetten ér; ~ **sy offguard** készületlenül ér vkt; ~ **in the act/redhanded** tetten ér **e)** felfog *[vizet edényben]* **2. a)** felfog, (meg)ért, (meg)hall *[beszédet]*; **I did not ~ what you said** nem értettem, mit mondott **b)** elfog, elkap *[tekintetet]*, megüt *[szag orrot]*; ~ **one's eye** szemet szúr, szembe ötlik **c)** beleakad *[ruha szögbe]*; **a nail caught his sleeve** a ruhája ujja beakadt egy szögbe **3.** megkap *[betegséget]*, felvesz *[szokást]*; ~ **cold** megfázik; ~ **fire** tüzet fog, meggyullad **4. a)** ~ **a blow** megütik; **the blow caught him on the head** az ütés a fejét érte (v. a fején találta) **b)** *biz* ~ **it from sy** megkapja vktől a magáét, összeszidják; **you'll ~ it!** ki fogsz kapni **5.** hirtelen visszatart *[pl. lélegzetet]*; ~ **the sun** (i) rásüt a nap, napos helyen van/fekszik (ii) *GB* lesül a napon, leég a bőre **6.** *biz* rászed, becsap, felültet; **you don't ~ me!** engem ugyan nem csapsz be! **B.** *tni* **a)** *műsz* egymásba akaszkodik *[fogaskerék]*, kapcsolódik, akad; **the door ~es** az ajtó bezáródik **b)** meggyullad, lángra lobban **II.** *fn* **1. a)** fogás, elkapás, megragadás **b)** labda elkapása, labdafogás *[krikettben]* **c)** ~ **of the breath** visszafojtott/elakadó lélegzet **2. a)** fogás, zsákmány *[halászat]* **b)** *biz* jó parti, előnyös házasság **c)** *biz* szerencsés fogás, haszon **3.** töredék, részlet *[beszélgetésé]*; **~es of a song** dal(lam)töredékek **4.** zár/kilincs, kallantyú, horog, kampó **5.** csapda, csel, megtévesztés; **there's a ~ in it** valami csalafintaság/gyanús van a dologban • *mn* **catchable**
catch at *tni* **1.** kap, kap; ~ **at the opportunity** kap az alkalmon **2.** belekapaszkodik/beleakaszkodik; **a drowning man ~es at a straw** fuldokló ember a szalmaszálba is belekapaszkodik
catch in *tsi* **1.** benn talál/ér (vkt) **2. be caught in the middle** kereszttűzben/kényelmetlen helyzetben van
catch on *tni* **1.** *biz* sikere van *[színdarabnak, divatnak]*, terjed *[szokás]* **2. a)** *US* (könnyen) ért, kapcsol **b)** megragadja az alkalmat
catch out *tsi* **a)** *sp* ~ **sy out** kiüt *[krikettben]* **b)** *biz* rajtakap, tetten ér; ~ **sy out on a lie** hazugságon ér/fog vkt
catch over *tni* megfagy, befagy *[tó]*
catch up A. *tsi* **1.** felkap, elkap **2.** ~ **sy up (in a speech)** közbeszól, beleszól; félbeszakít vkt (beszédében); ~ **sy up** utolér vkt; ~ **up arrears** hátralékot behoz, utoléri magát **3. be caught up in sg** (i) vmibe belekeveredik (ii) össze van fogva/kötve *[haj]* **B.** *tni* **1.** ~ **up with sy** utolér vkt **2.** ~ **up with sy/sg** elmaradást behoz/bepótol
catch-22 [ˌkætʃtwenti'tuː] *fn* kilátástalan/megoldhatatlan helyzet; a 22-es csapdája
catch-all I. *tsi* aki kapja, marja **II.** *mn* mindenre ráhúzható *[érv]*; ~ **term** mindent magábafoglaló fogalom **III.** *fn* lomtár
catch-as-catch-can I. *tsi* aki kapja, marja **II.** *mn* bármilyen rendelkezésre álló eszközt/módszert felhasználó; az eszközökben nem válogató **III.** *fn* pankráció
catch-basin *fn geol* vízgyűjtő terület
catch-cry *fn* semmitmondó/üres szólam, propagandaszólam
catcher ['kætʃə ‖ –ər] *fn* **a)** (el)fogó, elkapó **b)** *sp* labdát fogó játékos *[krikettben, baseballban]*
catchfly *fn* **1.** *növ* mécsvirág **2.** *növ* Vénusz légycsapója
catching ['kætʃɪŋ] **I.** *mn* **a)** ragályos, fertőző **b)** fülbemászó, magával ragadó *[dallam]* **c)** könnyen utánozható, ragadós **II.** *fn* **1.** fogás **2.** illeszkedés, akaszkodás *[fogaskeréké]*
catchline *fn* **1.** *nyomd* főcímsor **2.** *szính* bemondás, gag
catchment ['kætʃmənt] *fn földr vízügy* **1.** vízbeszerzés, forrásfoglalás **2.** ~ **basin** vízgyűjtő (medence), víztároló
catchment area *fn* **1.** vízgyűjtő terület **2.** vonzáskörzet
catchpenny I. *mn* ~ **scheme/show** eladási trükk **II.** *fn* **a)** vásári holmi, bóvli **b)** ponyva *[könyv]*
catchphrase *fn* divatos frázis, klisé, sztereotíp kifejezés, népszerű reklámszöveg
catch question *fn* fogós kérdés
catchup → **ketchup**
catchweight *fn sp* szabadsúly
catchword *fn* **1. a)** *pol* divatos jelszó/jelmondat **b)** *biz* elcsépelt szólam, jelszó **2.** címszó *[szótárban]* **3.** *szính* végszó
catchy ['kætʃi] *mn* **1.** fülbemászó, magával ragadó *[dallam]* **2.** megtévesztő, félrevezető, csalóka **3.** *hajó* ~ **wind** folyton változó szél
catechetic(al) [ˌkætə'ketɪk] *mn* **1.** kérdés-felelet módszerű **2.** szóbeli tanításból eredő, ahhoz kapcsolódó **3.** katekizmus szerinti v. alapján történő • *fn* **catechetics** *hsz* **catechetically**
catechism ['kætəkɪzm] *fn vall* katekizmus, káté • *mn* **catechismal**
catechize ['kætəkaɪz], **-ise** *tsi* **1.** *vall* katekizál, katekizmust tanít **2.** (töviről hegyire) kikérdez, faggat • *fn* **catechist**
categorial [ˌkætə'gɔːrɪəl] *mn* kategóriákba sorolt, osztályozott
categoric [ˌkætə'gɒrɪk ‖ –'gɔ–] → **categorical**
categorical [ˌkætə'gɒrɪkl ‖ –'gɔ–] *mn* **1.** kategorikus, feltétlen, abszolút; *fil* **the ~ imperative** kategorikus imperatívusz **2.** határozott, félreérthetetlen, ellentmondást nem tűrő
categorically [ˌkætə'gɒrɪkli ‖ –'gɔ–] *hsz* **1.** kategorikusan **2.** határozottan, ellentmondást nem tűrő hangon
categorize ['kætɪgəraɪz], **-ise** *tsi* kategorizál, osztályoz

category [ˈkætəgəri ‖ ˈkætəgɔri] *fn* **1.** kategória, fogalomkör, osztály **2. a)** *fil* kategória **b)** *nyelv* **grammatical ~** szófaj • *mn* **categorial**
catena [kəˈtiːnə] *fn tsz* **catenae** [–niː] *latin* **1.** láncolat *[eseményeké]* **2.** *vall* ‹az egyházatyáknak a Szentíráshoz készített kommentárjai›
catenary [kəˈtiːnəri ‖ ˈkætəneri] **I.** *fn* **1.** *mat* láncgörbe, lánců **2.** felfüggesztés **3.** felső vezeték *[villamosé, trolié]* **II.** *mn* lánc(olat)os, lánc-; **~ suspension (of bridge)** (híd) láncos felfüggesztés(e)
catenate [ˈkætəneɪt] *tsi* összekapcsol, egymásba fűz *[eseményeket]* • *fn* **catenation**
catenative [ˈkætənətɪv ‖ –neɪ–] *fn nyelv* láncige
cater [ˈkeɪtə ‖ ˈkeɪtər] *tni* **~ for sy** ellát/élelmez vkt, gondoskodik vkről; szórakoztat, szórakozásról gondoskodik; **~ for/to all tastes** minden ízlést kielégítő szórakozást/ellátást nyújt, mindenki szája íze szerint valót nyújt
cateran [ˈkætərən] *fn skót régi* martalóc
cater-cornered [ˌkætəˈkɔːnəd ‖ ˌkætəˈkɔrnərd] **I.** *mn* átlós (irányú), diagonális **II.** *hsz* átlós irányban, srégen
caterer [ˈkeɪtərə ‖ –ər] *fn* **1.** (élelmiszer)szállító, élelmező **2.** ellátásról gondoskodó cég
catering [ˈkeɪtərɪŋ] **I.** *mn* **~ industry/trade** vendéglátóipar; **~ staff** konyhai/ellátásról gondoskodó személyzet **II.** *fn* ellátás, élelmezés, étel- és italszállítás; **public ~** vendéglátóipar; közétkeztetés
caterpillar [ˈkætəpɪlə ‖ ˈkætərpɪlər] *fn* **1.** *áll* hernyó **2. a)** hernyótalp, lánctalp **b)** hernyótalpas kocsi
caterpillar track *fn gk mezőg* lánctalp, hernyótalp
caterpillar tractor *fn* hernyótalpas traktor
caterpillar tread → **caterpillar track**
caterwaul [ˈkætəwɔːl ‖ ˈkætərwɔl] **I.** *fn* nyávogás, nyivákolás **II.** *tni* **1.** nyivákol, nyávog **2.** *biz* kornyikál, lármázik, zajt üt
cat-eyed *mn* macskaszemű, sötétben jól látó
catfish *fn tsz* **catfish, es 1.** *áll* pásztás farkashal **2.** *áll US* törpeharcsa
cat flap → **cat door**
cat-footed *mn* nesztelen léptű, macskajárású
catgut *fn* **1.** *orv* bélhúr, katgut *[érlekötő és varróanyag]* **2.** bélhúr *[hangszerhez, teniszütőhöz]*
Cath. *röv* **1.** *cathedral* **2.** *Catholic*
catharsis [kəˈθɑːsɪs ‖ –ˈθɑr–] *fn* **1.** lelki megtisztulás, katarzis **2.** *orv* hashajtás, purgálás
cathartic [kəˈθɑːtɪk ‖ –ˈθɑr–] **I.** *mn* **1.** katarzist eredményező, katartikus *[élmény]* **2.** *orv* enyhe hashajtó, purgatív **II.** *fn orv* enyhe hashajtó, purgatív *[szer]*
Cathay [kæˈθeɪ] *tul régi földr vál* Kína
cathectic [kæˈθektɪk] *mn* katexissel (v. túlzott koncentrációval) járó • *fn* **cathexis, cathexion**
cathedral [kəˈθiːdrəl] **I.** *fn* székesegyház, katedrális **II.** *mn* püspöki/érseki székhelyi, székes-
cathedral city *fn* püspöki székhely, püspöki város
Catherine [ˈkæθrɪn] *tul* Katalin
Catherine wheel *fn* **a)** *cím* hegyes szegekkel kivert kerék **b)** *épít* sugaras mennyezetrózsa **c)** Katalin-kerék *[tűzijátéknál]* **d) turn~s** cigánykereket hány
catheter [ˈkæθɪtə ‖ –θətər] *fn orv* katéter
catheterize [ˈkæθɪtəraɪz], **-ise** *tsi* (meg)katéterez
cathode [ˈkæθoʊd] *fn el fiz* katód • *mn* **cathodic**
cathode beam → **cathode ray**
cathode ray *fn el fiz* katódsugár, elektronsugár
cathode-ray tube *fn műsz* katódsugárcső
catholic [ˈkæθlɪk] **I.** *mn* **1. C~** *vall* **a)** (római) katolikus; **the C~ Church** a római katolikus egyház **b)** egyetemes *[keresztény]* **2.** egyetemes, általános **II.** *fn* **C~** (római) katolikus • *fn* **catholicism** *hsz* **catholically**
catholicize [kəˈθɒlɪsaɪz ‖ –ˈθɑ–], **-ise** *tsi/tni* katolizál, katolikus hitre térít/tér • *fn* **catholicity**
Cathy [ˈkæθi] *tul bec* Catherine
cat ice *fn* jéghártya
cation [ˈkætaɪən] *fn vill* pozitív ion, kation • *mn* **cationic**
catkin [ˈkætkɪn] *fn növ* (fűz)barka
catlap *fn szl [gyenge tea/ital]* híg lötty
catlick [ˈkætlɪk] *fn* **1.** → **cat's lick 2.** *iron* → **Catholic**
catlike [ˈkætlaɪk] *mn* **1.** macskaszerű, macska- **2.** titkos, rejtett, óvatos
catling [ˈkætlɪŋ] *fn* **1.** (kis)cica **2.** *régi* bélhúr **3.** *orv* kétélű amputációs kés
catmint *fn növ* illatos macskamenta, gyöngymenta
catnap I. *fn* szunyókálás, szundikálás, szundítás **II.** *tni* szunyókál, szundít
cat-nip *US* → **catmint**
catoptric [kəˈtɒptrɪk ‖ –ˈtɑp–] **I.** *mn fiz* fényvisszaverődés-tani, katoptrikai **II.** *fn esz* **catoptrics** fényvisszaverődés-tan, katoptrika
cat's-cradle *fn* ‹kézről kézre átemeléssel játszott zsinórhurok-játék› levevős játék, macskabölcső
cat's-eye *fn* **a)** *ásv* macskaszem **b)** macskaszem *[közlekedési jelzésként]*
cat's-foot *fn tsz* **cat's-feet** *növ* **1.** gyopár **2.** kerek repkény
cat's-lick *fn biz* **have** (v. **give oneself**) **a ~** cica módra mosdik
cat's-meat *fn* hulladékhús, macskaeledel *[amit háziállatok etetésére használnak]*
cat's-paw *fn* **1.** *hajó* szélfolt, kis széllökés nyoma *[a vízen]* **2.** *biz* **make a ~ of sy** vkvel kikapartatja a forró gesztenyét, kihasznál vkt
cat's-pyjamas → **cat's-whiskers**
cat's-tail *fn növ* **1. a)** széles levelű (v. bodnározó) gyékény **b)** réti komócsin, lóperje **c)** nádbuzogány **2.** zsurló
cat suit *fn* egyrészes (testhezálló) sportruha
cat's-whiskers *fn esz US szl* vm egészen rendkívüli, nagyszerű
cattail → **cat's-tail**
cattalo [ˈkætəloʊ] → **catalo**
cattish [ˈkætɪʃ] *mn* **1.** macskaszerű **2.** *biz* gonoszkodó, rosszindulatú, alattomos *[nő]* • *fn* **cattishness**
cattle [ˈkætl] *fn tsz* **1.** (szarvas)marha, jószág, állatállomány **2.** *régi* emberek
cattle-breeder *fn* szarvasmarha-tenyésztő
cattle cake *fn mezőg* olajpogácsa, takarmánypogácsa
cattle-dealer *fn* szarvasmarha-kereskedő, marhakupec
cattle farming *fn mezőg* marhatartó gazdálkodás; szarvasmarha-tenyésztés
cattle-grid *fn* **1.** karám **2.** ‹fémrudakból álló rács, amely fölött a járművek át tudnak haladni, de az állatok nem›
cattle-lifting *fn* marhalopás • *fn* **cattle-lifter**
cattleman [ˈkætlmən] *fn tsz* **-men 1.** marhahajcsár **2.** *US* marhatenyésztő
cattle-pen *fn* karám
cattle-run *fn* marhalegelő, marhatenyésztésre alkalmas terület
cattle-rustler *fn US* marhatolvaj
cattle-shed *fn* marhaistálló
cattle-show *fn* mezőgazdasági kiállítás, tenyészállatvásár
cattle stop → **cattle grid**
cattle-truck *fn* marhavagon, marhaszállító teherautó
cattle-turnip *fn* marharépa, takarmányrépa
CATV *röv média community antenna television* (lakó)közösségi antennájú televíziózás, kábeltelevízió
catwalk *fn* **1.** keskeny futóhíd, átjárópalló, *szính* híd *[zsinórpadláson]* **2.** kifutó *[divatbemutatón]*
catty [ˈkæti] *mn* **1.** macskaszerű **2.** *biz* csípős nyelvű (nő), ravasz és rosszindulatú (nő)
catty-cornered → **cater-cornered**
Caucasian [kɔːˈkeɪzɪən ‖ –ˈkeɪʒn] *mn/fn* **1.** *földr* kaukázusi **2.** *US* fehérbőrű, fehér (ember)
Caucasus [ˈkɔːkəsəs] *tul földr* **the ~** a Kaukázus
caucho [ˈkaʊtʃoʊ] *fn* kaucso *[gumifajta]*

caucus [ˈkɔːkəs] **I.** *fn* **1. a)** *US pol* pártgyűlés, (párt)aktivisták testülete/szervezete **b)** frakció, frakcióülés **2.** *pol* **a)** választási bizottság, jelölőbizottság **b)** politikai klikk, párthatalmi csoport **II.** *tni* **1.** politikai csoportokat/klikkeket alkot **2.** politikai pártban jelölőgyűlést/frakcióülést tart
caudal [ˈkɔːdl] *mn* far(o)khoz tartozó, far(o)k-
caudate [ˈkɔːdeɪt] *mn biol* farokkal rendelkező, farkas *[állat]*
caudated [ˈkɔːdeɪtɪd] → **caudate**
caudillo [kɔːˈdiːljoʊ ‖ kaʊˈdiːjoʊ] *fn spanyol* vezér, vezető
caudle [ˈkɔːdl] *fn régi* borleves, (bor)sodó
caught [kɔːt] → **catch** I.
caul [kɔːl] *fn* **1.** magzatburok, nagycseplesz; **born with a ~** burokban született **2.** díszítés *[tálon]* **3.** *régi* **a)** hajháló **b)** női, szorosan fejre simuló főkötő **c)** fejkötő sima hátsó része
cauldron [ˈkɔːldrən] *fn* üst, katlan
cauliflower [ˈkɒlɪflaʊə ‖ ˈkɔlɪflaʊər] *fn* karfiol, kelvirág
cauliflower ear *fn* tört/meggyűrt fül *[birkozóé stb.]*
cauliform [ˈkɔːlɪfɔːm ‖ –fɔrm] *mn* szár alakú
caulk [kɔːk] **I.** *fn* tömítőkitt **II.** *tsi* **1. a)** dugaszol, tömít *[hajó repedéseit]* **b)** eltöm, elzár *[ajtó/ablak réseit légmentesen]* **2.** *műsz* tömörít, hézagol • *fn* **caulker**
causal [ˈkɔːzl] *mn* ok(ozat)i, okbeli, kauzális, ok- • *hsz* **causally**
causality [kɔːˈzæləti] *fn fil* kazualitás, okság, okbeliség, okozati viszony
causation [kɔːˈzeɪʃn] *fn* **1.** okozás **2.** → **causality**
causative [ˈkɔːzətɪv] **I.** *mn* **1.** okozó (*of* vmt) **2.** *nyelv* **a)** okhatározó **b)** **~ verb** műveltető ige **II.** *fn* műveltető ige/alak
cause [kɔːz] **I.** *fn* **1.** ok; **~ unknown**, **for unknown~s** ismeretlen okból; **~ and effect** ok és okozat **2.** (indító)ok, indíték, alap(os ok), indok; **have ~ for dissatisfaction** oka van az elégedetlenségre; **have good ~ for doing sg** alapos oka van rá, hogy megtegyen vmt; **give serious ~ for complaint** komoly okot ad a panaszra; **show ~** indokait előadja **3. a)** *jog* per, (peres) ügy; **~ of action** kereseti alap; **plead sy's ~** perben képvisel vkt *[ügyvéd]* **b)** *biz* **win sy (over) to one's ~** megnyer vkt az ügyének; **make common ~ with sy** szolidaritást vállal (v. szövetkezik) vkvel; **in the ~ of justice** az igazság szolgálatában; **work in a good ~** jó ügyért dolgozik **4.** egyik vagy másik fél oldala/véleménye *[vitában]* **II.** *tsi* **1.** okoz *[bajt, késedelmet]*, előidéz *[helyzetet]*, kelt *[csodálkozást]* **2.** **~ sy to do sg** csináltat vkvel/vmt • *fn* **causer**
'cause [kəz] *biz* → **because**
cause célèbre [ˌkoʊz səˈleb] *fn francia* hírhedt eset/személy
causeless [ˈkɔːzləs] *mn* indokolatlan, alaptalan
cause list *fn jog* tárgyalásra kerülő/váró ügyek jegyzéke
causerie [ˈkoʊzəriː ‖ ˌkoʊzəˈriː] *fn* beszélgetés, csevegés
causeway [ˈkɔːzweɪ] **I.** *fn* **a)** töltés(út) **b)** *tört* kövezett út *[római]* **II.** *tsi* **~ a marsh** mocsáron át töltést/utat épít
causey [ˈkɔːzeɪ] *fn* → **causeway**
caustic [ˈkɔːstɪk] **I.** *mn* **1.** maró, égető; **~ soda** marószóda, nátronlúg **2.** csípős, gúnyos, szatirikus, epés, maró *[megjegyzés]* **II.** *fn* **1.** *vegy orv* marószer, égetőszer; *orv* **lunar ~** pokolkő **2.** *fiz* kausztika • *fn* **causticity**
cauterize [ˈkɔːtəraɪz], **-ise** *tsi orv* kiéget, kauterizál • *fn* **cauterization**, **-isation**
cautery [ˈkɔːtəri] *fn* **1.** (ki)égetés, maratás **2.** égető vas, marókészülék
caution [ˈkɔːʃn] **I.** *fn* **1.** óvatosság, körültekintés, elővigyázatosság, megfontoltság **2.** *skót jog* biztosíték, óvadék **3. a)** figyelmeztetés, óvás, intés **b)** *sp* figyelmeztetés *[sárga lappal]* **4.** madárijesztő, csodabogár, furcsa ember; különös/szokatlan dolog **II.** *tsi* **1.** figyelmeztet, óv, int; **~ sy against sg** vigyázatra/óvatosságra int vkt vmvel szemben; **~ sy to do sg** nyomatékosan ajánlja vknek, hogy vmt megtegyen **2.** *GB jog [letartóztatott személyt]* figyelmeztet **3.** fenyeget, dorgál, óva int
cautionary [ˈkɔːʃənəri ‖ –neri] *mn* figyelmeztető, óva intő; **~ tales** (elrettentő eseteket leíró) tanulságos mesék/történetek
caution money *fn* kaució, óvadék, letét
cautious [ˈkɔːʃəs] *mn* **1.** óvatos, körültekintő, elővigyázatos, megfontolt **2.** *pej* gyanakvó, bizalmatlankodó
cavalcade [ˌkævlˈkeɪd] *fn* **1.** lovas felvonulás **2.** (hajó-), járműfelvonulás
cavalier [ˌkævəˈlɪə ‖ –ˈlɪr] **I.** *fn* **1. a)** lovas **b)** *tört* lovag, nemes ember **2.** *GB tört* **C~s** királypártiak, Gavallérok **3.** *biz* udvarló, szerető, lovag, gavallér **II.** *mn* fesztelen, fölényesen könnyed, hetyke • *hsz* **cavalierly**
cavalry [ˈkævlri] *fn kat* **1.** lovasság **2.** gépesített/páncélos alakulatok
cavalryman [ˈkævlrimən] *fn tsz* **-men** *kat* huszár, lovas katona
cavalry officer *fn* lovassági tiszt
cave[1] [keɪv] **I.** *fn* **1.** barlang, üreg **2.** beomlás *[talajé]* **3.** *pol* szakadás *[pártban]* **II. A.** *tsi* kiváj, kiás **B.** *tni* barlangot kutat, barlangászik • *mn* **cavelike**
 cave in *tni* **1.** beomlik, beszakad, lesüpped *[talaj]*, besüpped, begörbül, elhajlik **2.** megadja magát, enged, beadja a derekát; → **cave-in**
cave[2] [ˈkeɪvi] *isz GB okt szl* vigyázz!; **keep ~** őrködik, falaz
caveat [ˈkeɪviæt ‖ ˈkɑviɑt] *fn* **1.** *jog* ellentmondás, kifogás, óvás (*to* ellen); **enter** (v. **put in) a ~** óvással/kifogással él (*against* vm ellen) **2.** *vál* figyelmeztetés, óvás, intés (*against* vm ellen)
caveat emptor [ˈkeɪviætˈemptɔː ‖ ˈkɑviɑtˈemptɔr] *fn latin* ‹a vevő (vásárlás utáni) felelősségének/kockázatának elve›
cave bear *fn* barlangi medve
cave-dweller *fn* barlanglakó
caveman [ˈkeɪvmæn] *fn tsz* **-men** **1.** barlanglakó ősember **2.** *átv* primitív viselkedésű ember, ösztönember
cave painting *fn* barlangi festmény
cavern [ˈkævən ‖ –ərn] **I.** *fn* **1.** barlang, üreg **2.** sötét hely/odu **3.** *orv* kaverna **II.** *tsi* váj, üreget ás • *mn* **caverned**
cavernal [kəˈvɜːnl ‖ –ˈvɜr–] → **cavernous**
cavernous [ˈkævənəs ‖ –vər–] *mn* **1. a)** üreges, kivájt, tátongó **b)** lyukacsos, porózus **2.** *orv* kavernás **3.** mélyen ülő *[szem]*, beesett *[arc]* **4.** kongó *[hang]* **5.** barlangi, barlangszerű
caviar [ˈkæviɑː – ɑr], **caviare** *fn* **a)** kaviár **b)** *átv* különlegesség
cavil [ˈkævl] **I.** *tni* **-ll-** gáncsoskodik, szőröz, szőrszált hasogat, akadékoskodik **II.** *fn* gáncsoskodás, szőrszálhasogatás, akadékoskodás • *fn* **caviller**
caving [ˈkeɪvɪŋ] *fn* barlangkutatás, barlangászás • *fn* **caver**
cavitation [ˌkævɪˈteɪʃn] *fn* üregesedés, űrképződés
cavity [ˈkævəti] *fn* **a)** üreg, odú, lyuk; **(dental) ~** lyuk, odvasság *[fogé]*; *el* üregrezonátor **b)** testüreg; **nasal ~** orrüreg; **oral ~** szájüreg
cavity wall *fn* légréteges/üreges fal
cavort [kəˈvɔːt ‖ –ˈvɔrt] *tni biz* ugrabugrál, szökdécsel, ficánkol
cavy [ˈkeɪvi] *fn áll* (házi) tengerimalac
caw [kɔː] *fn* károgás • *fn* **cawing**
 caw out *tni* rikácsol
cay [kiː] *fn* homokzátony, (korall)zátony, szigetecske
cayenne pepper [keɪˈen –] *fn* cayenne-i bors
cayman [ˈkeɪmən] *fn* **1.** → **caiman** **2.** *tul földr* **C~ Islands** Kajmán-szigetek
CB *röv távk citizens' band*
CBD *röv US cash before delivery* fizetés szállítás előtt; *Central Business District* city, városközpont, központi üzletnegyed
CBS *röv US Columbia Broadcasting System*
cc, **cc.**, **c.c.** *röv* **1.** *carbon copy* **2.** *centuries* **3.** *cubic capacity* **4.** *cubic centimetre(s)*

CD *röv* **1.** *Civil Defence* **2.** *infor compact disc* kompaktlemez, lézerlemez, CD-lemez **3.** *Corps Diplomatique* diplomáciai testület
CD-I *röv infor* interaktív CD
CD player *fn* CD-lejátszó, CD lemezjátszó
CD-ROM [ˌsiːdiːˈrɒm] *röv infor compact disc read-only memory* optikai/kompakt lemezes csak olvasható tároló, digitális optikai lemez, CD-ROM
CD-WO *röv infor compact disc write once* egyszer írható kompaktlemez
CE *röv Church of England; common era*
cease [siːs] **I.** *i* **A.** *tsi* abbahagy, beszüntet, megszüntet; ~ **fire!** tüzet szüntess!; ~ **work** abbahagyja/befejezi a munkát **B.** *tni* **1.** (meg)szűnik, abbamarad; **they ~d seeing** (v. **to see) each other** többé nem találkoztak **2.** eláll vmtől; ~ **from doing sg** eláll vmnek a megtételétől **II.** *fn* megállás, szünet; **without** ~ szüntelenül, folyton, megszakítás nélkül
cease-fire *fn* **1.** tűzszüneti parancs **2.** tűzszünet
ceaseless [ˈsiːsləs] *mn* szüntelen, folytonos, szakadatlan, állandó
cecal [ˈsiːkl] *US* → **caecum**
Cecil [ˈsesl ‖ ˈsiːsl] *tul* Cecil
Cecilia [səˈsiːlɪə] *tul* Cecília
Cecily [ˈsɪsəli, ˈse–] *tul bec* Cecília
cecity [ˈsiːsəti] *fn orv* vakság
cecum [ˈsiːkəm] *US* → **caecum**
cedar [ˈsiːdə ‖ –ər] *fn növ* ~ **(tree)** cédrus(fa) • *mn* **cedarn**
cedar-resin *fn* cédrusgyanta
cede [siːd] *tsi* **1.** felad, átenged(vmt), engedményez, átruház (*to* vkre), cedál **2.** elismer vmt, enged vmben; ~ **a point in discussion** egy vitapontban enged, elismeri a másik érvének jogosságát
cedilla [sɪˈdɪlə] *fn* cédille *[franciában jel a c betű alatt az sz-es ejtés jelölésére]*
Cedric [ˈsedrɪk, ˈsiː] *tul* ‹férfinév›
Ceefax [ˈsiːfæks] *fn GB infor* teletext *[a BBC teletext szolgáltatása]*
ceil [siːl] *tsi* **a)** mennyezetet épít **b)** burkol, tábláz *[falapokkal, márvánnyal]*, bevakol *[gipsszel]*
ceiling [ˈsiːlɪŋ] *fn* **1. a)** mennyezet, födém, plafon; **hit the** ~ eléri a csúcsot/felső határt **b)** *átv* teteje/csúcsa vmnek, plafon, ármaximum, bérmaximum **2.** mennyezetkészítés, födémezés **3.** csúcs, rekord, csúcssebesség *[gépkocsié]*, csúcsmagasság, rekordmagasság *[repülőgépé]* **4.** *meteo* felhőmennyezet, felhőréteg föld feletti magassága **5.** *hajó* hajófenék deszkaburkolata
ceiling airer *fn* fregoli
ceiling lamp *fn* mennyezetlámpa
celadon [ˈselədən ‖ –dɑn] **I.** *fn* **1.** halványzöld, szürkészöld, tengerzöld (szín) **2.** halványzöld/szürkészöld/tengerzöld máz *[kerámia/porcelán színezéséhez]* **3.** szürkészöld/tengerzöld (kínai) porcelán **II.** *mn* halványzöld, szürkészöld, tengerzöld
celandine [ˈseləndaɪn] *fn növ* **a) greater** ~ vérehulló fecskefű, vérfű **b) lesser** ~ salátaboglárka
celation [sɪˈleɪʃn] *fn* terhesség/szülés eltitkolása
celeb [səˈleb] *US szl* → **celebrity**
Celebes [səˈliːbiz ‖ ˈseləbiːz] *tul földr* Celebesz (szigete)
celebrant [ˈseləbrənt] *fn* **1.** misemondó/miséző pap **2.** szertartás/ünnepség résztvevője
celebrate [ˈseləbreɪt] *i* **A.** *tsi* **1.** ünnepel **2.** magasztal, dicsőít, ünnepel (vkt) **B.** *tni* misézik, misét mond/celebrál • *fn* **celebration, celebrator** *mn* **celebratory**
celebrated [ˈseləbreɪtɪd] *mn* híres, neve(zete)s, nagyhírű (*for sg* vmről)
celebrity [səˈlebrəti] *fn* **1.** híresség, hírnév **2.** híresség, híres ember, ismert személyiség
celeriac [səˈleriæk] *fn növ* gumós zeller
celerity [səˈlerəti] *fn régi vál* gyorsaság, sebesség
celery [ˈseləri] *fn növ* zeller; **wild** ~ hegyi zeller
celesta [səˈlestə] *fn zene* cseleszta, celesta
celeste [səˈlest] → **celesta**
celestial [səˈlestɪəl ‖ –tʃəl] **I.** *mn* **1.** égi, mennyei; ~ **blue** égszínkék; **the C~ Empire** a Mennyei Birodalom, a Kínai Birodalom *[császárság]* **2.** *csill* csillagászati, égi; ~ **navigation** csillagászati navigáció; ~ **sphere** éggömb **II.** *fn* angyal, mennyei lény, az ég lakója • *hsz* **celestially**
celiac [ˈsiːliæk] → **coeliac**
celibatarian [ˌselɪbəˈteərɪən ‖ –ˈter–] **I.** *mn* → **celibate I. II.** *fn* → **celibate II.**
celibate [ˈselɪbət] **I.** *mn* **a)** nőtlen, hajadon **b)** szüzességi fogadalmat tett *[férfi, nő]* **II.** *fn* nőtlen (ember), agglegény, hajadon • *fn* **celibacy**
cell [sel] *fn* **1.** cella *[kolostorban]*, cella, magánzárka *[börtönben]* **2. a)** *biol* sejt; **brain ~s** agysejtek; **red blood-~s** vörös vérsejtek **b)** *pol* sejt *[föld alatti mozgalomban]* **3.** *növ áll* kamra, rekesz **4.** *el* akkumulátorcella, (galván)elemcella; **solar** ~ napelem **5.** *infor* sejt; cella *[táblázatban]* **6.** *épít* vájat üreges téglában
cellar [ˈselə ‖ –ər] **I.** *fn* **a)** pince **b)** borospince; *biz* **keep a good** ~ jó borokat tart (pincéjében), gazdagon felszerelt borospincéje van **II.** *tsi* pincébe helyez/rak, pincében elraktároz, pincéz
cellarage [ˈselərɪdʒ] *fn* **1.** pincébe rakás/raktározás, pincézés *[boré]* **2.** pincészet **3.** pincézési/tárolási díj, pincebér
cellarer [ˈselərə ‖ –ər] *fn* pincemester *[kolostorban]*, cellárius
cellaret [ˌseləˈret], **cellarette** *fn* italszekrény, bárszekrény *[főleg borosüvegek részére]*
cellarman [ˈselərmən] *fn tsz* **-men** pincemester, borkezelő
cellated [ˈseleɪtɪd] *mn biol* sejtes, sejtekből álló, sejt-
cell computer *fn infor* sejtszámítógép
cell cycle *fn biol* sejtciklus
cell division *fn biol* sejtosztódás
celled [seld] *biol* → **cellated**
-celled [seld] *összet* -sejtes
cell-fluid *fn biol* sejtnedv
cell-growth *fn biol* sejtszaporulat
cell membrane *fn biol* sejthártya
cello [ˈtʃelou] *fn zene* cselló, gordonka • *fn* **cellist, celloist**
cellophane [ˈseləfeɪn] *fn* celofán
cell-sap *fn biol* sejtnedv
cell-tissue *fn biol* sejtszövet
cellular [ˈseljulə ‖ –jələr] *mn* **1.** *biol* sejt-, sejt eredetű, sejtekből álló, rekeszes, üreges, likacsos; ~ **membrane** sejthártya **2.** sejt alakú, sejtszerű **3.** *távk el* ~ **(tele)phone** mobiltelefon, rádiótelefon • *mn* **cellulate, cellulous**
cellular neural network, CNN *fn infor* celluláris neurális hálózat
cellule [ˈseljuːl] *fn biol* (kis) sejt
cellulitis [ˌseljuˈlaɪtɪs] *fn orv* sejtszövet/kötőszövet-gyulladás
celluloid [ˈseljulɔɪd] *fn* **1.** celluloid **2.** *US biz* (mozi)film
cellulose [ˈseljulous] **I.** *fn* cellulóz **II.** *mn biol* sejtes, sejt alakú, sejtekből álló, sejt- • *mn* **cellulosic**
cell wall *fn biol* sejtfal
celom [ˈsiːləm] → **coelom**
Celsius [ˈselsɪəs] *tul* Celsius; ~ **scale** Celsius skála
Celt [kelt] *fn* kelta (ember)
Celtic [ˈkeltɪk, ˈseltɪk] **I.** *mn* kelta; **the** ~ **Fringe** Skócia, Írország és Wales, kelta szegély; ~ **cross** kelta kereszt **II.** *fn* a kelta nyelv • *tsi* **Celticize, -ise** *fn* **Celticism, Celticist** *mn* **Celtish**
cembalo [ˈtʃembəlou] *fn* csembaló, clavicembalo • *fn* **cembalist**
cement [səˈment] **I.** *fn* **1.** cement; ~ **gun** betonágyú **2. a)** ragasztószer, kitt, kötőanyag **b)** *átv* kötelék, összefoglaló erő **3.** fogtömő/tömítő cement **II. A.** *tsi* **1. a)** cementtel megköt/megszilárdít/összeragaszt, (ki)cementez **b)** *átv* megszilárdít, megerősít *[pl. barátságot]* **2.** betöm *[fogat]* **B.** *tni* **a)** cementálódik, összeáll, összeragad **b)** *átv* megszilárdul, megerősödik • *mn* **cemented**

cementation [ˌsiːmenˈteɪʃn] *fn* cementelés, összekötés, *átv* szilárdítás
cementing [səˈmentɪŋ] **I.** *mn* cement- **II.** *fn* **1.** → **cementation 2.** *orv* tömés *[fogé]*
cement mixer *fn* betonkeverő (gép)
cementum [səˈmentəm] *fn orv* foggyökércement
cemetery [ˈsemətri ‖ –teri] *fn* temető(kert)
cenobite [ˈsiːnəbaɪt, ˈse–] *US* → **coenobite**
cenobitic(al) [ˌsiːnəˈbɪtɪk(l)] → **coenobitic(al)**
cenobium [sɪˈnoʊbɪəm] *US* → **coenobium**
cenophobia [ˌsenəˈfoʊbɪə] *fn orv* tériszony
cenotaph [ˈsenətɑːf ‖ –tæf] *fn* (üres) síremlék, díszsíremlék, kenotáfion
censer [ˈsensə ‖ –ər] *fn* füstölő, tömjénező *[eszköz]*
censer-bearer *fn* tömjénező (személy)
censor [ˈsensə ‖ –ər] **I.** *fn* **1. a)** cenzor *[szellemi terméké]* **b)** erkölcsbíró **2.** könyvvizsgáló **3.** *tört* cenzor *[az ókori Rómában]* **II.** *tsi* **a)** betilt *[színművet, filmet]* **b)** cenzúráz, húz *[darabból]*, kivág *[filmből]* • *fn* **censorship**, **censoring** *mn* **censorial**
censorious [senˈsɔːrɪəs] *mn* bíráló, kritizáló, kritikus, szigorú, *pej* rosszmájú, rosszindulatú • *fn* **censoriousness** *hsz* **censoriously**
censure [ˈsenʃə ‖ –ər] **I.** *tsi* **a)** elítélő/megbélyegző bírálatot mond (v. véleményt nyilvánít), kritizál **b)** rosszall, elítél, helytelenít, kifogásol **c)** korhol, (meg)szid, (meg)fedd, megró, (meg)dorgál **II.** *fn* **a)** gáncs, helytelenítés, rosszallás, kifogásolás **b)** korholás, (meg)szidás, (meg)feddés, megrovás, (meg)dorgálás **c)** elítélő/megbélyegző bírálat/kritika/vélemény; **vote of ~** bizalmatlansági szavazat • *fn* **censurer** *mn* **censurable**
census [ˈsensəs] *fn tsz* **~es a)** népszámlálás **b)** összeírás; számlálás; **traffic ~** forgalomszámlálás
cent [sent] *fn* **1. a)** *US* cent *[dollár századrésze]* **b)** *biz* fillér, garas; *US biz* **I haven't got a red ~** egy lyukas/árva garasom sincs; **he doesn't pay a ~** fütyül rá **2.** *gazd* **per ~** százalék
cent. *röv centime*; *century* század, sz.
centaur [ˈsentɔː ‖ –tɔr] *fn* kentaur
centaury [ˈsentɔːri] *fn* **1.** → **centaur 2.** *növ* imola
centavo [senˈtɑːvoʊ] *fn* ‹a portugál escudo, a brazil cruzeiro és más pénzegységek századrésze›
centenarian [ˌsentɪˈneərɪən ‖ –ˈnerɪən] **I.** *fn* százéves/százesztendős ember **II.** *mn* százéves, százesztendős
centenary [senˈtiːnəri ‖ –ˈten–, ˈsentnˌeri] **I.** *fn* százéves/századik évforduló (megünneplése), centenárium **II.** *mn* százéves, százesztendős, századik *[évforduló]*, százévente előforduló
centennial [senˈtenɪəl] **I.** *mn* **1.** százéves, száz éve tartó, száz évet betöltő, évszázados, centenáriumi **2.** száz évenként visszatérő, száz évben egyszer előforduló **II.** *fn US* → **centenary I.** • *hsz* **centennially**
center [ˈsentə ‖ –ər] *US* → **centre**
centering [ˈsentərɪŋ] *US* → **centring**
centesimal [senˈtesəml] **I.** *mn* száz részre osztott, százados **II.** *fn* századrész
centi- [ˈsenti] *előtag* **1.** század-, centi- **2.** *ritk* száz
centiare [ˈsentieə ‖ –er] *fn* négyzetméter, centiár
centigrade [ˈsentɪgreɪd] *mn* **1.** Celsius *[skála szerinti]* **2.** századfokos
centigramme [ˈsentɪgræm], *US* **-gram** *fn* centigramm, cg
centilitre [ˈsentɪliːtə ‖ –ər], *US* **-liter** *fn* centiliter, cl
centime [ˈsɑːntiːm] *fn* centime *[a frank századrésze]*
centimetre [ˈsentɪmiːtə ‖ –ər], *US* **-meter** *fn* centiméter, cm
centimetre-gram-second *fn fiz* centiméter-gramm-másodperc; **~ system** CGS-rendszer
centipede [ˈsentɪpiːd] *fn áll* százlábú
cento [ˈsentoʊ] *fn ir.tud* ‹mások műveiből/idézetekből összeállított vers v. más mű›
central [ˈsentrəl] *mn* **1.** köz(ép)ponti, közép-; **C~ Europe** Közép-Európa; **C~ European Time** közép-európai zónaidő; **~ heating** központi fűtés **2.** központi fekvésű, könnyen megközelíthető **3.** központi, centrális, fő(-); **the C~ Powers** a központi hatalmak *[az I. világháborúban]*; **the ~ figure of the novel** a regény főalakja; **be ~ to** központi/meghatározó jelentőségű • *fn* **centrality** *hsz* **centrally**
centralism [ˈsentrəlɪzm] *fn pol* centralizmus, központosító irányzat • *fn* **centralist**
centralize [ˈsentrəlaɪz], **-ise** *i* **A.** *tsi* központosít, centralizál; **~d** centralizált, központosított, centrális **B.** *tni* központosul • *fn* **centralization**, **-isation**
central locking system *fn gk* központi zár
central processing unit, **CPU** *fn infor* központi adatfeldolgozó egység, CPU
central processor → **central processing unit**
central reservation *fn gk GB* elválasztósáv
centre [ˈsentə ‖ ˈsentər] **I.** *fn* **1. a)** *mat fiz* középpont *[köré, testé, mozgásé]*; **~ of gravity** súlypont; **~ of mass** tömegközéppont; **~ of motion** forgáspont, forgástengely **b)** *orv* középpont, góc(pont) **2.** *átv* középpont, központ *[szervezeté]*; **culture ~** művelődési ház/központ; **~ of interest** az érdeklődés középpontja/gyújtópontja; **be in the ~ of** vmnek a középpontjában áll; **in the ~ of the town** a város közepén/középpontjában; **trade ~** kereskedelmi központ; **shopping ~** bevásárlóközpont **3.** *sp* **a)** középcsatár **b)** labda középre adása, centerezés **4.** *pol* közép(párt), centrumpárt; **left/right ~** balközép, jobbközép **5.** (több funkciójú) berendezés *[egybeépítve pl. music centre]* **6.** töltelék *[csokoládéban, bonbonban]* **II. A.** *tsi* **1. a)** középpontba helyez/állít **b)** összpontosít; **~ one's affections on sy** vkre összpontosítja szeretetét **2.** *sp* középre ad, centerez *[labdát futballban]* **3.** *műsz* központosít, centríroz *[kereket stb.]* **B.** *tni* **1.** összpontosul (*in* vmben, *on* vmre), forog (*round/about* vm körül) *[gondolat]*; **the discussion ~d round one point** a vita egy pont körül forgott **2. ~ round sy** vk köré gyűlnek/csoportosulnak
centre back *fn sp* középhátvéd *[futballban]*
centre bit *fn műsz* központfúró (betét)
centreboard *fn hajó* uszony, hajótő, hajógerenda, svert
-centred [ˈsentəd ‖ –tərd] *utótag* -központú
centrefold *fn* újság két középső oldala; a két középső oldalon levő cikk/kép/női aktkép
centre forward *fn sp* középcsatár
centre half *fn tsz* **-halves** *sp* középfedezet
centre-left *mn pol* középbal, balközép
centre line *fn* **1.** centrális; középvonal, tengely **2.** *sp* középvonal
centremost [ˈsentəmoʊst ‖ –tər–] *mn* legeslegközépső, legbelül elhelyezkedő
centrepiece *fn* **1.** a legfontosabb darab/rész/tétel/pont **2.** asztaldísz *[asztal közepére]*
centrepoint *fn* középpont
centre-right *mn* jobbközép
centre stage *fn* a figyelem középpontja
centric [ˈsentrɪk(l)], **centrical** *mn* **1.** köz(ép)ponti **2. a)** központos **b)** *orv* idegközpont(ok)ra vonatkozó, idegközpontokkal/idegközponttal összefüggő • *fn* **centricity**
-centric [–ˈsentrɪk] *utótag* -centrikus
centrifugal [ˌsentriˈfjuːgl ‖ senˈtrɪfjəgl] *mn fiz* centrifugális, röpítő-, pörgető-; *fiz* **~ force** centrifugális erő, röpítőerő • *hsz* **centrifugally**
centrifugalize [ˌsentriˈfjuːglˌaɪz ‖ senˈtrɪfjəglˌaɪz], **-ise** *tsi ip* centrifugál *[folyadékot]*
centrifuge [ˈsentrɪfjuːdʒ] **I.** *fn* centrifuga *[főleg iparban]* **II.** *tsi* → **centrifugalize**
centring [ˈsentərɪŋ] *fn* **1.** központosítás, centrírozás **2.** *épít* boltozatsaluzás, mintaív (készítése) **3.** *sp* centerezés, középre adás **4.** *infor* középre zárás
centripetal [senˈtrɪpɪtl] *mn fiz* centripetális, összetartó, középre tartó; **~ acceleration** centripetális gyorsulás; **~ force/tendency** centripetális erő • *hsz* **centripetally**

centrist ['sentrɪst] *pol* **I.** *mn* középpárti, középutas *[nézetek]* **II.** *fn* középpárti, középutas, centrista • *fn* **centrism**
centrist party *fn pol* középpárt
centrosome ['sentrəsoum] *fn biol* vezértest, iránytestecske, centrosoma
cents-off *mn US* engedményes, kedvezményes, leszállított árú *[termék]*
centuple ['sentjupl ‖ sen'tu:pl] **I.** *mn/fn* százszoros **II.** *tsi* megszázszoroz
centuplicate I. *tsi* [sen'tju:plɪkeɪt ‖ –'tu:–] megszázszoroz, száz példányban sokszorosít, százszorosára növel **II.** *mn* [sen'tju:plɪkət ‖ 'tu:] megszázszorozott, százszorosára növelt **III.** *fn* [sen'tju:plɪkət ‖ 'tu:] **in ~** száz példányban
centurial [sen'tjuərɪəl ‖ –'tur–] *mn* **1.** (egy) évszázados **2.** százas
centurion [sen'tjuərɪən ‖ –'tur–] *fn tört* centurió, százados *[az ókori Rómában]*
century ['sentʃəri] *fn* **1.** (év)század; **in the 19th ~** a XIX. században **2. a)** *tört* centuria, század *[az ókori Rómában]* **b)** száz egységből/tárgyból álló csoport **3.** *US szl [száz dollár]* egy kiló **4.** *sp* száz pontos *[ütés]*
century-old *mn* évszázados
century plant *fn növ* amerikai agávé
cephalic [sɪ'fælɪk] **I.** *mn* fej-, fejű-; **~ vein** fejvivőér; **~ index** koponyaindex **II.** *fn* fejfájás elleni (gyógy)szer
-cephalic [sɪ'fælɪk] *utótag orv* → **-cephalous**
cephalothorax [ˌsefəlou'θɔ:ræks] *fn áll* fejtor
-cephalous ['sefələs] *utótag orv* -fejű
cepheid ['si:fiɪd] *fn csill* **~ (variable)** cefeida *[változócsillag]*
ceramic [sə'ræmɪk] **I.** *mn* kerámiai, fazekas-, agyagműves- **II.** *fn* kerámia, kerámiából készült termék
ceramics [sə'ræmɪks] *fn esz* **1.** kerámia, agyagművesség, fazekasság, gölöncsérmesterség **2.** *tsz* kerámiatárgyak, kerámiaedények, kerámiák • *fn* **ceramist**
cerastes [sə'ræsti:z] *fn áll* szarvasvipera
cere [sɪə ‖ sɪr] *fn áll* viaszhártya, cemroa *[madarak csőrén]*
cereal ['sɪərɪəl ‖ 'sɪr–] **I.** *fn* **1.** gabona, gabonanemű(ek) **2.** *tsz* **cereals** *gaszt* ‹reggelire fogyasztott gabonaételek, pl. zabpehely, kukoricapehely tejjel› **II.** *mn* gabonanemű, gabona-; **~ crops** gabonanövények, kalászosok
cerebellum [ˌserə'beləm] *fn tsz* **s, cerebella** [–belə] *orv* kisagy, nyúltagy, cerebellum • *mn* **cerebellar**
cerebral ['serəbrəl] *mn* **1.** *orv* agyi-, agy-; **~ accident** agyvérzés; **~ concussion** agyrázkódás; **~ death** agyhalál; **~ haemorrhage** agyvérzés; **~ hemisphere** agyfélteke; **~ palsy** agyszélhűdés **2.** inkább értelmi, mint érzelmi; intellektuális • *hsz* **cerebrally**
cerebralism ['serəbrəlɪzm] *fn* intellektualizmus
cerebrate ['serəbreɪt] *tni iron* szellemi munkát végez *[erőlködve]*, kiagyal, elmélkedik • *fn* **cerebration**
cerebrospinal [ˌserəbrou'spaɪnl] *mn orv* agy-gerincvelői, központi idegrendszeri; *orv* **~ meningitis/fever** agyhártyagyulladás
cerebrovascular [ˌserəbrou'væskjulə ‖ –'væskjələr] *mn orv* agyér-, cerebrovascularis
cerebrum [sə'ri:brəm] *fn tsz* **~s, cerebra** [–brə] *orv* (nagy)agy, agyvelő
cerecloth ['sɪəklɒθ ‖ 'sɪrklɔθ] *fn* **1.** balzsamozó vászon/gyolcs **2.** viaszosvászon
cerement ['sɪəmənt ‖ 'sɪr–] *fn* **1.** balzsamozó vászon/gyolcs, viaszos lepel **2.** *tsz* **cerements** *vál* halotti lepel, szemfedő
ceremonial [ˌserə'mounɪəl] **I.** *mn* szertartásos, ünnepélyes, előírásokhoz ragaszkodó; **~ dress/garb** ünnepi ruha **II.** *fn* **1.** ceremoniálé, szertartásrend; **the Court ~** az udvari etikett; rituális **2.** *vall* szertartáskönyv, rituálé • *fn* **ceremonialism**, **ceremonialist**
ceremonious [ˌserə'mounɪəs] *mn* **1.** szertartásoskodó, udvariaskodó **2.** előírás szerinti, szertartásrendnek megfelelő **3.** szertartásos, ünnepélyes • *fn* **ceremoniousness**
ceremony ['serəməni ‖ –mouni] *fn* **1.** szertartás **2.** formaság, külsőség, ceremónia, túlzott udvariaskodás; **master of ceremonies**, *röv* **mc** szertartásmester, műsorvezető; **with ~** szertartásosan, ünnepélyesen, udvariaskodva; **without ~** egész egyszerűen, minden ceremónia/teketória nélkül; a formaságok mellőzésével; **stand on ~** ragaszkodik a (társadalmi) formákhoz/formaságokhoz/előírásokhoz
ceresin ['serəsɪn] *fn vegy* cerezin, földi viasz
cerise [sə'ri:z] *mn/fn* cseresznyepiros, cseresznyeszín
cerium ['sɪərɪəm ‖ 'sɪr–] *fn vegy* cerium
cermet ['sɜ:met ‖ 'sɜr–] *fn vegy* cermet, fémkerámia
CERN [sɜ:n] *röv francia* Conseil Européen pour la Recherche Nucléaire, *European Organization for Nuclear Research*
ceroplastic [ˌsɪərə'plæstɪk ‖ ˌsɪrə–] **I.** *mn* viaszból mintázott **II.** *fn esz* **ceroplastics 1.** viaszmintázás, viaszszobrászat **2.** viaszfigurák
cert [sɜ:t ‖ sɜrt] *fn* **1.** *szl* **a dead ~** *[teljesen biztos]* holtbiztos dolog; **take sg for a dead ~** bizonyosra/tutira vesz vmt **2.** biztos befutó *[ló]*; **that horse is a dead ~** ez a ló biztos/fiksz/tuti tipp
certain ['sɜ:tn ‖ 'sɜrtn] **I.** *mn* **1.** biztos, bizonyos, kétségtelen; **be ~ of sg** biztos vmben (v. vm felől); meg van győződve vmről; **he is ~ to come** biztosan eljön; **for ~** biztosan, bizonyosan; **make ~ of sg** meggyőződik/megbizonyosodik vmről (v. vm felől); *US* **sure and ~** egészen biztos **2.** bizonyos, valami, némely; **there are ~ things that** ... vannak (bizonyos) dolgok, amelyek ...; **a ~ Mr. Smith** bizonyos Smith nevű úr, valami Smith úr **3.** meghatározott, (egy) bizonyos; **he used to write on a ~ day** bizonyos/meghatározott napon írt mindig **II.** *nm* néhány; **~ of them** néhányan közülük, többen
certainly ['sɜ:tnli ‖ 'sɜr–] *hsz* **1.** bizonyára, bizonyosan, biztosan **2. ~!** természetesen!; hogyne!; persze!; feltétlenül!; **~ not!** szó sincs róla!, semmi esetre sem!
certainness ['sɜ:tnnəs ‖ 'sɜr–] → **certainty**
certainty ['sɜ:tnti ‖ 'sɜr–] *fn* **1.** bizonyosság, biztos/elkerülhetetlen volta (vmnek) **2.** biztos/bebizonyult tény; **for a ~** kétségtelenül; minden bizonnyal; **it's a dead ~** ez holtbiztos; **bet on a ~** biztosra fogad **3.** bizonyosság, meggyőződés
certifiable ['sɜ:tɪfaɪəbl ‖ 'sɜr–] *mn* igazolható, tanúsítható; *biz* **he's ~** (szabályos) őrült
certificate I. *fn* [sə'tɪfɪkət ‖ sər–] **1.** bizonyítvány, tanúsítvány, igazolás, okirat; **death ~** halotti bizonyítvány; **doctor's/medical ~** orvosi bizonyítvány/igazolás; **~ of incorporation** cégbizonylat; **land ~** telekkönyvi kivonat; **~ of marriage, marriage ~** házassági bizonyítvány; házassági anyakönyvi kivonat; *gazd* **~ of origin** származási bizonyítvány **2.** bizonyítvány, oklevél, képesítés, diploma; **general ~ of secondary education (GCSE)** kb. érettségi bizonyítvány **II.** *tsi* [sə'tɪfɪkeɪt ‖ sər–] **1.** bizonyítványt/oklevelet kiállít/kiad (vknek) **2.** igazol, bizonyít • *fn* **certification** *mn* **certificated**
certified ['sɜ:tɪfaɪd ‖ 'sɜr–] *mn* **1.** hiteles, igazolt; bizonyítvánnyal/oklevéllel/igazolással rendelkező **2.** → **certify**
certify ['sɜ:tɪfaɪ ‖ 'sɜr–] **A.** *tsi* **1.** tanúsít, bizonyít, igazol, tanúskodik (vmről); **this is to ~ (that)** ezennel igazolom (hogy); *US* **certified mail** ajánlott küldemény *[postai]* **2.** hitelesít *[okmányt]*; **certified copy** hiteles másolat; *US gazd* **certified cheque** igazolt csekk **3.** *US* képesít (vkt), oklevéllel lát el, oklevelet ad vknek; **certified public accountant** okleveles/hites könyvvizsgáló **4. ~ sy of sg** biztosít vkt vm felől; (hivatalosan) értesít vkt vm felől **B.** *tni* **~ to sg** tanúskodik vmről, tanúságot tesz vmről, igazolást ad vmről
certitude ['sɜ:tɪtju:d ‖ 'sɜrtətu:d] *fn* bizonyosság, meggyőződés

cerulean [sə'ru:lɪən] *mn* (égszín)kék
cerumen [sə'ru:men] *fn orv* fülzsír • *mn* **cerominous**
ceruse [sə'ru:s] *fn vegy* ólomfehér *[festék]*, ólomkarbonát, cerussa
cervelat [ˌsɜ:və'lɑ:t ‖ 'sɜr–] *fn* **1.** erősen fűszerezett, enyhén füstölt kolbász **2.** fejhús, disznósajt
cervical ['sɜ:vɪkl ‖ 'sɜr–] *mn orv* **1.** nyaki, nyak-, nyakszirt- **2.** méhnyaki
cervine ['sɜ:vaɪn ‖ 'sɜr–] *mn* **1.** szarvasszerű **2.** sötétsárga, sárgásbarna (színű)
cervix ['sɜ:vɪks ‖ 'sɜr–] *fn tsz* **es**, **cervices** [–si:z] *orv* **1.** nyak **2.** méhnyak
Cesarean [sɪ'zeərɪən ‖ –'zer–] → **Caesarean**
Cesarevitch [sɪ'zɑ:rəvɪtʃ] *fn* cárevics
Cesarian [sɪ'zeərɪən ‖ –'zer–] → **Caesarean**
cesious ['si:zɪəs] *US* → **caesious**
cesium ['si:zɪəm] *US* → **caesium**
cess[1] [ses] **I.** *fn* sarc, adó, illeték **II.** *i GB* adóztat, adót kivet
cess[2] [ses] *fn* **bad ~ to him!** az ördög vigye el!
cessation [se'seɪʃn] *fn* **1.** szüneteltetés, felfüggesztés, megszakítás; **~ from work** munkamegszakítás **2.** megszűnés, szünet(elés); **~ of hostilities** fegyvernyugvás, fegyverszünet
cesser ['sesə ‖ –ər] *fn jog* megszűnés, lejárat, felbontás
cession ['seʃn] *fn* **1.** átengedés, átruházás, cedálás *[árué, jogoké]* **2.** *jog* vagyonátruházás, engedmény(ezés) *[hitelezőknek tartozás fejében]* **3.** átruházott terület/vagyon
cessionary ['seʃənəri ‖ –neri] *fn jog* engedményes, engedményezett
cesspit *fn* **1.** *mezőg* trágyagödör, szemétgödör **2.** emésztőgödör, pöcegödör **3.** *átv* fertő
cesspool *fn* **1.** emésztőgödör, pöcegödör, nyelőgödör **2.** *átv* fertő
cess-water *fn* szennyvíz
cestode ['sestoʊd] *fn áll* galandféreg
cestoid ['sestɔɪd] **I.** *mn* szalagszerű, szalag alakú, szalag- **II.** *fn áll* szalagféreg, galandféreg
cesura [sɪ'zjʊərə ‖ sɪ'zʊrə] → **caesura**
CET *röv Central European Time*
cetacea [sɪ'teɪʃə] *fn tsz áll* cetfélék, bálnafélék
cetacean [sɪ'teɪʃn] **I.** *fn áll* cet, bálna **II.** *mn áll* cet-, bálna-, cetféle, bálnaféle • *mn* **cetaceous**
cetane ['si:teɪn] *fn vegy* cetán; **~ number/rating** cetánszám
Ceylon [sɪ'lɒn ‖ –'lɑn] *tul földr* Ceylon
Ceylonese [ˌselə'ni:z] *mn/fn* ceyloni
Ceylon moss *fn* trópusi vörös moszat
cf. *röv compare* vesd össze, vö.
CFC *röv chloro-fluorocarbon*
CGA *röv infor colour graphics adaptor* CGA-szabvány, CGA-kártya
CGI *röv infor common gateway interface* CGI-program
cgs *röv centimetre-gram-second (system of units)* CGS-rendszer; **~ unit** CGS-egység
ch. *röv chapter* fejezet, fej.; *church*
cha-cha-cha [ˌtʃɑ:tʃɑ:'tʃɑ:] **I.** *fn* csacsacsa *[dél-amerikai tánc]* **II.** *tni* csacsacsázik
Chad[1] [tʃæd] *tul földr* Csád • *fn/mn* **Chadian**
Chad[2] [tʃæd] *tul bec* Chadwick
Chadwick ['tʃædwɪk] *tul* ‹férfinév›
chafe [tʃeɪf] **I.** *i* **A.** *tsi* **1.** dörgöl, dörzsöl *[melegítés céljából]* **2.** elkoptat, elnyű, elhasznál *[dörzsölés által]* **3. a)** felhorzsol, megkarcol **b)** felkorbácsol *[szél tengert]* **4.** *biz* (fel)ingerel, (fel)izgat, bosszant **B.** *tni* **1.** dörzsölődik, dörgölő(d)zik, súrlódik (*against* vmhez) **2.** felmelegedik, áttüzesedik *[súrlódástól]* **3.** (el)kopik, elhasználódik *[dörzsöléstől]* **4.** felhorzsolódik, megkarcolódik **5.** *biz* felhevül, bosszankodik, mérgelődik (*at* vmn/vm miatt) **II.** *fn* **1. a)** dörzsöl(őd)és, súrlódás **b)** felmelegedés, áttüzesedés *[súrlódástól]* **2.** kopás, elhasználódás **3.** horzsolás, karcolás **4.** *biz* ingerültség, bosszúság, mérgelődés
chafer ['tʃeɪfə ‖ –ər] *fn áll* cserebogár

chaff [tʃɑ:f ‖ tʃæf] **I.** *fn* **1.** pelyva, polyva; **separate the wheat from the ~** szétválasztja az ocsút a búzától, a rosszat a jótól **2.** szecska, pozdorja, csepű **3.** *biz* apró-cseprő dolog, semmiség **4.** *rep* lokátorzavaró csík **5.** *biz* incselkedés, csipkelődés, évődés **II.** *tsi* **1.** *biz* incselkedik, csipkelődik, évődik (vkvel) **2.** szecskáz, polyvával kever • *mn* **chaffy**
chaff-cutter *fn* szecskavágó
chaffer ['tʃæfə ‖ –ər] **I.** *tni* **1.** alkudozik, alkuszik **2.** semmitmondóan fecseg/locsog/csacsog **II.** *fn* alkudozás • *fn* **chafferer**
chaffer away *tsi* **1.** túlad (vmn) **2. away one's time** elfecsérli az idejét
chaffinch ['tʃæfɪntʃ] *fn áll* pinty(őke)
chafing dish ['tʃeɪfɪŋ dɪʃ] *fn* **1.** főzőkészülék *[asztalnál főzéshez]*, gyorsforraló **2.** *régi* parázstartó fémüst
chafing-pan → **chafing-dish**
chagrin ['ʃægrɪn ‖ ʃə'grɪn] **I.** *fn* **1.** csalódás okozta szomorúság, bánat **2.** bosszúság, kellemetlenség; **to the great ~ of** ... ... nagy mérgére/bosszúságára/fájdalmára **II.** *tsi* **-nn-** bosszant, bánt; **be ~ed at sg** bántja vm, bosszankodik vm miatt
chain [tʃeɪn] **I.** *fn* **1. a)** lánc; **non-skid ~** *gk* hólánc **b)** *vegy* lánc **2.** lánc, bilincs, kötelék **3.** lánc(olat), sor(ozat), *távk* állomáslánc, (állomás)hálózat; *infor* láncolat; **~ of events** események sorozata/láncolata; **~ of mountains** hegylánc; **form a ~** láncot alkotnak **4.** ‹ugyanahhoz a lánchoz/hálózathoz tartozó üzletek, szállodák stb.› **5. a)** ‹angol hosszegység› *[20,116 m]* **b)** **(surveyor's) ~** földmérő lánc **II.** *tsi* **1. ~ sg to sg** vmt vmhez odaláncol (v. lánccal odaerősít) **2.** megláncol, leláncol, vasra/láncra/bilincsbe ver; *biz átv* **~ed to one's desk** íróasztalához kötve; **~ up a dog** kutyát megláncol (v. láncra köt/fűz); **~ed up/together** láncra vert, összeláncolt
chain armour, *US* **-armor** → **chain mail**
chain bridge *fn* lánchíd
chain collision *fn Ausz* sorozatos ütközés
chain drive *fn műsz* láncjhajtás, láncáttétel
chained ['tʃeɪnd] *mn* **1.** leláncolt, láncra vert **2.** láncos, lánccal díszített **3.** láncszerű **4.** *infor* láncolt, kapcsolt
chain gang *fn régi US* összeláncolt rabok
chain letter *fn* hólabda-levél
chain-link fencing *fn* drótkerítés
chain mail *fn* páncéling
chain reaction *fn fiz vegy* láncreakció, láncfolyamat
chain saw *fn* láncfűrész
chain shot *fn kat régi* láncos golyó
chain-smoker *fn* láncdohányos *[aki egyik cigarettáról a másikra gyújt]* • *tsi/tni* **chain smoke**
chain stitch *fn* láncöltés *[kézimunka]*
chain store *fn gazd* hálózathoz tartozó üzlet/áruház
chair [tʃeə ‖ tʃer] **I.** *fn* **1.** szék; **folding ~** összecsukható szék; **take a ~** helyet foglal; leül **2.** tanszék, katedra *[egyetemen]* **3. a)** (felkért) elnök *[konferencián, ülésen stb.]*; **be in the ~** elnököl; **take the ~** elfoglalja az elnöki széket **b)** elnöki tisztség/hivatal/szék **c)** elnök; **appeal to the ~** az elnökhöz fordul **4.** bírói szék/pulpitus **5.** *US* **electric ~**, **(the) ~** villamosszék **II.** *tsi* **1. a)** elnökké választ/kinevez, elnöki tisztségbe beiktat **b)** elnököl **2.** *GB* (vállára/vállaira emelve) diadalmenetben körülhordoz (vkt)
chair-bed *fn* fotelágy
chairborne ['tʃeəbɔ:n ‖ 'tʃerbɔrn] *mn biz* ülő foglalkozású, sokat üldögélő
chairbound ['tʃeəbaʊnd ‖ 'tʃer–] *mn* tolószékhez kötött
chairlady *fn* elnöknő
chair lift *fn* függőszékes (drót)kötélpálya, sílift, széklift, libegő
chairman ['tʃeəmən ‖ 'tʃer–] *fn tsz* **-men** **1. a)** elnök *[ülésen]*; **act as ~** elnököl *[ülésen]* **b)** (állandó) elnök *[bizottságé, igazgatóságé, vállalaté]* **2.** *régi* gyaloghintóvivő **3.** konferanszié *[szórakoztató műsorban]* **4.** → **chairkeeper** • *fn* **chairmanship**
chairperson *fn* elnök *[férfi* v. *nő, pl. ülésen]*

chair-woman *fn tsz* **-women** elnöknő *[ülésen stb.]*
chaise longue [ˌʃeɪz ˈlɒŋ ‖ –ˈlɔŋ] *fn francia* pamlag, heverő
chalaza [kəˈleɪzə] *fn* **1.** *biol* köldökfolt, jégzsinór, chalaza **2.** *növ* chalaza
chalcedony [kælˈsedəni] *fn ásv* kalcedon
chalcocite [ˈkælkəsaɪt] *fn ásv* kalkocit
chalcography [kælˈkɒgrəfi ‖ –ˈkɑ–] *fn műv* rézmetszés • *fn* **chalcographer**
chalcolithic [ˌkælkəˈlɪθɪk] *mn régi* kőrézkori (időből való)
chalcopyrite [ˌkælkəˈpaɪraɪt] *fn ásv* kalkopirit, rézpirit, rézkovand, rézpát
Chaldaean [kælˈdi:ən] → **Chaldean**
Chaldean [kælˈdi:ən] *mn bibl* káldeus
Chaldeic [kælˈdeɪɪk] → **Chaldean**
chalet [ˈʃæleɪ ‖ ʃæˈleɪ] *fn* **a)** faház **b)** (svájci faház stílusában épített) nyári lak, nyaralóház
chalice [ˈtʃælɪs] *fn* **1.** *régi vál* serleg, kupa **2.** *vall* kehely **3.** *növ* virágkehely
chalk [tʃɔ:k] **I.** *fn* **1.** kréta, színes kréta; **black ~** fekete kréta, rajzszén; *biz* **he doesn't know ~ from cheese** összetéveszti a szezont a fazonnal; **you cannot turn ~ into cheese** kutyából nem lesz szalonna **2.** pont, vonás *[jelzés játékokban]* **3.** fogyasztás nyilvántartása *[étteremben]*; *GB biz* **not by a long ~** korántsem, egyáltalán/éppen nem, közel sem; **the best by a long ~** messze a legjobb **4.** *szl* fehér ember **II.** *tsi* **1.** krétával (meg)jelöl, krétával ír **2.** megkrétáz, bekrétáz, krétaporral fehérít *[arcot]* **3.** *sp* (eredményt) elér, jó pontot szerez
chalk out *tsi* **1.** kirajzol, krétával kihúz **2.** körvonalaz, felvázol; **~ out a plan** körvonalaz/felvázol tervet
chalk up *tsi* **1. ~ up sg on sg** krétával felír vmt vmre; *biz* **~ it up, please!** írja a többihez!; **~ up success** v. **many points** sikereket/sok pontot értek el **2.** *US* felemel *[árakat]*
chalk and talk *fn GB* hagyományos oktatási módszer *[táblára írt ábrákkal stb.]*
chalkboard *fn US okt* tábla
chalk-drawing *fn* krétarajz, pasztell
chalk-line I. *fn* **1.** krétavonás **2. a)** (krétával fehérített) mérőfonal *[ácsé stb.]* **b)** (mérőzsinórral húzott) krétavonal **II.** *tsi* megkrétáz, csapózsinórral megjelöl *[deszkát]*
chalk-mark → **chalk-line** I.
chalk-pit *fn* **1.** krétabánya **2.** gipszbánya
chalk-stone *fn* **1.** kréta *[kőzet]*, mészkő **2.** *orv* meszes lerakódás *[ízületi]*
chalky [ˈtʃɔ:ki] *mn* **1.** krétás, krétaszerű, krétaszínű, krétatartalmú **2.** halotthalvány, sápadt, fakó *[arcszín]* • *fn* **chalkiness**
challenge [ˈtʃælɪndʒ] **I.** *fn* **1. a)** kihívás, felhívás *[párbajra, mérkőzésre, versenyre]*, erőpróbára való alkalom **b)** *átv* kihívás, provokáció **c)** kihívás, ösztönző feladat; **meet the ~** elfogadja a kihívást, megfelel a kihívásnak **2. a)** felelősségre vonás **b)** *kat* **(sentry's) ~** igazoltatás katonai őrszem részéről (jelszó/jelhang útján) **3.** kétségbevonás, vitatás **4.** *jog* kifogásolás, visszautasítás *[esküdté stb.]* **II.** *tsi* **1. a)** kihív, felhív *[párbajra, mérkőzésre, versenyre]* **b)** *átv* kihív, (ki)provokál, állásfoglalásra késztet **2. a)** felelősségre von **b)** *kat* megállásra felhív *[őrszem]* **3.** kétségbe von, vitat, óvást emel, ellenszegül, dacol **4.** kivált, kelt *[tiszteletet, érdeklődést, csodálatot]* **5.** kihívást jelent, ösztönöz, motivál **6.** kifogásol, visszautasít *[esküdtet]* **7.** *orv* az immunrendszert teszteli • *fn* **challenger**
challengeable [ˈtʃælɪndʒəbl] *mn* megkérdőjelezhető, kétségbe vonható
challenge competition *fn sp* meghívásos mérkőzés
challenge cup *fn sp* vándorkupa
challenge match *fn sp* → **challenge competition**
challenge pennon *fn sp* vándorzászló
challenging [ˈtʃælɪndʒɪŋ] *mn* kihívó *[pillantás, megjegyzés, fél]*, állásfoglalásra/reagálásra késztető, erőpróbát jelentő, érdeklődésre számot tartó
challis [ˈtʃælɪs] *fn* lágy gyapjúszövet/selyemszövet
chalybeate [kəˈlɪbɪət ‖ –ˈli:b–] *mn vegy* **~ water/spring** vasas (v. vastartalmú) víz/forrás/ital/orvosság
chamber [ˈtʃeɪmbə ‖ –ər] **I.** *fn* **1. a)** ülésterem, tárgyalóterem **b)** kamara *[testület]*; **C~ of Commerce/Trade** Kereskedelmi Kamara **c)** ház *[országgyűlésé]*; **Lower C~** alsóház, képviselőház; **Upper C~** felsőház, Lordok háza *[angol parlamentben]*; *pol* **the double ~ system** a kétkamarás rendszer **2.** *tsz* **chambers a)** (ügyvédi) iroda **b)** *jog* bírói dolgozószoba (v. hivatalos helyiség); **hear a case in ~s** zárt tárgyaláson tárgyal ügyet *[bíró]* **3. a)** *régi vál* szoba, helyiség, terem; **C~ of Horrors** szörnyűségek/borzalmak gyűjteménye **b)** *vál* hálószoba **4. a)** üreg, barlang **b)** *tud* (sejtszerű) üreg **c)** *orv* kamra *[szívé, szemé]* **5.** *műsz* töltényűr, tölténytartó *[lőfegyveré]* **II.** *tsi* **a)** kamrákra/rekeszekre/fülkékre oszt **b)** kamrába/üregbe/fülkébe foglal/zár, fülkésít, kamrásít
chamber concert *fn* kamarazene-hangverseny
chambered [ˈtʃeɪmbəd ‖ –ərd] *mn* üreges, rekeszes, lyukacsos, kivájt
chamberlain [ˈtʃeɪmbəlɪn ‖ –bər–] *fn* **1.** kamarás **2.** kincstáros, kincstárnok *[nagyvárosé]* • *fn* **chamberlainship**
chambermaid *fn* szobalány, komorna
chamber music *fn* kamarazene
chamber orchestra *fn* kamarazenekar
chamberpot *fn* éjjeli edény, bili
chambray [ˈʃæmbreɪ] *fn* könnyű pamut-/vászonszövet
chameleon [kəˈmi:lɪən] *fn* **1.** *áll* kaméleon **2.** *átv* változékony/állhatatlan/ingatag személy, kaméleon (jellemű) • *mn* **chameleonic**
chamfer [ˈtʃæmfə ‖ –ər] **I.** *fn* rézsútos metszés, lesimított él, lesarkítás, párkány éle **II.** *tsi* **1.** ferdén metsz/vág/csiszol, leélez, lefarag, lekerekít, legömbölyít *[sarkot]* **2.** barázdál, rovátkol *[oszlopot]*
chammy [ˈʃæmi] *fn biz* zergebőr, szarvasbőr
chamois [ˈʃæmwɑ:, ˈʃæmi ‖ ʃæmˈwɑ, ˈʃæmi] **I.** *fn tsz* **chamois 1.** zerge **2. a)** zergebőrszín, világos drapp, samoa **b)** zergebőr, szarvasbőr, irhás cserzésű bőr **II. 1.** *tsi* kikészít *[zergebőrt]* **2.** tisztít, fényesít *[szarvasbőr kendővel]*
chamois leather [ˈʃæmi leðə ‖ –ər] → **chamois** I.2.b.
chamomile [ˈkæməmaɪl] → **camomile**
champ[1] [tʃæmp] **I. A.** *tsi* zajosan rágcsál, ropogtat *[abrakot]*, harapdálja *[zabláját ló]*; *biz* **~ at the bit with impatience** türelmetlenségét alig tudja visszafojtani **B.** *tni* tipródik, türelmetlenül izeg-mozog **II.** *fn* zajos rágcsálás
champ[2] [tʃæmp] *szl* → **champion**
champagne [ˌʃæmˈpeɪn] *fn* **a) (sparkling) ~** pezsgő **b) still ~** champagne-i bor **c)** pezsgőszín, halvány krém/szalmaszín
champaign [ˌʃæmˈpeɪn] **I.** *mn* sík, nyílt *[táj]* **II.** *fn régi* **1.** *vál* síkság, róna(ság), mező(ség), nyílt vidék **2.** harctér, csatatér
champers [ˈʃæmpəz ‖ –ərz] *fn biz* pezsgő
champerty [ˈtʃæmpəti ‖ –pər–] *fn jog* perérték egy részének *[ügyben való segítség fejében való]* kikötése, sikerdíj kikötése • *mn* **champertous**
champie [ˈtʃæmpi] *fn biz* → **champers**
champignon [ʃæmˈpɪnjən] *fn növ* **1.** szegfűgomba, csirkegomba **2.** kerti/közönséges csiperkegomba
champion [ˈtʃæmpɪən] **I.** *fn* **1.** bajnok, bajvívó **2. a)** *sp* bajnok; **world ~** világbajnok **b)** díjnyertes *[kiállításon: állat* v. *növény]* **3.** *átv* bajnok, harcos, védelmező (vmé); **~ of truth** az igazság bajnoka **II.** *tsi* támogat, védelmez, pártját fogja (vmnek), kiáll (vmért); **~ a cause** ügyet támogat/pártol, ügyért kiáll **III.** *mn GB biz táj* elsőrangú, nagyszerű, remek
championship [ˈtʃæmpɪənʃɪp] *fn sp* bajnokság
champlevé [ˌʃæmpləˈveɪ] *fn* **~ (enamel)** beágyazott zománc
chance [tʃɑ:ns ‖ tʃæns] **I.** *fn* **1.** véletlen, (vak)szerencse; **game of ~** szerencsejáték; **by a happy/lucky ~** szerencsés véletlen folytán; **by mere ~** puszta/merő véletlenségből;

leave nothing to ~ semmit sem bíz a véletlenre **2.** valószínűség, eshetőség, kilátás; **the ~s are against me** nincs sok esélyem; **the ~s are that** a kilátások szerint, igen valószínű, hogy; **on the off ~** ha mégis úgy történik/beigazolódik (a várakozások ellenére) **3.** alkalom, lehetőség; **now's your ~!** most jött el a maga órája!; **it's the last ~** ez az utolsó alkalom/lehetőség; **it's a ~ in a thousand** ilyen alkalom csak egyszer adódik; **jump/leap at the ~** két kézzel ragadja meg az alkalmat **4.** esély; *US* kockázat; **stand a ~** (jó) esélye van *[sikerre]*; **take ~s** kockáztat; **take one's ~** szerencsét próbál; *US* kockázatot vállal, megkockáztat (vmt); **take a ~ with sy** megpróbálkozik vkivel, ad egy esélyt vkinek; **have even ~s** egyenlő esélyük van; **give sy a ~** vkt próbára tesz; esélyt/lehetőséget ad vknek **5.** sors, végzet **II.** *mn* véletlen, váratlan, előre nem látott; **~ meeting** véletlen találkozás; **~ visitor** váratlan vendég/látogató **III. A.** *tsi* megkockáztat; *biz* **~ one's arm** kockáztat *[kevés eséllyel]*, szerencsét próbál **B.** *tni* **1. ~ to do sg** véletlenül tesz vmt **2. ~ upon sy/sg** belebotlik vkbe/vmbe, ráakad vkre/vmre

chancel [ˈtʃɑːnsl ‖ ˈtʃænsl] *fn* **1.** szentély *[templomban]* **2.** (templomi) karzat

chancellery [ˈtʃɑːnslˑəri ‖ ˈtʃæns–] *fn* **1.** kancellária, kancellári hivatal/iroda **2.** követségi iroda

chancellor [ˈtʃɑːnslˑə ‖ ˈtʃænslˑər] *fn* **a)** kancellár *[püspökségé, egyetemé, államé]* **b)** *GB* **C~ of the Exchequer** pénzügyminiszter **c)** *US* rektor, főtitkár *[egyetemé]* **d)** *GB* ‹egyetem tiszteletbeli rektora› **e)** első titkár *[követségen]* • *fn* **chancellorship**

chancellory [ˈtʃɑːnslˑəri ‖ ˈtʃæns–] → **chancellery**

chance-medley [ˌtʃɑːnsˈmedli ‖ ˌtʃæns–] *fn* **1.** *jog* gondatlanságból/önvédelemből okozott emberölés **2.** hanyagság, gondatlanság, nemtörődömség

chancery [ˈtʃɑːnsəri ‖ ˈtʃæn–] *fn* **1.** kancellária; *GB jog*, **(Court of) C~** kancelláriai törvényszék *[felsőbíróság egyik osztálya]*; *GB* (központi) árvaszék **2.** *tört* lovagrend kancelláriája **3.** *tört* püspöki kancelláriai bíróság **4.** követségi/kirendeltségi iroda **5.** levéltár **6.** *US* méltányossági alapon ítélkező bíróság **7.** *szl* **in ~** sarokba szorítva, kényszerhelyzetben; *biz* **put one's head in ~** az ellenfélnek kiszolgáltatja magát

chancre [ˈʃæŋkə ‖ –ər] *fn orv* fekély • *mn* **chankrous**

chancroid [ˈʃæŋkrɔɪd] *fn orv* lágyfekély

chancy [ˈtʃɑːnsi ‖ ˈtʃænsi] *mn biz* kockázatos, bizonytalan

chandelier [ˌʃændəˈlɪə ‖ –ˈlɪr] *fn* csillár

chandler [ˈtʃɑːndlə ‖ ˈtʃændlər] *fn* **1.** kereskedő, szállító *[hajófelszerelésé]* **2.** fűszeres, szatócs **3.** *régi* gyertyamártó, gyertyakészítő

chandlery [ˈtʃɑːndləri ‖ ˈtʃænd–] *fn* **1.** fűszerüzlet, szatócsbolt, illatszerbolt **2.** fűszer és vegyicikkek

change [ˈtʃeɪndʒ] **I.** *fn* **1. a)** változás, fordulat, megváltozás, elváltozás, módosulás, átalakulás, módosítás; **~ of air** levegőváltozás; **~ of expression** arckifejezés elváltozása; **~ of fortune** sorsfordulat; **he has had a ~ of heart** meggondolta a dolgot, megenyhült; **~ of life** (női) klimax; **make/effect a ~** változást idéz elő (*in* vmben); megváltoztat (vmt); **undergo a ~** megváltozik, módosul; **~ for the better** jobbra fordulás; **~ for the worse** rosszabbra fordulás **b)** változatosság; **for a ~** a változatosság kedvéért; *közm* **anything for a ~** változatosság az élet sója **2. a)** átöltözés, ruhaváltás; **make a quick ~** gyorsan átöltözik (v. ruhát vált) **b) ~ of clothes** egy váltás (v. egy másik rend) ruha **3.** csere **4.** *régi* tőzsde **5. a)** (pénz)váltás *[aprópénzre* v. *idegen pénznemre]* **b) (small) ~** aprópénz, váltópénz; **get/give ~** felvált *[pénzt]*; **"no ~ given"** (i) „szíveskedjék aprópénzben fizetni" (ii) pénzváltás nincs **c)** visszajáró aprópénz; **keep the ~** a többi a magáé, nem kérek vissza; *biz* **get no ~ out of sy** nem sikerül túljárni vk eszén; semmit sem sikerül kiszedni vkből *[értesülést]* **6. ring the ~s** változtat a megszokott rutinon/szokáson; *biz* **ring the ~s on a subject** minden oldalról meghánytorgatja ugyanazt a témát, végletekig boncolgat/variál egy témát **7.** *sp* váltás *[váltófutásban]*; *gk* **~ gear** sebességváltó(mű) **II.** *i* **A.** *tsi* **1. a)** (meg)változtat, módosít; **~ colour/hue** színét változtatja, elszíneződik (vm); elsápad, elpirul; **~ hands** gazdát cserél, más tulajdonába kerül; kezet vált; **~ one's mind** meggondolja magát, másképp határoz/dönt; *biz* **~ one's note/tune** más húrokat kezd pengetni, más hangon beszél, hangnemet változtat; **~ the subject** más tárgyra tér, témát változtat, másra fordítja a szót **b)** (át)változtat, átalakít; **~ sg into sg** vmt vmvé változtat **2. a)** vált, (ki)cserél; **~ a baby** tisztába tesz csecsemőt; **~ the bed** ágyneműt vált, áthúzza az ágyat; **~ (one's) clothes** ruhát vált, átöltözik; **~ the guard** őrséget (le)vált; **~ trains** más vonatra száll át; **~ gear** sebességet vált; *átv* iramot/lendületet vált; *gk* **~ a tyre** gumit cserél; *gk* **~ lane** (forgalmi) sávot vált **b)** elcserél (*for* vmért), becserél (vmre) **3. a)** (fel)vált *[pénzt kisebb címletekre]*, átvált *[idegen pénznemre]* **b)** bevált *[csekket]* **B.** *tni* **1. a)** (meg)változik, módosul; **~ for the better** (meg)javul, jobbra fordul; **~ from day to day** napról napra változik **b)** (át)változik, átalakul; **~ into sg** átalakul/átváltozik/válik vmvé **2.** cserél (*with* vkvel) **3.** *biz* átöltözik **4.** átszáll *[egyik villamosról/vonatról másikra]*; **all ~!** végállomás! **5. a)** megújul *[hold]* **b)** megfordul *[árapály]* • *fn* **changer**

change about *tni* **1.** hirtelen megváltozik *[hangulat stb.]* **2. a)** állandóan változtatja a véleményét/nézeteit **b)** hátraarcot csinál

change down *tni gk* kisebb sebességre kapcsol, visszakapcsol

change over *tni* **1.** áttér, átvált; **~ over from one system to another** egyik módszerről másikra tér át **2.** egymást felváltják *[őrszemek, műszakok]* **3.** *műsz* átvált, átkapcsol; → **changeover 4.** *GB sp* térfelet cserél

change round *tni* megcseréli vm helyét; más helyzetet foglal el

change up *tni gk* nagyobb sebességre kapcsol

changeable [ˈtʃeɪndʒəbl] *mn* **1. a)** változékony **b)** ingatag, állhatatlan *[jellem]* **2. a)** (meg)változtatható, módosítható **b)** (ki)cserélhető • *fn* **changeability, changeableness**

changeful [ˈtʃeɪndʒfl] *mn vál* szeszélyes, változékony, változó, forgandó

changeless [ˈtʃeɪndʒləs] *mn* változatlan, állhatatos, szilárd

changeling [ˈtʃeɪndʒlɪŋ] *fn* **1.** elcserélt gyermek **2.** szeszélyes/állhatatlan jellemű személy

changeover *fn* **1.** *átv* áttérés, átkapcsolás; **~ period** (az) áttérés időszaka **2.** radikális irányváltoztatás *[politikában]*; rendszervált(oz)ás **3.** *átv* helycsere, őrségváltás; → **change over 4. a)** *sp* váltás *[váltófutásban]* **b)** *GB* térfélcsere

change ringing *fn* harangjáték • *fn* **change-ringer**

changeroom *fn US* öltözőszoba, öltöző(helyiség)

changing cubicle *fn sp* öltöző(fülke)

changing-room *fn GB* ruhatár, (színházi) öltöző

channel [ˈtʃænl] **I.** *fn* **1.** tengerszoros, csatorna; **the (English) C~** a La Manche csatorna; **the Irish C~** az Ír-tenger **2.** *átv* út, meder; **official ~** szolgálati/hivatalos út; **let's keep our ~s of communication open** tartsuk a kapcsolatot; **a new ~ of thought** új gondolkodási irány/irányzat; **in the desired ~** a kívánt mederben; **through the ordinary ~s** a szokásos úton-módon **3.** *távk [hang-, kép-, adatátviteli]* csatorna; **switch to another ~**, *US* **change the ~** más csatornára kapcsol v. vált át **4.** meder, ágy *[folyóé]* **5.** csatorna, vezeték **II. -ll-**, *US* **-l- A.** *tsi* **1.** terel, irányít, vezet **2.** barázdál, vájatot készít, hornyol, kiváj **3.** csatornáz **4.** felszánt, vízmosásossá tesz *[talajt eső]* **B.** *tni* belefolyik (vmbe) • *fn* **channelling**

Channel Islands *tul tsz földr* Csatorna-szigetek *[angol fennhatóságú szigetek a La Manche-csatornában]*

channelize [ˈtʃænlˑaɪz], **-ise** *tsi* **1.** (megfelelő) csatornába vezet/terel, levezet **2.** irányít, vezet

channel-selector *fn távk* csatornaválasztó

channel-surfing *fn média* (gyakori) csatornaváltogatás

C

channel switching *fn infor* csatorna(át)kapcsolás, vonalkapcsolás
chant [tʃɑ:nt ‖ tʃænt] **I.** *fn* **1.** *zene* **a)** egyhangú/monoton dal(lam)/ének/dal **b)** *vall* (egyházi) ének; **Gregorian ~** gregorián ének/korál; egyszólamú ének **2. a)** éneklés **b)** kántálás *[templomban]* **3.** éneklő hanghordozás/beszédmodor **4.** zenés szavalat, zenés-verses előadás **II. A.** *tsi* **1.** folytonosan ismétel(get); **~ slogans** szlogeneket/jelszavakat kiabál/skandál **2.** (el)énekel, eldalol **3.** megénekel, énekben/versben dicsőít **B.** *tni* **1.** egyhangúan (v. monoton hangon) beszél/motyog/dünnyög **2. a)** énekel, dalol **b)** kántál **3.** éneklő hanghordozással beszél
chanter ['tʃɑ:ntə ‖ 'tʃæntər] *fn* **1.** *zene* szólamsíp *[dudán]* **2.** *áll* havasi szürkebegy
chanterelle [ˌʃɒntə'rel ‖ ˌʃæntə'rel] *fn növ* rókagomba
chantey ['ʃænti] *fn tsz* **chanteys** matrózdal, tengerész munkadal
chanticleer ['ʃɑ:ntəklɪə ‖ 'tʃæntəklɪr] *fn vál tréf* a (gall) kakas
Chantilly [ʃæn'tɪli] *fn* **1.** (édesített/ízesített) tejszínhab **2.** francia csipkefajta
chantry ['tʃɑ:ntri ‖ 'tʃæn–] *fn* **1.** gyászmise-alapítvány **2.** alapítványi papság **3.** alapítványi kápolna
chanty ['tʃɑ:nti ‖ 'tʃæn–] → **chantey**
Chanukah ['hɑ:nəkə] *fn* zsidó örömünnep, hanuka
chaos ['keɪɒs ‖ –ɑs] *fn* **1.** őskáosz **2.** *átv* zűrzavar, összevisszaság, fejetlenség, káosz • *mn* **chaotic**
chaos theory *fn mat fiz* káoszelmélet
chap[1] [tʃæp] **I. -pp- A.** *tsi* kirepedeztet, kicserepesít *[bőrt]* **B.** *tni* felrepedezik, kicserepesedik **II.** *fn* **1.** repedés *[bőrön]* **2.** repedés, kicserepesedés *[talajon]* • *mn* **chappy**
chap[2] [tʃæp] *fn biz* fickó, alak, pasas, pacák, „pofa"; **old ~** öregem; **he's a decent ~** rendes fiú/fickó
chap[3] [tʃæp] *fn* **1. a)** állkapocs, pofacsont *[állaté]* **b)** *biz* pofa *[emberé]* **2.** *műsz* pofa
chaparejos [ˌʃæpə'reɪous] *fn tsz* bőrnadrág *[cowboyé]*
chaparral [ˌʃæpə'ræl] *fn* **1.** törpe örökzöld tölgy **2.** bozót, sűrű(ség)
chapbook *fn vál* **1.** ponyva, népkönyv **2.** *US* vékony verseskönyv, kispróza
chape [tʃeɪp] *fn* **1.** kapocs *[csatél]*, horog *[szíjon, fegyver részére]* **2.** fémhegy *[kardhüvelyé]*
chapel ['tʃæpl] *fn* **1.** kápolna **2.** *GB* (nem anglikán) imaház **3.** *GB* istentisztelet, istentiszteleten való részvétel **4. a)** ravatalozó *[épület/terem]* **b)** *US* halottasház *[temetkezési vállalkozóé]* **5. a)** *GB régi* nyomda **b)** nyomdászszövetség, nyomdászgyűlés
chapel folk *fn GB biz* nonkonformista egyházhoz tartozó emberek
chapelry ['tʃæplri] *fn* helyi/kápolnai lelkészség
chaperon ['ʃæpəroun] → **chaperone**
chaperone ['ʃæpəroun] **I.** *fn* kísérő, gardedám *[fiatal lányé]* **II.** *tsi* kísér, gardíroz *[leányt]*
chapfallen *mn* **1.** *régi vál* petyhüdt/beesett arcú, leesett állú **2.** *biz* lehangolt
chaplain ['tʃæplɪn] *fn* káplán, lelkész; **body of ~s** lelkészi testület • *fn* **chaplaincy**, **chaplainship**
chaplet ['tʃæplət] *fn* **1.** *régi* virágfüzér, virágkoszorú, fejék **2.** *vall* olvasó, rózsafüzér **3.** bóbita *[madáré]*
chapman ['tʃæpmən] *fn tsz* **-men** *régi* házaló árus, vándorárus
chappie ['tʃæpi] *fn biz* fickó, alak, pasas, pacák, „pofa"
chappy ['tʃæpi] *szl* → **chappie**
chapter ['tʃæptə ‖ –ər] *fn* **1. a)** fejezet *[könyvé]*; **~ and verse** *bibl* fejezet/rész és vers; *biz* pontos utalás/hivatkozás *[állítás alátámasztására]* **b)** *átv* fejezet, szak(asz) **2.** káptalan **3.** ‹a parlament által hozott törvény (az ülés jegyzőkönyvében számmal megjelölve)› **4.** *US* egyesület/társulat helyi csoportja
chapter-house *fn* **1.** káptalani gyűlésterem/tanácskozószoba **2.** *US* diákegyesület ülésterme
char[1] [tʃɑ: ‖ tʃɑr] **I.** *fn* **1.** alkalmi munka **2.** *biz* takarítónő, bejárónő **II.** *tni* **-rr-** *biz* **go out ~ring** napszámba jár dolgozni/takarítani, alkalmi munkát vállal
char[2] [tʃɑ: ‖ tʃɑr] **I.** *fn* faszén, növényi szén, csontszén, állati szén **II.** *i* **-rr- A.** *tsi* szénné éget, megperzsel, megpörköl **B.** *tni* elszenesedik, szénné válik/ég
char[3] [tʃɑ: ‖ tʃɑr] *fn GB szl [tea]* csája
character ['kærəktə ‖ –ər] **I.** *fn* **1.** jelleg(zetesség), jellemző vonás/tulajdonság, saját(os)ság; **in ~ with sg** összhangban vmvel, vmnek megfelelően; **out of ~ with sg** vmvel össze nem egyezően/férően; **out of ~ with sy** *biz* vkre nem jellemzően **2. a)** jellem **b)** erős/szilárd jellem, karakter; **man of ~** jellemes/erős jellemű ember **3.** hír(név); **of bad ~** rossz hírű; **by ~** hírneve/híre szerint, hírnevének megfelelően **4. a)** szereplő, személy, alak *[színdarabban stb.]*; **~s** személyek **b)** típus, zsáner **c)** szerep **5.** személyiség **6.** *biz* eredeti egyéniség/figura, különc **7.** *biz* alak, pasas; **a shady ~** gyanús alak **8. a)** betű, (írás)jel, írásjegy **b)** *infor* karakter, írásjel **9.** *GB* bizonyítvány *[erkölcsi, szolgálati]*, referencia **10.** hivatali jelleg/minőség, státus; **in his ~ of ...** ... minőségében **11.** → **character-sketch** **II.** *tsi régi vál* **1.** bevés, bemetsz **2.** leír, jellemez
character actor *fn* jellemszínész
character assassination *fn* rossz hírbe hozás, hírnevet romboló propaganda
character-building I. *mn* jellemformáló **II.** *fn* jellemképzés, jellemalakítás
character formatting *fn infor* betűk formázása, tipográfia
characterful ['kærəktəful ‖ –tər–] *mn* erős jellegzetességgel bíró, jellegzetes
characteristic [ˌkærəktə'rɪstɪk] **I.** *mn* jellemző, jellegzetes, karakterisztikus, tipikus **II.** *fn* **1.** jellemvonás, jellemző vonás/tulajdonság, jellegzetesség, saját(os)ság **2.** *nyelv* jel, jellemző *[hang, betű]*, ismertetőjegy **3.** *mat* karakterisztika *[logaritmusban]* • *hsz* **characteristically**
characterize ['kærəktəraɪz], **-ise** *tsi* **1.** jellemez **2. ~ sy as** leír/mond vkt vmnek **3.** karaktert ad (vknek/vmnek) • *fn* **characterization**, **-isation**
character keys *fn infor* írásjel-nyomógombok/-billentyűk
characterless ['kærəktələs ‖ –tər–] *mn* **1.** jellegzetesség/egyéniség nélküli, jellegtelen **2.** erkölcsi bizonyítványt nélkülöző
character-part *fn* jellemszerep
character set *fn infor* írásjelkészlet, betűkészlet, karakterkészlet
character-sketch *fn* jellemrajz
character spacing *fn infor* betűtávolság növelése
character string *fn infor* írásjelfüzér, karaktersorozat
character-study *fn* jellemrajz, jellemtanulmány
charade [ʃə'rɑ:d ‖ –'reɪd] *fn* **1.** szó(tag)rejtvény, betűrejtvény **2.** kitalálósdi társasjáték *[kb. Amerikából jöttünk]* **3.** *átv* **~s** színjáték, megjátszás, (puszta) beállítás **4.** *GB* abszurd ürügy/tett
charas ['tʃɑ:rəs] *fn* hasis
charbroil ['tʃɑ:brɔɪl ‖ 'tʃɑr–] *tsi* roston süt, grillez *[faszén fölött]*
charcoal ['tʃɑ:koul ‖ 'tʃɑr–] **I.** *fn* **1.** faszén, növényi szén **2.** rajzszén **3. ~ (grey)** sötétszürke szín **II.** *mn* sötétszürke színű **III.** *tsi* befeketít faszénnel *[arcot stb.]*
charcoal biscuit *fn* ‹emésztés elősegítése céljából szenet tartalmazó keksz›
charcoal burner *fn* faszénégető
charcoal-drawing *fn* ceruzarajz, szénrajz
charcoal-pan *fn* parázstartó fémüst, parazsas melegítő
chard [tʃɑ:d ‖ tʃɑrd] *fn növ* **Swiss ~** leveles fehérrépa, mangold
charge [tʃɑ:dʒ ‖ tʃɑrdʒ] **I.** *i* **A.** *tsi* **1.** *pénz gazd* megterhel *[számlát]*, elszámol *[vmnek a terhére]*, felszámít *[költséget]*; **calls ~d for** (telefon)beszélgetések díját felszámítjuk; **how much do you ~ for the lot?** mennyiért adja az egészet?; **~ it to my account** írja a számlámra; **can I ~ it**

on/to my credit card? fizethetek hitelkártyával? **2.** terhel, felró, vádol; **~ sy with a crime** vkt bűntettel vádol **3.** megbíz (vkt vmvel), ráparancsol (vmt vkre), gondjaira bíz (vkt); **~ sy to do sg** felszólít vkt vmnek a megtételére; **~ sy with a commission** vknek megbízást ad **4.** (meg)tölt *[puskát, akkumulátort, kohót]*, telít *[levegőt]*, megterhel *[emlékezetet]*; **air ~d with vapour** párával telített levegő; **~ one's memory with trifles** haszontalanságokkal teletömi/terheli emlékezetét/agyát **5.** *kat* megtámad, megrohamoz *[ellenséget]*, nekiront *[ellenségnek]* **B.** *tni* támad, rohamoz **II.** *fn* **1.** költség, ár, díj; **additional ~** felár; **fixed ~s** állandó kiadások, rögzített árak; **monthly ~ account** (30 napos hitelt nyújtó) folyószámla *[áruvásárlásra]*; **~ plate** hitelkártya; **free of ~** díjmentesen; bérmentve; ingyen(esen), ellenszolgáltatás nélkül; **~ for delivery** kézbesítési díj; **make a ~ for sg** felszámít vmt vmért; **at a ~ of ...** ... felszámításával, ... fizetése ellenében; **reverse the ~s** a hívott fél költségére telefonál, R-beszélgetést kezdeményez **2.** vád; **arrest sy on a ~ of murder** gyilkosság vádjával letartóztat; **bring/lay a ~ against sy** vádat emel vk ellen; **lay sg to sy's ~** vkt vmvel megvádol, vmt vk hibájául ró fel; **face a ~ of theft** lopás vádjával áll a bíróság előtt; *GB* **put sy on a ~** vád alá helyez; **drop the ~s against sy** visszavonja a vádat vk ellen; **they cleared him of all (the) ~s** felmentették **3.** *GB* őrizet; **take sy in ~** őrizetbe vesz vkt **4.** megbíz(at)ás, kötelezettség, kötelesség, feladat, hivatal; **lay a ~ on sy** megbízást ad vknek, feladatot bíz vkre **5. a)** felügyelet, ellenőrzés, vigyázat, oltalom, gond(oskodás), irányítás; **official in ~** ügyintéző (tisztviselő); **person in ~ of sg** vmnek felügyeletével/intézésével/irányításával megbízott személy; **give sy ~ of/over sg** megbíz vkt vmnek az intézésével/irányításával (v. a felügyeletével); **have ~ of sg, be in ~ of sg** meg van bízva vmnek az intézésével/irányításával; gondjaira van bízva vm; **take ~** gondjaiba/oltalmába vesz (*of* vkt/vmt); átveszi az irányítást (v. az ügynek intézését) **b)** vk gondozására bízott személy/tárgy; **child in ~ of a nurse** gondozónő felügyeletére/gondozására bízott gyerek **6.** *kat átv* roham, támadás; *biz* **return to the ~** újrakezd *[vitát stb.]*, visszavág, ellentámadásba kezd *[vitában]* **7. a)** töltés, töltet *[lövedéké, aknáé]*; **blank ~** vaktöltés; **make a fresh ~** újratölt *[fegyvert]*; *biz* újra nekilendül, új bevetésre megy **b)** robbanó(gáz)töltet, üzemanyag-keverék *[motorban]* **c)** *bány* (robbanószer)töltet **d)** *fiz* töltés; **electric ~** elektromos töltés **8.** teher, rakomány **9.** irányító/intő/buzdító beszéd/leirat; **bishop's ~** püspöki megrovás; **judge's ~** bírói összefoglalás *[esküdtekhez]* **10.** címerkép **11.** *szl* **a)** kábítószeradag **b)** *[marihuána]* mariska, fű **c)** nagyszerű élmény; feldobottság, repülés; élvezet *[kábítószertől]*

charge down *tni* **~ down upon sy**ráront vkre

charge into *tni* **~ into sg** nekimegy, nekiütődik, nekicsapódik vmnek

charge off *tsi* leír *[költségeket]*

chargeable [ˈtʃɑːdʒəbl ‖ ˈtʃɑr–] *mn* **1.** vádolható *[személy]* **2. a)** eltartott *[személy]* **b)** terhelhető (vk számlájára) **3.** (vmnek) tulajdonítható, felróható *[veszteség]* **4.** megterhelhető *[jelzáloggal]*, (adóval) megterhelt *[föld]*

charge account *fn* folyószámla, hitelszámla

charge card *fn* (áruvásárlásra használható) fizetőkártya

charged [tʃɑːdʒd ‖ tʃɑrdʒd] *mn* **1.** (meg)töltött **2. a)** *el* elektromosan feltöltött **b)** *átv* feszült, érzelmileg túlfűtött

chargé d'affaires *fn* (követségi) ügyvivő

charge hand *GB ip* → **chargeman**

chargeless [ˈtʃɑːdʒləs ‖ ˈtʃɑrdʒ–] *mn* állás/hivatal nélküli

chargeman [ˈtʃɑːdʒmən ‖ ˈtʃɑrdʒ–] *fn tsz* **-men** munkafelügyelő, brigádvezető, művezető, csoportvezető

charge nurse *fn* főnővér, főápoló

charger[1] [ˈtʃɑːdʒə ‖ ˈtʃɑrdʒər] *fn régi* nagy tál

charger[2] [ˈtʃɑːdʒə ‖ ˈtʃɑrdʒər] *fn* **1.** töltőberendezés *[akkumulátorhoz, puskához]* **2.** katonaló, harci mén, csataló **3.** vádoló

charge-sheet *fn jog* bűncselekmények/vádpontok v. letartóztatott személyek listája/lajstroma *[rendőrőrszobán]*

charily [ˈtʃeərɪli ‖ ˈtʃer–] *hsz* **1.** óvatosan, körültekintően, megfontoltan **2.** garasosan, szűkmarkúan, fukar módon **3.** válogatósan

chariot [ˈtʃærɪət] **I.** *fn* **1.** *régi* (dísz)hintó **2.** *tört vál* (ókori kétkerekű) szekér, diadalszekér, harci szekér, versenyszekér **II. A.** *tsi vál* (vkt) harci szekéren (v. diadalszekéren) visz **B.** *tni* (harci) szekeret hajt

charioteer [ˌtʃærɪəˈtɪə ‖ –ˈtɪr] **I.** *fn* **a)** szekeres, szekérhajtó, kocsihajtó **b)** *tréf* kocsis **II.** *tul* **Charioteer** *csill* Auriga, Szekeres *[csillagkép]*

charisma [kəˈrɪzmə] *fn tsz* **charismata** [–mətə] **1.** (személyes) vonzerő, bűverő, varázs, magnetizmus *[egyéniségé]* **2.** karizma, természetfeletti adomány/képesség

charismatic [ˌkærɪzˈmætɪk] *mn/fn vall átv* karizmatikus; **~ movement** karizmatikus mozgalom, karizmatikusok

charitable [ˈtʃærɪtəbl] *mn* **1.** könyörületes, irgalmas szívű, jószívű, jólelkű, jótékony *[személy, cselekedet]*, bőkezű *[személy]* **2.** jótékony, jótékonysági *[intézmény, egyesület]*

charity [ˈtʃærəti] *fn* **1. a)** könyörület(esség), irgalmasság, jóindulat, jótékonyság; **out of ~, for ~'s sake** könyörületből; *közm* **~ begins at home** először magunkról gondoskodjunk **b)** *vall* **Sisters of C~** irgalmasrendi nővérek **2. a)** irgalmas cselekedet **b)** alamizsna, jótékony adomány, jótett; **live on ~** alamizsnából/adakozásból él **3.** jótékonysági intézmény

charity ball *fn* jótékony célú táncmulatság

Charity Commission *fn GB* ‹jótékonysági intézmény/alapítvány irányító testülete›

charity fund *fn* (jótékonysági) segélyalap

charity performance *fn* jótékony célú előadás

charity shop *fn* **a)** használt holmik boltja *[jótékonysági céllal]* **b)** kb. turkáló

charivari [ˌʃɑːrɪˈvɑːri] *fn* **1.** ‹új házasoknak lábosok stb. kongatásával adott szerenád› **2. a)** macskazene, zenebona **b)** hangzavar, összevissza kiabálás

charlady [ˈtʃɑːleɪdi ‖ ˈtʃɑr–] *fn GB* takarítónő, bejárónő

charlatan [ˈʃɑːlətən ‖ ˈʃɑr–] *fn* szédelgő, kuruzsló, sarlatán, csaló, szélhámos • *fn* **charlatanism, charlatanry**

Charlene [ˈtʃɑːliːn, ˈʃɑː– ‖ ˈtʃɑr–, ˈʃɑr–] *tul* ‹női név›

Charles [tʃɑːlz ‖ tʃɑrlz] *tul* Károly; *tört* **~ the Bold** Merész Károly; *tört* **~ the Fair** Szép Károly

Charles's Wain [ˌtʃɑːlzɪzˈweɪn ‖ ˌtʃɑr–] *fn csill* Nagy-Göncöl *[szekér]*

charleston [ˈtʃɑːlstən ‖ ˈtʃɑrl–] **I.** *fn* ‹a foxtrott egyik amerikai változata› cserlszton, csarlszton **II.** *tni* csarlsztonozik

charleyhorse [ˈtʃɑːlihɔːs ‖ ˈtʃɑrlihɔrs] *fn US szl* lábizomgörcs, izomhúzódás

charlie [ˈtʃɑːli ‖ ˈtʃɑrli] **I.** *mn szl* **1.** *[félős]* gyáva; majrés, beszari **2.** feltűnő, kirívó *[viselkedés]*; nagymenő(s), megjátszós **II.** *fn* **1.** C betű **2.** *GB biz* hiszékeny/naiv ember **3.** *szl [bolond ember]* lökött hapsi **4.** *US szl pej* **Uncle/Mister C~** fehér ember *[feketék szemszögéből]* **5.** *US szl pej* északvietnami ember v. vietkong katona **6.** *GB szl [női mell]* duda, didkó **7.** *szl [kokain]* kokó

Charlie [ˈtʃɑːli ‖ ˈtʃɑrli] *tul bec* Charles

charlock [ˈtʃɑːlɒk ‖ ˈtʃɑrlɑk] *fn növ* vadrepce

charlotte [ˈʃɑːlət ‖ ˈʃɑr–] *fn* gyümölcstorta; **apple ~** ‹vajban pirított kenyérszeletekkel körülrakott almatorta›

Charlotte [ˈʃɑːlət ‖ ˈʃɑr–] *tul* ‹női név›

charlotte russe [– ˈruːs] *fn* oroszkrémtorta

charm [tʃɑːm ‖ tʃɑrm] **I.** *fn* **1.** bűbáj, bűvölet, igézet, varázs(lat), varázsige; **work a ~ on sy** megbabonáz vkt; **it works like a ~** remekül/csodálatosan megy; megy, mint a karikacsapás **2.** amulett, talizmán **3. a)** báj, kellem, kedvesség, vonzerő; **fall victim to sy's ~s** vknek a hatása alá (v. bűvkörébe) kerül **b)** *régi* **feminine ~s** női/asszonyi bájak **II.** *tsi* megbabonáz, elbűvöl, elbájol, elvarázsol; **~ sy to sleep** álomba ringat vkt; **~ snakes** kígyót bűvöl

charm away *tsi* eltüntet

charmed [tʃɑːmd ‖ tʃɑrmd] *mn* varázslatos, elvarázsolt, varázs-

charmer [ˈtʃɑːmə ‖ ˈtʃɑrmər] *fn* **1.** elbájoló/bájos férfi/nő, elbűvölő teremtés, sarmőr **2.** bűvész(nő)

charming [ˈtʃɑːmɪŋ ‖ ˈtʃɑr–] *mn* **1.** bájos, elragadó, elbűvölő, bűbájos; **Prince C~** a mesebeli királyfi **2.** *iron* hát ez aztán csodálatos • *hsz* **charmingly**

charmless [ˈtʃɑːmləs ‖ ˈtʃɑrm–] *mn* báj híján levő, bájtalan

charnel [ˈtʃɑːnl ‖ ˈtʃɑrnl] **I.** *fn* temetkezési hely **II.** *mn* síri, halotti

charnel house *fn* **1.** kripta **2.** csontház, csontkamra, osszárium *[temetőben]*

chart [tʃɑːt ‖ tʃɑrt] **I.** *fn* **1.** tengerészeti térkép **2. a)** (statisztikai) diagram grafikon, görbe **b)** *infor* folyamatábra, programvázlat, tömbvázlat, táblázat **c) (the) ~s** slágerlista **d) ~ (of patient)** (kórházi) fejcédula, fejlap **e)** horoszkóp **II.** *tsi* **1.** *hajó* térképez, térképet készít **2.** táblázatba/grafikonba feljegyez *[beteg hőmérsékletét]*, grafikont/táblázatot készít *[adatokból]* **3.** (részletes) tervet készít, felvázol **4.** *szl* ‹megjelenik a slágerlistán›

charter [ˈtʃɑːtə ‖ ˈtʃɑrtər] **I.** *fn* **1. a)** oklevél, szabadalomlevél, okirat, alapszabály, *tört* kiváltságlevél *[városé, egyetemé]*, pátens; *tört* **the Great C~** a Magna Charta *[1215]* **b) ~ of incorporation** céhlevél **2. a)** hajó/repülőgépbérleti szerződés **b)** *US* különjárat *[felirat autóbuszon]* **II.** *tsi* **1. a)** szabadalomlevéllel létesít/alapít *[társaságot]* **b)** engedélyez **c)** szabadalmaz **2.** bérbe vesz, kibérel *[hajót, repgépet stb.]*; → **chartered**

chartered [ˈtʃɑːtəd ‖ ˈtʃɑrtərd] *mn* **~ accountant** okleveles könyvvizsgáló; *rep* **~ plane** bérelt repülőgép, chartergép; **~ bank** szabadalmazott bank

charter member *fn* alapító tag

charter party *fn hajó* hajóbérleti okmány/szerződés, fuvarozási/fuvarbérleti szerződés

chartism [ˈtʃɑːtɪzm ‖ ˈtʃɑrtɪzm] *fn* chartizmus *[angol munkásmozgalom a XIX. század elején]* • *fn* **chartist**

chartreuse [ʃɑːˈtrɜːz ‖ ʃɑrˈtruːz] **I.** *fn* **1. a)** karthauzi likőr, charteuse **b)** halvány sárgás v. zöldes szín **2. a)** vegyes főzelékekből készült előétel **b)** vegyes gyümölccsel körített mandulazselé **3.** *áll* karthauzi macska **II.** *mn* halvány sárgás v. zöldes szín

chart room *fn hajó* navigációs fülke

charwoman *fn tsz* **-women** takarítónő, bejárónő

charwork *fn* takarítás *[órabérben v. napszámban végzett]*

chary [ˈtʃeəri ‖ ˈtʃeri] *mn* **1. a)** óvatos, körültekintő, megfontolt; **be ~ in/of doing sg** habozik vmt megtenni **b)** félénk **2.** takarékos, szűkmarkú; **~ of praise** fukarkodik a dicsérettel **3. ~ (of one's food)** válogatós • *fn* **chariness**

Chas [tʃæz] *tul bec* Charles

chase¹ [tʃeɪs] **I.** *fn* **1. a)** vadászat, üldözés, űzés, hajszolás; **give ~ to sy** vkt üldöz/megkerget; **in ~ of sy** vkt üldözve; **car ~** autós üldözés **b)** hajtóvadászat **2.** vadászterület **3.** űzött vad, (vadász)zsákmány **4.** → **steeplechase II.** *i* **A. a)** *tsi* üldöz, hajszol, űz, hajt, kerget *[vadat]*; *US szl* **go and ~ oneself** *[elszökik]* elinal; *Ausz biz* **~ the sun** gyalogol *[csavargó]* **b)** *biz* (rá)hajt vkre, hajkurász *[nőket]* **c) ~ money** hajszolja a pénzt **B.** *tni* **1.** vadászik **2.** *biz* **~ (round)** kapkod, siet, futkos, rohangál *[vm után]*

chase around *tsi* **~ around girls** lányok után futkos/szaladgál

chase away *tsi* elkerget

chase off A. *tni biz* **~ off after sg** vmt hajszolni kezd, vmt előteremteni igyekszik **B.** *tsi* elkerget, elűz

chase out *tsi* **~ sy out of the house** vkt kiűz/kikerget a házból

chase up *tsi GB biz* hajszol, felhajt

chase² [tʃeɪs] **I.** *fn* **1.** *kat* huzag(olás) *[ágyúcsőé]*, *műsz* barázda, rovátka, vájat, horony, bevágás **2.** *épít* falmélyedés, fülke **3.** árok **II.** *tsi* **1. a)** vésettel díszít, sávoz *[aranyat, ezüstöt]*; **~ a gun** ágyúcsövet huzagol **b)** domborít, homorít *[fémet]* **2. ~ a diamond in gold** egy gyémántot aranyba foglal **3.** *fémip* hornyol, rovátkáz, csavarmenetet vés *[fémbe]*

chaser [ˈtʃeɪsə ‖ –ər] *fn* **1.** hajtó(vadász), üldöző **2.** *biz* kísérő; ‹likőr/pálinka után felhörpintett pohárka víz v. egyéb ital› **3.** *US szl [nőcsábász]* szoknyavadász, szoknyapecér

chasm [ˈkæzm] *fn* **1. a)** tátongó szakadék, (szikla)hasadék, repedés **b)** szakadék *[két egyén/tárgy között]* **2.** *régi* nagy űr, üresség, óriási hézag • *mn* **chasmic**

chassé [ˈʃæseɪ ‖ ʃæˈseɪ] **I.** *fn* sasszé(lépés) *[táncban]* **II.** *tni* sasszélépésben táncol, sasszézik

Chassid [ˈhæsɪd] *fn vall* a haszidizmust (a zsidó misztika XVIII. századi formáját) követő zsidó

chassis [ˈʃæsi] *fn tsz* **chassis** [–iz] **1. a)** *gk* alváz **b)** *távk el* alaplemez, szerelődoboz **c)** *kat* alvázkeret, lövegtalp **2.** *rep* futómű **3.** *szl* (női) alak

chassis number *fn gk* alvázszám

chaste [tʃeɪst] *mn* **1.** szűzi(es), tiszta, szemérmes **2.** tartózkodó *[beszéd]* **3.** egyszerű, dísztelen, tiszta *[forma, stílus]* • *fn* **chasteness** *hsz* **chastely**

chasten [ˈtʃeɪsn] *tsi* **a)** (meg)fenyít, (meg)büntet, megvisel *[sors, szenvedés]* **b)** fegyelmez, elfojt *[szenvedélyt]* **c)** megszelídít, (meg)zaboláz (vkt) • *mn* **chastened**

chastise [tʃæˈstaɪz] *tsi* (meg)büntet, (meg)fenyít, megver • *fn* **chastisement**, **chastiser**

chastity [ˈtʃæstəti] *fn* **1. a)** *vall* szüzesség, nőtlenség, cölibátus **b)** szűziesség, tisztaság, erkölcsösség, szemérmesség **2.** tisztaság, egyszerűség *[formáé, stílusé]*

chasuble [ˈtʃæzjʊbl] *fn vall* miseruha, kazula

chat¹ [tʃæt] **I.** *fn* beszélgetés, csevegés, fecsegés; **a little ~, a bit of a ~** rövidke beszélgetés; egy kis terefere/traccs; **have a ~ with sy** elbeszélget/tereferél vkvel **II.** *i* **-tt- A.** *tsi* **1.** *US biz* **~ with sy** megszólít és beszélgetni kezd vkvel, beszédbe elegyedik vkvel; *szl* **~ up a girl** *[ismerkedni próbál nővel]* leszólít, fűz(i a fejét/az agyát), szédít, kábít *[nőt]* **2.** *Ausz* óvatos beszélgetéssel helyzetet kipuhatol **B.** *tni* (el)beszélget, cseveg, tereferél, fecseg

chat² [tʃæt] *fn áll* hantmadár, földi szarka

chateau [ˈʃætoʊ ‖ ʃæˈtoʊ] *fn* **1.** udvarház, kastély *[főleg Franciaországban]* **2.** (neves) borgazdaság *[főleg a bordeaux-i borvidéken]*

chateaubriand [ˌʃætoʊbriˈɒn ‖ ʃæˌtoʊbriˈɑn] *fn* rostonsült vastag marhaszelet

chatelaine [ˈʃætəleɪn] *fn* **1.** várúrnő, kastély úrnője **2.** *tört* övön viselt lánc *[kulcsok számára]*

chat-show *GB* → **talk show**

chattel [ˈtʃætl] *fn jog* **a)** ingó vagyon, ingóság; **the serf was the ~ of the lord** a jobbágy urának tulajdona volt **b)** *tsz* **chattels** ingó tárgyak, bútorok; **~s personal** személyi vagyontárgyak; *biz* **goods and ~s** cókmók, motyó, retyerutya **c) ~s real** ingatlan vagyon/javak

chatter [ˈtʃætə ‖ ˈtʃætər] **I.** *tni* **1. a)** csacsog, fecseg, locsog, tereferél, pletykál; *GB tréf* **the ~ classes** az értelmiségiek **b)** kotkodácsol *[tyúk]*, csicsereg, csiripel *[madár]* **2. a)** tép, egyenlőtlenül vág *[szerszám]* **b)** csattog, vacog *[fog]* **c)** zörög, kopog, vibrál *[gép]* **II.** *fn* **1. a)** kotkodácsolás *[tyúké]*, csiripelés, csicsergés *[madáré]* **b)** csacsogás, fecsegés, locsogás, terefere, pletykálkodás **2.** kopogás, zörgés *[szerszámé, gépé]*, tűrezgés *[lemezjátszóé]* • *fn* **chatterer**

chatterbox *fn biz* fecsegő/szószátyár/pletykás ember, locsifecsi

chattery [ˈtʃætəri] *mn* fecsegő, szószátyár

chatty [ˈtʃæti] *mn* **1.** csevegő, beszédes, fecsegő **2.** csevegő stílusú, bizalmas *[levél, cikk]* • *fn* **chattiness** *hsz* **chattily**

chauffeur [ˈʃoʊfə ‖ ʃoʊˈfɜr] **I.** *fn* sofőr, gépkocsivezető **II.** *tsi* vezet *[autót]*; autón visz *[sofőrként]*

chaunt [tʃɔːnt] → **chant I.**

chauvinism [ˈʃoʊvənɪzm] *fn* sovinizmus, intoleráns (túlzó) hazafiság; **male ~** a férfiak felsőbbrendűségének az elve • *fn* **chauvinist** *mn* **chauvinistic**

cheap [tʃi:p] **I.** *mn* **1.** olcsó; **dirt ~** potom olcsó, rendkívül olcsó; *GB* **buy sg on the ~** vmt leszállított áron (v. olcsón) vásárol; *GB* **do sg on the ~** vmt kevés fáradsággal/költséggel tesz meg; szűkmarkúan mér vmt; **get off ~** olcsón megússza; **~er** olcsóbb(an) **2.** csekély értékű, gyenge minőségű, értéktelen, közönséges, olcsó; **~ emotions** felületes érzelmek; **~ flattery** olcsó bókok; **~ quality** gyenge/hitvány minőség; *GB* **~ and cheerful** olcsó, de jó; **~ and nasty** olcsó és vacak/rossz; *biz* **feel ~** szégyenkezik; érzi, hogy helytelenül járt el (vkvel szemben); **make sy feel ~** leéget vkt; **hold sy/sg ~**, **have a ~ opinion of sy/sg** vkt/vmt nem sokra becsül/tart, közönségesnek talál **3.** *US* fösvény, zsugori **II.** *hsz biz* olcsón, alacsony áron, kis/kevés költséggel

cheapen [ˈtʃi:pən] **A.** *tsi* leszállít, olcsóbbá tesz *[árat]*, csökkent, kisebbít *[értéket]*, csorbít *[hírnevet]* **B.** *tni* olcsóbbodik, csökken az ára

cheapie [ˈtʃi:pi] *fn* **1.** *szl* fösvény, zsugori **2.** *US szl* olcsó áru

cheapjack I. *mn* selejtes, hitvány, vacak, ócska **II.** *fn* olcsójános

cheapjohn → **cheapjack**

cheapskate *fn US szl pej [zsugori ember]* sóher alak, kicsinyes fráter

cheat [tʃi:t] **I. A.** *tsi* **1.** (meg)csal, becsap, rászed; **~ the customs** csempészik; **~ death** megmenekül a haláltól/az akasztófától; megússza az ügyet; **~ sy into doing sg** ámítással rávesz vkt vmnek a megtételére (v. belevisz vkt vmbe) **2.** hamisan játszik, csal *[játékban]* **B.** *tni* **1.** csal; **~ at exams** puskázik *[vizsgán]* **2.** *biz* **~ on** megcsal *[házastársat]* **II.** *fn* **1. a)** szélhámos **b)** csaló *[játékban]* **2.** csalás, rászedés, becsapás, szélhámosság • *mn* **cheatable**

cheat out *tsi* **~ out of sg** kisemmiz/kiforgat vmből; kicsal vmt; megfoszt vmtől (vkt)

cheater [ˈtʃi:tə ‖ ˈtʃi:tər] *fn* **1.** csaló, (alkalmi) hamiskártyás **2.** *US szl* **~s** szemüveg

check[1] [tʃek] **I. A.** *tsi* **1.** átvizsgál, ellenőriz, egybevet, egyeztet, összeolvas *[két okmányt* v. *okmányt az eredetivel]*, hitelesít *[mértéket]*, revideál, összehasonlít **2. a)** hirtelen megakaszt (vmt), visszatart, féken tart, sakkban tart *[ellenséget, tömeget]*, megfékez, megállít *[támadást]*, szerel *[labdasportban]*, megakadályoz, meggátol; **~ the growth** fejlődésben visszavet/megakaszt **b)** elfojt, visszafojt *[haragot, könnyet]*, mérsékel, fékez *[szenvedélyt, gép gyorsaságát]*, korlátoz *[termelést]*; *nyelv* **~ed vowel** zárt szótagbeli magánhangzó; *átv* **~ sy's tears** felszárítja vk könnyeit, lecsillapít vkt **3.** *biz* megszid, megfedd *[gyermeket]* **4.** *ját* **a)** sakkot ad *[a királynak]* **b)** sekket ad *[a királynőnek]* **5. a)** felad *[poggyászt]* **b)** *US* ruhatárba tesz, megőrzésre lead/bead (*with* ahova, akihez) **B.** *tni* **1.** habozik, akadozik, megáll, megtorpan *[vm előtt]*, elveszti a nyomot *[vadászkutya]* **2.** *US* **the two balance-sheets do not ~** a két mérleg nem egyezik **II.** *fn* **1.** ellenőrzés, felülvizsgálás, átvizsgálás; **keep a ~ on sg** ellenőriz, ellenőrzés alatt tart vmt **2. a)** *US* csekk; → **cheque b)** ruhatári jegy, számla *[étteremben]*, *US* (papír)szelvény, elismervény; *vasút* **luggage ~** poggyász feladóvevény; *US* **waiter the ~!** főúr fizetek! **c)** *US ját* zseton *[különféle játékokban]* **3. a)** fék, féken tartó erő; **keep/hold in ~** féken tart, kordában tart; **keep one's feelings in ~** uralkodik magán/érzelmein; **put a ~ on sg, act as a ~ on sy/sg** vkt/vmt megfékez; *US* **~s and balances** ‹az egyes hatalmi ágak közötti egyensúlyt biztosító eszközök› **b)** (hirtelen) megállás, szünet **c)** visszautasítás, elutasítás, helyreutasítás, szemrehányás **d)** akadály, nehézség, feltartóztatás, megakasztás, késleltetés **e)** *sp* akadályozás, fedezés, megállítás **4.** sakk, sekk; **give ~** sakkot/sekket ad; → **check**[1] III. **5.** hajszálrepedés **III.** *isz* **1. ~!** sakk!, sekk!; → **check**[1] II.4. **2. ~!** úgy van!, rendben van! • *mn* **checkable**

check back *tni* visszajelez, visszajelent

check in A. *tni* bejelenti magát *[szállodában]*, beállít, megérkezik (vhova), jelentkezik, megjelenik *[reptéren]*; **~ in for a flight** bejelentkezik egy repülőútra **B.** *tsi* feljegyez

check into *tni US* bejelentkezik *[szállodába]*; **~ into a hospital** bevonul/befekszik egy kórházba

check off *tsi* ellenőriz, összevet, kipipál; **~ off names on a list** megjelöl/kipipál neveket névsorban; → **checkout**

check on *tni US* **~ on sg** ellenőriz, megvizsgál vmt, utánanéz vmnek

check out A. *tsi* **1.** elvisz, elhoz, kivált; **~ out a book** kikölcsönöz/kivesz egy könyvet *[könyvtárból]* **2.** *biz* (alaposan/részletesen) megvizsgál, ellenőriz; *biz* **~ it out!** ezt kapd ki!, odass! **3.** *szl [megöl]* másvilágra küld, elpaterol, kinyír **B. 1. a)** *tni* elmegy, (végleg) távozik, kijelentkezik *[szállodából]* **b)** fizet és távozik *[szupermarketből]* **2.** *US szl [meghal]* elpatkol, kipurcan; *biz [elmegy]* lelép

check over *tsi* átnéz, ellenőriz

check through *tsi* megvizsgál/ellenőriz *[alaposan, pontról pontra]*

check up A. *tsi* kivizsgál, felülvizsgál, ellenőriz **B.** *tni US* egybevág, egyezik; **~ up on sg** ellenőriz/megvizsgál vmt, utánanéz vmnek; → **checkup**

check[2] [tʃek] **I.** *fn tex* kockás/sakktáblaszerű (szövet)minta; **~ cloth** kockás szövet **II.** *mn* pepita, kockás, sakktáblaszerű

checkage [ˈtʃekɪdʒ] *fn* **1.** ellenőrzés, felülvizsgálás, egybevetés **2.** ellenőrzött anyag/tételek

check-book *fn US* csekkfüzet

check card *fn régi* csekk-kártya

check-clock *fn* blokkoló óra

checked [tʃekt] *mn* kockás, pepita, sakktáblaszerű

checker[1] [ˈtʃekə ‖ –ər] *fn* **1.** jelenléti ellenőr **2.** *US* pénztáros *[üzletben]*

checker[2] [ˈtʃekə ‖ –ər] → **chequer**

checker board [ˈtʃekəbɔ:d ‖ ˈtʃekərbɔrd] *fn* tábla (dámajáték számára), ostábla

checkered [ˈtʃekəd ‖ –ərd] *mn* tarka, változatos; **~ past** hányatott múlt

checkerman [ˈtʃekəmən ‖ –kər–] *fn tsz* **-men** *US* korong *[dámajátékban]*

checkers [ˈtʃekəz ‖ –ərz] *fn tsz US* dámajáték

check-in *fn* jelentkezés, megjelenés *[repülőtéren]*, bejelentkezés *[szállodában]*; → **check in**

check-in desk *fn* jegy- és poggyászkezelés *[helye repülőtéren, hotelben]*

checking account *fn US* (bank)folyószámla

check-in time *fn* megjelenési/jelentkezési (határ)idő *[repülőtéren]*

check list *fn* **1.** névsor *[ellenőrzés céljából]* **2.** ideiglenes katalógus *[kiadványokról* v. *ritka mű példányairól]* **3.** előnyomtatott válaszok *[kérdőívben]*

checkmate [ˈtʃekmeɪt] **I.** *fn* sakk és matt; **give ~ to the king** sakk-mattot ad a királynak **II.** *tsi* **1.** megmattolja a királyt, sakk-mattot ad a királynak **2.** *biz* meghiúsítja a szándékát, keresztülhúzza számításait, sarokba szorít

checkout *fn* **1.** ellenőrző átvizsgálás, megvizsgálás; *infor* ellenőrzés **2.** pénztár *[szupermarketben]* **3.** kijelentkezés *[szállodából]*; → **check out**

checkout register *fn* pénztár, kassza *[üzletben, szupermarketban]*

checkpoint *fn* ellenőrzési hely/pont *[átkelőhelyen]*, ellenőrző pont *[pl. versenyen, túrán, határon]*; határátkelőhely

checkroom *fn* ruhatár *[hotelben, színházban]*; *US* (pályaudvari) ruhatár, poggyászmegőrző

check-stub *fn US* csekkszelvény *[csekkfüzetben]*

check-test *fn* ellenőrző próba

check-till *fn* pénztárgép, számlázógép

checkup *fn* **1.** részletes ellenőrzés **2. (medical) ~** (kórházi/általános) kivizsgálás; → **check up**

cheddar [ˈtʃedə ‖ –ər] *fn* cheddar-sajt *[angol sajtféleség]*

cheek [tʃi:k] **I.** *fn* **1.** arc, orca, kép, pofa *[állaté is]*; **~ by jowl with sy** közvetlenül vk mellett; bizalmas közelségben vkvel; **turn the other ~** a másik orcáját is odatartja **2.** *biz* arcátlanság, szemtelenség, pimaszság, merészség; **have the ~ to do/say sg** van képe/pofája vmt megtenni/(meg)mondani; **she has plenty of ~** arcátlan teremtés **3. a)** *műsz* támasz, kengyel, pofa, satupofa **b)** *épít* ablakfélfa, ajtófélfa, oldalfal **4.** *szl* fenék, ülep **II.** *tsi biz* packázik, szemtelenkedik(vkvel)

C

cheekbone *fn orv* pofacsont, arccsont

cheeky [ˈtʃiːki] *mn biz* tiszteletlen, arcátlan, szemtelen, pimasz • *fn* **cheekiness**

cheep [tʃiːp] **I.** *fn* csipogás *[kis madáré]* **II.** *tni* csipog • *fn* **cheeper**

cheer [tʃɪə ‖ tʃɪr] **I.** *fn* **1.** tetszésnyilvánítás, tapsolás, bravó(zás), hurrá(zás), éljen(zés); **three ~s for Joe!** éljen Joe!, háromszoros éljen Joe-nak!; **speech greeted with ~s** tetszéssel fogadott beszéd; *biz* **~s!** (i) egészségére!, proszit! (ii) *GB* viszlát! (iii) köszönöm!, köszi! **2.** *vál* jókedv, vidámság, (jó) hangulat; *vál* **be of/with good ~!** jó hangulatban van, jókedvű **3.** *régi* vendéglátás, ellátás, étel **II. A.** *tsi* **1. ~ sy (up)** felderít/felvidít vkt; megvigasztal; örömet szerez vknek; **~ sy on sg** bátorít/buzdít/biztat vkt vmre **2.** megéljenez, megtapsol (vkt) **B.** *tni* éljenez, hurráz, tapsol, tetszését nyilvánítja

cheer up A. *tsi* felvidít, felderít, megvigasztal **B.** *tni* **1.** felderül, felvidul, megvigasztalódik **2. ~ up!** bátorság! fel a fejjel!, ne búsulj!, ne csüggedj!

cheerful [ˈtʃɪəfl ‖ ˈtʃɪr–] *mn* vidám, jókedvű, élénk, eleven *[személy]*, derűs *[arc]*, kellemes *[szoba]*, felvidító, felpezsdítő *[zene, társalgás]*; **look ~** megelégedettnek/jókedvűnek látszik • *fn* **cheerfulness** *hsz* **cheerfully**

cheerio [ˌtʃɪəriˈou ‖ ˌtʃɪriˈou] *isz* **1. a)** *GB biz* közeli viszontlátásra! **b)** *biz* szervusz(tok)! *[távozáskor]* **2.** *régi* egészségére! *[koccintásnál]*

cheerleader *fn US* **1.** *sp* szurkolókórus vezetője/előskandálója **2.** *átv* hangadó, klikk/csoport vezetője

cheerless [ˈtʃɪələs ‖ ˈtʃɪr–] *mn* bús, szomorú, komor, borús, mogorva • *fn* **cheerlessness**

cheerly [ˈtʃɪəli ‖ ˈtʃɪrli] *régi* **I.** *mn* vidám, jókedvű **II.** *hsz* → **cheerfully**

cheery [ˈtʃɪəri ‖ ˈtʃɪri] *mn* **1.** víg, vidám, eleven, jókedvű, derűs *[egyén]* **2.** felvidító, bátorító • *fn* **cheeriness** *hsz* **cheerily**

cheese[1] [tʃiːz] *fn* **1. a)** sajt **b)** túró **2.** gyümölcssajt, gyümölcskocsonya **3.** tekegolyó **4.** *US biz* **say "~"!** tessék mosolyogni ! *[felszólítás fényképezéskor]*

cheese[2] [tʃiːz] **I.** *fn* **1.** *szl* ami kell/illik, ami megfelelő, klassz, remek; **hard ~!** ezt a pechet!; **as different/alike as chalk from ~** akkora a különbség mint ég és föld között **2.** *szl* **big ~** *[főnök]* fejes **II.** *tsi szl* **~ it!** elég volt!, hagyd már abba!; *US* vigyázz!, tűnés!; **get ~d off** (i) megcsömörlik (ii) dühös, mérges lesz

cheeseboard *fn* sajtvágó/sajtszeletelő deszka(lap)

cheeseburger [ˈtʃiːzbɜːgə ‖ –bɜrgər] *fn* sajtburger

cheesecake *fn* **1.** túróslepény; túrókrémes torta **2.** *US szl* ‹meztelen női testet/lábakat ábrázoló kép›

cheese-cloth *fn* fátyolszövet, tüll, muszlin(szövet)

cheese-curds *fn tsz* túró

cheesecutter *fn* sajtvágó

cheese enter *fn szl* besúgó, áruló

cheese grater *fn* sajtreszelő

cheesemite *fn áll* sajtkukac

cheesemonger *fn* sajtárus, sajtkereskedő

cheese-mould[1], *US* **-mold** *fn* sajtkáva, lyukacsos fenekű edény *[sajtkészítéshez]*

cheese-mould[2], *US* **-mold** *fn* sajtpenész

cheese-paring I. *mn* fukar, zsugori **II.** *fn* **1. a)** levágott sajthéj **b)** *átv* értéktelen dolog **2.** *biz* **a)** fukarság, zsugoriság **b)** kicsinyeskedés • *tsi* **cheese-pare** *fn* **cheese-parer**

cheese-press *fn* sajtprés

cheese-rind *fn* sajthéj

cheesy[1] [ˈtʃiːzi] *mn* **1.** sajtszerű, sajtos, sajt alakú **2.** sajtszagú

cheesy[2] [ˈtʃiːzi] *mn* **1.** *GB* elegáns, finom, előkelő, tipptopp **2.** *szl [rossz]* silány, vacak, nyamvadt **3.** *US szl* giccses

cheetah [ˈtʃiːtə] *fn áll* gepárd; vadászleopárd

chef [ʃef] *fn* konyhafőnök, (férfi) főszakács, séf

chef-d'oeuvre [ˌʃeɪˈdɜːvrə ‖ ˌʃeɪˈdʌv] *fn* remekmű, mestermű, műremek

chela [ˈkiːlə] *fn tsz* **chelae** [ˈkiːliː] *áll* olló *[ráké]*

chelate [ˈkiːleɪt] **I.** *fn* **1.** *áll* ollós **2.** *vegy* kelát **II.** *mn vegy* kelát-, kelátképző **III.** *tni vegy* kelátot képez

chelone [kɪˈlouni] *fn áll* tengeri teknős(béka)

Chelsea [ˈtʃelsi] *tul* ‹London egyik negyede›

Chelsea pensioner *fn GB* idős, rokkant veterán *[a Chelsea Royal Hospital körzetében]*

Chelsea Royal Hospital *tul* ‹az angol hadsereg rokkantjainak kórháza/menhelye›

chemical [ˈkemɪkl] **I.** *mn* vegy(észet)i, kémiai, vegytani; **~ agent** vegyi anyag, vegyszer; **~ analysis** vegyelemzés; **~ bond** kémiai/vegyi kötés; **~ engineer** vegyészmérnök; **~ property** kémiai tulajdonság; **~ warfare** vegyi hadviselés/háború **II.** *fn tsz* **chemicals 1.** vegyszerek **2.** *gazd* **~s** festékáruk, háztartási cikkek

chemico- [ˈkemikou] *előtag* vegy-, vegyi, kémiai

chemise [ʃəˈmiːz] *fn* **1.** (női) ing **2.** *régi* (bástya)köpeny

chemist [ˈkemɪst] *fn* **1.** *GB* **(dispensing) ~** gyógyszerész **2.** vegyész, kémikus

chemistry [ˈkemɪstri] *fn* **1.** kémia, vegytan **2.** kémiai összetétel v. jellemzők *[anyagé]* **3.** *átv* összetétel, jellemzők, struktúra, anatómia; **the ~ of fear** a félelem anatómiája **4.** *biz* **a)** személyiség, vérmérséklet **b)** (kölcsönös) vonzódás

chemist's(shop) *fn* gyógyszertár, patika; illatszerbolt, illatszertár (és gyógyszertár)

chemoprevention [ˌkiːmouprɪˈvenʃn] *fn orv* gyógyszeres betegségmegelőzés

chemoreceptor [ˌkiːmourɪˈseptə ‖ –ər] *fn biol* kemoreceptor, kémiai ingert érzékelő sejt v. idegrész

chemosynthesis [ˌkiːmouˈsɪnθəsɪs] *fn* kemoszintézis

chemotherapy [ˌkiːmouˈθerəpi, ˈke–] *fn orv* kemoterápia, sugárkezelés • *mn* **chemotherapeutic**

chemurgy [ˈkemɜːdʒi ‖ –mɜr–] *fn US* ‹mezőgazdasági nyersanyagok vegyipari hasznosítása› chemurgia • *mn* **chemurgic**

chenille [ʃəˈniːl] *fn tex* zsenilia, bársonyos selyemből készült szalag/paszomány

cheque [tʃek] *fn pénz* csekk, bankutalvány; **crossed ~** keresztezett csekk, bankárcsekk; **~ to bearer** bemutatóra szóló csekk; **~ to order** rendeletre szóló csekk; **cash a ~** bevált csekket; **pay by ~** csekkel fizet

chequebook *fn* csekkfüzet, csekk-könyv

chequebook journalism *fn* pénzért vásárolt információkon alapuló újságírás/újságcikkek

cheque card *fn GB* csekk-kártya

chequer [ˈtʃekə ‖ –ər] **I.** *fn* **1. a)** *régi* sakktábla **b)** sakktáblaszerű (kocsmai) cégér **2.** *tsz* **chequers** kockázás, kockás mintázás **3.** *tsz* **chequers** *US* dámajáték **II.** *tsi* **1.** kockásan mintáz *[szövetet]*, kockásan megvonalaz, kockákra beoszt **2.** tarkít, mintáz, tarkáz **3.** *biz* váltogat, változtatgat, változatossá tesz

chequer-board → **checker board**

chequered [ˈtʃekəd ‖ –ərd] *mn* **1.** kockás, kockázott, sakktáblaszerű **2.** sokszínű, tarka, tarkabarka; **~ career** változatos/mozgalmas/viszontagságos/hányatott élet/pályafutás

cherish [ˈtʃerɪʃ] *tsi* **1. a)** gyöngéden szeret (vkt), ápol, gondját viseli (vknek) **b)** ölelget, babusgat, dédelget, becéz (vkt) **2.** táplál *[reményt]*, csügg *[egy eszmén]*, fenntart, becsben tart, táplál *[véleményt]*

chernozem [ˈtʃɜːnouzem ‖ ˌtʃɜrnəˈzem] *fn földr* csernozjom talaj, feketeföld

Cherokee [ˌtʃerəkiː] *mn/fn* cseroki, csiroki *[nép és nyelv]*

cheroot [ʃəˈruːt] *fn* vágott végű szivar

cherry [ˈtʃeri] **I.** *fn* **1.** cseresznye **2. a) ~(-tree)** cseresznyefa **b) ~(-wood)** cseresznyefa *[bútorfa]* **3. a)** *US szl* szüzesség; **lose one's ~** *[elveszti a szüzességét* v. *ártatlanságát]* kilukasztják **b)** *US szl* szűzhártya **II.** *mn* **1.** cseresznyepiros *[ajkak, szalag stb.]* **2.** *fémip* vörösen izzó; **dark ~** ‹a vörösizzás kezdetén jelentkező szín› sötétpiros, sötétvörös **3.** *US szl* szűz *[lány]*

cherry brandy *fn* cseresznyepálinka

cherry-orchard *fn* cseresznyés(kert)

cherry-pepper *fn növ* cseresznyepaprika

cherry-pick *tsi/tni* szemezget, kiválogatja a javát

cherry picker *fn* autóra szerelt kosaras daru

cherry pie *fn* cseresznyés lepény/torta

cherry-pit *fn US* cseresznyemag

cherry stone *fn* cseresznyemag

chert [tʃɜːt ‖ tʃɜrt] *fn bány* kovakő, tűzkő, flintkő, csert • *mn* **cherty**

cherub [ˈtʃerəb] *fn tsz* **~s**, **cherubim** [–bɪm] **1.** *bibl* kerub, angyalka; *műv* **chubby little ~** pufók angyalka, puttó **2.** kis angyal, ártatlan gyermek • *mn* **cherubic**

Cheryl [ˈtʃerəl, ˈʃe–] *tul* ‹női név›

Cheshire [ˈtʃeʃə ‖ –ʃər] *tul földr* Chester grófság/megye; **~ cheese** chester sajt; **grin like a ~ cat** vigyorog, mint a fakutya

chess [tʃes] *fn* sakkjáték; **play a game of ~** játszik egy parti sakkot

chessboard *fn* sakktábla

chessman [ˈtʃesmən] *fn tsz* **-men** sakkfigura

chess player *fn* sakkozó, sakkjátékos

chess problem *fn* sakkfeladvány

chess tournament *fn* sakkbajnokság, sakktorna

chest [tʃest] *fn* **1. a)** láda, doboz, tartály, szekrény; **medicine ~** gyógyszeres ládika; **~ of drawers** fiókos szekrény, komód, sublót **b)** *GB* pénzesláda; *tört* **money ~s** államkincstár **2.** mellkas *[emberé]*, szügy *[lóé]*; *biz* **get it/a thing off one's ~** kipakol vmvel; ami a szívén, az a száján; nem tesz lakatot a szájára; kimondja, ami a szívét nyomja; *biz* **play one's cards/a thing close to one's ~** titkolózik, óvatoskodik, óvatosan játszik

chest cavity *fn* mellkasüreg

chest freezer *fn* fagyasztóláda

chest measurement *fn* mellbőség *[férfiaknál]*

chestnut [ˈtʃesnʌt] **I.** *fn* **1. sweet/Spanish ~** szelídgesztenye; **horse ~** vadgesztenye **2. a) (sweet) ~(-tree)** gesztenyefa **b) ~ (wood)** gesztenye(fa) *[bútorfa]* **3.** pej(ló) **4.** *biz* elavult tréfa/história, szakállas/ócska vicc **5.** béka *[szarufolt ló/szamár lábán]* **II.** *mn* gesztenyeszínű, piros, (vöröses) sárga *[ló]*

chestnut-bur *fn* gesztenye tüskés tokja

chestnut-grove *fn* gesztenyés, gesztenyefacsoport

chest pass *fn sp* kétkezes mellső átadás *[kosárlabdában]*

chest-register *fn zene* mély fekvés/regiszter *[énekhangé]*

chest trap *fn sp* mellel való labdalevétel *[futballban]*

chest troubles *fn tsz* a légzőszervek megbetegedése

chesty [ˈtʃesti] *mn* **1.** gyenge tüdejű/mellű, göthös **2.** *biz* nagymellű, bögyös **3.** *US szl* hiú, arrogáns, hencegő

cheval glass [ʃəˈvæl glɑːs ‖ –glæs] *fn* nagy (keretes) forgatható állótükör

chevalier [ˌʃevəˈlɪə ‖ –ˈlɪr] *fn* **1.** *vál régi* lovag, lovagrend tagja **2.** lovagias férfi, úriember

chevet [ʃəˈveɪ] *fn épít* templomfő, apszis

chevy [ˈʃevi] *tsi* üldöz, űz, hajszol

chew [tʃuː] **I. A.** *tsi* **1.** (meg)rág, rágcsál *[élelmet]*; **~ sg up** tönkretesz/elront vmt; **~ the cud** kérődzik; *átv* kérődzik (vmn); *szl* **~ the fat/rag** panaszkodik; *[régi panaszokon/bajokon rágódik]* sír, rinyál; (el)dumcsizik **2.** *US szl* **~ sy out** *[megszid]* vkt keményen lehord/letol, lebaltáz vkt **B.** *tni* **1.** kérődzik **2.** *biz* töpreng, elmélkedik; **~ over/upon sg** töpreng/rágódik vmn; meghány-vet vmt **II.** *fn* rágás

chewing gum *fn* rágógumi

chewy [ˈtʃuːi] rágós, szívós • *fn* **chewiness**

Cheyenne [ʃaɪˈæn] *mn/fn tsz* **Cheyenne**, **Cheyennes** csejen(n), sájen *[nép és nyelv]*

chiaroscuro [kiˌɑːrəˈskʊərou ‖ kiˌɑrəˈskʊrou] **I.** *fn* **1.** *műv* fény-árny hatás *[festményen]* **2.** *ir.tud* kontraszthatás **II.** *mn* félig rejtett, csak félig megmutatkozó

chiasma [kaɪˈæzmə] *fn orv* kereszteződés

chiasmus [kaɪˈæzməs] *fn nyelv* chiasmus, keresztező alakzat *[mondatszerkezetben]*

chibouk [tʃɪˈbuːk] *fn* csibuk, hosszú szárú török pipa

chic [ʃiːk] **I.** *mn* elegáns, sikkes, ízléses **II.** *fn* **1.** (kéz)ügyesség **2.** elegancia, sikk, jó/választékos ízlés

Chicago [ʃɪˈkɑːgou] *tul US földr* Chicago

chicane [ʃɪˈkeɪn] **I.** *fn* **1.** lassító kettős kanyar versenypályán; sikán **2.** *ját* színhiány *[bridzsben]* **3.** (rosszhiszemű) pörösködés, ügyvédi fogás, törvénycsavarás, csűrés-csavarás **II.** *i* **A.** *tsi régi* ok nélkül pöröl (v. perbe kever) vkt; **~ sy into doing sg** zaklatással rávesz vkt vmnek a megtételére; **~ sy out** vkt kiforgat vmből; kicsikar vmt vktől **B.** *tni régi* (rosszindulatúan v. ok nélkül) pörösködik

chicanery [ʃɪˈkeɪnəri] *fn* **1.** (rosszhiszemű) pörösködés, csűrés-csavarás, civódás **2.** ravaszkodás, körmönfontság

chichi [ˈʃiːʃiː] **I.** *mn szl* elegáns, keresett eleganciájú, hivalkodó, csicsás, virító **II.** *fn* **1.** keresettség, túlfinomultság, hatásvadászat **2.** feltűnő, hivalkodó, hatásvadász tárgy **3.** *szl [(kis) női mellek]* cici, didkó

chick [tʃɪk] *fn* **1.** pihés csirke/csibe **2.** *szl* **a)** *[fiatal nő, lány]* (kis) csaj, pipi, bige **b)** kisgyerek

chickadee [ˈtʃɪkədiː] *fn áll US* feketefejű cinke/cinege

chicken [ˈtʃɪkɪn] **I.** *fn* **1. a)** pihés (kis) csibe **b)** csirke, jérce; **she is no ~** nem mai csirke *[nőről]*; *közm* **don't count your ~s before they are hatched** ne igyál előre a medve bőrére **c)** csirkehús **2.** baromfi **3.** *biz* **play (a game of)~** ‹„ki a legbátrabb" (gyerek)játék› **4.** *biz szl [gyáva, ijedős, félénk ember]* nyúl, nyuszi, majrés hapsi **5.** *szl* fiatal(,) tapasztalatlan személy **II.** *tni biz* **~ out** visszariad; kibújik vm alól, kiszáll vmből *[félelmében]*

chicken-breasted *mn* tyúkmellű, szűkmellű

chicken-broth *fn* tyúkleves

chicken-farming *fn US* baromfitenyésztés

chicken-feed *fn* **1.** baromfieleség **2.** *US szl [(nevetségesen) kevés pénz]* potom pénz, aprópénz **3.** jelentéktelen dolog; piti dolog, (nagy) túró

chicken-hearted *mn* gyáva, félénk, nyúlszívű

chicken-livered → **chicken-hearted**

chicken-pox *fn orv* bárányhimlő, varicella

chicken tracks *fn tsz* macskakaparás, ronda írás

chicken wire *fn* dróthálό, drótkerítés

chickpea *fn növ* csicseriborsó

chickweed *fn* **1. a)** *növ* tyúkhúr **b)** *növ* vörös homokhúr **2.** olocsán **3.** európai szentháromság-virág

chicle [ˈtʃɪkl], **chicle-gum** *fn* **1.** növényi kaucsuk *[rágógumi alapanyaga]* **2.** világosbarna/tejeskávé szín

chicory [ˈtʃɪkəri] *fn növ* cikória

chid [tʃɪd] → **chide**

chidden [ˈtʃɪdn] → **chide**

chide [tʃaɪd] *pt* **chid** [tʃɪd], **chided**, *pp* **chidden** [ˈtʃɪdn], **chid** *tsi vál régi* megró, megdorgál, megfedd, (össze)szid; *vál régi* **~ sy for (doing) sg** vknek szemére vet vmt; vknek szemrehányást tesz vmért • *hsz* **chidingly**

chief [tʃiːf] **I.** *fn* **1.** főnök, fő vezető, vezér, (vmnek a) feje; *kat* **~ of staff** vezérkari főnök; *kat* **commander-in-~** fővezér, főparancsnok **2.** *cím* pajzsfej **II.** *mn* fő, legfőbb, első, legfontosabb, vezető; *GB* **~ constable** rendőrfőnök; **C~ Executive** (i) *US* elnök, kormányzó (ii) *GB* főigazgató; **C~ Executive Officer**, **CEO** vezérigazgató, az igazgatóság elnöke; **C~ Justice** felsőbb bíróság elnöke • *fn* **chiefdom**

chiefly [ˈtʃiːfli] *hsz* főképpen, főként, főleg, leginkább, (leg)elsősorban

chieftain [ˈtʃiːftən] *fn* **1.** törzsfő(nök) **2.** bandavezér • *fn* **chieftainship**

chiff-chaff [ˈtʃɪftʃæf] *fn áll* fitiszfüzike

C

chiffon [ˈʃɪfɒn, ʃɪˈfɒn ‖ ʃɪˈfɑn] *fn* **1.** *tex* fehéráru, sifon **2.** *tsz* **chiffons** *tex* ruhadísz, tartozék *[női ruháé]* **3.** *US* ~ **pie** ‹tojásfehérje habjával készült édestészta›
chiffonier [ˌʃɪfəˈnɪə ‖ –nɪr] *fn* **1.** mozgatható alacsony szekrény, tetején tálalóasztallal **2.** magas fiókos (fehérnemű-) szekrény
chignon [ˈʃiːnjɒn ‖ –jɑn] *fn* konty *[a tarkón]*
chihuahua [tʃɪˈwɑːwə] *fn* ‹mexikói apró kutyafaj›; csivava
chilblain [ˈtʃɪlbleɪn] *fn* fagyás, fagydaganat, fagyás okozta gyulladás/repedés *[kézen, lábon]*
chilblained [ˈtʃɪlbleɪnd] *mn* fagyásos, fagydaganatokkal borított *[testrész]*
child [tʃaɪld] *fn tsz* **children** [ˈtʃɪldrən] **1. a)** gyer(m)ek **b)** *régi* **be with** ~ terhes, várandós, állapotos, gyereket vár **2.** *vál* sarj, utód, leszármazott, származék, ivadék; *bibl* **the children of Israel** Izrael fiai
child abuse *fn* gyermekekkel való rossz bánásmód *[szexuális zaklatás, verés, lelki terror]*
child-battering *fn* gyermekek verése/bántalmazása
child-bearing *fn* **1. a)** szülés **b)** gyermekágy, lebetegedés **2.** terhesség, viselősség, másállapot, áldott állapot; **woman past** ~ ‹nő, aki már túl van azon a koron, hogy gyereket hozhasson a világra›
child-bed *fn* **1.** gyermekágy **2.** szülés
child-bed fever *fn* gyermekágyi láz
child benefit *fn GB ÚjZ* családi pótlék
child-birth *fn* szülés, vajúdás
childcare *fn* **1.** gyermekgondozás **2.** *GB* gyermekvédelem **3.** *GB* gyermekotthonban való elhelyezés/gondozás
child-care centre *fn GB* napközi otthon, gyermekotthon
childe [tʃaɪld] *fn régi* ifjú lovag, ifjú nemesember
Childermas [ˈtʃɪldəmæs ‖ –dər–], **Childermas-day** *fn vall* Aprószentek (ünnepe)
childhood [ˈtʃaɪldhʊd] *fn* gyermekévek, gyermekkor
childish [ˈtʃaɪldɪʃ] *mn* **1.** gyermeki, gyermekes, gyermeteg; ~ **questions** gyerekes/naiv kérdések **2.** *pej* gyerekes, csacska, butuska; **don't be so** ~ ne csacsiskodjék/gyerekeskedjék • *fn* **childishness**
child labour, *US* **-labor** *fn* gyermekmunka
childless [ˈtʃaɪldləs] *mn* gyermektelen; ~ **marriage** meddő házasság
childlike [ˈtʃaɪldlaɪk] *mn* gyermeteg, gyermekded, gyerekes, gyermeki, naiv
childminder *fn GB* gyermekfelügyelő, gyermekőrző *[főleg nappal]* • *fn* **childminding**
childproof [ˈtʃaɪldpruːf] *mn* gyerekek számára biztonságos
children [ˈtʃɪldrən] → **child**
childsnatching *fn* gyermekrablás *[különélő szülő által]*
child spacing *fn* gyermekszülések időbeni elosztása
child's play *fn átv biz* gyerekjáték, könnyű munka; **it is mere** ~ **for him** ez meg se kottyan neki
child support *fn US jog* gyerektartás
child-welfare *fn* gyermekgondozás, gyermekegészségügy; ~ **centre** gyermekgondozó
child-wife *fn tsz* **-wives** *biz* fiatal/tapasztalatlan/gyermeteg asszony, *biz* gyermekasszony
chile [ˈtʃɪli] *US szl* → **child**
Chile [ˈtʃɪli] *tul földr* Chile • *fn/mn* **Chilean**
chili [ˈtʃɪli] *fn növ US* igen erős apró piros paprika; csili
chiliad [ˈkɪliæd] *fn* ezer darab/év
chiliast [ˈkɪliæst] *fn vall tört* millenista • *fn* **chiliasm** *mn* **chiliastic**
chili bowl *fn US szl* ‹olyan frizura, mintha bilit tettek volna a fejére és úgy nyírták volna meg›
chill [tʃɪl] **I.** *fn* **1. a)** *orv* meghűlés, megfázás; **catch/get a** ~ meghűl, megfázik; **~s** hidegrázás **b)** ~ **of fear** félelemből való remegés/borzongás **2. a)** hideg(ség) *[vízé, márványé]*, hűvösség *[évszaké]*; **take the** ~ **off (sg)** meglangyosít, (kissé) felmelegít *[vizet, bort]* **b) cast a** ~ **over a conversation/company** lehűti a hangulatot/kedélyeket *[társaságban]* **3.** *fémip* edzés hirtelen lehűtéssel *[öntöttvasé]* **II. A.** *tsi* **1. a)** (le)hűt, behűt, jegel, megfagyaszt, megdermeszt, megborzongat; *biz* **~ed to the bone/marrow** (teljesen) átfázott, meggémberedett, csontig fagyott, átjárta a hideg **b)** (le)hűt *[húst]*; **~ed meat** fagyasztott/(mély)hűtött hús **c)** elszomorít, elcsüggeszt, elkedvetlenít, lever **2. ~ed steel** edzett acél **3.** ~ **(out)** *szl [megöl]* hidegre tesz **B. 1.** *tni* lehűl, kihűl, megfagy, jéggé fagy, megdermed **2.** *US biz* ~ **with sy** időt céltalanul eltölt/elver, csellеng, lóg **3.** *US biz szl*, ~ **out** *[lenyugszik]* lehiggad **III.** *mn vál* **1.** hűvös, hideg, fagyos; **run** ~ megdermed, lehűl *[vér]* **2.** hűvös, fagyos, jeges *[fogadtatás]* • *mn* **chillsome**
chill factor → **windchill**
chilli [ˈtʃɪli] *fn* **1.** → **chili 2.** *US* ~ **con carne** marhahúsból és babból csípős paprikával készített mexikói étel
chilopod [ˈkaɪləpɒd ‖ –pɑd] *fn áll* százlábú, lábasajkú
chilly[1] [ˈtʃɪli] **I.** *mn* **1.** hideg, hűvös *[idő]* **2. a)** fázós, fázékony *[egyén]* **b) feel** ~ fázik, didereg **3.** jeges, barátságtalan *[fogadtatás]* **II.** *hsz* hidegen, barátságtalanul • *fn* **chilliness**
chilly[2] [ˈtʃɪli] → **chili**
chime [tʃaɪm] **I.** *fn* **a)** harangjáték, harangszó, zenekari harang **b)** *tsz* **~s** dallamcsengő *[ajtón]* **II.** *i* **A.** *tsi* ~ **the bells** harangoz, megszólaltatja a harangokat **B.** *tni* **1.** harangoz **2.** megegyezik, összhangzik • *fn* **chimer**
chime in *tni* **1.** *biz* közbeszól, bekapcsolódik a beszélgetésbe, beleavatkozik **2.** *biz* hozzájárul (vmhez), beleegyezik (vmbe)
chimera [kaɪˈmɪərə ‖ –ˈmɪr–] *fn* **1.** mesebeli szörny, kiméra **2.** *biz* agyrém, illúzió **3.** *biol* kiméra • *mn* **chimerical**
chimney [ˈtʃɪmni] *fn* **1. a)** kémény, füstcső **b)** kandalló **2.** elszívócső **3.** *geol* vulkáni kürtő, szűk folyosó, kamin
chimney-piece *fn* **a)** díszes kandalló(borítás) **b)** kandallópárkány
chimney pot *fn* kéményhuzat-szabályozó, kéménytoldalék; *biz* ~ **hat** cilinder
chimney-stack *fn* kémény, kürtő
chimney-sweep *fn* kéményseprő
chimney-sweeper *fn* **1.** kéményseprő gép **2.** kéményseprő
chimp [tʃɪmp] *biz* → **chimpanzee**
chimpanzee [ˌtʃɪmpænˈziː, –pən–] *fn* csimpánz
chin [tʃɪn] **I. 1.** *fn* áll; **double** ~ toka; *átv* **up to the** ~ állig/nyakig van (vmben/vmvel); *biz* **keep your** ~ **up!** fel a fejjel!; ne szívd mellre! **2.** *szl [fesztelen beszélgetés]* csevegés, fecsegés **3.** *szl* szemtelenség, pimaszság **II.** *i* **-nn-** *tni US szl* sokat beszél, locsog, fecseg, szövegel, dumál
china [ˈtʃaɪnə] *fn* **I. 1.** porcelán; porcelánedény **2.** *GB szl* férj, feleség, házastárs **II.** *mn* porcelán
China [ˈtʃaɪnə] *tul földr* Kína
China aster *fn növ* (kerti) őszirózsa
china cabinet *fn US* üvegszekrény, vitrin
china clay *fn* porcelánföld, kaolin
Chinatown *fn* kínai negyed/városrész
chinch [tʃɪntʃ] *fn US áll* **1.** poloska **2.** amerikai búzarontó féreg
chinchilla [tʃɪnˈtʃɪlə] *fn* **1.** *áll* csincsilla **2.** csincsillaprém
chin-chin [ˌtʃɪnˈtʃɪn] *fn/isz biz GB* **1.** egészségedre! *[koccintásnál]* **2. a)** szervusztok!, jónapot! **b)** szervusztok!, viszontlátásra!
chine[1] [tʃaɪn] *fn geol* mély völgy, szakadék, szurdok
chine[2] [tʃaɪn] **I.** *fn* **1. a)** hátgerinc *[állaté]* **b)** szűzpecsenye **c)** bélszín, vesepecsenye **2.** *földr* hegyhát, hegygerinc **II.** *tsi* gerinc hosszában széthasít *[vágott állatot]*
Chinese [ˌtʃaɪˈniːz] **I.** *mn* kínai *[ember, nyelv]*; ~ **bean** szójabab; ~ **gooseberry** kivi; ~ **ink** kínai tus; ~ **lantern** lampion; ~ **puzzle** nagyon bonyolult dolog/rendszer; ~ **Wall** akínai Nagy Fal; *átv* nehezen leküzdhető akadály; ~ **white** horganyfehér, fehér tus **II.** *fn* **1.** kínai (férfi), nő **2.** kínai nyelv
Chink [tʃɪŋk] *mn/fn US szl tabu* kínai, sárga

chink[1] [tʃɪŋk] **I.** *fn* rés, repedés, hézag **II. A.** *tsi* ~ **up a crack** repedést/hézagot betöm **B.** *tni régi* megrepedezik, megcserepesedik *[föld]*
chink[2] [tʃɪŋk] **I. A.** *tsi* csörget, zörget *[pénzt]*, megcsendít *[poharakat koccintásnál]* **B.** *tni* cseng **II.** *fn* **1.** csengés *[üvegé, fémé]* **2.** pénz, guba, dohány
chinless [ˈtʃɪnləs] *mn* **1.** csapott állú **2.** határozatlan, gyenge jellemű, gerinctelen
chino [ˈtʃiːnoʊ] *fn US* erős (keki-szerű) pamutanyag
Chino- [ˈtʃaɪnoʊ] *előtag* Kína-, kínai, szino-
chintz [tʃɪnts] *fn tex* nyomott pamutszövet, karton
chintzy [ˈtʃɪntsi] *mn* mintás bútorszövettel borított, giccses
chin-up *fn sp* felhúzódzkodás *[állig]*
chin-wag **I.** *fn biz* **1.** csevegés, terefere, traccs **2.** *biz* nagy szónoklat **II.** *tni* **-gg-** *biz* fecseg, locsog, pletykál
chip[1] [tʃɪp] **I.** *fn* **1. a)** (fa/kő)szilánk, hulladék, forgács; **have a ~ on his shoulder** kihívóan viselkedik; sértődékeny **b)** vékony szelet *[fából]* **c)** *átv* gyermek, utód; *biz* **he is a ~ off the old block** apja fia, az apjára üt **2.** törés, csorbulás *[tányéré]*, csorba, kicsorbulás *[késpengéé]* **3.** *tsz* **chips** hasábburgonya, sült krumpli; **fish and ~s** sült hal hasábburgonyával **4. a)** zseton, játékpénz; **blue ~s** *pénz* biztos értékpapírok, első osztályú részvények; *átv* biztos/jó befektetés **b)** *szl* pénzdarab; **when the ~s are down** amikor döntésre kerül a sor; *GB biz* **have had one's ~s** vert helyzetben van, nincs kiútja, nem kerülheti el a vereséget/büntetést **5.** *infor* (mikro)chip, áramköri lapka, integrált áramkör **6.** *sp* nyesett labda *[labdarúgásban, golfban]* **II.** *i* **-pp- A.** *tsi* **1.** vág, farag, metsz, apróra vág, hasít *[követ]*, vés *[feliratot]* **2.** kicsorbít **3.** *biz* ~ **(at) sy** ugrat, heccel, (ki)gúnyol vkt **4.** *sp* ~ **the ball** a labdát megpöccöli **B.** *tni* kicsorbul, letöredezik; → **chipped**
chip away *tni geol* elmállik
chip in *tni* **1. a)** tesz (vmre) *[kártyában]* **b)** ~ **in with sg** hozzájárul vmvel **2.** *biz* beleavatkozik, beleszól, belekapcsolódik *[társalgásba]*
chip off *tni* kicsorbul, letöredezik, lepattogzik *[zománc, festék]*
chip[2] [tʃɪp] **I.** *fn* csiripelés, csipogás **II.** *tni* **-pp-** csiripel, csipog
chipboard *fn US* karton(papír)
chip card *fn infor* intelligens kártya, aktív memóriakártya *[integrált áramkört tartalmazó]*
chipolata [ˌtʃɪpəˈlɑːtə] *fn GB* csípős kolbász
Chippendale [ˈtʃɪpəndeɪl] **I.** *tul* ‹egy XVIII. századi angol műbútorasztalos› **II.** *mn* Chippendale gyártmányú/stílusú
chipper [ˈtʃɪpə ‖ –ər] **I.** *mn US szl* élénk, mozgékony **II.** *fn US biz* csinosan öltözött személy **III.** *tni* **1.** csicsereg, csiripel, csipog *[madár]*, ciripel *[tücsök]*, kiált *[szajkó]* **2.** *US biz* ~ **up** felvidul, felélénkül
chipping [ˈtʃɪpɪŋ] *fn* **1.** faragás, forgácsolás *[kőé, fémé]* **2.** *tsz* **chippings** töredék, forgács, szilánk, (kő)törmelék
chippy[1] [ˈtʃɪpi] *mn* **1.** csorba, életlen **2.** *biz* **a)** száraz, morzsolódó *[étel]* **b)** ízetlen *[étel]* **c)** étvágytalan **d)** forgácsos, szilánkos *[fa, kő]* **3.** *szl* **a) feel ~** másnapos **b) be ~** *[rosszkedvű]* zsémbes, zsörtölődő; nyűgös
chippy[2] [ˈtʃɪpi] *fn* **1.** *biz* fish-and-chips üzlet *[halat és sült krumplit kínáló bolt]* **2.** ács
chip set *fn infor* lapkakészlet
chip socket *fn infor* lapkafoglalat
chirl [tʃɜːl ‖ tʃɜrl] **I.** *tni* trillázik, énekel **II.** *fn* trillázás, ének(lés)
chirography [kaɪˈrɒgrəfi ‖ –ˈrɑ–] *fn* **1.** kézírás **2.** szépírás
chiromancy [ˈkaɪrəmænsi] *fn* tenyérjóslás • *fn* **chiromancer**
chiropody [kɪˈrɒpədi ‖ –ˈrɑ–] *fn* lábápolás, pedikűrözés • *fn* **chiropodist**
chiropractic [ˌkaɪrəˈpræktɪk] **I.** *fn US* hátgerinc kezelése *[gyógymódként]* **II.** *mn US* hátgerincmasszázzsal gyógyító • *fn* **chiropractor**
chiropteran [kaɪˈrɒptərən ‖ –ˈrɑp–] *fn* denevér, kézszárnyú • *mn* **chiropterous**
chirp [tʃɜːp ‖ tʃɜrp] **I.** *tni* **1.** csicsereg, csiripel, csipog *[madár]*, ciripel *[tücsök]* **2.** *biz* cseveg, locsog, csacsog *[személy]*, gügyög, gagyog **II.** *fn* **1.** csicsergés, csiripelés, csipogás *[madáré]*, ciripelés *[tücsöké]* **2.** *biz* gügyögés, gagyogás • *fn* **chirper**
chirpy [ˈtʃɜːpi ‖ ˈtʃɜr–] *mn biz* víg, vidám, jókedvű, élénk • *fn* **chirpiness** *hsz* **chirpily**
chirr [tʃɜː ‖ tʃɜr] **I.** *fn* ciripelés *[tücsöké]* **II.** *tni* cirpel, ciripel *[tücsök]*
chirrup [ˈtʃɪrəp] **I.** *tni* csiripel, csicsereg, csipog *[madár]* **II.** *fn* **1.** csicsergés, csiripelés, csipogás **2.** nyelvcsettintés, fütyörészés *[ló biztatására]* • *fn* **chirruper** *mn* **chirrupy**
chisel [ˈtʃɪzl] **I.** *fn* **1.** véső **2. a)** feszítővas **b)** *szl* zsebtolvajlás, ügyes lopás **3.** *szl* csalás, becsapás, rászedés **II.** *tsi* **-ll-**, *US* **-l- 1. a)** vés, farag, csiszol *[fát, követ]*, vésővel megdolgoz *[anyagot]* **b)** csiszol, cizellál *[stílust]* **2.** *szl [rászed]* bepaliz, megvág (vkt)
chiselled [ˈtʃɪzld], *US* **chiseled** *mn* finoman kidolgozott
chiseller [ˈtʃɪzl·ə ‖ –ər], *US* **chiseler** *fn szl [csaló]* svindler
chit[1] [tʃɪt] *biz* → **chitty**
chit[2] [tʃɪt] **a)** gyerek, kölyök **b)** *pej* ~ **of a girl** szemtelen csitri
chit-chat [ˈtʃɪt tʃæt] *fn biz* **1.** csevegés, fecsegés, locsogás **2.** pletykázás, pletykálkodás, terefere, szóbeszéd
chitin [ˈkaɪtɪn] *fn áll* kitin • *mn* **chitinous**
chitterlings [ˈtʃɪtəlɪŋz ‖ –tər–] *fn tsz* belsőségek *[disznóé]*, hurkafélék
chitty [ˈtʃɪti] *fn* **1.** *GB biz* **a)** levélke **b)** kötelezvény **2. a)** feljegyzés **b)** írásbeli engedély
chivalrous [ˈʃɪvlrəs] *mn* lovagias, udvarias, önzetlen, nagylelkű
chivalrousness [ˈʃɪvlrəsnəs] → **chivalry** 2.
chivalry [ˈʃɪvlri] *fn* **1.** *tört* lovagi intézmény/rend, lovagság **2.** lovagi erény(ek összessége), lovagiasság, nagylelkűség
chive [tʃaɪv] *fn* **a)** metélőhagyma, snidling **b)** mogyoróhagyma
chivy [ˈtʃɪvi] **I.** *tsi* **1.** űz, hajszol; ~ **sy about** üldöz/kerget/nem hagy nyugton **2.** *átv* piszkál, zaklat, nyaggat, szekál **II.** *fn* **a)** *GB* vadászat, hajszolás, űzés **b)** piszkálódás
Chloe [ˈkloʊi] *tul* ‹női név›
chlor- [klɔː ‖ klɔr] → **chloro-**
chloral hydrate *fn vegy* klórhidrát
chlorate [ˈklɔːreɪt] **I.** *mn vegy* klóros **II.** *fn vegy* klorát
chloric [ˈklɔːrik] *mn vegy* klór-, klóros, klórtartalmú
chloric acid *vegy* klórsav
chloride [ˈklɔːraɪd] *fn* **1.** *vegy* klorid; **calcium ~**, **~ of lime** kalciumklorid; klórmész **2.** klórtartalmú fehérítőszer
chlorinate [ˈklɔːrɪneɪt] *tsi* **1.** *ip* klórral telít **2.** klórral fertőtlenít, klóroz *[vizet]* • *fn* **chlorination**
chlorine [ˈklɔːriːn] *fn vegy* klór
chloro- [ˈklɔːroʊ] *összet* **1.** *növ* zöld- **2.** *vegy* klór-
chloroform [ˈklɒrəfɔːm ‖ ˈklɔrəfɔrm] *vegy orv* **I.** *fn* kloroform, triklórmetán; ~ **water** kloroformos víz **II.** *tsi* kloroformoz, kloroformmal elaltat
chlorophyll [ˈklɒrəfɪl ‖ ˈklɔr–], *US* **chlorophyl** *fn növ* klorofill, levélzöld • *mn* **chlorophyllous**
chlorosis [klɔːˈroʊsɪs] *fn* **1.** *orv* vérszegénység, sápkór, klorózis, chlorosis **2.** *növ* elsárgulás, elhalványodás *[növényeken]* • *mn* **chlorotic**
chlorous [ˈklɔːrəs] *mn* klóros, klór-
ChM *röv* Chirurgie Master; *Master of Surgery*
choc [tʃɒk ‖ tʃɑk] *fn GB biz* csoki
chock[1] [tʃɒk ‖ tʃɑk] **I.** *fn* támasztó, állító ék, alátét **II.** *tsi* **1.** ~ **(up)** alátámaszt, kitámaszt; feldúcol; felékel **2.** *GB* teletöm, telegyömöszöl; **~ed up with rubbish** szeméttel teli helyiség
chock[2] [tʃɒk ‖ tʃɑk] *hsz* szorosan

chock-a-block [ˌtʃɒkəˈblɒk ‖ ˌtʃɑkəˈblɑk] *mn* **1.** teljesen összehúzott, ütköztetett *[csigasor, hajókötélzet]* **2.** *biz* → **chock-full 3. a street ~ with cars** utca tele autókkal
chocker [ˈtʃɒkə ‖ ˈtʃɑkər] *mn GB szl* elege van
chock-full [ˌtʃɒkˈfʊl ‖ ˌtʃɑk–] *mn biz* tömött, zsúfolt, színültig tele
chocolate [ˈtʃɒklət ‖ ˈtʃɑk–] **I.** *fn* csokoládé *[tábla és ital]* **II.** *mn* **1.** csokoládészínű, csokoládébarna **2.** csokoládés • *mn* **chocolatey**
chocolate-brown *mn* csokoládébarna, csokoládészínű
chocolate chip cookie *fn* csokis keksz
choice [tʃɔɪs] **I.** *fn* **1. a)** (ki)választás; **make/take/have your ~!** válassz!; **at ~** tetszés szerint; **by/for/of ~** legszívesebben, előszeretettel **b)** választás *[két dolog közül]*, alternatíva; **have no ~ but to...** nincs más választása, mint..., nem tehet mást, mint...; **he is my ~** ő a választottam, őt választom **2.** választék; **poor ~** szegényes választék **3.** legjava vmnek **II.** *mn* válogatott, kiváló, kitűnő, finom, legjobb minőségű, elsőrangú; **~ morsel** ínyencfalat, nyalánkság, csemege • *fn* **choiceness** *hsz* **choicely**
choir [ˈkwaɪə ‖ –ər] *fn* **1. a)** kar, kórus **b)** csoport, együttes; **string ~** vonószenekar **2.** kórus *[templom része]*
choirboy *fn* karénekes/kórista fiú
choirman [ˈkwaɪəmən] *fn tsz* **-men** karénekes
choke [tʃoʊk] **I.** *i* **A.** *tsi* **1. a)** fojtogat, megfojt, megfullaszt **b)** elfojt *[tüzet, érzelmet]* **c)** betöm, eldugaszol, bedugaszol **d)** megfullaszt *[növényt gyom]* **e)** *gk* hidegindítózik **2.** színültig/csordultig tölt **B.** *tni* **a)** fuldoklik, fulladozik, megfullad (*with* vmtől); **~ with anger** fuldoklik a dühtől; **~ with laughter** pukkadozik a nevetéstől **b)** bedugul (*with* vmtől), tömődik **II.** *fn* **1.** fuldoklás, fullad(oz)ás, elfulladás *[lélegzeté, hangé]*, (el)fojtottság *[hangé]* **2. a)** fojtás *[puskában]* **b)** *műsz* fojtószelep; *gk* hidegindító, szívató **c)** fojtótekercs
choke back *tsi* visszafojt, visszatart *[könnyet, szavakat]*, elfojt *[érzelmet,ösztönt]*
choke down *tsi* elfojt, elnyom *[érzelmet]*, lenyom *[ételt]*, lenyeli a mondanivalóját
choke in *tni US biz* **1.** elhallgat **2.** meghal, elpatkol
choke off *tsi biz* **a)** kedvét elveszi, elcsüggeszt, elbátortalanít, elkedvetlenít, elriaszt **b)** leráz a nyakáról, fenébe/pokolba küld, eltanácsol, eltávolít *[tolakodót]*
choke up A. *tsi* **a)** csordultig/színültig tölt, teletölt **b)** elzár *[folyó torkolatát]* **c)** eltömít *[csövet]* **B.** *tni US biz* elhallgat
choke coil *fn vill* fojtótekercs
choked [ˈtʃoʊkt] *mn GB biz* elégedetlen, csalódott, boszszankodó
choke-damp *fn* bányalég, mofetta *[vulkanikus szénsavkiömlés]*, bűzös/fojtó gáz
choker [ˈtʃoʊkə ‖ –ər] *fn* **a)** *biz* nyakkendő **b)** *biz* sál **c)** magas gallér *[papi]*
choky[1] [ˈtʃoʊki] *mn biz* fullasztó, fojtó
choky[2] [ˈtʃoʊki] *GB szl [börtön]* dutyi, sitt
chol- [kɒl ‖ kɑl] *előtag orv* epe-
cholecystitis [ˌkɒlɪsɪˈstaɪtɪs ‖ ˌkɑ–] *fn* epehólyag-gyulladás
choler [ˈkɒlə ‖ ˈkɑlər] *fn vál* harag, rosszkedv, méreg, ingerlékenység
cholera [ˈkɒlərə ‖ ˈkɑ–] *fn* kolera
choleric [ˈkɒlərɪk ‖ ˈkɑ–] *fn* ingerlékeny, indulatos, lobbanékony
cholesterol [kəˈlestərɒl ‖ –roʊl] *fn vegy* koleszterin
choliamb [ˈkoʊlɪæm] *fn vál* koliambus • *mn* **choliambic**
choline [ˈkoʊliːn, –ɪn, ˈkɑ–] *fn vegy* kolin
chomp [tʃɒmp ‖ tʃɑmp] *táj* → **champ**[1]
chook [tʃʊk] *fn Ausz biz* **1.** csirke, tyúk **2.** nő, lány **3.** vén tyúk
choose [tʃuːz] *pt* **chose** [tʃoʊz], *pp* **chosen** [ˈtʃoʊzn] **A.** *tsi* **1. a)** (ki)választ, kiszemel; **there is nothing to ~ between them** egyik kutya másik eb **b) ~ sy (for) sg** vkt vmvé (meg)választ **2. ~ to do sg** hajlandó vmt megtenni, úgy dönt, hogy vmt megtesz **B.** *tni* **1.** választ; **to ~ from several persons** több személy között/közül választ/válogat **2.** akar; **if you ~** ha akarod, ha (úgy) tetszik; → **chosen** • *fn* **chooser**
choosey [ˈtʃuːzi] *mn* → **choosy** • *fn* **choosiness**
choosy [ˈtʃuːzi] *US* finnyás, válogatós, igényes
chop[1] [tʃɒp ‖ tʃɑp] **I.** *i* **-pp- A.** *tsi* **1.** hasogat, (fel)vág, aprít, darabol *[tűzifát, húst, zöldséget]* **2.** nyes *[teniszlabdát]* **3.** lefarag, csökkent, megrövidít; **they chopped £100 off the budget** száz fonttal megrövidítették/megkurtították a költségvetést **B.** *tni* csapkod, csapdos *[tenger]* **II.** *fn* **1.** csapás *[fejszével]* **2.** borda, hússzelet **3.** nyesés, nyesett labda **4.** *GB szl* **a)** elbocsátás **b)** gyilkosság, megölés, halál **c)** vminek a törlése/elmaradása
chop away *tsi* levagdos, lecsapdos *[fejszével ágakat]*; *átv* lefarag, lemetsz(vmből)
chop down *tsi* kivág, kidönt *[fát fejszével]*
chop in *tni biz* közbelép, beavatkozik, közbeszól, közbevág
chop off *tsi* levág, lecsap, leszel, lehasít
chop up *tsi* felaprít, apróra felvagdal
chop[2] [tʃɒp ‖ tʃɑp] *fn* **a)** állkapocs **b)** torkolat *[folyóé]*, (völgy)szoros *[bejárata]*
chop[3] [tʃɒp ‖ tʃɑp] **I. A.** *tsi biz* **~ logic** akadékoskodik, hiábavaló vitát folytat, szót csépel **B.** *tni* hirtelen irányt változtat/megfordul **II.** *fn* változás, hullámzás; *biz* **~s and changes** viszontagságok; hirtelen változások
chop[4] [tʃɒp ‖ tʃɑp] *fn* (véd)jegy, hivatalos bélyegző *[Távol-Keleten]*, *biz* minőség; *Ausz ÚjZ* **not much chop** nem jó
chop-chop *hsz/isz* gyorsan
choplogic I. *mn* szócséplő, szőrszálhasogató **II.** *fn* szócséplés, szőrszálhasogatás
chopper [ˈtʃɒpə ‖ ˈtʃɑpər] *fn* **I. 1.** vágó **2. a)** húsvágó bárd **b)** húsdaráló **c)** aprítógép **3.** *távk* árammegszakító **4.** magas kormányú motorkerékpár **5.** *biz* helikopter **6.** *tsz* **~s** *szl [fogak]* protkó, agyarak **II. A.** *tni* helikopterrel repül **B.** *tsi* helikopterrel szállít
chopping-block *fn* húsvágó tőke
chopping-board *fn* húsvágó deszka, vágódeszka
chopping-knife *fn* húsvágó bárd
choppy[1] [ˈtʃɒpi ‖ ˈtʃɑ–] *mn* **1.** fodrozódó, borzolódó *[víz]*; **~ sea** hullámos/viharos tenger **2.** kicserepesedett *[bőr]* • *fn* **choppiness** *hsz* **choppily**
choppy[2] [ˈtʃɒpi ‖ ˈtʃɑ–] *mn* **a)** változó irányú *[szél]* **b)** bizonytalan, ingadozó *[piac]*
chopsticks *fn tsz* evőpálcikák
choral [ˈkɔːrəl] *mn* **I.** kórus-, kar-, énekkari **II.** → **chorale** • *fn* **choralist**
chorale [kɒˈrɑːl ‖ kəˈræl, –ˈrɑl] *fn* **1.** korál, egyházi ének **2.** *US Kan* énekkar, kórusegylet
chorally [ˈkɔːrəli] *hsz* kórusban
chord[1] [kɔːd ‖ kɔrd] *fn* **1.** *vál* húr *[hárfáé]*; *biz* **touch the right ~** a megfelelő hangot üti meg; **strike a ~ with sy** vknek az emlékezetébe idéz vmt, rokonszenvet/együttérzést vált ki **2.** *orv* hangszalag, gerinchúr **3.** húr *[körívé]*
chord[2] [kɔːd ‖ kɔrd] **I.** *fn zene* hangzat, akkord **II.** *tni* egybehangzik • *hsz* **chordally**
chordate [ˈkɔːdeɪt ‖ ˈkɔr–] *mn áll* gerinchúros
chore [tʃɔː ‖ tʃɔr] **I.** *fn US* **household ~(s)** mindennapi házimunka, háztartási/fárasztó (apró) munka **II.** *tni US* mindennapi házimunkát végez • *mn* **choreic**
chorea [kɔːˈrɪə ‖ kəˈrɪə] *fn orv* vitustánc, chorea
choreograph [ˈkɒrɪəgrɑːf ‖ ˈkɔrɪəgræf] koreografál • *fn* **choreographer**
choreography [ˌkɒriˈɒgrəfi ‖ ˌkɔriˈɑ–] *fn* koreográfia • *mn* **choreographic**
choriamb [ˈkɒriæmb ‖ ˈkɔ–] *fn* choriambus • *mn* **choriambic**
choric [ˈkɒrɪk ‖ ˈkɔrɪk] *mn* kar-, kórus-
chorion [ˈkɔːrɪən ‖ ˈkɔriɑn] *fn tsz* **choria** [ˈkɔːrɪə] *biol* külső magzatburok, korion

chorister [ˈkɒrɪstə ‖ ˈkɔrəstər] *fn* **1.** (egyházi) énekkar tagja, karénekes **2.** *US* (egyházi) karnagy, kántor
chorography [kəˈrɒgrəfi ‖ –ˈrɑ–] *fn* **1.** tájleírás, térképészet, korográfia **2.** hegy- és vízrajzi térkép • *fn* **chorographer** *mn* **chorographic**
choroid [ˈkɔːrɔɪd] **I.** *mn orv* érhártya- **II.** *fn orv* érhártya
chortle [ˈtʃɔːtl ‖ ˈtʃɔrtl] **I.** *tni* kuncog, kacarászik, viháncol **II.** *fn* kuncogás
chorus [ˈkɔːrəs] **I.** *fn* **1.** énekkar, kórus **2.** kórusmű **3.** (karban énekelt) refrén **4.** kar, kórus *[tragédiákban]* **5.** ének- és tánckar *[musicalben, operában]* **II.** *tni* kórusban énekel/mond
chorus girl *fn* **1.** balettkar tagja **2.** karénekesnő, kórista
chose[1] [ʃouz] *fn jog* dolog, tárgy
chose[2] [tʃouz] → **choose**
chosen [tʃouzn] *mn* (ki)választott; **the ~** a (ki)választottak; → **choose**
chow[1] [tʃau] *fn* **1.** csau (kutya) **2.** *szl Ausz* kínai, sárga
chow[2] [tʃau] *fn US biz* étel, kaja
chow-chow [ˈtʃautʃau] *fn* **1.** csau (kutya) **2. a)** kínai vegyes befőtt **b)** vegyes kínai ecetes zöldség
chrestomathy [kreˈstɒməθi ‖ –ˈstɑ–] *fn* szemelvénygyűjtemény, szöveggyűjtemény
Chris [krɪs] *tul* ‹*Christine* női ill. *Christopher* férfinév becéző alakja›
chrism [ˈkrɪzəm] *fn vall* szent olaj/kenet
chrisom [ˈkrɪzm] *fn* keresztelő ruha/takaró
Chrissie [ˈkrɪsi] → **Chris**
Chrissie [ˈkrɪsi] *fn Ausz biz* karácsony
Christ [kraɪst] **I.** *tul* Krisztus **II.** *isz tabu* kb. az istenit! • *fn* **Christhood** *mn* **Christlike** *mn* **Christly**
Christ-Child *tul/fn* **the ~** a gyermek Jézus
christcross *fn* **1.** kereszt *[aláírás helyett]* **2.** *régi* ábécé
christen [ˈkrɪsn] *tsi* **1. a)** (meg)keresztel; **~ sy John** Jánosnak keresztel vkt **b) ~ sy sg** vkt vmnek nevez, vkre vmlyen nevet akaszt **2.** *biz* felszentel *[új ruhát stb.]* • *fn* **christener**, **christening**
Christendom [ˈkrɪsndəm] *fn* kereszténység, keresztyénség, keresztény világ, keresztények (összessége)
Christian[1] [ˈkrɪstʃən] *vall* **I.** *mn* keresztény, keresztyén, krisztusi; **the ~ era** keresztény időszámítás **II.** *fn* **a)** keresztény **b)** hívő • *tsi/tni* **Christianize**, **-ise** *fn* **Christanization**, **-isation**
Christian[2] [ˈkrɪstʃən] *tul* Keresztély, Krisztián
Christianity [ˌkrɪstiˈænəti ‖ ˌkrɪstʃi–] *fn* kereszténység
Christina [krɪˈstiːnə] *tul* Krisztina
Christine [ˈkrɪstiːn] *tul* ‹női név›
Christmas [ˈkrɪsməs] *fn* karácsony; **a merry ~!** kellemes karácsonyi ünnepeket!; **at ~** karácsonykor • *mn* **Christmassy**
Christmas box *fn* karácsonyi ajándék; karácsonyi pénzajándék *[levélhordónak stb.]*
Christmas card *fn* karácsonyi üdvözlőlap
Christmas carol *fn* karácsonyi ének
Christmas Day *fn* karácsony napja
Christmas Eve *fn* karácsonyest(e), szenteste
Christmas pudding *fn* karácsonyi puding
Christmas rose *fn* fekete hunyor
Christmastide *fn* a karácsonytól Vízkeresztig terjedő időszak, karácsony hete
Christmas tree *fn* karácsonyfa
Christology [krɪˈstɒlədʒi ‖ –ˈstɑ–] *fn vall* krisztológia, Krisztusra vonatkozó kutatás • *fn* **Christologist** *mn* **Christological**
Christopher [ˈkrɪstəfə ‖ –ər] *tul* Kristóf
chroma [ˈkroumə] *fn* színtelítettség
chromatic [krəˈmætɪk] *mn* **1.** *fiz* színes, kromatikus; **~ aberration** színi eltérés; *csill* színhiba **2.** *zene* kromatikus; **~ scale** kromatikus skála/hangsor
chromaticity [ˌkrouməˈtɪsəti] *fn fiz* színérték, színesség
chromatics [krəˈmætɪks] *fn esz* színek fénytana
chromatography [ˌkrouməˈtɒgrəfi ‖ –ˈtɑ–] *fn vegy* kromatográfia *[kémiai elemző eljárás]* • *fn* **chromatograph**
chromatopsia [ˌkrouməˈtɒpsɪə ‖ –ˈtɑp–] *fn* **1.** kóros színeslátás **2.** részleges színvakság
chrome [kroum] **I.** *fn* **1.** króm(sárga) **2.** *régi* króm (elem) **II.** *tsi* krómoz *[bőrt, festett anyagot]*
chrominance [ˈkroumɪnəns] *fn távk* színesség
chromium [ˈkroumɪəm] *fn vegy* króm
chromium-plated *mn* **1.** krómozott, krómmal bevont **2.** csillogó-villogó, túlságosan ragyogó/szép • *tsi* **chromium-plate**
chromo [ˈkroumou] *fn nyomd biz* színes kőnyomat
chromolithograph [ˌkroumouˈlɪθəgrɑːf ‖ –græf] **I.** *fn nyomd* színes kőnyomat **II.** *tsi* színes kőnyomatot készít • *fn* **chromolithographer**, **chromolithography**
chromosome [ˈkrouməsoum] *fn biol* kromoszóma • *mn* **chromosomal**
chromosphere [ˈkrouməsfɪə ‖ –sfɪr] *fn* kromoszféra • *mn* **chromospheric**
Chron. *röv bibl The Chronicles* A krónikák, Krón.
chronic [ˈkrɒnɪk ‖ ˈkrɑ–] *mn* **1. a)** idült, krónikus *[betegség]* **b)** *biz* állandó, tartós, megrögzött *[rossz szokás stb.]*; **a ~ alcoholic** idült alkoholista **2. a)** *szl* kibírhatatlan, unalmas **b)** rémes, szörnyű • *fn* **chronicity** *hsz* **chronically**
chronicle [ˈkrɒnɪkl ‖ ˈkrɑ–] **I.** *fn* krónika; **the C~s** A krónikák könyvei *[a Bibliában]*; **~ play** történelmi dráma, királydráma **II.** *tsi* krónikában/időrendben feljegyez • *fn* **chronicler**
chrono- [ˈkrɒn(ə) ‖ ˈkrɑ–] *előtag* krono-, idő-
chronobiology [ˌkrɒnəbaɪˈɒlədʒi ‖ ˌkrɑnəbaɪˈɑ–] *fn biol* biológiai időzítés, biológiai ritmus
chronograph [ˈkrɒnəgrɑːf ‖ ˈkrɑnəgræf] *fn* időt regisztráló szerkezet, kronográf • *fn* **chronography**
chronologic [ˌkrɒnəˈlɒdʒɪk(l) ‖ ˌkrɑnəˈlɑ–], **chronological** *mn* időrendi, kronológiai, kronologikus; **in ~ order** időrendben, kronológiai sorrendben
chronology [krəˈnɒlədʒi ‖ –ˈnɑ–] *fn* **a)** időrend, kronológia **b)** időpontok kiszámítása, időszámítás **c)** időrendi tábla • *tsi* **chronologize**, **-ise** *fn* **chronologist**
chronometer [krəˈnɒmɪtə ‖ –ˈnɑmətər] *fn* **1.** precíziós időmérő (óra), kronométer, stopperóra, versenyóra **2.** ütemmérő, metronóm
chronometry [krəˈnɒmətri ‖ –ˈnɑ–] *fn* időméréstan, kronometria • *mn* **chronometric(al)**
chrysalis [ˈkrɪsəlɪs] *fn tsz* **~es**, **chrysalides** [krɪˈsælɪdiːz] **1.** *áll* **a)** báb **b)** gubó *[lepkebábé]* **2.** előkészületi/átmeneti stádium
chrysanthemum [krɪˈsænθɪməm] *fn növ* krizantém
chubby [ˈtʃʌbi] *mn* pufók, dundi, pirospozsgás, telt *[arc]*, vaskos, tömzsi, kövérkés *[termet]*, párnás *[kéz]*
chub-cheeked, **chubby-cheeked** *mn* pufók *[arcú]*
Chuck [tʃʌk] *tul US bec* Charles
chuck[1] [tʃʌk] *fn* pipi, csibe; **my little ~** pipikém, tubicám, galambo(cská)m
chuck[2] [tʃʌk] **I.** *tsi* **1. a)** *biz* hajít, dob **b)** *biz* abbahagy, otthagy; **~ it!** hagyd abba!, hallgass!, fogd be a szádat! **2.** megvereget, megpaskol; **~ sy under the chin** megveregeti vknek az állát, megsimogatja vknek a tokáját **3.** *szl [megbuktat]* elvág, elhúz *[vizsgázót]* **II.** *fn* **1.** hajítás, dobás; *biz* **he got the ~** kirúgták, kidobták *[állásából]* **2.** az áll megveregetése
chuck about *tsi biz* szór, pocsékol, tékozol
chuck away *tsi biz* eldob, elvet, elszalaszt *[szerencsét]*, elpazarol *[pénzt]*, elfecsérel *[időt]*
chuck in *tsi* **1.** feladja a játszmát, bedobja a törölközőt **2.** hozzájárul vmnek a költségeihez vmvel
chuck out *tsi* **1.** kidob, kilök, kirepít *[állásból]* **2.** *biz* elvet *[indítványt, törvényjavaslatot]*
chuck up *tsi* **1.** *biz* abbahagy, otthagy *[munkát]*; **~ up one's job** otthagyja a(z) állását/munkáját; **~ it up** feladja a játszmát **2.** feldob, felhajít **3.** *US szl [hány]* okád, rókázik

chuck[3] [tʃʌk] *fn* **1.** *US biz* élelem, étel, kaja **2.** *US biz* evés, étkezés, kajálás
chuck[4] [tʃʌk] *fn* **1.** lapocka *[marháé]* **2.** *műsz* fogópofa, tokmány
chucker-out *fn biz* kidobóember
chucking-out time [ˌtʃʌkɪŋaut ˈtaɪm] *biz szl* záróra *[mulatóban]*
chuck-lathe *fn műsz* síkeszterga
chuckle[1] [ˈtʃʌkl] **I.** *tni* **chuckling 1. a)** kuncog, magában/markába nevet, örvendezik (vmnek) **b)** kajánul nevet, kárörvend **2.** kotkodácsol **II.** *fn* **1.** kuncogás, megelégedett nevetgélés **2.** kotkodácsolás • *fn* **chuckler**
chuckle[2] [ˈtʃʌkl] **I.** *mn* nehézkes, lassú, lomha *[észjárás]* **II.** *fn* tökfej, tökfilkó, fajankó, mamlasz
chuckle head *fn biz* tökfej, tökfilkó, fajankó, mamlasz • *mn* **chuckle-headed**
chucky [ˈtʃʌki] *GB szl* kedves, drága *[megszólításként]*
chuddar [ˈtʃʌdə ‖ –ər] *fn* **1.** *India* kendő *[nőké]* **2.** mohamedán sírlepel
chuff [tʃʌf] **I.** *tni* pöfög *[gép, mozdony]* **II.** *fn* pöfögés
chuffed [tʃʌft] *mn GB szl* elégedett, boldog
chug [tʃʌg] **I.** *fn* pöfögés, puffogás *[motoré, autóé]* **II.** *tni* **-gg-** pöfög, puffog *[motor, autó]*
chum [tʃʌm] **I.** *fn biz* haver, cimbora, szobatárs, lakótárs **II.** *tni* **-mm- a)** ~ **(up) with sy** összebarátkozik/(összе)haverkodik/összebratyizik vkvel **b)** ~ **with sy** együtt lakik vkvel • *mn* **chummy**
chump [tʃʌmp] *fn* **1.** (fa)tuskó **2.** bélszín (vastag része) **3.** *régi* tökfej; *GB szl* **go off one's ~** meghülyül
chump chop *fn* bélszínszelet
chunder [ˈtʃʌndə ‖ –ər] *Ausz szl* **I.** *fn* hányás, okádás **II.** *tni* hány, okád
chunk[1] [tʃʌŋk] *mn* **1.** nagy/vastag darab, karéj *[kenyér, sajt]* **2.** tuskó, fatönk **3.** *US biz* zömök és izmos ember **4.** jókora adag vmből
chunk[2] [tʃʌŋk] *fn/tni biz* → **chug I.**, **II.**
chunky [ˈtʃʌŋki] *mn* **1.** darabos *[étel]*, durva, nyers **2.** izmos, vaskos, alacsony és tagbaszakadt *[ember]* **3.** vastag anyagból készült *[ruha]* • *fn* **chunkiness**
Chunnel [ˈtʃʌnl] *tul* ‹a La Manche csatorna alatti alagút› *[Channel + Tunnel]*, Csalagút
chunter [ˈtʃʌntə ‖ –ər] *tni GB* **1.** motyog **2.** panaszkodik, dörmög, morog
church [tʃɜːtʃ ‖ tʃɜrtʃ] *fn* **1.** templom **2.** egyház; **the C~ of England, the English/Anglican C~** az anglikán egyház; **go into the C~** egyházi/papi pályára lép **3.** istentisztelet; *biz* **go to ~** templomba/istentiszteletre megy; templomba jár
Church Commissioner *fn* egyházi gondnok
church-law *fn* egyházjog, kánonjog
church service *fn* istentisztelet
church warden *fn* egyházi kurátor, egyházközségi tanácstag
churchy [ˈtʃɜːtʃi ‖ ˈtʃɜrtʃi] *mn* **1.** *pej* bigott, vakbuzgó, klerikális **2.** templomszerű
churchyard *fn* temető *[templomkertben]*
churl [tʃɜːl ‖ tʃɜrl] *fn* **1. a)** *régi* paraszt **b)** *biz* bugris, faragatlan ember, modortalan fráter **c)** *tört* közrendű szabad ember **2.** kellemetlen/zsémbes/összeférhetetlen ember **3.** *régi* fösvény
churlish [ˈtʃɜːlɪʃ ‖ ˈtʃɜr–] *mn* **1. a)** parasztos **b)** faragatlan, modortalan **2.** kellemetlen, zsémbes **3.** zsugori, fösvény
churn [tʃɜːn ‖ tʃɜrn] **I.** *fn* **1.** köpülő, köpű **2.** nagy tejeskanna **3.** keverőgép *[építkezésnél]* **II. A.** *tsi* **a)** köpül **b)** habosra felkavar **c)** *biz* **~ the engine** járatja/túráztatja a motort **d)** **~ up** aggaszt, idegesít **e)** **~ out** termel *[rutinszerűen, nagy mennyiségben]* **B.** *tni* **1.** (vajat) köpül **2.** háborog, tajtékzik *[tenger]*, habzik, pezseg, kavarog *[folyadék]*
chute[1] [ʃuːt] **I.** *fn* **1. a)** vízesés **b)** *műsz* csúszda, csúsztatópálya, akna **2.** *geol* vízmosás **II.** *tsi* csúszdán leereszt • *fn* **chutist**
chute[2] [ʃuːt] **I.** *fn biz* ejtőernyő **II.** *i* **A.** *tni* ejtőernyővel leereszkedik **B.** *tsi* ejtőernyővel ledob
chutzpah [ˈhutspə] *fn US Kan biz* szemtelenség, pofátlanság, szemétség
chyle [kaɪl] *fn orv* nyirok
CIA *röv US Central Intelligence Agency* Központi Hírszerző Ügynökség
ciborium [sɪˈbɔːrɪəm] *fn tsz* **ciboria** [–rɪə] *vall* **1.** oltármennyezet **2.** ostyatartó, szentségtartó, fedeles kehely, cibórium **3.** tabernákulum
cicatrice [ˈsɪkətrɪs] *fn* **1. a)** sebhely, forradás, heg **b)** *növ* levélripacs **2.** → **cicatricule** • *mn* **cicatricial**
cicatricule [sɪˈkætrɪkjuːl] *fn* csírafolt, kakashágás *[tojáson]*
cicatrix [ˈsɪkətrɪks] *tsz* **cicatrices** [–isiːz] → **cicatrice**
cicatrize [ˈsɪkətraɪz], **-ise A.** *tsi* beforraszt, behegeszt *[sebet]* **B.** *tni* beforr, beheged *[seb]* • *fn* **cicatrization**, **-isation**
Cicely [ˈsɪsəli] *tul* Cecília
cicerone [ˌtʃɪtʃəˈrouni] **I.** *fn* idegenvezető, útikalauz **II.** *tsi* idegeneket vezet/kalauzol
Ciceronian [ˌsɪsəˈrounɪən] *mn* cicerói
CID *röv GB Criminal Investigation Department*
-cide [saɪd] *utótag* -ölő(szer), -ölés, -gyilkosság, -cídium
cider [ˈsaɪdə ‖ –ər] *fn* **1.** almabor **2. a)** *US* rostos almaital **b)** almamust **3.** *szl* **all talk and no ~** sok hűhó semmiért
cider apple *fn* boralma *[almabornak való alma]*
cider vinegar *fn* almaecet
ci-devant [ˌsɪdəˈvɒn ‖ –ˈvɑn] **I.** *mn* a(z) előbbi/korábbi/azelőtti, letűnt, hajdani **II.** *hsz* előbb, korábban, azelőtt, hajdan, valaha
cigar [sɪˈgɑː ‖ –ˈgɑr] *fn* szivar
cigar cutter *fn* szivarvágó
cigarette [ˌsɪgəˈret] *fn* cigaretta
cigarette end *fn* cigarettavég, cigarettacsutka, *biz* csikk
cigarette lighter *fn* öngyújtó
cigarillo [ˌsɪgəˈrɪlou] *fn* kis szivar, cigarillo
ciggie [ˈsɪgi] *fn biz* cigaretta, cigi
cilia [ˈsɪlɪə] *fn tsz* **1. a)** szempilla **b)** szemöldök **2.** *áll* rojt(szőrzet), *növ* pillaszőrök, *biol* csillószőrök • *fn* **ciliation** *mn* **ciliated**
ciliary [ˈsɪlɪəri ‖ –lieri] *mn* **1.** szempillához tartozó; **~ body** sugártest *[szemben]*; **~ muscle** sugárizom **2.** *tud* csillószőrös; **~ motion** csillómozgás
cilice [ˈsɪlɪs] *fn vall* szőrcsuha, vezeklőing/öv
cilium [ˈsɪlɪəm] *tsz* **cilia** [ˈsɪlɪə] → **cilia**
Cilla [ˈsɪlə] *tul bec* Priscilla
C-in-C *röv Commander-in-Chief*
cinch [sɪntʃ] **I.** *fn* **1.** *US szl [biztos dolog]* tuti dolog, nem gond vmi; **it's a ~** ez (holt)biztos; ez elintézett ügy; ez sima ügy **2.** *US átv szl* biztos/erős fogás **3.** *US* hasló, nyereghevéder **II. A.** *tsi* **1.** *US biz* biztosan/erősen megragad **2.** *US biz* sarokba szorít, (meg)szorongat (vkt) **3.** *szl* meggyőződik vmről **B.** *tni* **1. ~ (up)** *US* meghúzza a nyereghevedert **2.** *US* elintéz, megköt *[üzletet]*
cinchona [sɪŋˈkounə] *fn* **1.** kínafa **2. ~ (bark)** kínafakéreg
cincture [ˈsɪŋktʃə ‖ –ər] *fn* **1. a)** *vál* öv **b)** papi öv, cingulus **2.** *átv* öv, gyűrű *[falukból stb.]* **3.** *épít* oszlopgyűrű **4.** övezés
cinder [ˈsɪndə ‖ –ər] *fn* **1. a)** salak; **burn to a ~** szénné éget, megéget *[ételt]* **b)** *pl ip* fűtési salak **2.** *szl* pálinka *[teába öntött]* • *mn* **cindery**
Cinderella [ˌsɪndəˈrelə] *tul* Hamupipőke
cinder track *fn sp* salakpálya; **~ race** salakpályaverseny
Cindy [ˈsɪndi] *tul bec* Cynthia
cine- [ˈsɪni] *előtag* film-, mozi-
cineast(e) [ˈsɪniæst] *fn* filmrajongó
cinema [ˈsɪnəmə] *fn biz* **1.** mozi, filmszínház **2.** film(ezés)
cinematic [ˌsɪnəˈmætɪk] *mn* filmszerű, film-; **~ art** filmművészet
cinematics [ˌsɪnəˈmætɪks] *fn esz* filmművészet

cinematograph [ˌsɪnəˈmætəgrɑːf ‖ –græf] **I.** *fn* **1.** *GB tört* **a)** filmvetítő gép, mozigép **b)** filmfelvevő gép **2.** filmszínház **II.** *tsi* megfilmesít, filmre (fel)vesz
cinematography [ˌsɪnəməˈtɒgrəfi ‖ –ˈtɑ–] *fn* filmezés, filmgyártás, filmművészet • *fn* **cinematographer** *mn* **cinematographic** *hsz* **cinematographically**
cinephile [ˈsɪnəfaɪl] *fn* filmrajongó, mozirajongó, mozibarát
cineplex [ˈsɪnəpleks] *fn multiplex cinema* többtermes mozi
cine-projector [ˈsɪniprədʒektə ‖ –ər] *fn* (film)vetítőgép, mozigép
cinerarium [ˌsɪnəˈreərɪəm ‖ –ˈrer–] *fn tsz* **cineraria** [–rɪə] sírfülke *[hamvveder részére]*
cinerary [ˈsɪnərəri ‖ –reri] *mn* hamvakat rejtő/tartalmazó; ~ **urn** hamvveder
cinerea [ˌsɪnəˈriːə] *fn orv* szürkeállomány
cinereous [ˌsɪnəˈrɪəs] *mn* **1.** hamuszürke **2.** hamuszerű, hamukönnyű
Cingalese [ˌsɪŋgəˈliːz] *mn/fn* szingaléz, ceyloni
cingulum [ˈsɪŋgjʊləm] *fn tsz* **cingula** [–jələ] **1.** öv, *orv* haskötő; *vall* cingulus **2.** *orv* öv, övpálya
cinnabar [ˈsɪnəbɑː ‖ –bɑr] **I.** *fn* **a)** *ásv* cinnabarit **b)** *ip* cinóberfesték **II.** *mn* cinóbervörös
cinnamon [ˈsɪnəmən] **I.** *fn* **1.** fahéj **2.** *növ* cimetfa **II.** *mn* fahéjszínű
cinquefoil [ˈsɪŋkfɔɪl] *fn* **1.** *növ* pimpó **2.** *cím* ötlevelű virág **3.** *épít* ötlevelű rózsa (díszítmény), Tudor rózsa
CIO *röv infor chief information officer* információrendszervezető/menedzser
cipher [ˈsaɪfə ‖ –ər] **I.** *fn* **1. a)** rejtjel(zés), titkosírás **b)** ~ **(key)** rejtjelkulcs; rejtjelkódex **c)** rejtjeles levél, rejtjeltávirat **2. a)** *mat* zéró, nulla **b)** *biz* **a mere** ~ egy nagy senki/nulla; egy nagy semmi **3.** monogram, szignó **II. A.** *tsi* **1.** ~ **(out) a sum** kiszámít egy összeget **2.** rejtjelez **3.** *biz* ~ **out a mystery** rejtélyt megfejt **B.** *tni* számol • *fn* **cipherer**
cipolin [ˈsɪpəlɪn] *fn ásv* cipolin *[márványféleség]*
circa [ˈsɜːkə ‖ ˈsɜrkə] *elölj* cirka, körülbelül
circadian [sɜːˈkeɪdɪən ‖ sɜr–] *mn* huszonnégy órás/óránkénti
circle [ˈsɜːkl ‖ ˈsɜrkl] **I.** *fn* **1. a)** kör **b)** kör(ív) *[gömbön]*; *földr* ~ **of latitude** szélességi kör; ~ **of longitude** hosszúsági kör **c)** karika, gyűrű, udvar *[holdé]* **d)** körpánt, karika, abroncs *[fejre]* **2. a)** (teljes) kör, körpálya; **come full** ~ teljes kört ír le; **go/run round in** ~**s** egyhelyben jár **b)** körforgás, ciklus **c) vicious** ~ ördögi kör **3.** kerület **4.** páholysor, erkély *[színházban]*, cirkuszi nézőtér **5. a)** *átv* kör *[baráti, társadalmi]* **b)** *átv* kör, terület *[hatásé, érdeklődésé]*; **literary** ~ irodalmi kör **6.** kör(zet), kerület, járás *[közigazgatásban]* **II. A.** *tsi* **a)** körbejár, körüljár, megkerül **b)** bekarikáz **B.** *tni* kört ír le, köröz, kering, körben jár/forog; ~ **round** körbejár
circlet [ˈsɜːklət ‖ ˈsɜr–] *fn* **1.** kis kör **2. a)** gyűrű, karika **b)** diadém, hajpánt **3.** korong, tányér *[holdé stb.]*
circuit [ˈsɜːkɪt ‖ ˈsɜr–] **I.** *fn* **1. a)** körzet, kerület **b)** útvonal, körzet *[repülő stb. versenyé]* **2. a)** körút **b)** körforgás *[napé]* **c)** sportesemények sorozata; **the US tennis** ~ az amerikai tenisz körverseny **3.** *távk* áramkör; **in** ~ áram alatt (levő), bekapcsolt; **out of** ~ árammentes, kikapcsolt **4. a)** *mat* zárt görbe vonal **b)** kör *[forgalomé]* **5.** kerület, körméret, terület **6.** kerülő (út), kitérő **7.** *GB* (autó)versenypálya **II. A.** *tsi* körbejár, körüljár, bejár **B.** *tni* **a)** körben jár **b)** kering
circuit board *fn infor* áramköri lap
circuit breaker *fn el* megszakító, kapcsoló
circuit diagram *fn el* kapcsolási rajz
circuitous [sɜːˈkjuːɪtəs ‖ sərˈkjuːətəs] *mn* **a)** kerülő, kanyargó(s), tekervényes *[út]* **b)** körülményes, hosszadalmas, nyakatekert
circuit switching *fn infor* vonalkapcsolás
circular [ˈsɜːkjʊlə ‖ ˈsɜrkjələr] **I.** *mn* **a)** kör alakú, kör-, visszatérő **b)** *GB* ~ **tour** körutazás **c)** ~ **saw** körfűrész; ~ **staircase** csigalépcső **II.** *fn* **1.** körlevél, körirat, körözvény **2. a)** ismertető, tájékoztató, prospektus *[vevőkörnek]* **b) the Court** ~ udvari hírek • *fn* **circularity** *hsz* **circularly**
circularize [ˈsɜːkjʊləraɪz ‖ ˈsɜr–], **-ise** *tsi* **1. a)** körlevélben értesít **b)** körlevélben közöl (vmt) **2.** köröz(tet), kiküld, szétküld *[körleveleket]* **3.** *US* kérdőív segítségével közvéleménykutatást végez • *fn* **circularization, -isation**
circulate [ˈsɜːkjʊleɪt ‖ ˈsɜr–] *i* **A.** *tsi* **a)** körforgásba hoz *[levegőt]*, körbead, köröz *[írást]* **b)** forgalomba hoz *[hírt, pénzt]*, (el)terjeszt *[hírt]* **B.** *tni* **a)** kering *[vér]*, áramlik *[levegő]*, körben jár, cirkulál **b)** forgalomban van *[pénz]*, közkézen forog *[könyv stb.]*, kering, terjed, közszájon forog *[hír]* **c)** *US* közlekedik, jár-kel **d)** társas összejövetelen körbejár, igyekszik mindenkivel beszélgetni • *fn* **circulator**
circulation [ˌsɜːkjʊˈleɪʃn ‖ ˌsɜr–] *fn* **1. a)** keringés, körforgás **b)** vérkeringés **2. a)** forgalom, forgás *[pénznél]*, bankjegyforgalom **b)** terjesztés **c) in/out of** ~ aktívan részt vesz/nem veszt részt aktívan *[társadalmi/üzleti életben]* **d)** pénz, pénznem **3.** példányszám
circulatory [ˌsɜːkjʊˈleɪtəri ‖ ˈsɜrkjələtɔri] *mn* **a)** keringési, keringő, körforgó **b)** vérkeringési
circum- [ˈsɜːkəm– ‖ ˈsɜr–] *előtag* körül
circumambience [ˌsɜːkəmˈæmbɪəns ‖ ˌsɜr–] → **circumambiency**
circumambiency [ˌsɜːkəmˈæmbɪənsi ‖ ˌsɜr–] *fn* környezet, környező világ, légkör
circumambient [ˌsɜːkəmˈæmbɪənt ‖ ˌsɜr–] *mn* környező, körülvevő, körülzáró
circumambulate [ˌsɜːkəmˈæmbjʊleɪt ‖ ˌsɜr–] *i* **A.** *tsi vál* körüljár, körülsétál, körbejár **B.** *tni* **1.** *vál* jár-kel, (összevissza) járkál, ődöng, őgyeleg **2.** *vál* kertel, kerülget, hímez-hámoz, köntörfalaz • *fn* **circumambulation** *mn* **circumambulatory**
circumcise [ˈsɜːkəmsaɪz ‖ˈsɜr–] *tsi* **1.** körülmetél **2.** *bibl* bűntől megtisztít
circumcision [ˌsɜːkəmˈsɪʒn ‖ ˌsɜr–] *fn* **1.** körülmetélés **2. the C~** Krisztus körülmetélésének ünnepe
circumference [səˈkʌmfərəns ‖ sər–] *fn* **a)** *mat* kerület, körméret *[idomé]* **b)** határ, külső szél *[területnél]*, környék, széle vmnek • *mn* **circumferential** *hsz* **circumferentially**
circumflex [ˈsɜːkəmfleks ‖ ˈsɜr–] **I.** *fn* kúpos ékezet **II.** *mn nyelv* ~ **accent** kúpos ékezet (^) **III.** *tsi* kúpos ékezetet tesz *[magánhangzóra]*
circumfluous [sɜːˈkʌmfluəs ‖ sɜr–] *mn* **1.** körülvevő, körülfolyó **2.** elárasztó
circumfuse [ˈsɜːkəmfjuːz ‖ˈsɜr–] *tsi* **a)** eláraszt, elönt *[levegővel/fénnyel]* **b)** eláraszt, elönt
circumgyration [ˌsɜːkəmdʒaɪˈreɪʃn ‖ ˌsɜr–] *fn* **1.** keringés *[kör alakú pályán]* **2.** körforgás *[tengely körül]*
circumjacent [ˌsɜːkəmˈdʒeɪsnt ‖ ˌsɜr–] *mn* határos, körülfekvő, közelben/körülötte fekvő
circumlocution [ˌsɜːkəmləˈkjuːʃn ‖ sɜr–] *fn* **a)** körülírás **b)** kertelés, mellébeszélés, köntörfalazás, szószaporítás • *fn* **circumlocutionist** *mn* **circumlocutional**
circumlocutionize [ˌsɜːkəmləˈkjuːʃnˑaɪz ‖ ˌsɜr–], **-ise** *tni* kertel, köntörfalaz, mellébeszél
circumlunar [ˌsɜːkəmˈluːnə ‖ ˌsɜrkəmˈluːnər] *fn csill* hold körüli
circum-meridian [ˌsɜːkəmməˈrɪdɪən ‖ ˌsɜr–] *mn földr* a délkör tájékán levő
circumnavigate [ˌsɜːkəmˈnævɪgeɪt ‖ ˌsɜr–] *tsi* körülhajóz *[szigetet, földrészt]* • *fn* **circumnavigation, circumnavigator**
circumpolar [ˌsɜːkəmˈpoʊlə ‖ ˌsɜrkəmˈpoʊlər] **I.** *mn* sarkkörüli **II.** *fn* sarkkörüli/cirkumpoláris csillag

C

circumscribe ['sɜːkəmskraɪb ‖ 'sɜr–] *tsi* **1. a)** körülhatárol (vmt), határt szab (vmnek) **b)** körülír, meghatároz, elhatárol *[hatáskört, fogalmat]* **2.** köréje szerkeszt/ír *[kört más idomnak]* • *fn* **circumscription**
circumsolar [ˌsɜːkəm'soulə ‖ ˌsɜrkəm'soulər] *mn csill* Nap körüli
circumspect ['sɜːkəmspekt ‖ 'sɜr–] *mn* körültekintő, elővigyázatos, óvatos, meggondolt, megfontolt • *fn* **circumspection**
circumstance ['sɜːkəmstəns, –stæns ‖ 'sɜr–] **I.** *fn* **1. a)** körülmények; **in/under the/these ~s** ilyen körülmények között, az adott viszonyok között; ilyenformán; **in/under no ~s** semmi körülmények között, semmi szín alatt **b)** körülmények, viszonyok, helyzet/állapot *[anyagi stb.]*; **be in good ~s** jó körülmények közt van/él; **straightened/reduced ~s** szűkös anyagi körülmények **2. a)** (tény)körülmény, mozzanat *[eseményé, tényé]* **b) with much ~** körülményesen, hosszadalmasan **3.** fény, pompa; **with pomp and ~** nagy fénnyel/pompával **II.** *tsi* vmlyen körülmények közé (v. vmlyen helyzetbe) juttat/hoz • *mn* **circumstanced**
circumstantial [ˌsɜːkəm'stænʃl ‖ ˌsɜr–] *mn* **1.** körülményektől függő, a körülményekből folyó/adódó; **~ evidence** közvetett bizonyíték **2.** kiegészítő, járulékos, másodlagos **3.** körülményes, részletező, minden körülményre kiterjedő *[beszámoló]* • *fn* **circumstantiality**
circumstantiate [ˌsɜːkəm'stænʃieɪt ‖ ˌsɜr–] *tsi* **1.** bizonyítékokkal alátámaszt **2.** részletesen elmesél
circumterrestial [ˌsɜːkəmtə'restɪəl ‖ ˌsɜr–] *fn csill* föld körüli
circumvallate [ˌsɜːkəm'væleɪt ‖ ˌsɜr–] *tsi* **a)** körülsáncol **b)** *átv* körülbástyáz, megtámogat • *fn* **circumvallation**
circumvent [ˌsɜːkəm'vent ‖ ˌsɜr–] *tsi* **1.** rászed, megcsal (vkt), túljár az eszén (vknek), megkerül, kijátszik *[törvényt]* **2.** meghiúsít, elgáncsol (vmt) **3.** *régi* bekerít, tőrbe csal *[ellenséget, ellenfelet]* • *fn* **circumvention**
circumvolution [ˌsɜːkəmvə'luːʃn ‖ ˌsɜr–] *fn* **1. a)** (körül)tekerés, körülcsavarás **b)** körülforgatás, (meg)pörgetés **c)** körülcsavarodás **d)** körforgás **2. a)** tekervény, kacskaringó **b)** csiga(vonal) *[oszlopon]*
circus ['sɜːkəs ‖ 'sɜr–] *fn* **1.** cirkusz **2.** *biz* ‹közös foglalatosságot végző/érdeklődésű emberek csoportja, pl. sportolók› **3.** *biz átv* zajos/garázda viselkedés; felfordulás, cirkusz **4.** körtér, körönd **5.** *szl* **the ~** a brit titkosszolgálat
circs [sɜːks ‖ sɜrks] *fn tsz biz* viszonyok, körülmények; **under the ~** ilyen körülmények között, ilyen helyzetben
cirque [sɜːk ‖ sɜrk] *fn* **1.** *földr* kerek völgykatlan **2.** *vál* kör, köröcske **3.** aréna, amfiteátrum
cirrhosis [sɪ'rousɪs] *fn orv* zsugor(odás), cirrózis; **~ of the liver, alcoholic ~** májzsugorodás • *mn* **cirrhotic**
cirrocumulus [ˌsɪrə'kjuːmjuləs] *fn meteo* bárányfelhő
cirrostratus [ˌsɪrə'strɑːtəs ‖ –'streɪtəs] *fn tsz* **-strati** [–streɪtaɪ] *meteo* fátyolfelhő, rétegfelhő
cirrus ['sɪrəs] *fn tsz* **cirri** ['sɪraɪ] **1.** *meteo* **~ (cloud)** pehelyfelhő **2. a)** *növ* kacs **b)** *áll* tapogató, csáp, serte *[madárcsőr tövén]*
cis- [sɪs] *előtag* **1.** ... inneni **2.** utáni, túli *[időben]*
CIS *röv Commonwealth of Independent States* Független Államok Közössége, FÁK
cisalpine [sɪs'ælpaɪn] *mn* Alpokon inneni, az Alpoktól déli
cisatlantic [ˌsɪsət'læntɪk] *mn* tengeren inneni, óceánon inneni, európai
cislunar [sɪs'luːnə ‖ –'luːnər] *mn űr* Hold és Föld közötti, ciszlunáris
cissy ['sɪsi] *fn átv* puhány, nőies férfi/fiú
Cistercian [sɪ'stɜːʃn ‖ –'stɜr–] **I.** *mn* ciszterci **II.** *fn* ciszterci szerzetes/barát
cistern ['sɪstən ‖ –ərn] *fn* víztároló/vízmedence, ciszterna, tartály, kád, vécé víztartály
cit. *röv citation* idézet; *cited* idézett, id.
citadel ['sɪtədl, –del] *fn* **a)** fellegvár, citadella **b)** *biz átv* utolsó mentsvár, erősség
citation [saɪ'teɪʃn] *fn* **1.** idézés *[bíróság elé]* **2. a)** idézet *[szerzőtől]* **b)** idézés *[szerzőé]*, hivatkozás, utalás *[szerzőre, szaktekintélyre]* **3.** *kat* felterjesztés kitüntetésre
cite [saɪt] *tsi* **1.** (meg)idéz, beidéz *[bíróság elé]* **2. a)** idéz *[szöveget szerzőtől]* **b)** hivatkozik *[szerzőre, tekintélyre stb.]*, említ • *mn* **citable**
citified ['sɪtɪfaɪd] *mn biz* városias *[modor, megjelenés stb.]*
citizen ['sɪtɪzn] *fn* **1. a)** állampolgár **b)** polgár *[városé]*; **~ rights** polgárjogok **2.** *US* polgári személy, civil • *fn* **citizenhood** *fn* **citizenry**
citizens' band *fn távk* amatőrsáv, CB-sáv
citizenship ['sɪtɪznʃɪp] *fn* **1.** állampolgárság **2. a)** polgárjog **b)** polgári jogok és kötelességek **3.** polgárság, polgári státus
citrate ['sɪtreɪt] *fn vegy* citromsav sója, citrát
citric ['sɪtrɪk] *mn vegy* citrom-(sav); **~ acid** citromsav
citrin ['sɪtrɪn] *fn vegy* P vitamin, citrin
citrine ['sɪtrɪn] **I.** *mn* citromsárga, zöldessárga **II.** *fn ásv* citrin
citron ['sɪtrən] **I.** *fn* **1.** cédrátcitrom **2.** *növ* cédrát(citrom)fa **II.** *mn* citromsárga
citronella [ˌsɪtrə'nelə] *fn növ* citromfű
citrus ['sɪtrəs] *fn növ* citrom- és narancsfélék; **~ fruits/goods** déligyümölcs
city ['sɪti] *fn* **1.** (nagy)város **2.** belváros, óváros; *GB* **the C~** a (londoni) City, London belvárosa/üzletnegyede **3.** városállam *[ókori görögöknél]*
city editor *fn* **1.** gazdasági rovatvezető **2.** *US Kan* a helyi hírek szerkesztője
city father *fn* városatya, városi tanács/képviselőtestület tagja
city hall *fn US* városháza
city lights *fn tsz* városi fények, városi világítás
city news *fn esz* tőzsdei hírek
city page *fn GB* üzleti oldal *[újságban]*
city-planning *fn* városrendezés, várostervezés
cityscape ['sɪtiskeɪp] *fn* városkép
city slicker *fn biz* **1.** világfi, városi ember **2.** *pej* dörzsölt/vagány városi ember
city-state *fn* városállam
citywide ['sɪtiwaɪd] **I.** *mn* az egész városra kiterjedő **II.** *hsz* városszerte
civic ['sɪvɪk] *mn* **a)** polgári, polgár-; **~ rights** polgári jogok **b)** városi; **~ centre/center** középületek együttese; **~ guard** polgárőrség, nemzetőrség • *hsz* **civically**
civics ['sɪvɪks] *fn esz* állampolgári ismeretek *[mint tantárgy]*
civies ['sɪviz] *fn tsz biz* civil(ruha), polgári ruha/öltözék
civil ['sɪvl] *mn* **1.** polgári, polgár-; *jog* **~ action** polgári per; **~ commotion** békebontás, zavargás; **~ disobedience** polgári elégedetlenség; **~ duty** polgárjog; **~ law** *régi* római jog; magánjog; **~ marriage** polgári házasság; **~ rights** polgárjogok, politikai jogok; **~ servant** állami tisztviselő/hivatalnok, közalkalmazott, köztisztviselő; **~ service** közszolgálat; közigazgatás; köztisztviselői kar; **~ state** családi állapot; **~ war** polgárháború **2.** polgári, civil; **in ~ life** a polgári életben, civilben; **~ aviation** polgári légi közlekedés; **~ defence** polgári védelem; **~ engineer** általános mérnök **3. a)** udvarias, jól nevelt, lekötelező *[modor]* **b)** tisztességtudó • *hsz* **civilly**
civilian [sɪ'vɪlɪən] **I.** *mn* polgári, civil **II.** *fn* polgári egyén, civil
civility [sɪ'vɪləti] *fn* udvariasság, előzékenység
civilization [ˌsɪvəlaɪ'zeɪʃn ‖ –ə'zeɪʃn], **-isation** *fn* **1. a)** művelődés, civilizáció, kultúra **b)** civilizáció, kultúra *[korszak]* **2. a)** kiművelés, civilizálás **b)** kiművelődés
civilize ['sɪvəlaɪz], **-ise** *tsi* **a)** kiművel, civilizál **b)** megnevel • *mn* **civilizable**
civilized ['sɪvəlaɪzd], **-ised** *mn* **a)** (ki)művelt, civilizált, kulturált **b)** művelt *[társalgás stb.]*
civvy ['sɪvi] *fn szl* **1.** civil, polgári személy **2.** *tsz* **civvies**→ **civies**
Civvy Street *fn* a civil/polgári élet

CJ *röv Chief Justice*
cl. *röv centilitre* centiliter, cl
clack [klæk] **I.** *tni* **1.** kattog, csattog, kattan, csattan **2.** *biz* kotyog, locsog, fecseg, kerepel **II.** *fn* **1.** kattogás, csattogás, kattanás, csattanás **2.** *biz* locsogás, fecsegés **3.** *biz* kerep(lő)
clad [klæd] **I.** *mn* **1.** vmibe öltözött **2.** borított/fedett/bevont, borítással/védőréteggel ellátott **II.** *tsi* bevonattal ellát; → **clothe**
cladding [ˈklædɪŋ] *fn* bevonat, burkolat
cladistic [kləˈdɪstɪk] *mn biol* örökletes tulajdonságok alapján történő *[osztályozás]*
claim [kleɪm] **I. A.** *tsi* **1. a)** igényel, követel (vmt), igényt tart, jogot formál (vmre); ~ **attention** figyelmet igényel/követel; ~ **sg back from sy** visszakövetel vmt vktől; ~ **victory** győztesnek nyilvánítja magát **b)** igényel, érdemel *[figyelmet]* **c) the accident ~ed four lives** a baleset négy emberéletet követelt **2.** állít; ~ **that** azt állítja, hogy; **he~ed to be the owner** tulajdonosként mutatta be magát **B.** *tni jog* **1. a)** követeléssel/igénnyel lép fel *[kártérítés stb. iránt]* **b)** ~ **against sy** keresettel él vk ellen, peres úton érvényesít követelést **2.** jogosult *[örökségre]* **II.** *fn* **1. a)** *jog* igény (*to* vmre), *[perbeli]* kereset; ~ **for compensation** kártérítési igény; **lay ~ to sg** igényt tart vmre, követel vmt **b)** követelés, igénybejelentés, felszólalás; **put in a ~ for sg, set up a ~ to sg** (jog)igényt támaszt vmre; folyamodik vmért **c)** követelés (*on* vkn); **have a ~ on sy** tud hatni vkre, módjában van igénybe venni vkt, joggal számít vkre **2.** jog(cím), jogalap, alap; **have ~ to sg** joga van vmhez, jogcíme van vmre **3.** állítás; **he made ~s for his innocence** azt állította, hogy ártatlan **4.** *US Ausz* államtól igényelt terület **5.** ‹az újszerű elemek felsorolása egy találmány leírásában› • *fn* **claimer** *mn* **claimable**
claimant [ˈkleɪmənt] *fn* **1.** igénylő, igényjogosult **2.** *jog* felperes
clairaudience [kleərˈɔːdɪəns ‖ kler–] *fn* tisztánhallás
Claire [kleə ‖ kler] *tul* ‹női név›
clairvoyance [kleəˈvɔɪəns ‖ kler–] *fn* **1.** látnoki képesség **2.** tisztánlátás, éleslátás *[értelemmel]*
clairvoyant [kleəˈvɔɪənt ‖ kler–] **I.** *mn* **1.** látnoki (képességű), erejű, jövőbelátó **2.** tisztánlátó *[bonyolult kérdésekben]* **II.** *fn* látnok, látó ember
clairvoyante [kleəˈvɔɪənt ‖ kler–] *fn* látó asszony
clam [klæm] **I.** *fn* **1.** (ehető) kagyló **2.** *biz* mogorva/szófukar/zárkózott ember **3.** *szl [dollár]* dolcsi **II. -mm- A.** *tni* ~ **up** hallgat, befogja a száját; nem beszél, megszűnik **B.** *tsi US* kagylót gyűjt/szed
clamant [ˈkleɪmənt] *mn* **1.** sürgető, orvoslásra váró **2.** *vál régi* lármás, zajos, kiabáló, nagyhangú
clamber [ˈklæmbə ‖ –ər] **I.** *tni* (fel)kapaszkodik, (fel)kúszik; ~ **on sg** rámászik vmre; ~ **up** felmászik **II.** *fn* **1** (fel)kapaszkodás, fárasztó (fel)mászás *[hegyre stb.]*
clamberer [ˈklæmbərə ‖ –ər] *fn* kúszónövény
clam chowder *fn US gaszt* kagylóleves
clammy [ˈklæmi] *mn* **1.** nyirkos, nedves **2.** ragadós, ragacsos, tapadós, nyúlós *[tésztaféle]*, szalonnás *[kenyér]*
clamour [ˈklæmə ‖ –ər] **I.** *fn* **a)** lárma, lármázás, kiabálás, ordítozás, zajongás, moraj(lás) **b)** elégedetlen zaj/lárma/zúgolódás; követelés **II. A.** *tsi* ~ **sy down** lehurrog/lepisszeg vkt; ~ **(for)** követel *[lármásan]*; ~ **sg out** elordít/elüvölt vmit **B.** *tni* zajong, lármázik, kiabál, ordítozik; ~ **against** tiltakozik *[lármásan]*; ~ **(for)** követel *[lármásan]* • *mn* **clamorous** *hsz* **clamorously**
clamp¹ [klæmp] **I.** *fn* **a)** (szorító)kapocs, csíptető, fogó, (befogó)pofa, saru, satu **b)** *GB* kerékbilincs **c)** *hajó* árboctámasztó **d)** *orv* fogó, érfogó, szövetszorító **II.** *tsi* **1. a)** összekapcsol, összefog, összeszorít, rögzít, lefog, leköt, összeillészt *[csövet]* **b)** kerékbilincset szerel fel *[szabálytalanul parkoló autóra]* **c)** *US* kitakarít **d)** *biz* ~ **down on** szigorúan fellép vm ellen; ~ **down (the lid) on news** hírzárlatot rendel el **e)** *biz* megmarkol, megragad **2.** *épít* összekapcsol, áthidal
clamp² [klæmp] **I.** *fn* **1.** *mezőg* prizma, siló **2. a)** halom, rakás **b)** trágyadomb, szemétdomb **II.** *tsi* **1.** prizmába rak *[burgonyát]*, teleltet *[vermelve]* **2. a)** felhalmoz *[limlomot]* **b)** egymásra rak *[téglát]*
clampdown *fn* hirtelen hozott korlátozó intézkedések, szigorítások
clamshell *fn* **1.** kagylóhéj **2.** ‹kagylóhéj módra nyíló, fedeles tárgy› **3. a)** *biz* fej, kobak **b)** *US szl* száj
clan [klæn] **I.** *fn* **1.** *skót* klán **2. a)** törzs **b)** *biz* kisebb zárt társaság, érdekszövetség, klikk **3. a)** nemzetség, faj, osztály **b)** csoport/család *[állatoké, pl. elefántcsorda]* **II.** *tni* **-nn-** *biz* ~ **together** egymást támogatják, összetartanak
clandestine [klænˈdestɪn] *mn* titkos, rejtett, tilalmas • *fn* **clandestinity** *hsz* **clandestinely**
clang [klæŋ] **I.** *fn* **1.** csengés, érces hang, zengés, kongás *[harangé]* **2.** madárrikácsolás **3.** harsogó/fülsiketítő lárma **II. A.** *tsi* csenget, csengőt megszólaltat, kongat *[harangot]*, zenget **B.** *tni* **1.** cseng, zeng *[hang]*, kong *[harang]*, megcsendül **2.** rikácsol *[madár]*
clanger [ˈklæŋə ‖ –ər] *fn GB szl [hiba]* baklövés; **drop a ~** hibát követ el
clank [klæŋk] **I. 1.** *fn* csörgés *[láncé, bilincsé, kardoké]*, csörömpölés, zörgés **2.** *tsz* **clanks** *US szl* delírium **II. A.** *tsi* megcsörrent, megcsördít *[láncot]*, zörögtet, zörget **B.** *tni* megcsörren *[bilincs]*, csörög *[lánc]*
clannish [ˈklænɪʃ] *mn* **1.** klánjához/nemzetségéhez húzó, klánjával/nemzetségével összetartó **2.** *pej* klánjának/klikkjének érdekeit szolgáló • *fn* **clannishness**, **clanism**
clanship [ˈklænʃɪp] *fn* klánrendszer, klikkrendszer
clansman [ˈklænzmən] *fn tsz* **-men** klán/nemzetség/(nép)törzs tagja, *skót* törzs tagja
clanswoman *fn tsz* **-women** *skót* törzs/klán női tagja
clap¹ [klæp] **I.** *i* **-pp- A.** *tsi* **1.** ~ **one's hands** tapsol; ~ **a performer** megtapsolja a szereplőt **2.** ~ **its wings** csattogtatja a szárnyát **3. a)** megüt (vkt), odaüt, odasóz (vknek) **b)** ~ **hold of sy/sg** megragad vkt/vmt; ~ **a pistol to sy's head** pisztolyt szegez vk fejének **B.** *tni* **1. a)** tapsol **b)** csattan, csattog **2.** csapkod *[szárnnyal]* **II.** *fn* **1. a)** taps(olás); **give sy a ~** megtapsol vkt **b)** (váll)veregetés, kézlegyintés, kis pofon **2.** csattanás, dörgés; ~ **of thunder** mennydörgés
clap in *tsi szl* ~ **in/into jail** *[hűvösre tesz, börtönbe csuk]* lesittel, bevarr, hűvösre tesz
clap on *tni/tsi* **he ~s on his hat** fejébe vágja kalapját; ~ **eyes on sy** észrevesz/meglát/megpillant vkt; ~ **handcuffs on sy** megbilincsel, rákattintja a bilincset vkre; ~ **sy on the back** vállon vereget vkt
clap to A. *tsi* becsap *[ajtót]*, lecsap *[fedelet]* **B.** *tni* becsapódik *[ajtó]*, lecsapódik *[fedél]*
clap together *tsi* összeüt, összecsap *[munkát]*
clap up *tsi* **1.** → **clap together 2.** hirtelen/sietve megköt, tető alá hoz *[békét, szerződést]*
clap² *fn szl [gonorrhea]* kankó, tripper
clapboard [ˈklæpbɔːd ‖ ˈklæbərd, ˈklæpbɔrd] *US épít* **I.** *fn* hordódonga **II.** *tsi* deszkával burkol *[falat]*
clap-man *fn tsz* **-men** *film* hangasszisztens
clapped out [ˌklæptˈaʊt] *mn* **1.** *szl [fáradt, kimerült]* lerobbant, tropa **2.** *szl* bedöglött *[gép]*
clapper [ˈklæpə ‖ –ər] **I.** *fn* **1. a)** harangnyelv, csappantyú **b)** kereplő **2. a)** csattogtató; *GB biz* **like the ~s** mint a sicc **b)** → **clapperboard 3.** bértapsoló **II. A.** *tsi* kongat *[harangot]* **B.** *tni* kelepel *[gólya]*
clapperboard *fn film* csapó
claptrap I. *mn* nagyhangú, üres, hatásvadászó, halandzsázó *[beszéd]* **II.** *fn* **1. a)** hatásvadászat, hatásvadászó beszéd **b)** reklám, tetszetős közhely(ek) **2.** üres fecsegés/locsogás, halandzsa
claque [klæk] *fn* szerződtetett tapsoló
Clare [kleə ‖ kler] *tul* Klára
Clarence [ˈklærəns] *tul* ‹férfinév›
clare-obscure [ˌkleərəbˈskjʊə ‖ ˌklerəbˈskjʊr] → **chiaroscuro**

claret [ˈklærət] **I.** *fn* **1. a)** bordeaux-i vörös bor **b)** borvörös, bordó *[szín]* **2.** *régi szl* vér *[bokszolásnál]* **II.** *mn* borvörös, bordó

clarify [ˈklærəfaɪ] **A.** *tsi* **1.** tisztít, derít *[folyadékot]* **2.** megvilágosít *[elmét]*, leszűr *[tapasztalatot]*, tisztáz *[kérdést]* **B.** *tni* (ki)tisztul, derül, megvilágosodik • *fn* **clarification**, **clarifier**

clarinet [ˌklærəˈnet] *fn zene* klarinét • *fn* **clarinet(t)ist**

clarion [ˈklærɪən] **I.** *fn* **1. a)** *vál* harsona, trombitakürt **b)** *vál* harsogó/harsány hang **2.** *vál* orgonaregiszter **II.** *mn* tisztán harsogó, harsány

clarity [ˈklærəti] *fn* világosság, fény, tisztaság, átlátszóság

Clark [klɑːk ‖ klɑrk] *tul US* ‹férfinév›

clarkia [ˈklɑːkɪə ‖ ˈklɑr–] *fn növ* klárika, angyalrózsa

clary [ˈkleəri ‖ ˈkleri] *fn növ* (mezei/közönséges) zsálya

clash [klæʃ] **I.** *fn* **1. a)** csattanás, ütés, csapás, összeütközés **b)** csattogás, recsegés-ropogás, összekoccanás *[poharaké]*, csörömpölés **2.** összeütközés, összecsapás, nézeteltérés, érdekellentét, ellentmondás **II. A.** *tsi* **1.** csattogtat, megszólaltat, megkondít *[harangot]* **2.** *biz* kritizál, leszól (vmt) **B.** *tni* **1.** csattog, megkondul, zúg *[harang]*, összecsapnak *[fegyverek]* **2.** ütik egymást *[színek]*, nem egyezik (v. illik össze) **3. a)** eltér, ütközik, ellentmond, ellenkezik, *[nézet, érdek stb.]* **b)** egybeesik, ütközik, *[két dátum/program/meghívás]*

clashing [ˈklæʃɪŋ] **I.** *mn* **1.** csattogó, csattanó, recsegő-ropogó, harsogó **2.** ~ **colours** v. össze nem illő színek **3.** ~ **opinions** eltérő vélemények **II.** *fn* → **clash I.**

clasp [klɑːsp ‖ klæsp] **I.** *fn* **1.** kapocs, csat *[nyakéké, albumé]*, zár *[pénztárcáé]*, kampó, külső zárólemez *[lakaté]*, önműködő zárókészülék; ~ **lock** rugós zár **2.** pánt *[kitüntetés szalagján]* **3.** ölelés, (kéz)fogás, kézszorítás **II.** *tsi* **1.** bekapcsol, összekapcsol, rácsatol, összecsatol *[karkötőt]* **2. a)** átfog, átölel, átkarol, karjaiba zár **b)** ~ **hands** kezet szorít

clasper [ˈklɑːspə ‖ ˈklæspər] *fn* **1.** *áll* kapaszkodószerv, tapadószerv **2.** *növ* kacs

clasp-hook *fn* horgas kapocs *[ruhára]*

clasp-knife *fn tsz* **-knives** zsebkés, bicska

class [klɑːs ‖ klæs] **I.** *fn* **1.** osztály, társadalmi osztály/rang/rend; *biz* **the ~es** az előkelő világ; az előkelő/úri társaság; **the middle ~** a középosztály, a polgári osztály; **the working ~** a munkásosztály **2. a)** (tan)óra, tanfolyam; **evening ~es** esti tanfolyam/tagozat, felnőttek iskolája; **English ~** angolóra **b)** *US* évfolyam, osztály *[tanulóké]*; **the ~ of 1991** az 1991-ben végzett évfolyam **c)** *GB* osztályzat, minősítés *[egyetemi vizsgán]* **3.** *kat* korosztály **4. a)** osztály *[vm osztályozásánál]*, fokozat, fajta, kategória; **one design ~** egységes tervezésű hajóosztály; *biz* **no ~** gyenge minőségű, selejt; **in a ~ of/on its own** egészen kiváló minőségű; egyedülálló, klasszis, páratlan; **they are not in the same ~** nincsenek ugyanabban a súlycsoportban **b)** osztály **c)** *US* **first ~ matter** levélpostai díjszabással továbbítható küldemény **II.** *tsi* osztályoz, beoszt, besoroz, besorol, rangsorol; ~ **up** felértékel, magasabb osztályba sorol; ~ **as** vhova besorol **III.** *mn biz* menő, divatos

class-conscious *mn* osztály(ön)tudatos • *fn* **class-consciousness**

class division *fn* **1.** osztálytagozódás **2.** osztálykülönbség

class feeling *fn* osztályszellem, kasztszellem

class-fellow *fn* **1.** osztálytárs, tanulótárs **2.** *US* évfolyamtárs

classic [ˈklæsɪk] **I.** *mn* **1. a)** klasszikus, ókori görög/latin **b)** klasszikus *[író, irodalom, szépség]* **2.** elsőrendű, kitűnő, klasszikus, jellemző, tipikus; **a classic case** klasszikus eset/példa **II.** *fn* **1.** klasszikus (író) **2.** *esz* **classics** klasszikus művek; klasszika-filológia *[mint szak]*

classical [ˈklæsɪkl] *mn* **1.** klasszikus, antik, ókori **2.** ~ **education** klasszikus műveltség **3.** hagyományos; *zene ált* ~ **music** klasszikus zene **4. a)** klasszicista (stílusú) **b)** klasszicizáló • *hsz* **classically**

classicism [ˈklæsɪsɪzm] *fn* **1.** *vál műv* klasszicizmus, klasszikus szellem/irány/stílus/jelleg **2.** klasszikus ismeretek/tudományok **3.** humanizmus • *fn* **classicist** *mn* **classicistic**

classicize [ˈklæsɪsaɪz], **-ise** *tsi* klasszikus stílusúvá tesz, klasszicizál

classified [ˈklæsɪfaɪd] *mn* **1.** osztályozott, osztályba sorolt; ~ **ad(vertisment)** apróhirdetés; ~ **results** osztályozott eredmények; *GB* ~ **road** számozott út **2.** bizalmas, titkos; ~ **information** bizalmas közlés

classify [ˈklæsɪfaɪ] *tsi* **1.** osztályoz, osztályokba oszt, besorol, rangsorol, kartotékol **2.** titkosít, bizalmasnak/titkosnak minősít • *fn* **classification**, **classifier** *mn* **classifiable**

classless [ˈklɑːsləs ‖ ˈklæs–] *mn* osztály nélküli

class list *fn GB* előmeneteli sorrend

classmate [ˈklɑːsmeɪt ‖ ˈklæs–] → **class-fellow**

classroom [ˈklɑːsruːm, –rʊm ‖ ˈklæs–] *fn* tanterem

class struggle *fn pol* osztályharc

classy [ˈklɑːsi ‖ ˈklæsi] *mn biz* finom, ízléses, príma, *szl* remek, előkelő, menő, finom • *fn* **classily**

clastic [ˈklæstɪk] *mn geol* törmelékes, törmelékből képződött

clatter [ˈklætə ‖ ˈklætər] **I.** *fn* **1.** zörgés, csattogás, kattogás, kopogás, csörömpölés, zakatolás **2.** *biz* zsivaj, zsibongás, társalgás zaja **II. A.** *tsi* zörget, csattogtat **B.** *tni* **1.** lármázik, zörög, csattog, kattog, csörömpöl, kopog, zakatol **2.** kelepel *[gólya]* **3.** *biz* fecseg, locsog

Claud(e) [klɔːd] *tul* ‹férfinév›

Claudia [ˈklɔːdɪə] *tul* ‹női név› Klaudia

Claudius [ˈklɔːdɪəs] *tul* Claudius

clause [klɔːz] *fn* **1.** *nyelv* tagmondat; **main ~** főmondat; **subordinate ~** alárendelt mellékmondat **2.** pont, cikkely, paragrafus, záradék, kikötés *[szerződésben]*; *jog* **restrictive ~** megszorító záradék • *mn* **clausal**

claustral [ˈklɔːstrəl] *mn* **1.** kolostori, zárdai **2.** szűklátókörű

claustrophobia [ˌklɔːstrəˈfoubɪə] *fn orv* zárthelyiszony, klausztrofóbia

clavichord [ˈklævɪkɔːd ‖ –kɔrd] *fn zene* klavikord

clavicle [ˈklævɪkl] *fn orv* kulcscsont • *mn* **clavicular**

clavier [kləˈvɪə ‖ kləˈvɪr] *fn zene* **1.** ‹billentyűs, húros hangszer› **2.** billentyűzet

claviform [ˈklævɪfɔːm ‖ –fɔrm] *mn* bunkó/buzogány alakú, bunkós

claw [klɔː] **I.** *fn* **1. a)** karom *[macskaféléké, ragadozó madáré]*, köröm *[kutyáé]*, olló *[ráké]* **b)** *szl [kéz]* mancs **2. a)** karmolás **b)** harapófogó **II. A.** *tsi* **1.** karmával megsebesít/szétmarcangol/széttép **2.** karmával megragad **3.** megkarmol **4.** foggal-körömmel kapaszkodik, fel- v. kikapaszkodik **5.** ás *[karommal/körömmel]* **6.** *GB* ~ **back** (i) nagy nehezen visszaszerez (ii) visszaigényel **B.** *tni* karmol; ~ **at sg** megkapaszkodik/belecsimpaszkodik vmbe • *mn* **clawed**

clawback *fn* visszaigénylésből származó pénz

claw hammer *fn* **1.** szeghúzó/körmös kalapács **2.** *biz* ~ **(coat)** frakk

clay [kleɪ] **I.** *fn* **1. a)** agyag **b)** *vál* emberi test, porhüvely **2.** agyagpipa **II.** *tsi* **1.** agyaggal fehérít/derít **2.** agyaggal tapaszt • *mn* **clayey**, **clayish**

claybank *mn US* világosbarna, fakó *[ló]*

clay-bearing *mn geol* agyagos, agyag tartalmú

clay court *fn sp* salakos teniszpálya

claymore [ˈkleɪmɔː ‖ –mɔr] *fn* **1.** *tört* kétkezi/kétélű skót kard, klémor **2.** *kat* ‹aknafajta›

clay pigeon *fn sp* agyaggalamb

clay pipe *fn* agyagpipa, cseréppipa; **long ~** hosszú szárú agyagpipa

clean [kliːn] **I.** *mn* **1.** tiszta, hibátlan, vmtől mentes; **give sy a ~ bill of health** teljesen egészségesnek nyilvánít; ~ **hands** tiszta kéz; *nyomd* ~ **proof/copy** nyomható/kijavított levonat; ~ **record/sheet** büntetlen előélet; ~ **timber**

hibátlan/csomómentes fa; *biz* **as ~ as a whistle** tiszta, mint a patyolat; *biz* **come ~** őszintén bevall; **let's make a ~ breast of it** öntsünk tiszta vizet a pohárba; **make a ~ sweep of sg** teljesen elintéz; eltávolít vmt; **show a ~ pair of heels** meglép, megszökik **2. ~ player** korrekt játékos **3.** ügyes **4.** *szl [ártatlan]* bűntelen, tiszta, kóser **5.** *biz* **make a ~ job of** alaposan megcsinál/elvégez vmit **II.** *hsz* **1.** *biz* tökéletesen, teljesen; **~ cut** élesen körülhatárolt, világos; **I ~ forgot** teljesen elfelejtettem; **cut ~ through sg** teljesen átmetsz/átvág vmt **2.** tisztán **3.** pont(osan) **III. A.** *tsi* (ki)tisztít, lesúrol, (ki)seper, kitakarít, rendbe hoz, lepikkelyez *[halat]*, finomít *[olajat]*, megtisztít *[sebet]*; *átv* **~ house** nagytakarítást csinál; **~ one's plate** mindent megeszik, ami a tányéron van **B.** *tni* takarít, tisztogatást végez **IV.** *fn* tisztítás, takarítás; **give sg a ~(-up)** megtisztít/kitisztít/megtöröl/letöröl/kikefél/kitakarít vmt • *mn* **cleanable**

clean away → **clean off**

clean down *tsi* vakar, kefél, lecsutakol *[lovat]*

clean off *tsi* letisztít *[piszkot, sarat stb.]*

clean out *tsi* **1.** kitakarít, rendbe hoz, kitisztít **2.** *biz* **~ sy out** kifoszt, megkopaszt, kiszipolyoz vkt *[anyagilag]*; **~ed out** pénztelen, sóher, le van égve/robbanva; → **clean-out**

clean up A. *tsi* **1.** összetakarít, eltakarít, összeseper; **~ oneself up** kimosakszik; kihúzza magát a csávából **2.** *US biz* beseper *[hasznot, nyereséget]*, bezsebel *[pénzt]*, nagy hasznot ér el, nagy pénzt/dohányt szakít le, kaszál **B.** *tni* **1.** kitakarít, tisztogat(ást végez) **2.** rendet teremt/csinál **3.** aranyat bányász/mos; → **clean-up**

clean-bred *mn* fajtatiszta, telivér *[állat]*

clean-cut *mn* **1.** éles körvonalú, jól kirajzolódó **2.** tiszta, világos **3.** határozott, egyértelmű **4.** tiszta, rendes, egészséges *[gondolkodású]*

cleaner [ˈkliːnə ‖ –ər] *fn* **1.** takarító(nő), tisztító, sikáló/súroló munkás; **dry/French ~s, the ~s/~'s** (ruha)tisztító, vegytisztító **2.** tisztítógép, porszívó **3.** *szl* **take sy to the ~s** (i) *[kirabol]* kifoszt, kipucol, megkopaszt (ii) erősen (meg)kritizál (iii) *[legyőz]* megruház, hazavág *[sportban]*

clean-handed *mn* tisztakezű, becsületes, feddhetetlen, megvesztegethetetlen

cleaning-machine *fn* takarítógép, tisztítógép

cleanish [ˈkliːnɪʃ] *mn* majdnem tiszta

cleanly I. *mn* [ˈklenli] tisztaságszerető, rendszerető **II.** *hsz* [ˈkliːnli] **1.** tisztán, rendesen **2.** hatékonyan, jól • *fn* **cleanliness**

cleanness [ˈkliːnnəs] *fn* **1.** tisztaság *[ruházaté, vízé, nyelvezeté stb.]* **2.** tisztaság, egyszerűség *[formáké]*

clean-out *fn* (ki)tisztogatás, (ki)tisztítás; → **clean out**

cleanse [klenz] *tsi* **1.** tisztít, kotor, finomít *[olajat stb.]*, derít, tisztít, (ki)tisztít, fertőtlenít **2.** *bibl* bűntől/vétektől megtisztít

cleanser [ˈklenzə ‖ –ər] *fn* tisztítószer, tisztítóberendezés

clean-shaven *mn* **1.** borotvált képű **2.** frissen borotvált

cleansing [ˈklenzɪŋ] *fn* **1.** (meg)tisztítás **2.** megtisztulás *[lélekė]*; **~ of/from sin(s)** a bűn(ök)től való megtisztulás/megtisztítás; tisztítás *[gázé]*, finomítás *[olajé]* **3.** *pol* tisztogatás

cleansing cream *fn* lemosó krém *[kozmetikum]*

cleansing department *fn* köztisztasági hivatal

cleansing tissue *fn* papírzsebkendő

clean-up *fn* **1. a)** *átv* (ki)takarítás, tisztogatás *[főleg politikai]*, nagytakarítás, felszámolás **b)** *US* razzia **c)** készletkiárusítás **2.** *biz* leegyszerűsítés **3.** *US biz* nagy nyereség; → **clean up**

clear [klɪə ‖ klɪr] **I.** *mn* **1. a)** világos, tiszta, áttetsző, átlátszó; **~ conscience** tiszta lelkiismeret; **~ voice** tiszta hang; *biz* **as ~ as mud** világos, mint a vakablak **b) out of a ~ sky** mint derült égből a villámcsapás **2.** világos, tiszta, nyilvánvaló, érthető **3.** tisztán látó *[elme]*, tiszta *[látás]* **4.** biztos, bizonyos; **be ~ about/on sg** biztos vmben, bizonyos vm felől **5. a)** *gazd* levonás utáni, nettó; **~ majority** abszolút többség (*of* vké/vmé); **~ profit** tiszta haszon/nyereség **b) three ~ days** teljes három nap **6.** szabad *[kilátás, út]*, akadálytalan, mentes (*of* vmtől); *biz* **all ~!** minden rendben **II.** *hsz* **1.** világosan, tisztán *[beszél, lát]*; **make sg ~** nyilvánvalóvá/érthetővé tesz vmt **2. shine ~** fényesen ragyog *[nap, csillag]* **3.** teljesen, egészen **4.** el, félre; *biz* **get ~** tisztázza magát; **jump ~** félreugrik (vm elől); **keep/stand/steer ~ of sg** távol tartja magát vmtől; (el)kerül vmt **III.** *fn* belterület; **in the ~** a világosságban; a szabadban, szabadon; tisztázva *[vádtól]*; baj nélkül **IV. A.** *tsi* **1. a)** derültté/világosabbá/tisztábbá tesz; **~ a doubt** eloszlat egy kétséget **b)** átszűr, tisztít, derít *[folyadékot]*; **~ the throat** köszörüli a torkát **2. ~ sy of a charge** felment vkt vád alól; ártatlannak nyilvánít vkt **3. a)** szabaddá tesz *[utat, bejáratot]*, törmeléktől/omladéktól megtisztít, művelésre alkalmassá tesz *[földet]*, megtisztít *[területet szeméttől]*, kiüríttet *[utcát, termet]*; *átv* **~ the air/atmosphere** megtisztítja a levegőt; **~ one's conscience** könnyít a lelkiismeretén; **~ the way!** helyet/utat kérünk!; **~ the way for sy** előkészíti a talajt vk számára **b)** *sp* **~ a ball** hárít *[labdát]*, felszabadít, tisztáz **c) ~ out of the way** félreállít/félretol az útból **4.** átugrik *[akadályt]*, átjut vmin **5. a)** kiegyenlít, kifizet *[adósságot]*, tehermentesít *[birtokot]*, kiegyenlít *[számlát]* **b) ~ goods** árut vámkezeltet, elvámoltat; kiárusít; **~ customs** átjut a vámon **6. I ~ed my costs** megtérültek a költségeim **7.** *pénz* bevált *[csekket]* **8.** speciális megbízást jóváhagy, információhoz jutást engedélyez; **clear a thing with sy** beleegyezést/felhatalmazást kap/szerez vktől vmre **B.** *tni* **1. a)** eloszlik, elszáll, felszáll *[köd]*, kiderül, kitisztul *[idő]* **b)** megtisztul *[folyadék]* **2.** kifut a nyílt tengerre *[hajó]*; *US* **~ for publication** közlésre engedélyez **3.** *infor* töröl, törlés *[utasításként]* • *fn* **clearness** *hsz* **clearly**

clear away A. *tsi* elvesz, eltüntet, eltávolít *[akadályt]*, elrendez *[holmit]*, leszed *[asztalt]* **B.** *tni* eloszlik, felszáll, feltisztul *[köd]*

clear off A. *tsi* kidob(vmt), megszabadul (vmtől), töröl *[jelzálogot]*, kiegyenlít *[adósságot]*, *gazd* kiárusít **B.** *tni* **1.** megszűnik, eláll *[eső]* **2.** *biz* eltávozik, elkotródik, elinal, meglóg

clear out A. *tsi* kitakarít, kiürít, kitisztít, kiárusít, elbocsát, elkerget **B.** *tni biz* elfut, elmenekül, elillan, meglép, meglóg, elhordja magát; → **clear-out**

clear up A. *tsi* **1.** kitakarít, rendbe hoz *[szobát]*, elrendez *[holmit]* **2.** tisztáz, eloszlat *[félreértést]*, megold, kibogoz *[rejtélyt, nehézséget]*, tisztáz *[helyzetet, ügyet]*, rendbe tesz *[szobát]* **B.** *tni* kiderül, kitisztul *[idő]*; eltűnik; **my cold has ~ed up** elmúlt a megfázásom

clearance [ˈklɪərəns ‖ ˈklɪrəns] *fn* **1.** erdőirtás, fakitermelés; → **clearing** 3. **2. a)** vámkezelés, vámvizsgálat, elvámolás *[árué]* **b)** engedély (vmre) **c)** *rep* felszállási engedély **d)** felmentés szolgálat alól **e)** *hajó* (el)indulás *[kikötőből]* **3.** *sp* felszabadító rugás **4.** *műsz* tér, hézag, szabad játék/mozgás, mozgástér

clearance inwards *fn* **a)** behozatali/beviteli engedély **b)** vámbevallás behozott árukról

clearance order *fn* bontási határozat

clearance outwards *fn* **a)** kiviteli engedély **b)** vámbevallás kivitt árukról

clearance sale *fn* kiárusítás, végkiárusítás

clear-away *hsz biz* teljesen; → **clear away**

clear-cole *fn* **I. 1.** enyves alapozóréteg **2.** bevonás *[aranyfüsttel]* **II.** *tsi* enyves alapozóréteggel bevon

clear-cut *mn* **I. 1.** világos, tiszta *[(kör)vonalak, vélemény]*, áttekinthető, jól elrendezett **2.** határozott, jól megalkotott *[véleményt]*, félreérthetetlen *[parancs]*; **~ features** tiszta/éles arcvonások **II.** *tsi pt/pp* **-cut** irtást vág, (adott területen) minden fát kivág

clearer [ˈklɪərə ‖ ˈklɪrər] *fn pénz* zsiróbank

clear-felling *fn* tarvágás *[erdőé]*

clear-headed *mn* **1.** éles látású, éles/nyílt eszű **2.** tisztafejű, józan

C

clearing ['klɪərɪŋ ‖ 'klɪrɪŋ] *fn* **1.** megtisztulás, leszűrődés, derülés *[folyadéké]* **2.** ~ **of sy** vk tisztázása/felmentése *[vád alól]* **3.** megtisztítás, szabaddá tétel *[úté, pályáé]*, eltakarítás *[törmeléké]*, szűrés, derítés *[folyadéké]*, kiürítés, kiárusítás **4.** átlépés, kilépés *[határon]* **5. a)** vámvizsgálat, elvámolás, vámkezeltetés **b)** *pénz* kifizetés, kiegyenlítés *[adósságé, számláé]*, tehermentesítés *[ingatlané]*, *pénz* klíringelés, elszámolás *[csekké]* **6.** tisztás, irtás *[erdőben]*
clearing-bank *fn GB pénz* zsiróbank
clearing-house *fn* **1.** *pénz* klíringintézet, bankok elszámoló egyesülete **2.** hírügynökség
clear-out *fn* (ki)takarítás *[szobáé]*; → **clear out**
clear-sighted *mn* **1.** éles látású **2.** éles eszű, tisztán látó
clear-up *fn* **1.** (ki)takarítás **2.** megoldás, kibogozás *[rejtélyé]*; → **clear up**
clearway *fn GB* **1.** gyorsforgalmi autóút **2.** megállni tilos! *[mint jelzőtábla]*
cleat [kliːt] *fn* ék, ereszték, rögzítőléc
cleavage ['kliːvɪdʒ] *fn* **1. a)** hasítás **b)** hasadás **2.** *biol* osztódás *[sejté]* **3.** *biz* dekoltázs, nyakkivágás
cleave[1] [kliːv] *ir* **clove** [kloʊv], *bibl* **clave** [kleɪv], **cloven** ['kloʊvn], *pt* **cleaved,**, **cleft** [kleft], *pp* **cleaved,**, **cleft A.** *tsi* **1.** *vál* hasogat, hasít *[fát]*, széttör, szétzúz *[bilincset]* **2. a)** hasít *[levegőt]*, szel *[hullámokat]* **b)** utat tör **B.** *tni* **1.** ~ (szét)hasad, (szét)reped; lemezekre/lapokra hasad **2. a)** ~ **through the water** szeli a vizet **b)** ~ **through the crowd** áttör a tömegen • *mn* **cleavable**
cleave[2] *tni pt* **cleaved,**, **cleft** [kleft], *pp* **cleaved,**, **cleft** ragaszkodik, hű marad (*to* vkhez), megőriz, megtart *[szokást]*
cleaver ['kliːvə ‖ −ər] *fn* **1.** hasítóbárd, húsvágó/csontvágó bárd, fejsze **2.** hasogató/vágó munkás
cleeve [kliːv] → **cliff**
clef [klef] *fn zene* hangjegykulcs
cleft[1] [kleft] **I.** *mn* hasított, repedéses; *orv* ~ **lip** nyúlajak, nyúlszáj; *orv* ~ **palate** szájpadhasadék, farkastorok; *biz* **be in a** ~ **stick** pácban van **II.** *fn* hasadás, repedés, hasíték, szakadék, hézag, rés, nyílás
cleft[2] [kleft] → **cleave**[1]
cleg(g) [kleg] *fn GB* bögöly
cleistogamic [ˌklaɪstə'gæmɪk] *mn növ* zárvatermő
clement ['klemənt] *mn* **1.** irgalmas, kegyelmes, elnéző **2.** enyhe, kedvező *[idő, éghajlat]* • *fn* **clemency**
Clement ['klemənt] *tul* ‹férfinév›
clementine ['kleməntaɪn] *fn növ* magtalan mandarin
Clementine ['kleməntaɪn] *tul* Klementina
clench [klentʃ] **I. A.** *tsi* **1.** → **clinch** II. **2.** összeszorít *[fogat, öklöt]*, összeharap *[fogat]*; **with ~ed hands** ökölbe szorított kézzel **B.** *tni* csikorog *[fog]*, ökölbe szorul *[kéz]* **II.** *fn* **1.** szorítás, fogás, markolás **2.** kilincs, kapocs, horog, kampó
Cleo ['kliːoʊ] *tul* ‹női név›
cleptomania [ˌkleptoʊ'meɪnɪə] *fn orv* kleptománia
clergy ['klɜːdʒi ‖ 'klɜr−] *fn* papság, klérus
clergyman ['klɜːdʒimən ‖ 'klɜr−] *fn tsz* **-men** pap, lelkész, egyházi személy
cleric ['klerɪk] **I.** *mn régi* → **clerical** I.1. **II.** *fn* → **clergyman**
clerical ['klerɪkl] **I.** *mn* **1.** papi; ~ **collar** papi gallér **2. a)** irodai; ~ **work** irodai munka, írásmunka **b)** ~ **error** elírás; gépelési hiba *[szövegben]* **II.** *fn* **1. the ~s** a klerikális párt, a klerikálisok **2.** pap • *fn* **clericalism** *fn* **clericalist**
clerk [klɑːk ‖ klɜrk] **I.** *fn* **1. a)** hivatalnok, tisztviselő, irodai alkalmazott, írnok, ügyvédjelölt **b)** *jog* ~ **of the court** bírósági írnok **2.** *vall* ~ **(in holy orders)** pap; egyházi személy **3.** *US* **a)** áruházi/üzleti elárusító **b)** könyvelő **II.** *tni* hivatalnokoskodik • *fn* **clerkdom**, **clerkship** *mn* **clerkly**
cleve [kliːv] → **cliff**
clever ['klevə ‖ −ər] *mn* **1.** ügyes; **he is ~ with his hands** ügyes kezű **2. a)** okos, eszes, intelligens **b)** *GB biz* talpraesett, leleményes, furfangos, agyafúrt **c)** ügyes, ötletes *[szerszám, szerkezet]* **3.** *US biz* szolgálatkész, szíves, kedves, szeretetreméltó • *fn* **cleverness** *hsz* **cleverly**
cleverish ['klevərɪʃ] *mn* elég ügyes/okos/eszes, nem ostoba
clew [kluː] **I.** *fn* **1. a)** gombolyag *[pamut, cérna]* **b)** *régi* vezérfonal *[labirintusban]* **2. a)** *hajó* vitorla alsó csúcsa/csücske/sarka **b)** függőágy függesztőzsinórjai **II.** *tsi hajó* ~ **up** bevon *[vitorlákat]*; felgöngyöl, felgombolyít; ~ **down** kibont *[vitorlákat]*
cliché ['kliːʃeɪ ‖ −'ʃeɪ] *fn* **1.** közhely, elkoptatott szólam, sablon **2.** *nyomd* dúc, klisé, nyomóforma, nyomólemez, klisé
clichéd ['kliːʃeɪd ‖ −'ʃeɪd] *mn* banális, sablonos, közhelyes
click [klɪk] **I.** *fn* **1.** kattanás, kattintás, kattogás, ketyegés; **the ~ of the latch** a zár kattanása **2.** ~ **(of the tongue)** csettintés *[nyelvvel]* **3.** *US biz* klikk **4.** *infor* kattintás *[egérbillentyűvel]* **II. A.** *tsi* **1.** kattant **2.** ~ **one's tongue** nyelvével csettint; ~ **one's fingers** ujjaival csettint **B.** *tni* **1.** csattog, csattan, kattog, csörren **2.** *biz* hirtelen érthetővé válik, bekattan **3.** *infor* ~ **(on)** megnyomja az egér egyik gombját, rákattint vmre **4.** *szl* **that idea really ~ed** az ötlet tényleg bejött *[sikeres volt]* • *fn* **clicker**
click into *tni* bekattan, a helyére kattan *[zár]*
click off *tsi* **1.** lekopog vmt *[írógépen]* **2.** ledarál, elsorol *[adatokat]*
click on *tni infor* rákattint vmre *[az egérrel]*
click to *tsi* bekattint
click beetle *fn áll* pattanóbogár
click-clack I. *fn* kattogás *[gépé, szerszámé]*, ketyegés *[óráé]*, kipp-kopp **II.** *tni* kattog, zúg, ketyeg, kopog
client ['klaɪənt] *fn* **1.** ügyfél, megbízó, kliens **2.** *gazd biz* állandó vásárló **3.** védenc **4.** *infor* ügyfél(program), kliens(-program), ügyfélkészülék, klienskészülék
clientele [ˌkliːɒn'tel ‖ ˌklaɪən'tel] *fn* **a)** ügyfélkör, vevőkör, ügyfelek **b)** törzsközönség, törzsvendégek
client-server *fn infor* ügyfél-kiszolgáló, kliens-szerver
client-side *mn infor* ügyféloldali
client-side program *fn infor* ügyfélprogram, kliensprogram
client state *fn* gazdasági függőségben levő állam, kliensállam
cliff [klɪf] *fn* szirt, szikla, parti sziklafal/szirtfal, kőszál
cliff-climber *fn* sziklamászó
cliffed [klɪft] *mn* sziklás, szirtes, sziklákkal/szirtekkel körülvett/szegélyezett
cliffhanger 1. ‹a legizgalmasabb résznél függőben hagyott folytatásos regény/adás/film› **2.** feszültséggel teli történet **3.** borotvaélen táncoló helyzet/esemény, drámai esemény, szenzáció • *tni* **cliff-hang**
Clifford ['klɪfəd ‖ −fərd] *tul* ‹férfinév›
cliffy ['klɪfi] → **cliffed**
climacteric [klaɪ'mæktərɪk, ˌklaɪmæk'terɪk] **I.** *mn* **1.** válságos, kritikus **2.** *biol* klimaxos **3.** *orv régi* változási, klimakterikus **II.** *fn* **1.** *orv* változás kora, klimax **2.** *ált* válság(os időszak)
climactic [klaɪ'mæktɪk] *mn* **1.** fokozódó **2.** tetőpontra érő, kulmináló
climate ['klaɪmət] *fn* **1.** éghajlat, klíma **2.** *átv* (szellemi) légkör, atmoszféra • *mn* **climatic** *hsz* **climatically**
climatology [ˌklaɪmə'tɒlədʒi ‖ −'tɑ−] *fn* éghajlattan, klimatológia • *fn* **climatologist** *mn* **climatologic(al)**
climature ['klaɪmətʃə ‖ −tʃʊr] *fn* éghajlati viszonyok
climax ['klaɪmæks] **I.** *fn* **1.** fokozás **2.** tetőpont, tetőfok **3.** *biol* klimax, menopauza **4.** *biol* orgazmus **II. A.** *tsi* betetőz *[pályafutást stb.]* **B.** *tni* tetőpontra hág/ér
climaxing ['klaɪmæksɪŋ] **I.** *mn* legmagasabb, kulmináló **II.** *fn* kulminálás
climb [klaɪm] **I. A.** *tsi* megmászik *[fát, sziklát]*, felmászik *[létrán]*, kúszik, felmegy *[lépcsőn]*; ~ **the social ladder** felkapaszkodik a társadalmi ranglétrán **B.** *tni* **1.** emelkedik

[út, repülőgép stb.] **2.** ~ **to power** felküzdi magát a hatalomra **II.** *fn* **1.** mászás, kapaszkodás, emelkedés, felmenetel; **rate of** ~ emelkedési sebesség **2.** kapaszkodó, emelkedő, emelkedés *[úté]* • *mn* **climbable**

climb down *tni* **1.** lemászik, lekúszik, lemegy **2.** viszszavonul, visszakozik, hátrál, szelídebb hangnemben beszél, alább adja; → **climb-down**

climb into *tni* belebújik, felvesz *[ruhát]*; ~ **into bed** ágyba bújik

climb on *tni biz* rámászik; ~ **on to the roof** felmászik a tetőre

climb over *tni* ~ **over (the wall)** átmászik (a falon)

climb through *tni* ~ **through (an opening)** átmászik, átkúszik (egy nyíláson)

climb-down *fn* **1.** lemászás, lekúszás, lemenetel **2.** *biz* visszavonulás, visszakozás, meghátrálás; → **climb down**

climber [ˈklaɪmə ‖ −ər] *fn* **1.** hegymászó, kúszó, mászó *[ember, állat]* **2.** *biz* törtető, karrierista **3. a)** *növ* kúszónövény **b)** *áll* kúszó(madár)

climbing-frame *fn* mászóka *[játszótéren]*

climbing-irons *fn tsz* mászóvas, kúszóvas

climb rate *fn rep* emelkedési gyorsaság/sebesség

clime [klaɪm] *fn vál* klíma, ország, föld, ég, (szellemi) környezet

clinch [klɪntʃ] **I. A.** *tsi* **1.** (meg)szegecsel, összeszegecsel **2.** megköt *[alkut]*, lezár, eldönt *[vitát]*; **~ing argument** döntő érv **3.** megragad, megfog, megszerez **B. 1.** *tni sp* összekapaszkodnak **2.** *biz* összeölelkezik **II.** *fn* **1.** kapocsrögzítés, szegrögzítés, horogrögzítés **2.** belharc, közelharc **3.** *biz* (szerelmes) ölelés

clincher [ˈklɪntʃə ‖ −ər] *fn biz* megdönthetetlen érv(elés), találó válasz, perdöntő bizonyíték; *szl* **give sy a** ~ gyorsan megfelel vknek

cline [klaɪn] *fn* fokozatos átmenet, kontinuum

cling [klɪŋ] *tni pt/pp* **clung** [klʌŋ] **1.** belekapaszkodik, megkapaszkodik, csüng, ragaszkodik, hozzásimul; **she clung to me** ragaszkodott hozzám; ~ **to one another** ragaszkodnak egymáshoz, szeretik egymást; összeölelkeznek **2.** ~ **to an opinion** ragaszkodik egy állásponthoz **3.** tapad, kapaszkodik *[növény falra]*; *sp* ~ **on the mark** bennragad *[rajtnál]* • *fn/mn* **clinging**

clingstone *mn növ* nem magvaváló

clingy [ˈklɪŋi] *mn* tapadós, ragadós • *fn* **clinginess**

clinic [ˈklɪnɪk] *fn* **1.** *orv* rendelőintézet **2.** *orv* **a)** klinika, szakklinika **b)** *GB* magánkórház, gondozó(intézet) **3.** *orv* oktató kórház/klinika **4.** *US* szakmai tanácsadó központ

clinical [ˈklɪnɪkl] *mn* **1.** klinikai; ~ **death** klinikai halál; ~ **thermometer** orvosi hőmérő, lázmérő **2.** *vall* halálos ágyon történő **3.** szigorúan objektív **4.** kopár, rideg, funkcionális *[épület]*

clinician [klɪˈnɪʃn] *fn* klinikai orvos, orvostanár, klinikus

clink[1] [klɪŋk] **I. 1.** *fn* csengés *[poharaké]*, csörgés, csörömpölés, csörrenés, zörgés **2.** *US biz* aprópénz, fémpénz **II. A. 1.** *tsi* csörget **2.** *régi* ~ **glasses** koccint **B.** *tni* csörömpöl, csörög, csörren, zörög, összekoccan *[pohár]*

clink[2] [klɪŋk] *fn szl* sitt, dutyi

clinker[1] [ˈklɪŋkə ‖ −ər] **I.** *fn* **1. a)** keramit útburkoló tégla **b)** klinkertégla **2.** salak **II. A.** *tsi* kitisztít *[kályhát, kazánt]* **B.** *tni* salakosodik

clinker[2] [ˈklɪŋkə ‖ −ər] *fn* **1.** → **clincher 2.** *biz* vm remek/nagyszerű, vm óriási/szuper **3. a)** *US biz* hiba, tévedés, baklövés, melléfogás **b)** *szl [rossz minőségű dolog, kudarc]* betli

clinker-built *mn hajó* palánkos (építésű)

clinking [ˈklɪŋkɪŋ] **I.** *mn* **1. a)** csengő, összekoccanó *[pohár]* **b)** zörgő, csörömpölő **2.** *szl [nagyon jó]* nagyszerű, remek, meglepő, elképesztő **II.** *fn* csengés, csörgés

clinometer [klaɪˈnɒmɪtə ‖ −ˈnɑmətər] *fn épít hajó* hajlásmérő, dőlésmérő

clint [klɪnt] *fn geol* mészkőszikla

Clint [klɪnt] *tul US* ‹férfinév›

Clio [ˈklaɪoʊ] *tul* **1.** ‹női név› Klió **2.** *mit* Klió

clip[1] [klɪp] **I.** *fn* **1.** csipesz, csíptető, kapocs, gemkapocs **2.** *vill* csatlakozóvég **3.** melltű, klipsz **II.** *tsi* **-pp-** csíptet, összekapcsol, összeszorít; *biz* ~ **in with sy** pénzzel beszáll vm közös vállalkozásba/programba; ~ **on** csipesszel/kapocscsal hozzáerősít/hozzátűz

clip[2] [klɪp] **I. A.** *tsi* **-pp- 1. a)** (meg)nyír, nyes *[sövényt]*, körülnyír, megnyirbál, vagdal (vmt); *biz* ~ **sy's claws/wings** megnyirbálja vk szárnyait **b)** *biz* ~ **one's words** elharapja a szóvégeket **2.** lyukaszt, kilyukaszt, érvényesít *[jegyet]* **3.** kivág *[újságból cikket]* **4.** szorosan körülfog/körülvesz **5.** *biz* megüt, behúz/lekever vknek egyet **6.** *szl [becsap]* rászed, átver *[vmennyivel]* **B.** *tni* üget, poroszkál *[ló]* **II.** *fn* **1. a)** birkanyírás **b)** juhról lenyírt gyapjú **c)** frizura **d)** levágás **2.** *tsz* **clips** clipper 2. **3. a)** filmbevágás, rövid kivágott rész *[mozifilmből]* **b)** (videó)klip **4.** *biz* pofon, nyakleves, füles, tasli **5.** *US biz* nagy sebesség/iram

clipboard *fn* **a)** csíptetős írólap **b)** *infor* vágólap

clip-clop [ˈklɪpklɒp ‖ −klɑp] *fn* lódobogás

clip-joint *fn szl* ‹szórakozóhely v. üzlet, ahol becsapják a vendéget› rablótanya, becsali csárda

clip-on *mn* felerősíthető, rácsíptethető

clipper [ˈklɪpə ‖ −ər] *fn* **1.** nyíró/nyeső/metsző munkás, birkanyíró **2.** *tsz* **clippers** vágó/nyeső szerszám/gép **3. a)** *hajó* gyorsjáratú nagy vitorláshajó, klipper **b)** *biz* szélsebes

clipping *fn* **1. a)** nyírás, juhnyírás, birkanyírás **b)** lyukasztás *[jegyé]* **2. a)** *US* újságkivágás **b)** *tsz* **clippings** lenyírt gyapjú, nyiradék, (levágott) hulladék *[papíré, körömé]*

clique [kliːk] *fn* érdekszövetkezet, klikk • *mn* **cliquish** *mn* **cliqu(e)y**

cliquiness [ˈkliːkinəs] *fn biz* klikkszellem

cliquism [ˈkliːkɪzm] *fn biz* cimboraság, klikkszellem, klikkrendszer, klikkuralom

clit [klɪt] *fn szl [csikló]* pöcök

clitic [ˈklɪtɪk] *fn nyelv* klitikum, simulószó

clitoris [ˈklɪtərɪs] *fn orv* csikló • *mn* **clitoral**

Clive [klaɪv] *tul* ‹férfinév›

cloaca [kloʊˈeɪkə] *fn tsz* **cloacae** [kloʊˈeɪsiː] **1.** *orv* kloáka **2. a)** szennyvízcsatorna, kloáka **b)** árnyékszék **c)** erkölcsi fertő

cloak [kloʊk] **I.** *fn* **1. a)** köpeny, köpönyeg; *biz* ~ **of moss** mohatakaró; *biz* **under the ~ of the night** az éj leple alatt **b)** *átv* lepel, ürügy **2.** *esz* **cloaks** *GB* ruhatár **II.** *tsi* **1.** köpenyt ráad (vkre) **2. a)** beborít (vmt) **b)** elrejt, leplez, álcáz

cloak-and-dagger kalandos, romantikus; ~ **story** kalandregény

cloakroom *fn* **1.** ruhatár **2.** *GB euf* mosdó, vécé

clobber [ˈklɒbə ‖ ˈklɑbər] **I.** *fn GB* cókmók, cucc, ringyrongy, ócska holmi **II. A.** *tsi* **1.** jól eldönget, alaposan elagyabugyál **2.** ripityára ver vkt **3.** *szl* megbüntet, megfoszt vmitől **B.** *tni* ~ **out/up** kiöltözik, kicsípi magát

clobbered [ˈklɒbəd ‖ ˈklɑbərd] *mn szl* nagyon részeg, tökrészeg, el van ájulva

clock [klɒk ‖ klɑk] *fn* **I. 1. a)** óra; **Dutch** ~ kakukkos óra; **master** ~ vezéróra, központi óra; **wall** ~ falióra; **run against the** ~ versenyt fut az idővel; **(a)round the** ~ *US* éjjel-nappal, szakadatlanul, 24 órán át; **put the ~ back** (i) visszaigazítja az órát (ii) *átv* idő kerekét visszaforgatja; **watch the clock** betartja a kötelező munkaidőt, pontosan hagyja abba a munkát **b)** *biz* zsebóra, stopperóra **c)** ~ **card** bélyegzőlap; ~ **of a taxi-cab** taxióra **d)** fogyasztásmérő óra **2.** *GB szl* arc, pofa **II.** *tsi* **1.** *biz* időt mér *[versenyórával]* **2.** *biz* bizonyos gyorsaságot ér el *[futó]* **3. a)** *szl* meglát, észrevesz *[embert, tárgyat]* **b)** bámul, hosszan néz vkre v. vmre **4.** *szl* megüt, fejen csap

clock in *tni biz* lebélyegez(tet), blokkol *[bélyegzőóránál munkakezdésnél]*

clock on *tsi* → **clock in**

clock off *tni biz* távozáskor bélyegez/blokkol

clock out → **clock off**

clock up *tsi* elér, teljesít; **this car has ~ed up 80,000 km** ez a kocsi eddig 80.000 kilométert futott
clocked [klɒkt ‖ klɑkt] *mn infor* szinkronizált
clock hand *fn* (óra)mutató
clock radio *fn* rádiós (ébresztő)óra
clock-watcher *fn* állandóan az órát néző/figyelő (alkalmazott) • *tsi* **clock-watch** *fn* **clock-watching**
clockwise [ˈklɒkwaɪz ‖ ˈklɑk–] *mn/hsz* az óramutató forgásának irányában, balról jobbra; **counter ~** jobbról balra
clockwork *fn* óraszerkezet, óramű; *biz* **everything is going like ~** úgy megy(minden), mint a karikacsapás
clockwork precision *fn* óramű(szerű) pontosság
clockwork toys *fn tsz* felhúzós játékok
clod [klɒd ‖ klɑd] *fn* **1.** rög, göröngy **2.** (kis) csomó **3.** *biz* hülye, ostoba ember
cloddish [ˈklɒdɪʃ ‖ ˈklɑ–] *mn* **1.** rögös, göröngyös *[föld]* **2.** parasztos, nehézkes, esetlen, faragatlan, lassú észjárású
cloddy [ˈklɒdi ‖ ˈklɑ–] → **cloddish**
clod-hopper *fn* földet túró paraszt, nehézkes/esetlen ember, bugris
clod-hopping *mn* bumfordi
clod-pate *fn* ostoba, tökfilkó
clog [klɒg ‖ klɑg] **I.** *fn* **1.** (fa)tuskó, tönk, rönk **2. a)** béklyó **b)** *átv* kölönc, akadály, gátlás **c)** hátramozdító **3.** facipő, klumpa **II.** *i* **-gg- A.** *tsi* **1.** megbéklyóz *[állatot]* **2.** elzár, eltorlaszol, eltöm, eldugaszol, *biz* akadályoz, gátol, megzavar **B.** *tni* elzáródik, eltömődik, akadozik, (be)szorul (vm vmben); **~ up** eldugul
clog dance *fn* kopogós, facipős tánc
cloggy [ˈklɒgi ‖ ˈklɑgi] *mn* ragadós, tapadós; eltömődött, összecsomósodott
cloisonné [klwɑːˈzɒneɪ ‖ ˌklɔɪzəˈneɪ] *műv* **I.** *fn* zománcmunka **II.** *mn* rekeszzománcos
cloister [ˈklɔɪstə ‖ –ər] **I.** *fn* **1.** kolostor, klastrom, zárda **2.** kolostori élet/elzártság **3.** *tsz* **cloisters** kerengő, oszlopos folyosó **II.** *tsi* kolostorba zár • *mn* **cloistral**
cloistered [ˈklɔɪstəd ‖ –ərd] *mn* **a)** kolostorba zárt/vonult **b)** *átv* magányos
clomp [klɒmp ‖ klɑmp] *tni* **1.** *US* dobban(t) **2.** zajosan megy, csörtet
clone [kloʊn ‖ klɑn] **I.** *fn* **1.** *biol* klón, DNS-darab másolata **2.** másolat, klón *[dologé]* **II. 1.** *tsi biol* klónoz, ivartalanul szaporít *[azonos egyedeket]* **2.** lemásol *[tárgyat, szoftvert stb.]*
cloning *fn biol* klónozás
clonk [klɒŋk ‖ klɑŋk] **I.** *fn* fémes kondulás, csattanás **II. A.** *tni* kondul, csattan **B.** *tsi* megüt
clonus [ˈkloʊnəs] *fn orv* rángás • *mn* **clonic**
cloot [klut] *fn* pata
clop [klɒp] **I.** *fn* lódobogás **II.** *tni* dobog *[ló]*
close[1] **I.** *mn* [kloʊs] **1. a)** zárt, csukott, bekerített; *nyelv* **~ vowel** zárt magánhangzó **b)** fülledt, áporodott *[levegő]* **c) ~ secret** gondosan őrzött titok; **~ silence** nagy csend **d)** tilos; *vad* **~ season/time** tilalmi idő(szak) **2. a)** közel; **~ combat** közelharc; **~ contest** fej fej melletti versengés; **~ friend** meghitt barát; **~ race** szoros verseny; **~ reasoning** alapos okfejtés; **~ relatives** közeli rokonok; **at/from~ quarters** közvetlen/egész közel; **that was a ~ call/shave**, **that was ~** egy hajszálon múlt; **~ shot** közelkép, premier plan; **~ struggle** szoros küzdelem **b)** szűk, szoros; **~ majority** kis többség **c)** hű; **~ translation** pontos fordítás **d)** hasonló, rokon *[fogalom]* **3.** sűrű *[szövés]*, tömött, tömör, kompakt; **~ order** tömött sorok; **in ~ order** *hajó* zárt rendben **4.** tartózkodó, titkolózó; **keep sg ~** titokban tart vmt; **play a ~ game** óvatosan játszik; *átv* elővigyázatosan viselkedik **II.** *hsz* [kloʊs] **1.** közel, közelről, közelben; **it is ~ (up)on nine o'clock** majdnem 9 óra van, kilencre jár az idő; **hair cut ~** tövig lenyírt haj **2.** szorosan, légmentesen *[elzár]*, szűken, sűrűn **3. lie ~** elbújik; meglapul **4. ~ by**, **~ at hand** egészen közel, közvetlenül mellette **III.** *fn* [kloʊs] **1. a)** bekerített terület, magánterület **b)** iskolai játszótér **2.** zsákutca
close[2] **I.** [kloʊz] **A.** *tsi* **1.** bezár, becsuk *[könyvet, ajtót]*, behuny *[szemet]*, összecsuk *[ernyőt]*, leragaszt *[borítékot]*, lezár *[utat]*, betöm *[lyukat]*; **~ one's eyes** (i) nem figyel oda vmire (ii) meghal **2.** befejez, bevégez, elintéz *[ügyet, vitát]* **3.** lezár *[sorozatot]*, berekeszt *[ülést]*, megköt *[üzletet]*, lebonyolít *[ügyletet]*; **~ the books** mérleget készít **B.** *tni* **1.** (be)csukódik, (be)záródik, bezárul *[ajtó]*, összehúzódik, beforr *[seb]* **2. ~ on** rácsukódik, rázárul, ráfonódik *[kéz]* **3.** befejeződik, bevégződik **II.** *fn* [kloʊs] **1.** vég, befejezés, lezárás, berekesztés, *infor* bezárás *[állományé]*; **at ~ of day** a nap befejeztével/végén; **the day draws to a ~** esteledik; a nap befejeződik; **bring sg to a ~** befejez vmt **2.** közelharc, dulakodás
close about *tni* **~ about sy** körülvesz, körülfog, körülzár, bekerít (vkt)
close down A. *tsi* bezár *[üzemet]*, elfojt *[felkelést]*, véget vet, beszüntet **B.** *tni* **1.** zár, lezárul, leszáll *[köd]* **2.** *GB* beszünteti az adást *[rádió]*; → **close-down**
close in A. *tsi* körülvesz, bekerít *[területet]* **B.** *tni* **a)** rövidül *[nappal]*; **the night ~s in** közeledik az éjszaka **b) ~ in on sy** körülfog/átkarol vkt
close off *tsi* **1.** elkülönít **2.** elzár *[csapot]*
close out A. *tsi US* **1.** kizár **2.** kiárusít, elad **3.** (hirtelen) abbahagy, befejez **4.** leszerel *[gyárat]* **B.** *tni* kiárusít és bezár *[üzletet]*; → **close-out**
close round *tni* körülfog, körülzár
close up A. *tsi* bezár, elzár, betöm *[nyílást]*, lezár, eltorlaszol *[utat]* **B.** *tni* **1.** elzárul, elzáródik, eltömődik, bezárul **2.** összeszorul, összezsúfolódik, egymáshoz nyomódik, közelebb megy **3.** egyesül, egybeolvad, szövetkezik **4.** összehúzódik, beforr *[seb]*; → **close-up**
close-by *mn* közeli, szomszédos
close-cropped [–ˈkrɒpt ‖ –ˈkrɑpt] *mn* tövig lenyírt, rövidre vágott *[haj, fű]*
close-cut → **close-cropped**
closed [kloʊzd] *mn* zárt, csukott, eltömődött, eldugaszolt *[cső stb.]*, zárva; **~ book** ismeretlen terület *[tudományé]*; **road ~** lezárt út
closed-circuit *mn távk* zárt áramkörű/láncú; **~ television** zárt áramkörű/láncú televízió
closed-door *mn biz* zártkörű, zárt ajtók mögött tartott *[tanácskozás]*
closed loop *fn infor* zárt hurok
close-down [ˈkloʊzdaʊn] *fn US* **1.** üzemzárás, üzembeszüntetés; **~ sale** végkiárusítás **2.** *GB* műsorzárás *[tv-ben]*; → **close down**
close-fisted [ˌkloʊsˈfɪstɪd] *mn* szűkmarkú
close-fitting [ˌkloʊsˈfɪtɪŋ] *mn* testhez álló *[ruha]*
close-knit [ˌkloʊsˈnɪt] *mn* **1.** zárt, szorosan kapcsolt/összefüggő **2.** jól felépített *[érvelés]*
closely [ˈkloʊsli] *hsz* **a) ~ cut** tövig lenyírt **b)** teljesen *[hasonlít]*, gondosan *[megvizsgál]*; **listen ~** figyelmesen hallgat
close-mouthed *mn* szűkszavú, hallgatag
closeness [ˈkloʊsnəs] *fn* **1. a)** közelség, *átv* szorosság **b)** sűrűség, tömöttség **2.** pontosság, hűség *[leírásé]* **3.** elzártság, levegőtlenség **4.** zárkózottság
close-out [ˌkloʊz ˈaʊt] *fn US* **1.** végkiárusítás **2.** leszállított áron vett áru
close-range *mn kat* **~ weapon** rövid hatótávolságú fegyver
close-set [ˌkloʊsˈset] *mn* **1.** közel fekvő *[szemek stb.]*; **~ teeth** sűrűn nőtt fogak **2.** sűrű *[sövény, gyep]*, sűrűn ültetett növény
close-shaven *mn* simára borotvált
close-shut *mn* szorosan/légmentesen lezárt
close-spaced *mn nyomd* sűrűn szedett
closet [ˈklɒzɪt ‖ ˈklɑzət] **I.** *fn* **1.** szobácska, fülke, kamra **2.** vécé **3.** járható/beépített szekrény **II.** *mn US* titkos, rejtett; **~ homosexual** homoszexualitását titkoló férfi **III.** *tsi* **be ~ed with sy** bizalmas megbeszélésre elvonul vkvel
closet drama *fn* könyvdráma

close-tongued [ˌklousˈtʌŋd] *mn* szűkszavú, hallgatag
closet play *fn* könyvdráma
close-up [ˌklouz ˈʌp] **I.** *fn* **1.** *film* közeli felvétel, közelkép; **~ lens** előtétlencse **2.** beható tájékozottság; → **close up** **II.** *hsz* közelről, kis távolságból
close-woven *mn tex* sűrű szövésű
closing bid *fn ját* záró licit
closing date *fn* határidő
closing prices *fn gazd* záró árfolyamok
closing time *fn* záróra; üzletzárási idő
closish [ˈklousɪʃ] *mn* **1.** elég közeli **2. a)** nyomasztó, tikkasztó *[levegő, időjárás]* **b)** levegőtlen, fülledt, dohos, áporodott levegőjű *[helyiség]*
closure [ˈklouʒə ‖ –ər] **I.** *fn* **1. a)** bezárás, berekesztés *[ülésé, tárgyalásé]* **b)** *jog* vita határozattal/szavazással való lezárása **2. a)** bezárás, lezárás, elzárás, zárlat, elzáródás **b)** sebvarrat **II.** *tsi* bezár *[vitát]*, berekeszt *[ülést]*
clot [klɒt ‖ klɑt] **I. 1.** *fn* összeragadt/összecsomósodott részecske, alvadék, rög; **~ of blood** vérrög, vércsomó **2.** *GB szl* hülye, buta ember, hólyag **II.** *i* **-tt- A.** *tsi* **1.** megaltat *[tejet]*, besűrít *[krémet]* **2.** összetapaszt, összeragaszt *[vért, sarat, hajat]* **B.** *tni* összeáll, összecsomósodik, megalszik, megalvad *[vér]*
cloth [klɒθ ‖ klɔθ] *fn tsz* **cloths** [klɒθs ‖ klɑθs] **1. a)** kelme, posztó, szövet **b)** anyag; **~ of gold** aranybrokát **2. a)** törlőruha; tisztítórongy **b)** abrosz, asztalterítő; **lay the ~** megteríti az asztalt **3.** *biz* **the ~** reverenda; a papság
cloth-binding *fn* vászonkötés *[könyvé]*
cloth cap *fn* **1.** simléderes sapka, micisapka **2.** *jelzői haszn* tipikus munkás- *[magatartás]*
clothe [klouð] *tsi pt/pp* **clad** [klæd], **clothed**, *régi* **clad** [ɪˈklæd] **1. a)** (fel)öltöztet, felruház (*in/with* vmbe); **~ with** felruház *[vmlyen tulajdonságokkal]* **b)** burkol, beborít **2.** kifejez (vmt); → **clad**
cloth-eared *mn biz* **1.** süket, nagyothalló **2.** érzéketlen
clothes [klouðz] *fn tsz* **1.** ruha, ruházat, öltözék **2.** fehérnemű **3. bed ~** ágynemű
clothes-bag *fn* szennyeszsák
clothes basket *fn* ruháskosár *[szennyes ruhának]*
clothes brush *fn* ruhakefe
clothes hanger *fn* ruhaakasztó, ruhafogas
clothes horse *fn* **1.** ruhaszárító állvány **2.** divatbáb
clothesline *fn* ruhaszárító kötél
clothes-peg *fn* **1.** ruhaszárító csipesz **2.** ruhaakasztó
clothes pin → **clothes-peg**
clothes-rope *fn* ruhaszárító kötél
clothier [ˈklouðɪə ‖ –ər] *fn* **1.** (kész)ruhakereskedő, konfekciós **2.** szabó
clothing [ˈklouðɪŋ] *fn* **1. a)** felruházás, felöltöztetés; **~ allowance** ruhapénz **b)** öltöz(köd)és **2.** öltözék, ruházat
cloth measure *fn tört* rőf
cloth-merchant *fn* posztókereskedő
cloth-mop *fn* törlőrongy, felmosórongy
clotty [ˈklɒti ‖ ˈklɑ–] *mn* csomós, megalvadt, összecsomósodott
cloud [klaud] **I.** *fn* **1.** felhő, felleg; *biz* **be in the ~s** fellegekben jár; *biz* **on cloud nine/seven** a hetedik mennyországban érzi magát; *közm* **every ~ has a silver lining** minden bajnak van jó oldala, borúra derű **2. a)** füstfelhő, porfelhő **b)** sötétség; **under the ~ of night** az éj leple alatt **3.** zavarosság *[folyadékban]*, homály *[üvegen]*, folt *[márványon]* **4.** tömeg, sereg, raj; **a ~ of witnesses** tanúk serege **5.** *átv* árnyék, folt, felhő; **be under a ~** bajban van; gyanú alatt áll **II. A.** *tsi* felhőbe borít, elfed, eltakar, elhomályosít, elsötétít *[égboltot]*, zavarossá tesz *[folyadékot]*, belep, befut, elhomályosít *[üveget, tükröt]*; **eyes ~ed with tears** könnytől fátyolos szemek; **~ sy's happiness** vk boldogságát megzavarja; **~ sy's mind** megzavarja tisztánlátását **B.** *tni* beborul, elhomályosul; **~ over/up** beborul; elhomályosul, elsötétedik *[égbolt]*; **his brow ~ed (over)** elborult a tekintete
cloudage [ˈklaudɪdʒ] *fn* felhőzet

cloud-bank *fn* **1.** *meteo* felhőtaraj **2.** alacsonyan úszó felhő
cloudberry [ˈklaudbəri ‖ –beri] *fn növ* törpemálna
cloudburst *fn* felhőszakadás
cloud-castle *fn biz* légvár
cloud-cuckoo-land *fn* **1.** Felhőkakukkvár *[Arisztophanész "Madarak" c. darabjában]* **2.** *biz* Bergengócia, csodaország, ábrándvilág
cloud drift *fn* **1.** felhőátvonulás, úszó felhők **2.** permetfelhő
clouded [ˈklaudɪd] *mn* felhős, beborult *[égbolt]*, párás *[ablak]*, zavaros *[folyadék]*
cloud-land *fn* álomvilág, meseország
cloudless [ˈklaudləs] *mn* felhőtlen *[égbolt]*, gondtalan, zavartalan *[élet, boldogság]*
cloudscape [ˈklaudskeɪp] *fn* **a)** felhőjáték **b)** *műv* felhőtanulmány
cloudy [ˈklaudi] *mn* **1.** felhős, borús, borult; **it is ~** borús/borongós az idő **2. a) ~ liquid** zavaros folyadék; **~ style** homályos/zavaros/ködös stílus **b) he has ~ ideas** zavaros elképzelései vannak; zavaros fejű • *fn* **cloudiness** *hsz* **cloudily**
clough [ˈklʌf] *fn* vízmosásos meredek völgy, hegyszoros, szurdok
clout [klaut] **I.** *fn* **1.** *biz pol* hatalom, erő, befolyás **2.** *biz* ütés, pofon **3.** folt *[vm javításához]* **4.** *tsz* **clouts** *biz* ruha, holmi **II.** *tsi* **1.** foltoz **2.** *biz* **~ sy on/over the head** vkt fejbe vág/kólint, vkt kupán vág **3.** *szl [ellop]* megfúj, elcsen
clove[1] [klouv] *fn* **~ of garlic** fokhagymagerezd
clove[2] [klouv] *fn* szegfűszeg
clove[3] [klouv] *fn* **1.** vízmosás **2.** hegyszoros
clove[4] [klouv] → **cleave[1]**
cloven [ˈklouvn] → **cleave[1]**
cloven-footed *mn áll* hasadt lábú/körmű/patájú
cloven hoof *fn* **show the ~** kilóg a lóláb
clover [ˈklouvə ‖ –ər] *fn* **1.** *növ* lóhere **2. be/live in ~, live like pigs in ~** úgy él, mint Marci Hevesen
cloverleaf *fn tsz* **-leaves** **1.** lóherelevél **2.** *közl biz* lóhere *[különszintű négyágú csomópont]*
clown [klaun] **I.** *fn* **1.** (cirkuszi) bohóc, paprikajancsi **2.** bolondos/játékos ember, bohóc, bolond **3.** faragatlan/tudatlan/műveletlen ember **4.** *régi* paraszt **II. A.** *tsi* karikatúrát alakít *[szerepből]* **B.** *tni* komédiázik, bohóckodik • *fn* **clownery** *mn* **clownish**
cloy [klɔɪ] *tsi* túlságosan jóllakat/eltölt, megterhel, émelyít, felkavar *[gyomrot]* • *fn/mn* **cloying**
cloze [klouz] *fn nyelv* kihagyásos teszt
club [klʌb] **I.** *fn* **1. a)** furkósbot, fütykös, bunkó **b)** golfütő **c)** puskatus **2.** *ját* **a)** treff; **play a ~** egy treffet játszik **b)** makk **3. a)** klub, társaság **b)** egyesület, klub, szövetség; **alpine ~** turistaegyesület **4.** *GB szl* **be in the ~** terhes **II. A.** *tsi* **1.** furkósbottal megüt; **~ sy with a rifle** vkt puskatussal megüt **2. ~ one's resources** pénzt összeadnak **B.** *tni* **1.** egyesül; **~ with others for sg, ~ to do sg** szövetkezik másokkal vm célból **2.** *biz* éjszakai bárokat látogat **III.** *mn* bunkós
club together *tsi* **~ (persons) together** egybegyűjt, egyesít *[embereket]*
club(b)able *mn* **1.** kellemes modorú *[ember]* **2.** klubtagságra érdemes *[ember]*
clubby [ˈklʌbi] *mn* **1.** → **clubbable** **2.** *biz* sikamlós, férfitársaságba való *[történet]*
clubfoot *fn* tuskóláb, dongaláb • *mn* **clubfooted**
clubhouse *fn* klubhelyiség, egyesületi székház, klubház
clubman [ˈklʌbmən] *fn tsz* **-men** **1.** klubtag, egyesületi tag **2.** *US* nagyvilági ember, világfi
club-rush *fn növ* káka
club sandwich *fn US* többemeletes szendvics, szendvicstorta
club soda *fn* szódavíz
club story *fn* sikamlós történet, férfitársaságba való történet

cluck [klʌk] **I. 1.** *fn* kotyogás, kotkodácsolás *[tyúké]* **2.** *szl* **dumb ~** bolond ember, hülye **II.** *tni* **1.** kotyog *[kotlós]*, kotkodácsol *[tyúk]* **2.** kotyog, lotyog *[folyadék]*
clucker [ˈklʌkə ‖ −ər] *fn biz* fecsegő/locsogó ember
clucky [ˈklʌki] *mn* **1.** kotlós *[tyúk]* **2.** *szl [terhes]* bekapta a legyet
clue [kluː] *fn* **I. 1.** *átv* vezérfonal, nyom(ravezető jel), nyitja, kulcsa *[vm rejtélynek]*, történet fonala/szála, gondolatmenet; **the ~s of a cross-word puzzle** keresztrejtvény meghatározásai; *biz* **not have a ~** fogalma sincs, halvány gőze sincs vmiről **2. a)** gombolyag *[pamut, cérna]* **b)** *régi* vezérfonal *[labirintusban]* **II.** *tsi* nyomra vezet
clue in *tsi szl* tájékoztat, informál
clue up *tsi GB szl* tájékoztat, informál
clueless [ˈkluːləs] *mn* **1.** kinyomozhatatlan, kideríthetetlen, megfejthetetlen, nyom nélküli **2.** *biz* ostoba, buta, tudatlan
clump [klʌmp] **I.** *fn* **1. a)** rakás, csomó, halom, halmaz, tömeg **b)** (fa)csoport, sűrű bokorcsoport/cserje **c)** *orv* alvadék, összetapadás **2.** dübörgő/nehéz lépés **II. A.** *tsi* **1. a)** megszilárdít, összesűrít, megalvaszt **b)** *növ* csoportosan ültet *[virágot, növényt]*, sűrűn telepít *[cserjéket]* **c)** felhalmoz vmt **2.** *szl* **~ sy's head** vkt fejbe vág/kólint, vkt kupán vág **B.** *tni* **1.** összeáll *[szilárd tömeggé]*, megalvad *[vér]*, összetapad **2. ~ (about)** döngő/dübörgő/súlyos léptekkel jár
clump-foot → **clubfoot**
clumsy [ˈklʌmzi] *mn* **1.** ügyetlen, esetlen, balkezes, otromba *[ember]* **2.** esetlen külsejű, lassú mozgású *[ember]*, idomtalan, otromba *[tárgy]* **3. ~ apology** ügyetlen kifogás • *fn* **clumsiness** *hsz* **clumsily**
clung [klʌŋ] → **cling**
Cluniac [ˈkluːniæk] *vall* **I.** *mn* cluny-i, bencés *[barát, szerzetes]* **II.** *fn* bencés (barát), szerzetes
Clunist [ˈkluːnɪst] *fn vall* bencés (barát), szerzetes
clunk [klʌŋk] *US szl* **I.** *fn* **1.** hülye, idióta **2.** tragacs(autó) **3.** ütés, pofon **II. A.** *tsi* leszámol **B.** *tni* puffan
clunker [ˈklʌŋkə ‖ −ər] *fn US szl* **1.** ócska/ütött-kopott autó **2.** kudarc
cluster [ˈklʌstə ‖ −ər] **I.** *fn* **1. a)** csomó, nyaláb *[fű, növény]*, csoport *[fa, bokor]*, fürt *[szőlő, banán]*; **hair in thick ~s** sűrű fürtökben lógó haj **b)** *növ* csoportos virág/termés **2. a)** (méh)raj **b)** csoportosulás, csődület **c)** csoport *[sziget, ház stb.]*, (fény)nyaláb **3.** *nyelv* csoport, torlódás *[hangoké]* **4. a)** *mat* halmaz **b)** *infor* klászter, készülékcsoport **II. A.** *tsi* csoportosít, csoportokba rendez/összegyűjt (vmt) **B.** *tni* **1.** fürtösen/fürtökben terem *[virág, gyümölcs]* **2.** rajzanak *[méhek]* **3.** gyűlik, csoportosul; **~ round sy/sg** vk/vm körül összesereglik/csoportosul/összeverődik
clustered [ˈklʌstəd ‖ −ərd] *mn épít* **~ columns** oszlopnyaláb, oszlopfüzér; **~ pillar** pillérköteg, pillérnyaláb
clutch[1] [klʌtʃ] **I.** *tsi/tni* **1.** megragad, megmarkol, megfog, megszorít, *biz* megkaparint, (meg)kapaszkodik; **~ sg with both hands** vmt két kézzel megragad; **~ at sg**, **~ hold of sg** vmbe belekapaszkodik **2.** *gk* kuplungoz **II.** *fn* **1. a)** karom, köröm *[állaté, ragadozó madáré]*; *biz* **be in sy's ~es** vk karmai/körmei között (v. markában) van **b)** megmarkolás, megragadás, megfogás; **make a ~ at sg** igyekszik vmt megragadni/megkaparintani **2.** *gk* kuplung, tengelykapcsoló; **disengage the ~, push out the ~** kinyomja a tengelykapcsolót/kuplungot
clutch[2] [klʌtʃ] *fn* egy fészekalja *[tojás, csibe]*
clutch-bag *fn* kis retikül/aktatáska *[fogantyú* v. *fül nélkül]*
clutter [ˈklʌtə ‖ −ər] **I.** *fn* **1.** felfordulás, rendetlen összevisszaság/halom/rakás **2.** zagyvaság, zűrzavar, hangzavar **II. A.** *tsi* rendetlenséget/zűrzavart teremt; **~ up a room with furniture** szobát telezsúfol bútorral **B.** *tni* **1.** → **clatter** II.B. **2.** hadar • *mn* **cluttered**
Clyde [klaɪd] *tul US* ‹férfinév›
clypeate [ˈklɪpieɪt] *fn* teknős
clypeus [ˈklɪpɪəs] *fn tsz* **clypei** [ˈklɪpiaɪ] pajzs *[rovaré]*
clyster [ˈklɪstə ‖ −ər] *fn orv* **I.** beöntés **II.** *tsi* beöntést ad
Cmdr *röv Commander*
Cmdre *röv Commodore*
CMS *röv GB Church Missionary Society*
cn, **c/n**, **CN** *röv credit note*
CNN *röv* **1.** *média Cable News Network* **2.** *infor cellular neural network* celluláris neurális hálózat
CNS *röv central nervous system* központi idegrendszer
co- *előtag* társ-, együtt-; -társ
CO [koʊ] *röv US Colorado*; *commanding officer*; *conscientious objector*
c/o *röv care of [borítékon/képeslapon címzés előtt]* ... címén; *carried over*
Co. *röv* **1.** *Company* társaság, társ., tsa.; **2.** *county* megye, m.
coach [koʊtʃ] **I.** *fn* **1. a)** távolsági autóbusz; **~ service** távolsági autóbuszjárat **b)** (dísz)kocsi, hintó **c)** postakocsi **2.** *US* vasúti személykocsi **3. a)** magántanító, vizsgára előkészítő tanár **b)** *sp* edző, tréner, oktató **4.** *US* turista osztály *[repülőgépen]* **II. A.** *tsi* **a)** magánórákat ad (vknek), vizsgára/versenyre előkészít, korrepetál; *biz* **~ sy up** megleckéztet/megszid vkt; betanít vkt vm szerepre **b)** *tsi* támpontokat/ötleteket ad **B.** *tni* **1. a)** hintón/kocsin megy/jár, kocsizik **b)** postakocsin utazik **2.** *sp* oktat, edz, treníroz; **~ with sy** magánórákat vesz vktől
coach dog *fn* dalmát kutya
coach house *fn* kocsiszín
coachman [ˈkoʊtʃmən] *fn tsz* **coachmen** kocsis, (fogat)hajtó
coact [koʊˈækt] *tni* együttműködik, vmt vkvel közösen cselekszik
coaction [koʊˈækʃn] *fn* kölcsönhatás, egymásrahatás • *fn* **coactor**
coadjacent [ˌkoʊəˈdʒeɪsnt] *mn* szomszédos, összefüggő
coadjutor [koʊˈædʒʊtə ‖ koʊˈædʒətər] *fn* segéd(erő), *vall* segédpüspök
co-administration [ˌkoʊədmɪnɪˈstreɪʃn] *fn* közös/társas ügyvezetés • *fn* **co-administrator**
coadunate [koʊˈædjuneɪt] *mn biol* összenőtt, egybenőtt
co-agency [koʊˈeɪdʒənsi] *fn* együttműködés, együttdolgozás • *fn/mn* **coagent**
coagulant [koʊˈægjʊlənt] *fn* véralvasztó (szer)
coagulate [koʊˈægjʊleɪt] **I.** *i* **A.** *tsi* alvaszt, megsűrűsít, megfagyaszt *[folyadékot]*, altat *[tejet]* **B.** *tni* megalvad, összeáll, megsűrűsödik *[folyadék]*, megalszik, összemegy *[tej]* **II.** *mn Sh* alvadt *[vér]* • *fn* **coagulation**, **coagulator**
coal [koʊl] **I.** *fn* **a)** szén, kőszén; **brown ~** barna szén **b) live ~s** parázs, izzó szén; *biz* **carry ~s to Newcastle** Dunába vizet hord; *biz* **call/drag/haul/rake/take sy over the ~s** megdorgál/megró/megszid vkt; szemrehányást tesz vknek **II. A.** *tsi* szénnel ellát; *szl* **~ up** *[eszik]* megtölti a gyomrát, megrakja a bendőjét **B.** *tni* szenet vesz fel • *mn* **coaly**
coal-black *mn* szénfekete
coal-box *fn* szenesláda, szenesvödör
coaldust *fn* szénpor
coaler [ˈkoʊlə ‖ −ər] *fn* **1.** szénszállító hajó/vonat **2.** szénkereskedő
coalesce [ˌkoʊəˈles] *tni* **1. a)** egyesül, egybeforr, egybeolvad, összeforrad **b)** *vegy* vegyül, elegyedik **2. a)** egybeolvad, fuzionál **b)** szövetkezik • *fn* **coalescence**
coalescent [ˌkoʊəˈlesnt] *mn* egyetlen darabot alkotó; egybeeső, egybeolvadó
coaley [ˈkoʊli] → **coal-heaver**
coal-field *fn* szénmező, szénmedence
coal-gas *fn* széngáz, világítógáz
coal-heaver *fn* szénrakodó munkás, szeneslegény
coalify [ˈkoʊlɪfaɪ] *tsi/tni* elszenesedik, elszenesít • *fn* **coalification**
coal industry *fn* szénbányászat
coalition [ˌkoʊəˈlɪʃn] *fn* **a)** egyesülés, szövetkezés, szövetség **b)** *pol* koalíció; **form a ~** koalíciót alkot • *fn* **coalitionist**

coalition government *fn* koalíciós kormány
coal-mine *fn* **a)** szénbánya **b)** szénakna • *fn* **coal-miner**, **coal-mining**
coalmouse *fn tsz* **-mice** *áll* fenyvescinege; barátcinege
coal-pit *fn* **a)** szénbánya **b)** szénakna
coal-sack *fn* **1.** szeneszsák **2.** *csill* Szeneszsák *[sötét folt a Tejútban]*
coaptation [ˌkouæpˈteɪʃn] *fn* **1.** helyreillesztés *[törésé]* **2.** összeillesztés *[sebszéleké, törött csontvégeké]*
coarctation [ˌkouɑːkˈteɪʃn ‖ –ɑrk–] *fn orv* szűkület, összeszűkülés
coarse [kɔːs ‖ kɔrs] *mn* **1.** közönséges, durva, brutális, goromba *[ember]*; ~ **laugh** (durva) röhögés **2. a)** durva *[anyag]* **b)** közönséges, nehéz, súlyos *[étel]* • *fn* **coarseness**
coarse-cut *mn* durván vágott *[dohány]*
coarse-grained *mn* **1.** durva szemcsés/szemű **2.** *átv* durva, goromba
coarse-minded *mn* durva lelkületű
coarsen [ˈkɔːsn ‖ ˈkɔrsn] **A.** *tsi* (el)durvít (vkt) **B.** *tni* eldurvul (vk), eldurvulnak, megvastagodnak *[vonások]*
coast [koust] **I.** *fn* **1.** (tenger)part, tengermellék, partvidék; **the ~ is clear** tiszta a levegő, nincs veszély a láthatáron **2. a)** *US* szánkópálya **b)** lesiklás *[szánkóval]* **II.** *tsi/tni* **1.** ~ **along** *hajó* part mentén hajózik; *biz* elvan valahogy, eléldegél **2. a)** ~ **(down a hill)** lesiklik *[szánkóval]*; *gk* (gázt levéve) legurul *[lejtőn]* **b)** *US* könnyen megy/győz **c)** lebeg *[madár]*
coaster [ˈkoustə ‖ –ər] *fn* **1. a)** parti hajós **b)** partmenti forgalmat lebonyolító hajó **c)** erőfeszítés nélkül előrehaladó; (le)sikló, guruló **2.** poháralátét
coastguard *fn* **1.** partvédelem **2.** parti őrség
coasting trade *fn* partmenti kereskedelmi hajózás
coastline *fn* tengerpart, partvonal, partvidék
coastward *hsz* tengerpart felé/irányában
coastwise [ˈkoustwaɪz] **I.** *hsz* (tenger)part mentén **II.** *mn* tengerpart(ment)i
coat [kout] **I.** *fn* **1. a)** kabát, zakó **b)** felöltő, köpeny **2. a)** bunda *[állaté]*, szőrzet, szőrtakaró, bőr *[pl. lóé, tehéné]* **b)** burok, hártya, hüvely *[szervé, testüregé]*, külső réteg *[hagymáé]* **c)** takaró; ~ **of green** fűtakaró, gyepszőnyeg; ~ **of snow** hótakaró, hóréteg **3.** lakkréteg, bevonat, borítás; ~ **of paint** festékréteg **II.** *tsi* **1.** bevon, beken *[festékkel]*, réteget helyez/rak – (vmre), beburkol **2.** (be)panínoz
coat checker *fn US* ruhatáros
coated [ˈkoutɪd] *mn* **1.** bevont, beborított, beburkolt, átvont, fedett **2. a)** öltönyt/kabátot viselő, kabátos **b)** *összet* -szőrű, -bőrű, -bundájú *[állat]*
coatee [ˈkoutiː ‖ ˌkouˈtiː] *fn* rövid kabát, kis kabát
coat-hanger *fn* vállfa, ruhaakasztó *[szekrényben]*, kabátfogas
coati [kouˈɑːti] *fn áll* ormányos medve
coating [ˈkoutɪŋ] *fn* **1.** bevonás, (be)burkolás **2. a)** bevonat, burkolat, réteg, alapozás **b)** hártya, bőr, föl *[tejen]* **c)** *orv* gyomorfal **d)** esőköpeny **e)** *vill* szigetelés, szigetelőréteg **3.** kabátszövet
coat of arms *fn cím* címer; címerpajzs
coat of mail *fn tört* páncéling, ingvért
coat-tails *fn tsz* frakkszárny; **on a sy's ~** érdemtelenül
co-author [ˌkouˈɔːθə ‖ –ər] **I.** *fn* társszerző **II.** *tsi* társszerzőként ír *[könyvet, cikket]*
coax [kouks] **A.** *tsi* **1.** csalogat, (el)csábít **2.** hízeleg, hízelkedik; ~ **sy into doing sg** hízelgéssel rábeszél/rávesz vkt vm megtételére; ~ **sy out of doing sg** hízelgéssel lebeszél vkt vmről (v. vm megtételéről); ~ **sg out of sy** hízelgéssel/rábeszéléssel kicsikar/kicsal (vkből/vktől vmt) **3.** kérésekkel zaklat/nyaggat (vkt) **B.** *tni* hízelegve unszol • *fn* **coaxer** *hsz* **coaxingly**
coaxial [kouˈæksɪəl] *mn* **1.** *mat fiz* közös tengelyű, koaxiális **2.** *infor* ~ **cable** koaxiális kábel, koax • *hsz* **coaxially**
coaxing [ˈkouksɪŋ] **I.** *mn* hízelgő, hízelkedő, behízelgő *[modor]* **II.** *fn* **1.** hízelgés, hízelkedés **2.** csábítás, szédítés
cob[1] [kɒb ‖ kɑb] *fn* **1.** hím hattyú **2. a)** kukoricacső **b)** kukoricacsutka **3.** kis hátasló **4.** *táj* rög
cob[2] [kɒb ‖ kɑb] *fn GB ÚjZ* vertagyag fal, döngölt föld
cobalt [ˈkoubɔːlt] *fn vegy* kobalt; ~ **blue** kobaltkék • *mn* **cobaltic**
cobber [ˈkɒbə ‖ ˈkɑbər] *fn Ausz biz* társ, munkatárs, pajtás, bajtárs, haver
cobble[1] [ˈkɒbl ‖ ˈkɑbl] **I.** *fn* **1.** gömbölyű kavics, folyamkavics, macskakő *[útépítéshez]* **2.** *GB tsz* **cobbles** darabos szén **II.** *tsi* kavicsol, (ki)kövez, macskakővel burkol
cobble[2] [ˈkɒbl ‖ ˈkɑbl] *tsi* foltoz, javít *[cipőt]*
cobbler [ˈkɒblə ‖ ˈkɑblər] *fn* **1. a)** cipész, gyorstalpaló **b)** *biz* foltozó, javító *[ruhát]*, kontár **2. a)** *US [bor alapú]* üdítő ital **b)** *US* gyümölcstorta **3.** *Ausz ÚjZ szl* a nyírásnál legutoljára maradó birka
cobblers [ˈkɒbləz ‖ ˈkɑblərz] *fn tsz szl* **1.** *[heregolyók]* tök **2.** baromság, marhaság
cobble-stone *fn* utcai burkolatkő, macskakő
cob corn *fn* csöves kukorica
co-belligerent [ˌkoubəˈlɪdʒərənt] **I.** *fn* kobelligerens, szövetséges hadviselő fél **II.** *mn* szövetséges • *fn* **co-belligerence**, **co-belligerency**
coble [ˈkoubl] *fn* lapos fenekű halászbárka/halászcsónak
cob-pipe [ˈkɒbpaɪp ‖ ˈkɑb–] *fn* kukoricacsőből készült pipa, kukoricapipa
cobra [ˈkoubrə, ˈkɒ– ‖ ˈkou–] *fn* kobra, pápaszemes/szemüveges kígyó
cob-swan *fn* hím hattyú
cob-wall *fn épít* vályogfal, vertagyag/csömöszölt fal
cobweb [ˈkɒbweb ‖ ˈkɑb–] **I.** *mn* pókhálószerű, pókhálóvékony **II.** *fn* **1.** pókháló; *biz* **blow/clear away the ~s** levegőzik; kiszellőzteti a fejét; *közg* ~ **theorem** pókhálótétel **2.** átláthatatlan helyzet, útvesztő; *biz* **the ~s of diplomacy** a diplomácia titkos útjai **3.** pókháló szála • *mn* **cobwebbed**, **cobwebby**
cobweb-throat *fn szl* száraz torok, rossz szájíz *[ivástól]*
coca [ˈkoukə] *fn* kokalevél, kokacserje
coca-cola [ˌkoukəˈkoulə] *fn* coca-cola *[üdítőital]*
cocaine [kouˈkeɪn ‖ ˈkoukeɪn, –ˈkeɪn] *fn* kokain • *fn* **cocainism**, **cocainist**
cocaine-addict *fn* kokainfüggő, kokainista
coccinella [ˌkɒksɪˈnelə ‖ ˌkɑk–] *fn áll* katicabogár
coccus [ˈkɒkəs ‖ ˈkɑ–] *fn tsz* **cocci** [ˈkɒkaɪ ‖ ˈkɑkaɪ] **1.** *orv* coccus, kerek mikroba **2.** *növ* fás héj *[hasadó termésű gyümölcsé]* • *mn* **coccal**, **coccoid**
coccyx [ˈkɒksɪks ‖ ˈkɑk–] *fn tsz* **coccyges** [ˈkɒksɪdʒiːz ‖ ˈkɑk–] *orv* farkcsont, farcsont • *mn* **coccygeal**
cochlea [ˈkɒklɪə ‖ ˈkou–] *fn tsz* **cochleae** [ˈkɒkliiː ‖ ˈkou–] *orv* belső fül, csiga *[fülben]* • *mn* **cochlear**
cock[1] [kɒk ‖ kɑk] **I.** *fn* **1. a)** kakas; ~ **and bull story** hihetetlen történet **b)** *összet* hím (madár); ~ **and hen** mindkét nem számára, unisex **c)** vezető egyéniség, főkolompos **2. a)** csap, vízcsap, szelep **b)** *kat* kakas *[régi lőfegyveren]*, ütőszeg; **at full ~** felhúzott kakassal, lövésre készen; **at half ~** félig készen, félig elkészült állapotban **3.** *tabu szl* **a)** *[hímvessző]* fasz, tök, pöcs **b)** *[haver, pajtás]* faszikám, pöcsös, tökös *[férfi megszólításaként]* **II. A.** *tsi* **1.** ~ **a gun** puska kakasát felhúzza **2.** elzár, elfordít *[csapot]* **B.** *tni* kevélykedik
cock[2] [kɒk ‖ kɑk] **I.** *fn* **1. a)** (hirtelen) oldalmozdulat, gyors mozdulat *[felfelé]* **b)** ~ **of the eye** kacsintás, szemezés; szemhunyorgatás, szem villanása **2.** felhajtás, hajtóka **II.** *tsi* **1. a)** felállít, felemel, magasít; ~ **one's eye at sy** kacsint vkre, szemez vkvel **b)** fület hegyez; *biz* ~ **one's ear** fülel, fülét hegyezi, odafigyel; ~ **one's nose** felhúzza az orrát *[sértődötten]* **2.** felgyűr, felhajt
cock up 1. *tsi* felemeli *[fejét]*, hegyezi *[fülét]*; ~ **up one's eyes** égre emeli a szemét **2.** elcsesz

C

cock[3] [kɒk ‖ kɑk] **I.** *fn* kis szénaboglya **II.** *tsi mezőg* asztagol, kazlakat/asztagokat rak, boglyába/kazalba rak *[szénát]*
cock[4] [kɒk ‖ kɑk] *régi* → **cock-boat**
cockade [kɒˈkeɪd ‖ kɑ–] *fn* kokárda, szalagrózsa • *mn* **cockaded**
cock-a-doodle-doo [ˌkɒkəduːdlˈduː ‖ ˌkɑk–] *fn* kukorékolás, kukurikú!
cock-a-hoop [ˌkɒkəˈhuːp ‖ ˌkɑk–] **I.** *mn* ujjongó, diadaltól mámoros, büszkélkedő **II.** *hsz* ujjongva, diadaltól mámorosan
cockalorum [ˌkɒkəˈlɔːrəm ‖ ˌkɑkəˈlɔrəm] *fn biz* önhitt/elbizakodott/fontoskodó emberke
cockatoo [ˌkɒkəˈtuː ‖ ˈkɑkətuː] *fn áll* kakadu
cockatrice [ˈkɒkətraɪs ‖ ˈkɑ–] *fn* sárkány, baziliszkusz
cock-bird *fn* madarak hímje, hím madár
cock-boat [ˈkɒkboʊt ‖ ˈkɑk–] *fn hajó* (vitorláshoz akasztott) kis csónak
cock-brained *mn biz* meggondolatlan, tyúkeszű
cockchafer [ˈkɒktʃeɪfə ‖ ˈkɑktʃeɪfər] *fn áll* cserebogár
cockcrow [ˈkɒkkroʊ ‖ ˈkɑk–] *fn* (kakas)kukorékolás; **at ~** hajnalban, virradatkor
cocked [kɒkt ‖ kɑkt] *mn* felemelkedő, felhajló, felálló; **~ hat** szögletes/háromszögletű kalap; tájolási háromszög; *biz* **knock sy into a ~ hat** tönkrever vkt; vk érveit megdönti/megsemmisíti
cocker[1] [ˈkɒkə ‖ ˈkɑkər] *fn áll* kicsiny angol spániel
cocker[2] [ˈkɒkə ‖ ˈkɑkər] *tsi* **~ sy (up)** dédelget, kényeztet, becéz *[gyereket, beteget]*
cockerel [ˈkɒkərəl ‖ ˈkɑ–] *fn* **1.** fiatal/kis kakas **2.** *biz* tüzes fiatalember
cock-eyed *mn* **1.** *biz* kancsal *[ember]* **2.** ferde, nem rendes, szokatlan; *biz* **~ views** ferde nézetek
cockfight *fn* kakasviadal
cock-horse [ˌkɒkˈhɔːs ‖ ˌkɑkˈhɔrs] *fn régi* vesszőparipa *[gyermeké]*, hintaló, faló
cockily [ˈkɒkɪli ‖ ˈkɑ–] *hsz biz* szemtelenül, arcátlanul, pimaszul
cockle[1] [ˈkɒkl ‖ ˈkɑkl] *fn növ* konkoly
cockle[2] [ˈkɒkl ‖ ˈkɑkl] *fn áll* ehető szívkagyló; *áll* nyeregkagyló
cockle[3] [ˈkɒkl ‖ ˈkɑkl] **I.** *i* **cockling A.** *tsi* **a)** összesodor, összepödör, összegöngyöl *[papírt]*, összeráncol *[szövetet]* **b)** (össze)gyűr *[szövetet, papírt]*, meghúz *[csavart]*, felhúz *[rugót]* **B.** *tni* **a)** összesodródik, összepödrődik **b)** összegyűrődik, összeráncolódik **c)** megvetemedik, felpattogzik **II.** *fn* **1.** gyűrődés, ránc **2.** hólyag, megvetemedett rész, felpattogzás
cockle up *tni* **a)** összezsugorodik, felhólyagzik *[papír, tészta]*, ráncolódik, megvetemedik *[fa]*, felpattogzik *[zománc]* **b)** összegyűrődik, fodrozódik *[papír, ruha]*
cockle[4] [ˈkɒkl ‖ ˈkɑkl] *fn* **~ (stove)** légfűtéses kemence
cockleboat *fn* kis lapos csónak, lélekvesztő
cocklebur [ˈkɒklbɜː ‖ˈkɑklbɜr] *fn növ* bojtorján, szerbtövis
cockle-stair *fn* csigalépcső
cock-loft *fn* padlás, padlásszoba, padláslakás
cockney [ˈkɒkni ‖ ˈkɑk–] **I.** *fn* **1.** (főleg kelet-)londoni születésű ember, cockney **2.** cockney(-nyelvjárás v. kiejtés) **3.** *US* városi ember, városlakó **II.** *mn* londoni születésű; **~ accent** londoni (külvárosi) kiejtés; **~ dialect** cockney(-nyelvjárás) • *fn* **cockneyism**
cock of the rock *fn áll* szirti madár
cock of the wood *fn áll* fajd(kakas)
cock-pheasant *fn* fácánkakas
cockpit *fn* **1. a)** *rep* pilótafülke **b)** *gk* műszerfal az összes kezelőszervvel, kokpit *[versenyautóban]* **2.** kakasviadal tere/színhelye, *ált* küzdőtér, gyakori harcok színhelye **3.** *hajó* kormányállás
cockroach [ˈkɒkroʊtʃ ‖ ˈkɑk–] *fn áll* svábbogár, csótány
cock-robin *fn* **1.** *áll* hím vörösbegy **2.** *biz* csintalan/élénk/hetyke kis ember
cockscomb [ˈkɒkskoʊm ‖ ˈkɑks–] *fn* **1.** kakastaréj **2.** *növ* taréjos bársonyvirág **3.** *növ* korallcserje **4.** *biz* beképzelt alak, ficsúr
cockshot [ˈkɒkʃɒt ‖ ˈkɑkʃɑt] *fn* **1.** *GB* cél(tábla) *[dobósjátéknál]* **2.** *GB* nevetség/kritika céltáblája/tárgya
cocksparrow *fn* **1.** hím veréb; **as cheeky as a ~** szemtelen, mint a piaci légy **2.** energikus, veszekedős ember
cocksure [ˌkɒkˈʃʊə ‖ ˌkɑkˈʃʊr] *mn* **a)** magabiztos, önhitt, elbizakodott, arcátlan **b)** holtbiztos; **be ~ of/about sg** holtbiztos vm felől
cocktail [ˈkɒkteɪl ‖ ˈkɑk–] *fn* **1.** koktél **2.** vegyestál, különféle hozzávalókból összeállított étel; **fruit ~** gyümölcssaláta **3.** (kellemetlen ízű v. mérgező) kotyvalék **4. a)** *régi* vágott/kurtított farkú ló **b)** *áll* nem telivér versenyló
cocktail party *fn* koktélparti, összejövetel *[amelyen koktélt szolgálnak fel]*
cocktail table *fn* dohányzóasztal
cockup [ˈkɒkʌp ‖ ˈkɑk–] *fn* **1.** *szl [hiba, fennakadás]* elrontott/elcseszett dolog **2.** *nyomd* magasan álló betű/szám *[lábjegyzetre utaláshoz]* **3.** *nyomd* kezdőbetű
cocky [ˈkɒki ‖ ˈkɑki] *mn biz* szemtelen, arcátlan, pimasz, hetyke
coco [ˈkoʊkoʊ] *fn* **1.** kókuszdió; **~** kókuszpálma **2.** *szl* kobak, kókusz **3.** *US szl* dolcsi, dohány
cocoa[1] [ˈkoʊkoʊ] → **coco**
cocoa[2] [ˈkoʊkoʊ] **I.** *fn* **1.** kakaó **2.** vörösesbarna szín **II.** *mn* **1.** sárgásbarna, vörösesbarna **2.** kakaós, kakaószerű
cocoa bean *fn* kakaóbab
cocoa butter *fn* kakaóvaj
cocoa-powder *fn* kakaópor
coconut [ˈkoʊkənʌt] *fn* **1.** kókuszdió **2.** *szl* kókusz, kobak
coconut fibre, *US* **-fiber** *fn* kókuszrost
coconut matting *fn* kókusz-szőnyeg
coconut milk *fn* kókusztej
coconut palm *fn* kókuszpálma
cocoon [kəˈkuːn] **I.** *fn* **1.** selyemhernyógubó **2.** védőburkolat **II. A. 1.** *tsi biz* **~ oneself** begubózik *[személy]* **2.** védőanyaggal bevon **B.** *tni* (be)gubózik *[lepke]*
cocoon-fibre, *US* **-fiber** *fn* selyemgubófonal
cocotte [kəˈkɒt ‖ koʊˈkɑt] *fn* kokott, félvilági nő
COD *röv* **1.** *cash on delivery* utánvéttel, kézbesítéskor fizetendő **2.** *US collect on delivery* **3.** *orv cause of death* **4.** *Concise Oxford Dictionary*
cod[1] [kɒd ‖ kɑd] *fn tsz* **~s** (közönséges) tőkehal, kabeljau
cod[2] [kɒd ‖ kɑd] **I.** *fn* **1.** (növényi) héj, hüvely, burok **2. a)** zsák, zacskó **b)** *szl* herezacskó **II.** *tni* burkot alkalmaz
cod[3] [kɒd ‖ kɑd] **I.** *fn* **1.** *biz* csel, tréfa **2.** *GB szl* hülyeség, marhaság, ostobaság **II.** *i* **-dd- A.** *tsi GB Írorsz szl* becsap, rászed, bolondot csinál (vkből) **B.** *tni GB Írorsz szl* bolondozik
coda [ˈkoʊdə] *fn* **1.** *zene* kóda **2.** *átv* befejező esemény(sor) **3.** *nyelv* szótagzárlat
coddle [ˈkɒdl ‖ ˈkɑdl] *tsi* **1. ~ sy (up)** kényeztet, dédelget, becéz, babusgat (vkt); széltől is óv (vkt); agyonkényeztet; **~ oneself** elkényezteti magát, túlságosan kíméli magát **2.** lassú tűzön főz • *fn* **coddler**
code [koʊd] **I.** *fn* **1. a)** titkos írásjel, rejtjel, kód, titkosírás rendszere/ábécéje; **genetic ~** genetikai v. örökletes kód; **break a ~** titkosírást megfejt **b)** *infor* kód **c)** *távk* egyezményes jelkulcs **d)** hivatkozási szám **e) post ~** postai irányítószám **2.** törvénykönyv, törvénytár, szabályzat, (jogszabály-)gyűjtemény, kódex *[szabályoké, törvényeké]*; **~ of honour** becsületkódex; illemkódex, illemtan szabályai **II.** *tsi* **1.** jelkódex/betűkódex szerint szerkeszt *[táviratot]* **2.** rejtjelez, titkosírásba tesz át *[táviratot]* **3.** *infor* kódol *[programot]*; **~ an information** információt kódol • *fn* **coder** *mn* **coded**
code for *tni biol* genetikai kódot meghatároz/megállapít
code-book *fn* rejtjelkulcs, jelrendszer kulcsa
code conversion *fn infor* kódátalakítás, átkódolás
code current *fn* kódolt áram
code dating *fn* dátumkód *[élelmiszereken]*

codeine [ˈkoudiːn] *fn vegy* kodein
code lock *fn* jeligés lakat/zár
code-name *fn* fedőnév • *mn* **code-named**
codepage *fn infor* kódlap, kódtábla
codependency [ˌkoudɪˈpendənsɪ] *fn* egymástól való függőség, egymásra utaltság • *mn* **codependent**
codetermination [ˌkoudɪtɜːmɪˈneɪʃn ‖ –tɜr–] *fn* ‹a vezetők és az alkalmazottak, ill. szakszervezeteik együttműködése egyes kérdések eldöntésében›
code-word *fn* jelige
codex [ˈkoudeks] *fn tsz* **codices** [ˈkoudɪsiːz], **codexes** **1.** kódex, régi kézirat **2.** *orv* állami gyógyszerkönyv
cod-fish → **cod**[1]
codger [ˈkɒdʒə ‖ ˈkɑdʒər] *fn biz* furcsa különc alak, pacák, csóró
codicil [ˈkoudɪsɪl ‖ ˈkɑdəsil] *fn* (módosító), kiegészítő záradék, pótvégrendelet, kiegészítés, pótlás, toldalék *[szerződésen]* • *mn* **codicillary**
codicology [ˌkoudɪˈkɒlədʒi ‖ ˌkɑdɪˈkɑ–] *fn* kéziratok tanulmányozása, kézirattan • *mn* **codicological**
codify [ˈkoudɪfaɪ ‖ ˈkɑ–] *tsi* **1.** törvényt előkészít/szerkeszt, becikkelyez, kodifikál, törvénybe iktat **2.** kódex/betűkódex szerint szerkeszt *[táviratot, üzenetet]* • *fn* **codification**, **codifier**
coding [ˈkoudɪŋ] *fn* **1.** törvénybeiktatás, kodifikálás **2.** kódolás, rejtjelzés **3.** *el* átírás egyezményes jelkulcsba
codling [ˈkɒdlɪŋ ‖ ˈkɑd–] *fn* **a)** sütni való alma **b)** vackor
codling-moth *fn áll* almamoly
cod-liver-oil *fn* csukamájolaj
codon [ˈkoudɒn ‖ –dɑn] *fn* DNS v. RNS triplet
co-driver [ˈkoudraɪvə ‖ –ər] *fn* gépkocsivezető váltótársa; mitfárer
codswallop [ˈkɒdzwɒləp ‖ ˈkɑdzwɑləp] *fn szl* ostobaság, marhaság
co-ed [ˈkoued] **I.** *fn* **1.** *GB biz* koedukációs rendszer/iskola/intézmény **2.** *US biz* diáklány koedukációs iskolában **II.** *mn* koedukációs
co-education [ˌkouedjuˈkeɪʃn ‖ –dʒə–] *fn* fiúk és leányok együttes iskolai nevelése/tanítása, koedukáció • *tsi* **coeducate** *mn* **co-educational**
coefficient [ˌkouɪˈfɪʃnt] *fn ált* együttes tényező, *mat fiz* együttható, koefficiens; *mat fiz* **numerical ~** numerikus (v. szám szerinti) együttható
coelenterate [ˌsiːlentəˈreɪtə] *fn tsz áll* tömlőbelűek, tömlős állatok
coeliac [ˈsiːliæk] *mn orv* hasi, hasüreghez tartozó
coelom [ˈsiːləm] *fn biol* cöloma, testüreg
coenobite [ˈsiːnəbaɪt] *fn vall* cenobita, koinobita *[kolostori közösségben élő szerzetes]*
coenzyme [kouˈenzaɪm] *fn* koenzim, kofermentum
coequal [kouˈiːkwəl] **I.** *mn* egyenlő *[rangban, korban, nagyságban stb.]*, egyenrangú **II.** *fn* egyenrangú ember/tárgy/dolog, párja vknek/vmnek • *fn* **coequality**
coerce [kouˈɜːs ‖ –ˈɜrs] *tsi* **1.** kényszerít, elnyom, korlátoz, leigáz *[népet]* **2.** erőszakkal elfojt, elnyom, korlátoz • *mn* **coercible**
coercion [kouˈɜːʃn ‖ –ˈɜrʃn] *fn* kényszerítés, korlátozás, *jog* kényszer, erőszak, erőszakos kormányzás; **C~ Act** polgárjogok felfüggesztése *[Írországban]* • *hsz* **coercively**
coercionary [kouˈɜːʃnˈəri ‖ –neri] *mn* elnyomó *[kormány, politika]* • *fn* **coercionist**
coercive [kouˈɜːsɪv ‖ –ˈɜr–] *mn* **1.** kényszerítő, kényszerítő erejű; **~ measures** kényszerrendszabályok **2.** korlátozó
coeval [kouˈiːvl] **I.** *mn* egykorú, kortársi, egyidejű; **~ with sy/sg** egykorú, egyidejű; kortárs (vkvel/vmvel) **II.** *fn* kortárs • *fn* **coevality** *hsz* **coevally**
coexist [ˌkouɪgˈzɪst] *tni* **1.** egyidejűleg/együtt létezik/van **2.** békés egymás mellett élés jegyében él • *fn* **coexistence** *mn* **coexistent**
coextensive [ˌkouɪkˈstensɪv] *mn* azonos terjedelmű
C of C [ˌsiː əv ˈsiː] *röv Chamber of Commerce*
C of E [ˌsiː əv ˈiː] *röv Church of England* Anglikán Egyház
coffee [ˈkɒfi ‖ ˈkɔfi, ˈkɑfi] *fn* **1.** *növ* **a)** kávécserje **b)** kávébab; **ground ~** őrölt kávé; **roasted ~** pörkölt kávé **2.** kávé; **black ~** feketekávé; *biz* **white ~** tejeskávé **3.** kávészín
coffee bar *fn* (esz)presszó, kávézó
coffee bean *fn* kávébab, kávészem
coffee break *fn US* kávészünet
coffee-cup *fn* feketekávés csésze, feketéscsésze
coffee-grinder *fn* kávédaráló
coffee grounds *fn tsz* kávéalj, zacc
coffee house *fn* kávéház
coffee-mill *fn* kávédaráló
coffee nib *fn* kávészem, szemeskávé
coffee-pea *fn növ* csicseriborsó
coffee-percolator *fn* kávéfőzőgép
coffeepot *fn* kávéskanna
coffee shop *fn* kávézó, kis étterem
coffee-shrub *fn növ* kávécserje, kávéfa
coffee-spoon *fn* mokkakanál
coffee table *fn* alacsony asztalka; dohányzóasztal
coffee-table book *fn* mutatós könyv/album
coffer [ˈkɒfə ‖ ˈkɔfər, ˈkɑ–] **I.** *fn* **1.** (pénzes)láda, kincsesláda **2.** *tsz* **coffers** pénztár *[állomány]*; **the ~s of State** államkincstár; közvagyon **II.** *tsi* bezár, elzár • *mn* **coffered**
coffin [ˈkɒfɪn ‖ ˈkɔ–] **I.** *fn* **1.** koporsó **2.** lópata (alsó része) **3.** *biz* rozoga hajó/bárka, lélekvesztő **4.** *US szl [autó]* repülő koporsó **5.** *US kat szl* tank **II.** *tsi* **1.** koporsóba tesz, felravataloz **2.** *átv biz* félreállít, eltemet
coffin joint *fn áll* pataízület
coffin nail *fn* **1.** koporsószeg **2.** *szl tréf [cigaretta]* koporsószeg
coffle [ˈkɒfl ‖ ˈkɔfl] *fn* láncra fűzött rabszolgacsapat, összeláncolt állatsereg
C of S [ˌsiː əv ˈes] *röv Church of Scotland*
cog[1] [kɒg ‖ kɑg] **I.** *fn* **a)** *műsz* fog *[fogaskeréké]*; *átv* **be only a ~ in the machinery** csak egy (jelentéktelen) láncszem a gépezetben **b)** fogaskerék **II.** *i* **-gg- A.** *tsi* fogaz *[kereket]* **B.** *tni* egymásba kapaszkodik/illeszkedik *[fogaskerék]*
cog[2] [kɒg ‖ kɑg] *tsi* **-gg-** hamisít, nehezít *[játékkockát]*
cog[3] [kɒg ‖ kɑg] *fn* halászbárka
cogent [ˈkoudʒənt] *mn* **1.** ellenállhatatlan, hathatós, meggyőző *[érvelés]*, alapos, nyomós *[ok]*, súlyos *[indok]*, vitathatatlan, érvényes *[igazság]*, kényszerítő *[érv]* **2.** sürgős, halaszthatatlan *[ügy]* • *fn* **cogency**
cogged[1] [kɒgd ‖ kɑgd] *mn műsz* fogas, fogazott, fogakkal ellátott
cogged[2] [kɒgd ‖ kɑgd] *mn* **~ dice** hamis játékkocka
cogitable [ˈkɒdʒɪtəbl ‖ ˈkɑdʒɪtəbl] *mn* felfogható, (el)képzelhető, elgondolható
cogitate [ˈkɒdʒɪteɪt ‖ ˈkɑ–] **A.** *tsi* **1.** kigondol, elképzel *[tervet]*, fontolgat, latolgat **2.** *fil* képzetet alkot (vmről), felfog (vmt) **B.** *tni* gondolkozik, elmélkedik, töpreng • *fn* **cogitation** *mn* **cogitative** *hsz* **cogitatively**
cognac [ˈkɒnjæk ‖ ˈkou] *fn* (francia) konyak
cognate [ˈkɒgneɪt ‖ ˈkɑg–] **I.** *mn* **a)** *ált* rokon, közös származású/eredetű (*with* -val/-vel) **b)** *nyelv* egy/közös nyelvcsaládhoz tartozó *[nyelv]*; rokonszó; **~ languages** rokon nyelvek **II.** *fn* **1.** *jog* (vér)rokon **2.** *nyelv* rokonszó, közös ősnyelvből származó szó • *fn* **cognateness**, **cognation** *hsz* **cognately**
cognition [kɒgˈnɪʃn ‖ kɑg–] *fn* **1.** *fil* megismerés **2.** ismeret **3.** észlelés • *mn* **cognitional**, **cognitive** *hsz* **cognitively**
cognizable [ˈkɒgnɪzəbl ‖ ˈkɑg–] *mn* **1. a)** *fil* megismerhető, felfogható **b)** *fil* felismerhető **2.** *jog* **~ offence** törvénybe ütköző cselekmény
cognizance [ˈkɒgnɪzəns ‖ ˈkɑg–] *fn* **1. a)** *fil* megismerés, felfogás, észlelés **b)** *jog* tudomás; **take ~ of sg** (hivatalosan) megállapít (v. tudomásul vesz) vmt; jegyzőkönyvet vesz fel vmről, jegyzőkönyvbe foglal vmt **2.** *jog*

illetékesség, hatáskör; **within/under the ~ of a court** a bíróság illetékességébe/hatáskörébe tartozó **3.** *cím* jelvény, címer, megkülönböztető jelzés
cognizant [ˈkɒgnɪzənt ‖ ˈkɑg–] *mn* **1.** tudomással bíró, ismerő **2.** *jog* illetékes
cognize [kɒgˈnaɪz ‖ kɑgˈnaɪz], **-ise** *tsi fil* **1.** megismer **2.** tud (vmt), tudomással bír (vmről)
cognomen [kɒgˈnoʊmən ‖ kɑg–, ˈkɑgnə–] *fn tsz* **s, cognomina** [–mɪə] **a)** gúnynév, csúfnév, melléknév, ragadványnév **b)** (család)név **c)** *tört* megkülönböztető név, cognomen *[régi rómaiaknál]*
cognoscente [ˌkɒnjoʊˈʃenti ‖ ˌkɑnjə–] *fn tsz* **cognoscenti** [–tiː] szakértő, műértő, *átv* ínyenc
cog railway *fn* fogaskerekű vasút
cogwheel *fn műsz* fogaskerék
cohabit [koʊˈhæbɪt] *tsi* együtt él • *fn* **cohabitant, cohabitation**
coheir [koʊˈeə ‖ koʊˈer] *fn* társörökös
cohere [koʊˈhɪə ‖ koʊˈhɪr] *i* **A.** *tsi* összetapaszt, összeprésel **B.** *tni* **1.** összetapad, összetömörül, összefügg *[szavak]* **2.** *átv* következetes/konzekvens marad *[érvelésben]*, összetartozik, logikusan következik
coherent [koʊˈhɪərənt ‖ –ˈhɪr–] *mn* **1.** összefüggő, összetartozó *[rész, egész]* **2.** összefüggő, következetes *[érvelés]*, következetes, logikus gondolkodású *[ember]* **3. a)** *fiz* **~ radiation** koherens sugárzás **b)** *távk* koherens, fázisban megegyező • *fn* **coherence** *hsz* **coherently**
cohesion [koʊˈhiːʒn] *fn* **1.** kohézió, tapadás, összetartozás **2.** *nyelv* (szöveg)kohézió
cohesive [koʊˈhiːsɪv] *mn* **1.** kohéziós, tapadó, egyesítő, összetartozó; **~ force** kohéziós erő **2.** tapadásra/kohézióra képes • *fn* **cohesiveness**
cohort [ˈkoʊhɔːt ‖ –hɔrt] *fn* **1.** sereg, csapat, *tört* római cohors *[légió tizedrésze]* **2.** közös statisztikai jellemzőkkel rendelkező embercsoport **3.** *US* társ, kolléga
coif [kɔɪf] **I.** *fn* **1. a)** főkötő, apácafőkötő **b)** sapka **c)** *tört* sisak alatt védőként viselt fémsapka **2.** *US* elegáns/bonyolult frizura **II.** *tsi* **1.** főkötővel/sapkával befed **2.** frizurát készít
coiffeur [kwɑːˈfɜː ‖ –ˈfɜr] *fn* fodrász
coiffeuse [kwɑːˈfɜːz ‖ –ˈfɜrz] *fn* fodrásznő
coiffure [kwɑːˈfjʊə ‖ –ˈfjʊr] *fn* hajviselet, frizura • *mn* **coiffured**
coign [kɔɪn] *fn régi* sarok, kiszögellés
coil[1] [kɔɪl] **I.** *fn* **1. a)** tekercs, köteg *[kötél, huzal]*, köteg, *hajó* kötélcsomó; **~ of film** filmtekercs **b)** hajtekercs; **~s of hair** hajfonat **c)** *el* tekercs **2. a)** karika *[feltekert kötélen]*, gyűrű *[tekergő kígyóé]* **b)** karika, gomolyag *[füsté]* **3.** spirál, hurok *[fogamzásgátló]* **4.** egy köteg postai bélyeg **II. A.** *tsi* felteker *[kötelet]*, tekercsel *[huzalt]*; **~ (oneself) up** összecsavarodik, összetekeredik; összekuporodik *[személy]* **B.** *tni* tekereg, kígyózik
coil[2] [kɔɪl] *fn régi* zajlás, forgatag, viharzás, zűrzavar, *[eseményeké]*; **mortal ~** földi nyomorúság, az élet zűrzavara
coin [kɔɪn] **I.** *fn* **1.** pénzdarab, érme **2.** váltópénz; **toss/flip a ~** feldob egy pénzdarabot **II.** *tsi* **1. ~ money** pénzt ver; *biz* **he is simply ~ing money, he ~s it (in)** csak úgy dől hozzá a pénz **2. ~ a (new) word/phrase** új szót/kifejezést alkot • *mn* **coined**
coinage [ˈkɔɪnɪdʒ] *fn* **1. a)** pénzverés **b)** vert pénz, ércpénz **2.** törvényes pénzrendszer *[országé]*; **decimal ~** tizedes pénzrendszer **3. a)** kitalálás, kovácsolás, alkotás *[új szóé, kifejezésé]*; **words of modern ~** újkeletű szavak **b)** új szóalkotás
coin-box *fn* **1.** persely **2.** pénzesdoboz *[automatán]* **3.** *GB* pénzbedobós telefon
coincide [ˌkoʊɪnˈsaɪd] *tni* **1.** egybeesik, összetalálkozik, ütközik *[időben, térben]* **2.** egybevág, összeillik, megegyezik; **our interests ~** érdekeink egyezőek/közösek **3. ~ in an opinion** egy véleményen van (vk vkvel)
coincidence [koʊˈɪnsɪdəns] *fn* **1.** egybeesés, összetalálkozás, ütközés *[időben, térben]*; **phase ~** fázisegybeesés, fáziskoincidencia **2.** véletlen összetalálkozás *[eseményeké]*, véletlen; **what ~!** milyen véletlen (összetalálkozás)! • *mn* **coincidental** *hsz* **coincidentally**
coincident [koʊˈɪnsɪdənt] *mn* **1.** egybeeső, ütköző, egybevágó *[időben, térben]* **2.** egyetértő, azonos nézeten levő
coiner [ˈkɔɪnə ‖ –ər] *fn* **1.** pénzverő *[személy]* **2.** *GB* pénzhamisító **3.** *biz* alkotó *[új szóé]*, kiagyaló, kieszelő *[hazugságé]*
coin-op [ˈkɔɪnɒp] *fn* pénzbedobós/érmével működő automata
coin-slot *fn* pénzbedobó nyílás
coin wash *fn* önkiszolgáló mosoda
coir [ˈkɔɪə ‖ –ər] *fn* kókuszrost, kókuszháncs
coition [koʊˈɪʃn] → **coitus**
coitus [ˈkoʊɪtəs] *fn* közösülés, nemi érintkezés, coitus • *mn* **coital**
coke[1] [koʊk] **I.** *fn* koksz **II.** *i* **A.** *tsi* kokszol, kokszosít **B.** *tni* kokszolódik • *mn* **coky**
coke[2] [koʊk] *fn US szl* kokó;; **~ fiend/head/freak** kokainista, kokós
coke[3] [koʊk] *fn* coca-cola *[ital]*
coke head *fn US szl* kokainfüggő, kábítós, kokós
coker-nut [ˈkoʊkənʌt] *fn GB biz* → **coconut**
col [kɒl ‖ kɑl] *fn* **1.** *földr* hegynyereg, hágó **2.** *meteo* légnyomási hátság *[két anticiklon között]*
col. *röv* **1.** *collect(ed)* **2.** *college* **3.** *colonel* **4.** *column* oszlop, oszl., o.
Col. 1. *Columbia* **2.** *US Colorado*
cola [ˈkoʊlə] *fn* **1.** *növ* kólafa **2.** kólafa termése **3.** kólatartalmú üdítő **4.** kólakivonat
colander [ˈkʌləndə, ˈkɒ– ‖ ˈkʌləndər, ˈkɑ–] **I.** *fn* **1.** szűrő(edény) **2.** áttörő szita **II.** *tsi* **a)** szűr **b)** áttör (szitán)
cola nut *fn* kóladió
colchicum [ˈkɒltʃɪkəm ‖ ˈkɑl–] *fn növ* kikerics, kikirics; **autumn ~** őszi kikerics
cold [koʊld] **I.** *mn* **1.** hideg; **~ reasoning** rideg/tárgyilagos érvelés; **it is ~** hideg van; **his hands are ~** hideg/fázik a keze; **be/feel ~** fázik; **get/grow ~** kihűl, lehűl; *biz* **get ~ feet, have ~ feet** fél, szurkol; *biz* **give sy the ~ shoulder, turn a/the ~ shoulder to sy** hűvösen kezel vkt; hátat fordít vknek; → **cold-shoulder**; **throw/pour ~ water on sy's enthusiasm** lehűti vk lelkesedését; *szl* **I have him ~** *[azt csinálok vele, amit akarok]* kezemben van **2.** rideg, hideg, hűvös, fagyos, tartózkodó, barátságtalan *[modor, érzelem]*, *biz pszich* frigid; **a ~ reception** hűvös/fagyos fogadtatás; **~ war** hidegháború; **in ~ blood** szemrebbenés nélkül, hidegvérrel **3.** *biz* **a)** ájult, eszméletlen, öntudatlan **b)** halott **II.** *fn* **1.** hideg(ség); **out in the ~** kinn a hidegen; *biz átv* **left out in the ~** kitaszítva, magára hagyatva **2.** nátha, (meg)hűlés; **catch/get (a) ~** meghűl, megfázik; *átv* bajba kerül, gondjai támadnak **III.** *hsz* **1.** előkészület/próba nélkül **2.** *szl [teljesen]* totál, tisztára • *fn* **coldness** *hsz* **coldly**
cold-blooded *mn* **1.** hidegvérű *[állat]* **2. a)** hidegvérű, halvérű, rideg, érzéketlen *[ember]* **b)** előre megfontolt, hidegvérrel elkövetett *[tett]* • *fn* **cold-bloodedness**
cold chisel *fn műsz* hidegvágó
cold comfort *fn* sovány vigasz
cold cream *fn* arcápoló kenőcs, arckrém
cold current *fn földr* hidegáramlat
cold cuts *fn tsz* hidegtál, felvágott(ak), hideg sültek
cold front *fn* hidegfront, légbetörési front
cold-hearted *mn* kőszívű, rideg, érzéketlen
coldish [ˈkoʊldɪʃ] *mn biz* hűvös, csípős, friss, kissé hideg *[idő, levegő]*
cold pack *fn orv* hideg vizes borogatás
cold-resistant *mn* fagyálló
cold-shoulder *tsi* **a)** kurtán/hidegen bánik (vkvel) **b)** lekezel (vkt), hátat fordít (vknek) **c)** faképnél hagy (vkt); → **cold I.1.**

cold snap *fn* hideghullám
cold sore *fn orv* náthakiütés, herpes labialis
cold starting *fn gk* hidegindítás
cold-storage *fn* **1.** hűtőházi tárolás **2.** félretétel *[ötleté/javaslaté]* **3.** *szl* **be in ~** hidegen van, hűsöl, sitten van
cold store *fn* hűtőraktár, hűtőház
cold table *fn GB* hidegtál
cold-wave *fn* **1.** hideghullám, hideg légbetörés **2.** hideg dauer *[fodrászatban]*
cole[1] [koul] *fn* **1.** *növ régi* karórépa **2.** *növ régi* kelkáposzta
cole[2] [koul] *fn* szélhámos, szélhámosság, becsapás
cole[3] [koul] *fn biz [pénz]* dohány
cole prophet *fn* jövendőmondó, varázsló
coleslaw ['koulslɔː] *fn* káposztasaláta
coleus ['koulɪəs] *fn növ* virágcsalán
colewort ['koulwɜːt ‖ –wɜrt] *fn* kelkáposzta
coley ['kouli] *fn áll* tőkehal
colibri ['kɒlɪbri ‖ 'kɑ–] *fn áll* kolibri
colic ['kɒlɪk ‖ 'kɑ–] **I.** *mn orv* vastagbél- **II.** *fn* bélgörcs, hasgörcs, hascsikarás, kólika • *mn* **colicky**
Colin [kɒlɪn ‖ 'kɑ–] *tul* ‹férfinév›
coliseum [ˌkɒlə'siːəm ‖ ˌkɑ–] *fn* **1.** stadion, amfiteátrum, (sport)csarnok **2.** *tört* **the C~** a Colosseum *[Rómában]*
colitis [kə'laɪtɪs] *fn orv* vastagbélgyulladás
coll. *röv collection; collegiate; colloquial*
collaborate [kə'læbəreɪt] *tni* **a)** együttműködik, összejátszik, közreműködik (vmben) **b)** ellenséggel együttműködik, kollaborál • *fn* **collaboration**, **collaborationist**, **collaborator** *mn* **collaborative**
collage [kɒ'lɑːʒ ‖ kə–] *fn műv* kollázs • *fn* **collagist**
collagen ['kɒlədʒən ‖ 'kɑ–] *fn biol* zselatinszerű állati fehérje, kollagén • *mn* **collagenous**
collapsar [kə'læpsɑː ‖ –sɑr] *fn csill* fekete lyuk
collapse [kə'læps] **I.** *i* **A.** *tni* **1. a)** leomlik, összeomlik *[épület]*, leenged *[gumikerék]*, összeesik, összeroskad, összecsuklik, földre rogy *[ember]*, szétesik *[szerkezet]*, összecsukódik; **she ~d into his arms** karjaiba roskadt **b)** megbukik *[kormány, intézmény]*, összeomlik, romba dől *[birodalom]*, meghiúsul *[remény]*, (le)zuhan *[ár, részvény]* **2.** *orv* összeesik, kollabál **B.** *tsi* lerombol, ledönt, bedönt *[épületet]*, leenged *[léggömböt, gumikereket]* **II.** *fn* **1. a)** *átv* összeomlás, összedőlés *[épületé]*, leengedés *[gumiabroncsé]* **b)** meghiúsulás *[reményé]*, bukás *[kormányé, miniszteré]*, esés, zuhanás *[áraké]*, összeesés, összeomlás, lerogyás *[emberé]*, *geol* beomlás, leomlás **2.** *orv* ájulás, kollapszus • *mn* **collapsable**, **collapsible**
collar ['kɒlə ‖ 'kɑlər] **I.** *fn* **1. a)** gallér, nyak(rész) *[ruhadarabon]* **b)** *US pol szl [letartóztatás]* fülön csípés; **seize sy by the ~** galléron ragad vkt **2. ~ of pearls** gyöngysor, gyöngynyakék **3.** nyakörv *[kutyáé]* **4.** *műsz* (fém)gyűrű, karima, csőbilincs **5.** *áll* örv, (eltérő színű)nyakszőrzet **II.** *tsi* **1.** *biz* galléron ragad, lefülel, nyakon csíp **2.** *biz* felmarkol, elcsen, ellop • *mn* **collared**
collar-bone *fn orv* kulcscsont
collard ['kɒləd ‖ 'kɑlərd] *fn növ* amerikai kelkáposzta
collate [kə'leɪt] *tsi* **a)** egyeztet, egybevet, összehasonlít; **~ the facts** egybeveti a tényeket **b)** összerak, összeállít, összeillesztt (vmt) **c)** (információt különböző forrásokból) begyűjt/összegyűjt
collateral [kə'lætərəl] **I.** *fn* **1.** *gazd* biztosíték, fedezet **2.** oldalági leszármazott/rokon **3.** *orv* kollaterális(ok) **4.** mellékkörülmény **5.** *okt* kötelező melléktantárgy **II.** *mn* **1.** párhuzamos, kísérő, másodlagos, járulékos *[jelenség]*, érintkező *[utca stb.]* **2.** oldalági, nem egyenes *[rokon, leszármazott]* **3. a)** járulékos, pót-, kiegészítő, közvetett, velejáró *[tényező]*; *közg* **~ agreement** kollektív szerződés; *pénz* **~ loan** (biztosítékkal) fedezett kölcsön **b)** mellék • *hsz* **collaterally**
collation [kə'leɪʃn] *fn* **1.** egybevetés, egyeztetés, összeolvasás *[szövegé, írásé]* **2. a)** *vall* böjti eledel **b)** könnyű étkezés
colleague ['kɒliːg ‖ 'kɑ–] *fn* munkatárs, kolléga, szaktárs
collect **I. A.** *tsi* **1. a)** (össze)gyűjt, összeszed, összeszed, rendez *[gondolatokat]* **b)** gyűjt; **he ~s stamps** bélyeget gyűjt **2. ~ oneself** összeszedi magát **3.** beszed, behajt *[adót, kinnlevőséget]*, felvesz *[pénzt]*; **~ a debt** követelést/adósságot behajt **4.** elhoz *[csomagot]*, érte megy; *biz* **I'll ~ you at the airport** kimegyek érted a repülőtérre **B.** *tni* összegyűlnek, összejönnek *[emberek]*, felgyülemlenek *[tárgyak]* **II.** *mn/hsz* [kə'lekt] *US* **send the package ~!** küldd a csomagot utánvéttel!; **~ on delivery** utánvéttel
collectable [kə'lektəbl] **I.** *mn* **1.** beszedhető, behajtható *[adó, követelés]*, beváltható *[csekk]*, felvehető *[pénzösszeg]* **2.** gyűjtésre érdemes **II.** *fn* gyűjtők által keresett tárgy
collect call *fn US* ‹a hívott fél által fizetendő beszélgetés› „R" beszélgetés
collected [kə'lektɪd] *mn* **1.** összegyűjtött; **~ edition** gyűjteményes kiadás **2. a)** higgadt, hidegvérű; **cool, calm and ~** higgadt és megfontolt **b)** koncentrált, összeszedett • *fn* **collectedness** *hsz* **collectedly**
collectible [kə'lektəbl] → **collectable**
collection [kə'lekʃn] *fn* **1. a)** *ált* (össze)gyűjtés, összehívás, egybehívás *[embereké]*, felhalmozás *[tárgyaké]*, összeszedés, felfogás, lecsapolás *[vízé]*, gyűjtés *[bélyegé]* **b)** gyűjtés, adománykérés **2.** összegyűlt mennyiség; adományok összege **3.** beszedés, inkasszó, felvétel *[pénzé]*, behajtás *[adóé]* **4. a)** gyülekezet, összejövetel, (fel)halmozódás **b)** választék, mintakollekció **5.** gyűjtemény **6.** *tsz* **collections** (negyedévi) záróvizsga *[angol egyetemeken]*
collective [kə'lektɪv] **I.** *mn* **1.** együttes, közös; **~ interest** közös érdek; **~ note** közös/együttes jegyzék **2.** kollektív; **~ bargaining agreement** kollektív szerződés; *jog* **~ ownership** közös birtoklás/tulajdon **3.** *növ* összetett *[termés]* **II.** *fn* **1.** közösség, kollektíva **2.** *nyelv* gyűjtőnév • *fn* **collectiveness**, **collectivity** *hsz* **collectively**
collectivism [kə'lektɪvɪzm] *fn* kollektivizmus • *fn* **collectivist**
collectivize [kə'lektɪvaɪz], **-ise** *tsi* kollektivizál • *fn* **collectivization**, **-isation**
collector [kə'lektə ‖ –ər] *fn* **1. a)** gyűjtő, műgyűjtő **b)** pénzbeszedő, díjbeszedő **2.** áramszedő, kollektor
college ['kɒlɪdʒ ‖ 'kɑ–] *fn* **1.** *okt* **a)** (angliai) egyetemi kollégium; **he is a ~ man** egyetemi hallgató **b)** *skót US* egyetem; **he had been to ~** egyetemet végzett **c)** főiskola, akadémia; **military ~** katonai akadémia; **naval ~** tengerészeti akadémia **d)** *GB* (bentlakásos) középiskola, kollégium **e)** tanfolyam, kurzus, kollégium **2.** testület, kollégium **3.** *GB szl* sitt, dutyi
college boards *fn tsz US* felvételi (vizsgák) *[egyetemi, főiskolai]*
college pudding *fn* ‹kis mazsolás tészta/puding›
collegial [kə'liːdʒɪəl] *mn* **1.** testületi **2.** kollegiális, közös felelősségű **3.** kollégiumi, főiskolai • *fn* **collegiality**
collegian [kə'liːdʒɪən] *fn* **1.** (egyetemi) kollégium tagja, főiskolás **2.** ösztöndíjas diák **3.** *szl* rab, fegyenc
collegiate **I.** *mn* [kə'liːdʒɪət] **1.** főiskolai, egyetemi, kollégiumi; **~ life** egyetemi/főiskolai/kollégiumi élet **2.** kollégiumokból álló *[egyetem]* **3.** *vall* **~ church** (i) társaskáptalani templom (ii) *US skót* közös lelkészi gondozás alá tartozó templomok **4.** testületi **II.** *fn* [kə'liːdʒɪət] testület/kollégium tagja
collegiately [kə'liːdʒɪətli] *hsz* testületileg
collet ['kɒlɪt ‖ 'kɑlɪt] **I.** *fn* **1.** drágakőfoglalat *[gyűrűn]* **2.** hőszigetelő gyűrű *[teáskanna fülén]* **II.** *tsi* befoglal *[drágakövet]*; **~ed in gold** aranyba foglalt
collide [kə'laɪd] *tni* **1.** összeütközik, egymásba szalad; **~ with sy/sg** beleütközik vkbe/vmbe **2.** *átv* ütközik, ellentétben van; **~ with sy's ideas** ellenkezik vk felfogásával
collie ['kɒli ‖ 'kɑli] *fn* skót juhászkutya
collier ['kɒlɪə ‖ 'kɑlɪər] *fn GB* **1.** szénbányász **2.** szénszállító hajó
colliery ['kɒljəri ‖ 'kɑl–] *fn* (kő)szénbánya
colligate ['kɒlɪgeɪt ‖ 'kɑ–] *tsi átv* összeköt, összefog, átfog • *fn* **colligation**

collimate [ˈkɒlɪmeɪt ‖ ˈkɑ–] *tsi* beállít *[lencsét, távcsövet]*, párhuzamosít *[fénysugarakat]*

collinear [kɒˈlɪnɪə ‖ kəˈlɪnɪər] *mn mat* egy vonalba eső, egy egyenesbe eső, kollineáris • *fn* **collinearity**

collision [kəˈlɪʒn] *fn* **1.** ütközés, összeütközés *[járműé]*; **head-on ~** frontális ütközés **2.** ütközés *[érdekeké]*, ellentét *[felfogásban, nézetben]* **3.** *nyelv* mássalhangzó-torlódás **4.** *fiz* (részecske) ütközés

collocate [ˈkɒləkeɪt ‖ ˈkɑ–] **A.** *tsi vál* összeállít, besorol, osztályoz **B.** *tni nyelv* együtt előfordul/áll *[más szóval állandó kapcsolatban]*, kollokál

collocation [ˌkɒləˈkeɪʃn ‖ ˌkɑ–] *fn* **1.** *ált* összeállítás, rendezés, besorolás, osztályozás **2.** *nyelv* szókapcsolat *[gyakran együtt használt szavaké]*, kollokáció; állandósult szószerkezet/szókapcsolat

collocutor [kəˈlɒkjʊtə ‖ kəˈlɑkjətər] *fn* beszélgető fél

colloid [ˈkɒlɔɪd ‖ ˈkɑ–] **I.** *mn vegy* enyvszerű, kocsonyás, kolloid- **II.** *fn vegy* kolloid (anyag) • *mn* **colloidal**

collop [ˈkɒləp ‖ ˈkɑ–] *fn* kis szalonnaszelet/hússzelet; **minced ~s** vagdalthús; **Scotch ~s** hagymás rostélyos

colloquial [kəˈloʊkwɪəl] **I.** *mn* **a)** *nyelv* köznyelvi, bizalmas/fesztelen nyelvhasználatú **b)** *nyelv* szóbeli, beszédhez tartozó **II.** *fn* köznyelv, társalgási nyelv • *hsz* **colloquially**

colloquialism [kəˈloʊkwɪəlɪzm] *fn nyelv* köznyelvi/fesztelen nyelvi szólás/kifejezés • *fn* **colloquialist**

colloquium [kəˈloʊkwɪəm] *fn tsz* **s, colloquia** [–kwɪə] **1.** *régi* beszélgetés, eszmecsere **2.** szűkkörű megbeszélés *[tudományos/időszerű kérdéseké]* **3.** egyetemi óra

colloquy [ˈkɒləkwi ‖ ˈkɑ–] *fn* **1.** beszélgetés, társalgás, eszmecsere **2.** *vall* **a)** református egyház bíráskodó és törvényhozó testülete **b)** teológiai vita/beszélgetés

collotype [ˈkɒlətaɪp ‖ ˈkɑ–] *fn nyomd* kollotípia, fénynyomás

collude [kəˈluːd] *tni régi* összejátszik, paktál • *fn* **colluder**

collusion [kəˈluːʒn] *fn* összejátszás, paktálás, *jog* összejátszás peres felek között, összebeszélés • *mn* **collusive** *hsz* **collusively**

Cologne [kəˈloun] *tul földr* Köln; **~ water** kölnivíz

Colombia [kəˈlɒmbɪə ‖ –ˈlʌm–] *tul földr* Kolumbia • *fn/mn* **Colombian**

colon[1] [ˈkoʊlən] *fn tsz* **s, cola** [ˈkoʊlə] *orv* vastagbél, kolon

colon[2] [ˈkoʊlən] *fn tsz* **s, cola** [ˈkoʊlə] kettőspont

colonel [ˈkɜːnl ‖ ˈkɜrnl] *fn* ezredes • *fn* **colonelcy, colonelship**

colonel-general *fn kat* vezérezredes

colonial [kəˈloʊnɪəl] **I.** *mn* **1. a)** gyarmati, gyarmatügyi **b)** *Ausz* **~ goose** töltött ürücomb **2.** koloniál (stílusú) **II. 1.** *fn* gyarmati ember/lakos, gyarmatos **2.** koloniális stílusban épült ház • *hsz* **colonially**

colonialism [kəˈloʊnɪəlɪzm] *fn* **1.** gyarmati rendszer, gyarmatosítás, gyarmatosító politika **2.** gyarmati élet **3.** gyarmati beszédmód/kifejezés • *fn* **colonialist**

colonist [ˈkɒlənɪst ‖ ˈkɑ–] *fn* **1.** gyarmatos, gyarmati lakos, ültetvényes **2.** gyarmatosító

colonization [ˌkɒlənaɪˈzeɪʃn ‖ ˌkɑlənə–], **-isation** *fn* gyarmatosítás, betelepítés

colonize [ˈkɒlənaɪz ‖ ˈkɑ–], **-ise** *i* **A.** *tsi* gyarmatosít, meghódít **B.** *tni* telepet/kolóniát létesít • *fn* **colonizer, -iser**

colonnade [ˌkɒləˈneɪd ‖ ˌkɑ–] *fn* oszlopsor, oszlopos folyosó, kolonnád • *mn* **colonnaded**

colonoscopy [ˌkɒləˈnɒskəpi ‖ ˌkɑləˈnɑs–] *fn* vastagbéltükrözés, kolonoszkópia

colony [ˈkɒləni ‖ ˈkɑ–] *fn* **1.** gyarmat **2.** kolónia *[külföldieké idegenben]*; *biz* **the Hungarian ~ in London** a londoni magyar kolónia **3.** település; telep; **a ~ of artists, an artists' ~** művésztelep **4.** *áll* kolónia

colophon [ˈkɒləfɒn ‖ ˈkɑləfɑn] *fn nyomd* **1.** kolofon, zárócím, záradék, zárósorok **2.** embléma *[kiadói]*, kézjegy *[nyomdászé]*, nyomdai jelzés

colophony [kɒˈlɒfəni ‖ kəˈlɑ–] *fn* (hegedű)gyanta

color [ˈkʌlə ‖ –ər] *US* → **colour**

colorability [ˌkʌlərəˈbɪləti] *fn* → **colourable**

Colorado [ˌkɒləˈrɑːdoʊ ‖ ˌkɑləˈrædoʊ] *tul földr* Colorado

Colorado beetle *fn áll* burgonyabogár, kolorádóbogár

coloratura [ˌkɒlərəˈtʊərə ‖ ˌkʌlərəˈtʊrə] *fn zene* ékítményes dallam/ének; **~ soprano** koloratúrszoprán

colorific [ˌkʌləˈrɪfɪk] *mn* színező, színközlő, színadó, erősen színezett

colorimeter [ˌkʌləˈrɪmɪtə ‖ –mətər] *fn* színmérő, koloriméter • *fn* **colorimetry**

colorization [ˌkʌləraɪˈzeɪʃn ‖ –lərə–], **-isation** → **colouration**

colossal [kəˈlɒsl ‖ –ˈlɑ–] *mn* **a)** óriási, óriás méretű, roppant nagy, kolosszális; *épít* **~ order** óriás oszloprend **b)** *biz átv* nagyszabású, óriási, hatalmas, szédületes, egetverő; **~ blunder** óriási baklövés; **~ success** szédületes/átütő siker • *hsz* **colossally**

Colosseum [ˌkɒləˈsiːəm ‖ ˌkɑ–] → **coliseum** 2.

colossus [kəˈlɒsəs ‖ –ˈlɑ–] *fn tsz* **colossi** [kəˈlɒsaɪ ‖ –ˈlɑ–], **es a)** hatalmas szobor, szoborkolosszus **b)** óriás termetű ember/állat **c)** *átv* hatalmas/kimagasló személyiség **d)** óriási/hatalmas birodalom

colour [ˈkʌlə ‖ –ər], *US* **color I.** *fn* **1.** szín; **paint in bright ~s** vmt derűs színekkel ecsetel **2.** festőanyag, festék; **box of ~s** festékdoboz **3.** arcszín; **change ~** elvörösödik, elpirul; elsápad; **lose ~** elsápad **4. a)** *tsz* **colours** nemzeti színek; **the national ~s** nemzeti színű zászló; *biz* **pass (an examination) with flying ~s** könnyen átmegy (a vizsgán); kitűnő eredménnyel teszi le (a vizsgát); **sail under false ~s** idegen lobogó alatt fut *[hajó]*; hamis színben tünteti fel magát **b)** *sp* színek, mez *[csapaté]* **c)** szín *[kártyában]* **5. a)** színezet, látszat, arculat; **local ~** sajátos (helyi) színezet; *biz* **come out** (v. **show oneself) in one's true ~s** igaz valójában mutatkozik meg; leveti az álarcot; megmutatja valódi énjét **b)** kifogás, ürügy, hamis látszat **6.** *zene* hangszín **II.** *mn* színes, szín- **III. A.** *tsi* **1.** színez, színt ad, (be)fest, kiszínez **2.** *pej* szépítget, kiszínez, hamis beállításban ad elő; **~ a lie** hazugságot elkendőz **B.** *tni* **1.** színeződik, festődik (vm), érik *[gyümölcs]* **2.** elpirul, elvörösödik, kipirul

colourable [ˈkʌlərəbl] *mn* **1.** valószínű, elfogadható, hihető, plauzibilis **2.** (ki)színezhető **3.** csaló(ka), megtévesztő, félrevezető • *fn* **colourability**

colourant [ˈkʌlərənt] *fn* színezék

colouration [ˌkʌləˈreɪʃn] *fn* színezés, színezet, színeződés, színfelrakás, színek alkalmazása

colour-bar *fn* faji megkülönböztetés *[színesek és fehérek között]*

colour-blind *mn* **1.** színvak, színtévesztő **2.** *US biz* ‹a faji megkülönböztetést kerülő› • *fn* **colour-blindness**

colourcast [ˈkʌləkɑːst ‖ ˈkʌlərkæst] *távk* **I.** *fn* színes adás **II.** *tsi* színes adásban sugároz

colour code *el* **I.** *fn* színjelzés, színkód, színjelölés **II.** *tsi* **colour-code** szín szerint kódol

colour-coordinated *mn* (harmonikus) színösszeállítású

coloured [ˈkʌləd ‖ –lərd] **I.** *mn* **1. a)** színes, színezett, kiszínezett *[rajz]*; **~ people** színes(bőrű)ek **b)** -színű **c)** *Dél-Af* fehértől és színesbőrűtől származó, keverék **2. a)** *átv* színes, kiszínezett, élénk *[stílus]* **b)** *pej* elferdített, meghamisított *[tény]* **II.** *fn* **1.** színesbőrű ember **2.** *tsz* **coloureds** színes ruhanemű *[mosásnál]*

colour-fast *mn tex* színtartó • *fn* **colour-fastness**

colour fidelity *fn* színhűség

colourful [ˈkʌləfl ‖ –lər–] *mn* színdús, színpompás, élénk színű, tarka; *biz* **~ style** színes/festői/élénk stílus

colouring [ˈkʌlərɪŋ] **I.** *mn* színező, festő **II.** *fn* **1. a)** színezés, festés, kiszínezés **b)** színeződés, festődés **c)** elpirulás, elvörösödés *[arcé]* **2. a)** színfelrakás *[festményé]*, színesség *[stílusé]* **b)** arcszín **3.** *biz* látszat, színezet *[dologé, tényé]*

colourist [ˈkʌlərɪst] *fn* **a)** *műv* festőművész, kolorista **b)** a színhatások mestere, színpompás stílusú író

colourize [ˈkʌləraɪz], **-ise** *tsi film fényk* (fekete-fehér filmet) kiszínez • *fn* **colourization, -isation**
colourless [ˈkʌlələs ‖ –lər–] *mn átv* színtelen, halvány, sápadt, fakó *[arcszín]*, halvány, tompa, gyér *[fény, világítás]*, fátyolos, gyenge *[hang]*, szürke, jelentéktelen *[ember]*, eseménytelen, egyhangú *[élet]*, színtelen, unalmas, ízetlen *[stílus]*
colour-printing *fn* **1.** *nyomd* többszínnyomás, kromotipográfia **2.** *fényk* színes másolás
colour sergeant *fn GB kat* törzsőrmester
colour television *fn* színes televízió
colour wash I. *fn* színes falfesték **II. colour-wash** *tsi* befest, bemázol *[falat stb.]*
coloury [ˈkʌləri] *mn* színdús, tarka
colt [koʊlt] *fn* **1.** csikó; **~'s tooth** tejfog **2. a)** *biz* újonc, zöldfülű **b)** *biz* fiatal/kezdő profi **c)** *GB sp* fiatal/tapasztalatlan játékos • *fn* **colthood** *mn* **coltish**
Colt [koʊlt] *fn US* colt, forgótáras pisztoly, revolver
coltsfoot [ˈkoʊltsfʊt] *fn tsz* **~s** *növ* martilapu
colt's-tail 1. pehelyfelhő, magas jégtűfelhő **2.** *növ* küllőrojt
coluber [ˈkɒljʊbə ‖ ˈkɑləbər] *fn áll* sikló
colubridae [kəˈljuːbrɪdiː ‖ –ˈluː] *fn tsz áll* siklók, siklófélék
colubrine [ˈkɒljʊbraɪn ‖ ˈkɑlə–] *mn áll* sikló-, siklókhoz tartozó, kígyószerű
columbarium [ˌkɒləmˈbeərɪəm ‖ ˌkɑləmˈberɪəm] *fn tsz* **columbaria** [–rɪə] **1.** galambdúc, galambház **2.** kolumbárium *[csarnok hamvvedrek részére]*
Columbia [kəˈlʌmbɪə] *tul földr US* **1.** *vál* Amerika **2. District of ~** Washington szövetségi főváros • *fn/mn* **Columbian**
columbine [ˈkɒləmbaɪn ‖ ˈkɑ–] **I.** *mn* **1.** galambokra vonatkozó **2.** galamblelkű **II.** *fn növ* harangláb, galambvirág
Columbus [kəˈlʌmbəs] *tul* **Christopher ~** Kolumbusz Kristóf; *US* **~ day** Amerika felfedezésének emlékünnepe *[október 12.]*
column [ˈkɒləm ‖ ˈkɑ–] *fn* **1.** oszlop, pillér, tartóoszlop; **Doric ~** dór oszlop; **a ~ of smoke** füstoszlop **2.** *orv* funiculus; **spinal ~** gerincoszlop **3.** *kat* hadoszlop, menetoszlop; *GB* **dodge the ~** kibújik a munka/kötelesség alól, lóg **4.** *nyomd* hasáb, rovat; **advertising ~(s)** hirdetési oldal **5.** számoszlop • *mn* **columnal, columnar, columned**
column break *fn infor* hasábtörés
column inch *fn* egységnyi hirdetési felület *[újságban]*
columnist [ˈkɒləmnɪst ‖ ˈkɑ–] *fn US* rovatvezető, állandó cikkíró, hírmagyarázó
colza [ˈkɒlzə ‖ ˈkɑlzə] *fn növ* repce
collywobbles [ˈkɒliwɒblz ‖ ˈkɑliwɑblz] *fn tsz biz* **1. he has the ~** fáj a hasa, hascsikarása van **2.** erős félelem, aggodalom
coma[1] [ˈkoʊmə] *fn orv* kóma, eszméletvesztés
coma[2] [ˈkoʊmə] *fn tsz* **comae** [ˈkoʊmiː] **1.** *növ* bajusz, szálka *[kalászon]*, szakáll *[magon]* **2.** *csill* üstökös csóvája/farka, üstök **3.** *fiz* kóma *[lencsék/tükrök hibája]*
comatose [ˈkoʊmətoʊs] **I.** *mn orv* kómás, eszméletlen *[állapot]* **II.** *fn* kómában levő ember
comb [koʊm] **I.** *fn* **1. a)** fésű; **hair ~** hajfésű **b)** fésülés **2.** lóvakaró **3.** taréj, taraj *[kakasé]* **4.** lép *[méheké]*; → **honeycomb 5.** *geol* gerinc, orom, dombhát **6.** hullámtaréj, tajték **II. A.** *tsi* **1.** fésül *[vk haját]*; **~ one's hair** fésüli a haját, fésülködik **2.** *tex* fésül, kártol **3.** átvizsgál, átfésül *[helyet, terepet]* **B.** *tni* **1.** megtörik *[hullám]* **2.** tajtékzik *[hullám]*
comb down *tsi* **~ down a horse** lovat vakar
comb out *tsi* **1.** kifésül, kibont *[hajat]* **2.** *biz* átfésül, átvizsgál, razziázik
combat [ˈkɒmbæt ‖ ˈkɑm–] **I.** *fn* **a)** küzdelem, harc, ütközet, csata **b)** *tsz* **combats** harci játékok **II. A.** *tsi* támad (vkt), küzd (vmvel), harcol (vm ellen), szembeszáll (vmvel), ellenez (vmt), leküzd, legyőz *[betegséget, előítéletet]*; **~ a disease** harcol/küzd egy betegség ellen **B.** *tni* harcol, küzd, hadakozik, verekszik
combatable [ˈkɒmbætəbl ‖ ˈkɑm–] *mn* (meg)támadható
combatant [ˈkɒmbətənt ‖ kəmˈbætnt] **I.** *fn* harcoló/harcos/küzdő személy **II.** *mn* harcoló, küzdő
combat car *fn US kat* páncélkocsi, harckocsi, tank
combat fatigue *fn* ‹hosszas harctéri szolgálatban szerzett neurózis›
combat helmet *fn* rohamsisak
combative [ˈkɒmbətɪv ‖ kəmˈbætɪv] *mn* harcos, harcias, harcra kész • *fn* **combativeness, combativity**
combat unit *fn US* harci egység
combat zone *fn kat* hadműveleti zóna
combe [kuːm] → **coomb**[1]
combed [koʊmd] *mn* **1.** fésült *[haj]* **2.** *tex* fésült, kártolt
comber [ˈkoʊmə ‖ –ər] *fn* **1.** fésülő/kártoló/gerebenező gép **2.** kicsapó nagy fodrosodó hullám
combflower [ˈkoʊmflaʊə ‖ –ər] *fn US* napraforgó
comb-honey *fn* lépesméz
combinate [ˈkɒmbɪnət ‖ ˈkɑm–] *mn* **1.** egyesített, egyesült **2.** kombinált
combination [ˌkɒmbɪˈneɪʃn ‖ ˌkɑm–] *fn* **1.** összetétel, egyesítés, egyesülés, vegyülés, keveredés, kombináció **2.** *vegy* vegyület, vegyülék, keverék **3.** társulás, szervezkedés *[személyeké]*; **right of ~** gyülekezési/szervezkedési jog/szabadság **4.** kombinációs zár/lakat, szám- v. betűkombináció *[zár nyitására]* **5.** *nyelv* összetett szó, szókapcsolat **6.** *sp* lépéskombináció • *mn* **combinatory, combinative**
combination garment *fn* kezeslábas *[alsóruha]*
combination lock *fn* kombinációs zár/lakat
combinatorial [ˌkɒmbɪnəˈtɔːrɪəl ‖ kəmˌbaɪnə–] *mn mat* kombinatorikus; **~ analysis** kombinatorika
combinatorics [ˌkɒmbɪnəˈtɒrɪks ‖ kəmˌbaɪnəˈtɔrɪks] *fn esz mat nyelv* kombinatorika
combine I. *tsi* [kəmˈbaɪn] **A. 1.** összeállít, összeköt, összekapcsol, kombinál (*with* vmvel), egyesít, egybegyűjt *[embereket]*, szervez *[munkásokat]*, *vegy* kever, vegyít; **~ one's efforts** egyesíti az erőket **2.** betakarít *[kombájnnal]*, kombájnol **B.** *tni* egyesül, összefog, szövetkezik (*against sy/sg* vk/vm ellen) **II.** *fn* [ˈkɒmbaɪn ‖ ˈkɑm–] **1.** *közg* pénzügyi/ipari érdektársulás/szövetség **2.** arató-cséplő gép, kombájn **3.** kombináció
combined [kəmˈbaɪnd] *mn* egyesült, egyesített, kevert, kombinált, *sp* összetett *[számok]*; *vegy* **~ acid** kötött sav
combine-harvester [ˌkɒmbaɪnˈhɑːvɪstə ‖ ˌkɑmbaɪnˈhɑrvəstər] *fn* arató-cséplő gép, kombájn
combing-machine *fn tex* fésülő/kártoló/gerebenező gép
combing wool *fn* fésűsgyapjú
combing-works *fn tex* fésülő/kártoló üzem, fésűsfonó
combining form *fn nyelv* kötött alak, előtag, utótag
combo [ˈkɒmboʊ ‖ ˈkɑm–] *fn* **1.** *biz* kis dzsesszegyüttes **2.** *szl* kombináció, kombinált egység
comb-out *fn biz* **make a ~** átfésül *[területet]*; razziázik; → **comb out**
combs [kɒmz ‖ kɑmz] *fn tsz GB biz* kezeslábas *[alsóruha]*
combust [kəmˈbʌst] *tsi műsz* meggyullad, ég, elég
combustial [kəmˈbʌstʃəl] *mn* égési, égés által előidézett
combustible [kəmˈbʌstəbl] **I.** *mn* **1.** gyúlékony, éghető, égő *[anyag]* **2.** *átv* lobbanékony **II.** *fn* **1.** tüzelőanyag, fűtőanyag, üzemanyag **2.** gyúlékony anyag • *fn* **combustibility**
combustion [kəmˈbʌstʃən] *fn* **1.** (el)égés, gyulladás; **internal ~ engine** belső égésű motor, robbanómotor **2.** *átv* nyugtalanság, forrongás • *mn* **combustive**
combustion chamber *fn műsz* robbanótér, *gk* égéstér
combustion heat *fn* égéshő
come [kʌm] **I.** *i pt* **came** [keɪm], *pp* **come** [kʌm] **A.** *tni* **1. a)** jön, közeleg; **~ and go** jön-megy; lót-fut; elmúlik, eltelik; rövid időre beugrik *[látogató]*; *biz* **~ and see me tomorrow** látogass meg holnap; **easy ~ easy go** könnyen jön, könnyen megy; **~ here!** gyere ide!; **coming!** már megyek!; **here he ~s!** íme itt jön!; **when Christmas ~s** amikor eljön a karácsony **b)** *biz* jön, következik; **~ next month** következő hónapban lesz/jön; **ready for whatever**

~s felkészülve bármire, ami történhetik/következik/jön; **that/it ~s on the next page** ez a következő oldalon van/található; **when his turn came** amikor rá került a sor; **you ~ first** csak ön után!; **he ~s next** ő a következő **2. a)** történik, adódik; **~ what may** történjék bármi (is); jöjjön, aminek jönnie kell **b)** lesz, válik vmlyenné; **~ of age** nagykorú lesz; **~ alive** megelevenedik; **~ apart** *átv* széjjelmegy, szétesik; szétbomlik; leválik; *biz* **~ clean** megmondja az igazat; kirukkol az igazsággal; **~ loose** meglazul; **~ true** megvalósul, igaznak bizonyul **c) how ~?** furcsa!; hogy lehetséges? **d) ~ home** hazajön, visszajön; *átv* érint, hatással van **e) ~ near** közeledik, közel jön; **~ near sy** hasonlít vkhez, megközelít vkt vmben **f) I have ~ to believe** kezdem azt hinni **3. a)** eredményez, származik; **~ of a working-class family** munkáscsaládból származik/való; **what will ~ of it?** mire fog ez vezetni?; mi lesz ebből?; **nothing ~s of it** ebből nem lesz semmi; **that~s from complaining** ez a panaszkodás eredménye **b) the time to ~** az eljövendő idő; a jövendő **4. a)** összeáll, alakul (vmé) **b)** fejlődik, érik, terem *[gyümölcs]* **5. come come!** ugyan, ugyan!, na ne mondja! **6.** viselkedik (vhogyan); **don't ~ the bully with me!** ne játszd nekem a nagyfiút! **7.** *szl [szexuálisan kielégül]* elélvez, elmegy **B.** *tsi* **he has ~ a long way** hosszú utat tett meg; **the wheel ~s full circle** a kerék teljes fordulatot tesz **II.** *fn* **1.** jövés **2.** *szl durva [szexuális kielégülés]* elélvezés **3.** *tabu [ondó]* geci, tej

come about *tni* (meg)történik, bekövetkezik, létrejön, megesik; **thus it ~s about that...** így történik, hogy...; **how did it ~ about?** hogy történt ez?

come across A. *tsi* **1.** átkel *[tengeren, folyón]*, átmegy, keresztülmegy **2. ~ across sy/sg** ráakad vkre/vmre; véletlenül találkozik vkvel **B.** *tni* **1.** előad, megteszi, amit elvárnak tőle; *US szl* **~ across with five dollars** kipenget öt dollárt **2.** sikeresen kommunikál, vmlyen benyomást tesz; **his speech didn't ~ across** a beszéde nem érte el a kívánt hatást **3.** *US szl* sikere van *[színdarabnak]*

come after *tni* után/soron következik; **~ after sy/sg** követ vkt/vmt; következik vk/vm után

come again *tni* **1.** újra jön, ismét eljön **2.** (újra) próbálkozik

come against *tni* **~ against sy** beleütközik vmbe; nekimegy vmnek

come along *tni* **1. a)** eljön, megérkezik, beállít; **~ along!** gyere! **b)** *biz* vele jön/megy **2.** megtörténik, megesik **3.** fejlődik, halad

come at *tni* **1.** bejut (vhova/vkhez), elér, kapcsolatba jut **2. a)** rájön (vmre); **~ at the truth** rájön az igazságra **b)** ráakad, megtalál (vkt), vmt **3. ~ at sy** nekiront (vknek)

come away *tni* **1.** eljön, eltávozik (vhonnan) **2.** letörik, leszakad, leválik; **it came away in my hands** a kezemben maradt, letört

come back *tni* **1.** *átv* visszajön, visszatér; **the names are coming back to me** a nevek újból eszembe jutnak; **to ~ back to what I was saying** visszatérve az előbb mondottakra **2.** magához tér, visszanyeri öntudatát/eszméletét **3.** újra divatba jön **4.** *US biz* visszafelel, visszavág (vknek); → **comeback**

come before *tni* **1. ~ before sy/sg** vk/vm elé kerül *[ügy, ügyirat]* **2.** felette áll (vmnek), felülmúl (vmt)

come behind *tni* **1. a)** hátul jön **b)** visszamarad **2.** később jön

come between *tni* beleavatkozik, közbelép, közvetít; **nothing could ~ between us** semmi nem állhatott közénk; → **come-between**

come by *tni* **1. a) ~ by sg** elmegy vm mellett; **I heard him ~ by** hallottam, mikor elhaladt *[ház előtt]* **b)** *US* útközben belátogat; **you all ~ by and see us** gyertek egyszer arra, és látogassatok meg **2.** hozzájut vmhez, szerez, szert tesz vmre; **he ~s by money** pénzt szerez, pénzre tesz szert

come down *tni* **1. a)** lejön *[lépcsőn, hegyről]*, leszáll *[létráról]*; **prices are coming down** az árak esnek **b)** *átv* lesüllyed, lecsúszik; **he's ~ down in my opinion** nagyot esett a szememben **c)** *biz* **~ down a peg (or two)** vmből enged; alább adja; megszeppen **2. a)** összerogy, kidől *[ember, ló]*, ledől *[építmény]*; **he came down on his knees** térdre borult; **he came down with the flu** influenzával ágynak esett **b)** esik *[eső]*, omlik, esik *[haj vállra]*, leér, lenyúlik **c)** *biz* **he ~s down upon sy** lehord/összeszid/megdorgál vkt **3.** öröklődik; **~ down to posterity** az utókorra marad **4.** szorítkozik, korlátozódik; **it ~s down to two choices** lényegében két választási lehetőség van/marad **5. ~ down on sy's side/in sy's favour** vknek a javára dönt, vki mellett állást foglal **6.** *biz* **he had to ~ down with a five-pound note** öt fontot kellett fizetnie

come for *tni* **~ for sy/sg** érte jön/megy vkért/vmért

come forth *tni* **1.** előjön, közeledik; **~ forth!** lépj közelebb! **2.** nyilvánosságra kerül, köztudomásúvá válik

come forward *tni* **1.** elő(re)jön, előlép, közelebb lép **2.** jelentkezik, felajánlja szolgálatait; **~ forward as a candidate** fellép jelöltként; **~ forward with a suggestion** javaslatot tesz **3.** előkerül *[kérdés]*

come from *tni* jön vhonnan, származik; **word that ~s from Latin** latin eredetű szó

come in *tni* **1. a)** bejön (vhova), belép *[pl. vállalatba]*, betör, behatol *[pl. víz]*; **~ in!** szabad!, tessék! *[válaszul kopogtatónak]*; *biz* **that's just where the mistake ~s in** éppen itt a hiba **b)** *sp* **he came in second** másodiknak jött/ért be **2. a)** érkezik *[hír]*, megérkezik *[vonat]*, befut *[hajó]* **b)** kezdődik, beköszönt *[esztendő]*, divatba jön *[szokás stb.]* **c)** kapható, beszerezhető; **~ in three sizes** három méretben kapható **3.** bejön, befolyik *[pénz]* **4.** hatalomra jut *[párt]*, sikert ér el, befut *[személy]* **5. ~s in handy/useful for (doing) sg** jól jön vmhez, jó szolgálatot tesz **6. ~ in for sg** részt kap vmből, részesül vmben; *biz* **and where do I ~ in?** és mi az én részem/hasznom ebből?; **that's where I ~ in** ez már az én dolgom/feladatom **7. a)** be van avatva vmely ügybe, benne van vmely dologban **b) ~ in between** beavatkozik, közbelép, közbejön (vm)

come into *tni* **1. a)** belép, bejön; **~ into a house** bejön a házba **b) ~ into being/existence** létrejön; *átv* megszületik; **~ into fashion** divatba jön; **~ into force** érvénybe lép; **~ into one's mind** eszébe jut; *átv* **~ into play** működésbe lép, működni kezd; **~ into power** hatalomra jut; **~ into sight/view** előtűnik, előbukkan; **~ into the world** világra jön **2. ~ into sg** örököl vmt, birtokába jut vmnek **3.** kerül; **~ into contact** érintkezésbe kerül; **~ into collision** összeütközésbe kerül **4.** *növ* borul; **~ into blossom/flower** virágba borul, kivirágzik

come off *tni* **1. a) ~ off sg** lejön, leszáll; leesik (vhonnan); **5 pounds came off the price** 5 font lejött az árból, 5 fonttal kevesebbe került **b)** leszakad, lemállik *[festék]* **c)** kifakul *[szín]*, kijön, eltűnik *[pecsét ruhából]* **2.** *US* **~ off it** (i) abbahagy, nem folytat, megszüntet (vmt) (ii) *szl* hagyd abba!, szűnj meg!, szállj le rólam! **3. a)** megtörténik, létrejön, végbemegy *[esemény]*; **the marriage didn't ~ off** a házasság nem jött létre **b)** sikerül; **he ~s off badly** rosszul jár *[személy]*; ő húzza a rövidebbet **4.** *szl [szexuálisan kielégül]* elmegy, elélvez; → **come-off**

come on *tni* **1.** előrejön, előremegy; **~ on!** *[biztatva]* előre!; rajta!; *biz [csitítva]* ugyan, ugyan, miket beszélsz!; **Oh, ~ on! Not again!** Ugyan menj már!, Már megint?; **~ on in/down/up!** gyere(csak)be/le/fel!; **you go first, I'll ~ on** (te) menj elsőre, én majd követlek/jövök **2.** megtámad vkt, nekimegy/nekitámad vknek/vmnek **3. ~ on sy** összeakad/összebotlik/találkozik/összefut vkvel; **~ on sg** ráakad/rábukkan vmre **4.** jól fejlődik/nő **5. a)** jön, közeledik, beköszönt, beáll *[éjszaka, tél stb.]*; **darkness was coming on** közeledett a sötétség, sötétedett **b) ~ on to** (el)kezdődik; **it came on to rain** elkezdett esni **6.** sorra kerül **7.** *szính* belép a színre

come out *tni* **1. a)** megjelenik *[könyv, újság]* **b)** megkezdi szereplését, debütál **c)** napvilágra kerül, kitudódik *[hír]* **d)** megoldódik *[probléma]*, végződik, sikerül *[ügy]* **2. a)** kijön; ~ **out of a place** kijön vhonnan **b)** ~ **out (on strike)** sztrájkba lép **c)** kijön, eltűnik *[pecsét ruhán]* **d)** kifakul *[szín]* **3.** megjelenik, feljön *[csillag]*, kisüt, kijön *[nap]*, kitör *[betegség]*; ~ **out in a rash/spots** pattanások keletkeznek vkn; csalánkiütése van **4.** ~ **out for sy/sg** vkt/vmt támogat, vkért/vmért síkraszáll, vk/vm mellett állást foglal **5.** kitesz *[összeget]*, kerül *[összegbe]*

come over A. *tni* **1. a)** átjön, átkel *[vizen]*, átmegy, áthalad **b)** átjön *[egyik helyről a másikra]*; **he came over to our table** átült a mi asztalunkhoz **c)** átáll, átpártol; **he ~s over to sy's side** átáll vk mellé/pártjára **2.** elfogja vmlyen érzés; *biz* ~ **over funny** rosszul kezdi magát érezni, rosszullét fogja el; **what has ~ over you?** mi történt veled?; mi lelt ? **3.** ~ **over sy** nekimegy/nekitámad vknek **B.** *tsi* vmlyen benyomást tesz

come round *tni* **1. a)** átjön, betér *[látogatóba]*; *biz* ~ **round and see me one day** ugorj át hozzám egyszer **b)** jobb belátásra jut, véleményt változtat, enged *[rábeszélésnek]*; ~ **round to sy's opinion** csatlakozik vk véleményéhez **c) the time has ~ round** eljött az ideje (hogy...); itt az ideje (hogy...) **2.** magához tér, feléled **3.** ~ **round sy** körülvesz vkt *[társaság]*; becsap vkt, túljár vk eszén; ~ **round sg** körüljár, megkerül vmt; körbejár *[hír]*

come through *tni* **1.** *átv* átjön, átmegy, keresztülmegy, átesik *[betegségen]*, átél, túlél **2.** áthatol *[víz, eső]*

come to *tni* **1.** odajön; ~ **to and fro** ide-oda jár; jár-kel **2. a)** vmre jut/kerül vm; ~ **to an agreement/understanding** megállapodásra/megegyezésre jut; ~ **to a decision** elhatározásra jut, állást foglal, dönt, határoz; ~ **to an end** véget ér, befejeződik; ~ **to hand** megérkezik *[levél]*; megkap, kézhez kap *[levelet]*; ~ **to know** megtud; megismer; **how do you ~ to know that?** honnan tudod?; ~ **to life** életre kel, felélénkül; magához tér *[ájulásból]*, feléled; ~ **to pass** megtörténik; ~ **to rest** megáll; *US* ~ **to stay** állandósul, meghonosodik; ~ **to a stop** megáll; *biz* ~ **to that** ami azt illeti; **if it ~s to that** ha arra kerül a sor **b)** válik/lesz vmvé; *US* ~ **to be** lesz vmvé; ~ **to no good** rossz vége lesz; ~ **to nothing** füstbe megy, semmivé lesz **3.** visszanyeri eszméletét/öntudatát; ~ **to one's senses** eszméletre tér; *GB biz* észhez tér **4.** (összegszerűleg) kitesz vmt, kerül vmbe; **how much does it ~ to** mennyibe kerül?

come together *tni* **1.** összejön, összegyűl *[tömeg, emberek]* **2.** (össze)találkoznak

come under *tni* **a)** hatókörébe tartozik/kerül; ~ **under sy's influence** vk befolyása alá kerül **b)** tartozik, be van sorolva *[cím alá, rovathoz]*

come up A. *tni* **1. a)** feljön, felmegy *[lépcsőn, létrán, hegyoldalon]*; **the tide is coming up** jön a dagály **b)** ~ **up to sy** közeledik/odamegy vkhez; felér/méltó vkhez; ~ **up to/with sg** felér vhova/vmeddig; *átv* felér vmvel; **it ~s up to his expectations** megfelel várakozásának; beváltja reményeit **c) it is coming up to 8 o' clock** mindjárt 8 óra **2. a)** feljön *[víz felszínére]*, felbukkan, megjelenik *[láthatáron]* **b)** felmerül, megjelenik; **~s up for discussion** megvitatásra/szőnyegre kerül; *jog* **he ~s up before the Court** megjelenik a bíróság előtt **c)** ~ **up with sg** előjön/előhozakodik vmvel **d) coming up** műsorajánlat *[tv-ben]* **3.** kihajt, kikel *[növény]* **4.** felküzdi magát, érvényesül; **he came up the hard way** lent kezdte, mélyről küzdötte fel magát **5.** ~ **up against sg** beleütközik vmbe; *átv* ~ **up against sy** vkvel összeütközésbe kerül **6.** ~ **up!** gyű!; gyí! *[lónak]* **7.** visszajön, kihány **B.** *tsi* **1.** csinál, véghezvisz **2.** *szl* szerepet játszik

come upon *tni* **1. a)** találkozik, összeakad (vkvel) **b)** rátör, lecsap *[ellenfélre]*, nekiesik *[ellenfélnek]* **2.** eszébe jut, rájön **3.** elfog, hatalmába ejt *[vkt vmely érzés/lelkiállapot]* **4.** vkhez fordul vmért, rászorul vk segítségére/támogatására

come within *tni* (bele)tartozik; **that doesn't ~ within my duties** ez nem tartozik rám (v. kötelességeim közé)

come-and-go *fn* ide-oda járkálás

come-at-able [ˌkʌm'ætəbl] *mn biz* elérhető, hozzáférhető *[ember, hely]*

comeback *fn* **1.** visszatérés *[divatba, népszerűségbe, hatalomra, politikai életbe]* **2.** *US* **a)** bosszú, megtorlás, reváns **b)** áru visszaküldése, reklamáció **3.** *US biz* visszavágás, válasz *[beszédben]* **4.** → **come back**

come-between *fn* közvetítő

come-by-chance *fn biz* házasságon kívül született gyerek

comedian [kə'miːdɪən] *fn* **1. a)** színész **b)** komikus **2.** vígjátékíró **3.** bolondos/bolondozó ember

comédienne [kəˌmiːdi'en] *fn szính* színésznő, komika

comedist ['kɒmədɪst ‖ 'kɑ–] *fn* vígjátékíró

comedo ['kɒmɪdoʊ ‖ 'kɑ–] *fn tsz* **comedones** [ˌkɒmɪ'doʊniːz ‖ ˌkɑmɪ–] *orv* comedo, mitesszer

comedown *fn* **1.** bukás, lecsúszás, *biz* megalázás, erkölcsi lecsúszás, lefokozás **2.** csalódás; → **come down**

comedy ['kɒmədi ‖ 'kɑ–] *fn* **1.** vígjáték, komédia, komikus/komikai műfaj; ~ **of manners** ‹szatirikus társadalmi színdarab›; **musical** ~ zenés (víg)játék, musical; **social** ~ társadalmi vígjáték **2.** színjáték **3.** *átv* komédia, komikus szituáció/eset **4.** humor, komikum *[műalkotásban]*

come-hither *fn* csáb, vonzóerő, csalogató, attrakció; ~ **smile** kacér mosoly

comeling ['kʌmlɪŋ] *fn* **1.** bevándorló, bevándorolt **2.** nem odavalósi (ember)

comely ['kʌmli] *mn* **1.** kedves, kellemes, nyájas *[ember]*, csinos, bájos, üde *[nő]* **2.** *régi* illedelmes, tisztességes *[viselkedés, modor]* • *fn* **comeliness**

come-off *fn* **1.** következtetés, következmény **2.** kifogás, kibúvó, mentség; → **come off**

come-on *fn* **1.** csalétek, beugratás, csali, biztatás *[szexuális közeledésre]* **2.** *[kártyajátékban]* invit **3.** csaló, szélhámos; ~ **game** csalás, szélhámoskodás; → **come on**

comer ['kʌmə ‖ –ər] *fn* **1.** érkező, jövevény, pályázó *[állásra]*; **~s and goers** a be- és kilépők, az érkezők és távozók; **first** ~ elsőnek érkező; az első jött-ment **2.** *biz* **a)** jól kezdődő/menő dolog, ígéretesen fejlődő dolog/ember **b)** menő

comestible [kə'mestəbl] **I.** *mn* ehető, élvezhető **II.** *fn vál tréf* élelem, ennivaló(k), élelmiszer(ek), élelmiszerkészlet

comet ['kɒmɪt ‖ 'kɑ–] *fn* üstökös • *mn* **cometary**

come-uppance [ˌkʌm'ʌpəns] *fn US biz* megérdemelt sors/büntetés; **get one's** ~ megkapja a megérdemelt büntetést

comfiness ['kʌmfinəs] *fn biz* kényelem

comfit ['kʌmfɪt] *fn* **1.** cukorka, bonbon, cukrozott gyümölcs **2.** (száraz) édesség

comfiture ['kʌmfɪtʃə ‖ –tʃur] *fn* **1.** befőtt **2.** → **comfit**

comfort ['kʌmfət ‖ –fərt] **I.** *fn* **1. a)** vigasz, vigasztalás, enyhítés *[bánaté]*; **take** ~ vigasztalódik; **it is a ~ to know/think that...** vigasztaló tudat, hogy... **b)** vigasztaló, segítő személy **2.** jólét *[szellemi, anyagi]*, kényelem *[testi]* **3.** komfort, kényelem *[lakásban, szállodában stb.]* **4.** *tsz* **comforts a)** kényelmesség kellemesség; **the ~s of life** az élet örömei **b) medical ~s** (szív)erősítő italok; gyógyborok **5.** *US* tűzött takaró/paplan **II.** *tsi* **1.** vigasztal, enyhít *[bánatot]*; **he is ~ed** (meg)vigasztalódott **2. a)** erősít *[ital]* **b)** erőt/bátorságot önt (vkbe); ~ **sy up** bátorít vkt **3.** kényelembe helyezi magát • *mn* **comforting**

comfortable ['kʌmftəbl ‖ –fərtəbl] *mn* **1. a)** kényelmes *[szék, ágy, ruha]*, kellemes *[meleg, érzés]*; **feel** ~ jól/kellemesen érzi magát; **he makes himself** ~ kényelembe helyezi magát **b) be** ~ könnyebben érzi magát; nincsenek fájdalmai *[betegről]* **c)** tiszta/nyugodt lelkiismeretű **2.** ~ **income** szép/bőséges jövedelem; **be in ~ circumstances** jó anyagi körülmények között él **3.** nyugodt, kényelmes *[élet]*, biztos *[megélhetés]* **4.** *sp* könnyű, kényelmes, biztos; **a ~ win** kényelmes/biztos győzelem • *hsz* **comfortably**

comforter ['kʌmfətə ‖ –fərtər] *fn* **1.** vigasztaló, vigaszt nyújtó *[személy]* **2. a)** *GB* gyapjú (nyak)sál **b)** *US* tűzött/steppelt paplan/takaró, dunyha **3.** *GB biz* cucli

comfortless ['kʌmfətləs ‖ –fərt–] *mn* **1.** kényelmetlen, sivár *[szoba, lakás]* **2.** vigasztalan **3.** elhagyott *[személy]*

comfort room → **comfort station**

comfort station *fn US euf* (nyilvános) illemhely, mosdó, vécé

comfrey ['kʌmfri] *fn növ* (fekete) nadálytő, pozdor

comfy ['kʌmfi] *mn biz* kényelmes, kellemes

comic ['kɒmɪk ‖ 'kɑ–] **I.** *mn* vidám, tréfás, vicces, komikus, vígjátéki; ~ **actor** vígjátéki színész; komikus; ~ **opera** vígopera; ~ **paper** vicclap **II.** *fn* **1.** komikus, kupléénekes, varietészínész; → **comedian 1.a.**→ **comédienne 2. a)** vicclap **b)** *tsz* **comics** *US Kan biz* → **comic strip**

comical ['kɒmɪkl ‖ 'kɑ–] *mn* fura, furcsa, tréfás, nevetséges, komikus *[ember, külső, öltözet]* • *hsz* **comically**

comic strip *fn* képregény *[újságban]*

coming ['kʌmɪŋ] **I.** *mn* **1. a)** jövő, közeledő, érkező, közelgő; **the ~ year** a jövő év/esztendő; **he is a ~ man** ő a jövő embere **b) up and ~** ígéretes **2.** *biz* **she is ~** szülés előtt van **3.** *biz* **have it ~ to one** azt kapja, amit megérdemel **4.** *biz* potens **II.** *fn* (el)jövetel, érkezés, közeledte, eljövetel *[a Messiásé]*; **~s and goings** jövésmenés

comings-in [ˌkʌmɪŋz'ɪn] *fn tsz* bevétel(ek)

comity ['kɒməti ‖ 'kɑməti] *fn* udvariasság, előzékenység; **the ~ of the nations** nemzetek közötti jóviszony (v. kölcsönös jóindulat), az íratlan nemzetközi szabályok

comma ['kɒmə ‖ 'kɑmə] *fn* **a)** vessző *[írásjel]* **b) inverted ~s** idézőjel *[„”]*

comma bacillus *fn biol* kolera-bacilus

command [kə'mɑːnd ‖ kə'mænd] **I. A.** *tsi* **1.** (meg)parancsol, elrendel (vmt); **~ sy to do sg** megparancsolja vknek vm megtételét **2.** *kat* **a)** vezényel, parancsnokol *[ezredet, hajót stb.]* **b)** uralkodik (vmn), ura (vmnek); **he ~s himself** uralkodik (ön)magán, ura önmagának **c) with money one ~s the world** pénzzel mindent meg lehet szerezni, pénzzel meg lehet venni az egész világot **3.** rendelkezésre áll (vm), rendelkezik (vkvel), vmvel; **you may ~ me** rendelkezzék velem **4. a) ~ admiration** csodálatot kelt; **~ attention** figyelmet kelt *[hallgatóságban]*; magára vonja a figyelmet; **he ~s respect** tiszteletet kelt/parancsol **b) ~ a high price** magas áron kel el, magas árat ér el **5. a)** uralkodik (vm felett), kimagaslik; **window that ~s a view over the sea** ablak kilátással a tengerre **b)** *ját* **he ~s a suit** magas kártyái vannak egy színből **B.** *tni* **1.** parancsnokol **2.** uralkodik **II.** *fn* **1. a)** parancs, rendelkezés, utasítás; **word of ~** parancsszó; **do sg by/at sy's ~** vmt vk parancsára/utasítására tesz/cselekszik; **I am at your ~!** rendelkezésére állok! **b)** irányítás, vezetés **2. a)** parancsnokság, parancsnoklás, vezénylés; **second in ~** helyettes parancsnok, másodparancsnok; **he is in ~** ő vezet, ő a parancsnok; **under (the) ~ of...** ...parancsnoksága alatt **b)** *kat* vezényszó **c)** csapatok *[vk parancsnoksága alatt]* **3. a)** uralkodás vm felett; **~ of the world markets** a világpiacok feletti uralom **b) ~ of a language** nyelvtudás **c)** rendelkezés vmvel; **the money at his ~** a rendelkezésére álló pénz **4. ~ over oneself** önuralom **5.** *infor* parancs, utasítás

commandant ['kɒməndænt ‖ 'kɑ–] *fn* parancsnok; **C~-in-Chief** főparancsnok • *fn* **commandantship**

command economy *fn közg* központosított/tervutasításos gazdasági rendszer, parancsuralmi gazdaság

commandeer [ˌkɒmən'dɪə ‖ ˌkɑmən'dɪr] *tsi* **1.** katonai célra igénybe vesz, rekvirál **2.** parancsol, vezényel

commandeering [ˌkɒmən'dɪərɪŋ ‖ ˌkɑmən'dɪrɪŋ] *fn* katonai célra való igénybevétel, rekvirálás

commander [kə'mɑːndə ‖ –'mændər] *fn* **1. a)** *kat* parancsnok; **company ~** századparancsnok **b)** *hajó* korvettkapitány **c) (wing) ~** repülőalezredes **d)** kerületi rendőrfőnök *[Londonban]* **2.** kommendátor, kontur *[lovagrendé]* • *fn* **commandership**

commander-in-chief *fn kat* főparancsnok, fővezér

commandery [kə'mɑːndəri ‖ –'mæn–] *fn* **1.** *kat* körlet **2.** *tört* parancsnoki tisztség *[lovagrendben]*

commanding [kə'mɑːndɪŋ ‖ –'mæn–] *mn* **1.** parancsnok(o)ló; **~ officer** hadtest/csapattest parancsnoka **2. a)** parancsnokló *[hang, magatartás]* **b)** tiszteletet parancsoló, méltóságteljes, impozáns *[megjelenés]*; **~ presence** imponáló fellépés **3.** kimagasló, magasan fekvő, kiemelkedő *[hely]* • *hsz* **commandingly**

command language *fn infor* parancsnyelv, forrásnyelv

commandment [kə'mɑːndmənt ‖ –'mænd–] *fn vall* parancs, parancsolat; **the Ten C~s** a Tízparancsolat

command module *fn infor rep* irányítóegység, vezérlőegység; parancsnoki kabin

commando [kə'mɑːndoʊ ‖ –'mæn–] *fn tsz* **s**, **es** *kat* **a)** támadó különítmény, rohamcsapat, kommandó, rohamosztag, harccsoport **b)** rohamcsapat tagja, kommandós

commando raid *fn* rajtaütés, kommandós akció

command paper *fn* ‹az uralkodó utasítására a parlament elé terjesztett irat›

command performance *fn* ‹az uralkodó előtt bemutatott színielőadás› díszelőadás

command-post *fn kat* harcálláspont

command-word *fn infor* utasításszó, parancsszó

commère ['kɒmeə ‖ 'kɑmer] *fn* (női) konferanszié

comme il faut [ˌkɒm iːl 'foʊ ‖ ˌkʌm–] *francia* **I.** *mn* illedelmes, jól nevelt **II.** *hsz* illően, illedelmesen, jólnevelten

commemorate [kə'meməreɪt] *tsi* megemlékezik (vkről/vmről), megünnepel (vk/vm emlékét) • *mn* **commemorative**

commemoration [kəˌmemə'reɪʃn] *fn* **1.** megemlékezés, emlékünnep; **in ~ of sy/sg** vk/vm emlékére **2.** *vall* megemlékező ima, kommemoráció *[misében]*

commence [kə'mens] **A.** *tsi* (el)kezd, megkezd (vmt), belekezd, belefog (vmbe); **~ to do** (v. **doing) sg** (el)kezd vmt tenni/csinálni **B.** *tni* **1.** (el)kezdődik, megkezdődik, megindul *[folyamat]* **2.** *okt* végbizonyítványt szerez, végez, abszolvál *[egyetemet]*

commencement [kə'mensmənt] *fn* **1. a)** kezdet, (el)kezdés, megkezdés **b)** kezdet; **~ of a policy** biztosítási kötvény hatálybalépése **2.** avatási nap *[tanévzáráskor egyetemen]*

commend [kə'mend] *tsi* **1. ~ sg to sy's care** vmt vk gondjára bíz **2.** dicsér (vkt/vmt), elismerően nyilatkozik (vkről/vmről), helyesel **3.** (be)ajánl (vkt); **the idea ~s itself** az ötlet adja magát **4. ~ me to him** add át üdvözletemet neki

commendable [kə'mendəbl] *mn* dicséretes, dicséretre méltó, dicsérendő, helyes(lendő)

commendation [ˌkɒmən'deɪʃn ‖ ˌkɑ–] *fn* **1.** dicséret, helyeslés **2.** (be)ajánlás

commendatory [kə'mendətəri ‖ –tɔri] *mn* **1.** dicsérő, helyeslő **2.** *vall* megbízott apát(ság)

commensal [kə'mensl] **I.** *mn* **1.** asztaltársi **2.** *biol* együttélő **II.** *fn* **1.** asztaltárs **2.** *biol* más szervezettel együttélő szervezet • *fn* **commensality**

commensalism [kə'mensəlɪzm] *fn biol* együttélés, szimbiózis, kommenzalizmus

commensurable [kə'menʃərəbl ‖ –'mens–] *mn* **1.** összeszemérhető, egy nagyságrendben levő *[szám stb.]* **2.** arányos, arányban álló • *fn* **commensurability** *hsz* **commensurably**

commensurate [kə'menʃərət ‖ –'mens–] *mn* **1.** összemérhető **2.** arányos, hozzáillő, hozzámért (vmhez) **3.** azonos méretű/terjedelmű • *hsz* **commensurately**

comment ['kɒment ‖ 'kɑ–] **I.** *fn* **1.** megjegyzés, magyarázat, észrevétel, kommentár; **give/make a ~ on sg** megjegyzést fűz vmhez, megjegyzést tesz vmre; *biz* **no ~** nincs megjegyzésem, erre nem kívánok válaszolni; **call for ~** kritikát kíván/kivált **2.** *régi* (szöveg)magyarázat **II.** *tni* **~ on sg** magyaráz, kommentál vmt, megjegyzéseket fűz vmhez • *fn* **commenter**

commentary ['kɒməntəri ‖ 'kɑmənteri] *fn* **1.** magyarázó szöveg, szövegmagyarázat, kommentár **2. running ~** folyamatos szövegkommentár eseményről; rádióközvetítés, helyszíni közvetítés

commentary box *fn média* közvetítőfülke

commentate ['kɒmənteɪt ‖ 'kɑ–] **A.** *tsi* **1.** jegyzetekkel ellát *[szöveget]* **2.** közvetít **B.** *tni* kommentátorként/beszélőként szerepel

commentator ['kɒmənteɪtə ‖ 'kɑmənteɪtər] *fn* **1.** (szöveg)magyarázó, kommentátor, jegyzetelő, jegyzetíró **2.** helyszíni közvetítő, rádióközvetítő, tévériporter

commerce ['kɒmɜːs ‖ 'kɑmɜrs] *fn* **1. a)** kereskedelem; **domestic/internal ~** belkereskedelem **b)** nemzetközi kereskedelem **2. a)** (társadalmi) érintkezés **b)** *régi* (nemi) érintkezés, viszony **3.** *ját* kommersz (kártyajáték)

commercial [kə'mɜːʃl ‖ –'mɜr–] **I.** *mn* **1.** kereskedelmi; **~ bank** kereskedelmi bank; **~ broadcasting** kereskedelmi adás; **~ radio** kereskedelmi rádió; **~ spirit** üzleti szellem; **~ treaty** kereskedelmi szerződés **2.** nagyban előállítható/termelhető, szériagyártásra/sorozatgyártásra alkalmas **3.** közepes minőségű, kommersz **II.** *fn* **1.** *US* tévéreklám, rádióreklám; **~ break** reklám *[szünet alatt]* **2.** *biz* kereskedelmi utazó ● *hsz* **commercially**

commercialism [kə'mɜːʃəlɪzm ‖ –'mɜr–] *fn* üzleti szellem, üzleties gondolkodásmód/beállítottság ● *fn* **commercialist**

commercialize [kə'mɜːʃəlaɪz ‖ –'mɜr–], **-ise** *tsi* **1.** kereskedelmi/üzleti alapokra helyez, kereskedelmi/üzleti térre visz **2.** *pej* elüzletesít, kommercializál **3.** kereskedelmi forgalomba hoz ● *fn* **commercialization, -isation**

commercial vehicle *fn gk* haszongépjármű

commie ['kɒmi ‖ 'kɑ–] *fn pej biz* komcsi

commination [ˌkɒmɪ'neɪʃn ‖ ˌkɑ–] *fn* fenyeget(őz)és, átkozódás

comminatory ['kɒmɪnətəri ‖ 'kɑmɪnətɔri] *mn* fenyegető, megfélemlítő

commingle [kɒ'mɪŋgl ‖ kə'mɪŋgl] **A.** *tsi* (össze)kever, (össze)vegyít, elegyít **B.** *tni* (össze)keveredik, (össze)vegyül, elegyedik

comminute ['kɒmɪnjuːt ‖ 'kɑmənuːt] *tsi* **1.** (szét)zúz, (szét)darabol, porrá őröl, aprít, porlaszt, szétmorzsol *[márványt]*, szemcséz *[fémet]*, szilánkosan tör *[csontot]*; *orv* **~d fracture** szilánkos törés **2.** (fel)parcelláz *[földet]* ● *fn* **comminution**

commis ['kɒmi ‖ kə'miː] *fn tsz* **commis** tanuló pincér/szakács

commiserate [kə'mɪzəreɪt] **A.** *tsi* (meg)sajnál, (meg)szán, sajnálkozik; **~ sy** megszán vkt, szánakozik vk sorsán; részvétét nyilvánítja (v. fejezi ki) vknek **B.** *tni biz* **~ with sy** sajnál/szán vkt, sajnálkozik/szánakozik vk sorsán; vknek részvétét fejezi ki, vkt együttérzéséről/részvétéről biztosít ● *fn* **commiseration** *mn* **commiserative**

commissar [ˌkɒmɪ'sɑː ‖ 'kɑməsɑr] *fn* **1.** *tört* népbiztos *[a volt Szovjetunióban]* **2.** *pol* kiképzőtiszt

commissariat [ˌkɒmɪ'seəriət ‖ ˌkɑmə'serɪət] *fn* **1. a)** *kat* hadbiztosság, gazdasági/élelmezési hivatal; **~ officer** élelmezési tiszt **b)** ellátmány **2.** *tört* népbiztosság

commissary ['kɒmɪsəri ‖ 'kɑməseri] *fn* **1.** meghatalmazott, biztos **2.** *tört* népbiztos **3.** *vall* püspöki helynök, apostoli vikárius **4. a)** *kat US* élelmiszerraktár, élelem, katonai kantin/étkezde **b)** *US* étterem, kantin *[filmgyárban]*, az ott felszolgált étel **c)** *kat régi* hadbiztos, hadbiztossági/élelmezési tiszt

commission [kə'mɪʃn] **I.** *fn* **1.** megbízás, utasítás, rendelkezés **2. a)** megbíz(at)ás, meghatalmazás; **have it in one's ~ to do sg** fel van hatalmazva vmt tenni **b)** (hivatalos) írásbeli megbízás; **letter of ~** megbízólevél **3.** *kat* tiszti kinevezés/rang **4.** bizottság; **Economic C~ for Europe** Európai Gazdasági Bizottság **5. a)** *gazd* bizomány, ügynöki/eladási/vételi megbízás/meghatalmazás; **goods on ~** bizományi áru **b)** kis megbízás **6.** *gazd* jutalék, bizományi/közvetítői díj **7.** *kat* **ship in ~** útra készen felszerelt és felfegyverzett hajó; *hajó* **be out of ~** hajózásra alkalmatlan, ki van vonva a forgalomból, *átv* nem működik **8.** véghezvitel, elkövetés *[bűncselekményé]* **II.** *tsi* **1. a)** megbíz, utasít; **~ sy to do sg** vkt megbíz vm megtételével **b)** megrendel *[művet]*, (meg)rendelést ad *[művésznek]* **2.** felruház *[vmlyen tisztséggel]*, kinevez **3.** felszerel és felfegyverez *[hajót]*, hadi szolgálatba állít *[hajót]* **4.** beindít, beüzemel *[gépet, berendezést]*

commission-agent *fn* bizományos, bizományi/jutalékos ügynök ● *fn* **commission-agency**

commissionaire [kəˌmɪʃə'neə ‖ –'ner] *fn* egyenruhás ajtónálló/küldönc *[szálloda/mozi/áruház előtt]*

commissioned [kə'mɪʃnd] *mn* **1.** meghatalmazott, megbízott, kiküldött, kinevezett, kirendelt **2.** *kat* **~ officer** (hivatásos) tiszt; *kat* **~ personnel** tisztek, tisztikar

commissioner [kə'mɪʃənə ‖ –ər] *fn* **1.** meghatalmazott, megbízott, biztos; **~ of police** rendőrfőnök **2. a)** bizottság tagjai; **the Civil Service C~s** ‹köztisztviselők felvételi bizottsága› **b)** kiküldött, bizottság képviselője (v. kiküldött tagja) ● *fn* **commissionership**

commissural [ˌkɒmɪ'sjuərəl ‖ 'kɑməʃurəl] *mn orv* összekötő, kommisszurális

commissure ['kɒmɪsjuə ‖ 'kɑməʃur] *fn orv* **a)** (csont)varrat, ereszték **b)** szöglet, zug *[szájé]* **c)** összeköttetés *[idegközpontok, idegfonalak között]*

commit [kə'mɪt] *tsi* **-tt- 1.** (rá)bíz; **~ sy/sg to sy's care** vkt/vmt vk gondjaira bíz; **~ sg to paper/writing** írásba foglal, papírra vet, leír vmt; **~ to memory** megjegyez, emlékezetébe vés, memorizál **2. ~ sy (to prison)** előzetes letartóztatásba helyez vkt; **~ sy to a mental hospital** elmegyógyintézetbe utal; **~ sy for trial** vád alá helyez **3. ~ a bill** törvényjavaslatot bizottságnak ad át **4. a) his reputation as a lawyer is ~ted** ügyvédi hírnevéről van szó, ügyvédi hírneve forog kockán **b) ~ oneself** rábízza magát; állást foglal, elkötelezi magát; kompromittálja magát; elszólja magát; **~ oneself to sg** állást foglal vm mellett, vmre elkötelezi magát; **without ~ting oneself** minden kötelezettség nélkül, fenntartással **c) ~ troops** katonákat/sereget ütközetbe bevet **5. ~ money to sg** pénzt fordít vmre **6.** elkövet *[bűnt, (ön)gyilkosságot]*; **~ murder** gyilkosságot követ el ● *fn* **committer**

commitment [kə'mɪtmənt] *fn* **1.** → **committal 2.** (anyagi) kötelezettség; **meet one's ~s** eleget tesz kötelezettségeinek **3.** *pol vál* állásfoglalás (vállalása), elkötelezettség; **have a ~ to democracy** a demokrácia elkötelezett híve ● *mn* **committable**

committal [kə'mɪtl] *fn* **1.** rábízás *[kötelességé, feladaté]* **2.** elkövetés *[bűncselekményé]* **3. a)** (el)temetés; **~ to the earth** temetés, sírbatétel **b)** *jog* letartóztatás, *jog* bebörtönzés; **~ for trial** esküdtszéki tárgyalásra utalás *[vádlotté]* **4.** elkötelezés, kötelezettségvállalás **5.** kórházba utalás *[ideggyógyintézetbe]*; felügyelet alá helyezés

committal order *fn* elfogatási/letartóztatási parancs

committal service *fn* temetési szertartás, gyászszertartás

committed [kə'mɪtɪd] *mn* elkötelezett, vm mellett állást foglaló, vm mellett kiálló

committee [kə'mɪti] *fn* **1.** bizottság, választmány; **executive ~** végrehajtó bizottság; *szính* **selection ~** dramaturgbizottság; **standing ~** állandó bizottság; *GB pol* **C~ of Ways and Means, C~ of Supply** költségvetési bizottság; **be/sit on a ~, be a member of a ~** bizottság tagja, bizottsági tag **2.** *jog* gondnok *[elmebeteg mellé kirendelt]*

committee-man [kə'mɪtimən] *fn tsz* **-men** bizottsági tag

committee meeting *fn* bizottsági ülés

committee stage *fn GB jog* ‹törvényalkotás parlamenti bizottsági szakasza›

commix [kɒ'mɪks ‖ kə'mɪks] *tsi vál* összekever ● *fn* **commixture**

commode [kə'moud] *fn* **1.** fiókos szekrény, komód, sublód **2.** *régi* magas főkötő **3.** → **chiffonier**

commodious [kə'moudɪəs] *mn* **1.** tágas, kényelmes *[lakás stb.]* **2.** *régi* megfelelő, alkalmas

C

commodity [kə'mɒdəti ‖ kə'madəti] *fn* **1.** áru(cikk); **basic/primary ~** (i) elsőrendű fontosságú árucikk (ii) alapanyag, nyersanyag (iii) tőzsdeáru, tőzsdecikk; **~ exchange** árutőzsde; *pénz* **~ wages** reálbér **2.** hasznos dolog/tárgy **3.** alkalmasság, célszerűség

commodity market *fn közg* árupiac; árutőzsde

commodore ['kɒmədɔː ‖ 'kamədɔr] *fn hajó* **1. a)** sorhajókapitány, hadihajó-kötelék parancsnoka **b)** rangidős kapitány, hajóosztály-parancsnok **c)** hajóskapitány *[óceánjárón]* **d)** jachtklub vezetője (v. rangidős kapitánya) **2. a)** rangidős kapitány hajója, vezérhajó, parancsnoki hajó **b)** kereskedelmi flotta vezérhajója

common ['kɒmən ‖ 'ka–] **I.** *mn* **1. a)** közös, együttes; **by ~ consent** közös megegyezéssel; **~ ground** közös alap *[tárgyalásnál]*; **~ interest** közös érdek; *jog* **~ law** (országos) szokásjog; magánjog, polgárjog; → **common-law**; **~ prayer** közös ima; **it is a ~ experience** általános tapasztalat (szerint...); **make ~** közzétesz **b)** köztulajdonban levő, köz-, közösségi **c)** közönséges, közös; **~ denominator** *mat* közös nevező; *átv* közös tulajdonság/vonás; *nyelv* **~ name/noun** köznév, közfőnév **2. a)** közönséges, általános, gyakori, mindennapos; **it is ~ knowledge** közismert; **in ~ use** közhasználatú; közhasználatban; *biz* **~ or garden** megszokott **b)** közönséges, egyszerű, átlagos; **~ man** kisember, átlagember; **~ sense** egyszerű v. hétköznapi józan ész, józan paraszti ész **c)** hivatásos **d)** *US* barátságos, közvetlen *[ember]*; **~ touch** közvetlen kapcsolat *[az emberekkel]* **3.** *pej* közönséges, útszéli, ordenáré **II.** *fn* **1. a)** legelő, parlag **b)** közlegelő **c)** *jog* **~ right, right of ~** használat(i jog) *[legeltetésre, halászásra, faizásra stb.]* **2.** az általános, a közös/megszokott, közös vonás/tulajdonság; **in ~ with sy** (másokkal) együtt; együtt/közösen vkvel/másokkal; azonos helyzetben vkvel; **quite out of the ~** nem (a) mindennapi, különleges; **have sg in ~ with sy/sg** közös vonásuk/jellegzetességük van, közösek vmben **3.** *tsz* **commons a)** a nép **b) the House of C~s** angol alsóház **4.** *tsz* **commons** *okt* étrend, koszt; **keep sy on short ~s** koplaltat vkt **5.** *GB szl* józan ész; **use your ~** használd a fejedet

commonable ['kɒmənəbl ‖ 'ka–] *mn* **1.** közösen legeltethető *[állat]* **2.** közös legeltetésre használható *[legelő]*

commonage ['kɒmənɪdʒ ‖ 'ka–] *fn* **1. a)** közös használati jog *[földé]* **b)** közös birtoklás **2.** közösen birtokolt/használt föld, közbirtokossági föld **3.** köznép, polgárság

commonality [ˌkɒmə'næləti ‖ ˌkamə–] *fn* (vm) közös/általános volta; közös vonás; → **commonalty**

commonalty ['kɒmənəlti ‖ 'ka–] *fn* **1. a)** emberiség, az emberi közösség **b)** közösség, testület **2.** köznép, polgárság

commoner ['kɒmənə ‖ 'kamənər] *fn* **1.** közember, polgár **2.** *GB ritk* országgyűlési képviselő, angol alsóház tagja **3.** *jog* közbirtokossági tag **4.** *GB* ‹nem ösztöndíjas egyetemi hallgató›

commonish ['kɒmənɪʃ ‖ 'ka–] *mn* mindennapos, megszokott, eléggé közönséges

common land *fn* közös föld/legelő, községi legelő, közlegelő

common-law *mn* (angol) országos szokásjogi; magánjogi, polgárjogi; **~ marriage** élettársi viszony; **~ wife** élettárs; → **common I.1.a.**

commonly ['kɒmənli ‖ 'ka–] *hsz* **1.** általában, rendszerint, szokás szerint; **(it is) ~ known as** közkeletű nevén..., a közhasználatban **2.** közönségesen

Common Market *fn közg* a Közös Piac

common marketeer *fn* a közös piaci tagság híve/támogatója

commonness ['kɒmənnəs ‖ 'ka–] *fn* **1.** gyakoriság, köznapiság, közönségesség **2.** durvaság, közönségesség **3.** közösség

commonplace ['kɒmənpleɪs ‖ 'ka–] **I.** *mn* köznapi, közönséges, mindennapos, megszokott *[esemény]*, alpári, szürke *[külső]*, parlagi *[stílus]*, közhelyszerű, banális *[megjegyzés]*, elcsépelt *[frázis]* **II.** *fn* közhely, banalitás **III.** *tsi/tni* szólásmondásokat gyűjt, közhelyeket használ

commonplace book *fn* ‹idézeteket és mondásokat tartalmazó könyv›

common room *fn* **1.** *GB* közös terem, társalgó; *okt* **junior ~** diáktársalgó és klub; **senior ~** tanári (szoba) **2.** *okt* tanári kar, tanszemélyzet

commonsensible [ˌkɒmən'sensəbl ‖ ˌka–] *mn* → **commonsensical**

commonsensical [ˌkɒmən'sensɪkl ‖ ˌka–] józan, gyakorlati megfontoláson alapuló; józan, gyakorlati gondolkodásra valló

commonweal ['kɒmənwiːl ‖ 'ka–] *fn vál* a közjó, a haza üdve

commonwealth ['kɒmənwelθ ‖ 'ka–] *fn* **1.** állam, nemzetközösség, államközösség; **the British C~ (of Nations), the C~** a Brit Nemzetközösség **2.** *átv* közösség; *biz* **the ~ of learning** a tudósok közössége **3.** a közjó, a haza üdve

Commonwealth Day *fn* ‹ünnepnap, Viktória királynő születésnapja, május 24.›

Commonwealth Games *fn tsz sp* Nemzetközösségi Játékok

commotion [kə'moʊʃn] *fn* **1.** felbolydulás, nyugtalanság, háborgás, izgalom *[tömegben]*, zűrzavar, lárma, zaj; **be in a (state of) ~** forr(ong) *[tömeg]*; **make/raise a ~ about sg** nagy hűhót csap vm miatt; nagy feneket kerít vmnek **2.** felkelés, lázadás, villongás, nyugtalanság

communal ['kɒmjʊnl ‖ kə'mjuː–] *mn* **1. a)** közösségi, közületi, kommunális, köz-; **~ kitchen** népkonyha; **~ life** közösségi élet; **~ spirit** közösségi szellem **b) ~ estate** házastársi vagyonközösség **2.** községi **3.** *tört* a párizsi kommünnel kapcsolatos **4.** etnikai v. vallási közösségek közötti; **~ violence** etnikai összetűzések

communalism ['kɒmjʊnəlɪzm ‖ kə'mjuː–] *fn* **1.** községpolitika **2.** önkormányzati közigazgatási rendszer **3.** a közös/kommunális tulajdon elve • *mn* **communalistic**

communalist ['kɒmjʊnəlɪst ‖ kə'mjuː–] *fn jog* helyi szervek útján történő kormányzás híve, autonomista

communality [ˌkɒmjʊ'næləti ‖ ˌka–] *fn* **1.** közösségi érzés **2.** egymáshoz tartozás érzése

communalize ['kɒmjʊnəlaɪz ‖ kə'mjuːnəlaɪz], **-ise** *tsi* köztulajdonba vesz, községesít • *fn* **communalization, -isation**

commune I. *fn* ['kɒmjuːn ‖ 'kamjuːn] **1. a)** *pol* falusi földközösség, faluközösség **b)** kommuna *[Franciaországban]* **2.** *tört* **the C~ of Paris** a párizsi kommün **3.** (baráti) beszélgetés, eszmecsere **II.** *tni* [kə'mjuːn] **1. a)** *vál* bensőségesen/bizalmasan társalog, tanácskozik; **~ with oneself, ~ with one's own heart** magába mélyed/néz, tűnődik **b)** bensőséges viszonyban van (*with* vkvel) **2.** *vall* → **communicate B.2.**

communicable [kə'mjuːnɪkəbl] *mn* **a)** közölhető *[hír]*, átadható *[üzenet, tudás]* **b)** fertőző, ragályos *[betegség]* **c)** közlékeny, beszédes • *fn* **communicability**

communicant [kə'mjuːnɪkənt] **I.** *fn* **1.** hírközlő, informátor, összekötő **2.** *vall* áldozó; úrvacsorához/szentségekhez járuló **II.** *mn* (hír)közlő, összekötő

communicate [kə'mjuːnɪkeɪt] **A.** *tsi* **1. a)** közöl *[hírt, hőt, mozgást]*, átad *[betegséget, üzenetet]* **b)** megoszt; **~ one's courage to others** másokba is bátorságot önt **2.** *vall* (meg)áldoztat, úrvacsorában részesít **B.** *tni* **1. a)** értekezik vkvel, érintkezésbe lép, összeköttetésben áll **b)** együttérez (vkvel), megértő (vkvel) **c)** nyílik vhová *[ajtó]*, egymásba nyílnak; **communicating door** átjáróajtó **2.** *vall* úrvacsorához járul, úrvacsorát vesz, úrvacsorázik *[protestáns]*, (meg)áldozik *[róm. kat.]*

communicating [kə'mjuːnɪkeɪtɪŋ] *mn* **1.** közlekedő; **~ vessels** közlekedő edények **2.** csatlakozó; **~ tube** csatlakozó cső; beszélőcső

communication [kəˌmjuːnɪˈkeɪʃn] *fn* **1. a)** kommunikáció, közlés *[híré, hőé, érzésé]*, átadás *[betegségé, üzeneté]* **b)** hír, értesítés, közlemény, értesülés, *GB* tudományos társaságban felolvasott dolgozat **2. a)** érintkezés, kapcsolat, összeköttetés, levelezés; **be in close ~ with one another** szoros kapcsolatban állnak; **break off all ~ with sy** megszakítja az érintkezést vkvel **b)** *régi* megbeszélés **c)** *régi* nemi kapcsolat/érintkezés **3. a)** összeköttetés *[két hely között]* **b)** közlekedés; **means of ~** közlekedési eszköz **4. a)** *infor* párbeszéd, hírközlés, összeköttetés **b)** *esz* **communications** híradástechnika, távközlés

communicational [kəˌmjuːnɪˈkeɪʃnəl] *mn* kommunikációs

communication channel *fn infor* hírközlő/hírátviteli csatorna

communication gap *fn átv* kommunikációs szakadék

communication satellite *fn távk* távközlési műhold

communicative [kəˈmjuːnɪkətɪv ‖ –keɪ–] *mn* **1. a)** kommunikatív **b) ~ competence** *nyelv* közlési nyelvtudás **2.** közlékeny, beszédes **3.** összekötő • *hsz* **communicatively**

communicator [kəˈmjuːnɪkeɪtə ‖ –ər] *fn műsz* **1.** kommunikátor **2.** közbenső/áttételezési tengely, közlőmű

communicatory [kəˈmjuːnɪkətəri ‖ –tɔri] *mn* **1.** közlekedő, továbbadó **2.** kommunikációs **3.** áldozással/úrvacsorával kapcsolatos

communion [kəˈmjuːnɪən] *fn* **1.** mély/bensőséges érintkezés/kapcsolat/összeköttetés, közösség *[gondolatoké, érdekeké]* **2.** (lelki) közösség; **be of** (v. **belong to) the same ~** hitsorsos, hittestvér; **the ~ of saints** szenteknek egyessége **3.** *vall* **a) The (Holy) C~** áldozás *[katolikus]*, úrvacsora *[protestáns]*; **~ cup** áldoztató kehely **b)** áldozás *[mint a mise része]* **4.** (hit)felekezet, csoport *[a keresztény egyházon belül]*; **the Anglican ~** az Anglikán felekezet

communionist [kəˈmjuːnɪənɪst] *fn vall* egyházi közösség/gyülekezet tagja, gyülekezeti tag

communiqué [kəˈmjuːnɪkeɪ] *fn* (hivatalos) közlemény, kommüniké

communism [ˈkɒmjʊnɪzm ‖ ˈkɑmjə–] *fn* kommunizmus

communist [ˈkɒmjʊnɪst ‖ ˈkɑmjə–] *fn* kommunista; **C~ International** Kommunista Internacionálé; **C~ Manifesto** Kommunista Kiáltvány; **~ party** kommunista párt

communistic [ˌkɒmjʊˈnɪstɪk ‖ ˌkɑmjə–] *mn* **1.** → **communist 2.** → **communal** 1.a. **3.** → **communal** 3.

communitarian [kəˌmjuːnɪˈteərɪən ‖ –ˈterɪən] *fn* kommunista (színezetű) közösség tagja

community [kəˈmjuːnəti] *fn* **1. a)** közösség *[érdekeké, vagyoné]*, közös birtoklás; **~ of faith** a hit közössége; **~ of property** vagyonközösség; *jog* **conjugal ~** házastársi vagyonközösség **b)** közös jelleg, azonosság, hasonlóság *[ízlésé]* **2. a) the ~** a közösség; társadalom; **the ~ of commodity producers** árutermelők társadalma, árutermelő társadalom **b)** közösség, kollektíva; **the mercantile ~** a kereskedők összessége; **~ centre** művelődési ház, kultúrház, közösségi ház; *US* **~ chest** segélyalap; jótékonysági alap **3. the Jewish C~** a zsidó hitközség **4.** *körny* társulás *[adott területen élő növényeké]*

community home *fn* nevelőintézet, nevelőotthon

community spirit *fn* közösségi szellem

communize [ˈkɒmjʊnaɪz ‖ ˈkɑmjə–], **-ise** *tsi* köztulajdonba vesz • *fn* **communization, -isation**

commutable [kəˈmjuːtəbl] *mn* **1.** felcserélhető **2.** *jog* átváltoztatható, módosítható *[büntetés]* **3.** pénzre váltható, becserélhető **4.** elérhető távolságon belüli *[ingázáshoz]* • *fn* **commutability**

commutate [ˈkɒmjʊteɪt ‖ ˈkɑmjə–] *tsi vill* áramirányt változtat, kommutál, átkapcsol, egyenirányít

commutation [ˌkɒmjʊˈteɪʃn ‖ ˌkɑmjə–] *fn* **1. a)** átváltoztatás *[büntetésé]* **b)** megváltás, váltság; **~ of rations** fejadagmegváltás **c)** csere, csereforgalom **2.** ingázás **3.** *vill* kommutáció, kommutálás **4.** *mat* felcserélés, kommutálás

commutative [kəˈmjuːtətɪv ‖ ˈkɑmjəteɪtɪv] *mn* cserére vonatkozó, csere-; *mat* **~ law** a kommutáció/felcserélés törvénye

commutator [ˈkɒmjuteɪtə ‖ ˈkɑmjəteɪtər] *fn vill* átváltó, átkapcsoló, kommutátor

commute [kəˈmjuːt] **A.** *tsi* **1.** felcserél, kicserél, átcserél **2. a)** megvált *[kötelezettséget]*, konvertál, átvált *[pénzt]* **b)** *jog* átváltoztat *[büntetést]* **3.** *vill* → **commutate** **B. 1.** *tni* ingázik **2.** *[mat]* felcserélhetők, kommutálhatók

commuter [kəˈmjuːtə ‖ –ˈmjuːtər] *fn US* ingázó

commy [ˈkɒmi] → **commie**

comp [kɒmp ‖ kɑmp] **I.** *fn* **1.** *GB biz* verseny, vetélkedő **2.** *zene* kíséret **3.** *nyomd biz* szedő **II.** *tsi/tni biz* **A.** *tsi* **1.** *zene* kísér, kíséretet játszik **2.** *nyomd* szed (vmt), szedőként dolgozik (vmin) **B.** *tni nyomd* szedőként dolgozik, szed

comp. *röv compare* vesd össze, vö.; *compilation*; *compound*

compact[1] **I.** *mn* [kəmˈpækt] **1.** tömör(ített), összesajtolt, szoros, szilárd, *átv* tömör, velős *[stílus]*; *kat* **~ formation** zárt rend **2.** *vál* álló **3.** (kicsi, de) jól felszerelt, praktikus *[kis szoba]* **4.** kicsi, de arányos *[emberi test]* **II.** *tsi* [kəmˈpækt] **1.** tömörít, összenyom, összesajtol **2.** összeállít, összeszerkeszt; **be ~ed of** áll vmből **III.** *fn* [ˈkɒmpækt ‖ ˈkɑmpækt] **1. a)** púdertartó, flapjack **b)** szilárd púder, kompakt púder **2.** kisautó **3.** *fémip* ércbrikett • *fn* **compactness**

compact[2] [ˈkɒmpækt ‖ ˈkɑm–] **I.** *fn* **1.** megállapodás, egyezség, egyezmény, szerződés; **the social ~** társadalmi szerződés; **by general ~** közös megegyezéssel **2.** *régi* összeesküvés **II. A.** *tsi* szerződést köt **B.** *tni* tervez

compact audio disc → **compact disc**

compact camera *fn* kis fényképezőgép/kamera

compact disc *fn el infor* CD-lemez, kompaktlemez, lézerlemez, optikai lemez

compact disc player *fn el infor* CD-lejátszó, kompaktlemezjátszó

compaction [kəmˈpækʃn] *fn infor* tömörítés

compactor [kəmˈpæktə ‖ –ər] *fn* zúzó- és tömörítőgép

compaginate [kəmˈpædʒɪneɪt] *tsi* erősen/szorosan öszszetart/összekapcsol

companion[1] [kəmˈpænɪən] **I.** *fn* **1. a)** társ **b)** társalkodónő **c)** rendtag *[lovagrendé]* **2.** kézikönyv, vademecum; **traveller's ~** útikalauz **3.** párja; **~ piece** ellendarab **4.** *csill* kísérőcsillag **5.** *GB* ‹olyan berendezés/gép, amely többféle funkciót lát el› **II. A.** *tsi* (el)kísér, társul szegődik (vkhez) **B.** *tni* **~ with sy** kísér vkt, társul szegődik vkhez; **~ with sg** párja/ellendarabja vmnek

companion[2] [kəmˈpænɪən] *fn hajó* **1. ~ (hatch/head)** lejárónyílás **2.** kabinlépcső lefedése

companionable [kəmˈpænɪənəbl] *mn* barátkozó, társaságkedvelő, barátságos, nyájas

companion-at-arms → **companion-in-arms**

companionate [kəmˈpænɪənət] *mn* **1.** hozzá illő, harmonizáló **2.** pajtási

companion-in-arms *fn* bajtárs, fegyvertárs

companion-ladder *fn hajó* lejárati lépcső, fedélzet alá vezető lépcső

companion-screw *fn műsz* anyacsavar

companion set *fn* kandallóhoz tartozó eszközök, kandallókészlet *[piszkavas, lapát]*

companionship [kəmˈpænɪənʃɪp] *fn* **a)** társaság (vké); **in close ~** magunk között **b)** bajtársiasság, bajtársi szellem/kapcsolat

companion star *fn csill* kísérőcsillag

companion volume *fn* kísérő kötet

companionway *fn hajó* kabinlépcső, kabinlejárat

company [ˈkʌmpəni] **I.** *fn* **1. a)** társaság (vké); **be in sy's ~, in ~ with sy** vk társaságában van; **bear/keep sy ~** együtt van vkvel, szórakoztat vkt; **keep good ~** jó társaságba jár; *biz* **keep ~ with sy** együtt jár vkvel; **part ~ with sy** elválik

C

vktől; *hajó* **sail in ~** kötelékben hajózik **b)** társaság *[akikkel vk rendszeresen együtt van]*; **he is (very) good ~** jó társalgó, szórakoztató ember **2. a)** társaság, csapat, csoport; **know one's ~** ismeri embereit, tudja, hogy kikkel van dolga **b)** vendég, látogató; **have ~ to dinner** vacsoravendégei vannak, vendégeket hívott vacsorára; **we have~ !** vendégeink érkeztek! **3. a)** *gazd* társaság, vállalat; **publishing ~** kiadó(vállalat); **~ car** vállalati kocsi; **~ man** a vállalat embere, besúgó **b)** *GB tört* céh **c)** *GB tört* szabadalmazott kereskedelmi társaság **4.** *gazd* **Levi Strauss and C~**, (*röv* **Co.**) Levi Strauss és Társa; *biz* **Jack, Tom and ~** J., T. és a többiek (v. társaik) **5.** *szính* (szín)társulat **6.** *GB* cserkészcsapat **7.** *kat* század; **~ officer** csapattiszt **II.** *tni* érintkezik, összejár

company breakup *fn [bírói úton elrendelt]* cégfeldarabolás, vállalatfelaprítás

company doctor *fn* üzemi orvos

company law *fn* vállalati jog

company manners *fn tsz* (túlzott) társasági jómodor, udvariaskodás

company sergeant-major *fn* számvevő-őrmester

comparable [ˈkɒmpərəbl ‖ ˈkɑm−] *mn* **1.** összehasonlítható **2.** hasonló, hasonlítható • *fn* **comparability**

comparatist [kəmˈpærətɪst] *fn nyelv ir.tud* összehasonlító nyelvész/irodalomtudós

comparative [kəmˈpærətɪv] **I.** *mn* **1. a)** összehasonlító *[módszer, vizsgálat]*; **~ linguistics** összehasonlító nyelvészet **b)** *nyelv* **~ degree** középfok **2.** viszonylagos; **with ~ success** tűrhető sikerrel, több-kevesebb sikerrel; **the ~ merits of the two ideas** a két elképzelés egymáshoz viszonyított előnyei és hátrányai **3.** *közg* **~ advantage** kölcsönös előny(ök) **II.** *fn nyelv* középfok

comparative-historical linguistics *fn esz* összehasonlító-történeti nyelvészet

comparatively [kəmˈpærətɪvli] *hsz* viszonylag, aránylag, többé-kevésbé

comparative statistics *fn esz közg* komparatív statisztika

comparator [kəmˈpærətə ‖ −ər] *fn fiz infor* összehasonlító(műszer), komparátor

compare [kəmˈpeə ‖ −ˈper] **I. A.** *tsi* **1.** összehasonlít, összevet *[tényeket, eredményeket]*, összeolvas *[iratokat]*; **~ sg to sg** vmt vmhez hasonlít; **~ sg with sg** szembeállít/összehasonlít vmt vmvel; **~ notes** tapasztalatokat/megfigyeléseket kicserél; **(as) ~d to/with** összehasonlítva, viszonyítva, vmhez képest/mérten; *biz* **not to be ~d to/with sg** közel sem jöhet hozzá, nem lehet vele egy napon említeni **2.** *nyelv* fokoz *[melléknevet, határozót]* **B.** *tni* felér, versenyez; **~ favourably with sg** felülmúl vmt; **it cannot ~ with sg** nem állja ki az összehasonlítást, nem ér fel vele **II.** *fn* összehasonlíthatóság; **beyond/past/without ~** felülmúlhatatlan, páratlan, párját ritkító

comparison [kəmˈpærɪsn] *fn* **1.** (össze)hasonlítás, összevetés, összeolvasás *[iratoké]*, szembeállítás *[tényeké]*; **by/in ~** aránylag, viszonylag; **by/in ~ with/to** összehasonlítva, viszonyítva, vmhez képest/mérten; **without ~, out of all ~, beyond all ~** összehasonlíthatatlanul; **bear/stand ~ with sg** összehasonlítható, kiállja az összehasonlítást vmvel; **make/draw ~ (between sg and sg)** összehasonlítást tesz, párhuzamot von (két dolog között); **there's no ~ between us** értelmetlen/nem lehet bennünket összehasonlítani **2.** hasonlat; **far-fetched ~** erőltetett hasonlat **3.** *nyelv* fokozás

compart [kəmˈpɑːt ‖ −ˈpɑrt] *tsi* rekeszekre/szektorokra oszt

compartment [kəmˈpɑːtmənt ‖ −ˈpɑrt−] *fn* **I. 1. a)** rekesz, kamra; *hajó* **watertight ~** vízhatlan kamra **b)** *vasút* fülke, szakasz; **sleeping ~** hálófülke **2.** kerti parcella, erdőparcella **3.** *US jog* rész, fejezet *[törvényé, törvényjavaslaté]* **II.** *tsi* rekeszel, fülkébe/rekeszekbe tesz

compartmental [ˌkɒmpɑːtˈmentəl ‖ kəmˌpɑrtˈmentəl] *mn* részekre/osztályokra osztott, különálló részekből álló

compartmentalize [ckɒmpɑːtˈmentəlaɪz ‖ kəmˌpɑrtˈmentəlaɪz], **−ise** *tsi/tni* **1.** alosztályokra/kategóriákra tagol, csoportokba oszt/sorol **2.** beskatulyáz • *fn* **compartmentalization, -isation**

compartmentation [kəmˌpɑːtmenˈteɪʃn ‖ −ˌpɑrt−] *fn* szakaszos beosztás

compass [ˈkʌmpəs] **I.** *fn* **1.** *földr fiz* iránytű, tájoló; *hajó* **~ bearing** (iránytűs) tájolás, tájolat **2.** *mat* **(pair of) compasses** körző; **~ point** körző hegye **3.** kerület, határvonal, körvonal; **five miles in ~** öt mérföld kerületű; **fetch/go/take a ~** kerül, kerülőt tesz **4.** kiterjedés *[helyé]*, terjedelem *[értelemé, tudásé]*, tartam *[időé]*, *zene* (hang)terjedelem; **in small ~** kis mértékben, szerény keretek között; **beyond his ~** meghaladja értelmi képességeit, magas neki; **within one's ~** képes felfogni, feléri ésszel **II.** *tsi* **1. ~ (about/round)** körülvesz, körülkerít, bekerít, körbefog (*with* vmvel) **2. a)** felfog, megért **b)** keresztülvisz, végrehajt, elér *[célt]*, megold *[feladatot]* **3.** megkerül, körüljár **4.** hatalmába kerít, megszáll **5.** *régi* összeesküszik, terveket sző (vk ellen)

compassable [ˈkʌmpəsəbl] *mn* elérhető; **town within ~ distance** aránylag közel fekvő város

compass-card *fn* szélrózsa *[tájolón]*

compassion [kəmˈpæʃn] **I.** *fn* szánalom, szánakozás, részvét, könyörület; **arouse ~** szánakozást kelt; **have ~ on sy** megszán/megsajnál vkt, részvéttel van vk iránt **II.** *tsi* megsajnál vkt, részvétet/könyörületet érez vk iránt

compassionable [kəmˈpæʃnˑəbl] *mn* **1.** sajnálatra méltó **2.** *régi* szánakozó, együttérző

compassionate [kəmˈpæʃənət] **I.** *mn* **1. a)** együttérző, könyörületes, szánakozó **b)** *régi* sajnálatra méltó, nyomorúságos **2.** kivételes/különleges körülmények által indokolt *[szabadság, pótlék]*; **~ leave** ‹különleges családi ügyben adott soron kívüli szabadság› **II.** *tsi* szán, sajnál, részvéttel van (vk iránt) • *hsz* **compassionately**

compassive [kəmˈpæsɪv] *mn* együttérző, jószívű, könyörületes

compass-saw *fn műsz* lyukfűrész, lombfűrész

compass-window *fn épít* kiugró ablak, zárt erkély

compatible [kəmˈpætəbl] *mn* **I. 1. a)** összeegyeztethető, összefér(het)ő (*with* vmvel) **b)** együttélésre képes *[pár]* **2.** *infor* kompatibilis, csereszabatos **II. compatibles** *fn tsz infor* kompatibilis (v. más szoftverrel is használható/működő) eszközök/gépek • *fn* **compatibility**

compatriot [kəmˈpætrɪət ‖ −ˈpeɪ−] *mn/fn* honfitárs(nő) • *mn* **compatriotic**

compeer [ˈkɒmpɪə ‖ kəmˈpɪr] *fn* **1.** méltó párja, egyenrangú **2.** társ, pajtás; **no ~** nem hozzá való **3.** kartárs, kollégа

compel [kəmˈpel] *tsi GB* **-ll-**, *US* **-l- 1.** kényszerít (*to* vmre); **~ sy to do sg** vkt vmnek a megtételére kényszerít; **~ sy to obedience** engedelmességre kényszerít/bír vkt; **be ~led to do sg** kénytelen vmt (meg)tenni **2.** kikényszerít, késztet; **~ admiration (from sy)** csodálatra késztet (vkt) **3.** erőszakosan vezet/hajt *[pl. állatot]*

compellable [kəmˈpeləbl] *mn* kényszeríthető *[személy]*, kikényszeríthető *[dolog]*; *jog* **~ witness** vallomás tételére kötelezhető tanú

compellation [ˌkɒmpəˈleɪʃn ‖ ˌkɑm−] *fn* **1.** megszólítás, üdvözlés **2.** megnevezés, cím, titulus **3.** *régi* kifogás(olás)

compellent [kəmˈpelənt] *mn* kényszerítő, késztető

compelling [kəmˈpelɪŋ] *mn* **1.** kényszerítő *[erő]*, ellenállhatatlan *[kívánság]*, parancsoló, késztető, sürgető *[szükség]* **2.** lenyűgöző, impozáns *[látvány]* • *hsz* **compellingly**

compendiary [kəmˈpendɪəri ‖ −ieri] **I.** *fn* → **compendium II.** *mn régi* rövid(re fogott)

compendiate [kəm'pendieɪt] *tsi* összefoglal
compendious [kəm'pendɪəs] *mn* rövid(re fogott), tömör, velős, kivonatos, lerövidített *[szöveg]*
compendium [kəm'pendɪəm] *fn tsz* **~s** v. **compendia** [– dɪə] **1.** tömör kivonat, rövid összefoglalás, kompendium **2.** rövid/kivonatos kézikönyv/tankönyv, tartalmi kivonat **3.** rövidítés, megtakarítás **4. a)** gyűjtemény, keverék **b)** levélpapír- és borítékcsomag **c)** ~ **of games** játékgyűjtemény, többjáték egy dobozban
compenetrate [kəm'penɪtreɪt] *tsi* keresztülszúr, átszúr, áthatol vmn
compensable [kəm'pensəbl] *mn US* **1.** kárpótlásra jogosult **2.** kárpótolható
compensate ['kɒmpənseɪt ‖ 'kam –] **A.** *tsi* **1. a)** kártalanít, kárpótol, kárpótlást nyújt (*for* vmért;, *by/with* vmvel) **b)** megjutalmaz **2. a)** ellensúlyoz **b)** *műsz* kiegyenlít, kompenzál *[mellékmozgást]* **c)** *közg* ellensúlyoz, kiegyenlít, kompenzál (vmt) **B.** *tni* **1.** pótol (*for* vmt), kárpótol (*for* vmért, *to* vkt); **it will ~ to her in full** ez majd teljesen kárpótolja **2.** *műsz* ~ **for wear** (kopás mérve szerint) utánaszabályoz **3.** *pszich* kompenzál • *mn* **compensative**, **compensatory**
compensating ['kɒmpənseɪtɪŋ ‖ 'kam –] *mn* kiegyenlítő, kompenzáló, ellensúlyozó; ~ **errors** egymást kölcsönösen kiküszöbölő hibák; ~ **gear** differenciálmű
compensation [ˌkɒmpən'seɪʃn ‖ ˌkam –] *fn* **1. a)** ellensúlyozás, viszonzás; *biz* **in** ~ ellenszolgáltatásképpen; viszonzásul **b)** *műsz* kiegyenlít(őd)és, kompenzálás **2. a)** kártalanítás, kárpótlás **b)** kártérítés; **war damage** ~ hadikárpótlás, jóvátétel **3.** fizetés, bér **4.** *pszich* kompenzálás, kompenzációs cselekedet, kompenzáció eredménye • *mn* **compensational**
compensator ['kɒmpənseɪtə ‖ 'kampənseɪtər] *fn műsz* kiegyenlítőmű, kompenzátor
comper [kɒmpə ‖ kampər] *fn biz* törzsjátékos, profi vetélkedőjátékos
compere ['kɒmpeə ‖ 'kamper], **compère I.** *fn szính* konferanszié **II. A.** *tsi* bekonferál *[műsorszámokat]* **B.** *tni* konferál
compete [kəm'pi:t] *tni* **1. a)** versenyez, verseng, konkurál (*against/with* vkvel, *for* vmért); ~ **for a prize** pályázik; **non competing** versenyen kívül **b)** versenyen részt vesz; **six teams will be competing** a versenyben hat csapat vesz részt **2.** felveszi a versenyt, kiállja az összehasonlítást (*with* vkvel/vmvel;, *in* vm tekintetében)
competence ['kɒmpətəns ‖ 'kam –] *fn* **1. a)** hozzáértés, alkalmasság, képesség **b)** szakképzettség, szaktudás, szakértelem **2.** kielégítő anyagi helyzet; **have/enjoy a ~** rendezett anyagi helyzetben van **3.** hatáskör, *jog* bírói illetékesség; **be within the ~ of a court** a bíróság illetékessége alá esik; **disclaim ~** magát illetéktelennek minősíti; **fall/lie within one's ~** vk hatáskörébe tartozik **4.** *nyelv* nyelvtudás, kompetencia
competency ['kɒmpətənsi ‖ 'kam –] → **competence**
competent ['kɒmpətənt ‖ 'kam –] *mn* **1. a)** hozzáértő, értelmes, alkalmas, megfelelő, (kellően) képesített; ~ **authority** mértékadó (szak)tekintély; ~ **knowledge of English** jó angol nyelvtudás; **a ~ surgeon** jó sebész; **be ~ in a matter** ért a dologhoz; hatáskörébe/szakmájába vág **b)** *jog* ~ **to inherit** öröklésre jogosult/képes **2.** illetékes *[bíróság]*; **a specialist is ~ in this case** ez az eset szakorvosra tartozik
competition [ˌkɒmpə'tɪʃn ‖ ˌkam –] *fn* **1. a)** versenyzés, versengés, vetélkedés; **be in ~ with sy** versenyben van vkvel **b)** *közg gazd* verseny, konkurencia; ~ **policy** versenypolitika **2. a)** (sport)verseny; **chess ~** sakkverseny; **enter the ~** benevez a versenyre **b)** ellenfél **c)** (verseny)pályázat; **commence a ~** versenytárgyalást hirdet; **not for ~** versenyen kívül
competitive [kəm'petətɪv] *mn* **1.** verseny-; ~ **design** pályamű, vizsgarajz; ~ **spirit** versenyszellem; **a ~ person** versenyző szellemű/hajlamú ember **2.** *gazd* versenyképes *[ár]*
competitively [kəm'petətɪvli] *hsz* versengve, versenyképesen
competitiveness [kəm'petətɪvnəs] *fn* versenyre való hajlam/készség, versenyszellem, versenyképesség
competitor [kəm'petɪtə ‖ – 'petətər] *fn* **1.** *sp* versenyző, induló *[versenyen]* **2.** pályázó **3.** versenytárs, konkurens, konkurencia
compilation [ˌkɒmpɪ'leɪʃn ‖ ˌkam –] *fn* **1.** összeállítás, szerkesztés *[szótáré, antológiáé]* **2.** gyűjtemény *[idézeteké, jogszabályoké]*, különféle forrásokból összeállított könyv, kompiláció
compilator ['kɒmpɪleɪtə ‖ 'kampɪleɪtər] → **compiler**
compile [kəm'paɪl] *tsi* **1.** összeállít, összeszerkeszt, kompilál *[szótárt, antológiát, katalógust]*; **~d from** (vm alapján/vmből) összeállítva **2.** fordít *[programot]*
compiler [kəm'paɪlə ‖ – ər] *fn* **1.** szerkesztő, (össze)gyűjtő **2.** *infor* fordítóprogram, programozó program *[számítógépeké]*
complacence [kəm'pleɪsns] → **complacency**
complacency [kəm'pleɪsnsi] *fn* **1. a)** (meg)elégedettség, nyugalom **b)** önelégültség, öntel tség **2.** → **complaisance**
complacent [kəm'pleɪsnt] *mn* **1.** önelégült, öntelt **2.** csendesen elégedett **3.** → **complaisant**
complain [kəm'pleɪn] *tni* **1. a)** panaszkodik, elpanaszol **b)** panaszt tesz/emel, *gazd* kifogásol, reklamál **2. a)** *vál* siránkozik, lamentál **b)** *átv* nyikorog *[pl. kerék]* • *fn* **complainer** *mn* **complaining**
complainant [kəm'pleɪnənt] *mn* **1.** panasztevő, panaszos **2.** *jog* felperes
complaint [kəm'pleɪnt] *fn* **1.** panasz(kodás) **2. a)** *gazd* kifogás, reklamáció; **~s office** panasziroda; **make a ~** panaszt tesz/emel; reklamál, kifogásol; **~s procedure** a panasz(ok) kivizsgálása; **letter of ~** panaszlevél **b)** *US jog* keresetlevél; **subject of ~** per/kereset tárgya **3.** betegség, bántalom, zavar; **liver ~** májbántalom; **what is your ~?** mi a baja/panasza? **4.** *vál* sirám, siralom
complaint-book *fn* panaszkönyv
complaisance [kəm'pleɪzns ‖ – 'pleɪsns] *fn* előzékenység, szolgálatkészség, szívélyesség, udvariasság, *pej* túlzott engedékenység
complaisant [kəm'pleɪznt ‖ – 'pleɪsnt] *fn* előzékeny, szolgálatkész, udvarias, szívélyes, nyájas, elnéző
complement I. *fn* ['kɒmplɪmənt ‖ 'kam –] **1. a)** kiegészítés, pótlék **b)** *nyelv* állítmánykiegészítő, bővítmény, *mat* pótszög, *vegy* komplement(um), kiegészítő anyag **c)** *infor* komplemens, komplementer **2. a)** teljesség, teljes mennyiség; ~ **of stores** teljes felszereltség/ellátottság **b)** létszám, állag, állomány; **full ~** teljes létszám/személyzet **c)** *közg* kiegészítő, komplementer termék **II.** *tsi* ['kɒmplɪment ‖ 'kam –] kiegészít, pótol
complemental [ˌkɒmplɪ'mentl ‖ ˌkam –] → **complementary**
complementary [ˌkɒmplɪ'mentəri ‖ ˌkamplə'mentəri] *mn* (egymást) kiegészítő; *mat* ~ **angles** pótszögek; ~ **colours** kiegészítő színek; ~ **medicine/therapy** alternatív gyógymód/gyógyászat • *fn* **complementariness**
complementation [ˌkɒmplɪmen'teɪʃn ‖ ˌkam –] *fn* **1.** kiegészítés **2.** *biol* komplementáció, kiegészítés *[genetikai]*
complete [kəm'pli:t] **I.** *mn* **1. a)** teljes, egész, hiánytalan **b)** tökéletes, teljes; **the staff is ~** betelt a létszám, a létszám teljes; **the ~ works of Dickens** D. összes művei **c)** befejezett, elkészült **2.** *régi* tökéletes *[ember]*; ~ **horseman** nagyszerű lovas, mesterlovas **3.** ~ **with** vmvel együtt/ellátva; **a room ~ with furniture** (be)bútorozott szoba, bútorokkal (teljesen)berendezett szoba **II.** *tsi* **1.** befejez, elvégez, betölt *[kort]*, betetőz *[bajt, boldogságot]*; ~ **payment** fizetést eszközöl, (ki)fizet, megfizet **2.** kiegészít

[gyűjteményt, készletet] **3. ~ a form/questionnaire** űrlapot/kérdőívet kitölt **4. ~ one's studies** tanulmányait befejezi • *fn* **completeness**

completion [kəm'pliːʃn] *fn* **1. a)** befejezés, elvégzés, véghezvitel, elkészítés; **near ~** befejezés előtt áll; **reach ~** elkészül (vm); **on ~ of sg** vmnek befejeztével, elkészültével; *jog* **occupation (of property) on ~ (of contract)** birtokbavétel a szerződés aláírása folytán **b)** kiegészítés *[készleté]* **2.** beteljesedés, beteljesülés *[jóslaté, kívánságé]*

completive [kəm'pliːtɪv] *mn* kiegészítő, pótló

complex ['kɒmpleks ‖ 'kɑm–] **I.** *mn* **1.** összetett, komplex; *mat* **~ fraction** többszörös/emeletes tört; *mat* **~ number** komplex szám; *nyelv* **~ sentence** összetett mondat **2.** bonyolult **II.** *fn* **1.** összesség, összetett egész **2.** *orv pszich* képzetkör, komplexus; **Oedipus ~** Oidipusz/Ödipusz-komplexus **3.** *orv* tünetcsoport, (tünet)komplexum **4.** (jel)csoport *[pl. EKG-n]* **5.** épületegyüttes **6.** *vegy* komplex/koordinációs vegyület • *fn* **complexity**

complexion [kəm'plekʃn] **I.** *fn* **1.** arcszín, arcbőr **2.** *átv* jelleg, színezet; **put a good ~ on the facts** elkendőzi a való tényállást, meghamisítja a tényeket; **that puts a different/new ~ upon the matter** így mindjárt másképpen fest az ügy **II.** *tsi* vmlyen látszatát/színezetét kelti vmnek

complexioned [kəm'plekʃnd] *mn* vmilyen arcszínű/arcbőrű

complexionless [kəm'plekʃnləs] *mn* színtelen, sápadt

compliance [kəm'plaɪəns] *fn* **1.** teljesítés *[parancsé, kérésé]*; **in ~ with sg** vm szerint, vmnek megfelelően; alkalmazkodva vmhez **2.** szolgálatkészség, előzékenység, engedékenység, együttműködési készség; *pej* **(base) ~** megalkuvás, behódolás; **show ~** engedékenynek mutatkozik **3.** *műsz* kompliancia, inverz merevség

compliant [kəm'plaɪənt] *mn* **1.** szolgálatkész, előzékeny, készséges, engedékeny, együttműködésre kész **2.** *pej* megalkuvó, szolgalelkű

complicate I. *tsi* ['kɒmplɪkeɪt ‖ 'kɑm–] (össze)bonyolít, összegabalyít, komplikál; **to ~ matters** hogy a dolog még bonyolultabb legyen **II.** *mn* ['kɒmplɪkət ‖ 'kɑm–] bonyolult, szövevényes, komplikált

complicated ['kɒmplɪkeɪtɪd ‖ 'kɑm–] *mn* bonyolult, komplikált

complication [ˌkɒmplɪ'keɪʃn ‖ ˌkɑm–] *fn* **1.** (össze)bonyolítás, összegabalyítás **2. a)** bonyodalom **b)** *orv* szövődmény, komplikáció **3.** bonyolultság

complicity [kəm'plɪsəti] *fn* bűnrészesség (*in* vmben), cinkosság, összejátszás, bűnös egyetértés; **in ~ with sy** vkvel bűnszövetkezetben, bűntársként, bűnrészesként

compliment ['kɒmplɪmənt ‖ 'kɑm–] **I.** *fn* **1.** bók, tiszteletadás; **pay a ~ to sy** bókol vknek; *biz* **return sy the ~** viszonozza a bókot; visszaadja a kölcsönt; **your presence is a great ~ to us** jelenléte nagy kitüntetés/megtiszteltetés számunkra; **he can turn a ~** ért a bókoláshoz **2.** *tsz* **compliments** üdvözlet; **angle/fish for ~s** bókokra vadászik; **give my ~s to your brother** add át üdvözletemet kedves fivérednek; **the ~s of the season** karácsonyi/újévi üdvözlet, boldog újévet, kellemes ünnepeket; **with Mr. Taylor's ~s** Taylor úr üdvözletével *[ajándék kíséretében]* **II.** *i* **A.** *tsi* **1. a)** dicsér, bókol (vknek), udvariaskodik (vkvel) **b)** szerencsét kíván, gratulál **2.** megtisztel **B.** *tni* bókol, bókokat mond

complimentary [ˌkɒmplɪ'mentəri ‖ ˌkɑmplə–] *mn* hízelgő *[megjegyzés]*, udvariassági *[gesztus]*, tisztelet- *[jegy]*; **~ copy** tiszteletpéldány • *hsz* **complimentarily**

comply [kəm'plaɪ] **A.** *tsi* **1.** eleget tesz, teljesít **2.** összhangba hoz, összeegyeztet **B.** *tni* **1.** eleget tesz, teljesít *[feltételt, parancsot]*, alkalmazkodik *[előírásokhoz]*, betart *[törvényt]*; **ready to ~** szolgálatkész; engedékeny; **~ with sy's request** vk kérésének enged (v. eleget tesz) **2.** *régi* megegyezik *[előírással stb.]*

complying [kəm'plaɪɪŋ] **I.** *mn* **1.** engedékeny **2.** alkalmazkodó (vmhez), (vmt) betartó, megtartó **II.** *fn* **1.** engedékenység **2.** megegyezés, engedés

compo ['kɒmpoʊ ‖ 'kɑm–] *fn épít* javított habarcs

component [kəm'poʊnənt] **I.** *fn* **1.** alkotóelem, összetevő, komponens **2.** *műsz* alkatrész, szerkezeti rész **II.** *mn* alkotó, összetevő; *fiz* **~ force** erőösszetevő, erőkomponens; **~ parts** alkatrészek, alkotóelemek

componential [ˌkɒmpə'nenʃl ‖ ˌkɑm–] *mn* alkotó-, összetevő-, komponens-; *nyelv* **~ analysis** összetevős elemzés, komponenciális analízis

comport I. *fn* ['kɒmpɔːt ‖ 'kɑmpɔrt] *régi* viselkedés **II.** *tsi* [kəm'pɔːt ‖ –'pɔrt] **A. 1. ~ oneself** viselkedik, viseli magát **2.** *régi* tűr/elvisel vmt **B.** *tni* **1.** megegyezik, összefér, illik, összhangban van **2.** *régi* viselkedik • *fn* **comportment**

compose [kəm'poʊz] **A.** *tsi* **1.** alkot, képez *[részek az egészet]*; **be ~d of sg** áll vmből **2. a)** megformál, formába önt *[mondatot]*, megfogalmaz *[szöveget]*, költ *[verset]* **b)** szerez *[zenét]* **c)** *műv* elrendez *[kép elemeit]*, megkomponál **d)** *nyomd* (ki)szed *[sort, szöveget]* **3. a)** rendez, eldönt *[viszályt]* **b)** lecsillapít *[szenvedélyt]*; **~ oneself** lehiggad, lecsillapodik, összeszedi magát, erőt vesz magán **4. ~ one's thoughts for action** gondolatait vm megtételére összpontosítja/összeszedi **B.** *tni* **a)** zenét szerez, komponál **b)** *nyomd* szed

composed [kəm'poʊzd] *mn* nyugodt, higgadt *[arckifejezés, magatartás]* • *fn* **composedness**

composer [kəm'poʊzə ‖ –ər] *fn* **1.** zeneszerző **2.** szerző, alkotó *[műé]*

composing [kəm'poʊzɪŋ] **I.** *mn* **1.** (meg)nyugtató; **~ draught** nyugtató (ital), altató(szer) **2.** *nyomd* **~ department (of a press)** szedőosztály, szedőterem **II.** *fn* költés, zeneszerzés

composing-machine *fn nyomd* szedőgép

composite ['kɒmpəzɪt ‖ kəm'pɑzət] **I.** *mn* **1. a)** összetett; **~ body** vegyes alakulat; *mat* **~ number** összetett szám *[nem törzsszám]*; *film* **~ shot** összetett felvétel **b)** *növ* fészkes virágú **2.** *vasút* vegyes *[vonat]* **3.** *épít* kompozit *[oszloprend]* **II.** *fn* **1.** részekből álló dolog/tárgy **2.** *épít* összetett/több komponensből álló építőanyag **3.** *fn növ* fészkes virágú növény **III.** *tsi pol* egyesít *[javaslatokat téma szerint]* • *fn* **compositeness**

composition [ˌkɒmpə'zɪʃn ‖ ˌkɑm–] *fn* **1. a)** összeállítás, összetevés; *fiz* **~ of forces** erők összetétele **b)** megfogalmazás, megszerkesztés *[szövegé]*, költés *[versé]*, szerzés *[zenéé]* **c)** *nyomd* szedés **d)** *műv* elrendezés, kompozíció **2.** *zene* zenemű, kompozíció, szerzemény **3.** *okt* fogalmazás, dolgozat, iskolai fogalmazvány **4. a)** összetétel *[anyagé, vegyületé]* **b)** (lelki) beállítottság, természet **5. a)** elegy, vegyülék, keverék **b)** műanyag, *épít* stukkó, műmárvány **6.** megegyezés, kiegyezés *[vitás ügyben]*; **come to a ~** megegyezésre jut; *gazd* **make a ~ with one's creditors** kiegyezik a hitelezőivel

compositional [ˌkɒmpə'zɪʃnəl ‖ ˌkɑm–] *mn* **1.** kompozíció-, kompozíciós; elrendezéssel, összetétellel, összeállítással kapcsolatos **2.** zeneszerzői

composition photo *fn* **1.** montázsfénykép, fényképmontázs **2.** robotfénykép, robotfotó

compositive [kəm'pɒzətɪv ‖ –'pɑzətɪv] *mn* összetevő, összefoglaló, szintetikus

compositor [kəm'pɒzɪtə ‖ –'pɑzətər] *fn nyomd* szedő

compos mentis *jog latin* beszámítható, épelméjű; **non ~ (mentis)** nem beszámítható

compossible [kɒm'pɒsəbl ‖ kɑm'pɑsəbl] *mn* ami együttesen létezhet, koegzisztálhat, összefér

compost ['kɒmpɒst ‖ 'kɑmpoʊst] **I.** *fn* komposzt (föld/trágya) **II.** *tsi* komposzttal trágyáz

compost heap *fn* komposzthalom

composture [kəm'pɒstʃə ‖ –'pɑstʃər] *fn* **1.** keverék **2.** trágya

composure [kəm'poʊʒə ‖ –ər] *fn* **1.** (lelki)nyugalom, higgadtság, lélekjelenlét, önuralom; **retain one's ~** nem veszti el önuralmát/lélekjelenlétét, uralkodik magán; **regain one's ~** lehiggad, lecsillapodik, összeszedi magát **2.** elrendezés, forma, összeállítás

compote ['kɒmpoʊt ‖ 'kɑmpoʊt] *fn* (gyümölcs)befőtt, kompót

compound[1] **I.** *fn* ['kɒmpaʊnd ‖ 'kɑmpaʊnd] **1. a)** összetétel, keverék, vegyülék, elegy **b)** *vegy* vegyület **2.** *nyelv* összetett szó, összetétel **II.** *mn* ['kɒmpaʊnd ‖ 'kɑmpaʊnd] összetett, több részű; *távk* **~ circuit** összetett/kevert/kompaund áramkör; *áll* **~ eye** összetett szem; *mat* **~ fractions** többszörös/emeletes tört; *orv* **~ fracture** nyílt v. komplikált csonttörés; *pénz* **~ interest** kamatos kamat; *növ* **~ leaf** összetett levél; **~ number** vegyes szám; *nyelv* **~ sentence** mellérendelt összetett mondat; *fémip* **~ steel** ötvözött acél; *nyelv* **~ tense** összetett igeidő **III.** *tsi* [kəm'paʊnd] **A. 1.** elegyít, összekever, vegyít, kever *[italt]*, összetesz *[szót]*; **~ a medicine** orvosságot készít **2.** (el)rendez, elintéz *[vitás ügyet]* **3.** növel, halmoz, fokoz, komplikál *[nehézségeket]* **B.** *tni* **a)** megegyezik, kiegyezik, egyezkedik; **~ for a tax** adóátalányban állapodik meg; megváltja adófizetési kötelezettségét; **~ with one's conscience** megnyugtatja a lelkiismeretét **b)** *gazd* egyezkedik, kiegyezik, (kényszer)egyezséget köt *[hitelezőkkel]*

compound[2] ['kɒmpaʊnd ‖ 'kɑm–] *fn* **a)** körülkerített épületegyüttes **b)** *kat* fogolytábor

compoundable [kəm'paʊndəbl] *mn* kiegyezés tárgyát képező *[adósság]*, elsimítható, rendezhető *[vitás ügy]*

compounder [kəm'paʊndə ‖ –ər] *fn* **1.** (gyógyszert/állateledelt) (ki)keverő/összeállító személy **2. a)** *jog* egyeztető **b)** ‹bűncselekmény károsultja, aki kártérítés ellenében eláll a feljelentéstől›

comprehend [ˌkɒmprɪ'hend ‖ ˌkɑm–] *tsi* **1.** felfog, megért **2. a)** magában foglal, tartalmaz **b)** *átv* **be ~ed in sg** beleértődik vmbe

comprehensible [ˌkɒmprɪ'hensəbl ‖ ˌkɑm–] *mn* **1.** érthető, felfogható **2.** belefoglalható (dolog)

comprehension [ˌkɒmprɪ'henʃn ‖ ˌkɑm–] *fn* **1. a)** felfogóképesség, értelem; **within sy's ~** vk értelmi képességeinek megfelelő **b)** megértés, érthetőség **c)** *GB* olvasott szöveg értése, olvasott szöveg értését vizsgáló feladat **2.** jelentéskör, jelentésterjedelem; *fil* **term of wide ~** tág jelentésű (v. nagy terjedelmű) fogalom **3.** *vall* (protestáns) államegyház szekta-türelmi politikája

comprehensive [ˌkɒmprɪ'hensɪv ‖ ˌkɑm–] **I.** *mn* **1.** átfogó, széles körű, kiterjedt, minden részletre kiterjedő; **~ insurance** teljeskörű biztosítás; **~ offer** átfogó (v. minden tárgyalt kérdésre kiterjedő) javaslat; *gazd* globális ajánlat; **~ study** átfogó tanulmány; *átv* **~ view** átfogó kép **2.** felfogó, megértő; **~ faculty** felfogóképesség **II.** *fn GB* → **comprehensive school** • *fn* **comprehensiveness** *hsz* **comprehensively**

comprehensive school *fn GB* egységes/komprehenzív középiskola

compresence [kəm'prezns] *fn* egyidejűség

compress I. *tsi* [kəm'pres] **A. 1.** összenyom *[rugót]*, összesajtol, sűrít *[gázt stb.]* **2.** rövidre fog *[beszédet, előadást]* **B.** *tni* összehúzódik, összeugrik *[rugó]*, összesajtolódik *[gáz]* **II.** *fn* ['kɒmpres ‖ 'kɑmpres] **a)** *orv* nyomó/szorítókötés **b)** borogatás • *fn* **compressibility** *mn* **compressible**

compressed [kəm'prest] *mn* összenyomott, összesajtolt, tömörített, sűrített *[levegő]*; **~ air** sűrített levegő, préslég; **~ air disease** keszonbetegség; **~ concrete** csömöszölt beton; *zene* **~ score** kispartitúra

compression [kəm'preʃn] *fn* **a)** összenyomás, összesajtolás, tömörítés *[informatikában]*; **~ force** nyomóerő; **~ pump** nyomószivattyú, (lég)szivattyú; sűrítőszivattyú; **~ strength** nyomószilárdság; **~ test** nyomáspróba **b)** *átv* sűrítés • *mn* **compressional**

compressive [kəm'presɪv] *mn* (össze)nyomó, nyomási, sűrítési; **~ force** nyomóerő; **~ stress** nyomófeszültség, sűrítési nyomás

compressor [kəm'presə ‖ –ər] *fn* **1. a)** *műsz* kompresszor, légsűrítő **b)** *kat* fékezőberendezés *[ágyún]* **2.** *orv* ércsipesz, érszorító **3.** *orv* záróizom

compressure [kəm'preʃə ‖ –ər] *fn* nyomás, összenyomás

comprisable [kəm'praɪzəbl] *mn* összefoglalható, beszámítható (vmbe)

comprisal [kəm'praɪzl] *fn* foglalat; **in ~ of** vmvel egyetemben, vmt belefoglalva

comprise [kəm'praɪz] *tsi* **1. a)** magában foglal, tartalmaz **b)** áll **2.** összesűrít, összefoglal; **~ sg within two pages** két oldalra fog/von vmt össze **3.** alkot *[részek egészet]*; **chapters that ~ Book One** az első könyvet alkotó fejezetek

compromise ['kɒmprəmaɪz ‖ 'kɑm–] **I.** *fn* **1.** megegyezés, egyezség, kompromisszum; **policy of ~** kiegyezéses irányzat/politika **2.** *biz* átmenet, keverék; **a ~ between two genres** két műfaj közötti átmenet **II. A.** *tsi* **1.** békésen (v. kölcsönös engedményekkel) elsimít/elintéz *[vitás ügyet]* **2.** hírbe hoz, kompromittál, veszélyeztet *[vk jóhírét]*; **~ oneself with sy** kompromittálja magát vkvel, rossz hírbe keveredik vk miatt **B.** *tni* egyezségre jut, kölcsönös engedményeket tesz, egyezkedik; **~ with one's own conscience** megalkuszik lelkiismeretével, megnyugtatja lelkiismeretét

compromising ['kɒmprəmaɪzɪŋ ‖ 'kɑm–] *mn* **1.** megalkuvó **2.** rossz hírbe hozó, kompromittáló *[körülmény]*

comptroller [kən'troʊlə, kəmp– ‖ –ər] *fn* számvevő *[állami kiadásoké]*; számviteli vezető, controller

compulsion [kəm'pʌlʃn] *fn* kényszer; **be under ~ to do sg** kénytelen vmt (meg)tenni; **do sg under/upon ~** kényszer hatása alatt (v. kényszerűségből) tesz vmt

compulsion neurosis *fn orv* kényszerképzetes neurózis

compulsive [kəm'pʌlsɪv] *mn* **1.** kényszerítő (erejű) **2.** *orv* kényszer-, kényszeres, kényszerképzettel kapcsolatos **3.** megrögzött; **~ smoker** megrögzött dohányos

compulsively [kəm'pʌlsɪvli] → **compulsorily**

compulsorily [kəm'pʌlsərɪli] *hsz* **1.** kötelezően **2.** erőszakkal, kényszerrel, kényszer hatása alatt

compulsory [kəm'pʌlsəri] *mn* **1.** kötelező; **~ subject/course** kötelező tantárgy **2.** kényszerítő (erejű) **3.** szükségszerű

compulsory education *fn* tankötelezettség, iskolakötelezettség

compunction [kəm'pʌŋkʃn] *fn* lelkiismeret-furdalás, bűntudat, megbánás; *biz* **without ~** lelkiismeret-furdalás nélkül; **have no ~ in doing sg** nincs lelkiismeretfurdalása/gátlása/bűntudata vm megtétele miatt, bűntudat nélkül tesz vmt

compunctious [kəm'pʌŋkʃəs] *mn* lelkiismeret-furdalást okozó, bűntudattal telt

computation [ˌkɒmpjʊ'teɪʃn ‖ ˌkɑmpjə–] *fn* **1.** kiszámítás **2.** számítógéppel történő (ki)számítás, számítógépes adatfeldolgozás **3.** *gazd* becslés, árvetés, kalkuláció; **at the lowest ~** minimálisan, a legolcsóbb áron; **beyond ~** kiszámíthatatlan, felbecsülhetetlen • *mn* **computational** *hsz* **computationally**

computative [kəm'pju:tətɪv] *mn* (ki)számítási, számolási, becsült, becslésen alapuló

compute [kəm'pju:t] **A.** *tsi* **1.** (ki)számít, összeszámol **2.** (fel)becsül, *gazd* (ki)kalkulál, árvetést készít **B.** *tni* számol • *mn* **computable**

computer [kəm'pju:tə ‖ –ər] *fn* **1.** *infor* számítógép, komputer; **feed into a ~** betáplál számítógépbe *[adatokat]* **2.** számítást/kalkulációt végző személy

computer-aided *mn infor* számítógéppel támogatott/segített, számítógépes; **~ design (and manufacturing)** számítógéppel támogatott tervezés(és gyártás), CAD(CAM)

C

computer-aided engineering *fn infor* számítógéppel segített fejlesztés, CAE
computer-assisted *mn infor* számítógéppel támogatott/segített, számítógépes; ~ **tomography** számítógépes tomográfia, CAT; → **computer-aided**
computer crime *fn* **1.** számítógépes bűnözés **2.** számítógépes bűncselekmény
computer dating *fn* számítógépes házasságközvetítés
computerese [kəmˌpjuːtəˈriːz] *fn* **1.** gépnyelv, gépi kód **2.** számítógépes nyelv, programnyelv **3.** *biz* számítógépes/számítástechnikai zsargon
computer fraud *fn infor* számítógépes csalás
computer game *fn infor* számítógépes játék
computer graphics *fn esz infor* számítógépes grafika
computerist [kəmˈpjuːtərɪst] *fn* számítógépes szakember, számítástechnikában jártas személy; számítógépmániákus
computerize [kəmˈpjuːtəraɪz], **-ise** *tsi* **1.** számítógéppel feldolgoz, gépi úton feldolgoz *[adatokat]*, komputerizál **2. a)** számítógépesít, számítógépre visz **b)** számítógéppel ellát/felszerel • *fn* **computerization**, **-isation** *mn* **computerizable**, **-isable**
computerized numerical control *fn infor* számítógépes számjegyvezérlés
computer-literate *mn* számítógépes/szövegszerkesztési ismeretekkel rendelkező
computer science *fn infor* számítástudomány, számítástechnika
computer virus *fn infor* számítógépvírus
comrade [ˈkɒmreɪd ‖ ˈkɑmræd] *fn* **1.** bajtárs; **~s in arms** fegyvertársak **2.** elvtárs(nő) • *fn* **comradeship** *hsz* **comradely**
comsat [ˈkɒmsæt] *röv communications satellite* távközlési műhold
con[1] [kɒn ‖ kɑn] *fn* **1.** ellenérv; **the pros and ~s** az ellene és mellette szóló érvek **2.** vmt ellenőrző v. vitató *[fél, ember]*
con[2] [kɒn ‖ kɑn] *mn* **I.** *biz* ~ bepalizás, átverés *[bűnrészesként]*; *US* ~ **man** felhajtó *[tisztességtelen vállalkozás számára]*, szélhámos **II.** *tsi* –**nn**– beugrat, rászed, átejt
con[3] [kɒn ‖ kɑn] *fn tsi* –**nn**– hajót irányít, kormányoz
con[4] [kɒn– ‖ kɑn–] *tsi* –**nn**– *régi* betanul, (könyv nélkül) megtanul; ~ **over** átismétel *[pl.leckét]*
con[5] [kɒn ‖ kɑn] *röv convict*
conation [kouˈneɪʃn] *fn fil* erőfeszítés, akarat, akarás, megkívánás
conative [ˈkounətɪv] *mn nyelv* akarati, akarást kifejező *[ige]*
concamerated [kɒnˈkæməreɪtɪd ‖ kɑn–] *mn* boltozott, kupolás
concatenate [kənˈkætənət ‖ kɑn–] **I.** *tsi* összefűz *[érveket, gondolatokat]* **II.** *mn* összefűzött, összekapcsolt
concatenation [kənˌkætəˈneɪʃn ‖ kɑn–] *fn* lánc(olat), összefüggés, láncolatos kapcsolódás *[érvelésben]*, lépcsős kapcsolás
concave [kɒnˈkeɪv ‖ kɑnˈkeɪv] **I.** *mn* homorú, üreges; *épít* ~ **brick** éktégla, boltozó-tégla **II.** *fn régi vál* homorulat, boltozat • *fn* **concavity**
conceal [kənˈsiːl] *tsi* **1.** elrejt, eldug, rejteget **2.** (el)titkol, titokban tart, leplez *[szándékot, érzelmet]*, álcáz *[valót]*, *jog* elhallgat; ~ **one's intentions** leplezi szándékát **3.** *kat* álcáz • *fn* **concealer** *mn* **concealed**
concealable [kənˈsiːləbl] *mn* **1. a)** elrejthető **b)** álcázható **c)** süllyeszthető **2.** titkolható
concealment [kənˈsiːlmənt] *fn* **1. a)** elrejtés, dugdosás, rejtegetés **b)** (el)titkolás, leplezés, palástolás, *jog* elhallgatás; *jog* ~ **of birth** gyermekszülés eltitkolása **2.** rejtett állapot **3.** rejtek(hely), menedék; **keep sy in** ~ rejteget vkt
concede [kənˈsiːd] *i* **A.** *tsi* **1. a)** (meg)ad *[kiváltságot, előjogot]* **b)** átenged **2.** elfogad, elismer *[állítást, nézetet]*; ~ **defeat** el-/beismeri a vereséget; *sp* ~ **a goal** gólt kap, beenged egy gólt; ~ **that** elismeri/belátja, hogy **B.** *tni* engedményt tesz *[vitában]*
concededly [kənˈsiːdɪdli] *hsz US* bevallottan, elismerten, megengedve
conceit [kənˈsiːt] **I.** *fn* **1.** önteltség, önhittség, beképzeltség, gőg **2.** képzelődés, hangulat **3. a)** ötlet **b)** *vál* szellemes/elmés hasonlat/ötlet **4.** *régi* (jó) vélemény **II.** *tsi régi* képzel, vél
conceited [kənˈsiːtɪd] *mn* öntelt, önhitt, beképzelt, felfuvalkodott, pöffeszkedő • *fn* **conceitedness**
conceivable [kənˈsiːvəbl] *mn* elképzelhető; **it is the best** ~ a lehető legjobb • *hsz* **conceivably**
conceive [kənˈsiːv] **A.** *tsi* **1. a)** felfog, megért **b)** (el)gondol, kigondol, (el)képzel, vél **2.** fogan, teherbe esik; **is ~d** megfogan *[gyermek]* **3.** kigondol, kieszel *[tervet]* **4.** megfogalmaz, formába/szavakba önt **B.** *tni* **1.** vélekedik, elgondol vmlyennek, vmlyen elképzelése van **2.** teherbe esik, megtermékenyül, megfogan
concelebrant [ˌkɒnˈseləbrənt ‖ ˌkɑn–] *fn vall* koncelebráns, misét koncelebráló pap
concelebrate [ˌkɒnˈseləbreɪt ‖ ˌkɑn–] *tsi vall* koncelebrál, együtt miséz • *fn* **concelebration**
concent [kənˈsent] *fn zene* összhang, harmónia *[egyes hangoké]*, összhang *[emberek között]*
concenter [kənˈsentə ‖ –ər] *US* → **concentre**
concentrate I. *i* [ˈkɒnsəntreɪt ‖ ˈkɑn–] **A.** *tsi* **1.** *átv* összpontosít; *kat* összevon *[csapatokat]* **2.** töményít, telít, koncentrál *[oldatot]*, sűrít *[tejet]*, *bány* dúsít *[ércet]* **B.** *tni* **1. a)** tömörül **b)** összpontosul *[figyelem]* **2.** ~ **on (doing) sg** figyelmét vmre összpontosítja **II.** *fn* [ˈkɒnsəntrət ‖ ˈkɑn–] **1.** töményített anyag, *bány* dúsított termék **2.** koncentrátum, esszencia, kivonat; **tomato** ~ sűrített paradicsom, paradicsomsűrítmény
concentrated [ˈkɒnsəntreɪtɪd ‖ ˈkɑn–] *mn* **1.** koncentrált, tömény, hígítatlan **2.** intenzív, erős; ~ **fire** *kat* össztűz **3.** összpontosított • *hsz* **concentratedly**
concentration [ˌkɒnsənˈtreɪʃn ‖ ˌkɑn–] *fn* **1. a)** *átv* összpontosítás, központosítás, *kat* (csapat)összevonás; ~ **camp** munkatábor, koncentrációs tábor **b)** sűrítés, töményítés, koncentrálás *[oldaté]*, dúsítás *[ércé]* **2. degree of** ~ töménység(i fok), koncentráció **3.** (összpontosított) figyelem; **power of** ~ a figyelemösszpontosítás képessége **4.** tömörülés; **the urban ~s** a városokba tömörült lakosság
concentrative [ˈkɒnsəntreɪtɪv ‖ ˈkɑn–] *mn* figyelemösszpontosító *[képesség]*
concentrator [ˈkɒnsəntreɪtə ‖ ˈkɑnsəntreɪtər] *fn vegy* töményítőberendezés, *bány* ércdúsító (berendezés), *infor* koncentrátor, összevonó egység
concentre [kɒnˈsentə ‖ kɑnˈsentər] **A.** *tsi* összpontosít, központosít **B.** *tni* összpontosul, tömörül
concentric [kənˈsentrɪk] *mn* körkörös, azonos/közös/egy központú, koncentrikus; ~ **circles** koncentrikus körök • *fn* **concentricity** *hsz* **concentrically**
concept [ˈkɒnsept ‖ ˈkɑn–] *fn* **1.** fogalom **2.** fogalmazvány **3.** *biz* ‹áru eladását/forgalmát növelő reklámfogás/ötlet› fogalom
conceptacle [kənˈseptəkl] *fn növ* spóratartó
concept formation *fn* fogalomalkotás
conception [kənˈsepʃn] *fn* **1.** fogantatás, fogamzás; ~ **control** fogamzásgátlás **2.** magzat **3. a)** fogalom; *biz* **I haven't got the remotest/immaculate** ~ fogalmam sincs, halvány sejtelmem/gőzöm sincs (róla) **b)** elgondolás, elképzelés, elmélet; **in my** ~ felfogásom szerint; **have a clear ~ of sg** tisztán lát vmt **c)** terv, koncepció **4.** felfogóképesség, képzelőerő • *mn* **conceptional**
conceptive [kənˈseptɪv] *mn* felfogó, megértő, fogékony
conceptual [kənˈseptʃuəl] *mn* konceptuális, fogalmi
conceptualism [kənˈseptʃuəlɪzm] *fn fil* konceptualizmus • *fn* **conceptualist** *mn* **conceptualistic**
conceptualize [kənˈseptʃuəlaɪz], –**ise** *tsi* felfog (vmt), fogalmat alkot (vmről), megfogalmaz • *fn* **conceptualization**, **-isation**

concern [kən'sɜːn ‖ –'sɜrn] **I.** *tsi* **1. a)** érint, vonatkozik (vmre/vkre), illet, tartozik (vkre); **it doesn't ~ you** ez téged nem érint, ez rád nem vonatkozik; **to whom it may ~** az arra illetékes személynek; annak, akit illet **b) ~ oneself with/in/about sg** foglalkozik/törődik vmvel, foglalkoztatja vm, érdeklődik vm iránt, szívén visel vmt **2. a) be ~ed in/with sg** érinti vm; érdekelve van vmben; **as far as I am ~ed** ami (pedig) engem illet, részemről; **the problems ~ed** a szóbanforgó kérdések **b) be ~ed** nyugtalankodik, aggódik (*for* vk miatt;, *about/at* vm miatt); **look ~ed** nyugtalannak/gondterheltnek látszik; **I am ~ed for his health** aggaszt az egészségi állapota **II.** *fn* **1. a)** kapcsolat, vonatkozás; **has no ~ with sg** nincs köze hozzá, nincs kapcsolatban vmvel **b)** érdekeltség, köze (vknek vmhez); **of high ~** nagy fontosságú; **no ~ of mine** semmi közöm hozzá; **have a ~ in sg** érdekelt vmben, köze van vmhez **2. a)** gond, nyugtalanság, aggodalom, törődés; **show great ~ about sy/sg** nagyon foglalkoztatja vk/vm; nyugtalankodik vk/vm miatt; **he showed/felt deep ~ at the news** a hír mélységesen megrendítette **b)** törődés (*for* vmvel); **my only ~ was to...** csak azzal törődtem, hogy..., egyetlen gondom az volt, hogy ... **3. a)** vállalkozás, vállalat, érdekeltség, cég, konszern; **paying ~** jól jövedelmező vállalat; **parent ~** anyaintézet **b)** *biz* dolog, ügy **4.** *biz* masina, vacak

concernedly [kən'sɜːnɪdli ‖ –'sɜr–] *hsz* **1.** aggódva, nyugtalanul **2.** érintve, érdekelve **3.** alkalmából

concernedness [kən'sɜːnɪdnəs ‖ –'sɜr–] *fn* **1.** aggodalom, nyugtalanság **2.** érintettség, érdekeltség vmben

concerning [kən'sɜːnɪŋ ‖ –'sɜr–] **I.** *mn* vonatkozó **II.** *elölj* (vmre) vonatkozólag/vonatkozóan, (vmt) illetőleg, ami... illeti; **as ~ me** ami engem illet

concert I. *fn* ['kɒnsət ‖ 'kɑnsərt] **1.** *zene* hangverseny, koncert; **be in ~** zenél, koncertet ad; **give a ~** hangversenyt/koncertet ad **2.** összhang, egyetértés; **by ~** közös egyetértésben; **act in ~** egyetértésben jár el (with vkvel); **in ~ with** együttesen, egyetértésben vkvel **II.** *tsi* [kən'sɜːt ‖ kən'sɜrt] **A. 1.** összeegyeztet, összehangol *[terveket]*, megbeszél, elrendez **2.** *zene* több szólamra ír **B.** *tni* **1.** tanácskozik, megbeszélést tart **2.** zenél, hangversenyt ad

concerted [kən'sɜːtɪd ‖ –'sɜrtɪd] *mn* **1.** megegyezés szerinti, megbeszélt, megállapított; *kat* **~ action** összehangolt/együttes tevékenység **2.** *zene* hangszerelt, több szólamra írt, több szólamú

concert-goer ['kɒnsətgoʊə ‖ 'kɑnsərtgoʊər] *fn* hangverseny-látogató • *mn* **concert-going**

concert grand *fn* hangversenyzongora

concert hall *fn* hangversenyterem

concertina [ˌkɒnsə'tiːnə ‖ ˌkɑnsər–] **I.** *fn* (hatszögletű) harmonika **II.** *tni* **1.** harmonikaszerűen csukódik **2.** harmonikázik *[harisnya]*

concertino [ˌkɒntʃə'tiːnoʊ ‖ ˌkɑntʃər–] *fn tsz* **concertini** [–naɪ] *zene* kis versenymű

concertmaster *fn zene* hangversenymester, első hegedűs

concerto [kən'tʃeətoʊ ‖ –'tʃertoʊ] *fn zene* verseny(mű) *[pl. zongorára, hegedűre]*; **a violin ~** hegedűverseny

concert pitch *fn* **1.** *zene* kamarahang, normál A *[440 Hz]* **2. keep up to ~** *biz* tartja a jó formáját *[pl. sportoló]*

concessible [kən'sesɪbl] *mn* megengedhető, átengedhető

concession [kən'seʃn] *fn* **1.** engedmény, *gazd* árengedmény; **make ~s** engedményeket tesz, enged **2.** engedély, koncesszió; **mining ~** bánya kiaknázási jog **3.** *jog* koncesszió, engedmény • *mn* **concessional** *mn* **concessionary**

concessionaire [kənˌseʃə'neə ‖ –'ner] *fn jog* engedményes, koncesszionárius

concessive [kən'sesɪv] *mn nyelv* megengedő *[mellékmondat, kötőszó]*

conch [kɒŋk, kɒntʃ ‖ kɑŋk, kɑntʃ] *fn* **1.** kagyló(héj) **2. → concha**

concha ['kɒŋkə ‖ 'kɑŋ–] *fn tsz* **conchae** ['kɒŋkiː ‖ 'kɑŋ–] *orv* fülkagyló

conchie ['kɒnʃi ‖ 'kɑn–] *szl* **→ conscientious 1.**

conchoid ['kɒŋkɔɪd ‖ 'kɑŋ–] **I.** *mn* kagyló alakú **II.** *fn mat* kagylóvonal

conchy ['kɒnʃi ‖ 'kɑn–] *szl* **→ conchie**

concierge ['kɒnsieəʒ ‖ koʊn'sjerʒ] *fn* **1.** házfelügyelő, kapus, gondnok **2.** ‹olyan szállodai alkalmazott, aki a vendégeknek a helyfoglalásban, túrák megszervezésében stb. segít›

conciliar [kən'sɪlɪə ‖ –ər] *mn vall* zsinati; **~ records and decrees** zsinati aktagyűjtemény

conciliate [kən'sɪlieɪt] *tsi* **1.** összeegyeztet, összhangba hoz *[ellentétes nézeteket/érdekeket]* **2. ~ sy's goodwill/favour** elnyeri/kivívja vk jóindulatát; **~ sy to one's side** megnyer magának vkt, maga mellé állít vkt **3.** kiengesztel

conciliation [kənˌsɪli'eɪʃn] *fn* (össze)egyeztetés, békéltetés; *jog* **court of ~** békéltető/egyeztető bíróság

conciliative [kən'sɪlɪətɪv ‖ –lieɪtɪv] *mn* békülékeny

conciliator [kən'sɪlieɪtə ‖ –ər] *fn* döntőbíró, egyeztető, békéltető

conciliatory [kən'sɪlɪətəri ‖ –tɔri] **I.** *mn* **1.** békéltető, egyeztető *[eljárás]* **2.** békülékeny, megegyezést kereső **II.** *fn* békéltető eljárás • *fn* **conciliatoriness**

concise [kən'saɪs] *mn* **1.** tömör, velős *[stílus, beszéd]*; **~ dictionary** kéziszótár; **to put it ~ly** egyszóval; összefoglalva **2.** időben szűkre szabott

conciseness [kən'saɪsnəs] **→ concision**

concision [kən'sɪʒn] *fn* **1.** tömörség, velősség *[stílusé, beszédé]*, a stílus ökonómiája **2.** *régi* levágás, összevágás, csonkítás

conclave ['kɒŋkleɪv ‖ 'kɑn–] *fn* **1. a)** *vall* pápaválasztó helyiség **b)** *vall* konklávé **2.** *biz* zárt ülés/tanácskozás; **be in ~ with sy** vkvel összedugja a fejét (v. tanácskozik)

conclude [kən'kluːd] **A.** *tsi* **1.** befejez, bevégez *[beszédet, művet]* **2.** (ki)következtet, kiszámít **3.** (meg)köt *[szerződést, üzletet]*, elrendez, elintéz *[ügyet]* **4.** következtetésre jut, következtetést levon; **he concluded that** azt a következtetést vonta le, hogy **B.** *tni* **1. a)** befejez; **to ~** egyszóval; befejezésül **b)** befejeződik, végződik; **and here it ~s** és ezzel vége **2.** elhatároz, dönt; **~ to do sg** elhatározza, hogy vmt tesz; **he ~d that he would stay** úgy döntött/határozott, hogy marad **3.** következtet (*on* vmre)

conclusion [kən'kluːʒn] *fn* **1.** befejezés, vég(eredmény); **in ~** vég(ezet)ül, befejezésül, végeredményben **2. a)** következtetés; **come to the ~ that** arra a következtetésre jut, hogy; úgy dönt, hogy; **draw/reach a ~** következtet; **jump/leap/rush to ~s** elhamarkodott következtetéseket von le; **→ jump to b)** elhatározás, döntés; **a foregone ~** előre eldöntött ügy; **come to a ~** elhatározásra jut, dönt, határoz; **without coming to a ~** (v. **to ~s**) anélkül, hogy dűlőre jutottak/döntöttek volna **3.** megkötés *[szerződésé, békéé]* **4.** *biz* **try ~s with sy** megmérkőzik (v. összeméri az erejét) vkvel

conclusive [kən'kluːsɪv] *mn* meggyőző *[érv]*, bizonyító erejű, (per)döntő/egyértelmű *[bizonyíték]*; **~ force/strength** bizonyító erő • *fn* **conclusiveness**

concoct [kən'kɒkt ‖ –'kɑkt] *tsi* **1. a)** (össze)kotyvaszt, összefőz; **~ a meal** összeüt egy ebédet/vacsorát **b)** *átv* szublimál **2.** *átv* kifőz, kiagyal *[tervet]*; **~ a charge against sy** hamis vádat kohol/emel vk ellen

concoction [kən'kɒkʃn ‖ –'kɑkʃn] *fn* **1. a)** (össze)kotyvasztás, összefőzés **b)** kotyvalék, főzet, kevert ital **2. a)** *átv* kiagyalás, kifőzés *[tervé stb.]* **b)** *pej* kiagyalt dolog, mese, kifőzött terv; **~ of lies** szemenszedett/merő hazugság

concomitance [kən'kɒmɪtəns ‖ –'kɑmətəns] **I.** *mn* kísérő, együtt előforduló, velejáró **II.** *fn* **1. a)** együtt(es) előfordulás **b)** *vall* **the body is present in the wine by ~** a bor színe alatt a test és vér együttesen van jelen **2.** kísérő jelenség

concomitant [kən'kɒmɪtənt || –'kɑmətənt] **I.** *mn* kísérő, együtt előforduló, velejáró (*with* vmvel); ~ **circumstances** kísérő körülmények; *orv* ~ **sign** kísérő tünet **II.** *fn* kísérő jelenség, mellékkörülmény; **it is the ~ of sg** vmnek a velejárója

C

concord I. *fn* ['kɒŋkɔ:d || 'kɑŋkɔrd] **1.** egyetértés, összhang, harmónia; **live in ~** egyetértésben él **2.** szerződés **3.** *nyelv* egyezés **4.** *zene* hangzat, akkord **II.** *tsi* [kən'kɔ:d || kən'kɔrd] (meg)egyezik, összhangban áll

concordance [kən'kɔ:dns || –'kɔr–] *fn* **1.** (meg)egyezés, összhang, egybehangzóság **2.** *infor* konkordancia, szómutató

concordant [kən'kɔ:dnt || –'kɔr–] *mn* **1.** egyező, egybehangzó, összhangban álló **2.** *zene* egybehangzó, konkordáns

concordat [kɒn'kɔ:dæt || kən'kɔr–] *fn* egyezség, konkordátum *[állam és egyház között]* • *mn* **concordatory**

concourse ['kɒŋkɔ:s || 'kɑnkɔrs] *fn* **1.** összefutás, összecsődülés **2.** tömeg, csődület, sokadalom, csoportosulás **3. a)** gyülekezési hely/csarnok **b)** útcsomópont

concrescence [kən'kresns] *fn biol* együtt növekedés; összenövés *[szervek, szövet]* • *mn* **concrescent**

concrete I. *mn* ['kɒŋkri:t || 'kɑŋ–] **1.** tényleges, kézzelfogható, valós, konkrét; **~ number** valós szám **2.** tömött, megkötött, szilárd **3.** beton- **II.** *fn* ['kɒŋkri:t || 'kɑŋ–] **1.** beton **2.** kézzelfogható dolog, konkrétum **III.** *tsi* [kəŋ'kri:t] **A. 1.** betonoz **2.** megszilárdít, tömörít **3.** *átv* konkretizál, konkrét formába önt **B.** *tni* megszilárdul, megkeményedik

concrete-mixer *fn* **1.** betonmunkás **2.** betonkeverő

concreter ['kɒŋkri:tə || 'kɑŋkri:tər] *fn* betonmunkás; → **concrete-mixer** 1.

concreting ['kɒŋkri:tɪŋ || 'kɑŋ–] *fn* betonozás

concretion [kən'kri:ʃn || kɑn–] *fn* **1.** összeállás, megszilárdulás, megkeményedés **2. a)** *orv* kő **b)** *orv* összenövés **c)** *geol* konkréció

concretionary [kən'kri:ʃənəri || –neri] *mn geol* konkréciónálódott, konkrécióban kivált

concretize ['kɒŋkri:taɪz || kɑn'kri:–], **-ise** *tsi* konkretizál • *fn* **concretization, -isation**

concubinage [kɒn'kju:bɪnɪdʒ || kɑn–] *fn* vadházasság, természetes házasság • *mn* **concubinary**

concubine ['kɒŋkjubaɪn || 'kɑŋkjə–] *fn* **1.** ágyas **2.** *pej* kitartott szerető

concupiscence [kən'kju:pɪsns || kɑn–] *fn* érzéki vágy, érzékiség, bujaság • *mn* **concupiscent**

concur [kən'kɜ: || –'kɜr] *tni* **-rr- 1.** ütközik, egybeesik *[két időpont]*, *jog* ütköznek *[jogok, érdekek]* **2.** együtt hat/érvényesül, egyesül; **~ in a result** vmlyen eredményben csúcsosodik ki *[két hatás]* **3. a)** egyetért, azonos nézeten van **b)** (meg)egyezik

concurrence [kən'kʌrəns || –'kɜr–] *fn* **1. a)** (össze)találkozás, egybeesés *[eseményeké, vonalaké]*; *mat* **point of ~** metszéspont, metszőpont **b)** egyidejűség **c)** *jog* ütközés *[jogoké]* **2. a)** egyetértés, együttműködés, közreműködés **b)** hozzájárulás, jóváhagyás, beleegyezés

concurrent [kən'kʌrənt || –'kɜr–] **I.** *mn* **1. a)** összefutó, (össze)találkozó; **~ lines** összefutó vonalak **b)** egyidejű, (időben) párhuzamos; *fiz* **~ reaction** párhuzamos reakció **2.** előmozdító, hozzájáruló, együttműködő; *jog* **~ condition** kölcsönösen teljesítendő feltétel; *tört* **~ powers** közös hatalom, vetélkedő/együttfutó főhatalmak/szuverenitás **3. a)** egybehangzó *[vélemény]* **b)** (meg)egyező (*with* vmvel) **4.** *jog* ütköző *[jogok]* **II.** *fn* mellékkörülmény, előmozdító ok • *hsz* **concurrently**

concuss [kən'kʌs] *tsi* **1.** *átv* megrendít, megrázkódtat **2.** *jog* megfélemlít, kényszerít; **~ sy into doing sg** vkt megfélemlítéssel/fenyegetéssel rávesz vmely cselekedetre

concussion [kən'kʌʃn] *fn* **1.** (meg)rázkódás, megrázkódtatás, sokk **2.** *jog* kényszerítés **3.** *orv* **~ (of the brain)** agyrázkódás • *mn* **concussional**

concussive [kən'kʌsɪv] *mn* megrázkódtató

condemn [kən'dem] *tsi* **1.** rosszall, helytelenít, kifogásol, elítél, megbélyegez, elutasít **2. a)** elítél, elmarasztal *[bíróság]*; **~ sy to death** halálra ítél vkt; *átv* **the doctor has ~ed him** az orvos feladta (v. lemondott róla) **b) be ~ed to** arra van kárhoztatva, hogy **c)** bűnösnek mond/tart (*of* vmben) **d)** *biz* **his looks ~ him** a külseje árulja el **3. a)** megsemmisítendőnek nyilvánít; **~ slum dwellings** nyomortanyák lebontását elrendeli **b)** elkoboz(tat) *[készleteket]*, kiselejtez, kimustrál *[felszerelést]* • *fn* **condemnation**

condemnable [kən'demnəbl] *mn* elítélendő, helytelen *[magatartás stb.]*

condemnatory [kən'demnətəri || –tɔri] *mn* elítélő, kárhoztató

condemned cell *fn* siralomház

condensate ['kɒndenseɪt || 'kɑn–] *fn* sűrítmény

condensation [ˌkɒnden'seɪʃn || ˌkɑn–] *fn* **1. a)** sűrítés, cseppfolyósítás, kondenzálás; *rep* **~ trail** kondenzcsík **b)** sűrűsödés, cseppfolyósodás **c)** *átv* összesűrítés, tömörítés, kivonatolás *[írásmű]* **2.** lecsapódás, kicsapódás **3.** *vegy* kondenzáció

condense [kən'dens] **A.** *tsi* **1. a)** sűrít, cseppfolyósít **b)** *vegy* kondenzál **2.** *átv* összesűrít, tömörít, rövidre fog; **~ a chapter into a single paragraph** a fejezet tartalmát egy bekezdésbe tömöríti **B.** *tni* (össze)sűrűsödik, cseppfolyósodik • *mn* **condensable**

condensed [kən'denst] *mn* sűrített, tömörített; *US* **~ book** ‹hosszabb regénynek rövidített és tömörített változata› sűrített regény; **~ milk** sűrített/kondenzált (rendsz. cukrozott) tej

condenser [kən'densə || –ər] *fn* **1.** *vegy* sűrítő, kondenzátor; *hajó* **fresh water ~** lepároló, vízdesztillátor **2.** *fiz vill* kondenzátor **3.** *fiz* gyűjtőlencse, gyűjtőtükör, kondenzor

condescend [ˌkɒndɪ'send || ˌkɑn–] *tni* **1.** leereszkedik, leereszkedően viselkedik, méltóztat, kegyeskedik **2.** lekezel, vállveregetve (v. felülről lefelé) beszél/bánik (vkvel); **I won't be ~ed to** nem tűröm hogy magas lóról beszéljenek velem **3.** *régi* beleegyezik • *mn* **condescending**

condescension [ˌkɒndɪ'senʃn || ˌkɑn–] *fn* **1.** leereszkedés **2.** lekezelés, vállveregető magatartás

condign [kən'daɪn] *mn* méltó, megérdemelt *[büntetés]*, kiérdemelt *[bosszú]* • *mn/hsz* **condignly**

condiment ['kɒndɪmənt || 'kɑn–] *fn* fűszer, ízesítő

condition [kən'dɪʃn] **I.** *fn* **1. a)** feltétel, kikötés; **necessary and sufficient ~** szükséges és elégséges feltétel; **on ~ (that)** azzal a feltétellel, (hogy); feltéve, hogy; ha **b)** előfeltétel **2. a)** állapot, erőnlét, kondíció, forma; **in (good) ~** jó karban/állapotban; **in bad ~, out of ~** rossz karban/állapotban; **general ~** általános helyzet; közérzet **b)** *biz* **be in an interesting** (v. **a certain**) **~** állapotos, terhes **3. a)** (családi) állapot, (társadalmi) helyzet, rang, állás; **sy's ~ in the world** vk társadalmi helyzete; **man of ~** előkelő (v. magas állású) ember **b)** *fiz* halmazállapot **4.** *tsz* **conditions** körülmények, viszonyok; **road ~s** útviszonyok, utak állapota; **living ~s** életkörülmények; **under these ~s** ilyen körülmények között **5.** betegség, egészségügyi probléma; **a heart ~** szívpanasz **II.** *tsi* **1.** feltételhez köt, kikötéseket szab; **~ to do sg** kiköti, hogy vmt (meg)tehet **2.** megszab *[körülményeket, állapotot]*, függővé tesz; **be ~ed by sg** függ vmtől **3.** szabályoz *[légnedvességet és hőmérsékletet]* **4. a)** hozzászoktat **b)** megfelelő kondícióba/állapotba hoz **c)** betanít, idomít *[kutyát/lovat]*

conditional [kən'dɪʃənəl] **I.** *mn* **a)** feltételes; *nyelv* **~ clause** feltételes mellékmondat; *infor* **~ jump** feltételes ugrás/elágazás; **~ mood** feltételes mód; **a ~ promise** ígéret fenntartással **b)** függő **II.** *fn nyelv* feltételes mód • *fn* **conditionality**

conditionally [kən'dɪʃnəli] *hsz* feltételesen, bizonyos feltételek mellett; **~ on** attól függően, hogy

conditioned [kənˈdɪʃnd] *mn* **1. a)** *összet* állapotú, állapotban levő **b) if I were so ~** ha én lennék ebben a helyzetben (v. ilyen körülmények között) **2.** feltételhez kötött, feltételes; *orv* **~ reflex** feltételes reflex

conditioner [kənˈdɪʃnˑə ‖ –ər] *fn* **1.** kondicionáló berendezés **2.** talajjavító (szer) **3.** hajápoló/hajkondicionáló szer

conditioning [kənˈdɪʃnˑɪŋ] *fn* **1.** *pszich* kondicionálás, szoktatás **2.** kondicionáló kozmetikum **3.** *tex* nedvességtartalom szabályozás/megállapítása

condo [ˈkɒndoʊ ‖ ˈkɑn–] *fn* → **condominium** 3.

condolatory [kənˈdoʊlətəri ‖ –tɔri] *mn* részvétnyilvánító *[levél stb.]*

condole [kənˈdoʊl] **A.** *tsi régi* együttérez vkvel, részvétét nyilvánítja vknek **B.** *tni* **1. ~ with sy** együttérez vkvel, részvétét nyilvánítja vknek **2.** *régi* gyászol, kesereg

condolence [kənˈdoʊləns] *fn* részvét(nyilvánítás); **offer sy one's ~s** részvétét nyilvánítja vknek

condoler [kənˈdoʊlə ‖ –ər] *fn* együttérző személy, kondoleáló, részvétnyilvánító

condom [ˈkɒndəm ‖ ˈkɑn–, ˈkʌn–] *fn* kondom, óvszer

condominium [ˌkɒndəˈmɪnɪəm ‖ ˌkɑn–] *fn* **1.** *pol* közös uralom **2.** *pol* közösen birtokolt terület, kondomínium **3. a)** *US* ‹olyan lakóépület v. nyaraló, amelyben a lakások magántulajdonban vannak, a közös helyiségek pedig közös tulajdonban› társasház **b)** ‹lakás ilyen épületben› **4.** *pol jog régi* közös birtoklás

condonance [kənˈdoʊnəns] → **condonation**

condonation [ˌkɒndəˈneɪʃn ‖ ˈkɑn–] *fn* megbocsátás, elnézés; *jog* **~ (of matrimonial infidelity)** házastársi hűség megszegésének megbocsátása

condone [kənˈdoʊn] *tsi* **1.** megbocsát, elnéz **2.** vonakodva beleegyezik/jóváhagy **3.** kárpótol, jóvátesz (vkt vmért) ● *mn* **condonable**

condor [ˈkɒndɔː ‖ ˈkɑndər, –dɔr] *fn áll* kondorkeselyű

conduce [kənˈdjuːs ‖ –ˈduːs] *tni* vezet (*to* vmre), hozzájárul (vmhez), előmozdít (vmt); **~ to a result** eredményre vezet

conducive [kənˈdjuːsɪv ‖ –ˈduː–] *mn* vezető, előmozdító, elősegítő, hasznos; **be ~ to** elősegít, vmhez vezet; **~ to health** egészséges, egészséget előmozdító ● *fn* **conduciveness**

conduct I. *fn* [ˈkɒndʌkt ‖ ˈkɑn–] **1.** vezetés, intézés, igazgatás *[ügyeké]*; **under the ~ of sy** vk vezetése/irányítása alatt **2.** magaviselet, magatartás, viselkedés, életvitel **3. a)** *vál* meseszövés **b)** *műv* ecsetkezelés *[festményé]* **c)** vonalvezetés *[rajznál]* **4.** káplán *[az etoni kollégiumban]* **II.** *tsi* [kənˈdʌkt] **1. a)** vezet (*to* vhová) *[személyt, vizet stb.]*; **~ed tours** (vezetett) társasutazás **b)** *fiz* vezet *[hőt, hangot, áramot]* **2.** vezényel *[karmester, zenekart]*; **~ed by...** vezényel..., karmester... **3.** vezet *[hadjáratot, tárgyalásokat]*, lefolytat *[kísérletet]*; *jog* **~ one's own case** saját ügyét viszi **4. ~ oneself** viselkedik

conductance [kənˈdʌktəns ‖ ˌkɑn–] *fn el* elektromos vezetőképesség

conductible [kənˈdʌktɪbl] *mn fiz* vezetőképes ● *fn* **conductibility**

conduction [kənˈdʌkʃn] *fn* **1.** *fiz* vezetés *[hőt, áramot, hangot]*; **~ of heat** hővezetés **2.** átvezetés *[folyadéké csövön]* **3.** ingervezetés *[idegekben]*

conductitious [ˌkɒndʌkˈtɪʃəs ‖ ˌkɑn–] *mn* bérelt, bérelhető

conductive [kənˈdʌktɪv] *mn* **1.** vezető **2.** *orv* **~ education** konduktív módszer/gyógyítás

conductivity [ˌkɒndʌkˈtɪvəti ‖ ˌkɑn–] *fn fiz* (fajlagos) vezetőképesség

conductor [kənˈdʌktə ‖ –ər] *fn* **1.** karmester **2.** kalauz *[villamoson, autóbuszon, US vonaton]* **3.** vezető *[hőé, áramé]*; **electrical ~** elektromos vezető **4.** vezető *[idegeneké, turistáké]* **5.** igazgató, vállalatvezető **6.** villámhárító **7.** vízlefolyó cső, esővízcsatorna

conductorless [kənˈdʌktələs ‖ –tər–] *mn* kalauz nélküli *[kocsi]*

conductor-rail *fn vasút* áramvezető sín

conductorship [kənˈdʌktəʃɪp ‖ –tər–] *fn* karmesterség, vezénylés, vezetés *[zenekaré]*

conduit [ˈkɒndjuɪt ‖ ˈkɑnduət] *fn* **1. a)** (víz)vezeték, (vízvezető) csatorna **b)** *átv* csatorna, út **2.** *vill* kábeltorok, kábelvédő burok, szigetelőcső **3.** (titkos föld alatti) átjáró

cone [koʊn] **I.** *fn* **1.** kúp **2.** *növ* toboz **3.** *áll* kúpos csiga **4.** *geol* vulkánkúp **5.** kúp, kéve; **~ of rays** sugárkéve **6.** *távk* membránkúp, hangszórókúp **7.** (fagylalt)tölcsér **8.** *fémip* kúpos fúvófej, adagolótölcsér **9.** viharjelző **10.** *tex* kúpos keresztorsó, fonalkúp **11.** elterelést jelző kúp, terelőbója *[közúti közlekedésben]* **12.** *orv* csap *[retinában]* **II.** *i* **A.** *tsi* **1.** kúposít, kúposra alakít **2.** *tex* felcsévéz *[fonalat]* **3.** *kat* fényszórók kúpjába fog/befog *[repülőgépet]* **4. ~ off** kúpokkal elkerít/lezár egy útszakaszt **B.** *tni* tobozokat terem

coned [koʊnd] *mn* **1.** kúp alakú **2.** *növ* toboztermő

coney [ˈkoʊni] → **cony**

confab [ˈkɒnfæb ‖ ˈkɑn–] *tni* **-bb-** → **confabulate** 1.

confabulate [kənˈfæbjuleɪt ‖ –bjə–] *tni* **1.** beszélget, cseveg, tereferél **2.** *pszich* konfabulál; ‹kitalált történeteket valóságosként él meg és ad elő› ● *fn* **confabulation** *mn* **confabulatory**

confect [kənˈfekt] *tsi* elkészít, összeállít

confection [kənˈfekʃn] *fn* **1.** (el)készítés, összeállítás, (össze)vegyítés, (össze)keverés **2.** édesség, cukrozott gyümölcs **3.** gyógyszerpreparátum **4.** konfekció

confectioner [kənˈfekʃənə ‖ –ər] *fn* cukrász; *US* **~s' sugar** (finom) porcukor

confectionery [kənˈfekʃənəri ‖ –neri] *fn* **1.** cukrászsütemény, cukrászáru **2.** cukrászda **3.** cukrászat, cukrászipar

confederacy [kənˈfedərəsi] *fn* **1.** államszövetség; *US tört* **the (Southern) C~** a déli államok szövetsége *[1860–65]* **2.** szövetség; **they are in ~** egy húron pendülnek, összeszűrték a levet **3.** összeesküvés

confederate I. *mn* [kənˈfedərət] szövetséges **II.** *fn* [kənˈfedərət] **1.** szövetséges **2.** *jog* bűntárs **3.** *biz* cinkos(-társ), haver **III.** *tsi* [kənˈfedəreɪt] **A.** szövetségbe tömörít *[államokat]* **B.** *tni* **1.** szövetkezik, szövetségre lép **2.** összeesküszik, konspirál

confederation [kənˌfedəˈreɪʃn] *fn* **1.** szövetkezés **2.** → **confederacy** 1

confer [kənˈfɜː ‖ –ˈfɜr] *i* **-rr- A.** *tsi* ad(ományoz), átruház *[címet, rangot]*, részesít *[kedvezményben]*; **~ a title on sy** címet/rangot adományoz vknek **B.** *tni* tanácskozik, tárgyal, értekezik, eszmecserét folytat (*with* vkvel,, *on/about* vmről) ● *mn* **conferrable**

conferee [ˌkɒnfəˈriː ‖ ˌkɑn–] *fn* **1.** konferencia résztvevője **2.** tudományos fokozat adományozottja

conference [ˈkɒnfərəns ‖ ˈkɑn–] *fn* **I. 1. a)** megbeszélés, tanácskozás, tárgyalás, értekezés, eszmecsere; **he's in ~** megbeszélésen van, tárgyal, tanácskozik **b)** értekezlet **2.** konferencia; **hold a ~** konferenciát tart; **attend a ~** részt vesz konferencián **3.** *sp US* liga **4.** adományozás *[címé stb.]* **II.** *tni* konferencián/konferenciabeszélgetésben vesz részt

conference call *fn* konferenciabeszélgetés

conference centre, *US* **-center** *fn* konferenciacentrum

conferencing [ˈkɒnfərənsɪŋ ‖ ˈkɑn–] *fn infor* (táv-)konferenciarendszer, távkonferenciázás

conferential [ˌkɒnfəˈrenʃl ‖ ˌkɑn–] *mn* tanácskozással/értekezlettel összefüggő

conferment [kənˈfɜːmənt ‖ –ˈfɜr–] *fn* adományozás, átruházás *[rangé, címé]*, részesítés *[kedvezményben]*

confess [kənˈfes] **A.** *tsi* **1.** bevall, megvall, beismer **2.** elismer *[igaznak]*, hitet tesz **3. a)** meggyón *[vétket]*; **~ oneself** meggyón **b)** gyóntat *[pap]* **4.** (meg)vall *[hitet]* **B.** *tni* **1.** vall(omást tesz) **2. ~ to sg** bevall/beismer/elismer vmt; **~ to having done sg** bevallja vmnek az elkövetését; vádolja magát vmvel **3. a)** gyón **b)** gyóntat *[pap]*

C

confessant [kən'fesnt] *fn* gyónó
confessedly [kən'fesɪdli] *hsz* **1.** elismerten **2.** nyíltan, bevallottan
confession [kən'feʃn] *fn* **1.** bevallás, beismerés; **on his own ~** saját bevallása/beismerése szerint **2.** vallomás; **make a full ~** részletes vallomást tesz **3.** *vall* gyónás; **seal of ~** gyónási titok; **hear sy's ~** meggyóntat vkt **4.** *vall* **~ (of faith)** hitvallás **5.** (hit)felekezet, vallás(felekezet), hit(vallás)
confessional [kən'feʃnəl] **I.** *fn* gyóntatószék **II.** *mn* vallási, felekezeti, hit-
confessionary [kən'feʃn·əri ‖ –neri] **I.** *mn* hitvalló **II.** *fn régi* hitvalló/mártír/vértanú sírja
confessionist [kən'feʃn·ɪst] *fn* (ágostai hitvallású) evangélikus, lutheránus
confessor [kən'fesə ‖ –ər] *fn* **1.** vallomást tevő **2. a)** gyónó, gyónáshoz járuló **b)** gyóntató(pap) **3.** hitvalló
confetti [kən'feti] *fn tsz* konfetti
confidant ['kɒnfɪdænt ‖ 'kɑn–] *fn* **1.** bizalmas *[titokba beavatott férfi]* **2.** bizalmas barát, kebelbarát
confidante ['kɒnfɪdænt ‖ 'kɑn–] *fn* **1.** bizalmas *[titokba beavatott nő]* **2.** bizalmas barátnő
confide [kən'faɪd] *i* **A.** *tsi* **1.** bizalmasan közöl/tudat *[titkot, szándékot stb.]* **2.** rábíz; **~ a secret to sy** rábíz egy titkot vkre **B.** *tni* **1.** bízik; **~ in sy** (meg)bízik vkben **2. ~ in sy about sg** bizalmasan közöl vkvel vmt
confidence ['kɒnfɪdəns ‖ 'kɑn–] *fn* **1.** bizalom; **place (every) ~ in sy** (fenntartás nélkül) bízik vkben, bizalmát vkbe helyezi, bizalommal van vk iránt **2. a)** önbizalom, magabiztosság; **be full of ~** nagyon magabiztos, tele van önbizalommal; **gather ~** önbizalmat merít; összeszedi a bátorságát **b)** *pej* önhittség, önteltség, elbizakodottság, beképzeltség, szerénytelenség, szemtelenség **3.** (teljes) bizonyosság, meggyőződés; **have great ~ of success** teljesen bizonyos/biztos a sikerben, meg van győződve a sikerről **4.** bizakodás, remény; **have ~ in the future** bízik a jövőben **5. be in sy's ~** bizalmasa vknek; **take sy into one's ~** vkt bizalmába avat; titkát megosztja vkvel; **in strict ~** egész bizalmasan, a legszigorúbb titoktartás mellett **6.** titkos/bizalmas közlés; **make a ~ to sy** bizalmasan közöl vkvel *[titkot]* **7. ~ game/trick** szélhámosság, beugratás, csalás, svindli; **~ crook/man** szélhámos, beugrató, csaló
confidence trickster *fn* szélhámos, csaló
confident ['kɒnfɪdənt ‖ 'kɑn–] **I.** *mn* **1. a)** magabiztos, magabízó, önbizalommal telt **b)** *pej* önhitt, öntelt, beképzelt, szerénytelen **2.** biztos, bizonyos (*on* vmben); **~ of winning, ~ that he will win** biztos benne, (v. meg van győződve róla,) hogy nyerni fog, bizonyosra veszi a győzelmet **3.** bizakodó, reménnyel telt; **~ that everything will go well** erősen reméli, (v. bízik benne,) hogy minden jól fog menni **II.** *fn* bizalmas • *hsz* **confidently**
confidential [ˌkɒnfɪ'denʃl ‖ ˌkɑn–] *mn* **1.** bizalmas, titkos; **strictly ~** szigorúan bizalmas **2.** bizalmas, közlékeny; **be ~ with strangers** könnyen bizalmába avat idegeneket, (túlságosan) közlékeny idegenekkel szemben **3.** bizalmi, megbízható; **~ clerk** bizalmi tisztviselő; **~ post** bizalmi állás/beosztás **4.** titkos *[ügynök]* • *fn* **confidentiality** *hsz* **confidentially**
confiding [kən'faɪdɪŋ] *mn* jóhiszemű, hiszékeny, nem gyanakvó, bizalomteljes
configuration [kənˌfɪgjə'reɪʃn] *fn* **1. a)** alak(zat), körvonal **b)** terepalakulat **2.** csillagkép **3.** *vegy* térszerkezet; **molecular ~** molekulaszerkezet **4.** *infor* beállítás, összeállítás, konfiguráció
configure [kən'fɪgə ‖ –'fɪgjər] *tsi* **1.** kialakít **2.** csoportosít
confinable [kən'faɪnəbl] *mn* elhatárolható, körülhatárolható
confine I. *tsi* [kən'faɪn] **1. a)** (be)zár; **~d within four walls** négy fal közé zárva **b)** börtönbe zár, bebörtönöz, lecsuk; *kat* **be ~d to barracks** laktanyafogságot kapott **c) be ~d to one's room** szobához kötött, a szobát kell őriznie *[betegnek]*; **be ~d to bed** ágyhoz van kötve, az ágyat nyomja **d)** elzár, elkülönít, elszigetel **2. a)** korlátoz, megszorít, (határok közé) szorít; **be ~d** korlátozódik, szorítkozik; **~ oneself to facts** tényekre szorítkozik, a tényekhez tartja magát **b)** (vissza)szorít, korlátok közé kényszerít/zár; **~d air** zárt/dohos/áporodott (szoba)levegő **3. be ~d** lebetegszik, szül, gyermekágyban fekszik **II.** *fn* ['kɒnfaɪn ‖ 'kɑnfaɪn] **1.** *vál* határ(mezsgye), mezsgye, választóvonal, korlát; *vál* **within the ~s of sg** vmnek a határai/korlátai között **2.** határ(vidék), perem(vidék), szél, vég; **~s of the village** faluvége
confined [kən'faɪnd] *mn* **1.** határos, korlátozott; **a ~ space** zárt tér **2.** gyermekágyban fekvő, gyermekágyas *[asszony]*
confinement [kən'faɪnmənt] *fn* **1. a)** bezárás, elzárás, (szoba)fogság; **~ to barracks** laktanyafogság **b)** börtön(büntetés), elzárás, szabadságvesztés (büntetés); **solitary ~** magánzárka (büntetés); **three years' ~** három évi börtön **c) ~ to one's bed** ágyhozkötöttség **d)** elkülönítés, elszigetelés, elzártság, elszigeteltség **2.** lebetegedés, szülés, gyermekágy; **the day of ~** a szülés napja **3. a)** megszorítás, korlátozás, szorítkozás **b)** korlátok közé szorítás/kényszerítés
confirm [kən'fɜːm ‖ –'fɜrm] *tsi* **1.** megerősít, megszilárdít *[hatalmat, elhatározást]*; **~ sy in his opinion** megerősít vkt véleményében **2.** megerősít, jóváhagy, szentesít, hitelesít, ratifikál *[szerződést stb.]*; **~ sy in office** megerősíti hivatalában **3.** megerősít, alátámaszt, igazol, bizonyít *[gyanút, hírt]* **4.** megerősít, érvényesít, konfirmál *[repülőjegyet]*, *gazd* visszaigazol; **have sg ~ed** érvényesíttet vmt **5.** *vall* bérmál *[katolikusoknál]*, konfirmál *[protestánsoknál]* • *mn* **confirmative** *mn* **confirmatory**
confirmability [kənˌfɜːmə'bɪləti ‖ –ˌfɜr–] *fn* bizonyíthatóság; **theory of ~, ~ theory** bizonyításelmélet
confirmation [ˌkɒnfə'meɪʃn ‖ ˌkɑnfər–] *fn* **1.** megerősítés, megszilárdítás **2.** megerősítés, jóváhagyás, szentesítés, hitelesítés, ratifikálás **3.** megerősítés, alátámasztás, igazolás, bizonyítás; **in ~ of sg** vmnek megerősítéseképpen/igazolásaképpen **4.** *vall* bérmálás *[katolikusoknál]*, konfirmáció *[protestánsoknál]*, felavatás *[zsidó fiúké]*
confirmed [kən'fɜːmd ‖ –'fɜrmd] *mn* megrögzött, megcsontosodott; **a ~ bachelor** megrögzött agglegény; **a ~ disease** makacs betegség; **a ~ drunkard** megrögzött iszákos • *hsz* **confirmedly**
confiscate ['kɒnfɪskeɪt ‖ 'kɑn–] *tsi* elkoboz, lefoglal • *fn* **confiscation**, **confiscator** *mn* **confiscable**
conflagrant [kən'fleɪgrənt] *mn* tüzes, lángoló, izzó
conflagration [ˌkɒnflə'greɪʃn ‖ ˌkɑn–] *fn* tűzvész, lángbaborulás, égés • *tni* **conflagrate**
conflation [kən'fleɪʃn] *fn* összeolvasztás, egybeolvasztás, összeollózás *[szövegeké]* • *tsi* **conflate**
conflict I. *fn* ['kɒnflɪkt ‖ 'kɑnflɪkt] **1.** küzdelem, harc, viszály, konfliktus; **be in ~ with sy/sg** harcban áll vkvel/vmvel **2.** összeütközés, összecsapás, nézeteltérés, vita; **come into ~ with sy** összeütközésbe/nézeteltérésbe kerül vkvel, vitába keveredik vkvel **3.** ellentét, ellentmondás; **in ~ (with sg)** (vmnek) ellentmondó, (vmvel) ellentétben álló **II.** *tni* [kən'flɪkt] **1.** összeütközésbe kerül, ütközik; **~ing interests** ellentétes érdekek **2.** ellentmondásba kerül, ellenkezik, ellene szól (vmnek); **~ing evidence** egymásnak ellentmondó tanúvallomások/bizonyítékok
confliction [kən'flɪkʃn] *fn vál* összeférhetetlenség, ellentétesség, ellentmondásosság
conflictual [kən'flɪktʃuəl] *mn* ellentétes, ellentmondásos
confluence ['kɒnfluəns ‖ 'kɑn–] *fn* **1.** *földr* egybetorkollás, összefolyás **2. a)** keresztezés, összefutás *[utaké, sínekéj]* **b)** kereszteződés **3. a)** *régi* összefutás, egy helyre gyülekezés/sereglés **b)** *régi* tömeg, sereglet
confluent ['kɒnfluənt ‖ 'kɑn–] **I.** *mn* **a)** egybetorkolló, összefolyó, összeömlő *[folyók]* **b)** kereszteződő, összefutó *[utak, sínek]* **II.** *fn* **1.** egyesülés, összefolyás *[folyóé]* **2.** *biz* mellékfolyó
conform [kən'fɔːm ‖ –'fɔrm] **A.** *tsi* **1.** összhangba hoz, összehangol, egybehangol **2.** hozzáidomít, hozzáigazít, hozzáilleszt **3. ~ oneself** alkalmazkodik **B.** *tni* **1.** össz-

hangban van, megegyezik **2.** alkalmazkodik, aláveti magát (vmnek); **~ to the rules** aláveti magát a szabályoknak **3.** hozzáidomul, hasonlóvá válik **4.** összeillik, egyezik *[két rész]*, passzol, illik **5.** *GB* aláveti magát államvallásnak
conformable [kənˈfɔːməbl ‖ –ˈfɔr–] *mn* **1.** összhangban levő, (meg)egyező **2.** hozzáillő, alkalmas, megfelelő (vmre) **3.** alkalmazkodó, engedékeny, könnyen kezelhető **4.** *geol* **~ stratification** konform rétegeződés • *fn* **conformability**
conformal [kənˈfɔːml ‖ –ˈfɔr–] *mn* konform, alakhű *[ábrázolás]*
conformance [kənˈfɔːməns ‖ –ˈfɔr–] *fn* **1.** egyezés, hasonlóság **2.** alkalmazkodás, betartás (vmé), alárendelés (vmnek)
conformation [ˌkɒnfɔːˈmeɪʃn ‖ ˌkɑnfɔr–] *fn* **1.** alkalmazkodás, egyezés (vmvel) **2.** (ki)alakulás, alakzat, szerkezet, struktúra **3.** felépítés *[emberi testé]* **4.** *vegy* konformáció
conformism [kənˈfɔːmɪzm ‖ –ˈfɔr–] *fn* alkalmazkodás, beilleszkedés(i törekvés), hozzáidomulás *[társadalmi rendszerhez]*, konformizmus
conformist [kənˈfɔːmɪst ‖ –ˈfɔr–] *fn* **1.** alkalmazkodó (ember), konformista **2.** anglikán (egyház tagja)
conformity [kənˈfɔːməti ‖ –ˈfɔrməti] *fn* **1.** összhang, egyezés, hasonlóság (vmhez); **in ~ with sg** vmvel egyezően/összhangban, vmnek megfelelően, vmhez képest **2.** *GB* az államvallás elfogadása, alávetés/behódolás a hivatalos egyháznak
confound [kənˈfaʊnd] *tsi* **1.** *vál* **a)** összekavar, összekever, összezavar *[fogalmakat]* **b)** összetéveszt, összecserél **2.** megzavar, zavarba hoz, megdöbbent, meghökkent (vkt) **3.** *vál* felforgat, összekuszál(vmt) **4.** *vál* meghiúsít, felborít *[tervet, reményt]* **5.** *vál* **~ him/it!** vigye el az ördög!, egye meg a fene! **6.** *régi* **a)** megsemmisít, elpusztít, tönkretesz **b)** megszégyenít
confounded [kənˈfaʊndɪd] *mn* **1.** *biz* átkozott, nyavalyás **2.** *ritk* **a)** zavar(odot)t, megdöbbent, meghökkent **b)** zavaros, felfordulásban levő
confoundedly [kənˈfaʊndɪdli] *hsz* nagyon, rendkívül, rettentően, borzasztóan, szörnyen, átkozottul
confraternity [ˌkɒnfrəˈtɜːnəti ‖ ˌkɑnfrəˈtɜr–] *fn* **1. a)** jótékony(sági) egyesület **b)** vallásos társaság/egyesülés, testvériség, szerzet **c)** testvériség, közösség **2.** testvéries/baráti viszony; **~ of crime** bűnszövetkezet
confrère [ˈkɒnfreə ‖ ˈkɑnfrer] *fn* kolléga, szaktárs
confront [kənˈfrʌnt] *tsi* **1.** szemben áll, szembetalálkozik, szemben találja magát (vmvel); **be ~ed by/with a difficulty** nehézséggel áll (v. találja magát) szemben **2.** szembeszáll, szembenéz *[ellenséggel, veszéllyel]* **3. a) ~ sy with sy** szembesít vkt vkvel **b) ~ sy with sg** vk elébe tár vmt, szembesít vmvel **4.** összehasonlít, összevet
confrontation [ˌkɒnfrənˈteɪʃn ‖ ˌkɑn–] *fn* **1.** szembesítés, szembesülés, konfrontáció **2.** *orv* látótérvizsgálat
confrontational [ˌkɒnfrənˈteɪʃənəl ‖ ˌkɑn–] *mn* konfrontációs, ütközéseket kereső *[politika]*
Confucian [kənˈfjuːʃn] *mn/fn* konfuciánus, Konfucius híve • *fn* **Confucianism** *fn/mn* **Confucianist**
confuse [kənˈfjuːz] *tsi* **1. a)** összekever, összezavar *[fogalmakat]* **b)** összetéveszt, összecserél **2.** megzavar, zavarba hoz/ejt (vkt); **become/get ~d** megzavarodik, zavarba jön **3.** összekuszál, összezavar
confused [kənˈfjuːzd] *mn* **1.** zavaros, összezavart, rendetlen; **a ~d account** zavaros/kusza/zagyva/homályos beszámoló **2.** zavarodott, zavarban levő *[ember]* • *hsz* **confusedly**
confusing [kənˈfjuːzɪŋ] *mn* zavarba hozó/ejtő, megzavaró • *hsz* **confusingly**
confusion [kənˈfjuːʒn] *fn* **1. a)** összezavarás, összekavarás **b)** összetévesztés, összecserélés; **~ of names** névcsere **2.** zűrzavar, felfordulás, rendetlenség, fejetlenség; **fall into ~** fejetlenség lesz úrrá (vmn) **3.** zavar(odottság), meghökkenés, megdöbbenés; **put sy to ~** vkt zavarba ejt/hoz
confutable [kənˈfjuːtəbl] *mn* cáfolható
confute [kənˈfjuːt] *tsi* **1.** meghazudtol, rábizonyít *[vkre tévedést]*, meggyőz *[vkt tévedésről]*, elhallgattat **2.** (meg)cáfol *[állítást]* **3.** *régi* meghiúsít, véget vet • *fn* **confutation**
conga [ˈkɒŋgə ‖ ˈkɑŋgə] *fn* **I.** konga *[tánc]* **II.** *tni* kongát táncol
conga drum *fn zene* konga dob
congé [ˈkɒnʒeɪ ‖ koʊnˈʒeɪ] *fn* **a)** távozási engedély, szabadságolás **b)** elbocsátás, (rövid úton való) felmondás
congeal [kənˈdʒiːl] **A.** *tsi* **1.** (meg)fagyaszt **2.** (meg)alvaszt, besűrít, megszilárdít **B.** *tni* **1.** megfagy, befagy **2.** összeáll, besűrűsödik, megalvad, megkeményszik, megszilárdul, megmerevedik, megdermed • *mn* **congealable**
congealment [kənˈdʒiːlmənt] *fn* **1. a)** megfagyás **b)** megfagyott/megdermedt massza/anyag **2. a)** megalvadás **b)** alvadék, alvadt vér
congelation [ˌkɒndʒəˈleɪʃn ‖ ˌkɑn–] *fn* **1. a)** fagyasztás, (meg)alvasztás, megszilárdítás **b)** megfagyás, befagyás, megalvadás, megszilárdulás, megdermedés; **point of ~** fagyáspont; dermedési pont **2.** fagyott/alvadt állapot, dermedtség **3.** fagyott/alvadt/megszilárdult anyag
congener [kənˈdʒiːnə ‖ ˈkɑndʒənər] *fn* **1.** fajtaazonos/egyfajú/egynemű/hasonnemű (azonos fajú/fajtájú) egyed **2.** *átv* hasonszőrű/hasonló személy
congeneric [ˌkɒndʒɪˈnerɪk ‖ ˈkɑn–] *mn* **1.** *áll növ* fajrokon, fajtaazonos, egy fajú, azonos fajtájú **2.** hasonló, hasonszőrű • *mn* **congenerous**
congenial [kənˈdʒiːnɪəl] *mn* **1. a)** hasonló, azonos, egyező, egynemű, rokon-; **~ spirits** rokonlelkek; **~ tastes** hasonló/egyező ízlések **b)** hasonló/azonos szellemű/természetű/beállítottságú, rokonlelkű, rokonérzelmű **2. a)** alkalmas, megfelelő, kedvező, előnyös; **climate ~ to health** egészségi szempontból kedvező éghajlat **b) work ~ to sy** vk ízlésének megfelelő (v. egyéniségéhez illő) munka **3. a)** kellemes, szeretetre méltó, szimpatikus **b) ~ employment** kellemes állás • *fn* **congeniality** *hsz* **congenially**
congenital [kənˈdʒenɪtl] *mn* veleszületett, szülésnél szerzett, kongenitális; **a ~ idiot** tökéletes/komplett hülye; **~ syphilis** örökölt vérbaj • *hsz* **congenitally**
congeries [kənˈdʒɪəriːz ‖ ˈkɑndʒəriːz] *fn tsz* **congeries** halom, rakás, tömeg, massza
congest [kənˈdʒest] **A.** *tsi* **1.** *orv* vértolulást okoz, vérbőséget idéz elő (vmben) **2.** torlódást okoz; **~ed area** túlnépesedett (v. túl sűrű népességű) vidék, sűrűn lakott vidék; **~ed traffic** (forgalmi) torlódás **B.** *tni* **1.** *orv* vértolulást kap, vérbőség lép fel benne **2.** elakad, torlódik *[forgalom]* • *mn* **congestive**
congestion [kənˈdʒestʃn] *fn* **1.** *orv* vértolulás, vérbőség, vérrel telítettség, pangás; **~ of the brain** agyvértolulás **2. a)** (forgalmi) torlódás **b)** túlnépesedés
conglomerate I. *mn* [kənˈglɒmərət ‖ –ˈglɑ–] **1.** összetömörült, egy halomba/csomóba tömörült, összehalmozott **2.** *növ* sűrű, csomós **3.** *geol* törmelék- *[kőzet]* **II.** *fn* [kənˈglɒmərət ‖ –ˈglɑ–] **1.** halmaz, rakás, konglomerátum **2.** konglomerátum, vállalati egyesülés **3.** *geol* törmelék-kőzet, konglomerát **III.** *tsi* [kənˈglɒməreɪt ‖ –ˈglɑ–] **A.** összegyűjt, összehalmoz, kerek/egységes egészet alakít (vmből) **B.** *tni geol* összeáll *[kőzet]* • *fn* **conglomeration**
Congo [ˈkɒŋgoʊ ‖ ˈkɑŋ–] *tul földr* Kongó
Congolese [ˌkɒŋgəˈliːz ‖ ˌkɑŋ–] **I.** *mn* kongói **II.** *fn* **1.** kongói (ember), férfi, nő **2.** kongói (bennszülött) nyelv
congratulate [kənˈgrætʃʊleɪt ‖ –tʃə–] *tsi* szerencsét kíván, gratulál, köszönt, üdvözöl; **~ oneself** vállon veregeti önmagát, gratulál saját magának • *mn* **congratulatory**
congratulation [kənˌgrætʃʊˈleɪʃn ‖ –tʃə–] *fn* szerencsekívánat, gratuláció, köszöntés, üdvözlés; **~s!** gratulálok!; **offer sy one's ~s on sg** gratulál vknek vmhez; üdvözöl/köszönt vkt vmnek alkalmából

C

congregate I. *tsi* [ˈkɒŋgrɪgeɪt ‖ ˈkɑŋ–] **A. 1.** összehív, egybehív, összegyűjt, egybegyűjt *[embereket]* **2.** összegyűjt, összehalmoz *[tárgyakat]* **B.** *tni* összegyűlik, összegyülekezik, összesereglik *[tömeg]* **II.** *mn* [ˈkɒŋgrɪgət ‖ ˈkɑŋ–] összegyűlt, felhalmozott
congregation [ˌkɒŋgrɪˈgeɪʃn ‖ ˌkɑŋ–] *fn* **1. a)** gyülekezet, (a) hívők, egyházközség, eklézsia **b)** (zsidó) hitközség **c)** *GB* tanácsülés *[angol egyetemeken]* **2. a)** összehívás, egybehívás, összegyűjtés **b)** összegyűlés, összegyülekezés, összesereglés **3.** halom, halmaz, rakás, tömeg, gyűjtemény
congregational [ˌkɒŋgrɪˈgeɪʃnəl ‖ ˌkɑŋ–] *mn* **1.** *vall* gyülekezeti **2.** *vall* **C~ Church** kongregacionalista egyház
Congregationalism [ˌkɒŋgrɪˈgeɪʃnəlɪzm ‖ ˌkɑŋ–] *fn* kongregacionalizmus • *fn* **Congregationalist** *tsi* **Congregationalize, -ise**
congress [ˈkɒŋgres ‖ ˈkɑŋgrəs] *fn* **1. a)** kongresszus, (küldött)gyűlés **b)** képviseleti testületek szövetsége/egyesülése **2. a)** *US* **C~** kongresszus *[a törvényhozás két házának közös neve]* **b)** *US* a szenátus és képviselőház együttes ülésezése **3. a)** összejövetel, (össze)találkozás **b)** *US* nemi közösülés, coitus **4.** társadalmi érintkezés • *mn* **congressional**
Congressman [ˈkɒŋgresmən ‖ ˈkɑŋgrəs–] *fn tsz* **–men** *US* **a)** kongresszusi tag **b)** képviselő(házi tag)
Congresswoman *fn tsz* **-women** *US* (női) kongresszusi tag, képviselő(nő)
congruence [ˈkɒŋgruəns ‖ ˈkɑŋ–] *fn* **1.** megegyezés, egybevágóság, egybevágás, egyezés, megfelelés (vmnek), összeillőség **2.** *mat* kongruencia
congruency [ˈkɒŋgruənsi ‖ ˈkɑŋ–] → **congruence**
congruent [ˈkɒŋgruənt ‖ ˈkɑŋ–] *mn* **1.** megegyező, egybevágó, egybehangzó, (egymásnak) megfelelő, egymást fedő, összeillő **2.** *mat* kongruens
congruity [kənˈgruːəti] → **congruence**
congruous [ˈkɒŋgruəs ‖ ˈkɑŋ–] → **congruent**
conic [ˈkɒnɪk ‖ ˈkɑ–] **I.** *mn* kúpos, kúp alakú, kúp-; **~ section** kúpszelet **II.** *fn* **1.** kúpszelet **2.** *esz* **conics** kúpszelettan • *fn* **conicity**
conical [ˈkɒnɪkl ‖ ˈkɑ–] *mn* kúpos, kúp alakú, kúp-
conidium [kəˈnɪdɪəm] *fn biol* konídium, gombaspóra
conifer [ˈkɒnɪfə ‖ ˈkɑnəfər] *fn* tűlevelű fa
coniferous [kəˈnɪfərəs ‖ koʊ–, kə–] *mn* toboztermő *[fa]*; **~ wood** tűlevelű erdő, fenyves
coniform [ˈkoʊnɪfɔːm ‖ –fɔrm] *mn* kúp alakú
conj. *röv conjunction*
conjectural [kənˈdʒektʃərəl] *mn* feltevésen/feltételezésen alapuló, problematikus
conjecture [kənˈdʒektʃə ‖ –ər] **I.** *fn* **1.** feltételezés, feltevés; **that's beyond all ~** ezt még találgatni sem lehet **2.** találgatás, sejtés **3.** *nyelv* rejtett/szövegen kívüli olvasat feltételezése *[szövegelemzésben]*, javasolt olvasat **II. 1.** *tsi/tni* feltételez, találgat, sejt, gyanít **2.** *tsi* javasol *[szövegolvasatot]* • *mn* **conjecturable**
conjoin [kənˈdʒɔɪn] **A.** *tsi* összekapcsol, összeköt, összeilleszt **B.** *tni* összekapcsolódik
conjoined [kənˈdʒɔɪnd] *mn* **1.** egyesített, egyesült; **~ twins** összenőtt ikrek **2.** összetalálkozó, összekapcsolódó *[események]* **3.** *nyelv* mellérendelt
conjoint [kənˈdʒɔɪnt] **I.** *mn* egyesült, közös, együttes **II.** *fn nyelv* összekapcsolt/mellérendelt mondatrészek
conjugal [ˈkɒndʒʊgl ‖ ˈkɑndʒəgl] *mn* házastársi, hitvesi; **~ rights** házastársi jogok • *fn* **conjugality**
conjugate I. *tsi* [ˈkɒndʒʊgeɪt ‖ ˈkɑndʒəgeɪt] **A.** *nyelv* ragoz *[igét]* **B.** *tni* **1.** *biol* konjugáció útján egyesül *[két baktérium sejt]* **2.** párosodik, közösül **II.** *mn* [ˈkɒndʒʊgət ‖ ˈkɑndʒəgət] **1. a)** összekapcsolt, egyesített, egyesült **b)** páros(ított), párosult **2.** *mat* konjugált, összetartozó, társ-; **~ angles** társszögek **III.** *fn* [ˈkɒndʒʊgət ‖ ˈkɑndʒəgət] *mat* **~ (number)** kapcsolt szám
conjugation [ˌkɒndʒʊˈgeɪʃn ‖ ˌkɑndʒə–] *fn* **1.** *nyelv* (ige)ragozás **2.** *biol* egyesülés, konjugáció *[két baktérium sejté]* • *mn* **conjugational**
conjunct [ˈkɒndʒʌŋkt ‖ ˈkɑn–] **I.** *mn* **1.** összekapcsolt, kapcsolatos, egyesített, egyesült **2.** közös, együttes **II.** *fn* **1.** társ **2.** kapcsolt dolog (vmhez) **3.** *nyelv* határozói kötőszó
conjunction [kənˈdʒʌŋkʃn] *fn* **1.** egyesülés, kapcsolat; **in ~ with sy** vkvel egyetértésben/együtt **2.** összetalálkozás *[eseményeké]*, összejátszás *[körülményeké]* **3.** *nyelv* kötőszó **4.** *csill* együttállás, konjunkció *[bolygóké]*
conjunctional [kənˈdʒʌŋkʃnəl] *mn* kötőszói, kötőszavas
conjunctiva [ˌkɒndʒʌŋkˈtaɪvə ‖ ˌkɑn–] *fn tsz* **~s** v. **conjunctivae** [–ˈtaɪviː] *orv* kötőhártya *[szemé]*
conjunctive [kənˈdʒʌŋktɪv] **I.** *mn* **1.** *orv* kötő- *[szövet]* **2.** *nyelv* kötőszavas, kötő- *[szó, mód]*; **~ particle** kötőszó **II.** *fn nyelv* **1.** kötőszó **2.** kötőmód, konjunktívusz • *hsz* **conjunctively**
conjunctivitis [kənˌdʒʌŋktɪˈvaɪtɪs] *fn orv* kötőhártya-gyulladás
conjuncture [kənˈdʒʌŋktʃə ‖ –ər] *fn* **1.** összetalálkozás *[eseményeké]*, összejátszás *[körülményeké]* **2.** a (körülmények összejátszásából adódó) helyzet, a dolgok/ügyek állása
conjuration [ˌkɒndʒʊˈreɪʃn ‖ ˌkɑndʒə–] *fn* **1.** ünnepélyes felhívás **2. a)** ördögűzés **b)** szellemidézés **c)** varázsige **d)** igézet, bűbáj, varázs
conjure [kənˈdʒʊə ‖ –dʒʊr, ˈkʌndʒə ‖ –ər] **A.** *tsi* **1. a)** elővarázsol; **~ a rabbit out of a top-hat** nyulat varázsol elő a cilinderből **b)** (ki)űz *[ördögöt]*, idéz *[szellemet]* **2.** ünnepélyesen felszólít, (esdekelve) kér (vkt) **B.** *tni* **a)** bűvészkedik, bűvészmutatványokat végez **b)** ördögöt űz, szellemet idéz **c)** varázslatot/bűbájt űz, varázsol
conjure away [ˌkʌndʒərəˈweɪ] *tsi* eltüntet *[mintegy varázslattal]*, elvarázsol; **~ sg away from sy** ellop/elcsen vmt vktől
conjure up [ˌkʌndʒəˈrʌp] *tsi* **1.** (meg)idéz *[szellemet]* **2.** felidéz *[emléket]* **3.** elővarázsol
conjurer [ˈkʌndʒərə ‖ ˈkɑndʒərər] *fn* **1.** bűvész, illuzionista **2.** *régi vál* ördögűző, szellemidéző
conjuror → **conjurer**
conk¹ [kɒŋk ‖ kɑŋk] *fn szl* **I. 1.** *GB* csőr, firnyák **2.** *GB* fejbeverés, orrbavágás **3.** kókusz, dió, tök; **off one's ~** őrült, lökött, nem komplett **II.** *tsi GB* dión nyom, orron nyom, behúz vknek
conk² [kɒŋk ‖ kɑŋk] **A.** *tsi* kiegyenesít, kisimít *[göndör hajat]* **B.** *tni szl* **~ (out)** bedöglik, bemondja az unalmast, lerohad, lerobban *[autó, gép]*; hulla, kipurcan; *[meghal]* fűbe harap, kinyiffan
conk off *tni US szl* **1.** *[késlekedik]* húzza a munkát **2.** *[alszik]* horkol, durmol
conker [ˈkɒŋkə ‖ ˈkɑŋkər] *fn tsz* **conkers** vadgesztenye
conky [ˈkɒŋki ‖ ˈkɑŋki] *mn/fn* nagyorrú
Conn. *röv US Connecticut*
connate [ˈkɒneɪt ‖ ˈkɑneɪt] *mn* **1.** veleszületett **2.** egyidejűleg született/keletkezett **3.** *növ* összenőtt, egybeforrt, összeforradt **4.** hasontermészetű, azonos/rokon természetű **5.** *geol* fosszilis *[víz]*
connatural [kəˈnætʃərəl] *mn* **1.** veleszületett, természetével járó (vknek), bennerejlő (vkben) **2.** azonos jellegű/természetű
connect [kəˈnekt] **A.** *tsi* **1.** *átv* összekapcsol, összeköt, kapcsol; **~ sg to/with sg** összekapcsol/összeköt vmt vmvel, rákapcsol vmt vmre; *el* hozzákapcsol, csatlakozik; **~ to earth** földel **2.** kapcsolatba/összefüggésbe hoz, (gondolatban) társít, asszociál **3.** kapcsolatba hoz, összehoz, kapcsolatot/összeköttetést létesít/teremt; **be ~ed** kapcsolatban/összeköttetésben áll; rokonságban van, rokoni kapcsolatban áll **4.** összekapcsol *[telefonon]*; **I'll ~ you** kapcsolom **B.** *tni* **1.** csatlakozik, átszáll(hat) *[más járműre]* **2.** összefügg, kapcsolatos **3.** (logikusan) következik, összhangban van (vmvel) • *mn* **connectible**
connected [kəˈnektɪd] *mn* **1. a)** összefüggő, kapcsolatos **b)** összefüggő, következetes, logikus *[beszéd]* **2. be well ~** jó családból való; jó összeköttetésekkel rendelkezik **3.** csatlakozó, kapcsolt

connecter [kə'nektə ‖ –ər] → **connector**
Connecticut [kə'netɪkət] *tul földr US* Connecticut *[az USA tagállama]*
connection [kə'nekʃn] *fn* **1.** összekötés, összekapcsolás **2.** kapcsolatba/összefüggésbe hozás **3.** kapcsolat, összefüggés; **in ~ with sy/sg** vkvel/vmvel kapcsolatban **4.** vonatkozás, tekintet; **in this ~** ebben a vonatkozásban/tekintetben **5.** kapcsolat, érintkezés; **break off/cut a ~ with sy** megszakítja az érintkezést vkvel **6.** viszony, nemi kapcsolat **7.** kapcsolat, viszony **8.** családi/rokoni kapcsolat **9. a)** kapcsolat, összeköttetés; **have good ~s** jó összeköttetései vannak, jó kapcsolatokkal rendelkezik **b) (business) ~** üzletfél; üzletkör **c)** *szl [drogot szállító/beszerző személy]* kapcsolat **10.** felekezet, (vallásos) szekta, egyház **11.** csatlakozás *[vonaté]* **12. a)** *műsz* összekapcsolás, összekötés, összeillesztés **b)** *vill* kapcsolás **c)** (telefon)kapcsolás **13.** *vill* érintkezés, kontaktus
connective [kə'nektɪv] *mn* összekötő, kötő-
connexion [kə'nekʃn] *GB* → **connection**
connivance [kə'naɪvns] *fn* **1.** szemethunyás, hallgatólagos beleegyezés (vmbe), hallgatólagos hozzájárulás (vmhez) **2.** összejátszás **3.** *jog* bűnpártolás
connive [kə'naɪv] *tni* **1.** szemet huny, hallgatólagosan elnéz/támogat (vmt) **2.** összejátszik (vkvel) **3.** *jog* **~ at a crime** bűnrészes; cinkostárs, tettestárs
connoisseur [ˌkɒnə'sɜː ‖ ˌkɑnə'sɜr] *fn* **1.** műértő, szakértő **2.** ínyenc • *fn* **connoisseurship**
connotation [ˌkɒnə'teɪʃn ‖ ˌkɑ–] *fn* **1. a)** *nyelv* mellékjelentés, mellékértelem, járulékos jelentés, konnotáció *[szóé]* **b)** jelentés, értelem **2. a)** szükségszerű mellékkörülmény **b)** szükségszerű következmény, velejáró • *mn* **connotative**
connote [kə'noʊt] *tsi* **1. a)** *nyelv* mellékesen/másodlagosan jelent *[szó]*, jelentése magában foglal *[szóé]* **b)** jelent *[szó]* **2.** maga után von, felidéz
connubial [kə'njuːbɪəl ‖ –'nuː–] *mn* **1.** házassági, családi, házasélettel kapcsolatos **2.** házastársi
connubiality [kəˌnjuːbi'æləti ‖ –'nuː–] *fn* **1.** házasság, házasélet **2.** házasságkötéshez való jog **3.** hitvesi kedveskedés/szeretetnyilvánítás
conoid ['koʊnɔɪd] **I.** *mn* kúpos, kúp alakú **II.** *fn* kúp alakú test • *mn* **conoidal**
conquer ['kɒŋkə ‖ 'kɑŋkər] **A.** *tsi* **1. a)** meghódít *[országot]*; **~ from** elhódít **b)** leigáz *[népet]* **c)** legyőz *[ellenséget]* **2.** meghódít, megnyer *[szíveket]* **3.** leküzd *[nehézséget, betegséget, szenvedélyt]*, megmászik *[hegyet]* **4.** kivív, kiharcol *[pl. függetlenséget]* **B.** *tni* győz(elmet arat)
conqueror ['kɒŋkərə ‖ 'kɑŋkərər] *fn* **a)** hódító **b)** győző, győztes
conquest ['kɒŋkwest ‖ 'kɑŋ–] *fn* **1. a)** meghódítás *[országé]* **b)** leigázás *[népé]* **c)** győzelem *[ellenség felett]* **2. a)** meghódított ország/terület **b)** hódítás; meghódított személy
conquistador [kɒn'kwɪstədɔː ‖ kɑn'kiːstədɔr] *fn* hódító; ‹Amerika spanyol hódító vezéreinek valamelyike›
Cons. *röv Conservative*
consanguine [kən'sæŋgwɪn] *mn* **1.** egy apától származó **2.** *biz* (vér)rokon • *fn* **consanguinity**
consanguineous [ˌkɒnsæŋ'gwɪnɪəs ‖ ˌkɑn–] → **consanguine**
conscience ['kɒnʃəns ‖ 'kɑn–] *fn* **1.** lelkiismeret, lélek; **have a bad/guilty ~** rossz a lelkiismerete, lelki(ismeret-)furdalása van; **have sg on one's ~** vm nyomja a lelkiismeretét; vm a lelkiismeretén szárad; **have the ~ to** van mersze/képe; **it is a matter of ~** lelkiismeret dolga, lelkiismereti kérdés; **twinges/pricks of ~** lelki(ismeret-)furdalás; **for ~(') sake** lelkiismeretének megnyugtatására; **in (all) ~** jó lelkiismerettel, nyugodt lélekkel; valóban, igazán **2.** tudat, értelem, érzék
conscientious [ˌkɒnʃi'enʃəs ‖ ˌkɑn–] *mn* **1.** lelkiismeretes **2.** lelkiismereti; **~ scruple** lelkiismereti aggály; **~ objector** ‹katonai szolgálatot lelkiismereti okból megtagadó személy› szolgálatmegtagadó
conscious ['kɒnʃəs ‖ 'kɑn–] *mn* **I. 1.** tudatos, megfontolt, szándékos **2. a)** öntudatánál/eszméleténél levő; **become ~** visszanyeri az öntudatát, magához tér **b)** tudatában levő (*of* vmnek); **become ~ of sg** tudatára ébred vmnek, rádöbben vmre **c)** erősen tudatában lévő, szem előtt tartó; **health-~** egészségével törődő **II.** *fn* **the ~** a(z emberi) tudat, az elme • *hsz* **consciously**
consciousness ['kɒnʃəsnəs ‖ 'kɑn–] *fn* **1.** tudatosság **2.** tudat; **stream of ~** tudatfolyam **3.** öntudat, eszmélet
conscribe [kən'skraɪb] → **conscript I.**
conscript I. *tsi* [kən'skrɪpt] besoroz, behív **II.** *fn* ['kɒnskrɪpt ‖ 'kɑn–] újonc, besorozott, behívott, újonc
conscription [kən'skrɪpʃn] *fn* **1. a)** sorozás, behívás **b)** kötelező katonai szolgálat **2.** hadiadó
consecrate ['kɒnsɪkreɪt ‖ 'kɑn–] **I.** *tsi* **-ating 1.** szentel **2.** felszentel *[püspököt, templomot]* **3.** beszentel, megszentel *[tárgyat]* **4.** szentesít *[szokást]* **II.** *mn* **1.** szentelt **2.** felszentelt *[püspök, templom stb.]* **3.** beszentelt, megszentelt *[tárgy]* **4.** szentesített *[szokás]* • *fn* **consecration**, **consecrator** *mn* **consecratory**
consecution [ˌkɒnsɪ'kjuːʃn ‖ ˌkɑn–] *fn* **1.** lánckövetkeztetés, logikai sor **2.** láncolat *[eseményeké]*
consecutive [kən'sekjʊtɪv] *mn* **1.** egymást követő, folyamatos **2.** *nyelv* következményes *[mellékmondat]*
consecutively [kən'sekjʊtɪvli] *hsz* egyfolytában, megszakítás nélkül, folyton
consensual [kən'senʃuəl] *mn* **1.** *jog* megállapodáson/megegyezésen alapuló **2.** *biol* konszenzuális, nem akaratlagos/irányított *[reflex]*
consensus [kən'sensəs] *fn* általános megegyezés, közös vélemény, konszenzus
consent [kən'sent] **I.** *fn* hozzájárulás, beleegyezés, jóváhagyás; **with one ~** egyhangúlag; **without sy's ~** vki beleegyezése nélkül **II.** *tni* hozzájárul (*to* vmhez), beleegyezik (vmbe), jóváhagy (vmt)
consenting [kən'sentɪŋ] *mn* egyetértő, beleegyező
consequence ['kɒnsɪkwəns ‖ 'kɑnsəkwens] *fn* **1.** következmény, végeredmény; **in/as a ~** következésképpen, ennélfogva; **face/take the ~s** vállalja a következményeket **2.** fontosság, jelentőség; **of great ~** nagy horderejű, lényeges, fontos; **man of ~** tekintélyes ember
consequent ['kɒnsɪkwənt ‖ 'kɑnsəkwent] **I.** *mn* **1.** következő, eredő; **~ to/upon sg** vm következtében fellépő **2.** következetes, konzekvens **II.** *fn* következmény
consequential [ˌkɒnsɪ'kwenʃl ‖ ˌkɑn–] *mn* **1. a)** (vmből) következő, (vmt) követő **b)** szükséges, szükségszerűen következő **2. a)** fontos következményekkel járó **b)** fontoskodó, nagyképű, öntelt • *fn* **consequentiality**
consequentially [ˌkɒnsɪ'kwenʃl·i ‖ ˌkɑn–] *hsz* **1.** közvetve, másodlagosan **2.** fontoskodva, nagyképűen
consequently ['kɒnsɪkwəntli ‖ 'kɑnsəkwentli] *ksz* következésképpen, ennélfogva, tehát
conservancy [kən'sɜːvnsi ‖ –'sɜr–] *fn* **1. a)** gondnokság, felügyelet **b)** fenntartó szolgálat *[erdőé, folyóé]*, vízügyi/erdészeti felügyelőség; **nature ~** természetvédelem, természetvédelmi felügyelőség **2.** fenntartás, (meg)óvás, megőrzés
conservation [ˌkɒnsə'veɪʃn ‖ ˌkɑnsər–] *fn* **1.** megőrzés, fenntartás; **~ of energy** energia megmaradása **2.** fenntartás, karbantartás, vízügyi/erdészeti felügyelőség
conservation area *fn biz* védett terület, természetvédelmi terület
conservationist [ˌkɒnsə'veɪʃənɪst ‖ ˌkɑnsər–] *fn* környezetvédő, természetvédő
conservatism [kən'sɜːvətɪzm ‖ –'sɜr–] *fn* **1.** konzervativizmus, maradiság **2. a)** óvatosság **b)** óvatos tartózkodás, tartózkodó magatartás

conservative [kən'sɜːvətɪv ‖ –'sɜr–] **I.** *mn* **1. a)** konzervatív, régihez ragaszkodó, maradi **b)** *pol* konzervatív **2. a)** szolíd, visszafogott *[ízlés/öltözködés]* **b)** óvatos **c)** fenntartó, megóvó **II.** *fn* **a)** konzervatív **b)** *pol* konzervatív *[konzervatív párt tagja]*

C

conservatoire [kən'sɜːvətwɑː ‖ –'sɜrvətwɑr] *fn zene* konzervatórium, zeneiskola

conservator [kən'sɜːvətə ‖ –'sɜrvətər] *fn* **a)** fenntartó, megőrző **b)** műtárgyrestaurátor **c)** (múzeumi) őr

conservatory [kən'sɜːvətri ‖ –'sɜrvətɔri] *fn* **1.** üvegház, melegház **2.** *US* → **conservatoire**

conserve ['kɒnsɜːv ‖ 'kɑnsɜrv] **I.** *tsi* **1.** tartósít, befőz **2.** konzervál, fenntart, megóv, *fiz* megtart *[hőt/energiát]* **II.** *fn tsz* **conserves a)** befőtt **b)** konzerv(ek)

conserver [kən'sɜːvə ‖ –'sɜrvər] → **conservator**

consider [kən'sɪdə ‖ –ər] *tsi* **1.** néz, tekint, szemlél **2.** átgondol, mérlegel, megfontol *[tényt, lehetőséget]*; **all things ~ed** mindent összevéve/összevetve, mindent figyelembe véve **3.** tekintettel van vmre, tekintetbe vesz vmt, törődik vmvel **4.** vmlyennek tart/vél/gondol vmt **5.** hálás, (meg)fizet (vmért), viszonoz (vmt)

considerable [kən'sɪdərəbl] *mn* **1.** tekintélyes, jelentékeny **2. a)** figyelemre méltó **b)** nevezetes, nagy, befolyásos, fontos *[személy]* **3.** tetemes, számottevő, jelentős *[dolog]* • *hsz* **considerably**

considerate [kən'sɪdərət] *mn* **1.** ~ figyelmes, előzékeny, tapintatos (vkvel szemben) **2.** *régi* megfontolt, körültekintő *[viselkedés]*, óvatos *[személy]* • *hsz* **considerately**

consideration [kənˌsɪdə'reɪʃn] *fn* **1. a)** megfontolás, meggondolás, figyelmes vizsgálat, szemügyrevétel; **question under ~** eldöntendő (v. megfontolás alatt álló) kérdés **b)** tekintetbevétel, figyelembevétel; **take sg into ~** tekintetbe vesz vmt **c)** szempont, tényező *[amit figyelembe kell venni]* **2.** jutalom, díjazás, ellenszolgáltatás; **for a ~** díjazás/ellenszolgáltatás ellenében/fejében; **in ~ of the payment of a sum** egy összeg lefizetése ellenében **3.** figyelmesség, előzékenység, tapintat; **in ~ of, out of ~ for** tekintettel (vmre/vkre) **4.** fontosság, tekintély; **of great ~** nagy fontosságú

considered [kən'sɪdəd ‖ –ərd] *mn* megfontolt; → **consider**

considering [kən'sɪdərɪŋ] **I.** *elölj* tekintettel (vmre) **II.** *ksz* **~ that** tekintve, hogy **III.** *hsz biz* mindent egybevetve

consign [kən'saɪn] *tsi* **1. a)** rábíz, átad, kiszolgáltat **b)** vmlyen céllal/célra félretesz/megjelöl **2.** *gazd* **a)** bizományba ad/küld *[árut]* **b)** elküld *[árut]* **3. a)** letétbe helyez *[pénzt bankban]* **b)** átruház

consignatory [kən'sɪgnətəri] *fn* **1.** *gazd* bizományos **2.** *jog* letéteményes

consignee [ˌkɒnsaɪ'niː ‖ ˌkɑn–] *fn* **1.** bizományos **2.** címzett *[áruküldeményé]*

consigner [kən'saɪnə ‖ –ər] *fn* **1.** *gazd* bizományba adó, megbízó **2.** küldő, feladó *[áruküldeményé]*

consignment [kən'saɪnmənt] *fn* **1.** küldés, feladás *[áruké]* **2.** küldemény *[áruké]*, (teher)szállítmány **3.** *gazd* bizományi áru; **~ note** fuvarlevél; **in/on ~** bizományképpen, bizományba(n)

consignor [kən'saɪnə ‖ –ər] → **consigner**

consist [kən'sɪst] *tni* **1. a)** áll **b)** fennmarad, fennáll, létezik **2. ~ with sg** egyezik/megfér/harmonizál vmvel

consistence [kən'sɪstəns] *fn* **1.** állag **2.** összefüggés, megegyezés, következetesség, konzisztencia **3.** sűrűség, halmazállapot

consistency [kən'sɪstənsi] → **consistence**

consistent [kən'sɪstənt] *fn* **1. a)** állhatatos, következetes *[személy]* **b)** következetes, egyenletes, kiegyensúlyozott *[viselkedés]* **2.** összeférő, (meg)egyező **3.** tömör, sűrű, összeálló • *hsz* **consistently**

consistory [kən'sɪstəri] *fn vall* **1.** bíborosok gyülekezete **2.** (protestáns) egyháztanács **3. C~ Court** (egyházkerületi) egyházi bíróság • *mn* **consistorial**

consolation [ˌkɒnsə'leɪʃn ‖ ˌkɑn–] *fn* vigasz; **~ prize** vigaszdíj

consolatory [kən'sɒlətəri ‖ –'soulətɔri] **I.** *mn* vigasztaló **II.** *fn* vigasztaló beszéd, részvétírás

console[1] [kən'soul] *tsi* vigasztal; **~ oneself** megvigasztalódik • *mn* **consolable**

console[2] ['kɒnsoul ‖ 'kɑn–] *fn* **1.** *épít* tartópillér *[erkélynél]*, falikar **2.** *infor* vezérlőpult, kezelőpult **3.** *műsz távk* konzol, állvány **4. a)** játékasztal *[orgonáé]* **b)** *távk el* alközponti kezelőkészülék, vezérlőpult

consolidate [kən'sɒlɪdeɪt ‖ –'sɑ–] **A.** *tsi* **1.** megszilárdít, megerősít, állandósít **2.** egyesít, összevon; **~d corporation** vállalatcsoport; *US pénz* **~d statement** összevont (pénzügyi) beszámoló/eredménykimutatás **B.** *tni* megszilárdul, megerősödik *[állásában]*, állandósul *[állapot]* • *fn* **consolidation** *mn* **consolidatory**

consols [kən'sɒlz ‖ kən'sɑlz] *fn tsz GB pénz röv consolidated annuities* lejárat nélküli (fix kamatozású) államkölcsönkötvény, állami járadékpapírok

consonance ['kɒnsənəns ‖ 'kɑn–] *fn* **1. a)** együtthangzás, egybecsengés **b)** *átv* összhang, harmónia, megegyezés; **in ~ with** vmvel összhangban **2.** *zene* konszonancia

consonancy ['kɒnsənənsi ‖ 'kɑn–] → **consonance**

consonant ['kɒnsənənt ‖ 'kɑn–] **I.** *fn nyelv* mássalhangzó **II.** *mn* **1. a)** együtthangzó, egybecsengő **b)** *átv* összhangban levő, harmonizáló **2.** megegyező **3.** *zene* összhangzatos, konszonáns *[akkord]*

consort I. *fn* ['kɒnsɔːt ‖ 'kɑnsɔrt] **1. a)** partner, társ **b)** hitves(társ), házastárs; **prince ~** uralkodónő/királynő/császárnő férje; **queen ~** uralkodó hitvese, királyné, császárné **2.** egyetértés, harmónia **3.** *zene régi* zenekar, zenei együttes **4.** kísérőhajó **II.** *i* [kən'sɔːt ‖ –'sɔrt] **A.** *tsi* csatlakozik vkhez **B.** *tni* **1. ~ with sy** társul/érintkezik vkvel **2. ~ with sg** egyetért vmvel, összeillik vmvel

consortium [kən'sɔːtɪəm ‖ –'sɔrʃɪəm] *fn tsz* **consortia** [–tɪə] *pénz* konzorcium, időszaki v. alkalmi üzlettársulás, szindikátus

conspecific [ˌkɒnspə'sɪfɪk ‖ ˌkɑn–] *mn* azonos faj(táj)ú

conspectus [kən'spektəs] *fn* **1.** áttekintés, szinopszis **2.** összehasonlító táblázat, összesítés

conspicuous [kən'spɪkjuəs] *mn* **1.** (tisztán) látható, feltűnő, szembetűnő **2.** kitűnő, kiváló • *fn* **conspicuousness**

conspiracy [kən'spɪrəsi] *fn* összeesküvés, bűnszövetkezet; **~ of silence** tudatos elhallgatás

conspirant [kən'spaɪrənt] **I.** *mn* összeesküvő *[társaság]* **II.** *fn* összeesküvő *[személy]*

conspiration [ˌkɒnspɪ'reɪʃn ‖ ˌkɑn–] → **conspiracy**

conspirator [kən'spɪrətə ‖ –ər] *fn* összeesküvő

conspiratorial [kənˌspɪrə'tɔːrɪəl] *mn* összeesküvő, összeesküvés jellegű; cinkos; **with a ~ look** cinkos tekintettel

conspire [kən'spaɪə ‖ –ər] **A.** *tsi* tervez, cselt sző **B.** *tni* **~ against sg** összeesküszik vm ellen

constable ['kʌnstəbl ‖ 'kɑn–] *fn* **1.** *GB* **(police) ~** rendőr, közrendőr **2.** *tört* **a)** hadseregparancsnok **b)** *tört* királyi várkapitány

constableship ['kʌnstəblʃɪp ‖ 'kɑn–] *fn* várkapitány/parancsnok hivatala

constabulary [kən'stæbjuləri ‖ –bjəleri] **I.** *fn* **1.** rendőrség; **mounted ~** lovasrendőrség **2.** rendőrségi körzet/kerület **II.** *mn* rendőri

Constance ['kɒnstəns ‖ 'kɑn–] *tul* **1.** Konstancia *[női név]* **2.** *földr* **Lake of ~** Boden-tó

constancy ['kɒnstənsi ‖ 'kɑn–] *fn* **1. a)** állhatatosság, szilárdság *[jellemé]* **b)** (baráti) hűség **2.** állandóság *[hőmérsékleté]*, tartósság *[szélé]* **3.** határozottság *[magatartásé]*; **~ of purpose** céltudatosság

constant ['kɒnstənt ‖ 'kɑn–] **I.** *mn* **1. a)** állandó, változatlan **b)** folytonos **c)** állhatatos, szilárd, kitartó **d)** hű(séges) *[barát]* **2.** szilárd, nem folyékony **II.** *fn mat* állandó, konstans • *hsz* **constantly**

Constantine [ˈkɒnstəntaɪn ‖ ˈkɑn–] *tul tört* Konstantin

Constantinople [ˌkɒnstæntɪˈnoʊpl ‖ ˌkɑn–] *tul földr* Konstantinápoly • *fn/mn* **Constantinopolitan**

constellation [ˌkɒnstəˈleɪʃn ‖ ˌkɑn–] *fn* **1.** *csill* csillagzat, csillagkép **2. a)** csillagok állása, konstelláció **b)** a helyzet alakulása **3.** *átv* nagyvilági társaság

consternate [ˈkɒnstəneɪt ‖ ˈkɑnstər–] *tsi* megijeszt, megdöbbent, lesújt • *mn* **consternated**

consternation [ˌkɒnstəˈneɪʃn ‖ ˌkɑnstər–] *fn* megdöbbenés, szörnyűlködés

constipate [ˈkɒnstɪpeɪt ‖ ˈkɑn–] *tsi orv* székrekedést okoz

constipated [ˈkɒnstɪpeɪtɪd ‖ ˈkɑn–] *mn* **1.** székrekedéses **2.** *biz* fösvény

constipation [ˌkɒnstɪˈpeɪʃn ‖ ˌkɑn–] *fn* székrekedés, szorulás

constituency [kənˈstɪtʃuənsi] *fn* **1.** választótestület, választók **2.** választókerület **3.** *gazd biz* vevőkör

constituent [kənˈstɪtʃuənt] **I.** *mn* **1.** alkotó, lényeges; ~ **part** alkatrész, alkotóelem, összetevő **2.** választó- *[polgár, kerület stb.]* **II.** *fn* **1.** alkatrész, alkotóelem, összetevő **2. a)** (képviselő)választó **b)** felhatalmazó, adományozó

constitute [ˈkɒnstɪtjuːt ‖ ˈkɑnstətuːt] *tsi* **1. a)** alkot, képez **b)** kinevez **2. a)** alkot, alapít; *pol* ~ **themselves an independent party** önálló párttá alakultak **b) be strongly ~d** erős testalkatú/szervezetű

constituter [ˈkɒnstɪtjuːtə ‖ ˈkɑnstətuːtər] → **constitutor**

constitution [ˌkɒnstɪˈtjuːʃn ‖ ˌkɑnstəˈtuːʃn] *fn* **1. a)** alkotmány **b)** alapszabály **2. a)** alkat, szervezet, összetétel; **allergic** ~ allergiás hajlam **b)** lelki alkat, vérmérséklet, temperamentum **3.** alkotás, szervezés, kinevezés *[területé]* **4.** *tsz* **constitutions** *vall* dekréták, egyházi határozatok

constitutional [ˌkɒnstɪˈtjuːʃnəl ‖ ˌkɑnstəˈtuː–] **I.** *mn* **1.** alkotmányos *[uralkodó, kormányrendszer]*; **C~ Court** Alkotmánybíróság **2.** *orv* szervezetet érintő, szisztémás, alkati *[bántalom]*; ~ **disease** alkati betegség **3.** egészségügyi **II.** *fn* egészségügyi/mindennapos séta • *tsi/tni* **constitutionalize, -ise** *hsz* **constitutionally**

constitutionalism [ˌkɒnstɪˈtjuːʃnəlɪzm ‖ ˌkɑnstəˈtuː–] *fn* alkotmányosság

constitutionalist [ˌkɒnstɪˈtjuːʃnəlɪst ‖ ˌkɑnstəˈtuː–] *fn* **1.** politikai alkotmánnyal foglalkozó történész/jogtudós **2. a)** alkotmánypárti **b)** *GB tört* konzervatív

constitutionality [ˌkɒnstɪtjuːʃəˈnæləti ‖ ˌkɑnstətuː–] *fn* alkotmányosság, törvényesség

constitutive [ˈkɒnstɪtjuːtɪv ‖ ˈkɑnstɪtuː–] *mn* **1.** alkotó, lényeges *[rész, elem]* **2.** elrendelő, megalkotó *[szabály]*

constitutor [ˈkɒnstɪtjuːtə ‖ ˈkɑnstɪtuːtər] *fn* **1.** alapító, létesítő, alkotó *[új kormányrendszeré]* **2.** alkotmányozó **3.** megbízó, felhatalmazást adó (személy)

constrain [kənˈstreɪn] *tsi* **1. a)** kényszerít, erőltet **b)** *átv* megszorít, korlátoz **2. a)** összeszorít, összenyom **b)** szorít, gátol, korlátoz *[mozgásban]* **3.** erőszakkal visszatart, elnyom

constrained [kənˈstreɪnd] *mn* **1.** erőltetett *[mosoly]*, kényszeredett, feszélyezett *[modor]*, mesterkélt *[viselkedés]* **2.** *közg* korlátozott, feltételes • *hsz* **constrainedly**

constraint [kənˈstreɪnt] *fn* **1.** (fizikai) kényszer; **put sy under** ~ erőszakkal visszatart (v. bezár) vkt **2. a)** feszélyezettség, tartózkodás; **without** ~ nyíltan **b)** korlát, megszorítás, korlátozó tényező; **social** ~ társadalmi korlátok/kötöttségek

constrict [kənˈstrɪkt] *tsi* **1. a)** (össze)szorít, szűkít, zsugorít *[nyílást]* **b)** leszűkít, megszorít, korlátoz **2. a)** szorít *[gallér]* **b)** *biol orv* összehúz *[rostokat, szöveteket]*; **~ed hernia** kizáródásos sérv • *mn* **constrictive**

constriction [kənˈstrɪkʃn] *fn* **1. a)** összeszorulás, összehúzódás, összeszűkülés, zsugorodás **b)** *orv* szűkület, befűződés *[ereké]* **2.** összeszorítás, összehúzás, összeszűkítés, zsugorítás; **sensation of** ~ összeszorító érzés, összeszorítás érzete

constrictor [kənˈstrɪktə ‖ –ər] *fn* **1.** *áll* óriáskígyó **2. a)** *orv* összehúzó izom, záróizom **b)** *orv* összehúzó, szűkítő (műszer)

construct I. *tsi* [kənˈstrʌkt] **1. a)** szerkeszt, alkot, összeállít **b)** (fel)épít **2.** *biz* kigondol **II.** *fn* [ˈkɒnstrʌkt ‖ ˈkɑn–] **1. a)** elmeszülemény, kiagyalt dolog **b)** *átv* konstrukció, (gondolati)struktúra **2.** (geometriai) szerkesztés

construction [kənˈstrʌkʃn] *fn* **1. a)** szerkesztés, tervezés **b)** szerkezet, konstrukció **2. a)** felépítés; **under** ~, **in the course of** ~ építés/építkezés alatt **b)** épület **3.** gyártás, összeállítás, szerelés **4. a)** *nyelv* szerkezet **b)** magyarázat, értelmezés • *mn* **constructional**

constructionist [kənˈstrʌkʃənɪst] *fn jog* **1.** törvényértelmező **2.** a törvényt szigorúan, betű szerint értelmező

construction site *fn* építkezés, építési terület

construction worker *fn* építőmunkás

constructive [kənˈstrʌktɪv] *mn* **1.** építő, konstruktív *[kritika]*, alkotó *[szellem]*, teremtő *[munka]* **2.** *ip* szerkesztő, alkotó, szerkezeti **3.** *jog* vélelmezhető • *fn* **constructiveness**

constructivism [kənˈstrʌktɪvɪzm] *fn műv* konstruktivizmus • *fn* **constructivist**

constructor [kənˈstrʌktə ‖ –ər] *fn* szerkesztő, (meg)építő, alkotó, (gép)tervező, konstruktőr

construe [ˈkənstruː] **I.** *fn* → **construing II.** *tsi* **1.** értelmez *[vk szavait]*, magyaráz *[vk viselkedését]*; ~ **sg into sg** belemagyaráz vmt vmbe **2.** taglal, elemez *[mondatot]* **3.** *régi* szó szerint lefordít

consubstantial [ˌkɒnsəbˈstænʃl] *mn vall* egylényegű • *fn* **consubstantiality**

consuetude [ˈkɒnswɪtjuːd ‖ ˈkɑnswətuːd] *fn jog* (helyi) szokás, szokásjog • *mn* **consuetudinary**

consul [ˈkɒnsl ‖ ˈkɑnsl] *fn* konzul; ~ **general** főkonzul • *fn* **consulship** *mn* **consular**

consulate [ˈkɒnsjulət ‖ ˈkɑnsələt] *fn* **1.** konzulátus **2.** konzuli tisztség, konzulság

consult [kənˈsʌlt] **A.** *tsi* **1. a)** tanácsot/felvilágosítást kér **b)** utánanéz vmben *[szótárban, könyvben]* **2.** ~ **his own interests** saját érdekeit veszi irányadóul; ~ **sy's feelings** figyelembe veszi vk érzékenységét/érzelmeit **B. 1.** *tni* tanácskozik/értekezik **2.** tanácsadóként dolgozik • *mn* **consultative**

consultable [kənˈsʌltəbl] *mn* szaktanácsra felkérhető

consultancy [kənˈsʌltənsi] *fn* **1.** tanácsadás, tanácsadói munka/megbízás **2.** szakorvosi/főorvosi állás

consultant [kənˈsʌltənt] *fn* **1.** *GB* (osztályvezető) főorvos **2. a)** szakértő, tanácsadó **b)** tanácsadó cég **3.** konzultáló, tanácsot kérő (vk)

consultation [ˌkɒnslˈteɪʃn ‖ ˌkɑn–] *fn* **1.** konzultálás, tanácskérés *[orvostól, ügyvédtől]* **2.** szaktanácskozás, *[főleg orvosi]* konzílium

consulting [kənˈsʌltɪŋ] *mn* tanácsadó

consulting hours *fn tsz* **a)** rendelés(i idő) **b)** fogadóórák

consulting room *fn* rendelő *[orvosé]*, fogadószoba *[ügyvédé]*

consumable [kənˈsjuːməbl ‖ –ˈsuː–] **I.** *mn* **1. a)** (el)fogyasztható *[élelmicikk]* **b)** felhasználható, elhasználható *[áru]* **2.** elégethető, (el)égő **II.** *fn tsz* **consumables** élelmiszerek

consume [kənˈsjuːm ‖ –ˈsuːm] *tsi* **1.** (el)fogyaszt *[élelmet, italt]* **2. a)** elpusztít, elhamvaszt *[tűz]* **b)** elemészt, elepeszt *[vágy, szomjúság]*; **be ~d with passion for sy** ég vkért a szerelemtől **3.** ~ **one's life** életét eltölti/elfecsérli **4.** kimerít *[készletet]*

consumedly [kənˈsjuːmɪdli ‖ –ˈsuː–] *hsz* rendkívül nagy mértékben, módfelett

consumer [kənˈsjuːmə ‖ –ˈsuːmər] *fn* fogyasztó; **~('s) goods** fogyasztási javak/cikkek; ~ **research** piackutatás

consumer durable *fn* tartós fogyasztási cikk

consumerism [kənˈsjuːmərɪzm ‖ –ˈsuː–] *fn* **1.** fogyasztói érdekvédelem, fogyasztóvédelem **2.** *közg* a fogyasztás ösztönzése • *fn/mn* **consumerist**

consumer society *fn* fogyasztói társadalom
consummate I. *tsi* [ˈkɒnsəmeɪt ‖ ˈkɑn–] **1.** tökéletessé tesz, kiteljesít **2.** beteljesít házasságot *[szexuális aktussal]*, végrehajt *[bűncselekményt]* **II.** *mn* [kənˈsʌmɪt] tökéletes, teljes, kiforrott, érett • *fn* **consummator**
consummation [ˌkɒnsəˈmeɪʃn ‖ ˌkɑn–] *fn* **1. a)** beteljesítés, elkövetés, végrehajtás **b)** beteljesítés *[házasságé]* **2.** beteljesülés, megsemmisülés **3.** tökéletesség **4.** cél, betetőzés *[vágyaké]*
consummative [ˈkɒnsəmeɪtɪv ‖ ˈkɑnsəmeɪtɪv] *mn* befejező, végleges
consumption [kənˈsʌmpʃn] *fn* **1. a)** fogyasztás; ~ **goods** fogyasztási cikkek **b)** felhasználás **2. a)** pusztulás **b)** *orv* **(pulmonary)** ~ tüdővész
consumptive [kənˈsʌmptɪv] **I.** *mn* **1.** fogyasztó **2.** romboló, pusztító **3.** *orv* tüdővészes **II.** tüdővészes/tébécés beteg • *hsz* **consumptively**
cont. *röv containing*; *contents*; *continued*
contact I. *fn* [ˈkɒntækt ‖ ˈkɑn–] **1. a)** érintkezés, (nemi) kapcsolat; **come into** ~ érintkezésbe kerül; **be in** ~ **with sy** vkvel kapcsolatban áll **b)** *vill* kapcsolás; **bulb** ~ lámpafoglalat; ~ **error** érintkezési hiba **c)** *vegy* katalizátor **2.** ismeretség, üzleti (v. társadalmi jellegű) kapcsolat; ~ **person** kapcsolatot tartó személy, öszekötő, felelős **3.** *orv* bacilushordozó **4.** *geol* réteghatár **II.** *tsi/tni* [kənˈtækt] **1.** érintkezésbe/kapcsolatba lép, megkeres **2.** *US* érintkezésbe lép (vkvel), ismeretséget köt (vkvel)
contact lens *fn* kontaktlencse
contact sport *fn sp* kontakt sport *[amelyben a küzdő felek testi érintkezésbe kerülnek egymással]*
contactual [kənˈtæktʃʊəl] *mn* kapcsolati, kapcsolat-
contact-wire *fn* felsővezeték érintkező huzala
contagion [kənˈteɪdʒn] *fn* **1.** *orv* **a)** fertőzés **b)** fertőző betegség, ragály **c)** fertőző közeg **2.** *átv* métely, (erkölcsi) fertő, rossz/káros befolyás
contagious [kənˈteɪdʒəs] *mn* **1.** fertőző, ragályos *[betegség]*, ragadós *[nevetés]* **2.** ~ **disease** járványos betegség, ragály • *hsz* **contagiously**
contain [kənˈteɪn] **A.** *tsi* **1.** tartalmaz, magában foglal **2.** fékez, visszafojt, elfojt *[érzelmet]*, leküzd, elnyom *[érzést]*; ~ **oneself** uralkodik magán/indulatain **3.** *kat* leköt, visszatart *[ellenséget]*; **~ing forces** az ellenség megállítására szolgáló csapatok **4.** *mat* maradék nélkül osztódik *[szám]* **B.** *tni* tartózkodik (vmtől) • *mn* **containable**
container [kənˈteɪnə ‖ –ər] *fn* **1.** tartály, konténer, edény **2.** *vasút* tartálykocsi
containerize [kənˈteɪnəraɪz], **-ise** *tsi* **1.** konténerbe csomagol *[vasúti teherárut]* **2.** konténerben szállít • *fn* **containerization**, **-isation**
container port *fn* konténer-kikötő
container-ship *fn* konténerhajó
containment [kənˈteɪnmənt] *fn* **1.** tartózkodó magaviselet **2.** (politikai) visszaszorítás, elszigetelés, fékentartás
containment vessel *fn fiz* biztonsági tartály/konténer
contaminant [kənˈtæmɪnənt] *fn* szennyeződés, szennyezőanyag
contaminate [kənˈtæməneɪt] *tsi* **1.** megfertőz, beszennyez **2.** fertőz, szennyez, radioaktívvá tesz *[levegőt atomrobbantással háborúban]* • *mn* **contaminate**
contaminated [kənˈtæmɪneɪtɪd] *mn* fertőzött, szennyezett *[radioaktív anyagokkal]*
contamination [kənˌtæmɪˈneɪʃn] *fn* **1. a)** megfertőzés, beszennyezés **b)** fertőzöttség, szennyezettség **c)** szennyezőanyag **2.** *nyelv* alakkeveredés, kontamináció **3.** radioaktív szennyez(őd)és/szennyezettség; *kat* ~ **weapon** baktériumfegyver
contaminator [kənˈtæmɪneɪtə ‖ –ər] → **contaminant**
contango [kənˈtæŋgoʊ] **1.** *fn pénz* halasztási díj *[tőzsdeügyleteknél]* **2.** (tőzsdei) prolongáció

cont'd *röv continued*
contemn [kənˈtem] *tsi vál régi* megvet, lenéz, lefitymál, megvetéssel szemlél; → **condemn** • *fn* **contemer**
contemplate [ˈkɒntəmpleɪt ‖ ˈkɑn–] **A.** *tsi* **1.** (meg)szemlél **2.** fontolgat, tervez (vmt), szándékozik (vmt tenni) **B.** *tni* **1.** szemlélődik **2.** elmélkedik • *fn* **contemplator**
contemplation [ˌkɒntəmˈpleɪʃn ‖ ˌkɑn–] *fn* **1. a)** szemlél(őd)és, néz(előd)és **b)** elmélkedés, merengés, *vall* kontempláció **2.** tervezés, szándék; **have sg in** ~ tervez vmt; **in** ~ **of an attack** támadással számolva; **that was never in** ~ erről soha sem volt szó
contemplative [kənˈtemplətɪv] **I.** *mn* **1.** elmélkedő, szemlélődő *[jellem]*, merengő *[szem]* **2.** *vall* kontemplatív *[rend]* **II.** *fn* elmélkedő/szemlélődő életet folytató ember • *hsz* **contemplatively**
contemporaneous [kənˌtempəˈreɪnɪəs] *mn* **a)** egyidejű, kortárs **b)** korabeli • *fn* **contemporaneity** *hsz* **contemporaneously**
contemporary [kənˈtempərəri ‖ –pəreri] **I.** *mn* **1.** kortárs, egykorú; ~ **literature** kortárs irodalom **2.** jelenkori, modern **3.** korabeli **II.** *fn* kortárs • *hsz* **contemporarily**
contempt [kənˈtempt] *fn* **1.** lenézés, megvetés, semmibevevés; **hold sy in** ~ lenéz/megvet vkt; **in** ~ **of** vm ellenére, nem törődve vmvel; **beneath** ~ megvetésre méltó **2.** *jog* ~ **of court** bíróság megsértése, engedetlenség bírói intézkedéssel szemben; távolmaradás
contemptible [kənˈtemptəbl] *mn* megvetendő, megvetésre méltó, hitvány • *fn* **contemptibility**
contemptuous [kənˈtemptʃʊəs] *mn* **1. be** ~ **of sg** semmibe vesz vmt **2. a)** megvető, lenéző **b)** szemtelen
contend [kənˈtend] **A.** *tsi* vitat (vmt); ~ **that** állít, fenntart (vmt) **B.** *tni* **1.** harcol, küzd **2.** vitatkozik, veszekszik **3.** versenyez, verseng vmért
contender [kənˈtendə ‖ –ər] *fn* **1.** versenyző, ellenfél **2.** vitázó
content[1] [ˈkɒntent ‖ ˈkɑntent] *fn* **1. a)** térfogat, befogadóképesség, űrtartalom *[edényé]*, kiterjedés, felület, terjedelem **b)** *tsz* **contents** tartalom *[palacké, könyvé]*; **(table of)** ~**s** tartalomjegyzék **2.** tartalom, összetétel
content[2] [kənˈtent] **I.** *mn* (meg)elégedett **II.** *tsi* **1.** kielégít, eleget tesz (vmnek) **2.** ~ **oneself with sg** megelégszik vmvel **III.** *fn* **1.** elégedettség, megelégedés; **to one's heart's** ~ teljes megelégedésére vknek, amennyit csak kíván **2.** *GB* igen(lő szavazat) *[felsőházban]*
contented [kənˈtentɪd] *mn* (meg)elégedett, kielégített
contention [kənˈtenʃn] *fn* **1.** küzdelem, vita, viszály; **bone of** ~ a civódás/perlekedés/vita tárgya **2.** versengés, vetélkedés; **in contention** versenyben, jó eséllyel versengve **3.** állítás, erősködés; **my** ~ **is that** azt állítom, hogy
contentious [kənˈtenʃəs] *mn* **1.** veszekedő *[személy]* **2.** vitás, vitatott *[dolog]* **3.** *jog* perbeli, peres • *fn* **contentiousness** *hsz* **contentiously**
contentless [ˈkɒntentləs ‖ ˈkɑn–] *mn* **1.** üres, tartalmatlan *[fecsegés]* **2.** elégedetlen, kedvetlen
contentment [kənˈtentmənt] *fn* **1.** megelégedettség **2.** kellemes dolog
conterminal [kənˈtɜːmɪnl ‖ –ˈtɜr–] → **conterminous**
conterminous [kənˈtɜːmɪnəs ‖ –ˈtɜr–] *mn* **1. a)** határos, szomszédos **b)** csatlakozó **2.** azonos terjedelmű/időtartamú
contest I. *fn* [ˈkɒntest ‖ ˈkɑn–] **1.** verseny, mérkőzés **2.** harc, küzdelem **3.** *vál* vita, szóváltás **II.** *tsi* [kənˈtest] **A. 1.** kétségbevon, (meg)vitat, megtárgyal (vmt) **2.** harcol, küzd (vm ellen) **3.** *jog* megtámad *[végrendeletet]*, perbe száll *[örökségért]*, vitat *[tartozást]*; ~ **sg** vitássá tesz vmt **4.** ~ **a seat in Parliament** képviselőjelöltként fellép, képviselői székért küzd **B.** *tni* **1.** vitatkozik, veszekszik **2.** verseng *[díjért]* • *fn* **contester** *mn* **contestable**
contestant [kənˈtestənt] **I.** *mn* → **contesting II. 1.** vitában álló (v. peres) fél **2. a)** versenytárs, vetélytárs, ellenfél **b)** versenyző, küzdő

contestation [ˌkɒnteˈsteɪʃn ‖ ˌkantə–] *fn* **a)** *jog* peresítés, vitatás **b)** állítás

contesting [kənˈtestɪŋ] *mn* **1.** jogvitában álló, pereskedő *[felek]* **2.** versengő

context [ˈkɒntekst ‖ ˈkan–] *fn* (értelmi) összefüggés *[szövegé]*, szövegösszefüggés, kontextus; **~ dependent** környezetfüggő; **in (this) ~** ebben a szövegösszefüggésben/kontextusban; **out of ~** a szövegösszefüggés v. körülmények ismerete nélkül

contextual [kənˈtekstʃuəl ‖ kan–] *mn* szövegre vonatkozó, a szövegtől függő • *hsz* **contextually**

contextualize [kənˈtekstʃuəlaɪz ‖ kan–], **-ise** *tsi* kontextusba/(szöveg)összefüggésbe helyez

contiguous [kənˈtɪgjuəs] *mn* **1. ~ to/with sg** vmvel határos/érintkező/szomszédos; vmhez csatlakozó **2. ~ moments of time** egymást (azonnal) követő pillanatok • *fn* **contiguity**

continent[1] *fn* **a)** világrész, kontinens **b)** (összefüggő) szárazföld, kontinens *[ellentétben a szigetvilággal]* **c) the C~** az európai kontinens/szárazföld, Európa *[Nagy-Britannia nélkül]*

continent[2] [ˈkɒntɪnənt ‖ ˈkantn·ənt] *mn* **1. a)** önmegtartóztató, mértékletes, szűz(ies) **b)** tartózkodó **2.** *orv* kontinens, vizelet/széklet visszatartásra képes • *hsz* **continently**

continental [ˌkɒntɪˈnentl ‖ ˌkantnˈentl] **I.** *mn* **1.** szárazföldi, kontinentális; **~ climate** kontinentális/szárazföldi éghajlat; **~ drift** *földr* kontinensvándorlás **2.** európai; **~ breakfast** ‹tea/kávé sütemény vaj és dzsem› **II.** *fn* kontinentális, az európai szárazföld lakója

contingence [kənˈtɪndʒəns] *fn* → **contingency**

contingency [kənˈtɪndʒənsi] *fn* **1.** esetlegesség, eshetőség, lehetőség **2. a)** véletlenség, előre nem látott (v. váratlan) esemény **b)** *tsz* **contingencies** *gazd* előre nem látott kiadások, mellékköltségek

contingency fund *fn közg* vésztartalék, biztonsági tartalék; tartalékkeret

contingency plan *fn* tartalékterv

contingent [kənˈtɪndʒənt] **I.** *mn* **1.** feltételes; **~ upon sg** vmtől függően **2.** véletlen, váratlan, bizonytalan, előre nem látott; *jog* **~ condition** véletlentől függő feltétel; **~ expenses** előre nem látott kiadások **3.** megesheтő, esetleges **II.** *fn* **1. a)** *kat* kontingens *[újoncoké, csapatoké]* **b)** ‹egy nagyobb csoport részét képező kisebb csoport› küldöttség, delegáció **2.** véletlen lehetőség, előre nem látott eset

continua [kənˈtɪnjuə] → **continuum**

continual [kənˈtɪnjuəl] *mn* folytonos, örökös, állandó • *hsz* **continually**

continuance [kənˈtɪnjuəns] *fn* **1.** folyamatosság, folytonosság, fenntartás *[fajé]*, *jog* elnapolás *[tárgyalásé]* **2.** folytatás, meghosszabbítás, tartam; **of short ~** rövid ideig tartó

continuation [kənˌtɪnjuˈeɪʃn] *fn* **1.** folytat(ód)ás, fenntartás *[fajé]* **2.** meghosszabbítás *[falé]* **3.** *pénz* fizetési halasztás

continuative [kənˈtɪnjuətɪv ‖ –eɪtɪv] *mn* folytatásul szolgáló; **~ education** továbbképzés

continue [kənˈtɪnjuː] **A.** *tsi* **1.** folytat; **to be ~d** folytatása következik **2.** meghagy *[állásban]* **3.** (el)halaszt *[ügyet]* **B.** *tni* **1.** folytatódik, (el)tart **2.** megmarad *[állásban]* • *mn* **continuable**

continued [kənˈtɪnjuːd] *mn* állandó, tartós, folyamatos; → **continue**

continuity [ˌkɒntɪˈnjuːəti ‖ ˌkantnˈuːəti] *fn* folytonosság, folyamatosság, állandóság

continuous [kənˈtɪnjuəs] *mn* folytonos, állandó, szakadatlan, folytatólagos, *nyelv* folyamatos *[igeszemlélet]*; *vill* **~ current** egyenáram; *film* **~ performance** folytatólagos előadás • *hsz* **continously**

continuousness [kənˈtɪnjuəsnəs] → **continuity**

continuum [kənˈtɪnjuəm] *fn tsz* **continua** [–juə] *fil* kontinuum, folytonosság

contort [kənˈtɔːt ‖ –ˈtɔrt] *tsi* **A.** kicsavar, kiteker *[testrészt]*, elfintorít, eltorzít *[arcot]*, elferdít *[szó értelmét]*, sodor **B.** eltorzul

contorted [kənˈtɔːtɪd ‖ –ˈtɔrtəd] *mn* **1.** eltorzult, elcsavart, deformált, sodrott **2.** dúlt, gyötrődő *[arc]*

contortion [kənˈtɔːʃn ‖ –ˈtɔrʃn] *fn* **1. a)** kicsavarás, eltorzítás **b)** kicsavarodás, eltorzulás **2.** fintor, grimasz

contortionist [kənˈtɔːʃənɪst ‖ –ˈtɔr–] *fn* **1.** fintort vágó (ember) **2.** gumiember, kígyóember

contour [ˈkɒntuə ‖ ˈkantur] **I.** *fn* körvonal **II.** *tsi* **1.** körülrajzol, kontúroz, kihúz *[rajzot]* **2.** a magassági vonalakat követve épít *[utat]*

contour-line *fn földr* magassági görbe/vonal, szintvonal *[térképen]*

contra [ˈkɒntrə ‖ ˈkan–] **I.** *elölj* ellen-, vele szemben, kontra-, viszont- **II.** *fn* **the pros and con(tra)s** pro és kontra érvek/szempontok

contraband [ˈkɒntrəbænd ‖ ˈkan–] **I.** *fn* **a)** csempészés; **~ of war** hadi csempészáru, hadiszállítmány semleges országból **b)** csempészáru **II.** *mn* csempész-, csempészett; **~ goods** csempészáru; **~ trade** csempészkereskedelem **III. A.** *tsi* **1.** becsempész **2.** titkosnak nyilvánít, betilt (vmt) **B.** *tni* csempészkereskedelmet folytat • *fn* **contrabandist**

contrabass [ˌkɒntrəˈbeɪs ‖ ˈkantrəbeɪs] *fn zene* **a)** kontrabasszus **b)** nagybőgő • *fn* **contrabassist**

contraception [ˌkɒntrəˈsepʃn ‖ ˌkan–] *fn* fogamzásgátlás

contraceptive [ˌkɒntrəˈseptɪv ‖ ˌkan–] **I.** *mn* fogamzásgátló; **~ device** fogamzásgátló; **~ pill** fogamzásgátló tabletta **II.** *fn* fogamzásgátló (szer/eszköz)

contract I. *fn* [ˈkɒntrækt ‖ ˈkan–] **1. a)** megegyezés, szerződés, egyezmény, megállapodás, egyezség; **marriage ~** házassági szerződés; **~ of benevolence** egyoldalú szerződés **b)** adásvételi szerződés; **breach of ~** szerződésszegés; **enter into a ~**, **make/conclude a ~** szerződést köt **2.** *ját* felvétel **3.** *szl* ‹fejvadász/bérgyilkos felbérelése vknek a megölésére› **II.** *i* [kənˈtrækt] **A.** *tsi* **1. a)** összehúz, összeráncol *[homlokot]*, összeszorít *[rést]* **b)** *nyelv* összevon *[szavakat]* **2. a)** vállal *[kötelezettséget]*, köt *[házasságot]* **b)** elkap *[betegséget]*, felvesz *[szokást]*; **~ a debt** adósságot csinál **3. a)** köt *[szerződést/megegyezést]*; **~ an aquaintance (v. a friendship) with sy** ismeretséget/barátságot köt vkvel **b) ~ to do sg** szerződésileg vállal vmt **B.** *tni* **1.** összehúzódik, összezsugorodik, összemegy **2. a)** szerződéssel vállal/enged **b)** szerződik, szerződést/megállapodást köt; **~ with sy for sg** megállapodik/szerződik vkvel vmt illetően • *mn* **contractive**

contractable [kənˈtræktəbl] *mn* **1.** szerződéssel erősíthető/vállalható **2.** *orv* elkapható, fertőző *[betegség]*

contractant [kənˈtræktənt] *fn jog* szerződő fél

contract bridge *mn* ‹a bridzsnek az a változata, melynél csak a vállalt számú ütés teljesítése számít› kontrakt bridzs

contracted [kənˈtræktɪd] *mn* **1.** összeráncolt *[vonások]*, összezsugorodott *[külső]* **2.** *nyelv* összevont *[nyelvi elemek]* **3.** szerződéses, megállapodásszerű **4.** eljegyzett *[menyasszony]*

contractible [kənˈtræktəbl] *mn* összehúzódó, összehúzható • *fn* **contractibility**

contractile [kənˈtræktaɪl] *mn* **1** összehúzó • *fn* **contractility**

contracting [kənˈtræktɪŋ] **I.** *mn* szerződő; *gazd* **~ party** szerződő fél **II.** *fn* bérleti szerződés/díj

contraction [kənˈtrækʃn] *fn* **1. a)** összehúzódás, összezsugorodás, megrövidülés *[izomé]* **b) ~s** *orv* szülési fájások/méhizom-összehúzódások **2.** összefoglalás, rövid tartalmi kivonat *[könyvé, cikké]* **3.** *nyelv* **a)** két szó egybevonása **b)** összevont szó **4. ~ of marriage** házasságkötés

contract marriage *fn* (meghatározott időre szóló) szerződéses házasság

contractor [kən'træktə || –ər] *fn* **1.** építési fővállalkozó **2.** vállalkozó, szállító
contractual [kən'træktʃuəl] *mn* szerződésbe foglalt, szerződéses
contracture [kən'træktʃə || –ər] *fn orv* (izom)összehúzódás, izomgörcs
contradict [ˌkɒntrə'dɪkt || ˌkɑn–] *tsi* ellentmond, (meg)cáfol, tagad; **~ oneself** ellentétbe kerül önmagával • *fn* **contradictor** *mn* **contradictable**
contradiction [ˌkɒntrə'dɪkʃn || ˌkɑn–] *fn* **1. a)** ellentmondás **b)** cáfolat **2.** *fil* ellentét; **~ in terms** (fogalmi) ellentmondás, önellentmondás; **be in ~ with** ellentétes/összeegyeztethetetlen vmvel
contradictory [ˌkɒntrə'dɪktəri || ˌkɑn–] *mn* **1.** ellentmondó, ellentétes, ellenkező (*to* vmnek/vmvel) **2.** ellenkező, vitatkozó, kötekedő • *fn* **contradictoriness** *hsz* **contardictorily**
contradistinction [ˌkɒntrədɪ'stɪŋkʃn || ˌkɑn–] *fn* ellentét, ellenkező dolog; **in ~ to** szemben/ellentétben vmvel; szembeállítva vmvel
contradistinctive [ˌkɒntrədɪ'stɪŋktɪv || ˌkɑn–] *mn* (vmivel szemben) megkülönböztető
contradistinguish [ˌkɒntrədɪ'stɪŋgwɪʃ || ˌkɑn–] *tsi vál* szembeállítással különböztet meg (*from* vmtől)
contraflow ['kɒntrəflou || 'kɑn–] *fn* ellenáramlat
contrail ['kɒntreɪl || 'kɑn–] *fn* kondenzcsík
contraposition [ˌkɒntrəpə'zɪʃn || ˌkɑn–] *fn* **1.** ellentétbe helyezés, szembeállítás **2.** ellentétes helyzet, szembehelyezés • *mn* **contrapositive**
contraption [kən'træpʃn] *fn biz* (furcsa) különös szerkezet/szerkentyű, *tréf* masinéria
contrapuntal [ˌkɒntrə'pʌntl || ˌkɑn–] *mn zene* ellenpontozott *[zenemű, kíséret]* • *fn* **contrapuntist**
contrariety [ˌkɒntrə'raɪəti || ˌkɑn–] *fn* **1.** ellentétesség *[érdekeké, nézeteké]*, összeférhetetlenség **2.** ellenkezés **3.** következetlenség • *mn* **contrariant**
contrariness [kən'treərinəs || –'trer–] *fn* **1.** *biz* ellenkezésre/ellentmondásra való hajlam, ellenállás **2.** *biz* ellentét **3.** *biz* küldöncködés
contrariwise [kən'treəriwaɪz || 'kɑntreri–] *hsz* **1.** ellenkezőleg, másként **2.** ellenkező irányban, visszafelé
contrary ['kɒntrəri || 'kɑntreri] **I.** *mn* **1.** ellentétes, ellenkező, szemben álló (*to* vmvel); **sg that is ~ to nature** természetellenes dolog **2.** kedvezőtlen; **~ winds** ellenszél **3. a)** *biz* perverz **b)** akaratos **II.** *hsz* ellenkezőleg, ellenkezően, szemben **III.** *fn* az ellentét, az ellenkezője (vmnek); **on the ~** ellenkezőleg, ezzel szemben; **quite the ~** éppen ellenkezőleg; **I have nothing to the ~** nem tudok semmiről, ami megcáfolná • *hsz* **contrarily**
contrast I. *fn* ['kɒntrɑːst || 'kɑntræst] ellentét(esség), kirívó különbség, kontraszt; **in ~ with sg** vmvel ellentétben **II.** *tsi* [kən'trɑːst || –'træst] **A.** szembeállít, ellentétbe hoz/állít **B.** *tni* **1.** ellentétben/szemben áll **2.** elüt/különbözik vmtől
contrasting ['kɒntrɑːstɪŋ || 'kɑntræs–] *mn* ellentétes, ellenkező; **~ colours** elütő színek
contrastive [kən'trɑːstɪv || –'træs–] *mn* **1.** kontrasztív, egybevető, összehasonlító **2.** eltérő, különböző
contravene [ˌkɒntrə'viːn || ˌkɑn–] *tsi* **1.** megsért, megszeg *[törvényt, szabályt]* **2.** szembeszáll, ellenszegül; **~ a statement** (meg)cáfol állítást • *fn* **contravener**
contravention [ˌkɒntrə'venʃn || ˌkɑn–] *fn* megszegés, megsértés; **~ of a law** törvénysértés; **act in ~ of a right** megsért egy jogot, jogsértést követ el
contretemps ['kɒntrətɒm || 'kɑntrətɑm] *fn tsz* **1.** váratlan (bosszantó) eset, baleset, szerencsétlenség, szerencsétlen körülmény **2.** *biz* nézeteltérés, vita
contribute [kən'trɪbjuːt] **A.** *tsi* fizet, hozzáad, elősegít, közreműködik; **~ newspaper articles** újságcikkeket ír **B.** *tni* **1.** hozzájárul, hozzásegít, hozzászól *[vitához, tanácskozáshoz]* **2.** (cikkeket stb.) ír *[lapba]* • *mn* **contributive**, **contributing**
contribution [ˌkɒntrɪ'bjuːʃn || ˌkɑn–] *fn* **1. a)** hozzájárulás, közreműködés **b)** közlemény, cikk, írás; **~ to a newspaper** újság számára írt cikk **c)** adalék **d)** hozzászólás **2. a)** *pénz gazd* hozzájárulás, fedezet, részesedés *[közös költségekben]* **b)** adó
contributor [kən'trɪbjutə || –bjətər] *fn* **1.** hozzájáruló (vmhez) **2.** külső munkatárs, cikkíró *[újságé]*
contributory [kən'trɪbjutəri || –bjətɔri] **I. 1.** *mn* hozzájáruló, közreható; *jog* **~ negligence** gondatlanság **2.** hozzájárulásos/befizetéses (alapon működő) **II.** *fn* adózó, hozzájáruló *[személy]*
contrite ['kɒntraɪt || kən'traɪt] *mn* bűnbánó, vezeklő • *hsz* **contritely**
contrition [kən'trɪʃn] *mn* bűnbánat, megbánás
contrivable [kən'traɪvəbl] *mn* feltalálható, kitalálható, alkalmazható, megvalósítható
contrivance [kən'traɪvns] *fn* **1.** feltalálás *[készüléké]*, alkalmazás *[eszközé]* **2. a)** kitalálás, kieszelés **b)** *pej* fondorlat, mesterkedés **3. a)** eszköz, berendezés, találmány **b)** fogás, fortély
contrive [kən'traɪv] *tsi* **1.** kieszel, kitalál, elképzel, feltalál **2.** alkalmaz, megvalósít; **~ to do sg** sikerül vmt megtennie **3.** *pej* sző, forral *[összeesküvést]* **4.** kihúzza/kivágja magát *[nehéz helyzetből]*, segít magán • *fn* **contriver**
control [kən'troul] **I.** *tsi* **-ll- 1.** irányít, vezérel *[gépet, rakétát]* **2.** irányít, szabályoz *[ügyvitelt, termelést]*, megszab *[kiadást]*, kormányoz, felügyel **3.** megfékez, kézben tart, leküzd *[betegséget]*, elnyom, elfojt *[felkelést]*, legyőz, leküzd *[szenvedélyt]*; **~ yourself!** uralkodj magadon! **4.** ellenőriz, megvizsgál **II.** *fn* **1. a)** hatalom, fennhatóság, irányítás; **be in ~ of sg** uralma/ellenőrzése alatt tart vmt, kézben tart vmt **b)** uralom, felsőbbség, kényszer(ítés); **get out of ~** (i) kitör, elszabadul (ii) kormányozhatatlanná válik *[gépkocsi]*; **keep under ~** ellenőrzés alatt tart; *biz* **everything under ~?** minden rendben?; **lose ~ over oneself** elveszti önuralmát **2.** felügyelet, ellenőrzés; **be in ~ of sg** irányít *[vmlyen tevékenységet]*; **under government ~** állami ellenőrzés/felügyelet alatt **3. a)** kormányzás *[járműé]*; **ship out of ~** kormányozhatatlanná vált hajó **b)** *rep távk* vezérlés, irányítás; **remote ~** távvezérlés, távirányítás; **~ desk** vezérlőasztal/pult **4.** *műsz* vezérlő-/irányító-/szabályozószerkezet/berendezés, vezérmű **5.** ‹kémtevékenységet személyesen irányító titkosszolgálati ügynök›
control experiment *fn* kontrollkísérlet
control group *fn* kontrollcsoport
controllable [kən'trouləbl] *mn* **a)** vezethető, kormányozható, kezelhető *[hajó, gép]* **b)** leküzdhető, korlátok közé szorítható • *fn* **contollability**
controller [kən'troulə || –ər] *fn* **1. a)** ellenőr **b)** → **comptroller 2. a)** vezérlőszerkezet **b)** ellenőrző szerkezet **c)** *infor* szabályzó/vezérlőegység, kontroller **3.** *el* vezérlő áramkör • *fn* **contollership**
controlling [kən'troulɪŋ] **I.** *mn* **1.** vezető, irányító; **~ power** vezető hatalom **2.** megfékező, elfojtó **II.** *fn* **1.** vezetés *[ügyvitelé]*, irányítás *[forgalomé]*, kormányzás, vezérlés *[gépezeté]* **2.** uralom *[szenvedélyek/önmagunk felett]* **3.** ellenőrzés *[elszámolásé]* **4.** *gazd* controlling *[vállalatirányítás]*
control menu *fn infor* vezérlő menü
control panel *fn* kapcsolótábla; *infor* vezérlőpult, kezelőpult
control room *fn* **1.** irányítóterem, kapcsolóterem **2.** *közl* menetirányító iroda **3.** *rep* vezetőfülke
control system *fn* irányítóberendezés, szabályozóberendezés
control tower *fn* irányítótorony
control unit *fn* **a)** *infor* vezérlőegység **b)** *gk* szabályozó elektronika
controversial [ˌkɒntrə'vɜːʃl || ˌkɑntrə'vɜrʃl] *mn* **1.** vitás, vitatható *[kérdés, felfogás]* **2.** vitatott **3.** vitatkozó, vitatkozásra hajlamos *[személy]* • *hsz* **controversially**

controversialist [ˌkɒntrəˈvɜːʃəlɪst ‖ ˌkɑntrəˈvɜr–] *fn* ügyes vitatkozó

controversy [ˈkɒntrəvɜːsi, kənˈtrɒvəsi ‖ ˈkɑntrəvɜrsi] *fn* vita, polémia

controvert [ˌkɒntrəˈvɜːt ‖ ˈkɑntrəvɜrt] *tsi* **1.** megvitat *[kérdést]* **2.** kétségbevon *[igazságot]*, elvitat *[jogot]* • *mn* **controvertible**

contumacious [ˌkɒntjuˈmeɪʃəs ‖ ˌkɑntə–] *mn* **a)** makacs, nyakas, csökönyös **b)** ellenszegülő, rebellis, *jog* bíróságnak/hatóságnak ellenszegülő • *fn* **contromaciousness** *hsz* **contromaciously**

contumelious [ˌkɒntjuˈmiːlɪəs ‖ ˌkɑntə–] *mn* **1.** *vál* sértő, megvető, szidalmazó *[szavak]* **2.** szemtelen *[személy]* • *hsz* **contumeliously**

contumely [ˈkɒntjuːmli ‖ kɑnˈtuːməli] *fn* **1.** *vál* szemtelenség, sértés, megvetés, lenézés **2.** szégyen, gyalázat

contuse [kənˈtjuːz ‖ –ˈtuːz] *tsi* összever, összezúz • *fn* **contusion**

contusive [kənˈtjuːsɪv ‖ –ˈtuː–] *mn* ütő, zúzó *[szerszám]*

conundrum [kəˈnʌndrəm] *fn* **1.** találós kérdés, rejtvény **2.** talány, rejtély

conurbation [ˌkɒnɜːˈbeɪʃn ‖ ˌkɑnɜr–] *fn* **1.** városhalmaz, sűrű városképződés **2.** *földr* konurbáció *[településösszenövések sorozata]*

convalesce [ˌkɒnvəˈles ‖ ˌkɑn–] *tni* **1.** lábadozik **2.** felépül, felgyógyul *[betegségből]* • *fn* **convalescence**

convalescent [ˌkɒnvəˈlesnt ‖ ˌkɑn–] **I.** *mn* lábadozó; ~ **home** lábadozó otthon, szanatórium **II.** *fn* lábadozó *[beteg]*

convallaria [ˌkɒnvəˈleərɪə ‖ ˌkɑnvəˈler–] *fn növ* gyöngyvirág

convector [kənˈvektə ‖ –ər] *fn* konvektor *[fűtőkészülék]*

convene [kənˈviːn] **A.** *tsi* **1.** egybehív, összehív *[gyűlést, bizottságot]* **2.** *jog* ~ **sy before a court** megidéz vkt bíróság elé **B.** *tni* gyülekezik, összegyűlik, találkozik • *mn* **convenable**

convener [kənˈviːnə ‖ –ər] *fn* **1.** összehívó **2.** összejövő, összegyülekező, résztvevő

convenience [kənˈviːnɪəns] *fn* **1. a)** kényelem, megfelelés; **at your** ~ ahogy/amikor önnek megfelel; **at your earliest** ~ első adandó alkalommal, minél korábban, mihelyt csak megteheti; **make a** ~ **of sy** visszaél vk jóságával, kihasznál vkt **b) marriage of** ~ érdekházasság **2. (public)** ~ (nyilvános) illemhely **3.** *tsz* **conveniences** kényelem, komfort

convenience food *fn* félkész étel, készétel

convenience store *fn* vegyeskereskedés

convenient [kənˈviːnɪənt] *mn* **1.** kényelmes, megfelelő, alkalmas *[időben]*; **make it** ~ **to do sg** úgy intézi, hogy megtehessen vmt **2.** könnyen hozzáférhető • *hsz* **conveniently**

convenor [kənˈviːnə ‖ –ər] → **convener**

convent [ˈkɒnvent ‖ ˈkɑn–] *fn* **1.** szerzet(es rend) **2.** kolostor, zárda

convention [kənˈvenʃn] *fn* **1. a)** egyezmény, megállapodás, szerződés **b)** megegyezés, szövetség, szövetkezés **c)** hallgatólagos megállapodás, konvenció **2.** *tsz* **~s** szokások, illemszabályok; **social ~s** társadalmi szabályok/szokások **3. a)** *tört* konvent, gyülekezet **b)** kongresszus **c)** *US* elnökjelölő pártgyűlés

conventional [kənˈvenʃnəl] *mn* **1. a)** konvencionális, hagyományos, szokásszerű, megszokott, elfogadott **b)** *pej* eredetiség nélküli **2. a)** gyűlésre vonatkozó, gyülekezetet illető **b)** *jog* megállapodásszerű, megbeszélt **3.** *műv* ~ **design** stilizált rajz/minta • *hsz* **conventionally**

conventionalism [kənˈvenʃnəlɪzm] *fn* **1.** (társadalmi) konvenciók/illemszabályok betartása **2.** *műv* sablonosság, formalizmus • *fn* **conventionalist**

conventionality [kənˌvenʃəˈnæləti] *fn* **1. a)** konvenció, szokás, hagyomány **b)** társadalmi konvenciók, illemszabályok **2. a)** konvencionális/megszokott/mindennapi jelleg *[kiállításé]* **b)** *műv vál* sablon, banalitás • *tsi* **conventionalize, -ise**

conventioneer [kənˌvenʃəˈnɪə ‖ –ˈnɪr] *fn US* konferencia résztvevője; elnökjelölő konvenció küldöttje

convent school *fn* zárdaiskola, konvent

conventual [kənˈventʃuəl] **I. 1.** *mn* kolostori, zárdai **2.** minorita **II. 1.** *fn* rendházban lakó szerzetes/apáca **2.** minorita szerzetes

converge [kənˈvɜːdʒ ‖ –ˈvɜrdʒ] **A.** *tsi* összetart, összegyűjt *[fénysugarakat]* **B.** *tni* összefut, összefolyik, konvergál, azonos célt/irányt követ • *fn* **convergence**

convergent [kənˈvɜːdʒənt ‖ –ˈvɜr–] *mn* összefutó, összetartó, egyesülő, konvergens; *mat* ~ **angle** összetartási szög; *fiz* ~ **lens** gyűjtőlencse • *fn* **convergence** *fn* **convergency**

converging [kənˈvɜːdʒɪŋ ‖ –ˈvɜr–] *mn* → **convergent**

conversable [kənˈvɜːsəbl ‖ –ˈvɜr–] *mn* kellemes társalgó, barátságos modorú, szívélyes

conversant [kənˈvɜːsnt ‖ –ˈvɜr–] *mn* ~ **with sy** jó/bizalmas viszonyban van vkvel; ~ **in/with sg** jártas/szakavatott/otthonos vmben; alaposan ismer vmt • *fn* **conversance**

conversation [ˌkɒnvəˈseɪʃn ‖ ˌkɑnvər–] *fn* **1. a)** beszélgetés, társalgás, megbeszélés **b)** *műv* ~ **piece** életkép, zsánerkép; érdekes/látványos darab *[ruha, bútor]* **2.** érintkezés, kapcsolat

conversational [ˌkɒnvəˈseɪʃnəl ‖ ˌkɑnvər–] *mn* **1.** társalgó, társalgási; ~ **style** csevegő/könnyed stílus **2.** fecsegő, beszédes, bőbeszédű *[személy]* • *hsz* **conversationally**

conversationalist [ˌkɒnvəˈseɪʃnəlɪst ‖ ˌkɑnvər–] *fn* jó társalgó

conversationist [ˌkɒnvəˈseɪʃnˑɪst ‖ ˌkɑnvər–] → **conversationalist**

converse[1] **I.** *tni* [kənˈvɜːs ‖ –ˈvɜrs] társalog, beszélget; ~ **with sy about/on sg** vkvel beszélget/társalog vmről **II.** *fn* [ˈkɒnvɜːs ‖ ˈkɑnvɜrs] *régi* **1.** → **conversation** 1. **2.** érintkezés, kapcsolat

converse[2] [ˈkɒnvɜːs ‖ kənˈvɜrs] **I.** *mn* **1.** ellentétes, megfordított **2.** *mat* fordított, inverz, reciprok **II.** *fn* **1. a)** ellentét **b)** *fil* konverzió *[ítéleté]* **2.** *mat* reciprok *[érték]*

conversely [ˈkɒnvɜːsli ‖ kənˈvɜrsli] *hsz* kölcsönösen, viszont, fordítva, ellenben, (vmvel) szemben

converser [kənˈvɜːsə ‖ –ˈvɜrsər] *fn* beszélgető, társalgó

conversible [kənˈvɜːsəbl ‖ –ˈvɜr–] *mn* átfordítható, átalakítható

conversion [kənˈvɜːʃn ‖ –ˈvɜrʒn] *fn* **1. a)** áttérés, megtérés *[vallásra]*, átállás *[politikai párthoz]* **b)** (meg)térítés **2. a)** átalakulás, átváltozás **b)** átalakítás, átváltoztatás **c)** átalakított épület/helyiség **d)** anyagfeldolgozás **e)** *pénz* konverzió, átváltás **3.** *nyelv* szófajváltás **4.** *infor* átalakítás, konvertálás **5.** *fiz pszich* konverzió

conversion table *fn* átszámítási táblázat

convert I. *fn* [ˈkɒnvɜːt ‖ ˈkɑnvɜrt] **1.** *vall* áttért, megtért *[személy]* **2.** laikus testvér *[kolostorban]* **II.** *tsi* [kənˈvɜːt ‖ –vɜrt] **A. 1. a)** átváltoztat, átalakít (*into* vmvé) **b)** *mat* átalakít *[törtet]*, átváltoztat *[mértékegységeket]* **c)** feldolgoz, átalakít **d)** átvált *[pénzt]* **e)** ~ **to one's own use** saját célra felhasznál *[más tulajdonát jogtalanul]* **2.** áttérít/megtérít vkt; ~ **sy to Christianity** megtérít vkt (keresztény hitre) **3.** *infor* átalakít, konvertál **4.** *nyelv* átvált, átfordít **B. 1.** átalakítható **2.** áttér vmre

converted [kənˈvɜːtɪd ‖ –ˈvɜr–] *mn* **1.** áttérített, megtérített **2.** átalakított, átdolgozott, átépített

converter [kənˈvɜːtə ‖ –ˈvɜrtər] *fn* **1.** hittérítő **2. a)** átalakító készülék **b)** *el* áram v. feszültség v. frekvencia átalakító, konverter **c)** *infor* átalakító, konverter **d)** *távk* áramirányító

convertible [kənˈvɜːtəbl ‖ –ˈvɜr–] **I.** *mn* **1.** áttéríthető, megtéríthető, megnyerhető *[személy]* **2. a)** átalakítható, (át)állítható, megváltoztatható **b)** átváltozó, megváltozó **3. a)** *pénz* konvertibilis, (valutakorlátozások nélkül) átváltható **b)** ~ **terms** felcserélhető (v. rokonértékű) kifejezések, szinonimák **II.** *fn* kabriolet, (fel)nyitható tetejű (sport)kocsi • *fn* **convertibility**

convertor [kən'vɜːtə ‖ –'vɜrtər] → **converter**

convex [ˌkɒn'veks ‖ ˌkɑn'veks] *mn fiz* domború, konvex • *fn* **convexity**

C

convey [kən'veɪ] *tsi* **1.** szállít, visz, hord, továbbít **2. a)** közvetít *[levegő hangot]* **b)** ~ **a disease to sy** megfertőz vkt, átad betegséget vknek **3.** átad *[parancsot, köszönetet]*, közöl *[hírt]*, ad, tolmácsol, átad *[üdvözletet]*, kifejez *[jókívánságot]* **4.** *jog* átenged, cedál, átruház *[vagyontárgyat vkre]* **5.** elcsen, ellop, eltüntet • *mn* **conveyable**

convey away *tsi* **1.** elszállít, elfuvaroz **2.** *jog* átruház, átenged, cedál

conveyance [kən'veɪəns] *fn* **1.** szállítás, továbbítás, hordozás, fuvar(ozás); *gazd* **bill of** ~ fuvarszámla **2.** szállítóeszköz, jármű, kocsi **3. a)** közlés, átadás *[híré, gondolaté]* **b)** *fiz* terjedés *[hangé, hőé]* **4.** *jog* **a)** átruházás, átengedés **b)** tulajdonátruházási okirat

conveyancer [kən'veɪənsə ‖ –ər] *fn jog* ‹kizárólagosan tulajdonátruházási okiratok szerkesztésével foglalkozó ügyvéd/közjegyző›

conveyer [kən'veɪə ‖ –ər] → **conveyor**

conveyor [kən'veɪə ‖ –ər] *fn* **1. a)** kihordó, kézbesítő *[levélé, csomagé]* **b)** fuvaros, szállítmányozó **2.** *ip* szállítókészülékek, szállítóberendezés **3.** vezeték *[villamos áramé]*

conveyor belt *fn* szállítószalag, futószalag

convict I. *tsi* [kən'vɪkt] **a)** ~ **sy of a crime** elítél (v. bűnösnek mond ki) vkt; rábizonyít vkre bűnt **b)** ~ **sy of error** bebizonyítja vk tévedését **II.** *fn* ['kɒnvɪkt ‖ 'kɑnvɪkt] **a)** fegyenc; **returned** ~ szabadlábra helyezett fegyenc; **gang of ~s** fegyenccsapat **b)** elítélt **III.** *mn* [kən'vɪkt] *régi* elítélt, bűnösnek nyilvánított

conviction [kən'vɪkʃn] *fn* **1. a)** büntető ítélet, elítélés **b)** rábizonyítás **2.** meggyőződés, hit; **act up to one's ~s** meggyőződése szerint cselekszik **3.** meggyőzés, rábeszélés

convictive [kən'vɪktɪv] *mn* meggyőződéses

convince [kən'vɪns] *tsi* meggyőz (vkt vmről), bebizonyít (vmt vknek) • *mn* **convincible**

convinced [kən'vɪnst] *mn* meggyőző(dö)tt, meggyőződéses; **be** ~ **of sg** meg van győződve vmről, biztos vmben • *hsz* **convincedly**

convincing [kən'vɪnsɪŋ] *mn* meggyőző *[érv, beszéd]*; ~ **proof** döntő bizonyíték • *hsz* **convincingly**

convivial [kən'vɪvɪəl] *mn* **1.** vidám, kedélyes, jókedvű, társaságot kedvelő **2.** ünnepi; ~ **evening** eszem-iszommal eltöltött este; ~ **song** bordal • *hsz* **convivially**

convivialist [kən'vɪvɪəlɪst] *fn* mulatást/társaságot/jó hangulatot kedvelő ember

conviviality [kənˌvɪvi'æləti] *fn* **1.** jó hangulat, kedélyesség, vidámság **2.** lakoma

convocation [ˌkɒnvə'keɪʃn ‖ ˌkɑn–] *fn* **1.** egybehívás, összehívás *[gyűlésé, bizottságé]* **2. a)** *vall* egyház(megye)i összejövetel/zsinat **b)** egyetemi tanácsülés **c)** *US India* diplomakiosztó ünnepség

convoke [kən'vəʊk] *tsi* egybehív, összehív • *fn* **convoker**

convoluted ['kɒnvəluːtɪd ‖ 'kɑnvəluːtəd] *mn* **1.** *növ* kürtösen csavart *[levelek]* **2.** komplikált, szövevényes, összetett

convolution [ˌkɒnvə'luːʃn ‖ ˌkɑn–] *fn* **1. a)** tekeredés, (körül)csavarodás **b)** összegöngyölítés, feltekerés **c)** tekercs, csigamenet, spirálmenet **2.** *orv* tekervény *[agyé]* **3.** összetettség, szövevényesség

convolve [kən'vɒlv ‖ –'vɑlv] **A.** *tsi* összecsavar, felcsavar, felteker **B.** *tni* felcsavarodik, összecsavarodik, összesodródik

convoy ['kɒnvɔɪ ‖ 'kɑn–] **I.** *fn* **1. a)** konvoj, hajókaraván/járműkaraván védőkísérettel **b)** védőkísérettel ellátott szállítmány/utánpótlás; **in** ~ konvojban, csoportban egymást kísérve **2.** gyászkíséret **II.** *tsi* kísér, fedez, védőkísérettel ad

convulse [kən'vʌls] *tsi* **1.** *orv* görcsös rángatózást okoz; **be ~d** eltorzult; **be ~d with laughter** gurul/vonaglik a nevetéstől **2.** felforgat *[államot]*, feldúl *[életet]*, megrázkódtat *[földet]*

convulsion [kən'vʌlʃn] *fn* **1. a)** *orv* rángatózás, vonaglás, görcs **b)** *orv* epileptikus rángógörcs, (görcsös) rángás **2. be seized with ~s of laughter** görcsös nevetésben tör ki **3.** (társadalmi) megrázkódtatás; **policital ~s** politikai felfordulás **4.** háborgás *[tengeré]*, rengés *[földé]* • *mn* **convulsionary**

convulsive [kən'vʌlsɪv] *mn* **1.** görcsös, rángatózó **2.** megrázkódtató, felforgató • *hsz* **convulsively**

cony ['kəʊni] *fn* **1.** nyúl **2.** *gazd* ~ **(skin)** nyúlbőr **3.** *régi* drágám, kedvesem, nyuszikám

coo[1] [kuː] **I.** *fn* turbékolás **II.** *tni* **1.** turbékol **2.** gügyög, gőgicsél *[kisbaba]*

coo[2] [kuː] *isz szl* ejha!, a kutyafáját!

co-occurrence [ˌkəʊə'kʌrəns ‖ –'kɜr–] *fn nyelv* együttelőfordulás

cook [kʊk] **I. A.** *tsi* **1.** főz, süt, ételt készít; *biz* ~ **sy's goose** keresztezi/meghiúsítja vk terveit, betesz vknek; *szl* **he is ~ed** részeg; kivan *[fáradtságtól]* **2.** *szl gazd* ~ **the books** megvariál *[mérleget, bizonylatokat]* **3.** *US fényk* túl-előhív *[filmet]* **4.** *szl [elront, tönkretesz]* hazavág **5.** *US biz* sikeresen csinál vmt, jól halad **B. 1.** *tni* fő, sül, készül *[étel]* **2.** *szl [vm történik]* **what's ~ing?** mi a dörgés?, mi a nagy (büdös) helyzet? **3.** *szl [gyorsan hajt, száguld]* tép, tűz, teper **II.** *fn* **a)** szakács(nő); *közm* **too many ~s spoil the broth** sok szakács elsózza a levest **b)** *hajó* hajószakács; **~'s-mate** hajókukta

cook up *tsi biz* **1.** kieszel, kigondol, kitalál, kifőz *[kifogást, hazugságot]* **2.** gyorsan összeüt *[ételt]*

cookbook *fn US* szakácskönyv

cooker ['kʊkə ‖ –ər] *fn* **1. a)** (konyhai) tűzhely **b)** főzőedény **2. a)** (jól) fővő főzelék, befőzni való gyümölcs **b)** rétesalma, kompótalma

cookery ['kʊkəri] *fn* **1.** szakácsművészet **2.** *US* kifőzde, étterem, konyha

cookery-book *fn* szakácskönyv

cookey ['kʊki] → **cooky**

cook-general *fn* mindenes szakácsnő

cook-house *fn* **1. a)** *kat* konyha **b)** *hajó* rakparti hajóskonyha/kifőzés **2.** nyári konyha *[külön épületben]*

cookie ['kʊki] *fn* **1.** *US* apró sütemény, édestészta; *US biz* **the way the ~ crumbles** ahogy a dolgok alakulnak; ez már csak így van **2.** *szl [ember, férfi]* alak, pacák, ürge; **tough~** belevaló csávó; **smart** ~ okos kis ürge **3.** *biz [lány]* áru, darab, portéka, jó kis csaj **4.** *skót* tejes zsemle **5.** *infor* kukkoló (program) **6.** → **cooky**

cooking ['kʊkɪŋ] *fn* **1.** sütés, főzés *[húsé]* **2.** főzés, konyhaművészet, konyha; ~ **apple** rétesalma, kompótalma

cooking oil *fn* étkezési olaj, főzőolaj

cookout *fn US biz* ‹összejövetel, melynek során az elfogyasztott ételeket a szabadban sütik v. főzik›

cooky ['kʊki] *fn* **1.** *biz* szakácsnő **2.** *US* apró sütemény, édestészta

cool [kuːl] **I.** *mn* **1. a)** hűvös, friss; **get** ~ lehűl, kihűl **b)** hűsítő, frissítő; ~ **drink** hűsítő/(jég)behűtött ital **2.** langyos **3.** nyugodt, hidegvérű, közömbös; ~ **head** józan fő, higgadt/megfontolt ember; **keep ~!** nyugalom!, hidegvér!; *biz* **as ~ as a cucumber** csigavérű; hideg, mint egy jégcsap **4. a)** hűvös, lagymatag; **be ~ towards sy** hideg/közömbös/kimért vkvel (szemben) **b)** *biz* hideg *[szín]* **5.** *biz* fesztelen, szókimondó, szemtelen; *biz* **a ~ customer** flegma alak **6.** *biz* kerek, teljes; **a ~ thousand** egy kerek ezres **7.** *zene* visszafogott, laza *[jazz-előadás]* **8. a)** *szl [nagyon jó]* szuper, állati jó **b)** *[divatos]* menő, dögös **II.** *fn* **1.** hűvösség, frisseség **2.** *szl [nyugalom, önkontroll]* nyugi **3.** *szl [könnyedség]* lazaság, lezserség **III. A. 1.** *tsi* (le)hűt, áthűt; *biz szl* ~ **one's heels** *[várakozik]* ácsorog, szobrozik; *US biz* ~

it! nyugi! **2.** *szl [megöl]* hidegre tesz, kinyír **B.** *tni* hűl, lehűl, kihűl, ellanyhul *[érzelem]*, lankad *[hév]* • *fn* **coolness** *mn* **coolish** *hsz* **coolly**
cool down *tni* lehűl *[erőfeszítés után]*, megbékél, megnyugszik *[harag után]*

coolant [ˈkuːlənt] *fn* hűtőfolyadék, hűtőszer, hűtőanyag *[motorban, vágókészülékben]*

cool bag *fn* hűtőtáska

cool box *fn* hűtőtáska

cooler [ˈkuːlə ‖ –ər] *fn* **1.** hűtőberendezés, hűtőkészülék, hűtőszekrény **2.** frissítő, üdítő ital, fröccs **3.** *szl [csalódás, kiábrándulás]* hideg zuhany **4.** *szl [börtön(cella)]* dutyi, hűvös **5.** → **coolant**

cool-headed *mn* nyugodt, hidegvérű, rendületlen, higgadt *[személy]*

coolie [ˈkuːli] *fn* **1.** napszámos, teherhordó, kuli *[Indiában, Kínában]* **2.** *pej* indiai származású ember

cooling [ˈkuːlɪŋ] **I.** *mn* hűsítő, frissítő, (le)hűtő **II.** *fn* hűtés

cooling-off period *fn* lehűlési idő, hűlési idő

coolness [ˈkuːlnəs] *fn* **1.** frissesség, hűvösség *[esté, levegőé]* **2.** nyugalom, hidegvér, flegma; csigavér, nyugi **3.** hűvösség *[fogadtatásé]*; **there is a ~ between them** nincsenek jóban, elhidegültek egymástól

cooly [ˈkuːli] → **coolie**

coon [kuːn] *fn* **1.** *US áll* mosómedve **2. a)** *US biz* fickó, alak, pasas **b)** *US biz* agyafúrt/ravasz fickó **3.** *pej* néger

coondog *fn áll* mosómedve

coonhound → **coondog**

coonskin *fn* mosómedveprém

coony [ˈkuːni] *mn* ravasz, agyafúrt, dörzsölt

coop [kuːp] **I.** *fn* **1. a)** (tyúk)ketrec **b)** (halszállító) kosár, varsa **2.** *szl [börtön]* sitt, ketrec, kasztni; *szl* **fly the ~** *[megszökik]* meglép/meglóg börtönből **3.** trágyadomb **II.** *tsi* **1.** ketrecbe zár *[tyúkokat]* **2.** *biz* utasokat összezsúfol; **~ sy up** *[bezár/bebörtönöz/becsuk]* bekasztliz

co-op [ˈkoʊɒp] *röv cooperative* szövetkezet, szövetkezeti bolt

cooper [ˈkuːpə ‖ –ər] **I.** *fn* kádár, bodnár, pintér **II.** *tsi* **1.** kádárkodik, kádármunkát végez **2.** kijavít, rendbe hoz *[hordókat]*

cooperage [ˈkuːpərɪdʒ] *fn* **1.** kádárműhely **2. a)** kádármunka **b)** kádármunka díja

co-operancy [ˌkoʊˈɒpərənsi ‖ –ˈɑpə–] → **co-operation**

cooperate [koʊˈɒpəreɪt ‖ –ˈɑpə–], **co-operate I.** *mn* együttműködő, kooperáló **II.** *tni* **1.** együttműködik, szövetkezik (vkvel vmben) **2.** elősegít (vmt), hozzájárul (vmhez) • *fn* **cooperator**, **co-operator**

cooperation [koʊˌɒpəˈreɪʃn ‖ –ˌɑpə–], **co-operation** *fn* **1. a)** együttműködés, szövetkezés **b)** hozzájárulás **2.** *közg* szövetkezet, szövetkezeti rendszer

cooperative [koʊˈɒpərətɪv ‖ –ˈɑpə–], **co-operative I.** *mn* **1.** együttműködésre/kooperációra alapított, együttműködő, szövetkezeti **2. ~ forces** (azonos célra) egyesült/egyesített erők **II.** *fn* szövetkezet • *hsz* **cooperatively**, **co-operatively**

coopery [ˈkuːpəri] → **cooperage**

co-opt [koʊˈɒpt ‖ –ˈɑpt] *tsi* **1.** beválaszt tagnak/társnak **2.** beolvaszt *[nagyobb politikai csoportba]* **3.** átvesz, magáévá tesz *[gondolatot/elgondolást]* • *fn* **co-optation** *mn* **co-optive**

coordinate, **co-ordinate I. A.** *tsi* [koʊˈɔːdɪneɪt ‖ –ˈɔr–] koordinál, összhangba hoz, egymás mellé rendel **B.** *tni* összhangban működik **II.** *mn* [koʊˈɔːdɪnət ‖ –ˈɔr–] egyenlő, egyenrangú, azonos osztályba/csoportba tartozó, egymás mellé rendelt **III.** *fn* [koʊˈɔːdɪnət ‖ –ˈɔr–] **1.** *tört* egyenrangú fél **2.** *mat* koordináta **3. pl** összeillő ruhadarabok, együttes • *hsz* **coordinately**, **co-ordinately**

coordinating [koʊˈɔːdɪneɪtɪŋ ‖ –ˈɔr–], **co-ordinating** *mn* **1.** koordináló, egymás mellé állító/rendelő, összehangoló **2.** *nyelv* mellérendelő *[kötőszó]*

coordination [koʊˌɔːdɪˈneɪʃn ‖ –ˌɔr–], **co-ordination** *fn* **1.** koordinálás, összehangolás, elrendezés **2.** koordináció, összhang, rendezettség **3.** *vegy* koordináció, koordinációs kötés kialakulása

coot [kuːt] *fn* **1. a)** *áll* szárcsa **b)** *áll* vízityúk **2.** *szl* hülye fráter

cootie [ˈkuːti], **cooty** *fn US ÚjZ szl* tetű

co-own [koʊˈoʊn] *tsi* együttesen/társtulajdonosként birtokol • *fn* **co-owner**, **co-ownership**

cop[1] [kɒp ‖ kɑp] *fn szl [rendőr]* zsaru, hekus

cop[2] [kɒp ‖ kɑp] **I.** *fn GB szl [letartóztatás]* lekapcsolás; *szl* **it's no** (v. **not much**) **~** nem sokat ér; nem is olyan nagy dolog, nem nagy szám **II. A.** *tsi* **-pp-** *szl [letartóztat, tetten ér]* nyakon csíp, lekap(csol); *szl* **~ it** *[verést/szidást kap]* kihúzza a gyufát, megkapja a beosztását; megölik, kinyírják **B. vi 1. ~ out** felad, kilép/kiszáll (vmből), visszavonul **2.** ígéretet visszavon **3.** megszökik, meglóg

cop[3] [kɒp ‖ kɑp] *fn tex* (kúpos) cséve

co-partner [ˌkoʊˈpɑːtnə ‖ –ˈpɑrtnər] *fn* üzlettárs, társas viszonyban álló *[személy]* • *fn* **co-partnership**

cope[1] [koʊp] **I. A.** *tsi* megbirkózik, megállja a helyét (vkvel szemben v. vk mellett), felveszi a versenyt **B.** *tni* megbirkózik (*with* vmvel); **~ with sy** szembeszáll vkvel **II.** *fn régi* összecsapás, összeütközés

cope[2] [koʊp] **I.** *fn* **1.** *vall* köpeny *[ünnepi püspöki]*, (vecsernye)palást **2.** *épít* ajtó fölötti boltív **II.** *tsi* **1. a)** ráad palástot *[püspökre]* **b)** beborít, befed **2.** *épít* átboltoz, kupolával ellát

Copenhagen [ˌkoʊpənˈheɪgən, -ˈhɑː- ‖ ˈkoʊpənˌheɪgən, -ˌhɑː] *tul földr* Koppenhága

coper [ˈkoʊpə ‖ –ər] *fn GB* (ló)csiszár, (ló)kereskedő

Copernican [koʊˈpɜːnɪkən ‖ –ˈpɜr–] *mn* kopernikuszi

copier [ˈkɒpiə ‖ ˈkɑpiər] *fn* **1.** másoló, írnok **2.** utánzó

co-pilot [ˈkoʊpaɪlət] *fn rep* másodpilóta

coping[1] [ˈkoʊpɪŋ] *fn épít* lapos fedés/födém, fedőkő, oromkő

coping[2] [ˈkoʊpɪŋ] *fn* alku(dozás), vita, küzdelem

coping-stone → **cope-stone**

copious [ˈkoʊpɪəs] *mn* **1. a)** bőséges **b)** kiadós **2.** terjengős **3.** információban gazdag • *fn* **copiusness**

copman [ˈkɒpmən ‖ ˈkɑp–] *tsz* **-men** *Ausz szl* → **cop**[1]

copper[1] [ˈkɒpə ‖ ˈkɑpər] **I.** *fn* **1. a)** vörösréz, vörösrézérc, kuprit **b)** *tsz* **coppers** rézbányarészvények **2.** *GB* rézüst, rézedény **3. a)** *biz* rézpénzdarab, garas **b)** *tsz* **coppers** *biz* aprópénz **II.** *mn* **1.** rézből való, rezes, réz- **2. ~(-coloured)** rézvörös, rézszínű **III.** *tsi* **1.** rézzel bevon, rezez **2.** *régi* rézlemezekkel ellát *[hajót]*

copper[2] → **cop**[1]

copperas [ˈkɒpərəs ‖ ˈkɑ–] *fn* **1.** *bány* ásványi vasszulfit **2. (green) ~** vasgálic, zöldgálic, vasszulfát

copper-bearing *mn* réztartalmú

copper beech *fn növ* közönséges bükk

copper-belly *fn áll* vízisikló

copperplate I. *fn* **1.** réztábla, rézlemez **2.** rézmetszet **II.** *tsi* rézzel bevon *[fémet]*

copper-skin *fn US* rézbőrű *[indián]*

copper-smith *fn* rézműves, üstfeldolgozó, rézöntő

copper sulphate *fn vegy* rézszulfát

coppery [ˈkɒpəri ‖ ˈkɑ–] *mn* rezes, rézszínű; **turn ~** rezes arcszínt kap, elvörösödik

coppice [ˈkɒpɪs ‖ ˈkɑ–] **I.** *fn* **1.** cserjés, pagony, csalit, sűrű bozót **2.** elkerített vadaskert **II.** *mezőg* **A.** *tsi* rendszeresen nyes (fiatal fákat), gallyaz; sarjakat levág **B.** *tni* sarjakat hajt, sarjadzik *[fa]*

copra [ˈkɒprə ‖ ˈkoʊprə] *fn* kopra

coprecipitation [ˌkoʊprɪsɪpɪˈteɪʃn] *fn vegy* együttes kiválás/kicsapódás • *tni* **coprecipitate**

copro- [ˈkɒproʊ ‖ ˈkɑprə–] *összet* bélsár-

copse [kɒps ‖ kɑps] **I.** *fn* → **coppice II.** *tsi* sarjerdőt ültet

copshop *fn szl* rendőrség

C

copsy ['kɒpsi || 'kɑpsi] *mn* bozótos, sarjerdős *[vidék]*
Copt [kɒpt || kɑpt] *fn* kopt (férfi), nő
Coptic ['kɒptɪk || 'kɑptɪk] **I.** *mn* kopt **II.** *fn* kopt nyelv
copula ['kɒpjʊlə || 'kɑpjələ] *fn tsz* **s**, **copulae** [–liː] **1.** *nyelv* kapcsolószó, létige, kopula **2.** *fil* kapcsolat, kopula • *mn* **copular**
copulate ['kɒpjʊleɪt || 'kɑpjə–] *tni* párosodik, párzik *[állat]*, közösül *[ember]*
copulation [ˌkɒpjʊ'leɪʃn || ˌkɑpjə–] *fn* **1.** közösülés **2.** búgás, párosodás, párzás *[állatoké]* **3.** párosítás, összekapcsolás
copulative ['kɒpjʊlətɪv || 'kɑpjəleɪtɪv] **I.** *mn* **a)** összekötő *[fogalom]*, kapcsoló *[szó]* **b)** búgó, párosodó, közösülő **II.** *fn nyelv* **a)** (össze)kapcsolás **b)** kapcsolószó • *hsz* **copulatively**
copulatory ['kɒpjʊlətəri || –tɔri] *mn biol* párosodó, nemi *[szerv]*
copy ['kɒpi || 'kɑpi] **I.** *fn* **1. a)** másolat, kópia **b)** *tsz* **copies** másolati díj **2.** utánzat *[művészeti alkotásé]* **3. a) (fair)** ~ tisztázat **b)** *jog* kiadmány *[levélé, okiraté]* **4.** minta *[rajzé, írásé]*, példa *[magaviseleté]* **5.** példány(szám), nyomtatvány(példány) **6. a)** (nyomdai) kézirat *[szedő részére]* **b)** riportanyag, híranyag, cikktéma *[újságé]*; **advertising** ~ reklámszöveg **II. A.** *tsi* **1.** másol, tisztáz, leír **2.** utánoz, reprodukál *[művészeti alkotást]* **3.** lemásol, puskázik **4.** *infor* átmásol *[pl. szöveget vágólapra]* **B.** *tni* **1.** másol, másolatban ír, több példányban ír/géppel **2.** ~ **to** levélmásolatot küld *[harmadik félnek]*
copyable ['kɒpiəbl || 'kɑ–] *mn* másolható
copy and paste *fn infor* másolás és beillesztés
copybook *fn* **1.** irka, (iskolai) füzet **2.** *jelzői haszn* **a)** pontos, mintaszerű **b)** közhelyszerű
copy boy *fn* kifutófiú (szerkesztőségben); kezdő újságíró
copycat *fn* **1.** *biz* utánozó majom **2.** *biz* ‹írásbeli dolgozatot puskázó diák› **3.** *biz* másológép **4.** *jelzői haszn* utánzó, vmt másoló; ~ **crime** ‹olyan bűncselekmény, amely egy másikat utánoz/másol le›
copy desk *fn US* szerkesztőségi asztal; szerkesztőség
copy-editor *fn média* olvasószerkesztő, segédszerkesztő, nyomdai előkészítő
copyhold *fn GB régi jog* örökhaszonbérlet; ~ **estate** hűbéri birtok; úrbéri birtok
copy-holder *fn* **1.** kézirattartó állvány *[írógépen]* **2.** *GB régi jog* örökhaszonbérleti birtokos, úrbéres; ~ **tenure** úrbéres által birtokolt föld
copyist ['kɒpiɪst || 'kɑ–] *fn* **1.** másoló, írnok, íródeák **2.** imitátor, utánzó (személy)
copyreader *fn US média* segédszerkesztő
copyright I. *fn* szerzői jog, irodalmi tulajdonjog, copyright **II.** *mn* szerzői joggal védett *[könyv, cikk]* **III.** *tsi nyomd* szerzői/kiadói jogot fenntart/biztosít
copywriter *fn* **1.** reklámszövegíró **2.** cikkíró *[újságé]* • *fn* **copywriting**
coquet [kɒ'ket || koʊ–] **I.** *mn/fn* kacér **II.** *tni* **-tt- 1.** kacérkodik **2.** piszmog
coquetry ['kɒkətri || 'koʊ–] *fn* **1.** kacérkodás, kacérság **2.** komoly dolgok felületes kezelése
coquette [kɒ'ket || koʊ–] **I.** *fn* kacér/kokett nő **II.** *tni* kacérkodik, flörtöl; ~ **with sy** kacérkodik/flörtöl vkvel • *fn* **coquettishness** *mn* **coquettish**
coquina [koʊ'kiːnə] *fn US geol* kagylós mészkő
coral ['kɒrəl || 'kɔ–, 'kɑ–] *fn* korall, kláris; ~ **red** korallpiros
coralline ['kɒrəlaɪn || 'kɔ–, 'kɑ–] **I.** *mn* **1.** korallból való/képződött **2.** korallpiros **II.** *fn* korallmoszat
corallite ['kɒrəlaɪt || 'kɔ–, 'kɑ–] *fn geol* **1.** ásványi korallpolipkő **2.** korallpiros márvány
coralloid ['kɒrəlɔɪd || 'kɔ–, 'kɑ–] *mn* korallféle, korallszerű
coral reef *fn geol* korallzátony
corbel ['kɔːbl || 'kɔrbl] **I.** *fn épít* gyámkő, gyámfa, tartókő **II.** **-ll-**, *US* **-l- A.** *tsi* gyámkarral/konzolokkal megtámaszt *[kiugrást, kiszögellést]* **B.** *tni* ~ **out** kiszögellést alkot
corbel-table *fn* falkiszögellés
cord [kɔːd || kɔrd] **I.** *fn* **1. a)** kötél, zsinór, fonal; **stranded/twisted** ~ sodrott kötél **b)** *US vill* hajlékony vezeték, huzal, kábel **2. a)** zsinór, paszomány *[ruhán]* **b)** *zene* húr **3.** *vál átv* kötelék, lánc, béklyó **4.** *tex* kordbársony **5.** öl *[tűzifamérték = 3,623 m^3]* **6.** *orv* zsinór **II.** *tsi* **1.** megköt, odaköt, összeköt(öz) **2.** zsinórral/fonallal ellát, díszít, zsinóroz **3.** ölbe rak/köt, ölez (fát)
cordage ['kɔːdɪdʒ || 'kɔr–] *fn hajó* **a)** hajókötél **b)** kötélzet
cordate ['kɔːdeɪt || 'kɔr–] *mn* szív alakú
corded ['kɔːdɪd || 'kɔrdɪd] *mn* **1.** megkötö(zö)tt, átkötö(zö)tt, összekötö(zö)tt **2.** *tex* bordás, bordázott **3.** feszes, kötélként kidagadó *[izmok]* **4.** *biz* ~ **veins** zsinórszerű erek *[öregek keze]* **5.** ölbe rakott *[fa]*
Cordelia [kɔː'diːlɪə || kɔr–] *tul* Kordélia
cordial ['kɔːdɪəl || 'kɔrdʒəl] **I.** *mn* szívből jövő *[kívánság]*, szívélyes *[fogadtatás]*, őszinte, meleg *[barátság]*, vigasztaló, barátságos *[szavak]* **II. 1.** *fn* szíverősítő *[ital, orvosság]*; likőr **2.** *GB* gyümölcsalapú üdítőital (sűrítmény) • *fn* **cordiality** *hsz* **cordially**
Cordilleras [ˌkɔːdɪl'jeərəz || ˌkɔrdl'jerəz] *tul tsz földr* Kordillerák
cordon ['kɔːdn || 'kɔrdn] **I.** *fn* **1.** kordon; ~ **of police** rendőrkordon **2. a)** zsinór, sujtás, paszomány, szalag *[ruhán]* **b)** rendszalag **3.** *épít* vízszintes futósáv/kiugrás *[épületen]* **4.** *mezőg* ~ **(tree)** kordonművelésű gyümölcsfa **II.** *tsi* ~ **(off)** kordonnal lezár/körülvesz; ~ **off a crowd** kordonnal elzárja a tömeg útját
cordon bleu [ˌkɔːdɒn'blɜː || ˌkɔrdɑn'blɜː] *fn* **1.** *hajó* kék szalag *[a leggyorsabb óceánjáró hajó kitüntetése]* **2.** *gaszt* cordon bleu
Cordovan ['kɔːdəvən || 'kɔr–] **I.** *mn* **1.** kordobai **2.** szattyán *[bőr]* **II.** *fn* kordován (bőr), szattyánbőr
corduroy ['kɔːdərɔi || 'kɔr–] **I.** *mn* kordbársony, kord **II.** *fn* **1.** *tex* kordbársony **2.** *tsz* **corduroys** *biz* kordbársony nadrág
cordwood *fn* ölfa, rakásolt fa
cordy ['kɔːdi || 'kɔr–] *mn* kötélszerű, zsinórszerű, rostos
core [kɔː || kɔr] **I.** *fn* **1. a)** magház *[almaféléké]*, csutka *[almáé]* **b)** *átv* veleje/magja/lényege vmnek; **to the** ~ ízig-vérig, a velejéig **2. a)** *geol* a Föld belseje/magja **b)** *fiz* reaktormag **3.** *bány* pillér, oszlop **4.** *vill* **a)** kábelér **b)** (mágnes)mag **c)** *fiz* atomtörzs **II.** *tsi* **1.** kimagoz *[gyümölcsöt]* **2.** *bány* magot fúr **3.** *fémip* ~ **out** üregel
cored [kɔːd || kɔrd] *mn* kivájt, üreges
core time *fn* alapmunkaidő *[rugalmas munkaidőben]*
corf [kɔːf || kɔrf] *fn tsz* **corves** [kɔːvz || kɔrvz] **1.** kosár **2.** *GB bány* (billenő)csille, ércszállító kosár **3.** élőhaltartó rekesz *[víz alatt]*
Corfu [ˌkɔː'fuː || 'kɔrfuː] *tul földr* Korfu (szigete)
coriaceous [ˌkɒri'eɪʃəs || 'kɔ–] *mn* **1.** (bőr)jellegű, bőr- **2.** bőrkemény, szívós
coriander [ˌkɒri'ændə || 'kɔriændər] *fn növ* cigánypetrezselyem, koriander; ~ **seed** koriandermag
Corinth ['kɒrɪnθ || 'kɔ–] *tul földr* Korinthosz; **Gulf of** ~ Korinthoszi-öböl
Corinthian [kə'rɪnθɪən] **I.** *mn* **1.** korinthoszi **2.** *épít* **the** ~ **order** korinthoszi oszloprend **II.** *fn* **1.** *bibl* **a)** korinthusi *[ember]* **b)** **~s** korinthusiakhoz írt levél **2.** ‹gazdag amatőr sportember›
corium ['kɔːrɪəm] *fn tsz* **coria** [–rɪə] *orv* irha
cork [kɔːk || kɔrk] **I.** *mn* parafából készült, parafa- **II.** *fn* **1.** *növ* paratölgy **2. a)** (parafa) dugó; **plastic** ~ műanyag dugó **b)** (parafa) úszó *[horgászzzsinóron]* **III.** *tsi biz* ~ **(up) a bottle** bedugaszol üveget; ~ **up one's feelings** elfojtja érzelmeit; *szl* ~ **sy up** elhallgattat vkt

corkage ['kɔ:kɪdʒ ‖ 'kɔr–] *fn* dugódíj *[étteremben a vendég által hozott ital után fizetendő]* • *mn* **corklike**
corked [kɔ:kt ‖ kɔrkt] *mn* **1.** bedugaszolt **2.** dugóízű, dugószagú *[bor]*
corker ['kɔ:kə ‖ 'kɔrkər] *fn* **1.** dugaszológép **2. a)** döntő érv/állítás/tény **b)** *szl [remek ember/dolog]* nagy/óriási szám, nagy durranás
corking ['kɔ:kɪŋ ‖ 'kɔr–] **I.** *mn GB szl [nagyszerű, remek, pompás]* guszta, klassz **II.** *fn* **1.** dugaszolás **2.** dugóíz *[boré]*
cork-oak *fn növ* paratölgy
corkscrew I. *mn* csigavonalszerű, dugóhúzó alakú, összetekeredett **II.** *fn* dugóhúzó **III. A. 1.** *tsi* **~ a line** spirálist/csigavonalat húz **2.** *átv* harapófogóval húzza ki belőle a szót **B.** *tni* **1.** csavarodik, tekeredik *[drót]* **2.** kanyarog *[csigalépcső]* **3.** csigavonalban/spirálisban halad
corkwood *fn növ* **1.** (amerikai) para(fa) **2.** parafa *[anyag]*
corky ['kɔ:ki ‖ 'kɔrki] *mn* **1.** parafaszerű **2.** dugóízű, dugószagú **3.** *biz* vidám, jókedvű, lendületes, frivol
corm [kɔ:m ‖ kɔrm] *fn növ* hagymagumó, gumós gyökér
cormorant ['kɔ:mərənt ‖ 'kɔr–] *fn* **1.** *áll* kormorán, nagy kárókatona **2.** *biz* kapzsi/telhetetlen ember
corn[1] [kɔ:n ‖ kɔrn] **I.** *fn* **1. a)** mag, szem, szemcse **b)** gabonaszem **2.** *tsz* **corns** gabona(nemű), gabonafélék **3.** *GB* búza **4.** *US* kukorica **5.** *US biz* kukoricából készített whisky **6. a)** *biz szl* csöpögősség **b)** *US* limonádé **II.** *tsi* **1.** besóz *[marhahúst]* **2.** szemcséz, granulál *[fémet, lőport]* **3.** búzát vet, búzával bevet *[földet]* **4.** abrakkal etet *[főleg zabbal]*
corn[2] [kɔ:n ‖ kɔrn] *fn* tyúkszem, bőrkeményedés; *GB,* **tread on sy's ~s** vknek a tyúkszemére lép; vknek érzékeny pontját érinti
corn-belt *fn földr* kukoricatermő övezet *[USA-ban]*
corn-bottle *fn növ* búzavirág
corn bread *fn US* kukoricakenyér
corncake *fn* kukoricalepény
corn-chandler *fn* gabonakereskedő
corn-cob *fn* **1.** kukoricacsutka **2.** kukoricacső
corn-cockle *fn növ* konkoly
corn-crake *fn áll* haris
corn-cutter *fn* **1.** tyúkszemvágó *[személy]*, pedikűrös **2.** tyúkszemvágó *[műszer]*
corn-dealer *fn* gabonakereskedő
corndodger ['kɔ:ndɒdʒə ‖ 'kɔrndɑdʒər] *fn US* kukoricalepény
corn-drill *fn US mezőg* (tengeri-)sorvető gép
cornea ['kɔ:nɪə ‖ 'kɔr–] *fn orv* szaruhártya • *mn* **corneal**
corn-ear *fn* gabonakalász, búzakalász
corned [kɔ:nd ‖ kɔrnd] *mn* sózott, pácolt; **~ beef** sózott marhahús(konzerv)
cornel ['kɔ:nl ‖ 'kɔrnl] *fn növ* som
Cornelia [kɔ:'ni:lɪə ‖ kɔr–] *tul* Kornélia
corneous ['kɔ:nɪəs ‖ 'kɔr–] *mn* szarunemű, szaruszerű
corner ['kɔ:nə ‖ 'kɔrnər] **I.** *fn* **1. a)** sarok, szöglet, kiálló hegy, kiugrás *[tárgyé]* **b)** (szem)zug, (száj)szöglet **2. a)** sarok, falkiszögellés *[teremé]*; *biz* **drive sy into a ~** vkt sarokba szorít; vkt dilemma elé állít **b)** *sp* **~(-kick)** szöglet(rúgás); sarok *[szorítóé]* **3. a)** zug, hely, búvóhely **b)** égtáj, terület **4. a)** sarok *[utcáé]*; *biz* **it is round the ~** küszöbön áll, bármikor várható hogy bekövetkezik; **turn the ~** befordul a sarkon; *biz* túljut a nehézségen/nehezén; *biz* átesik a krízisen *[beteg]*; → **turn** II. A.5.a. **b)** kanyarulat, fordulat, *gk* kanyar; **blind ~** beláthatatlan kanyar; **cut ~s** könnyít, rövidít *[az eljáráson]*, mellőzi a formaságokat/előírásokat **5. a)** felvásárló szindikátus **b)** áruhiányt teremtő felvásárlás *[szindikátus által]*, korner **6.** sarokvas, saroklemez **7.** háromszög alakú sonka- vagy szalonnadarab **II. A.** *tsi* **1. a)** sarokba tesz (vmt) **b)** *átv* sarokba szorít (vkt) **2.** *gazd* áruhiányt teremtve összevásárol *[terményt, részvényt]* **3.** kanyarodik, fordul *[jármű]* **4.** *szl [gyenge minőségű árut jó minőségűként elad vknek]* bepaliz, bebóvliz, beültet a hintába **B.** *tni* befordul a sarkon *[jármű]*
cornering ['kɔ:nərɪŋ ‖ 'kɔr–] *fn* **1.** *átv* sarokba szorítás *[emberé]* **2.** *gk* kanyarodás, befordulás **3.** *közg* mesterséges áruhiányt teremtő összevásárlás *[árué, részvényé]*
corner kick *fn sp* szöglet(rúgás), korner
corner-post *fn* **1.** sarokcölöp, sarokoszlop **2.** szegletgerenda
cornerstone *fn* **1.** *épít* **a)** sarokpillér, szögletkő, sarokkő **b)** *átv* főtámasz, alap, fundamentum **2.** határkő **3.** alapkő
cornerwise ['kɔ:nəwaɪz ‖ 'kɔrnər–] *hsz* **1.** sarkával előre **2.** sarkot/szögletet alkotva, szögletesen **3.** átlósan
cornet[1] ['kɔ:nɪt ‖ kɔr'net] *fn* **1.** *zene* **a)** kornett, piszton **b)** cornet *[orgonaregiszter]* **c)** kornettista **2.** tölcsér, zacskó *[papírból]* **3.** *GB* **a)** tölcsér alakú ostya **b)** fagylalttölcsér • *fn* **cornet(t)ist**
cornet[2] ['kɔ:nɪt ‖ 'kɔr–] *fn* **1. a)** *GB kat régi* zászlótartó (személy) **b)** *kat régi* zászlósi rang **2. a)** nagy főkötő, bóbita *[középkorban]* **b)** apácafőkötő
corn-factor *fn* gabona-nagykereskedő
corn-field *fn* **1.** búzatábla **2.** *US* kukoricatábla
cornflakes *fn tsz* kukoricapehely *[reggelihez fogyasztott étel]*
cornflour *fn GB* **1.** kukoricaliszt **2.** rizsliszt vagy más gabonaliszt
cornflower *fn* búzavirág
cornice ['kɔ:nɪs ‖ 'kɔr–] *fn* **1.** *épít* **a)** mennyezetpárkány, párkányzat **b)** főpárkány, párkánykoszorú **2.** karnis *[függönyé]* **3.** hópárkány • *mn* **corniced**
cornicing ['kɔ:nɪsɪŋ ‖ 'kɔr–] *fn* párkányzat, párkánykoszorú
corn-land *fn* **1.** búzaföld(ek) **2.** *US* kukoricaföld(ek)
corn meal *fn* **1.** kukoricaliszt **2.** kukoricakása
corn-salad *fn növ* galambbegysaláta
corn-starch *fn* **1.** *US* kukoricaliszt **2.** pudingliszt
cornucopia [ˌkɔ:nju'koupɪə ‖ ˌkɔrnə–] *fn* **1.** *épít* bőségszaru *[díszítőelem]* **2.** bőség • *mn* **cornucopian**
Cornwall ['kɔ:nwɔ:l ‖ 'kɔrnwɑl] *tul földr* Cornwall
corn-whiskey *fn US* ‹kukoricából főzött whisky›
corny ['kɔ:ni ‖ 'kɔrni] *mn* **1. a)** *biz* banális; **~ joke** szakállas (fa)vicc **b)** giccses, érzelgős, csöpögős **c)** *biz* régimódi, divatjamúlt **2.** gabonatermő *[vidék]* **3.** gabonaszerű, gabonával kapcsolatos • *fn* **corniness**
corolla [kə'rɒlə ‖ –'rou–] *fn növ* párta • *mn* **corollate**
corollary [kə'rɒləri ‖ 'kɔrəleri] **I.** *fn* **1.** hozzáadás, kiegészítés, toldalék, függelék **2.** szükségszerű következmény **II. 1.** *mn* következményként/eredményként adódó **2.** kiegészítő
corona [kə'rounə] *fn tsz* **~s, ~e** [–ni:] **1. a)** korona, gyűrű *[csillagé, üstökösé]* **b)** *csill* fényudvar, fénygyűrű *[nap/hold körül]*; **solar ~** napudvar **2.** *orv* fejrész, felső rész; **~ of a tooth** fogkorona **3.** *növ* koronaszerű termés, mellékpárta **4. a)** *épít* koronázó főpárkány **b)** körcsillár • *mn* **coronate(d)**
coronal ['kɒrənl, kə'rounl ‖ 'kɔ–] **I.** *mn* **1.** *orv* koponya elülső részén fekvő, koronális; **~ artery** szívkoszorú-verőér; **~ bone** homlokcsont; *áll* **~ feathers** bóbitatollak **2.** koronás, királyi koronával kapcsolatos **3.** *csill* ‹napkoronával kapcsolatos› **II.** *fn* **1.** → **coronet 2.** füzér, koszorú *[virágból]*
coronary ['kɒrənəri ‖ 'kɔrəneri, 'kɑ–] **I.** *mn* **a)** koszorú/korona alakú **b)** *orv* koszorúverőér-; **~ artery** szívkoszorúér; **~ thrombosis** szívkoszorúér-trombózis **II. 1.** *fn* koszorúverőér **2.** *orv* szívkoszorúér-trombózis; *biz* szívinfarktus, szívroham
coronation [ˌkɒrə'neɪʃn ‖ ˌkɔ–, ˌkɑ–] *fn* **1.** (meg)koronázás, felkenés *[királlyá]*, koronázási szertartás **2.** *átv* betetőzés
coroner ['kɒrənə ‖ 'kɔrənər, 'kɑ–] *fn GB* **1.** *jog* halottkém **2.** *tört* királyi vagyonkezelő • *fn* **coronership**
coronet ['kɒrənɪt ‖ ˌkɔrə'net, ˌkɑ–] *fn* **1. a)** (kis) korona **b)** diadém, fejék **c)** virágkoszorú (fejre) **2.** párta *[ló patája fölötti lábrész]* • *mn* **coroneted**

Corp. *röv* **1.** *corporal* **2.** *Corporation*
corpora [ˈkɔːpərə ‖ ˈkɔr–] → **corpus**
corporal[1] [ˈkɔːpərəl ‖ ˈkɔr–] *mn* **1.** testi; ~ **punishment** testi fenyítés **2.** *áll* törzshöz/potrohhoz tartozó • *hsz* **corporally**
corporal[2] [ˈkɔːpərəl ‖ ˈkɔr–] *fn kat* káplár, tizedes
corporality [ˌkɔːpəˈræləti ‖ ˌkɔr–] *fn* **1.** testiség, testi valóság **2.** *tsz* **corporalities** testi dolgok
corporate **I.** *mn* [ˈkɔːpərət ‖ ˈkɔr–] **1.** egyesített, szervezetet alkotó; *jog* **body** ~, ~ **body** jogi személy **2.** testületi, részvénytársasági; *jog* ~ **name** cégjelzés; ~ **responsibility** egyetemleges felelősség **II.** *fn* nagy iparvállalat • *hsz* **corporately**
corporation [ˌkɔːpəˈreɪʃn ‖ ˌkɔr–] *fn* **1. a)** testület **b)** *tört* céh **2.** *pénz gazd* társaság, vállalat, részvénytársaság **3.** *jog* jogi személy **4.** *GB* **municipal** ~ város, tanács, önkormányzat; törvényhatósági testület; ~ **tax** társasági/társulási adó **5.** *biz* pocak, has
corporative [ˈkɔːpərətɪv ‖ ˈkɔrpəreɪ–] *mn* testületi • *fn* **corporativism**
corporeal [kɔːˈpɔːrɪəl ‖ kɔrˈpɔr–] *mn* **1.** testi **2.** anyagi • *fn* **corporeality** *hsz* **corporeally**
corporeity [ˌkɔːpəˈriːəti ‖ ˌkɔr–] *fn* testi valóság; kézzelfoghatóság, érzékelhetőség
corps [kɔː ‖ kɔr] *fn tsz* **corps** [kɔːz ‖ kɔrz] **1.** *kat* hadtest, alakulat **2.** testület; **diplomatic** ~ diplomáciai testület
corpse [kɔːps ‖ kɔrps] **I.** *fn* holttest, hulla **II.** *tsi* belezavar *[színészt szerepbe]*, tönkre tesz *[előadást]*
corpse-candle *fn* **1.** ravatalgyertya **2.** temetői lidércfény
corpse-ticket *fn kat szl [katonai azonosító plakett]* dögcédula
corps-man [ˈkɔːmən ‖ ˈkɔrmən] *fn tsz* **-men** *US kat* szanitéc
corpulent [ˈkɔːpjʊlənt ‖ ˈkɔrpjə–] *mn* testes • *fn* **corpulence, corpulency**
corpus [ˈkɔːpəs ‖ ˈkɔr–] *fn tsz* **corpora** [–pərə] **1.** *tud nyelv* vizsgált adathalmaz, korpusz; ‹vmely kérdéskörre vonatkozó írások/források/adatok gyűjteménye› **2.** test, törzs, hulla, tetem
Corpus Christi [ˌkɔːpəs ˈkrɪsti ‖ ˌkɔr–] *fn vall* Krisztus teste *[az Oltáriszentségben]*; Úrnapja
corpuscle [ˈkɔːpʌsl ‖ ˈkɔr–] *fn* **1.** testecske **2.** *fiz* atom, molekula, részecske • *mn* **corpuscular**
corpuscule [kɔːˈpʌskjuːl ‖ kɔr–] → **corpuscle**
corpus delicti [ˌkɔːpəs dɪˈlɪktaɪ ‖ ˌkɔrpəs –] *fn jog* bűnjel
corpus juris [ˌkɔːpəs ˈdʒʊərɪs ‖ ˌkɔrpəs ˈdʒʊrɪs] *fn jog* törvénytár, corpus juris
corral [kəˈrɑːl ‖ kəˈræl] **I.** *fn* **1.** karám **2.** *US* szekérerőd, szekértábor **II.** *tsi* **-ll- 1.** *US* karámba zár **2.** körbe állít *[szekeret hely bekerítésére]*, szekérerődöt alkot **3.** *US biz* hatalmába kerít/megkaparint(vmt), megszerez
corrasion [kəˈreɪʒn] *fn geol* korrázió
correct [kəˈrekt] **I.** *mn* **1.** hibátlan, kifogástalan, pontos, helyes, szabatos, igaz **2.** illő, megfelelő, korrekt **II.** *tsi* **1.** kijavít, korrigál **2. a)** helyesbít, módosít, beszabályoz *[műszert]* **b)** *mat fiz* kiigazít **3. a)** megszid; ~ **oneself** kijavítja magát; megjavul, rossz szokást elhagy; **stand ~ed** belátja/elismeri tévedését/hibáját **b)** (meg)büntet, (meg)fenyít **4.** semlegesít, közömbösít, ellensúlyoz *[befolyást, hajlamot]* • *fn* **correctness** *hsz* **correctly**
correctant [kəˈrektənt] → **corrective** II.
correction [kəˈrekʃn] *fn* **1.** javítás, helyesbítés, korrigálás; **under** ~ tévedés esetét fenntartva; javítás alatt levő **2.** büntetés, fenyítés; *jog* **house of** ~ javítóintézet
correctional [kəˈrekʃnəl] *mn* bűnügyi, büntető, javító
correction facility *fn US* börtön
correction fluid *fn* hibajavító folyadék
correctitude [kəˈrektɪtjuːd ‖ –tuːd] *fn* szabályszerűség, korrektség
corrective [kəˈrektɪv] **I.** *mn* **1.** javító, enyhítő, helyesbítő (*to* vmt) **2.** büntető, fenyítő **II.** *fn orv* közömbösítő anyag, csillapító, enyhítő
corrector [kəˈrektə ‖ –ər] *fn* **a)** javító, korrigáló *[személy]* **b)** *GB* ~ **of the press** nyomdai korrektor *[kefelevonaté]*; revizor
correlate [ˈkɒrəleɪt ‖ ˈkɔ–, ˈkɑ–] **I. A.** *tsi* összefüggésbe hoz, viszonyít, megfeleltet (*with* vmvel) **B.** *tni* viszonyul (*to* vmhez), összefüggésben van (*to* vmvel) **II.** *fn* viszonylagos fogalom **III.** *mn* viszonylagos
correlated [ˈkɒrəleɪtɪd ‖ ˈkɔ–, ˈkɑ–] → **correlate** III.
correlation [ˌkɒrəˈleɪʃn ‖ ˌkɔ–, ˌkɑ–] *fn* **1.** viszonylagosság **2.** viszony, összefüggés, kölcsönösség, korreláció
correlative [kəˈrelətɪv] **I.** *mn* viszonylagos, korrelatív, egymástól függő **II. 1.** *fn* → **correlate** II. **2.** *nyelv* páros kötőszó • *hsz* **correlatively**
correspond [ˌkɒrəˈspɒnd ‖ ˌkɔrəˈspɑnd, ˌkɑ–] *tni* **1. a)** összhangban van (*to/with* vmvel) **b)** (meg)egyezik (*to* vmvel), megfelel (*to* vmnek), hasonlít (*to* vmhez) **c)** *vasút* csatlakozik *[vonat]* **2.** levelez
correspondence [ˌkɒrəˈspɒndəns ‖ ˌkɔrəˈspɑn–, ˌkɑ–] *fn* **1. a)** kapcsolat, összefüggés **b)** megfelelés, megegyezés, hasonlóság **2.** levelezés; **be in** (v. **have)** ~ **with sy** levelez vkvel **3.** ~ **college** levelező/távoktató főiskola; ~ **column** olvasói levelek *[rovat]*; ~ **course** levelező tagozat/tanfolyam; ~ **school** levelező/távoktató iskola
correspondent [ˌkɒrɪˈspɒndənt ‖ ˌkɔrəˈspɑn–, ˌkɑ–] **I.** *fn* levelező, tudósító; **from our special** ~ külön tudósítónk jelenti, *gazd* (külföldi) levelező **II.** *mn* **1.** megfelelő, megegyező (*to/with* vmvel) **2.** levelező • *hsz* **correspondently**
corresponding [ˌkɒrəˈspɒndɪŋ ‖ ˌkɔrəˈspɑn–, ˌkɑ–] *mn* **1.** megfelelő, egyező (*to* vmvel) **2.** arányos, hasonló; *mat* ~ **angles** megfelelő szögek • *hsz* **correspondingly**
corrida [kɒˈriːdə ‖ kɔˈriːðə] *fn* bikaviadal
corridor [ˈkɒrɪdɔː ‖ ˈkɔrədər, ˈkɑ–] *fn* **1. a)** (átjáró)folyosó; *vasút* ~ **carriage** oldalfolyosós személykocsi **b)** légi folyosó **c)** *átv* fő közlekedési út **2.** *geol* vízmosás, hosszanti mélyedés
corrigendum [ˌkɒrɪˈdʒendəm ‖ ˌkɔ–, ˌkɑ–] *fn tsz* **corrigenda** [–də] **1.** sajtóhibák jegyzéke *[könyvben]*, helyesbítés *[hivatalos irathoz]* **2.** javítandó sajtóhiba
corrigible [ˈkɒrɪdʒəbl ‖ ˈkɔ–, ˈkɑ–] *mn* (ki)javítható, helyrehozható; rábeszélhető, engedékeny • *fn* **corrigibility**
corroborant [kəˈrɒbərənt ‖ kəˈrɑ–] **I.** *mn* megerősítő, hitelesítő *[nyilatkozat]* **II.** *fn orv* erősítő szer/orvosság
corroborate [kəˈrɒbəreɪt ‖ kəˈrɑ–] *tsi* megerősít, hitelesít *[nyilatkozatot]*, igazol, alátámaszt *[tényt]* • *fn* **corroboration, corroborator** *mn* **corroborative**
corrode [kəˈroʊd] **A.** *tsi* **1.** (szét)mar *[fémet]*, rozsdásít *[vasat]*, korrodál **2.** *átv* emészt, marcangol *[szívet]* **B.** *tni* **1.** rozsdásodik, szétporlad, szétmállik, korrodálódik **2.** elemésztődik • *mn* **corrodible, corrosible**
corrodent [kəˈroʊdənt] *fn vegy* maró anyag, korrodáló szer
corrosion [kəˈroʊʒn] *fn* **a)** (ki)marás, (meg)rozsdásodás, korrózió **b)** *átv* elgyengülés, ellenállás-csökkenés
corrosive [kəˈroʊsɪv] **I.** *mn* **1.** maró (hatású), rozsdásító, korróziót okozó **2. a)** bomlasztó, gyengítő **b)** *átv* maró, sértő *[gúny]* **II.** *fn* **1.** marószer **2.** *átv* romboló eszköz • *fn* **corrosiveness**
corrugate [ˈkɒrəgeɪt ‖ ˈkɔ–, ˈkɑ–] **A.** *tsi* barázdál, csíkoz *[felületet]*, hullámosít *[bádogot]*, présel *[papírt]*, ráncol, redőz, recéz **B.** *tni* ráncosodik, hullámossá válik • *fn* **corrugation**
corrugated [ˈkɒrəgeɪtɪd ‖ ˈkɔ–, ˈkɑ–] *mn* barázdált, ráncos, redős, recézett, hullámosított; ~ **iron** hullámlemez, hullámbádog, bordáslemez; ~ **paper** hullámpapír
corrugator [ˈkɒrəgeɪtər ‖ ˈkɔ–, ˈkɑ–] *fn orv* ráncoló/redőző izom, szemöldökizom
corrupt [kəˈrʌpt] **I.** *mn* **1. a)** romlott, erkölcstelen **b)** ~ **text** elrontott/meghamisított szöveg **2.** megvesztegethető **3.** rothadt **II. A.** *tsi* megveszteget, megront, elront

[szöveget], meghamisít *[jelleget]* **B.** *tni* **1.** megromlik, megrothad, erkölcstelenné/megvesztegethetővé válik **2.** elváltozik *[nyelv]* • *mn* **corruptive**
corrupter [kəˈrʌptə ‖ –ər] *fn* **1.** erkölcsrontó, csábító **2.** megvesztegető **3.** szövegrontó
corruptible [kəˈrʌptəbl] *mn* megvesztegethető, korrumpálható • *fn* **corruptibility**
corrupting [kəˈrʌptɪŋ] *mn* **1. a)** megrontó, bomlasztó, romboló, korrumpáló, megvesztegető **b)** (el)csábító **2.** oszlásban/rothadásban levő
corruption [kəˈrʌpʃn] *fn* **1. a)** romlottság, züllöttség **b)** romlás, rothadás, bomlás **2.** megrontás, (meg)vesztegetés, korrupció **3.** romlott/eltorzított kiejtés/alak, elferdített változat *[szóé]*
corruptionist [kəˈrʌpʃənɪst] *fn* **1.** korrupciót elkövető személy **2.** korrupciót pártoló személy
corruptly [kəˈrʌptli] *hsz* korrupt módon
corruptor [kəˈrʌptə ‖ –ər] → **corrupter**
corset [ˈkɔːsɪt ‖ ˈkɔr–] **I.** *fn* fűző **II. 1.** *tsi* fűzőt vesz magára **2.** erősen szabályoz/ellenőriz • *mn* **corseted**
Corsica [ˈkɔːsɪkə ‖ ˈkɔr–] *tul földr* Korzika • *fn/mn* **Corsican**
cortège [kɔːˈteɪʒ ‖ kɔrˈteʒ] *fn* **1.** (gyász)menet **2.** (dísz)kíséret
cortex [ˈkɔːteks ‖ ˈkɔr–] *fn tsz* **cortices** [–tɪsiːz] **1.** *orv* kéreg(állomány) **2.** *növ* fakéreg, fahéncs • *mn* **cortical**
corticate [ˈkɔːtɪkət ‖ ˈkɔr–], **corticated** *mn növ* **1.** kéreggel/héjjal/háncccsal burkolt/fedett **2.** háncsszerű, kéregszerű
corticiferous [ˌkɔːtɪˈsɪfərəs ‖ ˌkɔr–] *mn növ* héjas, kérges, háncsos
coruscate [ˈkɒrəskeɪt ‖ ˈkɔ–, ˈkɑ–] *tni átv* csillog, ragyog, szikrázik, sziporkázik, fénylik • *fn* **coruscation** *mn* **coruscating**, **coruscant**
corvée [ˈkɔːveɪ ‖ kɔrˈveɪ] *fn* **1.** *régi tört* robot, jobbágyi szolgáltatás, kényszermunka **2.** közmunka
corvette [kɔːˈvet ‖ kɔrˈvet] *fn kat hajó* **1.** kisebb vitorlás hadihajó **2.** könnyű páncélos kísérőhajó, korvett
corvine [ˈkɔːvaɪn ‖ ˈkɔr–] *mn* holló-, hollószerű
corybantic [ˌkɒrɪˈbæntɪk ‖ ˌkɔr–, kɑr–] *mn* elragadtatott, önkívületben ujjongó
corymb [ˈkɒrɪmb ‖ ˈkɔr–] *fn növ* sátorvirágzat • *mn* **corymbiferous**
coryza [kəˈraɪzə] *fn orv* **1.** nátha **2.** roncsoló orrhurut *[baromfié]*
co-scripter [koʊˈskrɪptə ‖ –ər] *fn film* forgatókönyv-társszerző
coseismal [koʊˈsaɪzml] **I.** *mn geol* együtt rengő, koszeizmikus *[földterület]* **II.** *fn* koszeizmikus vonal
cosey [ˈkoʊzi] → **cosy** I., II.
cosh[1] [kɒʃ ‖ kɑʃ] *GB* **I.** *fn szl* ólmosbot, gumibot **II. 1.** *tsi* gumibottal/vasrúddal leüt/fejbevág **2.** *szl [megüt]* megkínál, ad neki egy maflást, fejen nyom
cosh[2] [kɒʃ ‖ kɑʃ] *mn* kényelmes
coshboy *fn GB szl* huligán, garázdálkodó
co-signatory [ˌkoʊˈsɪgnətəri ‖ –tɔri] **I.** *fn* társaláíró **II.** *mn* együtt/közösen aláíró/jegyző • *tsi* **co-sign**
cosine [ˈkoʊsaɪn] *fn mat* koszinusz
cosmetic [kɒzˈmetɪk ‖ kɑz–] **I. 1.** *mn* szépítő, kozmetikai; ~ **surgery** arcplasztika **2.** kozmetikázott, manipulált *[eredmény/kimutatás]* **II.** *fn* **1.** szépítőszer, kozmetikai szer **2.** *tsz* **cosmetics a)** szépítés *[arcé]* **b)** kozmetika
cosmetician [ˌkɒzməˈtɪʃn ‖ ˌkɑz–] *fn* kozmetikus
cosmeticize [kɒzˈmetɪsaɪz ‖ kɑz–], **-ise** *tsi* (ki)kozmetikáz, felületesen rendbehoz
cosmetology [ˌkɒzməˈtɒlədʒi ‖ ˌkɑzməˈtɑ–] *fn* szépségápolás, kozmetika • *fn* **cosmetologist**
cosmic [ˈkɒzmɪk ‖ ˈkɑz–] *mn* **1.** *csill* kozmikus, világűrbeli, űr- **2.** végtelen, mérhetetlenül nagy
cosmical [ˈkɒzmɪkl ‖ ˈkɑz–] *mn* **1.** kozmikus **2.** *csill* **a)** napkeltekor történő **b)** a nappal együtt kelő
cosmo- [ˈkɒzmoʊ ‖ ˈkɑzmə–] *előtag* kozmo-
cosmodrome [ˈkɒzmədroʊm ‖ ˈkɑz–] *fn* űrrepülőtér, kozmodrom
cosmogony [kɒzˈmɒgəni ‖ kɑzˈmɑ–] *fn* kozmogónia, a világegyetem keletkezésének elmélete/tana, világeredet-elmélet • *fn* **cosmogonist** *mn* **cosmogonic**
cosmography [kɒzˈmɒgrəfi ‖ kɑzˈmɑ–] *fn* kozmográfia, a világegyetem leírása • *fn* **cosmographer** *mn* **cosmographic(al)**
cosmology [kɒzˈmɒlədʒi ‖ kɑzˈmɑ–] *fn* kozmológia, a világegyetem metafizikája • *fn* **cosmologist** *mn* **cosmologic(al)**
cosmopolis [kɒzˈmɒpəlɪs ‖ kɑzˈmɑ–] *fn* világváros
cosmopolitan [ˌkɒzməˈpɒlɪtən ‖ ˌkɑzməˈpɑlətn] **I. 1.** *mn* világpolgári, kozmopolita **2.** *körny* kozmopolita/mindenütt elterjedt *[növény/állat]* **3.** kiművelt **II.** *fn* világpolgár, kozmopolita • *fn* **cosmopolitanism**
cosmopolite [kɒzˈmɒpəlaɪt ‖ kɑzˈmɑ–] → **cosmopolitan**
cosmopolitical [ˌkɒzməpəˈlɪtɪkl ‖ ˌkɑzməˈpɑ–] *mn* kozmopolitikai
cosmos [ˈkɒzmɒs ‖ ˈkɑzməs] *fn* **1.** világegyetem, világmindenség, kozmosz **2. a)** zárt rendszer, harmónia **b)** tapasztalatok összessége
Cossack [ˈkɒsæk ‖ ˈkɑsæk] *fn* kozák
cosset [ˈkɒsɪt ‖ ˈkɑ–] **I.** *fn* kedvenc állat **II.** *tsi biz* becéz, dédelget, cirógat
cost [kɒst ‖ kɔst] **I.** *tsi pt/pp* **cost 1.** *gazd* ~ **an article** megállapítja egy cikk árát **2.** kerül(vmbe); **what does it ~?** mibe kerül?; ~ **sy dear** nagy árat fizet (vmért); megkeserül (vmt) **II.** *fn* **1.** költség, ár; **net** ~ beszerzési/önköltségi ár; ~ **price** önköltségi ár; **at any ~, at all ~s** bármibe kerül is; *átv* **at the ~ of one's life** élete árán; **to sell at ~** önköltségi áron ad el **2. a)** *tsz* **costs** kiadások **b)** *jog* perköltségek **3.** kár, hátrány; **to my ~** saját káromon/bőrömön
cost accountant *fn közg* költségelszámoló • *fn* **cost-accounting**
costal [ˈkɒstl ‖ ˈkɑ–] *mn orv* borda-, bordai
co-star [ˈkoʊstɑː ‖ –stɑr] **I.** *fn* ‹más sztárokkal együtt fellépő/közreműködő sztár› **II.** *i* **-rr- A.** *tsi* ‹más sztárral együtt szerepeltet› **B.** *tni* ‹más sztárral együtt szerepel›
Costa Rica [ˌkɒstə ˈriːkə ‖ ˌkoʊst–, ˌkɑst–] *tul földr* Costa Rica • *fn/mn* **Costa Rican**
costate [ˈkɒstət ‖ ˈkɑs–] *mn* bordás, bordázott
cost clerk → **cost accountant**
cost-conscious *mn* ‹a költségeket/gazdaságossági szempontokat szem előtt tartó› • *fn* **cost consciousness**
cost-cutting *mn* költségcsökkentő • *tsi* **cost-cut**
cost-effective *mn* gazdaságos
coster [ˈkɒstə ‖ ˈkɑstər] → **costermonger**
costermonger [ˈkɒstəmʌŋgə ‖ ˈkɑstərmɑŋgər] *fn* vándorárus, kofa
cost-free *mn* költségmentes
costing [ˈkɒstɪŋ ‖ ˈkɔs–] *fn* **1.** árvetés, kalkuláció **2.** *tsz* **costings** előállítási költségek
costive [ˈkɒstɪv ‖ ˈkɑstɪv] *mn* **1. a)** szorulásos, székrekedéses **b)** *biz* fáradságos **2.** *biz* **a)** zsugori, fukar, szűkmarkú **b)** nehézkes **c)** szófukar
costless [ˈkɒstləs ‖ ˈkɔst–] *mn* költségmentes, ingyenes
costly [ˈkɒstli ‖ ˈkɔst–] *mn* **a)** értékes, drága **b)** költséges **c)** pompás **d)** fényűző, pazarló • *fn* **costliness**
cost-of-living I. *mn* megélhetési, létfenntartási; ~ **allowance/supplement** drágasági pótlék **II.** *fn* **cost of living** létfenntartási költség
cost-plus *fn gazd* ‹önköltségi ár a megengedett haszonnal együtt›
costume [ˈkɒstjum ‖ ˈkɑstuːm] **I.** *fn* **1. a)** viselet **b)** öltözet, ruha **2.** jelmez; *szính* ~ **play/piece** kosztümös színdarab **3.** (női) kosztüm **II.** *tsi* **1.** (fel)öltöztet **2.** jelmezbe öltöztet
costume jewellery *fn* ékszerutánzat, bizsu

costumier [kɒˈstjuːmɪə ‖ kɑˈstuːmieɪ] *fn* **1. a)** jelmezkészítő **b)** *szính film* ruhatervező **c)** jelmezkölcsönző **2.** női szabó

cosy [ˈkoʊzi] **I. 1.** *mn* lakályos, barátságos, kényelmes, otthonos; **~ corner** meghitt sarok **2.** *pej* öntömjénező, öntelt **II.** *fn* **1.** teababa, teamelegítő, tojásmelegítő **2.** *GB* ‹kétszemélyes kis kanapé› **III. A.** *tsi biz* **~ along** félrevezetően megnyugtat, szemébe homokot szór **B.** *tni US biz* **~ up to sy** (i) bizalmába férkőzik, behízelgi/benyalja magát (ii) odabújik vkhez • *fn* **cosiness** *hsz* **cosily**

cot[1] [kɒt ‖ kɑt] *fn* **1.** gyermekágy, kiságy; **basket ~** mózeskosár **2. a)** *US* összehajtható/tábori ágy **b)** függőágy *[hajón]*, hajóágy **c)** kórházi ágy

cot[2] [kɒt ‖ kɑt] **I.** *fn* **1. a)** hajlék, menedék **b)** akol **2.** *vál* kunyhó, viskó **II.** *tsi* **-tt-** akolba terel, akolban tart

cot[3] [kɒt ‖ kɑt] *fn* kivájt fatörzs-csónak

cotangent [koʊˈtændʒənt] *fn mat* kotangens

cot death *fn* bölcsőhalál

cote [koʊt] *fn főleg összet* ól, ház *[főleg állaté]*

coterie [ˈkoʊtəri] *fn* csoportosulás, kör, klikk

coterminous [koʊˈtɜːmɪnəs ‖ -ˈtɜr-] *mn* **1.** azonos értelmű, szinonim **2.** → **conterminous**

cottage [ˈkɒtɪdʒ ‖ ˈkɑtɪdʒ] **I.** *fn* **1.** falusi ház, kunyhó **2. a)** *US* **country ~** villa, (vidéki) nyaraló; **~ hospital** falusi kórház; **~ industry** háziipar; **~ piano** pianino **b)** *US* nyaralóház *[kibérelhető]* **3.** *szl [nyilvános illemhely]* klotyó **II.** *tni szl* ‹nyilvános illemhelyen homoszexuális aktust végez›

cottage-cheese *fn* túró

cottager [ˈkɒtɪdʒə ‖ ˈkɑtɪdʒər] *fn* **1.** paraszt, falusi (ember) **2.** *Kan* villatulajdonos *[nyaralóhelyen]*

cottar [ˈkɒtə ‖ ˈkɑtər] → **cotter**

cotter [ˈkɒtə ‖ ˈkɑtər] **I.** *fn műsz* sasszeg, retesz, (összekötő) ék; **~ pin** sasszeg, zárószeg **II.** *tsi* sasszeggel/csappal rögzít

cottier [ˈkɒtɪə ‖ ˈkɑtɪər] *fn* **1.** paraszt, falusi (ember) **2.** kisbérlő, törpebérlő *[Írországban]*

cotton [ˈkɒtn ‖ ˈkɑtn] **I.** *fn* **1. a)** gyapot, pamut; **~ industry** gyapotipar, pamutipar **b)** gyapotcserje **2. a)** gyapotfonál, pamutfonál **b)** pamutvászon, pamutszövet **II.** *mn* gyapot-, pamut- **III. A.** *tsi* vattáz, bélel **B.** *tni* **1.** molyhosodik, bolyhosodik **2. ~ on to sg** kapiskálja, kezdi megérteni **3.** *biz* **~ (on) to sy** vonzódik vkhez; megkedvel/megszeret vkt • *mn* **cottony**

cotton candy *fn US Kan* vattacukor

cotton-gin *fn tex* gyapotmagtalanító gép

cotton-picking *fn* gyapotbetakarítás, gyapotszedés

cotton-plant *fn növ* gyapotcserje

cottonweed *fn* **1.** *növ* gyopár **2.** *növ* penészvirág

cottonwood *fn US* amerikai nyárfa

cotton-wool *fn* **1.** vatta **2.** *US* nyers gyapot

cotyledon [ˌkɒtɪˈliːdn ‖ ˌkɑtɪ-] *fn növ* sziklevél • *mn* **cotyledonary**, **cotyledonous**

coucal [ˈkuːkl] *fn áll* kakukk

couch [kaʊtʃ] **I.** *fn* kanapé, dívány, heverő **II. A.** *tsi* **1.** megfogalmaz, szavakba önt **2.** *régi* (előre)szegez *[lándzsát]* **3. a)** *orv* eltávolít (tűvel) *[hályogot]* **b)** *átv* felnyitja vk szemét **B.** *tni* **1.** fekszik **2. a)** *régi* (meg)lapul, kushad *[állat]* **b)** *régi* megbújik, elrejtőzik, lesben áll

couch doctor *fn US biz* pszichiáter

coucher [ˈkuːtʃə ‖ -ər] *fn* **a)** heverésző, lustálkodó *[ember]* **b)** gyáva *[ember]*

couchette [kuːˈʃet] *fn* **1.** fekvőkocsi, kusett **2.** fekvőhely

couch grass *fn növ* kúszótarack, tarackbúza

couch potato *fn US biz szl* ‹állandóan heverésző, tévét néző, lustálkodó, keveset mozgó ember›

cougar [ˈkuːgə ‖ -ər] *fn áll* puma

cough [kɒf ‖ kɔf] **I. A.** *tsi* **1. a) ~ out sg** kiköhög vmt; **~ up** felköhög/kiköhög **b) ~ up** *[kelletlenül kifizet]* kiköhög, leperkál; **~ it up!** köpd ki! *[titkot, hírt]* **2. ~ down a speaker** szónokot köhögéssel hallgatásra kényszerít *[közönség]* **B. 1.** *tni* köhög, *biz* köhög, köpköd *[motor]* **2.** *szl [elárul]* köp **II.** *fn* köhögés, köhintés; **loose ~** szakadozó köhögés

cough-drop *fn* köhögés elleni cukorka

cough mixture *fn* ‹köhögés elleni kanalas gyógyszer›

could [kəd, kʊd] → **can**[1]

couldn't [ˈkʊdnt] *röv could not*→ **can**[1]

coulomb [ˈkuːlɒm ‖ -lɑm] *fn fiz* coulomb *[töltés egysége]*, ampermásodperc

coulter [ˈkoʊltə ‖ -ər] *fn mezőg* csoroszlya

council [ˈkaʊnsl] *fn* **1. a)** tanács, tanácskozó testület; **the Army C~** legfelső haditanács; **C~ of Europe** Európa Tanács; **C~ of State** államtanács **b)** *vall* zsinat **c) the Court of Common C~** London városi tanácsa; **municipal ~** városi tanács/képviselőtestület **2.** tanácskozás, tanácsülés; **hold ~**, **be/meet in ~** tanácskozik *[testület]*; **hold a ~ of war** haditanácsot tart

council-board *fn* **1.** tanácskozóasztal **2.** tanácskozó testület **3.** tanácsülés

council-chamber *fn* ülésterem

council-house *fn GB* ‹(alacsony lakbérű) tanácsi (kisebb) bérház›

councillor [ˈkaʊnsl·ə ‖ -ər] *fn* **a)** tanácsos, tanácstag **b)** tanácsadó • *fn* **councillorship**

council-man [ˈkaʊnslmən] *fn tsz* **-men** tanácstag, tanácsos

councilor [ˈkaʊnsl·ə ‖ -ər] *US* → **councillor**

counsel [ˈkaʊnsl] **I.** *fn* **1.** tanácsadás, tanács; **take ~ with sy** megtárgyal vmt vkvel, tanácskozik vkvel (*as to* vmre vonatkozóan) **2.** tanácskozás, (meg)tárgyalás **3.** szándék, terv; **keep one's own ~** titokban tartja terveit/szándékait **4. a)** *jog* ügyvéd, jogtanácsos, ügyész; *GB* **King's/Queen's C~** királyi tanácsos **b)** ügyvédi kar/testület/kamara **II.** *i* **-ll-** **A.** *tsi* **1.** javasol, ajánl **2. ~ sy to do sg** tanácsol vknek vmt **B.** *tni* tanácsot kér (vktől), tanácskozik (vkvel)

counselling [ˈkaʊnsl·ɪŋ] *fn* tanácsadás *[pszichiáter/szociális gondozó részéről]*

counsellor [ˈkaʊnsl·ə ‖ -ər] *fn* **1.** tanácsadó, bizalmas; **he proved a wise ~** tanácsa jónak bizonyult(ak) **2.** *US* ügyvéd, követségi jogtanácsos **3.** nevelőtanár *[nyári táborban]*

counsellor-at-law *fn tsz* **counsellors-at-law** *US* ügyvéd

count[1] [kaʊnt] **I. A.** *tsi* **1.** (meg)számol, kiszámít (vmt); **~ sy's blessings** hálás azért, amije van; **~ the cost** kiszámítja a költségeket/kiadásokat; figyelembe veszi a kockázatot, belekalkulálja a veszteséget; **~ the days/hours** türelmetlen(kedik), már alig vár vmt; **don't ~ your chickens before they are hatched** ne igyál előre a medve bőrére **2. a) ~ (in)** beleszámít, sorol, számításba vesz **b) ~ sy/sg (to be) sg** vkt vmnek tekint/tart **B.** *tni* **a)** számol, számít **b)** fontossággal/jelentőséggel bír, számít; **that does not ~** ez nem számít **II.** *fn* **1. a)** számolás, számítás; **keep ~ of sg** számon tart vmt; megszámol/felsorol vmt; **lose ~** számolást eltéveszt/elhibáz, nem tudja, hol tart; **lose ~ of time** időérzéke kihagy, megfeledkezik az idő múlásáról; **put sy out of ~** összezavar/megzavar vkt **b) ask for a ~** szavazást/ellenpróbát kér **2. a)** számolás/számlálás eredménye, végösszeg **b)** jelentés, beszámoló **3.** *jog* vádpont; **on all ~s** minden vádpontban **4.** vitapont **5.** *tex* fonálsűrűség, fonalszám **6.** *sp* kiszámolás *[bokszmérkőzésben]*; *sp* **take the ~** kiszámolják; *szl [meghal]* bedobja a törülközőt, elpatkol; **be out for the ~** (i) *sp* kiszámolják *[ökölvívásban]* (ii) vesztes, megsemmisült (iii) mélyen alszik, ájult

count against *tni* hátrányára íródik, ellene szóló körülménynek számít

count down *tsi/tni* visszaszámol

count for *tsi* számít/tart vmnek

count in A. *tsi* be(le)számít (vkt/vmt vhova/vmbe) **B.** *tni* **~ in twos** kettesével számol

count off *tni* leszámol, kiszámol

count on *tni* **1. a)** ~ **on doing sg** szándékozik/tervez csinálni vmt **b)** ~ **on sy/sg** számít vkre/vmre **2.** tovább számol

count out *tsi* **1.** kiszámol *[pénzt]* **2. be ~ed out** *sp* kiszámolják *[ökölvívásban]* **3. a)** ~ **out the players** kiszámolja a játékosokat *[verssel, mondókával]* **b)** *biz* **you can ~ me out of that** rám ne számítson ebben az ügyben **4.** *GB* ~ **out the House** (határozatképtelenség miatt) elnapolják a Ház ülését **5.** meghamisít *[választási eredményt]*

count up *tsi* összeszámol, megszámol

count upon *tni* → **count on**

count² [kaʊnt] *fn* gróf *[nem angol]*

countable ['kaʊntəbl] *mn/fn* megszámlálható *[főnév]* • *fn* **countability**

countdown *fn* visszaszámlálás; *átv* utolsó pillanatok *[fontos esemény előtt]*

countenance ['kaʊntənəns] **I.** *fn* **1. a)** arc(kifejezés); **change ~** arckifejezése változik **b)** magatartás, viselkedés, fellépés; **keep one's ~** nem veszti el a fejét; megőrzi komolyságát; **lose ~** zavarba jön, meghökken, elképed; **put sy out of ~** zavarba ejt vkt, meghökkent/elképeszt vkt **2.** pártfogás, támogatás, bátorítás; **keep sy in ~** támogat/bátorít vkt **3.** társadalmi súly, tekintély **II.** *tsi* **1. a)** engedélyez, helyesel *[cselekedetet]* **b)** eltűr, elnéz *[hibát]* **2.** bátorít, támogat vkt (*in* vmben) **3.** *biz* szemébe néz

countenancer ['kaʊntənənsə || –ər] *fn* támogató, segítő

counter- ['kaʊntə || 'kaʊntər] *előtag* ellen-

counter¹ ['kaʊntə || –ər] *fn* **1.** számoló **2. a)** *mat* számláló **b)** számláló(készülék), számlálógép

counter² ['kaʊntə || 'kaʊntər] *fn* **1.** pult; **goods from under the ~** pult alól adott (v. fekete) áru; **over the ~** (i) legális (ii) recept nélkül kapható *[gyógyszer]*; *pénz* **buy/sell over the ~** készpénzért vesz/elad *[értékpapírokat, tőzsdén kívül* v. *szabad forgalomban]* **2.** pénztár(ablak) *[bankban stb.]* **3.** játékpénz, zseton **4.** *US* konyhai/laboratóriumi asztal; munkafelület

counter³ ['kaʊntə || 'kaʊntər] **I.** *mn* **a)** ellenkező, ellentétes (*to* vmvel) **b)** *összet* ellen- **II.** *hsz* ellentétesen, ellentétben, ellenkezően; **run/go/act ~ to one's orders** utasításokkal/paranccsal ellentétben cselekszik (v. jár el); parancsot megszeg; *vad* **hunt/run/go ~** ellenkező/helytelen irányban keresi a vadat; *átv* szembehelyezkedik, ellentétes álláspontot foglal el **III.** *fn* **1. a)** az ellentét, szemközt levő (v. szemben fekvő) része **b)** rossz irány/nyom *[vadászatban]* **2.** szügy *[lóé]* **3.** *hajó* farkosár **4.** *zene* ellenszólam, kísérő/második szólam **5.** *sp* hárítás *[vívásban]*, visszaütés *[ökölvívásban]* **IV.** *tsi* **a)** ellenáll, ellenszegül (vknek/vmnek), szembeszáll, szembehelyezkedik (vkvel/vmvel); ~ **an opinion** szembehelyezkedik egy véleménnyel, ellentétes álláspontot foglal el **b)** *sp* ~ **(a blow)** ütést elhárít/kivéd és visszaüt; riposztoz

counter⁴ ['kaʊntə || 'kaʊntər] *fn* kéreg *[cipőben]*

counteract [ˌkaʊtər'ækt] *tsi* **1.** ellenszegül, szembeszáll **2.** semlegesít, közömbösít • *fn* **counteraction** *mn* **counteractive**

counter-agent *fn* ellenszer

counter-argument *fn* ellenérv

counter-attack I. *fn* ellentámadás **II.** *tsi/tni* ellentámadást indít

counter-attraction *fn* ellentétes irányú vonzás

counterbalance I. *fn* ['kaʊntəbæləns || –tər–] ellensúly, egyensúly **II.** *tsi* [ˌkaʊntə'bæləns || –tər–] ellensúlyoz, kárpótol, kiegyenlít, egyensúlyban tart

counterbass → **contrabass**

counterblast *fn* tiltakozás, (írásbeli/szóbeli), ellentámadás

counterchange I. *fn* ['kaʊntətʃeɪndʒ || –tər–] **1.** csere, váltakozás, váltogatás **2.** viszonzás **II.** *tsi* [ˌkaʊntə'tʃeɪndʒ || –tər–] **1.** helyet változtat, kicserél, váltogat **2.** viszonoz **3.** *cím* tarkít, változatossá tesz

countercharge I. *fn* **1.** *jog* viszontvád, ellenvád, ellentámadás **2.** *kat* ellentámadás **II.** *tsi* vádol, ellentámadást indít, *átv* visszaló

counter-check I. *fn* **1.** ellenlökés, ellenállás, visszahatás, gát(oló hatás) **2.** ellenpróba, másodszori ellenőrzés, revideálás **3.** *régi* visszavágás **II.** *tsi* **1.** ellenáll, visszahatást/ellenhatást fejt ki **2.** ellenpróbát csinál, revideál, újból ellenőriz

counter-claim I. *fn jog* viszontkereset **II.** *tni* viszontkeresetet nyújt/ad be, ellenigényt támaszt

counter-clockwise [ˌkaʊntə'klɒkwaɪz || ˌkaʊntər'klɑk–] **I.** *mn* óramutató járásával ellenkező irányú **II.** *hsz* az óramutató járásával ellentétes irányban

countercultural *mn* alternatív, a hagyományos kultúrát elvető • *fn* **counter-culture** *fn* **counterculturist**

counter-current *fn* ellenáram, ellenáramlat

counter-draw I. *fn műv* átütés, átmásolás **II.** *tsi tsz* **counter-drew**, *pp* **counter-drawn** *műv* próbalevonatot készít *[metszetről]*, rajzvászonra másol

counter-drawing *fn műv* másolat, körvonalrajz, kontúrpauza

counter-espionage *fn kat* kémelhárítás

counterfeit ['kaʊntəfɪt || –tər–] **I.** *mn* utánzott, hamisított, hamis **II.** *fn* **a)** utánzat, hamisítvány **b)** utánzás, hamisítás **c)** tettetés, színlelés **III.** *tsi/tni* **1.** utánoz, másol **2.** hamisít **3.** tettet, színlel **4.** nagyon hasonlít (vmhez) • *fn* **counterfeiter**, **counterfeiting**

counterfoil *fn* szelvény, ellenőrzőszelvény(-lap) *[csekkfüzetben, nyugtakönyvben]*

counterinsurgency *fn* lázadók/gerillák elleni intézkedések

counter-intelligence *fn kat* kémelhárítás

counter-irritant *mn/fn orv* bőrizgató (szer)

counterman ['kaʊntəmən || –tər–] *fn tsz* **-men** *US* (álló vendéget pult mögött) kiszolgáló; büfés

countermand [ˌkaʊntə'mɑːnd || –tərmænd] **I.** *tsi* visszarendel, visszahív, visszavon; lefúj, lemond **II.** *fn* korábbi parancs/rendelet visszavonása • *fn* **countermanding**

counter-measure *fn* ellenintézkedés, megtorló intézkedés/rendszabály

countermove I. *fn* **a)** ellentétes irányú mozgás **b)** megtorló intézkedés, ellenintézkedés **c)** ellenállás, felkelés **II.** *tsi/tni* **a)** ellentétes irányban mozog **b)** ellenintézkedést tesz **c)** ellenáll • *fn* **countermovement**

counter-offensive *fn kat* ellentámadás, ellenoffenzíva

counterpane ['kaʊntəpeɪn || –tər–] *fn* ágytakaró, paplan

counterpart ['kaʊntəpɑːt || tərpɑrt] *fn* **1.** másolat **2.** párja/megfelelője **3.** hasonmás, szakasztott mása (vmnek), alterego **4.** hasonló szerepet/állást betöltő személy/partner

counterplot I. *fn* ellenterv, ellencsel **II.** *i* **-tt- A.** *tsi* ravaszul/csellel félrevezet/kijátszik (vkt), ellencsellel meghiúsít *[tervet, cselszövényt]* **B.** *tni* ellencselt/ellentervet sző (*against sy* vk ellen)

counterpoint ['kaʊntəpɔɪnt || –tər–] **I.** *fn* **a)** *zene* ellenpont, kontrapunkt **b)** ellenpont, ellenérv **II.** *tsi* **A. 1.** *zene* ellenpontoz, kontrapunktál **2.** ellenpontként odaállít *[pl. cselekményhez mellékszálat]* **B.** *tni* visszaüt, visszavág

counterpoise ['kaʊntərpɔɪz || –tər–] **I.** *fn* **1.** ellensúly **2.** egyensúlyi helyzet; **in ~** egyensúlyban, egyensúlyi helyzetben **II.** *tni* kiegyensúlyoz, ellensúlyoz, ellensúlyban tart

counterproductive *mn* ‹az elérni kívánt hatással éppen ellentétes hatású› terméketlen, célszerűtlen

counter-reformation *fn* ellenreformáció

counter-revolution *fn* ellenforradalom • *fn* **counter-revolutionist** *mn* **counter-revolutionary**

counter-rock *fn geol* mellékkőzet

counter-seal *fn* ellenőrző pecsét

counter-security *fn* ellenbiztosíték

countershaft *fn műsz* erőátviteli tengely
countersign [ˈkaʊntəsaɪn ‖ –tər–] **I.** *fn* **1.** ellenjegy(zés) **2.** jelszó **II.** *tsi* ellenjegyez, láttamoz, jóváhagy, ratifikál • *fn* **counter-signature**
countersink [ˈkaʊntəsɪŋk ‖ –tər–] **I.** *fn műsz* maró-fúró, süllyesztő *[fúró v. maró]*, lyukvágó, kúpos fúró **II.** *tsi pt* **countersank** [–sæŋk,], **countersunk** [–sʌŋk], *pp* **countersunk** [–sʌŋk,], **countersunken** [–sʌŋkn] **1.** *műsz* illeszt, (be)süllyeszt *[csavarfejet]* **2.** *műsz* ferdén csiszol, lemetsz, legömbölyít, lekerekít
counterslope *fn* bukólejtő
counter-tenor *fn zene* **1.** kontratenor, alt magasságú férfihang **2.** kontratenor, alt (hangú) férfiénekes **3.** kontratenor (hangra írott) szerep
countervail [ˌkaʊntəˈveɪl ‖ –tər–] **A.** *tsi vál* ellensúlyoz, (kár)pótol, kiegyenlít; **~ing duty** kiegyenlítő vám **B.** *tni* felülkerekedik, diadalmaskodik (*against* vmvel szemben/vm felett)
countervalue *fn* ellenérték
counterweigh *tsi* **1.** ellensúlyoz, több/nagyobb súlya van, többet nyom a latban **2.** súlyokat összehasonlít *[két tárgyét]*, mérlegel, latolgat, (meg)fontol, fontolóra vesz *[két érvet]*
counterweight **I.** *fn* ellensúly, egyensúlyozó szerkezet/rúd, nehezék **II.** *tsi* ellensúlyoz, egyensúlyban tart, ellensúllyal ellát
counterwork **I.** *fn* [ˈkaʊntəwɜːk ‖ –tərwɜrk] **1.** ellencsel, ellenhatás **2.** *kat* ostromlottak védelmi munkálatai **II.** *i* [ˌkaʊntəˈwɜːk ‖ –tərˈwɜrk] **A.** *tsi* akadályoz, hátráltat, gátol **B.** *tni kat* ellentámadásba megy át
countess [ˈkaʊntɪs] *fn* grófné, grófnő
counting [ˈkaʊntɪŋ] **I.** *mn* számoló **II.** *fn* számolás, számítás; **without/not ~** nem (is) számítva (vkt/vmt)
counting-house *fn GB gazd* könyvviteli/számviteli osztály
counting-out *fn* kiszámolás *[játékosoké stb.]*; **~ rhyme** kiszámoló versike
countless [ˈkaʊntləs] *mn* számtalan, megszámlálhatatlan
count noun *fn* megszámlálható főnév
countrified [ˈkʌntrifaɪd] *mn* vidékies, parlagi, falusias (gondolkodású)
country [ˈkʌntri] *fn* **1. a)** ország, haza; **appeal/go to the ~** az országhoz/hazához/nemzethez szól/folyamodik; általános/országgyűlési választásokat ír ki (v. tart) **b)** vidék, táj; **open ~** sík/nyílt vidék/táj **c)** terep; **across ~** terepen, árkon-bokron át **2. a)** vidék *[nem főváros]*; **~ town** vidéki város; mezőváros **b)** vidék, falu *[nem város]*; **~ cousin** vidéki rokon, újonnan érkezett (jövevény) *[vidékről]*; vidéki/falusi liba; **~ gentleman** vidéki földesúr/úr; **~ life** vidéki/falusi élet; **~ party** kisgazdapárt, földművespárt; **go up ~** az ország közepe felé halad, vidékre utazik *[várostól távolra]*; **in the ~** vidéken, falun **3.** terület, (gondolat)kör, működési kör; **this subject is quite unknown ~ to me** ez a dolog egészen új terület számomra; **line of ~** ismert terület (vki számára), vki asztala **4. ~ and western** → **country music**
country-dance *fn* (angol) népi tánc
countryfied [ˈkʌntrifaɪd] → **countrified**
country-folk *fn* vidékiek, falusiak
country-house *fn* vidéki udvarház
countryman [ˈkʌntrimən] *fn tsz* **-men** **1. a)** vidéki ember **b)** földműves, paraszt **2.** földi(je vknek); **fellow ~** honfitárs, földi
country music *fn zene* country-zene
country-rock *fn* **1. a)** *bány* meddőbeágyazás, magasan körülzáró sziklák **b)** *geol* tömeges kőzet, mellékkőzet **2.** *zene* ‹rock and roll és country zene keveréke›
country-seat *fn* vidéki kastély, kúria
countryside *fn* **1.** vidék, vidéki táj **2.** a vidék/környék lakossága/népessége
country-wide *mn* országos
county [ˈkaʊnti] *fn* **1. a)** grófság, megye **b)** *tört* egy gróf fennhatósága alá tartozó terület **2. a)** közigazgatási kerület; *GB régi* **~ borough** megyei önkormányzatú választókerület; *GB* **~ council** megyei tanács; *GB* **~ court** megyei/kerületi elsőfokú bíróság; járásbíróság; *GB* **~ town** grófsági/megyei/kerületi székhely **b)** *biz* a grófság/megye/kerület lakossága/népessége; *GB* **(a) ~ family** a grófság/megye birtokos családainak egyike
coup [kuː] *fn* **1.** merész/vakmerő tett/akció **2.** *ját* ‹a golyónak lyukba küldése a másik két golyó érintése nélkül biliárdban›
coup d'état [ˌkuːdeɪˈtɑː] *fn francia* államcsíny, puccs
coupe [kuːp] *fn* **1.** talpas pohár **2.** talpas pohárban tálalt desszert **3.** → **coupé**
coupé [ˈkuːpeɪ ‖ kuːˈpeɪ] *fn* **1. a)** kétajtós autó; **sports ~** csukott sportautó **b)** *régi* csukott kocsi/hintó *[rendszerint kétüléses]* **2.** (vasúti) félfülke
couple [ˈkʌpl] **I.** *fn* **1. a)** pár **b)** *biz* **a ~ of** néhány, (egy) pár **2.** (ember)pár; **married ~** házaspár **3.** *épít* egy pár szarufa/keresztgerenda **4.** *fiz* erőpár, forgatónyomaték **5.** *vill* elempár, kapcsolat elemek között **6.** csatlópóráz *[vadászkutyák számára]* **II.** *i* **A.** *tsi* **1. a)** összefog, összekapcsol *[tárgyakat]*, párosával/kettesével befog *[ökröket, kutyákat]* **b)** (össze)párosít **c)** összekapcsol, társít *[gondolatokat, képzeteket]*, kapcsolatba hoz *[személyeket, dolgokat]* **2.** *vill* (össze)köt, (össze)kapcsol *[elemeket, telepeket]* **B.** *tni* **1.** kapcsolódik, csatlakozik; *vasút* **~ up/on** rákapcsol, hozzákapcsol *[vagont]* **2.** párosodik
coupled [ˈkʌpld] *mn* összekötött, egybekapcsolt, (össze)kapcsolt
coupler [ˈkʌplə ‖ –ər] *fn* **1. a)** kapcsolókészülék, kapcsolóberendezés **b)** *vill* csatoló(berendezés) **2. a)** *zene* billentyűkapcsoló, kopula *[orgonán]* **b)** kapcsolópedál **3.** *vasút* összekapcsolás *[kocsiké]*
couplet [ˈkʌplət] *fn irtud* rímes verspár, párvers
coupling [ˈkʌplɪŋ] *fn* **1. a)** *műsz* (tengely)kötés, csatolás **b)** *vasút* összekapcsolás, hozzácsatolás *[kocsiké]* **c)** *vill* kapcsolás, csatolás *[elemé stb.]*; **parallel ~** párhuzamos csatolás; **serial ~** soros csatolás **2.** *műsz* kapcsolómű, tengelykapcsoló **3. a)** összepárosítás **b)** (össze)kapcsolás, társítás, asszociáció *[gondolatoké]*, együttemlítés *[neveké, személyeké]* **c)** *zene* zeneszámok elrendezése hanglemezen
coupon [ˈkuːpɒn ‖ –pɑn] *fn* **1.** szelvény, kupon, jegy; *gazd* **free-gift ~** ajándékutalvány, prémiumszelvény **2.** *GB* totó/lottószelvény, szerencsejáték kitöltőszelvénye
courage [ˈkʌrɪdʒ ‖ ˈkɜrɪdʒ] *fn* **a)** bátorság; **lose ~** elbátortalanodik; **take one's ~ in both hands** összeszedi a bátorságát; **pluck up/take ~** összeszedi minden bátorságát, felbátorodik **b) have the ~ of one's convictions** ki mer állni meggyőződése mellett
courageous [kəˈreɪdʒəs] *mn* bátor • *fn* **courageousness** *hsz* **courageously**
courgette [kɔːˈʒet ‖ kʊr–] *fn főleg GB* cukkini, zucchini
courier [ˈkʊrɪə ‖ –ər] *fn* **1.** futár, küldönc **2.** idegenvezető
course [kɔːs ‖ kɔrs] **I.** *fn* **1. a)** folyás, folyamat, menet *[ügyeké, eseményeké]*, pálya, irány; **~ of life** életpálya, pályafutás; **give free ~ to** szabad folyást enged *[érzelmeknek]*; **in the ~ of sg** vm során/folyamán; **building in ~ of construction** építés alatt álló épület; **in the ~ of nature, in the ordinary ~ of things** a dolgok természetes rendje szerint; **in (the) ~ of time** idővel, az idők folyamán; **do sg in due ~** megfelelő időben (v. a maga idejében) tesz/csinál vmt; **in due ~** (majd) ha eljön az ideje, kellő időben/sorrendben **b) of ~** persze, természetesen; **as a matter of ~** természetesen, magától értetődően; **it is a matter of ~ that** természetes, hogy, magától értetődik, hogy **2. a)** *okt* tanfolyam, kurzus, (egyetemi) előadás(sorozat), kollégium; **give a ~ of lectures** előadássorozatot tart, tanfolyamon előad **b)** *orv* kezelés, kúra, étrend **3.** *mezőg* vetésforgó (sorrend), váltógazdaság **4. a)** (út)irány, út(vonal), menetirány; **be on ~** tartja az irányt; **be off ~** eltér a helyes

iránytól; **set the ~** kijelöli/előrajzolja/felvázolja az utat/irányt *[térképen]*; *átv* kijelöli a követendő utat **b)** *átv* **the ~** a megteendő út/útvonal/pálya; *hajó* **the ~s** széljárás, légáramlás; **take a ~ of action** elhatározza/elszánja magát a követendő eljárásra/viselkedésre; **take one's own ~** a maga útján jár, saját belátása/kedve szerint cselekszik **5.** fogás *[étkezésnél]* **6. a)** *sp* (verseny)pálya, versenytér, versenyútvonal, futópálya **b)** *sp* falkavadászat **7. a)** meder, ágy *[folyóé]*, csatorna, víziút **b)** *bány* (akna)folyosó, vágat, tárna **8.** vízszintes sor/rakás, kőréteg, kősor **9.** *pénz* **~ of exchange** árfolyam, árjegyzés **II. A.** *tsi* **1.** *vad* hajt, kerget, üldöz *[vadat]* **2.** futtat, megfuttat *[kutyát, lovat]* **3.** áramoltat, irányít **B.** *tni* **1.** folyik, kering, áramlik *[folyadék, vér]* **2.** fut, szalad, halad

courser ['kɔːsə ‖ 'kɔrsər] *fn* **1.** *vál* harci mén, csataló **2.** *vad* **a)** falkavadász **b)** falkavadász-kutya

coursing ['kɔːsɪŋ ‖ 'kɔr–] *fn* **1.** *vad* falkavadászat *[nyúlra]* **2.** *sp* agarászverseny *[nyúlvadászatnál]* **3.** levegőáramlási irány

court [kɔːt ‖ kɔrt] **I.** *fn* **1.** *jog* bíróság, törvényszék; **civil ~** polgári bíróság; **criminal ~** büntetőbíróság, büntetőtörvényszék; *jog* **The High C~ of Justice** a Legfelsőbb Bíróság *[Londonban]*; **~ of law/justice** bíróság, törvényszék; *US jog* **~ of appeal** fellebbezési bíróság; **in ~** bíróság előtt; *jog* **come before the ~** megjelenik a bíróság előtt; **go to ~** pert indít; **take sy to ~** pert indít vk ellen; bíróság elé viszi a dolgot; *jog* **arrange/settle a case out of ~** peren kívüli megegyezéssel intéz el egy ügyet; *átv* **it's out of ~** figyelemre/megfontolásra méltó; *jog* **be ruled/put out of ~** a bíróság elutasítja/visszautasítja keresetét **2.** pálya, játéktér; **~ manners** a pályán való viselkedés módja *[teniszben]* **3. a)** udvar *[házé, gazdasági]* **b)** kastély, udvarház **c)** nagy terem/hall **4.** (királyi) udvar **5.** udvarlás, széptevés, hódolat; **make/pay ~ to sy** udvarol vknek **II.** *tsi* **1.** udvarol *[nőnek]*, teszi a szépet **2.** keresi *[a népszerűséget, vknek kegyét/barátságát]*, szembeszáll *[veszéllyel, halállal]*, kihívja, keresi *[a veszélyt, bajt]*; **~ death** kihívja a halált maga ellen; **~ disaster** keresi/kihívja a bajt

court-card *fn ját* figurakártya, figurás lap

courteous ['kɜːtɪəs ‖ 'kɜr–] *mn* udvarias, szíves, előzékeny (*to/towards* vkivel) • *hsz* **courteously**

courtesan [ˌkɔːtɪ'zæn ‖ 'kɔrtəzən] *fn* kurtizán, könnyűvérű nő

courtesy ['kɜːtəsi ‖ 'kɜr–] *fn* udvariasság, előzékenység, szívesség; **by ~ of** (vk) szívessége/előzékenysége folytán; vki beleegyezésével; **by ~, as a matter of ~** ingyenesen, szívességből, önként

courtesy call *fn* udvariassági látogatás

courtesy light *fn* **1.** *gk* ajtóvilágítás, belső világítás **2.** *rep* kisegítő helyzetlámpa

courthouse *fn* **a)** bírósági/törvényszéki épület **b)** bíróság

courtier ['kɔːtɪə ‖ 'kɔrtɪər] *fn* udvaronc, udvari ember

court-leet ['kɔːtliːt ‖ 'kɔrt–] → **leet²**

courtly ['kɔːtli ‖ 'kɔr–] *mn* **1. a)** udvarias **b)** választékos modorú, elegáns, előkelő magatartású **2.** *régi* túlságosan udvarias, talpnyaló • *fn* **courtliness**

court-martial [ˌkɔːt'mɑːʃl ‖ 'kɔrt mɑrʃl] **I.** *fn kat* hadbíróság, haditörvényszék **II.** *tsi* **-ll-** haditörvényszék/hadbíróság elé állít

court-room *fn* bírósági tárgyalóterem

courtship ['kɔːtʃɪp ‖ 'kɔrt–] *fn* **1.** udvarlás, széptevés **2.** udvari illem

courtyard ['kɔːtjɑːd ‖ 'kɔrtjɑrd] *fn* udvar *[házé, kastélyé, gazdaságé]*

couscous ['kuːskuːs] *fn gaszt* kuszkusz

cousin ['kʌzn] *fn* **1. a)** unokatestvér; **first/full ~, ~ german** elsőfokú unokatestvér; **first ~ once removed** elsőfokú unokatestvér gyermeke; **second ~** másodfokú unokatestvér; **call ~ with sy** rokonságot (v. rokoni kapcsolatot) fedez fel vkvel **b)** rokon, hasonló; **distant ~** távoli rokon **2.** *tört* ‹uralkodók egymással/főurakkal szemben használt megszólítása és címzése› • *fn* **cousinhood, cousinship** *hsz* **cousinly**

couth [kuːθ] *mn tréf* jómodorú, kifinomult

covalent [ˌkoʊ'vælənt] *mn vegy* kovalens *[kötés]* • *fn* **covalence**

cove¹ [koʊv] **I.** *fn* **1.** kis öböl, kis torkolati kikötő **2. a)** *földr* medence, mélyedés **b)** (hegy)szoros, (hegy)szakadék, (hajózható) tengerszoros **3.** *bány* óvóhely **4.** *épít* boltív, boltozat **II.** *tsi* (be)boltoz, átboltoz

cove² [koʊv] *fn szl régi [férfi]* pasi, hapsi

covenant ['kʌvənənt] **I.** *fn* **1.** *jog* megállapodás, megegyezés, szerződés **2.** egyezség, egyezmény, paktum *[poltikai jellegű]* **3.** *bibl* szövetség, frigy **II. A.** *tsi* **1.** ígér (v. kötelezi magát vmre), kötelezettséget vállal **2.** kiköt *[összeget]* **3. ~ to do sg, ~ that sg shall be done** kötelezi magát vmnek elvégzésére **B.** *tni* **~ with sy for sg** vkvel vmben megegyezik

covenanted ['kʌvənəntɪd ‖ 'kʌvənæntɪd] szerződéses, szerződésbe foglalt

covenantee [ˌkʌvənæn'tiː] *fn jog* hitelező

covenanter ['kʌvnəntə ‖ –ər] *fn* **a)** szerződő fél **b)** adós

covenantor ['kʌvnəntə ‖ –ər] → **covenanter a.**

Covent Garden [ˌkɒvnt 'gɑːdn, ˌkʌ– ‖ ˌkʌvnt 'gɑrdn, ˌkɑ–] *tul* **1. ~ Market** London volt vásárcsarnoka *[gyümölcs, zöldség és virág eladására]* **2. ~ Theatre** londoni színház- és hangversenyterem

Coventry ['kɒvntri, 'kʌv– ‖ 'kʌ–, 'kɑ–] *tul* **1.** *földr* Coventry **2.** *biz* **send sy to ~** nem érintkezik vkvel

cover ['kʌvə ‖ –ər] **I. A.** *tsi* **1. a)** lefed, (be)takar, (be)borít (*with* vmvel); **~ one's tracks** eltünteti a nyomokat maga után **b) ~ sy with ridicule** nevetségessé tesz vkt, kigúnyol vkt **c)** asztalt terít **2.** véd, védelmez, fedez **3.** (be)fed, (be)burkol, (be)borít, beköt *[könyvet]*; **the walls are ~ed with yellow paper** sárga tapéta borítja a falakat **4. a) ~ a distance** távolságot/utat megtesz/befut/bejár **b)** magában foglal, felölel (vmt), kiterjed (vmre), tárgyal, taglal (vmt); **his studies ~ a wide field** tanulmányai nagy területet ölelnek fel **c)** tudósít **5.** (el)leplez, palástol **6.** *pénz gazd* **a)** fedezetet/biztosítékot ad, fedezetül/biztosítékul szolgál; **~ one's expenses** fedezi a költségeket/kiadásokat **b)** biztosít, biztosíttat; **how are you ~ed?** milyen biztosítása van? **7.** *áll* **a)** (be)fedez, meghág **b)** fedeztet, meghágat **B.** *tni* **~ for a colleague in his absence** kollégát helyettesít **II.** *fn* **1.** takaró, terítő, huzat; **loose ~** (védő)huzat **2. a)** fedő *[fazéké, tálé]*, fedőlap, fedél, tető, bura, kupak; **protection ~** védőburkolat, védőburok; **~ plate** fedőlemez, burkolólemez, borítólemez; **~ sheet** borítólemez, burkolólemez **b)** *épít* (be)fedés, betonfedés *[hídépítésnél]* **c)** *növ* gallér **3. a)** fedél *[könyvé]*; **~ design** a borítólap/címlap rajza; kötésterv; **~ girl** ‹(szép) nő, akinek a fényképe folyóirat címlapján jelenik meg› **b)** levélboríték; **under separate ~** külön borítékban/levélben **4. a)** hajlék, fedél, menedék, védelem; **be under ~** biztonságban van, fedél alatt van; **give sy ~** hajlékot/menedéket ad/nyújt vknek; **seek/take ~** menedéket keres, fedél alá húzódik; **take ~!** bújjon el! rejtőzzön!, fedezékbe! **b)** *kat* fedezék, biztosítás támadás ellen **5.** *vad* sűrű, erdő, bozót, állat tanyája/vacka/búvóhelye; *átv* **break ~** kibújik vackából/odújából, kijön/kitör a sűrűből/bozótból **6. a)** lepel, fátyol, álarc; *US* **~ organization** fedőszerv; **under ~ of darkness** (v. **the night**) a sötétség/éjszaka leple alatt **b)** ürügy **c)** fedőtevékenység *[hírszerzőé, kémé]* **7.** *gazd pénz* fedezet, biztosítás, biztosíték **8.** teríték *[asztalnál]* **9.** *tsz* **covers** ágynemű **10. ~ version** (tánc)dalfeldolgozás *[korábban már sikeres szám új feldolgozása]*

cover in *tsi* betakar, befed, lefed; feltölt *[árkot, gödröt]*

cover over → **cover up**

cover up *tsi* befed, lefed, betakar, letakar, beborít; leplez, palástol *[igazságot]*

coverage ['kʌvərɪdʒ] *fn* **1.** burkolat, borítás **2.** kiterjedés, terjedelem **3.** *pénz gazd* **a)** pénzügyi fedezet **b)** biztosítás **4.** tudósítás; (rendszeres) hírközlés, sajtóvisszhang; **news ~** beszámoló, híradás; értesülések

coverall ['kʌvərɔ:l] **I.** *mn* általános, mindent lefedő *[kifejezés]* **II.** *fn* kezeslábas, overall

C

cover charge *fn* belépődíj

covered ['kʌvəd ‖ –ərd] a (be)fedett, (be)takart, beborított; **~ wagon** *US* ekhós szekér

coverer ['kʌvərə ‖ –ər] *fn* **1.** tetőfedő, könyvkötő, esernyőkészítő **2.** *kat* fedező

covering ['kʌvərɪŋ] **I.** *mn* **1.** fedő **2.** fedező, fedő-; *US* **~ organization** fedőszerv **3.** *vill* **~ cord** szigetelőzsinór **II.** *fn* **1. a)** (be)fedés, letakarás, beborítás **b)** *átv* **~ (up)** elleplezés, palástolás *[igazságé]* **2. a)** takaró, terítő, borítás, burkolás, huzat **b)** (bútor)huzat **c)** *gk* ponyva

covering letter *fn* (másik levelet) megerősítő/igazoló levél; ajánlólevél; kezességlevél; kísérőlevél

coverlet ['kʌvələt ‖ –vər–] *fn* ágyhuzat

cover-name *fn* fedőnév

cover note *fn* jótállás, kezesség

cover price *fn* ‹újság címlapján feltüntetett ár›

cover story *fn* címlapsztori

covert ['kʌvət ‖ 'kouvərt] **I.** *mn* **1.** titkolt, rejtett **2.** *jog* férjezett; burkolt, álcázott **3.** védett **II.** *fn* **1.** búvóhely, menedék **2.** *tsz* **coverts a)** *áll* fedőtollak **b)** tollazat • *hsz* **covertly**

covert-coat *fn* felöltő

cover term *fn* átfogó elnevezés

cover-trench *fn* óvóhely

coverture ['kʌvətʃuə ‖ 'kʌvərtʃur] *fn* **1.** *vál* menedék, fedél, szállás **2.** *jog* **during ~** a házasság tartama alatt

covet ['kʌvɪt] **A.** *tsi* **a)** mohón megkíván (vkt/vmt), sóvárog (vm után) **b)** törekszik (vmre), óhajt, kíván (vmt) **B.** *tni* bűnös vágyai vannak

covetable ['kʌvɪtəbl] *mn* kívánatos

coveter ['kʌvɪtə ‖ –ər] *fn* mohó/kapzsi ember

covetous ['kʌvɪtəs] *mn* mohó, kapzsi, mohón vágy(akoz)ó (*of* vmre) • *fn* **covetousness** *hsz* **covetously**

covey[1] ['kʌvi] *fn* **1.** *áll* csapat *[fogoly madaraké]* **2.** *biz* csoport, csapat, sereg, banda *[emberek]*

covey[2] ['kʌvi] *GB szl* → **cove**[2]

cow[1] [kau] *fn tsz* **cows**, *régi* **kine 1.** tehén; **milking ~** fejőstehén; *US biz* **~ college** vidéki/mezőgazdasági főiskola; *US biz* **~ town** kis mezőváros; **wait till the ~s come home** várhat rá ítéletnapig; **2.** nőstény állat, -tehén **3.** *szl [csúnya és közönséges nő]* tehén, spiné, banya **4.** *Ausz ÚjZ* kellemetlen ember/dolog/helyzet

cow[2] [kau] *tsi* **1.** megfélemlít, megszelídít, korlátok közé szorít **2.** gyávává/meghunyászkodóvá tesz

cow[3] [kau] *fn* lidérc, rossz szellem, mumus

coward ['kauəd ‖ –ərd] **I.** *mn* gyáva **II.** *fn* gyáva

cowardice ['kauədɪs ‖ –ər–] *fn* gyávaság

cowardly ['kauədli ‖ –ər–] **I.** *mn* gyáva; **a ~ lie** gyáva hazugság **II.** *hsz* gyáván • *fn* **cowardliness**

cow-bell *fn* **1.** kolomp **2.** *növ US* mécsvirág

cowberry ['kaubəri ‖ –beri] *fn növ* piros áfonya

cowboy ['kaubɔɪ] *fn* **1.** lovas marhapásztor **2.** *biz* gátlástalan/felelőtlen/lelkiismeretlen üzletember

cow-catcher *fn US* vágánykotró, bivalyhárító *[mozdonyon elöl]*, hárító

cower ['kauə ‖ –ər] *tni* **1.** leguggol, lekucorodik, meglapul, megbújik **2.** retteg

cow-fish *fn tsz* **cow-fishes** v. **cow-fish 1.** *áll* lamantin **2.** *áll* bőröndhal

cow-girl *fn* marhapásztor lány

cowhand → **cowboy** 1.

cow-heel *fn* borjúláb-kocsonya

cowherd *fn* marhapásztor, tehénpásztor, gulyás, csordás

cow-hide I. *fn* **1.** *ip* tehénbőr, marhabőr *[nyers]* **2.** *US* vastag ostor/korbács *[tehénbőrből]* **II.** *tsi US* (meg)korbácsol

cow-house *fn* tehénistálló, tehenészet

cowish ['kauɪʃ] *mn biz* **1.** esetlen, lassú mozgású **2.** félénk

cowl [kaul] **I.** *fn* **1.** (barát)csuklya, kámzsa **2. a)** kéménytoldat, kéménysisak, szellőzőkürtő **b)** borítás, huzat **c)** *rep hajó* motorfedél, áramvonalas motorburkolat, motorház **II.** *tsi* sisakkal/fedéllel ellát • *mn* **cowled**

cowlick *fn US biz* rakoncátlan hajtincs

cowling ['kaulɪŋ] *fn* **1.** csuklyával/sisakkal/fejjel (való) ellátás **2.** védőfedél, áramvonalas burkolat *[motoré]*

cow-man ['kaumən] *fn tsz* **-men** tehénpásztor, gulyás, csordás, ökörhajcsár

co-worker [ˌkou'wɜ:kə ‖ 'kouwɜrkər] *fn* munkatárs

cow-parsley *fn növ* turbolya

cow pat *fn* tehénlepény

cowpen *fn* tehénkarám

cowpoke *fn US biz* cowboy

cowpox *fn* **1.** tehénhimlő **2.** himlőoltó anyag

cowpuncher *fn US* → **cowboy** 1.

cowrie ['kauri] *fn* **1.** *áll* porceláncsiga **2.** kagylópénz

co-write [ˌkou'raɪt] *tsi* társszerzőként ír, együtt ír

cowshed *fn* tehénistálló

cow-skin → **cow-hide** I.

cowslip *fn növ* **a)** kankalin **b)** *US* mocsári gólyahír

cow-stable *fn* tehénistálló

cow town *fn US* vidéki város, mezőváros; vidéki porfészek

cow-tree *fn növ* tejfa

cow-weed *fn növ* → **cow-parsley**

cowy ['kaui] *mn* tehénszagú, tehénszerű

cox [kɒks ‖ kɑks] **I.** *fn biz* → **coxswain** I. **II.** *tsi hajó* csónakot kormányoz/irányít

coxal ['kɒksəl ‖ 'kɑk–] *mn orv* csípő-

coxcomb ['kɒkskoum ‖ 'kɑ–] *fn* piperkőc, *biz* dandy, jampec, öntelt/hiú ember/alak/fráter • *fn* **coxcombry**

coxless ['kɒksləs ‖ 'kɑks–] → **coxswainless**

coxswain ['kɒksn ‖ 'kɑksn] **I.** *fn* **1.** *hajó* kis hajó/dereglye/naszád parancsnoka **2.** *sp* kormányos, kormányrúd kezelője, csónakkormányos **II.** *tsi* → **cox** II. • *mn* **coxswained** *fn* **coxwainship**

coxy ['kɒksi ‖ 'kɑksi] → **cocky**[1]

coy [kɔɪ] *mn* **1.** félénk, tartózkodó, szerény, szemérmes *[lány]* **2. ~ of speech** szűkszavú, zárkózott, hallgatag • *fn* **coyness** *hsz* **coyly**

coyote [kɔɪ'outi, 'kɔɪout ‖ kaɪ'outi, 'kaɪout] *fn* **1.** *áll* prérifarkas; *US* **C~ State** Dél-Dakota **2.** *szl [elvtelen, gyáva ember]* gyáva kutya, beszari alak

coypu ['kɔɪpu:], **coypou** *fn áll* hódpatkány, nutria

coz [kʌz] *fn biz* → **cousin**

cozen ['kʌzn] *tsi régi* megcsal, becsap, félrevezet, kijátszik, rászed • *fn* **cozenage, cozener**

cozy ['kouzi] *US* → **cosy**

cp. *röv compare* vesd össze, vö.

Cpl *röv Corporal*

CPO *röv Chief Petty Officer*

CPR *röv cardiopulmonary resuscitation*

cps *röv infor characters per second/cycles per second* karakter/sec *[nyomtatási sebesség egysége]*

CPU *röv infor central processing unit* központi feldolgozó egység, CPU

crab[1] [kræb] *fn* **1. a)** *áll* (tengeri) rák; *sp biz* **catch a ~** evezőt túl mélyen merít, rákot fog **b)** *szl* lapostetű **2.** *csill* Rák (csillagkép) **3.** *ip* forgótengely, görgő, hengerkerék, emelőbak, kocsiemelő, vasháromláb **4.** *fényk biz* elmozdulás *[felvételnél]* **5. throw ~s** két egyest dob *[kockajátékban]*; *biz* **turn out ~s** megbukik, csődbe megy *[vállalkozás]* • *mn* **crablike**

crab[2] [kræb] *fn* **1.** *növ* vadalma **2.** *biz* barátságtalan/morcos ember/fickó

crab[3] [kræb] **I.** *i* **-bb- A.** *tsi* **1.** *biz* leszól, ócsárol, élesen bírál/kritizál **2. ~ each other** marják egymást; *átv* harcolnak/verekszenek egymással **B.** *tni* gáncsoskodik, akadályokat gördít vk útjába **II.** *fn biz* bírálat, kritika

crab-apple *fn* vadalma

crabbed ['kræbɪd] *mn* **1.** mogorva, zsémbes, nyűgösködő, akaratos, kellemetlen, veszekedős (ember/természet); **~ style** nehézkes/nyakatekert stílus **2.** **~ writing** olvashatatlan írás, macskakaparás **3.** érthetetlen, nehezen érthető • *fn* **crabbedness** *hsz* **crabbedly**
crabber ['kræbə ‖ –ər] *fn* **1.** rákászhajó **2.** *biz* (állandóan) morgó/dörmögő ember
crabby ['kræbi] → **crabbed** 1.
crab-eater *fn áll* rákász(madár)
crablike ['kræblaɪk] *mn* rákszerű
crab-louse → **crab**[1] 1.b.
crab-pot *fn* rákvarsa, rákcsapda
crabwise ['kræbwaɪz] *hsz* rákszerűen, oldalazva hátrafelé
crack [kræk] **I.** *fn* **1. a)** recsegés, reccsenés, ropogás *[ágé, jégé]*, csattanás, pattintás *[ostoré]*, csettintés *[nyelvvel]*, dörrenés, lövés *[fegyveré]*; *biz* **in a ~** egy szempillantás/pillanat alatt; *GB biz* **fair ~ of the whip** jó részvételi esély **b) ~ of dawn** hajnalhasadás; **~ of doom** világ vége **2. a)** rés, hasadás, repedés, nyílás, lepattogzás *[zománcé]*, *geol* törés **b)** (szűk) ajtónyílás, ablaknyílás **3.** *táj* csevegés/fecsegés **4.** *biz* kiváló versenyló/sportoló **5.** *szl* **a)** betörő **b)** betörés **6.** *US szl* **a)** *[baklövés, elszólás]* baki **b)** *[szellemes megjegyzés/ötlet]* benyögés, bemondás **7.** *biz* **have a ~ at sg** megpróbálkozik vmvel **8.** ‹gyenge minőségű, szintetikus kokain› krekk **II. A.** *tsi* **1.** pattogtat *[ostort]*, csettint *[ujjal, nyelvvel]* **2. a)** megrepeszt, kicserepesít, felrepedeztet *[bőrt]*, megrepedeztet *[falat, földet]*, (szét)hasít, széthasogat, széttör *[követ]*, (el)tör *[csontot]*; *biz* **~ sy's credit** megfúr vkt, árt vk hitelének **b)** tör *[mogyorót]*, megropogtat *[mogyorót fogak közt]*; *biz* **~ a bottle of wine (with sy)** megiszik egy üveg bort (vkvel); *szl* **~ a smile** elmosolyodik **c)** *szl [feltör pl. széfet, autót]* besrenkol; **~ a crib** *[betör vhova, kirabol vmt]* kirámol **d)** *vegy* hőbontást végez **3. a)** megfejt *[rejtjelet, bűnesetet]* **b)** szellemes(kedő) megjegyzést tesz; **~ a joke** elsüt/megereszt egy viccet **4.** *biz* bevág, beüt *[pl. fejet]* **5.** *biz* megold (vmt) **6.** durvára darál/őröl *[gabonát]* **B.** *tni* **1.** ropog, recseg, pattog, csattan; *biz* **get ~ing** csipkedi magát, gyorsan nekilát vminek **2.** (meg)reped(ezik), (szét)hasad, (le)pattogzik, (ki)cserepesedik, töredez(ik), rés/hasadás keletkezik (vmn/vmben) **3. a)** megtörik, hamis lesz *[a hangja]*, mutál **b)** *sp* összeroskad *[ló]* **c)** megtörik *[vallatásnál]* **4.** pirkad, pitymallik, virrad **III.** *isz* csitt-csatt!, reccs!, puff, bumm! **IV.** *mn biz* kiváló, kitűnő, elit, elsőrangú, első osztályú; **~ shot** kitűnő/kiváló/elsőrangú lövész/céllövő, mesterlövész • *mn* **crackable**
crack down *tni* **1.** leesik, lezuhan, ledobban, összeesik *[ló]* **2. ~ down on sy** lecsap vkre, igen szigorúan bánik vkvel; → **crackdown**
crack on *tni hajó* **~ on sail** vitorlát felvon, *átv* mindent megtesz a siker érdekében; *biz* **~ it on!** gyerünk!, kapcsolj rá!
crack up A. *tsi* **a)** felrepeszt, darabokra tör, összetör *[járművet]* **b)** *biz* **~ (sy, sg) up (to the nines)** feldicsér, felmagasztal; *US biz* megnevettet **B. 1.** *tni* feloszlik, feldarabolódik, részekre hullik szét, csődbe megy, összeomlik *[vállalkozás, cég]*, összetörik **2.** nevetésben tör ki; → **crackup**
crackajack ['krækədʒæk] *US* **I.** *mn biz* klassz, remek, állati **II.** *fn szl [nagyon jó]* klassz/príma/szuper/tökjó/menő ember/dolog
crackbrained *mn* ütődött, bolondos, dilis, idióta
crackdown *fn* **1.** *biz* szidás, lehordás **2.** kemény intézkedések *[törvényszegéssel szemben]*; rendőrségi razzia; → **crack down**
cracked ['krækt] *mn* **1.** repedt, repedezett, hasadásos; **~ lips** kicserepesedett ajkak; **~ voice** repedtfazék-hang **2.** *biz* bolondos, tökéletlen, ütődött, dilis; *biz* **be ~** hóbortos, bolondos, ütődött, dilis, idióta; **~ reputation** kétes hírnév
cracker ['krækə ‖ –ər] *fn* **1. a)** csapó, ostorvég **b)** *biz* **go a ~** pokoli iramban rohan **2.** *biz* nagyzolás, dicsekvés, hencegés **3.** petárda, rakéta **4.** *infor* számítógépes betörő **5.** *tsz* **crackers** diótörő **6.** *US* **a)** sós keksz **b) ~ of cribs** betörő **7.** *GB szl* vonzó/csinos nő **8.** *GB szl* remek/klassz példánya/esete vmnek; → **crackers**
cracker-barrel *mn US* falusias, naivan természetes, egyszerű *[politizálás, bölcselkedés]*, kisvárosi
crackerjack ['krækədʒæk ‖ –ər–] → **crackajack**
crackerjaw *mn/fn* → **crackjaw**
cracker-poetry *fn biz* fűzfaköltészet
crackers ['krækəz ‖ –kərz] *mn GB szl [bolond]* őrült, dilis, lökött; **you're driving me ~** megőrjítesz engem; → **cracker**
cracking ['krækɪŋ] **I.** *mn GB szl [kiváló, nagyszerű]* szuper, tökjó, klassz **II.** *fn* **1.** recsegés, ropogás **2.** reped(ez)és, hasadás *[mázé, festésé]*
crackjaw *mn/fn biz* nyelvtörő
crackle ['krækl] **I. A.** *tsi* (fel)hasogat, apró repedéseket okoz **B.** *tni* **a)** serceg, sistereg, recseg, ropog, kattog, csikorog **b)** zizeg, zörren **II.** *fn* **1.** reccsenés, ropogás, kattogás, csikorgás, sercegés **2.** (meg)reped(ez)és, (ki)cserepesedés, hasad(oz)ás • *mn* **crackled** *mn* **crackly**
crackling ['kræklɪŋ] **I. 1.** *mn* sercegő, sistergő, recsegő, ropogó, csikorgó **2.** *GB szl* szuper gyors és izgalmas **II.** *hsz* remekül, klasszul, szuperül, eszméletlenül **III.** *fn* **1.** → **crackle** II.1.,2. **2. a)** ropogósra sült malacbőr, szalonnabőr, bőrke **b)** *tsz* **cracklings** *táj* pörc, töpörtyű **3.** *szl [nők, mint a szexuális vágy tárgyai]* termés, felhozatal; **a bit of ~** *[csinos nő]* bombázó, szexbomba, istennő
cracknel ['kræknəl] *fn gaszt* **1.** keksz, apró ropogós süteményféle, kétszersült **2.** *US Kan* töpörtyű
crack-pot I. *mn* őrült, bolond **II.** *fn* rögeszmés, különc
cracksman ['kræksmən] *fn tsz* **-men** *US biz* betörő
crackup *fn biz* **1.** repülőszerencsétlenség **2.** autóbaleset, karambol **3.** idegösszeomlás; → **crack up**
crack-voiced *mn* rekedt/repedt hangú, mutáló
crack-willow *fn növ* törékeny fűz, csőregefűz
cracky ['kræki] *mn* **1.** *biz* repedezett, hasadozott, kicserepesedett *[bőr]* **2.** *biz* törékeny **3.** *biz* **be a bit ~** kissé bogaras/ütődött/dilis
Cracow ['krækaʊ, –koʊ ‖ 'krɑː–] *tul földr* Krakkó • *fn/mn* **Cracovian**
-cracy [–krəsi] *utótag* -krácia; **aristocracy** arisztokrácia
cradle ['kreɪdl] **I.** *fn* **1. a)** bölcső; **from the ~** születésétől/zsenge gyermekkorától fogva; **from the ~ to the grave** a bölcsőtől a sírig **b)** *hajó* kórházi ágy **2. a)** villa *[telefonkagylóé]* **b)** *műsz* váz, keret, *hajó* csúsztatószánkó; *hajó rep* **starting ~** katapult; *kat* **~ mounting** lövegtalp-bölcső **3. a)** *épít bány* mozgatható építőállvány **b)** állvány, munkapad **II.** *tsi* **1. a)** bölcsőbe fektet, (el)ringat **b)** átfogva tart **2.** csúsztatószánkára/-talpazatra helyez/vontat *[hajót]* **3.** *épít* zsaluz, beállványoz
cradle out *tsi bány* (aranyat) mos *[rázószitával]*
cradle snatcher *fn szl* ‹jóval fiatalabb nőknek/férfiaknak udvarló férfi/nő› óvodaszatír
cradle-song *fn* altatódal, bölcsődal
cradling ['kreɪdl·ɪŋ] *fn épít* **1.** beállványozás, zsaluzás **2.** állványzat, zsaluzás
craft [krɑːft ‖ kræft] **I.** *fn* **1. a)** ügyesség, jártasság **b)** *pej* csel, csalás, furfang **2. a)** (kézműves) mesterség, szakma; **~s and trades** kisipar, kézművesség **b)** foglalkozás, hivatás, mesterségbeli szakértelem **c)** *tört* **the seven ~s** a hét (szabad) művészet *[középkori egyetemeken]* **3.** (iparos)céh **4.** *tsz* **craft a)** *hajó* vízi jármű(vek) **b)** *rep* repülőgép **II.** *tni* **1.** ravaszkodik, mesterkedik **2.** felhasználja (v. latba veti) tudását/művészetét
craft-brother *fn* céhtárs
craftguild *fn* kézműves céh
craftiness ['krɑːftinəs ‖ 'kræf–] *fn* csel, fortély(osság), furfang(osság), ravaszság, alattomosság
craftless ['krɑːftləs ‖ 'kræft–] *mn* **1.** tanulatlan, szakma nélküli **2.** ártatlan

craft-paper *fn* csomagolópapír
craftsman [ˈkrɑːftsmən ‖ ˈkræfts–] *fn tsz* **-men 1.** kézműves, iparos, mesterember **2.** mester, szakértő (vmben) • *hsz* **craftsmanly**
craftsmanship [ˈkrɑːftsmənʃɪp ‖ ˈkræfts–] *fn* **1.** mesteri munka, tökéletes/művészi kivitel **2.** (kiváló) szakmabeli/mesterségbeli tudás, (ipari) szaktudás
craftsmaster *fn* kiváló mesterember/kézműves
craft-union *fn* **1.** (iparos)céh **2.** szakmai szakszervezet
crafty [ˈkrɑːfti ‖ ˈkræfti] *mn* ravasz, furfangos, alattomos, körmönfont • *hsz* **craftily**
crag [kræg] *fn* **1.** (magasan kiálló) meredek kőszirt, szikla(orom), bérc, szirtfok **2.** *geol* kagylós homok/mész
cragged [ˈkrægɪd] *mn* **1.** szirtes, sziklás **2.** *átv* egyenetlen, rögös, göröngyös **3.** csontos *[arc]* • *fn* **craggedness**, **cragginess**
cragsman [ˈkrægzmən] *fn tsz* **-men** alpinista, hegymászó
craggy [ˈkrægi] → **cragged**
craig [kreɪg] *skót* → **crag**
Craig [kreɪg] *tul* ‹férfinév›
crake [kreɪk] *fn áll* haris
cram [kræm] **I. A.** *tsi* **-mm- 1. a)** (tele)töm, beletöm/belezsúfol; ~ **sy with sg** megtöm vkt vmvel *[étellel]*; telebeszéli vk fejét vmvel; *biz* ~ **sy (up) with lies** hazugságokkal tömi tele vk fejét **b)** *mezőg* töm, hízlal *[baromfit]* **2.** *okt* előkészít *[vkt vizsgára]*, fejébe ver (vknek vmt), gyorsítva oktat **3.** kosárvenyigét bedolgoz **B.** *tni* **1. a)** összeszorul, szorong, összezsúfolódik **b)** (be)zabál, (tele)tömi magát (*with* vmvel) **2. a)** *okt* ~ **for an examination** magol vizsgára **b)** hazudozik **II.** *fn* **1. a)** *mezőg táj* tömés, eledel *[állatoknak]* **b)** *okt biz* magolás, biflázás **c)** előkészítés *[vizsgára]*, magoltatás *[tananyagé]* **2.** *biz* (össze)zsúfolt tömeg, tolongás, csődület **3.** *biz* hazugság, felvágás
cramble [ˈkræmbl] *tni* sántít, sántikál
cram-course *fn* gyorstalpaló tanfolyam
cram-ful(l) [ˌkræmˈful] *mn* teletömött (*of* vmvel)
crammer [ˈkræmə ‖ –ər] *fn* **1.** *okt* **a)** vizsgára előkészítő instruktor/házitanító **b)** vizsgára előkészítő iskola **2.** *biz* → **cram II.1.c.**
cramming [ˈkræmɪŋ] *fn* **1.** összezsúfolódás, beleszorulás **2.** *mezőg* tömés, hízlalás *[baromfié]* **3.** *okt* **a)** előkészítés *[vizsgára]* **b)** magolás *[vizsgára]*
cramp [kræmp] **I.** *mn* → **cramped II.** *fn* **1. a)** görcs; **be seized with a** ~ görcs fogja el, görcsöt kap; **writer's** ~ írógörcs **b)** *tsz* **cramps** görcs **2. a)** *épít* vaskapocs **b)** *műsz* befogópofa, satu **3.** *átv biz* nyomás, szorult helyzet, feszélyezettség, szorítás **III. A.** *tsi* **1.** görcsöt okoz, görccsel összehúz **2.** zavar, feszélyez, bénít, gátol; ~ **a person's style** szabad v. természetes cselekvésben akadályoz **3.** *épít* összekapcsol, összeszorít, összefog *[vaskapoccsal]* **4.** befog, szorít *[satuba]* **5.** ~ **up** szűk helyre beszorít/zár/korlátoz **B.** *tni* elgörbül
cramped [kræmpt] *mn* szoros, szűk, kényelmetlen; **be/feel** ~ **for room** szorosan áll/ül; nem tud kényelmesen mozogni; szűk korlátok közt érzi magát; görcsös; ~ **handwriting** görcsös/olvashatatlan (kéz)írás, macskakaparás
cramp iron *fn* vaskapocs, padvas, szorítóvas
crampon(s) [ˈkræmpɒn(z) ‖ –pɑn(z)] *fn* (kő)markoló, mászóvas *[jégen]*, betonkapocs
cranage [ˈkreɪnɪdʒ] *fn* daruhasználati díj
cranberry [ˈkrænbəri ‖ –beri] *fn növ* tőzegáfonya, mohabogyó, hamvas áfonya; vörös áfonya
crane [kreɪn] **I.** *fn* **1.** *áll* daru **2.** *műsz* **a)** daru; *műsz* **travelling** ~ híddaru, futódaru **b)** *film* kameradaru, mozgó kameraállvány **II.** *i* **A.** *tsi* **1.** daruval emel **2.** kinyújtja, nyújtogatja (nyakát) **B.** *tni* **1.** kinyúlik; ~ **forward** előrenyújtja a nyakát/fejét **2.** ~ **at a difficulty** nehézség elől meghátrál
crane-fly *fn áll* lószúnyog, tipoly
crane-man *fn tsz* **-men** darukezelő
craner [ˈkreɪnə ‖ –ər] *fn* darukezelő
cranesbill [ˈkreɪnzbɪl] *fn növ* gólyaorr
cranial [ˈkreɪnɪəl] *mn orv* koponya-, koponyai
craniate [ˈkreɪnieɪt] *mn* **1.** koponyával rendelkező **2.** gerinces
crani(o)- [ˈkreɪni(oʊ)] *összet* koponya-
craniology [ˌkreɪniˈɒlədʒi ‖ –ˈɑlə–] *fn* koponyatan, kraniológia • *fn* **craniologist**
cranium [ˈkreɪnɪəm] *fn tsz* **crania** v. **craniums** *orv* koponya
crank[1] [kræŋk] **I.** *mn* **1.** rosszul/szabálytalanul működő, elromlott, (meg)rongált *[gép, szerkezet]* **2.** bizonytalan, törékeny, gyenge lábon álló; ~**(-sided) ship** labilis/ingadozó hajó **II.** *fn* **1.** *műsz* forgattyú, indítókar, kézikar, kurbli **2.** *műsz* billentőszerkezet *[harangé]* **3.** *épít* görbület, hajlat **III.** *tsi műsz* könyökösre hajlít, forgattyúval ellát
crank up A. *tsi* **1.** bekurbliz, indít *[indítókarral]* **2.** könyökösre hajlít **B.** *tni biz [sebességet (nagy nehezen) növel]* rákapcsol
crank[2] [kræŋk] *fn* **1.** *biz* **a)** hóbort, rögeszme, mánia **b)** különcködő/különös/furcsa (be)mondás, eredetieskedő beszéd **2.** *biz* bolondos/mániákus/rögeszmés ember, különc **3.** *US* rosszkedvű, zsémbes, összeférhetetlen alak
crank-axle *fn* forgattyús/könyökös tengely, főtengely
crankcase *fn gk* forgattyúsház, motorblokk
cranked [kræŋkt] *mn* könyökös, fogattyús
crank-handle *fn műsz gk* kézi indító(forgattyú), kurbli
crankle [ˈkræŋkl] **I.** *fn* görbület, kanyar **II.** *i* **A.** *tsi* meghajlít, meggörbít **B.** *tni* kígyózik, kanyarog, szabálytalanul törik
crank-shaft *fn* forgattyústengely, főtengely
cranky [ˈkræŋki] *mn* **1. a)** nehezen kezelhető, szeszélyes *[ember]* **b)** mogorva, rosszkedvű **c)** különc, hóbortos, rögeszmés *[alak]* **2.** kanyargós *[út]* **3.** rozoga *[gép* v. *jármű]*
cranny [ˈkræni] **I.** *fn* **a)** repedés, hasadék **b)** rés, bemélyedés *[falban]*, falmélyedés, fülke **II.** *tni* reped(ezik), hasad(ozik) • *mn* **crannied**
crap [kræp] **I.** *mn* vacak, ócska **II.** *fn* **1.** *szl [ürülék]* szar **2.** *[mellébeszélés]* hülyeség, marhaság **III.** *tni* **1.** (be)szarik **2.** *[vacakol]* szarakodik **3.** *[sokat beszél]* sóderol, szövegel, nyomja a dumát
crap around *tni [bolondozik]* marháskodik, marhul, hülyül
crap out *tni US szl* **1. a)** kudarcot vall, vereséget szenved **b)** beszarik (és lelép) **2.** kockajátékban veszít **3.** megbukik, kiszáll
crap up *tsi szl [eltol, elront]* elszar
crape[1] [kreɪp] **I.** *fn tex* fekete krepp, fekete (gyász)fátyolszövet; ~ **band** gyász(kar)szalag **II.** *tsi* gyászfátyollal borít/bevon • *mn* **craped**, **crapy**
crape[2] [kreɪp] *tsi* hajat fodorít/göndörít • *mn* **craped**
crapper [ˈkræpə ‖ –ər] *fn US szl* **1.** *[W.C.]* klotyó, budi **2.** nagyotmondó, felvágó személy
crappy [ˈkræpi] *mn szl [ócska, vacak]* szar
crapulent [ˈkræpjulənt] *mn* **1.** másnapos **2.** iszákos, kicsapongó **3.** *vál* részeg • *fn* **crapulence**, **crapulosity**
crapulous [ˈkræpjuləs] *mn* → **crapulent**
crash[1] [kræʃ] **I. A.** *tsi* **1.** (darabokra) (össze)tör, összezúz **2.** tönkretesz *[vállalkozást]*; *biz* ~ **the gates** erőszakosan behatol vhova; potyázik *[előadáson]* **3.** *biz* átmegy, átvág *[piros lámpán]* **B.** *tni* **1.** zeng, harsog, csattog, durran(t) **2. a)** lezuhan, összetörik **b)** lezuhan *[repülőgép]*, összeütközik, karambolozik *[jármű]* **3.** *átv* tönkremegy, összeomlik, összeroppan **4.** *biz* jól kikap *[játékban]* **5.** *infor* összeomlik *[gép* v. *rendszer]* **6.** *szl [elesik]* elnyal, eltaknyol **II.** *fn* **1. a)** csattanás, robaj, zengés, harsogás; **a** ~ **of thunder** villámcsapás, mennydörgés **b)** esés, zuhanás **2.** katasztrófa, bukás, (össze)omlás, (pénzügyi) krach **3.** *infor* (váratlan) rendszerösszeomlás, rendszerleállás **4.** összetörés, összeütközés, baleset, lezuhanás; *gk* törés **III.** *isz* puff!, bumm!
crash down *tni* legördül, lezuhan

crash into *tni* ~ **into sg** beleszalad vmbe, egymásba fut, összeütközik, nekiütközik, belerohan
crash out *tni* **1.** *[vhol megalszik]* héderel **2.** *[elalszik]* elájul, kinyúlik **3.** *[megszökik börtönből]* megpattan, dobbant
crash over *tni* felborul
crash through *tni* ~ **through sg** (nagy) zajjal/robajjal átmegy/átesik/keresztülmegy vmn

crash² [kræʃ] *fn tex* durva nyersvászon, házivászon

crashbarrier *fn* védőkorlát

crash-boat *fn* mentőcsónak

crash course *fn okt* intenzív/gyorstalpaló tanfolyam

crash-dive I. A. *tsi* hirtelen alámerít *[tengeralattjárót]* **B.** *tni* **a)** hirtelen alámerül *[tengeralattjáró]* **b)** lezuhan és összetörik *[repülőgép]* **II.** *fn hajó* hirtelen alámerülés *[tengeralattjáróé]*

crasher [kræʃə ‖ –ər] *fn* **1.** *biz* **a)** hangos/csattanó ütés/pofon **b)** *átv* súlyos csapás/ütés **2.** → **gate-crasher**

crash halt *fn* kényszermegállás

crash helmet *fn* bukósisak

crashing [ˈkræʃɪŋ] *mn biz [nagyon]* iszonyúan, halálosan; **a ~ bore** halálosan unalmas ember

crash-land *tsi* kényszerleszállást végez *[géptöréssel]* • *fn* **crash-landing**

crash pad *fn* **1.** *rep* baleseti védőpárnázat **2.** *szl* (hevenyészett) alvóhely

crashproof *fn* rázkódásmentes

crash tackle *fn sp* kemény szerelés/ütközés

crashworthy [ˈkræʃwɜːðɪ ‖ –wɜr–] *mn rep* törésbiztos

crass [kræs] *mn* **1.** *átv* vaskos, durva, súlyos, teljes; ~ **minds** nehéz felfogású (v. tompa eszű) emberek **2.** ostoba • *fn* **crassitude, crassness** *hsz* **crassly**

cratch [krætʃ] *fn* **1.** állvány *[állatok etetéséhez szabadban]*, takarmányrács **2.** fakeret *[szállításnál]*

crate [kreɪt] **I.** *fn* **1.** (csomagoló)rekesz, (szállító)ketrec **2.** *szl* kasztni/tragacs *[autó, repülőgép]* **II.** *tsi* rekeszbe csomagol, ládáz

crater [ˈkreɪtə ‖ –ər] **I.** *fn* **1.** *geol* kráter, tölcsér *[tűzhányóé]* **2.** gránáttölcsér, bombatölcsér **II.** *tni* krátert/tölcsért képez • *mn* **cratered, craterous**

crater bowl *fn* kráterszáj

crater lake *fn* vulkáni tó

cravat [krəˈvæt] *fn* **1.** *régi* nyakkendő, nyakravaló, kravátli **2.** selyem nyaksál • *mn* **cravatted**

crave [kreɪv] **A.** *tsi* ~ **sg from/of sy** sürgősen/nyomatékosan kér/kíván vmt vktől; könyörög vknek vmért **B.** *tni* ~ **for/after sg** vágyódik/vágy(akoz)ik/sóvárog/epekedik vm után, vágyik vmre

craven [ˈkreɪvn] *mn/fn vál* gyáva • *fn* **cravenness** *hsz* **cravenly**

craving [ˈkreɪvɪŋ] *fn* heves/hő/kínzó vágy(akozás) *(for* vmre/vm után)

craw [krɔː] *fn* begy, bögy *[madáré]*; **stick in one's ~** nyomja a bögyét, nem veszi be

crawfish I. *fn tsz* **crawfish, ~es** → **crayfish II.** *tni US biz* kihátrál, visszakozik

crawl [krɔːl] **I.** *tni* **1.** csúszik, mászik, kúszik, siklik; ~ **in** bemászik; *biz* ~ **to/before sy** csúszik-mászik/megalázkodik vk előtt; ~ **into sy's favour** behízelgi magát vknél **2. a)** vánszorog, vonszolja magát *[személy]* **b)** lassan/vontatottan halad, portyázik, utasra vadászik *[taxi]* **c)** négykézláb mászkál/mászik *[gyerek stb.]* **3. a)** ~ **with vermin** nyüzsögnek/hemzsegnek benne a férgek; nyüzsög/hemzseg a férgektől **b)** *biz* ~ **all over** bizsereg/zsibbad tetőtől talpig **4.** *sp* gyorsúszással úszik **II.** *fn* **1.** csúszás, mászás, kúszás, siklás *[kígyóé]* **2. a)** lassú/vontatott mozgás *[személyé]* **b)** *biz* **cab on the ~** portyázó taxi **3.** *GB biz* ‹laza, nyugodt tempójú utazgatás, túrázás› **4.** *sp* **~(-stroke)** gyorsúszás, úszás váltogatott karral; **back ~** gyorsúszás háton

crawler [ˈkrɔːlə ‖ –ər] *fn* **1. a)** csúszómászó (állat) **b)** *biz [lassú]* tetű **c)** *biz* talpnyaló **2. a)** portyázó taxi **b)** *biz* bumlivonat **c)** lassú/halogató/nehézkes ember **3.** *sp* gyorsúszó **4.** *US tsz* **crawlers** játszóruha, kezeslábas *[gyereké]*

crawler belt *fn* hernyótalp, lánctalp

crawler tractor *fn* hernyótalpas traktor, lánctalpas vontató

crawling [ˈkrɔːlɪŋ] **I.** *mn* **1.** csúszó, mászó, kúszó, sikló **2.** ~ **cab** portyázó taxi **3.** nyüzsgő, hemzsegő, bizsergő *(with* vmtől) **II.** *fn* **1.** kúszás, csúszás **2.** nyüzsgés, *orv* bizsergő érzés **3.** összezsugorodás *[mázé, zománcé]* **4.** gyorsúszás

crawly [ˈkrɔːli] *mn* **1.** borzongó, bizsergő, viszketős *[érzés]* **2.** ~ **feeling** borzongás, bizsergés; libabőr

crayfish [ˈkreɪfɪʃ] *fn tsz* **crayfish, es 1.** *áll* **(fresh-water)** ~ folyami/édesvízi rák **2.** *áll biz* **(sea)** ~ tengeri rák, homár; languszta

crayon [ˈkreɪɒn, –ən ‖ –ɑn] **I.** *fn* **1.** kréta, pasztellceruza, színes ceruza **2. in ~** krétarajz, pasztellrajz **II.** *tsi* **1.** krétával/pasztellceruzával rajzol **2.** vázlatot készít vmről; *biz* ~ **out a plan** terv(ezet)et felvázol (v. papírra vet)

craze [kreɪz] **I. A.** *tsi* **1.** megőrjít, őrületbe visz/kerget vkt **2.** repeszt, apró repedéseket idéz elő *[porcelánon]* **3.** *régi* megtör, meggyengít, tönkretesz *[egészséget]* **B.** *tni* repedezik *[porcelán]* **II.** *fn* **1.** divat, mánia, rögeszme, őrület *(for sg* vm iránt) **2.** repedés, hajszálrepedés

crazed [kreɪzd] *mn* **1.** → **crazy** 1. **2.** repedezett *[porcelán]*

crazy [ˈkreɪzi] *mn* **1.** őrült, bolond, esztelen, elmebajos, (meg)hibbant, ütődött, dilis; **be ~ about sy** bele van bolondulva/habarodva vkbe; **be ~ over/about sg** megőrül/bolondul/rajong vmért; **be ~ to do sg** ég a vágytól, hogy tegyen vmt; *biz* **go ~** megőrül, megbolondul; dühöng *[ember, vihar]* **2. a)** rozzant, rozoga, kopott *[épület, bútor]* **b)** → **crank¹** I. 3. szedett-vedett darabokból álló, egyenetlen, szabálytalan **4.** *szl* **a)** *[izgalmas, féktelen]* eszméletlen **b)** szuper, állati **c)** *biz* **like ~** őrülten, veszettül • *fn* **craziness** *hsz* **crazily**

crazy-cat *fn US biz* kerge, őrült, bolond ember

crazy-house *fn US biz* bolondokháza; elvarázsolt kastély *[vidámparkban]*

crazy paving *fn* egyenetlen lapos kőlapokból álló kövezet

crazy quilt *fn* sokszínű (szövetdarabokból összevarrott tarka) ágytakaró

creak [kriːk] **I.** *fn* nyikorgás, csikorgás, recsegés, ropogás **II. A.** *tsi* nyikorgat, csikorgat, recsegtet, ropogtat **B.** *tni* **1.** nyikorog, csikorog, recseg, ropog, reccsen **2. a)** botorkál, bócorog **b)** nyög *[terhelés alatt, nehéz helyzetben]* • *hsz* **creakily**

creaking [ˈkriːkɪŋ] **I.** *mn* nyikorgó, csikorgó, recsegő, ropogó **II.** *fn* nyikorgás, csikorgás, reccsenés

creaky [ˈkriːki] *mn* **1.** → **creaking** I. **2. a)** merev, törékeny **b)** omladozó, düledező, divatjamúlt

cream [kriːm] **I.** *fn* **1.** tejszín **2. a)** krém **b)** *tsz* **creams** csokoládés fondant *[cukorka]*, praliné **c)** krémmel töltött keksz **d)** sherry fajta **3.** (arc)krém, bőrkrém **4.** *átv biz* (színe-)java (vmnek); *átv* **take the ~ of sg** a színét-javát kiválogatja vmnek; lefölöz **5. a)** sárgásfehér szín, krémszín, vajszín **b)** fakó (ló) **II. A.** *tsi* **1.** ~ **off** lefölöz *[tejet]*; *átv* lefölöz; leszedi a javát vmnek; kiválogatja a (színét-)javát (vmnek) **2.** tejszínt tesz *[pl. kávéra]* **3.** fölösödni hagy *[tejet]* **4.** krémmé/mártássá kever ki **5.** bekrémez, beken *[bőrt]* **6.** *sp biz szl [legyőz]* megesz, hazavág, hülyére ver **B.** *tni* fölösödik *[tej]*, habzik *[sör]* **III.** *mn* sárgásfehér, krémszínű, vajszínű

cream bun *fn* krémes fánk *[kb. képviselőfánk]*

cream cheese *fn* krémsajt

cream-coloured *mn* sárgásfehér, krémszínű, vajszínű

creamed [kriːmd] *mn* **1.** lefölözött *[tej]* **2.** bársonyos, hamvas *[arcbőr]*

creamer [ˈkriːmə ‖ –ər] *fn* **1.** fölözőedény **2.** tejlefölöző gép **3.** tej- v. tejszínpótló *[kávéba, teába]*, kávékrémpor

C

creamery ['kri:məri] *fn* **1.** tejcsarnok **2.** tejfeldolgozó üzem

creaming ['kri:mɪŋ] **I.** *mn* habzó *[bor]* **II.** *fn* fölösítés, fölösödés *[pl. latexé]*

cream-puff *fn* **1.** *szl [gyenge ember]* lekvár **2.** → **cream-bun**

C

creamy ['kri:mi] *mn* **1.** krémes, tejszínes, teljes *[tej]* **2.** ~ **complexion** bársonyos/hamvas arcbőr • *fn* **creaminess** *hsz* **creamily**

crease [kri:s] **I.** *fn* **1.** ránc, gyűrődés, él, vasalás *[nadrágon]*, szamárfül *[papíron]*, *geol* gyűrődés **2.** *sp* határvonal *[krikettpályán]* **II.** *i* **A.** *tsi* **1.** ráncol *[homlokot]*, beráncol, berak *[anyagot]* **2.** (össze)gyűr **3.** *GB biz* ~ **up** röhögőgörcsöt okoz **4.** *US szl* horzsol, megsúrol *[golyóval* v. *lövedékkel]* **B.** *tni* **1.** ráncosodik, ráncot vet **2.** (össze)gyűrődik **3.** *GB biz* ~ **up** röhögőgörcsöt kap

creaseless ['kri:sləs] *mn* **1.** gyűretlen, jól vasalt **2.** gyűrhetetlen

creasing ['kri:sɪŋ] *fn* **1.** berakás, ráncol(ód)ás **2.** (össze)-gyűrődés, (össze)gyűrés

creasy ['kri:si] *mn* gyűrött, ráncos

create [kri'eɪt] **A.** *tsi* **1.** teremt, alkot, létrehoz, tesz, kelt *[benyomást]*, kivált *[nevetést]*, szerez *[ellenségeket]*; ~ **a fashion** divatba hoz (*of* vmt); ~ **a scandal** botrányt okoz, nagy port ver fel **2.** ~ **sy an earl** vknek grófi címet/rangot adományoz **B.** *tni szl [botrányt csap, zúgolódik]* műsorozik, arénázik, dilizik

creatine ['kri:ətɪn] *fn vegy* kreatin

creation [kri'eɪʃn] *fn* **1.** teremtés, alkotás; **the C~** a világ teremtése **2.** ~ **of a knight** lovaggáütés **3.** teremtett lény, teremtmény, a teremtett világ **4.** alkotás, mű

creative [kri'eɪtɪv] *mn* kreatív, fantáziadús; teremtő, alkotó, alkotóképes építő, alkotási, teremtési; *US* ~ **writing** szépírói alkotómunka *[mint elsajátítható készség és mint tárgy]* • *fn* **creativeness**, **creativity** *hsz* **creatively**

creator [kri'eɪtə ‖ –ər] *fn* teremtő, alkotó; **the C~** a Teremtő

creature ['kri:tʃə ‖ –ər] *fn* **1. a)** teremtmény, (élő)lény **b)** alak, fráter; **poor ~!** szegény ördög/pára **c)** báb, eszköz, kreatúra **2.** állat; **dumb ~s** állatok **3.** *régi* alkotás, mű

credence ['kri:dns] *fn* **1.** hit(el), hiedelem; **give/attach ~ to sg** hitelt ad vmnek; elhisz vmt **2.** *vall* előkészítő-asztalka *[oltár mellett]*, szentélyasztalka

credentials [krə'denʃlz] *fn tsz* **1.** megbízólevél, meghatalmazás *[követé, küldötté]* **2.** bizonyítvány; **show one's ~** bemutatja/felmutatja bizonyítványait; megmutatja, hogy mit tud **3.** személyazonossági igazolvány, igazoló iratok

credible ['kredəbl] *mn* **1.** (el)hihető **2.** hitelt érdemlő • *fn* **credibility** *hsz* **credibly**

credit ['kredɪt] **I.** *fn* **1.** hit(el), bizalom; **give ~ to a report** hitelt ad egy hír(esztelés)nek **2.** hitel (*with* vknél), tekintély (*with* vk előtt), befolyás (*with* vkre) **3. a)** érdem, becsület; **it does him ~** növeli a hírnevét; **get ~ for sg, have the ~ for sg** az ő érdeme vm; **give sy ~ for sg** vk érdeméül ró fel vmt, elismerését fejezi ki vknek vm miatt; **take ~ for an action** a maga érdemének tulajdonít vmt **b)** *tsz* **credits** a film alkotói, stáblista **4. a)** *gazd* hitel; **accord/give sy ~** vknek hitelez, vknek hitelt nyújt; **sell on ~** hitelre/hitelbe árusít (v. ad el) **b)** *pénz* követelés, jóváírás **5.** *gazd* ~ **(standing)** hitelképesség; fizetésképességre/fizetőkészségre vonatkozó hírnév **6.** *pol* költségvetési előirányzat terhére felhasználható hitel **7.** *US okt* tanulmányi óraegység/pontegység, tanegység, , kredit(pont) **II.** *tsi* **1.** hitelt ad (vmnek), elhisz, hisz (vknek) **2.** ~ **sy with a quality** vknek vmlyen tulajdonságot tulajdonít; **be ~ed with having done sg** vmlyen cselekedetet neki tulajdonítanak **3.** *gazd* jóváír, hitelez; ~ **a sum to sy**, ~ **sy with a sum** egy összeget vknek (v. vk számláján) jóváír

creditable ['kredɪtəbl] *mn* **1.** dicséretre méltó, becsületes, tiszteletre méltó *[eljárás]* **2.** hitelképes **3.** szavahihető, megbízható • *hsz* **creditably**

credit account *fn pénz* bankbetét, folyószámla-követelés

credit card *fn gazd* hitelkártya

credit hour *fn okt* beszámítható (tanulmányi) pontszám

credit line *fn* **1.** forrásmű/szerző megjelölése *[újságban, filmben]* **2.** *pénz* hitelkeret

credit note *fn* jóváírási (v. befizetésről szóló) értesítés; hitelkimutatás

credit operation *fn gazd* hitelügylet

creditor ['kredɪtə ‖ –dɪtər] *fn pénz* hitelező

credit rating *fn* (becsült) hitelképesség

credit sale *fn* hitelben eladás

credit slip *fn pénz* jóváírási (v. befizetésről szóló) értesítés

credit transaction → **credit operation**

credit union *fn gazd* hitelszövetkezet

credit-worthy ['kredɪtwɜ:ði ‖ –wɜr–] *mn* hitelképes *[személy]* • *fn* **creditworthiness**

credo ['kreɪdoʊ, 'kri:–] *fn* **1.** *vall* hiszekegy, apostoli hitvallás **2.** *átv* hitvallás

credulous ['kredjuləs ‖ –dʒə–] *mn* hiszékeny, naiv • *fn* **credulity**, **credulousness** *hsz* **credulously**

creed [kri:d] *fn* **1.** *vall* hitvallás; **the (Apostles') C~** az apostoli hitvallás, a hiszekegy **2.** hit, vallás, felekezet **3.** *biz* (politikai) meggyőződés, vélemény, (világ)nézet • *mn* **cre(e)dal**

creek [kri:k] *fn* **1.** kis öböl, természetes kikötő, halászkikötő **2. a)** patak **b)** kis völgy, szurdok; *biz* **be up the ~** (i) kutyaszorítóban van (ii) bolond, őrült

creeky ['kri:ki] *mn* öblös, tagolt *[partvidék]*

creel [kri:l] *fn* halaskosár

creep [kri:p] **I.** *tni pt/pp* **crept** [krept] **1.** csúszik, mászik, kúszik, indát hajt *[növény]* **2. a)** (lassan) vánszorog *[ember]*, lassan múlik/mászik *[idő]* **b)** belopódzik, besurran; ~ **into bed** bebújik az ágyba; ~ **into sy's favour** vk kegyeibe férkőzik **c)** *biz* csúszik-mászik, (meg)alázkodik *[vk előtt]* **II.** *fn* **1. a)** csúszás, mászás, kúszás **b)** *geol* kitüremlés, csuszamlás **2. the ~s** libabőr, borzongás; **it gives sy the ~s** a hátán végigfut a hideg vmtől; borzong a gondolatára vmnek **3.** *szl* besurranó tolvaj **4.** *szl [ellenszenves ember]* görény, patkány, szemét(láda)

creep along *tni* csúszik, mászik, kúszik, lopódzik, surran

creep away *tni* **1.** elmászik, elkúszik **2.** eloson, elsurran

creep down *tni* lemászik, lekúszik

creep on *tni* vánszorog, lassan telik *[idő]*; **old age is ~ing on** az öregkor lassan közeledik; **time ~s on** telikmúlik az idő

creep up *tni* **1.** felmászik, felkúszik **2.** lassan megy felfelé (v. emelkedik) **3.** ~ **upon sy** mögélopakodik, észrevétlenül utolér

creeper ['kri:pə ‖ –ər] *fn* **1.** kúszónövény **2.** *áll* erdei fakúszó **3.** *hajó* (kotró)horgony **4.** *ip* végtelenített etetőszalag, futószalag **5.** mászóvas, jégsarok, jégvas *[cipőn]* **6.** *tsz* **creepers a)** *szl* gumitalpú cipő **b)** *US* kezeslábas, tipegő

creep-hole *fn* **a)** búvóhely, föld alatti odú **b)** *átv* kibúvó, kifogás

creeping ['kri:pɪŋ] **I.** *mn* **a)** csúszómászó *[állat]*, kúszó *[növény]* **b)** károsan/kórosan terjedő/beszivárgó **c)** *átv* csúszó-mászó, hajbókoló, megalázkodó *[ember]*; *GB szl* ~ **Jesus** kétszínű *[ember]* **II.** *fn* **1.** csúszás, mászás, kúszás **2.** savfelszivárgás **3.** borzongás, libabőr **4.** *geol* kitüremlés, csuszamlás

creepy ['kri:pi] *mn* **1.** *biz* csúszó, mászó, kúszó **2.** *biz* hátborzongató; *biz* **feel ~** borzong, libabőrös; *biz* ~ **story** hátborzongató történet

creepy-crawly *mn* **1.** *biz* libabőrös, borzongó **2.** *biz* szolgalelkű, csúszó-mászó *[ember]*, csúszómászó *[pl. rovar]*

crèche [kreʃ] *fn* **1.** bölcsőde, (kiscsoportos) óvoda **2.** betlehem

crème de la crème [ˌkremdələ'krem] *fn* színe-java vmnek

cremains [krə'meɪnz] *fn tsz* hamvak *[hamvasztott halotté]*

cremate [krə'meɪt || 'kri:meɪt] *tsi* elhamvaszt *[halottat]* • *fn* **cremator**
cremation [krə'meɪʃn] *fn* elhamvasztás
crematorium [ˌkremə'tɔ:rɪəm || ˌkri:mə'tɔ–] *fn tsz* **crematoria** [–rɪə], **~s** halotthamvasztó (kemence), krematórium
crematory ['kremətəri || 'kri:mətɔri] **I.** *mn* halottégető, halotthamvasztási **II.** *fn* krematórium
crenate ['kri:nət], **crenated** *mn áll növ* csipkézett, fogazott • *fn* **crenation**, **crenature**
crenel ['krenl] *fn épít* párkánycsipkézés, oromcsipkézet, lőrés
crenel(l)ate ['krenəleɪt] *tsi* csipkéz, lőrésekkel ellát *[oromzatot]* • *fn* **crenel(l)ation**
creole ['kri:oʊl] *mn/fn* **1.** ~ **(white)** kreol, Karib-tengeri gyarmatokon született fehér férfi/nő **2.** ‹világosbőrű vegyes házasságból származó› **3.** Karib-szigeteken meghonosodott/akklimatizálódott *[állat, növény]* **4.** *nyelv* kreol *[nyelv]*
creolize ['kri:əlaɪz] *fn nyelv* kreolizál, más nyelv elemeivel vegyít • *fn* **creolization** *mn* **creolized**
creosote ['kri:əsoʊt] **I.** *fn vegy* kreozot, karbolsav **II.** *tsi* kreozottal/karbolsavval telít/tartósít *[fát]*
crepe [kreɪp], **crêpe** *fn* **1.** krepp; **satin ~** kreppszatén **2.** vékony palacsinta
crepe hair *fn* mesterséges haj *[főként színházban]*
crepe rubber *fn* kreppgumi
crepitate ['krepɪteɪt] *tni* serceg *[zsír]*, recseg *[fa]*, pattog *[tűz]*, csikorog *[hó]* • *fn* **crepitation** *mn* **crepitant**
crepitus ['krepɪtəs] *fn orv* kóros eredetű recsegő/sípoló hang
crept [krept] → **creep** I.
crepuscular [krɪ'pʌskjʊlə || –kjələr] *mn* szürkületi, alkony(at)i
crescendo [krə'ʃendoʊ] **I.** *hsz zene* crescendo, növekedő erővel **II.** *fn* **1.** *zene* crescendo (rész) *[zenedarabban]* **2. a)** fokozódás, közeledés a csúcsponthoz **b)** tetőpont **III.** *tsi* erősödik, fokozódik *[hang stb.]*
crescent ['kreznt || 'kresnt] **I.** *fn* **a)** hold első negyede **b)** holdsarló, félhold; **Turkish ~** török félhold; *tört* **the C~** a török birodalom **c)** félhold/sarló alakban épült utca/házsor **d)** vajaskifli **II.** *mn* **1.** növ(ekv)ő **2.** félhold/sarló alakú
crescive ['kresɪv] *mn* növekvő, gyarapodó, erősödő
cresol ['kri:sɒl || –sɑl] *fn vegy* krezol
cress [kres] *fn növ* zsázsa
cresset ['kresɪt] *fn hajó* tűzkosár, fáklyatartó
crest [krest] **I.** *fn* **1.** taréj *[kakasé]*, bóbita *[búbos pacsirtáé]* **2.** sisakforgó, sisakdísz **3. a)** hegygerinc, hullámtaréj; *átv* **on/riding the ~ of a wave** a legmegfelelőbb, legjobb pillanatban **b)** csúcs, sudár *[fáé]* **4.** *épít* tetőél, tetőgerinc, *kat* erődítmény élvonala, gátkorona **5. a)** *orv* taréj *[csont felületén]* **b)** tarajszerű kinövés, csonttaréj *[állat nyakán]* **c)** sörény *[lóé]* **6. a)** *cím* címerfedél, címerpajzs **b)** embléma *[pecséten, levélpapíron]* **7.** teteje/java *[vmnek]* **II. A.** *tsi* **1.** forgóval/bóbitával/taréjjal/tetőgerinccel ellát **2. a)** megmászik *[hegyet]* **b)** átszel *[hullámtaréjt]* **B.** *tni* **1.** habzik, tarajozik *[hullám]* **2.** tornyosul *[hegy]*
crested ['krestɪd] *mn* **1.** tajtékos, fodros *[hullám]* **2.** *áll* tarajos, búbos, *növ* fésűs; *áll* **~ tit** búbos cinke **3.** tollas, (toll)forgóval díszített *[sisak]*, oromdíszes *[címerpajzs]*
crest-fallen *mn* **1.** levert, csüggedt **2.** lecsüngő tarajú
cretaceous [krɪ'teɪʃəs] **I.** *mn* **1.** krétaszerű, kréta- **2.** krétakorszakbeli **II.** *fn geol* **the C~** a Krétakor(szak)
Crete [kri:t] *tul földr* Kréta *[szigete]* • *fn/mn* **Cretan**
cretin ['kretɪn || 'kri:tn] *fn biz* hülye, kretén • *tsi* **cretinize**, **-ise** *fn* **cretinism** *mn* **cretinous**
crevasse [krə'væs] **I.** *fn* **1.** gleccserszakadék **2.** *US* partszakadás, töltésszakadás *[folyón]* **II.** *tni* hasad *[gleccser]*, (át)szakad *[töltés, part]*
crevice ['krevɪs] *fn* rés, repedés, hasadék
crew[1] [kru:] **I.** *fn* **1. a)** hajólegénység **b)** legénység, személyzet *[járműé]* **2.** csapat **3.** *pej* banda, társaság, bagázs **II.** *tsi/tni* legénységgel ellát, a legénység tagjává válik *[hajón]*
crew[2] [kru:] → **crow**[2] II.
crew-cut *fn* kefehaj, kefefrizura
crewman ['kru:mən] *fn tsz* **-men** személyzet/legénység tagja
crib [krɪb] **I.** *fn* **1.** gyerekágy, *ritk* bölcső, *vall* (betlehemi) jászol **2. a)** jászol, szénakas **b)** marhaistálló **c)** *US* deszkaláda **3. a)** kunyhó, viskó **b)** *biz* lakás, ház, üzlethelyiség **c)** *szl [bordélyház]* kupi **4.** *bány* aknaácsolat, *épít* állványozás, *vízügy* kútgyűrű, *épít* zsaluzás, dúcolás **5. a)** *biz* plágium, (ki)ollózás **b)** *biz okt* puska **6.** *biz* állás, hely, elhelyezkedés **II.** *i* **-bb- A.** *tsi* **1. a)** szűk helyre zár, beszorít, bezsúfol **b)** bezár, becsuk **2. a)** *biz* elcsen, ellop, elcsór (*from* vktől) **b)** plagizál, lop, kiollóz *[más szerzőtől]* **B.** *tni* **1.** *okt biz* puskázik, másol **2.** *GB biz* panaszkodik, nyafog
cribbage ['krɪbɪdʒ] *fn ját* ‹römiszerű kártyajáték›
cribber ['krɪbə || –ər] *fn* **1.** kisgyerek **2.** plagizátor, puskázó *[diák]* **3.** *szl* betörő
cribble ['krɪbl] *fn* rosta
crib-cracker *fn szl* betörő
crib death *US* → **cot death**
cribriform ['krɪbrɪfɔ:m || –fɔrm] *mn orv* lyukacsos, szitaszerű
cribwork *fn bány* aknaácsolat
crick[1] [krɪk] **I.** *fn* görcs, merevedés, rándulás **II.** *tsi* megrándít; **~ one's neck** megrándítja a nyakát
crick[2] [krɪk] *táj* → **creek**
crick-crack [ˌkrɪk'kræk] **I.** *hsz* recsegve-ropogva **II.** *fn* reccs(enés), ropp(anás)
cricket[1] ['krɪkɪt] *fn* tücsök
cricket[2] ['krɪkɪt] **I.** *fn* krikett *[játék]*; **play ~** krikettezik; *biz* **that's not ~** ez nem illik/helyes; ez nem sportszerű **II.** *tni* krikettezik • *fn* **cricketer**
cricoid ['kraɪkɔɪd] **I.** *mn* kör- vagy gyűrű alakú **II.** *fn orv* gyűrűporc *[gégefőn]*
crier ['kraɪə || –ər] *fn* **1.** kikiáltó; **court ~** törvényszéki/bírósági altiszt, hajdú; **public/town ~** kikiáltó *[hirdetményé]* **2.** *biz* **~ up** magasztal(gat)ó/dicsér(get)ő ember
crikey ['kraɪki] *isz biz* a mindenit, a kutyafáját!, hűha, nahát
crime [kraɪm] **I.** *fn* **a)** bűn **b)** bűntett, bűntény, bűnözés **c)** fegyelmi vétség **II.** *tsi* **1.** *kat* katonai fegyelmi vétséggel vádol (vkt) **2.** elítél *[vádlottat katonai fegyelmi vétség miatt]*
Crimea [kraɪ'mɪə] *tul földr* Krím(-félsziget)
crime fiction *fn* detektívregény-irodalom
crimeless ['kraɪmləs] *mn* bűntelen, ártatlan
criminal ['krɪmɪnl] **I.** *fn* **a)** bűnös, bűnöző **b)** *biz* bűnös, tettes **II.** *mn* **1.** bűnös; **~ act** bűntett, bűncselekmény; **~ conversation** házasságtörés; bűnös viszony **2.** büntetőjogi, bűnvádi; **~ action** bűnvádi eljárás; **~ code** büntetőtörvénykönyv; **~ court** büntetőbíróság; **~ law** büntetőtörvény; büntetőjog **3.** *biz* botrányos, megbotránkoztató • *fn* **criminality** *hsz* **criminally**
criminalist ['krɪmɪnəlɪst] *fn* büntetőjogász
criminalistic [ˌkrɪmɪnə'lɪstɪk] *mn* kriminalisztikai
criminalistics [ˌkrɪmɪnə'lɪstɪks] *fn esz* kriminalisztika, bűnügyi nyomozástan
criminalize ['krɪmɪnəlaɪz], **-ise** *tsi* **1.** bűnténnyé nyilvánít, büntetendővé tesz **2.** bűnözővé tesz
criminology [ˌkrɪmə'nɒlədʒi || –'nɑ–] *fn jog* kriminológia • *fn* **criminologist** *mn* **criminological**
criminous ['krɪmɪnəs] *mn* bűnös, vétkes
crimp [krɪmp] **I.** *tsi* **1.** göndörít, hullámosít, kisüt *[hajat]* **2.** bevagdal *[halat sütés előtt]* **3.** toboroz, felhajt *[matrózokat, katonákat]* **II.** *fn* **1. a)** göndörödés, hullámosság,

fodor, zsugorodás, kunkorodás *[gyapjúszálé]*, ránc, redő *[szöveten]* **b)** akadály, megfékezés; *US biz* **put a ~ in a scheme** tervet/elgondolást elgáncsol **2.** *tsz* **crimps** bodros haj **3.** matrózt/katonát toborzó ügynök, felhajtó • *fn* **crimper** *mn* **crimpy**

C

crimping iron *fn* hajsütővas

crimple [ˈkrɪmpl] *tsi/tni* összegyűr, összeráncol, felbodorít

crimson [ˈkrɪmzn] **I.** *mn* karmazsinvörös, bíborvörös **II.** *fn* bíbor(festék), karmazsin(festék), bíborszín **III. A.** *tsi* bíborvörösre/karmazsinvörösre fest **B.** *tni* elvörösödik

cringe [krɪndʒ] **I.** *tni* **1.** megrezzen, (meg)lapul, összekuporodik, összehúzza magát **2.** (meg)alázkodik, hajbókol, csúszik-mászik (*to/before sy* vk előtt) **II.** *fn* **1.** (meg)rezzenés, (meg)lapulás **2.** (alázatos) hajlongás, hajbókolás, megalázkodás, talpnyalás • *fn* **cringer**

cringing [ˈkrɪndʒɪŋ] *mn* **1.** félénk, ijedt *[mozdulat]* **2.** alázatos, (meg)alázkodó, talpnyaló • *hsz* **cringingly**

crinite [ˈkraɪnaɪt] *mn áll növ* szőrös, pihés, bolyhos

crinkle [ˈkrɪŋkl] **I.** *fn* **1.** ránc, redő, gyűrődés, fodor, hullám **2.** zizegés, suhogás **II. A.** *tsi* (össze)gyűr, (össze)ráncol **B.** *tni* **1.** (össze)gyűrődik, (össze)ráncolódik, fodrosodik; **~ up** (fel)kunkorodik **2.** zizeg, suhog

crinkly [ˈkrɪŋkli] **I.** *mn* **1.** gyűr(őd)ött, ráncos, redős, fodros, kunkorodott **2.** zizegő, suhogó *[hang]* **II.** *fn szl [idős ember]* múmia

crip [krɪp] *fn US biz* **1.** béna (személy) **2.** könnyű ellenfél/tantárgy

cripple [ˈkrɪpl] **I.** *fn* **1.** nyomorék, rokkant, béna **2.** lengőállvány *[ablakmosáshoz, falfestéshez]* **II. A.** *tsi* **1.** megnyomorít, nyomorékká/rokkanttá tesz **2.** tönkretesz, megbénít *[ipart]* **B.** *tni* **~ along** sántikál, mankón jár • *fn* **crippler**

crippled [ˈkrɪpld] *mn* **1.** nyomorék, rokkant, béna **2. ~ ship** szétlőtt (v. mozgásképtelenné vált) hajó

crisis [ˈkraɪsɪs] *fn tsz* **crises** [–siːz] **1.** válság, krízis **2.** kritikus/válságos/döntő pillanat

crisp [ˈkrɪsp] **I.** *mn* **1.** ropogós *[sütemény]*; **~ snow** csikorgó hó **2.** göndör, hullámos *[haj]* **3.** erőteljes *[stílus]*, éles, metsző *[hang]*, friss, csípős, éles *[levegő]*, eleven, határozott *[modor]* **II.** *fn* **1. burn to a ~** szénné éget **2.** *tsz* → **crisps III. A.** *tsi* **1.** ropogósra süt, pörköl *[cukorral]* **2.** göndörít, hullámosít *[hajat]* **B.** *tni* **1.** ropog **2.** bodorodik, göndörödik *[haj]* **3.** szárad, zsugorodik *[falevél]* **4.** ropogósra/barnára sül • *fn* **crispness** *hsz* **crisply**

crispate [ˈkrɪspeɪt] *mn növ* hullámos szegélyű, fodros

crisps [krɪsps] *fn tsz GB* **1.** chips, rósejbni, hasábburgonya, sült krumpli **2.** ropogós sörkorcsolya **3.** (ropogós) bankjegyek

crispy [ˈkrɪspi] *mn* **1.** ropogós *[sütemény]* **2.** göndör, hullámos *[haj]* **3.** friss, éles, csípős *[levegő]*

criss-cross [ˈkrɪskrɒs ‖ –krɔs] **I.** *mn* **1.** kereszteződő, kereszt-, cikcakk(os) **2.** barátságtalan, mogorva, harapós *[ember, természet]* **II.** *hsz* keresztbe, összevissza **III.** *fn* **1.** keresztvonás *[írástudatlan személy részéről névaláírás helyett]* **2. a)** kereszteződő dolgok, hálózat **b)** kereszteződés, összevisszaság, zűr **IV. A.** *tsi* **a)** keresztez, keresztekkel jelöl **b)** ide-oda/le-fel jár **B.** *tni* kereszteződik

crista [ˈkrɪstə] *tsz* **cristae** [ˈkrɪstiː] *orv* → **crest**

criterion [kraɪˈtɪərɪən ‖ –ˈtɪr–] *tsz* **criteria** *fn* ismérv, ismertetőjel, döntő jellegzetesség, kritérium

critic [ˈkrɪtɪk] **I.** *mn* → **critical II.** *fn* **a)** kritikus, műbíráló **b)** gáncsoskodó/bírálgató ember

critical [ˈkrɪtɪkl] *mn* **1. a)** kritikus, bíráló *[közönség]*, vizsgálódó, boncolgató *[elme]* **b)** kritikus, kritizáló, gáncsoskodó **2.** kritikai; **~ edition** kritikai kiadás **3.** válságos, kritikus *[helyzet]* **4.** *tud* kritikus *[pont]* • *fn* **criticality** *hsz* **critically**

criticaster [ˈkrɪtɪkæstə ‖ –ər] *fn* igazságtalan/irigy/kicsinyes kritikus/bíráló

criticism [ˈkrɪtɪsɪzm] *fn* **1.** (mű)bírálat, kritika **2.** kritizáló/bíráló/kifogásoló megjegyzés

criticize [ˈkrɪtɪsaɪz], **-ise** *tsi* kifogásol, (meg)bírál (meg)kritizál, leszól, bíráló/gáncsoskodó megjegyzést tesz (vmre) • *mn* **criticizable**

criticizer [ˈkrɪtɪsaɪzə ‖ –ər] → **critic II.b.**

critique [krɪˈtiːk] **I.** *fn* **1.** kritika, (mű)bírálat, kritikai értekezés/tanulmány **2.** kritika, műbírálat *[műfaj]* **II.** *tsi* elemez, kritizál, megvitat, bírál *[művet]*

critter [ˈkrɪtə ‖ ˈkrɪtər] *fn biz* **1.** fráter, alak **2.** *táj* teremtmény

croak [kroʊk] **I. A.** *tsi szl [megöl]* kinyír, kikészít, kicsinál **B.** *tni* **1. a)** kuruttyol, brekeg **b)** károg **2.** *biz* (vészjóslóan) károg, huhog; **a ~ing pessimist** *biz* borúlátó; *biz átv* vészmadár **3.** *szl [meghal]* elpatkol, kinyúlik, beadja a kulcsot, bekrepál **II.** *fn* **1.** kuruttyolás, brekegés **2.** károgás

croaker [ˈkroʊkə ‖ –ər] *fn* **1.** brekegő, károgó, huhogó *[állat]* **2.** vészmadár, vészjóslóan károgó/huhogó ember

croaking [ˈkroʊkɪŋ] *fn* **a)** kuruttyolás, brekegés **b)** károgás

croaky [ˈkroʊki] *mn* **1.** rekedt, érdes *[hang]* **2.** károgó, huhogó, zsörtölődő *[ember]* • *hsz* **croakily**

Croatia [kroʊˈeɪʃə] *tul földr* Horvátország • *fn/mn* **Croat**, **Croatian**

croceate [ˈkroʊsieɪt] *mn* sáfrány színű, sáfránysárga

crochet [ˈkroʊʃeɪ ‖ kroʊˈʃeɪ] **I.** *fn* **1.** horgolás *[kézimunka]* **2.** horgolt kézimunka/csipke **II.** *tsi/tni* horgol • *fn* **crocheting**

crock[1] [krɒk ‖ krɑk] *fn* **1. a)** kancsó, korsó **b)** cserépedény **2.** törött (cserép)darab

crock[2] [krɒk ‖ krɑk] **I.** *fn* **1.** *szl* (vén) gebe *[ló]* **2. a)** ócska jármű, tragacs **b)** kiöregedett/nyiszlett alak; **old ~** vén trotty **II. A.** *tsi* **a)** megsebesít, megsért, harcképtelenné tesz *[sportolót]*; **he got badly ~ed (up)** alaposan összetörte magát; jól ellátták a baját **b)** tönkretesz, letör *[lovat]* **B.** *tni szl* **~ up** *[megbetegszik, megsérül]* kipurcan, kikészül; *[elromlik]* bedöglik, bemondja az unalmast *[motor, jármű]*

crocked [ˈkrɒkt ‖ ˈkrɑkt] *mn* elromlott, tönkretett, letört, megrokkant, sérült *[ló]*, harcképtelen

crockery [ˈkrɒkəri ‖ ˈkrɑ–] *fn* fazekasáru, agyagedény, cserépedény

crocodile [ˈkrɒkədaɪl ‖ ˈkrɑ–] *fn* **1.** *áll* krokodil(us) **2.** krokodilbőr **3.** *GB tréf* kettős sorban menetelő tanulók • *mn* **crocodilian**

crocodile reasoning *fn* krokodilus okoskodás, lokoskodás

crocodile tears *fn tsz* krokodilkönnyek, mesterkélt érzékenyülés, álnok együttérzés

crocus [ˈkroʊkəs] *fn tsz* **crocuses** *növ* **1. a)** sáfrány **b) autumn ~** őszi kikerics **2.** *szl* kuruzsló, sarlatán (doktor)

Croesus [ˈkriːsəs] *tul* Krőzus

croft [krɒft ‖ krɔft] **I.** *fn* (bekerített) háztáji telek, major **II.** *tni* gazdálkodik

crofter [ˈkrɒftə ‖ ˈkrɔftər] *fn* kisbirtokos

croissant [ˈkrwæsɒn ‖ kwɑˈsɑn] *fn* kifli

crone [kroʊn] *fn* **1.** (pletykás) vénasszony, banya **2.** öreg juh

cronk [krɒŋk ‖ krɑŋk] *mn Ausz* **1.** *szl [rossz, gyenge, vacak]* tré, szar **2.** *szl [becstelen, törvénytelen]* nem frankó **3.** *biz* csalással futtatott *[versenyló]*

crony [ˈkroʊni] *fn biz* pajtás, haver

cronyism [ˈkroʊniɪzm] *fn US biz* haverszellem *[állások betöltésénél]*

crook [krʊk] **I.** *fn* **1.** kampó, horog **2.** pásztorbot, *vall* püspöki pásztorbot **3. a)** hajlás, görbület **b)** *biz* **get sg on the ~** tisztességtelen (v. nem egyenes) úton jut hozzá vmhez; **by hook or by ~** ha törik, ha szakad, mindenáron **4.** *biz* szélhámos, bűnöző **II. A.** *tsi* **1.** (be)hajlít, (be)görbít **2.** *szl* **~ the deal** *[megakadályozza az üzletet]* beleköp a levesbe, keresztbe tesz **B.** *tni* (be)hajlik, (be)görbül **III.** *mn* **1.** *GB* **a)** hajlott, görbült **b)** csalárd, tisztességtelen **2.** *Ausz szl [rossz, vacak]* szar, tré **3.** *Ausz szl [beteg]* rossz bőrben

levő, gyenge **4.** *Ausz szl [dühös]* pipás; **go ~ at sy** *[letol/ összeszid vkt]* lecsesz **5.** *Ausz ÚjZ* becstelen, lelkiismeretlen, gátlástalan
crookback *fn* púpos ember • *mn* **crookbacked**
crooked ['krʊkɪd] *mn* **1. a)** hajlott, görbült, görbe, kanyargós *[út]*, kicsavarodott, kitekeredett *[végtag, fa]* **b)** kampós, horgas **2.** csavaros, fondorlatos *[észjárás]*, csalárd, aljas, alattomos *[tett]*, tisztességtelen, hamis *[ember]*; **~ reasoning** ferde/csavaros okoskodás/érvelés; csűrés-csavarás; *Ausz szl* **~ on sy** ellenséges vkvel • *fn* **crookedness** *hsz* **crookedly**
croon [kruːn] **I.** *tsi/tni* dúdol(gat), dudorászik, zümmög **II.** *fn* dúdolás, dudorászás
crooner ['kruːnə ‖ –ər] *fn* sanzonénekes, (halkan éneklő) dzsesszénekes, suttogó bariton
crop [krɒp ‖ krɑp] **I.** *fn* **1. a)** termény, termés(hozam); **the ~s** termés; **second ~** sarjú; **under/in ~** megművelt, művelés alatt álló *[föld]*; **out of ~** parlagon heverő *[föld]*; parlag; *biz* **a ~ of lies** egy rakás hazugság **b)** aratás, szüret; *átv* évjárat; **this year's ~ of students** az új hallgatók **2.** (haj)nyírás, hajvágás; **give sy a close ~** megnyír vkt, rövidre vágja vk haját, nullás géppel nyír **3.** levágott vég/darab **4.** begy **5.** ostornyél **6.** lapocka(hús) **II.** *i* **-pp- A.** *tsi* **1. a)** (le)nyír, megnyír *[hajat, posztót]* **b)** begyűjt *[termést]* **2.** (le)legel **3.** bevet, beültet (*with* vmvel) *[földet]*, termel *[terményt]* **B.** *tni* termést hoz *[föld]*
crop out *tni* **1.** *bány* kibúvik, felszínre ér *[réteg, telér]* **2.** *biz* megnyilatkozik
crop up *tni* **1.** *bány* → **crop out** 1. **2.** *biz* felmerül, felbukkan
crop-dusting *fn mezőg* permetezés
crop-eared *mn* **1.** vágott/kurtított fülű **2.** rövid hajú, bubifrizurás
crop failure *fn* rossz termés, terméskiesés
cropper ['krɒpə ‖ 'krɑpər] *fn* **1.** arató(munkás) **2. good ~** jó terméshozamú növény **3.** posztónyíró (gép), munkás **4.** *biz* **come/fall a ~** (i) felbukik *[lóval, kerékpárral]*; leesik, lezuhan; elvágódik (ii) csődbe megy, megbukik, tönkremegy *[kereskedő]* (iii) váratlan akadályba ütközik (iv) *[kudarcot vall, pórul jár]* befürdik, ráfázik
cropping ['krɒpɪŋ ‖ 'krɑ–] *fn* **1.** nyírás *[hajé, posztóé]*, kaszálás, aratás, begyűjtés *[termésé]*, fülkurtítás *[kutyáé, lóé]* **2.** *bány* kibúvás *[teléré, telepé]* **3.** megművelés, bevetés *[földé]*
crop rotation *fn* vetésforgó
crop year *fn* gazdasági év
croquet ['kroʊki ‖ –'keɪ] *fn* krokett *[játék]*
croquett(e) [kroʊ'ket] *fn* krokett *[étel]*
crosier ['kroʊzɪə ‖ –ʒər] *fn vall* **1.** pásztorbot *[püspöké]* **2. a)** keresztvivő **b)** pásztorbotvivő
cross [krɒs ‖ krɔs] **I.** *fn* **1. a)** kereszt; **the stations of the C~** Kálvária **b)** feszület **c)** kereszténység, keresztény vallás **2. a)** szenvedés, megpróbáltatás; *biz* **bear one's ~** viseli a keresztjét, megvan a maga baja **b)** kellemetlenség, bosszúság, nehézség, akadály **3. a)** keresztez(őd)és **b)** keresztezett fajta **4. a)** keresztirányú mozgás; **on the ~** keresztben, átlósan **b)** *sp* keresztlabda *[labdarúgásban]* **c)** *sp* keresztbeverés *[ökölvívásban]* **5. a)** csalás, fondorlat; *szl* **on the ~** tisztességtelenül **b)** *sp szl [előre megbeszélt eredmény szerint zajló mérkőzés]* bunda **II. A.** *tsi* **1. a)** átmegy, keresztülmegy, áthalad *[utcán, szobán]*, átkel *[tengeren, folyón]*; **sg ~es sy's mind** vm átvillan az agyán, vm eszébe jut/ötlik **b)** átlép *[küszöböt, határt]*, átível *[híd folyót]*, átszel *[ösvény erdőt]* **2.** keresztbe tesz/rak/fektet; **~ swords with sy** vitába száll (vkvel); **~ one's fingers, keep one's fingers ~ed** izgul/drukkol vmért **3.** keresztez *[csekket]*, áthúz *[vonással]* **4. ~ oneself** keresztet vet; **~ one's heart (and hope to die)** fogadalmat v. ígéretet tesz, megesküszik; **~ sy's palm** vknek szívességért pénzt ad **5.** átszállít, átvisz **6.** szembetalálkozik (vkvel); *biz* **~ sy's path** keresztezi vknek az útját; keresztezi vknek a számítását/terveit **7.** *biz* **~ sy, ~ sy's plans** szembehelyezkedik/szembeszáll vkvel (v. vknek terveivel); keresztülhúzza vk számításait; **she has been ~ed in love** szerelmi csalódás érte **8.** *biol* keresztez *[növényt, állatot]* **9.** csal, becsap **10.** *sp* keresztbe passzol *[labdát]* **B.** *tni* **1.** kereszteződnek *[fajták]*, keresztezik egymást *[utak, levelek]*, metszik egymást *[vonalak]* **2.** átkel, átmegy **3.** hibásan kapcsolódik össze *[telefonvonalak]*; **get one's wires ~ed** tévesen kapcsolják; félreértik *[egymást]* **III.** *mn* **1. a)** kereszt irányú, haránt, ferde **b)** keresztez(őd)ő, (egymást) metsző, átlós, diagonális **2.** ellentétes, szemben álló, ellentmondó (*to* vmvel/vmnek); **be at ~ purposes** félreértik egymást, két malomban őrölnek **3.** *biz* barátságtalan, rosszkedvű, haragos, ingerült; **be ~ with sy** haragszik vkre; **be as ~ as two sticks, as ~ as a bear (with a sore head)** harapós kedvében van • *fn* **crossness** *hsz* **crossly**
cross off → **cross out**
cross out *tsi* töröl, áthúz, kihúz
cross over *tni* **1.** átkel, átjön, átmegy *[utcán]* **2.** *biol* átkereszteződik, kicserélődik *[kromoszóma]*
cross- [krɒs ‖ krɔs] *összet* kereszt-, ellen-, keresztül-, át-
cross-bar *fn* **1.** keresztléc, keresztrúd **2.** *sp* felső kapufa, ugróléc *[magasugrásban]*
cross-beam *fn épít* tartógerenda
cross-bench *fn* keresztirányú pad; *pol* **sit on the ~es** középpárti/független képviselő • *fn* **cross-bencher**
crossbow ['krɒsboʊ ‖ 'krɔs–] *fn* íjpuska • *fn* **crossbowman**
cross-breed **I.** *fn* **1.** keresztezett fajta, félvér, hibrid, fajkereszteződés **2.** *biz* félvér (ember) **II.** *tsi pt/pp* **cross-bred** (fajokat) keresztez • *fn* **cross-breeding** *mn* **cross-bred**
cross-check **I.** *fn* **1.** bemérés *[adatoké]* **2.** *sp* feltartás bottal *[jégkorongban]* **II.** *tsi* egyeztet, összesít *[adatokat]*
cross-country **I.** *sp* mezei, terep- **II.** *fn* terepfutás, akadálylovaglás, sífutás
cross-cultural *mn* kultúrák közötti
cross-current *fn* ellenáram(lat)
cross-cut **I.** *fn* **1. a)** harántvágás **b)** *műsz* keresztbevágás; **~ saw** keresztvágó fűrész, keresztfűrész **2.** útrövidítés, levágás **II.** *tsi pt/pp* **cross-cut** keresztbe vág
cross-dresser *fn* transzvesztita *[férfiruhában járó nő/női ruhában járó férfi]*
cross-examination *fn jog* keresztkérdések feltevése; *biz* **be under ~** makacsul vallatják/faggatják, keresztkérdések alá vetik
cross-examine *tsi* **a)** *jog* keresztkérdéseket tesz fel **b)** vallat, faggat (vkt) • *fn* **cross-examiner**
cross-eye *fn* kancsalság, bandzsítás • *mn* **cross-eyed**
cross-fade **I.** *tni film média* átúszik, átúsztat **II.** *fn* átúszás
cross-fertilize, -ise *tsi* **1.** *növ* keresztez *[két fajtát]* **2.** *átv* gondolatok v. ötletek cseréjét elősegíti • *fn* **cross-fertilization, -isation**
crossfire *fn* kereszttűz
cross-grain *fn* **1.** harántszál, harántrost **2.** keresztbevágás, harántvágás
cross-grained *mn* **1.** haránt/átlós rostú **2.** *biz* **a)** hibás/kitekert észjárású **b)** akaratos, makacs **c)** *biz* morgó
cross-hatch **I.** *fn* keresztvonalkázás **II.** *tsi* keresztben vonalkáz
cross-index **I.** *fn* (kereszt)utalás **II.** *tni* utal *[más helyre/műre]*
crossing ['krɒsɪŋ ‖ 'krɔ–] *fn* **1.** keresztez(őd)és, keresztezés *[csekké]*; **~ out/off** kihúzás, törlés *[szövegből]* **2.** keresztvetés **3. a)** útkereszteződés, vasúti átjáró **b)** (kijelölt) (gyalog)átkelőhely *[utcán]* **4.** *épít* hajókereszteződés *[templomban]* **5.** átkelés *[tengeren, folyón]*, áthaladás *[másik járdára]*, átlépés *[határé]* **6. ~ of sy** szembeszállás/szembehelyezkedés vkvel **7.** *biol* fajkereszteződés
crossing-over *fn biol* átkereszteződés, genetikai kicserélődés *[kromoszóma]*

cross-legged *mn* keresztbe tett/vetett lábbal *[ül/áll]*
cross-link I. *fn vegy* keresztkötés, térháló **II.** *tsi vegy* keresztkötést/térhálót létesít
crossover I. *fn* **1.** átjáró, átkelő **2.** felüljáró **3. a)** *távk vill* keresztezés **b)** *fiz* átmenet **4.** átmenet *[stílusok, műfajok között]* **5.** *biol* keresztezés származéka **II.** *mn* kereszteződő, átvethető *[sál, gallér]*
cross-patch *fn biz* nyűgösködő ember
cross-points *fn tsz vasút* keresztezési pontok
cross-pollinate *tsi növ* keresztbeporoz • *fn* **cross-pollination**
cross-purposes *fn tsz* ellentétes/ütköző célok/tervek, félreértés, zavar
cross-question I. *fn* keresztkérdés **II.** *tsi* → **cross-examine**
cross-rate *fn pénz* keresztárfolyam *[valuta]*
cross-refer *tni* (keresztbe)utal, hivatkozik
cross-reference I. *fn* (kereszt)utalás, utalójegyzet *[szövegben]* **II.** *tsi* hivatkozási számmal/keresztutalással ellát
cross-ride *fn* keskeny erdei ösvény, vadcsapás
crossroad *fn* **1.** keresztút; **main ~** összekötő út **2. ~s** útkeresztez(őd)és; válaszút; **at the ~s** válaszúton
cross-section I. *fn* keresztmetszet, keresztszelvény **II.** *tsi* metszetben ábrázol • *mn* **cross-sectional**
cross spider *fn* keresztcspók
cross-stitch I. *fn* keresztöltés **II.** *tsi* keresztöltéssel hímez/varr
cross-street *fn* **a)** mellékutca **b)** keresztutca
cross-talk *fn* **1.** *infor távk* áthallás, interferencia **2.** feleselés, szóváltás
cross-voting *fn pol* keresztbeszavazás *[egyik párt egyes tagjai a másik párt mellett és viszont]*
crosswalk *fn US* gyalogátkelőhely *[úttesten]*
cross-wall *fn* válaszfal, közfal
cross-way → **cross-road**
crossways [ˈkrɒsweɪz ‖ ˈkrɔs –] *hsz* keresztben, átlósan
cross-wind [ˈkrɒswɪnd ‖ ˈkrɔs –] *fn* ellenszél, oldalszél
crosswise [ˈkrɒswaɪz ‖ ˈkrɔs –] **I.** *mn* keresztirányú **II.** *hsz* **1.** keresztbe(n), haránt **2.** ellentétesen, ellenkezőleg
crossword *fn* **~ (puzzle)** keresztrejtvény
crotchet [ˈkrɒtʃɪt ‖ ˈkrɑ –] *fn* **1.** horog, kampó **2.** *zene* negyed hangjegy **3.** *biz* szeszély, rögeszme, mánia • *fn* **crotcheteer**
crotchety [ˈkrɒtʃəti ‖ ˈkrɑ –] *mn* szeszélyes, mániákus, rögeszmés, bogaras, „dilis" *[ember]*, furcsa, csavaros, nyakatekert *[gondolkozásmód]* • *fn* **crochetiness**
crouch [kraʊtʃ] **I.** *tni* **1.** (le)guggol, lekuporodik **2.** alázatosan meghajol **II.** *fn* **1.** (le)guggolás, lekuporodás **2.** alázatos/mély meghajlás
crouch start *fn sp* térdelőrajt, guggolórajt
croup[1] [kru:p] *fn* far *[állaté]*
croup[2] [kru:p] *fn orv* álhártyás (torok)gyulladás, torokgyík • *mn* **croupous, croupy**
croupier [ˈkru:pɪə ‖ – ər] *fn* **1.** krupié, játékvezető *[kaszinóban]* **2.** elnökhelyettes
crouton [ˈkru:tɒn ‖ – tɑn] *fn gaszt* pirított kenyérkockák
crow[1] [kroʊ] *fn* **1. a)** *áll* varjú **b)** *biz* **as the ~ flies** légvonalban; *biz* **he's the white ~** fehér holló, ritka vendég; **have a ~ to pluck with sy** számolnivalója van vkvel; *US* **eat ~** kénytelen megalázkodni; meghátrál, visszakozik **2.** *szl* csuhás **3.** → **crow-bar 4.** *szl [csúnya, öreg nő]* vén tyúk, boszorkány
crow[2] [kroʊ] **I.** *fn* → **crowing II.** *tni pt* **crowed, crew** [kru:], *pp* **crowed 1.** kukorékol *[kakas]*; *biz* **~ over sy** diadalmaskodva/fennhéjázóan beszél vkvel; **~ over sg** ujjong vm fölött **2.** gügyög, gagyog, sikongat *[csecsemő]*
crow-bar *fn* emelőrúd, feszítőrúd
crowberry [ˈkroʊbəri ‖ – beri] *fn növ* **1.** mámorka **2.** *US* áfonya
crowd [kraʊd] **I.** *fn* **1. a)** tömeg, sokaság **b)** *pej* **the ~** a tömegek/köznép **2.** *biz* csomó, sereg, csapat, halom **3. a)** *biz* társaság, banda (vké) **b)** *pej* banda **c)** *szính film* **the ~** statiszták; **~ scene** tömegjelenet **II. A.** *tsi* **1.** kis helyre összeszorít, összezsúfol, zsúfolásig megtölt (*with* vmivel), elözönlik, eláraszt *[tömeg vmt]*; **~ed cities** sűrűn lakott városok, túlnépesedett városok; **~ed house/audience** zsúfolt/telt ház **2. a)** leszorít, kiszorít, akadályoz (vkt/vmt) **b)** *biz* erőszakol, erőltet (vkt); **~ sy into doing sg** vkt belekényszerít vmbe **B.** *tni* tolong, szorong, özönlik, csődül; **~ to a place** özönlik vhová, vmely helyet eláraszt *[tömeg]* • *mn* **crowdy**
crowd in *tni* becsődül, beözönlik, beáramlik *[tömeg]*
crowd on *tsi/tni hajó* **~ (on) sail** minden vitorlát felvon; **memories ~ on me** (v. **upon my mind)** elárasztanak az emlékek
crowd out A. *tsi* kiszorít, kirekeszt (vkt/vmt) **B.** *tni* kiözönlik, kiáramlik *[tömeg]*
crowd round *tsi/tni* tolong vk/vm körül, vk/vm köré sereglik
crowd together *tni* összecsődül, összesereglik, összegyűlik
crowd up A. *tsi US* felhajtja/felveri az árakat **B.** *tni* felfelé özönlik/áramlik *[tömeg]*
crowded [ˈkraʊdɪd] *mn* tömött, zsúfolt, mozgalmas; → **crowd II.** • *fn* **crowdedness**
crowd-puller *fn biz* tömegcsalogató/vonzó esemény
crow-flight *fn* légvonal
crowfoot *fn tsz* **crowfeet** varjúláb
crowing [ˈkroʊɪŋ] *fn* **1.** (kakas)kukorékolás **2.** gügyögés, gagyogás, sikongatás *[csecsemőé]*
crow-keeper *fn tréf* madárijesztő
crown [kraʊn] **I.** *fn* **1. a)** korona **b) the C~** király(nő); a Korona, királyi hatalom **2. a)** fejtető, feje búbja, tonzúra *[szerzetesé]* **b)** felső rész, tető, csúcs, korona *[fogé, fáé]*, domborulat *[úttesté, fedélzeté]*, csúcs, orom *[hegyé]* **3.** *átv* korona *[életé, pályafutásé]*, csúcspont, betetőzés **4.** (virág)-koszorú **5.** korona **II.** *tsi* **1.** (meg)koronáz, megkoszorúz *[fejet]*; **~ sy king** királlyá koronáz **2.** *átv* koronáz, felteszi a koronát, betetőz; **~ sy's wishes** eleget tesz vk kívánságának; *biz* **to ~ it all** mindennek betetőzéséül/tetejébe **3.** *orv* koronát feltesz *[fogra]* **4.** *szl [fejbe ver]* megüt; bever, kókuszon nyom, kupán vág • *mn* **crowned**
crown-colony *fn* koronagyarmat
crown court *fn GB* büntetőjogi bíróság
crowner [ˈkraʊnə ‖ – ər] *fn* **1.** betetőző, befejező *[cselekedet, mű]*, végső kivitelező, befejező (személy) **2.** → **coroner 3.** fejreesés, fejtetősérülés
crown estates → **crown lands**
crown-gear → **crown-wheel**
crowning [ˈkraʊnɪŋ] **I.** *mn* végső, (mindent) betetőző **II.** *fn* **1.** koronázás **2.** domborulat, korona *[úttesté]*
crown-jewels *fn tsz* **1.** koronaékszerek **2.** *biz [a férfi nemiszerv]* tök, golyó(k)
crown lands *fn tsz* koronabirtok
crown-prince *fn* trónörökös, királyi herceg
crown-princess *fn* trónörökösnő, királyi hercegnő, a trónörökös felesége
crown-wheel *fn műsz* koronakerék, fogkoszorús/lánckoszorús kerék
crown witness *fn jog* koronatanú
crow's-foot *fn tsz* **-feet 1.** szarkaláb *[szem körül]* **2.** *kat régi* lábtövis, vassulyom **3.** *bány* mentőhorog **4.** ágaskötél *[függőágyé, sátoré]* • *mn* **crow's footed**
crow-silk *fn növ* békanyál, vízi selyem
crow's-nest *fn hajó* árbockosár
crozier [ˈkroʊzɪə ‖ – ʒər] → **crosier**
CRT *röv infor cathode ray tube* katódcső
cruces [ˈkru:si:z] → **crux**
crucial [ˈkru:ʃl] *mn* **1.** döntő, kritikus, válságos; **of ~ importance** döntő fontosságú **2.** *tud* kereszt alakú **3.** *szl [nagyon jó]* remek, szuper
crucian [ˈkru:ʃn] *fn áll* kárász
cruciate [ˈkru:ʃieɪt] *mn növ áll* kereszt alakú

crucible [ˈkruːsəbl] *fn* **1.** olvasztótégely **2.** *átv* tűzpróba
crucifer [ˈkruːsɪfə ‖ –ər] *fn* **1.** *vall* keresztvivő **2.** *növ* keresztes virágúak
cruciferous [kruːˈsɪfərəs] *mn* **1.** keresztet viselő/hordozó, keresztes **2.** *növ* keresztes virágú
crucifix [ˈkruːsəfɪks] *fn* feszület
crucifixion [ˌkruːsəˈfɪkʃn] *fn* keresztre feszítés
cruciform [ˈkruːsɪfɔːm ‖ –fɔrm] *mn* kereszt alakú
crucify [ˈkruːsɪfaɪ] *tsi* **1.** keresztre feszít **2. a)** *átv* gyötör, sanyargat, kínoz **b)** *szl* ripityára ver *[sportban]* **c)** *szl* kikészít, kicsinál • *fn* **crucifier** *mn* **crucified**
crucifying [ˈkruːsɪfaɪɪŋ] **I.** *mn* gyötrő, kínzó **II.** *fn átv* keresztre feszítés
crud [krʌd] *fn szl* **1.** *[piszkos, ragadós anyag]* trutyi, trutymó **2.** *[ellenszenves, kellemetlen ember]* szemét, tetű **3.** baromság, marhaság, hülye duma
crude [kruːd] **I.** *mn* **1.** nyers, éretlen, befejezetlen, finomítatlan, rikító *[szín]*, durva, faragatlan *[modor, kifejezés]*, kidolgozatlan *[téma]*, kezdeti, kezdetleges *[állapot]*; **~ iron** nyersvas; **~ oil** nyersolaj; **a ~ attempt** sikertelen (v. semmi jóval nem kecsegtető) kísérlet **2.** *orv* meg nem emésztett; nyers; ki nem fejlődött, kezdeti stádiumban levő *[betegség]* **II.** *fn* nyersolaj • *fn* **crudeness**, **crudity** *hsz* **crudely**
cruel [ˈkruːəl] **I.** *mn* kegyetlen, könyörtelen, brutális **II.** *hsz* kegyetlenül, könyörtelenül, brutálisan **III.** *fn* kegyetlen/könyörtelen/brutális ember **IV.** *tsi Ausz szl [elrontja vk szerencséjét]* megszívat, betesz vknek • *hsz* **cruelly**
cruelty [ˈkruːəlti] *fn* kegyetlenség (*to/towards* vkivel szemben); *jog* **extreme ~** kegyetlen bánásmód *[házastárssal stb.]*; **a piece/act of ~** kegyetlenkedés, kegyetlen cselekedet/eljárás, kínzás
cruet [ˈkruːɪt] *fn* ecet-olajtartó (üveg)
cruise [kruːz] **I.** *tni* **1.** tengeri (kör)utat tesz **2.** *átv* cirkál, egyenletesen halad, megy **3.** könnyen elér/megnyer vmt **4.** *biz* utasra vadászva jár/cirkál *[taxi]*; *szl [szexuális partnert keres]* palira vadászik *[homoszexuális, sétálva v. autóval]* **II.** *fn* cirkálás, cirkáló őrjárat, tengeri körutazás; **go for a ~** cirkál; tengeri (kör)utat tesz • *fn/mn* **cruising**
cruise control *fn gk* sebességtartó automatika
cruise-missile *fn kat* cirkáló rakéta, nagy hatótávolságú irányított lövedék
cruiser [ˈkruːzə ‖ –ər] *fn* **1.** *hajó* cirkáló **2.** *hajó* **(cabin) ~** kajütös túramotorcsónak/motorjacht **3.** *US* (rendőr) járőrkocsi, járőrautó
cruiser-carrier *fn hajó* repülőgép-hordozó cirkáló
cruising speed *fn közl* utazósebesség
crumb [krʌm] **I.** *fn* **1.** *átv* morzsa; *biz* **~ of comfort** egy csepp vigasz; sovány vigasz; **to a ~** utolsó morzsáig; *átv* a legapróbb részletig **2.** kenyérbél **3.** *tsz* **crumbs** *GB szl* a fenébe! *[felkiáltás]* **4.** *szl* kellemetlen/visszataszító alak **II.** *tsi* **1.** morzsál, szétmorzsol **2.** kiránt, paníroz • *mn* **crumby**
crumble [ˈkrʌmbl] **I.** *i* **A.** *tsi* morzsál, szétmorzsol **B.** *tni* elmorzsolódik *[kenyér]*, szétporlad, szétmállik *[kő]*, összeomlik *[birodalom]* **II.** *fn* **1.** *GB* **a)** ‹sütemény tetejére lisztből, zsiradékból és morzsából készített borítás› **b)** ‹a fenti módon készített étel› **2.** ‹bármilyen morzsás v. morzsolódó anyag›
crumbling [ˈkrʌmblɪŋ] **I.** *mn* szétmálló, összeomló, omladozó; **~ empire** bomlásnak indult birodalom **II.** *fn* **1.** szétmorzsolás **2.** szétmorzsolódás, omladozás, összeomlás
crumbly [ˈkrʌmbli] **I.** *mn* omladozó, roskatag **II.** *fn GB szl durva [öreg ember]* vén szivar, vén csont, trotty; öreglány, vén csaj
crummy [ˈkrʌmi] *mn biz* **1.** dundi, kövérkés *[nő]* **2.** vacak, piszkos, ócska
crump[1] [krʌmp] **I.** *fn kat szl* becsapódó/felrobbanó lövedék (hangja) **II.** *tsi kat szl* erősen lő, bombáz
crump[2] [krʌmp] **I.** *mn* görbe, meggörbült, púpos **II. A.** *tsi* (meg)görbít, hajlít **B.** *tni* (meg)görbül, hajlik
crumpet [ˈkrʌmpɪt] *fn* **1.** ‹egy fajta teasütemény› **2.** *szl régi [fej]* kobak, dió, kókusz; **off one's ~** ütődött, féleszű (ember), nincs ki a négy kereke **3.** *GB szl durva [nő mint a szexuális vágy tárgya]* anyag, áru, termés; **a bit/piece of ~** jó csaj, bomba nő
crumple [ˈkrʌmpl] **I.** *i* **A.** *tsi* összegyűr **B.** *tni* **~ up** összegyűrődik, ráncolódik; *átv* összeomlik *[ellenállás]*; összeroskad; feladja a versenyt *[versenyző]* **II.** *fn* gyűrődés, ránc • *fn* **crumpling** *mn* **crumpled**, **crumply**
crunch [krʌntʃ] **I. A.** *tsi* ropogtat *[fogai között]*, csikorgat, széttapos *[kavicsot, havat]* **B.** *tni* recseg, csikorog, ropog *[hó, homok]* **II.** *fn* **1.** ropogtatás *[fogak között]*, roppanás, csikorgás; **at a single ~** egyetlen harapással **2.** *US biz* döntő helyzet, válságos pillanat **3.** *US biz* megszorítás, korlátozás *[főleg gazdasági]*
crunchy [ˈkrʌntʃi] *mn* ropogós *[sütemény]*, csikorgó *[hó]*
crupper [ˈkrʌpə ‖ –ər] *fn* **1.** farhám, farokszíj **2.** far *[lóé]*, *biz* far, fenék
crural [ˈkruərəl ‖ ˈkrurəl] *mn orv* **1.** comb-, combi **2.** lábszár-
crusade [kruːˈseɪd] **I.** *fn* **1.** keresztes hadjárat **2.** *átv* hadjárat, küzdelem, kampány (*against* vm ellen) **II.** *tni* **1.** keresztes hadjáratba/háborúba megy **2.** küzdelmet folytat (vm ellen) • *fn* **crusader**
cruse [kruːz] *fn régi* agyagedény
crush [krʌʃ] **I. A.** *tsi* **1. a)** összetör, összezúz **b)** (ki)sajtol *[gyümölcsöt, olajat]* **2. a)** őröl, darál, szétmorzsol **b)** *átv* megsemmisít, döntő csapást mér; **~ed with grief** fájdalomtól lesújtva **3.** összegyűr *[ruhát]* **B.** *tni* **1.** összepréselődik *[tömegben]* **2.** tolong, lökdösődik **II.** *fn* **1.** összezúz(ód)ás, összesajtolás, beomlás *[épületé, földtömegé]* **2.** tolongás, lökdösődés, tolakodás **3.** kisajtolt gyümölcslé **4.** *US* **a)** *biz* szerelem **b)** a szerelem tárgya, az imádott • *mn* **crushable**
 crush in A. *tsi* bever, betör, benyom (vmt) **B.** *tni* bezúdul/betódul vhova
 crush into A. *tni* belerohan/beleütközik (vkbe/vmbe) **B.** *tsi* **~ sg into sg** belenyom/beledug (vmt vmbe)
 crush out A. *tsi* **1.** (ki)sajtol, (ki)présel *[gyümölcsöt]* **2.** elfojt *[zendülést]* **3.** → **crowd out** A. **4.** elnyom *[cigarettát]* **B.** *tni* → **crowd out** B.
 crush through *tsi/tni* átfurakodik (vmn)
 crush together *tsi/tni* összezsúfol, összenyom(ódik)
 crush up A. *tsi* összetör, összezúz, összenyom **B.** *tni* összehúzódik, összeszorul
crush barrier *fn* szektorelválasztó korlát *[stadionban]*
crusher [ˈkrʌʃə ‖ –ər] *fn* **1.** törőgép, zúzógép, őrlőgép **2.** *biz* csapás
crush-helmet *fn* bukósisak
crushing [ˈkrʌʃɪŋ] **I.** *mn* **1.** zúzó *[henger, gép]* **2.** lesújtó, megdöbbentő, elképesztő *[hír]*, lehengerlő *[győzelem]*; **~ defeat** megsemmisítő vereség **II.** *fn* (össze)zúzás, (ki)sajtolás • *hsz* **crushingly**
crust [krʌst] **I.** *fn* **1.** (kenyér)héj, kéreg *[földé, fáé]*, teknő *[teknőcé]*, páncél *[ráké]*, felső (kemény) réteg; *biz* **the upper ~** a felső tízezer **2.** lerakódás, lerakódás, seprő *[borospalackban]* **3.** *orv* heg, var **4.** *szl* nemtörődömség, pofátlanság; *szl* **he's got a ~!** van képe, van bőr a pofáján **5.** *Ausz* megélhetés, betevő falat; **what do you do for a ~?** miből élsz? **6.** kérgesség, érdesség *[modoré]* **II. A.** *tsi* kéreggel (v. vmlyen réteggel) bevon **B.** *tni* elkérgesedik, beheged *[seb]*, lerakódik *[vmlyen réteg]*
crusta [ˈkrʌstə] *fn tsz* **crustae** [–tiː] **1.** *orv* heg, var **2.** *áll* héj *[teknőcé]*, páncél *[ráké]*
crustacea [krʌˈsteɪʃə] *fn tsz áll* rákok • *fn* **crustaceology**
crustacean [krʌˈsteɪʃn] **I.** *mn áll* rákokhoz/héjasokhoz tartozó **II.** *fn áll* rákféle, héjas állat
crustaceous [krʌˈsteɪʃəs] *mn* **1.** kéregszerű, héjas **2.** → **crustacean** I.
crustal [ˈkrʌstl] *mn geol* földkérgi, földkéreg-

C

crustation [krʌˈsteɪʃn] *fn* kérgesedés, lerakódás
crusted [ˈkrʌstɪd] *mn* **1.** ~ **(over)** kérges, heges, (lerakódott) réteggel bevont **2.** seprőt tartalmazó, üledékes *[bor]* **3.** régimódi, patinás
crusty [ˈkrʌsti] *mn* **1.** ropogós *[kenyér]* **2.** *biz* mogorva **3.** kemény, kérges • *fn* **crustiness** *hsz* **crustily**
crutch [krʌtʃ] **I.** *fn* **1.** mankó **2.** *műsz épít* tám(fa), dúc, támasztógerenda **3.** ágyék; ruhanemű ágyéki része **II.** *tsi* alátámaszt, dúcol
crutch-handled *mn* keresztfogantyús
crux [krʌks, krʊks] *fn tsz* **cruxes**, **cruces** [ˈkru:si:z] bökkenő, nehézség, döntő/kritikus pont; **the ~ of the matter** a dolog bökkenője
cry [kraɪ] **I. A.** *tsi* **1. a)** kiált, kiabál **b)** ~ **fish (for sale)** halat kínál/árul *[utcai árus]* **c) have sg cried** kihirdettet, kidoboltat **2.** ~ **bitter tears** keservesen zokog, keserű könnyeket hullat **B.** *tni* **1.** sír, könnyezik; ~ **over spilt/spilled milk** késő bánat, ebgondolat **2. a)** (fel)kiált, kiabál, kiáltozik **b)** csahol, vonít *[eb]*, rikácsol *[madár]* **II.** *fn* **1. a)** kiáltás, kiabálás, lárma, utcai kikiáltás, csaholás; **within ~** hallótávolságban, hallótávolságon belül; **give/raise/utter a ~** (fel)kiált; ~ **from the heart** szívettépő (segély)kérés/kiáltás/tiltakozás; **it is a long/far ~ from here to Újpest** innen még jó messze van Újpest; **it is a far ~ from sg** össze sem hasonlítható vmvel; **be in full ~** *átv* teljes lendületben **b)** jajkiáltás, jajveszékelés **c)** követelés, felhívás; **there was a ~ for peace** a közhangulat/közvélemény békét követelt **2.** sírás; **have a good ~**, **have one's ~ out** (jól) kisírja magát
cry down *tsi* ócsárol, leszól
cry for *tni* sírva kér (vmt), esdekel/könyörög (vmért); ~ **for the moon** lehetetlent kíván; ~ **for help** segítségért kiált
cry off *tsi/tni* visszalép/eláll (vmtől), visszaszív/visszavon (vmt)
cry out A. *tsi* kiált (vmt) **B.** *tni* felkiált; ~ **out for sg** lármát csap vmért, nagy hangon követel vmt; ~ **out against sy/sg** tiltakozik vk/vm ellen; ~ **out in terror** rémületében felkiált; ~ **one's eyes/heart out** keservesen sír; *GB biz* **for ~ing out loud** az ég szerelmére!
cry over *tni* ~ **over sg** sír vm miatt
cry up *tsi* (fel)dicsér, magasztal
cry-baby *fn* bőgőmasina, sírós gyerek
cryer [ˈkraɪə ‖ –ər] → **crier**
crying [ˈkraɪɪŋ] **I.** *mn* **1.** kiáltó; ~ **injustice** (égbe)kiáltó igazságtalanság **2.** síró **II.** *fn* **1.** kiáltás, kiabálás, lárma **2.** sírás
cryogen [ˈkraɪədʒən] *fn vegy* hűtőanyag, hűtőkeverék
cryogenic [ˌkraɪoʊˈdʒenɪk] *mn* kriogén, mélyhűtött, rendkívül alacsony hőmérsékletű
cryolite [ˈkraɪəlaɪt] *fn ásv* kriolit, jégkő
crypt [krɪpt] *fn* **1.** sírbolt, kripta, altemplom **2.** *orv* tüszőüreg, lacuna
cryptanalysis [ˌkrɪptəˈnælɪsɪs] *fn* titkosírás megfejtése • *fn* **cryptanalyst** *mn* **cryptanalytic**
cryptic [ˈkrɪptɪk] *mn* rejtélyes, titokzatos, titkos, rejtett; okkult, jelképes • *hsz* **cryptically**
crypto- [ˈkrɪptoʊ] *előtag* rejtett, titkos-
cryptogam [ˈkrɪptəgæm] *fn növ* virágtalan/spórás növény • *mn* **cryptogamic**, **cryptogamous**
cryptogenetic [ˌkrɪptoʊdʒəˈnetɪk] *mn* rejtett eredetű
cryptogram [ˈkrɪptəgræm] *fn* titkosírás, rejtjeles írás, kriptogram
cryptograph [ˈkrɪptəgrɑ:f ‖ –græf] **I.** *fn* **1.** → **cryptogram 2.** rejtjelkulcs **II.** *tsi* rejtjelez
cryptography [krɪpˈtɒgrəfi ‖ –ˈtɑ–] *fn* titkosírás, kriptográfia • *fn* **cryptographer** *mn* **cryptographic** *hsz* **cryptographically**
cryptology [krɪpˈtɒlədʒi ‖ –ˈtɑ–] *fn* rejtjelzéssel/titkosírással foglalkozó tudomány • *fn* **cryptologist** *mn* **cryptological**
crypton [ˈkrɪptɒn ‖ –tɑn] *fn vegy* kripton
crystal [ˈkrɪstl] **I.** *fn* **1.** *ásv* kristály **2.** (ólom)kristályüveg, *US* (csiszolt szélű) óraüveg **3.** ~ **(detector)** kristálydetektor **4. a)** kristálygömb **b)** jóslat *[kristálygömbből]* **II.** *mn* **1.** kristály-, kristályos **2.** kristálytiszta; *biz* ~ **clear** kristálytiszta
crystal gazing *fn* kristálygömbbe nézés *[jóslás céljából]* • *fn* **crystal-gazer**
crystal glass *fn* kristályüveg
crystal-lattice *fn fiz* kristályrács
crystalline [ˈkrɪstəlaɪn ‖ –lən] *mn* kristály-, kristályos, kristálytiszta • *fn* **crystallinity**
crystallite [ˈkrɪstəlaɪt] *fn ásv* kristallit, (kezdődő) kristályosodási testecske
crystallize [ˈkrɪstəlaɪz], **-ise A.** *tsi* kristályosít, kandíroz, *átv* kikristályosít; **~d fruit** cukrozott/kandírozott gyümölcs **B.** *tni* kristályosodik; kikristályosodik *[terv, elképzelés]* • *fn* **crystallization**, **-isation** *mn* **crystallizable**, **-isable**
crystallize out *tni* (ki)kristályosodik, kristály formájában kiválik
crystallography [ˌkrɪstəˈlɒgrəfi ‖ –ˈlɑ–] *fn* kristálytan • *fn* **crystallographer** *mn* **crystallographic(al)**
crystalloid [ˈkrɪstəlɔɪd] *mn/fn* kristályszerű *[anyag]*, krisztalloid
cub [kʌb] **I.** *fn* **1.** (állat)kölyök, bocs **2.** *biz* **a)** tacskó **b)** (neveletlen) fickó **3.** kiscserkész **4.** kezdő újságíró **5.** *US* inas, tanonc **6.** *rep* könnyű repülőgép, szöcske **II.** *i* **-bb- A.** *tsi/tni* kölykezik **B.** *tni* rókakölyökre vadászik • *fn* **cubbing**
Cuba [ˈkju:bə] *tul földr* Kuba • *fn/mn* **Cuban**
cubage [ˈkju:bɪdʒ] *fn* köbtartalom, térfogat
cubature [ˈkju:bətʃə ‖ –tʃʊr] *fn mat* **1.** térfogat, köbtartalom **2.** köbözés, térfogatszámítás
cubbish [ˈkʌbɪʃ] *mn biz* esetlen, ügyetlen
cubby(-hole) [ˈkʌbihoʊl] *fn* **a)** búvóhely **b)** kamra
cube [kju:b] **I.** *fn* **1. a)** *mat* kocka, hexaéder **b)** *mat* → **cubage c)** kocka, kockakő **2.** *mat* köb, harmadik hatvány **II.** *tsi* **1.** köbre emel **2.** kockára vág *[zöldségfélét, burgonyát]*
cube root *fn mat* köbgyök
cubhood [ˈkʌbhʊd] *fn* kölyökkor
cubic [ˈkju:bɪk] **I.** *mn* **1.** kocka alakú **2.** *mat* **a)** köb-; ~ **capacity/content** térfogat, űrtartalom; *gk* hengerűrtartalom; *mat* ~ **centimeter** köbcentiméter **b)** ~ **equation** harmadfokú egyenlet **3.** köbös, szabályos *[térszerkezetű kristály]* **II.** *fn mat* harmadfokú görbe
cubical [ˈkju:bɪkl] → **cubic I.** • *hsz* **cubically**
cubicle [ˈkju:bɪkl] *fn* **1.** hálófülke **2.** öltöző, kabin, próbafülke
cubiform [ˈkju:bɪfɔ:m ‖ –fɔrm] *mn* kocka alakú
cubism [ˈkju:bɪzm] *fn* kubizmus • *fn/mn* **cubist**
cubit [ˈkju:bɪt] *fn* **1.** könyökcsont, alsókar **2.** *régi* könyök *[mint régi hosszmérték kb. 45 cm]* • *mn* **cubital**
cuboid(al) [kjuˈbɔɪd(l)] *mn/fn* **1.** *mat* kocka alakú (test) **2.** *orv* köbcsont(i)
cub reporter *fn biz* kezdő újságíró
Cub Scout *fn* kiscserkész
cuck [kʌk] **A.** *tni biz* kakál **B.** *tsi tört* szégyenszéken való kipellengérezéssel büntet
cucking-stool [ˈkʌkɪŋ –] *fn tört* szégyenszék
cuckold [ˈkʌkoʊld] **I.** *fn* felszarvazott/megcsalt férj **II.** *tsi* felszarvaz, megcsal *[férjet]* • *fn* **cuckoldry**
cuckoo [ˈkʊku: ‖ ˈku:ku:] **I.** *fn* **1.** *áll* kakukk **2.** *biz* buta/bolond/hülye ember; *US biz* **go ~** megbolondul, megőrül; *átv* ~ **in the nest** hívatlan betolakodó **II.** *tsi* kakukkol
cuckoo-clock *fn* kakukkos óra
cuckooed [ˈkʊku:d ‖ ˈku:ku:d] *mn US szl* részeg
cucumber [ˈkju:kʌmbə ‖ –ər] *fn növ* uborka
cucurbit [kju:ˈkɜ:bɪt ‖ –ˈkɜr–] *fn növ* tök • *mn* **cucurbitaceous**
cud [kʌd] *fn* visszakérődzött falat; **chew the ~** kérődzik, *átv biz* rágódik/töpreng/kérődzik vmn

cuddle [ˈkʌdl] **I. A.** *tsi* (gyengéden) átölel, magához szorít **B.** *tni* **1.** ölelkezik **2.** összebújik, összekuporodik; ~ **up to sy** hozzásimul/odabújik vkhez **II.** *fn* ölelés, ölelkezés • *fn* **cuddling**

cuddlesome [ˈkʌdlsəm] *mn* ennivaló *[kisgyerek]*, ölelni való *[nő]*

cuddly [ˈkʌdli] *mn* ennivaló *[kisgyerek]*, ölelni való *[nő]*

cudgel [ˈkʌdʒəl] **I.** *fn* husáng, furkósbot, bunkósbot; **take up the ~s for sy** (v. **on sy's behalf**) védelmére kel vknek, kiáll vkért **II.** *tsi* **-ll- 1.** elnáspángol, megbotoz **2.** ~ **one's brains** töri a fejét

cudgelling [ˈkʌdʒəlɪŋ] *fn* (meg)botozás

cudweed [ˈkʌdwiːd] *fn növ* gyopár

cue¹ [kjuː] **I.** *fn* **1. a)** *szính* végszó, *zene* beintés; **on ~** végszóra, épp a megfelelő pillanatban **b)** tanács, intés, figyelmeztetés, célzás; **take one's ~ from sy** igazodik vkhez, követ/utánoz vkt, követi vk tanácsát **2.** gyorskeresés *[zeneszámoké hangfelvételen]* **II.** *tsi* **1.** megadja a végszót *[színésznek]* **2.** beiktat *[zeneszámot]* **3.** ~ **in** tájékoztat, informál

cue² [kjuː] **I.** *fn* (biliárd)dákó **II.** *tsi/tni* (biliárdgolyót) dákóval megüt • *fn* **cueist**

cue card *fn okt* puska

cue music *fn film* kísérőzene

cuff¹ [kʌf] *fn* **1.** kézelő, mandzsetta **2.** *US* hajtóka, felhajtás *[nadrágszáron]* **3.** *US* **a) off the ~** rögtönözve, kapásból **b) get money on the ~** hitelbe kap pénzt **4.** *tsz* **cuffs** *biz* bilincs

cuff² [kʌf] **I.** *fn* pofon, arculütés **II.** *tsi* arculüt • *fn* **cuffing**

cuff-link *fn* mandzsettagomb, inggomb

cuisine [kwɪˈziːn] *fn* konyha, főzésmód, konyhaművészet

cul-de-sac [ˈkʌl də sæk] *fn tsz* **cul-de-sacs** v. **culs-de-sac** zsákutca

culinary [ˈkʌlɪnəri, ˈkjuː– ‖ ˈkʌləneri] *mn* konyhai-, étkezési; ~ **art** szakácsművészet

cull [kʌl] **I.** *tsi* **1.** összeszed, (össze)válogat, kiválaszt **2.** szed *[gyümölcsöt, virágot]* **3.** selejtez, (állat)állományt szelektálva ritkít **II.** *fn* **1.** kiselejtezett állat **2.** *tsz* **culls** *US* kimustrált áru • *fn* **culler, culling**

cullender [ˈkʌləndə ‖ –ər] → **colander I.**

cullet [ˈkʌlɪt] *fn* üvegtörmelék

culm¹ [kʌlm] *fn* **1.** (antracit) darapor, daraszén **2.** *geol* antracit(ot tartalmazó) réteg **3.** korom

culm² [kʌlm] *fn* (fű)szár

culm³ [kʌlm] → **culmen**

culmen [ˈkʌlmən] *fn* csúcs(pont), tetőpont, orom

culminant [ˈkʌlmɪnənt] *mn* tetőpontján levő, *csill* delelő, kulmináló

culminate [ˈkʌlmɪneɪt] *tni* **1.** *átv* tetőz, eléri a csúcspontját, kulminál; ~ **in sg** kicsúcsosodik vmben, betetőződik vmvel; **culminating point** tetőfok, tetőpont; *orv* krízis, *csill* delelőpont **2.** *csill* delel, kulminál • *fn* **culmination**

culpable [ˈkʌlpəbl] *mn* **a)** bűnös, vétkes *[gyengeség, hanyagság]* **b)** büntetendő *[cselekmény]* • *fn* **culpability, culpableness** *hsz* **culpably**

culprit [ˈkʌlprɪt] *fn jog* **1.** vádlott **2.** bűnös, tettes

cult [kʌlt] *fn* **1. a)** vallásos tisztelet, kultusz **b)** *átv* istenítés, imádat, kultusz **2.** *jelzői haszn* körülimádott/divatos/felkapott személy/dolog **3.** szekta; **make a ~ of sy/sg** kultuszt űz vkből/vmből • *fn* **cultism** *mn* **cultic, cultual**

cultish [ˈkʌltɪʃ] *mn* kultuszt űző

cultist [ˈkʌltɪst] *fn* szektatag, vmilyen kultusz híve

cultivatable [ˈkʌltɪveɪtəbl] *mn* megművelhető, termeszthető; fejleszthető, csiszolható • *fn* **cultivability**

cultivate [ˈkʌltɪveɪt] *tsi* **1.** megművel, termeszt, termel *[növényt]* **2. a)** művel, fejleszt *[tehetséget, képességet]*, csiszol, finomít *[modort]*, kiművel, nevel *[személyt]* **b)** művel, gyakorol *[művészetet]*, űz *[sportot]*, tart, ápol *[barátságot]*, kultivál *[ismeretséget]*

cultivated [ˈkʌltɪveɪtɪd] *mn* **1.** megművelt *[föld]*, termesztett *[növény]*; ~ **plant** kultúrnövény **2.** művelt, jól nevelt, kulturált

cultivation [ˌkʌltɪˈveɪʃn] *fn* **1.** (meg)művelés *[földé]*, termesztés *[növényé]*; **field in/under ~** megművelés alá vett (v. megművelt) föld; **bring land into ~** földet művelni kezd; ~ **area** termőterület **2.** *átv* művelés, gyakorlás, űzés, ápolás, kultiválás **3.** műveltség

cultivator [ˈkʌltɪveɪtə ‖ –veɪtər] *fn mezőg* talajlazító/talajmegmunkáló gép

cultural [ˈkʌltʃərəl] *mn* **1.** művelődési, kulturális **2.** művelési, termesztési, tenyésztési

culture [ˈkʌltʃə ‖ –ər] **I.** *fn* **1. a)** művelődés, kultúra; **Greek ~** görög kultúra **b)** kifinomultság, kulturáltság **2.** művelés *[földé]*, tenyésztés *[állaté]*, termesztés *[növényé]*, kiművelés *[elméé]* **3.** *biol orv* tenyészet, kultúra **4.** *jelzői haszn* kulturális **II.** *tsi biol orv* kitenyészt, tenyészt, szaporít

culture centre *fn* kultúrközpont

cultured [ˈkʌltʃəd ‖ –ərd] *mn* **1.** művelt, tanult, kulturált **2.** (meg)művelt *[föld]* **3.** mesterséges, tenyésztett

culture dish *fn biol* Petri-csésze

culture vulture *fn biz* kultúrsznob

culturist [ˈkʌltʃərɪst] *fn* **1.** tenyésztő (személy) **2.** a művelődés (elő)harcosa

cultus [ˈkʌltəs] *fn* vallásos tisztelet, kultusz; vallásgyakorlat

culvert [ˈkʌlvət ‖ –vərt] *fn épít* vízátvezető cső/csatorna *[úttest alatt]*, *vill* kábelcsatorna

cum [kʌm, kʊm] *elölj latin* -val, -vel, vmvel együtt

Cuman [ˈkjuːmən] *mn/fn* kun

cumber [ˈkʌmbə ‖ –ər] **I.** *tsi* akadályoz, (meg)terhel **II.** *fn* akadály, teher, nehézség

Cumberland [ˈkʌmbələnd ‖ –bər–] *tul földr* Cumberland

cumbersome [ˈkʌmbəsəm ‖ –bər–] *mn* terhes, fáradságos, nehezen elviselhető, kellemetlen, nehéz, ormótlan • *fn* **cumbersomeness** *hsz* **cumbersomely**

Cumbrian [ˈkʌmbrɪən] *mn/fn* cumbriai, cumberlandi

cumbrous [ˈkʌmbrəs] → **cumbersome** • *fn* **cumbrousness** *hsz* **cumbrously**

cumin [ˈkʌmɪn] *fn növ* kömény • *mn* **cuminic**

cummin [ˈkʌmɪn] → **cumin**

cumquat [ˈkʌmkwɒt ‖ –kwɑt] → **kumquat**

cumulate I. *i* [ˈkjuːmjʊleɪt] **A.** *tsi* felhalmoz **B.** *tni* felhalmozódik, felgyülemlik **II.** *mn* [ˈkjuːmjʊlət] összesített, felhalmozott, együttes • *fn* **cumulation**

cumulative [ˈkjuːmjʊlətɪv ‖ –mjəleɪ–] *mn* halmozott, halmozódó, összesítő; *orv* ~ **action** halmozódott/összegződött (gyógyszer- v. sugár)hatás; ~ **evidence** bizonyítékhalmazat; egymást erősítő bizonyítékok • *hsz* **cumulatively**

cumulo-cirrus [ˌkjuːmjʊloʊˈsɪrəs] *fn* bárányfelhő

cumulo-nimbus [ˌkjuːmjʊloʊˈnɪmbəs] *fn* zivatarfelhő

cumulus [ˈkjuːmjʊləs] *fn tsz* **cumuli** [–laɪ] gomolyfelhő • *mn* **cumulous**

cuneal [ˈkjuːnɪəl] *mn* ék alakú

cuneate [ˈkjuːnieɪt] *mn* ék alakú

cuneiform [ˈkjuːnifɔːm ‖ –fɔrm] **I.** *mn* ék alakú, ék-; ~ **writing** ékírás **II.** *fn* **1.** ékírás **2.** *orv* ék alakú csont

cunnilingus [ˌkʌnɪˈlɪŋgəs] *fn* cunnilingus *[orális szex]*

cunning [ˈkʌnɪŋ] **I.** *mn* **1.** ravasz, fortélyos, alattomos, számító, dörzsölt **2.** ügyes, tapasztalt, jártas, szakértő **3.** *US biz* bájos, elragadó, aranyos **II.** *fn* **1.** ravaszság, fortély, csel, furfang **2.** kézügyesség, jártasság, szakértelem

cunt [kʌnt] *fn tabu szl* **1.** pina, picsa **2.** *[kellemetlen, ellenszenves ember]* fasz(fej)

cup [kʌp] **I.** *fn* **1. a)** csésze **b)** csésze, csészényi; **a ~ of coffee** egy csésze kávé; **that's not my ~ of tea** nem az én esetem, nem nekem való dolog/ügy **2.** serleg, kupa **3.** *tsz* **cups in one's ~s** ittas, részeg **4.** *vál vall* serleg, kehely **5.** *sp* **a)** kupa, serleg **b)** bajnokság, kupa; **World C~** világbajnokság, világkupa **6. a)** (virág)kehely **b)** bocskor *[gombáknál]* **c)** melltartó kosara **7.** végzet, sors; *átv* **the**

bitter ~ keserű pohár/sors **8.** *orv* csésze, kehely, köpöly **II.** *i* **-pp- A.** *tsi* **1.** **~ one's hand** kezéből tölcsért formál **2.** *orv* köpölyöz **B.** *tni* kehely alakúvá válik
CUP *röv Cambridge University Press*
cup-bearer *fn* pohárnok
cupboard [ˈkʌbəd ‖ –ərd] *fn* szekrény, faliszekrény; **kitchen ~** konyhaszekrény
cupboard love *fn* érdekszerelem
cupel [ˈkju:pl] **I.** *fn fémip* olvasztótégely, próbatégely **II.** *tsi* **-ll-** *[aranyat, ezüstöt]* kémlel, színít, kiolvaszt • *fn* **cupellation**
cup final *fn sp* kupadöntő
cupful [ˈkʌpfʊl] *fn* **a ~ of sg** egy csészényi vmből
Cupid [ˈkju:pɪd] *tul* Cupido
cupidity [kju:ˈpɪdəti] *fn* **1.** (érzéki) vágy, (meg)kívánás **2.** kapzsiság
cupola [ˈkju:pələ] *fn* **1.** kupola, boltíves tető **2.** *kat* forgó lövegtorony/figyelőtorony **3.** *fémip* körkemence • *mn* **cupolaed**
cupola-furnace *fn fémip* körkemence
cuppa [ˈkʌpə ‖ –ər] *fn GB biz* egy csésze (tea)
cupper [ˈkʌpə ‖ –ər] → **cuppa**
cupping [ˈkʌpɪŋ] *fn* **1.** köpölyözés **2.** csésze alakú metszés, domborítás
cupreous [ˈkju:prɪəs] *mn* **1.** *vegy* réztartalmú **2.** rezes, rézszínű
cupric [ˈkju:prɪk] *mn* réztartalmú, réz- • *mn* **cupriferous**
cuprite [ˈkju:praɪt] *fn ásv* kuprit
cup-tie *fn GB sp* kupamérkőzés
cur [kɜ: ‖ kɜr] *fn* **1.** korcs (kutya) **2.** *biz* neveletlen fickó, faragatlan tuskó, goromba fráter
curable [ˈkjʊərəbl ‖ ˈkjʊr–] *mn* gyógyítható • *fn* **curability**
curacy [ˈkjʊərəsi ‖ ˈkjʊr–] *fn vall* káplánság
curaçao [ˈkjʊərəsoʊ ‖ ˈkjʊrə–] *fn* küraszó (likőr), narancslikőr
curate [ˈkjʊərət ‖ ˈkjʊr–] **I.** *fn* segédlelkész, káplán **II.** *tsi/tni* kurátori teendőket lát el, őrködik, felügyel *[múzeumban]* • *fn* **curation**
curate's egg [ˌkjʊərəts ˈeg ‖ ˌkjʊr–] *fn GB euf* ‹vm, ami részben jó, "nem is olyan rossz"›
curative [ˈkjʊərətɪv ‖ ˈkjʊrətɪv] **I.** *mn* gyógyító *[hatású]* **II.** *fn* gyógyszer
curator [kjʊˈreɪtə ‖ ˈkjʊreɪtər] *fn* **1. a)** gondnok, felügyelő **b)** múzeumőr **2.** gondnok, gyám, kurátor • *fn* **curatorship** *mn* **curatorial**
curb [kɜ:b ‖ kɜrb] **I.** *fn* **1.** *átv* fék, fékezés, gátolás, akadályozás **2.** zabla **3.** *US* járdaszegély **4.** kútkáva **II.** *tsi* **1.** megfékez, fékentart, mérsékel **2.** zab(o)láz **3.** *Sh* meghajol, bókol
curb crawling → **kerb crawling**
curb-stone *fn* **1.** járdaszegély **2.** **business done on the ~** tőzsdén nyitás előtt (v. zárás után) létrejött ügyletkötések
curd [kɜ:d ‖ kɜrd] **I.** *fn* **1.** aludttej **2.** színszappan **3.** karfiol feje **II. A.** *tsi* megaltat *[tejet]* **B.** *tni* megalszik *[tej]*
curd cheese *fn* (tehén)túró
curdle [ˈkɜ:dl ‖ ˈkɜrdl] *i* **A.** *tsi* **1.** megalvaszt, kocsonyásít **2.** **~ one's blood, make one's blood~** megfagyasztja a vért ereiben **B.** *tni* megalszik *[tej]*, megalvad *[vér]*, megdermed *[folyadék]*
curdy [ˈkɜ:di ‖ ˈkɜrdi] *mn* összement, megalvadt
cure[1] [kjʊə ‖ kjʊr] **I.** *fn* **1. a)** gyógyítás, orvoslás, gyógymód, kezelés, kúra; **past ~** gyógyíthatatlan *[beteg, betegség]*; jóvátehetetlen *[dolog]*; **~ of trees** faápolás; **do a ~** kúrát tart, kúrázik; **prevention is better than ~** jobb félni, mint megijedni **b)** gyógyulás **2. a)** lelkipásztori szolgálat, lelkészi hivatal **b)** plébánia, parókia **3.** pácolás, füstölés *[élelmiszeré]*, tartósítás *[nyers bőré]* **4.** vulkanizálás *[gumié]* **II.** *tsi* **1.** (meg)gyógyít; **~ sy of sg** kigyógyít vkt vmből **2.** besóz, (fel)füstöl *[húst]*, szárít, aszal *[gyümölcsöt]*, pácol **3.** kikészít *[bőrt]* **4.** vulkanizál *[gumit]* **5.** érlel *[betont]* • *fn* **curer**, **curing**

cure[2] [kjʊə ‖ kjʊr] *fn szl* különc, fura alak
cure-all *fn* csodaszer
cureless [ˈkjʊələs ‖ ˈkjʊr–] *mn* gyógyíthatatlan
curetment [kjʊˈretmənt] → **curettage**
curettage [kjʊəˈretɪdʒ ‖ ˌkjʊrəˈtɑ:ʒ] *fn orv* méhkaparás, küret
curette [kjʊˈret] *orv* **I.** *fn* kaparókanál, kürett **II.** *tsi* méhkaparást végez
curfew [ˈkɜ:fju: ‖ ˈkɜr–] *fn* **1. a)** kijárási tilalom; **impose a ~ on a town** kijárási tilalmat rendel el a városban **b)** *kat* takarodó **2.** *tört* ‹az esti tűzkioltás ideje a középkorban› **3.** takarodót jelző harang/kürt • *mn* **curfewed**
curia [ˈkjʊərɪə ‖ ˈkjʊrɪə] *fn tsz* **curiae** [ˈkjʊərii: ‖ ˈkjʊrii:] **a)** választási cenzus, kúria **b)** (pápai) kúria
curial [ˈkjʊərɪəl ‖ ˈkjʊr–] *mn jog* legfelsőbb törvényszéki, kuriális
curie [ˈkjʊəri ‖ ˈkjʊri] *fn fiz* curie *[radioaktív bomlássebesség egysége]*
curio [ˈkjʊərioʊ ‖ ˈkjʊr–] *fn* ritkaság *[ember* v. *tárgy]*
curiosa [ˌkjʊəriˈoʊsə ‖ ˌkjʊr–] *fn tsz* **1.** ritkaságok, kuriózumok **2.** *euf* erotikus irodalom
curiosity [ˌkjʊəriˈɒsəti ‖ ˌkjʊriˈɑsəti] *fn* **1.** kíváncsiság; **out of ~** kíváncsiságból; *közm* **~ killed the cat** ne légy kíváncsi, mert hamar megöregszel **2.** érdekesség; **as a matter of ~** mint érdekesség **3.** ritkaság
curious [ˈkjʊərɪəs ‖ ˈkjʊr–] *mn* **1. a)** kíváncsi; **be ~ to see sg** szeretne látni vmt, kíváncsi vmre **b)** *pej* tapintatlan, indiszkrét **2.** furcsa, szokatlan, különös **3.** részletekbe menő, alapos, pontos **4.** *euf* erotikus, pornográf
curiously [ˈkjʊərɪəsli ‖ ˈkjʊr–] *hsz* különösképpen, furcsa módon; **~ enough** elég különös módon, különösképpen
curl [kɜ:l ‖ kɜrl] **I. A.** *tsi* **1. a)** göndörít, hullámosít, becsavar *[hajat]*, kipödör *[bajuszt]* **b)** **~ the/one's lip** ajkát biggyeszti, gúnyosan/megvetően elhúzza a száját; **~ sg round sg** vmt vm köré csavar/teker **2.** *GB biz* undorít **3.** kiüt, kiterít **B.** *tni* **a)** göndörödik, csavarodik, kunkorodik *[bajusz]*, összecsavarodik *[papír]*; *biz* **make a person's hair ~** megdöbbent/megrémít vkt **b)** kígyózik *[füst]*, fodrozódik *[víz]* **c)** összezsugorodik, összesodródik **II.** *fn* **1. a)** (haj)fürt, tincs **b)** karika, bodor *[füstből]*, fodor *[vízen]* **2.** csavarodás, kunkorodás **3.** göndörség; **in ~** göndör, fürtös *[haj]*; **go out of ~** kimegy a göndörség *[hajból]*, összekócolódik; *szl* elbágyad, elkenődik *[ember]* **4.** levélzsugorodás • *mn* **curled**
curl up A. *tsi* felgöngyölít; **~ up one's lip** felhúzza a száját **B.** *tni* **1. a)** összehúzódik, összetekeredik, összegömbölyödik **b)** összeesik, összeroskad **2. a)** félrevonul, kényelembe helyezi magát **b)** összekuporodik *[lábait felhúzva]* **3.** *biz* teljes vereséget szenved **4. a)** *GB biz* undorodik **b)** zavarba jön **5.** *biz* kifekszik *[ütéstől]*
curler [ˈkɜ:lə ‖ ˈkɜrlər] *fn* **1. a)** (haj)sütővas **b)** hajcsavaró **2.** *sp* curling-játékos
curlicue [ˈkɜ:lɪkju: ‖ ˈkɜr–] *fn* **a)** kacskaringó; cirkalom *[aláírás alatt]* **b)** kacskaringós figura *[korcsolyázásban]*
curling [ˈkɜ:lɪŋ ‖ ˈkɜr–] *mn* **1.** bodorítás, göndörítés **2. a)** bodorodás, göndörödés **b)** fodrozódás *[vízé]* **3.** *skót sp* curling; ‹fogantyús korongokkal jégen játszott csapatjáték›
curling-irons *fn tsz* (haj)sütővas
curling-pin *fn* hullámcsat, hajtű, hajcsavaró
curling-stone *fn* curling-korong; → **curling** 3.
curling-tongs *fn tsz* (haj)sütővas
curly [ˈkɜ:li ‖ ˈkɜrli] *mn* **a)** göndör *[haj]* **b)** kanyargós, kacskaringós *[út]*, összezsugorodott *[levél]* • *fn* **curliness**
curmudgeon [kɜ:ˈmʌdʒən ‖ kɜr–] *fn* **1.** goromba fráter **2.** fösvény • *mn* **curmudgeonly**
curr [kɜ: ‖ kɜr] *tni* dorombol, duruzsol
currant [ˈkʌrənt ‖ ˈkɜr–] *fn* ribiszke, ribizli
currency [ˈkʌrənsi ‖ ˈkɜr–] *fn* **1. a)** pénznem, valuta; **foreign ~** külföldi pénz(nem), valuta **b)** pénzforgalom **2.** forgalom, elterjedtség, ismertség, közhasználat; **gain ~**

elterjed *[hír]*; lábra kap *[hiedelem]* **3. a)** érvényesség, használhatósági idő **b)** lejárat, esedékesség ideje *[váltóé]* **4.** folyamatosság, folyékonyság

current ['kʌrənt ‖ 'kɜr–] **I.** *mn* **1.** napi, időszerű, aktuális, folyó *[hó]*; *gazd* ~ **account** folyószámla; *US gazd* ~ **assets** forgótőke; likvid eszközök/vagyontárgyak; ~ **number/issue** legfrissebb/legújabb szám, e heti/havi szám *[folyóiraté]*; *pénz* ~ **rate (of exchange)** napi árfolyam; ~ **value** árfolyamérték, forgalmi érték; (napi) piaci érték **2.** forgalomban levő *[pénz, hír]*, közhasználatú, bevett *[szó]*, elterjedt, általánosan elfogadott, divatos *[nézet]* **3.** *infor* ~ **directory** aktív könyvtár, aktuális könyvtár **II.** *fn* **a)** ár, áram(lat); ~ **of events** az események folyamata; **drift with the** ~ úszik az árral, sodródik, viteti magát az árral **b)** *fiz el* elektromos áram

current circuit *fn* áramkör

currently ['kʌrəntli ‖ 'kɜr–] *hsz* **1.** jelenleg, mostanában, általában **2.** folyékonyan, folyamatosan

curriculum [kə'rɪkjʊləm] *fn tsz* **curriculums** v. **curricula** [–kjələ] **a)** tanterv, tanmenet **b)** tananyag • *mn* **curricular**

curriculum vitae [kəˌrɪkjʊləm 'viːtaɪ ‖ –'vaɪtiː] *fn* önéletrajz

currier ['kʌrɪə ‖ 'kɜrɪər] *fn* tímár, bőrkikészítő, bőrfestő

currish ['kɜːrɪʃ] *mn* **1.** acsarkodó, kellemetlen **2.** hitvány, aljas

curry[1] ['kʌri ‖ 'kɜri] *gaszt* **I.** *fn* **a)** curry-mártás **b)** ‹curryvel készült indiai húsétel› **II.** *tsi* curryvel készít *[ételt]*

curry[2] ['kʌri] *tsi* **1.** vakar, lecsutakol *[lovat]* **2. a)** cserez, kikészít *[bőrt]* **b)** *biz* elver **3.** ~ **favour with sy** igyekszik magát behízelegni vk kegyeibe, nagyon jár vk körül

curse [kɜːs ‖ kɜrs] **I.** *fn* **1.** átok, átkozódás; **lie under a** ~ átok sújtja **2.** szitok, káromkodás **3.** *biz* **the** ~ menstruáció, havibaj **II.** *i pt/pp* **cursed** v. **curst** [kɜːst ‖ kɜrst] **A.** *tsi* **1. a)** (el)átkoz, megátkoz; ~ **(it)!** az isten verje meg!; **be** ~**d with a violent temper** heves/indulatos természettel verte meg az isten **b)** kiátkoz, átkokkal sújt **2.** szid, káromol **B.** *tni* **a)** átkozódik **b)** szitkozódik, káromkodik

cursed ['kɜːsɪd, kɜːst ‖ 'kɜrsɪd, kɜrst] *mn* **a)** átkozott **b)** *biz* átkozott, megveszekedett, átkos • *hsz* **cursedly**

cursive ['kɜːsɪv ‖ 'kɜr–] *mn* **1.** ~ **hand(writing)** folyóírás **2.** *nyomd* kurzív, dőlt betűs

cursor ['kɜːsə ‖ 'kɜrsər] *fn* **1.** *infor* mutató, kurzor **2.** tolóka, csúszka, index *[logarlécen, mérőeszközön]*

cursorial [kɜː'sɔːrɪəl ‖ kɜr–] *mn áll* futó (lábú)

cursory ['kɜːsəri ‖ 'kɜr–] *mn* futó(lagos), felületes *[pillantás]* • *fn* **cursoriness** *hsz* **cursorily**

curt [kɜːt ‖ kɜrt] *mn* **a)** (udvariatlanul) kurta *[válasz]* **b)** *vál* rövid, rövidített • *fn* **curtness**

Curt [kɜːt ‖ kɜrt] *tul* ‹férfinév›

curtail [kɜː'teɪl ‖ kɜrt–] **I.** *tsi* **a)** (le)rövidít, megnyirbál, (meg)kurtít **b)** csorbít *[tekintélyt]*, korlátoz *[hatáskört]*, leszállít *[fizetést]* **II.** *mn* rövid, megrövidített, kurtított • *fn* **curtailment**

curtain ['kɜːtn ‖ 'kɜrtn] **I.** *fn* **1. a)** függöny; *biz* ~! függöny!; *átv* **behind the** ~ a függöny/színfalak mögött; *átv* **lift the** ~ fellebbenti a leplet; **ring down the** ~ leereszti a függönyt *[színházban]* **b)** kitapsolás a függöny elé **c)** *tört* vasfüggöny **2. curtains** *(tsz) szl [a vég]* snitt, kampec **II.** *tsi* befüggönyöz, lefüggönyöz *[ablakot]*; ~ **off** elfüggönyöz *[fülkét]*

curtain call *fn szính* kitapsolás a függöny elé

curtain fire *fn kat* zárótűz, tűzfüggöny

curtain lecture *fn biz* erkölcsprédikáció, dorgatórium *[feleség részéről]*

curtain line *fn szính* végszó

curtain raiser *fn* **1.** előjáték *[színdarab előtt]* **2.** *átv* vmt megelőző esemény

curtain wall *fn* **1.** *bány* légválasztó (deszkafal) **2.** *épít* függönyfal, válaszfal; zárófüggöny **3.** *vízügy* függönyfal

curtsy ['kɜːtsi ‖ 'kɜrtsi], **curtsey I.** *fn* **a)** pukedli; **make/drop a** ~ **to sy** pukedlizik vknek (v. vk előtt) **b)** meghajlás, mély/udvari bók *[nőké uralkodó előtt]* **II. A.** *tsi* ~ **oneself out** bókolva kihátrál, hajlongva távozik **B.** *tni* **a)** pukedlizik **b)** meghajol

curvaceous [kɜː'veɪʃəs ‖ kɜr–] *mn biz* telt idomú, gömbölyded/csábos idomú

curvature ['kɜːvətʃə ‖ 'kɜrvətʃər] *fn* görbület, görbülés

curve [kɜːv ‖ kɜrv] **I.** *fn* **1. a)** görbe (vonal), *mat* függvényábra, grafikon **b)** hajlás, hajlat, ív, görbület **2.** *tsz* **curves a)** kerek zárójelek **b)** telt gömbölyű idomok *[nőé]* **3.** *US szl [csinos fiatal nő]* jó kis bőr **4. a)** *sp* csavarás, nyesés *[labdáé]* **b)** *sp* csavart/nyesett labda **II.** *i* **A.** *tsi* görbít, hajlít **B.** *tni* görbül, hajlik, kanyarodik • *mn* **curved**

curvet [kɜː'vet ‖ kɜr–] **I.** *fn* ívugrás *[lóé]* **II.** *tni* **-tt-** ívben ugrik *[ló]*

curvi- ['kɜːvi ‖ 'kɜrvi] *összet* görbe-

curvilinear [ˌkɜːvɪ'lɪnɪə ‖ ˌkɜrvə'lɪnɪər] *mn* görbe (vonalú), *fiz* görbe pályájú

curvirostral [ˌkɜːvɪ'rɒstrəl ‖ ˌkɜrvɪ'rɔstrəl, –rɑ–] *mn áll* görbe csőrű

cush [kʊʃ] *fn US szl biz* fal *[biliárdban]*

cushion ['kʊʃn] **I.** *fn* **1. a)** párna, vánkos **b)** *műsz* légpárna *[légpárnáshajóé]* **2.** fal, mandiner *[biliárdasztalé]*; **off the** ~ mandinerről **3.** patapárta **II. A.** *tsi* **1. a)** párná(ka)t rak vmre **b)** kipárnáz, kitöm **2. a)** párnára ültet; ~ **sy up** párnákkal felpolcol/megtámaszt vkt **b)** *átv biz* széltől is óv **3.** gyengít, enyhít, tompít, felfog *[ütést]* **4.** mandinerre játszik *[biliárdgolyót]* **B.** *tni* mandinerre játszik *[biliárdban]* • *mn* **cushiony**

cushioned ['kʊʃnd] *mn* **1.** párnázott **2.** tompított *[ütés]* **3.** letompított *[hang]*

cushioning ['kʊʃənɪŋ] **I.** *mn* tompító *[hatás]* **II.** *fn* **1.** kipárnázás **2.** (le)tompítás, lökhárítás

cushy ['kʊʃi] *mn biz* kényelmes, könnyű, kellemes • *fn* **cushiness**

cusp [kʌsp] *fn* **1.** csúcs, hegy; *épít* karéj, belső csúcs *[íves ékítményen]* **2.** *csill* ~ **of the moon** holdszarv, holdcsúcs **3.** *növ* hegy *[tövisé, levélé]* **4.** tépő- v. metszőfog csúcsa/hegye/éle • *mn* **cuspate, cusped, cuspidal**

cuspid ['kʌspɪd] *fn orv* tépőfog, szemfog

cuss [kʌs] **I.** *fn* **1.** *biz* szitok, káromkodás **2. a)** hitvány fráter, undok alak **b)** pasi, pasas, alak **II. A.** *tsi* szid, átkoz **B.** *tni* szitkozódik, átkozódik, káromkodik

cussed ['kʌsɪd] *mn biz* komisz, makrancos, megveszekedett, elvetemült *[kölyök]*

cussedness ['kʌsɪdnəs] *fn* **1.** *biz* rosszindulatú makacsság, megátalkodottság, komiszság; **out of pure/sheer** ~ csakazértis **2.** rendíthetetlen bátorság, rettenthetetlenség

cuss-word *fn biz* szitok(szó), káromkodás, átkozódás

custard ['kʌstəd ‖ –ərd] *fn* (tej)sodó

custodian [kʌ'stoudɪən] *fn* **a)** felügyelő, őr **b)** (épület)gondnok *[középületé]* **c)** *US* házfelügyelő

custodianship [kʌ'stoudɪənʃɪp] *fn* **1.** gondnokság, felügyelet **2.** *GB jog* gyámság

custody ['kʌstədi] *fn* **a)** felügyelet, őrizet **b)** *jog* őrizet(be vétel), letartóztatás; **in** ~ őrizetben, előzetes letartóztatásban; **take sy into** ~ vkt őrizetbe vesz, letartóztat

custom ['kʌstəm] **I.** *fn* **1. a)** szokás **b)** *jog* szokásjog; **judicial** ~ bírói gyakorlat **2. a)** vevőkör, vásárlóközönség **b)** állandó vásárló(ja egy üzletnek/cégnek) **3.** *esz* **customs** *gazd* vám *[behozott árura]*; ~**s office** vámhivatal; ~**s officer/official** vámtiszt, vámhivatalnok; vámőr; **clear** ~**s** (el)vámol **II.** *mn US* **a)** rendelésre/mértékre készített *[ruha]* **b)** rendelésre/mértékre dolgozó **III.** *tsi/tni* **1.** → **accustom 2.** (el)vámol

customable ['kʌstəməbl] *mn* vámköteles

customary ['kʌstəməri ‖ –meri] **I.** *mn* **a)** szokásos, (meg)szokott **b)** *jog* szokásjogon alapuló **II.** *fn jog* jogszokások gyűjteménye • *hsz* **customarily**

C

custom-built *mn* külön rendelésre készült

customer [ˈkʌstəmə ‖ –ər] *fn* **1.** vevő, vásárló, fogyasztó *[üzleté]*, ügyfél *[vállalaté]*, vendég *[étteremé]* **2.** *biz* pasas, pasi, alak, pofa

custom-free, customs-free *mn* vámmentes

custom-house *fn* vámház, vámhivatal

customize [ˈkʌstəmaɪz] *tsi* **1.** (a vásárló kívánságaihoz) igazít; méretre, külön rendelésre készít **2.** *infor* testreszab

custom-made *mn* rendelésre/mértékre készült

customs [ˈkʌstəmz] → **custom** I. 3.

customs clearance *fn gazd* vámkezelés, vámolás

customs declaration *fn gazd* vámnyilatkozat

customs duty *fn gazd* vámkezelési illeték, vám

customs police *fn gazd* vámőrség, pénzügyőrség

customs regulations *fn tsz gazd* vámszabályok, vámszabályzat

customs union *fn gazd* vámunió

cut [kʌt] **I. -tt-,** *pt/pp* **cut A.** *tsi* **1. a)** vág, megvág, felvág, levág, lenyír *[hajat]*, elvág, kivág *[fát]*, levág, leszel *[szeletet]*, átszel, metsz *[vonal vonalat]*; ~ **a connection with sy** megszakítja a kapcsolatot vkvel; ~ **the knot** gyorsan/hatékonyan megold (vmt); *biz* ~ **no ice** *[nincs jelentősége/hatása]* nem számít, nem rúg labdába; ~ **one's way** utat tör magának **b)** *sp* nyes *[labdát teniszben]* **2. a)** metsz, csiszol *[drágakövet]*, (ki)farag, megfarag *[márványt]* **b)** bemetsz, be(le)vés *[pl. ábrát kőbe]* **3. a)** megcsap *[ostorral]*, végighúz, végigvág (vkn), ráhúz, rávág (vkre) **b)** csíp, metsz, mar *[arcot szél/hideg]* **c)** nem ismer meg, nem vesz észre *[sértő szándékkal]*; ~ **sy dead** keresztülnéz vkn, tudomásul sem vesz vkt **4. a)** csökkent, leszállít *[árat, bért]*; ~ **prices** árakat leszállít; **he ~ it fine** éppen csak elegendő időt hagyott magának (vmre) **b)** meghúz *[cikket, színdarabot, szerepet]* **c)** ~ **sg short** rövidre fog vmt; véget vet vmnek; ~ **sy short** vkt félbeszakít/megállít; **to ~ a long story** (v. **the matter**) **short** minden további szószaporítás nélkül; *biz* ~ **it short!** eleget beszéltél!; fejezd már be!; ~ **a corner close** levágja a kanyart, élesen fordul *[jármű]*; *biz* ~ **corners** könnyedén/felelőtlenül veszi a dolgokat **d)** *infor* kivág *[szöveget vágólapra]* **e)** *film* vág, szerkeszt *[filmet, hangszalagot]* **f)** ~ **a record** rekordot/csúcsot megdönt; *US biz* hanglemezt készít **5.** (ki)szab *[ruhát]*, kivág *[minta/rajz után]*; *közm* ~ **one's coat according to one's cloth** addig nyújtózkodj, amíg a takaród ér **6.** *ját* (meg)emel *[paklit]* **7.** ~ **one's (eye)teeth** fogzik; megszerzi az első tapasztalatokat vmben **8. a)** ~ **capers** ugrabugrál; *biz* szeleskedik **b)** ~ **a poor figure** gyengén/siralmasan szerepel, leszerepel **9.** kiherél *[lovat]* **10. a)** *biz* ellóg *[órát diák]*; *biz* ~ **a class** óráról lóg **b)** *biz* ~ **the whole business** egyszer s mindenkorra végez a dologgal **11.** *biz* ~ **one's stick**, ~ **it** *[megszökik]* meglóg, meglép, lelép, elpucol **12.** hígít, vizez, hamisít **13.** *US szl* ~ **the mustard** megfelelő, éppen jó **B.** *tni* **1. a)** vág, szel; ~ **and thrust** összevissza/elkeseredetten vagdalkozik **b)** ~ **loose** elszabadul **2. a)** vág, metsz *[penge]*; *biz* ~ **both ways** kétélű *[érv]*, jó és rossz hatással együtt rendelkezik **b)** csíp *[ostor, hideg]*, vág *[szél]*, mar *[hideg]* **3.** *ját* emel **4. cloth that ~s easily** jól hasadó szövet **5.** *biz* ~ **(and run)** *[gyorsan elmegy]* elkotródik, elpucol, elhordja magát; **~!** kotródj!, hordd el magad! **6.** *film* **a)** vágás!, állj! **b)** ~ **to** vált *[másik jelenetre]* **II.** *fn* **1. a)** vágás, metszés; **first ~** megszegés *[kenyéré]* **b)** vágás, csapás, ütés, nyesés *[teniszben, krikettben]*; ~ **and thrust** élénk vita, pengeváltás **c)** *átv biz* vágás, szúrás *[gúnyolódóé]*, pofon *[sorstól]* **d)** *műsz* vágás, metszés, vésés **e)** *film* vágás, snitt **2. a)** (be)vágás, (be)metszés, rovátka; *biz* **be a ~ above sy/sg** vmvel jobb vknél/vmnél **b)** bevágás *[dombban vasútnak]* **c)** folyóágy *[újonnan kialakított]* **3. a)** csökkentés, leszállítás *[áré]* **b)** húzás *[cikkből, színdarabból]* **c) short ~** rövidebb út, útrövidítő átvágás; **take a short ~** átvág, rövidít *[úton]* **d)** *infor* kivágás, átvitel *[vágólapra]* **4. a)** szabás *[ruháé]*; **of the latest ~** a legújabb divat szerint szabott *[ruha]* **b)** vágás *[hajé]* **5.** ~ **off/from the joint** szelet sült hús, sült szelet **6.** *ját* emelés **7.** *biz* lógás *[iskolában]*, óramulasztás **8.** munkabefejezés **9.** *el* szakadás *[vezetékben]*; *GB* **(power) ~** áramkimaradás, áramszünet **III.** *mn* **1. a)** levágott, szétvágott, vágott **b)** metszett *[üveg, ékkő]* **2.** leszállított *[ár]* **3.** ~ **horse** herélt ló **4.** ~ **and dried** száraz, unalmas, lélektelen; (használatra) teljesen kész; előre elrendezett/kiagyalt *[terv, program]* **5.** *szl [részeg]* tintás, piás

cut about *tsi* megrongál *[szobrot]*, megcsonkít *[kéziratot]*

cut across A. *tsi* **a)** átvág, keresztülvág **b)** ellenkezik *[pl. szabállyal, korlátozással]*, túlmegy(vmn) **B.** *tni* ~ **across the fields/country** toronyiránt halad, átvág a földeken

cut along *tni* **1.** vág(vm mentén) **2.** *biz* nekiindul, nekiiramodik

cut at *tni* ~ **at sy** vk felé vág/suhint; ~ **(away) at sg** vagdal/kaszabol vmt

cut away A. *tsi* **1.** levág, lemetsz **2.** kivés, kifarag **3.** kiformál, forgácsolással kialakít **B.** *tni* **1.** ~ **away at sg** vagdal/kaszabol vmt **2.** *biz* elinal, elszelel; → **cutaway**

cut back A. *tsi* **a)** *US* csökkent, leszállít *[fizetést, létszámot, költséget]* **b)** visszametsz, visszavág, nyes, megmetsz *[növényt]* **B.** *tni* visszaugrik (korábbi eseményre) *[elbeszélés, film]*; → **cut-back**

cut down A. *tsi* **1. a)** levág, kivág *[fát]*, lenyír *[hajat]*, lekaszabol **b)** *átv* lever a lábáról *[betegség]*, elvisz *[sírba]* **2. a)** visszavág, visszametsz *[növényt]* **b)** ~ **down on** csökkent *[költségeket]*, leszállít *[fizetést]* **c)** meghúz, lerövidít *[cikket]*, megcsonkít *[művet]* **3.** ~ **sy down to size** helyretesz *[beképzelt embert]* **B.** *tni* nekiindul, nekiiramodik

cut in A. *tsi* **1.** bevés *[nevet, jelet]* **2.** ~ **sg in two** kettévág (v. kétfelé vág) vmt **3.** részesít vkt *[profitból]* **B.** *tni* **1. a)** közbevág, közbeszól **b)** belép a vonalba *[harmadik telefonáló]* **c)** beugrik a játékba *[kártyázó]* **d)** lekér *[táncost]* **2.** ~ **in on a vehicle** járműnek elévág

cut into A. *tsi* félbeszakít, bevág (vk elé) *[autó]*; ~ **sg into pieces** (vmt) darabokra vág, (vmt) szétdarabol/feldarabol **B.** *tni* ~ **into a conversation** beszélgetésbe közbevág/közbeszól/bekapcsolódik

cut off A. *tsi* **1.** levág **2. a)** elvág *(from* vmtől); ~ **oneself off from the world** elzárkózik a világtól **b)** elzár *[vizet, gázt]*, kikapcsol *[áramot, telefont]* **c)** szétszakít, megszakít, (szét)bont *[telefon-összeköttetést]*, *gk* kikapcsol, leállít; ~ **off negotiations** tárgyalásokat megszakít/félbeszakít **d)** megvon *[élelmet, járandóságot]*, kisemmiz *[örökségből]* **B.** *tni biz* elkotródik, odébbáll; → **cut-off**

cut out A. *tsi* **1.** kivág **2. a)** kiszab *[ruhát]*, kifarag *[szobrot]* **b)** *biz* **he is ~ out for sg** vmre rátermett, vmre különösen/kiválóan alkalmas **3. a)** *műsz* kikapcsol, kiiktat *[alkatrészt működésből]* **b)** kihagy, elhagy, *biz* abbahagy; *biz* ~ **it out!** hagyd abba!, fogd be a szád! **c)** *gk* kihagy a motor **4.** *biz* ~ **sy out** kiszorít/kitúr vkt **5. have one's work ~ out (for one)** nehéz/alapos munka vár rá **B.** *tni* **1.** *ját* húznak (hogy ki maradjon ki) **2.** sietve elpucol/lelép **3.** kikapcsol, leáll *[motor]*; → **cut-out**

cut over *tsi* kitermel *[erdőt]*

cut through *tsi* **a)** átvág, keresztülvág (vmn) **b)** ~ **one's way through the wood** utat vág/tör magának az erdőn át

cut to *tsi* **1.** ~ **sg to pieces** darabokra vág, szétdarabol (vmt) **2.** *átv* ~ **sy to the quick** elevenébe vág *[megjegyzés]*

cut under *tsi* alákínál

cut up A. *tsi* **1. a)** felvág, felszel(etel) **b)** *biz* leránt, ízekre tép/szaggat *[könyvet kritikus]* **2.** *biz* lesújt, elkeserít **B.** *tni* **1.** *biz* ~ **up well**, *szl* ~ **up fat** nagy vagyont hagy maga után **2.** *biz* ~ **up rough** dühbe gurul; mérgelődik; → **cut-up**

cut-and-paste *fn infor* kivágás és beillesztés

cut-and-thrust *mn* **1.** vagdalkozó **2.** *biz* harcias, kötekedő

cutaneous [kjuːˈteɪnɪəs] *mn orv* bőr-

cutaway I. *mn* (ki)vágott, metszett, metszet- **II.** *fn* zsakettkabát

cut-back *fn* **1.** visszametszés **2.** *film* visszaugrás korábbi eseményekre **3. a)** (létszám)csökkentés, leépítés **b)** fizetéscsökkentés; → **cut back**
cutdown *fn* **1.** csökkentés **2.** *orv* bemetszés
cute [kjuːt] *mn* **1.** *US* aranyos, csinos, édes, vonzó **2.** *biz* ravasz, agyafurt • *fn* **cuteness**
cutesy [ˈkjuːtsi] *mn biz* helyes, csinos
cutey [ˈkjuːti] *fn US szl [csinos lány]* helyes kiscsaj
cut glass *fn* metszett v. csiszolt üveg
cuticle [ˈkjuːtɪkl] *fn orv* (fel)hám, *növ biol* bőrke, hártya; ~ **of the nail** a körömre ránövő bőr
cuticular [kjuːˈtɪkjulə ‖ –kjələr] *mn orv* felhám-
cutie [ˈkjuːti] → **cutey**
cutis [ˈkjuːtɪs] *fn orv* irha
cutlass [ˈkʌtləs] *fn* **1.** rövid kard *[tengerészé]* **2.** *US* vadászkés
cutler [ˈkʌtlə ‖ –ər] *fn* késes
cutlery [ˈkʌtləri] *fn* **1.** késkészlet, evőeszközök **2.** késesmesterség
cutlet [ˈkʌtlət] *fn* **a)** szelet, kotlett, borda **b)** krokett
cut-off I. *mn* levágott **II.** *fn* **1. a)** *földr* holtág *[folyóé]* **b)** *US* átvágás *[útkanyaré]*, rövidebb út **2.** *vill* kikapcsolás, *US* áramszünet; ~ **point** *vill* töréspont, szakadási pont; *műsz* lekapcsolási/kikapcsolási pont **3.** *tsz* **cut-offs a)** levágott darabok, *műsz* hulladék; → **cut off b)** sort *[hosszú farmernadrágból levágott]*
cut-out I. *mn* kivágott **II.** *fn* **1. a)** (papírból) kivágott figura **b)** *szính* háttérből kiemelt díszlet **2. a)** *el* (késes) kapcsoló, kioldó **b)** *vill* megszakító; → **cut out**
cut-price *mn* leszállított/diszkont árú, olcsó
cutpurse *fn régi* zsebmetsző, zsebtolvaj
cut-rate *mn US* ~ **price** leszállított ár
cutter [ˈkʌtə ‖ ˈkʌtər] *fn* **1. a)** vágó **b)** szabász **c)** (kő)faragó, (fa)metsző **d)** *film* vágó **2.** *műsz* vágóeszköz, vágószerszám **3.** *hajó* egyárbocos vitorlás **4.** *US* egyfogatú szán
cutthroat I. *mn* gyilkos, kegyetlen, öldöklő, késhegyig menő; ~ **competition** öldöklő/gyilkos v. könyörtelen verseny; ~ **razor** borotvakés **II.** *fn* orgyilkos
cutting [ˈkʌtɪŋ] **I.** *fn* **1. a)** (le)vágás, kivágás **b)** (ki)szabás **c)** vágás, montázs *[film, tv]* **2.** csökkentés, leszállítás *[áraké, béreké]* **3. a)** levágott darab/rész **b)** ~ **(from a newspaper)** újságkivágat, újságkivágás **c)** metszet *[mikroszkóp alá]* **d)** dugvány, bújtóág **e)** *tsz* **cuttings** hulladék *[vágásból]* **4. a)** bevágás *[dombban útnak/vasútnak]* **b)** irtás *[erdőben]*, csapás **II.** *mn* **a)** vágó, éles, metsző **b)** *átv* metsző; ~ **glance** szúrós/átható tekintet
cutting edge I. *mn* élenjáró, előremutató **II.** *fn* **1.** *épít* nyesőpenge **2.** szobrászvéső **3.** *átv* **be on the ~ of sg** élen jár vmben, vm élvonalában van, úttörő munkát végez vmben
cutting room *fn film* vágószoba
cuttings library [ˌkʌtɪŋz–] *fn* újságcikk-archívum
cuttle [ˈkʌtl] *fn áll* tintahal, szépia
cut tobacco *fn* vágott dohány
cut-up *fn* gyilkos kritika, levágás; → **cut up**
cutwater *fn* **a)** *vízügy* jégtörő él, jégsarkantyú *[hídpilléré]* **b)** *hajó* hajóorrél
cutwork *fn* **1.** madeira (hímzés), lyukacsos hímzés **2.** *ip* szabvány
cutworm *fn áll* bagolypille hernyója
CV *röv curriculum vitae*
cyan [ˈsaɪən, ˈsaɪæn] *mn/fn* kékeszöld (szín)
cyanamide [saɪˈænəmaɪd, –mɪd] *fn vegy* ciánamid
cyanic [saɪˈænɪk] *mn* cián-
cyanide [ˈsaɪənaɪd] **I.** *fn vegy* cianid **II.** *tsi fémip* ciánlúgoz, cianidál
cyanize [ˈsaɪənaɪz] *tsi vegy* ciánoz, ciánnal kezel
cyanogen [saɪˈænədʒən] *fn vegy* ciángáz
cyanosis [ˌsaɪəˈnoʊsɪs] *fn orv* elkékülés, cianózis • *mn* **cyanotic**
cybernation [ˌsaɪbəˈneɪʃn ‖ –bər–] *fn* komputerizálás, számítógépesítés • *mn* **cybernated**
cybernetic [ˌsaɪbəˈnetɪk ‖ –bərˈnetɪk] *mn fiz* kibernetikai • *fn* **cybernetician, cyberneticist**
cybernetics [ˌsaɪbəˈnetɪks ‖ –bərˈnetɪks] *fn esz* kibernetika
cyberphobia [ˌsaɪbəˈfoubɪə ‖ –bər–] *fn* számítógépfóbia
cyberpunk [ˈsaɪbəpʌŋk ‖ –bər–] *fn* kiberpunk
cyberspace [ˈsaɪbəspeɪs ‖ –ər–] *fn infor* kibertér, kibervilág
cybersquatting [ˈsaɪbəskwɒtɪŋ ‖ –ər–] *fn infor* rosszhiszemű doménnév-foglalás
cyberworld [ˈsaɪbəwɜːld ‖ –bərwɜrld] *fn infor* kibervilág, internet-világ
cyborg [ˈsaɪbɔːg ‖ –bɔrg] *fn infor* kiborg
cyclamate [ˈsaɪkləmeɪtˈ, sɪklə–] *fn vegy* ciklamát *[édesítőszer]*
cyclamen [ˈsɪkləmən] **I.** *mn* ciklámenszínű **II.** *fn* **a)** ciklámen **b)** ciklámenszín, sötét rózsaszín
cycle [ˈsaɪkl] **I.** *fn* **1. a)** kör(forgás), ciklus, szakasz, menet(fordulat), *fiz* periódus, lengési idő **b)** *geol* kor(szak) **c)** mondakör, balladakör, ciklus *[daloké]* **2.** kerékpár, bicikli **II.** *tni* **1.** ciklikusan visszatér **2.** kerékpározik, biciklizik
cycle path *fn GB gk* biciklisáv, kerékpárút
cycler [ˈsaɪklˑə ‖ –ər] *fn US* kerékpáros, biciklista
cycle race *fn sp* kerékpárverseny • *fn* **cycle-racing**
cycle track *fn GB* kerékpárút
cycle way *fn* kerékpárút, kerékpársáv *[út szélén]*
cyclic [ˈsaɪklɪk, ˈsɪk–], **cyclical** *mn* **1. a)** körben mozgó, körkörös, ciklikus, periodikus **b)** *vegy* gyűrűs *[vegyület]* **c)** *mat* negyedfokú, ciklikus **2.** dalciklusba tartozó
cycling [ˈsaɪklˑɪŋ] *fn* kerékpározás, biciklizés
cycling track *fn* kerékpár-versenypálya
cyclist [ˈsaɪklɪst] *fn* kerékpáros, biciklista
cycl(o)- [ˈsaɪkl(oʊ)] *összet* kör-, kör alakú, ciklikus, visszatérő
cyclo-cross [ˈsaɪkloʊkrɒs ‖ –krɔs] *fn sp* kerékpáros terepverseny, kerékpáros krossz
cyclometer [saɪˈklɒmɪtə ‖ –ˈklɑmətər] *fn* **a)** ciklométer, körívhosszmérő **b)** fordulatszám-mérő, kilométermérő
cyclone [ˈsaɪkloʊn] *fn meteo* ciklon, viharos forgószél • *mn* **cyclonic(al)**
cyclonite [ˈsaɪklənaɪt] *fn* ciklonit *[erős hatású robbantóanyag]*
cyclop(a)edia [ˌsaɪkləˈpiːdɪə] *fn* lexikon, enciklopédia • *mn* **cyclop(a)edic**
Cyclops [ˈsaɪklɒps ‖ –klɑps] *fn* **1.** *tsz* **Cyclop(e)s** küklopsz **2.** *biz* félszemű ember • *mn* **Cyclopean**
cyclorama [ˌsaɪkləˈrɑːmə] *fn* körkép, panoráma(kép) • *mn* **cycloramic**
cyclostyle [ˈsaɪkləstaɪl] **I.** *fn* stenciles sokszorosítógép **II.** *tsi* stenciles sokszorosítógépen sokszorosít
cyclothymia [ˌsaɪkloʊˈθaɪmɪə] *fn pszich* mániákus depresszió • *mn* **cyclothymic**
cyclotron [ˈsaɪklətrɒn ‖ –trɑn] *fn fiz* ciklotron *[ciklikus részecskegyorsító berendezés]*
cyder [ˈsaɪdə ‖ –ər] → **cider**
cygnet [ˈsɪgnət] *fn* hattyúfióka
cylinder [ˈsɪlɪndə ‖ –ər] *fn* **a)** henger **b)** *műsz* henger, cilinder, hengerdob • *mn* **cylindrical**
cylinder block *fn műsz gk* motorblokk
cylinder head *fn gk* hengerfej
cylindrical [sɪˈlɪndrɪkl] *mn* hengeres
cymbal [ˈsɪmbl] *fn* cintányér • *fn* **cymbalist**
cymbalo [ˈsɪmbəloʊ] *fn* cimbalom
cyme [saɪm] *fn növ* bogas virágzat, bogernyő • *mn* **cymose**
cymric [ˈkʌmrɪk] *mn* kimber, walesi
cynic [ˈsɪnɪk] **I.** *fn* **a)** cinikus ember **b)** *fil* **C~** cinikus *[bölcselő]* **II.** *mn fil* **C~** cinikus, a cinikusok iskolájához tartozó *[bölcselő]*
cynical [ˈsɪnɪkl] *mn* **a)** cinikus, kiábrándult **b)** *fil* **C~** cinikus, a cinikusok iskolájához tartozó *[bölcselő]*

C

cynicism [ˈsɪnɪsɪzm] *fn* **a)** cinizmus **b)** cinikus megjegyzés
cynism [ˈsɪnɪzm] → **cynicism**
cynocephalus [ˌsaɪnəˈsefələs ‖ ˌsɪ–] *fn tsz* **cynocephali** [–laɪ] **a)** *áll* kutyafejű majom **b)** mesebeli kutyafejű ember • *mn* **cynocephalous**
cynosure [ˈsaɪnəsjʊə ‖ ˈsaɪnəʃʊr] *fn* **1.** *biz* közfigyelem és közcsodálat tárgya **2.** útmutató(csillag)
Cynthia [ˈsɪnθɪə] *tul* Cintia
cypher [ˈsaɪfə ‖ –ər] → **cipher**
cypress [ˈsaɪprəs] *fn* ciprusfa
cypress-grove *fn* ciprusliget
Cyprian[1] [ˈsɪprɪən] *tul* Ciprián
Cyprian[2] [ˈsɪprɪən] **I.** *mn* ciprusi **II.** *fn* ciprusi (lakos)
cyprinoid [ˈsɪprɪnɔɪd] *fn áll* pontyszerűek
Cyprus [ˈsaɪprəs] *tul földr* Ciprus (szigete) • *mn/fn* **Cypriot(e)**
Cyril [ˈsɪrɪl] *tul* Cirill
Cyrillian [sɪˈrɪlɪən] *mn* cirill *[írás]*
Cyrillic [səˈrɪlɪk] *mn* cirill *[írás]*
cyst [sɪst] *fn orv* **1.** hólyag **2.** ciszta, tömlő
cystic [ˈsɪstɪk] *mn orv* **1. a)** húgyhólyag- **b)** epehólyag **2.** cisztás, cisztikus, tömlős *[daganat]*
cystine [ˈsɪstiːn] *fn vegy* cisztin
cystitis [sɪˈstaɪtɪs] *fn orv* (húgy)hólyaggyulladás
cysto- [ˈsɪstoʊ] *előtag* ciszta-, hólyag-
cystoscope [ˈsɪstəskoʊp] *fn orv* hólyagtükör
-cyte [saɪt] *utótag biol* -sejt
cytic [ˈsaɪtɪk] *mn biol* sejt-
cyto- [ˈsaɪtoʊ] *előtag biol* sejt-
cytogenetics [ˌsaɪtoʊdʒəˈnetɪks] *fn esz* sejtgenetika, citogenetika • *mn* **cytogenetical**
cytoid [ˈsaɪdɔɪd] *mn növ biol* sejtszerű
cytology [saɪˈtɒlədʒɪ ‖ –ˈtɑ–] *fn biol* sejttan, citológia • *fn* **cytologist**
cytoplasm [ˈsaɪtəplæzm] *fn biol* elősejt-protoplazma, citoplazma
cytosine [ˈsaɪtəsiːn] *fn vegy* citozin
cytostatic [ˌsaɪtəˈstætɪk] **I.** *mn orv* sejtosztódásgátló, rákellenes **II.** *fn orv* sejtosztódásgátló, rákellenes anyag
cytotoxic [ˌsaɪtoʊˈtɒksɪk ‖ –ˈtɑk–] *mn biol* sejtmérgező, citotoxikus • *fn* **cytotoxine**
cytozoa [ˌsaɪtoʊˈzoʊə] *fn tsz áll* sejtekben élő egysejtűek
czar [zɑː, tsɑː ‖ zɑr, tsɑr] *fn* cár
Czech [tʃek] *mn/fn* cseh (ember, nyelv); *földr* **~ Republic** Cseh Köztársaság
Czechoslovak [ˌtʃekoʊˈsloʊvæk] *mn/fn tört* csehszlovák
Czechoslovakia [ˌtʃekoʊsləˈvækɪə ‖ –ˈvɑ–] *tul földr tört* Csehszlovákia • *mn* **Czechoslovakian**

D

D[1], d [diː] *fn tsz* **D's 1.** d (betű/hang); **D for Delta** D mint Dénes **2.** *zene* d *[hang]* **3.** *okt* elégséges *[osztályzat iskolában]*

D[2], d *röv* **1.** *damn(ed)* **2.** *date* **3.** *delet(te), expunge* **4.** *Democrat* **5.** *régi penny, pence* **6.** *departs* **7.** *died* **8.** *dimension*

d' *biz* → **do**

'd *röv* **1.** *would* **2.** *had*

DA *röv US District Attorney*

D/A *röv infor digital-to-analog* digitális-analóg

dab[1] [dæb] **I.** *tsi* **-bb- 1.** megnyomogat *[pamaccsal, szivaccsal]*, pamacsol *[púdert]*; **~ on paint** festéket felrak *[foltokban]*; **~ one's eyes with a handkerchief** zsebkendővel nyomogatja/nyomkodja a szemét; **~ it on thick** vastagon bepúderezi magát; *átv* elveti a sulykot **2. a)** meglegyint, (meg)ütöget **b)** megvág, odakap, megkoppint *[csőrrel]* **II.** *fn* **1. a)** (meg)legyintés; **give sy a ~ in the eye** kellemetlenséget/bosszúságot okoz vknek **b)** (oda)vágás, csípés, koppintás *[csőrrel]* **2. a)** folt, petty; **~ of butter** darabka/falatka vaj **b)** egy kevés, csöpp **c)** *tsz* **dabs** *GB szl* ujjlenyomat

dab[2] [dæb] **I.** *mn biz* ügyes, hozzáértő; *biz* **be a ~ hand at (doing) sg** kitűnően ért vmhez, nagyon ügyesen csinál vmt **II.** *fn* **be a ~ at sg** ügyes/mester vmben, mestere vmnek

dabber [ˈdæbə ‖ –ər] *fn* pamacs, tampon

dabble [ˈdæbl] **A.** *tsi* (meg)mártogat, (meg)nedvesít, benedvesít, (meg)locsol, bespriccel, pancsol **B.** *tni* **1. ~ in/at sg** belekóstol/belekontárkodik vmbe, kontárkodik/amatőrködik vmben, felületesen/mellékesen csinál/űz vmt; **~ in art** művészkedik; **~ on the Stock Exchange** kicsiben tőzsdézik **2.** pamacsol

dabbler [ˈdæblə ‖ –ər] *fn* kontár; **be a ~ in sg** kontárkodik vmben, szakértelem nélkül űz/csinál vmt

dabchick *fn* **1.** csirke, csibe **2.** *hajó* öttonnás/kisebb jacht

dabster [ˈdæbstə ‖ –ər] **1.** → **dab[2]** II. **2.** *US* → **dabbler**

DAC *röv infor digital-to-analog converter* digitális-analóg átalakító, D/A-átalakító

da capo [dɑː ˈkɑːpoʊ] *hsz zene* az elejétől *[ismételve]*

Dacca [ˈdækə] *tul földr* Dacca, Dhaka

dacha [ˈdɑːtʃə] *fn [orosz]* dácsa, nyaraló

dachshund [ˈdæksnd ‖ ˈdækshʊnd] *fn* tacskó, dakszli, borzeb

Dacia [ˈdeɪsɪə] *tul földr* Dácia

Dacian [ˈdeɪsɪən ‖ ˈdeɪʃn] *mn/fn* dák

dacoit [dəˈkɔɪt] *fn India* útonálló, rabló *[bandában]* • *fn* **dacoity**

dacron [ˈdækrɒn ‖ ˈdeɪkrɑn] *fn* dakron *[poliészterszál]*

dactyl [ˈdæktɪl] *fn ir.tud* daktilus

dactylic [dækˈtɪlɪk] **I.** *mn* daktilusi, daktilikus, daktilusokban írt **II.** *fn* daktilusi/daktilikus sor

dactylogram [dækˈtɪləgræm] *fn* ujjlenyomat

dactylography [ˌdæktɪˈlɒgrəfi ‖ –ˈlɑ–] *fn* **1.** géppel írt szöveg, gépírás, gépelés **2.** ujjbeszéd *[süketnémáké]* **3.** *US* → **dactyloscopy**

dactylology [ˌdæktɪˈlɒlədʒi ‖ –ˈlɑ–] *fn* ujjbeszéd *[süketnémáké]*

dactyloscopy [ˌdæktɪˈlɒskəpi] *fn* **1.** daktiloszkópia **2.** ujjlenyomattan

dad [dæd] *fn biz* papa, apu, apa

Dada [ˈdɑːdɑː] *fn műv* dadaizmus • *fn* **dadaism, dadaist**

daddy [ˈdædi] *fn* **1.** *biz* papa, apu **2.** *szl [különös/extrém dolog/példánya vminek]* **he had a ~ of a toothache** marha/baromi nagy fogfájása volt; **~ of sg** vmből/vmben a legjobba legnagyobb, a menő

daddy-longlegs [ˌdædi ˈlɒŋlegz ‖ –ˈlɔŋ–] *fn* **1.** *áll* **a)** lószúnyog, tipolyszúnyog **b)** kaszáspók **2.** *átv biz* nyurga/nyakigláb fickó, égimeszelő

dado [ˈdeɪdoʊ] *fn tsz* **dadoes 1.** *épít* ‹alsó és felső lábazati párkány közti falsík› **2. a)** oszloptalapzat; ‹szobafal alsó dekorált része› **b)** alapkocka • *mn* **dadoed**

daemon [ˈdiːmən] → **demon** 4.

DAF *röv delivered at frontier*

daff [dæf] *fn* → **daffodil**

daffodil [ˈdæfədɪl] **I.** *fn* **1.** *növ* nárcisz **2. ~ (yellow)** halványsárga *[szín]* **II.** *mn* **~ (yellow)** halványsárga

daffy [ˈdæfi] *mn* **a)** *US* ostoba **b)** bolond; **go ~ over a girl** belehabarodik egy lányba

daft [dɑːft ‖ dæft] *mn* **1.** *GB* **a)** együgyű, ostoba **b)** bolond, őrült **2.** odavan *[vmiért]*, rajongója *[vkinek/vminek]*; **he is ~ about windsurfing** odavan a szörfözésért

dag [dæg] *fn Ausz szl [különc]* fura egy fazon

Dagestan [ˌdɑːgɪˈstɑːn] *tul földr* Dagesztán

dagger [ˈdægə ‖ –ər] *GB* **I.** *fn* tőr; *biz* **be at ~s drawn with sy** hadilábon áll vkvel, háborúban van vkvel; **look ~s at sy** vasvilla szemeket vet vkre **II.** *tsi* (tőrrel) leszúr, megszúr

daglock *fn* lelógó besározódott szőrcsomó *[birkán, kutyán]*

dago [ˈdeɪgoʊ] *fn US szl [spanyol/portugál/olasz bevándorló]*, digó *[az olaszok vonatkozásában]*

daguerrotype [dəˈgerətaɪp] **I.** *fn* dagerrotip **II.** *tsi* dagerrotipet készít (vkről) • *fn* **daguerrotypy**

daggy [ˈdægi] *mn Ausz szl [rosszul öltözött]* slampos, szakadt

dah [dɑː] *isz* ‹hosszú szótag› tá

dahlia [ˈdeɪlɪə ‖ ˈdælɪə] *fn növ* dália; *biz* **blue ~** fehér holló

Dáil Éireann [ˌdɔɪl ˈeərən ‖ –ˈerən] *tul* ‹ír parlament alsóháza›

daily [ˈdeɪli] **I.** *mn* (minden)napi, mindennapos; **~ bread** napi betevő falat, mindennapi kenyér; **~ dozen** reggeli/napi torna, napi testmozgás; **~ habit** állandó szokás; **~ help** bejárónő; **~ maid/woman** bejárónő, takarítónő; **~ output** napi teljesítmény; napi termelési eredmény; **~ paper** napilap; **thing of ~ occurence** mindennapos dolog **II.** *hsz* naponként, naponta, mindennap **III.** *fn* **1.** napilap **2.** *GB biz* mindennapos bejárónő

daimon [ˈdaɪmɒn ‖ –moʊn] → **demon** 4.

dainty [ˈdeɪnti] **I.** *mn* **1.** finom, ízletes *[falat]* **2.** kecses, finom *[alak]* **3. a)** kényes, finnyás, válogatós **b)** nyalánk **II.** *fn* nyalánkság, csemege, ízletes falat • *fn* **daintiness**

daiquiri [ˈdaɪkəri, ˈdæk–] *fn US* ‹egy koktélfajta: rum, cukor, citromlé keveréke›

dairy [ˈdeəri ‖ ˈderi] *fn* **1. a)** tejgazdaság, tehenészet; **co-operative dairies** szövetkezeti tejgazdaságok/tehenészetek; **~ farming** tejgazdálkodás, tejgazdaság; **~ cream** *[igazi tejből készült]* tejszín **b)** tejüzem; **~ butter** teavaj **c)** tejtermék **2.** tejcsarnok • *fn* **dairying**

dairy cattle *fn* tejelő tehéncsorda

dairy farm *fn* tehenészet, tejgazdaság • *fn* **dairy farmer**

dairy-goat *fn* fejős kecske

dairymaid *fn* fejőlány

dairyman [ˈdeərimən ‖ ˈderi–] *fn tsz* **-men 1.** tehenész, fejőlegény **2.** tejcsarnok tulajdonos **3.** tejesember

dairy products *fn tsz* tejtermékek

dais [ˈdeɪɪs, deɪs] *fn* **1.** (dísz)emelvény, pódium **2.** páholyelnökség *[szabadkőműves-páholyban]*

daisy ['deɪzi] *fn* **1.** *növ* százszorszép; *US* **oxeye ~** mezei margitvirág; *szl* **push up (the) daisies** *[halott]* alulról szagolja az ibolyát; *biz* **here I am as fresh as a ~** itt vagyok ragyogok mint a fekete szurok; *szl GB* **~ roots** csizma *stand* **2. a)** klassz/remek dolog **b) she's a ~** klassz nő

Daisy ['deɪzi] *tul* ‹női név›

daisy-chain *fn* százszorszépfüzér

daisy-cutter *fn sp* bomba ütés *[teniszben, krikettben]*, lapos ütés/labda *[krikettben]*

D

daisywheel *fn infor* margarétakerék *[nyomtatóban]*

daisywheel printer *fn infor* margarétakerekes nyomtató

Dakar ['dækɑː ‖ də'kɑːr] *tul földr* Dakar

Dakota [də'koutə] **I.** *tul földr US* **North ~** Észak-Dakota; **South ~** Dél-Dakota **II.** *fn kat* ‹csapatszállító repülőgép›

Dalai Lama ['dælaɪ 'lɑːmə] *fn vall* dalai láma

dale [deɪl] *fn vál* völgy

Dale [deɪl] *tul US* ‹férfinév›

dale-land *fn* alföld, lapály, mélyföld

dalesman ['deɪlzmən] *fn tsz* **-men** völgylakó *[Észak-Angliában]*

Dallas ['dæləs] *tul földr* Dallas

dalliance ['dælɪəns] *fn vál* enyelgés, hetyegés, etye-petyézés, szerelmeskedés

Dalmatia [dæl'meɪʃɪə] *tul földr* Dalmácia

Dalmatian [dæl'meɪʃn] **I.** *mn földr* dalmáciai, dalmát **II.** *fn* dalmata, dalmát *[mint kutyafajta]*

dalmatic [dæl'mætɪk] *fn* **a)** *vall* dalmatika *[papoké]* **b)** koronázási ruha *[középkori uralkodóké]*

dal segno [dæl'senjou ‖ dɑl'seɪnjou] *hsz zene* a jeltől ismételve

daltonism ['dɔːltənɪzm] *fn orv* daltonizmus, vörös-zöld színtévesztés, színvakság • *mn* **daltonian**

dally ['dæli] **A.** *tsi vál* **~ the time away** elfecsérli/elléháskodja az időt **B.** *tni* **1.** *vál* **a)** enyeleg, édeleg; **~ with sy** enyeleg/cicázik vkvel **b) ~ with danger** játszik a veszéllyel; játszik a tűzzel; **~ with an idea** játszik egy gondolattal/ötlettel **2.** hiábavalóságokkal tölti az időt, tétovázik, késlekedik

dally away *tsi* elfecsérel, elpocsékol, elpazarol; **~ one's life away** elfecsérli az életét

dam[1] ['dæm] **I.** *fn* **a)** gát; *vízügy* (duzzasztó)gát, völgyzáró gát, védőgát, töltés *[csatornáé]*, móló **b)** *vízügy* gát által alkotott tó **II.** *tsi* **-mm-** elzár, gátak közé szorít, elrekeszt *[vízfolyást]*, eltorlaszol *[tó lefolyását]*, völgyzáró gátat emel/épít, körülgátol, *átv* gátat emel • *fn* **damming**

dam[2] [dæm] *fn* **1.** anyaállat **2.** *pej* anya; **the devil and his ~** az ördög és öreganyja, a földreszállt pokol

damage ['dæmɪdʒ] **I.** *fn* **1.** kár, sérülés, rongálódás, veszteség, hajókár; **war ~** háborús kár; háború okozta kár(ok); **~ claim** kárigény, kártérítési igény; **~ survey** kárfelvétel, kárbecslés *[biztosító intézet részéről]*; **pay for the ~(s)** kártérítést fizet, megfizeti az okozott kárt **2.** hátrány, sérelem, kár(osodás), (anyagi) megkárosítás; **cause sy ~** árt vknek, kárt/hátrányt okoz vknek **3. a)** *jog* kárösszeg **b)** *jog* (teljes) kártérítés *[kamatokkal együtt]*; *jog* **bring an action for ~s against sy** kártérítési keresetet indít vk ellen; *jog* **sue sy for ~s** kártérítésért perel vkt **c)** *jog* fájdalomdíj **4.** *biz* költség, kiadás; **what's the ~** *biz* mibe kerül?, mivel tartozom?, mennyi a cech? **II.** *tsi* **1.** megkárosít, kárt okoz/tesz, megrongál *[árut, gépet]*, sérülést okoz, elront, tönkretesz **2.** árt, kárt okoz (vknek), megkárosít (vkt), megsebez, sért *[érdekeket]*, hátrányt okoz (vknek), elront, tönkretesz, bemocskol *[hírnevet]* • *mn* **damageable**, **damaged**

damaging ['dæmɪdʒɪŋ] *mn* káros, hátrányos, sérelmes, ártalmas, kártékony

Damascene [ˌdæmə'siːn] **I.** *mn/fn* damaszkuszi (származású/születésű) **II.** *tsi* arannyal/ezüsttel berak/díszít, damaszkol *[fémet]*

damascener [ˌdæmɪ'siːnə ‖ −ər] *fn* ‹fémet arannyal/ezüsttel díszítő fémműves›

Damascus [də'mæskəs] *tul földr* Damaszkusz *[Szíria fővárosa]*

damask ['dæməsk] **I.** *mn* **1.** *tex* damaszt(ból készült), damasztszerű **2. ~ blade** damaszkuszi penge **II.** *fn* **1.** *tex* damaszt (anyag); **~ weaver** damasztszövő **2.** damaszkuszi acél **3. ~ (colour)** sötét rózsaszín (szín) **4.** damaszt abrosz/terítő **III.** *tsi* **1.** *tex* damasztszerűen sző *[anyagot]*, damasztot sző **2.** → **Damascene** II.

damaskeen [ˌdæmə'skiːn] → **Damascene** II.

damask rose *fn növ* damaszkuszi (v. sötét színű) rózsa

dame [deɪm] *fn* **1.** → **lady 2. a)** hölgy; ‹angol női lovagi rang› **b)** *GB* ‹angol lovag/báró feleségének járó cím› **c)** *vall* fogadalmat tett bencés apáca, apátnő **3. a)** *biz* néni, anyuka **b)** *US biz* szerető *[férfié]* **c)** *US szl [nő]* tyúk, nőci, csaj, spiné **d)** ‹komikus, középkorú női szereplő modern pantomimban, rendszerint férfi alakításában› **4.** *növ* **~'s violet** pompás estike

dame-school *fn GB* ‹idősebb nő vezetése alatt álló kis magán általános iskola›

damfool [dæm'fuːl] *mn/fn biz* hülye, ostoba, stupid; → **damned** • *fn* **damfoolishness**

dammar ['dæmə ‖ −ər] *fn* **1. a)** *növ* dammarafenyő **b)** *növ* dammarafa **2. ~(-resin)** dammargyanta

dammar-pine *növ* → **dammar** 1. a.

dammed [dæmd] → **dam**[1] II.

dammit ['dæmɪt] *isz szl [düh kifejezése]* az istenit!, a fenébe!, a szentségit!, a kutyafáját!

damn [dæm] **I.** *tsi* **1.** elátkoz, megátkoz, káromol, pokolba küld (vkt), átkot/szitkot szór (vkre); *szl* **~ you!** *[indulat kifejezése vk ellen]* a francba veled!, ott egyen meg a fene!, fütyülök rád!, vigyen el az ördög !; *biz* **well I'm ~ed!** nahát ez több a soknál!, ez aztán igazán túlzás!; meg vagyok döbbenve!; **I'm** (v. **I'll be**) **~ed if...** kutya legyek, ha..., itt süllyedjek el, ha... *[mindig tagadó kijelentés elején]* **2.** *vall* (ki)átkoz vkt, átkot mond/szór vkre, kárhoztat *[istent]* **3. a)** elítél, leránt, lehúz, leszól, *[könyvet, színdarabot stb.]*; **~ a play** kifütyül színdarabot; **~ a work with faint praise** udvarias/szép szavakkal lesújtó bírálatot mond **b)** elveszejt vkt, tönkretesz *[tervet]*, megbuktat *[darabot, művet]* **II.** *mn szl* átkozott, istenverte **III.** *hsz szl [nagyon]* átkozottul, kegyetlenül, fenemód, állati(an); **~ good** állati/baromi jó; **pretty ~ quick** de gyorsan aztán!, szedd a lábad!; *GB* **he is doing ~ all** nem csinál semmit, nagy semmit csinál **IV.** *fn [kevés/értéktelen dolog]*; **I don't give a ~!** *[nem érdekel]* fütyülök/szarok rá!, leszarom! **V.** *isz szl [düh kifejezése]* a francba!, az istenit!, a szentségit!; **~ it!** a fene egye meg!, a fenébe is! • *mn* **damnable** *hsz* **damnably**

damnation [dæm'neɪʃn] **I.** *fn* **1.** kárhozat, elkárhozás, kárhoztatás; *vall* **eternal ~** örök kárhozat **2.** lehúzás, lerántás, agyonvágás, kifütyülés *[darabé, szerzőé]* **II.** *isz biz* ördög és pokol!

damnatory ['dæmnətəri ‖ 'dæmnətɔri] *mn* **1.** → **damning** I. **2.** *vall* elkárhoztató, kárhozatos

damned [dæmd] **I.** *mn* **1.** (el)átkozott, (el)kárhozott; **the ~** az elkárhozottak **2.** *biz szl* átkozott, istenverte; **I'll be ~ if I know** ha agyonütsz se tudom, itt süllyedjek el, ha tudom; **you d-d fool!** te marha/ökör!; **one ~ thing after another** egyik rossz/baj a másik után **II.** *hsz* átkozottul, kutyául, fenemód, kegyetlenül, pokolian, állati(an); **it was done ~ well** átkozottul/nagyon jól csinálta; → **damn** II.

damnedest ['dæmdɪst] *mn biz* **do one's ~** megtesz minden tőle telhetőt; **you can do your ~!** fütyülök a fenyegetéseire!, tehet, amit akar (nem érdekel)!

damnify ['dæmnɪfaɪ] *tsi jog régi* sérelmet/kárt okoz, sért *[jogot]*, árt vknek, megkárosít vkt • *fn* **damnification**

damning ['dæmɪŋ] **I.** *mn* kárhozatos, elítélő, (erkölcsileg) terhelő; **~ evidence** terhelő bizonyíték **II.** *fn* **1.** büntető ítélet, elítélés **2.** kárhoztatás, elkárhozás **3.** káromkodás, szitok

Damocles ['dæməkliːz] *tul* Damoklész

damosel [ˌdæmə'zel] → **damsel**

damp [dæmp] **I.** *mn* nedves, párás, nyirkos, dohos *[szobalevegő]* **II.** *fn* **a)** nedvesség(tartalom), nyirkosság, párásság, páratartalom *[levegőé, lakásé stb.]*, gőz(ölgés), nyirkosság, dohosság *[szobalevegőé]* **b)** levertség, lehangoltság, lankadtság, csüggedtség; **cast a ~ over sy** elkedvetlenít/elkomorít vkt, kedvét szegi/veszi vknek **III. A.** *tsi* **1.** megnedvesít, benedvesít, belocsol *[fehérneműt]*, megnyirkosít *[bőrt]*, benyálaz *[tapaszt]* **2. a)** elfojt, befojt, csillapít, viszszavesz *[tüzet]* **b)** elnyom, elhalkít, (le)tompít, felfog, viszszafojt *[hangot]* **3.** *fiz műsz* csillapít, gyengít, fékez *[gépmozgást]*; **~ed waves** csillapított hullámok **4. a)** *átv* **~ the appetite** elveszi az étvágyát *[étel, kellemetlen látvány]* **b)** *átv* letör, lever, lelankaszt, lelohaszt, lehűt *[buzgalmat, bátorságot]*, elront, megzavar *[örömöt]*, csillapít *[indulatot]*; *átv* **~ sy's spirits** elkedvetlenít vkt, kedvét szegi vknek **B.** *tni* lankad *[hév]* • *fn* **damping, dampness**

damp off *tni mezőg* elrothad, elrohad, kirohad, elpusztul a nedvességtől *[palánta stb.]*

damp out *tsi fiz* csillapít *[rezgést, lengést]*

damp-course *fn épít* ‹nedvesség elleni szigetelőréteg falban› víztelenítő bélés, szigetelőlemez

dampen ['dæmpən] **A.** *tsi* **1.** megnedvesít **2.** letör, lever, lelankaszt, lelohaszt, lehűt *[lelkesedést, bátorságot]*, elront, megzavar *[örömet]*, csillapít *[indulatot]* **3.** elfojt **B.** *tni* **1.** megnedvesedik, nyirkosodik, nyirkos lesz **2.** lehűl, csökken *[hév, buzgalom stb.]* • *fn* **dampener**

damper[1] ['dæmpə ‖ –ər] *fn* **a)** *biz* ünneprontó *[személy]* **b)** lehangoló/leverő/elkedvetlenítő/lecsüggesztő esemény, hideg zuhany *[lelkesedésre stb.]*; **put a ~ on** lelohaszt, letör, kedvét szegi vknek, letompít *[elbeszélést]*; **put a ~ on the company** lelohasztja a társaság hangulatát; lehangolja a társaságot **c)** *zene* hangtompító, hangfogó, szordínó, bal pedál *[zongorán]*

damper[2] ['dæmpə ‖ –ər] *fn Ausz* pászka, macesz

damper-pedal *fn zene* hangfogó/szordínó/bal pedál *[zongorán]*

dampish ['dæmpɪʃ] *mn* kicsit nedves, párás, nyirkos *[meleg]*, izzadt, nyirkos *[bőr]*

damp-mark *fn* nedves/vizes/penészes folt

damp-proof I. *mn* nedvesség ellen szigetelt, nedvességálló, gőzálló; **~ compound** nedvességszigetelő anyag **II.** *tsi* nedvesség ellen szigetel

damp-stain → **damp-mark**

damsel ['dæmzl] *fn vál* kisasszony, leányka, fiatal lány

damselfly ['dæmzlflaɪ] *fn áll* szitakötő

damson ['dæmzn] **I.** *fn* **1.** damaszkuszi szilva(fa) **2.** sötétlila szín **II.** *mn* szilvaszínű

Dan [dæn] *tul* ‹*Daniel* becéző alakja›

Dan. *röv* **1.** *Daniel* Dániel, Dán. **2.** *Danish*

dan[1] [dæn] *fn sp* **1.** *[fokozat harcművészetben]* dan; **Yoshi is a three ~** Yoshi háromdanos (mester) **2.** danos mester

dan[2] *fn* ‹mélytengeri halászatnál használt kis jelzőbója›

danaid [də'niːɪd] *fn áll* danaida-lepke

Danaides [də'neɪdiːz] *tul tsz* **the ~** a Danaidák

dan-buoy → **dan[2]**

dance [dɑːns ‖ dæns] **I. A.** *tsi* **1. a)** táncol *[táncot]* **b)** táncoltat *[medvét, bábot]*; **~ a baby on one's knee** térden ringat/hintáz/lovagoltat kisbabát **2. ~ attendance on sy** körülhízeleg vkt; lesi vk minden kívánságát **B.** *tni* **1. a)** táncol, ide-oda ugrál, ugrándozik, szökdécsel **b)** *biz* **~ to sy's tune** úgy táncol, ahogy a másik fütyül; alkalmazkodik vk kívánságaihoz; *biz* **I'll make him ~ to a different tune** ezentúl más nótát fogok neki fújni; ezentúl más hangot fogok vele szemben megütni **2. ~ for joy** táncol örömében (v. az örömtől); *szl* **~ on nothing** *[felakasztják]* lóg **II.** *fn* **1. a)** tánc; **song and ~ artist** ének- és táncművész; **join the ~** táncra perdül/kerekedik; tánchoz feláll; *átv* vegyél részt a buliban; *GB biz* **lead sy a ~** orránál fogva vezet vkt; megtáncoltat vkt, elbánik vkvel, borsot tör vk orra alá **b)** táncdallam **2.** táncmulatság, táncest(ély), bál **3.** *biz* tánczene • *fn/mn* **dancing** *mn* **danceable**

dance about *tni* ugrándozik, szökdécsel, szökell

dance along *tsi* végigtáncol *[termet stb.]*

dance away A. *tsi* **~ away the time** eltáncolja/lopja/elpocsékolja (v. hiábavalósággal tölti) az időt; **he ~d his chance away** eljátszotta a szerencséjét (v. az adott alkalmat) **B.** *tni* **a)** tovább táncol, folytatja a táncolást **b)** táncolva kiperdül/eltűnik *[a színről]*, kitáncol *[teremből stb.]*

dance in *tni* betáncol, beperdül

dance out *tni* kitáncol, kiperdül

dance band *fn* tánczenekar, tánczenét játszó együttes

dance-card *fn* tánckrend

dance-drama *fn* táncdráma, táncmű

dancefloor *fn* táncparkett

dance-hall *fn* nyilvános tánchelyiség/táncterem

dance music *fn* tánczene

Dance of Death *fn* haláltánc

dancer ['dɑːnsə ‖ 'dænsər] *fn* **1.** táncos(nő) **2.** *biz* **the (merry) ~s** északi fény, aurora borealis

dancing girl *fn* **1.** táncosnő **2.** táncos(lábú) (v. szenvedélyesen táncoló) fiatal lány

dancing-hall → **dance-hall**

dancing-master *fn* táncmester, tánctanár

dancing-shoes *fn tsz* tánccipő, báli cipő

d and c *röv dilatation and curettage*; *orv* küret, méhkaparás, *biz* kaparás

d and d *mn biz röv drunk and disorderly* részeg és garázda

dandelion ['dændɪlaɪən] *fn növ* gyermekláncfű, pitypang

dandelion clock *fn GB* gyermekláncfű/pitypang ernyője/feje

dandelion coffee *fn* pitypangtea

dander ['dændə ‖ –ər] *fn US biz* düh, harag, méltatlankodás; *biz* **get sy's ~ up** méregbe/dühbe hoz vkt, felmérgesít/felhúz vkt, kihoz a sodrából vkt

dandified ['dændɪfaɪd] *mn* **1.** dendi módra (v. piperkőc módjára) öltözött, kicsípett *[férfi]*; **~ young man** fiatal jampec/divatmajom/piperkőc; beképzelt/önhitt/hiú majom **2.** modoros, mesterkélt *[stílus]*

dandify ['dændɪfaɪ] *tsi* felpiperéz, kicicomáz *[férfit, stílust]*

dandle ['dændl] *tsi* **1. a)** térden/karban ringat, térden lovagoltat *[gyermeket]* **b)** ringat, hintáztat (karján hordozva), dajkál *[gyermeket]* **2.** babusgat, cirógat, dédelget, kényeztet vkt

dandruff ['dændrəf, –drʌf] *fn* korpa, hámpikkely *[fejbőrön]*

dandy ['dændi] **I.** *mn* remek, pompás, bámulatos, csodálatos, nagyszerű, kiváló, elegáns, jó megjelenésű, csinos, fess **II.** *fn* ‹előkelően/elegánsan öltözködő férfi› piperkőc, divatmajom, divatbáb; kitűnő/különleges/szuper dolog • *fn* **dandyism** *mn* **dandyish**

dandy-brush *fn* lóvakaró *[kefe]*

dandy roll *fn műsz* vízjelnyomó henger, bordázóhenger *[papírgyártásnál]*, előnyomó henger

dandy-roller → **dandy-roll**

Danegeld ['deɪngeld] *fn* **1.** *tört* ‹az Angliát meghódító dánoknak fizetett adó› **2.** megvesztegetés, lefizetés, megkenés

Danelagh ['deɪnlɔː] *tört* → **Danelaw**

Danelaw ['deɪnlɔː] *fn tört* **1.** ‹az Északkelet-Angliát meghódító dánok által meghonosított dán törvények› **2.** ‹Anglia dánok által megszállt része›

Dane's blood ['deɪnzblʌd] *fn növ* **1.** harangvirág, csengettyűke **2.** kökörcsin, anemóna

danger ['deɪndʒə ‖ –ər] *fn* **1.** veszély(esség), veszedelem; **be in ~** veszélyben van/forog; **court ~** kihívja/keresi a veszélyt; **~ of one's life, ~ of death** életveszély, halálos veszély; **in ~ of (losing) his life** életveszélyben; **there is ~ in delay** nem lehet tovább halogatni, a halogatás veszélyes; **there is no ~ of ...ing** nem kell ...tól félni/tartani; **'D~, road up'** „Vigyázat! útépítés" **2.** veszélyes dolog **3.** *közl* veszélyt jelző tábla *[vasúti átjáró előtt]*

danger list *fn GB* súlyos betegek listája *[kórházban]*; **he is on the ~** életveszélyes állapotban van; **he is off the ~** túl van az életveszélyen

danger man *fn* fenyegetést jelentő ellenfél *[főleg sportban]*
danger money *fn GB* veszélyességi pótlék
dangerous [ˈdeɪndʒərəs] *mn* **1.** veszélyes, veszedelmes; ~ **situation** veszélyes helyzet; *biz* **you are on ~ ground** kényes kérdést/témát érint; **a ~ man** közveszélyes ember **2. ~ example** veszedelmes (v. rossz hatású) példa • *fn* **dangerousness**
danger pay *fn US* veszélyességi pótlék
danger-point *fn* veszélypont, veszélyességi határ *[vízállásnál stb.]*
danger-signal *fn vasút* vészjelzés, megállás/tilos jelzés *[szemaforon]*
danger-zone *fn kat* veszélyes zóna/övezet, veszélyzóna
dangle [ˈdæŋgl] **A.** *tsi* lógat, lóbál, himbál vmt; *biz* **~ a prospect before sy's eyes** tervet/lehetőséget megcsillogtat vk szeme előtt, elhúzza vk előtt a mézesmadzagot **B.** *tni* leng, lóg, fityeg, lóbálódzik, himbálódzik; *biz* **~ after/round a woman** legyeskedik egy asszony körül, egy asszony szoknyája körül lebzsel; **with one's legs dangling** lábait lóbálva, lábaival harangozva • *fn* **dangler**
dangles [ˈdæŋglz] *fn tsz biz* fülönfüggők, fülbevalók
dangling [ˈdæŋglɪŋ] *mn* lengő, lógó, himbálódzó, lóbált *[kar, láb]*, ityegő-fityegő; *nyelv* **~ participle** participium, melléknévi igenév *[alany nélküli mellékmondatban]*
Daniel [ˈdænɪəl] *tul* ‹férfinév› Dániel
Danish [ˈdeɪnɪʃ] **I.** *mn* dán; **~ blue** ‹kék erezetű, sós, puha, fehér sajtfajta›; **~ modern** skandináv stílus *[bútoroknál]*; **~ pastry** ‹almával, mandulával töltött kelttészta› **II.** *fn* dán nyelv
dank [dæŋk] *mn* nedves, nyirkos *[idő, cella]*
danse macabre [ˌdɒns məˈkɑːbrə] *fn francia* haláltánc
danseur [dɒnˈsɜː ‖ dɑnˈsɜr] *fn francia* hivatásos táncos *[férfi]*, balett-táncos
danseuse [dɒnˈsɜːz ‖ dɑnˈsuːz] *fn francia* (hivatásos) táncosnő
Dantean [ˈdæntɪən] *mn* dantei, Dante követője • *mn* **Dantesque**
Danube [ˈdænjuːb] *tul földr* Duna
Danubian [dæˈnjuːbɪən ‖ –ˈnuː–] *mn* dunai, Duna melléki, Duna völgyi
Danzig [ˈdæntsɪg] *tul földr* Gdansk, Danzig
Danny [ˈdæni] *tul* ‹Daniel becéző alakja›
dap [dæp] *i* **-pp- A.** *tsi* **1. ~ the bait** táncoltatja a csalétket a vízen *[horgászásnál]* **2. ~ a ball** labdát pattogtat **B.** *tni* **1.** víz felszínén lebegő csalétekkel horgászik, csalétket óvatosan vízre ereszt **2.** visszapattan *[labda]* **3.** kacsázik *[kő víz felszínén]* • *fn* **dapping**
Daphne [ˈdæfni] *tul* ‹női név›
dapper [ˈdæpə ‖ –ər] *mn* **1.** takaros, csinos, kifogástalanul öltözött, elegáns, nett **2.** élénk, eleven, vidám, fürge, agilis; **be a ~ little man** tipp-topp ember, úgy néz ki, mintha skatulyából húzták volna ki; élénk/fürge kis ember
dapple [ˈdæpl] **I. A.** *tsi* foltossá tesz, tarkáz, tarkít, pettyez **B.** *tni* **1.** tarkul **2.** bárányfelhős lesz *[ég]* **II.** *mn* foltos, pettyes, tarka **III.** *fn* almásszürke, almásderes *[ló]* • *mn* **dappled**
dapple-grey *mn/fn* almásszürke, almásderes *[ló]*
darbies [ˈdɑːbiz ‖ ˈdɑrbiz] *fn tsz GB szl [kézi bilincs]* karperec
Darby [ˈdɑːbi ‖ ˈdɑrbi] *tul biz* **~ and Joan** ‹együtt megöregedett egymást szerető öreg házaspár› Philemon és Baucis
Darby and Joan club *fn GB biz* nyugdíjasok klubja
Dardanelles [ˌdɑːdəˈnelz ‖ ˌdɑr–] *tul tsz földr* Dardanellák
dare [deə ‖ der] *pt/pp* **dared**, *régi* **durst** [, dɜːst ‖ dɜrst] **I.** *tsi/tni* **1. a)** mer, merészkedik, merészel, bátorkodik, veszi magának a bátorságot; **how ~ you?** hogy merészel?, hogy veszi magának a bátorságot?; **let him do it if he ~s!** tegye meg, ha meri (v. van hozzá bátorsága) **b)** szembenéz, szembeszáll, dacol *[veszéllyel, halállal]*, kihív *[veszélyt, sorsot]*; **~ all things** mindenre vállalkozik, minden veszéllyel szembeszáll, vállal minden kockázatot **c) ~ sy to do sg** tüzel vkt, hogy próbáljon/merjen megtenni vmt **2. I ~ say** kétségkívül; meghiszem azt!; no, mondhatom!; **I ~ say that** mondhatom, hogy, merem állítani/mondani, hogy **II.** *fn* **1.** merészség, vakmerőség, mersz **2.** dac, kihívás; **give a ~** kihívja a sorsot; kihív/megsért vkt; **take a ~** kihívást/sértést zsebrevág/lenyel/eltűr
daredevil [ˈdeədevl ‖ ˈder–] **I.** *mn* bravúroskodó, vakmerő, fenegyerekeskedő **II.** *fn* fenegyerek, vakmerő/merész fickó • *fn* **daredevilry**
daren't [ˈdeənt ‖ ˈdernt] *röv dare not*
darer [ˈdeərə ‖ –ər] *fn* vakmerő (ember)
daresay [ˌdeəˈseɪ ‖ ˌder–] → **dare** I. 2.
daring [ˈdeərɪŋ ‖ ˈderɪŋ] **I.** *mn* **1.** merész, vakmerő, bátor, mindennek fittyet hányó; **greatly ~** nagyon merész/vakmerő, mindent kockáztató **2.** meggondolatlan, kalandos **II.** *fn* **1.** merészség, bátorság, vakmerőség **2.** meggondolatlanság, vakmerő/merész tett
dariole [ˈdærioul] *fn* **a)** kis tésztasütő forma **b)** ‹formában sült mandulás krémes vajastészta›
dark [dɑːk ‖ dɑrk] **I.** *mn* **1.** sötét, homályos; **it is ~** besötétedett, este van; **the sky grew ~** az ég beborult/elsötétült; *szính* **the theatre will be ~ for a month** a színház egy hónapig zárva lesz (v. nem tart előadásokat) **2.** sötét, sötét árnyalatú *[szín]*; **~ blue** sötétkék; **~ complexion** barna/kreol arcszín/arcbőr; **~ meat** barna hús *[baromfié]*; **draw a picture of the situation in the ~est colours** a legrosszabb színben tünteti fel a helyzetet **3.** sötét bőrű *[ember]*, napbarnított, lesült *[bőr]*; **become ~** megsötétedik, megbarnul *[haj]* **4. a)** mogorva, sértődött, mérges, komor, sötét, szomorú, borús; **see (v. look on) the ~ side of things** a sötét oldaláról nézi/látja a dolgokat **b)** sötét, homályos, fekete, rossz, gonosz, baljóslatú; **~ purpose** sötét szándék **5.** titokzatos, rejtelmes, homályos, sötét; **keep sg in the ~** titokban tart vmt **6. the D~ Ages** a sötét középkor; **the D~ Continent** a fekete földrész, Afrika **II.** *fn* **1.** sötétség, homály; **the ~ of the moon** újhold; **after ~** besötétedés (v. a sötétség beállta) után; **in the ~** a sötét(ség)ben; *szl* **be in the ~** *[börtönben van]* dutyiban/hűvösön van **2.** tájékozatlanság, tudatlanság; **be in the ~** nem tud/ért vmt, bizonytalanságban van; **leap in the ~** ugrás a sötétbe/az ismeretlenbe • *mn* **darkish** *hsz* **darkly**
dark-coloured *mn* sötét (színű)
dark-complexioned *mn* barna arcszínű, kreol
darken [ˈdɑːkən ‖ ˈdɑr–] **A.** *tsi* elsötétít *[szobát]*, beárnyékol *[eget, jövőt, arcot]*, lebarnít *[bőrt]*, sötétít, sötétebbé tesz, mélyít *[színt]*, sötétebb árnyalatot ad *[színnek]*, elhomályosít *[vm fényét/ragyogását]*, elszomorít, szomorúvá/komorrá tesz, megzavar, összezavar *[gondolatmenetet]*, beszennyez, bemocskol vmt; **~ counsel** zűrzavart/tanácstalanságot növel; **a cloud ~ed the sun** felhő takarta el a napot; **never ~ my door again!** *iron* be ne tegye többé a lábát ide, át ne merje többé lépni a házam küszöbét! **B.** *tni* elhomályosodik, elhomályosul, elsötétedik, elsötétül, besötétedik, besötétül, elborul, beborul, befelhősödik, felhőssé válik *[ég, homlok]*, megsötétedik, sötétül, mélyül, mélyebb lesz *[szín]* • *fn* **darkening**
darkey [ˈdɑːki ‖ ˈdɑr–], **darkie**, **darky** *fn pej [néger, fekete]* negró, bokszos
dark-eyed *mn* fekete szemű, sötét szemű
dark-haired *mn* sötét hajú
dark horse *fn* **1.** ismeretlen tényező, az „ismeretlen" az egyenletben, ismeretlen (képességű) vetélytárs **2.** *sp átv* ismeretlen képességű ló, váratlanul nyerő ló **3.** ‹hirtelen ismertté váló személy, különösen vmlyen politikai hivatalba jelölt v. választott személy›
darkle [ˈdɑːkl ‖ ˈdɑrkl] **I.** *mn* **1.** sötét, sötétben folyó/levő **2.** sötétedő, elhomályosuló **II.** *tni* **1.** *vál* elsötétedik, elhomályosul, elborul, elkomorodik **2.** háttérben/sötétben/rejtve marad • *mn* **darkling**

darkness ['dɑ:knəs || 'dɑrk–] *fn* **1. a)** sötétség, homály; **the ~ of death** a halál árnyéka/sötétsége; **the Prince of D~** a sötétség/pokol fejedelme *[a sátán]*; **~ descended upon his mind** agya elborult **b) ~ of a prophecy** jóslat kétértelműsége/homályossága **2.** sötét szín *[arcbőré]* **3.** tájékozatlanság, homály
dark-room *fn fényk* sötétkamra
dark-skinned *mn* **1.** sötét/barna bőrű, barna **2.** fekete, néger, szerecsen
darling ['dɑ:lɪŋ || 'dɑr–] *mn/fn* kedvenc; **my ~!** drágám!, kedvesem!
darn[1] [dɑ:n || dɑrn] **I.** *tsi* (meg)stoppol, javít *[harisnyát]*, *[lyukat]* betöm **II.** *fn* stoppolás, javítás, betömés
darn[2] [dɑ:n || dɑrn] *szl* → **damn**
darnation [dɑ:'neɪʃn || dɑr–] *US* → **damnation II.**
darned ['dɑ:nd || 'dɑrnd] *mn* **1.** *euf szl* → **damned I. 2. 2.** *US szl [rossz minőségű]* vacak, nyamvadt **3. do/try one's ~est** mindent megpróbál, amit csak tud/bír
darner ['dɑ:nə || 'dɑrnər] *fn* stoppoló, javító, beszövő, betömő (személy) • *fn* **darner, darning**
Darrell ['dærl] *tul* ‹férfinév›
darst [dɑ:st || dɑrst] *i régi* → **dare I.**
dart [dɑ:t || dɑrt] **I.** *fn* **1. a)** hajítódárda **b)** dobónyíl, darts **c)** fullánk *[kígyóé, méhé, gúnyé]*, kígyónyelv, nyíl *[gúnyé]* **2.** nekilendülés, nekirugaszkodás, heves/gyors mozgás, szökellés; **make a sudden ~ on sg** hirtelen nekiugrik vmnek (v. lecsap vmre) **3.** *Ausz szl* **Old D~** az óhaza, Anglia **II. A.** *tsi* szór, kibocsát *[sugarakat]*, kiölt, kidug *[fullánkot stb.]*, hajít, vet *[szigonyt, tekintetet, pillantást]*, célba vesz *[gúnyos megjegyzésekkel vkt]*, céltáblává tesz *[vkt gúnynak]* **B.** *tni* nekilendül, nekirugaszkodik, ráveti magát, rárohan (vkre vmre), nekirohan (vknek), szökken, szökell, repül
dart away *tni* elrohan, elszáguld (mint a nyíl)
dart in *tni* berohan
dart off *tni* elrohan, elszáguld
dart out *tni* kirohan
dart up *tni* **1.** felugrik, felpattan **2.** eliramodik
dartboard *fn* dárdajáték/nyíljáték céltáblája
dartle ['dɑ:tl || 'dɑr–] *tsi* lövöldöz
Dartmoor ['dɑ:tmɔ:, –muə || 'dɑrtmur, –mɔr] *tul GB* **1.** *földr* Dartmoor, fennsík Devonshire-ben **2.** ‹fegyház kényszermunkára ítéltek számára Princetown közelében›
darts [dɑ:ts || dɑrts] *fn esz sp* ‹célbadobójáték› darts; dobónyíl; → **dart I.1.b.**
darts cricket *fn sp* ‹a darts egyik változata›
darts football *fn sp* ‹a darts egyik változata›
Darwin ['dɑ:wɪn || 'dɑr–] *tul földr* Darwin
Darwinism ['dɑ:wɪnɪzm || 'dɑr–] *fn* darwinizmus • *fn* **Darwinist** *mn* **Darwinian**
DASD *röv infor direct access storage disk* közvetlen (és gyors) hozzáférésű tárolóegység
dash [dæʃ] **I.** *fn* **1. a)** nekirontás, hirtelen támadás **b)** nekiiramodás, nekilendülés, teljes sebességgel való haladás; **make a ~ at sy/sg** ráveti magát vkre/vmre, rárohan vkre, megrohan vkt/vmt; *biz* **make a ~ forward** előrenyomul, előront; **make a ~ for sg** vhová rohan/szalad, vm után veti magát **c)** *biz* **have a ~ at sg** megkísérel vmt **2.** összeütközés, (neki)ütődés **3.** gondolatjel **4. a)** vonás *[toll, Morse-ábécé]* **b)** húzás, kihúzás, törlés **5.** hevesség, fellobbanás, féktelenség; **troops full of ~** lendületes/ütőképes csapatok **6.** *US sp* vágta, sprint; **the 100 m ~** *biz* a százméteres síkfutás **7.** *biz* **cut a ~** feltűnést/hatást kelt; nagy sikere van *[új ruhában stb.]*; *pej* kicsípi magát, kiöltözködik **8. ~ of (sg)** csepp(nyi), gondolatnyi, csipet(nyi), lehelet(nyi) (vmből); **whisk(ey) with a ~ of soda** whisky egy kevés szódavízzel **9.** műszerfal, szerelvényfal *[gépkocsin]*; **~ light** műszerfal-világítás **10. ~ of colour** színfolt *[tájban, képben stb.]* **II. A.** *tsi* **1.** odavág, nekivág, nekilódít (vmt vmnek); **~ sg to pieces** darabokra tör/zúz vmt **2. a)** megzavar, elképeszt, zavarba ejt **b)** megsemmisít, lerombol, meghiúsít *[reményt]*, lehűt, lelohaszt *[lelkesedést]*; **~ sy's pride** megaláz vkt; **all my hopes were ~ed** elvesztettem minden reményemet **3.** hozzákever, vegyít, elegyít **B.** *tni* **1.** üt-vág, vagdalkozik **2.** robog, rohan; **~ upstairs** felrohan *[az emeletre]* • *mn* **dashed**
dash against A. *tsi* nekiüt, nekivág vmnek; **the ship was ~ed against the rocks (by the storm)** (a vihar) a hajót a sziklához vágta **B.** *tni* **1.** nekiront vmnek **2.** nekiütődik, nekivágódik
dash along *tni* elsiet, elszáguld
dash aside A. *tsi* félredob, sarokba hajít **B.** *tni* oldalt vetődik, félreugrik
dash at *tsi* beleveti magát vmbe, ráveti magát vmre/vkre
dash away A. *tsi* félredob, sarokba vág; **~ away a tear** letöröl/elmorzsol egy könnycseppet **B.** *tni* elrohan, elviharzik (vhonnan)
dash by *tni* elrobog, elsüvít, elhúz *[vm mellett]*
dash down A. *tsi* **1.** odavág, lecsap, földhöz vág **2.** lefirkant, odavet *[pár sort]* **B.** *tni* leszáguld, lerohan
dash in A. *tsi* vmre gyorsan odavet *[vázlatot]*, (sebtiben) felvázol vmt/vmre **B.** *tni* beront
dash off A. *tsi* sebtében/kutyafuttában elintéz/elvégez/odavet (vmt), felhajt, bedob *[italt]*, felvázol, körvonalaz **B.** *tni* → **dash away B.**
dash out A. *tsi* **~ out one's brains** kiloccsantja az agyvelejét **B.** *tni* kiront, kirohan
dash up *tni* sebbel-lobbal (v. nagy sietséggel) érkezik
dashboard *fn* **1.** *gk rep* szerelvényfal, műszerfal, műszertábla **2.** védőlap *[lovaskocsin kocsis lába előtt]*
dasher ['dæʃə || –ər] *fn* **1.** *biz* rámenős ember **2.** köpülőfa **3.** *US* → **dashboard**
dashiki [də'ʃi:ki] *fn* ‹afrikai tarka laza férfiing›
dashing ['dæʃɪŋ] *mn* fess, remek, ragyogó *[nő]*, lendületes, erőteljes, magával ragadó *[stílus]*, tüzes *[ló]* • *hsz* **dashingly**
dash-pot *fn műsz* hidraulikus lökéscsillapító, olajpárna, légpárna, olajkatarakt
dastardly ['dæstədli || –tərd–] *mn* hitvány, aljas, ocsmány, nemtelen, galád • *fn* **dastardliness**
DAT [dæt] *röv infor digital audio tape* digitális hangszalag/magnószalag, digitális kazetta, DAT
dat. → **dative**
data ['deɪtə] *fn tsz infor tud* adat(ok), *összet* adat-; **there is very little ~ available** kevés adat áll rendelkezésünkre; **the ~ is/are being analyzed** az adatok elemzése folyamatban van; → **datum**
data acquisition *fn infor* adatgyűjtés
databank *fn infor* adatbank
database *fn infor* adatbázis
database administrator *fn infor* adatbázis-adminisztrátor/felelős, rendszergazda
database management *fn infor* adatbázis kezelés
database manager *fn infor* adatbáziskezelő program
datable ['deɪtəbl] *mn* keltezhető
data bus *fn infor* adatbusz, adatsín, adatút
data bus driver *fn infor* adatsínmeghajtó
data capture *fn infor* **1.** adatelőkészítés számítógépes bevitelre **2.** adatbevitel számítógépbe
data communication *fn infor* adatátvitel, adatközlés, adatforgalmazás, adatkommunikáció
data cruncher *fn infor* adatfaló *[nagy mennyiségű adat számítógépes feldolgozására alkalmas eszköz]*
data file *fn infor* adatállomány, adat file, adatfájl
datalink *fn infor távk* adatkapcsolat, adattovábbító vonal, automatikus távközlő vonal
data path *fn infor* adatút
data processing *fn infor* adatfeldolgozás
data processing system *fn infor* adatfeldolgozó rendszer
data processor *fn infor* adatfeldolgozó gép
data protection *fn infor jog* adatvédelem
data reduction *fn infor* adattömörítés
data retrieval *fn infor* adatvisszakeresés
data security *fn infor* adatbiztonság

dataset *fn infor* adatkészlet, adathalmaz, adatállomány, adatmennyiség; modem
datasheet *fn* adatlap
data source *fn infor* adatforrás
data storage *fn infor* adattárolás
data storage system *fn infor* adattárolási rendszer
data structure *fn infor* adatszerkezet, adatstruktúra
data transfer *fn infor* adatátvitel, adatmozgatás
data transmission *fn infor* adatátvitel, információátvitel
date[1] [deɪt] *fn* **1.** datolya **2.** datolyapálma
date[2] [deɪt] **I.** *fn* **1. a)** dátum, keltezés, évszám; **closing ~ for entries** nevezési határidő; **of this ~** a mai naptól; **~ as above** kelt mint fent; **no ~** év nélkül, é. n.; **be up to ~** korszerű, modern, mai; **bring up to ~** (i) korszerűsít, modernizál (ii) *gazd [könyvelést]* azsúrba hoz; **out of ~** elmaradott, korszerűtlen, ósdi; **to ~** a mai napig **b) ~ due, due ~** esedékesség (napja) *[váltóé stb.]*; **at a long ~** hosszú lejáratra; **at short ~** rövid lejáratra; **three months after ~, at three months' ~** három hónapra, (kelet után) három hónapos lejáratra **2. a)** *biz* randi, találka, randevú; *biz* **have a ~ with sy** találkája/randevúja van (v. randevúzik) vkvel **b)** *US biz* randevúpartner **3.** tartam *[életé, dicsőségé]* **II. A.** *tsi* **1. a)** keltez **b)** keletbélyegzővel lebélyegez/lepecsétel **2.** számít, keltez, datál, meghatározza (vmnek) az idejét; **this painting is difficult to ~** ennek a festménynek a keletkezési idejét nehéz megállapítani **3.** *US biz* **~ sy** randevút ad vknek (v. beszél meg vkvel) **B.** *tni* **1.** származik, ered **2.** elavulóban van, elavul, kezd kimenni a divatból; **his style has ~d** kissé elavult már (v. régiesnek hat) a stílusa • *fn* **dating** *mn* **dated**
date-cancel *tsi* **-ll-** (keletbélyegzővel) lebélyegez *[érvénytelenítés céljából]*
dateless [ˈdeɪtləs] *mn* **1.** keltezetlen, keltezés nélküli *[levél stb.]* **2.** örök, maradandó, időtlen
date-line I. *fn* **1.** *csill földr* dátumválasztó vonal, naptárvonal, naptári délkör, keletváltozás vonala *[180-as délkör]* **2.** dátum/keltezés helye/vonala *[iraton/levélen stb.]* **3.** *gazd* határidő **II.** *tsi* keltez; **~d from** vhonnan keltezve
date-marker *fn* keletbélyegző, dátumbélyegző
dater [ˈdeɪtə ‖ –ər] *fn* keletbélyegző, dátumbélyegző
date rape *fn* ‹olyan nemi erőszak, amikor egy nőn a randevúpartnere követ el erőszakot›
date-stamp I. *fn* **a)** keletbélyegző, dátumbélyegző **b)** keletbélyegzés, dátumbélyegzés **II.** *tsi* keletbélyegzővel lebélyegez
dating agency *fn* társkereső/partnerkereső ügynökség
dative [ˈdeɪtɪv] **I.** *nyelv mn* részeshatározó **II.** *fn* részeshatározó (eset), dativus; **in the ~** részeshatározó esetben
datum [ˈdeɪtəm, ˈdɑːtəm] *fn tsz* **data** [ˈdeɪtə] adat, adalék, méretadat, *mat* megadott érték; → **data**
daub [dɔːb] **I.** *tsi* **1. a)** bemázol, beken (*with* vmvel) **b) ~ a wall** falat vakol/hézagol/tapaszt **c)** *átv* átmázol, átfest, eltakar, leplez, (el)kendőz **2.** *műv biz* bemázol, (összе)mázol, pacsmagol, (ki)pingál **3. a)** tarka/rikító színűre fest **b)** (rikító színekkel) kidíszít, ékesít **II.** *fn* **1. a)** mázolás, alapfestés, alaplakkréteg **b)** *épít* vakolat, hézagolás, vályog, tapasztás **2.** mázolmány, giccs, rossz festmény • *fn* **dauber**, **daubery** *mn* **dauby**
daughter [ˈdɔːtə ‖ ˈdɔtər] *fn* lány(a vknek); *biz* **a ~ of Eve** Éva l(e)ánya, igazi nő • *mn* **daughterly**
daughter-in-law *fn tsz* **daughters-in-law** meny
daughter-land *fn* gyarmat
daunt [dɔːnt] *tsi* megfélemlít, megrémít, megijeszt, elcsüggeszt, elbátortalanít; **nothing ~ed** elszánt(an), rettenthetetlen(ül), nem csüggedve
dauntless [ˈdɔːntləs] *mn* rettenthetetlen, elszánt, félelem nélküli, halálmegvető • *fn* **dauntlessness** *hsz* **dauntlessly**
Dauphin [ˈdɔːfɪn] *fn tört* a trónörökös
Dauphiness [ˈdɔːfɪnɪs] *fn tört* a trónörökösnő
Dave [deɪv] *tul* ‹*David* becéző alakja›
davenport [ˈdævnpɔːt ‖ –pɔrt] *fn* **1.** kis (női) íróasztal, szekreter **2.** *US* kanapé, rekamié
David [ˈdeɪvɪd] *tul* Dávid
Davis Cup [ˈdeɪvɪs kʌp] *sp [tenisz]* Davis-kupa
davit [ˈdævɪt, ˈdeɪvɪt] *fn* **1.** *hajó* csónakdaru; **the ~ sockets** csónakdaru tartó/állványa **2.** *kat* **loading ~** támasztópózna, rakodódaru
davy [ˈdeɪvi] *fn biz* → **affidavit**; **take one's ~ that...** kezeskedik, hogy, szavát adja, hogy...
Davy[1] [ˈdeɪvi] *tul* ‹*David* becéző alakja›
Davy[2] [deɪvi] *fn bány* Davy-lámpa, bányászlámpa
Davy Jones [ˌdeɪvi ˈdʒoʊnz] *hajó* az óceán (v. a tenger) szelleme
Davy-lamp → **Davy**[2]
daw [dɔː] *fn* **1.** *áll* csóka **2. a)** együgyű, mamlasz **b)** lusta naplopó
dawdle [ˈdɔːdl] **I. A.** *tsi* (el)veszteget *[időt]* **B.** *tni* kószál, csatangol, andalog, tétlenül ődöng, cselleng, piszmog **II.** *fn* **1.** piszmogás, halogatás **2.** kószálás, semmittevés • *fn* **dawdler** *mn* **dawdling**
dawdle away *tsi* **~ away one's life** semmiséggel tölti el az életét, pocsékolja az időt, elpiszmogja az életét
dawn [dɔːn] **I.** *fn* **1.** hajnal, virradat, pirkadat; **at ~** hajnalban, pirkadatkor; **at early ~, at the first streak of ~** kora hajnalban, virradatkor, pitymallatkor, pirkadatkor **2.** *biz* hajnal *[életé, történelemé]*, kezdet *[civilizációé]*, keletkezés, születés *[gondolaté]* **II.** *tni* **a)** pirkad, virrad, pitymallik, hajnalodik **b)** *átv* kezd kivilágosodni, dereng; **it begins to ~ (up)on me** kezdem sejteni/érteni, dereng már vm
Dawn [dɔːn] *tul* ‹női név›
dawn chorus *fn* reggeli/hajnali madárfütty/madárcsicsergés
dawning [ˈdɔːnɪŋ] **I.** *mn* születő *[nap, remény]* **II.** *fn* hajnal; **the first ~s** első fénysugarak *[hajnalé, civilizációé]*
dawt [dɔːt] *tsi skót* becéz, cirógat, dédelget
day [deɪ] *fn* **1.** nap *[időtartam]*; **all ~ (long)** egész nap(on át); **every ~** mindennap; **an 8-hour ~** nyolcórás (munka)nap; **twice a ~** naponta kétszer; **in the course of the ~** a nap folyamán; **in a ~ or so** a napokban; egy-két napon belül, hamarosan; **~ after/by ~** nap nap után, napról napra, nap mint nap, naponta; **~ after ~ passed** múltak a napok; **the ~ after tomorrow** holnapután; **the ~ before yesterday** tegnapelőtt; **~ in ~ out** nap nap után; reggeltől estig, látástól vakulásig; **it's a ~'s journey** egy napra (v. egynapi utazásra) van ide; *biz* **let's call it a ~** mára elég, tegyük le a lantot; *tréf* **for ever and a ~** örökké; **live from ~ to ~** máról holnapra él; **he is sixty if (he is) a ~** megvan hatvan(éves), legalább hatvan lehet; **two years ago to a ~** éppen két éve **2.** nap, nappal, napvilág; **light of ~** nappali világosság, természetes fény; **at break of ~** hajnalban, hajnalhasadáskor, virradatkor, pirkadáskor, reggel; **by ~** nappal; **work ~ and night** éjjel-nappal dolgozik **3.** *csill* nap; **sidereal ~** sziderikus nap; **solar ~** szoláris nap, napnap **4. a)** bizonyos/meghatározott nap/időpont *[hónapé, hété stb.]*; **any ~** bármely nap(on), mindennap, bármikor; **the other ~** a minap, a napokban; **every other ~** minden másnap, másodnaponként; **the tenth ~ of May** május tizedike; **he kept his ~** betartotta a megbeszélt időpontot/randevút; *biz* **name the ~** az esküvőt kitűzi; **one/some ~** majd egyszer, egy szép nap(on); **one summer ~** egy nyári napon; **the last ~, the ~ of judgement** az (utolsó) ítélet napja; **what ~ is it?** milyen nap van ma?; **pass the time of ~ with sy** rövid és semmitmondó udvariassági beszélgetést folytat vkvel; üdvözöl vkt (és pár szót vált vele) **b) All Saints' D~** mindenszentek; **Easter D~** húsvét (napja); **the Lord's D~** az Úr napja, vasárnap; **New Year's D~** újév napja; **carry/win the ~** győzelmet arat; pert megnyer; **it was a great ~** szép/remek/nagy nap volt; **the ~ is ours** miénk a győzelem, győztünk; **you made my ~** bearanyozta a napomat; *biz* **let's make a ~ of it!** ünnepeljük ezt meg! **5. the good old ~s** a régi jó idők; **in my young ~s** fiatalkorom idején, fiatalkoromban; **in the ~s of old**

valamikor, régmúlt napokban/időkben; **in these/our ~s** napjainkban, a mi időnkben, mostanság, manapság; **in ~s to come** a jövőben, az eljövendő időkben; **in those ~s** akkoriban; **those were the ~s** azok voltak a szép napok/idők; **have had his ~** már idejét múlta, elmúlt az ideje *[elméleté, divaté stb.]*; *közm* **everything has its ~** mindennek megvan/megjön az ideje **6.** *összet* napi, nappali, nap-; → **days**

Dayak [ˈdaɪæk] *mn/fn* daják

day-bed *fn* nyugágy, heverő

day-blind *mn orv* nappal rosszul látó • *fn* **day-blindness**

day-book *fn* **1.** *gazd [üzleti]*, kereskedelmi, kimutatási napló, előjegyzék, strazza **2.** napló

day-boy *fn okt GB* bejáró *[tanuló]*

day-break *fn* pirkadat, pitymallat, virradat, hajnal(hasadás); **at ~** hajnalban, virradatkor

day-by-day *mn* (minden)napi, mindennapos

daycamp *fn US* napközi tábor *[iskolaszünet idején]*

daycare, **day-care** *mn/fn US okt* napközi(s), napköziotthonos *[felügyelet/gondoskodás]*; **~ (center)** napközi *[otthon]*, óvoda

day-center *fn US* napközi otthon

daydream I. *fn* **1.** álmodozás, ábrándozás **2.** légvár **II.** *tni pt/pp* **daydreamt 1.** ébren álmodik, álmodozik, ábrándozik **2.** légvárakat épít • *fn* **daydreamer**, **daydreaming**

dayflight *fn rep* nappali repülés/repülőút

day-girl *fn* **1.** *GB okt* bejáró (leánynövendék) **2.** bejárónő

day job *fn* főállás, *[megélhetést biztosító]* munka

daylabour *fn* napszámos munka • *fn* **day-labourer**

daylight *fn tsz* **the daylights 1. a)** nappal **b)** nappali világosság/világítás/fény; **before ~** napkelte előtt; **by ~** nappal, nappali világosságnál; *biz* **burn ~** időt pocsékol; **in broad ~** fényes/világos nappal, mindenki szeme láttára; **~ lamp** napfénylámpa; **~ projection** vetítés nappali fény mellett; **~ signal** nappali fényjelzés **2. a)** szabad térség **b)** nyílás *[szerszámgépé stb.]*; *biz* **begin to see ~** kezdi már a munka végét látni, egy munka végéhez közeledik; tisztán kezd látni, a valóság kezd derengeni (számára); *biz* **let ~ into sy** vkt ledöf/lelő **3.** nyitottság, nyilvánosság **4.** *sp* előny **5. a)** szem, szembogár, szeme világa **b)** lélek, szusz; **beat the ~ out of sy** laposra ver/összever vkit

daylight robbery *fn biz* ‹túl magas árszabás› kész rablás, átverés

daylight saving time *fn* nyári időszámítás

daylong I. *mn* teljes napig tartó, egész napos **II.** *hsz* egész nap, naphosszat

daymare *fn* lidércnyomás, gyötrő/kínos gondolatok

day-nursery *fn* **1.** óvoda **2. a)** bölcsőde **b)** csecsemőotthon **3.** gyer(m)ekszoba • *fn* **day-nurse**

day off *fn* szabadnap

day-output *fn ip* napi hozam, napi termelési eredmény

day-owl *fn áll* karvalybagoly

day-pair *fn ip* nappali műszakpár

day pupil *fn GB* bejáró diák/tanuló *[bentlakásos iskoláé]*

day-rate *fn* napszám

day release *fn GB* munkaidő-kedvezmény *[tanfolyamon való részvételhez]*

day return *fn GB* napi retúrjegy, egy napig érvényes retúr/menettérti jegy

day room *fn* társalgó, olvasószoba, klubhelyiség

days [deɪz] **I.** *hsz* naponta, minden nap; **he works ~** minden nap/naponta dolgozik **II.** *fn tsz* élet, az élet napjai; **his ~ are numbered** napjai meg vannak számlálva; → **day**

day-scholar *fn okt* bejáró (tanuló)

day-school *fn okt* (nem bentlakásos) iskola

day-shift *fn ip* nappali műszak

dayside *fn* **1.** *US* nappali stáb *[újságnál]* **2.** *csill* bolygó napos/nap felőli oldala

day-student *fn* bejáró (tanuló)

day's work [ˌdeɪz ˈwɜːk ‖ –ˈwɜrk] *fn* napi munka/teendő; **all in one ~** ez is megvan, hamar elkészültünk

day-time *fn* nap(pal); **in the ~** nappal, napközben; *okt* **~ home provision** napköziotthoni ellátás

day-to-day *mn* napról napra történő/ismétlődő, napi, mindennapi, hétköznapi

Dayton [ˈdeɪtn] *tul földr* Dayton

daytrip *fn* egynapos kirándulás/túra/kiruccanás • *fn* **day-tripper**

day-wage *mn* **~ man** napszámos, napidíjas

day-wages *fn tsz* napszám(bér), napidíj

day-woman *fn tsz* **- women 1.** napszámosnő **2.** takarítónő, bejárónő *[naponként fizetett]*

day-work *fn* napi munka

daze [deɪz] **I.** *fn* kábulat, szédület, elképedés, zavar; **be in a ~** kábulatban, szédületben van, elképedt **II.** *tsi* **1. a)** elkábít, elszédít, elbódít *[narkotikum, ütés]* **b)** *biz* elképeszt, megrémít, elszédít, meghökkent, megdermeszt **2.** → **dazzle** II. • *mn* **dazed** *hsz* **dazedly**

dazzle [ˈdæzl] **I.** *tsi* **a)** (el)kápráztat, (el)vakít **b)** *biz* meghökkent, elképeszt **II.** *fn* **a)** káprázat, *gk* (el)vakítás **b)** *biz* elképesztés, meghökkentés • *fn* **dazzlement** *mn* **dazzled**, **dazzling** *hsz* **dazzlingly**

dazzlepaint *tsi hajó* **~ a ship** hajót álcáz *[festéssel]*

dazzler [ˈdæzlə ‖ –ər] *fn* hódító/ragyogó jelenség

dB *röv decibel*

DB *röv infor database* adatbázis

DBE *röv Dame(Commander of the Order)of the British Empire* ‹brit női kitüntetés›

DBS *röv infor direct broadcasting satellite* műholdas televízió

DC *röv* **1.** *US District of Columbia*; **2.** *vill direct current* egyenáram

D-day [ˈdiːdeɪ] *röv Day-day* ‹a normandiai partraszállás napja: 1944. június 6.›

DDS *röv US Doctor of Dental Science/Surgery*

DDT *röv dichlorodiphenyltrichloroethane* diklór-difenil-triklóretán

de- [diː] *előtag* le-, -tól/től, -ból/ből, *[igei előképzőként]* -talanít/telenít; **devoice** zöngétlenít; **de-ice** jégtelenít

deaccession [ˌdiːəkˈseʃn, ˌdiːæk–] *tsi* elad, áruba bocsát *[múzeum/könyvtár gyűjteményének egy darabját]*

deacon [ˈdiːkən] **I.** *fn vall* **1. a)** szerpap, diakónus **b)** segédlelkész *[protestánsoknál]* **2. a)** egyház(község)i gondnok(ság tagja) *[presbiteriánus egyházban]* **b)** presbiter *[kongregációs egyháznál]* **II.** *tsi* **1.** előénekel *[zsoltárt stb.]* **2.** diakónusnak segédlelkésznek kijelöl/felszentel • *fn* **deaconry**, **deaconship**

deaconess [ˌdiːkəˈnes ‖ ˈdiːkənəs] *fn* **1.** *vall* női segédlelkész **2.** *vall* diakonissza, betegápolónő

deactivate [diːˈæktɪveɪt] *tsi* **1.** deaktivál, bénít **2.** elbocsát *[személyzetet]* **3.** *műsz* hatástalanít, inaktivál • *fn* **deactivation**

dead [ded] **I.** *mn* **1. a)** halott, holt; **~ list** halottak névsora; **if you move you are a ~ man** ha megmozdulsz, halál fia vagy; **legally ~** eltűnt, holttá nyilvánított; **~ and gone** meghalt, nincs többé; *biz* **he's ~ and done for** vége van (vknek), tönkrement, kész (vk), elintézték (vkt); *biz* **~ as a doornail/mutton/dodo** meghalt, már senki sem támasztja fel; **shoot sy ~** agyonlő vkt; **~ to the world** meghalt (v. nem létezik) a világ számára; félrevonult a világtól; mélyen alszik, nincs eszméleténél **b)** élettelen, holt, meddő; *sp* **~ ball** holt labda, játékon kívüli labda; **at a ~ bargain** potom olcsón/áron; *körny* **~ bed/channel** holtmeder; **~ bowl** túldobott golyó *[tekejátékban]*; *szl* **~ cert** *[teljesen biztos]* holtbiztos dolog; tuti dolog; **~ city** kihalt város; **~ colour** fakó szín; alapozás, alapozóréteg *[festésnél]*; **~ faint** halálos/teljes ájulás; **~ fire** kialudt tűz; **~ hand** *jog* holtkéz; *átv* ügyetlen/balkezes ember/segítség; **he is a ~ hand at sg** remekül ért vmhez; kétbalkezes; **~ interval** üzemszünet, adásszünet *[rádióban]*; **~ language** holt nyelv; **~ load** holtsúly, holtteher, önsúly; *pénz* **~ loan** behajthatatlan kölcsön; **~ mail** kézbesíthetetlen postai küldemény; *gazd* **~ market** üzletelen/csendes piac/tőzsde; **~ matter** élettelen/holt anyag; *pénz* ~ **money** holt/fekvő (v. nem dolgozó) tőke; ~ **oil** fáradt olaj; nehéz olaj; **you are ~ right** fejen találtad a szöget; ~ **room** tökéletesen hangszigetelt helyiség; ~ **season** holtszezon, holtidény; ~ **silence** halotti/síri csönd; ~ **sound** tompa hang; ~ **window** vakablak **c)** *US szl* ~ **above the ears/from the neck up** fafejű, hülye **2.** érzéketlen *[vmvel szemben]*, zsibbadt; **go** ~ elzsibbad, érzéketlenné válik *[végtag]*; *vill* kimerül *[akkumulátor]*; ~ **to honour** nem érdekli a megbecsülés/dicsőség **3.** *átv* hirtelen, teljes, pontos; ~ **loss** tiszta/teljes veszteség; ~ **secret** mély/hétpecsétes titok; ~ **set** ‹vadászkutya állása vaddal szemben› *átv* erőszakos támadás vk ellen; **make a ~ set at sy** → **set**[1] II.2.c. **II.** *hsz* holtan; **drop down** ~ holtan összerogy/elterül/összeesik **III.** *fn* **1.** *tsz* **the dead** a holtak, az elköltözöttek, az elhunytak; *vall* **the Office for the D~** gyászmise; **rise from the ~** halottaiból feltámad **2. at ~ of night** az éj közepén/mélyén/csendjében; **in the ~ of winter** a tél derekán, a legkeményebb télben

dead-alive, **dead-and-alive** *mn* **1. a)** szomorú, letört **b)** tetszhalott **2.** sivár, élettelen, egyhangú, unalmas *[hely, helység, foglalkozás]*

dead-beat I. *mn biz* kimerült, (halálra) fáradt, (teljesen) elcsigázott, holtfáradt *[ember, ló]* **II.** *fn szl* **a)** ‹csavargó/lecsúszott/pénztelen ember›; csóringer, szakadt fazon **b)** *US szl [kéregető]* lejmos **c)** adós • *fn* **dead-beatness**

dead-bell *fn* lélekharang

dead-bolt *fn* ‹kulcsra, nem pedig rugóra nyíló zár›

dead-born *mn* halva született

dead-center *US* → **dead-centre**

dead-centre *fn GB* **1.** *műsz* nyugvópont, holtpont **2.** támasztócsúcs *[esztergáé]*

dead-colour, *US* **-color** *fn* fakó szín, alapozás *[festésnél]*

dead duck *fn szl* ‹sikertelen, haszontalan dolog/személy› szar dolog/alak

deaden ['dedn] **A.** *tsi* **1.** tompít, gyengít, enyhít *[ütést, lökést, rezgést]*, csillapít *[fájdalmat]*, (el)fojt, eltompít, elkábít *[érzékszervet]*, fénytelenít *[aranyat stb.]*; ~ **a ship's way** hajó haladását/útját ellenőrzi **2.** állott ízűvé tesz *[sört]*, megtör *[bort]* **B.** *tni* tompul, gyengül, csökken, állott ízűvé válik *[sör]*, megtörik *[bor]* • *mn* **deadening**

dead-end *mn* **1.** *US* ~ **street** zsákutca; → **dead** I.1.b. **2.** kilátástalan, érvényesülési reményekkel nem kecsegtető, további fejlődést kizáró, zsákutcába torkolló/vivő **3.** *US* ~ **kids** fiatal (külvárosi) huligánok/csibészek

dead-end job *fn* ‹állás, melyből nem lehet továbblépni›; *átv* süllyesztő

deader ['dedə ‖ –ər] *fn szl* hulla, holttest *stand*

dead-eye *fn US biz* mesterlövész

dead-faint *fn* önkívület

dead-fall *fn* **1.** kelepce, csapda *[vadnak]* **2.** *US* csapszék, pálinkamérés

dead-fire *fn* lidércfény

dead-head *fn biz* potyajegyes, potyautas, bliccelő

dead heat I. *fn* holtverseny **II.** *tni* **dead-heat** holtversenyben fut be, egyszerre érnek a célba

dead-house *fn* halottasház

deadish *mn* fénytelen, tompa; ~ **paleness** halálos sápadtság

dead-leaf *mn* rozsdaszínű

dead letter *fn* **1.** be nem tartott szabály/törvény **2.** kézbesíthetetlen levél

dead-letter office *fn* kézbesíthetetlen küldemények osztálya *[postán]*

dead lift *fn* teljes erőből való emelés

dead-light *fn* **1.** *hajó* **a)** *biz* hajóablakfedő **b)** *biz* fedélzeti lejáró ajtaja/fedőlapja **c)** *biz* vak hajóablak **2.** *épít* vakablak

deadline *fn* **1. a)** határidő **b)** lapzárta **2. a)** határvonal **b)** nullvonal *[földmérésnél]*

dead-lock I. *fn* **1.** zsákutca, holtpont, kibogozhatatlan/megoldhatatlan helyzet **2.** kulcsra nyíló zár/lakat, reteszzár **II. A.** *tsi* holtpontra juttat; **be ~ed** holtpontra jut **B.** *tni* holtpontra jut

deadly ['dedli] **I.** *mn* szörnyű **II.** *hsz* **1.** halálosan, mint a halál **2.** szörnyen; ~ **dull** halálosan/szörnyen unalmas • *fn* **deadliness**

deadman *fn vasút* ~ **control** önműködő biztonsági berendezés; → **dead** I. 1. a.

dead-man's eye *fn hajó* → **dead-eye**

dead man's handle, **dead man's pedal** *fn vasút* holtemberkapcsoló

dead-march *fn zene* gyászinduló

deadness ['dednəs] *fn* **1.** élettelenség, közöny, közömbösség, érzéketlenség **2. a)** zsibbadtság *[végtagoké]*, pangás *[üzleté]*, tompaság *[színeké]* **b)** bor/sör megtörése

dead-on *mn* pontos, tökéletes; **be a ~** fején találja a szöget

deadpan *biz* **I.** *mn* érzéketlen, szenvtelen, fapofával/pléhpofával előadott, fa- *[arc]*, unott, száraz, fanyar *[humor]*, közönyös **II.** –**nn**- **A.** *tsi* faarccal elmond/előad **B.** *tni* faarcot vág

dead ringer *fn biz* hasonmás, vkire megszólalásig hasonlító személy; **you are a ~ for Elvis** kiköpött Elvis vagy

dead-ripe *mn* túlérett

Dead Sea *tul földr* Holt-tenger

Dead Sea Scrolls *fn tsz bibl* holt-tengeri tekercsek

deadstock *fn mezőg* holt leltár/felszerelés

dead-wagon *fn US* halottaskocsi, hullaszállító kocsi

dead-weight *fn* **1.** holtsúly, holtteher, ballaszt, önsúly; *biz* **he's a ~ on the business** csak teher/kerékkötő az üzletben **2.** *hajó* hordképesség, teljes terhelés; ~ **tonnage** tonnákban kifejezett teljes terhelés

dead-wood *fn* **a)** *biz* mihaszna/hasznavehetetlen dolog/ember; *biz* **cut out the ~ from the staff** tisztogatást végez a személyzetben **b)** fölösleges/henye szó/szavak

deaf [def] *mn* **1. a)** süket; ~ **as a (door)-post** (v. **an adder**) süket, mint az ágyú; **she is ~ to music** nincs hallása, nincs zenei érzéke, botfülű; **turn a ~ ear to sy** nem hallgat meg vkt, süket fülekre talál *[vk kérése]* **b)** nagyothalló **2.** üres, mag nélküli *[mogyoró]* • *hsz* **deafly**

deaf aid *fn* hallókészülék, hallásjavító készülék

deaf-and-dumb *mn* süketnéma; ~ **alphabet** süketnémaábécé; ~ **language** süketnéma jelbeszéd

deaf-dumbness *fn* süketnémaság

deafen ['defn] *tsi* **1.** (meg)süketít, sükettévé tesz **2.** *épít [hangot]* szigetel, tompít **3.** elnyom, elfojt, elfed *[hangot az erősebb hang]*

deafening ['defn·ɪŋ] **I.** *mn* süketítő **II.** *fn* hangszigetelő *[anyag]* • *hsz* **deafeningly**

deaf-mute *mn/fn* süketnéma

deaf-mutism *fn* süketnémaság

deafness ['defnəs] *fn* **1.** süketség; **tonal ~** rossz (zenei) hallás, botfülűség **2.** nagyothallás

deal[1] [di:l] **I.** *i pt/pp* **dealt** [delt] **A.** *tsi* **1.** ad *[ütést]*; ~ **a blow** csapást mér *[az ellenségre]*; ütést oszt/ad **2.** oszt, ad *[kártyát]* **B.** *tni* **1. a)** ~ **with sy** bánik vkvel; kapcsolatban van/áll vkvel; dolga van vkvel; *gazd* kereskedik vkvel, üzleti összeköttetésben van/áll vkvel; vknek vevője/szállítója; **I know how to ~ with him** tudom, hogyan kell kezelni (v. vele bánni); **I refuse to ~ with him** megtagadom a vele való érintkezést/tárgyalást; nem akarok róla tudni/hallani **b)** ~ **with sg** foglalkozik vmvel; ~ **with a subject** vmlyen tárggyal foglalkozik **2.** ~ **with a difficulty** leküzd egy nehézséget, megküzd egy nehézséggel **3.** *ját* oszt **II.** *fn* **1.** (nagy) mennyiség, sok, rengeteg; **a great/good ~** nagyon/jó sok(at); sokkal, jóval; **there's a great ~ of truth in that** abban jó adag igazság van; **big ~** *biz* az is valami?, nagy szám!, hogy oda ne rohanjak! **2. a)** *gazd biz* üzlet, alku, egyezség, megállapodás; **do a ~ with sy** üzletet/egyezséget köt vkvel, megalkuszik vkvel; *US biz* **what's the ~?** miről van szó?, mi a tét?; **he is not in on the ~** nincs benne a pakliban/buliban; *biz* **wet the ~** „megken", veszteget; *biz* **it's a ~!** áll az alku; **a square ~** korrekt/becsületes eljárás; *biz* **give sy a fair/square ~** lojálisan jár el vkvel szemben, méltányosan bánik vkvel; *pej* ~ **between parties** pártok közötti paktálás **b) a raw ~** kemény/

kíméletlen/komisz elbánás/bánásmód **3.** *US* **New D~** ‹a F. D. Roosevelt-féle új gazdasági politika› • *fn* **dealing** *mn* **dealable**

deal at A. *tsi* **~ a blow at sy** megüt vkt, ütést mér vkre **B.** *tni* vásárol vknél

deal in *tni* **1.** kereskedik vmvel; **~ in leather** bőrrel kereskedik, bőrös; *gazd* **I don't ~ in that line** ezzel a cikkel nem foglalkozom/kereskedem; ezt a cikket nem tartom (raktáron) **2.** foglalkozik vmvel; *biz* **~ in politics** politikával foglalkozik, politikába ártja magát, politizál

deal out *tsi* **~ out justice** igazságot tesz/oszt/szolgáltat; **~out provisions** eloszt/kioszt élelmet

deal with → **deal**[1] I. B.

deal[2] [diːl] *fn* **1. a)** *épít* fenyőfa palló **b)** *épít* fűrészdeszka; *biz* **he can see through a ~ board** hiúzszeme van **2.** fenyő(fa); **~ furniture** fenyőfa bútor

dealcoholizing [diːˈælkəhɒlaɪzɪŋ ‖ –hɑl–] *fn* alkoholmentesítés

dealer [ˈdiːlə ‖ –ər] *fn* **1.** *gazd* **a)** kereskedő, szállító **b)** értékpapír-kereskedő, értékpapírügynök **c)** nagykereskedő, gyár kizárólagos képviselője, márkakereskedő, forgalmazó, dealer **2.** *ját* osztó **3.** *átv* **double/false ~** kétszínű (ember); **sharp ~** ravasz (ember)

dealership [ˈdiːləʃɪp ‖ –lər–] *fn gazd* márkakereskedés

de-alert *tni/tsi* megszünteti a készültséget (valahol)

dealing [ˈdiːlɪŋ] *fn* **1.** *tsz* **dealings a)** viszonylat, kapcsolat, üzleti kapcsolat(ok); **have ~s with sy** (üzleti stb.) kapcsolatban/összeköttetésben áll/van vkvel **b)** *pej* bizalmas viszony, érintkezés, paktálás; **underhand ~s** titkos üzelmek, alattomos cselszövények **2. a)** viselkedés, eljárás(i mód); **fair/square ~(s)** lojalitás, becsületesség *[üzleti ügyekben]*; becsületes eljárás, feddhetetlenség, jóhiszeműség **b) ~ with sy** magatartás/viselkedés/bánásmód vkvel szemben; **one's ~s with the world** az ember közéleti működése/szereplése

dealt [delt] → **deal**[1] II.

deambulatory [diˈæmbjʊlətəri ‖ –tɔri] *fn* (fedett) sétány

de-ammunition *tsi kat* lefegyverez, leszerel *[hajót]*

dean [diːn] *fn* **1.** *vall* **a)** székesegyházi főesperes; **cardinal ~** bíborosdékán **b) (rural) ~** esperes **2. a)** dékán *[egyetemi karé]*, testület elöljárója **b)** *US* doyen, rangidős

Dean [diːn] *tul* ‹férfinév›

deanery [ˈdiːnərɪ] *fn* **1.** *vall* esperesi tisztség/méltóság, esperesség **2.** esperesi lakás

deanship [ˈdiːnʃɪp] *fn* **1.** *vall* esperesi tisztség/méltóság, esperesség **2.** dékánság, dékáni tisztség/méltóság *[egyetemen]*

dean's list *fn US* ‹az egyetem/főiskola legjobb diákjainak névsora›

dear [dɪə ‖ dɪr] **I.** *mn* **1.** drága (*to* vknek), kedves; **hold sy ~** (gyöngéden) szeret, becsben tart (vkt); *biz* **my ~ fellow** kedves/drága barátom; **D~ Sir** *[levélben]*, Tisztelt Uram/Cím, Uram; **D~ Madame** Tisztelt/Kedves Asszonyom; **run for ~ life** (futva) menti az irháját **2.** drága, költséges; **get ~(er)** (meg)drágul **3.** *átv* értékes **II.** *hsz* drágán *[vesz, elad, fizet]*; **he sold his life ~** drágán adta (oda) az életét; **I'll make him pay ~ for it** drágán fizet még meg nekem ezért! **III.** *fn* kedves, drága; **my ~** kedvesem, drágám, kicsikém **IV.** *isz* **~,~!, ~ me!** Istenem, Istenem; te jó Isten, ez igaz/komoly?; ugyan, ez lehetetlen; **oh ~!** ó jaj!; **oh ~ no!** de még mennyire hogy nem, semmi esetre sem • *fn* **dearness** *mn* **dearish**

dear-bought *mn* drágán szerzett; **~ experience** drágán (meg)szerzett tapasztalat

dearest [ˈdɪərɪst ‖ ˈdɪrɪst] *fn* szeretett személy, kedves

dearie [ˈdɪəri ‖ ˈdɪri], **deary** *fn biz* kicsikém, drágám, kedvesem

Dear John letter *fn biz* szakító levél *[nőtől]*, elbocsátó szép üzenet

dearly [ˈdɪəli ‖ ˈdɪrli] *hsz* **1.** drágán **2. ~ loved** hőn/nagyon/igen szeretett

dearth [dɜːθ ‖ dɜrθ] *fn* ínség, szükség, hiány *[élelemben, eszmékben, könyvekben stb.]*, (szellemi) nyomor, szegénység, terméketlenség

deaspirated [diˈæspɪreɪtɪd] *mn nyelv* hehezetlen

death [deθ] *fn* **1.** halál; **apparent ~** tetszhalál; **as sure as ~** holtbiztos; **till ~** életfogytiglan, mindhalálig; **till ~ do us part** holtomiglan-holtodiglan; **a hero's ~, ~ in action** hősi halál; **he'll be the ~ of me** sírba visz, halálba kerget; **condemned to ~** halálra ítélt; **die a violent ~** erőszakos halállal hal meg; **do sy to ~** (kegyetlenül) kivégez vkt, leüt vkt; *biz* **meat done to ~** elége(te)tt (v. szénné égett) hús/sült; **dressed to ~** rettentően kiöltözött, túlöltözött; **drink oneself to ~** halálra issza magát; **frozen to ~** a csontjáig átfagyott; **tired to ~** halálosan fáradt; **put sy to ~** megöl/kivégez vkt; halálra ítél vkt; **sick (un)to ~** halálosan beteg; **war/fight to the ~** élethalálharc; **wounded to ~** halálosan megsebesült; **~ to the traitors!** halál az árulókra!; **at the point (v. on the verge) of ~** halálán (van), sír szélén (áll), fél lábbal a sírban van; **he has been at ~'s door** a sír széléről tért vissza; **be in at the ~** *[jelen van az üldözött vad/szarvas elfogásakor és megölésekor]*, koncosztásnál jelen van *[vadászaton]*; *átv* kritikus pillanatban jelen van; *biz* **she was ~ on dust** nem tűrte a port sehol; **faithful unto ~** sírig/holtig hű(séges); **meet ~ calmly** megbékülten hal meg; nyugodtan fogadja a halált; **snatch sy from the jaws of ~** kiragad vkt a halál torkából **2.** *jog* halál, elhalálozás, haláleset; **seven ~s** hét haláleset; *jog* **proof of ~** haláleset/elhalálozás megállapítása; **~s** nekrológok *[újságban]*; **~ notices** gyászjelentések *[újságban]*; **notify ~** halálesetről értesít, halálesetet bejelent **3.** *biz* szörnyű/felháborító dolog **4.** *vall* hitetlenség, lelki élet hiánya

deathbed *fn* halálos ágy; **~ confession** halálos ágyon tett vallomás

death bell *fn* lélekharang

death blow *fn* halálos ütés/csapás; **strike a ~ to sy's hopes** halálos csapást mér vk reményeire, meghiúsítja vknek a reményeit

death camp *fn* haláltábor

death cell *fn* halálraítélt cellája, siralomház

death certificate *fn* halotti anyakönyvi kivonat, halotti bizonyítvány

death-chamber *fn* halottas szoba

death-day *fn* **1.** elhalálozás napja **2.** elhalálozás napjának évfordulója

death duty *fn* örökösödési adó/illeték

death-fire *fn* máglya *[tűzhalál végrehajtására]*

death knell *fn* lélekharang

deathless [ˈdeθləs] *mn* (el)múlhatatlan, halhatatlan • *fn* **deathlessness** *hsz* **deathlessly**

deathlike [ˈdeθlaɪk] *mn* halálszerű, halálos

deathling [ˈdeθlɪŋ] *fn* halandó

deathly [ˈdeθli] **I.** *mn* **a)** *vál* halálos **b)** halálszerű **II.** *hsz* halálosan, mint a halál

death mask *fn* halotti maszk

death metal *fn zene* ‹rockzenei stílus› death-metál

death pangs *fn tsz* haláltusa

death penalty *fn* halálbüntetés

death rate *fn* halálozási arány, *orv* halálozási ráta

death rattle *fn* halálhörgés

death roll *fn* **1.** halottak névsora, elhaltak jegyzéke **2.** baleset áldozatainak (v. elesettek) névsora **3.** nekrológ *[újságban]*

death row *fn US* siralomház, halálraítéltek cellasora; **be on ~** halálraítélt (rab)

death sentence *fn* halálos ítélet

death's-head moth *fn áll* halálfejes lepke

death-sick *mn* halálos beteg

death-song *fn* **1.** hattyúdal **2.** (halotti) siratóének

death squad *fn* halálosztag, halálkommandó

death-stricken → **death-struck**

death-struck *mn* halálosan beteg, halálra sebzett

death-struggle *fn* haláltusa

death tax *fn US* örökösödési adó/illeték
death threat *fn* halálos fenyegetés
death throes *fn tsz orv* **1.** agónia, haláltüdelem, haláltusa **2.** *átv* vminek a végső stádiuma; **the project is in its ~** a projekt a végét járja/haldóik
death-trap *fn* életveszélyes hely, nyaktörő, veszélyes útkereszteződés
Death Valley *tul földr* Death Valley, Halál Völgye
D
deathward [ˈdeθwəd ‖ –wərd], **deathwards** *hsz* halál felé/irányában
death warrant *fn* **1.** *jog* kivégzési parancs, halálos ítélet **2.** *átv* vég, halálos ítélet
death-watch *fn* **1.** virrasztás *[halott mellett]* **2.** virrasztás halálra ítélt mellett **3. ~ beetle** szú, dacos kopogóbogár
death wish *fn pszich* halálvágy
death-wound *fn* halálos seb
deb [deb] *US biz* → **débutante**
Deb [deb] *tul bec* ‹*Deborah* női név becézett alakja›
debacle [deɪˈbɑːkl] *fn* **1.** *geol* összeomlás, bukás **2. a)** jégzajlás **b)** iszapomlás
debag [ˌdiːˈbæg] *tsi* **-gg-** *szl* lehúzza róla a nadrágot, lehúzza a nadrágját *[vknek viccből]*
debar [dɪˈbɑː ‖ dɪˈbɑr] *tsi* **-rr- 1.** elzár, kirekeszt; **~ sy from sg** kizár vkt vmből, megfoszt vkt vmtől, megtilt vmt vknek; **~ sy from doing sg** eltilt vkt vm megtételétől, megtiltja vknek hogy...; *jog* **~ from inheriting** örökségből kizár **2. ~ sy a right** megvon vmlyen jogot vktől, megfoszt vkt vmlyen jogától • *fn* **debarment**
debark [dɪˈbɑːk ‖ dɪˈbɑrk] **A.** *hajó tsi* partra szállít, kirak *[árut]* **B.** *tni* **a)** kirakodik **b)** partra száll • *fn* **debarkation**
debase [dɪˈbeɪs] *tsi* **1. a)** (le)ront *[minőséget]*, hamisít **b)** leértékel *[pénzt]* **2.** lealacsonyít, lealáz, lealjasít vkt, közönségessé/durvává/ízléstelenné/olcsóvá tesz • *fn* **debasement** *fn* **debaser**
debasing [dɪˈbeɪsɪŋ] *mn* lealacsonyító, lealázó
debatable [dɪˈbeɪtəbl] *mn* vitatható
debate [dɪˈbeɪt] **I.** *fn* **1.** vita, tanácskozás; **the question in/under ~** a vita tárgya, a kérdés amiről a vita folyik **2.** ‹fiatal ügyvédek összejövetele a beszéd gyakorlására› **II.** *i* **A.** *tsi* (meg)vitat, megtárgyal *[kérdést stb.]*; **I was debating with myself** (v. **in my mind**) **whether** fontolgattam magamban, hogy vajon **B.** *tni* vitatkozik, eszmecserét folytat • *fn* **debetement** *mn* **debatable**
debater [dɪˈbeɪtə ‖ –tər] *fn* (vitában kiváló) szónok
debating club *fn* nyilvános vitakör
debating point *fn* vitapont, vitás/vitatható kérdés
debating society *fn* vitakör
debauch [dɪˈbɔːtʃ] **I. A.** *tsi* kicsapongásra csábít, lezülleszt vkt, elcsábít, megront *[nőt]*, elzülleszt, megront *[ízlést]* **B.** *tni* kicsapongó (nemi) életet folytat, bujálkodik **II.** *fn* dőzsölés, dorbézolás, züllés • *mn* **debauchable**, **debauched**
debauchee [ˌdebɔːˈtʃiː] *fn* züllött alak, korhely
debauchery [dɪˈbɔːtʃəri] *fn* **a)** züllés, dőzsölés, kicsapongás, dorbézolás, hujaság, bujálkodás, kicsapongó nemi élet, erkölcstelenség **b)** erkölcsrontás, (el)csábítás; *jog* **~ of youth** kiskorú(ak) bűnre csábítása • *fn* **debaucher**
Debby [ˈdebɪ] *tul bec* ‹*Deborah* női név becézett alakja›
debenture [dɪˈbentʃə ‖ –ər] *fn* **1.** *pénz* adóslevél **2.** vámvisszatérítési bizonylat **3.** járadékkötvény
debenture bond *fn pénz* adóslevél, kötvény, jelzáloglevél *[vállalaté, államé, községé, önkormányzaté]*
debenture capital *fn pénz* kötvénytartozás, zálogleveltartozás (összege)
debenture holder *fn pénz* kötvénytulajdonos, záloglevéltulajdonos
debenture stock *fn pénz* **1.** örökjáradék-részvény *[vállalaté]* **2.** első osztályú elsőbbségi részvény
debilitate [dɪˈbɪlɪteɪt] *tsi* elgyöngít, legyöngít, meggyengít, erőtlenít • *fn* **debilitation** *mn* **debilitant**, **debilitated**
debility [dɪˈbɪləti] *fn* (nagyfokú) gyengeség, erőtlenség, kimerültség; **~ of purpose** akaratgyengeség, jellemgyengeség, tétovaság, határozatlanság
debit [ˈdebɪt] **I.** *gazd fn* tartozás, tartozik-számla, tartozik-oldal *[könyvelésben]*; **~(-entry)** terhelés; **to the ~ of White** White úr számlája terhére; White úr viseli a költségeket; **enter sg to the ~(-side) of an account** számlát megterhel vmvel, számla tartozik-oldalára bejegyez vmt; *átv* **pass to sy's ~** megterhel vkt; terhére ír vknek **II.** *tsi gazd* megterhel *[számlát]*, terhére ír (vknek vmt); **~ sy with a sum** megterhel vkt egy összeggel
debitable [ˈdebɪtəbl] *mn* **charge ~ to the profit and loss account** eredményszámlát terhelő (v. eredményszámla terhére írandó) költség
debit account *fn pénz gazd* adós számla
debit balance *fn pénz gazd* passzív mérleg, tartozikegyenleg
debit card *fn pénz* bank(számla)kártya
debit item *fn pénz gazd* tartozik-tétel
debit note *fn pénz gazd* terhelési értesítés
debit side *fn pénz gazd* tartozik-oldal, tartozik-rovat, tartozik-oszlop *[könyvelésben]*
deblock [dɪˈblɒk ‖ –blɑk] *tsi/tni* felold, megold, akadályt elgördít
debonair [ˌdebəˈneə ‖ –ˈner] *mn* **1.** *vál* jókedvű, kedélyes, joviális, udvarias **2.** jólöltözött, csinos, magabiztos
Deborah [ˈdebərə] *tul* ‹női név›
debouch [dɪˈbaʊtʃ] *tni* beömlik, kiömlik, kitódul, kiözönlik, előbukkan
debouchement [dɪˈbaʊtʃmənt] *fn* **1.** torkolat, előbukkanás *[folyóé]* **2.** kijárat *[hegyszorosé stb.]*, kiözönlés, kivonulás
débridement [deɪˈbriːdmɑːn] *fn orv* sebtisztítás
debrief [ˌdiːˈbriːf] *tsi* **1.** kikérdez (vkt), jelentést tetet (vkvel) *[kiküldetés teljesítése után]* **2.** beszámol, jelentést tesz • *fn* **debriefer**
debriefing [dɪˈbriːfɪŋ] *fn* kikérdezés tapasztalatokról *[kiküldetés teljesítése után]*, jelentéstétel
debris [ˈdebriː ‖ dəˈbriː] *fn* roncs, romhalmaz, romok, (kő)törmelék, hulladék
debt [det] *fn* tartozás, adósság, kötelezettség; *pénz* **bad ~s** behajthatatlan követelések/kinnlevőségek; **consolidated/funded ~** konszolidált (állam)adósság; *US* **desperate ~** behajthatatlan követelés; (állami) kötvényadósság; **floating ~** függő adósság/kölcsön; **~ book** folyószámlakönyv; **~ of honour** becsületbeli tartozás; **public/national ~** államadósság; **~ rescheduling** adósság átütemezés; **~ owed by us** tartozásaink, adósságaink; **~ owed to us** kinnlevőségeink, követeléseink; **be in ~** eladósodott, el van adósodva; **be in sy's ~** valaki adósa, tartozik vknek; *átv* le van kötelezve vknek; **be out of ~** rendezte az adósságait, megszabadult adósságaitól; *biz* **be head over ears** (v. **up to the eyes**) **in ~** (nyakig) úszik az adósságban, fűnek-fának tartozik; **meet one's ~s** kiegyenlíti/rendezi tartozásait; **run into ~** eladósodik, adósságba veri magát; *biz* **pay the ~ of nature** elköltözik az élők sorából, jobblétre szenderül
debt collecting agency *fn* pénzbehajtó cég
debt collector *fn gazd* pénzbeszedő, adósságbehajtó
debtee [deˈtiː] *fn* hitelező
debtless [ˈdetləs] *mn* adósságmentes
debtor [ˈdetə ‖ ˈdetər] *fn* **1.** adós; *tört* **~'s prison** adósok börtöne **2.** *gazd* **~ account** tartozik-számla; **~ and creditor account** folyószámla; **~ side** tartozik-oldal *[könyvvitelben]*
debug [ˌdiːˈbʌg] *tsi* **-gg- 1.** *infor [komputertechnikában]* hibá(ka)t kiszűr/kiküszöböl (programból) **2.** lehallgató berendezést/poloskát eltávolít vhonnan
debugger [diːˈbʌgə ‖ –ər] *fn* hibakereső program

debunk [ˌdiːˈbʌŋk] *tsi biz* **1.** tekintélyt lerombol, leleplez (vkt/vmt), lehűti a lelkesedést (vm/vk iránt), leszól (vkt) **2.** rejtélyt leleplez, leplet leránt (vmről), megfoszt vmt rejtélyességétől *[pl. túlzó hírverést]*, a maga igaz valójában mutat be • *fn* **debunker**

debus [diːˈbʌs] *i* **-s-**, **-ss-** **A.** *GB kat tsi* leszállít autóbuszból *[csapatokat stb.]* **B.** *tni* kiszáll/leszáll autóbuszból *[csapat stb.]*

début [ˈdeɪbjuː] *fn* kezdet, pályakezdet, első fellépés *[színészé]*, első megjelenés/szereplés *[társaságban]*; **make one's ~** először szerepel, először lép fel; megkezdi szereplését/pályafutását, debütál

débutante [ˈdebjʊtɑːnt] *fn* ‹társaságba először bevezetett lány› első bálozó

Dec. *röv December* december, dec.

deca- [ˈdekə] *előtag* tíz-; *sp* **decathlon** tízpróba

decadal [ˈdekədl] *mn* **1.** tízből álló, tíz napra/évre stb. vonatkozó, dekád- **2.** *mat* tízes *[számrendszer]*

decade [ˈdekeɪd] *fn* (év)tized, tízéves időszak, dekád

decadence [ˈdekədəns] *fn* hanyatlás (kora), romlás, visszaesés, dekadencia

decadency [ˈdekədənsi] → **decadence**

decadent [ˈdekədənt] **I.** *mn* **1.** hanyatló, dekadens **2.** önmagával szemben elnéző, elpuhult **II.** *fn* dekadens író/költő/festő, dekadens

decaff [ˈdiːkæf] *US biz* **I.** *mn* koffeinmentes *[ital, kávé, kóla]* **II.** *fn* koffeinmentes kávé

decaffeinate [dɪˈkæfɪneɪt] *tsi* koffeintelenít, koffeint kivon vmiből

decagon [ˈdekəgən ‖ –gɑn] *fn mat* tízszög • *mn* **decagonal**

decagramme [ˈdekəgræm], *US* **decagram** *fn* dekagramm

decahedral [ˌdekəˈhiːdrəl, –ˈhedrəl] *mn mat* tízlapú

decahedron [ˌdekəˈhiːdrən, –ˈhedrən] *fn mat* tízlap, dekaéder

decal [dɪˈkæl, ˈdiːkæl] → **decalcomania**; *US* matrica, (ablakra belülről ragasztható) engedély *[parkolásra, behajtásra]*

decalcification [ˌdiːkælsɪfɪˈkeɪʃn] *fn* **1.** *biol* csontritkulás, (el)mésztelenedés **2.** *geol* (el)mésztelenítés, mész kimosása • *tsi* **decalcify**

decalcomania [dɪˌkælkəˈmeɪnɪə] *fn* **1.** matricaragasztás **2.** matrica

decaliter [ˈdekəliːtə ‖ –ər] *US* → **decalitre**

decalitre [ˈdekəliːtə ‖ –liːtər] *fn* dekaliter, tíz liter

Decalogue [ˈdekəlɒg ‖ –lɔg], *US* **Decalog** *fn vall* tízparancsolat

decamp [dɪˈkæmp] *tni* **1.** *biz* meglép, elinal, eloson, elkotródik, felszedi a sátorfáját **2.** *kat* tábort bont • *fn* **decampment**

decanal [dɪˈkeɪnl] *mn vall* esperesi

decant [dɪˈkænt] *tsi* **1.** leszűr, leönt **2. a)** átönt, áttölt, lefejt *[bort palackba]* **b)** áttelepít, áthelyez

decanter [dɪˈkæntə ‖ –ər] *fn* (asztali) borosüveg, likőrösüveg *[többnyire üvegdugóval]*; **~ stand** rekeszes palacktartó

decanterful [dɪˈkæntəfʊl ‖ –tər] *fn* palacknyi (mennyiség)

decapitate [dɪˈkæpɪteɪt] *tsi* lefejez, lenyakaz *[embert, virágot stb.]* • *fn* **decapitation**

decapod [ˈdekəpɒd ‖ –pɑd] *áll* **I.** *mn* tízlábú **II.** *fn* tízlábú *[rák]* • *mn* **decapodal**

decapodous [dɪˈkæpədəs] → **decapod**

decarbonize [ˌdiːˈkɑːbənaɪz ‖ –ˈkɑr–], **-ise** *tsi gk műsz* széntelenít, koromtalanít, kikormoz, kitisztít *[hengert]* • *fn* **decarbonization**, **decarbonizer**, **-iser**

decartelize [diːˈkɑːtəlaɪz ‖ –ˈkɑr–], **-ise** *tni* kartelleket megszüntet/feloszlat • *fn* **decartelization**, **-isation**

decastere [ˈdekəstɪə ‖ –stɪr] *fn* tíz köbméter

decastyle [ˈdekəstaɪl] *épít* **I.** *mn* tízoszlopos **II.** *fn* tízoszlopos előcsarnok

decasyllable [ˈdekəsɪləbl] *fn* tíz szótagú verssor • *mn* **decasyllabic**

decathlon [dɪˈkæθlɒn ‖ –lɑn] *fn sp* tízpróba, dekatlon • *fn* **decathlete**

decatholicize [ˌdiːkæˈθɒlɪsaɪz ‖ –ˈθɑ–], **-ise** *tsi* **-izing** megfoszt katolikus jellegétől *[országot stb.]*, dekatolizál

decay [dɪˈkeɪ] **I. A.** *tsi* **1.** korhaszt, rothaszt *[fát stb.]*, romlást/szuvasodást okoz *[fogakban]* **2.** rombol, pusztít **B.** *tni* **1.** hanyatlik *[család, egészség, nemzet, művészet, kereskedelem]*, düledezik, omladozik *[ház]*, elromlik, megrongálódik, elpusztul, tönkremegy, elsorvad *[faj, növény]*, hervad, megfogyatkozik *[szépség]*, meggyöngül *[látás]*, feledésbe megy, elavul *[szokás]*, elhal *[remény]*, lassan felbomlik *[barátság]* **2.** elromlik, rothad *[gyümölcs, hús]*, korhad *[fa]*, romlik, odvasodik, szuvasodik *[fog]*, elmállik *[kő]*; *biol* bomlik, rothad **3. a)** *vill* csillapodik **b)** bomlik *[radioaktív anyag]* **II.** *fn* **1.** hanyatlás, *[családé, országé, művészeté, kereskedelemé]*, (meg)fogyatkozás *[vagyoné]*, hervadás *[szépségé]*, megrongálódás, pusztulás, romlás *[épületé, egészségé]*, romlás *[erkölcsé]*, elsorvadás, fonnyadás, hervadás *[növényé]*, elgyöngülés, elerőtlenedés *[testé, látásé, képességé]*; **seeds of ~** romlás/pusztulás csírái; **fall into ~** düledezik, romba dől *[ház]*; hanyatlik *[állam]* **2. a)** rothadás, (fel)bomlás, korhadás *[fáé stb.]*, elmállás *[kőé]* **b)** szuvasodás, odvasodás *[fogé, csonté]* • *mn* **decayed**, **decaying**

decease [dɪˈsiːs] **I.** *fn* halál(eset), elhalálozás **II.** *tni* meghal, elhalálozik, elhuny

deceased [dɪˈsiːst] **I.** *mn* **1.** elhunyt, elhalálozott, néhai; **son of John Miller, ~** néhai John Miller fia **2.** elhunythoz tartozó; **~ estate** örökség, hagyaték **II.** *fn* **1. the ~** az elhunyt(ak); **the house of the ~** halottas ház **2.** *US* elhalálozott, *jog* örökhagyó

decedent [dɪˈsiːdnt] *fn US jog* elhunyt (személy)

deceit [dɪˈsiːt] *fn* **1.** becsapás, csalás, ámítás, rászedés, félrevezetés, megtévesztés, kijátszás **2.** csalárdság, hamisság

deceitful [dɪˈsiːtfl] *mn* csaló, álnok, félrevezető, megtévesztő *[pillantás, tekintet]*, csalóka *[látszat]* • *fn* **deceitfulness** *hsz* **deceitfully**

deceivable [dɪˈsiːvəbl] *mn* hiszékeny, könnyen becsapható (v. lépre csalható)

deceive [dɪˈsiːv] *tsi* **1. a)** becsap, megcsal, ámít, rászed, félrevezet, megtéveszt **b)** visszaél *[vk bizalmával]*; **~ sy's hopes** nem váltja be vk reményeit, csalódást okoz vknek; **I have been ~d in you** csalódtam önben **c) be ~d** téved **2.** megcsal *[házastársat]*

deceiver [dɪˈsiːvə ‖ –ər] *fn* csaló, gazember; **an arch-~** főcsaló, csalások mestere, cégéres csaló/gazember

deceiving [dɪˈsiːvɪŋ] *mn* csaló, megtévesztő, ámító, csalóka • *hsz* **deceivingly**

decelerate [ˌdiːˈseləreɪt] **A.** *tsi közl* lassít, sebességet csökkent **B.** *tni* **1.** lassul, lassabbodik **2. a)** mérsékli sebességét **b)** *átv* mérsékli hevességét • *fn* **deceleration**, **decelerator**

decelerometer [ˌdiːseləˈrɒmɪtə ‖ –ˈrɑmətər] *fn műsz* lassításmérő, lassulásmérő, késleltetésmérő

December [dɪˈsembə ‖ –ər] *fn* december; **in ~** decemberben, december folyamán; **(on) the seventh of ~** december hetedikén

decency [ˈdiːsnsi] *fn* **1.** tisztesség, illendőség *[öltözködésben stb.]*, körülményekhez illőség, szolidság *[ruháé]* **2.** illem(tudás), tisztességtudás, becsületesség; **the common decencies**, **common ~** az illemszabályok, a társadalmi konvenciók; **for ~'s sake** a tisztesség v. az illem kedvéért; **I can't with ~ refuse** a jó ízlés/az illendőség megköveteli, hogy eleget tegyek **3. (sense of) ~** szemérem

decennary [dɪˈsenəri] → **decennial**

decennial [dɪˈsenɪəl] **I.** *mn* **1.** tíz évig tartó **2.** tízévenkénti **II.** *fn* tízéves évforduló • *hsz* **decennially**

decent [ˈdiːsnt] *mn* **1. a)** illő, illendő, megfelelő **b)** illedelmes, tisztességes, jóravaló **c)** tapintatos, tartózkodó, finom **2.** *biz* meglehetős, tűrhető, meglehetősen/tűrhetően/elfogadhatóan jó/rendes; ~ **sized house** egészen rendes méretű ház **3.** *biz* **a very ~ (sort of) fellow** rendes (v. igazán jóravaló) fiú, derék ember • *hsz* **decently**

decentish [ˈdiːsntɪʃ] *mn okt* rendes, nem túl szigorú *[pl. tanár]*

decentralization [ˌdiːsentrəlaɪˈzeɪʃn ‖ –ləˈzeɪʃn], **-sation** *fn* **1.** decentralizálás, decentralizáció, szétosztás, széthelyezés **2.** decentralizáltság, decentralizáció • *tsi* **decentralize, –ise**

D

deception [dɪˈsepʃn] *fn* **1. a)** becsapás, megtévesztés; **(piece of) ~** nagy csalás; **he is incapable of ~** nem képes csalni/megtéveszteni; rendkívül megbízható **b)** megtévesztő/becsapós dolog, trükk **2.** tévedés, csalódás • *mn* **deceptious**

deceptive [dɪˈseptɪv] *mn* **1.** megtévesztő, csalóka *[látszat, dolog]*; *közm* **appearances are ~** a látszat csal **2.** álnok, kétszínű, hamis • *fn* **deceptiveness** *hsz* **deceptively**

dechristianize [ˌdiːˈkrɪstʃənaɪz], **-ise** *tsi* kereszténységétől (v. keresztény jellegétől) megfoszt

deci- [ˈdesi] *előtag* tized-, egy tized *[főleg a metrikus rendszerben]*

decibel [ˈdesɪbel] *fn fiz* decibel *[= akusztikai egység = 0,1 bel]*

decide [dɪˈsaɪd] **A.** *tsi* **1.** eldönt, igazságot tesz, határoz; **~ sy's fate** dönt/határoz vk sorsáról; **the matter/it is ~d** ez elhatározott dolog, ez eldöntött kérdés **2.** elhatároz (vmt) **3. ~ sy to do sg** kijelöl vkt vmlyen munkára **B.** *tni* **~ (up)on sg** határoz vmben (v. vm ügyben); vmre (el)határozza magát; **~ for (v. in favour of) sy** dönt (v. állást foglal) vk mellett, vknek igazat ad; **have you ~d?** határozott?, döntött? • *mn* **decidable**

decided [dɪˈsaɪdɪd] *mn* **1.** határozott, eltökélt, elszánt *[személy]*; **~ manner** határozott modor/fellépés; **~ opinion** határozott vélemény **2.** tagadhatatlan, kifejezett, határozott; **~ change for the better** határozott/érezhető javulás; **a ~ difference** szembetűnő/feltűnő/jelentős különbség; **a ~ refusal** határozott/kifejezett/félreérthetetlen visszautasítás • *hsz* **decidedly**

decider [dɪˈsaɪdə ‖ –ər] *fn* **1.** (döntő)bíró (*of* vmé) **2. a)** döntő *[játszma]* **b)** *sp* döntő futam *[holtverseny után]*

deciding [dɪˈsaɪdɪŋ] *mn* elhatározó, döntő

deciduous [dɪˈsɪdʒuəs] *mn* **1. a)** *növ* lombhullató; **~ tree** lombhullató fa **b) ~ membrane** hullóhártya; **~ teeth** tejfogak **2.** *áll* agancsváltó *[szarvas]*; **~ insects** szárnyhullató rovarok **3.** *biz* múlékony, efemer

decigram [ˈdesɪgræm], **decigramme** *fn* decigramm

deciliter [ˈdesɪliːtə ‖ –ər] *US* → **decilitre**

decilitre [ˈdesɪliːtə ‖ –tər] *fn* deciliter

decimal [ˈdesɪməl] **I.** *mn* tízes, decimális *[rendszer, pénzrendszer]*, tizedes; **~ balance** tizedes mérleg; **~ classification** tizedes/decimális osztályozás *[könyvtárban]*; **~ currency** tízes pénzrendszer; **~ notation** tízes/tizedes számjelölés **II.** *fn* tizedes tört; **~ five** 0,5, nulla egész öt tized; **recurring ~** szakaszos tizedes tört • *hsz* **decimally**

decimal fraction *fn mat* tizedestört

decimalization [ˌdesəməlaɪˈzeɪʃn ‖ –ləˈzeɪʃn], **-isation** *fn* **1.** tizedes törtté való átírás/átszámítás **2.** decimálás, beosztás *[könyvtári decimális rendszerbe]* • *tsi* **decimalize, -ise**

decimal place *fn mat fiz* tizedes, tizedes helyiérték; **to the fifth ~** öt tizedes pontosságig

decimal point *fn mat* tizedesvessző, tizedespont, tizedesjel

decimal system *fn mat* tízes számrendszer

decimate [ˈdesɪmeɪt] *tsi* **1.** megtizedel *[felkelőket stb.]* **2.** *tört* tizedet behajt • *fn* **decimation**

decimeter [ˈdesɪmiːtə ‖ –ər] *US* → **decimetre**

decimetre [ˈdesɪmiːtə ‖ –ər] *fn* deciméter

decipher [dɪˈsaɪfə ‖ –ər] **I.** *tsi* **1.** megfejt *[hieroglifát, rejtjelet, titkosírást]*, kirejtjelez **2.** kibetűz, kisilabizál, kiböngész *[írást]* **II.** *fn* **1.** megfejtés *[rejtjeles írásé]* **2.** kibetűzés, (ki)silabizálás • *fn* **decipherment** *mn* **decipherable**

decision [dɪˈsɪʒn] *fn* **1. a)** döntés, határozat, elhatározás, eldöntés *[kérdésé, ügyé]*; **bring a question to a ~** kérdést eldönt, kérdést dűlőre visz **b)** *jog* határozat, rendelet, ítélet, végzés, döntés; **judicial ~s** bírói/bírósági végzés *[szemben az ítélettel]*; **give a ~ on a case** perben dönt/ítél; **make known a ~** határozatot/döntést nyilvánosságra hoz (v. kihirdet) **2.** elhatározás; **abide by one's ~** kitart elhatározása mellett; **arrive at a ~, come to a ~, make/reach a ~** elhatározásra jut, állást foglal, dönt, határoz **3. a)** határozottság, szilárdság *[jellemé]*; **~ of character** jellemszilárdság, határozott/szilárd/erős jellem **b)** elszántság

decision maker *fn* döntéshozó • *fn* **decision-making**

decision theory *fn infor* döntéselmélet

decision tree *fn infor* döntési fa

decisive [dɪˈsaɪsɪv] *mn* **1.** döntő *[kérdés, küzdelem, esemény]*, meggyőző, bizonyító erejű, döntő *[kísérlet]*; **a ~ fact** döntő tény; *jog* **~ oath** perdöntő eskü **2. a)** határozott *[modor]*, szilárd *[magatartás]*, éles, határozott, ellentmondást nem tűrő *[hang]* **b)** → **decided** 2. • *fn* **decisiveness** *hsz* **decisively**

deck [dek] **I.** *fn* **1. a)** *hajó* fedélzet; **on ~** fedélzeten; fedélzetre; **come/go on ~** hajóra száll, (fel)megy a fedélzetre **b)** *átv* **clear the ~s for sg** hajót ütközetre előkészít, tiszta helyzetet teremt vm számára, nekikészül vmnek **2.** peron *[villamoson, autóbuszon]*; **top-~** autóbusz emelete **3.** magnó *[hifi toronyban]*; **hit the ~** földre veti magát **4.** móló, stég **5.** *szl* föld, talaj **6.** *stand US* **~ of cards** kártyacsomag, egy pakli kártya **7.** *szl* ‹egy adag kábítószer› **II.** *tsi* **1.** díszít, ékesít (*sg with sg* vmt vmvel) **2.** padlóval lát el *[hidat]*, deszkával befed/burkol **3.** *szl* padlót fogat, kifektet, megborít

deck in *tsi* fedélzettel/tetővel/deszkaburkolattal ellát

deck out *tsi* **~ oneself out** kiöltözik, kicicomázza/kicsípi magát

deck over → **deck in**

deck up *tsi* kiöltöztet

deckboy *fn* hajósinas

deck cargo *fn hajó* fedélzeti rakomány

deckchair *fn* **a)** nyugágy, nyugszék **b) (hammock) ~** függőágy

-decker [ˈdekə ‖ –ər] *fn összet* több fedélzetű hajó/repülőgép; **two ~** *hajó* kétfedélzetű, kétfedelű *[repülőgép]*

deckhand *fn* fedélzeti munkás/matróz

deckle [ˈdekl] *fn* **1.** *ip* fedőkeret, merítőkeret **2.** merített szél *[papíré]*

deckled [ˈdekld] *mn* **1.** merített *[papír széle]* **2.** → **deckle-edged**; **~ edge** merített szél *[papíré]*

deckle-edged *mn* merített *[papír]*

deck officers *fn tsz hajó* fedélzeti tisztek

deck passenger *fn hajó* fedélzeti utas *[akinek nincs kabinja]*

declaim [dɪˈkleɪm] **A.** *tsi* szaval, előad **B.** *tni* **1. ~ against sg** erőteljesen/hevesen tiltakozik vm ellen **2.** szónokol, szaval

declamation [ˌdekləˈmeɪʃn] *fn* **1.** szavalás, szavalat, szónoklás, szavalóművészet **2.** nagyhangú/hangzatos beszéd

declarant [dɪˈkleərənt ‖ –ˈkler–] *fn* **1.** *jog* nyilatkozatot tevő (személy) **2.** *US* **~ alien** állampolgárságért folyamodó bevándorló

declaration [ˌdekləˈreɪʃn] *fn* **1. a)** nyilatkozat, kihirdetés, bejelentés; *gazd* **~ of bankruptcy** csődbejelentés; *US* **D~ of Independence** Függetlenségi nyilatkozat *[1776. július 4.]*; **~ of war** hadüzenet **b)** *jog* **~ of options** opció gyakorlásának bejelentése **c)** *gazd* **~ policy** ‹értékbevalláson alapuló kötvény› **2.** *ját* bemondás, licit *[bridzsben]* **3.** *jog* felperes keresetlevele **4.** *sp* forduló lezárása *[krikettben]*

declarative [dɪˈklærətɪv] **I.** *mn* **1.** *nyelv* kijelentő; **~ sentence** kijelentő mondat **2.** *infor* leíró, deklarációs; **~ language** leíró/deklarációs nyelv **II.** *fn* **1.** kijelentés **2.** *nyelv* kijelentő mondat

declaratory [dɪˈklærətəri ‖ –tɔri] *mn* **1.** kijelentő **2.** magyarázó **3.** megerősítő, igazoló

declare [dɪˈkleə ‖ –ˈkler] **A.** *tsi* **1. a)** kijelent, bejelent, állít; *pénz* **~ a dividend of six per cent** 6%-os osztalék fizetését jelenti be; **~ a strike** sztrájkot hirdet; **~ war** hadat üzen **b)** *jog* **~ an option** bejelenti opció gyakorlását **2.** bevall *[vámköteles árut]*; **do you have anything to ~?** van valami elvámolni valója? **3.** *gazd* **~ oneself bankrupt** csődeljárás megindítását kéri maga ellen; **~ sy guilty** bűnösnek mond/nyilvánít vkt; **~ sy king** királlyá kiált ki vkt **4. a)** *sp* nyerőt jelent **b) ~ an innings closed** fordulót lezár *[krikettben]* **5.** *ját* bemond, licitál; **~ trumps, ~ a suit** bemond adut/színt *[kártyajátékban]*; *átv* **~ one's hand** nyílt kártyákkal játszik **B.** *tni* **1.** nyilatkozik **2.** *jog* vádpontokat felsorol **3. well, I ~!** ejha!, nahát ilyet! • *fn* **declarer** *mn* **declarable**

declare against *tni* vk/vm ellen állást foglal

declare for *tni* vk/vm mellett állást foglal

declared [dɪˈkleəd ‖ –ˈklerd] *mn* nyílt, bevallott; **~ enemy** esküdt ellenség • *hsz* **declaredly**

declass [diːˈklɑːs ‖ –ˈklæs] *tsi* deklasszál, lezülleszt, hátrányos körülmények közé juttat

déclassée [deɪˈklæseɪ ‖ ˌdeɪklæˈseɪ], **declassé I.** *mn* deklasszált, lecsúszott, lezüllött **II.** *fn* deklasszált/lecsúszott személy

declassify [diːˈklæsɪfaɪ] *tsi* felold *[titkossági tilalom alól]*, titkos/bizalmas listáról töröl, nyilvánosságra hoz *[korábban titkosan kezelt anyagot stb.]* • *mn* **declassified**

declension [dɪˈklenʃn] *fn* **1. a)** lejtő, esés **b)** *átv* hanyatlás, romlás *[jellemé]* **2.** *nyelv* névszóragozás, főnévragozás, deklinálás, deklináció

declination [ˌdeklɪˈneɪʃn] *fn* **1.** *csill* elhajlás, eltérés, *fiz* deklináció **2.** elutasítás, visszautasítás *[állásé, kinevezésé]* • *mn* **declinational**

declinatory [dɪˈklaɪnətəri ‖ dɪˈklaɪnətɔri] *mn* eltérő, visszautasító; *jog* **~ plea** hatásköri kifogás, bíróság kifogásolása

decline [dɪˈklaɪn] **I. A.** *tsi* **1. a)** udvariasan elutasít/visszautasít *[meghívást, ajánlatot]*; **I ~d with thanks** köszönettel visszautasítottam **b)** elutasít, visszautasít, megtagad; **~ to do sg, ~ doing sg** megtagadja vm megtételét, nem hajlandó vmt megtenni; *biz* **I ~ to be intimidated** nem hagyom magamat megfélemlíteni **2.** *nyelv* (el)ragoz, deklinál **B.** *tni* **1. a)** lejt *[talaj stb.]*, lefelé hajlik **b)** eltér, elhajlik **2. a)** (le)hanyatlik, vége felé közeledik *[nap]* **b)** hanyatlik *[egészség, birodalom]*, csökken **II.** *fn* hanyatlás *[napé, életé, hatalomé]*; **the D~ and Fall of the Roman Empire** a római birodalom hanyatlása és bukása; **~ in health** az egészség megromlása/hanyatlása; **be on the ~** hanyatlóban van, hanyatlik • *mn* **declining**

declivity [dɪˈklɪvəti] *fn* lejtő, lanka, rézsű • *mn* **declivitous**

declutch [diːˈklʌtʃ] **A.** *tsi gk [tengelykapcsolót]* kikapcsol, kiold, kinyomja a kuplungot **B.** *tni gk* kinyomja a tengelykapcsolót/kuplungot, kikuplungoz • *fn* **declutching**

deco [ˈdekoʊ] *fn műv* art deco *[a húszas–harmincas évek népszerű művészeti irányzata]*

decoct [dɪˈkɒkt ‖ –ˈkɑkt] *tsi* leforral, lepárol

decoction [dɪˈkɒkʃn ‖ –ˈkɑkʃn] *fn* **1.** forralás, főzés **2.** főzet, forrázat, lepárlás

decode [diːˈkoʊd] *tsi infor* dekódol, megfejt, megold *[rejtjelet]*

decoke [ˌdiːˈkoʊk] *GB biz* **I.** *fn* széntelenítés, koromtalanítás, kikormozás **II.** *tsi* széntelenít, koromtalanít, kikormoz

decollate [dɪˈkɒleɪt ‖ –ˈkɑ–] *tsi vál* lenyakaz, lefejez (vkt) • *fn* **decollation**

decolletage [ˌdeɪkɒlˈtɑːʒ ‖ –kɑl–] *fn* dekoltázs *[ruhán]*, nyakkivágás

décolleté [deɪˈkɒlteɪ ‖ –ˈkɑl–] **I.** *mn* kivágott *[ruha]*, kivágott ruhát viselő *[személy]*, dekoltált *[ruha, személy]* **II.** *fn* (nyak)kivágás, dekoltázs *[ruhán]*; **an immodest ~** merész/mély dekoltázs

decolonize [diːˈkɒlənaɪz ‖ –ˈkɑ–], **-ise** *tsi* gyarmati sorból felszabadít, dekolonizál • *fn* **decolonization**

decolourant [diːˈkʌlərənt] **I.** *mn* színtelenítő, fehérítő, fakító **II.** *fn* színtelenítő/fakító/fehérítő anyag

decolourize [diːˈkʌləraɪz], **-ise A.** *tsi* színtelenít, (ki)fehérít, kifakít **B.** *tni* kifakul, kifehéredik, elveszti a színét • *fn* **decolorization, -isation**

decommission [ˌdiːkəˈmɪʃn] *tsi fiz kat* leszerel *[atomerőművet, reaktort, atomfegyvert]*

decompose [ˌdiːkəmˈpoʊz] **A.** *tsi* **a)** szétszed, szétszerel, feloszt **b)** elrothaszt, szétbomlaszt **B.** *tni* **1.** felbomlik, szétesik, szétbomlik, bomladozik **2.** (meg)romlik, rothad, korhad • *fn* **decomposition** *mn* **decomposable, decomposed, decomposing**

decomposer [ˌdiːkəmˈpoʊzə ‖ –ər] *fn* szétbontó erő/szer/készülék

decomposite [diːˈkɒmpəzɪt ‖ ˌdiːkɑmˈpɑzɪt] → **decompound**

decompress [ˌdiːkəmˈpres] *tsi* nyomást megszüntet/csökkent *[gázét]*

decompression [ˌdiːkəmˈpreʃn] *fn* (lég)nyomáscsökkentés, dekompresszió

decompression chamber *fn* dekompressziós kamra, nyomáscsökkentő kamra

decompression sickness *fn orv* keszonbetegség

decompressor [ˌdiːkəmˈpresə ‖ –ər] *fn GB* nyomáscsökkentő

decongestant [ˌdiːkənˈdʒestənt] *fn* orrcsepp, orrspray

deconsecrate [ˌdiːˈkɒnsɪkreɪt ‖ –ˈkɑn–] *tsi* világi használatba ad át *[egyházi tulajdont]*, szekularizál

deconstruction [ˌdiːkənˈstrʌkʃn] *fn ir.tud* dekonstrukció

decontaminate [ˌdiːkənˈtæmɪneɪt] *tsi* **1.** fertőtlenít, szennyeződéstől megtisztít **2. a)** sugárzásmentesít, dekontaminál *[radioaktivitástól]* **b)** *[mérges gáztól]* mentesít, megtisztít • *fn* **decontamination**

decontrol [ˌdiːkənˈtroʊl] **I.** *tsi* **-ll- 1.** korlátozásokat/ellenőrzést megszüntet, szabaddá tesz *[korábban korlátozott forgalmú árut stb.]* **2. ~led road** ‹út, melyen az autók előírt sebesség nélkül közlekedhetnek› **II.** *fn* korlátozások megszüntetése; **~ of prices** árak felszabadítása, árliberalizáció

decor [ˈdeɪkɔː ‖ deɪˈkɔr] *fn* **1.** *szính* díszlet **2.** dísz, lakberendezési tárgyak

decorate [ˈdekəreɪt] *tsi* **1. a)** díszít, dekorál *[utcát, épületet]* **b)** fest, tapétáz *[lakást]* **2.** kitüntet *[éremmel/érdemrenddel katonát stb.]*, érmet kitűz (vkre), kitüntetést átad (vknek) • *mn* **decorated**

Decorated style *fn műv épít* ‹középkori érett angol gótikus stílus›

decoration [ˌdekəˈreɪʃn] *fn* **1. a)** díszítés, dísz, dekoráció *[utcáké, házé]* **b)** szobafestés, tapétázás **c)** kitüntetés átadása/kitűzése **2. a)** dekoráció, dísz *[lakásé]* **b)** kitüntetés, érem, érdemrend; **holders of war ~s** háborúban kitüntetettek, háborús kitüntetések birtokosai

Decoration Day *fn US* ‹a polgárháború hőseinek emléknapja május 30.›

decorative [ˈdekərətɪv] *mn* díszítő (hatású), dekoratív; **the ~ arts** díszítő művészetek; **~ artist** lakberendező, lakástervező, díszlettervező

decorator [ˈdekəreɪtə ‖ –ər] *fn szính* díszlettervező; **(house) ~, interior ~** lakberendező, belsőépítész; szobafestő, tapétázó

decorous [ˈdekərəs] *mn* **1.** illedelmes, körülményeknek megfelelő **2.** tisztességes, szemérmes • *hsz* **decorously**

decorum [dɪˈkɔːrəm] *fn* **1.** illem(szabályok), illendőség **2.** dekórum, méltóságteljes viselkedés; **with ~** méltósággal, méltóságteljesen

decoupage [ˌdeɪkuːˈpɑːʒ] *fn* ‹papírkivágásból készített díszítés›
decouple [diːˈkʌpl] *tsi vill* kikapcsol, lekapcsol *[lámpát, készüléket]*, leválaszt • *fn* **decoupling**
decoy I. *fn* [ˈdiːkɔɪ] **1.** csapda **2.** csalétek, csali; **~(-bird)** csalimadár; **~(-duck)** csalikacsa; *átv* beugrató ügynök, agent provocateur; **~(-pond)** vadkacsafogó (tó) **II.** *tsi* [dɪˈkɔɪ] *átv* tőrbe/kelepcébe/lépre csal, csalogat; **~ sy into doing sg** rávesz/rábír vkt vm megtételére/elvégzésére

D

decrease I. *tsi* [dɪˈkriːs] **A.** csökkent, kisebbít, leszállít *[árat]* **B.** *tni* csökken, fogy, kisebbedik, esik *[ár]*; **our imports are decreasing** behozatalunk csökken/visszaesik (v. hanyatlóban van) **II.** *fn* [ˈdiːkriːs] csökkenés, fogyás • *mn* **decreasing** *hsz* **decreasingly**
decree [dɪˈkriː] **I.** *fn* **a)** rendelet, ediktum; *US* **executive ~** miniszteri rendelet, kormányrendelet **b)** szabályrendelet **c)** végzés, határozat, dekrétum; *jog* **~ absolute** végítélet *[válóperben]*; **judicial ~ of divorce** (jogerős) bontóperi ítélet; **issue a ~** kibocsát/kiad/kihirdet rendeletet **II.** *tsi pr.p* **-eeing a)** elrendel, megparancsol, intézkedik *[törvény]*, kinevez, odaítél *[végzéssel]* **b)** határoz *[bíróság]*; **it had been ~d that** (i) elrendelték/elhatározták (v. úgy döntöttek), hogy (ii) *vall* az Isten úgy rendelte, hogy, az Isten akarata az, hogy
decrement [ˈdekrɪmənt] *fn* **1.** fogyás, apadás, csökkenés **2. a)** megrövidülés, fogyaték, veszteség **b)** *el* csillapodás, lecsengés
decrepit [dɪˈkrepɪt] *mn* **1.** elaggott, elvénült, megrokkant *[személy]*; **a ~ old man** roskatag aggastyán **2. a)** rozoga, omladozó, düledező *[dolog]* **b)** *átv* gyenge *[ember]* • *fn* **decrepitude**
decrepitate [dɪˈkrepɪteɪt] *tni* **1. a)** pattog, serceg, sistereg **b)** repedezik *[túlhevítés következtében]*, szétpattogzik **2.** omladozik, mállik *[kő]* • *fn* **decrepitation**
decrescendo [ˌdiːkrəˈʃendoʊ] *hsz zene* **1.** decrescendo, halkítva **2.** → **diminuendo**
decrescent [dɪˈkresnt] *mn* csökkenő, fogyó *[hold]*
decry [dɪˈkraɪ] *tsi* **1.** (rossz) hírbe hoz, befeketít, leszól **2.** leértékel; **~ the coin** pénzérmét forgalomból kivon • *fn* **decrial**, **decrier**
decrypt [diːˈkrɪpt] *tsi* megfejt *[kódot, rejtjelet]*, kódot feltör, dekódol
decumbent [dɪˈkʌmbənt] *mn növ* erőtlenül lehajló, lekonyuló, földön fekvő, elfekvő *[növény, hajtás]* • *fn* **decumbence**, **decumbency**
dedal [ˈdiːdl] *US* → **daedal**
dedalian [diːˈdeɪlɪən] *US* → **daedalian**
dedans [dəˈdɑːŋ] *fn* nyitott lelátó *[nézők számára teniszpálya végén]*; **the ~** a teniszmérkőzés nézői
dedicate [ˈdedɪkeɪt] *tsi* **1. a) ~ oneself** (v. **one's life**) **to sy/sg** vknek/vmnek szenteli magát/életét; *biz* **~ a day to pleasure** egy napot (a) szórakozásnak szentel/szán **b)** felszentel *[templomot]* **c)** *US* felavat *[épületet stb.]* **2.** ajánl(ással ellát), dedikál *[to -nak, -nek]* • *fn* **dedicatee**, **dedicator** *mn* **dedicated**, **dedicative**
dedicated [ˈdedɪkeɪtɪd] *mn infor* célorientált, célra rendelt *[számítógép]*, feladatorientált
dedication [ˌdedɪˈkeɪʃn] *fn* **1.** felajánlás, dedikáció, dedikálás **2.** felszentelés *[templomé]* **3.** ajánlás, dedikáció *[könyvé]* **4.** odaadás, elszántság
deduce [dɪˈdjuːs ‖ –ˈduːs] *tsi* **1.** következtet, (vég)következtetést levon, levezet *[tételt]*; **~ sg from a fact** egy tényből azt a következtetést vonja le **2.** levezet, nyomon követ eredetéig *[nép történetét stb.]* • *mn* **deducible**
deduct [dɪˈdʌkt] *tsi* kivon, levon, vmvel csökkent; **after ~ing...** ...levonásával
deductible [dɪˈdʌktəbl] **I.** *mn* **1.** leírható *[adóból]*, levonható, kivonható **2.** *fil mat* levezethető *[logikailag]*, kikövetkeztethető **II.** *fn US* önrészesedés
deduction [dɪˈdʌkʃn] *fn* **1. a)** kivonás, levonás **b)** *mat* kivonandó **2. a)** következtetéses/deduktív okoskodás, dedukció **b)** (vég)következtetés, dedukció **3.** származtatás
deductive [dɪˈdʌktɪv] *mn* deduktív, következtetéses *[okoskodás, módszer]*
deed [diːd] **I.** *fn* **1. a)** tett, cselekedet; **man of ~s** tettek embere **b)** tény, valóság; **in very ~...** a valóságos tényállás szerint..., ami a tényeket illeti...; **he was ruler in ~** ténylegesen ő uralkodott **2.** *jog* közjegyzői okirat, közjegyző előtt létrejött szerződés; **~ mortgage** jelzáloglevél; **~ of arrangement** egyezségi okirat; **~ of assignment** engedélyezési okirat; **~ of association** társasági szerződés; **~ of cession** engedményező levél; **~ of transfer** átruházó/átengedő okirat **II.** *tsi* okirattal átruház/átír (vmt)
deedbox *fn* okirattartó doboz/ládika
deed poll *fn jog* egyoldalú szerződés(t tartalmazó okirat)
deejay [ˈdiːdʒeɪ] *fn biz* lemezlovas, DJ
deem [diːm] *tsi vál* vél, gondol, ítél, tart (vkt/vmt vmnek); **~ sy clever** ügyesnek/okosnak tart vkt; **~ highly of sy** sokat tart (v. jó véleménye van) vkről; **I ~ed it an honour** megtiszteltetésnek tekintettem
deep [diːp] **I.** *mn* **1. a)** mély; **~ bow** mély/tiszteletteljes meghajlás; **~ end** mélyvíz; **~ sigh** mély sóhaj/lélegzet(vétel); **go off the ~ end** *biz* dühbe gurul, méregbe jön, begurul; *US* egyik végletből a másikba esik; **be ~ in debt** úszik az adósságban; **~ in thought** gondolataiba mélyedten, mélyen elgondolkodva; **in ~ water** bajban, nehéz helyzetben; **ten feet ~** tíz láb, tíz láb mély; **between the devil and the ~ sea** elöl tűz hátul víz, két tűz között **b)** alapos, nagy tudású, okos *[ember, gondolat]* **c)** mély, széles; **~ shelves** széles polcok; **~ in chest** domború mellkasú **2. a)** mély/sötét tónusú *[szín, festmény, ének-hang]*; **in a ~ voice** mély hangon **b)** nagyfokú, mély *[érzelem]* **c)** mély, áthatolhatatlan *[sötétség]* **3. a)** súlyos, fontos *[következményekkel járó]* **b)** alapos; **there was ~ drinking** nagy ivászat volt **4.** elmerült, elmélyült *[témában, tevékenységben]* **5.** cseles, fortélyos, titokzatos **6.** *sp* ütőjátékostól távoli *[krikettben]* **II.** *hsz* **1.** mélyen *[térben]*; **breathe ~** mélyen (v. teli tüdővel) lélegzik; **deep ~** legbelül, a lelkük mélyén; **drink ~** sokat iszik, a kancsó fenekére néz; **work ~ into the night** késő éjjelig dolgozik; *közm* **still waters run ~** lassú víz partot mos **2.** távol *[időben]*; **~ in the past** a távoli múltban, a régmúlt időkben **III.** *fn* **1. a) the ~** *vál* mélység, szakadék **b)** óceán, tenger; **commit a body to the ~** halottat tengerbe temet **2. in the ~ of night** az éjszaka sötétjében **3.** *sp* pályaszéli játékos távolsága az ütőjátékostól *[krikettben]*
deep-cut *mn* mélyen bevágott/kivágott, mélyen hasított
deep-draw *tsi* dombornyom, dombornyomást készít *[vmiből]*
deepen [ˈdiːpən] **A.** *tsi* **1.** mélyít, váj *[kutat, csatornát stb.]* **2.** elmélyít, fokoz *[érzelmet]*, erősít, szorosabbra fűz *[kapcsolatot]* **3.** mélyít, sötétít **4.** sűrűbbé tesz *[homályt]* **B.** *tni* **1.** mélyül, mélyebb lesz, mélyebbé válik **2.** erősödik **3.** sötétül, mélyül, sötétebbé válik • *fn/mn* **deepening**
deeper [ˈdiːpə ‖ –ər] *mn/hsz* mélyebb(en); → **deep**
deepest [ˈdiːpəst] *mn/hsz* legmélyebb(en); → **deep**
deep fat fryer, **-frier** *fn* olajsütő, fritőz
deep-felt *mn* őszintén átérzett
deep-freeze I. *fn* **1.** mélyhűtő *[fridzsiderben]* **2.** mélyhűtés **3.** *biz* befagyasztott/felfüggesztett tevékenység **II.** *pt* **-froze**, *pp* **-frozen** *tsi* mélyhűt
deep-frozen *mn* mélyhűtött, mirelit
deep-fry *tsi* bő olajban süt
deepgoing *mn* mélyenszántó, alapos
deepish [ˈdiːpɪʃ] *mn* elég mély
deep kiss *fn* francia csók, *biz* nyelves puszi
deep-laid *mn* alattomos, ravaszul kigondolt, ügyesen kifundált *[terv]*
deep-lying *mn* mélyen fekvő *[ok]*
deepness [ˈdiːpnəs] *fn* **1.** mélység *[hangé stb.]* **2.** alattomosság, ravaszság
deep-rooted *mn* mélyen gyökerező, mélyről jövő
deep-sea *mn* mélytengeri; **~ animal** mélytengeri állat; **~ plant** mélytengeri növény

deep-seated *mn* mély(en gyökerező), megrögzött; ~ **conviction** belső mély meggyőződés
deep-set *mn* mélyen fekvő, beesett *[szem]*, bemélyedő *[ablak]*
Deep South *fn US* ‹Az Egyesült Államok legdélebbi államai: Alabama, Georgia, Louisiana és Mississippi együtt›
deep space *fn* ‹a Naprendszeren v. a Föld atmoszféráján túli tér› mélyűr
deep-water start *fn sp* vízből való indulás *[vízisível]*
deer [dɪə ‖ dɪr] *fn* szarvas, őz; **red** ~ szarvas; rőtvad, szarvasfélék; **the** ~ **tribe** a szarvasfélék
deer hound *fn* vizsla, kopó, nagy skót vadászkutya
deer lick *fn US vad* nyalató, sóval beszórt szikla *[rőtvadnak]*
deer mouse *fn tsz* - **mice** *US áll* fehér lábú egér
deerskin *fn* szarvasbőr, őzbőr
deer-stalker *fn* **1.** szarvasvadász **2.** vadászkalap, vadászsapka • *fn* **deer-stalking**
de-escalate [diːˈeskəleɪt] *tsi* deeszkalál, fokozatosan csökkent, leépít • *fn* **de-escalation**
def. *röv* **1.** *defective* **2.** *defence* **3.** *defendant* **4.** *deferred* **5.** *definite* **6.** *definition*
deface [dɪˈfeɪs] *tsi* **1.** eltorzít, elcsúfít, megrongál, megcsonkít *[szobrot, pénzérmét]* **2.** kitöröl, olvashatatlanná tesz *[írást]* • *fn* **defacement**, **defacer** *mn* **defaceable**
de facto [deɪ ˈfæktoʊ] tényleges(en), valóságos(an), de facto
defaecate [ˈdefɪkeɪt] → **defecate**
defalcate [ˈdiːfælkeɪt ‖ dɪˈfælkeɪt] *tni* (el)sikkaszt *[pénzt]*, sikkasztást követ el • *fn* **defalcator**
defalcation [ˌdiːfælˈkeɪʃn] *fn* **a)** sikkasztás *[pénzé]* **b)** sikkasztott összeg, hiány, deficit *[pénztáré]*
defame [dɪˈfeɪm] *tsi* **1.** rágalmaz **2.** rossz hírbe kever, becsmérel, bemocskol *[vkt, vk nevét]*, becsületébe gázol (vknek) • *fn* **defamation**, **defamer** *mn* **defamatory**
default [dɪˈfɔːlt] **I.** *fn* **1.** *jog* **a)** hiba, vétség; ~ **on sg** vm meg nem tartása, vmnek megszegése **b)** fizetésképtelenség **2.** *jog* késedelem, nem teljesítés, mulasztás, teljesítés elmaradása; **be in** ~ nem jelenik meg idézésre, *[tárgyalásról]* elmarad; **wilful** ~ szándékos mulasztás; **in** ~ **of** vm hiányában; **in** ~ **whereof** ellenkező esetben; **judgement by/in** ~ makacssági/mulasztási ítélet **3.** **a)** ~ **interest**, **interest for** ~ késedelmi kamat; *jog* ~ **in paying** fizetés nem teljesítése, késedelmes fizetés; fizetési késedelem **b)** ~ **of heirs** örökösök hiányában/nemlétében **4.** *sp* **match won by** ~ ellenfél távolmaradása révén megnyert mérkőzés **5.** *műsz infor* alapértelmezés; **by** ~ alapértelmezésénél fogva **II. A.** *tsi* **1.** **a)** elmulaszt, mulasztást követ el, nem tesz eleget (vmnek) **b)** fizetést beszüntet **2.** makacssági/mulasztási ítéletet hoz *[vk ellen]*, elmakacsol (vkt) **3.** *sp* kizár *[versenyzőt távolmaradás miatt]* **B.** *tni* **1.** idézésre nem jelenik meg, elmarad (tárgyalásról) **2.** **a)** késedelembe esik *[fizetési kötelezettség teljesítésével]* **b)** (fizetési) kötelezettségének nem tesz eleget, fizetésképtelen lesz **3.** *sp* nem jelenik meg, nem indul *[mérkőzésen]*, távolmarad
defaulter [dɪˈfɔːltə ‖ –ər] *fn* **1.** **a)** kötelezettségét nem teljesítő (v. megszegő v. elmulasztó), szerződésszegő **b)** *jog* tárgyaláson meg nem jelenő, tárgyalásról távolmaradó fél **2.** **a)** *GB kat* sorozásra nem jelentkező (v. behívó parancsnak nem engedelmeskedő) hadköteles **b)** *kat* szobafogságra/kaszárnyafogságra ítélt *[katona]* **3.** fizetésképtelen személy, késedelmes fizető **4.** sikkasztó
default settings *fn tsz infor* alapbeállítások *[számítógép* v. *program paraméterei]*
default value *fn infor* alapértelmezés szerinti érték
defeasance [dɪˈfiːzns] *fn* **1.** *jog* megsemmisítés, érvénytelenítés, hatálytalanítás **2.** hiteles okmányt érvénytelenítő titkos megegyezés/kikötés/feltétel
defeasible [dɪˈfiːzəbl] *mn jog* megsemmisíthető, érvényteleníthető, hatálytalanítható • *fn* **defeasibility**
defeat [dɪˈfiːt] **I.** *tsi* **1.** legyőz, megver, tönkrever **2.** meghiúsít, megakadályoz; ~ **sy of his hopes/plans** vk reményeit/terveit meghiúsítja **3.** leszavaz *[kormányt]*; **be** ~**ed** kisebbségben marad *[kormány]* **4.** *jog* érvénytelenít, megsemmisít, hatálytalanít **II.** *fn* **1.** **a)** vereség, kudarc; **suffer/sustain a** ~ *átv* vereséget szenved, kudarcot vall **b)** megsemmisítés, megfutamítás *[hadseregé]* **2.** **a)** meghiúsulás, bukás, balsiker *[intézkedésé]* **b)** megbuktatás *[kormányé]* **3.** **a)** *jog* megsemmisítés, érvénytelenítés, hatálytalanítás **b)** csalódás, jogfosztás
defeatism [dɪˈfiːtɪzm] *fn* kishitűség, defetizmus • *fn* **defeatist**
defecate [ˈdefɪkeɪt] *tsi* **A.** **1.** megszűr, tisztít, derít, *[folyadékot]* **2.** **a)** kiürít, eltávolít, kivon **b)** *[pöcegödröt]* kiürít, kitakarít **3.** *biol* ürít **B.** *tni* **1.** letisztul, megtisztul *[folyadék]* **2.** *biol* székel, defekál • *fn* **defecation**
defect **I.** *fn* [ˈdiːfekt] **1.** hiány, elégtelenség; **supply a** ~ hiányt pótol/orvosol; *jog* ~ **of title** hibás/hiányos jogcím; **demonstration of** ~**s** hiánybejelentés, hiánylati jegyzék **2.** hiányosság, fogyatékosság, tökéletlenség; **physical** ~ testi hiba; ~ **of eyesight** látási zavar; **free from** ~**s** hibátlan **II.** *tni* [dɪˈfekt] **1.** megszökik *[katona]* **2.** elpártol, elhagy (vkt) **3.** disszidál
defection [dɪˈfekʃn] *fn* **a)** átpártolás, átállás, cserbenhagyás **b)** disszidálás
defective [dɪˈfektɪv] *mn* hiányos, tökéletlen, fogyatékos, rossz, hibás; ~ **child** szellemileg visszamaradt gyermek; ~ **hearing** rossz hallás, hallási zavar; ~ **vision** látási zavar, rossz látóképesség; **be** ~ **in sg** fogyatékos vmben; **mentally** ~ értelmi(leg) fogyatékos, gyengeelméjű • *fn* **defectiveness**
defence [dɪˈfens] *fn* **1.** védelem, oltalom; *kat* **line of** ~ védelmi vonal; *GB* **Ministry of D~** honvédelmi minisztérium; **weapons of offence and** ~ támadó/offenzív és védő/defenzív fegyverek **2.** **a)** *sp* védelem, védekezés; **put up a stubborn** ~ makacsul védekezik **b)** *ját* ellenjáték, védekező oldal *[felvevővel szemben]* **3.** *tsz* **defences** *épít* erődítések, védőművek; *épít* ~ **bank** földvédmű **4.** **a)** védelem, védőbeszéd; **in his** ~ védelmében, védelmére; **speak in** ~ **of sy** vkt véd, vk érdekében védőbeszédet mond **b)** *jog* védelem, védőügyvéd; **counsel for the** ~ védőügyvéd; **set up a** ~ védelmet előkészít/előterjeszt **c)** *jog* **means of** ~ védelmi eszközök; **point of** ~ a védelem súlypontja; **statement of** ~ alperesi előkészítő irat; **take** ~ kifogásol, kifogást emel; **there is a** ~ kifogásnak helye van; **witness for the** ~ mentőtanú, a védelem tanúja
Defence Intelligence *fn* hírszerzés, hírszerző szolgálat *[védelmi része]*
defence kick *fn sp* kirúgás, felszabadító rúgás/lövés *[futballban, rugbyben, amerikai futballban]*
defence lawyer *fn* védő(ügyvéd)
defenceless [dɪˈfensləs] *mn* **a)** védtelen, fegyvertelen; *ját* ~ **hand** értéktelen kéz *[bridzsben]* **b)** védő/pártfogó nélküli **c)** védekezésre képtelen, tehetetlen
defence mechanism *fn* **1.** *biol* védekező mechanizmus **2.** *pszich* gátlás, inhibíció, gátlásos/inhibíciós folyamat
defend [dɪˈfend] **A.** *tsi* **1.** (meg)véd, (meg)oltalmaz; ~ **oneself against/from sg** védekezik vm ellen; *sp* véd *[térfelet, kaput]* **2.** **a)** védőbeszédet mond/ír *[vk érdekében]* **b)** megvéd, igazol *[véleményt, álláspontot]* **3.** *jog* véd *[vádlottat]* **B.** *tni* **1.** védekezik **2.** *sp* véd(ekezik)
defendant [dɪˈfendənt] *fn* **1.** **a)** alperes **b)** vádlott **2.** első fokon pernyertes
defender [dɪˈfendə ‖ –ər] *fn* **1.** **a)** védő; **D~ of the Faith** a hit védelmezője *[az angol uralkodó egyik címe]* **b)** *sp* bajnokság védője, címvédő **c)** *ját* ellenjátékos, védő *[bridzsben]* **d)** *sp* védőjátékos **2.** *skót jog* → **defendant**
defending zone *fn sp* védekezőharmad *[jégkorongban]*
defenestration [ˌdiːfenɪˈstreɪʃn] *fn tört* defenesztrálás *[vknek ablakból való kidobása]*

defense [dɪˈfens] *fn US* → **defence**; ~ **factory** hadianyagüzem; *US* **Department of D~**, **D~ Department** Nemzetvédelmi Minisztérium
defenseless [dɪˈfensləs] *US* → **defenceless**
defensible [dɪˈfensəbl] *mn* **1.** *kat* védhető *[állás]* **2.** igazolható, indokolható, képviselhető, tartható, (meg)védhető *[álláspont, vélemény]* • *hsz* **defensively**
defensive [dɪˈfensɪv] **I.** *mn* védekező, defenzív; ~ **alliance** védelmi szövetség; ~ **attitude** védekező magatartás; *gazd* ~ **duty** védővám; kritikát provokáló, állásfoglalásra késztető **II.** *fn* védelmi állás, védekező hadművelet, defenzíva; **be/stand on the** ~ védekezik
defensive zone *fn* → **defending zone**
defer[1] [dɪˈfɜː ‖ dɪˈfɜr] *i* **-rr- A.** *tsi* **1.** elhalaszt, késleltet, halogat, elodáz *[ügyet, fizetést]* **2.** *jog* felfüggeszt *[ítéletet, büntetést]* **3.** *kat* bevonulási haladékot ad *[behívottnak]*, polgári állásában ideiglenesen meghagy *[hadkötelest]* **B.** *tni* késlekedik; **without ~ring any longer** minden további késlekedés nélkül, rögtön • *fn* **deferment**
defer[2] [dɪˈfɜː ‖ –ˈfɜr] *tni* **-rr-** alkalmazkodik, belenyugszik (vmbe), enged (vmnek), beadja a derekát; ~ **to sy's opinion** meghajol vk véleménye előtt, elfogadja vk véleményét
deference [ˈdefərəns] *fn* **1.** tiszteletadás, mély tisztelet, hódolat; **in ~ to, out of ~ to...** tiszteletből vk/vm iránt, vkre/vmre való tekintettel; **with all due ~ to you** bármennyire is tisztelem önt; **pay/show ~ to sy** mély hódolattal van/viseltetik vk iránt **2.** alkalmazkodás, belenyugvás, alávetés *[útmutatásnak]*
deferent [ˈdefərənt] *mn* **1.** kivezető, levezető, elvezető **2.** → **deferential**
deferential [ˌdefəˈrenʃl] *mn* tiszteletteljes, figyelmes, engedelmes; **be ~ to sy** tiszteletet tanúsít vk iránt, tiszteletteljesen viselkedik vkvel szemben • *hsz* **deferentially**
deferrable *mn* mentesíthető *[átmenetileg katonai szolgálat alól]*
deferral [dɪˈfɜːrl] → **deferment**
deferred [dɪˈfɜːd ‖ –ˈfɜrd] *mn* elhalasztott, később (v. egy idő múlva) esedékessé váló *[jog, kötelezettség stb.]*; ~ **payment** részletekben való törlesztés *[adósságé]*; részletfizetés; ~ **telegram** 24 órás haladékkal kézbesíthető távirat
defial [dɪˈfaɪəl] → **defiance**
defiance [dɪˈfaɪəns] *fn* **1.** kihívás; **bid ~ to sy, hurl ~ at sy** vkt párbajra hív ki; dacol vkvel, ujjat húz vkvel **2.** dac, engedetlenség, nyílt szembeszegülés; **set sy at ~** dacol/szembeszáll/ellenkezik vkvel; **set sg at ~** szembehelyezkedik vmvel; **in ~ of the law** dacolva a törvénnyel, a törvény ellenére; *jog* **open ~ of lawful authority** hatóság elleni erőszak • *mn* **defiant** *hsz* **defiantly**
defibrillation [ˌdiːfɪbrɪˈleɪʃn] *fn orv* újraélesztés, a szív fibrillációjának megszüntetése, defibrilláció
defibrillator [diːˈfɪbrɪleɪtə ‖ –ər] *fn orv* defibrillátor, újraélesztő-készülék
deficience [dɪˈfɪʃns] → **deficiency**
deficiency [dɪˈfɪʃnsi] *fn* **1.** hiány, elégtelenség **2.** hiányosság, gyengeség, tökéletlenség **3.** (költségvetési) hiány, deficit; ~ **bill** kincstárjegy; kincstári váltó; **make up a ~** hiányt pótol/eltüntet **4.** hiba, fogyatékosság; *orv* **physical ~** testi hiba/fogyatékosság
deficiency disease *fn orv* hiánybetegség
deficient [dɪˈfɪʃnt] **I.** *mn* **1.** hiányos, elégtelen, nem teljes; ~ **in calcium/lime** mészszegény, kevés meszet tartalmazó; ~ **in courage** gyáva, bátortalan **2.** *régi pej* (testileg)szellemileg fogyatékos, csökkent értelmi képességű **II.** *fn* **1.** *tabu* fogyatékos, gyengeelméjű, elmebajos *[személy]*; **mental ~** elmebajos, csökkent értelmi képességű (egyén) **2.** fizetésképtelen
deficit [ˈdefəsɪt] *fn* **a)** (költségvetési) hiány, deficit, tartozások **b)** kiadási többlet, ráfizetés, veszteség; **make good/up the ~** (költségvetési) hiányt pótol/eltüntet
defier [dɪˈfaɪə ‖ –ər] *fn* ellenálló, dacoló; **the ~ of my order** aki szembeszáll a parancsaimmal
defilade [ˌdefɪˈleɪd] **I.** *fn kat* ‹védelem az ellenséges figyelés és tűz ellen› megerősítés, tűzvédelem **II. A.** *tsi* megerősít, *[fedezéket lövedékek becsapódása ellen]* biztosít **B.** *tni* fedezékbe megy
defile[1] [dɪˈfaɪl] *tsi* **1.** bemocskol, bepiszkít, foltot ejt; ~ **a sacred place** szent helyet bemocskol/megszentségtelenít **2.** megerőszakol, megbecstelenít, erőszakot követ el *[nőn]*, szüzességétől megfoszt *[nőt]*, defloreál • *fn* **defilement**, **defiler**
defile[2] [diˈfaɪl] **I.** *fn* (hegy)szoros, terepszoros *[mocsárban]* **II.** *tni kat* (zárt rendben) elvonul, ellép *[csapat díszmenetben]*
define [dɪˈfaɪn] *tsi* **1.** meghatároz, definiál, értelmez; ~ **one's position** tisztázza/megvilágítja magatartását/álláspontját **2.** meghatároz, megállapít, határt szab *[hatalomnak]* **3.** (pontosan) leír, körülír (vmt) **4.** *összet* **well-~d outlines** élesen kirajzolt körvonalak • *mn* **definable**
definite [ˈdefnˑət] *mn* **1.** (meg)határozott, világos, pontosan körülírt; **a ~ answer** határozott/egyértelmű válasz; **at a ~ hour** meghatározott időpontban/időben **2.** bizonyos/biztos *[dolog]* • *fn* **definiteness**
definite article *fn nyelv* határozott névelő
definite integral *fn mat* határozott integrál
definitely [ˈdefnˑətli] *hsz* **1.** határozottan, pontosan, világosan, kétségtelenül, minden bizonnyal; ~ **better/superior** kétségtelenül sokkal jobb; **he is ~ coming** határozottan megígérte, hogy jön **2.** *biz* hogyne!, igen!; **no, ~ not!** biztosan nem!, semmiképpen sem!, kizárt dolog!
definition [ˌdefɪˈnɪʃn] *fn* **1.** meghatározás, pontos körülírás, definíció; **by ~** definíció szerint, a dolog természetéből adódóan **2.** *vall* hitelvi döntés **3. a)** *távk fiz* felbontóképesség, vizuális élesség; **high ~ television** nagyfelbontású televízió **b)** *fényk* képélesség
definitive [dɪˈfɪnətɪv] *mn* **I.** végleges, döntő, határozott, pontosan körülírt *[álláspont stb.]*; ~ **edition** hiteles/végleges kiadás **II.** *fn* levélbélyeg, postai bélyeg
deflagrate [ˈdefləgreɪt] *vegy* **A.** *tsi* fellobbant, hirtelen eléget **B.** *tni* (f)ellobban, hirtelen elég • *fn* **deflagration**
deflate [ˌdiːˈfleɪt] **A.** *tsi* **1.** leereszt, leapaszt, kiürít, kibocsát *[gázt, levegőt]*; *gk* **~d tyre** leeresztett/leengedett/kilyukadt gumi(abroncs) **2. a)** *közg* ~ **the monetary circulation** deflációt idéz elő, csökkenti/összeszűkíti a pénzforgalmat **b)** ~ **(an index number)** deflál (indexszámot) **3.** *átv* lelohaszt, szétfoszlat *[reményt]*, csökkent *[önbizalmat, büszkeséget]* **B.** *tni* leenged, leereszkedik, lelohad
deflation [ˌdiːˈfleɪʃn] *fn* **1.** lelohadás, leapadás, leengedés, leeresztés, kipukkadás *[gumiabroncsé]* **2. a)** *pénz* defláció, infláció enyhülése, (forgalomban levő) pénzmennyiség csökkenése **b)** *pénz* deflálás *[pénzforgalomé, indexszámé]*, infláció enyhítése, (forgalomban levő) pénzmennyiség csökkentése **3.** *geol* defláció, szélfúvás okozta kőzetkopás/erózió • *mn* **deflationary**
deflationist [ˌdiːˈfleɪʃənɪst ‖ –ˈfleɪtər] *fn közg* defláció híve/hirdetője
deflator [diːˈfleɪtə ‖ –ər] *fn közg* deflátor; ~ **price** árdeflátor, árindexáló
deflect [dɪˈflekt] **A.** *tsi* **1.** lehajlít, behajlít, elhajlít, begörbít **2.** elterel, eltérít **B.** *tni* **1.** lehajlik, behajlik **2.** eltér, elfordul, elterelődik, elhajlik
deflection [dɪˈflekʃn] *fn* **1. a)** eltérés, kitérés, kilengés **b)** elhajlítás, eltérítés **2. a)** elgörbítés **b)** meggörbítés, megvetemedés, behajlás, belógás **3.** összenyomódás *[gumiabroncsé]*
deflector [dɪˈflektə ‖ –ər] *fn* terelő(fal), terelőlap, irányítólap, deflektor
deflexion [dɪˈflekʃn] → **deflection**
defloration [ˌdiːflɔːˈreɪʃn] *fn* **a)** szüzességtől való megfosztás, defloráció **b)** megbecstelenítés, meggyalázás *[lányé]*

deflower [ˌdiːˈflaʊə ‖ –ər] *tsi* **1.** szüzességtől megfoszt, deflor(e)ál, meggyaláz, megbecstelenít *[lányt]* **2.** megfoszt virágaitól *[növényt]* **3.** megfoszt szépségétől/üdeségétől *[tárgyat, tájat stb.]*

defocus [diːˈfoʊkəs] **A.** *tsi fényk* defókuszál, *[fókuszt]* életlenre állít **B.** *tni* középpontból/fókuszból kikerül

defoliate [diːˈfoʊlieɪt] **A.** *tsi* **a)** lombot ritkít, leveleitől megfoszt, lombtalanít *[fát]* **b)** levélzetet elpusztít *[pl. levéltetű]* **B.** *tni* lehullanak a levelek, hullatja lombját • *fn* **defoliation** *mn* **defoliant**

deforest [ˌdiːˈfɒrɪst ‖ –ˈfɔ–, –ˈfɑ–] *tsi* kivág *[erdőt]*, művelésre alkalmassá tesz *[erdőterületet]* • *fn* **deforestation**

deform [dɪˈfɔːm ‖ dɪˈfɔrm] *tsi* **1.** eltorzít, elcsúfít **2.** alaktalanná tesz, elrontja az alakját, deformál • *mn* **deformable**

deformation [ˌdiːfɔːˈmeɪʃn ‖ –fɔr–] *fn* **1. a)** eltorzítás, elcsúfítás **b)** eltorzulás, testi fogyatékosság *[púp stb.]*, deformálódás **2.** deformáció, ferdülés, elváltozás *[csonté, felületé]*, megvetemedés *[fáé]*, alakváltozás, torzulás

deformity [dɪˈfɔːməti ‖ dɪˈfɔrməti] *fn* **1.** formátlanság, alaktalanság, jellembeli/testi fogyatékosság/hiányosság, deformitás **2.** *régi* csúnyaság, rútság *[jellemé is]*

defraud [dɪˈfrɔːd] *tsi* **1.** (el)sikkaszt *[pénzt]* **2.** becsap, megkárosít (vkt vmvel); ~ **sy of sg** vmennyivel becsap/megkárosít vkt • *mn* **defrauding**

defrauder [dɪˈfrɔːdə ‖ –ər] *fn* **1.** sikkasztó **2.** csaló, adócsaló, vámcsaló **3.** hitelezési csalás elkövetője, hitelezők kijátszója

defray [dɪˈfreɪ] *tsi* (ki)fizet, fedez, visel *[költségeket]*; ~ **expenses** kiadásokat fedez/megtérít; ~ **the cost of sg** fedezi/viseli vmnek a költségét

defrayal [dɪˈfreɪəl] *fn* költségviselés, költségmegtérítés, költségvisszatérítés

defrock [ˌdiːˈfrɒk ‖ –ˈfrɑk] *tsi* kitaszít a papi rendből; ~ **oneself** kiugrik a papi rendből

defrost [ˌdiːˈfrɒst] **A.** *tsi* **1.** felenged, felolvaszt *[mélyhűtött/fagyasztott ételt]* **2.** jégtelenít, összegyűlt jeget eltávolít *[hűtőszekrényből]* **3.** *US gk* leolvaszt, jégtelenít, párátlanít, páramentesít *[gépkocsi ablakát]* **4.** *pénz* felszabadít *[zárolt/befagyasztott követelést]* **B.** *tni* felenged *[mélyhűtött élelmiszer]*

defroster [ˌdiːˈfrɒstə ‖ –ər] *fn* jégtelenítő, fagytalanító; *gk* **(windshield)** ~ ablakmelegítő, páramentesítő

deft [deft] *mn* ügyes, gyors, friss, fürge; **with a ~ hand** gyakorlott kézzel • *fn* **deftness** *hsz* **deftly**

defunct [dɪˈfʌŋkt] *mn* **1.** elhunyt, megboldogult, néhai; **the ~** az elhunyt **2. a)** kihalt, kipusztult **b)** divatjamúlt, elavult **3.** nem működő

defuse [ˌdiːˈfjuːz], **defuze** *tsi* **1.** *átv* feszültségmentesít, veszélyt elhárít **2.** *kat* hatástalanít *[bombát]*

defy [dɪˈfaɪ] *tsi* **1.** szembeszáll, dacol, visszautasít; ~ **every climate** minden klímát kibír *[szervezet]*; **I ~ you to do so** megtiltom, hogy ezt megtegye **2.** felülmúl; ~ **comparison** összehasonlíthatatlan; ~ **description** minden képzeletet felülmúl, leírhatatlan

deg. *röv degree* fok, f.

degagé [ˌdeɪgɑːˈʒeɪ], **degagée** *mn* könnyed, felszabadult

degas [ˌdiːˈgæs] *tsi* **-ss-** fertőtlenít, gázmentesít

degauss [ˌdiːˈgaʊs] *tsi* mágnesességet megszüntet *[vmn]*, lemágnesez, letöröl *[mágneslemezt]*

degenerate I. *mn* [dɪˈdʒenərət] (el)korcsosodott, korcs, romlott, degenerált **II.** *fn* korcs, degenerált személy **III.** *tsi* [dɪˈdʒenəreɪt] **A.** elkorcsosít, elront, degenerál **B.** *tni* (el)korcsosodik, elfajzik, elsatnyul, degenerálódik; ~ **into sg** vmvé fajul • *fn* **degeneracy**

degeneration [dɪˌdʒenəˈreɪʃn] *fn* **1.** elkorcsosulás, elfajulás, degeneráltság, hanyatlás *[fajé]* **2.** elkorcsosítás, degenerálás

degenerative [dɪˈdʒenərətɪv ‖ –əreɪtɪv] *mn* elfajulással járó, elfajulást okozó, degeneratív

degradation [ˌdegrəˈdeɪʃn] *fn* **1. a)** lefokozás, degradálás **b)** *mat* lefokozás, kisebbítés **2. a)** lealjasodás, lealacsonyodás; **live a life of ~** nagy (anyagi és erkölcsi) nyomorban él **b)** lealjasítás, lealacsonyítás, megalázás **3. a)** *biz* fokozatos gyengülés, degradáció *[energiáé]* **b)** *geol* elmállás, lemorzsolódás, erózió, vízkimosás; *körny* degradáció **c)** *biol* lebontás, *mezőg* elfajzás, leromlás **d)** öregedés *[gumié]* **e)** *vegy* degradálás

degrade [dɪˈgreɪd] **A.** *tsi* **1. a)** lefokoz, megfoszt rangjától, degradál *[tisztet stb.]* **b)** *mat* lefokoz, kisebbít **2. a)** lealjasít, lealacsonyít, lealáz **b)** elront, leront; **be ~d in quality** minőségileg/minősége romlik **3. a)** *fiz* fokozatosan gyengít, degradál *[energiát]* **b)** *geol* elmállaszt, lemorzsol, erodál *[kőzetet]* **c)** *vegy* lebont, szétbont **B.** *tni* **1.** lealacsonyodik, lealjasodik, elfajzik, kisebbedik, fokozatosan gyengül/árnyalódik, degradálódik, öregszik *[gumi]* **2.** lebomlik, szétbomlik, elemeire bomlik **3.** *geol* szétmállik, elporlad, becsiszolódik *[kőzet]* • *mn* **degradable**, **degraded**, **degrading**

degree [dɪˈgriː] *fn* **1. a)** *fiz mat* fok, *földr* (szélességi) fok; *mat* **angle of 30 ~s** 30 fokos szög; **equation of the third ~** harmadfokú egyenlet **b)** *zene* fok *[skáláé]* **2.** (egyetemi) fokozat; **take one's ~** egyetemi képesítést/diplomát szerez; **bachelor's ~** baccalaureatus(i oklevél); **master's ~** magister(i oklevél); *GB okt* **~ subject** szaktárgy **3.** mérték; **to a ~** (i) valamennyire, egy bizonyos fokig (ii) a legnagyobb mértékben (iii) olyannyira, oly mértékben; **in/to some ~** bizonyos mértékben/mértékig; **by (slow) ~s** fokozatosan, lassan(ként), lépésről lépésre; **in the highest ~** a legnagyobb mértékben; **not in the slightest ~** cseppet sem, egyáltalá(ba)n nem; **each useful in its ~** mindegyik hasznos a maga módján/nemében **4. a)** *US jog* **murder in the first ~** legsúlyosabb (v. előre megfontolt szándékkal elkövetett) emberölés; → **first-degree**; *US jog* **second-~ murder** előre meg nem fontolt szándékkal (erős felindulásban) elkövetett emberölés **b)** *vál* (társadalmi) rang/körülmény; **of low ~** alacsony származású **5.** fok, *nyelv* fok; **comparative ~** középfok *[melléknévé]*; **superlative ~** felsőfok *[melléknévé]*; *nyelv* **~ of comparison** fokozás foka; **adverb of ~** mennyiséghatározó

degree-day *fn okt* avatási nap *[egyetemen]*

degressive [dɪˈgresɪv ‖ diː–] *mn* fokozatosan csökkenő; **~ taxation** degresszív adózás

dehisce [dɪˈhɪs] *tni növ* felnyílik, felpattan, felreped, kifakad *[maghéz]*

dehorn [ˌdiːˈhɔːn ‖ –ˈhɔrn] *tsi* szarvatlanít, szarvaktól megfoszt, szarvát levágja *[marhának]*

dehumanize [diːˈhjuːmənaɪz], **-ise** *tsi* **a)** emberiességétől megfoszt, emberi mivoltából kivetkőztet (vkt), elembertelenít, személytelenné/gépiessé tesz **b)** emberi sajátosságokat/vonatkozásokat/érdeklődést kiküszöböl • *fn* **dehumanization, -isation**

dehydrate [diːˈhaɪdreɪt] *vegy* **A.** *tsi* **a)** víztelenít, dehidratál, szárít, aszal *[gyümölcsöt]* **b)** élettelenné/unalmassá tesz **B.** *tni* kiszárad *[szervezet]*, túl sok vizet veszít • *fn* **dehydration**

de-ice [ˌdiːˈaɪs] *tsi rep* jegesedést meggátol, jégtelenít, jeget leolvaszt • *fn* **de-icing**

de-icer [ˌdiːˈaɪsə ‖ –ər] *fn rep* jégtelenítő/jegesedésgátló berendezés *[repülőgép szárnyán]*, *gk* jégtelenítő, jégmentesítő

deicide [ˈdeɪɪsaɪd] *fn* **1.** istengyilkos (személy) **2.** istenölés, istengyilkosság

deictic [ˈdaɪktɪk] *nyelv* **I.** *mn* mutató, utaló, deiktikus **II.** *fn* deiktikus/utaló kifejezés/szó

deiform [ˈdeɪɪfɔːm ‖ –fɔrm] *mn* isteni, istenszerű, isteni formájú

deify [ˈdeɪɪfaɪ] *tsi* **a)** istenné tesz, istennek tekint, istenít **b)** istenként imád, bálványoz • *fn* **deification**

deign [deɪn] *tsi* ~ **to do sg** méltóztatik/kegyeskedik vmt megtenni; **he ~ed to answer (us)** nagy kegyesen válaszolt

D

de-industrialization [ˌdi:ɪndʌstrɪəlaɪˈzeɪʃn ‖ –lə–] *fn* ipar/ipari létesítmények kitelepítése/elköltöztetése
de-industrialize [ˌdi:ɪnˈdʌstrɪəlaɪz] *tsi* kitelepít, elköltöztet *[ipari létesítményt vhonnan]*
deionize [di:ˈaɪənaɪz] *tsi fiz* deionizál, iontalanít; *gk* **~d water** ioncserélt víz • *fn* **deionization**
deism [ˈdeɪɪzm] *fn fil* deizmus
deist [ˈdeɪɪst] *fn vall* deista • *mn* **deistic**, **deistical**
deity [ˈdeɪəti] *fn* istenség, isten(nő), isteni természet/mivolt; **the pagan deities a** pogány istenek/istenségek/bálványok; **the D~** az Istenség, Isten
deject [dɪˈdʒekt] **I.** *mn* → **dejected II.** *tsi* elkedvetlenít, csüggeszt, deprimál, kedvét szegi (vknek)
dejected [dɪˈdʒektɪd] *mn* szomorú, levert, elkedvetlenedett, deprimált
dejection [dɪˈdʒekʃn] *fn* **1.** elkedvetlenedés, melankólia, búskomorság; **deep ~** mély szomorúság, búskomorság **2.** *biol* (széklet)ürítés
dejectory [dɪˈdʒektəri] *mn* **1.** → **dejected** 1. **2.** *orv* meghajtó, purgatív *[orvosság]*
de jure [deɪ ˈdʒuəri ‖ di:ˈdʒuri] *mn/hsz* jogos(an), jog szerint, de jure
deka- [ˈdekə] → **deca-**
dekameter [ˈdekəmi:tə ‖ –ər] → **decametre**
dekko [ˈdəkou] *fn GB szl [szempillantás]* dikázás; **~!** na ide süss!; **let's have a ~** (hadd) lássuk, mutasd
DEL *röv infor delete* törlőbillentyű
Del. *röv US Delaware*
delate [dɪˈleɪt] *tsi* **1.** felad, feljelent, besúg **2.** *régi* tudat, közhírré/közzé tesz • *fn* **delation**, **delator**
delay [dɪˈleɪ] **I. A.** *tsi* **1.** elhalaszt, (későbbre) halaszt, elodáz, késleltet *[ügyet]*, kitol *[fizetést]*, halasztást/haladékot ad *[fizetésre]* **2.** feltart, késleltet, lassít, akadályoz (vkt), hátráltat (vmt); *közm* **all is not lost that is ~ed** ami késik, nem múlik **B.** *tni* **1.** késlekedik, habozik, piszmog (vmvel) **2.** elkésik **II.** *fn* **1. a)** késedelem, késés; **obtain a ~ of payment** fizetési haladékot nyer **b)** késlekedés, tétovázás, habozás, halogatás; **make no ~** nem késlekedik, nem húzza az időt; **without further ~** minden további késedelem/késlekedés nélkül **2.** késleltetés, feltartóztatás, hátráltatás, akadályoz(tat)ás
delay-action, **delayed-action** *mn* időzített, késleltetett (működésű), hatású; *kat* **~ bomb** időzített bomba; *fényk* **~ release/device** önkioldó
delay line *fn el infor* késleltetővonal, késleltető művonal
delay time *fn* késési idő(tartam), *távk* késleltetési idő, *[távbeszélő]* várakozási idő
dele [ˈdi:li:] **I.** *fn* **1.** *nyomd* törlendő szöveg/betű **2.** *nyomd* törlés jele, deleátur **II.** *tsi pr.p* **deleing** töröl *[szövegből, szedésből]*, deleál
delectable [dɪˈlektəbl] *mn* élvezetes, kellemes, gyönyörűséges, ízletes, finom • *fn* **delectableness**
delectation [ˌdi:lekˈteɪʃn] *fn* **1.** gyönyörködtetés, élvezetnyújtás **2.** gyönyörködés, élvezés, élvezet
delegacy [ˈdelɪgəsi] *fn* **1.** megbíz(at)ás **2.** delegátusok, a megbízott személyek, küldöttség, delegáció **3.** az átruházott hatáskör/jog/hatalom
delegate I. *fn* [ˈdelɪgət] megbízott, meghatalmazott, képviselő, követ, delegátus **II.** *tsi* [ˈdelɪgeɪt] **1.** kiküld, megbíz, meghatalmaz **2. ~ powers** átruház/ráruház hatáskört/jogkört
delegation [ˌdelɪˈgeɪʃn] *fn* **1. a)** kiküldetés **b)** küldöttség, bizottság, delegáció **2. a)** felhatalmazás, megbízás **b)** megbízott/küldött kijelölése, delegálás
delete [dɪˈli:t] *tsi* töröl, kihúz, áthúz, deleál *[szót]*; *nyomd* **~!** törlendő! • *fn* **deletion**
deleterious [ˌdelɪˈtɪərɪəs ‖ –ˈtɪr–] *mn* **1.** *átv* ártalmas, káros **2.** veszedelmes, mérges, romboló, gyilkos *[gáz stb.]*
delf [delf, delft], **delft** *fn* delfti/holland fajansz/kőedény
delftware [ˈdelftweə ‖ –wer] → **delf**
Delhi [ˈdeli] *tul földr* Delhi
deli [ˈdeli] *fn biz* → **delicatessen**
Delia [ˈdi:lɪə] *tul* ‹női név›
deliberate I. *mn* [dɪˈlɪbərət] **1.** szándékos, (előre) megfontolt **2. a)** meggondolt, körültekintő, előrelátó *[egyén]* **b)** megfontolt, lassú, nem elsietett *[cselekedet]* **II.** *tsi* [dɪˈlɪbəreɪt] **A.** megfontol, meggondol, mérlegel, fontolóra vesz **B.** *tni* **1.** fontolgat, latolgat, gondolkozik, tanakodik (magában); **~ over/on a question** fontolgat/latolgat egy kérdést **2.** tanácskozik • *fn* **deliberateness**
deliberately [dɪˈlɪbərətli] *hsz* **1.** szándékosan, tudatosan, előre meggondoltan/megfontoltan, kifejezetten, szánt szándékkal, akarattal **2. a)** sietség nélkül, nem elsietve **b)** határozottan, kimérten
deliberation [dɪˌlɪbəˈreɪʃn] *fn* **1. a)** megfontolás, mérlegelés; **after due ~** hosszas megfontolás/gondolkozás után **b) the ~s of the assembly** a gyülekezet tanácskozásai/vitái **2.** bölcs nyugalom, kimértség; **act with ~** körültekintően/meggondoltan cselekszik
deliberative [dɪˈlɪbərətɪv ‖ –bəreɪtɪv] *mn* **1.** tanácskozó *[testület stb.]* **2. in a ~ moment** gondolkozás/latolgatás idején/alatt/folyamán • *hsz* **deliberatively**
delicacy [ˈdelɪkəsi] *fn* **1. a)** finomság; **~ of a design** rajz finomsága; **~ of hearing**, **~ of the ear** fül/hallás finomsága/érzékenysége **b)** (alkati) érzékenység, gyengeség, törékenység *[egészségé]* **c)** *átv* könnyedség, finomság *[érintésé, ecseté, stílusé, modoré]* **d)** gyengédség, tapintat, kímélet, érzékenység; **sense of ~** tapintat; **have no sense of ~** tapintatlan; **outrage sy's ~** megsérti vk érzékenységét/szemérmét **e)** kényesség; **negotiations of the utmost ~** igen kényes (ügyekre vonatkozó) tárgyalások **2. (table) delicacies** (asztali) csemege; finomság; ínyencfalat(ok)
delicate [ˈdelɪkət] *mn* **1. a)** finom; **~ features** kifinomult/finom vonások; **~ pink** halvány rózsaszín; **~ wit** finom elme/humor **b)** tapintatos, gyengéd; **~ feelings** kifonomult (v. könnyen megsérthető) érzelmek **2.** kényes; *átv biz* **tread on ~ ground** kényes/érzékeny kérdéseket érint **3.** gyenge, érzékeny, törékeny *[szervezet]*; **~ child** érzékeny/gyenge gyermek; *biz* **be in a ~ condition** (v. **state of health**) másállapotban van **4. a)** ízletes **b)** pompás, remek **c)** válogatós
delicateness [ˈdelɪkətnəs] → **delicacy**
delicatessen [ˌdelɪkəˈtesn] *fn* **1.** csemegeüzlet **2.** *US* csemegeáru
delicious [dɪˈlɪʃəs] *mn* **1.** felséges, remek, élvezetes, íz(let)es, pompás *[étel]* **2.** elragadó, gyönyörűséges *[táj]* **3.** szellemes, ízes *[vicc]* • *fn* **deliciousness**
delict [dɪˈlɪkt] *fn jog régi* bűncselekmény, bűntény, vétség, deliktum; **in flagrant ~** in flagranti, tettenérés
delight [dɪˈlaɪt] **I.** *fn* **1.** gyönyör(űség), élvezet; **be sy's ~** vk boldogsága/öröme **2.** öröm; **much to the ~ of**, **to the great ~ of** vk nagy örömére/boldogságára; **take ~ in sg** örül vmnek, örömét leli vmben **II. A.** *tsi* gyönyörködtet, örömet szerez (vknek); **be ~ed at sg** el van ragadtatva vmtől; **be ~ed with sy** el van ragadtatva vktől; **I will be ~ed** (nagy) örömömre fog szolgálni; igen fogok (neki) örülni **B.** *tni* **~ in sg** örül vmnek, élvezetet talál vmben; szeret vmt; **~ in doing sg** boldogan/örömmel csinál vmt • *mn* **delighted**
delightful [dɪˈlaɪtfl] *mn* elbűvölő, elragadó, bűbájos
Delilah [dɪˈlaɪlə] *tul* ‹női név› Delila
delimit [dɪˈlɪmɪt] *tsi* körülhatárol *[területet, hatalmat]*, határt megállapít/megvon/kijelöl (vhol)
delimitate [dɪˈlɪmɪteɪt] → **delimit**
delimitation [dɪˌlɪmɪˈteɪʃn] *fn* elhatárolás, körülhatárolás, határmegállapítás • *fn* **delimitation**
delineate [dɪˈlɪnieɪt] *tsi* **1.** felrajzol, ábrázol *[háromszöget stb.]*, leskiccel (vmt) **2.** körvonalaz, felvázol, nagy vonalakban leír/vázol *[tervet]* **3.** leír, lefest *[szavakkal vkt]* • *fn* **delineation**, **delineator**
delinquency [dɪˈlɪŋkwənsi] *fn* **1. a)** bűnösség, vétkesség **b)** kötelességmulasztás **2.** vétség, bűntény, bűncselekmény **3.** bűnözés

delinquent [dɪˈlɪŋkwənt] **I.** *mn* **1.** bűnös, vétkes, kötelességmulasztó **2.** *US* ~ **tax** hátralékos adó, adóhátralék **II.** *fn* bűnös, vétkes, kihágást elkövető, kötelességmulasztó (személy)

deliquesce [ˌdelɪˈkwes] *tni* **1.** *vegy* szétmállik, szétfolyik **2.** *biz* elolvad • *fn* **deliquescence** *mn* **deliquescent**

delirious [dɪˈlɪrɪəs] *mn* **1. a)** félrebeszélő, eszelős, delíriumban (v. lázas képzelődésben) szenvedő; **be ~** delíriumban van, félrebeszél *[láztól]*, delirál **b)** *biz* ~ **joy** örömmámor; **be ~ with joy** örömittas; magánkívül van örömében **2.** őrült, elmeháborodott • *hsz* **deliriously**

delirium [dɪˈlɪrɪəm] *fn tsz* **~s**, **deliria** [–rɪə] **1.** félrebeszélés, önkívület, delírium **2.** (delíriumos) elmezavar, őrültség **3.** *átv* izgatottság, önkívület, (öröm)mámor

delirium tremens [–triːmenz] *fn orv* delirium tremens

deliver [dɪˈlɪvə ‖ –ər] *tsi* **1.** kézbesít *[csomagot, sürgönyt stb.]*, (le)szállít *[árut]*; **~ a message** átad üzenetet; **~ sg into sy's charge** vk gondjára bíz vmt; *gazd* **~ed free** költségmentesen házhoz szállítva; **to be ~ed in eight days** nyolc napon belül szállítandó; *átv biz* **~ the goods** hozza, amit vártak tőle **2. a)** szülést levezet; **~ a woman (of a child)** nő szülését levezeti **b) be ~ed of a child** gyermeket szül, egy gyermeket világra hoz **c)** szül; **she ~ed a girl** lánya született **3. a)** átad, kiszolgáltat; **~ sy into the hands of the enemy** kiszolgáltat vkt az ellenségnek, az ellenség kezére ad vkt; *jog* **~ up** bűnöst/tettest kiszolgáltat/kiad *[egyik állam a másiknak]*; **~ sg (up/over) to sy** vmt átad/kiad/kiszolgáltat vknek; **stand and ~** pénzt vagy életet! **b) ~ over** átad, átruház **4. a)** mond, tart *[beszédet, előadást]*; **~ a long harangue** hosszú szónoklatot tart; **~ (oneself of) an opinion** véleményt mond **b)** *jog* hoz, kimond *[ítéletet]*; **~ a verdict** ítéletet hoz; ítéletet hirdet **5.** megszabadít; **~ sy from** (v. **out of**) **captivity** kiszabadít vkt fogságából; **~ sy from death** kiment vkt a halál torkából; **~ us from evil** szabadíts meg (minket) a gonosztól **6.** (ki)mér, ad *[ütést]*, kezd *[csatát]*; **~ an assault on the enemy** rohamot/támadást intéz (v. offenzívába kezd) az ellenség ellen; **~ the ball** labdát dob/átad *[játékban]* **7.** *US* megválasztat, megszavaztat *[jelöltet, pályázót]* • *fn* **deliverer** *mn* **deliverable**

deliverance [dɪˈlɪvərəns] *fn* **1.** megszabadítás, kiszabadítás **2.** átadás, leszállítás **3.** nyilvánítás, előadás, kifejezés *[véleményé]*; **~ of a speech** szónoklás **4.** *jog* **a)** ítélet(kihirdetés) **b)** határozat *[esküdteké]*

delivery [dɪˈlɪvəri] *fn* **1.** feladás, kiadás; **~ of a prisoner** fogoly kiadása; **~ of a town** város feladása **2.** szülés (levezetése); **early/premature ~** koraszülés **3. a)** kézbesítés *[levélé, csomagé]*, elszállítás, kiszállítás *[csomagé stb.]*; *US* **General D~** postán maradó küldemények (kezelése), poste restante; *US* **special ~** expressz kézbesítés; *US* **special ~ letter** expresszlevél; **~ of goods** házhoz szállítás; *gazd* **cash/collection on ~** utánvéttel, átvételkor fizetve/fizetendő; **payment on ~** szállításkor/átvételkor fizetendő; **for immediate ~** azonnal szállítandó/kézbesítendő; **~ on the spot** prompt/azonnali szállítás **b)** *pénz* **~ of stocks** részvények (le)szállítása; **take ~ of stocks** átvesz részvényeket; **for ~** leszállítandó *[részvényekről]*; **sale for ~** eladás (effektív) szállításra/bonyolításra *[határidőkor]*; átruházás *[jogé, birtoké, árué]*; átadás, kiszolgáltatás, kiadás *[hagyatéké stb.]*; *jog* **writ of ~** ‹a pernyertes javára megítélt ingóságok kiszolgáltatását elrendelő bírói parancs›; *jog* **~ of a deed** írásbeli szerződés átadása *[érvényességi kellék]* **c)** *régi* megszabadítás, kiszabadítás **4.** *sp* **~ of ball** labda dobása; a dobás/lövés technikája **5. a) ~ of a speech** beszéd elmondása **b)** előadásmód, dikció *[szónoké]*, szövegmondás; **have a good ~** jó előadó **6. a)** *jog* ingóságok kiszolgáltatása **b)** *jog* szerződés átadása/kézbesítése

delivery boy *fn* kifutófiú

deliveryman [dɪˈlɪvərimən] *fn tsz* **-men** árukihordó, kézbesítő, kifutó(fiú)

delivery note *fn gazd* szállítójegyzék, szállítólevél, fuvarlevél

delivery order *fn gazd* szállítólevél

delivery room *fn* szülőszoba

delivery truck *fn US* árukihordó tehergépkocsi, kézbesítőkocsi, szállítókocsi

delivery van *fn GB* árukihordó tehergépkocsi, kézbesítőkocsi, szállítókocsi

dell [del] *fn* **1.** kis erdős völgy, mélyedés, (fával szegélyezett) mély út **2.** szakadék, kanyonfal

Della [ˈdelə] *tul* ‹női név›

delocalize [diːˈloʊklˑaɪz], **-ise** *tsi* **1.** kimozdít, elmozdít *[helyéből]*, átköltöztet **2.** megszünteti vmnek a helyi jellegét

delouse [ˌdiːˈlaus] *tsi* tetvektől megtisztít, kitetvez, tetvetlenít • *fn* **delousing**

Delphi [ˈdelfaɪ] *tul földr* Delphoi

Delphian [ˈdelfɪən] → **Delphic**

Delphic [ˈdelfɪk] *mn* **1. the ~ oracle** a delfi jóslat; a delfi jósda **2.** *vál* homályos, kétes értelmű

delphinium [delˈfɪnɪəm] *fn növ* (kerti) szarkaláb, sarkantyúvirág

delphinoid [ˈdelfɪnɔɪd] **I.** *mn* **a)** delfin formájú **b)** delfinfélék családjába tartozó **II.** *fn* **a)** delfin formájú állat **b)** delfinféle, delfin faj tagja

delta [ˈdeltə] *fn* **1.** delta *[görög betű]* **2.** háromszög **3.** *földr* deltatorkolat(vidék); **the ~ of the Nile** a Nílus deltája/torkolata **4.** *GB okt* elégséges, kettes **5.** *csill* csillagkép/csillagzat negyedik tagja

delta connection *fn el* deltakapcsolás, háromszögkapcsolás

deltaic [delˈteɪɪk] *mn* delta alakú, delta-

delta rays *fn tsz fiz* delta sugárzás

delta wing *fn rep* deltaszárnyú repülőgép

deltiology [ˌdeltiˈɒlədʒi] *fn* képeslap-gyűjtés

deltoid [ˈdeltɔɪd] **I.** *mn* delta alakú, deltoid **II.** *fn* **1.** *orv* deltaizom **2.** *mat* deltoid *[síkidom]*

delude [dɪˈluːd] *tsi* **1.** kijátszik, becsap; megtéveszt, rászed (vkt) **2.** áltat vkt, elhitet (vkvel vmt); **~ oneself with false hopes** hiú reményekkel áltatja magát; **~ sy into...** félrevezetéssel rávesz vkt, hogy...

deluder [dɪˈluːdə ‖ –ər] *fn* csaló, ámító

deluge [ˈdeljuːdʒ] **I.** *fn* **1.** özönvíz, felhőszakadás; **the D~** a Vízözön, az Özönvíz; **a ~ of rain** felhőszakadás **2.** áradat; *biz* **a ~ of tears** könnyáradat; **a ~ of words** szóáradat, szózuhatag **II.** *tsi* **1.** eláraszt **2.** *biz* **~d with tears** könnyáztatott

delusion [dɪˈluːʒn] *fn* **a)** csalódás, tévedés **b)** káprázat, illúzió, érzéki csalódás; **fond ~** (édes) önámítás; **~ of grandeur** nagyzási hóbort; **be/labour under the ~** abban a tévhitben van/él; **suffer from ~s** hallucinációi vannak; hallucinál • *mn* **delusional**

delusive [dɪˈluːsɪv] *mn* csalóka, megtévesztő, légből kapott

delusory [dɪˈluːsəri] → **delusive**

de luxe [dɪˈlʌks ‖ –ˈlʊks] luxus/fényűző jellegű/minőségű, luxus-

delve [delv] **A.** *tsi* ás, kiváj *[talajt]*; **~ out/up** kiás, napfényre hoz *[kincset, tényeket]* **B.** *tni* **1.** földet túr, ás **2.** kutat, kutakodik, motoz, turkál, kotorászik *[zsebben]*; **~ into** kutat (adatok után), (vmnek) mélyére hatol; **~ into sy's past** kutatja vk múltját

Dem. *röv* **1.** *Democrat* **2.** *democratic*

demagnetize [diːˈmægnətaɪz], **-ise A.** *tsi* mágnestelenít, lemágnesez, demagnetizál **B.** *tni* lemágneseződik, demagnetizálódik • *fn* **demagnetization**, **–isation**

demagog [ˈdeməgɒg ‖ –gɑg] *US* → **demagogue**

demagogue [ˈdeməgɒg ‖ –gɑg] *fn* **1.** (hazug) néplázító, demagóg **2.** népvezér *[ókorban]* • *fn* **demagogy**, **demagoguery** *mn* **demagogic**

demand [dɪˈmɑːnd ‖ dɪˈmænd] **I.** *fn* **1.** kérés, igény, követelés; **~ in excess** többletkövetelés; **to do sg on ~** azonnal megtesz vmt; *gazd* **payable on ~** látra/bemutatáskor fizetendő *[váltó]* **2. a)** kereslet; **supply and ~** kínálat és kereslet; **in great ~** igen keresett, nagyon kapós *[áru]* **b)** felvevőképesség *[piacé]* **3. I have many ~s on my time**

nagyon elfoglalt vagyok; **make great ~s** nagy követeléseket/igényeket támaszt, *átv* erősen igénybe vesz (vkt) **II.** *tsi* **1.** kér, követel (vmt vktől); **~ that...** követeli, hogy...; **~ to know whether...** tudni akarja, vajon... **2.** megkövetel, igényel, (meg)kíván; **the matter ~s great care** az ügy nagy gondosságot igényel (v. kíván meg); **it ~s skill** ügyességet igényel **3.** kérdez, érdeklődik • *mn* **demandable**

demandant [dɪˈmɑːndənt ‖ –ˈmændənt] *fn jog* felperes, panaszos, panasztevő

demand bill *fn pénz gazd* látra szóló váltó

demand draft → **demand bill**

demand-driven *mn gazd közg* kereslet által vezérelt/vezetett

demander [dɪˈmɑːndə ‖ –ˈmændər] *fn* **1. a)** *gazd* vevő **b)** *gazd* hitelező **2.** *jog* → **demandant**

demanding [dɪˈmɑːndɪŋ ‖ –ˈmæn–] *mn* igényes, sokat követelő, megerőltető

demand note *fn jog* fizetési meghagyás

demand price *fn gazd* keresleti/kereslet által meghatározott ár

demand-pull inflation *fn pénz* túlkereslet által gerjesztett infláció

demand-side economy *fn gazd pénz* keresleti gazdaság/gazdálkodás

demarcate [ˈdiːmɑːkeɪt ‖ diːˈmɑr–] *tsi* **1.** körülhatárol *[területet]*, határokat kijelöl/megállapít (vhol) **2.** megkülönböztet, elhatárol; **~ a subject from another** elhatárolja (v. élesen elválasztja) az egyik témát a másiktól • *fn* **demarcator** *mn* **demarcating**

demarcation [ˌdiːmɑːˈkeɪʃn ‖ –mɑr–] *fn* **1.** elhatárolás, határvonal; **line of ~** demarkációs vonal, határvonal **2.** határmegvonás, határmegállapítás **3.** ‹szakszervezeti illetékesség megállapítása/meghatározása›

demarcation dispute *fn GB* szakszervezeti illetékességi vita

démarche [ˈdeɪmɑːʃ ‖ deɪˈmɑrʃ] *fn* (diplomáciai) lépés, demars, írott/írásbeli felszólítás

dematerialize [ˌdiːməˈtɪərɪəlaɪz ‖ –ˈtɪr–], **-ise A.** *tsi* anyagtalanít, átszellemít **B.** *tni* anyagtalanná válik, elveszti anyagiasságát • *fn* **dematerialization**

demean [dɪˈmiːn] *tsi* **~ oneself** lealacsonyodik, lealacsonyítja/lealázza magát

demeaning *mn* megalázó, lealacsonyító, rangon aluli

demeanour [dɪˈmiːnə ‖ –ər], *US* **demeanor** *fn* viselkedés, magatartás, modor

dement [dɪˈment] **I.** *fn régi* őrült, elmebajos, bolond **II.** *tsi* megbolondít, megőrjít (vkt), elveszi az eszét (vknek) **III.** *tni* eltompul, elbutul, lelassul az észjárása

demented [dɪˈmentɪd] *mn* őrült, tébolyult, bolond; **become ~** megőrül, megtébolyodik • *hsz* **dementedly**

dementia [dɪˈmenʃə] *fn orv* elmebaj, tébolyodottság, dementia

dementia praecox [–ˈpriːkɒks ‖ –ˈpriːkɑks] *fn orv* skizofrénia

demerara (sugar) [ˌdeməˈreərə ‖ –ˈrerə] daracukor, barna cukor

demerge [ˌdiːˈmɜːdʒ ‖ –ˈmɜrdʒ] *tsi gazd közg* szétválaszt, különválaszt *[vállalatokat]*, elválaszt *[egy céget a másiktól]* • *fn* **demerger**

demerit [diːˈmerɪt] *fn* **1.** vétek, vétség; **the merits and ~s of the case** a mellette és ellene szóló érvek **2. a)** érdemtelenség, méltatlanság **b)** *US okt* ‹rossz magaviseleti jegy/osztályzat› • *mn* **demeritorious**

demersal [dɪˈmɜːsəl ‖ –ˈmɜr–] *mn áll* a tengerfenékre lesüllyedt, a tengerfenéken élő

demi- [ˈdemi] *összet* fél-

demigod [ˈdemigɒd ‖ –gɑd] *fn* félisten; *átv* rendkívüli személyiség

demigoddess [ˈdemɪgɒdɪs ‖ –gɑ–] *fn* félistennő

demijohn [ˈdemidʒɒn ‖ –dʒɑn] *fn* demizson, fonott üveg, kosárüveg

demilitarize [diːˈmɪlɪtəraɪz], **-ise** *tsi* **-izing 1.** a fegyveres erőket kivonja (vhonnan), katonailag kiürít, demilitarizál **2.** katonai jellegétől megfoszt, megszünteti (vm) katonai jellegét **3.** katonailag teljesen leszerel *[országot]*, lefegyverez • *fn* **demilitarization**

demi-mondaine [ˌdemimɒnˈdeɪn ‖ –mɑn–] *fn* kétes erkölcsű nő

demi-monde [ˌdemiˈmɒnd ‖ ˈdemimɑnd] *fn* **1.** *biz* félvilág(i társaság) **2.** *biz* félvilági nő

de-mine *tsi kat* aknátlanít, taposóaknákat felszed *[területről]* • *fn* **de-mining**

demi-rep [ˈdemirep] *fn* kétes hírű nő, utcanő

demise [dɪˈmaɪz] **I.** *fn* **1.** *jog* haszonbérbeadás, haszonbérlet átruházása *[földbirtoké]* **2. a)** vagyon/jog/cím átruházása *[végrendeletileg, lemondással stb.]* **b)** ingatlanöröklés **3.** haláleset, kimúlás, bukás, lelepleződés; **women were his ~** a nők jelentették/okozták a vesztét; *GB* **~ of the crown** a trón megüresedése **II.** *tsi* **1.** haszonbérbe ad, haszonbérletet átruház *[ingatlanét]* **2. a)** átenged, átruház, átad *[javat, címet, koronát]* **b)** (végrendeletileg) hagyományoz, örökül hagy, testál *[ingatlant]* • *mn* **demisable**

demisemiquaver [ˈdemisemikweɪvə ‖ –ər] *fn zene* harmincketted *[hangjegy]*

demist [ˌdiːˈmɪst] *tsi GB* párátlanít, páramentesít *[gépkocsi szélvédőjét]* • *fn* **demister**

demit [dɪˈmɪt] *tsi* **-tt- 1.** *régi* **~ office** lemond/leköszön állásról/tisztségről, letesz *[hivatalt]* **2.** elbocsát • *fn* **demission**

demitasse [ˈdemitæs] *fn* **1.** feketekávés-csésze **2.** egy kis csésze fekete(kávé)

demiurge [ˈdemiɜːdʒ ‖ –ɜrdʒ] *fn* demiurgosz, főisten, a világ megalkotója • *mn* **demiurgic**

demo [ˈdemoʊ] *fn* **1.** *biz* tüntetés (vm/vk ellen) **2.** bemutató példány/darab, demó *[kül. számítógépprogramban, együttes bemutató hanganyagában]*

demob [diːˈmɒb ‖ diːˈmɑb] *kat* **I.** *fn biz* → **demobilization**; *biz* **~ suit** leszereléskor kapott civil ruha **II.** *tsi* **-bb-** *biz* leszerel *[katonát, haderőt]*; *kat biz* **get ~bed** leszerel • *fn* **demobbing**

demobilization [dɪˌmoʊblˑaɪˈzeɪʃn ‖ –bələ–], **-isation** *fn* (katonai) leszerelés, demobilizáció

demobilize [dɪˈmoʊbəlˑaɪz], **-ise** *tsi* leszerel *[katonát, haderőt]*

democracy [dɪˈmɒkrəsi ‖ –ˈmɑ–] *fn* **a)** *pol* demokrácia *[mint államforma]* **b)** demokratikus állam/ország

democrat [ˈdeməkræt] *fn* **1.** demokrata **2.** *US* a demokrata párt tagja, demokratapárti

democratic [ˌdeməˈkrætɪk] *fn* **1.** demokratikus; *US* **D~ Party** Demokrata Párt **2.** *átv* mindenkire érvényes, mindenkinek elérhető • *hsz* **democratically**

democratism [dɪˈmɒkrətɪzm ‖ –ˈmɑ–] *fn* demokratizmus

democratize [dɪˈmɒkrətaɪz ‖ dɪˈmɑ–], **-ise A.** *tsi* demokratizál **B.** *tni* demokratizálódik • *fn* **democratization, -isation**

Democritean [dɪˌmɒkrɪˈtiːən ‖ –ˌmɑ–] *mn* démokritoszi

démodé [deɪˈmoʊdeɪ ‖ ˌdeɪmoʊˈdeɪ] *mn* divatjamúlt

demodulate [diːˈmɒdjʊleɪt ‖ –ˈmɑ–] *tsi távk* demodulál, detektál, modulációt megszüntet • *fn* **demodulation**

demographer [dɪˈmɒgrəfə ‖ dɪˈmɑgrəfər] *fn* népességstatisztikus, demográfus

demographic, demographical [ˌdeməˈgræfɪk(l)] *mn* demográfiai, népességstatisztikai, népesedési; **~ changes** demográfiai változások/átalakulások; *földr* **~ explosion/timebomb** demográfiai robbanás

demography [dɪˈmɒgrəfi ‖ –ˈmɑ–] *fn* népesedési statisztika, demográfia

demoiselle [ˌdemwɑːˈzel] *fn* **1.** *áll* **a) ~ crane** pártás daru **b)** acsa **c)** légivadász, szitakötő **d)** tigriscápa **2.** *régi* kisasszony, ifjú hölgy

demolish [dɪˈmɒlɪʃ ‖ dɪˈmɑ–] *tsi* **1.** lerombol, ledönt, szétszed, tönkretesz, elpusztít **2.** megcáfol *[elméletet]*, halomra dönt *[számítást, érvet]* **3.** *tréf* felfal, eltüntet *[ételt]* • *fn* **demolisher**

demolition [ˌdeməˈlɪʃn] *fn* lebontás, lerombolás, szétszedés

demon [ˈdi:mən] *fn* **1.** démon, rossz szellem; *biz* **be a ~ for work** úgy dolgozik, mint egy megszállott **2.** ördög; **the D~** a démon, a gonosz (szellem) **3. a)** zseniális előadó/játékos/sportoló **b)** zseni, lángész **4.** istenség, természetfeletti lény *[görög mitológiában]*

demoness [ˈdi:mənɪs] *fn* boszorkány, gonosz szellem *[nő]*

demonetize [di:ˈmʌnɪtaɪz ‖ –ˈmɑ–], **-ise** *tsi* pénzjelleget megszüntet, forgalomból kivon *[pénzfajtát]* • *fn* **demonetization, -isation**

demoniac [dɪˈmouniæk] **I.** *mn* → **demoniacal II.** *fn* ördögtől megszállott ember • *mn* **demoniacal**

demonic [dɪˈmɒnɪk ‖ dɪˈmɑ–] *mn* **1.** ördögi, démoni, rossz szellemtől vezérelt **2.** *ritk* zseniális

demonism [ˈdi:mənɪzm] *fn* démonizmus, ördög létezésébe vetett hit • *fn* **demonist**

demonize [ˈdi:mənaɪz] *tsi* démonná változtat, ördögivé tesz

demonolatry [ˌdi:məˈnɒlətri ‖ –ˈnɑ–] *fn* ördögimádat

demonology [ˌdi:məˈnɒlədʒi ‖ –ˈnɑ–] *fn* demonológia, démonokra vonatkozó tan/ismeretek

de-monopolize, -ise *tsi* ‹megszünteti vmnek monopólium voltát›

demonry [ˈdi:mənri] *fn* boszorkányság, varázslat

demonstrable [dɪˈmɒnstrəbl, ˈdemən– ‖ dɪˈmɑn–] *mn* kimutatható, (be)bizonyítható • *fn* **demonstrability** *hsz* **demonstrably**

demonstrant [ˈdemənstrənt] *fn* demonstráló, tüntető

demonstrate [ˈdemənstreɪt] **A.** *tsi* **1.** kimutat, (be)mutat, demonstrál **2.** leír, szemléltet, bemutat *[szerkezetet, eljárást, gépkocsit üzemben stb.]* **3.** kimutat, nyilvánít *[érzelmet stb.]* **B.** *tni* **1.** tüntet(ésen részt vesz), felvonul **2.** szemléltető módszerrel tanít

demonstration [ˌdemənˈstreɪʃn] *fn* **1.** kinyilvánítás, kimutatás *[érzelemé]* **2. a)** (be)bizonyítás, kimutatás *[igazságé]* **b) practical ~** gyakorlati bemutatás *[gépkocsié/készüléké üzemben]*; **~ car** bemutató kocsi; **~ flight** bemutatórepülés; **~ model** bemutatópéldány **c)** *okt* szemléltetés, szemléltető módszer/oktatás; **~ (class, lecture)** bemutató tanítás/előadás/óra; **~ school** bázis-/gyakorlóiskola **3.** (politikai) tüntetés, felvonulás

demonstrative [dɪˈmɒnstrətɪv ‖ dɪˈmɑnstrətɪv] *mn* **1.** nyíltszívű, közlékeny *[személy]* **2. a)** (be)bizonyító, meggyőző, kifejező, szemléltető, igazoló *[érv stb.]* **b)** bebizonyítható, kimutatható *[igazság stb.]* **3.** *nyelv* mutató; **~ adverb** mutató határozószó; **~ pronoun** mutató névmás **4.** tüntető • *fn* **demonstrativeness** *hsz* **demonstratively**

demonstrator [ˈdemənstreɪtə ‖ –ər] *fn* **1.** (politikai) tüntető **2.** magyarázó, tanító, demonstráló **3.** árut bemutató személy

demoralize [dɪˈmɒrəlaɪz ‖ –ˈmɔ–, –ˈmɑ–] *tsi* **1.** elcsüggeszt, demoralizál **2.** megront *[erkölcsileg]* • *fn* **demoralization**

demos [ˈdi:mɒs ‖ ˈdi:mɑs] *fn pej* plebsz, köznép

demote [ˌdi:ˈmout] *tsi* **1.** alsóbb osztályba tesz/sorol, degradál **2.** *kat* lefokoz • *fn* **demotion**

demotic [dɪˈmɒtɪk ‖ dɪˈmɑtɪk] **I.** *mn* **1.** népi **2.** demotikus, népies **3.** közönséges, köznyelvi, kollokviális **4.** ‹az egyszerűsített egyiptomi, ill. a modern görög nyelven íródott v. ezekkel kapcsolatos› **II.** *fn* démotikus írás; **written in ~** (egyiptomi) népies írással írott

demotivate [ˌdi:ˈmoutɪveɪt] *tsi* elbátortalanít, elcsüggeszt

demount [di:ˈmaunt] *tsi* **1.** leszerel *[fegyvert, műszert az állványáról/talapzatáról]* **2.** szétszerel • *mn* **demountable**

demulcent [dɪˈmʌlsənt] **I.** *mn orv* enyhítő, (fájdalom)csillapító, gyulladáscsökkentő *[szer]* **II.** *fn* fájdalomcsillapító/gyulladáscsökkentő szer

demur [dɪˈmɜ: ‖ dɪˈmɜr] **I.** *i* **-rr- A.** *tsi* **I ~ the inference** nem fogadom el ezt a konklúziót **B.** *tni* **1.** habozik, aggodalmaskodik **2.** akadékoskodik, nehézségeket támaszt, ellenkezik **3.** *jog* kifogást előad/benyújt **II.** *fn* **1.** habozás, tétovázás; **without ~** habozás/tétovázás nélkül **2.** akadékoskodás; **make no ~** nem támaszt nehézséget, nem habozik/tétovázik **3.** *jog* kifogásolás, időhúzás • *fn* **demurral**

demure [dɪˈmjuə ‖ –ˈmjur] *mn* **1.** kiegyensúlyozott, higgadt, tartózkodó, illedelmes *[fiatal nő]* **2.** erőltetetten/mesterkélten szerény, negédes, álszemérmes *[nő]* **3.** dekoratív, tetszetős

demurrable [dɪˈmʌrəbl ‖ –ˈmɜrəbl] *mn jog* kifogásolható

demurrage [dɪˈmʌrɪdʒ ‖ –ˈmɜrɪdʒ] *fn* **1. a)** *gazd* álláspénz **b)** *hajó* kártérítés hajó késedelmes kirakásáért **2. a)** *hajó vasút* veszteglés, *vasút* beraktározás, tárolás; *hajó* **days on ~** rakodási/vesztegelési idő **b)** *vasút* raktárdíj, fekbér **c)** *vasút* kocsiálláspénz

demurral [dɪˈmʌrəl ‖ –ˈmɜrəl] *fn* halasztás, időnyerés

demurrer [dɪˈmʌrə ‖ dɪˈmɜrər] *fn jog* (pergátló) kifogás, büntethetőséget kizáró ok

demy [dɪˈmaɪ] *fn* félív (papiros) *[564 × 444 mm]*

demystify [di:ˈmɪstɪfaɪ] *tsi* demisztifikál, érthetővé tesz, lerántja róla a leplet • *fn* **demystification**

demythologize [ˌdi:mɪˈθɒlədʒaɪz ‖ –ˈθɑ–], **-ise** *tsi vál* mítoszi elemektől megfoszt, mítoszok nélkül értelmez

den [den] **I.** *mn* **1.** barlang, odú *[vadállat búvóhelye]* **2.** titkos búvóhely, vacok, bunker *[gyereké]* **3.** *biz* dolgozószoba **4.** *biz* bűnbarlang, nyomortanya, lebuj, zugszálló **II.** *tni* **-nn-** barlangban/odúban rejtőzik/lakik/vackol, *átv* elrejtőzik, barlangjába/odújába húzódik; **~ up** téli álmot alszik, téli álomra vonul *[medve]*

denarius [dɪˈneərɪəs ‖ –ˈner–] *fn* **1.** penny **2.** dénár *[régi ezüstpénz]*

denary [ˈdi:nəri] *mn mat* tizedes, tízes, decimális *[rendszer]*

denationalize [di:ˈnæʃnˈəlaɪz], **-ise** *tsi* **1.** állampolgárság(á)tól megfoszt vkt, megfoszt nemzeti jellegétől **2.** államosítást megszüntet, visszaad *[államosított javakat régi tulajdonosnak]* • *fn* **denationalization, -isation**

denaturalize [di:ˈnætʃərəlaɪz ‖ –ər], **-ise** *tsi* **1.** vknek természetét megváltoztatja, természetellenessé tesz **2. a)** állampolgári jogoktól megfoszt **b) ~ oneself** lemond állampolgárságáról, elveszti állampolgárságát • *fn* **denaturalization, -isation**

denature [di:ˈneɪtʃə ‖ –ər] *tsi vegy* denaturál; **~d alcohol** denaturált szesz • *fn* **denaturant, denaturation** *mn* **denaturing**

denazification [ˌdi:nɑ:tsɪfɪˈkeɪʃn] *fn* **1.** nácítlanítás **2.** igazoló eljárás *[Németországban 1945 után]*; **~ court/panel** nácítlanító bizottság/bíróság

denazify [di:ˈnɑ:tsɪfaɪ] *tsi* **1.** nácítlanít, náci elemektől/befolyástól/szellemtől megtisztít/megszabadít **2.** vkt nem fasisztának nyilvánít *[Németországban 1945 után]*

dendrite [ˈdendraɪt ‖ –drɑn] *fn* **1. a)** *geol ásv* növényrajzos kőzet/kristály, *vegy* dendrit(kristály) **b)** növényrajz *[ásványon, kőzeten]* **2.** *orv* dendrit, idegsejtnyúlvány

dendritic [denˈdrɪtɪk] *mn ásv* fa alakú, fás szerkezetű, dendrites *[ásvány]*

dendro- [ˈdendrou] *összet* fa-, fával kapcsolatos

dendrochronology [ˌdendroukrəˈnɒlədʒi ‖ –ˈnɑ–] *fn* dendrokronológia, évgyűrűs kormeghatározás *[fáknál]*

dendroid [ˈdendrɔɪd] *mn* fa alakú

dendrology [denˈdrɒlədʒi ‖ –ˈdrɑ–] *fn* dendrológia

dene[1] [di:n] *fn GB* fövenypart, dűne

dene[2] [di:n] *fn* kis fás völgy

deniable [dɪˈnaɪəbl] *mn* tagadható

denial [dɪˈnaɪəl] *fn* **1.** megtagadás, visszautasítás; **a flat ~** kerek visszautasítás/elutasítás **2.** tagadás, el nem ismerés, kétségbevonás *[igazságé]*, cáfolat; **be in ~** önhitegetés, kóros valóságtagadás **3. a)** önmegtagadás **b)** *pszich* elfojtás *[érzésé, gondolaté]*
denicotinize [diːˈnɪkətiːnaɪz], **-ise** *tsi* nikotint kivon *[dohányból]*, denikotizál
denier[1] [dɪˈnaɪə ‖ –ər] *fn* tagadó, aki tagad
denier[2] [ˈdenɪə ‖ –ər] *fn tört* krajcár, garas
denigrate [ˈdenɪgreɪt] *tsi* **1.** *vál átv* befeketít, rágalmaz, kibeszél, rossz hírbe hoz (vkt) **2.** *vál* leszól, becsmérel, ócsárol *[személyt, tervet stb.]* • *fn* **denigration** *fn* **denigrator**
denim [ˈdenɪm] *fn* **1.** *tex* farmeranyag, kék vászonszövet **2.** **~s** farmernadrág
Denis [ˈdenɪs], **Dennis** *tul* ‹férfinév› Dénes
Denise [dəˈniːz] *tul* ‹női név›
denitrify [diːˈnaɪtrɪfaɪ] *tsi vegy* denitr(ifik)ál • *fn* **denitrification**
denizen [ˈdenɪzn] *fn* **1. a)** *vál* bennszülött, honi állat/növény; **~s of the forest** az erdő lakói *[az állatok]* **b)** *vál* állampolgár, lakos **2.** *jog* ‹letelepedett, de teljes állampolgársági jogokkal nem rendelkező külföldi› **3. a)** honosított/betelepített állat/növény **b)** jövevényszó, idegen nyelvből átvett szó
denizenship [ˈdenɪznʃɪp] *fn* állampolgárság, honosítottság
Denmark [ˈdenmɑːk ‖ –mɑrk] *tul földr* Dánia
denominate [dɪˈnɒmɪneɪt ‖ dɪˈnɑ–] *tsi* elnevez, megnevez
denomination [dɪˌnɒmɪˈneɪʃn ‖ dɪˌnɑ–] *fn* **1.** név, megnevezés, elnevezés, név szerinti említés **2.** *vall* felekezet **3. a)** *mat* **reduce fractions to the same ~** közös/azonos nevezőre hoz törteket **b)** *pénz* névérték, címlet; **money of small ~s** aprópénz, kis címletű bankjegy **c)** egység *[súlyé, mértéké stb.]*
denominational [dɪˌnɒmɪˈneɪʃnəl ‖ dɪˌnɑ–] *mn* **1. a)** felekezeti; **~ school** egyházi iskola **b)** *pol* szektás **2.** *pénz* **~ currency** váltópénz; aprópénz • *fn* **denominationalism**
denominative [dɪˈnɒmɪnətɪv ‖ dɪˈnɑmənətɪv] **I.** *mn* **1.** megnevező, megjelölő *[szó, kifejezés]* **2.** *nyelv* névszóból képzett, denominális **II.** *fn nyelv* névszóból képzett szó, denominatívum
denominator [dɪˈnɒmɪneɪtə ‖ dɪˈnɑmɪneɪtər] *fn* **1.** *mat* nevező **2.** névadó, megnevező, megjelölő
denotatum [ˌdiːnoʊˈteɪtəm] *fn tsz* **denotata** [–tə] *nyelv* denotatum
denote [dɪˈnoʊt] *tsi* **1.** megjelöl, jelez, utal (vmre) **2. a)** jelent **b)** *fil* kiterjed *[több tárgyra]*, felölel *[több tárgyat]* • *fn* **denotation** *mn* **denotative**
dénouement [deɪˈnuːmɒn ‖ ˌdeɪnuːˈmɑn] *fn* **1.** felderítés, megoldás *[összeesküvésé, bonyodalomé]* **2.** *vál átv* végkifejlet, kimenetel
denounce [dɪˈnaʊns] *tsi* **1.** szitkozódik, kifogásokat emel (vm miatt), kifogásol *[visszaélést]*, elítél **2. a)** feljelent *[bűnözőt, bűntettet]*, beárul, besúg **b)** leleplez *[csalót stb.]* **c) ~ sy as an impostor** csalással vádol vkt, csalónak bélyegez vkt **3.** felmond, megszűntnek/érvénytelennek nyilvánít *[fegyverszüneti stb. szerződést]* • *mn* **denouncer**
denouncement [dɪˈnaʊnsmənt] → **denunciation**
dense [dens] *mn* **1. a)** sűrű, vastag, tömött; **~ darkness** áthatolhatatlan/sűrű sötétség, vaksötét **b)** nagy fajsúlyú **2.** buta, ostoba, sötét; **~ headed** nehézfejű, nehéz felfogású **3.** *fényk* fedett • *fn* **denseness** *hsz* **densely**
densification [ˌdensɪfɪˈkeɪʃn] *fn* sűrítés
densimeter [denˈsɪmɪtə ‖ –ər] *fn* sűrűségmérő
densitometer [ˌdensɪˈtɒmɪtə ‖ –ˈtɑmətər] *fn fényk* feketedésmérő, denzitométer
density [ˈdensəti] *fn* **1. a)** *fiz* sűrűség, fajsúly *[testé, fémé, gázé]*; *mat* **~ function** sűrűségfüggvény **b)** *fényk* feketedés, denzitás **2. a)** sűrűség; **~ of population** népsűrűség **b)** tömörség, tömítettség **3.** butaság, ostobaság, együgyűség
dent [dent] **I.** *fn* **1. a)** horpadás, (be)mélyedés, benyomódás; **remove a ~** horpadást kiegyenget **b)** csorba *[késen, pengén]*; **make a ~ in one's fortune** csorbítja a vagyonát; *biz US* **make a ~** *[megjegyzésnek]* hatása van **2.** → **dint** I. **II.** *tsi* **1.** ront, negatív hatással van *[vmre]* **2.** behorpaszt, bemélyít, kicsorbít
dental [ˈdentl] **I.** *mn* **1.** *orv* fog-, fogászati; **~ floss** fogselyem; **~ mechanic** fogtechnikus; *US* **~ office** fogorvosi rendelő; **~ plate** műfogsor, protézis; **~ surgeon** fogorvos, szájsebész; **~ surgery** szájsebészet; fogorvosi/fogászati rendelő(szoba); **~ treatment** fogkezelés **2.** *nyelv* dentális, fog- *[hang]*; **~ (consonant)** dentális mássalhangzó, foghang **II.** *fn nyelv* foghang, dentális (mássalhangzó)
dentate [ˈdenteɪt] *mn* **1.** *áll* fogas, fogazott, fogakkal ellátott **2.** *növ* fogas, fogazott, fűrészes
denticare [ˈdentɪkeə ‖ –ker] *fn* ‹állami fogászati program, főként a gyermekek fogorvosi ellátására az USA-ban› kb. iskolafogászat
denticle [ˈdentɪkl] *fn* **1.** fogacska, kis fog **2.** *épít* → **dentil**
denticular [denˈtɪkjʊlə ‖ –ər] *mn* fogszerű, fogazott
denticulate [denˈtɪkjʊlət ‖ –kjəleɪt] → **denticular**
dentiform [ˈdentɪfɔːm ‖ –fɔrm] *mn* fog alakú
dentifrice [ˈdentɪfrɪs] *fn* fogápoló/fogtisztító szer, fogkrém
dentil [ˈdentɪl ‖ ˈdentl] *fn épít* fogsor, fogléc *[dísz]*
dentine [ˈdentiːn] *fn orv* fogállomány, dentin
dentist [ˈdentɪst] *fn* fogorvos; **~'s surgery** fogorvosi rendelő; *US* **~'s office** fogorvosi rendelő
dentistry [ˈdentɪstri] *fn* **1.** fogászat; **operative ~** szájsebészet; **prosthetic ~** fogpótlás(tan) **2.** fogorvoslástan, fogászat
dentition [denˈtɪʃn] *fn* **1.** fogzás, fogképződés **2.** fogazat **3.** ‹fogazat jellege/elrendeződése›
denture [ˈdentʃə ‖ –ər] *fn* műfogsor, protézis; **full ~** kettős protézis/műfogsor • *fn* **denturist**
denude [dɪˈnjuːd ‖ –ˈnuːd] *tsi* **1.** levetkőztet *[meztelenre]* **2.** lepusztít *[földet]*, letarol, kopárrá tesz; **~d mountains** letarolt hegyek **3.** *vill [vezetékszigetelést]* eltávolít, lecsupaszít • *fn* **denudation**
denumerable [dɪˈnjuːmrəbl ‖ –ˈnuː–] *mn mat* megszámlálhatóan végtelen *[halmaz]*
denunciation [dɪˌnʌnsiˈeɪʃn] *fn* **1. a)** feljelentés, beárulás, besúgás **b)** leleplezés **2.** elítélés, kárhoztatás, korholás **3.** felmondás *[nemzetközi szerződésé]*, megszűntnek nyilvánítás *[fegyvernyugvásé]* • *tsi* **denunciate** *fn* **denunciator** *mn* **denunciative**, **denunciatory**
denutrition [ˌdiːnjuːˈtrɪʃn ‖ –nuː–] *fn orv* (súlyos) táplálkozási zavar
Denver [ˈdenvə ‖ –ər] *tul földr* Denver
Denver boot *fn US biz* kerékbilincs
deny [dɪˈnaɪ] *tsi* **1.** tagad, letagad *[tényt, valóságot]*, (meg)cáfol, visszautasít *[hírt, állítást]*; **I don't** (v. **cannot**) **~ it** nem tagad(hat)om; **the accused denies the charge** a vádlott tagad(ja a vádat) **2. a)** megtagad *[hitét stb.]* **b) ~ one's signature** nem ismeri el sajátjának az aláírást **3. ~ sy sg**, **~ sg to sy** vktől megtagad vmt, vk kérését elutasítja; **~ one's door to visitors** nem fogad látogatókat, elzárkózik a látogatók elől; **if I am denied...** ha elutasítanak/visszautasítanak **4. a) ~ oneself sg** vmt megtagad/megvon magától **b) ~ oneself** önmegtagadást gyakorol
deodar [ˈdiːədɑː ‖ –ɑr] *fn növ* himalájai cédrusfa
deodorant [diˈoʊdərənt ‖ –ər] *fn* dezodor
deodorize [diˈoʊdəraɪz] *tsi* szagtalanít, dezodorál • *fn* **deodorization**
deodorizer [diˈoʊdəraɪzə ‖ –ər] → **deodorant**
deontic [diˈɒntɪk ‖ diˈɑntɪk] *mn fil* kötelességteljesítéssel kapcsolatos, deontikus
deontology [ˌdiːɒnˈtɒlədʒi ‖ ˌdiːɑnˈtɑ–] *fn* **1.** *fil* a kötelességek tana, deontológia **2.** orvosi etika • *mn* **deontological**
deoxidate [diːˈɒksɪdeɪt ‖ –ˈɑ–] → **deoxidize**
deoxidize [diːˈɒksɪdaɪz ‖ –ˈɑk–] *tsi* oxigénmentesít, dezoxidál • *fn* **deoxidization**

deoxygenate [ˌdiːˈɒksɪdʒəneɪt ‖ –ˈɑk–] *tsi* oxigént elvon *[vhonnan]* • *fn* **deoxygenation**
deoxyribonucleic acid [diːɒksɪraɪbounjuːˈkliːɪk ‖ –ɑk– –nuː–] *vegy* dezoxiribonukleinsav, DNS
depart [dɪˈpɑːt ‖ –ˈpɑrt] **A.** *tni* **1. a)** elmegy, távozik, elindul, útrakel, indul *[vonat stb.]* **b)** meghal **2.** eltér, elfordul; ~ **from a rule** eltér a szabálytól **B.** *tsi* elmegy, eltávozik (vhonnan); ~ **this life** elköltözik az élők sorából
departed [dɪˈpɑːtɪd ‖ –ˈpɑrtɪd] *mn* **1.** meghalt, elhunyt; **the** ~ az elhunyt, a megboldogult, a néhai; **the dear** ~ drága halottunk **2.** elmúlt, megszűnt
department [dɪˈpɑːtmənt ‖ –ˈpɑrt–] *fn* **1. a)** osztály, ág(azat), részleg, szak(osztály); **audit/control** ~ ellenőrzési osztály; **commercial** ~ kereskedelmi osztály; **foreign exchange** ~ devizaosztály; **stock exchange** ~ tőzsdeosztály **b)** osztály *[áruházban]* **c)** *okt* tanszék; *okt* ~ **of English** angol (nyelv és irodalom) tanszék; **head of** ~ *okt* tanszékvezető, osztályvezető, *[hivatali]*, osztályfőnök **d)** szakterület **2.** *biz* **this is my** ~ ez az én dolgom, reám (v. az én ügykörömbe) tartozik **3.** minisztérium; *US* **D~ of State, State D~** külügyminisztérium; **D~ of Defense, Defense D~** védelmi minisztérium; *GB* **D~ for Education** oktatásügyi minisztérium; *GB* **D~ of the Environment** környezetvédelmi minisztérium **4.** megye *[Franciaországban]* • *mn* **departmental**
departmentalize [ˌdiːpɑːtˈmentəlaɪz ‖ –pɑrt–] *tsi GB* részlegekre/osztályokra oszt *[intézményt, szervezetet]* • *fn* **departmentalism**
department store *fn* áruház
department-store chain *fn* áruházlánc
departure [dɪˈpɑːtʃə ‖ dɪˈpɑrtʃər] *fn* **1. a)** (el)indulás *[személyé, vonaté, járműé]*; ~ **side** indulási oldal *[pályaudvaré]*; ~**s** indulás *[felirat repülőtéren, pályaudvaron]* **b)** búcsú; **take one's** ~ elbúcsúzik, búcsút vesz **2.** halál, elhalálozás **3.** ~ **from a principle** eltérés egy elvtől, egy elv feladása; ~ **from a law** törvénybe ütközés **4. a) new** ~ egy új irány(zat); új módszer/eljárás **b)** kiindulási/elindulási pont; *hajó* **port of** ~ indulási kikötő
departure lounge *fn* (indulási) váróterem *[repülőtéren]*
departure platform *fn vasút* indulási peron
depasture [diːˈpɑːstʃə ‖ diːˈpæstʃər] **A.** *tsi* **1.** legeltet, *átv* ellát, táplál *[legelő]* **2.** lelegel **B.** *tni* legel • *fn* **depasturage**
depend [dɪˈpend] *tni* **1.** függ, múlik (vmn); **that** ~**s entirely on him** az teljesen tőle függ; **that** ~**s, it all** ~**s** attól függ, azon múlik **2. a)** ~ **on sy** függ vktől, más tartja el; az eltartottja vknek **b)** ~ **on sg** függ vmtől; ~**ing on whether** attól függően, hogy; **she** ~**s on her piano for her livelihood** (csak) zongoratudásából él **3.** ~ **(up)on sy/sg** vkre/vmre számít/támaszkodik; vkben/vmben (meg)bízik/hisz; **(you may)** ~ **(up)on it** számíthat(sz) rá, biztos lehet(sz) benne **4.** *jog* elintézetlen, tárgyalás alatt áll, függőben van *[per, törvényjavaslat stb.]* **5.** *nyelv* függ *[nyelvtani értelemben]*
dependable [dɪˈpendəbl] *mn* megbízható, bizalomgerjesztő • *fn* **dependability** *hsz* **dependably**
dependant [dɪˈpendənt] **I.** *mn* → **dependent** I. 1. **II.** *fn* **1.** alárendelt, függő viszonyban levő *[személy, intézmény]* **2.** *tsz* **dependants** eltartott családtagok, eltartottak
dependence [dɪˈpendəns] *fn* **1.** függőség, függés, alárendeltség **2.** bizalom; **place** ~ **on sy('s word)** bízik vkben, bízik vk szavában **3.** befolyásolt/irányított állapot, kényszerhelyzet
dependency [dɪˈpendənsi] *fn* **1.** függőség, függés, függő viszony **2.** államhoz tartozó terület/sziget (v. kapcsolt rész), gyarmat; **dependencies of an estate** egy birtok tartozékai **3.** *tsz* **dependencies** *pénz* várható (függésben levő) aktívák
dependent [dɪˈpendənt] **I.** *mn* **1.** függő, alárendelt, eltartott; *jog* ~ **territories** függő területek *[gyarmat, gyámsági terület]*; *mat* ~ **variable** függő változó; ~ **on drugs** drogfüggő, kábítószerfüggő **2.** *nyelv* ~ **clause** alárendelt mellékmondat **3.** ellátatlan *[családtag]*, eltartott; **be** ~ **on sy** eltartottja vknek, eltartásra szorul **II.** *fn US* → **dependant**
depersonalize [diːˈpɜːsnəlaɪz ‖ –ˈpɜr–], **-ise** *tsi* megfoszt személyiségtől (v. személyi jellegtől), személytelenít • *fn* **depersonalization**, **–isation**
depict [dɪˈpɪkt ‖ –tʃər] *tsi* lerajzol, lefest, leír, ecsetel • *fn* **depicter**, **depictor**, **depiction**
depilate [ˈdepɪleɪt] *tsi* hajat/szőrzetet eltávolít (vhonnan), szőrtelenít, epilál • *fn* **depilation**
depilatory [dɪˈpɪlətəri ‖ –tɔri] *mn/fn* szőrtelenítő(szer)
deplane [diːˈpleɪn] **A.** *tsi* repülőgépből kiszállít/kirak **B.** *tni* repülőgépből kiszáll, repülőgépről leszáll
deplenish [dɪˈplenɪʃ] *tsi* kiürít, kifoszt
deplete [dɪˈpliːt] *tsi* **1.** elfogyaszt, elhasznál, felél, kifáraszt, kimerít, legyengít **2.** kiszipolyoz, kimerít *[termőföldet, országot stb.]* **3.** ~ **a garrison of troops** kiüríti a helyőrséget, elvezényli a katonaságot **4.** *orv* lecsapol, megcsapol, kiürít • *fn* **depletion** *mn* **depletive**
deplorable [dɪˈplɔːrəbl] *mn* **1.** sajnálatos, szánalmas **2.** siralmas, szörnyűséges, nagyon rossz **3.** sajnálatra/szánalomra méltó • *hsz* **deplorably**
deplore [dɪˈplɔː ‖ dɪˈplɔr] *tsi* **1. a)** rosszall, helytelenít **b)** bán, sirat **2.** sajnál, szán; ~ **one's fate** sajálkozik sorsa felett/miatt
deploy [dɪˈplɔɪ] **A.** *tsi kat* felvonultat, zárt hadrendbe felállít, felfejlődtet *[hadoszlopot, hadsereget, csapatot]*, telepít *[rakétát]*, *átv* bevet *[pl. vmlyen érvet]* **B.** *tni kat* felfejlődik, csatarendbe áll • *fn* **deployment**
depolarize [diːˈpouləraɪz], **-ise** *tsi fiz* depolarizál • *fn* **depolarization**
depone [dɪˈpoun] *jog* → **depose** A. 2.
deponent [dɪˈpounənt] *fn jog* tanúvallomást tevő, tanúskodó, írásbeli eskü alatt vallomást adó személy
depopulate [diːˈpɒpjuleɪt ‖ –ˈpɑpjə–] **A.** *tsi* elnépteleníť *[vidéket, országot]*, megritkít *[erdőt]*, kiirt *[erdőt, vadállományt, halállományt]* **B.** *tni* elnéptelenedik • *fn* **depopulation**
deport [dɪˈpɔːt ‖ –ˈpɔrt] *tsi* **1.** száműz, deportál, kitilt, kiutasít, kitoloncol, elhurcol **2.** ~ **oneself** viselkedik, viseli magát *[jól, rosszul]*
deportation [ˌdiːpɔːˈteɪʃn ‖ –pɔr–] *fn* kitoloncolás, deportálás, kiutasítás, elhurcolás
deportee [ˌdiːpɔːˈtiː ‖ –pɔr–] *fn* száműzött, kitoloncolt, kitelepített, deportált
deportment [dɪˈpɔːtmənt ‖ –ˈpɔr–] *fn* magatartás, viselkedés, modor
depose [dɪˈpouz] **A.** *tsi* **1.** *jog* eskü alatt tanúsít, megerősít, igazol *[rendszerint írásbeli vallomás útján]* **2.** eltávolít *[vkt hivatalából]*, megfoszt trónjától **B.** *tni jog* tanúskodik; ~ **to a fact** eskü alatt vallomást tesz egy eseményről/cselekedetről • *fn* **deposal** *mn* **deposable**
deposit [dɪˈpɒzɪt ‖ –ˈpɑ–] **I.** *fn* **1.** letét, betét, *[bankban]*; **bank** ~ bankbetét; **joint** ~ közös letét; ~ **for a fixed period** kötött betét/folyószámla **2.** foglaló, előleg, betét *[pl. betétdíjas üvegé]*; **on** ~ letétben; előlegként; **leave a** ~ **on sg** foglalót/előleget ad; **pay a** ~ foglalót/előleget ad **3. a)** *vegy körny* lerakódás, üledék, réteg, szediment, *geol* fekvés, település, réteg, vonulat, *bány* előfordulás, lelőhely; *orv* **dental** ~ fogkő; *geol* **river** ~**s** folyami lerakódás, hordalék; **form a** ~ lerakódik **b)** *vegy* lecsapódás, kicsapódás **4. a)** ~ **library** fiókkönyvtár **b)** ~ **copy** (könyvtári) köteles példány **II.** *tsi* **1.** (le)tesz, (le)rak, elhelyez (sg on sg vmt vmre) **2. a)** *pénz* letétbe helyez, betesz *[bankba]*, letesz *[pénzt]*; ~ **money with sy** pénzt tesz le (v. helyez letétbe) vknél **b)** ~ **£100** száz font foglalót/biztosítékot tesz le **3.** üledéket/iszapot lerak
deposit account *fn pénz* letét/betétszámla
depositary [dɪˈpɒzɪtəri ‖ dɪˈpɑzəteri] *fn* letéteményes, (meg)őrző

deposition [ˌdepəˈzɪʃn] *fn* **1.** elmozdítás *[hivatalból, tisztségből]*, letétel *[uralkodóé]* **2.** (tanú)vallomás, tanúskodás **3.** *földr körny* lerakódás, felhalmozódás *[üledéké]* **4.** *pénz* elhelyezés, letétbe helyezés **5.** *műv* **the ~ (from the cross)** levétel (a keresztről)
deposit money *fn* ‹bankban elhelyezett pénzösszeg› betét
depositor [dɪˈpɒzɪtə ‖ dɪˈpɑzɪtər] *fn pénz* betétes, letétbe helyező; **~'s book** (takarékpénztári) betétkönyv
depository [dɪˈpɒzɪtəri ‖ dɪˈpɑzətɔri] *fn* **1.** raktár, megőrzőhely, lerakat; **furniture ~** bútorraktár; **~ library** kötelespéldány-könyvtár **2.** → **depositary 3.** tárháza vmnek *[ismeretnek stb.]*
deposit safe *fn* értékmegőrző
deposit slip *fn US pénz* befizetési bizonylat/megbízás
depot [ˈdepoʊ ‖ ˈdiːpoʊ] *fn* **1. a)** *gazd* raktár, megőrzőhely, lerakat, telephely **b) (tramway) ~** (villamos)remíz **2.** *kat* **a)** raktár; **~ ship** raktáranyahajó, élelmező anyahajó; **supply ~** élelmiszerraktár, intendantúra **b)** hadifogolytábor **3.** *US* **a)** vasútállomás, pályaudvar; **freight ~** teherpályaudvar **b)** autóbusz-pályaudvar
deprave [dɪˈpreɪv] *tsi* megront, lealjasít, lezülleszt *[jellemet, erkölcsöt, ízlést]* • *fn* **depravation** *mn* **depraved**
depravity [dɪˈprævəti] *fn* **a)** romlottság, istentelenség **b)** züllöttség, elfajultság, perverzitás **c)** gonosz tett/cselekedet
deprecate [ˈdeprəkeɪt] *tsi* **1. a)** helytelenít, kifogásol, rosszallását fejezi ki (vm miatt) **b)** lebecsül, ócsárol **2.** *régi* imádkozik/könyörög vm elhárításáért • *fn* **deprecation** *mn* **deprecating, deprecative**
deprecatory [ˈdeprəkeɪtəri ‖ –kətɔri] *mn* **1.** mentegetődző, bocsánatkérő, szemrehányást leszerelő *[nevetés stb.]* **2.** helytelenítő, rosszalló
depreciate [dɪˈpriːʃieɪt] **A.** *tsi* **1. a)** csökkent, leszorít *[árat, értéket]*, aláértékel, *pénz* leértékel, devalvál; **~ the dollar** leértékeli a dollárt **b)** *gazd* vmnek az értékcsökkenését leírja **2.** lebecsül, becsmérel, leszól, lenéz (vkt, vmt) **B.** *tni* elértéktelenedik, értékcsökkenést szenved, devalválódik, áresést/értékcsökkenést szenved • *fn* **depreciator** *mn* **depreciative, depreciatory** *hsz* **depreciatingly**
depreciation [dɪˌpriːʃiˈeɪʃn] *fn közg* **1.** értékcsökkenés, értékveszteség, leértékelés, pénz vásárlóerejének csökkenése, devalválódás, árfolyamesés **2.** lebecsülés, leszólás
depredation [ˌdeprəˈdeɪʃn] *fn* **1.** kifosztás, fosztogatás, rablás **2.** tékozlás, elherdálás
depredator [ˈdeprədeɪtə ‖ –ər] *fn* **1.** zsákmányoló, fosztogató, rabló **2.** tékozló, elherdáló • *mn* **depredatory**
depress [dɪˈpres] *tsi* **1. a)** leereszt, leenged, leszállít *[színvonalat, árat stb.]* **b)** *mat* redukál, alacsonyabb hatványra hoz *[egyenletet]* **2. a)** elszomorít, elkedvetlenít, deprimál, *átv* lesújt, lever (vkt) **b)** pangást idéz elő *[kereskedelemben]*, csökkent *[árat, forgalmat]* **3.** megnyom, összenyom, lenyom; **~ the pedal** (i) lenyomja a pedált (ii) *gk* gázt ad, belelép a pedálba/gázba • *mn* **depressing**
depressant [dɪˈpresnt] **I.** *mn* **1.** lehangoló, elszomorító, elkedvetlenítő **2.** *orv* csillapító, idegnyugtató **II.** *fn orv* csillapító/enyhítő/idegnyugtató szer, szedatívum
depressed [dɪˈprest] *mn* **1.** levert, deprimált, depressziós, depresszív *[beteg]* **2.** *gazd* nyomott, pangó *[forgalom]* **3.** *mat* **~ equation** alacsonyabb hatványkitevőre hozott egyenlet
depressed area *fn* gazdasági nehézségekkel küzdő vidék
depression [dɪˈpreʃn] *fn* **1. a)** legyengülés **b)** fásultság, csüggedtség, levertség, nyomott hangulat/kedélyállapot, búskomorság, depresszió **2. a)** leeresztés, leengedés, leszállítás, (le)nyomás, süllyedés, hanyatlás, gyengülés, halkulás, gyengítés, halkítás *[hangé]* **b)** *csill* ‹égitest láthatár alatti negatív magassága/szögtávolsága› depresszió **3. a)** *csill* horpadás, mélyedés, benyomódás *[égitest peremén]*, földteknő **b)** *csill* lyuk, mélyedés, homorúság *[égitest felszínén]* **c)** süllyedés, ereszkedés, lehajlás *[vasúti síné stb.]* **d)** *földr* süllyedék, depresszió **4.** *közg* (gazdasági) válság (legmélyebb szakasza), pangás, depresszió; **the D~** ‹az 1929–34-es gazdasági válság› **5. a)** alacsony légnyomás, légnyomáscsökkenés, depresszió **b)** *műsz* légritkítás, ritkított légtér, vákuum
depressive [dɪˈpresɪv] *mn* **1.** levertségre hajlamos, gyakran lehangolt **2.** *orv* depresszióra hajlamos
depressor [dɪˈpresə ‖ –ər] *fn* **1. a)** *orv* lehúzó/levonó izom **b)** *orv* depresszorideg **2.** *orv* lenyomó eszköz, depresszor **3.** *vegy* reakciót késleltető anyag **4.** vérnyomáscsökkentő (szer)
depressurize [diːˈpreʃəraɪz] *tsi* nyomásmentesít
deprivation [ˌdeprɪˈveɪʃn] *fn* **1. a)** hiány, nélkülözés, veszteség **b)** elvesztés, megfosztás *[pl. polgárjogoktól]* **c)** *orv* hiány, megvonás *[szükséglettől]*; **oxygen ~** oxigénhiány **2.** megfosztás *[birtoktól, hivataltól]*, elbocsátás, elmozdítás
deprive [dɪˈpraɪv] *tsi* **1. ~ sy of sg** megfoszt vkt vmtől; **~ oneself** önként nélkülözést/böjtöt vállal magára **2.** *régi* megfoszt, elmozdít *[hivatalból papot/tisztviselőt stb.]* • *fn* **deprival** *mn* **deprivable**
deprived [dɪˈpraɪvd] *mn* elnyomott helyzetben levő, hátrányos helyzetű *[gyermek]*
dept, **dept.** *röv* **1.** *department* **2.** *deputy*
depth [depθ] *fn* **1.** mélység; **~ gauge** mélységmérő; **in ~** mélységben, mélység tekintetében; *átv* nagy alapossággal, maximális felkészültséggel *[elkészített, megírt]*; → **in-depth 2.** fenék, alj, magasság *[vízé]*; **go/get beyond (v. out of) one's ~** mély vízben van; mély vízbe merészkedik; *átv* bizonytalannak érzi magát; nem érez biztos talajt a lába alatt **3. a)** bölcsesség, ész, felfogóképesség *[értelemé]* **b)** *műsz* mélység, intenzitás, melegség *[színezésé, kolorité]* **4.** vmnek a mélye/közepe; **in the ~ of winter** a tél (kellős) közepén, a tél derekán **5.** *tsz* **depths a)** *vál* vmnek határtalan nagysága, feneketlen mélység/szakadék/örvény **b)** *vál* mélység *[óceáné, tudatlanságé, butaságé, bánaté]*, sötétség *[butaságé, tudatlanságé, gondolaté, érzelemé]* **6.** homályosság, nehezen érthetőség **7.** *fényk* **~ of field** mélységélesség; **~ of focus** fókusztávolság
depth bomb *fn kat* mélyvízi bomba
depth-charge → **depth bomb**
depthless [ˈdepθləs] *mn* **1.** sekély **2.** *átv* feneketlen, végtelen
depth psychology *fn pszich* mélylélektan, pszichoanalízis
depuration [ˌdepjuˈreɪʃn] *fn* megtisztulás, megtisztítás • *fn/mn* **depurative**
deputation [ˌdepjuˈteɪʃn] *fn* **1.** kiküldés, delegálás **2.** küldöttség, követség, delegáció
depute [dɪˈpjuːt] **I.** *fn* kiküldött, képviselő, felhatalmazott **II.** *tsi* **1.** felhatalmaz **2. a)** (ki)küld, delegál **b)** képviseletével/helyettesítésével megbíz (vkt)
deputize [ˈdepjutaɪz ‖ –pjə–], **-ise A.** *tsi US* → **depute II. B.** *tni* **1.** helyettesít, képvisel **2.** *szính* **~ for an actor** beugrik egy szereplő helyett
deputy [ˈdepjuti] **I.** *mn* helyettes, megbízott **II.** *fn* **1.** helyettes, megbízott; **by ~** helyettes útján; **act as ~ for sy** helyettesít vkt **2. a)** küldött, követ **b)** *pol* képviselő, képviselőházi tag; **chamber of deputies** képviselőház • *fn* **deputyship**
deracinate [diːˈræsɪneɪt] *tsi átv* gyökerestől kitép, kiirt; kitöröl, olvashatatlanná tesz • *fn* **deracination**
derail [diːˈreɪl] **A.** *tsi* kisiklat *[vonatot, tárgyalást]*; **be ~ed** kisiklik **B.** *tni* kisiklik *[vonat]* • *fn* **derailment**
derailleur [dɪˈreɪlɪə ‖ –lər] *fn* sebességváltó *[kerékpáron]*
derange [dɪˈreɪndʒ] *tsi* **1.** rendetlenséget csinál (vhol), széthány *[iratokat]* **2. a)** elront *[szerkezetet]*, megzavar *[működést]*; **~ sy's plans** felborítja vk terveit, keresztülhúzza vk számítását; **become ~d** elromlik; zilált(tá válik) *[vk ruhája, haja]*; megzavarodik *[elme]* **b)** megőrjít (vkt); **be ~d** megháborodott, őrült, tébolyodott **3.** zavar (vkt), alkalmatlankodik (vknek) • *fn* **derangement** *mn* **deranged**

derate [ˌdiːˈreɪt] **A.** *tsi* **1.** pótadót leszállít/elenged (vknek) **2.** vmnek névleges értékéből leír **B.** *tni* csökken a névleges értéke, névleges értékéből veszít

deration [ˌdiːˈræʃn] *tsi* jegyet megszüntet (árura) • *fn* **derationing**

derby [ˈdɑːbɪ ‖ ˈdɜrbi] *fn US* keménykalap

Derby [ˈdɑːbi ‖ ˈdɜrbi] *fn* **1. the ~** az epsomi derbi *[lóverseny]*; **~ day** az epsomi derbi napja; **~ dog** ‹lóversenyt zavaró kutya›; *átv* nem helyénvaló megjegyzés; az utolsó pillanatban váratlanul felbukkanó akadály **2. d~** *sp* rangadó, derbi

deregulate [ˌdiːˈregjʊleɪt] *tsi* (szabályozás alól) felszabadít, liberalizál • *fn* **deregulator**

deregulation [ˌdiːregjʊˈleɪʃn] *fn* liberalizálás; *jog* dereguláció *[a jogi szabályozás megszüntetése]*

deregulation zone *fn* gazdasági megszorítások alól felszabadított övezet, kiemelt/különleges gazdasági övezet

Derek [ˈderɪk] *tul* ‹férfinév›

derelict [ˈderəlɪkt] **I.** *mn* **1.** gazdátlan, elhagyott, elhanyagolt, leromlott állagú/állapotú **2.** *US* hanyag; **be ~ in one's duty to sg** elhanyagolja a kötelességét **II.** *fn* **1.** elhagyott/gazdátlan tárgy/jószág/hajó **2.** lezüllött ember, hajléktalan **3.** *US* kötelességmulasztó

dereliction [ˌderəˈlɪkʃn] *fn* **1. a)** elhagyás, gazdátlanul hagyás **b)** vízfelület visszahúzódása; víztől felszabadult terület **2.** felületesség, gondatlanság, hanyagság; **~ of duty** szolgálatszegés, kötelességmulasztás

derequisition [ˌdiːrekwɪˈzɪʃn] **I.** *fn* hatósági igénybevétel alól való feloldás **II.** *tsi* **1.** hatósági igénybevétel alól felold **2.** visszaszolgáltat *[eredeti tulajdonosnak]*

derestrict [ˌdiːrɪˈstrɪkt] *tsi* korlátozást megszüntet, korlátozás alól felold; **~ a road** megszünteti a sebességkorlátozást egy útvonalon • *fn* **derestriction**

deride [dɪˈraɪd] *tsi* kinevet, kicsúfol, nevetség tárgyává tesz

de rigeur [ˌdə rɪˈgɜː] *mn* illendő, ajánlott; **an evening dress is ~** estélyi ruha viselete ajánlott/kötelező

derision [dɪˈrɪʒn] *fn* **1.** kinevetés, kigúnyolás, kicsúfolás; **object of ~** nevetség/gúny tárgya; **hold/have sy in ~** kinevet/kigúnyol vkt, nevetség/gúny tárgyává tesz vkt **2.** nevetség/gúny tárgya

derisive [dɪˈraɪsɪv] *mn* gúnyos, gúnyolódó

derisory [dɪˈraɪsəri] *mn* **1.** → **derisive 2.** nevetséges; **~ offer** nevetséges ajánlat

deriv. *röv derivation*

derivate [ˈderɪveɪt] *ritk* → **derivative II.**

derivation [ˌderɪˈveɪʃn] *fn* **1. a)** (le)származtatás, levezetés, deriválás; *mat* **~ of a function** deriválás, függvény leszármaztatása *[más függvényből]* **b)** merítés *[forrásból]* **2.** (le)származás, eredet **3. a)** származék, *nyelv* leszármaztatott/képzett szó, származék **b)** *nyelv* deriváció, szóképzés • *mn* **derivational**

derivative [dɪˈrɪvətɪv] **I.** *mn* **1.** leszármaztatott, származékos, származék-, képzett *[szó]*, derivált *[vegyület]* **2.** nem eredeti, másodlagos **II.** *fn* **1.** származék, derivátum, melléktermék; **petroleum ~** kőolaj-melléktermék **2.** *nyelv* származékszó, képzett szó **3. a)** *mat* differenciálhányados, derivált *[függvényé]* **b)** *tsz* **derivatives** függvény határértéke

derive [dɪˈraɪv] **A.** *tsi* **a)** nyer, származtat, levezet, derivál; **~ pleasure from sg** örömét leli vmben; *nyelv* **~ a word from Latin** egy szót a latinból származtat **b) be ~d from sg** származik/ered/fakad vmből; **income ~d from an investment** befektetésből eredő jövedelem **B.** *tni* származik, ered, fakad

derma [ˈdɜːmə ‖ ˈdɜrmə] *fn orv* bőr, derma

dermal [ˈdɜːml ‖ ˈdɜrml] *mn orv* bőr-

dermatitis [ˌdɜːməˈtaɪtɪs ‖ ˌdɜr–] *fn orv* bőrgyulladás

dermatologist [ˌdɜːməˈtɒlədʒɪst ‖ ˌdɜrməˈtɑ–] *fn* bőrgyógyász

dermatology [ˌdɜːməˈtɒlədʒi ‖ ˌdɜrməˈtɑ–] *fn* bőrgyógyászat • *mn* **dermatological**

dermatoplasty [ˈdɜːmətəplæsti ‖ ˈdɜr–] *fn orv* bőrpótlás, bőrátültetés, bőrplasztika

dermatosis [ˌdɜːməˈtoʊsɪs ‖ ˌdɜr–] *fn orv* bőrbetegség, bőrbaj, bőrbántalom

dermic [ˈdɜːmɪk ‖ ˈdɜr–] *mn* bőr-

Dermot [ˈdɜːmət ‖ ˈdɜr–] *tul* ‹ír férfinév›

dernier cri [ˌdɜːnieɪˈkriː ‖ ˌdɜr–] *fn* a legutolsó/legújabb divat

derogate [ˈderəgeɪt] **A.** *tsi* értékét csökkenti (vmnek), megkárosít **B.** *tni* **1.** csorbít, csökkent, elvesz vmből, megnyirbál *[szabadságjogokat]*; **~ from sy's authority** csorbítja vk tekintélyét; **~ from sy's reputation** rontja vk jóhírét **2. ~ from one's dignity/position** rangjához/állásához méltatlanul viselkedik

derogation [ˌderəˈgeɪʃn] *fn* **1.** csökkentés, korlátozás *[hatalomé]*, (meg)csorbítás, sértés *[jogé, kiváltságé]* **2.** derogáció, ideiglenes mentesítés

derogatory [dɪˈrɒgətəri ‖ dɪˈrɑgətɔri] *mn* **1.** csökkentő, csorbító, korlátozó; **~ to/from a right** jogsértő **2.** méltatlan, nem illő; **conduct ~ to his rank** rangjához nem méltó viselkedés **3.** (le)kicsinylő, (le)alacsonyító, becsmérlő *[adat, tett]*, elítélő; **in a ~ sense** elítélő értelemben

derrick [ˈderɪk] *fn* **a)** daru **b)** *hajó* árbocdaru, rakodógém **c)** fúrótorony

derrickman [ˈderɪkmən] *fn tsz* **–men 1.** darukezelő, darus **2.** kapcsoló(munkás) *[olajiparban]*

derrière [ˈderieə ‖ ˌderiˈer] *fn francia biz* fenék

derring-do [ˌderɪŋˈduː] *fn vál* vakmerőség, szilajság; **deeds of ~** hőstettek

derringer [ˈderɪndʒə ‖ –ər] *fn US* ‹rövid csövű nagy kaliberű pisztoly›

derry [ˈderi] **I.** *fn* gyanakvás, gyanú, rosszindulat; **have a ~ on sy/sg** ellenszenvvel viseltetik vk/vm iránt, nem bír **II.** *tsi* nem szeret/áll (vkt)

dervish [ˈdɜːvɪʃ ‖ ˈdɜr–] *fn* dervis; **howling ~** üvöltő dervis

Des [dez] *tul* ‹*Desmond* becéző alakja›

DES *röv* **1.** *infor data encryption standard* adat-rejtjelezési szabvány, DES **2.** *GB Department of Education and Science* Oktatásügyi Minisztérium

desalinate [diːˈsælɪneɪt] *tsi* sótalanít *[tengervizet]*

desalination [ˌdiːsælɪˈneɪʃn] *fn* sótlanítás, sók eltávozása

desalinization [diːˌsælɪnaɪˈzeɪʃn ‖ –nəˈzeɪʃn], **-isation** → **desalination**

desalinize [diːˈsælɪnaɪz] → **desalinate**

desalt [ˌdiːˈsɔːlt] → **desalinate**

descale [ˌdiːˈskeɪl] *tsi* kazánkőtől megtisztít

descant I. *fn* [ˈdeskænt] **1.** dal(lam) **2.** *zene* **a)** diszkant **b)** a legfelső szólam, szoprán (szólam) **c)** többszólamú ének **3.** kommentár, hosszas fejtegetés/magyarázat **II.** *tni* [dɪˈskænt] **1.** énekel **2.** *átv* részletesen/kimerítően elbeszél/tárgyal (*upon* vmt); **he ~ed on the beauty of the bride** hosszasan áradozott a menyasszony szépségéről

descend [dɪˈsend] **A.** *tsi* lemegy, lefelé megy *[lépcsőn, lejtőn]*; **~ a ladder** lemászik a létrán **B.** *tni* **1.** lejön, lemegy, leszáll, leereszkedik *[levegőből]* **2. a)** lejt *[hegyoldal]* **b)** *csill* leszáll, lehanyatlik, láthatár felé közeledik *[égitest]* **3. a) ~ (up)on** megrohan, rajtaüt *[ellenségen, városon stb.]*; kiszáll *[helyszínre]* **b)** *átv* **~ upon sy** elfog vkt *[érzelem]*; **a feeling of sadness ~ed upon him** szomorúság fogta el **4. a)** *átv* lealacsonyodik, lesüllyed; **~ to sy's level** vknek a színvonalára süllyed; **~ to doing sg** arra vetemedik, hogy, odáig süllyed, hogy **b) ~ to particulars** rátér/kitér a részletekre **5. a) ~ from sy, be ~ed from sy** származik vktől, vk leszármazottja; **be well ~ed** előkelő családból való **b)** száll *[vagyon, előjog]*, öröklődik *[tulajdonság]* **6.** *zene* ereszkedik *[dallam]* • *mn* **descendible, descendable**

descendance [dɪˈsendəns] *fn* leszármazás

descendant [dɪˈsendənt] **I.** *mn* → **descending II.** *fn* leszármazott, utód, sarj; **leave no ~s** utódok nélkül hal meg

descendence [dɪˈsendəns] *fn* (le)származás

descendent [dɪ'sendənt] **I.** *mn* → **descending II.** *fn* → **descendant**

descender [dɪ'sendə ‖ –ər] *fn* **1.** leszálló **2.** *nyomd* **a)** ‹betűvonal alá benyúló betűrész, g, j stb.› **b)** alávágott betű

descending [dɪ'sendɪŋ] *mn* **1. a)** lemenő, leszálló, lefelé menő/haladó/irányuló; ~ **line** lemenő ág; ~ **motion** lefelé irányuló mozgás **b)** lemeneti, lejárati; ~ **stair** lejárati lépcső **2.** *átv* csökkenő, ereszkedő, fogyó; *zene* ~ **scale** lefelé menő (v. ereszkedő) skála

D

descent [dɪ'sent] *fn* **1. a)** lemenetel *[hegyről]*, leszállás, leereszkedés; *rep* **forced** ~ kényszerleszállás; *műv* **the D~ from the Cross** levétel a keresztről **b)** süllyedés, esés, csökkenés *[hőmérsékleté]* **c)** *zene* ereszkedés *[dallamé]* **2. a)** lejtő, esés; **sharp** ~ meredek lejtő **b)** lemenet, lejárat, lefelé vezető út **3.** rajtaütés, megrohanás, partraszállás *[ellenséges csapaté]* **4.** hanyatlás *[erkölcsi, anyagi]* **5. a)** leszármazás, családfa; **trace one's ~ back to William the Conqueror** Hódító Vilmosig vezeti vissza családfáját **b)** emberöltő, nemzedék, generáció **6. a)** *jog* (rá)szállás *[vagyoné, tulajdonságé vkre]*, törvényes öröklés *[ingatlan vagyonban]*; *jog* **acquire a title by** ~ rangot/címet örököl **b)** *jog* öröklés útján történő jogutódlás *[vagyon, cím, rang]*; *jog US* **law of** ~ örökösödési jog

describe [dɪ'skraɪb] *tsi* **1. a)** leír, ecsetel **b)** ~ **sy/sg as** vmlyennek mond vkt/vmt **c)** személyleírást ad (vkről); **can you ~ the man?** le tudja írni az illető külsejét? **2.** *mat* (meg)húz *[vonalat]*, rajzol *[síkidomot]*; ~ **a circle about a polygon** sokszöget körülír

description [dɪ'skrɪpʃn] *fn* **1. a)** leírás; **beyond** ~ leírhatatlan **b)** személyleírás; **answer (to) a** ~ megfelel a leírásnak **c)** *gazd* megjelölés, körülírás *[árucikké]*; **by** ~ megjelölés szerint **2.** *biz* fajta, féle; **people of this** ~ ilyenfajta/ilyesféle emberek

descriptive [dɪ'skrɪptɪv] *mn* **1. a)** leíró; ~ **geometry** ábrázoló geometria; *közg* ~ **theory** leíró (nem normatív) elmélet **b)** ~ **grammar** leíró nyelvtan; ~ **linguistics** leíró nyelvészet **2.** objektív leírást adó, egzakt

descry [dɪ'skraɪ] *tsi* észrevesz, meglát, megpillant

desecrate ['desɪkreɪt] *tsi* megszentségtelenít, meggyaláz, profanizál *[szent helyet, sírt]* • *fn* **desecration, desecrator**

deseed [diː'siːd] *tsi* magtalanít, magtól megtisztít

desegregate [diː'segrɪgeɪt] *tsi* faji megkülönböztetést megszüntet • *fn* **desegregation**

deselect [ˌdiːsə'lekt] *tsi* **1.** *infor* töröl a listáról *[választási lehetőséget]* **2.** *GB pol* nem jelöl a következő választási ciklusban *[parlamenti képviselőt]*

desensitize [diː'sensətaɪz], **-ise** *tsi* **1. a)** *biol* érzékenységet megszüntet *[pl. allergiára]*, deszenzibilizál **b)** *átv* érzéketlenné tesz; **be(come)** ~**d** érzéketlen(né válik) **2.** *fényk* (fény)érzéketlenné tesz • *fn* **desensitization, -isation**

desert[1] ['dezət ‖ 'dezərt] **I.** *fn* **1.** sivatag, puszta(ság) **2.** terméketlen/meddő időszak/téma **II.** *mn* ['dezət ‖ 'dezərt] **1.** sivatagi *[növény, állat]*; *földr* ~ **climate** sivatagi éghajlat; *földr* ~ **storm** sivatagi vihar **2.** lakatlan, puszta *[vidék]*, kietlen *[táj]*, parlagon heverő, terméketlen *[föld]*

desert[2] [dɪ'zɜːt ‖ dɪ'zɜrt] **A.** *tsi* elhagy, otthagy, cserbenhagy; ~ **one's post** elhagyja őrhelyét; *átv* megszegi kötelességét; **all hope ~ed him** minden reménységét elvesztette **B.** *tni* **1.** *kat* megszökik, dezertál; ~ **from the army** megszökik a hadseregből **2.** *átv pol* átáll, átpártol

desert[3] [dɪ'zɜːt ‖ dɪ'zɜrt] *fn* **1.** érdem; **according to one's ~s** érdem(ei) szerint **2.** *tsz* **deserts** megérdemelt jutalom/büntetés; **get/obtain one's ~s** megkapja, amit kiérdemelt (v. amire rászolgált); **he has only got his ~s** megkapta a magáét

desert boot ['dezət– ‖ 'dezərt–] *fn* bokacsizma

deserter [dɪ'zɜːtə ‖ dɪ'zɜrtər] *fn* katonaszökevény, dezertőr, *pol* köpönyegforgató

desertification [dɪˌzɜːtɪfɪ'keɪʃn ‖ –ˌzɜrt–] *fn* elsivatagosodás, elsivatagosítás

desertion [dɪ'zɜːʃn ‖ –'zɜr–] *fn* **1.** elhagyás; *jog* **wilful ~** hűtlen elhagyás *[házastársé]* **2. a)** *kat* szökés, dezertálás **b)** *pol* átállás *[más pártba]*

desert island [ˌdezət– ‖ ˌdezərt–] *fn* lakatlan sziget

desert rat *fn GB biz* ‹a 7. brit páncéloshadosztály katonái az észak-afrikai hadjárat idején 1941-42-ben› sivatagi patkány

deserve [dɪ'zɜːv ‖ dɪ'zɜrv] **A.** *tsi* (meg)érdemel, kiérdemel; **as you ~** ahogy (meg)érdemled; **it ~s attention** figyelemre méltó, figyelmet érdemel; ~ **praise** dicséretre méltó; **he ~s to be punished** büntetést érdemel **B.** *tni* ~ **well of sy** jót érdemel vktől; ~ **ill of sy** rosszat érdemel vktől

deserved [dɪ'zɜːvd ‖ dɪ'zɜrvd] *mn* megérdemelt, jogos • *hsz* **deservedly**

deserving [dɪ'zɜːvɪŋ ‖ –'zɜr–] *mn* **1.** érdemes, kiváló *[ember]*, dicséretre méltó *[cselekedet]*; ~ **case** figyelemre méltó eset **2.** támogatást/segítséget érdemlő *[ember]*

desex [diː'seks] *tsi* **1.** kiherél, ivartalanít *[állatot]* **2.** szexuális tulajdonságaitól/vonzerejétől megfoszt

desexualize [diː'sekʃʊəlaɪz], **–ise** *tsi orv* nemi jellegétől/vonzerőtől megfoszt

déshabillé [ˌdezə'biːeɪ] → **dishabille**

desiccant ['desɪkənt] *fn* szárítószer

desiccate ['desɪkeɪt] **A.** *tsi* (ki)szárít *[élelmiszert]*, aszal *[gyümölcsöt]* **B.** *tni* kiszárad, aszalódik • *fn* **desiccation** *fn/mn* **desiccative** *mn* **desiccated**

desiccator ['desɪkeɪtə ‖ –ər] *fn vegy* szárítóberendezés, (be)szárító edény, deszikkátor, víztelenítő edény

desiderata [dɪˌzɪdə'rɑːtə] → **desideratum**

desiderate [dɪ'zɪdəreɪt] *tsi régi* hiányát/szükségét érzi (vmnek)

desiderative [dɪ'zɪdərətɪv] *mn/fn* vágyakozó, óhajtó

desideratum [dɪˌzɪdə'rɑːtəm] *fn tsz* **desiderata** [–tə] kívánalom, megkívánt/szükséges dolog

design [dɪ'zaɪn] **I.** *fn* **1. a)** tervezés, dizájn, szerkesztés *[gépé, művé]* **b)** kivitel(ezés), konstrukció; **machine of faulty ~** rossz v. hibás konstrukciójú gép **c)** típus, modell; *gazd* **of the latest ~** legújabb típusú **2.** tervezet, vázlat *[műalkotásé]*, *műsz* terv(rajz), vázlat(rajz), rajz *[gépé]*; **school of ~** rajziskola **3.** minta(dísz); ~ **decorative ~s** díszítő elemek **4. a)** szándék, terv, elgondolás; **by ~** szándékosan, készakarva; **I have a ~ (for)** volna egy elgondolásom **b)** cél; **with this ~** ezzel a célzattal/céllal **c)** fondorlat, cselszövés; **have ~s on sy** vmt forral vk ellen; **have ~s on sg** vmlyen szándéka van vmvel, terveket szövöget vmvel kapcsolatban **II. A.** *tsi* **1. a)** (meg)tervez *[épületet, műalkotást]*, tervez, kreál *[ruhát stb.]*, (meg)szerkeszt *[gépet]*, megrajzol *[tervrajzot, mintát]* **b)** kigondol, kiagyal, kifőz *[tervet]* **2.** kijelöl, tervez, kigondol; ~ **a gift for sy** ajándékot szán vknek; ~ **one's son for the bar** ügyvédi pályára szánja a fiát; **buses ~ed for local traffic** helyi rendeltetésű autóbuszok; ~ **to do sg, ~ doing sg** tervez/készül/szándékozik vmt tenni **B.** *tni* tervez(ő), rajzol(ó), tervezőként/rajzolóként dolgozik

designate I. *tsi* ['dezɪgneɪt] **1.** kijelöl, jelöl; ~ **sy to an office** hivatali tisztségre kijelöl vkt; ~ **sy as/for one's successor** utódául kijelöl vkt **2.** nevez, minősít, mond (vmlyennek); **he has been ~d (as) the most generous man of his age** kora legbőkezűbb emberének mondották **3.** jelez, mutat **II.** *mn* ['dezɪgnət] kijelölt, dezignált *[miniszterelnök stb.]*

designated hitter ['dezɪgneɪtɪd] *fn US* **1.** *sp* kijelölt ütőjátékos *[aki az igazi ütőjátékost helyettesíti, amikor annak ütnie kell]* **2.** *biz átv* ‹valakit szívességből helyettesítő személy› helyettes

designation [ˌdezɪg'neɪʃn] *fn* **1.** megjelölés, meghatározás **2.** kijelölés, kinevezés **3.** elnevezés, megnevezés, név; **known under several ~s** különböző elnevezések alatt ismeretes

designedly [dɪ'zaɪnɪdli] *hsz* szándékosan, szántszándékkal, készakarva
designer [dɪ'zaɪnə ‖ –ər] *fn* **1.** tervező, dizájner, műszaki tervező, szerkesztő(mérnök); **garden ~** kerttervező; **stage ~** díszlettervező **2.** (műszaki) rajzoló
designing [dɪ'zaɪnɪŋ] *mn* számító, ármányos, fondorlatos
desirable [dɪ'zaɪərəbl] **I.** *mn* kívánatos; **it is most ~ that** kívánatos volna, hogy... **II.** *fn* **a)** kívánatos dolog, kívánalom **b) the ~s and the undesirables** a kívánatos és nem kívánatos elemek • *fn* **desirability**, **desirableness**
desire [dɪ'zaɪə ‖ –ər] **I.** *tsi* **1. a)** vágyik (vmre), vágyakozik (vm után) **b)** (meg)kíván, akar; **~ to do sg** tenni kíván/akar vmt; **it is to be ~d that...** kívánatos volna, hogy...; **if ~d** kívánságra; **it leaves much to be ~d** sok kívánnivalót hagy hátra **2.** *régi* kér, követel, felszólít **II.** *fn* **1.** vágy(akozás), érzéki/szexuális vágy; **~ for knowledge** tudásszomj; **~ to live** élniakarás; **have a ~ for sg** (meg)kíván vmt, vágyik vmre; **have/feel no ~ for** (v. **to do**) **sg** semmi kedve vmhez (v. vmt tenni) **2.** kívánság, óhaj(tás); **at/by sy's ~** vk kívánsága szerint **3.** kívánt dolog, kívánság tárgya
desirous [dɪ'zaɪərəs] *mn* vágyó, vágyakozó, sóvárgó; **be ~ of sg** kíván/óhajt vmt; **be ~ of doing** (v. **to do**) **sg** óhajt/kíván/szeretne tenni vmt
desist [dɪ'zɪst] *tni* eláll; **~ from attempts** felhagy a próbálkozással
desk [desk] *fn* **1. a)** íróasztal, (iskola)pad **b)** írómappa **c)** szerkesztőség *[lapnál, újságnál]* **2. a)** pénztár, kassza; **pay at the ~!** a pénztárnál lehet fizetni! **b)** portáspult, (szálloda)porta, recepció **c)** *zene* pult *[zenekarban vonósoké]* **3.** *biz* hivatalnok, előadó, referens
deskbound *mn* asztalhoz kötött, asztali *[munka, állás]*
desk clerk *fn US* recepciós *[hotelben]*
desk dictionary *fn* asztali szótár, nagyszótár
desk job *fn* ülőmunka, asztali munka, hivatali munka
desk officer *fn* referens
desk room *fn US* dolgozószoba
desktop *fn* **1.** asztal, asztal munkafelülete **2.** → **desktop computer**
desktop computer *fn* asztali számítógép
desktop publishing *fn* elektronikus kiadványszerkesztés
desk work *US* → **desk job**
Desmond ['dezmənd] *tul* ‹férfinév›
desolate I. *mn* ['desələt] **1.** magányos, elhagyott, lakatlan, kihalt, sivár **2.** feldúlt, elpusztított *[ország]* **3.** vigasztalan, nyomorult, reményvesztett, nyomorúságos **II.** *tsi* ['desəleɪt] **1. a)** (fel)dúl, (el)pusztít **b)** kipusztít *[lakosságot]* **2.** lesújt, mélyen elszomorít, lehangol • *fn* **desolateness**
desolation [ˌdesə'leɪʃn] *fn* **1. a)** pusztítás, (fel)dúlás, elnéptelenítés **b)** elnéptelenedés **2.** kietlenség, elhagyatottság, sivárság; **the ~ of the times** a kor sivársága/nyomora **3.** vigasztalanság, levertség
desorb [diː'sɔːb ‖ –'sɔrb] *tsi vegy fiz* deszorbeál • *fn* **desorption**
despair [dɪ'speə ‖ dɪ'sper] **I.** *fn* **1.** kétségbeesés; **be in ~** kétségbeesett, kétségbe van esve; **drive sy to ~** a kétségbeesésbe hajszol vkt; **give way to ~** erőt vesz rajta a kétségbeesés **2.** kétségbeesés oka; **the ~ of one's parents** a szülei bánata *[gyermek]* **II.** *tni* **1.** kétségbeesik, kétségbe van esve **2.** lemond (*of* vkről), felhagy minden reménnyel (vkvel/vmvel kapcsolatban); **~ of success** elveszti a sikerbe vetett minden reményét; **his life is ~ed of** lemondtak róla *[az orvosok]* • *mn* **despairing** *hsz* **despairingly**
despatch [dɪ'spætʃ] → **dispatch**
desperado [ˌdespə'rɑːdoʊ] *fn tsz* **desperado(e)s** mindenre elszánt bűnöző/bandita
desperate ['despərət] **I.** *mn* **1. a)** reménytelen, kétségbeejtő **b) ~ cases require ~ remedies** súlyos bajok erős/drasztikus gyógymódot kívánnak **2. a)** kétségbeesett *[ember]*, makacs, elkeseredett *[ellenállás]*; *biz* **do sg ~** kétségbeesett lépésre szánja el magát, kárt tesz magában **b)** (mindenre) elszánt; **he's a ~ fellow** mindenre elszánt fickó **c) be ~ for sg** sóvárog vm után, vágyik vmre **II.** *hsz* borzalmasan, iszonyúan • *fn* **desperation** *hsz* **desperately**
despicable [dɪ'spɪkəbl, 'despɪ–] *mn* megvetésre méltó, megvetendő, hitvány, aljas, alávaló, vacak • *fn* **despicability**
despisable [dɪ'spaɪzəbl] → **despicable**
despise [dɪ'spaɪz] *tsi* lenéz, lebecsül, semmibe vesz, megvet; **~ a threat** fittyet hány a fenyegetésnek; **it is not to be ~d** nem megvetendő
despisingly [dɪ'spaɪzɪŋli] *hsz* lekicsinylően, megvetőleg
despite [dɪ'spaɪt] **I.** *elölj* ellenére, dacára; **~ all our efforts** minden erőfeszítésünk ellenére; **~ what he says ...** annak ellenére, amit mond ... **II.** *fn* **1. a)** *régi* rosszindulat, neheztelés **b)** *régi* megvetés, undor **2.** *ritk* bosszantás
despiteful [dɪ'spaɪtful] *mn* rosszindulatú
despoil [dɪ'spɔɪl] *tsi* **a)** *régi* kifoszt, kirabol **b)** elpusztít, tönkretesz, feldúl, lerombol • *fn* **despoiler**, **despoilment**
despond [dɪ'spɒnd ‖ dɪ'spɑnd] **I.** *fn* csüggedtség, levertség, elkeseredettség **II.** *tni* (el)csügged, elkeseredik, elhagyja magát; **~ of the future** reménytelennek/sötétnek látja a jövőt
despondent [dɪ'spɒndənt ‖ dɪ'spɑn–] *mn* csüggedt, levert, elkeseredett; **~ gesture** lemondó legyintés/kézmozdulat; **feel ~** lehangolt, el van keseredve • *fn* **despondency**
despot ['despɒt, –pət ‖ –pət, –pɑt] *fn átv* kényúr, zsarnok, despota • *tni* **despotize** *mn* **despotic**
despotism ['despətɪzm] *fn* zsarnokság, önkényuralom
desquamate ['deskwəmeɪt] *tni orv* hámlik *[bőr]* • *fn* **desquamation**
des res [ˌdes 'res] *fn GB biz [vki]* álmainak háza, álomház
dessert [dɪ'zɜːt ‖ –'zɜrt] *fn* **1.** desszert **2.** *gaszt GB* gyümölcs *[étkezés végén]*, *US* édesség (és gyümölcs) *[mint fogás]*
dessertspoon *fn* **a)** desszertkanál, gyermekkanál **b)** gyermekkanálnyi • *fn* **dessertspoonful**
dessert wine *fn* desszertbor, (édes) csemegebor
destabilize [ˌdiː'steɪbəlaɪz], **-ise** *tsi* destabilizál, megingat • *fn* **destabilization**
destination [ˌdestɪ'neɪʃn] *fn* rendeltetés(i hely), cél(állomás); **bus ~ sign** autóbusz-útvonaltábla; **reach ~** megérkezik a rendeltetési helyére
destination directory *fn infor* célkönyvtár *[adatmásoláskor]*
destine ['destɪn] *tsi* **1. a)** szán; **money ~d to build a house** házépítésre szánt pénz **b) ~d for a place** vhová tartó *[jármű stb.]* **2. he was ~d to** úgy volt megírva/elrendelve, hogy ő; **he was ~d to be happy** szerencsés csillagzat alatt született
destiny ['destəni] *fn* **1.** végzet, sors, rendeltetés; **be reconciled to one's ~** beletörődött/belenyugodott a sorsába **2. the Destinies** a Párkák
destitute ['destɪtjuːt ‖ –tuːt] *mn* **1.** szűkölködő, nyomorgó; **the ~** a szűkölködők/nyomorgók; **be left ~** mindenét elvesztette, teljes nyomorba jutott **2. ~ of sg** vmtől megfosztott; vmt nélkülöző, vmnek híjával levő; **be ~ of common sense** nincs benne egy szikrányi józan ész • *fn* **destitution**
destroy [dɪ'strɔɪ] *tsi* **1.** lerombol, elpusztít, megsemmisít, romba dönt, tönkretesz; **~ sy's hopes** reményétől megfoszt vkt; **be ~ed by the flames** a lángok martalékává lesz; leég **2. a)** elpusztít, megöl, leöl *[állatot]* **b)** *orv* összezúz *[pl. vesekövet]*
destroyer [dɪ'strɔɪə ‖ –ər] *fn* **1.** pusztító, romboló *[személy]* **2.** *hajó* torpedóromboló
destroyer escort *fn hajó* kísérőhajó, rombolókíséret *[hajókonvojban]*
destruct [dɪ'strʌkt] **I.** *i* **A.** *tsi* megsemmisít *[saját rakétát főleg biztonsági okból]* **B.** *tni* megsemmisül *[rakéta]* **II.** *fn* megsemmisítés *[rakétáé]*

D

destructible [dɪˈstrʌktəbl] *mn* elpusztítható • *fn* **destructibility**
destruction [dɪˈstrʌkʃn] *fn* **1.** (le)rombolás, (el)pusztítás, megsemmisítés; ~ **by fire** elég(et)és; ~ **test** törésspróba, roncsolásos anyagvizsgálat; **the ~ caused by the storm** a vihar okozta pusztítás **2.** pusztulás, romlás, megsemmisülés; **be rushing to one's own ~** a (saját) vesztébe rohan **3. sy's ~** vk veszte/romlása; **drink was his ~** az ital vitte a sírba
destructive [dɪˈstrʌktɪv] *mn* **1.** romboló, pusztító, roncsoló; *műsz* ~ **test** törésspróba, roncsolásos anyagvizsgálat **2.** ártalmas, romboló hatású, destruktív; ~ **criticism** romboló kritika/bírálat; ~ **of/to health** az egészségre ártalmas • *fn* **destructiveness**
destructor [dɪˈstrʌktə ‖ –ər] *fn* **1.** → **destroyer** 1. **2.** **(refuse)** ~ szemétégető kemence/berendezés
desuetude [ˈdeswɪtjuːd ‖ ˈdeswɪtuːd] *fn* elavulás, elévülés; **fall into ~** megszűnik *[szokás]* • *mn* **desuete**
desulfurize [diːˈsʌlfjʊraɪz ‖ –fəraɪz] *US* → **desulphurize**
desulphurize [diːˈsʌlfjʊraɪz ‖ –fəraɪz], **–ise** *tsi* kéntelenít • *fn* **desulphurization**, **–isation**
desultory [ˈdesltəri ‖ –tɔri] *mn* rendszertelen, kapkodó, ötletszerű; ~ **conversation** felületes társalgás; **he is a ~ reader** ötletszerűen/rendszertelenül olvas, azt olvassa, ami éppen a kezébe kerül • *fn* **desultoriness**
Det., **det.** *röv* **1.** *detachment* **2.** *detective*
detach [dɪˈtætʃ] **A.** *tsi* elválaszt, leválaszt, szétválaszt, lekapcsol, szétkapcsol, elkülönít; ~ **oneself from the world** félrevonul **B.** *tni* lejön, leválik • *mn* **detachable**
detached [dɪˈtætʃt] *mn* **1. a)** leválasztott, elkülönített, különálló; *GB* ~ **house** különálló ház, családi ház; *orv* ~ **retina** retinaleválás, levált retina **b) live ~ from the world** visszavonultan (v. a nagyvilágtól távol) él **2. a)** elfogulatlan, pártatlan, tárgyilagos, objektív *[állásfoglalás]* **b)** szenvtelen, közönyös • *fn* **detachedness**
detachment [dɪˈtætʃmənt] *fn* **1. a)** elfogulatlanság, pártatlanság, tárgyilagosság, objektivitás **b)** szenvtelenség, közöny **c) ~ from the world** elvonulás, magába vonulás a (nagy)világtól **2. a)** elválás, leválás, szétválás, szétkapcsolás, elkülönítés **b)** elválás, leválás; *orv* ~ **of the retina** retinaleválás **3.** *kat* különítmény, osztag; *kat* **bridging ~** pontonos egység
detail [ˈdiːteɪl ‖ dɪˈteɪl] **I.** *fn* **1.** részlet; **minor ~s** jelentéktelen részletkérdések/részletek; **in ~** részletesen; **in every ~** pontról pontra, minden részletre kiterjedően; **in the fullest ~** teljes részletességgel; **go/enter into ~s** részletekbe bocsátkozik, kitér a részletekre **2.** *épít műv* kisebb dekoráció *[épületen, festményen]* **3.** *kat* **a)** napi munkaterv/feladatok **b)** eligazítás **c)** osztag, részleg **II.** *tsi* **1.** részletez, részletesen felsorol; ~ **the facts** felsorolja a tényeket **2. a)** *kat* feladat végrehajtására kirendel **b)** *kat* eligazítást kiad/kihirdet
detailed [ˈdiːteɪld] *mn* részletes, részletekbe menő, alapos, aprólékos
detain [dɪˈteɪn] *tsi* **1. a)** fogva/őrizetben tart, őrizetbe vesz **b)** *okt* bezár *[diákot]* **2.** feltart(óztat), késleltet, gátol, akadályoz; **the bus was ~ed by an accident** baleset miatt késett a busz • *fn* **detainment**
detainee [ˌdiːteɪˈniː] *fn jog* őrizetbe vett (személy), őrizetes
detainer [dɪˈteɪnə ‖ –ər] *fn* **1.** *jog* jogtalan bitorlás **2. a)** őrizetbe vétel, fogvatartás **b) (writ of) ~** ‹őrizetbe vett személy további fogvatartását elrendelő végzés›
detect [dɪˈtekt] *tsi* **1. a)** kinyomoz, leleplez; ~ **sy in the act** tetten ér vkt **b)** rábukkan, rájön (vmre), kiderít, felderít; **I have ~ed several mistakes** számos hibát/tévedést találtam **2.** észlel, kimutat; ~ **a leakage of gas** gázszivárgást észlel; **object easy to ~** könnyen észrevehető/kivehető tárgy **3.** *el távk* detektál, (műszerrel) kimutat, érzékel • *mn* **detectable**, **detectible**
detection [dɪˈtekʃn] *fn* **1.** kinyomozás, kiderítés, leleplezés, észlelés; *kat* **mine ~** aknafelderítés; **to escape ~** nem derül ki *[bűntény]* **2.** nyomozómunka; **a fine piece of ~** kiváló nyomozómunka **3.** *el távk* érzékelés, detektálás
detective [dɪˈtektɪv] *fn* nyomozó, detektív, titkosrendőr; **house ~** szállodai/áruházi detektív; **private ~** magánnyomozó, magándetektív
detective-inspector *fn* detektívfelügyelő
detective story *fn* krimi, bűnügyi történet
detector [dɪˈtektə ‖ –ər] *fn* **1.** kiderítő, feltáró, leleplező *[hibáké stb.]* **2.** *el távk* érzékelő, jelzőkészülék, *fiz* detektor *[sugárzásérzékelő]*; *vill* **pole ~** sarok-egyenirányító; *fiz* **~ of radiation** sugárzásérzékelő
detectorist *fn infor* kincskereső *[fémkeresővel földbe került pénzérmék és más fémtárgyak után kutató személy]*
detent [dɪˈtent] *fn műsz* rögzítőpecek, zárócsap, kioldókar *[órában]*, rögzítőkilincs
détente [ˈdeɪtɒnt ‖ deɪˈtɑnt] *fn* enyhülés *[feszültségé]*, feloldódás
detention [dɪˈtenʃn] *fn* **1. a)** feltartóztatás, késleltetés **b)** késedelem, késés *[feltartóztatás következtében]* **2. a)** fogvatartás, letartóztatás; **house of ~** fogház, fogda; **person in ~** őrizetes, letartóztatott **b)** *okt* bezárás *[büntetésként]*
detention centre, *US* **center** *fn* javítóintézet, nevelőintézet
detention room *fn* fogda
deter [dɪˈtɜː ‖ dɪˈtɜr] *tsi* **-rr- a)** elrettent, elriaszt, elijeszt; **nothing will ~ him** semmi sem tartja vissza őt; semmi sem fogja őt meggátolni **b)** meggátol, megakadályoz • *fn* **determent**
detergent [dɪˈtɜːdʒənt ‖ –ˈtɜr–] **I.** *fn* **a)** mosószer, tisztítószer **b)** *orv* sebtisztító szer **II.** *mn* tisztító hatású
deteriorate [dɪˈtɪərɪəreɪt ‖ –ˈtɪr–] **A.** *tsi* leront, megront **B.** *tni* megromlik *[élelmiszer]*, romlik, elfajul *[helyzet]*, elértéktelenedik *[értékpapír]*, elkopik, elhasználódik *[gép stb.]* • *fn* **deterioration** *mn* **deteriorative**
determinant [dɪˈtɜːmɪnənt ‖ –ˈtɜr–] **I.** *mn* meghatározó, döntő, befolyásoló *[tényező]* **II.** *fn* **1.** meghatározó/döntő/befolyásoló tényező/elem **2.** *mat biol* determináns
determinate [dɪˈtɜːmɪnət ‖ –ˈtɜr–] *mn* **1.** (pontosan), szabatosan meghatározott **2.** végleges, végérvényes, döntő **3.** *ritk* határozott *[jellem]*, eltökélt *[szándék]*, céltudatos *[ember]*
determination [dɪˌtɜːmɪˈneɪʃn ‖ –ˌtɜr–] *fn* **1. a)** meghatározás, megállapítás, kiszabás *[büntetésé]*, kitűzés *[időponté]*, kijelölés *[határoké]* **b)** értelmezés, definíció *[szóé, fogalomé]* **c)** *fil* meghatározás, determináció **2. a)** elhatározás, célkitűzés, (eltökélt) szándék; **come to a ~** elhatározza magát, dönt **b)** határozottság, eltökéltség, céltudat(osság); **air of ~** határozott magatartás/fellépés **c) ~ between right and wrong** (szabad) választás a jó és a rossz között **3.** *jog* **a)** bírói döntés, véghatározat **b)** határidőkitűzés **c)** ‹jog időben vagy terjedelemben való körülhatárolása›
determinative [dɪˈtɜːmɪnətɪv ‖ dɪˈtɜrməneɪtɪv] *mn* **1.** *nyelv* meghatározó **2.** döntő, elhatározó *[lépés stb.]*; **an incident ~ of sy's career** vk karrierje szempontjából döntő eset
determine [dɪˈtɜːmɪn ‖ –ˈtɜr–] **A.** *tsi* **1.** meghatároz, megállapít, megszab *[feltételeket]*, kijelöl *[határokat]* **2. a)** eldönt *[vitás kérdést, vk sorsát]*; **~ what is to be done** eldönti, hogy mi a teendő **b)** (előre) elrendel *[sors]* **3. a)** irányt szab (vmnek); **~ sy's career** irányt szab vk életének **b)** késztet, ösztönöz, sarkall **4. a)** *jog [jogot]* időben/terjedelemben körülhatárol **b)** véghatározattal/döntéssel befejez, lezár *[bírói eljárást]* **5.** *mat* helyét/elhelyezkedését rögzíti/kijelöli **B.** *tni* **1.** határoz, dönt; **~ that/to** elhatározza, hogy..., úgy dönt hogy; **~ on doing sg** elhatározza magát vm megtételére, eltökél vmt; **we had ~d on a car** (végül is) autó mellett döntöttünk **2.** *jog* **a)** véget ér, megszűnik *[jog, jogigény]* **b)** befejeződik, lezárul *[bírói eljárás]* • *mn* **determinable**

determined [dɪˈtɜːmɪnd ‖ –ˈtɜr–] *mn* **1.** (pontosan) meghatározott, megállapított, megszabott **2. a)** határozott *[jellem]*, eltökélt *[szándék]*, céltudatos *[ember]*; **he is more ~ than ever** elszántabb, mint valaha **b) be ~ to...** eltökélt szándéka, hogy...; **be ~ on sg** nagyon/feltétlenül akar vmt, el van tökélve vmre

determiner [dɪˈtɜːmɪnə ‖ –ˈtɜrmɪnər] *fn* **1.** meghatározó/eldöntő/megállapító személy/dolog **2.** *nyelv* determináns *[névelő, névmás stb.]*

determinism [dɪˈtɜːmɪnɪzm ‖ –ˈtɜr–] *fn fil* determinizmus • *fn* **determinist** *mn* **deterministic**

deterrence [dɪˈterəns ‖ –ˈtɜr–] *fn* elrettentés

deterrent [dɪˈterənt ‖ –ˈtɜr–] **I.** *mn* **1.** elrettentő, elijesztő **2.** *orv* megelőző, elhárító *[gyógyszer, kezelés]* **II.** *fn* **1.** elrettentő/intő példa **2.** az elrettentés eszköze; **the great ~** az atombomba, a hidrogénbomba

detest [dɪˈtest] *tsi* utál, gyűlöl, irtózik (vmtől); **I ~ being interrupted** ki nem állhatom, ha félbeszakítanak

detestable [dɪˈtestəbl] *mn* gyűlöletes, utálatos, megvetésre méltó

detestation [ˌdiːteˈsteɪʃn] *fn* **1.** megvetés, gyűlölet, utálat, irtózás, undor (of vmtől); **have/hold sg in ~** gyűlöl vmt, irtózik/undorodik vmtől **2.** gyűlöletes cselekedet/személy

dethrone [dɪˈθroʊn] *tsi* **a)** trónjától megfoszt, trónról letaszít, detronizál **b)** pozíciójától/rangjától/befolyásától megfoszt • *fn* **dethronement**, **dethroner**

detonate [ˈdetəneɪt ‖ ˈdetnˑeɪt] **A.** *tsi* felrobbant **B.** *tni* (fel)robban, eldördül, detonál • *mn* **detonative**

detonating [ˈdetəneɪtɪŋ] *mn* robbanó; **~ cord/fuse** gyújtózsinór, robbantózsinór; **~ gas** durranógáz; **~ mixture** robbanóelegy

detonation [ˌdetəˈneɪʃn ‖ ˌdetnˈeɪʃn] *fn* **1.** (fel)robbantás **2.** detonáció, (fel)robbanás, dörrenés

detonator [ˈdetəneɪtə ‖ ˈdetnˑeɪtər] *fn* **1.** gyutacs, gyújtószerkezet, detonátor **2.** *vasút* petárda

detour [ˈdiːtʊə ‖ ˈdiːtʊr] **I.** *US fn* forgalomelterelés, terelőút *[útjavítás miatt]*, *átv* kerülő (út), kitérés, kitérő; **make a ~** kerül(őt tesz), vargabetűt csinál **II. A.** *tsi* eltérít, elterel *[forgalmat]* **B.** *tni* kerül(őt tesz)

detox [diːˈtɒks ‖ –ˈtɑks] *US biz* **I.** *fn* → **detoxication** **II. A.** *tsi* kijózanít **B.** *tni* detoxikálóba/elvonóba megy

detoxicate [ˌdiːˈtɒksɪkeɪt ‖ –ˈtɑk–] *tsi orv* méregtelenít, detoxikál

detoxication [ˌdiːtɒksɪˈkeɪʃn ‖ diːˌtɑks–] *fn orv* méregtelenítés, méreg eltávolítása, kijózanítás *[alkohol, kábítószer hatása alól]*

detoxification [diːˌtɒksɪfɪˈkeɪʃn ‖ –ˌtɑk–] → **detoxication**

detoxification centre, *US* **center** *fn* ‹alkoholisták és drogfüggők szanatóriuma› detoxikálóállomás, detoxikáló központ

detoxify [dɪˈtɒksɪfaɪ ‖ –ˈtɑk–] → **detoxicate**

detract [dɪˈtrækt] **A.** *tsi* levon, csökkent; **~ attention** figyelmet elvon **B.** *tni* **~ from sy's reputation** árt vk jó hírének, rontja vk hírnevét • *fn* **detraction** *fn* **detractor** *mn* **detractive**

detrain [ˌdiːˈtreɪn] **A.** *tsi* vonatból kirak, kiszállít, kivagoníroz **B.** *tni* **1.** vonatból kiszáll **2.** kivagoníroz • *fn* **detrainment**

detribalize [ˌdiːˈtraɪblˑaɪz], **-ise** *tsi* **1.** törzsből kizár/kitagad **2.** törzsközösséget megszüntet *[vhol]* • *fn* **detribalization**, **–isation**

detriment [ˈdetrɪmənt] *fn* kár, hátrány, sérelem; **to the ~ of sy/sg** vk/vm kárára/rovására; **to the ~ of health** az egészség rovására; **without ~ to sy/sg** anélkül hogy ártana vknek/vmnek; káros/ártalmas dolog

detrimental [ˌdetrɪˈmentl] **I.** *mn* káros, ártalmas; **~ to health** egészségtelen, ártalmas az egészségre; **be ~ to sy's interest** sérti vk érdekeit **II.** *fn [számításba nem jövő kérő]* rossz parti

detritus [dɪˈtraɪtəs] *fn* **1.** *geol* törmelék(kőzet), málladék, detritus **2.** *átv* maradvány, csökevény • *mn* **detrital**

de trop [dəˈtroʊ] *mn* nem kívánatos, felesleges, útban levő

detrude [dɪˈtruːd] *tsi* **a)** kilök, ellök, eltaszít **b)** lelök, letaszít • *fn* **detrusion**

detumescence [ˌdiːtjʊˈmesns ‖ –tʊ–] *fn orv* lelohadás

detune [diːˈtjuːn ‖ –ˈtuːn] *távk* **I.** *fn* elhangolás **II.** *tsi* elhangol

deuce[1] [djuːs ‖ duːs] **I.** *fn* **1.** kettes *[kártyán, dominón, kockán]* **2.** *sp* egyenlő, negyven mind *[teniszben]* **3.** *US szl* két dollár **II.** *tsi* kiegyenlít *[játszmát teniszben, játékot]*

deuce[2] [djuːs ‖ duːs] *fn* **1.** balszerencse, pech **2.** *biz* fene, nyavalya, rosseb; **what the ~!** mi a szösz!; **who the ~ is that?** hát ez meg ki a fene?; **the ~ of a row** fene nagy verekedés/zenebona, nagy balhé; **there'll be the ~ to pay** ezért még szorulni fogunk, ennek nagy ára lesz; **go to the ~!** menj a fenébe!; eredj a pokolba !; **play the ~ with** tönkretesz, elront

deuce-ace *fn* kettő-egy(es kockadobás)

deuced [djuːst ‖ duːst] **I.** *biz mn* átkozott, fene, istenverte, pokoli; **a ~ lot of trouble** fene sok baj **II.** *hsz* **~ bad** átkozottul/pokoli(an) rossz • *hsz* **deucedly**

deus ex machina [ˌdeɪʊs eks ˈmækɪnə] *fn* isteni beavatkozás

Deut. *röv Deuteronomy*

deuteragonist [ˌdjuːtəˈrægənɪst ‖ ˈduːtə–] *fn régi szính* másodszereplő, másodrendű szereplő

deuterium [djuːˈtɪərɪəm ‖ duːˈtɪrɪəm] *fn vegy* deutérium, nehézhidrogén

deuterium oxide *fn vegy* nehézvíz

deuterocanonical [ˌdjuːtəroʊkəˈnɒnɪkl ‖ ˌduːtəroʊkəˈnɑnɪkl] *mn bibl* utólagosan/másodlagosan kanonizált

deuteron [ˈdjuːtərɒn ‖ ˈduːtərɑn] *fn vegy fiz* deuteron, nehézhidrogén

Deuteronomy [ˌdjuːtəˈrɒnəmi ‖ ˌduːtəˈrɑ–] *fn bibl* Mózes V. könyve, Deuteronomium • *fn* **Deuteronomist** *mn* **Deuteronomic**

Deutschmark [ˈdɔɪtʃmɑːk ‖ –mɑrk] *fn* német márka *[pénzegység]*

deutzia [ˈdjuːtsɪə ‖ ˈduː–] *fn növ* gyöngyvirágcserje, gyöngyjázmin

devaluate [diːˈvæljʊeɪt] *tsi közg* leértékel *[pénzt]* • *fn* **devaluation**

devalue [ˌdiːˈvæljuː] *tsi* **1.** *pénz* leértékel **2.** *átv* aláértékel, alábecsül

devastate [ˈdevəsteɪt] *tsi* **1.** elpusztít, feldúl, letarol **2. be ~d by sg** erőt vesz rajta vm • *fn* **devastation**, **devastator**

devastating [ˈdevəsteɪtɪŋ] *mn* **1.** pusztító *[vihar, háború]* **2.** *biz* megsemmisítő, elsöprő, lehengerlő, lesújtó, kétségbeejtő *[ostobaság]*, ellenállhatatlan *[szépség]* • *hsz* **devastatingly**

develop [dɪˈveləp] **A.** *tsi* **1.** fejleszt; **~ heat** hőt fejleszt **2.** kiaknáz, feltár *[bányát]*, hasznosít *[területet stb.]*, parcelláz **3. a)** kifejt, fejteget *[érveket]*, felépít *[érvelést]*; **~ a theme** témát kidolgoz/kifejt **b)** kifejt *[erőt]* **4. a)** kap, szerez *[betegséget]*; **~ appendicitis** vakbélgyulladást kap **b)** *biz* felvesz, eltanul *[rossz szokást]* **5.** *mat* lefejt *[vonalat, felületet]*, kifejt *[függvényt]* **6.** *fénykép* előhív **B.** *tni* **1.** (ki)fejlődik; **be ~ing** fejlődésben van **2. a)** mutatkozik, jelentkezik (vm) **b)** *US* kiderül, kitudódik, megállapítják

developable [dɪˈveləpəbl] *mn mat* kiteríthető, lefejthető *[felület]*

developable surface *fn mat* lefejthető/síkba kiteríthető felület

developer [dɪˈveləpə ‖ –ər] *fn* **1. a)** vmt feltáró/kifejlesztő/kiaknázó/hasznosító személy, továbbfejlesztő **b)** ingatlanfejlesztő **2.** *fényk* előhívó(szer) **3. late~** későn érő gyerek

developing [dɪˈveləpɪŋ] *mn* **1. a)** fejlődő, fejlődésben levő; **~ country** fejlődő ország **b) ~ engineer** iparfejlesztő mérnök **2.** *fényk* előhívó; **~ bath** előhívó fürdő; **~ dish/tray** előhívó tál; **~ rack** előhívó keret

D

development [dɪˈveləpmənt] *fn* **1. a)** fejlesztés, fejlesztési terület; *okt* **~ of capabilities** képességfejlesztés **b)** kiaknázás, hasznosítás *[teleké, vidéké, bányáé]*, beépített terület **c)** *mat* lefejtés *[felületé]*, kifejtés *[függvényé]* **d)** kifejtés, fejtegetés, tárgyalás, kidolgozás *[témáé]*, felépítés *[érvelésé]* **2. a)** fejlődés, gyarapodás, haladás; **~ process** fejlődési folyamat/menet; **stage of ~** fejlődési fok; **~ by leaps** ugrásszerű fejlődés **b)** (ki)alakulás *[eseményeké]* **c)** *zene* téma kidolgozása/kibontása **3.** fejlemény **4.** *fényk* előhívás
developmental [dɪˌveləpˈmentl] *mn* **a)** fejlesztési **b)** *orv* fejlettségi, fejlődési, növekedési, fejlődéssel/növekedéssel járó
development area *fn GB* fejlesztési körzet/terület
development project *fn* fejlesztési terv
deviant [ˈdiːvɪənt] **I.** *mn* (bevett társadalmi viselkedési formáktól) eltérő **II.** *fn* deviáns személy, különc • *fn* **deviance**
deviate I. *tsi* [ˈdiːvieɪt] **A.** *ritk* eltérít **B.** *tni* eltér; **~ from one's duty** elhanyagolja kötelességét; **~ from a rule** szabályt megszeg; **~ from the truth** eltér az igazságtól **II.** [ˈdiːvɪət] az átlagtól eltérő, extravagáns különc, deviáns
deviation [ˌdiːviˈeɪʃn] *fn* **1.** eltérés *(from* vmtől), *hajó fiz mat* eltérés, kitérés, elhajlás, deviáció; *mat* **angular ~** szögeltérés; **standard ~** standard/normál eltérés, szórás **2.** eltérés, terelőút **3.** elhajlás *[ideológiai irányvonaltól]* **4.** *kat* lövedékeltérés • *fn* **deviationism**, **deviationist**
device [dɪˈvaɪs] *fn* **1. a)** készülék, szerkezet, gépezet **b)** találmány **2. a)** eszköz, út, mód *[vm elérésére]*, (kisegítő) megoldás; **temporary ~s** ideiglenes megoldás(ok) **b)** fortély, (csel)fogás, trükk **c)** robbanószerkezet, bomba **d) leave sy to his own ~s** sorsára hagy vkt **3.** terv, elgondolás
devil [ˈdevl] **I.** *fn* **1. a)** ördög, sátán; **the ~'s disciple** az ördög cimborája; **he's the ~ incarnate** maga az ördög, rossz mint az ördög; **between the ~ and the deep (blue) sea** két tűz között; **give sy the ~** alaposan lehord/letol vkt; **go to the ~** tönkremegy; **go to the ~!** menj a pokolba/fenébe!, vigyen el az ördög!; **there'll be the ~ to pay** ebből még nagy baj lesz, ezért még szorulni fogunk; **play the (very)~ with sy/sg** tönkretesz vkt/vmt; összezavar vmt; **raise the ~ in sy** felbőszít/felingerel vkt; **run like the ~** rohan, mint az őrült; **~ take it!** vigye el az ördög!; **work like the ~** ügyesen/gyorsan dolgozik **b)** *biz* **a ~ of a ...** rettenetes, rémes, szörnyű, pokoli; **a ~ of a fellow** ördögien ügyes/erős/ravasz stb. fickó; **~ a bit!** egy cseppet sem!; a legkevésbé sem!; **~ a one!** senki, egy lélek sem; **how the ~?** hogy a csudába?, hogy az ördögbe?; **what the ~ are you doing?** mi a fenét csinálsz?; **it's the ~** kínos ügy **2. a)** démon, gonosz/rossz szellem, *átv* gonosz/elvetemült ember; *biz* **poor ~!** szegény ördög! **b)** *áll* **Tasmanian ~** → **Tasmanian II.** *tsi GB* **-ll-**, *US* **-l- 1.** *gaszt* erősen fűszerezve süt/pirít *[húst]*; **~led grill** erősen fűszerezett roston sült (hús) **2.** *US biz* gyötör, kínoz, ingerel; **~ sy with questions** kérdésekkel ostromol/zaklat vkt
devilfish *fn tsz* **-fish**, **-fishes 1.** *áll* kétszarvú ördögrája **2.** ördöghal **3.** polip
devil-in-the-bush *fn növ* feketekömény
devilish [ˈdevlɪʃ] **I.** *mn* **1.** ördögi, sátáni, démoni **2. a)** *biz* merész, vakmerő, leleményes **b)** *biz átv* pokoli, irtó(zatos), borzasztó **II.** *hsz biz* pokolian; **~ pretty** átkozottul csinos; **I am ~ glad** borzasztóan örülök; *biz* **it's ~ hot** állati/pokoli hőség van
devil-may-care *mn* szertelen, féktelen, nemtörődöm, vagány
devilment [ˈdevlmənt] → **devilry**
devilry [ˈdevlri] *fn* **1.** ördöngösség, fekete mágia **2.** huncutkodás, pajkoskodás; **be full of ~** olyan, mint egy eleven ördög
devil's advocate [ˌdevlz ˈædvəkət] *fn* az ördög szószólója, az ördög prókátora
devil's coachhorse *fn áll* holyva
devil's darning needle *fn* szitakötő
devil's dozen *fn* tizenhárom
devil's foodcake *fn US* amerikai csokoládétorta
devil's-guts *fn növ* aranka
devil's-milk *fn* **1.** *növ* napraforgó kutyatej **2.** *növ* (vérehulló) fecskefű, vérehullatófű
devil's tattoo *fn* ideges dobolás/dobogás *[kézzel, lábbal]*
deviltry [ˈdevltri] *US skót* → **devilry**
devious [ˈdiːvɪəs] *mn* **1. a)** *átv* körmönfont, fondorlatos *[ember]*, csavaros, kacskaringós *[észjárás]* **b)** kerülő, kanyargó(s), görbe, tekervényes *[út]* **2.** félreeső, isten háta mögötti *[hely]*
devise [dɪˈvaɪz] **I.** *fn* **1.** *[jól átgondolt]* terv/tervezet **2.** *jog* végrendelkezés ingatlan vagyonról **3.** *jog* ingatlan-hagyományozás **4.** *jog* végrendelettel átruházott ingatlan **II.** *tsi* **1. a)** kigondol, kiagyal; **~ a plan/scheme** tervet sző; **~ a plot** összeesküvést sző **b)** megtervez, megszerkeszt *[gépet stb.]* **2.** *jog* örökül hagy, hagyományoz *[ingatlant]* • *mn* **devisable**
devisee [ˌdevɪˈziː] *fn jog* ‹ingatlan végrendeleti örököse› hagyományos
deviser [dɪˈvaɪzə ‖ –zər] *fn* **1. a)** kiagyaló *[tervé]* **b)** tervező, megkonstruáló *[készüléké]* **2.** *jog* → **devisor**
devisor [dɪˈvaɪzə ‖ ˌdevəˈzɔr] *fn jog* örökhagyó *[ingatlané]*
devitalize [diːˈvaɪtəlaɪz], **-ise** *tsi* **a)** életképtelenné tesz; **~ a tooth** fogideget eltávolít; **~d tissue** elhalt testszövet **b)** kiszedi a táperejét (vmnek) • *fn* **devitalization**, **-isation**
devitrify [diːˈvɪtrɪfaɪ] *tsi* átlátszatlanná tesz *[üveget]*, kristályosít *[üveges szerkezetet]*
devoiced [diːˈvɔɪst] *mn nyelv* zöngétlen *[mássalhangzó]* • *fn* **devoicing**
devoid [dɪˈvɔɪd] *mn* **~ of** megfosztott/mentes vmtől; vmnek híjával levő; (vm) nélküli
devoir [dəvˈwɑː ‖ –ˈwɑr] *fn régi* **1.** kötelesség; **do one's ~** megtesz minden tőle telhetőt **2. pay one's ~s to sy** tiszteletét teszi vknél
devolute [ˈdevəluːt] → **devolve A.**
devolution [ˌdiːvəˈluːʃn] *fn* **1. a)** jogkör átruházása helyi önkormányzatokra (v. hivatali beosztottakra) **b)** közigazgatás decentralizálása (v. helyi önkormányzati szervekre való átruházása) **2.** *biol* visszafejlődés, elkorcsosulás **3.** *jog* **a)** tulajdonjog átszállása *[meghatározott rend szerint]*; *tört* **the War of D~** az örökösödési háború **b)** *jog* visszaszállás az utolsó tényleges jogosultra *[nem gyakorolt jogé]*
devolve [dɪˈvɒlv ‖ dɪˈvɑlv] **A.** *tsi* **1.** áthárít; **~ a duty/sy** kötelességet/kötelezettséget másra hárít **2.** átruház *[hivatali hatalmat/funkciót]* **B.** *tni* **1.** (rá)hárul, terhel; **it ~s on me to...** rám hárul a kötelezettség, hogy... **2.** *jog* (rá)száll, átszáll *[tulajdon]*; **the estate ~d upon him** ő örökölte a birtokot • *fn* **devolvement**
Devon [ˈdevn] *tul földr* Devon
Devonian [deˈvounɪən] *mn/fn* **1.** devonshire-i (lakos) **2.** *geol* devonkor; **Middle-~** középdevonkor
Devonshire [ˈdevnʃə ‖ –ər] *tul földr* Devonshire
Devonshire cream *fn gaszt* besűrített tejszín
devote [dɪˈvout] *tsi* **a)** szentel, fordít, áldoz *[pénzt/időt vmre]*, szán; **~ oneself to sg** vmnek szenteli/áldozza magát; **be ~d to sports** sportrajongó **b) they are ~d to each other** odaadóan szeretik egymást
devoted [dɪˈvoutɪd] *mn* odaadó, ragaszkodó, hű; **sy's ~ admirer** vknek a rendíthetetlen híve
devotee [ˌdevəˈtiː] *fn* rajongó, fanatikus
devotement [dɪˈvoutmənt] → **devotion**
devotion [dɪˈvouʃn] *fn* **1.** szentelés, áldozás; **~ to duty** öntudatos kötelességteljesítés **2.** odaadás, mély tisztelet, hódolat, rajongás (vmért) **3. a)** áhítat(osság), jámborság, hitbuzgalom **b)** *tsz vall* ima, imádság, áhítat; **be at one's ~s** imádkozik, áhítatba merül, ájtatoskodik • *mn* **devotional**
devotionalism [dɪˈvouʃnˈəlɪzm] *fn* hitbuzgalom • *fn* **devotionalist**

devour [dɪˈvaʊə ‖ –ər] **A.** *tsi* **1. a)** zabál, fal, felfal, elnyel; *átv biz* **~ sy with one's eyes** majd felfal vkt a szemével **b)** elpusztít *[tűz, járvány]*; **be ~ed by fire** a lángok martaléka lesz **2. a)** *átv* nyel, fal; **~ a book** (csak úgy) fal egy könyvet **b)** leköt, lefoglal *[figyelmet]*; **be ~ed by anxiety** emészti az aggodalom **B.** *tni* mohón eszik, fal, zabál

devout [dɪˈvaʊt] *mn* **1.** istenfélő, vallásos, hívő *[ember]* **2.** hő *[vágy]*, őszinte *[kívánság]* ● *fn* **devoutness** *hsz* **devoutly**

dew [djuː ‖ duː] **I.** *fn* **1.** harmat; **evening ~** estharmat; **~ is falling** hull a harmat **2.** *vál* könnycsepp, gyöngyöző veríték **3.** *vál* üdeség **II.** *tsi* **1.** harmattal benedvesít, harmatosít **2.** öntöz, megnedvesít (with vmvel)

Dewar flask [ˈdjuːə ‖ ˈduːər] kettős falú edény, Dewar-palack/edény, hőpalack, termosz

dewberry [ˈdjuːbəri ‖ ˈduːberi] *fn növ* hamvas szeder

dewclaw *fn áll* fűköröm, fattyúcsülök ● *mn* **dewclawed**

dewdrop *fn* **1.** harmatcsepp **2.** kis üveggyöngy

dewfall *fn* **1.** harmathullás **2.** estharmat ideje, est

dewlap [ˈdjuːlæp ‖ ˈduː–] *fn* **1.** lebernyeg *[kérődzők szügyén]*, pötyögő *[szárnyas nyakán]* **2.** *biz* toka ● *mn* **dewlapped**

deworm [diːˈwɜːm ‖ –ˈwɜrm] *tsi* féregtelenít, féregmentesít

dewpoint *fn fiz* harmatpont

dew-pond *fn GB* harmattó

dew sensor *fn el* nedvességérzékelő

dew-worm *fn áll* giliszta

dewy [ˈdjuːi ‖ ˈduːi] *mn* **1.** harmatos **2.** *vál* csillogó *[könnycsepp]*, könnyes *[szem]* **3.** üdítő *[alvás]* ● *fn* **dewiness**

dewy-eyed *mn* naivan szentimentális, *átv* csillogó szemű

dex [deks] *fn* Dexedrin tabletta

Dexedrine [ˈdeksɪdriːn] *tul orv* amfetamin izomer *[gyógyszer]*

dexi [ˈdeksi] → **dex**

dexter[1] [ˈdekstə ‖ –ər] **I.** *mn* **1.** jobb (oldali) **2.** jó előjelű/kilátású, reményteljes **II.** *fn* jobb oldal

dexter[2] [ˈdekstə ‖ –ər] *fn* ‹szívós ír szarvasmarhafajta›

dexterity [dekˈsterəti] *fn* **1.** (kéz)ügyesség; **manual ~** kézügyesség **2.** jobbkezesség

dexterous [ˈdekstərəs] *mn* **1.** ügyes **2.** jobbkezes

dextral [ˈdekstrəl] **I.** *mn* **1.** jobbkezes *[ember]* **2.** jobb oldali **3.** *áll* **a)** ‹óramutató járásával ellentétes vonalú, pl. csiga, kagyló› **b)** ‹jobb oldalát felfelé mutató, pl. lepényhal› **II.** *fn* jobbkezes személy ● *fn* **dextrality**

dextran [ˈdekstrən] *fn vegy* dextrán

dextrin [ˈdekstrɪn] *fn vegy* dextrin; **animal ~** glikogén

dextrine [ˈdekstriːn] → **dextrin**

dextro- [dekstroʊ] *összet* jobb, jobb oldali

dextrorotatory [–roʊˈteɪtəri] *mn fiz vegy* jobbraforgató, dextrogír ● *fn* **dextrorotation**

dextrorse [ˈdekstrɔːs ‖ –trɔrs] *mn* jobbmenetes, jobbra tekeredő/csavarodó, jobbos

dextrose [ˈdekstroʊz ‖ –oʊs] *fn vegy* szőlőcukor, dextróz

dextrous [ˈdekstrəs] → **dexterous**

DFE *röv GB Department for Education* Oktatásügyi Minisztérium

DG *röv* **1.** *Director General* **2.** *Directorate General* Főigazgatóság *[Európai Közösség Bizottsága]*

DHSS *röv GB Department of Health and Social Security*

DI *röv GB Defence Intelligence*

dia- [ˈdaɪə] *előtag* át, keresztül

dia. *röv* **1.** *diagram* **2.** *diameter*

diabase [ˈdaɪəbeɪs] *fn geol* diabáz

diabetes [ˌdaɪəˈbiːtiːz] *fn orv* cukorbetegség, cukorbaj, diabetes

diabetic [ˌdaɪəˈbetɪk] *mn/fn orv* cukorbajos, diabetikus

diablerie [diːˈɑːbləri] *fn* **1.** ördöngösség, fekete mágia **2.** szertelenség, féktelenség, szilajság

diabolic [ˌdaɪəˈbɒlɪk ‖ –ˈbɑlɪk], **diabolical** *mn* **1.** ördögi, sátáni; **~ grin** sátáni vigyor(gás) **2.** felháborító, botrányos *[magatartás]*

diabolism [daɪˈæbəlɪzm] *fn* **1.** ördöngösség, boszorkányság, fekete mágia **2.** gonoszság, sátániasság ● *fn* **diabolist**

diabolize [daɪˈæbəlaɪz], **-ise** *tsi* ördöggé változtat, ördögként megjelenít

diabolo [daɪˈæbəloʊ] *fn* diaboló *[játék]*

diachronic [ˌdaɪəˈkrɒnɪk ‖ –ˈkrɑ–] *mn* diakrón, diakronikus, történeti

diaconate [daɪˈækənət] *fn vall* **a)** szerpapság, diakonátus **b)** szerpapság/diakonátus ideje

diacritic [ˌdaɪəˈkrɪtɪk] **I.** *mn* → **diacritical II.** *fn nyelv* diakritikus jel, mellékjel, hangsúlyjel

diacritical [ˌdaɪəˈkrɪtɪkl] *mn* **1.** megkülönböztető, diakritikus; *nyelv* **~ mark/sign** diakritikus jel, mellékjel **2. ~ mind** éles ítélőképességű elme

diadem [ˈdaɪədem] **I.** *fn* **1.** fejék, diadém, királyi korona **2.** felségjog **II.** *tsi* megkoronáz

diaeresis [daɪˈɪərəsɪs ‖ –ˈerə–] *fn tsz* **diaereses** [–siːz] *nyelv* **a)** diaeresis, dierézis **b)** tréma, umlaut

diagenesis [ˌdaɪəˈdʒenɪsɪs] *fn geol* diagenezis, kőzetté formálódás

diagnose [ˈdaɪəgnoʊz ‖ –noʊs] *tsi orv [kórt]* megállapít, meghatároz, diagnosztizál ● *mn* **diagnosable**

diagnosis [ˌdaɪəgˈnoʊsɪs] *fn tsz* **diagnoses** [–siːz] **1. a)** *orv* kórmeghatározás, diagnózis, kórisme **b)** hiba okának azonosítása/tisztázása *[gépi, mechanikai hibánál]* **2.** *tud* meghatározás *[növényé, állaté]* **3.** *átv* helyzetmegállapítás

diagnostic [ˌdaɪəgˈnɒstɪk ‖ –ˈnɑ–] **I.** *mn orv* kórmegállapító, kórmeghatározó; diagnosztikus, *nyelv* feltáró **II.** *fn* diagnózis, *infor* hibakereső program; → **diagnostics**

diagnostician [ˌdaɪəgnɒˈstɪʃn ‖ –nɑ–] *fn orv* diagnoszta

diagnostics [ˌdaɪəgˈnɒstiks ‖ –ˈnɑ–] *fn esz* diagnosztika, hibabehatárolás

diagonal [daɪˈægənl] **I.** *mn* átlós, rézsútos, ferde; *gk* **~ tyre** diagonál-gumiabroncs **II.** *fn mat* átló ● *hsz* **diagonally**

diagram [ˈdaɪəgræm] **I.** *fn* **1.** diagram, (sematikus) ábra, rajz; *vill* **connection ~** kapcsolási rajz **2.** görbe, grafikon **II.** *tsi* **-mm-** sematikusan/vázlatosan/diagrammszerűen/grafikusan ábrázol ● *mn* **diagrammatic**

diakinesis [ˌdaɪəkɪˈniːsɪs] *fn biol* diakinézis

dial [ˈdaɪəl] **I.** *fn* **1. a)** óralap, számlap *[óráé]*, programkapcsoló *[automata mosógépen]* **b)** (szám)tárcsa *[telefoné]*, kerek skála/számlap; **compass ~** szélrózsa, iránytű számlapja **2.** napóra **3.** *GB szl [arc]* ábrázat, pofa, fizimiska **II.** *tsi* **-ll-**, *US* **-l-** **~ a number** tárcsáz egy számot *[telefonon]*

dial-a- *összet* telefonos/telefonon hívható szolgáltatás; **~ pizza** telefonos pizzarendelés

dial-a-joke *fn* viccvonal, telefonos viccmesélő szolgálat

dialect [ˈdaɪəlekt] *fn nyelv* nyelvjárás, tájszólás, dialektus; **~ atlas** nyelvatlasz; **~ geography** nyelvföldrajz ● *mn* **dialectal**

dialectic [ˌdaɪəˈlektɪk] **I.** *mn* dialektikus **II.** *fn* dialektika; → **dialectics**

dialectical [ˌdaɪəˈlektɪkl] *mn fil* dialektikus

dialectics [ˌdaɪəˈlektɪks] *fn esz* dialektika

dialectology [ˌdaɪəlekˈtɒlədʒi ‖ –ˈtɑ–] *fn nyelv* nyelvjáráskutatás, nyelvjárástan, dialektológia ● *fn* **dialectologist**

dialling [ˈdaɪəlɪŋ], *US* **dialing** *fn* tárcsázás *[telefonon]*

dialling code, *US* **dialing code** *fn* országhívó és körzetszám, körzeti hívószám

dialling tone, *US* **dialing tone** *fn* tárcsahang, búgó hang *[telefonban]*, vonal

dialog [ˈdaɪəlɒg ‖ –lɑg] *US* → **dialogue**

dialogic [ˌdaɪəˈlɒdʒɪk(l) ‖ –ˈlɑdʒɪk], **dialogical** *mn* párbeszédes *[tárgyalás stb.]*

dialogist [daɪˈæləd͡ʒɪst] *fn* párbeszéd (egyik) résztvevője, beszélő
dialogue [ˈdaɪəlɒg ‖ –lɔg, –lɑg] *fn* **a)** párbeszéd, dialógus **b)** beszélgetés, társalgás
dialog(ue)box *fn infor* ablak *[üzenetnek/grafikus felületnek számítógépes programban]*
dial-telephone *fn* (szám)tárcsás telefon(készülék)
dial tone *US* → **dialling tone**
dial-up *fn infor* telefonos összeköttetés, kapcsolt vonalas összeköttetés, feltárcsázás
dialyse [ˈdaɪəlaɪz], *US* **dialyze** *tsi vegy* dializál
dialyser [ˈdaɪəlaɪzə ‖ –ər], *US* **dialyzer** *fn vegy orv* dializátor, művese
dialysis [daɪˈæləsɪs] *fn vegy orv* dialízis • *mn* **dialytic**
diamagnetic [ˌdaɪəmægˈnetɪk] *mn el* diamágneses • *fn* **diamagnetism**
diamanté [ˌdiːəˈmɒnteɪ ‖ –mɑnˈteɪ] **I.** *mn* kristályporral/csillogó anyaggal díszített, csillogó **II.** *fn* csillogó/kristályporral díszített ruhaanyag/divatékszer
diamantiferous [ˌdaɪəmənˈtɪfərəs] *mn ásv* gyémánttartalmú
diameter [daɪˈæmɪtə ‖ –mətər] *fn* átmérő; **internal ~** belső átmérő, kaliber • *mn* **diametral**
diametrical [ˌdaɪəˈmetrɪkl] *mn* **1.** átmérői, átmérőn fekvő, átmérő- **2.** *átv* **opinions in ~ opposition** homlokegyenest ellenkező nézetek • *hsz* **diametrically**
diamond [ˈdaɪəmənd ‖ ˈdaɪmənd] **I.** *fn* **1.** gyémánt; **black ~** fekete gyémánt; kőszén; **(cutting) ~** üvegvágó gyémánt; *biz* **~ cut ~** emberére talált; **rough ~** csiszolatlan/nyers gyémánt; **~ in the rough** értékes, de ki nem művelt ember; **~ cutting** gyémántcsiszolás; **~ of the first water** elsőosztályú/tisztavízű gyémánt **2. Bristol/Cornish ~** kvarckristály **3. a)** rombusz, deltoid; **~ bracket(s)** csúcsos zárójel **b)** *ját* káró, tök **4.** *nyomd* gyémánt, 4 pontos betű **5.** *US* baseballpálya **II.** *tsi* gyémánttal díszít; *biz* **~ oneself** gyémántokat rak magára **III.** *mn* **1.** gyémánt(ból készült) **2.** rombusz alakú; **~ frame** rombusz alakú kerékpárváz
diamond anniversary *fn US* gyémánt évforduló *[60 v. 75 éves]*
diamond-field *fn* gyémántmező
diamondiferous [ˌdaɪəmənˈdɪfərəs] *mn* gyémánttartalmú, gyémánttermő
diamond jubilee *fn* gyémánt évforduló *[60 v. 75 éves]*
diamond-shaped *mn* rombusz alakú
diamond wedding *fn* gyémántlakodalom
Diana [daɪˈænə] *tul* **1.** ‹női név› **2. a)** amazon, vadásznő **b)** *vál* a hold
diandrous [daɪˈændrəs] *mn növ* kétporzós
dianthus [daɪˈænθəs] *fn növ* szegfű
diapason [ˌdaɪəˈpeɪzn] **I.** *fn zene* **1.** hangterjedelem *[énekhangé, hangszeré]* **2. a)** hangvilla **b)** alaphang *[hangvilláé]* **c)** kamarahang **3.** ‹orgona alaphangsíp, mely a hangszer egész terjedelmét szolgálja› **4.** *régi* összhang, harmónia **II.** *tsi régi* összehangol
diaper [ˈdaɪəpə ‖ ˈdaɪpər] **I.** *fn* **1.** *US* pelenka; **disposable ~** papírpelenka, pelenkabetét **2. a)** mintás lenvászon **b)** (mintás) asztalkendő, (virág)mintás törülköző **c)** rombuszminta *[lenvásznon, törölközőn]* **3.** gyémántminta *[falburkolaton]* **II.** *tsi* **1.** mintás vásznat sző, mintáz, (virág)mintát rajzol **2.** pelenkáz **3.** gyémántsorral díszít *[felületet]*, mintás falburkolatot rak (vmre)
diaphanous [daɪˈæfənəs] *mn* áttetsző, átlátszó
diaphoresis [ˌdaɪəfəˈriːsɪs] *fn orv* bőséges izzadás *[izzasztószertől]*
diaphoretic [ˌdaɪəfəˈretɪk] **I.** *mn orv* izzasztó **II.** *fn orv* izzasztó(szer)
diaphragm [ˈdaɪəfræm] *fn* **1.** *orv* rekeszizom **2. a)** *növ* válaszfal *[növényi szövetekben]*, rekesz *[magházban]* **b)** *áll* válaszfal *[kagylóé]* **3. a)** *fényk* (fény)rekesz, blende, diafragma; **~ aperture** blende(nyílás) **b)** membrán *[mikrofonban]* **c)** pesszárium, méhnyaksapka • *mn* **diaphragmatic**
diaphragm pump *fn* membránszivattyú
diapositive [ˌdaɪəˈpɒzətɪv ‖ –ˈpɑzətɪv] *fn* diapozitív
diarchy [ˈdaɪɑːki ‖ –ɑr–] *fn tört* kettős királyság/uralom, társuralkodás • *mn* **diarchic**
diarist [ˈdaɪərɪst] *fn* naplóíró • *mn* **diaristic**
diarize [ˈdaɪəraɪz], **-ise A.** *tsi* napló(já)ba feljegyez/bejegyez **B.** *tni* naplót vezet/ír
diarrhoea [ˌdaɪəˈrɪə], *US* **diarrhea** *fn orv* hasmenés, diaré • *mn* **diarrhoeal, diarrheal**
diary [ˈdaɪəri] *fn* **a)** napló **b)** határidőnaptár; **(pocket) ~** zsebnaptár
diascope [ˈdaɪəskoʊp] *fn* diavetítő
diaspora [daɪˈæspərə] *fn* **1. D~** *bibl tört* diaszpóra **2.** *vall* szórvány
diastaltic [ˌdaɪəˈstæltɪk] *mn orv* izomösszehúzó, izomöszszehúzódást előidéző *[reflex]*, önkéntelen
diastase [ˈdaɪəsteɪz] *fn vegy* diasztáz, amiláz
diastema [daɪəˈstiːmə] *fn orv* ‹szomszédos fogak közötti rés› (rendellenes) hézag, hasadék, diasztéma
diastole [daɪˈæstəli] *fn orv* szívelernyedés *[összehúzódás után]*, diasztolé • *mn* **diastolic**
diathermancy [ˌdaɪəˈθɜːmənsi ‖ –ˈθɜr–] *fn fiz* hősugáráteresztő képesség
diathermy [ˈdaɪəθɜːmi ‖ –θɜr–] *fn orv* diatermia, diatermiás gyógymód/kezelés • *mn* **diathermic**
diathesis [daɪˈæθəsɪs] *fn orv* hajlam(osság), alkat, diatézis; **tuberculous ~** tuberkulotikus hajlam
diatom [ˈdaɪətɒm ‖ –tɑm] *fn növ* kovamoszat • *mn* **diatomaceous**
diatomic [ˌdaɪəˈtɒmɪk ‖ –ˈtɑ–] *mn* **1.** *vegy* kétatomos **2.** *vegy ritk* kétvegyértékű
diatomite [daɪˈætəmaɪt] *fn geol* diatomföld, kovaföld, infuzóriaföld
diatonic [ˌdaɪəˈtɒnɪk ‖ –ˈtɑ–] *mn zene* diatonikus *[skála]*
diatribe [ˈdaɪətraɪb] *fn* támadó beszéd/irat, heves kirohanás, gyalázkodás, pocskondiázás
diazo [daɪˈeɪzoʊ] *fn vegy* diazotípia, diazokópia
diazo compound *fn vegy* diazóniumvegyület
diazotype [daɪˈæzoʊtaɪp] *fn vegy* → **diazo**
dib [dɪb] *tni* **-bb-** pecázik
dibasic [daɪˈbeɪsɪk] *mn vegy* kétbázisú, kétbázisos
dibber [ˈdɪbə ‖ –ər] *fn* ültetőcövek, ültetőfa
dibble [ˈdɪbl ‖ –ər] **I.** *fn* ültetőcövek, ültetőfa **II. A.** *tsi* **a)** ültetőcövekkel lyukakat fúr *[földben]* **b)** ültetőcövekkel ültet *[palántát]* **B.** *tni* ültetőcövekkel ültet/palántáz
dibs [ˈdɪbz] *fn tsz* **1. a)** játékpénz, zseton, tantusz **b)** *GB szl [pénz]* dohány, guba; *szl* **he's got the ~** *[gazdag]* övé a dohány, pénzes pali **2.** *US* stip-stop; **~ on the seat near the window** stip-stop enyém az ablak melletti ülés
dice [daɪs] **I. 1.** *fn tsz* (játék)kocka; kockajáték **2.** ‹kockára vágott hús/burgonya főzéshez› **II. A.** *tsi* **1. ~ away a fortune** egy vagyont eljátszik **2. a)** kockára vág *[burgonyát stb.]* **b)** kockáz, kockásan mintáz *[szövetet]* **3.** *Ausz* eldob, elvet, elhajít **4.** kockákra oszt, négyzetrácsosan megvonalaz **B.** *tni* **1.** kockázik **2.** kockáztat • *fn* **dicer**
dicebox *fn* kockarázó pohár
dicey [ˈdaɪsi] *mn szl [kockázatos]* húzós, fázós, cikis
dichotomize [daɪˈkɒtəmaɪz ‖ –ˈkɑ–], **-ise A.** *tsi* **a)** két ágra oszt, (újra meg újra) ketté oszt **b)** páronként osztályoz **B.** *tni* kettéágazik
dichotomy [daɪˈkɒtəmi ‖ –ˈkɑtəmi] *fn* **1. a)** kettős osztályozás **b)** kettősség, ellentét kettőssége, dichotómia **c)** éles/paradox ellentét **2.** *tud* villa, elágazás • *mn* **dichotomic, dichotomous**
dichroic [daɪˈkroʊɪk] *mn ásv* két színben játszó, kettős színű • *fn* **dichroism**
dichromatic [ˌdaɪkrəˈmætɪk] *mn* **1. a)** két szín egyikében jelentkező **b)** kettős színezetű, kétszínű **2.** *orv* ‹csak két szín látására képes› dikromatikus *[látás]*
dichromatism [daɪˈkroʊmətɪzm] → **dichromatopsia**
dichromatopsia [daɪˌkroʊməˈtɒpsɪə ‖ –ˈtɑ–] *fn orv* részleges színvakság, dikromatopszia

dick [dɪk] *fn szl* **1.** *[fickó, ember]* pajtás, haver, öreg **2.** *US [detektív]* zsaru, dekás **3.** *US [hímvessző]* farok, pöcs

Dick [dɪk] *tul* ‹*Richard* becéző alakja›

dickens [ˈdɪkɪnz] *fn biz* ördög; ~ **of a row** pokoli lárma/zsivaj

dicker [ˈdɪkə ‖ –ər] *US* **I.** *fn* üzlet, alku, seft; **make a ~** alkura lép, üzletet köt **II.** *tni* **1.** *biz* alkudozik, alkuszik **2.** *biz* üzletel, csereberélget, seftel • *fn* **dickerer**

dickey [dɪki] *fn* **1. a)** *biz* külön ingmell, plasztron **b)** csokornyakkendő **2. a)** *biz* bak, kocsiülés **b)** *biz* hátsó inasülés *[kocsin]* **3.** *gyerm* kismadár, madárka **4.** csacsi, szamár

dickey bow *fn biz* csokornyakkendő

dickhead *fn szl tabu [hülye]* seggfej, faszfej

Dickie [ˈdɪki], **Dicky** *tul* ‹*Richard* becéző alakja›

dicky[1] [ˈdɪki] *mn GB* **a)** *szl [rossz állapotban lévő]* rozzant, rozoga *[bútor]* **b)** *szl [beteg, gyenge]* rozzant, lerobbant *[ember]*; **feel ~** vacakul érzi magát; **have a ~ heart** rossz a szíve **c)** *szl* beteg, ingatag *[vállalkozás]*

dicky[2] [ˈdɪki] → **dickey II.**

dickybird *fn gyerm* kismadár, madárka

dicky seat *fn* **a)** bak, kocsisülés **b)** hátsó inasülés *[kocsin]*

dicot [ˈdaɪkɒt ‖ –kɑt] *röv dicotyledon*

dicotyledon [ˌdaɪkɒtɪˈliːdn ‖ –kɑtl–] *fn növ* kétszikű növény • *mn* **dicotyledonous**

dicrotic [daɪˈkrɒtɪk ‖ –ˈkrɑtɪk] *mn orv* kéthullámos, kettős érlökéses, dikrót *[érverés]* • *mn* **dicrotism**

Dict. *röv dictionary*

dicta [ˈdɪktə] → **dictum**

dictaphone [ˈdɪktəfoʊn] *fn* diktafon

dictate I. *tsi* [dɪkˈteɪt] **A. 1.** diktál, tollbamond *[szöveget]* **2.** diktál, megszab *[feltételeket]* **B.** *tni* **1.** diktál *[gépírónőnek]* **2. ~ to sy** diktál/dirigál/parancsol vknek **II.** *fn* [ˈdɪkteɪt] parancs *[lelkiismereté stb.]*, parancsszó

dictation [dɪkˈteɪʃn] *fn* **1.** diktálás, tollbamondás, diktálás/tollbamondás szövege **2.** parancsolás, dirigálás

dictator [dɪkˈteɪtə ‖ ˈdɪkteɪtər] *fn* **1.** diktátor; *átv* **he is a ~ of fashion** ő diktálja a divatot, divatdiktátor **2.** diktáló, tollbamondó *[személy]*

dictatorial [ˌdɪktəˈtɔːrɪəl] *mn* **1.** diktátori *[hatalom]*, diktatórikus, parancsuralmi *[rendszer]* **2.** parancsoló, erőszakos *[hang]*

dictatorship [dɪkˈteɪtəʃɪp ‖ ˈdɪkteɪtərʃɪp] *fn* **1.** diktatúra, parancsuralom **2.** diktatórikus államforma, diktátori hatalom

diction [ˈdɪkʃn] *fn* **1. a)** nyelv(ezet) *[szónoklaté, versé]* **b)** stílus, előadásmód **2. a)** beszéd(modor), dikció *[színészé]* **b)** kiejtés, artikuláció

dictionary [ˈdɪkʃənəri ‖ –neri] *fn* **1.** szótár **2.** lexikon; **biographical ~** életrajzi lexikon; *biz* **a living/walking ~** valóságos lexikon, élő lexikon

dictum [ˈdɪktəm] *fn tsz* **-s, dicta** [ˈdɪktə] **1. a)** kijelentés, nyilatkozat **b)** *jog* vélemény, észrevétel *[bíróé]* **2.** (szólás)-mondás, szállóige

did [dɪd] → **do**[1]

didactic [daɪˈdæktɪk] **I.** *mn* **1.** tanító, oktató, didaktikus **2.** tudálékos, kínosan aprólékos/pedáns **II.** *fn esz* **didactics** oktatástan, oktatáselmélet, tanítástan, didaktika • *fn* **didactician, didacticism**

didactics [daɪˈdæktɪks] → **didactic II.**

didakai [ˈdɪdɪkɔɪ] → **didicoi**

diddicoy [ˈdɪkɪkɔɪ] → **didicoi**

diddle [ˈdɪdl] *tsi/tni szl* **1.** *[közösül]* (meg)kefél, (meg)dug, (meg)kettyint, (meg)kamatyol **2.** *[becsap]* megszopat, megszívat, bepaliz • *fn* **diddler**

diddly-squat *fn US szl [semmi]* túró, szar(t) se; **it doesn't mean ~ to me** semmit nem jelent számomra *stand*

diddums [ˈdɪdəmz] *isz gyerm* szegény kis baba!, fáj?, bibis?

didicoi [ˈdɪdɪkɔɪ] *fn GB szl [cigányvándor üstfoltozó]* brazil

didn't [ˈdɪdnt] *röv did not*; → **do**[1]

dido [ˈdaɪdoʊ] *fn US biz* stikli, móka; **kick up a ~** nagy zűrt/felhajtást csinál

didst [dɪdst] → **do**

didymium [daɪˈdɪmɪəm] *fn vegy* didim(ium)

die[1] [daɪ] *i pr.p* **dying** [ˈdaɪɪŋ] **A.** *tsi* **~ an early death** fiatalon hal meg; **~ a natural death** természetes halállal hal meg; **~ a violent death** erőszakos halállal hal meg **B.** *tni* **1. a)** (meg)hal, elhalálozik, elpusztul, megdöglik *[állat]*; **~ a beggar** koldusként hal meg; **~ hard** drágán adja az életét, az utolsó leheletéig küzd; *közm* **old habits ~ hard** régi szokásokat nehezen vet le az ember; **I will do it live or ~** megteszem, ha addig élek is; **never say ~!** sose csüggedj, soha ne add fel a harcot! **b) the day is dying** végefelé jár a nap **2.** meghiúsul, abbamarad **3.** elromlik, leáll **4.** kialszik *[tűz]* **5.** *biz* **be dying to do sg** ég a vágytól, hogy vmt megtegyen

die away *tni* **1.** elhal, elenyészik *[hang]*, elhalványul, eltűnik *[szín]*, alábbhagy *[szél]*, (meg)szelidül, (el)csitul *[szenvedély]* **2.** *mat* csökken, fogy *[görbe stb.]*; → **die-away**

die back *tni* **1.** elszárad *[évelő növény szára és zöldje]* **2.** pusztulni kezd *[növény az ágak végén]*

die down *tni* alábbhagy, csillapodik, lecsendesedik, elül, alábbhagy

die for *tni* **be dying for sg** majd meghal/eleped vmért

die from *tni* **~ from a wound** seb(esülés)ébe belehal

die off *tni* egyenként kipusztul/kihal *[faj, család]*, elhull *[állatállomány]*

die on *tni* **1. ~ the cross** a kereszten/keresztfán hal meg, keresztre feszítik; *orv* **~ the table** műtét közben hal meg **2.** *Ausz szl* **~ it** *[szavát nem tartja, cserbenhagy]* benne hagy a slamasztikában

die out *tni* kihal, kipusztul *[faj, család]*, kihal *[szokás]*, kialszik *[tűz]*

die to *tni* **~ to sin** jó útra tér, új életet kezd; **~ to the world** meghal a világ számára

die with *tni* **1. his secret ~d with him** sírba vitte a titkát; **our hopes died with him** reményeink sírba szálltak vele **2. ~ with laughing** halálra neveti magát

die within *tni* **my heart ~s within me** eláll a szívverésem, elszorul a szívem

die[2] [daɪ] *fn* **1.** → **dice I. 2. a)** érmesajtoló/dombornyomó szerszám **b)** kézi lyukasztógép/sajtó **3.** *épít* oszlopláb, kőkocka

die-away *mn* **1.** *biz* **~ glance** olvatag/epekedő pillantás **2.** *mat* **~ curve** csökkenő görbe; → **die away**

dieback *fn mezőg* csúcsszáradás *[fáé]*

die-casting *fn* **a)** *fémip* fröccsöntés, présöntés, kokillaöntés **b)** *fémip* fröccsöntvény, présöntvény • *tsi* **die-cast**

die-forging → **drop-forging**

die-hard I. *mn* ókonzervatív, vaskalapos *[ember]* **II.** *fn* **1.** ókonzervatív/vaskalapos politikus/ember **2.** a végsőkig harcoló (v. makacsul ellenálló) ember

dieldrin [ˈdiːldrɪn] *fn mezőg vegy* dieldrin

dielectric [ˌdaɪɪˈlektrɪk] **I.** *mn el* dielektromos, szigetelő, nem vezető **II.** *fn vill* dielektrikum, áramot nem vezető közeg/anyag, szigetelőanyag

diene [ˈdaɪiːn] *fn vegy* dién

dieresis [daɪˈerəsɪs] *fn nyelv* dierézis, umlaut *[diakritikus jel, amely a magánhangzó megváltozását jelzi]*

diesel [ˈdiːzl] *fn* **a)** dízelolaj **b)** dízelmotor **c)** dízelmotoros gépjármű

diesel-electric *mn* dízelelektromos; **~ (locomotive)** dízel-elektromos mozdony

diesel engine *fn* dízelmotor

diesel oil *fn* dízelolaj

die-stamp *fn nyomd* dombornyomó sajtó

diet[1] [ˈdaɪət] **I.** *fn* **1. a)** étrend **b)** diéta; **short ~** szigorú diéta; **be on a ~** diétázik, diétát tart; **go on a ~** diétázni kezd, fogyókúrázni kezd; **work out a ~** (részletes) étrendi utasításokat dolgoz ki, diétát állít össze **2.** (rendszeres) táplálék; **abundant ~** bőséges/kiadós táplálkozás **II.** *mn* diétás, cukormentes, fogyókúrás *[étel, ital, üdítő]* **III. A.** *tsi*

D

diétára fog/szorít (vkt), diétát ír elő (vknek); ~ **oneself** diétán él, diétát tart **B.** *tni* diétázik, fogyókúrázik • *fn* **dieter**

diet² [ˈdaɪət] *fn* **a)** országgyűlés *[észak-európai államoké]* **b)** *tört* diéta, országgyűlés **c)** *skót jog* bírósági tárgyalás

dietary [ˈdaɪətəri ‖ –teri] **I.** *mn* **a)** étrendi, élelmezési **b)** diétás **II.** *fn* **1.** étrend(i előírás) **2.** napi élelemadag *[kórházban, börtönben]*

D

dietetic [ˌdaɪəˈtetɪk] *mn* **a)** étrendi, táplálkozási **b)** diétás, dietetikus

dietetical [ˌdaɪəˈtetɪkl] → **dietetic**

dietetics [ˌdaɪəˈtetɪks] *fn esz* élelmezéstudomány, diétás táplálkozástan

dietician [ˌdaɪəˈtɪʃn] *fn* dietetikus, diétaspecialista, diétás nővér/orvos

dietitian [ˌdaɪəˈtɪʃn] → **dietician**

differ [ˈdɪfə ‖ –ər] *tni* **1.** különbözik, eltér **2.** ~ **in opinion** más véleményen van, másként vélekedik; ~ **(in opinion) from/with sy** nem ért egyet vkvel; ~ **about sg** másként vélekedik vmről

difference [ˈdɪfrəns] **I.** *fn* **1.** különbség, különbözés, eltérés; **point of** ~ a különbség *[két dolog között]*; ~ **in quality** minőségi különbség; **what a** ~ micsoda/mekkora különbség, **that makes a** ~ az (már) más; **it makes no** ~ mit sem számít, egyre megy **2.** különbség, különbözet *[két szám között]*; **pay the** ~ megfizeti a különbözetet, ráfizet *[vasúton]* **3.** nézeteltérés; ~**s of opinion** véleményeltérések; **have a** ~ **with sy about sg** nézeteltérése van vkvel vmvel kapcsolatban; **settle a** ~ nézeteltérést tisztáz/elintéz **II.** *tsi* megkülönböztet

different [ˈdɪfrənt] *mn* **1.** különböző, eltérő, más; ~ **than...** más, mint ...; **much/very** ~ **from sg** vmtől nagyon eltérő/különböző; **I saw it in quite a** ~ **way than before** egészen másként (v. más színben) láttam, mint azelőtt; **I feel a** ~ **man** úgy érzem magam, mint akit kicseréltek **2.** különféle, többféle, különböző; **in** ~ **colours** különféle színekben, több(féle) színben; **at** ~ **times** több ízben/alkalommal, különböző időpontokban **3.** *biz* átlagon felüli, nem mindennapi

differentia [ˌdɪfəˈrenʃə] *fn tsz* **differentiae** [–ʃiiː] *fil* megkülönböztető jegy

differentiable [ˌdɪfəˈrenʃəbl] *mn* differenciálható, megkülönböztethető

differential [ˌdɪfəˈrenʃl] **I.** *mn* **1.** differenciális, különbözeti *[díjszabás]*; **cost** ~**s** költségkülönbözetek; *pénz* ~ **duty** különbözeti vám; ~ **pay** fizetéspótlék; *US pénz* ~ **rate** kivételes (vám)tarifa; *pénz* ~ **tariff** tételes vámtarifa **2. a)** *orv* megkülönböztető *[jelleg]*; *orv* ~ **diagnosis** elkülönítő/megkülönböztető kórisme, differenciáldiagnózis **b)** *orv* ~ **(blood) count** kvantitatív vérkép **II.** *fn mat* differenciálhányados; ~ **quotient** differenciálhányados; **obtain the** ~ **of an equation** kiszámítja az egyenlet differenciálhányadosát

differential calculus *fn mat* differenciálszámítás

differential coefficient *fn mat* differenciális együttható

differential equation *fn mat* differenciálegyenlet

differential gear *fn gk* differenciál(mű), kiegyenlítőmű

differential lock *fn gk* differenciálzár

differentiate [ˌdɪfəˈrenʃieɪt] **A.** *tsi* **1.** megkülönböztet **2.** más irányban fejleszt, másféleképpen alakít; *biol* **sex is** ~**d** *[a magzat]* nemisége kialakult **3.** *mat* differenciál **B.** *tni* **1.** ~ **between two things** különbséget tesz két dolog között **2.** *biol* elfejlődik, elkülönül, elválik, elszakad • *fn* **differentiation**

differently abled *mn euf* mozgássérült, rokkant, viszszamaradt *[szellemileg]*

difficult [ˈdɪfɪklt ‖ –kʌlt] *mn* **1. a)** nehéz; **the most** ~ **part of sg** vmnek a neheze; **I find it** ~ (v. **it is** ~ **for me) to do sg** nehezemre esik vmt megtenni **b)** nehéz, fárasztó, fáradságos *[út, munka]*; ~ **of access** nehezen hozzáférhető **2.** nehézkes *[ember]*; **he is** ~ **to get on with** nehéz ember, nehéz vele kijönni; **they are** ~ **people** nehéz emberek

difficulty [ˈdɪfɪklti ‖ –kʌlti] *fn* **1.** nehézség; **task of some** ~ némi nehézséggel járó feladat; **with** ~ nehezen; **have** ~ **in doing sg** nehezen tud vmt megtenni **2.** nehézség, akadály; **make/raise difficulties** nehézségeket támaszt, akadékoskodik; **make no** ~ **about doing sg** minden ellenkezés nélkül megtesz vmt; **put difficulties in the way of sg** akadályokat gördít vmnek az útjába **3. a)** baj, zavar, szorultság, szorult helyzet; **lead sy into difficulties** bajt hoz vkre, bajba kever vkt; **get into difficulties** bajba keveredik **b)** **(pecuniary) difficulties** pénzzavar, pénztelenség, pénzgondok

diffident [ˈdɪfɪdənt] *mn* bátortalan, félénk, önmagában nem bízó, szégyenlős, túlzottan szerény • *fn* **diffidence**

diffract [dɪˈfrækt] *tsi fiz* **a)** (el)hajlít, eltérít *[fénysugarat, hullámot]* **b)** (meg)tör *[fénysugarat]*, szétszór *[hanghullámokat]* • *fn* **diffraction**

diffraction grating *fn fiz* elhajlási rács

diffractometer [ˌdɪfrækˈtɒmɪtə ‖ –ˈtɑ–] *fn fiz* diffraktométer, diffraktográf

diffuse I. *mn* [dɪˈfjuːs] **1.** terjengős, hosszadalmas, kusza, zavaros **2.** szétterjedő, szét-/kiterjedt, diffúz **3.** szórványos, elszórt, ritkás **II.** *tsi* [dɪˈfjuːz] **A. a)** áraszt, sugároz *[fényt, hőt, illatot, derűt]* **b)** terjeszt *[tudást, elveket stb.]* **c)** *fiz* szétoszlat, (szét)terjeszt, szétszór **B.** *tni* **a)** szétárad, (szét)terjed *[hő stb.]* **b)** *fiz* diffundál • *fn* **diffusibility** *mn* **deffusible, diffusive**

diffused [dɪˈfjuːzd] *mn* **1.** (szét)szórt, szétterjedt, diffúz; ~ **illumination** szórt megvilágítás/fény **2.** (széles körökben) elterjedt

diffuser [dɪˈfjuːzə ‖ –ər] *fn* **a)** *vegy* diffúziós készülék **b)** *fiz* szóróközeg, diffúzor **c)** *[motorban]* porlasztó, diffúzor **d)** *film* lágyító előtét

diffusion [dɪˈfjuːʒn] *fn* **1.** szétterjesztés, szétszórás **2. a)** *nyelv* szétterjedés, szétszóródás, diffúzió **b)** *fiz* diffúzió, *összet* diffúziós; ~ **constant** diffúziós állandó

dig [dɪg] **I.** *pt/pp* **dug** [dʌg] **A.** *tsi* **1. a)** ás, felás *[kertet]*, túr, megás, kiás **b)** felkutat, meglel **c)** feltár *[romokat]* **2. a)** *US szl* ~ **it/sg** *[tetszik neki]* bír, komál, csíp **b)** *US szl [néz, figyel, bámul]* stíröl **c)** *US szl [ért, megért]* értékel, díjaz **B.** *tni* **1.** ás **2.** *biz* albérleti/bútorozott szobában lakik **II.** *fn* **1. a)** *biz* bökés, döfés; *biz* **give sy a** ~ **in the ribs** oldalba bök vkt **b)** *biz* csípős/gúnyos/epés megjegyzés **2.** ásatás **3.** *US biz* magoló, biflázó **4. a)** *biz* **have a** ~ **in/at the garden** ás egy sort a kertben **b)** *szl* **have a** ~ **at sg** megpróbálkozik vmvel, belekap vmbe **5.** *biz tsz* **digs**→ **digs 6.** *Ausz* → **digger**

dig for *tni* **a)** *biz* ~ **for gold** aranyat ás, arany után kutat **b)** *biz* ~ **for information** értesülések után jár, híreket próbál szerezni

dig in A. *tsi* **1.** földbe ás, elás; ~ **one's toes in** megveti a lábát; megmakacsolja/megköti magát **2.** ~ **sy in the ribs** oldalba bök vkt; *átv* csípős megjegyzést tesz vkre **B.** *tni* **1.** *biz* beássa magát *[katona]* **2.** sarkára áll, megmakacsolja magát **3.** gőzerővel dolgozik, beleveti magát a munkába **4.** nekiesik *[ételnek]*

dig into *tsi tni* **1.** ~ **into the snow** belefúródik/belesüllyed a hóba *[forgó kerék]* **2.** ~ **into sg** beledolgozza magát vmbe, mélyrehatóan tanulmányoz vmt

dig out *tsi* **a)** kiás, előás **b)** *átv biz* előás, előkotor

dig round *tni* körülás *[fát]*

dig up A. *tsi* **1.** felás *[földet]*, kiás, kiszed, kikapar **2.** előszed, előhúz, felhánytorgat *[régi sérelmeket]* **3.** összekapar *[pénzt]* **B.** *tni* kirukkol *[összeggel]*

digamma [ˈdaɪgæmə] *fn* digamma, a görög ábécé hatodik betűje

digastric [daɪˈgæstrɪk] **I.** *mn orv* kéthasú *[izom]* **II.** *fn orv* kéthasú izom

digest I. *tsi* [daɪˈdʒest] **A. 1. a)** *átv* (meg)emészt **b)** emészthetőbbé tesz **2.** eltűr, visel; *biz* ~ **an insult** sértést lenyel **3. a)** összefoglal, tömören kivonatol *[szöveget]*, feldolgoz, rendszerez **b)** átgondol, felépít **B.** *tni* emésztődik; **food that does not** ~ **easily** nehezen emészthető étel **II.** *fn* [ˈdaɪdʒest] **1.** tömör kivonat *[könyvé, szövegé]* **2.** cikkválogatás • *fn* **digester**, **digestibility** *mn* **digestible**

digestant [daɪˈdʒestənt] *mn/fn orv* emésztést elősegítő (szer)

digestion [daɪˈdʒestʃən, dɪ–] *fn átv* emésztés; **easy of ~** könnyen emészthető; **disorders of ~** emésztési zavarok; **have a good ~** jó gyomra van

digestive [daɪˈdʒestɪv, dɪ–] **I.** *mn* **a)** emésztő; **~ juice** emésztőnedv, gyomorsav; **~ system** emésztőrendszer, emésztőszervek **b)** emésztést elősegítő/serkentő **II.** *fn* emésztést elősegítő/serkentő szer

digestive biscuit → **digestive** II.

digger [ˈdɪgə ‖ –ər] *fn* **1. a)** földmunkás **b)** vájár, szénbányász **c)** aranyásó **d)** ásató *[régészeti ásatásoknál]* **2.** *US* gyökereken élő indián **3.** *Ausz* ausztráliai katona **4.** ásó szerszám/gép, földkiemelő, exkavátor

digger's delight *fn Ausz növ* veronika

diggings [ˈdɪgɪŋz] *fn tsz* **1.** bánya, aranymező, aranylelőhely **2.** *GB biz* bútorozott/albérleti szoba

digit [ˈdɪdʒɪt] *fn* **1. a)** arab szám(jegy) *[0-9-ig]*; **number with three ~s** háromjegyű szám **b)** *[kibernetika]* kódelem, (hívó)számjegy **2.** ujj *[kézen, lábon]*

digital [ˈdɪdʒɪtl] **I.** *mn* **1.** digitális, számkijelzős *[berendezés]* **2.** ujj alakú, ujj-; **~ bone** ujjcsont **II.** *fn* billentyű *[zongoráé, orgonáé]*

digital audio broadcasting *fn* digitális műsorszórás, *röv* DAB

digital audio tape *fn* digitális hangszalag

digital compression *fn infor* digitális (jel)tömörítés

digitalis [ˌdɪdʒɪˈteɪlɪs ‖ –ˈtæ–] *fn* **1.** *növ* gyűszűvirág **2.** digitálisz *[gyógyszer]*

digitalize [ˈdɪdʒɪtlˌaɪz], **-ise** *tsi* digitalizál, digitálissá alakít

digital recording *fn* digitális felvétel

digital superhighway *fn infor* információs szupersztráda

digital-to-analog converter *fn infor* digitális-analóg átalakító

digitate [ˈdɪdʒɪteɪt], **digitated** *mn áll növ* ujjas, tenyeres • *fn* **digitation**

digitize [ˈdɪdʒɪtaɪz], **-ise** *tsi infor* digitálissá alakít *[analóg jelet]*, digitalizál, digitizál

dignified [ˈdɪgnɪfaɪd] *mn* méltóságteljes, tiszteletet parancsoló; **~ style** fennkölt/emelkedett stílus

dignify [ˈdɪgnɪfaɪ] *tsi* **a)** kitüntet, tisztelettel övez **b)** *régi* méltósággal felruház

dignitary [ˈdɪgnɪtəri ‖ –teri] *fn* méltóság, magas/előkelő tisztség viselője

dignity [ˈdɪgnəti] *fn* **1.** méltóság, fennköltség; **preserve one's ~** megőrzi méltóságát **2.** méltóság, (magas) rang; **beneath one's ~** méltóságán/rangján aluli; **be/stand on one's ~ with sy** elvárja a köteles (v. rangjának kijáró) tiszteletet vktől, (magas) rangját érezteti vkvel **3.** méltóság, magas tisztség viselője

digraph [ˈdaɪgrɑːf ‖ –græf] *fn nyelv* kétjegyű magánhangzó/mássalhangzó, diagramma

digress [daɪˈgres] *tni* eltér (a tárgytól), elkalandozik, csapong • *fn* **digression** *mn* **digressive**

digs [dɪgz] *fn tsz biz* albérleti/bútorozott szoba, albérlet, *biz* kégli

dihedral [daɪˈhiːdrəl] **I.** *mat mn* **~ angle** lapszög **II.** *fn* lapszög

dihedron [daɪˈhiːdrən] *fn mat* diéder, kétlap

dike[1] [daɪk] **I.** *fn* **1. a)** gát, töltés **b)** *átv* gát **2.** feltöltött út, töltésút **3.** árok **II.** *tsi* gáttal/töltéssel vesz körül

dike[2] [daɪk] *szl [leszbikus]* leszbi

diktat [ˈdɪktæt ‖ dɪkˈtɑt] *fn* diktátum

DIL *röv infor dual in-line* kétsoros lábelrendezésű, DIL

dilapidate [dɪˈlæpɪdeɪt] **A.** *tsi* megrongál, tönkretesz, pusztulni hagy *[épületet, bútort, vagyont]* **B.** *tni* tönkremegy, (el)pusztul, roskadozik *[épület, bútor stb.]* • *fn* **dilapidation**

dilapidated [dɪˈlæpɪdeɪtɪd] *mn* **a)** düledező, roskadozó, ütött-kopott, omladozó, rozzant **b)** kopott, toprongyos *[ember]*

dilatancy [daɪˈleɪtənsi] *fn* tágulás

dilatation [ˌdaɪleɪˈteɪʃn, dɪ–] *fn* **1. a)** (ki)tágítás **b)** (ki)tágulás, dilatáció **2.** tágulat • *fn* **dilatability** *mn* **dilatable**

dilatator [ˈdaɪləteɪtə ‖ –ər] → **dilator** 2.

dilate [daɪˈleɪt] **A.** *tsi* (ki)tágít, (ki)nyújt **B.** *tni* **1.** (ki)tágul **2. ~ upon sg** hosszú lére ereszt vmt, bőbeszédűen/hosszadalmasan tárgyal/fejteget vmt • *fn* **dilation**

dilator [daɪˈleɪtə, dɪ– ‖ –ˈleɪtər] *fn* **1.** *orv* tágító izom **2. a)** tágító műszer **b)** tágító (szer)

dilatory [ˈdɪlətəri ‖ –tɔri] *mn* **a)** késlekedő, halogató, piszmogó *[ember]* **b)** késleltető, halogató *[módszer]*; *jog* **~ exception** pergátló kifogás **c)** elkésett, megkésett *[cselekvés]*

dildo [ˈdɪldoʊ] *fn* mesterséges hímvessző

dilemma [dɪˈlemə, daɪ–] *fn* dilemma, nehéz/kiúttalan helyzet; **be in a ~** gondban van

dilettante [ˌdɪləˈtænti ‖ –ˈtɑnti] **dilettanti**, **s I.** *mn* műkedvelő, dilettáns *[művészetben]* **II.** *fn* **a)** műkedvelő **b)** dilettáns *[művészetben]* • *fn* **dilettantism** *mn* **dilettantish**

diligence [ˈdɪlɪdʒəns] *fn* **a)** szorgalom, igyekezet, iparkodás **b)** gondosság; **due ~** (bizonyítottan) a tényeknek megfelelő; elvárható pontosság

diligent [ˈdɪlɪdʒənt] *mn* **a)** szorgalmas, igyekvő, iparkodó **b)** gondos

dill[1] [dɪl] *fn növ* kapor

dill[2] [dɪl] *fn Ausz szl* **a)** dilis, hülye **b)** balek

dill pickle *fn* ecetes uborka *[kaporral ízesített]*

dill water *fn* édes köményvíz

dilucidate [dɪˈluːsɪdeɪt] *tsi átv* megvilágít

diluent [ˈdɪljuənt] **I.** *mn vegy* hígító, oldó **II.** *fn vegy* hígítószer, oldószer

dilute [daɪˈluːt, dɪˈluːt] **I.** *tsi* **a)** (fel)hígít, (fel)vizez, felereszt **b)** gyengít, tompít, hígít *[színt]* **c)** enyhít, tompít, szelídít *[tant]*, gyengít *[törekvést]* **II.** *mn* **1.** *átv* (fel)hígított, felvizezett **2.** fakó, tompa, telítetlen *[szín]* **3.** *vegy* **a)** híg, alacsony oldottanyag tartalmú *[oldat]* **b)** (fel)oldott • *fn* **dilution**

diluted [daɪˈluːtɪd] → **dilute** II.

dilutee [ˌdaɪljuːˈtiː ‖ ˌdɪljəˈtiː] *fn biz* betanított munkás

diluvial [daɪˈluːvɪəl] *mn geol* diluviális, jégkorszak(bel)i, Özönvíz idei

diluvian [daɪˈluːvɪən] → **diluvial**

diluvium [daɪˈluːvɪəm] *fn tsz* **diluvia** [–vɪə] *geol* dilúvium, jégkorszak

dilly [ˈdɪli] *mn* **1.** *US biz [nagyszerű, osztályon felüli]* király **2.** *Ausz biz* dilis, hülye

dillybag *fn Ausz [kúszónövényből készült]* bevásárló háló/szatyor

dilly-dally *tni biz* piszmog, ellötyögi az idejét; *biz* **~ about/over sg** elbabrál/elpiszmog/elvacakol vmvel; tétovázik, habozik • *fn* **dilly-dallier**

dim [dɪm] **-mm- I.** *mn* **1. a)** homályos, halvány, tompa *[világítás]*, elmosódott, bizonytalan, fakó, sápadt, ködös *[fogalom, emlék]*, homályos *[előérzet]*; **a ~ idea** ködös elképzelés; **a ~ sound** halk/elhaló hang; **grow ~** elmosódik *[körvonal, emlék]*; megfakul *[szín, emlék]* **b)** (fél)homályos, borús; **take a ~ view of sg** sötét színben lát vmt **c)** fénytelen, ködös, homályos *[tekintet]*, gyenge, homályos *[látás]* **d)** tompa, ködös *[értelem, agy]* **2.** *szl* **a)** nem valami előkelő **b)** gyenge *[minőségű]* **c)** nehéz felfogású, ostoba, homály **II. A.** *tsi* **a)** elhomályosít, elhalványít, túlragyog, homályba borít, elmos; **eyes ~med with tears** könnyektől elhomályosult tekintet **b)** *US* tompít, mérsékel, csökkent, enyhít *[fényt]*; **~ out** letompít *[fényt]*; **~ the headlights** tompított fényre vált **B.** *tni* elhalványul, elhomályosodik

[fény], meghomályosodik *[tükör stb.]*, elhalványul, megfakul *[dicsőség, szépség, emlék]*, elmosódik *[körvonal, emlék]*, (meg)fakul *[szín]* • *hsz* **dimly**
dim. *röv* **1.** *diminished* **2.** *diminuendo* **3.** *diminutive*
dim-chord *fn zene* kis terc
dime [daɪm] *fn US* **a)** tízcentes (pénzdarab); *biz* **a ~ a dozen** közepes, átlagos; *biz* **at a ~ a dozen** minden bokorban található; **on a ~** gyorsan, fürgén; **it can turn on a ~** nagyon kis területen meg tud fordulni *[ló, autó]* **b)** *biz* egy kis/kevéske pénz
dime novel *fn US* filléres regény, ponyva(regény)
dimension [daɪˈmenʃn, dɪ–] **I.** *fn* **a)** kiterjedés, méret, dimenzió; **of large ~s** nagyméretű; *átv* nagyszabású **b)** méret; **overall ~s** külső főméretek; **~ figure** méretszám, méretkotta **II.** *tsi ip* **1.** méretez *[gépet stb.]*, méretre vág *[anyagot]* **2.** bekottáz *[egy rajzot stb.]* • *mn* **dimensional**, **dimensioned**
dimensionless [daɪˈmenʃnləs, dɪ–] *mn* **1.** kiterjedés nélküli *[pont]* **2.** határtalan
dimerous [ˈdɪmərəs] *mn* **1.** két részre osztott **2.** *növ áll* két részből álló, kétízű, kétrészes
diminish [dɪˈmɪnɪʃ] **A.** *tsi* **a)** csökkent, kisebbít, kevesbít *[értéket, mennyiséget]*, csorbít *[tekintélyt]*, gyengít *[érzelmet]* **b)** (el)vékonyít, (el)keskenyít **B.** *tni* csökken, fogy, kisebbedik • *mn* **diminishable**, **diminishing**
diminished [dɪˈmɪnɪʃt] *mn* **a)** csökkentett, kisebbített **b)** *épít* **~ arch** lapos ív; **~ column** felfelé vékonyodó oszlop **c)** *zene* **~ interval** szűkített hangköz
diminished responsibility *fn GB jog* korlátozott beszámíthatóság
diminishing [dɪˈmɪnɪʃɪŋ] *mn* **1.** csökkenő, fogyó; *közg* **law of ~ returns** a csökkenő hozadék törvénye; **~ scale** távlati kisebbedés **2. ~ glass** kicsinyítő lencse
diminuendo [dɪˌmɪnjuˈendoʊ] *mn/hsz* **-oes**, **-oed** *zene* **I.** *mn/hsz* diminuendo, fokozatosan halkítva **II.** *fn tsz* **-di** [–diː] diminuendo **III.** *tni* fokozatosan halkítva játszik
diminution [ˌdɪmɪˈnjuːʃn ‖ –ˈnuː–] *fn* **1.** csökkentés, leszállítás *[adóé]* **2.** csökkenés, fogyás, apadás **3.** *zene* diminúció, kisebbítés, lerövidítés
diminutive [dɪˈmɪnjʊtɪv ‖ –ˈmɪnjətɪv] **I.** *mn* **1.** pici(ny), apró, parányi **2.** *nyelv* kicsinyítő **II.** *fn nyelv* kicsinyítő alak/főnév/szó, kicsinyítő képző
dimmer [ˈdɪmə ‖ –ər] **I.** *mn* → **dim** I. **II.** *fn* **1. a)** *vill* világításszabályozó **b)** *film* elsötétítő berendezés; *film* **~ bulb** biztosító/ellenőrző lámpa **2.** *tsz* **dimmers a)** *US* parkolófény **b)** tompított fény(szóró)
dimmish [ˈdɪmɪʃ] *mn* meglehetősen halvány/homályos, félhomályos, sötétes
dimorphic [daɪˈmɔːfɪk ‖ –ˈmɔrfɪk] *mn biol ásv* kétalakú, dimorf • *fn* **dimorphism** *mn* **dimorphous**
dimple [ˈdɪmpl] **I.** *fn* **a)** gödröcske *[arcon, állon]*, grüberli **b)** kis horpadás/mélyedés *[földön]*, fodor, gyűrűcske *[vizen]* **II. A.** *tsi* **a)** gödröcskét csinál *[arcon a mosoly]* **b)** fodroz *[szél vizet]* **B.** *tni* fodrozódik *[víz]* • *mn* **dimply**
dim sim → **dim sum**
dim sum *fn gaszt* sült/főtt kínai gombóc
dimwit [ˈdɪmwɪt] *fn US szl [buta ember]* bunkó, homály, sötét (mint az éjszaka), süket, hülye • *mn* **dimwitted**
din [dɪn] **I.** *fn* fültépő lárma, csörömpölés; **the ~ of battle** csatazaj; *biz* **kick up (no end of) a ~** (vég nélküli) zajt csap, lármázik **II.** *i* **-nn- A.** *tsi* szaggat, tép, megsüketít *[zaj fület]* **B.** *tni* **a)** lármázik, zajong **b) ~ in sy's ears** vk fülében zsong/motoszkál
Dinah [ˈdaɪnə] *tul* ‹női név›
dinar [ˈdiːnɑː ‖ dɪˈnɑr] *fn* dinár
dindins [ˈdɪndɪnz] *fn tsz gyerm* **eat one's ~** papizik
dine [daɪn] **A.** *tni* étkezik, ebédel, vacsorázik; **~ on/off sg** eszik vmt; **~ in** otthon ebédel/vacsorázik; **~ out** házon kívül ebédel/vacsorázik **B.** *tsi* **1.** (meg)ebédeltet, (meg)vacsoráztat, ebédre/vacsorára vendégül lát **2. this table ~s twenty comfortably** ennél az asztalnál húszan kényelmesen ehetnek
diner [ˈdaɪnə ‖ –ər] *fn* **1.** ebédlő **2.** *biz* étkező(kocsi) *[vonaton]* **3.** *US* olcsó étterem, kifőzde, bisztró **4.** vacsorázó *[személy]*
dinero [dɪˈneəroʊ ‖ –ner–] *fn US szl [pénz]* lóvé, zsozsó, suska, lé
diner-out *fn* **be a regular ~** rendszeresen házon kívül vacsorázik
dinette [daɪˈnet] *fn* **1.** étkező *[lakásban]* **2.** *US* étkezőbútor
ding [dɪŋ] **I.** *fn Ausz szl [zajos, vad parti, összejövetel]* (nagy) buli, banzáj **II. A.** *tsi* zsong, duruzsol *[vmt vk fülébe]* **B.** *tni* kong
ding-a-ling [ˈdɪŋəlɪŋ] *fn* **1.** bim-bam **2.** *US szl [furcsa ember]* lökött fazon, sükebóka
dingbat [ˈdɪŋbæt] *fn* **1.** *US Ausz szl [furcsa ember]* lökött fazon, sükebóka **2.** *tsz* **~s** *ÚjZ Ausz szl [őrület, őrültség]* fling
ding-dong **I.** *fn* **1.** bimb-bam(ozás), kongás, bongás *[harangé]* **2.** *zene* gong, triangulum **3.** *GB biz* hangos buli, banzáj **4.** *GB biz [veszekedés, csetepaté]* hűhó, ramazuri, balhé **II.** *hsz* **1.** bim-bamozva **2.** energikusan, beleadva apait-anyait **III.** *mn* **~ match** ‹váltakozó szerencsével folyó heves mérkőzés›
dinge [dɪndʒ] **I.** *fn* **1.** *biz* behorpadás **2.** *biz* **the event threw a ~ over the whole company** az esemény az egész társaság hangulatára nyomasztóan hatott **II.** *tsi* behorpaszt, beüt
dingey [ˈdɪŋi] → **dinghy**
dinghy [ˈdɪŋi] *fn* kétevezős csónak, kis vitorláshajó, kis csónak *[hajón]*, dingi, (felfújható) gumicsónak
dingle [ˈdɪŋgl] *fn* szurdok, kis erdős mély völgy
dingo [ˈdɪŋgoʊ] **I.** *fn tsz* **dingoes** **1.** *áll* ausztráliai vadkutya, dingó **2.** *Ausz* gazember, hitvány alak **II.** *tni Ausz* **~ on sy** cserbenhagy/elárul/megfúr vkt
dingy[1] [ˈdɪndʒi] *mn* **a)** ütött-kopott, kopottas, piszkos, szürke, elhanyagolt, kétes tisztaságú **b)** kétes tisztaságú *[jellem]*, kétes *[hírnév]* **c)** borús, komor *[elme]*
dingy[2] [ˈdɪŋi] → **dinghy**
dining car *fn US* étkezőkocsi *[vonaton]*
dining coat *fn US* szmoking(kabát)
dining hall *fn* ebédlő, étterem, étkezde *[intézményé]*
dining room *fn* ebédlő, étterem; **private ~** különterem
dining table *fn* ebédlőasztal
DINK [dɪŋk] *röv Double Income No Kids* fiatal, tehetős, gyermektelen pár • *fn* **dinkie**, **dinky**
dinkey [ˈdɪŋki] **I.** *US mn biz* jelentéktelen, harmadrangú **II.** *fn biz* kis tolatómozdony
dinkum [ˈdɪŋkəm] **I.** *mn* **a)** *Ausz biz* igazi; frankó; **fair ~** fair play, tisztességes eljárás **b)** egyenes, igaz, becsületes *[ember]* **II.** *fn* **~ Aussie** bennszülött ausztráliai, igazi ausztráliai
dinkum oil *fn Ausz szl* a tiszta igazság, színigazság
dinky[1] [ˈdɪŋki] *mn biz GB* szép kis, csinos, takaros
dinky[2] [ˈdɪŋki] → **DINK**
dinned [ˈdɪnd] → **din** II.
dinner [ˈdɪnə ‖ –ər] *fn* **a)** ‹a nap főétkezése délben v. este› ebéd, vacsora; **be at ~** ebédnél/vacsoránál/asztalnál ül; **go out to ~** elmegy otthonról ebédelni/vacsorázni **b)** bankett, díszebéd, díszvacsora; **public ~** bankett
dinner dance *fn* táncos vacsora
dinner hour *fn* ebédidő, vacsoraidő
dinner jacket *fn GB* szmoking
dinner lady *fn GB* konyhásnéni *[iskolai menzán]*
dinnerless [ˈdɪnələs ‖ –nər–] *mn* **go ~** ebéd/vacsora nélkül marad
dinner party *fn* **1.** vacsora *[meghívott vendégekkel]*; **have a ~** ebédet/vacsorát ad/rendez **2.** ebédvendégek, vacsoravendégek, vendégsereg
dinner service *fn* étkészlet
dinner-speech *fn* pohárköszöntő
dinner table *fn* ebédlőasztal
dinner-time *fn* ebédidő, vacsoraidő

dinosaur [ˈdaɪnəsɔː ‖ –sɔr] *fn áll* **a)** dinosaurus *[kihalt őshüllő]* **b)** *biz átv* őskövület, maradi ember • *mn* **dinosaurian**

dint [dɪnt] **I.** *fn* **1.** ütés, csapás **2.** ütés/nyomás helye, horpadás; **by ~ of** vm segítségével/által/útján; **by ~ of argument** érveléssel **II.** *tsi* benyom, behorpaszt

diocesan [daɪˈɒsɪsn ‖ –ˈɑsɪsn] **I.** *mn vall* egyházmegyei, egyházkerületi **II.** *fn vall* megyéspüspök

diocese [ˈdaɪəsɪs] *fn* egyházmegye *[anglikán és római katolikus]*

diode [ˈdaɪoʊd] *fn távk el* dióda, egyenirányító

dioecious [daɪˈiːʃəs] *mn növ* kétlaki

diopter [daɪˈɒptə ‖ –ˈɑptər] *US* → **dioptre**

dioptre [daɪˈɒptə ‖ –ˈɑptər] *fn fiz* dioptria

dioptric [daɪˈɒptrɪk ‖ –ˈɑp–] *mn* **1.** fénytörő, dioptrikus **2.** dioptriás

dioptrical [daɪˈɒptrɪkl ‖ –ˈɑp–] → **dioptric I.**

dioptrics [daɪˈɒptrɪks ‖ –ˈɑp–] *fn esz fiz* fénytöréstan, sugártöréstan, dioptrika

diorama [ˌdaɪəˈrɑːmə ‖ –ˈræmə] *fn* dioráma • *mn* **dioramic**

diorite [ˈdaɪəraɪt] *fn geol* diorit • *mn* **dioritic**

dioxide [daɪˈɒksaɪd ‖ –ˈɑk–] *fn vegy* dioxid

dip [dɪp] **I.** *i* **-pp- A.** *tsi* **1. a)** megmárt, bemárt, alámerít, (meg)merít *(into* vmbe) **b)** megnedvesít, (meg)fürdet **c)** *vegy* merít, márt, áztat, megfest *[vásznat, szövetet]*; **~ candles** gyertyát márt **2.** hirtelen leenged, leereszt, lebocsát vmt; *hajó* **~ a flag/signal** zászlójelzést ad *[üdvözlésként]*; *GB gk* **~ the headlights** tompított fényre vált, leveszi a fény(szóró)t **3.** *átv* merít, vesz *(out of/from* vmből/vhonnan) **4.** vízbemerítéssel keresztel, alámerít **5.** *US* tejfölt leszed *[tejről]*, lefölöz *[tejet]* **6.** *US szl [zsebből lop]* lenyúl, megrajzol **B.** *tni* **1.** lemerül, alámerül, alábukik, lesüllyed *[vízben]*; *műsz* **~ in oil** úszik az olajban **2.** alászáll, leszáll, lebukik *[nap]* **3.** elhajlik *[iránytű]*, billen *[a mérleg serpenyője]*, meghajlik *[huzal]*, ferdül, dől, elhajlik, ereszkedik, lejtőssé/egyenetlenné válik **4. a)** megmártja magát *[vízben]* **b)** hirtelen alábukik és felemelkedik *[repülőgép]* **II.** *fn* **1.** (be)mártás, be(le)merítés, víz alá merítés **2.** fürdés, megmártózás, megmerülés; **have a ~** fürdik, megmártja magát **3. a)** elhajlás, inklináció *[mágnestűé]*; *mat* **~ in a curve** a görbe inflexiója **b)** ferdeség, dőlés, ereszkedés, lehajlás; **~ of the horizon** látóhatár depressziója **c)** (esővíz mosta) gödör, mélyedés, horpadás **4.** (merítő)keverék, oldat, fürdő **5.** merítő(eszköz) **6.** (mártott) gyertya **7.** *rep* merülés **8.** csipet *[burnót]*, korty *[ital]*; *Ausz* **~s** galuska **9.** *sp* saslengés *[korláton]*, saslendület **10.** *US* mártás *[húshoz, tésztához, salátához]*, olvasztott vaj *[pl. pirításhoz]* **11. a)** *szl [zsebtolvaj]* zsebes **b)** *szl* zsebtolvajlás **12.** *US szl [ügyetlen ember]* töketlen, béna

DIP [dɪp] *röv infor* **1.** *document image processing* képarchiválás, dokumentumkép-feldolgozás **2.** *dual in-line package* kétsoros lábelrendezésű tok, DIP

dip., **Dip.** *röv Diploma* diploma, dipl., oklevél, okl.

DipAD [ˌdɪpeɪˈdiː] *röv GB Diploma in Art and Design*

DipEd [ˌdɪpˈed] *röv Diploma in Education*

dipeptide [daɪˈpeptaɪd] *fn vegy* dipeptid

dip finish *fn sp* mellbedobás

diphase [ˈdaɪfeɪz] *mn el* kétfázisú *[áram]*

DipHE *röv GB Diploma of Higher Education*

diphosphate [daɪˈfɒsfeɪt ‖ –ˈfɑs–] *fn vegy* difoszfát

diphtheria [dɪfˈθɪərɪə, dɪp– ‖ –ˈθɪrɪə] *fn orv* diftéria, torokgyík • *mn* **diptherial**, **diptheric**

diphtheroid [ˈdɪfθərɔɪd, ˈdɪp–] *mn orv* diftériához hasonló

diphthong [ˈdɪfθɒŋ ‖ –θɔŋ] *nyelv* **I.** *fn* kettős magánhangzó, diftongus **II.** *i* → **diphtongize** • *mn* **diphthongal**

diphthongize [ˈdɪfθɒŋgaɪz ‖ –θɔŋ–], **-ise** *nyelv* **A.** *tsi* kettős magánhangzóval ejt, diftongizál **B.** *tni* diftongizálódik • *fn* **diphthongization**, **-isation**

diplococcus [ˌdɪploʊˈkɒkəs ‖ –ˈkɑ–] *fn tsz* **diplococci** [–ˈkɒksaɪ ‖ –ˈkɑksaɪ] diplococcus

diplodocus [dɪˈplɒdəkəs ‖ –ˈplɑ–] *fn* diplodocus *[ősállat]*

diploid [ˈdɪplɔɪd] *biol* **I.** *mn* diploid, két kromoszómasorral rendelkező **II.** *fn* diploid élőlény • *fn* **diploidy**

diploma [dɪˈploʊmə] **I.** *fn* **1.** diploma, oklevél; **teacher's ~** tanítói/tanári diploma/oklevél; **~ distribution** diplomaosztás **2.** *tört* okirat, (királyi) oklevél, (alap)okmány **3.** hivatalos irat/dokumentum **II.** *tsi pt/pp* **~ed** diplomát ad (vknek)

diplomacy [dɪˈploʊməsi] *fn* **1.** diplomácia **2.** *biz* **a)** diplomatikus eljárás, tapintat **b)** ügyeskedés, mesterkedés, fortély

diploma'd [dɪˈploʊməd] → **diplomaed**

diplomaed [dɪˈploʊməd] *mn* diplomás, okleveles

diploma piece *fn okt* diplomadolgozat, diplomamunka

diplomat [ˈdɪpləmæt] *fn* **a)** diplomata **b)** tapintatos/diplomatikus ember, (igazi) diplomata

diplomate [ˈdɪpləmeɪt] *fn US* diplomás személy *[főleg orvostudományban]*

diplomatic [ˌdɪpləˈmætɪk] *mn* **1.** diplomáciai; **~ agent** diplomáciai képviselő **2.** diplomatikus, tapintatos, ügyes, politikus **3.** okmányszerű, okmányokra/okiratra vonatkozó, diplomatikai *[történettudományban]* **4. ~ ink** láthatatlan tinta • *hsz* **diplomatically**

diplomatical [ˌdɪpləˈmætɪkl] → **diplomatic 2.**, **3.**

diplomatic bag *fn GB* diplomáciai futárcsomag/poggyász

diplomatic corps *fn tsz* a diplomáciai testület

diplomatic immunity *fn* diplomáciai védettség/mentesség

diplomatic pouch *fn US* diplomáciai futárcsomag

diplomatic relations *fn tsz* diplomáciai kapcsolatok

diplomatic service *fn* diplomáciai/külügyi szolgálat

diplomatics [ˌdɪpləˈmætɪks] *fn esz* **1.** oklevéltan, szövegtan, diplomatika **2.** diplomácia

diplomatist [dɪˈploʊmətɪst] *fn* diplomata

diplopia [dɪˈploʊpɪə] *fn* kettőslátás, diplopia

dipody [ˈdɪpədi] *fn* dipódus *[versmérték]* • *mn* **dipodic**

dipolar [daɪˈpoʊlə ‖ –ər] *mn* kétpólusú, dipoláris *[mágnes]*

dipole [ˈdaɪpoʊl] *fn vill fiz* dipólus, *távk* dipólantenna; **electric ~** elektromos dipólus

dipper [ˈdɪpə ‖ –ər] *fn* **1. a)** merítőkanál, kotrókanál **b)** búvár **2.** *áll* **a)** búvármadár, vízi rigó **b)** jégmadár **3.** *vall biz* újrakeresztelő baptista, anabaptista **4. a)** *US csill* **the Big D~** Nagygöncöl, Nagymedve, Göncölszekér; *US* **the Little D~** Kismedve, Kisgöncöl **b)** *US* **big ~** hullámvasút

dippy [ˈdɪpi] *mn* **1.** *szl [bolond/hóbortos/különc]* dilis, lökött, flúgos **2.** *orv biz* delirizáló, fantaziáló

dipshit I. *mn [rossz, silány]* szar, lepra **II.** *fn [ellenszenves ember]* szar alak, szarházi

dipso [ˈdɪpsoʊ] *biz* → **dipsomaniac**

dipsomaniac [ˌdɪpsəˈmeɪniæk] *mn/fn* iszákos, alkoholista • *fn* **dipsomania**

dipstick *fn* **1.** *gk* nívópálca, olajszintjelző pálca, mérőpálca **2.** *szl [ostoba/tehetetlen ember]* farok, pöcs

dipswitch *fn GB gk* fényszóró kapcsolója *[gépkocsiban]*

dipteran [ˈdɪptərən ‖ –tərɑn] *mn áll* kétszárnyú *[rovar]*

dipterous [ˈdɪptərəs] *mn áll* kétszárnyú

diptych [ˈdɪptɪk] *fn* **a)** *műv* ‹kétszárnyú oltárkép› diptichon **b)** *tört* összecsukható írótábla *[az ókori Rómában]*

dire [ˈdaɪə ‖ –ər] *mn* szörnyű, iszonyú, borzalmas, borzasztó, végzetes; **~ necessity** kemény/szorongató szükség; **to be in ~ want/distress/straits** végszükségben van

direct [dəˈrekt, dai-] **I.** *mn* **1.** egyenes, közvetlen; **~ cause** közvetlen ok; **be a ~ descendant of sy** vknek az egyenes ági leszármazottja; *sp* **~ elimination** egyenes kiesés(es rendszer); *kat* **~ fire** közvetlen tűz *[fegyveré]*; *közg* **~ sales** közvetlen értékesítés; *gazd* **~ mail** reklámlevél; **the ~ opposite of sg** a szöges ellentéte vmnek; **~ viewing** elölnézet; **by ~ means** közvetlenül, egyenes úton **2.** egyenes, nyílt, őszinte, határozott, félreérthetetlen **3.** azonnali *[cselekvés]*, haladéktalan, rögtöni **4.** *zene* tiszta *[hangköz]* **5.** *fiz* jobbra folyó, jobbmenetű, óramutató járásával egyező irányú *[mozgás]* **II.** *hsz* egyenesen, közvetlenül, megállás/

kitérés nélkül; **Hungary ~** *távk* közvetlen tárcsázás *[külföldről Magyarországra]* **III. A.** *tsi* **1. a)** vezet, igazgat *[vállalatot]*, irányít, vezényel *[zenekart]*, visz *[ügyeket]*; **as ~ed** (i) a parancsnak megfelelően (ii) utasítás/útmutatás szerint; **~ sy to do sg** megbíz vkt vm elintézésével **b)** *szính* rendez; **~ed by...** rendezte... **2. a)** irányít; **~ sy's attention to sg** vk figyelmét felhívja/ráirányítja vmre; **~ one's course/steps towards** elindul vm irányába, lépteit vm felé irányítja **b)** irányít, vezet, kormányoz, visz *[hajót/repülőgépet vmerre]* **c)** irányít, küld, útbaigazít, eligazít; **~ sy to the station** a pályaudvarhoz küld/irányít vkt **d)** továbbít, küld, megcímez, címmel ellát *[levelet, csomagot]* **B.** *tni* vezényel, vezérel, parancsol

direct access *fn infor* közvetlen hozzáférés/elérés; *jelzői haszn* közvetlen elérésű

direct action *fn* közvetlen cselekvés/tiltakozás *[pl. sztrájk, szabotázs]*

direct address *fn infor* közvetlen cím

direct applicability *fn jog* közvetlen alkalmazhatóság *[EU jogban]*, közvetlen hatály

direct current *fn vill* egyenáram

direct debit *fn GB* lakossági folyószámla

direct deposit *fn US* bankszámlára történő fizetés/utalás

direct dialling, *US* **dialing** *fn távk* közvetlen hívás

direct hit *fn* telitalálat

direct-injection *mn gk* közvetlen befecskendezésű *[motor]*

direct investment *fn* közvetlen (tőke)befektetés

direction [dəˈrekʃn, daɪ–] *fn* **1.** irányítás, vezetés, ügyvitel *[vállalaté]*, *szính* rendezés; **under the ~ of** irányítása/vezetése alatt; irány, cél *[írásé, kérdésé]* **2. a)** irány; **sense of ~** tájékozódó képesség; **~ of the traffic** (i) a forgalom iránya (ii) a forgalom irányítása; **in the ~ of sg** vmnek az irányában; **in the opposite ~** ellenkező irányban; **in every ~** minden irányban **b)** irányzat **3.** címzés, címirat *[levélen, csomagon]* **4. a)** parancs, utasítás, előírás, rendelkezés; **~s for use** használati utasítás **b)** *zene* tempójelzések **5.** vállalatvezetőség, igazgatóság

directional [dəˈrekʃnəl, daɪ–] *mn* **1.** irány-, irányított, irányjelző, irányhatású; **~ aerial** (i) állítható antenna (ii) irányított antenna *[radarnál]*; **~ radio/wireless** (i) irányított rádió, rádiótájoló (ii) rádióirányítás; *gk* **flashing ~ signal** villogó irányjelző, villogó, index **2.** igazgató, vezető, irányító *[bizottság, hatóság]*

direction-board *fn* útjelző tábla

direction-buoy *fn sp* irányjelző bója

direction finder *fn távk* iránykereső (antenna), iránymérő

direction indicator *fn gk* irányjelző, index

direction-plate → direction-post

direction-post útjelző tábla, útirányjelző tábla

directive [dəˈrektɪv, daɪ–] **I.** *fn* útmutatás, irányelv, utasítás **II.** *mn* **a)** irányító, jelző, vezérlő, vezető **b)** irányítható, kormányozható, vezethető

directly [dəˈrektlɪ, daɪ–] **I.** *hsz* **1. a)** egyenesen, közvetlenül; **be ~ descended from** egyenes ágú leszármazottja vknek **b)** egyenesen, nyíltan, kereken, félreérthetetlenül **c)** éppen, pontosan; **~ opposed measures** szöges ellentétben álló v. teljesen/tökéletesen/egyenesen ellentmondó intézkedések **2.** azonnal, mindjárt, rögtön **II.** *ksz biz* rögtön azután, hogy, mihelyt; **let me know ~ he comes** értesíts mihelyt megjön

direct-mail advertising *fn gazd* levélreklám, direct-mail hirdetés

direct method *fn okt* direkt/közvetlen módszer *[nyelvtanításban]*

directness [dəˈrektnɪs, daɪ–] *fn* őszinteség, nyíltság, egyenesség *[válaszé]*; **~ of look** egyenes/nyílt tekintet

Directoire [ˌdɪrekˈtwɑː ‖ ˌdiːrekˈtwɑr] *mn műv* directoire-stílusú

director [dəˈrektə, daɪ– ‖ –ər] *fn* **1. a)** igazgató, vezető, igazgatósági tag; **managing ~** ügyvezető igazgató; **board of ~s** igazgatóság **b)** *film szính* rendező; **assistant ~** segédrendező **c) ~ of studies** témavezető **d)** karmester, karnagy **e)** lelkiatya, gyóntató **2.** *mat* direktrix, vezérvonal, vezéregyenes *[paraboláé]* • *fn* **directorship** *mn* **directorial**

directorate [dəˈrektərət, daɪ–] *fn* **1.** igazgatói tisztség/működés **2.** igazgatóság, vezetőség, főnökség, igazgatótanács/bizottság

director general *fn* vezérigazgató, főigazgató

director's chair *fn film* rendezőszék *[összecsukható]*

director's report *fn gazd* éves jelentés

directory [dəˈrektərɪ, daɪ–] *fn* **1. a)** telefonkönyv **b)** címjegyzék, lakásjegyzék, címtár **2.** *infor* könyvtár **3.** *US* igazgatóság, igazgató tanács

directory assistance *fn US* **→ directory inquiries**

directory enquiries *fn tsz* **→ directory inquiries**

directory inquiries *fn tsz GB* tudakozó *[telefonon]*

directory path *fn infor* elérési út

directory tree *fn infor* könyvtárfa

direct proportion *fn mat* egyenes arány

direct-reading *mn* közvetlen leolvasású *[műszer]*

directress [dəˈrektrɪs, daɪ–] *fn* igazgatónő, üzletvezetőnő

directrix [dəˈrektrɪks, daɪ–] *fn* vezérvonal, irányvonal, direktrix, vezéregyenes *[paraboláé]*

direct speech *fn nyelv* egyenes(/nem függő) beszéd

direct tax *fn* egyenes adó/adózás

direful [ˈdaɪəfl ‖ –ər–] *mn* **→ dire**; **~ day** végzetes/kárhozatos nap

dirge [dɜːdʒ ‖ dɜrdʒ] *fn* gyászének, gyászhimnusz, halotti ének

dirgeful [ˈdɜːdʒful ‖ ˈdɜrdʒ–] *mn* gyászos, kesergő

dirham [ˈdɪəræm ‖ dəˈræm] *fn* dirhem *[pénzegység]*

dirigible [ˈdɪrɪdʒəbl] **I.** *mn* kormányozható, irányítható; **~ balloon** kormányozható léghajó **II.** *fn biz* kormányozható léghajó

dirigisme [ˈdɪrɪʒɪzm] *fn* kormányuralom, dirigizmus

diriment impediment [ˈdɪrɪmənt] *mn jog* bontó akadály *[házassági jogban]*, bontó/kizáró feltétel

dirk [dɜːk ‖ dɜrk] *tsi* tőrrel leszúr/ledöf

Dirk [ˈdɜːk ‖ ˈdɜrk] *tul* ‹férfinév›

dirndl [ˈdɜːndl ‖ ˈdɜrndl] *fn* dirndli

dirndl skirt *fn* dirndli szoknya

dirt [dɜːt ‖ dɜrt] *fn* **1.** piszok, szenny, mocsok; *szl* **do (sy) ~** *[árt, rosszat tesz vknek]* betesz/betart vknek, megszívat; **cheap as ~** potom árú; **eat ~** eltűri a sértést; **raise sy from the ~** kiemel vkt az alantas sorból; **treat sy like ~** semmibe se vesz vkt **2.** *szl* hír(esztelés), *[pletyka]* füles, drót, pletyi **3.** föld, sár; **~ wall** vályogfal, agyagfal; **yellow ~** (i) arany (ii) pénz; *US biz* **cut ~** sebesen hajt/vezet *[járművet]* **4. a)** ürülék, trágya **b)** ocsmányság, trágárság; **talk ~** disznóságokat beszél **c)** *biz* mocskos alak **d)** szennyirodalom, pornográfia

dirt bike *fn* cross-motor

dirt-cheap *mn biz* **it's ~** piszok olcsó

dirt-poor *mn US* nagyon szegény; csóró

dirt road *fn* földút

dirt track *fn sp* salakpálya *[salakmotorozáshoz]*

dirty [ˈdɜːtɪ ‖ ˈdɜrtɪ] **I.** *mn* **1.** piszkos, mocskos, szennyes **2.** viharos, ködös, szeles *[idő]* **3.** mocskos, ocsmány, trágár; **~ mind** piszkos/ocsmány képzelet; **~ story** trágár történet **4.** aljas, hitvány *[viselkedés]*; **a ~ fellow** piszok alak; **play sy a ~ trick** csúnyán rászed/becsap vkt; *szl* **do/play the ~ on sy** *[rútul becsap/rászed vkt]* megszívat **5. give sy a ~ look** csúnyán/rosszallóan néz vkre **6.** sugárzó, radioaktív sugárzást kibocsátó *[atomfegyver]* **II.** *hsz szl* irtózatosan, kegyetlenül, rohadtul **III. A.** *tsi* **a)** bepiszkít, bemocskol **b)** bemocskol, sárba tapos *[nevet]* **B.** *tni* bepiszkolódik, szennyeződik, mocskolódik **IV.** *hsz biz* **~ mean** aljas

dirty dog *fn biz* rohadt/szemét dög

dirty linen *fn átv* szennyes, takargatnivaló, titkolnivaló

dirty look *fn biz* rosszalló/dühös/megvető pillantás

dirty money *fn* **1.** ‹nem egyenes úton szerzett pénz› **2.** *GB* ‹bérpótlék piszkos anyagokkal való bánásért›

dirty old man *fn biz* vén kujon, mocskos vénember

dirty trick *fn* **a)** piszkos/mocskos trükk **b)** ‹politikai ellenfél lejáratását célzó, színfalak mögötti mesterkedés›
dirty word *fn* csúnya szó, káromkodás
dirty work *fn* piszkos munka/ügy
dis [dɪs] **I.** *mn szl* **go ~** *[elromlik, tönkremegy]* lerobban, bedilizik *[ember]* **II.** *fn szl* tiszteletlenség *stand* **III.** *tsi szl* tiszteletlen/szemtelen vkvel szemben *stand*
dis- [dɪs] *előtag* külön-, szét-, ki-, le-; **disobey** engedetlenkedik, nem engedelmeskedik; **disconnect** szétkapcsol; **discard** kidob
disability [ˌdɪsəˈbɪləti] *fn* **1.** alkalmatlanság, rátermettség/tehetség hiánya **2.** rokkantság; **physical ~** (i) betegség, testi gyöngeség (ii) magatehetetlenség, bénaság **3. a)** *jog* cselekvőképtelenség, akadályozottság **b)** telki szolgalom
disability insurance *fn* rokkantsági biztosítás, balesetbiztosítás
disability pension *fn* rokkantsági nyugdíj
disable [dɪsˈeɪbl] *tsi* alkalmatlanná tesz, megfoszt képességtől vkt vm megtételére, megnyomorít, megbénít; *jog* **~ sy from doing sg** képtelennek nyilvánít vkt vmre • *fn* **disablement**
disabled [dɪsˈeɪbld] *mn* munkaképtelen, nyomorék, rokkant; **~ soldier** hadirokkant; rokkant katona
disablist [dɪsˈeɪblˑɪst] *fn* ‹hátrányos helyzetűekkel szemben előítéleteket tápláló, őket hátrányosan megkülönböztető›
disabuse [ˌdɪsəˈbjuːz] *tsi* felvilágosít, tévedéseitől megszabadít vkt, felnyitja vk szemét
disaccharide [daɪˈsækəraɪd] *fn vegy* diszacharid
disaccord [ˌdɪsəˈkɔːd ‖ –ˈkɔrd] **I.** *fn* ellentét, nézeteltérés **II.** *tni* nem ért egyet • *mn* **disaccordant**
disacknowledge [ˌdɪsəkˈnɒlɪdʒ ‖ –ˈnɑ–] *tsi* nem hajlandó elismerni, visszautasít, tagad vmt
disadvantage [ˌdɪsədˈvɑːntɪdʒ ‖ –ˈvæntɪdʒ] **I.** *fn* **1.** hátrány, kedvezőtlen/hátrányos helyzet; **put sy at a ~** hátrányos helyzetbe hoz vkt; **lie under the ~ of** abban a hátrányos/kedvezőtlen helyzetben van, hogy; **take sy at a ~** kihasználja vk előnytelen/hátrányos helyzetét **2.** veszteség, kár; *gazd* **sell to ~** veszteséggel ad el **II.** *tsi* kárára/hátrányára van vmnek, megrövidít, megkárosít vkt
disadvantaged [ˌdɪsədˈvɑːntɪdʒd ‖ –ˈvæntɪdʒd] *mn* hátrányos helyzetű
disadvantageous [ˌdɪsædvənˈteɪdʒəs] *mn* kedvezőtlen, hátrányos, előnytelen • *hsz* **disadvantageously**
disadvise [ˌdɪsədˈvaɪz] *tsi* lebeszél, nem tanácsol vknek vmt
disaffect [ˌdɪsəˈfekt] *tsi* elidegenít, elhidegít vkt vktől
disaffected [ˌdɪsəˈfektɪd] *mn* **1.** ellenséges érzületű, hűtlen **2.** elidegenedett, elhidegült **3.** elégületlen, elégedetlen
disaffection [ˌdɪsəˈfekʃn] *fn* **1.** elégedetlenség, elhidegülés **2.** hűtlenség; *kat* **incitement to ~** lázítás
disaffiliate [ˌdɪsəˈfɪlieɪt] **A.** *tsi* elszakít *[szervezetet egy másik szervezettől]*; elszakad *[szervezet egy másik szervezettől]* **B.** *tni* elszakad; **~ from sg** elszakad vmitől • *fn* **disaffiliation**
disaffirm [ˌdɪsəˈfɜːm ‖ –ˈfɜrm] *tsi* **1.** ellentmond vmnek, cáfol, tagad vmt **2.** *jog* megsemmisít, érvénytelenít *[ítéletet]*, felbont *[szerződést]* • *fn* **disaffirmation**
disafforest [ˌdɪsəˈfɒrɪst ‖ –ˈfɔr–, –ˈfɑr–] *tsi GB* **1.** erdőt/fát kivág/kiirt vhol, erdőt irt vhol **2.** *jog* erdőtörvény hatálya alól mentesít *[erdőterületet]* • *fn* **disafforestation**
disaggregate [dɪsˈægrɪgeɪt] **A.** *tsi* szétbomlaszt, részeire bont, *geol* elmállaszt **B.** *tni* részeire bomlik, szétesik, *geol* rétegenként leválik, elmállik • *fn* **disaggregation**
disagree [ˌdɪsəˈgriː] *tni* **1.** ellenkezik, ellentétben áll, különbözik, eltér, ellentmond **2. a)** összevész, összezördül **b)** nem ért egyet vkvel, más véleményen van; **I'm sorry to ~ with you but...** sajnálom, hogy ellent kell mondanom, de... **3.** árt, nem tesz jót, rosszat tesz
disagreeable [ˌdɪsəˈgriːəbl] *mn* **1.** kellemetlen, mogorva, barátságtalan, bosszantó, kínos **2.** ellenszenves, bosszantó
disagreeables [ˌdɪsəˈgriːəblz] *fn tsz* kellemetlenség, bosszúság
disagreement [ˌdɪsəˈgriːmənt] *fn* **1.** ellentét, véleménykülönbség **2.** veszekedés, összezördülés, nézeteltérés, széthúzás **3.** nem egyezés, össze nem férés, különbözés
disalignment [ˌdɪsəˈlaɪnmənt] *fn* eltérés a pontos vonalbeállítástól, egyenes vonal megbontása
disallow [ˌdɪsəˈlaʊ] *tsi* **1.** helytelenít, rosszall, kifogásol **2.** nem ismer/fogad el, elutasít *[feltevést, követelést]*, *jog* visszautasít *[vádat]*, *sp* nem ad meg *[gólt]* • *fn* **disallowance**
disambiguate [ˌdɪsæmˈbɪgjʊeɪt] *tsi* kétértelműséget/félreérthetőséget megszüntet *[vmiét]*, egyértelművé tesz • *fn* **disambiguation**
disamenity [ˌdɪsəˈmiːnəti ‖ –ˈmenəti] *fn* kellemetlen/előnytelen tulajdonság, bogarasság
disannex [ˌdɪsəˈneks] *tsi* leválaszt *[területet]*, területi egységet megbont
disannul [ˌdɪsəˈnʌl] *tsi* **-ll-**, *US* **-l-** érvénytelenít, teljesen megszüntet, semmisnek/érvénytelennek nyilvánít, eltöröl, megsemmisít • *fn* **disannulment**
disappear [ˌdɪsəˈpɪə ‖ –ˈpɪr] *tsi* **1.** eltűnik, elvész, elmúlik *[kiütés]* **2.** semmivé lesz, megszűnik • *fn* **disappearance**
disappoint [ˌdɪsəˈpɔɪnt] *tsi* **1.** csalódást okoz vkben, nem váltja valóra vk reményeit **2. a) be ~ed in** csalódik vmben *[amit megszerzett]*; **he was ~ed in love** csalódott a szerelemben **b) be ~ed of** csalódik/csalatkozik vmben *[amit nem sikerült elérnie/megszereznie]*; **he was ~ed of his hopes** csalatkozott reményeiben, hiába reménykedett **3.** megakadályoz, meghiúsít; **he ~ed my plans** keresztülhúzta számításaimat **4.** cserbenhagy; **don't ~ me** ne hagyj cserben
disappointed [ˌdɪsəˈpɔɪntɪd] *mn* csalódott, kiábrándult; **~ ambition** letört becsvágy
disappointing [ˌdɪsəˈpɔɪntɪŋ] *mn* csalódást keltő, várakozásnak meg nem felelő, kiábrándító, elkedvetlenítő, elszomorító • *hsz* **disappointingly**
disappointment [ˌdɪsəˈpɔɪntmənt] *fn* csalódás, kiábrándulás, csalódottság, kiábrándultság; **to my great ~** legnagyobb bánatomra
disapprobation [ˌdɪsæprəˈbeɪʃn] *fn* helytelenítés, elítélés, rosszallás
disapproval [ˌdɪsəˈpruːvl] *fn* rosszallás, helytelenítés; **he shook his head in ~** helytelenítőleg csóválta/rázta a fejét
disapprove [ˌdɪsəˈpruːv] **A.** *tsi* **1.** helytelenít, rosszall, kifogásol, elítél; **I ~ your conduct** helytelenítem a viselkedésedet **2.** elvet, elutasít *[szerződést, tervet]* **B.** *tni* **~ of** kedvezőtlen véleménnyel van róla; nincs ínyére; kifogásolni valót talál benne • *mn* **disapproving** *hsz* **disapprovingly**
disarm [dɪsˈɑːm ‖ –ˈɑrm] *tsi* **1. a)** lefegyverez, leszerel *[hadsereget]* **b)** *átv* lefegyverez, kiengesztel, lecsillapít; **her smile ~ed me** a mosolyával levett a lábamról **2.** hatástalanít *[bombát]*, eltávolít *[robbanószerkezetet]*
disarmament [dɪsˈɑːməmənt ‖ –ˈɑr–] *fn* leszerelés, fegyverzetcsökkentés
Disarmament Commission *fn* leszerelési bizottság *[ENSZ-ben]*
disarmament conference *fn pol* leszerelési konferencia, fegyverzetcsökkentési tárgyalás
disarming [dɪsˈɑːmɪŋ ‖ –ˈɑr–] *mn* **a)** őszinte, nyílt **b)** *átv* lefegyverző, megnyerő *[mosoly]* • *hsz* **disarmingly**
disarrange [ˌdɪsəˈreɪndʒ] *tsi* rendetlenséget csinál, összekavar *[rendberakott dolgot]*, széthány *[holmit]*
disarray [ˌdɪsəˈreɪ] **I.** *fn* **a)** rendetlenség, összevisszaság, zűrzavar **b) in ~** rendetlenül, rendetlen öltözékben **II.** *tsi* **1.** *vál* összezavar, összekuszál **2.** levetkőztet
disarticulate [ˌdɪsɑːˈtɪkjʊleɪt ‖ –ɑrˈtɪkjə–] **A.** *tsi* **1. a)** részekre vág, feldarabol *[csirkét]* **b)** *orv* ízületben csonkol **2.** szétszed, szétszerel *[gépet]* **B.** *tni* szétmegy, szétválik, ízekre szakad • *fn* **disarticulation**

disassemble [ˌdɪsəˈsembl] *tsi* szétszed, szétbont, szétszerel *[gépet]* • *fn* **disassembly**
disaster [dɪˈzɑːstə ‖ dɪˈzæstər] *fn* katasztrófa, szerencsétlenség, csapás; **rush headlong into ~** vesztébe rohan
disaster area *fn* katasztrófasújtotta terület
disaster film *fn* katasztrófafilm
disastrous [dɪˈzɑːstrəs ‖ –ˈzæ–] *mn* szerencsétlen, végzetes, katasztrofális
disavow [ˌdɪsəˈvaʊ] *tsi* megtagad *[tant, hitet]*, nem ismer el *[gyermeket]* • *fn* **disavowal**
disband [dɪsˈbænd] **A.** *tsi* feloszlat, elbocsát, elküld, hazaküld *[katonákat]* **B.** *tni* felbomlik, feloszlik, szétszóródik • *fn* **disbandment**
disbar [dɪsˈbɑː ‖ –ˈbɑr] *tsi* **-rr- a)** kizár, kirekeszt **b)** kizár az ügyvédi kamarából, töröl az ügyvédi névjegyzékből • *fn* **disbarment**
disbelieve [ˌdɪsbɪˈliːv] **A.** *tsi* **1.** nem ad hitelt vmnek, nem hisz vmnek, nem fogad el *[dogmát]* **2.** tagad, kétségbe von **B.** *tni* **~ in sy/sg** nem hisz vkben/vmben • *fn* **disbelief, disbeliever**
disbenefit [dɪsˈbenəfɪt] *fn* hátrány, hátrányos tulajdonság
disbowel [dɪsˈbaʊəl] *tsi* **-ll-**, *US* **-l-** kibelez
disbud [dɪsˈbʌd] *tsi* **-dd-** rügyeket nyes/ritkít, felesleges rügyeket eltávolít *[gyümölcsfáról]*
disburden [dɪsˈbɜːdn ‖ –ˈbɜr–] **A.** *tsi* **1.** megszabadít, könnyít vk terhén, *átv* leveszi a terhet vk válláról; **~ one's conscience** könnyít a lelkiismeretén **2.** letesz, lerak *[terhet]* **B.** *tni* **1.** megszabadul/mentesül a terhétől, lerakodik, kirakodik *[hajó]* **2.** *átv* lelkileg megkönnyebbül/megkönnyebbedik
disburse [dɪsˈbɜːs ‖ –ˈbɜrs] **A.** *tsi* **1.** kifizet, kiad *[pénzt]* **2.** *ritk* előlegez **B.** *tni* fizet • *fn* **disbursal** *mn* **disbursable**
disbursement [dɪsˈbɜːsmənt ‖ –ˈbɜrs–] *fn* **1.** kifizetés, pénz kiadása **2.** *tsz* **disbursements** kiadások, költségek, kifizetések, kifizetett összegek
disc [dɪsk] *fn* **1. a)** korong, tányér *[napé]* **b)** lap, tárcsa, korong **c)** *sp* tárcsa, súlyemelő tárcsa **2.** hanglemez **3.** *infor* **a)** (hajlékony) (mágnes)lemez, floppy(lemez) **b)** CD, kompaktlemez, CD-ROM
disc. *röv discount*
discalceate [dɪsˈkælsɪɪt] *vall* **I.** *mn* **a)** mezítlábas, sarutlan *[szerzetes, apáca]* **b)** mezítlábon sarut viselő **II.** *fn* mezítlábas/sarutlan szerzetes/apáca
discant [ˈdɪskænt] → **descant**
discard I. *tsi* [dɪsˈkɑːd ‖ dɪsˈkɑrd] **1.** félredob, eldob, megszabadul vktől/vmtől, kiselejtez, lemond *[tervről]*, megtagad *[hitet, elméletet]*; **~ prejudices** levetkőzi az előítéleteket **2.** *mat* elhanyagol *[adatot]* **II.** *fn* [ˈdɪskɑːd ‖ ˈdɪskɑrd] **1.** *ját* rossz kártyák eldobása *[bridzsben]*, felesleges kártyák lerakása **2. a)** *US ip* kiselejtezett munkadarab, selejt, *bány* hulladékkőzet **b)** hulladék, szemét; **be in the ~** félrelökik, elhajítják, értéktelennek tartják; **throw into the ~** kidob a szemétbe • *fn* **discarding**
discarnate [dɪsˈkɑːnət ‖ –ˈkɑr–] *mn* **1.** *vál régi* hústól/testtől megszabadított **2.** *átv* testetlen
disc barbell *fn sp* tárcsás kézisúlyzó
disc brake *fn gk* tárcsafék
discern [dɪˈsɜːn ‖ dɪˈsɜrn] *tsi* **1.** észrevesz, meglát, felismer **2.** megkülönböztet egymástól, meglátja a különbséget, különbséget tesz • *fn* **discerner** *mn* **discernible** *hsz* **discernibly**
discerning [dɪˈsɜːnɪŋ ‖ –ˈsɜr–] *mn* józan ítélőképességű, világos fejű *[ember]*, mélyreható, éles *[ész, értelem]*, biztos, finom, kifinomult *[ízlés]*
discernment [dɪˈsɜːnmənt ‖ –ˈsɜr–] *fn* **1.** megkülönböztetés, különbségtétel, elkülönítés **2.** megkülönböztető képesség, ítélőképesség, tisztánlátás, éleselméjűség
discerptible [dɪˈsɜːptəbl ‖ –ˈsɜr–] *mn* elválasztható, szétválasztható, szétszedhető, felosztható • *fn* **discerptibility**
discerption [dɪˈsɜːpʃn ‖ –ˈsɜr–] *fn* **1.** elválasztás, szétválasztás, szétszedés, felosztás **2.** leválasztott/levágott darab/rész
discharge I. *tsi* [dɪsˈtʃɑːdʒ ‖ dɪsˈtʃɑrdʒ] **A. 1. a)** kibocsát, felszabadít, fejleszt, kiválaszt *[hormont]*; **~ urine** vizel **b)** kifolyat, levezet *[vizet]* **c)** kiönt *[szívet]*, könnyít *[lelkiismereten]* **2. a)** elsüt *[lőfegyvert]*, kilő **b)** *vill* kisüt *[elemet]*; **~d battery** kimerült akkumulátor/elem **3. a)** *jog* szabadon bocsát, szabadlábra helyez *[rabot]* **b)** felment *[vádlottat]* **4. a)** teljesít, elvégez, végrehajt *[feladatot]*; **~ sy's duties** vk helyett egy ügykört ellát **b)** kifizet, megfizet *[tartozást, adósságot]*; *jog* **until ~d in full** teljes kifizetésig **5. a)** elküld, elbocsát, elmozdít *[alkalmazottat, munkást]* **b)** hazaküld, elbocsát, leszerel, alkalmatlannak minősít *[katonát]*; **~ a patient** beteget elbocsát *[kórházból]* **c)** *jog* **~ the jury** (i) elbocsátja/hazaküldi az esküdteket *[eljárás befejeztével]* (ii) feloszlat esküdtbíróságot **6. a)** felment, felold, tehermentesít; **~ sy of an obligation** felment vkt a kötelezettsége alól **b)** *épít* **~ a beam** gerendát tehermentesít **B.** *tni* **1.** kirakodik *[hajó]* **2. a)** elsül *[lőfegyver]* **b)** *vill* kisül **3.** kiárad *[folyó]* **4.** kiürül/megtisztul a gennytől, gennyezik **5.** *tex* fog *[festék]* **II.** *fn* [ˈdɪstʃɑːdʒ ‖ ˈdɪstʃɑrdʒ] **1.** kirakodás, lerakodás; **~ fee** kirakodási díj/illeték **2.** elsütés, elsülés *[lőfegyveré]*, lövés, kilövés **3. a)** kiöntés, kiömlés, kibocsátás, ömlés *[gázé]*; **~ pipe** levezetőcső, lefolyócső, nyomócső; **~ of river** folyó vízhozama **b)** *el* kisülés, kisütés; **~ rate** kisütési időtartam *[akkumulátoré]* **c)** *orv* mirigyelválasztás, folyás, ömlés, váladék **d)** *orv* gennyesedés **4. a)** elbocsátás, menesztés *[alkalmazotté]* **b)** *kat* elbocsátás, leszerelés; **take one's ~** leszerel **c)** elbocsátás *[kórházból]* **5. a)** *jog* szabadonbocsátás, szabadlábra helyezés **b)** felmentés, felmentő ítélet *[vádlotté]*, feloldás *[fizetési kötelezettség alól]* **6.** teljesítés *[feladaté, fogadalomé, kötelezettségé]*; **in the ~ of his duties** kötelessége/feladata teljesítése közben **7. a)** megfizetés *[adósságé]* **b)** nyugta, elismervény, felmentvény; **in full ~** kifizetve; felvettem **8.** *épít* tehermentesítő gerenda, gyámfa • *mn* **dischargeable**
dischargee [ˌdɪstʃɑːˈdʒiː ‖ –tʃɑr–] *fn* **1.** szabadságolt katona **2.** elbocsátott/menesztett személy
disc harrow *fn mezőg* tárcsás borona
disciform [ˈdɪsɪfɔːm ‖ –fɔrm] *mn* tárcsa formájú, lapos
disciple [dɪˈsaɪpl] *fn* **1. a)** tanítvány **b)** *vall* **the twelve ~s** a tizenkét tanítvány/apostol **2.** követője/híve vmnek/vknek • *fn* **discipleship**
disciplinarian [ˌdɪsəplɪˈneərɪən ‖ –ˈner–] *fn* **1.** nevelő, fegyelmező személy **2.** a szigorú fegyelem híve, őrmester **3.** *vall tört* puritán irányzat híve
disciplinary [ˈdɪsəplɪnəri ‖ –plɪneri] *mn* **1.** fegyelmi *[büntetés]*, büntető *[század, ezred]*, javító *[intézet]* **2.** fegyelmező, fegyelmezési
discipline [ˈdɪsəplɪn] **I.** *fn* **1.** fegyelem; **iron ~** vasfegyelem **2. a)** büntetés, fenyítés **b)** *vall* korbácsolás **3.** fegyelmi szabályzat **4.** tanszak, diszciplína, tudományág **II.** *tsi* **1.** nevel, fegyelmez *[tanulókat, katonákat]* **2. a)** *régi* megfenyít, megbüntet **b)** *vall* **~ oneself** megkorbácsolja magát
discipular [dɪˈsɪpjʊlə ‖ –pjələr] *mn* tanítványi
disc jockey *fn* lemezlovas
disclaim [dɪsˈkleɪm] *tsi* **1.** *jog* lemond *[jogról]*, eláll *[vmtől]* **2.** tagad, nem ismer el; **~ all responsibility** minden felelősséget elhárít **3.** visszautasít, nem ismer el
disclaimer [dɪsˈkleɪmə ‖ –mər] *fn* **1. a)** *jog* elállás vmtől, lemondás vmről; **~ of an inheritance** örökség visszautasítása **b)** megtagadás, letagadás; **~ of responsibility** felelősség elhárítása **2. a)** nyilvános visszavonás *[tané, állításé]* **b)** cáfolat, cáfoló nyilatkozat **3.** megtagadó, lemondó, eláll ó személy
disclose [dɪsˈkloʊz] *tsi* **1.** felfed, szem elé tár **2. a)** elárul, leleplez, feltár, felfed *[titkot]* **b)** közread, közzétesz *[hírt]*

disclosure [dɪsˈkloʊʒə ‖ –ər] *fn* **1. a)** felfedés, felfedezés *[kincsé]* **b)** elárulás, leleplezés, felfedés, közlés *[titoké]*, bevallás, elárulás *[gondolaté, szerelemé]* **2.** felfedett/leleplezett/elárult dolog/ügy/gondolat/titok
disco [ˈdɪskoʊ] *fn* **I.** *fn* **1.** diszkó; → **discotheque** **2.** diszkózene **II.** *tni pt/pp* **-oed 1.** diszkóba megy/jár **2.** diszkózenére táncol, diszkózik
discobolus [dɪˈskɒbələs ‖ –ˈskɑ–] *fn tsz* **discoboli** **a)** ókori görög diszkoszvető **b)** diszkoszvető szobra
discography [dɪˈskɒgrəfi ‖ –ˈskɑ–] *fn* **1.** hanglemezjegyzék, diszkográfia **2.** hanglemezismeret • *fn* **discographer**
discoid [ˈdɪskɔɪd] *mn* korong alakú
discoloration [dɪsˌkʌləˈreɪʃn], **discolouration** *fn* **1. a)** elszíntelenedés, kifakulás, színváltozás, színvesztés, elszíneződés, színehagyás **b)** elszíntelenítés, szín megváltoztatása **2.** elszíntelenedett/kifakult folt/hely
discolour [dɪsˈkʌlə ‖ –ər], *US* **discolor A.** *tsi* **1.** elhalványít, elfakít, kifakít **2.** bepiszkol, beszennyez, foltot ejt **B.** *tni* **1.** elszíntelenedik, elhalványul, színét veszti, fényét veszti **2.** bepiszkolódik, beszennyeződik, foltos lesz • *mn* **discoloured**
discombobulate [ˌdɪskəmˈbɒbjʊleɪt ‖ –ˈbɑbjə–] *tsi US szl [megzavar, összezavar]* összekutyul
discomfit [dɪsˈkʌmfɪt] *tsi* **1.** *biz* megzavar, zavarba ejt, elképeszt, *átv* sarokba szorít; **~ed lover** csúffá tett szerető **2.** *vál* megver, tönkrever, szétszór *[csatában]* **3.** megakadályoz, meghiúsít • *fn* **discomfiture**
discomfort [dɪsˈkʌmfət ‖ –fərt] **I.** *fn* **a)** kényelmetlenség **b)** kellemetlenség, kellemetlen helyzet, rossz közérzet **II.** *tsi* nehézséget okoz vknek
discommode [ˌdɪskəˈmoʊd] *tsi* **1.** terhére van vknek, zavar, feszélyez **2.** zavar vkt, alkalmatlankodik vknek, kényelmetlenséget okoz vknek • *fn* **discommodity** *mn* **discommodious**
discompose [ˌdɪskəmˈpoʊz] *tsi* **1. a)** nyugtalanít, megzavar **b)** *átv* zavarba ejt, bosszant; **~d countenance** feldúlt/eltorzult arc **2.** sorrendet megbont • *fn* **discomposure** *hsz* **discomposedly**
disco music *fn* diszkózene
disconcert [ˌdɪskənˈsɜːt ‖ –ˈsɜrt] *tsi* **1.** megzavar, összezavar, elront, meghiúsít *[tervet]* **2.** megzavar, zavarba hoz, elképeszt, meghökkent • *fn* **disconcertion**, **disconcertment** *mn* **disconcerted**, **disconcerting**
disconfirm [ˌdɪskənˈfɜːm ‖ –ˈfɜrm] *tsi* cáfol *[tételt, elméletet, hipotézist]*
disconformity [ˌdɪskənˈfɔːməti ‖ –ˈfɔr–] *fn* **a)** különbözőség, hasonlóság/egyneműség hiánya **b)** *geol* diszkordancia
disconnect [ˌdɪskəˈnekt] *tsi* elválaszt, szétválaszt, elkülönít, szétbont, szétszed, lekapcsol *[vasúti kocsit]*, kikapcsol *[gépet]*
disconnected [ˌdɪskəˈnektɪd] *mn* összefüggéstelen, szétfolyó, szaggatott *[beszéd, stílus]*, befejezetlen, értelmetlen, ide-oda csapongó *[beszélgetés]* • *fn* **disconnectedness** *hsz* **disconnectedly**
disconnection [ˌdɪskəˈnekʃn] *fn* **1.** szétkapcsolás, lekapcsolás, kikapcsolás **2.** elválasztás, elkülönítés **3.** → **disconnectedness**
disconsolate [dɪsˈkɒnsələt ‖ –ˈkɑn–] *mn* **1.** szomorú, vigasztalhatatlan, kétségbeesett **2.** szomorú, komor, sötét, gyászos *[táj, világítás]* • *fn* **disconsolateness** *hsz* **disconsolately**
discontent [ˌdɪskənˈtent] **I.** *mn* elégedetlen (*with* vmvel) **II.** *fn* **1.** elégedetlenség, zúgolódás **2.** panasz, sérelem **III.** *tsi* elégedetlenné tesz, nem elégít ki • *fn* **discontentedness**, **discontentment** *mn* **discontented**, **discontenting**
discontinue [ˌdɪskənˈtɪnjuː] **A.** *tsi* **1.** megszakít, abbahagy, nem folytat; **~ a periodical** folyóirat-előfizetést lemond **2.** *jog* abbahagy, megszüntet *[pert]* **B.** *tni* megszűnik, abbamarad, véget ér, nem folytatódik • *fn* **discontinuance**, **discontinuation**
discontinuity [ˌdɪskɒntɪˈnjuːəti ‖ ˌdɪskɑntəˈnuːəti] *fn* **1.** megszakítás, félbeszakítás, abbahagyás **2.** összefüggéstelenség; **~ of ideas** gondolatok összefüggéstelensége/következetlensége **3.** folytonossági hiány, törés, repedés, a folyamatosság hiánya, megszakadás, *mat* diszkontinuitás
discontinuous [ˌdɪskənˈtɪnjuəs] *mn* összefüggéstelen, szakaszos, megszakított, félbeszakadó, megszakításos, *mat* nem folytonos; **~ motion** szakaszos mozgás • *hsz* **discontinuously**
discord I. *fn* [ˈdɪskɔːd ‖ –kɔrd] **1.** az egyetértés hiánya, viszály, viszálykodás, civódás **2.** hangzavar, lárma, zaj **3. a)** *zene* rossz hangzás, disszonancia **b)** *átv* disszonáns hang **II.** *tni* [dɪˈskɔːd ‖ –ˈskɔrd] **1. a)** nem ért egyet, vitatkozik **b)** nem egyezik *[cselekedet, tevékenység]* **2.** *zene átv* rosszul/hamisan/disszonánsan hangzik
discordant [dɪsˈkɔːdnt ‖ –ˈkɔr–] *mn* **1. a)** diszharmonikus; **~ voice** (i) éles/sipító/rikácsoló hang (ii) a harmóniát megzavaró hang **b)** *zene* disszonáns **2.** eltérő, nem egyező, különböző, *pol* széthúzó *[frakciók]*; **~ opinions** ellentétes nézetek/vélemények • *fn* **discordance, discordancy**
discotheque [ˈdɪskətek] *fn* **1.** *US* diszkó **2.** *GB* diszkós felszerelés *[hang- és fénytechnika]*, *biz* diszkós szerkó/cucc **3.** *GB* (házi)buli *[ahol diszkózenére táncolnak]*
discount I. *fn* [ˈdɪskaʊnt] **1.** árengedmény, rabatt; **sell sg at a ~** árengedménnyelárul, leszállított áron ad el vmt **2.** *pénz* leszámítolás, diszkontálás; *gazd* **~ price** kedvezményes/leszállított/csökkentett ár **3.** *pénz* leszámítolási díj **4.** túlzások leszámítása/levonása **II.** *tsi* [dɪsˈkaʊnt] **A. 1. a)** nem számol vmvel, vkvel, *biz* nem vesz tekintetbe/figyelembe vmt **b)** előre levonja/számításba veszi a túlzásokat vmből **2.** *pénz* leszámítol, diszkontál *[váltót]* **3.** leáraz, leértékel *[árut, terméket]* **4.** megelőz, meggátol *[esemény bekövetkeztét elővigyázatosságból]* **B.** *tni* leszámítol, diszkontál • *mn* **discountable**
discount broker *fn* leszámítoló bróker
discountenance [dɪsˈkaʊntɪnəns ‖ dɪsˈkaʊntnˑəns] **I.** *fn* **1.** *régi* barátságtalan bánásmód, helytelenítés **2.** *régi* elijesztés **II.** *tsi* **1.** zavarba hoz/ejt, meghökkent, elképeszt **2.** helytelenít, rosszall, nem helyesel vmt
discount house *fn* **1.** *pénz* leszámítoló bank **2.** ‹leszállított árakon árusító üzlet› diszkontüzlet
discount rate *fn US pénz* leszámítolási kamatláb
discount shop, **store** → **discount house** 2.
discount warehouse *fn* diszkontáruház
discourage [dɪsˈkʌrɪdʒ ‖ –ˈkɜr–] *tsi* **1.** elkedvetlenít, elbátortalanít vkt; **become ~d** elcsügged, kedvét veszti **2. a)** ellenez, helytelenít, elijeszt, elkedvetlenít *[bírálatot]* **b) ~ sy from doing sg** elveszi a kedvét vknek vmtől **c)** gátol, akadályoz, akadályt gördít vm elé • *fn* **discouragement** *mn* **discouraging**
discourse I. *fn* [ˈdɪskɔːs ‖ ˈdɪskɔrs] **1.** *vál* beszélgetés, társalgás, eszmecsere **2.** *vál* **a)** szónoki beszéd, szónoklat, előadás **b)** értekezés, disszertáció **3.** *nyelv* diskurzus **II.** *tsi* [dɪˈskɔːs ‖ dɪˈskɔrs] **A.** *régi* előad *[zenét]* **B.** *tni* **1.** *vál* értekezik, értekezést tart, előad **2.** beszélget, társalog, cseveg
discourse analysis *fn nyelv* diskurzuselemzés, szövegnyelvészet
discourteous [dɪsˈkɜːtɪəs ‖ dɪsˈkɜrtɪəs] *mn* udvariatlan, neveletlen, faragatlan
discourtesy [dɪsˈkɜːtəsi ‖ dɪsˈkɜrtəsi] *fn* udvariatlanság, neveletlenség, faragatlanság, udvariatlan tett/viselkedés/megjegyzés
discover [dɪˈskʌvə ‖ –ər] *tsi* **1. a)** felfedez, megtalál *[országot, szigetet]* **b)** felfedez *[új anyagot, betegség okát]*, feltalál *[új eljárást]* **c)** észrevesz, rájön **2.** felfed, feltár, elárul, leleplez *[titkot]* • *fn* **discoverer** *mn* **discoverable**
discovery [dɪˈskʌvəri] *fn* **a)** felfedezés *[földrajzi, tudományos]*; **voyage of ~** felfedező út/utazás; **make a ~** felfedez vmt, felfedezést tesz **b)** leleplezés **c)** *vál* felfedés, feltárás,

D

elárulás, kibeszélés *[titoké]*; *jog* ~ **of documents** közlés; betekintés iratokba **d)** *szính* végkifejlet, megoldás, kimenetel
Discovery Day *fn US* október 12., Kolumbusz napja
discovery method *fn okt* heurisztikus módszer
disc parking *fn* ‹parkolási rendszer, melyben a parkolási idő kezdetét v. végét a jármű ablakába helyezett tárcsával jelzik›
discredit [dɪsˈkredɪt] **I.** *fn* **1.** kétség, bizalmatlanság; **throw ~ upon a statement** kétségbevon egy kijelentést **2. a)** rossz hírnév, szégyenfolt; **bring ~ on sy's authority** rontja vknek tekintélyét **b)** *gazd* hitelvesztés *[kereskedőé]* **3.** vkit rágalmazó/lejárató személy **II.** *tsi* **1.** nem hisz el, kétségbe von vmt; **~ sy's evidence** vk vallomásának valóságát tagadja/vitatja **2.** megfoszt hitelétől v. jó hírétől vkt, rossz hírét költi vknek
discreditable [dɪsˈkredɪtəbl] *mn* **1.** méltatlan, becstelen; **~ profession** gyanús/kétes hírű foglalkozás **2.** szégyenletes, szégyent hozó • *hsz* **discreditably**
discredited [dɪsˈkredɪtɪd] *mn* hitelét vesztett, rossz hírű, lejáratott
discreet [dɪˈskriːt] *mn* **1.** körültekintő, józan, elővigyázatos; **a ~ smile** tartózkodó mosoly **2.** tapintatos, diszkrét **3.** udvarias **4.** *régi* → **discrete** • *fn* **discreetness** *hsz* **discreetly**
discrepancy [dɪsˈkrepənsi] *fn* **1.** egyenetlenség, az egyezés hiánya, eltérés **2.** ellentmondás, ellentét, különbözőség • *mn* **discrepant**
discrete [dɪˈskriːt] *mn* **1. a)** különálló, szétválasztott, nem összefüggő **b)** *mat* diszkrét, nem-folytonos; **~ quantity** diszkrét mennyiség **2.** *fil* elvont, absztrakt • *fn* **discreteness** *hsz* **discretely**
discretion [dɪˈskreʃn] *fn* **1.** megítélés, belátás, tetszés; **at/on/upon ~** (i) tetszés szerint (ii) legjobb belátása szerint; **at your ~** ahogy tetszik; ahogy óhajtja; **use ~** körültekintően jár el; **use your ~** cselekedj belátásod szerint; körültekintően járj el; **leave sg to sy's ~** vknek a tetszésére/belátására bíz vmt **2.** megfontoltság, körültekintés, óvatosság, előrelátás **3.** tapintatosság, tartózkodás, diszkréció
discretional [dɪˈskreʃnəl] → **discretionary**
discretionary [dɪˈskreʃənəri ‖ –ʃəneri] *mn* tetszés szerinti, önkényes, *jog* szabad megítélésére/belátására bízott *[döntés]*; **~ order** előre meg nem határozott tartalmú megbízás
discriminant [dɪˈskrɪmɪnənt] *mn/fn mat* diszkrimináns
discriminate [dɪˈskrɪmɪneɪt] *tsi* **A.** *tni* **1.** különbséget tesz, észreveszi/meglátja a különbséget **2.** különbséget tesz, diszkriminál; **~ in favour of sy against sy** különbséget tesz vk javára **B. a)** megkülönböztet, elkülönít **b)** megkülönböztet egymástól, meglát, felismer • *mn* **discriminant**
discriminating [dɪˈskrɪmɪneɪtɪŋ] *mn* **1.** megkülönböztető, ismertető *[jel]* **2.** jó ítélőképességű, megfontolt, józan, körültekintő **3.** jó ízlésű **4.** megkülönböztető *[törvény]*; **~ duty** differenciális vám • *mn* **discriminatory** *hsz* **discriminatingly**
discrimination [dɪˌskrɪmɪˈneɪʃn] *fn* **1.** *pol jog* megkülönböztetés *[faj, nem, vallás stb. alapján]*, diszkrimináció, kirekesztés **2.** belátás, józanság, éleslátás **3.** megkülönböztetés, megkülönböztetett bánásmód, előnyben részesítés **4.** jó ízlés
discriminative [dɪˈskrɪmɪnətɪv ‖ –neɪtɪv] → **discriminating**
discursive [dɪsˈkɜːsɪv ‖ –ˈkɜr–] *mn* **1. a)** egyik témáról a másikra átugró, csapongó, kalandozó **b)** szaggatott, összefüggéstelen *[előadásmód]* **2.** *fil* következtető, bebizonyító, beigazoló, diszkurzív; **~ faculty/reason** következtetőképesség, ítélőképesség • *fn* **discursiveness** *hsz* **discursively**
discus [ˈdɪskəs] *fn tsz* **~es, disci** [ˈdɪskaɪ] **1.** *sp* diszkosz; *sp* **throwing the ~, the ~ throw** diszkoszvetés **2.** *orv* porckorong
discuss [dɪˈskʌs] *tsi* **1.** megvitat, megtárgyal, megbeszél *[egy kérdést]*; **a much ~ed question** erősen vitatott kérdés **2.** *biz tréf* **~ a bottle** elkóstolgat egy üveg bort • *fn* **discusser** *mn* **discussable, discussible**
discussant [dɪˈskʌsənt] *fn* felkért hozzászóló, koreferens
discussion [dɪˈskʌʃn] *fn* **1.** vita, vitatkozás, megbeszélés, fejtegetés, tanácskozás, eszmecsere; **question under ~** a szóban forgó kérdés **2.** *mat* diszkutálás, diszkusszió
discus thrower *fn sp* diszkoszvető • *fn* **discus throwing**
disdain [dɪsˈdeɪn] **I.** *fn* megvetés, lenézés, lekicsinylés, utálat; **hold sg in ~** lenéz, megvet vmt **II.** *tsi* megvet, utál; **~ to do sg, ~ doing sg** méltóságán alulinak tartja vmnek a megtételét
disdainful [dɪsˈdeɪnfl] *mn* megvető, lenéző, lekicsinylő • *hsz* **disdainfully**
disease [dɪˈziːz] *fn* **1.** betegség, baj; **sexually transmitted ~** nemi úton terjedő betegség; **~ of civilisation** kultúrbetegség, civilizációs betegség; **~ prevention** kórmegelőzés **2.** rossz közérzet, kínos/szorult érzés, rendellenesség
diseased [dɪˈziːzd] *mn* **1.** beteg, kóros **2.** beteges
diseconomy [ˌdɪsɪˈkɒnəmɪ ‖ ˌdɪsɪˈkɑ–] *fn* gazdaság hiánya, gazdaságtalanság
disembark [ˌdɪsɪmˈbɑːk ‖ –ˈbɑrk] **A.** *tsi* kihajóz, kirak, partra rak/tesz/szállít **B.** *tni* partra száll, kiszáll • *fn* **disembarkation**
disembarrass [ˌdɪsɪmˈbærəs] *tsi* **1.** megszabadít **2.** megnyugtat vkt **3.** *átv* könnyít vkn • *fn* **disembarrassment**
disembellish [ˌdɪsɪmˈbelɪʃ] *tsi* díszétől/ékeitől megfoszt/megrabol
disembodied [ˌdɪsɪmˈbɒdid ‖ –ˈbɑ–] *mn* testetlen, testtől elvált *[szellem, lélek]*; **~ spirit** testetlen szellem
disembody [ˌdɪsɪmˈbɒdi ‖ –ˈbɑ–] *tsi* **1.** testetlenít, elválaszt/elkülönít a testtől *[lelket]* **2.** *kat régi* szolgálatból elbocsát, leszerel, feloszlat *[csapatokat]* • *fn* **disembodiment**
disembogue [ˌdɪsɪmˈboʊg] **A.** *tsi* **1.** kiömlik, kifolyik **2.** kiáramlik, kiözönlik *[tömeg]* **B.** *tni* beömlik, betorkollik *[folyó]*
disembowel [ˌdɪsɪmˈbaʊəl] *tsi* **-ll-**, *US* **-l-** **1.** kibelez **2.** kitapossa a belét vknek/vmnek • *fn* **disembowelment**
disembroil [ˌdɪsɪmˈbrɔɪl] *tsi vál* kibogoz, kifejt *[témát, kérdést]*
disempower [ˌdɪsɪmˈpaʊə ‖ –ər] *tsi* hatalomtól megfoszt, hatalmát elveszi • *fn* **disempowerment**
disenchant [ˌdɪsɪnˈtʃɑːnt ‖ –ˈtʃænt] *tsi* **1.** kiábrándít, kijózanít **2.** varázslattól/bűvölettől megszabadít • *fn* **disenchantment** *mn* **disenchanted**
disencumber [ˌdɪsɪnˈkʌmbə ‖ –ər] *tsi* **1.** megszabadít, kiszabadít, megtisztít, szabaddá tesz **2.** *jog* tehermentesít *[ingatlant]*, töröltet *[jelzálogot]*
disendow [ˌdɪsɪnˈdaʊ] *tsi* megfoszt alapítványaitól/javaitól *[egyházat, intézményt]*, szekularizál • *fn* **disendowment**
disenfranchise [ˌdɪsɪnˈfræntʃaɪz] → **disfranchise**
disenfranchisement [ˌdɪsɪnˈfræntʃaɪzmənt] → **disfranchisement**
disengage [ˌdɪsɪnˈgeɪdʒ] **I. A.** *tsi* **1.** kiszabadít, megszabadít, kivon vkt vmből **2.** *műsz* kiold, kikapcsol, szétkapcsol, kiakaszt, kilazít; *gk* **~ the clutch** kinyomja a kuplungot **3.** elvonul *[harcból]*, szétválaszt *[csapatokat]* **4.** felold, felszabadít, felment; **~ sy from a pledge** felold vkt ígérete alól **B.** *tni* **1.** kiszabadul, felszabadul **2.** kikapcsolódik, szétkapcsolódik **II.** *fn* kikapcsolódás *[szövetségből]*, mentesülés *[kötelezettség alól]* • *fn* **disengagedness** *mn* **disengaged**
disengagement [ˌdɪsɪnˈgeɪdʒmənt] *fn* **1. a)** kiszabadítás, elszakítás **b)** szabadulás, szabaddá válás, elszakadás **2.** → **disengaging** II. **3.** elfogulatlanság, könnyedség, fesztelenség **4.** eljegyzés felbontása **5.** *kat* harcérintkezés megszakítása, szétválasztás *[csapatoké]*
disentail [ˌdɪsɪnˈteɪl] *tsi jog [hitbizományt]* felszabadít

disentangle [ˌdɪsɪnˈtæŋgl] **A.** *tsi* **1.** kibont, kibogoz, megold *[helyzetet]* **2.** kiszabadít, megszabadít **B.** *tni* kiszabadul, megszabadul, kihúzza/kivágja magát • *fn* **disentanglement**

disenthral [ˌdɪsɪnˈθrɔːl], *US* **disenthrall** *tsi* **-ll-** *vál* felszabadít, kiszabadít vkt *[szolgaságból]* • *fn* **disenthral(l)ment**

disenthrone [ˌdɪsɪnˈθroun] *tsi* trónjáról letesz, trónjától megfoszt, detronizál • *fn* **disenthronement**

disentitle [ˌdɪsɪnˈtaɪtl] *tsi* jogcímeitől megfoszt

disentomb [ˌdɪsɪnˈtuːm] *tsi* **1.** exhumál **2.** *átv* kiás • *fn* **disentombment**

disentwine [ˌdɪsɪnˈtwaɪn] **A.** *tsi* kicsavar, kibogoz, kibont **B.** *tni* kicsavarodik, kibomlik, kioldódik

disequilibrium [ˌdɪsiːkwɪˈlɪbrɪəm ‖ dɪsˌek–] *fn* az egyensúly hiánya, instabilitás

disestablish [ˌdɪsɪˈstæblɪʃ] *tsi* **1.** hivatalos jellegétől megfoszt, felfüggeszt *[állami intézményt]* **2.** állami támogatást megvon *[állam egyháztól]* • *fn* **disestablishment**

disesteem [ˌdɪsɪˈstiːm] **I.** *fn* lebecsülés, lenézés, megvetés **II.** *tsi* lebecsül, kevésre becsül, lenéz, megvet

diseuse [dɪˈzɜːz] *fn szính* előadó-művésznő, sanzonénekesnő

disfavour [dɪsˈfeɪvə ‖ –ər], *US* **disfavor I.** *fn* **1.** kegyvesztés, kegyvesztettség; **fall into ~** kegyvesztett lesz; **in sy's ~** vknek a hátrányára **2.** helytelenítés, elítélés, rosszallás **II.** *tsi* helytelenít, elítél, rosszall vmt

disfigure [dɪsˈfɪgə ‖ –jər] *tsi* **1.** elcsúfít, eltorzít *[embert, szobrot, arcot]* **2.** csúfot tesz vkvel, megszégyenít vkt • *fn* **disfigurement**

disforest [dɪsˈfɒrəst ‖ –ˈfɑ–] → **disafforest**

disforestation [ˌdɪsfɒrəˈsteɪʃn ‖ –fɑ–] → **disafforestation**

disfranchise [dɪsˈfræntʃaɪz] *tsi* **a)** megfoszt választójogától v. szavazati jogától **b)** jogoktól megfoszt • *fn* **disfranchisement** *mn* **disfranchised**

disfrock [dɪsˈfrɒk ‖ –ˈfrɑk] *tsi vall* az egyházi rendből kizár, lehúzza vkről a csuhát

disgeneric [ˌdɪsdʒɪˈnerɪk] *mn* eltérő/különböző fajú/nemű/fajtájú

disgorge [dɪsˈgɔːdʒ ‖ –ˈgɔrdʒ] **A.** *tsi* **a)** kihány, kiokád *[ételt]* **b)** *biz* kiad, visszaad *[lopott holmit, zsákmányt]* **B.** *tni* kiönt, kiárad, belefolyik

disgown [dɪsˈgaun] *tsi* **1.** levetkőztet **2.** megfoszt állásától/hivatalától/talárjától

disgrace [dɪsˈgreɪs] **I.** *fn* **1.** kegyvesztés, kegyvesztettség; **fall into ~ with sy** kiesik vknek a kegyéből, kegyvesztett lesz vknél; **be in ~** (i) kegyvesztett (ii) megbüntetett *[gyermek]* **2. a)** szégyen, gyalázat, becstelenség; **there is no ~ in doing it** nincs abban semmi szégyen **b)** szégyenfolt, a szégyenkezés oka; **be a ~ to** v. **the ~ of one's family** a család szégyenfoltja **II.** *tsi* **1.** megvonja kegyét vktől; **he was/got ~d** kegyvesztett lett **2.** megszégyenít, megbecstelenít

disgraceful [dɪsˈgreɪsfl] *mn* szégyenteljes, gyalázatos, becstelen, botrányos • *hsz* **disgracefully**

disgracious [dɪsˈgreɪʃəs] → **ungracious**

disgruntled [dɪsˈgrʌntld] *mn US biz* rosszkedvű, elégedetlen, zsémbes, mogorva • *fn* **disgruntlement**

disguise [dɪsˈgaɪz] **I.** *tsi* **1.** álruhába/jelmezbe bújtat/öltöztet, vmnek álcáz; **~ oneself** álruhába/jelmezbe öltözik, vmnek álcázza magát **2. a)** eltitkol, palástol, rejteget; **~ one's voice** elváltoztatja hangját **b) ~ the truth** elkendőzi az igazságot **c) ~ one's feelings** leplezi/elrejti érzelmeit **II.** *fn* **1.** álruha, álöltözék, jelmez; **in ~** (i) álruhában (ii) jelmezben **2.** leplezés, takargatás, tettetés, színlelés • *fn* **disguisement**, **disguiser** *mn* **disguised**

disgust [dɪsˈgʌst] **I.** *tsi* émelyít, undorít, felháborít; **he is ~ed that** felháborítja az, hogy **II.** *fn* **1.** undor, ellenszenv, utálat, émelygés, hányinger; **hold sg in ~** undorodik vmtől, utál vmt **2.** elégedetlenség, méltatlankodás, felháborodás; **to the ~ of sy** vknek nagy felháborodására • *mn* **disgusted** *hsz* **disgustedly**

disgustful [dɪsˈgʌstfl] → **disgusting**

disgusting [dɪsˈgʌstɪŋ] *mn* **1.** undort keltő, undorító, visszataszító, förtelmes **2.** undorító, gusztustalan; **that's ~!** ez undorító! • *fn* **disgustingness** *hsz* **disgustingly**

dish [dɪʃ] **I.** *fn* **1. a)** tál, edény, csésze, tányér; *átv biz* **lay sg in a person's ~** vk orra alá dörgöl vmt **b) dishes** asztali edények, teríték; **wash up the ~es** elmosogat, elmossa az edényeket **2.** étel, fogás; **a cold ~** hidegtál **3. a)** serpenyő *[mérlegé]* **b)** *távk* parabolaantenna **4.** *szl [csinos nő]* jó nő/bőr/csaj **II.** *tsi* **1.** tálba tesz, tálban felszolgál **2.** bemélyít, besüllyeszt, domborúvá/homorúvá tesz *[felületet]* **3. a)** *biz* megbuktat, lever **b)** lefőz, kijátszik vkt, túljár az eszén, keresztül húzza a számításait; *biz* **~ oneself** maga készítette csapdába esik **4.** *biz* félreállít, hidegre tesz

dish out *tsi* **1.** kitálal **2.** *szl [megszid]* kioszt *[vkit]*

dish up *tsi* felszolgál, feltálal; **~ up some excuse** kifőz vm mentséget/kifogást; **~ up well-known facts in a new form** jól ismert tényeket új formában tálal

dishabille [ˌdɪsəˈbiːl] *fn* **1.** félmeztelenség **2.** rendetlen öltözék

dish aerial *fn távk* parabolaantenna

disharmony [dɪsˈhɑːməni ‖ –ˈhɑr–] *fn* **1.** megegyezés/harmónia/összhang hiánya **2.** diszharmónia, disszonancia *[hangoké]* • *tsi* **disharmonize** *mn* **disharmonic**, **disharmonious**

dish-butter *fn* mintázott vaj *[asztali fogyasztásra]*

dish cloth *fn* konyharuha, törlőruha, törlőrongy

dish cover *fn* **1.** fedő *[tálé]* **2.** fedő *[ételt tartalmazó edények számára]*

dish drainer *fn* edényszárító/-csepegtető

dishearten [dɪsˈhɑːtn ‖ dɪsˈhɑrtn] *tsi* elbátortalanít, elveszi vknek a kedvét, elcsüggeszt, lever • *fn* **disheartenment** *mn* **disheartening**

disherit [dɪsˈherɪt] *tsi* kitagad/kizár örökségből

dishevel [dɪˈʃevl] *tsi* **-ll-**, *US* **-l-** zilál, összeborzol *[hajat]*, összekuszál

dishevelled [dɪˈʃevld], *US* **disheveled** *mn* **1. a)** zilált, kócos, rendetlen **b)** kócos, torzonborz *[haj]* **2.** zilált/rendetlen/hanyag ruházatú *[ember]* • *fn* **dishevelment**

dishful [ˈdɪʃful] *fn* egy tálnyi

dishonest [dɪsˈɒnɪst ‖ –ˈɑn–] *mn* tisztességtelen, becstelen, lelkiismeretlen • *hsz* **dishonestly**

dishonesty [dɪsˈɒnəsti ‖ –ˈɑn–] *fn* tisztességtelenség, becstelenség; **act/piece of ~** (i) becstelen/tisztességtelen eljárás/cselekedet (ii) csalás, lopás

dishonour [dɪsˈɒnə ‖ dɪsˈɑnər], *US* **dishonor I.** *fn* **1.** becstelenség, szégyen, gyalázat; **bring ~ on his family** szégyent hoz családjára **2.** becstelen/gyalázatos dolog **II.** *tsi* **1. a)** megszégyenít, megbecstelenít, meggyaláz **b)** *régi* **~ a woman** megbecstelenít egy nőt **2. a) ~ one's word** megszegi szavát **b)** *gazd* **~ a bill** csekk/váltó kifizetését/elfogadását megtagadja; nem vált be csekket/váltót

dishonourable [dɪsˈɒnərəbl ‖ –ˈɑn–], *US* **dishonorable** *mn* **1.** becstelen, gyalázatos **2.** szégyenteljes, megszégyenítő, megbecstelenítő *[tett]* • *hsz* **dishonourably**

dishouse [dɪsˈhauz] *tsi* **1.** megfoszt lakásától/házától, kilakoltat **2.** lebont házakat *[nagyobb területen]*

dishpan *fn* **a)** *US* mosogatótál **b)** tálka

dish rack *fn* edényszárító rács/állvány

dishumour [dɪsˈhjuːmə ‖ –ər], *US* **dishumor I.** *fn* rosszkedv, rossz hangulat **II.** *tsi* elkedvetlenít, lehangol vkt, elveszi vk jókedvét

dish-warmer *fn* tányérmelegítő

dish-wash → **dishwater**

dishwasher *fn* **1.** mosogatógép **2.** mosogatófiú, mosogatólány

dishwashing machine → **dishwasher 1.**

dishwater *fn* **1.** mosogatóvíz, mosogatólé; **dull as ~** halálosan unalmas **2.** *átv biz* mosogatólé, lötty *[leves, kávé, tea]*
dishy [ˈdɪʃi] *mn szl [csinos, vonzó]* szexi(s), dögös
disilluminate [ˌdɪsɪˈluːmɪneɪt] *tsi* elsötétít
disillusion [ˌdɪsɪˈluːʒn] **I.** *fn* kiábrándulás, kijózanodás, csalódás **II.** *tsi* kiábrándít, kijózanít • *tsi* **disillusionize** *fn* **disillusionment** *mn* **disillusioned**
disillusive [ˌdɪsɪˈluːsɪv] *mn* kiábrándító, kijózanító
disimmunity [ˌdɪsɪˈmjuːnɪti] *fn* **1.** immunizálatlanság **2.** immunizáltság megszűnte/elmúlta • *tsi* **disimmunize, –ise** *mn* **disimmune**
disincarnate [ˌdɪsɪnˈkɑːnɪt ‖ –ˈkɑr–] *mn* **1.** valóságtól elszakított **2.** *fil* testi alakjától elváló
disincentive [ˌdɪsɪnˈsentɪv] **I.** *mn* elrettentő, elijesztő **II.** *fn* **1.** elrettentés, elijesztés **2.** termelékenységcsökkentő intézkedés
disinclination [ˌdɪsɪnklɪˈneɪʃn] *fn* ellenszenv, idegenkedés; **have/show a ~ to do sg** idegenkedik vmnek megtételétől
disincline [ˌdɪsɪnˈklaɪn] *tsi* **1.** elkedvetlenít; **~ sy for/to sg** v. **to do sg** elveszi a kedvét/hajlandóságát vknek vmtől v. vm megtételétől **2.** alkalmatlanná tesz • *mn* **disinclined**
disincorporate [ˌdɪsɪŋˈkɔːpərəɪt ‖ –ˈkɔr–] *tsi* **1.** feloszlat *[társaságot, testületet]* **2.** leválaszt *[társaságról, testületről]* • *fn* **disincorporation**
disinfect [ˌdɪsɪnˈfekt] *tsi* fertőtlenít, dezinficiál • *fn* **disinfection, disinfector**
disinfectant [ˌdɪsɪnˈfektənt] **I.** *mn* fertőtlenítő, dezinficiáló **II.** *fn* fertőtlenítőszer
disinfest [ˌdɪsɪnˈfest] *tsi* kiirt, kipusztít *[rovart, kártevőt]*, tetvetlenít • *fn* **disinfestation**
disinflate [ˌdɪsɪnˈfleɪt] **A.** *tsi* levegőt kienged/kibocsát vmből **B.** *tni* leenged *[felfújt tömlő]*, lelohad
disinflation [ˌdɪsɪnˈfleɪʃn] *fn pénz közg* dezinfláció, infláció enyhítése • *mn* **disinflationary**
disinform [ˌdɪsɪnˈfɔːm ‖ –ˈfɔrm] *tsi* félrevezet, dezinformál • *fn* **disinformation**
disingenuous [ˌdɪsɪnˈdʒenjuəs] *mn* **1.** hamis, álnok, képmutató, színlelő *[személy]*; **~ excuses** rossz/gyenge kifogások **2.** titkos, alattomos *[cselekedet]* • *fn* **disingenuousness** *hsz* **disingenuously**
disinherit [ˌdɪsɪnˈherɪt] *tsi* örökségből kizár, kitagad • *fn* **disinheritance**
disintegrate [dɪsˈɪntɪgreɪt] **A.** *tsi* **a)** szétszed, felbont, szétporlaszt, szétmállaszt, aprít, feldarabol **b)** *átv* felbomlaszt *[rendet, közösséget]* **B.** *tni* **1.** szétbomlik, elporlad, szétmállik *[kő, ásvány]*, szétesik, széthullik, darabjaira esik **2.** *átv* felbomlik, szétesik *[közösség, szervezet]* **3.** leromlik, leépül *[testileg, szellemileg]* • *fn* **disintegrator**
disintegration [dɪsˌɪntɪˈgreɪʃn] *fn* **1.** felbomlás, szétbomlás, elporladás, szétmállás **2.** *átv* felbomlás, szétesés, széthullás *[társadalomé]*
disinter [ˌdɪsɪnˈtɜː ‖ –ˈtɜr] *tsi* **-rr-** kiás sírjából, exhumál *[holttestet]*, *átv* kiás, napfényre hoz *[régiséget, titkot]*, előás, előkotor, előszed • *fn* **disinterment**
disinterest [dɪsˈɪntrəst] *fn* **1.** érdektelenség, közömbösség, közönyösség **2.** pártatlanság, elfogulatlanság
disinterested [dɪsˈɪntrəstɪd] *mn* **1.** érdektelen, önzetlen; **he is not entirely ~** nem teljesen önzetlen v. érdek nélküli **2.** pártatlan, elfogulatlan **3.** nem érdekelt, közönyös, közömbös • *fn* **disinterestedness** *hsz* **disinterestedly**
disintoxication [ˌdɪsɪntɒksɪˈkeɪʃn ‖ –tɑk–] *fn orv* méregtelenítés, detoxikálás, narkotikumról való leszoktatás
disinvest [ˌdɪsɪnˈvest] *tsi GB közg* kivon, megszüntet *[befektetést]* • *fn* **disinvestment**
disjoin [dɪsˈdʒɔɪn] **A.** *tsi* elválaszt, szétválaszt, elkülönít, szétszed **B.** *tni* szétkapcsolódik, szétválik
disjoint [dɪsˈdʒɔɪnt] **I. A.** *tsi* **1.** ízekre szed, szétvág, elválaszt, elkülönít **2. a)** taglal, boncol *[beszédet]* **b)** lebont *[épületet]* **c)** feldarabol *[birtokot]* **3.** feldarabol, feltrancsíroz *[szárnyast]* **B.** *tni* **1.** szétesik, ízekre szakad **2.** kificamodik **3.** szétesik, szétzilálódik **II.** *mn mat* **~ sets** különálló halmazok
disjointed [dɪsˈdʒɔɪntɪd] *mn* **1.** összefüggéstelen, csapongó; **a ~ discourse** rendszertelen/összefüggéstelen beszélgetés/társalgás **2.** *átv* szétesett, szétzilált • *fn* **disjointedness** *hsz* **disjointedly**
disjunct **I.** *mn* [dɪsˈdʒʌŋkt] **1.** elválasztott, elkülönített **2.** *fil* vagylagos **II.** *fn* [ˈdɪsdʒʌŋkt] **1.** *mat fil* diszjunkció egyik tagja **2.** *nyelv* mondathatározó módosítószó
disjunction [dɪsˈdʒʌŋkʃn ‖ –ər] *fn* **1.** elválasztás, szétválasztás *(from* vmtől), leválasztás vmről, szétkapcsolás **2.** elválás, *nyelv* választás
disjunctive [dɪsˈdʒʌŋktɪv] **I.** *mn nyelv fil* elválasztó, diszjunktív, szétválasztó; **~ conjunction** választó kötőszó **II.** *fn* **1.** *nyelv fil* elválasztó kötőszó **2.** *mat fil* diszjunktív propozíció/kijelentés • *hsz* **disjunctively**
disjuncture [dɪsˈdʒʌŋktʃə ‖ –ər] *fn* elválasztottság, különbözőség, *átv* szakadás
disk [dɪsk] → **disc**
disk drive *fn infor* lemezmeghajtó *[számítógépben]*
diskette [dɪˈsket] *fn infor* hajlékony mágneslemez, floppy(lemez)
disk pack *fn infor* lemezcsomag
disk storage *fn infor* lemeztároló, diszk, lemeztárolós memória, lemezmemória, mágneslemezes tár
dislikable [dɪsˈlaɪkləbl] *mn* ellenszenves, idegenkedést/ellenszenvet keltő/érdemlő
dislike [dɪsˈlaɪk] **I. a)** *fn* idegenkedés, ellenszenv, utálat vm/vk iránt; **have a strong ~ for/of sg** nem tud elviselni vmt; **take a ~ to sy** megneheztel vkre; megutál vkt **b)** utált/nem kedvelt dolog, ellenszenv tárgya **II. A.** *tsi* nem szeret vkt/vmt, idegenkedik vmtől/vktől; **~ doing sg** nem szívesen tesz meg vmt **B.** *tni régi* elégedetlen, rosszall
dislink [dɪsˈlɪŋk] *tsi* szétszed, szétkapcsol, szétválaszt
dislocate [ˈdɪsləkeɪt, –loʊ–] *tsi* **1.** szétszed, feldarabol, feloszt **2.** kificamít, kicsavar *[testrészt]*; **~ one's arm** kificamítja a karját **3.** elmozdít, eltol, kimozdít **4.** összezavar, megzavar *[forgalmat, ügyeket]*, felfordít, meghiúsít *[tervet]*
dislocation [ˌdɪsləˈkeɪʃn, –loʊ–] *fn* **1.** elmozdítás, eltolás **2.** szétszedés *[gépé]*, feldarabolás, felosztás **3.** *orv* kificamítás, kicsavarás, kificamodás, ficam **4.** összezavarás, megzavarás *[forgalomé, ügyeké]*, felfordítás, meghiúsítás *[tervé]*
dislodge [dɪsˈlɒdʒ ‖ –ˈlɑdʒ] *tsi* **1.** kilakoltat, kiköltöztet, elűz **2.** elmozdít, kimozdít • *fn* **dislodgement**
disloyal [dɪsˈlɔɪəl] *mn* hűtlen, illojális, áruló, álnok • *fn/mn* **disloyalist** *fn* **disloyalty**
dismal [ˈdɪzml] **I.** *mn* szomorú, sötét, gyászos, komor **II.** *fn* **-s** nyomott hangulat, melankólia; *biz* **have** v. **be in the ~s** rossz/nyomott hangulatban van • *fn* **dismalness** *hsz* **dismally**
dismantle [dɪsˈmæntl] *tsi* **1. a)** megfoszt vmtől, leszed vmt, levetkőztet **b)** lebont *[falakat]* **2. a)** leszerel, szétszed, lebont **b)** lerombol *[erődítményt]*, leszerel *[hajót]* • *fn* **dismantlement**
dismay [dɪsˈmeɪ] **I.** *fn* döbbenet, rémület, kétségbeesés, félelem; **in blank ~** megdöbbenve, megrémülve **II.** *tsi* **1.** megdöbbent, megijeszt, megrémít **2.** kiábrándít, elcsüggeszt **3.** felkavar, megzavar
dismember [dɪsˈmembə ‖ –ər] *tsi* feldarabol, feloszt, megcsonkít *[országot]* • *fn* **dismemberment**
dismiss [dɪsˈmɪs] **A.** *tsi* **1.** elbocsát, elküld, felmond *[alkalmazottnak]*, felment, állásától megfoszt, elmozdít tisztségéből; **be/get ~ed** elbocsátják állásából, elküldik, felmondanak neki; *kat* **~ sy from the service** (i) elbocsát vkt a hadseregből (ii) szolgálatra alkalmatlannak nyilvánít vkt **2. a)** elbocsát, elenged, távozást engedélyez vknek **b)** eltávolít *[tolakodót]* **c)** feloszlat *[gyűlést]* **3. ~ sg from one's thoughts** elűz/elhesseget egy gondolatot **4.** abbahagy *[beszédtémát]*, felhagy *[gondolattal, tervvel]*; **let us ~ the subject** beszéljünk másról; **he was ~ed as an eccentric**

azzal intézték el, hogy különc **5.** elvet *[javaslatot]* **6.** *jog* **a)** elutasít *[kérelmet, fellebbezést]*; **~ a case** (i) egy ügyet félretesz (ii) elutasít, visszautasít keresetet **b) ~ the accused** vádlottat felment **B.** *tni* **~!** oszolj! • *fn* **dismissal**

dismissible [dɪsˈmɪsɪbl] *mn* elbocsátható, elküldhető, állásától megfosztható

dismissive [dɪsˈmɪsɪv] *mn* elutasító, lenéző

dismount [dɪsˈmaʊnt] **A.** *tsi* **1.** ledob, levet *[lovast]*, leszállít *[vkt lóról]*; **~ one's horse** leszáll a lováról **2.** szétszed, szétszerel, leszerel **B.** *tni* leszáll *[lóról, tevéről]*, kiszáll *[kocsiból]* • *fn* **dismounting** *mn* **dismountable**, **dismounted**

disnature [dɪsˈneɪtʃə ‖ –ər] *tsi* **1.** sajátosságától/természetétől/jellegétől megfoszt **2.** természetellenessé tesz

disobedience [ˌdɪsəˈbiːdɪəns] *fn* engedetlenség, szófogadatlanság; **an act of ~** engedetlenség

disobedient [ˌdɪsəˈbiːdɪənt] *mn* engedetlen, szófogadatlan; **be ~ to sy** nem engedelmeskedik vknek, nem fogad szót vknek • *hsz* **disobediently**

disobey [ˌdɪsəˈbeɪ] **A.** *tsi* megszeg, áthág *[törvényt, parancsot]*; **I won't be ~ed** nem tűrök engedetlenséget **B.** *tni* nem engedelmeskedik • *fn* **disobeyer**

disoblige [ˌdɪsəˈblaɪdʒ] *tsi* barátságtalanul/ridegen/illetlenül bánik vkvel, megbánt, megsért vkt • *fn* **disobligingness** *mn* **disobliging**

disorder [dɪsˈɔːdə ‖ dɪsˈɔrdər] **I.** *fn* **1.** rendetlenség, összevisszaság, zűrzavar; **in ~** rendetlenül; **fall into ~** összezavarodik, összekeveredik **2.** zavargás, kavarodás, lázadás, zendülés, *jog* kihágás **3.** *orv* rendellenesség, zavar *[szervek működésében]*; **speech ~** beszédzavar **II.** *tsi* **1.** összezavar, széthány, rendetlenséget csinál, zavart okoz **2.** elront *[gyomrot]*, tönkretesz *[egészséget]* • *mn* **disordered**

disorderly [dɪsˈɔːdəli ‖ –ˈɔrdər–] *mn* **1.** rendbontó, rendetlenkedő, fegyelmezetlen **2.** zavargó, zendülő, lázadó **3.** féktelen, kicsapongó, erkölcstelen • *fn* **disorderliness**

disorderly conduct *fn jog* rendzavarás

disorderly house *fn biz* örömtanya, bordély(ház)

disorganize [dɪsˈɔːgənaɪz ‖ –ˈɔr–] *tsi* felbomlaszt, vmnek szerkezetét/szervezetét tönkreteszi; **become ~d** felbomlik, szétesik • *fn* **disorganization**

disorient [dɪsˈɔːrɪənt] → **disorientate**

disorientate [dɪsˈɔːrɪənteɪt] *tsi* félrevezet, rossz útra térít, megzavar; **be ~d** eltéveszti az irányt, eltéved, *átv* megzavarodik • *fn* **disorientation**

disour [ˈdɪzʊə ‖ –ər] *fn tört* hivatásos mesemondó

disown [dɪsˈoʊn] *tsi* megtagad, nem ismer el *[aláírást, művet, tekintélyt]*, kitagad

disparage [dɪˈspærɪdʒ] *tsi* **1.** lebecsül, leszól, lenéz **2.** becsmérel, rossz hírét költi, aláássa hírnevét • *fn* **disparagement**, **disparager**

disparaging [dɪˈspærɪdʒɪŋ] *mn* **1.** becsmérlő, ócsárló *[kifejezés]*, lebecsülő, leszóló **2.** kedvezőtlen, hátrányos, előnytelen, káros • *hsz* **disparagingly**

disparate [ˈdɪspərət] **I.** *mn* elütő, különböző, eltérő, különnemű, összeegyeztethetetlen **II.** *fn tsz* **disparates** összeegyeztethetetlen v. egymástól elütő/eltérő dolgok • *fn* **disparateness** *hsz* **disparately**

disparity [dɪsˈpærəti] *fn* egyenlőtlenség, különbözés, különbözőség, elütő jelleg, diszparitás; **~ of/in age**, **~ in years** korkülönbség

dispassion [dɪsˈpæʃn] → **dispassionateness**

dispassionate [dɪsˈpæʃn·ət] *mn* **1.** nyugodt, higgadt, szenvtelen **2.** pártatlan, tárgyilagos, objektív, elfogulatlan

dispassionateness [dɪsˈpæʃn·ətnəs] *fn* **1.** nyugalom, szenvtelenség, higgadtság **2.** pártatlanság, tárgyilagosság, objektivitás, elfogulatlanság

dispatch [dɪˈspætʃ] **I. A.** *tsi* **1.** elküld *[árut, levelet]*, felad *[levelet, táviratot]*, elindít, útnak indít *[csapatot, futárt]*; **~ buses** autóbuszokat indít *[végállomáson]* **2.** elintéz, gyorsan intézkedik **3.** megadja a kegyelemdöfést vknek, megöl, meggyilkol **4.** *biz* belapátol, behány *[ételt]* **B.** *tni* végez, ügyet lezár **II.** *fn* **1.** elküldés, feladás, elszállítás **2.** kivégzés, meggyilkolás; **happy ~** harakiri, öngyilkosság **3.** levél, jelentés *[diplomáciában]*, sajtótudósítás **4. a)** intézkedés, elintézés **b)** gyorsaság, sietség, buzgalom, igyekezet; **with ~** gyorsan, azonnal **5. a)** futár **b)** távirat, sürgöny, levéltávirat **6.** *tsz* **dispatches** *biz* hamis kockák

dispatch-book *fn* kézbesítőkönyv

dispatch box *fn* **1.** diplomáciai futárposta/futárcsomag **2.** irattáska, úti írómappa

dispatch case *fn* **1.** boríték **2.** → **dispatch box**

dispatcher [dɪˈspætʃə ‖ –ər] *fn* **1.** elküldő, feladó **2.** forgalomirányító, forgalmi tiszt, forgalmista, menetirányító; szállításintéző, diszpécser, munkairányító

dispatch rider *fn kat* futár, motorkerékpáros küldönc, hírvivő

dispatch-runner *fn* hírvivő, küldönc

dispel [dɪˈspel] *tsi* **-ll-** eloszlat *[ábrándot, félelmet]*, szétszór, szétkerget *[felhőt]*

dispensable [dɪˈspensəbl] *mn* **1. a)** nélkülözhető, mellőzhető, szükségtelen **b)** eloszható, szétosztható **2.** *vall* megengedhető

dispensary [dɪˈspensəri] *fn* gyógyszertár, házipatika *[kórházé]*

dispensation [ˌdɪspənˈseɪʃn] *fn* **1. a)** adományozás, szétosztás, elosztás *[jutalomé, adományé]* **b) ~ with sg** vmnek a nélkülözése **c)** kiosztott/szétosztott dolog **2. a)** *jog* felmentés, diszpenzáció **b)** *vall* felmentés, különleges engedély **3.** *átv* intézmény *[politikai, vallási rendszer]* **4.** határozat, döntés, ítélet; **the D~ of Providence** a gondviselés rendelése **5.** *vall* törvény; **the Mosaic ~** a mózesi törvény

dispense [dɪˈspens] **A.** *tsi* **1. a)** adományoz, szétoszt, eloszt *[alamizsnát]*; **~ sg into sg** kiadagol **b)** szolgáltat *[igazságot]*, felad *[utolsó kenetet]* **c)** *orv* elkészít *[gyógyszert orvosi vényre]*; **~ a prescription** egy receptet elkészít **2. ~ sy from doing sg** felment vkt vm v. vmnek megtétele alól **B.** *tni* **1. ~ with sy/sg** megvan vk/vm nélkül; tud nélkülözni vkt/vmt **2.** *jog* **~ with an oath of a witness** nem követeli meg a tanú esküjét; eláll a tanú megesketésétől

dispenser [dɪˈspensə ‖ –ər] *fn* **1.** elosztó, szétosztó *[alamizsnáé]* **2.** intéző, kezelő, alkalmazó, végrehajtó *[törvényeké]*; **~ of law** igazságot szolgáltató **3.** adagoló automata

dispenser bottle *fn* orvosságos üveg

dispensing bottle → **dispenser bottle**

dispensing chemist *fn* okleveles gyógyszerész

dispensing optician *fn* látszerész, optikus

dispersant [dɪˈspɜːsnt ‖ –ˈspɜr–] *fn vegy* diszpergálószer, diszpergens, diszpergátor

disperse [dɪˈspɜːs ‖ dɪˈspɜrs] **A.** *tsi* **1.** szétszór, feloszlat, szétszór, eloszlat, elzavar, szétrebbent *[madarakat]* **2.** elhint, elterjeszt *[híreket, növényeket]* **3.** *orv* felold *[gyógyszert]*, eltüntet *[daganatot]* **4.** *fiz* szétszór *[fényt]* **5.** *vegy* eloszlat, szétszór, diszpergál **B.** *tni* **1.** szétszalad, szétszóródik, eloszlik, szétterjed **2.** *kat* felbomlik, szétszóródik *[csapat]*; *kat* **~** oszolj • *fn* **dispersal**, **dispersiveness** *mn* **dispersive** *hsz* **dispersedly**

dispersion [dɪˈspɜːʃn ‖ dɪˈspɜrʒn] *fn* **1. a)** szétszóródás **b)** szétszórtság; *tört* **the D~** a Diaszpóra; ‹a zsidók szétszóródása› **2. a)** szétszórás **b)** *mat kat* szórás; **~ area/zone** szórási övezet **3. a)** szétáramlás, szétömlés *[melegé]*, terjedés *[vándorlással, átültetéssel]* **b)** *vegy* diszperzió **c)** *fiz* színszóródás, fényszóródás, diszperzió; **~ of a diamond** gyémánt tüze/ragyogása/szikrázása

dispirit [dɪˈspɪrɪt] *tsi* elcsüggeszt, elkedvetlenít, elbátortalanít, lever *[kedélyileg]* • *fn* **dispiritedness** *mn* **dispirited** *hsz* **dispiritedly**

displace [dɪsˈpleɪs] *tsi* **1.** elmozdít, kimozdít *[helyéről]* **2. a)** állásától megfoszt, állásából elmozdít **b)** helyettesít, felvált, pótol, áthelyez **c)** kiszorít, kitúr *[vkt helyéről]* • *mn* **displaceable**

displaced [dɪsˈpleɪst] *mn* elmozdított, kimozdított; ~ **person** (i) (politikai) menekült (ii) hontalan személy (iii) elhurcolt/kitelepített személy
displacement [dɪsˈpleɪsmənt] *fn* **1. a)** elmozdulás, kimozdulás, helyváltoztatás **b)** elmozdítás, kimozdítás **c)** eltolódás **2.** *orv* rendellenes elhelyezkedés *[szervé]* **3.** *pénz* elértéktelenedés *[részvényeké]* **4.** *fiz vegy* kiszorítás **5.** *hajó* vízkiszorítás; **gross** ~ teljes vízkiszorítás **6.** *mat* ~ **of A by B** A behelyettesítése B-vel **7.** *pszich* (be)helyettesítés
displacement activity *fn pszich* pótcselekvés
displacement ton *fn hajó* vízkiszorítástonna • *fn* **displacement tonnage**
display [dɪˈspleɪ] **I.** *tsi* **1.** kitesz, kiállít, bemutat *[árut]*; ~ **goods for sale** árut eladásra kirak; ~ **a notice** hirdetményt kiragaszt **2.** kimutat, elárul *[bátorságot, haragot]*, bizonyságot tesz, kifejt *[energiát]*; ~ **fear** félelmet árul el; ~ **a taste for sg** hajlamot/érzéket tanúsít vm iránt **3.** kérkedik, hivalkodik, fitogtat **4.** *el* kijelez **II.** *fn* **1. a)** bemutatás, felmutatás, mutogatás, kiállítás *[tárgyaké, áruké]*; **be on** ~ ki van állítva **b)** kirakat **c)** megnyilatkozás *[érzelmeké, tulajdonságé]*, kimutatás *[bátorságé]* **2.** kérkedés, fitogtatás, hivalkodás; **make a** ~ **of sg** kérkedik/hivalkodik vmvel **3.** *el infor* kijelzés; kijelző; kijelzett érték/adat
display-setting *fn nyomd* kiemelés
display-stand *fn gazd* kirakati állvány, állvány áruk kiállítására/bemutatására
displease [dɪsˈpliːz] *tsi/tni* nem tetszik, bosszant, megharagít, dühít; **be ~d at/with sy/sg** elégedetlen vkvel/vmvel; haragszik vkre/vmre, bosszantja vk/vm • *hsz* **displeasedly**
displeasing [dɪsˈpliːzɪŋ] *mn* nem tetsző, visszatetsző, kellemetlen, bántó
displeasure [dɪsˈpleʒə ‖ –ər] **I.** *fn* **1.** nemtetszés, elégedetlenség; **incur sy's** ~ magára vonja vk haragját **2.** bosszúság **II.** *tsi régi* → **displease**
disport [dɪˈspɔːt ‖ –ˈspɔrt] **I.** *fn régi* szórakozás, játék, kedvtelés **II. A.** *tsi* ~ **oneself** kiugrálja/kiszórakozza/kijátszsza magát **B.** *tni* szórakozik, mulat
disposable [dɪˈspoʊzəbl] **I.** *mn* **1.** egyszer használatos, eldobható **2.** rendelkezésre álló, szabad rendelkezés alá eső; *közg* ~ **income** rendelkezésre álló jövedelem *[adók és fix kötelezettségek után fennmaradó jövedelem]* **II.** *tsz* **disposables** eldobható/egyszer használatos termékek *[szalvéta, pelenka, tányér stb.]* • *fn* **disposability**
disposal [dɪˈspoʊzl] *fn* **1. a)** elrendezés, elintézés, megoldás, megszabadulás vmtől, *körny* ártalmatlanítás; *körny* ~ **site/ground** lerakóhely; ~ **of waste** hulladék ártalmatlanítása **b)** rendelkezés; **at sy's** ~ vknek a rendelkezésére; **place/put sg at sy's** ~ vmt vknek a rendelkezésére bocsát **2. a)** elrendezés, kezelés, intézés, eladás *[birtoké]* **b)** *jog* ~ **of property** végrendeleti intézkedés **3.** *gazd* leszállítás *[árué]* **4.** elrendezés *[csapatoké, tárgyaké]* **5.** *US biz* → **disposal unit**
disposal unit *fn* konyhai hulladékaprító, konyhamalac
dispose [dɪˈspoʊz] **A.** *tsi* **1. a)** elrendez, berendez, elhelyez *[tárgyakat]*, rendbe hoz/tesz, elvégez **b)** rendelkezik, elrendel, kijelöl, szabályoz; ~ **oneself to sleep** aludni/alvásra készülődik **2.** hajlandóvá tesz, késztet; **be/feel ~d (to, for)** hajlandó, kész (vmre, vmt megtenni), kedve/hangulata van (vmhez); **I am ~d to believe that...** hajlandó/hajlamos vagyok azt hinni, hogy...; **he is ~d to obesity** hajlamos a(z el)hízásra **B.** *tni* **1.** *közm* **man proposes, God ~s** ember tervez, Isten végez; ~ **of** rendelkezik vmvel, intézkedik vmről; túlad (vkn, vmn), megszabadul (vktől, vmtől); ~ **of sg by will** végrendeletileg rendelkezik vmről; ~ **of an opponent** elintézi ellenfelét, megszabadul ellenfelétől; ~ **of a question** megold/elintéz egy kérdést; ~ **of one's time** rendelkezik idejével **2. to be ~d of** eladó; *gazd* ~ **of goods**, ~ **of an article** elad/értékesít árut • *fn* **disposer** *mn* **disposed** *hsz* **disposedly**
disposition [ˌdɪspəˈzɪʃn] *fn* **1. a)** beállítottság, hajlam, jellem, természet, képesség, diszpozíció **b)** kedélyállapot, kedv; ~ **to do sg** vágy/szándék/akarat/hajlamosság vmnek megtételére **c)** *orv [betegségre való]* hajlam, fogékonyság **2.** rendelkezés **3. a)** elrendezés, beosztás, berendezés *[házé]* **b)** *jog* intézkedés *[végrendeleti]* • *mn* **dispositional, dispositioned**
dispossess [ˌdɪspəˈzes] *tsi* **a)** megfoszt (vkt vmtől), kisemmiz (vkt vmből) **b)** kisajátít (vmt vktől) • *fn* **dispossession** *mn* **dispossessed**
dispossess-notice *fn* lakásfelmondás *[bérlőnek]*
dispossessor [ˌdɪspəˈzesə ‖ –ər] *fn* **1.** kisajátító **2.** trónfosztó
dispraise [dɪsˈpreɪz] **I.** *fn* **1.** lekicsinylés, leszólás, becsmérlés **2.** helytelenítés, rosszallás **II.** *tsi* **1.** lekicsinyel, leszól, becsmérel (vkt), vmt **2.** helytelenít, rosszall, kifogásol • *fn* **dispraiser** *mn* **dispraising**
disproof [dɪsˈpruːf] *fn* cáfolat, megcáfolás
disproportion [ˌdɪsprəˈpɔːʃn ‖ –ˈpɔrʃn] *fn* egyenlőtlenség, aránytalanság
disproportional [ˌdɪsprəˈpɔːʃnəl ‖ –ˈpɔr–] → **disproportionate**
disproportionate [ˌdɪsprəˈpɔːʃnˑət ‖ –ˈpɔr–] *mn* aránytalan • *fn* **disproportionateness**
disproval [dɪsˈpruːvl] → **disproof**
disprove [dɪsˈpruːv] *tsi jog* megcáfol *[kijelentést]*, *jog* kimutatja a valótlanságát *[vádnak]* • *mn* **disprovable**
disputable [dɪˈspjuːtəbl] *mn* vitatható, vitás, kétségbevonható, kétséges • *hsz* **disputably**
disputant [dɪˈspjuːtənt] *mn/fn* vitatkozó, disputáló
disputation [ˌdɪspjʊˈteɪʃn ‖ –pjə–] *fn* **1.** megvitatás, megtárgyalás, megbeszélés *[témáé]* **2.** vita, vitatkozás
disputatious [ˌdɪspjʊˈteɪʃəs ‖ –pjə–] *mn* vitatkozó, kötekedő, veszekedő • *fn* **disputatiousness**
dispute [dɪˈspjuːt, ˈdɪspjuːt] **I. A.** *tni* **1.** veszekszik, civakodik **2.** ~ **against/with sy about/on sg** megvitat vkvel vmt, vitatkozik vkvel vmről **B.** *tsi* **1. a)** megvitat, megbeszél *[kérdést]*, vitat **b)** megkérdőjelez **2.** ellenáll *[előnyomulásnak, partraszállásnak]* **II.** *fn* **1.** vita, vitatkozás; **the matter in** ~ a szóban forgó ügy; **beyond/past/without** ~ vitathatatlan, kétségbevonhatatlan, nem vitás; **without** ~ vita nélkül; *jog* **case under** ~ peres ügy **2.** veszekedés, szóváltás • *fn* **disputer**
disqualification [dɪsˌkwɒlɪfɪˈkeɪʃn ‖ –ˌkwɑ–] *fn* **1. a)** kizárás, diszkvalifikálás, diszkvalifikáció *[versenyből]* **b)** kizáró ok, akadály **2.** alkalmatlanná/képtelenné tétel **3.** alkalmatlanság; *jog* ~ **to act** cselekvésképtelenség, cselekvőképtelenség
disqualify [dɪsˈkwɒlɪfaɪ ‖ –ˈkwɑ–] *tsi* **1.** kizár, diszkvalifikál *[vkt versenyből, pályázatból stb.]* **2.** alkalmatlanná tesz *(for* vmre) *[körülmény]*, meggátol, akadályoz *(for* vmben) **3.** *jog* jogképtelennek/cselekvőképtelennek nyilvánít (vkt) • *mn* **disqualifying**
disquiet [dɪsˈkwaɪət] **I.** *fn* nyugtalanság, izgatottság, zaklatottság, háborgás *[kedélyé]* **II.** *tsi* nyugtalanít, izgat, felkavar, zaklat, aggaszt • *mn* **disquieting** *hsz* **disquietingly**
disquieten [dɪsˈkwaɪətən] → **disquiet** II.
disquietness [dɪsˈkwaɪətnəs] *ritk* → **disquietude**
disquietude [dɪsˈkwaɪətjuːd ‖ –tuːd] *fn* nyugtalanság, nyugtalankodás, aggódás, aggodalom
disquisition [ˌdɪskwɪˈzɪʃn] *fn* értekezés • *mn* **disquisitional**
disrate [dɪsˈreɪt] *tsi* lefokoz *[tengerész altisztet]*
disregard [ˌdɪsrɪˈgɑːd ‖ –ˈgɑrd] **I.** *tsi* figyelmen kívül hagy, nem vesz figyelembe, elhanyagol *[tényt, körülményt]*, nem törődik/számol/gondol (vkvel, vmvel); ~ **an order** parancsot megszeg; **~ing details** nem törődve a részletekkel, a részletek mellőzésével **II.** *fn* semmibevevés, figyelmetlenség, nemtörődömség, tiszteletlenség • *mn* **disregardful**
disrelish [dɪsˈrelɪʃ] **I.** *fn* utálat, ellenszenv **II.** *tsi* irtózik, utál (vmt)

disremember [ˌdɪsrɪˈmembə ‖ –ər] *tsi* elfelejt, nem emlékszik *[vmire]*
disrepair [ˌdɪsrɪˈpeə ‖ –ˈper] *fn* megrongálódás, rongált/elhanyagolt állapot *[házé stb.]*; **be in ~** düledezik; rozoga (állapotban van); **fall into ~** megrongálódik, tönkremegy, (el)pusztul
disreputable [dɪsˈrepjʊtəbl ‖ –pjətəbl] *mn* **1.** szégyenletes, gyalázatos **2.** rosszhírű, hírhedt; **~ house** rossz(hírű) ház **3.** szánalmas, siralmas *[ruházat]* • *fn* **disreputableness** *hsz* **disreputably**
disrepute [ˌdɪsrɪˈpjuːt] *fn* rossz hír(név), szégyen, csúfság; **bring sy/sg into ~** rossz hírét költi vknek/vmnek; **fall into ~** rossz hírbe kerül
disrespect [ˌdɪsrɪˈspekt] **I.** *fn* tiszteletlenség **II.** *tsi* tiszteletlenül viselkedik (vkvel/vmvel szemben), tiszteletlenül bánik (vkvel/vmvel) • *mn* **disrespectful** *hsz* **disrespectfully**
disrobe [dɪsˈroʊb] **A.** *tsi* **1.** levetkőztet, leveszi/lesegíti a ruhát (vkről) **2.** *átv* megfoszt (vmtől) **B.** *tni* **1.** levetkőzik, leveszi/leveti ruháját, leteszi/leveti hivatalos öltözetét (v. díszruháját) **2.** lemond, leteszi a hivatalát • *fn* **disrobement**
disrupt [dɪsˈrʌpt] *tsi* **1.** megszakít, félbeszakít *[találkozót, beszédet]* **2.** szétzúz, széttör, szétrepeszt, megrepeszt, feldarabol, szétdarabol *[birodalmat]*, szétrombol, megbont, felbomlaszt **3.** erőszakkal szétválaszt, összeomlását előidézi, szétzülleszt *[birodalmat]* • *fn* **disrupter**, **disruption**
diss [dɪs] *tsi US szl* → **dis**
dissatisfaction [ˌdɪssætɪsˈfækʃn] *fn* elégedetlenség, kielégületlenség
dissatisfactory [ˌdɪssætɪsˈfæktəri] *mn* nem kielégítő, elégtelen
dissatisfy [dɪsˈsætɪsfaɪ] *tsi* nem elégít ki, elégedetlenné tesz, kielégületlenül hagy • *mn* **dissatisfied**
dissaving [dɪˈseɪvɪŋ] *fn* költekezés, a takarékosság hiánya
dissect [dɪˈsekt, daɪ–] *tsi* **1.** felboncol *[hullát]*, preparál *[növényt]*, apróra szétvág/szétdarabol **2.** *átv* boncolgat, vizsgál, taglal, elemez *[irodalmi művet]* • *fn* **dissector**, **dissection**
dissecting room [dɪˈsektɪŋ–, daɪ–] *fn* boncoló(terem), boncterem
dissemble [dɪˈsembl] **A.** *tsi* **1.** leleplez, takargat, (el)titkol, (el)palástol, rejteget *[érzelmeket stb.]* **2.** színlel, vmt megjátszik; **~ oneself** tetteti magát **3.** ignorál (vkt vmt), nem vesz tudomásul, keresztülnéz (vkn) **B.** *tni* színlel, érzelmeit/indítékát palástolja • *fn* **dissembler**
dissembled [dɪˈsembld] *mn* színlelt, tettetett; **~ thought** hátsó gondolat
dissembling [dɪˈsemblɪŋ] *mn* **1.** képmutató, alakoskodó **2.** titkolódzó, palástoló
disseminate [dɪˈsemɪneɪt] *tsi* **1.** elhint, elszór *[magot]* **2.** *átv* (széles körben)(el)terjeszt, elhint *[nézetet, tant]* • *fn* **dissemination**, **disseminator**
disseminated sclerosis *fn orv* sclerosis multiplex
dissension [dɪˈsenʃn] *fn* széthúzás, viszály, nézeteltérés; **sow ~** viszályt kelt, elhinti a viszály magvát
dissent [dɪˈsent] **I.** *fn* **a)** nézeteltérés, véleményeltérés, eltérő vélemény **b)** szakadárság, elszakadás *[bevett felekezettől]* **c)** eltérő nézet/vélemény kinyilvánítása/megnyilvánulása **II.** *tni* **a)** eltér a véleménye, más véleményen van, nem ért egyet (vkvel vmben) **b)** szakadár nézeteket vall • *mn* **dissenting**
dissenter [dɪˈsentə ‖ –ər] *fn* **a)** elszakadó, elpártoló **b)** *GB* **D~** ‹a angol/skót egyháztól elszakadt szektás› nem anglikán protestáns, disszenter, nonkonformista
dissentient [dɪˈsenʃɪənt] **I.** *mn* más véleményű, ellenkező, nemleges *[szavazat]*; **without a ~ voice** egyhangúlag **II.** *fn* más véleményen levő egyén, ellenző *[szavazásra kerülő javaslaté]*, nemmel szavazó
dissertate [ˈdɪsəteɪt ‖ –sər–] *tni* értekezik
dissertation [ˌdɪsəˈteɪʃn ‖ ˌdɪsər–] *fn* értekezés, disszertáció • *fn* **dissertator**

disservice [dɪˈsɜːvɪs ‖ –ˈsɜr–] *fn* rossz szolgálat • *mn* **disserviceable**
dissever [dɪˈsevə ‖ –ər] **A.** *tsi* elválaszt, szétválaszt, elkülönít **B.** *tni* szétválik, elkülönül
dissidence [ˈdɪsɪdəns] *fn* **a)** másvéleményűség, véleménykülönbség, másként gondolkodás, nézeteltérés, elvi ellentét **b)** (el)szakadás, elpártolás *[egyháztól]*, kiválás *[egyházból, pártból]*
dissident [ˈdɪsɪdənt] **I.** *mn* **a)** eltérő véleményű, másként gondolkodó **b)** elpártoló, elszakadó **II.** *fn* **a)** másként gondolkodó személy **b)** szakadár, átpártoló, kilépő (tag), disszidens *[pártból]*
dissimilar [dɪˈsɪmɪlə ‖ –ər] *mn* eltérő, különböző, más (mint vk/vm), másnemű • *fn* **dissimilarity**
dissimilate [dɪˈsɪmɪleɪt] *nyelv* **A.** *tsi* disszimilál, elhasonít **B.** *tni* elhasonul, disszimilálódik • *fn* **dissimilation**, *mn* **dissimilatory**
dissimile [dɪˈsɪmɪliː] *fn [szónoki]* szembeállítás
dissimilitude [ˌdɪsɪˈmɪlɪtjuːd ‖ –tuːd] *fn* különbözőség, eltérés, másféleség
dissimulate [dɪˈsɪmjʊleɪt ‖ –jə–] **A.** *tsi* (el)leplez, (el)titkol, palástol, takargat **B.** *tni* színlel, alakoskodik, nem őszinte • *fn* **dissimulation**, **dissimulator**
dissipate [ˈdɪsɪpeɪt] **A.** *tsi* **1.** szétszór, szétoszlat *[szél felhőket]*, elűz, messzire űz, (el)oszlat *[tudatlanságot]* **2.** eltékozol, elherdál, elfecsérel **B.** *tni* **1.** eloszlik, szertefoszlik, szétszóródik **2. a)** kicsapong(ó életmódot folytat), züllik **b)** szórakozik, mulat(ozik) • *mn* **dissipated**, **dissipative**
dissipation [ˌdɪsɪˈpeɪʃn] *fn* **1. a)** szétszórás, szétoszlatás **b)** eltékozlás, elherdálás, elfecsérlés **2.** szétoszlás, szétfoszlás, szertefoszlás, szétszóródás; **~ of mind** szórakozottság **3.** kicsapongás, züllött/kicsapongó életmód, élvezethajhászás **4.** kikapcsolódás
dissociate [dɪˈsoʊsieɪt ‖ –ʃieɪt] **A.** *tsi* **a)** elhatárol; **I'd like to ~ myself from his views** szeretném elhatárolni magam az ő nézeteitől **b)** elkülönít, szétválaszt **c)** *vegy* szétbont, (fel)bont, disszociál **d)** *pszich* tudathasadásossá tesz, tudathasadást okoz *[vkinél]* **B.** *tni* szétbomlik, (fel)bomlik, disszociál(ódik) *[vegyület stb.]* • *mn* **dissociative**
dissociated personality *fn pszich* tudathasadásos személyiség
dissociation [dɪˌsoʊsiˈeɪʃn] *fn* **1.** elkülönítés, szétválasztás, elválasztás **2.** *vegy* szétbontás, (fel)bontás **3.** *pszich* tudathasadás
dissoluble [dɪˈsɒljʊbl ‖ –ˈsɑljəbl] *mn* **1.** (fel)oldható, oldódó, szétbomlasztható **2.** felbontható *[házasság stb.]* • *fn* **dissolubility**
dissolute [ˈdɪsəluːt] *mn* kicsapongó, züllött, romlott, léha, feslett *[életmód]* • *fn* **dissoluteness** *hsz* **dissolutely**
dissolution [ˌdɪsəˈluːʃn] *fn* **1. a)** feloldás, felolvasztás, cseppfolyósítás **b)** felbontás, megsemmisítés *[házasságé]*, feloszlatás *[parlamenté]*, eltörlés, megszüntetés *[intézményé]* **2. a)** *vegy* (fel)oldódás **b)** felbomlás, feloszlás *[intézményé]* **c)** feloszlás, megsemmisülés, pusztulás *[élő szervezeté]* **3.** *régi* kicsapongás, züllöttség, romlottság
dissolve [dɪˈzɒlv ‖ dɪˈzɑlv] **I. A.** *tsi* **1.** felold, felolvaszt, felbont, cseppfolyósít **2.** eloszlat, szétszór, eloszlat, szertefoszlat **3.** feloszlat *[társaságot, parlamentet]*, megszüntet *[intézményt]*, felbont *[házasságot]* **4.** *film* átúsztat; **~ a scene into a succeeding one** egy jelenetet/képet átúsztat a következőbe **B.** *tni* **1.** (fel)oldódik, megolvad, felolvad; *biz* **~ into tears** könnyekre fakad, könnye(ket) ont **2.** (el)oszlik, szétszóródik, (szét)oszlik **3.** feloszlik *[társaság, parlament]* **4.** *film* áttűnik, átúszik, átkopírozódik **II.** *fn film média* áttűnés, átúszás • *mn* **dissolvable**, **dissolving**
dissolvent [dɪˈzɒlvənt ‖ –ˈzɑl–] **I.** *mn régi* feloldó, felbontó **II.** *fn* oldószer
dissolver [dɪˈzɒlvə ‖ dɪˈzɑlvər] *fn* **1.** *film* áttűnő blende **2.** oldószer

dissonance ['dɪsənəns] *fn* **1.** rossz hangzás, disszonancia, diszharmónia **2.** *átv* egyenetlenség, éles eltérés, ellentét, viszály
dissonant ['dɪsənənt] *mn* **1.** disszonáns, hamis **2.** *átv* élesen elütő, bántóan különböző, kirívó (vmből) • *hsz* **dissonantly**
disspread [dɪ'spred] → **dispread**
dissuade [dɪ'sweɪd] *tsi* ~ **sy from (doing) sg** lebeszél vkt vmről, eltántorít vkt vmtől • *fn* **dissuasion** *mn* **dissuasive**
dissymmetry [dɪ'sɪmɪtri] *fn* részaránytalanság, aszimmetria • *mn* **dissymmetric, dissymmetrical**
dist. *röv* **1.** *distance* **2.** *district*
distaff ['dɪstɑ:f ‖ 'dɪstæf] *fn* **1.** guzsaly **2.** női munka
distaff side *fn* női/anyai ág, leányág; **on the ~ side** anyai ágon, nőágon, leányágon
distal ['dɪstl] *mn* a központtól távol eső, távoli, disztális
distance ['dɪstəns] **I.** *fn* **1. a)** távolság; **at a ~ of five miles** öt mérföld(nyi)re, öt mérföld *[vhonnan]*; **within hearing/speaking ~** hallótávolságban, hallótávolságra; **it is within ten minutes walking ~** gyalog tíz perc **b)** táv, térköz; **follow sy at a ~** távolból/messziről követ vkt **c)** időköz, közbeeső idő; **at this ~ of time** ennyi idő távlatából **d) ~ of manner** tartózkodó/hűvös magatartás, zárkózottság; **keep one's ~** megtartja a három lépés távolságot; **keep sy at a ~** vkt nem ereszt közel magához **2.** messzeség, a messze/távol; **the ~s** háttér *[festményen]*; **see sg in the ~** a távolban lát vmt **3.** táv, útszakasz; **hire a car by ~** kilométerdíjjal bérel gépkocsit **II.** *tsi* **1.** *sp* térelőnybe kerül, térelőnyt nyer (vkvel szemben) *[versenyben]*, *átv* megelőz, lehagy **2.** távolabb/odébb tesz/visz **3.** *ritk* távolinak mutat **4. ~ oneself from sg** elhatárolja magát vmtől
distance learning *fn* távtanulás, távoktatás(ban való részvétel)
distance-post *fn* távjelző oszlop, kilométeroszlop
distance runner *fn sp* közép- és hosszútávfutó
distance teaching *fn* távoktatás
distant ['dɪstənt] *mn* **1. a)** távoli, messzi; **in the ~ future** a távoli jövőben; **a ~ memory** halovány emlék; **~ look** réveteg/révedező (v. a semmibe meredő) tekintet; **have a ~ view of sg** messziről lát vmt **b) four miles ~** négy mérföldre, négy mérföld távolságban; **not far ~ from sg** nem messze vmtől **2.** zárkózott, tartózkodó, kimért, hideg, hűvös *[ember, modor]*; **~ politeness** hűvös/kimért udvariasság; **be ~ with sy** tartózkodó vkvel szemben • *hsz* **distantly**
distant early warning *fn rep* nagy távolságú felderítés
distant signal *fn GB vasút* előjelző, távjelző
distaste [dɪs'teɪst] *fn* utálat, ellenszenv
distasteful [dɪs'teɪstfl] *mn* **1.** rossz ízű, undorító *[étel]* **2.** utálatos, undorító, ellenszenves, visszataszító • *fn* **distastefulness**
distemper[1] [dɪ'stempə ‖ −ər] *fn* **1.** állatbetegség, kutyabetegség; **canine ~** szopornyica, takonykór **2.** politikai zűrzavar/nyugtalanság
distemper[2] [dɪs'tempə ‖ −ər] **I.** *fn* **1. a)** enyvfesték, falfesték **b)** tempera **2.** enyvfestékkel/temperával való festés **II.** *tsi* enyvfestékkel/temperával (be)fest *[falat stb.]*
distempering [dɪ'stempərɪŋ] *fn* **a)** falfestés, mészfestés, vakolatfestés **b)** temperafestés
distend [dɪ'stend] **A.** *tsi* felfúj, felpuffaszt, kitágít *[orrlyukat]* **B.** *tni* felfúvódik, felpuffad, feldagad, megduzzad, kitágul *[orrlyuk]* • *fn* **distensibility, distension** *mn* **distendable, distended, distensible**
distich ['dɪstɪk] *fn ir.tud* disztichon
distichous ['dɪstɪkəs] *mn növ* két sorban álló
distil [dɪ'stɪl] *i US* **-ll- A.** *tsi* **1. a)** lepárol, desztillál *[vizet, szeszt]*, finomít; **~ sg off/out** kipárol vmt **b)** *átv* leszűr, kivon *[tanítást, bölcsességet]* **2.** csepegtet, cseppenként kiválaszt, kiválaszt, kiizzad *[nedvet fa]* **B.** *tni* **1.** lepárlódik **2.** szivárog *[pl. gyanta fából]* **3.** csordogál **4.** (le)csepeg, szivárog • *mn* **distillatory, distilled**
distillate ['dɪstɪlət] *fn* párlat
distillation [ˌdɪstɪ'leɪʃn] *fn* **1 a)** lepárlás, desztillálás, desztilláció; *körny* **destructive ~** destruktív disztilláció **b)** pálinkafőzés
distiller [dɪ'stɪlə ‖ −ər] *fn* **1.** pálinkafőző, lepároló (személy) **2.** párolókészülék, lepárló(készülék), pálinkafőző (készülék)
distillery [dɪ'stɪləri] *fn* lepároló(üzem), szeszfőzde
distinct [dɪ'stɪŋkt] *mn* **1.** külön(böző), eltérő, elütő, megkülönböztethető; **keep sg ~ from sg** elkülönít, szétválaszt; **town life as ~ from country life** városi élet a vidéki élettel szemben **2. a)** tiszta, világos, pontos, pontosan érthető; **~ writing** tiszta/olvasható írás **b)** határozott; **have a ~ advantage over sy** kifejezett előnyt élvez vkvel szemben; **~ improvement** határozott/tagadhatatlan/észrevehető javulás/fejlődés • *fn* **distinctness**
distinction [dɪ'stɪŋkʃn] *fn* **1.** megkülönböztetés, különbségtétel; **make/draw a ~ between two things** különbséget tesz két dolog között; **without ~ (of persons)** tekintet nélkül a személyekre; **a ~ without a difference** szőrszálhasogatás; **in ~ to...** ...-től eltérően, ...-vel szemben/ellentétben **2. a)** különbség, megkülönböztető jegy/vonás **b)** egyéni jelleg, sajátos vonás *[öltözködésben, stílusban]* **3.** kitüntetés **4. a)** kiválóság, kitűnőség; **with ~** jelesen, kitüntetéssel; *okt* **passed with ~** kitűnően megfelelt **b)** hír(név); **a writer of ~** híres/neves/kitűnő író; **have the ~ of** az a híre, hogy
distinctive [dɪ'stɪŋktɪv] *mn* megkülönböztető, jellegzetes; *nyelv* **~ feature** megkülönböztető jegy • *fn* **distinctiveness** *hsz* **distinctively**
distinctive-looking *mn* egyéni/jellegzetes/sajátos külsejű
distinctly [dɪ'stɪŋktli] *hsz* **a)** tisztán, világosan *[érzékel]*, tisztán, (jól) olvashatóan *[ír]*, világosan, pontosan, érthetően, szabatosan *[fogalmaz]*, tagoltan *[beszél]*; **~ visible** jól látható/kivehető **b)** félreérthetetlenül, határozottan, nyomatékosan; **I told them ~** félreérthetetlenül megmondtam nekik, világosan értésükre adtam
distingué [dɪ'stæŋgeɪ ‖ ˌdi:stæŋ'geɪ] *mn* előkelő, finom, disztingvált
distinguish [dɪ'stɪŋgwɪʃ] **A.** *tsi* **1.** megkülönböztet; **as ~ed from the others** a többiektől eltérően **2.** kivesz, felismer, meglát **3.** kiemel, híressé tesz (vkt), *pej* hírhedtté tesz; **~ oneself** kiválik, kitűnik **4.** megkülönböztetett bánásmódban részesít, megkülönböztetett figyelemmel kezel **5.** oszt(ályoz) *[csoportokba, osztályokba stb.]* **B.** *tni* különbséget tesz, disztingvál • *mn* **distinguishable** *hsz* **distinguishably**
distinguished [dɪ'stɪŋgwɪʃt] *mn* **1.** kiváló, kitűnő **2.** előkelő, finom, disztingvált; **he looks ~** előkelő megjelenésű
distinguishing feature *fn* megkülönböztető jegy/jel
distort [dɪ'stɔ:t ‖ dɪ'stɔrt] **A.** *tsi* **a)** eltorzít, elgörbít, kicsavar, kiforgat **b)** elferdít, meghamisít, elferdít, eredeti alakjából/értelméből kiforgat *[szót]* **B.** *tni* elgörbül, elferdül, elhajlik • *mn* **distorted**
distortion [dɪ'stɔ:ʃn ‖ dɪ'stɔrʃn] *fn* **1. a)** eltorzítás, elgörbítés, elferdítés **b)** *átv* elferdítés, meghamisítás, hamis beállítás **c)** *fiz* torzítás **2. a)** eltorzulás, elgörbülés, elferdülés, elhajlás **b)** *távk* torzítás, képtorzítás *[televízióé]* • *mn* **distortional, distortionless**
distortionist [dɪ'stɔ:ʃnˑɪst ‖ −'stɔr−] *fn* **1.** (cirkuszi) gumiember, akrobata **2.** torzképrajzoló, karikaturista
distract [dɪ'strækt] *tsi* **1. a)** elterel, eltérít, elvon *[gondolatot, figyelmet]* **b)** szórakoztat **2. a)** megzavar, nyugtalanít, felzaklat **b)** megháborít, megőrjít, megtébolyít • *mn* **distracted** *hsz* **distractedly**
distraction [dɪ'strækʃn] *fn* **1. a)** elterelés, figyelemelvonás **b)** háborgatás, (meg)zavarás *[munka közben]* **c)** zavaró/(figyelem)elterelő tényező **2.** szórakozás, kikapcsolódás

3. nyugtalanság, zaklatottság **4.** őrület, téboly(odottság), elmezavar; **drive sy to ~** megőrjít vkt; **love sy to ~** eszeveszetten szeret vkt

distrain [dɪˈstreɪn] **A.** *tsi jog* lefoglal, zár alá vesz **B.** *tni jog* foglal (*upon* vknél), végrehajtást foganatosít (vk ellen); *jog* **~ upon sy's belongings** lefoglalja vk ingóságait • *fn* **distrainer**, **distrainor**, **distrainment**

distrainable [dɪˈstreɪnəbl] *mn jog* lefoglalható *[ingóságok]*

distrainee [ˌdɪstreɪˈniː] *fn jog* zálogolást szenvedő, előzetes végrehajtás szenvedője *[adós]*

distraint [dɪˈstreɪnt] *fn jog* zálogba vétel, lefoglalás; **~ of property** ingóságok lefoglalása; **~ of one's salary** fizetésletiltás; **furniture under ~** lefoglalt bútor

distrait [ˈdɪstreɪ ‖ dɪˈstreɪ] *mn* szórakozott, figyelmetlen

distraite [dɪˈstreɪt] → **distrait**

distraught [dɪˈstrɔːt] *mn* zavart, zaklatott; háborodott, őrült, tébolyult

distress [dɪˈstres] **I.** *fn* **1. a)** aggodalom, szorongás, fájdalom **b)** kimerültség, fáradtság **2.** nyomor(úság), ínség; **relieve ~** nyomort enyhít **3.** baj, (vég)szükség; **~ call** vészhívás, vészjelzés, SOS(-jel); *rep* **~ landing** kényszerleszállás; **~ signal** vészjel; *hajó* **flag of ~** vészjelző zászló; *hajó* **port of ~** szükségkikötő; **be in ~** bajban/veszélyben van; *hajó* **ship in ~** súlyos vészhelyzetben levő hajó **4.** *jog* → **distraint II.** *tsi* **1.** lesújt, (el)csüggeszt, aggaszt, bánt; **~ oneself** aggódik, gyötrődik, emészti magát **2.** kifáraszt, kimerít **3.** (kellemetlen helyzetbe) kényszerít **4.** lefoglal *[ingóságot]*

distressed [dɪˈstrest] *mn* **1.** szomorú, vigasztalan, levert **2.** kimerült, kifáradt **3.** nyomorgó, ínséges **4.** *hajó* súlyos veszélyben levő **5.** *jog* lefoglalt *[ingóság]* • *mn* **distressful**, **distressing**

distressed area *fn gazd* válságövezet

distress-gun *fn* vészjelző segélykérő ágyúlövés

distress-sale *fn* nyilvános árverés, kényszerárverés

distress warrant *fn jog* végrehajtást elrendelő végzés

distributable [dɪˈstrɪbjutəbl ‖ –bjətəbl] *mn* elosztható, szétosztható, feloszható

distributary [dɪˈstrɪbjutəri ‖ –bjəteri] *fn* **a)** *földr* folyóleágazás **b)** elosztó csatorna

distribute [dɪˈstrɪbjuːt] *tsi* **1. a)** kioszt, szétoszt, feloszt, oszt(ogat), adagol *[élelmiszert]* **b)** *gazd* eloszt, terít, kereskedik **c)** (egyenletesen) eloszt, elszór, szétszór *[felületen]*; **widely ~d** általánosan elterjedt **2.** *pénz* fizet *[osztalékot]* • *fn/mn* **distributing**

distributed system *fn infor* (el)osztott rendszer; *infor* **~ processing** elosztott feldolgozás

distribution [ˌdɪstrɪˈbjuːʃn] *fn* **1.** elosztás, kiosztás, szétosztás; *nyelv* **complementary ~** kiegészítő eloszlás; **prize ~** díjkiosztás, jutalomosztás **2. a)** eloszlás, megoszlás; **frequency ~** gyakorisági megoszlás *[statisztikában]*; **statistical ~** statisztikai megoszlás; **~ function** el-/megoszlási függvény; **~ of debts** az adósságok megoszlása; **~ of wealth** vagyoneloszlás **b)** ‹a lapok színek szerinti megoszlása a kézben› elosztás; **~ of trumps** aduelosztás **3.** osztályozás, *mat* csoportosítás • *mn* **distributionable**

distribution box *fn vill* elosztószekrény, kapcsolószekrény

distributive [dɪˈstrɪbjutɪv ‖ –bjətɪv] **I.** *mn* **1.** elosztó, szétosztó **2. a)** osztó *[névmás]* **b)** nagy elterjedtségű **c)** *mat* disztributív **d)** *fil* egyes esetekre vonatkozó **II.** *fn* osztó névmás/számnév • *hsz* **distributively**

distributor [dɪˈstrɪbjutə ‖ –bjətər] *fn* **1. a)** elosztó, kiosztó, kihordó *[számláké, leveleké]* **b)** képviselet *[árucikké]*, közvetítő kereskedő, disztribútor **2.** szabályozókészülék, elosztó fővezeték, adagoló, *gk* gyújtáselosztó

district [ˈdɪstrɪkt] **I.** *fn* **a)** kerület, körzet; *US* **congressional ~** választókerület; **postal ~** postai körzet **b)** vidék, terület, körzet **II.** *tsi* kerületekre/körzetekre oszt, *US* választókerületekre oszt

district attorney *fn US* államügyész

district court *fn* körzeti bíróság

district heating *fn* távfűtés

district nurse *fn* körzeti/kerületi ápolónő, gondozónő (vér)

distrust [dɪsˈtrʌst] **I.** *fn* bizalmatlanság, gyanakvás (*of* vkvel/vmvel szemben) **II.** *tsi* nem bízik (vkben/vmben), nem hisz (vknek/vmnek) • *mn* **distrustful** *hsz* **distrustfully**

disturb [dɪˈstɜːb ‖ dɪˈstɜrb] *tsi* **1. a)** (meg)zavar, háborgat (vkt), felkavar, összezavar, széthány *[iratokat]*; **please don't ~ yourself, don't let me ~ you** kérem, ne zavartassa magát **b)** háborít, háborgat *[vkt vmnek a birtoklásában/élvezésében]* **2.** nyugtalanít, izgat, aggaszt; *pénz* **~ed market** nyugtalan piac

disturbance [dɪˈstɜːbəns ‖ –ˈstɜr–] *fn* **1. a)** megzavarás, háborgatás **b)** *jog* birtokháborítás, birtoklásban való akadályozás **2.** zavar *[gép működésében, légkörben stb.]*; *biol* **~ of development/growth** fejlődési zavar/rendellenesség **3.** csendháborítás, zavargás, felfordulás **4.** izgalom, izgatottság, nyugtalanság, zűrzavar *[gondolkodásé]*

disturbed [dɪˈstɜːbd ‖ dɪˈstɜrbd] *mn pszich* zavart *[lelkiállapotú]*

disturber [dɪˈstɜːbə ‖ dɪˈstɜrbər] *fn* **1.** zavaró/alkalmatlankodó/háborgató ember/személy **2.** rendbontó, csendháborító

disturbing [dɪˈstɜːbɪŋ ‖ –ˈstɜr–] *mn* **1.** zavaró **2.** nyugtalanító, izgató

disulphide [daɪˈsʌlfaɪd], *US* **disulfide** *fn vegy* diszulfid

disunion [dɪsˈjuːnɪən] *fn* **1.** különválás, szétválás **2.** viszály, meghasonlás • *tsi* **disunite** *fn* **disunity**

disuse [dɪsˈjuːs] **I.** *fn* nem használás, használatlanság; **fall into ~** kimegy a divatból, elavul; használatból kikopik *[gép stb.]*; *átv* lomtárba kerül **II.** *tsi* (már) nem használ, (már) nem folytat vmt • *mn* **disused**

disutility [ˌdɪsjuːˈtɪləti] *fn* **1.** ártalmasság, veszélyesség **2.** *közg* kellemetlen/kedvezőtlen hatás

disutilize [dɪsˈjuːtɪlaɪz] *tsi* hasznavehetetlenné tesz, tönkretesz

dit [dɪt] → **dot[1]** I.1.b.

ditch [dɪtʃ] **I.** *fn* **a)** árok, csatorna; **drainage ~** lecsapoló/víztelenítő árok **b)** lövészárok; **to the last ~** körömszakadtáig, utolsó leheletéig **II. A.** *tsi* **1.** árokkal vesz körül, árkot ás **2. a)** árokba vezet/hajt; **~ one's car** autójával az árokba hajt; *US* **be ~ed** zátonyra fut, megfeneklik **b)** *US* kisiklat *[vonatot]* **3.** *átv* cserben hagy, elhagy **4.** *szl [szakít vkvel]* dob, ejt **B.** *tni* **1.** árkol, árkot ás **2.** árokba esik/fordul *[autó]* • *fn* **ditching**

ditcher [ˈdɪtʃə ‖ –ər] *fn* **1.** árokásó **2.** kanalas kotró

ditchwater *fn* álló/poshadó víz *[árokban]*; *biz* **it's as clear as ~** világos, mint a vakablak; **it is dull as ~** halálosan unalmas

ditheism [ˈdaɪθiːɪzm] *fn* kétistenhit

dither [ˈdɪðə ‖ –ər] **I.** *tni* **1.** *biz* habozik, nem tud határozni **2.** remeg, reszket **II.** *fn* habozás, határozatlanság, vacillálás; *biz* **have the ~s** egész testében (v. minden ízében) remeg/reszket, cidrizik • *fn* **dithering** *mn* **dithered**

dithering-grass *növ* rezgő pázsit

dithery [ˈdɪðəri] *mn biz* **feel ~** ideges, izgatott; v. minden ízében remeg/reszket

dithyramb [ˈdɪθɪræm] *fn ir.tud* ditirambus, bacchusi dal, bordal • *mn* **dithyrambic**

ditto [ˈdɪtoʊ] **I.** *hsz* ugyanaz, dettó **II.** *fn tsz* **dittos** **1.** másolat, hasonló dolog; **say ~ to sy** egy véleményen van vkvel **2. ~ (mark)** macskaköröm, dettó(jel) **III.** *i* **-o(e)s, -oing, -oed A.** *biz tsi* másolatot/duplikátot készít **B.** *tni* ugyanazt teszi/mondja, utánoz

dittography [dɪˈtɒgrəfi ‖ –ˈtɑ–] *fn* betűismétlés/szóismétlés tévedésből *[gépelésben]* • *mn* **dittographic**

ditto mark → **ditto** II.2.

ditzy [ˈdɪtsi] *mn US szl* **1.** *[buta]* hülye, barom **2.** *[öntelt]* megjátszós **3.** *[csinos, helyes]* klassz, dögös, csini **4.** *[bonyolult, tekervényes, kusza]* furmányos

ditty [ˈdɪti] *fn* dal, nóta, dal szövege

ditty-bag *fn kat* varrózsák *[tengerészé, halászé]*

diuresis [ˌdaɪjʊˈriːsɪs] *fn orv* (fokozott) vizeletkiválasztás, diuresis

diuretic [ˌdaɪjʊˈretɪk] **I.** *mn orv* vizelethajtó, húgyhajtó **II.** *fn orv* vizelethajtó (szer), húgyhajtó (szer)

diurnal [daɪˈɜːnl ‖ –ˈɜr–] *mn* **1.** nappali *[pillangó, madár, virág]* **2.** mindennapos, mindennapi **3. a)** *csill* (egy) napi; ~ **circle** napi kör **b)** egynapi, egy napig élő *[állat, növény]* • *hsz* **diurnally**

div. *röv* **1.** *dividend* **2.** *division*

diva [ˈdiːvə ‖ ˈdiːveɪ] *fn* ünnepelt énekesnő, díva

divagate [ˈdaɪvəgeɪt] *tni* **1.** kóborol, kószál, elcsatangol **2.** elkalandozik, eltér *[a tárgytól]*, csapong *[előadásában]* • *fn* **divagation**

divalent [daɪˈveɪlənt] *mn vegy* két vegyértékű

divan [dɪˈvæn] *fn* **1.** kerevet, dívány **2.** *tört* a Díván; ‹török államtanács›

divaricate I. *mn* [dɪˈværɪkət] villás, szétágazó, kettéoszló **II.** *tni* [dɪˈværɪkeɪt ‖ –ˈverɪ–] szétágazik, kettéoszlik • *fn* **divarication**

dive [daɪv] **I.** *i pt/pp* **dived**, *pt/US* **dove** [doʊv] **A.** *tni* **1. a)** fejest ugrik, beugrik *[vízbe]*, lemerül, alámerül *[tengeralattjáró]*, lebukik, alábukik *[búvár]* **b)** bukik, zuhan *[repülőgép]*; ~ **down on the enemy** ellenfélre lecsap/rácsap *[repülő]* **c)** belemerül, beleveti magát; *biz* ~ **into a mystery** beleveti magát (v. belemerül) egy titok/rejtély kibogozásába **2.** *biz* ~ **into the bushes** eltűnik a bokrok közt; *biz* ~ **into one's pocket** gyorsan a zsebébe nyúl **B.** *tsi US biz* bemerít, bedob *[vízbe]* **II.** *fn* **1. a)** lemerülés, alámerülés, alábukás *[víz alá]*, leszállás *[búváré]*; *biz* **make a** ~ **into one's pocket** gyorsan belenyúl a zsebébe **b)** *sp* ugrás, fejes(ugrás), műugrás; **high** ~ toronyugrás **c)** *US sp* tigrisugrás *[tornában]* **2.** *kat* zuhanórepülés, zuhanás **3.** *US szl [rossszhírű szórakozóhely]* lebuj, késdobáló **4.** *sp szl* tettetett kiütés *[ökölvívásban]*, megjátszott szabálytalanság, műesés *[labdarúgásban]*; **take a** ~ *[kiütést színlel, műesést végez]* eldobja magát, színészkedik

dive-bomb A. *tsi rep* zuhanórepüléssel bombáz **B.** *tni rep* zuhanóbombázást hajt végre • *fn* **dive-bomb**, **dive-bombing**

diver [ˈdaɪvə ‖ –ər] *fn* **1. a)** búvár; ~**'s paralysis/palsy** keszonbetegség **b)** *sp* műugró **2.** búvármadár **3.** *szl [zsebtolvaj]* zsebes

diverge [daɪˈvɜːdʒ ‖ dəˈvɜrdʒ] **A.** *tni* széttart, szétágazik, elágazik, eltér, letér *[útról]*, eltér, elüt, szétágazik, különbözik *[több vélemény]* **B.** *tsi* széttartóvá tesz, eltérít

divergent [daɪˈvɜːdʒənt ‖ dəˈvɜr–] *mn* széttartó, divergens *[vonalak]*, eltérő, elütő, szétágazó *[vélemények]* • *fn* **divergence**, **divergency**

divers [ˈdaɪvəz ‖ –vərz] **I.** *mn* több, többféle, különféle; **on** ~ **occasions** több alkalommal, több ízben **II.** *fn tsz* ~ **of them** többen közülük, néhányuk

diverse [ˌdaɪˈvɜːs ‖ dəˈvɜrs] *mn* **1.** különböző, különféle, több(féle), eltérő **2.** vált(ak)ozó, sokféle • *fn* **diverseness** *hsz* **diversely**

diversicoloured [daɪˈvɜːsɪkʌləd ‖ dəˈvɜrsɪkʌlərd] *mn* különböző színű, több színű

diversiform [daɪˈvɜːsɪfɔːm ‖ dəˈvɜrsɪfɔrm] *mn* különböző alakú

diversify [daɪˈvɜːsɪfaɪ ‖ dəˈvɜr–] **A.** *tsi* **1.** változatossá tesz, variál **2.** különböző helyeken/vállalkozásokba fektet be *[pénzt]* **B.** *tni* **a)** terjeszkedik *[cég, vállalat újabb termelési területekre]* **b)** különböző vállalkozásokba kezd *[hogy több lábon álljon]* **c)** választékot szélesít/bővít • *fn* **diversification** *mn* **diversified**

diversion [daɪˈvɜːʃn ‖ dəˈvɜrʒn] *fn* **1. a)** *GB* elterelés, elvezetés *[forgalomé, folyóé]*, terelőút *[jelzőtábla]*, kerülő út **b)** elterelés, eltérítés *[figyelemé]*, *átv* elterelő hadművelet; **create/make a** ~ elvonja/eltereli a figyelmet **2.** szórakozás, időtöltés, kikapcsolódás **3.** elterelő hadmozdulat, diverzió, álharc, áltámadás • *mn* **diversionary**

diversionist [daɪˈvɜːʃənɪst ‖ dəˈvɜrʒə–] *fn* diverzáns, szabotőr

diversity [daɪˈvɜːsəti ‖ dəˈvɜrsəti] *fn* **1.** különbözőség, különféleség, sokféleség, változatosság, eltérés, másság **2.** változat

divert [daɪˈvɜːt ‖ dəˈvɜrt] *tsi* **1. a)** eltérít, elterel, elvezet, ferdén épít *[csövet]*, más célra fordít *[pénzt]* **b)** elterel *[figyelmet stb.]*; ~ **the conversation** másfelé tereli a beszélgetést **2.** szórakoztat, mulattat • *fn/mn* **diverting** *mn* **diverted**

diverticulosis [ˌdaɪvɜːtɪkjʊˈloʊsɪs] *fn orv* diverticulosis

diverticulum [ˌdaɪvəˈtɪkjʊləm ‖ –vər–] *fn tsz* **diverticula** [ˌdaɪvəˈtɪkjʊlə ‖ –vər–] üreg, testüreg

divertimento [dɪˌvɜːtɪˈmentoʊ ‖ dɪˌvɜrtəˈmentoʊ] *fn zene* divertimento

divertissement [dɪˈvɜːtɪsmənt ‖ dɪˈvɜrtəs–] *fn* **1.** *zene* közjáték, táncbetét **2.** divertimento **3.** szórakozás, mulatság

Dives [ˈdaɪviːz] *fn bibl* ‹a gonosz gazdag ember›

divest [daɪˈvest] *tsi* megfoszt (*sy of sg* vkt vmtől); ~ **sy of his clothes** levetkőztet vkt; ~ **oneself of one's clothes** levetkőzik, leveti ruháját; ~ **oneself of sg** megfosztja magát vmtől, megválik vmtől

divestiture [daɪˈvestɪtʃə ‖ –ər], **divesture** *fn* megfosztás *[birtoktól, állástól]*

divestment [daɪˈvestmənt] *fn* **1.** *US közg* → **disinvestment 2.** levetkőztetés **3.** megfosztás *[birtoktól, állástól]*

divi [ˈdɪvi] → **divvy**[1] I.

divide [dɪˈvaɪd] **I. A.** *tsi* **1. a)** (fel)oszt; ~ **in two** kettéoszt **b)** eloszt, feloszt, szétoszt (*among/between* vkk között); ~ **sg with sy** vmn vkvel (meg)osztozik **c)** (el)oszt *[számot]*; ~ **by four** néggyel oszt **2.** elválaszt, elkülönít (*from* vmtől) **3.** megoszt *[egységes közösséget]*, viszályt kelt; **people were ~d on the issue** a vélemények megoszlottak a kérdésben **4.** ~ **the House** egy kérdést szavazásra bocsát a parlamentben **B.** *tni* **1. a)** (fel)oszlik, szétválik (into vmre), elágazik *[út]*, kettészakad *[párt]* **b) fifteen ~s by five** tizenöt osztható öttel **2.** szavaz *[parlament]* **II.** *fn US földr* vízválasztó; **the Great D~** a nagy vízválasztó *[az Andokban]* • *mn* **dividable**, **divided**

divide into *tsi* -ra/-re oszt; ~ **into pieces** részekre/darabokra oszt, feldarabol

divide off *tsi* elválaszt, elkülönít

divide out *tsi* feloszt, szétoszt; *jog* ~ **out the costs between the parties** megosztja a perköltségeket

divide up *tsi* feloszt, feldarabol *[országot]*, felvág *[húst]*, felparcelláz *[földet]*, beoszt *[készleteket]*, feloszt, adagol (vmt), oszt, kiporcióz *[adagokat]*

divided highway *fn US* osztottpályás úttest, autópálya

divided skirt *fn* nadrágszoknya

dividend [ˈdɪvɪdend] *fn* **1.** *pénz* osztalék; **interim** ~ osztalékelőleg; **declare a** ~ osztalékot megállapít **2.** *mat* osztandó

dividend coupon → **dividend warrant**

dividend warrant *fn pénz* osztalékszelvény

divider [dɪˈvaɪdə ‖ –ər] *fn* **1. a)** osztó, osztóbetét, osztófal *[dobozban, fiókban]* **b)** válaszfal, térelválasztó elem **c)** *mat* osztó **d)** viszálykeltő, bajkeverő **2.** *tsz* **dividers** mérőkörző, osztókörző

divi-divi [ˌdɪviˈdɪvi] *fn* **a)** *növ* divi-divi **b)** divi-divi *[termése]*

divination [ˌdɪvɪˈneɪʃn] *fn* **a)** megérzés, divináció, jövőbe látás **b)** jövendölés **c)** vízkutatás varázsvesszővel • *fn* **divinator** *mn* **divinatory**

divine [dɪˈvaɪn] **I.** *mn* **a)** isteni; ~ **service** istentisztelet **b)** *biz* isteni, felséges, mennyei, nagyszerű **II.** *fn* **a)** hittudós, teológus **b)** lelkész **c) the D~** Isten, a Gondviselés **III. A.** *tsi* **a)** megsejt, megérez *[jövőt]*, kitalál **b)** megjövendöl, megjósol **c)** varázsvesszővel keres/kutat *[vizet stb.]* **B.** *tni* jövendöl, jósol • *fn* **diviner** *mn* **divining** *hsz* **divinely**

divine office *fn* istentisztelet, kánoni órák

diving [ˈdaɪvɪŋ] *fn* **1. a)** alábukás, lemerülés, alámerülés *[víz alá]*, leszállás *[búváré]* **b)** *sp* műugrás **2.** *rep* zuhanás, zuhanórepülés
diving beetle *fn áll* csíkbogár; csibor
diving bell *fn* búvárharang
diving board *fn sp* ugródeszka, trambulin; **high ~** ugrótorony
diving dress *fn* búvárruha
diving-gear *fn* búvárszerkezet, búvárfelszerelés
diving-stage *fn sp* ugródeszka, trambulin
diving suit *fn* búvárruha
divining rod *fn* (vízkutató) varázsvessző
divinity [dɪˈvɪnəti] *fn* **1.** istenség, isteni természet **2.** isten(ség) **3. a)** hittudomány, teológia **b)** hittan, hitoktatás
divinize [ˈdɪvɪnaɪz] *tsi* istenként tisztel, istenít • *fn* **divinization**
divisible [dɪˈvɪzəbl] *mn* **a)** (fel)osztható, szétosztható **b)** osztható • *fn* **divisibility**
division [dɪˈvɪʒn] *fn* **1. a)** felosztás, elosztás, megosztás, szétosztás *[többek között]*; **~ of labour** munkamegosztás **b)** beosztás *[fokokra]* **c)** *mat* osztás; **long ~** tizenkettőnél nagyobb osztóval való osztás; **short ~** tizenháromnál kisebb osztóval való osztás **2. a)** szétválasztás, elválasztás, elkülönítés **b)** elválasztás *[szavaké]* **3. a)** megoszlás **b)** (nézet)eltérés, viszály **4.** szavazás *[parlamentben]*; **challenge a ~** szavazást követel; **on a ~** szavazás útján; **without a ~** szavazás nélkül **5.** rész, fejezet, szakasz *[könyvé]* **6.** kerület, körzet; **(parliamentary) ~** választókerület **7. a)** *kat* (had)osztály **b)** *kat* hajóosztag **c)** osztály, fokozat *[az angol köztisztviselői szolgálatban]* **d)** tanács *[törvényszéken]* **e)** *sp* (súly)csoport, kategória **f)** tagozat *[oktatási intézményben]* **g)** részleg **h)** *biol* osztódás, sejtosztódás **8.** fok *[hőmérőn stb.]*, (skála)beosztás, osztás(köz) • *mn* **divisional**
division bell *fn GB* szavazást jelző csengő *[a brit parlamentben]*
division lobby *fn GB* szavazóhelyiség *[a brit parlamentben]*
division sign *fn* osztójel, osztásjel
divisive [dɪˈvaɪsɪv] *mn* megosztó, véleménykülönbséget okozó
divisor [dɪˈvaɪzə ‖ –ər] *fn mat* osztó; **(greatest) common ~** (legnagyobb) közös osztó
divorce [dɪˈvɔːs ‖ –ˈvɔrs] **I.** *fn* **a)** válás *[házasfeleké]*; **~ court** házassági bíróság; **sue/file for a ~, take/start ~ proceedings** válópert indít, válókeresetet ad be; **obtain/get a ~ from sy** elválik vktől **b)** házassági bontóítélet **c)** *biz* szétválás, különválás, elválás, elkülönülés **II.** *tsi* **1.** elválik vktől; **~ sy, be ~d from sy** (el)válik vktől **2. a)** elválaszt *[házasfeleket]*, válást kimond, házasságot felbont *[házasfelek közt]* **b)** *biz* szétválaszt, különválaszt, elválaszt *[dolgokat]* • *fn* **divorcement** *mn* **divorced, divorceable**
divorcee [dɪˌvɔːˈsiː ‖ dəˌvɔrˈseɪ] *fn* elvált férfi/nő
divorcer [dɪˈvɔːsə ‖ dɪˈvɔrsər] *fn* **1.** válóban/válófélben levő házastárs **2. a)** válóok **b)** válást előidéző személy/dolog
divot [ˈdɪvət] *fn* **a)** *skót* tőzegkocka *[tüzelésre]* **b)** *sp* ‹golfütővel ütés közben kivágott gyepes rög›
divulge [daɪˈvʌldʒ ‖ də–] *tsi* **1.** elhíresztel, kifecseg, kibeszél **2.** *régi* közzétesz, nyilvánosságra hoz • *fn* **divulgation, divulgement, divulgence**
divvy[1] [ˈdɪvi] **I.** *fn szl biz* osztalék, jutalék, rész(esedés) **II.** *tsi* eloszt, feloszt, szétoszt; szétdob *biz stand*
divvy[2] [ˈdɪvi] *mn* **I.** *GB szl* **1.** *[nagyon jó]* isteni, klassz **2.** *[bolond]* flúgos, dilis **II.** *fn GB táj szl [ostoba alak]* tökfej, idióta
Dixie [ˈdɪksi] *tul földr* **1.** *US* ‹az USA-nak Pennsylvania déli határától délre eső területe› **2.** dixie(land)
Dixiecrat [ˈdɪksikræt] *mn/fn US* ‹az USA déli államainak demokrata párti képviselői›
Dixieland [ˈdɪksilænd] **I.** *tul US* → **Dixie II.** *fn zene* dixieland *[jazzstílus]*
DIY *röv GB do-it-yourself*
dizz [dɪz] *tsi biz* megszédít, összezavar, elszédít
dizzy [ˈdɪzi] **I.** *mn* **1. a)** szédülő, szédült, kába; **feel ~** szédül(és fogja el) **b)** meglepett, zavart **2.** *biz* szédítő, szédületes *[magasság, gyorsaság]* **3.** *biz* szédületesen forgó *[kerék]*, örvénylő, kavargó *[víz]* **II.** *tsi* **a)** elszédít, megszédít **b)** *átv* megszédít, elkábít, zavarba ejt • *fn* **dizziness**
Dizzy [ˈdɪzi] *tul biz* ‹ *Disraeli* beceneve›
DJ [ˌdiːˈdʒeɪ] *röv disk jockey*
Djakarta *földr* → **Jakarta**
djellaba [ˈdʒeləbə] *fn* ‹bő, csuklyás arab köpönyeg›
dl *röv decilitre* deciliter, dl
DL *röv GB Deputy Lieutenant*
DLitt [ˌdiːˈlɪt] *röv* Doctor Litterarum; *Doctor of Letters* az irodalomtudomány doktora
DMA *röv infor direct memory access* közvetlen memóriahozzáférés, DMA
DMus *röv Doctor of Music* a zenetudomány doktora
DMZ *röv US demilitarized zone*
DNA *röv deoxyribonucleic acid* dezoxiribonuklein-sav, DNS
Dniepr [ˈniːpə ‖ –ər] *tul földr* Dnyeper
D-notice *fn* ‹kormány által újságoknak küldött utasítás bizonyos tárgyú cikkek nemzetbiztonsági okból való visszatartására›
DNS *röv infor domain name system/service* DNS-név rendszer/szolgáltatás
do[1] [duː] **I.** *i pt* **did** [dɪd], *pp* **done** [dʌn] **A.** *tsi* **1. a)** tesz, megtesz, elvégez *[munkát]*, csinál; **~ one's duty** teljesíti a kötelességét; **~ good** jót tesz/cselekszik; **it does him good** úgy kell neki; **~ repairs** javításokat végez; **~ a task** elvégez egy feladatot; **~ wrong** rosszat tesz; **it does him credit** becsületére válik; **we did 300 miles** 300 mérföldet tettünk meg; **they have done fine work** jó munkát végeztek; *biz* **it can't be done** nincs rá mód, nem lehet (megtenni); **there is nothing to be done** nincs mit tenni; **what are you going to ~ about it?** mit szándékozol tenni ebben az ügyben?; *biz* **it isn't done** ezt nem teszi az ember, ez nem illik **b) he does gymnastics** tornázik; **~ one's time** büntetést leül *[börtönben]* **2. a)** megold, megfejt, kiszámít; **~ a sum** számtanpéldát megold; **~ a cross-word puzzle** megfejt egy keresztrejtvényt **b)** megcsinál, elkészít *[ételt]*, megsüt *[húst]*; **~ rare** nem süt át egészen, angolosra süt *[húst]*; **well done meat** jól átsült/megsült hús **3.** befejez (vmt), *átv* végez vmvel; **I have done packing** befejeztem a csomagolást; **it is as good as done** mintha már meg is történt volna **4. a)** elrendez, kitakarít, megtisztít; **~ one's hair** elrendezi a haját, megfésülködik; **~ the dishes** elmosogat; **~ a room** kitakarít(ja a szobát) **b)** elbánik vkvel/vmvel; *biz* **that's done it!** ez hiányzott még!; még csak ez kellett; *biz* **I've been done (in the eye)** becsaptak, félrevezettek, kitoltak velem **5.** kiszolgál/ellát vkt; **I will ~ you next sir** ön következik **6.** játszik, ad *[szerepet]*; **I have seen him ~ Macbeth** láttam őt Macbeth szerepében **7.** *US* szerkeszt, ír, átdolgoz *[könyvet, cikket]*; **~ short stories** novellákat ír **8.** *biz* elintéz, megtekint; **he did Rome in two days** átrohant Rómán két nap alatt **9.** *US biz* eszik/iszik vmt; **~ a drop** iszik egy csöppet **10.** *szl tabu [közösül, teherbe ejt]* meghúz, megizél, felcsinál **11.** *szl [betör, kirabol]* kirámol **12.** *GB szl [letartóztat, elfog]* lekapcsol, elkap **13.** *szl [börtönbüntetést tölt]* ül, sitten van, bent van **14.** *szl [megver, összever]* kikészít, hazavág, leápol **15.** *szl [kábítószert fogyaszt]* csinál, kultivál **B.** *tni* **1.** tesz, cselekszik, eljár vhogyan; **let us ~ or die** cselekedjünk vagy meghalunk **2.** vmilyen eredményt ér el, vhogyan megállja a helyét, vhogyan megy/sikerül vm; **he did brilliantly at his examination** ragyogóan szerepelt a vizsgáján; *gazd* **there is nothing ~ing** nem megy az üzlet **3.** vmlyen állapotban van; **how ~ you ~?** ‹nem érdeklődésként, hanem köszönésként használt kifejezés, amelyre ugyanezen szavakkal szokás válaszolni› jó napot kívánok; **be ~ing well** jól megy neki, boldogul (vk); **be ~ing very well (at school)** jól megy neki a tanulás; **~ well out of sg** szép/jó hasznot húz vmből; **I am ~ing well/I have done well** köszönöm,

jóllaktam **4.** életben marad, megél; **the patient is better, he will ~ now** a beteg jobban van s most már életben marad **5.** *[csak némely igealakban]* végez vmvel/vkvel; **be/have done!** fejezze (már) be!, ennyi elég ebből!; **done!** megegyeztünk!, rendben van!, itt a kezem! **6.** megfelel, elég, elegendő; **that will ~** jó lesz, jó(l van); **that won't ~ here** ez nem felel itt meg; **will I ~?** megfelelek?, jó leszek így?; **that will ~ me** éppen ez az, amit keresek, ez jó lesz nekem **II.** *si* **1.** **~ you go?** megy/mész (már)?, indulsz?; **~ you see him?** látod őt?; **did you see him?** láttad (őt)?; **we ~ not know** nem tudjuk; **~ not speak!** ne beszélj!; **don't be afraid** ne félj; **don't!** hagyd már abba!; → **done 2.** **you like it, don't you?** ugye tetszik?; **you don't like it, ~ you?** ugye nem szereted/tetszik?; **he envies me as much as I ~ him** annyira irigyel engem, mint én őt (irigylem); **may I open these letters?** – **please ~** felbonthatom ezeket a leveleket?; légy szíves; **they travel a good deal, don't they?** ugye sokat utaznak? **3. a)** *[nyomatékként]* **he did go** valóban/tényleg elment; és valóban el is ment; **~ sit down** üljön (már) le!; **~ you remember me?** – **~ I remember you!** emlékszik még rám? – hogy én ne emlékezném (v. de még mennyire emlékszem) **b)** *[fordított szórenddel] vál* **never did I spend a night** sohasem töltöttem még ilyen éjszakát **III.** *fn* **1. a)** *biz* esemény, ügy; *biz kat* **take part in a big ~** részt vesz egy nagy vállalkozásban **b)** *biz* összejövetel, szórakozás; *biz* **that was a great ~** az nagy hecc/muri volt **2.** osztályrész, mennyiség; **let the children have their fair ~ of sweets** kapják meg a gyerekek a nekik járó részt az édességből **3.** *biz* csalás, megtévesztés, rászedés, szélhámosság; *biz* **it's a ~** ez megtévesztés/csalás! **4.** **the ~'s and ~ don'ts of society** társadalmi kötelezettségek és tilalmak; **all talk and no ~** csupa beszéd/fecsegés és semmi eredmény **5.** *biz* ellátás; *biz* **hotel where you get a poor ~** szálloda silány ellátással **6.** → **to-do**

do again *tsi* **1.** újrakezd **2.** megismétel

do away *tsi/tni* **~ away with** megszüntet, eltöröl, megöl, eltesz láb alól; kiküszöböl; lerombol, eltüntet, lebont *[épületet]*; **the man did away with himself** az ember öngyilkosságot követett el (v. végzett önmagával)

do by *tni* eljár (vkvel szemben); **~ as you would be done by** amit magadnak akarsz, azt tedd mással is; **~ badly by sy** rosszul bánik vkvel, csúnyán viselkedik vkvel szemben

do down *tsi szl* **1.** *[becsap]* rászed, átejt; **he has done us down right enough** csúnyán rászedett/becsapott bennünket **2.** megelőz, fölébe kerekedik, lefőz

do for A. *tsi* **1.** megöl, tönkretesz vkt, végez/leszámol vkvel; **I'm done for** végem van, elvesztem **2.** **she does the cooking for him** ő főz rá, ő látja el a háztartását **B.** *tni* **1.** megfelel vm helyett (v. vmként), kielégítő; **plain food will ~ for me** egyszerű étel is megteszi nekem **2.** gondoskodik vkről/vmről, elintéz/ellát vmt; **what can I ~ for you?** mivel szolgálhatok? *[üzletben, hivatalban]*; miben lehetek szolgálatára/segítségére?

do in *tsi* **1.** letartóztat **2. a)** besúg (vkt a rendőrségnek), bemószerol **b)** átejt, becsap vkt **3.** *[megöl]* kinyír vkt, kikészít, hazavág **4.** *[kimerül]* kikészít, lestrapál, kiborít

do into *tsi* **a)** **~ it into a pot** öntse egy fazékba **b)** **~ it into chopped meat** csinálja meg vagdalthúsnak

do off *tsi* elrekeszt, válaszfallal elkülönít *[szobát]*

do out *tsi* **1.** kitakarít *[helyiséget]* **2.** **~ sy out of sg** kihúz/kicsal vkből vmt; kiforgat vkt vmből; **~ sy out of a job** kitúr/kifúr vkt (munkából)

do over *tsi* **1.** (be)fed, (be)borít, bevon *[festékkel stb.]* **2.** **~ over again** újra csinál (vmt) **3.** felújít, átdolgoz *[munkát, művet]* **4.** *szl [összever, megver]* hazavág, betakar, hülyére ver, beborít

do up *tsi* **1. a)** helyreállít, helyrehoz, (át)alakít *[kalapot]*, díszít, rendbe hoz, tataroz *[házat]*; *biz* **~ up one's face** kikészíti/kifesti magát; *biz* **done up to kill** felcicomázva, jól kirittyentette magát **b)** kitakarít, rendbe tesz *[szobát]* **2.** elkészít, elrendez, körít, (ki)tálal *[ételt]* **3. a)** becsomagol *[árut]*, összeköt(öz), leragaszt *[levelet]* **b)** összekapcsol, bekapcsol, begombol *[ruhát]* **c)** rögzít *[kötéllel, csattal stb.]* **4.** kifáraszt, tönkretesz; *biz* **be done up** elcsigázott/kimerült (állapotban van) **5. a)** *szl GB [megelőz, fölébe kerekedik]* lefőz, lenyom **b)** *[megver]* betakar, lerámol, meggyepál

do with *tni* **1. a)** elégnek talál, beéri vmvel; **he does with very little food** nagyon kevés ennivalóval beéri (v. elvan); **how many can you ~ with?** mennyi (lesz) elég önnek?; **you must make ~ with what you have** be kell érnie azzal amije van **b)** **he is difficult to ~ with** nehéz vele megférni/kijönni **2.** szüksége van vmre; **I could ~ with a cup of coffee** de meginnék egy csésze kávét **3.** **have to ~ with sy** köze van vkhez; **he has a good deal to ~ with it** leginkább ő a felelős érte; **have to ~ with sg** köze van vmhez (vmnek); **I will have nothing to ~ with her** nem akarom, hogy bármi dolgom is legyen vele; **have done with sy** nincs többé szüksége vkre; szakított/végzett vkvel; **have done with sg** átesik vmn, elintéz/befejez/abbahagy vmt; **I have done with politics** végeztem a politikával; **that's all over and done with** ennek egyszer s mindenkorra vége **4.** fog/kezd vmhez; **I can ~ nothing with him** nem boldogulok vele

do without *tni* **~ without sy/sg** megvan vk/vm nélkül

do[2] [dou] *fn* **1.** *zene* alaphang, tonika *[a diatonikus skála első hangja]* **2.** C-hang, cé *[állandó/abszolút do]*

DOA *röv dead on arrival*

doable [ˈduːəbl] *mn* megvalósítható, kivihető, elvégezhető

do-all *fn* **a)** *biz* mindenes, mindenre használható ember, vknek a (mindent elvégző) jobb keze **b)** aki/ami mindent elintéz

doat [dout] → **dote**[2]

dob [dɒb ‖ dɑb] *tsi* **-bb-** *Ausz szl [besúg, elárul]* felnyom, beköp

dob in *tsi szl [beárul]* beköp, feldob

d.o.b. *röv date of birth*

dobbin [ˈdɒbɪn ‖ ˈdɑ–] *fn biz* igásló

dobe [ˈdoubi] *fn US* → **adobe**

Doberman(n) [ˈdoubəmən ‖ –bər–], **Doberman(n)-pinscher** *fn áll* doberman(n)

doc [dɒk ‖ dɑk] *fn US* **1.** *biz* → **doctor I. 2.** *infor* dokumentum *[file]* **3.** dokumentumfilm

doch-an-dorrach [ˌdɒkənˈdɒrək ‖ ˌdɑkənˈdɑrək] *skót* → **doch an dorris**

doch an dorris [ˌdɒkənˈdɒrɪs ‖ ˌdɑkənˈdɑrɪs] *fn skót* búcsúpohár

docile [ˈdousaɪl ‖ ˈdɑsl] *mn* tanulékony, fogékony, engedelmes, könnyen vezethető/kezelhető *[személy]*, könnyen megmunkálható, hajlékony *[anyag]* • *fn* **docility** *hsz* **docilely**

dock[1] [dɒk ‖ dɑk] **I.** *fn* **1.** dokk, szárazdokk; **the ~s** a dokkok *[raktárakkal, hivatalokkal, javítóműhelyekkel stb. együtt]*; **dry/graving ~** szárazdokk, hajójavító dokk/medence; **floating ~** úszó dokk; *biz* **loading ~** rak(odó)part, rakodómóló *[berakásra]*; **outer ~** előkikötő, kikötő bejárata, külső dokk; **go into ~** dokkba áll; **leave ~** kiáll/kihajózik a kikötőmedencéből **2. a)** folyami kikötő, csatornakikötő **b)** *US* rakpart, móló, kikötőállomás, kirakodóhely **3.** *szính* ‹színpad alatti tér› **II. A.** *tsi* **a)** *hajó* dokkol, kikötőmedencébe/szárazdokkba visz/vezet/állít *[hajót]* **b)** *rep* összekapcsol, dokkol *[űrhajókat]* **B.** *tni* **1.** dokkol, dokkba áll *[hajó]* **2.** *rep* dokkol, összekapcsolódik *[két űrhajó]* • *fn* **docking**

dock[2] [dɒk ‖ dɑk] *fn növ* lórom; **sour ~** (mezei) sóska

dock[3] [dɒk ‖ dɑk] **I.** *fn* **a)** farkcsonk **b)** megnyírt/kurtított farok *[kutyáé, lóé]* **II.** *tsi* **1.** **~ a horse**, **~ a horse's tail** ló farkát megkurtítja **2.** csökkent, megnyirbál *[fizetést]*, levon *[összegből]*

dock off *tsi átv* lenyír, megnyirbál, csökkent, levon *[fizetésből]*

dock[4] [dɒk ‖ dɑk] *fn jog* vádlottak padja; **be in the ~** vádlottak padján ül

dockage[1] ['dɒkɪdʒ ‖ 'dɑ–] *fn* **1.** dokkolás **2. a)** dokkberendezés(ek) **b)** dokkilleték

dockage[2] ['dɒkɪdʒ ‖ 'dɑkɪdʒ] *fn* **1.** kurtítás, nyírás **2.** *átv* megnyirbálás, csökkentés, levonás

dock-dues *fn tsz* dokkhasználati illeték/díj

docker ['dɒkə ‖ 'dɑkər] *fn* **1.** kikötőmunkás, dokkmunkás **2.** kikötői tengerész **3.** dokklakó, dokknegyed lakója

docket ['dɒkɪt ‖ 'dɑ–] **I.** *fn* **1. a)** jegyzék, lista **b)** tartalmi kivonat, felzet *[kérvényen, okmányon]* **2.** címke, árujegy, rendelőlap **3.** vámnyugta, vámbárca **4. a)** *GB jog* ‹meghozott ítéletek nyilvántartó jegyzéke› **b)** *US jog* ‹bírósági ítéletek jegyzéke› bírósági napló **5.** *US* tennivalók listája; *US biz* **it's on the ~** folyamatban van, elintézés alatt áll **II.** *tsi* **1. a)** *jog* nyilvántartásba vesz *[meghozott ítéletet]*, *US* rávezet a jogesetek jegyzékére *[egy esetet]* **b)** iktat **2.** tartalmi kivonatot ír/készít **3.** feljegyez **4.** megcímkéz, osztályoz, (el)rendez, *átv* beskatulyáz • *fn* **docketing**

dock-glass *fn* nagy borkóstoló pohár

dockhand → **docker** 1.

dock labourer → **docker** 1.

dockland *fn* dokknegyed

dockmaster *fn* dokkvezető, dokkfelügyelő, dokkmester

dockside *fn* a dokkok környéke, a dokkokkal szomszédos terület

docksman ['dɒksmən ‖ 'dɑks–] *fn tsz* **-men** dokkmunkás

dock start *fn sp* mólóról/partról indulás *[vízisível]*

dock-tailed *mn* **~ horse** rövidre vágott farkú ló

dock-warrant *fn gazd* raktárjegy, áruelismervény, kézizálogjegy *[közraktárban elhelyezett áruról]*

dock-worker *fn* dokkmunkás

dockyard *fn* hajógyár, hajójavító műhely; **naval ~** haditengerészeti hajójavító műhely

dockyardman *fn tsz* **-men** dokkmunkás

doctor ['dɒktə ‖ 'dɑktər] **I.** *fn* **1. a)** doktor *[egyetemi fokozat]*; **D~ of Divinity** teológiai/hittudományi doktor, a hittudományok doktora; **D~ of Medicine** orvosdoktor, az orvostudományok doktora; **D~ of Philosophy** bölcsészdoktor; **D~ of Science** a természettudományok doktora, természettudományi doktor **b)** doktor, orvos; **woman ~** doktornő, orvosnő; **ship's ~** hajóorvos; **call in a ~** orvost hív; **see a ~** orvoshoz megy, megvizsgáltatja magát **c)** kuruzsló, varázsló *[természeti népeknél]* **d)** *régi* tanult ember; **~s of the church** egyházatyák **2.** *US* **a)** fogorvos **b)** állatorvos **3. a)** *biz* javító *[esernyőé, töltőtollé stb.]*, ezermester **b)** hajószakács **4. a)** műlégy, hamis csali *[horgászáshoz]* **b)** *biz* hűvös tengeri szellő **c)** *[bor és pálinka keveréke]* szíverősítő **II. A.** *tsi* **1. a)** *biz* (gyógy)kezel, ápol, *pej* félrekezel, elkezel, rosszul kezel *[beteget]*; **~ oneself** kúrálja magát **b)** *sp* **~ a horse** lovat alattomosan versenyképtelenné tesz **2. a)** doktorrá avat **b)** doktornak szólít **3.** *biz* (úgy-ahogy) kijavít, megfoltoz, összefércel, összedrótoz **4.** hamisít *[élelmiszert]*/, vizez *[bort, tejet]*, meghamisít *[könyvelést]*; **~ election returns** meghamisítja a választás eredményét **5.** *GB* ivartalanít, kasztrál **B.** *tni* **1.** orvosi gyakorlatot folytat **2.** orvosi kezelés alatt áll • *mn* **doctorship**

doctoral ['dɒktərəl ‖ 'dɑk–] *mn* doktori

doctorand ['dɒktərənd ‖ 'dɑk–] *fn* doktorjelölt, doktorandusz

doctorate ['dɒktərət ‖ 'dɑk–] *fn* doktori cím/fokozat, doktorság, doktorátus

doctoress ['dɒktərɪs ‖ 'dɑk–] *fn* **1.** doktornő, orvosnő **2.** doktorné

doctorial [dɒk'tɔːrɪəl ‖ dɑk'tɔrɪəl] → **doctoral**

doctress ['dɒktrɪs ‖ 'dɑk–] → **doctoress**

doctrinaire [ˌdɒktrɪ'neə ‖ ˌdɑktrə'ner] *mn/fn* doktriner, tudálékos, vaskalapos • *fn* **doctrinairism**, **doctrinairianism** *mn* **doctrinarian**

doctrinal [dɒk'traɪnl ‖ 'dɑktrənl] *mn* tantételszerű, tantételre vonatkozó, (hit)elvi • *hsz* **doctrinally**

doctrine ['dɒktrɪn ‖ 'dɑk–] *fn* tan(tétel), doktrína, elmélet, tantételek (összessége); **it is a matter of ~ that** ez elvi/világnézeti kérdés, hogy • *fn* **doctrinism**, **doctrinist**

docudrama ['dɒkjudrɑːmə ‖ 'dɑkjədræmə] *fn* ‹valós történeten alapuló (tévé)film›

document **I.** *fn* ['dɒkjumənt ‖ 'dɑkjəmənt] okmány, okirat, dokumentum; **sy's ~s** vk papírjai/okmányai; **~s of title** tulajdonjogot igazoló okmányok; **draw up a ~** okmányt kiállít/megszerkeszt **II.** *tsi* ['dɒkjument ‖ 'dɑkjə- **1. a•** okmányokkal igazol/bizonyít/alátámaszt, dokumentál **b•** adatokkal alátámaszt, megalapoz *[tudományos művet]*, adatol **2.** okmányokkal felszerel/ellát

documental [ˌdɒkju'mentl ‖ ˌdɑ–] → **documentary** I.

documentarian [ˌdɒkjumen'teərɪən ‖ ˌdɑk–'ter–] *fn* dokumentumfotós

documentarist [ˌdɒkju'mentərɪst ‖ ˌdɑ–] → **documentarian**

documentary [ˌdɒkju'mentəri ‖ ˌdɑkjə–] **I.** *mn* okmányszerű, okmányolt, hiteles, bizonyító (erejű); *gazd* **~ letter of credit** okmányos meghitelezés, akkreditív; **~ film** → **documentary** II. **II.** *fn* dokumentumfilm, ismeretterjesztő film

documentation [ˌdɒkjumən'teɪʃn ‖ ˌdɑkjə–] *fn* **1.** dokumentálás, dokumentáció, (adatokkal való) bizonyítás, bizonyítékokkal/adatokkal való alátámasztás **2.** bizonyító adatok/iratok/anyag (összessége), dokumentáció(s anyag) **3.** dokumentáció, leírás és felhasználói kézikönyv *[számítógépprogramé stb.]*

document file *fn infor* dokumentumállomány, dokumentumfájl, alkalmazáshoz társított állomány

DOD *röv US Department of Defense* Nemzetvédelmi Minisztérium

dodder[1] ['dɒdə ‖ 'dɑdər] *fn növ* aranka, fonalfűnyüg, lucernakosz

dodder[2] ['dɒdə ‖ 'dɑdər] *tni* **a)** reszket, remeg *[öregember keze/feje]* **b)** botorkál, totyog, csoszog; **~ along** lassan botorkál, eltotyog, elcsoszog; *biz* elzötyög/elpöfög *[jármű]* **c)** piszmog, pepecsel • *fn* **dodder**

doddered ['dɒdəd ‖ 'dɑdərd] *fn* csúcsát/koronáját vesztett *[fa]*, ágavesztett *[fa]*

dodder-grass *fn növ* (kis) rezgőfű, rezgőpázsit

doddery ['dɒdəri ‖ 'dɑ–] *mn biz* reszkető, remegő, reszketeg, bizonytalan, ingatag

doddle[1] ['dɒdl ‖ 'dɑdl] *tni biz* szórakozottan firkál(gat), irkafirkál

doddle[2] ['dɒdl ‖ 'dɑ–] *fn GB biz [egyszerű/könnyű dolog]* könnyű ügy, sima dolog, potya dolog

dodeca- [ˌdoudekə–] *összet* tizenkettő-, tizenkét

dodecagon [ˌdou'dekəgən ‖ –gɑn] *fn* tizenkétszög • *mn* **dodecagonal**

dodecahedron [ˌdoudekə'hiːdrən] *fn* tizenkétlap, dodekaéder • *mn* **dodecahedral**

dodecaphony [dou'dekəfouni] *fn zene* tizenkétfokú hangrendszer, dodekafónia • *mn* **dodecaphonic**

dodecasyllable [ˌdoudekə'sɪləbl] *fn ir.tud* tizenkét szótagú verssor, tizenkettes, Sándor-vers, alexandrin

dodge [dɒdʒ ‖ dɑdʒ] **I. A.** *tsi* **1.** elugrik, kitér *[ütés/személy elől]*, kikerül *[vkt, ütést]*, kikerül, csellel elhárít magától *[nehézséget]*, kihúzza magát *[kötelesség alól]*, *sp* kicselez *[ellenfelet]*, megúszik *[büntetést]*; **~ a question** kitér a kérdés elől; *szl* **~ the column** *[munkát kerül]* lóg, bliccel; **~ the law** kijátssza a törvény(eke)t; **~ military service** kivonja magát a katonai szolgálat alól; **don't ~ the issue!** ne kerülgesd a forró kását!, térj a tárgyra! **2. a)** megtréfál, orránál fogva vezet (vkt) **b)** sarkába szegődik (vknek), követ (vkt) (észrevétlenül) **c)** keresztkérdésekkel megzavar (vkt) **3.** *Ausz szl [becstelenül jut hozzá]* szerez, lenyúl **B.** *tni* **a)** félreugrik, oldalt veti magát, kitér, elugrik, cselez *[futballban]*; **~ about**, **~ in and out** ide-oda (v. ki-be) ugrál/táncol; **~ on one side** félreugrik (vm elől) **b)** ravaszkodik, mesterkedik, (csel)fogásokat alkalmaz **II.** *fn* **1.** félreugrás, elugrás, hirtelen kikerülés, testcsel *[labdarú-*

D

gásban] **2.** fogás, cselfogás, fortély, furfang, csalafintaság, trükk; **an old ~** régi fogás; *szl* **after two years on the ~** kétévi szélhámoskodás után *stand*; **be up to all the ~s** fortélyos ember, ismeri a dörgést, dörzsölt fickó **3.** *biz* szellemes/ügyes/agyafúrt találmány/szerkezet/ötlet

dodgem [ˈdɒdʒəm ‖ ˈdɑdʒəm] *fn* dodzsem

dodger [ˈdɒdʒə ‖ ˈdɑdʒər] *fn* **1.** svindler; *biz* **an artful ~** ravasz róka, agyafúrt kópé, dörzsölt fickó **2.** *hajó biz* ponyvaellenző **3.** *US biz* röplap, reklámcédula **4. a)** *Ausz szl [étel, kenyér]* kaja **b)** szendvics

dodgy [ˈdɒdʒi ‖ ˈdɑdʒi] *mn biz* agyafúrt, fortélyos, ravasz, furfangos

dodo [ˈdoʊdoʊ] *fn* **1.** *áll* dodó *[nagy kihalt galambfajta]*; **dead as the ~** idejétmúlt/halott dolog; *biz* **as old as the ~** öreg mint az országút **2.** *biz* maradi/begyepesedett ember

doe [doʊ] *fn tsz* **~s 1.** dámvadtehén, őzsuta **2.** nőstény nyúl, nőstény menyét, nőstény patkány

DOE *röv* **1.** *Department of Energy* **2.** *Department of Environment*

doer [ˈduːə ‖ –ər] *fn* **a)** végző, tevő, cselekvő *[aki tesz/végez/cselekszik szemben azzal aki csak beszél]*; *Ausz* **good ~** tudja mitől döglik a légy **b)** *Ausz* alak, ember; **a hard ~** furcsa egy figura, különc

does [dəz, dʌz] → **do¹**

doeskin [ˈdoʊskɪn] **I.** *mn* őzbőr-, őzbőrből készült **II.** *fn* **a)** dámszarvasbőr, őzbőr, szarvasbőr **b)** *tsz* **doeskins** szarvasbőrkesztyű

doff [dɒf ‖ dɑf, dɔf] *tsi vál* levesz *[kalapot]*, levet *[ruhát]*, levet(közik) *[modort, szokást]*

dog [dɒg ‖ dɔg] **I.** *fn* **1. a)** kutya, eb; *biz* **go to the ~s** tönkremegy; ebek harmincadjára jut; **lead a ~'s life** kutyaélete van, nyomorúságos életet él; **let sleeping ~s lie** ne keltsd fel az alvó oroszlánt; **mind the ~** harapós kutya; *US biz* **put on ~** henceg, pöffeszkedik, felvág; **rain cats and ~s** úgy ömlik/zuhog (az eső), mintha dézsából öntenék; **(it's a case of) ~ eats ~** öldöklő verseny folyik; *közm* **~ doesn't eat ~** holló a hollónak nem vájja ki a szemét **b)** *tsz* **dogs** *biz* agárverseny **2.** kan kutya, kan farkas, kan róka **3.** *biz* fickó, alak, flótás **4.** *csill* **the Greater D~** Nagy Kutya *[csillagkép]*; **the Lesser D~** Kis Kutya *[csillagkép]* **5.** *műsz* pofa, horog, kilincs, pecek, saru, *műsz* **6.** *szl [láb]* mankó, virgács **7.** *US szl [informátor, besúgó]* tégla, kíber, mamzer **8.** *szl [csúnya nő]* bányarém **9.** *US szl [rossz minőségű dolog]* szar, betli, tragédia, katasztrófa **II.** *i* **-gg- A.** *tsi* **1.** sarkában/nyomában van (vknek), nyomon követ, üldöz (vkt); **~ sy's footsteps** minden lépését követi vknek; ráragad vkre **2.** vaskapoccsal rögzít/megerősít/lefog **B.** *tni szl [munkát kerül]* lóg, amerikázik

dogberry *fn* **1.** *növ* som **2. (-tree)** somfa, sombokor

dog-biscuit *fn* **1.** kutyaeledel, kutyakeksz **2.** *kat szl* kétszersült

dog-box *fn vasút* **1.** kutyaszállító kocsi **2.** *Ausz szl* fülke *[folyosó nélküli vasúti kocsiban]*

dogcart *fn* kutyafogat

dog-club *fn* ebtenyésztő egyesület

dog-clutch *fn műsz* körmös kapcsoló

dog collar *fn* **1.** nyakörv *[kutyáé]* **2. a)** *biz* nyakvas **b)** *biz* papi (magas) gallér **c)** *biz* (női) nyakék, nyakdísz

dog daisy *fn növ* **1.** közönséges/mezei százszorszép **2.** réti margitvirág/papvirág

dog days *fn tsz* kánikula, nagy hőség

doge [doʊdʒ] *fn tört* dózse

dog-ear → **dog's-ear**

dog-eared *mn* szamárfüles

dog-eat-dog *mn/fn* könyörtelenül önző (verseny); **it's a ~ business** vérre menő dolog, a farkastörvények uralkodnak

dog-end *fn GB szl* (cigaretta)csikk

dogey [ˈdoʊgi] → **dogie**

dogface *fn* **1.** *kat szl [újonc]* kopasz **2.** *[gyalogos]* talpas, bokorugró, baka

dog fennel *fn növ* nehézszagú pipitér, kutyakapor

dogfight *fn* **1.** (kutya)marakodás **2. a)** *biz* általános dulakodás, verekedés **b)** *rep* ádáz párharc, közelharc *[vadászgépek között]*

dogfish *fn tsz* **-fishes** *áll* ‹kisebb fajta cápa›; **large spotted ~** nagy macskacápa; **small spotted ~** kis macskacápa; **piked/spiny ~** tüskés cápa

dog-fox *fn* hím/kan róka

dogged [ˈdɒgɪd ‖ ˈdɔgɪd] *mn* makacs, önfejű, konok; **~ resistance** makacs/szívós ellenállás; *biz* **it's ~ (as) does it** a kitartásban van siker, erős akarat diadalt arat • *fn* **doggedness**

dogger¹ [ˈdɒgə ‖ ˈdɔgər] *fn hajó* **~(-boat)** holland halászcsónak, dogger

dogger² [ˈdɒgə ‖ ˈdɑgər] *fn Ausz* (hivatásos) dingóvadász

doggerel [ˈdɒgərəl ‖ ˈdɔ–, ˈdɑ–] *mn/fn ir.tud* **a)** kötetlen vers **b)** kontár/fűzfarímes/rossz vers, klapancia

doggery [ˈdɒgəri ‖ ˈdɔ–] *fn US szl [kocsma]* csehó, krimó, kricsmi

doggie¹ [ˈdɒgi ‖ ˈdɔgi] *fn biz* kutyus(ka), kutyi, kutyuli

doggie² [ˈdɒgi ‖ ˈdɔgi] → **dogie**

doggie bag *fn* ‹zacskó/doboz, amelyben a maradék étel hazavihető az étteremből›

doggish [ˈdɒgɪʃ ‖ ˈdɔ–] *mn* **1.** kutyához hasonló, kutyaszerű **2.** barátságtalan, gonosz, vad **3.** *szl* elegáns, mutatós

doggo [ˈdɒgoʊ ‖ ˈdɔ–] *hsz GB szl* **lie ~** meg sem nyikkan, lapít

doggone [ˈdɒgɒn ‖ ˌdɑˈgɑn] *US szl* **I.** *mn [kellemetlen, rossz]* istenverte, átkozott, rohadt **II.** *hsz* átkozottul, rohadtul **III.** *isz* a fenébe!, a francba!

dog grass → **dog's-grass**

dog handler *fn biz* kutyás rendőr

dog hole *fn biz* vacok, nyomorúságos odú, *átv* disznóól

doghouse *fn US* kutyaól; *US* **in the ~** (i) kutyaszorítóban, kellemetlen/szorult helyzetben (ii) kegyvesztett

dog-hyena *fn* kan/hím hiéna

dogie [ˈdoʊgi] *fn US* anyját elvesztett/anyátlan borjú

dog in the manger *fn biz* ‹irigy személy, aki nem ad oda valamit másnak, bár magának nincs szüksége rá› irigy kutya

dog-kennel *fn* **1.** kutyaól, kifutó **2.** piszkos/nyomorúságos lakás/odú, disznóól

dog Latin *fn* konyhalatin(ság)

dog-lead *fn* póráz

dog-leg I. *mn* hajlított *[mint a kutya hátsó lába]* **II.** *fn* **1.** éles/hirtelen kanyar **2.** kapadohány, fináncslábakkal teli dohány **3.** hurok, görbület *[huzalon]*, kettős könyök *[csőben]* **III.** *tni* élesen kanyarodik/görbül

dog-legged [ˌdɒgˈlegɪd ‖ ˌdɑg–] → **dog-leg I.**

dog-leg hole *fn sp* ‹lyuk golfpályán, amelyre nem lehet az elütési pontról közvetlenül célozni›

dog-like I. *mn* kutyaszerű, kutyához hasonló; **~ devotion** kutyahűség **II.** *hsz* kutya módjára

dog-lover *fn* kutyakedvelő, kutyabarát • *mn* **dog-loving**

dogma [ˈdɒgmə ‖ ˈdɔg–, ˈdɑg–] *fn tsz* **~s, dogmata** [–mətə] **1.** dogma, hittétel **2.** arrogáns kijelentés/véleménynyilvánítás

dogmatic [dɒgˈmætɪk ‖ dɔgˈmætɪk, dɑg–] *mn* **1.** dogmatikus, dogmatista; **~ theology** rendszeres teológia, dogmatika **2.** *biz* ellentmondást nem tűrő, parancsoló, fölényes • *hsz* **dogmatically**

dogmatics [dɒgˈmætɪks ‖ dɔgˈmætɪks, dɑg–] *fn esz* dogmatika, rendszeres teológia

dogmatism [ˈdɒgmətɪzm ‖ ˈdɔg–, ˈdɑg–] *fn* **1.** dogmatizmus **2.** *biz* merev gondolkodásmód • *fn* **dogmatist**

dogmatize [ˈdɒgmətaɪz ‖ ˈdɔg–, ˈdɑg–], **-ise A.** *tsi* fölényes (v. ellentmondást nem tűrő) hangon tárgyal **B.** *tni* fölényes (v. ellentmondást nem tűrő) hangon beszél, dogmatikus kijelentéseket tesz

dog-meat → **dog's meat**

dog-nail → **dogspike**

do-gooder [ˌduːˈgʊdə ‖ –ər] *fn biz* naiv kisstílű emberbarát, jótét lélek • *fn* **do-goodism** *mn* **do-good**

dog paddle I. *fn* kutyaúszás, kutyázás **II.** *tni* kutyaúszással úszik
dog-racing *fn* agárverseny
dog rose *fn* **1.** *növ* gyepűrózsa, vadrózsa **2.** vadrózsabokor
dog's-bane *fn* **1.** *növ* ebdög **2.** sisakvirág
dogsbody [ˈdɒgzbɒdi ‖ ˈdɔgzbɑdi] *fn* **a)** *GB hajó*; ‹fiatal tiszt, akire mindent rásóznak› mindenes **b)** *GB átv biz* kuli, kisinas
dog's breakfast *fn szl [rendetlenség, felfordulás]* rumli, kupi
dog's-ear I. *fn* szamárfül *[füzetben, könyvben]* **II.** *tsi* szamárfület csinál, szamárfülez *[könyvet, füzetet]*
dog's-grass *fn növ* tarackbúza
dog-show *fn* kutyakiállítás
dogsitting *fn* kutyaőrzés *[amikor a gazdája nincs otthon]*
dog-skin *fn/mn* kutyabőr
dogsled *fn* kutyaszán
dog's-leg → **dog-leg**
dog's life *fn* pokoli/szerencsétlen élet
dog's meat 1. kutyaeledel **2.** állatvágási hulladék, döghús
dog's mercury *fn növ* kutyatej(fű)
dogspike *fn* **1.** széles fejű szeg, *vasút* kampós fejű sínszeg **2.** *épít* síncsavar
dog's-tongue *növ* közönséges ebnyelvfű
dog's-tooth *fn tsz* **-teeth 1.** kutyafog **2.** hasított/villás szobrászvéső **3.** → **dogtooth** 2. **4.** *növ* ~ **grass** → **dog's-grass**
dog tag *fn* **1.** kutyabárca **2.** *kat szl [katonai személyazonosító]* dögcédula
dog-tail → **dog's-tail**
dog-team *fn* kutyafogat
dog-tick *fn áll* közönséges kullancs
dog-tired *mn biz* holtfáradt, hullafáradt
dogtooth *fn* **1. a)** kutyafog **b)** szemfog **2.** *épít* kutyafogdíszítés *[korai angol gótikában]*, farkasfog
dogtrot *fn* könnyed ügetés
dogwatch *fn* **1.** *hajó* kétórás őrszolgálat **2.** *bány biz* éjszakai műszak
dog-wolf *fn* hím farkas
dogwood *fn* **1.** *növ* somfa, sombokor **2.** somfa *[keményfa fajta]*
doggy [ˈdɒgi ‖ ˈdɔ–] **I.** *mn* **a)** kutyaszerű **b)** kutyaismerő, kutyaszakértő, kutyakedvelő **II.** *fn biz* kutyuska, kutyuli, kiskutya
doggy paddle → **dog paddle**
doh [doʊ] → **do²**
DoH, **DOH** *röv GB Department of Health*
doily [ˈdɔɪli] *fn* **1.** *régi* kis asztalkendő/szalvéta **2.** (kis) terítő, (kézimunka)alátét *[csipkéből, papírból]*
doing [ˈduːɪŋ] *fn* **1.** tett; ~ **of sg** vmnek a végzése; **that requires some ~** ez(t) nem olyan könnyű/egyszerű **2.** *tsz* **doings a)** vknek a mesterkedése/műve v. viselt dolgai **b) great ~s in the Balkans** nagy fejlemények a Balkánon **3.** *szl* **a)** *[ütés, verés]* ruha, zakó **b)** szidás, korholás; **give sy a ~** megmossa vknek a fejét, lehord **4.** *biz* **the ~s** cókmók, holmi, cucc **5.** *szl [dolog]* izé
doit [dɔɪt] *fn* **1.** *régi*; ‹csekély értékű holland pénzdarab› fitying **2.** *biz* csekélység, semmiség
do-it-yourself *mn/fn* csináld magad, barkács-, barkácsolás
dojo [ˈdoʊɪoʊ, ˈdoʊdʒoʊ] *fn sp* **1.** ‹önvédelmi sportok gyakorlására használt edzőterem› dódzsó **2.** birkózószőnyeg, tatami
Dolby [ˈdɒlbi ‖ ˈdoʊlbi] *tul el* Dolby rendszerű zajcsökkentő *[magnón]*
dolce vita [ˌdɒltʃi ˈviːtɑː ‖ ˌdoʊltʃeɪ] *fn* édes élet, dolce vita
doldrums [ˈdɒldrəmz ‖ ˈdoʊl–] *fn tsz* **a) the ~** rossz hangulat, nyomott kedélyállapot; rosszkedv; *hajó* (egyenlítő körüli) szélcsendzóna; **be in the ~** rossz/nyomott hangulatban van; *hajó* szélcsend miatt megállt, az egyenlítői szélcsendzónában van **b)** *biz* üzleti (v. gazdasági) pangás; **business is in the ~** pang az üzlet, uborkaszezon van
dole¹ [doʊl] **I.** *fn* **1.** *biz* segély *[közalapból]*; **unemployment ~, the ~** munkanélküli-segély; **be/go on the ~** munkanélküli-segélyt kap/élvez; munkanélküli(-segélyen él) **2.** *régi* **a)** alamizsna, könyöradomány **b)** ‹mindenféle szétosztott adomány/föld/kenyér/étel/sör› **3. a)** *régi* (osztály)rész **b)** sors, végzet **II.** *tsi* **~ out sg** szűkmarkúan oszt szét vmt
dole² [doʊl] *fn* **1.** *régi* (lelki) fájdalom, szomorúság, bánat **2.** gyászruha
dole bludger *fn Ausz szl pej* ‹munkanélküli segélyen lévő semmitevő›
dolefulness [ˈdoʊlflnəs] *fn* **1.** szomorúság, bánat, (lelki) fájdalom **2.** elszomorító/fájdalmas jelleg *[híré stb.]*
doless [ˈduːləs] *mn* henye, haszontalan, mihaszna
dolichocephalic [ˌdɒlɪkoʊsɪˈfælɪk ‖ ˌdɑ–] *mn orv* hosszúfejű, dolichocephal, dolichokephal • *fn* **dolichocephalism**, **dolichocephaly** *mn* **dolichocephalous**
do-little *mn/fn* henye, semmittevő *[személy]*, mihaszna *[fráter]*
doll [dɒl ‖ dɑl, dɔl] **I.** *fn* **1.** (játék) baba; **stuffed ~** kitömött baba **2. a)** *szl [babaarcú, csinos de együgyű lány/nő]* csinibaba, libácska **b)** *US [lány, nő]* baba, (kis)csaj **II.** *tsi US* **~ (oneself) up** kicsípi magát; **she was all ~ed up** kicsípte magát
dollar [ˈdɒlə ‖ ˈdɑlər] *fn* **1.** dollár; **the almighty ~** a mindenható dollár; **~s to doughnuts (that)** tízet teszek egy ellen (hogy) **2.** *GB szl* öt shillinges pénzdarab
dollar area *fn* dollárövezet
dollar diplomacy *fn* dollárpolitika
dollar gap *fn* fedezetlen államadósság *[az Egyesült Államokkal szemben]*
dollarization [ˌdɒləraɪˈzeɪʃn ‖ ˌdɑ–] *fn* ‹az Egyesült Államok befolyása egy ország gazdaságára› a dollártól való függés
dollar mark → **dollar sign**
dollars-and-cents *mn US* **from a ~ point of view** pénzügyi szempontból
dollar sign *fn* dollárjel *[$]*
dollar spot *fn* **a)** gyep gombás megbetegedése **b)** elszíneződött folt a gyepen *[gombás fertőzés miatt]*
dollface *fn* babaarc
doll house *fn US* → **doll's house**
dollish [ˈdɒlɪʃ ‖ ˈdɑlɪʃ] *mn* babaszerű, baba • *hsz* **dollishly**
dollop [ˈdɒləp ‖ ˈdɑ–] **I.** *fn biz* alaktalan darab/tömb *[étel stb.]*; **there are ~s of it** (egész) halomra/rakásra való van belőle **II.** *tsi* tányérra csap/vág *[ételt]*
doll's house *fn GB* babaház
dolma [ˈdɒlmə ‖ ˈdɑl–] *fn tsz* **dolmades**, **~s** *gaszt* ‹szőlő-/káposztalevélbe tekert húsos rizs› *[török/görög étel]*
dolman [ˈdɒlmən ‖ ˈdoʊl–] *fn* **1.** *[elöl nyitott hosszú török kabát]* kaftán **2.** dolmány, mente **3.** ujjatlan lebernyeges női köpeny
dolman sleeve *fn* hosszú/háromnegyedes japán szabású ruhaujj
dolmen [ˈdɒlmən ‖ ˈdoʊl–] *fn régi* kőasztal, dolmen
dolomite [ˈdɒləmaɪt ‖ ˈdoʊ–] *fn ásv* dolomit • *mn* **dolomitic**
Dolomites [ˈdɒləmaɪts ‖ ˈdɑ–] *tul tsz földr* **the ~** a Dolomitok
dolor [ˈdɒlə ‖ ˈdoʊlər] *US* → **dolour**
dolorous [ˈdɒlərəs ‖ ˈdoʊ–] *mn* **1.** *régi vál* fájdalmas, fájó **2.** szomorú, bús, bánatos
dolose [dəˈloʊs] *mn jog* fondorlatos, bűnös szándékú, csalárd
dolour [ˈdɒlə ‖ ˈdoʊlər] *fn vál* bú(bánat), (lelki) fájdalom, szomorúság
dolous [ˈdoʊləs] *jog* → **dolose**
dolphin [ˈdɒlfɪn ‖ ˈdɑl–] *fn* **1. a)** *áll* delfin **b)** aranymakrahal **2.** *hajó* **a)** kikötőbója **b)** delfin, (hajó)kikötőbak; **moor to a ~** kikötőbakhoz kiköt
dolphinarium [ˌdɒlfɪˈneərɪəm ‖ ˌdɑlfɪˈnerɪəm] *fn GB* delfinárium

dolt [doult] *fn* tökfilkó, tökfej, mamlasz, fajankó • *fn* **doltishness** *mn* **doltish**

dolly [ˈdɒli ‖ ˈdɑ–] **I.** *mn* **1.** *GB biz* csinos, divatos *[különösen nő]* **2.** *sp* könnyen megütött/elkapott *[labda krikettben]* **II.** *fn* **1.** *gyerm* (játék)baba **2.** *sp* könnyű ütés elkapás *[krikettben]* **3.** *biz* → **dolly bird** **4.** sulyok, mosólapicka *[mosáshoz]* **5. a)** targonca, gördíthető kocsi, tolópad **b)** *film média* (kamera)kocsi; ~ **shot** követőfelvétel, kocsizás **III.** *tni* **1.** *film média* kocsizik **2.** csinosan/elegánsan felöltözik, kiöltözik

D

Dolly [ˈdɒli ‖ ˈdɑ–] *tul* ‹női név›

dolly-bag → **Dorothy bag**

dolly bird *fn GB biz [csinos/divatos fiatal nő]* jó pipi

dolly-mixture *fn GB* vegyescukorka, cukorka keverék

Dolly Varden *fn* **1.** virágokkal díszített szalmakalap **2.** *áll US* ‹pisztrángféle›

-dom [dəm] *utótag* ‹főnévképző› -ság, -ség; **kingdom** királyság; **freedom** szabadság; **wisdom** bölcsesség

Dom [dəm] *fn vall* **1.** ‹némely katolikus főpap és szerzetes címe/megszólítása› **2.** ‹a Don portugál megfelelője›

domain [douˈmeɪn, də–] *fn* **1. a)** (föld)birtok, uradalom **b)** ‹fennhatóság alatt álló terület› (gyarmat)birtok **c)** *átv* (tárgy)kör, kutatási terület; **question within the ~ of science** a tudomány (tárgy)körébe tartozó kérdés **2.** *jog* **eminent ~** az állam főtulajdonjoga a területén levő minden ingatlanon; állami (ingatlan)kisajátítási jog **3.** *mat* tartomány **4.** *fiz* domén, domain **5.** *nyelv* tartomány, hatókör • *mn* **domanial**

domaine [dəˈmeɪn] *fn* szőlőskert, szőlő

dome [doum] **I.** *fn* **1.** *épít* kupola(boltozat), gömbboltozat; ~ **roof** kupolatető **2. a)** *biz* égbolt(ozat) **b)** lombtető, lombsátor **c)** (kerek) dombtető **d)** *US szl [fejtető, fejbúb]* búra, váza, kókusz, dió **3.** *vál* (impozáns) épület **II.** *tsi* **1. a)** kupolával fed/borít **b)** kupolává alakít, kupolaszerűen képez ki *[tetőt]* **2.** (ki)gömbölyít, gömbölyűvé formál • *mn* **domed**, **domelike**, **domic**, **domical**

dome-fastener *fn* patentgomb

Domesday Book [ˈduːmzdeɪ buk] *fn tört* ‹Anglia első országos földbirtokkönyve (1086-ból)›

dome-shaped *mn* **a)** félgömb/kupola alakú, boltozatos **b)** domború

domestic [dəˈmestɪk] **I.** *mn* **1.** házi, családi, otthoni; ~ **affairs** családi ügyek; ~ **industry** háziipar; ~ **life** otthoni/családi élet; ~ **medicine** népies/népi gyógyításmód; háziszer; ~ **quarrels** családi perpatvar; *körny* ~ **sewage** házi szennyvíz; ~ **servant** háztartási alkalmazott; ~ **science** *okt* háztartástan (óra) *[iskolában]*; ~ **violence** *jog* házasságon belüli erőszak; **non-~ water** nem ivóvíz **2.** bel-, belföldi, hazai, őshonos *[növény stb.]*; ~ **affairs** *pol* belügyek; ~ **market** hazai/belföldi piac; ~ **politics** belpolitika; ~ **trade** belkereskedelem; ~ **warfare** polgárháború, belháború **3.** ~ **animal** háziállat; ~ **fowl** (házi) szárnyas **4.** otthonülő, házias *[asszony]* **II.** *fn* **1.** háztartási alkalmazott, cseléd **2.** *tsz* **domestics** háziipari készítmények/cikkek • *mn* **domesticable** *hsz* **domestically**

domesticate [dəˈmestɪkeɪt] *tsi* **1.** (meg)szelídít *[állatot]*, civilizál *[vadembert]* **2.** meghonosít **3.** otthonülővé/háziassá nevel, háziasságra szoktat • *fn* **domestication**

domesticity [ˌdoumeˈstɪsəti] *fn* **1.** megszelídített/domesztikált állapot, háziállati életmód *[állaté]* **2.** háziasság, ragaszkodás a családi tűzhelyhez, otthonülő élet(mód) **3.** *tsz* **domesticities** családi/háztartási/otthoni ügyek/dolgok

domicile [ˈdɒmɪsaɪl ‖ ˈdɑ–] **I.** *fn* **1.** (állandó) lakhely, (állandó) lakás; **right of ~** letelepedési jog **2.** *pénz* fizetési hely *[váltóé]* **II. A.** *tsi* **a)** letelepít **b)** *pénz* telepít *[váltót]*; **bill ~d in Switzerland** Svájcban fizetendő váltó **B.** *tni* **a)** letelepedik vhol **b)** (állandóan) lakik; **~d at Budapest** állandó lakhelye Budapest • *fn* **domiciliation**

domiciliary [ˌdɒmɪˈsɪləri ‖ ˌdaməˈsɪlieri] **I.** *mn* házi, ház-, otthoni **II.** *fn* **1.** lakos **2.** háziorvos

domiciliate [ˌdɒmɪˈsɪlieɪt ‖ ˌdɑ–] → **domicile II.**

domina [ˈdɒmɪnə ‖ ˈdɑ–] *fn* úrnő

dominance [ˈdɒmɪnəns ‖ ˈdɑ–] uralkodás, túlsúly, fölény, eluralkodás, elhatalmasodás, dominancia *[betegségé stb.]*

dominant [ˈdɒmɪnənt ‖ ˈdɑ–] **I.** *mn* uralkodó, túlsúlyban levő, domináló, domináns; *biol* ~ **character** uralkodó jelleg **II.** *fn* **a)** uralkodó/domináló/domináns elem/jelleg **b)** *biol zene* domináns

dominate [ˈdɒmɪneɪt ‖ ˈdɑ–] **A.** *tsi* **1.** uralkodik (vk/vm felett, vkn/vmn), uralmon/hatalmon van (vhol), ural (vmt) **2.** ural *[hegy/vár a környéket]*, (ki)magaslik (vm felett/fölé); ~ **a place** ural egy helyet, egy hely fölé emelkedik *[hegy stb.]* **B.** *tni* **a)** uralkodik **b)** túlsúlyban van, dominál, vezet • *fn* **dominator** *mn* **dominating**, **dominative**

domination [ˌdɒmɪˈneɪʃn ‖ ˌdɑ–] *fn* uralom, uralkodás, (fő)hatalom

dominatrix [ˌdɒmɪˈneɪtrɪks ‖ ˌdɑ–] *fn tsz* **dominatrices** úrnő, domina *[szadomazochista kapcsolatban]*

domineer [ˌdɒmɪˈnɪə ‖ ˌdaməˈnɪr] *tni* önkényeskedik, zsarnokoskodik; ~ **over sy** zsarnokoskodik/basáskodik vkvel, parancsolgat vknek • *mn* **domineering**

Dominic [ˈdɒmɪnɪk ‖ ˈdɑ–] *tul* ‹férfinév›

Dominica [ˌdɒmɪˈniːkə ‖ ˌdɑ–] *tul* **1.** *földr* Dominika **2.** ‹női név›

dominical [dəˈmɪnɪkl] *mn* **1.** *vall* krisztusi; ~ **letter** *vall* vasárnapi betű *[naptárszámításban]*; ~ **prayer** az Úr imája, a miatyánk; **the D~ year** a Krisztus utáni első év, időszámításunk éve **2.** vasárnapi

Dominican [dəˈmɪnɪkən] **I.** *mn* **1.** *vall* dominikánus, domonkosrendi, dömés *[szerzetes]* **2.** *földr* dominikai; **the ~ Republic** Dominikai Köztársaság **II.** *fn vall* domonkosrendi, dömés, dominikánus *[szerzetes, apáca]*

dominie [ˈdɒmɪni ‖ ˈdɑ–] *fn skót biz* tanító, iskolamester

dominion [dəˈmɪnɪən] *fn* **1.** uralom, (fő)hatalom, uralkodás; **hold ~ over...** uralkodik (v. hatalmat gyakorol)... felett; **be under sy's ~** vk uralma/hatalma alatt áll **2.** *vall* uralom *[angyali]* **3.** domínium; *US* **the Old D~** Virginia *[állam]* **4.** *jog* vkt vmilyen vagyon felett megillető uralom/tulajdon

domino [ˈdɒmɪnou ‖ ˈdɑ–] *fn tsz* **dominoes** **1. a)** dominó(kő), dominó(játék); **game of ~es** dominó(játszma); **play (at) ~es** dominózik; *szl* **it is ~ with him** *[vége van]* befellegzett neki **b)** *szl* **box of ~es** zongora; *szl* **rattle the ~es** veri/nyúzza a zongorát **c)** *szl* **the ~es** a fogak, fogsor **2.** dominó *[jelmez]* • *mn* **dominoed**

domino effect *fn* dominó-elv

domino theory → **domino effect**

Don [dɒn ‖ dɑn] *tul földr* Don

don[1] [dɒn ‖ dɑn] *fn* **1. a)** don *[spanyol cím]* **b)** *régi* spanyol nemes **2.** *okt biz* professzor, tanár *[angol egyetemen]* **3.** *US szl [maffiavezér]* főnök, fejes, nagykutya

don[2] [dɒn ‖ dɑn] *tsi* **-nn-** felölt, felvesz, magára ölt *[ruhát]*, feltesz, fejébe tesz *[kalapot]*

dona [ˈdounə], **donah** *fn* **1.** → **donna** **2.** *szl [nőszemély]* a nője vkinek, tyúk

donah [ˈdounə] → **dona** 2.

Donald [ˈdɒnəld ‖ ˈdɑ–] *tul* ‹férfinév›

donate [douˈneɪt ‖ ˈdouneɪt] *tsi* **1.** adományoz **2.** *US* ajándékoz, adományoz

donation [douˈneɪʃn] *fn* **1.** adomány, ajándék; **make a ~ of sg to sy** ajándékoz/adományoz vknek vmt **2.** *jog* ajándékozási okirat

donative [ˈdounətɪv] **I.** *mn* ajándék(ozott), adományozott **II.** *fn* ajándék, adomány

donator [douˈneɪtə ‖ –ər] → **donor 1.**

donatory [ˈdounətəri] *fn* megajándékozott személy

donatrix [douˈneɪtrɪks] *fn jog* ajándékozó, adományozó *[nő]*

done [dʌn] *mn* **1.** kimerült, kifáradt **2.** elkészített, sült, főtt *[étel]* **3.** társadalmilag elfogadott, illő; **it just isn't the ~ thing** ez azért mégsem illik **4. ~!** rendben van!, megegyeztünk!; → **do**[1]

donee [douˈniː] *fn jog* megajándékozott személy

dong¹ [dɒŋ ‖ dɔŋ, dɑŋ] *fn* **1.** bam, bamm *[hangutánzó]* **2.** *Ausz biz [ütés, pofon]* saller, flemm
dong² [dɒŋ ‖ dɑŋ] *fn* vietnami dong *[pénzegység]*
donga [ˈdɒŋgə ‖ ˈdɑŋ–] *fn Dél-Af* vízmosás, szakadék
dongle [ˈdɒŋgl ‖ ˈdɑŋgl] *fn infor* ‹szoftvervédő periféria›
Don Juan [ˌdɒn ˈdʒuːən ‖ ˌdɑn ˈwɑn] *fn biz átv* Don Juan, nőcsábász, szoknyavadász • *fn* **donjuanism** *mn* **donjuanesque**
donkey [ˈdɒŋki ‖ ˈdɑŋ–] *fn* **1.** szamár; *biz* **would talk the hind leg off a ~** lyukat beszél az ember hasába **2. a)** *biz* szamár, csacsi *[ember]* **b)** *US* a demokrata párt jelvénye/címerállata **3.** *hajó* → **donkey engine** 2.
donkey derby *fn GB* szamárverseny
donkey-driver *fn* szamárhajcsár
donkey engine *fn* **1.** segédmotor, kisebb hordozható (gőz)gép **2.** *hajó* gőzmotoros csörlő
donkey jacket *fn* munkáskabát *[általában sötétkék a vállán bőr rátéttel]*
donkey's years *fn tsz biz* hosszú idő, időtlen idő; **for ~** ezer évig, időtlen időkig, egy örökkévalóságig
donkey work *fn* kulimunka, megszokott/gépies munka
donna [ˈdɒnə ‖ ˈdɑ–] *fn* donna *[olasz cím]*
donned [dɒnd ‖ dɑnd] → **don¹** II.
donnee [ˈdɒneɪ ‖ ˈdɒneɪ] *fn* **1.** téma *[történeté, filmé]* **2.** tény, alapfeltevés
donnish [ˈdɒnɪʃ ‖ ˈdɑnɪʃ] *mn* professzoros • *fn* **donnishness**
donor [ˈdoʊnə ‖ –ər] *fn* **1.** *jog* ajándékozó, adományozó **2.** szervadó, donor; *orv* **~ of blood** véradó, donor **3.** *fiz vegy* donor, donátor • *fn* **donorship**
donor card *fn* ‹szervátültetés engedélyezését igazoló irat› donorságot igazoló kártya
do-nothing → **do-little**
Don Quixote [ˌdɒn ˈkwɪksət ‖ ˌdɑn kiˈhoʊteɪ] *fn* ‹idealista/szélmalomharcot vívó személy› Don Quijote
don't [doʊnt] **I.** *fn biz* tilalom, amit nem szabad tenni; **danger don'ts safety first** biztonsági tilalmak *[iskolai füzetek hátlapjára nyomtatott utcai közlekedési szabályok]* **II.** *röv do not*→ **do¹**
don't-know [ˌdoʊntˈnoʊ] *fn* ‹ügyben tájékozatlan személy, aki kérdőíven a „nem tudom" választ jelöli meg›
donut [ˈdoʊnʌt] *fn US* → **doughnut**
donnybrook [ˈdɒnɪbrʊk ‖ ˈdɑ–] *fn* veszekedés, felfordulás, balhé
Donnybrook Fair 1. ‹vásár Dublin környékén› **2.** *biz* zsibvásár, ricsajozás
doodad [ˈduːdæd] *biz* → **doodah**
doodah [ˈduːdɑː] *fn* **1.** *szl [dolog]* bigyó, izé, ketyere, kütyü, biszbasz **2.** *szl* **be all of a ~** *[lámpaláza van]* drukkol **3.** mütyürke, apró díszecske
doodle [ˈduːdl] **I.** *tni* firkál **II.** *fn* szórakozott firkál(gat)ás, krikszkraksz
doodlebug *fn* **1.** varázsvessző *[geológiai kutatáshoz]* **2.** *US* rovar, bogár, lárva
doodle-doo *fn gyerm* kakas, tyúk
doohickey [ˈduːhɪki] *fn US biz* → **doodah** 1.
doojigger [ˈduːdʒɪgə ‖ –ər] *US biz* → **doodah** 1.
doolaly [ˈduːlæli] *US biz* → **doodah** 1.
doom¹ [duːm] **I.** *fn* **1. a)** gyászos végzet, (bal)sors; **he met his ~ at** halálát lelte vhol, végzete utolérte vhol **b)** pusztulás, vknek a veszte **2.** *régi* ítélet, elítélés; **the day of ~** ítéletnap, az utolsó ítélet; **until the crack of ~** ítéletnapig **3.** *tört* törvény, statutum, rendelet **II.** *tsi* **1.** *vál* (el)ítél, pusztulásra szán; **attempt ~ed to failure** kudarcra ítélt (v. reménytelen) kísérlet **2.** *régi* halálra ítél, halálra szán (vkt) • *mn* **doomy**
doom² [duːm] *US* → **doum**
doomed [duːmd] *mn* kudarcra/halálra ítélt; **~ man** elveszett ember, akinek a sorsa meg van pecsételve
doom-laden *mn* vészmadár(kodó)
doomsayer *fn* vészmadár
doomsday [ˈduːmzdeɪ] *fn* az utolsó ítélet (napja); *átv* **till ~** a világ végéig, ítéletnapig; *biz* **put off sg till ~** sohanapjára halaszt vmt
Doomsday Book *fn tört* → **Domesday Book**
doomster [ˈduːmstə ‖ –ər] → **doomsayer**
doomwatch *fn* ‹természeti csapásokat, környezetszennyezést figyelő szolgálat› • *fn* **doomwatcher**
door [dɔː ‖ dɔr] *fn* **1.** ajtó, kapu, bejárat; **double ~** kétszárnyú ajtó, szárnyas ajtó; **front(-)~** bejárati ajtó, utcai ajtó/kapu; **outer ~** külső ajtó/kapu; **from ~ to ~** ajtóról ajtóra, házról házra; **next ~** a szomszédban; *átv* **next ~ to** közel, majdnem, szinte; **this is next ~ to theft** ez szinte már lopással határos; **three ~s away/off** három házzal/ajtóval odébb; **out of ~s** szabadban, szabad ég alatt; **close the ~ to/against sy** beteszi vk előtt az ajtót; *biz* **close the ~ upon any discussion** (v. **to a settlement)** megakadályoz (v. lehetetlenné tesz)mindenféle vitát/megegyezést; **every ~ closed in his face** minden út bezárult előtte; **lay sg at sy's ~** ráfog/ráken vmt vkre, hibáztat vkt vmért; felelőssé tesz vkt vmért; **the fault lies at my ~** én vagyok a hibás; *átv* **open the ~ to sg** lehetőséget/alkalmat ad vmre; **pay for sg at the ~** vm leszállítása után fizet; **show sy the ~** kiutasít vkt, ajtót mutat vknek; **show sy to the ~** kikísér vkt, az ajtóig kísér vkt; **throw open the ~** kitárja az ajtót **2.** ajtónyílás
doorbell *fn* bejárati csengő, kapucsengő; *US biz* **~ pusher** kortes, ügynök
doorcase *fn* ajtótok, ajtókeret, ajtóácsolat
do-or-die *mn* eltökélt, most-vagy-soha
door-frame → **doorcase**
doorhandle *fn* ajtókilincs, kapukilincs
doorhead *fn* szemöldökfa, tokfej, (tok)süveg *[ajtóé]*
doorjamb *fn* ajtófélfa
doorkeeper *fn* kapus, portás, házmester, házfelügyelő
doorknob *fn* ajtófogantyú, ajtógomb, kilincsgomb
doorknocker *fn* **1.** ajtókopogtató **2.** házaló ügynök
doorman [ˈdɔːmən ‖ ˈdɔr–] *fn tsz* **-men** kapus, portás, ajtónálló
doormat *fn* lábtörlő
doornail *fn* ajtó(veret)szeg; **dead as a ~** (egészen) halott, egy szikra élet sincs benne
doorplate *fn* névtábla *[ajtón, házon]*
doorpost *fn* kapufélfa, ajtófélfa; **deaf as a ~** süket, mint az (öreg)ágyú; *biz* **between you and me and the ~** köztünk szólva, négyszemközt
door-spring *fn* önműködő ajtócsukó rugó
doorstep *fn* **I.** *fn* **1.** küszöb, lépcső *[kapu előtt]* **2.** *biz [nagy/vastag szelet kenyér]* deszka **II. A.** *tsi* **1.** interjúra/fényképezési lehetőségre várva les *[újságíró, fotoriporter]* **2.** pótmamára bíz *[gyereket]* **B.** *tni GB* házal, ügynökösködik
doorstop *fn* ajtóütköző
door-to-door *hsz* háztól házig; **~ delivery** házhoz szállítás
doorway *fn* kapualj, bejárat, ajtónyílás; **in the ~** a kapu alatt, a kapuban
dooryard *fn* **a)** *US* kis hátsó udvar **b)** előkert
doozie [ˈduːzi] *fn US biz* hihetetlen dolog *[jó/rossz/furcsa]*; **I've heard lies before but this one was a ~** hallottam már néhány hazugságot, de ez tényleg hihetetlen volt
doozy [ˈduːzi] *fn US biz* → **doozie**
dop [dɒp ‖ dɑp] *fn* **1.** ‹olcsó dél-afrikai borpárlat› **2.** korty pálinka
dopamine [ˈdoʊpəmiːn] *fn vegy biol* dopamin
dopant [ˈdoʊpənt] *fn fiz* adalékanyag
dope [doʊp] **I.** *fn* **1. a)** sűrű/nyúlós folyadék **b)** (kopogásgátló) adalékanyag *[benzinmotorhoz]* **c)** *műsz* dukkózólakk, *rep* cellonlakk *[szárnybevonatokhoz]* **d)** *vegy* felszívóanyag *[dinamitkészítésnél]* **2. a)** *szl [kábítószer]* narkó, anyag, por **b)** *sp* ajzószer, izgatószer, dopping(szer) **3. a)** *US szl [bizalmas értesülés/hírtipp]* drót, füles; **pass the ~** leadja a drótot **b)** *US szl [szédítés, álhír]*, süket (duma) **4.** *szl [buta ember]* tökfej, vízagyú, süket **II. A.** *tsi*

▪ sűrű folyadékkal beken, *rep* (be)lakkoz *[szárnyat]*, *műsz* dukkóz **2.** *biz* kábítószert ad (be)(vknek), *sp* doppingol *[versenyzőt, lovat]*; **~ (oneself)** kábítószert szed **3. a)** *gk rep* **~ the engine** erőlteti a motort *[indításkor]* **b)** adalékol *[olajhoz]*; **~d fuel** kopogásmentes benzin, tüzelőanyag-elegy **4.** *US szl [eltalálja/kipécézi]* kigógyizik, kitotózik, kijojózik; **~ out the winners** kitotózza a nyerőket **B.** *tni sp* doppingol, tiltott ajzószert használ; kábítószert szed, drogozik • *fn* **doper**, **doping**

D

dope-addict *fn* kábítószer rabja, kábítószer-élvező
dope sheet *fn US szl* puska; lóverseny szórólapja
dope test *fn* doppingvizsgálat, doppingteszt
dopey [ˈdoʊpi] → **dopy**
doppelgänger [ˈdɒplgæŋə ‖ ˈdɑplgæŋər] *fn* hasonmás *[személy]*
Dopper [ˈdɒpə ‖ ˈdɑpər] *fn Dél-Af vall* ‹a szigorúan ortodox kálvinista Gereformeerde Kerk tagja›
Doppler effect [ˈdɒplər ɪfekt ‖ ˈdɑplər –] *fn fiz* Doppler-effektus, Doppler-hatás, Doppler-jelenség
dopy [ˈdoʊpi] *mn* **a)** *szl* kábult, kába, elbutult *[kábítószertől]* **b)** *szl [bolond, ostoba]* lökött, dili, dinka, süket
Dora [ˈdɔːrə ‖ ˈdɔrə] *tul* Dóra
dorado [dəˈrɑːdoʊ] *fn* **a)** *áll* aranydurbincs **b)** aranymakrahal
dor-bee *fn biz* poszméh, lódarázs
dor-beetle *fn* **1.** *áll* nagy ganéjtúró **2.** cserebogár
dor-bug *US* → **dor-beetle**
dorcas [ˈdɔːkəs ‖ ˈdɔr–] *fn áll* **~ (gazelle)** gazella
Doreen [ˈdɔːriːn ‖ dɔˈriːn], **Dorene** *tul* ‹női név›
Dorian [ˈdɔːrɪən] **I.** *mn régi* dór; *zene* **~ mode** dór hangsor **II.** *fn* dór
Doric [ˈdɒrɪk ‖ ˈdɔrɪk] **I.** *mn* **1. a)** → **Dorian b)** *épít* dór *[stílusú]*; **the ~ order** dór oszloprend, dór oszlop(fő) **2.** *biz* falusias, vidéki, parasztos *[beszéd]* **II.** *fn* **1. a)** → **Dorian** II. **b)** *épít* dór stílus **2. a)** dór dialektus **b)** *biz* **(broad) ~** parasztos beszédmód/tájszólás *[főleg angol és skót]*
Doris [ˈdɒrɪs] *tul* Dorisz
dork [dɔːk ‖ dɔrk] *fn szl* **1.** *[bolondos/különcködő ember]* dilinyós, dinka, seggfej **2.** *[hímvessző]* tök, kuki, broki
dorm [dɔːm ‖ dɔrm] *fn biz [kollégium]* kolesz, koli, kóter
dormant [ˈdɔːmənt ‖ ˈdɔr–] *mn* **1.** szunnyadó, alvó, téli/nyári álmot alvó *[állat]*, *cím* alvó *[címeren elülső lábain nyugvó fejjel alvó állat]*; **lie ~** alszik, szunnyad **2.** *pénz* **~ account** alvó számla *[pl. svájci bankokban]*; **~ partner** csendestárs • *fn* **dormancy**
dormer bungalow *fn* ‹tetőtérbeépítéses bungaló/házikó›
dormer window *fn* manzárdablak, tetőablak
dormitory [ˈdɔːmətri ‖ ˈdɔrmətɔri] *fn* **1.** *US* kollégium, diákotthon *[egyetem/főiskola területén levő]* **2.** hálóterem **3.** külvárosi/peremvárosi lakótelep
dormitory car *fn US vasút* hálókocsi
dormitory town → **dormitory** 3.
dormobile [ˈdɔːməbiːl ‖ ˈdɔr–] *fn GB* lakóautó, lakóbusz
dormouse [ˈdɔːmaus ‖ ˈdɔr–] *fn tsz* **dormice** *áll* mogyorós pele; **fat ~** nagy pele; **garden ~** kerti pele
dormy [ˈdɔːmi ‖ ˈdɔrmi] *mn sp* **be ~ one/three/four/etc.** egy/három/négy/stb. lyukkal vezet *[golfban]*
doronicum [dəˈrɒnɪkəm ‖ –ˈrɑ–] *fn növ* zergevirág
Dorothy [ˈdɒrəθi ‖ ˈdɔrəθi] *tul* Dorottya
dorp [dɔːp ‖ dɔrp] *fn Dél-Af* kis falu, falucska
dorsal [ˈdɔːsl ‖ ˈdɔrsl] **I.** *mn* **1.** *orv* háti, háton levő, háthoz tartozó, hát-; **~ nerves** háti/dorzális idegek; **~ vertebra** hátcsigolya **2.** *növ* háti, hátoldali **II.** *fn* **1.** faliszőnyeg, falikárpit **2.** széktámla **3.** könyvhát • *hsz* **dorsally**
Dorset [ˈdɔːsɪt ‖ ˈdɔr–] *tul földr* Dorset
dorsum [ˈdɔːsəm ‖ ˈdɔr–] *fn tsz* **dorsa** [ˈdɔːsə ‖ ˈdɔrsə] *orv* hát
dory[1] [ˈdɔːri] *fn áll* Szent Péter hala; aranydurbincs
dory[2] [ˈdɔːri] *fn* lapos fenekű csónak *[tengeri halászathoz]*
DOS *röv infor disk operating system* lemezes operációs rendszer
dos-à-dos [ˌdoʊzɑːˈdoʊ] **I.** *mn* ‹egymásnak háttal fordított és összekapcsolt könyvek› **II.** *fn* ‹kordé, amelyben a két ülés egymásnak háttal helyezkedik el›
dosage [ˈdoʊsɪdʒ] *fn* **1. a)** adagolás, keverési/vegyítési arány **b)** adag, dózis **2.** adagolás, beadás *[orvosságé]*
dose [doʊs] **I.** *fn* **1.** adag, dózis; **daily ~** napi adag/mennyiség; **lethal ~** halálos adag; **go through sg/sy like a ~ of salts** *Ausz biz* gyorsan elintéz vmt/vkt **2.** *szl [vérbaj, gonorrhea]* trikó **II.** *tsi* **1. a)** adagol, adagokra oszt *[orvosságot]*; **~ out** kiadagol **b)** *átv* adagol **2.** kezel, gyógyít, kúrál (*sy with sg* vkt vmvel); **~ oneself** kezeli/gyógyítja magát **3.** meghamisít, kever, pancsol *[főleg bort alkohollal]* • *fn* **dosing**
dosh [dɒʃ ‖ dɑʃ] *fn GB szl [pénz]* zsozsó, suska, lé
dosimeter [doʊˈsɪmɪtə ‖ –mətər] *fn fiz* sugárzásmérő, dózismérő; *körny* doziméter • *fn* **dosimetry** *mn* **dosimetric**
doss [dɒs ‖ dɑs] *GB szl* **I.** *fn* **1.** ágy, priccs **2.** *[alvás, álom]* szunya, hunyás **3.** *[könnyű feladat/dolog]* nem nagy kunszt, semmi **II.** *tni* **1.** lefekszik, alszik *[szükségszálláson, melegedőn]*, levackol **2.** kemény fekhelye van *[padon stb.]*
doss down *tni* lefekszik, ledől, leheveredik, ledöglik; → **doss-down**
doss out *tni szl [szabad ég alatt alszik]* csövezik
dossal [ˈdɒsl ‖ ˈdɑsl] *fn* falikárpit, faliszőnyeg *[trón mögött stb.]*
dossel [ˈdɒsl ‖ ˈdɑsl] → **dossal**
dosser [ˈdɒsə ‖ ˈdɑsər] *fn GB szl* **1.** hajléktalan, csöves, hobó **2.** → **dosshouse**
dosshouse *fn szl* éjjeli menedékhely, hajléktalanok éjjeli szállása *stand*; **sleep in a ~** éjjeli menedékhelyen alszik
dossier [ˈdɒsieɪ ‖ ˈdɔsieɪ] *fn* **1. a)** iratcsomó, aktacsomó **b)** (ok)iratgyűjtő, dosszié **2.** priusz
dost [dəst, dʌst] → **do**
Dot [dɒt ‖ dɑt] *tul* ‹*Dorothy* becéző alakja›
DoT *röv GB Department of Transport*
DOT *röv US Department of Transportation*
dot[1] [dɒt ‖ ˈdɑt] **I.** *fn* **1. a)** pont; **~s and dashes** hosszú-rövid jel, morzejelek; **on the ~** (percre) pontosan, hajszálpontosan; *biz* **pay on the ~** készpénzben/pontosan/azonnal fizet **b)** *mat* tizedespont, tizedesvessző **2.** *zene* pont *[hangjegy mellett]* **3.** *szl* **off one's ~** *[bolond]* dilis **II.** *tsi* **-tt- 1. a)** pontot tesz *[i-re, j-re]*, ékezettel ellát *[i-t, j-t]*; *biz* **~ (all) one's i's** pedáns (alapossággal jár el) **b)** pontokkal jelöl (meg) *[felületet]*, ponttechnikával készít *[rajzot]* **2. a)** pettyez **b)** tarkít *[virág vmt]* **3.** *zene* pontot tesz *[hangjegy mellé]*, hangjegyet értékének felével megnyújt] **4.** *szl* **~ him one** *[megüt]* leken/odasóz neki egyet, bever, bemos; → **dotted**
dot[2] [dɒt ‖ dɑt] *fn* hozomány
dotage [ˈdoʊtɪdʒ] *fn [öregkori szellemi és testi gyengeség]* szenilitás, vénség, második gyermekkor; **fall into one's ~** elöregedik, eltotyakosodik
dotal [ˈdoʊtəl] *mn* hozományi, hozománnyal kapcsolatos; **~ gift** hozomány, kelengye
dotard [ˈdoʊtəd ‖ ˈdoʊtərd] *fn* gyerekes agg, vén fecsegő, szenilis alak, vén trotli
dote [doʊt] *tni* **1.** szenilissé/gyerekessé válik **2. ~ on sy** majomszeretettel csüng vkn, imád/bálványoz vkt, vakon szeret vkt, bolondul/rajong vkért
doth [dəθ, dʌθ] *régi* → **do**
doting [ˈdoʊtɪŋ] **I.** *mn* **1.** szenilis, agyalágyult, totyakos, gyerekes *[aggkorban]* **2.** túlzottan gyengéd, a nevetségességig szerelmes, rajongó; **~ mother** gyermekeit majomszeretettel szerető/kényeztető anya; **~ piece** majomszeretet (v. szerelmes rajongás) tárgya **II.** *fn* **1.** locsogás, fecsegés **2.** majomszeretet, rajongás, túlzott elragadtatás
dot matrix printer *fn infor* mátrixnyomtató
dot printer → **dot matrix printer**
dotted line *fn* pontozott vonal, aláírás helye *[dokumentumon]*; **sign on the ~ line** a kipontozott vonalon írja alá
dottel [ˈdɒtl ‖ ˈdɑtl] → **dottle**

Dottie [ˈdɒti ‖ ˈdɑti] *tul* ‹*Dorothy* becéző alakja›
dottle [ˈdɒtl ‖ ˈdɑtl] *fn* pipaszutyok
dottrel [ˈdɒtrəl ‖ ˈdɑ–], **dotterel** *fn áll* havasi lile
dotty [ˈdɒti ‖ ˈdɑ–] *mn* **a)** *szl [ütődött, hóbortos]* hülye, dilis, gyagyás; *szl* **go ~** *[elmegy az esze]* meghibban, bedilizik **b)** odavan, rajong *[vkiért]*; **she is ~ about horses** odavan/megőrül a lovakért **c)** képtelen, abszurd
douane [duˈɑːn] *fn* vám(ház) *[nem GB-ben]*
Douay Bible *fn tört* Doua-i Biblia
Douay Version → **Douay Bible**
double [ˈdʌbl] **I.** *mn* **1. a)** kettős, kétszeres, iker, dupla; **~ (bed)room** kétágyas szoba; **~ bottom** dupla/kettős fenék; **~ column** kéthasábos cím/cikk; **in ~ columns** kéthasábosan; **~ image** szellemkép *[tévében]*; *jog* **~ nationality** kettős állampolgárság; **~ Scotch/whisky** dupla whisky; *zene* **~ sharp** kettős kereszt; **~ six** dupla hatos *[dominóé, kockáé]*; **work ~ times** éjjel-nappal dolgozik; → **double time**; *GB* **~ summer time** nyári időszámítás; **~ track** kettős vágány(ú vasútvonal); **"fall" is spelt with ~ l** a „fall" szót két l-lel írjuk; **give a ~ knock** kettőt kopog gyorsan egymásután **b) ~ the number** kétszer annyi, még egyszer annyi; **pay ~ the value** az érték kétszeresét fizeti **2.** kétrétű(re összehajtott) *[anyag stb.]*; **bent ~** kétrét görnyedt/hajolt *[személy]*; **~ with age** kortól (meg)görnyedt, hajlott korú **3.** párosított, kettesben *[élő]*; **~ event** *biz* kettős (családi) esemény *[ikrek születése, két egyidejű esküvő stb.]*; *sp* két futamban való győzelem *[lóverseny]*; **lead a ~ life** kettős életet él **4.** *átv* kétszínű, álnok, hamis; **~ game** kétszínű játék; **~ traitor** kétszeres áruló **II.** *hsz* kétszeresen, kétszer annyi(an), kétszer annyit; **~ as long as...** kétszer olyan hosszú ideig, mint; **be bent ~ with pain** meggörnyed(t) a fájdalomtól; **see ~** duplán lát; keresztben áll a szeme *[italtól]* **III.** *fn* **1.** kétszer annyi, még egyszer annyi, duplája vmnek, dupla; **~ or nothing/quits** dupla vagy semmi **2. a)** képmás, alakmás *[élő személy szelleme]*, doppelgänger **b)** hasonmás, alterego **c)** duplikátum, másodpéldány **d)** *film* dublőr; helyettesítés, beugrás **3.** *biz* kétágyas/kétszemélyes szoba **4.** kerülő(út), vargabetű, kitérő *[üldözött vadé, folyóé]* **5. at/on the ~** gyorsan; *kat* futólépésben, gyors lépésben **6.** *sp* **men's ~** férfi páros; *sp* **mixed ~** vegyes páros; *sp* **women's ~** női páros **7. a)** kettős fogadás *[lóversenyen]* **b)** két futamban való győzelem *[lóversenyen]* **8.** *ját* kontra *[bridzsben]*; **take-out ~** színt kérő kontra *[bridzsben]* **9.** *nyomd* hibás ismétlés *[szedésben]* **IV. A.** *tsi* **1. a)** (meg)kettőz, (meg)dupláz, megkétszerez; *zene* **~ a note** megerősít egy hangot *[az oktávjával]*; **~ one's stake** megdupláz tétet *[veszteség után]* **b)** beugrik, helyettesít *[szerepben]* **c)** *nyomd* (tévesen) kétszer szed *[betűt, szót]* **2.** *hajó* **~ a cape** megkerül/körülhajóz egy fokot **3.** duplán/kétrét (össze)hajt *[papírt, szövetet stb.]*; **~ one's legs** keresztbe rakja a lábát **4.** *ját* kontrát mond be, (meg)kontráz **5. a)** *biz* házasságra lép, házasságot köt (vkvel) **b)** *biz* házasságot közvetít **6. a)** *szính film* (vk) dublőze(ként játszik) **b)** *szính film* **~ parts** két szerepet játszik *[ugyanabban a darabban]* **7.** *film* szinkronizál *[filmet]* **B.** *tni* **1.** megkettőződik, megkétszereződik, megduplázódik *[népesség stb.]* **2.** futólépésben halad, futólépésbe megy át **3. a)** visszafut (saját csapásán) *[üldözött vad stb.]* **b)** visszakanyarodik, kanyart/kerülőt csinál (v. ír le) *[folyó stb.]* **4.** *átv* csal, kettős játékot űz **5. a)** *szính film* két szerepet játszik *[egy darabban]* **b)** *szính film* dublőr(ként játszik) • *hsz* **doubly**
double back *tni* **1.** visszafut (saját csapásán) *[üldözött vad stb.]* **2.** visszakanyarodik, kanyart/kerülőt csinál (v. ír le) *[folyó stb.]*
double up A. *tsi* **1.** összehajt(ogat), kétrét hajt vmt; **~ up one's fist** ökölbe szorítja a kezét **2.** leterít *[ütés stb.]* **3. ~ sy up with sy** összerak (v. együtt helyez el) vkt vkvel **B.** *tni* **1. a)** összehajlik *[kettőbe]*, kétrét hajlik/görnyed; **~ up with pain** meggörnyed a fájdalomtól **b)** összehúzódik, összekuporodik, összehúzza magát, lapul **c)** összecsuklik *[vk egy ütéstől]* **2.** odafut, odasiet *[futólépésben]*; *biz* **~ up!** gyerünk, siess!, futólépés! **3. ~ up with sy** megoszt vkvel *[szobát, kabint]*
double acrostic *fn vál* kettős/dupla akrosztikon
double act *fn* kétszereplős darab, páros *[előadás]*
double agent *fn* kettős ügynök
double axe *fn* kétélű/duplaélű fejsze
double-bank → **double-park**
double-barrelled, *US* **-barreled** *mn* **1.** kétcsövű *[puska]*, kéthengeres *[légszivattyú]* **2.** *átv* kétértelmű, kétélű; **~ word** kettős jelentésű szó **3.** *GB* kötőjellel írt, kötőjeles, kettős *[vezetéknév]*
double bass *fn zene* **a)** gordon, nagybőgő **b)** nagybőgős *[zenész]*
double bed *fn* kétszemélyes/dupla ágy, franciaágy • *mn* **double-bedded**
double bill *fn* két részből álló/kétrészes műsor
double bind *fn* dilemma
double bluff *fn* dupla blöff, *átv* kettős/dupla csavar
double boiler *fn* ‹alulról vízzel melegített edény› duplafenekű serpenyő
double bond *fn vegy* kettős kötés
double-book *tsi* kétszer enged lefoglalni, kétszer ad el *[jegyet repülőre]*
double-breasted *mn* kétsoros *[kabát]*
double-check *tsi* kétszer ellenőriz, újraellenőriz
double chin *fn* toka • *mn* **double-chinned**
double click *infor* **I.** *fn* kettős/dupla kattintás *[egérrel]* **II.** *i* **A.** *tsi* duplát/kettőt kattint vmin *[ikonon, menüponton stb.]* **B.** *tni* duplát/kettőt kattint
double-clutch *tni US* → **double-declutch**
double coconut *fn növ* tengeri kókusz(dió)
double concerto *fn zene* kettősverseny
double-cover *tni sp* két védő fogja ugyanazt a támadót *[kosárlabdában]*
double cream *fn GB* sűrű, dús tejszín, dupla tejszín *[kávéhoz]*
double-cross I. *fn* átejtés, becsapás, kijátszás **II.** *tsi* átejt, becsap, kijátszik • *fn* **double-crosser**
double-dagger *fn nyomd* kettős kereszt *[jel]*
double-date *fn US* kettős randevú/randi *[ha két pár együtt randevúzik]*
double-dealing I. *mn* kétszínű, álnok, csaló, hamis; **~ policy** hintapolitika, kétkulacsos politika **II.** *fn* csalás, félrevezetés, kétszínűség, hamisság • *tni* **double-deal** *fn* **double-dealer**
double-deck, **double-decked** *mn* emeletes *[ágy, busz]*
double-decker *fn* **1.** *biz* emeletes (autó)busz/kocsi **2.** kettős fedélzetű (hajó) **3.** kétfedelű repülőgép, biplán **4.** kétszintes/emeletes ház **5.** emeletes szendvics
double-declutch [– diːˈklʌtʃ] *tni gk* kétszer kuplungol, kettős kuplungozást végez
double decomposition *fn vegy* cserebomlás
double density *fn infor* kétszeres sűrűség
double-digit *mn* kétszámjegyű *[pl. infláció]*
double Dutch *fn* **1.** *GB biz* halandzsa, blabla, zöldség; **talk ~** összevissza beszél, halandzsázik; **that's all ~ to me** nekem ez kínaiul van **2.** *US* dupla holland *[két ugrálókötéllel játszott játék]*
double-dyed *mn biz* **~ scoundrel** megrögzött/javíthatatlan gazember
double-eagle *fn* **1.** kétfejű sas *[pénzen, zászlón]* **2.** *US* húszdolláros (pénzdarab)
double-edged *mn* **a)** kétélű, két vágóélű/metszőélű (v. kétpengés) *[kés, balta]* **b)** *átv* kétélű *[bók, érv]*
double-entendre [ˌduːbl ɒnˈtɒndrə] **I.** *mn* kétértelmű, kétjelentésű **II.** *fn* kétértelmű/kétjelentésű szó/kifejezés, *[humoros]* szójáték
double entry, **double-entry book-keeping** *fn gazd* kettős könyvvitel
double exposure *fn fényk* kettős expozíció/exponálás

double-faced *mn* **1.** kétszínű, hamis, hipokrita *[ember]* **2.** *tex* kétszínoldalas, fregoli *[szövet]*
double fault *sp* **I.** *fn* kettős hiba *[teniszben]* **II.** *tni* **double-fault** kettős hibát követ el *[teniszben]*
double feature *fn US* → **double bill**
double figures *fn tsz GB* kétjegyű számok
double first *GB* **I.** *mn* két tárgyban is első, két vizsgán is legjobb(an szereplő) **II.** *fn* két tárgyból is első diák, két vizsgán is legjobb diák
double-fronted *mn épít* kétszárnyú épület
double-ganger *fn* hasonmás, alterego, képmás
double glazing *fn* dupla üveg(ezés), hőszigetelő üvegezés, termoplán üveg(ezés)
double Gloucester *fn* ‹ egyfajta sajt ›
double-headed *mn* kétfejű; ~ **monster** kétfejű szörny; *vasút* ~ **train** kétmozdonyos vonat
double-header *fn* **1.** *vasút* kétmozdonyos vonat **2.** *US* ‹ két egymás után közvetített sportmérkőzés a televízióban › **3.** *Ausz biz* félrenyomott pénzérme *[mindkét oldalán fejjel]*
double helix *fn* kettős spirál/tekercs, dupla hélix
double-jointed *mn biz* ‹ szokatlan irányban is hajolni képes › igen hajlékony
double knitting *fn* kétszeres vastagságú/dupla vastag fonal
double-lock *tsi* kétszer rázár *[ajtót]*, kulcsot kétszer fordít meg *[zárban]*
double-meaning **I.** *mn* kétértelmű, kétes/bizonytalan/ kettős értelmű **II.** *fn* → **double** I. 1. a.
double-muscle *fn orv* kétfejű izom, bicepsz
double negative *fn nyelv* kettős tagadás
double-o [ˌdʌblˈoʊ] *US szl* **I.** *fn [nézés, bámulás]* stírölés **II.** *tsi [néz, bámul]* stírol
double obelisk *fn nyomd* → **double obelus**
double obelus *fn nyomd* kettős kereszt
double-park *tni* ‹ a járda mellett álló kocsik mellé parkol › duplán parkol • *fn* **double parking**
double pneumonia *fn orv* kétoldali tüdőgyulladás
double-quick **I.** *mn/hsz* **(in)** ~ **(time)** *biz* igen gyors(an), egy szempillantás alatt; *átv* rohammunkában **II.** *fn* futólépés, gyors (menet)lépés
doubler [ˈdʌblə ‖ ər] *fn* **1.** *el távk* kettőző, duplikátor **2.** *szính* dublőz *[színész]* **3.** *régi* kétkulacsos/kétszínű ember
double refraction *fn fiz* kettős törés
double rhyme *fn vál* kettős rím, kétszótagú rím
double salt *fn vegy* kettős só
double-shift system *fn* két váltásos/műszakos rendszer
double-sided *mn* kétoldalú, mindkét oldalán használható
double-space *mn* kettős sorközű
doublespeak *fn* kétértelmű beszéd, halandzsa
double standard *fn* **1.** kivételező szabály/elv *[nem egyformán vonatkozik mindenkire]* **2.** kettős erkölcs **3.** *pénz* kettő pénzalap
double star *fn csill* kettős csillag
double-stop **I.** *fn zene* kettősfogás *[hegedűn stb.]* **II.** *tni zene* egyszerre két húron kettősfogást játszik *[hegedűn stb.]* • *fn* **double-stopping**
doublet [ˈdʌblət] *fn* **1. a)** *nyelv* szópár, szómás, alakpár **b)** vmnek a párja **2. a)** másolat **b)** dublé *[ékszer]*, drágakőutánzat **3.** *ját* ~**s** ‹ páros vetéskor nyert azonos számértékű kockák › **4.** szövegismétlődés *[a biblia különböző helyein]*, *[bibliai]* szövegpár
double-take *fn US* **do a** ~ későn kapcsol, késve vesz észre *[vmt ami eleinte elkerülte a figyelmét]*
double-talk **I.** *fn* **a)** kétértelmű beszéd **b)** halandzsa **II.** *tni* összevissza fecseg, halandzsázik
double-team *tni sp* → **double-cover**
doublethink *fn* kétlaki gondolkodás, kettősség *[gondolkodásmódban]*
double time *fn* **1.** kétszeres fizetés/bér **2.** *kat* futólépés; ~! futólépés!, futás! *[vezényszó]*
double-u [ˈdʌbljuː] *fn* duplavé, w
double whammy *fn pol* kettős csapás, kettőzött hátrány
doubloon [dʌˈbluːn] *fn* **a)** *szl [pénz]* dohány, zsozsó, suska **b)** doblón *[régi spanyol aranypénz]*
doublure [dəˈbluə ‖ dəˈblʊr] *fn* díszes bélés *[könyv fedelén belül]*
doubly [ˈdʌbli] *hsz* kettőzve, kettőzötten, kettősen, kétszeresen, duplán; ~ **so as** annál is inkább, mert
doubt [daʊt] **I.** *fn* kétség, kétely, bizonytalanság; **beyond/ without (a)** ~ kétségkívül, kétségtelenül, minden bizonnyal; **be in** ~ kétségei vannak (vm felől); **have one's ~s about** (v. **as to**) **sg** kétségei vannak vm felől; **raise ~s** kétségeket/kétkedést ébreszt/támaszt; **no** ~ kétségtelenül, bizonyára; **no** ~ **he will come** nem kétséges, hogy jönni fog; **the benefit of** ~ → **benefit** I.1. **II. A.** *tsi* **1.** kételkedik (vmben), vkben, kétségbe von (vmt); **I** ~ **it** kétlem, nem igen hiszem; ~ **one's own eyes** nem hisz a saját szemének; ~ **sy's word** kételkedik vknek a szavában **2.** *GB régi* gyanít, tart *[vmitől]* **B.** *tni* **1.** kételkedik **2. he ~ed no longer** nem habozott/tétovázott tovább • *fn* **doubter**
doubtful [ˈdaʊtfl] *mn* **1. a)** kétséges, kétes, bizonytalan *[dolog]* **b)** ~ **debt** kétes követelés **2. a)** határozatlan, bizonytalan, ingadozó, habozó *[személy]* **b) be ~ of sg, be ~ as to sg** kételkedik vmben, kétségei vannak vmvel szemben **3.** kétes, gyanús, megbízhatatlan *[jellem]*, vitatható *[kérdés]*, rossz (hírű) *[társaság]* • *fn* **doubtfulness** *hsz* **doubtfully**
doubting Thomas *fn* hitetlen Tamás
doubtless [ˈdaʊtləs] *hsz* **1.** kétségtelenül, kétség(en) kívül **2.** *biz* valószínűleg, minden bizonnyal
douche [duːʃ] **I.** *fn* **1.** zuhany, tus **2.** irrigátor; **take a** ~ irrigál **II. A.** *tsi* (le)zuhanyoz, (le)tusol, irrigál **B.** *tni* zuhanyozik, tusol, irrigál *[nő]*
Doug [dʌg] *tul* ‹*Douglas* becéző alakja›
dough [doʊ] *fn* **1.** tészta, *[süteményé, kenyéré stb.]* **2.** *GB* kis gombóc **3.** *US szl [pénz]* guba, dohány, lóvé; **be up in the** ~ felveti a lóvé
dough-basket *fn* szakajtó
dough-boy *fn* **1.** *US gaszt* ‹ lisztből készült gombóc › **2.** *kat szl* ‹ gyalogos (közlegény) › bokorugró
dough-knife *fn* szaggatóforma *[tészta számára]*
doughnut [ˈdoʊnʌt] *fn* (apáca)fánk; *US biz* **dollars to ~s** egy a százhoz arányban; tízet teszek egy ellen, hogy...; teljesen valószínűtlen, hogy
doughnut factory → **doughnut house**
doughnut foundry → **doughnut house**
doughnut house *fn* fánkárus, fánkot árusító hely, fánkos
doughty [ˈdaʊti] *mn tréf régi* vitéz, hős, bátor; ~ **deeds** hőstettek • *fn* **doughtiness**
doughy [ˈdoʊi] *mn* **1. a)** nyúlós, keletlen, tömött, nehéz, tésztás *[kenyér]* **b)** tésztaszerű **2.** fakó, sápadt; *biz* ~ **countenance** fakó arcszín
Douglas [ˈdʌgləs] *tul* ‹ férfinév ›
dour [dʊə ‖ –dʊr] *mn* **1.** *skót* szigorú, morcos, zord, kemény **2.** nyakas, önfejű, konok, csökönyös
douse [daʊs] *tsi* **1.** *biz* vízbe márt, merít, beáztat *[vízbe]* **2.** *biz* vizet locsol/önt (vkre), lezuhanyoz, letusol **3. a)** *hajó* gyorsan bevon *[vitorlát]* **b)** (be)csuk, elzár *[hajónyílást]* **4.** elolt *[világítást]*; ~ **the glim!** oltsd ki a fényt!, fújd el a lámpát/gyertyát! • *fn* **dousing**
dove[1] [dʌv] **I.** *fn* **1.** *áll* galamb **2.** *biz* **my ~!** drágám, édesem **3.** *US* háborúellenes személy **4.** *vall* **the D~** a Szentlélek **5.** szelíd/galamblelkű ember **II.** *mn* galambszürke, galambbegyszínű
dove[2] [dəʊv] *US biz* → **dive** II.
dove-coloured *mn* galambszínű
dovecot *fn* galambdúc, galambház; **flutter the ~s** a kedélyeket felkavarja/izgatja
dovecote [ˈdʌvkoʊt, –kɒt ‖ –koʊt, –kɑt] → **dovecot**
dove-grey *fn* galambszürke
dovehouse → **dovecot**
Dover [ˈdoʊvə ‖ –ər] *tul földr* Dover
dove's-foot *fn növ* gémorr

dovetail I. *fn* **1.** *műsz* fecskefark **2. ~ (joint)** fecskefarkú illesztés/kötés, fecskefarkkötés, fecskefarkillesztés; **~ saw** csapozó fűrész **II. A.** *tsi* **1.** fecskefarkkötéssel köt, (fecskefark)csapolással összeilleszt **2.** *biz* **~ two schemes together** (v. **into each other**) összekapcsol két tervet **B.** *tni* összeill(eszked)ik *[terv stb.]*; **every little detail ~ed** minden apró részlet összevágott • *fn* **dovetailing**

dovish [ˈdʌvɪʃ] *mn* háborúellenes, békepárti

dowdy [ˈdaudi] **I.** *mn* rosszul öltözött, slampos; divatjamúlt, régimódi *[ruha]* **II.** *fn* **an old ~** hanyagul öltözött nevetséges öreg figura *[nő]* • *fn* **dowdiness** *hsz* **dowdily**

dowel [ˈdauəl] **I.** *fn* (fa)csap, (fa)ék, faszeg, pecek, tipli **II. -ll-**, *US* **-l-** *tsi* csappal/ékkel rögzít/összeköt, (meg)csapoz, betétez *[fát]*

dowelling [ˈdauəlɪŋ], *US* **doweling** *fn* csaposereszték

dower [ˈdauə ‖ –ər] **I.** *fn* **1.** özvegyi jog **2.** *vál régi* hozomány, móring **3.** *biz* (isteni) adomány, tehetség, adottság **II.** *tsi* **1.** özvegyi jogot biztosít **2.** hozománnyal lát el, kiházasít *[leányt]* **3.** *átv* **~ed with the most brilliant talents** a legragyogóbb tehetségekkel megáldva • *mn* **dowerless**

dowerhouse *fn GB* ‹ház mellett álló kisebb ház, mely az özvegy örökségének része›

dowery [ˈdauəri] → **dowry**

Dow-Jones average [ˌdau dʒounz ˈævərɪdʒ] *fn pénz* Dow-Jones (árfolyam)átlag *[tőzsdén]*

Dow-Jones index *fn pénz* → **Dow-Jones average**

down¹ [daun] **I.** *mn* lefelé való/irányuló/menő/történő, függőleges *[oszlop keresztrejtvényben]*, le-; **~ payment** foglaló; előleg, első részlet(fizetés); **~ platform** fővárosból/Londonból érkező vonatok peronja **II.** *hsz* **1.** le(felé), földre; **~!** feküdj! *[kutyához]*; **~ with it!** nyelje le!, le vele! *[pl. orvosság bevételekor]*; **~ with him!** le vele! **2. a) ~ below** lent, lenn; alul; *biz* a pokolban; **~ here** itt (mifelénk); **~ there** ott lent!; *infor* **the network is ~** nem működik/elérhető a (számítógép)hálózat; **further ~** lejjebb, lentebb; **face/head ~** arccal/fejjel lefelé; **~ in the country** vidéken; **be ~** lent (v. a földön) van, leesett; nincs már az egyetemen *[diák]*; nem jól van, rosszul érzi magát; **be ~ with a cold** náthával fekszik; **bread is ~** olcsóbb lett a kenyér, lement a kenyér ára; **the clock is** (v. **has run**) **~** lejárt/megállt az óra; **hold him ~!** fogjátok le!; **the sun is ~** lement a nap; **ten points ~** 10 ponttal kevesebb, 10 ponttal veszít *[játékban]*; *gk* **your tyres are ~** leeresztettek/laposak a gumijai; **the wind is ~** a szél elült; *hajó* szélirányba(n) van **b)** *műsz* be; **be ~** áll *[gép]* **c)** *gazd* **cash/money ~** (i) készpénzért, készpénzfizetés (v. készfizetés) ellenében (ii) átvételkor fizetve (iii) előleg, első részlet; **he is £100 ~** száz fontos deficitje/hiánya van; **he is ~ for £100** 100 fontot jegyzett; **~ by 40 per cent** 40 százalékkal csökkent **3. ~ to recent times** *[sorrendre/időre vonatkozóan]* a legújabb időkig, a jelenig, mostanáig **4. be done ~** megszégyenítik, leégetik, rápirítanak, blamálják; **be ~ on one's luck** rosszul áll, pechje van; **be ~ on sy** haragszik/pikkel vkre **III.** *elölj* **1.** lent **2.** lefelé; **fall ~ the stairs** leesik/legurul a lépcsőn; **go ~ the street** végigmegy az utcán; **the tears ran ~ her face** a könnyek végigfolytak/leperegtek az arcán **3.** irányában; **fly ~ the wind** széllirányban repül *[vad stb.]* **IV.** *fn* **1. ups and ~s of life** az élet viszontagságai, jó és balsors **2. have a ~ on sy** ki van rúgva, pikkel vkire, nem szívlel vkt **3. a)** *US sp* ‹négy közül az egyik kísérlet a labda tíz yarddal történő előrevitelére› támadási/pontszerzési lehetőség *[amerikai futballban]* **b)** kezdés, kezdőrakás *[dominóban]* **4.** *szl [nyugtatószer]* dilibogyó **5.** *szl* rossz/leverő élmény/dolog **6.** *szl* negatív tendencia *[üzletben stb.]* **V. A.** *tsi* **1. a)** legyőz, lever, megver (vkt), földhöz teremt/vág (vkt), leteper/leterít/leüt (vkt) **b)** lelő, leszed *[repülőgépet]* **c)** *kat* leszállásra kényszerít *[repülőgépet]* **2.** *ip* **~ tools** sztrájkba lép, megtagadja a munkát; leteszi a lantot *[dolgozó]* **3.** *szl* **~ a drink** *[lehajt/felhajt egy pohár/adag italt]* bedob, lenyom *[egy pohárral]* **B.** *tni* leszáll *[repülőgép]*

down² [daun] *fn* **1.** pehely, pihe, finom toll *[madáron]* **2.** pelyhedző szakáll, legénytoll, pihe(szőr) **3.** molyhosság *[növényé]*, pihe, pehely *[gyümölcsön]*

down³ [daun] *fn* **1.** fátlan dombvidék, dombos/hullámos terepszakasz **2.** homokos domb *[tengerparton]*; **~s** föveny, tengeri homokzátonysor, dűne

down-and-out I. *mn* **1.** lecsúszott, lezüllött, nincstelen **2.** *sp* kiütött, meccset feladni kényszerülő **II.** *fn* csavargók, lecsúszott/lezüllött emberek

down-at-heel *mn GB* sarkán félretaposott, (el)nyűtt *[cipő]*; lerongyolódott, elszegényedett, topisan öltözött *[ember]*

down-beat I. *mn biz* **1.** szomorú, lehangolt, borúlátó, pesszimista **2.** könnyed, laza, nyugis **II.** *fn* **1.** hangsúlyos szótag *[verselésben]* **2.** *zene* leütés, hangsúlyos ütemrész

downcast I. *mn* **1.** lehangolt, levert, elcsüggedt *[személy]* **2.** lesütött, földre szegezett *[tekintet stb.]* **II.** *fn bány* **a)** lefelé irányuló légáram **b)** **~(-shaft)** behúzó akna

downdraft *US* → **downdraught**

downdraught *fn* **1.** lefelé irányuló légáram(lás), esőáram **2.** szívás, szívó hatás *[süllyedő hajóé stb.]*

Down Easter [ˌdaun ˈiːstə ‖ –ər] *fn US* new englandi lakos

downer [ˈdaunə ‖ –ər] *fn biz szl* **1.** *[nyugtatószer]* dilibogyó **2.** leverő/nyomasztó közérzet/élmény, kudarc **3.** → **downturn**

downfall *fn* **1.** (le)esés, (le)hullás *[hóé stb.]* **2.** elbukás, összeomlás, bukás *[birodalomé stb.]*; **~ of all my hopes** összes reményeim meghiúsulása; **drink was his ~** az ital volt a veszte

down-going *mn* **a ~ man** (i) züllés útjára került ember (ii) hanyatlófélben levő ember *[egészségileg stb.]*

downgrade I. *tsi* **1.** visszaminősít *[alacsonyabb bérezésű munkakörbe]*, áthelyez *[alacsonyabb munkakörbe]*, *kat* lefokoz **2.** leminősít, leosztályoz **II.** *fn* **1.** *vasút* ereszkedő, lejtő, völgymenet **2.** hanyatlás, pusztulás, romlás; **be on the ~** hanyatlófélben van, hanyatlik

down-hearted *mn* lehangolt, szomorú, elkedvetlenedett; **don't be ~** ne csüggedj • *fn* **downheartedness**

downhill I. *mn* **a)** lejtős **b)** lefelé/völgyfelé menő; **~ course** lesiklópálya; hanyatló, romló **II.** *hsz* **go ~** dombról/hegyről lefelé megy; lejt, esik *[út]*; *biz biz* romlik, romlásnak indul *[egészség, jellem stb.]*; *átv* hanyatlik *[tehetség]* **III.** *fn* **1.** lejtő(sség), lejtés, völgymenet; **the ~ of life** az élet alkonya; hanyatlás, romlás **2.** hegyoldal, lanka **3.** *sp* lesiklás

downhiller [ˌdaunˈhɪlə ‖ –ər] *fn sp* lesikló *[síversenyő]*, lesiklásban induló *[versenyző]*

down-home *mn US* **1.** vidékies, otthoni hangulatú **2.** igénytelen, szerény, egyszerű

downing [ˈdaunɪŋ] *fn* **1.** leszállás(ra való kényszerítés), leszállítás *[repülőgépet légvédelem stb. által]* **2. ~ of tools** munkabeszüntetés, a munka megtagadása/beszüntetése, sztrájkba lépés

Downing Street [ˈdaunɪŋ striːt] *fn* **1.** ‹utca a mindenkori angol miniszterelnök hivatalos lakásával› **2.** *biz átv* a(z angol) kormány

down in the mouth *mn biz* szomorú, elszontyolodott

downland → **down¹**

download *infor* **I.** *fn* letöltés *[programé másik számítógépről, hálózatról]* **II.** *tsi* letölt *[programot]*

downmarket *mn GB biz* olcsó; rossz minőségű, silány *[áru]*

downmost [ˈdaunmoust] **I.** *mn* legalsó, legalul levő/fekvő **II.** *hsz* legalul(ra)

downplay *tsi* csekély jelentőséget tulajdonít (vmnek), lekicsinyel, (el)bagatelizál

downpour *fn* felhőszakadás, zápor, szakadó/zuhogó eső

downright I. *mn* **1.** egyenes, nyílt, őszinte; **a ~ fellow** jóindulatú/rendes fickó **2.** teljes, kétségtelen, igazi, valódi; **~ lie** arcátlan/tiszta hazugság; **a ~ no** határozott nem **II.** *hsz* **1.** egyenesen, nyíltan, őszintén, teljesen, egészen **2.** világosan, határozottan; **he refused ~** kereken visszautasította

D

downriver I. *mn* a folyón lejjebb elhelyezkedő, a folyó alsó részén/folyása mentén található **II.** *hsz* lefelé a folyón, folyásirányban
down-river racing *fn sp* vadvízi evezés, rafting
downscale *US* **I.** *mn* a skála alsó tartományában elhelyezkedő, alsóbbrendű **II.** *tsi* csökkent, mérsékel, korlátoz
downshift I. *fn* lecsúszás; *gk* visszakapcsolás *[sebességváltóé]* **II.** *tni gk* visszakapcsol, lejjebb vált *[sebességváltóval]*
downshifter *fn biz* kiugró, lazító *[a mókuskerékből kiugró személy, feszültséggel terhes foglalkozást és életformát könnyedebbre váltó ember]*
downside *fn* **1.** hátrány, hátulütő **2.** *pénz* részvényárcsökkenés
downsize *US* **A.** *tsi* csökkent *[méretben]*, kicsinyít *[fényképet]*, leépít **B.** *tni* csökken, összemegy
downsizing *fn infor gazd* méretcsökkenés
Down's syndrome *fn orv* Down-kór
downstair → **downstairs** I.
downstairs I. *mn* **the ~ rooms** a lenti/földszinti szobák **II.** *hsz* **1.** alul, lent *[házban]*, a földszinten; **our neighbours ~** az egy emelettel alattunk lakó szomszédok/lakók **2.** lefelé; le-; **go ~** lemegy (a lépcsőn) **III.** *fn* **a)** földszint, a lenti/földszinti szobák **b)** a lenti/földszinti lakók
downstate *US* **I.** *mn* az állam eldugott/távoli részében fekvő, vidéki **II.** *hsz* az állam eldugott/távoli részében, a nagyvárosoktól távol, vidéken **III.** *fn* az állam eldugott/távoli része
downstream I. *mn* folyásirányú, az áramlás irányába menő **II.** *hsz* folyás/áramlás irányában
downswing *fn* **1.** csökkenő tendencia/trend **2.** *sp* suhintás *[golfban labda elütésekor]*
down-the-line *hsz US* teljes mértékben, minden vonatkozásban
downtime *fn infor ip* állásidő
down-to-earth *mn* józan, konkrét, realisztikus
downtown *US* **I.** *mn biz* belvárosi, az üzleti negyedben levő/fekvő **II.** *hsz* a (bel)városba(n), a központba(n), az üzleti negyedbe(n); **go ~** bemegy a belvárosba; **~ Chicago** Chicago belvárosában **III.** *fn* belváros, városközpont, üzleti negyed
downtrodden *mn* **1.** letaposott, letiport *[fű stb.]*, elnyűtt *[cipő]* **2.** elnyomott, leigázott *[nép]*
downturn *fn* csökkenő irányzat/tendencia
down under I. *hsz* **1.** a világ végén **2.** *biz* Ausztráliában, Új Zélandon **II.** *fn* Ausztrália és Új Zéland, *biz* a világ vége
downward ['daʊnwəd ‖ –wərd] **I.** *mn* lefelé haladó/irányuló, leszálló; **~ path** lefelé vivő *[ösvény]*; *átv* a romlásba vivő út, a lejtő; **~ tendency** csökkenő irányzat *[áraké]* **II.** *hsz* → **downwards**
downwardly mobile ['daʊnwədli ‖ –wərd–] *mn* csökkenő/süllyedő életszínvonalú, elszegényedő
downwards ['daʊnwədz ‖ –wərdz] *hsz* **1.** lefelé *[felülről, folyón]*; **look ~** lefelé néz; **the road runs ~** az út lejt, az út lefelé halad **2. from the twelfth century ~** a tizenkettedik század óta (v. századtól kezdve)
downwarp *fn geol* alágyűrődés
downwind I. *mn/hsz* szélirányba (eső) **II.** *fn* hátszél
downy[1] ['daʊni] *mn földr* hullámos *[terep]*, dombos *[vidék]*
downy[2] ['daʊni] *mn* **1. a)** pihés, pehellyel/pihével fedett, bolyhos **b)** hamvas, bolyhos, szőrös *[gyümölcs]*, pelyhes, pelyhedző *[áll]* **c)** puha, lágy, laza, bársonyosan puha *[fekhely]*; *biz* **seek the ~** belebújik az ágyba **2. a)** *GB szl* **a ~ bird** *[ravasz ember]* agyafúrt kópé, ravasz róka, vén csirkefogó, ügyes, szemfüles **b)** *[a világ dolgait jól ismerő]* dörzsölt, rutinos
dowry ['daʊri] *fn* **1.** hozomány, móring **2.** isteni adomány, tehetség
dowry-hunter *fn* hozományvadász
dowse[1] [daʊz] *tni* varázsvesszővel keres/kutat *[vizet stb.]* • *fn* **dowser**, **dowsing**
dowse[2] [daʊz] → **douse**
dowsing-rod *fn* varázsvessző *[forráskutatóé]*
doxology [dɒk'sɒlədʒi ‖ dɑk'sɑ–] *fn vall* doxológia
doxy ['dɒksi ‖ 'dɑksi] *fn* **a)** kurva, lotyó, szajha **b)** szerető
doyen ['dɔɪən] *fn* ‹diplomáciai testület legidősebb tagja› doyen
doyley ['dɔɪli] → **doily**
doz. *röv dozen*
doze [doʊz] **I. A.** *tsi* **~ away the time** elbóbiskolja az időt, szundikálással tölti az időt **B.** *tni* **1.** szundikál, szundít, szunyókál **2. ~ (off)** elszunnyad, elbóbiskol, elszenderedik **II.** *fn* szundikálás, szendergés, szunyókálás, szundítás; **fall into a ~** elszunnyad, elszenderedik; **have a ~** szundít/szundikál egyet
dozen ['dʌzn] *fn* **1.** tucat; **a ~ eggs** egy tucat tojás; **a long/round/baker's/printer's ~, thirteen to the ~** tizenhárom; *biz* **talk** (v. **his tongue goes) thirteen/fifteen/nineteen to the ~** vég nélkül locsog, be nem áll a szája; **sell in (sets of) ~s, sell by the ~** tucatjával/tucatszámra árul *[árukat]*; **six of one and half a ~ of the other** az egyik tizenkilenc, a másik egy híján húsz **2.** rengeteg, számtalan, egy csomó; **I'll give you a ~ reasons** számtalan (v. egy sereg) okot sorolok majd fel (magának); **~s and ~s of times** számtalanszor, hányszor, de hányszor **3. the ~s** ‹amerikai feketék szóbeli játéka, melynek lényege egymás tréfás sértegetése›
dozenth ['dʌznθ] *mn biz* **let me tell you for the ~ time...** hadd mondjam el (magának) ezredszer...
dozer ['doʊzə ‖ –ər] → **bulldozer**
dozy ['doʊzi] *mn kfok* **-ier**, *ffok* **-iest 1.** álmos, elelbóbiskoló **2.** *GB biz [buta/lusta]* nyomott, ütődött
DPh, **DPhil** *röv Doctor of Philosophy* bölcsészdoktor
DPI *röv infor dot per inch* egy hüvelykre eső pontok száma *[pontsűrűség egysége]*
dpt *röv department*
Dr *röv* **1.** *Doctor* **2.** *Drive*
drab[1] [dræb] **I.** *fn* **1.** ribanc, kurva, prostituált **2.** piszkos nő **II.** *tni* **-bb-** kurválkodik
drab[2] [dræb] **I.** *mn* **-bb- 1.** sárgásszürke, szürkésbarna, drapp(színű) **2.** *biz* örömtelen, szürke; **lead a ~ existence** egyhangú/színtelen/szürke életet él **II.** *fn* **1.** sárgásszürke/szürkésbarna/drapp szín **2.** monotónia, egyhangúság; **the ~ of his life** életének egyhangúsága
drab[3] [dræb] *fn* kis pénzösszeg
drabble ['dræbl] **A.** *tsi* besároz **B.** *tni* tocsog, pocskol, besározza magát
drachm [dræm] *fn* **1.** → **drachma 2.** → **dram** I.
drachma ['drækmə] *fn tsz* **drachmas**, **drachmae** ['drækmiː] drachma *[görög pénzegység]*
drack [dræk] *mn* **1.** *Ausz szl [csúnya]* randa, bányarém *[nő]* **2.** gyászos, lehangoló, unalmas
Draco ['dreɪkoʊ] *tul* Drakón
Draconian [drə'koʊnɪən] *mn* **1.** drakóni **2.** rendkívül szigorú, drákói *[rendszabályok, szigor stb.]*
Draconic [drə'kɒnɪk ‖ –'kɑnɪk] → **Draconian**
draff [dræf] *fn* **1.** seprő *[boré stb.]* **2.** malátatörköly, mosléktörköly **3.** hulladék, szemét
draft [drɑːft ‖ dræft] **I.** *fn* **1.** vázlat *[írásműé]*, (törvény)-tervezet, első terv *[szerződésé]*, fogalmazvány *[ügyiraté]*, piszkozat; **~ (of an) agreement** szerződéstervezet; *jog* **~ treaty** szerződéstervezet **2.** *épít műsz* vázlat, terv(rajz); **~s and estimates** tervrajzok és költségvetések **3. a)** *gazd* intézvényezés *[váltóé]* **b)** intézvény, váltó; **~ at sight** látra szóló váltó **4.** *US kat* **a)** sorozás, újoncozás; **~ agency** hadkiegészítő parancsnokság; **~ (call)** behívás, behívó **b)** sorozóbizottság **c)** katonai szolgálati kötelezettség; **~ age** állításköteles kor **d)** a besorozottak, az újonckontingens **5.** csapolás; **beer on ~, ~ beer** csapolt sör **II.** *tsi* **1.** megír, (meg)szerkeszt (meg)fogalmaz, tervezetet készít *[szerződésről]*, piszkozatot ír *[levélét]*, vázlatot készít, felvázol *[tervet]* **2. a)** *kat US* **~ (into the army)** besoroz, behív (katonai szolgálatra) **b)** kikülönít, kiküld *[különítményt]* **c)** (el)rek-

virál, katonai célokra igénybe vesz **3.** *kat* szolgálatra beoszt (vkt); **~ sy to a post** kijelöl vkt egy helyre/állásra; → **draught** • *fn* **drafter**, **drafting** *mn* **draftable**

draft board *fn US* sorozóbizottság

draft card *fn US* sorozási felhívás/felszólítás, behívó

draft dodger *fn US* frontlógós, lógós *[aki elblicceli a sorkatonai szolgálatot]*

draftee [drɑːf'tiː ‖ dræf–] *fn* **1.** *US* besorozott **2.** *US* újonc, behívott

drafting ['drɑːftɪŋ ‖ 'dræf–] *fn* megfogalmazás, megszerkesztés, szövegezés, tervezetkészítés, vázlatkészítés *[levélé, ügyiraté stb.]*; **~ board table** mérnöki/műszaki rajzasztal

drafting committee *fn* szerkesztőbizottság

draftsman ['drɑːftsmən ‖ 'dræfts–] *fn tsz* **-men** műszaki rajzoló; → **draughtsman**

drafty ['drɑːfti ‖ 'dræfti] → **draughty**

drag [dræg] **I.** *i* **-gg- A.** *tsi* **1.** húz, (el)vonszol, (el)hurcol; **~ one's feet** sántít, húzza a lábát; *biz átv* immel-ámmal (v. vonakodva v. sok huzavona után) tesz/csinál/végez (vmt); *biz* **we had to ~ him here** úgy kellett ide hurcolnunk *[akarata ellenére]* **2.** vontat **3.** kotor *[folyó/tó fenekét]*, fenékhálóval keres, átkutat(ja a folyó fenekét); **~ one's brain** fejét töri **4.** *szl [cigarettát szív]*, slukkol **B.** *tni* **1.** vánszorog, elmaradozik, lemarad *[személy]*, (el)húzódik *[előadás, per]*, *biz* álmosan/vontatottan folyik *[beszélgetés]* **2.** ellenállást fejt ki **3.** *szl [szippant/szív cigarettából]* pöfékel, slukkol **4.** *szl* ‹utcán autóval gyorsulási versenyen vesz részt› **5.** *hajó* súrolja/szántja a feneket *[horgony]* **6.** húzóhálóval/gyalommal halászik **II.** *fn* **1.** húzás, vonszolás; **walk with a ~** sántít, húzza a lábát **2.** postakocsi, batár, nagy vadászhintó **3. a)** markoló(gép) **b)** útgyalu **c)** kotró(gép) **d)** vonóháló, kotróháló, mentőcsáklya **4. a)** kerékkötő (saru), (fék)saru, kerékfék; *biz* **put on the ~** (meg)gátol (vkt vmben), fékez vkt **b)** akadály, béklyó, kolonc, teher, nyűg; *átv* **a ~ on sg** kerékkötője vmnek; **be a ~ on sy** kolonc/nyűg/teher vk nyakán **c)** → **drag-bar 5. a)** *fiz* közegellenállás, súrlódás, súrlódási ellenállás **b)** *rep* légellenállás **6.** *szl [szippantás]* slukk *[cigarettából]* **7.** *szl* befolyás, összeköttetés, protekció **8. a)** *szl szính [férfiak által hordott női ruha]* női szerelés/szerkó/cucc **b)** parti/buli *[melyen ilyen ruhát hordanak]* **9.** *szl [barátnő táncban, partin stb.]* csaj, nő **10.** *szl [unalmas ember/dolog]* fárasztó/hervasztó ember/dolog, dögunalom vm **11.** *szl [ruha]* gönc, szerkó, cucc **12.** *szl* **a)** *[személygépkocsi]* gép, márka, járgány, verda **b)** gyorsulási verseny *[utcán, úton]* **13.** *szl* út, utca *stand* **14.** *vasút* nyitott teherkocsi; **~ for goods** teherkocsi

drag about A. *tsi* (magával) cipel, hurcol, vonszol (vkt/vmt) **B.** *tni* **~ about the streets** az utcán mászkál/cselleng

drag along *tsi* (magával) cipel, hurcol, vonszol

drag away *tsi* **1. a)** elhurcol, elcipel, elvonszol *[erőszakkal]* **b)** kiszabadít, kihoz **2.** kihoz, kihurcol, elvisz *[helyiségből]*

drag behind *tni* hátramaradozik, lemaradozik

drag down *tsi* lehúz, leránt, vonszol; **he has ~ged me down with him** magával rántott

drag in *tsi* **1.** erőszakkal bevon/behúz; **~ in a subject** *biz átv* előráncigál egy témát **2.** becipel, behurcol *[pl. csomagot helyiségbe]*

drag into *tsi* be(le)ránt, bevon (vmbe)

drag off → **drag away**

drag on A. *tsi* **1.** elcipel, elhúz, elvonszol **2. ~ on a miserable existence** nyomorúságban tengődik **3.** *átv* elhúz, kihúz *[ügyet]* **B.** *tni* (el)húzódik, vontatottan folyik, végtelenségbe nyúlik *[ügy, előadás]*; **time ~s on** lassan múlik az idő

drag out *tsi* **1. ~ sy out of bed** vkt ágyból kihúz/kiránt; **~ the truth out of sy** kiszedi az igazságot vkből **2. ~ out an affair** kihúz (v. végletekig elnyújt) egy ügyet **3. ~ out a wretched existence** nyomorban él/tengődik

drag up *tsi* **1.** *biz* **why do you ~ up that old story?** miért hozod fel ezt a régi históriát? **2.** *biz* gondatlanul nevel; **~ged up** neveletlen, vásott *[gyermek]*; **he was ~ged up anyhow** nem volt gyerekszobája

drag anchor *hajó* **I.** *fn* kutatóhorgony **II.** *tni* a horgony szántja a feneket

drag-and-drop *fn infor* „húzd és ejtsd" *[egérművelet]*

drag artist *fn* ‹női szerepet játszó férfi színész›

drag-chute *fn rep* fékező ernyő

dragée [dræ'ʒeɪ] *fn* drazsé

dragged [drægd] → **drag** I.

draggle ['drægl] **A.** *tsi* (sárban), porban maga után húz/vonszol *[szoknyát stb.]* **B.** *tni* **1.** a földet sepri *[ruha]* **2.** *átv* hátramarad, lemarad, hátul vánszorog

draggletail *fn* lompos nő, borzaskata • *mn* **draggletailed**

draghound *fn* falkavadászathoz használt kutya, kopó

draghunt *fn* falkavadászat

dragline *fn* vonóköteles/vonóvedres kotró

dragnet *fn* **1.** fenék(vonó)háló, vonóháló, gyalom **2.** *vad* húzóháló *[madarakra]* **3.** alapos nyomozás, minden négyzetcentiméter átkutatása

dragon ['drægən] *fn* **1. a)** sárkány; *csill* **the D~** a Sárkány *[csillagkép]* **b)** *biz* házisárkány **c)** (papír)sárkány *[játék]* **2.** *kat* hernyótalpas vontató, lövegvontató

dragonet ['drægənɪt] *fn* **1.** *áll* krokodilgyík **2.** lanthal

dragon-fish → **dragonet** 2.

dragonfly *fn áll* szitakötő

dragon's blood *fn* sárkányvér *[gyanta]*

dragon's teeth *fn tsz GB biz* tankcsapda, beton tankakadály

dragon tree *fn növ* sárkányfa

dragoon [drə'guːn] **I.** *fn* **1.** *kat* dragonyos **2.** kemény/durva férfi **3.** ‹egy galambfajta› **II.** *tsi biz* zsarnokoskodik (vkn); **~ sy into doing sg** vkt vm megtételére kényszerít

drag queen *fn szl* ‹homoszexuális/transzvesztita férfi›

drag race *fn sp* → **drag** II.12.b

dragster ['drægstə ‖ –ər] *fn sp* gyorsulási versenyre épített versenyautó

draggy ['drægi] *mn biz [unalmas]* uncsi, dögunalmas, fárasztó

drail [dreɪl] *fn* fenékhorog

drain [dreɪn] **I. A.** *tsi* **1. ~ water (away/off)** vizet leereszt/lecsapol **2. a)** lehajt *[italt]*, (ki)ürít *[poharat]* **b)** kiürít *[tartályt]* **3.** kiszárít, lecsapol, víztelenít **4.** *átv* elapaszt, elfogyaszt, kimerít; **~ sy dry** anyagilag teljesen kifoszt/megkopaszt vkt; **~ sy body and soul** kiszívja vknek az erejét; **writer who has ~ed himself dry** író, aki kiírta magát **B.** *tni* **1.** elfolyik, felszívódik, levezetődik *[víz]* **2.** lassan kiürül *[folyadék edényből]* **3.** kiszárad, kimerül **II.** *fn* **1. a)** vízlevezető csatorna **b)** szennyvízlevezető cső/csatorna, *körny* dréncső; *biz* **go down the ~** elvész, veszendőbe megy; **throw money down the ~** *biz* az ablakon szórja ki a pénzt **c)** *tsz* **drains** csatornahálózat, kanális **2. a)** kiáramlás **b)** *átv* elvonás; **~ on sy's health** vk egészségének aláásása; *átv* **~ on sy's purse** alapos érvágás • *mn* **drainable**

drainage ['dreɪnɪdʒ] *fn* **1.** *földr* (víz)elvezetés, lecsapolás **2. a)** *épít* alagcsövezés(i rendszer), *körny* alagcsőrendszer **b)** csatornalevezető/csapadéklevezető hálózat **3. a)** belvíz **b)** csatornavíz, szennyvíz

drainage-area *fn földr* vízgyűjtő

drainage basin *fn* vízgyűjtő medence/terület

drainage divide → **divide** I.

drainboard *US* → **draining board**

draincock *fn* leeresztőcsap, ürítőcsap

drainer ['dreɪnə ‖ –ər] *fn* **(dish)~** edényszárító *[kosár, állvány stb.]*

draining ['dreɪnɪŋ] *fn* **1. a)** kiszárítás, levezetés, lecsapolás, kiürítés, *körny* drénezés **b)** kiszáradás, kimerülés, lecsapódás, kiömlés, kiürülés **2.** *tsz* **drainings** edényben maradt utolsó cseppek

draining board *fn* szárítóállvány *[edényeknek]*
draining-rack *fn* szárítópolc, szárítóállvány
drainpipe *fn* vízlevezető/víztelenítő cső, lefolyócső, szennyvízcsatorna
drainpipe trousers *fn tsz biz* csöves nadrág, csőnadrág
drake[1] [dreɪk] *fn* gácsér; → **duck**[1]
drake[2] [dreɪk] *fn áll* tiszavirág
dram [dræm] *fn* **1.** dram *[súlyegység: avoirdupois 1,77 g gyógyszerész-súlyrendszerben 3888 g]* **2.** *biz* egy hörpintés/pohárka *[ital]*, *átv* egy csepp(nyi)(vm)
DRAM *röv infor dynamic random-access memory* dinamikus RAM, DRAM
drama [ˈdrɑːmə ‖ ˈdræ–, ˈdrɑ–] *fn* **a)** színmű, színdarab, dráma; **the ~** a dráma, drámairodalom; drámaírás **b)** *átv* dráma
drama-doc *fn szl* → **drama-documentary**
drama-documentary *fn* ‹valós/megtörtént eseményen alapuló film›
dramatic [drəˈmætɪk] **I.** *mn* **1.** *átv* drámai *[műfaj, hatás]*; **~ conflict** drámai összeütközés **2.** szín(ház); **~ art** színművészet; **~ critic** színikritikus **3.** tettetett, megjátszott, teátrális, mesterkélt **II.** *esz* **dramatics 1. a)** színművészet **b)** színháztudomány, színpadtechnika **c)** színjátszás **2.** színészi tehetség *[főleg műkedvelőké]* • *hsz* **dramatically**
dramatis personae [ˌdræmətɪs pɜːˈsounaɪ ‖ ˌdræmətəs pɜrˈsouniː] *fn tsz szính* személyek *[színműben]*
dramatist [ˈdræmətɪst] *fn* színműíró, drámaíró
dramatization [ˌdræmətaɪˈzeɪʃn ‖ –mətəˈzeɪʃn], **-isation** *fn* színpadra alkalmazás *[regényé]*
dramatize [ˈdræmətaɪz], **-ise** *tsi* **1.** színpadra alkalmaz *[regényt, témát]* **2.** *átv* nagy feneket kerít (vmnek), nagy felhajtást csinál (vmből)
dramaturge [ˈdræmətɜːdʒ ‖ –tɜrdʒ] *fn* dramaturg
dramaturgy [ˈdræmətɜːdʒi ‖ –tɜr–] *fn* dramaturgia • *fn* **dramaturgist** *mn* **dramaturgic**
drank [dræŋk] → **drink I.**
drape [dreɪp] **I.** *fn* **1.** *biz* szövet, kárpit **2.** *tsz* **drapes** *US* függöny *[lakásban]* **3.** esés, redőzés *[függönyé, anyagé]* **II. A.** *tsi* **1.** szövettel/kárpittal bevon/díszít **2.** ráncol, redőz *[ruhát]* **B.** *tni* redőz(őd)ik, lágyan esik *[szövet]*
draper [ˈdreɪpə ‖ –ər] *fn* szövet(áru-)kereskedő, méteráru-kereskedő; **~'s (shop)** szövetbolt
drapery [ˈdreɪpəri] *fn* **1. a)** szövetanyagok, szövetek **b)** kárpit, függöny, drapéria **c)** *GB* szövet, anyag **2.** redőzet **3.** *GB* szövetkereskedés/bolt
drastic [ˈdræstɪk] *mn* **1.** hatásos, erőszakos, mélyreható, messzemenő, gyökeres **2.** erős, drasztikus *[gyógyszer]*
drat [dræt] *isz biz* **~ (it)** az áldóját/iskoláját!
draught [drɑːft ‖ dræft], *US* **draft I.** *fn* **1.** húzás, vonszolás **2. a)** korty; **at a/one ~** egy kortyra/slukkra **b)** *orv* kanalas orvosság **c)** csapolás; **beer on ~** csapolt sör **d)** háló kivetése, fogás hálóval; **a ~ of fish** egy fogás hal **3.** huzat; *biz* **feel the ~** bajban van **4. a)** *hajó* merülés(i magasság); **light ~** üres hajó merülése **b)** légbefúvás **5.** *esz* **draughts** dáma *[játék]*; → **draft I. II.** *tsi* → **draft II.**
draught beer *fn* csapolt sör
draughtboard *fn* dámatábla
draught horse *fn* igásló
draught-proof I. *mn* huzatmentes, (huzat ellen) szigetelt **II.** *tsi* huzatmentesít, (huzat ellen) szigetel
draughtsman [ˈdrɑːftsmən ‖ ˈdræft–] *fn tsz* **-men 1.** műszaki rajzoló **2.** dáma(figura), (dáma)kő • *fn* **draughtsmanship**
draughtswoman *fn tsz* **-women** (műszaki) rajzolónő
draughty [ˈdrɑːfti ‖ ˈdræfti] *mn* **1.** huzatos **2.** szeles, széljárta **3.** ravasz • *fn* **draughtiness**
Dravidian [drəˈvɪdɪən] *mn/fn népr* dravida
draw [drɔː] **I.** *i pt* **drew** [druː], *pp* **drawn** [drɔːn] **A.** *tsi* **1.** húz, von(tat), vonszol, elhúz, szétnyit *[függönyt]*, felnyit *[csapóhidat]*; **~ the blinds** leereszti a rolót; **~ a bow** kifeszít/megfeszít/felajz íjat; *biz* **~ it mild** (csak) lassan a testtel; **astringents ~ the mouth** fanyar ízű gyógyszerek összehúzzák a szájat **2. a)** (be)szív *[levegőt]*, vesz *[lélegzetet]*, belélegez; **~ a breath** lélegzetet vesz **b)** vonz *[tömegeket]*, csalogat *[embereket]*; **~ attention to sg** felhívja a figyelmet vmre; **feel ~n to sy** vonzódik vkhez; szimpatizál vkvel; félrevon *[vkt beszélgetés céljából]* **3. a)** (ki)húz, kiránt *[kardot, dugót, kártyát stb.]*, tartalékból vesz/húz *[követ dominójátékban]*; **~ a blank** blankot/üreset húz *[dominóban]*; *átv* eredménytelen vm, nincs reakció vmre, kudarcot vall vk; **~ a card** (ki)húz kártyát *[csomagból]*; **~ lots for sg**, **~ sg by lot** sorsot húz; **he was not to be ~n** nem lehetett kihúzni/kiszedni belőle semmit **b)** kihúz *[fogat, szöget]*; **~ sy's teeth** kihúzza vknek a fogát; *átv* kihúzza a méregfogát vknek (v. vmnek), ártalmatlanná tesz vkt (v. vmt) **c) ~ blood** vért vesz/lecsapol; **~ a conclusion** következtetést levon, következtet; **~ consolation** vigaszt merít; **~ a lesson (from sg)** tanulságot levon (vmből) **d)** felvesz *[pénzt]*, élvez, húz *[fizetést]*; **he drew £200 from his account** felvett 200 fontot a számlájáról **e) ~ the fire(s)** elolt tüzet **f)** *vad* **~ a fox** rókát felver/hajt/űz/kerget **4. a)** kibelez, kizsigerel *[baromfit]*; **~ fowl** baromfit/csirkét bont **b)** hálóval halászik (vmre) **5. ~ the tea** teát (le)forráz **6.** *fémip* **a)** megereszt *[acélt]* **b)** hengerel, nyújt *[lemezt]*, húz *[drótot]* **c) ~ steel to the temper** acélt újra edz *[kilágyítás után]* **7. ~ candles** gyertyá(ka)t önt/márt **8. a)** (fel)rajzol, lerajzol, (meg)húz, (fel)vázol *[vonalat, tervet stb.]*, rajzot készít (vmről), szerkeszt *[mértani alakot]*; **~ to scale** léptékben rajzol; **~ a distinction between two things** különbséget tesz két dolog között; **~ a/the line at sg** megvonja/megszabja a határt vm számára; **one must ~ the line somewhere** mindennek van határa **b) ~ a map** térképet (fel)rajzol/(fel)vázol **c)** *átv* megrajzol *[jellemet]* **9.** *pénz* intézványez *[váltót]*; **~ a bill** váltót intézványez; **~ a cheque** csekket kiállít/kiír **10.** *sp* **~ a game/match/etc. with sy** döntetlent játszik vkvel, döntetlen eredményt ér el vkvel **11.** *hajó* (vízbe) merül; **the ship ~s 20 feet of water** a hajó merülése 20 láb **B.** *tni* **1.** húz, húzódik; **the crowd drew to one side** a tömeg az egyik oldalra (v. oldal felé) húzódott; **~ round the table** asztal köré gyűlnek **2.** kardot ránt **3.** rajzol(gat) **4. a)** húz *[szivattyú stb.]*, huzata van *[kéménynek]*, szelel *[pipa, kémény, szivar]*; **you can hear the fire ~ing** duruzsol a kályha **b)** húz *[tapasz]* **c)** szív, szippant; **~ at/on a cigarette** szippant egyet a cigarettából **5.** színesedik *[tea állásnál]* **6.** fog, feszül, húz *[vitorla, ill. a vitorla kötele]* **7.** *sp* döntetlent játszik/ér el, döntetlenül végződik **8. the play ~s well** a (szín)darab jól megy **II.** *fn* **1. a)** húzás, von(szol)ás, vontatás; **be quick on the ~** gyorsan reagál/tesz vmt **b)** *US* felvonóhíd mozgatható része **2. a)** sorshúzás, (ki)sorsolás **b)** sorsjáték **c)** (kihúzott) nyeremény(tárgy) **d) a good ~** jó fogás *[halászatnál]* **3. a)** vonz(ó)erő **b)** *szính* kasszadarab **c)** *gazd* reklámozás; **this week's ~** e heti ajánlatunk **4.** *sp* döntetlen mérkőzés/játék, remi *[sakkjátékban]* **5.** (ki)nyújtás, (ki)húzás **6.** szippantás, slukk *[cigarettából]* • *mn* **drawable**
draw along *tsi* **1.** (maga után v. magával) vonszol/húz/cipel *[gyermeket]* **2.** *átv* maga után von, okoz (vmt)
draw apart A. *tsi* széthúz, szétválaszt **B.** *tni* széthúzódik, szétválik
draw away *tsi* **1.** elhúz, elvon (vmt), elterel, elvezet (vkt) **2.** elterel *[figyelmet]*
draw back A. *tsi* visszahúz, visszavon, visszaránt **B.** *tni* **1.** visszahúzódik, hátrál **2.** elfordul, elpártol (vktől), hűtlenné lesz **3.** → **drawback**
draw by *tni* **1.** elmúlik, bevégződik **2.** elhúz, elmegy, elsétál (vk előtt)
draw close *tni* közeleg, közeledik, odahúzódik (vkhez)
draw forward A. *tsi* előrehúz, előrevonszol, előtérbe húz **B.** *tni* előrejön, közeledik
draw from *tsi* **1. ~ sy from a course** vkt útjától/tervétől/pályájától eltérít **2. ~ a confession from sy** kicsikar vallomást vktől; **~ tears from sy** könnyeket csal ki vk szeméből

draw in A. *tsi* **a)** belélegzik, beszív *[levegőt]* **b)** *szl [becsap]* csőbe húz, bepaliz (vkt) **c)** *gazd* bevált *[csekket, váltót]*, bevon *[utalványt]* **B.** *tni* **1.** összehúzza magát *[anyagilag]* **2. the day is ~ing in** a nap vége felé jár/ közeledik **3.** befut, megérkezik *[vonat az állomásra]*

draw into A. *tsi* bevon vkt vmbe; **~ sy into conversation** beszélgetésbe (be)von vkt; **~ sy into doing sg** rávesz vkt vm megtevésére **B.** *tni* **the train drew into the station** a vonat befutott/begördült az állomásra

draw near *tni* közeledik, közeleg, odahúzódik (vkhez)

draw off A. *tsi* **1.** visszavon, eltávolít *[csapatokat]* **2.** elterel *[figyelmet]* **B.** *tni* visszavonul, eltávolodik

draw on A. *tsi* **1.** (meg)közelít **2.** felhúz *[kesztyűt]*, felvesz *[ruhadarabot]* **3. a) ~ sy on to do sg** rávesz vkt vm megtételére **b) ~ sy's anger on oneself** magára bőszít vkt, magára vonja vk haragját **4. a)** igénybe vesz (vmt), merít (vmből); **~ on one's imagination** képzelőtehetségét veszi igénybe (v. hívja segítségül); **~ on ones's savings** hozzányúl a megtakarított/tartalék pénzhez, hozzányúl bankbetétjéhez **b)** *pénz* intézvényez *[váltót]*; **~ (a bill) on sy** váltót intézvényez (v. állít ki) vkre **5.** csalogat, rávesz (vkt vmre) **B.** *tni* közeledik, előrehalad; **evening was ~ing on** az éjszaka közeledett

draw out A. *tsi* **1. ~ sy out** beszédre/szóra bír vkt **2.** kihúz, kinyújt, elhúz, elnyújt *[beszélgetést, étkezést]*; **be ~n out** hosszúra nyúlik **3.** felvázol, megrajzol *[tervet]* **4.** *kat* kikülönít *[katonai egységet]* **B.** *tni* **1. the days are ~ing out** a napok hosszabbodnak **2.** *sp* elhúz (*from* -tól/-től) **3.** kifut, indul *[vonat állomásról]*

draw to *tni* **1.** elvonul, tovavonul, odébb megy; **~ to a close** vége felé jár; **~ to an end** végére jár, vége felé jár/ közeledik **2. ~ to sy** vonzódást érez vk iránt

draw together A. *tsi* **1.** összehúz, összevon, egyesít **2.** közel hoz, összehoz *[embereket]* **B.** *tni* **1.** összehúzódik **2.** közelednek *[egymáshoz eltérő nézetű emberek]*

draw towards *tni* **~ towards the door** az ajtó felé húzódik

draw up A. *tsi* **1.** felhúz, felvon *[redőnyt stb.]*, felemel, felgyűr, felhajt; **~ oneself up (to one's full height)** kihúzza magát **2.** megfeszít, meghúz *[csavart]* **3.** *kat* **~ up (in battle array)** csatarendbe állít *[csapatokat]* **4.** megfogalmaz, megszövegez, kidolgoz *[tervet]*, kiállít *[iratot stb.]*, összeállít, szerkeszt; **~ up minutes** jegyzőkönyvet felvesz **B.** *tni* **1. ~ up to the table** közeledik/odaül a(z) (tárgyaló)asztalhoz **2. a)** megáll *[kocsi]* **b)** előáll, odaáll *[jármű vm elé]* **3.** *kat* feláll, felsorakozik *[csapat]*

draw upon → draw on A.2.c. és 4.

drawback *fn* **1.** akadály, hátrány, árnyoldal; **the great ~ is that...** az a legnagyobb baj/nehézség, hogy... **2. a)** *pénz* vámvisszatérítés összege **b)** *pénz* kiviteli prémium; **→ draw back**

drawback lock *fn* ‹kívülről kulccsal, belülről kilincsgombbal nyíló ajtó› amerikai zár

drawbridge *fn* felvonóhíd, csapóhíd, forgóhíd

drawcord *fn* gatyamadzag, zsinór *[ruha összehúzására]*, húzózsinór

drawee [drɔːˈiː] *fn* intézvényezett *[váltóé]*

drawer[1] [ˈdrɔːə ‖ –ər] *fn* **1.** húzó *[személy]* **2. a)** (elő)rajzoló; **be a good ~** jól rajzol **b)** kibocsátó, intézvényező *[váltóé]* **3.** húzó(eszköz)

drawer[2] [drɔː ‖ drɔr] *fn* fiók; **(chest of) ~s** fiókos szekrény, komód

drawerful [ˈdrɔːfʊl ‖ ˈdrɔːrfʊl] *fn* egy fiók(ra való) *[irat stb.]*

drawers [drɔːz ‖ drɔrz] *fn tsz* **a pair of ~** alsónadrág; **running ~** tornanadrág

drawing [ˈdrɔːɪŋ] **I.** *mn* vonzó, vonzerőt gyakorló; **~ power** vonzóerő **II.** *fn* **1. a)** rajzolás **b)** rajz, tervrajz, vázlatterv; **geometrical ~** mértani rajz; **in ~** jól/helyesen (meg)rajzolt; **out of ~** rosszul (meg)rajzolt; elrajzolt **2. a)** *pénz* intézvényezés, utalványozás, kibocsátás *[váltót, csekket on vkre]* **b)** *tsz* **drawings** *gazd* bevétel(ek) *[kereskedelmi vállalaté]*

drawing account *fn pénz* csekkszámla, folyószámla

drawing-back *fn* visszahúzódás, visszavonulás, hátrálás

drawing-block *fn* rajztömb

drawing board *fn* rajztábla

drawing-book *fn* rajzfüzet, vázlatkönyv

drawing paper *fn* rajzpapír, rajzlap

drawing pen *fn* (tus)kihúzó toll, rajztoll

drawing pin *fn GB* rajzszög

drawing room *fn* **1. a)** fogadószoba, társalgó, szalon **b)** *jelzői haszn.* **drawing-room** *zene* **~ piece** szalondarab; **it is not a ~ story** nem kisleányoknak való történet **c)** *US vasút* magánfülke **2.** *régi* fogadás *[vendégeké]*; **hold a ~** fogadást tart, vendégeket fogad

drawknife *fn tsz* **-knives** vonókés, kaparókés, hántolókés, kétnyelű kés

drawl [drɔːl] **I.** *fn* vontatott/nyújtott hanghordozás, beszédmód **II. A.** *tsi* **~ (out)** vontatottan mond (vmt) **B.** *tni* lassan (v. vontatott hanghordozással) beszél; **the speaker ~ed away/on** a szónok egyre csak beszélt

drawn [drɔːn] *mn* **1. a)** húzott, nyújtott, összehúzott *[függöny]*, kirántott *[kard]*; **with ~ curtains** leeresztett/ összehúzott függönnyel; **with ~ swords** kivont karddal **b)** fáradt, elkínzott, feszült *[arc]*; **look ~** fáradtnak látszik **2.** rajzolt **3.** döntetlen *[küzdelem, mérkőzés]* **4.** olvasztott *[vaj]*; **→ draw** I.

drawn-out *mn* hosszúra nyúlt, elnyújtott *[értekezlet, beszéd]*

drawn-thread work *fn* szálhúzásos/azsúrozott kézimunka

drawn work → drawn-thread work

drawsheet *fn orv* harántlepedő *[beteg ágyán]*

drawstring *fn* húzózsinór *[függönyé, zacskó összehúzására stb.]*

draw well *fn* (kerekes)kút

dray[1] [dreɪ] *fn* **a)** targonca, szekér, kordé **b)** söröskocsi

dray[2] [dreɪ] **→ drey**

drayhorse *fn* igavonó ló, igásló, söröslő

drayman [ˈdreɪmən] *fn tsz* **-men** szekeres, kocsis, fuvaros

dread [dred] **I.** *tsi* **1.** retteg, fél (vmtől); **~ death** retteg a haláltól; **I ~ to think of it** még a gondolatától is borzadok **2.** *régi* aggódik; **~ oneself** fél, retteg **II.** *fn* **1.** rettegés, félelem, ijedtség, rémület; **in ~ of doing sg** attól félve, hogy tesz vmt; **be/live/stand in ~ of sy/sg** fél/retteg vmtől/vktől **2.** rémületes/ijesztő ember/dolog **3.** tisztelet, nagyrabecsülés **III.** *mn* **1.** *vál* félelmetes, rettegett *[uralkodó, törvényszék]* **2.** fenséges, áhitatot keltő

dreaded [ˈdredɪd] *mn* rettegett, félelmetes, rettenetes *iron*

dreadful [ˈdredfl] *mn* **1.** félelmetes, rettegett, rettenetes, ijesztő, rémítő; **~ pain** kegyetlen/irtózatos fájdalom **2.** borzasztó, szörnyű, kellemetlen; **a ~ bore** halálosan unalmas dolog/alak • *hsz* **dreadfully**

dreadnought [ˈdrednɔːt] *fn* **1.** *hajó* nagy csatahajó **2.** rettenthetetlen ember **3.** *régi* **a)** vastag viharkabát **b)** *tex* alapposztó, frízszövet

dream [driːm] **I.** *i pt/pp* **dreamed, dreamt** [dremt] **A.** *tsi* **1.** álmodik; **I ~t (that) I was a child** azt álmodtam, hogy gyerek vagyok; **you must have ~t it** ezt csak álmodtad **2.** ábrándozik, álmodozik (vmről); **~ empty dreams** hiú ábrándokat sző/kerget; **~ up** (merész képzelettel) megálmodik/megtervez/kigondol vmt **B.** *tni* **1.** álmodik; **no one ~t of suspecting him** senki sem gondolt arra, hogy őt gyanúsítsa **2.** ábrándozik, ábrándokat sző, álmodozik (*of* vmről); **you cannot ~ of going there** ne is álmodj arról, hogy oda mehetsz **II.** *fn* **1. a)** álom; **the land of ~s** *[az alvás]* álomország **b)** álom(kép); **have a ~** álmodik, van egy álma **2.** *átv* ábránd, (vágy)álom; **waking ~** álmodozás, ábrándozás; **live in a ~** ábrándvilágban él; **all her ~s have come true** minden álma/vágya valóra vált; *biz* **it's a ~** álomszép • *mn* **dreamless, dreamlike**

D

dreamboat *fn* **1.** *biz szl [vonzó nő/férfi]* jó/szuper nő/csaj/ fickó/pasi/faszi **2.** vágy, álom
dreamer ['dri:mə ‖ –ər] *fn* **1.** álmodó **2. a)** ábrándozó, álmodozó **b)** ábrándkergető **3.** jövendőmondó, varázsló
dream factory *fn film* filmgyár, *átv* álomgyár, Hollywood
dreamland *fn* álomvilág, ábrándvilág, mesevilág
dreamscape ['dri:mskeɪp] *fn* álombeli táj
dreamt [dremt] → **dream I.**
dream ticket *fn* ideális jelöltek, biztos befutók *[politikai pártok jelöltje]*; **Clinton and Gore were the Democrats' ~** Clinton és Gore voltak a Demokraták biztos befutói
dream world *fn* álomvilág
dreamy ['dri:mi] *mn* **1.** ábrándozó, álmodozó, légvárakat építő **2.** halvány, bizonytalan, ködös *[emlék]*, álmatag, álomszerű **3.** *vál* álmokkal terhes *[alvás]* **4.** *biz [elragadó, gyönyörű]* klassz, csodás, isteni
drear [drɪə ‖ drɪr] *vál* → **dreary**
dreary ['drɪəri ‖ 'drɪri] *mn* kietlen, kopár, barátságtalan, sivár
dredge[1] [dredʒ] **I.** *fn* **1.** fenékkaparó háló **2. a)** kotrógép, markoló **b)** kotróhajó, úszókotró **II.** *tsi* **1. ~ up/out** (ki)kotor; **~ away** kiiszapol *[kotrással]* **2.** *átv* **~** kiás, felszínre hoz
dredge[2] [dredʒ] *tsi* (be)hint, beszór *[liszttel, cukorral]*
dredger[1] ['dredʒə ‖ –ər] *fn* **1.** kotrómunkás, kotróhalász **2.** → **dredge**[1] **I. 2.**
dredger[2] ['dredʒə ‖ –ər] *fn* liszthintő, cukorszóró
dredging-box *fn* cukorszóró
dredging-machine *fn* kotrógép
dregs [dregz] *fn tsz* **1.** üledék, seprő, zacc; **drink the cup to the ~** fenékig üríti a kupát; **the very ~ of the population** *biz átv* a lakosság alja/söpredéke **2. a)** szemét, hulladék, szennyeződés **b)** ürülék • *mn* **dreggy, dreggish**
drench [drentʃ] **I.** *fn* **~ of rain** felhőszakadás, erős zápor **II.** *tsi* átáztat, átitat (*with* vmvel); **all ~ed** csuromvíz; **~ed to the skin** bőrig ázott
drencher ['drentʃə ‖ –ər] *fn biz* felhőszakadás, zápor
drenching ['drentʃɪŋ] **I.** *mn* **~ rain** szakadó eső **II.** *fn* átázás, megázás
Dresden ['drezdən] *tul földr* Drezda
Dresden china *fn* **a)** drezdai porcelán **b)** *átv* finom/bájos/ törékeny dolog/személy
dress [dres] **I.** *fn* **1. a)** (női) ruha; **two-part ~** kétrészes ruha, kiskosztüm **b)** öltözék, öltözet, ruha; **~ form** próbababa **2.** *átv* forma, külső; **in a polished ~** csiszolt/ finom formában **II. A.** *tsi* **1. a)** (fel)öltöztet; **~ oneself** öltöz(köd)ik; felöltözik; **~ed in black** feketébe öltözött **b)** ruház, ruhával ellát **2.** (fel)díszít, (fel)ékesít (*with* vmvel); **~ one's hair with flowers** virágot tűz a hajába; **~ a shopwindow** kirakatot rendez **3.** *kat* sorba állít, igazodtat, feltakartat *[katonai sorokat]*; **~ the ranks** kiegyenesíti/ igazodtatja a sorokat **4.** *orv* bekötöz, ellát *[sebet, sebesültet]* **5. a)** tisztít *[szárnyast, halat]*, előkészít, összeállít, körít; **~ed poultry** tisztított baromfi **b)** *műsz* kimunkál, nagyol, farag, megmunkál, gyalul **c)** öntettel leönt *[salátát]* **d)** csáváz *[magot]*, osztályoz *[terményt]* **e)** *mezőg* megmunkál *[talajt]*, trágyáz *[földet]*, megnyes *[gyümölcsfát]*, vakar *[lovat]* **B.** *tni* **1.** öltöz(köd)ik, felöltözik; **~ (for dinner)** (vacsorához) frakkot ölt *[férfi]*; estélyi ruhát vesz fel *[nő]*; **~ed to kill** *átv* teljes harci díszben; **~ with taste** ízlésesen öltözködik **2.** *kat* igazodik; **right ~!** jobbra igazodj!
dress back *tni kat* igazodik; **~ back!** igazodj!
dress down *tsi* **1. a)** *biz* elver, elpáhol, eldönget **b)** lehord, letol (vkt) **2.** *fémip* lefarag, lecsiszol; → **dressing down**
dress out *tsi* feldíszít, kicicomáz
dress up A. *tsi* felöltöztet, felcicomáz, feldíszít; **~ oneself up** kicsípi magát, kiöltözik **B.** *tni* **a)** kiöltözik, kicsípi magát **b)** jelmezt/álruhát ölt, felöltözik; **~ up as...** vmnek felöltözik, vmlyen jelmezt ölt

dressage ['dresɑ:ʒ ‖ drə'sɑʒ] *fn* **a)** idomítás *[állaté]* **b)** *sp* **~ (test)** díjlovaglás
dress allowance *fn* ruhapénz, ruhaköltség
dress circle *fn szính* erkély első sor, első emeleti első zsöllye(sor), első emeleti páholy(sor)
dress coat *fn* frakk(-kabát)
dress designer *fn* ruhatervező, modelltervező • *fn* **dress design**
dress-down Friday *fn biz* laza nap *[sportosabb hivatali öltözéket megengedő munkanap]*
dresser ['dresə ‖ –ər] *fn* **1.** *orv* műtős, sebészeti asszisztens **2. a)** *biz* **a good ~** ízlésesen öltözködő ember **b)** *szính* öltöztető(nő) **3.** konyhaszekrény, (konyha)kredenc, tálaló(asztal) **4.** *US* → **dressing table**
dress hanger *fn* ruhaakasztó, vállfa
dressing ['dresɪŋ] *fn* **1. a)** öltöz(köd)és **b)** *kat* igazodás **c)** *orv* (be)kötözés *[sebet]* **d)** *mezőg* megmunkálás, trágyázás **e)** előkészítés sütéshez *[húst, szárnyast]*, körítés, összeállítás *[ételt]* **2. a)** salátaöntet **b)** töltelék *[húsban]* **c)** kenőcs, zsiradék *[bőrök, szíjak karbantartásához]* **d)** *mezőg* (mű)trágya, talajjavító anyag **e)** *orv* kötés, kötözés, kötszer; **apply a ~** kötést alkalmaz; **~ strip** sebkötöző szalag, leukoplaszt
dressing down *fn biz* szidás, dorgálás, fejmosás; **give sy a good ~** alaposan összeszid vkt; → **dress down**
dressing gown *fn* köntös, házikabát, pongyola
dressing room *fn* öltöző *[helyiség]*
dressing station *fn kat* elsősegélyhely, kötözőhely
dressing table *fn* öltözőasztal, fésülködőasztal, toalettasztal
dress length *fn* egy ruhahossznyi anyag, egy ruhára elegendő anyag
dressmaker *fn* **1.** varrónő, szabónő **2.** női szabó
dress parade *fn* **1.** *kat* díszszemle **2.** divatbemutató
dress-pattern *fn* **1.** divatrajz **2.** szabásminta
dress-preserver → **dress shield**
dress rehearsal *fn szính* kosztümös/jelmezes (fő)próba, sajtóbemutató
dress shield *fn* izzlap
dress shirt *fn US* hosszú ujjú férfiing, frakking
dressy ['dresi] *mn* **1.** választékosan öltözködő, elegáns **2.** elegáns, sikkes, mutatós **3.** túlöltözött, kirívóan elegáns *[személy, ruha]* • *fn* **dressiness**
drest [drest] → **dress II.**
drew [dru:] → **draw I.**
drey [dreɪ] *fn* mókusodú
dribble ['drɪbl] **I. A.** *tsi* **1.** cseppent, csurgat; **~ out a liquid** folyadékot kicsepegtet; *biz* **~ out a few stupid remarks** kinyög néhány ostoba megjegyzést **2. a)** *sp* cselezgetve vezet *[labdát futballban, kosárlabdában]*, pattogtat *[labdát kosárlabdában]* **b)** *sp* **~ the ball into the pocket** lassan lyukra játssza a golyót *[biliárdban]* **B.** *tni* **1.** csepeg, csurog **2.** nyáladzik, csurog a nyála **3. a)** *sp* labdát/korongot vezet **b)** *sp* **~ into the pocket** lassan begurul a lyukba *[biliárdgolyó]* **II.** *fn* **1. a)** csepegés, csurgás **b)** nyáladzás **2.** *átv* valamicske **3.** *sp* labdavezetés *[futballban, kosárlabdában]* • *fn* **dribbler**
driblet ['drɪblət], **dribblet** *fn* **1.** kis mennyiség, apró/kis darabka; **by ~s** apránként **2.** vékonyka patak, ér
dribs and drabs *fn tsz biz* **in ~** apránként
dried [draɪd] *mn* szárított, aszalt *[gyümölcs stb.]*; **~ egg** porított tojás, tojáspor; → **dry III.**
dried fruit *fn* aszalt gyümölcs
dried milk *fn* tejpor
drier ['draɪə ‖ –ər] **I.** *mn átv* szárazabb; → **dry I. II.** *fn* → **dryer**
driest ['draɪəst] *mn* legszárazabb; → **dry I.**
drift [drɪft] **I. A.** *tsi* **1.** visz, sodor, hajt, úsztat *[fát]*; **let oneself ~** hagyja sodródni magát **2.** felhalmoz, összefúj, összehord *[havat, homokot]* **B.** *tni* **1.** sodródik, úszik, viszi a víz, lebeg *[a vízen, levegőben]*; **~ with the current** úszik az árral **2.** (fel)halmozódik, feltornyosul *[hó]* **3.** *biz* **~ along**

kószál, csatangol; ~ **apart** eltávolodik egymástól; ~ **into war** háborúba sodródik **4.** irányul, halad *[vmlyen cél felé]* **II.** *fn* **1.** förgeteg, forgatag, örvény(lés); ~ **of sand** futóhomok; ~ **of snow** hófúvás, hóforgatag **2. a)** hajlam, szándék, cél **b)** menet(el), irány(zat), tendencia *[eseményeké, üzleté]*; **the** ~ **of his speech** beszédének értelme/célja/fonala; **I see his** ~ látom, hova akar kilyukadni **c)** lassú eltolódás, sodródás; *pol* **policy of** ~ a kivárás politikája **3. a)** hajtóerő, lendítőerő **b)** hajtás **4. a)** mozgás, áramlás, sodródás; *Ausz* **on the** ~ csavarogva **b)** mozgási irány *[áramlaté]*, sodorvonal *[vízfolyásé]*, *rep hajó* (el)sodródás, elcsúszás, lecsurgás *[folyónál]* **5. a)** vízhordta (v. partra mosott) tárgy **b)** *geol* hordalék; **glacial** ~ moréna, jégkori lerakódás; **river** ~ folyami hordalék • *fn* **driftage**

drifter ['drɪftə ‖ –ər] *fn* **1.** vándormadár *[munkahelyét sűrűn változtató munkás]* **2.** zsákhálót húzó halászhajó

drift ice *fn* úszó/zajló jég(táblák)

driftnet *fn* húzóháló, eresztőháló, vonóháló

drift-sand *fn* hordalékhomok, futóhomok, folyami föveny

driftwood *fn* **a)** uszadékfa, vízsodorta fa(anyag), katré **b)** úsztatott fa, tutajfa

drill[1] [drɪl] **I. A.** *tsi* **1.** (át)fúr, kifúr; ~ **a tooth** fogat fúr **2. a)** *kat* kiképez, gyakoroltatoztat **b)** begyakoroltat (vkt vmbe), sulykol **c)** gyakorol (vmt) **3.** *szl* lelő, szitává lő **B.** *tni* gyakorlatozik *[katona]* **II.** *fn* **1.** *műsz* fúró(gép), (fogászati/fogorvosi) fúró **2. a)** *kat* gyakorlat(ozás), kiképzés; ~ **in a body** csoportos kiképzés; **put through** ~ végrehajtatja a gyakorlatot **b)** *okt biz* gyakorlat, drill; **verb** ~ igeragozási gyakorlat **c)** gyakorlat; **fire** ~ tűzvédelmi gyakorlat **d)** kemény fegyelem • *fn* **driller**

drill[2] [drɪl] *fn tex* durva vászon, zsákvászon

drill-ground *fn kat* gyakorlótér, gyakorlóterep

drilling ['drɪlɪŋ] *fn* **1.** *kat* **a)** gyakorlatozás **b)** kiképzés **2.** *tsz* **drillings** *műsz* fúróforgács, fúrópor

drilling rig *fn bány* fúróberendezés

drillmaster *fn* (szigorú) kiképző

drillsergeant *fn kat* kiképző őrmester/altiszt

drily ['draɪli] → **dryly**

drink [drɪŋk] **I.** *i pt* **drank** [dræŋk], *pp* **drunk** [drʌŋk], **drunken** ['drʌŋkn] **A.** *tsi* **1. a)** iszik, vedel; ~ **one's fill** eleget iszik; ~**(to) sy's health**, ~ **a toast of sy** iszik vk egészségére; **fit to** ~ iható, jól csúszik **b)** ~ **oneself drunk** berúg, leissza magát **2.** magába szív, felszív, elnyel *[folyadékot]* **B.** *tni* iszik, részegeskedik; ~ **like a fish** iszik mint a kefekötő/gödény; ~ **to drown one's sorrow(s)** ivásba/borba fojtja a bánatát; **take to** ~**ing** rászokik az ivásra **II.** *fn* **1. a)** ital; **long** ~ ‹szeszes ital sok vízzel›; **short** ~ rövid ital; **soft** ~ alkoholmentes/üdítő ital; **have a** ~ iszik (egyet); **stand sy a** ~ fizet vknek egy pohár italt **b)** ivás, iváiszat; **the** ~**s are on the house** az italokat a tulaj fizeti **c)** *orv biz* kanalas orvosság **2.** ivás, iszákosság, részegeskedés; **be in** ~, **be the worse for** ~ ittas, részeg; **be on the** ~ (állandóan) iszik; **take to** ~ rászokik az ivásra **3. the** ~ (i) *átv szl [a tenger]* a pocsolya (ii) *US szl* folyó, tó; **big** ~ *[tenger]* a nagy pocsolya • *mn* **drinkable**

drink down *tsi* **1.** megiszik (vmt), lenyel *[italt]* **2.** eliszik *[időt]*, italba fojt *[bánatot]* **3.** ~ **sy down** asztal alá iszik vkt

drink in *tsi* **1.** beiszik, beszív *[vizet]* **2.** *biz* ~ **in sy's words** (magába) issza vknek a szavait **3.** *biz [elhisz]* bekap, lenyel

drink off *tsi* egy hajtásra megiszik, egyszerre felhajt

drink to *tni* ~ **to sy** vknek az egészségére iszik

drink up *tsi* **1.** teljesen kiiszik *[poharat]*, az utolsó cseppig megiszik **2.** *növ* beszív, felszív *[nedvességet]*

drink-driving *fn GB* ittas vezetés

drinker ['drɪŋkə ‖ –ər] *fn* italos/részeges ember; **hard** ~ nagy ivó

drinking-bout *fn* dőzsölés, mulatozás, ivászat

drinking-cup *fn* ivócsésze, ivópohár

drinking fountain *fn* **1.** közkút **2.** (automatikus) ivókút *[pl. játszótéren, üzemekben stb.]*

drinking-glass *fn* ivópohár

drinking song *fn* bordal

drinking-up time *fn GB* ‹zárás utáni idő a kocsmában, amíg a vendégek maradhatnak, hogy a záróra előtt vásárolt italaikat elfogyasszák›

drinking water *fn* ivóvíz; *körny* ~ **supply** ivóvízellátás

drinks machine *fn* italautomata

drip [drɪp] **I.** *i* **-pp- A.** *tsi* csöpögtet, csöppent **B.** *tni* (le)csepeg, csöpög, cseppeket hullat, csöpörög; **be** ~**ping with blood** vértől csöpög **II.** *fn* **1.** (le)csepegés, csöpögés; ~ **coffee-pot** csepegtetős kávéfőző **2.** csepp, csöpp **3.** *épít* vízköpő, eresz **4.** *szl [buta/tehetetlen ember]* tesze-tosza hapsi, gyökér, gizda, kis köcsög **5.** *orv* → **drip-feed I.**; *orv* ~ **infusion** cseppinfúzió

drip-drip → **drip-drop**

drip-drop *fn* csepegés, csöpögés

drip-dry I. *mn tex* csavarás/facsarás nélkül száradó **II. A.** *tsi* csavarás/facsarás nélkül szárít **B.** *tni tex* csavarás/facsarás nélkül szárad *[műanyag ruhanemű]*; *tex* ~! csavarás/facsarás nélkül szárítandó!

drip-feed I. *fn orv* infúzió, infúziós táplálás **II.** *tsi* infúziót ad (vknek), infúzióval táplál

drip mat *fn GB* poháralátét

drip-moulding, *US* **-molding** *fn* esőléc *[ablakon, ajtón]*

dripping ['drɪpɪŋ] **I.** *mn* csepegő, csöpögő; **be** ~ **wet** csuromvíz, csuromvizes **II.** *fn* **1.** csepegés, csöpögés **2.** csepp, csöpp **3.** pecsenyezsír, pecsenyelé, (s)zaft; **bread and** ~ zsíros kenyér

drippy ['drɪpi] *mn* **1.** csepegős **2.** *biz* túlzottan szentimentális, csöpögős, nyálas

dripstone *fn* **1.** → **drip-moulding 2.** (függő) cseppkő

drive [draɪv] **I.** *i pt* **drove** [drouv], *pp* **driven** ['drɪvn] **A.** *tsi* **1. a)** vezet *[autót, mozdonyt]*, hajt, járat, működtet **b)** ~ **sy/sg to a place** elvisz/elszállít vkt vhová *[kocsin, autón]* **2. a)** hajt, zavar, kerget, terel *[állatot]* **b)** ~ **the game** vadat hajt **c)** ~ **a hoop** karikázik **3.** hord, visz *[vmt a szél, víz]* **4.** hajt, űz, kényszerít, ösztönöz (vkt vmre); ~ **sy mad** megőrjít vkt **5.** túlterhel *[vkt munkával]*; **he was very hard** ~**n** agyondolgoztatták, agyonhajszolták **6.** beüt, bever, becsavar; ~**(sg) home** egészen/tövig bever/becsavar (vmt), *átv* megértet vkvel vmt **7.** fúr *[alagutat, aknát]*; ~ **a tunnel** alagutat fúr **8.** ~ **a bargain** kedvező árat erőszakol ki, alkuszik **9.** *sp* ~ **the ball** hosszan/erősen megüti a labdát **10.** *műsz* (meg)hajt *[gépet]* **B.** *tni* **1.** van jogosítványa, tud vezetni; **do you** ~? tudsz vezetni, van jogosítványod? **2. a)** sodródik *[hajó]*; ~ **before the wind** a szél kergeti *[felhőt]* **b)** felhalmozódik, feltornyosul *[hó]* **3.** vezet, hajt, (autón) megy (vhová), kocsi(ká)zik; **will you walk or** ~? gyalog akar menni vagy kocsival?; "~ **yourself" service** ‹sofőr/vezető nélküli bérautó-szolgálat› **4. nail that won't** ~ beverhetetlen szög **5.** ~ **hard to...** minden igyekezetével azon van, hogy... **II.** *fn* **1. a)** kocsi(ká)zás, autózás, (autó)út *[mint megtett távolság]*; **trial** ~ próbaút; **it is an hour's** ~ **(away)** egy óranyira van kocsin/autón; **go for a** ~ kikocsizik; kocsikázik egyet; rövid autókirándulást tesz; autózik **b)** kormánykerék elhelyezkedése; **a left-hand** ~ **car** balkormányos autó **2. a)** mozgalom, sürgés-forgás, *US* (propaganda)kampány, (sajtó)akció, *biz* nekirugaszkodás; **economic** ~ takarékossági mozgalom **b)** *pszich* ösztön **c)** energia, lendület, hév, elán; **have plenty of** ~ tele van energiával/vállalkozókedvvel **d)** *kat* hadjárat, támadás, előrehaladás **e)** *US szl [erős izgalmi állapot kábítószer hatására]*, repülés, feldobottság **3. a)** (erdei) út, fasor **b)** (kocsi)felhajtó, kocsifeljáró, nagy házhoz bevezető út, kocsibehajtó, kocsikihajtó **4.** *vad* hajtás, hajtóvadászat **5. a)** *műsz gk* (meg)hajtás, hajtómű **b)** (meg)hajtóerő, energia **c)** *infor* meghajtó(egység) **6.** *sp* **a)** indító/kezdő (labda)ütés, ütés az elülsőről *[golfban]* **b)** pörgetett ütés, „drive" *[teniszben]* **c)** hosszú egyenes ütés *[krikettben]* • *mn* **driveable**

drive across A. *tsi* végigszánt vmn *[tollal, ecsettel]*; ~ **a pen across the page** egy tollvonással áthúzza az egész oldalt **B.** *tni* keresztülhajt, áthajt (vhol)

drive against A. *tsi* **1.** nekiszorít, beszorít *[falhoz]* **2.** nekiüt *[falhoz]* **B.** *tni* nekiütődik, nekicsapódik, nekiszorul; **the rain ~s against the window-panes** az eső veri az ablakokat

drive along A. *tsi* hajt, űz, kerget **B.** *tni* megy, (végig)hajt, kocsi(ká)zik *[kocsival, autóval]*; **~ along the road** az úton megy/halad *[kocsi, autó]*

drive at *tni* céloz vmre; **what are you driving at?** mire céloz?, mire/hová akar(sz) kilyukadni?

drive away A. *tsi* elzavar, elűz, elkerget **B.** *tni* **1.** elhajt *[kocsival, autóval]* **2. ~ away at one's work** nagy buzgalommal/hévvel dolgozik

drive back A. *tsi* **1.** ellök, visszalök, visszaszorít **2.** kocsival visszavisz (vkt) **B.** *tni* visszahajt, visszamegy, visszatér *[kocsival, autóval]*

drive in A. *tsi* **1.** bever *[szöget]*, becsavar *[csavart]* **2.** behajt *[vkvel kocsin]* **3.** beterel *[állatot]* **B.** *tni* behajt *[az udvarra]*; → **drive-in**

drive into *tsi* **1.** belever, be(le)csavar vmt vmbe **2.** belekényszerít, belevisz (vkt vmbe); *átv* **~ sy into the corner** sarokba szorít vkt; **~ sy into doing sg** (rá)kényszerít vkt vm megtételére

drive off → **drive away** A. és B.1.

drive on A. *tsi* **1.** tovább zavar/kerget, nógat **2.** rászorít, rácsavar, ráerősít **B.** *tni* folytatja útját, tovább hajt

drive out A. *tsi* **1.** kihajt, kiűz, kikerget (*of* vhonnan); **~ sg out of sy's head** kiver vmt vk fejéből **2. ~ sy out of his senses** megőrjít vkt **B.** *tni* kihajt *[kocsin]*

drive over A. *tsi nyomd* kihajt *[sort]* **B.** *tni* áthajt/keresztülhajt vmn, elgázol vkt/vmt

drive through A. *tsi* **a) ~ one's sword through sy's body** kardjával átdöf/keresztülszúr vkt **b) ~ a railway through the desert** vasútvonalat épít a sivatagon át **B.** *tni* keresztülhajt, áthajt(at) *[egy városon]*

drive to *tsi* űz/kerget/kényszerít vhova/vmbe; **~ to despair** kétségbeejt (vkt)

drive up A. *tsi* **1.** fellök, feltol *[dugattyút]* **2.** ráhajt, felhajt, ráhúz **B.** *tni* felhajt, közeledik *[kapuhoz]*

drive-by *mn* autós, mozgó autóval/autóból végrehajtott *[bűntény, merénylet]*

drive-in I. *mn US* behajtós, autós- *[mozi, vendéglő stb.]*; *US* **~ movie** autósmozi **II.** *fn* autósvendéglő, autósmozi; → **drive in**

drivel ['drɪvl] **I.** *fn biz* fecsegés, locsogás, badarság, süket duma; **talk ~** tücsköt-bogarat összefecseg, mellébeszél **II.** *tni* **-ll-**, *US* **-l- 1.** folyik a nyála, nyáladzik **2.** *biz* fecseg, száját jártatja, értelmetlenséget beszél • *fn* **drivel(l)er** *mn* **drivel(l)ing**

drive-on drive-off *mn* autók szállítására alkalmas *[hajó]*

driver ['draɪvə ‖ –ər] *fn* **1. a)** sofőr, (gépjármű)vezető, gépkocsivezető, (kocsi)vezető *[busz, villamos]*; *gk* **private ~** nem hivatásos gépjárművezető, úrvezető; *gk* **racing ~** autóversenyző; **~'s companion** gépkocsikísérő, árukísérő **b)** (fogat)hajtó, kocsis **2. a)** *műsz* (meg)hajtókerék, hajtószerkezet, hajtórúd **b)** *infor* meghajtóprogram *[hardver vezérléséhez]* **3.** ‹egy fajta golfütő› **4.** *el távk* vezérlő/meghajtó fokozat • *mn* **driverless**

drive reduction *fn pszich* ösztön elfojtása

driver's license *fn US* → **driving licence**

driver's seat *fn* **a)** sofőrülés, a vezető ülése **b)** *átv US* vezető/irányító szerep; **be in the ~** parancsol, uralkodik, vezető szerepben van

driver's test *fn US* → **driving test**

drive shaft *fn* **a)** *műsz* hajtótengely **b)** *gk* kardántengely

drive-through *mn* **a)** autóval átjárható **b)** autós *[üzlet, vendéglő stb.]*

drive time *fn közl* **I.** csúcsidő, csúcsforgalom ideje **II. drive-time** *jelzői haszn* csúcsforgalmi

driveway *fn* **1.** (mű)út **2.** *US gk* kocsifelhajtó, kocsibehajtó, kocsifeljáró *[pl. garázs előtt]*

driving ['draɪvɪŋ] *mn* **1.** hajtó; **~ force** hajtóerő **2. ~ rain** felhőszakadás, zápor, arcba csapódó eső, szélfútta eső

driving belt *fn* hajtószíj, gépszíj, ékszíj

driving-indicator *fn gk* irányjelző, index

driving lesson *fn* autóvezetés óra; **take ~s** gépkocsivezetést tanul

driving licence *fn GB gk* jogosítvány, vezetői engedély

driving range *fn sp* gyakorló golfpálya *[ahol az elütést lehet gyakorolni]*

driving school *fn* autósiskola

driving test *fn* **1.** *gk* gépjárművezetői vizsga **2.** *műsz* próbaút, futópróba

drizzle ['drɪzl] **I. A.** *tsi* meghint, megszór *[vmivel főzésnél]* **B.** *tni* szitál, szemerkél, (finom cseppekben) sűrűn esik *[eső]*; **~ on sg** rácsepeg vmre *[szivárogva]* **II. a)** *fn* szitálás, szemerkélés, sűrű(n szitáló) eső **b)** meghintés, megszórás *[cukorral, liszttel]* • *mn* **drizzly**

drogue [droʊg] *fn* **1.** *hajó* úszóhorgony *[vízi jármű fékezéséhez]* **2.** *kat* célzsák *[légvédelmi tüzérségi lőgyakorlaton]*

droll [droʊl] **I.** *mn* **1.** vidám, mulatságos, tréfás **2.** furcsa, muris **II.** *fn régi* bohóc, bolond • *fn* **drollery**, **drollness**

drome [droʊm] *fn régi* rep(ülő)tér

dromedary ['drɒmədəri ‖ 'drɑməderi] *fn* egypúpú teve, dromedár

drone [droʊn] **I.** *fn* **1. a)** *áll* here *[méh]* **b)** *biz* semmittevő, naplopó **2.** zümmögés, zsongás, döng(icsél)és, dongás; *rep* **the ~ of the engine** a gép zúgása **3. a)** *zene* **~ (-bass)** musette-basszus *[orgona]* **b)** *tsz* **drones** *zene* bordósípok *[dudán]* **4.** *biz* távirányított repülőgép **II. A.** *tsi* **1. ~ (out) sg** monoton hangon elmond/elmotyog vmt **2. ~ one's life away** végighenyéli az életét **B.** *tni* **1. a)** zümmög, zsong, döngicsél **b)** zúg, búg **2.** henyél, lustálkodik **3.** monoton hangon beszél, zsolozsmázik • *mn* **droning**, **dronish**

drongo ['drɒŋgoʊ ‖ 'drɑŋ–] *fn Ausz szl [buta ember]* fafej, tökfej

droob [druːb] *fn Ausz szl [tehetetlen, szerencsétlen külsejű ember]* töketlen egy manus, béna hapsi

drool [druːl] **I.** *fn US* → **drivel** I. **II.** *tni US* **1.** → **drivel** II. **2. ~ over sg** örömét leli vmiben, odavan vmiért • *fn* **drooler**

droop [druːp] **I. A.** *tsi* lehajt, lehorgaszt, lesüt *[szemet]*, leereszt, lelógat (vmt), elveszt *[bátorságot]* **B.** *tni* **1.** lehajlik, lehorgad *[fej]*, lecsukódik *[szem]*, lemegy, lebukik *[a nap]* **2. a)** lekonyul, elhervad, elfonnyad *[virág]* **b)** lanyhul *[tőzsde]*, esik *[árfolyam]* **3.** elernyed, elbágyad, ellankad, eltikkad **II.** *fn* **1. a)** lehajtás, lekonyulás *[fejé]* **b)** lehunyás *[szemé]* **2.** bágyadtság, elernyedés, kedvetlenség, levertség **3. a)** esés, csökkenés **b)** lejtés, lejtőirány • *mn* **drooping** *hsz* **droopingly**

drooping ['druːpɪŋ] *mn* lankadt, petyhüdt, kókadt; **~ eyelids** félig csukott szemhéjak; **~ shoulders** csapott váll(ak)

droopsnoot ['druːpsnuːt] *rep* **I.** *mn* lehajtható orrú *[repülőgép, pl. a Concorde]* **II.** *fn* **a)** lehajtható orrú repülőgép **b)** lehajtható orr-rész *[repülőgépé]*

droopy ['druːpi] *mn* lankadt, petyhüdt, kókadt

drop [drɒp ‖ drɑp] **I.** *i pt/pp* **dropped**, *ir* **dropt A.** *tsi* **1. a)** csepegtet, cseppenként önt, csöppent **b)** ont *[könnyeket]* **2. a)** elejt, leejt, elenged, eldob, ledob; **~ it!** *[kutyához]* ereszd/engedd el!; *biz* **~ sy a card/line** ír vknek egy lapot (v. néhány/pár sort); *mat* **~ a perpendicular on/to a line** merőlegest bocsát egy vonalra; **~ sg like a hot brick/potato** *átv* vmt hirtelen abbahagy; **~ a word in sy's ear** elejt néhány szót vknél **b)** leveszi a kezét vkről, nem barátkozik többé vkvel **c)** *mezőg* ellik, fiadzik, borjaz **d)** elvetél *[kanca, tehén]* **3.** veszít *[pénzt, mérkőzést stb.]*, költ *[pénzt]* **4.** letesz, kitesz *[vkt az autóból]*; **I'll ~ you at the next corner** a következő sarokig viszem el, kiteszem a következő saroknál **5. a)** kihagy, elhagy, elnyel *[betűt, szótagot]* **b)** nem ejt ki *[h-t]*; → **aitch c)** kihagy, kirúg *[csapatból]* **6.** lesüti *[szemét]*, halkabbra fogja, leereszti, leengedi *[a hangját]* **7. ~ a curtsey** pukedlizik **8.** felhagy *[munkával]*, leszokik (vmről), abbahagy (vmt), letesz, lemond *[ötletről]*; **~ the idea of doing sg** lemond vmnek a megtételéről; **let us ~ the subject!** hagyjuk ezt a témát!, beszéljünk másról! **9.** *szl [megveszteget]* megken, odanyom (összeget) vknek **10.** *szl [megöl]* kinyír, kipurcant **11.** *szl [veszít, különösen pénzt]* ugrik *[vmennyi pénze]*, bukik *[vmennyit]* **B.** *tni* **1. a)** csepeg, csöpög **b)** *biz* **~ at the nose** folyik az orra, náthás **2. a)** összeesik, elesik *[ember]*, elhullik *[állat]*; **~ asleep** elalszik **b) ~ dead** (i) holtan esik össze (ii) *szl [fejezd be!, hagyd abba!]* dögölj meg!; fordulj fel!; *biz* **he almost ~ped (with surprise)** majd hanyatt esett (a meglepetéstől); **I am ready to ~** (már) alig állok a lábamon **3.** csökken, süllyed *[hőmérséklet, ár]*, eláll, lecsillapodik *[szél]* **4. a)** abbamarad, vége lesz/szakad; **the conversation ~ped** a beszélgetés abbamaradt **b) ~ vacant** megüresedik *[állás]* **II.** *fn* **1. a)** csepp, csöpp; **~ by ~** cseppenként; **~ in the ocean** csepp a tengerben; *biz* **take a ~** iszik egy kortyot/keveset **b)** *tsz* **drops** *orv* cseppek *[mint gyógyszer]* **c)** függő *[csilláron, nyakláncon]* **d)** cukorka, pirula; **cough ~** köhögés elleni cukorka **2. a)** lejtő; *US szl* **get the ~ on sy** készületlenül talál vkt, meglep **b)** esési/ejtési mélység/magasság **c)** leejtés; **at the ~ of a hat** a legkisebb jelre, (azon) nyomban; **he cries at the ~ of the hat** a legkisebb dologért is sír **d)** (le)esés, (le)pottyanás, *rep* ejtőernyős ugrás **e)** (vissza)esés, csökkenés, hanyatlás; **~ in prices** áresés **f)** bedobónyílás *[postaszekrényen]* **3. a)** bitófa, akasztófa **b)** csapódeszka, süllyesztő *[akasztófa alatt Angliában]* **4.** csapóajtó; **~ seat** felcsapható ülés **5.** *szính* függöny **6.** *sp* kapuskirúgás *[kézből]* **7.** *biz* kézbesítés, beadás *[csomagé, levélé]* **8.** *szl [borravaló]* jatt **9.** *US* levelesláda, postaláda *[háznál]*

drop away *tni* **1.** egyik a másik után meghal/elhal **2.** elmaradozik *[látogató]*, csökken, lemorzsolódik *[tagság, bevétel]* **3.** *sp* lemarad *[ló]*

drop back *tni* **1.** visszaesik, újra felvesz *[szokást]*; **he ~ped back into smoking** visszaszokott a dohányzásra **2.** hátramarad

drop behind *tni* hátramarad, lemarad, lehagyják

drop by *tni US* bekukkant/benéz vkhez

drop down *tni* **1. a)** leesik, lehull **b)** kidől, összecsuklik *[fáradtságtól]* **2.** lefelé megy *[hegyről]*; → **drop-down**

drop in A. *tsi* közbeszól **B.** *tni* benéz, bekukkant, beugrik, felugrik látogatóba; **~ in accidentally** betoppan vkhez; **~ in on sy** felugrik/beugrik vkhez egy pillanatra

drop into *tni* **1.** hirtelen bemegy becsöppen (vhova) **2. ~ into the habit/way of sg** beleszokik vmbe, rászokik vmre

drop off *tni* **1. a)** leesik, lehull, elhull *[levél]*; **they ~ped off like flies** úgy hullottak, mint a legyek **b)** lecsökken **2.** *biz* **~ off (to sleep)** elalszik, álomba merül **3.** *szl* **~ off (the hooks)** *[meghal]* elpatkol, feldobja a papucsot **4.** → **drop-off**

drop on *tni* **1. ~ on one's knee** térdre esik/hull **2.** nekimegy, leszid, letol, rendreutasít

drop out A. *tsi* **1.** kiejt, kipottyant **2.** elhagy, kihagy *[szótagot, nevet]* **B.** *tni* **1.** kiesik, kihull, kipottyan **2.** visszalép (*of* vmtől), *[pl. versenytől]*, lemorzsolódik *[oktatási intézményből]*

drop through *tni* **1.** átesik **2.** *átv* megsemmisül *[terv]*, füstbe megy

drop to *tni* **a) ~ to the rear** hátramarad **b)** *GB* **~ to a fact** tudomást szerez egy tényről **c)** lecsökken (vmre)

drop upon *tni* rábukkan, ráakad; **~ upon sy** véletlenül találkozik vkvel; **~ upon sy (like a ton of bricks)** *biz átv* alaposan lehord vkt

drop curtain *fn szính* (felvonásvégi) függöny

drop-dead *mn GB szl [gyönyörű]* dögös, állati szép, frankó

drop goal *fn sp* mezőnyből rúgott gól *[rögbiben]*

drop hammer *fn műsz* ejtőkalapács, ejtőpöröly, sulykoló, nagy gőzkalapács

drophead *fn gk* lehajtható (autó)tető, vászontető

drop-in centre *fn GB* ‹munkanélküliek/hajléktalanok találkozóhelye› melegedő

drop kick *sp* **I.** *fn* ‹földre eső labda rúgása› **II.** *tni* **drop-kick** ‹földre esett labdát rúg›

dropleaf *mn* **~ table** lehajtható lapú asztal

droplet [ˈdrɒplət ‖ ˈdrɑp–] *fn* kis csepp, cseppecske, *átv* egy kevés

drop-off [ˈdrɒpɒf ‖ ˈdrɑpɔf] *fn* **1.** *US* szakadék, meredek, esés **2.** esés, csökkenés; **a ~ in sales** az eladások csökkenése; → **drop off**

dropout [ˈdrɒpaʊt ‖ ˈdrɑ–] *fn* **1.** kiesés *[fogé]* **2.** *sp* ‹22 méteres lövés› *[rugbyben]* **3. a)** *US okt* lemorzsolódás **b)** *okt* lemorzsolódott tanuló **4.** *el távk* → **drop out**

dropped [drɒpt ‖ drɑpt] *mn* **1. ~ egg** buggyantott/bevert/posírozott tojás **2.** lesütött, lehunyt *[szem]* **3. a) ~ handlebar** lefelé hajló kormány *[kerékpáron]*; **~ seat** homorú ülésű szék **b)** *orv* **~ stomach** gyomorsüllyedés **4.** kihagyott, elhagyott; **~ heartbeat** kimaradt szívverés/szisztolé **5. ~ shoulder** ejtett váll *[ruhán]*; **~ waistline** hosszított derék; → **drop I.**

dropper [ˈdrɒpə ‖ ˈdrɑpər] *fn vegy orv* **a)** cseppszámláló, csepegtető *[üvegen]* **b)** csepegtető üveg, cseppentő

dropper-in *fn* váratlan vendég

dropping [ˈdrɒpɪŋ ‖ ˈdrɑ–] *fn* **1. a)** csöpögés **b)** (le)esés, süllyedés, csökkenés **c)** leejtés, elejtés, ledobás **d)** feladás *[tervet]* **2.** *tsz* **droppings a)** cseppek **b)** állati ürülék, bogyók, trágyalepény, ganéj; → **drop I.**

drop scene *fn* **1.** *szính* **a)** háttérfüggöny **b)** előfüggöny **2.** *biz átv* utolsó felvonás

drop scone *fn GB* ‹vajban sütött palacsintaszerű tészta›

drop shot *fn sp* ejtett labda *[teniszben]*

drop-side *fn* lehajtható oldalfal

dropsy [ˈdrɒpsi ‖ ˈdrɑpsi] *fn* **1.** *orv* vízkór(osság), ödéma **2.** *GB szl [borravaló]* jatt

dropt [drɒpt ‖ drɑpt] → **drop I.**

drosophila [drɒˈsɒfɪlə ‖ drəˈsɑfələ] *fn áll* bormuslinca, drozofila

dross [drɒs ‖ drɑs] *fn* **1. a)** szennyeződés **b)** hulladék, üledék, szemét **c)** *átv* vacak, értéktelen holmi **2.** *fémip* (kohó)salak, iszap *[kohászatban]*, kaparék *[fémöntödében]* • *mn* **drossy**

drought [draʊt] *fn* **1.** szárazság, aszály **2.** *régi* szomj(úság) **3.** *régi* hiány **4.** *vál* sivatag • *mn* **droughty**

drove[1] [droʊv] *fn* **a)** járó/mozgó/hajtott falka/csorda/nyáj **b)** *biz* nagy mozgó tömeg

drove[2] [droʊv] → **drive I.**

drover [ˈdroʊvə ‖ –ər] *fn* (ökör)hajcsár, marhakereskedő, marhakupec

drown [draʊn] **A.** *tsi* **1.** vízbe fojt; **be ~ed** vízbe fullad; **~ oneself** vízbe öli magát; *biz* **~ one's sorrows in drink** borba fojtja a bánatát **2. a)** eláraszt, elönt *[földet]*; *biz* **eyes ~ed in tears** könnybe lábadt szemek **b) be ~ed out** kiönti a víz *[házából]* **3.** elfojt/túlharsog *[hangot]* **B.** *tni* vízbe fullad, megfullad • *fn/mn* **drowning**

drowned [draʊnd] *mn* **1.** megfulladt, vízbe ölt **2.** elárasztott *[terület]*

drowning [ˈdraʊnɪŋ] **I.** *mn* vízbe fulladó, vízbe ölő/fojtó, vízbefúló; *közm* **a ~ man clutches at a straw** a vízbefúló a szalmaszálhoz is kapkod **II.** *fn* **1.** vízbe fulladás; **death by ~** fulladásos halál, vízbefúlás **2.** vízbe fojtás **3.** elárasztás

drowse [draʊz] **I.** *fn* álmosság **II.** *i* **A.** *tsi* **1.** elaltat, elkábít, elálmosít **2. ~ the time away** alvással/álmodozással tölti az időt **B.** *tni* szendereg, alszik, félálomban van

drowsihead [ˈdraʊzihed] *mn/fn* álomszuszék

drowsy [ˈdraʊzi] *mn* **1.** álmos, álomittas **2. a)** szunyókáló, szendergő **b)** álmodozó **3.** lusta, tétlen **4.** álmosító, altató • *fn* **drowsiness**

drub [drʌb] *tsi* **-bb- 1. a)** elver, összever, elpáhol **b)** *sp* megver *[mérkőzésen, versenyen]* **2. ~ sg into sy** belever vmt vknek a fejébe; **~ sg out of sy** kiver vmt vk fejéből

drubbing [ˈdrʌbɪŋ] *fn* ütlegelés, verés; **give sy a ~** elfenekel/megver/elnáspángol vkt

D

drudge [drʌdʒ] **I.** *fn [magát agyondolgozó v. nehéz alantas munkát végző ember]* kuli, rabszolga, robotos **II. A.** *tsi* **~ away the best years of one's life** élete legszebb éveit fáradságos munkában tölti el **B.** *tni* agyondolgozza/agyonhajszolja magát
drudgery [ˈdrʌdʒəri] *fn* **1.** fáradságos/nehéz/keserves munka, kulimunka, rabszolgamunka, robot(olás) **2.** lélekölő munka, favágás
drug [drʌg] **I.** *fn* **1.** orvosság, gyógyszer; **~ plant** gyógynövény; *orv* **~ rash** gyógyszerkiütés **2. (narcotic) ~** kábítószer, drog; **light ~** könnyű drog; **take ~s** kábítószereket használ/fogyaszt, drogozik **3.** *biz* **be a ~ in/on the market** eladhatatlan áru *[mert túl sok van belőle]* **II.** *i* **-gg- A.** *tsi* **1. a)** gyógyszerrel kezel **b)** *átv* elkábít, elbódít **c)** kábítószert ad (be)(vknek); **~ oneself** kábítószert vesz be; **they ~ged his wine** kábítószert kevertek borába **2.** gyógyszerez *[ételt, italt]*, gyógyszert vegyít *[ételbe, italba]* **B.** *tni* kábítószer(eke)t szed, kábítószerrel él, drogozik
drug abuse *fn* kábítószerrel/droggal való visszaélés
drug addict *fn* kábítószerfüggő személy, (rendszeres) kábítószer-fogyasztó, drogfüggő, drogos
drug addiction *fn* kábítószer-függőség, drogfüggőség
drug dealer *fn* drogdealer, kábítószer-kereskedő, kábítószerárus
druggie [ˈdrʌgi] *biz* → **druggy**
druggist [ˈdrʌgɪst] *fn* gyógyszerész, patikus; **wholesale ~** gyógyszeráru-nagykereskedő
drug misuse *fn GB* orvossággal/kábítószerrel való visszaélés
drug peddler → **drug dealer**
drugpusher → **drug dealer**
drug rehabilitation centre, *US* **-center** *fn* kábítószerfüggők klinikája, kábítószerfüggőket kezelő intézet
drug rehabilitation clinic → **drug rehabilitation centre**
drug runner → **drug smuggler**
drug smuggler *fn* kábítószercsempész
drug squad *fn GB* kábítószer-ellenes csoport *[rendőrségen]*, kábítószercsoport
drugstore *fn US* ‹gyógyszertárral kapcsolatos vegyes bolt és büfé›
drugstore cowboy *fn szl* ‹nyilvános helyeken magát kellető, nőkre vadászó férfi›
drug traffic *fn pej* kábítószer-kereskedelem
druggy [ˈdrʌgi] *biz* **I.** *mn* drogos, kábítószeres; kábítószerrel/droggal kapcsolatos **II.** *fn* → **drug addict**
Druid [ˈdruːɪd] *fn* druida, őskelta pap • *fn* **Druidism** *mn* **Druidic**
drum¹ [drʌm] **I.** *fn* **1.** *zene* dob; **the ~s** zenekar ütőhangszerei; **play the ~** dobol; **bang the big ~** *biz* reklámoz, veri a nagydobot **2.** dobolás, dobszó **3.** vashordó, dob alakú tartály; *orv* **sterilized ~** steril kendőket/kötszert tartó doboz **4.** *műsz műsz* (tárcsa)dob, kerékdob, forgódob, henger; **concrete mixing ~** betonkeverő gép/dob **5.** teadélután, délutáni/esti teaparty **6. a)** *szl [lakás]* kégli **b)** *GB szl [éjszakai mulató, bár]* dizsi **c)** *szl [bordélyház]* kupi **d)** *szl [börtöncella]* kaszni, kalitka, steka **e)** *szl [információ]* füles, drót **7.** → **drumfish II.** *i* **-mm- A.** *tsi* kidobol *[dallamot]*; **~ one's feet** dobol lábaival **B.** *tni* **1. a)** dobol **b) ~ at the door** dobol az ajtón **2.** zümmög, zsong, döngicsél **3.** *US* **~ for customers** (kereskedelmi utazóként) vevőket toboroz; reklámoz **4.** *szl [betör vhová]* kéglit leránt/meghúz
  drum into *tsi* **~ sg into sy's head** belever vmt vk fejébe
  drum out *tsi* **~ sg out of sy's head** kiver vmt vk fejéből
  drum together *tsi* összedobol, dobszóval összehív
  drum up *tsi* **1.** szerez, toboroz *[híveket, vevőket]*; **~ up one's friends** összehívja barátait; **~ up trade** reklámoz **2.** dobszóval összehív, összedobol
drum² [drʌm] *fn* hegyhát, hegygerinc
drumbeat *fn* dobverés, dobpergés
drum brake *fn gk* dobfék
drumfire *fn kat* pergőtűz
drumhead *fn* **1. a)** dobbőr **b)** a dob teteje **2.** *orv* dobhártya
drum kit *fn* dobfelszerelés
drum machine *fn* dobgép
drum major *fn kat* **a)** zenekarvezető *[felvonuláson]*, tamburmajor **b)** *régi* (első) ezreddobos
drum majorette *fn* majorette
drummed [drʌmd] → **drum¹** II.
drummer [ˈdrʌmə ‖ –ər] *fn* **1.** dobos **2. a)** *US biz* utazó ügynök, üzletszerző **b)** *US biz* házaló (ószeres) **3.** *GB szl [betörő]* bedolgozó
drum-roll *fn* dobpergés
drumstick *fn* **1.** *zene* dobverő **2.** *biz* ‹szárnyas alsó combja› csirkecomb, dobverő **3.** *tsz* **drumsticks** *biz* pipaszár lábak
drunk [drʌŋk] **I.** *mn* **1.** részeg, ittas; *jog* **~ and disorderly** részegen garázdálkodó, részeges és garázda; **blind/dead ~** holtrészeg, tökrészeg; **get ~** berúg, leissza magát **2.** megrészegült *[sikertől, vértől]*; **~ with joy** örömtől mámoros, örömittas **II.** *fn* **1.** *biz* részeges/ittas ember, részeg **2.** részegség, dőzsölés, tivornya; → **drink** II.
drunkard [ˈdrʌŋkəd ‖ –ərd] *fn* részeges, iszákos, alkoholista; **habitual ~** megrögzött alkoholista
drunken [ˈdrʌŋkən] *mn* **1.** részeg, ittas; **~ driving** → **drink-driving** **2.** részeges, iszákos; → **drink** II. • *fn* **drunkenness**
drunkometer [drʌŋˈkɒmɪtə ‖ –ˈkɑmətər] *fn US* alkoholszonda
drupaceous [druːˈpeɪʃəs] *mn növ* csonthéjas (gyümölcsű)
Druse [druːz] *fn földr* drúz
dry [draɪ] **I.** *mn kfok* **drier**, *ffok* **driest** **1. a)** száraz, kiszáradt; **~ juice** sűrített gyümölcslé; gyümölcsvelő; **~ land** szárazföld; **~ mop** rojtos seprű, mop; **~ wine** száraz bor; **run ~** kiszárad, kiapad **b) put on ~ clothing** száraz ruhát vesz fel; **"to be kept ~"** „száraz helyen tartandó"; *biz* **as ~ as a bone/chip** nagyon/teljesen száraz, csontszáraz **c)** *biz* **be/feel ~** szomjas **d)** szárított, aszalt *[gyümölcs]*, porított **2.** *átv* száraz *[író, szónok]*, unalmas; **the ~ facts** a száraz tények **3. a)** kimért, hallgatag, tartózkodó; **~ reception** barátságtalan fogadtatás **b) ~ humour** *US* **humor** száraz humor; **~ smile** fanyar mosoly **4.** *US biz* **~ country** szesztilalmas (v. alkoholfogyasztást tiltó) terület/vidék/ország; **go ~** bevezeti(k) a szesztilalmat; leszokik az alkoholról **5.** *gazd* **~ money** készpénz **II.** *fn* **1.** száradás, szárazság; **stay in the ~** szárazon marad **2.** *biz* a szesztilalom híve, prohibicionista **3.** *Ausz* **the ~** (i) víztelen sivatag (ii) tél *[Észak-Ausztráliában]* **4.** száraz ital *[bor, pezsgő, sherry]* **5.** *Ausz* gyömbér (üdítőital) **III.** *i pt/pp* **dried**, *pr.p* **drying A.** *tsi* **1.** megszárít, kiszárít, felszárít; **~ the dishes** eltörülget(i az edényt); **~ one's eyes** megtörli a szemét **2.** aszal **3.** *mezőg* elapaszt *[tehén tejét]* **B.** *tni* **1.** szárad, megszárad, felszárad, kiszárad **2.** *mezőg* elapad *[tehén teje]* **3.** → **dry up** B.2. • *fn* **dryness** *mn* **dryish** *hsz* **dryly**
  dry off A. *tsi* felszárít *[vizet]* **B.** *tni* felszárad, elpárolog *[víz]*
  dry out A. *tsi US* felszárít *[vizet]* **B.** *tni* **1.** *US* felszárad, elpárolog *[víz]* **2.** *biz* elvonókúrán van
dry battery *fn vill* szárazelem
dry-bridge *fn* felüljáró
dry cell *fn vill* → **dry battery**
dry-clean *tsi* vegytisztít, szárazon tisztít *[ruhát]* • *fn* **dry-cleaning**
dry-cleaner *fn* vegytisztító
dry cough *fn* száraz köhögés
dry-cure *tsi* besóz és felfüstöl *[húst]*
dry dock I. *fn hajó* szárazdokk **II.** *i* **dry-dock A.** *tsi hajó* szárazdokkba vontat **B.** *tni hajó* szárazdokkba megy
dryer [ˈdraɪə ‖ –ər] *fn* szárító, szárítógép, hajszárító, ruhaszárító(gép), kézszárító, szárítóállvány

dry-eyed *mn* **look on** ~ részvétlenül/közömbösen néz
dry fly I. *fn* **1.** szárított bolha *[haleledel]* **2.** műlégy; ~ **fishing** műléggyel való horgászás **II.** *tni* **dry-fly** műléggyel horgászik
dry goods *fn tsz* **a)** *GB* száraz áruk/termékek, nem folyékony áruk **b)** *US* méteráru, rövidáru, ruházat
dry ice *fn* szárazjég, szénsavhó
dry-land I. *fn* **dryland** *US* szárazföld, száraz terület, alacsony csapadékhozamú terület **II.** *mn* szárazföldi; → **dry** I.1.a.
dry measure *fn* ‹ szárazáruk esetén használt mértékegység ›
dry milk *fn US* → **dried milk**
dry-nurse I. *fn* szárazdajka **II.** *tsi* **1.** (cuclis)üvegen nevel/táplál, mesterségesen táplál *[csecsemőt]* **2.** *biz* tanácsadóul szolgál (vknek), dajkál (vkt)
dry plate *fn fényk* szárazlemez
dry-point *fn műv* **1.** hidegtű **2. a)** rézmetszés **b)** rézmetszet, rézkarc
dry-rot *fn* **1.** odvasodás, (száraz) korhadás, rothadás **2.** *biz* **political** ~ politikai bomlás • *mn* **dry-rotten**
dry run *fn biz* próba, gyakorlat; **both parties are treating the local elections as a** ~ mindkét párt próbának/főpróbának tekinti a helyhatósági választásokat
dry-salt *tsi* besóz és felfüstöl *[húst]*
dry-shod I. *mn* száraz lábú **II.** *hsz* száraz lábbal
dry slope *fn* mesterséges/műhavas sípálya, műsípálya
drystone *mn GB* habarcs/malter nélkül rakott *[kerítés, fal]*, habarcs nélküli
drywall *fn US épít* szárazfalazat, száraz építésű válaszfal
DSc *röv Doctor of Science*
DSS *röv GB Department of Social Security*
D.S.T. *daylight saving time*
DTI *röv GB Department of Trade and Industry*
DTP *röv infor desktop publishing* asztali kiadványszerkesztés
Du. *röv* **1.** *duke* **2.** *Dutch*
dual [ˈdjuːəl ‖ ˈduːəl] **I.** *mn* kettős, kétszeres, dupla, kétféle **II.** *fn nyelv* kettős szám, duális **III.** *tsi* **-ll-** *GB* autópályává alakít *[utat]* • *fn* **duality**
dual carriageway *fn GB* osztottpályás úttest, autópálya, sztráda
dual citizenship *fn* kettős állampolgárság
dual-control *mn közl* kettős kormányzású/vezérlésű, kétkormányos *[repülőgép, autó, pl. tanuló vezetőé]*
dualism [ˈdjuːəlɪzm ‖ ˈduː–] *fn* kettősség, dualizmus • *fn* **dualist** *mn* **dualist(ic)**
dual-purpose *mn* kettős célú, kétfeladatos; ~ **vehicle** áru- és személyszállításra alkalmas jármű
Duane [duːˈeɪn] *tul* ‹ férfinév ›
dub[1] [dʌb] *tsi* **-bb- 1. a)** ~**sy (a) knight** lovaggá üt vkt **b)** *biz* ~ **sy sg** elnevez vkt vmnek, vkt vmnek csúfol; ~ **oneself sg** magát vmnek kikiáltja/nevezi/kiadja; ~ **sy a quack** kontárnak nevez vkt **2.** megken, bezsíroz, megzsíroz *[használati tárgyat, cipőt]* **3.** simít, simára farag, hozzáilleszt **4.** *film* szinkronizál *[filmet]* **5. a)** zenei aláfestést ad, hangeffektusokkal kísér *[rádió, film, tv-műsort]* **b)** átmásol, átjátszik, átír *[hanganyagot, képeket egyik adathordozóról a másikra]*
dub[2] [dʌb] **I.** *fn US szl [ügyetlen/balkezes ember]* pancser **II.** *tsi/tni* **-bb- 1.** *sp* elront, elszúr *[ütést golfban]* **2.** *szl* ~ **in/up** *[pénzt bead, költségeket megoszt]* beszáll vmbe
dub-a-dub [ˌdʌbəˈdʌb] *fn* dobpergés
dubbed [dʌbd] *mn* ~ **film** szinkronizált film
dubbin [ˈdʌbɪn] *GB* **I.** *fn* → **dubbing**[1] 2. a. **II.** *tsi* bezsíroz, beolajoz
dubbing[1] [ˈdʌbɪŋ] *fn* **1.** lovaggá ütés **2.** zsírozószer *[bőráru részére]*, bőrolaj, cipőzsír
dubbing[2] [ˈdʌbɪŋ] *fn film* utószinkronizálás *[hangé]*, utólagos hangosítás, átmásolás, átjátszás *[videón]*
dubiety [djuːˈbaɪəti ‖ duː–] *fn* kétkedés, kétség, bizonytalanság; kétes/bizonytalan dolog
dubious [ˈdjuːbɪəs ‖ ˈduː–] *mn* **1. a)** két(ség)es, bizonytalan **b)** kétkedő, habozó **2. a)** kétértelmű, félreérthető **b)** gyanús *[tisztaság, társaság stb.]* • *fn* **dubiousness** *hsz* **dubiously**
dubitation [ˌdjuːbɪˈteɪʃn ‖ ˌduː–] *fn vál* habozás, ingadozás, bizonytalankodás • *tni* **dubitate**
dubitative [ˈdjuːbɪtətɪv ‖ ˈduːbəteɪtɪv] *mn* **1.** *vál* két(el)kedő, bizonytalan, határozatlan **2.** kétkedést/habozást kifejező
Dublin [ˈdʌblɪn] *tul földr* Dublin *[Írország fővárosa]*
ducal [ˈdjuːkl ‖ ˈduːkl] *mn* hercegi • *fn* **ducality**
ducat [ˈdʌkət] *fn* **1.** dukát *[aranyérme]*; *szl* ~**s** *[pénz]* dohány, guba **2.** *szl [belépőjegy]* beugró
duchess [ˈdʌtʃɪs] *fn* **1.** hercegné, hercegnő **2.** *szl [nő, lány, különösen vknek a felesége* v. *anyja]* az asszony, öreglány, mutter
duchesse [djuˈʃes] *fn* **1.** düsesz *[selyemanyag]* **2.** toalettasztal
duchy [ˈdʌtʃi] *fn* **1.** hercegség **2.** *GB* **the Duchies** a cornwalli és lancasteri hercegségek
duck[1] [dʌk] *fn tsz* ~**s 1.** kacsa, réce, ruca; **wild** ~ vadkacsa; ~ **walk** totyogás, kacsázó járás; → **duckwalk**; **it glances off him like water off a** ~**'s back** lerázza, mint kutya a vizet; **play (at)** ~**s and drakes** kacsázik; **play** ~**s and drakes with (one's money), make** ~**s and drakes of (one's money)** az ablakon dobja/szórja ki (a pénzt); elherdál (vmt); *biz* **take to sg like a** ~ **to water** könnyedén tanul, könnyen/gyorsan belejön (vmbe) **2.** *kat biz* (földön is közlekedni tudó) partraszállító hajó, kétéltű csapatszállító bárka **3. what a** ~ **of a child!** milyen édes kis gyerek; **you are a** ~**!** angyal vagy! **4.** *biz* nulla, zéró *[krikettben]*
duck[2] [dʌk] *fn* **1.** *tex* csinvat, sűrű keresztszövésű vászon **2.** *tsz* **ducks** *biz tex* fehér vászonnadrág, tenisznadrág
duck[3] [dʌk] **I. A.** *tsi* **1.** vízbe dob/lök/merít, víz alá nyom **2. a)** elhajol, félrekapja *[fejét]*, behúzza *[nyakát]* **b)** leszegi, lehorgasztja *[fejét]* **3.** *okt szl* lóg, bliccel; *biz* ~ **the rules** kibújik a szabályok alól **B.** *tni* **1.** vízbe merül/ugrik, lebukik a víz alá, alábukik **2.** elhajol, elkapja/félrekapja a fejét *[ütés elől]* **3.** ‹ alacsonyabb értékű kártyát ad ki magasabb helyett, hogy az ütést elkerülje › ütést kihagy **II.** *fn* **1.** váratlan/véletlen fürdő, vízbeesés, lemerülés **2.** *sp* elhajlás, fej félrekap(kod)ása/elkapása *[ütések elől]* **3.** ~ **soup** *szl [könnyű dolog]* sima ügy, nem gond vm **4.** ‹ alacsonyabb értékű kártya kiadása magasabb helyett az ütés elkerülése végett › lazsálás
duck-arse *fn szl* ‹ tarkó közepére lenyúló hajú frizura, melynek alakja egy kacsa fenekére emlékeztet ›
duckbill → **duck-billed platypus**
duck-billed platypus *fn áll* kacsacsőrű emlős
ducker [ˈdʌkə ‖ –ər] *fn* **1.** *áll* vízi rigó **2.** vöcsök
duckling [ˈdʌklɪŋ] *fn* kis/fiatal kacsa; fiatal kacsa húsa
ducks and drakes → **duck**[1] 1.
duck's arse, *US* **ass** → **duck-arse**
duck's egg → **duck**[1] 4.
duck-shooting *fn* vadkacsavadászat
duck soup *fn US szl [könnyű feladat]* semmi, gyíkfing
duckweed *fn növ* békalencse, kacsaparéj
ducky [ˈdʌki] *GB* **I.** *mn biz* édes, kedves, aranyos **II.** *fn biz* **(my)** ~ kis csibém/aranyom, mókusom
duct [dʌkt] **I.** *fn* **1. a)** (cső)vezeték, (vezető)cső **b)** árok, járat, vezetékcsatorna **2.** *orv* csatorna, vezeték, kivezető cső **3.** *növ* edény, csatorna, vezeték **II.** *tsi* vezetéken/csövön/csatornán át továbbít/elvezet/kivezet
ductile [ˈdʌktaɪl ‖ ˈdʌktl] *mn* **1. a)** (ki)nyújtható, kalapálható, hajlítható *[fém]*; ~ **iron** kovácsvas, lágyvas **b)** alakítható, képlékeny; ~ **clay** mintázóagyag **2.** *átv* alakítható, formálható *[jellem]* • *fn* **ductility**
ductless [ˈdʌktləs] *mn* kifolyás/lefolyás nélkül
ductless gland *fn orv* belső elválasztású/endokrin mirigy
dud [dʌd] **I.** *mn* **1.** *szl [tehetetlen]* béna, gyökér **2.** *szl [rossz, hamis]* tré, kamu; *kat* ~ **shell** fel nem robbant gránát/bomba; befulladt lövedék; *gazd* ~ **stock** eladhatat-

D

lan/elfekvő áru **II.** *fn* **1.** tehetetlen/élhetetlen/tehetségtelen ember; **I'm a ~ at history** semmit sem értek a történelemhez; **he's a ~** (ő egy) nagy nulla; **the ~s** a közömbös/rossz tanulók **2.** hamisítvány **3.** *kat* fel nem robbant gránát/bomba, befulladt lövedék **4.** *tsz* **duds** *szl* **~s** *[ruha]* cucc, gönc

dude [dju:d ‖ du:d] *fn* **1.** *US* **a)** *szl [divatbáb]* divatmajom, jampec **b)** nagyvárosi ember **c)** turista *[különösen vadnyugaton]* **2.** *szl [férfi]* pacák, ürge, fej, krapek **3.** *szl [barát]* haver

dude ranch *fn US* ‹turistalátványossággá átalakított ranch›

dudgeon [ˈdʌdʒən] *fn* neheztelés, harag, düh; **in high ~** rendkívül dühös(en)

Dudley [ˈdʌdli] *tul* ‹férfinév›

due [dju: ‖ du:] **I.** *mn* **1.** *pénz* követelhető, kifizetendő, lejáró, esedékes; **debts ~ by us** tartozásaink; **debts ~ to us** kinnlevőségeink, követeléseink; **be/become/fall ~** lejár, esedékessé válik; **when ~** esedékességkor **2.** kijáró, megillető, megérdemelt; **~ reward of his services** szolgálatainak méltó jutalma; **in ~ course** annak rendje és módja szerint, kellő/megfelelő időben, pontosan; **treat sy with ~ respect** az őt megillető tisztelettel kezel vkt; **within ~ limits** ésszerű határok között; **in ~ time** kellő/megfelelő időben; amikor elérkezett az ideje; **take all ~ measures** megtesz minden szükséges intézkedést **3. ~ to sy/sg** vk/vm következtében; vknek/vmnek köszönhető; **it is ~ to him** neki köszönhető **4. the train is ~ at two o'clock** a vonatnak két órakor kell (be)érkeznie/befutnia **II.** *hsz* egyenesen vhova; **~ north** egyenesen északra (v. észak felé) **III.** *fn* **1.** követelés, járandóság; **give sy his ~** megadja vknek (azt) ami megilleti **2.** tartozás, adósság, adó, vám, illeték; **(public) ~s** köztartozások; **pay one's ~s** megfizeti/kiegyenlíti tartozásait • *fn* **dueness**

due bill *fn US* adóslevél, kötelezvény

due date *pénz* **I.** *fn* esedékesség ideje, lejárat napja **II.** *tsi* **due-date** váltó/kötelezvény esedékességét megjelöli

duel [ˈdju:əl ‖ ˈdu:əl] **I.** *fn* **1.** párbaj; **fight a ~** párbajozik **2.** harc, küzdelem, viadal **II. -ll-**, *US* **-l-** *tni* párbajozik • *fn* **duel(l)er, duel(l)ist**

duet [dju:ˈet ‖ du:ˈet] **I.** *fn* duett, duó, kettős; dialógus, párbeszéd **II.** *tni* **-tt-** duettet ad elő, duettezik • *fn* **duettist**

duff[1] [dʌf] *fn* mazsolás/ribizkés puding

duff[2] [dʌf] *szl* **I.** *mn* **1.** *[ócska, értéktelen]* bóvli, vacak, gyengus **2.** *[hamis]* kamu **II.** *fn Ausz* **up the ~** *[terhes]* bekapta a legyet, tolat

duff[3] [dʌf] *tsi* **1. a)** *biz* (meg)hamisít; *biz Ausz* **~ cattle** meghamisítja lopott marha beégetett bélyegét **b)** *biz Ausz* marhát/lovat lop **2.** *szl* **~ up** *[megver, összever]* megtép, szétkap, kioszt

duff[4] [dʌf] *tsi biz* **1.** *[elront, tönkretesz]* elszúr *[ütést golfban]* **2. ~ up sy** *[elver]* elpüföl, eltángál

duffel [ˈdʌfl] *fn* **1. a)** *tex* molton, puha gyapjúflanel **b)** *tex* düftin **c)** *tex* ‹csomós fonalból készült sportszövet› **2.** *US* turistafelszerelés, kempingfelszerelés

duffer [ˈdʌfə ‖ –ər] **I.** *fn* **1.** *Ausz* marhatolvaj, lótolvaj **2. a)** *biz* kontár, ügyetlen (v. hozzá nem értő) ember; **be a ~ at sg** semmit nem ért vmhez, ügyetlen **b)** *biz* ostoba, nehézfejű, tökkelütött **3.** *Ausz bány* kimerült/értéktelen bánya/lelőhely **II.** *tni Ausz bány* kimerül

duffle bag *fn* vászonzsák, katonazsák, vállra akasztható vászontáska

duffle coat *fn* ‹háromnegyedes, csuklyás, düftin sportkabát/dzseki›

dug[1] [dʌg] *fn* **1.** emlő, tőgy **2. a)** csecs(bimbó), csöcs **b)** *tsz* **dugs** *pej [mell, kebel]* csöcs, tőgy

dug[2] [dʌg] → **dig** I.

dugout *fn* **1. a)** *kat* (földbe vájt) fedezék, lövészárok **b)** óvóhely **2.** fatörzsből kivájt csónak **3.** *kat szl* reaktivált tiszt *[az első világháborúban]* **4.** *US sp* kispad, cserepad, cserejátékos

DUI *röv US driving under the influence* ittas vezetés

duiker [ˈdaɪkə ‖ –ər] *fn Dél-Af áll* kormorán

duke [dju:k ‖ du:k] *fn* **1.** herceg; **My Lord D~!** főméltóságú herceg úr! **2.** *szl* ököl, kéz *stand*

dukedom [ˈdju:kdəm ‖ ˈdu:k–] *fn* **1.** hercegség **2.** hercegi cím/rang

dukery [ˈdju:kəri ‖ ˈdu:–] *fn* hercegi birtok, uradalom

dulcify [ˈdʌlsɪfaɪ] *tsi* megédesít • *fn* **dulcification**

dulcimer [ˈdʌlsɪmə ‖ –ər] *fn zene* cimbalom

dull [dʌl] **I.** *mn* **1.** lassú, nehézkes, lassú észjárású, buta; **~ eye/look** kifejezéstelen tekintet; **~ of hearing** rosszul hall, nagyothalló **2. a)** tompa *[fájdalom]* **b)** tompa, fojtott *[zaj]* **3. a)** rest, tunya **b)** *gazd* lanyha, pangó *[piac]*; **the ~ season** a holtszezon **4.** unalmas, untató, álmosító; *biz* **~ dog** unalmas fickó; **as ~ as ditch-water** szörnyen unalmas **5.** tompa, életlen *[szerszám]*; **~ knife** életlen kés **6.** homályos, fénytelen, fakó *[szín]*, tompa (fényű), matt; **become ~** fényét veszti *[festmény]* **7.** szomorú, gyászos, borús, felhős, esős *[idő]* **II. A.** *tsi* **1. a)** elbutít, bárgyúvá tesz (vkt) **b)** eltompít, elnehezít *[szellemet]* **2.** eltompít, tompává tesz, lekoptat *[szerszámot]*, életlenné tesz *[kést, fejszét]* **3. a)** tompít, csökkent, gyengít *[hangot]*, elhomályosít, elsötétít *[színt]* **b)** enyhít, csökkent *[fájdalmat]* **B.** *tni* **1.** elbutul, eltompul, ellustul *[szellem]* **2.** elhomályosul, elfakul • *fn* **dullness** *mn* **dullish**

dullard [ˈdʌləd ‖ –ərd] *fn* tökfej, fajankó

Dullsville [ˈdʌlzvɪl] *biz* **I.** *fn US [faragatlan, tudatlan]* mucsaji **II.** *fn [unalmas, vidékies/poros hely]* Mucsaj

dulse [dʌls] *fn áll* ehető alga

duly [ˈdju:li ‖ ˈdu:li] *hsz* **1.** pontosan, kellő időben; **I ~ received your favour of...** (rendben) megkaptam...-i szíves sorait/levelét **2.** illően, helyesen, megfelelően; *jog* **~ certified copy** kellően hitelesített másolat

duma [ˈdu:mə] *fn tört* duma *[orosz parlament]*

dumb [dʌm] *mn* **1.** néma; **deaf and ~** süketnéma; **our ~ friends** szótlan barátaink *[az állatok]*; **strike sy ~** elnémít vkt; elképeszt vkt; **be struck ~** megnémul, megdöbben; elképed **2.** *US* ostoba, buta, bárgyú, szellemtelen

dumbbell [ˈdʌmbel] *fn* **1.** *sp* kézisúlyzó **2.** *US szl [ostoba, buta]* hülye, gyagya *[általában nő]*

dumb blonde *fn pej* buta szőke *[nő]*

dumb cluck *fn szl [buta/ostoba ember]* tökfej, (hat)ökör

dumbfound [dʌmˈfaund] *tsi* meglep, meghökkent, elképeszt • *fn* **dumbfounder** *mn* **dumbfounded**

dumbhead *fn US szl [lassú észjárású* v. *nehéz felfogású ember]* fafej, tökfilkó, tökfej

dumb iron *fn gk* rugótartó bak/támasz, lengéscsillapító agy

dumbo [ˈdʌmbou] *fn szl [ostoba/buta ember]* bamba, gyagya, sügér

dumb piano *fn* húr nélküli zongora *[gyakorláshoz]*, gyakorló-klaviatúra

dumb show *fn* gesztikulálás, mutogatás, mimikázás

dumb waiter *fn* **1.** *GB* tálalóasztalka, zsúrkocsi **2.** ételfelvonó, (konyhai) étellift

dumdum [ˈdʌmdʌm] *fn kat* **~ bullet** dumdum lövedék/golyó

dummy [ˈdʌmi] **I.** *mn* **1.** mű-, ál-, hamis, mesterséges, látszat-; **~ bridge** háromszemélyes bridzs(játék); *kat* **~ cartridge** vaktöltény; *kat* **~ rifle** gyakorlópuska; **~ window** vakablak **2. ~ letter** nem olvasandó betű *[rejtjelben, titkosírásban]* **II.** *fn* **1. a)** próbababa, kirakati divatbábu, hasbeszélő bábuja, célbábu *[céllövészetben]* **b)** utánzat *[tárgy]*, *gazd* üres kirakati doboz **2. a)** álszereplő, stróman **b)** *biz szl [buta/ostoba ember]* fafej **3.** *ját* asztal *[bridzsjátékos]*; **you are/play ~** asztal vagy, te terítesz **4.** *nyomd* makett **III. A.** *tsi sp* passzolást színlel, cselez, megetet, bemutat *[futballban, rugbyben]* **B.** *tni szl* **~ up** *[elhallgat]* megszűnik

dummy run *fn* **a)** próba, gyakorlás **b)** *kat* próbatámadás

dump [dʌmp] **I.** *fn* **1.** lerakodóhely *[földé, szemété]*, szeméttelep **2.** halom, rakás, *US* szemétrakás **3.** *kat* (anyag)raktár **4.** *gazd* dömping **5.** *infor* kimenet, tármásolat, kinyomtatott adatok **6.** *US átv szl [kellemetlen piszkos hely/ környék]* szemétdomb, lepratelep **II. A.** *tsi* **1. a)** kirak(odik), kiönt, kiborít, lerak **b) ~ (down)** lehány, lezúdít **2.** *kat* raktárt állít fel **3.** *gazd* piacra dob **4.** *infor* átmásol, kimásol, kinyomtat *[adatokat, memória tartalmát]* **5.** *szl [szakít vkvel]* dob, ejt **B.** *tni szl* **~ all over on sy** *[kritizál]* rászáll vkre, nekiesik; → **dumps**

dumpcart → **dumper** 2.

dumper [ˈdʌmpə ‖ –ər] *fn* **1.** rakodómunkás, rakodógép **2.** billenőszekrényes jármű/(gép)kocsi, billenőkocsi, dömper **3.** *gazd* dömpingelő (v. áron alul exportáló) kereskedő **4.** *Ausz* ‹úszót/szörfözőt a partra kivető hullám›

dumper truck → **dumper** 2.

dumping [ˈdʌmpɪŋ] *fn* **1. a)** kibillentés, kiöntés, kiborítás, buktatás; **~ of waste** hulladék/szemét lerakása/kiszórása *[pl. tengerbe]* **b)** kirakodás **2.** rakodóhely **3.** *gazd* dömping

dumpling [ˈdʌmplɪŋ] *fn* **a)** galuska, nokedli, gombóc; **apple ~** bundás alma **b)** *biz* **little ~** kis gombóc/gömböc *[gyerek]*, dagi, dundi

dumps [dʌmps] *fn tsz biz* bánatosság, szomorúság, rosszkedv; **be (down) in the ~** maga alatt van, szomorú, lehangolt

dump truck *US* → **dumper** 2.

dumpy [ˈdʌmpi] *mn* zömök, köpcös

dun[1] [dʌn] **I.** *mn* **1.** sötétbarna, szürkésbarna **2.** *vál* sötét, homályos, borongós *[idő]* **II.** *fn* **1.** deres *[ló]* **2.** sötétbarna/ szürkésbarna szín **3.** műlégy *[horgászáshoz]*

dun[2] [dʌn] **I.** *fn* **1. a)** követelőző/türelmetlen hitelező **b)** adósságokat behajtó ügynök **2.** erélyes/sürgető fizetési felszólítás *[hitelező részéről]* **II.** *tsi* **-nn-** pénzt követel (vktől), szorongat *[vkt hitelező]*; **be ~ned on all sides** minden oldalról szorongatják a hitelezők

Duncan [ˈdʌŋkn] *tul* ‹férfinév›

dunce [dʌns] *fn* tudatlan, ostoba, nehézfejű, lassú felfogású *[ember]*; **~'s seat** szamárpad *[iskolában]*

Dundee [dʌnˈdiː] *tul földr* Dundee

dunderhead [ˈdʌndəhed ‖ –dər–] *fn biz* nehézfejű, ostoba, bárgyú, hülye • *mn* **dunderheaded**

dune [djuːn ‖ duːn] *fn* homokdomb, homokbucka, dűne; **~ sand** futóhomok

dune buggy *fn US* homokfutó *[autó]*

Dunedin [dʌnˈiːdɪn] *fn vál* Edinburgh

dung [dʌŋ] **I.** *fn* **1. a)** állati ürülék, ganéj **b)** *szl [széklet]* szar **2.** *mezőg* trágya **II. A.** *tsi* **1.** *mezőg* (meg)trágyáz *[földet]* **2.** *[pácot]* trágyával rögzít **B.** *tni* **1.** trágyát ad *[állat]*, ganajozik **2.** *szl [székel]* szarik

dungaree [ˌdʌŋgəˈriː] *fn* **1.** *tex* durva indiai karton/kalikó **2.** *tsz* **dungarees a)** kertésznadrág, kantáros nadrág **b)** kezeslábas, munkaruha, overall

dung beetle *fn áll* ganajtúró (bogár)

dungeon [ˈdʌndʒən] **I.** *fn* **1. a)** (föld alatti) (vár)börtön **b)** *biz* sötétzárka, fogda, dutyi **2.** *régi* nagy/erős vártorony, öregtorony **II.** *tsi* várbörtönbe zár, tömlöcbe vet

dung-fly *fn áll* trágyalégy

dunghill *fn* trágyadomb, szemétdomb; *biz* **be cock on one's own ~** úr a maga portáján/szemétdombján

dungpit *fn* trágyagödör, pöcegödör

dung-worm *fn* giliszta *[trágyában]*

dungy [ˈdʌŋi] *mn* **1.** trágyás, szennyezett **2.** *átv* piszkos, aláváló

dunk [dʌŋk] *i US* **A.** *tsi* **1.** mártogat, aprít *[kávéba kalácsot stb.]*, tunkol *[kenyeret]* **2.** *sp* bezsákol *[labdát a gyűrűbe kosárlabdában]* **B.** *tni sp* zsákol *[kosárlabdában]*

Dunkirk [dʌnˈkɜːk ‖ ˈdʌnkɜrk] *tul földr* Dunkerque

dunnage [ˈdʌnɪdʒ] **I.** *fn* **1. a)** *hajó* alomfa *[a hajó fenekén az áru nedvesség elleni védelmére]* **b)** ‹hajórakomány darabjai közé űrtöltőnek rakott rőzseszerű anyag› **2.** *hajó GB biz* személyes holmik/poggyász, cucc **II.** *tsi hajó* nedvesség ellen gyékénnyel/alomfával óv *[árut hajó fenekén]*

dunned [dʌnd] → **dun**[2] II.

dunno [dəˈnoʊ] *röv szl I don't know*

dunny [ˈdʌni] *fn Ausz szl [kerti vécé]* budi

duo [ˈdjuːoʊ ‖ ˈduːoʊ] *tsz* **duos**, **dui** [ˈdjuːiː ‖ ˈduːiː] → **duet**

duodecimal [ˌdjuːoʊˈdesɪml ‖ ˌduː–] **I.** *mn* tizenkét részű, tizenkettes, duodecimális **II.** *fn tsz* **duodecimals** *mat* tizenkettes számrendszer

duodecimo [ˌdjuːoʊˈdesɪmoʊ ‖ ˌduː–] *fn nyomd* tizenkettedrét (alak)

duodenary [ˌdjuːoʊˈdiːnəri ‖ ˌduː–] *fn* tizenkét részű, tizenkettes, duodecimális

duodenum [ˌdjuːoʊˈdiːnəm ‖ ˌduː–] *fn orv* nyombél, patkóbél

duologue [ˈdjuːəlɒg ‖ ˈduːəlɔg], *US* **duolog** *fn* **1.** párbeszéd **2.** *szính* kétszereplős dráma

duomo [djuːˈoʊmoʊ ‖ ˈdwɔmoʊ] *fn* olasz székesegyház

duopoly [djuːˈɒpəli ‖ duːˈɑ–] *fn közg* duopólium *[két eladó versenye]* • *mn* **duopolistic**

dupe [djuːp ‖ duːp] **I.** *fn* becsapott alak, rászedett ember, balek **II.** *tsi* becsap, rászed, lóvá tesz • *fn* **dupery** *mn* **dupable**

duple [ˈdjuːpl ‖ ˈduːpl] *mn zene* kétszeres, dupla; **~ time** páros ütem

duplex [ˈdjuːpleks ‖ ˈduː–] **I.** *mn ált műsz* kettős, dupla, iker-, megkettőzött; *infor távk* kétirányú, kettős üzemmódú, duplex; *US* **~ apartment** kétszintű lakás; *US* **~ house** ikervilla, ikerház **II.** *fn US* **a)** kétlakásos ház **b)** kétszintű lakás **III.** *tsi távk* duplexel, kétirányúvá tesz

duplicate I. *mn* [ˈdjuːplɪkət ‖ ˈduː–] kettős, dupla, megkettőzött, duplikált, másolt; *jog* **~ document** (hitelesített) másolat, másodpéldány; hiteles(ített) másolat **II.** *fn* [ˈdjuːplɪkət ‖ ˈduː–] **1.** másodpéldány **2. a)** másolat, kópia; **in ~** két példányban **b)** *jog* másodpéldány, másolat **3.** elismervény *[zálogról]*, zálogcédula **4.** *ját* versenybridzs **III.** *tsi/tni* [ˈdjuːplɪkeɪt ‖ ˈduː–] **1.** megkétszerez, megkettőz, duplikál **2. a)** másol (vmt), másolatot készít (vmről) **b)** másodpéldányt készít, sokszorosít *[okmányt]* **3.** feleslegesen ismétel • *fn* **duplication** *mn* **duplicative**

duplicate ratio *fn mat* négyzetes arány

duplicator [ˈdjuːplɪkeɪtə ‖ ˈduːplɪkeɪtər] *fn* duplikátor, másológép

duplicity [djuːˈplɪsəti ‖ duː–] *fn* **a)** kettősség, duplicitás **b)** kétszínűség, hamisság *[emberé]*

dura [ˈdjʊərə ‖ ˈdʊrə] → **durra**

durability [ˌdjʊərəˈbɪləti ‖ ˌdʊrəˈbɪləti] *fn* tartósság, állandóság, maradandóság

durable [ˈdjʊərəbl ‖ ˈdʊrəbl] *mn* tartós, maradandó, állandó, elhasználhatatlan; **~ press** tartós vasalás *[ruhán]* • *fn* **durability**

durables [ˈdjʊərəblz ‖ ˈdʊr–] *fn tsz gazd* tartós fogyasztási cikkek

dura mater [ˌdjʊərə ˈmeɪtə ‖ ˌdʊrə ˈmɑtər] *fn orv* agyhártya, agyburok

duramen [djʊˈrɑːmen ‖ dʊˈreɪmən] *fn* geszt, színfa, bélfa, fa keménye

durance [ˈdjʊərəns ‖ ˈdʊrəns] *fn vál* fogság, rabság; **in ~ vile** sötétzárkában

duration [djʊˈreɪʃn ‖ dʊ–] *fn* (idő)tartam, *zene* hangjegy értéke; **~ of life** élettartam; **~ of a patent** szabadalom érvényességi ideje

Durban [ˈdɜːbn ‖ ˈdɜr–] *tul földr Dél-Af* Durban

durbar [ˈdɜːbɑː ‖ ˈdɜrbɑr] *fn* **1. a)** *India* ünnepélyes udvari kihallgatás **b)** udvari ünnepség **2.** indiai fejedelmi udvar

duress [djʊəˈres ‖ dʊˈres] *fn* **1.** *jog* (fizikai) kényszer(ítés), erőszak; **do sg/act under ~** kényszer hatására cselekszik, szabad elhatározásától megfosztva cselekszik; **confession under ~** erőszakkal kicsikart vallomás **2.** bebörtönzés, börtönbe zárás

durex [ˈdjʊəreks ‖ ˈdʊreks] *fn GB* (gumi)óvszer, kondom, gumi

Durham [ˈdʌrəm ‖ ˈdɜrəm] *tul földr* Durham

during [ˈdjʊərɪŋ ‖ ˈdʊrɪŋ, ˈdɜriŋ] *elölj* folyamán, idején, alatt, közben; ~ **the summer** a nyár folyamán, nyáron; ~ **that time** ezalatt, időközben
durned [dɜːnd ‖ dɜrnd] *mn US táj* → **darned**
durra [ˈdʊrə] *fn növ* cirok
durst [dɜːst ‖ dɜrst] → **dare** I.
durum (wheat) [ˈdjʊərəm ‖ ˈdʊrəm] *fn* keménybúza, durumbúza
Dushanbe [duːˈʃɑːnbeɪ] *tul földr* Dusanbe *[Tadzsikisztán fővárosa]*
dusk [dʌsk] **I.** *mn* **1.** *vál régi* sötét, homályos **2. it is growing** ~ sötétedik, esteledik **II.** *fn* **1.** sötétség **2.** (fél)homály, alkony, szürkület; **at** ~ alkonyatkor, szürkületkor; **in the** ~ félhomályban **III.** *i* **A.** *tsi vál* elsötétít, elhomályosít **B.** *tni vál* elsötétül, elhomályosodik
dusky [ˈdʌski] *mn* **1. a)** sötét, homályos **b)** borongós **2. a)** (sötét)barna, napégette **b)** barna/fekete bőrű • *fn* **duskiness**
dust [dʌst] **I.** *fn* **1. a)** por; **storm of** ~ porfelhő; *biz* **bite the** ~ fűbe harap, otthagyja a fogát; **kick up** ~, **raise a** ~ nagy botrányt/jelenetet rendez; **shake off the** ~ **from one's feet** elporzik; sértődötten távozik; *biz* **throw** ~ **in sy's eyes** port hint vk szemébe **b)** por(ított anyag) **2.** hímpor, virágpor **3.** hamvak *[halotté]* **4.** portalanítás, leporolás *[bútoré]* **II. A.** *tsi* **1.** (le)porol, kiporol; *biz* ~ **sy's coat/jacket** kiporolja vknek a fenekét, elver vkt **2.** behint *[sóval, liszttel, cukorral]*; **cake ~ed with sugar** cukorral meghintett sütemény **3.** porral befed/betakar, beporoz **B.** *tni szl [legyőz]* lemos, megzakóz • *mn* **dustless**
dust down *tsi* **1.** leporol **2.** leszid, megfedd
dust off *tsi* **1.** leporol **2.** *biz* ~ **off one's feet** örökre hátat fordít vmnek
dust out *tni US szl [megszökik]* meglép, meglóg, elpárolog
dust-bath *fn* porfürdő
dustbin *fn* szemétláda
dust bowl *fn* elsivatagosodott terület, erózió által lepusztított terület
dust cart *fn* szemeteskocsi
dustcloth *fn* porrongy
dust cover *fn* **1.** → **dust jacket 2.** porvédő huzat, védőhuzat *[bútoron]* **3.** *műsz* porfogó, porköpeny
dust devil *fn* porforgatag, portölcsér
duster [ˈdʌstə ‖ –ər] *fn* **a)** (por)törlőrongy, törlőruha **b)** poroló **c)** szóró *[cukor, só, bors számára]*
Dustin [ˈdʌstɪn] *tul* ‹férfinév›
dusting [ˈdʌstɪŋ] *fn* **1.** behintés *[porral, sóval, liszttel, cukorral]* **2.** porolás, takarítás, portörlés, kiporolás, leporolás **3.** *biz szl [verés]* elnadrágolás
dusting powder *fn* hintőpor
dust jacket *fn* borító(lap) *[könyvé]*
dustman [ˈdʌstmən] *fn tsz* **-men** *GB* **1.** szemetes (ember) **2.** *biz* álomtündér *[gyermekmesékben]*; **the** ~ **is coming** jön az álomtündér
dustpan *fn* szemétlapát *[takarításhoz]*
dustproof *mn* pormentes, porálló
dust sheet → **dust cover** 2.
dust shot *fn* apró vadsörét, madársörét
duststorm *fn* porfelhő, porfelleg
dust-trap *fn* porfogó
dust-up *fn* **1.** *biz* veszekedés; *biz* **have a** ~ összerúgták a port **2.** *biz sp* végső erőfeszítés
dusty [ˈdʌsti] *mn* **1. a)** poros, porral borított **b)** por alakú/állományú, porszerű **c)** porlódó, porlékony **2.** elavult, érdektelen, unalmas, száraz; *biz* **it's not so** ~ nem is olyan rossz **3.** szürke, szürkés *[színű]* • *fn* **dustiness**
dusty answer *fn GB* kurta elutasítás
dusty miller *fn* **1.** *növ* medvefű, fülvirág **2.** *áll* moly **3.** műlégy *[horgászáshoz]*
dutch [dʌtʃ] *fn szl* **my old** ~ *[a feleségem]* az anyjukom, az asszony

Dutch [dʌtʃ] **I.** *mn* **1.** holland, németalföldi; *épít* ~ **tile** kék/színes díszcsempe **2.** *US tréf* német **3. go** ~ **with sy** ki-ki alapon megy vkvel (szórakozni/vacsorázni) *[mindenki magának fizet]* **II.** *fn* **1. the** ~ a hollandok, a németalföldiek; *Dél-Af pej* ‹az afrikaans nyelvet beszélők› **2.** holland/németalföldi nyelv, holland, *Dél-Af pej* afrikaans (nyelv); **double Dutch** → **double**
Dutch auction *fn biz* árverés lefelé, árlejtés
Dutch bargain *fn biz* ‹alkoholfogyasztás közben kötött üzlet/alku›
Dutch barn *fn GB* póznákon álló tető *[szénakazal fölé állítva, falak nélkül]*
Dutch cap *fn* **1.** *GB* pesszárium **2.** női csipkesapka
Dutch courage *fn biz [alkoholból merített bátorság]* a piások bátorsága
Dutch doll *fn GB* fababa, fabábu *[mozgatható ízületekkel]*
Dutch hoe *fn* saraboló *[kapa]*
Dutchman [ˈdʌtʃmən] *fn tsz* **-men 1.** holland ember, holland; *biz* **I'm a** ~ **if...** dögöljek meg ha... **2.** *régi* **a)** német ember **b)** hollandi hajó
Dutch treat *fn* ‹étkezés/mulatozás, ahol mindenki a maga fogyasztását fizeti›
Dutch uncle *fn* erkölcsprédikátor
Dutch wife *fn* lábtámasz, lábtartó
Dutchwoman *fn tsz* **-women** holland nő, hollandi; → **Dutchman** 1., 2.a.
duteous [ˈdjuːtɪəs ‖ ˈduːtɪəs] *mn* **1.** engedelmes, szófogadó **2.** kötelességtudó, tisztelettudó
dutiable [ˈdjuːtɪəbl ‖ ˈduːtɪəbl] *mn* **a)** elvámolandó, vámköteles *[áru]* **b)** *jog* illetékköteles
dutiful [ˈdjuːtɪfl ‖ ˈduːtɪfl] *mn* **1.** engedelmes, szófogadó **2.** kötelességtudó, tisztelettudó
duty [ˈdjuːti ‖ ˈduːti] *fn* **1.** kötelesség; **breach of** ~ kötelességszegés; **from a sense of** ~ kötelességtudásból; **do one's** ~ teljesíti a kötelességét; *gyerm* **have you done your** ~? elvégezted a dolgodat? *[kakiltál/pisiltél már?]* **2.** tisztelet(adás); ~ **call** udvariassági látogatás; **pay one's** ~ **to sy** tiszteletét teszi vknél **3.** engedelmesség; **in** ~ **to your wishes** kívánságának megfelelően **4. a)** feladat, állás, szolgálat; **public duties** közszolgálat; **take up one's duties** átveszi hivatalát, szolgálatba/hivatalba lép; **be on** ~ szolgálatban van; **be off** ~ nincs szolgálatban **b)** *kat* szolgálat; **officer on** ~ ügyeletes tiszt; **do** ~ **for sy** helyettesít vkt (szolgálatban); **off** ~ szolgálaton kívül; **on detached** ~ kiküldetésben **5. a)** vám(illeték); ~ **paid** elvámolva, vámkezelt; → **duty-paid**; ~ **of entry** behozatali vám; **liable to** ~ vámköteles **b)** adó, illeték
duty-bound *mn* kötelességszerű; **be** ~ **to do sg** vmt köteles megtenni
duty call → **duty visit**
duty-free *mn* vámmentes
duty-free shop *fn* vámmentes(en árusító) üzlet/bolt *[főleg repülőtereken]*
duty officer *fn kat* ügyeletes tiszt
duty-paid *mn* vámköteles, vámkezelt *[termék, áru]*; vámot magában foglaló *[ár]*; → **duty** 5.
duty visit *fn* udvariassági/kötelező látogatás
duumvir [djuːˈʌmvə ‖ duːˈʌmvər] *fn tsz* **duumvirs**, **duumviri** [–vəriː] *tört* duumvir • *fn* **duumvirate**
duvet [ˈduːveɪ ‖ duːˈveɪ] *fn tex* steppelt paplan, pehelypaplan
duyker [ˈdaɪkə ‖ –ər] *Dél-Af áll* → **duiker**
DVD *röv infor digital versatile disk* sokoldalú digitális lemez, DVD
dwale [dweɪl] *fn* **1.** *növ* nadragulya, belladonna **2.** *vál* álomital
dwarf [dwɔːf ‖ dwɔrf] **I.** *mn* **1.** törpe **2.** ~ **cherry** vadcseresznye; ~ **elder** gyalogbodza, földi bodza **3.** *csill* ~ **(star)** törpecsillag **II.** *fn* **1.** törpe **2.** *mezőg* törpe fa/növény **III.** *tsi* **1.** megakadályozza (vmnek a) növekedését **2.** *átv* eltörpít (vmt vm mellett); **be ~ed by sg** elenyészik/eltörpül vm mellett • *mn* **dwarfish**

dwarf bean *fn növ* bokorbab
dwarfism [ˈdwɔːfɪzm ‖ ˈdwɔr–] *fn* törpe termet
dweeb [dwiːb] *fn US szl [szorgalmasan tanuló diák]* stréber, buzgó mócsing
dwell [dwel] **I.** *tni pt/pp* **dwelt** [dwelt] **1.** lakik **2.** tartózkodik, van, időzik; **his memory ~s with me** emléke bennem él (v. velem van); **~ (long) (up)on sg** kitart vm mellett; (hosszasan) fejteget vmt; *zene* **~(up)on a note** hangot kitart; **we will not ~(up)on that** ezt most ne firtassuk **3.** megáll, habozik *[ló ugrás előtt/után]* **II.** *fn műsz* pillanatnyi megállás/szünet *[gép működésében]* • *fn* **dweller**
dwelling [ˈdwelɪŋ] *fn* lakás, lakóhely, tartózkodási hely
dwelling house *fn* lakóház
dwelling place *fn* lakóhely, tartózkodási hely
dwelt [dwelt] → **dwell**
Dwight [dwaɪt] *tul* ‹férfinév›
dwindle [ˈdwɪndl] *tni* **a) ~ (away)** kisebbedik, apad, csökken, fogy; gyengül, sorvad; megcsappan *[bevétel]*; **~ to nothing** semmivé lesz **b)** hanyatlik, veszít értékéből, degenerálódik
dyad [ˈdaɪæd] **I.** *mn* diadikus, kételemű **II.** *fn* **1.** diász, kettő, egy pár **2.** *mat* diád, diadikus szorzat, *vegy* két vegyértékű gyök/elem **3.** *biol* diad, kromoszómapár **4.** *zene* szekund • *mn* **dyadic**
dyarchic [daɪˈɑːkɪk ‖ –ˈɑr–] → **diarchic**
dyarchy [ˈdaɪɑːki ‖ –ɑr–] → **diarchy**
dye [daɪ] **I.** *fn* **1.** festék, festőanyag, színezőanyag; **fast ~** tartós szín/festék; **~ sprayer** festékszóró, szórópisztoly **2. a)** festés; *átv* **give the last ~** teljesen befejezi a munkát **b)** szín(árnyalat); *biz* **of the deepest ~** a legrosszabb/legsötétebb fajta **II.** *i* **dyeing A.** *tsi* **1.** befest, megfest **2.** (ki)színez *[filmet]* **B.** *tni* színeződik; **material that ~s well** jól festhető/színezhető anyag • *fn* **dyeing**
dyed-in-the-wool *mn átv US biz* hétpróbás *[gazember]*
dyeline → **diazo**
dyer [ˈdaɪə ‖ –ər] *fn* ruhafestő, kelmefestő; **~ and cleaner** festő és tisztító(üzem)
dyer's rocket *fn növ* festő, festőfű rezeda
dyestuff *fn* festék(anyag), festőanyag, színezék
dyewood *fn* festőfa; **red ~** brazíliai festőfa, berzsenyfa
dying [ˈdaɪɪŋ] **I.** *mn* **1.** haldokló *[ember]*, kimúlóban levő, döglődő *[állat]*, haldó *[intézmény]*, elhaló *[hang]*, elalvó *[tűz]*; **~ bed** halálos ágy; **be ~** haldoklik, halálán van; **to one's ~ day** utolsó órájáig/leheletéig; mindhalálig; **~ oath** utolsó kívánság; **prayers for the ~** a haldoklóért mondott imádság; **in a ~ voice** elhaló hangon; **her ~ wish** utolsó kívánsága **2.** *átv* vágytól epedő; **he is absolutely ~ for love of her** halálosan szerelmes belé; → **die**[2] **II.** *fn* haldoklás, haláltusa, agónia, halál
dyke[1] [daɪk] *fn* **1.** *szl [vagina]* rés, luk **2.** *szl [leszbikus]* leszbi
dyke[2] [daɪk] → **dike**[1]
dynamic [daɪˈnæmɪk] **I.** *mn* **1.** *biz* energikus, lendületes **2.** *fiz* dinamikai, dinamikus; **~ energy** tényleges energia; **~ equilibrium** dinamikus egyensúly; *infor* **~ range** dinamikus tartomány, felbontóképesség **II.** *fn* **1.** mozgató erő **2.** *fiz zene* → **dynamics**
dynamical [daɪˈnæmɪkl] → **dynamic** I.
dynamics [daɪˈnæmɪks] *fn* **1.** *fn esz* **a)** *fiz* dinamika, erőtan **b)** *tud* dinamika; **population ~** populációdinamika **2.** *fn tsz zene* dinamika, hangerő
dynamism [ˈdaɪnəmɪzm] *fn* erőteljesség, (szónoki) lendület, dinamizmus
dynamite [ˈdaɪnəmaɪt] **I.** *fn* **1.** dinamit **2.** veszélyes helyzet/személy **3.** *GB szl* kábítószer, heroin **4.** *szl [erőteljes hatású személy/dolog]* bomba **II.** *tsi* dinamittal (fel)robbant • *fn* **dynamiter**
dynamo [ˈdaɪnəmoʊ] *fn* **1.** dinamó, egyenáramú generátor **2.** *[energikus személy]* örökmozgó
dynamometer [ˌdaɪnəˈmɒmɪtə ‖ –ˈmɑmətər] *fn* **1.** *műsz* dinamométer, erőmérő **2.** *fiz* nagyításmérő *[távcsövekhez]*
dynast [ˈdɪnəst ‖ ˈdaɪnæst] *fn* uralkodó, dinaszta
dynasty [ˈdɪnəsti ‖ ˈdaɪ–] *fn* uralkodóház, uralkodócsalád, dinasztia • *mn* **dynastic**
dyne [daɪn] *fn fiz* din *[cgs rendszer erőegysége]*
d'you [djʊ, dʒə, djuː] *do you*
dys- [dɪs] *előtag* ‹tagadást/ellentétet jelölő főnév/melléknévképző›
dysentery [ˈdɪsntəri ‖ –teri] *fn orv* vérhas, dizentéria, vastagbélgyulladás
dysfunction [dɪsˈfʌŋkʃən] *fn orv* hibás/hiányos/rendellenes működés • *mn* **dysfunctional**
dyslexia [dɪsˈleksɪə] *fn orv* diszlexia, az olvasás zavara, szóvakság • *mn* **dyslexic**
dyspepsia [dɪsˈpepsɪə] *fn orv* emésztési zavar, az emésztés renyhesége
dysphoria [dɪsˈfɔːrɪə] *fn orv* depresszió • *fn/mn* **dysphoric**
dystrophy [ˈdɪstrəfi] *fn* táplálási/táplálkozási rendellenesség/zavar, dystrophia; **muscular ~** izomsorvadás

D

E

E¹, **e** [iː] *fn tsz* **E's 1.** e (betű/hang); **E for Echo** E mint Elemér **2.** *zene* e (hang) **3.** ‹második osztályba sorolt hajók jelzése a Lloyd hajójegyzéken›
E², **e** *röv* **1.** *earl* **2.** *earth* **3.** *east(ern)* kelet(i), K(-i) **4.** *Egyptian* **5.** *electronic* **6.** *engineer(ing)* **7.** *English* **8.** *erg*
e- *röv infor* elektronikus; **e-commerce** elektronikus/internetes kereskedelem; **e-mail** elektronikus levél, e-mail, *biz* emil
ea. *röv each*
each [iːtʃ] **I.** *mn* mindegyik, minden (egyes); **~ day** mindennap, naponta; **~ man** minden (egyes) ember/férfi; **~ one of us** mindegyikünk; **to ~ his/her own** *biz* ő már csak ilyen, ne is törődj vele; **~ time they came** valahányszor (csak) jöttek **II.** *nm* **1.** mindegyik, mindenki, ki-ki; **~ and all** egyenként és összesen; **~ and all of us** egytől egyig, mindegyikünk, mi mindnyájan; **~ and every** mindenki (kivétel nélkül), minden egyes; **~ of us** mindegyikünk; **we ~ earn 20,000 pounds, we earn 20,000 pounds ~** mindegyikünk húszezer fontot keres; fejenként húszezer fontot keresünk; **three groups of ten men ~** három tíz-tíz emberből álló csoport; **they cost a hundred forints ~** száz forint darabja **2. they are afraid of ~ other** félnek egymástól
each other *nm* egymást, egyik a másikat; **they love ~** szeretik egymást
eager¹ [ˈiːgə ‖ −ər] *mn* **a)** buzgó, türelmetlen, mohó, lelkes; **~ student of sg** lelkes/buzgó tanulmányozója vmnek; **~ for gain** nyereségvágyó; haszonleső; kapzsi; **~ for knowledge** tudásra szomjas; **be ~ to do sg** alig várja (v. ég a vágytól), hogy tehessen vmt, tettvágyó; **be ~ to know sg** kíváncsi vmre; **be ~ about/for sg** áhítozik (v. fáj a foga) vmre, erős vágyat érez, hogy vmt megszerezzen **b) ~ glance/look** mohó/éhes/sóvár pillantás; **~ hopes** vérmes remények; **~ pursuit** szívós/kitartó hajsza • *fn* **eagerness** *hsz* **eagerly**
eager² [ˈiːgə ‖ −ər] → **eagre**
eager beaver *fn biz* buzgó mócsing, stréber
eager-eyed *mn* vágyakozó/mohó pillantású/tekintetű, sóvár szemű
eager-minded *mn* buzgó, lelkes
eagle [ˈiːgl] *fn* **1.** sas; **imperial ~** királysas, parlagi sas **2.** *cím* sas(alak); **double-headed ~** kétfejű sas **3.** *US* arany tízdolláros **4.** *tört* **the Black Prussian E~** porosz zászló a fekete sassal; **the Imperial E~** sasos francia császári zászló; **the Roman E~s** a római légiók **5.** *sp* ‹(golfban) az előírtnál kettővel kevesebb ütéssel lyukba ütött labda›
eagle-cock *fn* szélkakas
eagle-coloured, *US* **-colored** *mn* fakó *[ló]*
eagle eye *fn átv* sasszem • *mn* **eagle-eyed**
eagle nose *fn biz* sasorr
eagle-owl *fn áll* fülesbagoly, uhu
eagless [ˈiːgləs] *fn* nőstény sas
eaglet [ˈiːglət] *fn* sasfiók, fiatal sas, sasocska
eagre [ˈeɪgə ‖ −ər], **eager** *fn* dagály *[folyótorkolatban]*
ear¹ [ɪə ‖ ɪr] **I.** *fn* **1. a)** fül; **external/outer ~** külső fül, fülkagyló; **internal ~** belső fül, labirint(us); **middle ~** középfül, füldobüreg; *állatorv* **~ mite** fülrühösség; *állatorv* **~ tag** füljelző; **be all ~s** csupa fül, fülel; **were your ~s burning last night?** nem csuklottál tegnap este? (sokat emlegettünk); **close one's ~s to the truth** elzárkózik az igazság elől; **cock/prick/pin back one's ~s** hegyezi a fülét; fülel; **give/lend one's ~ to sy** meghallgat vkt; **give a cold ~ to a request** mereven elutasít egy kérést; **give sy a thick ~** leken/odasóz egyet vknek; **I would give my ~s for it** mindent megadnék érte; **have itching ~s** pletykaéhes; eszi a kíváncsiság; *US* **hold one's ~ to the ground** fülel, figyel; **keep one's ~s open** nyitva tartja a fülét; éberen figyel; **talk to deaf ~s** süket füleknek beszél, akár a falnak beszélne; **turn a sympathetic/ready ~ to sy's request** meghallgatja vk kérését; készséggel meghallgat vkt; **the ceiling fell about our ~s** fejünkre dőlt a ház; a világ összeomlott körülöttünk; **our plan fell about our ~s** dugába dőlt (v. füstbe ment) a tervünk; **go in at one ~ and out at the other** egyik fülén be a másikon ki; **that is for your private ~** bizalmasan közlöm, ez maradjon kettőnk között; **laugh from ~ to ~** úgy nevet, hogy a füléig szalad a szája, szélesen vigyorog; **a smile from ~ to ~** széles mosoly; **speak in(to) sy's ~** fülébe súg vknek; **throw out sy on his ~** úgy kirúgja, hogy a lába se éri a földet, kipenderít vkt; **it has come to my ~ that** tudomásomra/fülembe jutott, hogy, azt hallottam, hogy; **up to one's ~s** feje búbjáig; **listen with all one's (v. with both) ~s** teljes odaadással hallgatja, csupa fül; *közm* **walls have ~s** a falnak is füle van; **be wet behind the ~s** zöldfülű, kezdő **b)** fül, hallás; **have an ~ for music, have a fine/good ~** jó hallása van, jó a zenei hallása; **have no ~** nincs hallása, botfülű; **have sharp ~s** éles füle/hallása van; **play by ~** hallás után játszik *[hangszeren]* **2.** fül, fogó, fogantyú *[vázáé, edényé]* **II.** *tsi* füllel ellát, fület tesz (vmre) • *mn* **eared**, **earless**
ear² [ɪə ‖ ɪr] *fn* kalász *[búzáé]*, cső *[kukoricáé]* • *mn* **earless**
earache *fn* fülfájás; **have ~** fáj a füle, a fülét fájlalja
earbash *tsi Ausz ÚjZ szl* **1.** *[fecseg locsog]* dumál **2.** nagy dumát/szöveget levág/lenyom • *fn* **earbasher**, **earbashing**
ear-brisk *mn* fülét hegyező *[ló]*
earclip *fn* (fül)klipsz
eardrop *fn* (csavaros) fülbevaló
eardrum *fn orv* dobhártya
-eared [ɪəd ‖ ɪrd] -fülű, füles; **dog-~ notebook** szamárfüles jegyzetfüzet; **listen open-~** csupa fül; **long-~** hosszúfülű; **short-~** rövid fülű
earflap *fn* **1.** fülkagyló **2.** fülvédő, fülmelegítő *[sapkán]*
earful [ˈɪəful ‖ ˈɪr−] *fn biz* fontos/meglepő hír; sok beszéd; letolás, leszidás
earhole I. *fn* **a)** fülnyílás, hallójárat **b)** *szl [fül]* kagyló **II.** *tsi szl [hallgatózik]* kagylózik
earl [ɜːl ‖ ɜrl] *fn* ‹angol gróf(i rang)› • *fn* **earldom**, **earlship**
Earl [ɜːl ‖ ɜrl] *tul* ‹angol férfinév›
Earl Grey *tul* ‹teafajta›
earlobe *fn* fülcimpa
early [ˈɜːli ‖ ˈɜrli] *kfok* **earlier**, *ffok* **earliest I.** *mn* **1. a)** korai; **~ age** zsenge kor, csecsemőkor; gyermekkor; *biz* **an ~ bird/riser** koránkelő; **an ~ train** reggeli/korai vonat; **Tuesday is my ~ evening** kedden mindig korán megyek haza; **keep ~ hours** korán fekszik és korán kel; **in the ~ morning** kora reggel; a kora reggeli órákban; *közm* **the ~ bird gets the worm** ki korán kel, aranyat lel **b)** korai, idő előtti; **~ beans** koránérő bab; **~ death** korai (v. idő előtti) halál **2.** korai, kezdeti, régi; **~ ages** a történelmi kor kezdete/eleje; **~ case** kezdeti állapotban levő betegség; **~ Christians** őskeresztények; **the ~ Church** az ősegyház; **~ errors** fiatalkori tévedések/tévelygések; **my earliest recollections** legkorábbi emlékeim/visszaemlékezéseim; **an ~ Victorian** korai viktoriánus; **~ youth** kora ifjúság; **from the earliest times** a legrégebbi/legkorábbi időktől kezdve; **in ~ days** régi időkben; **in the ~ sixties** a hatvanas évek elején **3.** közeli, küszöbön álló, rövid *[idő]*; **an ~ reply** mielőbbi válasz; **take an ~ opportunity to do sg** megragad egy korai

alkalmat, nem soká halogatja a dolgot; **at an ~ date** hamarosan; rövidesen; **at the earliest possible moment** a lehető legrövidebb időn belül, a lehető legkorábban/leghamarabb; **it will be next week at the earliest** legkorábban a jövő héten **II.** *hsz* **1.** korán; **bright and ~** korán reggel; **~ enough** jókor, (jó) időben; **~ in the morning** reggel korán, kora reggel; **~ in the winter** a tél elején/kezdetén; *közm* **~ to bed and ~ to rise makes a man healthy, wealthy and wise** kb. ki korán kel, aranyat lel; **as ~ as possible** amilyen hamar/korán csak lehet; **rise ~** korán kel; *biz* **they got up a bit too ~ for them** túljártak az eszükön **2.** korán, idő előtt, hamar; **die ~** fiatalon (v. idő előtt) hal meg; **it is too ~ to go to bed** túl korán van még lefeküdni; fiatal még az idő; **he arrived five minutes too ~** öt perccel korábban érkezett **3. a) ~ in sg** kezdetén/elején vmnek; **~ in the list** a jegyzék/lista legelején **b) as ~ as** már; **as ~ as the tenth century** már a tizedik században • *fn* **earliness** *hsz* **earlier**, **earliest**

early-warning *fn* korai figyelmeztetés/riasztás; **~ system** korai riasztórendszer

earmark I. *fn* **1.** *mezőg* fülbélyeg, füljelző *[tenyészállaton]* **2.** ismertetőjel, megkülönböztető jel **II.** *tsi* **1.** *mezőg* megjelöl, bélyegez *[állatot]* **2. ~ a document** irat sarkát külön jelzéssel látja el **3.** *pénz* **~ funds** összeget előirányoz • *fn* **earmarking**

earmuff *fn* fülvédő *[hidegben]*

earn [ɜːn ‖ ɜrn] **A.** *tsi* **1.** (meg)keres *[pénzt]*; **~ one's living/daily bread** megkeresi mindennapi kenyerét; **he wants to ~ his living by writing** írogatásból/írásból akar megélni; **~ a good living** jól keres; *átv* **it has been dearly ~ed** sokba került neki **2.** kiérdemel, elnyer (vmt); **his money ~s good interest** a pénze jól kamatozik **B.** *tni* keres *[pénzt]* • *mn* **earned**

earner [ˈɜːnə ‖ ˈɜrnər] *fn* kenyérkereső; **high ~** magasan fizetett; **low ~** rosszul fizetett

earnest[1] [ˈɜːnɪst ‖ ˈɜr–] **I.** *mn* komoly, megfontolt, lelkiismeretes; **an ~ Christian** meggyőződéses/buzgó keresztény; **~ tone** komoly hang **II.** *fn* **~!** szavamra!, komolyan mondom, becsszóra!; **in ~** igazán, javában; **are you in ~?** komolyan beszél/mondja?; ez komoly/igaz? • *fn* **earnestness** *hsz* **earnestly**

earnest[2] [ˈɜːnɪst ‖ ˈɜr–] **I.** *fn* **1.** foglaló, előleg, bánatpénz; **give an ~ to sy** lefoglalóz/leelőlegez vknél vmt **2.** *átv* **a)** zálog, biztosíték; **an ~ of one's good intentions** jószándékának záloga **b)** előjel, előszél (vmnek), kóstoló (vmből); **an ~ of more to come** zálog/biztosíték a továbbiakra; előszele annak, ami reánk vár **II.** *tsi* lefoglaloz, leelőlegez

earnings [ˈɜːnɪŋz ‖ ˈɜr–] *fn tsz* **1.** fizetés, kereset, jövedelem **2.** *közg* **a)** bevétel; **gross ~** bruttó bevétel **b)** (üzleti) haszon; **~ per share** egy részvényre jutó osztalék

earnings-related *mn közg* fizetéssel kapcsolatos, kereseten alapuló; **~ benefits** kereseten alapuló előnyök

earpendant *fn* (fülön)függő, fülbevaló

earphone *fn* fejhallgató, fülhallgató

earpick *fn* fülpiszkáló

earpiece *fn* hallgató, kagyló *[telefoné]*

ear-piercing I. *mn* fülsiketítő, fülhasogató *[lárma]* **II.** *fn* füllyukasztás *[fülbevaló miatt]*

ear-plug *fn* füldugó, füldugasz

ear-protector *fn* fülvédő *[zaj, légnyomás ellen]*

earring *fn* fülbevaló, (fülön)függő; **stud ~** csavaros fülbevaló

earscoop *fn orv* fültisztító, fülkaparó (kanál)

ear-shaped *mn* fül alakú/formájú

earshot *fn* hallótávolság; **out of ~** hallótávolságon túl/kívül

ear-splitting *mn* fülhasogató, fülsiketítő

earth [ɜːθ ‖ ɜrθ] **I.** *fn* **1.** a Föld, földgömb; **~ station** földi állomás; **the ~ revolves on its axis** a föld a tengelye körül forog; **the face of the ~** a föld felszíne; **the ~'s crust** a föld kérge; **from the ends of the ~** a világ végéről; távoli országokból; **nowhere on ~** sehol az égvilágon (v. a földkerekségen); **there is no reason on ~** az égvilágon semmi oka/értelme nincs; **why on ~?** mi a(z) ördögért/csudáért? **2. a)** (száraz) föld, a föld felszíne; *átv* **come back to ~** leszáll a felhőkből, visszatér a valóság világába **b)** (szántó)föld, földterület, talaj; **fat/heavy ~** kövér/zsíros föld; **till the ~** (meg)műveli a földet **3.** (föld alatti) lyuk, odú, rókalyuk; **run sg to ~** odújába/vackába kerget; *átv* kiszimatol/kiszaglász vmt **4.** *vill távk* föld(elés); **~ cable/wire** földvezeték, földelővezeték **II. A.** *tsi* **1. a)** földdel feltölt **b)** földdel betakar **c)** *mezőg* **~ up** felkapál, feltölt **2.** vackába/odújába hajszol/űz *[rókát]* **3.** *vill* (le)földel, testel *[vezetéket]* **B.** *tni* odújába/vackába bújik *[róka]* • *fn* **earthing** *mn* **earthed**, **earthen**

earthborn *mn* **1.** földi, földből származó **2.** halandó *[ember]*, földi, világi, prózai *[gondolat stb.]*

earth-bound *mn* **1.** földhöztapadt, földhözragadt **2.** *átv* lendület nélküli, lapos, alantas *[gondolkodásmód]*

earthenware *fn* agyagedény, cserépáru

earthling [ˈɜːθlɪŋ ‖ ˈɜrθ–] *fn* földlakó, a Földön élő

earthly [ˈɜːθli ‖ ˈɜrθli] *mn* **1.** földi, evilági; **the ~ paradise** a földi paradicsom **2. there is no ~ reason for ...** az égvilágon semmi ok sincs arra, hogy ... • *fn* **earthliness**

earth mother *fn* **1.** a Föld/termékenység istennője **2.** *átv* érzéki nő

earth-nut *fn növ* **1.** földi mogyoró **2.** szarvasgomba

earthquake *fn* **1.** földrengés; **~ shock** földlökés; **~ hazard** földrengésveszély **2.** *átv biz* (politikai) felfordulás, társadalmi megrázkódtatás

earthquake-proof *mn* földrengésbiztos *[épület]*

earth sciences *fn tsz* földtudományok

earth-shattering *mn* világrengető, egetverő

earthslide *fn* földcsuszamlás

earth tremor *fn geol* földmozgás, enyhe földrengés

earthward(s) [ˈɜːθwədz ‖ ˈɜrθwərdz] **I.** *mn* föld felé irányuló *[mozgás]* **II.** *hsz* a föld felé

earth-wire *fn* földelődrót

earthwork *fn* **1.** földtöltés, földhányás **2.** *tsz* **earthworks** földmunkák **3.** *kat* földmű, földerődítmény

earthworm *fn* **1.** *áll* földigiliszta **2.** *átv biz* nyomorult ember/féreg, kukac

earthy [ˈɜːθi ‖ ˈɜrθi] *mn* **1.** földszerű, földes, föld-; **have an ~ smell** földszaga van; **~ complexion** fakó/sápadt arcszín **2. a)** *biz* anyagias, durva, faragatlan *[személy]* **b)** *vall* porból lett *[ember]*

earwax *fn* fülzsír

earwig I. *fn áll* fülbemászó **II.** *tsi* **-gg- 1.** kérésekkel zavar/zaklat **2.** sugdolózással/titokban befolyásolni igyekszik

earwitness *fn* fültanú

ease [iːz] **I. A.** *tsi* **1. a)** enyhít, csillapít, csökkent *[fájdalmat, szenvedést]* **b)** csillapít, megnyugtat; **~ sy's anxiety** eloszlatja vk aggályait **2.** megszabadít, könnyít *[vk terhén]*; **~ oneself of a burden** terhét leteszi **3. a)** (meg)lazít, kienged *[kötelet, csavart]* **b)** *műsz* csökkent *[nyomást]* **c)** csökkent *[sebességet]* **d)** kienged, bővít *[ruhát]* **4.** megkönny(ebb)ít; **this has ~d the situation** ez megkönnyítette a helyzetet **B.** *tni* **1.** (meg)enyhül, csillapodik; **the pain has ~d** a fájdalom alábhagyott/csökkent; **the situation has ~d** a helyzet enyhült **2.** megnyugszik **3.** csökken, mérséklődik **II.** *fn* **1. a)** *[lelki]* nyugalom, gondtalanság, *[testi]* nyugalom, jólét, kényelem; **pecuniary ~** jómód, jólét; **a life of ~** kényelmes/gondtalan élet; **be/feel at ~** nyugodt *[lelkiállapotban van]*; könnyebben érzi magát *[beteg]*; kényelembe helyezkedett; **be ill at ~** zavarban van, kínosan/kényelmetlenül érzi magát; **set sy at ~** kényelembe helyez vkt; megnyugtat vkt; **set sy's mind at ~** megnyugtat vkt, eloszlatja vk aggályait; *kat* **at ~** pihenj *[vezényszó]*; *kat* **stand at ~** pihenjben áll **b)** megkönnyebbülés; **~ from pain** fájdalom enyhülése/alábbhagyása **c)** kényelmesség, megfelelő bőség *[ruháé, cipőé]* **2.** könnyedség, fesztelenség *[viselkedésé, mozdulaté]*, gördülékenység *[beszédé]*, egyszerűség; **be/feel at ~ in company**

E

könnyen/fesztelenül mozog/viselkedik társaságban; **with ~** könnyen, játszva; **with the greatest of ~** játszi könynyedséggel • *fn* **easing** *mn* **easeless**

ease across *tni* keresztül araszol/lopódzik

ease down A. *tsi* **a)** csökkent *[sebességet, erőfeszítést]*, lelassít **b)** *épít* könnyít, süllyeszt **B.** *tni* csökken, alábbhagy, lankad

ease off A. *tsi* **1.** utánaenged, meglazít *[kötelet, csavart]* **2.** tehermentesít **B.** *tni* **1. a)** enged, (meg)enyhül **b)** *gazd* csökken, lemorzsolódik *[árfolyam]* **2.** *biz* félgőzzel/kevesebbet dolgozik, kifújja magát

ease up A. *tsi* **1.** kiereszt, meglazít **2.** lassít **B.** *tni* **1. a)** (meg)könnyebbül, (meg)enyhül **b) ~ up on sy/sg** megenyhül vkivel/vmivel szemben, visszafogja magát vkivel/vmivel kapcsolatban **2. a)** csökken **b)** *biz* félgőzzel/kevesebbet dolgozik, kifújja magát

easel [ˈiːzl] *fn* festőállvány; **~ painting** kis (méretű) festmény

easement [ˈiːzmənt] *fn* **1. a)** enyhítés, csillapítás *[fájdalomé]* **b)** megkönnyebbülés, csökkenés *[fájdalomé]* **c)** könnyebbség **2.** *jog* szolgalom, használati jog

easily [ˈiːzɪli] *hsz* **a)** könnyen, simán, kényelmesen; **he came in first ~** könnyűszerrel győzött; **these shoes fit me ~** ez a pár cipő kényelmes **b)** minden kétséget kizárólag/kizáróan; **~ the best** vitán felül a legjobb

easiness [ˈiːzinəs] *fn* **1.** könnyűség, könnyű volta (vmnek); **~ of belief** (el)hihetőség **2.** kényelem, jólét **3. a)** könnyedség, fesztelenség **b)** előzékeny természet **c)** közöny, közömbösség **4.** akadálytalan működés

east [iːst] **I.** *mn* keleti, kelet- **II.** *hsz* keleten, keletre, kelet felé/felől, keletről; **go ~** keleti irányban halad/megy; Keletre utazik; *hajó* **sail due ~** kelet felé hajózik; keleti irányban halad; *közm* **too far ~ is west** a szélsőségek végül is találkoznak **III.** *fn* (nap)kelet; **to the ~** keletre; kelet felé; **the E~** (a) Kelet; **the Far E~** a Távol-Kelet; **the Middle E~** a Közel-Kelet *[Egyiptomtól Iránig]*; **the Near E~** Közel-Kelet

East Africa *tul földr* Kelet-Afrika

East-Anglia *tul földr* Kelet-Anglia • *fn/mn* **East-Anglian**

east-bound [ˈiːstbaʊnd] *mn* keletre tartó, kelet felé menő *[vonat]*

East-Ender *fn* London keleti városnegyedéből való; **~s** ‹népszerű brit szappanopera›

Easter [ˈiːstə ‖ –ər] *fn* húsvét; **Thursday before ~** nagycsütörtök

Easter bunny *fn* húsvéti nyúl/nyuszi

Easter egg *fn* húsvéti tojás, csoki tojás

Easter Eve *fn vall* nagyszombat

Easter holidays *fn tsz* húsvéti ünnepek

easterly [ˈiːstəli ‖ –ər–] **I.** *mn* keleti, keletre fekvő; **~ wind** keleti szél **II.** *hsz* keletről, kelet felől, keletre, kelet felé **III.** *fn* keleti szél

Easter Monday *fn vall* húsvéthétfő

eastern [ˈiːstən ‖ –ərn] **I.** *mn* (nap)keleti, keletről jövő/származó; **the E~ Church** a görögkeleti/ortodox egyház; **the E~ Empire** a Keletrómai Birodalom; *földr* **~ hemisphere** a keleti félteke; *átv* a keleti érdekszféra **II.** *fn* **1.** keleti ember **2.** görögkeleti/ortodox egyház tagja • *mn* **easternmost**

Easter Sunday *fn vall* húsvétvasárnap

Easter week *fn vall* húsvét hete, nagyhét

East Germany *tul tört földr* Kelet-Németország • *fn/mn* **East German**

east-northeast I. *hsz* kelet-északkeletre, kelet-északkelet felé/felől, kelet-északkeletről **II.** *fn* kelet-északkelet

East River *tul földr* East River *[New York folyója]*

eastside *mn* keleti negyedbeli, szegénynegyedbeli • *fn* **east-sider**

east-southeast I. *hsz* kelet-délkeletre, kelet-délkelet felé/felől, kelet-délkeletről **II.** *fn* kelet-délkelet

eastward [ˈiːstwəd ‖ –wərd] **I.** *mn* kelet felé néző, keleti irányú, keletre irányuló **II.** *hsz* kelet felé, keleti irányba(n) **III.** *fn* kelet(i rész/pont/irány) • *hsz* **eastwards**

easy [ˈiːzi] **I.** *mn* **1.** könnyű, egyszerű, kényelmes; **~ method** egyszerű/szimpla módszer; *biz* **~ money** könnyen szerzett pénz; **~ victory** könnyű/olcsó győzelem; **at an ~ pace** komótosan; kényelmes ütemben/tempóban; **~ to fix** könnyen megjavítható/helyrehozható; **within ~ reach** könnyen hozzáférhető; **within ~ distance** könnyen elérhető/megközelíthető; **it isn't ~** (ez) nem könnyű; (ez) nem olyan egyszerű; **it's ~ to say that** könnyű (azt) mondani, hogy; **it's ~ for you to say** te könnyen beszélsz; könnyű neked azt állítani (hogy); *biz* **as ~ as ABC** (*v.* **shelling peas**) könnyű mint az egyszeregy; megy mint a karikacsapás; *sp* **he was an ~ first** könnyen győzött; *kat* **stand ~!** pihenj! **2. a)** gondtalan; **~ life** gondtalan/könnyű élet; **with an ~ conscience** nyugodt lelkiismerettel; **be in E~ Street** jó dolga van; éli világát; él, mint hal a vízben; *szl* **I'm ~** *[rendben, jó]* tőlem, nekem nyolc; **feel ~ about the future** nem aggasztja a jövő **b)** nyugodalmas, enyhe; *hajó* **~ rolling** enyhe ringás *[hajóé]* **3. a)** könnyed, természetes, fesztelen; **~ gait** könnyed testtartás/járás; **~ style** természetes/gördülékeny stílus; **in an ~ manner** fesztelenül, elfogulatlanul **b)** alkalmazkodó, könnyen kezelhető; **~ person to get on with** könnyű vele kijönni; **he is not ~ to deal with** nem könnyű bánni vele **c)** készséges, könnyen rávehető (vmre); **~ pardoner** könnyen megbocsátó; **~ of belief** (könnyen) hihető **4.** megkönnyebbült, fájdalommentes; **feel easier** könnyebben/jobban érzi magát **5. a)** kényelmes, megfelelő bőségű *[ruha, cipő]*; **coat of an ~ fit** kényelmes szabású kabát **b)** *műsz* laza; **~ fit** kézzel behelyezhető illeszték **6.** *biz* **~ to look at**, **~ on the eye** csinos; szemrevaló **7.** *gazd* **~ market** nyugodt/esésre hajlamos piac; **prices are getting easier** csökkennek/esnek az árak **II.** *hsz* **1.** *biz* könnyen; *biz* **~ come ~ go** ami könnyen jön, könnyen (is) megy; ebül szerzett jószág ebül vész el; *biz* **I can do it ~** (ezt) könnyen/játszva megcsinálom; **easier said than done** könnyebb mondani, mint megtenni **2.** könnyedén, lassan; **~ does it!** lassan !; **go ~ on sg/sy** óvatosan/kesztyűs kézzel bánik vmvel/vkvel; **take it ~** komótosan/kényelmesen csinál (vmt); nem siet; **take it ~!** lassan a testtel!; ne siess!; nyugi!; elég(!); **take things ~** úgy veszi a dolgokat, ahogy jönnek; nem csinál gondot semmiből **III.** *isz* **1.** pihenj! **2.** lassan!, óvatosan!

easy-flowing *mn* könnyedén folyó *[nyelvezet]*

easy-going *mn* **1. a)** kényelmes, komótos, semmiből gondot nem csináló; **he is inconceivably ~** végtelenül gondatlan/tunya/nemtörődöm **b)** alkalmazkodó, könnyen kezelhető, nem sok gondot okozó; **an ~ person** jó természetű személy **2.** könnyed járású *[ló]*

easy-peasy *mn GB biz [nagyon könnyű]* pofon egyszerű

eat [iːt] *pt* **ate** [et, eɪt], *pp* **eaten** [ˈiːtn] **A.** *tsi* **1. a)** (meg)eszik, (el)fogyaszt, nyel *[ételt]*; **we don't ~ meat** nem eszünk húst, nem élünk hússal; **~ next to nothing** alig eszik (vmt); **~ oneself sick** betegre zabálja magát; *biz* **I'll eat my hat if ...** megeszem a kalapom, ha ... **b) ~ dirt/humble pie** megalázkodik, megszégyenül; *biz* **I thought he was going to ~ me** azt hittem, hogy leharapja a fejem *[haragjában]*; *biz* **what's ~ing you?** mi baj(od van)?, mi bánt? **2.** kiesz, kimar *[sav]* **B.** *tni* **1.** eszik, étkezik, táplálkozik, étkezni/enni jár (vhova); *US* **we ~ at 8** (este) nyolckor vacsorázunk; *biz* **~ like a horse** zabál, mint egy ló; **~ like a wolf** fal, mint az éhes farkas; **~ well** jó étvágya van **2. a)** eteti magát *[étel]*, csúszik, ízlik; **cheese ~s well with apples** a sajt megy/illik az almához **b) fit to ~** ehető • *fn* **eater**

eat away A. *tsi* **1.** szétmorzsol, kikezd; **the sea ~s away the coastline** a tenger elmossa/kikezdi a partot **2.** szétmar, szétrág, megrongál, megtámad *[sav, rozsda]* **B.** *tni* **a)** sokáig eszik **b)** *átv* **is ~ away at sg** kikezd *[partot, alapokat]*

eat into A. *tsi* **a)** szétmar; ~ **holes into a fabric** kirágja az anyagot **b)** felemészti egy részét vminek **B.** *tni* beleeszi magát (vmbe) *[féreg]*
eat off *tsi* **1. a)** lelegel **b)** lelegeltet, letaroltat *[mezőt]* **2.** *szl* ~ **sy's ass off** letol
eat out A. *tsi* **1.** ~ **one's heart out** emészti magát, bánkódik **2.** ~ **sy out of house and home** kieszik vkt a vagyonából **B.** *tni* étteremben étkezik
eat up *tsi* **1. a)** mindent megeszik/elfogyaszt; ~ **up your vegetables!** ne hagyd ott/meg a zöldséget! **b)** *átv* elhasznál, elfogyaszt, felél, kimerít *[készletet]*; ~ **up the miles** csak úgy nyeli a mérföldeket/távolságot **2.** emészt, gyötör; **be ~en up with curiosity** majd kifúrja az oldalát a kíváncsiság; **be ~en up with envy** majd megpukkad az irigységtől; **be ~en up with jealousy** felemészti a féltékenység
eatable ['i:təbl] **I.** *mn* → **edible II.** *fn tsz* **eatables** élelem, eledel; **~s and drinkables** enni- és innivaló
eatery ['i:təri] *fn szl [étkező, étkezde]* kajálda
eating ['i:tɪŋ] **I.** *mn* **1. a)** étkezési, táplálkozási; ~ **chocolate** étcsokoládé; ~ **disorder** táplálkozási zavar; ~ **table** ebédlőasztal, étkezőasztal **b)** *összet* -evő, -faló **2.** *átv* mardosó, emésztő *[gond stb.]* **II.** *fn* **1.** evés, étkezés **2.** étel, táplálék
eating house *fn* étkezde, étterem, kifőzde
eats [i:ts] *fn tsz biz* ennivaló, harapnivaló, kaja; → **eat**
eau de Cologne [ˌoudəkə'loun] *fn* kölni(víz)
eau-de-Nil [ˌoudə'ni:l] *fn/mn* ‹halvány zöldes szín›
eau de vie [ˌoudə'vi:] *fn* alkohol, brandy
eaves ['i:vz] *fn tsz* eresz, csurgó; ~ **spout/trough** ereszcsatorna
eavesdrop ['i:vzdrɒp ‖ –drɑp] **I. -pp- A.** *tsi* **a)** kihallgat **b)** lehallgat **B.** *tni* hallgatózik **II.** *fn* **1.** ereszről csöpögő esővíz **2.** ereszalja • *fn* **eavesdropper**
ebb [eb] **I.** *fn* **1.** apály; **the tide is on the ~** apály van; **when is the tide at its lowest ~?** mikor éri el az apály a mélypontját? **2.** *átv* csökkenés, esés, hanyatlás; **his popularity is on the ~** csökken a népszerűsége; **be at a low ~** mélyponton van **II.** *tni* **1.** apad, süllyed *[vízszint]* **2.** *átv* hanyatlik, fogy, csökken
ebb away *tni* megfogyatkozik, csökken, gyengül; elfogy
ebb and flow *fn* apály és dagály, árapály; *átv* hullámzás, fluktuáció
ebbing ['ebɪŋ] **I.** *mn* **1.** apadó, eső **2.** *átv* hanyatló, csökkenő, fogyó **II.** *fn* **1.** apadás, apály **2.** *átv* csökkenés, hanyatlás
ebb-tide *fn* **1.** apály **2.** mozdulatlan tenger
Ebonics *fn esz US* ‹afro-amerikaiak által beszélt amerikai angol›
ebonite ['ebənaɪt] *fn* keménygumi, ebonit
ebony ['ebəni] **I.** *mn* **1.** ébenfából való, ébenfa- **2.** ébenfekete **II.** *fn növ* ~ **(tree)** ébenfa • *tsi* **ebonize, ebonise**
EBRD *röv European Bank for Reconstruction and Development* Európai Újjáépítési és Fejlesztési Bank
ebriate ['i:brɪət] *mn* ittas, részeg • *fn* **ebriety** *mn* **ebrious**
ebullient [ɪ'bʌlɪənt] *mn* forrásban levő, (fel)forró • *fn* **ebullience** *hsz* **ebulliently**
E by N *röv east by north*
E by S *röv east by south*
EC [i:'si:] *röv* **1.** *European Community* Európai Közösség, EK **2.** *European Council* Európa Tanács **3.** *European Commission*
e-cash *fn infor* elektronikus pénz
ECB *röv European Central Bank* Európai Központi Bank
Ecce Homo [ˌeki 'houmou] *fn műv latin* Íme az Ember
eccentric [ɪk'sentrɪk] **I.** *mn* **1.** furcsa, bogaras, hóbortos, szeszélyes **2.** *mat műsz* körhagyó, excentrikus **II.** *fn* különc • *fn* **eccentricity**
ecchymosis [ekɪ'mousɪs] *fn orv* véraláfutás
eccl., eccles. *röv ecclesiastical* egyházi, egyh.
Eccl., Eccles. *röv Ecclesiastes* Prédikátor, Préd.
Eccles cake ['eklz keɪk] *fn GB* mazsolás sütemény
ecclesia [ɪ'kli:ziə] *fn tsz* **ecclesiae** [–zii:] *vall* gyülekezet, egyház, eklézsia
Ecclesiastes [ɪˌkli:zi'æsti:z] *fn bibl* a Prédikátor Könyve
ecclesiastic [ɪˌkli:zi'æstɪk] **I.** *mn* papi, egyházi **II.** *fn* pap, lelkész • *fn* **ecclesiasticism** *mn* **ecclesiastical**
ecclesiology [ɪˌkli:zi'ɒlədʒi ‖ –'ɑlə–] *fn* egyházművészet, templomépítészet • *fn* **ecclesiologist** *mn* **ecclesiological**
eccyesis [ˌeksi'i:sɪs] *fn orv* méhen kívüli terhesség
ecdysis ['ekdɪsɪs] *fn* **1.** vedlés **2.** levedlett bőr
ECG *röv orv* **1.** *electrocardiogram* elektrokardiogram, EKG **2.** *electrocardiograph* elektrokardiográf, EKG
ech! ['ɪek] *isz US biz* pfúj!; → **yuck**
echelon ['eʃəlɒn ‖ –lɑn] **I.** *fn* **1.** *kat* (harc)lépcső; **high ~** első harcvonal; **in ~** lépcsőzetes felállításban **2.** *átv* társadalmi fok, ranglétra **II.** *tsi* **1.** *kat* lépcsőz *[csapatokat]* **2.** csúsztat *[munkaidőt]* • *fn* **echelonment**
echinate ['ekɪneɪt] *mn* tüskés
echinoderm [ɪ'kaɪnoudɜ:m ‖ –dɜrm] *mn/fn áll* tüskésbőrű
echinulate [ɪ'kɪnjulət] *mn áll növ* tüskés
echinus [ɪ'kaɪnəs] *fn tsz* **echini** [–naɪ:] *áll* tengeri sün
echo ['ekou] **I.** *fn tsz* **echoes 1. a)** visszhang **b)** *infor* visszhang, visszajelzés; echo **c)** *vill távk* visszavert jel **d)** *zene* visszhang **2.** *átv* **a)** visszhang **b)** utánzat **c)** *média* szellemkép **II. A.** *tsi átv is* visszhangoz, visszaver, visszaad *[hangot]*, megismétel; ~ **sy's opinions/words** visszhangként ismétli/szajkózza vk véleményét/szavait **B.** *tni* **1.** visszhangzik, visszhangot ad **2.** zeng, harsog; **his voice ~ed through the hall** a hangja végigzengett a csarnokon • *mn* **echoey, echoless**
echocardiography *fn orv* echokardiográfia
echogram ['ekougræm] *fn geol* visszhangfénykép
echograph ['ekougrɑ:f ‖ –græf] *fn geol műsz* a visszhangfénykép automatikus rögzítésére szolgáló műszer
echoic [e'kouɪk] *mn* **1.** visszhangszerű **2.** *nyelv* hangutánzó
echoism ['ekouɪzm] *fn* hangutánzás
echolocation [ˌekoulou'keɪʃn] *fn geol* visszavert hang segítségével történő helymeghatározás
echometer ['ekoumi:tə ‖ –ər] *fn tud* visszhangmérő, mélységmérő, reflexiómérő, echométer
echo sounder *fn* visszhangos mélységmérő • *fn* **echo-sounding**
echo verse *fn ir.tud* ‹versforma, melyben egy sor az előző sor utolsó szótagjait ismétli meg›
eclaircissement [eɪ'kleəsi:smɒn ‖ eɪ'klersi:smɑn] *fn régi* megvilágosodás
eclectic [ɪ'klektɪk] **I.** *mn* válogató, összeválogatott, eklektikus **II.** *fn fil* válogató/eklektikus személy/fizozófus • *fn* **eclecticism** *hsz* **eclectically**
eclipse [ɪ'klɪps] **I.** *fn* **1.** fogyatkozás, elsötétedés *[égitestéké]*; **lunar ~** holdfogyatkozás; **partial ~** részleges fogyatkozás; **solar ~** napfogyatkozás; **total ~** teljes (nap)fogyatkozás **2.** *átv* elhalványulás, elhomályosodás; **be under an ~** rossz csillagzat alá került; rossz idők járnak rá **II.** *tsi* **1.** elsötétít, eltakar, elhomályosít *[égitest másikat]* **2.** *átv* elhomályosít, felülmúl, túlszárnyal, megszégyenít (vkt), árnyékot vet (vkre)
ecliptic [ɪ'klɪptɪk] *csill* **I.** *fn* ekliptika **II.** *mn* **1.** ekliptikai **2.** ekliptikus
eclogue ['eklɒg ‖ –lɔg] *fn ir.tud* pásztorköltemény, ekloga
eclosion [ɪ'klouʒn] *fn biol* lárvakelés
ECM *röv European Common Market* Európai Közös Piac
eco- ['i:kou] *előtag* öko-, ökológiával kapcsolatos
eco-label *fn* zöld címke, ökocímke • *fn* **eco-labelling**
ecological footprint *fn körny* ‹emberi tevékenységnek a környezetben hátramaradt nyoma› (káros) környezeti hatás
ecology [ɪ'kɒlədʒi ‖ ɪ'kɑ–] *fn körny* ökológia • *fn* **ecologist** *mn* **ecological** *hsz* **ecologically**
e-commerce *fn infor* elektronikus/internetes kereskedelem, online vásárlás

econometrics [ɪˌkɒnəˈmetrɪks ‖ ɪˌkɑ–] *fn esz* ökonometria • *fn* **econometrist** *mn* **econometric**
economic [ˌiːkəˈnɒmɪk, ˌek– ‖ –ˈnɑ–] *mn* **1.** (köz)gazdasági; ~ **foundation** gazdasági alap; ~ **geography** gazdasági földrajz; **basic ~ law** gazdasági alaptörvény; ~ **operator** gazdasági szereplő; ~ **science** → **economics 1. 2.** kifizetődő, nyereséges **3.** → **economical 1.**
economical [ˌiːkəˈnɒmɪkl, ˌek– ‖ –ˈnɑ–] *mn* **a)** takarékos, beosztó; **be ~ of one's time** jól beosztja/kihasználja az idejét **b)** gazdaságos; **an ~ stove** kevés tüzelőt fogyasztó kályha • *hsz* **economically**
economic resources *fn tsz* gazdasági erőforrások
economics [ˌiːkəˈnɒmɪks, ˌek– ‖ –ˈnɑ–] *fn* **1.** *esz* közgazdaságtan **2.** *tsz* **a)** gazdasági helyzet/rendszer/élet *[egy országé]* **b)** anyagiak
economist [ɪˈkɒnəmɪst, ɪˈkɑ–] *fn* **1.** közgazdász, gazdasági szakember **2.** gazdasági intéző
economize [ɪˈkɒnəmaɪz ‖ ɪˈkɑ–], **-ise, A.** *tsi* **1.** takarékosan bánik (vmvel), (jól) beoszt *[időt, pénzt]*, jól/gazdaságosan felhasznál(vmt) **2.** gazdaságossá tesz **B.** *tni* takarékoskodik, csökkenti a kiadásokat; ~ **on/in sg** takarékoskodik vmvel • *fn* **economization**, **economizer**
economy [ɪˈkɒnəmɪ ‖ ɪˈkɑ–] *fn* **1. a)** (köz)gazdaság, gazdasági élet/rend(szer), (közösségi) gazdálkodás; **national ~** nemzetgazdaság; **planned ~** tervgazdálkodás; **disrupts the ~ of the country** bomlasztó hatással van az ország gazdasági életére **b)** gazdaságtan; **political ~** politikai gazdaságtan **2. a)** takarékosság, takarékoskodás; **practise ~** takarékoskodik; *rep* ~ **flight** kedvezményes árú repülőút/utazás, turista osztályú repülés **b)** gazdaságosság **c)** *átv* mértéktartás **3.** megtakarítás; **sy's small/little economies** vk szerény/kis megtakarításai
economy class *fn rep* ‹a legolcsóbb utasosztály› turistaosztály
economy gear *fn gk* gazdaságos/takarékos üzemmód, ötödik sebesség
economy measure *fn közg* takarékossági intézkedés
economy pack *fn* családi kiszerelés
economy-size *mn* családi kiszerelésű
ecosphere [ˈiːkousfɪə ‖ –sfɪr] *fn* ökoszféra
ecosystem [ˈiːkousɪstəm] *fn körny* ökoszisztéma, ökorendszer
eco-terrorism *fn* ökoterrorizmus • *fn* **eco-terrorist**
ecotourism [ˌiːkouˈtuərɪzm ‖ –ˈtur–] *fn* ökoturizmus • *fn* **ecotourist**
ecotype [ˈiːkoutaɪp] *fn* helyi változat, ökotípus • *mn* **ecotypic**
ecru [ˈeɪkruː] **I.** *mn* **a)** fehérítetlen, nyers **b)** ekrü *[színű]*, elefántcsont színű **II.** *fn* nyersselyem-szövet, ekrü
ECT *röv electroconvulsive therapy*
ectal [ˈektəl] *mn orv* külső, felületi
ecto- [ˈektou] *előtag* külső-, kívüli
ectoderm [ˈektoudɜːm ‖ –dɜrm] *fn biol* külső csíralemez, ektoderma
ectogenesis [ˌektouˈdʒenɪsɪs] *fn biol* ektogenezis • *mn* **ectogenetic**, **ectogenous**
ectomorph [ˈektoumɔːf ‖ –əmɔrf] *fn antr* ektomorf • *mn* **ectomorphic**
-ectomy [ˈektəmi] *utótag orv* -kivétel, -eltávolítás
ectoparasite [ˌektouˈpærəsaɪt] *fn állatorv* külső élősködő
ectopic [ekˈtɒpɪk ‖ –ˈtɑp–] *mn orv* -kívüli; ~ **pregnancy** méhen kívüli terhesség
ectoplasm [ˈektouplæzm] *fn* **1.** *biol* ektoplazma **2.** médiumból kiáradó plazma *[spiritizmusban]*
ectozoon [ˌektəˈzouɒn ‖ –ɑn] *fn biol* külső/állati élősködő
ectrogenic [ˌektrəˈdʒenɪk] *mn orv* születéstől fogva hiányzó *[testrész]*
ectype [ˈektaɪp] *fn* **1.** másolat **2.** utánzat, lenyomat
ECU [ˈekjuː ‖ eɪˈkuː], **ecu** *röv European Currency Unit*
Ecuador [ˈekwədɔː ‖ –dɔr] *tul földr* Ecuador • *fn/mn* **Ecuadorean**, **Ecuadorian**
ecumenical [ˌiːkjuˈmenɪkl ‖ ˌekjə–] *mn* **1.** *vall* egyetemes, ökumenikus; ~ **council** egyetemes zsinat; ~ **movement** ökumenikus mozgalom **2.** *átv* egyetemes, univerzális, általános • *fn* **ecumenism** *mn* **ecumenic**
eczema [ˈeksɪmə ‖ ɪgˈziːmə] *fn orv* bőrkiütés, ekcéma • *mn* **eczematous**
ECSC *röv European Coal and Steel Community*
ecstasize [ˈekstəsaɪz], **-ise, A.** *tsi* magával ragad, eksztázisba hoz **B.** *tni* el van ragadtatva (*over* vktől/vmtől), rajong
ecstasy [ˈekstəsi] *fn* **1.** elragadtatás, örömmámor, eksztázis; **be in an ~ of joy** örömmámorban úszik, azt sem tudja, hová legyen az örömtől; **go into** (v. **be in**) **ecstasies over sg** lelkendezik vmért; eksztázisban van vm miatt **2. a)** *orv* önkívület, révület, eksztázis **b)** (költői/vallási/prófétai) önkívület, eksztázis, szenvedélykitörés, transz **3. E~** *[kábítószer]* eksztázi (tabletta), *szl* ex, bogyó • *fn/mn* **ecstatic** *mn* **ecstasied**, **ecstatically**
-ed [t, d, ɪd] *utótag* **1.** ‹a múlt idő képzője›; **danced** táncolt; **walked** sétált **2.** ‹melléknévképző főnévből› -as, -es, -ös, -s; **bearded** szakállas; **talented** tehetséges
Ed [ed] *tul* ‹*Edward* ill. *Edgar* férfinevek becéző alakja›
ed. *röv* **1.** *edited* **2.** *edition* **3.** *editor* szerkesztő, szerk.
edacity [iˈdæsəti] *fn* falánkság, nagyétkűség • *mn* **edacious**
Edam [ˈiːdæm] *fn* eidami sajt
edaphic [ɪˈdæfɪk] *mn* **1.** *növ* talajjal kapcsolatos **2.** *ökol* talaj által befolyásolt
E-day *fn pénz* ‹1999. január 1-e, az euró bevezetésének napja› E-nap
EDD *röv English Dialect Dictionary*
Eddie [ˈedi] *tul* ‹*Edward* ill. *Edgar* becéző alakja›
eddy [ˈedi] **I. 1.** *fn* ~ **cloud** turbulenciafelhő **2.** (víz)örvény, forgatag; ~ **current** *vill* örvényáram **3.** szélörvény, porfelhő **II. A.** *tsi* örvényt kelt, felkavar **B.** *tni* örvénylik, kavarog, gomolyog • *fn/mn* **eddying**
eddy-water *fn hajó* hajó sodra, hajósodor
Eden [ˈiːdn] *tul* **1.** *bibl* **(the Garden of) ~** Éden (kertje), Paradicsom **2.** *átv* mennyország, paradicsom • *mn* **Edenic**
edentate [ɪˈdenteɪt] *mn/fn áll* foghíjas • *fn* **edentia**
edentulous [iːˈdentjuləs ‖ –tʃələs] *mn* fogatlan; **an ~ mouth** fogatlan száj
ed-form *fn nyelv* -es alak *[past participle]*
Edgar [ˈedgə ‖ –gər] *tul* Edgár
edge [edʒ] **I.** *fn* **1. a)** él(e vmnek); **has a blunt ~** életlen, tompa; **has a sharp ~** éles; **the knife has no ~** életlen a kés; *átv* **be at the cutting ~ of sg** vmben az élen jár, úttörő munkát végez; *sp* **cut/do the inside ~** belső élen fut; **set on ~** élére állít **b) blunt the ~ of sg** gyengíti vm hatását; **take the ~ off sy's appetite** elveri az éhséget; **give an ~ to one's style** csípőssé/maróvá teszi a stílusát; **give the ~ of one's tongue to sy** jól megmondja vknek a magáét; *US biz* **have an/the ~ over sy** előnyben van vkvel szemben; **lose ~** elveszti az élét/aktualitását **c)** *átv biz* **be on ~** izgatott, ingerült, ideges, tűkön ül; **have one's nerves on ~** nagyon ideges/ingerült, feszült idegállapotban van; **set sy on ~**, **set sy's nerves on ~** idegeire megy vknek; felborzolja vknek az idegeit; **it sets one's teeth on ~** idegesít, felőrli az (ember) idegeit; **words with an ~** csípős/gúnyos szavak, éles megjegyzés(ek) **2. a)** szegély, szél, perem; **the ~ of the road** az út széle; **at the water's ~** ahol a víz a partot éri; *átv* **the audience was at/on the ~ of their seats** a közönség nagyon izgatott volt **b)** *átv* **on the ~ of winter** a tél küszöbén; **on the ~ of destruction** a végromlás szélén/küszöbén; **be on the very ~ of ...** már azon a ponton van, hogy ... **II. A.** *tsi* **1.** élesít, élez; *átv* ~ **the appetite** étvágyat gerjeszt **2. a)** szegélyez, beszeg *[ruhát]*; **road ~d with poplars** nyárfákkal szegélyezett út **b)** körülvág, (le)szélez **3.** (lassan) közeleg, araszol; ~ **one's chair nearer and nearer to sy/sg** egyre közelebb húzza a székét vkhez/vmhez **B.** *tni* oldalvást/ferdén halad • *fn* **edger** *mn* **edgeless**

edge across *tsi* ~ **one's way across sg** keresztül araszol/lopódzik vmn
edge away *tni* **1.** eloldalog, elpárolog **2.** távolodik
edge in A. *tsi* ~ **in a word** sikerül pár szót közbevetnie *[társalgásba]* **B.** *tni* befurakodik
edge into *tsi/tni átv is* befurakodik, besompolyog
edge off A. *tsi* **1.** leélez *[pengét]* **2.** leszélez(vmt) **3.** ~ **sy off his seat** kiszorít vkt a helyéről **B.** *tni* → **edge away**
edge on *tsi* sarkall, nógat, ösztökél, noszogat
edge out (of) *tsi átv* kitúr, kiszorít; ~ **sy out of a job** kitúr vkt az állásából, *biz* megfúr vkt
edge towards *tni* ~ **towards the door** az ajtó felé sompolyog/oldalog
edged [ˈedʒd] **I.** *mn* **a)** éles, kiélesített; *átv biz* **play with ~ tools** a tűzzel játszik **b)** szegélyezett, beszegett **II.** *összet* -élű; **double-~ sword** kétélű kard
edge-tool *fn* vágószerszám
edge-trimmer *fn* szegélynyeső olló
edgeways [ˈedʒweɪz] *hsz* **1.** oldalvást; *biz* **get a word in ~** sikerül pár szót közbevetnie *[a társalgásba]* **2.** élével, élén; **lay/set sg ~** élére állít vmt
edging [ˈedʒɪŋ] *fn* **1. a)** szegélyezés **b)** (le)szélezés **c)** élesítés, élezés **2.** szegőzsinór, szegély
edging-shears *fn tsz* szegélyvágó olló *[fűnyíráshoz]*
edgy [ˈedʒi] *mn* **1.** *biz* ideges, ingerlékeny **2.** éles, hegyes **3.** *biz* szegletes, félszeg *[ember]* • *fn* **edginess**
EDI *röv infor electronic data interchange* elektronikus adatcsere, EDI
edible [ˈedəbl] **I.** *mn* ehető; ~ **oil** étolaj; ~ **snail** éti csiga **II. edibles** *fn tsz* élelmiszer(ek) • *fn* **edibility**
edict [ˈiːdɪkt] rendelet, ediktum • *mn* **edictal**
edification [ˌedɪfɪˈkeɪʃn] *fn* épülés, tanulság, tájékoztatás; **for your ~** tájékoztatására/tájékoztatásodra
edifice [ˈedɪfɪs] *fn* (nagy) díszes épület, *átv* építmény
edify [ˈedɪfaɪ] *tsi* tanít, (ki)oktat; **be edified** okul • *fn* **edifier** *mn* **edifying**
Edinburgh [ˈedɪnbərə ‖ –ɜrə] *tul földr* Edinburgh
edit [ˈedɪt] *tsi* **1. a)** szerkeszt *[lapot, könyvet]*; **~ed by ...** szerkesztette ...; sajtó alá rendezte ... **b)** sajtó alá rendez, kiad *[írásművet]* **c)** *infor* szerkeszt *[programot]* **d)** *film* (össze)vág, szerkeszt *[filmet]* **2.** ~ **sg out (of sg)** kihagy vmt(vmből) *[szerkesztés során]* • *fn* **editing**
edit. *röv* **1.** *edition* **2.** *editor* szerkesztő, szerk.
Edith [ˈiːdɪθ] *tul* Edit
edition [ɪˈdɪʃn] *fn* **1.** kiadás *[könyvé, lapé]*; **limited ~** korlátozott példányszámú kiadás; **book in its fourth ~** negyedik kiadásban megjelent könyv **2. a)** szám *[újságé]* **b)** kiadás, műsor **3.** *biz* **he is a second ~ to his father** kiköpött apja; **a more charming ~ of her sister** tisztára a nővére, csak (még) szebb kiadásban
editio princeps [ɪˈdɪʃɪoʊ ˈprɪnseps] *fn* őskiadás *[könyvé]*
editor [ˈedɪtə ‖ –ər] *fn* **1. a)** szerkesztő *[lapé, könyvé]* **b)** rovatvezető; **news ~** napi hírrovat vezetője; **sports ~** sportszerkesztő **c)** *infor* ~ **(program)** szerkesztőprogram **2.** sajtó alá rendező, szövegkiadó **3.** *US film* **movie ~** montázsasztal, vágóasztal • *fn* **editorship** *fn* **editress**
editorial [ˌedɪˈtɔːrɪəl] **I.** *mn* szerkesztő(ség)i; ~ **board** szerkesztőbizottság; ~ **office** szerkesztőség; ~ **staff** szerkesztőség (tagjai); ~ **work** szerkesztői munka **II.** *fn* vezércikk • *tni* **editorialize**, **editorialise** *fn* **editorialist**
editor-in-chief *fn* főszerkesztő
Edmund [ˈedmənd], **Edmond** *tul* Ödön
EDP *röv infor electronic data processing* elektronikus adatfeldolgozás
educate [ˈedjʊkeɪt ‖ ˈedʒə–] *tsi* **1. a)** oktat; **he was ~d in Britain** Angliában végezte tanulmányait/iskoláit **b)** taníttat, iskoláztat; ~ **one's son for the bar** ügyvédnek taníttatja a fiát; **he had to ~ himself** autodidakta volt **2.** kinevel, kifinomít, pallérоz (vkt/vk/saját ízlését); ~ **one's memory** fejleszti emlékezőtehetségét **3. a)** ránevel, rászoktat (vkt vmre) **b)** idomít, betanít *[állatot]* • *fn* **educator** *mn* **educative**
educated [ˈedjʊkeɪtɪd ‖ ˈedʒəkeɪtəd] *mn* művelt, tanult; ~ **guess** megalapozott sejtés/feltételezés; **give an ~ guess!** találgass!; **my ~ guess would be** legjobb tudomásom szerint
education [ˌedjʊˈkeɪʃn ‖ ˌedʒə–] *fn okt* **1.** műveltség; **a man without ~** tanulatlan/műveletlen ember **2. a)** nevelés(ügy), oktatás(ügy), közoktatás; **compulsory ~** tankötelezettség; **elementary ~** alapfokú (v. elemi/általános iskolai) oktatás; **general ~** általános oktatás/képzés; **higher ~** felsőoktatás; **secondary ~** középfokú/középiskolai oktatás; **E~ Act** tankötelezettségi törvény; **Ministry of E~** közoktatásügyi/művelődésügyi minisztérium; **he has had a classical ~** klasszikus/humanista nevelésben részesült **b)** neveléstudomány, pedagógia **3.** idomítás *[állaté]* • *fn* **educationist**
educational [ˌedjʊˈkeɪʃnəl ‖ ˌedʒə–] *mn* tan-, oktatási, ismeretterjesztő, oktató, nevelő(i); ~ **aids** tanszerek; ~ **film** oktatófilm, ismeretterjesztő film; **for ~ purposes** iskolai/tanulmányi célokra; ~ **guidance** nevelési tanácsadás; ~ **policy** oktatáspolitika • *fn* **educationalist**
educe [ɪˈdjuːs ‖ ɪˈduːs] *tsi* **1. a)** kivon, elvezet *[gázt]* **b)** *vegy* kiválaszt, elkülönít **2.** *átv* kikövetkeztet, levezet **3.** napvilágra hoz, kiderít • *fn* **eduction** *mn* **educible**, **eductive**
edutainment [ˌedjʊˈteɪnmənt ‖ ˌedʒə–] *fn* **1.** ‹oktatási célú szórakoztató műsor/írásos anyag› **2.** oktatási célzatú szórakozás
Edward [ˈedwəd ‖ –wərd] *tul* Eduárd, Edward
Edwardian [edˈwɔːdɪən ‖ edˈwɔr–] *mn* VII. Edward korabeli
Edwin [ˈedwɪn] *tul* ‹férfinév› Edvin
EEC *röv European Economic Community* Európai Gazdasági Közösség, EGK
EEG *röv* **1.** *electroencephalogram* elektroencefalogram, EEG **2.** *electroencephalograph* elektroencefalográf, EEG
eel [iːl] *fn áll* **1.** angolna; **electric ~** villamos angolna, sajgatóhal; *biz* **as slippery as an ~** könnyen kicsúszik az ember kezéből **2.** *átv* megbízhatatlan ember • *mn* **eel-like**, **eely**
eel-basket *fn* angolnafogó/angolnás varsa
eel-worm *fn áll* fonalféreg
-een [iːn] *utótag Írorsz* ‹kicsinyítő képző›
e'en [iːn] *röv even*
-eer [ɪə ‖ ɪr] *utótag* **I.** ‹főnévképző› *[valamivel kapcsolatos* v. *valamivel foglalkozó]*, -s, -ó, -ő, -ász, -ész; **auctioneer** becsüs, árverező; **mountaineer** hegymászó **II.** ‹igeképző› -szkedik, -szkodik; **electioneer** kampányol; **profiteer** nyerészkedik
e'er [eə ‖ er] *röv ever*
eerie [ˈɪəri‖ˈɪri], **eery** *mn* kísérteties, titokzatos, baljós, hátborzongató; ~ **calmness/silence** vészes/kísérteties csend • *fn* **eeriness** *hsz* **eerily**
eff [ef] *tsi/tni GB szl euf* ‹a *fuck* szót helyettesítő eufémizmus› basszus(kulcs), ba' meg, a fikuszba; ~ **and blind** káromkodik; basszamozik; ~ **off** (el)takarodik, elhúzza a belét; *durva* ~ **off!** tűnés!, húzz innen! • *fn* **effing**
efface [ɪˈfeɪs] *tsi* **1. a)** (ki)töröl, olvashatatlanná tesz **b)** elfeledtet, homályba borít *[vm/vk emlékét]* **c)** eltöröl a föld színéről **2.** felülmúl, háttérbe szorít vkt, elhomályosít *[vk hírnevét]* **3.** ~ **oneself** (szerényen) félrehúzódik • *fn* **effacement** *mn* **effaceable**
effect [ɪˈfekt] **I.** *fn* **1. a)** (ki)hatás, következmény, eredmény, okozat; **the ~ of heat on metals** a hőnek fémekre gyakorolt hatása; **cause and ~** ok és okozat; **have an ~ on sy/sg** hat vkre/vmre, hatást gyakorol vkre/vmre; **be of no ~**, **have no ~** (teljesen) hatástalan marad; **words meant for ~** hatásvadászó szavak; **strain after ~** hatásra vadászik **b)** hatály, megvalósulás, hatékonyság; **come into ~** hatályba/érvénybe lép; **give ~ to** hatályba/életbe léptet *[törvényt, rendelkezést]*; végrehajt *[döntést]*; foganatosít *[intézkedést]*; **take ~** hatályba/érvénybe/életbe lép *[intézkedés]*; hat, használ *[gyógyszer]*; **to take ~ on January 1st**

E

január elsejei hatállyal; **of no ~** hatástalan; **to no ~** hiába, eredménytelenül, hatástalanul **c)** (össz)hatás; **moonlight ~** holdfényhatás; **three dimensional ~** térhatás; **it has a good ~** jól mutat, mutatós **2.** értelem; **to the ~ that** abban az értelemben, hogy; **provisions have been made to this ~** ilyen irányú/értelmű intézkedés történt; **in ~** való(já)ban, tulajdonképpen, gyakorlatilag; végeredményben **3. a)** *film* (film)trükk, effektus; **special ~s** különleges effektusok, filmtrükkök; **special ~s film** trükkfilm **b)** *szính* **stage ~s** színpadi hatások; **~s projector** hatásvilágító fényszóró **c)** *zene* effektus, effekt **4.** *tsz* **effects a) (personal) ~s** ingóságok; holmi; értékpapír(ok) **b)** *pénz* **no ~** fedezetlen *[jelzés csekken]* **5.** *fiz* hatás **6.** *műsz* teljesítmény **II.** *tsi* **1.** okoz, eredményez **2.** véghezvisz, megvalósít, kivitelez, foganatosít; **~ an entrance** erőszakkal benyomul/behatol vhova; **~ an order** megbízást teljesít; **~ a payment** fizet, fizetést eszközöl; **~ one's purpose** eléri célját, keresztülviszi akaratát; *kat* **~ a retreat** visszavonul; **~ a sale** elad *[árut]*; **~ a settlement** kiegyezik; **~ a transfer in the books** átkönyvel egy tételt • *mn* **effectless**

effective [ɪˈfektɪv] **I.** *mn* **1. a)** hatásos, hatékony, eredményes, célravezető; **the medicine was ~** az orvosság hatott/használt **b)** hatásos, találó, frappáns; **~ phrase** találó/szerencsés kifejezés **2.** tényleges, valóságos, effektív; *vill* **~ current** tényleges/valóságos áram; *fiz* **~ mass** effektív tömeg; *pénz* **~ money** készpénz; *jog* **~ nationality** tényleges állampolgárság; *műsz* **~ power** effektív/hasznos teljesítmény; *kat* **~ range** hatásos lőtávolság; effektív hatótávolság; *fiz* **~ value** közepes átlagos érték **3.** *US* hatályban levő, érvényes *[rendelet stb.]*; **become ~** hatályba/érvénybe lép *[rendelet]* **II.** *fn tsz* **effectives** *kat* haderő(k), harciállomány • *fn* **effectiveness**

effectively [ɪˈfektɪvli] *hsz* **1.** tényleg(esen), a valóságban, valójában; **what this ~ means is...** ez a valóságban/gyakorlatilag/tulajdonképpen azt jelenti, hogy... **2.** hatékonyan, hathatósan, eredményesen **3.** hatásosan, nagy hatást keltve, találóan

effector [ɪˈfektə ‖ –ər] *biol* **I.** *mn* stimulusra reagáló **II.** *fn* stimulusra reagáló szerv

effectual [ɪˈfektʃuəl] *mn* **1.** hatékony, eredményes, sikeres **2.** érvényes, érvényben/hatályban lévő • *hsz* **effectually**

effectuate [ɪˈfektʃueɪt] *tsi* foganatosít, eszközöl, véghezvisz, létrehoz • *fn* **effectuation**

effeminate I. *mn/fn* [ɪˈfemɪnət] *pej* nőies, elpuhult, férfiatlan, effeminált *[ember]* **II.** *i* [–neɪt] **A.** *tsi* elpuhít, elnőiesít **B.** *tni* elpuhul, elnőiesedik • *fn* **effeminacy, effemination** *mn* **effeminating**

effendi [eˈfendi] *fn* effendi

efferent [ˈefərənt] *mn orv* kivezető, elvezető; **~ nerve** efferens/mozgató ideg • *mn* **efferential**

effervesce [ˌefəˈves ‖ ˌefər–] *tni* **1.** habzik, (fel)pezseg, bugyborékol, gyöngyözik **2.** *átv* buzog, pezseg, forrong *[tömeg]* • *fn* **effervescence** *mn* **effervescent**

effete [ɪˈfiːt] *mn* **1. a)** kimerült, elgyengült, elaggott **b)** lagymatag **2. a)** lejárt, elavult **b)** roskatag, düledező **3.** terméketlen, meddő • *fn* **effeteness**

efficacy [ˈefɪkəsi] *fn* hatékonyság, hatásosság, hatóerő, hatásfok, teljesítmény • *fn* **efficacity** *mn* **efficacious**

efficiency [ɪˈfɪʃnsi] *fn* **1.** hatékonyság, hatásosság, hatóerő, eredményesség; *közg* **allocative ~** allokációs hatékonyság **2. a)** teljesítmény, hatásfok; **actual ~** tényleges/effektív teljesítmény/hatásfok; *gk* **hillclimbing ~** kapaszkodóképesség; *műsz* **mean ~** átlagos/közepes teljesítmény **b)** zavartalan/eredményes működés; **~ engineer** üzemszervező mérnök; *US* **~ expert** üzemgazdasági szakember **3.** rátermettség, ügyesség, alkalmasság, felkészültség, *kat* ütőképesség *[hadseregé]*; *kat* **fighting ~** harcképesség; **~ wages** teljesítménybér, teljesítmény szerinti bérezés

efficiency apartment *fn US* ‹egyszerű, igénytelen lakás›

efficient [ɪˈfɪʃnt] **I.** *mn* **1. a)** eredményes, hatékony, jól működő; *közg* **~ allocation (of resources)** hatékony (erőforrás)eloszlás; **~ industry** termelőipar **b)** *műsz* hasznos; **~ range** hatótávolság **2. a)** ügyes, rátermett, tevékeny, gyakorlatias; **be ~ in one's work** jól végzi munkáját; kitűnő munkaerő **b) army in an ~ state** ütőképes hadsereg **3.** *fil* ható; **~ cause** hatóok, kiváltó ok **II.** *fn* **1.** külön képesítéssel rendelkező katona **2.** *fil* hatóok, kiváltó ok • *hsz* **efficiently**

effigy [ˈefɪdʒi] *fn* kép(más); **hang sy in ~** jelképesen/képletesen felakaszt vkt, ítéletet jelképesen végrehajt • *tsi* **effigiate** *mn* **effigial**

efflation [ɪˈfleɪʃn] *fn* kilégzés

effloresce [ˌeflɔːˈres ‖ ˌeflə–] *tni* **1.** *vál átv* (ki)virágzik, kinyílik, virul **2.** *vegy* kivirágzik *[salétrom, sziksó]* **3.** *orv* kiütéses lesz *[testfelület]* • *fn* **efflorescence** *mn* **efflorescent**

effluent [ˈefluənt] **I.** *mn* kiömlő, kifolyó, lefolyó; **~ drain** levezető csatorna **II.** *fn* **1.** kiágazó/kiömlő folyó(víz) **2.** kifolyó/lefolyó szennyvíz • *fn* **effluence**

effluvium [ɪˈfluːvɪəm] *fn tsz* **effluvia** [–vɪə] (bűzös) kipárolgás, kigőzölgés, testszag

efflux [ˈeflʌks] *fn* **1. a)** kifolyás, kiáramlás **b)** kiáramló folyadék/gáz **2.** *átv* telés, múlás *[időé]* • *fn* **effluxion**

effort [ˈefət ‖ ˈefərt] *fn* **1. a)** erőfeszítés, fáradozás, törekvés; **sustained ~** lankadatlan erőfeszítés; **wasted ~** kárba veszett/hiábavaló fáradság; **use every ~ to do sg** minden erejét megfeszítve csinál vmt; **make desperate ~s, make a great ~** összeszedi/megfeszíti minden erejét; **make a last-ditch ~** utolsó erejét is latba veti; **make an all-out ~** maximális erőfeszítést tesz; **spare no ~** nem sajnálja a fáradságot; minden tőle telhetőt megtesz; **without ~** (minden) erőfeszítés nélkül, könnyedén **b)** próbálkozás, kísérlet; *biz* **make an ~!** próbáld meg!; szedd össze magad!, erőltesd meg magad egy kicsit! **c)** erő(kifejtés) **2. a)** *biz* munka, mű; **you've seen his last ~?** látta(d) az utolsó művét/próbálkozását?; **that's not a bad ~** nem is rossz; egészen jól sikerült **b)** *kat* támadás, csapás; **main ~** főcsapás; **secondary ~** mellékcsapás

effortless [ˈefətləs ‖ ˈefərt–] *mn* **1.** erőfeszítéseket nem tevő, passzív *[személy]* **2. a)** megerőltetést/erőlködést nem igénylő, könnyű *[feladat]* **b)** könnyed, keresetlen *[stílus]* • *fn* **effortlessness** *hsz* **effortlessly**

effraction [ɪˈfrækʃn] *fn* (erőszakos) feltörés

effrontery [ɪˈfrʌntəri] *fn* arcátlanság, szemtelenség, pimaszság

effulgent [ɪˈfʌldʒənt] *mn* ragyogó, fénylő, sugárzó, tündöklő; **he is ~ with joy** ragyog/sugárzik az örömtől • *tsi/tni* **effulge** *fn* **effulgence**

effuse I. *vál átv is* [ɪˈfjuːz] **A.** *tsi* kiönt, áraszt, ont **B.** *tni* (ki)folyik, kiömlik, elterjed **II.** *mn* [ɪˈfjuːs] *növ* szétterjedő

effusion [ɪˈfjuːʒn] *fn* **1. a)** kifolyás, kiömlés, kiáradás **b)** *fiz geol* effúzió **c)** kiöntés, ontás; **be guilty of ~ of blood** vérontásban vétkes **2.** *átv* túláradás *[érzelmeké]*, ömlengés; *tréf* **poetical ~s** lírai ömlengések, költői áradozások

effusive [ɪˈfjuːsɪv] *mn* **1.** ömlengő, szenvelgő, túláradó; **~ compliments** áradozó bókok; **be ~ in one's thanks/gratitude** se vége, se hossza a hálálkodásának **2.** *geol* effúziós, vulkanikus; **~ rock** vulkanikus/kiömléses kőzet • *fn* **effusiveness** *hsz* **effusively**

EFI *röv electronic fuel injection*

EFL *röv okt English as a foreign language* angol, mint idegen nyelv

EFTA [ˈeftə], **Efta** *röv European Free Trade Association* Európai Szabadkereskedelmi Társulás

e.g. [ˌiːˈdʒiː] *röv* exempli gratia, *for example* például, pl.

EGA *röv infor enchanced graphics adaptor* emeltszintű grafikus adapter, EGA

egad [ɪˈgæd] *isz régi* ejnye!, a kutyafáját!, teringettét!

egalitarian [ɪˌgælɪˈteərɪən ‖ –ˈter–] *fn* egyenlőségre törekvő, egyenlőség/egyenlősdi híve • *fn* **egalitarianism**

egg[1] [eg] *fn* **1. a)** tojás; **bacon and ~s** szalonnás tojás; **ham and ~s** sonkás tojás; **hard-boiled ~** kemény tojás; **poached ~** buggyantott tojás; **scrambled ~s** rántotta; **nest-~** megspórolt pénz, dugipénz; *biz* **sure as ~s is ~s** holtbiztos, olyan biztos mint kétszer kettő négy; **boil an ~**

tojást főz; *kif* **kill the goose that lays the golden ~s** levágja az arany tojást tojó tyúkot, elherdálja a legértékesebb vagyontárgyait; *kif* **put all one's ~s in one basket** mindent egy lapra/kártyára/lóra tesz fel **b)** pete, tojás *[rovaré]* **c)** *biol orv* petesejt, ovum **2.** *biz* fickó, alak, pofa; **bad ~** záptojás; haszontalan fráter, senkiházi **3.** *szl* kézigránát, tojásgránát • *mn* **eggy**

egg² [eg] *tsi* **~ sy on (to do sg)** ösztökél/nógat/noszogat vkt (vmre), bátorít vkt

egg-beater *fn* habverő

egg-crate *fn* tojásszállító rekesz/tálca

egg-cup *fn* tojástartó

egg-flip *fn* tojáslikőr

egg-grenade *fn kat* tojásgránát

egghead *fn biz [entellektüel]* tojásfejű

egg-laying I. *mn* tojásrakó, tojással szaporodó **II.** *fn* tojásrakás, tojás

egg-nog [ˌeg'nɒg ‖ 'egnɑg] → **egg-flip**

egg-plant *fn növ* padlizsán

egg roll *fn gaszt* ‹disznóhússal, bambuszrüggyel, hagymával stb. töltött tojásos krokett›

egg-shaped *mn* tojás alakú, tojásdad, ovális

egg-shell *fn* tojáshéj; **~ china/ware** finom/átlátszó kínai porcelán; **~ finish** matt simítás, tojáshéjsimítás

egg-spoon *fn* kiskanál *[tojáséváshez]*

egg timer *fn* tojásfőzésnél használt időmérő

egg-white *fn* tojásfehérje

egg-yolk *fn* tojássárgája

eglantine ['egləntaɪn] *fn növ* illatos vadrózsa/csipkerózsa

ego ['iːgoʊ] *fn* **the ~** az én/ego

egocentric [ˌiːgoʊ'sentrɪk] *mn* **1.** az énre irányuló/összpontosított, egocentrikus **2.** önző, egoista • *fn* **egocentricity**

ego ideal *fn* önidealizálás; önkép

egoism ['iːgoʊɪzm] *fn* **1.** önzés, egoizmus **2.** *pszich* énkultusz • *fn* **egoist** *mn* **egoistic**, **egoistical**

egomania [ˌiːgoʊ'meɪnɪə] *fn pszich* egocentrizmus, túlzásba vitt önzés • *fn* **egomaniac**

egotism ['egoʊtɪzm ‖ 'iːgə–] *fn* **1.** énkultusz, egotizmus **2.** önzés, önteltség • *fn* **egotist** *mn* **egotistic**

ego trip *fn biz* önös érdekből v. hiúságból elkövetett cselekvés • *fn* **ego-tripper**

egregious [ɪ'griːdʒəs] *mn pej* égbekiáltó, példátlan, hihetetlen, elképesztő, szédületes • *hsz* **egregiously**

egress I. *fn* ['iːgres] **1. a)** kijárat, kijárás **b)** *műsz* kilépés **c)** *csill* kilépés *[fogyatkozásból]* **2.** *átv vál* kiút **II.** *tni* [ɪ'gres] kimegy, kilép, eltávozik • *fn* **egression**

egret ['iːgrət] *fn áll* **a)** nemes kócsag **b)** kócsagtoll

Egypt ['iːdʒɪpt] *tul földr* Egyiptom • *fn/mn* **Egyptian**

Egyptian vulture *fn áll* dögkeselyű

Egyptology [ˌiːdʒɪp'tɒlədʒi ‖ –'tɑ–] *fn tud* egyiptológia • *fn* **Egyptologist**

eh [eɪ] *isz* **1.** ööö..., izé **2.** hm?, he? **3.** hogy mondod?, mit (mondtál)?, mi(csoda)?

eider ['aɪdə ‖ –ər] → **eider-duck**

eiderdown ['aɪdədaʊn ‖ –ər–] *fn* **1.** (liba)pehely **2. a)** pehelypaplan **b)** dunyha

eider-duck *fn áll* pehelyréce, dunnalúd

eidetic [aɪ'detɪk] *mn* vizuális *[képzelőerő]*

eigen- ['aɪgən] *előtag mat fiz* megfelelő; karakterisztikus

eigenfunction *fn mat fiz* sajátfüggvény *[kvantumelméletben]*

eigenvalue *fn mat fiz* sajátérték *[kvantumelméletben]*

eight [eɪt] **I.** *mn* nyolc; *US* **~ ball** ‹egyfajta biliárdjáték›; **it's ~ o'clock** nyolc óra van **II.** *fn* nyolc(as); *ját* **the ~ of spades** pikk nyolcas *[kártya]*; **a boy of ~** nyolcéves/nyolcesztendős fiú; **a mother of ~** nyolcgyermekes családanya, nyolc gyermek anyja; **be ~** nyolcéves, nyolcesztendős; **it's ~ twenty** nyolc (óra) húsz (perc) az idő; **there were ~ of us** nyolcan voltunk; **at ~** nyolckor, nyolc órakor; *szl* **have one over the ~** felöntött a garatra

eighteen [ˌeɪ'tiːn] **I.** *mn* tizennyolc; **~ houses** tizennyolc ház **II.** *fn* tizennyolc

eighteenth [ˌeɪ'tiːnθ] **I.** *mn* **a)** tizennyolcadik; **~ district** tizennyolcadik kerület **b) an ~ of** vmnek a tizennyolcad része **II.** *fn* **a) on the ~ of June** június 18-án; **Louis the ~** XVIII. Lajos **b)** tizennyolcad(rész)

eightfold I. *mn* nyolcszoros **II.** *hsz* nyolcszorosan

eighth [eɪtθ] **I.** *mn* nyolcadik; **~ wonder** nyolcadik világcsoda; **Henry the E~** VIII. Henrik **II.** *fn* **a) (on) the ~ (of July)** (július) 8-án **b)** nyolcad (rész) **c)** *zene* nyolcad (hangjegy)

eight-hour *mn* nyolcórás; **~ day** nyolcórás munkanap

eightieth ['eɪtɪəθ] *mn/fn* nyolcvanad(ik)

eight-point type *nyomd* petit, 8 pontos betű(nagyság)

eightsome reel *fn skót* nyolcas körtánc

eighty ['eɪti] **I.** *mn* nyolcvan; **~ men** nyolcvan ember/személy; nyolcvan férfi **II.** *fn* nyolcvan; **the eighties** a nyolcvanas évek; **sy's eighties** vk nyolcvanas évei; **he is in his eighties** elmúlt nyolcvan (éves)

Eileen ['aɪliːn ‖ aɪ'liːn] *tul* ‹női név›

einsteinium [aɪn'staɪnɪəm] *fn kém* einsteinium

Eire ['eərə ‖ 'erə] *tul földr* Írország

eirenic [aɪ'riːnɪk] *mn* békés

eirenicon [aɪ'riːnɪkɒn ‖ –kɑn] *fn* békeajánlat

either ['aɪðə ‖ 'iːðər] **I.** *mn/nm* **a)** egyik, valamelyik (a kettő közül); **~ of them** valamelyiket/egyiket a kettő közül; **I don't want ~ of them** egyik sem kell; **~ way** így is, úgy is **b)** akármelyik, bármelyik (a kettő közül); **~ of them will do** akármelyik jó lesz, akármelyik megteszi/megfelel **c)** mindkét, mindkettő; **on ~ side** mindkét oldalon **II.** *hsz* **not ...~** sem; **I don't want the money and I don't want the book ~** nem kell a pénz és a könyv sem kell **III.** *ksz* **~ ... or** vagy ... vagy ..., akár ... akár ...; **~ come in or go out** vagy ki vagy be

either-or *fn/mn* vagy-vagy; ‹elkerülhetetlen választás két lehetséges alternatíva között›

ejaculate I. *tsi* [ɪ'dʒækjʊleɪt] **1.** kilövell, ejakulál **2.** *átv biz* kibök *[szavakat]*, kitör **II.** *fn* [ɪ'dʒækjʊlət ‖ –kjə–] *orv* ejakulátum • *fn* **ejaculation**

eject [ɪ'dʒekt] **I.** *tsi* **1. a)** kilövell, szór, okád, kivet **b)** *kat rep* katapultál *[repülőgépből]* **2. a)** kidob, kihajít, kipenderít (vkt vhonnan) **b)** kilakoltat, kitesz, kirak *[bérlőt]* **c)** hivatalától megfoszt, hivatalából elmozdít *[tisztviselőt]* **II.** *fn* kilövellt/kivetett anyag • *fn* **ejector**

ejecta [ɪ'dʒektə] *fn tsz* **1.** láva, kilövellt vulkanikus anyag **2.** *orv* hányadék, okádék

ejection [ɪ'dʒekʃn] *fn* **1. a)** kilövellés, okádás, kivetés **b)** *jog* kilakoltatás, birtokfosztás **c)** elmozdítás, (hivataltól való) megfosztás **2.** kilövellt vulkanikus anyagok, láva

ejective [ɪ'dʒektɪv] *mn* **1.** hashajtó **2.** *pszich* kivetítő

ejectment [ɪ'dʒektmənt] *fn jog* birtokfosztás

ejector seat *fn kat rep* katapultülés

e-journal *fn infor* elektronikus újság, elektronikus folyóirat, e-folyóirat

eke [iːk] *tsi* **1. ~ out** kiegészít, (ki)pótol; **~ out facts with quotations** idézetekkel pótolja a (hiányzó) tényeket **2. ~ out** összekapar *[jövedelmet]*; **~ out a livelihood** (v. **poor existence**) összekapar magának vm megélhetést, fillérekből tengődik

ekker ['ekə ‖ –ər] *fn GB szl okt* tornagyakorlat

el [el] *fn US biz* magasvasút

elaborate I. *mn* [ɪ'læbərət] **1.** bonyolult, komplikált, körülményes **2.** alapos(an kidolgozott), választékos, mélyreható, rafinált, minden részletre kiterjedő **II.** *tsi* [ɪ'læbəreɪt] **1. a)** kidolgoz, kialakít, kiformál *[tervet, elméletet]* **b)** bővebben kifejt/részletez **2.** *biol* feldolgoz *[nedvet]* • *fn* **elaboration** *mn* **elaborative** *hsz* **elaborately**

Elaine [ɪ'leɪn] *tul* ‹női név›

élan [eɪˌlɒn ‖ eɪˌlɑn] *fn* lendület, hév, elán

élan vital [eɪˌlɒn viː'tæl ‖ eɪˌlɑn–] *fn francia biz* előremozdító/éltető erő

elapse [ɪ'læps] *tni* (el)múlik, (el)telik *[idő]*

E

elastic [ɪˈlæstɪk] **I.** *mn* **1. a)** rugalmas, ruganyos; **~ deflection/deformation** rugalmas alakváltozás; *fiz* **~ limit/strength** rugalmassági határ **b)** nyúlékony, hajlékony; **~ band** gumiszalag; **~ webbing** gumibeszövéses/gumírozott szövet **2.** *átv biz* rugalmas *[szabályzat, nézet]*, tág, sokat befogadó *[fogalom, meghatározás]*, hamar alkalmazkodó *[gondolkodásmód]* **II.** *fn* **1.** gumiszalag, gumizsinór, gumiszövet **2.** *tsz* **elastics** harisnyakötő, zoknitartó • *fn* **elasticity**

elastic-sides *fn tsz biz* cúgos cipő

elastomer [ɪˈlæstəmə ‖ –ər] *fn* **a)** gumi **b)** gumiszerű anyag

elastoplast [ɪˈlæstoupla:st ‖ –əplæst] *fn orv* (vízhatlan) gyorstapasz

elate [ɪˈleɪt] *vál* **I.** *mn* emelkedett, fellelkesült; **~ with victory** diadalittas **II.** *tsi* fellelkesít, felajz • *fn* **elation**

elated [ɪˈleɪtɪd] *mn* **1.** emelkedett, fellelkesült, felajzott; **~ with joy** örömittas, mámoros az örömtől **2.** *biz* becsípett, spicces • *fn* **elatedness** *hsz* **elatedly**

E layer *fn fiz* E réteg *[az ionoszférának az a rétege, amely a középhullámú rádióhullámokat visszaveri]*

Elba [ˈelbə] *tul földr* Elba *[sziget]*

Elbe [elb] *tul földr* Elba *[folyó]*

elbow [ˈelbou] **I.** *fn* **1.** könyök; **fall into line ~ to ~, touch ~s** felzárkózik; **rest one's ~ on sg** rákönyököl vmre; **rub/brush ~s with sy** hozzáér/hozzádörgölődzik vkhez; **rub ~s with death** a halállal komázik; **be at sy's ~** kezeügyében van; közel van vkhez; **lean on one's ~** könyököl; **be out at ~s** lyukas a könyöke *[ruhadarabnak]*; ütött-kopott, rongyos, *átv* (el)szegény(edett) *[ember]* **2. a)** kanyar(ulat) *[úté, folyóé]*, görbület, hajlat **b)** könyökcső **c)** karfa, hajlított kartámla **II. A.** *tsi* könyökével megbök/meglök, lökdös; *átv is* **~ sy aside** (könyökével) félrelök vkt; *átv* **~ sy off sg, ~ sy out of sg** kiszorít/kisemmiz vkt vmből, kitúr vkt vhonnan; *átv biz* **be ~ed into a corner** félreállítják, mellőzik; **~ one's way through the crowd** átfurakodik a tömegen, átverekszi magát a tömegen **B.** *tni* **1.** kanyarodik, elhajlik, elfordul *[út, folyó]* **2.** lökdösődik *[tolongásban]*; **here the poor ~ with the rich** itt találkozik a szegény a gazdaggal • *fn* **elbowing**

elbow-bending *fn szl [ivászat]* piálás, tintázás

elbow grease *fn biz* nehéz/megerőltető (házi)munka, strapa; **put a bit of ~ into it** erőltesd meg magad; kapcsolj rá egy kicsit

elbow joint *fn* **1.** *orv* könyökízület, könyökhajlat **2.** *műsz* csuklós eresztték, csőillesztték

elbow pipe *fn* könyökcső

elbow rest *fn* karfa, kartámasz, könyöklő

elbow room *fn* működési tér, mozgási lehetőség; **give sy (plenty of) ~** széles/szabad teret ad/enged vknek

elder[1] [ˈeldə ‖ –ər] **I.** *mn* **a)** idősebb, öregebb, korosabb *[rokoni kapcsolatban]*; **my ~ brother** a bátyám **b)** rangidős, feljebbvaló *[koránál fogva]*; **~ statesman** tekintélyes idős politikus **c) ~ days** hajdani/egykori/régmúlt idők/napok **II.** *fn* **1. a)** idősebb/öregebb/tekintélyesebb személy; **he is five years my ~** öt évvel idősebb nálam **b) our ~s** elődeink, ősapáink **2.** *vall* presbiter *[presbiteriánus egyházakban]* • *fn* **eldership**

elder[2] [ˈeldə ‖ –ər] *fn növ* bodza(fa)

elderberry [ˈeldəberi ‖ ˈeldərberi] *fn növ* fekete bodza

elderflower *fn növ* bodzavirág; **~ vinegar** bodzaecet

elderly [ˈeldəli ‖ –dər–] *mn* idős(ebb), öreg(ebb), öreges, koros, hajlott korú; **the ~s** az öregek/idősek/nyugdíjasok

eldest [ˈeldɪst] **I.** *mn* legidősebb, legöregebb *[személy]* **II.** *fn* legidősebb/legöregebb személy; **who is the ~ here?** ki itt a legidősebb?

eldorado [ˌeldəˈra:dou] *fn* **a)** eldorádó **b)** rendkívül gazdag hely **c)** képzeletbeli, aranyban dúskáló ország/város

eldritch [ˈeldrɪtʃ] *fn skót* rejtelmes, hátborzongató, szörnyűséges, vérfagyasztó

Eleanor [ˈelənə ‖ –ər] *tul* ‹női név›

elect [ɪˈlekt] **I.** *tsi* **1. a)** (meg)választ; **~ sy (to be) a member** tagnak beválaszt vkt **b)** *jog* **~ domicile** állandó lakhelyet választ (vk) **2. ~ to do sg** elhatározza magát (vmre); dönt vm mellett; választ; **he ~ed to stay** a maradás mellett döntött **II.** *mn* **1.** (ki)választott, kijelölt, megválasztott de hivatalba még nem lépett; **the bride ~** a választott (menyasszony); *US* **president ~** (hivatalba még nem lépett) megválasztott/leendő elnök **2. a)** válogatott, finom, legjobb minőségű **b)** zártkörű, szelektált **III.** *fn* **1. the ~** a (ki)választottak; *biz* **I am not one of the ~** nem tartozom a kiváltságosok közé **2.** *US* ‹megválasztott, de még hivatalba nem lépett tisztviselő› • *mn* **electable**

election [ɪˈlekʃn] *fn* **1.** *pol* választás; *US* **special ~** pótválasztás; **~ committee** választási bizottság; **~ day** a választás napja; **~ district** választókerület; **~ poster** választási plakát/hirdetmény; **call ~s** választásokat kiír **2. a)** megválasztás, kiválasztás **b)** *jog* választás, opció **c)** *vall* (isteni) kiválasztás

election campaign *fn pol* választási kampány/hadjárat

electioneer [ɪˌlekʃəˈnɪə ‖ –ˈnɪr] **I.** *tni* **a)** *pol* kampányol, szavazatokat gyűjt **b)** *pej* választási propagandát fejt ki, agitál, ígérget **II.** *fn* **a)** *pol* kampányoló politikus/személy **b)** *pej* agitátor • *fn* **electioneering**

election results *fn tsz pol* választási eredmények

election victory *fn pol* választási győzelem

elective [ɪˈlektɪv] *mn* **I. 1. a)** választott, választáson alapuló **b)** választó, választásra jogosult; **~ body** választói testület; **~ franchise** választójog; *tört* **~ kings** választófejedelmek **2. ~ affinity** *vegy* vegyi rokonság, affinitás; *átv* ösztönös/kölcsönös vonzalom **3.** *US okt* szabadon választható, fakultatív *[tárgy]* **4.** *orv* elhalasztható (v. nem sürgős) műtét **II.** *fn US okt* fakultatív/szabadon választható (tan)tárgy; → **elective course** • *fn* **electivity** *hsz* **electively**

elective course *fn okt* **a)** speciális kollégium, *biz* spec. koll.; *GB* **enrol on an ~**, *US* **enroll in an ~** felvesz egy speciális kollégiumot **b)** fakultáció **c)** *US* fakultatív/szabadon választható (tan)tárgy

elector [ɪˈlektə ‖ –ər] *fn* **1. a)** választó, szavazó(polgár) **b)** *US* elektor; **body of ~s** választótestület **2.** *tört* választófejedelem • *fn* **electorship, electress** *hsz* **electorally**

electoral [ɪˈlektərəl] *mn* választó-, választói; *US* **the E~ College** elnökválasztó testület/kollégium

electorate [ɪˈlektərət] *fn* **1. a)** választók, szavazó(polgáro)k **b)** választókerület, elektorátus **2.** *tört* választófejedelemség

Electra complex [ɪˈlektrə] *fn pszich* Elektra-komplexus; ‹leánygyermek tudatalatti szexuális vonzalma az apjához és gyűlölete az anyja iránt›

electret [ɪˈlektrɪt] *fn fiz* mágnesként viselkedő anyag

electric [ɪˈlektrɪk] **I.** *mn* **1.** villamos, elektromos, villany-, elektro-, áram-; **~ blue** acélkék; **~ bulb** izzólámpa, villanykörte; **~ cell** galvánelem, akkumulátor; **~ chair** villamos szék; *fiz* **~ charge** elektromos/villamos töltés; **~ circuit** áramkör; **~ conductivity** áramvezető képesség; **~ cooker** villanytűzhely; **~ current** elektromos/villamos áram, villanyáram; *fiz* **~ energy** villamos/elektromos energia; **~ eye** fotocella, fényelem; **~ fence** villanypásztor; **~ guitar** elektromos gitár; **~ heater** villanykályha; **~ lighting** villanyvilágítás; **~ meter** villanyóra, fogyasztásmérő; **~ motor** elektromotor, villanymotor; *zene* **~ organ** villanyorgona; **~ razor/shaver** villanyborotva; **~ shock** áramütés; **~ works** elektromos/villamos művek **2.** *átv* **a)** felvillanyozó **b)** felhevült **c)** feszült; **~ atmosphere** viharos/feszült légkör/atmoszféra/hangulat **II.** *fn* **1.** elektromos test **2.** *biz* villamos, villanyvonat, troli(busz), villanyautó **3.** acélkék (szín)

electrical [ɪˈlektrɪkl] *mn* villamos, elektromos, villanyelektro-, áram-; ~ **engineer** villamosmérnök, elektromérnök; ~ **engineering** elektrotechnika, villamosságtan; ~ **fitter** villanyszerelő; ~ **installation** elektromos/villamos berendezés
electrician [ɪˌlekˈtrɪʃn] *fn* villanyszerelő, elektrotechnikus
electricity [ɪˌlekˈtrɪsəti] *fn* **1.** villany(áram), villamos energia/áram, villamosság, elektromosság; ~ **bill** villanyszámla; ~ **supply** villamosenergia-szolgáltatás, energiaellátás; ~ **works** elektromos/villamos művek **2.** villamosságtan
electric razor *fn* villanyborotva
electric window *fn gk* elektromos ablak *[emelő]*
electric wire *fn* elektromos vezeték
electrify [ɪˈlektrɪfaɪ] **I.** *tsi* **1. a)** villamos töltéssel ellát, elektrizál, villanyoz **b)** villamosít **2.** *átv* felvillanyoz **II.** *tni* **1.** elektrizálódik, elektromossá válik **2.** *átv* felvillanyozódik • *fn* **electrification** *mn* **electrifying**
electro- [ɪˈlektrou] *előtag* elektromos, villamos, elektro-
electro [ɪˈlektrou] **I.** *fn* **1.** galvanizált tárgy **2.** *nyomd* elektrotípia **3.** *összet* elektro-, villamos **II.** *tsi* **1.** galvanizál **2.** *nyomd* klisét/másolatot készít
electroacoustic *mn vill* elektroakusztikus, elektroakusztikai; *zene* ~ **guitar** elektroakusztikus gitár
electrobiology *fn* elektrobiológia; ‹az élőlények elektromos tulajdonságait vizsgáló tudomány›
electrocardiogram *fn orv* elektrokardiogram, EKG
electrocardiograph *fn orv* elektrokardiográf • *fn* **electrocardiography**
electrochemistry *fn vill* elektrokémia
electroconvulsive therapy *fn orv* ‹az agy elektrosokkal való stimulálását alkalmazó terápia› elektrokonvulziós terápia
electrocute [ɪˈlektrəkjuːt] *tsi* **1.** villamos árammal/székben kivégez **2.** halálra sújt, agyon csap *[áram]* • *fn* **electrocuter** *fn* **electrocution**
electrode [ɪˈlektroud] *fn vill* elektród(a)
electrodynamics *fn esz fiz* elektrodinamika, elektromosságtan • *mn* **electrodynamic**
electroencephalogram *fn orv* elektroencefalogram, EEG
electroencephalograph *fn orv* elektroencefalográf, EEG • *fn* **electroencephalography**
electrohydraulics [–haɪˈdrɔːlɪks] *fn esz fiz* elektrohidraulika • *mn* **electrohydraulic**
electrolysis [ˌɪlekˈtrɒlɪsɪs ‖ –ˈtrɑ–] *fn* **1.** *fiz vegy* elektromos vegybontás, elektrolízis **2.** *orv* kiirtás elektromos árammal *[szőré, daganaté stb.]* • *tsi* **electrolyse**, **electrolyze**
electrolyte [ɪˈlektroulaɪt ‖ –trə–] *fn fiz vegy* elektrolit
electromagnet *fn fiz* elektromágnes • *fn* **electromagnetism**
electromagnetic *mn fiz* elektromágneses; ~ **induction** elektromágneses indukció; ~ **radiation** elektromágneses sugárzás; ~ **waves** elektromágneses hullámok • *hsz* **electromagnetically**
electromechanical *mn* elektromechanikus, elektromechanikai
electrometer [ˌɪlekˈtrɒmɪtə ‖ –ˈtrɑmətər] *fn* elektrométer • *fn* **electrometry**
electron [ɪˈlektrɒn ‖ –trɑn] *fn fiz* elektron; ~ **capture** elektronbefogás; ~ **cloud** elektronfelhő; ~ **emission** elektronemisszió; ~ **shell** elektronburok, elektronhéj
electron beam *fn fiz* elektronsugár
electronegative *mn fiz* elektronegatív, negatív villamosságú/elektromosságú
electronic [ˌɪlekˈtrɒnɪk ‖ –ˈtrɑ–] *mn* elektronikus, elektron-; *infor* ~ **speech recognition** elektronikus beszédfelismerés; ~ **engineering** gyakorlati elektronika, elektrontechnika; *fényk* ~ **flash** elektronikus villanófény, örökvaku • *hsz* **electronically**
electronic banking *fn infor* elektronikus bankszolgáltatás
electronic bulletin board *fn infor* elektromos hirdetőtábla/kitűzőfal
electronic cash *fn infor* elektronikus pénz
electronic commerce → **e-commerce**
electronic cottage *fn infor* otthoni számítógépes munkahely
electronic ignition *fn gk* elektronikus gyújtás
electronic immobilizer *fn gk* elektronikus indításgátló
electronic journal *infor* → **e-journal**
electronic library *fn infor* elektronikus könyvtár
electronic mail, **E~** *fn infor* → **e-mail**
electronic organizer *fn infor* menedzserkalkulátor
electronic publishing *fn* elektronikus kiadványszerkesztés
electronic purse *fn infor* elektronikus pénztárca
electronic trading *fn infor pénz* elektronikus kereskedés/kereskedelem
electronic transfer *fn infor pénz* elektronikus (pénz)átutalás
electronic wand *fn infor* vonalkódleolvasó, fényceruza
electronics [ˌɪlekˈtrɒnɪks ‖ –ˈtrɑ–] *fn* **1.** *esz fiz távk* elektronika **2.** *tsz* az elektronikában használt áramkörök neve **3.** elektronika *[gépekben, műszerekben]*
electron microscope *fn* elektronmikroszkóp
electron pair *fn* **a)** elektron pár **b)** *kém* két azonos pályán mozgó elektron **c)** *fiz* nagy energiájú reakciókban keletkező elektron és pozitron
electrophoresis [–fəˈriːsɪs] *fn fiz vegy* elektroforézis • *mn* **electrophoretic**
electrophorus [ˌɪlekˈtrɒfərəs ‖ –ˈtrɑ–] *fn fiz* elektrofór
electrophysiology *fn* elektrofiziológia
electroplate *vill* **I.** *fn* galvanizált tárgy **II.** *tsi* galvanizál; ~**d ware** galvanizált/ezüstözött árucikkek • *fn* **electroplating**
electroplexy [–pleksi] → **electroconvulsive therapy**
electropop *fn zene* elektromos popzene
electropositive *mn vill* elektropozitív, pozitív elektromosságú
electroscope [ɪˈlektrouskoup] *fn fiz* elektroszkóp • *mn* **electroscopic**
electroshock *fn orv* elektrosokk
electroshock therapy *fn orv* elektrosokk-kezelés
electrostatic [–ˈstætɪk] *mn fiz* elektrosztatikai, elektrosztatikus; ~ **paper** másolópapír, xeroxpapír
electrotechnology *fn* elektrotechnika, elektrotechnológia
electrotherapy *fn orv* elektroterápia, elektroterápiás kezelés • *fn* **electrotherapist** *mn* **electrotherapeutic**
electrothermal → **electrothermic**
electrothermic *mn fiz* elektrotermiás, elektrotermikus, hőelektromos
electrotype **I.** *fn* **1.** elektrotípia, galvanotípia **2.** galvánklisé **II.** *tsi* **1.** elektrotípiát készít **2.** galvánklisét készít • *fn* **electrotyping**
electrovalent [–ˈveɪlənt] *mn vegy* elektrovalens; ~ **bond** ionkötés, elektrovalens kötés • *fn* **electrovalence**
electrum [ɪˈlektrəm] *fn koh* arany-ezüst ötvözet, elektrum
electuary [ɪˈlektjuəri ‖ –tʃueri] *fn orv* szirupos orvosság, electuarium, liktárium
eleemosynary [ˌeliiːˈmɒzɪnəri ‖ ˌeləˈmɑsəneri] **I.** *mn ritk* **1.** jótékonysági, alamizsna- **2.** jótékonyságból/könyöradományokból élő **II.** *fn* **1.** *tört* alamizsnaadó **2.** *régi* alamizsnából élő (személy)
elegance [ˈelɪgəns] *fn* **1. a)** elegancia, választékosság, előkelőség *[öltözeté]* **b)** finomság, ízlésesség *[megnyilatkozásé, stílusé]* **2.** elegáns dolog/kifejezés
elegant [ˈelɪgənt] *mn* **1. a)** elegáns, előkelő, ízléses; ~ **restaurant** előkelő/drága étterem **b)** választékos, könnyed, nemes *[modor, mozdulat]* **2.** kitűnő, pompás, elsőrendű, luxus • *hsz* **elegantly**
elegiac [ˌelɪˈdʒaɪək] **I.** *mn* **1.** elégikus, elégiai; ~ **couplet** disztichon **2.** gyászos (hangulatú), mélabús, kesergő **II.** *fn* **1.** elégiai versmérték, disztichon **2.** elégikus költemény, kesergő vers • *hsz* **elegiacally**

elegize ['elɪdʒaɪz], **-ise** **A.** *tsi* elégiába foglal **B.** *tni* **1.** elégiát ír, elégikus hangon ír **2.** kesereg

elegy ['elədʒi] *mn* elégia, gyászdal, gyászének, elégikus/ kesergő vers • *fn* **elegist**

element ['elɪmənt] *fn* **1.** elem, éltető elem, természeti elem/erő; **the four ~s** a négy elem; **brave the ~s** dacol/ szembeszáll az elemekkel (v. a természet erőivel); **be in one's ~** elemében van **2. a)** alapelem, alkotóelem, elemi rész; **reduce sg to its ~s** alapelemeire bont vmt; **Euclid's ~s** a mértan alapelemei, az euklideszi mértan alapszabályai **b)** alkatrész, tényező, szerves része (vmnek), tag, elem; **disturbing ~** zavaró körülmény; **the personal ~** az emberi szempont/tényező; **~ of uncertainty** bizonytalansági tényező **c)** szemernyi/morzsányi része vmnek; **there is an ~ of truth in it** van benne valami (v. egy szemernyi) igazság **d)** *kat* alakulat, részleg, (repülő)egység **3.** *vegy* elem; **periodic table of ~s** periódusos rendszer **4.** *tsz* **elements** alapfogalmak, alapok, alapismeretek, elemi ismeretek

elemental [ˌelɪ'mentl] *mn* **1. a)** elemi, természeti; **~ character/nature** ösztönös jelleg **b)** ellenállhatatlan, elementáris *[erő]* **2.** elsődleges, alapvető, alap- *[anyag]*, szerves *[rész]*; **~ truths** alapigazságok

elementary [ˌelɪ'mentəri ‖ –'mentəri] *mn* **1.** elemi, alapfokú, alap-; *fiz* **~ particle** elemi részecske; **~ school** elemi iskola; általános iskola; *kat* **~ training** alapkiképzés **2.** kezdetleges, alapvető; **knowledge of an ~ kind** alacsony fokú (v. elemi) tudás, alapismeretek **3.** elementáris, ellenállhatatlan *[erő]*; **~ war** elemek harca **4.** *vegy* **~ body** elem

elenchus [ɪ'leŋkəs] *fn tsz* **elenchi** [–kaɪ] *fil* **1.** cáfolat, elenchusz **2.** (logikusan rendezett) tartalmi áttekintés • *mn* **elenctic**

elephant ['elɪfənt] *fn tsz* **~s 1.** elefánt; **baby ~** kis elefánt, elefántborjú; *biz* elefántbébi; **~ bull** elefántbika; **~ cow** nőstényelefánt; **white ~** fehér elefánt; ‹drága, de haszontalan luxustárgy/ajándék›; *US biz* **see the ~** nevezetességeket/műemlékeket végigjár/megnéz *[városban]* **2.** *nyomd* ‹nagy formátumú nyomdai papír›

elephant-ear *fn* elefántfül, lapátfül

elephantiasis [ˌelɪfən'taɪəsɪs] *fn orv* elefántkór, elephantiasis

elephantine [ˌelɪ'fæntaɪn ‖ –tiːn] *mn* **1.** elefántszerű, óriási, ormótlan, behemót **2.** ügyetlen, nehézkes, lomha

elephant seal *fn áll* elefántfóka

Eleusinian mysteries [ˌelju'sɪnɪən–] *fn tsz tört* eleuszisz(bel)i misztériumok

elevate ['elɪveɪt] *tsi* **1. a)** (fel)emel, feltart, felmutat **b)** *átv* (fel)emel, felvidít, növel, fokoz, emelkedetté tesz **2.** előléptet **3.** (fel)magasztal • *mn* **elevatory**

elevated ['elɪveɪtɪd] *mn* **1. a)** emelkedett, fennkölt, magasztos, kimagasló **b)** **~ position** magas állás/rang **c)** felélénkült, emelkedett; *biz* **be slightly ~** kissé kapatos, spicces **2.** magas(ra emelt), felhúzott; **~ crossing** kétszintes útkeresztez(őd)és; **~ railway/***US* **railroad** magasvasút

elevating ['elɪveɪtɪŋ] *mn* **1.** lélekemelő, felemelő, lelkesítő **2.** *műsz* emelő-; *rep* **~ power** emel(ked)ési teljesítmény

elevation [ˌelɪ'veɪʃn] *fn* **1. a)** (fel)emelés, magasba helyezés; **~ to the throne** trónra emelés **b)** (levegőbe) (fel)emelkedés **2.** emelkedettség, fennköltség, magasztosság **3.** emelkedés, magaslat, domb **4. a)** *földr* tengerszint fölötti magasság **b)** eleváció, szögmagasság látóhatár fölött **5.** *kat* csőemelkedés, magassági irányzás **6.** *épít* homlokzat, függőleges vetület; **front ~** homlokzat; elölnézet

elevator ['elɪveɪtə ‖ –veɪtər] *fn* **1. a)** emelő(gép), (teher)felvonó **b)** *US* (személy)felvonó, lift **2.** *rep* magassági kormány **3.** (parafa) sarokbetét *[cipőben]* **4.** *orv* emelőizom

eleven [ɪ'levn] **I.** *mn* tizenegy **II.** *fn* **1.** tizenegy **2.** *sp* (futball)csapat; **the Hungarian national ~** a magyar labdarúgó válogatott, a nemzeti tizenegy

elevenfold *hsz* tizenegyszeres; **~ increase** tizenegyszeres(ére) növekedés

eleven-plus *fn tört okt* ‹vizsga Nagy-Britanniában 11–12 éves diákok számára, mely alapján eldöntik, hogy milyen iskolatípusban tanuljanak tovább›

elevenses [ɪ'levnzɪz] *fn GB biz* ‹tízórai›

eleventh [ɪ'levnθ] **I.** *mn* tizenegyedik; **at the ~ hour** az utolsó pillanatban **II.** *fn* **1.** tizenegyedik **2.** tizenegyed

elf [elf] *fn tsz* **elves** [elvz] **1.** manó, törpe **2.** *biz* **a)** pajkos/ huncut gyerek, lurkó **b)** kis/pöttömnyi emberke • *mn* **elfish**, **elvish**

elfin ['elfɪn] **I.** *mn* **1.** manószerű, tündérszerű **2.** pajkos, huncut, incselkedő **II.** *fn* → **elf** I.

elf-lock *fn* huncutka, kusza/zilált hajtincs

elicit [ɪ'lɪsɪt] *tsi* **1.** kiderít, kisüt, napvilágra hoz *[tényt]* **2.** kicsal, kiszed, kihúz *[titkot]* **3.** kierőszakol, kicsikar *[ígéretet, pénzt, választ]*; **~ information from sy** kiderít/ megtud vktől vmt; információt kiszed/kicsikar vkből **4.** kivált, eredményez (vmt); **~ universal admiration** általános tetszést arat • *fn* **elicitation**, **elicitor**

elide [ɪ'laɪd] *tsi nyelv* kihagy, kilök *[magánhangzót]*; **mute 'e' is ~d before a vowel** a néma 'e' hang kiesik a magánhangzó előtt • *mn* **elidible**

eligible ['elɪdʒəbl] *mn* **1.** választható **2. a)** alkalmas, rátermett, megfelelő; *jog* **~ for accession** (az EU-hoz való) csatlakozás követelményeinek megfelel(ő); **~ for a post** állásba felvehető **b)** *US* hitelképes • *fn* **eligibility**

Elijah [ɪ'laɪdʒə] *tul* Illés

eliminate [ɪ'lɪmɪneɪt] *tsi* **1. a)** kiküszöböl, eliminál, kizár; *mat* **~ x** kiküszöböli/eltünteti az x-et **b)** töröl, kihagy **c)** eltávolít, kizár **2.** mellőz, figyelmen kívül hagy **3.** megsemmisít, felszámol **4.** *sp* (ki)selejtez; **become ~d** kiesik *[a további küzdelemből]* **5.** *orv* kiválaszt, eltávolít • *fn* **eliminator** *mn* **eliminable**

eliminating heats [ɪ'lɪmɪneɪtɪŋ–] *fn tsz sp* **a)** selejtezők, előfutamok **b)** selejtező mérkőzések

elimination [ɪˌlɪmɪ'neɪʃn] *fn* **1. a)** kirekesztés, kizárás, eliminálás **b)** *mat* kiküszöbölés **c)** *orv* kiválasztás, elimináció; **organs of ~** kiválasztó szervek **d)** *vegy* elimináció **e)** *körny* ártalmatlanítás **2. a)** *sp* kiesés *[versenyből]* **b)** selejtező (verseny/mérkőzés)

elimination race *fn sp* kieséses verseny

Elisabeth [ɪ'lɪzəbəθ] → **Elizabeth**

elision [ɪ'lɪʒn] *fn nyelv* **1.** hangzókivetés, hangzókihagyás, elízió **2.** kihagyás, kihúzás *[szövegből]*

elite [ɪ'liːt] **I.** *fn* **1. a)** előkelőségek, elit **b)** vezetőréteg **c)** a társadalmi elit, a felsőbb rétegek **d)** a szellemi elit, az értelmiség **2.** *átv* (leg)java, színe-java (vmnek) **II.** *mn* legelőkelőbb, legfelső, elit; **the ~ classes** az elit réteg

elitist [ɪ'lɪtɪst] *fn/mn* **1.** ‹az elit vezető szerepében hívő› elitista **2.** ‹a társadalmi elithez tartozó› • *fn* **elitism**

elixir [ɪ'lɪksə ‖ –ər] *fn* **1. a)** elixír, mindent gyógyító ital **b)** varázsital; **~ of life** életelixír **2.** szirupos/kanalas orvosság **3.** *átv* kvintesszencia, lényeg

Elizabeth [ɪ'lɪzəbəθ] *tul* Erzsébet

Elizabethan [ɪˌlɪzə'biːθn] **I.** *mn* Erzsébet-kori/korabeli **II.** *fn* ‹Erzsébet korabeli személy/dolog›

elk [elk] *fn tsz* **~/~s** *áll* jávorantilop; → **moose**

elkhound *fn áll* sarki kutya

ell [el] *fn* rőf, könyök *[45 inch/hüvelyk = 114,3 cm]*; *kif* **give him an inch and he'll take an ~** nem éri be azzal, amit kap; kisujjad mutatod, egész kezed kéri

Ella ['elə] *tul* Ella

Ellen ['elən] *tul* ‹női név›

ellipse [ɪ'lɪps] *fn* **1.** *mat* ellipszis **2.** *nyelv* → **ellipsis**

ellipsis [ɪ'lɪpsɪs] *fn tsz* **ellipses** [–siːz] **1.** *nyelv* kihagyás, kivetés **2.** *nyomd* hiányjel

ellipsoid [ɪ'lɪpsɔɪd] *fn mat* ellipszoid, másodrendű felület

elliptic [ɪ'lɪptɪk], **elliptical** *mn* **1.** *mat* elliptikus, tojásdad **2.** *nyelv* kihagyásos, elliptikus • *fn* **ellipticity**

elm [elm] *fn növ* szil(fa); *US* **City of E~s** New Haven • *mn* **elmen**, **elmy**

Elmer ['elmə ‖ –ər] *tul* ‹férfi név›

elocute [ˈelәkjuːt] *tni tréf* szónokol, deklamál, szónoklato(ka)t vág ki
elocution [ˌelәˈkjuːʃn] *fn* **1.** szónoki kifejezésmód, előadásmód, dikció **2.** ékesszólás, szónoklás, beszédművészet
elongate I. *i* [ˈiːlɒŋgeɪt ‖ ɪˈlɔŋ–] **A.** *tsi* (meg)hosszabbít, (meg)nyújt **B.** *tni* (meg)nyúlik, meghosszabbodik **II.** *mn* [ˈiːlɒŋgәt ‖ ɪˈlɔŋgәt] megnyúlt, meghosszabbodott • *mn* **elongated**
elongation [ˌiːlɒŋˈgeɪʃn ‖ ɪˌlɔŋ–] *fn* **1. a)** kinyújtás, megnyújtás **b)** meghosszabbodás, nyúlás **2.** toldás, meghosszabbítás **3.** *csill* (legnagyobb) kitérés *[bolygópályánál]*, elongáció
elope [ɪˈloup] *tni* megszökik *[nő férfival]*; elszöktet, megszöktet *[nőt férfi]* • *fn* **elopement**, **eloper**
eloquence [ˈelәkwәns] *fn* **1.** ékesszólás, beszédkészség, előadó/szónoki képesség; **summon up all one's ~** minden ékesszólását latba veti/előveszi **2.** *régi* retorika
eloquent [ˈelәkwәnt] *mn* ékesszóló, kifejezésteljes; **~ testimony** ékes/hatásos bizonyíték; **be an ~ speaker** kiváló szónok, mestere a szónak; **be naturally ~** született szónok • *hsz* **eloquently**
Elroy [ˈelrɔɪ] *tul* ‹férfinév›
Elsa [ˈelsә] *tul* Elza
Elsan [ˈelsæn] *fn GB* ‹egy fajta hordozható WC›
else [els] *hsz* **1.** más; **anybody/anyone ~** akárki/bárki más; **anything ~** akármi/bármi más; **anything ~?** mivel szolgálhatok még?; parancsol még valami mást?; **anywhere ~** bárhol/akárhol másutt; máshol; **everything ~** minden más/egyéb; **everywhere ~** mindenütt/mindenhol (másutt); **little ~** alig vm/egyéb, nem sok (más/egyéb); **much ~** sok más/egyéb; **nobody ~**, **no one ~** senki más, más senki; **nothing ~** semmi más, más semmi; **nothing ~ thank you** köszönöm, semmi egyebet/mást (nem kérek); köszönöm, más nem lesz; **nowhere ~** sehol máshol; **someone/somebody ~** valaki más, másvalaki; **something ~** másvalami, valami más; **what ~?** mi más/egyéb?, más/egyéb mi?, még mi?; **where ~?** még hol?, hol még?; hol egyebütt/másutt?; **who ~?** ki más/még?, más/még ki? **2.** vagy, (más)különben; **get up (or) ~ you'll be late** kelj fel, különben elkésel; **pay up or ~!** fizess vagy bizisten baj lesz; **all things ~** minden más
elsewhere [ˌelsˈweә ‖ ˈelshwer] *hsz* **1.** másutt, máshol, egyebütt **2.** máshová, egyebüvé
Elsie [ˈelsi] *tul* ‹női név›
Elsinore [ˈelsɪnɔː ‖ ˌelsәˈnɔr] *tul földr* Helsingör
Elspeth [ˈelspәθ] *tul* ‹skót női név›
ELT *röv English Language Teaching* angol(nyelv)tanítás
elucidate [ɪˈluːsɪdeɪt] *tsi* megvilágít, megmagyaráz, világossá/érthetővé tesz, tisztáz • *fn* **elucidation**
elude [ɪˈluːd] *tsi* **1. a)** kitér, kisiklik *[kérdés/kérés elől]* **b)** megkerül, kijátszik *[törvényt]* **2. a)** kerül *[vitát]* **b)** elkerül, kikerül *[figyelmet]* **3. a)** egérutat nyer *[üldözők elől]* **b)** megmenekül; **~ sy's grasps** kisiklik vk markából (v. karmai közül) **4.** lehetetlenné tesz *[pontos meghatározást]* • *fn* **elusion**
eluent [ˈeljuːәnt] *fn vegy* eluens, eluálószer
elusive [ɪˈluːsɪv] *mn* rejtőzködő, fellelhetetlen; **~ animal** ritkán látható állat; csalóka, megfoghatatlan, nehezen megfogható, bizonytalan; **~ reply** kitérő válasz • *fn* **elusiveness** *mn* **elusory** *hsz* **elusively**
elute [iːˈluːt, ɪˈluːt] *tsi vegy* kiold, (fölszívódott anyagot hígítóval) eltávolít • *fn* **elution**
elutriate [ɪˈluːtrieɪt] *tsi vegy* iszapol, ülepít, válat *[aranyat]* • *fn* **elutriation**
elver [ˈelvә ‖ –әr] *fn* fiatal angolna
elves [elvz] → **elf**
elly bay [ˈelibeɪ] *fn biz* pocak, pocó
Elysian [ɪˈlɪzɪәn] *mn* **the ~ fields** elíziumi mezők
Elysium [ɪˈlɪzɪәm] *tul* **1.** Elízium **2.** *átv* boldogok szigete, paradicsom
em [em] *fn* **1.** M betű **2.** *nyomd* kvirt, ciceró, négyzet
'em [әm] *röv* → **them**

emaciate [ɪˈmeɪʃieɪt] *i* **A.** *tsi* lesoványít, lefogyaszt, elsorvaszt **B.** *tni* lefogy, lesoványodik, elsorvad, (el)aszik • *fn* **emaciation** *mn* **emaciated**
email, **e-mail**, **E-mail** [ˈiːmeɪl] *fn infor* **I. 1.** email, elektronikus posta, e-posta, *biz* emil; **send it to me by** emailezd el nekem; **~ address** email cím **2.** email, elektronikus levél, *biz* emil; **I'm checking my ~** ellenőrzöm/megnézem, hogy van-e emailem **II.** *tsi* emailezik, elektronikus postát küld, *biz* emilezik
emanate [ˈemәneɪt] **A.** *tsi* kisugároz *[fényt]*, áraszt *[illatot]* **B.** *tni* **a)** (ki)árad, kisugárzik **b)** *átv* ered, származik (*from* vhonnan/vktől)
emanation [ˌemәˈneɪʃn] *fn* **1.** kiáradás, kisugárzás **2.** *fiz* emanáció, radioaktív kisugárzás
emancipate [ɪˈmænsɪpeɪt] *tsi* **1. a)** felszabadít *[rabszolgát]*, egyenjogúsít *[nőket]*, emancipál **b)** *GB tört* egyenjogúsít, jogaiba visszahelyez *[katolikusokat]* **2. ~ oneself** függetleníti/emancipálja magát (*from* vmtől); **~ oneself from tedious duties** lerázza magáról a terhes kötelességeket • *fn* **emancipation**, **emancipationist**, **emancipator**
emancipated [ɪˈmænsɪpeɪtɪd] *mn* **1.** egyenjogú(sított), egyenjogú *[személy]*, felszabadult, felszabadított *[rabszolga]*, függetlenséget (vissza)nyert **2.** *átv* maga útját járó, modern gondolkodású, emancipált
emasculate I. *tsi* [ɪˈmæskjuleɪt] **1.** (meg)férfiatlanít, kiherél, kasztrál **2.** elnőiesít **3.** *átv* erejétől megfoszt, elgyengít, elpuhít **II.** *mn* [ɪˈmæskjulәt] **1.** kasztrált **2.** nőies *[férfi]* **3.** *átv* erejétől megfosztott, elgyengített • *fn* **emasculation** *mn* **emasculated**
embale [ɪmˈbeɪl] *tsi* **1.** (be)báláz **2.** *régi* beburkol
embalm [ɪmˈbɑːm ‖ –ˈbɑlm] *tsi* **1. a)** bebalzsamoz *[holttestet]* **b)** *átv biz* megóv, megőriz a feledéstől *[emléket]* **2. a)** illatosít, illatossá tesz *[levegőt]* **b)** illatos kenetekkel (v. balzsamokkal) bedörzsöl/beken • *fn* **embalmer**, **embalmment** *mn* **embalmed**
embank [ɪmˈbæŋk] *tsi* gáttal/töltéssel körülvesz, gátak/partok közé szorít *[folyót]* • *mn* **embanked**
embankment [ɪmˈbæŋkmәnt] *fn* **1. a)** rakpart **b)** (védő)gát, töltés **2.** gátak/part közé szorítás *[folyóé]*
embargo [ɪmˈbɑːgou ‖ –ˈbɑr–] **I.** *fn tsz* **embargoes** **1. a)** hajózár, hajózási tilalom **b)** elkobzás, lefoglalás, konfiskálás **2.** kiviteli/behozatali zárlat, szállítási tilalom, embargó; **lay/put an ~ on sg** szállítási tilalmat rendel el *[árura]*; tilalmi listára helyez, kitilt *[árut]*; **be under an ~** zár alatt áll *[áru, hajó]*; szállítási tilalom alatt áll *[áru]* **II.** *tsi* **1.** hajózár/embargó alá helyez, zárol, szállítási tilalom alá von *[árut]* **2.** elkoboz, konfiskál, lefoglal *[hajót, árut]*
embark [ɪmˈbɑːk ‖ –ˈbɑrk] **A.** *tsi* behajóz *[csapatokat stb.]*, hajóra ültet (vkt), hajóba rak *[árut]* **B.** *tni* hajóra száll/ül, beszáll, útnak indul • *fn* **embarkation**
embark on *tsi* nekilát (vmnek), belefog (vmbe); **~ boldly on sg** merészen nekivág vmnek; **~ on a business venture** üzleti vállalkozásba fog/kezd
embarras de choix [ˌɑːmbәrɑː dә ˈʃwɑː] *fn francia* a bőség zavara
embarrass [ɪmˈbærәs] *tsi* **1.** zavarba hoz/ejt, kínos/kellemetlen/kényelmetlen/feszélyező helyzetbe hoz (vkt); **be ~ed** zavarban van; (kínosan) feszeng; szégyenkezik; **become ~ed** zavarba jön; **be ~ed for money** pénzzavarban van **2.** (meg)zavar, akadályoz, feltart; **~ sy with parcels** teleaggat/megrak vkt csomagokkal • *mn* **embarrassed**, **embarrassing** *hsz* **embarrassingly**
embarrassment [ɪmˈbærәsmәnt] *fn* **1.** zavar, zavarodottság, zavarba jövés/hozás, feszengés, szégyenkezés **2.** kínos/szorult/kényszerítő helyzet, pénzzavar, megszorultság **3. a)** szégyen(folt) **b)** szégyen, vkre/vmre szégyent hozó ember; **you're an ~ to the company** szégyent hozol a cégre
embassy [ˈembәsi] *fn* **1.** nagykövetség, *[hivatal, épület]* **2.** megbízatás; **special ~** rendkívüli (ki)küldetés/megbízatás

embattle [ɪmˈbætl] *tsi* **1.** *vál* hadirendbe/csatarendbe állít *[hadsereget]*; *átv* **feel ~d** megtámadva érzi magát **2. a)** (fogazott) oromzattal ellát *[épületet]* **b)** megerősít *[várat]*
embattlement [ɪmˈbætlmənt] *fn épít* fogazott párkányzat/oromzat
embay [ɪmˈbeɪ] *tsi* **1.** (ki)öblösít, öblössé formál **2.** öbölbe kényszerít/zár *[hajót]* **3.** *átv* bezár • *fn* **embayment**
embed [ɪmˈbed] *tsi* **-dd-** beágyaz vmbe, körülágyaz; *épít* **~ded column** falba beillesztett oszlop; **~ded in concrete** betonba ágyazott; *infor* **~ded object** beágyazott objektum • *fn* **embedding**, **embedment** *mn* **embedded**
embellish [ɪmˈbelɪʃ] *tsi* **a)** (fel)díszít, felékesít **b)** kiszínez *[elbeszélést]*; **~ one's style** gazdagítja/szépíti (v. színesebbé teszi) stílusát
embellishment [ɪmˈbelɪʃmənt] *fn* **1. a)** (fel)díszítés, ékesítés **b)** *jog* **~s** fényűzési beruházások *[ingatlanon]* **2. a)** ékszer, ékesség **b)** dísz(ítmény), díszítőelem
ember [ˈembə ‖ –ər] *fn* **1.** zsarátnok, izzó fa(darab)/széndarab **2.** *tsz* **embers** parázs; *átv* **the ~s of a dying passion** kiélt/elmúló szenvedély utolsó/végső fellobbanásai/fellángolásai
embezzle [ɪmˈbezl] *i* **A.** *tsi* (el)sikkaszt, hűtlenül kezel *[pénzt]* **B.** *tni* sikkaszt • *fn* **embezzler**, **embezzlement**
embitter [ɪmˈbɪtə ‖ –ˈbɪtər] *tsi* **1.** keserűvé tesz, megkeserít (vmt) **2.** *átv* **a)** elkeserít, megkeserít *[vk életét]*; **~ sy against sy** felpiszkál vkt vk ellen **b)** elmérgesít, kiélez *[vitát]* • *fn* **embitterment**
emblazon [ɪmˈbleɪzn] *tsi* **1.** kifest, heraldikus díszítéssel ellát *[címert]* **2.** *átv* **a)** élénk színekkel lefest **b)** *vál* dicsőít, (egekig) magasztal, ünnepel • *fn* **emblazonment**
emblazonry [ɪmˈbleɪznˌri] *fn* **1.** címertan, heraldika **2.** címeralak(ok) **3.** *átv* díszítés, ékítmény
emblem [ˈembləm] **I.** *fn* **1.** jelvény, jelkép, embléma, szimbólum; *biz* **he was the ~ of honesty** ő volt a tisztesség megtestesülése **2. a)** *cím* címerkép, embléma **b)** **sporting ~** sportjelvény **II.** *tsi* **~ (forth)** jelképez; jelképesen ábrázol, szimbolizál • *mn* **emblematic** *hsz* **emblematically**
emblements [ˈembləmənts] *fn tsz mezőg* éves termés (vké)
embodiment [ɪmˈbɒdɪmənt ‖ –ˈbɑ–] *fn* **1.** megtestesítés, megszemélyesítés **2.** megtestesülés; **he is the ~ of kindness and wisdom** ő a megtestesült jóság és bölcsesség
embody [ɪmˈbɒdi ‖ –ˈbɑ–] *tsi* **1. a)** megtestesít *[tulajdonságot]* **b)** magában foglal **c)** kifejez, összefoglal **2.** megvalósít, alkalmaz **3.** felölti az alakját (vmnek) **4. a)** összevon **b)** egyesít • *fn* **embodier** *mn* **embodied**
embolden [ɪmˈbouldən] *tsi* (fel)bátorít, felbiztat
embolism [ˈembəlɪzm] *fn orv* érdugulás, embólia; **cerebral ~** agyembólia; **coronary artery ~** szívkoszorúér-embólia; **pulmonary ~** tüdőembólia • *mn* **embolic**
embolus [ˈembələs] *fn tsz* **emboli** [–laɪ] *orv* vérrög, érdugó, embolus
embonpoint [ˌɒmbɒnˈpwæn ‖ ˌamboun–] *fn* teltség, túlsúlyosság, testesség
embosom [ɪmˈbuzəm] *tsi vál* **1.** magához/keblére ölel, szívéhez/magához szorít; *átv* **village ~ed with trees** fákkal övezett falu(cska) **2.** szívébe zár
emboss [ɪmˈbɒs ‖ ɪmˈbɑs] *tsi* **1. a)** domborít, domborművet díszít, trébel **b)** dombornyomást készít *[fémen]*, cizellál **c)** vízjellel ellát *[papirost]* **d)** présel *[bőrt, szövetet]* **e)** *nyomd* vaknyomást készít, domborít, prégel **2.** kidomborít, kidudorít • *fn* **embosser**, **embossing** *mn* **embossed**
embouchure [ˌɒmbuˈʃuə ‖ ˌɑmbuˈʃur] *fn* **1.** torkolat *[folyóé]*, bejárat *[völgyé]* **2.** *zene* **a)** szájhoz illesztés, megfúvás **b)** fúvóka, csőr, szájrész *[fúvós hangszeré]*
embower [ɪmˈbauə ‖ –ər] *tsi vál* lugassal övez/körülvesz
embrace [ɪmˈbreɪs] **I. A.** *tsi* **1.** megölel, átölel, magához ölel, karjai közé vesz/kap **2.** *átv* **a)** magában foglal, felölel **b)** átfog, összefog **3.** *átv* **a)** felhasznál, megragad *[alkalmat]*, él *[lehetőséggel]* **b)** választ *[hivatást]*, felvesz *[vallást]*, kap *[ajánlaton]*, magáévá tesz *[ügyet]*; **~ Christianity** keresztény hitre tér **4.** *átv is* átlát, áttekint; **~ with a glance** egyetlen pillantással áttekint **B.** *tni* összeölelkeznek, megölelik/átölelik egymást **II.** *fn* (át)ölelés, magához szorítás; **he held her in his ~** ölelő karjai közt tartotta; **in sy's ~** vk karjaiban • *fn* **embracement**, **embracer** *mn* **embracing**
embranchment [ɪmˈbrɑːntʃmənt ‖ –ˈbræntʃ–] *fn* szétágazás, elágazás
embrasure [ɪmˈbreɪʒə ‖ –ər] *fn* **a)** *épít* (befelé szűkülő) ablakmélyedés, ajtómélyedés **b)** *kat* lőrés
embrave [ɪmˈbreɪv] *tsi* bátorrá/merésszé tesz
embrittle [ɪmˈbrɪtl] *tsi* rideggé/törékennyé tesz
embrocate [ˈembrəkeɪt] *tsi orv* bedörzsöl, borogat *[beteg testrészt]* • *fn* **embrocation**
embroider [ɪmˈbrɔɪdə ‖ –ər] **A.** *tsi* **1.** (ki)hímez, kivarr **2.** *átv* **a)** kiszínez, (ki)cifráz *[elbeszélést]* **b)** *vál* **meadows ~ed with flowers** virágokkal hímes rét **B.** *tni* hímez, kézimunkázik • *fn* **embroiderer**, **embroideress**
embroidery [ɪmˈbrɔɪdəri] *fn* **1.** hímzés, kézimunka **2.** *átv* kiszínezés, kicifrázás *[elbeszélésé]*
embroil [ɪmˈbrɔɪl] *tsi* **1. a)** összezavar, összekavar *[ügyet]*; **~ matters** zűrzavart csinál; kavarodást szít **b)** belekever, belesodor; **~ a country in a war** országot háborúba sodor **2. ~ sy with sy** egymás ellen uszít; összeveszít vkt vkvel
embroilment [ɪmˈbrɔɪlmənt] *fn* **1. a)** (zűr)zavar, keveredés, kavarodás, bonyodalom **b)** zavarkeltés, összezavarás, összekuszálás **2.** nézeteltérés, civakodás
embryo [ˈembriou] *fn biol* magzat, embrió, *növ* csíra; **in ~** magzati/embrionális állapotban; *átv* csírájában, kezdetleges stádiumban • *mn* **embrionic** *hsz* **embrionically**
embryogenesis [ˌembriouˈdʒenɪsɪs] *fn biol* embriogenezis
embryology [ˌembriˈɒlədʒi ‖ –ˈɑlə–] *fn biol* embriológia • *fn* **embryologist** *mn* **embryologic**
embus *kat* **I.** *tsi* autóbuszra rak *[csapatokat]* **II.** *tni* autóbuszra száll *[egység]*
emcee [ˌemˈsiː] **I.** *fn biz* konferanszié, műsorvezető, kommentátor *[M.C. = Master of Ceremonies betűzött alakja]* **II.** *tsi/tni* **emceeing** *biz* (be)konferál
em dash *fn nyomd* gondolatjel
-eme [iːm] *utótag [főnévképző]* egység; **phoneme** fonéma, hangtani egység
emeer [eˈmɪə ‖ eˈmɪr] → **emir**
emend [ɪˈmend] *tsi* (ki)javít, helyreigazít *[szöveget]* • *fn* **emendation**
emendandum [ˌiːmenˈdændəm] *fn tsz* **emendanda** [–də] hibajegyzék
emendate [ˈiːmendeɪt] → **emend**
emerald [ˈemrəld] *fn* **1.** smaragd **2.** smaragdzöld (szín); **the E~ Isle** Írország
emerald-green **I.** *mn* smaragdzöld (színű), smaragdszínű **II.** *fn* smaragdzöld (szín)
emeraldine [ˈemrəldaɪn] *mn* smaragdszínű
emerge [ɪˈmɜːdʒ ‖ ɪˈmɜrdʒ] *tni* **1. a)** felbukkan, megjelenik, kilép, kiér, kimászik, előbukkan (*from behind* vm mögül), előjön; **the President ~s from the White House** az elnök kilép a Fehér Házból; **the sun ~s from eclipse** a nap kilép a fogyatkozásból **b)** (sértetlenül) felbukkan *[baleset után]*, átvészel *[balesetet]*, haja szála se görbül; **he ~d unscathed (from the accident)** épségben megúszta (a balesetet) **c)** felszínre jön, kiemelkedik *[vízből]* **2.** *átv* kikecmereg, kikerül *[bajból]*, kilép *[homályból]*, kiemelkedik *[nyomorból]*, felemelkedik; **~ into notice** figyelem középpontjába kerül **3. a)** felbukkan *[nehézség]*, felmerül *[probléma]* **b)** kiderül, kibontakozik, kialakul; **from these facts it ~s that** e tényekből kitűnik/következik, hogy **c)** *orv* jelentkezik *[tünet, betegség]*
emergence [ɪˈmɜːdʒns ‖ ɪˈmɜr–] *fn* **1.** felbukkanás *[emberé, jelenségé]*, előbukkanás **2.** *átv* **a)** kiemelkedés **b)** jelentkezés, felmerülés *[problémáé]*

emergency [ɪ'mɜːdʒnsi ‖ ɪ'mɜr–] *fn* **1.** vészhelyzet, kényszerhelyzet, szükségállapot; **ready for every ~** minden eshetőségre kész/felkészült; **in case of ~** szükség/veszély esetén; *pol* **state of ~** szükségállapot, rendkívüli állapot **2.** *Ausz sp* tartalék(játékos) **3.** *jelzői haszn* szükség-, vész-, tartalék-; **~ decree** szükségrendelet; szükségintézkedés; **~ fund** szükségalap, rendkívüli segélyalap; *rep* **~ landing** kényszerleszállás; **~ law** kivételes törvény; **~ lighting** szükségvilágítás; **~ meeting** rendkívüli ülés; **~ repairs** sürgős javítások

emergency brake *fn* **a)** vészfék **b)** *US gk* kézifék

emergency exit *fn* vészkijárat

emergency measure *fn* szükségintézkedés

emergency rule *fn* statárium

emergency services *fn tsz GB* ‹a rendőrség, a tűzoltóság és a mentők összefoglaló neve›

emergency stairs *fn tsz* tűzlépcső

emergency telephone *fn* **a)** segélyhívó telefonkészülék **b)** baleset esetén hívandó telefonszám

emergency warning light *fn gk* elakadásjelző villogó

emergent [ɪ'mɜːdʒnt ‖ ɪ'mɜr–] *mn* **1. a)** kiemelkedő, kiálló **b)** hirtelen megjelenő/mutatkozó **2.** létrejövő, eredő **3.** függetlenné váló *[ország]*

emeritus [ɪ'merɪtəs ‖ –ətəs] **I.** *mn* kiérdemesült, nyugalmazott, nyugdíjazott; **professor ~** emeritus professzor, nyugalmazott egyetemi tanár **II.** *fn tsz* **emeriti** [–taɪ] nyugalmazott egyetemi tanár

emersion [ɪ'mɜːʃn ‖ ɪ'mɜrʒn] *fn* **1.** kiemelkedés, kibukkanás, kilépés **2.** *csill* kilépés *[árnyékból]*, csillagfödés vége

emery ['eməri] *fn* csiszoló(por), csiszolókő, korund; **~ paper** dörzspapír; smirgli(papír)

emery board *fn* ‹dörzspapír borítású körömreszelő›

emetic [ɪ'metɪk] **I.** *mn orv* hánytató *[szer]* **II.** *fn orv* hánytató(szer)

EMF *röv* **1.** *European Monetary Fund* **2.** *elecromotive force* **3.** *electromagnetic field(s)*

emigrant ['emɪgrənt] *mn/fn* **1.** kivándorló, emigráns **2.** költöző (madár), vándormadár

emigrate ['emɪgreɪt] **A.** *tsi* kivándoroltat, kitelepít **B.** *tni* kivándorol, emigrál • *fn* **emigration** *mn* **emigratory**

emigré ['emɪgreɪ] *fn tört* emigráns, menekült

Emily ['eməli] *tul* Emília

eminence ['emɪnəns] *fn* **1. a)** magaslat, emelkedés, domb **b)** *orv* kiugró rész *[csonté]* **2.** *átv* **a)** kitűnőség, kiválóság, emelkedettség *[jellemé]*; **be of great ~ in the field of surgery** a sebészet területén kiemelkedő egyéniség; **by (way of) ~** kiváltképpen **b)** magas méltóság; **rise to ~** magas rangra emelkedik, magas méltóságot ér el; kitünteti magát **c)** nagyvonalúság, felsőbbrendűség **3.** *vall* eminencia *[kardinális/bíboros címe]*; **his ~** ő eminenciája; **your ~** eminenciád

éminence grise [ˌemɪnɑːns 'griːz] *fn tsz* **éminences grises** *francia* **1.** szürke eminenciás, (a háttérbe húzódó) befolyásos személy **2.** titkosügynök

eminent ['emɪnənt] *mn* **1.** kimagasló, magas **2.** *átv* kiváló, kiemelkedő *[személy]*, kimagasló *[siker]*; **~ scientist** kiváló/élenjáró tudós

eminently ['emɪnəntli] *hsz* **1.** rendkívül(i módon), messzemenően, a legnagyobb mértékben **2.** elsősorban, legfőképpen

emir [e'mɪə ‖ e'mɪr] *fn* emír

emirate [ˌemərət] *fn* emirátus; emíri hatalom/uralom/terület

emissary ['emɪsəri ‖ –əseri] *fn* küldött, (politikai) megbízott

emission [ɪ'mɪʃn] *fn* **1. a)** *fiz* kibocsátás, kisugárzás, emisszió, *távk* adás, sugárzás; **air pollution ~** légszennyezés-kibocsátás; *körny* **noise ~** zajemisszió; *fiz* **~ spectrum** emissziós színkép; **~ of energy** energiafelszabadulás, energiakibocsátás **b)** kiáramlás *[gőzé, hőé]*, *geol* vulkáni kitörés **c)** *orv* kibocsátás, kilövellés **d)** *gk* károsanyag kibocsátás **2.** *pénz* kibocsátás

emissive [ɪ'mɪsɪv] *mn* kibocsátó, kisugárzó

emit [ɪ'mɪt] *tsi* **-tt- 1. a)** kibocsát, kiáraszt, kisugároz *[hőt, fényt]*, áraszt *[szagot]*, fejleszt, kilök *[gázt, gőzt]*, szór *[szikrát]*, kiad *[hangot]*, *távk* lead, sugároz *[műsort]*; *távk* **~ting station** adóállomás **b)** *kat* kiad *[parancsot]* **2. a)** *pénz* kibocsát, forgalomba hoz **b)** kifejez, hangoztat *[véleményt]*, hangot ad *[felfogásnak]*, kifejezésre juttat *[nézetet]* • *fn* **emitter**

Emmentaler ['eməntɑːlə ‖ –ər] *fn gaszt* **~ (cheese)** ementáli sajt

EMMS *röv infor Electronic Mail and Message System* elektronikus levél- és üzenettovábbító rendszer

Emmy ['emi] **I.** *tul* ‹női név› **II.** *fn US* **~ award** Emmy-díj, *biz* Emmy

emollient [ɪ'mɒlɪənt ‖ ɪ'mɑ–] *orv mn* lágyító/puhító *[szer]*

emolument [ɪ'mɒljumənt ‖ ɪ'mɑljə–] *fn közg* **a)** fizetés, járandóság, (tisztelet)díj, javadalmazás **b)** haszon, profit

emote [ɪ'mout] *tni biz* érzelmeskedik; érzelgősködik

emotion [ɪ'mouʃn] *fn* érzelem, érzés, indulat, elérzékenyülés, meghatottság; **appeal to the ~s** érzelmekre hat/apellál; **make a cheap display of ~** érzeleg; **voice touched with ~** megindultságtól remegő hang • *mn* **emotionless**

emotional [ɪ'mouʃnəl] *mn* **1. a)** érzelmi, emocionális **b)** megható, elérzékenyítő; **an ~ moment** megható pillanat **2.** érzelmes, lobbanékony, érzelgős • *fn* **emotionalism**, **emotionalist** *hsz* **emotionally**

emotive [ɪ'moutɪv] *mn* **1.** → **emotional 2.** érzelemfelidéző, affektív, érzelmileg színezett • *fn* **emotivity** *hsz* **emotively**

empanel [ɪm'pænl] *tsi* **-ll-**, *US* **-l-** *jog* **~ a jury** esküdtek jegyzékét elkészíti; esküdtszéket összeállít; **~ a juror** esküdtek jegyzékébe felvesz vkt

empathize ['empəθaɪz], **-ise** *tni* együttérez, megért

empathy ['empəθi] *fn pszich* beleélés, beleérzés, empátia, *műv* átélés • *mn* **empathic** *hsz* **empathically**

emperor ['empərə ‖ –ər] *fn* császár; **~ worship** császárkultusz • *fn* **emperorship**

emphasis ['emfəsɪs] *fn tsz* **emphases** [–siːz] **a)** nyomaték, hangsúly; **lay (special) ~ on sg** (különös) (hang)súlyt fektet vmre **b)** *nyelv* hangsúly **c)** *infor* kiemelés *[szövegben]*; **~ text** kiemelt szöveg

emphasize ['emfəsaɪz], **-ise** *tsi* (ki)hangsúlyoz, nyomatékosít, kiemel, aláhúz, előtérbe helyez (vmt); **~ the importance of sg** (ki)hangsúlyozza/kiemeli vmnek a fontosságát/jelentőségét

emphatic [ɪm'fætɪk] *mn* **1. a)** nyomatékos, határozott, ellentmondást nem tűrő, erőteljes; **~ denial** határozott/nyomatékos tagadás **b)** hatásos, pátosszal telített **c)** lelkesült, szárnyaló *[beszéd]* **d)** hangsúlyozott, emfatikus **2.** *nyelv* hangsúlyos *[szótag]* • *hsz* **emphatically**

empire ['empaɪə ‖ –ər] *fn* **1. a)** birodalom; *tört* **the E~** a brit (gyarmat)birodalom; az első (francia) császárság; a Német-római Birodalom **b)** uralom, hatalom; **establish one's ~ over sg** hatalmát kiterjeszti vm fölé **2.** *US* **E~ State Building** 102 emeletes felhőkarcoló New Yorkban **3.** *műv* **E~** empire (stílusú)

empire builder *fn* hódító (személy/uralkodó)

Empire Day *fn tört* a Nemzetközösség napja *[május 24.]*

empiric [ɪm'pɪrɪk] **I.** *mn* tapasztalati, empirikus **II.** *fn* **1.** empirista **2.** *pej* sarlatán, kuruzsló • *fn* **empirism** *mn* **empirical** *hsz* **empirically**

empiricism [ɪm'pɪrɪsɪzm] *fn fil* **a)** empirizmus **b)** empíria • *fn* **empiricist**

emplace [ɪm'pleɪs] *tsi kat* tüzelőállásba hoz, tűzkésszé tesz, felállít *[ágyút]*

emplacement [ɪm'pleɪsmənt] *fn* **1. a)** elhelyezés, helykijelölés **b)** elhelyezettség **2.** *kat* **a)** lövegállás **b)** géppuskafészek **3.** *épít* talapzat

emplane [ɪm'pleɪn] → **enplane**

E

employ [ɪm'plɔɪ] **I.** *tsi* **1.** alkalmaz, (fel)használ (vmt), igénybe vesz (vmt); **~ all one's energies in sg** minden energiáját latba veti (vmvel kapcsolatban) **2.** alkalmaz, szolgálatba felvesz, felfogad, foglalkoztat (vkt); **~ twenty workmen** húsz embert alkalmaz/foglalkoztat; húsz emberrel dolgozik **3. ~ oneself in doing sg** elfoglalja magát (vmvel); **be ~ed in doing sg** el van foglalva (v. foglalkozik) vmvel; **keep sy well ~ed** alaposan elfoglal/leköt vkt *[munkával]* **II.** *fn* alkalmaz(tat)ás, foglalkoz(tat)ás; **be in sy's ~** vk szolgálatában áll; vknél alkalmazva van • *mn* **employable**, **employed**

employee [ɪm'plɔɪiː] *fn* alkalmazott, munkavállaló, dolgozó

employer [ɪm'plɔɪə ‖ −ər] *fn* **1. a)** munkáltató, munkaadó; **~s' liability** munkáltatók kártérítési felelőssége *[üzemi balesetekért]* **b)** főnök, tulajdonos **2.** alkalmazó *[eszközé stb.]*

employment [ɪm'plɔɪmənt] *fn* **1.** felhasználás, alkalmazás *[eszközé]* **2.** alkalmazás, foglalkoztatás *[dolgozóé]* **3. a)** foglalkozás, állás, munka, szolgálat, elfoglaltság; **~ agency/bureau** állásközvetítő/munkaközvetítő (hivatal); **~ exchange** munkaközvetítő (hivatal), iroda; **be out of ~** munka nélkül van; állástalan; **find ~ for sy** munkát szerez vknek, elhelyez vkt *[állásba]* **b)** foglalkoztatottság; **full ~** teljes foglalkoztatottság; **over-full ~** túlfoglalkoztatottság

employment office *fn GB* munkaügyi hivatal, állásközvetítő

employment secretary *fn* munkaügyi miniszter

emporium [em'pɔːrɪəm] *fn tsz* **emporiums**, **emporia** [−rɪə] **1.** vásárhely, (áru)piac **2.** nagyáruház

empower [ɪm'paʊə ‖ −ər] *tsi* **1.** feljogosít, felhatalmaz, meghatalmaz **2.** képessé tesz • *fn* **empowerment**

empress ['emprɪs] *fn* császárné, császárnő

emptiness ['emptinəs] *fn* **1.** üresség, űr; **~ of mind** szellemi üresség/sivárság/szegénység **2.** hiábavalóság, üresség, hitvány/semmis volta (vmnek)

empty ['empti] **I.** *mn átv* üres; **~ house** lakatlan ház; **~ promises** hiú/üres ígéretek; **~ purse** üres/lapos pénztárca; **~ room** bútorozatlan/üres szoba; **~ street** kihalt/üres utca; **~ words** semmitmondó/üres szavak; *infor* **~ string** üres karakterlánc; **on an ~ stomach** éhgyomorra **II. A.** *tsi* **a)** kiürít, kirak, kiborít; **~ one's glass** kiüríti a poharát **b)** elnéptelenít *[utcát, falut]*; **the rain soon emptied the streets** az eső miatt gyorsan elnéptelenedtek az utcák **c)** kifolyat, elvezet *[vizet]*, lecsapol *[tavat]* **B.** *tni* **1.** kiürül *[terem, tartály]*, elnéptelenedik *[utca]* **2.** ömlik, torkollik *[folyó]*; **the river empties (itself) into the sea** a folyó a tengerbe ömlik **III.** *fn* **1. a)** lakatlan ház **b)** üres/szabad taxi **2. a)** *tsz* **empties** *gazd* göngyöleg, üres ládák/üvegek **b)** *vasút* üres szerelvény • *fn* **emptying**

empty-handed *mn* üreskezű; **return** (v. **come back/away) ~** üres kézzel (v. dolgavégezetlenül) tér/jön vissza

empty-nest *fn* ‹család ahonnan a "fiókák" kiröpültek› • *fn* **empty-nester**

empurple [ɪm'pɜːpl ‖ −'pɜr−] *tsi* **1.** bíborszínűre fest, bíborszínnel befest **2.** bíborba öltöztet **3.** *átv* feldühít

empyrean [ˌempɪ'riːən] **I.** *mn* égi, földön túli, mennyei **II.** *fn* **1.** *vall* a hetedik mennyország **2. a)** a mennyország legmagasabb köre **b)** *csill* (világ)űr **c)** égbolt

EMS *röv European Monetary System*

emu ['iːmjuː] *fn áll* emu

EMU *röv* **1.** *European Monetary Union* Európai Pénzügyi Unió, EMU **2.** *Economic and Monetary Union* Gazdasági és Pénzügyi Unió

emulant ['emjʊlənt] *fn* versenytárs, vetélytárs, rivális

emulate ['emjʊleɪt ‖ 'emjə−] *tsi* **1. a)** versenyez, verseng, vetélkedik, rivalizál (vkvel) **b)** utánoz, követ; **~ sy's example** követi vk (jó) példáját **2.** *infor* utánoz, emulál *[műveletet]* • *fn* **emulation**, **emulator**

emulous ['emjʊləs ‖ 'emjə−] *mn* **1.** túlszárnyalni akaró **2.** áhítozó, sóvárgó; **~ of fame** hírnév után sóvárgó, nagyravágyó • *hsz* **emulously**

emulsifier [ɪ'mʌlsɪfaɪə ‖ −ər] *fn* emulg(e)álószer

emulsify [ɪ'mʌlsɪfaɪ] *tsi* emulg(e)ál • *fn* **emulsification** *mn* **emulsifiable**

emulsion [ɪ'mʌlʃn] *fn vegy* emulzió, *ip* dagadószer

emulsion paint *fn műv* vízzel hígítható festék, vízfesték

en [ən] *fn* **1.** N/n betű **2.** *nyomd* félnégyzet, félkvirt

en- [en] *előtag* ‹igeképző›; **endanger** veszélyeztet; **enlarge** (fel)nagyít; **enfold** (be)csomagol, (be)burkol

-en [en] *utótag* **I.** *[igeképzőként]* valamilyenné tesz/valamilyenné válik; **sharpen** élesít, hegyez; **broaden** (ki)szélesít, (ki)bővít **II.** *[melléknévképzőként]* készült valamiből; **golden** arany; **wooden** fa **III.** *[a múlt idő jele erős igéknél]* **spoken** beszélt; **sworn** (meg)esküdött **IV.** *[a többes szám jele néhány rendhagyó főnévnél]* **children** gyerekek; **oxen** ökrök

enable [ɪ'neɪbl] *tsi* **1. a)** lehetővé tesz vmt; **~ the work to be resumed** lehetővé teszi a munka folytatását **b) ~ sy to do sg** képessé/alkalmassá tesz vkt vmre (v. vm megtételére); lehetővé teszi vknek vm megtételét; módot ad/nyújt vknek vmre **2.** *jog* feljogosít, felhatalmaz **3.** *infor* engedélyez; **enabling signal** engedélyezőjel • *fn* **enablement**, **enabler**

enabling [ɪ'neɪblɪŋ] *mn* felhatalmazó, felhatalmazási; *jog* **E~ Act** felhatalmazási törvény; *US* ‹USA tagállamok felvételét szabályozó törvény›

enact [ɪ'nækt] *tsi* **1.** elrendel, törvénybe iktat, becikkelyez *[törvényt]*, kibocsát *[rendeletet]*, életbe léptet *[intézkedést]*; **as by law ~ed** ahogy a törvény előírja/kimondja/elrendeli; **be it further ~ed that ...** továbbá el kell rendelni, hogy ... **2. a)** (el)játszik, előad *[darabot]*, (meg)játszik, betölt *[szerepet]*, végez *[szertartást]* **b) be ~ed** történik, lejátszódik; **the scene where the murder was ~ed** a gyilkosság színhelye • *fn* **enaction**, **enactor**

enactment [ɪ'næktmənt] *fn* **1. a)** kihirdetés, becikkelyezés *[törvényé]* **b)** törvénybe iktatás, törvényalkotás, törvényhozás **c)** törvényerőre emelkedés **2.** törvény, rendelet, törvényhozó határozat; **by legislative ~** törvényhozói rendelkezéssel

enamel [ɪ'næml] **-ll-**, *US* **-l- I.** *fn* **1. a)** zománc; **(dental) ~, ~ of the teeth** fogzománc **b)** zománcedény **c)** zománcáru **2. a)** zománcmáz, lakk **b)** alapozó(krém), folyékony púder **II.** *tsi* **1.** zománcoz **2.** zománcfestékkel/lakkal bevon, lakkoz, fényez, simít • *fn* **enamel(l)ing** *mn* **enamel(l)ed**

enamel paint *fn* zománcfesték

enamelware [ɪ'næmlweə ‖ −wer] *fn* zománcáru, zománcedény

enamour [ɪ'næmə ‖ −ər], **enamor** *tsi* szerelmessé tesz, szerelmet ébreszt (vkben vk iránt); **be ~ed of/with sy** szerelmes vkbe; **be ~ed of/with sg** odavan/bolondul vmért; **become ~ed of sy** belehabarodik/belebolondul vkbe • *mn* **enamo(u)red**

enate ['iːneɪt] *mn* rokon, rokonságban levő

en bloc [ˌɒn'blɒk ‖ ˌɑn'blɑk] *hsz francia* teljes egészében, mindenestül

en brosse [ˌɒn'brɒs ‖ ˌɑn'brɔs] *fn francia* tüskefrizura, *biz* tüsihaj

enc. *röv* **1.** *enclosed* **2.** *enclosure*

encage [ɪn'keɪdʒ] *tsi* kalitkába/ketrecbe zár, rács mögé zár

encamp [ɪn'kæmp] **A.** *tsi kat* táborban elhelyez *[csapatokat]* **B.** *tni* táboroz, tábort üt

encampment [ɪn'kæmpmənt] *fn* **1.** táborozás **2.** tábor(hely)

encapsulate [ɪn'kæpsjʊleɪt] *tsi* **1.** betokosít, tokba zár/tölt **2.** elkülönít **3.** *átv* összefoglal • *fn* **encapsulation** *mn* **encapsulated**

encase [ɪn'keɪs] *tsi* **1.** ládába rak/zár, tokba helyez/zár/tesz **2. a)** befoglal, beilleszt, beépít **b)** beburkol; **~ in plaster** begipszel; **~d in armour** állig vasban/páncélban • *fn* **encasement**

encash [ɪn'kæʃ] *tsi* **1.** behajt, beszed, inkasszál *[pénzt]* **2.** felvesz, bevált *[csekket]* • *fn* **encashment**

encaustic [ɪnˈkɔːstɪk] **I.** *mn* **1.** *műv* mélyített rajzú, viaszos pigmentfestékkel kitöltött és kiégetett **2. ~ tile** beégetett mintás színes csempe **II.** *fn műv* viaszfestmény

-ence [əns] *utótag* ‹főnévképző igéből/melléknévből›; **existence** lét; létezés; **patience** türelem

enceinte [ɒnˈsænt ‖ ɑn–] **I.** *mn* terhes, várandós, állapotos **II.** *fn* (erőd)övezet, erődközfal

encephalic [ˌensəˈfælɪk] *orv* agy-, agyi

encephalitis [ˌensefəˈlaɪtɪs] *fn orv* agyvelőgyulladás; **~ lethargica** afrikai álomkór • *mn* **encephalitic**

encephalo- [ɪnˈsefəloʊ] *előtag biol orv* agy-, agyvelő-, az aggyal (v. az agyvelővel) kapcsolatos

encephalogram [ɪnˈsefələgræm] *fn orv* agyröntgenkép, encefalogram

encephalograph [–grɑːf ‖ –græf] *fn orv* **1.** → **encephalogram 2.** encefalográf • *fn* **encephalography**

encephalon [enˈsefələn] *fn tsz* **encephala** [–lə] *biol orv* agy(velő)

enchain [ɪnˈtʃeɪn] *tsi vál* **1.** megláncol, bilincsbe/láncra/vasra ver **2.** *átv* leköt *[figyelmet]*, lebilincsel *[érdeklődést]*

enchant [ɪnˈtʃɑːnt ‖ ɪnˈtʃænt] *tsi* **1.** megbabonáz, megigéz **2.** elbűvöl, elbájol • *fn* **enchanter**

enchanting [ɪnˈtʃɑːntɪŋ ‖ ɪnˈtʃæntɪŋ] *mn vál* elbűvölő(en szép), elbájoló, elragadó, varázslatos, igéző

enchantment [ɪnˈtʃɑːntmənt ‖ ɪnˈtʃænt–] *fn* **1. a)** (el)varázslás, elbájolás **b)** varázslat, bűbáj **2.** *átv* bűvölet, varázs

enchantress [ɪnˈtʃɑːntrɪs ‖ ɪnˈtʃæn–] *fn* **1.** boszorkány **2.** igéző szépség

encharge [ɪnˈtʃɑːdʒ ‖ ɪnˈtʃɑrdʒ] *tsi* megbíz

enchase [ɪnˈtʃeɪs] *tsi* **1. a)** (be)foglal *[drágakövet]*, tokba/tartóba helyez **b)** kirak *[drágakövekkel]*; **ring ~d with diamonds** gyémántokkal kirakott gyűrű **c)** berak, intarziát készít (vmbe) **2.** cizellál, vés *[ékszert, dísztárgyat]*

enchilada [ˌentʃɪˈlɑːdə] *fn gaszt* ‹általában hússal töltött csiliszószos tortilla› enchilada

enchorial [enˈkɔːrɪəl] *mn* **a)** nép-, népi **b)** népszerű **c)** köz-

-enchyma [ˈeŋkɪmə] *utótag biol* szövet

encipher [ɪnˈsaɪfə ‖ –ər] *tsi* rejtjelez, sifríroz *[üzenetet]*

encircle [ɪnˈsɜːkl ‖ –ˈsɜr–] *tsi* **a)** övez, körülvesz, körülhatárol **b)** bekerít, körülzár, *kat* átkarol; **~ sy in one's arms** átölel vkt, karjaiba zár vkt • *fn* **encirclement** *fn/mn* **encircling**

encl. *röv* **1.** *enclosed* **2.** *enclosure*

en clair [ˌɒnˈkleə ‖ ˌɑnˈkler] *mn/hsz francia* nyílt, kódolatlan, sifrírozatlan

enclasp [ɪnˈklɑːsp ‖ ɪnˈklæsp] *tsi vál* átölel, átkarol, magához szorít

enclave [ˈenkleɪv] *fn* **1.** beékelt terület, enkláve; ‹idegen állami területnek a saját államba beágyazott része› **2.** *nyelv* nyelvsziget • *fn* **enclavement**

enclitic [ɪnˈklɪtɪk] **I.** *mn nyelv* simuló, hozzáfüggesztett, enklitikus *[szó]* **II.** *fn nyelv* simulószó, enklitikum

enclose [ɪnˈkloʊz] *tsi* **1.** bekerít, körülkerít, körülzár; **the space ~d in a square** a négyzet által bezárt terület **2. a)** bezár, elhelyez **b)** *vall* kolostorba zár **3.** mellékel, csatol; **~d please find** mellékelve tisztelettel megküldöm • *mn* **enclosed**

enclosure [ɪnˈkloʊʒə ‖ –ər] *fn* **1. a)** körülkerítés, bekerítés **b)** (fal)kerítés, sövény; **green ~s** élősövény **2. a)** zárt/elkerített hely/terület; *kat* **prisoner of war ~** hadifogoly-(gyűjtő)tábor **b)** *sp* mázsáló(hely) *[lóversenytéren]*; **public ~s** nézőtér, lelátó *[lóversenytéren]*; *GB* **the royal ~** királyi díszpáholy *[lóversenytéren]* **c)** *vall* klauzúra **3. a)** melléklet, csatolmány **b)** *bány* zár(ód)vány **4.** *GB tört* **a)** *GB tört* bekerített terület *[közlegelőből]* **b)** bekerítés

encode [ɪnˈkoʊd] *tsi* **a)** rejtjelez, titkosírásba áttesz **b)** *infor* kódol *[kibernetika]* • *fn* **encoder**, **encoding**

encomiast [ɪnˈkoʊmiæst] *fn* **1.** dicshimnuszíró **2.** *átv* dicsőítő, magasztaló

encomium [ɪnˈkoʊmɪəm] *fn tsz* **encomiums**, **encomia** [–mɪə] dicsőítő/magasztaló beszéd/ének, dicshimnusz; *átv* **bestow ~s on sy** dicshimnuszokat zeng vkről; agyba-főbe dicsér vkt

encompass [ɪnˈkʌmpəs] *tsi* **1. a)** övez, bekerít, körülvesz, körülzár **b)** *átv* **~ sy with care and attention** figyelemmel halmoz el vkt **2. a)** bezár **b)** felölel, tartalmaz • *fn* **encompassment**

encore [ˈɒŋkɔː ‖ ˈɑnkɔr] **I.** *tsi* **1.** megismételtet, ráadást kér (vktől) **2.** megismétel, ráadást ad **II.** *fn* ráadás, ismétlés **III.** *isz* újra!, vissza!

encounter [ɪnˈkaʊntə ‖ –ər] **I. A.** *tsi* **1. a)** (össze)találkozik, összeakad *[vkvel, jelenséggel]*; **it is frequently ~ed** gyakran található/fellelhető, sokszor előfordul/akad **b)** összecsap *[ellenséggel]*, megmérkőzik *[ellenféllel]* **2.** szembekerül, szembe találja magát *[nehézséggel]*; **~ no resistance** nem talál ellenállásra **B.** *tni* találkoznak, megmérkőznek **II.** *fn* **1. a)** összetalálkozás, véletlen találkozás **b)** (szerelmi) légyott **2. a)** összecsapás, csetepaté **b)** párbaj **c)** tusa, viadal, mérkőzés; **~ of wits** szellemi párviadal

encounter group *fn pszich* ‹olyan csoport, ahol hasonló sorsú, ill. panaszú emberek találkoznak és megosztják a problémáikat› terápiás csoport

encourage [ɪnˈkʌrɪdʒ ‖ ɪnˈkɜr–] *tsi* **1.** (fel)bátorít **2.** buzdít, biztat, ösztönöz, rávesz (*sy to do sg* vkt vmre) **3.** támogat *[törekvést]*, pártfogol *[művészetet]*, előmozdít, elősegít *[fejlődést]*, felkarol *[kezdeményezést]* • *fn* **encouragement**, **encourager**

encouraging [ɪnˈkʌrɪdʒɪŋ ‖ ɪnˈkɜr–] *mn* **1.** bátorító, serkentő, ösztönző **2.** biztató, reményt keltő, kedvező; **~ sign** kedvező/pozitív jel(zés)

encroach [ɪnˈkroʊtʃ] *tni* **1.** beavatkozik, betolakodik, jogtalanul terjeszkedik, bitorol, átterjed *[áradat]*, tilosban jár *[személy, jószág]*; **~ on sy's authority** beavatkozik vk hatáskörébe; sérti vk tekintélyét; **the sea is ~ing upon the land** a tenger mind nagyobb területet hódít el a szárazföldtől **2. ~ (up)on (sg)** megsért *[jogot, hatáskört]*; visszaél *[vk jóságával]*; csorbít, korlátoz *[jogokat]*; megrövidít *[vkt jogaiban]*; **~ (up)on sy's property** más tulajdonát bitorolja; **~ upon sy's time** túlságosan igénybe veszi vk idejét • *fn* **encroacher** *mn* **encroaching**

encroachment [ɪnˈkroʊtʃmənt] *fn* **1.** túlkapás, beavatkozás, *jog* (magánjogi) határsértés; **~ upon sy's rights** jogsérelem; beavatkozás vk jogaiba; vk jogainak csorbítása **2.** *jog* közutak/közterületek jogtalan elfoglalása *[beépítéssel]* **3.** tenger behatolása a szárazföldre

encrust [ɪnˈkrʌst] **A.** *tsi* **1.** kéreggel bevon, kérgesít **2.** kirak *[drágakövekkel]* **B.** *tni* (el)kérgesedik, bevonódik

encrustation [ˌɪnkrʌˈsteɪʃn] → **incrustation**

encrustment [ɪnˈkrʌstmənt] *fn* **1. a)** (el)kérgesedés, kazánkő-lerakódás **b)** vízkő, kazánkő **2.** berakás(os munka), *épít* mozaikberakás, márványberakás

encrypt [ɪnˈkrɪpt] *tsi* **1.** *infor* **a)** információt kódol **b)** információt kóddal titkosít **2.** kódol *[televíziós adást]* • *fn* **encryption**

encumber [ɪnˈkʌmbə ‖ –ər] *tsi* **1. a)** megterhel, túlterhel; **~ sy with parcels** csomagokkal megrak vkt **b)** *jog* **~ed estate** jelzáloggal/adóssággal megterhelt birtok **2.** (meg)gátol, akadályoz, hátráltat, megnehezít *[eljárást]*

encumbrance [ɪnˈkʌmbrəns] *fn* **1.** teher, megterhelés, kellemetlenség; **free from all ~s** tehermentes **2.** *jog* **a)** megterhelés(ek), jelzálog; **free an estate from ~s** tehermentesít birtokot; ingatlant felold jelzálog alól **b)** szolgalom

-ency [ənsi] *utótag* → **-ancy**; **efficiency** hatékonyság; **emergency** vészhelyzet

encyclical [ɪnˈsɪklɪkl] **I.** *mn* **~/encyclic letter** körlevél **II.** *fn* pápai körlevél, enciklika

encyclopaedia [ɪnˌsaɪkləˈpiːdɪə], **encyclopedia** *fn* enciklopédia, lexikon • *fn* **encyclop(a)edist** *mn* **encyclop(a)edic**

encyst [enˈsɪst] *tsi biol orv* betokosodik, betokolódik

end [end] **I.** *fn* **1. a)** vég, végződés, befejezés; **the ~** (i) vége *[írásmű/film végén]* (ii) *szl* ‹az utolsó (még) elviselhető kellemetlenség› (iii) *szl [a legjobb]* a csúcs; **~ game** végjáték *[sakkban stb.]*; **~ of the world** a világ vége; *közm* **the ~ tries all** végén csattan az ostor; **till the ~ of time** az idők végezetéig; **to the ~s of the earth** a világ végéig; *szl* **beat sy all ~s up** *[nagyon megver]* ripityára/laposra ver vkt; **change ~s** kapucsere *[labdarúgásban]*; **come to an ~** véget ér, befejeződik, lezárul; **draw to an ~** vége felé jár; végéhez közeledik; **make (both) ~s meet** (éppen hogy) kijön a fizetéséből/keresetéből; **at an ~** vége (van); kimerül *[készlet, erő]*; **begin/start at the wrong ~** rosszul fog neki vmnek, rosszul lát hozzá vmhez, rosszul kezd vmt; **in the ~** a végén, végül (is); **on ~** felállítva; talpára/élére állítva; egyfolytában, folyamatosan; szakadatlanul; **hours on ~** órák hosszat; **~ on** végével/hátuljával vm felé; **the lorry came ~ on towards us** → **end-on**; **~ to ~** szorosan egymás mögött/mellett; **from ~ to ~** elejétől végig; **to the very ~** a (leg)végsőkig; **they fought to the bitter ~** a végsőkig (v. utolsó csepp vérükig) harcoltak; **bring sg to an ~** véget vet vmnek; befejez/bevégez vmt **b) no ~ of** végtelen(ül) sok, rengeteg; **it'll do you no ~ of good** meglátod, milyen kimondhatatlanul jót tesz majd neked; **he thinks no ~ of himself** azt hiszi magáról, hogy ő a világ közepe **2. a)** határ, vég(pont); **at your ~** magánál; nálad; önöknél; nálatok; **~ point** végpont; **~ rhyme** sorvégi rím; **~ stone** fedőkő; *nyelv* **~ stress** szóvégi hangsúly **b)** vég *[halál]*; *biz* **be the ~ of sy** ez a veszte; **come to a bad ~** gyászos/rossz véget ér; **meet one's ~** utoléri a halál; *átv biz* **the ~ of the line/road** vknek/vmnek a vége/halála **3.** (vég)cél, célkitűzés; **private ~s** egyéni érdek(ek); **an ~ in itself** öncél; **for/to this ~** ebből a célból, e célból; evégett; ezért; **to no ~** hiába; feleslegesen; *közm* **the ~ justifies the means** a cél szentesíti az eszközt **4. a)** maradék, vég *[szöveté]*; *átv* **tie up loose ~s** elszövi a szálakat; **old ~s** öreg rongyok; *átv* régi mókák **b)** hulladék, deszkadarabok; **odds and ~s** limlom, kacatok **c)** csonk, vég **II. A.** *tsi* **1.** befejez, elvégez, bevégez, abbahagy, beszüntet, megszüntet (vmt), végez (vmvel), véget vet vmnek, megszakít vmt; *kif* **all's well that ~s well** minden jó, ha a vége jó; **it is ~ed and done with** végre megvan/elkészült; ezzel egyszer s mindenkorra be van fejezve; nincs tovább; **in order to ~ the matter** hogy véget vessen a dolognak ...; **I must/would like to ~ by thanking Mr Johnson** befejezésül köszönetet szeretnék mondani Johnson úrnak **2.** befejezi életét, meghal; **his life ~ed** meghalt; **~ it all** öngyilkos lesz **3.** megvalósít, véghezvisz *[feladatot]*; elér *[célt]* **4.** meghalad, túlszárnyal; **a war to ~ all wars** a leggyilkosabb háború; **a novel to ~ all novels** a legjobb regény **B.** *tni* befejeződik, (be)végződik, véget ér, megszűnik, abbamarad, elkészül; **this state of things must ~** ez nem maradhat így; *átv* **~ in smoke** füstbe megy *[terv]*; kútba esik *[elképzelés]*

end in *tsi* **a)** vmben végződik **b)** véget ér vmvel, *átv* vmibe torkollik; **the demonstration ~ed in violence** a demonstráció erőszakba torkollott

end off *tsi* vmit (megfelelően) befejez

end up *tni* **1.** meghal **2.** végez; **~ up a speech with a quotation** a beszédét egy idézettel zárja

end up *tsi* elér egy bizonyos helyet, odaér, *átv* kiköt vhol; **we got lost and ~ed up in the Bronx** eltévedtünk és (végül) Bronxban kötöttünk ki; **he will ~ up in prison** börtönben fogja végezni

end-all *fn* befejezés

endanger [ɪn'deɪndʒə ‖ –ər] *tsi* veszélyeztet, veszélynek tesz ki, kockáztat, kockára tesz; **~ing life** életveszélyes; **~ing health** az egészségre veszélyes/káros • *fn* **endangerment**

endangered species *fn esz* veszélyeztetett (állat)faj

en dash *fn* **1.** *nyomd* kötőjel, diviz **2.** *infor* - karakter, elválasztójel

end-consumer *fn közg* végső felhasználó, fogyasztó

endear [ɪn'dɪə ‖ ɪn'dɪr] *tsi* megkedveltet, megszerettet; **~ oneself to sy** vknek a szívébe lopja magát, megkedvelteti magát vkvel • *mn* **endeared**

endearing [ɪn'dɪərɪŋ ‖ –'dɪr–] *mn* **1.** megnyerő *[modor]* **2.** gyengéd, kedveskedő, becézgető

endearment [ɪn'dɪəmənt ‖ –'dɪr–] *fn* **1. a)** kedveskedés, becézgetés **b)** vonzalom **2.** *tsz* **endearments** becéző/kedveskedő/gyengéd szavak

endeavour [ɪn'devə ‖ –ər], *US* **endeavor I. A.** *tsi* erőfeszítéseket tesz (vmre); **~ oneself to do sg** igyekszik/megkísérel vmt tenni **B.** *tni* **~ to do sg** törekszik vmre; erőfeszítéseket tesz; próbálkozik vmvel **II.** *fn* törekvés, igyekezet, erőfeszítés, próbálkozás, kísérlet; **use/make every ~** minden tőle telhetőt megtesz; minden követ megmozgat; **all his ~s were in vain** minden erőfeszítése/igyekezete hiábavaló volt

ended ['endɪd] **I.** *mn* befejezett, elvégzett **II.** *összet* -végű

endemic [en'demɪk] **I.** *mn* **1.** *orv* helyi (jellegű), endemikus, endémiás *[betegség]* **2.** *biol orv* tájjellegű, helyi, helyhez kötött, endemikus **II.** *fn orv* endémiás betegség, helyi járvány/betegség, endémia • *hsz* **endemically**

endemism ['endəmɪzm] *fn biol orv* endémia

endermic [en'dɜːmɪk ‖ –'dɜr–] *mn biol orv* bőrön keresztül ható, endermikus • *hsz* **endermically**

endgame *fn* végjáték *[egy játék utolsó fázisa, amikor már csak kevés bábu van játékban]*

ending ['endɪŋ] **I.** *fn* **1. a)** végződés, befejeződés **b)** befejezés, vég (vmé) **2.** halál **3.** *nyelv* rag, képző, végződés **II.** *mn* utolsó, végső, befejező, záró

endive ['endɪv ‖ 'endaɪv] *fn növ* **1.** endívia(saláta) **2. (curled) ~** fodros cikóriasaláta **3.** *US* cikória

endless ['endləs] *mn* **1.** *térben:* **a)** végtelen (hosszú) **b)** határtalan, végtelen, kimeríthetetlen; **take ~ pains to do sg** semmi fáradságot sem sajnál vmre **2.** *időben* **a)** végtelen, vég nélküli, örökös; **it's an ~ task** reménytelen feladat/vállalkozás **b)** állandó, folytonos, szüntelen, szakadatlan, kifogyhatatlan • *hsz* **endlessly**

end-line *fn sp* alapvonal

endlong *hsz* hosszában

endmost ['endmoust] *mn* legvégső, legutolsó, leghátsó, legtávolabbi

endnote *fn* (láb)jegyzet *[könyv/fejezet végén]*

endo- [endou ‖ endə] *előtag* bel-, belső

endocarp [–kɑːp ‖ –kɑrp] *fn növ* belhéj, belbőr, endokarpium • *mn* **endocarpic**

endocrine [–kraɪn] *orv* **I.** *mn* belső elválasztású, endokrin **II.** *fn* belső elválasztású (v. endokrin) mirigy

endocrinology [–krɪ'nɒlədʒi ‖ –'nɑ–] *fn* endokrinológia • *fn* **endocrinologist**

endoderm [–dɜːm ‖ –dɜrm] *fn biol növ* belső csíralemez, belhám, endoderma • *mn* **endodermal**

end-of-year *mn* év végi; *okt* **~ examination** osztályvizsga

endogamy [en'dɒgəmi ‖ –'dɑ–] *fn biol* törzsön/családon belül való házasodás, beltenyésztés, endogámia • *mn* **endogamous**

endogenous [en'dɒdʒɪnəs ‖ –'dɑ–] *mn biol orv* a szervezetben keletkező, a szervezetből kiinduló, belső, endogén • *fn* **endogenesis** *mn* **endogenetic**

endomorph [–mɔːf ‖ –mɔrf] *fn ásv* endomorf kristály • *mn* **endomorphic**

end-on *mn* **~ collision** farral való összeütközés

endoparasite [–'pærəsaɪt] *fn áll* bélélősdi, bélféreg

endorse [ɪn'dɔːs ‖ ɪn'dɔrs] *tsi* **1. a)** hátirattal ellát *[iratot]*, láttamoz, hitelesít, aláír *[okmányt]* **b)** *pénz* forgat, zsirál *[váltót]*; **~ in blank** üres forgatmánnyal ellát *[váltót]* **c)** *GB* **have one's (driving) licence ~d** megbírságolják *[közlekedési szabálysértésért]* **2.** *átv* hozzájárul(ását megadja) (vmhez), támogat, helyesel *[álláspontot]*, csatlakozik *[véleményhez]*, szentesít *[eljárást]*, osztja *[vk nézetét]*; **I ~ it** ezt aláírom; **I do not ~ it** nem azonosítom magamat ezzel az állásponttal **3.** *[sportoló, színész, híres ember]*, nevével ellát *[árut]*, nevével támogat, reklámoz • *fn* **endorsee, endorser** *mn* **endorsable**

endorsement [ɪnˈdɔːsmənt ‖ –ˈdɔrs–] *fn* **1.** hátirattal ellátás, *pénz* forgatás, zsirálás, forgatmányozás; **holder by ~** forgatmányos; **transferable by ~** forgatható, forgatmány útján átruházható **2. a)** hátirat, láttamozás, korlátozó bejegyzés *[útlevélben]*, *pénz* forgatmány, zsiró; *GB* **have an ~** megbírságolják *[közlekedési szabálysértésért]* **b)** módosító/kiegészítő záradék *[biztosítási kötvényen]* **3.** *átv* jóváhagyás, hozzájárulás, csatlakozás, beleegyezés

endoscope [–skoup] *fn orv* testüregvizsgáló műszer, endoszkóp • *fn* **endoscopy** *mn* **endoscopic**

endoskeleton [–ˈskelɪtən] *fn áll* belső (csont)váz *[gerinceseké]*

endosperm [–spɜːm ‖ –spɜrm] *fn növ* magbél, belső, magfehérje, endospermium

endotherm [–ˈθɜːm ‖ –ˈθɜrm] *fn fiz* endoterm *[spontán hőelnyeléssel járó folyamat]* • *mn* **endothermic**

endow [ɪnˈdau] *tsi* **1. a)** alapítványt tesz (vmre) **b)** járadékot nyújt/biztosít (vknek), kiházasít *[leányt]* **2.** felruház, megáld *[természet]*; **~ed with great beauty** rendkívüli szépséggel megáldott/megáldva

endowment [ɪnˈdaumənt] *fn* **1. a)** alapítvány létesítése, alapítványozás **b)** javadalmazás, dotálás, kiházasítás **2. a)** alapítvány **b)** javadalom, dotáció **c) pure ~ insurance** megélésre szóló biztosítás; **ordinary ~ insurance** halálesetre és megélésre szóló biztosítás **3.** tehetség, (természetes) képesség, természeti adottság

endowment assurance *fn közg* életjáradék

endowment mortgage *fn* biztosítási jelzálog/kölcsön

endpaper *fn nyomd* üres oldal(ak) *[könyv elején/végén]*

end-play *fn ját* végjáték *[bridzsben]*

endpoint *fn* végpont, végső/utolsó stádium/állomás *[folyamatban]*

end product *fn* végtermék, késztermék

end result *fn* végeredmény, kimenetel

end-stopped *mn ir.tud* a sor végén szünetet tartó *[vers]*

endue [ɪnˈdjuː ‖ ɪnˈduː] *tsi* megáld *[tehetséggel]*, vmvel felruház; **be ~d with all virtues** erényekkel ékes • *fn* **enduement**

endurance [ɪnˈdjuərəns ‖ –ˈdur–] *fn* **1. a)** kitartás, szívósság, állóképesség, állhatatosság; **have great powers of ~** sokat kibír; kemény fából faragták; **beyond/past ~** kibírhatatlan, elviselhetetlen **b)** *műsz* kifáradási határ; *sp* **~ run** távfutás; kitartási futás/verseny **2.** béketűrés, türelem **3.** *vál* tartósság, maradandóság, élettartam

endurance test *fn* állóképességteszt, terhelési próba, (ki)fáradásvizsgálat

endurance training *fn* állóképesség-fejlesztés, kitartóképesség-növelés

endure [ɪnˈdjuə ‖ ɪnˈdur] *i* **A.** *tsi* **1. a)** (el)tűr, (el)visel, elszenved *[bajt]*, kibír, elbír, (ki)áll *[megpróbáltatást]*; **not to be ~d** kibírhatatlan; kiállhatatlan **b)** kibír, kiáll, megtűr *[embert]*; **I can't ~ him** ki nem állhatom **2.** *régi* megedz **B.** *tni* **1.** fennmarad, megmarad, (el)tart; **his fame will ~ for ever** híre örökké élni fog **2.** kitart *[bajban]*; **~ to the end** kitart a végsőkig • *fn* **endurer** *mn* **enduring**

enduro [enˈdjurou ‖ –ˈdur–] *fn tsz* **~s** *sp* enduro géposztály (versenye)

end user *fn* végfelhasználó, fogyasztó

endways [ˈendweɪz] *hsz* **1.** felállítva; **~ on** a végét előre fordítva **2.** végével egymáshoz illesztve, végével/hátuljával egymásnak **3.** hosszába(n)

end zone *fn US sp* ‹az amerikai futballban a pálya két végén levő célterület›

ENE *röv east-northeast*

enema [ˈenəmə] *fn tsz* **enemas, enemata** [–mətə] **1.** *orv* beöntés, irrigáció; **give an ~** beöntést ad **2.** *orv* irrigátor, klistély(edény)

enemy [ˈenəmi] **I.** *fn* **1.** ellenség; **be one's own worst ~** saját maga legnagyobb ellensége, maga alatt vágja a fát; *biz* **how goes the ~?** hány óra (van)?; **man without enemies** közszeretetben álló ember, ember, akinek nincsenek ellenségei; **public ~** közellenség; **public ~ number one** első számú közellenség **2.** *kat* **a)** az ellenség; **feel the ~** harcérintkezésben van **b)** ellenséges egység/jármű/hajó/katona **II.** *mn* ellenséges, az ellenség részéről történő; **the ~ fleet** az ellenséges flotta/hajóhad

enemy-occupied *mn* (ellenség által) megszállt *[terület]*

energetic [ˌenəˈdʒetɪk ‖ –ər–] *mn* **1.** energikus, erőteljes, erélyes, lendületes, határozott **2.** *műsz* energetikus, energetikai, energia- • *hsz* **energetically**

energetics [ˌenəˈdʒetɪks ‖ ˌenərˈdʒetɪks] *fn esz fiz* energiagazdálkodás, energetika • *fn* **energeticist**

energize [ˈenədʒaɪz ‖ ˈenər–] *i* **A.** *tsi* **1.** erőt/energiát kölcsönöz vknek, felvillanyoz, stimulál; **~ the administration of an office** életet visz a hivatal munkájába **2.** *vill* áram alá helyez *[gépet, vezetéket]*, gerjeszt; **~d battery** tartóselem **B.** *tni* **1.** *vál* energikusan/hatékonyan működik/tevékenykedik **2.** *vill* begerjed, energizál *[tekercs, dinamó]* • *fn* **energizer** *mn* **energizing**

energumen [ˌenəˈgjuːmen ‖ ˌenərˈgjuːmɪn] *fn* **1.** megszállott **2.** fanatikus

energy [ˈenədʒi ‖ ˈenər–] *fn* **1.** *fiz* energia; **atomic ~** atomenergia; **kinetic ~** mozgási energia; **~ level/state** energiaszint, energianívó **2. a)** energia, életerő, tetterő, határozottság, lendület, erély(esség); **man of ~** energikus/határozott/erélyes ember; **devote one's energies to sg** minden erejét vm szolgálatába állítja; **have no ~** nincs benne energia/tetterő/akaraterő; **throw all one's ~ into a task** minden erejét vmely feladatra összpontosítja; **display ~** energikusan jár el **b)** *tsz* **energies** személyes/egyéni képességek/tehetség

energy audit *fn körny épít* energiahatékonysági vizsgálat *[épület(csoport)é]*

energy conservation *fn* energiatakarékosság

energy consumption *fn* energiafogyasztás

energy crisis *fn* energiaválság, energiakrízis

energy source *fn* energiaforrás; **an alternative ~** alternatív energiaforrás, nem hagyományos energiaforrás

energy supply *fn* energiaellátás

enervate **I.** *tsi* [ˈenəveɪt ‖ –nər–] elerőtlenít, elgyengít, elbágyaszt, elernyeszt, elpuhít, enervál **II.** *mn* [ˈenəvət ‖ ˈenərvət] erőtlen, élettelen, bágyadt, ernyedt, elpuhult, enervált, vérszegény • *fn* **enervation**

en famille [ˌɒnfæˈmiː ‖ ˌɑnfəˈmiː] *hsz francia* **1. a)** családi körben, otthon **b)** családon belül **2.** családiasan

enfant terrible [ˌɒnfɒnteˈriːblə ‖ ɑnˌfɑn–] *fn tsz* **enfants terribles** *francia* **1.** komisz/szemtelen/szókimondó gyerek, fenegyerek **2.** *átv* lehetetlen alak, enfant terrible

enfeeble [ɪnˈfiːbl] *tsi vál* elgyengít, elerőtlenít, ellankaszt, elbágyaszt; **~d digestion** rossz emésztés, gyenge gyomor • *fn* **enfeeblement**

enfetter [ɪnˈfetə ‖ –ər] *tsi átv is* bilincsbe ver

enfilade [ˌenfɪˈleɪd ‖ ˈenfəleɪd] **I.** *fn* **1.** sor, hasonló tárgyak sora **2.** *kat* hosszantozás **II.** *tsi kat* hosszantoz, végigpásztáz *[géppuskatűzzel]*

enfold [ɪnˈfould] *tsi* **1.** beburkol, beborít, betakar **2. ~ sy in one's arms** átölel vkt, karjaiba vesz vkt • *fn/mn* **enfolding**

enforce [ɪnˈfɔːs ‖ –ˈfɔrs] *tsi* **1.** végrehajt, hatályba léptet *[törvényt]*, érvényre juttat *[rendelkezést]*; **~ the law** érvényt szerez a törvénynek, alkalmazza a törvényt; betart(at)ja a törvényt; **~ one's rights** érvényesíti jogait; **~ (respect for) a rule** érvényt szerez rendelkezésnek **2.** kierőszakol, kikényszerít; **~ obedience** engedelmességet kikényszerít; **~ sg (up)on sy** rákényszerít/ráerőszakol vkre vmt; **~ one's will (up)on sy** ráerőszakolja akaratát vkre • *mn* **enforceable**

enforcement [ɪnˈfɔːsmənt ‖ –ˈfɔrs–] *fn* **1.** végrehajtás, hatályba léptetés, alkalmazás *[törvényé]*; **law ~** törvény alkalmazása/betart(at)ása **2.** kikényszerítés, kierőszakolás

enfranchise [ɪn'fræntʃaɪz] *tsi* **1.** *jog* **a)** választójogot ad (vknek), szavazati joggal felruház (vkt) **b)** kiváltságlevelet ad *[városnak]* **2.** *tört* felszabadít *[rabszolgát]* • *fn* **enfranchisement**

Eng. *röv* **1.** *England* **2.** *English*

engage [ɪn'geɪdʒ] *i* **A.** *tsi* **1. a)** leköt, kötelez; ~ **oneself to do sg** kötelezi magát vmre; kötelezettséget vállal vm megtételére **b)** eljegyez (vkt); **be ~d (to be married)** jegyben jár; ~ **oneself to sy, become ~d to sy** eljegyez vkt **c)** ~ **oneself for dinner** elfogad vacsorameghívást, elígérkezik vacsorára vkhez; **I am ~d tonight** ma estére már elígérkeztem, ma este már programom van **2. a)** felvesz, felfogad, alkalmaz, szerződtet; ~ **oneself for the season** beáll az idényre; idénymunkát vállal **b)** (le)foglal, előre (meg)rendel; ~ **a room** szobát foglal (le); **this seat is ~d** ez a hely/ülés foglalt **c)** (le)foglal *[telefonvonalat]*; ~ **the line for ten minutes** tíz percig beszél (a vonalon); **(the line is) ~d** mással beszél, foglalt **3. a)** lefoglal (vkt); ~ **sy in conversation** beszédbe elegyedik vkvel, társalog/beszélget vkvel; **be ~d in sg** el van foglalva vmvel; dolgozik; **be ~d on the preparations for departure** felkészül az utazásra; utazási előkészületet tesz; **have one's time fully ~d** minden perce be van osztva, minden perce ki van számítva; **be ~d in an occupation** (vmlyen) foglalkozást űz; **the nations ~d in war** a háborúban részt vevő nemzetek **b)** leköt *[figyelmet]*, megnyer *[rokonszenvet]* **4.** *kat* (meg)támad, harcba lép/bocsátkozik; ~ **the enemy** megtámadja az ellenséget **5.** *műsz* kapcsol *[fogaskereket]*, *gk* (be)kapcsol *[sebességet]* **B.** *tni* **1.** leköti/elkötelezi magát; **I ~ to find the money** vállalom, hogy megszerzem a pénzt; ~ **for sg** kezeskedik vmért; ígér vmt **2. a)** belekezd, (bele)bocsátkozik; ~ **in sg** vmt (foglalkozásszerűen) elkezd; ~ **in business** üzleti vállalkozásba kezd; ~ **in discussion with sy** vitába bocsátkozik vkvel; ~ **in politics** politikára adja magát; politizálni kezd **b)** *kat* támad; ~ **in battle** megütközik **3.** *műsz* összekapcsolódik, egymásba illeszkednek/kapcsolódnak *[fogaskerekek]*

engage in *tsi* részt vesz vmben, belekeveredik vmbe

engage sy in *tsi* belekever vkt vmbe, rávesz vkt a résztvételre vmben

engaged [ɪn'geɪdʒd] *mn* **1.** eljegyzett; ~ **couple** jegyespár; jegyesek **2. a)** (el)foglalt *[ember]* **b)** foglalt *[telefonvonal]* **3.** elkötelezett **4.** *kat* harcban álló, küzdő; **hotly** ~ heves harcban álló **5.** *műsz* egymásba illeszkedett, összekapcsolódott *[fogaskerekek]*

engaged signal *fn távk* foglalt jelzés

engagement [ɪn'geɪdʒmənt] *fn* **1. a)** kötelezettség(vállalás), ígéret; **enter into an** ~ kötelezettséget vállal; **carry out** (v. **meet**) **one's ~s** eleget tesz (v. megfelel) kötelezettségeinek; **social ~s** társadalmi elfoglaltságok/kötelezettségek **b)** megbeszélés, megbeszélt találkozó, elfoglaltság, program; **have an** ~ el van foglalva; programja van; nem ér rá; **I have numerous ~s for next week** a jövő hetem be van táblázva **2. a)** alkalmazás, felfogadás, szerződtetés **b)** állás, hely, elfoglaltság; **she has found a lucrative** ~ jól fizetett állásra akadt **3.** eljegyzés; ~ **ring** jegygyűrű; **break off one's** ~ felbontja az eljegyzést **4.** *kat* (rövid) ütközet, csata; **artillery** ~ (tüzérségi) tűzpárbaj; **minor ~s** csetepaték **5. a)** *műsz* (össze)kapcsolódás, kapaszkodás *[fogaskerekeké]* **b)** (be)kapcsolás *[motoré, sebességé]*

engaging [ɪn'geɪdʒɪŋ] *mn* vonzó, kellemes, bájos, előzékeny, rokonszenves, megnyerő; **have an ~ manner** megnyerő/kellemes/szíves modorú; előzékeny • *hsz* **engagingly**

engender [ɪn'dʒendə ‖ –ər] **A.** *tsi* **1.** *régi* nemz, szül **2.** *átv* előidéz, okoz, létrehoz, kelt *[hatást]*; ~ **strife** viszályt szít **B.** *tni* keletkezik, létrejön

engine ['endʒɪn] *fn* **1.** motor, (erő)gép, gépezet, szerkezet; *gk* ~ **bonnet** *GB*/**hood** *US* motorháztető; *gk* ~ **compartment** motortér; ~ **failure** motorhiba; **war** ~ hadi szerszám, hadgép; hadigépezet **2. a) (steam)** ~ gőzgép; ~ **attendant** gépész; gépkezelő **b)** *vasút* mozdony, lokomotív; **electric** ~ villanymozdony **c) (fire)** ~ tűzoltóautó; tűzoltófecskendő • *mn* **engined**

engine driver *fn GB vasút* mozdonyvezető

engineer [ˌendʒɪ'nɪə ‖ –'nɪr] **I.** *fn* **1.** mérnök; ~ **in charge of production** gyártásvezető főmérnök; **~s' stores** üzemi felszerelések **2. a)** gépész, gépkezelő; **chief** ~ főgépész **b)** *US* mozdonyvezető **3.** *kat* **a)** műszaki katona, utász; **combat ~s** műszaki harcegységek; ~ **corps** műszaki csapatok **b)** hadmérnök **4. a)** elrendező, felépítő *[műé]* **b)** *átv* ~ **of sg** vmnek a kifőzője/kitervelője; **the chief ~ of the scheme** az egész ügy mozgatója **II.** *tsi* **1.** épít, tervez, konstruál **2.** *biz* előkészít, elrendez *[látványosságot]*, mesterkedik (vmn), forral *[tervet]*

engineering [ˌendʒɪ'nɪərɪŋ ‖ –'nɪrɪŋ] *fn* **1. a)** mérnöki munka/tudomány, mérnökség, műszaki tudományok, technika **b)** gépészet, gépszerkesztés, gépesítés; ~ **college** gépipari műszaki főiskola **c)** hadmérnökség **2.** *biz* mesterkedés, machináció

engineering science *fn tud* mérnöki tudományok

engineering works *fn tsz műsz* gépgyár

engine house *fn* gépház, motorház

engine room *fn* **1.** *műsz* gépterem **2.** *hajó* gépház

enginery ['endʒɪnri] *fn* **1.** *átv* gépezet **2.** ágyú, tüzérség

engine speed *fn gk* motor-fordulatszám

engine-trouble *fn* motorhiba, motor meghibásodása

engine-works *fn tsz* gépgyár, mozdonygyár

engird [ɪn'gɜːd ‖ ɪn'gɜrd], **engirdle** *tsi vál* övez, körülvesz

England ['ɪŋglənd] *tul földr* Anglia

English ['ɪŋglɪʃ] **I.** *mn* angol; ~ **breakfast** angol reggeli; ~ **weather** angol/borongós idő(járás) **II.** *fn* **1. a)** angol (nyelv); *nyelv* **Old** ~ óangol (nyelv); *nyelv* **Middle** ~ középangol (nyelv); *nyelv* **Modern** ~ modern/mai angol (nyelv); **the King's/Queen's** ~, **BBC** ~ helyes angolság, művelt emberek által beszélt angol nyelv; **in** ~ angolul, angol nyelvű/nyelven; *átv* **in plain** ~ világosan, félreérthetetlenül; **speak** ~ tud/beszél angolul; **what is the** ~ **for ...** hogy van/mondják angolul, hogy ... **b)** angol (nyelv)tudás, angolság; **his ~ is good** jól tud angolul, az angol tudása jelentős **2. the** ~ az angolok, az angol nép

English-born *mn* angol születésű/származású

English Channel *tul földr* La Manche-csatorna

Englishman ['ɪŋglɪʃmən] *fn tsz* **Englishmen** angol (ember/férfi)

Englishness ['ɪŋglɪʃnəs] *fn* angol saját(os)ság, angolság

English-speaking *mn* angol (anya)nyelvű/ajkú, angolul beszélő; **the ~ world** az angolszász világ, az angolul beszélő világ

Englishwoman ['ɪŋglɪʃwʊmən] *fn tsz* **Englishwomen** angol nő

engorge [ɪn'gɔːdʒ ‖ ɪn'gɔrdʒ] *tsi* **1.** (fel)fal, magába töm *[ételt]* **2.** eldugul, eltömődik; **~d with blood** vértólulásos, vérbő • *fn* **engorgement** *mn* **engorged**

engraft [ɪn'grɑːft ‖ ɪn'græft] *tsi* **1.** *mezőg* **a)** (be)olt, ojt, ráolt **b)** *orv* átültet *[bőrt stb.]* **2.** *átv* **a)** becsepegtet, beolt **b)** beolvaszt

engrail [ɪn'greɪl] *tsi* **1.** *cím* csipkéz, csipkés szegéllyel ellát **2.** *fémip* rovátkol, recéz *[peremet]* • *mn* **engrailed**

engrain [ɪn'greɪn] → **ingrain**

engram ['engræm] *fn pszich* emlékkép, emléknyom *[élményé]* • *mn* **engrammatic**

engrandize [en'grændaɪz] *tsi* nagyszerűvé tesz

engrave [ɪn'greɪv] *tsi* **1.** (rá)vés, bevés, kivés, metsz, marat *[betűt, mintát]*, gravíroz; ~ **an inscription on a tablet** táblára feliratot vés **2.** *átv* ~ **(up)on one's memory** emlékezetébe vés

engraver [ɪn'greɪvə ‖ –ər] *fn* **1.** rézmetsző, fametsző **2. a)** véső **b)** gravírozógép

engraving [ɪn'greɪvɪŋ] *fn* **1.** vésés, metszés **2. a)** metszet **b)** véset, maratott klisé

engross [ɪnˈgroʊs] *tsi* **1.** leköt, lefoglal *[figyelmet stb.]*; ~ **the conversation** kisajátítja a társalgást; ~ **sy's time** elveszi/elrabolja vk idejét; **be ~ed in one's work** belemerül/belemélyed a munkájába, munkája teljesen leköti **2. a)** letisztáz, lemásol, leír *[okmányt]* **b)** megszerkeszt, megfogalmaz, kiállít *[okmányt]* **3.** *gazd régi* **a)** felvásárol, felhalmoz *[árut]* **b)** monopolizál • *fn* **engrossment** *mn* **engrossing**

engulf [ɪnˈgʌlf] *tsi átv is* elnyel, elborít, beborít, eláraszt, elönt; **~ed in flames** lángokban áll • *fn* **engulfment**

enhance [ɪnˈhɑːns ‖ ɪnˈhæns] *tsi* **1.** fokoz, növel, emel *[értéket, tulajdonságot]*, öregbít *[hírnevet]*, erősít *[érzést]*, hangsúlyoz *[képességet]*; **the frame ~s the beauty of the picture** a keret emeli a kép szépségét **2.** *infor* **~d graphics adaptor**, **EGA** emeltszintű grafikus adapter, EGA • *fn* **enhancement**, **enhancer**

enharmonic [ˌenhɑːˈmɒnɪk ‖ ˌenhɑrˈmɑnɪk] *mn zene* enharmonikus; ~ **diesis** fél hangnál kisebb hangköz

enigma [ɪˈnɪgmə] *fn* **a)** rejtély, rejtvény, talány, enigma; **solve the ~** megfejti a talányt, rájön a rejtély nyitjára **b)** titokzatos/rejtélyes egyéniség • *mn* **enigmatic** *hsz* **enigmatically**

enigmatize [ɪˈnɪgmətaɪz] **A.** *tsi* rejtélyessé tesz **B.** *tni* talányokban beszél

enjambment [ɪnˈdʒæmmənt] *fn ir.tud* átlépés, sorátkötés, enjambement *[versben]*

enjoin [ɪnˈdʒɔɪn] *tsi* **1.** előír, (meg)parancsol, utasít, elrendel; ~ **prudence (up)on sy** óvatosságra int vkt; ~ **that ...** azt parancsolja, hogy ... **2.** *jog* megakadályoz, megtilt, eltilt, tilt • *fn* **enjoinment**

enjoy [ɪnˈdʒɔɪ] **I.** *tsi* **1. a)** élvez (vmt), kedvét leli (vmben), tetszik (vknek vm), kedvel, szeret, szívesen tesz (vmt); ~ **a good laugh** szívből/jót/nagyot nevet; ~ **life** élvezi az életet; ~ **doing sg** szívesen/kedvvel/élvezettel csinál vmt, kedvét/örömét leli vmben; **did you ~ your holidays?** jól telt a nyaralás?; **I see you ~ it** látom, tetszik neked; látom, élvezed **b)** ~ **oneself** jól mulat, jól érzi magát, jól telik az ideje, (jól) szórakozik; ~ **yourself!** jó mulatást!, mulass(on) jól! **2. a)** élvez, bír *[vagyont, jogokat, bizalmat]*; ~ **a modest income** szerény jövedelemmel rendelkezik **b)** ~ **good health** jó egészségnek örvend **II.** *isz* **~!** jó szórakozást/mulatást!; jó étvágyat

enjoyable [ɪnˈdʒɔɪəbl] *mn* élvezetes, kellemes; **we had an ~ evening** kellemes esténk volt • *hsz* **enjoyably**

enjoyment [ɪnˈdʒɔɪmənt] *fn* **1.** élvezet, gyönyör(űség), öröm; **take ~ in sg** örömét leli vmben **2.** *jog* élvezés *[jogoké stb.]*, haszonélvezet, használati jog

enkindle [ɪnˈkɪndl] *i* **A.** *tsi vál átv is* gyújt, szít, gerjeszt, éleszt, lángra lobbant, felgerjeszt *[tüzet, indulatot, szenvedélyt]* **B.** *tni* lángra lobban • *fn* **enkindler**

enlace [ɪnˈleɪs] *tsi* összefon, egymásba fon *[virágot]*, befut, benő *[vmt növény]*, összekulcsol *[ujjakat]*; **~d in each other's arms** egymást szorosan átölelve, egymás karjaiban • *fn* **enlacement**

enlarge [ɪnˈlɑːdʒ ‖ ɪnˈlɑrdʒ] **A.** *tsi* **a)** (meg)nagyobbít, (meg)növel, gyarapít, (ki)bővít, kienged, leenged *[ruhát]*, tágít, öblösít *[nyílást]*, (fel)nagyít *[fényképet]* **b)** *átv* tágít *[látókört]*, szélesít, kibővít *[ismereteket]*, gyarapít *[tudást]*, növel, kifejleszt *[intelligenciát]*, kiterjeszt *[hatáskört]* **c)** meghosszabbít, megújít *[kötelezvényt, jótállást]*; ~ **the payment of a bill** váltót prolongál **B.** *tni* (meg)növekedik, (meg)nagyobbodik, (ki)szélesedik, (ki)tágul, öblösödik *[cső, nyílás]* • *fn* **enlarging** *mn* **enlarged**

enlarge on *tsi* (részletesen) kifejt, részletez, taglal, hosszasan/bőven fejteget *[témát]*, (hosszasan) időzik *[tárgynál]*

enlargement [ɪnˈlɑːdʒmənt ‖ ɪnˈlɑrdʒ–] *fn* **1. a)** (meg)nagyobbítás, (meg)növelés, gyarapítás, kibővítés, kitágítás; **NATO ~** a NATO bővítése **b)** (meg)nagyobbodás, (meg)növekedés, kiterjedés, (ki)tágulás, *orv* megnagyobbodás, hipertrófia *[szervé]* **2.** *fényk* (fel)nagyítás, nagyított kép **3.** ~ **(up)on a subject** téma/tárgy részletes fejtegetése/taglalása/kifejtése

enlighten [ɪnˈlaɪtn] *tsi* **1.** felvilágosít; ~ **sy on a subject**, ~ **sy as to sg** felvilágosít/tájékoztat vkt vmről, felnyitja vknek a szemét vmre vonatkozólag **2.** *vál* megvilágít, fényt vet/derít (vmre)

enlightened [ɪnˈlaɪtnd] *mn* **a)** *tört* felvilágosult *[ember, eszme]*; ~ **thinkers** felvilágosult gondolkodók **b)** *átv* felvilágosult, tisztán látó, világosan gondolkodó *[ember]*

enlightenment [ɪnˈlaɪtnmənt] *fn* **1.** *tört* **the E~** a felvilágosodás; **the age of ~** a felvilágosodás kora **2.** felvilágosítás

enlist [ɪnˈlɪst] **A.** *tsi* **1. a)** besoroz *[katonának]*; **get ~ed** besorozzák **b)** *átv* toboroz, szerez, megnyer *[híveket]*, felfogad *[szolgálatra]*; ~ **supporters** híveket gyűjt/toboroz/verbuvál; ~ **sy in an enterprise** vkt egy vállalkozásnak megnyer **2.** igénybe vesz *[segítséget]*; ~ **sy's services/help** igénybe veszi vknek a szolgálatait/segítségét; ~ **public interest in sg** ráirányítja vmre a közfigyelmet **B.** *tni* **a)** felcsap, beáll *[katonának]* **b)** *átv* hívéül szegődik, zászlaja alá áll (vknek), felesküszik *[ügynek]* • *fn* **enlistment**

enlisted [ɪnˈlɪstɪd] *mn US kat* ~ **man** (köz)katona, közlegény

enliven [ɪnˈlaɪvn] *tsi* **a)** (fel)élénkít, életet/színt visz (vmbe), felvillanyoz *[társaságot]*, (fel)üdít, felfrissít; ~ **the conversation** élénkséget visz a társalgásba **b)** felderít, felvidít, derűt visz (vmbe) • *fn* **enlivenment**

en masse [ˌɒnˈmæs ‖ ˌɑn–] *hsz francia* tömegesen, tömegestől, tömeg(ek)ben, egészében, mind

enmesh [ɪnˈmeʃ] *tsi* **1.** hálóval (meg)fog *[halat]* **2.** *átv* **a)** behálóz, körülfon, kelepcébe/tőrbe csal **b)** belegabalyít; *átv* **be ~ed in difficulties** szorongatott/nehéz helyzetben van • *fn* **enmeshment**

enmity [ˈenməti] *fn* ellenségeskedés, háborúság, gyűlölködés; **be at ~ with sy** ellenséges viszonyban van vkvel, háborúskodik vkvel, hadilábon áll vkvel

enneagon [ˈenɪəgən ‖ –gɑn] *fn mat* kilencszög

ennoble [ɪˈnoʊbl] *tsi* **1.** nemesi rangra emel (vkt), nemességet adományoz (vknek) **2.** *átv* (meg)nemesít, nemessé/emelkedetté tesz *[jellemet]* **3.** *régi* híressé tesz • *fn* **ennoblement** *fn/mn* **ennobling**

ennui [ˈɒnwiː ‖ ˌɑnˈwiː] *fn* unalom, közöny, kedvetlenség

ennuyé [ɑːnˌnwɪˈjeɪ] *mn* unatkozó, unott, kedvét vesztett

enormity [ɪˈnɔːməti ‖ ɪˈnɔrməti] *fn* **1.** borzalmasság, rettenetesség, szörnyűség, iszonyúság **2.** rémség, gaztett, gazság, borzalom **3.** *biz* roppant/iszonyú nagyság

enormous [ɪˈnɔːməs ‖ ɪˈnɔr–] *mn* óriási, roppant (nagy), irdatlan (nagy), hatalmas (nagy), iszonyú (nagy), rendkívüli, hallatlan *[siker]*, monumentális *[épület]*, leírhatatlan, nagyméretű, nagy/óriási arányú/mértékű; ~ **animals** hatalmas (nagy)/nagytestű állatok; ~ **difference** óriási különbség; ~ **success** szédületes/világraszóló/szenzációs siker • *hsz* **enormously**

enough [ɪˈnʌf] **I.** *mn* elég, elegendő; ~ **and to spare** jut is marad is, bőven/bőségesen elég; *biz* ~ **said** erről ennyit, téma lezárva; ~ **time**, **time ~** elég/elegendő/kellő időre; **I don't have ~ money** nincs elég pénzem; *biz* **I've had ~ (of it)** elegem volt/van (belőle), torkig vagyok (vele); **as if this/that wasn't ~** mintha ez még nem lett volna elég, ráadásul még **II.** *hsz* elég(gé), meglehetősen; **bad ~** elég rossz; **good ~** megfelel(ő); **be good ~ to let me know** legyen szíves tudatni/közölni velem; **curiously/oddly/surprisingly ~** akármennyire különös/furcsa (is); különös/meglepő/furcsa módon; *biz* **fair ~** rendben (van), legyen; **more than ~** bőven elég, több a kelleténél; **not ~** nem elég/elegendő; *biz* **sure ~** és valóban/tényleg, ahogy várható volt; **I can't thank you ~** nem is tudom hogy köszönjem meg; **I have had ~ to eat** jóllaktam; **he has ~ to live on** van miből megélnie; **you know well ~** tudod te nagyon jól **III.** *isz* **~!** elég (volt)!; **that's ~!** elég volt!; most

E

már aztán elég (legyen)!, hagyd abba!; ~ **is** ~! ami sok az sok!; ~ **of this nonsense!** elég volt/legyen (ebből) az ostobaságból/hülyeségből!

en passant [ˌɒn'pæsɒn ‖ ˌɑnpɑ'sɑn] *hsz francia* **1.** mellékesen, mellesleg, futólag **2.** *sp* menet közben

enplane [ɪn'pleɪn] *i* **A.** *tsi* repülőgépbe/repülőgépre ültet, repülőgépre rak **B.** *tni* repülőgépre/repülőgépbe száll/ül, repülőgépbe berakodik *[katonaság]*

enquire [ɪn'kwaɪə ‖ ɪn'kwaɪər] → **inquire**

enquiry [ɪn'kwaɪəri] → **inquiry**

enrage [ɪn'reɪdʒ] *tsi* felbőszít, feldühít, felingerel, kihoz a sodrából, dühbe hoz • *fn* **enragement** *mn* **enraged**

enrapture [ɪn'ræptʃə ‖ –ər] *tsi* elbűvöl, elbájol, elragadtat, magával ragad, megigéz; **be ~d with sg** el van ragadtatva vmtől, lelkesedik vmért, lelkendezik vmn • *mn* **enraptured**

enrich [ɪn'rɪtʃ] *tsi* **a)** gazdagít, gyarapít, növel, dúsít, tartalmasabbá/dúsabbá tesz, feljavít *[ételt]*, termékennyé tesz, javít *[talajt]*, gazdagabbá/kifejezőbbé tesz *[stílust]* **b)** *fiz* dúsít, koncentrál, *bány* dúsít, előkészít *[ércet]* • *fn* **enrichment** *mn* **enriched**

enrobe [ɪn'roub] *tsi* (fel)öltöztet, díszbe/díszruhába öltöztet

enrol [ɪn'roul], *US* **enroll -ll- A.** *tsi* **1.** besoroz, bevesz *[újoncot]*, felvesz, szegődtet *[munkást, tanulót]*, bejegyez, lajstromba vesz *[nevet]*; ~ **oneself** beiratkozik; **be ~led**/ beiratkozott, beírták *[iskolába]* **2. a)** *jog* bejegyez, beiktat, bevezet **b)** *átv* feljegyez, megörökít, megőriz **B.** *tni* beiratkozik *[iskolába, egyesületbe]*, beáll *[katonának]* • *fn* **enrol(l)ee** *fn* **enrol(l)er**

enrolment [ɪn'roulmənt], *US* **enrollment** *fn* **1. a)** besorozás, *[katonáé]*, felvétel, szegődtetés *[munkásé]*, beíratás *[tanfolyamra]*, beiratkozás *[tanintézetbe]*, *okt* beiskolázás; *okt* ~ **ratio** beiskolázási arány **b)** *okt* beiratkozott tanulók/hallgatók (száma) **2.** *jog* bejegyzés, beiktatás, nyilvántartásba vétel

en route [ˌɒn'ruːt ‖ ˌɑn–] *hsz francia* útközben, úton, útban, menet közben

ensconce [ɪn'skɒns ‖ ɪn'skɑns] *tsi* eldug, elrejt; ~ **oneself in a corner** megbúvik a sarokban; *átv* elzárkózik a világtól

ensemble [ɒn'sɒmbl ‖ ɑn'sɑmbl] *fn francia* **1.** együttes *[dolgoké]* **2.** (ruha)együttes, öltözet **3.** *szính* **a)** együttes, társulat **b)** mellékszereplő **4.** *zene* együttes, zenekar, ensemble

enshrine [ɪn'ʃraɪn] *tsi* **a)** ereklyetartóba zár/tesz/helyez **b)** *átv* ereklyeként/kegyelettel/gonddal őriz, kegyelettel gondoz/övez; **his memory is ~d in our hearts** emlékét szívünkben őrizzük • *fn* **enshrinement**

enshroud [ɪn'ʃraud] *tsi* **1.** (be)borít, beburkol, letakar, befed; **~ed in fog** ködbe borult/vesző **2.** elrejt, eltakar *[szem elől]*

ensign ['ensaɪn, 'ensn] *fn* **1.** jelvény, felségjel *[országé]*, jelvény *[hivatalé]* **2.** (nemzeti) zászló, lobogó **3. a)** *kat* zászlós **b)** *US* (tengerész)zászlós

ensilage ['ensəlɪdʒ] *mezőg* **I.** *tsi* silóz *[takarmányt]* **II.** *fn* silózás

ensile [en'saɪl] *tsi mezőg* → **ensilage I.**

enslave [ɪn'sleɪv] *tsi átv is* rabszolgává tesz, rabszolgasorba dönt/juttat, rabul ejt, elnyom, leigáz; *biz* ~ **hearts** rabul ejti a szíveket; **be ~d to a habit** a szokás rabjává lesz, szokás rabja • *fn* **enslavement**, **enslaver**

ensnare [ɪn'sneə ‖ ɪn'sner] *tsi átv is* kelepcébe/tőrbe csal • *fn* **ensnarement**

ensue [ɪn'sjuː ‖ ɪn'suː] *tni* **1.** következik; **a long silence ~d** hosszú csend állt be (v. következett) **2.** származik, ered • *mn* **ensuant**

ensuing [ɪn'sjuːɪŋ ‖ –'suː–] *mn* **1.** (rá)következő, (vmt) követő, későbbi *[időszak]*; **the ~ debate** az ezt követő vita **2.** következő, eredő

ensure [ɪn'ʃɔː ‖ ɪn'ʃʊr] *tsi* **1.** biztosít *(against/from* vm ellen); **I can ~ you that** ... biztosíthatom/kezeskedhetem (arról/afelől), hogy ..., garantálhatom, hogy ... **2.** biztosít *[eredményt stb.]* gondoskodik (vmről); ~ **a post for sy** állást biztosít/szerez vknek; **if success is to be ~d** ... hogy a siker biztos legyen ...; ~ **sy enough to live on** biztosítja vknek a megélhetését; **I cannot ~ his being there on time** nem garantálhatom, hogy időben ott lesz

ENT *röv ear, nose and throat*

entablement [ɪn'teɪblmənt] *fn épít* oszloptalapzat alsó része

entail [ɪn'teɪl] **I.** *tsi* **1.** *jog* ~ **an estate on sy** birtokot/ ingatlant hitbizományul/örökül hagy vkre; **~ed property/ estate** elidegeníthetetlen birtok **2.** (rá)ró **3. a)** együttjár, velejár *[következménnyel]* **b)** előidéz, maga után von *[következményt]*; **this ~ s trouble** nem lesz könnyű dolog **II.** *fn jog* **1.** ingatlan elörökösítési korlátozás **2.** hitbizomány, majorátus • *fn* **entailment**

entangle [ɪn'tæŋgl] *tsi* **1. a)** be(le)akad, belegabalyodik, beleakaszt; ~ **one's feet in a rope** beleakad/belegabalyodik a lába a kötélbe **b)** *átv* belekeveredik, belegabalyodik *[ügybe]*; **become ~d in/with sg** belebonyolódik/belekeveredik vmbe; **get ~d in a suspicious affair** gyanús ügybe keveredik **2.** összekuszál *[hajat]*, összegubancol *[fonalat]*, összegabalyít *[huzalokat]*, összezavar, összekavar, összekuszál *[gondolatokat]*; **~d style** kusza/zagyva/zavaros stílus

entanglement [ɪn'tæŋglmənt] *fn* **1. a)** belegabalyodás **b)** *átv* belegabalyodás, belekeveredés **c)** torlódás, elakadás *[kocsiké]* **2.** nehéz/bonyolult ügy/helyzet; **have an ~ with a woman** nőügye van, nőügybe keveredett **3.** *kat* drótakadály

entente [ɒn'tɒnt ‖ ɑn'tɑnt] *fn* **1.** egyetértés, megegyezés, jó/baráti viszony *[államok közt]* **2.** *pol* antant; **the Little E~** kisantant

entente cordiale [–kɔːdi'ɑːl ‖ –kɔrdi'ɑl] *fn* **1.** *tört* angol-francia egyezmény **2.** *pol* ‹két állam közötti együttműködés›

enter ['entə ‖ 'entər] **A.** *tsi* **1.** *átv is* **a)** bejön, bemegy, belép, befut *[hajó kikötőbe]*, behatol *[golyó testbe]*; ~ **a hospital** kórházba befekszik; ~ **a new era** új korszakba lép; **he ~ed his twentieth year** huszadik évébe lépett **b)** lép *[vmlyen pályára]*, belép *[egyesületbe]*; ~ **the Church** papi/ egyházi pályára lép, papnak megy; ~ **office** hivatalba lép; ~ **a university** beiratkozik az egyetemre **c)** benevez *[versenyre]*, indul *[versenyen]*, beavatkozik, belép *[háborúba]* **d)** ~ **one's head/mind** eszébe jut; **such an idea never ~ed his head** ilyesmi még csak eszébe sem jutott **2. a)** felír, beír, feljegyez (vhová), bevezet; ~ **goods** vámnyilatkozatot tesz **b)** *infor* bevisz *[információt]* **c)** beirat *[iskolába]* **d)** *jog* ~ **an action against sy** keresetet/pert indít vk ellen; ~ **into force** hatályba lép *[szerződés]*; *US* ~ **land** telekkönyvez, telekkönyvbe bekebelez *[tulajdonjogot]*; ~ **a protest** írásban tiltakozik **e)** *biz* ~ **an appearance** megjelenik vhol **B.** *tni* **1.** belép, bejön, bemegy; **do not ~** behajtani tilos; *szính* ~ **Lear** Lear belép **2.** benevez • *fn/mn* **entering**

enter into *tsi* **1.** elkezd, megnyit *[társalgást, tárgyalásokat]*; ~ **into particulars** részletekbe/konkrétumokba bocsátkozik **2.** belekezd, belebonyolódik *[ügybe]*

enter for *tsi* benevez *[versenybe]*

enter (up)on *tni* hozzálát *[feladathoz]*, nekifog *[vállalkozásnak]*, megkezd *[működést]*, választ *[hivatást]*, elindul *[életpályán]*, rátér *[témára]*, *[vitába]* kezd, lép *[életébe, háborúba]*, elindul *[vm útján]*, *átv* vm útjára lép, bocsátkozik *[tárgyalásokba]*; ~ **upon a conversation** beszédbe/ szóba elegyedik

enteric [en'terɪk] *mn orv* bél-; ~ **fever** hastífusz

enteritis [ˌentə'raɪtɪs ‖ –təs] *fn orv* (vékony)bélgyulladás, bélhurut, enteritis

entero- ['entərou] *összet biol orv* bél-

enteron ['entərɒn ‖ –rɑn] *fn tsz* **entera** [–rə] *orv* bélcsatorna, bélrendszer

enterprise ['entəpraɪz || 'entər–] *fn* **1. a)** vállalkozás; **private ~** magánvállalkozás **b)** merész/kockázatos vállalkozás **2.** vállalkozó szellem/kedv, kezdeményezés, bátorság, merészség; **show ~** vállalkozó szellemről tesz tanúságot, nem egykönnyen riad vissza **3.** vállalat • *fn* **enterpriser**

enterprise zone *fn* (kedvezményezett) iparterület/ipartelep

enterprising ['entəpraɪzɪŋ || 'entər–] *mn* vállalkozó szellemű, merész, bátor, nehézségektől vissza/meg nem riadó • *hsz* **enterprisingly**

entertain [ˌentə'teɪn || ˌentər–] **A.** *tsi* **1. a)** szórakoztat, mulattat; **~ the company** mulattatja/szórakoztatja a társaságot **b)** szóval tart (vkt), beszélget, társalog (vkvel); **~ the guests** szóval tartja a vendégeket **2.** megvendégel; **be ~ ed to (at) dinner by sy** vacsorán van vknél **3. a)** magáévá tesz *[kérést]*, elfogad *[véleményt]*, kedvezően ítél meg *[kérést]* **b) ~ an idea** foglalkoztatja egy ötlet/gondolat; **~ a subject** foglalkozik egy témával/tárgykörrel **4.** véleménye van (vmről), táplál *[reményt]*, *[indulattal]* viseltetik (vk/vm iránt), ápol *[nézetet]*, foglalkozik *[gondolattal]*; **~ hostile intentions regarding sy** ellenséges érzülettel van/viseltetik vk iránt; **~ a kindly feeling for sy** jóindulattal viseltetik vk iránt **B.** *tni* vendégeket fogad; **they ~ a great deal** sok vendég fordul meg náluk

entertainer [ˌentə'teɪnə || ˌentər'teɪnər] *fn* **1.** házigazda, háziasszony **2. a)** (hivatásos), szórakoztató **b)** énekes(nő), kabarészínész

entertaining [ˌentə'teɪnɪŋ || ˌentər–] **I.** *mn* szórakoztató, mulatságos, élvezetes **II.** *fn* **1.** szórakoztatás, mulattatás **2.** vendéglátás, megvendégelés **3.** *vál* elfogadás, kedvező elbírálás/megítélés *[javaslaté]* • *hsz* **entertainingly**

entertainment [ˌentə'teɪnmənt || –tər–] *fn* **1. a)** szórakoztatás, mulattatás; **give an ~** műsoros estét rendez **b)** szórakozás, mulatság **2. a)** vendéglátás, megvendégelés, vendégeskedés; **~ allowance** reprezentációs költségkeret **b)** fogadás, vendégség **3.** *vál* elfogadás *[eszméé]*

enthral [ɪn'θrɔːl], *US* **enthrall** *tsi* **-ll- a)** elbűvöl, lebilincsel, lenyűgöz, megigéz **b)** *átv* rabjává tesz, foglyul ejt • *fn* **enthral(l)ment** *mn* **enthral(l)ing**

enthrone [ɪn'θroʊn] *tsi* **1.** trónra emel, megkoronáz *[királyt]*, felszentel *[püspököt]*; **sit ~d** trónol, trónján ül **2.** *átv* trónt emel (vknek); **he was ~d in the hearts of his people** népe szívébe zárta

enthronement [ɪn'θroʊnmənt] *fn* **1. a)** trónra emelés, megkoronázás **b)** püspökké szentelés **2.** trónolás

enthuse [ɪn'θjuːz || ɪn'θuːz] **A.** *tsi biz* lelkesít **B.** *tni biz* lelkesedik, rajong, felbuzdul, lelkendezik (vmn), áradozik, ömleng (vmről)

enthusiasm [ɪn'θjuːziæzm || ɪn'θuː–] *fn* lelkesedés, rajongás, elragadtatás, felbuzdulás

enthusiast [ɪn'θjuːziæst || ɪn'θuː–] *fn* rajongó, lelkesedő; **Mozart ~** Mozart imádó/rajongó

enthusiastic [ɪnˌθjuːzi'æstɪk || ɪnˌθuː–] *mn* lelkes(ült), buzgó; **be ~ about sg** lelkesedik vmért; **become ~ over/about sg** felbuzdul/fellelkesül/fellelkesedik vmn • *hsz* **enthusiastically**

enthymeme ['enθɪmiːm] *fn logika* ‹olyan szillogizmus, amelyben vmelyik premissza nincs egyértelműen megfogalmazva›

entice [ɪn'taɪs] *tsi* csalogat, csábít(gat), kecsegtet, elcsal, odacsal (vhova); **~ sy to do sg** rávesz vkt vmre • *fn* **enticement** *fn* **enticer**

enticing [ɪn'taɪsɪŋ] *mn* kecsegtető, csábító *[ajánlat]*, kísértő *[szavak]*, vonzó, csábító *[jelenség]*, igéző, vonzó *[nő]*, ínycsiklandó, ingerlő *[illat]*

entire [ɪn'taɪə || –ər] **I.** *mn* **1.** egész, teljes; **the ~ population** az egész lakosság/népesség **2. a)** teljes, tökéletes, ép, sértetlen; **not a window was left ~** egyetlen ablak sem maradt épen **b)** *növ* ép élű *[levél]* **3. ~ horse** mén, csődör **II.** *fn* **a)** mén, csődör **b)** apaállat • *fn* **entireness**

entirely [ɪn'taɪəli || –ərli] *hsz* **a)** teljesen, egészen, száz százalékban; **it is ~ formal** tisztára/pusztán csak formaság; **you are ~ mistaken** alapvetően tévedsz, egyáltalán nincs igazad **b)** teljesen, kizárólag, abszolút; **it is ~ in your interest** kizárólag a te érdeked(ben áll)

entirety [ɪn'taɪərəti] *fn* **a)** teljesség, csorbítatlanság, hiánytalanság; **in its ~** teljes egészében **b)** összesség, teljesség (of vmé)

entitle [ɪn'taɪtl] *tsi* **1.** feljogosít; **these discoveries ~ us to believe that** ezek a megállapítások méltán/joggal keltik bennünk azt a hitet, hogy; **be ~d to sg** joga van vmhez, jogosult vmre, vm megilleti; **be ~d to do sg** joga van (v. jogában áll) vmt tenni; fel van hatalmazva vm megtételére *[követ]* **2. a)** címez, titulál (vkt vmnek) **b) ~ oneself a count** grófnak mondja (v. adja ki) magát **3.** címet ad *[könyvnek, fejezetnek]*, címmel ellát *[könyvet]* • *mn* **entitled**

entitlement [ɪn'taɪtlmənt] *fn* **a)** felhatalmazás, meghatalmazás **b)** *nyomd* címzés *[könyvé]*

entity ['entəti] *fn* **1.** entitás, önálló/létező dolog **2.** *infor* entitás, valós elem **3. legal ~** jogi személy

ento- ['entoʊ], **ent-** *előtag* belső, bel-

entomb [ɪn'tuːm] *tsi* **1.** sírba tesz/helyez, elföldel, eltemet, elhantol *[halottat]* **2.** befogad, magába zár *[sír halottat]* • *fn* **entombment**

entomo- ['entoʊmoʊ], **entom-** *összet biol* rovar-

entomology [ˌentə'mɒlədʒi || ˌentə'mɑ–] *fn áll* rovartan, entomológia • *fn* **entomologist** *mn* **entomological**

entomophagus [ˌentə'mɒfəgəs || –'mɑ–] *fn tud* rovarevő

entomophilous [ˌentə'mɒfələs || ˌentə'mɑ–] *mn növ* rovarporozta, entomofiliás

entourage ['ɒntʊrɑːʒ || ˌɑntʊ'rɑʒ] *fn francia* **a)** kíséret, kísérők **b)** környezet, vk környezetében levő személyek

entozoon [ˌentə'zoʊən] *fn tsz* **entozoa** [–'zoʊə] *áll* bélélősdi

entrails ['entreɪlz] *fn tsz* **1.** belek, belső részek, zsigerek **2.** *átv* belső rész; **the ~ of the globe** a föld méhe

entrain[1] [ɪn'treɪn] **A.** *tsi* vonatra rak, bevagoníroz *[katonákat]* **B.** *tni* **a)** vonatra száll, bevagoníroz *[személy]* **b)** bevagoníroz *[katonaság]* • *fn* **entrainment**

entrain[2] [ɪn'treɪn] *tsi* **1.** magával sodor, visz *[víz vmt]* **2.** *átv* magával von *[következményt]*

entrammel [ɪn'træml] *tsi* **-ll-** megakadályoz, gátol, megakaszt

entrance[1] ['entrəns] *fn* **1.** belépés, bemenetel, bejövetel, behatolás; **actor's ~ on the stage** a színész belépése a színpadra, színész jelenése; **the ~ is at the rear** felszállás hátul! *[járműre]*; **no ~!** belépni tilos!; behajtani tilos!; **make one's ~ into a house** házba belép/bemegy; **force an ~ into a house** erővel/erőszakkal hatol be egy házba; **~ into a profession** pályakezdés **2.** belépés, bejárás; **have free ~ to** szabad bejárása van vhova, bejáratos vhova; **pay one's ~ fee** belépti díjat fizet **3.** bejárat; **main ~** főbejárat

entrance[2] [ɪn'trɑːns || ɪn'træns] *tsi* **1.** transzba/extázisba/révületbe hoz/ejt **2.** *átv* elbűvöl, elbájol, megigéz, extázisba hoz; **he was ~d with the music** elbűvölte (v. magával ragadta) a zene **3.** *biz* **~ sy to his doom** vesztébe sodor vkt • *fn* **entrancement**

entrance door *fn* főbejárat, bejárati ajtó, utcai ajtó, (külső) kapu

entrance examination/exam *fn okt* felvételi (vizsga); **sit for/take an ~** felvételizik, felvételi vizsgát tesz

entrance fee *fn* **a)** belépődíj, belépti díj **b)** beiratkozási/belépési díj *[klubba, szervezetbe]*

entrance hall *fn* előcsarnok, hall *[szállodáé]*, hall, előszoba *[lakásé]*

entranceway *fn épít* felhajtó, behajtó *[kertes háznál]*

entrant ['entrənt] *fn* **1.** (pálya)kezdő, (új állásba) belépő **2. a)** feliratkozó, jelentkező *[vizsgára, tanfolyamra]*, résztvevő *[pályázaton]* **b)** *okt* első(éve)s, gólya *[egyetemen]* **c)** *sp* nevező, induló *[versenyen]*

E

entrap [ɪn'træp] *tsi* **-pp-** *átv* tőrbe ejt/csal, kelepcébe csal, beugrat (vkt vmbe) • *fn* **entrapment**

entreat [ɪn'triːt] *tsi* kér(lel), könyörög, esedezik, esdekel, folyamodik (vkhez vmért); **~ sy to do sg** (nyomatékosan) kér vkt vm megtételére • *mn* **entreating**

entreaty [ɪn'triːti] *fn* kérlelés, könyörgés, esdeklés, folyamodás, alázatos/nyomatékos kérés/kérelem; **be open to ~** nem zárkózik el a kérelmek elől

entrecôte ['ɒntrəkoʊt ‖ 'ɑn–] *fn francia gaszt* bordaszelet

entrée ['ɒntreɪ ‖ 'ɑn–] *fn francia* **1.** belépés, bejárás, bejáratosság; **have the ~ of a house** bejáratos egy háznál/családnál **2.** *gaszt* **a)** **~ (dish)** előétel **b)** *US* főétel

entremets ['ɒntrəmeɪ ‖ 'ɑn–] *fn tsz francia gaszt* **a)** mellékétel **b)** desszert

entrench [ɪn'trentʃ] **A.** *tsi kat* körülárkol, elsáncol, sáncot/árkot ás (vm köré); *átv is* **~ oneself behind/in sg** beássa magát (vm mögé), megbúvik (vmben), beleássa magát (v. beletemetkezik) vmbe; *kat* **~ a position** állást megerősít **B.** *tni kat* lövészárkot/sáncot ás, védőművet ás/épít, beássa magát *[alakulat]* • *mn* **entrenched**

entrenchment [ɪn'trentʃmənt] *fn kat* **1.** lövészárok, fedezék, sánc, védőmű **2.** **a)** elsáncolás, körülásás **b)** elsáncoltság

entrepôt ['ɒntrəpoʊ ‖ 'ɑn–] *fn francia gazd* közraktár

entrepreneur [ˌɒntrəprə'nɜː ‖ ˌɑntrəprə'nɜr] *fn* **1.** *közg* (magán)vállalkozó **2.** *szính zene* impresszárió • *fn* **entrepreneurism**, **entrepreneurship**

entrepreneurial [ˌɒntrəprə'nɜːrɪəl ‖ ˌɑntrəprə'nɜrɪəl] *mn közg* vállalkozói; **~ spirit** vállalkozói szellem • *fn* **entrepreneuralism** *hsz* **entrepreneurially**

entresol ['ɒntrəsɒl ‖ 'ɑntərsɑl] *fn francia* félemelet, magasföldszint

entrism ['entrɪzm] → **entryism**

entropy ['entrəpi] *fn fiz* entrópia • *mn* **entropic**

entrust [ɪn'trʌst] *tsi* **~ sy with sg** megbíz vkt vmvel; **~ sg to sy** rábíz vkre vmt; vmt vk gondjaira bíz; *biz* **~ for keeps** megőrzés végett átad

entry ['entri] *fn* **1.** **a)** belépés, bejövetel, bemenetel, bevonulás, bejutás, behajtás, belépő *[színészé]*; **no ~!** belépni tilos!, idegeneknek tilos a belépés!; nem bejárat; *közl* behajtani tilos!; **make one's ~** belép, megjelenik (a színen); színre/színpadra lép *[színész]*; **the troops made an ~ into the city** a csapatok bevonultak/behatoltak a városba **b)** bemutatkozás, első jelentkezés/szereplés *[közéletben]*, indulás *[karrieré]*, pályakezdés, megkezdés *[hivatalos működésé]*; *biz* **the young ~** az új generáció **c)** *US* beköszöntés *[évszaké]*, kezdet *[hónapé]*, beállta *[időjárásé]* **d)** *zene* bevágás, belépés *[hangszeré]*, témakezdés *[fugában]* **e)** *infor* bejegyzés *[adategység listában, táblázatban]* **f)** *ját* **~ to the dummy** lemenet, átmenet az asztalra *[bridzsben]* **2.** **a)** bejárat, torkolat *[folyóé]*, *orv* behatolás helye *[golyóé]* **b)** *bány* fő szállítóvágat/légvágat **3.** *jog* **a)** behatolás; **illegal ~** magánlaksértés, jogtalan belépés/behatolás *[házba, lakásba]* **b)** birtokba vétel **4.** **a)** beírás, bejegyzés, bevezetés, beiktatás *[iraté, névé jegyzékbe]*, elkönyvelés **b)** *gazd* **double ~ (book-keeping)** kettős könyvelés/könyvvitel; **single ~ (book-keeping)** egyszeres könyvelés/könyvvitel **5.** **a)** beírás, bejegyzés (könyvelési) tétel; **wrong ~** hibás/téves bejegyzés; *hajó* **~ in the log** bejegyzés hajónaplóban; **make an ~** beír/bevezet/bejegyez/elkönyvel egy tételt **b)** címszó, szócikk *[szótárban, lexikonban]* **6.** **a)** *sp* versenyre jelentkezők/benevezettek névsora/jegyzéke **b)** *sp* benevezés, jelentkezés *[versenyzőé]* **7.** **custom-house ~** vámnyilatkozat

entry form *fn* **a)** jelentkezési lap **b)** *sp* nevezési lap *[versenyre]*

entryism ['entriɪzm] *fn pol* beépülés, beszivárgás *[szervezetbe]*

entry permit *fn* belépési/beutazási engedély *[írásban]*

entryphone *fn* kaputelefon

entry visa *fn* (beutazási) vízum

entwine [ɪn'twaɪn] **A.** *tsi* **a)** egybefon, összefon, befuttat (vmt vmvel), felfuttat (vmt vmn); **with arms ~d** összefont karokkal; **his interests are so ~d with my own** érdekeink annyira egybefűződnek/találkoznak/összekapcsolódnak **b)** körülfon, körülölel, befut *[növény]* **B.** *tni* egymásba fonódik, körülfonódik, átfonódik

enucleate [ɪ'nuː–] **I.** *mn* [ɪ'njuːklɪət ‖ –'nuː–] kimagvazott, kihámozott **II.** *tsi* [–lieɪt] kiemel, kihámoz, kimagvaz • *fn* **enucleation**

E number *fn GB* **1.** az Európai Unió által által engedélyezett élelmiszer-adalék **2.** *biz* élelmiszer-adalék

enumerate [ɪ'njuːməreɪt ‖ ɪ'nuː–] *tsi* **a)** számba vesz, felsorol, (egyenként) megnevez **b)** *jog* pontonként felsorol/kifejt • *fn* **enumeration** *mn* **enumerative**

enumerator [ɪ'njuːməreɪtə ‖ ɪ'nuːməreɪtər] *fn* **a)** számláló, felvételező *[személy]* **b)** népszámláló biztos

enunciate [ɪ'nʌnsieɪt] *tsi* **1.** kiejt, tagol, artikulál *[hangot]*; **~ clearly** tisztán ejt ki, tagol **2.** kihirdet, kijelent, köztudomásra hoz • *fn* **enunciation**, **enunciator** *mn* **enunciative**

enure [ɪ'njʊə ‖ ɪ'njʊr] **A.** *tsi* → **inure** **B.** *tni jog* hatályba/életbe lép

enuresis [ˌenjʊ'riːsɪs ‖ ˌenjə–] *fn orv* vizelési kényszer, bevizelés, enurézis

envelop [ɪn'veləp] *tsi* **1.** *átv is* beborít, beburkol, becsomagol, borítékol *[levelet]*; **subject ~ed in mystery** homályba burkolt ügy/téma **2.** *kat* bekerít, körülzár • *fn* **envelopment**

envelope ['envəloʊp] *fn* **1.** (levél)boríték; **in (a) sealed ~** zárt borítékban **2.** *infor* boríték *[adatátviteli üzenetelem]* **3.** **a)** burkolat, csomagolás, takaró **b)** *növ biol* bőr, burok, (fedő)hártya, *geol* burok, földkéreg **4.** *mat* burkoló görbe **5.** *zene* lemezborító • *fn/mn* **enveloping** *fn* **envelopment**

envelope-file *fn* levélrendező

envenom [ɪn'venəm] *tsi* **1.** **a)** megmérgez, méregbe márt, méreggel bevon *[fegyvert]* **b)** *átv* méregbe/epébe márt *[tollat]*; **the ~ed tongue of calumny** a rágalmazás fullánkos nyelve **2.** *átv* elmérgesít *[helyzetet, vitát]*, elront *[hangulatot]*, megmérgez

enviable ['envɪəbl] *mn* irigylésre méltó • *hsz* **enviably**

envious ['envɪəs] *mn* irigy(kedő); **make sy ~ of sg** megirigyeltet vkvel vmt • *hsz* **enviously**

environ [ɪn'vaɪrən] *tsi* **a)** körülvesz, övez, környez **b)** bekerít, körülzár

environment [ɪn'vaɪrənmənt] *fn* **1.** **a)** *földr körny* környezet; **aquatic ~** vízi környezet; **protection of the ~**, **~ protection/conservation/control** környezetvédelem **b)** környék **2.** *jelzői haszn* környezetvédelmi **3.** *átv* légkör, miliő

environmental [ɪnˌvaɪrən'mentl] *mn körny* környezeti, a környezettel kapcsolatos; **~ change** környezetváltozás, környezetváltoztatás; **~ damage** környezeti kár; **~ economy/management** környezetgazdálkodás; **~ effect** környezeti hatás; **~ nuisance/noxinousness** környezeti ártalom; **~ pollution** környezetszennyezés; **~ protection/conservation** környezetvédelem • *hsz* **environmentally**

environmentalist [ɪnˌvaɪrən'mentl·ɪst] *fn* környezetvédő

environmentally correct *mn körny* a környezetvédelmi előírásoknak/normáknak megfelelő

environment-friendly *mn* környezetbarát, nem környezetszennyező

environ-politics *fn tsz* környezeti politika

environs [ɪn'vaɪrənz] *fn tsz* **a)** környék, környező városrészek, város környéke (v. külső övezete) **b)** szomszédság

envisage [ɪn'vɪzɪdʒ] *tsi* **1.** előrelát, mérlegel, kitűz *[célul]* **2.** *ritk* szembenéz, számol *[veszéllyel]* • *fn* **envisagement**

envision [ɪn'vɪʒn] *tsi vál* felidézi vmnek a képét, lelki szemeivel lát (vmt)

envoy ['envɔɪ] *fn* **1.** (diplomáciai) küldött, követ; **E~ Extraordinary and Minister Plenipotentiary** rendkívüli követ és meghatalmazott miniszter; **the ~s** diplomáciai képviselet/küldetés/misszió **2.** ajánlás *[régi balladák végén]* • *fn* **envoyship**
envy ['envi] **I.** *fn* **1.** irigység; **be green with ~** sárga az irigységtől **2.** irigység tárgya; **he/she is the ~ of others** mások irigykednek rá **II. A.** *tsi* irigyel, irigykedik (vkre/vmre); **~ sy (for sg)** irigyel vktől (vmt); **I don't ~ him** nem irigylem, nem szeretnék a bőrében lenni **B.** *tni* irigykedik • *fn* **envier** *hsz* **envyingly**
enwrap [ɪn'ræp] *tsi* **-pp-** beborít, betakar, befed (vmvel), becsomagol, beburkol
enwreathe [ɪn'ri:ð] *tsi* **1. a)** koszorúz, koszorúval övez **b)** *átv* koronáz **2.** körülfon, átfon, egymásba fonódik
Enzed [ˌen'zed] *fn Ausz ÚjZ* **1.** *biz* Új-Zéland **2.** *biz* új-zélandi (személy) • *fn* **Enzedder**
enzootic [ˌenzoʊ'ɒtɪk ‖ —'ɑtɪk] *állatorv* **I.** *mn* helyi, endémiás, enzootikus *[betegség]* **II.** *fn* helyi állatjárvány
enzyme ['enzaɪm] *fn biol vegy* enzim • *mn* **enzymatic, enzymic**
enzymology [ˌenzaɪ'mɒlədʒi ‖ ˌenzɪ'mɑ—] *fn biol vegy* enzimológia • *fn* **enzymologist**
eo- ['i:oʊ] *összet* korai-
eocene ['i:ousi:n] *mn/fn földr* eocén (korszak); **the lower ~** ősharmadkor, paleocén
EOF *röv infor end-of-file* ÁLLOMÁNY VÉGE-jel
eolian [ɪ'oʊlɪən] → **aeolian**
eolith ['i:əlɪθ] *fn régi* eolit; ‹durva kőkorszakbeli kovadarabok›
eolithic [ˌi:oʊ'lɪθɪk ‖ ˌi:ə—] *mn* kőkorszakbeli, eolitikus
eon ['i:ən] → **aeon**
eosin ['i:ousɪn ‖ 'i:əs—] *fn vegy* eozin (festék)
-eous [ɪəs] *utótag [melléknévképző]* vmilyen természetű, vmilyen tulajdonságú; **erroneous** hibás
EP *röv* **1.** *extended play* **2.** *electroplate* **3.** *European Parliament*
Ep. *röv Epistle*
epact ['i:pækt] *fn csill* epakta *[az óév utolsó újholdjától az újévig tartó napok száma]*
eparch ['epɑ:k ‖ 'epɑrk] *fn* elöljáró, püspök *[eparchia élén]*, eparchos *[görögkeleti egyházban]*
eparchy ['epɑ:ki ‖ 'epɑrki] *fn vall* az ortodox egyház egy tartománya
epaulette [ˌepə'let], *US* **epaulet** *fn francia kat* vállbojt, vállpánt, váll-lap; **win one's ~s** tiszti rangot nyer, előlép; rangjelzést kap; **~ fringe** vállrojt
epeirogeny [ˌepaɪ'rɒdʒəni ‖ —'rɑ—] *fn geol* a földkéreg megemelkedése • *mn* **epeirogenic**
epenthesis [e'penθəsɪs] *fn tsz* **epentheses** [—si:z] *nyelv* hangbetoldás, hangbeiktatás, epenthesis
epergne [ɪ'pɜ:n ‖ ɪ'pɜrn] *fn* gyümölcstartó/virágtartó asztaldísz
epexegesis [eˌpeksɪ'dʒi:sɪs] *fn nyelv* epexegesis, magyarázó kiegészítés
ephebe ['efi:b], **ephebus** *fn tsz* **ephebi** [—baɪ] *tört kat* katonai kiképzésben részesülő 18–20 éves fiatalember *[ókori Görögországban]* • *mn* **ephebic**
ephedrin(e) ['efɪdri:n ‖ ɪ'fedrən] *fn kém* efedrin
ephemera [ɪ'femərə] *fn tsz* **ephemeras 1.** *áll* tiszavirágéletűek, kérészéletűek **2.** *átv* tiszavirág/rövid életű dolog
ephemeral [ɪ'femərəl] *mn* **a)** múló, röpke, efemer, tiszavirág/rövid életű, futó, múlékony, átmeneti **b)** egy napig tartó *[betegség]* • *fn* **ephemerality** *hsz* **ephemerally**
ephemeris [ɪ'femərɪs] *fn tsz* **ephemerides** [ˌefɪ'merɪdi:z] **1.** *csill* évkönyv, bolygótáblázat(ok), napi tabella *[bolygók állásáról]* **2.** *áll* → **ephemera** 1.
ephemerist [ɪ'femərɪst] *fn* tiszavirággyűjtő, kérészgyűjtő
ephemeris time *fn csill* olyan idő, amit inkább az orbitális periódus, mint a tengely körüli forgás határoz meg
ephemeron [ɪ'femərɒn ‖ —rɑn] *fn tsz* **ephemerons, ephemera** [—rə] → **ephemera**
Ephesus ['efɪsəs] *fn tört* Efezusz • *fn/mn* **Ephesian**
ephod ['i:fɒd ‖ 'i:fɑd] *fn vall* zsidó papi ruha
ephor ['i:fɔ: ‖ 'i:fɔr] *fn tört* ephorosz *[az ókori Spárta öt idős bírájának egyike]*
epi- ['epi] *előtag* **1.** -on, -en, -ön **2.** ‹fölött› **3.** ‹kiegészítő›; **epicranial** koponyához tartozó
epiblast *fn biol* külső sejtréteg, ektoderma
epic ['epɪk] **I.** *fn* **a)** eposz, hősköltemény, elbeszélő/epikus költemény **b)** *film* hősies/nagyszabású/epikus film **II.** *mn* **a)** epikus, epikai, elbeszélő, eposzba illő; **adopt an ~ style** emelkedett/magasztos hangot használ, *pej* fellengősen beszél/ír **b)** *átv* nagyszabású, látványos, hősies • *mn* **epical** *hsz* **epically**
epicarp ['epɪkɑ:p ‖ —kɑrp] *fn növ* külső termésfal
epicedium [ˌepɪ'si:dɪəm] *fn tsz* **epicedia** [—dɪə] halotti gyászének • *mn* **epicedian**
epicene ['epɪsi:n] **I.** *mn* **1.** *nyelv* közös nemű **2.** kétnemű **II.** *fn* **1.** kétnemű, hermafrodita **2.** *nyelv* két nemben használt főnév
epicentre ['epɪsentə ‖ —sentər], **epicenter** *fn geol* **1.** epicentrum **2.** *átv* mag, velő *[problémáé]* • *mn* **epicentral**
epicontinental sea [ˌepɪkɒntɪ'nentəl— ‖ —kɑn—] *földr* parti tenger
epicranium [ˌepɪ'kreɪnɪəm] *fn orv* epikránon, koponyát körülvevő részek • *mn* **epicranial**
epicure ['epɪkjuə ‖ —kjur] *fn* **a)** epikureus **b)** ínyenc, gourmet • *fn/mn* **epicurean** *fn* **epicureanism, epicurism**
Epicurus [ˌepɪ'kjuərəs ‖ —'kjur—] *fn tört fil* Epikurosz *[görög filozófus]* • *fn/mn* **Epicurean** *fn* **Epicureanism**
epicycle ['epɪsaɪkl] *fn* **a)** *csill* epiciklus **b)** *mat* mellékkör • *mn* **epicyclic**
epicycloid [ˌepɪ'saɪklɔɪd] *fn mat* epiciklois
epideictic [ˌepɪ'daɪktɪk] *mn* bemutatható, felmutatható, közszemlére bocsátható
epidemic [ˌepɪ'demɪk] **I.** *fn* **1.** járvány, ragály, epidémia; **~ danger** járványveszély; **an ~ rages** járvány dühöng, ragály dúl; **introduce an ~** járványt/ragályt behurcol; **prevent an ~** járványt megelőz/elhárít **2.** *átv* gyakorta/járványszerűen előforduló dolog **II.** *mn* járványos, ragályos, epidémiás, epidemikus • *fn* **epidemicity** *mn* **epidemical** *hsz* **epidemically**
epidemiology [ˌepɪdi:mi'ɒlədʒi ‖ —'ɑlə—] *fn orv* járványtan, epidemiológia • *fn* **epidemiologist** *mn* **epidemiological**
epidermis [ˌepɪ'dɜ:mɪs ‖ —'dɜr—] *fn* **1.** *orv* epidermisz, felhám **2.** *növ* bőrszövet, felbőr *[növényé]* • *mn* **epidermal, epidermic**
epidermoid [ˌepɪ'dɜ:mɔɪd ‖ —'dɜr—] **I.** *mn* epidermoidális, szaru- **II.** *fn orv* bőrdaganat • *mn* **epidermoidal**
epidiascope [ˌepɪ'daɪəskoup] *fn fiz* epidiaszkóp, episzkóp
epididymis [ˌepɪ'dɪdɪmɪs] *fn tsz* **epididymides** [—mɪdi:z] *orv* mellékhere • *mn* **epididymal**
epidural [ˌepɪ'djuərəl ‖ —'durəl] *mn orv* epidurális, gerincvelő burkán kívüli
epifocal [ˌepɪ'foukl] *mn geol* földrengés központjában levő/fekvő
epigastrium [ˌepɪ'gæstrɪəm] *fn orv* gyomorszáj, epigastrium • *mn* **epigastric(al)**
epigeal [ˌepɪ'dʒi:əl] *növ* → **epigeous**
epigene ['epɪdʒi:n] *mn biol* epigénikus
epigenesis [ˌepɪ'dʒenəsɪs] *fn biol geol* epigenezis • *mn* **epigenetic**
epigeous [ˌepɪ'dʒi:əs] *mn növ* föld felett fejlődő
epiglottis [ˌepɪ'glɒtɪs ‖ —'glɑtɪs] *fn orv* gégefedő, epiglottis • *mn* **epiglottal, epiglottic**
epigon ['epɪgɒn ‖ —gɑn] *fn* másoló, utánzó, epigon

epigone ['epɪgoʊn] *fn tsz* **epigones**, **epigoni** [e'pɪgənaɪ] kevésbé tiszteletre méltó utód
epigram ['epɪgræm] *fn* **a)** gúnyvers, epigramma **b)** csípős/velős mondás/megjegyzés
epigrammatic [ˌepɪgrə'mætɪk] *mn* epigrammatikus, rövid, tömör, velős, csípős, csattanós, epigrammaszerű
epigrammatize [ˌepɪ'græmətaɪz] *tsi/tni* epigrammába foglal, epigrammát/gúnyverset ír
epigraph ['epɪgrɑːf ‖ –græf] *fn* **1.** felirat **2.** jelmondat, mottó
epigraphy [e'pɪgrəfi] *fn* **1.** feliratttan, epigráfia **2.** feliratok *[összessége]* • *fn* **epigraphist** *mn* **epigraphic**
epilate ['epɪleɪt] *tsi* szőrtelenít, epilál • *fn* **epilation**
epilepsy ['epɪlepsi] *fn orv* epilepszia
epileptic [ˌepɪ'leptɪk] **I.** *mn* epilepsziás; **~ attack/fit/seizure** epilepsziás roham **II.** *fn* epilepsziás (beteg)
epilimnion [ˌepɪ'lɪmnɪən] *fn geol körny* epilimnion, tavak felső vízrétege
epilogue ['epɪlɒg ‖ –lɑg] *fn* utószó, végszó, záróbeszéd, epilógus • *fn* **epilogist**
epinasty ['epɪnæsti] *fn növ* epinasztia
epinephrin(e) [ˌepɪ'nefrɪn] *fn biol orv* adrenalin
epiphany [ɪ'pɪfəni] *fn* **1.** *vall* **a)** az istenség revelációja/megtestesülése **b)** **E~** vízkereszt, háromkirályok napja **2.** *vál* lényegbeli megragadás **3.** megjelenés, revelálódás
epiphenomenon [ˌepɪfɪ'nɒmɪnən ‖ –'nɑmənɑn–] *fn tsz* **epiphenomena** [–mənə] *orv* másodlagos tünet/szimptóma/jelenség, epifenomenon
episcopacy [ɪ'pɪskəpəsi] *fn vall* **a)** püspöki kormányzat **b)** püspöki kar • *mn* **episcopal**
Episcopal Church *fn vall US skót* episzkopális egyház
episcopalian [ɪˌpɪskə'peɪlɪən] *vall US skót* **I.** *mn* episzkopális **II.** *fn* episzkopális egyház híve • *fn* **episcopalianism**
episcopate [ɪ'pɪskəpət] *fn vall* **1. a)** püspöki hivatal/méltóság **b)** **the ~** püspöki kar, episzkopátus **2.** püspökség
episcope ['epɪskoʊp] *fn fiz* episzkóp
episode ['epɪsoʊd] *fn* **1. a)** eset, esemény **b)** mellékesemény, epizód **2.** rész, folytatás *[filmé, sorozaté, műsoré]*; **from/in the next ~** a következő rész tartalmából
episodic [ˌepɪ'sɒdɪk ‖ –'sɑ–], **episodical** *mn* **1.** epizódszerű, mellékes, mellék- **2.** szórványos(an előforduló) • *hsz* **episodically**
episperm ['epɪspɜːm ‖ –ɜrm] *fn növ* maghéj
epistaxis [ˌepɪ'stæksɪs] *fn orv* orrvérzés
epistemic [ˌepɪ'stiːmɪk] *mn fil* **a)** tudással kapcsolatos **b)** tudás hitelességének fokával kapcsolatos
epistemology [ɪˌpɪstɪ'mɒlədʒi ‖ –'mɑ–] *fn fil* ismeretelmélet • *mn* **epistemological**
epistle [ɪ'pɪsl] *fn* **1.** *bibl vall* (apostoli) levél **2. a)** *ir.tud* költői/verses levél, episztola **b)** *biz* hosszú/terjengős levél
epistolary [ɪ'pɪstəlri ‖ –leri] *mn* levélbeli, írásbeli, levél-
epistrophe [ɪ'pɪstrəfi] *fn* episztrófa, epifóra
epitaph ['epɪtɑːf ‖ –tæf] *fn* sírfelirat, epitáfium
epithelium [ˌepɪ'θiːlɪəm] *fn* **1.** *orv* hám(szövet), epithelium **2.** *növ* epitél, hámszövet
epithem ['epɪθəm] *fn orv* borogatás
epithet ['epɪθet] *fn* **1.** díszítő jelző, epitheton ornans **2.** *biol* fajtajelölés, fajtajelölő szó • *mn* **epithetic**
epitome [ɪ'pɪtəmi] *fn* **1.** megtestesítője vmnek; **the ~ of evil** a gonoszság megtestesítője, a megtestesült gonosz **2. a)** rövid tartalom, kivonat, összegezés *[könyvé]* **b)** kivonatos mű, vezérfonal • *fn* **epitomist**
epitomize [ɪ'pɪtəmaɪz] *tsi* **1.** megtestesít (vmt) **2.** kivonatol, (röviden) összefoglal (vmt), áttekintést nyújt (vmről) • *fn* **epitomization**
epizoon [ˌepɪ'zoʊən] *mn áll* állati bőrélősdi, bőrparazita
epoch ['iːpɒk ‖ 'epək] *fn* **1.** (fontos) kor(szak); **make/mark an ~** (v. **a new ~**) (új) korszakot nyit/alkot/jelent **2.** *csill geol* epocha, alapidőpont, referenciaidőpont • *mn* **epochal**
epoch-making *mn* korszakalkotó, korszakos jelentőségű
epode ['epoʊd] *fn* **a)** epodosz *[görög versforma]* **b)** utóének *[görög kórusban]*
eponym ['epənɪm] *fn* névadó
eponymy [ɪ'pɒnɪmi ‖ ɪ'pɑ–] *fn* névadás, eponymia
epopee ['epəpiː] *fn* nagy eposz/hősköltemény, epopea, epikus költemény
epos ['epɒs ‖ 'epɑs] *fn* hősköltemény, eposz
epoxide [ɪ'pɒksaɪd ‖ e'pɑk–] *fn vegy* széndioxid atom
epoxy [ɪ'pɒksi ‖ e'pɑksi] *mn vegy* széndioxiddal kapcsolatos
EPROM ['iːprɒm ‖ 'iːprɑm] *röv infor erasable programmable read-only memory* törölhető programozható fix memória, elektromosan programozható ROM
eprouvette [ˌepru'vet] *fn* kémcső, próbacső, epruvetta
eps *röv earnings per share*
epsilon [ep'saɪlən ‖ 'epsəlɑn] *fn* epszilon *[görög betű]*
Epsom salt ['epsəm–], **Epsom salts** *vegy* epsomi só, magnéziumszulfát, keserűsó
EPT *röv excess-profits tax*
EPU *röv European Payments Union* Európai Fizetési Unió
equable ['ekwəbl] *mn* egyenletes, egyöntetű, rendszeres; **~ temperament** kiegyensúlyozott kedély/természet • *fn* **equability**
equal ['iːkwəl] **I.** *mn* **1.** egyenlő, azonos; **all things being ~** egyenlő feltételek mellett; mindent változatlannak tekintve/feltételezve; **get ~ with sy** leszámol vkvel; **~ pay for ~ work** egyenlő munkáért egyenlő bér; **on ~ terms** egyenlő feltételekkel; **on an ~ footing** egyenlő elbírálás alapján, egyenlő elbánásban/helyzetben; **with ~ ease** egyforma könnyedséggel, ugyanolyan könnyen **2.** egyenlő, egyenrangú, egyenjogú; **~ opportunities** egyenlő esélyek/lehetőségek; **~ rights** egyenlő jogok **3. be ~ to sg** megállja a helyét vmben, megbirkózik vmvel; **be ~ to sy's expectation(s)** beváltja a hozzá fűzött reményeket, megfelel a várakozásnak; **he was not ~ to the task** nem felelt meg a feladatnak **4.** változatlan, egyforma, egyöntetű **II.** *fn* **1.** egyenrangú (személy); **your ~s** a veled egyenrangúak; a hasonszőrűek; **you will not find his ~** nem találni párját, párját ritkítja; **find one's ~** emberére akad, méltó ellenfélre talál; **treat sy as an ~** egyenrangú személyként kezel vkt, egyenrangú félnek tekint vkt **2.** *mat* azonos/egyenlő mennyiség **III.** *tsi* **-ll- 1. a)** számban/minőségben egyenlő, azonos, megegyezik, felér; **not to be ~led** a maga nemében páratlan, egyedülálló **b)** *mat* egyenlő *[mennyiséggel]* **2.** *sp* beállít *[csúcsot]*
equalitarian [ɪˌkwɒlɪ'teərɪən ‖ ɪˌkwɑlə'terɪən] *mn/fn pol* egyenlőségi, egyenlőségpárti, egyenlőségre törekvő • *fn* **equalitarianism**
equality [ɪ'kwɒləti ‖ ɪ'kwɑləti] *fn* egyenlőség, egyformaság, egyenjogúság, egyenrangúság, egyöntetűség; **~ before the law** a törvény előtti egyenlőség; **~ of the sexes** a nemek közötti egyenlőség, a nemek egyenjogúsága/egyenrangúsága; **in case of ~ of points** egyenlő pontszám/pontozás esetén; **liberty, ~, fraternity** szabadság, egyenlőség, testvériség; **sign of ~** egyenlőségjel
equalize ['iːkwəlaɪz] **A.** *tsi* **1. a)** kiegyenlít, egyenlővé tesz, *nyomd* egyenget **b)** *sp* (ki)egyenlít **2.** egyensúlyba hoz, kompenzál *[erőket]* **B.** *tni* **1. a)** kiegyenlítődik **b)** egyensúlyba jut, kompenzálódik **2.** *sp* (ki)egyenlít, egyenlítő gólt lő • *fn* **equalization** *fn/mn* **equalizing**
equalizer ['iːkwəlaɪzə ‖ –ər] *fn* **1.** kiegyenlítő, egyenlősítő **2.** *sp* (ki)egyenlítő *[gól]* **3. a)** lábkormány **b)** *el* equalizer, hangszínszabályozó, kiegyenlítő szűrő **4.** *szl* *[pisztoly, revolver]* stukker, stuki
equal opportunities *fn tsz* esélyegyenlőség
equal sign *fn mat* egyenlőség jel

equally [ˈiːkwəli] *hsz* egyformán, egyaránt, egyenlően, azonosan, egyforma mértékben/arányban; ~ **responsible** egyaránt felelős
equanimity [ˌekwəˈnɪməti] *fn* **1.** egykedvűség, higgadtság **2.** (lelki) nyugalom, lelki egyensúly; **recover one's ~** visszanyeri lelki nyugalmát/egyensúlyát, lecsillapodik; **with ~** egykedvűen, nyugodtan, beletörődve, szemrebbenés nélkül • *mn* **equanimous**
equate [ɪˈkweɪt] *tsi* **1. a)** egyenlővé tesz, kiegyenlít; **~d account** kamatos kamat számla **b)** *mat* egyenletbe felállít; **~ an expression to/with zero** kifejezést zéróra redukál **2.** azonosnak/egynek vesz/tekint • *mn* **equatable**
equation [ɪˈkweɪʒn] *fn* **1.** *mat* egyenlet; **linear/simple ~** elsőfokú egyenlet; **quadratic ~** másodfokú egyenlet; **solve an ~** egyenletet megold **2.** (ki)egyenlít(őd)és, egyensúlyba hozás **3.** *fiz* **~ of state** állapotegyenlet; *csill* **~ of time** időegyenlet; időegyenlítés • *mn* **equational**
equator [ɪˈkweɪtə ‖ –ər] *fn csill földr* egyenlítő, ekvátor; **at the ~** az egyenlítő alatt
equatorial [ˌekwəˈtɔːrɪəl ‖ ˌiːkwəˈtɔrɪəl] *mn csill földr* egyenlítő körüli/melléki, ekvatoriális, egyenlítői, egyenlítő-; **~ current** egyenlítői áramlat
Equatorial Guinea *tul földr* Egyenlítői-Guinea • *fn/mn* **Equatorial Guinean**
equatorial zone *fn földr* egyenlítői öv
equerry [ɪˈkweri ‖ ˈekwəri] *fn* **1.** udvaronc, szolgálattevő kamarás **2.** *tört* **a)** lovászmester, istállómester **b)** istálló
equestrian [ɪˈkwestrɪən] **I.** *mn* **1.** lovaglási, lovagló, lovas-; **~ events** lovaglás *[mint olimpiai sportág]*; **~ performances** lovasmutatványok, műlovaglás; **~ sports** lovassport(ok), lovaglás; **~ statue** lovasszobor **2.** *tört* **the ~ order** (régi római) lovagrend **II.** *fn* **1.** lovas, műlovagló **2.** műlovar(nő) *[cirkuszi]*
equestrienne [ɪˌkwestriˈen] *fn* **1.** lovasnő, műlovaglónő **2.** műlovarnő *[cirkuszi]*
equi- [ˈiːkwi] *összet* megegyező, azonos
equiangular [–ˈæŋgjʊlə ‖ –gjələr] *mn mat* egyenlő szögű
equidae [ˈekwɪdiː] *fn tsz áll* lovak, patás állatok
equidistant [ˌiːkwɪˈdɪstənt] *mn* egyenlő távolságra levő, egyenlő távolságú • *fn* **equidistance** *hsz* **equidistantly**
equilateral [ˌiːkwɪˈlætrəl ‖ –ˈlætərəl] *mn mat* egyenlő oldalú
equilibrate [ˌiːkwɪˈlaɪbreɪt] **A.** *tsi* **1.** egyensúlyba hoz, (ki)egyensúlyoz **2.** *átv* ellensúlyoz, kiegyenlít *[erőviszonyokat]*, kompenzál **B.** *tni* egyensúlyba kerül/jut, (ki)egyensúlyozódik • *fn* **equilibration**, **equilibrator**
equilibrist [ɪˈkwɪlɪbrɪst] *fn* kötéltáncos, akrobata
equilibrium [ˌiːkwɪˈlɪbrɪəm] *fn* **1.** *közg* **a)** egyensúly(i helyzet); **competitive ~** versenyzői egyensúly; **general ~** általános egyensúly; **partial ~** részleges egyensúly **b)** *jelzői haszn* egyensúlyi **2.** *biol kém* egyensúly *[egy rendszeren belül]*; **in ~** egyensúlyban **3.** *átv* lelki egyensúly, kiegyensúlyozottság, higgadtság
equine [ˈekwaɪn ‖ ˈiːkwaɪn] *mn* ló-, lószerű, lóhoz hasonló, lóval kapcsolatos
equinoctial [ˌiːkwɪˈnɒkʃl ‖ –ˈnɑk–] **I.** *mn* napéjegyenlőségi; **the ~ circle/line** napéjegyenlőségi öv/zóna, ekvinokciális vonal, egyenlítő **II. a)** napéjegyenlőségi/ekvinokciális öv/zóna, egyenlítő **b) the ~s** ekvinokciális viharok/szelek
equinox [ˈiːkwɪnɒks ‖ –nɑks] *fn csill földr* napéjegyenlőség; **vernal ~** tavaszi napéjegyenlőség; **autumnal ~** őszi napéjegyenlőség
equip [ɪˈkwɪp] *tsi* **-pp- 1.** felszerel; **~ sy with sg** ellát/felszerel vkt vmvel **2.** *kat* felszerel, felfegyverez *[katonát, harcjárművet]* • *fn* **equipper**
equipage [ˈekwɪpɪdʒ] *fn* **1. a)** felszerelés, felszerelési tárgyak **b)** *kat* hadi felszerelés **2.** úti hintó, (dísz)fogat, ekvipázs
equipment [ɪˈkwɪpmənt] *fn* **1. a)** felszerelés, berendezés (vmé) **b)** felfegyverzés, fegyverrel való ellátás *[csapaté]* **c)** *műsz* szerelés **2.** felszerelés(ek), berendezések, szerszámok; **piece of ~** felszerelési/berendezési tárgy, műszer **3.** felszerelés *[tárgyak összessége]*, felszerelési/berendezési tárgyak, szerelvény(ek), eszközök
equipoise [ˈekwɪpɔɪz] **I.** *fn* **1.** *átv* egyensúly **2.** ellensúly **II.** *tsi* egyensúlyoz, ellensúlyoz, kiegyenlít, kompenzál
equipollent [ˌiːkwɪˈpɒlənt ‖ –ˈpɑ–] *mn* egyenértékű, egyenlő erejű/hatású • *fn* **equipollence**
equipotential [ˌiːkwɪpəˈtenʃl] *mn el* egyenlő/azonos feszültségű, ekvipotenciális
equitable [ˈekwɪtəbl ‖ –kwə–] *mn* **1.** jogos, méltányos, jog szerinti, igazságos; **~ distribution** méltányos/igazságos elosztás; *jog* **~ principles** méltányosság elvei **2.** *jog* jogérzék/jogegyenlőség szerinti/szellemében fogant • *fn* **equitableness** *hsz* **equitably**
equity [ˈekwəti] *fn* **1.** méltányosság, jogosság, igazságosság **2.** *jog* jogszolgáltatás a jogegyenlőség alapján, a jogérzék (v. a jog szelleme) szerinti igazságszolgáltatás **3.** *pénz* **a)** saját tőke; **~ capital** törzsalaptőke, saját tőke **b)** törzsrészvényekre eső részvénytársasági alaptőke; **~ market** részvénypiac; **~ securities** részvények, osztalékos értékpapírok **4.** *GB szính* **E~** színészszakszervezet
equivalence [ɪˈkwɪvələns] *fn* **1.** egyenérték(űség), ekvivalencia **2.** *okt* diplomák egyenértékűsége
equivalent [ɪˈkwɪvələnt] **I.** *mn* **1.** egyenlő, egyenértékű, azonos, ekvivalens; **~ form** egyenértékforma; **be ~ to sg** egyenlő értékű vmvel, megfelel vmnek **2.** azonos jelentésű *[szó]* **II.** *fn* **1.** egyenérték, megfelelő/azonos érték/mennyiség; **universal ~** általános egyenérték **2.** megfelelő, ekvivalens *[szóé]* • *hsz* **equivalently**
equivocal [ɪˈkwɪvəkl] *mn* **1.** kétértelmű, félreérthető; **without ~ phrases** egyértelműen, világosan **2. a)** bizonytalan, homályos, határozatlan **b)** gyanús, kétes (értékű), megbízhatatlan, dubiózus • *fn* **equivocality** *hsz* **equivocally**
equivocate [ɪˈkwɪvəkeɪt] *tni* **a)** mellébeszél, köntörfalaz, kertel **b)** kétértelműségeket mond • *fn* **equivocation**
equivoque [ˈekwɪvoʊk] *fn* **1.** szójáték, szóvicc **2.** kétértelműség
ER *röv* **1.** *King Edward* Edward király **2.** *Queen Elizabeth* Erzsébet királynő
er [ɜː ‖ ɜr] *isz* izé, ööö..., hm..., hogyismondjam, hát, szóval...
'er *röv her*
-er[1] [ə ‖ ər] *utótag* **1.** *[főnévképző, vmilyen tevékenységben résztvevő személy, állat* v. *tárgy]* **player** játékos; **tin-opener** konzervnyitó **2.** *[vmire szakosodó személy]* **teacher** tanár **3.** *[vmely helyhez* v. *csoporthoz tartozó személy]* **New Yorker** New York-i (lakos) **4.** *[jellegzetes sajátossággal bíró személy* v. *tárgy]* **stranger** idegen
-er[2] [ə ‖ ər] *utótag* **1.** *[melléknevek középfokának jele]* **deeper** mélyebb; **harder** keményebb, erősebb **2.** *[határozószavak középfokának jele]* **harder** keményebben, erősebben
era [ˈɪərə ‖ ˈɪrə] *fn* kor(szak), éra; **the beginning of a new ~** új korszak kezdete; **the Christian ~** a kereszténység kora; a keresztény időszámítás; **mark an ~** korszakot jelez/jelent/jellemez
ERA *röv US Equal Rights Amendment*
eradicate [ɪˈrædɪkeɪt] *tsi* **1.** gyökerestől kitép/kiirt *[növényt]* **2.** *átv* megsemmisít, kiirt • *fn* **eradication** *fn* **eradicator** *mn* **eradicable**
erase [ɪˈreɪz ‖ ɪˈreɪs] **I.** *tsi* **1. a)** (ki)töröl, eltöröl **b)** (le)töröl *[hangfelvételt]* **c)** kiradíroz, kivakar *[szót]* **2.** *átv* kitöröl *[emléket]* **II.** *fn infor* törlés • *fn* **erasure** *mn* **erasable**
eraser [ɪˈreɪzə ‖ –sər] *fn* **1.** radír(gumi); **ink ~** tintaradír **2.** *nyomd* kaparókés, sáber

erasing head [ɪ'reɪzɪŋ– ‖ ɪ'reɪsɪŋ–] *fn* törlőfej *[magnetofoné]*

Erato ['erətoʊ] *tul mit* Erato *[a szerelmi dal múzsája]*

erbium ['ɜːbɪəm ‖ 'ɜr–] *fn vegy* erbium

ere [eə ‖ er] **I.** *hsz/elölj régi vál* előtt; ~ **long** nemsokára; ~ **night** az éj(szaka) beállta előtt, mielőtt beesteledik; ~ **now** eddig, máig **II.** *ksz* mielőtt

erect [ɪ'rekt] **I.** *mn* **1. a)** egyenes, egyenesen/égnek álló, felálló **b)** merev *[nemi szerv]* **2.** emelt *[fő]*, kiegyenesedett, egyenes növésű/tartású; **stand ~** egyenesen áll, kihúzza magát **II.** *tsi* **1.** kiegyenesít, kihúzza magát, felegyenesedik **2. a)** épít, emel *[épületet]*, felhúz *[házat]*, állít *[szobrot]*, felállít *[zászlórudat]*, felépít *[emelvényt, állványzatot]*, felállít, összeszerel, ver *[sátrat]* **b)** *átv* felállít *[elméletet, rendszert]* **c)** *mat* ~ **a perpendicular on a line** vonalra függőlegest bocsát **d)** *jog* felállít, létesít *[bíróságot]* • *fn* **erecting**, **erectness**, **erector** *mn* **erectable** *hsz* **erectly**

erectile [ɪ'rektaɪl ‖ ɪ'rektl] *mn biol* merevedésre képes, barlangos *[szövet]*

erection [ɪ'rekʃn] *fn* **1.** kiegyenesedés, kiegyenesítés *[testé]* **2.** felépítés, emelés *[épületé]*, állítás, felállítás *[oszlopé, emelvényé]*, felszerelés, beszerelés *[gépé]* **3.** épület, emelvény, építmény **4.** *biol orv* merevedés, duzzadás, erekció **5.** *jog* felállítás, létesítés *[bíróságé]*

eremite ['erəmaɪt] *fn régi* remete • *mn* **eremitic**

erethism ['erəθɪzm] *fn* **1.** (fokozott testi) érzékenység **2.** hisztérikusság; irritáció • *mn* **erethistic**

erg[1] [ɜːg ‖ ɜrg] *fn* homokbuckás terület *[Szaharában]*

erg[2] [ɜːg ‖ ɜrg] *fn fiz* erg *[az energia cgs egysége]*

ergo ['ɜːgoʊ ‖ 'ergoʊ] *hsz latin* ergó, tehát, ennélfogva, következésképpen

ergonomics [ˌɜːgə'nɒmɪks ‖ ˌɜrgə'nɑmɪks] *fn esz* ergonómia • *fn* **ergonomist** *mn* **ergonomic**

ergosterol [ɜː'gɒstərɒl ‖ ɜr'gɑstəroʊl] *fn orv* ergoszterin, D-vitamin

ergot ['ɜːgət ‖ 'ɜr–] *fn mezőg növ* anyarozs

Eric ['erɪk] *tul* Erik

erica ['erɪkə] *fn növ* erika, hanga

Erica ['erɪkə] *tul* Erika

ericaceae [ˌerɪ'keɪsiː] *fn tsz növ* hangafélék, erikafélék

Erie ['ɪəri ‖ 'ɪri] *tul földr* **Lake ~** Erie-tó

Erinys [ɪ'rɪnɪs] *tul mit* hárpia, fúria

eristic [e'rɪstɪk] **I.** *mn* vitatható, erisztikus **II.** *fn* **1.** vita művészete, erisztika **2.** vitázó, disputáló (ember)

Eritrea [ˌerɪ'treɪə ‖ –'triːə] *tul földr* Eritrea • *fn/mn* **Eritrean**

erk [ɜːk ‖ ɜrk] *fn GB szl* **1.** repülőközlegény **2.** *[ellenszenves ember]* seggfej

erl-king ['ɜːlkɪŋ ‖ 'ɜrl–] *fn mit* gyerekeket a halál birodalmába csábító szakállas óriás v. törpe *[germán mitológiában]*

ERM *röv pénz exchange-rate mechanism*

ermine ['ɜːmɪn ‖ 'ɜr–] *fn tsz* **ermines**, **ermine** **1.** *áll* hölgymenyét, hermelin **2.** hermelin (prém), szőrme • *mn* **ermined**

-ern [ən ‖ ərn] *utótag [melléknévképző]* **Southern** déli

erne [ɜːn ‖ ɜrn], **ern** *fn áll* réti sas

Ernest ['ɜːnɪst ‖ 'ɜr–] *tul* ‹férfinév›

erode [ɪ'roʊd] *tsi* **1. a)** kimar, szétrág *[sav, méreg]* **b)** kimar, megesz *[rozsda]* **2.** koptat, szétmállaszt, kiváj *[gleccser]*, kimos, elmos, széthord, lepusztít *[víz]*, elhord, elkoptat *[szél]*; **the rains ~d the soil** az esők elmosták a termőtalajt **3.** *orv* kimar • *mn* **erodible**

erogenic [ˌerə'dʒenɪk] → **erogenous**

erogenous [ɪ'rɒdʒənəs ‖ ɪ'rɑ–] *mn* **1.** erogén, (szexuálisan) izgatható; ~ **zone** erogén zóna **2.** nemi izgalmat okozó, erogén

Eros ['ɪərɒs ‖ 'erɑs] *fn* Erosz *[a szerelem istene]*

erosion [ɪ'roʊʒn] *fn földr geol körny* erózió, kimarás, lepusztulás, lemosódás

erotic [ɪ'rɒtɪk ‖ ɪ'rɑtɪk] *mn* erotikus, szexuális, érzéki, szerelmi; ~ **literature** erotikus irodalom • *hsz* **erotically**

erotica [ɪ'rɒtɪkə ‖ ɪ'rɑ–] *fn tsz* erotika, erotikus irodalom v. képzőművészet

eroticism [ɪ'rɒtɪsɪzm ‖ ɪ'rɑtə–] *fn* erotika, érzékiség

eroticize [ɪ'rɒtɪsaɪz ‖ ɪ'rɑtə–], **-ise** *tsi* felhevít, felizgat

erotism ['erətɪzm] *fn orv* erotizmus, beteges érzékiség

erotogenic [ɪˌrɒtə'dʒenɪk ‖ ɪˌroʊtə–] *mn* (nemi) kéjérzést okozó, nemi izgalmat keltő, erogén

erotology [ˌerə'tɒlədʒi ‖ –'tɑ–] *fn* szeretkezésről szóló irodalom

erotomania [ɪˌrɒtoʊ'meɪnɪə ‖ ɪˌroʊtə–] *fn* **1.** *orv* (beteges) szerelmi düh, erotománia **2.** szexmánia • *fn* **erotomaniac**

err [ɜː ‖ er] *tni* **1.** téved(ésbe esik), mellélfog; **to ~ is human** tévedni emberi dolog **2.** megtéved, hibázik, vétkezik, bűnt követ el

errand ['erənd] *fn* megbízás, küldetés, komissió; ~ **of mercy** jótékonysági küldetés/út; **fool's ~** hiábavaló út, hiábavalóan tett erőfeszítés; **go on ~s**, **run ~s** megbízásokat intéz/bonyolít le

errand-boy *fn* küldönc, kifutófiú

errant ['erənt] *mn* **1.** kóbor, vándor(ló), bolyongó **2. a)** tévelygő, megtévedt, eltévedt, megtévelyedett *[ember]* **b)** téves, hamis, tév- *[tan, elgondolás]* • *fn* **errancy**, **errantry**

errata [e'rɑːtə] *fn tsz* **1.** (sajtó)hibajegyzék, errata *[könyvben]* **2.** → **erratum**

erratic [ɪ'rætɪk] **I.** *mn* **1. a)** akadozó, szabálytalan(ul jelentkező), összevissza, egyenetlen **b)** bizonytalan, téveteg, szakadozott, rendetlen, (ide-oda) kapkodó; *gk* ~ **driving** bizonytalan vezetés/hajtás; ~ **movements** kiszámíthatatlan/rendszertelen mozdulatok **2.** bujkáló, orv, erratikus *[fájdalom]* **3.** bogaras, különc, szeszélyes, kiszámíthatatlan; ~ **life** hányatott/rendetlen/zilált/kicsapongó élet(mód) **II.** *fn* **1.** különc **2.** *geol* vándorkő • *hsz* **erratically**

erratum [e'rɑːtəm] *fn tsz* **errata** [–tə] elírás, sajtóhiba

Errol ['erəl] *tul* ‹férfinév›

erroneous [ɪ'rəʊnɪəs] *mn* **1.** hibás, téves **2.** helytelen, rossz • *fn* **erroneousness** *hsz* **erroneously**

error ['erə ‖ 'erər] *fn* **1. a)** tévedés, hiba; **gross ~** súlyos/durva hiba; **measuring ~** mérési hiba; **trial and ~** kísérletezés, próbálgatás (módszere); **The Comedy of E~s** Tévedések vígjátéka; ~ **of calculation** számítási hiba; ~ **of measurement** mérési hiba; ~ **in/of judgement** téves megítélés; ~ **in reading** leolvasási hiba; **commit/make an ~** hibát követ el, hibázik, téved, mellélfog; **lead sy into ~** tévedésbe ejt vkt; **fall/run into ~** tévedésbe/hibába esik, hibát követ el; **it is an ~ to suppose that** kár/hiba volna azt hinni, hogy **b)** *jog* bírói tévedés, téves/hibás ítélet **2. a)** eltévelyedés, (erkölcsi) botlás, megtévedés, tévelygés **b)** tévhit, téves vélemény **3.** tévnyomat, hibás nyomású bélyeg • *mn* **errorless**

error control *fn infor* hibaellenőrzés, hibakezelés, hibabehatárolás

error correcting code *fn infor* hibajavító kód

error detection *fn infor* hibaészlelés

error interruption *fn infor* hibából eredő megszakítás

error message *fn infor* hibaüzenet *[a számítógép képernyőjén]*

error-proof *mn* hibamentes, hiba ellen védett *[műszer]*

error rate *fn* **a)** *mat* megengedett hibaszázalék **b)** *infor* hibaarány

ersatz ['eəzæts ‖ 'erzɑts] *német* **I.** *fn* **a)** másolat, kópia **b)** utánzat, imitáció **c)** pótlék, pótanyag **II.** *mn* **a)** másolt, kopírozott **b)** utánzott, imitált **c)** pót, pótló

Erse [ɜːs ‖ ɜrs] *mn/fn* skót/felvidéki v. ír(országi) gael/kelta *[nyelv]*

erst [ɜːst ‖ ɜrst] *régi vál* → **erstwhile** II.

erstwhile [ˈɜːstwaɪl ‖ ˈɜrsthwaɪl] *vál* **I.** *mn* egykori, hajdani, régi **II.** *hsz* egykoron, valaha, régen, hajdan(ában)

erubescent [ˌeruˈbesnt] *mn* **a)** vereslő, pirosló *[gyümölcs]* **b)** elpiruló, kipiruló *[arc]* **c)** vörös *[daganat]* ● *fn* **erubescence**

eructate [ɪˈrʌkteɪt] **A.** *tsi* felböfög **B.** *tni* **1.** böfög, böffent **2.** füstölög, füstöt okád *[tűzhányó]* ● *fn* **eructation**

erudite [ˈerudaɪt ‖ ˈerjə–] *mn* **1.** művelt, képzett, tanult **2.** tudós, tudományos (értékű) ● *fn* **erudition** *hsz* **eruditely**

erupt [ɪˈrʌpt] *tni* **1.** kitör *[tűzhányó, gejzír]* **2.** *átv* **a)** kitör, kirobban *[harc, háború, konfliktus]*; **fighting ~ed along the border** harcok kezdődtek a határ mentén **b)** kitör, kirobban *[szenvedély, érzelem]* **c)** kifakad *[ember]* **3.** kiütéses lesz, *biz* kirügyezik *[bőr]* **4.** kinő, kibújik *[fog]* ● *fn* **eruption**

eruptive [ɪˈrʌptɪv] **I.** *mn* **1.** *geol* kitörő, eruptív, vulkáni eredetű **2.** *orv* kitörő, kiütéses **II.** *fn* eruptív (v. vulkanikus eredetű) kőzet ● *fn* **eruptivity**

-(e)ry [(ə)ri] *utótag* **1.** *[főnévképző, hely vmire]* **brewery** sörfőzde; **oil refinery** olajfinomító **2.** *[fajta]* **machinery** gépezet **3.** *[vmilyen állapot]* **slavery** rabszolgaság **4.** *[vmivel kapcsolatos] pej* **tomfoolery** sületlenség

erysipelas [ˌerɪˈsɪpələs] *fn orv* orbánc

erythema [ˌerɪˈθiːmə] *fn orv* kipirulás, (gyulladásos) bőrvörösség, erythema

erythroblast [ɪˈrɪθroublæst] *fn biol* erythroblast, magvas alakú éretlen vörösvérsejt

erythrocyte [ɪˈrɪθrousaɪt ‖ –θrə–] *fn biol orv* vörös vérsejt/vértest, erythrocita ● *mn* **erythrocytic**

-es[1] [ɪz] *utótag [a többes szám jele az s(s)-re, sh-ra, ch-ra, x-re* v. *z-re, és bizonyos esetekben az o-ra végződő főneveknél]*

-es[2] [ɪz] *utótag [az igék egyes szám harmadik személyű ragja egyszerű jelenidőben az s(s)-re, sh-ra, ch-ra, x-re, z-re és az o-ra végződő igéknél]*

ESA *röv European Space Agency*

Esau [ˈiːsɔː] *tul* Ézsau

ESC *röv infor escape character* (vissza)váltókarakter

escalade [ˌeskəˈleɪd] **I.** *fn* **a)** megmászás *[várfalé, sziklááé]* **b)** várostrom (létrákkal) **II.** *tsi* megmászik *[erődítményt]*

escalate [ˈeskəleɪt] **A.** *tsi* (fel)fokoz, kiterjeszt *[konfliktust, háborút]*, növel, eszkalál **B.** *tni* növekszik, fokozódik, felerősödik, (ki)terebélyesedik, kiterjed *[terjedelemben és intenzitásban]* ● *fn* **escalation** *mn* **escalatory**

escalator [ˈeskəleɪtə ‖ –ər] *fn* mozgólépcső

escalator clause *fn közg* **1.** valorizációs záradék **2.** mozgó (bér)skála

escallop [ˈeskəlɒp ‖ ɪˈskɑ–] *fn tsz* **escallops 1.** *áll* fésűs csiga **2.** fogazott szél(e vmnek) **3.** → **escalope**

escalope [ˈeskəlɒp ‖ ɪˈskɑ–] *fn GB* filé *[főként borjúból]*

escapable [ɪˈskeɪpəbl] *mn* elkerülhető, kihagyható, megúszható

escapade [ˌeskəˈpeɪd ‖ ˈeskəpeɪd] *fn* kaland, csíny, virtuskodás

escape [ɪˈskeɪp] **I. A.** *tsi* **1.** elkerül *[veszélyt, figyelmet]*; **~ doing sg** kihúzza magát vmnek a megtétele alól; **~ notice/attention** elkerüli a figyelmet, észrevétlen marad; **he just ~d being killed** egy hajszálon múlt az élete **2.** elkerüli a figyelmét, nem jut eszébe (vknek); **that fact ~d me** erre nem gondoltam, ez (a dolog/tény) elkerülte a figyelmemet; **his name had ~d me** nem jutott eszembe a neve **B.** *tni* **1.** elszökik, kiszökik, (meg)szökik, (el)menekül, *biz* meglép, *szl [megszökik]* elszelel; **~ from** (v. **out of**) **prison** megszökik a börtönből; **~ to the mountains** a hegyekbe menekül **2.** megmenekül *[veszélytől]*; **~ by the skin of one's teeth** hajszálon múlik, hogy megmenekül; **~ with a broken arm** megússza egy kartöréssel; **she ~d with a fright** ijedtségen kívül más baja nem esett/történt; **~ with a warning** figyelmeztetéssel megússza **3.** elillan, (ki)szivárog, kiömlik *[gáz, folyadék]* **II.** *fn* **1. a)** (meg)szökés, elszökés, elmenekülés, megmenekülés, menekülés; **~ route** menekülési útvonal; vészkijárat; **have a narrow ~** egy hajszálon múlik az élete; **make one's ~** megszökik, *biz* meglép, megmenekül **b)** *átv [szellemi, érzelmi]* menekülés (a nyomasztó valóság elől), teljes kikapcsolódás **c)** (el)szivárgás, kiszökés, kiömlés, kiáradás *[gázé, folyadéké]* **2.** vészkijárat(i vaslépcső), tűzoltólétra **3.** lefolyó, leeresztő, kibocsátó nyílás **4.** *növ* elvadult növény **5.** *infor* **~ (key)** escape (billentyű) ● *fn* **escaper** *mn* **escaped**

escape artist *fn* szabaduló művész

escape attempt *fn* szökési kísérlet

escape clause *fn jog* mentesítő záradék, fenntartást (v. kivételt) kikötő záradék

escapee [ɪˌskeɪˈpiː] *fn* szökevény

escape hatch *fn hajó* (biztonsági) csapóajtó, vészkijárat

escape key *fn infor* kilépő billentyű

escapement [ɪˈskeɪpmənt] *fn* **1.** *ritk* kifúvás, elillanás *[gőzé stb.]* **2.** (óra)járat, gátlómű *[óráé]*

escape road *fn GB közl sp* ‹olyan út, amelyre egy jármű ráhajthat, ha nem tud bevenni egy kanyart v. nem fog a féke› menekülőút

escape velocity *fn űr* szökési/kozmikus sebesség

escapism [ɪˈskeɪpɪzm] *fn* légvárépítés, menekülés szórakozásba/ábrándozásba ● *fn* **escapist**

escapology [ˌeskəˈpɒlədʒi ‖ –ˈpɑ–] *fn* ‹kötelekből v. láncokból szabadulás képessége/módszerei› ● *fn* **escapologist**

escarpment [ɪˈskɑːpmənt ‖ ɪˈskɑrp–] *fn* **1.** meredek lejtő, meredekség *[várfalnál]* **2.** *geol* szakadék

-esce [ˈes] *utótag [igeképző, ált. tevékenység kezdeményezése]* **effervesce** felpezseg, felbuzog

-escence [ˈesns] *utótag [főnévképző állapot* v. *tevékenység kezdetére]* **effervescence** pezsgés, buzogás, bugyborékolás, habzás

-escent [ˈesnt] *utótag [melléknévképző állapot* v. *tevékenység kezdetére]* **effervescent** pezsgő, bugyborékoló, buzgó, habzó

eschatology [ˌeskəˈtɒlədʒi ‖ –ˈtɑ–] *fn vall* eszkatológia, végső dolgok tana ● *fn* **eschatologist** *mn* **eschatological**

escheat [ɪsˈtʃiːt] *jog* **I.** *fn* **1.** háramlás *[államra örökös nélküli elhalálozás esetén]*; **right of ~** háramlási jog; **revert by ~ to sy** visszaháramlik vkre *[birtok]* **2.** (államra) háramlott vagyon **3.** *skót tört* vagyonelkobzás **II. A.** *tsi* visszaháramoltat *[hagyatékot államra]* **B.** *tni* visszaszáll, háramlik *[örökség államra]* ● *fn* **escheatment** *mn* **escheatable**

eschew [ɪsˈtʃuː] *tsi* **a)** kikerül, elkerül vmit **b)** tartózkodik, megtartóztatja magát (vmtől), lemond (vmnek az élvezetéről) ● *fn* **eschewal**

escort I. *fn* [ˈeskɔːt ‖ ˈeskɔrt] **1.** (védő)kíséret, fedezet, kísérő(k); *hajó* **~ vessel** kísérő hajó *[konvojé]*; **under the ~ of ...** ... kíséretében, ... fedezete mellett; **transfer a prisoner under ~** őrséggel átszállít egy rabot **2.** kísérő, hostess **II.** *tsi* [ɪˈskɔːt ‖] (el)kísér; **he was ~ed by his bodyguards** testőrei kíséretében volt

escort agency *fn* kísérőszolgálat, hostess-szolgálat

escritoire [ˈeskrətwɑː ‖ –twɑr] *fn francia* szekreter

escrow [ˈeskrou] **I.** *fn jog* harmadik személynél letett okirat/kötelezvény; **~ arrangements** letéti rendelkezések *[szerződésben]* **II.** *tsi* okiratot/kötelezvényt harmadik személynél letétbe helyez

escudo [ɪˈʃkuːdou] *fn pénz* escudo *[portugál pénzegység]*

esculent [ˈeskjulənt] **I.** *mn* ehető, táplálkozásra/tápláléknak alkalmas **II.** *fn* ennivaló, táplálék

escutcheon [ɪˈskʌtʃn] *fn* **1. a)** *cím* címer(pajzs); *átv* **blot on one's ~** folt/csorba/szeplő vk becsületén **b)** *hajó* névfelirat **2.** *műsz* zárfedő lemez, fedőlap *[kulcslyuké]*

Esd. *röv Esdras*

-ese [ˈiːz] *utótag* **I.** *[főnévképző]* **1.** *[vmlyen nyelv* v. *egy bizonyos városból származó személy]* **Vietnamese** vietnami (nyelv/személy); **Milanese** milánói **2.** *[vmilyen stílusjegyet magánviselő (nyelv)]* **journalese** sajtónyelv **II.** *[melléknévképző]* **1.** *[egy országból* v. *városból származó]* **2.** *[vmilyen stílusjegyű]*

ESE *röv east-southeast*

esker [ˈeskə ‖ –kər], **eskar** *fn geol* gleccserfal

Eskimo [ˈeskɪmoʊ] **I.** *mn* eszkimó; *sp* ~ **roll** eszkimófordulás *[kajakkal]* **II.** *fn tsz* **~s** **1.** eszkimó (ember) **2.** eszkimó (nyelv)

Eskimo dog *fn áll* eszkimó kutya, sarki kutya; → **husky**[2]

esky [ˈeski] *fn tsz* **eskies** *Ausz* hűtőtáska

ESL *röv English as a second language*

ESOP *röv gazd employee stock ownership plan* munkavállalói részvénytulajdonlási program

esoteric [ˌesoʊˈterɪk ‖ ˌesə–] **I.** *mn* rejtett/titkos értelmű, elvont, ezoterikus **II.** *fn* **1.** ezoterikus tan **2.** ezoterikus/titkos tanok beavatottja • *fn* **esotericism, esotericist** *hsz* **esoterically**

ESP *röv* **1.** *English for special/specific purposes* **2.** *extrasensory perception*

esp. *röv especially*

espadrille [ˌespəˈdrɪl ‖ ˈespədrɪl] *fn* spárgatalpú vászoncipő

espalier [ɪˈspæliеɪ ‖ –ɪər] *fn* **1.** lécrács, léckerítés **2.** lécrácshoz támasztva nevelt fa; **on an ~** lugasos művelésű

especial [ɪˈspeʃl] *mn* **1.** külön(ös), saját(ság)os, különleges, rendkívüli; **of ~ importance** elsőrendű/különös fontosságú **2.** sajátos, egyéni; **her ~ charm** az ő sajátos bája

especially [ɪˈspeʃ·i] *hsz* különösen, különlegesen, nagy mértékben, rendkívüli módon, különösképpen, főképpen, főleg; **~ as/because** annál is inkább, mert, főleg mivel; **~ important** különösen fontos

Esperanto [ˌespəˈræntoʊ ‖ –ˈrɑn–] **I.** *mn* eszperantó **II.** *fn* eszperantó (nyelv) • *fn/mn* **Esperantist**

espial [ɪˈspaɪəl] *fn vál* **1. a)** kémlelés, kukucskálás **b)** kémkedés **2.** megpillantás, felfedezés *[távolból]*

espionage [ˈespɪənɑːʒ] *fn* **a)** kémkedés; **he was arrested for ~** kémkedésért letartóztatták **b)** kémrendszer, besúgórendszer

esplanade [ˌespləˈneɪd ‖ ˈesplənɑd] *fn* **1.** sétány, korzó **2.** előtér, térség *[vár, középület előtt]*

espousal [ɪˈspaʊzl] *fn* **1.** *vál* **a)** menyegző, lakodalom **b)** eljegyzés **2.** támogatás, pártolás

espouse [ɪˈspaʊz] *tsi* **1.** felkarol, támogat, pártol, magáévá tesz *[ügyet, elveket]*, kiáll (vmért), csatlakozik (vmhez) **2.** *vál* **a)** feleségül vesz **b)** eljegyez **3.** *vál* **~ one's daughter to sy** férjhez adja a lányát (vkhez)

espouser [ɪˈspaʊzə ‖ –ər] *fn* támogató, szószóló, védő *[ügyé, eszméé]*

espresso [eˈspresoʊ] *fn* **1.** (esz)presszókávé, kávé; **two ~s please** két kávét kérek **2.** eszpresszógép

espresso coffee → **espresso** 1.

esprit [eˈspriː] *fn francia* szellem(esség), elmésség, sziporkázó ész; **show ~** összetartás szellemében cselekszik

esprit de corps [eˌspriːdəˈkɔː ‖ –ˈkɔr] *fn francia* testületi/bajtársi szellem, kollégialitás, összetartás

espy [ɪˈspaɪ] *tsi* **1.** észrevesz, meglát, megpillant (vkt/vmt) **2.** kifürkész, kikémlel

Esq. *röv Esquire*

-esque [ˈesk] *utótag [melléknévképző]* vmilyen stílusú, vmihez hasonló; **picturesque** festői; **Schumannesque** schumanni

Esquimau [ˈeskɪmoʊ] → **Eskimo**

esquire [ɪˈskwaɪə ‖ ˈeskwaɪər] *fn* **1.** nemes (ember) **2.** úr *[levélcímben, röv: Esq.]*; **John Barrington, Esq.** John Barrington úrnak/úr részére

ESRO [ˈezroʊ] *röv European Space Research Organization*

ess [es] *fn* **1.** S/s betű, es **2.** S alakú tárgy

-ess [ɪs, es, ˈes] *utótag [nőnemű főnévképző]* **mayoress** polgármesternő v. polgármesterné; **stewardess** légikisaszszony; **waitress** felszolgálónő

essay I. *fn* [ˈeseɪ] **1. a)** esszé **b)** (rövidebb) tanulmány, értekezés, dolgozat **2.** *vál* kísérlet, próbálkozás **3. a)** minta, próba *[anyagvizsgálatban]* **b)** bélyegminta **II.** *tsi vál* [eˈseɪ] **1.** kikutat, kivizsgál **2.** megkísérel, megpróbál • *fn* **essayist**

essence [ˈesns] *fn* **1. a)** *fil* lényeg, való; **in ~** → **essentially b)** lényeg; **the ~ of his speech** beszédének magva/lényege; **of the ~** (lét)fontos(ságú); **money is the ~ of business** az üzlet alapja/lelke a pénz; **~ of the matter** a dolog lényege/veleje **2. a)** *vegy* eszencia, (tömény) kivonat; **meat ~** húskivonat **b)** illatszer

Essene [ˈesiːn ‖ ɪˈsiːn] *fn vall* esszénus • *mn* **Essenian**

essential [ɪˈsenʃl] **I.** *mn* **1.** nélkülözhetetlen, elengedhetetlen, alapvető, lényeges, sarkalatos; **~ condition** elengedhetetlen/nélkülözhetetlen/legfontosabb feltétel/követelmény; **~ data** fő(bb) adatok; **~ foodstuffs** legfontosabb élelmiszerek; **~ point** lényeg, sarkalatos pont; **the ~ thing** a lényeg, a leglényegesebb dolog; **it is ~ that** igen/nagyon fontos, hogy, feltétlenül szükséges, hogy **2.** lényegbeli, lényegbe vágó **3.** *vegy* **~ oil** illóolaj; **~ number/value** éterszám **II.** *tsz* **essentials** lényeg, lényeges/elengedhetetlen/nélkülözhetetlen kellékek/követelmények, fő szempontok; **fasten on to essentials** a lényeg(es)hez ragaszkodik, a lényegest tartja szem előtt; **one of the essentials of a businessman** a jó üzletember egyik elengedhetetlen/nélkülözhetetlen kelléke • *fn* **essentiality**

essentially [ɪˈsenʃ·i] *hsz* lényegében, főként, elsősorban, alapvetően, alapjában véve, lényegénél fogva, lényegét tekintve; **~ important** létfontosságú

Essex girl *fn GB biz pej* nyárspolgár

Essex man → **Essex girl**

ESSO [ˈesoʊ] *röv European Society for the Study of English*

EST *röv* **1.** *Eastern Standard Time* **2.** *Extended Standard Theory*

est. *röv* **1.** *established* **2.** *estimate* **3.** *estimated*

-est[1] [ɪst] *utótag* **1.** *[melléknevek felső fokának jele]* **deepest** legmélyebb; **hardest** legkeményebb, legerősebb **2.** *[határozószavak felső fokának jele]* **hardest** legkeményebben, legerősebben

-est[2] [ɪst] *utótag régi* **gavest** ‹egyes szám második személyű jelen idejű igék régies ragja›

establish [ɪˈstæblɪʃ] *tsi* **1.** alakít *[kormányt]*, bevezet *[rendszert]*, (meg)alapít *[vállalkozást]*, felállít, létesít *[bíróságot]*, kiépít *[kapcsolatot]*, megalapoz *[hírnevet]*, nyit *[üzletet]*, létrehoz *[összeköttetést]*, beiktat *[vkt hivatalába]*, bevezet, meghonosít *[szokást]*; *kat* **~ contact** érintkezést hoz létre; **~ an equation** egyenletet felállít; **~ a new chair** új tanszéket létesít (v. állít fel) *[főiskolán]*; **~ oneself** elhelyezkedik *[új állásban]*; kényelmesen/otthonosan betelepszik *[idegen helyre]*; letelepedik vhol; **~ oneself in business** (jól) elhelyezkedik az üzleti életben; **~ oneself in the country** vidéken telepszik le; **~ precedent** precedenst teremt **2. a)** kimutat, kimond, megállapít *[tényt]*; **~ a charge** vádat emel; **~ sy's innocence** megállapítja/bizonyítja vk ártatlanságát; **it was ~ed that** bebizonyosodott, hogy, megállapítást nyer(t), hogy **b)** felállít *[elvet, szabályt]*; **~ order** a rendet megszilárdítja **3.** alapít *[egyházat]*, államegyházat létesít **4. a)** megalapoz *[vagyont]* **b)** *jog* megerősít; **~ one's right** biztosítja/igazolja vmhez való jogát • *fn* **establisher**

established [ɪˈstæblɪʃt] *mn* **a)** megalapított, megalapozott; **of ~ reputation** jó hírben álló, hírneves; **well-~ fortune** jól megalapozott (v. jelentős) vagyon **b)** megállapított, elfogadott *[tény]*; **~ fact** bebizonyosodott/kétségtelen/elismert/elfogadott tény; **~ scientific fact** tudományosan igazolt tény/adat; **~ truth** kétségtelen igazság **c)** bevett, meghonosodott *[szokás]*, fennálló *[rend]*, bevezetett *[cég]*; **~ bookseller** ismert (régi) könyvkereskedő (cég); **E~ Church** államvallás, államegyház; *GB* az anglikán egyház; **~ credit** jól megalapozott hitel; **the ~ laws** a fennálló/érvényes törvények

establishing [ɪ'stæblɪʃɪŋ] → **establishment 1.**

establishment [ɪ'stæblɪʃmənt] *fn* **1. a)** megerősítés, leszögezés, megállapítás *[tényé]*, biztosítás, megszilárdítás *[jogoké]* **b)** alakítás *[kormányé]*, (meg)alapítás *[egyházé]*, létesítés, felállítás *[bíróságé]*, bevezetés *[rendszeré]*, létrehozatal, alapítás *[vállalkozásé]* **2. a)** intézmény, testület, szervezet, intézet; **charitable ~** jótékonysági intézmény; **business ~** üzletház, üzleti vállalkozás, vállalat; **private ~** magánvállalat, magánvállalkozás **b)** ház(tartás) **3.** vezető réteg *[országé]*, a fennálló hatalmi rendszer; *GB* **the E~** az angol uralkodó osztály **4. the (Church) E~** államegyház **5. a)** személyzet *[háztartásé]* **b)** *kat* tényleges/katonai/haditengerészeti létszám; **peace ~** békelétszám **6.** *jog* **freedom of ~** a letelepedés szabadsága *[az önálló vállalkozás, üzletalapítás joga az EU-ban]*

establishmentarian [ɪˌstæblɪʃmən'teərɪən ‖ –'terɪən] *vall* **I.** *mn* államegyház elvét támogató **II.** *fn* **a)** az államegyház elvének hirdetője/szószólója/híve **b)** az államegyház híve/tagja • *fn* **establishmentarianism**

estaminet [e'stæmɪneɪ ‖ eˌstɑmi:'neɪ] *fn francia* kis kávéház, presszó

estate [ɪ'steɪt] **I.** *fn* **1.** (föld)birtok, jószág, uradalom; **country house and ~** birtok lakóházzal/kúriával **2.** *GB* **a)** lakótelep **b) (industrial) ~** ipartelep, gyártelep **3. a)** vagyon, ingatlan, tőke; *jog* **~ for life** életfogytiglani haszonélvezet; **~ free from encumbrances** teher nélküli birtok/ingatlan **b)** örökség, hagyaték **c)** csődvagyon **4. a)** állapot, helyzet; **holy ~ of matrimony** a házasság szent állapota **b)** kor *[emberé]*; **man's ~** férfikor, emberkor **5.** rang, sor; **of high ~** magas/előkelő származású, előkelő; **of low ~** alacsony/egyszerű származású, alacsony sorsú **6.** *tört* rend; **the E~s of the Realm** a rendek; **the Third E~** a harmadik rend, polgárság; *tréf* **the Fourth E~** a negyedik rend, a sajtó **7.** *US* → **estate car II.** *tsi régi* adományoz, átruház (vkre)

estate agency *fn* ingatlanügynökség, ingatlaniroda

estate agent 1. ingatlanügynök, telekügynök **2.** gazdasági intéző, jószágigazgató

estate car *fn gk* kombi

estate duty *fn* örökösödési/hagyatéki adó v. illeték

esteem [ɪ'sti:m] **I.** *tsi* **1.** nagyra becsül/tart/értékel, tisztel; **much as I ~ you** minden nagyrabecsülésem mellett ... **2.** értékel, tart, tekint; **~ sg an honour** megtiszteltetésnek vesz vmt **II.** *fn* **1.** (nagyra)becsülés, tisztelet; **hold sy in high ~** nagyra tart/becsül vkt; **hold sy in low ~** nem becsül/tart sokra vkt; **held in no ~** semmire sem becsült, megvetett **2.** *vál* értékelés, vélemény; **in my ~** nézetem/véleményem szerint

ester ['estə ‖ –ər] *fn vegy* észter • *tsi* **esterify** *fn* **esterification**

Esther ['estə ‖ –ər] *tul* Eszter

esthete ['i:sθi:t] *US* → **aesthete**

esthetic [i:s'θetɪk] *US* → **aesthetic**

esthetical [i:s'θetɪkl] *US* → **aesthetic**

estimable ['estɪməbl] *mn* **1.** tiszteletre méltó *[személy]*, dicséretes *[tett]*; **not a very ~ person** nem valami tiszteletre méltó (v. nem sokra értékelhető) személy **2.** felbecsülhető *[érték stb.]* **3.** *régi* értékes, becses, nagybecsű

estimate I. *tsi* ['estɪmeɪt] **1.** értékel, felbecsül, megbecsül *[értéket, számot]*, felmér *[távolságot, jelentőséget]*, mérlegel *[hatást]*, kiértékel *[hozamot]*; *kat* **~ distances** távolságot becsül; **his fortune is ~d at 100 million** a vagyonát százmillióra becsülik/teszik; **I ~ that** számításom/becslésem szerint; **a fortune impossible to ~** felmérhetetlen vagyon **2.** *gazd* előirányoz *[költségeket]*, (ki)kalkulál *[árat]*, előzetes árvetést készít (vmről); **~d cost** előirányzott/becsült költség **II.** *fn* ['estɪmət] **1.** becslés, értékelés, értékmegállapítás, felbecsülés, (ki)számítás; **rough ~** durva/hozzávetőleges/megközelítő becslés; *gazd* előzetes/hozzávetőleges költségvetés; **~ of situation** helyzetmegítélés; **form a correct ~ of sg** pontos véleményt alkot vmről; **at the lowest ~** legalacsonyabb értékelés/becslés szerint, legalább; **in/according to my ~** becslésem/véleményem szerint **2. a)** *gazd* költségvetés, költségelőirányzat, árvetés, előkalkuláció; **preliminary ~** előzetes/hozzávetőleges költségvetés; **~ of expenditure** előirányzott kiadások; **put in an ~** költségvetést/költségelőirányzatot benyújt **b)** *pol* **the E~** államháztartás költségvetési előirányzata; **naval/navy ~s** haditengerészet költségvetési előirányzata; **supplementary ~s** póthitel, pótköltségvetés • *mn* **estimative**

estimation [ˌestɪ'meɪʃn] *fn* **1.** (ki)értékelés, felbecsülés, becslés **2. a)** vélemény, megítélés, ítélet; **in my ~** szerintem, véleményem szerint; **my ~ is that** az a véleményem, hogy; úgy hiszem, hogy **b)** nagyrabecsülés; **hold sy in ~** nagyra becsül/tart/értékel vkt

estimator ['estɪmeɪtə ‖ –ər] *fn* **a)** becslő, (ki)értékelő, becsüs **b)** ármegállapító • *mn* **estimatory**

estival ['estɪvəl] *US* → **aestival**

estivate ['i:stɪveɪt] *US* → **aestivate**

Estonia [e'stounɪə] *tul földr* Észtország; **the Republic of ~** Észt Köztársaság • *fn/mn* **Estonian**

estop [ɪ'stɒp ‖ e'stɑp] *tsi* **-pp-** *jog* kizár (vmből), meggátol, megakadályoz (vmben); **be ~ped from (doing) sg** kizárják vmből, megakadályozzák vmben • *fn* **estoppage**

estovers [ɪ'stouvəz ‖ e'stouvərz] *fn tsz tört jog [bérlőt megillető alapvető]* járandóságok

estrange [ɪ'streɪndʒ] *tsi* elidegenít (magától), elhidegít; **become ~d from sy** (érzelmileg) elfordul/elidegenedik vktől, elhidegül vk iránt; **live ~d from the world** (a világtól) elvonultan él; **his ~d wife** különélő felesége; **~ sy from sy** elidegenít egymástól *[barátokat stb.]* • *fn* **estrangement** *mn* **estranged**

estreat [ɪ'stri:t] **I.** *fn jog* hiteles másolat/kiadmány *[okiratról]* **II.** *tsi* **1.** *jog* hiteles másolatot/kiadmányt készít/kivesz *[pénzbírság/büntetés érvényesítése céljából]* **2.** *jog* pénzbírságot/büntetést stb. behajt (vkn)

estrogen ['i:strədʒən] → **oestrogen**

estrone ['estroun] → **oestrone**

estrum ['i:strəm] → **oestrum**

estrus ['i:strəs] → **oestrus**

estuary ['estjuəri ‖ 'estʃueri] *fn földr* (árapályos) folyótorkolat, tölcsértorkolat • *mn* **estuarial, estuarine**

esurient [ɪ'sjuərɪənt ‖ ɪ'sur–] *mn* kiéhezett, mohó, sóvár, falánk • *fn* **esurience** *hsz* **esuriently**

-et [ɪt], **-ete** *utótag* ‹kicsinyítőképző v. személy megnevezése›; **islet** szigetecske; **poet** költő

ET *röv* **1.** *extraterrestrial* **2.** *GB Employment Training*

eta ['i:tə ‖ 'eɪtə] *fn* éta *[görög betű]*

eta, ETA *röv estimated time of arrival*

et al. [et'æl ‖ et'ɑl] *röv* et alii, et alia; *and others* és mások

etalon ['etəlɒn ‖ –lɑn] *fn fiz* etalon, standard alapérték

etatism [eɪ'tætɪzm ‖ eɪ'tɑtɪzm] *fn pol* etatizmus

etc. [et'setrə ‖ –'setərə] *röv* et cetera; *and so forth/on* (é)s a többi, stb.

et cetera [et'setrə ‖ –'setərə] **I.** → **etc. II.** *fn* hozzávaló, járulék

etch [etʃ] **I.** *tsi* **1. a)** karcol, marat, gravíroz; **~ a plate** lemezt marat/gravíroz; **~ away the metal** savval marat **b)** metszetet/karcot készít *[vmről maratással]* **2.** *átv* belevés *[vmt vk emlékezetébe]* **II.** *fn* **a)** → **etching b)** metszet/(réz)karc készítése • *fn* **etcher**

etchant ['etʃnt] *fn* marató anyag/szer

etching ['etʃɪŋ] *fn* **1.** maratás, (réz)karcolás, gravírozás; **~ ground** maratandó réteg/alap; **~ needle** karcolótű; **~ test** marató/maratási próba; **~ varnish** marató festék/lakk **2.** (réz)karc, *nyomd* nyomólemez, klisé; **~ ink** karcnyomó festék

-ete [et] *[főnévképző]* → **-et**

E

eternal [ɪ'tɜːnl ‖ –'tɜr–] **I.** *mn* **1.** örök(ös), örökkévaló, örökké tartó, örökérvényű; **the E~ City** az örök város *[Róma]*; *vall* **~ life** örök élet **2.** örökös, állandó, *biz* szüntelen, szakadatlan; **the ~ triangle** szerelmi háromszög **II.** *fn vall* **the E~** az Örökkévaló, Isten • *tsi* **eternalize** *fn* **eternality** *hsz* **eternally**

eternity [ɪ'tɜːnəti ‖ ɪ'tɜr] *fn* **1.** örökkévalóság, idők hossza/végtelensége; *biz* **she kept me waiting for an ~** (végtelen) sokáig várakoztatott (v. váratott magára) **2.** *vall* örökkévalóság, örök élet **3. the eternities** örök (érvényű) igazságok

eternize [ɪ'tɜːnaɪz ‖ i'tɜr–], **-ise** *tsi* megörökít, halhatatlanná tesz

etesian [ɪ'tiːʒɪən ‖ ɪ'tiːʒn], **Etesian I.** *mn hajó* évi, időszakos, periodikus; *hajó* **~ winds** passzátszelek **II.** *fn* évi/időszakos/periodikus szél, passzátszél

-eth [ɪθ, θ] → **-th**

ethane ['iːθeɪn ‖ 'eθeɪn] *fn vegy* etán *[gáz]*

ethanol ['eθənɒl ‖ –noʊl] *fn vegy* etanol, etilalkohol

Ethel ['eθl] *tul* Etel(ka)

ether ['iːθə ‖ –ər] *fn* **1.** *vegy* éter, (di)etiléter, etiloxid **2.** *fiz* éter; **waves in the ~** éterhullámok **3.** *régi vál* **the ~** éter, égbolt, mennybolt • *mn* **etheric, etherous**

ethereal [iː'θɪərɪəl ‖ iː'θɪr–] *mn* **1. a)** égi, földöntúli **b)** légies, könnyed, lenge **c)** törékeny, finom **2. a)** *vegy* éterikus, éter-, éteres, illó, illékony; *vegy* **~ oil** éteres/éterikus/illóolaj **b)** *vegy* **~ salt** észter • *tsi/tni* **etherialize, etherialise**

etherify ['iːθərɪfaɪ] *tsi vegy* éterré alakít/változtat • *fn* **etherification**

etherize ['iːθəraɪz], **-ise** *tsi* **1.** *orv* éterrel elkábít/elaltat **2.** *orv* éterrel kezel • *fn* **etherization**

Ethernet ['iːθənet ‖ –ər–], **Ethernet-network** *fn infor* **Ethernet(-hálózat)**

ethic ['eθɪk] **I.** *fn* **ethics 1.** etika(i rendszer) **2. a)** erkölcs(tan), etika; **medical ~s** orvosi etika **b)** erkölcsi/etikai elvek/normák, morál **II.** *mn* → **ethical**

ethical ['eθɪkl] *mn* **1.** erkölcsi, morális, etikai; **~ writer** moralista író **2.** erkölcsös, etikus; **~ conduct** etikus magatartás; *közg* **~ investment** ‹bizonyos erkölcsi/morális követelményeknek megfelelő cégekben való befektetés›; **~ standards, standards of ~ conduct** magatartásnormák • *tsi* **ethicize, ethicise** *hsz* **ethically**

Ethiopia [ˌiːθi'oʊpɪə] *tul földr* Etiópia • *fn/mn* **Ethiopian, Ethiopic**

ethnic ['eθnɪk] **I.** *mn* **1.** etnikai, nép-; *pol* **~ cleansing** etnikai tisztogatás; **~ group** népcsoport, etnikum; **~ minority** nemzeti kisebbség, etnikum, nemzetiség; *pol* **~ swap** lakosságcsere **2.** nemzetiségi, (vmlyen) nemzetiségű; **~ Chinese** kínai nemzetiségű **3.** *régi* pogány **II.** *fn* **1.** *US* etnikum/nemzeti kisebbség tagja **2.** → **ethnology** • *hsz* **ethnically**

ethnical ['eθnɪkl] *mn* néprajztudományi, ethnológiai

ethno- ['eθnoʊ] *összet* nép-, népi, etno-

ethnocentric [ˌeθnoʊ'sentrɪk] *mn* etnocentrikus

ethnography [eθ'nɒgrəfi ‖ –'nɑ–] *fn* néprajz, etnográfia • *fn* **ethnographer** *mn* **ethnographic**

ethnolinguistics [ˌeθnəlɪŋ'gwɪstɪks] *fn esz nyelv* etnolingvisztika

ethnology [eθ'nɒlədʒi ‖ –'nɑ–] *fn* (egyetemes) összehasonlító néprajz, etnológia • *fn* **ethnologist** *mn* **ethnological**

ethnomusicology [ˌeθnoʊmjuːzɪ'kɒlədʒi ‖ –'kɑ–] *fn zene* népzenetudomány, zeneetnológia • *fn* **ethnomusicologist** *mn* **ethnomusicological**

ethnopsychology [ˌeθnəsaɪ'kɒlədʒi ‖ –'kɑ–] *fn* néplélektan

ethology [iː'θɒlədʒi ‖ –'θɑ–] *fn* **1.** jellemtan, szokástan, etológia **2.** állatviselkedéstan, állatetológia, viselkedésvizsgálat • *fn* **ethologist** *mn* **ethological**

ethos ['iːθɒs ‖ 'iːθɑs] *fn* erkölcsi világkép, ethosz, étosz, szellem(iség), erkölcs(iség), lelki jelleg *[közösségé, népé]*

ethyl ['eθl] *fn vegy* etil (gyökcsoport); **~ chloride** etilklorid, klór-etán • *mn* **ethylic**

ethyl alcohol *fn vegy* etilalkohol, etanol, borszesz

ethylene ['eθəliːn] *fn vegy* etilén; **~ oxide** glicidsav, etilénoxid; **~ radical** etiléngyök

etiolate ['iːtɪəleɪt] **A.** *tsi* elsápaszt, elhalványít, elszíntelenít, elhervaszt **B.** *tni* megsárgul, elsápad, elhalványodik, elszíntelenedik, elhervad • *fn* **etiolation** *mn* **etiolated**

etiologic [ˌiːtɪə'lɒdʒɪk ‖ –'lɑ–], **etiological** → **aetiologic** → **aetiological**

etiology [ˌiːti'ɒlədʒi ‖ –'ɑl–] → **aetiology**

etiquette ['etɪket ‖ 'etɪkət] *fn* **1. a)** etikett, társasági/társadalmi/udvariassági szabályok, társadalmi szokások/formák, formaságok; **court ~** udvari etikett/illemszabályok/előírások **b)** protokoll **2.** udvariasság, illem, illendőség **3.** szakmai etika; **medical ~** orvosi etika

ETO *röv European Telecommunications Organization*

Eton ['iːtn] *tul földr* Eton; **~ College** etoni (elit) középiskola • *fn/mn* **Etonian**

Eton blue *fn/mn* ‹egy fajta világoskék›

Eton collar *fn GB* lehajtott gallér *[iskolásoké]*

Eton jacket *fn* **1.** etonkabát *[az etoni iskola formaruhája]* **2.** ‹rövid, derékig érő kabát v. zakó›

étrier ['eɪtrieɪ ‖ ˌeɪtri'eɪ] *fn francia sp* rövid kötéllétra *[hegymászáshoz]*

Etruscan [ɪ'trʌskən] *tört* **I.** *mn* etruszk **II.** *fn* **a)** etruszk (ember) **b)** etruszk (nyelv)

et seq. *röv* **1.** *esz* et sequens; *and the following* és a következő, köv. **2.** *tsz* **et seqq.** et sequentia; *and those that follow* és a következők, kk.

-ette ['et] *utótag* **1.** ‹kicsinyítőképző›; **kitchenette** főzőfülke; **novelette** kisregény **2.** ‹utánzat, ál-, pót-›; **leatherette** műbőr **3.** ‹nőnem›; **usherette** jegyszedőnő

ETUC *röv European Trade Union Confederation* Európai Szakszervezeti Szövetség

etude ['eɪtjuːd ‖ eɪ'tuːd] *fn zene* etűd, gyakorlat

étui [e'twiː ‖ eɪ'twiː] *fn francia* szelence, tok, ládika

etymologize [ˌetɪ'mɒlədʒaɪz ‖ ˌetə'mɑ–], **-ise** *nyelv* **A.** *tsi* származtat, eredeztet *[szót]*, szó eredetét/etimológiáját megállapítja/kideríti **B.** *tni* szó származtatását kutatja, szót fejt, etimologizál • *fn* **etymologization, etymologisation**

etymology [ˌetɪ'mɒlədʒi ‖ ˌetə'mɑ–] *fn nyelv* **1.** etimológia, származás *[szóé]*; **folk/popular ~** népetimológia **2.** szófejtés, szótörténet, etimológia • *fn* **etymologist** *mn* **etymological** *hsz* **etymologically**

etymon ['etɪmɒn ‖ 'etəmɑn] *fn tsz* **etyma** *nyelv* **1.** szótő, etimon **2.** szóelem

eu- [juː, jʊ] *összet* jó, kellemes, könnyed; jól, kellemesen, könnyen; **euphoria** *orv* eufória, (fokozottan) jó közérzet

EU [iː 'juː] *röv European Union* EU, Európai Unió

eucalyptus [ˌjuːkə'lɪptəs] *fn tsz* **eucalypti** v. **~es** *növ* eukaliptusz(fa)

eucalyptus oil *fn* eukaliptuszolaj

Eucharist ['juːkərɪst] *fn vall* oltáriszentség, eucharisztia *[katolikusoknál]*, úrvacsora *[anglikánoknál]*; **receive the ~** áldoz *[katolikus]*, úrvacsorát vesz • *mn* **eucharistic**

Euclid ['juːklɪd] *tul* **I.** Eukleidész **II.** *okt biz* mértan • *mn* **Euclidean**

eud(a)emonic [ˌjuːdɪ'mɒnɪk ‖ –diː'mɑ–] *mn* boldogsághoz vezető, boldogságot elősegítő, boldogító

eud(a)emonism [juː'diːmənɪzm] *fn fil* eudémonia, eudémonizmus • *fn* **eud(a)emonist** *mn* **eud(a)emonistic**

eudiometer [ˌjuːdi'ɒmɪtə ‖ –'ɑmətr] *fn vegy* gázcsőmérő, gázmérő edény, eudiométer • *fn* **eudiometry** *mn* **eudiometric**

Eugene ['juːdʒiːn] *tul* Eugén, Jenő

eugenics [juːˈdʒenɪks] *fn esz* fajnemesítés, fajegészségtan, eugenika, eugenetika • *fn* **eugenicist**, **eugenist** *mn* **eugenic** *hsz* **eugenically**

eukaryote [juˈkæriout] *fn biol* eukariota *[valódi sejtmaggal rendelkező]* • *mn* **eukaryotic**

eulogize [ˈjuːlədʒaɪz], **-ise** *tsi* dicsőít, dicsér, magasztal, dicshimnuszokat zeng (vkről) • *fn* **eulogizer**, **-iser**

eulogy [ˈjuːlədʒi] *fn* **a)** dicshimnusz, dicsőítés, magasztalás, dicsérő beszéd, eulógia; **pronounce a ~ on sy** dicshimnuszokat zeng vkről, égig magasztal vkt **b)** *US* méltatás *[temetéskor]* • *fn* **eulogist** *mn* **eulogistic**

Eunice [ˈjuːnɪs] *tul* ‹női név›

eunuch [ˈjuːnək] *fn* **1.** herélt, eunuch **2.** *átv* mihaszna *[ember]* • *tsi* **eunuchize**, **eunuchise**

eupeptic [juːˈpeptɪk] *mn orv* **1.** könnyen emészthető, eupeptikus **2.** jó emésztéssel kapcsolatos • *fn* **eupepsy**

euphemism [ˈjuːfəmɪzm] *fn nyelv* eufemizmus, eufémia, szépítő/enyhített kifejezés • *tsi/tni* **euphemize**, **euphemise** *fn* **euphemist** *mn* **euphemistic** *hsz* **euphemistically**

euphonium [juːˈfounɪəm] *fn zene* baritonszaxkürt, eufónium

euphony [ˈjuːfəni] *fn* jó/szép hangzás, zengzetesség, eufónia; **for the sake of ~** a jó hangzás kedvéért • *mn* **euphonic**

euphorbia [juːˈfɔːbɪə ‖ –ˈfɔr–] *fn növ* kutyatej, gyermekláncfű, *táj* pitypang

euphoria [juːˈfɔːrɪə] *fn orv* **1.** kirobbanó öröm/jókedv, örömmámor, eufória; **in a state of ~** örömmámorban **2.** *orv* (fokozottan) jó közérzet, eufória • *mn* **euphoric** *hsz* **euphorically**

euphoriant [juːˈfɔːrɪənt] **I.** *fn* eufóriát okozó gyógyszer/drog **II.** *mn* eufóriát okozó/előidéző/kiváltó

Euphrates [juːˈfreɪtiːz] *tul földr* Eufrátesz

euphuism [ˈjuːfjuɪzm] *fn* **1.** *ir.tud* barokk prózastílus **2.** *átv pej* cikornyás/affektált/mesterkélt (prózai) stílus, nyelvi finomkodás, eufuizmus • *fn* **euphuist** *mn* **euphuistic** *hsz* **euphuistically**

Eurasia [juəˈreɪʒə ‖ juˈreɪʒə] *tul földr* Eurázsia • *fn/mn* **Eurasian**

Euratom [juərˈætəm ‖ jur–] *röv European Atomic Energy Community* Európai Atomenergia Közösség, Euratom

eureka [juəˈriːkə ‖ juˈriːkə] *isz* heuréka!, megtaláltam!, megvan!, rájöttem!

eurhythmic [juːˈrɪðmɪk] *mn US* **eurythmic 1. a)** ütemes/szép mozgású, harmonikus, összhangzó **b)** szabályos/egyenletes (ütemű), ritmikus *[érverés, zene, tánc]* **2.** *épít* arányos, jól elrendezett, művészi arányú *[épület]*

eurhythmics [juːˈrɪðmɪks] *fn esz US* **eurythmics** mozgásművészet, ritmikus/művészi torna

eurhythmy [juːˈrɪðmi] *fn US* **eurythmy** *orv zene* euritmia, ütem egyenletessége, összhang, harmónia

euro [ˈjuərou ‖ ˈjurou] *fn pénz* euró *[közös európai pénznem]*; **~-launch** az euró bevezetése *[1999. január 1-jén]*

Euro- [ˈjuərou ‖ ˈjurou] *összet* Európa-, európai, Euro-, euro-

Eurobond [ˈjuəroubɒnd ‖ ˈjuroubɑnd], **euro-** *fn közg* eurokötvény

eurocent [ˈjuərousent ‖ ˈjurou–] *fn pénz* eurocent *[az euró váltópénze]*

Eurocentric [ˌjuərouˈsentrik ‖ ˌjurou–] *mn* Európa-központú, Európa-centrikus • *fn* **Eurocentrism**

Eurocheque [ˈjuəroutʃek ‖ ˈjurou–], **euro-** *fn pénz* eurocsekk

Eurocommunism [ˌjuərouˈkɒmjunɪzm ‖ ˌjurouˈkɑmjə–] *fn pol* eurokommunizmus; ‹a kommunizmus nyugat-európai formája› • *fn/mn* **Eurocommunist**

Euroconnector *fn műsz el* ‹szabványosított video-audio csatlakozó›

Eurocrat [ˈjuərəkræt ‖ ˈjur–], **euro-** *fn* Eurokrata, EU hivatalnok/bürokrata

Eurocurrency [ˈjuəroukʌrənsɪ ‖ ˈjuroukərənsi], **euro-** *fn közg* európai valuta

Euro-election *fn pol* választás az Európai Parlamentbe

Euroland *fn pénz* euróövezet *[az Európai Valuta Unióban résztvevő országok együttese]*

Euromissile [–mɪsaɪl ‖ –mɪsl] *fn* eurorakéta

Euro-MP *fn pol* képviselő az Európa Parlamentben

Europe [ˈjuərəp ‖ ˈjurəp] *tul földr* **1.** Európa **2.** Európai Unió

European [ˌjuərəˈpiːən ‖ ˈjur–] *mn/fn földr* európai; **~ integration** európai integráció; *sp* **~ title** Európa-bajnoki cím • *fn* **Europeanism**

European Central Bank *fn pénz* Európai Központi Bank

European Community *fn* Európai Közösség, EK

European Council *fn* Európai Tanács, ET

European Currency Unit → **ECU**

European Economic Community *fn* Európai Gazdasági Közösség

Europeanize [ˌjuərəˈpiːənaɪz ‖ ˈjur–], **-ise A.** *tsi* európaizál, európaivá tesz **B.** *tni* európaivá válik • *fn* **Europeanization**, **Europeanisation**

European Monetary System *fn* Európai Pénzügyi Rendszer

European Monetary Union *fn* Európai Pénzügyi és Gazdasági Unió

European Parliament *fn* Európai Parlament

European Plan *fn US* ‹szállodai ellátás étkezés nélkül› európai rendszer

European Union *fn* Európai Unió, EU

europium [juəˈroupɪəm] *fn vegy* európium

Europlug [ˈjuərouplʌg ‖ ˈjurou–] → **Euroconnector**

Europol [ˈjuəroupɒl ‖ ˈjuroupoul] *tul European Police Office* Európai Rendőri Hivatal, Europol

Euro-poll *fn* európai választás/szavazás

Euro-rebel *fn GB pol* ‹olyan politikus, aki saját pártjával ellentétben nem támogatja az európai integrációt› eurolázadó

Euro-sceptic *fn GB pol* ‹az európai integrációt ellenző személy› euro-szkeptikus

Eurospeak [ˈjuərouspiːk ‖ ˈjurou–] *fn biz* EU zsargon

Eurosummit [ˈjuərousʌmɪt ‖ ˈjurou–] *fn* Európa-csúcs, európai csúcstalálkozó; **hold a ~** európai csúcstalálkozót tart

Eurovision [ˈjuərəvɪʒn ‖ ˈjurou–] *fn* Eurovízió; ‹egész Nyugat-Európára kiterjedő televíziólánc›; **~ Song Contest** Eurovíziós Dalfesztivál

Eurovision link *fn* Eurovízió-összeköttetés, eurovíziós lánc

Eurydice [juəˈrɪdɪsi ‖ juˈrɪ–] *tul* Euridiké

eurythmic [juːˈrɪðmɪk] *US* → **eurhythmic**

eurythmics [juːˈrɪðmɪks] *US* → **eurhythmics**

eurythmy [juːˈrɪðmi] *US* → **eurhythmy**

Euskarian [juːˈskeərɪən ‖ –ker–] **I.** *mn* baszk **II.** *fn* baszk ember/nyelv

Eustachian [juːˈsteɪʃn] *mn orv* **~ tube** Eustach-kürt

eustatic [juːˈstætɪk] *mn geol* **~ movements** eusztatikus mozgások *[tengeré]*

eutectic [juːˈtektɪk] **I.** *mn vegy* eutektikus; **~ mixture** eutektikus (v. könnyen olvasztható) keverék **II.** *fn fémip* eutektikum • *fn* **eutexia**

Euterpe [juːˈtɜːpi ‖ –ˈtɜr–] *tul* Euterpé *[a zene múzsája]* • *mn* **Euterpean**

euthanasia [ˌjuːθəˈneɪzɪə ‖ –ˈneɪʒə] *fn orv* eutanázia, fájdalommentes/könyörületi halál(ba segítés)

eutheria [juːˈθɪərɪə ‖ –ˈθɪr–] *fn tsz áll* egyméhűek, egyhüvelyűek • *mn* **eutherian**

eutrophic [juːˈtrɒfɪk ‖ –ˈtroufɪk] *mn körny* tápanyagban/táplálékban gazdag, eutrofikus, eutróf; **~ environment** eutróf (v. táplálékban gazdag) környezet • *tsi* **eutrophicate** *fn* **eutrophication** *fn* **eutrophy**

Eva [ˈiːvə] *tul* Éva

evacuant [ɪˈvækjʊənt] *orv* **I.** *mn* hashajtó, hánytató *[szer]* **II.** *fn* hashajtó, hánytató(szer)

evacuate [ɪˈvækjʊeɪt] **A.** *tsi* **1.** kiürít *[épületet, várost]*, elszállít, evakuál *[embereket]*, kivon, elvezényel *[csapatokat]* **2.** eltávolít, kiszív, kiürít *[gázt]*; **~d bulb** légritkított/kiszivattyúzott ballon/körte; **~d chamber** légüres kamra **3.** *orv* kiürít, kitisztít *[beleket]* **B.** *tni* **1.** kiürül, kitisztul *[bél]* **2.** eltávozik *[gáz motorból]* • *fn* **evacuator**

evacuation [ɪˌvækjʊˈeɪʃn] *fn* **1.** kiürít(tet)és *[épületé, városé]*, elszállítás, evakuálás *[embereké, sebesülteké]*, kivonás *[csapatoké]*; **~ procedure** kiürítési eljárás; **plan of ~** kiürítési terv **2. a)** kiürítés, kitisztítás, gáztalanítás, kiürülés *[beleké]* **b)** *kém* eltávolítás *[gázé]*

evacuative [ɪˈvækjʊətɪv] *orv* → **evacuant**

evacuee [ɪˌvækjʊˈiː] *fn* kiürítéskor kitelepített (v. biztos helyre szállított) személy, evakuált

evade [ɪˈveɪd] *tsi* **1. a)** elkerül *[veszélyt, támadást]*, kikerül, megkerül *[akadályt, üldözőket]*, kitér *[ütés, akadály elől]*, kisiklik *[vk karmai közül]*, egérutat nyer *[vk elől]* **b)** (ki)kerül (vkt/vmt); **he is evading me** kerül engem **2.** kitér *[kötelesség elől]*, kibújik, kihúzza magát *[kötelesség alól]*, menekül *[problémák elől]*, kerül *[vitát, alkalmat]*; **~ a duty** kibújik egy kötelezettség alól; **he ~d the main issue in his reply** nem adott érdemleges választ **3.** kijátszik, megkerül *[törvényt]*, túlteszi magát *[tilalmon]*, kibújik *[felelősség alól]*, kivonja magát *[fizetés alól]*; **~ the law** kijátssza a törvényt **4.** elkerüli *[figyelmét]*, kiesik *[emlékezetéből]* • *fn* **evader** *mn* **evadable**

evaginate [ɪˈvædʒɪneɪt] *orv tsi* kifordít *[csőszerű szervet]* • *fn* **evagination**

evaluate [ɪˈvæljʊeɪt] *tsi* **1.** (ki)értékel; **~ sy's performance** (ki)értékeli vk szereplését **2.** felbecsül, megbecsül *[értéket, mennyiséget]* **3.** *mat* számokban kifejez • *fn* **evaluator** *mn* **evaluative**

evaluation [ɪˌvæljʊˈeɪʃn] *fn* **1.** (ki)értékelés, evaluáció; **~ copy** recenziós példány *[könyvé]* **2.** (érték)becslés, értékmegállapítás

evanesce [ˌevəˈnes] *tni* fokozatosan eltűnik/elenyészik (v. semmivé válik), tünedezik, tovatűnik, szertefoszlik

evanescence [ˌevəˈnesns] *fn* **1.** eltűnés, tovatűnés **2.** tünékenység, múlékonyság

evanescent [ˌevəˈnesnt] *mn* **1.** tovatűnő, tünékeny, szertefoszló, mul(and)ó, múlékony **2.** illanó, könnyen/gyorsan párolgó

evangelic [ˌiːvænˈdʒelɪk] → **evangelical**

evangelical [ˌiːvænˈdʒelɪkl] *mn vall* **1.** evangéliumi **2.** *átv* buzgó

evangelism [ɪˈvændʒəlɪzm] *fn vall* **a)** az evangélium hirdetése/terjesztése, igehirdetés, evangelizáció **b)** hittérítő/missziós buzgalom/tevékenység

evangelist [ɪˈvændʒəlɪst] *fn vall* **1.** *bibl* evangélista **2.** hittérítő, vándorszónok

evangelistic [ɪˌvændʒəˈlɪstɪk] *mn vall* **1.** evangélikus **2. a)** evangéliumi **b)** evangelizációs

evangelize [ɪˈvændʒəlaɪz], **-ise A. 1.** *tsi* hirdeti/magyarázza az evangéliumot/igét (vknek) **2.** megtérít (vkt) **B.** *tni* evangelizál, evangelizációt tart, térít • *fn* **evangelization**, **evangelisation**

evaporate [ɪˈvæpəreɪt] **A.** *tsi* **1.** elpárologtat, elgőzölögtet *[folyadékot]* **2. ~ apples** almát aszal **B.** *tni* **1.** (el)párolog, elillan **2.** *átv biz* eltűnik, felszívódik, elillan *[személy]* • *fn/mn* **evaporating** *fn* **evaporator**

evaporated milk *fn* sűrített tej

evaporation [ɪˌvæpəˈreɪʃn] *fn* **a)** (el)párolgás, kipárolgás, kigőzölgés **b)** *földr* párolgás **c)** elpárologtatás, kipárologtatás, bepárlás, besűrítés; **~ point** párolgási pont

evaporative [ɪˈvæpərətɪv ‖ –reɪtɪv] *mn* párolgási, (ki)gőzölgési

evaporite [ɪˈvæpəraɪt] *fn geol* természetes só- v. ásványkirakódás *[víz elpárolgása után]*

evasion [ɪˈveɪʒn] *fn* **1.** kikerülés, kitérés *[ütés elől]*, megkerülés *[kérdésé]*, kijátszás, megkerülés *[törvényé]*, meglépés, meglógás *[feladat elől]* **2.** kibúvó, kifogás, ürügy; **resort to ~s, use ~s** kifogásokkal él, kibúvót keres

evasive [ɪˈveɪsɪv] *mn* **1. a)** kitérő, (ki)kerülő, kerülgető; *átv is* **~ action** kitérő/kikerülő manőver/mozgás; **give an ~ answer** kitérő választ/feleletet ad **b)** *kat* kitérő, rugalmasan elszakadó *[hadmozdulat]* **2.** határozatlan, semmitmondó, köntörfalazó **3.** → **elusive** • *fn* **evasiveness** *hsz* **evasively**

eve [iːv] *fn* **1.** *régi vál* est(e); **at ~** este **2. a)** *vall* vigília *[ünnepé]* **b)** *átv is* előest, megelőző nap, vm előtti nap; **Christmas E~** Szenteste; *átv* **on the ~ of ...** (vmnek) az előestéjén/küszöbén

Eve [iːv] *tul* Éva; *biz* **a daughter of ~** igazi nő

Evelyn [ˈiːvlɪn, ˈev–] *tul* ‹női név›

even[1] [ˈiːvn] **I.** *mn* **1. a)** egyenletes, sima, sík, lapos; **break ~** megkeresi a kiadásait, megszűnik ráfizetéses lenni *[vállalkozás]*, egyenesbe jön; *gazd* **break-~ point** fedezeti pont, nyereségküszöb; **get ~ with sy** (i) eléri vknek a színvonalát, nyomába lép/ér vknek (ii) *biz* leszámol/elbánik vkvel, bosszút áll vkn; **make ~** kiegyenget, vízszintessé simít *[falat]*; simává egyenget *[utat]*; elsimít, elegyenget *[felületet]*; lesimít, legyalul **b)** egyenlő, egyforma *[súlyra, méretre]*; **on an ~ keel** egyenletes(en), zökkenőmentes(en) **2.** egyenletes, szabályos *[lélegzet, lépések stb.]*; **~ colour** egyenletes szín(ű); **~ temper** kiegyensúlyozott/nyugodt/higgadt kedély **3. a)** egyenlő *[esély]*; *biz* **~ break** egyenlő esély; **~ bet/money** egyenlő esély *[fogadásnál]*; *US biz* **an ~ (money) chance** egyenlő valószínűség/esély; **an ~ match** kiegyensúlyozott játék; **of ~ date** azonos/ugyanazon keletű; **be ~** egyformán/egyenlően áll *[játékban]*; *biz* egálban van; **be ~ with sy** nem tartoznak egymásnak, elszámoltak egymással, kvittek; **meet on ~ grounds** egyenlő esélyekkel küzdenek/versenyeznek **b)** méltányos, tisztességes *[feltételek]*; *gazd* **~ deal** tiszta/tisztességes/méltányos ügylet/üzlet; **on ~ terms** azonos feltételekkel; jó egyetértésben **4. a)** páros *[szám]*; *mat* **~ function** páros függvény; **~ number** páros szám; **odd or ~** páros vagy páratlan **b) ~ money** kerek összeg; **it's six ~** kerek hat *[dollár stb.]* **II.** *hsz* **1.** még, még a, még csak ... sem; **~ as we speak** jelenleg is, (még) most is, (még) ebben a pillanatban is; **not ~** még akkor sem; **~ if/though** még ha ... is, még akkor is ha, még ha legalább, ha csak; **~ though I had known** még ha tudtam volna is; **~ more** még inkább; **~ now** még most is/sem, még e pillanatban is/sem; éppen most; **or ~** sőt, még; sőt mi több; vagy inkább; **~ supposing that** még ha fel is tételezzük, hogy; **I never ~ saw it** még csak nem is láttam; **~ so** (de) mégis, (de) még így is, ennek ellenére, mindazonáltal; mindegy, akkor is; **~ then** még akkor is/sem **2.** éppen, egészen; **~ as** pontosan/éppen ahogy(an), egészen úgy, ahogy; **~ then** éppen akkor **III.** *tsi* **1.** (le)simít, elegyenget, egyenesít, egyenletessé tesz *[talajt]*, (simává) egyenget, egy szintre/színvonalba hoz **2. a)** kiegyenlít, egyenlővé tesz; *biz* **that will ~ things out/up** ez majd helyrehozza/kiegyenlíti a dolgokat **b)** *US biz* **~ up on sy** megfizet (vknek vmért), elintéz (vkt); kiegyenlít tartozást (vknek), visszaadja a kölcsönt, megfizet; → **evens** • *fn* **evener**

even[2] [ˈiːvn] *fn vál* est(e); **at ~** este

even-handed *mn* **1.** pártatlan, igazságos, méltányos, elfogulatlan **2.** pari *[fogadás]* • *fn* **even-handedness** *hsz* **even-handedly**

evening [ˈiːvnɪŋ] **I.** *fn* **1. a)** est(e); **all (the) ~** egész este; **during the ~** az est folyamán; este; **in the ~** este; **tomorrow ~** holnap este; *közm* **the ~ crowns the day** minden jó, ha a vége jó **b) the ~ of life** az élet alkonya/estéje, öregkor **2.** est *[rendezvény, előadás]* **II.** *mn* esti; **~ gown** estélyi ruha *[női]*; **~ performance** esti előadás; **~ school** esti iskola/tagozat; **~ train** esti vonat **III.** *isz* **good ~!** jó estét (kívánok)!; *biz* **~!** jó estét!

evening classes *fn tsz* esti tanfolyam/kurzus; **go to/ attend ~** esti tanfolyamra jár, esti tanfolyamon tanul
evening dress *fn* estélyi öltözék/öltözet/ruha, frakk; **in ~** megjelenés estélyi ruhában *[meghívón]*; **in full ~** nagyestélyiben; frakkban; **in semi-~** kisestélyiben, szmokingban
evening news *fn esz média* (esti) híradó, esti hírek
evening paper *fn* délutáni/esti újság/hírlap
evening party *fn* estély
evenings [ˈiːvnɪŋz] *hsz* esténként, minden este; **we always go out Friday ~** péntek esténként mindig szórakozni megyünk
evening star *fn* esthajnalcsillag
evening wear *fn* esti viselet, estélyi ruha
evenly [ˈiːvnli] *hsz* **1.** egyformán **2.** egyenletesen, szabályosan, egyenlően, igazságosan, egyformán; **~ matched** összeillő; egyenlő erejű **3.** pártatlanul, méltányosan, egyenlő mértékkel mérve
even-minded *mn* kiegyensúlyozott/egyenlő kedélyű • *fn* **even-mindedness** *hsz* **even-mindedly**
evenness [ˈiːvnnəs] *fn* **1.** simaság, egyenletesség, egyöntetűség **2.** kiegyensúlyozottság, higgadtság **3.** pártatlanság, elfogulatlanság, igazságosság
even-numbered *mn* páros (számú); **on ~ days** páros napokon
even-paced *mn* egyenletes gyorsaságú/sebességű
evens [ˈiːvnz] *mn* egyenlő esélyű, két esélyes *[fogadásnál]*
evensong *fn vall* zsolozsma, esti ima, vecsernye
even-stephen, **even-steven** *mn/hsz biz* döntetlen, egyenlő; **our teams were ~ at the end of the first half** az első félidő végén a csapataink döntetlenre álltak
event [ɪˈvent] *fn* **1. a)** esemény; **it's quite an ~** eseményszámba megy, igazi szenzáció; **in the course of ~s** az események során/folyamán **b)** eset, kimenetel, (vég)eredmény; **in the ~** végül is, a végén; **in the ~ of ...** ... esetén; abban az esetben, ha ...; **in the ~ that** (abban az esetben) ha, amennyiben **c)** *mat fiz* esemény **2.** *sp* **a)** sportesemény **b)** (verseny)szám **c)** mérkőzés, verseny **3.** eset; **in either ~** akárhogy is alakul/lesz; **be wise after the ~** utólag könnyű bölcsnek lenni; **in any ~, at all ~s** mindenesetre; akárhogy is lesz, bármi történjék is
even-tempered *mn* kiegyensúlyozott (kedélyű), higgadt
eventful [ɪˈventfl] *mn* mozgalmas, eseményekben gazdag, eseménydús • *fn* **eventfulness** *hsz* **eventfully**
eventide [ˈiːvntaɪd] *fn vál* este, napszállta, naplemente, alkony, szürkület
eventide home *fn GB* idősek/öregek otthona, nyugdíjasotthon
eventless [ɪˈventləs] *mn* eseménytelen, eseményekben szűkölködő, egyhangú
eventual [ɪˈventʃuəl] *mn* végső, végleges
eventuality [ɪˌventʃuˈæləti] *fn* eshetőség, lehetőség
eventually [ɪˈventʃuəli] *hsz* **1.** végül (is) **2.** *ritk* történetesen, véletlenül
eventuate [ɪˈventʃueɪt] *tni* **1.** vezet (vmre), eredményez (vmt), végződik **2.** megtörténik, előfordul, bekövetkezik • *fn* **eventuation**
ever [ˈevə ‖ –ər] *hsz* **1. a)** valaha, valamikor, egyszer, egykor; **hardly/scarcely ~** úgyszólván/jóformán/szinte soha(sem); *biz* **that ~ was** aki/ami csak valaha volt; **the best mother that ~ was** a legjobb anya a világon; **he read seldom if ~** úgyszólván sohasem olvasott; **nothing ~ happens** sohasem történik semmi; **if ~ there was one, if ~ I saw one** ami/aki valaha is volt, amit/akit valaha is láttam **b) ~ after** azontúl mindig, örökkön-örökké; **and they lived happily ~ after** és boldogan éltek, míg meg nem haltak **c) ~ since (then)** azóta, attól kezdve/fogva; **it has been raining ~ since** azóta megállás nélkül zuhogott **d)** újra meg újra, ismételten, időnként, hébe-hóba **2.** *[nyomatékként]* **the biggest ~** a legnagyobb, ami csak valaha létezett; **we are the best friends ~** mi vagyunk a legjobb barátok a világon; **~ so difficult** elmondhatatlanul/végtelenül nehéz; **thank you ~ so much** nagyon szépen köszönöm; **how ~ did you manage** hogy az ördögbe/csudába tudtad/sikerült; *biz* **did you ~?** hallottál/láttál már ilyet?, hallatlan!; **what ~ shall we do?** mit tegyünk (v. mihez fogjunk)?; **where ~ have you been?** hát te merre jártál (v. hol voltál)? **3. a)** mindig, egyre, folyton, állandóan; **~-increasing influence** egyre/folyvást növekvő befolyás; **yours ~** őszinte híve/barátsággal, szívélyes üdvözlettel *[levél végén]* **b) for ~** (mind)örökre, (mind)örökké; **for ~ and ~** örökkön-örökké, az idők végéig; **Scotland for ~!** éljen Skócia!; **he could talk for ~ on this subject** vég nélkül tudott/tudna erről a tárgyról beszélni
-ever [ˈevə ‖ –ər] *utótag* akár *[hangsúlyozásra]*; **whoever** akárki(t); **whatever** akármi(t); **whenever** akármikor; **wherever** akárhol, akárhova; **however many** akárhány; **however much** akármennyi; **whichever** akármelyik(et)
everbearing *mn* folyton termő *[növény]*
ever-changing *mn* állandóan változó, változékony
everglade *fn US* süppedős/mocsaras táj
Everglades [ˈevəgleɪdz ‖ –ər–] *tul földr* **the ~** ‹Florida déli részének mocsárvidéke›; **~ National Park** Everglades Nemzeti Park
evergreen *növ* **I.** *mn* örökzöld; *biz átv* **~ topic** mindig/ örökké aktuális/hálás téma; állandóan napirenden levő kérdés **II.** *fn* örökzöld
ever-growing *mn* egyre növekvő/gyarapodó
ever-increasing *mn* állandóan növekvő
everlasting I. *mn* **1.** örökkévaló, örökké tartó, állandó; **~ life** örök élet **2. a)** tartós, elnyűhetetlen, strapabíró **b)** *biz* véget nem érő, szűnni nem akaró **II.** *fn* örökkévalóság
evermore [ˌevəˈmɔː ‖ ˌevərˈmɔr] *hsz* mindig; **for ~** örökre, örökké, a végtelenségig; **it will go on for ~** egy örökkévalóságig fog tartani
ever-present *mn* mindig jelenlevő; **~ problem** állandó probléma
evert [ɪˈvɜːt ‖ ɪˈvɜrt] *tsi orv* kifordít • *fn* **eversion**
evertebrate [iːˈvɜːtɪbrət] *mn/fn áll* gerinctelen
every [ˈevri] *mn* **1. a)** mind(en); **~ day** mindennap; **~ other/second day** minden másnap, másnaponként, kétnaponta; **at ~ quarter past the hour** mindig negyedekor, óra tizenötkor; **I expect him ~ minute** minden percben várom (v. itt lehet); **~ now and then/again**, **~ so often** hébehóba, néha-néha, egyszer-egyszer; **~ time** kivétel nélkül, mindig, minden egyes alkalommal; *biz* **they ran ~ which way** százfelé futottak **b) ~ few minutes** (pár) percenként, pillanatonként; *átv* minduntalan; **~ four days** négynaponta, négynaponként; **~ third one** minden harmadik(at) **2. ~ one** mind(enki); mindannyi(an); mindegyik, valamennyi, valahány **3. he is ~ bit/inch a gentleman** tetőtől talpig úr(i ember); **she is ~ bit/inch a musician** vérbeli zenész; *iron* **that's him ~ bit/inch** ez ő, ez jellemző rá, ez rá vall; **~ bit as much** semmivel sem kevesebb; legalább olyan, mint; **I have ~ reason to believe that** alapos okom van azt hinni, hogy; minden okom meg van rá, hogy azt higgyem; **it's worth ~** *GB* **penny**/*US* **cent** az utolsó fillérig megéri
everybody [ˈevribɒdi ‖ –bɑdi] *nm* mindenki; **~ else** mindenki más, a többiek (mind), mások; → **everyone**
everyday [ˌevriˈdeɪ] *mn* **1.** (minden)napi, mindennapos; **~ occurrence** mindennapos esemény; **~ life** mindennapi/ köznapi élet **2.** mindennapi, (hét)köznapi *[viselet]* **3.** mindennapos, megszokott, közönséges, átlag; **~ talk** a szokásos/elcsépelt témák; *biz* **he's an ~ man** tucatember • *fn* **everydayness**
everyhow [ˈevrihaʊ] *hsz biz* mindenhogyan, mindenképpen, minden módon
Everyman [ˈevrimæn] *tul* **1.** *vál* Akárki *[középkori vallásos drámákban]* **2.** *átv biz* átlagember
everyone [ˈevriwʌn] *nm* mind(enki), valamennyien; **~ else** mindenki más, a többiek (mind); → **everybody**
everyplace [ˈevripleɪs] *US* → **everywhere**

everything [ˈevriθɪŋ] *nm* **a)** minden(t); **he owes her ~** mindent neki köszönhet; *közm* **there is mercy for ~** minden bűnre van bocsánat **b)** *állítmányként* **money is ~** a pénz minden, pénz beszél, kutya ugat; **speed is ~** a sebesség minden, csak a sebesség számít; **be punctual, that is ~** légy pontos, ez a fő; *biz* **how's ~?** mi újság?, hogy állnak a dolgok?; **she is ~ to me** ő a mindenem

everyway [ˈevriweɪ] *hsz* minden tekintetben/vonatkozásban, mindenképpen, mindenütt, mindenhol

everywhere [ˈevriweə ‖ –hwer] *hsz* mindenütt, mindenhol, mindenüvé, mindenhova; **~ you go** ahova csak mész, bárhova mész is; *biz* **his things are ~** szanaszét/összevissza vannak (hagyva) a dolgai/cuccai

E

evict [ɪˈvɪkt] *tsi* **a)** kilakoltat, kitesz, kidob, kirak (az utcára); **~ed tenant** kilakoltatott bérlő **b)** *átv* kitúr, kisemmiz

eviction [ɪˈvɪkʃn] *fn jog* **a)** kilakoltatás **b)** birtokfosztás, elűzés *[birtokról]*

eviction order *fn* kilakoltatási végzés

evidence [ˈevɪdəns] **I.** *fn* **1.** bizonyíték, (tanú)bizonyság, tanújel, nyom; **bear/give/provide ~ (of sg)** tanúskodik (vmről), tanúságot/(tanú)bizonyságot tesz (vmről); tanúvallomást tesz; tanújelét adja vmnek; bizonyít/tanúsít (vmt) **2. a)** *jog* bizonyíték, bizonyítás; **circumstantial ~** közvetett bizonyíték; **oral ~** szóbeli vallomás; **written/documentary ~, ~ in writing** bizonyítéki anyag; okirati/írásos bizonyíték; **call sy in ~** tanúvallomásra/tanúskodásra szólít fel vkt; tanúnak beidéz vkt; **take sy's ~** tanúként kihallgat vkt, vk tanúvallomását meghallgatja; **get ~** bizonyítékot gyűjt/szerez; nyomoz; **false ~** hamis vallomás **b)** *biz* **~ of the senses** az érzékszervek tanúsága/bizonysága **c)** *orv* lelet; **clinical ~** klinikai lelet/megállapítás; **laboratory ~** laboratóriumi lelet/adat **3. a)** kézzelfoghatóság, szemmelláthatóság, nyilvánvalóság, bizonyosság; **fly in the face of ~** tagadja a nyilvánvaló tényeket/igazságot **b) be in ~** látható, jelen van (vhol); szem előtt van; szerepel *[a nyilvánosság előtt]*; **be much in ~** (nagyon) szembetűnő/nyilvánvaló, az előtérben/szem előtt van **4.** *jog* tanú; **the ~ for the prosecution** terhelő tanú(k); a vád tanúi; felperes tanúja; **the ~ for the defence** mentő tanú(k); a védelem tanúi; az alperes tanúja **II. A.** *tsi* **1.** bizonyít, (vmről) tanúskodik, tanúsít, vall (vmre) **2.** evidenciában tart (vmt) **B.** *tni* tanúskodik, tanúvallomást tesz

evident [ˈevɪdənt] *mn* nyilvánvaló, szemmel látható, világos, magától értetődő, kézzelfogható, szembeszökő, kétségtelen, evidens

evidential [ˌevɪˈdenʃl] *mn* **1.** bizonyítékokon alapuló **2. ~ of sg** vmt eláruló/mutató/tanúsító/bizonyító, vmre valló • *hsz* **evidentially**

evidentiary [ˌevɪˈdenʃəri] *mn* **a)** bizonyító, tanúsító **b)** bizonyítékokra támaszkodó

evidently [ˈevɪdəntli] *hsz* nyilvánvalóan, magától értetődően, szemmel láthatóan, kétségkívül, minden kétséget kizáróan/kizárólag; **this is ~ the work of the Mafia** ez nyilvánvalóan a maffia műve/munkája

evil [ˈiːvl] **I.** *mn* **1.** gonosz; **~ tongue** gonosz/csípős nyelv; **get into ~ ways** rossz útra téved, elzüllik **2. a)** rossz; **an ~ day** szerencsétlen/végzetes nap; **~ repute** kétes hír, hírhedtség; **necessary ~** szükséges rossz; **of ~ memory** rossz emlék(ezet)ű; **of ~ omen** baljós(latú) **b)** kellemetlen, visszataszító, undorító *[íz, szag]* **II.** *fn* gonoszság, bűn, baj, rossz, veszedelem; **choose the lesser of two ~s** két rossz közül a kisebbet választja; **speak ~ of sy** rosszat mond vkről; ócsárol, becsmérel vkt; *közm* **~ be to him who ~ thinks** huncut, aki rosszat gondol • *fn* **evilness**

evildoer *fn* gonosztevő, bűnöző • *fn* **evildoing**

evil eye *fn* **1.** rossz/gonosz tekintet/nézés **2.** *átv* szemmelverés; **give sy the ~, put the ~ on sy** szemmel ver vkt, szúrósan néz vkt; **look at sy/sg with an ~ eye** görbe szemmel néz vkt/vmt • *mn* **evil-eyed**

evil-hearted *mn* rosszindulatú, gonosz

evil-looking *mn* gyanús/rossz külsejű/arcú *[ember]*

evil-minded *mn* gonosz, rosszindulatú, rosszlelkű • *fn* **evil-mindedness** *hsz* **evil-mindedly**

evil-smelling *mn* undorító/visszataszító/rossz szagú, büdös, bűzös

evil-tongued *mn* gonosz/csípős nyelvű

evince [ɪˈvɪns] *tsi* **1. a)** kimutat, kifejezésre juttat; **~ curiosity** kíváncsiságot mutat; **~ itself** jelentkezik, megmutatkozik *[tehetség, érzék vm iránt]* **b)** nyilvánvalóvá tesz (vmt), tanúskodik (vmről), bizonyságát/tanújelét adja (vmnek); **~ intelligence** intelligenciára vall **2.** *régi* bizonyít, mutat; **this clearly ~s that** ez világosan mutatja/bizonyítja, hogy • *mn* **evincible**, **evincive**

eviscerate [ɪˈvɪsəreɪt] *tsi átv is* kizsigerel, kibelez • *fn* **evisceration**

evitable [ˈevɪtəbl] *mn ritk* elkerülhető, kikerülhető

evocate [ˈiːvoʊkeɪt] *tsi* felidéz; → **evoke**

evocative [ɪˈvɒkətɪv ‖ ɪˈvɑkətɪv] *mn* felidéző, előidéző; **be ~ of sg** felidéz vmt, emlékeztet vmre

evoke [ɪˈvoʊk] *tsi* **1. a)** megidéz, felidéz, előhív, felidéz, felelevenít **b)** kivált *[reakciót]*; **this remark ~d a smile** ez a megjegyzés mosolyt keltett **2.** *jog* evokál, hatáskörébe von • *fn* **evocation**, **evoker**

evolute [ˈiːvəluːt ‖ ˈevə–] *fn/mn mat* evolúta; **~ of a curve** görbe evolútája

evolution [ˌiːvəˈluːʃn ‖ ˌevə–] *fn* **1.** *biol* evolúció, *átv is* kifejlés, (ki)fejlődés, (ki)alakulás, (ki)bontakozás; **theory of ~** evolúciós elmélet, fejlődéselmélet; *átv* **~ of events** események kibontakozása/(ki)alakulása/lefolyása; a fejlemények **2.** felfejlődés, felvonulás *[csapatoké]* **3.** *mat* **a)** görbe lefejtése **b)** gyökvonás **4.** *vegy* szabaddá válás, felszabadulás, távozás, kieresztés, fejlődés *[hőé]* • *mn* **evolutional**, **evolutionary** *hsz* **evolutionarily**

evolutionist [ˌiːvəˈluːʃənɪst ‖ ˌevə–] *fn* evolucionista • *fn* **evolutionism** *mn* **evolutionistic**

evolve [ɪˈvɒlv ‖ ɪˈvɑlv] **A.** *tsi* **1.** kialakít, kiformál, kibontakoztat, kifejleszt; **~ a scheme** kiformál/kialakít egy elgondolást **2.** kifejt, levezet *[tételt]* **3.** *vegy* felszabadít, kiszabadít, fejleszt *[hőt, gázt]*, áraszt *[hőt]* **B.** *tni* **1.** kibontakozik, kialakul, kifejlődik *[esemény]*; **~ into sg** vmvé fejlődik **2.** kialakul, fejlődik; **everything ~s from it** minden ebből következik/ered/származik **3.** *vegy* fejlődik, felszabadul *[gáz, hő]*, keletkezik, kiárad/terjed *[szag]* • *fn* **evolving**

evulse [ɪˈvʌls] *tsi orv* kitép, kiránt, kihúz *[fogat stb.]* • *fn* **evulsion**

ewe [juː] *fn* (anya)juh, jerke

ewe-cheese *fn* juhsajt, gomolya

ewe lamb *fn* **1.** nőstény bárány/barika **2.** *biz átv* kedvenc, legdrágább kincs

ewe neck *fn* szarvasnyak, hattyúnyak *[lóé]*

ewer [ˈjuːə ‖ –ər] *fn* (füles) vizeskancsó, vizeskanna

ex., Ex. *röv* **1.** *example* **2.** *except* **3.** *exception* **4.** *executive* **5.** *Exodus* **6.** *express* **7.** *extra* **8.** *extract*

ex[1] [eks] *elölj* **1. a) ~ officio** hivatalból **b)** *gazd* **delivered ~ ship** hajóról szállítva; **~ store/warehouse** raktárból; **~ works** üzemből **2.** *pénz* **~ coupon/dividend** osztalék/szelvény nélkül; *pénz* **~ interest** kamat nélkül

ex[2] [eks] *fn biz* ‹volt házastárs v. szerető› exnej, exférj, az ex

ex- [eks, ɪks, əks] *előtag* **I.** *[igeképző]* **a)** ki, kifelé; **exclude** kizár **b)** fel, felfelé; **exonerate** felment, felold **c)** elmozdít, kiszabadít; **exhume** kihantol **II.** *[főnévképző]* volt, egykori; **ex-husband** volt férj; **~-minister** volt miniszter; **~-president** volt/egykori/nyugalmazott elnök, ex-elnök

exacerbate [ɪgˈzæsəbeɪt ‖ –ər–] *tsi* **1.** súlyosbít, növel *[fájdalmat]*, elmérgesít *[helyzetet]* **2. a)** elkeserít, mérgesít, felbőszít, felingerel *[személyt]* **b)** elmélyít, kirívóbbá tesz *[ellentétet]*, keserűvé tesz *[lelket]*, felfokoz *[szenvedélyt]* • *fn* **exacerbation**

exact [ɪɡˈzækt] **I.** *mn* **1. a)** (hajszál)pontos, precíz, egzakt; **give ~ details** pontos részletekkel szolgál; **these are his ~ words** szóról szóra ezt mondta; **to be ~** hogy teljesen pontos/precíz legyek; **to be more ~** pontosabban szólva; **~ copy of a document** okirat pontos másolata; **~ to the rule** előírásos **b)** pontos, helyes, igaz, megfelelő, találó; **~ fit** tökéletes szabás *[ruháé]*; **~ word** helyes/találó szó/kifejezés **c)** szigorú *[fegyelem]* **2.** pontos, alapos, korrekt, precíz, kifogástalan; **be ~ in one's payments** pontosan fizet **II.** *tsi* **1. a)** követel, behajt *[adót]* **b)** kicsikar, kizsarol, kiprésel *[pénzt, ígéretet vktől]* **2.** (meg)követel, elvár, igényel, kíván *[engedelmességet, munkát]* • *fn* **exactness**, **exacter**, **exactor**

exactable [ɪɡˈzæktəbl] *mn* behajtható *[adó]*

exacting [ɪɡˈzæktɪŋ] *mn* **1.** szigorú, sokat követelő, akkurátus, alapos munkát kívánó *[személy]*; **be too ~ with sy** túl sokat követel vktől, túl igényes vkvel szemben **2. a)** megerőltető, strapás *[munka]*; **non-~ work** nem nehéz/fárasztó/megerőltető munka **b)** igényes, nagy/fokozott gondo(sságo)t/precizitást/figyelmet/pontosságot igénylő *[feladat]* • *hsz* **exactingly**

exaction [ɪɡˈzækʃn] *fn* **1. a)** behajtás *[adóé]* **b)** uzsora, kicsikarás; **practice ~ upon sy** nyúz/zsarol vkt **c)** kikényszerített/kizsarolt/kicsikart összeg **2.** megerőltető elfoglaltság/igénybevétel, fáradalom

exactly [ɪɡˈzæktli] *hsz* **a)** pont(ban), pontosan; **not ~** nem egészen; **I don't know ~ what happened** nem tudom pontosan, hogy (valójában) mi történt; **it's ~ five** pont(osan) öt óra (van) **b) E~!** úgy van!, helyes!, ahogy mondod!; pontosan (erről van szó)!

exact sciences *fn tsz* egzakt tudományok

exaggerate [ɪɡˈzædʒəreɪt] *tsi* (el)túloz, túlzásba visz/esik, túlzottan kihangsúlyoz/kiemel, túlzott (v. túl nagy) jelentőséget tulajdonít (vmnek), (fel)nagyít, súlyosbít *[hibát]*, felfúj *[ügyet]*, kiszínez *[történetet]*

exaggerated [ɪɡˈzædʒəreɪtɪd] *mn* (el)túlzott, túlzó, túlságos, túlzásba vitt, túlhajtott, felnagyított, felfújt • *hsz* **exaggaratedly**

exaggeration [ɪɡˌzædʒəˈreɪʃn] *fn* túlzás, (fel)nagyítás

exalt [ɪɡˈzɔːlt] *tsi* **1.** felemel, magas polcra emel *[rangban, méltóságban]* **2.** (fel)dicsér, dicsőít, (fel)magasztal; **~ sy to the skies** egekig/az égig magasztal vkt **3.** felizgat, lázba hoz, lángra gyújt, felfűt *[képzeletet]*

exaltation [ˌeɡzɔːlˈteɪʃn] *fn* **1.** túlfűtöttség, felizgultság, lázas/szenvedélyes izgalom, lelkesedés, lelkesültség, rajongás, egzaltáció **2.** felemelés, felmagasztalás; **~ to a dignity** méltóságra emelés

exalted [ɪɡˈzɔːltɪd] *mn* felizgatott, túlfűtött, szertelen, egzaltált • *fn* **exaltedness** *hsz* **exaltedly**

exam [ɪɡˈzæm] *fn biz* vizsga; **~ nerves** vizsgadrukk; **~ results** vizsgaeredmények; **~ re-take** pótvizsga; → **examination**

examination [ɪɡˌzæmɪˈneɪʃn] *fn* **1.** megvizsgálás, vizsgálat, ellenőrzés, felülvizsgálat, átvizsgálás *[számadásé]*, áttanulmányozás; *orv* **manual ~** megtapogatás, kitapintás; *orv* **physical ~** fizikai vizsgálat, betegvizsgálat; **~ report** (írott) vizsgálati eredmény *[orvosi]*; **under ~** kivizsgálás/vizsgálat alatt; **undergo an ~** vizsgálatnak veti alá magát **2.** *okt* vizsga; vizsgáztatás; **board of ~** vizsgabizottság; **end-(of-)term ~** félévi vizsga, félév végi vizsga; **fail (in) an ~** vizsgán megbukik; *GB* **GCSE ~** *kb* érettségi vizsga; **oral ~** szóbeli (vizsga); **pass an ~** vizsgát (sikeresen) letesz; **take an ~**, **sit (for) an ~** vizsgázik; **written ~** írásbeli (vizsga) **3.** *jog* **a)** kihallgatás; **be under ~** vizsgálat alatt áll; kihallgatják **b)** vizsgálat *[bűnügyben]*; *jog* **on ~** vizsgálat végeztével/alapján • *mn* **examinational**

examination findings *fn tsz* vizsgálati lelet/eredmény

examination paper *fn* vizsgadolgozat, írásbeli vizsga

examine [ɪɡˈzæmɪn] *tsi* **1. a)** megvizsgál, átvizsgál, ellenőriz, felülvizsgál *[elszámolást]*, ellenőriz; **~ oneself**, **~ one's conscience** magába száll, megvizsgálja lelkiismeretét; önvizsgálatot tart; **have oneself ~d**, **get ~d** megvizsgáltatja magát *[orvossal]*; *biz tréf* **you need to have your head ~d** te nem vagy (teljesen) komplett, (neked) elment az eszed **b)** kikémlel *[terepet]*, kifürkész, kipuhatol, tanulmányoz **2.** *okt* (le)vizsgáztat, kikérdez **3.** *jog* **a)** kihallgat *[tanút, vádlottat]* **b)** vizsgálatot tart *[ügyben]* • *mn* **examining**

examinee [ɪɡˌzæmɪˈniː] *fn okt* vizsgázó *[diák]*, jelölt

examiner [ɪɡˈzæmɪnə ‖ –ər] *fn* **1.** *okt* vizsgáztató; **external ~** külső vizsgáztató; **the ~s** vizsgabizottság, bíráló bizottság **2.** (felül)vizsgáló, ellenőrző *[gépé, iratoké]*

exam paper *fn* vizsgadolgozat, vizsgateszt

example [ɪɡˈzɑːmpl ‖ –ˈzæm–] *fn* **1. a)** példa; **follow sy's ~** vk példáját követi; **for ~**, **by way of ~** például; **for the ~'s sake** a példa kedvéért; **practical ~** gyakorlati példa; **~s for practice** gyakorló (példa)feladatok; **let me give you an ~** hadd adjak/mondjak egy példát **b)** példa(kép); **after/following the ~ of** vk/vm példájára; **give/set an/the ~** példát ad/mutat; **make an ~ of sy** példaképül állít vkt (vk elé); példásan megbüntet vkt **2. a)** példa, precedens, irányadó eset; **beyond/without ~** példátlan, példa nélkül álló **b)** (elrettentő) példa; **let this be an ~ to you** ebből tanulj/okulj

exanthema [ˌeksænˈθiːmə] *fn tsz* **exanthemata** [–mətə] *orv* kiütés

exarch [ˈeksɑːk ‖ –ɑrk] *fn tört vall* exarcha, metropolita, főpásztor • *fn* **exarchate**

exasperate [ɪɡˈzɑːspəreɪt ‖ ɪɡˈzæ–] *tsi* **1.** elkeserít, súlyosbít, fokoz *[fájdalmat, gyűlöletet]* **2.** felbőszít, (fel)bosszant, felingerel, (fel)dühít; **~d at/by his insolence** felbőszülve arcátlanságán; **the sound ~d her** a lárma/zaj felingerelte (v. kétségbe ejtette) • *fn* **exasperation**

exasperated [ɪɡˈzɑːspəreɪtɪd ‖ ɪɡˈzæspəreɪtɪd] *mn* dühös, dühödt, feldühített, feldühödött • *hsz* **exasperatedly**

exasperating [ɪɡˈzɑːspəreɪtɪŋ ‖ ɪɡˈzæs–] *mn* bosszantó, idegesítő, bőszítő • *hsz* **exasperatingly**

exasperation [ɪɡˌzɑːspəˈreɪʃn ‖ ɪɡˌzæ–] *fn* **1.** elkeseredés; **drive sy to ~** végsőkig felingerel (v. elkeseredésbe hajt) vkt **2.** elkeserítés, felbőszítés, felbosszantás

exc. *röv* **1.** *except* **2.** *exception*

ex cathedra [ˌekskəˈθiːdrə] *hsz latin* feltétlen tekintéllyel, ex cathedra; **talk ~**, **utter one's views ~** ellentmondást nem tűrően (v. tudálékosan) beszél (v. közli nézeteit)

excavate [ˈekskəveɪt] **A.** *tsi* **a)** kiás, kiváj, elhord, kiemel *[földréteget]*, kikotor, kimélyít *[csatornát]* **b)** felás, feltár *[romokat]* **c)** alámos *[vízpartot]* **B.** *tni* ásatásokat végez • *fn* **excavating**, **excavator**

excavation [ˌekskəˈveɪʃn] *fn* **1. a)** kiásás **b)** ásatás, feltárás **c)** lehordás, elhordás *[földrétegé]* **d)** kimélyítés *[csatornáé, ároké]* **2.** feltárt terület, ásatás; **the ~s of Pompeii** a pompeji ásatások

exceed [ɪkˈsiːd] **A.** *tsi* **a)** felülmúl, meghalad, nagyobb/több mint, túlszárnyal; **not ~ing ten pounds** tíz font erejéig **b)** túllép *[jogot]*; **~ one's powers** túllépi hatáskörét; **~ the speed limit** a megengedettnél gyorsabban hajt/halad *[gépkocsi]* **B.** *tni vál* kiemelkedik, kimagaslik; **life that ~s in pleasure** gyönyörökben tobzódó élet

exceeding [ɪkˈsiːdiŋ] *régi* **I.** *mn* nagyobb *[mennyiség, fok]* **II.** *hsz* nagyon, mértéktelenül, szertelenül

exceedingly [ɪkˈsiːdɪŋli] *hsz* nagyon, rendkívül(ien), szerfelett, kiválóan

excel [ɪkˈsel] *i* **-ll- A.** *tsi* felülmúl, túltesz (vkn) **B.** *tni* kitűnik, kimagaslik, kiemelkedik, jeleskedik; **~ at maths** kiváló matekból; **~ oneself** felülmúlja önmagát

excellence [ˈeksələns] *fn* **1. a)** kiválóság, kitűnőség **b)** tökély, tökéletesség *[műé]* **2.** érdem, kiváló minőség, felsőbbrendűség (vké/vmé)

excellency [ˈeksələnsi] *fn* ‹magas méltóságú személyek formális megszólítása›; **Your E~** Kegyelmes Uram!; **His E~ the Hungarian Ambassador** a magyar nagykövet őméltósága

E

excellent ['eksələnt] *mn* **a)** kiváló, kitűnő, elsőrendű, tökéletes, mindent felülmúló; ~ **results** kiváló eredmények **b)** *iron* **(that's just)** ~! hát ez szép (volt)!, na ezt jól megcsináltad! • *hsz* **excellently**

excelsior [ek'selsiɔ: ‖ –sɪər] **I.** *isz* felfelé!, feljebb! **II.** *mn* kitűnő *[főleg márkanevekben]* **III.** *fn US* fagyapot, faforgács *[csomagolásra]*

Excelsior State *tul földr US biz* ‹New York állam›

excentric → eccentric

except [ɪk'sept] **I.** *elölj* kivéve, kivételével, kivételt téve, vkn/vmn kívül; ~ **for** vmt kivéve, kivéve, ha, ... kivételével, eltekintve attól, hogy; ha figyelmen kívül hagyjuk, hogy; ~ **that** kivéve/azonkívül, hogy; eltekintve attól, hogy; ~ **when** kivéve amikor/ha; **they were all there** ~ **me** mind ott voltak rajtam kívül **II.** *tsi* kivesz, kiemel, kizár, kivételt tesz; **present company** ~**ed** a jelenlevők kivételével

excepting [ɪk'septɪŋ] *elölj/ksz* → **except I.**; **not/without** ~ nem/sem kivéve

exception [ɪk'sepʃn] *fn* **1.** kivétel; **be an** ~ **to a rule** kivétel a szabály alól; **make an** ~ **to a rule** eltekint a szabálytól, kivételt tesz; **with the** ~ **of** vk/vm kivételével; **without** ~ kivétel nélkül; ~ **proves the rule** a kivétel megerősíti a szabályt **2.** kifogás, ellenvetés; **beyond** ~ nem kifogásolható, vissza nem utasítható *[hatóság]*; **subject/liable to** ~ kifogásolható; **take** ~ **to sg** kifogásol vmt; zokon vesz vmt **3.** *jog* kifogás, védekezés **4.** *műsz* kizárás, elhagyás

exceptionable [ɪk'sepʃnəbl] *mn* kifogásolható, hibáztatható, gáncsolható; **find nothing** ~ **in sg** semmi kivetni valót nem talál benne • *hsz* **exceptionably**

exceptional [ɪk'sepʃnəl] *mn* **1. a)** kivételes, különleges, rendkívüli; ~ **circumstances** különleges körülmények; ~ **talent** kivételes/különleges tehetség **b)** kiváló, kimagasló; **of** ~ **quality** kiváló minőségű **2.** *jog* rendkívüli; **jurisdiction of an** ~ **court** rendkívüli bíróság hatásköre

exceptionally [ɪk'sepʃnəli] *hsz* **1.** különlegesen, kivételesen, kivételképpen **2.** rendkívül, mód felett; ~ **cheap** hallatlanul olcsó

exceptive [ɪk'septɪv] *mn* rendkívüli, kivételes

excerpt I. *fn* ['eksɜ:pt ‖ –sɜrpt] részlet, kivonat, idézet, szemelvény *[könyvből, műből]* **II.** *tsi* [ek'sɜ:pt ‖ –'sɜrpt] kivonatol, részletet/szemelvényt ad/közöl • *mn* **excerptible**

excerption [ek'sɜ:pʃn ‖ –'sɜr–] *fn* **1.** szemelvény, részlet, idézet *[könyvből]* **2.** kivonat *[irodalmi műből]*

excess [ɪk'ses, 'ekses] **I.** *fn* **1. a)** mértéktelenség, szertelenség *[ételben, italban]*, kicsapongás, felesleges/túlzott volta (vmnek); ~ **(of) precaution** felesleges/túlzott óvatosság; **sexual** ~ nemi kicsapongás, bujaság; **in/to** ~ túlzásba vitt, felesleges, szertelen; **be in** ~ **(of)** bővelkedik, bővében van, dúslakodik, feleslegben van; **in** ~ **of sg** vmt meghaladó, felüli, több mint; **carry sg to** ~ túlzásba visz vmt, szertelenül csinál vmt; **act in** ~ **of one's rights** túllépi jogait/hatáskörét; **drink to** ~ vedel, részegeskedik; **eat to** ~ agyoneszi magát, bezabál **b) commit** ~**es** szertelenkedik; kegyetlenkedik; **an** ~ **of cruelty** súlyos kegyetlenség/kegyetlenkedés **2. a)** többlet, felesleg; **sum in** ~ többletösszeg; többletköltség, többletkiadás **b)** *fémip* ~ **of metal** túlvastagodás, anyagfelesleg *[öntvényen]* **II.** *mn* túl-, többlet-; ~ **fare** pótdíj *[vonaton]*; ~ **luggage** v. *US* **baggage** poggyásztúlsúly; ~ **ticket** pótjegy; ~ **weight** többletsúly, súlytöbblet, túlsúly

excessive [ɪk'sesɪv] *mn* **1.** túlzott, rendkívül magas, túlságos **2.** mértéktelen, szertelen, határtalan; ~ **habits** szertelen/kicsapongó szokások/életmód; ~ **smoker** szertelen/erős dohányos • *fn* **excessiveness** *hsz* **excessively**

excess profits *fn tsz gazd* **a)** nyereségtöbblet, jövedelemtöbblet; ~ **duty** nyereség/jövedelem többletadó **b)** rendkívüli nyereség

exchange [ɪks'tʃeɪndʒ] **I.** *fn* **1. a)** csere, kicserélés; ~ **of letters** levélváltás; ~ **of views** eszmecsere; ~ **of prisoners of war** (hadi)fogolycsere; **means of** ~ csereeszköz; **in** ~ **for sg** cserébe(n), viszonzásul (vmért) **b)** szóváltás **c)** *okt* csere(program) **2. a)** *közg* csereforgalom, csereüzlet, adásvétel; ~ **economy** cseregazdaság **b) money of** ~ váltópénz; **value in** ~ csereérték **3.** *pénz* **a)** valuta; **foreign** ~ valuta; deviza; **(foreign)** ~ **broker** (pénz)váltóügynök **b) bill of** ~ váltó; **short** ~ rövid lejáratú váltó; ~ **law** váltójog **c)** pénzváltás **4. (stock)** ~ (érték)tőzsde; **Budapest Stock E~** Budapesti Értéktőzsde; ~ **advice** tőzsdei jelentés; **rate of** ~ tőzsdei árfolyam; átváltási/beváltási árfolyam; valutaárfolyam **5. (telephone)** ~ telefonközpont **6.** *infor* kapcsolóállomás *[hálózatban]* **7.** *sp* csere *[sakkban]* **II. A.** *tsi* **a)** cserél, kicserél; ~ **sg for sg** vmt vmre cserél; átcserél, kicserél, becserél; ~ **bishops** futárt (le)cserél *[sakkban]* **b)** kicserél, becserél *[árucikket]* **c)** vált *[szavakat, pillantást]*; ~ **glances** pillantást vált; **they** ~**d blows** összeverekedtek; **the two sides** ~**d fire** a két fél tűzpárbajba keveredett **d)** cserekereskedik, cserekereskedelmet folytat *[áruval]* **B.** *tni* átvált *[érmét, pénzt]* • *mn* **exchangeable**

exchange control *fn pénz* (hatósági) devizaellenőrzés

exchange list *fn* (valuta)árfolyamtáblázat

exchange office *fn* **1.** *pénz* (pénz)váltóhely **2.** (központi) postahivatal

exchange premium *fn pénz* valutafelár

exchange professor *fn okt* vendégprofesszor

exchange rate *fn* árfolyam, átváltási/beváltási árfolyam; **foreign** ~ deviza-/valutaárfolyam; **fixed** ~ rögzített valutaárfolyam; **official** ~ hivatalos valutaárfolyam; ~ **mechanism**, *röv* **ERM** árfolyam-lebegtetési mechanizmus/rendszer

exchange restrictions *fn tsz pénz* devizakorlátozások

exchange value *fn közg* csereérték

exchequer [ɪks'tʃekə ‖ eks'tʃekər] *fn* **1.** *GB* **the E~** államkincstár; pénzügyminisztérium; **the Chancellor of the E~** pénzügyminiszter **2.** *biz* pénzügyi/anyagi helyzet; **my** ~ **is empty** üres a pénztárcám

exchequer bill *fn GB pénz* kincstárjegy, kincstári váltó

exchequer bond *fn GB pénz* államkötvény

excise[1] ['eksaɪz] **I.** *fn* **1.** közvetett/fogyasztási adó **2.** közvetett/fogyasztási adók igazgatása/kezelése; **the E~ Office** állami fogyasztási adóhivatal **II.** *tsi* közvetett/fogyasztási adót kiró/kivet (vkre/vmre), megterhel fogyasztási adóval • *mn* **excisable**

excise[2] [ɪk'saɪz] *tsi* **1.** *orv* kivág, levág, kimetsz, csonkít *[szervet]* **2.** kitöröl, kihúz *[részt vmből]* • *fn* **excision**

excised [ɪk'sɑɪzd] *mn tud* rovátkolt, bemetszett

excise duty *fn* fogyasztási adó

exciseman *fn tsz* **-men** pénzügyőr, finánc

excise tax → excise duty

excitable [ɪk'saɪtəbl] *mn* **1. a)** izgulékony, ingerlékeny, könnyen indulatba hozható *[ember]* **b)** *biol orv* izgatható, ingerelhető **2.** *vill* gerjeszthető • *fn* **excitability** *hsz* **excitably**

excitant ['eksɪtənt, ɪk'saɪtənt] *orv* **I.** *mn* élénkítő, serkentő **II.** *fn* serkentő/élénkítőszer

excitation [ˌeksɪ'teɪʃn ‖ –saɪ–] *fn* **1. a)** izgatás, ingerlés **b)** izgalom, izgatottság, izgalmi állapot **2.** *fiz vill* gerjesztés

excite [ɪk'saɪt] *tsi* **1. a)** izgat, izgalomba hoz **b)** sugall, táplál, felkelt *[érdeklődést]*, felajz; ~ **sy's curiosity** felkelti/felcsigázza vk kíváncsiságát **c)** bujtogat, uszít, felkavar, fellobbant, felkorbácsol *[érzelmet]*, előidéz *[forradalmat]* **d)** *biol orv* (fel)izgat, izgalmi állapotba hoz **e)** *el fiz* gerjeszt **2. a)** izgat, ösztönöz, serkent, ösztökél, felfokoz *[érzést]* **b)** (fel)izgat, (fel)idegesít, felindít, felkavar; **get** ~**ed**, ~ **oneself** izgalomba jön, izgatja magát, felizgul; *biz* ugrál; **don't get** ~**ed!** ne izgassa fel magát!, ne izguljon!; *biz* nyugi!, ne ugrálj! • *fn* **exciter**

excited [ɪk'saɪtɪd] *mn* **1. a)** izgatott, felizgult; **I'm so ~!** úgy izgulok!, olyan izgatott vagyok! **b)** zaklatott, nyugtalan, türelmetlen, lázas, ideges, felkavart, felkorbácsolt *[személy]*; **easily ~** izgulékony, könnyen felizgatható/izgalomba jövő **2.** *biol orv* izgatott, izgalmi állapotban levő **3.** *el fiz* gerjesztett • *fn* **excitedness** *hsz* **excitedly**

excitement [ɪk'saɪtmənt] *fn* **1. a)** izgatottság, izgalom, élénkség; **be in a state of ~** izgatott; ideges; **cause great ~** nagy izgalmat/feltűnést kelt; **thirst for ~** izgalom után szomjazik; *biz* **what's all the ~ about?** miért a nagy izgalom? **b)** felindultság, feldúltság, idegesség **2.** *biol orv* izgalom, izgalmi állapot *[szervé]*

exciting [ɪk'saɪtɪŋ] *mn* **1. a)** izgalmas, érdekfeszítő, feltűnést keltő; **an ~ game** izgalmas játék/játszma/parti **b)** megindító, megragadó, szívdobogtató **2.** *orv* **~ cause** izgalmat kiváltó ok **3.** *el fiz* gerjesztő

excl. *röv excluding* kivéve, nélkül; **~ VAT** ÁFA nélkül

exclaim [ɪk'skleɪm] **A.** *tsi* kikiált (vmt) **B.** *tni* felkiált, elkiáltja magát; **~ at/against an injustice** kikel/tiltakozik jogtalanság ellen • *mn* **exclamative**

exclamation [ˌeksklə'meɪʃn] *fn* **1.** (fel)kiáltás **2.** *tsz* **exclamations** kiabálás **3.** *nyelv* felkiáltószó

exclamation mark *fn* felkiáltójel

exclamation point *US* → **exclamation mark**

exclamatory [ɪk'sklæmətəri ‖ –tɔri] *mn* (fel)kiáltó • *hsz* **exclamatorily**

exclave ['ekskleɪv] *fn* ‹államnak egy másik állam területébe beágyazott része› exkláve

exclosure [ɪk'sklouʒə ‖ –ər] *fn* körülkerített terület

exclude [ɪk'sklu:d] *tsi* **a)** kizár, kirekeszt, kiűz, eltilt; **~ sy from a society** kizár/kirekeszt vkt társaságból **b)** kizár, lehetetlenné tesz, elhárít *[kételyt, gyanút]*; **excluding sg** vm kizárásával, vmt kivéve, vm kivételével, vm nélkül; **this possibility cannot be ~d** ezt a lehetőséget nem lehet kizárni • *fn* **excluding** *mn* **excludable**

exclusion [ɪk'sklu:ʒn] *fn* **1.** kizárás, kirekesztés; *fiz* **~ principle** kizárási elv *[Pauli-féle]*; **to/with the ~ of sg** vm kizárásával/kivételével **2.** belépés/felvétel megtagadása **3.** *orv* kirekesztés, sebészi izolálás • *mn* **exclusionary**

exclusive [ɪk'sklu:sɪv] **I.** *mn* **1. a)** kizárólagos, exkluzív *[jog]*; *infor* **~ application** kizárólagos alkalmazás; **~ interview** exkluzív interjú; **~ rights** kizárólagos/exkluzív jog **b)** egyedüli, egyedülálló; **it has been his ~ occupation for ten years** ez volt egyedüli elfoglaltsága az utóbbi tíz évben **2.** *US* válogatott, választékos, finom, előkelő, exkluzív, zártkörű; **~ club/society** zártkörű klub/társaság **3.** egymást kizáró, össze nem férő **II.** *hsz* kivéve, nélkül, bele nem értve, kizárólag, exkluzíve; **~ of sg** vmt nem számítva; vm nélkül **III.** *fn média* exkluzív interjú/sztori/újságcikk • *fn* **exclusivity, exclusiveness** *hsz* **exclusively**

exclusivism [ɪk'sklu:sɪvɪzm] *fn* elzárkózás, bezárkózás, zárkózottság *[faji, vallási, nemzeti]* • *fn* **exclusivist**

excogitate [eks'kɒdʒɪteɪt ‖ –'kɑ–] *tsi* kigondol, kiagyal, kieszel, kitervel, *pej* kiforral, kifőz *[tervet]* • *fn* **excogitation** *mn* **excogitative**

excommunicate **I.** *tsi* [–keɪt] kiközösít, kiátkoz *[vkt egyházból]* **II.** *fn/mn* [ˌekskə'mju:nɪkət] kiközösített, kiátkozott *[személy]* • *fn* **excommunication** *mn* **excommunicative**

ex-con [ˌeks'kɒn ‖ –'kɑn] *biz* → **ex-convict**

ex-convict [ˌeks'kɒnvɪkt ‖ –'kɑn–] *fn* börtönviselt ember

excoriate [ɪk'skɔ:rieɪt] *tsi* **1. a)** *orv* feldörzsöl, felhorzsol, felsért **b)** lenyúz, megnyúz **c)** leperzsel, megperzsel *[bőrt]* **2.** *biz átv* (meg)kritizál, ledorongol • *fn* **excoriation**

excrement ['ekskrɪmənt] *fn tud* ürülék, excrementum • *mn* **excremental**

excrescence [ɪk'skresns] *fn* (kóros) kinövés, duzzanat, dudorodás, megnagyobbodás • *mn* **excrescent**

excreta [ɪk'skri:tə] *fn tsz* salakanyagok, (szervezetből) kiválasztott anyagok *[vizelet, ürülék]*

excrete [ɪk'skri:t] *tsi orv biol* kiválaszt *[salakanyagot, nedvet]* • *fn* **excreter** *mn* **excretive, excretory**

excretion [ɪk'skri:ʃn] *fn biol* **a)** kiválaszt(ód)ás, excretio **b)** (szervezetből) kiválasztott anyag

excruciate [ɪk'skru:ʃieɪt] *tsi vál* kínoz, gyötör *[lelkileg]* • *fn* **excruciation**

excruciating [ɪk'skru:ʃieɪtɪŋ] *mn* kínzó, gyötrő *[fájdalom]*, gyötrelmes; **~ music** fülsértő zene; **~ pain** szörnyű/pokoli fájdalom

excruciatingly [ɪk'skru:ʃɪeɪtɪŋli] *hsz* **1.** kínzóan, gyötrően, kegyetlenül **2.** *biz* **it's ~ funny** szörnyen nevetséges, majd megpukkad az ember nevettében

exculpate ['ekskʌlpeɪt] *tsi* ment(eget), kiment, felment, tisztáz, igazol (vkt) • *fn* **exculpation** *mn* **exculpatory**

excursion [ɪk'skɜ:ʃn ‖ ɪk'skɜrʒn] *fn* **1. a)** kirándulás, túra; **make an ~** kirándul **b)** *okt* osztálykirándulás, tanulmányút **2.** elhajlás, kimozdulás, elmozdulás, kilengés *[nyugalmi állapotból]* **3.** eltérés, elkalandozás *[tárgytól]* **4.** *kat* **a)** portyázás, betörés *[ellenséges területre]* **b)** kitörés *[ostromlott várból]* **5.** *csill* a szabályos pályától való eltérés/eltávolodás *[bolygóé]* • *mn* **excursional**

excursive [ɪk'skɜ:sɪv ‖ –'skɜr–] *mn* **1.** eltérő **2.** a tárgytól eltérni/elkalandozni hajlamos *[személy]* **3.** elkalandozó, széteső, terjengős *[stílus]* **4.** kalandozó, csapongó, szeszélyes *[képzelet]* • *fn* **excursiveness** *hsz* **excursively**

excursus [ek'skɜ:səs ‖ –'skɜr–] *fn tsz* **~** v. **~es** **1.** (hosszabb) kitérés *[fejtegetésben]*, kérdés fejtegetése **2.** *biz* eszmefuttatás

excusable [ɪk'skju:zəbl] *mn* megbocsátható, menthető • *fn* **excusability** *hsz* **excusably**

excusal [ɪk'skju:zl] *fn* **1.** mentség, kifogás **2.** helyi adó alól való mentesség

excusatory [ɪk'skju:zətri ‖ –tɔri] *mn* mentegető, védekező

excuse **I.** *tsi* [ɪk'skju:z] **1. a)** elnéz, megbocsát (vknek vmt) **b)** menteget, kiment, bocsánatot/elnézést kér; **~ me** elnézést(/bocsánatot kérek), bocsánat, bocsásson meg; **~ my saying so** ne haragudjék, hogy megemlítem, ne haragudjék nyíltságomért/őszinteségemért; **~ (me) for disturbing you** bocsásson meg a zavarásért **2.** felment *[vkt kötelesség alól]*, elenged *[kötelezettséget]*; **~ sy from attendance** engedélyt ad vknek a távolmaradásra; **be ~d** elhagyhatja a szobát, elmehet *[asztaltól, szobából]*; **request to be ~d from sg** felmentését kéri vm alól; *kat* **~d from duty** időlegesen szolgálatmentes **II.** *fn* [ɪk'skju:s] **1.** mentség, mentegetődzés; **it admits of no ~** nem ment(eget)hető; **in ~ of sg** vmnek mentségére/igazolására **2.** kifogás, ürügy; **make/offer ~s** kifogást/ürügyet hoz fel; szabadkozik; **by way of ~** mentségül

ex-directory [ˌeksdə'rektəri] *mn GB* telefonkönyvben nem szereplő, titkos *[telefonszám]*

ex div. *röv ex dividend*

ex dividend *hsz pénz* (esedékes) osztalékszelvény nélkül, osztalék nélkül

exeat ['eksiæt] *fn* **1.** *vall* exeat; ‹püspöki engedély papnak más egyházmegyébe való távozásához› **2.** *GB* (el)távozási/távolléti engedély, kimenő *[iskolából, intézetből]*

exec [ɪg'zek] *fn szl [főnök]* fejes, góré

exec. *röv* **1.** *execute* **2.** *execution* **3.** *executive* **4.** *executor*

execrable ['eksɪkrəbl] *mn* förtelmes, utálatos, undok, pocsék, gyalázatos • *hsz* **execrably**

execrate ['eksɪkreɪt] **A.** *tsi* **1.** utál, gyűlöl **2.** átkoz **B.** *tni* átkozódik, káromkodik • *fn* **execration** *mn* **execrative**

executant [ɪg'zekjutənt] *fn* **1.** végrehajtó **2.** *zene* előadó (művész)

execute ['eksɪkju:t] *tsi* **1. a)** elvégez *[feladatot, munkát]*, megvalósít, keresztülvisz *[tervet]*, teljesít *[megbízást]*, véghezvisz *[cselekedetet]*, végrehajt *[parancsot, rendelkezést]*; *jog* **~ a deed** aláírással érvényessé tesz szerződést; **~ a plan** tervet kivitelez; **~ a will** végrendeletet végrehajt **b)** *infor* végrehajt *[parancsot]* **c)** *pénz* eszközöl, teljesít *[átutalást]*,

E

átad tulajdonba *[vagyontömeget]* **2.** kivégez *[elítéltet]*; **he was ~d the next day** másnap kivégezték **3.** előad, eljátszik *[zenedarabot]* • *fn* **executer** *mn* **executable**

execute cycle *fn infor* végrehajtási ciklus

execution [ˌeksɪ'kjuːʃn] *fn* **1. a)** megvalósítás, kivitel, keresztülvitel *[tervé]*, teljesítés *[szerződésé]*, végrehajtás *[parancsé]*; **~ of a will** végrendelet végrehajtása; **carry/put sg into ~** megvalósít/végrehajt/keresztülvisz vmt; **in the ~ of one's duty** kötelessége/szolgálata teljesítése közben **b)** *sp* gyakorlat kivitelezése **2.** kivégzés *[elítéltté]*, halálbüntetés végrehajtása; **military ~** statáriális/hadi törvények alapján való kivégzés **3.** játék, előadás, technika *[zeneművészé]*; **play the piano with a perfect ~** tökéletes technikával zongorázik **4.** *jog* **a)** szerződés érvényesítése **b)** ingóvégrehajtás; **writ of ~** végrehajtást elrendelő végzés

executioner [ˌeksɪ'kjuːʃənə ‖ −ər] *fn* **1.** ítéletvégrehajtó, kivégző, hóhér **2.** végrehajtó *[parancsé, tervé]*

execution time *fn infor* végrehajtási idő

executive [ɪg'zekjutɪv] **I.** *mn* **1.** végrehajtási, végrehajtó, adminisztratív, közigazgatási; **~ ability** szervezőképesség; **~ decree** kormányrendelet; *US* **~ order** végrehajtási utasítás; **~ secretary** ügyvezető igazgató/titkár; *kat* **~ word of command** vezényszó **2.** vezető beosztású/pozíciójú **3.** előkelő, elegáns, első osztályú; **~ class** első osztály *[repülőgépen]*; **~ lounge** társalgó, szalon *[hotelban]* **II.** *fn* **1. a)** végrehajtó hatalom, végrehajtó szerv *[kormányzaté]*; *US* **Chief E~** az Egyesült Államok elnöke **b)** közigazgatási szerv/hivatal **c)** adminisztratív/igazgatási iroda *[egyesületé, társaságé]*, *kat* parancsnokság **2. a)** ügyintéző, előadó; **(top) ~** vezető állású tisztviselő; főtisztviselő **b) (chief) ~** (vezér)igazgató, vállalatvezető, ügyvezető

executive program *fn infor* felügyelőprogram

executor [ɪg'zekjutə ‖ −kjətər] *fn* **1.** végrehajtó *[parancsé, tervé]* **2.** végrendelet végrehajtója

executrix [ɪg'zekjutrɪks] *fn tsz* **executrices** [ɪgˌzekjə'triːsiːz] női végrendeleti végrehajtó

exegesis [ˌeksɪ'dʒiːsɪs] *fn* **a)** szövegmagyarázat **b)** *bibl* szentírás-magyarázat, szövegmagyarázat, exegézis • *mn* **exegetic**

exegete ['eksɪdʒiːt] *fn* szövegmagyarázó *[bibliáé]*

exemplar [ɪg'zemplɑː ‖ −ɑr] *fn vál* példa(kép), minta(kép), párhuzam, mintapéldány

exemplary [ɪg'zempləri] *mn* **1.** példás, példamutató, mintaszerű; **an ~ husband** példás/mintaszerű férj **2.** elrettentő, példás, példát statuáló/mutató *[büntetés]* • *fn* **exemplariness** *hsz* **exemplarily**

exemplify [ɪg'zemplɪfaɪ] *tsi* **1.** példákkal szemléltet/magyaráz **2.** például szolgál, példáz **3.** *jog* másolatot készít (v. állít ki) *[okiratról]*; **exemplified copy** hitelesített másolat • *fn* **exemplification** *mn* **exemplifiable**

exempli gratia [egˌzempliː'grɑːtiɑː] *fn [röv. e.g.]* a példa kedvéért, például, *röv* pl.

exempt [ɪg'zempt] **I.** *tsi* **~ sy (from sg)** felment/mentesít vkt *[adófizetés, kötelezettség alól]*, kivesz vkt *[fennhatóság/hatáskör alól]* **II.** *mn* mentes, felmentett, mentességet élvező, kivett **III.** *fn* mentes, felmentett

exemption [ɪg'zempʃn] *fn* **1.** mentesítés, felmentés (vm alól), kivétel *[hatáskör, fennhatóság alól]* **2.** mentesség, kiváltság; **~ from charge** illetékmentesség; **~ from taxes** adómentesség

exequies ['eksɪkwɪz] *fn tsz* **1.** gyászszertartás, eltemetés **2.** gyászmenet, temetési menet

exercise ['eksəsaɪz ‖ −sər−] **I. A.** *tsi* **1.** gyakorol *[hivatalt]*, kifejt, érvényesít *[jogot, befolyást]*, űz, folytat *[mesterséget]*; **~ one's authority** intézkedési jogát gyakorolja, tekintélyét érvényesíti; **~ care in doing sg** nagy gonddal jár el (v. cselekszik); **~ an influence upon sy** vkt befolyásol; **~ a right** vmlyen jogot érvényesít, vmlyen joggal él **2.** gyakorol(tat), gyakorlatoztat, edz *[testet, agyat, vkt, állatot]*; **~ a horse** lovat jártat; **~ oneself** gyakorolja/edzi magát; **~ one's wits** megerőlteti az agyát, ravaszkodik **3. a)** zavarba ejt/hoz, megzavar **b)** gyötör, megkínoz, zaklat; **~ sy's patience** vk türelmét próbára teszi **B.** *tni* **1.** edz(i magát) **2.** *kat* gyakorlatozik **3. a)** sétál, mozog **b)** testedzést végez, (rendszeresen) mozog **II.** *fn* **1.** felhasználás, kifejtés *[képességé]*, végzés, gyakorlás *[tisztségé]*, érvényesítés *[kiváltságé, opcióé]*; **free ~ of one's religion** szabad vallásgyakorlás; **in the ~ of one's duties** hivatali kötelessége teljesítése közben **2. a)** gyakorlat, gyakorlás, feladat; **breathing/respiratory ~** légzési gyakorlat(ok); **mental ~** szellemi torna; *kat* **rifle ~** fegyvergyakorlat; *kat* **tactical ~s** hadgyakorlat, harcjáték; **weight-reduction ~s** fogyasztó torna; **lack of ~** mozgás hiánya, ülő életmód; **do ~s** gyakorlatokat/testmozgást végez, mozog; *biz* **an ~ in futility** haszontalan/hiábavaló erőlködés/fáradozás **b) school ~** iskolai gyakorlat/feladat, példa; **piano ~s** zongoragyakorlatok; zongoragyakorlás **3.** *vall* **a)** ájtatosság **b)** prédikáció; **religious ~** áhítatoskodás, lelkigyakorlatok **4.** *tsz* **exercises** *US* ünnepély, ünnepség, szertartás; *US* **graduation ~s** diplomaosztó ünnepély *[évvégi]* • *fn* **exercising** *mn* **exercisable**

exercise bike *fn* szobakerékpár

exercise book *fn* (iskolai) füzet, jegyzetfüzet

exercise yard *fn* börtönudvar, fogházudvar

exert [ɪg'zɜːt ‖ −'zɜrt] *tsi* **1.** alkalmaz, használ *[erőt]*, kifejt, felhasznál *[erőt, saját tehetségét]*, gyakorol *[befolyást, nyomást]*; **~ an influence on sy** hat vkre, befolyást/nyomást/hatást gyakorol vkre; **~ pressure on sy/sg** nyomást gyakorol vkre/vmre **2.** fáradozik, igyekszik; **~ oneself** megerőlteti magát, erőlködik • *fn* **exertion**

exes ['eksɪz] *fn tsz biz* kiadások, költségek

exeunt ['eksiʌnt] *tni szính* el *[színpadi utasítás]*; *latin* **~ omnes** mindenki el

exfiltrate ['eksfɪltreɪt] *tsi* visszavon, kivon *[csapatokat, kémeket]*

exfoliate [eks'foulieɪt] *i* **A.** *tsi* rétegesen hasít/repeszt/(le)nyúz/leválaszt *[csontot, növényt, sziklát]* **B.** *tni* széthasad, szétreped, lehámlik, leválik, *orv* hámlik, *biol* bőrt vált *[kígyó]* • *fn* **exfoliation**

ex gratia [eks'greɪʃə ‖ −'grɑtiɑ] **I.** *mn* kegyből/ajándékként kapott **II.** *hsz* kegyből, ajándékként

exhale [eks'heɪl] *i* **A.** *tsi* **1. a)** kilehel, kifúj *[levegőt]* **b)** kilehel, kibocsát *[gőzt, gázt, szagot]* **2.** *euf* utolsót lehel, kileheli a lelkét **B.** *tni* **a)** kilélegzik **b)** kigőzölög, kipárolog *[folyadék]* • *fn* **exhalation**

exhaust [ɪg'zɔːst] **I. A.** *tsi* **1.** kiszív, kiszivattyúz, kiürít, légtelenít **2. a)** kifáraszt, kimerít *[erőt, személyt]* **b)** elhasznál, felhasznál, kimerít, felél, elfogyaszt *[erőforrásokat, tartalékokat, vk erejét]*; **he ~d his mandate** mandátuma lejárt **c)** kimerít, teljesen feldolgoz *[témát]* **3.** kiürít, kiereszt **4.** *műsz gk* **~ the burned gases** elvezeti/eltávolítja/kipufogtatja az elhasznált gázokat **B.** *tni fiz műsz gk* eltávozik, kipufog *[gőz, gáz]* **II.** *fn* **1.** *fiz műsz gk* **a)** kipufogás, kiáramlás *[gőzé, gázé]* **b)** eltávozott anyag, kipufogógáz, égéstermék, fáradt gőz **2. a)** légtelenítés, légritkítás *[hengerben]* **b) dust ~** porelszívás; portalanítás **3.** *gk* kipufogó(cső), kiömlőcső, leszívócső • *mn* **exhaustible**

exhausted [ɪg'zɔːstɪd] *mn* **a)** kimerült, (ki)fáradt, elcsigázott, kimerültségtől lógó nyelvű *[személy, állat]* **b)** kimerült, elhasznált, kiuzsorázott *[talaj]* • *hsz* **exhaustedly**

exhauster [ɪg'zɔːstə ‖ −ər] *fn* **1.** elszívóberendezés, szívókészülék **2.** *gk* kipufogó(cső)

exhaust fumes → **exhaust gases**

exhaust gases *fn tsz gk* kipufogógáz(ok)

exhausting [ɪg'zɔːstɪŋ] *mn* kimerítő, (ki)fárasztó, kidöglesztő *[munka]*

exhaustion [ɪg'zɔːstʃən] *fn* **1.** kimerítés, elhasználás, felélés, elfogyasztás *[földé, erőforrásé]*; **~ of resources** (természeti) erőforrások kimerülése/kimerítése **2.** *fiz* kiszívás, kiszivattyúzás, kiürítés *[gázé]* **3.** fáradtság, kimerültség, elcsigázottság; **heat ~** hőstressz; **state of ~** (végső) kimerülés, (halálos) fáradtság; **he nearly dropped with ~** majd összeesett/összecsuklott a fáradtságtól/kimerüléstől **4.** sorozatos kizárás/kirekesztés *[feltevéseké, véleményeké]*; **method of ~s** kizárásos módszer

exhaustive [ɪɡ'zɔːstɪv] *mn* **1.** kimerítő, alapos, aprólékos, teljes; **~ study** alapos/kimerítő tanulmány(ok) **2. ~ method** kizárásos módszer • *fn* **exhaustiveness** *hsz* **exhaustively**

exhaust muffler *fn gk* kipufogódob

exhaust pipe *fn* **1.** *gk műsz* kipufogócső **2. a)** kiömlőcső, leszívócső **b)** levezetőcső, elvezetőcső

exhibit [ɪɡ'zɪbɪt] **I.** *tsi* **1. a)** kiállít, bemutat, szemlére tesz, felmutat *[tárgyat]*; **~ pictures** képeket állít ki; **~ goods in shop-windows** kirakatba tesz árut **b)** bizonyságot tesz *[vmlyen tulajdonságról]*, kimutat *[tulajdonságot]*; **~ courage** bátorságról tesz (tanú)bizonyságot **2.** mutat, szem elé tár, *geol* feltár **3.** *jog* **a)** a tanú elé tár *[okiratot/tárgyat]* **b)** (megeskeтés előtt) ismertet *[tanú írásbeli vallomását]* **c)** bead, előterjeszt *[kérvényt]* **d)** peres eljárást indít **II.** *fn* **1. a)** kiállított tárgy/állat, kiállítási tárgy **b)** kiállítás, bemutatás, szemlére tétel *[tárgyé]* **2.** *jog* **a)** bűnjel **b)** adat, írásbeli tanúvallomás/bizonyíték *[büntetőperben]* • *fn* **exhibiting**

exhibition [ˌeksɪ'bɪʃn] *fn* **1. a)** kiállítás, bemutató; **~ case** üvegszekrény, vitrin; tárló **b)** kirakat *[árué]* **c)** mutatvány; *biz* **make an ~ of oneself** feltűnést keltően viselkedik; nevetségessé teszi magát **d)** bemutatás *[eljárásé, filmé]* **e)** *jog* **~ of documents** okirat bemutatása **2.** *US okt* nyilvános vizsga, bemutató tanítás **3.** *GB* (iskolai) ösztöndíj

exhibitioner [ˌeksɪ'bɪʃənə ‖ –ər] *fn GB* (egyetemi) ösztöndíjas diák

exhibitionist [ˌeksɪ'bɪʃənɪst] *fn pszich* exhibicionista, magamutogató • *fn* **exhibitionism** *mn* **exhibitionistic**

exhibitive [ɪɡ'zɪbɪtɪv] *mn* **~ of sg** jellemző vmre, jellegzetes • *hsz* **exhibitively**

exhibitor [ɪɡ'zɪbɪtə ‖ –bɪtər] *fn* **1.** bemutató *[személy]* **2.** kiállító *[kiállításon]*

exhilarant [ɪɡ'zɪlərənt] **I.** *mn* **a)** (fel)élénkítő, frissítő **b)** jókedvre derítő, szívderítő, felvillanyozó **II.** *fn* frissítő/élénkítő szer

exhilarate [ɪɡ'zɪləreɪt] *tsi* **a)** felderít, vidámmá/élénkké/jókedvűvé tesz, felvillanyoz **b)** felfrissít, (fel)élénkít, felpezsdít • *mn* **exhilarated**, **exhilarating**

exhilaration [ɪɡˌzɪlə'reɪʃn] *fn* (fel)lelkesültség, vidámság, jókedv, élénkség

exhort [ɪɡ'zɔːt ‖ ɪɡ'zɔrt] *tsi* **1.** figyelmeztet, int **2.** buzdít, serkent, rábeszél **3.** lelkére beszél (vknek), tanácsol, ajánl • *fn* **exhorter** *mn* **exhortative**

exhortation [ˌeɡzɔː'teɪʃn ‖ ˌeɡzɔr–] *fn* **1.** intés, figyelmeztetés **2. a)** buzdítás, serkentés **b)** jóra buzdító/serkentő beszéd, *vall* exhortáció

exhume [eks'hjuːm ‖ ɪɡ'zuːm] *tsi* **1.** kiás, kihantol *[holttestet]*, exhumál **2.** *ásv* kiás, előkapar • *fn* **exhumation**, **exhumer**

exigence ['eksɪdʒəns] → **exigency**

exigency ['eksɪdʒənsi] *fn* **1.** szükséglet, követelmény; **meet the exigencies of the time** megfelel a kor követelményeinek **2. a)** szükséghelyzet, kényszerhelyzet, válságos helyzet **b)** szorultság; **be reduced to ~** nagy szükségben/nyomorban él **3. a)** sürgősség, sürgős szükség **b)** végső eset, végszükség

exigent ['eksɪdʒənt] *mn* **1.** sürgős, égető, szorongató **2.** követel(ődz)ő, sokat kívánó

exigible ['eksɪdʒəbl] *mn* követelhető, kérhető, érvényesíthető

exiguous [ɪɡ'zɪɡjuəs] *mn* kevés, kicsiny, szűkös, szerény (méretű) • *fn* **exiguity** *hsz* **exiguously**

exile ['eksaɪl] **I.** *fn* **1.** száműz(et)és, számkivetés; **government in ~** ellenkormány *[külföldön]*; *vall* **the E~** a babilóniai fogság *[zsidóké]*; **go into ~** számkivetésbe/száműzetésbe megy; **send sy into ~** száműz vkt **2.** számkivetett, száműzött **II.** *tsi* száműz, számkivet • *mn* **exilic**

exist [ɪɡ'zɪst] *tni* **1.** létezik, él, van, egzisztál; **continue to ~** fennmarad, fennáll **2.** előfordul, fennáll; **wherever these conditions ~** ahol csak ezek a körülmények fennállnak **3.** vegetál, megél, fenntartja magát; **I don't know how she ~s on her salary** nem tudom, hogy jön ki a fizetéséből

existence [ɪɡ'zɪstəns] *fn* **1.** lét(ezés), meglét, fennállás; **lead a pleasant ~** kellemesen/jól él; **the struggle for ~** a létért folytatott küzdelem; **be in ~** (meg)van, létezik, életben van, fennáll; **the oldest manuscript in ~** a fennmaradt legrégibb kézirat; **call into ~** életre hív, létrehoz; **come into ~** megszületik, létrejön **2.** életminőség, egzisztencia, megélhetés; **a meagre ~** szűkös megélhetés **3.** *fil* **a)** a lét, a lényeg **b)** a létező (dolog), lény

existent [ɪɡ'zɪstənt] **I.** *mn* **1.** meglevő, létező, fennálló **2.** mai, mostani, aktuális **II.** *fn* (a) létező

existential [ˌeɡzɪ'stenʃl] *mn* **1.** egzisztenciális **2.** *fil* egzisztencialista • *hsz* **existentially**

existentialism [ˌeɡzɪ'stenʃəlɪzm] *fn fil* egzisztencializmus • *fn/mn* **existentialist**

existing [ɪɡ'zɪstɪŋ] *mn* létező, meglevő, fennálló, tényleges, valóságos; **under the ~ conditions** a jelenlegi körülmények között

exit ['eksɪt] **I. A.** *tsi* **1.** kimegy *[vhonnan]*, elhagy *[helyiséget, épületet, országot]*; **~ the room** kimegy (a szobából) **2.** *infor* kilép *[programból]* **B.** *tni* **1. a)** kimegy, eltávozik **b)** *euf* (el)távozik (az élők sorából) **c)** *szính* kimegy *[a színpadról]*; **~ Lear** Lear el (a színről) **2.** *infor* kilép **II.** *fn* **1. a)** kijárat; **~ only** nem bejárat; *orv* **~ wound** (lőtt) seb kimeneti nyílása **b)** *közl*, kijárat, lehajtó *[autópályáról]* **2. a)** (el)távozás, kimenés, kimenetel; **make one's ~** távozik, *biz* lelép; *euf* távozik az élők sorából **b)** *infor* kilépés *[programból]* **c)** szabad távozás/kijárás

exit line *fn szính* végszó

exit permit *fn* **a)** kilépési engedély **b)** kiutazóvízum

exit poll *fn* exit poll, választási közvéleménykutatás *[a szavazóhelyiséget éppen elhagyók között]*

exit visa *fn* kiutazóvízum

ex libris [ˌeks'liːbrɪs, –'laɪbrɪs] *fn tsz* **~** *latin* **1.** ex libris, *[beragasztott]* könyvjegy **2. ~ József Bujtár** Bujtár József könyvtárából

exo- ['eksoʊ] *összet* külső-

exobiology [ˌeksoʊbaɪ'ɒlədʒi ‖ –'ɑlə–] *fn* ‹a földön kívüli élet lehetőségével foglalkozó tudomány› • *fn* **exobiologist** *mn* **exobiological**

exocarp ['eksoʊkɑːp ‖ –kɑrp] *növ* → **epicarp**

exocrine ['eksoʊkrain ‖ –əkrən] *mn biol orv* külső elválasztású *[mirigy]*

Exod. *röv Exodus*

exoderm ['eksoʊdɜːm ‖ –dɜrm] *fn biol* **1.** exodermis **2.** → **ectoderm**

exodus ['eksədəs] *fn* **1.** (tömeges) kivándorlás, kivonulás; **~ of capital** tőkekivitel, tőkekivándorlás **2.** *vall* **a) E~** (a zsidók) kivonulás(a Egyiptomból) **b) the Book of E~** Exodus, Mózes második könyve

ex off. *röv ex officio*

ex officio [ˌeksə'fɪʃioʊ] *mn/hsz latin* hivatalosan, hivatalból; **act ~** hivatalosan jár el; **he is an ~ member of the committee** hivatalból tagja a bizottságnak

exogamy [ek'sɒɡəmi ‖ ek'sɑ–] *fn* **1.** törzsön/nemzetségen kívüli házasodás **2.** *biol* exogámia • *mn* **exogamic**, **exogamous**

exogenous [ek'sɒdʒənəs ‖ –'sɑ–] *mn* **1.** exogén **2. a)** *növ* külsarjas *[növény]* **b)** *geol* exogén • *hsz* **exogenously**

exonerate [ɪg'zɒnəreɪt ‖ ɪg'zɑ–] *tsi* **a)** felment, mentesít *[kötelezettségtől, tehertől]*; ~ **from an obligation** mentesít kötelezettség alól, levesz válláról kötelezettséget **b)** megszabadít, tisztáz, felold *[vm alól]* • *fn* **exoneration**, **exonerator** *mn* **exonerative**

exophthalmus [ˌeksəf'θælməs] *fn* **exophthalmos** *orv* szemgolyó kidülledése, szemkidülledés, exophthalmus • *mn* **exophthalamic**

exorbitance [ɪg'zɔːbɪtəns ‖ ɪg'zɔrbətəns] *fn* túlzottság, mértéktelenség, túlfeszítés, túlhajtás

exorbitant [ɪg'zɔːbɪtənt ‖ ɪg'zɔrbə–] *mn* túlzásba vitt, (el)túlzott, szertelen, mértéktelen, túlfeszített; ~ **price** szélsőségesen/szerfölött magas ár, uzsoraár • *hsz* **exorbitantly**

exorcist ['eksɔːsɪst ‖ 'eksɔr–] *fn* ördögűző

exorcize ['eksɔːsaɪz ‖ 'eksɔr–], **-ise** *tsi* **1.** kifüstöl, kiűz *[ördögöt]*, megszabadít, megtisztít *[megszállottat]*, elkerget, kiűz *[rossz szellemet]*; ~ **the devil from** (v. **out of**) **sy** kiűzi/kifüstöli az ördögöt vkből **2.** felidéz, megidéz *[gonosz szellemet]* • *fn* **exorcism**, **exorcization**, **exorcizer**, **exorciser**

exordium [ek'sɔːdɪəm ‖ eg'zɔr–] *fn tsz* **exordia** [–dɪə], **exordiums** bevezetés, kezdet *[beszédé, értekezésé]* • *mn* **exordial**

exoskeleton [ˌeksoʊ'skelɪtn] *mn biol* test szilárd külső borítása/váza • *mn* **exoskeletal**

exosmosis [ˌeksɒz'moʊsɪs ‖ ˌeksɑz–] *fn biol* átszivárgás, exozmózis

exosphere ['eksoʊsfɪə ‖ –sfɪr] *fn* exoszféra *[a föld atmoszférájának legkülső rétege]*

exoteric [ˌeksoʊ'terɪk] *mn* **1.** előképzettség nélkül megérthető, avatatlanok számára is érthető, exoterikus *[tantétel]* **2.** *biz* népszerű, közérthető; ~ **opinion** általános nézet/vélemény

exothermic [ˌeksoʊ'θɜːmɪk ‖ –'θɜr–], **exothermical** *mn vegy* **a)** hőtermelő, hőleadó, exoterm; ~ **compound** hőleadó/exoterm vegyület; ~ **process** hőleadó/exoterm folyamat **b)** hőfejlődéssel kapcsolatos

exotic [ɪg'zɒtɪk ‖ ɪg'zɑtɪk] **I.** *mn* **a)** a megszokottól eltérő, egzotikus; ~ **fruits** egzotikus gyümölcsök **b)** nem hazai, idegen világból való/származó **II.** *fn* egzotikum; ~ **dancer** sztriptíztáncosnő • *fn* **exoticism** *hsz* **exotically**

exotica [ɪg'zɒtɪkə ‖ ɪg'zɑtɪkə] *fn tsz* egzotikumok, kuriózumok, ritkaságok, különlegességek

exp. *röv* **1.** *expansion* **2.** *expedition* **3.** *expenses* **4.** *experiment* **5.** *expiration* **6.** *expire* **7.** *exported* **8.** *exporter* **9.** *express* **10.** *expression*

expand [ɪk'spænd] **A.** *tsi* **1. a)** kiterjeszt, kibővít, megnövel, felfúj, megtölt, kitágít, megnagyobbít **b)** kifejleszt, kidolgoz, kitágít *[testet, mellkast]* **c)** kifejleszt, kiszélesít, kibővít, tágít, kidolgoz, kiegészít **d)** kifejt *[témát]*, *mat* kidolgoz *[tételt]*; **could you ~ on that?** ki tudná fejteni bővebben?, tudná részletezni? **e)** *infor* kifejt, kinyit *[programot]* **2.** kiterjeszt, széttár, kifeszít **B.** *tni* **1. a)** szétterjed, szétterül, növekszik, terjeszkedik; **the Empire ~s** a Birodalom terjeszkedik/nő **b)** tágul, dagad, feszül *[mell]*, megtelik, felduzzad **c)** kifejlődik *[gondolat]* **2.** széttárul, (ki)nyílik **3.** *műsz* megnyúlik, kitágul *[szíj]* • *fn* **expander** *fn/mn* **expanding**

expandable [ɪk'spændəbl] *mn* (ki)bővíthető, (ki)nyújtható • *fn* **expandability**

expanded [ɪk'spændɪd] *mn* **1.** megnyúlt, terjedelmes, kiterjedt, kinyúlt; *fémip* ~ **metal** méhsejtlemez, rácslemez; ~ **plastic** habosított műanyag, műanyaghab **2.** kiszélesedő, öblösödő, szétnyíló, terjedelmes **3.** kibővített, kiszélesített

expanded memory *fn infor* bővített memória

expanse [ɪk'spæns] *fn* **1.** kiterjedés, terjedelem *[országé, vízé]*; **a vast ~ of desert** óriási kiterjedésű sivatag; **vast ~ of sand** homoktenger; *vál* **the ~** az égbolt **2.** nagy terület/térség

expansible [ɪk'spænsəbl] *mn* kiterjeszthető, szétterjeszthető, nyújtható, nyúlékony • *fn* **expansibility**

expansion [ɪk'spænʃn] *fn* **1. a)** (ki)tágítás, kiterjesztés, *fiz* térfogatnövekedés *[gázé]*, megnagyobbítás, (ki)nyújtás, szétterítés; *közg* **currency ~** pénzforgalom növelése/növekedése **b)** (ki)bővítés, fejlesztés, növelés **c)** *mat* kifejtés **2. a)** *fiz ált* kiterjedés, expanzió, tágulás, nyúlás, szétterjedés **b)** terjedelem **3.** (ki)bővülés **4.** *pol* terjeszkedés, expanzió; **colonial ~** gyarmati terjeszkedés • *mn* **expansionary**

expansion board *fn infor* bővítőkártya

expansion card → **expansion board**

expansionism [ɪk'spænʃənɪzm] *fn* terjeszkedési politika, expanzionizmus • *fn/mn* **expansionist** *mn* **expansionistic**

expansion slot *fn infor* bővítő csatlakozóhely

expansive [ɪk'spænsɪv] *mn* **1. a)** kiterjedő, szétterjedő, táguló (tendenciájú); ~ **force** expanziós/terjeszkedési erő, feszítőerő **b)** tágulékony, terjedékeny, feszülő, expanzív, expanziós **2.** nagy, terjedelmes, kiterjedt, széles körű, átfogó **3.** közlékeny, beszédes, terjengős, ömlengő; **be in an ~ mood** közlékeny/beszédes hangulatban van **4.** *pol* expanzív, expanzionista • *fn* **expansivity** *hsz* **expansively**

expansure [ɪk'spænʃə ‖ –ər] *fn* kiterjedés, kibővülés, kiszélesedés, kinyúlás

ex parte [ˌeks'pɑːti ‖ –'pɑrti] *latin* **I.** *mn jog* egyoldalú *[bizonyíték, nyilatkozat, tanúskodás]* **II.** *hsz* valamelyik fél részéről, az egyik fél érdekében, az egyik fél kérelmére

expat *biz* → **expatriate**

expatiate [ek'speɪʃieɪt] *tni* **1.** terjengősen/hosszadalmasan ír/beszél, terjengősen/hosszadalmasan kitér **2.** széltébenhosszában bolyong/kóborol • *fn* **expatiation** *mn* **expatiatory**

expatriate I. *tsi* [eks'pætrɪeɪt] **1.** hazájából kiűz, száműz **2.** ~ **oneself** kivándorol; lemond állampolgárságáról **II.** *fn* külföldön/emigrációban élő személy **III.** *mn* [eks'pætrɪət] **a)** külföldön élő, emigráns **b)** emigrációba küldött/kényszerített • *fn* **expatriation**

expect [ɪk'spekt] *tsi* **1.** vár (vkt/vmt), előre lát (vmt), elébe néz (vmnek), valószínűnek tart *[vmnek a bekövetkeztét]*, számít *[vmnek a bekövetkeztére]*; ~ **sy for/to dinner** ebédre vár vkt; ~ **the worst** a legrosszabbtól tart, felkészült a legrosszabbra; *kif* **always ~ the un~ed** minden eshetőségre fel kell készülni; **as you/one might ~** ahogy az várható/előre látható volt; **it is not so difficult as I ~ed it to be** nem olyan nehéz, mint gondoltam; **he is ~ed to arrive next week** jövő héten várják; a jövő héten/hétre várható; **when least ~ed** amikor legkevésbé várják, váratlanul, meglepetésszerűen **2.** ~ **sg from sy** elvár vmt vktől, számít vmre vk részéről; **I ~ you to be punctual** elvárom, hogy pontos legyen; **I know what is ~ed of me** tudom, mit kell tennem (v. várnak el tőlem); **this was to be ~ed** ez várható volt **3. be ~ing** várandós *[anya]*, terhes, állapotos **4.** gondol, remél, hisz, biztosra vesz; **I ~ so** úgy gondolom, azt/úgy hiszem • *fn* **expecter**, **expecting**

expectance [ɪk'spektəns] → **expectancy**

expectancy [ɪk'spektənsi] *fn* **1. a)** vár(akoz)ás **b)** várakozás, kilátás, remény **2.** *jog* váromány(i jog) *[örökségre]*; **heir in ~** hagyaték várományosa

expectant [ɪk'spektənt] **I.** *mn* **1. a)** vmt/vmre váró, várakozó; **be ~ of sg** vmt vár; vmben reménykedik **b)** reményteli, leendő, jövendőbeli **2.** állapotos, várandós, terhes *[nő]*; ~ **mother** várandós/állapotos anya/asszony **II.** *fn* **1.** jelölt, pályázó *[állásra]* **2.** (örökségi) várományos • *hsz* **expectantly**

expectation [ˌekspek'teɪʃn] *fn* **1. a)** vár(akoz)ás **b)** várakozás, elvárás, kilátás, remény; ~ **of life** valószínű/átlagos/várható élettartam; **come up to sy's ~s**, **live up to ~s** várakozás(á)nak megfelel, beváltja a hozzá fűzött reményeket; **fall short of sy's ~s** nem váltja be reményeit; **succeed**

succeed beyond one's ~ várakozáson felüli sikert/eredményt ér el **c) with eager ~** türelmetlenül **2.** *jog* örökösödési kilátás **3.** *tsz* **expectations a)** várakozás(ok), elvárás(ok), elképzelés(ek), remény(ek), sejtés(ek); **if my ~s are fulfilled** ha elképzelésem/sejtésem valóra válik; **contrary to all ~s** minden várakozás ellenére **b)** kilátás, eshetőség, valószínűség *[vm bekövetkeztére]* **c)** *közg* várakozások; **rational ~** racionális várakozások

expected [ɪk'spektɪd] *mn* **a)** várt, remélt, előre látott **b)** *mat fiz* várt, várható *[érték]*

expectedly [ɪk'spektɪdli] *hsz* a várakozásnak/az elvárásnak megfelelően

expectorant [ɪk'spektərənt] **I.** *mn orv* köptető, nyálkaoldó *[szer]* **II.** *fn* köptető(szer)

expectorate [ɪk'spektəreɪt] *tsi* (ki)köp, kiköhög, felköhög *[váladékot]* • *fn* **expectoration**

expedience [ɪk'spi:dɪəns] *fn* hasznosság, hasznosíthatóság, célszerűség

expediency [ɪk'spi:dɪənsi] → **expedience**

expedient [ɪk'spi:dɪənt] **I.** *mn* **a)** hasznos, ajánlatos, célszerű, célravezető, előnyös; **it is ~ to** célszerű, tanácsos; itt az ideje, hogy **b)** alkalmas, megfelelő **II.** *fn* **1.** kisegítő eszköz, eszköz (vmely cél elérésére) **2.** kiút, fortély; **resort to ~s in order to attain one's ends** mindent felhasznál céljai elérésére, eszközökben nem válogatós • *mn* **expediential** *hsz* **expediently**

expedite ['ekspədaɪt] *tsi* **1. a)** siettet, sürget, szorgalmaz, sarkall, serkent **b)** előmozdít, elősegít *[lépést]*, meggyorsít *[eljárást]* **2.** gyorsan elintéz/lebonyolít *[ügyet]* • *fn* **expediter**

expedition [ˌekspə'dɪʃn] *fn* **1. a)** felfedező út/utazás, kutatóút, expedíció; *biz átv tréf* **go on a fishing ~** céltudatosan/rámenősen kérdez, információra vadászik **b)** az expedíció, expedíció/vállalkozás tagjai **2.** gyorsaság, sietség, fürgeség • *fn* **expeditionist**

expeditionary [ˌekspə'dɪʃənəri ‖ –ʃəneri] *mn* **a)** expedíciós **b)** *kat* expedíciós, külföldre küldött, külföldön harcoló *[egység, hadsereg]*

expeditious [ˌekspə'dɪʃəs] *mn* **a)** gyors, sommás, eredményes *[eljárás]* **b)** gyorsan intézkedő, gyors kezű, expeditív *[ember]* **c)** ügyes, talpraesett • *fn* **expeditiousness** *hsz* **expeditiously**

expel [ɪk'spel] *tsi* **-ll- a)** kitesz, kidob, eltávolít, kilakoltat (*from* vkt vhonnan) **b)** kiűz, kikerget, elkerget, kihajt *[ellenséget stb.]* **c)** kinyom, kiszorít *[folyadékot/gázt vhonnan]* **d)** kizár *[egyesületből]*, kicsap, kirúg *[iskolából]* **e)** *jog* kiutasít *[országból idegent]* • *fn* **expeller** *fn/mn* **expelling** *mn* **expellable**

expellant [ɪk'spelənt] *orv* **I.** *mn* (has)hajtó, kiürítő, purgáló *[szer]* **II.** *fn* hashajtó

expellee [ˌekspe'li:] *fn* kitelepített, száműzött, elűzött személy

expellent [ɪk'spelənt] → **expellant**

expend [ɪk'spend] **A.** *tsi* **1.** kiad, költ *[pénz]*, felhasznál, ráfordít *[pénzt, energiát]*; **~ money on sg** pénzt költ vmre, pénzt ad ki (v. fordít) vmre; **~ time on sg** időt áldoz/fordít vmre **2.** felhasznál, elhasznál, kimerít *[erőt, pénzforrást]* **B.** *tni* költ(ekezik), fizet

expendable [ɪk'spendəbl] *mn* **1. a)** feláldozható, felhasználható **b)** eldobható, egyszer használatos **c)** fogyó *[anyag, eszköz]* **2.** jelentéktelen, lényegtelen, elhanyagolható • *fn* **expendability** *hsz* **expendably**

expenditure [ɪk'spendɪtʃə ‖ –ər] *fn* **1. a)** kiadás, ráfordítás **b)** felhasználás; **~ of power** erőfelhasználás **2.** *pénz* kiadott/elköltött/ráfordított összeg(ek)/pénz, költség(ek), kiadás(ok), ráfordítás(ok); **the national ~** az államháztartás kiadásai

expense [ɪk'spens] *fn* **1. a)** költség(ek), ráfordítás(ok); **free of ~** költségmentesen, bérmentve; **regardless of ~** költségre való tekintet nélkül, kerül, amibe kerül; **at a small ~** olcsón, jutányosan; **at sy's ~** vk költségére; *átv* vk kárára/rovására; **I cannot go to that ~** nem tudom ezt a költséget vállalni, nem tudok ennyit rákölteni; **spare no ~** semmi költséget nem sajnál **b)** *tsz* **expenses** költségek; **fixed/general ~s** általános/fix kiadások/költségek; **preliminary ~s of a company** alapítási költségek *[cégé]*; **~ account** reprezentációs alap; **have all ~s paid** költségmentesen/ingyen kap (vmt) **2.** *átv* kár, teher; **at the ~ of sg** vmnek a rovására, vmnek az árán; **at sy's ~** vknek a rovására, vknek a kárán **3.** megterhelés **4.** *tsz* **expenses** (költség)visszatérítés *[előlegezett kiadásoké]*; **offer sy £2000 and ~s** kétezer fontot és a kiadások megtérítését ajánlja fel

expensive [ɪk'spensɪv] *mn* drága, költséges; **frightfully ~** rendkívül drága/költséges; **~ car** fényűző/drága autó, luxusautó; **~ hobby** költséges időtöltés/passzió; **be ~, that comes ~** drága, sokba kerül • *fn* **expensiveness** *hsz* **expensively**

experience [ɪk'spɪərɪəns ‖ –'spɪr–] **I.** *fn* **a)** tapasztalat, tapasztalás, megismerés, gyakorlat; **business ~** üzleti gyakorlat/tapasztalat; **practical ~** gyakorlat(i tapasztalat); prakszis; **gain ~ (of life)** élettapasztalatra tesz szert; **man of ~** tapasztalt ember; **have you had any previous ~?** csinált már ilyet?; van már benne gyakorlata?; **in my ~** tapasztalataim szerint; **he lacks ~** nincs elég gyakorlata, tapasztalatlan **b)** személyes tapasztalat, átélés, élmény; **a strange ~** furcsa/különös élmény; **terrifying ~** félelmetes élmény/kaland; **have an unpleasant ~** kellemetlen élményben van része; **it was a delightful ~** nagyszerű élmény volt; **relate one's ~s** elmeséli élményeit; **know by ~** gyakorlatból tudja; saját tapasztalata alapján tudja/ismeri; **we profit by ~** gyakorlat teszi a mestert; gyakorlatból tanulunk **II.** *tsi* **1.** (meg)tapasztal, átél, érez (vmt), átesik (vmn), keresztül megy (vmn); **~ insults** sérelmet szenved; *US* **~ religion** megtér, hívővé válik **2.** tapasztalatot szerez (vmben), (ki)tapasztal, tapasztalatból megtanul, kipróbál (vmt)

experienced [ɪk'spɪərɪənst ‖ –'spɪr–] *mn* **1.** tapasztalt, ügyes, gyakorlott, járatos (*in* vmben); **~ pilot** tapasztalt/*biz* dörzsölt pilóta, *biz* öreg róka **2.** tapasztalt, átélt, átérzett, elszenvedett

experiential [ɪkˌspɪəri'enʃl ‖ –'spɪri–] *mn* **a)** gyakorlati, tapasztalaton alapuló, tapasztalati, élményi **b)** *fil* empirikus; **~ philosophy** empirikus filozófia • *fn* **experientialism** *hsz* **experientially**

experiment I. *fn* [ɪk'sperɪmənt] **1. a)** kísérlet(ezés), próba, kipróbálás; **as an ~** kísérletképpen, bizonyításképpen, kísérlet útján; **by way of ~** kísérletképpen; kísérleti úton **b)** kísérlet; **~s on animals** állatkísérletek **2.** *jelzői haszn* kísérleti; **~ farm** kísérleti gazdaság/farm; **~ station** kísérleti állomás **II.** *tni* [–ment] **a)** kísérletezik (*with* vmvel), próbálgat, kipróbál (vmt) **b)** kísérletezik, kísérlete(ke)t végez/folytat (*on* vmn) • *fn* **experimentation**, **experimenter**, **experimenting**

experimental [ɪkˌsperɪ'mentl] *mn* **1. a)** tapasztalati, tapasztalaton alapuló *[tudás]* **b)** *fil* empirikus **2.** kísérleti, kipróbálás célját szolgáló *[tárgy]*; **~ check** kísérleti ellenőrzés, ellenőrző kísérlet; *rep* **~ flight** próbarepülés; **~ model** kísérleti modell; **~ psychology** kísérleti lélektan; **~ sciences** kísérleti tudományok; *kat* **~ target** lőgyakorlati cél(tábla) • *fn* **experimentalism**, **experimentalist**

experimentally [ɪkˌsperɪ'mentl·i] *hsz* **1.** kísérletek/kísérletezés alapján *[felfedez]* **2.** próbaképpen, kísérletképpen **3.** tapasztalás útján, tapasztalatilag, gyakorlatilag

expert ['ekspət] **I.** *fn* **1.** szakértő, szakember; **~'s report** szakvélemény, szakértői jelentés/vélemény; **the ~s** a szakértők, a szakemberek, *biz* a profik, *pej* a nagyokosok; **be an ~ on/in/at economics** közgazdasági szakértő/szakember; **pose as an ~** szakembernek/szakértőnek adja ki magát; **with the eye of an ~** szakértői szemmel **2.** *jog* **a)** írásszakértő **b)** hites becsüs **II.** *mn* **a)** ügyes, jártas, tapasztalt, szakavatott, szakértői, szakszerű; **according to ~ advice/evidence** szakértői vélemény szerint; **~ examination** szakértői vizsgálat; **~ opinion** szakértői vélemény,

E

szakvélemény; ~ **rifleman/shot** mesterlövész; **be** ~ **at/in/on sg** jártas/szakavatott/szakember vmben; szakértője vmnek **b)** magas szakmai színvonalú, *biz* profi • *hsz* **expertly**
expertise [ˌekspɜːˈtiːz ‖ –spɜr–] *fn* **1.** szaktudás, szakértelem **2.** szakvélemény
expertize [ˈekspətaɪz ‖ –spər–], **-ise** *tsi* véleményez (vmt), szakvéleményt ad (vmről)
expert system *fn infor* szakértőrendszer
expiate [ˈekspieɪt] *tsi* **a)** (meg)bűnhődik, (meg)lakol *[bűnért, hibáért]* **b)** jóvátesz, levezekel (vmt) • *fn* **expiator** *mn* **expiable**
expiation [ˌekspiˈeɪʃn] *fn* **1.** bűnhődés, vezeklés, meglakolás **2.** engesztelő áldozat • *mn* **expiational**
expiatory [ˈekspɪətəri ‖ –tɔri] *mn* engesztelő, vezeklő
expiration [ˌekspəˈreɪʃn] *fn* **1. a)** kilé(le)gzés, kilehelés **b)** lehelet **c)** kigőzölgés **2.** lejárat *[határidőé]*, esedékesség, vége/letelte vmnek; ~ **date** lejárati idő; **(up)on** ~ lejáratkor
expiratory [ɪkˈspaɪrətri ‖ –tɔri] *mn* (ki)légző, légzést végző *[szerv]*
expire [ɪkˈspaɪə ‖ –ər] **A.** *tsi* **a)** (ki)lehel, (ki)lélegzik **b)** kigőzölögtet, kipárologtat **B.** *tni* **1. a)** lejár, megszűnik, véget ér, eltelik, letelik *[(határ)idő]* **b)** hatályát veszti, érvénytelenné válik *[rendelkezés, dokumentum]*; **her passport has ~d** lejárt az útlevele **2. a)** *euf* elmúlik, kimúlik, kiadja/kileheli a lelkét, utolsót sóhajt **b)** kialszik *[lámpa, tűz]*, elenyészik *[remény]* • *fn/mn* **expiring** *mn* **expired**
expiry [ɪkˈspaɪəri] *fn* lejárat *[határidőé, szavatosságé]*, érvényesség megszűnése/lejárta, megszűnés, vége vmnek, befejezés *[időszaké]*
expiry date *fn* szavatossági idő lejárta
explain [ɪkˈspleɪn] **A.** *tsi* **1. a)** (meg)magyaráz, elmagyaráz, tisztáz, érthetővé tesz, megvilágít, kifejt, magyarázatot/felvilágosítást ad (vmről), magyarázattal/felvilágosítással szolgál (vmről); **let me** ~ hadd magyarázzam meg/el; **that ~s matters/everything** ez mindent megmagyaráz **b)** indokol, megokol, igazol *[viselkedést]*, magyarázatát adja (vmnek) **2.** ~ **(oneself)** megérteti magát; megindokolja/megokolja/igazolja viselkedését/magatartását **B.** *tni* (el)magyaráz • *fn* **explainer** *mn* **explainable**
explain away *tsi* kimagyaráz, megnyugtató magyarázatot ad, helyreigazít, helyesbít *[hibát]*
explanation [ˌekspləˈneɪʃn] *fn* magyarázat, megfejtés, összeegyeztetés, felvilágosítás, értelmezés, magyarázó okok/körülmények; **give/provide an** ~ **for sg** magyarázatot ad vmre, megmagyaráz vmt • *mn* **explanative** *hsz* **explanatively**
explanatory [ɪkˈsplænətəri ‖ –tɔri] *mn* magyarázó, értelmező, felvilágosító; *jog* ~ **note** interpretáló jegyzet; ~ **statement** felvilágosítás, kétségeket eloszlató (v. irányt mutató) kijelentés/nyilatkozat • *hsz* **explanatorily**
explant [ˈekspla:nt ‖ ˈeksplænt] *biol* **I.** *tsi* átültet *[sejtet, szövetet, szervet]* **II.** *fn* átültetett sejt/szövet/szerv • *fn* **explantation**
expletive [ɪkˈspliːtɪv ‖ ˈekspləτɪv] **I.** *fn* **1.** *nyelv* töltelékszó **2.** *biz* káromkodás **II.** *mn nyelv* kitöltő, kiegészítő *[szó]* • *hsz* **expletively**
explicable [ɪkˈsplɪkəbl] *mn* (meg)magyarázható, kifejthető • *fn* **explicableness**
explicate [ˈeksplɪkeɪt] *tsi* **a)** kifejt, részletez, fejteget *[eszmét, elvet]* **b)** megmagyaráz, világossá tesz • *mn* **explicatory**
explication [ˌeksplɪˈkeɪʃn] *fn* **a)** kifejtés, fejtegetés *[eszméé, elvé]* **b)** magyarázat **c)** részletes leírás
explicative [ekˈsplɪkətɪv] **I.** *mn* **1.** magyarázó, fejtegető **2.** lényegbevágó **II.** *fn* magyarázó szó
explicit [ɪkˈsplɪsɪt] *mn* **1.** világos, egyértelmű, kifejezett, félreértést kizáró, nyílt(an megmondott); *mat* ~ **function** explicit függvény; *vall* ~ **faith** fenntartás nélküli hit **2.** szókimondó, nyíltan (v. fenntartás nélkül) beszélő **3. (sexually)** ~ kendőzetlen, leplezetlen, szabados *[szexuálisan]*; **sexually** ~ **movie/film** csak felnőtteknek ajánlott film **4.** pontos, részletes; ~ **instructions** részletes/pontos utasítások/instrukciók • *fn* **explicitness** *hsz* **explicitly**
explode [ɪkˈsploʊd] **A.** *tsi* **1.** felrobbant, szétrobbant, levegőbe repít **2.** leront *[elméletet]*, megdönt *[elvet]* **3.** kinagyít, felnagyít, perspektivikusan bont *[ábrát]* **B.** *tni* **1. a)** (szét)robban, felrobban, levegőbe repül **b)** *átv* felrobban, kifakad, kitör *[ember]*, megpukkad *[mérgében]*; *biz* ~ **with laughter** nevetésben/kacagásban tör ki, szétpukkad a nevetéstől **2.** ugrásszerűen/robbanásszerűen növekszik *[népesség]* • *fn* **exploder** *mn* **exploded**
exploit I. *fn* [ˈeksplɔɪt] hősies/vitézi cselekedet/tett, hőstett **II.** *tsi* [ɪkˈsplɔɪt] **A. 1.** kiaknáz, hasznosít, üzembe vesz, kitermel *[bányát, erdőt stb.]* **2.** kihasznál, kizsákmányol *[vkt, vk tehetségét]*, kiuzsoráz, kiszipolyoz (vkt) **B.** *tni* ~ **for petroleum** ásványolaj után kutat • *fn* **exploitage**, **exploiter** *mn* **exploitative**
exploitable [ɪkˈsplɔɪtəbl] *mn* kiaknázható, kihasználható, kitermelhető, kizsákmányolható
exploitation [ˌeksplɔɪˈteɪʃn] *fn* **1.** kiaknázás, kitermelés; ~ **of a patent** szabadalom értékesítése/felhasználása **2.** kizsákmányolás, kiszipolyozás, kiuzsorázás
exploited [ɪkˈsplɔɪtɪd] *mn* **1.** kiaknázott **2.** kizsákmányolt, kiuzsorázott
exploration [ˌekspləˈreɪʃn] *fn* **a)** (ki)kutatás, felfedezés, felderítés, feltárás; ~ **of the ground** terepszemle; ~ **work** kutatómunka **b)** kutatás, vizsgálat **c)** felfedezőút; ~ **crew** kutatócsoport; **voyage of** ~ felfedezőút, felfedező utazás • *mn* **explorational**
exploratory [ɪkˈsplɒrətəri ‖ ɪkˈsplɔrətɔri] *mn* **1.** előzetes, kutató, felderítő, feltáró; ~ **drilling** próbafúrás **2.** kutató, felfedező *[utazás]*; ~ **talks** puhatolódzás *[diplomáciában]*
explore [ɪkˈsplɔː ‖ ɪkˈsplɔr] **A.** *tsi* **1. a)** felfedez, átkutat *[vidéket]*, kutató/felfedező utat tesz; ~ **the seas** felfedezi/felkutatja a tengereket **b)** *bány* feltár **c)** kutatást végez (vmben), (behatóan) megvizsgál, felderít, kipuhatol (vmt) **2. a)** *orv* megvizsgál, szondáz **b)** *pszich* feltár *[lelki helyzetet]* **B.** *tni* kutat; ~ **for oil** olaj után kutat • *fn* **exploring** *mn* **explorative**
explored reserve [ɪkˈsplɔːd– ‖ ɪkˈsplɔrd–] *fn* ismert/felkutatott energiakészlet
explorer [ɪkˈsplɔːrə ‖ –ər] *fn* felfedező, kutató, utazó
explosion [ɪkˈsploʊʒn] *fn* **1.** robbanás; *bány* **fire-damp** ~ bányalégrobbanás; *műsz* ~ **chamber** robbanótér, robbanókamra *[hengerben]*; **cause an** ~ robbanást okoz (v. idéz elő) **2.** durranás, dörrenés, detonáció **3. a)** *átv* robbanás, felélénkülés, kitörés *[szenvedélyé]* **b)** demográfiai robbanás **4.** *biz* kirobbanás, kifakadás, kitörés *[dühé, nevetésé]*
explosive [ɪkˈsploʊsɪv] **I.** *mn* **1.** robbanó, robbantó, robbanékony; ~ **bullet** robbanólövedék; ~ **compounds** robbanóanyagok; ~ **shell** repeszgránát **2.** *átv* **a)** heves, lobbanékony *[ember]* **b)** feszült *[helyzet]*; ~ **atmosphere** feszült légkör **3.** *nyelv* ~ **consonant** explozíva, felpattanó zárhang **II.** *fn* **1.** robbanószer, robbanóanyag, *biz ált* lőpor, puskapor; **high** ~ nagy hatóerejű robbanószer, robbanótöltet **2.** *nyelv* explozíva, felpattanó zárhang • *fn* **explosiveness** *hsz* **explosively**
Expo [ˈekspoʊ], **expo** *fn* világkiállítás, Expo
exponent [ɪkˈspoʊnənt] **I.** *fn* **1. a)** magyarázó, értelmező, fejtegető, interpretáló **b)** *zene* előadó, tolmácsoló **c)** képviselő, előharcos, mintakép **d)** képviselő *[cégé]* **2. a)** *mat* (hatvány)kitevő, exponens **b)** kitevő, jelölő **II.** *mn* magyarázó, kifejtő, képviselő, interpretáló
exponential [ˌekspəˈnenʃl] *mn* **1.** *mat* exponenciális, kitevős; ~ **function** exponenciális függvény **2.** felgyorsuló *[növekedés]* • *hsz* **exponentially**
export I. *fn* [ˈekspɔːt ‖ –pɔrt] **1. a)** export, külföldre szállított/kivitt áru **b)** kiviteli áruk/cikkek, exportcikkek **c)** kivitel, export *[országé]* **2.** *infor* (adat-/dokumentum-) kivitel, export **II.** *tsi* [ɪkˈspɔːt ‖ ɪkˈspɔrt] külföldre szállít, kivisz, exportál *[árut]* *(from* vhonnan) • *fn* **exportation**

exportable [ɪkˈspɔːtəbl ‖ ɪkˈspɔrtəbl] *mn* exportképes, kivihető, exportálható • *fn* **exportability**
export duty *fn* kiviteli vám
exporter [ɪkˈspɔːtə ‖ ɪkˈspɔrtər] *fn* exportőr, exportáló
exporting [ɪkˈspɔːtɪŋ ‖ –ˈspɔr–] **I.** *fn* kivitel, exportálás **II.** *mn* külföldre szállító, exportáló *[cég, kereskedő]*
export trade *fn* külkereskedelem, kivitel, export
expose [ɪkˈspouz] *tsi* **1. a)** kitesz (vm) hatásának; **not ~d to wind** széltől védett; **~ sy to danger** vkt veszélynek tesz ki **b)** kitesz, kirak *[utcára, szabadba]* **c)** *fényk* exponál, megvilágít **2. a)** kiemel, felszínre hoz **b)** felfed, feltár, leleplez *[bűnt]*, napvilágra/nyilvánosságra hoz, (meg)szellőztet (vmt), közhírré tesz *[hibát, visszaélést]*, nevetségessé tesz (vkt); **~ a fraud** csalást/visszaélést leleplez/felfedez; **~ a scandal** botrányt nyilvánosságra hoz; **~ sg to the public** megszellőztet vmt **c)** közszemlére tesz, mutogat; *jog* **~ oneself** szeméremsértő cselekményt követ el **d)** kiállít; **~ a painting** képet kiállít • *fn* **exposer**
exposé [ekˈspouzeɪ ‖ ˌekspouˈzeɪ] *fn* **1.** ismertetés, előadás, expozé **2.** feltárás, leleplezés
exposed [ɪkˈspouzd] *mn* **1. a)** kitett, kirakott, megszemlélhető **b)** védtelen, kiszolgáltatott **c)** *gazd* kiállított, eladásra kitett *[áru]* **2. a)** feltárt, kiemelt, felszínre hozott **b)** *geol* kirívó, külszíni **c)** *átv* leleplezett, lemeztelenített **3.** *fényk* exponált • *fn* **exposedness**
exposit [ɪkˈspɒzɪt ‖ –ˈspɑ–] → **expound**
exposition [ˌekspəˈzɪʃn] *fn* **1. a)** kitétel, kirakás **b)** megvilágítás, kifejtés, magyarázás, (szöveg)magyarázat **c)** ismertetés, bemutatás *[műé]* **2.** *fényk* megvilágítás **3.** árumintavásár, (világ)kiállítás **4.** *zene* expozíció • *mn* **expositive, expository**
expositor [ɪkˈspɒzɪtə ‖ ɪkˈspɑzɪtər] *fn* magyarázó, ismertető, fejtegető, értelmező, interpretáló *[tantételé, szövegé]*
ex post facto [ˌekspoustˈfæktou] *mn/hsz latin jog* **1.** visszaható erejű/hatályú *[rendelkezés]* **2.** a tett elkövetése után
expostulate [ɪkˈspɒstjuleɪt ‖ ɪkˈspɑstʃəleɪt] *tni* helytelenítően/tiltakozva vitatkozik vkvel *(about/for/on/upon sg* vmről); **~ with sy** kifogást/szemrehányást tesz vknek; megleckéztet vkt; **~ with sy for doing sg** prédikációt tart (v. megmossa a fejét) vknek vm elkövetése miatt • *mn* **expostulative, expostulatory**
expostulation [ɪkˌspɒstjuˈleɪʃn ‖ ɪkˌspɑstʃəˈleɪʃn] *fn* **1. a)** figyelmeztetés, intés, tiltakozás **b)** panasz **2. a)** szemrehányás, fejmosás **b)** szóváltás, vita
exposure [ɪkˈspouʒə ‖ –ər] *fn* **1. a)** kitevés, kitétel, kitettség *[levegőnek, hidegnek, veszélynek]*; **die of ~** halálra fagy, megfagy; sugárártalomtól meghal **b)** *fényk* megvilágítási/expozíciós idő, expozíció, felvétel **c)** *fiz* expozíció, besugárzás **2.** *átv* felfedés, feltárás *[bűné, személyazonosságé]*, leleplezés; **fear of ~** botránytól való félelem
exposure meter *fn fényk* megvilágításmérő, fénymérő, fotométer
expound [ɪkˈspaund] *tsi* **1.** részletesen kifejt *[tételt]*, előad *[indokokat]*, ismertet *[álláspontot]* **2.** (meg)magyaráz, értelmez *[Szentírást]* • *fn* **expounder, expounding**
express[1] [ɪkˈspres] **I.** *mn* **1.** gyors, sürgős, express; *US* **~ agency** futárszolgálat; csomagszállító/pénzátutaló vállalat (fiókja); **~ call** sürgős (telefon)hívás; **~ cargo** gyorsáru; **~ delivery** expressz/sürgős küldemény/kézbesítés; **~ goods** expresszáruk; gyorsáruk; *US* **~ highway** autópálya; **~ letter** expresszlevél; **~ messenger** (gyors)küldönc, kézbesítő; (gyors)futár; *sp kat* **~ rifle** gyors/expressz fegyver; **~ train** gyorsvonat, expressz(vonat) **2. a)** nyílt, világos, félreérthetetlen, egyértelmű, pontos **b)** határozott, feltétlen, kifejezett; **for this ~ purpose** kifejezetten/határozottan ezért, éppen e konkrét cél érdekében **3.** *rég* **~ image** hű képe/képmása (*of* vmnek); megszólalásig hasonló (*of* vmhez) **II.** *fn* **1.** *vasút* expressz, gyorsvonat **2. a)** (gyors)futárszolgálat, gyorsposta **b)** sürgős/expressz küldemény/kézbesítés **3.** *US* csomagszállító vállalat **4.** *sp kat* gyors/expressz fegyver **III.** *hsz* **go ~** sürgősen/azonnal megy; **send ~** expressz küld
express[2] [ɪkˈspres] **A.** *tsi* **1. a)** kifejez, kijelent, kimond, kinyilvánít, kifejez(ésre juttat), megmond *[véleményt]*; **~ an opinion** véleményt nyilvánít/mond; **~ a wish** kinyilvánít kívánságot/óhajt; **~ one's (heartfelt) thanks to sy** (szívből jövő) köszönetét fejezi ki vknek; **~ one's thought on paper** papírra veti gondolatait; **face that ~es nothing** semmitmondó/kifejezéstelen arc; **he ~ed himself strongly** erősen/keményen fogalmazott, határozott véleményt nyilvánított **b)** *mat* képlettel/egyenlettel fejez ki **c) ~ oneself in French** franciául fejezi ki magát (v. beszél) **2.** kinyom, kisajtol, kicsavar *[nedvet]* *(out of/from* vmből) **3. a)** *US* elküld, elszállíttat, expediál *[csomagot]* **b)** *US* expressz küld *[levelet]*, gyorsáruként küld *[csomagot]* **B.** *tni biol* megnyilvánul, működik *[gén]*
expressed [ɪkˈsprest] *mn* kifejezett, határozott, feltétlen *[kívánság]*, kinyilvánított *[akarat]*
expressing [ɪkˈspresɪŋ] *fn* **1.** → **expression 2.** *US* gyorsáruszállítás
expression [ɪkˈspreʃn] *fn* **1.** kifejezés, kinyilvánítás, hangadás, kifejezésre juttatás *[gondolaté, örömé]*; **beyond/past ~** kimondhatatlan, nincs rá kifejezés; **give ~ to one's will** kinyilvánítja/hangoztatja akaratát **2. a)** kifejezés, szólás, szólásmód, szóhasználat, (szó)fordulat; **common ~** közönséges/mindennapi szóhasználat; **exaggerated ~s** nagy/túlzó szavak; **unguarded ~** elszólás; **what's the ~?** hogy is mondják? **b)** (ön)kifejezés, előadás(mód), ábrázolás *[művészetben, zenében]* **c) algebraic ~** algebrai kifejezés **3. a) (facial) ~** arckifejezés; **puzzled/perplexed ~** megrökönyödött/értetlen arckifejezés **b)** kifejezőerő; **face that has much ~** nagyon kifejező arc; **sing with ~** kifejezésteljesen/érzéssel énekel **4.** *ritk* kisajtolás, kipréselés
expressionism [ɪkˈspreʃnˑɪzm] *fn műv* expresszionizmus • *fn/mn* **expressionist** *mn* **expressionistic**
expressionless [ɪkˈspreʃnləs] *mn* kifejezéstelen, semmitmondó, üres *[arc, hang, tekintet]*
expressive [ɪkˈspresɪv] *mn* **a)** kifejező, kifejezésteljes, kifejezésteli, sokatmondó, beszédes; **~ glance** kifejezésteli pillantás **b) a speech ~ of his admiration** (vm/vk iránti) csodálatának hangot adó beszéd; **attitude ~ of disdain** megvetését kifejezésre juttató magatartás
expressively [ɪkˈspresɪvli] *hsz* **1.** kifejezően, kifejezésteljesen, jelentőségteljesen, sokatmondóan **2.** nyomatékosan
expressiveness [ɪkˈspresɪvnəs] *fn* kifejezőerő, kifejezőképesség *[arcé, nyelvé, szóé]*, expresszivitás, nyomaték
expressivity [ˌekspreˈsɪvəti] *fn* → **expressiveness**
expressly [ɪkˈspresli] *hsz* **a)** kifejezetten, határozottan; **I did it ~ to please you** kizárólag azért tettem, hogy a kedvedben járjak **b)** világosan, félreérthetetlenül
expressway [ɪkˈspresweɪ] *fn US* autópálya, gyorsforgalmi út
expropriate [ekˈsprouprieɪt] *tsi* birtokától megfoszt (vkt), kisajátít, elvesz *[birtokot]* • *fn* **expropriation, expropriator** *mn* **expropriating**
expulse [ɪkˈspʌls] *tsi* kiűz, elűz • *fn/mn* **expulsive**
expulsion [ɪkˈspʌlʃn] *fn* **a)** kiűzés, kiutasítás, kikergetés, eltávolítás *[idegené]* **b)** kidobás, kicsapás, eltávolítás *[iskolából]* **c)** kitiltás, kizárás *[szervezetből]* **d)** *orv* eltávolítás, kihajtás **e)** *műv vall* kiűzetés *[a paradicsomból]*
expulsion order *fn* kiutasítási végzés
expunge [ɪkˈspʌndʒ] *tsi* **1. a)** kitöröl, kiradíroz **b)** kihagy, áthúz, kihúz, megsemmisít *[feljegyzést]* **2. ~ an offence** sérelmet meg nem történtté tesz • *fn* **expunging**
expurgate [ˈekspəgeɪt ‖ –pər–] *tsi* **a)** megtisztít *[kifogásolható szöveget]*, átfésül, cenzuráz; **~d edition** (erkölcsileg kifogásolható részektől) megtisztított kiadás **b)** kihagy, töröl • *fn* **expurgation**
expurgator [ˈekspəgeɪtə ‖ ˈekspərgeɪtər] *fn* cenzor • *mn* **expurgatory**

exquisite [ɪk'skwɪzɪt] *mn* **a)** finom, kitűnő, nagyszerű, pompás *[étel, ital]* **b)** tökéletes, művészi, ízléses, remek(be készült) *[munka]*, remekmű *[ékszer]* **c)** gyönyörű(séges), páratlan szépségű, elragadó, csodás **d)** kényes, kifinomult, választékos *[ízlés]*; **have an ~ ear** kifinomult hallása van **e)** maradéktalan, élénk, tökéletes *[öröm]*; **~ pleasure** maradéktalan/teljes • *fn* **exquisiteness**

exquisitely [ɪk'skwɪzɪtli] *hsz* kiválóan, nagyszerűen, pompásan, tökéletesen

exsanguinate [ɪks'sæŋgwɪneɪt] *tsi orv* vért vesz (vktől), vértelenít

exsanguination [ɪksˌsæŋgwɪ'neɪʃn] *fn orv* **1.** vérvétel **2.** kivérzés, (súlyos) vérveszteség

exsanguinous [ˌɪkssæŋ'gwɪnɪəs] *mn orv* **a)** vérszegény, vértelen **b)** kivérzett

exscind [ek'sɪnd] *tsi* **a)** kivág, kimetsz *[daganatot]* **b)** *átv* kiirt, lenyeseget *[rossz szokást]*

exsect [ek'sekt] *tsi* levág, kivág, lemetsz • *fn* **exsection**

exsert [ek'sɜːt ‖ ek'sɜrt] *tsi biol* kinyújt, előre tol • *fn* **exsertion** *mn* **exserted**

ex-service [ˌeks'sɜːvɪs ‖ –'sɜr–] *mn GB* veterán, (a hadsereg soraiból) leszerelt

ex-serviceman [ˌeks'sɜːvɪsmən ‖ –'sɜr–] *fn tsz* **-men** volt/hadviselt/leszerelt katona, veterán

exsiccant ['eksɪkənt] *fn orv* szárítószer

exsiccate ['eksɪkeɪt] *tsi* (ki)szárít, lecsapol *[mocsarat]*, szárít, aszal *[gyümölcsöt]*, (el)párologtat *[oldatot]* • *fn* **exsiccation**

ext. *röv* **1.** *extension* **2.** *external* **3.** *extra* **4.** *extract*

extant [ek'stænt] *mn* még meglevő/élő/használatos, létező, fennálló, fennmaradt, megmaradt; **the earliest document ~** a legrégibb fennmaradt okirat

extasy ['ekstəsi] *régi* → **ecstasy**

extemporal [ɪk'stempərəl] → **extemporaneous**

extemporaneous [ɪkˌstempə'reɪnɪəs] *mn* átmeneti, ideiglenes, alkalmi • *fn* **extemporaneity** *hsz* **extemporaneously**

extemporary [ɪk'stemprəri ‖ –pəreri] → **extemporaneous**

extempore [ɪk'stempəri] **I.** *mn* **a)** rögtönzött, hevenyészett *[szónoklat]*; **make an ~ speech** rögtönzött beszédet mond **b)** rögtönző *[szónok, színész]* **II.** *hsz* rögtönözve, hevenyészve, hevenyében, ex tempore

extemporize [ɪk'stempəraɪz], **-ise A.** *tsi* **a)** rögtönöz *[beszédet]* **b)** improvizál *[zenét]* **c)** rögtönözve készít, (sebtiben) összeüt *[ételt]* **B.** *tni* **a)** rögtönöz, készülés/jegyzetek nélkül beszél **b)** *zene* rögtönöz, improvizál • *fn* **extemporization, extemporisation**

extend [ɪk'stend] **A.** *tsi* **1. a)** meghosszabbít, megnagyobbít, kiterjeszt **b)** (ki)nyújt *[végtagot]*, kitár *[kart]*, kinyújtóztat *[testet]*; *átv* **~ the olive branch to sy** olajágat nyújt vknek, kibékül vkvel **c)** kifeszít *[kötelet]*, *kat* felfejleszt, csatárláncba/csatasorba állít *[csapatokat]* **d)** *átv* kiterjeszt, növel *[befolyást, hatalmat]*, gyarapít, megnövel, kibővít *[határokat]* **e)** juttat, (meg)ad, nyújt *[segítséget]* **f) ~ a welcome to sy** szívélyesen fogad vkt **2.** meghosszabbít, megnyújt, prolongál *[határidőt]*, kiterjeszt *[érvényességet]*, (tovább) folytat *[kutatást]*, meghosszabbít, hosszabbra fog *[tartózkodást]*, *gazd* elhalaszt *[esedékességet]* **3.** megfeszít, próbára tesz *[erejét]*; **he ~ed himself to win the race** minden erejét megfeszítette, hogy győzzön; **~ a horse** lovat hajszol/sarkantyúz/ösztökél; **~ a runner** futót biztat/buzdít **B.** *tni* **1. a)** (ki)terjed, elterül, átnyúlik, kinyúlik, folytatódik (*to/over/across* vmn át/keresztül); **~ as far as the river** egészen a folyóig (el)húzódik/terjed; **~ beyond the wall** átnyúlik a falon túlra **b)** meghosszabbodik, kiterjed **c)** *átv* növekedik, kiterjed, megnő *[hatáskör]* **2.** *[időben]* meghosszabbodik, érvényben marad, folytatódik, tovább tart; **~ing over a number of years** több évig tartó

extended [ɪk'stendɪd] *mn* **1. a)** kiterjedt, szélesen/messze elterülő, *átv* megnagyobbított, megnövekedett, kibővített, kiszélesített; *orv* **~ care** krónikus/tartós betegápolás; *nyelv* **~ meaning (of a word)** tágabb értelem *[szóé]* **b)** kinyújtott, kinyújtóz(tat)ott *[test, végtag]* **c)** *rep* **~ undercarriage** kieresztett futómű **2.** hosszú (ideig tartó), hosszan tartó, hossza(dalma)s, *gazd* meghosszabbított, prolongált *[kezesség]* • *hsz* **extendedly**

extended family *fn* ‹együtt élő rokonokkal bővült háztartás› tágabb család

extender [ɪk'stendə ‖ –ər] *fn* **1.** kinyújtó, kitágító, kiterjesztő *[személy]* **2.** töltőanyag *[festékhez]*, *vegy* kitöltő anyag, lágyító anyag

extendible [ɪk'stendəbl] *mn* **1.** (ki)nyújtható, tágítható, nagyobbítható, kiterjeszthető, meghosszabbítható; **~ erecting ladder** tolólétra **2.** *jog* lefoglalható, zár alá vehető *[javak]* • *fn* **extendibility**

extending [ɪk'stendɪŋ] *mn* kihúzó, kihúzható, meghosszabbítható, megnagyobbítható *[asztal, létra]*

extensile [ɪk'stensaɪl] *mn* kinyújtható, kitölthető, előre nyújtható/tolható

extension [ɪk'stenʃn] *fn* **1. a)** (ki)nyújtás, kifeszítés **b)** (meg)nyúlás, kinyúlás; **elastic ~** rugalmas nyúlás **2. a)** meghosszabbítás *[térben]*, kiterjesztés, megnagyobbítás, kibővítés, fejlesztés; **~ piece** toldat, toldalék **b)** meghosszabbítás *[időben]*, kiterjesztés *[érvényességé]*; **~ of leave** szabadság meghosszabbítása; **~ of time** haladéknyújtás **c)** *infor* állománynév-kiterjesztés **3. a)** kiterjedés, terjedelem, megnagyobbodás, (meg)növekedés, (ki)bővülés, fejlődés **b)** nyúlvány **c)** (épület)toldalék, hozzáépítés **4.** *távk* mellék(állomás) *[telefoné]* **5. a)** *fil* jelentés, tartalom, kiterjedés *[fogalomé]* **b)** *nyelv* jelentéstágulás; kiterjesztés **6.** *okt* **(university) ~** *[egyetemi]* levelező oktatás • *mn* **extensional**

extension course *fn okt* **a)** továbbképző tanfolyam **b)** kihelyezett tanfolyam

extension ladder *fn* tolólétra, szét/kinyitható létra

extension memory *fn infor* külső tároló

extension stirrup *fn* nyújtókengyel

extension table *fn* szét/kinyitható asztal, kihúzható asztal

extensive [ɪk'stensɪv] *mn* **1.** kiterjedt, terjedelmes, nagy kiterjedésű *[térben, időben]* **2.** széles körű, átfogó, mészszemenő, alapos; **~ knowledge of sg** vmnek az alapos/átfogó ismerete; **receive ~ (press/media) coverage** sokat foglalkoznak vele *[üggyel sajtóban]* **3.** *mezőg* külterjes • *fn* **extensiveness**

extensively [ɪk'stensɪvli] *hsz* alaposan, széles körben; **he has written/published ~ on sg** sokat írt/publikált vmlyen témában/témáról

extensometer [ˌeksten'sɒmɪtə ‖ –'sɑmɪtər] *fn műsz* nyúlásmérő

extensor [ɪk'stensə ‖ –ər] *fn orv* **~ (muscle)** feszítőizom

extent [ɪk'stent] *fn* **1. a)** kiterjedés, terjedelem, nagyság, méret; **vast ~ of ground** hatalmas földdarab **b)** *áll* fesztáv(olság) **2. a)** mérték, fok; **~ of the damage** a kár mértéke/nagysága; **to the ~ of ...** ... erejéig, ... mértékig; **to some (v. a certain) ~** bizonyos mértékben/fokig/határig/pontig; **to a great/large ~** (igen) nagy mértékben; **to such an ~ that** oly mértékben, hogy; **to what ~?** milyen mértékben?; mennyire? **b)** határ *[tudásé]*, (hatás)kör, hatály *[jogé]*

extenuate [ɪk'stenjueɪt] **A.** *tsi* **1.** kisebbít, szépít, palástol, enyhít *[hibát]*, *biz* tisztára mos (vkt); **~ sy's conduct** mentegeti vk viselkedését **2.** lebecsül, nem tulajdonít jelentőséget (vmnek) **3.** gyengít, elerőtlenít **B.** *tni* **1.** mentegetődzik, mentséget keres vmre **2.** gyengül, csökken • *fn/mn* **extenuative**

extenuating [ɪk'stenjueɪtɪŋ] *mn* enyhítő, kisebbítő, szépítő; **~ circumstances** enyhítő körülmények

extenuation [ɪkˌstenju'eɪʃn] *fn* **1. a)** legyengülés, elgyengülés, elerőtlenedés, kimerülés **b)** (el)gyengítés, elvékonyítás **2.** kisebbítés, enyhítés, szépítés, mentegetés *[hibáé]* **3.** enyhítő körülmény

exterior [ɪk'stɪərɪə || –'stɪrɪər] **I.** *fn* **1.** külső, megjelenés, küllem *[személyé]*, külalak, forma, külső *[tárgyé, épületé]*; *átv* **on the ~** a felszínen, kifelé, látszat szerint **2. a)** *film* külső felvétel **b)** *szính* külső táj(at ábrázoló szín) **II.** *mn* **1.** külső, külsőleges (elhelyezésű) (*to* vmhez viszonyítva), kül-, kinti, kintlevő; *mat* **~ angle** külső szög; **~ decorations** külső díszítés; *film* **~ shot** külső felvétel **2.** távoli, idegen, külföldi • *fn* **exteriority** *hsz* **exteriorly**

exteriorize [ɪk'stɪərɪəraɪz || –'stɪr–], **-ise** *tsi fil* kivetít, objektivál, tárgyiasít • *fn* **exteriorization, exteriorisation**

exterminate [ɪk'stɜːmɪneɪt || –'stɜr–] *tsi* kipusztít, kiirt, megsemmisít • *fn* **extermination, exterminator** *mn* **exterminable**

external [ɪk'stɜːnl || –'stɜr–] **I.** *mn* **1. a)** külső(leges), kívülről ható/jövő, kinti, külszíni, felületi; **~ angle** külső szög; **~ dimension** külméret; *orv* **~ ear** külső fül; fülkagyló; *gk* **~ rear-view mirror** külső visszapillantó tükör; *orv* **only for ~ application** csak/kizárólag külső használatra, külsőleg *[használandó gyógyszer]* **b)** *átv* nem lényeges, nem a lényeget érintő, felületes **2.** kinti, külföldi, kül-; **~ affairs** külügy(ek); **~ loan** külföldi kölcsön; **~ relations** külföldi kapcsolatok; **~ trade** külkereskedelem **3.** *fil* külső, a külső világra irányuló, az értelmen kívülálló; **~ world** külvilág, a külső/érzékelhető világ **4.** *okt* külső, vendég *[hallgató]* **II.** *fn* **1. a)** külső oldala/felülete/része vmnek **b)** külső(ség), külső megjelenés, külszín, külalak **2. a)** nem lényeges/fontos dolgok **b)** formaságok, külsőségek; **judge by ~s** külsőség/külszín után ítél • *fn* **externality** *hsz* **externally**

externalize [ɪk'stɜːnəlaɪz || –'stɜr–], **-ise** *tsi* **1.** külsőleg megnyilvánít; **thought ~s itself in language** a gondolat a nyelven keresztül nyilatkozik meg (v. nyer kifejezést) **2.** külsőségek/külszín/látszat alapján ítél • *fn* **externalization, -isation**

exteroceptive [ˌekstərou'septɪv] *mn biol orv* külső ingereket, érzékelő/felfogó, extero(re)ceptív; **~ impulse** felületi/külső/exteroreceptív inger

exterritorial [ˌekster̩ɪ'tɔːrɪəl] *mn* területen kívüli, exterritoriális • *fn* **exterritoriality**

extinct [ɪk'stɪŋkt] *mn* **a)** kialudt, kioltott, elhamvadt, kihunyt *[tűz]*, elhamvadt *[szenvedély]*; *földr* **~ volcano** kialudt vulkán **b)** megszűnt, eltörölt *[hivatal, cím, rendelkezés]*, hatályon kívül helyezett *[törvény]* **c)** eltűnt, letűnt, kihalt, már nem létező *[faj, állat, növény]*, kihalt *[család]*; **become ~** kihal *[faj]* • *mn* **extinctive**

extinction [ɪk'stɪŋkʃn] *fn* **1.** (el)oltás *[tűzé]*, kipusztítás, kiirtás *[népé]*, kioltás *[életé]*, megszüntetés, (el)törlés *[törvényé]*, törlesztés, kiegyenlítés *[adósságé]* **2.** kialvás *[tűzé]*, kihalás, kipusztulás *[fajé]*, semmivé válás, megsemmisülés *[reményé]*, megszűnés *[törvényé]*

extinguish [ɪk'stɪŋgwɪʃ] **A.** *tsi* **1. a)** kiolt, elolt, elnyom *[tüzet]*, elfúj *[gyertyát]* **b)** elfojt, elnyom *[szenvedélyt]*, eloszlat, kiöl, semmivé tesz *[reményt]* **c)** kiirt, kipusztít *[népet, fajt]*, kiolt *[életet]*, eltöröl *[intézményt, törvényt]* **2.** *jog* érvénytelenít, hatálytalanít **3.** töröl, leír, letörleszt *[adósságot]* **4.** *vegy* olt *[meszet]* **5.** elhomályosít *[hírnevet]*, háttérbe szorít *[személyt]* **B.** *tni* **a)** kialszik, kihuny *[tűz, szenvedély]* **b)** kihal, elenyészik, semmivé lesz, megsemmisül • *fn* **extinguishment** *mn* **extinguishable**

extinguisher [ɪk'stɪŋgwɪʃə || –ər] *fn* **1. (fire) ~** tűzoltó készülék, poroltó **2.** oltókupak *[gyertyához, lámpához]*, (gyertya)koppantó

extirpate ['ekstɜːpeɪt || –stər–] *tsi* **a)** gyökerestől/mindenestől/teljesen/írmagostól kiirt/kipusztít **b)** *orv* kiirt, teljesen eltávolít • *fn* **extirpation**

extol [ɪk'stoul], *US* **extoll** *tsi* **-ll-** (fel)magasztal, (fel)dicsér, dicsőít; **~ sy to the skies** az égig magasztal vkt • *fn* **extoller, extolling, extolment**

extort [ɪk'stɔːt || ɪk'stɔrt] *tsi* **1.** kicsikar, kierőszakol, kikényszerít, kizsarol (*sg from sy/sg out of sy* vktől vmt); **~ a high price for sg** túl magas árat számol/kér vmért **2.** jogellenesen elvesz • *fn* **extorter** *mn* **extortive**

extortion [ɪk'stɔːʃn || –'stɔr–] *fn* **1.** kierőszakolás, kizsarolás, behajtás, bevasalás *[pénzé]*, kicsikarás, kikényszerítés *[ígéreté, vallomásé]* **2.** *jog* hivatali zsarolás • *fn* **extortioner, extortionist** *mn* **extortionary**

extortionate [ɪk'stɔːʃnət || –'stɔr–] *mn* (ki)zsaroló, kicsikaró, kapzsi, erőszakos, keményszívű *[személy]*; **~ price** uzsoraár • *hsz* **extortionately**

extra ['ekstrə] *mn* **I. 1.** többlet-, kiegészítő, külön, pót-, mellék(-), extra, tartalék; **~ fare** pótdíj *[vonatjegy árához]*; **~ luggage** többletpoggyász; **~ pay** fizetéskiegészítés, prémium; **~ postage** pótdíj *[postaküldeménynél]*; **~ price** felár; *sp* **~ time** hosszabbítás; **~ work** túlóra, különmunka; **if you pay an ~ 5000 forints** ha ráfizet/hozzátesz még 5000 forintot **2.** elsőrendű, kivételes, rendkívüli, különleges, extra, kiváló (minőségű); **~ quality** kiváló minőség **II.** *hsz* **a)** rendkívül, szokatlanul, különlegesen; **~ large**, *röv* **XL** extra (nagy), XL-es *[méret]* **b)** külön, többletként, ráadásként; **wine is ~** a bor külön fizetendő **III.** *fn* **1. a)** különszám, különkiadás *[sajtóterméké]* **b)** ráadás, műsoron kívüli szám **2. a)** *szính film* statiszta, néma szereplő **b)** kisegítő/alkalmi munkás **3. a)** felár **b)** többletköltség, többletkiadás **4.** *gk* extra *[felszerelés]* **5.** *sp* többletpont *[krikettben]*

extra- ['ekstrə] *előtag* **1.** (vmn) kívüli/túli, külső(-); **extraterrestrial** földön kívüli; **extrasensory** normális érzékelés körén kívül levő, természetfölötti **2.** különleges, extra

extracellular *mn biol* sejten kívüli

extract I. *tsi* [ɪks'trækt] **1. a)** kihúz, kitép, kiránt (vmt vmből), kiszed, kivesz, eltávolít; **~ a tooth** fogat (ki)húz **b)** kicsikar *[pénzt, vallomást]*, kiszed *[értesülést]* **2.** *mat* **~ the root of ...** gyököt von (vmből) **3.** kivonatol *[könyvet, számlát]*, kiválaszt *[idézetet, részt]* **4.** kivon, lepárol, előállít **5.** *átv* merít, nyer (*from* vmből); **~ pleasure from sg** örömét leli vmben, gyönyörűségére szolgál vm **II.** *fn* ['ekstrækt] **a)** kivonat, extrakt(um), párlat, eszencia; **meat ~** húskivonat **b)** kivonat, szemelvény, részlet, idézet *[könyvből]* **c)** *gazd* számlakivonat • *fn* **extracting** *mn* **extractable, extractible**

extractant [ɪk'stræktənt] *fn vegy* kivonó oldat

extraction [ɪk'strækʃn] *fn* **1.** kihúzás, kitépés, eltávolítás; **tooth ~, ~ of a tooth** foghúzás **2.** kivonás, lepárlás, előállítás, kinyerés, *bány* lefejtés; **~ of stone** kőfejtés **3.** kivonatolás, idézés, kiválogatás *[részeké könyvből]* **4. a)** kivonat, párlat **b)** szemelvény, idézet, részlet, kivonat **5.** származás, eredet; **of foreign ~** idegen eredetű **6.** *mat* **~ of roots** gyökvonás

extractive [ɪk'stræktɪv] *mn* **1.** kitermelő, kivonó; **~ farming** talajt kizsaroló gazdálkodás; **~ industries** (természeti kincseket) kitermelő iparágak **2.** *vegy* kivonható, lepárolható

extractor [ɪk'stræktə || –ər] *fn* **1.** fogó, csipesz **2.** *körny air* **~** elszívóberendezés **3. lemon juice ~** citromprés

extractor fan *fn GB* levegőcserélő ventillátor

extractor hood *fn GB* szagelszívó *[konyhai]*

extracurricular [ˌekstrəkə'rɪkjulə || –kjələr] *mn okt* (a kötelező) tananyagon/tanterven kívüli, mellék; **~ activity/activities** iskolán/tanórán kívüli elfoglaltság/tevékenység

extraditable ['ekstrədaɪtəbl] *mn* **1.** kiadható *[bűnöző másik országnak]* **2.** kiadatással járó *[bűncselekmény]*

extradite ['ekstrədaɪt] *tsi* kiad, kiszolgáltat *[bűnöst másik országnak]*

extradition [ˌekstrə'dɪʃn] *fn* **1.** *jog* kiadatás; **demand for ~** kikérés *[bűnösé]* **2.** *pszich* kivetítés *[érzeté, fájdalomé]*

extrados [ek'streɪdɒs || 'ekstrədɑs] *fn épít* bolthát, ívhát

extra-fine *mn* rendkívül/különlegesen finom, legfinomabb

extragalactic *mn csill* Tejútrendszeren kívüli

extrajudicial *mn* **1.** bírói eljáráson kívüli, nem hivatalos **2.** törvényen kívüli, törvénytelen • *hsz* **extrajudicially**
extramarital *mn* házasságon kívüli *[viszony]* • *hsz* **extramaritally**
extramundane *mn* földöntúli, túlvilági, *csill* földön kívüli
extramural *mn* **1.** a város falain/határán kívüli **2.** *okt* **a)** az iskola falain kívüli, kihelyezett **b)** tanterven kívüli, nem kötelező • *hsz* **extramurally**
extramural course *fn* kihelyezett tanfolyam
extraneous [ɪk'streɪnɪəs] *mn* **a)** kapcsolatban nem levő, külső, kívülálló (vmn) **b)** idegen, nem oda tartozó (*to* vmhez) **c)** nem a tárgyhoz/kérdéshez tartozó/kapcsolódó; ~ **considerations** a kérdéshez nem tartozó szempontok • *fn* **extraneity** *hsz* **extraneously**
extraordinary [ɪk'strɔ:dnri ‖ ɪk'strɔrdneri] *mn* **1.** rendkívüli, kivételes, szokatlan, egyedülálló, különös, különleges, váratlan, előre nem látott; **envoy** ~ rendkívüli követ; ~ **conduct** különös/szokatlan/érthetetlen magatartás/viselkedés **2.** bámulatos, hihetetlen • *fn* **extraordinariness** *hsz* **extraordinarily**
extrapolate [ɪk'stræpəleɪt] *tsi* **1. a)** kikövetkeztet, következtetéssel megállapít, kivetít **b)** *mat* extrapolál **2.** *átv* kivetít, extrapolál • *fn* **extrapolator** *mn* **extrapolative**
extrapolation [ɪkˌstræpə'leɪʃn] *fn* **1.** kikövetkeztetés, kivetítés **2.** *mat* extrapoláció
extrasensory *mn* normális érzékelés körén kívül levő, természetfölötti; ~ **perception** természetfölötti érzékelés
extra-special *mn* **a)** különleges, rendkívüli **b)** ~ **edition** második különkiadás *[újságé]*
extra-strong *mn* **a)** rendkívül erős/strapabíró **b)** különlegesen erős *[gyógycukorka]*
extraterrestrial, **ET I.** *fn* földönkívüli **II.** *mn* földönkívüli *[lény]*
extraterritorial *mn* **1.** *jog* országhatáron/joghatóságon túli; ~ **jurisdiction** az országhatáron túli joghatóság **2.** → **exterritorial** • *fn* **extraterritoriality**
extra time *fn sp* hosszabbítás
extra-uterine *mn orv* méhen kívüli; ~ **pregnancy** méhen kívüli terhesség
extravagant [ɪk'strævəgənt] **I.** *mn* **1. a)** különc(ködő), furcsa, *biz* vagány(kodó) **b)** túlzó, hóbortos, mértéktelen, szertelen, féktelen **2.** költekező, pazarló, tékozló **3.** túlzottan/rendkívül magas *[ár]* **II.** *fn* különc • *fn* **extravagance**, **extravagancy** *hsz* **extravagantly**
extravaganza [ɪkˌstrævə'gænzə] *fn* **1.** fantasztikus/szertelen mű/szerzemény **2.** tündérjáték, látványos vígopera/nagyoperett, extravaganza **3.** rendkívüli érzelemkitörés **4.** szeszély, hóbort(os viselkedés)
extravasate [ɪk'strævəseɪt] **A.** *tsi* **a)** kiereszt, kifolyat, kiömleni hagy *[vért]* **b)** kitörni hagy *[vulkánból lávát]* **B.** *tni* **1.** kiömlik, kiszivárog *[vér]* **2.** kitör *[láva]* • *fn* **extravasation**
extravehicular *mn űr* járművön/űrhajón kívüli; ~ **experiment** az űrhajón kívül végzett kísérlet
extravert ['ekstrəvɜ:t ‖ –vɜrt] → **extrovert**
extreme [ɪk'stri:m] **I.** *mn* **1.** szélső, végső, legtávolabbi; ~ **boundary** a legtávolabbi határ; *mat* ~ **value** szélső érték **2.** végső, utolsó *[óra]*; *vall* ~ **unction** utolsó kenet **3.** legnagyobb (fokú), legmesszebbmenő, igen nagy, rendkívüli, kivételes, kimondhatatlan *[öröm]*, feneketlen, határtalan *[szenvedés]*; ~ **danger** a legnagyobb veszély **4. a)** szélsőséges, túlzó, szertelen, extrém; *pol* ~ **right** szélső jobboldal; ~ **nationalism** szélsőséges/túlzott nacionalizmus; **an** ~ **case** rendkívüli/kivételes/szélsőséges eset; **he is** ~ **in his views** szélsőséges nézeteket vall **b)** (leg)szigorú(bb); ~ **measures** szigorú (óv)intézkedések **5.** maximális **II.** *fn* **1.** végső határ/fok; **carry/push things to ~s** élére állítja a dolgokat; **in the** ~ végső fokon, legvégső esetben; végtelenül, (igen) nagyon, szörnyen; mérték nélkül, módfelett **2.** túlzás, szertelenség, véglet; **~s meet** a szélsőségek/végletek találkoznak; **go from one** ~ **to the other** egyik végletből a másikba megy/esik; **go to the other** ~ a másik végletbe esik, átesik a ló másik oldalára; **go to ~s** végső eszközökhöz nyúl; túlzásba esik (v. visz vmt) **3.** vészes/kétségbeejtő helyzet; **drive sy to ~s** vkt a kétségbeesésbe kerget; **be reduced to ~s** kétségbeesett/kétségbeejtő helyzetben van **4.** *mat* **a)** szélső érték **b)** **~s** kültagok *[aránypáré]* • *fn* **extremeness**
extremely [ɪk'stri:mli] *hsz* rendkívül(i módon), módfelett, szerfelett, végtelenül
extreme skiing *fn sp* extrém síelés *[veszélyes terepen]*
extreme sports *fn tsz sp* extrém/különleges sportok
extremist [ɪk'stri:mɪst] *fn/mn* szélsőséges • *fn* **extremism**
extremity [ɪk'streməti] *fn* **1. a)** vég(ződés), végső/szélső pont/határ, szél *[vmé]* **b)** véglet, szélsőség(esség); **extremities of the weather** az időjárás szélsőségei/szeszélyei; **go to extremities**, **be driven to extremities** a legvégső eszközökhöz nyúl; **drive sy to extremities** a végletekbe kerget/hajszol vkt **c)** *mat* szélső érték **2.** túlzás, szertelenség, mértéktelenség **3.** a végtagok; **lower** ~ alsó végtag(ok); **upper** ~ felső végtag(ok)
extricate ['ekstrɪkeɪt] *tsi* **1.** kiszabadít, kiment *[veszélyből, nehézségből]*, kihúz, kiránt *[csávából]*, megszabadít *[adósságtól]*; ~ **oneself from sg** kiszabadul/felszabadul vm alól; kiszabadítja magát *[nehéz helyzetből]*; leráz magáról *[nyűgöt]* **2.** elkülönít (*from* vmtől) • *fn* **extrication** *mn* **extricable**
extrinsic [ek'strɪnsɪk] *mn* **1.** külső(leges), kívül álló **2.** kívülről jövő **3.** nem lényeges • *hsz* **extrinsically**
extrovert ['ekstrəvɜ:t ‖ –vɜrt] **I.** *fn* **a)** társaságot kedvelő/jó kedélyű/közvetlen ember **b)** *pszich* extrovertált/kifelé forduló ember **II.** *mn* **a)** társaságot kedvelő/jó kedélyű/közvetlen *[ember]* **b)** *pszich* extrovertált/kifelé forduló *[ember]* • *fn* **extroversion** *mn* **extroverted**
extrude [ɪk'stru:d] **A.** *tsi* **1. a)** kilök, kitaszít, (*from* vmből/vhonnan) **b)** kidug, kitol **2.** (ki)sajtol, extrudál **B.** *tni* **1.** kiáll **2.** *geol* kibukkan, feltolul *[magma]* • *fn* **extrusion** *mn* **extrusive**
exuberance [ɪg'zju:brəns ‖ ɪg'zu:–] *fn* bőség, bővelkedés, gazdagság; ~ **of feeling** túláradó érzelmek, érzések áradása; ~ **of joy** kitörő öröm
exuberant [ɪg'zju:brənt ‖ ɪg'zu:–] *mn* **1.** gazdag, bő(séges), buja, dús **2.** szertelen, túláradó, kirobbanó *[életkedv]*, terjengős *[beszéd]*, kitörő *[jókedv]*, kicsattanó *[egészség]*; ~ **person** életerőtől duzzadó személy • *hsz* **exuberantly**
exuberate [ɪg'zju:bəreɪt ‖ ɪg'zu:–] *tni* **1.** bővelkedik, bővében van, gazdag (vmben) **2.** (ki)árad, túlárad **3.** ~ **in sg** teljesen átadja/átengedi magát vmnek
exude [ɪg'zju:d ‖ ɪg'zu:d] **A.** *tsi* **1.** kiválaszt, kiizzad *[test, szerv nedvet]* **2.** áraszt *[vm szagot]* **3.** *átv* áraszt, tükröz, elárul *[érzést]*; **his face ~d displeasure** arca elégedetlenségről árulkodott **B.** *tni* **1.** kiválik *[nedv]*, (elő)szivárog *[gyanta]*, izzad (vm) **2.** *átv* (ki)árad, kisugárzik • *fn* **exudation** *mn* **exudative**
exult [ɪg'zʌlt] *tni* **1.** ujjong, örvend(ez), örül (*at*/*in* vmért/vmnek) **2.** ~ **over sy** diadalt ül (v. győzedelmeskedik) vk felett
exultancy [ɪg'zʌltənsi] → **exultation**
exultant [ɪg'zʌltənt] *mn* örvend(ez)ő, ujjongó, diadalittas • *hsz* **exultantly**
exultation [ˌegzʌl'teɪʃn] *fn* örvendezés, ujjongás, diadalmámor
exurb ['eksɜ:b ‖ –sɜrb] *fn* ‹városon kívüli (drága) kerület› *kb* kertváros • *fn* **exurbanite** *mn* **exurban**
exurbia [ek'sɜ:bɪə ‖ –'sɜr–] *fn* ‹városon kívüli (drága) kerületek összessége› *kb* kertvárosok, zöldövezet
exuviae [ɪg'zu:vii:] *fn tsz áll* levedlett/levetett bőr *[kígyóé stb.]* • *mn* **exuvial**
exuviate [ɪg'zu:vieɪt] **A.** *tsi* levet, elhullat, változtat *[bőrt stb.]* **B.** *tni* vedlik • *fn* **exuviation**

ex-voto [eksˈvoutou] *fn vall* ~ **(offering)** fogadalmi felajánlás

-ey → **-y**

eyas [ˈaɪəs] *fn* (solymászatra még be nem tanított) sólyomfióka

eye [aɪ] **I.** *fn* **1. a)** szem *[emberé, állaté]*; ~ **to** ~ szemtől szembe; **an** ~ **for an** ~ szemet szemért; **agreeable to the** ~, *biz* **easy on the** ~ szemrevaló, tetszetős; **anyone can see with half an** ~ **that** a vak is láthatja, hogy; **as far as the** ~ **can see** ameddig csak a szem ellát; **be up to the** ~**s in sg** nyakig van vmben, ki se látszik vmből; **before my (very)** ~**s** a szemem előtt/láttára; *régi* **by the** ~ szem(mérték)re; *biz* **where are your** ~**s?** nincs szemed?, hát vak vagy?; **cry one's** ~**s out** kisírja a szemét; *biz* **do sy in the** ~ becsap/átejt vkt, kitol vkvel; *biz* **that's one in the** ~ ennek annyi, ez kész/befuccsolt; **feast one's** ~**s on sy/sg** legelteti a szemét vkn/vmn; **for your** ~**s only** bizalmas, (szigorúan) titkos; **have blue** ~**s** kék szeme van; **have baggy/puffed** ~**s** táskásak a szemei, nagyon kimerült; *biz* **have all one's** ~**s about one** nyitva tartja a szemét, csupa szem; **have one's** ~**s well in** gyakorlott szeme van (vmhez); **have the sun/light in one's** ~**s** szemébe világít a nap/fény; (el)vakítja a nap/fény; **he has** ~**s at the back of his head** hátul is van szeme, mindent (meg)lát; *szl* **here's mud in your** ~**s!** egészség(edre)!; **hurt/offend the** ~ sérti/bántja a szemet; **I could hardly believe my** ~**s** alig hittem a szememnek; **I saw it with my own (two)** ~**s** a saját szememmel láttam; **if you had half an** ~ csak ne volnál olyan vak(si)/oktondi; **in the twinkling of an** ~ egy szempillantás alatt; *átv* **it hit me right in the** ~ azonnal a szemembe ötlött, rögtön megláttam; **keep one's** ~**s open/peeled**, **keep an** ~ **out** nyitva tartja a szemét, résen van, figyel; **look sy straight/squarely in the** ~ nyíltan a szemébe néz vknek, szemtől szembe néz vkvel; **make (sheep's)** ~**s at sy** szerelmes/csábos pillantásokat vet vkre; *átv* **open sy's** ~**s** kinyitja vk szemét (*to* vmre), felvilágosít vkt (vmről), kiábrándít vkt (vmből); **out of the corner of one's** ~ a szeme sarkából, félszemmel; **pipe one's** ~**(s)** itatja az egereket, sír; **put out sy's** ~**s** kiszúrja vknek a szemét, megvakít vkt; *átv* **see** ~ **to** ~ **with sy** egy véleményen van/egyetért vkvel; **see sg in one's mind's** ~ lelki szemeivel lát vmt; **shut/close one's** ~**s to sg** nem akar meglátni vmt, szemet húny vm felett; *biz* **there is more to it than meets the** ~ nem olyan egyszerű/könnyű, mint amilyennek látszik/tűnik; **throw dust into sy's** ~**s** port hint vk szemébe; **turn a blind** ~ **to sy/sg** nem akar meglátni/megérteni vkt/vmt; **visible to the naked** ~ szabad szemmel (is) látható; *biz* **with** ~**s like saucers** kidülledt szemmel, kocsányon lógó szemekkel; *átv* **with one's** ~**s open** nyitott szemmel, vmnek tudatában; **with tears in one's** ~**s** könnyes/könnybelábadt szemmel; **without batting an** ~ szemrebbenés nélkül **b)** *áll* szem *[pávatollon, lepkeszárnyon]* **2.** *átv* szem, látás, (jó) érzék (vmhez); **have an** ~ **for sg** jó szeme van vmhez; **have an** ~ **for a horse** jó szeme van/ért a lovakhoz **3. a)** tekintet, pillantás, nézés, felügyelet; **cast down one's** ~**s** lesüti a szemét/tekintetét; **cast one's** ~ **round the room** körülnéz a szobában; **give an** ~ **to sg** szemmel tart vmt, ügyel/figyel/vigyáz vmre, rajta tartja a szemét vmn; *biz* **give sy the (glad)** ~ szemez vkvel, majd felfal vkt a szemével; **have one's** ~ **on sy** szemmel tart vkt, rajta tartja a szemét vkn; **set** ~**s on sy/sg** észrevesz/meglát vkt/vmt; szemet vet vkre/vmre; **under the** ~ **of sy** vk felügyelete/őrizete alatt **b)** figyelem, figyelés; *biz* **be all** ~**s (and ears)** csupa szem (és fül); jól kinyitja a szemét; **catch sy's** ~ magára vonja vk figyelmét, elkapja vk tekintetét; **have an** ~ **to sg** gondja van vmre, figyel(emmel van) vmre; **have an** ~ **to the future** a jövőre is gondol; **have an** ~ **to everything** semmi sem kerüli el a figyelmét; **keep an** ~ **on sy** szemmel tart vkt; **under the public** ~ mindenki szeme előtt; **be in the public** ~ rajta van a világ szeme, sokat szerepel a nyilvánosság előtt; **with an** ~ **to sg** figyelembe/tekintetbe véve vmt **4.** *átv* vmnek a magva/középpontja/lényege; **the** ~ **of a proverb** közmondás magva; ~ **of the storm** (trópusi) ciklon szélcsendes magja **5. a)** *mezőg* rügy, csíra(szem); **an** ~ **of a potato** burgonyaszem **b)** *mezőg* oltószem **6.** nyílás, lyuk, karika *[szerszámon]*, fok *[tűn]*, nyélnek való nyílás *[kalapácson, fejszén]*, szem, hurok *[kötélzeten]*; **the** ~ **of a needle** (varró)tű lyuka/foka; *átv* **pass through a needle's** ~ átjut a tű fokán **7.** vélemény, nézet; **in my** ~ az én szememben, az én véleményem/nézetem szerint; **in the** ~**s of** véleménye/nézete szerint; **in the** ~**(s) of the law** a törvény előtt **8.** *biz* **(private)** ~ magándetektív, szem **9.** *kat* ~**s front!** előre nézz!; ~**s right!** jobbra nézz! **II.** *tsi* **ey(e)ing 1.** *[figyelmesen, közelről]* néz, megnéz, figyel, szemmel tart, szemügyre vesz, mustrál vkt; ~ **sy up (and down)**, ~ **sy from head to foot** (tetőtől talpig) végigmér vkt **2.** mérlegel, felmér *[helyzetet, nehézséget]*

E

eyeable [aɪəbl] *mn* **1.** látható **2.** tetszetős, mutatós

eyeball I. *fn* szemgolyó; *biz* ~ **to** ~ szemtől szemben, összetűzésben **II.** *tsi/tni US szl [szemügyre vesz, (meg)néz, (meg)bámul]* sasol, kukkol, skubizik, stíröl

eyebath *fn* **1.** szemöblögető edény **2.** szemfürdő

eyeblack *fn régi* szempillaspirál

eyebolt *fn* **1.** gyűrűs/füles csapszeg **2.** gyűrűs csavar

eyebrow *fn* szemöldök; *biz átv* **raise an** ~ hitetlenkedve néz, nem hisz a szemének; *biz átv* **he never (even) raised an** ~ szempillája se rezzent, arcizma se rándult

eyebrow pencil *fn* szemöldökceruza

eye-catcher *fn média* szembeötlő/szembeszökő rész/hely, blikkfang

eye-catching *mn* **a)** szembeszökő, szembeötlő, szembetűnő, feltűnő **b)** csinos, tetszetős

eye contact *fn* szemkontaktus; **establish** ~ **with sy** szemkontaktust létesít (vkvel), ránéz (vkre); **have/keep** ~ **with sy** néz/figyel (vkt), rajta tartja a tekintetét (vkn), szemkontaktust tart fenn (vkvel); **break** ~ másfelé pillant/néz; **avoid** ~ **with sy** kerüli (vk) tekintetét/pillantását

eyecup *fn* szemfürdető csésze

eyed [aɪd] *mn* **1.** *összet* -szemű; **bird-**~ éles szemű, sasszemű; **bleary-**~ zavaros/homályos tekintetű; *átv* vaksi, együgyű, rövidlátó **2.** lyukkal/karikával ellátott *[szerszám]* **3.** pettyes, pettyezett *[madártoll, rovarszárny]*

-eyed [ˈaɪd] *utótag* szemű; **brown-eyed** barna szemű; *kif* **the green-eyed monster** a zöld szemű szörny, a féltékenység; *átv* **blue-eyed boy** kedvenc; **cross-eyed** kancsal, bandzsa; *US szl* **glassy-eyed** részeg

eye drops *fn tsz* szemcsepp(ek)

eyeful [ˈaɪful] *fn biz* **1. a)** szemrevaló tárgy/személy; **she is an** ~ csinos egy nő; **he is an** ~ jóképű pasas **b)** szemügyre vétel, mustra **2.** szembe került *[por stb.]*

eyeglass *fn* **1. a)** monokli, félszemüveg **b)** **(pair of)** ~**es** szemüveg **2.** szemlencse *[távcsőé]* **3.** szemöblítő pohár

eye ground *fn orv* szemfenék

eye guard *fn* védőszemüveg

eyehole *fn* **1.** szemgödör, szemüreg **2. a)** kémlelőablak, kémlelőnyílás, nézőlyuk, kukucskáló **b)** szemnyílás *[álarcon]* **3. a)** fűzőkarika, ringli, kerek nyílás *[kötél áthúzására]*, fűzőlyuk *[cipőn]* **b)** kis nyílás/lyuk

eyelash *fn* szempilla

eye lens *fn* szemlencse *[távcsőé]*

eyeless [ˈaɪləs] *mn* **a)** szem nélküli **b)** vak

eyelet [ˈaɪlɪt] *fn* **1.** → **eyehole 2. 2.** fűzőlyuk, fűzőkarika, fűzőszem, ringli **3.** szem, petty *[páváé, lepkéé]*

eye level *fn* szemmagasság

eye-level *mn* szemmagasságban levő

eyelid *fn* szemhéj; *biz átv* **hang on by the** ~**s** csak egy hajszál tartja, egy hajszálon lóg

eyeliner *fn* szemkihúzó (ceruza); **liquid** ~ szemhéjtus

eye-opener *fn* **1.** reveláció, szemnyitogató élmény; **that was an** ~ **(for him)** ez felnyitotta a szemét; erre kinyílt a szeme; lehullt szeméről a hályog **2.** *US biz* pohárka ital *[reggel]*, reggeli feles/szíverősítő • *mn* **eye-opening**

eyepatch *fn* (fekete) szemkendő
eyepiece *fn* szemlencse, okulár *[távcsőé]*
eye pit *fn orv* szemgödör
eye protector *fn* védőszemüveg
eyeshade *fn* szemellenző, fényfogó
eyeshadow *fn* szemhéjfesték
eyeshot *fn* látótávolság, szemhatár; **within ~** ameddig a szem ellát, látótávolságon belül; **out of ~** látótávolságon kívül
eyesight *fn* látás, látóérzék, látóképesség; **have a good ~** jó a látása/szeme, jó szeme van; **lose one's ~** elveszti a szeme világát, megvakul
eye socket *fn orv* szemgödör, szemüreg
eyesore *fn* szemet sértő/bántó tárgy/épület/látvány; **be an ~** bántja az ember szemét, rossz ránézni
eye specialist *fn orv* szemész, szemorvos, szemspecialista
eye splice *fn* hurokverés, csatfonás *[kötélvégen]*
eyespot *fn* **1. a)** *áll* egyszerű szem *[gerinctelenéké]* **b)** szem(alakú színes petty/folt) **2.** csírafolt *[krumplin, kókuszdión]*
eyestalk *fn áll* szemkocsány
eye strain *fn* szemmegerőltetés; **suffer from ~** megerőltette a szemét
eye test *fn orv* szemvizsgálat
Eyetie [ˈaɪtaɪ ‖ ˈaɪti] *GB szl pej* **I.** *fn [olasz ember]* digó, macskaevő **II.** *mn [olasz(országi)]* digó
eyetooth *fn tsz* **-teeth** szemfog; *átv biz* **cut one's ~** benő a feje lágya; *átv* **give one's ~ for sg** fáj a foga vmre, nagyon meg akar szerezni/kaparintani vmit
eyewash *fn* **1.** szemvíz **2.** *szl [üres beszéd, hitegetés]* halandzsa, szarrágás, rossz szöveg/duma, porhintés
eyewitness *fn* szemtanú; **~ account/report** szemtanú beszámolója/vallomása
eyot [eɪt, eɪət] *fn földr* folyami sziget
eyrie [ˈɪəri ‖ ˈeri] *fn* **1.** magasra épített *[ház, stb.]* **2.** → **aerie**
Ezek. *röv* Ezekiel
Ezekiel [ɪˈziːkɪəl] *tul bibl* Ezékiel
e-zine *fn infor* elektronikus/internetes magazin
Ezra [ˈezrə] *tul* **1.** ‹férfinév› **2.** *bibl* Ezsdrás

F

F[1], **f** [ef] *fn tsz* **F's 1.** f (betű/hang); **F for Foxtrot** F mint Ferenc **2.** *zene* f *[hang]* **3.** *okt* elégtelen *[osztályzat iskolában]*
F[2], **f** *röv* **1.** *Fahrenheit* **2.** *farad* **3.** *Fellow* **4.** *feminine* **5.** *fine [ceruzabélről]* **6.** *focal distance* **7.** *foot*; *feet* **8.** forte, *loud* **9.** *franc(s)* **10.** *France* **11.** *French* **12.** *from*
fab [fəb] *biz* kitűnő, csodálatos
Fabian [ˈfeɪbɪən] **I.** *fn* a Fabiánus Társaság tagja **II.** *mn* **1.** halogató, fabiánus *[politika stb.]* **2.** *GB pol* **the ~ Society** a Fabiánus Társaság • *fn* **Fabianism**
fabiform [ˈfeɪbɪfɔːm ‖ –fɔrm] *mn* bab alakú/formájú
fable [ˈfeɪbl] **I.** *fn* **1. a)** (tanító) mese, állatmese **b)** mítosz, mesevilág **2.** valótlan állítás, hazugság **3.** ‹dolog, melynek létezése csak feltehető/sejthető› **II. A.** *tsi* költ, kohol, kitalál **B.** *tni* **1.** mesél, mesét mond **2.** hazudik, lódít • *fn* **fabler** *fn/mn* **fabling** *mn* **fabled**
fabric [ˈfæbrɪk] *fn* **1. a)** szövet, anyag, kelme, textil **b)** szövedék, textúra **2.** épület szerkezeti része **3.** *átv* szerkezet, felépítés, összetétel; **the ~ of society** a társadalom felépítése/szerkezete/szövedéke
fabricable [ˈfæbrɪkəbl] *mn* formálható
fabricate [ˈfæbrɪkeɪt] *tsi* **1.** gyárt, (el)készít **2.** kitalál, kiagyal *[hírt]*, kohol *[vádat]* **3.** hamisít *[okmányt]* • *fn* **fabricant** *fn* **fabricator**
fabrication [ˌfæbrɪˈkeɪʃn] *fn* **1.** gyártás, készítés, előállítás **2. a)** kitalálás, kiagyalás, koholás **b)** hamisítás **3. a)** gyártmány, készítmény **b)** hamisítvány, utánzat **c)** koholmány, kitalálás
fabric conditioner *fn* textilöblítő
fabric softener → **fabric conditioner**
fabular [ˈfæbjulə ‖ –ər] *mn* meseszerű, mesébe illő, mesés
fabulist [ˈfæbjəlɪst] *fn* **1.** meseíró **2.** hazudozó
fabulous [ˈfæbjələs] *mn* **1.** meseszerű, mitikus, legendás **2.** mesébe illő, hihetetlen; **~ wealth** mesébe illő vagyon **3.** *biz* kitűnő, csodálatos, mesésnek tűnő/látszó • *fn* **fabulosity** *hsz* **fabulously**
face [feɪs] **I.** *fn* **1. a)** arc, ábrázat; **~ to ~** szemtől szembe; **keep a straight ~** komoly arcot vág, megőrzi komolyságát; **make/pull ~s** arcokat/grimaszokat vág, arcát fintorgatja; **pull a wry ~** savanyú/kelletlen arcot vág; **put a good/brave/bold ~ on it** jó képet vág a dologhoz; **save ~** megőrzi a lélekjelenlétét/hidegvérét; **set one's ~ against sg** szembeszáll vmvel, ellenszegül vmnek; **show one's ~ somewhere** mutatkozik/megjelenik vhol; **before one's ~** szeme láttára; **in the ~ of sg** vmvel szemben; vm ellenére/dacára; **fly in the ~ of** szembeszáll, dacol (vmvel); **look sy in the ~** szemébe néz vknek; **fall on one's ~** elvágódik, végigvágódik; hasra esik; *biz* pofára esik; **to his ~** szemébe **b)** nagyrabecsülés, tisztelet, tekintély; **lose ~** megszégyenül, tekintélyét veszti **2.** látszat, külszín; **on the ~ of it** ránézésre, első pillantásra; látszatra **3. a)** fej(oldal) *[érméé]*, szín(oldal), jobb/mintás oldal *[szöveté]*, előlap *[okiraté]*, lap *[kártyáé]*, számlap *[óráé]*; **~ up(ward)** lapjával fölfelé **b)** homlokzat *[épületé]* **4.** fejtési felület/front **5. a ~ from the past** egy arc a múltból **6.** *szl [személy]* fazon, fószer **II. A.** *tsi* **1. a)** szembeszáll, dacol *[veszéllyel, ellenséggel]*, elébe áll; *biz* **~ the music** tartja a hátát, szembenéz a következményekkel **b)** szembenéz, számol *[tényekkel, lehetőségekkel]*; **~ the facts** szembenéz a tényekkel; **let's ~ it** nézzünk szembe vele **2.** néz (vmre/vm felé), szemben áll (vkvel/vmvel); **facing each other** egymással szemben **B.** *tni* **1. seat facing forward** ülés menetirányban; **the house ~s north** a ház északra néz **2.** *kat* **right ~!** jobbra át!
face about *tni* hátra arcot csinál
face down *tsi* **1.** lefelé fordít **2.** szembeszegül, állja a kihívást **3.** rendre int
face out *tsi* **~ it out** vakmerően kitart vm mellett
face up 1. szembeszáll, tartja magát (vkvel szemben) **2.** beismeri, felismeri *[a tényeket]*, vállalja a következményeket
face-ache *fn GB* **1.** *orv* arcidegzsába **2.** *biz* csúnya/ijesztő ember
face card *fn ját* figurás kártyalap
facecloth *fn* **1.** mosdókesztyű **2.** szemfedő
face cream *fn* arc(ápoló)krém
face flannel *fn* → **facecloth**
faceless [ˈfeɪsləs] *mn* **1.** névtelen, háttérben maradó **2.** egyéniség nélküli, átlag-
facelift *fn* **1.** arcjavító műtét **2. a)** *átv* megfiatalítás **b)** *átv* kozmetikázás *[hibáé]* • *fn* **facelifting**
face mask *fn* **1.** sebészmaszk **2.** narkózismaszk **3.** arcpakolás
face-off *fn* nyílt szembesítés
face pack *fn* (kozmetikai) arcpakolás
faceplate *fn* **1.** (búvár)sisak üvegablaka **2.** *műsz* védőlap
face-powder *fn* (arc)púder
facer [ˈfeɪsə ‖ –ər] *fn biz* **1.** pofon **2.** váratlanul felmerült nehézség/akadály
face-saving *fn* presztízsmentés • *fn* **face-saver**
facet [ˈfæsɪt] *fn* **1.** *átv* oldala vmnek, aspektus, szempont **2. a)** kristálylap, köszörült lap *[csiszolt drágakőé]* **b)** *áll* fazettás szem, fazetta • *mn* **faceted**
facetiae [fəˈsiːʃiiː] *fn tsz* **1.** szellemes mondások/írások **2.** pornográf könyvek
facetious [fəˈsiːʃəs] *mn* tréfás, mulatságosan pikáns
face-to-face *mn/hsz* **1.** személyes(en) **2.** szemtől szembe
face value *fn* **1.** névérték **2.** látszólagos jelentés/megjelenés; **take it at its ~** szó szerint veszi
faceworker *fn* külszíni bányász
facia [ˈfeɪʃə] *fn* **1.** műszerfal **2.** cégtábla
facial [ˈfeɪʃəl] **I.** *mn* **1.** arci, arc-; **~ aspect/expression** arckifejezés **2.** felszíni **II.** *fn US* arcmasszázs, arcápolás • *hsz* **facially**
facies [ˈfeɪʃɪiːz] *fn* **1.** *orv* arc(kifejezés) **2.** *geol* képződményjelleg
facile [ˈfæsaɪl ‖ ˈfæsl] *mn* **1.** könnyű de értéktelen; **a ~ victory** olcsó győzelem **2.** gyakorlott, gördülékeny, folyékony, könnyed *[stílus]*
facilitate [fəˈsɪlɪteɪt] *tsi* megkönnyít, előmozdít, lehetővé tesz • *fn* **facilitation**, **facilitator** *mn* **facilitative**
facility [fəˈsɪləti] *fn* **1.** gyakorlottság, gördülékenység, folyékonyság, könnyedség **2.** képesség, adottság, tehetség **3.** *tsz* **facilities** (megfelelő) berendezés, felszerelés **4.** *US* gyártelep; gépállomány
facing [ˈfeɪsɪŋ] *fn* **a)** hajtóka, szegély, kihajtás *[ruháé stb.]* **b)** *épít* burkolat, borítás **c)** kibélelés, belső burkolás, tömítés, betét
fact [fækt] *fn* **1.** tény, helyzet; **the ~ is...** a helyzet az, hogy...; **an accomplished ~** befejezett tény; **apart from the ~ that...** eltekintve attól, hogy...; **by the mere ~ that** pusztán azért, mert...; **know for a ~ that...** biztos tudomása van róla, hogy...; **stick to ~s** ragaszkodik a tényekhez **2.** valóság; **~ and fiction** ábránd és valóság; **in ~, as a matter of ~, in point of ~** (és) tényleg, valóban; ami azt illeti, valójában, az igazat megvallva; **~s and figures** pontos adatok/részletek **3.** tény(állás); **question/issue of ~** ténykérdés **4.** tett, *ritka* jog bűntett; **after the ~** a (bűn)tett elkövetése után

fact-finding *mn* ténymegállapító; ~ **mission** tényfeltáró gyakorlat/megbízás • *fn* **fact-finder**

faction[1] [ˈfækʃn] *fn pol* **1. a)** frakció **b)** csoport, klikk, szekta *[párton belül]* **2.** (párt)viszály, széthúzás

faction[2] [ˈfækʃn] *fn* álhistorikus regény/film; megregényesített/megfilmesített (igaz) történet

factional [ˈfækʃnəl] *mn pol* **a)** párt-, csoport-, klikk-, szektáns *[érdek, rendszer]* **b)** pártütő, széthúzó • *ts/tni* **factionalize, -ise** *fn* **factionalism**

factious [ˈfækʃəs] *mn* pártoskodó, széthúzó

factitious [fækˈtɪʃəs] *mn* mesterkélt, megjátszott, hamis

factoid [ˈfæktɔɪd] *fn* **I. 1.** hamis v. kitalált tény, téveszme **2.** *US* hírmorzsa **II.** *mn* rövid, hírszerű

factor [ˈfæktə ‖ –ər] **I.** *fn* **1.** tényező, (alkotó)elem; **the human** ~ emberi tényező **2.** *mat* (szorzó)tényező, együttható; **greatest/highest common** ~ legnagyobb közös osztó **3.** *gazd* ügynök, bizományos **II. 1.** *tsi mat* törzstényezőkre bont **2.** bizományba ad

factorage [ˈfæktərɪdʒ] *fn gazd* bizományi díj, ügynöki jutalék

factor analysis *fn* faktoranalízis, tényezőelemzés *[statisztikában]*

factorial [fækˈtɔːrɪəl] *mn/fn mat* faktoriális

factoring [ˈfæktərɪŋ] *fn* **1.** *mat* tényezőkre bontás **2.** esedékes kintlevőségek felvásárlása

factorize [ˈfæktəraɪz], **-ise** *tsi mat* tényezőkre bont, faktorizál • *fn* **factorization, -isation**

factory [ˈfæktri] *fn* gyár(telep), üzem, ipartelep

Factory Acts *fn tsz GB* ipartörvény

factory farming *fn* nagyüzemi gazdálkodás/mezőgazdaság • *fn* **factory farm**

factory floor *fn* a munkások (csoportja) *[megkülönböztetésképpen a vezetőségtől]*

factory ship *fn* halfeldolgozó hajó

factory shop *fn* mintabolt *[gyáré, üzemé]*

factotum [fækˈtoutəm] *fn* mindenes

fact sheet *fn* tájékoztató *[nyomtatvány, kiadvány]*

factual [ˈfæktʃuəl] *mn* adatszerű, tényleges, konkrét, tárgyi; ~ **information** konkrét adatok; ~ **figure** tényszám • *fn* **factuality** *hsz* **factually**

factum [ˈfæktəm] *fn tsz* **facta** [–tə] **1.** tényállást lerögzítő perirat **2.** tényleírás

facture [ˈfæktʃə ‖ –ər] *fn műv* faktúra, kivitel(ezési mód/technika)

facula [ˈfækjulə ‖ –kjələ] *fn tsz* **faculae** [–liː] *csill* napfáklya, fakula

facultative [ˈfækltətɪv ‖ –teɪtɪv] *mn* **1.** szabadon választott, fakultatív **2.** esetleges **3.** képesítő • *hsz* **facultatively**

faculty [ˈfæklti] *fn* **1. a)** képesség; **mental faculties** szellemi képességek; **be in possession of all one's faculties** szellemi képességének teljes birtokában van **b)** tehetség, adottság, készség **2. a)** *GB* (egyetemi) kar, fakultás **b)** *US* tantestület **3.** *jog* engedély, felhatalmazás **4.** kamara

FA Cup *röv Football Association Cup*

facsimile [fækˈsɪməli] **I.** *fn* **a)** hasonmás *[szövegé, írásé]*, fakszimile; **in** ~ (hajszál)pontosan **b)** hasonmás/másolat készítése dokumentumról *[pl. szkennerrel]* **c)** *infor* → **fax II.** *tsi* fakszimilét készít, reprodukál (vmt)

fad [fæd] *fn* **1.** (múló) szeszély, (divat)hóbort **2.** jellemző sajátosság • *fn* **faddism, faddist** *mn* **faddish**

faddy [ˈfædi] *mn* hóbortos, bogaras

fade [ˈfeɪd] **I. A.** *tsi* **1.** elhalványít, megfakít *[színt]* **2.** lehalkít, elhalkít **3.** *átv* elhervaszt, elfonnyaszt **4.** ~ **sg into sg** beleolvaszt vmt vmbe **5.** eltérít *[labdát golfban]* **B.** *tni* **1.** elhervad, elfonnyad; **beauty ~s** a szépség mulandó **2. a)** elhalványul, megfakul **b)** elhalkul, elhal, tompul *[hang]* **c)** (el)gyengül *[érzés]* **d)** (fokozatosan) eltűnik/elhalványul *[kép]*, fogy *[fény]*, elmosódik *[körvonal]* **3.** *szl* **do a** ~ *[elmegy, elmenekül]* eltűnik, lekopik, lelép **4.** labda egyenes iránytól eltérül *[golfban]* **II.** *fn távk* féding, (el)halkulás

fade away *tni* **1.** → **fade** A.2 **2.** hervadozik, halódik **3.** *biz* meglép, kereket old, olajra lép

fade in A. *tsi film média* fokozatosan beúsztat *[képet]*, fokozatosan erősít *[hangot]* **B.** *tni film média* fokozatosan előtűnik *[kép]*, fokozatosan erősödik *[hang]*; → **fade-in**

fade into *tni* **colours ~ into one another** a színek fokozatosan egymásba mosódnak

fade out A. *tsi film média* fokozatosan kiúsztat *[képet]*, fokozatosan (el)halkít *[hangot]* **B.** *tni film média* fokozatosan elhalványodik/elmosódik/áttűnik *[kép]*, elhalkul *[hang]*; → **fade-out** • *mn* **fadeless, fading**

fadeaway *fn biz* **1.** halál **2.** *[eltűnés]* meglógás, olajralépés; → **fade away**

faded [ˈfeɪdɪd] *mn* **a)** hervadt **b)** kifakult *[szín]*, elmosódott, elhalványult *[emlék]*

fade-in *fn film távk* fokozatos/lassú feltűnés, beúsztatás; → **fade in**

fade-out *fn* **1.** *film média* fokozatos elhalványodás/kiúsztatás *[képé]* **2.** elmúlás, halál; → **fade out**

fader [ˈfeɪdə ‖ –ər] *fn* hangerőszabályozó, (video) képerősség-szabályozó

fadge [fædʒ] *fn Ausz* **1.** laza köteg gyapjú **2.** lazán átkötött gyapjúbála

faeces [ˈfiːsiːz] *fn tsz biol* ürülék, bélsár • *mn* **faecal**

faerie [ˈfeəri ‖ ˈferi] **I.** *fn régi vál* tündérország, tündérvilág **II.** *mn* **a)** *régi vál* tündér-, tündéri **b)** elképzelt, áhított

Faeroe [ˈfeərou ‖ ˈfe–], **Faroe** *tul földr* ~ **Islands** Feröer-szigetek

Faeroese [ˌfeərouːˈiːz ‖ ˈfe–], **Faroese** *mn* feröeri *[nyelv, nép]*

faff [fæf] **I.** *tni biz GB* **1.** fontoskodik **2.** cidrizik **II.** *fn* fontoskodás

fag [fæg] **I.** *fn* **1.** *biz* vesződséges munka, kínlódás; **what a ~!** micsoda strapa/nyűg **2.** *okt* csicskás *[kisdiák]* **3.** *szl [cigaretta]* cigi; **dead** ~ csikk **4.** *szl* → **faggot 5.** *szl US [ellenszenves férfi]* buzi **II. -gg- 1.** (ki)fáraszt, untat *[munkával]* **2.** szekál, gyötör *[kisdiákot]* **3.** *hajó* ~ **(out), become ~ged** szétsodródik, felbomlik *[kötél]* • *fn* **fagging**

fag end [ˌfæg end, ˈfægend] *fn* **1.** *biz* csikk **2.** vég, maradék, felesleg

faggot [ˈfægət], *US* **fagot I.** *fn* **1.** rőzse(nyaláb) **2.** kötegelt vasrudak **3.** *GB* sütnivaló májas hurka **4. a)** *szl US [homoszexuális férfi]* homokos, buzi **b)** *GB szl* ‹csúnya nő› **II.** *tsi* nyalábba köt, kötegel

faggoting *fn* azsúröltés

fag hag *fn szl* ‹heteroszexuális nő, aki homoszexuális férfiak társaságát kedveli›

Fahrenheit [ˈfærənhaɪt] *mn fiz* Fahrenheit

Fahrenheit scale *fn fiz* Fahreinheit-skála

faience [faɪˈɑːns ‖ feɪˈɑns] *fn* fajansz

fail [feɪl] **I. A.** *tni* **1. a)** nem sikerül, nem vezet célra, meghiúsul, kudarcba fullad; **if everything ~s** ha minden kötél szakad **b)** megbukik, kudarcot vall **c)** *jog* ~ **in a suit/case** elveszti a pert **2.** mulasztást követ el, nem tesz eleget vmnek, nem teljesít *[kötelességet]*; ~ **in one's duty** elmulasztja kötelességét; ~ **to do sg** elmulaszt vmt megtenni; **I ~ to see your point** nem értem, mit akar ezzel mondani, nem tudom hova/mire akar kilyukadni **3.** kimerül, hiányzik, elmarad, elégtelen; **our water supply has ~ed** a vízkészletünk kimerült **4.** elromlik, felmondja a szolgálatot, bedöglik *[gép]* **5.** (le)romlik, gyengül *[egészség, látás]*, csökken, fogy *[erő]*; **his sight is ~ing** gyengül a látása **6.** *gazd* fizetésképtelen lesz, csődbe jut **B.** *tsi* **1.** cserbenhagy, elhagy; **his courage/heart ~ed him** elhagyta (v. inába szállt) a bátorsága; **his memory has ~ed him** cserbenhagyta az emlékezete; **I won't ~ you** megszolgálom a bizalmát; **words ~ me** nem találok szavakat **2. a)** megbukik (vmben); ~ **the examination** megbukik a vizsgán; elzúg, elhasal **b)** elbuktat, nem enged át *[vizsgán]* **II.** *fn* bukás *[pl. vizsgán]*; **without** ~ feltétlenül, okvetlenül

failed [feɪld] *mn* **1.** sikertelen, bukott *[jelölt, vizsgázó]* **2.** gyenge, kimerült, tönkrement; elégtelen

failing [ˈfeɪlɪŋ] **I.** *fn* gyengeség, gyarlóság, hiba; **we all have our little ~s** senki sem tökéletes **II.** *elölj* hiányában; **~ an answer** válasz hiányában; **~ whom, whom ~** akinek távollétében; **~ all else...** ha minden kötél szakad, végső esetben

fail-safe a) *mn* üzembiztos **b)** *infor* meghibásodásbiztos

failure [ˈfeɪljə ‖ –ər] *fn* **1.** sikertelenség, kudarc, felsülés, eredménytelenség, meghiúsulás; **a dead ~** teljes bukás **2.** sikertelen *[ember]*; **he is a complete ~** semmire sem viszi; csődtömeg **3.** mulasztás; **~ in duty** kötelességszegés **4. a)** (le)romlás, gyengülés *[egészségé, látásé]*, fogyás *[erőé]*, elégtelenség *[szerv működésében]* **b)** leállás, kihagyás, meghibásodás *[gépé]*; **power ~** áramszünet **5.** hiány, kifogyás; **~ of rain** az esőzések elmaradása **6.** *gazd* fizetésképtelenség, csőd, bukás; **~ to pay** nem fizetés

failure rate *fn infor* hibagyakoriság

fain [feɪn] *régi vál* **I.** *mn* **be ~ to do sg** szívesen/örömest tesz vmt, kénytelen-kelletlen hajlandó/kész vmt (meg)tenni **II.** *hsz régi vál* készségesen, örömest, szívesen; **he would ~ go** örömest menne

fainéant [ˈfeɪnɪənt] **I.** *fn* naplopó, semmittevő **II.** *mn* henye, semmittevő

faint [feɪnt] **I.** *tni* **1.** elájul, eszméletét veszti; **~ with hunger** ájuldozik az éhségtől **2.** elhalványodik, kifakul, elhal(kul), enyhül **II.** *mn* **1. a)** *átv is* gyenge, erőtlen, bágyadt; **feel ~** rosszul van, szédül **b)** halvány, elmosódott, alig látható *[szín, körvonal]*, gyenge, halk, alig hallható *[hang]*, enyhe, alig észrevehető/érezhető/érzékelhető *[illat, szellő]* **2.** *átv* bizonytalan, ködös, halvány; **~ hope** halvány remény; **I haven't the ~est idea** (halvány) fogalmam sincs róla **3.** nyomasztó, ájulást előidéző; **~ atmosphere** nyomasztó légkör **4.** félénk, bátortalan; **~ heart** félénk természet; gyáva **III.** *fn* **a)** ájulás, eszméletvesztés **b)** ájultság, eszméletlenség • *fn* **faintness**

faint-hearted *mn* **a)** gyáva **b)** félénk

faintly [ˈfeɪntli] *hsz* halványan, alig hallhatóan, gyengén

fair[1] [feə ‖ fer] **I.** *mn* **1. a)** becsületes, tisztességes, korrekt *[eljárás]*, sportszerű; **by ~ means or foul** mindenáron; így vagy úgy; *közm* **all's ~ in love and war** szerelemben és háborúban mindent szabad **b)** igazságos, tárgyilagos; **~ and square** becsületes, tisztességes; **~ deal** tisztességes üzlet/alku, *átv* tisztességes bánásmód; **a ~ playing field** egyenlő (elő)feltételek mellett, részrehajlás nélkül **c)** helyes, ill(end)ő, méltányos; **a ~ share** őt megillető rész; **~ game** szabad préda; **be (a) ~ game** szabadon/joggal támadható/csúfolható; **get a ~ hearing** tisztességes elbírálásban részesítik *[ügyét/véleményét]*; **~ trade** méltányosság elvén alapuló szabad kereskedelem; **it is only ~ to say (that)** őszintén meg kell mondani, hogy **2.** megfelelő, kielégítő, elégséges, közepes *[vizsgajegy]*; **have a ~ chance of success** elég jó esélye/kilátása van a sikerre; **he has a ~ knowledge of English** elég jól beszél angolul; **~ enough** az már igaz, hát legyen, úgy van belátom **3.** szőke *[haj]*, fehér, világos *[bőr, arcszín]* **4. a)** kedvező *[szél]*, derült, száraz *[idő]*; **~ sky** derült égbolt **b)** jókora; **~ amount (of)** jókora (összeg) **5.** szép(séges), gyönyörű; jól/szépen hangzó, kecsegető; **he gives us but ~ words** szép szavakkal hiteget **6.** tiszta, áttetsző; könnyen olvasható; **~ copy** tisztázat; **~ name** jó hírnév **II.** *hsz* **1.** nyíltan, becsületesen, korrektül, méltányosan; **~ and square** becsületesen, pontosan, kerekperec **2.** *GB* alaposan, pont(osan); **struck/hit him ~ (and square) on the chin** pontosan állon találta **3.** *régi* **speak (sy) ~** előzékenyen/udvariasan beszél (vkhez) **III.** *fn régi* **a ~** szépasszony **IV.** *tsi hajó* simára formál *[hajótestet]* • *fn* **fairness** *mn* **fairish**

fair up *tni* kitisztul, kiderül *[idő]*

fair[2] [feə ‖ fer] *fn* vásár, kiállítás; → **world fair**

fair dos [–duːz] *fn GB biz* méltányosan elosztott (v. vkit megillető) javak/jogok

faired [feəd ‖ ferd] *mn* áramvonalas

fairground *fn* vásártér, vásár területe

fairing[1] *fn* áramvonal (kiképzése)

fairing[2] *fn régi* vásárfia

fairlead *fn hajó* vezetőfül, kötélvezető

fairly [ˈfeəli ‖ ˈferli] *hsz* **1.** becsületesen, korrektül; méltányosan **2.** meglehetős(en), elfogadhatóan; **he speaks English ~ well** meglehetősen jól beszél angolul **3.** világosan, tisztán, olvashatóan **4.** *biz* teljesen, tökéletesen, alaposan; **~ beside himself** teljesen magán kívül **5.** tulajdonképpen, valójában

fair-minded *mn* pártatlan, elfogulatlan

fair play *fn* tisztességes/korrekt eljárás, fair play

fair sex *fn* a szebbik nem

fair-spoken *mn* udvarias, jómodorú

fairway *fn* **1. a)** hajózható csatorna/átjáró **b)** hajózó csatorna *[folyóban]* **2.** ‹golfpálya ápolt pázsitos sima része›

fair-weather *mn* **1. a)** csak jó időben használható **b)** *hajó* nem viharálló **2.** megbízhatatlan

fair-weather friend *fn átv* érdekbarát

fairy [ˈfeəri ‖ ˈferi] **I.** *fn* **1.** tündér; **the wicked ~** a gonosz tündér **2.** *US szl [homoszexuális férfi]* buzeráns, buzi **II.** *mn* **1.** tündér-, tündéri; **~ gold/money** csalóka gazdagság **2.** kecses, törékeny, filigrán • *mn* **fairy-like**

fairy cycle *fn GB* gyerekbicikli

fairy godmother *fn átv* jótevő, jótét lélek

fairyland *fn* **1.** *átv* tündérország **2.** a csodák (varázslatos) világa

fairy ring *fn növ* boszorkánygyűrű

fairy-stone *fn* **1.** *régi* kő nyílhegy **2.** különös kő(képződmény)

fairy story → **fairy tale**

fairy tale *fn* **1.** tündérmese **2.** *biz* kitalálás, lódítás

fait accompli [ˌfeɪt əˈkɒmpli ‖ –ækɑmˈpliː] *fn tsz* **faits accomplis** megmásíthatatlan tény; **it's a ~** kész helyzet elé vagyunk állítva

faith [feɪθ] *fn* **1.** bizalom, hit; **have ~ in sy/sg** (meg)bízik vkben/vmben; **put one's ~ in sy** minden bizalmát vkbe vezeti, számít vkre **2.** *vall* hit(vallás); *vall* **the Christian ~** a keresztény/keresztyén hit/vallás/tanok **3.** hűség, kötelességtudás; **breach of ~** hitszegés, árulás; **in good ~** *jog* jóhiszeműen **4.** ígéret, (adott) szó, kötelezettség; **keep ~ with sy** állja a szavát, eleget tesz kötelezettségének, megtartja vknek tett ígéretét **5. (by/upon) my ~!** becsületemre/szavamra (mondom)!

faith-cure *fn* **a)** gyógyítás imádkozással **b)** gyógyítás szuggesztióval

faithful [ˈfeɪθfl] *mn* **1. a)** hű(séges), odaadó, ragaszkodó **b)** megbízható *[barát]* **c)** kitartó, elvhű **2.** megbízható; hiteles **3.** *vall* hívő; **the ~** a hívők, az igazhitűek *[mohamedánok]*

faithfully [ˈfeɪθfəli] *hsz* **1. a)** hűségesen, odaadóan, ragaszkodóan **b)** megbízhatóan **2.** hitelesen **3. yours ~** *ált GB* őszinte híve, kiváló tisztelettel *[levél búcsúformulája]*

faith healing *fn* gyógyítás imádkozással/szuggesztióval • *fn* **faith healer**

faithless [ˈfeɪθləs] *mn* **1. a)** hűtlen **b)** álnok, csalárd **2.** hitetlen

fake[1] [ˈfeɪk] **I.** *fn* **1. a)** *biz* hamisítvány, utánzat **b)** *biz* szélhámos, csaló **2.** szélhámosság, csalás **II.** *tsi* **1.** (meg)hamisít **2.** tettet, színlel **III.** *mn* hamis, ál • *fn* **faker, fakery**

fake[2] [feɪk] *hajó* **I.** *fn* kötélgyűrű **II.** *tsi* felteker *[kötelet]*

fakir [ˌfeɪkɪə ‖ fəˈkɪr] *fn* fakír

Falangist [fəˈlændʒɪst] *mn/fn* falangista *[spanyol fasiszta]* • *fn* **Falange, Falangism**

falcate [ˈfælkeɪt] *mn* sarló alakú

falchion [ˈfɔːltʃn] *fn tört* hegye felé szélesedő rövid görbe kard

falciform [ˈfælsɪfɔːm ‖ –fɔrm] *mn orv* sarló alakú

falcon [ˈfɔːlkən ‖ ˈfæl–] *fn* **a)** (vadász)sólyom **b)** nőstény sólyom *[solymászatban]*

falconer [ˈfɔːlkənə ‖ ˈfælkənər] *fn* solymár

falconet [ˌfælkəˈnet] *fn* **1.** *kat tört* könnyű ágyú **2.** *áll* törpesólyom
falconry [ˈfɔːlkənri ‖ ˈfæl–] *fn* solymászat
falderal [ˈfældəræl ‖ ˌfældəˈræl] *fn* **1.** értelmetlen refrén **2.** mütyürke, limlom **3.** *szl* rizsa, duma
falderol [ˈfældərɒl ‖ ˌfældəˈrɑl] → **falderal**
faldstool [ˈfɔːldstuːl] *fn vall* **1.** püspöki szék **2.** térdeplő **3.** *GB* koronázózsámoly
Falkland Islands [ˈfɔːlklənd ‖ ˈfɑklənd] *tul földr* Falkland-szigetek
fall [fɔːl] **I.** *pt* **fell** [fel], *pp* **fallen** [ˈfɔːlən ‖ ˈfɑlən] **A.** *tni* **1. a)** (le)esik, (le)hull, (le)zuhan; **let ~** elejt, kiejt; *átv* **his face fell** leesett az álla; **my spirits fell** elvesztettem bátorságomat/kedvemet **b)** elesik, elvágódik, összeesik; *átv* **~ flat** dugába dől *[terv]*, nincs hatása/sikere *[pl. tréfának]*; **~ foul**, *US* **~ afoul** összeütközésbe kerül (v. veszekszik) vkvel **c)** elesik *[csatában]*, elpusztul; **~ victim** áldozatul esik **d)** elbukik, megbukik; **the Government has fallen** a kormány megbukott; **when Liege fell** Liege elestekor **e)** leomlik, összeomlik, összedől *[épület]* **f)** leszáll; **night is ~ing** leszáll az est, alkonyodik, esteledik **2. a)** elül, gyengül *[szél]*, esik, zuhan, értékéből veszít *[pl. értékpapír]*; **~ in esteem** esik az emberek szemében **b)** esik, lejt **3. a) ~ short of** alatta marad vmnek, nem sikerül elérnie vmt **b) ~ sick** megbetegszik **c) ~ vacant** megüresedik, megürül *[állás]* **4.** *mezőg* születik **5.** megpuhul *[bőr]* **6.** megalázkodik, leborul (vm/vk előtt) **7.** bűnbe esik, enged a kísértésnek **B.** *tsi* **1.** ledob, levet *[ló lovast]* **2.** *US* kivág, kidönt *[fát]* **II.** *fn* **1. a)** (le)esés, (le)hullás, (le)zuhanás; **free ~** szabadesés; *biz* **ride for a ~** vesztébe rohan **b)** omlás, csuszamlás **c)** bukás *[birodalomé, kormányé]*, pusztulás, összeomlás; **the ~ of Troy** Trója eleste; **~ from grace** kegyvesztettség **d)** *vall* **the F~** a bűnbeesés **2. a)** lejtés, esés, lejtő, csökkenés **b)** *gazd* esés, zuhanás *[áré, részvényé]*; **~ in prices** áresés **3.** *US* ősz *[évszak]* **4. a)** csapadék (mennyisége) **b)** *tsz* **falls** vízesés, zuhatag **c)** vízmagasság *[duzzasztógátnál]* **5.** *sp* tus! *[birkózásban]* **6.** *mezőg* ellés • *fn* **faller**, **falling**
fall about *tni* szertehullik
fall across A. *tni* felbukik (vkn/vmn) **B.** *tsi* **~ sy** belebotlik vkbe
fall apart *tni* **1.** darabokra törik/hullik **2.** felbomlik *[pl. rend]*; zavarossá/kaotikussá válik *[helyzet]* **3.** elgyengül *[idegileg]*
fall away *tni* **1.** meredekké válik **2.** megcsappan; visszaesik *[munka, teljesítmény]* **3.** megszökik, hűtlenné válik *[katona, követő]*, *vall* hitét elhagyja
fall back *tni* **1.** hátraesik, visszaesik **2.** *kat* visszavonul **3. ~ back (up)on sy/sg** támaszkodik vkre/vmre, számíthat vkre/vmre
fall back on *tni* (szükség esetén) támaszkodik vkre
fall behind *tni átv is* elmarad, hátramarad, lemarad
fall down *tni* **a)** leesik, földre esik **b) ~ on** kudarcot vall, meghiúsul, megbukik
fall for *tni biz* **a) ~ for sy** beleszeret/beleesik vkbe **b)** bevesz, elhisz vmt
fall from *tni* **~ from one's position** elveszti az állását
fall in *tni* **1.** *kat* **~ in (line)** (fel)sorakozik; **~ in!** sorakozz! **2.** beomlik **3. ~ love** szerelmes lesz; beleszeret **4. a)** véletlenül (össze)találkozik (vkvel), beleszalad (vkbe) **b)** elfogadja (v. magáévá teszi) vk véleményét, egyetért vkvel **c)** megegyezik (vmvel)
fall into *tni* **1.** *átv* beleesik vhová/vmbe; **the custom fell into desuetude** a szokás kiment a használatból/divatból; **~ into bad company** rossz társaságba kerül; **~ into conversation with sy** szóba elegyedik vkvel; **~ into sy's hands** vk karmaiba kerül; **~ into poverty** nyomorba jut; **~ into rage** dühbe gurul; **~ into the trap** beleesik a csapdába, lépre megy; **~ line** elfoglalja helyét a rangsorban; alkalmazkodik vkhez; **~ place** értelmet/jelentést kap; „összeáll a kép"; működni kezd *[dolog]* **2.** (fel)oszlik, szétesik
fall off *tni* **1.** leesik **2.** eláll *[szándékától]*, visszavonul **3.** (le)csökken, elmarad(ozik); romlik, visszaesik
fall on *tni* (rá)esik, (rá)zuhan (vmre); **~ on the enemy** az ellenségre veti magát; **~ the solution** rátalál/rájön a megoldásra; **~ one's face** pofára esik, ráfarag; **it ~s on me to...** rám hárul, hogy...; **suspicion fell on him** a gyanú rá terelődött
fall out *tni* **1.** kiesik (of vhonnan); **~ out of a habit** leszokik vmről **2.** *kat* kilép a sorból, megbontja a sort; **~ out!** oszolj! **3.** összeveszik, összerúgja a port **4. a)** (ki)hullik *[haj]* **b)** kiválik, kicsapódik **5.** *sp* kidől, kiesik *[versenyből]* **6.** előadódik, megtörténik; **as it ~s out** történetesen úgy esett,hogy..., végül is...
fall over *tni* **1.** felbukik *[személy, ló stb.]*, hanyatt esik *[személy]*, felborul, felfordul *[tárgy]* **2. a) ~ over sg** átesik/átbukik/keresztülesik vmn **b)** ráesik, ráomlik (vmre); **her hair fell over her shoulders** haja a válláig ért (v. vállára omlott) **3. a) ~ over oneself** „szerencsétlenkedik", ügyetlenkedik **b)** *szl [nagyon igyekszik]* nyomul
fall through *tni átv* nem sikerül, megbukik, meghiúsul, kudarcba fullad, füstbe megy *[terv]*
fall to *tni* **1. a) ~ pieces** darabokra hull; *átv* összeroppan *[személy]* **b) ~ temptation** enged a kísértésnek **2.** rámarad, rászáll *[tisztség, kötelesség]* **3.** nekigyürkőzik; nekifog, nekilát
fall together *tni* **1.** egybeesik **2.** együtthangzik
fall under *tni* **1.** vm alá esik; **~ under suspicion** gyanúba keveredik **2.** *átv* vm alá esik/tartozik
fall upon *tni* **1.** ráesik **2.** nekitámad (vknek), vmnek **3.** véletlenül rátalál (vmre) **4.** száll (vkre) *[felelősség]*
fall within *tni* **this does not ~ within my competence** ez nem rám tartozik (v. nem tartozik hatáskörömbe)
fallacy [ˈfæləsi] *fn* **1.** megtévesztés, félrevezetés **2.** téves következtetés, hamis érvelés **3.** téveszme, tévedés; **a popular ~** közkeletű téveszme • *mn* **fallacious** *hsz* **fallaciously**
fall-back I. *fn* **1.** tartalék **2.** visszaesés, lemaradás **II.** *mn* tartalék; → **fall back**
fallen [ˈfɔːlən] **I. 1.** *mn átv* romlott, bukott; **~ angel** bukott angyal; **the ~ king** trónfosztott király **2.** elesett **II.** *fn* **the ~** az elesettek *[csatatéren]* • *fn* **fallenness**
fall guy *fn szl* **1.** *[könnyű áldozat/préda]* balek **2.** bűnbak
fallible [ˈfæləbl] *mn* gyarló, esendő, nem tévedhetetlen • *fn* **fallibility** *hsz* **fallibly**
falling-out *fn* vita; veszekedés
falling star *fn* hullócsillag; meteor
fall-off *fn* csökkenés, hanyatlás
Fallopian tube [fəˈloupɪən –] *fn orv* petevezeték
fallout *fn* **1.** *fiz* kihullás *[nukleáris robbanás után]* **2.** káros mellékhatás; → **fall out**
fallout shelter *fn* földalatti atombunker
fallow[1] [ˈfælou] *mezőg* **I.** *mn átv is* parlagon/ugaron hagyott *[föld]*; **lie ~** ugaron/parlagon fekszik **II.** *fn mezőg* ugar, parlag, felszántott, de be nem vetett föld **III.** *tsi* ugarol(tat)
fallow[2] [ˈfælou] *mn* halvány vörösbarna/sárgásvörös, rőt
fallow deer *fn áll* dámvad
fall-pipe *fn* vízlevezető csatorna
falltime *fn US* ősz
false [fɔːls] **I.** *mn* **1.** helytelen, téves, hibás; **~ alarm** vaklárma; *zene* **strike/sound a ~ note** hamis hangot üt meg; **~ pride** önhittség, önteltség; **~ start** hibás rajt *[versenyen]*; **take a ~ step** elhibázott lépést tesz **2.** megtévesztő, félrevezető; **~ accusation** hamis vád; **~ doctrine** hamis tanítás, tévtan; **~ news** álhír; **bear ~ witness** hamisan tanúskodik **3.** álnok, hamis, kétszínű; **~ to the core** lelke mélyéig álnok **4. a)** hamis, ál-, mű-, színlelt, tettetett; *kat* **~ attack** színlelt támadás; **~ bottom** kettős fenék *[táskáé]*; **~ teeth** műfog; **~ modesty** álszerénység **b)** látszat; **~ economy** látszatgazdaság **II.** *hsz* **play sy ~** elárul vkt; becsap vkt • *fn* **falseness**, **falsity** *hsz* **falsely**

false colours *fn tsz GB* álnok/szemfényvesztő színlelés/tettetés; **sail under ~** hamis színben mutatkozik; másnak adja ki magát mint ami; → **colour** II.
falsehood [ˈfɔːlshʊd] *fn* **1. a)** valótlan(ság); **distinguish truth from ~** megkülönbözteti a valót a valótlantól **b)** hazugság **2.** hazudozás, hamisság, kétszínűség
false scent *fn* **1.** illatcsali **2.** hamis nyom
falsetto [fɔːlˈsetoʊ] *fn zene* **1.** fejhang, falsetto **2.** kappanhangú (férfi)
falsework [ˈfɔːlswɜːk ‖ −wɜrk] *fn épít* mintaállvány, szerelőállvány
falsies [ˈfɔːlsiːz] *fn tsz* habszivacsbetét melltartóba
falsify [ˈfɔːlsɪfaɪ] *tsi* **1.** meghamisít *[okiratot, szöveget]* **2.** félremagyaráz **3. a)** megcáfol **b)** meghiúsít *[reményt]* **c)** megszeg *[ígéretet]* • *fn* **falsifiability, falsification** *mn* **falsifiable**
Falstaffian [fɔːlˈstɑːfɪən ‖ −ˈstæ−] *mn* kövér, jókedvű, kicsapongó természetű *[W. Shakespeare Sir John Falstaffja alapján]*
falter [ˈfɔːltə ‖ −ər] **A.** *tsi* **~ out/forth sg** eldadog/elhebeg vmt **B.** *tni* **1.** ingadozva jár, botladozik, tántorog, támolyog **2.** habozik, tétovázik, visszariad **3.** akadozik, elakad, elcsuklik *[hang]*
fame [feɪm] **I.** *fn* **1.** hír(név), dicsőség; **ill ~** hírhedtség; **win ~** nevet szerez **2.** reputáció **3. a)** *régi* hír(esztelés), szóbeszéd **b)** *vál régi* **F~** Fáma **II.** *tsi* híressé tesz; **to be ~d (as/for)** hírnévre tesz szert (mint/...vel), arról ismert, hogy...
famed [feɪmd] *mn* **1.** ünnepelt, dicsőített **2.** hír(nev)es, közismert
familial [fəˈmɪlɪəl] *mn orv* családban előforduló, örökletes *[betegség]*
familiar [fəˈmɪlɪə ‖ −ər] **I.** *mn* **1. a)** (jól) ismert, ismerős, megszokott; **~ face** ismerős arc; **be/move on ~ ground** elemében van, otthon érzi magát **b)** mindennapi, hétköznapi, közönséges **2. be** (v. **make oneself) ~ with sg** otthonos/jártas vmben **3. a)** meghitt, bizalmas, intim; **be ~ with sy, be on ~ terms with sy** bizalmas/meghitt viszonyban van vkivel, jóban van vkvel; **~ friend** meghitt barát **b)** bizalmaskodó, tolakodó **c)** szexuálisan bizalmaskodó **4.** közvetlen **II.** *fn* **1.** meghitt/bizalmas barát **2.** pápai/püspöki famulus **3.** kísérő szellem
familiarity [fəˌmɪliˈærəti] *fn* **1.** megszokottság, ismerős volta (vmnek) **2.** jártasság **3. a)** meghittség, bizalmasság **b)** bizalmaskodás, tolakodás; *közm* **~ breeds contempt** a bizalmaskodás tiszteletlenséget szül **c)** szexuális bizalmaskodás
familiarize [fəˈmɪlɪəraɪz], **-ise** *tsi* **1.** megismertet; **~ sy with sg** hozzászoktat vkt vmhez; jártassá tesz vkt vmben **2.** ismertté tesz vmt • *fn* **familiarization**
family [ˈfæməli] *fn* **1.** család; **be one of the ~** a családhoz tartozik, családtag(nak számít); **it runs in the ~** családi vonás; **in a ~ way** formaságok nélkül, családiasan; *biz* **she is in the ~ way** teherben van **2.** előkelő család/származás; **man of ~** jó családból való ember **3.** *biol* család; **~ of cats** a macskák családja **4.** *jelzői haszn* családi, család-; **a purely ~ affair** családi ügy **5.** nyelvcsalád
family allowance *fn* családi pótlék
family business *fn* családi vállalkozás
family doctor *fn* háziorvos
family likeness *fn* családi vonás
family man *fn* **a)** családapa **b)** otthonülő ember
family name *fn* családi név
family planning *fn* családtervezés, születésszabályozás
family reunion *fn* **1.** családi összejövetel **2.** családegyesítés
family skeleton *fn* a család titkolt szégyene
family tree *fn* családfa
family vault családi kripta/sírbolt
famine [ˈfæmɪn] *fn* **1.** éhínség; éhezés **2.** hiány, ínség, szükség; **water ~** vízhiány
famine prices *fn tsz* uzsoraárak
famish [ˈfæmɪʃ] **A.** *tsi* (ki)éheztet; **~ed-looking** kiéhezett (külsejű) **B.** *tni* **1.** éhezik; nélkülöz, nyomorog **2.** *biz* **be ~ing** majd meghal az éhségtől, éhes mint a farkas
famous [ˈfeɪməs] **I. 1.** *mn* hír(nev)es, ismert **2.** *biz* **that's ~!** pompás!, nagyszerű! **II.** *fn* **the rich and ~** a felső tízezer • *fn* **famousness**
famously [ˈfeɪməsli] *hsz biz* remekül
fan[1] [fæn] **I.** *fn* **1.** szellőz(tet)ő készülék, ventilátor **2. a)** legyező **b)** *áll* farkuszony *[pl. bálnáé]* **3.** propeller; légcsavar **4. a)** *mezőg* gabonarosta **b)** *geol* **alluvial ~** törmelékkúp, hordalékkúp **II.** *tsi* **1. a)** legyez(get) **b) ~ away sg** lefújj/lesöpör vmt **c) ~ (up) the fire/flame** szítja a tüzet; *átv* olajat önt a tűzre; **~ the passions** felkorbácsolja a szenvedélyeket **2.** mozgat, mozgásba hoz *[levegőt]* **3.** *mezőg* rostál *[gabonát]* • *fn* **fanner** *mn* **fanlike**
fan out A. *tsi* (legyező alakban) szétterít **B.** *tni* (legyezőszerűen) szétterül
fan[2] [fæn] *fn biz* rajongó, *sp* szurkoló, drukker
fanatic [fəˈnætɪk] *mn/fn* megszállott, fanatikus • *ts/tni* **fanaticize, -ise** *fn* **fanaticism** *mn* **fanatical** *hsz* **fanatically**
fan belt *fn gk* ékszíj
fancier [ˈfænsiə ‖ −ər] *fn* kedvelő, barát, szakértő; **dog ~** kutyabarát; kutyatenyésztő
fanciful [ˈfænsifl] *mn* **1.** képzeletszülte, irreális **2.** szeszélyes, hóbortos **3.** érdekes díszítésű, fantasztikusan tervezett **4.** különös, furcsa • *fn* **fancifulness** *hsz* **fancifully**
fan club *fn* rajongó(k) klub(ja)
fan-cooled *mn* ventilátorhűtésű, léghűtéses
fancy [ˈfænsi] **I.** *fn* **1. a)** ízlés, gusztus; **take ~ to sg** kedvet kap vmhez; **catch/take/strike sy's ~** felkelti vk érdeklődését; **what's your ~?** mihez van gusztusod?, mi volna ínyedre? **b)** vesszőparipa, szenvedély **2. a)** szeszély, hóbort **b)** tetszés, vágy; **passing ~** futó érdeklődés/szeszély; kaland **3. a)** képzelet, fantázia **b)** látomás, elképzelés **c)** képzelődés, agyszülemény **4. the ~** vmlyen művészeti irány/sportág/stb. rajongói/fanatikusai **II.** *mn* **1.** szokatlan, luxus, díszes; **~ goods** luxusáru; díszműáru; **~ name** fantázianév; álnév; **~ work** finom kézimunka **2.** szeszélyes, hóbortos **3.** képzeletbeli, fantáziaszülte **4.** különleges, minőségi; **~ cake** cukrászkülönlegesség **5. ~ man** *szl [szerető]* hapsija; kitartott (férfi); **~ woman** *[szerető]* csaja **III.** *tsi* **1.** hisz, gondol, vél **2.** *GB* **a) ~ sg** vm tetszik/jólesik (v. kedvére van) (vknek) **b) ~ sy** vonzódik vkhez, szeret/kedvel vkt, szerelmes vkbe **c)** szexuálisan vonz, (meg)kíván **3. ~ oneself** sokra tartja magát **4.** elképzel, elgondol • *fn* **fanciness** *mn* **fanciable** *hsz* **fancily**
fancy-box *fn* díszdoboz
fancy dress *fn* jelmez; maskara
fancy dress ball *fn* jelmezbál
fancy-free *mn* **be footloose ~** szabad a szíve, nem köti semmi
fancy-work *fn* díszítés, cicoma
fandangle [fænˈdæŋgl] *fn* **1.** *biz* feltűnő/különcködő dísz(ítés) **2.** *biz* ostobaság, badarság
fandango [fænˈdæŋgoʊ] *fn* **1.** fandango *[gyorsütemű spanyol tánc/zene]* **2.** ostobaság
fandom [ˈfændəm] *fn* rajongók (tábora)
fane [feɪn] *fn vál* templom
fanfare [ˈfænfeə ‖ −fer] *fn* **1.** harsonaszó **2.** → **fanfaronade** 1. **3.** szívélyes üdvözlés
fanfaronade [ˌfænfərəˈnɑːd ‖ −færəˈneɪd] *fn* **1.** dicsekvés, kérkedés **2.** → **fanfare** 1.
fang [fæŋ] *fn* **1. a)** tépőfog, agyar **b)** méregfog *[kígyóé]* **2.** foggyökér(agy) **3.** *GB biz* fog • *mn* **fanged, fangless**
fang-bolt *fn műsz* alapzatcsavar, kőcsavar
fan heater *fn* ventillátoros hősugárzó
fan-jet *fn* szellőzőfúvóka, légfúvóka
fanlight *fn* (félkör/legyező alakú) felülvilágító (ablak)
fan mail *fn* rajongók levelei
fan palm *fn növ* ernyőpálma

F

fan-tail *fn* **1.** *áll* pávagalamb **2.** *épít* legyező alakú szerkezeti rész **3.** szárny, vitorla *[szélmalomé]* **4.** *hajó* (hajó)tat
fantasia [fænˌteɪzɪə ‖ fænˈteɪʒə] *fn zene* fantázia
fantasize [ˈfæntəsaɪz], **-ise** *tsi* **a)** elképzel vmt **b)** fantáziál/álmodozik vkről/vmről; → **phantasize** • *fn* **fantasist**
fantastic [fænˈtæstɪk] *mn* **1.** *biz* klassz, fantasztikus **2.** különös, bizarr, fantasztikus **3.** *ritk* képzelt, látomásszerű, abszurd • *fn* **fantasticality** *hsz* **fantastically**
fantasticate [fænˈtæstɪkeɪt] *tsi* fantasztikussá/különössé tesz • *fn* **fantastication**
fantasy [ˈfæntəsi] **I.** *fn* **1.** képzelőerő, fantázia **2. a)** szeszély **b)** szertelen gondolat/ötlet **3.** agyszülemény, fantazmagória **4.** bizarr rajz/minta/díszítés/műalkotás **5.** *zene* → **fantasia II.** *tni zene* rögtönöz
fantasy football *fn biz* ‹képzeletbeli csapatok játéka›
fanzine [ˈfænziːn] *fn* sci-fi, sport, zene stb. rajongók magazinja, fanzin
fanny [ˈfæni] *fn szl tabu* **a)** *[női nemi szerv]* pina **b)** popó, segg
Fanny [ˈfæni] *tul* Fanni
Fanny Adams *fn GB* **1.** *szl* **(sweet) ~** *[egyáltalán semmi]* túró, szar se **2.** *hajó* **a)** konzervhús **b)** párolt hús
fanny pack *fn US szl* övtáska *stand*
FAO *röv Food and Agriculture Organization* Élelmezési és Mezőgazdasági Szervezet
façade [fəˈsɑːd] *fn* **1.** (épület)homlokzat **2.** *átv* arculat, látszat, külszín
FAQ *röv infor frequently asked questions* gyakran ismételt kérdések, gyakori kérdések gyűjteménye, GYIK
far [fɑː ‖ fɑr] **I.** *mn* **1.** messzi, távoli, távol- *[időről is]*; **the F~ East** a Távol-Kelet, Kelet-Ázsia **2.** távolabbi, messzebbi; **the ~ end of sg** vmnek a túlsó vége; **a ~ cry** nagy különbség/távolság **II.** *hsz* **1. a)** messze, távol, nagy távolságban *[időről is]*; **~ and near** mindenütt; **~ and wide** szerte/széles e világon; **~ away** messze, távol; **~ from the madding crowd** távol a tömegek/város zajától; **be ~ from believing sg** egyáltalán nem hisz el vmt; **he is ~ from (being) happy** minden csak nem boldog; **~ from it** szó sincs róla, távolról sem, dehogy is; **be ~ from the truth** meg sem közelíti az igazságot; **~ off** messze, távol; **as ~ back as 1900** már 1900-ban; **by ~** messze, vitathatatlanul; **by ~ the best** messze a legjobb **b) as ~ as the sea** egészen a tengerig; **as ~ as I can tell** amennyire meg tudom állapítani; **as ~ as I know** tudomásom szerint; **as ~ as that goes** ami ezt illeti; **as ~ as possible** amennyire csak lehet(séges); **make one's money go ~** jól beosztja a pénzét; **so ~** ez ideig, mostanáig; **so ~ and no farther** eddig és ne tovább; **so ~ so good** eddig rendben volna; **he went so ~ as to tell me to my face** nem átallotta a szemembe mondani; **in so ~** ...ennyiben, ami ezt/azt illeti; **in so ~ as...** amennyiben...; **carry a joke too ~** túlzásba viszi a tréfát; **that is going too ~** ez már több a soknál; **thus ~** idáig **2.** nagyon, erősen, jóval; **it is ~ better** sokkal jobb; **~ too many** túl sok(an)
farad [ˈfærəd ‖ –ræd] *fn fiz* farad *[a kapacitás SI egysége]*, F
faradaic [ˌfærəˈdeɪɪk] *mn fiz*; **~ current** indukált áram
Faraday [ˈfærədeɪ ‖ –dɑ] *fn el* **~ cage** Faraday-ketrec; *fiz* **~ effect** Faraday-jelenség; *fiz* **~'s constant** Faraday-állandó
faradic [fəˈrædɪk] *mn* → **faradaic**
farandole [ˌfærəndoul] *fn* farandol *[körtánc és zenéje]*
faraway [ˌfɑːrəˈweɪ] *mn* **1.** távoli, messzi **2. a ~ look** álmodozó/révedező tekintet
far-between *mn* **visits few and ~** ritka/szórványos látogatások
farce [fɑːs ‖ fɑrs] *fn* **1. a)** *szính* bohózat; **knock-about ~** burleszk **b) the whole proceeding was a mere ~** az egész eljárás merő komédia volt **2. a)** töltelék *[húsételben]* **b)** tűzdelés, spékelés
farceur [fɑːˈsɜː ‖ fɑrˈsɜr] *fn* **1.** mókás fickó **2.** bohózat szereplője v. szerzője
farcical [ˈfɑːsɪkl ‖ ˈfɑr–] *mn* **1.** bohózatba illő, bohózatszerű **2.** *biz* nevetséges; lehetetlen, groteszk, abszurd
far cry *fn* **1.** nagy táv(olság); hosszú út **2. ~ from** nagyon különböző tapasztalat *[eltérő vmtől]*
farcy [ˈfɑːsi ‖ ˈfɑrsi] *fn* takonykór
fare [feə ‖ fer] **I.** *fn* **1. a)** menetdíj, viteldíj, útiköltség **b)** utas, fuvar **2.** ellátás, koszt **II.** *tsi* **1.** boldogul *[ember]*, halad *[dolog]*; **~ well** jól megy sora **2.** *vál* utazik; **~ forth** elutazik, útnak indul
fare stage *fn GB* **a)** vonalszakasz **b)** megállóhely *[szakaszhatáron]*
farewell [feəˈwel ‖ fer–] **I.** *isz* Isten vele! **II.** *fn* búcsú, istenhozzád; **bid ~ to sy** búcsút vesz vktől; **take a/one's ~ of sy** elbúcsúzik vktől **III.** *mn* búcsú-; **~ letter** búcsúlevél; **~ speech** búcsúbeszéd
far-famed *mn* messze földön ismert, nagyhírű
far-fetched *mn* túlzott, túl messzire menő
far-flung *mn* messze szétágazó, nagy kiterjedésű
far-gone *mn* **1.** előrehalad(o)t(t) **2.** *biz* gyógyíthatatlan, menthetetlen
farina [fəˈriːnə] *fn* **1.** liszt **2.** kása, tejbegríz **3.** *GB* (burgonya)keményítő **4.** *növ* virágpor, hímpor • *mn* **farinaceous**
farl [fɑːl ‖ fɑrl] *fn skót* zablisztből sült vékony lepény
Far Left *fn pol* **the ~** szélső baloldal(i párt/politikai erő)
farm [fɑːm ‖ fɑrm] **I.** *fn* **1. a)** (bérelt, bérbe adott) gazdaság, kisbirtok, farm **b)** tanyaház **2.** olajtároló **II. A.** *tsi* **1. a)** bérbe vesz/ad *[földet/jövedéket]* **b)** tartásra vállal, eltart *[gyermeket díjazásért]* **c) ~ (out)** kiad, kihelyez *[munkát]* **2.** (meg)művel **B.** *tni* gazdálkodik, földet művel • *mn* **farmable**
farm equipment *fn* mezőgazdasági felszerelés
farmer [ˈfɑːmə ‖ ˈfɑrmər] *fn* **1.** (kis)gazda, gazdálkodó, farmer **2. ~ of revenues** adóbérlő
farmhand *fn [régen]* béres, *[újabban]* mezőgazdasági munkás
farmhouse *fn* tanyaház, lakóépület *[tanyán]*
farmhouse loaf *fn* kb. házikenyér
farming [ˈfɑːmɪŋ ‖ ˈfɑr–] **I.** *mn* mezőgazdasági, földművelő, gazdálkodó; **~ implements** gazdasági felszerelés **II.** *fn* **1.** haszonbérlet **2.** gazdálkodás, földművelés, mezőgazdaság; **dry ~** szárazművelés; **stock ~** állattenyésztés
farming land *fn mezőg* művelés alatt álló föld
farming lease *fn* földhaszonbérlet
farm-reallocation *fn* tagosítás
farmstead [ˈfɑːmsted ‖ ˈfɑr–] *fn* tanya, major, majorság *[lakóház, gazdasági épületek]*
farm worker *fn* mezőgazdasági munkás
farmyard I. *mn* tanyaudvar **II.** *fn* otromba, visszataszító
faro [ˈfeərou ‖ ˈfer–] *fn ját* fáraó
far-off *mn* távoli, messzi
farouch [fəˈruːʃ] *mn* félénk, bátortalan
far out *mn US* **1.** extrém, szélsőséges **2.** *szl* óriási, eszméletlen
farrago [fəˈrɑːgou ‖ –ˈreɪgou] *fn* zagyvalék, kotyvalék *[szellemi]*
far-reaching *mn* **1.** széles körű, kiterjedt **2.** nagy horderejű; **have a ~ influence** kiterjedt összeköttetései vannak, befolyása messzire elér
farrier [ˈfærɪə ‖ –ər] *fn* **1.** patkolókovács **2.** *régi* lódoktor • *fn* **farriery**
Far Right *fn* **the ~** szélső jobboldal(i párt/politikai erő)
farrow [ˈfærou] *mezőg* **I.** *fn* **a)** egyhasi malacok **b)** ellés; **sow in/with ~** hasas koca/disznó **II. A.** *tsi* (malacokat) ellik **B.** *tni* megellik *[disznó]*
far-seeing *mn* előrelátó, körültekintő
Farsi [fɑːsi ‖ fɑrsi] *fn* farszi *[a modern perzsa nyelv]*
far-sighted *mn* **1.** → **far-seeing 2.** távollátó
fart [fɑːt ‖ fɑrt] *szl* **I.** *fn* fing **II. old ~** *[ellenszenves öregember]* vén szaros, trotty **III.** *tni* fingik

fart about *tni szl* **1.** marháskodik, hülyül **2.** *[piszmog]* szarakodik

fart around → **fart about**

farther [ˈfɑːðə ‖ ˈfɑrðər] **I.** *hsz* **1.** ~ **(off)** messzebb, távolabb; **I'll see you ~ first!** azt már nem!, arra ugyan várhatsz!, majd ha fagy!; **nothing is ~ from my thoughts** semmi sem áll távolabb tőlem, eszembe sem jut, eszem ágában sincs; ~ **on** messzebb, távolabb; előrébb, előbbre; ~ **(back) than...** régebben/korábban mint...; előtt **2.** messzebb(re), távolabbra, tovább; **see ~ than another** tovább lát mint a másik; **wish sy ~** ördögbe/pokolba kíván vkt **3. a)** *ritk* továbbá, ezenfelül, ezenkívül **b)** *Sh* többet; → **far II.** *tsi ritk* elősegít, előmozdít, támogat; → **further**

farthest [ˈfɑːðɪst ‖ ˈfɑr–] → **furthest**

farthing [ˈfɑːðɪŋ ‖ ˈfɑr–] *fn régi GB* negyed penny; **I haven't got a ~** egy fillérem sincs

farthingale [ˈfɑːðɪŋgeɪl ‖ ˈfɑr–] *fn* abroncsos betét *[szoknya alá]*

fartlek [ˈfɑːtlek ‖ ˈfɑrt–] *fn sp* Fartlek-edzés

far-travelled, *US* **-traveled** *mn* sokat utazott, világot járt

f.a.s. *röv* **1.** *firsts and seconds* **2.** *free alongside ship*

fasces [ˈfæsiːz] *fn tsz tört* fasces, vesszőnyaláb

fascia [ˈfeɪʃə ˈfæʃə ‖ ˌfeɪʃə] *fn tsz* **fasciae** [–ʃiː ‖ –ʃiiː] **1. a)** *épít* párkány **b)** homlokdeszka, cégtábla **2.** *orv* (seb)pólya **3.** *orv* izomhüvely • *mn* **fascial**

fasciate [ˈfæʃieɪt] *mn* **1. a)** *áll* csíkos, sávos **b)** *növ* nyalábos **2.** *orv* bepólyált, kötözött • *fn* **fasciation** *mn* **fasciated**

fascia writer *fn* címfestő, cégtáblafestő

fascicle [ˈfæsɪkl] *fn* **1. a)** ívcsomó **b)** aktaköteg **2.** *tud* orv köteg, nyaláb • *fn* **fasciculation** *mn* **fascicled, fascicular**

fascicule [ˈfæsɪkjuːl] **1.** → **fascicle** 1. **2.** részlet *[könyvből]*

fasciculus [fəˈsɪkjʊləs ‖ –kjə–] *fn* → **fascicle** 2.

fasciitis [ˌfæsɪˈaɪtɪs] *fn orv* fasciitis; izomhüvely/izomburok gyulladás

fascinate [ˈfæsɪneɪt] *tsi biz* elkápráztat, megigéz, lebilincsel • *fn* **fascinator** *mn* **fascinated**

fascinating [ˈfæsɪneɪtɪŋ] *mn* **a)** elbűvölő, elragadó, (bű)bájos **b)** lenyűgöző, megejtő, megragadó, magával ragadó, lebilincselő

fascination [ˌfæsɪˈneɪʃn] *fn* **1. a)** megbűvölés, megigézés **b)** megbűvöltetés, megigéztetés **2. a)** *biz* vonzerő, varázs **b)** *biz* elbűvöltség, elragadtatás

fascine [fæˈsiːn] *fn* ~ **(work)** rőzsemű, ágnyaláb

Fascism [ˈfæʃɪzm] *fn* fasizmus • *fn/mn* **fascist** *mn* **fascistic**

fashion [ˈfæʃn] **I.** *fn* **1.** divat; **the latest ~** a legutolsó/legújabb divat; **out of ~** divatjamúlt; **come into ~** divatba jön; **set the ~** divatot csinál **2.** divatos/elit társaság; **a man of ~** társaságbeli ember **3. a)** mód, módszer; **after/in a ~** úgy-ahogy, bizonyos szempontból; **behave in a strange ~** különös módon viselkedik; **do sg in one's own ~** a maga módján csinál vmt **b)** szabás, fazon *[ruháé]*; **after the ~ of...** ...mintájára, ...szerint **4.** mód, szokás; **in English ~** angol szokás szerint **II.** *tsi* **1. a)** mintáz, kialakít **b)** készít, csinál **c)** méretre/alakra készít/szab/köt **2.** alkalmaz, hozzáidomít • *fn* **fashioner**

fashionable [ˈfæʃnəbl] **a)** *mn* divatos, felkapott **b)** társaságbeli, előkelő *[ember]* • *fn* **fashionability** *hsz* **fashionably**

fashion designer *fn* divattervező

fashioned [ˈfæʃnd] *mn* **1.** megmintázott, megmunkált *[fa, márvány stb.]*, kiképzett; ~ **stone** faragott kő **2. fully ~ dress** alakra készített ruha

fashion house *fn* divattervező cég

fashion magazine *fn* divatlap

fashion show *fn* divatbemutató

fashion victim *fn [a divatot szolgaian követő ember]* divatbolond

fashionwear *fn* divatcikk

fast[1] [fɑːst ‖ fæst] **I.** *hsz* **1.** gyorsan, sebesen; **not so ~!** lassan a testtel!; **it is raining ~** ömlik az eső **2. a)** erősen, szorosan; **eyes ~ closed** szorosan lezárt szemek; **hold ~** szorosan/biztosan fog; kapaszkodik; **play ~ and loose** (i) kétkulacsoskodik (ii) becsap **b)** ~ **asleep** mélyen alszik **c)** ~ **beside/by** egész közel **3. live ~** kicsapongó/ledér életet él **II.** *mn* **1.** gyors, sebes; *szl* ~ **buck** könnyű suska; *fényk* ~ **lens** nagy fényerejű lencse; ~ **speaker** gyorsbeszédű; ~ **train** gyorsvonat **2. my watch is two minutes ~** két percet siet az órám **3. a)** *biz* kicsapongó, könnyűvérű **b)** *biz* **pull a ~ one** átejt/becsap vkt **4.** rögzített, szilárd, biztos; ~ **friendship** igaz/hű barátság; **have ~ hold on sg** erős/biztos kézzel tart vmt; **make ~** odarögzít, lerögzít; odaköt *[hajót a parthoz]* **5.** *összet* (ellen)álló; **wash ~** mosásálló; ~ **colours** tartós/színtartó festék

fast[2] [fɑːst ‖ fæst] **I.** *fn* **a)** böjt(ölés) **b)** koplalás **II.** *tni* **a)** böjtöl **b)** koplal

fast and furious I. *hsz* **1.** gyorsan **2.** buzgón, serényen **II.** *mn* buzgó

fast-breaking *mn* gyorsan terjedő *[hír]*

fast-day *fn* böjtnap

fasten [ˈfɑːsn ‖ ˈfæsn] **A.** *tsi* **1.** odaerősít, odaköt, ráerősít, ráköt **2.** rögzít, leszorít, összefog, bezár *[ajtót]*, begombol *[ruhát]*; ~ **your seat belts, please** kérem, kapcsolják be a biztonsági öveket! **3.** mereven figyel **B.** *tni* **a)** kapcsolódik *[ruha]*, (be)záródik **b)** köt *[cement]* • *fn* **fastener**

fasten down *tsi* lerögzít, odarögzít, lezár, lecsuk *[doboz fedelét]*, leragaszt *[levelet]*

fasten off *tsi/tni* eldolgoz *[öltéseket]*

fasten on A. *tsi* ~ **one's eyes on sy** rászegezi a szemét vkre; ~ **a quarrel on sy** beleköt vkbe; ~ **sg on sy** ráken/ráfog vmt vkre; **he ~ed on me** lecsapott rám **B.** *tni* ~ **on to sy's leg** vk lábába csimpaszkodik; ~ **on to sy's arm** vk karjába kapaszkodik

fasten together *tsi* összekapcsol, összetűz

fasten up *tsi* **1.** odaerősít, odaköt, megköt; ~ **up a parcel** csomagot készít/átkötöz **2.** ~ **up one's hair** feltűzi (v. kontyba tűzi) a haját

fast food *fn* ‹gyorséttermi étel›

fast(-)forward I. *mn el* gyors előrecsévélésű **II.** *fn* gyors előrecsévélés **III.** *tsi* gyorsan előrecsévél

fast-going *mn* **1.** gyors járású/mozgású **2.** gyors észjárású/gondolkodású **3.** kelendő (áru)

fastidious [fæˈstɪdɪəs] *mn* **1.** kényes, finnyás **2.** kifinomult ízlésű, igényes

fastigiate [fæˈstɪdʒɪət] *mn növ* elvékonyodó, élben/csúcsban (v. kúp alakban) végződő

fast lane *fn* **1.** *gk* gyorsítósáv **2.** mozgalmas/zaklatott élet; **live in the ~** mozgalmas/zaklatott életet él

fastness [ˈfɑːstnəs ‖ ˈfæst–] *fn* **1.** szilárdság, rögzítettség, szorosság **2. a)** erőd; **mountain ~** fellegvár, bagolyvár; búvóhely *[rablóké stb.]* **b)** védőbástya **3.** biztonság

fast-sailing *mn* ~ **ship** gyorsjáratú hajó

fast-setting *mn* gyorsan kötő *[cement]*

fast-track *mn/fn* ‹az átlagosnál gyorsabb eredményt hozó/adó (útvonal, módszer)›

fastuous [ˈfæstjʊəs] *mn* gőgös, fennhéjázó

fast-wind *tsi* audio/videószalagot gyorsan előre- v. hátracsévél

fat [fæt] **I.** *mn* **-tt- 1. a)** kövér, hájas, elhízott, testes *[ember]*, zsíros *[hús]*, hízott, hizlalt *[állat]*; **as ~ as a pig** kövér, mint a disznó; **get/grow ~** meghízik, elhízik **b)** vastag, vaskos; *nyomd* ~ **type** kövér/vastag betű **c)** zsíros, tapadós, kövér *[anyag]* **2.** kövér, termékeny, gazdag *[föld]*, kiadós, bőséges; ~ **years** bő esztendők; **you've got ~ chance to** jó esélyed van rá, hogy **II.** *fn* **1. a)** zsír, zsiradék, háj; **animal ~** állati zsír/zsiradék; **vegetable ~** növényi zsiradék; *biz* **put on ~** hízik **b)** *tsz* **fats** zsiradékok **2. a)** kövérje *[húsé]* **b)** java (vmnek) **3.** kenőanyag **III.** **-tt-** *tsi mezőg* hizlal

F

fatal [ˈfeɪtl] *mn* **1.** halálos, végzetes; ~ **accident** halálos kimenetelű baleset; ~ **disease** halálos betegség; *infor* ~ **error** nem helyrehozható hiba **2. a)** elkerülhetetlen **b)** baljós, sötét, komor *[előjel]* **c)** (sors)döntő *[elhatározás, pillanat]* **d)** végzetes, súlyos *[hiba]* • *hsz* **fatally**

fatalism [ˈfeɪtlˑɪzm] *fn* végzetben való hit, fatalizmus • *fn* **fatalist** *mn* **fatalistic**

fatality [fəˈtæləti ‖ feɪ–] *fn* **1.** halálos kimenetelű/végű baleset/szerencsétlenség; **there were no fatalities** a szerencsétlenségnek halálos áldozata nem volt **2. a)** végzet(szerűség), determináció **b)** balvégzet, balsors **c)** vészterhesség

fata morgana [ˌfɑːtə mɔːˈgɑːnə ‖ ˌfɑtə mɔrˈgɑnə] *fn* délibáb, fata morgana

fat cat *fn US [gazdag/befolyásos ember]* pénzes pasas, nagymenő

fate [feɪt] *fn* **1.** sors, végzet; ~ **worse than death** balsors, balszerencse; ~ **wills it** a sors úgy akarja; **as sure as** ~ holtbiztos; **decide/fix/seal sy's** ~ megpecsételi vk sorsát; *biz tréf* **meet one's** ~ találkozik a végzetével *[nőről]*; **leave sy to his** ~ vkt sorsára hagy/bíz **2.** halál, elmúlás, vég; **he met his** ~ **in 1999** 1999-ben halt meg **3. the F~s** a sors istennői, a Párkák

fated [ˈfeɪtɪd] *mn* **1.** végzetes, elkerülhetetlen **2.** rendelt, kijelölt, pusztulásra ítélt

fateful [ˈfeɪtfl] *mn* **1.** sorsdöntő, végzetes **2.** elkerülhetetlen, kikerülhetetlen **3.** végzetes, fatális **4.** baljós, vészjósló • *hsz* **fatefully**

fat farm *fn US biz* fogyasztótábor

fat-head *fn biz* hájfejű, mamlasz • *mn* **fat-headed**

father [ˈfɑːðə ‖ ˈfɑðər] **I.** *fn* **1.** apa, atya, mostohaapa, *biz* öreg; **adoptive** ~ örökbefogadó apa; **from** ~ **to son** apáról fiúra; *közm* **like** ~ **like son** az alma nem esik messze a fájától **2.** elŐd, ős; **our** ~**s** atyáink, elődeink, őseink; **he sleeps with his** ~**s** megtért őseihez, elhunyt **3.** atya, alkotó, alapító; **the Founding F~s** Alapító Atyák; **the F~s (of the Church)** az egyházatyák **4.** *vall* **God the F~** Atyaisten; **the F~, the Son and the Holy Ghost** Atya, Fiú, Szentlélek; **Our F~** miatyánk **5.** *vall* **a) the Holy F~** a szentatya, a pápa **b)** (tisztelendő) atya **6.** legrégibb/legidősebb tag *[testületben]*, korelnök *[képviselőházé]* **7. the City F~s** *biz* városatyák **II.** *tsi* **1.** nemz *[gyermeket]* **2.** *biz* feltalál, alkot **3.** pártfogol, patronál **4.** örökbe fogad, atyailag gondoskodik (vkről) **5.** apaságot/szerzőséget elismer/vállal • *fn* **fatherhood** *mn* **fatherless**, **fatherlike**

Father Christmas *fn GB* Télapó, Mikulás

father figure *fn* ‹apaként tisztelt ember›

father-in-law *fn tsz* **fathers-in-law** após

fatherland *fn* szülőhaza

fatherly [ˈfɑːðəli ‖ ˈfɑðər–] **I.** *mn* atyai, apai, apához illő **II.** *hsz* atyailag, atyai módon

Father's Day *fn* Apák Napja *[június harmadik vasárnapja]*

fathom [ˈfæðəm] **I.** *fn* **1.** *hajó* öl *[= 6 láb = 1,829 m]*; **4 ~ deep** négy öl mélységű **2.** *GB gazd* öl *[fa, kb. 6,11 m³]* **II.** *tsi* **a)** *hajó* mélységet mér, szondál **b)** *átv* mélyére hatol (vmnek), kipuhatol vmt • *mn* **fathomable**, **fathomless**

fatigue [fəˈtiːg] **I.** *fn* **1. a)** fáradtság, kimerültség; **drop with** ~ összeesik a fáradtságtól/kimerültségtől **b)** *műsz* elfáradás, kifáradás *[anyagé]* **c)** kifáradás *[talajé]* **2. a)** vesződség, fáradság(os munka) **b)** *kat* soros munka *[büntetésként]* **3.** *tsz* **fatigues** *US kat* (gyakorló)ruha **II. A.** *tsi* kifáraszt, elfáraszt, kimerít **B.** *tni* **1.** kimerül, kifárad **2.** *kat* munkán van • *fn* **fatiguability** *mn* **fatiguable**, **fatiguing**, **fatigueless**

fatigue party *fn US kat* ‹munka elvégzésére kirendelt különítmény›

fatism [ˈfætɪzm] *fn* → **fattism**

fatless [ˈfætləs] *mn* sovány, zsírtalan

fatling [ˈfætlɪŋ] *fn* hizlalt fiatal állat

fatmouth *szl* **I.** *fn [sokat beszélő ember]* nagypofájú, szájhős **II. A.** *tni [sokat beszél]* sok a szöveg/duma **B.** *tsi szl [hízeleg vknek]* nyal(izik)

fat-reduced *mn* csökkentett zsírtartalmú

fatso [ˈfætsoʊ] *fn szl [kövér ember]* dagi, hájpacni

fat-soluble *mn* zsírban/olajban oldódó

fatten [ˈfætn] **A.** *tsi* **1.** ~ **(up)** hizlal *[állatot]* **2.** termékennyé tesz *[talajt]* **B.** *tni* (el)hízik, (el)hájasodik, zsírosodik

fattening [ˈfætnˑɪŋ] *mn* hízlaló *[étel]*

fattish [ˈfætɪʃ] *mn* kövérkés, húsos, molett

fattism [ˈfætɪzm] *fn* ‹kövér emberekkel szembeni előítélet (v. hátrányos megkülönböztetés)› • *fn* **fattist**

fatuous [ˈfætʃʊəs] *mn* ostoba, buta, értelmetlen *[megjegyzés]*; ~ **smile** üres/semmitmondó mosoly • *fn* **fatuity** *hsz* **fatuously**

fatty [ˈfæti] **I.** *mn* **1.** zsíros, olajos, olajtartalmú **2. a)** kövér(kés) **b)** *orv* elzsírosodott, elhájasodott **II.** *fn biz* hájtömeg, dagi

fauces [ˈfɔːsiːz] *fn tsz* torok(nyílás) • *mn* **faucial**

faucet [ˈfɔːsɪt] *fn US* (víz)csap

fault [fɔːlt] **I.** *fn* **1. a)** hiba, hiányosság, fogyatékosság; ~**s of spelling** helyesírási hibák; **to a** ~ túlzottan, nagyon is; **find** ~ **with sy** gáncsoskodik vkvel, megjegyzéseket tesz vkre; **find** ~ **with sg** hibát talál vmben **b)** hiba, meghibásodás; **be in/at** ~ hibás, vétkes; *jog* **the party at** ~ a vétkes fél; **his instinct is never at** ~ csalhatatlan ösztöne/szimata van; **whose** ~ **is it?** ki a hibás **c)** *sp* szabálytalan adogatás *[teniszben]* **d)** hibapont *[akadályugratásnál]* **2.** *geol* vetődés, törés **3. a)** *el* hiba, *távk* zárlat **b)** *rep* vető(dés) **II. A.** *tsi* **1.** hagy tönkremenni/megromlani **2.** *geol* elmozdít, megtör *[rétegeket]* **B.** *tni* **1.** hibázik, téved, vét **2.** *geol* elmozdul, megtörik, vetődik *[réteg]*

fault-detector *fn el* hibakereső, hibadetektor

fault-finding [ˈfɔːltfaɪndɪŋ] *fn* gáncsoskodás, szőrszálhasogatás, akadékoskodás • *fn* **fault-finder**

faultless [ˈfɔːltləs] *mn* hibátlan, hibamentes

fault-line *fn földr* törésvonal

faulty [ˈfɔːlti] *mn* hibás, hiányos, helytelen • *fn* **faultiness** *hsz* **faultily**

faun [fɔːn] *fn* faun

fauna [ˈfɔːnə] *fn földr* állatvilág, fauna • *fn* **faunist** *mn* **faunal**

fauteuil [foʊˈtɜːi] *fn francia* karosszék

Fauvism [ˈfoʊvɪzm] *fn műv* fauvizmus • *fn* **Fauve**

faux [foʊ] *mn francia* nem igazi/hamis; mesterséges, mű-

faux pas [ˌfoʊ ˈpɑː] *fn francia* **1.** tapintatlan hiba; baklövés, melléfogás **2.** tapintatlanság, indiszkréció

fave [feɪv] *fn szl* → **favourite**

favela [fəˈvelə] *fn* brazíliai putri/nyomornegyed

favor [ˈfeɪvə ‖ –ər] *US* → **favour**

favour [ˈfeɪvə ‖ –ər] **I.** *fn* **1.** kegy, pártfogás, jóindulat; **be in** ~ **with sy** vk jóindulatát/pártfogását élvezi; **be out of** ~ kegyvesztett; **court sy's** ~ vk pártfogására/kegyére vadászik/pályázik; **find** ~ **with sy (v. in sy's eyes)** vk kegyeit élvezi; **gain sy's** ~ megnyeri vk pártfogását; **look with** ~ **on sg** pártfogol vmt, jó szemmel néz vmt **2.** szívesség; **as a** ~ szívességből; **ask a** ~ **of sy** szívességet kér vktől; **do sy a** ~ szívességet tesz vknek **3. a)** kedvezés, részrehajlás, kivételezés; **without fear or** ~ részrehajlás nélkül, igazságosan; **show** ~ **toward sy** kedvez vknek, kivételez vkvel **b)** védelem, oltalom, támogatás, segítség; **under** ~ **of the night** az éjszaka leple alatt **4. in** ~ **of** érdekében, javára, előnyére; **be in** ~ **of sg** állást foglal vm mellett, támogat; **speak in sy's** ~ vk érdekében beszél **5.** szerelmi zálog/emlék, kegyként/kitüntetésként adott szalag/kendő **II.** *tsi* **1.** helyesel, támogat, pártfogol **2.** szívességet tesz, megtisztel, lekötelez **3. a)** előnyben részesít **b)** kedvez (vmnek), elősegít **c)** megerősít, igazol *[tényt]* • *fn* **favourer**

favourable [ˈfeɪvrəbl], *US* **favorable** *mn* **1.** kedvező, szerencsés, előnyös, biztató; ~ **winds** *átv* kedvező szelek **2.** előmozdító, elősegítő, alkalmas (vmre) • *fn* **favourableness** *hsz* **favourably**

favoured [ˈfeɪvəd ‖ –ərd], *US* **favored** *mn* szerencsés, kegyelt, kiváltságos/előnyös helyzetben levő; *biz* **the ~ few** a kevés kiváltságos; **most ~ nation** legnagyobb kedvezmény elvét élvező ország
favourite [ˈfeɪvrɪt], *US* **favorite I.** *mn* kedvenc, legkedvesebb **II.** *fn* **a)** kedvenc; **be a ~ with/of sy, be sy's ~** vk kedvence **b)** *sp* esélyes, favorit
favouritism [ˈfeɪvrɪtɪzm], *US* **favoritism** *fn pej* kivételezés, részrehajlás
fawn[1] [fɔːn] **I.** *fn* **1.** őzborjú, szarvasborjú; **in ~** vemhes *[őz]* **2.** őzbarna **II.** *mn* őzbarna **III.** *tsi/tni* borja(d)zik, ellik *[őz]*
fawn[2] [fɔːn] *tni* **~ (up)on sy** hízeleg, megalázkodik; **~ and cringe** alázatoskodik, csúszik-mászik • *mn* **fawning**
fax [fæks] **I.** *fn* **1.** fax **2. a)** fax(üzenet) **b)** fax(gép) **II.** *tsi* (el)faxol
fayre [feə ‖ fer] → **fair**[2]
faze [feɪz] *tsi biz* bosszant, zavar, nyugtalanít, ingerel
FBA *röv Fellow of the British Academy*
FBI *röv* **1.** *US Federal Bureau of Investigation* Szövetségi Nyomozó Iroda **2.** *GB Federation of British Industries*
FC *röv football club*
FDA *röv US Food and Drug Administration*
FDR *röv Franklin Delano Roosevelt*
FE *röv further education*
fealty [ˈfiːəlti] *fn* **1. a)** hűbéreskü **b)** hűbéri kötelezettség elismerése **2.** *átv* hűség, lojalitás
fear [fɪə ‖ fɪr] **I.** *fn* **1. a)** félelem, rettegés, aggódás, aggodalom; **deadly ~** halálos rémület/rettegés/félelem; **freedom from ~** félelem nélküli élet; *GB biz* **no ~!** ki van zárva; **without ~ or favour** pártatlanul; **be/stand/go in ~ of sy/sg** fél/retteg vktől/vmtől; **go in ~ of one's life** félti az életét, állandó rettegésben él **b)** *[törvény]* tisztelet, *[isten]* félelem; **put the ~ of God into sy** *biz* észretérít vkt **2. for ~ of/that** nehogy; **for ~ we should forget** nehogy elfelejtsük... **II. A.** *tsi* **1.** fél, retteg (vktől/vmtől), *[törvényt]* tisztel, féli *[istent]*; **it is to be ~ed that...** félő (v. attól lehet tartani), hogy... **2.** tétovázik, hezitál **B.** *tni* **~ for sy/sg** aggódik vkért (v. vm miatt); *biz* **never (you) ~!, don't you ~!** sohase fél(jen)
fearful [ˈfɪəfl ‖ ˈfɪrfl] *mn* **1.** rettenetes, szörnyű, irtózatos; **a ~ mess** szörnyű felfordulás/zűrzavar/rendetlenség **2.** ijedős, félénk, visszariadó, bátortalan • *hsz* **fearfully**
fearless [ˈfɪələs ‖ ˈfɪr–] *mn* vakmerő, rettenthetetlen; **he is ~ of danger** nem ismer veszélyt • *hsz* **fearlessly**
fearsome [ˈfɪəsəm ‖ ˈfɪr–] *mn* rémséges, félelmetes, ijesztő
feasibility [ˌfiːzəˈbɪləti] *fn* **1.** kivihetőség, megvalósíthatóság, alkalmazhatóság **2.** hihetőség, valószínűség
feasibility study *fn tud* megvalósíthatósági tanulmány(terv)/vizsgálat
feasible [ˈfiːzəbl] *mn* **1.** megvalósítható, teljesíthető, végrehajtható **2.** valószínű, lehetséges • *hsz* **feasibly**
feast [fiːst] **I.** *fn* **1.** ünnepség, (ünnepi) lakoma **2.** *átv* csemege, élvezet; **a ~ to the eye** szemgyönyörködtető látvány; **a ~ of reason** szellemes (v. magas színvonalú) társalgás **3.** ünnep(nap) **4.** *GB* falusi ünnep(ség)/fesztivál *[évenkénti]* **II. A.** *tsi* **1.** megvendégel, ünnepi lakomát készít **2.** gyönyörködtet *[vk szemét/fülét]*; **~ one's eyes on sg** legelteti szemeit vmn **B.** *tni* lakomázik, dőzsöl, lakomát csap • *fn* **feaster**
feast day *fn* ünnepnap
feat [fiːt] *fn* **1.** (hős)tett; **~ of arms** haditett, vitézi tett **2. a)** nagy/jeles teljesítmény, látványos/nyaktörő mutatvány **b) ~ of skill** ügyes fogás, fortély
feather [ˈfeðə ‖ –ər] **I.** *fn* **a)** (madár)toll; **light as a ~** könnyű mint a pehely; **you could have knocked me down with a ~** leesett az állam, tátva maradt a szám (a csodálkozástól/meglepetéstől); *közm* **fine ~s make fine birds** ruha teszi az embert **b)** tollazat; **be in high ~, be in fine ~s** jó kedvében (v. kitűnő hangulatban) van; **they are birds of a ~** egyívású/hasonszőrű emberek; *közm* **birds of a ~ flock together** madarat tolláról, embert barátjáról **c)** toll(dísz), tollbokréta, tollforgató; *biz* **that's a ~ in his cap** ez dicséretére/dicsőségére válik **d)** *vad* szárnyas vad **e)** toll, szakáll *[nyílvesszőn]* **II. A.** *tsi* **1. a)** tollal/szakállal lát el *[nyílvesszőt]* **b)** tollal díszít; *biz* **~ one's nest** megszedi magát, megtollasodik **2.** *sp* forgat, lapjára fordít *[evezőt]* **B.** *tni* **1. ~ (out)** tollakat növeszt, tollasodik *[madár]* **2.** hullámzik *[gabonatábla]*, tajtékzik *[hullám]*, száll(ingózik) • *mn* **featherless**
feather bed I. *fn* derékalj, dunyha **II.** *biz* (segélyekkel/kedvezményekkel) agyontámogat
feather-bedding *fn* **a)** agyontámogatás **b)** (felesleges) létszámduzzasztás *[alkalmazottaké]*
feather-brain *fn* szeleburdi; üresfejű • *mn* **feather-brained**
feather edge *fn műsz* hajszálél, finom leélezés
feathering [ˈfeðərɪŋ] *fn* **1. a)** tollazat **b)** szőrcsimbók *[ló/kutya lábán]* **2.** toll, szakáll *[nyílvesszőé]*, *épít* zsaluleveles deszkázat
feather-light *mn* pihe-/pehelykönnyű
feather stitch *fn* halszálka mintájú öltés
featherweight *fn* **1.** *sp* pehelysúly **2.** jelentéktelen ember/ügy/dolog
feathery [ˈfeðəri] *mn* **1. a)** tollas, pelyhes **b)** tollszerű, pehelyszerű **2.** lebegő *[hópehely]*, ringó *[pl. gabona]*
feature [ˈfiːtʃə ‖ –ər] **I.** *fn* **1.** (arc)vonás; **(cast of) ~s** arc(kifejezés), ábrázat **2. a)** (jellem)vonás, tulajdonság **b)** jellemző vonás, jellegzetesség, sajátosság; **main ~s of sg** vm főbb/kiemelkedő vonásai/jellemzői; **special ~** megkülönböztető vonás, különleges tulajdonság **3. a)** specialitás, főszám, (fő)attrakció *[műsorban]*; *US* **~s** színes cikkek *[újságban]* **b)** *US film* **~ (film)** játékfilm **II.** *tsi* **1.** vmlyen jelleget kölcsönöz *[vmnek]*, jellemez **2.** *film* alakít, játszik *[szerepet]* **3. a)** *US* kiemel, hangsúlyoz, előtérbe állít **b)** *US* film főszerepben szerepeltet/hoz; *US* **film featuring B.B.** film B.B.-vel a főszerepben • *mn* **featureless**
featured [ˈfiːtʃəd ‖ –ərd] *mn* **1.** alakú, vonású, jellegű **2.** *összet* -arcú, -vonású **3. a)** jól reklámozott/kiállított *[dolog]* **b)** sokat szereplő *[színész]* **4.** *US biz [részeg]* be van állítva
Feb. *röv February* február, febr.
febrifuge [ˈfebrɪfjuːdʒ] *mn/fn* lázcsillapító *[szer]* • *mn* **febrifugal**
febrile [ˈfiːbraɪl ‖ ˈfebrəl] *mn* lázas, lázzal járó, lázra mutató • *fn* **febrility**
February [ˈfebruəri ‖ –eri] *fn* február
feces [fiːsiːz] *US* → **faeces**
feckless [ˈfekləs] *mn* **1.** gyenge, erőtlen, tehetetlen **2.** meggondolatlan, felelőtlen • *hsz* **fecklessly**
feculent [ˈfekjulənt ‖ –kjə–] *mn* **1.** zavaros, üledékes, szennyezett **2.** bűzös, büdös • *fn* **feculence**
fecund [ˈfiːkənd] *mn* **1.** *vál átv is* termékeny, gazdag, bőven termő **2.** *vál* termékennyé tevő • *fn* **fecundability**
fecundate [ˈfiːkəndeɪt] *tsi átv is* (meg)termékenyít • *fn* **fecundation**
fecundity [fəˈkʌndəti] *fn* **a)** termékenység **b)** gazdagság *[pl. fantáziáé]*
fête [feɪt], **fete I.** *fn* ünnepség **II.** *tsi* ünnepel
fed[1] *fn US szl* FBI ügynök
fed[2] [fed] → **feed** I.
federacy [ˈfedərəsi] → **confederacy** 1.
federal [ˈfedrəl] *mn* **1.** szövetségi; **~ government** szövetségi kormány **2.** *US* központi, államszövetségi, az Egyesült Államok teljes egészére vonatkozó/kiterjedő; **F~ Bureau of Investigation** Szövetségi (Bűnügyi) Nyomozóhivatal; **~ state** szövetségi állam **3.** *US tört* föderalista, északi *[a polgárháborúban]*
federalism [ˈfedrəlɪzm] *fn* föderalizmus
federalist *fn* föderalista
federalization [ˌfedrəlaɪˈzeɪʃn], **-isation** *fn* (állam)szövetség, konföderáció
federalize [ˈfedrəlaɪz], **-ise** *tsi* föderációba egyesít

F

Federal Reserve *fn US* ‹az Egyesült Államok nemzeti bankrendszere›

federate I. *mn* [ˈfedərət] szövetségi **II.** [ˈfedətreɪt] **A.** *tsi* államszövetségbe egyesít **B.** *tni* államszövetségre lép, államszövetséget alkot

federation [ˈfedəreɪʃn] *fn* **1.** szövetség **2.** államszövetség, szövetségi állam **3.** szövetkezés • *fn* **federationist**

fedora [fəˈdɔːrə] *fn US* puha kalap *[férfié]*

fed up *mn* megcsömörlött, vmbe beleunt; → **feed up**

fee [fiː] **I.** *fn* **1. a)** illetmény, tiszteletdíj, díjazás, honorárium; **author's ~** szerzői tiszteletdíj **b)** illeték, díj *[pl. konzuli]*; **examination ~** vizsgadíj; **registration ~** ajánlási díj *[postán]*; részvételi díj **c)** borravaló **2.** *tört* hűbér(birtok) **3.** *jog* öröklöttulajdon **II.** *tsi* tiszteletdíjat/honoráriumot ad (vknek)

feeble [fiːbl] *mn* **1.** gyenge, beteges, törékeny **2.** erélytelen, határozatlan **3.** gyér *[fény]* **4.** erőtlen, határozatlan *[pl. próbálkozás]*

feeble-minded *mn* **a)** gyengeelméjű, *[szellemileg]* fogyatékos **b)** határozatlan, akaratgyenge

feed[1] [fiːd] **I.** *pt/pp* **fed** [fed] **A.** *tsi* **1. a)** táplál, etet, szoptat *[csecsemőt]*, élelmez, táplálékul szolgál (vknek/vmnek); **~ sy on/with sg** vmvel táplál/etet vkt; *szl* **~ a/the line** *[ámít]* (be)etet, fűzi az agyát vknek; *szl* **~ one's face** *[mohón eszik]* tömi a majmot; *szl* **be fed to the gills/neck/back teeth** *[elege van]* idáig van, tele van a hócipője **b)** *átv* táplál, fejleszt; **~ sy with/on fond hopes** ígéretekkel ámít/kecsegtet vkt **2. a)** etet *[gépet, kazánt]*, táplál *[tüzet]*, ellát *[piacot]*, adagol, tölt *[anyagot gépbe]* **b)** *infor* betölt *[pl. adatot]* **c)** *sp* **~ the forwards** jó labdákkal tömi a csatárokat **d)** *szính szl* **~ an actor** (komikus) színésznek megadja a végszót egy bemondáshoz **3.** kielégít *[pl. hiúságot]* **B.** *tni* **1. a)** eszik, zabál *[állat]* **b)** *biz* zabál, kajál *[ember]*; *biz* **~ on sy** vkből él, vk nyakán él, élősködik vkn; kiszipolyoz/kihasznál vkt; **~ out of sy's hand** *átv is* vk tenyeréből/kezéből eszik **2.** (bele)ömlik *[folyó vmely más vízbe]* **II.** *fn* **1. a)** etetés, táplálás *[állaté]* **b)** *biz* étkezés, evés; **have a good ~** belakmározik, teleeszi magát **2. a)** takarmány, takarmányadag **b)** *US biz* étel, ennivaló **3.** *műsz* táplálás, adagolás, etetés *[szeszámgépen]* **4. a)** gépbe adagolt anyag **b)** *kat* töltény, töltés *[fegyveré]*, feltöltés *[harcoló egységeké]*, élelmezés **c)** *infor* betöltés **5.** *szính* (zicceres) végszót adó mellékszereplő

feed up A. *tsi* (fel)hízlal; *biz* **be fed up** torkig van (vele), unja **B.** *tni* fokozottan táplálkozik *[betegség után]*; → **fed-up**

feed[2] [fiːd] → **fee II.**

feedback *fn infor* visszacsatolás, *átv* visszajelzés

feed-bag *fn* abrakos tarisznya

feedbox *fn* **1.** *mezőg* jászol, vályú **2.** *műsz* etetőszekrény, öntőtölcsér, *kat* töltényheveder-láda

feeder [ˈfiːdə ‖ −ər] *fn* **1. a)** etető *[állaté]* **b)** evő **c)** *szính* végszót megadó mellékszereplő **2. a)** *GB* előke, partedli *[gyermeké]* **b)** cumisüveg **3. a)** mellékfolyó, vízgyűjtő árok **b)** *vasút* szárnyvonal **c)** *vill* tápvezeték, fővezeték **4. a)** *műsz* etető, adagoló **b)** *infor* betöltő

feeder-line *fn* **1.** *vasút* mellékvonal, szárnyvonal, *közl* bekötő/ráhordó(út)vonal *[közlekedési hálózatban]*, *rep* bekötő légijárat **2.** *vill* → **feeder** 3.c.

feeding [ˈfiːdɪŋ] **I.** *mn műsz* etető, továbbító, adagoló; **~ regulator** önadagoló; **~ roller** etetőhenger **II.** *fn* **1. a)** etetés, táplálás, legeltetés; **forcible ~** tömés *[baromfié]* **b)** evés, táplálkozás, legelés **c)** táplálék **2.** *műsz* etetés, adagolás, előtolás *[szerszámgépen]*

feeding-bottle *fn GB* szoptató üveg, cumisüveg

feeding frenzy *fn biz átv* őrült tülekedés *[valamely árucikk vagy szolgáltatás megszerzéséért]*

feed-roll *fn műsz* adagoló henger, etetőhenger

feed spool *fn film* etető/adagoló orsó

feedstock *fn* nyersanyag *[gépi feldolgozásra váró]*

feedstuff *fn mezőg* tápanyag

feedtrough *fn* **1.** mozdonytöltő kút **2.** adogató, töltővályú *[ismétlőfegyveren]* **3.** etetővályú

feel [fiːl] **I.** *pt/pp* **felt** [felt] **A.** *tsi* **1. a)** (meg)érint, (ki)tapint, (meg)tapogat; **~ the/sy's pulse** kitapintja vk érverését **b) ~ one's way** tapogató(d)zva megy/halad; *átv* óvatosan jár el **2. a)** érez, érzékel *[fizikailag]*; **I felt him move/moving** éreztem, hogy mozog/megmozdul; *átv* **~ one's feet/legs/wings** kezd saját lábára állni, megjön az önbizalma **b)** érez *[lelkileg]*; **~ joy/pleasure** örül; **~ free** ne habozz(on) *[megtenni vmt]*; nyugodtan csináljon/tegyen meg vmt **c)** érzékeny vmre, szenved vmtől; **~ the cold** érzékeny a hidegre **d)** *[ösztönösen]* megérez, (meg)sejt; **~ sg in one's bones** valami azt súgja vknek **3. make sg felt** éreztet vmt **B.** *tni* **1. a)** érez, érzelmet táplál **b)** érez, érzi magát; **~ cold** fázik; **he doesn't ~ quite himself** nem érzi magát a legjobban; nincs a régi formájában; **I ~ out of sorts today** ma rossz hangulatban vagyok **c)** vél, gondol; **~ certain that...** biztos abban, hogy...; *biz* **~ like doing sg** kedve van vmhez, kedve támad vmre **2.** keres, keresgél, turkál, kotorász **3.** érzik *[vmlyennek]*; **~ hard** kemény tapintású; **it ~s like...** olyan, mintha..., azt az érzést kelti, hogy... **II.** *fn* **1. a)** tapintás *[érzés]*; **rough to the ~** érdes tapintású **b)** fogás (vmé) **2.** érzé(kelé)s, érzet; **~ of joy** örömérzet; **get the ~ of sg** hozzászokik *[vmhez, vmnek a használatához]*

feel about *tni* **a)** tapogatózva keres **b)** kotorász, keresgél

feel for *tni* **1. ~ for sy** együttérez vkvel **2. ~ for sg** vmt keresgél *[tapogatva]*

feel out *tsi* kitapogat, kipuhatol *[pl. lehetőségeket]*

feel up *tni* **1.** *szl [tapogat]* taperol, tapizik **2. ~ to (doing) sg** alkalmasnak érzi magát vmre; kedve/hangulata van vmt megtenni

feel with *tni* együttérez vkvel

feel-bad *mn* nyomasztó, kellemetlen, szorongató

feeler [ˈfiːlə ‖ −ər] *fn* **1.** *áll* csáp, tapogató **2.** *kat* felderítő **3.** *átv* tapogatózás, tapogatózó/puhatoló megjegyzés; **put/throw out a ~** véleményt kipuhatol, puhatoló(d)zik, tapogató(d)zik

feeler gauge, *US* **-gage** *fn műsz* vastagságmérő, hézagmérő

feel-good *mn* szórakoztató, szórakozást nyújtó *[pl. film]*

feeling [ˈfiːlɪŋ] **I.** *fn* **1. a)** érzet, érzékelés *[testi]*; **have no ~ in one's arm** nem érzi a karját, elzsibbadt a karja; **a ~ of cold** hidegérzet **b)** érzet *[lelki]*, előérzet; **I had a ~ of danger** megéreztem a veszélyt, vészt sejtettem **2. a)** érzelem, érzület, érzés; **his ~s towards me** irántam táplált érzelmei; **no hard ~s!** szent a béke! **b)** érzés, átérzés; **a ~ for sg** fogékonyság/hajlam vmre, érzék vmhez; **have no ~s** minden érzés nélküli; szívtelen **c)** hangulat; **public ~** közvélemény, közhangulat; **~ began to run high** az érzelmek magasra csaptak **3.** (ki)tapogatás, (meg)tapintás, kitapintás **4. (sense of) ~** tapintóérzék, tapintás; jóérzés, tapintat **5.** vélemény, elképzelés *[bizonytalan]* **II.** *mn* **1.** jóérzésű, együttérző, meghatott **2.** átérzett, szívből jövő; **~ grief** mély fájdalom • *mn* **feelingless** *hsz* **feelingly**

feet [fiːt] → **foot I.**

feign [feɪn] **A.** *tsi* **1.** színlel, tettet, szimulál; **~ death** halottnak tetteti magát; **~ madness** őrültséget színlel **2.** *régi* kitalál *[pl. kifogást]* **B.** *tni* **~ sick** betegnek tetteti magát, szimulál • *mn* **feigned**

feint [feɪnt] **I.** *fn* **1.** cselfogás, színlelés; *biz* **make a ~ of doing sg** azt a látszatot kelti (v. úgy tesz), mintha csinálna vmt **2. a)** *kat* színlelt/megtévesztő támadás **b)** *sp* csel **II.** *tni* **a)** *kat* félrevezető/színlelt támadást indít **b)** *sp* cselez

feisty [ˈfaɪsti] *mn US* **1.** agresszív, tüzes, heves **2.** ingerlékeny, sértődékeny • *fn* **feistiness** *hsz* **feistily**

felicitate [fəˈlɪsɪteɪt] *tsi* **~ sy up/on sg** szerencsét kíván (v. gratulál) vknek vmhez • *fn* **felicitation**

felicitous [fəˈlɪsɪtəs] *mn* szerencsés, találó, illő, helyesen választott/alkalmazott *[kifejezés]*

felicity [fəˈlɪsəti] *fn* **1. a)** boldogság, öröm **b)** szerencse **2. a)** szerencsésség, találó volta vmnek **b)** ~ **in writing** könnyed/tetszetős írásmód/stílus **c)** szerencsés/találó szó/kifejezés **d)** jó kifejezőkészség, stílusérzék **e)** szerencsés (jellem)vonás
Felicity [fəˈlɪsəti] *tul* ‹női név›
feline [ˈfiːlaɪn] **I.** *mn* **1.** *áll* macskaféle **2.** *átv* macskatermészetű; *biz* ~ **grace** macskaszerű kecsesség **II.** *fn áll* macskaféle • *fn* **felinity**
Felix [ˈfiːlɪks] *tul* Félix
fell[1] [fel] *mn vál* **1.** vad, kegyetlen, barbár, könyörtelen, ádáz **2.** halálos, vész(terh)es; ~ **disease** végzetes kór; **at one ~ swoop** → **swoop**
fell[2] **I.** *tsi* **a)** ledönt, kivág *[fát]* **b)** leterít *[ellenfelet]*, letaglóz *[marhát stb.]* **II.** *fn* döntöttfa-mennyiség, fakitermelés (mennyisége) • *fn* **feller**
fell[3] *fn* bunda, irha, szőrme *[állaté]*
fell[4] → **fall** I.
fella [ˈfelə] *fn biz* **1.** fickó, pasas, tag **2.** fiúja vknek
fellah [ˈfelə] *fn* fellah *[egyiptomi paraszt]*
fellatio [fəˈleɪʃɪoʊ] *fn* felláció *[a partner péniszének szájjal való izgatása]* • *tsi* **fellate** *fn* **fellator**
feller *biz* → **fellow** 4.
felling [ˈfelɪŋ] *fn* **1.** letaglózás *[marháé]*, fakitermelés, irtás *[erdőn]* **2.** eldolgozás *[hajtásé, szegélyé]*
fellow [ˈfeloʊ] *fn* **1. a)** *biz* fickó, cimbora; *biz* **a good** ~ derék fickó **b)** *biz* alak, pofa; *biz* **good-for-nothing** ~ semmirekellő; senkiházi **c)** *biz* az ember, valaki; *biz* **a ~ must work!** dolgozni kell! **2. a)** mása, párja (vknek/vmnek) **b)** egyenrangú ember **3. a)** tag *[tudományos/művészeti társaságban]* **b)** egyetemi önkormányzati testület tagja **c)** *US* alapítványi ösztöndíjas **4.** (baj)társ; **~s in arms** fegyvertársak
fellow citizen *fn* polgártárs
fellow feeling *fn* **1.** rokonszenv, együttérzés, szimpátia **2.** közösségi érzés/szellem, bajtársiasság
fellow-heir *fn jog* társörökös
fellow-man *fn tsz* **-men** embertárs
fellowship [ˈfeloʊʃɪp] *fn* **1.** közösség, közösségvállalás; **intellectual** ~ szellemi közösség **2. (good)** ~ (jó) barátság, bajtársiasság **3.** szövetség, egyesület, testület; **the ~ of men** az emberi közösség **4. a)** *okt* az egyetemi testületi hatóságnak tagja, *okt* (egyetemi) ösztöndíj *[végzett hallgatónak azzal a kötelezettséggel, hogy kutatásokat végez* v. *előadásokat tart]*; *okt* ~ **fee** tudományos ösztöndíj **b)** tagság *[tudományos/művészeti társaságban]*
fellow-traveller, *US* **-traveler** *fn* **1.** *átv is* útitárs **2.** *pol* a Kommunista Párt szimpatizánsa
fellow-worker *fn* munkatárs(nő)
felon [ˈfelən] **I.** *mn vál* kegyetlen, gonosz, álnok **II.** *fn jog* tettes
felonious [fəˈloʊnɪəs] *mn* **1.** bűnös, büntetendő; ~ **act** bűncselekmény, bűntett **2.** *jog* bűnös, vétkes, szándékos
felony [ˈfeləni] *mn jog régi* bűntett
felt[1] [felt] **I.** *fn* **1.** nemez, filc **2. roofing/tarred** ~ kátránypapír; (préselt) szigetelő fedéllemez **II. A.** *tsi* **a)** nemezel *[gyapjút]* **b)** nemezzel bevon **B.** *tni* nemezelődik
felt[2] [felt] → **feel** I.
felt hat *fn* nemezkalap
feltmaker *fn* nemezelő, nemezkészítő, nemezványoló
felt-tip pen *fn* filctoll, rostirón
fem. *röv female*; *feminine*
female [ˈfiːmeɪl] **I.** *mn* **1. a)** női (nemhez tartozó); **the ~ sex** a női nem **b)** nőstény *[állat]* **c)** bibés *[virág]* **2.** *műsz* anya-, furatos; ~ **screw** anyacsavar **II.** *fn* **a)** *jog* nő, asszony **b)** nőstény (állat) **c)** termős/bibés/nőivarú (növény)
female impersonator *fn* nőimitátor
feminal [ˈfemənəl] *mn régi* nőies, asszonyos; nőhöz illő; nőkre jellemző • *fn* **feminality**
femineity [ˌfeməˈniːəti] *fn régi* nőiesség, női természet
feminine [ˈfemənɪn] *mn* **a)** női(es), női lelkületű; **the eternal** ~ az örök nő **b)** *nyelv* nőnemű; **in the ~ (gender)** nőnemben • *fn* **feminineness**, **femininity** *hsz* **femininely**
feminism [ˈfemənɪzm] *fn* **1.** női jellegzetesség **2.** feminizmus, női emancipáció (mozgalma) • *fn/mn* **feminist**
feminity [fəˈmɪnəti] → **femineity**
feminize [ˈfemənaɪz], **-ise A.** *tsi* nőies jelleget kölcsönöz *[írásnak]*, (el)nőiesít, nőkkel tölt meg *[munkakört]* **B.** *tni* elnőiesedik • *fn* **feminization**
femme fatale [ˌfæm fəˈtɑːl ‖ ˌfem –] *fn tsz* **femmes fatales** a végzet asszonya; csábítóan vonzó nő
fen [fen] *fn* mocsárvidék, lápföld, ingovány, morotva; **the F~s** ‹mocsaras síkság Kelet-Angliában›
fen-berry *fn növ* → **cranberry**
fence [fens] **I.** *fn* **1.** kerítés, sövény, védőfal, korlát, palánk; **wire** ~ drótkerítés; *Ausz* **over the** ~ igazságtalan; illogikus; **sit on the** ~ semleges marad; **be on the right side of the** ~ jól helyezkedett; **come down on the right side of the** ~ a győzteshez szegődik; *US* **mend** (v. **look after) one's ~s** szem előtt tartja az érdekét *[politikában]* **2.** *sp* vívás; **master of** ~ mestervívó; ügyesen vitázó/érvelő **3.** *szl [orgazda]* kajfer, passzer **4.** *műsz* mérőléc *[fűrészeléshez]* **II. A.** *tsi* **1. a)** (meg)véd, oltalmaz; **~d from the wind** szélvédett **b)** ~ **(off)** kivéd, elhárít **2.** ~ **(in)** bekerít, kerítéssel elzár/körülvesz; ~ **off** elkerít *[vm egy részét]* **3.** *szl* orgazdáskodik **B.** *tni* **1.** *sp* vív; *biz* ~ **with a question** kibújik a válaszadás alól **2.** akadályt ugrik/vesz, sövényen/akadályon átugrik *[ló]* **3.** *szl* orgazdaságot űz • *mn* **fenced**, **fenceless**
fence post *fn* kerítésoszlop/-cölöp/-pózna
fencer [ˈfensə ‖ –ər] *fn* **1. a)** vívó **b)** vívómester **2.** (akadály)ugró ló **3.** sövényfonó
fence-sitting *fn átv biz* semlegességi/kivárási politika, állásfoglalás elkerülése *[óvatosságból]*
fencible [ˈfensɪbl] *fn tört* polgárőr, nemzetőr
fencing [ˈfensɪŋ] *fn* **1. a)** kerítés, sövény, védőfal **b)** kerítésanyag **2.** ~ **(in)** elkerítés, bekerítés *[területé]* **3.** vívás
fencing bout *fn* csörte, asszó
fencing master *fn* vívómester
fencing school *fn* vívóiskola
fend [fend] **A.** *tsi* **1.** ~ **off** kivéd, elhárít **2.** *vál* megvéd, megoltalmaz **B.** *tni* ~ **for sy** eltart vkt, gondoskodik vkről; ~ **for oneself** gondoskodik magáról, saját lábán áll
fender [ˈfendə ‖ –ər] *fn* **1. a)** *közl* lökhárító, ütköző **b)** *US gk* sárhányó, sárvédő **2.** kandallórács, védőrács *[tűzhelyé]*
fender bender *fn US szl [kisebb karambol]* koccanás
fen-fire *fn* lidércfény, bolygótűz
fenland *fn* mocsárvidék, lápföld
fennec [ˈfenɪk] *fn áll* sivatagi róka, fennek
fennel [ˈfenl] *fn növ* ánizskapor; *növ* **sweet** ~ édeskömény
fenny [ˈfeni] *mn* **1.** mocsaras, lápos, ingoványos **2.** mocsári, lápi
feod [ˈfjuːd] *fn* hűbér
feodary [ˈfjuːdri] *fn* hűbéres, vazallus
feoff [fiːf] **I.** *fn tört* hűbér, hűbérbirtok **II.** *tsi tört* hűbérül ad(ományoz)
feoffment [ˈfiːfmənt] *fn tört* hűbérül adományozás • *fn* **feoffee** *fn* **feoffor**
feral [ˈferəl] *mn* **1. a)** *tud* vad **b)** *tud* elvadult **2.** *tud vál* (vad)állati, állatias
Ferdinand [ˈfɜːdɪnənd ‖ ˈfɜr –] *tul* Ferdinánd
feretory [ˈferətəri ‖] *fn* **1.** *vall* ravatal **2.** *vall* ravatalozó hely *[templomban]* **3.** *vall* ereklyetartó, ereklyekápolna
Fergus [ˈfɜːgəs ‖ ˈfɜr –] *tul* ‹skót és ír férfinév›
ferial [ˈfɪərɪəl ‖ ˈfɪr –] *mn* hétköznapi
fermata [fɜːˈmɑːtə ‖ fɜr –] *fn zene* korona, nyugvópont
ferment I. *fn* [ˈfɜːment ‖ ˈfɜr –] **1.** *biz* forrongás *[népé]*, felizgatott lelkiállapot **2. a)** erjesztő(anyag), kovász, fermentum **b)** erjedés *[folyadéké]* **II.** [fəˈment ‖ fər –] **A.** *tsi*

1. (meg)erjeszt *[folyadékot]* **2.** *átv* izgalomba/lázba/forrongásba hoz, felajz **B.** *tni* **1.** (meg)erjed **2.** *biz* erjedésben van, forrong *[nép, tömeg]* • *mn/mn* **fermentable**
fermentation [ˌfɜːmen'teɪʃn ‖ ˌfɜr–] *fn* **1.** erjedés, erjesztés **2.** forrongás; *biz* **the town was in a state of ~** az egész város forrongott • *fn* **fermentative**
fermenter ['fɜːmentə ‖ 'fɜrmentər] *fn* **a)** erjesztő (anyag) **b)** erjesztő kád, boroshordó
fermi ['fɜːmi ‖ 'fɜr–] *fn fiz* fermi, fm
fermion ['fɜːmɪən ‖ –ɜr–] *fn fiz* fermion
fermium ['fɜːmɪəm ‖ 'fɜr–] *fn vegy* fermium
fern [fɜːn ‖ fɜrn] *fn* páfrány • *fn* **fernery** *mn* **ferny**
ferocious [fə'roʊʃəs] *mn* **1. a)** bősz, vad, vérengző, kegyetlen; **~ attack** kegyetlen támadás; **~ dog** vad/fékezhetetlen kutya **b)** éles, vad *[szél]*, kibírhatatlan *[forróság stb.]* **2.** *US biz* rendkívüli; igen nagy
ferocity [fə'rɒsəti ‖ fə'rɑsəti] *fn* vadság, kegyetlenség
ferrel ['ferəl] → **ferrule**
ferret ['ferət] **I.** *fn* **1.** vadászgörény, vadászmenyét **2. a)** *biz* kutató, folyton fürkésző/vizslató ember **b)** *biz [kém]* spicli **II. A.** *tsi* vadászik *[menyéttel, vadászgörénnyel]* **B.** *tni* **~ (about)** kutat, fürkész, keresgél • *fn* **ferreter**
ferret out *tsi* felkutat, megkeres, kinyomoz, kifürkész, kiszagol (vmt)
ferrety ['ferəti] *mn* **1.** menyétszerű, görényszerű; **~ eyes** szúrós/izzó szemek **2.** fürkésző, vizsgáló *[személy]*
ferri- ['feri] *előtag vegy* vas-, ferri-
ferriage ['ferɪɪdʒ] *fn* **1.** révátkelés, kompátkelés **2.** kompviteldíj, révpénz
ferric ['ferɪk] *mn vegy* vas-, ferri-
ferrimagnetism *fn fiz* ferrimágnesség
Ferris-wheel ['feris–] *fn* óriáskerék
ferrite ['feraɪt] *fn fémip* ferrit
ferro- *előtag* ferro-
ferroconcrete I. *fn* vasbeton **II.** *mn* vasbeton *[szerkezetű]*
ferroelectric *mn fiz* ferroelektromos • *fn* **ferroelectricity**
ferromagnetism *fn fiz* ferromágnesség • *mn* **ferromagnetic**
ferrotype *fn fényk* **1.** ferrotípia, gyorsfényképezés **2.** ferrotíp, gyorsfénykép
ferrous ['ferəs] *mn vegy* vastartalmú
ferruginous [fe'ruːdʒɪnəs] *mn* **1.** vasas, vastartalmú **2.** rozsdavörös
ferrule ['feruːl] *fn* vaskarika, vasabroncs, vasgyűrű, szorítópánt *[boton, szerszámnyélen]*, *el* kábelsaru
ferry ['feri] **I.** *fn* **1. a)** rév; **cross the ~** átkel a réven **b)** *jog* átkelési jog **2.** komp, átkelőcsónak, átkelőhajó **II. A.** *tsi* **1. ~ sy across/over the river** vkt komppal átvisz a folyón **2. ~ a boat across a river** hajót/csónakot folyón átvezet **B.** *tni* **~ across/over the river** kompon kel át a folyón
ferryboat *fn* komp, átkelőcsónak, komphajó
ferryman ['ferimən] *fn tsz* **-men** révész, révkalauz
fertile ['fɜːtaɪl ‖ 'fɜrtl] *mn* **1. a)** termékeny, termő; **~ imagination** élénk/gazdag képzelet; **~ soil** termékeny talaj/föld **b)** megtermékenyített *[tojás]* **c)** termelő, termelékeny *[elem reaktorban]* **2.** (meg)termékenyítő **3.** gazdag/bőséges vmben, szapora, szaporodásra képes
fertility [fɜː'tɪləti ‖ fɜr'tɪləti] *fn* termékenység, termőképesség
fertilization [ˌfɜːtɪlaɪ'zeɪʃn ‖ 'fɜrtlə–], **-isation** *fn* **1.** (meg)termékenyítés **2.** trágyázás
fertilize ['fɜːtɪlaɪz ‖ 'fɜrtlaɪz], **-ise** *tsi* **1.** (meg)termékenyít **2.** trágyáz
fertilizer ['fɜːtɪlaɪzə ‖ 'fɜrtlaɪzər] *fn* **1.** (meg)termékenyítő közeg **2.** (mű)trágya
ferula ['ferjuːlə] *fn tsz* **ferulae** [–liː] *növ* pálcakóró
fervent ['fɜːvnt ‖ 'fɜr–] *mn* **1.** forró, heves **2.** buzgó, lelkes, odaadó; **~ admirer** odaadó/lelkes csodáló/hódoló/tisztelő • *fn* **fervency** *hsz* **fervently**
fervid ['fɜːvɪd ‖ 'fɜr–] *mn* heves, buzgó, szenvedélyes • *hsz* **fervidly**
fervour ['fɜːvə ‖ 'fɜrvər], *US* **fervor** *fn* **1.** forróság, izzás **2.** szenvedély
fess [fes] *tni biz* gyón
festal ['festl] *mn* **1.** ünnepi **2.** ünneplő *[közönség]* **3.** jókedvű, vidám • *hsz* **festally**
fester ['festə ‖ –ər] **A.** *tni* **1.** gennyed, üszkösödik **2.** megrothad, elkorhad **3.** gerjed, gyűlik *[harag, méreg]* **B.** *tsi* **1.** elgennyesít **2.** megrohaszt **3.** *biz* táplál, szít *[haragot, mérget]*
festival ['festɪvl] **I.** *fn* ünnepség, ünnepély, fesztivál, ünnepi játékok **II.** *mn* ünnepies, ünnepélyes
festive ['festɪv] *mn* **1.** ünnepies, ünnepélyes; **~ occasion** ünnepi alkalom **2. a)** vidám, ünnepies hangulatban levő *[személy]* **b)** *biz* pityókás, spicces • *fn* **festiveness** *hsz* **festively**
festivity [fe'stɪvəti] *fn* **1.** ünnepség **2.** vidámság, öröm
festoon [fe'stuːn] **I.** *fn épít* koszorúdíszítés, füzérdíszítés, girland **II.** *tsi* virágfüzérrel/girlanddal díszít/koszorúz • *fn* **festoonery**
Festschrift ['festʃrɪft] *fn német* emlékkönyv, emlékkötet vk tiszteletére
feta ['fetə] *fn gaszt* feta-sajt
fetch[1] [fetʃ] **I. A.** *tsi* **1. a)** érte megy és elhoz; **come and ~ me** gyere el értem **b)** magával viszi/hozza **2.** ont, fakaszt *[vért, könnyet]* **3. ~ a price** vmlyen ára van, vmlyen árat ér el **4. a)** *biz* érdeklődést kelt, elbájol, lenyűgöz **b)** *biz* feldühít, felbőszít **5.** *biz* **~ sy a blow** leken/odasóz egyet vknek, behúz vknek egyet **6.** *hajó* elér *[hajót partot]*; **~ way** halad **B.** *tni* megérkezik, felbukkan, elér vhova **II.** *fn* **1.** ravasz fogás, csel, trükk; **cast a ~** cselt vet **2.** *hajó* **a)** hajófordulat, hajóforduló **b)** távolság, megteendő út **c)** kiterjedés *[öbölé]*
fetch away A. *tsi* elvisz **B.** *tni* lesodródik a fedélzetről *[viharban]*
fetch down *tsi* **1.** lehoz, leereszt **2. ~ prices** árakat leszállít
fetch out *tsi* **1.** kihoz, kiküld, kivesz *[foltot]* **2.** napvilágra hoz
fetch through *tni* **1.** *hajó* kikötőbe ér *[nehézségek ellenére]* **2.** *biz* nehézségeket leküzd/elhárít
fetch up A. *tsi GB* kiokád *[ételt]*, kihány, rókázik **B.** *tni* **1.** érkezik, jut; **~ 10th** tizedikként végzett **2.** *biz* megáll
fetch[2] [fetʃ] *fn* **a)** kísértet **b)** hasonmás *[élő személyé]*
fetcher ['fetʃə ‖ –ər] *fn* **1. ~ and carrier** kifutófiú **2.** *US* csalétek
fetching ['fetʃɪŋ] *mn* elbájoló, elbűvölő, vonzó
fetid ['fetɪd] *mn* rossz szagú, bűzös • *fn* **fetidity**
fetish ['fetɪʃ] *fn* **1.** fétis, bálvány **2.** fétis *[szexuális vágyakat keltő tárgy]* • *fn* **fetishism**, **fetishist** *mn* **fetishistic**
fetishize ['fetɪʃaɪz], **-ise** *tsi* fetisizál
fetlock ['fetlɒk ‖ –lɑk] *fn* bokaszőrzet, csüdszőrzet *[ló lábán]*
fetta ['fetə] → **feta**
fetter ['fetə ‖ 'fetər] **I. 1.** *fn tsz* béklyó, lábbilincs; **in ~s** béklyóban, láncra/bilincsbe verve; **burst one's ~s** letépi láncait/bilincseit **2.** fogvatartás **II.** *tsi* megláncol, megbilincsel, megbéklyóz • *mn* **fettered**, **fetterless**
fetterlock ['fetəlɒk ‖ 'fetərlɑk] *fn cím* béklyó
fettle ['fetl] *fn* **1.** rend, készenlét; **be in a fine ~** jó erőben/formában van **2. a)** *koh* készlet *[olvasztóhoz]* **b)** *koh* kemencebélés
fettler ['fetlə ‖ –ər] *fn* **a)** *koh* öntvénytisztító munkás **b)** *GB Ausz* vasúti karbantartó munkás
fetus ['fiːtəs] → **foetus**
feu [fjuː] **I.** *fn* **1.** *tört* hűbérbirtok **2.** *skót jog* örökbérlet **II.** *tsi tört* hűbérbirtokot adományoz
feud[1] [fjuːd] **I.** *fn* **1.** ellenségeskedés, családi viszály; **family blood ~** családi vérbosszú, vendetta; **be at ~ with sy** ellenséges viszonyban van vkvel **2.** hosszúra nyúló/elkeseredett vita/veszekedés **II.** *tni* ellenségeskedik, viszálykodik
feud[2] [fjuːd] *fn tört* hűbérbirtok

feudal ['fju:dl] *mn tört* **1.** hűbéri, feudális; ~ **system** feudális/hűbéri rendszer **2.** idejétmúlt, elavult • *fn* **feudalism**, **feudalist** *mn* **feudalistic**
feudality [fju:'dæləti] *fn* **1.** hűbériség **2.** hűbérbirtok
feudalize ['fju:dəlaɪz], **-ise** *tsi* leigáz, hűbéresít • *fn* **feudalization**
feudatory ['fju:dətəri ‖ –tɔri] *tört* **I.** *mn* hűbéres, adóköteles **II.** *fn* **feudatories of the Crown** királyi hűbéresek, koronahűbéresek
feudist ['fju:dɪst] *fn* ellenségeskedő, vérbosszút forraló
feuilleton ['fɜ:ɪtɔ:ŋ ‖ ˌfərjə'toʊ] *fn [újságban]* tárca, feuilleton
fever ['fi:və ‖ –ər] **I.** *fn* **1.** láz, hőemelkedés; **intermittent** ~ váltóláz, malária; **free of** ~ láztalan, lázmentes; **be in a** ~ lázas, láza van; izgatott, lázban ég **2.** izgalom, izgatottság, hév **II. A.** *tsi* lázat okoz, belázasít, *átv* lázba hoz **B.** *tni* belázasodik, lázas, lázban ég • *mn* **fevered**
fever-blister *fn orv* lázhólyag, lázkiütés
feverish ['fi:vrɪʃ] *mn* **1.** lázas, *átv* izgatott, túlfűtött, fölajzott; *biz* ~ **activity** lázas tevékenység **2.** egészségtelen, lázokozó, maláriás *[éghajlat]*
feverous ['fi:vrəs] *mn* **1.** lázat okozó, lázat kiváltó **2.** láztól letaglózott, lázas
fever pitch *fn* az izgalom tetőfoka
fever-stricken *mn* lázas
few [fju:] *mn/nm/fn kfok* **fewer**, *ffok* **fewest** **1.** kevés, csekély számú, nem sok; **we are very** ~ nagyon kevesen vagyunk; ~ **and far between** kevés **2. a** ~ néhány; **a** ~ **more** még néhány; **a good** ~, **quite a** ~, **some** ~ jó egynéhányan, elég sokan, szép számmal; **not a** ~ jelentős számú, nagyszámú; **no ~er than** nem kevesebb, mint; annyi mint; **he had a good** ~ **enemies** *GB biz* jó sok ellensége volt; **every** ~ **days** 2-3 naponként **3. the** ~ a kevesek, a kisebbség; **the fortunate** ~ néhány szerencsés/kiválasztott • *fn* **fewness**
fey [feɪ] *mn* **1. a)** elátkozott, elvarázsolt, megbabonázott **b)** túlvilági **2. a)** halálra szánt, halált váró, haldokló **b)** halál előtti euphoriás hangulatú **3.** *skót* végzetes, szerencsétlen
fez [fez] *fn tsz* **fezzes** fez
ff, ff. 1. *folios* **2.** *following(pages)* következő *[lapokon]*, kk. **3.** fortissimo, *very loud*
fiancé [fɪ'ɒnseɪ ‖ ˌfi:ɑn'seɪ] *fn* vőlegény, jegyes
fiancée [fɪ'ɒnseɪ ‖ ˌfi:ɑn'seɪ] *fn* menyasszony, jegyes
fianchetto [fɪən'tʃetoʊ] *fn sp* ‹a futó hosszabb, átlós irányú mozgatása a sakktáblán›
fiasco [fi'æskoʊ] *fn* kudarc, bukás, sikertelenség, fiaskó
fiat ['fi:æt ‖ –ət] *fn* **1.** beleegyezés, hozzájárulás, felhatalmazás **2.** parancs, rendelet
fiat money *US pénz* beválthatatlan papírpénz
fib [fɪb] **I.** *fn biz* füllentés **II.** *tni* **-bb-** *biz* füllent • *fn* **fibber** *fn* **fibster**
fiber ['faɪbə ‖ –ər] *US* → **fibre**
fiberboard *US* → **fibreboard**
fiberglass *US* → **fibreglass**
fibre- ['faɪbə ‖ –ər] *összet* → **fibro-**
fibre ['faɪbə ‖ –ər] *fn* **1.** rostszál, rostanyag, elemi szál, *tex* fonál **2.** *növ* hajszálgyökér **3.** *orv* izomrost, rostos szövet, rostszál **4.** természet, jelleg; **our moral** ~ erkölcsiségünk, erkölcsi természetünk **5.** üvegszál, üvegfonál **6.** *távk* rost, szál; **optical** ~ optikai vezeték, fénykábel, fényvezeték • *mn* **fibred**, **fibreless**, **fibriform**
fibreboard, *US* **fiberboard** *fn* préselt rostlemez
fibreglass, *US* **fiberglass** *fn* üveggyapot, üvegszál, üvegfonál
fibre optics *fn esz fiz infor* (üveg)száloptika
fibril ['faɪbrɪl] *fn* **1.** kis szál, rostszálacska **2.** *növ* hajszálgyökér • *mn* **fibrillar**, **fibrillary**
fibrilla [faɪ'brɪlə] *fn* **1.** *tex* kis szál, rostszálacska, rostocska **2.** kis izomrost, kis idegrost **3.** *növ* gyökrost
fibrillate ['faɪbrɪleɪt] *i* **1.** *tex* **a)** fibrillál, rostosodik **b)** rostokra oszt/bont **2.** *orv* fibrillál • *fn* **fibrillation**
fibrin ['faɪbrɪn] *fn vegy* vérrostanyag, fibrin • *mn* **fibrinoid**
fibrinogen [faɪ'brɪnədʒɪn] *fn vegy* fibrinogén
fibro- ['faɪbroʊ] *előtag* rost(os)-
fibroid ['faɪbrɔɪd] **I.** *mn* rostszerű, rostos szerkezetű, rostos **II.** *fn orv* rostdaganat, fibróma
fibrolite ['faɪbrəlaɪt] *fn* fibrolit
fibrous ['faɪbrəs] *mn* rostos, rostszerű, szálas
fibula ['fɪbjʊlə ‖ –bjə–] *fn* **1.** *orv* szárkapocscsont **2.** *tört* ókori dísztű, melltű, fibula
fibular ['fɪbjʊlə ‖ –ər] *mn orv* szárkapocs-, fibuláris
fickle ['fɪkl] *mn* **a)** ingatag, szeszélyes, megbízhatatlan **b)** bizonytalan, változó, változékony *[idő]* • *fn* **fickleness** *hsz* **fickly**
fictile ['fɪktaɪl ‖ 'fɪktl] *mn* **1.** formálható **2.** agyagos, kerамikus, plasztikus *[művészetek]*; ~ **art** fazekasmesterség • *fn* **fictility**
fiction ['fɪkʃn] *fn* **1.** képzelgés, kitalálás, kitaláció; *biz* **these tales are pure** ~ ez csak mese **2.** valótlanság, koholmány **3.** *jog* **legal** ~, ~ **of law** jogi feltevés/fikció/vélelem **4. (works of)** ~ regényirodalom, regényműfaj, széppróza; **light** ~ szórakoztató regény • *fn* **fictionist**
fictional ['fɪkʃnəl] *mn* **1. a)** költött, képzelt; ~ **character** képzelt/kitalált szereplő/személy **b)** koholt, színlelt **2.** regényes, regény jellegű, regény- *[irodalom]* • *tsi* **fictionalize**, **-ise** *fn* **fictionality**
fictitious [fɪk'tɪʃəs] *mn* **1. a)** képzelt, kitalált, fiktív; ~ **name** álnév; ~ **narrative** kitalált történet **b)** regénybeli **2.** koholt, alaptalan; ~ **accounts** fiktív folyószámlák **3.** látszólagos
fictive ['fɪktɪv] *mn* **a)** képletes, képzeletbeli, fiktív **b)** állítólagos, koholt
fid [fɪd] *fn* **1.** *hajó* árbockeresztfa-csapszeg **2. a)** rögzítőék, tartópecek, *műsz* tüske, tövis **b)** *GB* cövek, karó
fiddle ['fɪdl] **I.** *fn* **1. a)** *biz* hegedű; *biz* **fit as a** ~ makkegészséges; kutya baja sincs; *biz* **he has a face as long as a** ~ megnyúlt a képe/ábrázata, savanyú/gyászos képet vág **b)** *biz* hegedűs, hegedűművész; *átv* **play first** ~ *biz* vezető szerepet visz vmben; *átv* **play second** ~ **to sy** *biz* alárendelt szerepet játszik vk mellett **2.** *hajó* evőeszköztartó, evőeszköz- és tányérrögzítő *[vihar esetére]* **3.** *GB biz* trükk **II. A.** *tsi* **1. a)** *biz* játszik *[vmt hegedűn]* **b)** *pej* nyekerget *[hegedűt]* **2.** *GB* **a)** becsap, megcsal **b)** orgazdaságot űz **B.** *tni biz* **1.** hegedül **2.** játszadozik, babrál vmvel
fiddle away *tsi* ~ **away one's time** elfecséreli v. haszontalanságokkal tölti el az idejét
fiddle-bow *fn* hegedűvonó
fiddle-de-dee [ˌfɪdldi'di:] *isz biz* buta beszéd!, szamárság!
fiddle-faddle ['fɪdlfædl ‖ ˌfɪdl'fædl] **I.** *fn* jelentéktelen apróság **II.** *tni* babrál, piszmog, szöszmötöl **III.** *mn* **1.** jelentéktelen **2.** babráló, piszmogó, szöszmötölő **IV.** *isz* buta beszéd!, szamárság!
fiddle-head *fn* ‹dísz a hajó orrán›
fiddler ['fɪdlə ‖ –ər] *fn* **1.** hegedűs, hegedűművész **2.** *szl [csaló, szélhámos]* (nagy) macher/kártyás
fiddlestick *fn* **1.** (hegedű)vonó **2.** *biz* semmiség, bagatell
fiddling ['fɪdlɪŋ] *mn* **1.** hegedülő, hegedülgető **2. a)** elbabráló, pepecselő *[személy]* **b)** haszontalan, hiábavaló, jelentéktelen *[dolog]*; **a** ~ **job** türelemjáték, pepecs munka
fiddly ['fɪdli] *mn GB* szöszmötölős, pepecselő, piszmogó; bonyodalmas, nehézkes *[munka]*
fideism ['fɪdeɪɪzm] *fn fil* fideizmus • *fn* **fideist** *mn* **fideistic**
fidelity [fɪ'deləti] *fn* **1. a)** hűség, ragaszkodás vkhez **b)** hűség, hitelesség; ~ **of a translation** fordítás hűsége/pontossága **2.** becsületszó; **by my** ~ szavamra!, becsületemre! **3.** *távk* torzításmentesség; **high** ~ hifi, valósághű
fidget ['fɪdʒɪt] **I. A.** *tni* **1.** izgul, idegeskedik, nyugtalankodik; ~ **with sg** idegesen babrál vmvel **2.** ~ **about** nyugtalanul izeg-mozog, fészkelődik **B.** *tsi* izgat, idegesít, idegessé tesz **II.** *fn* **1. the ~s** ideges nyugtalanság, izgésmozgás **2.** nyugtalan izgő-mozgó ember
fidgety ['fɪdʒəti] *mn* **1.** izgő-mozgó, jövő-menő, fészkelődő **2.** ideges, türelmetlen, nyugtalankodó

F

fiducial [fɪˈdjuːʃl ‖ –ˈduː–] *mn csill* meghatározó, vonatkozási, referencia- *[pontok, vonalak]*; ~ **line** elfogadott/meghatározott kiindulási alapvonal
fiduciary [fɪˈdjuːʃəri ‖ –ˈduːʃieri] **I.** *mn pénz jog* a kibocsátó iránti bizalmon alapuló, fiduciáris **II.** *fn jog* bizalmi személy, „trustee"
fie [faɪ] *isz* **1.** ~ **upon you!** pfuj!; szégyelld magad! **2.** ejnye-ejnye!
fief [fiːf] *fn* **1.** *tört* hűbérbirtok **2.** hatáskör
field [fiːld] **I.** *fn* **1.** mező, szántóföld; **pasture** ~ legelő; **in the open** ~ a szabadban **2.** *összet* mező, tér, terület **3.** *kat* ~ **of battle** csatatér, harctér; harcmező; **in the** ~ háborúban, hadiszolgálatban, harctéren **4.** *sp* **a)** pálya **b)** csapat, játékosok, felállás; **place the** ~ csapatot felállít/elrendez **c)** (lóverseny)mezőny; **lead the** ~ vezet, vezeti a mezőnyt **5. a)** *átv* terület, tér *[szellemi tevékenységé]*; ~ **of action** munkaterület, működési kör; ~ **of interest** érdeklődési kör; ~ **of study** szak **b)** *mat* számtest **6.** *gazd* piac, eladási terület **7. a)** *fiz* mező, erőtér; ~ **of force** erőtér; ~ **of vision** látómező **b)** *vill* **electromagnetic** ~ elektromos/mágneses erőtér/mező **8.** lelőhely **9.** *csill* látómező *[távcsőé]* **II.** *mn* **1.** mezei; ~ **bee** dolgozó méh; ~ **flower** mezei virág; *sp* ~ **hockey** gyeplabda **2.** *kat* harctéri, tábori; ~ **kitchen** tábori konyha; ~ **service** hadiszolgálat **3.** helyszíni, terepen történő; ~ **notes** terepfeljegyzések; *média* ~ **pickup** külső felvétel; ~ **study** külső/helyszíni munka **4.** *sp* mezőny-; ~ **play** mezőnyjáték **5.** *el távk* ~ **distortion** képtorzítás *[tv]* **III. A.** *tsi* **1.** *kat* felvonultat, telepít *[hadsereget]* **2.** *sp* **a)** megfog/megállít/visszadob labdát *[pl. baseballban]* **b)** ~ **a team** csapatot összeállít v. vk ellen kiállít *[pl. baseballban]* **3.** ajánl *[jelöltet]* **B.** *tni* mezőnyben játszik *[pl. baseballban]*
field-artillery *fn* tábori tüzérség
field-book *fn* ‹földmérő v. térképész által (technikai) adatok feljegyzésére használt könyv/füzet›
field day *fn* **1.** *biz* nagy nap, nagy esemény napja, sikerek napja **2.** *kat* **a)** katonai gyakorlónap **b)** hadgyakorlat napja **c)** *kat* sorozás napja **3. a)** kirándulónap **b)** kiszállás, helyszíni szemle/adatfelvétel **4.** *US* atlétikai találkozó/verseny
fielder [ˈfiːldə ‖ –ər] *fn sp* **1.** mezőnyjátékos **2.** pályaszéli játékos *[baseball, krikett]*
field-events *fn tsz sp* nehéz atlétikai és ugró számok
fieldfare [ˈfiːldfeə ‖ –fer] *fn áll* fenyőrigó
field-glasses *fn tsz* látcső, messzelátó
field-gun *fn kat* tábori ágyú
field-hand *fn* **1.** mezőgazdasági munkás, béres **2.** *tört* ültetvényen dolgozó rabszolga
field hospital *fn* tábori kórház
field ice *fn* úszó jégmező
field marshal *fn kat* hadseregtábornok
field mouse *fn tsz* **mice** mezei egér
field notes *fn* helyszíni v. terepmunka közben készített jegyzetek
field officer *fn kat* törzstiszt
field order *fn kat* harcparancs
field research *fn gazd* helyszíni piackutatás
fieldsman [ˈfiːldzmən] *fn tsz* **-men** pályaszéli játékos *[pl. baseballban]*
field sports *fn tsz* terepsportok *[vadászat, horgászat]*
fieldstone *fn* természetes formájában (fel)használt kő
field surgeon *fn kat* tábori sebész/orvos
field-survey *fn* **1.** *kat* terepszemrevételezés, terepfelmérés **2.** helyszíni kutatómunka/felvétel/kiszállás
field telegraph *fn kat* tábori/katonai távíró
fieldtrip *fn okt* tanulmányút
fieldwork *fn* **1.** terepmunka, külső/helyszíni munka **2. a)** kiszállás, helyszíni kutatómunka **b)** iskolai gyakorlat **3.** mezei munka **4.** tábori erődítések/erődítmények • *fn* **fieldworker**
fiend [fiːnd] *fn* **1. a)** ördög, démon, rossz/gonosz szellem; **the F~** a sátán, a gonosz lélek **b)** szörnyeteg, ördögien gonosz ember **2.** *biz* vmnek a megszállottja/rajongója/mániákusa; **drug** ~ kábítószer rabja **3.** *tréf* **he is a ~!** az idegeimre megy! • *mn* **fiendlike**
fiendish [ˈfiːndɪʃ] *mn* **1.** pokoli, sátáni, ördögi **2.** rendkívül bonyolult, nehéz • *fn* **fiendishness** *hsz* **fiendishly**
fierce [fɪəs ‖ fɪrs] *mn* **1. a)** erőszakos, indulatos, vad, brutális, kegyetlen *[természet]*; ~ **dislike** heves ellenszenv **b)** dühöngő, ádáz *[vihar]*; **fierce wind(s)** heves/dühöngő szél/szelek **2.** *biz* kellemetlen, elviselhetetlen • *fn* **fierceness** *hsz* **fiercely**
fiery [ˈfaɪəri] *mn* **1.** égő, tüzes, izzó, gyúlékony *[anyag]*; *bány* ~ **atmosphere** sújtólég **2.** tüzes, heves, szenvedélyes, tűzrőlpattant *[személy]*; ~ **temperament** heves természet/vérmérséklet • *fn* **fieriness** *hsz* **fierily**
fiesta [fiˈestə] *fn* **1.** templombúcsú, egyházi ünnepség **2.** ünnep, szabadság
FIFA *röv francia Fédération Internationale de Football Association* Nemzetközi Labdarúgó Szövetség, FIFA
fife [faɪf] **I.** *fn zene* (haránt)fuvola, harántsíp **II.** *tsi/tni* harántsípon/-fuvolán (el)játszik • *fn* **fifer**
fife-rail *fn hajó* kötélzetrögzítő sínveret
fifteen [fɪfˈtiːn] *mn/fn* **1.** tizenöt; **a Rugby** ~ egy rugbycsapat/-legénység **2.** tizenöt éven felülieknek ajánlott *[film]*
fifteenth [fɪfˈtiːnθ] **I.** *mn* **a)** tizenötödik **b)** tizenötöd **II.** *fn* **a)** tizenötöd rész **b)** *zene* tizenötöd hangköz, decima quinta
fifth [fɪfθ] **I.** *mn* **a)** ötödik; ~ **column** ötödik hadoszlop; az ellenség kezére játszók *[országon/párton belül]*; *US* ~ **day** csütörtök; *US* ~ **month** május; ~ **wheel** *gk* pótkerék; *átv biz* ötödik kerék, felesleges vk/vm; *US jog* **take the** ~ válaszadás megtagadása *[5. Alkotmánykiegészítés szerint]* **b)** ötöd **II.** *fn* **a)** ötödrész **b)** *zene* kvint hangköz, ötödik fok **c)** egyötöd gallon alkohol *[0,75 liter]* • *hsz* **fifthly**
fiftieth [ˈfɪftiəθ] *mn/fn* ötvenedik
fifty [ˈfɪfti] *mn/fn* ötven; *biz* **I've got ~ things to tell you** rengeteg mondanivalóm van számodra • *hsz* **fiftyfold**
fifty-fifty *mn* fele-fele arányban, felesben; **go ~ with sy** megfelez hasznot és veszteséget vkvel; **on a ~ basis** fele-fele alapon
fig. *röv* **1.** *figuratively* átvitt értelemben, átv. **2.** *figure* ábra, á.
fig[1] [fɪg] *fn* **1.** füge **2.** ~ **(tree)** fügefa **3. I don't care a ~ for it** fütyülök rá • *mn* **figgy**
fig[2] [fɪg] **I.** *fn* **1.** *biz* **in full** ~ teljes díszben **2.** *biz* **in good** ~ jó formában **II.** *tsi* **-gg-** felcicomáz; ~ **sy out/up** kicsinosít/felcicomáz vkt
fight [faɪt] **I.** *pt/pp* **fought** [fɔːt ‖ fɑt] **A.** *tsi* **1.** ~ **sy** vk ellen küzd/harcol; megküzd vkvel; ~ **a battle** csatát vív **2.** *jog* ~ **an action at law** perben védekezik **3.** ~ **one's ships** hajókat irányít *[csatában]* **4.** egymásnak uszít, verekedtet *[kakasokat, kutyákat]* **B.** *tni* **a)** harcol, küzd, verekszik; ~ **against/with the enemy** harcol/küzd az ellenséggel; ~ **for freedom** a szabadságért harcol **b)** ~ **shy of sg/sy** kitér vm/vk elől **II.** *fn* **1. a)** küzdelem, harc, csata, ütközet, verekedés; **bitter** ~ elkeseredett küzdelem **b)** bokszmérkőzés **c)** kutyák marakodása **2.** küzdeni akarás, harci szellem/kedv; **put up a good** ~ derekasan küzd, erős ellenállást fejt ki; **show** ~ harci kedvet mutat; ellenáll
fight back A. *tsi* leküzd, elnyom, elfojt **B.** *tni* ellentámadásba kezd
fight down *tsi* leküzd *[szenvedélyt, ellenállást]*
fight off *tsi* **1.** leküzd *[betegséget]* **2.** ~ **off the enemy** visszaszorítja az ellenséget
fight out *tsi* **let's ~ it out** küzdjünk meg érte, döntsük el párviadallal; ~ **one's way out** *átv* kivágja magát *[nehéz helyzetből]*
fight up *tsi* **he fought his way up unaided** önerejéből küzdötte fel magát
fightback *fn GB* megtorlás
fighter [ˈfaɪtə ‖ ˈfaɪtər] *fn* **1. a)** harcos **b)** verekedő **c)** bokszoló, ökölvívó **2. a)** vadászrepülő **b)** vadászrepülőgép

fighter-bomber *fn* vadászbombázó
fighting [ˈfaɪtɪŋ] **I.** *mn* küzdő, harcoló, harcos; ~ **chance** esély, lehetőség *[nagy küzdelmek árán]*; ~ **cock** harcikakas *[kakasviadalon]*; *biz* harcias ember; ~ **fit** harcra kész; ~ **forces** fegyveres erők; ~ **fund** *GB* kampánytámogatás, kampánypénz; *kat* ~ **knife** rohamkés; ~ **line** harcvonal; ~ **machine** vadászrepülőgép; ~ **mad** megdühödött, megvadult; ~ **men** harcosok, katonák; ~ **words** harcot provokáló szavak **II.** *fn* **1.** harc, küzdelem, küzdés, verekedés; **close** ~ közelharc **2.** bokszmérkőzés
fig leaf *fn tsz* ~ **leaves a)** *átv* fügefalevél **b)** *biz* napozókötény *[férfié]*
figment [ˈfɪgmənt] *fn* koholmány, kitalálás; ~ **of one's imagination** a képzelet szülötte
fig tree *fn* fügefa
figural [ˈfɪgjərəl] *mn* **1.** talányszerű, jelképes **2.** alaki, alakra vonatkozó **3.** szám- **4.** *műv* figurális, ember- v. állatalakos
figurant [ˈfɪgjərənt ‖ –rɑnt] *fn francia szính* balettkar tagja, kartáncos • *fn* **figurante**
figuration [ˌfɪgjʊˈreɪʃn] *fn* **1. a)** alakítás, formálás *[gondolaté, kiejtésé]* **b)** alak, körvonal, árnyékkép *[tárgyé]* **2.** képes ábrázolás, jelkép, allegória **3. a)** díszítőminta *[hímzésen]* **b)** *zene* díszítés, figuráció
figurative [ˈfɪgərətɪv ‖ ˈfɪgjə–] *mn* **1.** képletes, jelképes, átvitt, szimbolikus, metaforikus; ~ **language** képes beszéd **2.** díszítéses, képekben gazdag *[stílus]* **3. the** ~ **arts** a képzőművészetek • *fn* **figurativeness** *hsz* **figuratively**
figure [ˈfɪgə ‖ ˈfɪgjər] **I.** *fn* **1.** számjegy; **in round ~s** kerek számmal/számokban; **reach three ~s** három számjegyre rúg; *biz* **what's the ~?** mivel tartozom?; mibe kerül? **2. a)** számadatok, méretek **b)** számolás, számtan **3.** alakzat, külső forma, megjelenés, testalkat, termet *[személyé]*; **central** ~ központi alak *[drámában]*; *átv* **cut/make a brilliant/good** ~ jó benyomást tesz; pompásan szerepel; *US* **cut no** ~ nem sokat számít **4. a)** ábra, illusztráció, metszet *[könyvben]* **b)** rajz, minta *[textilanyagon]* **c)** figura, tánclépés **d)** *régi* horoszkóp **e)** képmás, arckép **5.** ~ **of speech** szókép, metafora; *biz* beszédmód, beszédmodor **6.** *zene* motiváció, motívum **II. A.** *tsi* **1.** alakít *[személyt]*, jelképez *[vidéket]*, jelez **2.** ~ **sy/sg to oneself** elképzel magának vkt/vmt **3.** *US biz* felértékel, becsül, tart *[vmnek]*; megállapít **4.** díszít, hímez, mintáz **5.** megszámol, számjeggyel megjelöl **6.** *zene* számjelez *[basszust]* **B.** *tni* **1.** számol, kalkulál **2.** szerepel, megjelenik *[mint vm]*; ~ **as sy** vk szerepét játssza, vkt alakít **3.** (vm) jellemző (vkre); **it ~s** ez jellemző rá • *mn* **figureless**
figure on *tni US* ~ **on sg** vmre számít, vmben bízik, vmt tervez
figure out A. 1. *tsi* ~ **out the expense** kiszámítja a költséget **2.** *átv* kalkulál, kigondol, kitalál **B.** *tni* kitesz *[számot, összeget]*
figured [ˈfɪgəd ‖ ˈfɪgjərd] *mn* mintás, mintázott, díszített *[anyag]*; **finely** ~ szépen formált
figurehead [ˈfɪgəhed ‖ ˈfɪgjər–] *fn* **1.** orrszobor *[hajón]* **2.** *átv* névleges vezető
figure of eight *fn* **1.** nyolcas számjegy **2.** nyolcas alak(ú tárgy stb.)
figure skating *fn* műkorcsolyázás; **pairs** ~ páros műkorcsolyázás • *fn* **figure skater**
figurine [ˌfɪgəˈriːn ‖ ˈfɪgjə–] *fn* szobrocska, nipp
Fiji [ˈfiːdʒiː] *tul földr* **the** ~ **Islands** Fidzsi-szigetek
Fijian [fɪˈdʒiːən ‖ ˈfiːdʒɪən] *mn* fidzsi-szigeteki
filagree [ˈfɪləgriː] *fn* → **filigree**
filament [ˈfɪləmənt] *fn* **1. a)** rost **b)** műselyemszál **2.** *vill távk* fűtőszál, izzószál • *mn* **filametary**, **filamented**, **filamentous**
filaria [fɪˈleərɪə ‖ –ˈler–] *fn tsz* **filariae** [–riiː] *orv* fonalféreg
filature [ˈfɪlətʃə ‖ –ər] *fn* selyemgombolyító üzem
filbert [ˈfɪlbət ‖ –ərt] *fn* mogyoró
filbert mouse *fn áll* pele
filch [fɪltʃ] *tsi* elcsen, ellop, elemel
file[1] [faɪl] **I.** *fn* reszelő, ráspoly **II.** *tsi* reszel, ráspolyoz • *fn* **filer**
file away *tsi* **a)** lereszel **b)** *átv* eltávolít, lecsíp, lenyeseget
file[2] [faɪl] **I.** *fn* **1. a)** akta, percsomó **b)** kartoték **2.** iratgyűjtő, levélrendező **3.** *tsz* **files** irattár, okmánytár **4.** *infor* állomány, fájl **5. a)** sor; **on** ~ iktatva van **b)** *kat* oszlop; **rank and** ~ legénységi állomány, közkatonák *[tizedesig bezárólag]*; *átv* az egyszerű emberek, a köznép **6.** *sp* vonal **II. A.** *tsi* **1. a)** iktat, kartotékba sorol, kartotékol **b)** lerak, irattároz *[iratokat]* **2.** ~ **a petition** kérvényt/kérelmet nyújt be; *US* ~ **a story** cikket lead *[szerkesztőségnek]* **3.** *kat* oszlopban/oszlopokban vonultat fel, oszlopba rendez **B.** *tni* egyes sorban menetel/vonul • *fn* **filer**
file off *tni* egyes sorban elvonul
file out *tni* **a)** kilép a sorból, elhagyja a sort **b)** kitódul, kiözönlik (*of* vhonnan)
file copy *fn infor* irattári példány
file extension *fn infor* állománynév-kiterjesztés
file format *fn infor* állományformátum
file manager *fn infor* állomány kezelő
file name *fn infor* állománynév
file server *fn infor* állomány/fájl(-kezelő) szerver
filet silk *fn* hímzőfonal, hímzőselyem
file type *fn infor* állománytípus
filial [ˈfɪlɪəl] *mn* gyermeki, fiúi *[szeretet]*; ~ **obedience** gyermeki engedelmesség; ~ **piety** gyermeki áhítat • *hsz* **filially**
filiation [ˌfɪlɪˈeɪʃn] *fn* **1. a)** leszármazás **b)** gyermeki viszony **2.** apaság megállapítása **3.** fiókvállalat, fiókuzlet • *tsi* **filiate**
filibeg [ˈfɪlɪbeg] *fn skót* kilt, skót szoknya
filibuster [ˈfɪlɪbʌstə ‖ –ər] **I.** *fn* **1.** *US* **a)** döntéshalogató/időhúzó szócséplés, obstruálás *[parlamentben]* **b)** *ritk* obstrukcionista, obstruáló képviselő **2. a)** *tört* kalóz **b)** szabadcsapat tagja **II.** *tni* **1.** *US* obstruál *[parlamentben]* **2. a)** *tört* kalózkodik **b)** *tört* partizánkodik • *fn* **filibustering**
filicide [ˈfɪlɪsaɪd] *fn jog* gyermekgyilkos(ság)
filigree [ˈfɪlɪgriː] *fn* áttört ötvösmunka drótból, finom fémmunka • *mn* **filigreed**
filing[1] [ˈfaɪlɪŋ] *fn* reszelés, ráspolyozás
filing[2] [ˈfaɪlɪŋ] *fn* **1.** iktatás, kartotékozás **2.** *jog* beadás *[kérvényé perirató]*
filing-cabinet *fn* kartotékszekrény, irattartó (szekrény), cédulaszekrény
filing-clerk *fn* **1.** segédhivatali tisztviselő, iktató **2.** irattáros
filings [ˈfaɪlɪŋz] *fn tsz* reszelék, finom vaspor
Filipino [ˌfɪlɪˈpiːnoʊ] *fn* Fülöp-szigeteki férfi • *fn* **Filipina**
fill [fɪl] **I. A.** *tsi* **1. a)** tölt, betölt, feltölt, megtölt, teletölt (*with* vmvel), önt (*sg into sg* vmt vmbe) **b)** *átv* **it ~s the bill** a műsor fénypontja/csúcspontja; ~ **a need** szükségletet kielégít, hiányt/hézagot pótol; ~ **an order**, ~ **a contract** teljesít rendelést/szerződést; *szính* ~ **a part** szerepet játszik; ~ **up a post/vacancy** állást/helyet/üresedést betölt; ~ **a prescription** receptet/vényt elkészít *[gyógyszerész]*; *biz* ~ **sy's shoes** nyomába/helyére lép **2.** betöm, megtöm, teletöm, tömít; ~ **a tooth** fogat betöm/plombál **B.** *tni* megtelik, betelik, telítődik **II.** *fn* **1. a)** bőség **b) drink one's** ~ nagyot iszik, teleissza magát **2.** töltőanyag, töltet **3.** vasúti töltés
fill in A. *tsi* **1. a)** betölt, feltölt, betemet **b)** beír *[számjegyeket]* **c)** *átv* ~ **the time with sg** eltölti az idejét vmvel **2. a)** kitölt *[hézagot, űrlapot]*, kiállít *[űrlapot]*; ~ **in the date** kitölti a dátumot **b)** aprólékosan kidolgoz **3.** *GB szl [összever]* betakar **B.** *tni* **1.** megtelik, feltöltődik **2.** helyettesít vkt
fill out A. *tsi US* kiállít, kitölt *[űrlapot]* **B.** *tni* **1.** telik, megtelik **2.** meghízik, kigömbölyödik, megpocakosodik

F

fill up *tsi* **1. a)** teletölt, teletöm, feltankol; *gk* **~ her up!** tele kérem! *[benzinnel a tankot]* **b)** betölt *[állást]* **2.** *GB* kitölt *[űrlapot]*, teleír *[oldalt]*

filler [ˈfɪlə ‖ –ər] *fn* **1. a)** *összet* -töltő **b)** tölcsér **2. a)** töltet, töltelék **b)** töltelékszó, hézagtöltő **c)** *épít* kitöltő kő, béléskő

filler cap *fn gk* betöltő sapka, tanksapka

fillet [ˈfɪlət] **I.** *fn* **1.** csonttalan hússzelet, filé, halfilé **2. a)** hajlekötő szalag/pánt **b)** *orv* hurok- **c)** díszítő fémszalag **d)** vékony fémlemez, pillangóarany **3. a)** *épít* sáv, csík **b)** léctag, párkányléc **4. a)** *cím* szál **b)** *nyomd* vonaldísz **II.** *tsi* **1.** szállal/szalaggal díszít, szalaggal leköt/átköt **2.** kicsontoz, filéz *[halat]* **3.** *épít* erez, bordáz *[menynyezetet]* • *fn* **filleter**, **filleting**

fill-in I. *mn összet* pót- **II.** *fn* **1.** helyettes, pótlék, pótanyag **2.** töltőanyag **3.** eligazítás; → **fill in**

filling [ˈfɪlɪŋ] **I.** *mn* **1.** laktató, kiadós *[étel]* **2.** öntelítő **II.** *fn* **1.** kitöltés, megtöltés **2. a)** betömés, feltöltés **b)** tömés, plombálás **3. a)** töltőanyag **b)** *US gaszt* töltelék

filling station *fn gk* töltőállomás, benzinkút

filling station attendant *fn gk* benzinkútkezelő, benzinkutas

fillip [ˈfɪləp] **I.** *fn* **1. a)** pattintás *[ujjal]* **b)** fricska **2. a)** enyhe izgatószer **b)** *biz* ösztönzés; **give a ~ to...** felpezsdít, felélénkít; új életet önt belé **II.** *tsi* **1. a)** fricskáz, fricskát ad **b)** ujjával pattint **2.** izgat, buzdít, sürget

fillis [ˈfɪləs] *fn GB* kenderkóc, lenkóc

fillister [ˈfɪlɪstə] *fn* **a)** horony **b)** hornyolás

fill-up *fn* **1.** kitöltő darab, űrtöltő **2.** feltankolás; → **fill up**

film [fɪlm] **I.** *fn* **1.** hártya, köd, füst fátyol **2.** *fényk* **a)** film **b)** fényérzékeny réteg **3. a)** játékfilm; **take/shoot a ~** filmez, filmre vesz, filmet forgat **b)** filmfelvétel **c) have a ~ face** jó filmarca van **II. A.** *tsi* **a)** bevon *[vékony/fényérzékeny réteggel/filmmel/fátyollal]* **b)** filmez, filmre vesz/alkalmaz, filmet forgat, megfilmesít **B.** *tni* **~ over** meghártyásodik *[folyadék]*

filmable [ˈfɪlməbl] *mn* filmre alkalmazható, megfilmesíthető

film-goer [ˈfɪlmgoʊə ‖ –ər] *fn* mozilátogató

filmic [ˈfɪlmɪk] *mn* film-

film library *fn* mozgóképgyűjtemény, filmtár

film-maker *fn* filmes, filmkészítő • *fn* **film-making**

filmography [fɪlˈmɒgrəfɪ] *fn* filmográfia

film star *fn* filmcsillag, filmsztár

filmstrip *fn* diafilm, diaszalag

filmy [ˈfɪlmi] *mn* **1. a)** hártyás, hályogos **b)** fátyolos *[pl. köd]* **2.** fátyolszerű *[felhő]*, könnyű, áttetsző • *hsz* **filmily**

Filofax [ˈfaɪloʊfæks] *fn* ‹kivehető lapokból álló, hordozható irat- v. kartotéktartó mappa/akta otthoni v. irodai használatra›

filter [ˈfɪltə ‖ –ər] **I.** *fn* **1.** szűrő **2.** *fényk* **colour ~** színszűrő **3.** *GB közl* kiegészítő lámpa, kanyarodólámpa *[zöld nyíl]* **II. A.** *tsi* szűr **B.** *tni* **1.** beszivárog, átszűrődik **2.** *gk* besorol *[haladó kocsisorba]* • *fn* **filterer**

filter out A. *tsi* kiszűr **B.** *tni* **1.** kiszűrődik **2.** kiszivárog; **the news soon ~ed out** hamar kiszivárgott a hír

filterable [ˈfɪltrəbl] *mn* szűrhető; *orv* **~ virus** szűrhető vírus • *fn* **filterability**

filter-bed *fn épít* szűrőréteg, szűrőágy

filter cartridge *fn gk* szűrőbetét

filter-feeding *fn áll* szűrve táplálkozás *[pl. vízből kiszűrt planktonnal]*

filtering [ˈfɪltərɪŋ] **I.** *mn* szűrő; **~ apparatus** szűrőkészülék; **~ process** szűrés; **~ tank** vízszűrőmedence **II.** *fn infor* szűrés

filter-paper *fn* szűrőpapír, filterpapír

filter-screen *fn fényk* szűrőernyő

filter tip *fn* **1.** füstszűrő **2.** füstszűrős cigaretta • *mn* **filter-tipped**

filth [fɪlθ] *fn* **1.** piszok, szenny, mocsok **2. a)** erkölcstelenség **b)** trágárság, ocsmányság **3.** *GB szl [rendőrség]* a zsaruk

filthy [ˈfɪlθi] **I.** *mn* **1.** szennyes, mocskos **2.** erkölcstelen, ocsmány, obszcén **3.** *GB biz* rossz, kellemetlen *[időjárás]* **4.** tisztességtelen, hitvány; **~ lucre** becstelen módon szerzett nyereség; *biz* pénz, vagyon **II.** *hsz* nagyon, rendkívül, borzasztóan *[pl. gazdag]* • *fn* **filthiness** *hsz* **filthily**

filtrable [ˈfɪltrəbl] → **filterable**

filtrate [ˈfɪltreɪt] **I.** *fn* szüredék, szűrlet, filtratum **II.** *tsi/tni* → **filter II.** • *fn* **filtration**

filly [ˈfɪli] *fn* **1.** kancacsikó **2.** *biz* fruska, csibe

fimbriate [ˈfɪmbrɪət] *mn* **1.** rojtos *[gomba]* **2.** *cím* rámás, beszegett

fin [fɪn] **I.** *fn* **1. a)** *áll* uszony, úszószárny, úszó **b)** *szl [kéz]* jatt; *szl* **tip/give us your ~!** csapj bele! **2. a)** *hajó* uszony *[vitorlás tőkéjén]* **b)** *GB rep* függőleges vezérsík **c)** *műsz* ventilátorszárny **II.** *tni* **-nn- 1.** uszonyokkal csapkod *[döglődő hal]* **2.** uszonyokkal úszik • *mn* **finless**, **finned**

finable [ˈfaɪnəbl] *mn* **1.** megbírságolandó, megbírságolható **2.** adóköteles, illetékköteles

finagle [fɪˈneɪgl] **A.** *tsi US biz* becsap, megcsal, félrevezet vkt **B.** *tni US* csal, svindlizik • *fn* **finagler**

final [ˈfaɪnl] **I.** *mn* **1.** végső, utolsó; *jog* **~ act** záróokmány *[konferenciáé]*; *fil* **~ cause** végső ok; **~ examination** *okt* kb. érettségi vizsga; félévvégi vizsga; → **final II.1.b.**; *jog* **~ process** végrehajtás **2.** végleges, döntő **II.** *fn* **1.** *tsz* **finals a)** *sp* döntő **b)** záróvizsga, képesítővizsga; *US* félévi vizsga **2.** *zene* zárhang **3.** szótag utolsó betűje

finale [fɪˈnɑːli ‖ fɪˈnæli] *fn* **1.** *zene* finálé **2.** *biz* befejezés **3.** végeredmény, konklúzió

finalist [ˈfaɪnəlɪst] *fn sp* döntőben (v. utolsó fordulóban) részt vevő versenyző/játékos, döntős

finality [faɪˈnæləti] *fn* **1.** véglegesség, megmásíthatatlanság **2.** végkifejlet **3.** *fil* célszerűségtan, teleológia

finalize [ˈfaɪnəlaɪz], **-ise** *tsi* **1.** *hiv átv* végső formába önt, végleges formát ad vmnek **2.** *gazd* véglegesít *[rendelést]* • *fn* **finalization**

finally [ˈfaɪnəli] *hsz* **1.** végül is, utoljára **2.** véglegesen, megmásíthatatlanul

finance I. *fn* [ˈfaɪnæns ‖ fəˈnæns] **1.** pénzügy; **Ministry of F~** pénzügyminisztérium **2. a)** pénzügytan, államháztartástan **b)** *tsz* **finances** bevételek; **the ~s of a state** az állami bevétel; **the F~s Act** a költségvetési törvény **II.** [faɪˈnæns] **A.** *tsi* pénzel, finanszíroz **B.** *tni* **a)** költségeket visel **b)** pénzügyeket intéz

finance capital *fn* finánctőke

finance office *fn* gazdasági hivatal

financial [faɪˈnænʃl ‖ fə–] *mn* **1.** pénzügyi; *US* **~ statement** mérleg; **~ standing** hitelképesség; **~ year** költségvetési év **2.** *Ausz ÚjZ biz* pénzes, gazdag • *hsz* **financially**

financier [faɪˈnænsɪə ‖ ˌfɪnənˈsɪr] **I.** *fn* **1.** pénzügyi szakértő **2.** csendestárs **II. A.** *tsi* pénzel, finanszíroz **B.** *tni* pénzügyeket intéz

finch [fɪntʃ] *fn áll* pintyőke

find [faɪnd] **I.** *pt/pp* **found** [faʊnd] **A.** *tsi* **1.** megtalál, meglel, rátalál, rábukkan, felfedez; **~ one's account in sg** megtalálja a számítását vmben; **~ one's bearings** kezdi magát kiismerni; **~ one's feet** talpra áll; egyenesbe jön; **not to ~ it in one's heart to do sg** nincs szíve vmt megtenni; **~ oneself** magára talál; megtalálja hivatását; ellátja magát; **~ time for sg** talál/szakít időt vmre; **~ one's way to** eljut vhová **2.** megkeres, megkérdez, megtudakol **3. a)** megállapítja vmről, hogy, úgy találja, hogy...; **I ~ that I was mistaken** rájöttem, hogy tévedtem **b)** vmlyennek talál **4. a)** előteremt, megszerez, megtérít *[összeget]* **b)** ellát vmvel, gondoskodik vmről; **~ sy in food** élelmez vkt **c)** *szl [(el)lop]* (el)csór **5. a)** *jog* dönt, ítél; *jog* **~ sy guilty** bűnösnek talál v. mond ki vkt **b)** *jog* **~ a true bill against sy** vádat emel vk ellen, vád alá helyez vkt **B.** *tni* **~ for sy** vk javára dönt **II.** *fn* **1.** felfedezés, megtalálás, meglelés **2.** *infor* „keresd” (-utasítás) **3. a)** értékes lelet, fogás; **have/make a big/great ~** gazdag/jó fogást csinál **b)** szerencsés ötlet • *mn* **findable**

find out *tsi* rajtacsíp, rajtakap, rájön *[titokra tévedésre]*, kitalál, kiderít, megold, felfedez, megállapít *[hibát]*; *közm* **your sins will ~ you out** bűneid előbb-utóbb ki fognak derülni; **I'll try to ~ what time the boat leaves** megpróbálom kideríteni, mikor indul a hajó

finder [ˈfaɪndə ‖ –ər] *fn* **1.** megtaláló; **~s keepers** azé, aki megtalálja **2.** *fényk* kereső, *távk* iránymérő vevő, *csill* kereső(távcső)

fin de siècle [ˌfæn də ˈsjeklə] *fn/mn francia [XIX.]* századvég(i), dekadens

finding [ˈfaɪndɪŋ] *fn* **1. a)** felfedezés, feltalálás, felismerés **b)** megszerzés **2.** lelet, talált tárgy **3. a)** *jog* bírói ténymegállapítás **b)** *jog* bírói határozat; **bring in a ~ for sy** bírói döntést hoz vk mellett **4.** felszerelés, szerszámok

find-spot *fn* (régész)lelőhely

fine[1] [faɪn] **I.** *mn* **1. a)** tiszta, finomított, szennyeződésektől mentes **b)** szép, nemes; **the ~ arts** a szépművészetek, képzőművészet **c)** kiváló minőségű **2.** derült, tiszta, kellemes, szép *[idő]*, kedvező *[éghajlat, klíma]*; **one/some ~ day/morning, one of these ~ days** egy szép napon *[a jövőben]* **3.** jó, nagyszerű, kitűnő, remek, pompás, csodálatos *[személy dolog]*; **that's ~!** nagyszerű!, remek!, pompás! **4. a)** divatos, elegáns **b)** kicsinosított, díszes **5. a)** finom, apró; **~ adjustment** finombeállítás **b)** éles, hegyes; **~ edge** éles szél vmé; **cut/run it ~** éppen csak hogy sikerül megcsinálni/elérni; **not to put too ~ a point on it...** kertelés nélkül, magyarán mondva **c)** nyúlánk, karcsú; **~ hands** szép/finom kéz **6.** nemes, előkelő; **~ gentlemen** előkelő úr **7.** tisztán fogalmazott; **a ~ saying** érthető közlés **8.** egészséges; **I'm ~, thanks** köszönöm, jól vagyok **II.** *hsz* **1.** → **finely**; **chop meat ~** húst apróra vág/vagdal, fasíroz **2.** *biz* jól, előnyösen *[áll ruha]* **III.** *fn* **1.** jó/remek idő; **in rain or ~** esőben vagy napsütésben **2.** magas fémtartalmú érc **IV. A.** *tsi* **1. ~ down** derít, tisztít, frissít *[bort, sört]*; finomít, dúsít *[ércet]* **2. ~ away/down/off** szálakra bont, elvékonyít **B.** *tni* **1.** kitisztul, leülepszik *[folyadék]* **2.** kiderül *[idő]* **3. ~ down** (i) elvékonyodik (ii) elpárolog, elillan • *fn* **fineness**

fine[2] [faɪn] **I.** *fn* **1. a)** bírság; **impose a ~ on** megbírságol **b)** kártalanítás **2.** *régi* **in ~** végül, végezetül, egyszóval **II. A.** *tsi* megbírságol, bírsággal sújt, pénzbüntetést ró vkre **B.** *tni* bírságot/bánatpénzt/kártalanítást fizet

finecomb *tsi* alaposan átfésül/átkutat

fine-cut *mn* **1.** finoman kidolgozott, cizellált **2.** finomra vágott *[dohány]* **3.** pontosan méretre vágott/szabott

fine-draw [ˌfaɪnˈdrɔː] *tsi* műbeszövést/műtömést/műstoppolást csinál

fine-drawn *mn* **1.** elvékonyított **2.** kifinomított, finom, szubtilis

fine-grained *mn* finomszemcsés

fineless [ˈfaɪnləs] *mn* **1.** bírság nélküli **2.** határtalan

fine-looking *mn* jóképű, jó kiállású

finely [ˈfaɪnli] *hsz* **1.** szépen, finoman, jól **2.** remekül, nagyszerűen, elegánsan **3.** pontosan **4.** apróra

fine-meshed *mn* sűrű lyukú *[háló]*

finery[1] [ˈfaɪnəri] *fn fémip régi* frissítőkemence, lángpest • *fn* **finer**

finery[2] [ˈfaɪnəri] *fn* cicoma, pompa

fine-spun *mn* **1.** *tex* finom fonású/szövésű **2.** *biz* szubtilis

finesse [fɪˈnes] **I.** *fn* **1.** ravaszság, fortély, finesz **2.** stílusbeli, nyelvi szépség, finomság **3.** impassz *[bridzsben]* **II.** *tni* **1.** fortélyt alkalmaz **2.** impasszol, impasszt ad *[bridzsben]*

finesse away *tsi* **~ sg away** fortéllyal megszerez vmt

fine-tooth *mn* sűrű fogazatú *[fésű]*; **~ comb** sűrű fogú fésű; **go over with a ~ comb** gondosan átfésül/tüzetesen átkutat vmt • *mn* **fine-toothed**

fine-tune *tsi* finomhangol, finombeállít • *fn* **fine-tuning**

finew [ˈfɪnjuː] *tni* penészesedik

finger [ˈfɪŋgə ‖ –ər] **I.** *fn* **1. a)** ujj *[kézen]*; **the ~ of Fate/God** a sors keze, isten ujja; **all his ~s are thumbs** rendkívül ügyetlen, kétbalkezes; *szl* **give sy the ~** beint vknek *[középső ujj felmutatásával]*; **have a ~ in the pie** benne van a keze, része van benne; **keep one's ~s crossed** szurkol, drukkol (vmért); **lay a ~ on sy** hozzányúl vkhez; **money runs through his ~s** elfolyik/szétfolyik a pénz a keze között; **twist sy round (*US* around) one's (little) ~** az ujja köré csavar vkt **b)** *gaszt* rudacska, stangli; **fish ~s** halkrokett **c)** ujjnyi *[ital]*; **~ of brandy** egy ujjnyi konyak **d)** ujj *[kesztyűé]* **2.** *infor* finger *[hálózati névkereső technika]* **3. a)** retesz, kallantyú **b)** (óra)mutató **c)** index, nyíl **4.** *szl [besúgó]* spicli; **put the ~ on sy** feldob/beköp vkt **II. A.** *tsi* **1. a)** hozzányúl, (meg)tapint, kézbe vesz; **~ sg over** vmt végigtapint **b)** nyúl *[vm után]* **2. a)** játszik/babrál vmvel **b)** húros hangszeren játszik **3.** *szl [beárul]* besúg, feldob, beköp *[rendőrségnek]* **B.** *tni szl* fogdos, fingerlizik • *mn* **fingerless**

finger alphabet *fn* ujjbeszédábécé, süketnéma ábécé

fingerboard *fn* fogólap *[húros hangszeren]*

finger bowl *fn* (asztali) kézöblítő csésze/edény

finger-cushion *fn* ujjbegy

fingered [ˈfɪŋgəd ‖ –ərd] *mn* **1. a)** *összet* **rosy-~** rózsaujjú, rózsás ujjú **b) ~ glove** ujjas kesztyű **2.** *növ* ujj alakú, ujjasan szabdalt *[levél]* **3.** összefogdosott

finger glass *fn* → **finger bowl**

fingering [ˈfɪŋgərɪŋ] *fn* **1.** kézbevétel, kezelés **2.** *zene* ujjrakás, ujjrend

finger language *fn* (süketnéma) jelbeszéd

fingerling [ˈfɪŋgəlɪŋ ‖ –gər–] *fn* fiatal lazac/pisztráng

fingermark *fn* ujjnyom

fingernail *fn* köröm *[kézen]*; **to the ~s** egészen, teljesen

finger-pad *fn* ujjbegy

finger-paint *fn* **I.** *fn* ujjal felvihető/felhordható festék *[főleg gyerekek számára]* **II.** *tni* ujjal fest

finger-plate *fn* ajtóvédő lap *[kilincs körül]*

finger-post *fn GB* útjelző tábla

fingerprint *fn* **I. 1.** (rendőrségi) ujjlenyomat **2.** megkülönböztető jel, jellegzetesség **II.** *tsi* ujjlenyomatot vesz vkről

fingertip *fn* ujjhegy; *biz* **to the ~s** ízig-vérig; teljesen, egészen

finger-work *fn zene átv is* ujjgyakorlat

finial [ˈfaɪnɪəl] *fn épít* **1.** tetődísz, oromdísz, csúcsdísz **2.** orom, csúcs, toronytető

finical [ˈfɪnɪkl] *mn* affektált, mesterkélt, modoros, kényeskedő • *fn* **finicalily**

finicking [ˈfɪnɪkɪŋ] → **finical**

finicky [ˈfɪnɪki] → **finical**

finis [ˈfɪnɪs ‖ ˈfaɪ–] *fn latin* **1.** vég(e) *[könyv végén]* **2.** halál

finish [ˈfɪnɪʃ] **I. A.** *tsi* **1.** befejez, bevégez (vmt); *biz* **he's ~ed!** vége van! **2. a)** tökéletesít, kidolgoz (vmt) **b)** társasági életre nevel/felkészít *[lányt]* **c)** *tex* eldolgoz, elvarr **B.** *tni* **1. a)** befejeződik, megszűnik, véget ér **b)** végez, befejez; **have ~ed with sg** végzett vmvel; nincs szüksége többé vmre **2. ~ with sy** leszámol vkvel **II.** *fn* **1. a)** vég(e vmnek), befejezés (vmé), *sp* célbaérés; **the ~** hajrá *[verseny, mérkőzés finise]*; **fight (it out) to a ~** végsőkig küzd; kiharcolja a döntést **b)** *sp* célvonal **2. a)** *műsz* tökéletesség, simaság *[papíré, szöveté]* **b)** *műsz* (utolsó) simítás *[munkáé]* **c)** *műsz* kikészítés; *műsz* **cloth with a rough ~** durva kikészítésű szövet **3.** teljesség, befejezettség

finish off *tsi* **1.** *biz* **~ sy off** elintéz vkt, elbánik vkvel **2.** befejez (vmt) **3.** megesz(ik) (vmt)

finish up → **finish** I.B.1.

finished [ˈfɪnɪʃt] *mn* **1.** befejezett, kikészített, kidolgozott *[munkaanyag]*, eltisztázott, elvarrott *[varrás]*; **a ~ portrait** befejezett arckép **2.** kimagasló, kiváló tökéletes; **a ~ speaker** tökéletes szónok

finisher [ˈfɪnɪʃə ‖ –ər] *fn* **1.** kikészítő, befejező(munkás) **2.** *épít* útegyengető gép **3.** *biz* kegyelemdöfés, borzalmas erejű ütés

finishing coat *fn* fedőréteg *[festéké]*

finishing-school *fn* ‹társadalmi életre nevelő leányiskola/leányinternátus›

finishing straight *fn sp* célegyenes

finishing touch *fn* utolsó/végső simítás; **give the ~es to sg** elvégzi a végső simításokat vmn
finite [ˈfaɪnaɪt] *mn* **1.** befejezett, körülhatárolt, véges **2.** *nyelv* **~ forms of a verb** ragozott igealakok; **~ verb** véges/finit ige, ragozott ige • *fn* **finiteness**, **finitude**
fink [fɪŋk] **I.** *fn US szl* **1.** *[ellenszenves ember]* görény, patkány **2.** *[rendőrségi besúgó]* spicli **3.** sztrájktörő **II. A.** *tsi szl* **~ on sy** *[besúg]* beköp, feldob vkt **B.** *tni* **1.** megtöri a sztrájkot **2.** *szl [nem ellenkezik többet]* kihátrál
Finland [ˈfɪnlənd] *tul földr* Finnország • *fn* **Finlander**
finless [ˈfɪnləs] *mn* uszony nélküli
finlike [ˈfɪnlaɪk] *mn* uszony alakú
Finn [fɪn] *fn* finn(országi) (ember)
finner [ˈfɪnə ‖ –ər] *fn áll* óriáscet
Finnic [ˈfɪnɪk] *mn* finn *[nyelvi, nyelvcsaládi]*
Finnish [ˈfɪnɪʃ] **I.** *mn* finn **II.** *fn* finn nyelv
Finno-Ugrian [ˌfɪnoʊˈjuːgrɪən] → **Finno-Ugric**
Finno-Ugric [ˌfɪnoʊˈjuːgrɪk] *mn/fn* finnugor
fin whale *fn áll* barázdás/óriási bálna
finny [ˈfɪni] *mn* **1.** uszonyos **2.** uszony alakú, uszonyforma
Fiona [fɪˈoʊnə] *tul* ‹női név›
fiord [ˈfiːɔːd ‖ fiːˈɔrd] *fn földr* → **fjord**
fir [fɜː ‖ fɜr] *fn* **1.** **~ (tree)** *növ* (erdei) fenyő; **common/Scotch/Scots ~** erdei fenyő; **silver ~** jegenyefenyő **2.** *gazd* fenyőfa
fir-apple *fn* (fenyő)toboz
fir-cone → **fir-apple**
fire [ˈfaɪə ‖ –ər] **I.** *fn* **1.** tűz, tűzvész; **catch/take ~** meggyullad, tüzet fog; **set ~ to sg** v. **set sg on ~** felgyújt vmt; **be on ~** ég, lángokban áll; *biz* **get on like a house on ~** úgy megy (neki) mint a karikacsapás; **add fuel to the ~** olajat önt a tűzre; **he has gone through the ~(s of adversity)** viszontagságos időket élt meg, nehéz időket élt át; **play with ~** *átv is* játszik a tűzzel; **he won't set the Thames on ~** nem ő találta fel a puskaport **2. a)** *kat* ágyútűz, (puska)tüzelés; **be under ~** (ágyú)tűz alatt áll; kritikák/kérdések kereszttüzében áll **b) brisk/rapid ~ of questions** kérdések pergőtüze **3.** hév, lelkesedés, szenvedély **II. A.** *tsi* **1.** (meg)nyújt, felgyújt **2. a)** éget **b)** *fényk [zárt]* kiold, exponál **c)** fonnyaszt, szárít **3.** fűt *[mozdonyt, kemencét]*, tüzel **4.** elsüt *[ágyút, puskát]*, robbant; **without firing a shot** puskalövés nélkül **5.** lelkesít, hevít, lángra lobbant **6.** *biz [elbocsát]* kirúg **B.** *tni* **1.** meggyullad, kigyullad, tüzet fog, lángra kap **2.** kipirul **3. a)** elsül *[puska, ágyú]* **b)** gyújt *[motor]* • *fn* **firer** *mn* **fireless**
fire at *tni* rálő vkre/vmre; *biz* **~ a question at sy** kérdést szegez vknek
fire away *tsi biz* **~!** ki vele, bökd ki!
fire up A. *tsi* **1. a)** szítja a tüzet **b)** *biz* ösztönöz, lelkesít, feltüzel **2.** beindít *[motort]* **B.** *tni biz* indulatba jön
fire upon *tsi* rálő vkre/vmre
fire alarm *fn* **1.** tűzjelző (készülék) **2.** tűzjelzés
firearm *fn* lőfegyver
fireback *fn* **a)** kandalló hátsó fémlapja **b)** *épít* tűzfal
fireball *fn* **1.** meteor(kő) **2.** gömbvillám **3.** *vál* tűzgolyó *[a Nap]* **4. a)** *kat tört* tüzes golyó, tűzcsóva **b)** tűzgolyó *[atomrobbanásnál]* **5.** ördöngösen ügyes/gyors ember
fire-balloon *fn* melegített levegővel töltött léggömb
fire blight *fn növ* tűzelhalás, almafavész
firebomb I. *fn* gyújtóbomba **II.** *tsi* gyújtóbombát dob
firebox *fn* tűzszekrény
firebrand *fn* **1.** zsarátnok **2.** *biz* lázító (személy)
firebreak *fn US* tűzgát
firebrick *fn* tűzálló tégla
fire-brigade *fn ált GB* **a)** tűzoltóosztag **b)** tűzoltóság
firebug *fn* **1.** *áll* szentjánosbogár **2.** *US biz* gyújtogató
fireclay *fn* tűzálló anyag, samott
fire company *fn* **1.** → **fire brigade 2.** *GB* tűzkárbiztosító társaság
fire-control *fn* tűzvezetés
firecracker *fn ált US* petárda
firecrest *fn* tüzesfejű királyka
firedamp *fn bány* bányalég, sújtólég
fire department *fn US* → **fire brigade**
firedog *fn* tűzikutya, tuskóbak *[kandallóban]*
fire door *fn* tűzálló/tűzvédelmi ajtó
fire-drake *fn* tűzokádó sárkány
fire drill *fn* **1.** tűzcsiholás **2.** tűzoltógyakorlat
fire-eater *fn* **1.** tűznyelő **2.** *biz* szájhős, hencegő
fire engine *fn* tűzoltókocsi
fire escape *fn* **1.** mentőlétra *[tűzoltóké]* **2.** tűzlépcső
fire extinguisher *fn* tűzoltóberendezés, porral oltó
firefight *fn* tűzharc
firefighter *fn* **1.** *US* tűzoltó **2.** önkéntes tűzoltó • *fn* **firefighting**
firefly *fn áll* szentjánosbogár
fireguard *fn* **1.** védőrostély, kályhaellenző **2.** *US* tűzőr *[erdőben]* **3.** *US* tűzgát
fire hose *fn* tűzoltócső, tömlő
firehouse *fn US* tűzoltóállomás
fire hydrant *fn* tűzcsap
fire-insurance *fn* tűzbiztosítás
fire-irons *fn tsz* kandallószerszámok *[csípővas, piszkavas, lapát]*
firelight *fn* tűzfény
firelighter *fn* gyújtóforgács
firelock *fn* kovás puska
fireman [ˈfaɪəmən ‖ ˈfaɪər–] *fn tsz* **-men 1.** tűzoltó **2. a)** fűtő **b)** égetőmunkás
fire office *fn GB* tűzkárbiztosító társaság
fire-opal *fn ásv* tűzopál
fireplace *fn* **a)** kandalló **b)** kandalló előtere
fireplug *fn US* vízcsap, tűzcsap; → **fire hydrant**
firepower *fn* **1.** *kat* tűzerő, tüzérségi kapacitás **2.** *átv* energia, erőtartalék(ok)
fire practice *fn GB* tűzvédelmi gyakorlat
fireproof I. *mn* tűzbiztos, éghetetlen, tűzálló **II.** *tsi* tűzbiztossá/tűzállóvá tesz
firer [ˈfaɪərə ‖ –ər] *fn* **1. a)** robbantó szerkezet **b)** *bány* lőmester **2. single ~** egylövetű puska
fire-raiser *fn GB* gyújtogató
fire-rake *fn* **1.** piszkavas, tűzpiszkáló, tűzkaparó **2.** *műsz* tűzvonó
fire-resistant → **fire-resisting**
fire-resisting *mn* tűzbiztos, tűzálló
fire screen *fn* **1.** kályhaellenző, paraván **2.** hőellenző
fire-ship *fn tört* gyújtóhajó
fireside I. *fn* **1.** kandallósarok **2.** *átv* **a)** az otthon **b)** családi élet **II.** *mn US* csevegő stílusú, kötetlen/közvetlen hangú
fire station *fn* tűzoltóállomás
fire-step *fn kat* → **firing-step**
fire-stone *fn* **1.** tűzálló kő **2.** *régi* tűzkő, kovakő, flint
fire storm *fn* tűzvihar
fire-tongs *fn tsz* csípővas, szénfogó
firetrap *fn biz* ‹vészkijárattal nem rendelkező v. sok gyúlékony anyagot tartalmazó épület›
fire-walking *fn* mezítláb járás parázson *[mint istenítélet* v. *vallási szertartás]* • *fn* **fire-walker**
fire warden *fn US* tűzvédelmi felügyelő/felelős
fire-watcher *fn* tűzőr • *fn* **fire-watching**
firewater *fn [erős alkoholos ital]* tüzes víz
firewood *fn* tűzifa, tüzelőfa
firework *fn* **1.** rakéta, petárda **2. a)** tűzijáték; **let off ~s** tűzijátékot csinál/rendez; *biz* hangzatos szólamokkal teli beszédet mond **b)** *átv* sziporkázás *[pl. briliáns előadás]* **c)** *biz* dühkitörés
firing [ˈfaɪərɪŋ] *fn* **1. a)** égetés *[tégláé, kőedényé]* **b)** *orv* kiégetés, kauterizálás *[sebé]* **c)** *kat* tűz, elsütés *[puskáé]*, lövés; **ball ~** éleslövészet; **class ~** össztűz **2.** tüzelőanyag, fűtőanyag
firing line *fn kat átv is* arcvonal, tűzvonal
firing party *fn kat* díszlövést leadó szakaszi *[temetésen]*
firing squad *fn kat* **1.** kivégzőosztag **2.** → **firing party**
firing-step *fn kat* tüzelőpadkai *[lövészárokban]*

firkin [ˈfɜːkɪn ‖ ˈfɜr–] *fn* **1.** bödön **2.** *GB* űrmérték *[kb. 37–41 liter, 8–9 gallon]*

firm[1] **I.** *mn átv is* kemény, tömör, szilárd, határozott; **be on ~ ground** biztos talajt érez a lába alatt; otthon van *[témában]*; **~ belief** szilárd meggyőződés; **take a ~ hold of sg** erősen megragad vmt **II.** *hsz* **stand ~** biztosan áll a lábán; **be/stand ~ as to** ragaszkodik vmhez; határozottan/ keményen kiáll vm mellett; **hold ~ to sg** szilárdan kitart vm mellett **III. A.** *tsi* **1.** megszilárdít, megerősít, rögzít **2.** *régi* (aláírásával/ellenjegyzésével) megerősít **B.** *tni* megszilárdul, megerősödik, rögzül • *mn* **firmless** *hsz* **firmly**

firm[2] [fɜːm ‖ fɜrm] *fn* **1. a)** cég, társaság **b)** üzletház **2.** cégjelzés

firmament [ˈfɜːməmənt ‖ ˈfɜr–] *fn vál* égbolt • *mn* **firmamental**

firmness [ˈfɜːmnəs ‖ ˈfɜr–] *fn* szilárdság, állhatatosság, tartósság, határozottság, erősség

firmware *fn infor* ‹ROM-ban (v. csak olvasható tárban) tárolt szoftver› förmver

firry [ˈfɜːri] *mn* fenyves, fenyőfákkal borított/benőtt

first [fɜːst ‖ fɜrst] **I.** *mn* **1. a)** első; **~ cousin** elsőfokú unokatestvér; **~ edition** első kiadás; **~ floor** *GB* első emelet; *US* földszint; **~ form** első osztály; **~ former** első osztályos; *biz* **~ thing** elsősorban, mindenekelőtt; először is; **I'll do it ~ thing tomorrow** első dolgom lesz holnap reggel; *közm* **~ things ~** mindent a maga idejében **b) I don't know the ~ thing about it** (egyáltalán) nem értek hozzá; fogalmam/dunsztom sincs róla; **at ~ sight** első pillantásra/látásra/tekintetre; **in the ~ place** először is; **from the ~** a kezdetektől, elejétől fogva; **~ off** *ált US biz* először, elsőként; **~ or last** előbb vagy utóbb **2. ~ Cause** Isten *[mint ősok]*; *US* **F~ Lady** az Egyesült Államok elnökének felesége; *GB* **F~ Lord of the Admiralty** haditengerészeti miniszter; **~ lieutenant** főhadnagy **3.** *öszszet* -egyedik; **twenty-~** huszonegyedik **4.** alapvető, magától értődő **II.** *hsz* **1.** először, első ízben, elsőnek, elsőként; **head ~** fejjel előre; **~ of all (things)** mindenekelőtt; először is; **~ and last** egészben véve, mindent egybevetve/ összegezve; *sp* **come in ~** elsőnek érkezik a célba; **~ come ~ served** kiszolgálás (szigorúan) érkezési sorrendben **2.** inkább; **I'd die ~...** előbb meghalok semmint **III.** *fn* **1. the ~ (of the month)** (a hónap) elseje; **the ~ of the year** újév (napja) **2.** ötös *[osztályzat]* **3. a)** kezdet; **at ~** először, eleinte, kezdetben; **from ~ to last** kezdettől végig **b)** *tsz* **firsts** legjobb minőségű áruk **4.** *gk* első sebesség **5.** első *[pl. versenyen, vizsgán]* **6.** *vasút GB* első (osztály); **travel ~** elsőn utazik

first aid *fn* elsősegély; **~ kit** elsősegélynyújtó csomag, *gk* mentődoboz • *fn* **first aider**

first-born *mn/fn* elsőszülött

first class *mn* **1. a)** első osztályú, kitűnő, elsőrendű **b)** első osztályon utazó **2. ~ matter** levélposta

first-degree *mn* **1.** enyhe, első fokú *[égési seb]* **2.** *US jog* **~ murder** legsúlyosabb (v. előre megfontolt szándékkal elkövetett) emberölés

first finger *fn* mutatóujj

first-foot(er) *fn skót biz* az első látogató az újévben

first-fruits *fn tsz* **1.** primőrök, zsengék **2.** *vall tört* annaták, egyházi javadalmasok szentszéki adója

first-generation *mn* első generációból való/származó *[pl. bevándorló]*, első generációs

first-hand *mn* első kézből való; **~ experience** közvetlen tapasztalat

firstling [ˈfɜːstlɪŋ ‖ ˈfɜr–] *fn* **1.** elsőszülött **2.** *tsz* **firstlings** primőrök, zsengék

firstly [ˈfɜːstli ‖ ˈfɜr–] *hsz* először (is), elsősorban

first name *fn* keresztnév

first night *fn szính* bemutató, premier • *fn* **first-nighter**

first officer *fn* elsőtiszt

first-rate I. *mn* kiváló, kitűnő, elsőrendű **II.** *hsz biz* **it is going ~** remekül megy

first-runner *fn US* elsőhetes/bemutató filmszínház

first school *fn GB* kb.általános iskolai alsó tagozat

fiscal [ˈfɪskl] **I.** *mn pénz* kincstári, adópolitikai, fiskális; **~ policy** költségvetési politika; **~ system** adórendszer; **~ year** költségvetési év **II.** *fn* **1.** jogtanácsos *[több európai országban]* **2.** *skót* főállamügyész • *hsz* **fiscally**

fiscality [fɪsˈkæləti] *fn pej* kincstári szempontok túlzott előtérbe helyezése

fish[1] [fɪʃ] **I.** *fn tsz* **fish, fishes 1.** hal **2.** *biz* **queer/old ~** különös/fur(cs)a alak, csodabogár; **a pretty/fine kettle of ~!** szép kis eset/ügy/história!; *biz* **be like a ~ out of water** olyan mint a szárazra vetett hal; **drink like a ~** iszik mint a gödény/kefekötő; **have other ~ to fry** egyéb/más dolga is van, máson jár az esze **3.** *csill* **the F~(es)** a Halak *[csillagkép]* **4.** *hajó biz* **a)** torpedó **b)** tengeralattjáró **II. A.** *tsi* **1.** (ki)fog, kihalász **2.** *épít* hevederrel erősít **B.** *tni* halászik, horgászik; **~ for sg** kotorászik vmért; **~ for compliments** dicséretre éhes; **~ in troubled water** zavarosban halászik • *mn* **fishlike**

fish[2] [fɪʃ] *fn* **1.** *hajó* árboctámasztó **2.** *műsz* ék, csap *[fémrészek összeillesztésére]*

fish[3] [fɪʃ] *fn* játékpénz *[csontból, gyöngyházból]*

fish and chips *fn GB* sült hal hasábburgonyával *[angol népeledel]*

fish-bolt *fn vasút* hevedercsavar

fishbone *fn* (hal)szálka

fishbowl *fn* (gömbölyű) akvárium

fish cake *fn* halvagdalék

fish eagle *fn* halászsas

fisher [ˈfɪʃə ‖ –ər] *fn* **1.** halászó állat **2.** halász

fisherman [ˈfɪʃəmən ‖ –ər–] *fn tsz* **-men 1.** halász **2.** halászhajó

fishery [ˈfɪʃəri] *fn* **1.** halászat **2.** halászterület

fish-eye lens *fn fényk* halszemoptika

fish farm *fn* haltenyészet

fish fingers *fn tsz gaszt* (panírozott) halrudacskák

fish fork *fn* halvilla

fish-glue *fn* halenyv

fish-hawk *fn* csonttörő sas

fish-hook *fn* **1.** horog **2.** *hajó* keresztkampó

fishiness [ˈfɪʃɪnəs] *fn* **1.** halszalag, halíz **2.** *biz* gyanús jelleg

fishing [ˈfɪʃɪŋ] *fn* halászat; **go ~** halászni megy; *szl [prostituált kuncsaftot szerez]* kerít, strichel

fishing boat *fn* halászhajó

fishing-fly *fn* légy v. műlégy *[horgászcsalétek]*

fishing ground *fn* halászterület

fishing line *fn* horgászzsinór

fishing net *fn* halászháló; **square ~** emelőháló

fishing pole *fn* horgászbot; → **fishing rod**

fishing rod *fn* horgászbot

fish kill *fn körny* halpusztulás

fish-knife *fn tsz* **-knives** halkés

fishmonger *fn ált GB* halkereskedő, halaskofa

fish-moth *áll* → **silver-fish** 2

fish-plate *fn vasút* **a)** sínheveder **b)** *műsz* kötőlap, csatlakozó lemez

fish pond *fn* **a)** élőhal-tartály **b)** halastó

fishpot *fn* (hal)cége, vejsze, varsa

fishscale *fn* halpikkely

fish slice *fn GB* szedőlapát *[halhoz]*

fishtail I. *fn* **1.** halfarok **2.** ‹halfarok alakú dolog/tárgy› **II.** *tni* repülőgép v. más jármű farka oldalirányba kileng/ kacsázik

fishtail burner *fn* ‹széles halfarok alakú gázégő›

fishtank *fn* élőhal-tartály

fishwife *fn tsz* **-wives 1.** halaskofa **2.** közönséges/nagyszájú nő

fishy [ˈfɪʃi] *mn* **1.** hal-, halszerű **2.** *biz* kétes, gyanús *[ügy]*; **it looks ~** ebben valami suskus van **3.** halban bővelkedő/ gazdag • *hsz* **fishily**

fisk [fɪsk] *fn skót* államkincstár

fissile [ˈfɪsaɪl ‖ ˈfɪsl] *mn* **1.** *geol* palás, hasadó **2.** *fiz* hasadó, hasadásra képes • *fn* **fissility**

fission [ˈfɪʃn] **I.** *fn* **1.** *biol* osztódás, hasadás *[sejté]* **2.** *fiz* (mag)hasadás; **(nuclear)** ~ (atom)maghasadás **II. A.** *tsi fiz* hasít *[atommagot]* **B.** *tni* hasad *[atommag]* • *mn* **fissionable**

fission bomb *fn fiz* hasadásos atombomba

fission chain *fn fiz* hasadási lánc

fission reaction *fn fiz* hasadási reakció

fissiparous [fɪˈsɪpərəs] *mn biol* osztódással szaporodó • *fn* **fissipara**, **fissiparity**

fissure [ˈfɪʃə ‖ –ər] **I.** *fn* **1.** repedés, rés, hasadás, hasadék **2.** *növ orv* vékony repedés/hasadás *[szervben]*, fissura **3.** → **fission** 2. **II. A.** *tsi* (meg)repeszt, hasít **B.** *tni* (meg)reped, hasad

fist [fɪst] **I.** *fn* **1.** ököl **2.** *biz* **make a good ~ of** nehézséget küzd le **3.** *biz* **he writes an ugly ~** csúnya írása van **4.** *biz* kéz **II.** *tsi* ököllel megüt, behúz egyet • *mn* **fisted** *fn* **fistful**

fist-fight *fn* ökölharc

fistic(al) [ˈfɪstɪk] *mn biz* ökölvívó, ökölvívási

fisticuffs *fn tsz biz* verekedés; bunyó

fistula [ˈfɪstjʊlə ‖ –tʃələ] *fn* **1.** *orv* sipoly, fisztula **2.** *áll* fecskendőnyílás *[bálnáké]* • *mn* **fistular**, **fistulous**

fit[1] [fɪt] **I. 1.** megfelelő, alkalmas (vmre); **~ for nothing** használhatatlan; **~ to do sg** alkalmas vm megtételére/véghezvitelére; **not ~ to live** életképtelen; **~ to wear** hordható, felvehető; **he is not ~ to be seen** így nem mutatkozhat **2.** helyes, illendő, illő, célszerű; **see/think ~ to do sg** elhatároz vmt, célszerűnek/helyesnek tart vmt **3.** egészséges, fitt; **be/feel (bodily) ~** egészséges, fitt, jól van; *sp* jó erőnlétben/kondícióban van, fitt; **keep ~** jó erőnlétben/kondícióban tartja magát **II. -tt- A.** *tsi* **1. a)** megfelel, alkalmas (vmre), illik vkre/vmre/vmbe, jól áll *[ruha vknek]*; **this ~s me** ez megfelel/jó (nekem) **b) go to the tailor's to be ~ted** próbára megy a szabóhoz **2.** illeszt, előkészít, hozzámér; **~ sy to do sg** előkészít/kiképez vkt vmre **B.** *tni* **a) ~ (together)** összeillik, odaillik, illeszkedik **b)** elfér, belefér **III.** *fn* **1.** ruha állása; **a perfect ~** tökéletesen szabott *[ruha]* **2.** *műsz* (össze)szerelés, illesztés, illeszkedés **3.** *ját* (szín)találkozás • *hsz* **fitly**

fit in A. *tsi* összeilleszt, beilleszt **B.** *tni* **1. ~ in with sg** összhangban van vmvel **2.** beilleszkedik, könnyen megtalálja a helyét; *biz* **he didn't ~ in (well)** nem illett a társaságba

fit on *tsi GB* (fel)próbál *[pl. ruhát]*

fit out *tsi* felszerel, ellát

fit up *tsi* → **fit out**

fit[2] [fɪt] *fn* **a)** roham, görcs; **~ of coughing** köhögési roham; **~ of generosity** nagylelkűségi roham; *biz* **give sy a ~** alaposan/jól ráijeszt vkre; szörnyen/rettenetesen feldühít vkt; *biz* **have a ~** alaposan meglepődik; dühbe gurul, hisztizik; **by ~s (and starts)** egyenetlenül, megszakításokkal; szeszélyesen **b)** szélütés

fitful [ˈfɪtfl] *mn* **1.** össze-vissza **2.** rendszertelen, váltakozó • *fn* **fitfulness** *hsz* **fitfully**

fitment [ˈfɪtmənt] *fn ált GB* berendezés

fitness [ˈfɪtnəs] *fn* **1.** alkalmasság, megfelelés; **~ for military service** alkalmasság katonai szolgálatra **2.** megfelelő/odaillő volta vmnek **3. physical ~** (jó) egészség, jó kondíció; *sp* állóképesség

fitted [ˈfɪtɪd] *mn ált GB* **1. ~ (up)** felszerelt, vmvel ellátott **2.** rátermett, alkalmas vmre *[személy]* **3.** beépített *[bútor]*; **~ carpet** szőnyegpadló

fitter [ˈfɪtə ‖ ˈfɪtər] *fn* **1.** szerelő **2.** szabász

fitting [ˈfɪtɪŋ] **I.** *mn* illő, megfelelő, alkalmas, odavaló **II.** *fn* **1.** felszerelés, összeszerelés **2.** *tsz* **fittings** *ált GB* alkatrészek, felszerelés(i cikkek), szerelvény(ek) • *fn* **fittingness** *hsz* **fittingly**

fitting shop *fn ip* szerelőműhely

fit-up *fn GB szính* **1.** vándorszínház **2.** ideiglenes színpad

five [faɪv] **I.** *mn* öt **II.** *fn* **1.** ötös (szám); *biz* **the Big F~** az öt nagy(hatalom); *GB* az öt nagybank **2.** *tsz* **fives** *szl* ököl *stand* **3.** öttagú csapat **4.** *sp* ötpontos ütés *[krikettben]*

five-day week *fn* ötnapos munkahét

five-figure *mn* **~ number** ötszámjegyű szám

five-finger *mn zene* **~ exercises** ötujjas gyakorlatok; *biz* könnyű feladat

fivefold I. *mn* **1.** ötszörös **2.** ötrészes, öt részből álló **II.** *hsz* ötszörösen, ötször annyira

fivelings [ˈfaɪvlɪŋz] *fn tsz* **1.** ötös ikrek **2.** ötös ikerkristály

fivepence [ˈfaɪfpəns] *fn GB* öt penny • *mn* **fivepenny**

fiver [ˈfaɪvə ‖ –ər] *fn biz [ötfontos/ötdolláros bankjegy]* ötös

five-star *mn* **1.** ötcsillagos *[szálloda]* **2.** *átv* elsőrendű, príma

fix [fɪks] **I. A.** *tsi* **1. a)** megerősít, felerősít, rögzít; **~ a camp** tábort üt **b)** *átv* rögzít; *biz* **~ sg in one's mind/memory** (jól) emlékezetébe vés vmt; **~ in words** szavakban lefektet **2. a)** *US* kijavít, rendbe hoz **b)** *GB* összeüt, összetákol **c)** *US* el(ő)készít; **~ sy a drink** italt készít/kever vknek **3.** *vegy* megköt, *fényk* fixál **4.** *orv* fixál, rögzít **5.** megszab *[pl. árat]*, kijelöl, kitűz *[időpontot]*; **there is nothing ~ed yet** még semmi sem biztos/végleges **6.** *US* ivartalanít *[állatot]* **7.** *US biz* **a)** ártalmatlanná tesz, elintéz vkt **b)** bujtogat **8.** *US biz* megveszteget **9.** *szl* belövi magát *[kábítószerrel]* **10.** *szl [megver]* leápol, kioszt, lerendez **11.** *szl [megöl]* hazavág, kinyír **B.** *tni* **1.** megalszik, megalvad *[folyadék]* **2. ~ somewhere** megmarad vhol **3.** *US* **~ to do sg** elhatározza magát vmre **II.** *fn* **1.** *biz* nehéz helyzet, kellemetlenség; **be in a ~** dilemmában/pácban van **2.** *US* **in good ~** jó állapotban; **out of ~** kimozdult helyzetben **3.** *hajó* **a)** helyzetpont-bemérés **b)** helyzetpont **4.** *biz* **a)** vesztegetés(i pénz) **b)** *sp* bunda **5.** *szl [egy adag kábítószer]* belövés • *fn* **fixedness** *mn* **fixable**

fix on *tni* **a)** elhatároz, kijelöl; **~ on a date for the wedding** kijelöli az esküvő időpontját **b)** kiválaszt, megállapodik (vknél/vmnél); **she ~ed on John in the end** végül Jánost választotta

fix up *tsi* **1.** *biz* elhelyez, elrendez *[szállást]*, megszervez *[versenyt, találkozót]*; *biz* **~ things up with sy** ellát vkt vmvel; *biz* **~ sy up for the night** éjszakai szállást ad vknek **2.** *szl* **~ a girl up** *[küretet csinál egy nőnek]* kikapar **3.** *US* ellátja a baját (vknek)

fix upon → **fix on**

fixate [fɪkˈseɪt ‖ ˈfɪkseɪt] **A.** *tsi* **1.** rögzít *[benyomásokat]* **2.** *pszich* rögzít **3.** *pszich* **be ~ed on sy/sg** abnormálisan/rendellenesen vonzódik *[vkhez/vmhez]* **B.** *tni* **1.** rögződik *[tekintet, figyelem]* **2.** megreked *[egy fejlődési fokon]*

fixation [fɪkˈseɪʃn] *fn* **1.** rögzítés **2.** fixálás *[pl. időponté, áré]* **3.** *fényk vegy* rögzítés, fixálás **4.** *pszich* erős kötődés *[vkihez/vmihez]*

fixative [ˈfɪksətɪv] **I.** *mn* rögzítő, állandósító **II.** *fn* **1.** *műv* fixírlakk **2.** *fényk vegy* rögzítő(szer), fixatív

fixed [fɪkst] *mn* mozdulatlan, rögzített, szilárd, fix, helyhez kötött, változatlan; *pénz* **~ assets** állóeszközök; ingatlan vagyon; **~ capital** állótőke, állóalap; **~ deposit** lekötött betét; *biz* **~ idea** rögeszme, fixa idea; **~ income** állandó jövedelem; **~ price** kötött ár *[hatóság, nemzetközi egyezmény által]*; **~ smile** fagyos mosoly; **~ star** állócsillag

fixed-do system *fn zene* szolmizáció

fixed focus *fn* fix fókusz

fixedly [ˈfɪksədli] *hsz* **1. look ~ at** mereven néz, fixíroz **2. have one's principles ~ set before one** határozott elvei vannak, határozott elveket követ

fixedness [ˈfɪksədnəs] *fn* állandóság, változatlanság, rögzítettség

fixer [ˈfɪksə ‖ –ər] *fn* **1. a)** rögzítő, szerelő **b)** ezermester **2.** *fényk vegy* rögzítő, fixáló (szer) **3.** *US biz* **a)** biztosítási ügynök **b)** rendőrségi közvetítő

fixing [ˈfɪksɪŋ] *fn* **1.** rögzítés, fixálás **2.** elrendezés, eligazítás **3.** *tsz* **fixings** *US* **a)** kellékek, hozzávalók, felszerelés **b)** utolsó simítások **c)** fűszerek, ételízesítők

fixing bath *fn fényk* rögzítő/fixáló fürdő
fixity [ˈfɪksəti] *fn* **1.** szilárdság, állandóság; **~ of purpose** határozottság **2.** *vegy* állandóság *[olajé]*, kötöttség *[gázé]*
fixture [ˈfɪkstʃə ‖ –ər] *fn* **1. a)** rögzített tartozék *[gépen]*, kellék, alkatrész, épületszerelvény; *US* **light ~** csillár; *átv biz* **he has become a ~ there** régi bútordarab már ott **b)** *tsz* **fixtures** *jog* **landlord's ~s** épület/ház tartozékai; birtok használatához szükséges felszerelés/tartozékok **2.** *GB sp* verseny/mérkőzés (kitűzött) időpontja; **list of ~s** sportprogram
fizz [fɪz] **I.** *fn* **1.** sistergés, sercegés, gyöngyözés, pezsgés *[pezsgőé]* **2.** *biz* pezsgő, habzóbor **II.** *tni* sistereg, serceg, pezseg, gyöngyözik *[pezsgő]*
fizzer [ˈfɪzə ‖ –ər] *fn Ausz szl [kudarc]* bukta
fizzle [ˈfɪzl] **I.** *fn* sistergés, sercegés, pezsgés, gyöngyözés *[pezsgőé]* **II.** *tni* **1.** sistereg, serceg, pezseg, habzik *[pezsgő]* **2.** *szl* **~ out** *[kudarcba fullad]* kifúj
fizzy [ˈfɪzi] *mn* szénsavas, pezsgő *[ásványvíz]*, gyöngyöző, pezsgő, habzó bor • *fn* **fizziness** *hsz* **fizzily**
fjord [fjɔːd ‖ fjɔrd] *fn földr* fjord
FL *röv US Florida*
fl., **Fl.** *röv* **1.** *Flemish* **2.** *floor* emelet, em.
Fla. *röv US Florida*
flabbergast [ˈflæbəgɑːst ‖ –bərgæst] *tsi biz* elképeszt, megdöbbent, meghökkent • *mn* **flabbergasted**
flabby [ˈflæbi] *mn* **1.** petyhüdt, lottyadt, löttyedt, ernyedt **2.** *átv* elpuhult, lagymatag, pipogya, gyenge *[bor]* • *fn* **flabbiness** *hsz* **flabbily**
flaccid [ˈflæksɪd] *mn* **1.** petyhüdt, lottyadt, löttyedt, ernyedt **2.** *átv biz* lagymatag, erőtlen • *fn* **flaccidity** *hsz* **flaccidly**
flack[1] [flæk] *fn US biz* reklámügynök
flack[2] [flæk] → **flak**
flag[1] [flæg] **I.** *fn* **a)** zászló, lobogó, jelzőzászló; *jog* **~ of convenience** kényelmi/szívességi lobogó; **~ of truce, white ~** fehér zászló; békezászló; **with ~s flying** kibontott/lobogó zászlókkal; *átv* diadalmasan; *hajó* **fly a ~** lobogót kitűz/felhúz; *átv biz* **keep the ~ flying** lankadatlanul küzd tovább; **put the ~ out** *átv* kitűzi a győzelmi lobogót **b)** *infor* jelző, jelzőbit **II.** *tsi* **-gg- 1.** fellobogóz **2. a)** zászlójeleket ad le, zászlójelzéssel közöl **b) ~ (down)** járművet intéssel megállít **3. ~ out** zászlókkal kijelöl *[pályát]* • *fn* **flagger**
flag[2] [flæg] **I.** *fn* kőkocka, járdakő, macskakő **II.** *tsi* **-gg-** (kőkockákkal) kikövez • *mn* **flaggy**
flag[3] [flæg] *fn* **1.** *növ* nőszirom, írisz **2.** *növ* levél *[pl. gabonaneműeké]*
flag[4] [flæg] *tni* **-gg- 1.** csüng, ernyedten/petyhüdten lelóg, lekonyul **2.** *átv* (el)lankad, elbágyad, vontatottá válik
flag-boat *fn sp* jelzőcsónak
flag-captain *fn kat* vezérhajó parancsnoka
Flag Day *fn US* ‹június 14., az amerikai csillagos-sávos nemzeti lobogó 1777-es törvénybeiktatásának emléknapja›
flagellant [ˈflædʒələnt] *fn/mn* **1.** *vall tört* önostorozó, flagelláns **2.** *pej* szadista, perverz *[szexuális partnerét ostorral veri]*
flagellate I. *mn* [ˈflædʒələt] ostor alakú **II.** *fn* [–lət] *áll* ostoros véglény **III.** *tsi* [–leɪt] (meg)ostoroz, (meg)vesszőz, (meg)korbácsol • *fn* **flagellator** *mn* **flagellatory**
flagellation [ˌflædʒəˈleɪʃn] *fn* **1.** *vall tört* önostorozás, önsanyargatás **2.** *pej* megkorbácsolás *[szexuális célból]*
flagellum [fləˈdʒeləm] *fn* **1.** *növ* ostor **2.** *áll* ostor, csillószőr, flagellum • *mn* **flagellar**, **flagelliform**
flagitious [fləˈdʒɪʃəs] *mn* aljas, aláváló, galád • *fn* **flagitiousness** *hsz* **flagitiously**
flag-lieutenant *fn hajó* tengernagy segédtisztje
flag-list *fn hajó* tengernagyok/admirálisok névjegyzéke/névsora
flagman *fn tsz* **-men** *vasút* váltóőr, vonalőr, *sp* rajtbíró
flag-officer *fn kat* flotta főparancsnoka
flagon [ˈflægən] *fn* (fedeles) kancsó, *vall* misekanna
flagpole *fn* → **flagstaff**
flagrant [ˈfleɪgrənt] *mn* kirívó, botrányos, felháborító, (égbe)kiáltó, felháborító • *fn* **flagrancy** *hsz* **flagrantly**
flagrante delicto [fləˈgræntɪ dɪˈlɪktoʊ] *jog* a tett elkövetése pillanatában, rajtakapva
flagship *fn* **1. a)** tengernagyi/parancsnoki hajó, vezérhajó **b)** zászlós hajó **2.** *átv* vezérhajó, topmodell *[pl. autómárkáé]*
flagstaff *fn* zászlórúd
flag-station *fn vasút* feltételes megálló
flagstone → **flag**[2] I.
flag-stop *fn* feltételes megálló
flag-wagging *fn* **1.** *kat* zászlólengetés, zászlójelzés **2.** *szl* → **flag-waving** • *fn* **flag-wagger**
flag-waving *fn biz* hazafiaskodás, nagyhangú/kardcsörtető sovinizmus • *fn* **flag-waver**
flail [fleɪl] **I.** *fn* csép(hadaró) **II. A.** *tsi* **1.** megcsap, csapkod, hadonászik (vmvel) **2.** cséphadaróval csépel *[gabonát]* **B.** *tni* hadonászik, csapkod
flair [fleə ‖ fler] *fn* **1.** *átv* szimat; **have a ~ for sg** jó orra/szimata van **2.** készség, hajlam, érzék; **have a ~ for languages** jó nyelvérzéke van
flak [flæk] *fn* **1.** *kat biz* légvédelmi/légelhárító tűz **2.** *biz [súlyos kritika]* ledorongolás
flake[1] [fleɪk] **I.** *fn* **1. a)** pikkely, lemezhártya, lemezke, pehely; **come off in ~s** rétegesen leválik, lepattog **b)** hópehely, hópihe **2.** repedés *[drágakőben]* **3.** *US szl [megbízhatatlan ember]* link **II. A.** *tsi* **1.** lehámoz, rétegesen leválaszt **2.** behavaz **B.** *tni* **1. ~ (away/off)** (le)hámlik, lepattog(zik) **2.** pelyhekben hullik *[hó]* **3. ~ out** *biz* összeesik a fáradságtól
flake[2] [fleɪk] *fn* **1.** szárítóállvány *[halszárításhoz]* **2.** *hajó* függőkosár *[dugarozáshoz]*
flaked [ˈfleɪkt] *mn* **1.** pikkelyes, réteges **2.** *összet* -pehely; **~ soap** szappanpehely
flak jacket *fn US kat biz* golyóálló mellény
flaky [ˈfleɪki], **flakey** *mn* **1.** pelyhes, pihés **2.** pikkelyes, réteges **3.** *US szl* **a)** *[enyhén őrült, excentrikus]*, flúgos **b)** link • *fn* **flakiness** *hsz* **flakily**
flambé [ˈflɒmbeɪ ‖ flɑmˈbeɪ] *mn gaszt* lángoló *[égő alkoholban felszolgált étel]*
flamboyant [flæmˈbɔɪənt] *mn* **a)** színpompás **b)** túldíszített, rikító, hivalkodó • *fn* **flamboyance**, **flamboyancy** *hsz* **flamboyantly**
flame [fleɪm] **I.** *fn* **1.** láng; **be in ~s** láng(ok)ban áll, ég, lángol; **burst/break into ~(s), go up in ~s** lángra lobban, meggyullad **2.** fényesség, ragyogás **3. a)** (szerelmi) lángolás, szenvedély; *biz* **fan the ~** szítja/felkorbácsolja vk szenvedélyét **b)** *biz* szerelmes, szerető; **an old ~ of mine** régi szerelmem **II. A.** *tsi* lángon fertőtlenít *[orvosi műszert]* **B.** *tni* **1. a)** lángol, lángokban áll **b)** *átv* ég, lángol *[szenvedély]* **2.** fénylik, ragyog **3.** fényjelzést ad • *mn* **flameless**, **flamelike**, **flamy**
flame out *tni* **1.** (fel)lángol **2.** *átv* fellobban, fellángol *[szenvedély]* **3.** *US átv* megbukik, leég
flame up *tni* **1.** meggyullad, lángra lobban **2. a)** *átv* dühbe gurul **b)** *átv* elvörösödik, lángol *[arc]*
flame gun *fn* lángszóró
flamenco [fləˈmeŋkoʊ] *fn tsz* **flamencos** *műv* flamenco
flameout *fn* **1.** *rep biz* tűzkicsapódás, lángkicsapódás **2.** *US* nyilvánvaló/egyértelmű bukás
flame-projector → **flame-thrower**
flameproof I. *mn* lángbiztos, tűzbiztos **II.** *tsi* lángbiztossá tesz
flame-thrower *fn kat* lángszóró
flaming [ˈfleɪmɪŋ] *mn* **1. a)** lángoló, lobogó, lángokban álló **b)** *biz* **~ sun** perzselő nap; **~ red** lángvörös **2. a)** *átv* lángoló *[szenvedély]*; *átv biz* **have a ~ row with sy** parázs vitája támad vkvel **b)** *átv* rikító
flamingo [fləˈmɪŋgoʊ] *fn* **1.** *áll* flamingo **2.** skarlátvörös *[szín]*
flammable [ˈflæməbl] *mn* gyúlékony, lobbanékony, éghető, tűzveszélyes • *fn* **flammability**

F

Flanders [ˈflɑːndəz ‖ ˈflændərz] *tul földr* Flandria
flange [flændʒ] **I.** *fn* **1.** karima, perem, *épít* kiszögellés, kiugrás **2.** *műsz* borda **II.** *tsi műsz* peremez, felkarimáz • *mn* **flangeless**
flank [flæŋk] **I.** *fn* **1.** lágyék, véknya *[emberé]*, horpasz *[állaté]* **2. a)** (oldal)szárny *[épületé]*, (hegy)oldal **b)** *kat* szárny *[hadseregé]*, oldalsánc *[erődítményé]*; *átv biz* **turn the ~** túljár az eszén **II. A.** *tsi* **1.** *kat* **a)** támogat *[oldalról]* **b)** oldalba támad **2. a)** szegélyez **b)** oldalról megkerül **B.** *tni* oldalról szomszédos
flanker [ˈflæŋkə ‖ –ər] *fn* **1.** *kat* oldalbástya **2.** *kat* oldalozás **3.** *biz* trükk, szélhámosság **4.** *US sp* hátsó támadó játékos *[amerikai futballban]*
flannel [ˈflænl] **I.** *fn* **1. a)** flanell **b) cotton/Canton ~** pamutflanell **2. (house) ~** porrongy, portörlő **3.** *tsz* **flannels a)** flanell alsóruha **b)** flanellnadrág **4.** *GB szl [halandzsa]* szöveg, duma **II.** *tsi* **1.** feltöröl *[padlót]*, töröl *[port]* **2.** *GB szl [halandzsázik]* etet
flannelette [ˌflænˈlet] *fn* pamutflanell, teniszflanell
flannelled [ˈflænəld], **flaneled** *mn* **1.** flanellruhás **2.** → **flannel** II.
flap [flæp] **I.** *i* **-pp- A.** *tsi* megcsap, meglegyint; **~ one's arms (about)** csapkod/hadonászik a karjával; *biz* **~ about, ~ one's mouth** fecseg; pletykázik **B.** *tni* **1.** lecsüng, lötyög *[ruhadarab]* **2.** verdes, csapkod **3.** *biz* izgul **4.** *biz [hallgatózik]* fülel, kagylóz **II.** *fn* **1. a)** (szárny)csapkodás, libegés **b)** meglegyintés (vmvel) **c)** *biz* izgalom, fejvesztettség, zűrzavar; *biz* **get into a ~** izgatott **2. a)** hajtóka, karima, szárny *[kabáté, ruháé]* **b)** csapódeszka, *fényk* redőnyzár **c)** *rep* fékszárny, segédszárny **d)** *orv* lebeny • *mn* **flappy**
flapdoodle *fn szl [halandzsa]* szöveg, duma
flapjack *fn* **1.** *US* palacsinta **2.** zablepény
flapper [ˈflæpə ‖ –ər] *fn* **1. a)** légycsapó **b)** cséphadaró **c)** kereplő **d)** *US biz* **~s** fül(ek) **2.** uszony **3.** *[fiatal/serdülő lány]* csitri **4.** *biz* félős/könnyen pánikoló ember
flap-shutter *fn fényk* redőnyzár
flare[1] [fleə ‖ fler] **I.** *fn* **1. a)** fellobbanás, villódzó fény **b)** jelzőfény, (világító)rakéta; *rep* **landing ~** leszállási fény **c)** *fényk* lencse-fényfolt **2.** kiöblösödés, kihasasodás *[hajó oldalé]*, kiszélesedés **3.** *átv* kitörés *[indulaté]* **4.** *csill* napkitörés, fler **II. A.** *tsi* kiszélesít, kiöblösít **B.** *tni* **1. a)** lobog(va ég) **b)** villódzik, csillog, vakít *[fény]* **2.** kihasasodik, öblösödik **3.** *régi* kibomlik *[haj]*
flare up *tni* **1.** lángra lobban, felvillan, felgyullad **2.** dühbe gurul, felfortyan; → **flare-up**
flare[2] [fleə ‖ fler] *fn gaszt* szalonna
flared [fleəd ‖ flerd] *mn* (lefelé) kiszélesedő, trapéz (alakú), kiöblösödő, kipúposodó *[cső stb.]*
flare-leg *mn* bőszárú *[nadrág]*, trapéznadrág
flare-path *fn rep* kivilágított leszállópálya
flare-up *fn* **1.** fellobbanás, felvillanás **2. a)** *biz* felfortyanás **b)** *biz* zavargás, lázongás **c)** *biz* dáridó, mulatozás; → **flare up d)** dühkitörés
flary [ˈfleəri ‖ –eri] *mn* feltűnő
flash [flæʃ] **I. A.** *tsi* **1. a)** felvillant, villogtat, fellobbant **b)** (hirtelen) megvilágít, rávilágít (vmre/vkre); **~ a sudden light on the mystery** hirtelen rávilágít a rejtély nyitjára **2.** *vill* ellobbant *[égőt gyártásnál]* **3.** *biz* mutogat, fitogtat **B.** *tni* **1.** (fel)villan, fellobban, villog **2. ~ past** elrobog *[vk/vm mellett]*; **it ~ed across my mind that...** rádöbbentem hogy **3.** rohan, száguld, hömpölyög *[folyó, áradat]* **4.** *szl* ‹exhibicionista illetlenül mutogatja magát› **II.** *fn* **1. a)** (fel)villanás, fellobbanás, felragyogás, felvillanó fény, torkolattűz; **a ~ of lightning** villám; **~ of genius** zseniális ötlet; **~ of hope** reménysugár, felvillanó reménység; *biz* **a ~ in the pan** szalmaláng **b)** pillanat, szempillantás; **in a ~** egy pillanat/szempillantás alatt, azon nyomban **c)** *US* gyorshír **d)** *fényk* villanófény, vaku **2.** *biz* fényűzés, hivalkodás **III.** *mn* **1.** *biz* feltűnő, rikító, csiricsáré **2.** hamis *[pénz]* **3.** alvilági
flash out *tni* kitör *[indulat]*, haragra gerjed
flash over *tni vill* kisül, átível *[ívfény szikrája]*; → **flash-over**
flash up *tni* haragra gerjed, dühbe gurul
flashback *fn* visszaugrás, visszapillantás, visszapergetés *[korábbi cselekményrészletre/eseményre filmben/regényben]*
flash-board *fn vízügy* zsilipdeszka, duzzasztótábla *[gáton]*
flashbulb *fn el fényk* villanólámpa, vakulámpa
flash burn *fn* égési seb *[atomrobbanás okozta hő következtében]*
flashcard *fn* szókártya *[nyelvtanuláshoz]*
flash-cube *fn fényk* vakukocka
flasher [ˈflæʃə ‖ –ər] *fn* **1.** felületes hencegő alak **2.** fényreklám **3.** *gk* irányjelző lámpa, index **4.** *szl [exhibicionista]* tárogatós, mutatványos
flashgun *fn fényk* (örök)vaku
flashiness [ˈflæʃnəs] *fn* üres csillogás *[stílusé, beszédé]*, feltűnő/rikító jelleg *[ruháé]*
flashing [ˈflæʃɪŋ] **I.** *mn* ragyogó, csillogó, villogó; *gk* **~ indicator** irányjelző **II.** *fn* **1. a)** (fel)villanás, fellobbanás, szikrázás **b)** *gk* villogtatás *[fényszóróé]* **2.** *épít* bádogfedés, bádogszigetelés
flash lamp *fn* **1.** zseblámpa **2.** *fényk* villanólámpa
flashlight *fn* **1.** jelzőfény, fényjelzés *[pl. világítótoronyé]* **2.** *US* zseblámpa
flashlight photograph *fn fényk* villanófénynél/magnéziumfénynél készült felvétel
flash-over *fn vill* átívelés, (íves) kisülés, átütés; → **flash-over**
flashpoint *fn* lobbanáspont, gyulladáspont
flashy [ˈflæʃi] *mn* **1.** talmi, üresen csillogó **2.** rikító, cifra • *hsz* **flashily**
flask [flɑːsk ‖ flæsk] *fn* **1. a)** *[lapos]* palack, kulacs, flaskó **b)** *vegy* lombik **2.** *régi* lőportülök **3.** *US* préslégkamra *[torpedóban]*
flat[1] [flæt] **I.** *mn* **1. a)** lapos, sík, sima, leereszkedett, *gk* defektes *[autógumi]*; **~ country** sík/lapályos vidék, síkság; **the ~ galopp** lóversenyszezon; **~ roof** lapos tető; tetőterasz; **beat/make ~** (le)lapít; **go ~** leenged, kipukkad *[autógumi]* **b)** lapjával/laposan fekvő; **fall ~ on the carpet** végigesik/végigterül a szőnyegen **c)** *fényk* életlen *[kép]* **2. a)** *átv* kifejezett, határozott, egyenes, nyílt; **~ decision** egyértelmű/végleges döntés/elhatározás **b)** változatlan, egyöntetű, egységes; **~ price** egységár, átalányár **3. a)** sekélyes *[elme]*, egyhangú, élettelen, színtelen; **the market is ~** lanyha a piac; **in a ~ voice** színtelen hangon **b)** tompa, fakó *[szín, hang]*; **become ~** fényét/színét veszti; **life is ~** unalmas az élet **c)** ízetlen, erőtlen, áporodott *[ital]*; **~ to the taste** ízetlen **4. a)** *zene* félhanggal leszállított *[hang]*; **A ~** asz **b)** *zene* **the piano is ~** a zongora lehangolódott **5.** *fényk* **~ field** képmező, képsík **II.** *hsz* **1.** *biz* nyíltan, kereken, határozottan; *biz* **go ~ against orders** kereken/nyíltan ellene szegül a parancsnak/utasításnak; **in ten seconds ~** kerek(en) tíz másodperc alatt; *szl* **~ broke** *[pénztelen]* teljesen le van égve **2.** laposan, lapjával; **lie down ~ on the ground** elnyúlik a földön **3. a)** *zene* **sing ~** hamisan énekel **b)** *biz* **fall ~** hatástalan marad *[pl. vicc]*; bukik *[színdarab]*; kudarcba fullad **4.** teljesen, abszolúte **5.** pontosan **III.** *fn* **1.** lap(os felület); **the ~ of the hand** tenyér; **on the ~** vízszintesen; *sp* sík pályán **2. a)** síkság, lapály, alföld **b)** homokzátony, homokpad **3. a)** *szính* állódíszlet, színfal, tolófal; **the ~s** a kulisszák/színfalak, háttér **b)** *hajó* → **flat boat c)** *vasút* → **flatcar 4.** *tsz* **flats** *szl [kártya]* zsuga **5.** *US* (gumi)defekt **6.** *szl [rászedhető ember]* balek, pali **7.** *zene* b, bé *[módosító jel]* **IV. -tt- A.** *tsi* **1.** lapít, hengerel *[fémet]* **2.** fénytelenít *[felületet]*, tompít *[színt]* **B.** *tni US biz* **~ out** füstbe megy, kudarcba fullad, meghiúsul *[vállalkozás]* • *fn* **flatness** *hsz* **flatly**
flat[2] [flæt] *fn GB* (főbérleti) lakás; **residential ~** lakás; **block of ~s** bérház(tömb)
flat boat *fn* lapos fenekű (rakodó)dereglye, ladik

flatcar *fn vasút* pőrekocsi, gondola
flat-chested *fn* deszkamellű
flatfish *fn áll* lepényhal
flat foot *fn* **1.** lúdtalp **2.** *szl [rendőr(járőr)]* jard
flat-footed *mn* **1.** lúdtalpú, lúdtalpas **2.** *biz* határozott **3.** *biz* felkészületlen, elővigyázatlan • *fn* **flat-footedness** *hsz* **flat-footedly**
flat iron *fn* vasaló
flatland *fn* síkság, lapos/sík vidék
flatmate *fn GB* lakótárs
flatness [ˈflætnəs] *fn* **1.** laposság, egyenletesség, simaság **2.** szókimondás, határozottság **3. a)** szürkeség, egyhangúság, színtelenség *[stílusé]* **b)** állott/áporodott íz **c)** elszíntelenedettség, fakóság
flat racing *fn sp* síkfutás
flat rate *fn* átalánydíjszabás, átalánydíjas árszabás
flat rate hour *fn gk* munkaóra, normaóra *[a javítás munkadíja]*
flat-spin *fn* **1.** *rep* lapos dugóhúzó *[repülésben]* **2.** *biz* izgalom, pánik; **went into a ~** azt sem tudta fiú-e vagy lány, teljesen elvesztette a fejét
flatstone *fn* sírkőlap
flatten [ˈflætn] *tsi* **1. a)** (le)lapít, laposra formál **b)** **~ (down/out)** lesimít, kisimít **c)** **~ (out) sy** leterít, földhöz vág vkt, padlóra küld; kikészít vkt **2.** *biz* megaláz, megszégyenít • *fn* **flattener**
flatter [ˈflætə ‖ –ər] *tsi* **1. a)** hízeleg (vk vknek), hízeleg (vm vknek); **it ~s his vanity** hízeleg a hiúságának **b)** kecsegtet, hiteget, áltat; **~ oneself on sg** (indokolatlanul) büszke vmre **2.** gyönyörködtet *[szemet, fület]*; **music that ~s the ear** fülbemászó muzsika • *fn* **flatterer**
flattering [ˈflætərɪŋ] **I.** *mn* hízelgő; **~ confidence** kitüntető bizalom **II.** *fn* → **flattery** • *hsz* **flatteringly**
flattery [ˈflætəri] *fn* hízelgés
flattie [ˈflæti] *fn* **1.** *biz sp* ferde árbocú sharpie-vitorlás **2.** *szl [rendőr]* zsaru
flatties [ˈflætiz] *fn tsz biz* lapos sarkú cipő
flat-top *fn* **1.** *biz* repülőgép-anyahajó **2.** rövid, laposra vágott haj
flatulence [ˈflætjuləns ‖ ˈflætʃə–] *fn* **1.** *orv* szélszorulás, szélgörcs **2. a)** elbizakodottság, beképzeltség **b)** fellengzősség, dagályosság *[pl. stílusé]* • *fn* **flatulency**
flatulent [ˈflætjulənt ‖ ˈflætʃə–] *mn* **1.** *orv* szélszorulásos, felfúvódott *[személy]*, felfúvódást okozó *[étel]* **2. a)** felfuvalkodott, pöffeszkedő **b)** dagályos, fellengős *[stílus]* • *hsz* **flatulently**
flatus [ˈfleɪtəs] *fn tsz* **flatuses** *orv* bélszél, bélgáz
flatware *fn* **a)** *US* evőeszköz **b)** *GB* tányérfélék
flatworm *fn áll* laposféreg
flaunt [flɔːnt ‖ flɒnt, flɑnt] **I.** *fn* lengetés, lobogtatás, fitogtatás **II. A.** *tsi* fitogtat, kérkedik, hivalkodik; **~ one's knowledge** tudásával kérkedik **B.** *tni* **1.** *[büszkén]* leng, lobog *[zászló]* **2.** büszkélkedik, hivalkodik • *fn* **flaunter** *mn* **flaunty**
flautist [ˈflɔːtɪst] *fn zene* fuvolás
flavescent [fləˈvesnt] *mn növ* (meg)sárguló, sárgás, sárgálló
flavin [ˈfleɪvɪn] *fn* **1.** *vegy* flavin **2.** sárga festék *[tölgyfából nyert]*
flavoprotein [ˌfleɪvouˈproutiːn] *fn biol* ‹a táplálék oxidációját segítő, proteinhez kapcsolódó enzim›
flavor [ˈfleɪvə ‖ –ər] *US* → **flavour**
flavorous [ˈfleɪvərəs] *mn* ízes, zamatos
flavour [ˈfleɪvə ‖ –ər] **I.** *fn* **1.** íz, zamat, aroma **2.** ízesítő/illatosító anyag **3.** *átv* különleges/jellemző tulajdonság, sajátosság, légkör; **~ of the month/week** aktuális divat **II. A.** *tsi* (meg)ízesít, fűszerez, zamatossá tesz **B.** *tni* **~ of sg** vmlyen íze/zamata/illata van; vk/vm stílusára emlékeztet • *mn* **flavourful, flavourless, flavoursome**
flavouring [ˈfleɪvrɪŋ] *fn* **1.** ízesítés; **whisky ~** whisky ízesítés **2.** ízesítő anyag, aroma

flaw[1] [flɔː] **I.** *fn* **1.** folytonossági hiány, hézag, hiba **2. a)** hiba, tévedés, szépséghiba; **the ~ in a scheme** a terv gyenge pontja (v. szépséghibája) **b)** *jog* alaki hiba **II. A.** *tsi* megrepeszt, elront **B.** *tni* megreped elhasad
flaw[2] [flɔː] *fn* szélroham, széllökés
flawed [flɔːd] *mn* **1.** törékeny **2.** repedezett, repedt **3.** hibás, selejtes
flawless [ˈflɔːləs] *mn* hibátlan, tökéletes, makulátlan • *fn* **flawlessness**
flawlessly [ˈflɔːləsli] *hsz* hibátlan, tökéletesen, makulátlanul
flax [flæks] *fn növ tex* len
flaxseed *fn* lenmag
flay [fleɪ] *tsi* **1.** (meg)nyúz, lenyúz, lehánt; **~ed alive** elevenen megnyúzzák **2. a)** *átv* megvág, megnyúz *[pl. vevőt]* **b)** *átv* hevesen bírál/kritizál, lehúz • *fn* **flayer**
F-layer *fn földr* ‹a rádiósugarakat visszaverő ionoszféra legfelső rétege›
flea [fliː] *fn* bolha; **put a ~ in sy's ear** bolhát tesz/ültet vknek a fülébe
fleabag *fn szl [undorító/visszataszító/ápolatlan ember/tárgy]* (mozgó) trágyadomb
fleabane [ˈfliːbeɪn] *fn növ* bolhafű
flea beetle *fn áll* földi bolha
flea bite *fn* **1.** bolhacsípés **2.** *biz* kis/apró kellemetlenség
flea-bitten *mn* **1.** bolhacsípett **2.** *biz* ócska, rongyos
flea-bug *fn US* földi bolha
flea-circus *fn* bolhacirkusz
flea collar *fn* bolhanyakörv
flea market *fn tréf* zsibvásár
fleapit *fn GB szl [olcsó piszkos mozi]* kis bolhás
fleawort *fn növ* útifű
fleck [flek] **I.** *fn* **1.** petty, pötty, szeplő **2. ~ of dust** porszem **II.** *tsi* pettyez, tarkít (*with* vmvel) • *fn* **flecker** *mn* **fleckless**
flection [ˈflekʃn] → **flexion**
fled [fled] → **flee**
fledge [fledʒ] *tsi* **1. a)** tollal ellát/borít **b)** feltollaz *[nyílvesszőt]* **2.** a felnevel, szárnyára bocsát *[madár fiókáját]* • *mn* **fledgeless**
fledged [fledʒd] *mn* **1.** kinőtt tollú, repülni tudó **2.** *összet* **full-~** felnőtt, kész; **a new-~ doctor** kezdő orvos **3.** érett, önálló, független
fledgling [ˈfledʒdlɪŋ], **fledgeling** *fn* **1.** madárfióka **2.** kezdő, szárnyait bontogató/próbálgató *[ember]*
flee [fliː] *i pt/pp* **fled** [fled] **A.** *tsi* (el)menekül (vhonnan/vk elől) **B.** *tni* **a)** (el)menekül, (el)szökik, megfutamodik **b)** elröppen *[idő]*
fleece [fliːs] **I.** *fn* **1.** gyapjú *[állaton]*, gyapjas bőr; **the Golden ~** az aranygyapjú **2.** bárányfelhő **II.** *tsi* **1.** (meg)nyír *[birkát]* **2.** gyapjúval borít; **plain ~d with snow** hóborította/hólepte síkság **3.** *átv biz* kiuszoráz, megkopaszt, kifoszt • *mn* **fleeceable, fleeced**
fleece wool *fn* nyírott gyapjú
fleecy [ˈfliːsi] *mn* pelyhes, gyapjas, bolyhos
fleer [flɪə ‖ flɪr] **I.** *fn* gúnyos fintor, gúnykacaj **II.** *tni* kigúnyol, gúnyosan nevet
fleet[1] [fliːt] *fn* **1. a)** hajóhad, flotta, hajóraj **b)** **aerial ~** légi flotta **2. vehicle ~** járműállomány, járműpark
fleet[2] [fliːt] **I.** *mn vál* gyors, fürge, szapora **II.** *tni* elrepül, elröppen *[pl. idő]* • *fn* **fleetness** *hsz* **fleetly**
fleet[3] [fliːt] *mn/hsz táj* sekély(en), nem mély(en)
fleet[4] [fliːt] *fn* patak, folyócska, kis öböl
Fleet Admiral *fn US kat* a flotta főparancsnoka *[a legmagasabb rang]*
Fleet Air Arm *fn GB kat tört* a haditengerészet hajóihoz tartozó légi flotta
fleet-footed *mn vál* gyors lábú
fleeting [ˈfliːtɪŋ] *mn* gyorsan elmúló, elröppenő, röpke, futó *[pillantás]*; **~ target** mozgó célpont • *hsz* **fleetingly**
Fleet Street ‹London utcája, mely az angol újságírás központja/székhelye› *átv* az angol sajtó/újságírás

Fleming [ˈflemɪŋ] *fn* flamand
Flemish [ˈflemɪʃ] **I.** *mn* flamand **II.** *fn* flamand nyelv
flench [flentʃ] *tsi* lenyúz, megnyúz, feldarabol *[bálnát, fókát]*, zsírréteget lehánt, bőrt lenyúz *[bálnáról, fókáról]*
flense [flens] → **flench**
flesh [fleʃ] **I.** *fn* hús *[emberé, állaté, gyümölcsé]*, *átv* a(z emberi) test; **all ~** az emberiség, az emberek; **go the way of all ~** osztozik minden ember (v. az emberiség közös) sorsában, meghal; **of the ~** húsból és vérből való (ember); **the sins of the ~** a testi bűnök, érzékiség, bujaság; **~ and blood** az emberi test; az emberi természet; **one's own ~ and blood** saját családja, saját vérei/hozzátartozói; **it makes one's ~ creep/crawl** megborzaszt; **in the ~** személyesen, teljes életnagyságban **II. A.** *tsi* **1. a)** vérszomjassá tesz *[pl. kutyát]* **b)** tűzkeresztség alá vet *[újoncokat]*, beavat **2.** hízlal *[állatot]* **3.** *vál* kielégít *[bosszút, szenvedélyt]* **4.** lehúsol **5.** *átv* kikerekít, kiegészít **B.** *tni* (meg)hízik, húsosodik • *mn* **fleshless**
flesh colour, *US* **-color** *fn* testszín, hússzín • *mn* **flesh-coloured**
flesh-fly *fn áll* szürke húslégy
fleshings [ˈfleʃɪŋz] *fn tsz* testszínű harisnyanadrág
fleshly [ˈfleʃli] *mn* testi, érzéki *[vágy]*, világi *[örömök]*
fleshpot *fn bibl* húsosfazék; *biz* **the ~s of Egypt** jólét, fényűzés
flesh side *fn* húsoldal *[bőré]*
fleshy [ˈfleʃi] *mn* **1.** húsos *[comb, levél, gyümölcs]* **2.** telt, jó húsban levő *[ember]*, molett *[nő]* • *fn* **fleshiness**
fletcher [ˈfletʃə ‖ −ər] *fn* nyílkészítő • *tsi* **fletch**
flex [fleks] **I.** *fn* **1.** *mat* görbület *[görbéé]* **2.** *GB vill* (szigetelt) huzal, villanyzsinór **3.** hajlítás **II. A.** *tsi* (be)hajlít *[ízületet]* **B.** *tni* meghajlik, meggörbül
flexible [ˈfleksəbl] *mn* **1.** hajlékony, hajlítható, rugalmas **2.** *átv [helyzethez]* alkalmazkodó, rugalmas **3.** *fiz* hajlékony, flexibilis • *fn* **flexibility** *hsz* **flexibly**
flexile [ˈfleksaɪl ‖ ˈfleksl] *régi* → **flexible**
flexion [ˈflekʃn], **flection** *fn* **1.** meghajlítás, behajlítás *[végtagé]*, (meg)görbülés, meghajlás **2.** hajlás, hajlat **3.** *mat* görbület • *mn* **flexional**
flexitime [ˈfleksɪtaɪm], **flextime** *fn* kötetlen/rugalmas munkaidő
flexor [ˈfleksə ‖ −ər] *fn orv* hajlítóizom
flexure [ˈflekʃə ‖ −ər] → **flexion**
flibbertigibbet [ˌflɪbətiˈdʒɪbɪt ‖ −bərti−] *fn biz* szeleburdi, locsifecsi személy
flick [flɪk] **I. A.** *tsi* megpöccint, elpöccköl, megcsap **B.** *tni* **~ out of sight** kereket old, elszelel **II.** *fn* **1.** pöccintés, (meg)suhintás; **with a ~ (of the wrist)** egyetlen mozdulattal **2.** csattan(t)ás, csettintés **3.** *biz* (mozi)film; *szl* **the ~s** mozi
flick through *tsi* átlapoz, átnyálaz *[könyvet]*, átfut *[könyvön]*, átfordít *[kártyát, lapot]*
flicker [ˈflɪkə ‖ −ər] **I.** *tni* libeg, villódzik, vibrál *[fény]*, pislákol *[tűz]*; **the candle ~ed out** a gyertya ellobbant (v. pislákolva kialudt) **II.** *fn* **1.** libegés, rezzenés, zizzenés, pislákolás, vibrálás, *infor* képernyő vibrálás; **a ~ of light** reszkető/vibráló fény **2.** *GB biz* **a)** mozi *stand* **b)** játékfilmek *stand*
flick knife *fn tsz* **-knives** rugós bicska
flier [ˈflaɪə ‖ −ər] → **flyer**
flight[1] [flaɪt] **I.** *fn* **1. a)** repülés; **take/wing its ~** szárnyra kap *[madár]* **b)** költözés *[madaraké]*, (ki)rajzás *[méheké]* **c)** *átv* szárnyalás, csapongás *[pl. képzeleté]*; **~ of imagination** szárnyaló/csapongó képzelet; **~ of wit** ötlet, sziporka **2. a)** berepült távolság, röppálya *[lövedéké]* **b)** légijárat, légivonal **c)** repülőút **3. a)** *épít* **~ of stairs** lépcsős; **four ~s up** négy emelettel feljebb **b)** *vízügy* **~ of locks** zsiliplépcső **4. a)** (madár)sereg; *átv* **be in the first ~** *biz* a legjobbak között van, az élen van **b)** *US* repülőraj **II.** *tsi* **1.** repülés közben/röptében lelő *[madarat]* **2.** feltollaz *[nyílvesszőt]*
flight[2] [flaɪt] *fn* menekülés, megfutamodás; **in full ~** hanyatt-homlok menekülve; **take to ~** megfutamodik, megszökik; **put the enemy to ~** megfutamítja az ellenséget
flight attendant *fn rep* légi utaskísérő
flight control *fn* **1.** légiforgalom-irányítás **2.** repülőgép vezérlőrendszere
flight deck *fn rep* **1.** felszállópálya *[repülőgép-anyahajókon]* **2.** pilótafülke
flight engineer *fn* fedélzeti mérnök
flight feather *fn áll* evezőtoll
flight formation *fn rep* repülőkötelék
flightless [ˈflaɪtləs] *mn* repülésre képtelen
flight lieutenant *fn GB* repülőszázados
flight number *fn rep* járatszám
flight path *fn rep* légvonal
flight recorder *fn rep* fekete doboz
flight sergeant *fn GB kat* őrmester
flight-test *tsi* berepül *[repgépet]*
flighty [ˈflaɪti] *mn* **1.** könnyelmű, léha, felületes, szeles, szeleburdi, hebehurgya **2.** állhatatlan, csapodár • *fn* **flightiness** *hsz* **flightily**
flimflam [ˈflɪmflæm] **I.** *fn* **1.** üres/ostoba beszéd, sületlenség **2.** becsapás, rászedés **II.** *tsi* **-mm-** *US biz* **~ sy out of sg** kicsal vktől vmt, kiforgat vkt vmből
flimsy [ˈflɪmzi] **I.** *mn* **1.** könnyű, lenge, laza **2.** *átv* gyatra *[kifogás]*, sekélyes, gyarló **II.** *fn* **1. a)** vékony selyempapír/másolópapír **b)** *biz* hírügynökségi sokszorosított híranyag (vékony másolópapíron) **2.** *biz* női fehérnemű • *fn* **flimsiness** *hsz* **flimsily**
flinch[1] [flɪntʃ] *tni* **1.** meghátrál, visszaretten **2.** összerándul, megrándul *[az arcizma]*; **without ~ing** egy arcizma sem rándult
flinch[2] [flɪntʃ] → **flench**
flinders [ˈflɪndəz ‖ −ərz] *fn tsz* forgács, repesz, szilánk; **break/fly in(to) ~** szilánkokra törik
fling [flɪŋ] **I.** *pt/pp* **flung** [flʌŋ] **A.** *tsi* dob, hajít, lendít; **~ open** szélesre tár, kitár; feltép, felránt; **~ caution to the winds** félretesz/félredob minden óvatosságot **B.** *tni* rúgkapál *[lábbal]*, hadonászik, csapkod *[karral]* **II.** *fn* **1.** dobás, hajlítás, lendítés, *átv* kísérlet, próbálkozás; **~ of the dice** egy kockavetés; **have/take a ~ at sg** megpróbál/megkísérel vmt **2.** hirtelen heves mozdulat, *átv* gúnyos/csípős megjegyzés; *biz* **have a ~ at sy** odamondogat/odavág vknek; *biz* **that's a ~ at you** ez magának szól **3. a)** szórakozás, mulatozás, kiruccanás **b)** kitombolás; **have one's ~** kitombolja magát • *fn* **flinger**
fling about A. *tsi* szétdobál, széthajigál, szétszór; **~ one's arms about** hevesen gesztikulál **B.** *tni* dobálja magát, rángatódzik, rugdalózik
fling around *tsi* szétszór; *vál* **the flowers ~ their fragrance all around** a virágok átható illatot árasztanak; **~ one's arms around sy's neck** vk nyakába borul/ugrik, átölel/megölel vkt
fling away A. *tsi* felad, lemond (vmről) **B.** *tni* elrohan, hirtelen elfordul
fling into *tsi* **~ oneself into sg** beleveti magát vmbe; **~ oneself wholeheartedly into work** szívvel-lélekkel beleveti magát a munkába
fling off *tsi* ledob, lehány *[pl. ruhát]*; **~ off one's pursuers** lerázza magáról az üldözőit
fling on *tsi* **~ one's eyes on sy/sg** rápillant vkre/vmre; **~ one's clothes on** magára dobálja/kapkodja/kapja a ruháját
fling out *tni* **1. a)** kirúg *[ló]* **b)** *átv* **~ at sy** sérteget/szidalmaz vkt **2. ~ of doors** kirohan a házból
fling over *tsi* elhagy, cserbenhagy, dob (vkt)
flint [flɪnt] *fn* **1.** *ásv* kova, kvarckavics; *biz* **have a heart of ~** kőszívű, hajlíthatatlan **2.** kovakő, tűzkő *[öngyújtóban]*; **~ and steel** tűzszerszám; *biz* **skin/flay a ~** zsugori, fogához veri a garast **3.** pattintott kőszerszám • *fn* **flintiness** *mn* **flinty**
flint corn *fn növ* kemény héjú kukorica
flint glass *fn* flintüveg, optikai üveg

flintgun *fn régi* kovás puska
flintlock *fn régi* kovás puska(zár)
flip[1] [flɪp] **I.** *fn* **1.** pattintás, csettintés *[ujjal]* **2.** legyintés, gyors/könnyű ütés; **~ of the gun** puska rúgása **3.** *rep szl* rövid repülőút **II. -pp- A.** *tsi* **1.** **~ up (a coin)** pénzt feldob *[sorshúzás céljából]* **2.** hirtelen megránt, pattint *[ostort]* **3.** *szl [hirtelen feldühödik]* begorombul; *szl* **~ one's lid/slack/top** *[elveszti az önkontrollját]* bepöccen **B.** *tni GB biz* **~ around** rövid repülőutat tesz **III.** *mn biz* link
flip out *tni* **1.** *szl [idegileg összeroppan]* kiborul **2.** *[dühös lesz]* bepöccen, felforr az agyvize, eldurran az agya
flip through *tsi* → **flick through**
flip[2] [flɪp] *fn gaszt* flip *[ital]*
flip chart *fn* flip-chart *[összetolható állványzatú tábla]*
flip-flop *fn* **1.** műanyag szandál, gumiszandál **2.** strandpapucs **3.** *US* hátrabukfenc **4.** *el* billenőkör, bistabil áramkör **5.** *US pol* pálfordulás
flippant [ˈflɪpənt] *mn* **1.** komolytalan, sekélyes **2.** tiszteletlen, szemtelen, pimasz • *fn* **flippancy** *hsz* **flippantly**
flipper [ˈflɪpə ‖ –ər] *fn* **1.** uszony, úszószárny, úszóláb **2.** *szl [kéz]* mancs
flipping [ˈflɪpɪŋ] *mn/hsz GB szl* rohadt
flip side *fn biz* **a)** fonák oldal *[egy lemez kevésbé sikeres oldala]* **b)** árnyoldal
flirt [flɜːt ‖ flɜrt] **I.** *fn* flörtölő nő/férfi **II. A.** *tsi* dob *[rövid/gyors mozdulattal]* **B.** *tni* **1.** izeg-mozog, csapdos *[madár]* **2.** **~ (with)** kacérkodik, kokettál, flörtöl • *fn* **flirtation** *mn* **flirtatious**, **flirty**
flit[1] [flɪt] *tni* **-tt- 1.** **~ (away)** elmegy, (el)távozik **2.** (el)költöz(köd)ik **3.** röpköd, röpdös, száll(dogál) **4.** suhan, surran *[ember]*; **~ by/past** elsuhan (vk/vm mellett) **5.** száll, repül *[idő]*; **the time ~ted away** elrepült az idő **6.** *biz* lelép, lelécel *[hitelezők elől]*
flit[2] [flɪt] *fn szl [homoszexuális férfi]* homokos, meleg
flitch [flɪtʃ] *fn* **1. a)** táblaszalonna **b)** halszelet **2.** széldeszka
flitch beam *fn épít* ‹vaspánttal összefogott többrészes tartó›
flivver [ˈflɪvə ‖ –ər] *fn US szl* **1.** *[olcsó autó]* tragacs **2.** **he is a ~** *[jelentéktelen alak]* szegény ördög, kudarc
float [floʊt] **I. A.** *tsi* **1. a)** úsztat, tutajoz *[fát]* **b)** víz felszínén tart **c)** sodor **2. a)** forgalomba hoz, *pénz* kibocsát; *pénz* **~ a loan** kölcsönt kibocsát **b)** *pénz* lebegtet *[árfolyamot]* **3.** vízre bocsát *[hajót]* **4.** *mezőg* vízzel eláraszt **5.** *épít* simít *[vakolatot]* **B.** *tni* **1.** úszik, lebeg *[tárgy vizen]*, felszínen marad *[vízen]* **2.** lebeg, sodródik; **a rumour is ~ing about that...** az a kósza hír járja, hogy... **II.** *fn* **1. a)** úszó (v. vízen lebegő/sodródó) tömeg, úsztatott fa **b)** tutaj, lapos csónak **c)** parafaúszó *[horgászzsinóron]*, hálóbója *[halászhálón]* **d)** úszó(golyó), úszógömb *[víztartályban]*, úszódob **e)** gumiöv; **life ~** mentőtömlő **f)** úszóhólyag *[halaké]* **2. a)** úszás, lebegés **b)** áradás **3.** *GB* **the ~(s)** rivaldafény **4. a)** *épít* simítólap, vakolókanál **b)** *műsz* reszelő **5.** *US* **~ (gold)** mosott arany **6.** *GB* aprópénz • *fn* **floatability** *mn* **floatable**
floatage [ˈfloʊtɪdʒ] → **flotage**
floatation [floʊˈteɪʃn] → **flotation**
float-board *fn* keréklapát *[vízikeréké]*
floatel [floʊˈtel] *fn* úszó hotel, szállodahajó
floater [ˈfloʊtə ‖ –ər] *fn* **1. a)** vízen elfekvő/úszó **b)** úszó fatörzs **2. (log)** **~** tutajos **3.** *pénz* kibocsátó *[kölcsöné]* **4.** *US* választási csaló *[aki több körzetben szavaz]* **5.** alkalmi/vándorló munkás
floating [ˈfloʊtɪŋ] *mn* úszó, lebegő, sodródó, vándorló; **~ bridge** pontonhíd; *pénz* **~ capital** likvid tőke; *pénz* **~ debt** függő adósság; **~ dock** úszódokk; *orv* **~ kidney** vándorvese; **~ light** világítóhajó, világítóbója; *infor* **~ point** lebegőpont; *pénz* **~ policy** átalánybiztosítás; általános biztosítás; *orv* **~ rib** lengőborda; **~ voter** határozatlan szavazó/választó
floatstone *fn* dörzskő
float-valve *fn műsz* úszós tűszelep *[porlasztóban]*, vízszintszabályozó úszószelep
floaty [ˈfloʊti] *mn ált GB* lebegő, könnyű
floc [flɒk ‖ flɑk] *fn vegy* (csapadék)pihe, flokkulusz
flocculate [ˈflɒkjʊleɪt ‖ ˈflɑkjə–] *ts/tni* pelyheződik, pelyhesedik, flokkulál, pelyhesít • *fn* **flocculation**
floccule [ˈflɒkjuːl ‖ ˈflɑk–] *fn vegy* (csapadék)pehely
flocculent [ˈflɒkjʊlənt ‖ ˈflɑkjə–] *mn* pelyhes, pehelyszerű, pihés • *fn* **flocculence**
flocculus [ˈflɒkjʊləs ‖ ˈflɑkjə–] *fn tsz* **flocculi** [–laɪ] **1.** *vegy* csapadékpehely, (csapadék)pelyhecske **2.** *orv* flocculus *[kisagy oldallebenye]*
floccus [ˈflɒkəs ‖ ˈflɑ–] *fn tsz* **flocci** [ˈflɒksaɪ] **1.** *növ* pihe **2.** *áll* pehely, pihe
flock[1] [flɒk ‖ flɑk] *fn* **1.** pihe, pamat **2.** gyapjúhulladék, gyapothulladék • *mn* **flocky**
flock[2] [flɒk ‖ flɑk] **I.** *fn* **1.** nyáj, falka, raj, sereg, csapat; **~ of sheep** juhnyáj **2. a)** *átv* sereg, tömeg *[ember]*; *átv* **visitors come in ~s** seregestől jöttek a látogatók **b)** *átv* nyáj, hívők **c)** *átv* család **II.** *tni* **~ (together)** összesereglik, összecsődül; csoportosul, gyülekezik
flock about *tsi* vk körül csoportosul, vk köré sereglik
flock after *tsi* tömegesen követnek vkt
flock in *tni* beözönlik, betódul
flock out *tni* kiözönlik, kitódul
flock up *tni* tömegesen elősiet/előrohan
floe [floʊ] *fn* úszó jégtábla
flog [flɒg ‖ flɑg] *tsi* **-gg- 1.** (meg)korbácsol, megvesszőz, ostoroz; *biz* **~ a dead dorse** hiábavaló erőfeszítést tesz, falra hányja a borsót **2.** **~ sg into sy** belever vmt vk fejébe; **~ sg out of sy** kiver vkből vmt **3.** *GB szl [legyőz]* megtép, megruház **4.** *GB szl [elad bűnözésből származó árut]* elnyom, elpasszol • *fn* **flogger**
flood [flʌd] **I.** *fn* **1.** ár, dagály; *átv* **at the ~** a kedvező/megfelelő pillanatban **2.** árvíz, ár(adás); **the F~** a vízözön, az özönvíz **3.** özön, áradat; **a ~ of light** fényözön; **~s of talk/words** szóáradat; **~s of tears** könnyzápor **4.** ár, hullám *[érzelemé]* **5.** *biz* reflektorfény **II. A.** *tsi* **1. a)** *átv* elönt, eláraszt **b)** eláraszt *[vízzel]* **2.** megáraszt, felduzzaszt **3.** *gk* **be ~ed** túlfolyik *[karburátor]* **B.** *tni* (ki)árad, kiönt • *fn* **flooding**
flood control *fn* árvízvédelem
floodgate *fn* zsilip(kapu), gát, vízfogó, árvízkapu
floodlight **I.** *fn* reflektorfény, díszkivilágítás **II.** *tsi* (fényszórókkal) megvilágít/kivilágít, fényárba borít • *mn* **floodlit**
floodmark *fn* dagály (v. legmagasabb vízállás) szintjelzése, árvízjel
flood tide *fn* **a)** dagály **b)** *földr* vihardagály
flood victim *fn* árvízkárosult
floor [flɔː ‖ flɔr] **I.** *fn* **1.** padló(zat); *US* **take the ~** táncolni kezd; *szl* **mop/wipe the ~ with sy** *[elver vkt]* laposra ver **2.** emelet; **first ~** *GB* első emelet; *US* földszint **3. a)** tengerfenék **b)** hajófenék **4. a)** padozat, emelvény, dobogó, *szính* szín(pad), parkett *[tőzsdén]* **b)** *pol* ülésterem *[képviselőházé]*; **cross the ~ of the House** átlép az ellenpártba; **take the ~** felszólal, megtartja beszédét/hozzászólását **5.** *film* **a)** filmstúdió **b)** filmprodukció; **be on the ~** forgatják **6.** *közg* **price ~** alsó árkorlát **II.** *tsi* **1.** padlóz, parkettáz **2. a)** földhöz vág/csap, leteper, *sp* kétvállra fektet *[birkózót]*, lesújt, leterít *[ökölcsapással]* **b)** *átv* legyőz, legyűr *[ellenfelet]* **3.** *biz* elképeszt, elhallgattat (vkt); **he was completely ~ed** szóhoz sem tudott jutni, zavarban volt **4.** *okt* megbuktat *[vizsgázót]* **5.** *szl* **~ it** *[száguld]* padlót megy, dönget • *mn* **floorless**
floorboard *fn* padlódeszka, padlólemez
floorcloth *fn GB* padlófelmosó rongy
floorer [ˈflɔːrə ‖ –ər] *fn* **1. a)** *biz* átütő erejű csapás **b)** *US biz* kegyelemdöfés **2. a)** lesújtó hír **b)** megcáfolhatatlan érv
floor exercise *fn sp* talajgyakorlat
flooring [ˈflɔːrɪŋ] *fn* padló(zat), parkett(a)
floor lamp *fn US* állólámpa
floor leader *fn US pol* képviselőházi pártcsoport vezetője
floor-length *mn* padlóig érő *[pl. függöny]*
floor manager *fn US* **1.** → **shopwalker** **2.** irányító

floor plan *fn épít* (emeleti) alaprajz
floor polish *fn* padlóviasz, padlópaszta
floor-polisher *fn* **1.** padlóviaszoló, padlófényesítő **2. a)** padlókefe **b)** parkettkefélő gép
floor show *fn* revüműsor
floor tile *fn* padlóburkoló (mozaik)lap
floor-walker *US gazd* → **shopwalker**
floozy [ˈfluːzi], **floozie** *fn szl [könnyű* v. *kétes erkölcsű (fiatal) nő]* (kis) cafka/ringyó
flop [flɒp ‖ flɑp] **I.** *fn* **1. a)** pottyanás, esés **b)** (tompa) puffanás *[hang]*; **down he went with a ~** puffanva leesett/összerogyott **2. a)** bukás, kudarc; **be a ~** megbukik *[színdarab]*; kudarcot vall *[terv]* **b)** esés, zuhanás *[árfolyamé]* **3.** tutyi-mutyi fráter **4.** *US szl* fekhely *stand* **5.** *szl* olcsó szálláshely *stand* **II.** *hsz* **1.** *biz* **fall ~** puffanva/puffanással leesik; összeroskad **2.** *biz* **go ~** megbukik *[színdarab]*; rosszul megy *[üzlet]*; esik *[részvény]* **III. -pp- A.** *tsi* hanyagul/lármásan lever/ledob, lepottyant **B.** *tni* **1.** lötyög, lecsüng **2. a)** (le)pottyan, (le)puffan **b) ~ (down)** leroskad, lerogy **c) ~ about** fickándozik **d) ~ along** totyog **3.** megbukik *[színdarab]*, rosszul meg *[üzlet]*, esik *[részvény]* **4.** *US pol biz* köpönyeget forgat, átpártol **5.** *szl [lefekszik]* (be)vackol, szunyál(ni megy)
flop-eared *mn* nagy/lógó fülű
flophouse *fn US* népszálló
floppy [ˈflɒpi ‖ ˈflɑ–] **I.** *mn* **1.** (le)lógó, (le)csüngő, lötyögő **2.** ernyedt, petyhüdt **II.** *fn infor* **~ (disk)** floppy, hajlékony lemez
flops [flɒps] *röv floating point instructions per second infor* flops *[processzorteljesítmény mértékegysége]*
flora [ˈflɔːrə] *fn tsz* **florae** [–riː] *földr* flóra, növényvilág
Flora [ˈflɔːrə] *tul* Flóra
floral [ˈflɔːrəl] *mn* **1.** virág-, virágos **2. ~ zone** növényi övezet, növénysáv • *hsz* **florally**
Florence [ˈflɒrəns ‖ ˈflɔ–] *tul* **1.** *földr* Firenze **2.** ‹női név›
Florentine [ˈflɒrəntaɪn ‖ ˈflɔ–] *mn földr* firenzei
florescence [flɔːˈresns] *fn* virágzás, virágba fakadás/borulás
floriate [ˈflɔːrieɪt] *tsi* virágmintákkal díszít
floriculture [ˈflɒrɪkʌltʃə ‖ ˈflɔrɪkʌltʃər] *fn* virágkertészet • *fn* **floriculturist** *mn* **floricultural**
florid [ˈflɒrɪd ‖ ˈflɔ–, ˈflɑ–] *mn* **1.** *átv is* virágos, szóvirágokkal ékes **2.** *épít* gazdagon/dúsan díszített *[késői gót stílus]* **3.** feltűnő, rikító **4.** pirospozsgás, kicsattanó *[arcszín]* • *fn* **floridity**, **floridness** *hsz* **floridly**
Florida [ˈflɒrɪdə ‖ ˈflɔ–, ˈflɑ–] *tul földr* Florida
Floridian [flɒˈrɪdɪən ‖ flɔ–, flɑ–] *mn/fn földr* floridai
floriferous [flɒˈrɪfərəs ‖ flɔ–] *mn növ* virágtermő, virágos, virágzó
floriform [ˈflɒrɪfɔːm ‖ ˈflɔrɪfɔrm] *mn* virág alakú, virágszerű
florist [ˈflɒrɪst ‖ ˈflɔ–, ˈflɑ–] *fn* **1.** virágkereskedő **2.** virágkertész **3.** virágszakértő • *fn* **floristry**
floristic [flɒˈrɪstɪk ‖ flə–] *mn* florisztikai, füvészeti • *fn* **floristics** *hsz* **floristically**
florist's shop *fn* virágkereskedés, virágüzlet
-florous [flərəs] *összet* -virágú
flory [ˈflɔːri] *mn* → **fleury**
floss [flɒs ‖ flɔs] *fn* **I. 1.** pehely, pihe, kukoricahaj **2.** hernyóselyem **3.** fogselyem **II.** *tsi* fogselyemmel tisztít *[fogat]*
floss silk *fn* selyemkóc, gubóselyem
flossy [ˈflɒsi ‖ ˈflɔsi] *mn* **1.** selymes (tapintású), pihés, puha **2.** *biz* fess, elegáns
flotage [ˈfloutɪdʒ] *fn* **1. a)** vízen való lebegés **b)** úszóképesség **c)** úsztatás *[fáé]* **2.** vízen úszó (v. vízben sodródó) tárgyak **3.** *hajó* holtrész **4.** átrakási díj *[vasúti kocsié kompra]*
flotation [flouˈteɪʃn] *fn* **1. a)** úszás, lebegés, vízben sodródás **b)** úsztatás, lebegtetés **2.** *hajó* merülés; **line of ~** merülési vonal, úszóvonal **3. a)** alapítás *[kereskedelmi társaságé]* **b)** kibocsátás *[kölcsöné]* **4.** *pénz* flotáció, lebegtetés *[árfolyamé]*
flotilla [fləˈtɪlə ‖ flou–] *fn* kis hajóraj, flotilla
flotsam [ˈflɒtsəm ‖ ˈflɑt–] *fn* ‹a víz színén hányódó gazdátlan roncsok/tárgyak›; **~ and jetsam** víz színén hányódó törmelék; *átv* hányódó emberek
flounce[1] [flauns] **I.** *tni* **a)** ugrándozik, ficánkol **b)** hánykolódik **II.** *fn* **1.** ugrándozás, ficánkolás **2.** hánykolódás
flounce[2] [flauns] **I.** *fn* fodor *[ruhán]* **II.** *tni* fodorral szegélyez/díszít *[szoknyát]* • *mn* **flouncy**
flounder[1] [ˈflaundə ‖ –ər] **I.** *tni* **1.** esetlenül/tehetetlenül bukdácsol/botorkál, hentereg, fetreng, ficánkol **2. a)** *átv* zavarodottan/akadozva beszél **b)** *átv* vesződik, vergődik; *átv* **~ through sg** nagy nehezen átvergődik vmn **c)** *átv* baklövéseket/hibákat követ el **II.** *fn* esetlen/tehetetlen bukdácsolás/botorkálás, hentergés, fetrengés, ficánkolás
flounder[2] [ˈflaundə ‖ –ər] *fn áll* lepényhal
flounderer [ˈflaundərə ‖ –ər] *fn* tehetetlen/ügyetlen ember
flour [ˈflauə ‖ –ər] **I.** *fn* **1.** liszt **2.** (liszt finomságú) por; **~ of gypsum** gipszpor **II. A.** *tsi* **1.** belisztez, meglisztez **2.** (meg)őröl, porrá/lisztté őröl **B.** *tni* porrá válik, porlad • *fn* **flouriness** *mn* **floury**
flourish [ˈflʌrɪʃ ‖ ˈflɜrɪʃ] **I. A.** *tsi* **1. a)** lenget, lóbál, suhogtat; **~ one's arms (about)** karjával hadonászik; gesztikulál **b)** fitogtat *[tudást, gazdagságot]* **2.** *ritk* cikornyákkal ékesít **B.** *tni* **1. a)** buján/gazdagon tenyészik/nő *[növény]* **b)** fejlődik, gyarapszik, virul, virágkorát éli **2.** tevékenykedik, működik; **Socrates ~ed about 400 B.C.** Socrates kb. i. e. 400-ban élt/működött **3. a)** hadonászik, gesztikulál *[karral]* **b)** kacskaringósan ír **c)** szóvirágokkal beszél **4.** *zene* **a)** cifráz **b)** *régi* tust fúj **5.** harsog *[trombita]* **II.** *fn* **1. a)** cikornya, kacskaringó *[kézírásnál]* **b)** szóvirág **2.** *zene* **a)** ékítés **b)** tus **3. a)** széles/lendületes mozdulat, lengetés, lóbálás **b)** fitogtatás *[tudásé, szépségé]* **4.** *ritk* virulás, virágzás, jólét • *fn* **flourisher**
flourishing [ˈflʌrɪʃɪŋ ‖ ˈflɜr–] *mn* **a)** kicsattanó egészségű **b)** jól menő; *átv* virágzó
flout [flaut] **I. A.** *tsi* **1.** (ki)gúnyol, (ki)csúfol **2.** semmibe (sem) vesz **B.** *tni* gúnyolódik, csúfolódik, sérteget (vkt), gúnyt űz (vkből) **II.** *fn* gúnyolódás, csúfolódás, sértés, megvetés • *fn* **flouter**
flow [flou] **I.** *pt/pp* **flowed**, *régi pp* **flown** [floun] **A.** *tni* **1. a)** folyik, ömlik, hömpölyög, áramlik, kering; **blood will ~** (itt még) vér fog folyni **b)** özönlik, hömpölyög *[tömeg]* **c)** könnyedén gördül *[beszélgetés, elbeszélés]* **2.** emelkedik *[dagály]* **3.** lazán (le)omlik **4. a)** ered, következik **b)** ered, származik (vktől) **5.** *vál* bőségben van; **land ~ing with milk and honey** tejjel-mézzel folyó Kánaán **B.** *tsi* **1.** folyat **2.** eláraszt, elönt **3.** kiönt **4.** folyósít **II.** *fn* **1. a)** folyás, ömlés, hömpölygés, áramlás, keringés **b)** áradat, sugár; *átv* **~ of blood** vérözön; *biz* **~ of spirits** jó hangulat; **~ of words** szóáradat; **go with the ~** sodródik az eseményekkel **2.** dagály, ár **3.** *infor* folyamat **4.** *műsz* megmunkálási folyamat **5.** *skót* süppedős/mocsaras terület
flow down *tni* leomlik *[köpeny, haj]*; **her hair ~ed down her back** haja a hátára omlott
flow from *tni* ered, következik, folyik (vmből)
flow with *tni vál* bőségben van, patakokban folyik
flowback *fn* visszafolyás, visszaömlés
flow chart *fn infor* folyamatábra
flow diagram → **flow chart**
flower [ˈflauə ‖ –ər] **I.** *fn* **1. a)** virág; **bunch of ~s** csokor; **wild ~s** vadvirágok, mezei virágok; **cut ~** vágott virág **b) ~s of speech** szóvirágok **2. a)** virágzás *[növényé]*; **burst into ~** kivirágzik, virágba fakad/borul; **in ~** virágzásban (levő); **be in the ~ of one's age** élete virágjában/teljében van **b)** *átv* virág, krém, elit *[pl. nemzeté, ifjúságé]*, (vmnek) színe-java **II. A.** *tsi* **1.** kivirágoztat *[növényt]* **2.** virággal/virágmintával díszít/ékesít **B.** *tni átv* (ki)virágzik, virágba borul • *mn* **flowerless**, **flower-like**
flower children *fn tsz* hippik
flowered [ˈflauəd ‖ ˈflauərd] *mn* **a)** virágos, virágzó **b)** *összet* -virágú

flowerer [ˈflaʊərə ‖ –ər] *fn* virágos növény; **early ~** korán virágzó/nyíló *[növény]*
floweret [ˈflaʊərɪt] *fn vál* kis virág, virágocska
flower girl *fn GB* virágáruslány
flower head *fn növ* fejecskevirágzat
flowering [ˈflaʊərɪŋ] **I.** *mn* virágzó, virágos; **~ plant** virágos növény **II.** *fn átv* virágzás
flower people *fn tsz* hippik
flowerpot *fn* **a)** virágcserép **b)** virágváza
flower power *fn* ‹a hippik kultúrája›
flower shop *fn* virágkereskedés, virágüzlet
flower show *fn* virágkiállítás
flowery [ˈflaʊəri] *mn* **1.** virágos, virágzó, virágokkal borított **2.** virágos, szóvirágokkal ékes, cikornyás *[stílus, beszéd]* • *fn* **floweriness**
flowing [ˈfloʊɪŋ] *mn* **1.** folyó, folyékony; **~ well** artézi kút **2.** (le)omló, lengő; **~ beard** hosszú/lengő szakáll **3.** folyamatos, folyékony *[stílus, beszéd]* **4.** kecsesen hajló/hullámos *[vonal]* • *hsz* **flowingly**
flowing sheet *fn US infor* folyamatábra
flowmeter *fn* áramlásmérő
flown[1] [floʊn] → **fly**[1] I.
flown[2] [floʊn] → **flow** I.
flowsheet *fn US* folyamatábra
flowstone *fn* folyami kavics
flu [flu:] *fn biz* influenza
flub [flʌb] *i* **-bb-** *US biz* **A.** *tsi* elügyetlenkedik, eltol (vmt) **B.** *tni* **~ (up)** *[hibázik]* bakizik, hülyeséget csinál/mond
fluctuate [ˈflʌktʃʊeɪt] *tni* **1. a)** ingadozik, habozik, tétovázik; **~ between hope and fears** kétség és reménység közt ingadozik **b)** ingadozik, változik *[ár, árfolyam, hőmérséklet]* **2.** hullámzik *[víz]* • *fn* **fluctuation** *mn* **fluctuant**
flue [flu:] *fn épít* kürtő, kémény(cső), füstvezeték, szelelőlyuk, légakna; *biz* **be in/up the ~** a zálogházban/zaciban van
flue-cure *tsi* (mesterséges) hővel fermentál *[dohányt]*
fluence [ˈflu:əns] *fn GB biz* befolyás; **put the ~ on sy** befolyásol vkt *[pl. hipnózissal]*
fluency [ˈflu:ənsi] *fn* **1.** folyékonyság, könnyedség, gördülékenység *[beszédé, stílusé]* **2.** tárgyalóképesség *[vmlyen idegen nyelven]*
fluent [ˈflu:ənt] *mn* **1.** folyékony, gördülő, könnyed *[beszéd, stílus]*; **speak ~ English** folyékonyan beszél angolul **2.** folyós, folyékony **3.** kecses, könnyed *[vonalak]* **4.** változékony, változó **5.** *mat* folyamatosan változó *[mennyiség, függvény]* • *hsz* **fluently**
flue pipe *fn zene* ajaksíp, orgonasíp
fluff [flʌf] **I.** *fn* **1.** pehely, pihe, bolyh, szösz; **a little bit of ~** *szl durva [csinos nő]* jó (kis) csaj **2. a)** finom/puha szőr(me) **b)** pelyhedző szakáll **3. a)** könnyű/szórakoztató vígjáték **b)** rosszul betanult szerep, baki; **do a ~** belesül a szerepbe; eltéveszti a szöveget; bakizik **II. A.** *tsi* **1.** bolyhoz, bolyhosít **2. a) ~ (out) one's hair** kifésüli/kibontja a haját; **the bird ~ed (out) its feathers** a madár felborzolta a tollait/tollazatát **b)** feljön *[omlett, felfújt]* **3.** *biz* elhibáz; *szính* **~ one's part** belesül szerepébe **B.** *tni* **1.** bolyhozódik, bolyhosodik, pelyhedzik **2.** lágyan omlik *[haj]* **3.** *biz* hibázik, bakizik
fluffy [ˈflʌfi] *mn* **1.** bolyhos, pelyhes, pihés, vattaszerű **2.** *GB* megbízhatatlan **3.** *szính* **a)** ‹szerepébe gyakran belesülő színész› **b)** könnyű (fajsúlyú); **~ comedy** könnyű bohózat • *fn* **fluffiness** *hsz* **fluffily**
flugelhorn [ˈflu:glhɔ:n ‖ –hɔrn] *fn zene* szárnykürt
fluid [ˈflu:ɪd] **I.** *mn* **1.** folyékony, cseppfolyós **2. a)** *átv* folyékony, gördülékeny, könnyed *[stílus, beszéd]* **b)** *átv pénz* könnyen beváltható/értékesíthető; *átv* **~ capital** folyékony tőke **II.** *fn* **1.** folyadék **2.** fluidum • *fn* **fluidness** *hsz* **fluidly**
fluidics [flu:ˈɪdɪks] *fn esz műsz* hidraulika • *mn* **fluidic**
fluidify [flu:ˈɪdəfaɪ] **A.** *tsi* cseppfolyósít *[szilárd testet]* **B.** *tni* cseppfolyóssá válik
fluidity [flu:ˈɪdəti] *fn* **1. a)** nem szilárd halmazállapot **b)** cseppfolyósság **2. a)** folyékonyság, gördülékenység, könnyedség *[stílusé]* **b)** változékonyság, ingatagság
fluidize [ˈflu:ɪdaɪz], **-ise** *tsi* **1.** folyékonnyá tesz **2.** *vegy* szuszpendál • *fn* **fluidization**
fluid mechanics *fn esz műsz* áramlástan, hidraulika
fluid ounce *fn* **1.** *GB* ‹28,4 cm^3› **2.** *US* ‹29,5 cm^3›
fluke[1] [flu:k] **I.** *fn biz* (véletlen) szerencse, vakszerencse, mázli; **win by a ~** mázlival nyer **II. A.** *tsi* **~ a win** szerencsés véletlen révén nyer **B.** *tni* szerencséje/mázlija van • *fn* **flukiness** *hsz* **flukily**
fluke[2] [flu:k] *fn* **1.** *áll* mételу; *áll* **liver ~** májmétely **2.** *áll* lepényhal
fluke[3] [flu:k] *fn* **1. a)** *hajó* köröm *[vasmacskáé]* **b)** *régi* kampó *[horogé]*, hegy *[lándzsáé, nyílé]* **2.** *áll* fark(uszony) *[bálnáé]*
fluky [ˈflu:ki] *mn biz* szerencsés, mázlis
flume [flu:m] **I.** *fn* **1. a)** malomcsatorna, malomárok **b)** tápcsatorna **2. a)** teknővölgy **b)** hegyipatak **II.** *tsi* csatornarendszerben/csőrendszerben továbbít/vezet
flummery [ˈflʌməri] *fn* **1.** tojáskrém, tejkrém **2.** *biz* üres hízelgés/bókolás
flummox [ˈflʌməks] *tsi biz* meghökkent, megdöbbent
flump [flʌmp] **I. A.** *tsi* **~ sg down** leejt/lepottyant vmt **B.** *tni* **~ about** nehézkesen/esetlenül jár/mozog, totyog; **~ down** leesik/lepottyan, lehuppan **II.** *fn* **1.** (tompa) puffanás **2.** pottyanás, esés
flung [flʌŋ] → **fling** I.
flunk [flʌŋk] *biz* **I. A.** *tsi* megbuktat, meghúz, elvág *[vkt vizsgán]* **B.** *tni* **1.** megbukik, elhasal *[vizsgán]*, kudarcot vall, felsül **2.** meghátrál, visszariad, kihúzza magát vmből **II.** *fn* bukás, elhasalás, elzúgás *[vizsgán]*
flunk out *tni* kibukik *[az iskolából]*
flunkey [ˈflʌŋki] *fn pej* **1.** lakáj, szolga, inas **2.** csúszó-mászó ember, talpnyaló • *fn* **flunkeyism**
fluor [ˈflu:ɔ: ‖ –ɔr] *fn* **1.** *ásv* fluorit, kalcium-fluorid **2.** *orv* fehér folyás
fluoresce [flʊəˈres ‖ flɔˈres] *tni fiz* fluoreszkál
fluorescence [flʊəˈresns ‖ flʊˈre–] *fn fiz* fluoreszkálás, fluoreszcencia
fluorescent [flʊəˈresnt ‖ flʊˈre–] *mn fiz* fluoreszkáló; **~ lamp** fénycső, világítócső; **~ screen** (át)világító ernyő, fluoreszkáló ernyő
fluoridate [ˈflʊərɪdeɪt ‖ ˈflʊrɪ–] *tsi vegy* fluorral dúsít
fluoridation [ˌflʊərɪˈdeɪʃn ‖ ˌflʊrɪ–] *fn* fluoros ivóvízkezelés
fluoride [ˈflʊəraɪd ‖ ˈflʊr–] *fn vegy* fluorid
fluorinate [ˈflʊərɪnaɪt ‖ ˈflʊr–] *tsi* fluorral kezel/vegyít • *fn* **fluorination**
fluorine [ˈflʊəri:n ‖ ˈflʊr–] *fn vegy* fluor
fluorite [ˈflʊəraɪt ‖ ˈflʊr–] *fn US ásv* fluorit, folypát, kalcium-fluorid
fluoro- [ˈflʊəroʊ ‖ ˈflʊroʊ] *előtag vegy* fluor-, fluor tartalmú
fluorography [ˌflʊəˈrɒgrəfi ‖ ˌflʊˈrɑ–] *fn fiz* fluorográfia
fluoroscope [ˈflʊərəskoʊp ‖ ˈflʊrə–] *fiz* **I.** *fn* **1.** röntgenképernyő **2.** röntgenoszkóp **II.** *tsi* átvilágít • *fn* **fluoroscopy** *mn* **fluoroscopic**
fluorosis [flʊəˈroʊsɪs ‖ flʊˈroʊ–] *fn orv* fluor-mérgezés
fluorspar [ˈflʊəspɑ: ‖ ˈflʊrspɑr] *fn ásv* fluorit, folypát, kalcium-fluorid
flurry [ˈflʌri ‖ ˈflɜri] **I.** *fn* **1. a)** *hajó* széllökés, szélroham **b)** *US* zápor; **~ of snow, snow ~** hirtelen rövid hóvihar **2.** izgatottság, izgalom, felindulás; **in the ~ of excitement** a nagy izgalomban **3.** vonaglás, haláltusa *[bálnáé]* **II.** *tsi* **a)** (fel)izgat, (fel)idegesít, nyugtalanít **b)** elképeszt, megdöbbent; **get flurried** elveszti a fejét; összezavarodik
flush[1] [flʌʃ] **I. A.** *tsi* **1. a) ~ the cheeks** pirulásra késztet **b)** hevít, lelkesít **2. a)** (el)önt, (el)áraszt *[folyadékkal]* **b)** leöblít, lehúz *[vécét]*; **~ a wound** sebet kimos (folyó vízzel) **c)** vizet vesz/csapol vhonnan **B.** *tni* **1. a)** fénylik, ragyog, vörösen izzik *[az ég]* **b)** elpirul, elvörösödik; **his face ~ed** elpirult, arcába szökött a vér **2. a)** rügyezik

F

b) felszökik, feltör, fakad **II.** *fn* **1. a)** kipirulás, elpirulás, elvörösödés, (arc)pír; **it brought a ~ to his face** elpirult tőle **b)** *vál* pír, pirkadat; **~ of dawn** hajnalpír **c)** lázroham; **~es of heat** hőhullám **2. a)** hirtelen növekedés *[növényzeté]*; **the first ~ of spring** a tavasz első jelentkezése; *átv* **be in the full ~ of health** erejének teljében van **b)** *biz* hirtelen felindulás/fellobbanás; **~ of hope** reménysugár **c)** hirtelen bőség/áradat/özön **3. a)** özön, ár(am), áradat *[folyadéké]* **b)** öblítés *[vécéé]* **c)** lefolyóvíz *[malomnál]* • *fn* **flusher**

flush² [flʌʃ] **I.** *mn* **1.** csordultig telt, kicsorduló, túláradó **2.** egy síkban/szinten levő/fekvő, *műsz* süllyesztett **3. a)** bőséges; **money is ~** pénz bőségesen áll rendelkezésre **b)** könnyelmű, tékozló; **be ~ with one's money** szórja a pénzt **II.** *tsi* síkba állít, szintbe hoz, *műsz* süllyeszt • *fn* **flushness**

flush³ [flʌʃ] *fn ját* flöss, szín

flush⁴ [flʌʃ] *vad* **A.** *tsi* felriaszt, felver, felhajt **B.** *tni* felszáll, felrebben, szétrebben

flushed [flʌʃt] *mn* felhevült, kipirult; **~ with victory** diadalittasan; győzelemtől mámoros(an)

flush-headed *mn* süllyesztett fejü *[szegecs, csavar]*

flushing [ˈflʌʃɪŋ] **I.** *mn* **1.** áradó, zuhogó **2.** elvörösödő, elpiruló **II.** *fn* **1.** kiöblítés **2.** pirosság, pír

fluster [ˈflʌstə ‖ −ər] **I. A.** *tsi* **1.** megrészegít, elkábít **2.** (fel)izgat, nyugtalanít **3.** megzavar, összezavar (vkt) **B.** *tni* **1.** megrészegül, elkábul **2.** **~ oneself** nyugtalankodik, izgul **3.** megzavarodik, összezavarodik, kapkod **II.** *fn* **1.** izgatottság, izgalom, nyugtalanság; **be all in a ~** rendkívül izgatott, roppant ideges **2.** hév, lelkesedés **3.** kapkodás, ideges sietség **4.** zűrzavar, felfordulás

flute [fluːt] **I.** *fn* **1. a)** fuvola, furulya, flóta; **the Magic F~** a Varázsfuvola **b)** fuvolás **2. a)** barázda, vájat, rovátka **b)** fodor *[ruhán]* **3.** borospohár *[magas, keskeny]* **II. A.** *tsi* **1. a)** fuvolán (el)játszik **b)** fuvolázva mond (vmt) **2.** barázdál, rovátkol, bevés **B.** *tni* fuvolázik, fuvolán játszik • *fn* **fluting** *mn* **flutelike**, **fluty**

flutist [ˈfluːtɪst] *fn US* fuvolás

flutter [ˈflʌtə] **I. A.** *tsi* **1. a)** csapkod, verdes *[madár szárnyát]* **b)** lebegtet **2.** *biz* (fel)izgat, nyugtalanít, izgalomba hoz **B.** *tni* **1. a)** szárnyaival csapkod, (ide-oda) röpköd **b)** lebeg; **~ to the ground** lehull/leereszkedik a földre **c)** gyorsan/szabálytalanul dobog/ver *[szív, pulzus]* **2.** izgul, izeg-mozog **3.** *GB biz* kis pénzben játszik, tőzsdézik **II.** *fn* **1. a)** **~ (of wings)** szárnycsapkodás, szárnyverdesés; (ide-oda) röpködés **b)** pislogás, (szem)rebbenés **c)** lebegés, libegés, lebegtetés **d)** gyors/szabálytalan szívdobogás/érverés; **in a ~** szívdobogva **2. a)** nyugtalanság, aggodalom, izgalom; **be (all) in a ~** lázas izgalomban van; **put sy in a ~** felizgat/felidegesít vkt **b)** feltűnés, kavarodás, zűrzavar **3.** *GB biz* kisebbfajta spekuláció **4. a)** *rep* felületrezgés *[szárnyon]* **b)** *távk film* ingadozás, pulzálás • *fn* **flutterer** *mn* **fluttery**

fluvial [ˈfluːvɪəl] *mn* folyami, folyó-

fluviatile [ˈfluːvɪətəl] *mn* **1.** *áll növ* folyóvízi, folyóvízben élő/tenyésző **2.** *geol* folyami (eredetű); **~ deposit** hordalék

fluvio- [ˈfluːviə-] *előtag* folyami, folyó-; → **fluvial**

fluviometer [ˌfluːviˈɔmɪtə ‖ −ˈa−] *fn* vízállásjelző (készülék)

flux [flʌks] **I.** *fn* **1. a)** *orv* folyás, ömlés, hasmenés **b)** ár, dagály; **~ and reflux** ár/dagály és apály **c)** *átv* áradat, özön; **a perfect ~ of words** valóságos szóáradat/szóözön **2. a)** **(state of) ~** állandó mozgás/változás; cseppfolyós állapot; forrás, erjedés **b)** *fiz* áraml(ás), keringés, *vill* fluxus **II. A.** *tsi fémip* (fel)olvaszt, cseppfolyósít **B.** *tni* kiömlik, kifolyik, kiárad • *mn* **fluxible**

fluxion [ˈflʌkʃn] *fn mat* **(method of) ~** differenciálszámítás • *mn* **fluxional**

fly¹ [flaɪ] **I.** *pt* **flew** [fluː], *pp* **flown** [floʊn] **A.** *tsi* **1.** **~ a flag** lobogót kitűz **2.** elereszt, felröpít; **~ a kite** sárkányt ereget/ereszt; *átv* felderíti, hogy merről fúj a szél; **~ pigeons** postagalambokat útnak indít **3.** vezet *[repülőgépet]*, repülőgépen visz/szállít/küld (vkt/vmt), átrepül (vmt) **4. a)** (el)menekül, megszökik (vhonnan); **~ the country** elmenekül/megszökik az országból **b)** (el)kerül (vkt/vmt), kitér (vk/vm elől) **B.** *tni* **1.** repül, száll(dos), röpköd; **~ blind** vakon repül; **~ high** (i) magasan repül (ii) *biz* magasra tör; fűti a becsvágy; **make the feathers/dust/fur ~** botrányt csap, kellemetlen jelenetet rendez; *biz* **send sy ~ing** leteper, földhöz vág vkt; kirúg/kidob vkt; **~ off the handle** hirtelen dühbe gurul **2. a)** repül, siet, rohan *[személy]* **b)** elmenekül, (meg)szökik *[személy]*; *biz* **the bird has/is flown** meglépett a jómadár **c)** repül, elröppen *[idő]* **3.** lebeg *[haj, zászló, ruha]*; **with colours/banners ~ing** diadalmasan, sikeresen, dicsőségesen, bravúrosan **4.** egyenesen/meredeken emelkedik *[lépcső]*; **~ (about)** váltogatja erejét és irányát *[szél]* **II.** *fn* **1. a)** repülés **b)** röppálya; **on the ~** röptében, a levegőben **2.** konflis **3. a)** hasíték, slicc *[nadrágon]*, rejtett gombolás **b)** **~ of a flag** lobogó/zászló vége/hossza **c)** sátorlap (fedő) **4.** *szính* **the flies** zsinórpadlás **5. a)** *műsz* szabályozó kar, himba(kar) **b)** *tex* gyorsvetélő **6.** *biz* próba; **give sg a ~, have a ~ at it** megpróbálja, próbát tesz vele • *mn* **flyable**

fly at *tni* **~ at sy** ráveti magát, rátámad (vkre); nekitámad, nekiugrik (vknek); **~ sy's throat** vk torkának ugrik, *átv* vadul rátámad vkre

fly by *tni* villámgyorsan elrepül/elsuhan

fly in *tni* **1.** berepül, befut, megérkezik *[repülőgép vhová]* **2.** **~ in pieces** széttörik, összetörik **3.** **~ in the face/teeth** szembeszáll, dacol vmvel; nekitámad (vknek)

fly into *tni* **~ a rage/passion/temper** haragra gerjed, dühbe gurul

fly on *tni* **1.** **~ on sy** rátámad vkre; ráveti magát vkre **2.** tovább repül

fly out *tni* **1.** kirepül *[madár]* **2.** kirohan *[személy]* **3.** **~ at sy** kirohan vk ellen, rátámad vkre

fly to *tni* **~ arms** fegyverhez nyúl/kap

fly² [flaɪ] *fn áll* légy; **~ in the ointment** szépséghiba, árnyoldal; **he wouldn't hurt a ~** még a légynek sem árt(ana); **there are no flies on him** *biz* ügyes fickó, nem esett a feje lágyára

fly³ [flaɪ] *mn szl* **1.** *GB [fortélyos, ravasz]* dörzsölt, nem madár **2.** *US [divatos]* menő

fly agaric [−ˈægərɪk ‖ −əˈgærɪk] *fn növ* légyölő galóca

flyaway *mn* **1.** levegőben úszó/lengő, lobogó **2.** bolondos, kelekótya, szeleburdi

flyblow *fn* légypete, légypiszok, légyköpés *[húson]*

flyblown *mn* légyköpéses, beköpött, romlott *[hús]*

fly boy *fn US biz* pilóta

fly-by *fn rep* **1.** *US* műrepülés **2.** ‹információszerző űrrepülés égitest közelébe›

fly-by-night *biz* **I.** *mn* megbízhatatlan **II.** *fn* megbízhatatlan ember, linkóci

flycatcher *fn* **1.** légyfogó *[papiros]* **2.** *áll* légykapó **3.** *növ* Vénusz légycsapója

flyer [ˈflaɪə ‖ −ər] *fn* **1. a)** repülő madár/rovar **b)** repülő, pilóta **2.** szárny *[szélmalmon]* **3.** *épít* lépcsőszárny **4.** ugrás **5.** kis röpcédula **6.** *US* spekulatív befektetés; *átv* **take a ~** kockázatos vállalkozásba bocsátkozik; → **high-flyer**

fly-fish *tni* műléggyel horgászik • *fn* **fly-fishing**

fly-half *fn sp* fedezet(játékos) *[rögbiben]*

flying [ˈflaɪɪŋ] **I.** *mn* repülő *[madár]*, lebegő, menekülő, röpke; **~ accident** repülőbaleset; **~ bomb** szárnyas rakétalövedék; **~ doctor** ‹távoli vidékeken élő betegeit repülőgéppel látogató orvos›; **the F~ Dutchman** *vál* a Bolygó Hollandi; *sp* repülő hollandi (osztály) *[vitorlás]*; *áll* **~ fish** repülőhal; **~ kiss** futó/röpke csók; **~ saucer** repülő csészealj; **the F~ Scotsman** a London–Edinburgh gyorsvonat; *sp* **~ start** mozgó start/rajt; *rep* **~ wing** csupaszárny repülőgép **II.** *fn* **1.** repülés **2.** repülés *[géppel]*, aviatika; **blind ~** vakrepülés, vakolás; **trick ~** légi akrobatika, műrepülés **3.** menekülés, szökés **4.** kibontás, kifüggesztés, kitűzés *[zászlóé]*

flying squad *fn GB* rendőri riadókülönítmény

flying squirrel *fn áll* repülő mókus
flying surface *fn rep* szárnyfelület *[repülőgépé]*
flying time *fn* repülési idő(tartam), menetidő
flyleaf *fn tsz* **-leaves** előzéklap *[könyvé]*
flyover *fn* **1.** *GB* felüljáró **2.** *US* → **fly-past**
fly-paper *fn* légyfogó papír
fly-past *fn GB* légi szemle
fly-post *tni GB* plakátokat ragaszt *[falra illegálisan]*
flysheet *fn* **1.** röpcédula, röplap **2.** használati utasítás **3.** *GB* vihartető *[sátor felett]*
fly-swatter *fn* légycsapó
fly-trap *fn növ* Vénusz légycsapója
flyway *fn* ‹vándormadarak repülési útvonala›
flyweight *fn sp* légsúly; **light ~** papírsúly
flywheel *fn gk* lend(ítő)kerék
FO *röv* **1.** *field officer* **2.** *Foreign Office*
Fo., fo. *röv folio*
foal [foul] **I.** *fn* csikó, fiatal kanca **II. A.** *tsi* ellik *[csikót]* **B.** *tni* megellik
foam [foum] **I.** *fn* hab, tajték **II.** *tni* tajtékot vet, tajtékzik, habzik; **~ at the mouth** *átv* habzik a szája • *mn* **foamless, foamy**
foam plastic *fn* habosított műanyag
foam rubber *fn* habgumi, habszivacs
foam shave *fn* borotvahab
f.o.b. *röv free on board gazd* költségmentesen a hajó fedélzetére rakva, *US* kötségmentesen vagonba rakva
fob¹ [fɒb ‖ fɑb] *fn* **1.** órazseb *[nadrágon]* **2.** óralánc
fob² [fɒb ‖ fɑb] *tsi* **~ sy (off)** leráz vkt magáról; megcsal, megtéveszt, félrevezet; **~ sy off with sg, ~ sg off (up)on sy** rásóz/rátukmál vkre vmt
fob-chain *fn* óralánc
focal [ˈfoukl] *mn* **1.** gyújtóponti, fokális; *fiz* **~ distance/length** gyújtótávolság, fókusztávolság; **~ point** gyújtópont; **~ plane** fókuszsík **2.** *orv* góc-, gócos, fokális; **~ infection** gócfertőzés
focalize [ˈfoukəlaɪz], **-ise A.** *tsi* **1.** összpontosít, koncentrál **2.** *orv* meghatározza/megjelöli a helyet/gócot *[betegségnél]* **B.** *tni orv* fészekre/gócra korlátozódik/lokalizálódik *[betegség]*
focus [ˈfoukəs] **I.** *fn* **1.** gyújtópont, fókusz; **bring into ~** gyújtópontba/fókuszba/élesre állít; *átv* éles megvilágításba helyez; **in ~** éles; **be out of ~** életlen *[a kép]* **2.** *csill* gyújtópont, fókuszpont **3.** köz(ép)pont; **~ of attention** a figyelem/érdeklődés középpontja **II. A.** *tsi* **1.** összpontosít, koncentrál; **~ attention on** vmre irányítja a figyelmet **2.** gyújtópontba/fókuszba/élesre állít **B.** *tni* **1.** összefut, összpontosul **2.** *fényk* **~ on an object** beállít egy tárgyra • *fn* **focuser**
focus(s)ing lens *fn fényk* gyújtólencse
fodder [ˈfɒdə ‖ ˈfɑdər] **I.** *fn* takarmány, abrak **II.** *tsi* takarmányoz, abrakol(tat)
foe [fou] *fn vál* ellenség, ellenfél, rosszakaró
foehn [feɪn] *fn földr* főnszél, bukószél
foetal [ˈfiːtl] *mn biol* magzati, foetalis
foetid [ˈfiːtɪd] → **fetid**
foetus [ˈfiːtəs] *fn biol* méhmagzat, foetus
fog¹ [fɒg ‖ fɑg, fɔg] **I.** *fn* **1.** köd **2.** *fényk* fátyol *[negatívon]* **3.** pára, gőzlecsapódás **4.** *átv* zavar, bizonytalanság **II. -gg- A.** *tsi* **1. a)** ködbe borít **b)** *átv* elködösít, elhomályosít, összekuszál **2.** elpárásít, elhomályosít **3.** *fényk* fátyolossá tesz *[negatívot]* **B.** *tni* **1.** ködbe borul, elhomályosul **2.** *fényk* fátyolos lesz *[negatív]*
fog² [fɒg ‖ fɑg, fɔg] *fn mezőg ált GB* **a)** sarjú **b)** télre meghagyott elszáradó magas fű
fog bank *fn* ködréteg, ködoszlop
fogbound *mn* ködben elakadt/vesztegelő
fogey [ˈfougi] → **fogy**
foggy [ˈfɒgi ‖ ˈfɑ–, fɔ–] *mn* **1.** ködös; **it is ~** köd van, ködös az idő **2.** *átv* ködös, halvány, elmosódott, zavaros; **I haven't got the foggiest idea** halvány sejtelmem sincs róla • *fn* **fogginess** *hsz* **foggily**
foghorn *fn* **1.** *hajó* ködkürt, ködsziréna **2.** *biz* átható hang
fog lamp *fn GB* ködlámpa; → **foglights**
foglights *fn US gk* ködlámpa, ködfényszóró *[járműn]*
fog signal *fn* ködjelzésre szolgáló robbanótöltény
fogy [ˈfougi] *fn biz* **old ~** régimódi/maradi/begyepesedett ember
foible [ˈfɔɪbl] *fn* **1.** gyengeség, gyarlóság **2.** *sp* penge gyenge része *[vívókardnál]*
foie gras [ˌfwɑː ˈgrɑː] *fn biz* libamájpástétom
foil¹ [fɔɪl] **I.** *tsi* **1.** megbuktat, meghiúsít, megakadályoz, zátonyra futtat, kudarcba fullaszt **2.** *régi* eltapos *[nyomot]*; *vad* **~ the ground** ugyanazon a csapáson/nyomon tér vissza *[vad]* **II.** *fn* **1.** *vad* vadcsapás, nyom **2.** *régi* balsiker, kudarc, vereség
foil² [fɔɪl] *fn* **1.** *fémip* **a)** vékony fémlemez, fémfüst, fólia **b)** foncsor *[tükrön]* **2.** arany/ezüst csillám/flitter **3.** *biz* kontraszt, ellentét **4.** *épít* karéj *[ívé]*
foil³ [fɔɪl] *fn sp* (vívó)tőr • *fn* **foilist**
foil fencing *fn sp* tőrvívás
foist [fɔɪst] *tsi* **1.** becsúsztat, becsempész, beszúr *[szövegbe vmt]* **2. ~ (off)** rásóz *(sg on sy* vmt vkre); nyakába varr (vmt vknek); **~ oneself on sy** ráerőlteti/rátukmálja magát vkre, vknek nyakába varrja magát
fol. *röv folio*
-fold *utótag* -szoros(an), -szeres(en); **three~** háromszoros
fold¹ [fould] **I. A.** *tsi* hajt(ogat), összehajt, behajt; **~ one's arms** összefonja a karjait; **~ one's hands** összekulcsolja a kezeit **B.** *tni* **1.** behajlik, meggörbül, összecsavarodik **2.** bezár, felszámol *[üzlet]*, balul üt ki *[vállalkozás]* **3.** *US ját* passzol *[kártyában]* **II.** *fn* **a)** ránc, hajtás, gyűrődés, redő **b) ~s of fat** toka, zsírpárna **c)** *geol* gyűrődés **d)** csavarodás, tekerődzés
fold up A. *tsi* összecsuk *[ernyőt]*, összehajtogat **B.** *tni* **1.** összeomlik *[pl. ellenállás]* **2.** idegileg kikészül **3.** összecsuklik **4.** véget ér, bezár, felszámol *[üzlet]*
fold² [fould] **I.** *fn* **1.** karám, akol **2.** *átv* hívők; **the true F~** az igazak gyülekezete; **return to the ~** visszatér az egyház kebelébe **II.** *tsi* karámba zár/terel *[juhokat]*
foldaway *mn* felhajtható, összecsukható
folder [ˈfouldə ‖ –ər] *fn* **1.** *US* leporelló, szétnyitható reklámnyomtatvány/térkép/tervrajz **2. a)** iratgyűjtő, dosszié **b)** *infor* irattartó, könyvtár *[állományoké]*
folderol [ˈfɒldərɒl ‖ ˈfɑldərɑl] *fn* értelem nélküli énekrefrén, tralala
folding [ˈfouldɪŋ] *mn* összehajtható, összecsukható, lehajtható, felhajtható; **~ bed** összecsukható/összehajtható/összetolható ágy; **~ bridge** repülőhíd; **~ door** kétszárnyú/többszárnyú ajtó; **~ ladder** összecsukható létra; *US szl* **~ green/money/stuff** *[bankjegy]* zsuga, zöld; **~ screen** spanyolfal, paraván; **~ star** esthajnalcsillag
fold-out *fn* leporelló, kihajtható képmelléklet
foliaceous [ˌfouliˈeɪʃəs] *mn* **1.** *növ* levél alakú, leveles **2.** leveles szerkezetű *[szikla, kőzet]*
foliage [ˈfoulɪɪdʒ] *fn* **1.** levélzet, lomb(ozat), lombkorona **2.** *műv* levélminta
foliar [ˈfoulɪə ‖ –ər] *mn növ* levélhez tartozó, levél-
foliate I. *mn* [ˈfoulɪət] **1.** *növ* **a)** leveles, dúslombú, levél alakú **b) five-~ leaf** öt levélkéből álló összetett levél **2.** *növ* leveles *[kőzet]* **II.** [ˈfoulieɪt] **A.** *tsi* **1.** foncsoroz *[üveget]* **2.** lapszámoz *[könyvet]* **3.** *épít* levéldísszel/lombdísszel lát el **B.** *tni* rétegesen hasad, lehámlik
foliation [ˌfoulɪˈeɪʃn] *fn* **1.** lombosodás, leveledzés, levélképződés *[növényen]* **2.** *geol* rétegeződés, rétegezettség, palásság, palás szerkezet *[kőzeté]* **3.** foncsorozás, amalgámozás *[tüköré]* **4.** lapszámozás, paginálás
folic acid [ˌfoulɪk ˈæsɪd] *vegy* fólsav
foliferous [fouˈlɪfərəs] *mn* levélzettel rendelkező, levelet hajtó
folio [ˈfouliou] **I.** *fn tsz* **folios 1. a)** fólió alakú (v. legnagyobb méretű) könyv **b)** kétrét hajtott papírív **c) in ~** kétrét hajtott papírív nagyságú/nagyságban **2.** *GB jog* ‹72 v. 90 az (USA-ban 100) szó mint okirat hosszának

megállapítására szolgáló egység› **II.** *mn* ívrétű *[papír]*; ~ **book** ívrét alakú (v. fólió méretű) könyv; ~ **edition** fólió kiadás *[könyvé]*
foliole [ˈfoulioul] *fn növ* összetett levél levélkéje
foliose [ˈfoulious] *mn* **1.** leveles, lombos **2.** levélszerű
folk [fouk] **I.** *mn* népi, nép-; ~ **epic** népi eposz; ~ **etymology** népetimológia **II.** *fn* **1.** nép, emberek **2. a)** *biz* emberek **b)** *US biz* hozzátartozók, szülők; *biz* **my ~s** családom, enyéim
folk dance *fn* népitánc
folkie [ˈfouki] *fn biz* **1.** népzenész **2.** népzene rajongó
folkish [ˈfoukiʃ] *mn* népies
folklore [ˈfouklɔː ‖ –lɔr] *fn* **1.** (szóbeli) néphagyomány **2.** folklór • *fn* **folklorist** *mn* **folkloric, folkloristic**
folk music *fn* népzene, népi zene
folk singer *fn* népi énekes
folk song *fn* népdal
folksy [ˈfouksi] *mn biz* **1.** népies(kedő) **2.** barátkozó, közvetlen modorú **3.** népszerűbb igényeket kiszolgáló • *fn* **folksiness**
folk tale *fn* népmese
folkways *fn tsz* **1.** életmód, szokások **2.** *népr* néphit, népszokás(ok), népkultúra
folkweave *fn GB* szőttes
follicle [ˈfɒlɪkl ‖ ˈfɑ–] *orv* tüsző • *mn* **follicular, follicculous**
follow [ˈfɒlou ‖ ˈfɑ–] **A.** *tsi* követ *[sorrendben, térben, időben, gondolatban vkt/vmt]*; ~ **sy's advice** vk tanácsát megfogadja/megszívleli; *US* ~ **the band** úszik az árral; ~ **a conversation** figyelemmel kíséri a beszélgetést; ~ **a course**, ~ **a plan of action** vmlyen terv szerint cselekszik; *átv* ~ **the fashion** a divatnak hódol; ~ **sy's instructions/directions** vk utasításait követi, vk utasításai szerint cselekszik (v. jár el); ~ **a lead** vmlyen útmutatás szerint cselekszik; **do you ~ me?** érted *[azaz: felfogod]*, amit mondok?, tudsz követni?; *biz* ~ **one's nose** az orra/megérzése/ösztöne után megy/cselekszik; ~ **a profession/work/line/trade** vmlyen pályán/szakmában működik/mozog; ~ **the truth** az igazságot keresi/kutatja; **action ~ed by consequences** következményekkel járó cselekedet **B.** *tni* következik, utána jön, utána megy; **you go first and I will ~** menj előre én majd utánad megyek; **as ~s** a következő(képpen), így
follow after *tni* ~ **after sy/sg** vk/vm után következik
follow from *tni* vmből következik; **it ~s from this** ebből következik, következésképpen
follow in *tni* ~ **in sy's (foot) steps/tracks** szorosan nyomon követ vkt, *átv* vk nyomdokaiban halad
follow on *tni* **1.** (tovább) halad/megy, kitart (vm mellett) **2.** *sp* ‹az első ütési jog utáni újból ütésre kötelezik (krikett csapatot)›
follow out *tsi* végigcsinál vmt
follow through *tsi* **1.** végigcsinál **2.** *sp* végigvisz mozdulatot; → **follow-through**
follow up *tsi* **1.** nyomon követ **2. a)** állhatatosan/folyamatosan tesz/csinál/űz (vmt) **b)** reagál, tovább visz/gondol
follower [ˈfɒlouə ‖ ˈfɑlouər] *fn* **1. a)** követő, híve, hű/meghitt/bizalmas embere vknek **b)** tanítvány, tisztelő **c)** fegyvertárs **2.** üldöző **3.** utód
following [ˈfɒlouɪŋ ‖ ˈfɑ–] **I.** *mn* (utána) következő; **(on) the ~ day** a következő napon, másnap **II.** *fn* **a)** hívek, követők **b)** kíséret
follow-through *fn sp* ‹mozdulat, pl. ütés végigvitele›; → **follow through**
follow-up *fn* **1.** követelés, utánamenés **2.** reakció, reagálás vmre **3.** ellenőrzés **4.** *orv* kontrollvizsgálat; → **follow up**
folly [ˈfɒli ‖ ˈfɑli] *fn* **1.** butaság, ostobaság, bolondság; **an act of ~, a piece of ~** ostoba/oktalan cselekedet **2. a)** könnyelműség **b)** költséges/hiábavaló vállalkozás
foment [fouˈment] *tsi* **1.** *orv* melegít, borogat *[sebet]* **2.** elősegít, ösztönöz, szít • *fn* **fomenter**
fomentation [ˌfoumenˈteɪʃn] *fn* **1.** *orv* meleg borogatás **2.** elősegítés, ösztönzés, szítás
fond [fɒnd ‖ fɑnd] *mn* **1.** szerető, szeretettel áthatott, gyöngéd; **be ~ of sy/sg** szeret/kedvel vkt/vmt **2.** kedves, kedvenc, dédelgetett; ~ **belief** kedves, de alaptalan elképzelés/hit **3.** *régi* hiszékeny, naiv, gyermekded; ~ **hope** hiú remény • *fn* **fondness**
fondant [ˈfɒndənt ‖ ˈfɑn–] *fn gaszt* cukormassza, fondant
fondle [ˈfɒndl ‖ ˈfɑndl] **I.** *tsi* becéz, dédelget, simogat, cirógat, kényeztet **II.** *fn* becézgetés, cirógatás • *fn* **fondler**
fondly [fɒndli ‖ ˈfɑ–] *hsz* **1.** szeretően, szeretettel, gyengéden **2.** naivan, hiszékenyen
fondue [ˈfɒndjuː ‖ fɑnˈduː] *fn gaszt* **1.** fondü **2.** *összet* felfőzött étel
font¹ [fɒnt ‖ fɑnt] *fn* **1.** keresztelőmedence **2.** szenteltvíz tartó **3.** olajtartály *[lámpáé]*
font² [fɒnt ‖ fɑnt] *fn* **a)** *US nyomd* (egy típushoz tartozó) betűkészlet, font **b)** *infor* betűtípus
food [fuːd] *fn* **1.** táplálék, élelem, eleség, étel **2.** *átv* **mental/intellectual ~** szellemi táplálék; **this is ~ for thought** ez gondolkodóba ejt, ezen lehet elmélkedni **3.** *mezőg* állati eledel, abrak, takarmány; **hard ~** szemes takarmány
food additive *fn* élelmiszer adalékanyag
food chain *fn biol* tápláléklánc
foodie [ˈfuːdi], **foody** *fn biz* **a)** ínyenc, gourmet **b)** hobbiszakács
food inspection *fn* élelmiszervizsgálat • *fn* **food inspector**
food poisoning *fn* élelmiszermérgezés
food processor *fn* háztartási robotgép
foodstuff *fn tsz* élelmiszer
food value *fn* tápérték
fool¹ [fuːl] **I.** *fn* **1.** bolond (ember), együgyű/ostoba ember **2. he is no ~** nem esett a feje lágyára; *biz* **nobody's ~** nem tollas a háta; *közm* **fortune favours ~s** bolondnak áll a világ **3.** bohóc; **make a ~ of sy** bolonddá/nevetségessé tesz vkt; **act/play the ~** bolondozik; ostoba tréfákat űz; **play the ~ with sy, put the ~ on sy** becsap/rászed vkt **II. A.** *tsi* (el)bolondít, áltat, becsap **B.** *tni* bolondozik, adja a tudatlant/hülyét
fool around *tni US* bolondozik *[nőkkel, veszedelmes tárgyakkal]*
fool away *tsi* (el)pocsékol, eltékozol *[pénzt]*
fool with *tni* bolondozik/játszadozik vkvel/vmvel
fool² [fuːl] *fn* tejszínhabos gyümölcsfelfújt
foolery [ˈfuːləri] *fn* **1.** ostobaság, butaság **2.** bolondozás, pojácáskodás, komédiázás
foolhardy *mn* vakmerő, merész, meggondolatlan • *hsz* **foolhardily**
foolish [ˈfuːlɪʃ] *mn* bolond, ostoba, esztelen, nevetséges; **look ~** nevetséges színben tűnik fel • *fn* **foolishness** *hsz* **foolishly**
foolproof *mn* igen egyszerű, könnyen kezelhető *[szerkezet]*
foolscap [ˈfuːlskæp] *fn GB* **a)** fólió alakú írópapír **b)** nyomópapír szabványméret; ‹13,5 × 17 inch›
fool's cap *fn tört* csörgősipka, bohócsipka
fool's errand *fn* hiábavaló erőfeszítés; **it was a ~** ezzel az úttal tartoztam az ördögnek
fool's gold *fn* pirit, vaskorond
fool's mate *fn* susztermatt *[sakkban]*
fool's paradise *fn* **a)** eldorádó **b)** boldog tudatlanság
foot [fut] **I.** *fn tsz* **feet** [fiːt] **1.** láb(fej); *átv* **is at one's feet** lábainál hever; **on ~** gyalog; talpon; **from head to ~** tetőtől talpig; *biz* **my ~!** na ne mondd!; **find one's feet** magára talál, saját lábára áll; **get one's ~ in** beveszi/befészkeli magát vhová, magára talál; *biz* **get cold feet** megijed, inába száll a bátorsága; **have one ~ in the grave** fél lábbal a sírban van; **keep one's feet** szilárdan áll a lábán; *biz* helytáll; **knock sy off his feet** feldönt vkt; **put one's ~ down on sg, set one's ~ upon sg** csírájában elnyom/elfojt/megakadályoz vmt; **put one's best ~ foremost/forward**

legelőnyösebb színben (v. előnyös oldaláról) mutatkozik; nekilát a munkának; **put one's ~ in** beleavatkozik, közbelép; **put one's feet up** *biz* pihen; **put one's ~ in one's mouth** szamárságot/butaságot/ostobaságot csinál/mond; **catch sy on the wrong ~** készületlenül talál vkt; **fall on one's feet** talpra esik; feltalálja magát; **set sy on his feet** elindít/támogat/megsegít vkt *[a dolgában]*; **stand on one's own feet** megáll a maga lábán **2. a)** láb(azat), talp, talapzat **b)** láb, alj *[hegyé]*, alsó rész/vég *[tárgyé]*; **at the ~ of the page** a lap alján **c)** harisnyafej, talp *[harisnyán]* **3.** (angol) láb (mint hosszmérték = 30,48 cm); **a man six ~ two** hat láb és két hüvelyk magas ember **4.** gyalogság; **ten thousand ~** tízezer gyalogos **5.** versláb **II.** *tsi* **1. a)** **~ the floor** táncol **b)** *biz* **~ it** táncol; gyalog átmegy/átkel vmn **2.** *biz* **~ the bill** kifizeti a számlát, viseli a költségeket **3.** *US biz* **~ an account** számadást összegez/összead • *mn* **footed**, **footless**

footage [ˈfʊtɪdʒ] *fn film* **a)** hosszúság, terjedelem **b)** filmfelvétel

foot-and-mouth disease *fn állatorv* száj- és körömfájás

football *fn sp* **1.** futball-labda **2. (association) ~** labdarúgás, futball; **rugby ~** rögbi • *fn* **footballer**

football fan *fn* (nagy) futballszurkoló

football hooligan *fn* futball huligán

football pool *fn* totó

footbath *fn* **1.** lábfürdő, lábvíz **2.** lábmosó medence

footboard *fn* **a)** lábtámasz, lábtartó **b)** lábrész *[ágyban]*

footbrake *fn gk* lábfék

footbridge *fn* palló, gyaloghíd

footer [ˈfʊtə ‖ ˈfʊtər] *fn GB biz* foci(zás)

footfall *fn* lépés (hangja)

foot-fault I. *fn sp* lábhiba *[teniszben]* **II.** *tni* túllépi az alapvonalat *[adogatásnál teniszben]*

footgear *fn* lábbeli, cipő

foothill *fn* **1.** *földr* elődombság *[nagy hegy lábánál emelkedő kisebb hegy]* **2.** *tsz* **foothills** előhegység, kifutó dombok

foothold *fn* **1.** talpalatnyi hely; **get/gain a ~** megveti a lábát **2.** előnyös/kedvező kezdőpozíció

footie [ˈfuːti] *fn* → **footsie**

footing [ˈfʊtɪŋ] *fn* **1.** lábtartás, lábállás **2.** talpalatnyi hely; **lose one's ~** elveszti a lába alól a talajt **3.** helyzet, állapot; **be on an equal ~ with sy** egyenlő elbánásban részesül vkvel **4.** belépés, felvétel *[társaságba]* **5. a)** *épít* alap(zat), lábazat **b)** *műsz* tám(asz)pont

footle [ˈfuːtl] *tni GB biz* **~ about** ostobaságokkal tölti idejét, feleslegesen tesz-vesz • *fn* **footler**

footlights *fn tsz* rivaldafény

footling [ˈfuːtlɪŋ] *mn biz* felesleges, hiábavaló

footloose *mn* szabad, helyhez nem kötött, korlátozástól mentes; → **fancy-free**

footman [ˈfʊtmən] *fn tsz* **-men 1.** inas, lakáj, szolga **2.** *kat régi* gyalogos

footmark *fn* lábnyom

footnote I. *fn* lábjegyzet **II.** *tsi* lábjegyzetekkel ellát

footpad *fn tört* útonálló

foot passenger *fn* gyalogos

footpath *fn* **1.** *GB* gyalogút, járda **2.** gyalogösvény

footplate *fn GB* dobogó, platform *[mozdonyon a vezető és fűtő számára]*, csapóhíd *[mozdony és szerkocsi között]*

footprint *fn* **1.** lábnyom **2.** *biol* fehérjekötőhely kimutatás *[DNS-en]*

footrace *fn sp* futóverseny, síkfutás

footrest *fn* lábtartó

foot-rot *fn állatorv* körömgyulladás

foot-rule *fn* láb és hüvelyk beosztású mérőléc

footsie [ˈfʊtsi] *fn szl* ‹a lábak összeérintése szerelmi célból, pl. asztal alatt›

footslog [ˈfʊtslɒg ‖ –slɑg] *tni* **-gg-** *GB* **I.** kutyagol, talpal **II.** kutyagolás, talpalás • *fn* **footslogger**

foot soldier *fn kat* gyalogos, baka

footsore *mn* sebes/fájós lábú, lábfájós

footstalk *fn növ* levélnyél, kocsány

footstep *fn* **1.** lépés **2.** (láb)nyom, *átv* nyomdok; **follow/tread in sy's ~s** vknek a nyomában jár; vknek a nyomdokába lép

footstool *fn* zsámoly

foot-support *fn* **1.** lábtartó, lábtámasz **2.** *orv* lúdtalpbetét

footway *fn GB* járda

footwear *fn* lábbeli, cipő

footwork *fn sp* lábmunka, lábgyakorlat

footy [ˈfʊti] → **footie**

fop [fɒp ‖ fɑp] *fn biz* piperkőc, divatfi, divatmajom • *fn* **foppery** *mn* **foppish** *hsz* **foppishly**

for [fɔː ‖ fɔr] **I.** *elölj* **1. a)** helyett, -ért, képviseletében; **act ~ sy** cselekszik vk helyett/nevében/képviseletében; **he is writing ~ me** helyettem ír **b)** -ért *[viszonzásként, ellenszolgáltatásként, cserébe(n)]*; **an eye ~ an eye** szemet szemért; **sell sg ~ ten pounds** elad vmt tíz fontért **2. a)** -ért, miatt, okáért, okából; **~ example** például; **dance ~ joy** örömében táncol; **~ lack/want of sg** vm hiányában; **be hanged ~ murder** gyilkosságért felakasztják; **be pressed ~ time** időhiánnyal küzd, kevés az ideje **b)** -ért, céljából, végett; **marry sy ~ her/his money** a pénzéért vesz el vkt (v. megy hozzá vkhez); **what ~?** miért?, mi célból?, minek? **3.** számára, részére, -nak/-nek; **write ~ the papers** az újságokba ír; **garments ~ men** férfiruhák **4. a)** az/azt/azért hogy; **now ~ it!** na most neki!, rajta! indulás; **arrange ~ sy to meet him** intézkedik hogy vk várja **b)** -ul, -ül, -ra, -re, -nak, -nek, célra; **~ sale** eladó; **good ~ nothing** semmirekellő; semmire sem jó; **hold sg ~ certain** biztosra vesz vmt **5.** érdekében, mellett *[támogatásképp]* **6.** -ra, -re, -ig *[időben]*, *[időn]* át; **I have been here ~ three years** három éve vagyok itt; **he was sentenced ~ life imprisonment** életfogytiglani fegyházra ítélték; **~ ever (and ever)** örökre, örökkön-örökké **7.** -ra, -ig *[távolság]* **8.** vk/vm részéről/szempontjából, esetén; **as ~ him** ami őt illeti; **as ~ that** ami azt illeti; **as ~ myself**, **as ~ my part** ami engem illet **9. a)** felé, irányában; **are you ~ Brighton** Brightonba megy? **b)** iránt; **care ~ sy/sg** szeret vkt/vmt **10. a) ~ all that** annak ellenére, noha; ami azt illeti; **~ all you say** mindannak ellenére, amit mond **b) had it not been ~ the war** ha közbe nem jött volna a háború **c) ~ better ~ worse** jóban rosszban; **word ~ word** szóról szóra; **~ the most part** legnagyobbrészt **II.** *ksz régi* mert, mivel, minthogy, ugyanis; **wait a moment ~ I have something to tell you** várjon egy percig, mert mondani szeretnék önnek valamit

forage [ˈfɒrɪdʒ ‖ ˈfɑ–, ˈfɔ–] **I.** *fn* **1.** takarmány, abrak **2.** takarmányozás **II. A.** *tsi* **1. a)** kifoszt, feldúl, fosztogat **b)** összetúr, turkál, kutat, matat **2.** takarmánnyal ellát **B.** *tni* **1. a)** takarmányoz **b)** *népr* gyűjtöget **2.** *biz* **~ for sg** kutat (vm után), turkál (vmben) • *fn* **forager**

forage cap *fn kat* ellenző nélküli sapka, gyakorlósapka

foramen [fəˈreɪmɪn] *fn orv* nyílás, lyuk, foramen

foraminiferous [fəˌræmɪˈnɪfərəs] *mn áll* a foraminifera rendjébe tartozó, *[főként tengeri]* meszes, lyukacsos héjjal rendelkező gyökérlábúra jellemző/hasonló • *fn* **foraminifer**

forasmuch [fərəzˈmʌtʃ] *ksz régi* **~ as** mivelhogy; tekintettel arra hogy; látván hogy; amennyiben

foray [ˈfɒreɪ ‖ ˈfɑ–, ˈfɔ–] **I.** *fn* betörés, fosztogatás **II. A.** *tsi* fosztogat, kifoszt **B.** *tni* beront, betör *[pl. egy országba]*

forbad [fəˈbæd, –beɪd ‖ fərˈ–] → **forbid**

forbade [fəˈbæd, –beɪd ‖ fərˈ–] → **forbid**

forbear[1] [fɔːˈbeə ‖ fɔrˈber] *pt* **forbore** [fɔːˈbɔː ‖ fɔːrˈbɔr], *pp* **forborne** [fɔːˈbɔːn ‖ fɔrˈbɔrn] *vál* **A.** *tsi* **1.** tartózkodik (vmtől), nem használ/említ **2.** *jog* **~ a suit** keresetet megszüntet **B.** *tni* tartózkodik vmtől; **~ from doing sg** tartózkodik vm megtételétől

forbear[2] [ˈfɔːbeə ‖ ˈfɔrber] *fn* → **forebear**

forbearance [fɔːˈbeərəns ‖ fɔrˈber–] *fn* **1.** tartózkodás **2.** türelem, béketűrés **3.** *jog* halasztás

F

forbid [fə'bɪd ‖ fər–] *tsi* **1.** (be)tilt (vmt), megtilt, eltilt; ~ **sy to do sg** megtiltja vknek vm megtételét **2.** *biz* megakadályoz (vmt); ~ **the banns** házassági akadályt bejelent; *biz* **heaven/God** ~! Isten ments/őrizz! • *fn* **forbiddance**
forbidden [fə'bɪdn ‖ fər–] *mn* tiltott; **F~ City** a Tiltott Város *[Peking volt császári negyede]*; *jog* ~ **degrees** házassági akadályt képző rokonsági fokok; ~ **fruit** tiltott gyümölcs; *skót* ~ **time** halászati tilalmi idő
forbidding [fə'bɪdɪŋ ‖ fər–] *mn* fenyegető, vészjósló; ~ **look** fenyegető pillantás
forbore [fɔː'bɔː ‖ fɔr'bɔr], **forborne** → **forbear**[1]
force [fɔːs ‖ fɔrs] **I.** *fn* **1. a)** erő(szak), kényszer(ítés), erőltetés; **brute** ~ nyers erő; **by (main)** ~ erőszakkal, erőszak útján/alkalmazásával; **by sheer** ~ puszta erővel; **of** ~ szükségszerűen; **yield to** ~, **give in to** ~ enged az erőszaknak **b)** befolyás, tekintély; **moral** ~ erkölcsi erő **2. a)** erőkifejtés *[ütésnél]*, erőfeszítés, erősség; **the** ~ **of the explosion** a robbanás ereje **b)** *fiz* erő; **accelerative** ~ gyorsító erő; **motive** ~ hajtóerő; ~ **cup** gumipumpa *[lefolyóhoz]*; ~ **of gravity** nehézségi/nehézkedési erő; ~ **of inertia** tehetetlenségi erő **c) the** ~ **of habit** a szokás hatalma **3.** hatalom, erő *[államé]*; **the allied ~s** a szövetséges erők; **land ~s** szárazföldi csapatok; *biz* **the** ~ a rendőrség; **in** ~ erejének teljében; **in full** ~ teljes létszámban **4.** érvény(esség); **be in** ~ érvényben/hatályban van; **come into** ~ érvénybe/hatályba lép; **put a law into** ~ törvényt hatályba léptet **II.** *tsi* erőltet, (ki)kényszerít, (ki)erőszakol; ~ **sy to do sg** vkt vmnek a megtételére kényszerít; ~ **a door (open)** feltöri az ajtót; *átv* ~ **an open door** nyitott kaput dönget; ~ **sy's hand** rákényszeríti/ráerőszakolja az akaratát vkre; siettet/sürget vkt; ~ **a smile** kényszeredetten mosolyog; ~ **one's way** utat tör (magának), áthatol vmn • *fn* **forcer** *mn* **forceable**, **forceless**
force back *tsi* **1.** visszakényszerít; ~ **the enemy back** visszaveri/visszaszorítja az ellenséget; ~ **one's tears** visszafojtja könnyeit **2.** összenyom, összeszorít *[levegőt]*
force down *tsi* lenyom, lekényszerít, letaszít, leszállásra kényszerít *[repülőgépet]*
force into *tsi* **1. a)** ~ **sy into doing sg** vkt vmnek a megtételére kényszerít **b)** ~ **sy into the room** betuszkol vkt a szobába **2.** ~ **sg into sg** beleerőszakol vmt vmbe
force on A. *tsi* **1.** továbbhaladásra kényszerít (vkt) **2.** ~ **sg on sy** rákényszerít vmt vkre **B.** *tni* tovább nyomul, utat tör magának
force out *tsi* **1.** távozásra (v. vmnek abbahagyására) kényszerít **2.** *biz* ~ **a few words of congratulation** kényszeredetten gratulál vknek
force through *tsi* **1.** átnyom, átkényszerít **2.** erőszakkal áthatol vmn (keresztül); ~ **one's way through the crowd** áthatol a tömegen
forced [fɔːst ‖ fɔrst] *mn* **1.** kikényszerített, kierőltetett, kényszerből megtett; ~ **labour** kényszermunka; ~ **landing** *rep* kényszerleszállás; ~ **loan** kényszerkölcsön; *kat* ~ **march** erőltetett menet; ~ **sale** kényszereladás **2.** *mezőg* hajtatott; ~ **vegetables** melegházi főzelék/zöldség
force-feed *tsi átv* töm, erőszakkal/mesterségesen táplál
force field *fn* erőtér
forceful ['fɔːsfl ‖ 'fɔrsfl] *mn* erős, erőteljes, erélyes, energikus • *fn* **forcefulness**
forcefully ['fɔːsfl·i ‖ 'fɔr–] *hsz* **1.** erőszakosan, erőszakkal, kényszerítve **2.** erőteljesen, erélyesen **3.** mesterségesen
forcemeat *fn gaszt* vagdalt hús, töltelékhús
forceps ['fɔːseps ‖ 'fɔr–] *fn orv* (szülész)fogó, csipesz • *mn* **forcipate**
forcible ['fɔːsəbl ‖ 'fɔr–] *mn* **1.** kierőszakolt; ~ **entry** erőszakos birtokbavétel; **make a** ~ **entry** behatol (vhová) **2.** erőteljes, energikus • *hsz* **forcibly**
forcing ['fɔːsɪŋ ‖ 'fɔr–] **I. 1.** *mn ját* ~ **bid** forsz (licit) *[bridzsben]*; ~ **screw** szorítócsavar **2.** ~ **pump** sűrítő pumpa **II.** *fn mezőg* hajtatás; ~ **crop** melegházi termés; ~ **fattening** gyorshizlalás
ford [fɔːd ‖ fɔrd] **I.** *fn* gázló **II.** *tsi* átgázol, átlábol *[vízen]* • *mn* **fordable**, **fordless**
fore [fɔː ‖ fɔr] **I.** *mn* el(ül)ső, elöl levő **II.** *hsz* előre, elöl **III.** *elölj* jelenlétében **IV.** *fn* **1.** hajó orra/eleje **2. to the** ~ szem előtt, előtérben, feltűnő helyen; **come to the** ~ ismertté válik, előtérbe/középpontba/élre kerül **V.** *isz* vigyázat elöl!
fore- [fɔː ‖ fɔr] *előtag* elülső, elöl lévő, elő-, első; előre; **forearm** alkar; **foresight** előrelátás
fore and aft *mn hajó* hosszanti, hosszirányú
forearm[1] ['fɔːrɑːm ‖ –ɑrm] *fn* alsókar
forearm[2] ['fɔːrɑːm ‖ –ɑrm] *tsi átv is* előre felfegyverez
forebear ['fɔːbeə ‖ 'fɔrber], *US* **forbear** *fn* ős, előd; **our ~s** őseink
forebode [fɔː'boud ‖ fɔr–] *tsi* **1.** megjósol, előre jelez *[bajt]* **2.** előre megérez/megsejt • *fn* **foreboder**
foreboding [fɔː'boudɪŋ ‖ fɔr–] *fn* **1.** rossz előjel, ómen **2.** rossz előérzet • *hsz* **forebodingly**
forebrain ['fɔːbreɪn ‖ 'fɔr–] *fn orv* előagy
forecast ['fɔːkɑːst ‖ 'fɔrkæst] **I.** *fn* **1.** előrelátás, megsejtés **2. a)** jövendölés, prognózis *[pl. időjárásé]*; **weather** ~ időjárásjelentés **b)** terv(előirányzat) **II.** *tsi pt/pp* **forecast** **1.** előre lát **2. a)** megjósol **b)** előre jelez (vmt)
forecastle ['fouksl ‖ 'fɔrkæsl] *fn hajó* **1. a)** előfedélzet felépítménye; ~ **deck** előfedélzet **b)** fedetlen sétafedélzet **2.** orrkabin *[kereskedelmi hajón]*
foreclose [fɔː'klouz ‖ fɔr–] *tsi* **1.** kizár **2.** *jog* ~ **the mortgage** lefoglal/elkoboz jelzáloggal megterhelt ingatlant **3.** ~ **an objection** megelőz ellenvetést • *fn* **foreclosure**
forecourt ['fɔːkɔːt ‖ 'fɔrkɔrt] *fn* **1.** előudvar, előkert **2.** *GB* kiszolgálóterület *[benzinkútnál]* **3.** *sp* ‹az adogatóudvar és a háló közötti rész teniszpályán›
foredeck ['fɔːdek ‖ 'fɔr–] *fn hajó* előfedélzet
foredoom [fɔː'duːm ‖ fɔr–] *tsi* előre elítél, vmre ítél (vkt/vmt)
foredoomed [fɔː'duːmd ‖ fɔr–] *mn* vmre *[rosszra]* predesztinált, vmre *[rosszra]* eleve elrendelt/elítélt
fore-edge ['fɔːredʒ] *fn* lapszél, külső szél
forefather ['fɔːˌfɑːðə ‖ 'fɔrˌfɑðər] *fn* ős(apa), előd
forefinger ['fɔːfɪŋə ‖ 'fɔrfɪŋər] *fn* mutatóujj
forefoot ['fɔːfut ‖ 'fɔr–] *fn tsz* **-feet** **1. a)** *[állatnál]* mellső/első láb **b)** *[embernél]* a lábfej elülső része **2.** *hajó biz* orrtőke
forefront ['fɔːfrʌnt ‖ 'fɔr–] *fn* **1.** *biz* előtér; **in the** ~ az előtérben; legelöl **2.** *kat* arcvonal, front(vonal)
foregather ['fɔːgæðə ‖ 'fɔrgæðər] → **forgather**
forego[1] [fɔː'gou ‖ fɔr–] *tsi pt* **forewent** [–'went] *pp* **foregone** [fɔː'gɒn ‖ fɔr'gɑn] *vál* vm előtt megy, előtte jár/halad, megelőz • *fn* **foregoer**
forego[2] [fɔː'gou ‖ fɔr–] → **forgo**
foregoing ['fɔːgouɪŋ ‖ 'fɔr–] *mn* megelőző, már/előbb említett; **the** ~ az előző, az eddigi, az eddig mondott
foreground ['fɔːgraund ‖ 'fɔr–] *átv* **I.** *fn* **a)** előtér **b)** *infor* előtér; ~ **application** aktív alkalmazás **II.** *tsi* előtérbe helyez
forehand ['fɔːhænd ‖ 'fɔr–] *fn* **1.** ló(test) elülső (lovas előtti) része **2.** *sp* tenyeres (ütés) **3.** elsőbbség, előny • *mn* **forehanded**
forehead ['fɒrɪd ‖ 'fɔ–, 'fɑ–] *fn* homlok
foreign ['fɒrɪn ‖ 'fɔrən–] *mn* **1.** külföldi, idegen; ~ **affairs** külügy(ek); ~ **correspondent** külföldi tudósító; ~ **exchange** valuta; deviza; **F~ Legion** idegenlégió; ~ **minister** külügyminiszter; *GB* **F~ Office** külügyminisztérium; ~ **policy** külpolitika; **F~ Secretary** külügyminiszter *[Angliában]*; *US* **F~ Service** külügyi szolgálat; ~ **trade** külkereskedelem **2. a)** idegen, kívülálló, távol álló; *orv* ~ **body** idegen test **b)** ~ **to/from sg** vktől idegen, vmhez nem tartozó, vmtől távol álló; **it is** ~ **to me** számomra idegen/ismeretlen • *fn* **foreignness**
foreigner ['fɒrɪnə ‖ 'fɔrənər] *fn* **1.** külföldi, idegen **2.** *biz* nem idevalósi ember, kívülálló
forejudge [fɔː'dʒʌdʒ ‖ fɔr–] *tsi* előre ítél/eldönt • *fn* **fore-judgement**

foreknowledge [fɔːˈnɒlɪdʒ ‖ fɔrˈnɑ–] *fn* előre tudás, sejtés • *tsi* **foreknow**
forelady *fn* → **forewoman**
foreland [ˈfɔːlænd ‖ ˈfɔr–] *fn* **1.** hegyfok, földfok **2.** *földr* előhegység
foreleg [ˈfɔːleg ‖ ˈfɔr–] *fn* mellső láb
forelimb *fn* mellső láb/uszony
forelock [ˈfɔːlɒk ‖ ˈfɔrlɑk] *fn* üstök; **take time/occasion by the ~** üstökön ragadja (v. kihasználja) az alkalmat, él az idővel/alkalommal
foreman [ˈfɔːmən ‖ ˈfɔr–] *fn tsz* **-men 1.** művezető, munkafelügyelő, előmunkás **2.** *jog* esküdtszék elnöke
foremast [ˈfɔːmɑːst ‖ ˈfɔrmæst] *fn* előárboc
foremost [ˈfɔːmoust ‖ ˈfɔr–] **I.** *mn* **1.** legelső, legelülső **2.** legkiválóbb, legfőbb **II.** *hsz* elsőnek, elsőként; **fall head ~** fejjel lefelé esik; **first and ~** mindenekelőtt, legelőször is, legelsősorban (is)
foremother [ˈfɔːmʌðə ‖ ˈfɔrmʌðər] *fn* ősanya
forename [ˈfɔːneɪm ‖ ˈfɔr–] *fn* keresztnév, utónév
forenoon [ˈfɔːnuːn ‖ ˈfɔr–] *fn jog hajó* délelőtt
forensic [fəˈrensɪk, –zɪk] *mn* törvényszéki, bírósági; **~ medicine** törvényszéki orvostan • *hsz* **forensically**
foreordain [ˈfɔːrɔːˈdeɪn ‖ ˈfɔrɔr–] *tsi* előre elrendel/meghatároz • *fn* **foreordination**
foreplay [ˈfɔːpleɪ ‖ ˈfɔr–] *fn* (nemi) előjáték *[közösülés előtt]*
forerun [fɔːˈrʌn ‖ fɔr–] *tsi pt* **foreran** [fɔːˈræn ‖ fɔrˈræn] **1.** *pp* **forerun** megelőz, előtte megy/jár; **lull that ~s the storm** vihar előtti csend **2.** sejtet, előre jelez
forerunner [fɔːˈrʌnə ‖ fɔˈrʌnər] *fn* **1.** előfutár, (elő)hírnök **2.** előjel, kezdeti jel/szimptóma *[betegségé]*
foresail [ˈfɔːseɪl ‖ ˈfɔr–] *fn hajó* orrvitorla, előtörzsvitorla
foresaw [fɔːˈsɔː ‖ fɔr–] → **foresee**
foresee [fɔːˈsiː ‖ fɔr–] *tsi pt* **foresaw** [–ˈsɔː], *pp* **foreseen** [–ˈsiːn] előre lát, sejt, megjósol • *fn* **foreseer** *mn* **foreseeable**
foreseen [fɔːˈsiːn ‖ fɔr–] → **foresee**
foreshadow [ˌfɔːˈʃædou ‖ ˈfɔr–] *tsi* előre veti vm árnyékát, előre jelent/jelez, sejtet
foresheets [ˈfɔːʃiːt ‖ ˈfɔr–] *fn tsz hajó* orr(vitorla)szár
foreshock *fn geol* előrengés
foreshore [ˈfɔːʃɔː ‖ ˈfɔrʃɔr] *fn* **1.** tengerpart, folyópart, tengerparti földsáv **2.** hullámtér
foreshorten [fɔːˈʃɔːtn ‖ fɔrˈʃɔrtn] *tsi műv* rövidülésben/skurcban fest/rajzol/ábrázol
foreshow [ˈfɔːʃou ‖ ˈfɔr–] *tsi pt* **foreshowed**, *pp* **foreshown** [–ʃoun] **1.** előre jelez/jelent **2.** *régi* megismertet, közöl
foresight [ˈfɔːsaɪt ‖ ˈfɔr–] *fn* **1. a)** jövőbelátás **b)** előrelátás, gondoskodás, körültekintés; **due ~** kellő körültekintés/óvatosság **2.** célgömb *[puskán]* • *fn* **foresightedness** *mn* **foresighted** *hsz* **foresightedly**
foreskin [ˈfɔːskɪn ‖ ˈfɔr–] *fn orv* fityma, előbőr
forest [ˈfɒrəst ‖ ˈfɔ–] **I.** *fn* erdő(ség); *átv* **a ~ of masts** árbocok erdeje **II.** *tsi* erdősít, fásít
forestage [ˈfɔːsteɪdʒ ‖ ˈfɔr–] *fn* **1.** *szính* előszín **2.** *orv* megelőző fázis
forestall [fɔːˈstɔːl ‖ fɔr–] *tsi* **1.** megelőz, elébe vág (vmnek) **2.** (spekulációra) felvásárol • *fn* **forestaller**, **forestalment**
forestation [ˌˌfɒrəsˈteɪʃn ‖ ˌfɑr–] *fn* erdősítés
forestay *fn hajó* előmerevítő (drót)kötél
forester [ˈfɒrɪstə ‖ ˈfɔrəstər] *fn* **1.** erdőőr, erdőkerülő, erdész **2. a)** erdőlakó **b)** erdei madár/állat/fa
forest fire *fn* erdőtűz
forestry [ˈfɒrɪstri ‖ ˈfɔrəstri] *fn* **1.** erdészet **2.** erdőség
foretaste [fɔːˈteɪst ‖ fɔr–] **I.** *fn* előíz, ízelítő; **to give sy a ~ of sg** ízelítőt ad vknek vmből **II.** *tsi* előre megízlel, ízelítőt vesz/kap (vmből)
foretell [fɔːˈtel ‖ fɔr–] *tsi pt/pp* **foretold** [fɔːˈtould ‖ fɔrˈtould] előre megmond/jelez, megjövendöl, (meg)jósol • *fn* **foreteller**
forethought [ˈfɔːθɔːt ‖ ˈfɔr–] *fn* **1. a)** előre megfontolt szándék **b) speak without ~** meggondolatlanul beszél **2.** előrelátás, gondoskodás • *tsi* **forethink**
foretoken [ˈfɔːtoukn ‖ ˈfɔr–] **I.** *fn* előjel **II.** *tsi* előre jelez/jelent
foretold [fɔːˈtould ‖ fɔr–] → **foretell**
foretop [ˈfɔːtɒp ‖ ˈfɔrtɑp] *fn hajó* előárbockosár
fore-topmast [fɔːˈtɒpməst ‖ fɔrˈtɑp–] *fn hajó* előderékárboc
fore-topsail *fn hajó* előderék-vitorla
forever [fəˈrevə ‖ –ər] *hsz* örökre
forevermore [fəˌrevəˈmɔː ‖ fəˌrevərˈmɔr] *hsz* mindörökre
forewarn [fɔːˈwɔːn ‖ fɔrˈwɔrn] *tsi* (előre) figyelmeztet, óva int • *fn* **forewarner**
forewent [fɔːˈwent ‖ fɔr–] → **forego**[1]
foreword [ˈfɔːwɜːd ‖ ˈfɔrwɜrd] *fn* előszó
foreyard [ˈfɔːjɑːd ‖ ˈfɔrjɑrd] *fn hajó* előtörzs-vitorlafa/-vitorlarúd
forfeit [ˈfɔːfɪt ‖ ˈfɔr–] **I.** *fn* **1. a)** (pénz)bírság, büntetés **b)** bánatpénz **2.** zálog *[játékban]* **II.** *mn tört jog* elkobzott *[vagyon]*, eljátszott *[jog]* **III.** *tsi* **1.** elveszít *[jogot vmre]*; **become ~ed** elévül *[jog]*; **~ one's driving licence** bevonják a jogosítványát; **the team ~ed the game** a csapat nem jelent meg, így elvesztette a meccset **2.** eljátszik, elveszít; **one's life** életével lakol; **~ one's honour** eljátssza a becsületét • *fn* **forfeiter**
forfeitable [ˈfɔːfɪtəbl ‖ ˈfɔrfɪtəbl] *mn* elkobozható *[vagyontárgy]*, elveszthető *[jog]*
forfeiture [ˈfɔːfɪtʃə ‖ ˈfɔrfɪtʃər] *fn* **1.** elvesztés *[pl. jogé]*, elkobzás *[vagyoné]* **2.** *gazd* elévülés, érvénytelenné válás
forfend [fɔːˈfend ‖ ˈfɔr–] *tsi* **1.** *ált US* (meg)véd **2.** *régi* elhárít, megakadályoz; **God ~!** isten őrizz/ments!
forgather [fɔːˈgæðə ‖ fɔrˈgæðər] *tni* **1.** összegyűlik, összejön *[társaságban, baráti alapon]* **2. ~ with sy** összejár/összejön vkvel
forgave [fəˈgeɪv ‖ ˈfər–] → **forgive**
forge[1] [fɔːdʒ ‖ fɔrdʒ] **I.** *tsi* **1.** kovácsol; **~ hot** melegen kovácsol; **~ out** kikovácsol **2. a)** kitalál *[kifogást]*, kohol *[rágalmat]* **b)** hamisít *[pl. aláírást]* **II.** *fn* kovácsműhely
forge[2] *tni* **~ ahead** előretör; teljes gőzzel halad
forgery [ˈfɔːdʒəri ‖ ˈfɔr–] *fn* **1.** hamisítás *[pl. aláírásé]* **2. a)** hamisítvány, hamis (ok)irat **b) this story is a ~** ez a történet tiszta kitalálás/koholmány
forget [fəˈget ‖ fər–] *pt* **forgot** [fəˈgɒt ‖ fərˈgɑt], *pp* **forgotten** [fəˈgɒtn ‖ fərˈgɑtn] **A.** *tsi* **1.** elfelejt, nem emlékezik vmre, nem jut eszébe; **~ (about) it!** hagyjuk (ezt)!, ne törődj(ön) vele!; szóra sem érdemes!; **be forgotten** elfelejtik, feledésbe merül **2. a)** megfeledkezik (vkről/vmről), kifelejt (vkt vmből); **~ to do sg** megfeledkezik vmről, elfelejt vmt megtenni **b)** ottfelejt, elhagy **3. ~ oneself** nem törődik a saját érdekeivel, önzetlen; megfeledkezik magáról, elragadtatja magát; gondolataiba merül **B.** *tni* elfeledkezik; **I ~** nem jut eszembe • *fn* **forgetter** *mn* **forgettable**
forgetful [fəˈgetfl ‖ fər–] *mn* **1.** feledékeny **2. ~ (by)** hanyag, figyelmetlen • *fn* **forgetfulness**
forget-me-not *fn növ* nefelejcs
forgive [fəˈgɪv ‖ fər–] *pt* **forgave** [fəˈgeɪv ‖ fər–], *pp* **forgiven** [fəˈgɪvn ‖ fər–] **A.** *tsi* **1.** megbocsát **2. ~ sy a debt** elengedi vknek az adósságát **B.** *tni* megbocsát(ást gyakorol); **~n but not forgotten** a megbocsátás nem azonos az elfelejtéssel • *fn* **forgiver** *mn* **forgivable** *hsz* **forgivably**
forgiven [fəˈgɪvn ‖ fər–] → **forgive**
forgiveness [fəˈgɪvnəs ‖ fər–] *fn* bocsánat, megbocsátás; **ask sy's ~** bocsánatot kér vktől; kegyelmet kér vktől
forgiving [fəˈgɪvɪŋ ‖ fər–] *mn* elnéző, engedékeny • *hsz* **forgivingly**
forgo [fɔːˈgou ‖ fɔr–] *tsi pt* **forwent** [–ˈwent] *pp* **forgone** [fɔːˈgɒn ‖ fɔrˈgɑn] lemond (vmről), tartózkodik (vmtől), nem vesz igénybe (vmt)
forgone [fɔːˈgɒn ‖ fɔrˈgɑn] → **forgo**

forgotten [fəˈgɒtn ‖ fərˈgɑtn] *mn* → **forget**
forint [ˈfɔːrɪnt] *fn* forint *[magyar pénzegység]*
fork [fɔːk ‖ fɔrk] **I.** *fn* **1. a)** villa *[evőeszköz]* **b)** *mezőg* vasvilla **c)** *zene* **(tuning) ~** hangvilla **2.** *műsz* **cardan ~** kardánvilla; **front ~(s)** elsővilla *[kerékpáron]* **3. a)** szétágazás, elágazás *[úté, folyóé, faágé]*, folyó fő mellékága/mellékfolyója **b)** terpesz **c) ~ of lightning** villám elágazó cikázása **II. A.** *tsi* **~ (up)** vasvillával hány **B.** *tni* szétágazik, elágazik, kettéágazik, cikázik *[villám]*
fork out *tsi szl [pénzt kiad/fizet]* leperkál, leszurkol, kipenget
fork up *szl* → **fork out**
forked [fɔːkt ‖ fɔrkt] *mn* villa alakú, villás, kettéágazó, elágazó; **~ lightning** cikázó/kétágú villám
forkful [ˈfɔːkful ‖ ˈfɔrk–] *fn* **1.** egy vasvillára való *[széna, szalma]* **2.** egy villányi, egy villára való *[étel]*
forking [ˈfɔːkɪŋ ‖ ˈfɔrk–] *fn* elágazás, kettéágazás, szétágazás *[úté, ágé]*
fork-lift truck *fn műsz* emelővillás targonca
forlorn [fəˈlɔːn ‖ fərˈlɔrn] *mn* **1.** *vál* elhagyatott **2.** kétségbeesett, reménytelen *[vállalkozás]* **3.** vm nélküli, vmt nélkülöző • *fn* **forlornness** *hsz* **forlornly**
form [fɔːm ‖ fɔrm] *fn* **1. a)** alak, forma *[tárgyé]*; **take ~** alakot ölt; kialakul **b)** alak, külső, körvonal, testalkat *[emberé, állaté]* **2. a)** természet, (lét)forma; **under the ~ of...** alakjában, mint...; **~ of government** kormányforma **b)** fajta, változat, megjelenési forma **c)** módosulat **d)** *nyelv* alak **e)** *zene vál* forma, alakzat **3. a)** alakiság, formaság, formalitás, előírás; *jog* **in due/proper/common ~** a kellő/megfelelő formában; előírásszerűen **b)** viselkedés, modor; **it is bad ~** nem illik, modortalanság, neveletlenség **4. a)** bevett formula **b)** űrlap, blanketta; **application ~** jelentkezési ív; **cheque ~** csekkűrlap; **fill in/out/up a ~** űrlapot kitölt **c)** *infor* **~ field** űrlapmező **5. a)** *sp* erőnlét, forma, kondíció; **off the ~** papírforma szerint; **be in ~** formában van; **be out of ~** nincs formában **b)** hangulat, lendület **6.** *ált GB okt* osztály; **~ master/mistress** osztályfőnök **7.** *GB szl [büntetett előélet]* priusz
-form *utótag* -alakú; **cruciform** kereszt alakú
formal [ˈfɔːml ‖ ˈfɔr–] **I.** *mn* **1.** előírásos, hivatalos; **make a ~ speech** hivatalos beszédet mond **2.** *fil* alaki, formális **3.** szertartásos, formális; **~ call** udvariassági látogatás; **~ dinner** estélyi ruhás/formális vacsora; **~ dress/wear** ‹formális eseményhez illő ruházat› **4. a)** formákhoz ragaszkodó, merev, feszes *[modor]* **b)** hivatalos, ünnepélyes **II.** *fn US* **1.** estélyi ruha **2.** estély
formaldehyde [fɔːˈmældɪhaɪd ‖ fɔr–] *fn vegy* formaldehid
formalin [ˈfɔːməlɪn ‖ ˈfɔr–] *fn vegy* formalin
formalism [ˈfɔːməlɪzm ‖ ˈfɔr–] *fn* **1.** formalizmus **2.** *mat* matematikai leképezés • *fn* **formalist** *mn* **formalistic**
formality [fɔːˈmæləti ‖ fɔrˈmæləti] *fn* **1.** formalitás, formaság; **it's a mere ~** ez csak formalitás **2.** alakszerűség, alakiság **3.** szertartásosság, ceremónia
formalize [ˈfɔːməlaɪz ‖ ˈfɔr–], **-ise A.** *tsi* **1.** formalizál **2.** formálissá tesz **B.** *tni* szertartásoskodik • *fn* **formalization**
formally [ˈfɔːməli ‖ ˈfɔr–] *hsz* **1.** hivatalosan, szabályszerűen **2.** szertartásosan **3.** alakilag, formailag
format [ˈfɔːmæt ‖ ˈfɔr–] **I.** *fn* **a)** alak, ívnagyság, formátum *[könyvé]*; **of great ~** nagy kaliberű, formátumos *[ember]* **b)** *infor* formátum, forma **II.** *i* **-tt-** *tsi infor* formáz, formattál
formation [fɔːˈmeɪʃn ‖ fɔr–] *fn* **1. a)** képződés, keletkezés, kialakulás **b)** (meg)alakítás, alapítás **2. a)** elrendezés **b)** *kat* alakulat, harcrend; **close ~** zárt alakzat; **fly in ~** kötelékben repül **3. a)** *orv geol* képződmény **b)** *nyelv* szóképzés • *mn* **formational**
formative [ˈfɔːmətɪv ‖ ˈfɔrmətɪv] *mn* (ki)alakító, képző, formáló; **in his ~ years** fejlődése éveiben • *hsz* **formatively**
formatted [ˈfɔːmætɪd ‖ ˈfɔr–] *mn infor* formattált, formázott
formatting *fn infor* formattálás, formázás
forme [fɔːm ‖ fɔrm] *fn nyomd* nyomóforma
former[1] [ˈfɔːmə ‖ ˈfɔrmər] *mn* **1.** előbbi, korábbi, (meg)előző, egykori; **a ~ enemy** volt/egykori ellenség; **the ~ Soviet Union** a volt Szovjetunió **2.** előbbi, előbb/imént említett
former[2] [ˈfɔːmə ‖ ˈfɔrmər] *fn* **1. a)** alakító, formáló **b)** alapító *[társaságé]* **2.** *műsz* minta, forma, vezetősablon
formerly [ˈfɔːməli ‖ ˈfɔrmərli] *hsz* azelőtt, régebben, valamikor; **the Artist ~ known as Prince** a Művész, akit korábban Prince-nek hívtak
Formica [fɔːˈmaɪkə ‖ fɔr–] *fn* formika *[rendkívül ellenálló műanyaglap]*
formic acid [ˈfɔːmɪk ˈæsɪd ‖ ˈfɔrmɪk –] *fn vegy* hangyasav
formidable [ˈfɔːmɪdəbl, fəˈmɪ– ‖ ˈfɔr–] *mn* **1.** félelmetes, ijesztő **2.** hatalmas, terjedelmes **3.** nehéz • *fn* **formidableness** *hsz* **formidably**
formless [ˈfɔːmləs ‖ ˈfɔrm–] *mn* alaktalan, formátlan • *fn* **formlessness** *hsz* **formlessly**
form letter *fn* levélsablon
form-master *fn okt* **a)** *GB* osztályfőnök **b)** *US* évfolyamfelelős
form mistress *okt* → **form-master**
form-setter *fn nyomd* formázó
formula [ˈfɔːmjulə ‖ ˈfɔrmjələ] *fn* **1.** formula, minta, szabály, előírt szöveg; **hackneyed ~** elcsépelt frázis **2.** *US* bébitápszer **3.** *sp* ‹versenyautó-kategória› • *tsi* **formularize**, **formulize** *mn* **formulaic**
Formula One *fn sp* Forma-1 *[autóverseny]*
formulary [ˈfɔːmjuləri ‖ ˈfɔrmjəleri] **I.** *mn* **1.** szabályszerű, előírásos **2.** formulákat/képleteket tartalmazó **II.** *fn* **1.** formuláré, formuláskönyv **2.** *orv* **a)** vénykönyv **b)** gyógyszerkönyv
formulate [ˈfɔːmjuleɪt ‖ ˈfɔrmjə–] *tsi* **1.** megszövegez, szabályba foglal **2.** szavakba önt *[véleményt]* • *fn* **formulation**, **formulator**
form word *fn nyelv* formaszó, viszonyszó, üres szó
formwork *fn épít* mintaállvány
fornicate [ˈfɔːnɪkeɪt ‖ ˈfɔr–] *tni* **a)** paráználkodik **b)** házasságon kívül közösül • *fn* **fornication**, **fornicator**
forsake [fəˈseɪk ‖ fər–] *tsi pt* **forsook** [–ˈsʊk], *pp* **forsaken** [–ˈseɪkln] **1.** elhagy, cserbenhagy; **~n by all** teljesen elhagyatottan **2.** lemond (vmről), felhagy (vmvel) • *fn* **forsakenness**, **forsaker** *mn* **forsaken**
forswear [fɔːˈsweə ‖ fɔrˈswer] *tsi pt* **forswore** [fɔːˈswɔː ‖ fɔrˈswɔr], *pp* **forsworn** [fɔːˈswɔːn ‖ fɔrˈswɔrn] **1.** esküvel tagad **2. ~ oneself** hamisan esküszik • *mn* **forsworn**
forsythia [fɔːˈsaɪθɪə ‖ fərˈsɪ–] *fn növ* aranyfa
fort [fɔːt ‖ fɔrt] *fn* **1.** erőd(ítmény) **2.** *régi* (megerősített) kereskedelmi állomás *[Észak-Amerikában]*
forte[1] [ˈfɔːteɪ ‖ ˈfɔr–] *fn* **1.** erős oldala (vknek) **2.** kardpenge erőse
forte[2] [ˈfɔːteɪ ‖ ˈfɔr–] *mn/hsz/fn zene* forte
fortepiano *mn zene* forte-piano *[dinamikai jelzés]*
forth [fɔːθ ‖ fɔrθ] *hsz* **1.** előre, ki, elő-; **back and ~** oda-vissza; **to set ~ on a journey** útnak indul **2.** tovább; **from this time ~** mostantól kezdve, ezután; **and so ~** és így tovább
forthcoming [fɔːθˈkʌmɪŋ ‖ fɔrθ–] *mn* **1.** közelgő, küszöbön álló **2.** rövidesen rendelkezésre álló **3.** *jog* megjelenésre hajlandó/kész *[idézésre]* **4.** segítőkész, készséges • *fn* **forthcomingness**
forthright [ˈfɔːθraɪt ‖ ˈfɔrθ–] **I.** *mn* **1.** *vál* nyílt, őszinte, egyenes **2.** határozott **II.** *hsz* nyíltan, őszintén • *fn* **forthrightness**
forthwith [ˌfɔːθˈwɪθ ‖ ˌfɔrθwɪθ] *hsz* azonnal, haladéktalanul
fortieth [ˈfɔːtɪəθ ‖ ˈfɔrtɪəθ] *mn/fn* **1.** negyvenedik **2.** negyvenedrész

fortification [ˌfɔːtɪfɪˈkeɪʃn ‖ ˌfɔrtɪ–] *fn* **1. a)** *kat is* megerősítés **b)** megszilárdítás *[bátorságé]* **2. a)** erőd(ítmény) **b)** sánc

fortify [ˈfɔːtɪfaɪ ‖ ˈfɔrtɪ–] **A.** *tsi* **1. a)** *kat is* megerősít **b)** *orv* immunizál *[állatot]* **2.** erőt ad (vknek), bátorít, megszilárdít *[vkt elhatározásban]*, megerősít *[hírt, érvet]* **3.** tápértékét növeli **B.** *tni* védelmi vonalat emel • *fn* **fortifier** *mn* **fortifiable**

fortissimo [fɔːˈtɪsɪmoʊ ‖ fɔr–] *mn/hsz/fn zene* fortissimo

fortitude [ˈfɔːtɪtjuːd ‖ ˈfɔrtɪtuːd] *fn* lelkierő, állhatatosság

fortnight [ˈfɔːtnaɪt ‖ ˈfɔrt–] *fn GB* két hét; **~'s holiday** kétheti szabadság; **a ~ today/hence** mához két hétre

fortnightly [ˈfɔːtnaɪtli ‖ ˈfɔrt–] *GB* **I.** *mn* kéthetenkénti, kétheti **II.** *hsz* kéthetenként, félhavonként

Fortran [ˈfɔːtræn ‖ ˈfɔr–], **FORTRAN** *röv infor formula translation* ‹programozási nyelv›

fortress [ˈfɔːtrɪs ‖ ˈfɔr–] *fn* erőd, vár

fortuitous [fɔːˈtjuːətəs ‖ fɔrˈtuːətəs] *mn* véletlen, váratlan, előre nem látott • *fn* **fortuitousness** *hsz* **fortuitously**

fortuity [fɔːˈtjuːəti ‖ fɔrˈtuːəti] *fn* véletlen(ség)

fortunate [ˈfɔːtʃnᵊət ‖ ˈfɔr–] *mn* szerencsés, kedvező; **be ~ in sg** szerencséje van vmben/vmvel

fortunately [ˈfɔːtʃnᵊətli ‖ ˈfɔr–] *hsz* **1.** szerencsésen **2.** szerencsére

fortune [ˈfɔːtʃn, ˈfɔːtjuːn ‖ ˈfɔr–] *fn* **1. a)** szerencse, véletlen; **ill ~** balszerencse; **by good ~** szerencsére; **try one's ~** szerencsét próbál **b)** sors, végzet; **read/tell ~s** jövendőt mond, jósol **2.** jószerencse; **stroke of ~** *biz [szerencse]* mázli **3. a)** jólét, gazdagság, vagyon; **a small ~** *biz* egy kisebb vagyon; **a man of ~** gazdag/vagyonos ember; **make a ~** egy vagyont szerez, nagy vagyonra tesz szert **b)** (nagy) hozomány; **marry a ~** gazdagon nősül, jó partit csinál

fortune cookie *fn US* szerencsesüti *[kínai éttermekben]*

fortune hunter *fn* hozományvadász

fortune-teller *fn* jövendőmondó, jós(nő) • *fn* **fortune-telling**

forty [ˈfɔːti ‖ ˈfɔrti] **I.** *mn* negyven **II.** *fn* **in the forties** a negyvenes években; **he is in his forties** negyvenes éveiben jár • *mn/fn* **fortieth** *mn* **fortyish** *mn/hsz* **fortifold**

forty-eleven *mn US szl* nem tudom hány, „X"

forty-niner [ˌfɔːtiˈnaɪnə ‖ ˌfɔrtiˈnaɪnər] *fn US tört* ‹az 1849-es aranyláz résztvevője›

forum [ˈfɔːrəm] *fn* fórum

forward [ˈfɔːwəd ‖ ˈfɔrwərd] **I.** *mn* **1. a)** előre haladó, előre irányuló *[mozgás]*, előretolt *[csapat]*; *kat* **~ observation post** előretolt figyelőállás; *sp* **~ pass** előreadás, szöktetés; *gk* **~ speed** előremenet **b)** elülső, mellső **2.** korai *[gyümölcs, növény, évszak]*, koraérett, elhamarkodott **3.** haladó (szellemű) **4.** arcátlan, szemtelen **5. a)** buzgó, készséges **b)** heves **6.** *gazd* határidős; **~ deals** határidős ügyletek **II.** *hsz* **1. a)** előre; **~!** előre!; **go straight ~** menjen csak egyenesen tovább!; **backwards and ~s** ide-oda; **put oneself ~** magát (nagyon is) előtérbe tolja; **look ~ to sg** előre örül vmnek, már nagyon vár vmt **b)** *gazd* **brought ~** áthozat; **carried ~** átvitel **2.** tovább, később **3.** elő **III.** *fn* **1.** *sp* csatár **2.** *infor* (levél)továbbító utasítás **IV.** *tsi* **1. a)** előmozdít, elősegít; **~ sy in rank** előléptet vkt **b)** gyorsít, siettet **2. a)** *infor is* (el)küld, *gazd* szállít(mányoz) **b)** továbbít *[levelet, csomagot]*; **to be ~ed**, **"~ please"** továbbítandó, kérem utána küldeni • *fn* **forwarder**

forward-looking *mn* előretekintő, jövőorientált, progresszív

forwardly [ˈfɔːwədli ‖ ˈfɔrwərd–] *hsz* arcátlanul, szemtelenül, vakmerően

forwardness [ˈfɔːwədnəs ‖ ˈfɔrwərd–] *fn* **1.** haladás, előrehaladottság *[munkáé]* **2.** koraérettség, korai beérés **3.** buzgóság **4.** szemtelenség, arcátlanság, pimaszság

forwards [ˈfɔːwədz ‖ ˈfɔrwər–] → **forward** II.

forwent [fɔːˈwent ‖ fɔr–] → **forgo**

foss [fɒs ‖ fɑs], **fosse** *fn* **1.** *kat* (sánc)árok **2.** *orv* üreg, bemélyedés

fossick [ˈfɒsɪk ‖ ˈfɑ–] *tsi/tni Ausz ÚjZ* **1.** arany után kutat *[elhagyott lelőhelyen]* **2.** kutat, matat, keres

fossil [ˈfɒsl ‖ ˈfɑsl] **I.** *mn* **1.** megkövesedett, kövült **2.** *átv* ósdi, elavult **II.** *fn* **1.** kövület, őskori lelet **2.** *átv* **a)** régimódi ember **b)** *pej* elavult dolog • *mn* **fossiliferous**

fossilize [ˈfɒsɪlaɪz ‖ ˈfɑ–], **-ise** **A.** *tsi* megkövesít **B.** *tni* megkövül, megkövesedik, *átv biz* betokosodik, elavul • *fn* **fossilization**

fossorial [fɒˈsɔːrɪəl ‖ fɑˈsɔr–] *mn tud* **1.** földet ásó/túró *[állat, rovar]* **2.** föld ásására/túrására alkalmas *[végtag]*

foster [ˈfɒstə ‖ ˈfɒstər, ˈfɑ–] **I.** *mn* fogadott, nevelt *[gyermek]*, nevelő *[szülő, apa, anya]* **II.** *tsi* **1. a)** *GB* nevelőszülőkhöz ad *[gyereket]* **b)** *biz* felnevel, táplál *[gyereket]* **2.** előmozdít, elősegít, istápol, támogat **3.** ápol *[kultúrát]*, tápot ad *[rossznak]* • *fn* **fosterage**, **fosterer**

foster-home *fn* nevelőotthon

fosterling [ˈfɒstəlɪŋ ‖ ˈfɒstər–, ˈfɑ–] fogadott gyermek

fought [fɔːt] → **fight**

foul [faʊl] **I.** *mn* **1. a)** rossz szagú, áporodott, büdös, *biz* rémes, szörnyű, pocsék; **~ breath** rossz/kellemetlen szájszag; **be she fair or ~** akár szép, akár rút **b)** súlyos, ragályos *[betegség]* **c)** szennyes, tisztátalan *[gondolat]*, közönséges *[beszéd]*; **don't use ~ language** ne káromkodj **d)** aljas, alávaló, becstelen, *sp* tisztességtelen; **~ blow** (övön aluli) mélyütés *[bokszolásban]*; **~ deed** becstelenség, aljasság, gaztett; *sp* **~ play** tisztességtelen játék; csalás; **by fair means or ~** bármely/minden úton/módon **2. a)** piszkos, koszos, szennyes, zátonyos *[tengerfenék]*; **~ water** zavaros/szennyes víz; **~ coast/water** veszélyes part; **make ~ water** feneket ér, a fenékhez súrlódik **b)** *nyomd* agyonjavított, összefirkált **3.** rossz, viharos, pocsék *[idő]*; **~ wind** ellenszél **II.** *hsz* → **foully**; **fall/go/run ~ of** összeütközik *[hajó egy másikkal]*; összetűz (vkvel); **fall/go/run ~ of the law** összeütközésbe kerül a törvénnyel; **fight ~** szabálytalanul küzd **III.** *fn* **1.** *sp* szabálysértés, szabálytalanság; **claim a ~** (vélt szabálysértés miatt a bírónál) reklamál **2. through ~ and fair** tűzön-vízen át/keresztül, jóban-rosszban (egyaránt) **3.** *hajó* összeütközés **IV. A.** *tsi* **1.** *átv* bepiszkít, beszennyez **2.** összeütközik *[másik hajóval]*; **~ a ship's course** keresztezi egy hajó útvonalát **3.** *sp* szabálytalanságot vét (vk ellen) **4.** elront; elfuserál **B.** *tni* **1.** eldugul **2.** összeütközik *[egyik hajó a másikkal]* • *fn* **foulness** *hsz* **foully**

foul out *tsi sp* kiállítással büntet *[labdajátékokban]*

foul up *tsi* összezavar, elront

foulard [fuːˈlɑː ‖ –ˈlɑrd] *fn* **a)** könnyű selyemkelme, fulár **b)** könnyű selyem (v. fulár) zsebkendő/sál

fouling [ˈfaʊlɪŋ] *fn* **1.** eldugulás *[puskacsőé, szivattyúé]* **2. a)** fennakadás, beszorulás *[horgonyé]* **b)** összeütközés *[két hajóé]*

foul line *fn sp* büntető vonal *[baseballban]*

foul mouth *fn/mn* mocskos szájú (v. szabad szájú) (ember), szitkozódó (ember) • *mn* **foul-mouthed**

foulness [ˈfaʊlnəs] *fn* **1. a)** tisztátalanság, szennyezettség *[pl. levegőé]* **b)** rothadás **c)** eldugaszolódás *[puskacsőé]* **2.** durvaság, trágárság *[beszédé]* **3.** aljasság

foul shot *fn sp* szabadrúgás

foul throw *fn sp* büntetődobás

foul-up *fn* zavar, keveredés • *mn* **fouled-up**

foumart [ˈfuːmɑːt ‖ –mərt] *fn áll* görény

found[1] [faʊnd] *tsi* **a)** alapít, létesít, lerakja az alapját (sg vmnek); **~ a family** családot alapít **b)** *átv* alapoz, támaszt; **be ~ed on fact** tényen alapszik

found[2] [faʊnd] *tsi fémip* (meg)olvaszt, formába önt • *fn* **founder**

found[3] [faʊnd] → **find** I.

foundation [faʊnˈdeɪʃn] *fn* **1.** alapok lerakása, alapítás, létesítés; **economic ~** gazdasági alap/megalapozás **2. a)** alapítvány létesítése **b)** alapítvány (összege) **3.** alap-

(zat); **lay the ~ of a business** üzletet megalapoz **4.** *műv* alapozás *[festményé]* • *mn* **foundational**

foundation course *fn okt* alapozó kurzus

foundation cream *fn* alapozókrém *[kozmetikában]*

Foundation Day *fn* ‹ausztráliai nemzeti ünnep jan. 26-án az 1788-as brit partraszállás emlékére›

foundation garment *fn tex* fűző (és melltartó)

foundation level *fn épít körny* alapszint

foundation school *fn* alapítványi iskola

foundation stone *fn épít* alapkő; **lay the ~** letesz/elhelyez alapkövet *[épületét]*

founder¹ [ˈfaʊndə ‖ –ər] *fn* alapító, adományozó

founder² [ˈfaʊndə ‖ –ər] **A.** *tsi* **1. a)** túlterhel *[lovat]* **b)** lesántít *[lovat]* **2.** elsüllyeszt *[hajót]* **B.** *tni* **1.** beszakad, beroskad, beomlik *[építmény]* **2. a)** összeroskad *[ló]* **b)** sántikálni/bicegni kezd *[ló]* **3.** *hajó* **a)** elsüllyed *[nyílt vízen]* **b)** megfeneklik

founder's share *fn pénz* törzsrészvény

Founding Fathers *fn tsz US* az Alapító Atyák *[az amerikai alkotmány megalkotói]*

foundling [ˈfaʊndlɪŋ] *fn* lelenc, talált gyermek

foundry [ˈfaʊndri] *fn fémip* öntöde, öntőműhely

foundryman [ˈfaʊndrɪmən] *fn tsz* **-men** öntő, olvasztár

fount¹ [faʊnt] *fn* **1.** *vál átv* forrás; **~ of knowledge** tudás kútfeje; nagy tudományú ember **2.** tartály *[olajé lámpában, tintáé töltőtollban]*

fount² [fɒnt ‖ fɑnt] *GB* → **font²**

fountain [ˈfaʊntɪn ‖ ˈfaʊntn] *fn* **1. a)** forrás, kút; **~ of wisdom** a bölcsesség/tudás forrása **b)** szökőkút **c)** ivókút **d)** *US* **(soda) ~** ‹hűsítőket felszolgáló pult› **2. a)** tartály *[lámpában]* **b)** *nyomd* festékadagoló • *mn* **fountained**

fountainhead *fn* forrás, eredet *[folyóé, tudásé]*; *biz* **go to the ~** az eredeti forrásokból merít

fountain pen *fn* töltőtoll

four [fɔː ‖ fɔr] **I.** *mn* négy; **~ deep** négyes sorokban; **~ flights up** a negyedik emeleten; **~ times as much** négyszer annyi; **to the ~ winds** a szélrózsa minden irányában, mindenfelé; **the ~ corners of the earth** a világ legtávolabbi részei, a világ minden tája **II.** *fn* **a)** négyes (szám); **on all ~s** négykézláb; **be on all ~s with sg** teljesen egyenértékű vmvel; megegyezik vmvel **b)** *sp* négypárevezős csónak, négyes

four-cylinder *mn* négyhengeres *[motor]*

four-eyes *fn esz szl [szemüveges ember]* négyszemű

four-figure *mn* négyjegyű *[szám]*

four-flush *fn* **1.** négylapból álló flös *[pókerben]* **2.** *US biz* füllentés, hazugság

fourflusher *fn US biz* blöffölő

fourfold I. *mn* négyszeres **II.** *hsz* négyszeresen; **increased ~** négyszeresére emelkedett

four-handed *mn* **1.** négykezű *[majom]* **2. a)** négyesben játszott *[játék]* **b)** *zene* négykezes

four hundred *mn/fn* négyszáz; *US* **the F~** ‹az Egyesült Államok társasági életének legelőkelőbb köre›

four-in-hand *fn* **1.** négylovas hintó/fogat **2.** (lapos széles) nyakkendő

four-leaf clover *fn* négylevelű lóhere

four-letter word *fn* illetlen/disznó szó

fourpence [ˈfɔːpəns ‖ ˈfɔr–] *fn GB* négy penny

four-poster *fn* mennyezetes/baldachinos ágy

fourscore *mn vál* nyolcvan

fourseater *fn gk* négyüléses gépkocsi

foursome [ˈfɔːsəm ‖ ˈfɔr–] *fn* **1.** *GB* páros/négyszemélyes játszma *[golfban]* **2.** négytagú csoport

four-speed *mn gk* négysebességű

four-square I. *mn* **a)** szilárd, biztos **b)** becsületes, tisztességes **II.** *hsz* becsületesen, tisztességesen

four-stroke *gk* **I.** *mn* négyütemű *[motor]* **II.** *fn* négyütemű motor

fourteen [ˌfɔːˈtiːn ‖ ˌfɔr–] *mn* tizennégy • *mn* **fourteenth**

fourth [fɔːθ ‖ fɔrθ] **I.** *mn* **1.** negyedik **2.** negyed **II.** *fn* **1. a)** negyedik *[személy]*; **he arrived ~** negyediknek érkezett; *sp* **he came in ~** negyedik lett **b)** negyedik *[sebesség]*; **put the car in ~** négyesbe teszi a kocsit **2.** negyedike, a negyedik nap; *US* **the F~ of July** ‹az amerikai függetlenségi nyilatkozat (1776) kiadásának napja, ünnep› július negyedike **3.** negyed (rész) • *hsz* **fourthly**

fourth dimension *fn* **1.** negyedik dimenzió **2.** idő *[mint a negyedik dimenzió]* • *mn* **fourth-dimensional**

four-wheel drive, **4WD** *fn gk* négykerékhajtás, összkerékhajtás

four-wheeler *fn* négykerekű kocsi

fowl [faʊl] *fn* **1. a)** *vál* madár, szárnyas **b)** a szárnyasok, a madarak **2.** baromfi, szárnyas *[mint étel is]*; **keep ~s** baromfit tart • *fn* **fowler**

fowl cholera *fn állatorv* baromfikolera

fowling [ˈfaʊlɪŋ] *fn* madarászás, szárnyasvadászat

fowl pest *fn állatorv* baromfitetű

fowl-run *fn* baromfikifutó, baromfiudvar

fox [fɒks ‖ fɑks] **I.** *fn* **1. a)** róka **b) ~ fur** rókabőr, rókaprém **c)** *biz* ravasz ember, csaló; *biz* **old ~** vén/öreg róka; vén gazember; **cunning/sly ~** *átv* ravasz róka **2.** ellenék, ellensasszeg **3.** *US szl [csinos lány]* jó csaj/bőr **II. A.** *tsi* **1. this page is badly ~ed** ez a lap erősen csúnyán megfoltosodott/megsárgult **2. a)** *szl [rászed, becsap]* kibabrál/kitol (vkvel) **b)** megzavar, összezavar **B.** *tni* **1.** *biz* ravaszkodik, fortélyoskodik **2. ~ about**, **go ~ing round** mindenfelé kutat, szaglász **3.** megfoltosodik, megsárgul *[papiros]* • *fn* **foxing** *mn* **foxed**, **foxlike**

fox-bat *fn áll* repülőkutya

foxburrow *fn* rókalyuk

fox chase *fn vad* rókavadászat

foxearth *fn* → **foxburrow**

fox-glove *fn növ* gyűszűvirág

foxhole *fn* **1.** rókalyuk **2.** *kat biz* lövészgödör, rókalyuk

foxhound *fn* kopó

fox-hunt I. *fn vad* **1.** rókavadászat, falkavadászat **2.** vadásztársaság **II.** *tni* falkavadászaton vesz részt • *fn* **fox-hunter** *fn/mn* **fox-hunting**

foxsleep *fn* tettetett alvás/figyelmetlenség

foxtail *fn* **1.** rókafarok **2. a)** *növ* ecsetpázsit **b)** *növ* villámpor

fox terrier *fn áll* foxterrier, foxi(kutya)

foxtrot I. *fn* foxtrott *[tánc]* **II.** *tni* **-tt-** foxtrottozik, foxtrottot táncol

foxy [ˈfɒksi ‖ ˈfɑk–] *mn* **1.** ravasz, fortélyos, agyafúrt; **play ~** ravaszkodik **2.** rőt, rozsdás, vörös(barna) **3.** foltos, korhadni kezdő **4.** *US szl [csinos]* baba, klassz *[nő]* • *fn* **foxiness** *hsz* **foxily**

foyer [ˈfɔɪeɪ ‖ ˈfɔɪər] *fn* **a)** foyer, előcsarnok **b)** hall *[lakosztályban]*

fps, **FPS** *röv* **1.** *feet per second* **2.** *fiz foot-pound-second system of units* láb-font-másodperc egységekre épülő mértékrendszer **3.** *frames per second*

Fr. *röv* **1.** *Father* **2.** *Friar* páter **3.** *franc(s)* **4.** *France* **5.** *frater* **6.** *French*

Fra [frɑː] *fn* barát, szerzetes

fracas [ˈfrækɑː ‖ ˈfreɪkəs] *fn tsz* **~** [ˈfrækɑːz] lármás civakodás, perpatvar, cstepaté

fraction [ˈfrækʃn] *fn* **1. a)** (el)törés **b)** *műsz* megszakadás **c)** *vall* kenyérszegés *[misében]* **2.** töredék, (tört)rész, hányad (vmé); *biz* **by the ~ of a second** (v. **an inch)** hajszál híján **3.** *mat* tört(szám); **partial ~s** a tört részei **4.** *vegy* frakció, részpárlat • *tsi* **fractionize** *mn* **fractionary**

fractional [ˈfrækʃnəl] *mn* **1.** töredékes, részleges, szakaszos **2.** *mat* törtszerű, tört alakú, tört- **3.** *vegy* **~ distillation** szakaszos lepárlás • *tsi* **fractionalize** *hsz* **fractionally**

fractionate [ˈfrækʃəneɪt] *tsi* **1.** *vegy* szakaszosan lepárol *[ásványolajat]* **2.** részekre szakad • *fn* **fractionation**

fractious [ˈfrækʃəs] *mn* **1.** ingerlékeny, morcos, durcás; **~ baby** sírós csecsemő **2.** ijedős *[ló]*, csökönyös *[szamár]* • *fn* **fractiousness** *hsz* **fractiously**

fracture ['fræktʃə ‖ –ər] **I.** *fn* **1.** *orv* (csont)törés; **set/adjust a ~** törést helyre tesz **2. a)** *geol* törés, vetődés, hasadás **b)** *fémip* repedezés *[fémé]* **II. A.** *tsi* eltör, roncsol *[pl. csontot]* **B.** *tni* (el)törik, betörik, összetörik • *mn* **fractured**

fragile ['frædʒaɪl ‖ –dʒl] *mn* **1.** törékeny **2.** gyenge (egészségű), beteges • *fn* **fragility** *hsz* **fragilely**

fragment I. *fn* ['frægment] (tört) rész, szilánk, töredék, részlet; **smash to ~s** apró darabokra tör **II.** [fræg'ment] **A.** *tsi* darabokra tör **B.** *tni* darabokra hullik • *tsi* **fragmentize** *mn* **fragmental**

fragmentary ['frægməntəri] *mn* **1.** töredékes, foszlányos **2.** *geol* törmelékes

fragmentation [ˌfrægmən'teɪʃn, –men–] *fn* **1.** szilánkosodás **2. a)** *orv* tör(edez)és **b)** *infor* tördelés, feltöredezés

fragmentation bomb *fn kat* repeszbomba

fragmentation shell *fn kat* repeszgránát

fragrance ['freɪgrəns] *fn* (kellemes) illat, parfüm, illatozás • *mn* **fragranced**

fragrancy ['freɪgrənsi] → **fragrance**

fragrant ['freɪgrənt] *mn* illatos, illatozó, jó illatú • *hsz* **fragrantly**

frail [freɪl] **I.** *mn* **1.** törékeny, gyenge (egészségű) **2.** gyarló, esendő **II.** múló, átmeneti • *fn* **frailness** *hsz* **frailly**

frailty ['freɪlti] *fn* **1.** törékenység, gyengeség **2.** gyarlóság, esendőség **3. a)** a gyenge oldala, hibája (vknek/vmnek) **b)** vétek

frame [freɪm] **I.** *fn* **1.** (kép)keret, (hímző)ráma **2.** *infor* keret, mező **3.** *film média* kép, filmkocka **4. ~ of reference** vonatkoztatási rendszer **5. ~ of mind** kedélyállapot, hangulat **II.** *tsi* **1.** bekeretez **2.** összeállít; (meg)szerkeszt, (meg)alkot **3.** *biz* megvádol *[hamisan]*, (vádat)kohol (*against* vk ellen) • *mn* **framable**, **frameless**

frame up *tsi US* → **frame** II.3.→ **frame-up**

frame house *fn US* favázas épület

framer ['freɪmə ‖ –ər] *fn* **1.** alkotó, fogalmazó *[szerződésé]*; **~s of the Constitution** ‹az 1787-ben íródott amerikai alkotmány szerzői› **2.** képkeretező **3.** *US* asztalos

frame-saw *fn* ágfűrész, keretfűrész

frame-up *fn* **1.** *US* hamis/koholt vád **2.** → **frame up**

framework *fn* **1.** szerkezet, váz, *épít* gerendázat **2.** *átv* alap, keret(ek); **within the ~ of sg** vm keretein belül; **the ~ of society** a társadalom felépítése/rendje

franc [fræŋk] *fn* frank *[pénznem]*

France [frɑːns ‖ fræns] *tul földr* Franciaország

Frances ['frɑːnsɪs ‖ 'fræn–] *tul* ‹női név›

franchise ['fræntʃaɪz] **I.** *fn* **1. a)** választójog **b)** polgárjog **c)** *jog tört* kiváltság, előjog **2.** *US* kihasználási engedély, koncesszió **3.** *pénz* **a)** kárminimum *[amelynél kisebb kárért a biztosító nem vállal felelősséget]* **b)** önrészesedés **4. a)** választókerület **b)** menedék(hely) **II.** *tsi* felszabadít, feljogosít, privilegizál • *fn* **franchisee**, **franchiser**

Francis ['frɑːnsɪs ‖ 'fræ–] *tul* Ferenc

Franciscan [fræn'sɪskən] *mn/fn* ferencrendi, ferences (szerzetes)

francium ['frænsɪəm] *fn vegy* francium

Franco- ['fræŋkou] *összet* francia-; **the ~–German War** az 1780–71-es francia–német háború

Francophile ['fræŋkəfaɪl] *mn/fn* franciabarát

Francophobe ['fræŋkoufoub] *mn/fn* franciaellenes, franciagyűlölő

francophone ['fræŋkoufoun] **I.** *mn* francia nyelven beszélő **II.** *fn* franciául beszélő személy

frangible ['frændʒəbl] *mn* törékeny, könnyen törhető • *fn* **frangibility**

frangipane ['frændʒɪpeɪn] *fn* **1.** *növ* plumeria **2. a)** illatos mandulakrém **b)** *gaszt* mandulakrémmel töltött lepény

frangipani [ˌfrændʒɪ'pɑːni] *fn tsz* **~s 1.** *növ* ‹amerikai trópusi tejelőcserje› **2.** ‹ennek virágából készült v. ennek illatát imitáló kölni›

franglais ['frɒŋgleɪ ‖ –'gleɪ] *mn/fn nyelv* ‹francia-angol keveréknyelv(ű)› frangol

frank [fræŋk] **I.** *mn* nyílt, őszinte, becsületes; **to be quite ~** őszintén szólva **II.** *tsi* **1. a)** bérmentesít *[levelet]* **b)** *régi* portómentességet ellenjegyez **2. a)** ingyen utazást biztosít **b)** *biz* megkönnyít *[bejutást társaságba]* **c)** mentesít • *fn* **franker**, **frankness** *mn* **frankable**

Frank[1] [fræŋk] *fn tört* **~s** frankok • *mn* **Frankish**

Frank[2] [fræŋk] *tul* ‹férfinév›

Frankenstein ['fræŋkənstaɪn] *fn* **~('s monster)** ‹ember által alkotott szörnyeteg›

Frankfurt ['fræŋkfət ‖ –ər–] *tul földr* Frankfurt

frankfurter ['fræŋkfɜːtə ‖ –fɜrtər] *fn gaszt* ‹egy fajta kolbász›

F

frankincense ['fræŋkɪnsens] *fn* (fenyő)tömjén

franklin ['fræŋklɪn] *fn tört* ‹szabad birtok birtokosa, akinek úri (nem jobbágy) szolgáltatást kellett teljesítenie, katonáállítást stb.›

frankly ['fræŋkli] *hsz* őszintén, nyíltan, becsületesen; **~ speaking** őszintén szólva

frantic ['fræntɪk] *mn* **1. a)** dühöngő, őrjöngő; **~ efforts** kétségbeesett erőfeszítés/igyekezet/kísérlet **b)** viharos, frenetikus *[siker]*; **~ applause** viharos taps, dübörgő tapsvihar **2.** *biz* szörnyű, őrületes; **~ toothache** szörnyű fogfájás • *fn* **franticness** *hsz* **frantically**, **franticly**

frappé ['fræpeɪ ‖ fræ'peɪ] *fn* ‹apróra tört jégre töltött erős alkoholos ital›

frat [fræt] **I.** *fn US biz* diákszövetség, diákegyesület **II.** *tni* **-tt-** → **fraternize**

frater ['freɪtə ‖ 'freɪtər] *fn* barát, szerzetes

fraternal [frə'tɜːnl ‖ –'tɜr–] *mn* **1. a)** testvéri, felebaráti **b)** *US* **~ order/association/society** önsegélyező egyesület **2. ~ twins** kétpetéjű ikrek • *fn* **fraternalism** *hsz* **fraternally**

fraternity [frə'tɜːnəti ‖ –'tɜrnəti] *fn* **1.** testvéri(es)ség **2. a)** egyesülés, társaság, szövetség **b)** *US* (nemzeti) diákszövetség, *[egyetemen/fakultáson belüli]* diákklub; → **frat**

fraternize ['frætənaɪz ‖ 'frætər–] *tni* **1.** barátkozik, fraternizál, összebratyizik (*with* vkvel) **2.** megbékél *[a megszállókkal]* • *fn* **fraternization**

frat rat *fn US szl* ‹kollégiumi baráti szövetség tagja›

fratricide ['frætrɪsaɪd] *fn* **1.** testvérgyilkos **2.** testvérgyilkosság • *mn* **fratricidal**

fraud [frɔːd] *fn* **1.** csalás, megtévesztés, kijátszás, szédelgés; **allegation of ~** csalás vélelmezése; **by ~** csalással; **pious ~** kegyes csalás **2.** *biz* szélhámos, szédelgő, csaló, svindler **3.** becsapás, svindli

fraudulent ['frɔːdjulənt ‖ –dʒə–] *mn* **1.** csaló, fondorlatos; **~ misrepresentation** csalárd félrevezetés **2.** tisztességtelen, csalással szerzett • *fn* **fraudulence**, **fraudulency** *hsz* **fraudulently**

fraught [frɔːt] *mn vál* **a)** telve, teli; **~ with danger** vészterhes **b)** termékeny, gazdag

fray[1] [freɪ] *fn* **a)** összetűzés, csetepaté, kavarodás **b)** hangos veszekedés

fray[2] [freɪ] **I. A.** *tsi* **1.** horzsol, dörzsöl **2.** kirojtosít, elkoptat, elnyű **3. ~ sy's nerves** idegesít vkt, idegeire megy vknek **B.** *tni* elkopik, kirojtosodik **II.** *fn* (ki)kopás, kirojtosodás

frazzle ['fræzl] **I.** *fn biz* kirojtosodás, kirongyosodás; **to a ~** totál, teljesen **II. A.** *tsi* **1.** agyonkoptat, szétszaggat **2.** szénné éget **B.** *tni* agyonkopik, kirojtosodik, szétmegy; **~d out** holtra fáradt • *mn* **frazzled**

freak [friːk] **I.** *fn* **1.** szeszély(es ötlet); **~ of fashion** divatszeszély **2.** csíny, tréfa **3. a) ~ (of nature)** a természet játéka; *biz* torzszülött; szörny(eteg) **b) he's a ~** furcsa szerzet, csodabogár **4.** *szl [vmi rajongója]* -őrült, -buzi **5.** *biz [kábítószer rabja]* narkós **II. A.** *tsi* **1.** *biz* feldühít, kiborít **2. ~ sy out** megrémiszt, frászt hoz rá **B.** *tni* **1.** *US szl*

~ **out** *[önkívületi állapotba kerül kábítószertől]* kibukik, kiakad **2.** *biz* begorombul **3.** *szl [megőrül]* beflúgozik, bezsong
freakish [ˈfriːkɪʃ] *mn* **1.** furcsa, bizarr, groteszk **2.** *biz* korcs, torz, borzalmas • *fn* **freakishness** *hsz* **freakishly**
freak-out *fn* őrjöngés, tombolás
freak show *fn* **1.** ‹torz emberek v. állatok cirkuszi bemutatása› **2.** *átv biz* őrültek háza, diliház
freaky [ˈfriːki] → **freakish**
freckle [ˈfrekl] **I.** *fn* **1.** szeplő **2.** petty, folt **II. A.** *tsi* szeplőssé tesz **B.** *tni* tele lesz szeplőkkel • *mn* **freckled, freckly**
freckle-faced *mn* szeplős arcú/ábrázatú
Fred [fred] *tul* ‹férfinév›
F
Freda [ˈfriːdə] *tul* ‹női név›
Frederick [ˈfredrɪk] *tul* ‹férfinév› Frigyes
free [friː] **I.** *mn* **1.** szabad, kötetlen, fesztelen; ~ **choice** szabad választás; ~ **church** szabadegyház, nem anglikán egyház; ~ **company** zsoldoscsapat; ~ **competition** szabad verseny; ~ **fall** *fiz* szabadesés; zuhanás *[áraké]*; ~ **flame** nyílt/szabad láng; *sp* ~ **kick** szabadrúgás *[labdarúgás]*; ~ **love** szabad szerelem; ~ **speech** szólásszabadság; *sp* ~ **throw** szabaddobás; *gazd* ~ **trade** szabadkereskedelem; *ir.tud* ~ **verse** szabad vers; ~ **will** szabad akarat; ~ **and easy** fesztelen, könnyed, keresetlen *[modor]*; ~ **to do sg** joga van vmt tenni; **feel ~ to do so** nyugodtan tedd meg; **be ~ of sy's house** szabad bejárása van vkhez; **get ~** kiszabadítja magát; kiszabadul; elszabadul; **give/allow sy a ~ hand/rein** szabad kezet ad vknek vmben; **have ~ play, have a ~ hand** szabad keze van; **make ~ with sg** korlátlanul használ vmt; tetszése szerint bánik vmvel; **make ~ with sy** sok mindent megenged magának vkvel szemben; bizalmaskodik vkvel; **make ~ use of** habozás nélkül felhasznál; **make/set ~** szabadlábra helyez, kiszabadít; felold vkt házassági ígérete alól; **setting ~** kiszabadítás, felszabadítás **2.** ingyenes, szabad; ~ **(of charge)** ingyen; **admission ~** ingyenes belépés; **post ~** portómentes; ~ **copy** tiszteletpéldány *[könyvből]*; ~ **sample** ingyen minta **3.** nem (el)foglalt, szabad; ~ **time** szabad idő **4. a)** bőkezű; **be ~ with one's money** szórja (v. könnyen költi) a pénzt **b)** bőséges, buján termő **5.** mentes; ~ **from care** gondtalan; ~ **of duty, duty/custom ~** vámmentes; ~ **of illusions** illúzió nélküli, kiábrándult; **break ~ from sg** megszabadul/felszabadul vmtől; ~ **from pain** fájdalommentes, fájdalom nélküli **6.** távol, túl; **the ship was ~ of the harbour** a hajó már nyílt vízen van **II.** *hsz* **1.** ingyen(esen); **give sg away ~** ingyen ad/osztogat **2.** *műsz* lazán, szabadon; *műsz* **work ~** szabadon mozog; meglazul **3. sail ~** hátfélszéllel vitorlázik **III.** *tsi pt/pp* **freed 1.** szabaddá tesz, felszabadít, kiszabadít, megszabadít **2.** *műsz* kitisztít *[csövet, szitát]* **3.** ~ **a property (from mortgage)** (jelzálog alól) felold egy birtokot • *fn* **freeness, freer**
free and easy *fn* baráti összejövetel
free-associate *tni* szabadon asszociál
freebase [ˈfriːbeɪs] *szl* **I.** *fn* szabad bázisú *[tisztított]* kokain *stand* **II.** *tni* szabad bázisú kokaint fogyaszt *stand*
freebie [ˈfriːbiː] *mn szl [ingyen]* potya, lejm, roda
freeboard [ˈfriːbɔːd ‖ –bɔrd] *fn hajó* hajóoldal-magasság
freebooter [ˈfriːbuːtə ‖ –buːtər] *fn* **1.** *tört* kalóz **2.** *biz* fosztogató • *tni* **freeboot**
freeborn *mn* szabadnak született
freedman [ˈfriːdmən] *fn tsz* **-men** *US tört* felszabadított rabszolga, libertinus
freedom [ˈfriːdəm] *fn* **1.** szabadság, függetlenség; ~ **of the press** sajtószabadság; ~ **of speech** szólásszabadság; **four ~s** (az Atlanti-alapokmányban meghatározott) négy alapvető szabadságjog *[szólás- és vallászabadság, valamint mentesség a félelemtől és a nélkülözéstől]* **2. a)** könnyedség, közvetlenség **b)** őszinteség, szókimondás **c)** arcátlanság, szemtelenség **3. a)** mentesség, mentesítés; ~ **from fear** félelem nélküli élet **b)** (elő)jog; ~ **of association** társulási jog **4.** *fiz* **degree of ~** szabadsági fok, szabadságfok
freedom fighter *fn* szabadságharcos
freefone [ˈfriːfoʊn] → **freephone**
free-for-all [ˌfriːfəˈrɔːl] *fn* általános verekedés
freehand *mn* szabadkézi *[rajz]*
free-handed *mn* bőkezű, adakozó, nagyvonalú
freehold [ˈfriːhoʊld] **I.** *mn* **1.** *tört* szabad, allodiális **2.** örök szabad tulajdonban levő; ~ **flat** öröklakás **II.** *fn* **1.** *tört* szabad birtok/tulajdon **2.** örök tulajdonban levő földbirtok • *fn* **freeholder**
freelance [ˈfriːlɑːns ‖ –læns] **I.** *fn* **a)** független/szabadúszó újságíró/politikus, szabadúszó színész **b)** *ált* szabadúszó **II.** *tni* szabadúszó újságíróként/színészként működik • *fn* **freelancer**
free-living *mn* mértéktelen, gátlás nélküli • *fn* **free-liver**
freeloader *fn* **1.** *US szl* lejmos, tarhás **2.** ingyenélő • *tni* **freeload**
freely [ˈfriːli] *hsz* **1.** szabadon, önként, spontán **2.** tartózkodás nélkül **3.** bőségesen; **perspire ~** folyik róla az izzadság
freeman [ˈfriːmən] *fn tsz* **-men a)** szabad ember **b)** választópolgár **c)** állampolgár, szabad polgár
Freemason *fn* szabadkőműves
Freemasonry *fn* szabadkőművesség
Freephone *fn GB távk* díjelőleges telefonszolgáltatás
free port *fn gazd* szabadkikötő, vámmentes kikötő
Freepost *fn GB* díjelőleges postaszolgáltatás
free-range *mn* parlagi, nem nagyüzemi *[tenyésztésű baromfi]*
free school *fn* **1.** ingyenes iskola **2.** szabadelvű/liberális iskola
freesia [ˈfriːzɪə ‖ –ʒə] *fn növ* fokföldi gyöngyvirág, csipkevirág
free skating *fn sp* szabadkorcsolyázás, szabadon választott gyakorlatok
free-spoken *mn* szókimondó, nyílt, őszinte *[beszédű]*
freest [ˈfriːəst] *mn* → **free** I.
free-standing *mn* szabadon álló
freestone *fn* **1.** terméskő, épületkő **2.** magvaváló gyümölcs
Freestone State *tul földr US biz* Connecticut
freestyle *mn/fn sp* ~ **swimming** gyorsúszás; **100 metres ~** 100 m-es gyorsúszás; ~ **wrestling** szabadfogású birkózás • *fn* **freestyler**
freethinker *fn* szabadgondolkodó • *fn/mn* **freethinking**
free-throw line *fn sp* büntetődobó vonal *[kosárlabdában]*
free-trade agreement *fn* szabadkereskedelmi megállapodás
freeware *fn infor* ingyenprogram *[saját célra]*
freeway *fn US gk* autópálya, gyorsforgalmi autóút
free-wheel *tni* **1.** szabadon fut *[kerékpár]*, szabadonfutóval megy le(felé) **2.** szabadon/kötetlenül közlekedik/cselekszik • *mn* **free-wheeling**
free-will szabad akarat
free world *fn US tört* szabad világ *[nem kommunista]*
freeze [friːz] **I. A.** *tsi* **1.** (meg)fagyaszt, befagyaszt **2. a)** befagyaszt *[követelést]* **b)** rögzít *[béreket]* **3.** *sp* **keep freezing the ball** húzza az időt **4.** *film* kimerevít *[képet]* **B.** *tni* **1.** (meg)fagy, befagy, lefagy; **it ~s** fagy (van); ~ **solid** fenékig befagy, teljesen megfagy; ~ **to death** halálra fagy; *biz* **I'm freezing** majd megfagyok **2.** halálra dermed *[rémülettől]* **II.** *fn* **1.** fagy(ás) **2. a)** követelések befagyasztása **b)** bérrögzítés **3.** *film* kimerevítés • *mn* **freezable**
freeze on *tni US biz* ~ **on to sy** vk nyakán lóg, akaszkodik/hozzátapad vkhez; ~ **on to sg** makacsul ragaszkodik vmhez
freeze out *tsi US biz* **a)** kiközösít, bojkottál **b)** kiutál, kinéz, nem hagy érvényesülni
freeze over *tni* **the river ~s over** a folyó befagy; *biz* **when hell ~s over** majd ha fagy
freeze up A. *tsi* **1.** befagyaszt **2.** hűvös/hideg magatartással elhallgattat/elnémít **B.** *tni* **1.** befagy *[folyó]* **2.** merevvé válik *[viselkedésében]*
freeze-dry *tsi vegy* liofilizál

freezer [ˈfriːzə ‖ –ər] *fn* **a)** fagyasztógép, mélyhűtő **b)** *US* hűtőszekrény
freeze-up *fn* befagyás
freezing [ˈfriːzɪŋ] *mn* jeges, jéghideg; **~ cold** dermesztő hideg, fagypont alatti hőmérséklet; **~ rain** ónos eső
freezing-mixture *fn* hűtőkeverék
freezing point *fn* fagypont
freight [freɪt] **I.** *fn* **a)** teher(áru), fuvar, rakomány, szállítmány **b)** teheráru-szállítás **c)** (teheráru-)fuvardíj; *szl* **hop the ~** tehervonaton utazik mint potyautas **II.** *tsi* **1. a)** kibérel, bérbe vesz **b) ~ (out)** bérbe ad *[hajót]* **2.** megrak *[hajót]* **3.** fuvaroz
freightage [ˈfreɪtɪdʒ] *fn* **1.** hajóbérlet **2.** (hajó)fuvardíj **3.** áruszállítás
freight car *fn US* tehervagon
freighter [ˈfreɪtə ‖ ˈfreɪtər] *fn* **1. a)** teherhajó **b)** *US* tehervagon **c)** teherszállító repülőgép **2.** fuvarozási vállalkozó, szállítmányozó **3.** *US* áruszállítmány feladója
Freightliner *fn GB* teherszállítóvonat
freight train *fn US* tehervonat
French [frentʃ] **I.** *mn* francia, franciás; **~ bean** zöldbab, vajbab; **~ bread** zsúrkenyér; **~ dressing** *gaszt* salátaöntet (ecetből-olajból); *US* **~ fried potatoes**, **~ fries** (zsírban sült) hasábburgonya; szalmaburgonya; **~ kiss** nyelves csók; *szl* **~ letter** *[óvszer]* koton; **~ toast** bundás kenyér; **take ~ leave** *régi* angolosan távozik **II.** *fn* **1.** francia (ember) **2. a)** francia (nyelv) **b)** francia (nyelv)tudás • *fn* **Frenchness**
French Canadian *mn/fn* kanadai francia
Frenchify [ˈfrentʃɪfaɪ] **A.** *tsi* (el)franciásít **B.** *tni* elfranciásodik
Frenchman [ˈfrentʃmən] *fn tsz* **-men** francia (férfi)
French polish **I.** *fn* bútorfényező folyadék **II.** *tsi* belakkoz *[bútort]*
Frenchwoman *fn tsz* **-women** francia (nő)
Frenchy [ˈfrentʃi] **I.** *mn biz* francia **II.** *fn biz tréf* francia (férfi/nő)
frenetic [frɪˈnetɪk] → **frantic**
frenzied [ˈfrenzid] *mn* dühöngő, eszeveszett, tomboló • *hsz* **frenziedly**
frenzy [ˈfrenzi] *fn* **1.** őrjöngés, dühöngés, eszeveszettség; **~ of joy** kitörő öröm **2.** *orv* őrjöngés, delírium
freon [ˈfriːɒn ‖ –ɑn] *fn vegy* freon
frequency [ˈfriːkwənsi] *fn* **1.** gyakoriság, szaporaság **2.** *mat* **~ of errors** hibamegoszlás **3.** *fiz* rezgésszám, frekvencia; **high ~** nagyfrekvencia; **low ~** kisfrekvencia
frequency band *fn fiz* hullámsáv, frekvenciasáv
frequency distribution *fn mat* gyakoriságeloszlás
frequency modulation *fn fiz* frekvenciamoduláció
frequency range *fn távk* frekvenciatartomány
frequent **I.** *mn* [ˈfriːkwənt] **1.** gyakori, elterjedt, gyakran előforduló **2.** gyakori, (sűrűn) ismétlődő, sűrű **3.** rendszeres, állandó **II.** *tsi* [frɪˈkwent] gyakran ellátogat, jár (vhova) • *fn* **frequentation**, **frequenter** *hsz* **frequently**
fresco [ˈfreskoʊ] *fn műv* **1.** falfestmény, freskó **2.** freskófestés
fresh [freʃ] **I.** *mn* **1. a)** friss, új, frissen készült; **~ idea** új/eredeti ötlet **b)** újabb, további; **~ supply** új szállítmány; utánpótlás **2.** friss, tiszta, hűs(ítő); *körny* **~ water** édesvíz; **in the ~ air** a szabad levegőn **3.** friss, üde, hamvas, élénk; **~ complexion** üde/egészséges arcszín; **still ~ in my memory** frissen/élénken él emlékezetemben **4.** tapasztalatlan, kezdő, újonc; **be a ~ hand at sg** még kezdő vmben **5.** *US biz* szemtelen **II.** *hsz* frissen, újonnan; **~ from college** most került ki az egyetemről **III.** *fn* **1.** hűvösség, frissesség *[hajnalé]* **2. a)** áradás **b)** vízár • *fn* **freshness** *hsz* **freshly**
freshen [ˈfreʃn] **A.** *tsi* **a)** felfrissít **b)** (fel)üdít **B.** *tni* felfrissül, lehűl, hűvösödik
  freshen up *tni* megmosakszik
fresher [ˈfreʃə ‖ –ər] *fn biz* elsőéves, gólya
freshet [ˈfreʃɪt] *fn* **1.** tengerbe ömlő csermely **2.** árvíz, *átv* áradat; **by ~s of applause** tapsviharral
freshman [ˈfreʃmən] *fn tsz* **-men** **1.** *US* elsőéves, gólya **2.** *US* újonc, fiatal kezdő orvos *[kórházban]*
freshwater *mn* édesvízi
fret[1] [fret] **I.** *fn épít* **(Greek) ~** meanderszalagos díszítés **II.** *tsi* **-tt-** tarkít, mintáz, díszít
fret[2] [fret] *fn* **1.** *zene* hangmérce *[pengető hangszeren]* **2.** *zene* **~s** érintők *[húros hangszereken]* • *mn* **fretted**, **fretless**
fret[3] [fret] **I.** *fn* **1.** izgatottság, nyugtalanság **2. a)** ingerültség, rossz kedv; **be in a ~**, **be on the ~** mérgelődik, bosszankodik **b)** bosszúság, kellemetlenség **3.** zaklatás, bosszantás **II.** **-tt-** **A.** *tsi* **1. a)** szétmar *[rozsda]* **b)** megrág *[moly]*, harapdál **c)** dörzsöl, horzsol **2.** nyugtalanít, izgat, bosszant; **it ~s me to know** bosszant/nyugtalanít/mardos a tudat (hogy) **B.** *tni* **1. ~ (oneself)** nyugtalankodik, izgul; bosszankodik **2.** háborog, nyugtalankodik *[víz]*
fretful [ˈfretfl] *mn* **a)** bosszús, mérges **b)** izgatott, nyugtalan, ingerlékeny • *fn* **fretfulness** *hsz* **fretfully**
fretsaw [ˈfretsɔː] *fn* lombfűrész
fretter [ˈfretə ‖ –ər] *fn* rágcsáló féreg
fretwork [ˈfretwɜːk ‖ –wɜrk] *fn* faragott/berakott díszítés *[mennyezeten]*
Freudian [ˈfrɔɪdɪən] *mn* freudi, freudista • *fn* **Freudianism**
Fri. *röv Friday* péntek
friable [ˈfraɪəbl] *mn* omlós, morzsálódó, töredező • *fn* **friableness**
friar [ˈfraɪə ‖ –ər] *fn* szerzetes, barát; **gray ~s** Ferencrendiek, ferencesek • *mn* **friarly**
friar's balsam *fn* légzéskönnyítő balzsam
friary [ˈfraɪəri] *fn* rendház, kolostor, zárda
fricassee [ˌfrɪkəˈsiː] **I.** *fn gaszt* frikasszé **II.** *tsi* frikasszét főz
fricative [ˈfrɪkətɪv] *mn/fn nyelv* réshang, frikatíva
friction [ˈfrɪkʃn] *fn* **1.** *átv* súrlódás; **political ~** politikai feszültség **2.** (be)dörzsölés, frikcionálás • *tsi* **frictionize**, **–ise** *mn* **frictionless**
frictional [ˈfrɪkʃnəl] *mn* **1.** súrlódó, súrlódásos, dörzs-, frikciós; **~ coefficient** súrlódási együttható **2.** egyenetlen
friction tape *fn US* szigetelőszalag
Friday [ˈfraɪdi, –deɪ] *fn* péntek; *vall* **Good ~** nagypéntek
fridge [frɪdʒ] *fn biz* hűtőszekrény, frizsider
fridge-freezer *fn GB* kombinált hűtőszekrény *[fagyasztó és hűtő]*
friend [frend] *fn* **1. a)** barát(nő); **be/keep ~s with sy** barátja vknek, jóban van vkvel; **make ~s with sy** összebarátkozik vkvel; *közm* **a ~ in need is a ~ indeed** az igazi barát szükségben is barát **b)** barát(nő), szerető(je vknek) **c)** a „barátunk" *[a már említett személy]* **2.** barátja vmnek, pártfogó, támogató, jóakaró; **~ of the arts** a művészetek barátja/kedvelője; **a ~ at/in court** befolyásos barát, jó összeköttetés **3.** párbajsegéd **4.** kartárs, kolléga; **my honourable ~** (igen) tisztelt képviselőtársam; *jog* **my learned ~** (igen) tisztelt kollégám/kartársam *[bíróságon ügyvédek által használt megszólítás]* **5.** *vall* **F~** kvéker; **Society of F~s** kvékerek • *mn* **friended**, **friendless**
friendly [ˈfrendli] *mn* **1.** barátságos, szívélyes, baráti; **~ nation** baráti nemzet; *sp* **~ match** barátságos mérkőzés; **be on ~ terms with sy** baráti/barátságos viszonyban van vkvel **2. a)** jóindulatú, jóakaratú; **F~ Society**, **~ society** segélyegylet, védegylet **b)** kedvező, előnyös; **~ winds** kedvező szelek **c)** *összet* -barát • *fn* **friendliness** *hsz* **friendlily**
friendship [ˈfrendʃɪp] *fn* barátság
frier [ˈfraɪə ‖ –ər] *fn* **1.** mély serpenyő **2.** *US* sütnivaló csirke
Friesian [ˈfriːzɪən] → **Frisian**
Friesland *tul földr* Frízföld, Frízland
frieze[1] [ˈfriːz] *fn tex* bolyhos/csomós gyapjúszövet/posztó
frieze[2] [ˈfriːz] *fn* **1.** *épít* gerendamező, párkánymező, fríz **2.** szegélydísz *[tapétán]*, szegélyléc
frig [frɪdʒ] *biz* → **fridge**

frigate [ˈfrɪgət] *fn régi hajó* fregatt, nagy korvett
frigate bird *fn áll* hajósmadár, fregattmadár
fright [fraɪt] **I.** *fn* **1.** ijedtség, ijedelem, rémület; **take a ~** elfogja a félelem, megijed, megrémül; **give sy a ~** megijeszt/megrémít vkt **2.** *biz* szörnyű/rút/borzalmas alak, madárijesztő *[nőről]*; **you look a ~** rettenetesen/borzalmasan nézel ki **II.** *tsi vál* → **frighten**
frighten [ˈfraɪtn] **A.** *tsi* megijeszt, megrémít; **~ sy to death** halálra rémít vkt **B.** *tni* **1.** rémítget **2.** megijed, megrémül • *mn* **frightening**
frighten off *tsi* elriaszt, elijeszt
frighten out *tsi* **~ sy out of his senses/wits** halálra ijeszt/rémít vkt
frightful [ˈfraɪtfl] *mn* **1.** ijesztő, félelmetes, rettenetes **2.** *biz* nagyon/borzasztóan rossz **3.** *biz* őrült nagy, extrém • *hsz* **frightfully**
frightfulness [ˈfraɪtflnəs] *fn* **1.** szörnyűség **2.** *tört* **policy of ~** erőszak/megfélemlítés/terror politikája
frigid [ˈfrɪdʒɪd] *mn* **1.** hideg, fagyos, jeges; **the ~ zones** sarki öv **2. a)** *biz* hideg, rideg, szenvedélymentes *[pl. ember, jellem]* **b)** *biz* hideg, rideg, fagyos, kimért *[modor, viselkedés, fogadtatás]* **3.** *orv* frigid, nemileg közömbös • *fn* **frigidity**, **frigidness** *hsz* **frigidly**
frijoles [frɪˈhouli:z] *fn tsz növ* vesebab
frill [frɪl] **I.** *fn* **1.** fodor, redő; **shirt ~** mellfodor, zsabó **2.** tollgallér, szőrgallér **3. a)** modorosság, affektálás; **put on ~s** pózol, affektál **b)** modorosság, sallang, szóvirág *[stílusban]*; **put ~s on sg** kiszínez/nagyít vmt **II.** *tsi* fodroz, pliszszíroz, redőz • *fn* **frillery** *mn* **frilled**
frill(ed)lizard *fn áll* leguán
frilling [ˈfrɪlɪŋ] *fn* fodros szegély
frilly [ˈfrɪli] *mn* fodros, bodros • *fn* **frilliness**
fringe [frɪndʒ] *fn* **1.** rojt, bojt **2. a)** szegély, szél, *földr* perem; **~ of the forest** erdőszél; **the outer ~(s) of London** London külvárosai/peremvidéke **b)** *átv* **he lives on the ~ of society** a társadalom peremén él **3. diffraction ~s** diffrakcióssáv **4. a)** *áll* tapogató, bajusz **b)** *növ* kacs **5. the F~** alternatív fesztivál **6.** másodlagos, lényegtelen dolog • *mn* **fringeless**, **fringy**
fringe benefit *fn US* járulékos szolgáltatás/juttatás, mellékjuttatás
fringing [ˈfrɪndʒɪŋ] *fn* rojtozás, szegélyezés
frippery [ˈfrɪpəri] **I.** *mn* vacak, haszontalan, ócska **II.** *fn* **1. a)** mütyürke **b)** sallang *[stílusban, beszédben]* **2.** limlom, ócskaság, kacat **3.** használt/ócska ruhák
frisbee [ˈfrɪzbi] *fn sp* frizbi
Frisco [ˈfrɪskou] *tul US földr biz* San Francisco
Frisian [ˈfrɪzɪən ‖ ˈfri:ʒn] **I.** *mn* fríz **II.** *fn* **1.** fríz (férfi/nő) **2.** fríz (nyelv)
frisk [frɪsk] **I.** *fn* **1.** ugrándozás, szökellés **2.** motozás **II. A.** *tsi* megmotoz, átkutat **B.** *tni* **~ (about)** ugrándozik, szökdécsel, ugrabugrál • *fn* **frisker**
frisky [ˈfrɪski] *mn* **1.** ficánkolós, ugri-bugri **2.** élénk, eleven, bohó
frith → **firth**
fritter[1] [ˈfrɪtə ‖ ˈfrɪtər] *fn* **1.** darabka, foszlány **2. apple ~** bundásalma
fritter[2] [ˈfrɪtə ‖ ˈfrɪtər] *tsi* apróra darabol/vág/tör
fritter away *tsi* szétforgácsol, elapróz, elherdál, elfecsérel, elpazarol *[időt, tehetséget stb.]*, (szét)szór *[pénzt]*
frivolous [ˈfrɪvələs] *mn* **1.** léha, könnyelmű, komolytalan, frivol **2.** jelentéktelen, semmitmondó • *fn* **frivolity**, **frivolousness** *hsz* **frivolously**
frizz [frɪz] **I.** *fn* **1.** göndörség, bodrosság *[hajé]* **2.** göndörített/bodorított haj **II. A.** *tsi* **1.** göndörít, bodorít *[hajat]* **2.** simít, vékonyít, csiszol *[bőrt habkővel]* **B.** *tni* göndörödik, bodorodik, kunkorodik *[haj]*
frizzle[1] [ˈfrɪzl] **I.** *fn* göndörített/bodorított haj **II. A.** *tsi* göndörít, bodorít *[hajat]* **B.** *tni* kunkorodik *[haj]*
frizzle up *tni* felkunkorodik *[szalonna]*
frizzle[2] [ˈfrɪzl] **A.** *tsi* ropogósra süt/pirít **B.** *tni* (ropogósra) sül, serceg *[étel]*
frizzy [ˈfrɪzi] *mn* göndör, bodros *[haj]* • *fn* **frizziness**
fro [frou] *hsz* **to and ~** ide-oda, le s fel, fel és alá
frock [frɒk ‖ frɑk] **I.** *fn* **1.** *GB* női ruha, gyermekruha **2.** barátcsuha **3.** (paraszti) ködmön **4.** matróztrikó **5.** *kat* zubbony **6.** császárkabát, szalonkabát **II.** *tsi* csuhába öltöztet, *átv* pappá/szerzetessé avat
frock coat *fn tört* császárkabát, szalonkabát
frog[1] [frɒg ‖ frɑg, frɔg] *fn* **1.** *áll* béka **2.** *orv* afta, szájfekély; *biz* **have a ~ in one's throat** úgy beszél, mintha gombóc volna a torkában **3.** *szl pej [francia ember]* békaevő
frog[2] [frɒg ‖ frɑg, frɔg] *fn* nyír, béka *[patán]*
frog[3] [frɒg ‖ frɑg, frɔg] **I.** *fn* **1.** *kat* markolatszíj, szuronypapucs **2.** mentezsinór, sujtás **II.** *tsi* **-gg-** zsinóroz, sujtással/vitézkötéssel díszít • *fn* **frogging** *mn* **frogged**
frog[4] [frɒg ‖ frɑg, frɔg] *fn vasút* sínkeresztezés
froghopper *fn áll* kabóca
frogman [ˈfrɒgmən ‖ ˈfrɑg–, ˈfrɔg–] *fn tsz* **-men** békaember
frogmarch *ált GB* **I.** *tsi* kezénél-lábánál fogva arccal lefelé visz **II.** *fn* ‹fogoly/részeg szállítása négy ember által kezénél-lábánál fogva arccal lefelé›
frog-spawn *fn* békapete, békatojás
froggy [frɒgi ‖ frɑgi, frɔgi] **I. 1.** *mn* békával teli **2.** békaszerű **3.** *pej* francia **II.** *fn pej* francia (ember)
frolic [ˈfrɒlɪk ‖ ˈfrɑ–] **I.** *fn* **1.** ugrándozás, szökdécselés, szökellés, ficánkolás **2. a)** pajkosság, incselkedés, bolondozás **b)** vidámság, bohóság **II.** *tni pt/pp* **frolicked 1.** ugrándozik, szökdécsel, ficánkol **2.** bolondozik, mókázik, incselkedik **III.** *mn* ingerkedő, incselkedő, pajzán, pajkos, bolondos kedvű • *fn* **frolicker**, **frolicking**
frolicsome [ˈfrɒlɪksəm ‖ ˈfrɑ–] *mn* eleven, bolondos kedvű, pajkos, csintalan
from [frəm, frɒm ‖ frəm, frɑm, frʌm] *elölj* **1.** *[térbeli, időbeli, sorrendbeli kiindulópont jelzésére:]* -tól, -től, -ról, -ről, -ból, -ből, óta, fogva, kezdődőleg; **~:...** Feladó:... *[pl. csomagon]*; **as ~** -tól (v. -től) kezdődőleg; **as ~ January 1st** január elsejétől; **~ here** innen; **~ home** hazulról, otthonról; **five years ~ now** mához öt évre **2.** *[forrás, eredet, származás, alapanyag, kiindulások jelzésére:]* -tól, -től, - ról, -ről, -ból, ből, után, szerint, alapján, vmből kiindulva, miatt, következtében; **~ conviction** meggyőződésből; **~ exhaustion** a kimerültségtől; **~ the point of view of...** ...szempontjából; **a quotation ~ Shakespeare** idézet Shakespeare-ből; **~ what I can see** amennyire én látom a helyzetet/dolgokat; **speak ~ experience** tapasztalatból beszél **3.** *[vktől/vmtől való eltávolítás, elválasztás, eltávolodás, elválás, távolmaradás, megelőzés, védelem jelzésére:]* -tól, -től, -ból, -ből; **keep a secret ~ sy** eltitkol vmt vk elől; **prevent/keep/stop sy ~ doing sg** vkt megakadályoz vm megtételében **4.** *[különb(öző)ség, összehasonlítás jelzésére:]* -tól, -től; **differ** (v. **be different**) **~ others** különbözik a többiektől, más mint a többi; **tell sg ~ sg**, **tell/know one thing ~ another** megkülönböztet vmt vmtől **5. ~ afar** messziről; **~ below** lentről, alulról, a mélyből; **~ inside** belülről; **~ outside** kívülről; **~ one end to the other** egyik végétől a másikig; **~ hand to hand** kézről kézre; **~ time to time** időről időre; **~ top to toe** tetőtől talpig
frond [frɒnd ‖ frɑnd] *fn növ* **1.** páfránylevél **2.** *biz* pálmalevél • *fn* **frondage** *mn* **frondose**
front [frʌnt] **I.** *mn* el(ül)ső, mellső; **~ garden** előkert; *kat* **~ guard** határőr; **~ line** arcvonal, front; **~ seat** első ülés **II.** *fn* **1.** *átv* viselkedés, kiállás, *pej* mersz, pofa; **have the ~ to do sg** van mersze/pofája/képe vmt megtenni; *US* **put up a ~** nagyzol, henceg; felvág **2. a)** előrész, elülső/mellső rész, eleje (vmnek), homlokzat *[épületé]*, portál; **in ~** elöl; előre; **in ~ of** szemben, átellenben; előtt; elé; *átv* **come to the ~** előtérbe/felszínre kerül **b)** ingmell **3. a)** *kat* (h)arcvonal, front; **present an unbroken ~** töretlen/egységes frontot alkot **b)** *átv* mozgalom, front *[politikai, ideológiai]* **4.** *meteo* (időjárási) front **5.** fedőnév, fedőszerv • *mn* **frontless** *mn/hsz* **frontward** *hsz* **frontwards**

frontage [ˈfrʌntɪdʒ] *fn* **1. a)** út/folyó menti telek **b)** előkert **2.** homlokzat *[épületé]*, kirakat *[bolté]* **3.** fekvés, nézet • *fn* **frontager**
frontage road *fn US* szervizút
frontal [ˈfrʌntl] **I.** *mn* **1. a)** *orv* homlok- *[csont, ér]* **b)** *épít* homloknézeti, homlokzati **2.** *kat* frontális, arcvonalbeli **3. ~ passage** időjárási frontátvonulás **II.** *fn* **1.** *vall* imadoboz, homlokszíj, imaszíj *[zsidóknál]* **2.** homlokzat *[épületé]*
frontbencher *fn GB pol* **a)** kormánytag képviselő **b)** volt/leendő miniszter *[ellenzéki képviselő]*
front door *fn* **1.** bejárati ajtó, főbejárat **2.** *átv* egyenes út
front-drive *fn gk* elsőkerék-meghajtás
frontier [ˈfrʌntɪə ‖ frʌnˈtɪr] *fn* **1.** (ország)határ; *átv* **the ~s of knowledge** a tudomány/tudás határai **2.** *US tört* határvidék *[a vadnyugat gyéren lakott területe]* • *mn* **frontierless**
frontiersman [ˈfrʌntɪəzmən ‖] *fn tsz* **-men 1.** határszéli/határmenti lakos **2.** *US tört* határvidéki ember, pionír *[a vadnyugatnak egykor gyéren lakott területein élő ember]*
frontier town *fn* határváros
frontispiece [ˈfrʌntɪspiːs] *fn* **1.** *épít* **a)** homlokzat **b)** orom(zat), oromdísz **2.** *nyomd* díszített címlap **3.** *szl [arc]* pofa, képes fele (vknek)
frontlet [ˈfrʌntlɪt] *fn* **1. a)** homlokszalag **b)** *vall* imaszíj *[zsidóké]* **2.** homlok *[állaté]* **3.** *vall* oltárterítő
front line *mn kat* arcvonalbeli; **~ fighter** frontkatona; *átv* élharcos
frontman *fn* **1.** szóvivő, összetkötő **2.** *zene* frontember *[könnyűzenei együttesé]*
front office *fn* ‹cég adminisztratív és irányítási központja›
front page I. *mn* nagy jelentőségű/horderejű *[pl. hír]* **II.** *fn* címoldal *[újságé]*
front runner *fn sp* **1.** *átv is* a legesélyesebb befutó **2.** ‹az a versenyző, aki rajt után az élre áll és meghatározza a tempót›
frontyard *fn US* előkert
frost [frɒst ‖ frɔst] **I.** *fn* **1. a)** fagy; **ground ~** talajmenti fagy **b)** dér, zúzmara **2.** *átv* hidegség, hűvösség, fagyosság, közömbösség **3.** *GB szl [bukás, kudarc]* bukta *[színdarabé, könyvé]* **II.** *tsi* **1.** elfagyaszt, lefagyaszt **2.** dérrel belep *[füvet]* **3.** *GB gaszt* cukoröntettel/mázzal bevon *[süteményt]* **4.** homályosít, mattíroz *[pl. üveget]* • *mn* **frostless**
frostbite *fn* **1.** *orv* fagyás *[testrészé]* **2.** *mezőg* fagykár • *mn* **frostbitten**
frostfish *fn áll* tőkehal
frost flower *fn* jégvirág
frosting [ˈfrɒstɪŋ ‖ ˈfrɔs–] *fn* **1.** *US gaszt* cukorbevonat, glazúr **2.** homályos/matt kikészítés *[üvegé]*
frost line *fn földr* fagyhatár
frost smoke *fn* sarki/jeges köd
frost-work *fn* jégvirág *[ablakon]*
frosty [ˈfrɒsti ‖ ˈfrɔsti] *mn* **1. a)** fagyos, hideg, jeges **b)** *átv* **~ reception** fagyos/hideg/hűvös fogadtatás **2.** zúzmarás, jégvirágos • *hsz* **frostily**
froth [frɒθ ‖ frɔθ] **I.** *fn* **1.** hab, tajték, buborék **2.** *biz* üres/semmitmondó beszéd/fecsegés **II. A.** *tsi* habossá/tajtékossá tesz; **~ eggs** tojáshabot ver **B.** *tni* habzik, tajtékzik, gyöngyözik, bugyborékol • *fn* **frothiness** *mn* **frothy** *hsz* **frothily**
froth-blower *fn GB biz* sörivó, söröshordó *[személyről]*
frou-frou [ˈfruːfruː] *fn* **1.** suhogás *[ruháé]*, zizegés **2.** sallangok, cicoma
frown [fraʊn] **I. A.** *tsi* tekintetével kényszerít vmre; **~ sy down** (v. **into silence**) szigorú/fenyegető pillantással/tekintettel elhallgattat/elnémít vkt **B.** *tni* **1. a)** szemöldökét összehúzza, homlokát ráncolja **b)** fenyegető/rosszalló arcot/képet vág; **~ at/(up)on sg** helytelenít, elítél, rosszall **2.** zord/komor látványt nyújt (vm) **II.** *fn* **a)** homlok/szemöldök ráncolása **b)** szigorú/helytelenítő/fenyegető arckifejezés/tekintet **c)** elmélyedt arckifejezés/tekintet • *fn* **frowner** *hsz* **frowningly**
frowst [fraʊst] *biz* **I.** *fn* fülledt/áporodott/dohos levegő/szag **II.** *tni* nem mozdul ki otthonról • *fn* **frowster**
frowsty [ˈfraʊsti] *mn biz GB* áporodott, dohos, fülledt *[levegő, szag]*
frowzy [ˈfraʊzi] *mn* **1.** áporodott, dohos, fülledt *[levegő, szag]* **2.** piszkos, mosdatlan, ápolatlan
frozen [froʊzn] *mn* **1. a)** (be)fagyott, megfagyott, fagyasztott, mélyhűtött; **~ food** mélyhűtött élelmiszer(ek); **~ meat** fagyasztott hús **b)** fagyos *[tekintet, fogadtatás]* **c)** *pénz* befagyasztott **2. ~ bolt/nut** beszorult csavar
fructiferous [frʌkˈtɪfərəs] *mn* gyümölcstermő, gyümölcsöző
fructification [ˌfrʌktɪfɪˈkeɪʃn] *fn növ* **1. a)** megtermékenyítés **b)** megtermékenyülés **2.** szaporítószervek **3.** gyümölcsözés, gyümölcs
fructify [ˈfrʌktɪfaɪ] **A.** *tsi* megtermékenyít **B.** *tni* **1.** gyümölcsöt terem **2.** *biz* jövedelmez, gyümölcsözik
fructose [ˈfrʌktoʊz, –oʊs] *fn vegy* gyümölcscukor, fruktóz
frugal [ˈfruːgl] *mn* **1.** mértékletes, takarékos, beosztó *[személy]* **2.** egyszerű, szerény, frugális *[étkezés]* • *fn* **frugality**, **frugalness** *hsz* **frugally**
frugivorous [fruːˈdʒɪvərəs] *mn áll* gyümölcsevő
fruit [fruːt] **I.** *fn* **1.** gyümölcs, termény; **first ~s** első termés, primőr; **stone ~** csontos/csonthéjas gyümölcs; **bear ~** gyümölcsöt terem *[fa]*; meghozza gyümölcsét *[munka]* **2.** eredmény, következmény **3.** *US szl [homoszexuális férfi]* buzi, buzeráns **II. A.** *tsi* termeszt *[gyümölcsöt]* **B.** *tni* gyümölcsöt terem • *fn* **fruitage** *mn* **fruited**
fruitbat *fn áll* gyümöcsevő denevér
fruit cake *fn* **1.** *gaszt* püspökkenyér, gyümölcskenyér **2. fruitcake** *szl [bolond(os) ember]* flúg, lökött
fruit cocktail *fn* gyümölcskoktél
fruiter [ˈfruːtə ‖ ˈfruːtər] *fn* **1.** gyümölcsszállító hajó **2.** gyümölcsfa **3.** *GB* gyümölcsfakertész, gyümölcsfatermelő
fruiterer [ˈfruːtrə ‖ ˈfruːtərər] *fn GB* gyümölcskereskedő, gyümölcsárus
fruit fly *fn áll* **1.** bormuslinca **2.** gyümölcslégy
fruitful [ˈfruːtfl] *mn* **1. a)** termékeny *[föld]* **b)** sok gyümölcsöt termő *[fa]* **c)** megtermékenyítő *[eső]* **2. a)** termékeny *[házasság]* **b)** szapora *[állat]* **3.** eredményes, gyümölcsöző, produktív *[pl. munka]* • *fn* **fruitfulness** *hsz* **fruitfully**
fruition [fruːˈɪʃn] *fn* **1.** megvalósulás; **bring to ~** valóra vált, megvalósít; **come to ~** valóra válik, megvalósul **2.** haszonélvezet **3.** gyümölcshozás
fruit juice *fn* gyümölcslé
fruitless [ˈfruːtləs] *mn* **1.** terméketlen, meddő *[fa]* **2.** *átv* sikertelen, eredménytelen, meddő, hiábavaló; **~ effort** meddő/hiábavaló erőlködés/igyekezet
fruit machine *fn GB biz* (pénzbedobós) játékautomata
fruit salad *fn* **1.** gyümölcssaláta **2.** *szl* ‹kitüntetések, éremgyűjtemény› plecsni(k)
fruit stand *fn* gyümölcsösbódé
fruit sugar *fn vegy* gyümölcscukor, fruktóz
fruit tree *fn* gyümölcsfa
fruity [ˈfruːti] *mn* **1. a)** gyümölcs ízű/szagú **b)** zamatos *[bor]* **c)** telt, zengő *[hang]* **2.** *GB biz* vaskos, nyers *[humor]* • *fn* **fruitiness** *hsz* **fruitily**
frumenty [ˈfruːmənti] *fn* búzakása *[tojással és mazsolával]*
frump [frʌmp] *fn biz* (vén) csoroszlya/banya/boszorka • *mn* **frumpish** *hsz* **frumpishly**
frumpy [ˈfrʌmpi] slampos, elhanyagolt külsejű • *hsz* **frumpily**
frustrate [frʌˈstreɪt ‖ ˈfrʌstreɪt] *tsi* **1. a)** meghiúsít, útjában áll, útját állja (vmnek); **~ sy** megakadályoz/megzavar vkt **b)** csalódást okoz vknek **2.** érvénytelenít, hatálytalanít • *fn* **frustrater** *mn* **frustrating** *hsz* **frustratedly**
frustration [frʌˈstreɪʃn] *fn* **a)** csalódottság, reményvesztettség **b)** meghiúsulás *[pl. tervé]*
frustum [ˈfrʌstəm] *fn mat* csonka mértani test
fry[1] [fraɪ] **I. A. 1.** *tsi* (zsírban) süt; **I have other fish to ~** nekem egyéb (v. száz más) gondom/dolgom is van; nekem most máson jár az eszem **2.** *US szl [villamosszékben*

F

kivégez] felvillanyoz **B.** *tni* (zsírban) süt **II.** *fn* **1.** sült *[hús, hal]* **2.** belső rész, belsőség *[vágott állaté]* **3.** *US* ‹hasábburgonyás parti/buli›

fry[2] [fraɪ] *fn tsz* **fry 1. a)** fiatal halivadék, apróhal **b)** ivadék, fiatal állatok *[pl. méh, béka]* **2.** *biz* **small ~** kisemberek, tucatemberek

fryer [ˈfraɪə ‖ –ər] *fn* **1.** sülthalárus **2.** serpenyő **3.** *US* sütnivaló (csirke)

frying pan *fn* serpenyő; *közm* **out of the ~ into the fire** csöbörből vödörbe

fry-up *fn GB gaszt* ‹különböző összetevőkből (tojás, burgonya, kolbász) gyorsan összesütött étel, kb. parasztreggeli'›

FSA *röv Federal Security Agency*

ft *röv* **1.** *feet* **2.** *foot*

FTC *röv US Federal Trade Commission* Szövetségi Kereskedelmi Bizottság *[az Egyesült Államok kormányának a kereskedelem szabályozásával, ill. felügyeletével megbízott szerve]*

FTP *röv infor file transfer protocol* állományátviteli/állománytovábbító protokoll, FTP

fubby [ˈfʌbi] → **fubsy**

fubsy [ˈfʌbsi] *mn GB biz* tömzsi, köpcös, zömök

fuchsine [ˈfuːksiːn ‖ ˈfjuː–], **fuchsin** *fn vegy* fukszin

fuck [fʌk] *szl tabu* **I. A.** *tsi* **1.** *[közösül vkvel]* megbasz, megkúr **2.** *[szándékosan árt]* betesz/betart vknek **3. ~ (up)** *[becsap]* átbasz, átkúr **4.** *[vmvel kapcsolatos düh durva kifejezése]* bassza meg! **B.** *tni* **1.** *[közösül]* baszik, kúr **2. will I ~** egy faszt! **II.** *fn* **1.** *[közösülés]* baszás, dugás, kefélés, kúrás **2.** *[nő* v. *férfi mint szexuális tárgy]* baszás, numera **3.** ‹legkisebb mennyiség, minimum›

fuck about *tni szl tabu* **1.** *[piszmog, vacakol]* baszakodik, tökölődik **2.** *[lazsál]* mereszti a seggét **3.** *[bolondozik]* állatkodik, barmul

fuck off *tni szl tabu* **1.** *[távozik, elmegy]* elmegy a picsába **2.** *[durva, dühös elutasítás]* menj a picsába!

fuck over *tsi szl tabu [becsap]* átbasz, átkúr

fuck up *szl tabu* **A.** *tsi [elront]* elbasz, elkúr **B.** *tni* **1.** *[elromlik]* elbaszódik, szarrá megy **2.** *[kudarcot vall]* beszarik; → **fucked up**

fuck all *fn szl tabu [semmi]* lófasz (se), szar (se)

fucked up *mn szl tabu* **1.** *[részeg]* seggrészeg **2.** *[idegileg összeroppant]* ki van akadva, ki van borulva **3.** *[rossz]* elkúrt, elcseszett, elbaszott

fucker [ˈfʌkə ‖ –ər] *fn szl tabu* **1.** *[férfi]* fasz, tökös **2.** *[ellenszenves ember]* fasz, pöcs **3.** *[idegesítő, kellemetlen dolog]* bisz-basz **4. a ~ of sg** *[nehéz helyzet, feladat]* kurva/ciki egy...

fuckhead *fn szl tabu [ostoba ember]* faszfej

fucking [ˈfʌkɪŋ] *mn szl tabu [dühöt kifejező durva nyomatékosító szó]* kibaszott, szar, kurva

fuck-me *mn szl tabu* dögös *[kihívó, szexuálisan provokatív]*

fuck-up *fn szl tabu* **1.** *[zűrzavar]* baszakodás **2.** *[kudarc]* kibaszás, szopás, szívás **3.** *[tehetetlen ember]* balfasz, faszkalap

fuddle [ˈfʌdl] **I.** *fn biz* ivászat **II.** *tsi* **1.** megrészegít, elkábít *[vkt ital]* **2.** összezavar, összekuszál

fuddy-duddy [ˈfʌdidʌdi] *mn/fn biz* régimódi/begyepesedett (ember)

fudge [fʌdʒ] **I.** *tsi* **1.** meghamisít **2.** kikerül, elkerül *[kérdést, problémát]* **II.** *fn* **1.** *gaszt* ‹amerikai édesség› **2.** koholmány, szélhámosság, humbug; ostobaság, butaság **3.** *nyomd* lapzárta utáni hír *[újságban]* **III.** *isz* mesebeszéd!, duma! • *mn* **fudgy**

fuel [ˈfjuːəl] **I.** *fn* **1.** tüzelő(anyag), fűtőanyag **2.** *gk* üzemanyag; *átv biz* **add ~ to the fire** olajat önt a tűzre **II. -ll-**, *US* **-l- A. 1.** *tsi* fűtőanyaggal/üzemanyaggal táplál/ellát/feltölt **2.** fellobbant, lángra gyújt *[érzelmeket, szenvedélyt]* **B.** *tni* **~ (up)** fűtőanyagot/üzemanyagot vesz fel, tankol

fuel cell *fn* üzemanyagcella *[űrhajóban]*

fuel-efficient *mn gk* optimális üzemanyag-felhasználású

fuel element *fn gk* üzemanyag-összetevő

fuel injection *fn gk* üzemanyag-befecskendezés • *fn* **fuel injector** *mn* **fuel-injected**

fuel oil *fn* gázolaj

fug [fʌg] **I.** *fn GB biz* dohos/áporodott szag, bűz **II. -gg-** *tni GB biz szl* **~ at home, ~ in the house** állandóan otthon ül/kucorog

fugacious [fjuːˈgeɪʃəs] *mn* **1.** *vál* múlékony, (el)illanó, (tova)tűnő **2.** *tud* efemer, tiszavirágéletű • *fn* **fugaciousness, fugacity** *hsz* **fugaciously**

fugal [ˈfjuːgl] *mn zene* fúga alakú/formájú/stílusú, fúgaszerű • *hsz* **fugally**

-fuge [fjuːdʒ] *utótag összet* -űző, -hajtó

fugitive [ˈfjuːdʒətɪv] **I.** *mn* **1.** szökevény, szökésben levő, menekülő **2. a)** futó, múló, (el)illanó, (tova)tűnő; **~ works** nem maradandó értékű művek **b)** nehezen megfogható **c)** *vegy* nem tartós **II.** *fn* **1.** szökevény, menekülő **2.** számkivetett, száműzött, menekült **3.** (katona)szökevény, dezertőr • *hsz* **fugitively**

fugleman [ˈfjuːglmən] *fn tsz* **-men 1.** *kat tört* szárnytisztes **2.** *biz* hangadó, szószóló, szóvivő • *tni* **fugle**

fugue [fjuːg] **I.** *fn* **1.** *zene* fúga **2.** *orv* poriománia, vándorhajlam **II.** *tni* (meg)komponál, előad *[fúgát]* • *fn* **fuguist**

-ful [fl] *utótag* **1.** *[melléknévképző]* -teli, -s/-as/-os; **cheerful** vidám; **helpful** segítőkész; **powerful** hatalmas **2.** vmt okozó; **harmful** káros **3.** *[főnévképző]* vm mennyiség, -nyi; **handful** maroknyi; **spoonful** kanálnyi

fulcrum [ˌfʌlkrəm, ˈful–] **I.** *fn tsz* **fulcra** [–krə] **1.** *műsz* **a)** emelőpont, támaszpont, forgáspont **b)** alátámasztás, forgócsap **2. a)** *növ* kacs, horog, inda **b)** *áll* függelék **II.** *tni műsz* forog *[tengelyen, csapon]*

fulfil [fulˈfɪl] *tsi* **-ll- 1. a)** teljesít, végrehajt, elvégez **b)** eleget tesz, megfelel (vmnek) **2.** befejez, bevégez • *fn* **fulfiller, fulfilment** *mn* **fulfillable**

fulfill [fulˈfɪl] *US* → **fulfil**

fulfilment [fulˈfɪlmənt] *fn* **1.** beteljesedés, beteljesülés, megvalósulás **2.** teljesítés, végrehajtás

fulgent [ˈfʌldʒənt] *mn vál* ragyogó, csillogó, tündöklő • *fn* **fulgence**

fulgurite [ˈfʌlgjʊraɪt] *fn ásv* fulgurit, villámkő

fuliginous [fjuːˈlɪdʒɪnəs] *mn* kormos, füstös

full[1] [ful] **I.** *mn* **1. a)** tele, teli, telt; **~ to the brim** színültig/csordultig tele; **a ~ moon** telihold, holdtölte; **be ~ of sg** el van telve vmvel, áthatja vm; **be ~ of the news** nagyon foglalkoztatja a hír; **~ of pep** csupa tűz; **be ~ up** tele van, zsúfolásig megtelt; **eat till one is ~** teleeszi magát **b)** telt, testes, molett; **~ lips** telt/duzzadt ajkak **2.** teljes, hiánytalan, bőséges, kiadós; **~ employment** teljes foglalkoztatottság; **~ meal** bőséges/kiadós étkezés; **~ member** teljes jogú tag; **in ~ operation** teljes üzemben/üzemmel; **~ particulars** kimerítő/részletes adatok; **~ price** teljes ár; **~ professor** egyetemi tanár; **~ stop** pont *[mint írásjel]*; **~ wine** testes/nehéz bor; **at ~ length** teljes egészében/terjedelmében; hosszadalmasan; **~ speed ahead** teljes gőzzel előre; **in ~ swing** javában; teljes gőzzel; **of ~ age** nagykorú **3.** bő *[ruha]*, buggyos, puffos *[ruhaujj]*; **~ trousers** lovaglónadrág, bricsesz **4.** *GB szl [részeg]* elázott **II.** *hsz* **1.** *vál* nagyon, teljesen, egészen; **~ many a time** jó (egy)néhányszor; **~ well** nagyon/teljesen/egészen jól **2.** pont(osan), éppen, legalább; **~ in the middle** pont a közepén, a kellős közepén **III.** *fn* **1.** teljesség, (teljes) egész; **in ~** teljes egészében/terjedelmében; **to the ~** egészen, teljesen **2.** tetőpont, csúcspont; **the ~ of the moon** telihold, holdtölte **3.** *ját* full *[pókerben]* **IV. A.** *tsi* puffosra készít *[ruhaujjat]*, ráncokba/redőkbe rak *[szoknyát]* **B.** *tni* puffosodik *[ruha]*

full[2] [ful] *tsi tex* ványol, kall(óz)

full-back *fn sp* hátvéd

full-blooded *mn* **1.** telivér, tiszta vérű *[ló]*, faj- *[állat]* **2.** erőteljes, életerős • *fn* **full-bloodedness** *hsz* **fullbloodedly**

full-blown *mn* **1.** kinyílt, virágzó **2.** *biz* teljes(en) kifejlett

full-bodied *mn* ~ **wine** testes bor
full-bottomed *mn* ~ **wig** nagy széles paróka
full colour *fn* tiszta, telt szín
full-contact karate *fn sp* full-contact karate
full-cream *mn GB gaszt* lefölözetlen tejből készült
full dress *mn* ~ **clothes** frakk, estélyi öltözék; *átv* ~ **inquiry** teljes/mindenre kiterjedő vizsgálat
fuller[1] [ˈfulə ‖ ˈfulər] *fn tex* kallós, ványoló
fuller[2] [ˈfulə ‖ ˈfulər] **I.** *fn* **1.** *műsz* árkoló/hornyoló kalapács **2.** horony **II.** *tsi műsz* hornyot kalapál *[vasba]*
fuller's earth *fn* **a)** kallóföld, bentonit **b)** habkő, tajtékkő, horzsakő
full faced *mn/hsz* arcnézetben levő *[pl. festmény]*
full-fashioned *mn* alakra szabott *[harisnya]*
full-fledged *mn* **1. a)** teljesen kifejlődött, érett, önálló *[személy]* **b)** teljes tollazatú *[madár]* **2.** kész *[művész]*, képesített *[pl. ügyvéd]*
full-grown *mn* **1.** teljesen kifejlődött **2.** felnőtt *[ember]*
full-hearted *mn* szívből jövő, szívélyes • *hsz* **full-heartedly**
full-herring *fn* teljes/ikrás hering
full-length *mn* **a)** teljes hosszúságú **b)** életnagyságú, a teljes alakot ábrázoló *[portré]*
full-mouthed *mn* **1.** teljes/hibátlan fogazatú *[ló]* **2.** mély/öblös hangú *[kutya, ember]* **3.** hangzatos *[szavak]*
fullness [ˈfulnəs] *fn* **1. a)** tel(ítet)tség; **a feeling of** ~ jóllakottság érzése **b) the earth and its** ~ a föld és annak minden gazdagsága **2.** teljesség, befejezettség; **in the** ~ **of time** az idők teljével/végeztével **3.** teljesség, bőség
full out *mn* teljes arányú, nagyméretű
full-page *mn* ~ **illustration** egész oldalas illusztráció
full-scale *mn* eredeti méretű/nagyságú
full-screen *mn infor* teljes képernyős; ~ **application** teljes-képernyős alkalmazás
full-size *mn* életnagyságú, teljes alakú *[pl. festmény]*
full term *mn* túlhordott *[baba]*
full-time I. *mn* teljes munkaidejű; egész napi; ~ **job** egész napos állás/munka **II.** *hsz* teljes munkaidőben, főfoglalkozásként
full-timer [ˌfulˈtaɪmə ‖ –ər] *mn/fn* teljes/fő állású, főfoglalkozású
fulmar [ˈfulmə ‖ –ər] *fn áll* sirályhojsza
fulminant [ˌfulmɪnənt, ˈfʌl–] *mn* **1. a)** villámló, (menny)dörgő **b)** durranó **2.** heves, fenyegető **3.** *orv* heveny, heves *[betegség]*
fulminate I. [ˈfʌlmɪnət] *vegy* fulminát **II.** [ˈfʌlmɪneɪt] **A.** *tsi vall* kihirdet *[pl. egyházi átkot]* **B.** *tni* **1.** mennydörög **2.** robban, durran **3.** (hevesen) kikel, kifakad • *fn* **fulmination** *mn* **fulminatory**
fulminic acid [fulˈmɪnɪk] *mn vegy* fulminsav
fulness [ˈfulnəs] → **fullness**
fulsome [ˈfulsəm] *mn* **1.** mézesmázos, émelyítő(en túlzó), undorító; ~ **flattery** talpnyalás **2.** *pej* terjengős, túlzott • *fn* **fulsomeness** *hsz* **fulsomely**
fulvous [ˈfulvəs] *mn* vörösbarna, rőt • *mn* **fulvescent**
fully [ˈfuli] *hsz* **1.** teljesen, teljes mértékben/terjedelemben; ~ **automatic** teljesen automata **2.** nem kevesebb, mint; ~ **fifty** nem kevesebb, mint ötven
fully abled *mn* ép, egészséges *[fizikai képességeinek teljes birtokában levő]*
fully-fashioned *mn* idomra szabott
fully-fledged → **full-fledged**
fully-grown → **full-grown**
fumarole [ˈfjuːməroul] *fn földr* fumarola • *mn* **fumarolic**
fumble [ˈfʌmbl] **I. A.** *tsi* **1. a)** összevissza turkál, felhány (vmt) **b)** morzsolgat *[pl. rózsafüzért]* **2.** ~ **one's way** botorkál **3.** *sp* kiejti a labdát **B.** *tni* tapogat, kotorászik; ~ **about in the dark** tapogatódzik a sötétben; ~ **with sg** ügyetlenkedik/idétlenkedik vmvel **II.** *fn* ügyetlen keresgélés/matatás, tapogató(d)zás • *fn* **fumbler** *hsz* **fumbingly**
fume [fjuːm] **I.** *fn* **1. a)** füst, gőz, pára **b)** (ki)gőzölgés, kipárolgás **2.** *biz* dühroham, haragkitörés, izgalom; *biz* **in a** ~ dühöngve, bosszankodva **II. A.** *tsi* **1.** füstöl, gőzöl(ögtet), gázosít, párologtat (vmt) **2.** tömjénez **B.** *tni* **1. a)** füstöl, füstöt/gőzt bocsát ki **b)** száll, árad *[füst, gőz]* **2.** *biz* mérgelődik, dühöng, dúl-fúl, füstölög (magában) • *mn* **fumeless**, **fumy** *hsz* **fumingly**
fume-chamber *fn vegy* huzatszekrény, füstkamra
fume-cupboard *vegy* → **fume-chamber**
fumigate [ˈfjuːmɪgeɪt] *tsi* **a)** (meg)füstöl, gőzöl **b)** füstöléssel fertőtlenít, kénez • *fn* **fumigant**, **fumigation**, **fumigator**
fumitory [ˈfjuːmɪtəri ‖ –tɔri] *fn növ* füstike
fun [fʌn] **I.** *fn biz* mulatság, szórakozás, vidámság, tréfa, móka; **for/in** ~ játékból, viccből, a tréfa kedvéért; szórakozásképpen; **it was great** ~ remek mulatság/szórakozás/tréfa volt; **for the** ~ **of it** a vicc/poén kedvéért; **have** ~ mulat, szórakozik, jól érzi magát; viccelődik; **make** ~ **of sy/sg** kigúnyol/kicsúfol/kinevet vkt, tréfát űz vkből/vmből; **like** ~ (úgy megy) mint a karikacsapás **II.** *tni* **-nn-** tréfálkozik, viccelődik
funambulist [fjuːˈnæmbjulɪst ‖ –bjə–] *fn* kötéltáncos
function [ˈfʌŋkʃn] **I.** *fn* **1. a)** funkció, rendeltetés, szerep, feladat; **fulfil one's** ~ betölti/teljesíti hivatását **b)** *biol orv* működés, funkció; **cerebral** ~ agyműködés; **vital** ~**s** életműködés **2.** hivatalos működés/tevékenység/ténykedés, tisztség, hatáskör; **discharge one's** ~**s** hivatalos kötelességét teljesíti/végzi **3. a)** egyházi szertartás/ceremónia **b)** fogadás, estély, összejövetel; **society** ~ társadalmi esemény/alkalom **c)** nyilvános/világi szertartás **4.** *mat* függvény; **as a** ~ **of sg** vmnek a függvényeként **II.** *tni* működik, ténykedik, ellátja hivatalát *[személy]*, jár, üzemben van *[gép]* • *mn* **functionless**
functional [ˈfʌŋkʃnəl] *mn* **1.** működési, működéssel járó, *orv* funkcionális **2.** *infor* ~ **unit** funkcionális egység **3.** hivatalos, formai **4.** gyakorlati **5.** *kat* ~ **bombing** kulcspontok bombázása **6.** függvény-, függvényre vonatkozó • *fn* **functionality** *hsz* **functionally**
functionalism [ˈfʌŋkʃnəlɪzm] *fn* célszerűségi/gyakorlatiassági elv, funkcionalizmus • *fn* **functionalist**
functionary [ˈfʌŋkʃənəri ‖ –ʃəneri] *fn* közhivatalnok, tisztviselő, funkcionárius
function key *fn infor* funkcióbillentyű
fund [fʌnd] **I.** *fn* **1.** tárház, kincsesház, *átv* forrás, készlet **2.** (pénz)alap, tőke; **common** ~ közös alap; **fighting** ~ propagandaalap *[társaságé, egyesületé]*; **start a** ~ alapítványt tesz **3. a)** (alap)tőke, anyagi eszközök; **insufficient** ~**s**, **not sufficient** ~**s** elégtelen fedezet *[folyószámlán]*; **"no ~s"** nincs fedezet, fedezethiány *[folyószámlán]*; **be in** ~**s** van pénze **b)** államadóssági kötvények, állampapírok **II.** *tsi* **1.** finanszíroz, pénzel **2.** *pénz* konszolidál *[államadósságot]* **3.** *pénz* ~ **money** állampapírokba fektet pénzt
fundament [ˈfʌndəmənt] *fn* **1.** *átv* alap(zat) **2.** *biz* ülep, fenék **3.** *biol* kezdemény **4.** *fil* alapfogalom
fundamental [ˌfʌndəˈmentl] **I.** *mn* **1. a)** alap-, alapvető, sarkalatos, lényeges; ~ **research** alapkutatás **b)** alap-, primitív, eredeti; ~ **rock** elsődleges kőzet, alapkőzet **2.** *zene* alap- *[hang]*; ~ **bass** alaphang *[akkordé]* **II.** *fn* **1.** alapgyakorlat *[balettnél]* **2.** alaphang **3.** alapismeretek, alaptételek • *fn* **fundamentality** *hsz* **fundamentally**
fundamentalism [ˌfʌndəˈmentəlɪzm] *fn vall* fundamentalizmus • *fn/mn* **fundamentalist**
fundholder *fn* tőkés, tőkepénzes, vagyonából élő személy • *fn/mn* **fundholding**
fundie *fn biz pol* **1.** radikális környezetvédő **2.** vallási fundamentalista
fund-raiser *fn* adománygyűjtő, támogatószerző, szponzorkereső • *fn* **fund-raising**
fundus [ˈfʌndəs] *fn orv* fenék, fundus; ~ **of the eye** szemfenék; ~ **of the stomach** gyomorfenék

F

funeral [ˈfjuːnrəl] *fn* **1. a)** temetés, végtisztesség; **attend sy's ~** elmegy vk temetésére **b)** gyászmenet, gyászkíséret, temetési menet **c)** *US* gyászbeszéd **2.** *biz* **that's your ~** ez a te bajod; ez nem tartozik rám
funeral director *fn US* temetkezési vállalkozó
funeral home *fn US* ravatalozó
funeral parlor *fn US* ravatalozó
funeral urn *fn* urna, hamveder
funerary [ˈfjuːnrəri ‖ –nəreri] *mn* temetési, temetői
funereal [fjuˈnɪərɪəl ‖ –ˈnɪr–] *mn* **1.** halottas, temetési **2.** gyászos, komor, síri • *mn* **funereally**
funfair *fn GB* vurstli, vidámpark
fungible [ˈfʌndʒəbl] *mn jog* helyettesíthető *[dolog, javak]* • *fn* **fungibility**
fungicide [ˈfʌndʒɪsaɪd] *fn* gombaölő(szer), fungicid • *mn* **fungicidal**
fungistatic [ˌfʌndʒɪˈstætɪk] *mn* a gomba növekedését meggátló • *hsz* **fungistatically**
fungivorous [fʌnˈdʒɪvərəs] *mn áll* gombaevő *[állat]*
fungoid [ˈfʌŋgɔɪd] **I.** *mn* **1.** gomba alakú **2.** *orv* gombaszerű, szivacsos *[pl. fekély, daganat]* **II.** *fn* gomba
fungous [ˈfʌŋgəs] *mn* **1.** *növ* gombaszerű **2.** *orv* szivacsos, gomba alakú
fungus [ˈfʌŋgəs] *fn tsz* **fungi** [ˈfʌŋgaɪ, ˈfʌndʒaɪ, ˈfʌndʒɪ] **1. a)** gomba(féle) **b)** ehető gomba **c)** mérges gomba **2.** *biz* gombamódra növő dolog **3.** *orv* lágy/szivacsos daganat **4.** *biz* szakáll • *mn* **fungal**, **fungiform**
funicular [fjuˈnɪkjulə ‖ –kjələr] **I.** *mn* **1.** rostos **2.** drótkötélpályához tartozó, kötélszerű; **~ railway** drótkötélpálya; függővasút **II.** *fn* drótkötélpálya, függővasút
funk[1] [fʌŋk] **I.** *fn* **1.** *biz* **a)** félelem, szurkolás; **blue ~** pokoli/borzalmas félelem, rettegés; **be in a ~** be van gyulladva, fél **b)** visszahőkölés **2.** *GB biz* gyáva alak **II. A.** *tni* **1.** *biz* fél, be van gyulladva **2.** visszahőköl, visszaretten; **~ at/doing sg** fél (v. nem mer) vmt megtenni **B.** *tsi* **~ sg/sy** fél/tart vmtől/vktől
funk[2] [fʌŋk] *fn* **1.** *zene* funk (zene) **2.** *US biz* bűz
funky[1] [ˈfʌŋki] **I.** *mn* **1.** *US biz* büdös; oroszlánszagú **2.** *zene* funky **3.** *szl [divatos]* menő **4.** eredeti, nem konvencionális **II.** *fn zene* funky zene
funky[2] *mn GB szl* **a)** *[rémült]* majrés **b)** *[gyáva]* majrézó
funnel [ˈfʌnl] **I.** *fn* **1. a)** (szűrő)tölcsér **b)** mikrofonnyílás **2. a)** szellőztető cső/kürt **b)** kémény, kürtő **II. -ll-**, *US* **-l- A.** *tsi* **1.** összpontosít, koncentrál *[erőfeszítést, energiát]* **2.** tölcsérrel önt/tölt **B.** *tni* tölcsérszerűen nyel/ömlik, tölcsérként szolgál • *mn* **funnel-like**
funniosity [ˌfʌniˈɒsəti ‖ –ˈɑsəti] *fn GB biz* bolondos ötlet, tréfa, móka
funny [ˈfʌnɪ] **I.** *mn* **1. a)** vicces, komikus, mulatságos, mókás, tréfás; **~ business** *szl [gyanús viselkedés]* trükk, simlisség; **the ~ thing about it is** az egészben az a vicces; **stop being ~** ne bolondozz/bomolj **b) ~ film** filmvígjáték, filmbohózat; **~ house** elvarázsolt kastély **2.** különös, furcsa, bizarr; **a ~ idea** furcsa/különös egy gondolat; **well that's ~** hát ez aztán furcsa; **he looks very ~** valami furcsán néz ki **II.** *fn* **1.** humoros/vicces képregény **2.** vicc • *fn* **funniness** *hsz* **funnily**
funny bone *fn biz* könyökcsúcs, singkampó
funny farm *fn szl [elmegyógyintézet]* vicces ház, vigyorgó
funny-ha-ha *mn biz* vicces
funny man *fn tsz* **funny men** bohóc, komikus
funny money *fn szl* **1.** *[hamis pénz]* kajli lóvé **2.** összeharácsolt pénz *stand*
fur [fɜː ‖ fɜr] **I.** *fn* **1. a)** szőrme, prém **b)** szőr, szőrzet, bunda *[állaté]*; **make the ~ fly** *biz* összerúgják a port **c)** *vad* szőrmés vad; **~ and feather** szőrmés és szárnyas vad **d)** irha, (lenyúzott) állatbőr **2. a)** seprő, üledék, penészréteg, vízkő, salak **b)** *orv* lepedék *[nyelven]* **3.** *épít* fazsindely, tetőburkolat **II. -rr- A.** *tsi* **1.** prémmel bélel/díszít, prémez **2.** *orv* lepedékessé tesz *[nyelvet]* **3.** vízkőtől megtisztít, vízkőtlenít **4.** *épít* falat/mennyezetet bedeszkáz **B.** *tni* **~ up** vízkővel bevonódik; lepedékessé válik *[nyelv]*
fur. *röv furlong(s)*
furbelow [ˈfɜːbɪloʊ ‖ ˈfɜr–] *fn* **1.** *régi* pliszéfodor **2.** *iron* cifraság, ízléstelen dísz
furbish [ˈfɜːbɪʃ ‖ ˈfɜr–] *tsi* **1. ~ (up)** kifényesít, kicsiszol; megtisztít *[fémtárgyat]* **2.** újjáalakít, rendbe hoz • *fn* **furbisher**
furcate [ˈfɜːkeɪt ‖ ˈfɜr–] **I.** *mn* kétfelé ágazó, elágazó *[út]*, villás **II.** *tni* szétágazik, villaszerűen szétválik, kettéágazik, kettéválik • *fn* **furcation**
furcula [ˈfɜːkjulə ‖ ˈfɜrkjələ] *fn tsz* **furculae** [–liː] *biol* villacsont, szegycsonttaraj *[madáré]*
furfuraceous [ˌfɜːfəˈreɪʃəs ‖ ˌfɜr–] *mn* **1.** *orv* korpaszerű **2.** *növ* varas, pikkelyes
furious [ˈfjʊərɪəs ‖ ˈfjʊr–] *mn* **1.** dühös, mérges, haragos, ádáz, bősz; **be ~ with sy** haragszik/mérges vkre; **get ~** megharagszik, dühbe jön/gurul **2.** őrjöngő, elmebajos • *fn* **furiousness**, **furiosity** *hsz* **furiously**
furl [fɜːl ‖ fɜrl] **A.** *tsi* **1.** *hajó* bevon, felteker *[vitorlát]*, *kat* összegöngyöl, felcsavar *[zászlót]* **2.** felgöngyöl, összesodor **B.** *tni* **1.** felad *[reményt, hitet]* **2. ~ away/off** eloszlik *[felhő]* **3. ~ up** felgöngyölődik; felcsavarodik • *mn* **furlable**
furlong [ˈfɜːlɒŋ ‖ ˈfɜrlɔŋ] *fn* ‹távolságmérték: 1/8 angol mérföld, 220 yard = 201,17 méter›
furlough [ˈfɜːloʊ ‖ ˈfɜr–] *kat* **I.** *fn* szabadságolási/eltávozási engedély; **be/go on ~** szabadságon van, szabadságra/eltávozásra megy **II. A.** *tsi US* szabadságot ad/engedélyez (vknek) **B.** *tni* eltávon van
furmenty [ˈfɜːmənti ‖ ˈfɜr–] → **frumenty**
furnace [ˈfɜːnɪs ‖ ˈfɜr–] *fn* **a)** kemence, kohó, kazán, tűzhely, kályha **b)** *átv biz* **he has been tried in the ~** megedződött a balsorsban
furnish [ˈfɜːnɪʃ ‖ ˈfɜr–] *tsi* **1.** ellát, felszerel, juttat, ad; **~ an expedition** expedíciót felszerel **2.** berendez, bebútoroz **3. ~ an answer** választ ad; **~ evidence/proof** bizonyítékot nyújt/szolgáltat
furnished [ˈfɜːnɪʃt ‖ ˈfɜr–] *mn* bútorozott; **~ room** bútorozott szoba; **ill-~** rosszul/hiányosan bútorozott
furnisher [ˈfɜːnɪʃə ‖ ˈfɜrnɪʃər] *fn* **1.** szállító **2.** bútorkereskedő
furnishings [ˈfɜːnɪʃɪŋ ‖ ˈfɜr–] *fn tsz* lakberendezési tárgyak
furniture [ˈfɜːnɪtʃə ‖ ˈfɜrnɪtʃər] *fn* **1.** bútor(zat), berendezés; **piece/part of ~** bútordarab **2. a)** vasveret, vasalás **b)** *hajó* vitorlázat, kötélzet **c)** *nyomd* zárótégek
furniture van *fn* (fedett) bútorszállító kocsi
furor [ˈfjʊərɔː ‖ ˈfjʊrər] *fn US* → **furore**
furore [fjʊˈrɔːri] *fn biz* **1.** izgalom, rajongó bámulat, túlzott lelkesedés; **create a ~** nagy tetszést arat **2.** felháborodás
furphy [ˈfɜːfi ‖ ˈfɜr–] *fn Ausz szl* **1.** *[abszurd történet]* beszopatás **2.** *[álhír, rémhír]* kacsa
furrier [ˈfʌrɪə ‖ ˈfɜrɪər] *fn* szűcs, prémkereskedő
furriery [ˈfʌrɪəri ‖ ˈfɜr–] *fn* szűcsáru, szőrmeáru
furrow [ˈfʌroʊ ‖ ˈfɜroʊ] **I.** *fn* **1. a)** *mezőg* barázda; *átv* **plough a lonely ~** *biz* egyedül járja az (élete) útját, viszszavonultan/egyedül él **b)** *vál* hajósodor **2.** *épít* barázda, vájat, hornyolás, csatorna, árok **3.** barázda, ránc *[arcon]* **II. A.** *tsi* **1.** *mezőg* barázdát húz/szánt **2.** barázdál, ráncol *[homlokot]* **B.** *tni* barázdál • *mn* **furrowless**, **furrowy**
furry [ˈfɜːri] *mn* **1.** → **furred 2.** bolyhos, szőrös, borzas *[moha, hernyó stb.]* **3.** vízköves **4.** lepedékes *[nyelv]* • *fn* **furriness**
fur seal *fn áll* medvefóka
further [ˈfɜːðə ‖ ˈfɜrðər] **I.** *mn* **1.** távolabbi, messzebbi, messzebb eső/fekvő, túlsó; **on the ~ side of the hill** a domb túloldalán, a dombon túl **2.** újabb, további, távolabbi; **~ expenses** egyéb/további költségek; *gazd* **~ to** hivatkozva *[levelére]*; **till ~ notice/orders** további értesítésig/intézkedésig **II.** *hsz* **1. ~ (off)** messzebb, távolabb; **~ back** hátrább; régebben; **~ on** később, a későbbiekben **2.** egyébként, különben, azonkívül, továbbá; **and ~ I think it expedient to...** különben is ajánlatosnak tartanám... **III.** *tsi* támogat,

elősegít, előmozdít; **this does not ~ our cause** ez nem segíti elő (v. nem szolgálja) az ügyünket; → **far** • *fn* **furtherer** *mn* **furthermost**
furtherance [ˈfɜːðrəns ‖ ˈfɜr–] *fn* előmozdítás, elősegítés
furthermore [ˌfɜːðəˈmɔː ‖ ˌfɜrðərˈmɔr] *hsz* azonkívül, továbbá, ráadásul
furthest [ˈfɜːðɪst ‖ ˈfɜr–] **I.** *mn* legtávolabbi, legmesszebb eső/fekvő/levő **II.** *hsz* legtávolabb(ra), legmesszebb(re)
furtive [ˈfɜːtɪv ‖ ˈfɜrtɪv] *mn* **1.** alattomos; **~ behaviour** alattomos viselkedés; **~ blow** alattomos ütés **2.** óvatos, *átv* lopott; **~ glance/look** titkos/óvatos (v. lopva ejtett) tekintet/pillantás; **~ smile** rejtett mosoly • *fn* **furtiveness** *hsz* **furtively**
furuncle [ˈfjʊərʌŋkl ‖ ˈfjʊr–] *fn orv* kelés, kelevény, furunkulus • *mn* **furuncular**, **furunculous**
fury [ˈfjʊəri ‖ ˈfjʊri] *fn* **1. a)** düh(öngés), tombolás, őrjöngés, szenvedély; **the ~ of the storm** a vihar ereje/hevessége; **get into a ~** dühbe jön/gurul; **work like ~** ég keze alatt a munka **b)** *régi* → **furore 2. a)** a Fúriák **b)** fúria
furze [fɜːz ‖ fɜrz] *fn* **1.** *növ* sülbige **2.** *növ* rekettye • *mn* **furzy**
fuscous [ˈfʌskəs] *mn* sötét (színű), barnás-szürke, feketés
fuse [fjuːz] **I.** *fn* **1.** gyutacs, gyújtó(zsinór), kanóc **2.** olvadóbiztosíték; **the ~ went out** kiégett a biztosíték **3.** *US kat* mechanikus gyújtószerkezet/robbantószerkezet, detonátor *[lövedékben]*; **blow a ~** *szl [bedühödik]* begurul, bepöccen **II. A.** *tsi* **1.** gyújtókészülékkel ellát/felszerel **2.** (össze)olvaszt *[pl. fémet]* **3.** *biz* egybeolvaszt, egyesít, fuzionáltat *[pl. két pártot]* **B.** *tni* **1. a)** megolvad, összeolvad *[fém]* **b)** kiég *[biztosíték]*; **the light has ~d** kiégett a biztosíték **2.** egybeolvad, egyesül, fuzionál *[párt]* **3.** összeforr *[két csont]*
fuse-box *fn vill* biztosítódoboz, F.K.A. tábla
fusee [fjuːˈziː] *fn* **1.** csiga, kónuszos henger *[órában]* **2.** szélgyújtó, szélben ki nem alvó gyufa **3.** *US vasút* rakéta
fuselage [ˈfjuːzɪlɑːʒ ‖ –sə–] *fn rep* repülőgéptörzs
fusel oil [ˈfjuːzlɔɪl] *vegy* kozmaolaj, amilalkohol
fuse wire *fn vill* olvadóbiztosíték-drót
fusible [ˈfjuːzəbl] *mn* olvasztható, olvadékony • *fn* **fusibility**
fusilier [ˌfjuːzəˈlɪə ‖ –ˈlɪr] *fn kat* **1.** *tört* puskás katona, lövész **2.** *GB* közlegény *[könnyű gyalogos]*
fusillade [ˌfjuːzɪˈleɪd ‖ ˈfjuːsəleɪd] **I.** *fn* **1. a)** *kat* puskatűz **b)** lövöldözés, tűzharc **2.** kivégzés sortűzzel, sortűz **3.** *átv* pergőtűz *[pl. kritikáé]* **II.** *tsi* **1.** *kat* puskatűz alá vesz *[állást]* **2.** *kat* agyonlő, sortűzzel kivégez
fusion [ˈfjuːʒn] *fn* **1. a)** beolvadás, összeolvadás, egyesülés, fúzió **b)** *fiz* (mag)fúzió, *összet* fúziós **2. a)** olvasztás **b)** olvadék • *mn* **fusional**
fusion bomb *fn kat* hidrogénbomba, nukleáris bomba
fusion reactor *fn fiz* fúziós reaktor
fuss [fʌs] **I.** *fn* **1. a)** hűhó, fontoskodás; **make a ~**, **kick up a ~** nagy hűhót csap, fontoskodik; **make a ~ over** (v. of *GB*) **sy/sg** nagy hűhót csap vk/vm körül; **don't make a ~!** ne izgulj! **b)** zsivaj, lárma **2.** fontoskodó személy **II. A.** *tsi* **1.** *GB* zaklat, felzavar **2.** *US* sürög-forog vk körül **B.** *tni* aprólékoskodik, akadékoskodik, fontoskodik • *fn* **fusser**
fuss-box *fn* akadékoskodó/fontoskodó személy
fuss-pot → **fuss-box**
fussy [ˈfʌsi] *mn* **1.** akadékoskodó, fontoskodó *[személy]* **2.** túl díszes, cicomás • *fn* **fussiness** *hsz* **fussily**
fustian [ˈfʌstɪən ‖ –tʃən] **I.** *mn* **1.** dagályos, szónokias *[beszéd]* **2.** értéktelen **II.** *fn* **1.** *tex* pamutbársony, kordbársony **2. a)** bombaszt; **~ style** bombasztikus stílus **b)** zavaros/zagyva beszéd/írás
fusty [ˈfʌsti] *mn* **1.** penészes, dohos, szellőzetlen, áporodott **2.** idejétmúlt, régimódi, (el)avult • *fn* **fustiness** *hsz* **fustily**
futile [ˈfjuːtaɪl ‖ ˈfjuːtl] *mn* **1.** hiábavaló, felesleges, hatástalan; **it was a ~ attempt** hiábavaló kísérlet volt **2.** jelentéktelen, haszontalan • *fn* **futility** *hsz* **futilely**
future [ˈfjuːtʃə ‖ –ər] **I.** *fn* **1.** jövő, jövendő; **for/in (the) ~** a jövőben; ezután; **in the distant ~** a messze/távol jövőben **2.** *nyelv* jövő idő **3.** határidőpiac, határidőügylet **II.** *mn* **1.** jövő(beli), jövőre vonatkozó, elkövetkezendő; **~ life** túlvilági élet; **my ~ wife** leendő feleségem, jövendőbelim **2.** *nyelv* **~ tense** jövő idő • *mn* **futureless**
future perfect *fn nyelv* befejezett jövő (idő)
future shock *fn* a jövő okozta sokk, félelem a jövőtől
futurism [ˈfjuːtʃərɪzm] *fn műv* futurizmus
futurist [ˈfjuːtʃərɪst] *fn műv* **1.** ‹az emberiség jövőjében, fejlődésében hívő személy› **2.** jövőkutató **3.** *vall* ‹a végítélet eljövetelében hívő személy›
futuristic [ˌfjuːtʃəˈrɪstɪk] *mn* **1.** *műv* futurista **2.** ultramodern • *hsz* **futuristically**
futurity [fjuːˈtʃʊərəti ‖ –ˈtʊrəti] *fn* **1.** jövő, az eljövendő utókor **2. a)** túlvilági élet, túlvilág **b)** *nyelv* jövőidejűség **3.** eljövendő események
futurology [ˌfjuːtʃəˈrɒlədʒi ‖ –ˈrɑ–] *fn* jövőkutatás, futurológia
fuze [fjuːz] → **fuse I. 1.**
fuzee [fjuːˈziː] *US* → **fusee**
fuzz [fʌz] **I.** *fn* **1.** bolyh, pehely(szőr), pihe(foszlány) **2.** *US szl* **a)** *[rendőrség]* jard **b)** *[rendőr]* zsaru **c)** *[börtönőr, fegyőr]* smasszer **II. A.** *tsi* **~ (out)** bodrosít, göndörít **B.** *tni* **~ (out)** bodrosodik, göndörödik *[haj]*
fuzz-ball *fn növ* pöfeteggomba
fuzzy [ˈfʌzi] *mn* **1. a)** göndör, bodros *[haj]* **b)** torzonborz *[fej]* **2.** bolyhos, pelyhes, pihés **3.** *fényk átv* homályos, elmosódott, lágy körvonalú • *fn* **fuzziness** *hsz* **fuzzily**
fuzzy-wuzzy [ˈfʌziwʌzi] *fn biz* erősen göndör(ített) hajú személy *[általában fekete]*
führer [ˈfjʊərə ‖ ˈfjʊrər] *német* fürer, teljhatalmú vezér
F-word *fn euf* ‹a *fuck* szó›
f.y.i. *röv US for your information* tájékoztatásul közlöm

F

G

G¹, g [dʒiː] *fn tsz* **G's 1.** g (betű/hang); **G for Golf** G mint Géza **2.** *zene* g (hang)
G², g *röv* **1.** *genitive* **2.** *gender* **3.** *general* **4.** *giga* milliárd **5.** *gramme* **6.** *US szl grand [ezer]* rongy **7.** *Gulf*
G7 *röv pol Group of Seven* ‹a hét vezető nagyhatalom›
GA *röv* **1.** *US General American* ‹közamerikai kiejtés›; **2.** *General Assembly*; **3.** *Georgia*
Ga. *röv US Georgia*
gab [gæb] **I.** *fn biz* fecsegés, locsogás, duma; **have the gift of the ~** jó beszélőkéje van; nagy dumás **II.** *tni* **-bb-** *biz* locsog, fecseg
gabardine [ˌgæbəˈdiːn ‖ ˈgæbərdiːn] *fn* **1.** *tex* gabardin **2.** gabardinkabát
gabble [ˈgæbl] **I. A.** *tsi* elhadar, egy szuszra elmond **B.** *tni* **1.** hadar **2. a)** fecseg, locsog **b)** gágog **II.** *fn* **1.** hadarás **2.** fecsegés, locsogás • *fn* **gabbler**
gabby [ˈgæbi] *mn biz* fecsegő, szószátyár
Gabe [geɪb] *tul bec* ‹*Gabriel* becézett alakja›
gaberdine [ˌgæbəˈdiːn ‖ ˈgæbərdiːn] → **gabardine**
gabfest [ˈgæbfest] *fn szl [beszélgetés]* dumaparti, traccsparti
gable [ˈgeɪbl] *fn épít* orom(zat), oromfal; **ornamental ~** háromszögoromzat • *mn* **gabled**
gable-end *fn épít* oromfal
gable roof *fn épít* nyeregtető
gable-window *fn* (orommal kiképzett) manzárdablak, tetőablak
Gabon [ˈgæbɒn ‖ gəˈboʊn] *tul földr* Gabon
Gabonese [ˌgæbəˈniːz] *mn/fn* gaboni
Gabriel [ˈgeɪbrɪəl] *tul* Gábriel, Gábor
gad [gæd] **I.** *tni* **-dd- ~ (about/abroad)** kószál, csavarog, ténfereg **II.** *fn biz* **be on the ~** kószál, kóborog, csavarog
gadabout *fn biz* csavargó, naplopó
gadfly *fn* **1.** *áll* **a)** marhabagócs **b)** *tsz* **gadflies** bögölyök **2.** kullancs, pióca *[ember]*
gadget [ˈgædʒɪt] *fn* fortélyos szerkezet, ravasz kis masina/készülék, szerkentyű, herkentyű • *fn* **gadgetry** *mn* **gadgety**
gadgeteer [ˌgædʒɪˈtɪə ‖ –ˈtɪr] *fn* bütykölő, ezermester, (hobbiból) újító
gadoid [ˈgeɪdɔɪd] *mn/fn* tőkehal-
gadroon [gəˈdruːn] *fn* domború (pontszerű) széldíszítés *[fémen]*, *műv* tojásléc
gadzooks [gædˈzuːks] *isz régi* a teremtésit!
Gael [geɪl] *fn* gael *[nyelvet beszélő kelta]*, skót kelta
Gaelic [ˈgeɪlɪk] *mn/fn* gael, kelta *[nyelv, ember]*
gaff¹ [gæf] **I.** *fn* **1. a)** szigony **b)** halászkampó, halászcsáklya, (hús)horog *[hentesé]* **2.** *hajó* csonka árboc, gaff **II.** *tsi* megcsáklyáz *[halat]*
gaff² [gæf] *fn szl* **blow the ~** *[bevall vmt]* eljár a szája, vall, köp; **blow the ~ on sy** bemárt/elárul/bemószerol vkt
gaffe [gæf] *fn* tapintatlanság, baklövés; **commit a ~** tapintatlanságot követ el, bakot lő
gaffer [ˈgæfə ‖ –ər] *fn* **1.** *biz régi* (öreg)apó, papa, öreg **2. a)** *GB biz* munkavezető, előmunkás **b)** *biz* főnök **3.** *film biz* fővilágosító
gag [gæg] **I.** *fn* **1.** szájpecek **2.** *szính* rögtönzés, bemondás, kabarétréfa, ötlet, geg **3. a)** *szl [elhitetés]* beugratás, elbolondítás, átejtés **b)** *szl* mese *[koholt magyarázat]* **II. -gg- A.** *tsi* **1.** felpeckel, betöm *[száját]*; *átv* elnémít, elhallgattat; *biz* **~ the press** elnémítja/elhallgattatja a sajtót **2.** *szính* **~ one's part** rögtönzött tréfákkal/bemondásokkal toldja meg a szerepét **3.** *szl [elhitet]* beugrat, átejt **B.** *tni szính szl* bemondásokat rögtönöz
gaga [ˈgɑːgɑː] *mn szl* (vén) hülye, szenilis, süsü
gage¹ [geɪdʒ] **I.** *fn* **1.** zálog, biztosíték; **give sg in ~, lay sg to ~** zálogul/biztosítékul ad, zálogba tesz vmt **2.** *régi* **~ (of battle)** kihívás (harcra/csatára), odadobott kesztyű **II.** *tsi régi* elzálogosít, zálogba tesz, zálogul ad
gage² [geɪdʒ] *fn biz* ringló
gage³ [geɪdʒ] → **gauge I., II.**
gaggle [ˈgægl] **I.** *fn* **1. a)** gágogás **b)** fecsegés, locsogás, pletykázás **2. a)** libafalka **b)** csomó, rakás *[ember]* **c)** pletykás/fecsegő asszonynép **II.** *tni* **a)** gágog **b)** fecseg, locsog
gag man *fn szính* ötletgyártó, humorista *[aki a vígjátékok vicceit írja]*
gagster [ˈgægstə ‖ –ər] *fn biz* viccgyáros, humorzsák
gaiety [ˈgeɪəti] *fn* **1.** vidámság, vígság, jókedv, derű **2.** *tsz* **gaieties** mulatság, vigalom, mulatozás **3.** élénkség *[szinekéj]*, derűs/fiatalos hatás, színpompa *[ruháé]*
gain [geɪn] **I. A.** *tsi* **1. a)** nyer *[időt, bebocsátást]*, szerez *[előnyt, hírnevet]*, szert tesz (vmre), keres *[pénzt]*, kap *[felvilágosítást]*, megnyer *[tetszést, rokonszenvet]*; **~ ground** teret nyer, tért hódít, (el)terjed, erősödik, halad; **~ a hearing** kihallgatást kap; **~ altitude** emelkedik; **~ one's living** megkeresi a kenyerét/megélhetését; **~ strength** megerősödik, visszanyeri az erejét; **you will ~ nothing by it** ezzel nem jutsz előbbre, ezzel semmire sem mész; **~ the upper hand of sy** fölébe kerekedik vknek; **~ time** időt nyer **b) ~ sy over** meggyőz/megnyer/„megfőz" vkt *[magának, ügynek]* **c)** elhódít; **lands ~ed from the sea** a tengertől elhódított föld/terület **2.** hízik, gyarapszik (vmennyit) **3.** elér *[csúcsot, partot, célt]* **4.** siet *[vmennyit óra]* **B.** *tni* **1.** előnyére/hasznára van vm, hasznot lát/húz **2. a)** gyarapszik, növekedik, hízik; **he is ~ing in weight** hízik; **~ in popularity** népszerűsége nő **b)** (egészségi állapota) javul **3. a)** *átv* **~ (up)on** tért hódít; **the sea ~s on the land** a tenger egyre többet foglal el a szárazföldből **b) ~ (up)on** megközelít; utolér, megelőz, lehagy *[vetélytársat]* **4.** siet *[óra]* **II.** *fn* **1. a)** nyereség, haszon, előny **b)** *gazd* **~(s)** nyereség, haszon; **eager for ~** kapzsi, nyereségvágyó; **my ~ is your loss** az én hasznom a te károd; *közm* **no ~s without pains** nincsen rózsa tövis nélkül **2. a)** növekedés, gyarapodás, nagyobbodás; **~ in weight** súlygyarapodás **b)** *távk el* erősítés • *fn* **gainer** *mn* **gainable**
gainful [ˈgeɪnfl] *mn US* jövedelmező, hasznot hajtó; **~ employment** kereső/jövedelmező/fizetett foglalkozás
gainings [ˈgeɪnɪŋz] *fn tsz* nyereség, haszon
gainsay [ˌgeɪnˈseɪ] *tsi pt/pp* **gainsaid** [geɪnˈsed] *vál* ellentmond (vknek), megcáfol, tagad (vmt)
'gainst [gənst] → **against I.**
gait [geɪt] *fn* járás(mód), testtartás; **unsteady ~** bizonytalan járás, tántorgás; **know sy by his ~** megismer vkt a járásáról
gaiter [ˈgeɪtə ‖ –ər] *fn* **1.** lábszárvédő, bokavédő, kamásli **2.** *gk* porvédő (gumi)harmonika
gal [gæl], **gal.** *röv gallon*
gal [gæl] *szl* → **girl**
gala [ˈgɑːlə ‖ ˈgeɪlə] *fn* (dísz)ünnepély; **swimming ~** úszóünnepély; **in ~** dísz(egyen)ruhában, (ünnepi) díszben
galactic [gəˈlæktɪk] *mn* tejúti, galaktikus, tejútrendszerbeli
Galahad [ˈgæləhæd] *fn* nemes/udvarias lélek
galantine [ˈgælæntiːn] *fn* galantin, kocsonya
gala party *fn* gálaünnepség, gálaünnepély
galaxy [ˈgæləksi] *fn* **1. a)** csillagrendszer, galaxis **b)** *csill* **the G~** a Tejútrendszer, Galaktika **2.** *biz* ragyogó/fényes gyülekezet, tekintélyes/híres emberek csoportja

gale [geɪl] *fn* **1.** *hajó* erős szél **2.** (szél)vihar, viharos szél, orkán **3.** élénkség, vidámság; **a ~ of laughter** hangos hahota, harsogó nevetés

galea [ˈgeɪlɪə, –lɪiː] *fn tsz* **galeae** *áll növ* búb, sisak • *mn* **galeate**, **galeated**

galenic, **galenical** [gəˈlenɪk(l)] **I.** *mn* természetes anyagból készült **II.** *fn* állati v. növényi szövetből készült szer

gale warning *fn* viharjelzés

Galilean[1] [ˌgælɪˈliːən] *mn* Galileivel kapcsolatos, Galilei-

Galilean[2] [ˌgælɪˈliːən] **I.** *mn* **1.** galileai **2.** keresztény **II.** *fn* **1.** galileai **2.** keresztény **3. the ~** a galileai, Krisztus

Galilee [ˈgælɪliː] *tul bibl* Galilea

galingale [ˈgælɪgeɪl] *fn növ* **1. (sweet/English) ~** hoszszúpalka **2.** kínaigyömbér (gyökere)

gall[1] [gɔːl] *fn* **1.** *orv* epehólyag **2.** *orv* epe **3.** *átv* **a)** epe, keserűség; **it's ~ and wormwood** keserű, mint az epe; ez csupa bosszúság; **vent one's ~ on sy** kitölti a mérgét vkn **b)** harag, gyűlölet, rosszindulat **c)** *US biz* szemtelenség, pimaszság; *szl* **have the ~ to do sg** van pofája vmt megtenni

gall[2] [gɔːl] **I.** *fn* **a)** horzsolás **b)** *biz* sértődés, megaláztatás **II.** *tsi* **a)** feldörzsöl, lehorzsol, feltör *[bőrt]* **b)** *biz* ingerel, megsért, megbánt (vkt)

gall[3] [gɔːl] *fn növ* gubacs

gall[4] [gɔːl] *röv* gallon

gallant [ˈgælənt] **I.** *mn* **1. a)** bátor, vitéz, hős, hősies, derék, lovagias; **a ~ deed** vitézi tett **b)** szép, büszke, nemes *[ló, hajó]* **c)** *régi* választékos, finom, elegáns *[öltözet]* **2.** udvarias, előzékeny, gáláns *[nőkkel szemben]* **II.** *fn régi* **1.** előkelő/elegáns ember, aranyifjú **2. a)** udvarias/előzékeny ember **b)** gavallér **III. A.** *tsi* **1. ~ the ladies** udvariaskodik a nőkkel, teszi a szépet nőknek **2.** elkísér *[nőt]* **3.** flörtöl **B.** *tni* **~ with the ladies** udvarol/bókol a nőknek, flörtöl • *hsz* **gallantly**

gallantry [ˈgæləntri] *fn* **1.** bátorság, vitézség, hősiesség, vitézi cselekedet **2. a)** udvarlás, legyeskedés *[nők körül]* **b)** *régi* szerelmi viszony **3.** udvarias beszéd/cselekedet

gall-bladder *fn orv* epehólyag

galleon [ˈgælɪən] *fn [spanyol]* gálya

galleria [ˌgæləˈriːə] *fn* üzletközpont, galéria

galleried [ˈgælərid] *mn épít* árkádos, galériás

gallery [ˈgæləri] *fn* **1. a)** erkély, karzat, galéria **b)** *szính* legfelső emelet, karzat **c)** karzat közönsége; *átv* **play to the ~** a karzatnak játszik, a tömeg kegyeire vadászik **d)** *átv* nézők, közönség **e)** erkély, balkon, veranda, terasz, tornác **f)** emelvény *[templomban a presbiterek számára]* **2.** képtár, galéria **3.** *bány* aknafolyosó, tárna, járat • *mn* **galleried**

galley [ˈgæli] *fn* **1.** *hajó tört* **a)** gálya, evezős hajó; **sent to the ~s** gályarabságra ítélve **b)** belvillás csónak **2. a)** hajókonyha **b)** ‹repülőgép konyharésze› **3.** *nyomd* **a)** (szedő)hajó **b)** hasáb(levonat)

galley proof *fn nyomd* hasáblevonat, hasábkorrektúra

galley slave *fn* gályarab; **be sy's ~** valósággal rabszolgája vknek, vknek kénye-kedvére ki van szolgáltatva; **toil like a ~** inaszakadtáig dolgozik; gürcöl, mint az állat

Gallic [ˈgælɪk] *mn* **1.** *tréf* francia **2.** gall, galliai

Gallicism [ˈgælɪsɪzm] *fn nyelv* gallicizmus, franciás kifejezés

Gallicize [ˈgælɪsaɪz], **-ise A.** *tsi* elfranciásít **B.** *tni* elfranciásodik

galligaskins [ˌgælɪˈgæskɪnz] *fn tsz* **a)** *biz* bő (térd)nadrág **b)** *táj* szárharisnya, kamásli

gallinaceous [ˌgælɪˈneɪʃəs] *mn áll* tyúkféle; **~ birds** tyúkalakúak

galling [ˈgɔːlɪŋ] **I.** *mn* **1.** felhorzsoló, dörzsölő, feltörő *[bőr]* **2.** sértő, bántó, kellemetlen; **~ experience** keserű tapasztalat **II.** *fn* **1.** lehorzsolódás, horzsolás, feltörés *[bőré]* **2.** (meg)sértés, megalázás

gallipot [ˈgælɪpɒt ‖ –pɑt] *fn orv* tégely, mázas gyógyszertári kőedény

gallivant [ˈgælɪvænt] *tni* állandóan a nők körül legyeskedik, szoknya után futkos

gallnut *fn* cserzőgubacs

Gallo- [ˈgæloʊ] *összet* francia, gall-

gallon [ˈgælən] *fn* **1.** gallon *[űrmérték: GB = 4,54 liter, US = 3,78 liter]*; **imperial ~** ‹űrmérték = 4,54 liter›; **wine ~** ‹űrmérték = 3,78 liter› **2. ~(s)** sok, nagy mennyiségű • *fn* **gallonage**

galloon [gəˈluːn] *fn* szegély(dísz), sujtás *[ruhán]*

gallop [ˈgæləp] **I.** *fn* **1.** vágta, galopp; **full ~** erős/teljes vágta; **at a ~** vágtában; **break into a ~** vágtázni kezd **2.** vágtatás, galoppozás **3.** lovaglópálya **II. A.** *tsi* vágtában hajt/futtat *[lovat]* **B.** *tni* **1. a)** vágtat, vágtázik, galoppozik **b)** vágtat, száguld, rohan **2.** *átv* **~ through sg** gyorsan elolvas/elhadar vmt • *fn* **galloper**

Gallophile [ˈgæləfaɪl] *mn/fn* franciarajongó • *fn* **Gallophilism**

Gallophobe [ˈgæləfoʊb] *mn/fn* franciagyűlölő, franciafaló • *fn* **Gallophobia**

galloping [ˈgæləpɪŋ] *mn* **~ inflation** száguldó infláció

gallows [ˈgæloʊz] *fn esz* **1.** akasztófa, bitó(fa); **hang sy on the ~** felköt/felakaszt vkt **2.** akasztás

gallows humour *fn* akasztófahumor

gallstone [ˈgɔːlstoʊn] *fn* epekő; **~ probe** epe(kő)szonda

Gallup poll [ˈgæləp poʊl] *fn* közvéleménykutatás *[a Gallup-intézet módszerével]*

galluses [ˈgæləsɪz] *fn tsz US* nadrágtartó

galoot [gəˈluːt] *fn US szl* **a)** *[ügyetlen/nehézkes ember]* béna hapsi **b)** *[modortalan, faragatlan ember]* bunkó

galore [gəˈlɔː ‖ gəˈlɔr] *hsz* bőven, bőségesen; **fruits and flowers ~** rengeteg gyümölcs és virág

galoshes [gəˈlɒʃɪz ‖ –lɑʃ–] *fn tsz* sárcipő, kalocsni

galumph [gəˈlʌmf] *tni biz* **1.** peckesen feszít/üget **2.** csörtet

galvanic [gælˈvænɪk] *mn* **1.** *vill* galvanikus, galvános, galván-; *el* **~ cell** galvánelem **2.** ösztönző, energiával teli, felvillanyozó *[hatású]*

galvanism [ˈgælvənɪzm] *fn* galvánosság

galvanize [ˈgælvənaɪz], **-ise** *tsi* **1.** felvillanyoz, felélénkít; **~ into action** (hirtelen) tevékenységre serkent **2.** *fémip* **a)** galvanizál, galvánoz **b)** horganyoz • *fn* **galvanization**, **galvanisation**

gam [gæm] *fn szl [láb(szár)]* pipa, virgács

gambade [gæmˈbeɪd] *fn* **1.** ugrás, szökellés *[lóé]* **2.** *régi* csíny, kirúgás a hámból

Gambia [ˈgæmbɪə] *tul földr* Gambia

Gambian [ˈgæmbɪən] *mn/fn* gambiai

gambit [ˈgæmbɪt] *fn* **1.** csel(játék), gyalogáldozatot kínáló nyitás *[sakkban]*; **king's ~** királycsel **2.** *átv* társalgást/vitát elindító kijelentés **3.** trükk, átverés

gamble [ˈgæmbl] **I. A.** *tsi* **~ away** szerencsejátékon/tőzsdén eljátszik/elveszít, elver *[vagyont]* **B.** *tni* szerencsejátékot/hazárdjátékot játszik, hazardírozik, (pénzben) játszik, kártyázik; **~ on the Stock Exchange** a tőzsdén játszik, tőzsdézik; *biz* **you may ~ on that** erre nyugodtan tehetsz/számíthatsz, ezt biztosra veheted **II.** *fn* **1.** kockázatos/hazárd vállalkozás/ügy **2.** szerencsejáték, hazárdjáték • *fn* **gambler**, **gambling**

gambling-house *fn* játékbarlang, játékkaszinó, játékszalon, kártyabarlang

gambling-table *fn* játékasztal, kártyaasztal

gamboge [gæmˈboʊdʒ] *fn* gumigyanta, sárga mézga

gambol [ˈgæmbl] **I.** *tni* **-ll-**, *US* **-l-** ugrál, szökdécsel, ugrabugrál **II.** *fn* **a)** ugrás **b)** ugrálás, ugrándozás

game[1] [geɪm] **I.** *fn* **1. a)** játék *[szórakozásból, sportból]*, játék, gém *[teniszben]*, *US* mérkőzés; **draw ~** (el)döntetlen (játék); **home ~** saját pályán folyó játék; **even/odd ~** páros/páratlan játékállás; **be five ~ all** 5:5 a játékállás; *átv biz* **the ~'s up** vége a játéknak; a terv dugába dőlt; **~ of chance** szerencsejáték; **be off one's ~** nincs formában, rosszul játszik *[játékos, sportoló]*; **be on one's ~** jó formában van, jól játszik *[játékos, sportoló]*; **beat sy at his own ~** saját fegyverével győz le vkt; **play a good ~** jó játékos; **play a**

losing ~ reménytelen játszmát játszik; *átv* reménytelen küzdelmet folytat; **play a square ~, play the ~** szabályok szerint (v. korrektül) játszik/cselekszik; *átv* betartja a játékszabályokat; *átv* becsületesen/korrektül jár el; **play a ~ with sy** csak játszik vkvel; **that's not playing the ~** ez nem becsületes/szabályos/tisztességes (játék/eljárás); **play sy's ~** vk érdekében működik; **play a sure ~** óvatosan játszik; *átv* biztosra megy; **make ~ of** megtréfál vkt, gúnyt űz vkből **b)** mulatság, szórakozás, játék, tréfa, tréfálkozás; **make ~ of sy** megtréfál/kicsúfol vkt, gúnyt űz vkből; mulat vkn **c)** *biz* **what's his ~?** mi a célja?, mit akar?; *biz* **so that's your little ~!** ahá hát így vagyunk! **d)** *ját* mans(erő) *[bridzsben]* **e)** (sport)felszerelés **2.** *GB okt* (iskolai) sport **3. the G~s** az Olimpiai Játékok **4. a)** vad(állat); **big ~** nagyvad; nagy ragadozók; **fair ~** vadászható/lőhető vad; → **fair**[2] I. 1. c.; **small ~** apróvad **b)** vadhús, vadpecsenye **5.** hattyúraj **6. be/go on the ~** dolgozik *[betörő, prostituált]*; strichel, űzi az ipart *[prostituált]* **II.** *mn* **1.** bátor határozott, kemény; **be ~** helyén van a szíve **2.** kész (vmre); **I am ~ for anything** mindenben benne vagyok **III. A.** *tsi* **1. ~ away one's money/fortune** eljátssza/elkártyázza a pénzét/vagyonát **2. ~ away one's time** játékkal tölti minden idejét; egész nap játszik **B.** *tni* pénzben játszik • *fn* **gamester**

game[2] [geɪm] *mn ritk* béna, nyomorék, csonka *[kar, láb]*, sánta

gameball *fn sp* gémlabda, játéklabda *[teniszben]*

game bird *fn* szárnyas (vad)

gamebook *fn* vadásznapló

Game Boy *fn* ‹elemes videójáték›

gamecock *fn* harci kakas

game-fixer *fn sp biz* bundázó

gamekeeper *fn* vadőr, erdőkerülő

game law *fn* vadászati törvény

game park *fn* vadaspark, vadaskert

game plan *fn* **1.** *sp* taktika **2.** haditerv *[politikában, üzletben]*

game point → **gameball**

game preserve *fn* védett terület *[vadak számára]*, vadaskert

gamer ['geɪmə ‖ −ər] *fn* játékos

game-room *fn* játékszoba *[biliárdasztallal stb.]*

game show *fn média* televíziós vetélkedő

gamesmanship ['geɪmzmənʃɪp] *fn* ‹az a tudás, rutin, fifika, amellyel az ellenfelet legyőzhetjük›

gamesome ['geɪmsəm] *mn* derűs, vidám, jókedvű, sportkedvelő

gamete ['gæmi:t] *fn biol* ivarsejt, gaméta

game theory *fn mat* játékelmélet

game warden *fn* vadőr

gamin ['gæmɪn] *fn* utcagyerek; szemtelen/vásott gyerek/kölyök

gamine [gæ'mi:n] *fn* fiús kislány

gaming ['geɪmɪŋ] *fn* (szerencse)játék; *jog* **~ and wagering** szerencsejáték és fogadás

gaming house *fn* játékbarlang, kártyabarlang

gaming room *fn* játékterem, játékszoba, kártyaszoba

gaming table *fn* játékasztal, kártyaasztal

gamma ['gæmə] *fn* **1.** gamma *[görög betű]* **2.** közepes (osztályzat) **3.** sorozat harmadik tagja

gamma radiation *fn* gamma-sugárzás

gammon[1] ['gæmən] **I.** *fn* **1.** füstölt sonka/szalonnadarab **2.** hátsó negyed *[levágott disznóé]* **3.** sonka **II.** *tsi* besóz és megfüstöl *[szalonnát]*, pácol *[sonkát]*

gammon[2] ['gæmən] **I.** *fn GB biz* tréfa, vicc, összevissza beszéd **II. A.** *tsi GB* megtréfál, rászed, becsap, behúz a csőbe (vkt) **B.** *tni szl* tréfál, viccel

gammy ['gæmi] *mn GB biz* béna, sánta, csonka *[láb]*

gamp [gæmp] *fn GB biz* esernyő

gamut ['gæmət] *fn* **1.** *zene* **a)** hangsor, skála **b)** hang/hangszer terjedelme **2.** (a teljes) skála; **the whole ~ of sg** vmnek a teljes skálája/sorozata; **run the whole ~ of** az összeset kipróbálja vmből **3.** *infor* skála, terjedelem

gamy ['geɪmi] *mn* **1.** vadban gazdag *[erdő]* **2.** vadszagú *[hús]* **3.** *biz* bátor, határozott, kemény

-gamy [gəmi] *utótag* -gámia; **monogamy** monogámia

gander[1] ['gændə ‖ −ər] *fn* **1.** gúnár **2.** *biz* együgyű, ostoba; *közm* **sauce for the goose is sauce for the ~** ami jó az egyiknek, jó a másiknak is

gander[2] ['gændə ‖ −ər] *fn GB szl* **1.** nézés, pillantás *stand* **2. take a ~ at sg/sy** *[néz]* skubizik, stíröl

gang[1] [gæŋ] **I.** *fn* **1. a)** csoport, (munkás)csapat, banda, brigád **b)** (gengszter)banda; **one of the ~** a klikk tagja; *pol* **the old ~** a régi garnitúra *[politikusok]* **c)** szolgák, rabok csapata **2.** szerszámkészlet, (szerszám)sorozat **II. A.** *tsi US* felszerel *[fűrészt, fúrót]* **B.** *tni US* **~ up** összeáll, szövetkezik; bandába verődik/áll *[rendszerint rossz szándékból]*; összebeszél

gang[2] [gæŋ] *tni skót* megy, jár

gang-bang *fn szl [csoportos (gyakran erőszakos) nemi közösülés]* partiba dobás

gangboard *fn* hajóhíd, kikötőhíd, pallóhíd, kiszállóhíd

gangbuster *fn szl* **like ~s** hatásos, sikeres

ganger ['gæŋə ‖ −ər] *fn GB* munkáscsoport vezetője, munkavezető

Ganges ['gændʒi:z] *tul földr* Gangesz

gangland *fn US* a gengszterek működési területe, alvilág *[bűnözőké]*

gangle ['gæŋgl] *tni* esetlenül mozog

gangling ['gæŋglɪŋ] *mn biz* **1.** nyurga, nyakigláb **2.** esetlen

ganglion ['gæŋglɪən] *fn tsz* **-lia** [−lɪə], **-s 1.** *orv* **a)** idegdúc, ganglion **b)** ínban fekvő ciszta **2.** *átv biz* központ, csomópont • *mn* **ganglionic**

gangly → **gangling**

gangplank → **gangboard**

gang rape *fn* csoportos nemi erőszak • *tsi* **gang-rape**

gangrene ['gæŋgri:n] **I.** *fn* **1.** *orv* üszök, üszkösödés, gangréna **2.** *átv* erkölcsi romlás **II.** *orv* **A.** *tsi* (el)üszkösít **B.** *tni* (el)üszkösödik • *mn* **gangrenous**

gang show *fn* cserkészünnepély

gangsta ['gæŋstə] *fn* **1.** *szl* gengszter **2.** gengszter rap *[agresszív rapzene]*

gangster ['gæŋstə ‖ −ər] *fn* bandita, gengszter • *fn* **gangsterism**

gangsterdom ['gæŋstədəm ‖ −ərdəm] *fn* gengsztervilág

gangue [gæŋ] *fn bány* meddő (kőzet)

gangway *fn* **1. a)** *GB* átjáró, középső folyosó *[üléssorok között]* **b) ~!** utat! *[vknek tömegen keresztül]* **2.** *hajó* **a)** hajópalló, hajóhíd, kikötőhíd **b)** fedélzeti járda

gannet ['gænɪt] *fn* **1.** *áll* szula **2.** *GB biz* mohó ember

ganoid ['gænɔɪd] *fn* **I.** *mn* vértes *[hal]* **II.** *fn áll* vértes hal

gantry ['gæntri] *fn* **1.** ászok(fa) *[hordóknak]* **2.** *ip* **a)** állványzat; *vasút* **(signal) ~** szemaforhíd **b)** portáldaru felső része **c)** hordóállvány **d)** (emelt) darupálya **3.** kilövőállvány *[rakétáé]*

gaol [dʒeɪl] **I.** *fn* börtön, tömlöc, fogház, fegyház; **put in ~** bebörtönöz; → **jail II.** *tsi* bebörtönöz, börtönbe csuk/zár

gaoler ['dʒeɪlə ‖ −ər] *fn* börtönőr

gap [gæp] *fn* **a)** rés, hézag, (keskeny) nyílás, térköz, hasadék, repedés, lyuk **b)** hézag, kiesés *[emlékezetben]*, hiány *[műveltségben]*, űr *[vk távozásával]*, szakadék *[álláspontok között]*; *átv* **bridge/reduce the ~ between their views** a nézeteik közt támadt szakadékot áthidalja; **fill up/in the ~s, fill/close a ~** lyukat betöm, hiányt pótol; pótolja a mulasztottakat **c)** *US* hágó, (hegy)szoros, szakadék

gapa ['gæpə] *fn kat ground-to-air pilotless aircraft* földlevegő rakéta(-repülőgép)

gape [geɪp] **I.** *tni* **1. a)** kitátja a száját **b)** ásítozik **c)** tátogatja (v. tágra nyitja) csőrét *[madár]* **d) ~ (open)** tátong; rés keletkezik **2.** száját tátja, bámul; **~ at sy/sg** szájtátva néz vkt/vmt; **make people ~** elkápráztatja

(v. bámulatba ejti) az embereket **II.** *fn* **1.** ásítás; **the ~s** ásítozás, folytonos ásítás; *biz* **give sy the ~s** untat vkt, ásításra késztet vkt **2.** szájtátás, bámulás **3.** tátongás • *fn* **gaper**

gaping [ˈgeɪpɪŋ] *mn* **1.** ásító **2.** *átv* tátongó

gap-toothed *mn* foghíjas

garage [ˈgærɑːʒ, –ɪdʒ ‖ gəˈrɑʒ] **I.** *fn* **1.** garázs **2.** autószerviz **3.** benzinkút *[autójavítóval és/vagy autókereskedéssel]* **4.** *biz* **~ (rock)** garázsrock(zene) **II.** *tsi* garázsban tart/tárol *[autót]*

garage sale *fn US* ‹háztartásban feleslegessé vált holmik eladása garázsban v. a garázs előtt› bolhapiac

garb [gɑːb ‖ gɑrb] **I.** *fn* öltözék, öltözet, ruha, viselet, mez; **in nature's ~** ádámkosztümben, meztelenül **II.** *tsi* öltöztet, felruház; **~ed in black** fekete öltözetben/ruhában

garbage [ˈgɑːbɪdʒ ‖ ˈgɑr–] *fn* **1.** hulladék *[főleg konyhai]*, ételmaradék *[moslékban]*, *US* (házi)szemét, piszok **2.** szennyirodalom **3.** *biz* hülyeség, ostobaság **4.** *infor* helytelen/fölösleges adat

garbage can *fn US* szemétvödör

garbage dump *fn US* szeméttelep

garbage man *fn US* szemetes; *biz* kukás

garbage truck *fn US* szemeteskocsi/kukásautó

garble [ˈgɑːbl ‖ ˈgɑrbl] *tsi* **1. a)** megcsonkít, megrövidít, elront *[szöveget, számlát]*, megcsonkítva idéz **b)** meghamisít, elferdít *[hírt, tényt, történelmet]*, csúsztat **2.** (át)szitál, szétválogat, kiválogat, szétválaszt **3.** akaratlanul megzavar • *fn* **garbler**

garbo [ˈgɑːbou ‖ ˈgɑr–] *fn Ausz biz* szemetes, kukás

garbologist [gɑːˈbɒlədʒɪst ‖ gɑrˈbɑ–] *fn US* **1.** hulladékhasznosítás-kutató **2.** *tréf* szemetes

garda [ˈgɑːdə] *fn* **1.** ír rendőr **2. G~** ír rendőrség

garden [ˈgɑːdn ‖ ˈgɑrdn] **I.** *fn* **1. a)** kert; **the G~ of Eden** az Édenkert **b)** kerthelyiség, kert *[vendéglőé]* **c)** kerti (használatra való) **2.** *tsz* **gardens a)** park, liget **b)** fasor, fás utca **3. the G~** Epikurosz kertje **4.** *US sp* fedett pálya **II. A.** *tsi/tni* művel *[kertként, parkszerűen]* **B.** *tni* kertészkedik, kertet művel, kertben dolgozik • *fn* **gardening**

garden centre, *US* **-center** *fn* kertészeti szaküzlet/áruház

garden city *fn GB* kertváros

gardener [ˈgɑːdnə ‖ ˈgɑrdnər] *fn* kertész

garden flower *fn* kerti virág, díszvirág

garden-fresh *mn* frissen szedett *[gyümölcs, zöldség]*

garden gnome *fn* kerti törpe

gardenia [gɑːˈdiːnɪə ‖ gɑr–] *fn növ* gardénia

garden party *fn* kerti összejövetel/fogadás/ünnepség, garden party, kerti parti

garden path *fn* kerti ösvény; *szl* **lead/send sy up the ~** *[félrevezet, becsap, rászed]* lóvá tesz, behúz a csőbe

garden seat *fn* kerti pad

Garden State *tul földr US biz* ‹New Jersey állam›

garden suburb *fn* kertváros, villanegyed

garden warbler *fn áll* kerti poszáta

garderobe [ˈgɑːdroub ‖ ˈgɑr–] *fn régi* **1.** öltöző(szoba) **2.** ruhaszekrény

garfish [ˈgɑːfɪʃ ‖ ˈgɑr–] *fn tsz* **garfish, -es** *áll* **1.** tűhal **2.** csőrös csuka **3.** kajmánhal

gargantuan [gɑːˈgæntʃuən ‖ gɑr–] *fn* rettenetesen nagy, óriási

gargle [ˈgɑːgl ‖ ˈgɑrgl] **I.** *tsi/tni* **~ (one's throat)** torkát öblögeti, gargarizál **II.** *fn* **1.** toroköblögetés, gargarizálás **2.** toroköblögető/gargarizáló folyadék **3.** *szl [szeszes ital]* nyakolaj, toroköblítő

gargoyle [ˈgɑːgɔɪl ‖ ˈgɑr–] *fn épít* vízköpő

garibaldi [ˌgærɪˈbɔːldi] *fn* **~ (shirt, cap)** Garibaldi-ing, Garibaldi-sapka

garish [ˈgeərɪʃ ‖ ˈgerɪʃ] *mn* feltűnő, rikító, ízléstelen

garland [ˈgɑːlənd ‖ ˈgɑr–] **I.** *fn* **1.** virágfüzér, lombfüzér, girland; *biz* **win** (v. **carry away) the ~** elnyeri/elviszi a pálmát, övé a babér **2.** versfüzér, antológia **II.** *tsi* virágfüzérrel díszít

garlic [ˈgɑːlɪk ‖ ˈgɑr–] *fn* fokhagyma; **bulb of ~** fokhagymafej; **clove of ~** fokhagymagerezd • *mn* **garlicky**

garment [ˈgɑːmənt ‖ ˈgɑr–] *vál* **I.** *fn* **a)** ruha, ruházat, öltözék **b)** ruhadarab; **the ~ trade** konfekcióipar **c)** borító **II.** *tsi* öltöztet *[vmlyen ruhába/mezbe]*

garner [ˈgɑːnə ‖ ˈgɑrnər] **I.** *tsi vál* **1.** csűrbe rak, betakarít *[gabonát]*, elrak, raktároz **2.** *átv* összegyűjt *[tudást, információt]* **II.** *fn vál* csűr, hombár, magtár

garnet [ˈgɑːnɪt ‖ ˈgɑr–] *fn* gránát *[drágakő]*

garnish [ˈgɑːnɪʃ ‖ ˈgɑr–] **I.** *tsi* **1.** díszít, körít **2.** *jog* **a)** bíróság elé idéz *[harmadik/kívülálló személyt]* **b)** zár alá vesz *[adós harmadik személy birtokában levő értékeit]*, letilt *[fizetést]* **II.** *fn* **a)** dísz(ítés) **b)** körítés, köret *[tálon]*

garnishee [ˌgɑːnɪˈʃiː ‖ ˌgɑr–] *jog* **I.** *fn* **1.** ‹törvény elé idézett harmadik személy› **2.** ‹harmadik személy akinek birtokában az adós értékei vannak› **II.** *tsi* **1.** bíróság elé idéz **2.** zár alá vesz

garnishment [ˈgɑːnɪʃmənt ‖ ˈgɑr–] *fn* **1. a)** díszítés **b)** körítés, köret **2.** *jog* **a)** ‹harmadik személy törvény elé idézése› **b)** ‹adós harmadik személy birtokában levő értékeinek zár alá vétele› (fizetés)letiltás

garniture [ˈgɑːnɪtʃə ‖ ˈgɑrnɪtʃər] *fn* **1.** felszerelés, hozzávaló, kellékek **2. a)** körítés, köret *[ételé]* **b)** díszítés *[ruháé]* **c)** díszítmény, ékítmény *[stílusé]*

garotte [gəˈrɒt ‖ gəˈrɑt] **I.** *tsi* **1.** nyakszorító vassal kivégez **2.** megfojt(, hogy kirabolja) **II.** *fn* **1.** kivégzés nyakszorító vassal **2.** megfojtás **3.** ‹országúti rablás, ahol az áldozatot megfojtják›

garçon [gɑːˈsɒn ‖ gɑr–] *fn* pincér

garret [ˈgærət] *fn* padlásszoba, manzárdszoba

garrison [ˈgærɪsn] **I.** *fn* helyőrség; **in ~** helyőrségi szolgálaton **II.** *tsi* **1. ~ a town** helyőrséget helyez el egy városban; helyőrségként szolgál (v. állomásozik) egy városban **2.** helyőrségként helyez el *[csapatot]*

garrison town *fn* helyőrségi város

garrote [gəˈrɒt ‖ –ˈrɑt], *US* **garrotte → garotte**

garrulous [ˈgærələs] *mn* beszédes, bőbeszédű, fecsegő, locsogó, szószátyár • *fn* **garrulity**

garter [ˈgɑːtə ‖ ˈgɑrtər] *fn* **1.** harisnyatartó, zoknitartó **2. Order of the G~** Térdszalagrend; **Knight of the G~** a Térdszalagrend lovagja

garter belt *fn* harisnyakötő (öv)

garter stitch *fn* lustakötés *[kézimunka]*

garth [gɑːθ ‖ gɑrθ] *fn* kolostorkert

Gary [ˈgæri] *tul* ‹férfinév›

gas [gæs] **I.** *fn* **1.** gáz; **turn on the ~** kinyitja/meggyújtja a gázt *[tűzhelyen]* **2.** *orv* **(laughing) ~** dinitrogénoxid, kéjgáz *[mint narkotikum]*; *fiz* **~ laws** gáztörvények **3.** *kat* **lethal ~** harci gáz, mérges gáz **4.** *orv* bélgáz, szél; **relieve ~** puffadást megszüntet, szeleket távoztat **5.** benzin **6. a)** *szl [felesleges beszéd]* locsogás, fecsegés **b)** *szl [nagyzolás, hencegés]* rizsa, vaker **7.** *US gk* gáz; **step on the ~** rákapcsol, belelép a gázba, teljes gázt ad **II. -ss- A.** *tsi* **1. a)** elgázosít *[helyet]*, ciánoz **b)** gázzal megmérgez/megöl **2.** *US szl* szép szavakkal behálóz/befon, kábít **B.** *tni* **1.** gázt fejleszt/áraszt, gázosodik **2.** *szl* **a)** *[locsog, fecseg]* dumál, szövegel **b)** *[henceg, nagyzol, felvág]* nyomja a rizsát/vakert **c)** hasból beszél, hantáz, linkel **3.** *US gk biz* **~ (up)** tankol

gasbag *fn* **1.** gáztartály *[oxigénpalack]* **2.** *biz* bőbeszédű/szószátyár ember, locsogó, fecsegő **3. a)** *rep* léggballon, gáztartály **b)** *szl [dicsekvő, sokat beszélő ember]* szövegláda

gas chamber *fn* gázkamra

gas company *fn* gázművek, gázszolgáltató vállalat

Gascon [ˈgæskən] *mn/fn* **1.** *földr* gascogne-i **2.** *átv* nagyzoló, hencegő

Gascony [ˈgæskəni] *tul* Gascogne

gas-cooker *fn* **1.** gázmelegítő, gázrezsó, gázfőzőlap **2.** gáztűzhely, gázsütő

gas-cooled *mn* gázhűtésű

gaseous [ˈgæsɪəs] *mn* gáznemű, gáz halmazállapotú, gázszerű

gas field *fn* földgázmező

gas fire *fn* gázkályha, gázkandalló
gas-fired *mn* gáztüzelésű
gas guzzler *fn US szl [nagyfogyasztású]* benzinfaló *[autó]*
gash [gæʃ] **I.** *fn* **1. a)** hosszú/mély vágás, nyílt/tátongó seb **b)** sebhely, forradás, seb **2.** vágás, hasítás, metszés *[karddal, késsel]* **3.** felesleg, többlet, szemét **II.** *tsi* (mélyen) bevág, megvág, behasít
gasholder *fn* gáztartály
gasify [ˈgæsɪfaɪ] **A.** *tsi* (el)gázosít, gázneművé változtat **B.** *tni* gázzá válik, (el)gázosodik ● *fn* **gasification**
gasket [ˈgæskɪt] *fn* **1.** *műsz* tömítés, *gk* hengerfejtömítés; **~ (ring)** tömítőgyűrű; *szl* **blow the ~** *[elönti a düh]* felmegy az agyvize, hülyét kap **2.** *hajó* vitorlafűző kötél
gaskin [ˈgæskɪn] *fn* ló fara
gaslight *fn* **1.** gázfény **2.** gázláng ● *mn* **gaslit**
gasman *fn tsz* **-men 1.** gázszerelő **2.** gázleolvasó (személy)
gas mask *fn* gázálarc
gas meter *fn* gázóra, gázmérő
gasohol [ˈgæsəhɒl ‖ –hɔl] *fn gk* motalkó
gas oil *fn* gázolaj
gasolene [ˈgæsəliːn] → **gasoline**
gasoline [ˌgæsəˈliːn] *fn* **1.** *US Kan* benzin **2.** gazolin
gasometer [gæˈsɒmɪtə ‖ –ˈsɑmətər] *fn* gáztartály, gazométer
gasp [gɑːsp ‖ gæsp] **I. A.** *tsi* **~ sg out** zihálva elmond vmt, elakadó lélegzettel kibök vmt; **~ out one's life** kileheli lelkét, meghal **B.** *tni* **1.** eláll a lélegzete, tátva marad a szája *[meglepetéstől]* **2. ~ for breath** levegő után kapkod, fulladozik, nehezen/zihálva lélegzik, zihál, liheg; *szl* **I'm ~ing for a drink** *[meghalok szomjan]* porzik a vesém **II.** *fn* **a)** zihálás, nehéz légzés, levegő után kapkodás, lihegés, pihegés **b) be at one's last ~** halálosan kimerült, haldoklik, a végét járja; **give one's last ~** kileheli lelkét
gasper [ˈgɑːspə ‖ ˈgæspər] *fn* **1.** *GB szl [cigaretta]* koporsószeg **2.** ziháló ember
gas-permeable *mn* gázáteresztő
gas poisoning *fn* gázmérgezés
gas range *fn* gáztűzhely
gas ring *fn* **1.** gázrezsó **2.** gázkörégő
gasser [ˈgæsə ‖ –ər] *fn* **1.** *biz* fecsegő ember, locsi-fecsi **2.** *szl* nagyon vonzó dolog, ember
gas station *fn US* benzinkút
gassy [ˈgæsi] *mn* **1.** szénsavas *[ital]*, gázos, gáztartalmú, gáz-, habzó *[bor]* **2.** *biz* **a)** szószátyár, locsi-fecsi, dumás **b)** hencegő, nagyzoló, kérkedő **c)** üres, tartalmatlan *[beszéd]*, süket/link *[duma]*
gas-tank *fn* **1.** gáztartály **2.** *US* benzintartály
gas tap *fn* gázcsap
gas-tar *fn* gázgyári kátrány
gastarbeiter [gɑːstˈɑːbaɪtə ‖ gæstˈɑrbaɪtər] *fn tsz* **~/~s** *német* vendégmunkás
gasteropod [ˈgæstərəpɒd ‖ –pɑd] → **gastropod**
gasthaus [ˈgɑːsthaʊs ‖ ˈgæst–] *fn tsz* **gasthäuser** [–hɔɪzə ‖ –zər] *német* **1.** vendéglő **2.** fogadó *[német nyelvterületen]*
gasthof [ˈgɑːsthoʊf ‖ ˈgæst–] *fn tsz* **~s** *német* szálló, hotel *[német nyelvterületen]*
gas-tight *mn* gázt nem eresztő, gázbiztos, gázmentes
gastric [ˈgæstrɪk] *mn orv* gyomori, gyomor-, gasztrikus; **~ acid** gyomorsav; **~ juice** gyomornedv; **~ ulcer** gyomorfekély
gastric flu *fn orv* ismeretlen okból bekövetkezett emésztési zavar
gastritis [gæˈstraɪtɪs] *fn orv* gyomorhurut, gasztritisz
gastro- [ˈgæstroʊ] *előtag* gyomor-
gastro-enteritis [ˌgæstroʊentəˈraɪtɪs] *fn orv* gyomor-bél hurut
gastrointestinal [ˌgæstroʊɪnˈtestɪnl] *mn orv* gyomorbél
gastrologist [gæˈstrɒlədʒɪst ‖ –ˈstrɑ–] *fn orv* gyomorspecialista
gastronome [ˈgæstrənoʊm] *fn* ínyenc, gasztronóm
gastronomy [gæˈstrɒnəmi ‖ gæˈstrɑ–] *fn* konyhaművészet, gasztronómia ● *mn* **gastronomic(al)**
gastropod [ˈgæstrəpɒd ‖ –pɑd] *fn tsz* **gastropods, gastropoda** *áll* haslábú
gastroscope [ˈgæstrəskoʊp] *fn orv* gyomortükör
gastrula [ˈgæstrʊlə] *fn tsz* **gastrulae** [-liː] *biol* bélcsíra, gas(z)trula
gas turbine *fn* gázturbina
gasworks *esz fn* gázművek, gázgyár
gat [gæt] *fn szl [pisztoly]* stukker
-gate [geɪt] *utótag US átv* botrány; **Watergate** ‹Watergate-betöréssel kapcsolatos botrány›; **Irangate** ‹iráni fegyverszállításokkal kapcsolatos botrány›
gate[1] [geɪt] **I.** *fn* **1. a)** kapu, külső ajtó *[kerítésen stb.]*; **main ~s** főbejárat *[kiállításon stb.]*; *US szl* **get the ~** kidobják; kirakják, kirúgják; *US szl* **give sy the ~** *[elküld vkt]* kiteszi vk szűrét; kidob/kirúg vkt **b)** állás *[buszpályaudvaron]* **c)** kijárat *[repülőtéren]* **d)** várkapu, városkapu **e)** *sp* kapu **2. a)** *vasút* sorompó; **level-crossing with ~** sorompóval ellátott (v. sorompós) vasúti átjáró **b)** *vízügy* zsilipkapu **c)** *film* **~ (of projector)** képnyílás, kapu *[vetítőgépen]* **3.** hegyszoros, tengerszoros **4.** *távk el* kapujel, impulzusszűrő **5.** *sp* **a)** közönség, nézőszám *[mérkőzésen]* **b) ~ (money)** bevétel *[mérkőzésen]* **6.** *GB szl [száj]* etető **II.** *tsi* **1.** *GB okt* kimeneteli tilalommal sújt *[kollégiumi diákot]* **2. ~d** sorompós *[út]*
gate[2] [geɪt] *fn GB* út, *összet* utca
gateau [ˈgætoʊ ‖ gæˈtoʊ] *fn tsz* **gateaux** *GB* torta
gatecrash *tsi/tni* **a)** *gazd* betör *[piacra]* **b)** belóg *[rendezvényre]* ● *fn* **gatecrasher** *mn/fn* **gatecrashing**
gatefold *fn* kihajtható képmelléklet/lap *[újságban/könyvben]*
gatehouse *fn* kapuőr bódéja, kapuslakás
gatekeeper *fn* kapus, portás, kapuőr
gateleg *fn* **~ (table)** lehajtható asztal ● *mn* **gatelegged**
gateman *fn tsz* **-men** → **gatekeeper**
gate money *fn sp* bevétel *[mérkőzésen]*
gatepost *fn* kapufélfa, kapuoszlop; **between you and me and the ~** magunk között szólva, köztünk maradjon
gateway *fn* **1.** kapu, bejárat, kapubejárat, kapualj; *átv* **~ to Scotland** Skócia kapuja; *átv* **~ to success** út a siker felé **2.** *infor* átjáró, áttérési technika
gather [ˈgæðə ‖ –ər] **I. A.** *tsi* **1. a)** gyűjt, összegyűjt, összeszed, felszed; **~ all one's strength to...** minden erejét összeszedi, hogy...; **~ one's thoughts** összeszedi/rendezi gondolatait; **~ up one's hair into a knot** kontyba tűzi/rakja a haját, kontyot csinál; *sp* **~ the ball** felszedi a labdát *[csatár elől a kapus]* **b)** szed *[virágot, gyümölcsöt]*, betakarít, begyűjt, behord *[termést]*, gyűjt *[méh nektárt]*; **~ (in) the crops/harvest** betakarítja a termést; **~ information** értesüléseket/információkat gyűjt/szerez; **~ taxes** adót beszed **c) ~ oneself** összeszedi az erejét, nekirugaszkodik *[ugrásnak stb.]* **2. ~ breath** kifújja magát; **~ dust** porosodik; **~ ground** teret nyer; **~ ground upon sy** megközelít/utolér vkt *[versenytárs, üldöző]*; **~ (a) head** megerősödik, növekedik, sűrűsödik, teret nyer; **~ rust** (meg)rozsdásodik; **~ speed** (fel)gyorsul; *hajó* **~ way** gyorsul *[hajó]* **3. a)** összehúz, behúz, beráncol *[szoknyát]*; **~ one's skirt** összekapja/felfogja a szoknyáját; **~ one's shawl about oneself** összébb húzza a sálját **b) ~ one's eyebrows** homlokát ráncolja, összevonja a szemöldökét **c) ~ sy to one's breast** keblére szorít/ölel vkt **4.** vél, gondol, következtet, vmlyen következtetésre jut; **I ~ from the papers** azt veszem ki az újságokból **B.** *tni* **1.** (össze)gyülekezik, összegyűlik, összejön, csoportosul; **~ round!** álljanak körbe!; **a crowd ~ed** egész tömeg gyűlt össze **2. a)** összegyűlik, felhalmozódik, felgyülemlik; **a storm is ~ing** vihar készül **b)** növekedik, erősödik, fokozódik; **with ~ing force** fokozódó erővel; **in the ~ing darkness** a(z egyre) növekvő sötétségben **3.** meggyűlik *[seb]*; **~ to a head** megérik *[kelés]* **II.** *fn* **1.** ránc(olás), redő, húzás *[ruhán]* **2.** összehúzás ● *fn* **gatherer**

gathering [ˈgæðrɪŋ] *fn* **1. a)** gyülekezés, összegyűlés *[személyeké]*, felgyülemlés *[tárgyaké]* **b)** gyülekezet, gyűlés, összejövetel, (utcai) csoportosulás **2.** meggyűlés *[sebé]*, kelés, tályog **3.** *nyomd* **a)** összehordás *[íveké]* **b)** nyomtatott ív

gator [ˈgeɪtə ‖ ˈgeɪtər] *fn US biz* aligátor

GATT [gæt] *röv General Agreement on Tariffs and Trade* Általános Vámtarifa- és Kereskedelmi Egyezmény

gauche [goʊʃ] *mn* esetlen, félszeg *[ember]*, tapintatlan *[megjegyzés]* • *fn* **gaucheness** *hsz* **gauchely**

gaucherie [ˈgoʊʃəri] *fn* esetlenség, félszegség, tapintatlanság

gaucho [ˈgaʊtʃoʊ] *fn [dél-amerikai]* tehénpásztor, cowboy

gaud [gɔːd] *fn vál* **1. a)** cicoma, cifraság **b)** csecsebecse, mütyürke **2.** *tsz* **gauds** cécó, dáridó

gaudy[1] [ˈgɔːdi] *mn* cifra, rikító, feltűnő *[szín]*, tarka *[tömeg]*, ízléstelen *[dísz]*, csiricsáré • *fn* **gaudiness** *hsz* **gaudily**

gaudy[2] [ˈgɔːdi] *fn okt* ‹öregdiákok évi bankettja›

gauge [geɪdʒ] **I.** *fn* **1. a)** (űr)méret *[huzalé, fegyvercsőé]*, űrtartalom *[hordóé]*; **take the ~ of sg** felbecsül vmt; *biz* **take sy's ~** leméri vknek a képességeit **b)** *vasút* nyomtáv; **standard ~** szabványos/rendes nyomtáv **c)** űrméret, öbnagyság *[puskáé]*, átmérő *[lövedéké]* **d)** *hajó* szélhez viszonyított helyzet **2. a)** *épít* idomszer, kaliber, mérce, alakzó, sablon; **angle ~** goniométer, szögmérő (készülék); **calliper ~** villás idomszer, tolómérce; **slide/sliding ~** tolómérce, subler **b)** *nyomd* formátumbeállító; **line-space ~** sorközszabályozó *[írógépen]* **3. a)** mérőeszköz **b)** folyadékszint-mutató/-mérce; *gk* **fuel/petrol ~** benzinszintmutató **II.** *tsi* **1. a)** (meg)mér *[folyadékszintet, szélsebességet stb.]*, köböz, kalibrál *[idomszerrel]*, akóz *[hordót]* **b)** méretre farag *[téglát stb.]* **c)** pontosan mér **2.** *átv* felbecsül, felmér, latolgat *[lehetőségeket]*; **~ sy's capacities** felméri vknek a képességeit • *fn* **gauger** *mn* **gaugeable**

gauge pressure *fn fiz műsz* túlnyomás, manometrikus nyomás

Gaul [gɔːl] *fn* **1.** *tört* Gallia **2.** gall

Gaulish [ˈgɔːlɪʃ] *mn/fn* gall (nyelv)

gaunt [gɔːnt] *mn* **1.** sovány, ösztövér, nyurga **2. a)** barátságtalan, komor *[külsejű]* **b)** sivár, elhagyatott

gauntlet[1] [ˈgɔːntlət] *fn* **1.** *tört* páncélkesztyű; *átv* **throw down the ~ to sy** kesztyűt dob vknek; *átv* **take up the ~** fölveszi a(z odadobott) kesztyűt **2.** hosszú szárú kesztyű, autóskesztyű, védőkesztyű

gauntlet[2] [ˈgɔːntlət] *fn* vesszőfutás; *átv* **run the ~ (of adverse criticism)** az ellenséges bírálat pergőtüzében áll, heves bírálatnak teszi ki magát

gauntry [ˈgɔːntri] → **gantry**

gauss [gaʊs] *fn fiz* gauss *[a mágneses indukció(vektor) CGS egysége, 1 gauss=10^{-4} Tesla]*

gauze [gɔːz] *fn* **1. a)** fátyolszövet, géz; **sterilized/antiseptic ~** steril géz **b) (wire) ~** huzalszövet, sodronyszövet; szövetháló, fémháló **2.** gőzfátyol, füstfátyol

gauzy [gɔːzi] *mn* fátyolszerű, áttetsző, átlátszó, habkönnyű *[szövet]*

gave [geɪv] → **give** I.

gavel [ˈgævl] **I.** *fn US* kalapács *[árverezőé, elnöké]* **II. -ll-**, *US* **-l- A.** *tni* leüti az eladási összeget *[aukción]* **B.** *tsi* berekeszt, felfüggeszt *[pl. aukciót]*

gavotte [gəˈvɒt ‖ gəˈvɑt] *fn* gavotte *[tánc/zene]*

Gawd [gɔːd] *isz biz* Úristen!

gawk [gɔːk] **I.** *tni biz* bámul, száját tátja **II.** *fn* mamlasz, szájtáti, kétbalkezes/ügyefogyott/esetlen ember

gawky [ˈgɔːki] *mn* esetlen, ügyetlen, kétbalkezes, ügyefogyott *[ember]*, szögletes *[modor]* • *fn* **gawkiness** *hsz* **gawkily**

gawp [gɔːp] *tni* **1.** ásít **2.** bámészkodik, száját tátja

gay [geɪ] **I.** *mn* **1.** *biz* homoszexuális, meleg **2. a)** mulatós *[ember]*; **lead a ~ life** az élvezeteknek él; **have a ~ time** kirúg a hámból, züllik **b) ~ lady/woman** laza erkölcsű nő **3. a)** vidám, víg, jókedvű **b)** élénk *[szín]*, derűs *[környezet]*, színpompás, tarka *[tollazat stb.]*; **~ with flowers** virággal díszített *[szoba stb.]* **II.** *fn biz* homoszexuális, meleg *[férfi]* • *fn* **gayness** *hsz* **gaily**

gay bar [geɪ] *fn biz* melegbár

gay liberation *fn* ‹homoszexuálisok társadalmi-jogi diszkrimináció alóli felszabadítása›

gay plague *fn szl durva* AIDS

gay rights *fn tsz* homoszexuálisok jogai

Gaza Strip [ˈgɑːzə strɪp] *tul földr* gázai övezet

gaze [geɪz] **I.** *tni* mereven néz, szemét mereszti, (rá)bámul; **~ into space** a semmibe bámul **II.** *fn* (merev) nézés, bámulás, tekintet

gazebo [gəˈziːboʊ ‖ gəˈzeɪ–] *fn [szép kilátást nyújtó helyre épített]* kerti házacska

gazelle [gəˈzel] *fn áll* gazella

gazette [gəˈzet] **I.** *fn* **1.** *tört* újság, hírlap *[jelenleg újságnevekben]* **2.** hivatalos lap/közlöny; **London G~** a londoni hivatalos közlöny **II.** *tsi* hivatalos lapban közöl *[kinevezést, csődöt stb.]*

gazetteer [ˌgæzəˈtɪə ‖ –ˈtɪr] *fn* földrajzi névtár/lexikon, helységnévtár

gazump [gəˈzʌmp] *tsi GB biz* **1.** stájgerol *[árat felemel]* **2.** becsap, rászed

gazunder [gəˈzʌndə ‖ –ər] *tsi GB biz* ‹szerződéskötés előtt ajánlat összegét csökkenti›

GB *röv Great Britain* Nagy-Britannia

g.c.d., **GCD** *röv greatest common divisor*

GCE *röv GB General Certificate of Education*

g.c.f., **GCF** *röv greatest common factor*

GCSE *röv General Certificate of Secondary Education*

Gdn *röv Garden*

GDP *röv Gross Domestic Product* bruttó hazai termék, GDP

GDR *röv tört German Democratic Republic*

gean [dʒiːn] *fn növ* vadcseresznye, madárcseresznye

gear [gɪə ‖ gɪr] **I.** *fn* **1. a)** felszerelés, szerelvény, holmi, cucc, cókmók; *hajó* **boat ~** vitorlázat, kötélzet; felszerelés *[vízi járművön]*; **household ~** háztartási/konyhai felszerelés; **tool ~** szerszámkészlet **b)** lószerszám, hám **c)** *biz [modern, divatos]* öltözék, öltözet, szerelés **2.** *műsz* **a)** készülék, szerkezet; **control ~** vezér(lő)mű **b)** fogaskerék; **train of ~s** áttételi fogaskerékcsoport, fogaskeréksor **3. a)** *műsz* működés, üzem; **be in ~** sebességben van *[gépjármű]*; működik *[szerkezet]*; jár, üzemben van *[gép]*; rendesen/simán működik; **be out of ~** ki van kapcsolva *[motor, szerkezet]*; nem/rosszul működik, elromlott, felmondta a szolgálatot *[motor, szerkezet]* **b)** *gk* sebesség(fokozat); **change-speed ~** sebességváltó(mű); **bottom/first/low ~** első sebesség(fokozat); **change/shift ~** sebességet vált; **go into second ~** második sebességbe kapcsol; **put the car in ~** sebességbe teszi a kocsit; **top ~** negyedik/ötödik sebesség, direkt; **be in neutral ~** nincs sebességfokozatban, üresben van *[sebességváltó]* **c)** áttétel **d)** áttételi arány *[kerékpáron]* **II. A.** *tsi* **1. a)** *műsz* bekapcsol *[hajtóművet]* **b)** *átv* függővé tesz, szoros kapcsolatba hoz (vmvel); **be ~ed to(wards) sg** berendezkedik vmre **2. ~ down** csökkent *[fordulatszámot]*; lelassít, csökkentő áttételt alkalmaz; *gk* visszavált, visszakapcsol; **~ up** (meg)növel *[fordulatszámot]*; felgyorsít; *átv* fokoz, gyorsít; elkészít, felkészít; **be ~ed up** kész vmre, lelkesedik vmért **B.** *tni* kapcsolódik *[fogaskerék]*; **wheels that ~ with each other** kapcsolódó fogaskerekek

gearbox *fn* **1.** *műsz* fogaskerékház, hajtóműszekrény **2.** *gk* sebességváltó(-ház)

gear-change *fn gk* **1.** *US* seb(esség)váltó (kar); **automatic ~** automata seb(esség)váltó **2.** sebességváltás

gearing [ˈgɪərɪŋ ‖ ˈgɪrɪŋ] *fn* **1.** összekapcsol(ód)ás *[fogaskerekeké]* **2.** fogaskerékmű, hajtószerkezet **3.** *pénz* saját és idegen tőke aránya, tőkeáttétel

gear lever *fn gk* sebességváltó kar

gear shift *US* → **gear lever**

gearstick *GB* → **gear lever**

G

gearwheel *fn műsz gk* fogaskerék, hajtókerék
gecko [ˈgekoʊ] *fn áll* gekkó
geddit [ˈgedɪt ‖ ˈgetət] *isz GB biz* érted?
gee[1] [dʒiː] *isz US biz* jé!, jesszus!, nahát!; ~ **whiz(z)** jesszus!, ejha!, tyűha!
gee[2] [dʒiː] **I.** *isz* gyí! **II.** *tsi* hajt, ösztökél *[lovat]*
gee[3] [dʒiː] *fn US szl [ezer dollár]* rongy
gee-gee [ˈdʒiːdʒiː] *fn GB gyerm* paci
geek [giːk] *fn szl* **1.** *US [ellenszenves ember]* gizda, bohóc **2.** *US* stréber *[diák]* **3.** *Ausz [pillantás, nézés]* skubi • *mn* **geeky**
geese [giːs] → **goose I.**
geezer [ˈgiːzə ‖ –ər] *fn szl* **(old)** ~ *[öregember]* öreg szivar
Geiger counter [ˈgaɪgə– ‖ ˈgaɪgər–] *fiz* Geiger-Müller-számlálócső, GM-számláló
geisha [ˈgeɪʃə ‖ ˈgiːʃə] *fn* gésa
gel [dʒel] **I.** *fn* **1.** *vegy* gél **2.** zselé *[hajra]* **II.** *tni* **-ll-**, *US* **-l-** **1.** *vegy* géllé alakul, megkocsonyásodik **2.** *átv* kikristályosodik, kialakul *[vélemény]*
gelatin [ˈdʒelətɪn ‖ –lətn] *fn* állati enyv, csontenyv, zselatin; *fénykép* ~ **paper** zselatinpapír
gelatine [ˈdʒelətiːn] → **gelatin**
gelatinous [dʒɪˈlætɪnəs ‖ –ˈlætnˑəs] *mn* zselatinszerű, gél állapotú, kocsonyás • *i* **gelatinize**, **gelatinise**
gelation [dʒəˈleɪʃn] *fn* megfagyás, megdermedés
geld [geld] *tsi pt/pp* **gelded**, **gelt** [ˈgelt] ivartalanít, kasztrál *[állatot]*
gelding [ˈgeldɪŋ] *fn* **a)** herélt állat **b)** herélt *[ló]*
gelid [ˈdʒelɪd] *mn* **1.** jeges **2.** (jég)hideg, hűvös
gelignite [ˈdʒelɪgnaɪt] *fn* gelignit *[robbanóanyag]*
gelly [ˈdʒeli] *fn GB szl* gelignit
gem [dʒem] **I.** *fn* **1. a)** drágakő, ékkő **b)** *átv* gyöngyszem; **the ~ of the collection** a gyűjtemény dísze (v. legszebb darabja); *biz* **she's a ~ of a secretary** a titkárnők gyöngye **2.** vésett kő, intaglio, kámea, gemma **II.** *tsi* **-mm-** drágakövekkel díszít/kirak • *mn* **gemmy**
geminate I. *mn* [ˈdʒemɪnət] **1.** kettős, páros, iker **2.** *nyelv* kettős, kettőzött *[mássalhangzó]* **II.** *fn* [–neɪt] *nyelv* kettős/kettőzött mássalhangzó **III.** *tsi* [–neɪt] **1.** *épít műv* párosával helyez el *[motívumokat, oszlopokat]* **2.** *nyelv* kettőz *[mássalhangzót]* • *fn* **gemination**
Gemini [ˈdʒɛmɪˌnaɪ, –ˌniː] *tul birt* **Geminorum** [ˌdʒɛmɪˈnɔːrəm] **1.** *csill* Ikrek (csillagkép) **2. a)** Ikrek *[a zodiákus horoszkóp harmadik jegye]* **b) he's** ~ az Ikrek jegyében született
gemma [ˈdʒemə] *fn tsz* **gemmae** [–miː] **1.** *növ* levélrügy **2.** *biol* bimbó *[bimbódzással szaporodóké]*
gemmation [dʒeˈmeɪʃn] *fn* **1.** *növ* rügyezés *[levélrügyeké]* **2.** *biol* bimbó(d)zás, sarjadzás, gemmáció *[szaporodási mód]*
gemmed [dʒemd] *mn* drágakövekkel kirakott/ékesített; → **gem II.**
gemmiferous [dʒeˈmɪfərəs] *mn* **1.** *ásv* drágaköveket tartalmazó *[kőzet]* **2. a)** *növ* levélrügyes **b)** *biol* bimbó(d)zó, sarjadzó
gemmiparous [dʒeˈmɪpərəs] *mn biol* bimbó(d)zással/sarjadzással szaporodó
gemmology [dʒeˈmɒlədʒi ‖ –ˈmɑ–] *fn* drágakövekkel foglalkozó tudomány
gemmule [ˈdʒemjuːl] *fn biol növ* csírarügy, gemmula
Gem State *tul földr US biz* ‹Idaho állam›
gemstone [ˈdʒemstoʊn] *fn [csiszolt]* drágakő
-gen [dʒen] *utótag* -gén; **endogen** endogén; **halogen** halogén
gen [dʒen] **I.** *fn GB szl [információ]* füles, drót **II. A.** *tsi* ~ **up** tájékoztat, kiokosít **B.** *tni* ~ **up** informálódik
gen. *röv* **1.** *general* **2.** *generally* **3.** *genus*
Gen. *röv* **1.** *General* tábornok, tbk. **2.** *Genesis*
genco [ˈgenkoʊ] *fn* áramszolgáltató vállalat
gendarme [ˈʒɒndɑːm ‖ ˈʒɑndɑrm] *fn* **1.** csendőr **2.** kiugró szikla, sziklacsúcs *[hegygerincen]*
gendarmerie [ʒɒnˈdɑːməri ‖ ʒɑnˈdɑr–] *fn* csendőrség
gender [ˈdʒendə ‖ –ər] *fn* **1.** *nyelv* nem **2.** *biz euf* nem, szex; *jelzői haszn* nemi
gendered [ˈdʒendəd ‖ –ərd] *mn* nemi
gender gap *fn* ‹világnézeti/politikai kérdések megközelítésében mutatkozó különbség nők és férfiak között›
gene [dʒiːn] *fn biol* gén
Gene [ˈdʒiːn] *tul US* ‹ *Eugene* becéző alakja›
genealogical [ˌdʒiːnɪəˈlɒdʒɪkl ‖ –ˈlɑ–] *mn* leszármazási *[a nyelvcsaládelméletben]*, nemzedékrendi, származástani, genealógiai; ~ **tree** családfa
genealogy [ˌdʒiːniˈælədʒi] *fn* nemzedékrend, leszármazás, genealógia • *fn* **genealogist**
gene bank *fn biol* génbank
gene pool *fn biol* génállomány
genera [ˈdʒenərə] → **genus**
general [ˈdʒenərəl] **I.** *mn* **1. a)** általános, egyetemes, mindenre kiterjedő; ~ **crisis** általános (gazdasági) válság; ~ **election** parlamenti választások; ~ **effect** összhatás; ~ **practitioner** általános orvos, med. univ.; ~ **strike** általános sztrájk; **have a ~ invitation** állandó (egyszer s mindenkorra szóló) meghívása van; **take a ~ leave** mindenkitől elbúcsúzik/elköszön **b)** általános, közös, köz-; ~ **assembly** közgyűlés; ~ **feeling** közhangulat; ~ **meeting** közgyűlés, nagygyűlés; ~ **pardon** közkegyelem, amnesztia; **the ~ public** a nagyközönség, a közvélemény; **the ~ reader** az olvasóközönség, az olvasók; **word in ~ use** közhasználatú szó; **be a ~ favourite** közkedvelt, a közönség kedvence; **come into ~ use** elterjed, közhasználatúvá válik **c)** általános, szokásos, megszokott; **as a ~ rule** általában (véve), általánosságban, nagyjából; **in a ~ way** rendszerint, általában **d)** általános, nem specializált; ~ **dealer** vegyeskereskedő; *US* ~ **delivery** postán maradó küldemény(ek osztálya); ~ **hospital** közkórház; hadikórház; ~ **linguistics** általános nyelvészet; ~ **store** áruház; ~ **shop** vegyeskereskedés; **he is a ~ reader** mindent olvas **e)** határozatlan, megközelítő; ~ **resemblance** felületes hasonlóság; **speak in ~ terms** általánosságban beszél, nagy vonalakban beszél **2. a)** fő; ~ **manager** vezérigazgató; *US* **Attorney G~** igazságügyminiszter; **consul(ate) ~** főkonzul(átus); *kat* ~ **headquarters** főhadiszállás **b)** ~ **staff** vezérkar; → **assembly** 1.a.→ **certificate** I.2. **II.** *fn* **1.** az általános; **in ~** általá(nosság)ban; többnyire, nagyjában-egészében **2. a)** *kat* vezérezredes, *átv* hadvezér, stratéga; **major ~** vezérőrnagy; **lieutenant ~** altábornagy; *US* **G~ of the Army** hadseregtábornok *[a legmagasabb amerikai katonai rang]* **b)** *vall* generális *[rendé]* **3.** *régi* a nagyközönség
General Certificate of Secondary Education *fn GB* érettségi bizonyítvány
generalissimo [ˌdʒenərəˈlɪsɪmoʊ] *fn kat* generalisszimusz, legfőbb hadvezér
generalist [ˈdʒenərəlɪst] *fn* ‹nem specialista v. több területen kiemelkedően teljesítő ember›
generality [ˌdʒenəˈræləti] *fn* **1. a)** általánosság, általános jelleg **b) confine oneself to generalities** általánosságokra szorítkozik **2.** nagy/túlnyomó többség *[emberiségé, nemzeté]*
generalization [ˌdʒenərəlaɪˈzeɪʃn ‖ ləˈzeɪʃn], **-isation** *fn* **a)** általánosítás **b)** általánossá válás
generalize [ˈdʒenərəlaɪz], **-ise** *tsi* **1.** általánosít **2.** elterjeszt *[szokást]*, általános érvényűvé tesz, kiterjeszt *[törvényt, eljárást]*
General National Vocational Qualification *fn GB* ‹egyetemi, ill. szakosított képzést megalapozó oktatás›
general-purpose *mn* **1.** általánosan alkalmazható, egyetemes, univerzális, többcélú *[gép]* **2.** *infor* általános célú
generalship [ˈdʒenərəlʃɪp] *fn* hadvezéri képesség/tudás
General Synod *fn GB vall* az anglikán egyház zsinata
generally [ˈdʒenərəli] *hsz* **1.** általánosan; **it is ~ believed that** az az általános nézet/vélemény, hogy **2.** általában, általánosságban, többnyire, rendszerint; ~ **speaking** nagy általánosságban azt lehet mondani, hogy

generate [ˈdʒenəreɪt] *tsi* **1. a)** alkot, létrehoz **b)** fejleszt, termel *[gőzt, áramot, hőt]*, okoz *[súrlódást]* **c)** *mat* alkot, leír *[síkot, lapot, forgástestet]* **2.** *átv* eredményez, okoz, előidéz, kivált *[érzelmet]*; ~ **discontent** elégedetlenséget vált ki

generation [ˌdʒenəˈreɪʃn] *fn* **1.** nemzedék, emberöltő, generáció; **from ~ to ~** nemzedékről nemzedékre; **the present ~** a mi nemzedékünk, kortársaink; a most élő nemzedék; **through three ~s** három emberöltőn át; *biz* **it's ~s since I saw you** ezer éve nem láttalak **2.** *jelzői haszn infor* -generációs *[számítógép]* **3. a)** *biol* nemzés **b)** fejlesztés *[hőé, áramé]* **c)** *biz* létrehozás, alkotás *[eszméké]*

generation gap *fn* nemzedékek közötti (nézetekbeli) jelentős eltérés, generációs különbség/szakadék

generative [ˈdʒenərətɪv] *mn* **1.** alkotó, létrehozó, termelő, fejlesztő, *biol* nemző **2.** *nyelv* ~ **grammar** generatív nyelvtan

generator [ˈdʒenəreɪtə ‖ –ər] *fn* **1. a)** gőzfejlesztő, gázfejlesztő, generátor **b)** *vill* áramfejlesztő (gép), generátor, dinamó **2.** alkotó, létrehozó *[eszméé stb.]*

generic [dʒɪˈnerɪk] *mn* **1.** általános *[nem specifikus]*; *jog* ~ **name** jogilag nem védett (gyártmány)név, szabadjelzés **2.** faji, nemi *[genushoz tartozó]*, generikus

generosity [ˌdʒenəˈrɒsəti ‖ –ˈrɑsəti] *fn* **1. a)** nemeslelkűség, nagylelkűség **b)** bőkezűség **c)** bőség (vmé) **2.** nagylelkű cselekedet

generous [ˈdʒenərəs] *mn* **a)** nagylelkű, nemes lelkű **b)** bőkezű **c)** termékeny *[talaj]*, testes *[bor]*, dús, gazdag *[választék]*, bőséges *[étkezés]*; ~ **of size** jókora

genesis [ˈdʒenəsɪs] *fn* **1.** keletkezés, eredet, származás **2. (the Book of) G~** a Genezis, Mózes első könyve, a Teremtés Könyve

gene therapy *fn biol* génterápia

genetic [dʒəˈnetɪk] *mn* **1.** *biol* genetikai, öröklléstani **2.** keletkezési, fejlődési, fejlődéstörténeti • *hsz* **genetically**

genetic code *fn biol* genetikai kód

genetic engineering *fn biol* géntechnológia, rekombináns DNS technika, génsebészet

genetic fingerprinting *fn biol* genetikai (ujj)lenyomat, (utód)azonosítás *[DNS alapján]*

genetics [dʒəˈnetɪks] *fn* **1.** *esz* öröklléstan, genetika **2.** *tsz* származás, eredet • *fn* **geneticist**

geneva [dʒɪˈniːvə] *fn* holland gin

Geneva [dʒɪˈniːvə] *tul földr* Genf; *vall* ~ **bands** Kálvin-gallér; *tört* ~ **Conventions** genfi egyezmények; ~ **cross** vöröskereszt; *vall* ~ **gown** református lelkészi palást

Genevan [dʒɪˈniːvən] *mn/fn* **1.** genfi **2.** kálvinista, református

genever → **geneva**

Genevese [ˌdʒenɪˈviːz] *mn/fn* genfi

genial[1] [ˈdʒiːnɪəl] *mn* **a)** jóakaratú, jóindulatú, szívélyes, barátságos, derűs *[egyéniség]* **b)** enyhe *[éghajlat]*, termékeny, dús *[föld]*, kellemes *[meleg]* • *fn* **geniality** *hsz* **genially**

genial[2] [dʒəˈniːəl] *mn orv* álli, áll-

-genic [ˈdʒenɪk] *utótag* -gén; **photogenic** fotogén

genic [ˈdʒenɪk] *mn biol* gén okozta, gén-

genie [ˈdʒiːni] *fn* dzsinn

genista [dʒəˈnɪstə] *fn növ* rekettye

genital [ˈdʒenɪtl] **I.** *mn* nemző, nemzési, nemi, ivari, ivar-, genitális **II.** *fn tsz* **genitals** nemi szervek, ivarszervek

genitalia [ˌdʒenɪˈteɪlɪə] → **genital II.**

genitive [ˈdʒenətɪv] *nyelv* **I.** *fn* birtokos eset, genitivus **II.** *mn* birtokos, genitivus • *mn* **genitival**

genito-urinary [ˌdʒenɪtoʊˈjuərɪnəri ‖ –ˈjurɪneri] *mn orv* húgy- és ivarszervi

genius [ˈdʒiːnɪəs] *fn tsz* **genii** [–niaɪ], **-es 1. a)** tehetség, különös képesség/hajlam; **have a ~ for mathematics** nagy tehetsége van a matematikához **b) man of ~** lángész, lángelme; **work of ~** zseniális mű **2.** lángész, lángelme, géniusz, zseni **3. a)** (védő)szellem, nemtő **b) sy's evil ~** vknek a rossz szelleme **c)** dzsinn, démon **4.** vmnek a szelleme *[nyelvé, helyé, korszaké]*

genoa [ˈdʒenoʊə] *fn* **1.** *hajó* génua *[vitorla]* **2. ~ cake** gyümölcsös, mandulás sütemény

genocide [ˈdʒenəsaɪd] *fn* népirtás, fajirtás • *mn* **genocidal**

Genoese [ˌdʒenoʊˈiːz] **I.** *mn* genovai **II.** *fn* genovai *[ember]*

genome [ˈdʒiːnoʊm] *fn biol* genom, gének összessége, génállomány

genotype [ˈdʒenətaɪp] *fn biol* genotípus

-genous [ˈdʒənəs] *utótag* -gén; **endogenous** endogén *[belső eredetű]*

genre [ˈʒɒnrə ‖ ˈʒɑn–] *fn* faj, műfaj, zsáner

genre painting *fn* **1.** *műv* életkép, zsánerkép **2.** zsánerfestészet

gent [dʒent] *fn GB biz* **1.** férfi; **~'s footwear** férficipő **2.** *esz* **the gents** nyilvános férfi WC

genteel [dʒenˈtiːl] *mn* **1.** előkelő, finom, úri; ~ **poverty** cifra nyomorúság **2.** *pej* finomkodó, előkelősködő

genteelism [dʒenˈtiːlɪzm] *fn* választékos/finomkodó szó/kifejezés

gentian [ˈdʒenʃən] *fn növ* tárnics, encián

gentile [ˈdʒentaɪl] *mn/fn* **a)** *ált* nem zsidó, goj **b)** *bibl [idegen]* nép, nemzet **c)** *bibl* pogány **d)** *US tört* nem mormon

gentility [dʒenˈtɪləti] *fn* **1.** nemesi származás **2.** felső középosztály **3. a)** előkelőség **b)** finomság

gentle [ˈdʒentl] **I.** *mn* **1.** nyájas, barátságos, jóindulatú, szelíd, finom *[ember]*, kedves, udvarias, nyájas *[modor]*, szelíd, kezes *[állat]*, enyhe, kellemes *[éghajlat]*, lágy *[fuvallat]*, gyenge, óvatos *[érintés]*, könnyű *[kéz]*; ~ **breeze** gyenge szellő; ~ **reader** nyájas olvasó; ~ **slope** lanka **2.** *régi* előkelő, nemesi *[származás stb.]*, jó családból való *[ember]* **II.** *fn* féregcsali *[horgászáshoz]* **III.** *tsi* **1.** (meg)nyugtat *[lovat]* **2.** *régi* nemessé tesz, nemesít • *fn* **gentleness** *hsz* **gently**

gentlefolk *fn tsz vál régi* úriemberek, jó családból származó emberek

gentleman [ˈdʒentlmən] *fn tsz* **-men 1.** úr(iember), gentleman **2.** úr, férfi; **Gentlemen** (i) *US* Tisztelt uraim *[levélkezdő formula]* (ii) Férfiak *[GB mellékhelyiség-felirat]*; **Ladies and Gentlemen!** Hölgyeim és Uraim, Tisztelt Közönség! *[közönség megszólítása]* **3.** nemesember; ~ **in waiting** ‹a király személye körül szolgáló nemesúr›

gentleman-at-arms *fn tsz* **-men-at-arms** udvaronc, nemesi díszőrség tagja

gentleman farmer *fn tsz* **-men farmers** farmtulajdonos *[aki maga nem gazdálkodó]*

gentlemanly [ˈdʒentlmənli] *mn* úriemberhez méltó, úri, jól nevelt, finom modorú

gentleman's agreement *fn* becsületbeli megegyezés, *[írásba nem foglalt]* kölcsönös bizalmon alapuló megállapodás

gentlewoman *fn tsz* **-women** *régi* **a)** előkelő családból való nő **b)** úrinő, úriasszony

gentrify [ˈdʒentrɪfaɪ] *tsi biz* **be ~ed** középosztály számára vonzóvá lesz *[eredetileg lerobbant, szegény környék]*

gentry [ˈdʒentri] *fn tsz* **1.** köznemesség, köznemesi osztály, dzsentri **2.** *pej* emberek, népek

genuflect [ˈdʒenjʊflekt] *tni* térdet hajt • *fn* **genuflection, genuflexion** *mn* **genuflactory**

genuine [ˈdʒenjuɪn] *mn* **1.** eredeti, valódi, hiteles *[szöveg, aláírás]*, igazi, valódi; **display one's ~ character** megmutatja valódi énjét **2.** őszinte *[meggyőződés stb.]*, nyílt *[természet]*, tiszta *[igazság]*, igaz *[barát]* **3.** tisztavérű *[faj]*, telivér *[állat]* • *fn* **genuineness** *hsz* **genuinely**

genus [ˈdʒiːnəs] *fn tsz* **genera** [ˈdʒenərə] *növ* nemzetség; *áll* nem, genus

-geny [dʒəni] *utótag* -genezis; **phylogeny** fejlődéstörténet; **antropogeny** antropogenezis

geo- [ˈdʒiːoʊ] *előtag* geo-

geobotany [ˌdʒiːoʊˈbɒtəni ‖ –ˈbɑtnˑi] *fn* geobotanika, növényföldrajz

geocentric [ˌdʒiːoʊˈsentrɪk] *mn* földközpontú, geocentrikus

geocentric latitude [ˌdʒiːoʊˈsentrɪk–] *fn* geocentrikus szélesség

geochemistry [ˌdʒiːoʊˈkemɪstri] *fn* geokémia

geochronology [ˌdʒiːoʊkrəˈnɒlədʒi ‖ –ˈnɑ–] *fn* földkortan

geodesic [ˌdʒiːoʊˈdiːsɪk] *mn* földmérés(tan)i, geodéziai; ~ **line** geodetikus vonal

geodesy [dʒiˈɒdɪsi ‖ –ˈɑd–] *fn* földméréstan, geodézia

geodetic [ˌdʒiːoʊˈdetɪk(l)] *mn* földmérés(tan)i, geodéziai; ~ **survey** geodéziai felmérés/felvétel

Geoff [dʒef] *tul* ‹*Geoffrey* becézett alakja›

Geoffrey [ˈdʒefri] *tul* ‹férfinév›

G

geographic, **geographical** [dʒɪəˈgræfɪk(l)] *mn* földrajzi; ~ **latitude** földrajzi szélesség; ~ **map** térkép; ~ **mile** földrajzi mérföld *[kb. 1,85 km]*

geography [dʒiˈɒgrəfi ‖ –ˈɑg–] *fn* **1.** földrajz **2.** *épít* a szobák elrendezése *[egy épületen belül]* • *fn* **geographer**

geoid [ˈdʒiːɔɪd] *fn* földalak, geoid

geologize [dʒiˈɒlədʒaɪz ‖ –ˈɑlə–], **-ise A.** *tsi* földtani szempontból megvizsgál **B.** *tni* földtani kutatásokat folytat

geology [dʒiˈɒlədʒi ‖ –ˈɑlədʒi] *fn* földtan, geológia • *fn* **geologist** *mn* **geologic(al)**

geomagnetism [ˌdʒiːoʊˈmægnətɪzm] *fn* földmágnesség(-tan) • *mn* **geomagnetic**

geometer [dʒiˈɒmɪtə ‖ –ˈɑmətər] *fn* mértantudós

geometric, **geometrical** [dʒɪəˈmetrɪk(l)] *mn* mértani, geometriai; ~ **figure** mértani ábra; ~ **mean** mértani közép; ~ **progression** mértani sorozat

geometry [dʒiˈɒmətri ‖ –ˈɑm–] *fn* mértan, geometria • *fn* **geometrician**

geophagy [dʒiˈɒfədʒi ‖ –ˈɑfədʒi] *fn* földevés

geophysics [ˌdʒiːoʊˈfɪzɪks] *fn esz* geofizika • *mn* **geophysical**

geopolitics [ˌdʒiːoʊˈpɒlɪtɪks ‖ –ˈpɑl–] *fn esz* geopolitika • *fn* **geopolitician** *mn* **geopolitical**

George [dʒɔːdʒ ‖ dʒɔrdʒ] *tul* **1.** György **2.** *GB rep szl* robotpilóta

George cross *fn GB* György-kereszt *[polgári kitüntetés]*

Georgia [ˈdʒɔːdʒə ‖ ˈdʒɔrdʒə] *tul* **1.** ‹női név› **2.** *földr* Grúzia **3.** *földr US* Georgia (állam)

Georgian[1] [ˈdʒɔːdʒən ‖ ˈdʒɔr–] *mn tört* **1.** *GB* György kori/korabeli; ~ **age** a György királyok kora (1714-1830) **2.** V. (v. VI.) György korabeli

Georgian[2] [ˈdʒɔːdʒən ‖ ˈdʒɔr–] *mn/fn* **1.** grúz(iai) **2.** georgiai *[az Egyesült Államokban]*

geoscience [ˌdʒiːoʊˈsaɪəns] *fn* földtudományok

geosphere [ˈdʒiːoʊsfɪə ‖ –sfɪr] *fn geol* földöv, geoszféra

geostationary [ˌdʒiːoʊˈsteɪʃənri ‖ –ʃəneri] *mn* geostacionárius *[műhold]*

geothermal [ˌdʒiːoʊˈθɜːml ‖ –ˈθɜrml] *fn* geotermális, geotermikus; *földr* ~ **energy** földhőenergia

geotropism [dʒiˈɒtrəpɪzm ‖ –ˈɑt–] *fn biol* geotropizmus *[a gravitációhoz viszonyított növénynövekedés]* • *mn* **geotropic**

Gerald [ˈdʒerəld] *tul* ‹férfinév›

Geraldine [ˈdʒerəldiːn] *tul* ‹női név›

geranium [dʒɪˈreɪnɪəm] **I.** *fn növ* **a)** gólyaorr **b)** muskátli **II.** *mn* ~ **(red)** sötétpiros

geriatric [ˌdʒeriˈætrɪk] **I.** *mn* **1.** *orv* geriátriai, öregkori **2.** *biz* öreg, ósdi **II.** *fn* öreg/vén ember

geriatrics [ˌdʒeriˈætrɪks] *fn esz* geriátria, öregkor élettana/kórtana

germ [dʒɜːm ‖ dʒɜrm] *fn* **1.** baktérium, mikroba, bacilus; **disease** ~ kórokozó baktérium/csíra **2.** csíra, spóra; *átv* **to kill sg in its** ~ csírájában elfojt vmt; *átv* ~ **of an idea** egy gondolat csírája

german [ˈdʒɜːmən ‖ ˈdʒɜr–] *mn* **1.** elsőfokú *[testvér, unokatestvér]* **2.** *régi* → **germane**

German [ˈdʒɜːmən ‖ ˈdʒɜr–] **I.** *mn* **1.** német *[ember, nyelv]*; *tört* **G~ Democratic Republic** Német Demokratikus Köztársaság; **the G~ Ocean** az Északi-tenger; ~ **shepherd (dog)** német juhászkutya; ~ **shorthaired pointer** rövidszőrű német vizsla; ~ **wire-haired pointer** drótszőrű német vizsla **2.** germán **II.** *fn* **1. a)** német (ember) **b)** német (nyelv); **High** ~ felnémet (nyelv); **Low** ~ alnémet (nyelv) **c)** német (nyelv)tudás **2.** germán ember

germane [dʒɜːˈmeɪn ‖ dʒɜr–] *mn* vonatkozó (*to* vmre), illő, találó *[kifejezés stb.]*, tárgyhoz tartozó

Germanic [dʒɜːˈmænɪk ‖ dʒɜr–] **I.** *mn* **1.** német **2.** germán **II.** *fn* germán *[nyelv]*

Germanism [ˈdʒɜːmənɪzm ‖ ˈdʒɜr–] *fn* német nyelvsajátság, germanizmus

Germanist [ˈdʒɜːmənɪst ‖ ˈdʒɜr–] *fn* germanista

Germanize [ˈdʒɜːmənaɪz ‖ ˈdʒɜr–], **-ise A.** *tsi* (el)németesít, germanizál *[országot stb.]*, németesít *[nevet]* **B.** *tni* elnémetesedik, germanizálódik • *fn* **Germanization**

Germano- [ˈdʒɜːmænoʊ ‖ ˈdʒɜr–] *előtag* német

Germanomaniac [ˌdʒɜːmænəˈmeɪnɪæk ‖ ˌdʒɜr–] *mn/fn* németimádó

Germanophile [dʒɜːˈmænəfɪl ‖ dʒɜr–] *mn/fn* németbarát

Germanophobe [dʒɜːˈmænəfoʊb ‖ dʒɜr–] *mn/fn* németgyűlölő • *fn* **Germanophobia**

German silver *fn fémip* alpakka, újezüst, argentán

Germany [ˈdʒɜːməni ‖ ˈdʒɜr–] *tul* Németország; **Federal Republic of** ~ Német Szövetségi Köztársaság

germ cell *fn biol* csírasejt

germicide [ˈdʒɜːmɪsaɪd ‖ ˈdʒɜr–] *fn* csíraölő, fertőtlenítő (szer) • *mn* **germicidal**

germinal [ˈdʒɜːmɪnl ‖ ˈdʒɜr–] *mn* **1.** *biol* csírasejti, csíra-, magzati **2.** *átv* csírájában levő, sarjadozó *[gondolat]*

germinate [ˈdʒɜːmɪneɪt ‖ ˈdʒɜr–] **A.** *tsi* **1.** csíráztat **2.** *átv* kelt *[reményt]*, ébreszt *[gondolatot]* **B.** *tni átv* (ki)csírázik, sarjad • *fn* **germination** *mn* **germinative**

germ layer *fn biol* csíraréteg

germ line *fn biol* csíravonal, csíra származéksor

germ plasm *fn biol* csíraplazma

germ warfare *fn biol* baktériumháború

Geronimo [dʒəˈrɒnɪmoʊ ‖ –ˈrɑnəmoʊ] *isz US* ‹ejtőernyősök harci kiáltása kiugráskor›

gerontocracy [ˌdʒerɒnˈtɒkrəsi ‖ –rənˈtɑ–] *fn* öregek uralma, gerontokrácia

gerontology [ˌdʒerɒnˈtɒlədʒi ‖ –rənˈtɑ–] *fn orv* gerontológia *[öregedéssel foglalkozó tudományág]*

Gerry [ˈdʒeri] *tul* ‹*Gerald* becéző alakja›

gerrymander [ˈdʒerimændə ‖ –ər] *pej* **I.** *tsi* ‹választókerület határait/területét úgy állapítja meg, hogy az vmelyik pártnak különösen kedvező legyen› **II.** *fn US* **1.** ‹választási kerületek önkényes megváltoztatása politikai célokból› **2.** választási csalás/visszaélés

gerund [ˈdʒerənd] *fn nyelv* gerundium, gerund *[főnevesített ige]*, inges alak

gesso [ˈdʒesoʊ] *fn* (szobrászati) gipsz

gest [dʒest] *fn tört* gesta

gestalt [gəˈʃtɑːlt] *fn pszich német* gestalt, Gestalt

gestalt psychology *fn* alaklélektan

Gestapo [geˈstɑːpoʊ ‖ gə–] *fn német tört pol [= Geheime Staatspolizei]* Gestapo

gestate [ˈdʒesteɪt] *tsi* **1.** kihord *[utódot]* **2.** kitalál *[ötletet]*

gestation [dʒeˈsteɪʃn] *fn* terhesség, viselősség; *áll* vemhesség

gestation period *fn* terhességi/kihordási/vemhességi idő

gesticulate [dʒeˈstɪkjuleɪt] **A.** *tni* gesztikulál; ~ **vehemently** hadonászik **B.** *tsi* taglejtéssel jelez/kifejez • *fn* **gesticulation** *mn* **gesticulatory**

gesture [ˈdʒestʃə ‖ –ər] **I.** *fn* **1.** taglejtés, kézmozdulat, gesztus **2.** *átv* gesztus **II. A.** *tsi* jelekkel/taglejtéssel kifejez **B.** *tni* gesztikulál

get [get] **I.** *i* **A.** *tsi* **1.** kap; ~ **a blow on the head** fejbe ütik, *biz* kupán vágják; ~ **the measles** kanyarót kap; *biz* **he got five years** öt évet kapott; *szl* **I've got it** benne vagyok a pácban, ezt jól kifogtam; **that's what you ~ by talking too much** *biz* így jár az, aki sokat beszél; *szl* **have got it bad(ly)** szerelmes, bele van esve vkbe, oda van vkért **2. a)** beszerez, megszerez, vesz, vásárol; ~ **sg for sy,** ~ **sy sg** szerez vknek vmt **b)** nyer (vmt), szert tesz (vmre), keres *[pénzt]*; ~ **admission to** bebocsátást nyer (vhová); felveszik *[intézetbe tagnak]*; ~ **the answer right** eltalálja a helyes választ; ~ **fame** hírnévre tesz szert, híressé válik; ~ **one's living** megkeresi a kenyerét; ~ **(oneself) a name** hírnévre tesz szert, híressé válik; ~ **nothing by** (v. **out of**) **it** semmi haszna belőle; ~ **an opportunity** (végre) alkalma nyílik; ~ **a good night's rest** kialussza magát; ~ **a solution to sg** megoldást talál vmre; **if I ~ the time** ha lesz rá időm; ~ **a fine view of sg (from swhere)** (vhonnan) szép kilátás nyílik vmre; ~ **one's own way** érvényre juttatja akaratát; úgy lesz, ahogy ő akarja **c)** (el)hoz, (magához) vesz, szerez; ~ **one's hat** veszi a kalapját *[távozáskor]*; ~ **help** segítséget hív/hoz; ~ **me a cup of tea!** kérek/hozzon egy csésze teát!; **go and ~ the doctor** hívja az orvost **d)** elér; ~ **a fair crop** jó termést takarít be; ~ **results** eredményt ér el; ~ **the shore** partot ér **3. a)** elejt, leterít *[vadat]*, lelő (vkt) **b)** (meg)fog, elfog, elkap, elcsíp; ~ **a station** fog egy állomást *[rádión]*; **the police got the thief** a rendőrség elfogta a tolvajt; *biz* **we'll ~ them yet** (ne félj,) még elcsípjük őket; ellátjuk még a bajukat; **he got you this time** most megfogott, most jól kifogott rajtad; **what's got him?** mi baja van?; mi lelte?; **the play didn't really ~ me** nem tudott lekötni a darab, nem voltam a darabtól túlzottan elragadtatva; *US* **don't let it ~ you** ne vegye a szívére, nem kell mellre szívni **c)** *biz* felfog, megért; **I don't ~ you** nem értem; nem értelek; **got me/it?** megértette?, érti?; *biz* **it ~s past me** ez rejtély előttem, nem tudom felérni ésszel **4. a)** (el)juttat; ~ **sy to bed** lefektet vkt; ~ **sy home** hazavisz vkt; ~ **a woman with child** nőt teherbe ejt **b)** (vmlyenné) tesz; ~ **one's arm broken** karját töri; ~ **the breakfast (ready)** elkészíti a reggelit; ~ **sy hidden** elbújtat vkt; *US* **it ~s me downhearted** ez elcsüggeszt/elkedvetlenít **5. a)** ~ **sg done (by sy)** elvégeztet vmt (vkvel); ~ **oneself appointed** kinevezteti magát **b)** ~ **sy to (do sg)** rávesz/rábír vkt hogy..., megcsináltat vkvel vmt; **I couldn't ~ him to speak** nem tudtam szóra bírni, egy hangot sem tudtam kihúzni belőle **6. a) what have you got there?** mi az ott önnél?; **what's that got to do with it?** mi köze van annak ehhez?, hogy függ ez össze azzal?; **what have you got to say?** mit hoz fel (v. tud felhozni) mentségére?; **you've got it** eltaláltad **b)** *biz* **(have) got to...** kell, muszáj; **you've got to do it** feltétlenül meg kell tenned; muszáj megcsinálnod **7.** *régi* nemz *[állat]* **B.** *tni* **1.** lesz, válik (vmvé, vmlyenné); ~ **angry** dühbe gurul; ~ **better** javul *[idő, egészségi állapot]*; ~ **dismissed** elbocsátják, elküldik *[alkalmazottat]*; ~ **done/finished with sg** végez/elkészül vmvel; ~ **dressed** felöltözik; ~ **even with (sy)** elintézi a dolgát vkvel, elégtételt vesz; **they got friends** összebarátkoztak, jó barátok lettek; ~ **grey** (meg)őszül; ~ **ill** megbetegszik; ~ **killed** meghal, életét veszti *[háború/baleset következtében]*; *Ausz* ~ **knocked** ütést kap, kiütik; *átv* nehézségei vannak; **it is ~ting late** későre jár az idő; ~ **married** megházasodik, megnősül, férjhez megy; ~ **old** (meg)öregszik; ~ **ready** elkészül (vmre); *szl* ~ **spliced** összeesküsznek; ~ **used to sg** hozzászokik vmhez, megszokik vmt **2.** (el)jut, kerül, elér, odaér (vhová); ~ **to bed** lefekszik *[ágyba]*; ~ **home** hazaér(kezik); célba talál *[lövés, megjegyzés]*; ~ **home on sy** érzékenyen érint vkt, elevenére tapint vknek; *US biz* ~ **there (with both feet)** sikert ér el, beérkezik; **how can I ~ there?, how am I to ~ there?** hogyan jutok/kerülök oda?; *átv biz* **he's not ~ting anywhere, he is ~ting nowhere** egy helyben topog, nem megy semmire; **where have you got with your work?** hol tartasz a munkádban?; **he got as far as saying...** annyit mondott, hogy..., annyit tudott kinyögni, hogy... **3.** hozzáfog (vmhez); ~ **busy** nekifog, hozzálát, dolgozni kezd; *szl* ~ **cracking** nekilát; hozzáfog (vmhez); ~ **doing sg** hozzáfog vmhez; *biz* ~ **going!** takarodj!, lódulj!; *biz* ~ **moving!** indíts!, mozgás!; ~ **to do sg** nekidurálja magát vmnek; ~ **to know sy** (jobban) megismer vkt; ~ **to work** munkához fog **4.** *szl [elmegy, megszökik]* olajra lép **II.** *fn* **1. a)** ivadék **b)** egyhasi kölykök *[állatéi]* **c)** nemzés *[állaté]* **2.** *GB szl* hülye, ütődött

get about *tni* **1.** jár-kel, jön-megy; ~ **about again** lábadozik *[beteg]*; **he ~s about a great deal** sokfelé jár/megfordul; sokat utazik **2.** úgy hírlik, terjed *[hír]*

get above *tni* ~ **above oneself** elbizakodik; fejébe száll a dicsőség

get across A. *tsi* keresztüljuttat, keresztülvisz, megvalósít, elfogadtat; *US* ~ **sg across to sy** elfogadtat/megértet vmt vkvel **B.** *tni* **1.** ~ **across to sy** (végre) megérteti magát vkvel, visszhangra talál vknél **2.** *GB biz* ~ **across sy** megbánt/megsért vkt, összevész vkvel

get ahead *tni* **1.** *biz* boldogul, viszi vmre **2.** *átv* ~ **ahead of sy** megelőz/lehagy vkt; túltesz vkn, felülmúl vkt

get along *tni* **1.** halad (vmvel), boldogul; ~ **along without sy/sg** (jól) megvan vk/vm nélkül is; **I can't ~ along with so little money** ilyen kevés pénzből nem tudok megélni **2.** ~ **along with sy** megfér/kijön vkvel **3.** *biz* ~ **along (with you)!** eredj innen!, mozgás!, lódulj!; ugyan!, ne beszélj/meséljl!; **it's time for me to be ~ting along** ideje hogy elinduljak/elmenjek

get around *tni* **1.** → **get about 1. 2.** megold *[problémát]* **3.** *US* ~ **around to sg** időt talál vmre, hozzáfog vmhez, nekilát vmnek **4.** megkerül *[törvényt stb.]* **5.** *biz* rávesz (vkt vmre)

get at *tni* **1.** elér, eljut (vhová), hozzáfér (vmhez); **difficult to ~ at** nehezen elérhető/hozzáférhető; **that's what I want to ~ at** éppen ez az, amire ki akarok lyukadni; *biz* **what are you ~ting at?** hova akarsz kilyukadni?; mit akarsz ezzel mondani?; *biz* ~ **at a witness** tanút megdolgoz, tanút hamis tanúzásra bír **2.** *biz* hevesen kifakad (vk ellen); **who are you ~ting at?** kire haragszol?, kivel van bajod?

get away *tni* **1.** elszabadul, szabaddá teszi magát, eltávozik; **I can't ~ away so early** nem tudok olyan korán szabadulni; ~ **away with you!** *biz* eridj már!, lehetetlen!, ne beszélj/mesélj/tréfálj!, ugyan! **2. a)** megszökik, elmenekül, megszabadul; ~ **away from it all** otthagy mindent; **the burglar got away with the jewels** a betörő elvitte az ékszereket; *biz* **there's no ~ting away from it** (v. **the fact**) szembe kell nézni a tényekkel; el kell ismerni, meg kell hagyni **b)** *sp* megszökik, kitör a bolyból *[versenyző]* **3.** *biz* ~ **away with sg** sikerül neki vm; szárazon megússzik vmt; **they think they can ~ away with anything** azt hiszik, akármit megengedhetnek maguknak (v. büntetlenül megtehetnek); → **getaway**

get back A. *tsi* visszakap, visszanyer *[közbecsülést, erőt, párthíveket stb.]*; ~ **one's own back** visszaszerzi a sajátját **B.** *tni* **1.** visszamegy, vissza(t)ér; ~ **back to bed** visszafekszik *[az ágyba]* **2. I'll ~ back to you** még beszélünk, majd még írok **3.** *biz* ~ **back at/on sy** nem marad adósa vknek, megfizet vknek *[kellemetlenségért]*; → **getaway**

get behind *tni* **1.** (vm) mögé kerül **2.** ~ **behind (with sg)** lemarad *[munkában]*

get by *tni* **1.** ~ **by sg** megússza a dolgot; elnézik neki; **that sort of thing won't ~ by** az ilyesmit nem nézik el (v. nyelik le) **2.** megél

get down A. *tsi* **1. a)** leszáll, lejön (vmről, vhonnan) **b)** *biz* lehangol, lelomboz, lehervaszt **2.** ~ **sg down (on paper)** feljegyez, papírra vet (vmt) **3.** lenyel *[falatot]* **B.** *tni* **1.** leszáll; ~ **down on one's knees** letérdel, térdre borul **2.** ~ **down to (one's) work** (komolyan) munkához lát, nekifog/nekilát a munkának; ~ **down to the facts** a lényegre/tárgyra tér, rátér a tárgyra **3.** *szl [orális szexet végez]* (le)szop **4.** ~ **down!** feküdj! *[kutyának]*

G

get in A. *tsi* **1. a)** bevisz, behoz, beszerez; **~ some coal in** szenet beszerez; **~ a man in to mend the table** hívat egy embert, hogy megjavítsa az asztalt **b)** behord, betakarít *[termést]*, beszed *[adót]*, behajt *[kinnlevőséget]* **2. ~ one's hand in** begyakorolja magát vmbe **3. ~ a word in** szóhoz jut; **~ in some reading** időt talál/szakít egy kis olvasásra; **if I can ~ it in (in time)** ha tudok rá időt szakítani **B.** *tni* **1.** bejut, bekerül *[egyetemre stb.]*, bemegy, beszáll *[járműbe]*, behatol, beszivárog *[víz]*, beslisszol (vk vhová) **2.** beér (vhová), (be)érkezik, befut *[vonat állomásra]* **3. a)** *biz* **~ in with sy** jó viszonyba kerül vkvel; jóba lesz vkvel **b) ~ in (for a constituency)** képviselővé választják; **the Labour Party got in** a Munkáspárt győzött a választásokon

get into A. *tsi* **~ sy into a habit of doing sg** rászoktat vkt vmre; **~ sy into trouble** bajba kever vkt **B.** *tni* **1.** bejut, behatol, bekerül (vhová), beszáll *[járműbe]*; **~ into bad company** rossz társaságba keveredik **2.** felvesz *[ruhát]*, belebújik *[kabátba]*, felhúz *[cipőt]* **3. ~ into the habit of...** rászokik vmre, vmely szokást felvesz; **~ into a rage** dühbe gurul; **you soon ~ into it** hamar belejössz; **what has got into that child?** mi ütött ebbe a gyerekbe?

get off A. *tsi* **1. a)** levesz, leemel, lehúz (vhonnan, vmről) **b)** levet *[ruhát]*, lehúz *[ruhadarabot, gyűrűt]* **c)** kivesz *[foltot, pecsétet]* **2. a)** elküld, felad *[küldeményt]*, túlad *[portékán]*; **~ a shot off** lead egy lövést; **~ a speech off** beszédet mond **b) ~ the baby off (to sleep)** elringatja/elaltatja a kisbabát **3.** (szorult helyzetből) kiránt, felmentet *[vádlottat]* **B.** *tni* **1. a)** kiszáll *[járműből]*, leszáll *[járműről, lóról]*, leugrik, lemászik, lelép (vmről); **~ off a chair** lemászik a székről *[gyerek]*; **tell sy where to ~ off** (i) megmondja hol kell leszállnia *[járműről]* (ii) *biz* (alaposan) megmondja a magáét/véleményét vknek **b) ~ off sy** békén hagy vkt; **~ off my back!** szállj le rólam! **c)** *biz* lelép *[eltávozik munkahelyről]* **2. a)** elválik, leválik, lejön (vmről vm) **b)** elindul, felszáll *[repülőgép]*, *átv* lendületbe jön *[vállalkozás]* **3.** megússzik vmt; **~ off with a fine** pénzbírsággal szabadul/megússza **4. ~ off to sleep** elalszik **5.** *szl* **~ off with sy** jóba/viszonya lesz vkvel, kikezd vkvel *[szerelmi célból]*, összejön vkvel **6.** → **get away B.1.** → **get-off**

get on A. *tsi* **1.** felhúz *[cipőt]*, felvesz *[ruhát]*, belebújik *[kabátba]* **2. ~ a good speed on** gyorsul **3.** előresegít *[tanulmányt]* **4.** *US* **~ sg on sy** vk ellen vm vádja van; baja van vkvel **B.** *tni* **1. a)** fellép, felmászik *[asztalra stb.]*, felszáll, felkapaszkodik *[járműre]*, ráül *[kerékpárra]*, felül *[lóra]*; *US* **~ on a bus** felszáll a buszra **b) ~ on sy's nerves** vk idegeire megy **2. a)** továbbmegy, közeledik (vmhez); **we must now be ~ting on** ideje, hogy továbbmenjünk/továbbálljunk; **be ~ting on (in years)** öregszik, már nem mai gyerek/csirke; **time is ~ting on** későre jár; **his savings are ~ting on to a thousand** már csaknem egy ezrest takarított meg; **~ on (to) a subject** rátereli a beszélgetést (v. rátér) vmlyen témára **b)** halad, boldogul, érvényesül; **he will ~ on (in the world)** boldogulni fog a világban; nem veszett ember; **how are you ~ting on?** hogy vagy?, hogy megy a sorod?; **~ on with sg** halad/boldogul vmvel; **~ on with sg** folytat vmt **c) ~ on (well) with sy** (jól) összefér/megfér/kijön vkvel; **easy to ~ on with** jól ki lehet vele jönni, jó természete van **3.** *US biz* **~ on to sg** megszerez/megnyer/megkaparint vmt; rájön vmre; **~ on to sy** kezd megérteni/kiismerni vkt

get out A. *tsi* **1. a)** kihúz *[fogat, szöget, dugót]*, kivesz, eltávolít *[foltot]*, kifejt; **~ that notion out of your head** verd ki ezt az ötletet a fejedből; **~ a secret out of sy** titkot kiszed vkből; **~ sy out of a habit** leszoktat vkt vmről; **~ money out of sy** pénzt csikar ki vkből; **~ a kick out of sg** élvez vmt; imád vmt (csinálni, átélni) **b)** elővesz, előszed, kijuttat; **~ out one's car** kihozza a kocsit (a garázsból) **2. ~ out a book** kiad/kihoz egy könyvet *[kiadó]*; kivesz/kölcsönvesz egy könyvet *[könyvtárból]* **3. he could hardly ~ out a word** alig tudott egy szót kinyögni; **we got a good laugh out of it** sokat nevettünk rajta **B.** *tni* **1.** leszáll, kiszáll, megszökik, kiszabadul (vhonnan), kimászik *[bajból]*; **~ out (of here)!** ki innen!; ugyan hagyd ezt a süket dumát! **2.** megjelenik *[könyv, újság]* **3.** kitudódik *[titok]* **4.** társaságba jár, emberek közé megy **5. ~ out of a train** kiszáll a vonatból; **~ out of bed** felkel (ágyból); **~ out of hand** egyre kevésbé lehet vele bírni (vkvel); óriási méreteket ölt (vm); **~ out of sight** eltűnik; **~ out of the habit of doing sg** leszokik vmről; **~ out of a difficulty** kievickél/kimászik a bajból; **~ out of a duty, ~ out of doing sg** kibújik a kötelesség (v. vmnek a megtétele) alól; **~ out of sy's way** kitér vknek az útjából; → **get-out**

get outside *tsi/tni GB szl* **~ outside (of) sg** (i) *[megeszik]* bekajál, bekap (ii) *[megiszik]* benyom, legurít

get over A. *tsi* **1.** átjuttat, átvisz (vmn) **2.** *biz* **~ sg over (with)** végez vmvel; letud/elintéz vmt; leküzd, legyőz *[nehézségeket]*; **let's ~ it over** essünk át/túl rajta, legyünk túl rajta **3. ~ sg over (to sy)** megértet (vkvel) **B.** *tni* **1.** átjut (vmn), átkel *[vízen]*, átesik *[betegségen]* **2.** túlteszi magát vmn, kihever (vmt), elfelejt *[bánatot]*; **~ over one's difficulties** legyűri/legyőzi a nehézségeket; **~ over a bad habit** rossz szokást levetkőz; **~ over one's shyness** erőt vesz félénkségén

get round *tni* **1.** → **get around 2.** befordul *[utcasarkon]*, megkerül *[akadályt, törvényt]*; **~ round the world** körülutazza a világot; **~ round to it** hozzájut *[időben]*, alkalma nyílik rá **3.** *biz* **~ round sy** levesz vkt a lábáról, leszerel vkt; meglágyítja vk szívét **4.** megold *[problémát]*

get through A. *tsi* **1.** keresztülvisz, keresztüljuttat vmn; **~ sy through (the examination)** átsegít vkt (vizsgán); **~ a bill through (Parliament)** törvényjavaslatot elfogadtat/megszavaztat **2. ~ sy through (to sy)** kapcsol vkt vkhez *[telefonon]*, összeköttetést segít létesíteni vkvel **B.** *tni* **1.** átbújik, bebújik, átvergődik, keresztülvergődik vmn, áthatol *[erdőn, tömegen]*, keresztülmegy *[törvényjavaslat]*; **~ through (an examination)** átmegy (a vizsgán); **~ through an illness** kilábal betegségből, leküzd betegséget; **the news got through to them** eljutott hozzájuk a hír **2. ~ through (with)** befejez, teljesít, elvégez (vmt); túl van (rajta); **~ through a business** lebonyolít egy üzletet; **~ through a lot of work** rengeteget dolgozik/végez **3. I could not ~ through to him** nem kapcsolták *[telefonon]* **4.** érthetővé/világossá válik **5.** *sp* **~ through (to sg)** továbbjut, bejut *[a döntőbe stb.]*

get together A. *tsi* **1.** összeszed, összehív; **~ one's thoughts together** rendezi a gondolatait **2.** összeszed, összegyűjt **B.** *tni* összejönnek, összegyűlnek, összeül *[képviselőház]*; → **get-together**

get up A. *tsi* **1.** felvisz, felhoz, feljuttat, felsegít (vhová) **2.** felkelt, felébreszt **3. a)** rendez *[ünnepélyt]*, színre hoz, kiállít *[darabot]*, sző *[összeesküvést]*, szít *[viszályt]* **b)** előkészít, adjusztál *[árut stb.]*; **~ up a shirt** adjusztál inget **c)** előkészít, kidolgoz *[témát]*, tanul(mányoz), átvesz *[anyagot]*; **I will ~ up history for tomorrow** holnapra átveszem a történelmet **d) ~ oneself up** kicsípi magát, kiöltözködik; kifesti magát **B.** *tni* **1.** felmegy, feljut, felmászik (vhová), felül *[lóra]* **2. a)** felkel *[ágyból]* **b)** talpra áll; **~ up from the table** feláll az asztaltól **c)** (fel)támad, kerekedik *[szél]*, árad, dagad *[tenger]* **3. ~ up to sy** utolér vkt, eléri vk színvonalát; → **get-up**

get-at-able [get'ætəbl] *mn biz* hozzáférhető, könnyen megközelíthető

getaway *fn biz* **a)** menekülés **b)** megmenekülés **c)** távozás, elmenetel; **make one's/a ~** sikerül elmenekülnie, elmenekül, megszökik, meglóg; → **get away**

getaway car *fn biz* ‹bűnöző(k) által menekülésre használt autó›

get-out *fn GB* kiút, kivezető út; → **get out**

get-rich-quick *mn biz* aranyhegyeket ígérő *[terv]*, mohó, gyors meggazdagodásra törő

get-together *fn biz* összejövetel, találkozás, találkozó *[pl. érettségi]*; → **get together**

get-up *fn biz* **a)** öltözék, öltözet **b)** szabás, stílus *[öltözeté]*; → **get up**
get-up-and-go *biz* pozitív hozzáállás/gondolkodás, határozottság, erő, energia
geum [ˈdʒiːəm] *fn növ* gyömbérgyökér
gewgaw [ˈgjuːgɔː] *fn* mütyürke, csecsebecse, limlom
geyser [ˈgiːzə ‖ ˈgaɪzər] *fn* **1.** *földr* gejzír **2.** vízmelegítő, autogejzír
Ghana [ˈgɑːnə] *tul földr* Ghana
Ghanaian [gɑːˈneɪən ‖ ˈgɑnɪən] *mn/fn* ghanai
ghastly [ˈgɑːstli ‖ ˈgæstli] **I.** *mn* **1. a)** rettenetes, ijesztő, szörnyű, hátborzongató **b)** *biz* irtózatos, rémes **2.** holtsápadt, kísérteties **II.** *hsz* rettentően, szörnyen, ijesztően; ~ **pale** halálsápadt
gherkin [ˈgɜːkɪn ‖ ˈgɜr–] *fn* fiatal/apró uborka *[savanyításra]*; **pickled ~s** ecetes uborka
ghetto [ˈgetoʊ] **I.** *fn* gettó **II.** *tsi* elkülönít, gettóba zár • *tsi* **ghettoize, ghettoise**
ghetto blaster *fn szl [(hordozható, nagy méretű) rádiómagnó]* zajláda
ghillie [ˈgɪli] → **gillie**
ghost [goʊst] **I.** *fn* **1. a)** kísértet, szellem, hazajáró lélek; **be the mere ~ of one's former self** árnyéka önmagának; **you look as if you'd seen a ~** holtsápadt vagy **b)** *biz* ~ **of a smile** alig észrevehető mosoly; a mosoly árnyéka; *biz* **not the ~ of a doubt** a kétségnek az árnyéka sem; *biz* **you haven't the ~ of a chance** egy szikrányi esély(ed) sincs **2. a)** *régi* lélek; **give up the ~** kileheli lelkét, meghal **b)** the **Holy G~** a Szentlélek **3.** *fiz* hamis (színkép)vonal **II.** *tsi biz* más helyett/nevén (meg)ír • *mn* **ghostlike**
ghostbuster *fn* szellemirtó *[utalás a 80-as években készült filmre]*
ghost image *fn távk* szellemkép
ghosting [ˈgoʊstɪŋ] *fn el infor* szellemkép(hatás/jelenség)
ghostly [ˈgoʊstli] *mn* kísérteties
ghost story *fn* kísértettörténet, kísértethistória
ghost town *fn* lakatlan város, kísértetváros
ghost train *fn* szellemvasút
ghost-writer *fn biz [irodalmi]* néger • *i* **ghost-write**
ghoul [guːl] *fn* **1.** vámpír **2.** hullarabló, sírgyalázó **3.** *pej* huhogó, vészmadár
ghoulish [guːlɪʃ] *mn* hátborzongató, kísérteties, hajmeresztő
ghyll [gɪl] → **gill²**
GI [ˌdʒiːˈaɪ] *röv US* **I.** *fn* **GIs** *Government Issue* közkatona, (sor)katona, kiskatona **II.** *mn* kiskatonákra jellemző
giant [ˈdʒaɪənt] **I.** *fn* **1.** óriás **2.** *csill* óriás csillag **II.** *mn* óriás, hatalmas, roppant nagy; *átv* **advance with ~ strides** rohamléptekkel halad *[fejlődés stb.]* • *fn* **giantism** *mn* **giant-like**
giantess [ˈdʒaɪəntɪs] *fn* óriásnő
giant-killer *fn biz* bajnokverő, a kis Dávid
giant panda *fn áll* óriás panda
giaour [ˈdʒaʊə ‖ –ər] *fn pej* gyaur, hitetlen, nem mohamedán
gib [gɪb] *fn műsz* ellenék, ékbetét, *épít* gerendaék
gibber¹ [ˈdʒɪbə ‖ –ər] **I.** *tni* zagyván/értelmetlenül/összevissza beszél **II.** *fn* zagyva/értelmetlen/badar beszéd
gibber² [ˈdʒɪbə ‖ –ər] *fn Ausz* nagy kő, szikla
gibberish [ˈdʒɪbərɪʃ] *fn* érthetetlen/zagyva beszéd, üres fecsegés/locsogás
gibbet [ˈdʒɪbɪt] **I.** *fn* akasztófa, bitófa **II.** *tsi* **1.** felakaszt *[bűnözőt]* **2.** kivégzett bűnöző holttestét felakasztja **3.** *biz* nyilvánosan megszégyenít, meghurcol
gibbon [ˈgɪbən] *fn áll* gibbon
gibbous [ˈgɪbəs] *mn* **1.** domború, kidudorodó **2.** púpos **3.** *csill* félkörnél nagyobb részben megvilágított *[hold]* • *fn* **gibbosity**
gibe [dʒaɪb] **I. A.** *tsi* kigúnyol, kicsúfol, sérteget **B.** *tni* ~ **at sy** (ki)gúnyol/(ki)csúfol vkt, gúnyolódik vkvel **II.** *fn* csúfolódás, gúnyolódás
giblets [ˈdʒɪbləts] *fn tsz* szárnyas aprólék (belső részek)
Gibraltar [dʒɪˈbrɔːltə ‖ –ər] *tul földr* Gibraltár
Gibraltarian [ˌdʒɪbrɔːlˈteərɪən ‖ –ˈter–] *mn/fn* gibraltári
giddy [ˈgɪdi] **I.** *mn* **1. a)** szédülő, kerge *[birka]* **b)** *átv* megszédült; **be ~ with power** megszédült a hatalomtól; **be ~ with success** fejébe szállt a dicsőség **c)** szédítő, szédületes *[mélység stb.]*; ~ **success** szédületes siker **2.** szeles, szeleburdi, hebehurgya, meggondolatlan; *biz* **play the ~ goat** bolondozik, mókázik **II. A.** *tsi* (meg)szédít, elszédít **B.** *tni* (el)szédül, szédeleg • *fn* **giddiness**
gie [giː] *skót* → **give**
GIF *röv infor Graphic Interchange Format* grafikus adatcsere formátum, GIF
gift [gɪft] **I.** *fn* **1. a)** ajándék; *biz* **it was a ~** ajándék (v. nagyszerű vétel) volt, könnyű feladat volt **b)** adomány; **make a ~ of sg to sy** ajándékba ad, vmt vknek adományoz **c)** adományozás/kinevezés joga; **the post is in the ~ of the Minister** az állásról a miniszter dönt **2.** tehetség, képesség, rátermettség, hajlam; *vall* ~ **of tongues** nyelveken szólás; **have a ~ for sg** érzéke van vmhez; **have the ~ of the gab** jó a beszélőkéje, tehetséges szónok, tudja csűrni-csavarni a szót **II.** *tsi* **1. a)** megajándékoz, felruház, megáld *[sors stb.]* **b)** megjutalmaz **2.** ad, ajándékoz
gift certificate *US* → **gift voucher**
gifted [ˈgɪftɪd] *mn* tehetséges
gift-horse *fn közm* **never look a ~ in the mouth** ajándék lónak ne nézd a fogát
giftpaper *fn* csomagolópapír
gift shop *fn* ajándékbolt
gift token *GB* → **gift voucher**
gift voucher *fn* ajándékutalvány
giftware *fn gazd* ajándéktárgyak
gift-wrap *tsi* díszesen becsomagol
gig¹ [gɪg] *fn* **1.** kétkerekű lovaskocsi, könnyű bricska *[villás rúddal]* **2. a)** parancsnoki hajó/csónak **b)** versenyhajó
gig² [gɪg] **I.** *fn* koncert *[jazz, pop, rockzene]*, hakni **II.** *tni* koncertezik, haknizik, turnézik
gig³ [gɪg] *fn* többágú szigony *[angolnahalászathoz]*
giga- [ˈgɪgə] *[mint mértékegység]* ezermillió-, giga-
gigantic [dʒaɪˈgæntɪk] *mn* óriási, hatalmas, kolosszális, gigantikus, gigászi • *mn* **gigantesque**
gigantism [dʒaɪˈgæntɪzm] *fn orv* óriásnövés, gigantizmus
giggle [ˈgɪgl] **I.** *tni* kuncog, vihog, kacarászik **II.** *fn* **1.** kuncogás, vihogás **2.** *biz* szórakoztató ember **3.** *biz* vicc, jópofaság; **for a ~** viccből, tréfából; **have (a fit of) the ~s** röhögőgörcse van
gigolo [ˈdʒɪgəloʊ] *fn* **1.** *pej* selyemfiú, dzsigoló **2.** parkett-táncos
gigot [ˈdʒɪgət] *fn* sült ürücomb/báránycomb
gigue [ʒiːg] *fn zene* dzsigg
G.I. Jane *fn US szl* amerikai katonanő
G.I. Joe *fn US szl* amerikai (köz)katona
Gilbert [ˈgɪlbət ‖ –ərt] *tul* ‹férfinév›
gild¹ [gɪld] *tsi pt/pp* **gilded, gilt** [gɪlt] **1.** bearanyoz; **~ sg over** bearanyoz, arannyal bevon vmt; *biz* **~ the lily** a szépet akarja szebbé tenni **2.** *átv* szépít • *fn* **gilder**
gild² [gɪld] → **guild**
gilded [ˈgɪldɪd] *mn* aranyozott, arannyal bevont; *biz* **~ youth** aranyifjúság, arisztokrata ifjak; *US* **the G~ Age** ‹a kapitalista expanzió kora a polgárháború után az USA-ban›; *átv* **~ cage** aranyketrec, aranykalitka
gilding [ˈgɪldɪŋ] *fn* aranyozás; **leaf ~** aranyfüst bevonat
gill¹ [gɪl] **I.** *fn* **1.** kopoltyú **2. a)** bőrlebernyeg, szakáll *[madár nyakán]* **b)** *biz* toka, az arc alsó része; **be/look green/pale about the ~s** rossz színben van, sápadt, zöld **c)** *növ* sugárlemez *[gombáé]* **II.** *tsi* **1.** kibelez *[halat]* **2.** meghámoz *[gombát]* **3.** kopoltyújánál fogva kihalász *[halat]* • *mn* **gilled**
gill² [dʒɪl] *fn GB* 0,118 l, *US* 0,142 l *[űrmérték]*
gill³ [gɪl] *fn GB* **1.** fás szakadék patakkal **2.** hegyi patak
gill⁴ [gɪl] *fn pej* leány
gill cover [ˌgɪl ˈkʌvə ‖ –ər] *fn áll* kopoltyúfedő

gillie [ˈgɪli] *fn skót* **1.** *tört* kísérő *[nemzetség fejéé]*, szolga, inas **2.** vadászkísérő, fegyveradogató
gill-net [ˈgɪl net] *fn* eresztőháló *[halászáshoz]*
gilt[1] [gɪlt] **I.** *mn* **1 a)** aranyozott **b)** aranysárga **II.** *fn* **1.** aranyozás, aranyfüst; *GB* **take the ~ off the gingerbread** elrontja vmnek (az) örömét/szépségét, üröm az örömben **2.** *tsz* **gilts→ gilt-edge** 2.
gilt[2] [gɪlt] *fn* emse malac
gilt-edge, **gilt-edged** *mn* **1.** aranymetszésű, aranyvágású *[könyv]*, aranyszegélyű *[értékpapír]* **2.** *gazd* **~ stock** elsőrangú értékpapír; *GB* **~ security** állami kötvény; megbízható értékpapír
gillyflower [ˈdʒɪliflauə ‖ –ər] *fn növ* **1.** kerti szegfű **2. a)** (kerti/szagos) viola **b)** sárga árvácska **c)** pompás estike, éjjeliviola
gimbals [ˌdʒɪmblz] *fn tsz hajó* (kettős) kardáncsuklós felfüggesztés, kardáncsukló
gimcrack [ˈdʒɪmkræk] **I.** *mn* ócska, selejtes, vásári, bóvli *[áru, bútor]*, hamis, talmi *[ékszer]* **II.** *fn* ócska/selejtes/vásári áru, hamis/talmi ékszer, csecsebecse • *fn* **gimcrackery** *mn* **gimcracky**
gimlet [ˈgɪmlət] *fn* **1.** kézi fúró, furdancsfúró, ácsfúró **2.** *US* gines limonádé
gimmick [ˈgɪmɪk] *fn biz* ravasz fogás/trükk, cseles dolog; **the ~ is** a vicc/cseles a dologban az(hogy) • *fn* **gimmickry** *mn* **gimmicky**
gimp[1] [gɪmp] *fn* **1.** zsinór, paszomány, szegélydísz **2. a)** csipkeverő mintafonál **b)** csipkemintázat **3.** selyemből és drótból fonott horgászzzsinór
gimp[2] [gɪmp] *szl* **I.** *fn* **1.** béna ember/láb, bice-bóca **2.** ostoba, hitvány/béna alak **II.** *tni* biceg, sántít
gin[1] [dʒɪn] *fn* gin, borókapálinka
gin[2] [dʒɪn] **I.** *fn* **1.** csapda, kelepce, tőr *[vadnak]* **2.** *tex* gyapotmagtalanító gép **II.** *tsi* **-nn-** csapdával/tőrrel fog *[állatot]*
gin[3] [dʒɪn] *fn Ausz biz* bennszülött nő/asszony
gin and tonic *fn* gin tonik(kal)
ginger [ˈdʒɪndʒə ‖ –ər] **I.** *fn* **1.** *növ* gyömbér **2.** *biz* lendület, élénkség, elevenség; **put some ~ into it** fokozza/élénkíti a tempót, rákapcsol **3.** *szl* vörös(esszőke) hajú ember **II.** *mn* vörösessárga *[szín]*, vörös(esszőke) *[haj]* **III.** *tsi* **1.** gyömbérrel ízesít/fűszerez **2.** *biz* **~ sy up** felélénkít/felvillanyoz vkt • *mn* **gingery**
ginger ale *fn* gyömbérital *[üdítő]*
ginger beer *fn* **1.** gyömbérsör **2.** *szl [homoszexuális (férfi)]* homokos, buzi, meleg
gingerbread *fn* **1.** gyömbéres mézeskalács **2.** mutatós de értéktelen holmi, csiricsáré
ginger group *fn GB átv* élesztő, az aktívák *[pártban stb.]*
gingerly [ˈdʒɪndʒəli ‖ –ər–] *mn/hsz* óvatos(an), csínján; **in a ~ fashion** óvatosan, elővigyázatosan, csínján
ginger-nut *fn* gyömbéres sütemény
ginger snap *fn* gyömbéres sütemény
gingham [ˈgɪŋəm] *fn* (zefírhez hasonló) tarkán szőtt pamutszövet
gingili [ˈdʒɪndʒɪli] *fn növ* **1.** szezám **2.** szezámolaj
gingival [dʒɪnˈdʒaɪvl] *mn orv* íny-
gingivitis [ˌdʒɪndʒɪˈvaɪtɪs] *fn orv* (fog)ínygyulladás
gingko [ˈgɪŋkou] *fn növ* páfrányfenyő, ginkó
ginormous [ˌdʒaɪˈnɔːməs ‖ –ˈnɔrməs] *mn GB szl [hatalmas]* baromi nagy
gin rummy [ˈdʒɪn–] *fn ját* kopogós/tízlapos römi
ginseng [ˈdʒɪnseŋ] *fn növ* gin(s)zeng
gintrap [ˈdʒɪn–] *fn szl [száj]* etető
gip [gɪp] *tsi* **-pp-** *szl [lop]* csór, bugázik
gippy tummy [ˌdʒɪpiˈtʌmi] *fn GB biz* ‹forró éghajlatra utazó turisták hasmenéses fertőzése›
Gipsy [ˈdʒɪpsi], **gipsy I.** *mn/fn* cigány **II.** *tni* cigány módon él • *mn* **gipsyish**
gipsy cart *fn* cigánykaraván
gipsydom [ˈdʒɪpsidəm] *fn* a cigányság, cigánynép
gipsy moth *fn áll* gyapjaslepke
gipsy orchestra *fn* cigányzenekar
giraffe [dʒɪˈrɑːf ‖ –ˈræf] *fn* zsiráf
girandole [ˈdʒɪrəndoul] *fn* **1. a)** karos gyertyatartó/csillár **b)** rakétanyaláb, forgó tűzsugár *[tűzijátéknál]* **2.** fürtszerű fülbevaló
girasol [ˈdʒɪrəsl] *fn ásv* tűzopál
girasole [ˈdʒɪrəsoul, –sɒl ‖ –sɑl] → **girasol**
gird[1] [gɜːd ‖ gərd] *tsi pt/pp* **girded**, **girt** [gɜːt] *vál* **1.** (fel)övez, felköt *[kardot]*, övvel megköt *[ruhát]*; **~ sy with sg**, **~ sg on sy** felövez vkt vmvel; **~ one's sword** kardot köt; **~ oneself for a task** felkészül a feladatra; **~ up one's loins** hozzákészülődik, nekikészül **2.** körülvesz, övez, bekerít *[várost ellenség]*
gird[2] [gɜːd ‖ gərd] **I.** *tni* **~ at sy** csúfolódik/tréfálkozik vkvel; ugrat vkt **II.** *fn* tréfálkozás, gúnyolódás, csúfolódás
girder [ˈgɜːdə ‖ ˈgərdər] *fn épít* kötőgerenda-tartó, koszorúgerenda, T-gerenda
girdle [ˈgɜːdl ‖ ˈgərdl] **I.** *fn* **1. a)** öv, övzsinór **b) (suspender) ~** *[női]* harisnyatartó, (harisnyatartós) csípőszorító, fűző **c)** *orv* **hip/pelvic ~** medenceöv; **pectoral/shoulder ~** vállöv **2.** gyűrűs foglalat *[drágakőé]* **II.** *tsi* **~ (about/in/round)** övez, körülvesz
girl [gɜːl ‖ gərl] *fn* **1.** leány, lány, kislány, lányka; **~'s school** lányiskola; *biz* **his (best) ~** a lány akivel jár **2. a) my eldest ~** a legidősebb lányom **b)** *szl* **my old ~** *[a feleségem]* az anyjukom **3.** cselédlány, mindenes • *fn* **girlhood**
girlfriend *fn* barátnő
Girl Guide *fn* cserkészlány
girlie [ˈgɜːli ‖ ˈgərli] **I.** *mn biz* (kis)lányos; **~ magazine** szexmagazin **II.** *fn* lányka, kislány
girlish [ˈgɜːlɪʃ ‖ ˈgər–] *mn* **1.** (kis)lányos **2.** lányos, nőies *[fiú]*
Girl Scout → Girl Guide
giro [ˈdʒaɪrou] *fn GB pénz* **1.** zsíró **2.** az állam által főként munkanélküliek részére kiutalt pénzesutalvány/csekk
girt[1] [gɜːt ‖ gərt] → **gird**[1] I.
girt[2] [gɜːt ‖ gərt] → **girth** I. 2.
girth [gɜːθ ‖ gərθ] **I.** *fn* **1.** heveder, hasló *[lószerszám]* **2.** kerület, derékbőség, körméret *[fáé]*; **man of ample ~** nagyhasú/pocakos ember **II. A.** *tsi* **1.** felszíjaz *[lovat]*, felerősít *[nyerget]* **2.** kerületet/körméretet mér **3.** körbevesz **B.** *tni* **~ six feet** körmérete/kerülete hat láb
gismo [ˈgɪzmou] *fn szl [dolog]* herkentyű, izé, bigyó
gist [dʒɪst] *fn* **1.** lényeg, a veleje/magva (vmnek); **get down to the ~ of the matter** rátér a dolog lényegére **2.** *jog* jogcím, jogalap *[kereseti]*
git [gɪt] *fn GB szl [ellenszenves, jellemtelen ember]* tetű
give [gɪv] **I.** *i pt* **gave** [geɪv], *pp* **given** [ˈgɪvn] **A.** *tsi* **1.** ad, adományoz, ajándékoz; **it is not ~n to all** nem adatik meg mindenkinek; **~ sy sg in one's will** végrendeletileg ráhagy/hagyományoz vkre vmt **2. a)** (át)ad, átnyújt, odaad; **~ a porter one's bag to carry** odaadja a hordárnak a táskáját, hogy vigye **b) ~ sy one's hand** kezét nyújtja vknek, kezet ad vknek **c) ~ him my best regards** add át neki üdvözletemet **3.** bead *[orvosságot]* **4.** ad, fizet; **what did you ~ for it?** mit adtál/fizettél érte?; **I would ~ a lot to...** sokért nem adnám, ha... **5.** szentel, fordít; **~ one's life to God** Istennek szenteli az életét **6.** ad, rendez *[estélyt, hangversenyt, vacsorát]*, tart *[színielőadást, beszédet]* **7.** *jog* hoz *[döntést, ítéletet]*, megítél *[kártérítést stb.]*; **~ the case for sy** vknek a javára dönt/ítél perben **8.** *szính* (elő)ad, játszik; **~ Macbeth** Macbethet alakítja/adja/játssza *[színész]*; Macbethet adják/játsszák *[színházban]* **9.** megad, közöl; **the dictionary does not ~ these words** a szótár nem adja meg ezeket a szavakat **10.** mutat, jelez; **the thermometer ~s 20 degrees** a hőmérő 20 fokot mutat **11.** *szl* történik; **what ~s?** *[mi a helyzet?]* mi a dörgés? **12. ~ an answer** válaszol; felel; **~ (one's) attention to sy** figyelmével tüntet ki vkt; **~ sy to believe/suppose sg** okot ad/szolgáltat arra, hogy vk azt higgye; *szl* **~ it best** enged, nem folytatja a próbálkozást; abbahagy vmt, felhagy vmvel;

I'll ~ you best győztél, nyertél; **~ sy one's blessing** áldását adja vkre, megáld vkt; **~ sy a blow** megüt vkt; **~ sy a chance** lehetőséget ad vknek; *szl* **~ sy the chuck** *[elbocsát vkt állásából]* kirúg, lapátra tesz; **he has ~n me his cold** megkaptam tőle a náthát, megfertőzött a náthájával; **~ confidence** bizalmat kelt; **~ credit to a story** hitelt ad a történetnek; **~ sy credit for sg** vk érdeméül tud be vmt; **~ one's daughter in marriage** férjhez/feleségül adja leányát; **~ sy good day** jó napot kíván vknek; **~ as good as one gets** nem marad adósa vknek; **~ good example** jó példát mutat; **I ~ you our host!** (iszom) a házigazdánk egészségére; *szl* **~ it (to) sy** (i) *[leszid]* jól lekap/lehord vkt, megmossa vknek a fejét (ii) *[jól elver vkt]* ad neki, megruház (iii) *[megöl]* kicsinál, kinyír; **~ sy the oath** megesket vkt; **~ one's opinion** véleményt nyilvánít; **~ pain** fájdalmat okoz, fáj; **~ pleasure** örömet szerez, kéjes érzéssel tölt el; **~ rise to sg** előidéz/okoz vmt, alkalmat ad vmre; **~ sy short shrift** rövid úton elintéz vkt, kurtán elbánik vkvel; *biz* **~ sy the slip** megszökik vktől, meglóg vk elől; **~ and take** kölcsönös engedményeket tesz; **~ or take** plusz-mínusz; **~ a toast** pohárköszöntőt mond, vknek az egészségére iszik; *jog* **~ sy a trial** bírósági tárgyalásra bocsátja vk ügyét; **~ sy to understand that** vknek értésére adja, hogy; **~ voice to sg** hangot ad vmnek; **~ way** enged; hátrál; enged a nyomásnak; összeroskad; **his health gave way** megrendült az egészsége; **~ way to** utat enged (vknek, vmnek), kitér (vk/vm elől); enged (vknek, vmnek); elsőbbséget ad...-nak/-nek; **~ way!** elsőbbségadás kötelező!; **~ way to despair** átengedi magát a kétségbeesésnek; **~ way to one's emotions** szabad folyást enged érzelmeinek; **I'll ~ you what for!** majd adok én neked; *szl* **~ sy the whisper/wire** *[bizalmasan értesít vkt]* leadja a drótot vknek; *US szl* **~ sy the works** (i) *[bántalmaz/szidalmaz vkt]* kioszt vkt, leápol vkt (ii) *[meggyilkol vkt]* elintéz, kinyír, hazavág vkt **B.** *tni* **1.** ad, adakozik **2.** enged, nyúlik *[szövet, gumi]* **3.** (ki)fakul, enged *[szín]* **4.** fölenged *[fagy]*, enyhül *[idő]*; → **given** **5.** *szl* **~!** *[mondd!, beszélj!]* nyomd!, lökd! **II.** *fn* **1.** rugalmasság, mozgástér **2. it is a case of ~ and take** kölcsönös engedmény(ek); kompromisszum **3. a ~ and take of ideas** a gondolatok áramlása/cseréje • *fn* **giver**

give away *tsi* **1. a)** elajándékoz, ajándékba ad; **that's giving it away** ez annyi, mintha elajándékoznám; ez ajándék **b) ~ away an opportunity** alkalmat elszalaszt **2. ~ away the bride** a menyasszonyt az oltárhoz vezeti és ott átadja a vőlegénynek *[apa]* **3.** *biz* **~ sy away** elárul/elad/beárul vkt; **~ oneself away** elárulja/leleplezi magát/szándékát; → **give-away**

give forth *tsi* **1.** → **give off** **2. a)** ad, hallat *[hangot]* **b)** közöl, közzétesz *[hírt]*

give in A. *tsi* bead, benyújt; **~ in one's examination paper** beadja vizsgadolgozatát; **~ in one's resignation** benyújtja lemondását **B.** *tni* enged, meghátrál, beadja a derekát; **~ in to a passion** enged (v. nem áll ellen) szenvedélynek

give off *tsi* kibocsát, fejleszt, áraszt *[hőt, szagot]*

give on *tni* **~ on sg** néz vmre *[ablak stb.]*

give out A. *tsi* **1.** kioszt, szétoszt *[élelmet stb.]*, osztogat *[reklámcédulákat stb.]* **2.** kibocsát, áraszt *[hőt, szagot stb.]* **3.** felad *[házi feladatot]* **4.** kijelent, bejelent, hírül ad, közhírré tesz, kihirdet; **~ it out that** bejelenti, hogy, közhírré teszi, hogy; **he was ~n out to be dead** holt hírét költötték **B.** *tni* **1.** fogytán van, kifogy, kimerül *[készlet stb.]* **2.** felmondja a szolgálatot *[testrész, készülék]*

give over A. *tsi* **1. ~ sg over to sy** átad/átenged vmt vknek **2.** abbahagy, eláll (vmtől); **~ over crying!** hagyd abba a sírást!; **be ~n over to sg** átadja magát vmnek *[szenvedélynek stb.]* **B.** *tni* **1.** eláll *[eső]* **2.** abbahagy vmt; **do ~ over!** hagyd (már) abba!

give up A. *tsi* **1.** átad, átenged, megválik (vmtől); **~ up one's seat to sy** átadja (ülő)helyét vknek **2.** abbahagy, lemond (vmről), felhagy (vmvel); **~ up smoking** abbahagyja a dohányzást **3.** felad, lemond (vmről); **~ up one's plan** feladja tervét, lemond tervéről; **I ~ it up** feladom *[rejtvényfejtésnél, találgatásnál stb.]*; **I had ~n you up!** már nem reméltem, hogy eljössz; **the patient was ~n up** lemondtak a beteg életéről **4.** kiszolgáltat, átad, kézre ad *[gyanúsítottat igazságszolgáltatásnak]*; **~ oneself up** feladja magát, önként jelentkezik *[rendőrségen]* **5.** *biz* **~ up on sy** lemond vkről, nem segít többé **B.** *tni* **don't ~ up!** tarts ki!

give-and-take *mn* **~ policy** kölcsönös engedmények (v. a kiegyezés) politikája; → **give** II.3.

give-away I. *mn* **~ price** olcsó ár **II.** *fn* **1.** *biz* árulás **2. a)** *biz* áruló jel/nyom **b)** kikottyantás *[titoké]*, elszólás **3.** ingyenes/reklám újság, stb.; → **give away**

given ['gɪvn] *mn* **I. 1. a)** (meg)adott; **under the ~ circumstances** az adott körülmények között **b)** *US* **~ name** utónév, keresztnév **2.** *jog* kelt, kiadatott *[okmány keltezésében]* **3. a) ~ that they have a common object** feltéve, hogy van közös céljuk **b) ~ any two points** ha meg van adva két tetszés szerinti pont; → **give** I. **II.** *fn* ismert tény/szituáció, alaptény

gizmo ['gɪzmoʊ] → **gismo**

gizzard ['gɪzəd ‖ –ərd] *fn* **1.** zúza **2.** *tréf biz* gyomor; **that sticks in my ~** ezt nem tudom lenyelni/megemészteni

Gk *röv Greek*

glabella [glə'belə] *fn orv* szemöldökköz, glabella

glabrous ['gleɪbrəs] *mn tud* csupasz, kopasz, sima

glacé ['glæseɪ ‖ glæ'seɪ] *mn* **1. ~ fruits** cukrozott gyümölcs **2. ~ icing** cukormáz **3.** fényesített *[bőr]*, glaszé

glacial ['gleɪʃl] *mn* **1. a)** jeges, megfagyott **b)** *átv* rideg, fagyos *[modor stb.]* **2.** *geol* jégkori, glaciális; **~ epoch/period** jégkorszak **3.** *vegy* jegeces

glaciated ['gleɪsɪeɪtɪd ‖ 'gleɪʃieɪtɪd] *mn* **1.** gleccserrel borított, gleccseres **2.** jégár által kivájt/legömbölyített • *fn* **glaciation**

glacier ['glæsɪə ‖ 'gleɪʃər] *fn földr* gleccser, jégár

glaciology [ˌglæsi'ɒlədʒi ‖ –'ɑlədʒi] *fn* glaciológia, glecscsertan • *mn* **glaciological**

glad [glæd] *mn* **-dd- 1.** örvendő, boldog; **be ~ that** örül/boldog hogy; **be very ~ of sg** nagyon örül vmnek **2. a)** vidám, örvendetes *[esemény stb.]*, örömteli *[arckifejezés]*; **~ tidings** jó hírek; *régi biz* **give sy the ~ eye** fixíroz vkt, rákacsint vkre; rámosolyog vkre; *US* **give sy the ~ hand** (túlzott) szívélyességgel/melegen (v. tárt karokkal) üdvözöl vkt/rázza meg vk kezét **b)** szívderítő *[látvány stb.]* **3.** *szl* **~ rags** (i) estélyi ruha (ii) *[ünneplő ruha]* teljes harci dísz • *fn* **gladness** *mn* **gladsome** *hsz* **gladly**

gladden ['glædn] *tsi* megörvendeztet, örömet okoz/szerez (vknek), felvidít; **it ~s one's heart to see it** örül az ember szíve ennek láttára

glade [gleɪd] *fn* tisztás, irtás *[erdőben]*

glad-hand *tsi US biz* **1.** barátságosan üdvözöl **2.** túlzott/színlelt szívélyességgel fogad/üdvözöl • *fn* **glad-hander**

gladiator ['glædieɪtə ‖ –ər] *fn* **1.** *tört* gladiátor, bajvívó **2.** ellenfél • *mn* **gladiatorial**

gladiolus [ˌglædi'oʊləs] *fn tsz* **gladioli** [–laɪ], **-es** *növ* kardvirág, gladiólusz

Gladstone bag ['glædstən ‖ –stoʊn] *fn* könnyű útitáska

glair [gleə ‖ gler] *fn* **a)** tojásfehérje **b)** *nyomd* tojásfehérjéből készült ragasztószer *[aranyozáshoz]*

glam [glæm] *biz* **I.** *mn* → **glamorous** **II.** *fn* → **glamour** **III.** *tni* **-mm- ~ (oneself) up** mutatósan felöltözik; kicsípi magát

glamor ['glæmə ‖ –ər] *US* → **glamour**

glamorize ['glæməraɪz], **-ise** *tsi* dicsőít, felmagasztal, ragyogóvá/feltűnővé tesz

glamorous ['glæmərəs] *mn* elbájoló, elbűvölő, elragadó, igéző, feltűnően szép, ragyogó *[nő stb.]*

glamour ['glæmə ‖ –ər] **I.** *fn* **1.** ragyogás, fényesség, káprázat; **~ of glory** dicsfény; **it lost much of its ~** sokat vesztett érdekességéből/fényéből **2.** ragyogó/megigéző szépség **3.** *régi* (bű)báj, varázserő, igézet **II.** *tsi* **1.** *vál* megigéz, elbűvöl, elbájol **2.** *biz* ragyogóvá/feltűnővé tesz

G

glamour boy *fn* piperkőc, szépfiú
glamour girl *fn* (nagyon) szép lány, ragyogó nő
glance [glɑ:ns ‖ glæns] **I.** *tni* **1.** tekint, pillant; ~ **at sy** rápillant vkre, pillantást vet vkre; ~ **down the list** végigfut szemével a listán; ~ **through/over** futólag átnéz; átfut *[szemmel]*; átlapoz *[könyvet]* **2.** ~ **aside/off** félrecsúszik, félresiklik *[kard]*; lepattan *[golyó]*; ~ **off/from a subject** eltér a tárgytól **3.** ragyog, szikrázik, szikrát szór/vet *[fegyver, acél]* **II.** *fn* **1.** pillantás; **at a** ~ egy pillantással, első pillantásra **2.** (fel)csillanás, csillámlás, (fel)villanás **3.** félrecsúszás *[ütésé, kardé]*, lepattanás *[golyóé]*
gland[1] [glænd] *fn* mirigy; *orv* **lymphatic** ~ nyirokmirigy; *áll* **poison** ~ méregmirigy
gland[2] [glænd] *fn műsz* tömítőkarmantyú, tömszelence (szorítóhüvelye), kitöltést/tömítést keverő szerszám, *rep* gázkieresztő nyílás tömítése *[léggömbön]*
glanders ['glændəz ‖ –dərz] *fn tsz orv* takonykór
glandular ['glændjulə ‖ –dʒələr] *mn orv* mirigyszerű, mirigyes, mirigy-; ~ **plague** bubópestis; ~ **fever** mirigyláz
glans ['glænz] *fn tsz* **glandes** *orv* makk *[hímvesszőé, csiklóé]*
glare[1] [gleə ‖ gler] **I. A.** *tsi* ~ **defiance at sy** kihívó tekintetet vet vkre **B.** *tni* **1. a)** vakítóan ragyog, vakít *[fény]*, tűz *[nap]* **b)** rikít *[szín]* **2.** ~ **at/upon sy** haragos/ellenséges tekintetet vet vkre; mereven bámul vkt, fixíroz vkt **II.** *fn* **1.** ragyogás, ragyogó/vakító fény, verőfény; **in the full ~ of the sun** tűző napsütésben; *átv biz* **in the full ~ of publicity** a nagy nyilvánosság előtt **2.** *infor* csillogás *[képernyőé]*; ~ **filter** képernyőszűrő **3.** hamis fény, hivalkodó pompa **4.** metsző tekintet/pillantás, fixírozás • *mn* **glary**
glare[2] [gleə ‖ gler] *US mn* tükörsima *[jég]*
glaring ['gleərɪŋ ‖ 'glerɪŋ] *mn* **1.** vakító, ragyogó *[fény]* **2.** szembeszökő, szembetűnő, kirívó, (égbe)kiáltó *[igazságtalanság]*; ~ **blunder** vaskos/durva hiba, óriási baklövés **3. with ~ eyes** dühös/fenyegető/metsző pillantással
Glasgow ['glɑ:zgou ‖ 'glæsgou] *tul földr* Glasgow
glass [glɑ:s ‖ glæs] **I.** *fn* **1.** üveg *[anyag]* **2. a)** pohár **b)** pohárkészlet, üvegáru **3. a)** ablaktábla **b)** kocsiablak **c)** óraüveg **d)** lámpaüveg **e)** képüveg **f)** bura; **under** ~ üveg/bura alatt, vitrinben **4. a)** (optikai) lencse **b)** nagyítóüveg **c)** távcső, látcső **d) glasses** szemüveg, pápaszem, (orr)csíptető, cvikker **5.** tükör **6.** barométer **7.** *kert* melegház, üvegház; **grown under** ~ üvegházban/melegházban nevelt/termelt **II.** *tsi* **1.** *régi* beüvegez, bevág *[ablakot]* **2.** *vál* **a)** (vissza)tükröz, visszaver **b)** ~ **oneself in the water** nézi tükörképét a vízben • *fn* **glassful**
glass-blowing *fn* üvegfúvás • *fn* **glass-blower**
glass case *fn* üvegszekrény, vitrin
glass ceiling *fn* ‹személyes előmenetel útjában lévő láthatatlan akadály; a cél nem érhető el pl. faji megkülönböztetés miatt›
glass cloth *fn* **1.** pohártörlő (ruha) **2.** csiszolóvászon, üvegvászon **3.** *tex* üvegszálból szőtt anyag
glass cutter *fn* **1.** üvegező (munkás) **2. a)** üvegvágó (gyémánt) **b)** üvegvágó (szerszám)
glass eye *fn* üvegszem, műszem
glass fiber *US* → **glass fibre**
glass fibre *fn* üvegszál, üveggyapot
glass-gall *fn* üvegsalak
glass-grinding *fn* üvegcsiszolás
glasshouse *fn GB* **1.** *kert* üvegház, melegház; *közm* **they who live in ~s should not throw stones** akinek vaj van a fején, ne menjen a napra **2.** üveggyár **3.** *szl [katonai fegyintézet]* hűvös, futkosó
glassine ['glæsi:n ‖ glæ'si:n] *fn* pergamin *[átlátszó pergamen]*
glass-making *fn* üveggyártás, üvegtechnika, üvegipar
glasspaper *fn* üvegpapír, csiszolópapír
glass snake *fn áll* páncélos seltopuzik; *US* amerikai üveggyík
glassware *fn* üvegáru, üvegkészítmények
glass wool *fn* üveggyapot
glassy ['glɑ:si ‖ 'glæsi] **I.** *mn* **1. a)** üveges *[szem stb.]*, üvegszerű **b)** sima, tükörszerű, átlátszó **2.** *átv* kifejezéstelen *[tekintet]*, élettelen **II.** *fn Ausz biz* **1.** üveggolyó **2. (just) the** ~ a legkiválóbbak • *fn* **glassiness**
Glaswegian [glæz'wi:dʒən] *mn/fn* glasgow-i
glaucoma [glɔ:'koumə] *fn orv* glaukóma, zöld hályog
glaucous ['glɔ:kəs] *mn* **1.** kékeszöld, zöldeskék, tengerzöld **2.** *növ* hamvas
glaze [gleɪz] **I. A.** *tsi* **1.** (be)üvegez *[ablakot, házat stb.]*; ~ **in a window** beüvegez ablakot **2.** fényez, fényesít, simít **3.** mázzal bevon, mázoz *[agyagárut]* **4.** fátyolossá/üvegessé tesz *[szemet]* **5.** mázzal/glazúrral bevon *[ételt]*, megken *[tojással]* **B.** *tni* ~ **(over)** üvegessé/fátyolossá válik, megüvegesedik *[szem]* **II.** *fn* **1.** fényezet, sima fényes bevonat **2.** máz, zománc *[agyagárué]* **3.** üveges/fátyolos tekintet **4.** máz, bevonat, glazúr *[ételen]* **5.** *műsz* glazúrfesték, áttetsző festék **6.** *US* megfagyott ónos eső *[mint réteg/felület]* • *fn* **glazer** *mn* **glazy**
glazed frost *fn* jégréteg
glaze ice *fn GB* vékony jégréteg *[járdán, úton]*
glazier ['gleɪzɪə ‖ –ʒər] *fn* üveges *[iparos]* • *fn* **glaziery**
GLC *röv GB Greater London Council*
gleam [gli:m] **I.** *fn* **1.** sugár, felvillanás, felcsillanás *[fényé]*, felvillanó/átszűrődő fény; **the first ~s of the sun** a nap első (átszűrődő) sugarai **2.** fény, csillogás, ragyogás *[fényes tárgyé]*, fényvisszaverődés **3.** *átv* felvillanás, megcsillanás *[reményé, képességé, gondolaté stb.]*; ~ **of hope** reménysugár (felcsillanása); **give an occasional ~ of (his) talent** hébe-hóba megcsillan a tehetsége **II. 1.** *tni* sugárzik, felvillan, felcsillan *[fény]* **2.** fénylik, csillog, ragyog *[fényes tárgy]*; **fury ~s in his eyes** a szeme szikrázik a dühtől • *mn* **gleamy**
glean [gli:n] *tsi/tni átv* **1.** összegyűjt, összeszedeget *[információt]* **2.** összeszed, begyűjt *[be nem gyűjtött termést]* • *fn* **gleaner**
gleanings ['gli:nɪŋz] *fn tsz vál* (válogatott) szemelvények
glebe [gli:b] *fn* **1.** *vál* mező, (termő)föld, talaj **2.** egyházi javadalomhoz tartozó föld
glee [gli:] *fn* **1.** vígság, vidámság, jókedv, ujjongás **2.** *zene* ‹három vagy több szólamú dal, férfihangra, kíséret nélkül›
glee club *fn US* énekkar *[egyetemé stb.]*
gleeful ['gli:fl] *mn* vidám, jókedvű, ujjongó
gleet [gli:t] *fn orv* kankó(s folyás)
glen [glen] *fn* (keskeny) völgy, hegyszoros
Glen [glen] *tul* ‹férfinév›
Glenda ['glendə] *tul* ‹női név›
glengarry [glen'gæri] *fn* ‹skót katonasapka›
gley [gleɪ] *fn* agyagos talaj
glib [glɪb] *mn* **1.** *pej* **a)** gördülékeny/sima beszédű, sekélyesen bőbeszédű, nagy dumájú *[szónok stb.]*; **have a ~ tongue** helyén van (v. jól pereg) a nyelve **b)** terjengős, sekélyes, üres, tartalmatlan *[beszéd stb.]* **2.** *régi* könnyű, akadálytalan
glide [glaɪd] **I. A.** *tni* **1.** siklik, csúszik, suhan, surran **2. a)** siklik *[madár a levegőben]* **b)** *rep* vitorlázik, siklórepülést (v. vitorlázó repülést) végez **B.** *tsi* csúsztat **II.** *fn* **1.** siklás, csúszás, suhanás, surranás **2.** csúszólépés *[táncnál]* **3.** *rep sp* vitorlázó repülés, siklórepülés
glide path *fn rep* siklópálya
glider ['glaɪdə ‖ –ər] *fn rep sp* **a)** vitorlázó(repülő) **b)** vitorlázó repülőgép, vitorlázógép
gliding ['glaɪdɪŋ] *fn sp* **1.** vitorlázó repülés, vitorlázás, siklórepülés **2.** siklás *[úszásban]*
glim [glɪm] *fn* **1.** halvány fénysugár **2.** *régi* lámpa, lámpás, gyertya
glimmer ['glɪmə ‖ –ər] **I.** *tni* gyenge/halovány fényt vet, pislákol **II.** *fn* **1.** gyenge/halvány/pislákoló fény *[gyertyáé stb.]*; **the first ~ of dawn** hajnali derengés, pirkadat **2.** *átv* felcsillanás, felvillanás, sugár; ~ **of hope** halvány reménysugár; ~ **of intelligence** az értelem felcsillanása/nyomai **3.** *tsz* **glimmers** *szl [szem(ek)]* pilács, kukkoló

glimmering [ˈglɪmərɪŋ] *fn* csillogás, villogás

glimpse [glɪmps] **I.** *fn* **1.** futó pillantás, futó/elmosódott/halvány kép; **catch a ~ of sg** megpillant vmt, futólag/félszemmel (meg)lát vmt **2.** *átv* sejtés, sejtelem, derengés **II. A.** *tsi* megpillant, futólag/félszemmel (meg)lát; **he had ~d death** farkasszemet nézett a halállal **B.** *tni* **~ at/upon sg** futó pillantást vet vmre

glint [glɪnt] **I. A.** *tni* **a)** (fel)villan, (fel)csillan, villog **b)** visszaverődik, tükröződik **B.** *tsi* visszaver, (vissza)tükröz **II.** *fn* (fel)villanás, (fel)csillanás, csillogó fény, villogás

glissade [glɪˈsɑːd ‖ –ˈseɪd] *fn* **1.** csúszólépés, oldalcsúszás *[táncban]* **2.** *sp* ‹kontrollált lecsúszás havas hegyoldalon› lecsúszás *[hegymászásban]*

glisten [ˈglɪsn] **I.** *tni* ragyog, csillog, fénylik **II.** *fn* ragyogás, csillogás, villogás, csillogó fény

glitch [glɪtʃ] *fn biz* működési hiba, zavar

glitter [ˈglɪtə ‖ –ər] **I.** *tni* ragyog, csillog, villog, megcsillan, tündöklik, fénylik **II.** *fn* **1.** ragyogás, csillogás, villogás, tündöklés **2.** csillogó karácsonyfadísz;

glitterati [ˌglɪtəˈrɑːti] *fn tsz szl* ‹a társadalom krémje›

glitz [glɪts] *fn szl [cicomás külső]* csicsa

glitzy [ˈglɪtsi] *mn szl [mutatós, extravagáns]* csicsás

gloaming [ˈgloumɪŋ] *fn vál* alkonyi szürkület, alkonyat

gloat [glout] **I.** *tni* **~ over/(up)on sg** kárörvendő tekintettel néz/szemlél vmt (v. gyönyörködik vmben); mohó/kéjsóvár/vágyakozó/kapzsi tekintettel néz/szemlél vmt (v. bámul vmre) **II.** *fn* **1.** kárörvendő tekintet **2.** mohó/kéjsóvár/vágyakozó/kapzsi tekintet

glob [glɒb ‖ glɑb] *fn biz [golyóvá, labdaccsá gyúrt]* híg massza, sár

global [ˈgloubl] *mn* **1.** az egész világra kiterjedő, az egész földfelületet behálózó, világméretű **2.** teljes, össz-, globális *[súly stb.]* • *hsz* **globally**

globalize [ˈgloubəlaɪz], **-ise** *tsi* globálissá tesz, globalizál • *fn* **globalization**, **-isation**

global village *fn* világfalu

global warming *fn körny* globális felmelegedés

globe [gloub] **I.** *fn* **1.** gömb, golyó **2. a)** a Föld; **go round the ~** föld/világ körüli utat/utazást tesz **b)** égitest, bolygó **3.** földgömb, glóbusz **4.** országalma **5. ~ (of the eye)** szemgolyó **6.** (lámpa)bura, üvegbura **7.** gömbakvárium **II.** *tsi/tni* gömb alakúvá tesz/válik • *mn* **globelike**, **globoid**, **globose**

globe artichoke *növ* → **artichoke** 1.

globe lightning *fn* gömbvillám

globe-trotter *fn* világjáró • *fn/mn* **globe-trotting**

globular [ˈglɒbjulə ‖ ˈglɑbjələr] *mn* **1.** gömb alakú, gömbszerű **2.** gömböcskékből álló, szemcsés

globule [ˈglɒbjuːl ‖ ˈglɑ–] *fn* **1.** golyócska, gömböcske, csepp(ecske) **2.** *biol* **blood ~s** vérsejtek, vértestecskék **3.** *orv* pirula, szemcse • *mn* **globolous**

glockenspiel [ˈglɒkənspiːl, –ʃpiːl ‖ ˈglɑ–] *fn zene német* harangjáték

glom [glɒm ‖ glɑm] *tni/tsi US szl [(el)lop]* megfúj

gloom [gluːm] **I.** *fn* **1.** sötétség, homály **2.** mélabú, melankólia, lehangoltság, szomorúság; **cast/throw a ~ over/upon sy** komor/gyászos hangulatba hoz vkt **II. A.** *tsi* **1.** elsötétít, elhomályosít, homályba/sötétségbe borít **2.** elszomorít, gyászos hangulatba hoz **B.** *tni* **1. a)** komor/bosszús képet vág; **~ at/on sy** komoran/zordan néz vkre **b)** elkomorodik **2.** beborul, elsötétedik *[ég]*

gloomy [ˈgluːmi] *mn* **1.** sötét, homályos **2.** *átv* **a)** barátságtalan, sivár, rideg *[szoba stb.]* **b)** nyomasztó, lehangoló *[légkör stb.]* **c)** mélabús, melankolikus, szomorú, lehangolt; **feel ~** szomorú, borús/komor hangulatban van • *fn* **gloominess** *hsz* **gloomily**

gloop [ˈgluːp] *fn biz [félig folyós, ragacsos anyag]* trutymó

glop [glɒp ‖ glɑp] *fn US szl [gusztustalan étel/anyag]* trutyi, trutymó

Gloria[1] [ˈglɔːrɪə] *tul* Glória

Gloria[2] [ˈglɔːrɪə] *fn* **1.** *vall* glória *[miserész]* **2.** fénykoszorú, glória

glorify [ˈglɔːrɪfaɪ] *tsi* **1. a)** *vall* (meg)dicsőít, (fel)magasztal, glorifikál **b)** *biz* dicsőít, magasztal **2.** *biz* szépít, szépnek fest, a valóságnál szebb színben tüntet fel (vmt) • *fn* **glorification**

gloriole [ˈglɔːrioul] *fn* dicsfény, glória

glorious [ˈglɔːrɪəs] *mn* **1.** dicső(séges), fényes, nagyszerű *[győzelem stb.]* **2. a)** ragyogó, tündöklő, sugárzó; **a ~ day** pompás/verőfényes nap **b)** *biz* nagyszerű, remek, káprázatos, pazar; *iron* **a ~ mess** szép kis zűrzavar/kalamajka/komédia **3.** *GB biz* pityókás, becsípett, spicces

glory [ˈglɔːri] **I.** *fn* **1.** dicsőség, hírnév; **cover oneself with ~** dicsőséget arat (v. szerez magának); **crown sy with ~** dicsőséggel övezi vk homlokát **2.** dicsőség, hódolat, tisztelet; **give ~ to God** dicséri az Urat, dicsőíti Istent; **~ be to God!** dicsőség (legyen) Istennek!; *biz* **~ (be)!** no de ilyet! *[meglepetés vagy öröm kifejezésére]* **3.** üdvösség, dicsőség; **eternal ~** örök üdvösség/dicsőség; **go to ~** meghal, jobblétre szenderül **4.** fény, pompa, ragyogás; **be in one's ~** fénykorát éli; **in all her ~** teljes díszben/pompában **5.** dicsfény, fénykoszorú, glória **6.** *US biz* **Old G~** a csillagos lobogó **II.** *tni* **~ in sg** büszkélkedik vmvel, kérkedik vmvel

glory-box *fn Ausz ÚjZ* kelengyés láda

glory-hole *fn biz* lomtár

gloss[1] [glɒs ‖ glɑs] **I.** *fn* **1.** (felületi) fény, fényes felület, csillogás, ragyogás *[felületé]*; **lose its ~** elveszti a fényét, elfénytelenedik **2.** *biz* tetszetős/mutatós/csalóka külső, felületes máz; **put a ~ on the truth** elkendőzi az igazságot **II.** *tni* **1.** fényez, fényesít **2. ~ (over) the facts** elkendőzi/meghamisítja/elkeni a tényeket

gloss[2] [glɒs ‖ glɑs] **I.** *fn* **1.** szómagyarázat, szövegmagyarázat, széljegyzet, glossza **2.** magyarázat, kommentár, interpretáció, parafrázis **3.** glosszárium, (magyarázatos) szójegyzék **4.** szövegközi/sorközti fordítás **5.** félremagyarázás, kifordítás, elferdítés *[szavaké]* **II. A.** *tsi* **1.** magyarázó jegyzetekkel ellát, kommentál *[szöveget]* **2.** félremagyaráz, kiforgat, elferdít *[szavakat]* **B.** *tni* **~ (up)on sy's conduct** megjegyzéseket tesz vk viselkedésére

glossal [ˈglɒsl ‖ ˈglɑsl] *mn orv* nyelvi, nyelv- *[izom stb.]*

glossary [ˈglɒsəri ‖ ˈglɑ–] *fn* glosszárium, (magyarázatos) szójegyzék • *fn* **glossarist**

glossolalia [ˌglɒsouˈleɪlɪə ‖ ˌglɑ–] *fn bibl* nyelveken szólás

gloss paint *fn* magasfényű (zománc)festék

glossy [ˈglɒsi ‖ ˈglɑsi] **I.** *mn* **1.** fényes, csillogó, ragyogó, tükörfényes *[felület]*; **~ finish** tükörfényezés **2.** édeskés, behízelgő, hamis *[hang, modor]* **II.** *fn* **1.** *US biz* (divatos) szórakoztató folyóirat **2.** tükörfényes fénykép • *fn* **glossiness**

glottal [ˈglɒtl ‖ ˈglɑtl] *mn orv* hangrésbeli, hangrés-, glottális; *nyelv* **~ stop** hangszalag-zárhang

glottis [ˈglɒtɪs ‖ ˈglɑtɪs] *fn orv* hangrés, glottis

Gloucester [ˈglɒstə ‖ ˈglɑstər] *tul földr* Gloucester

glove [glʌv] **I.** *fn* **a)** kesztyű; **fit like a ~** pontosan illik, passzol; **throw down the ~** párbajra/párviadalra kihív vkt; **pick/take up the ~** elfogadja a kihívást; *biz* **handle sy without ~s (v. with the ~s off)** durván/kíméletlenül bánik vkvel (v. kezel vkt); **the ~s are off** ez komoly, ez vérre megy **b)** *sp* bokszkesztyű **II.** *tsi* kesztyűvel ellát, kesztyűt húz *[vk kezére]* • *fn* **glover**

glovebox *fn* **1.** kesztyűdoboz **2.** → **glove compartment**

glove compartment *fn* kesztyűtartó *[gépkocsiban]*

glove puppet *fn* báb *[kézre húzható]*, kesztyűbáb

glow [glou] **I.** *tni* **1.** izzik, parázslik **2. a)** vörösen fénylik/ragyog, piroslik **b)** *átv* sugárzik, ragyog; **her face ~ed (with joy)** ragyogott az arca (a boldogságtól) **c) be ~ing with health** majd kicsattan az egészségtől; **his cheeks ~ed** égett/lángolt az arca **d)** izzad *[ember]* **3.** átjárja a meleg *[vknek a testét]*, melegség tölti el; **~ with zeal** ég a lelkesedéstől **II.** *fn* **1. a)** izzás, parázs(lás); **in a ~** izzó,

izzásban levő, parázsló **b)** izzó/vereslő fény/ragyogás **2. a)** felhevülés **b)** hév, hevülés, lelkesedés **3.** rózsás/kicsattanó arcszín
glower [ˈglaʊə ‖ –ər] **I.** *tni* mogorván/haragosan/barátságtalanul néz; ~ **at sy** ferdén (v. rossz szemmel) néz vkre **II.** *fn* szikrázó tekintet
glowing [ˈgloʊɪŋ] *mn* **1.** izzó **2.** *átv* ragyogó; ~ **description** előnyös kép (vmről); **speak in ~ terms of sg** elragadtatva szól/beszél vmről
glow plug *fn gk* izzítógyertya
glow-worm *fn áll* szentjánosbogár
gloze [gloʊz] *régi* **A.** *tsi* jegyzetekkel ellát, kommentál **B.** *tni* ~ **over (sg)** kimagyaráz (vmt), elken (vmt)
glucose [ˈgluːkoʊs] *fn* szőlőcukor, glükóz, glukóz
glue [gluː] **I.** *fn* enyv, ragasztó(anyag); *átv biz* **stick like ~ to sy** nem lehet levakarni vkről **II.** *tsi* **glueing, gluing 1.** enyvez, ragaszt; ~ **on sg** ráragasztja/odaenyvez vmt **2.** *átv* **she is always ~d to her mother** nem mozdul az anyja mellől; **his eyes were ~d on the door** nem vette le a szemét az ajtóról • *mn* **gluey**
glue-pot *fn* **1.** enyvesfazék **2.** *biz* sáros út, kátyú
glue-sniffing *fn biz* szipuzás *[szerves oldószer gőzének belélegzése]*
glum [glʌm] *mn* **-mm-** rosszkedvű, savanyú, morcos, sötét, komor, gyászos *[hangulat]*; **look ~** savanyú/morcos arcot vág • *fn* **glumness**
glume [gluːm] *fn növ* pelyva, gluma
glut [glʌt] **I.** *i* **-tt- A. 1.** jóllakat (vkt), kielégít *[étvágyat, vágyat stb.]*, megtöm, túlterhel *[gyomrot]*; ~ **oneself** teletömi/telezabálja magát **2.** *gazd* eláraszt, túltelít *[piacot áruval]* **B.** *tni* tömi magát, zabál **II.** *fn* **1.** jóllakottság, telítettség **2. a)** bőség **b)** *gazd* árubőség, telítettség *[piacon]*; **there is a ~ in the market** a piac telítve van
gluten [ˈgluːtn] *fn* sikér, glutin
glutinous [ˈgluːtnˑəs] ragadós, nyálkás, nyúlós
glutton [ˈglʌtn] *fn* **1.** nagyevő/nagyét(k)ű/falánk/torkos/zabálós ember, haspók **2.** *átv biz* **he's a ~ for work** hatalmas munkabírású ember, kitűnő munkás/munkaerő **3.** *áll* rozsomák, torkos borz • *tni* **gluttonize** *mn* **gluttonous**
gluttony [ˈglʌtnˑi] *fn* falánkság, torkosság
glühwein [ˈgluːwaɪn] *fn német* forralt bor
glycerin [ˈglɪsərɪn], **glycerine** *fn vegy* glicerin
glycogen [ˈglaɪkədʒen] *fn vegy* glikogén
GM *röv* **1.** *general manager* **2.** *General Motors*
G-man *fn tsz* **-men** *röv* **1.** *US biz government man* az FBI detektívje **2.** *Írorsz* detektív
GMT *röv Greenwich Mean Time*
gnarled [nɑːld ‖ nɑrld] *mn* **1.** gö(r)csös, csomós, bütykös *[fa]* **2.** *biz* bütykös, elformátlanodott *[kéz]* • *fn* **gnarl** *mn* **gnarly**
gnash [næʃ] **I.** *tsi* ~ **the/one's teeth** csikorgatja a fogát **II.** *fn* fogcsikorgatás
gnashers [ˈnæʃəz ‖ ˈnæʃərz] *fn tsz szl* fogak *stand*
gnat [næt] *fn* **a)** *áll* **(common) ~** dalos szúnyog; *biz* **strain at a ~** apróságokon/semmiségeken lovagol, szőröz, kukacoskodik **b)** *áll* púposszúnyog
gnathic [ˈnæθɪk] *mn* állkapocs-
gnaw [nɔː] *i pp* **-ed, gnawn** [nɔːn] **A.** *tsi* **1.** rág(csál), harapdál *[kutya csontot]*; ~ **away/off** lerág **2.** gyötör, marcangol, mardos *[éhség, kín, lelkiismeret]* **B.** *tni* ~ **at/into sg** rág(csál) vmt
gnome¹ [noʊm] *fn* gnóm, törpe, manó • *mn* **gnomish**
gnome² [ˈnoʊmiː] *fn ir.tud* aforizma, jelmondat
gnome³ [noʊm] *fn biz* pénzügyi mumus; **~s of Zürich** zürichi bankárok
gnomic [ˈnoʊmɪk] *mn ir.tud* gnóma-, gnómikus *[költészet stb.]*
gnomon [ˈnoʊmɒn ‖ –mɑn] *fn* **1.** *csill* napóra, gnómon **2.** árnyékvető *[napórán]*, napóramutató
gnosis [ˈnoʊsɪs] *fn vall* gnózis, a gnosztikusok tana, megismerés, ismeret
gnostic [ˈnɒstɪk ‖ ˈnɑs–] *mn/fn vall* gnosztikus • *fn* **gnosticism**
GNP *röv gross national product* bruttó nemzeti termék
gnu [nuː] *fn áll* gnú
go¹ [goʊ] **I.** *i pt* **went** [went], *pp* **gone** [gɒn ‖ gɑn], *esz 2.szem/régi* **goest**, *esz 3.szem* **goes A.** *tni* **1. a)** megy, jár; **come and ~** jön-megy, jár-kel; **who ~es there?** állj! ki vagy? **b)** működik *[gép]*, jár *[óra stb.]*; **get ~ing** mozgásba/lendületbe jön, megindul, nekiindul; **let's get ~ing!** gyerünk!, induljunk!, mozgás!; **keep sg ~ing** mozgásban/működésben tart vmt; **make things ~** mozgásban/lendületben tartja a dolgokat; mozgásba hozza a dolgokat; **set sg ~ing** megindít/elindít vmt **2. a)** elmegy, (el)távozik, (el)utazik; *sp* **~!** rajt!; *biz* **from the word ~** kezdettől fogva; **~ abroad** külföldre megy/utazik; **~ home** hazamegy; ül *[megjegyzés]*; **he is ~ne** ő (már)meghalt, elment; ő már nincs többé; **let me ~!** engedjen el(menni)!; hagyjon békén; **let oneself ~** szabad folyást enged érzelmeinek/szenvedélyének/indulatainak; **be ~ne!** eredj/menj innen!; *biz* **where do we ~ from here?** na és most mi lesz? **b)** eltűnik, elvész, elillan; **that's the way money ~es** így megy a pénz **3. a)** válik (vmvé); **~ bad** megromlik; **~ blind** megvakul; **~ dry** kiszárad; **~ grey** megőszül; **~ mad** megőrül; **~ sour** megsavanyodik *[tej]* **b) ~ bang** puffan; **~ cold** kihűl, lehűl; megfagy a vér az ereiben; **~ crack** reccsen, roppan; **~ easy (with)** nem erőlteti meg magát (vmvel); keveset iszik (vmből); takarékoskodik (vmvel); **~ hungry** éhezik, éhes marad; **~ slow** nem siet el (semmit); lelassítja a munkatempót; **~ unpunished** megússza büntetés nélkül; **~ wrong** eltéved; téved, hibázik; elromlik; rosszul sikerül **4.** terjed, nyúlik, húzódik (vmerre); **the hills ~ from east to west** a dombok kelet-nyugati irányba húzódnak; **the difference ~es deep** a(z) különbség/ellentét mélyreható **5.** múlik, telik *[idő]*; **another three weeks to ~** még három hét (van hátra); **it is/has ~ne four** (éppen) elmúlt négy (óra); **she's ~ing seventeen** tizenhetedik évében van, tizenhét (éves) lesz; **she's ~ne fifty** túl van az ötvenen **6.** (el)szakad, (el)törik, (el)romlik; **a fuse went** kiégett egy biztosíték **7.** elkel; **~ing! ~ing! ~ne!** először! másodszor! senki többet? harmadszor! *[árverésen]* **8.** érvényes; *biz* **what he says ~es** az ő szava dönt, úgy lesz/van, ahogy ő mondja, a szava parancs **9.** szól; **as the saying ~es** ahogy mondani szokás, ahogy mondják; **the story ~es that...** az a hír járja, hogy..., úgy szól a történet, hogy... **10. a) as things/times ~** manapság, a mai világban; **anything ~es** minden jó, akármi megteszi; **it isn't expensive as wines ~** viszonylag (v. a jelenlegi árakat tekintve) nem is drága a bor **b)** sikerül, halad, folyik; **~ (well)** sikerül, jól megy; **~ badly** rosszul sikerül/megy; *biz* **how ~es it?** hogy vagy? **11. be ~ing to do sg** fog/szándékozik vmt csinálni **12. a) there you ~ again!** már megint kezded! **b) ~ so far as to say** odáig megy, hogy azt mondja...; **he will ~ far** sokra viszi; **that is ~ing too far** ez túlmegy minden határon **c) where does this book ~?** hova kell tenni ezt a könyvet? **13.** hozzájárul vmhez, kitesz vmt, szolgál vmre; **this will ~ far to offset the loss** ez nagy mértékben hozzá fog járulni a veszteség pótlásához **14. ~ to prove/show sg** bizonyít vmt, tanúskodik vmről **15. as/so far as sg ~es** ami vmt illet **16.** *szl [mond]* aszongya **B.** *tsi* **1.** megy; **~ the pace** gyorsan megy/halad; *átv* könnyelmű/léha életet folytat; *US* **~ places** szórakozóhelyekre jár; *szl [(nagy) sikere van]* befut, bejön neki; **~ the rounds** körbe jár, kering *[hír]*; **~ a long journey/trip/walk** hosszú útra/kirándulásra/sétára megy; **~ one's own way** a maga útján jár, a maga feje után megy; *átv* **kind words ~ a long way** jó szóval sokat el lehet érni **2. ~ halves/shares (in sg) with sy** felez vkvel (vmt) **3.** *biz* nekilát, nekifog; **~ it!** rajta!, láss neki!; *US* **~ it alone** egyedül csinálja meg **4.** *biz* eltűr, elvisel; **he cannot ~ such doctrines** nem veszi be a gyomra az ilyen tanokat **5.** *biz* fogad, tesz; **I ~ you a pound** egy fontba fogadok veled; **~ one better (than sy)** túltesz (vkn), rálicitál (vkre) **6.** *biz* megengedi magának; **I can't ~ such**

luxuries nem engedhetem meg magamnak az ilyen luxust; → **gone II.** *fn tsz* **goes 1.** járás, menés; *átv* **be always on the ~** nincs egy perc maradása/nyugta, megállásnyi ideje sincs **2.** elevenség, élénkség, frissesség; **be full of ~, have plenty of ~** csupa lendület/frissesség **3.** próbálkozás, kísérlet; **have a ~ at sg** megkísérel vmt; belevág vmbe; nekilát vmnek, hozzálát vmhez; **at one ~** egyhuzamban; egy csapásra, egyszerre **4.** ügy, esemény, körülmény; **that's a rum ~** ez biz fura dolog **5.** *biz* divat; **it's all the ~** ez a divat, ez megy most **6.** siker; *biz* **no ~!** olyan nincs!, szó se lehet róla!; **I couldn't make a ~ of it** nem boldogultam vele **7.** *biz* roham; **a bad ~ of fever** heves lázroham **8.** adag *[étel, ital]*; **one more ~ of brandy** még egy forduló/rund brandyt

go about *tni* **1.** ide-oda megy, jár-kel; **there is a rumour** (v. **the news is) ~ing about that** az a hír járja, hogy, arról beszélnek, hogy **2.** hozzáfog (vmhez), nekilát (vmnek); **~ about one's work** munkáját végzi

go after *tni* **1. ~ after a girl** egy lány után jár, fut egy lány után, udvarol egy lánynak **2. ~ after a job** állást keres, állás után jár

go against *tni* **1.** ellene fordul *[szerencse stb.]* **2.** ellene szól *[bizonyíték stb.]* **3. ~ against the current/tide** ár ellen úszik **4.** ellenkezik (vmvel), sért (vmt); **it ~es against my conscience** ellenkezik a lelkiismeretemmel

go ahead *tni* **1. a)** előremegy, (előre)halad **b)** sor elejére áll, legelőre megy **2. ~ ahead with sg** (habozás nélkül) nekilát vmnek; **~ ahead!** indulj!, csak rajta!; folytasd csak!; **do you mind? – ~ right ahead!** megengedi? – tessék csak bátran!; → **go-ahead**

go along *tni* **1.** megy, halad (a maga útján); **as I ~ along** menet közben, útközben **2. I cannot ~ along with you** ebben nem értek egyet veled, erre vonatkozóan más a véleményem

go at *tni* **1. ~ at a good pace** jó/gyors tempóban/ ütemben megy, gyorsan halad **2.** rátámad, nekitámad, nekimegy **3.** hozzálát, nekilát, belefog; **~ at it hard** szívvel-lélekkel beleveti magát, belead apait-anyait

go back *tni* **1.** visszamegy **2.** visszamegy, visszanyúlik *[időben]*; **~ back to the past** visszatekint a múltba; **his family ~es back to the Crusaders** családja eredetét a keresztes lovagokig vezeti vissza **3.** visszatér **4. ~ back on sg** visszavon, megszeg *[ígéretet stb.]*; **~ back on sy** cserbenhagy vkt; **there is no ~ing back on it** nem lehet rajta változtatni/segíteni

go before *tni* **1. this crisis is worse than any that have ~ne before** ez a válság rosszabb, mint ezelőtt bármelyik **2. this will ~ before a judge** ez a bíróság elé fog kerülni

go beyond *tni* **1.** túlmegy *[célon stb.]* **2.** mélyére hatol, mögéje tekint (vmnek)

go by *tni* **1.** elhalad (vm mellett); **let an opportunity ~ by** elszalasztja az alkalmat **2.** múlik, telik *[idő]* **3.** igazodik, tartja magát (vmhez) **4.** ítél (vm után), következtet (vmből); **~ by appearances** látszat után ítél **5. ~ by a false name** álnéven szerepel; → **go-by**

go down *tni* **1.** lemegy; **~ down on one's knees** letérdel, térdre borul/rogy; **~ down with an illness** megbetegszik (vmben); **the moon went down** lement a hold **2.** elsüllyed *[hajó]* **3. ~ down the street** végigmegy az utcán **4. a) a crumb went down the wrong way** egy morzsa cigányútra ment **b) that won't ~ down with me** ezt nem veszem be; **how did the speech ~ down?** hogy fogadták a beszédet? **5.** vereséget szenved (*before sy* vktől), megbukik *[vizsgán]* **6.** csökken *[ár]*, süllyed *[hőmérséklet]*, visszahúzódik, apad *[víz, dagály]*, elül *[szél]*, leapad, lelohad *[daganat]*; *biz* **he has ~ne down in the world** lecsúszott **7.** fennmarad, tovább él; **his name will ~ down in history** neve tovább fog élni **8.** feljegyzik, írásba foglalják, megörökítik **9.** *okt* **~ down (from the university)** befejezi tanulmányait; vakációra elutazik **10.** *szl* **~ down (on sy)** *[orális szexet végez]* leszop (vkt) **11. the system is ~ing down in ten minutes** a rendszer leáll tíz perc múlva *[egy kis időre]*

go for *tni* **1.** elmegy vkért/vmért, elhív vkt **2. ~ for sg** megpróbál elérni vmt; **~ for it!** mindent bele! **3.** elmegy vmnek; *biz* **~ for a soldier** beáll/elmegy katonának; bevonul **4.** vonatkozik (vkre/vmre); **this ~es for you too** ez rád is vonatkozik **5. ~ for sg** választ vmt **6.** megtámad (vkt), nekitámad (vknek) **7. she ~es for him in a big way** egészen bele van habarodva, bukik rá

go forward *tni* halad *[munka]*

go in *tni* **1.** bemegy **2.** elbújik *[nap]* **3. ~ in for sg** adja magát *[tanulmányokra stb.]*; kedvét leli (vmben); foglalkozik (vmvel); megy, készül *[pályára]*; jelentkezik *[vizsgára]*; benevez *[versenyre]*; **~ in for sports** (intenzíven) sportol; → **go-in**

go into *tni* **1.** ütközik vmvel **2. a)** belemegy, belefér (vmbe) **b) how many times does six ~ into twelve?** hányszor van meg a hat a tizenkettőben?, mennyi tizenkettő osztva hattal? **3. a)** viselkedik vhogy **b)** elkezd mozogni vhogy **4. a) ~ into details** részletekbe bocsátkozik **b)** belemerül (vmbe), gondosan megvizsgál (vmt), behatóan foglalkozik (vmvel) **5. ~ into a fit** rohamot kap **6.** belép egy szervezetbe, tagja lesz egy szervezetnek

go off *tni* **1.** elmegy, eltávozik **2.** letér (vmről), eltér (vmtől); **~ off the rails** kisiklik *[vonat]* **3. the alarm went off** megszólalt a riasztó **4.** *biz* **~ off one's head** megőrül, megbolondul **5. ~ off with sg** ellop vmt, meglép vmvel **6.** elsül *[puska]* **7. a)** *biz* elalszik **b)** gyengül, elhalványul *[szín, hatás, érzés]*, megcsúnyul, veszít szépségéből *[nő]* **c)** megromlik *[étel, ital]* **8. ~ off well** jól sikerül/megy; jól sül el **9. the lights went off** kialudtak a fények **10. he has ~ne off smoking** felhagyott a dohányzással; → **go-off** **11.** *szl [orgazmusa van]* elélvez, elmegy

go on *tni* **1.** rámegy (vm vmre); **my shoes won't ~ on** nem tudom felhúzni a cipőmet **2. a)** továbbmegy; **~ on the next item on the agenda** áttér a napirend következő pontjára **b)** folytat, tovább csinál; **if you ~ on like this** ha így folytatod; **~ on doing sg** tovább csinál vmt; **~ on!** gyerünk! **c)** folytatódik, tart, folyik; **what is ~ing on here?** mi történik/folyik itt? **d)** halad *[idő]* **3. a) it's ~ing on (for) eight** nyolc (óra) felé jár **b) he is ~ing on (for) sixty** hatvan felé jár **4.** *biz* viselkedik; **you must not ~ on like this** nem szabad így viselkedned **5.** *szính* **~ on** színre lép; **~ on as Othello** Otelló szerepét játssza **6. ~ on at sy** nekimegy vknek, lepocskondiáz/leszid/lehord vkt **7. have you got anything to ~ on?** van-e vm, amire támaszkodhat *[állításában, feltevésében]* ?; **that's enough to ~ on with** ez pillanatnyilag elegendő **8.** *US* **~ on the air** adásban van; **~ on the dole** munkanélküli-segélyt kap/élvez; **~ on leave** szabadságra megy; **~ on a spree** elmegy mulatni; **~ on the stage** színészi pályára lép; **~ on strike** sztrájkba lép **9. ~ on the pill** fogamzásgátlót kezd használni/szedni; → **gone** 4.

go out *tni* **1.** kimegy **2. a)** elmegy hazulról; **~ out to the colonies** kivándorol a gyarmatokra **b)** eljár *[társaságba, szórakozni]*; **we ~ out a great deal** sokat járunk el (szórakozni) **c)** *biz* **~ out with sy** jár vkvel **3.** kialszik *[tűz stb.]* **4. my heart went out to him** mindjárt rokonszenves volt nekem; megesett rajta a szívem **5. have the invitations ~ne out yet?** kimentek már a meghívók? **6.** *sp* kiesik *[versenyből]* **7.** kimegy a divatból; **~ out of fashion** kimegy a divatból **8. ~ out of business** visszavonul az üzlettől, felhagy az üzlettel; **~ out of one's head** kimegy a fejéből, megfeledkezik (vmről); **~ out of print** kifogy *[könyv]* **9.** kiszivárog *[hír]* **10.** csökken, visszahúzódik *[áradat]*

go over *tni* **1.** átmegy, átkel *[folyón stb.]*; **~ over to Paris** átmegy Párizsba **2.** átpártol, átáll **3.** átnéz, átfut, átjavít, átvizsgál; **~ over the accounts** átvizsgálja az üzleti könyveket; **~ over the ground** átkutatja/végigkutatja a terepet **4.** átgondol, átvesz, átismétel *[leckét stb.]*, ösz-

G

szefoglal *[beszédet, előadást]*; **~ over sg in one's mind** még egyszer átgondol vmt **5.** *US* **~ over (big, great)** (nagy) sikere/hatása van

go round *tni* **1.** körülmegy, körülutaz; **~ round the world** körülutazza a világot **2.** kerülő utat tesz **3.** megkerül (vmt) **4.** *biz* **~ round to see sy** benéz vkhez, meglátogat vkt **5.** forog *[kerék stb.]*, körben jár **6. a)** híre jár **b)** körben jár, kézről kézre jár *[üveg, tányér]*; **not enough to ~ round** nem elég mindnyájunknak

go through *tni* **1.** átmegy, keresztülmegy, áthalad *[utcán]*; **this cold ~es right through me** ez a hideg a csontomig hatol **2.** elvégez, végigcsinál (vmt), eleget tesz (vmnek) **3.** átnéz, átvizsgál, átkutat (vmt) **4.** felél *[vagyont]*; **~ through all one's money** nyakára hág minden pénzének **5. the bill has ~ne through** a törvényjavaslatot elfogadták/megszavazták **6. ~ through with sg** befejez/véghezvisz vmt; végigszenved/végigcsinál vmt

go to *tni* **1. a)** megy (vhova); **~ to school** iskolába megy; iskolába jár; **~ to sea** tengerész lesz, tengerre megy **b)** *átv* **~ to one's head** a fejébe száll **2.** vezet (vhova); **that road ~es to York** ez az út Yorkba visz **3.** fordul, folyamodik (vmhez); **~ to the country** országos választást ír ki; **~ to law** a bírósághoz fordul; **~ to war** háborút indít **4.** válik (vmvé); **~ to the bad** elzüllik; **~ to pieces** szétesik, darabokra törik; egészségi állapota súlyosan megrendül; idegileg összeroppan/összeomlik; **~ to pot** tönkremegy; füstbe megy *[terv]*; **~ to ruin** tönkremegy, pusztul *[ház stb.]*; **~ to sleep** elalszik; elzsibbad *[láb stb.]*; **~ to town** fellendül, sikere van; **~ to waste** tönkremegy, pusztul **5. the award ~es to Nirvana** a díjat a Nirvana kapja **6. ~ to!** rajta!, nosza!, előre!

go together *tni* összeillik, összhangban van *[többféle szín]*

go under *tni* **1. a)** elmerül *[fuldokló]* **b)** *átv* elbukik, tönkremegy **2.** lenyugszik *[nap]*

go up *tni* **1.** felmegy *[hegyre stb.]* **2.** emelkedik *[ár, hőmérséklet stb.]* **3.** felszáll, felemelkedik *[léghajó stb.]* **4.** odamegy **5. ~ up to London** Londonba megy; *GB* **~ up to the university** beiratkozik az egyetemre **6.** levegőbe repül, felrobban; **~ up in flames** lángra lobban; **the lights ~ up** kigyulladnak a lámpák **7.** (fel)épül

go with *tni* **1.** elmegy (vkvel/vmvel), elkísér (vkt/vmt); *biz* **~ with a girl** jár egy lánnyal; **~ with the times** halad a korral/eseményekkel **2.** (vele) jár, együttjár (vmvel) **3. ~ with child** terhes **4.** egyezik, összeillik, megy (vmvel)

go without *tni* **1. a)** megvan vm nélkül, lemond vmről **b)** nélkülöz (vmt), meg van fosztva (vmtől); **~ without food** koplal **2. it ~es without saying that** magától értetődik, hogy

go² [gəʊ] *fn* go *[japán társasjáték]*

goa [ˈgəʊə] *fn áll* tibeti antilop

goad [gəʊd] **I.** *fn* **a)** ösztöke *[állatot noszogató szöges végű bot]* **b)** *átv* **the ~ of necessity** a szükség sarkalló/serkentő/ösztönző ereje **II.** *tsi* nógat, ösztökél, ösztönöz, felpiszkál, felbiztat

go-ahead I. *fn* indítási/indulási engedély **II.** *mn* rámenős, vállalkozó; → **go ahead**

goal [gəʊl] *fn* **1.** cél; **my ~ is in sight** már látom a célomat **2.** *sp* **a)** kapu; **in ~** véd **b)** gól; **score/kick a ~** gólt rúg/lő

goal average *fn sp* gólarány

goalball *fn sp* ‹vakok és gyengénlátók csoportos játéka› csörgőlabda

goal difference *fn sp* gólkülönbség

goalie [ˈgəʊli] *fn sp biz* kapus

goalkeeper *fn sp* kapus, kapuvédő; **~'s throw-out** kapuskidobás

goal-kick *fn sp* kapukirúgás *[labdarúgásban]*

goal-kicker *fn sp* góllövő

goalless [ˈgəʊlləs] *mn sp* **~ draw** gól nélküli döntetlen, null(a)-null(a)

goal-line *fn sp* alapvonal, gólvonal, kapuvonal

goal-mouth *fn sp* kapuelőtér

goalpost *fn sp* kapufa; *átv* **move the ~s** játék közben változtatja a játékszabályokat

goalscorer *fn sp* góllövő, gólszerző

goaltender *fn US sp* kapus *[jégkorongban]*

goat [gəʊt] *fn* **1. a)** kecske; **separate the sheep from the ~s** szétválasztja a jókat a rosszaktól (v. a bárányokat a farkasoktól) **b)** *biz* **get sy's ~** *[bosszant, feldühít]* bepipásít, felzabosít; *GB biz* **don't be a ~, don't act/play the ~** ne tettesd magadat bolondnak/hülyének **2.** *csill* **the G~** a Bak **3.** kéjenc, élvhajhász • *mn* **goatish, goaty**

goatee [gəʊˈtiː] *fn* kecskeszakáll

goatherd *fn* kecskepásztor

goatskin *fn* **1.** kecskebőr **2.** kecskebőr tömlő *[bornak, olajnak]*

gob [gɒb ‖ gɑb] **I.** *fn szl* **1. a)** nyál, köpet **b)** *GB [száj]* pofa, csőr; **shut your ~!** fogd be a szád! **c)** falat, (étel)adag **2.** *[ragadós/alvadt csomó köpet]* turha **3.** *US* tengerész, matróz **4.** *US [sok]* csomó **II.** *tni* **-bb-** *GB* köp

gobbet [ˈgɒbɪt ‖ ˈgɑ–] *fn* **1.** kis falat/darab *[főleg ennivaló]* **2.** szövegrészlet *[pl. fordítási célra]*

gobble¹ [ˈgɒbl ‖ ˈgɑbl] **A.** *tsi* **~ (up) sg** mohón lenyel/bekap/felfal vmt **B.** *tni* mohón/falánkul eszik, (be)zabál

gobble² [ˈgɒbl ‖ ˈgɑbl] *tni* hurukkol *[pulykakakas]*

gobbledegook [ˈgɒbldiguːk ‖ ˈgɑb–] *fn biz* hadova, blabla

gobbledygook [ˈgɒbldiguːk ‖ ˈgɑb–] → **gobbledegook**

gobbler [ˈgɒblə ‖ ˈgɑblər] *fn* **1.** nagyétkű/zabáló/falánk ember **2.** *biz* pulyka(kakas)

Gobelin [ˈgəʊbəlɪn] *tul* **~ (tapestry)** gobelin (faliszőnyeg)

go-between *fn* közvetítő, közbenjáró

goblet [ˈgɒblɪt ‖ ˈgɑ–] *fn* **1.** talpas pohár **2.** *régi* serleg, kehely, kupa

goblin [ˈgɒblɪn ‖ ˈgɑ–] *fn* manó, kobold

gobsmacked [–smækt] *mn GB szl [megdöbbent, ledöbbent]* paff

gobstopper *fn biz* nagy gömbölyű cukorka

goby [ˈgəʊbi] *fn áll* géb

go-by *fn* **give sy/sg the ~** mellőz vkt/vmt; nem vesz tudomást vkről, átnéz vk feje fölött; → **go by**

go-cart *fn* **1.** *régi* járószék, járóka *[gyermeké]* **2.** *[könnyű, összehajtható]* sportkocsi **3.** kézikocsi **4.** → **go-kart**

god [gɒd ‖ gɑd] *fn* **1. a)** isten, bálvány; **make a ~ of money** isteníti/imádja a pénzt; **make a (little tin) ~ of sy** bálványoz/istenít vkt; **worship false ~s** bálványokat (v. hamis isteneket) imád **b) G~** Isten; **G~ Almighty!** mindenható Isten!; **G~ forbid!** Isten őrizz!; **G~ willing** ha Isten (is) úgy akarja; **act of G~** Isten ujja/akarata; vis major; **in G~'s name, in the name of G~** Isten nevében; **for G~'s sake!** az Isten szerelmére!, az Istenért!; **oh/my/good G~!** (óh) Istenem!, uram Isten(em)!; **play G~** Istennek képzeli magát; **thank G~!** hál(a) Istennek!; **be with G~** az égben van, meghalt; elköltözött; **G~ knows** Isten tudja, Isten a tanúm **2.** *szính szl* **the ~s** kakasülő, karzat • *fn* **godship** *hsz* **godward, godwards**

god-awful *mn biz* istenverte, borzasztó

godchild *fn tsz* **-children** keresztgyermek

goddam [ˈgɒdæm ‖ ˌgɑːdˈdæm] *szl tabu* **I.** *mn* istenverte, nyavalyás, átkozott **II.** *isz* → **goddamn I.**

goddamn *tabu* **I.** *mn* → **goddam**; **it's no ~ use!** *[ez semmire sem jó!]* fenét/szart sem ér! **II.** *isz* az istenit!, (a) kutyafáját!, a mindenit! • *mn* **goddamned**

god-daughter *fn* keresztl(e)ány

goddess [ˈgɒdɪs ‖ ˈgɑd–] *fn* istennő

godfather *fn* **1.** keresztatya, keresztapa **2.** maffiafőnök, keresztapa

God-fearing *mn* istenfélő *[ember]*

god-forsaken *mn* istentől elhagyatott, nyomorult; **~ place** eldugott/távoli (v. isten háta mögötti) hely/fészek

godhead [ˈgɒdhed ‖ ˈgɑd–] *fn* istenség; **the G~** az Isten

godless [ˈgɒdləs ‖ ˈgɑd–] *mn* **1.** istentelen, hitetlen, istentagadó, ateista *[ember]* **2.** istentelen, kegyetlen, gonosz *[cselekedet]*
godlike [ˈgɒdlaɪk ‖ ˈgɑd–] *mn* istenhez hasonlatos/hasonló, isteni
godly [ˈgɒdli ‖ ˈgɑd–] *mn* jámbor, istenfélő, vallásos • *fn* **godliness**
godmother *fn* keresztanya
godown [goʊˈdaʊn] *fn* raktár, áruház *[Ázsia egyes részeiben, különösen Indiában]*
godparent *fn* keresztszülő
God's Acre *fn* temető
God's book *fn* a biblia/szentírás
God's country *fn* földi paradicsom
godsend *fn* váratlan (v. nem remélt) szerencse, (isten)áldás, isteni adomány
God's gift *fn* jószerencse, váratlan (isteni) szerencse
godson *fn* keresztfiú
Godspeed *fn régi* **bid/wish sy ~** szerencsés utat (v. jó utazást) kíván vknek; → **speed** II.A.2.b.
God squad *fn szl pej vall* szekta
God's truth *fn* tiszta (isteni) igazság
goer [ˈgoʊə ‖ ˈgoʊər] *fn* **1.** menő, (gyalog)járó **2.** *biz* erélyes/rámenős ember **3.** *összet* **theatre-~** színházjáró (v. színházba járó) ember, színházlátogató **4.** *szl [nőcsábász]* nagy kan, szoknyapecér
Goethean [ˈgɜːtɪən ‖ ˈgeɪtɪən] *mn* goethei
gofer [ˈgoʊfə ‖ –ər] *fn US szl* kifutó, lótifuti
goffer [ˈgoʊfə ‖ ˈgɑfər] **I.** *tsi* **1. a)** kolmiz **b)** ráncol, plisszíroz, hullámosít **2.** *nyomd* mintát présel *[bőrre, papírra]* **II.** *fn* **1.** guvrírozás, nyakfodor, mellfodor **2.** guvrírozó vas
go-getter *fn biz* **1.** rámenős/erőszakos ember **2.** törtető, akarnok
goggle [ˈgɒgl ‖ ˈgɑgl] **I. A.** *tsi* **~ one's eyes** (ide-oda) forgatja/meresztgeti a szemét **B.** *tni* **1.** bámészkodik, majd kiesik a szeme **2.** kimered/kidülled a szeme **II.** *mn* kiálló, kidülledő, kiugró *[szem]* **III.** *fn* **1.** szemkidüllesztés, szemmeresztgetés, szemforgatás **2.** *tsz* **goggles a)** motorosszemüveg, autószemüveg, védőszemüveg, úszószemüveg **b)** *biz* pápaszem **3.** *orv* kergeség, kergekór
goggle-box *fn GB biz* televízió(készülék)
goggle-dive *fn GB* merülés búvárszemüvegben
goggle-eyed *mn* dülledt/kidülledő szemű
goglet [ˈgɒglɪt ‖ ˈgɑg–] *fn* máztalan/likacsos korsó/kanna *[melyben a víz lehűl]*, hűtőkorsó
go-go *mn biz* fiatalosan mozgékony, aktív
Goidel [ˈgɔɪdl] *fn* gael *[nyelvet beszélő kelta]*
Goidelic [gɔɪˈdelɪk] *fn/mn nyelv* ‹a szigeti kelta nyelvek északi csoportja›
going [ˈgoʊɪŋ] **I.** *fn* **1.** menés, távozás; **while the ~ is good** amíg jól mennek a dolgok; **make a good ~** jól halad **2. a)** út *[minőségileg]*; **rough ~** göröngyös út; *átv* **tough ~** nehéz ügy/eset **b)** teljesítmény; **fine/nice ~!** kitűnő!, bravó! **II.** *mn* **1.** menő; **~ concern** jól menő üzlet/vállalkozás **2.** fennálló, létező; **one of the best firms ~** ez az egyik legjobb cég; → **go**[1] I.7.
going away *fn* (el)indulás
going-over *fn* **1.** gyors/futó vizsgálat **2.** helyszíni szemle, átvizsgálás **3.** átismétlés **4. a)** *biz* fejmosás, letolás **b)** *szl [verés]* ruha, zakó
goings-on *fn tsz* viselkedés; **I heard of your ~** hallottam viselt dolgaidról
goitre [ˈgɔɪtə ‖ –ər], *US* **goiter** *fn orv* golyva, strúma • *mn* **goitred**, **goitered**, **goitrous**
go-kart [ˈgoʊkɑːt ‖ –kɑrt] *fn sp* go-kart
Golan [ˈgoʊlæn ‖ ˈgoʊlɑn] *tul* **~ Heights** Golán-fennsík
gold [goʊld] **I.** *fn* **1.** arany; **ingot ~** aranyrúd, rúdarany; **~ in nuggets** aranyrög; **heart of ~** aranyszív(ű); **as good as ~** jó, mint egy angyal *[gyermek]* **2. a) ~ (specie)** aranypénz, aranyérme; **pay sy in ~** aranyban fizet vknek **b)** aranyalap; **go off ~** letér az aranyalapról **3. Dutch ~** aranyfüst **4.** arany(szín) **5.** céltábla középpontja, tízes *[íjászatban]* **II.** *mn* arany-, aranyszínű; *tört földr* **G~ Coast** Aranypart *[Ghána]*; **~ coin** aranyérme
gold amalgam *fn* aranyamalgám
gold-beater *fn* aranyverő, aranylemez-készítő v. aranyfüstkészítő munkás
gold-beater's skin *fn* aranyverő hártya
gold bloc *fn GB pénz* ‹az aranystandard övezetbe tartozó országok›
gold-brick *szl* **I.** *fn* **1.** kamu holmi **2.** *US* lógós, szimuláns **II.** *US* **A.** *tsi* becsap, átejt vkt **B.** *tni* szimulál, lóg
gold card *fn* arany hitelkártya *[magas jövedelműek részére hitelkorlát nélkül]*
gold-digger *fn* **1.** aranyásó **2.** *US szl* ‹gazdag férfiakat kihasználó/kiszipolyozó fiatal kitartott nő› hozományvadász *[nő]*
gold disc *fn* aranylemez *[díj]*
gold-dust *fn* aranypor
golden [ˈgoʊldən] *mn* **1.** arany-, aranyból való, aranyban bővelkedő, aranytermő, aranyszínű, aranyos csillogású/fényű; **worship the ~ calf** az aranyborjút imádja, az aranyborjú körül táncol **2.** értékes, nagyszerű; **~ mean** arany középút; **~ opportunity** kitűnő/ritka alkalom • *hsz* **goldenly**
golden age *fn* aranykor
golden ager *fn US* öregember, nyugdíjas
golden balls *fn tsz* ‹zálogház cégére›
Golden Bible *fn* a Mormon könyv/biblia
golden boy *fn* szépreményű ifjú
golden chain *fn növ* aranyeső
Golden City *tul* az Aranyváros *[San Francisco]*
golden delicious *fn* golden alma
golden-eye *fn áll* **1.** kerce réce **2.** kontyos réce
Golden Fleece *fn* aranygyapjú
Golden Gate *tul földr* az Aranykapu *[a San Franciscó-i öböl bejárata]*
golden hair *fn* arany(szőke) haj
golden handshake *fn biz* végkielégítés, magas jutalom *[elbocsátáskor, nyugdíjba vonuláskor]*
golden hello *fn GB biz* buzgó újonc fizetése
Golden Horde *fn tört* Arany Horda *[XIII. sz.]*
Golden Horn *tul földr* az Aranyszarv (öböl) *[Isztambulban]*
golden jubilee *fn* ötvenedik évforduló
golden oldie *fn* **1.** örökzöld sláger **2.** örökifjú (ember)
golden opinions *fn tsz GB* jó vélemény, nagy megbecsülés
golden parachute *fn biz* végkielégítés *[elbocsátásnál]*
golden rule *fn* aranyszabály
golden section *fn mat* aranymetszés
Golden State *tul földr US biz* ‹Kalifornia állam›
golden syrup *fn GB* nádcukorból készült (sárga) szirup
golden wedding *fn* aranylakodalom
goldfield *fn* aranymező; **~s** aranybányák, aranytermő vidékek
goldfinch [ˈgoʊldfɪntʃ] *fn áll* tengelic(e), stiglic
goldfish *fn tsz* **~** v. **-fishes 1.** *áll* aranykárász, (kínai) aranyhal **2. ~ bowl** gömbakvárium *[aranyhalaknak]*; **live in a ~ bowl** kirakatban él, nincs módja arra, hogy magánéletet élhessen
gold foil *fn* aranylemez, aranyfólia, aranyfüst
goldilocks [ˈgoʊldilɒks ‖ –lɑks] *fn esz* aranyfürtös/aranyhajú kisleány
gold leaf *fn* aranylemez, aranyfólia, aranyfüst
gold medal *fn* aranyérem
gold mine *fn* aranybánya; *átv biz* **a regular ~** valóságos aranybánya
gold plate *fn* aranyedény *[tál, tányér stb.]*; aranyveret
gold-plate *tsi* arannyal lemezel/bevon, (be)aranyoz; → **gold** I.
gold record → **gold disc**
gold reserve *fn pénz* aranytartalék
gold rush *fn* aranyláz, aranymezők megrohanása

goldsmith *fn* aranyműves
gold standard *fn* aranyvaluta, aranyalap
Gold Stick *fn* aranypálca; ‹az angol uralkodó egyes testőrtisztjei által viselt jelvény›; ‹brit testőrség aranypálcát viselő tisztje›
gold thread *fn* arannyal futtatott selyemszál
golem [ˈgoʊlem ‖ –ləm] *fn* **1.** gólem *[zsidó legenda szerint Isten nevével életre keltett agyagszobor]* **2.** automata, robot(ember)
golf [gɒlf ‖ gɑlf] *sp* **I.** *fn* golf; **play ~** golfozik **II.** *tni* golfozik
golf bag *fn* sportzsák *[golffelszereléshez]*, golfzsák
golf ball *fn* **1.** golflabda **2.** gömbfej *[elektromos írógépé]*
golf club *fn* **1.** golfütő **2.** golfklub
golf-course *fn* golfpálya
golfer [ˈgɒlfə ‖ ˈgɑlfər] *fn* **1.** golfozó, golfjátékos **2.** *GB* kardigán
golf-links *fn esz* golfpálya
Goliath [gəˈlaɪəθ] **I.** *tul bibl* Góliát **II.** *fn* óriás
Goliath beetle *fn áll* góliátbogár
golliwog [ˈgɒliwɒg ‖ ˈgɑ–] *fn* néger baba *[groteszk játékszer]*
gollop [ˈgɒləp ‖ ˈgɑ–] *tsi biz* fal, zabál
goloshes [gəˈlɒʃiz ‖ –ˈlɑʃiz] *fn tsz* sárcipő(k)
golly[1] [ˈgɒli ‖ ˈgɑli] *isz biz* ejha!
golly[2] [ˈgɒli ‖ ˈgɑli] → **golliwog**
gombeen [gɒmˈbiːn ‖ gɑm–] *fn Írorsz* uzsora
gombeen man *fn tsz* **-men** *Írorsz* uzsorás
gonad [ˈgoʊnæd] *fn* ivarmirigy; **female ~** petefészek; **male ~** here
gondola [ˈgɒndələ ‖ ˈgɑn–] *fn* **1.** gondola *[Velencében]* **2. a)** gondola *[léghajóé]*, léghajókosár **b)** kabin *[drótkötélpályán]* **3.** *US* → **gondola car 4.** gondola *[árupolc önkiszolgáló üzletben]*
gondola car *fn US vasút* pőrekocsi, nyitott teherkocsi
gondolier [ˌgɒndəˈlɪə ‖ ˌgɑndəˈlɪr] *fn* gondolás
gone [gɒn ‖ gɔn, gɑn] *mn* **1. he won't be ~ long** nem marad el soká; **five years ~** öt év előtt **2. a)** halott **b)** elveszett, reménytelen **3. she is seven months ~** a hetedik hónapban van **4.** révületbe esett, elszállt
goner [ˈgɒnə ‖ ˈgɔnər] *fn szl* **1.** halott (ember) **2.** *[elveszett/tönkrement/leszerepelt ember]* ennek (az embernek) már kampec, csöngettek neki
gong [gɒŋ ‖ gɔŋ] **I.** *fn* **1.** gong **2.** *el távk* **~ (bell)** (jelző)csengő, jelzőharang; **electric ~** villamos jelzőharang/jelzőcsengő; **alarm ~** vészjelző **3.** *szl [érem, kitüntetés]* plecsni **II.** *tsi* **~ a driver** autóvezetőt megállít *[csengőjelzéssel]*
goniometer [ˌgoʊniˈɒmɪtə ‖ –ˈɑmətər] *fn* (irány)szögmérő, goniométer
gonna [ˈgənə ˈgɒnə ‖ ˈgənə ˈgɑnə] *röv biz* going to → **go**[1] **II.**
gonorrhoea [ˌgɒnəˈriːə ‖ ˌgɑ–] *fn orv* gonorrhoea, kankó, tripper • *mn* **gonorrhoeal**
goo [guː] *fn biz* **1.** ragacs, ragadós anyag, trutymó **2.** érzelgősség, csöpögősség
good [gʊd] **I.** *mn kfok* **better** [ˈbetə ‖ –ər], *ffok* **best** [best] **1. a)** jó, kitűnő; *biz* **the G~ Book** a biblia, a szentírás; **~ breeding** jó modor/nevelés; **~ conduct** jó magaviselet; **in ~ faith**, **~ faith in** jóhiszeműen, jóhiszeműleg; **she had a ~ laugh** jót/nagyot nevetett; **~ humour** derűs hangulat/természet; **a ~ deal/many** jó sok; **~ money** jó *[nem hamis]* pénz; *biz* magas/nagy (munka)bér/kereset; **earn ~ money** jól/könnyen keres, sok pénzt keres; **in ~ money** csengő (arany)pénzben/érmében *[fizet]*; **the ~ old days** a régi szép idők; **~ sense** józan ítélet/ítélőképesség, természetes ész; **do sy a ~ turn** jót tesz vkvel; jó szolgálatot tesz vknek; **it is very ~ of you** nagyon kedves Öntől; **~ enough** megfelel(ő); **be ~ enough to let me know** legyen szíves velem tudatni; **~ to eat** ízletes; **have a ~ time** jól mulat/szórakozik, jól érzi magát; **like what is ~** szereti a finom ételeket; **look ~** jónak látszik, jól néz ki; **~ looks** szép/csinos arc/külső; *biz* **that's a ~ one** ez jó!, nem rossz! *[történet, adoma]*; **too ~ to be true** túl szép ahhoz, hogy igaz lehessen **b) keep ~** nem romlik, eláll *[étel stb.]*; **is the meat still ~?** nem romlott még meg (v. jó még) a hús? **c) ~ reason** jó/helytálló indok; **~ for 10 days** tíz napig érvényes *[jegy stb.]* **d)** előnyös, alkalmas; **people of ~ position** előkelő/jó (társadalmi) állású emberek; **all in ~ time** mindent a maga idejében; **make a ~ thing out of sg** hasznot húz/kovácsol vmből **e)** örvendetes; **~ news** örvendetes/jó hír(ek); **~ for you!** örülj neki!; **it is no ~** nincs értelme; nem használ, így nem jó; **very ~!** (hát) jó!, (hát) legyen!, (hát) jól van! *[vállalom, megteszem stb.]* **f)** *[köszöntésként]* **~ afternoon/day!** jó napot (kívánok)!; **~ evening** jó estét (kívánok)!; **~ morning** jó reggelt (kívánok)!; **~ night!** jó éjt/éjszakát (kívánok)!; *tréf* **be ~!** aztán jól viseld magad!, jó légy! *[búcsúzásnál]* **g) ~ for toothache** jó a fogfájás ellen; **sg did him ~** használt neki vm; *biz* **what ~ is it?** mire szolgál/jó (ez)?; **wine is not ~ for me** a bor nem tesz jót nekem; **put in a ~ word for** szól az érdekében **h) not ~ for much** nem sokat ér; **~ for nothing** semmire sem jó/használható; → **good-for-nothing**; **it will do you ~** jót fog tenni **i) ~ at English** jó angolból, jól tud angolul; **he is ~ at all sports** minden sportban tehetséges **j) in ~ taste** ízléses(en); **in ~ time** idejekorán; idejében; **be in sy's ~ books** vk kegyeiben van; **while the going's ~** ameddig/amíg még lehet, amíg az alkalom kedvez **2. a) ~ Christian** jó/igazi keresztény;; **~ citizen** jó/hű állampolgár/hazafi; *régi* **her ~ man** a férje, az ura; **the ~ and the bad** a jók és a gonoszak; **my ~ sir!** (nagy) jó uram!; **~ old John!** kedves öreg John!/Jánosom! *[megszólításként]*; **that's a ~ boy!** légy jó fiú! **b)** jó, engedelmes, csendes *[gyermek]*; **as ~ as gold** olyan jó, mint egy (kis) angyal **c)** szeretetre méltó, kedves, szíves; **a ~ sort/chap** jó/derék/rendes/kedves ember/fiú; **he is ~ to animals** jól bánik az állatokkal; **that's very ~ of you** ez/az nagyon kedves magától (v. a maga részéről); **would you be so ~ as** (v. **~ enough)** lenne szíves... **d) G~ Lord, deliver us!** ments meg, Uram minket!; *biz* **G~ Lord/Heavens!** nagy Isten/ég/egek!, Uram Isten! **e)** jámbor; **lead a ~ life** jámbor/erkölcsös életet él; józanul/egészségesen/mértékletesen él **3. a ~ deal** *[nyomatékosítóan]* (jó) sok, sokkal, jóval; **a ~ long time** (v. **a ~ while)** jó sok idő; **a ~ many/few people** egy csomó ember; **a ~ third (in race)** jó harmadik (lóversenyben); **you have a ~ way to go** még egy jó darabot (v. hosszú utat) kell mennie/megtennie; **I'll need a ~ hour to...** egy jó/bő óra kell nekem, hogy **4. a) as ~ as** olyan, mint; jóformán, majdnem, szinte, csaknem; **I'm as ~ a man as you!** (én is) vagyok olyan legény, (v. érek annyit,) mint te!; **it is as ~ as done** ezt elintézettnek tekintheti; **it is as ~ as new** olyan mint az (v. úgyszólván) új; **give sy as ~ as one gets** hasonlóval fizet vissza (v. viszonoz) vmt, amilyen az adjonisten, olyan a fogadjisten **b) as ~** akár; **we had as ~ stay here** akár itt is maradhatunk **c) so far so ~** ezzel idáig rendben volnánk, ezzel idáig nincs baj, eddig minden rendben; *US* **we never had it so ~** nem volt soha ilyen jó dolgunk **5. a) make ~** jóvátesz, kijavít *[igazságtalanságot, hibát, kárt]*, orvosol, megszüntet *[bajokat stb.]*, pótol, kiegyenlít *[hiányt]* **b) make ~** (be)bizonyít, igazol *[állítást]*, teljesít, megtart, betart *[ígéretet]* **c)** befejez, megvalósít *[visszavonulást stb.]*; **make ~ one's escape** sikerül megszöknie **d)** elnyer/megtart/biztosít *[állást/helyzetet/pozíciót]*, érvényesít *[jogot]* **e)** boldogul *[életben]*; jól keres; újra kezdi az életet **f)** teljesít, bevált *[ígéretet]* **II.** *fn* **1. a)** a jó, a hasznos, az előny(ös); **for ~ or ill** jóban-rosszban; **do ~ (in the world)** jót tesz, jótékonykodik; **that will do more harm than ~** ez többet árt, mint használ; **return ~ for evil** a rosszat jóval viszonozza; **act for the common ~** a köz javára/érdekében cselekszik; **I did it for your ~** a maga érdekében/javára tettem; **it will do you ~** jót fog magának tenni **b) it's all to the ~** tiszta haszon!; **what's the ~ of it?** ugyan mi értelme van?, mire jó ez?; **he's no ~** értéktelen/haszontalan ember/alak/fráter; mihaszna; **no ~ talking about it** kár a szót vesztegetni rá; **it's not a**

bit of ~ semmi haszna/értelme sincs **c)** **be** (v. **come off**) **fifty pounds to the** ~ ötven fontot keres rajta **d)** **for** ~ végleg(esen), örökre, egyszer s mindenkorra; **he is gone for** ~ **(and all)** végleg/örökre elment/eltávozott **2.** *tsz* **goods** **a)** javak, vagyon, ingóság(ok), ingó vagyon; *közg* **capital ~s** tőkejavak; **free ~s** szabad javak; **private ~s** magánjavak; **public ~s** közjavak **b)** *gazd* áru(cikke)k, áru; **manufactured ~s** gyári áruk; iparcikkek; **convenience ~s** kényelmi áruk/termékek; **~s on hand** árukészlet; **deliver the ~s** leszállítja (v. házhoz szállítja) az árut/árukat; *US biz* eleget tesz kötelezettségének, teljesít *[munkát]*; eléri a kívánt eredményt, hozza (amit vártak tőle) **c)** *szl [lopott holmi, áru]* cucc, szajré; **catch sy with the ~s** tetten ér (v. rajtakap) vkt *[tolvajláson]*; **have the ~s** képes megtenni vmt (v. vmre), tudja mindennek a módját **III.** *hsz US* **a)** ~ **deal/many** jó sokan, szép számmal; *biz* **feel** ~ nagyszerűen érzi magát, kitűnően/pompásan van **b)** **I don't feel too ~ about it** nem nagyon bízom benne (v. a dologban) • *mn* **goodish**

goodby [ˌgʊdˈbaɪ], **goodbye** **I.** *isz* Isten veled/vele(tek)! **II.** *fn* istenhozzád, búcsúzás, búcsúszó

good form *fn* jó modor, jólneveltség; **in** ~ jó erőben/kondícióban van

good-for-nothing **I.** *mn* haszontalan, értéktelen **II.** *fn* **1.** haszontalan/semmirevaló kölyök/ember, senkiházi **2.** értéktelen ember, munkakerülő; → **good I.1.h.**

good-hearted *mn* jószívű, jó • *fn* **good-heartedness**

good-humoured *mn* kedélyes, jókedvű, derűs *[ember]*, jóságos, kedélyes *[mosoly]*, jóindulatú, nem bántó *[tréfálkozás]*

goodies [ˈgʊdiz] *fn tsz biz* finomságok

good-looker *fn szl* szép ember/nő

good-looking *mn* csinos, jóképű, szemrevaló

goodly [ˈgʊdli] *mn régi* **1.** jóképű, csinos, szép **2.** jókora, (elég) nagy, tekintélyes *[örökség stb.]* • *fn* **goodliness**

goodman [ˈgʊdmən] *fn tsz* **-men** *skót régi* **1.** háziúr, házigazda, gazda **2.** **the** ~ a férjem, az uram

good-natured *mn* **a)** jó természetű, jólelkű, szívélyes, szeretetre méltó **b)** engedékeny, kedélyes

goodness [ˈgʊdnəs] *fn* **1.** **a)** (szív)jóság; **have the ~ to do sg** legyen szíves (v. olyan jó) vmt megtenni **b)** jóság, jó minőség *[árué stb.]* **2.** **extract all the ~ of sg** kivesz/kiszed/kihoz minden jót vmből **3.** ~ **gracious!** jaj istenem!, óh ég/egek!; **my ~!** istenem!; ~ **(only) knows what I must do** ha én tudnám, hogy most mihez fogjak!; **for ~'s sake stop!** hallgass már az isten szerelmére!

good-o(h) [ˈgʊdoʊ] *isz GB Ausz biz* príma!, nagyszerű!

good-tempered *mn* jó/nyugodt/barátságos természetű, szívélyes • *hsz* **good-temperedly**

good-time *mn* ~ **girl** ‹csak a szórakozásnak élő fiatal nő› • *fn* **good-timer**

goodwife *fn tsz* **-wives** *skót régi* **1.** (gazd)asszony, háziasszony **2.** **the** ~ a feleségem

goodwill *fn* **1.** **a)** jóakarat, jóindulat, kegy, jószív; **be in sy's** ~ vknek a kegyeiben van; **set to work with** ~ jóakarattal/jó szándékkal/igyekezettel lát neki a munkának **b)** jó hírnév **2.** ~ **value of a business** üzletkör/cég eszmei értéke, a cég hírnevének az értéke

good works *fn tsz* jótékonysági akció

goody [ˈgʊdi] **I.** *fn GB* **1.** pozitív hős **2.** finomság, finom falat **II.** *isz biz* nagyszerű!, kitűnő!

goody-goody *fn/mn biz* szenteskedő, kegyeskedő *[ember]*; **be** ~ adja az erényest/ártatlant, játssza a szemérmest *[leány]*

gooey [ˈguːi] *mn biz* **1.** ragacsos, ragadós, nyúlós **2.** érzelgős

goof [guːf] *szl* **I.** *fn* **1.** *[hiba]* baklövés **2.** *[buta, bolond ember]* (ostoba) fajankó, tökfilkó, hülye (pali) **II.** **A.** *tsi* ~ **off/up** *[elront vmt]* elszúr/elcsesz vmt **B.** *tni* ~ **off/up** (i) ellövi/eltolja a dolgot (ii) lóg, ellógja (valahogyan) az időt

goofed [guːft] *mn szl* belőtt *[kábítószerrel]*

go-off *fn* **at the first** ~ azonnal, első kísérletre; → **go off**

goofy [guːfi] *mn szl* **1.** lökött **2.** nagyfogú

goog [gʊg] *fn Ausz szl* **1.** tojás **2.** **full as a** ~ tökrészeg

googly [ˈguːgli] *fn* szabálytalanul elugró labda *[krikettben]*

googol(plex) [ˈguːgɒlpleks ‖ ˈguːgɔl–] *fn mat biz* száznullás számjegy 10^{100}

gook [guːk, gʊk] *fn US szl tabu [ázsiai ember]* ferdeszemű, sárga

goolies [ˈguːliz] *fn GB szl [herék]* töke(i), mogyoró(k)

gooly [ˈguːli] *fn Ausz szl* kő *[dobásra való]*

goombah [ˈguːmbə] *fn US szl* maffiózó

goon [guːn] *fn szl* **1.** buta ember **2.** *US* bérharcban sztrájk letörésére felhasznált verekedő/vagány **3.** *US* verőember

goop [guːp] *fn US szl [műveletlen, faragatlan]* bunkó • *mn* **goopy**

goose [guːs] **I.** *fn tsz* **geese** [giːs] **1.** liba, lúd; **wild** ~ vadliba, vadlúd; **flock of geese** libafalka; **cook sy's** ~ keresztbe tesz vknek, elintéz vkt; **kill the ~ that lays the golden eggs** eladja az örökségét egy tál lencséért; **can't say boo to a** ~ még a száját se meri kinyitni, meg sem mer mukkanni **2.** *biz* **a)** együgyű ember, fajankó, mamlasz **b)** butuska, csacsi, (kis)liba, libuska **II.** *tsi szl* fenéken szúr/döf *[csínytevésként]*

gooseberry [ˈgʊzbəri ‖ ˈguːsberi] *fn* **1.** *növ* egres, köszméte, pöszméte, piszke **2.** *GB biz* gardedám, elefánt; **play** ~ elefánt(ként szerepel), elefántoskodik

goose bumps *fn US* → **goose-flesh**

goose egg *fn US sp* nulla, zéró *[eredmény]*

goose-flesh *fn biz* libabőr, lúdbőr(zés)

goose pimples → **goose-flesh**

goose-skin *biz* → **goose-flesh**

goose-step *kat* **I.** *fn* **1.** díszlépés **2.** helybenjárás **II.** *tni* díszlépésben megy

GOP *röv US Grand Old Party* Republikánus Párt

gopher [ˈgoʊfə ‖ –ər] *fn áll* **1.** **(pocket-)~** amerikai hörcsög **2.** ürge

Gopher State *tul földr US biz* Minnesota állam

gorblimey [gɔːˈblaɪmi ‖ gɔr–] *isz* a mindenségit!

Gordian [ˈgɔːdɪən ‖ ˈgɔr–] *mn* **cut the ~ knot** elvágja a gordiuszi csomót

Gordon [ˈgɔːdn ‖ ˈgɔrdn] *tul* ‹férfinév›

gore[1] [gɔː ‖ gɔr] **I.** *fn* **1.** alvadt vér **2.** kiontott vér **II.** *tsi* felnyársal, (meg)döf, felöklel *[bika]*

gore[2] [gɔː ‖ gɔr] **I.** *fn* **a)** (ék/háromszög alakú) betoldás *[ruhában]*, cvikli, pálha **b)** háromszögletű lap *[esernyőn]*, esernyőlap **II.** *tsi* háromszög/ék alakúra szab *[szövetet stb.]*, harang alakúra (v. gloknisra) szab *[szoknyát]*

gorge [gɔːdʒ ‖ gɔrdʒ] **I.** *fn* **1.** *földr*, hegyszoros, szurdok, hasadék **2.** **a)** a gyomor tartalma; **my ~ rises at it, it makes my ~ rise** émelyedem/undorodom tőle/láttára/hallatára **b)** lakmározás, nagy evészet **3.** *kat* bástya/erőd bejárata **II.** **A.** *tsi* **1.** jóllakat, töm (vkt) **2.** (le)nyel, bekap, felfal *[ételt]*, bezabál (vmt) **B.** *tni* ~ **(oneself)** belakmározik, (tele)tömi magát; (be)zabál

gorgeous [ˈgɔːdʒəs ‖ ˈgɔr–] *mn biz* **a)** nagyszerű, remek, pompás **b)** fényűző, pazar, ragyogó, káprázatos **c)** elképesztő, bámulatos

Gorgio [ˈgɔːdʒoʊ ‖ ˈgɔr–] *fn* nem cigány *[cigányok használatában]*

gorgon [ˈgɔːgən ‖ ˈgɔr–] *fn* **1.** gorgó, medúza **2.** szörny *[főként nő]*

Gorgonzola [ˌgɔːgənˈzoʊlə ‖ ˌgɔr–] *fn gaszt* gorgonzola (sajt)

gorilla [gəˈrɪlə] *fn* **1.** gorilla **2.** *szl* ‹vad, brutális alak› **3.** *biz* testőr

gormandize [ˈgɔːməndaɪz ‖ ˈgɔr–], **-ise** **I.** **A.** *tsi* mohón/falánkul/zabálva eszik (vmt) **B.** *tni* **1.** (be)zabál, telezabálja magát **2.** ínyenckedik **II.** *fn* **1.** falánkság, torkosság **2.** **a)** ínyencség **b)** ínyenckedés • *fn* **gormandizer**, **gormandiser**

gormless [ˈgɔːmləs ‖ ˈgɔrm–] *mn GB biz* ostoba, hülye

gory [ˈgɔːri] *mn* **1.** véres, vérrel szennyezett; ~ **details** véres részletek **2.** vérszomjas

G

gosh [gɒʃ ‖ gɑʃ] *isz szl* **(by) ~!** a mindenit!, a mindenségit!, a kutyafáját!
goshawk [ˈgɒshɔːk ‖ ˈgɑs–] *fn áll* **1.** vándorsólyom **2.** galambászhéja
gosling [ˈgɒzlɪŋ ‖ ˈgɑz–] *fn* kisliba, libuska, libácska
go-slow *fn GB* munkalassítás
gospel [ˈgɒspl ‖ ˈgɑspl] *fn* **1.** *bibl* **G~** evangélium; **it's ~ (truth)** ez szentírás/szentigaz; **preach the ~ of economy** takarékosságot prédikál **2.** *zene* **~ song** afroamerikai evangéliumi ének, spirituálé *[dzsesszesítve]*
gospeler [ˈgɒspələ ‖ ˈgɑspələr] *US* → **gospeller**
gospeller [ˈgɒspələ ‖ ˈgɑspələr] *fn vall* az evangéliumot olvasó pap
gospel music *fn [afroamerikai]* ritmusos/dzsesszesített egyházi zene
Gospel side *fn épít* evangéliumi oldal *[oltáré]*
gossamer [ˈgɒsəmə ‖ ˈgɑsəmər] **I.** *fn* **1. ~ (thread)** ökörnyál **2.** *tex* vékony/könnyű fátyolszövet, gézszövésű selyemfátyol **II.** *mn* nagyon könnyű/vékony, pókhálószerű, pókháló vékonyságú *[szövet stb.]*
gossip [ˈgɒsɪp ‖ ˈgɑ–] **I.** *fn* **1. a)** pletyka, traccs, beszélgetés, terefere; **have a ~ with sy** (el)pletykálgat/traccsol vkvel **b)** (rosszindulatú) pletyka, pletykálkodás, szóbeszéd **c)** fecsegő, pletyka(hordó), pletykafészek **2.** könnyed/csevegő előadás/cikk, csevegés, terefere *[újságban]* **II.** *tni* **1.** tereferél, traccsol, diskurál, fecseg **2.** pletykál, pletykázik • *fn* **gossiper** *mn* **gossipy**
gossip column *fn* pletykarovat
gossip monger *fn* pletykaforrás
got [gɒt ‖ gɑt] → **get II.**
gotcha [ˈgɒtʃə ‖ ˈgɑ–] *isz biz I have got you* (most) megvagy, (most) elkaptalak
Goth [gɒθ ‖ gɑθ] *fn* **1.** *tört* gót **2.** *biz* vandál, barbár **3.** *zene* ‹egyfajta rockzene› **4.** ‹fekete ruhát, fehér sminket viselő szubkultúra tagjai›
Gothic [ˈgɒθɪk ‖ ˈgɑ–] **I.** *mn* **a)** gót *[nép stb.]*, gótikus, csúcsíves *[építészet]*, gót stílusban épült; *ir.tud* **~ novel** rémregény; *zene* **~ rock** → **Goth 3.**; *nyomd* **~ type/characters** gót betű(k) **b)** *régi* barbár, vad **II.** *fn* **1.** *nyelv* gót (nyelv) **2.** *épít műv* gót(ikus) stílus, gótika • *tsi* **Gothicize, Gothicise** *fn* **Gothicism**
go-to-meeting clothes *fn tsz* ünnepi/vasárnapi ruha
gotta [ˈgɒtə ‖ ˈgɑtə] *röv have/has got to* → **get**
gotten [ˈgɒtn ‖ ˈgɑtn] → **get I.**
gouge [gaʊdʒ] **I.** *fn* **1.** homorú véső **2.** barázda, rovátka **II.** *tsi* **1. a)** homorú vésővel megmunkál *[fát]* **b)** homorít *[fémet]* **2. ~ (out)** (ki)vés, (ki)váj *[barázdát, vájatot]*; *biz* **~ out sy's eye** kinyomja/kitolja vk szemét **3.** *US biz* becsap, rászed **4.** *Ausz* opált keres/kutat *[ásással]* • *fn* **gouger**
goulash [ˈguːlæʃ ‖ –lɑʃ] *fn* **1.** *gaszt* **(Hungarian) ~** gulyás(leves); ‹az USA-ban inkább a magyar pörkölt módjára készítve› **2.** *biz* holi *[bridzsben]*
gourd [gʊəd ‖ gɔrd] *fn* **1.** *növ* tök; lopótök **2.** ivótök, lopótök, kobak **3.** kulacs, ivópalack, flaska
gourmand [ˈgʊəmənd ‖ ˈgʊr–] **I.** *mn/fn* falánk, torkos, nagyétkű **II.** *fn* ínyenc
gourmet [ˈgʊəmeɪ ‖ ˈgʊr–] *fn* ínyenc
gout [gaʊt] *fn* **1.** *orv* köszvény **2.** *régi* **a)** vércsepp **b)** folt, pecsét, fröccsenés, csepp (vmn) • *fn* **goutiness** *mn* **gouty**
Gov *röv government*; *governor*
govern [ˈgʌvn ‖ –ərn] *tsi* **1. a)** kormányoz, vezet, irányít *[államot, hajót stb.]*, uralkodik (vmn), igazgat *[vállalatot, megyét]* **b)** *átv* irányít, befolyásol, vezérel **c) laws that ~ chemical reactions** a vegy(tan)i reakciókat meghatározó törvények **d)** *nyelv* **~ the accusative** tárgyesetet vonz, tárgyesettel jár/áll **2.** fékez, visszafojt *[szenvedélyt]*, uralkodik *[szenvedélyen]*; **~ one's temper** uralkodik (v. erőt vesz) magán; **~ one's tongue** fékezi (v. féken tartja) a nyelvét **3.** szabályoz, vezérel *[gépet]* • *mn* **governable**
governance [ˈgʌvn·əns ‖ –vərnəns] *fn* **1.** uralkodás, kormányzás *[tartomány stb. felett]* **2.** uralom, vezetés, irányítás, hatalom **3.** szabályozás *[versenyeké stb.]*
governess [ˈgʌvn·ɪs ‖ –vərnɪs] *fn* nevelőnő
governessy [ˈgʌvn·əsi ‖ –vərnəsi] *mn* nevelőnőszerű
governing [ˈgʌvn·ɪŋ ‖ –vərnɪŋ] *mn* **~ body** kormányzó/intéző/igazgató testület/tanács *[egyházé, egyesületé, intézményé stb.]*; **~ principle** irányelv, vezérelv
government [ˈgʌvnmənt ‖ –vər–] *fn* **1.** irányítás, vezetés, kormányzás, vezérlés; **have no ~ of/over sg** nem ura vmnek, nem tud vmnek parancsolni **2.** hatalom, uralkodás **3. (form of) ~** kormányforma **4. a)** kormány(zat), végrehajtó hatalom, államhatalom, közigazgatás, hatóság, hivatal; **the G~** a kormány, a kabinet; **form a ~** kormányt megalakít **b)** *jelzői haszn* kormányzati, kormány-, állami **5.** *nyelv* vonzat, vonzás *[eseté]* • *mn* **governmental** *hsz* **governmentally**
Government House *fn GB* kormányzósági palota
government issue *fn US* állami kibocsátás *[kötvényé]*; (katonai) kincstári tulajdon *[ruházati cikk]*; → **GI**
government offices *fn tsz* kormányzati hivatalok, kormányhivatalok, minisztériumok
government paper *fn* állampapír
government securities *fn* állampapírok
government surplus *fn* állami raktárkészletek kiárusítása
governor [ˈgʌvn·ə ‖ –ər] *fn* **1.** kormányzó, vezető, vezér, irányító **2. a)** *GB* kormányzó *[tartományé, gyarmaté, banké]*, helytartó *[uralkodóé]* **b)** *US* kormányzó *[államé]* **c)** *GB* (börtön)igazgató **d)** (iskolai) igazgatótanács/intézőtestület/választmány tagja **e)** *szl* főnök, apa, az öreg, fater • *fn* **governorate, governorship**
Governor-General *fn* főkormányzó *[nemzetközösségi országokban]*
govt *röv government*
gowk [gaʊk] *fn skót* **1.** kakukk **2.** *biz* idétlen/félkegyelmű ember
gown [gaʊn] **I.** *fn* **1. a)** köntös, köpenyeg, köpeny **b)** (hosszú) női ruha **2.** (bírói, hivatali, egyetemi, papi, akadémiai) talár; **town and ~** az egyetemen kívüli és az egyetemhez tartozó személyek, a polgárok és az egyetemiek *[Oxfordban és Cambridge-ben]* **II. A.** *tsi* felruház (vkt) talárral, (fel)öltöztet (vkt); **she was ~ed in black** feketébe öltözött, fekete ruhát viselt **B.** *tni* felölti a talárját, talárt ölt *[bíró stb.]*
goy [gɔɪ] *fn tsz* **goyim** [ˈgɔɪɪm], **-s** *biz* goj, nem zsidó, keresztény
GP *röv* **1.** *general practitioner* **2.** *Grand Prix*
GPA *röv grade point average*
GPO *röv* **1.** *GB General Post Office* **2.** *US Government Printing Office*
G-point *fn orv* G-pont
gr *röv* **1.** *gram(s)* gramm, g **2.** *gross* bruttó, btto., bt.
GR *röv* **1.** *General Reserve* **2.** Georgius Rex, *King George*
grab [græb] **I.** *tsi/tni* **-bb- 1. a) ~ at/for** v. **~ hold of sg/sy** megragad/elragad vmt/vkt; megkap/elkap vmt/vkt, (meg)markol, vmt/vkt, elcsíp, nyakoncsíp vkt; elhappol vmt; *biz* **~ a job** megkaparint/elhappol/elcsíp egy állást/munkaalkalmat **b)** lefoglal, stoppol *[helyet]* **2.** harácsol **II.** *fn* **1.** megragadás, megfogás, (meg)markolás, odakapás, megszorítás; *biz* **policy of ~ (and keep)** ragadozó/kapzsi politika/eljárás/rendszer/módszer; **make a ~ at sg** odakap vmhez, vm után kap **2. up for ~s** közpréda **3.** ‹egy gyermekkártyajáték› • *fn* **grabber**
grabby [ˈgræbi] *mn biz* harácsoló, mohó
grab handle *fn* kapaszkodó *[járművön]*
grace [greɪs] **I.** *fn* **1. a)** báj, kellem, kecsesség, grácia; **do sg with ~** finoman/elegánsan/kedvesen csinál vmt; **bad ~** modortalanság; kelletlenség, barátságtalanság; **with (a) bad ~** kelletlenül; **with (a) good ~** örömmel; **he had the ~ to apologize** volt benne annyi jó érzés (v. udvariasság), hogy bocsánatot kérjen **b) the three G~s** a három Grácia, a Gráciák **2. a)** kegy, jóindulat; **be in sy's good ~s** kegyben

áll vknél, vknek a kegyét élvezi; **fall from sy's ~, fall out of ~ with sy** kiesik vknek a kegyéből **b)** *vall* kegyelem; **the ~ of God** Isten kegyelme; **by God's ~, by the ~ of God** Isten kegyelméből; **in a state of ~** a kegyelem állapotában; **fall from ~** elveszti a (megszentelő) kegyelem állapotát **3.** kegyelem, megbocsátás; **act of ~ → act I.1. 4.** asztali ima/áldás; **say ~** asztali áldást mond **5. His G~** őkegyelmessége, őfőméltósága *[hercegek/érsekek címzése]*; **Her G~** a... hercegné őkegyelmessége/őfőméltósága; **Your G~** főméltóságod, kegyelmességed *[hercegek/hercegnők/érsekek megszólítása]* **II.** *tsi* **a)** megbecsül, (meg)tisztel, kitüntet vkt/vmt; **~ the meeting with one's presence** megtiszteli a gyűlést jelenlétével **b)** (fel)díszít, felékesít, (meg)szépít

Grace [greɪs] *tul* ‹női név›

grace and favour *mn GB* uralkodó engedélyével elfoglalt *[ház stb.]*

graceful ['greɪsfl] *mn* **1. a)** bájos, elegáns, kecses **b)** méltóságteljes **2. it would be a ~ act on your part to** nagyon szép lenne öntől, ha • *fn* **gracefulness** *hsz* **gracefully**

graceless ['greɪsləs] *mn* **a)** báj/elegancia/könnyedség nélküli **b)** goromba, tisztességtelen • *fn* **gracelessness**

grace note *fn zene* ékesítés, díszítés

gracile ['græsaɪl ‖ 'græsl] *mn* karcsú, vékony, törékeny *[alak]*

gracility [grə'sɪləti] *fn* **1.** karcsúság, törékenység *[alaké]* **2.** egyszerűség *[stílusé]*

gracious ['greɪʃəs] *mn* **1. a)** bájos, kedves, kecses **b)** szívélyes, engedékeny, jóindulatú, kegyes; **be ~ to(wards) sy** kedves/szívélyes/udvarias vkhez **c) our ~ Queen** kegyes királynőnk **d) ~ living** előkelő életmód **2.** *vall* könyörületes, irgalmas; **in a ~ state** a kegyelem állapotában **3. ~ (me)!, good(ness) ~!, my ~!** szent Isten!, Uram Isten!; **good ~ no!** Isten ments!, szó sincs róla • *hsz* **graciously**

grad [græd] *biz* → **graduate I.1.**

gradate [grə'deɪt ‖ 'greɪdeɪt] **A.** *tsi* **1.** árnyal, (fokozatos átmenetekkel) összeolvaszt *[színeket]*, fokozatosan gyengít/tompít *[tónust, színt]* **2.** fok(ozat)okra oszt (vmt) **B.** *tni* halványul, gyengül, árnyalódik, összeolvad *[szín]*

gradation [grə'deɪʃn] *fn* **1. a)** fok(ozat), fokozatosság, lépcsőzetesség, átmenet; **by ~** fokozatosan **b)** osztályozás *[méret, súly stb. szerint]*, fokbeosztás *[szerszámé]* **2. a)** *műv* árnyalat **b)** *műv* fokozatos/lassú átmenet (egyik színből/tónusból a másikba) **c)** *zene* árnyalás; fokozás **3.** *nyelv* **(vowel) ~** apofónia, ablaut

gradational [grə'deɪʃnəl] *mn* fokozatos

grade [greɪd] **I.** *fn* **1.** *mat* fok **2. a)** rang, fok(ozat), lépcsőfok, (bér)kategória; **persons of every ~ of society** a társadalom minden rétegéhez tartozó emberek **b)** minőség, osztály, fajta, kategória **3. a)** *US* (elemi/általános iskolai) osztály **b)** *[iskolai]* osztályzat, (érdem)jegy **4. a)** *US* lejtő, lejtés, emelkedő, kaptató *[úté, vasúté]*; **make the ~** *átv biz* leküzdi/legyőzi/áthidalja a nehézségeket, (jól) sikerül vm (vknek) **b)** *US épít* szint; **the road and the railway cross at ~** az út és a vasút egy szinten keresztezi egymást **II. A.** *tsi* **1.** osztályoz, kategóriába sorol, minősít, (ki)válogat, különválaszt **2.** *mezőg* **~ (up)** keresztezéssel (fel)javít *[fajt stb.]*, fajtiszta párral keresztez **3.** *műv* fokozatosan elhalványít/tompít/árnyal/összeolvaszt *[szint, tónust]* **4.** *épít* planíroz, egyenget, profiloz *[talajt, utat stb.]* **5.** (le)osztályoz; **~ papers** dolgozato(ka)t (ki)javít *[tanár]* **B.** *tni műv* **the whites ~ (off) into red** a fehérek fokozatosan pirosba mennek át

  grade down *tsi* leminősít, leosztályoz, lepontoz

  grade up *tsi* **1.** *mezőg* feljavít **2.** *US épít* egy szintbe hoz vmvel **3.** felminősít, magasabb kategóriába sorol

grade cattle *mezőg* keresztezéssel javított (hazai) állatállomány/haszonállat(ok)

grade crossing *fn US vasút* szintbeni útkereszteződés, (szintbeni) vasúti átjáró

grade point average *fn okt* osztályzatok/érdemjegyek átlaga

grader ['greɪdə ‖ –ər] *fn* **1.** *épít* osztályozógép, osztályozószita **2.** *épít* útgyalu, talajgyalu **3.** *US okt* **fourth ~** negyedik osztályos *[elemiben, általános iskolában]*

grade school *fn US* elemi/általános iskola

gradient ['greɪdɪənt] *fn* lejtő, lejtés, emelkedő, kaptató, hajlás, esés; *vasút* **steep ~s** meredek (emelkedésű) pályatest; **angle of ~** esési/lejtési/lejtősségi szög

gradin ['greɪdɪn] *fn* **1.** lépcsőzet, polcsorozat *[oltáron]* **2.** lépcsőzetes pad(sor)

gradine ['greɪdi:n] → **gradin**

gradual ['grædʒʊəl] **I.** *mn* fokozatos, lépcsőzetes; **~ slope** enyhe lejtő/emelkedő **II.** *fn vall* graduálé, lépcsőima *[misében]* • *hsz* **gradually**

gradualism ['grædʒʊəlɪzm] *fn* fokozatos fejlődés, fokozatosság (elve)

gradual psalm *fn* grádicsok éneke *[120–134. zsoltár]*

graduate I. *mn* ['grædʒʊət] egyetemet/főiskolát végzett, diplomás, okleveles **II.** *fn* ['grædʒʊət] diplomás, egyetemi/főiskolai végzettséggel/diplomával rendelkező (férfi, nő), egyetemet/főiskolát végzett (személy); *US* **~ of a high school** középiskolát végzett tanuló **III.** *i* ['grædʒʊeɪt] **A.** *tsi* **1.** *US* diplomát/oklevelet/végbizonyítványt ad/nyújt (vknek) **2. a)** fokokra oszt, kalibrál, beskáláz *[mérőeszközt]* **b)** fokonként nehezebbé tesz *[gyakorlatokat stb.]* **B.** *tni* **1.** főiskolai oklevelet (v. egyetemi diplomát) nyer/kap/szerez, végez *[egyetemen, főiskolán]*; *US* **~ from high-school** középiskolai záróbizonyítványt elnyer, (le)érettségizik; **he ~d from Cambridge** Cambridge-ben kapott/szerzett diplomát; **he ~d in law** jogot végzett **2. ~ into sg** fokozatosan vmlyenné változik/átalakul (v. vmvé válik) • *fn* **graduator**

graduated ['grædʒʊeɪtɪd] *mn* **1.** → **graduate III. 2.** fokozatos; **~ taxation** progresszív/degresszív adózás/adó(rendszer); *orv* **~ withdrawal** elvonókúra

graduated pension *fn GB* bérarányos nyugdíjjárulék

graduate school *fn* ‹magiszteri v. PhD fokozatot nyújtó egyetemi képzés›

graduate student *fn* **1.** végzett hallgató **2.** magiszteri v. PhD képzésben résztvevő egyetemi hallgató

graduation [ˌgrædʒʊ'eɪʃn] *fn* **1. a)** egyetemi fokozat/oklevél stb. (v. főiskolai bizonyítvány) elnyerése/kiadása; *US* **high-school ~** érettségi **b)** → **graduation ceremony 2.** fokokra osztás, (fok)beosztás, beosztáskészítés *[mérőeszközé]*

graduation ceremony *fn* diplomaosztó/bizonyítványosztó ünnepség; avatás

Graeco- ['gri:koʊ] *összet* görög-

graffito [grə'fi:toʊ] *fn tsz* **graffiti** [–ti] **a)** *régi* graffiti *[falra karcolt régi írás/rajz]* **b)** falra rajzolt/mázolt szöveg/ábra, graffiti

graft[1] [grɑ:ft ‖ græft] **I.** *fn* **1.** *növ* **a)** oltóág, oltószem, oltvány **b)** szemzés, oltás **c)** az oltás helye **2.** *orv* **a)** átültetés **b)** átültetett (élő) szövet **3.** *GB szl* **hard ~** *[kemény munka]* meló **II. A.** *tsi* **1. a)** beolt *[gyümölcsfát]* **b)** *orv* átültet **2. a)** egymásba illeszt, (meg)told, összetold *[két gerendát stb.]* **b)** *átv* hozzáilleszt, hozzátesz **B.** *tni GB szl [keményen dolgozik]* melózik

graft[2] [grɑ:ft ‖ græft] *biz* **I.** *fn* (meg)vesztegetés, korrupció, kenés **II.** *tni* panamázik, vesztegetést/sápot/baksisst ad/elfogad, veszteget • *fn* **grafter**

grafter ['grɑ:ftə ‖ 'græftər] *fn mezőg* **1.** gyümölcsfaojtó, szemzést végző *[személy]* **2.** oltókés, szemzőkés

grafting ['grɑ:ftɪŋ ‖ 'græftɪŋ] *fn* **a)** *mezőg* oltás, szemzés *[gyümölcsfáé]* **b)** *orv* átültetés, beültetés *[emberi szövet stb.]*

grafting clay → grafting wax

grafting wax *fn növ* oltóviasz

Graham ['greɪəm] *tul* ‹férfinév›

Grail [greɪl] *tul* **the Holy ~** a (Szent) Grál

grain [greɪn] **I.** *fn* **1.** (gabona)mag, (gabona)szem **2. a)** (bors stb.) szem **b)** porszem, homokszem, egy szem só/puskapor/arany, aranyszemcse **c)** szemcse *[fotonegatívon]* **3. a)** szemer, gran(um) *[súlyegység = 0,0648 gramm]* **b)** egy csekély, szemernyi; *átv biz* **without a ~ of common sense** egy csepp/hajszálnyi józan ész nélkül **4. a)** szemcsésség, szemcsés szerkezet, szemcsézet *[kőé, ásványé]*, felület érdessége/tarkasága *[fáé, kőé]* **b)** erezet iránya *[fáé]*; **across the ~** szálirányra merőlegesen; *átv* **against the ~** meggyőződése/kedve ellenére, az árral szemben; **with the ~** hosszában, rostirányban, szálirányban **5.** évgyűrű *[fáé]* **6.** *régi* bíborfesték, skarlátfesték **7.** természet, lelkület, hajlam; *biz* **in ~** kitörülhetetlen; vknek/vmnek a természetében rejlő, belülről jövő; *biz* **a philosopher in ~** született/vérbeli filozófus **II. A.** *tsi* **1.** darál, morzsol, szemcséz *[sót, puskaport stb.]* **2. a)** erez *[felületet, fát stb.]*, (fa)erezetet fest *[felületre]* **b)** márványoz *[felületet]* **3.** *régi* tartós színnel megfest/pácol **B.** *tni* szemcsésedik, morzsolódik *[só stb.]* • *fn* **grainer** *mn* **grained, grainless**

grain alcohol *fn* gabonaszesz, etil-alkohol

grain elevator *fn* gabonaelevátor, gabonasiló, gabonatároló (felhordó berendezéssel), magtár

grain leather *fn* **1.** barkás/fodorított bőr, sagrenbőr **2.** préselt bőr, mesterségesen barkázott bőr

grain side *fn* színoldal, szőroldal *[bőré]*

grainy [ˈgreɪni] *mn* **1.** sokszemű, sokmagú *[kalász]* **2.** szemcsés *[kőzet, márvány]* **3.** *fényk* szemcsés • *fn* **graininess**

grallatorial [ˌgræləˈtɔːrɪəl] *mn áll* **~ bird** gázlómadár, gázló

-gram [græm] *utótag* -gram(ma); **diagram** diagram

gram [græm] *fn* gramm *[tömegegység, 1g=10⁻³kg]*; *vegy* **~-equivalent** grammegyenérték

graminaceous [ˌgræmɪˈneɪʃəs] *mn növ* pázsitfűféle

gramineous [grəˈmɪnɪəs] → **graminaceous**

graminivorous [ˌgræmɪˈnɪvərəs] *mn tud* fűevő, növényevő

grammar [ˈgræmə ‖ –ər] *fn* **1.** nyelvtan *[könyv, rendszer]*; **bad ~** helytelen nyelvtan **2.** tudományág/művészet elemei/előismeretei **3.** *GB biz* → **grammar school**

grammarian [grəˈmeərɪən ‖ –ˈmerɪən] *fn régi* nyelvtanító, grammatikus

grammar school *fn* **1.** *GB kb* gimnázium **2.** *US* → **elementary** 1.

grammatical [grəˈmætɪkl] *mn* **a)** nyelvtani, nyelvtanilag helyes **b)** *nyelv* **~ word** nyelvtani szó, viszonyszó

grammaticality [grəˌmætɪˈkæləti] *fn nyelv* nyelvtani helyesség, grammatikai jólformáltság *[pl. a mondaté]*

gramme [græm] *GB* → **gram**

Grammy [ˈgræmi] *fn US* ‹kiemelkedő zenei produkcióért adományozott díj›

gramophone [ˈgræməfoun] *fn régi* gramofon, lemezjátszó

gramophone record *fn* hanglemez, gramofonlemez

grampus [ˈgræmpəs] *fn* **1.** *áll* kardszárnyú delfin **2.** *biz* lihegő/kövér ember

gran [græn] *fn GB gyerm* (nagy)mama, (nagy)mami

granary [ˈgrænəri] **I.** *mn* teljes kiőrlésű *[kenyér, kenyérliszt]* **II.** *fn* **1.** csűr, hombár, magtár **2.** gabonatermő v. -termesztő vidék **3.** *[teljes kiőrlésű búzából készült]* kenyér/liszt

grand [grænd] **I.** *mn* **1.** nagy, fő-; **~ alliance** nagyhatalmak szövetsége; *földr* **G~ Canyon** Grand Canyon; *tört* **G~ Fleet** az angol flotta (1914–18); **G~ Lodge** (szabadkőműves) nagypáholy; **G~ Prix** nagydíj; **the ~ staircase** főlépcső, díszlépcső; **~ total** főösszeg, végösszeg; **~ tour** alapos városnézés; *tört* tanulmányút **2. ~ piano** (hangverseny)-zongora **3.** nagyszerű, hatalmas, lenyűgöző, óriási, impozáns, grandiózus; **the ~ air** előkelőség, előkelő magatartás; **a ~ lady** nagyvilági/előkelő hölgy; **~ old man** a nagy Öreg; *US* **the G~ Old Party** ‹az amerikai Republikánus Párt›; **~ style** fennkölt stílus **4.** *biz* kiváló, ragyogó, híres, nagyszerű, remek **II.** *fn* **1.** a nagyszerű, a remek **2.** *biz* **a ~** (hangverseny)zongora **3.** *szl [ezer dollár/font]* egy lepedő, egy rongy • *fn* **grandness**

grandad → **granddad**

grand-aunt *fn* nagynéni *[szülő nagynénje]*

Grand Canyon State *tul földr US biz* Arizona állam

grandchild [ˈgræntʃaɪld] *fn tsz* **-children** unoka

granddad [ˈgrændæd] *fn biz* nagy(p)apa, nagyapó

granddaughter [ˈgrændɔːtə ‖ –dɔtər] *fn* (lány)unoka

grand duchess *fn* nagyhercegnő

grand duchy *fn* nagyhercegség *[állam]*

grand duke *fn* nagyherceg

grandeur [ˈgrændʒə ‖ –ər] *fn* **1.** kiválóság, (lelki) nagyság **2.** nagyszerűség, ragyogás **3.** pompa, fény, ragyogás

grandfather *fn* nagyapa

grandfather clock *fn* nagy állóóra/ingaóra

grandiloquent [grænˈdɪləkwənt] *mn* fellengzős, dagályos, szónokias • *fn* **grandiloquence**

grandiose [ˈgrændious] *mn* **1.** hatalmas, lenyűgöző, óriási, grandiózus **2.** fenséges, pompás • *fn* **grandiosity**

grand jury *fn US jog* vádesküdtszék

grandma [ˈgrænmɑː] *fn biz* nagyanyó, nagyi

grand master *fn* nagymester *[szabadkőműves, sakk stb.]*

grandmother [ˈgrænmʌðə ‖ –ər] *fn* nagyanya, nagymama; *közm biz* **teach your/one's ~ to suck eggs** ne legyen a csirke okosabb a tyúknál

grand-nephew [ˈgrændnefjuː] *fn* unokaöcs *[unokaöcs/unokahúg fia]*

grand-niece [ˈgrændniːs] *fn* unokahúg *[unokahúg/unokaöcs leánya]*

grandpa [ˈgrænpɑː] *fn biz* nagypapa, nagyapó, nagyi

grandpapa *régi biz* → **grandpa**

grandpappy *US biz* → **grandpa**

grandparent *fn* nagyszülő

grandsire *fn régi* **1.** nagy(p)apa **2.** ős, előd

grand slam *fn* **1.** *sp* grand slam *[a nagy versenyek megnyerése]* **2.** *sp* ‹négypontos ütés baseballban› **3.** *ját* ‹13 trükk megnyerése bridzsben›

grandson [ˈgrænsʌn] *fn* (fiú)unoka

grandstand I. *fn* lelátó, (nagy)tribün, dísztribün **II.** *tni US szl* **a)** a közönségnek játszik **b)** feltűnősködik

grand-uncle *fn* nagybácsi *[szülő nagybátyja]*

grange [greɪndʒ] *fn* **1.** *GB* **a)** majorság, farm **b)** udvarház *[gazdasági épületekkel]* **2.** *régi* pajta, csűr, hombár, magtár

graniferous [grəˈnɪfərəs] *mn növ* maghordó, magtermő • *mn* **graniform**

granite [ˈgrænɪt] *fn* gránit; **the G~ City** Aberdeen; *biz* **bite on ~** megkísérli a lehetetlent; kemény/nagy fába vágja a fejszéjét • *mn* **granitic**, **granitoid**

granite-hearted *mn* kőszívű

Granite State *tul földr US biz* New Hampshire állam

granivorous [grəˈnɪvərəs] *mn áll* maggal táplálkozó, magevő

grannie → **granny**

granola [grəˈnoulə] *fn US* müzli; **~ bar** kb. Cerbona szelet *[márkanév]*

grant [grɑːnt ‖ grænt] **I.** *tsi* **1. a)** megad *[engedélyt stb.]*, engedélyez, megenged, részesít (vmben) **b)** meghallgat *[imát]*, teljesít *[kérést]*, kielégít *[vágyat]*, eleget tesz (vmnek) **c)** *jog* adományoz, átruház, engedményez **2.** (meg)-ad, kiutal *[segélyt]*, nyújt, folyósít *[kölcsönt]* **3.** elfogad, elismer, megenged; **I ~ you that** megengedem/elismerem, hogy; **~ed that you are right** feltéve, hogy önnek igaza van; **~ing that** feltéve/elfogadva, hogy; **this being ~ed, ~ing this** tegyük fel, hogy ez így van; **~ed!** rendben van!; nem bánom!; legyen! **4. take sg for ~ed** bizonyosnak/természetesnek vesz vmt, magától értetődőnek vesz vmt, biztosan számít vmre **II.** *fn* **1. a)** megadás *[engedélyé stb.]*, engedélyezés **b)** *jog* adományozás, átruházás, engedményezés *[birtoké stb.]* **c)** *jog* adományozási/átruházási/engedményezési okirat **2.** (pénz)segély, szubvenció; **state ~** államsegély **3.** *US* ösztöndíj • *fn* **grantor**

grant-aided *mn* államilag segélyezett/támogatott/szubvencionált
grantee [grɑ:n'ti: ‖ græn'ti:] *fn* megajándékozott, kedvezményezett
grant-in-aid *fn tsz* **grants-in-aid** államsegély, állami segély/szubvenció
grant-maintained *mn* központilag támogatott *[iskola]*
granular ['grænjʊlə ‖ –jələr] *mn* szemcsés, szemcsézett • *fn* **granularity**
granulate ['grænjʊleɪt] **A.** *tsi* **1.** őröl, darál, zúz, morzsol, kristályosít *[cukrot]* **2.** szemcséssé tesz, (ki)pontoz *[felületet]* **B.** *tni* **1.** szemcsésedik, (ki)kristályosodik *[cukor]* **2.** *orv* sarjadzik *[seb]* • *fn* **granulation**, **granulator**
granule ['grænju:l] *fn* szemcse, granula
granny ['græni] *fn biz* nagyanyó, nagyi;
granny annexe → **granny flat**
granny bashing *fn biz* rossz bánásmód *[öregekkel szemben]*
granny flat *fn GB* ‹szülők számára elkülönített v. épített lakrész/lakás›
granny knot *fn biz* ügyetlenül/rosszul megkötött csomó, vénasszonybog
grape [greɪp] *fn* **1. a)** szőlőszem **b)** szőlő; **dessert/table ~** csemegeszőlő **c) bunch of ~s** szőlőfürt; **gather the ~s** szedi a szőlőt, szüretel; *átv* **sour ~s!** savanyú a szőlő! **d)** *biz* **(juice of the) ~** bor, a hegy leve **2.** *tsz* **grapes** *állatorv* **a)** sömör *[ló lábán]* **b)** gyöngykór, szarvasmarha-tuberkulózis • *mn* **grapy**
grapefruit *fn* grapefruit
grape-gleaning *fn* böngészés, böngérezés, bilingérezés *[szüret után]*
grape harvest *fn* szüret
grape-juice *fn* szőlőlé, must
grapeshot *fn kat tört* kartács
grape-sugar *fn* szőlőcukor
grapevine ['greɪpvaɪn] *fn* **1.** szőlő **2.** *biz* informális hírcsatorna; **hear sg through the ~** azt csiripelik a verebek
-graph [grɑ:f ‖ græf] *utótag* -gráf(ia); **photograph** fotográfia
graph [grɑ:f ‖ græf] **I.** *fn* **1. a)** grafikon, grafikus ábrázolás, diagram, görbe *[egyenleté stb.]*, ábra **b)** *mat* gráf **2.** *nyelv* íráselem **II.** *tsi* grafikusan ábrázol *[görbét stb.]*
grapheme ['græfi:m] *fn nyelv* írásjegy, graféma *[az írásrendszer legkisebb, jelentéssel bíró eleme]* • *mn* **graphemic**
-grapher [–grəfə ‖ –ər] *utótag* -gráfus, -ész, -író; **photographer** fotográfus, fényképész; **bibliographer** életrajzíró
graphic ['græfɪk] **I.** *mn* **1.** festői, eleven, szemléletes, valósághű *[leírás stb.]*; **give a ~ account of** szemléletesen leír vmt **2.** grafikai; **~ arts** grafika **3.** → **graphical II.** *fn* → **graphics** • *hsz* **graphically**
graphical ['græfɪkl] *mn* **1.** *műv* grafikus **2.** *mat infor* grafikon segítségével történő *[ábrázolás]* • *hsz* **graphically**
Graphic Interchange Format → **GIF**
graphics ['græfɪks] *fn* **1.** *(esz)* grafika *[mint műfaj]* **2.** *(tsz)* grafika *[mint rajz]* **3.** *tsz infor* **(computer) ~** számítógépes grafika
graphite ['græfaɪt] *fn* grafit • *mn* **graphitic**
graphology [grə'fɒlədʒi ‖ –'fɑ–] *fn* grafológia • *fn* **graphologist**
graph paper *fn* kockás papír, milliméterpapír
-graphy [grəfi] *utótag* -gráfia, -észet; **cartography** kartográfia, térképészet; **lexicography** lexikográfia, szótárírás, szótárirodalom
grapnel ['græpnl] *fn* **1.** kutatóhorgony, (kapó)csáklya **2.** *rep* horgony *[léggömbé]*
grapple ['græpl] **I. A.** *tsi* megragad, megfog **B.** *tni* **~ with sy** dulakodik/viaskodik vkvel; *átv* **~ with sg** (meg)birkózik/küszködik vmvel, nekigyürkőzik/nekifog vmnek **II.** *fn* **1.** → **grapnel 2. a)** kézitusa, dulakodás, birkózás, viaskodás **b)** fogás *[birkózásban]*; **come to ~s with sy** dulakodni kezd vkvel • *fn* **grappler**
grappling hook ['græplɪŋ–] → **grappling iron**
grappling iron *fn* horgony
grasp [grɑ:sp ‖ græsp] **I. A.** *tsi* **1.** megragad, megfog, megmarkol, kezébe szorít; **~ sy's hands** megszorítja/megragadja vk kezét; **~ the opportunity** megragadja az alkalmat; *GB* **~ the nettle** megbirkózik a nehézséggel **2.** hatalmába kerít (vkt), megkaparint, megszerez *[hatalmat stb.]* **3.** felfog, megért; **~ the importance of sg** felfogja/megérti/átérzi vmnek a fontosságát **B.** *tni* **~ at sg** kap vm után, próbál elérni/elkapni vmt, *átv* kap vmn *[alkalmon stb.]* **II.** *fn* **1.** (erős) fogás, markolás; **have a strong ~** erős/kemény keze/marka/kézszorítása van; *átv* erősen/keményen kezében tartja a dolgokat **2.** hatalom; **have sg within one's ~** vm keze ügyében v. hatalmában van; **have sy within one's ~** vk a hatalmában van; a kezében tart vkt **3.** megértés, felfogás, felfogókészség; **a mind of wide ~** széles látókörű (v. jó felfogóképességű) elme; **be beyond one's ~** felfogóképességét meghaladja; ez neki magas; **have a good/thorough ~ of sg** alaposan ismer vmt, alapos/jó fogalmai vannak vmről • *fn* **grasper**
grasping ['grɑ:spɪŋ ‖ 'græ–] *mn* mohó, kapzsi
grass [grɑ:s ‖ græs] **I.** *fn* **1.** fű; **blade/leaf of ~** fűszál; *átv* **not to let the ~ grow under one's feet** teketória nélkül belefog vmbe **2.** legelő, zöldtakarmány; *átv biz* **be out to ~** el van bocsátva állásából, munka nélkül van; nyugalomban/nyugdíjban van; **put/send/turn a horse out to ~** lovat legelőre (ki)csap (v. zöldtakarmányra fog); **be at ~** kicsapták a legelőre, zöldtakarmányra fogták *[állatot]*; *átv biz* munka nélkül lézeng, nem dolgozik **3.** pázsit, gyep; **"Do not walk on the ~"**, **"Please keep off the ~"** a fűre lépni tilos **4.** *GB bány* felszín, napvilág **5.** *US szl* spárga, csirág **6.** *szl* fű *[marihuána]*, *[füves cigaretta]* spangli **7.** *GB szl [(rendőrségi) besúgó]* spicli **II. A.** *tsi* **1.** füvesít, gyepesít **2. a)** *biz* leterít, leteper, földhöz vág *[ellenfelet]*, nyeregből kivet *[ló lovast]* **b)** szárazra húz *[halat]* **c)** *vad* lelő, terítékre hoz *[madarat]* **3.** *GB szl* kiad, felad, beköp *[rendőrségnek vkt]* **B.** *tni* **1.** befüvesedik, fű nő (ki) rajta **2.** *GB szl [beárul]* leadja a drótot, köp *[rendőrségnek]* **3.** legel *[füvön]*, harapdálja a füvet
grass court *fn sp* füves teniszpálya
grasshopper *fn* szöcske
grassland *fn* füves térség, füves vidék, préri, legelő
grass roots I. *fn tsz átv* **1.** a kisemberek, a nép; a tagság *[szemben a vezetéssel]*, a (választó)polgárok **2.** gyökerek, fundamentum **II.** *mn* alulról induló/szerveződő; **~ movement** alulról induló kezdeményezés/mozgalom
grass snake *fn* vízisikló
grass widow *fn* szalmaözvegy *[nő]*
grass widower *fn* szalmaözvegy *[férfi]*
grassy ['grɑ:si ‖ 'græsi] *mn* füves, fűvel benőtt/borított
grate[1] [greɪt] *fn* **a)** (tűz)rostély, kályharostély **b)** *biz* tűzhely
grate[2] [greɪt] **A.** *tsi* **1.** reszel *[sajtot stb.]* **2. ~ sg on sg** vmt vmhez dörzsöl *[csikorgatva]*; **~ one's teeth** fogát csikorgatja **B.** *tni* csikorog, nyikorog, megcsikordul; **~ on the ear** bántja/hasogatja a fület *[zaj]*; **~ on sy's nerves** idegeire megy vknek
grateful ['greɪtfl] *mn* **1.** hálás; **I am ~ to you for the warning** nagyon köszönöm, hogy figyelmeztetett **2.** kellemes, üdítő, jótékony *[árnyék, pihenés stb.]*; **your sympathy is ~ to me** jólesik az együttérzésed
grater ['greɪtə ‖ –ər] *fn* (konyhai) reszelő
graticule ['grætɪkju:l] *fn* **1.** rácshálózat *[rajzhoz]* **2.** *fiz műsz* fonálkereszt, rácshálózat **3.** *földr* fokhálózat, körbeosztás *[térképeken]*
gratification [ˌgrætɪfɪ'keɪʃn] *fn* **1.** kielégülés, elégtétel, öröm, jóleső érzés; **do sg for one's own ~** a maga kedvére/passziójára tesz vmt **2.** kielégítés *[vágyaké]* **3. a)** jutalom, jutalmazás **b)** borravaló

G

gratify ['grætɪfaɪ] *tsi* **1.** örömet okoz, elégtételül szolgál (vknek), jóleső érzést kelt (vkben) **2.** kielégít, kielégülést nyújt, eleget tesz (vmnek); **~ one's passions** kiéli szenvedélyét; **~ one's whims** kielégíti vk szeszélyeit, eleget tesz vk szeszélyeinek

grating[1] ['greɪtɪŋ] *fn fiz* rács(ozat) *[optikai]*, rácskerítés, lécezet

grating[2] ['greɪtɪŋ] *mn* **1.** bántó, fülsértő, fülhasogató *[zaj]* **2.** bántó, kínos, kellemetlen

gratis ['grætɪs, 'greɪtɪs] **I.** *mn* ingyenes, díjtalan **II.** *hsz* ingyen, díjtalanul

gratitude ['grætɪtju:d ‖ 'grætɪtu:d] *fn* hála, háládatosság

gratuitous [grə'tju:ətəs ‖ –'tu:ətəs] *mn* **1.** ingyenes, díjtalan **2.** indokolatlan, nem helyénvaló; **~ lie** indokolatlan/fölösleges hazugság

gratuity [grə'tju:əti ‖ –'tu:əti] *fn* **a)** pénzjutalom, borravaló **b)** prémium

gratulatory ['grætjʊlətəri ‖ 'grætʃələtɔri] *mn* szerencsét kívánó, üdvözlő, köszöntő

gravamen [grə'veɪmen] *fn tsz* **-s**, **gravamina** [–mɪnə] **1.** panasz, sérelem **2.** *jog* legnyomósabban latba eső (v. legsúlyosabban minősülő) körülmény *[vádé]* **3.** mag, alap, lényeg *[érvelésé, indoklásé]*

grave[1] [greɪv] **I.** *fn* sír(bolt), sírhant, sírdomb, síremlék, sírkő; **have one foot in the ~** fél lábbal a sírban van; **turn in one's ~** megfordul/forog a sírjában; **from beyond the ~** a túlvilágról/másvilágról, a síron túlról **II.** *tsi pt* **graved**, *pp* **graven, graved a)** *régi* kiváj, (ki)farag; *bibl* **~n image** bálvány(kép) **b)** *régi* (be)metsz, (be)vés, *átv* bevés; **~n on his memory** emlékezetébe vésve

grave[2] [greɪv] *mn* **1. a)** komoly, higgadt, megfontolt **b)** szigorú, ünnepélyes, komor, zord(on) *[arckifejezés stb.]*; **look ~** komoly/szigorú/komor képet vág **2. a)** súlyos *[vád, tévedés stb.]* **b)** veszélyes, fenyegető, súlyos, komoly *[helyzet, tünetek stb.]* **c)** fontos, nagy horderejű *[hír, esemény stb.]*

grave[3] [grɑ:v ‖ greɪv] *mn* **I.** *nyelv* **~ accent** (i) lejtő/eső *[hangsúly]* (ii) tompa *[ékezet]* **II.** *fn* tompa ékezet

gravedigger *fn* **1.** sírásó **2.** *áll* temetőbogár

gravel ['grævl] **I.** *fn* **1.** kavics, durva homok, murva, sóder, kavicshordalék **2.** *orv* vesehomok **II.** *tsi* **-ll-**, *US* **-l- 1.** kaviccsal beszór/behint/borít *[utat]* **2.** *biz* zavarba hoz, meghökkent **3.** *US* bosszant

gravel-blind *mn vál* félvak, csökkent látóképességű, vaksi

gravel road *fn* kavicsolt közút

gravelly ['grævəli] *mn* **1.** kavicsos **2.** *orv* homokos *[vizelet]* **3.** mély, reszelős *[hang]*

graven ['greɪvn] → **grave**[1] **II.**

graver ['greɪvə ‖ –ər] *fn régi* **1. a)** vésnök **b)** rézmetsző **2.** gravírozó szerszám, karcolótű, sáber

gravestone *fn* sírkő, síremlék

graveyard *fn* temető, sírkert

graveyard shift *fn US biz* éjszakai műszak *[nagyüzemben]*

gravid ['grævɪd] *mn* **a)** *vál* terhes, gravid *[nő]* **b)** *áll* vemhes *[emlősállat]* **c)** *átv biz* **~ with ideas** eszméktől terhes • *fn* **gravidity**

gravimeter [grə'vɪmɪtə ‖ –mətər] *fn fiz* graviméter

gravimetric [ˌgrævɪ'metrɪk] *mn fiz* gravimetrikus, súlymérési; **~ density** térfogatsúly, fajsúly

gravimetry [grə'vɪmətri] *fn fiz* gravimetria, súly szerinti elemzés

graving ['greɪvɪŋ] *mn hajó* **~ dock** szárazdokk

gravitate ['grævɪteɪt] *tni* **1.** gravitáció/tömegvonzás hatására elmozdul/mozog **2.** *átv* vonzódik, húz, hajlik(vm felé)

gravitation [ˌgrævɪ'teɪʃn] *fn fiz* (általános) tömegvonzás, gravitáció, nehézkedési erő

gravitational [ˌgrævɪ'teɪʃnəl] *mn fiz* gravitációs, nehézkedési, nehézségi; **~ field** gravitációs tér; **~ force** gravitációs erő; **~ mass** gravitációs tömeg

gravity ['grævəti] *fn* **1.** *fiz* **a)** súly; **centre of ~** súlypont; **specific ~** fajsúly **b)** gravitáció, nehézkedési erő **2. a)** súlyosság *[vádé stb.]* **b)** veszélyesség, komolyság *[helyzeté stb.]* **c)** fontosság, horderő *[híré]* **3. a)** komolyság, higgadtság, megfontoltság **b)** szigorúság, ünnepélyesség *[arckifejezésé stb.]*

gravity feed *fn fiz* gravitációs etetés *[gépeknél]*

gravy ['greɪvi] *fn* **1.** *gaszt* **a)** húslé, pecsenyelé **b)** mártás, szaft **2.** *szl* könnyű kereset/pénz, váratlan pénz/dohány

gravy-boat *fn* mártásos csésze

gray [greɪ] *US* → **grey**

graze[1] [greɪz] **A.** *tsi* **1.** legel *[állat füvet]* **2.** legelőnek használ *[mezőt]* **3.** legeltet, legelőre hajt *[nyájat]* **B.** *tni* **1.** legel *[állat]* **2.** *biz* **a)** nassol, csipeget *[napközben]* **b)** kóstolgat **c)** ugrál, kapcsolgat (a televíziós csatornák között), egyik csatornáról a másikra vált

graze[2] [greɪz] **I. A.** *tsi* **1.** (meg)érint, hozzáér, súrol, horzsol; **a bullet ~d his cheek** egy golyó súrolta/horzsolta az arcát **2.** meghorzsol, felhorzsol, lehorzsol, megkarcol, ledörzsöl *[bőrt stb.]* **B.** *tni* (hozzá)súrlódik, nekisúrlódik; **~ against/along/by sg** súrolva elmegy vm mellett **II.** *fn* **1.** (meg)érintés, hozzáérés, súrolás **2.** karcolás, horzsolás

grazier ['greɪzɪə ‖ 'greɪʒər] *fn Ausz* juhtenyésztő, marhatenyésztő *[farmer]*

grazing ['greɪzɪŋ] *fn* **1.** legeltetés **2.** legelnivaló **3.** legelőnek/legeltetésre alkalmas terület

grease I. *fn* [gri:s] **1.** (olvasztott) zsír **2.** zsiradék, (kenő)zsír, kenőanyag, (gép)kenőcs **3. a) (wool) ~** gyapjúzsír **b)** tisztítatlan gyapjú **II.** *tsi* [gri:s, gri:z] **1.** zsíroz, olajoz, (meg)ken *[gépet]*; *biz* **like ~d lightning** mint a villám **2.** bezsíroz, bepiszkít, összezsíroz, összeken *[ruhát stb.]* **3.** *biz* **~ the palm of (sy)** *[megvesztegetl]* megken (vkt)

grease gun *fn műsz* zsírfecskendő, zsírzóprés, zsírzópuska

greasepaint *fn szính* arcfesték

greaseproof *mn* zsírálló, zsírhatlan; **~ paper** zsírpapír, vajpapír

greaser ['gri:sə ‖ –ər] *fn* **1.** zsírozó, kenő *[munkás]* **2.** *US szl pej* mexikói **3.** *szl* bandatag *[hosszú hajú, motoros fiatalok bandájában]* **4.** *GB szl* sima leszállás *[repülőgépé]*

greasy ['gri:si] *mn* **1. a)** zsíros, olajos, kenhető **b)** olajfoltos, zsírfoltos, pecsétes **2. a)** zsíros, síkos, csúszós, nyálkás; **~ road** síkos/csúszós/sáros út; *átv biz* **~ pole** az érvényesülés fárasztó/kockázatos útja **b)** kenetteljes *[modor]* **c)** kellemetlen, ellenszenves, visszataszító • *fn* **greasiness**

greasy spoon *fn szl [olcsó, piszkos vendéglő]* éhezde, lebuj

great [greɪt] **I.** *mn* **1. a)** nagy, terjedelmes, jókora; **~ A** nagy A *[betű]*; **G~ Lakes** a Nagy-Tavak *[USA és Kanada között]*; **~ toe** nagy(láb)ujj **b) G~er London** Nagy-London **2. a)** nagy, jelentékeny, számottevő; **~ majority** (i) nagy/túlnyomó többség (ii) a holtak/halottak, az elköltözöttek; **a ~ deal (of sg)** nagyon sok, nagy mennyiségű; **a ~ while ago** nagyon/jó régen; **to a ~ extent/in ~ measure** nagymértékben, **live to a ~ age** nagy életkort megér, hosszú életű **b)** nagy, különös, fokozott, átlagon felüli, nagyszerű; **with ~ pleasure** nagy örömmel, szíves örömest; **take ~ care** nagy/különös/fokozott gondot fordít **c)** nagy, kiváló, kimagasló, nagyszerű; **~ composer** nagy/kiváló zeneszerző; **~ man** nagy(szerű) ember **3.** nagy, fő, kiemelkedő; **~ attraction** fő vonzerő; **the G~ Powers** a nagyhatalmak; **the G~ War** az első világháború; **Alexander the G~** Nagy Sándor **4.** előkelő; **~ lady** előkelő hölgy **5. be ~ at sg** kiváló/nagyszerű vmben, nagyon ügyes vmben; **be ~ on sg** nagyon (jól) ért vmhez; nagyon érdekli vm **6.** *biz* nagyszerű, remek; **it's ~!** nagyszerű!, remek!; **have a ~ time** remekül/nagyszerűen szórakozik; **wouldn't it be ~?** nem lenne nagyszerű? **7.** *nyelv* **G~ Vowel Shift** nagy magánhangzó-eltolódás **II.** *fn* **the ~(s)** a nagyok; **the ~ and the good** a legnagyobbak, a legfontosabbak; **~ and small** kicsinyek és nagyok; az előkelők és a kisemberek; → **Greats III.** *hsz biz* **1.** nagyszerűen, kiválóan, remekül **2.** sikeresen • *fn* **greatness**

great-aunt → **grand-aunt**

Great Britain *tul földr* Nagy-Britannia

greatcoat *fn* (felső)kabát, télikabát, nagykabát
Great Dane *fn áll* dán dog
great-grandchild *fn tsz* **-children** dédunoka
great-granddaughter *fn [leány]* dédunoka
great-grandfather *fn* dédapa
great-grandmother *fn* dédanya
great-grandparent *fn* dédszülő
great-grandson *fn [fiú]* dédunoka
great-great-grandfather *fn* ükapa
great-great-grandmother *fn* ükanya
great-hearted *mn* **1.** nemeslelkű, nagylelkű, nagyszívű **2.** bátor • *fn* **great-heartedness**
Great Lakes State *tul földr US biz* ‹Michigan állam›
greatly [ˈgreɪtli] *hsz* **1.** nagyon, igen, jelentősen, nagymértékben **2.** előkelően, méltósággal, büszkén
great-nephew → **grand-nephew**
great-niece → **grand-niece**
Greats [greɪts] *fn tsz* irodalmi/klasszikus tagozat *[oxfordi egyetemen]*; → **great II.**
great-uncle → **grand-uncle**
greave [gri:v] *fn tört* lábvért, lábszárpáncél
grebe [ˈgri:b] *fn áll* vöcsök; **great crested ~** búbos vöcsök
Grecian [ˈgri:ʃn] *mn* görög(ös), hellén; **~ urn** görög váza; **the ~ horse** trójai (fa)ló; **~ nose** görög(ös) orr
Grecism [ˈgri:sɪzm] *fn* **1.** görög civilizáció, hellenizmus **2.** görög szellem(iség), görögség *[vmnek görög volta]*, görög stílus
Grecize [ˈgri:saɪz], **-ise** *tsi* (el)görögösít, hellenizál
Greco- [ˈgri:koʊ] *US* → **Graeco-**
Greco-Roman [ˌgri:koʊ–] *mn* görög-római *[művészet stb.]*
Greco-Roman wrestling *fn sp* kötöttfogású birkózás
Greece [gri:s] *tul földr* Görögország
greed [gri:d] *fn* **a)** kapzsiság, pénzsóvárság, pénzvágy **b)** mohóság, sóvárgás, sóvárság; **~ for power** hatalomvágy
greedy [ˈgri:di] *mn* **1.** kapzsi, pénzsóvár **2.** falánk, nagyétkű, mohó **3.** sóvárgó, vágyakozó; **be ~ for** vágy(akoz)ik vmre v. vm után • *fn* **greediness**
Greek [gri:k] **I.** *mn* **1.** görög, hellén; **~ Catholic** görög katolikus; **~ cross** görög kereszt; *épít* **~ order** görög oszloprend **2. the ~ Church** a görögkeleti egyház **II.** *fn* **1.** görög (ember, férfi, nő) **2. a)** görög (nyelv); **modern ~** újgörög; *biz* **it is all ~ to me** ebből egy szót sem értek, ez nekem kínai **b)** görög (nyelv)tudás
Greek-letter fraternity *US* ‹görög betűvel jelölt exkluzív diákszövetség/diákklub amerikai egyetemeken›
green [gri:n] **I.** *mn* **1.** zöld (színű); **~ card** *GB* zöld kártya *[nemzetközi gépjármű-biztosítási lap]*, *US* zöld kártya *[munkavállalási engedély külföldieknek]*; **~ table** játékasztal; *vegy* **~ vitriol** vasgálic; **~ light** zöld fény/út; **give the ~ light (to)** *átv* szabad teret/utat/folyást enged **2. a)** zöldellő *[mező stb.]*; **the G~ Island** Írország; **~ belt** zöldövezet **b)** hómentes; **~ Christmas** fekete karácsony; **~ winter** enyhe tél **c)** zöld- *[főzelék stb.]*; **~ crop/feed** zöldtakarmányfélék; *gazd* **~ goods** zöldség- és gyümölcsáruk; **~ manure** zöldtrágya; **~ stuff** zöldség, konyhakerti vetemények; **have a ~ thumb** (v. **~ fingers)** ért a növényekhez, kertésznek született **3.** friss, üde, jó erőben levő; **~ old age** örökifjúság; **~ memories** friss/eleven emlékek; **keep sy's memory ~** vk emlékét ápolja/őrzi **4. a)** éretlen, nyers; **~ fruit** éretlen gyümölcs; **~ tea** zöld tea **b)** éretlen, tapasztalatlan, hiszékeny, együgyű, naiv, zöld(fülű) **5. a)** zöldes, sárgás, sápadt *[arcszín]* **b) ~ with envy** sárga az irigységtől; **~ eye** irigy/féltékeny pillantás; **go/turn ~** elsápad, elzöldül **II.** *fn* **1.** zöld *[szín, festék]*; *biz* **they are still in the ~** még nagyon fiatalok **2.** zöld lomb **3. greens** zöldfőzelék, zöldség **4. a)** pázsit, gyep **b)** rét, legelő **5.** *sp* **a)** golfpálya **b)** ‹golfpálya lyuk körüli része› **6.** *GB szl [közösülés]* dugás **7.** *szl* fű *[rosszabb minőségű marihuána]* **8.** *szl [pénz]* lé, dohány **9.** *pol* **the ~s**, v. **G~ s** (a) zöldek (csoportjának stb. tagja, támogatója) **III. A.** *tsi* **1.** zöldre fest, megzöldít **2.** *szl* megtéveszt, megcsal, becsap **B.** *tni* **~ out** (ki)zöldül • *mn* **greenish**
greenback *fn US biz* dollárbankjegy
green belt *fn* zöldövezet, parkövezet, erdőövezet *[város körül]*
greenbottle *fn áll* aranyoszöld döglégy
Green cloth *fn* **the (Board of) ~** a királyi ház intendatúrája
greenery [ˈgri:nəri] *fn* **1.** növényzet, lomb **2.** üvegház, melegház
green-eyed *mn* **1.** zöld szemű; *biz* **the ~ monster** a zöld szemű szörny *[féltékenység]* **2.** féltékeny
greenfeed *fn Ausz ÚjZ* zöldtakarmányfélék
greenfield *mn* **~ area/site** beépítetlen terület
greenfly *fn áll* levéltetű
greengage [ˈgri:ŋgeɪdʒ] *fn* ‹zöld ringlófajta›
green goose *fn* pecsenyeliba
greengrocer *fn GB* zöldséges, zöldségárus, gyümölcsös *[kereskedő, kofa]*; **~'s shop** zöldségüzlet
greengrocery *fn GB* **1.** zöldségüzlet **2.** zöldség- és gyümölcsáruk
greenhorn *fn biz* **1.** zöldfülű **2.** *US* friss jövevény/bevándorló
greenhouse *fn* melegház, üvegház
greenhouse effect *fn meteo* üvegházhatás, üvegházjelenség
greening [ˈgri:nɪŋ] *fn* **1.** zöld héjú alma **2.** fásítás, zöldövezet kialakítása
greenkeeper *fn* golfpálya karbantartója
Greenland [ˈgri:nlənd] *tul földr* Grönland
Greenlander [ˈgri:nləndə ‖ –ər] *fn* grönlandi
Greenlandic [gri:nˈlændɪk] **I.** *mn* grönlandi **II.** *fn* grönlandi (nyelv)
Green Mountain State *tul földr US biz* ‹Vermont állam›
greenness [ˈgri:nnəs] *fn* **1.** zöld szín, zöld(es)ség **2. a)** tapasztalatlanság, naivság, kezdőség **b)** kipróbálatlanság, éretlenség **3.** elevenség, frissesség, élénkség
Green Paper *fn GB pol* kormányjavaslat
green-room *fn szính* színészek társalgója, művészszoba
greensick *mn orv* vérszegény, sápkóros
greenskeeper *US* → **greenkeeper**
green-stick fracture *fn orv* zöldgally-törés
Greenwich [ˈgrɪnɪtʃ] *tul földr* Greenwich; **~ (Mean) Time** greenwichi idő
greenwood *fn* erdő, liget, csalitos *[nyári zöld pompában]*
green woodpecker *fn áll* zöld harkály
greeny [ˈgri:ni] *mn* zöldes
greenyard *fn GB* állatmenhely
greet[1] [gri:t] *tsi* üdvözöl, köszönt, fogad; **~ a speech with cheers** a beszédet megéljenzik/megtapsolják (v. tetszéssel fogadják)
greet[2] [gri:t] *tni skót* sír, zokog
greeting [ˈgri:tɪŋ] *fn* köszöntés, üdvözlet; **send one's ~s to sy** vknek üdvözletét küldi; **New-Year ~s** újévi üdvözlet, B.ú.é.k.
greeting(s)card *fn* üdvözlő lap
Greg [greg] *tul* ‹*Gregory* becéző alakja›
gregarious [grɪˈgeərɪəs ‖ –ˈger–] *mn* **1.** *áll* nyájban/csapatban élő/vonuló, nyájképző **2.** *növ* csoportos *[termés]* **3.** *átv* társas(ágkedvelő), nyáj-, tömeg-
Gregorian [grɪˈgɔ:rɪən] *mn* **1.** *zene* gregorián *[zene stb.]*; **~ chant** gregorián ének/korális **2. ~ calendar** Gergely-naptár
Gregory [ˈgregəri] *tul* **1.** Gergely **2.** *vegy* **~ powder** rebarbarapor *[hashajtó]*
grège [greɪʒ] *mn/fn* szürkésdrapp (szín), nyers (színű); **~ silk** nyersselyem
gremlin [ˈgremlɪn] *fn biz* **1.** *[képzeletbeli]* gonosz szellem/manó *[repülőkre bajt hozó]* **2.** bajcsináló
Grenada [grɪˈneɪdə] *tul földr* Grenada
Grenadaian [grɪˈneɪdɪən] *mn* grenadai

grenade [grɪ'neɪd] *fn* **1.** *kat* (kézi)gránát **2. (fire-)~** tűzoltó gránát
grenadier [ˌgrenə'dɪə ‖ –'dɪr] *fn kat* gránátos
Grenadier Guards, **Grenadiers** *fn tsz GB* gránátosok *[a brit hadsereg egyik ezrede]*
grenadine[1] ['grenədi:n] *fn* gránátalmaszörp
grenadine[2] ['grenədi:n] *fn tex* grenadin
gressorial [gre'sɔ:rɪəl] *mn áll* járó-
grew [gru:] → **grow**
grey [greɪ] **I.** *mn* **1.** szürke (színű); *vall* **~ friar** ferences (barát); *orv* **~ matter** (i) szürkeállomány *[agyban]* (ii) *biz* ész, agy, gógyi **2.** ősz *[haj]*; **go/turn ~** megőszül; elsápad **3.** (hamu)szürke, halvány, sápadt *[arcszín]* **4. a)** borús, borongós, felhős *[idő]* **b)** borús, sötét, gyászos *[kilátások]* **c)** szomorú, lehangolt, depressziós **5.** nyers/natúr színű **6.** anonim, névtelen, azonosíthatatlan; **~ eminence** szürke eminenciás **II.** *fn* **1.** szürke (szín, festék) **2.** szürkület **3.** szürke (ló) **4.** szürke (egyenruha) **III. A.** *tsi* **1.** megőszít **2.** szürkére fest, beszürkít **B.** *tni* megőszül, megszürkül • *fn* **greyness** *mn* **greyish**
grey area *fn* **1.** köztes állapot **2.** *GB* ‹olyan terület, ahol magas a munkanélküliség›
greybeard *fn* **1. a)** ősz hajú/szakállú öreg/vén ember **b)** tapasztalt/bölcs ember **c)** ősz szakáll *[öregember szakállal]* **2.** kőkorsó, fajanszkancsó
grey-goose *áll* → **greylag**
grey-haired *mn* ősz (hajú)
greyhen *fn áll* nyírfajd tyúk
greyhound *fn* agár
greylag ['greɪlæg], **greylag goose** *áll* nyári/szürke lúd
grey market *fn gazd* ‹titkos, de nem illegális piaci tevékenység›
grid [grɪd] *fn* **1.** rács(ozat) **2.** *sp* rajtkocka *[autóversenynél]* **3.** *földr* (térkép)hálózat **4.** *biz* **the ~** országos áramhálózat **5.** úthálózat • *mn* **gridded**
griddle ['grɪdl] **I.** *fn* **1.** serpenyő, palacsintasütő **2.** *GB bány* szita **II.** *tsi* **1.** serpenyőben/palacsintasütőben süt **2.** *bány* **~ out ore** ércet kiszitál
gridiron ['grɪdaɪən ‖ –ər–] *fn* **1. a)** (sütő)rostély *[konyhai]* **b)** *hajó* gerendarendszer *[hajók ráfektetésére szárazdokkban javítás alatt]* **c)** *szính* padozat/gerendázat színpad felett **2.** *US biz* amerikaifutball-pálya **3.** úthálózat; → **grid** 5.
gridlock *fn* **1.** közlekedési dugó, bedugult útkereszteződés **2.** patthelyzet
grief [gri:f] *fn* **1.** bánat, fájdalom, szomorúság; **die of ~** meghal bánatában, szíve megszakad **2.** baj, szerencsétlenség, baleset; **bring sy to ~** bajba sodor vkt; **come to ~** bajba jut/kerül/keveredik; balul üt ki *[terv]*; pórul jár; *biz* **good ~!** te jó ég!
grief-stricken *mn* fájdalomtól sújtott, szomorú, bánatos
grievance ['gri:vns] *fn* sérelem, panasz; **air/state one's ~s** panaszainak/sérelmeinek hangot ad; **nurse one's ~s** sérelmein rágódik
grieve[1] [gri:v] **A.** *tsi* (el)szomorít, bánt, fájdalmat okoz (vknek); **it ~s me** bánt engem, fáj nekem **B.** *tni* bánkódik, szomorkodik, búsul
grieve[2] [gri:v] *fn skót* tiszttartó, intéző
grievous ['gri:vəs] *mn* **1.** fájdalmas, fájdalmat okozó, elszomorító, szomorú; **~ loss** fájdalmas veszteség; **~ news** szomorú hír **2.** súlyos *[tévedés, sérülés, baleset]*; **~ bodily harm** súlyos testi sértés **3.** erős *[fájdalom]* **4.** gyalázatos, szörnyű *[bűn]* **5.** ártalmas, bajt okozó
griffin ['grɪfɪn] *fn* griffmadár
griffon[1] ['grɪfən ‖ –fɑn] *fn* francia vizsla
griffon[2] ['grɪfn] *fn áll* **~ (vulture)** fakókeselyű
grill [grɪl] **I.** *fn* **1.** rostély *[roston sütéshez]* **2.** roston sült hús **3.** roston sütés **4.** → **grill-room** **5.** → **grille** I.1. **II. A.** *tsi* **1.** roston süt *[húst]* **2.** erőszakosan/kitartóan vallat/faggat **B.** *tni* **1.** roston sül **2.** *átv* megsül *[melegtől]* • *fn* **griller**
grillage ['grɪlɪdʒ] *fn épít* rácsozat
grille [grɪl] *fn* **a)** rács(ozat), rostély **b)** (rácsos) kémlelőnyílás *[kapun]* **c)** *gk* rács, hűtőrács, díszrács
grilled [grɪld] *mn* roston sült *[hús]*; **~ chicken** grillcsirke
grill room *fn* ‹roston sült húsokat felszolgáló vendéglő› grillbár
grim [grɪm] *mn* **-mm- 1.** kegyetlen, vad, bősz, kíméletlen **2.** ádáz, dühöngő, elkeseredett; **~ battle** ádáz/elkeseredett csata **3.** marcona, mogorva; **~ look** zord/fenyegető pillantás **4.** gyászos, sötét, nyomasztó **5.** borzalmas, ijesztő, rémítő, hátborzongató; **~ humour** akasztófahumor **6. a) G~ Death** a kérlelhetetlen halál; **to hold on like ~ death** kétségbeesetten/elkeseredetten kapaszkodik **b) the G~ Reaper** a nagy kaszás *[halál]* **7.** hajthatatlan, szilárd, eltökélt, rendíthetetlen
grimace [grɪ'meɪs] **I.** *fn* fintor, grimasz; **make a ~** fintort/grimaszt vág **II.** *tni* fintorokat/grimaszokat vág
grimalkin [grɪ'mælkɪn] *fn régi* **1.** öreg nőstény macska **2.** vén banya/boszorkány
grime [graɪm] **I.** *fn* **a)** korom **b)** piszok, mocsok, szenny *[főleg emberi testen]* **II.** *tsi* bekormoz, bepiszkít, bemocskol, beszennyez
grimy ['graɪmi] *mn* kormos, piszkos, mocskos, szennyes, szurtos • *fn* **griminess**
grin [grɪn] **I.** *i* **-nn- A.** *tni* **a)** vigyorog, szélesen mosolyog; **~ from ear to ear** fülig húzott szájjal vigyorog; **~ and bear it** fájdalmat mosolyogva tűr; jó képet vág hozzá **b)** fogait vicsorítja (vigyorogva); *biz* **~ like a Cheshire cat** vigyorog, mint a fakutya **B.** *tsi* vigyorgással kifejez **II.** *fn* **a)** vigyorgás, széles mosoly **b)** (fogvicsorító) vigyor
grind [graɪnd] **I.** *i pt/pp* **ground** [graʊnd] **A.** *tsi* **a)** őröl, darál, zúz, tör, aprít, morzsol; **~ sg (down) to dust** porrá őröl/zúz vmt; **~ (down) the poor**, **~ the faces of the poor** elnyomja a szegényeket **b)** köszörül **c) ~ one's teeth** csikorgatja a fogát **d) ~ a barrel organ** verklizik, verklit forgat; **~ (out) a tune** ledarál egy dallamot *[verklin]* **e)** *biz* keményen megdolgoztat vkt **B.** *tni* **1.** csikorog(va súrlódik) **2.** őrlődik, darálódik **3.** őröl, darál **4.** *biz* gürcöl, melózik, magol **5. ~ out** kiprésel magából, kemény munkával létrehoz **6.** *szl* csípőjét riszálja, illeg-billeg **7.** *GB szl durva [szeretkezik]* kefél, dug **II.** *fn* **1.** őrlés, darálás; **different ~s of coffee** különféle finomságra őrölt kávé **2.** csikorgás *[keréké stb.]* **3.** *átv biz* **a)** egyhangú folyamatos munka, lélekölő robot, gürcölés, meló(zás); **daily ~** (minden)napi robot **b)** magolás, biflázás **4.** *szl* csípő riszálása *[tánc közben]* **5.** *GB szl durva [szeretkezés]* kefélés, dugás
grinder ['graɪndə ‖ –ər] *fn* **1. a)** őrlőgép, zúzógép, daráló **b)** csiszológép, köszörű **2.** malomkő *[felső]* **3. a)** törő/őrlő/zúzó/daráló munkás **b)** csiszoló (munkás) **c)** köszörűs **4.** őrlőfog, zápfog; *biz* **~s** fogak
grindstone *fn* **1.** köszörű(gép) **2.** köszörűkő, csiszolókorong; *átv biz* **keep one's nose to the ~** szakadatlanul/megszakadásig dolgozik/gürcöl, halálra dolgozza magát
gringo ['grɪŋgoʊ] *fn biz* idegen *[angol* v. *amerikai, mexikóiak szóhasználatában]*
grip [grɪp] **I.** *i* **-pp- A.** *tsi* **1. a)** fog, megfog, megragad, megmarkol, erősen/szorosan fog/markol, (meg)szorít; **~ hold of sy** belekapaszkodik vkbe, megragad vkt **b)** befog *[szerszámot stb.]* **2.** *átv* **a)** megragad, magával ragad, nagy hatással van; **~ sy's attention** megragadja vk figyelmét; **~ the audience** fogva tartja a hallgatóságot **b) fear ~ped his heart** elfogta a félelem, összeszorult a szíve a félelemtől **c)** elfog, megért; **I cannot ~ his argument** nem tudom felfogni/követni az érvelését **B.** *tni* **1. a)** fog, akad, tapad **b)** (szorosan) összecsukódik, összezáródik, összeszorul **2.** *átv* **the story ~s** magával ragadó történet **II.** *fn* **1. a)** fogás, markolás, szorítás; *átv* **come/get to ~s with sg** kezel vmt, megbirkózik vmvel; **have a strong ~** erős marka/kézszorítása van **b)** fogás, tapadás; **~ of the wheels** kerekek tapadása *[úthoz]* **2. a)** markolat, fogantyú, nyél, tusanyak *[puskáé]* **b)** befogófej, befogópofa **c)** csíptető *[abroszhoz]* **3.** utazótáska, kézitáska, kis koffer **4.** *átv* **a)** hatalom; *biz* **in the ~ of a disease** egy betegség karmai

között; **get a ~ on sg** hatalmat nyer vm felett; **tighten one's ~ round/on sy/sg** keményen megmarkol vkt/vmt; **have a ~ on sy** markában tart vkt; **have a good ~ of a subject** egy tárgyat/témát/kérdést alaposan ismer; **have/get a good ~ of/on the situation** a helyzetet jól kézben tartja; jól felfogja/felméri/átlátja a helyzetet **b)** magával ragadó hatás; **have a ~ on an audience** fogva tartja a hallgatóságot **5.** *szính* díszletezőmunkás, kulisszatologató **6.** görcsös fájdalom **7.** hullámcsat, hajcsat **8.** *Ausz szl [állás/munka]* meló **9.** → **grippe** • *fn* **gripper**

gripe [graɪp] **I. A.** *tsi* **1.** *régi* megfog, megmarkol, megragad **2.** gyötör, kínoz *[szellemileg]* **3.** kólikát/bélgörcsöt okoz (vknek) **4.** *hajó* fedélzethez köt/rögzít *[csónakot]* **B.** *tni* **1.** *biz* panaszkodik, siránkozik, elégedetlenkedik **2.** *hajó* szélbe fordul **II.** *fn* **1.** fogás, markolás, szorítás **2.** markolat, nyél, fogantyú **3. a)** gyötrés, kínzás *[szellemileg]* **b)** *biz* panasz(kodás), siránkozás, elégedetlenkedés **4.** *tsz* **gripes** kólika, heves hascsikarás **5.** *tsz* **gripes** *hajó* csónaktartó kötélzete *[hajón]*

gripe water *fn orv* szélhajtó *[csecsemőknek]*

grippe [grɪp] *fn biz* influenza, grippe

gripping ['grɪpɪŋ] *mn* **1.** szorító, fogó; **~ device** szorítókészülék; **~ force** tapadási erő **2.** *átv* izgalmas, megkapó; **~ story** izgalmas/lebilincselő történet

grisly ['grɪzli] *mn* szörnyű, rettenetes, ijesztő, félelmetes

grist [grɪst] *fn* **1.** beőrlendő gabona; *átv* **bring ~ to the mill** hasznot hajt/hoz **2.** őrlemény, dara **3.** őrölt sörárpa/maláta

gristle ['grɪsl] *fn* porcogó • *mn* **gristly**

grit [grɪt] **I.** *fn* **1. a)** föveny, (éles szemcséjű) homok **b)** *műsz* idegen anyag, piszok, tisztátlanság **2. a)** *tsz* **grits** zabdara, búzadara, kukoricadara **b)** *US* puliszka, kukoricakása, kukoricamálé **3.** *biz* **a)** határozottság, harcosság, keménység **b) the G~s** liberális pártiak *[Kanadában]* **II. -tt- A.** *tsi* **1. ~ one's teeth** fogát csikorgatja **2.** behomokoz, beszór homokkal/kaviccsal **B.** *tni* ropog, csikorog *[kavics a talp alatt]*

gritty ['grɪti] *mn* **1.** köves, kavicsos, homokos *[talaj]*, daraszerű **2.** *biz* bátor, szilárd, kemény, határozott, energikus

grizzle[1] ['grɪzl] **A.** *tsi* (meg)őszít **B.** *tni* (meg)őszül

grizzle[2] ['grɪzl] *tni* **a)** panaszkodik, nyűgös(ködik), siránkozik, nyafog, pityereg **b)** elégedetlenkedik

grizzled ['grɪzld] *mn* ősz(es), őszülő *[haj]*

grizzle-pate *fn biz* ősz hajú (ember)

grizzly ['grɪzli] **I.** *mn* **1. a)** őszes, őszülő, őszbe csavarodó, szürke *[haj, bajusz, szakáll]* **b)** őszülő, őszes hajú *[személy]* **2. ~ bear** grizzli medve **II.** *fn* grizzli medve

groan [groʊn] **I. A.** *tsi* **1. ~ down a speaker** szónokot lepisszeg/lehurrog **2. he ~ed out what had happened** kinyögte, hogy mi történt **B.** *tni* **1.** sóhajt(ozik), nyög, nyöszörög; **~ inwardly** odavan, befelé kesereg, magába fojtja bánatát; **~ under the yoke of tyranny** a zsarnokság igája alatt nyög **2. ~ing boards** *[terhekkel, ételneművel]* megrakott asztalok **II.** *fn* **1.** nyögés, nyöszörgés, nyögdécselés, sóhajt(ás) **2.** *tsz* **groans** morgás, zúgás, pisszegés, nyög(décsel)és, nyöszörgés

groats [groʊts] *fn tsz* dara

grocer ['groʊsə ‖ –ər] *fn* fűszeres; **at the ~'s** a fűszeresnél/fűszerüzletben

grocery ['groʊsəri] *fn* **1. (~ store)** élelmiszerbolt, élelmiszerüzlet, fűszerüzlet **2.** *tsz* **groceries** fűszeráru, élelmiszer(áru)

grody ['groʊdi] *mn szl [undorító]* tré, okádék

grog [grɒg ‖ grɑg] *fn* **1.** *gaszt* ‹rum, cukor és forró víz keverékéből álló ital› grog **2.** *Ausz ÚjZ ált* alkohol, ital, sör

grogram ['grɒgrəm ‖ 'grɑ–] *fn* angóra-selyemszövet

groggy ['grɒgi ‖ 'grɑgi] *mn* **1.** részeg, ittas, becsípett **2.** támolygó, tántorgó *[fáradtság* v. *ütések következtében]*, ingatag/bizonytalan járású

groin[1] [grɔɪn] **I.** *fn* **1.** lágyékhajlat **2.** *épít* **~ (-rib)** keresztboltozatok metszésvonala, boltívborda, boltgerincív **II.** *tsi épít* boltoz; **~ed arch/vault** bordás boltozat

groin[2] [grɔɪn] *US* → **groyne**

groom [gru:m] **I.** *fn* **1.** istállófiú, lovász **2.** *GB* királyi udvarban szolgáló nemes/kamarás **3.** vőlegény **II.** *tsi* **1. a)** vakar, kefél, tisztít, ellát *[lovat]* **b)** ápol *[testet]*, kicsinosít (vkt) **2.** *biz* **~ sy for office** előkészít/kiképez vkt állásra; egyengeti vk útját hivatali pályája felé **3.** gondoz, ápol *[füvet, sípályát]*

grooming ['gru:mɪŋ] *fn* ápolás, tisztán tartás, csutakolás *[lóé]*; **~ of hair** hajápolás; **~ of nails** körömápolás, manikűr

groove [gru:v] **I.** *fn* **1. a)** horony, rovátka, vágat, rovás, barázda **b)** csatorna **2.** *biz* rutin, megszokás, sablon, kerékvágás; *szl* **in the ~** (i) remekül, tökéletesen (ii) divatos; **get into a ~** sablonossá/rutinossá/gépiessé válik vm vk számára **3.** *szl* ritmus **II. A.** *tsi* hornyot/vágatot készít, kivájt, rovátkol, barázdál *[oszlopot]* **B.** *szl* **a)** zenél *[jazz-* v. *tánczenét]* **b)** táncol, ritmusra mozog **c)** jól érzi magát, szórakozik • *fn* **groover**, **grooving** *mn* **grooved**

groovy ['gru:vi] *mn* **1.** *biz* kellemes, nagyon jó, igen jóleső, remek, klassz **2.** *szl* divatos, menő **3.** megszokott, sablonos, rutin(os) *[ember, munka]* **4.** hornyos, barázdás, rovátkás

grope [groʊp] **I. A.** *tni* tapogatódzik, puhatolódzik, keresgél; **~ after/for sg** vmt vaktában/tapogatódzva keres; **~ one's way** a sötétben tapogatódzva keresi útját **B.** *tsi* **1. a)** kitapogat, végigtapogat, megtapogat, fogdos (vmt) **b)** *szl [szexuális szándékkal tapogat]* tapizik **2.** kipuhatol (vmt) **II.** *fn* tapogatódzás, puhatolódzás, tapogatás, keresgélés • *fn* **groper**

grosgrain ['groʊgreɪn] *fn tex* félselyem szövet

gross [groʊs] **I.** *mn* **1. a)** vaskos, goromba, otromba, durva *[hiba, modor, igazságtalanság]*; **~ error** vaskos tévedés; **~ injustice** égbekiáltó igazságtalanság; **~ negligence** vétkes gondatlanság/hanyagság **b)** ordenáré, trágár *[tréfa, történet]*; **~ language** mocskos beszéd **c)** *szl* kellemetlen, visszataszító, gusztustalan **2.** vastag, kövér, nagy testű, zsíros, hájas **3. a)** erős, nagy, teljes **b)** sűrű, túlburjánzó, buja *[növényzet]* **4.** *gazd pénz* bruttó; **~ domestic product, GDP** bruttó hazai termék; **~ national product, GNP** bruttó nemzeti termék; **~ sum** főösszeg; **~ ton** hosszú tonna *[= 1016,6 kg]*; **~ weight** bruttó súly; **~ income/wage** bruttó jövedelem/bér; **~ production** teljes termelés **5.** érzéketlen, vak **II.** *fn tsz* **gross 1. by the ~** nagyban, nagy tételben **2.** *gazd* **(small) ~** nagytucat, grossz *[144 db]* **III.** *tsi* **1.** *US szl* **~ (out)** undorít, utálattal tölt el **2.** *pénz* **~ up** bruttósít **3.** termel • *fn* **grossness**

grot [grɒt ‖ 'grɑt] *GB szl* **I.** *fn* szemét, kosz, szutyok **II.** *mn* koszos, szutykos

grotesque [groʊ'tesk] **I.** *mn* **1.** groteszk, furcsa, különös **2.** *biz* bolond(os), hóbortos, abszurd **II.** *fn* **1.** groteszk/furcsa/nevetséges dolog **2.** *nyomd* groteszk *[betűtípus]* • *fn* **grotesqueness**

grotto ['grɒtoʊ ‖ 'grɑtoʊ] *fn tsz* **grotto(e)s** barlang, grotta

grotty [grɒti ‖ grɑti] *mn GB biz* lerobbant, lepusztult, ronda, tré

grouch [graʊtʃ] *biz* **I.** *tni* morog, dörmög, zsörtölődik **II.** *fn* **1.** mogorvaság, kedvetlenség, nyűgösködés **2.** zsörtölődő/zsémbes/morgó/mogorva személy **3.** elégedetlenség, zsörtölődés/morgás (vm miatt)

grouchy ['graʊtʃi] *mn biz* zsörtölődő, házsártos, morgó

ground[1] [graʊnd] **I.** *fn* **1. a)** talaj, föld, telek; **break fresh/new ~** *átv* úttörő munkát végez; **he is still above ~** még bírja/tartja magát; még nem ment tönkre; **down to the ~** *biz* tökéletesen, teljesen, minden tekintetben; **burnt down to the ~** porig (le)égett; **suit sy down to the ~** tökéletesen megfelel vknek; **be/rest on firm/sure ~** biztos/szilárd alapokon áll/nyugszik *[épület, vállalat]*; **cut the ~ from under sy's feet** kihúzza a talajt vk lába/talpa alól; **feel the ~** tapogatódzik; igyekszik a helyzetet/terepet megismerni

G

b) terület, terep, tér; *kat* **manoeuvring ~** gyakorlótér; **middle ~** középtér *[festményen]*; **change/shift one's ~** más tárgyra tér át; másféle érvelésbe kezd; **find a common ~** közös alapot talál *[tárgyaláshoz]*; **cover a lot of ~** nagy utat tesz meg; *biz* nagy (munka)területet ölel fel; **gain ~** (el)terjed *[hír]*, tért hódít *[nézet]*; **gather ~** tért nyer; **give ~** meghátrál; visszavonul; **hold/stand one's ~** megállja a helyét, helytáll, állja a sarat, nem enged; **lose ~** tért veszt, kiszorul; **meet one's opponents on their own ~** ellenfelekkel saját területükön száll szembe (v. saját érveiket fordítja ellenük); **tread on forbidden ~** tilos területre lép **c)** *szính* földszint **2.** *tsz* **grounds a)** terület, telek, telep, tér(ség) **b)** park, liget, berek **c)** kert, belsőség *[ház körül]* **d)** golfpálya, (sport)pálya, sporttelep **3.** *US vill* föld, földelés **4.** tengerfenék; **strike ~** feneket ér; **touch ~** (tenger)feneket ér *[hajógerinc]*; *biz* rátér a tárgyra; **~ mine** tengerfenéken rögzített akna *[tengeralattjáró ellen]* **5.** padló **6.** *tsz* **~s** alj, üledék; seprő *[boré]*; zacc *[kávéé]* **7.** alap(ozás) *[festményé]*, alapréteg *[vakolaté]*; **~ coat** alap(zománc)réteg, alapbevonat **8. a)** (indító)ok, indíték, motívum; **~ for complaint** sérelem, ok/jog a panaszra; **what is the ~ of your complaint** mire alapozza a panaszát?; mi a baja?, mije fáj? *[orvos kérdése]*; **on the ~ (that)** azon az alapon, (hogy); **on the ~(s) of illness** betegség címén/miatt; **upon what ~s?** milyen jogcímen/alapon?, miért?; **give (the) ~s for** indokol, motivál *[ítéletet stb.]* **b)** *jog* jogalap **II. A.** *tsi* **1.** (meg)alapoz, (meg)alapít, (alá)támaszt **2. ~ sy in French** francia alapismereteket nyújt vknek, a francia nyelv alapelemeire (meg)tanít vkt **3.** alapoz, alapot/hátteret (el)készít *[képnek]*, alapozást fest *[felületre]* **4.** földre dob/leenged/tesz; **~ arms** leteszi a fegyvert **5. a)** repülőgépre felszállási tilalmat ad ki **b)** *átv biz* szobafogságra ítél, eltilt bulizástól, megvonja a kimenőt **6.** *US vill* földel *[áramot]* **7.** megfenekeltet, partnak/zátonyra futtat *[hajót]* **B.** *tni* **1. a)** partra/zátonyra fut/vetődik, megfeneklik *[hajó]* **b)** feneket ér, fenéknek ütődik *[hajógerinc]* **2.** kiköt *[léggömb, léghajó]*, földet ér *[repülőgép]*

ground² [graund] *mn* őrölt, darált; **~ coffee** darált kávé; → **grind II.**

groundage ['graundɪdʒ] *fn GB hajó* horgonyzási illeték/díj

ground alert *fn kat* elsőfokú riadókészültség

ground attack *fn kat* földi csapatok támadása földi cél ellen; repülőtámadás földi cél ellen

groundbait *fn* csalétek *[víz fenekén]*

ground clearance *fn* hasmagasság *[jármű legalacsonyabb pontjának távolsága a talajtól]*

ground colour *fn* alapszín, (festék)alapozás, alapréteg

ground-combat troops *fn kat* szárazföldi csapatok

ground control *fn* **a)** *rep* repülésirányítás/-irányítók **b)** földi irányítás/irányítók *[űrhajózásban]*

ground-controlled *mn* földről irányított, földi vezérlésű; *kat* **~ missile** földről irányított lövedék

ground crew *fn* repülőtéri/földi személyzet

ground defence *fn kat* földi légvédelem

grounded ['graundɪd] *mn* **1.** megalapozott, alapos; **well-~ suspicion** alapos/jogos gyanú; **be well-~ in English** jó alapismeretekkel rendelkezik angolból, jól tud angolul **2.** betemetett, földbe süllyesztett *[csatorna, cső, vezeték]* **3.** *US vill* földelt **4.** szobafogságra/laktanyafogságra ítélt

grounder ['graundə ‖ –ər] *fn sp* földön guruló labda

ground floor *fn* földszint; **on the ~** a földszinten; *biz* **get in on the ~** részvényeket kibocsátáskor előnyösen megvásárol; előnyös helyzetet biztosít magának; az elsők között kapcsolódik be vmbe

ground fog *fn* talajmenti köd

ground frost *fn* talajmenti fagy

ground game *fn* (nem repülő) apróvad *[nyúl, róka]*

ground glass *fn* tejüveg

groundhog *fn áll* **1.** amerikai mormota **2.** fokföldi földimalac

groundhog-day *fn US* **1.** Gyertyaszentelő *[február 2.]* **2.** *US* fegyverszünet napja *[1918. XI. 11.]*

grounding ['graundɪŋ] *fn* **1.** megalapozottság *[érvé]*; **have a good ~ in French** jó francia alapismeretekkel/előképzettséggel rendelkezik **2.** *fiz vill* földelés *[áramé]* **3.** szobafogság, kimenő megvonás

ground ivy *fn növ* kerek repkény

groundless ['graundləs] *mn* alaptalan, indokolatlan, ok nélküli *[gyanú, hír]* • *fn* **groundlessness**

ground level *fn* talajszint

ground light *fn* repülőtéri jelzőfény

groundling ['graundlɪŋ] *fn* **1.** *áll* **a)** kövicsík **b)** fenékjáró küllő **2.** *növ* kúszónövény, törpe növény **3. a)** *tsz* **groundlings** *vál* kulturálatlan egyének **b)** *biz* repülőtéri/földi személyzet

ground note *fn zene* alaphang

groundnut *fn növ* **1.** földidió **2.** amerikai-/földimogyoró

ground-plan *fn* **1.** *épít* alapterv, alaprajz(i ábrázolás) **2.** *épít* földszint tervrajza **3.** *átv* terv *[nagy vonalakban]*

ground pollution *fn* talajszennyez(őd)és

ground-rent *fn* **1.** földhaszonbér, telekbér **2.** örökbérleti járandóság/szolgáltatás

ground rule *fn* alapvető szabály(ok)

ground scouting *fn* terepszemle

groundsel ['graundsl] *fn növ* (közönséges) aggófű

groundsheet *fn* (vízhatlan) sátorlap, sátorfenék, ponyvaalja

groundsman ['graundzmən] *fn tsz* **-men** *sp* pályagondnok, pályamester

ground speed *fn rep* földi sebesség *[repülőé]*

ground squirrel *fn US áll* ürge

ground staff *fn* **1.** *rep* → **ground crew 2.** *sp* pályakarbantartó személyzet

ground swell *fn* **1.** *hajó* erős hullámzás, fenékhullám, hosszú guruló hullám *[vihar után]* **2.** *átv* a közvélemény erős reagálása (vmre)

ground-to-air missile *fn kat* föld-levegő rakéta

ground-to-ground missile *fn kat* föld-föld rakéta

ground transportation *fn* földfelszíni/szárazföldi közlekedés/szállítás

groundwater *fn* talajvíz

ground wheels *fn tsz rep* futószerkezet

groundwork *fn átv* alap(ozás), bázis, felkészítő munka; terv, vázlat, szinopszis *[irodalmi műé]*

group [gru:p] **I.** *fn* **1. a)** csoport, csapat, osztag; **political ~** politikai csoport/frakció; **~ of three figures** három számjegyből álló számcsoport; **form a ~** csoportot alkot, csoportosul **b)** *jelzői haszn* csoportos, csoport-, kollektív **c)** *kat* (repülő)raj **d)** *zene* popegyüttes **2.** *mat vegy* csoport **II. A.** *tsi* csoportosít, csoportokba/rajokba oszt, összeállít, szétoszt *[adagokat]*, elrendez *[csoport tagjait]* **B.** *tni* csoportosul, csoportot alkot, összeáll *[csoportba]*

group captain *fn GB* repülőezredes

group commander *fn GB* tüzérosztály-parancsnok

group dynamics *fn esz pszich* csoportdinamika

grouper ['gru:pə ‖ –ər] *fn áll* fűrészes sügér

group-firing *fn kat* össztűz

groupie ['gru:pi] *fn biz* **1.** gruppi *[popzenekar tagjait szexuális célból mindenhova követő rajongó (lány)]* **2.** rajongó

grouping ['gru:pɪŋ] *fn* összeállítás, csoportosítás, elrendezés *[személyeké, tárgyaké, képen stb.]*

group practice *fn* csoport(os) gyakorlat/gyakorlás

group therapy *fn* csoportterápia

groupware *fn infor* csoportmunkát/együttműködést támogató program

grouse¹ [graus] *fn tsz* **grouse 1.** *áll* fajd **2.** fajdhús

grouse² [graus] **I. A.** *tsi biz* elpanaszol **B.** *tni biz* dohog, morog, zsörtölődik, elégedetlenkedik **II.** *fn biz* morgás, dörmögés, zsörtölődés, zúgolódás • *fn* **grouser**, **grousing**

grout [graʊt] **I.** *fn épít* híg mészhabarcs/gipszhabarcs/cementhabarcs **II.** *tsi* hézagol *[falat]*, habarccsal kiken/kiönt • *fn* **grouting**

grove [groʊv] *fn* erdőcske, liget, berek

grovel [ˈgrɒvl ‖ ˈgrʌvl] *tni* **-ll-**, *US* **-l-** csúszik, mászik, fetreng; ~ **before/to sy** megalázkodik (v. lealázza magát) vk előtt, talpát nyalja vknek • *fn* **groveller**, **groveler** *mn* **grovelling**, **groveling**

grow [groʊ] *i pt* **grew** [gruː], *pp* **grown** [groʊn] **A.** *tsi* **1.** termeszt, termel, ültet *[virágot, veteményt]* **2.** növeszt *[szakállt stb.]* **B.** *tni* **1. a)** terem, nő, növekszik; ~ **again** újra kinő *[haj, növény]*; ismét kihajt *[növény]*; **the rumour was ~ing** erősödött/terjedt a hír **b)** gyarapodik, gyarapszik, nagyobbodik; ~ **in beauty** (meg)szépül; ~ **in favour** emelkedik vk szemében **c)** kinő, kicsírázik **2. a)** válik (vmvé); ~ **angry** megharagszik, megdühödik; ~ **big(ger)** (meg)hízik; ~ **excited** izgatottá válik; ~ **old** (meg)öregszik; ~ **tall** (meg)nő, karcsúvá/magasra/naggyá nő; ~ **weary of sy/sg** megun vkt/vmt; ~ **wild** megdühödik; **it ~s towards morning** reggeledik; **it is ~ing dark** sötétedik **b) I have ~n to think that** arra a gondolatra jutottam, hogy, kezdem azt hinni, hogy • *mn* **growable**

grow into *tni* **1.** ~ **into boyhood** fiúvá cseperedik/nő, felserdül **2.** belenő *[ruhába]* **3.** beleszokik *[munkába]*

grow on *tni* ~ **on sy** hatalmába kerít vkt; nőttön-nő megbecsülése vk iránt; **a habit ~s on sy** hatalmába keríti (v. úrrá lesz rajta) vmlyen szokás; **that picture ~s on me** ez a kép egyre többet jelent/mond nekem (v. kedvesebb lesz számomra)

grow out A. *tni* **1.** kinő; ~ **out of one's clothes** kinövi a ruháit; **he will ~ out of it** majd kinövi *[rossz szokást]*; leszokik (vmről) **2.** ~ **out of fashion** kimegy a divatból; ~ **out of use** kimegy a használatból **B.** *tsi* → **outgrow**

grow over *tsi* **wall ~n over with ivy** repkénnyel benőtt/befutott fal

grow together *tni* összenő, összeszokik

grow up *tni* **a)** felnő, megnő, felnőtté lesz/válik; **when you are grown up** majd ha nagy leszel **b) custom ~s up** kialakul vmely szokás

grower [ˈgroʊə ‖ –ər] *fn* **1. rapid** ~ gyorsan növő/fejlődő (növény) **2.** *összet* termelő, termesztő (személy); **potato-~** burgonyatermelő

growing [ˈgroʊɪŋ] *mn* **1.** növekvő, növekedő; ~ **stock** (lábon álló) faállomány *[erdőé]* **2. a)** növő, gyarapodó *[gyermek, adósság stb.]*; ~ **epidemic** terjedő járvány **b) corn-~ district** gabonatermő vidék

growing pains *fn tsz* **1.** *orv* növekedési fájdalmak, serdülők neuralgiás fájdalmai **2.** *átv* kezdeti bökkenők

growing space *fn* növekedési/fejlődési tér, élettér *[pl. növényé]*

growl [graʊl] **I.** *tsi/tni* **1. a)** morog, dörmög **b)** korog *[gyomor]* **2.** *biz* zsémbel, morog *[személy]*; ~ **(out) a refusal** visszautasítóan morog/mordul **II.** *fn* **1.** morgás, dörmögés *[állaté stb.]* **2.** korgás *[gyomoré]* • *mn/fn* **growling**

growler [ˈgraʊlə ‖ –ər] *fn* **1.** morgó/dörmögő személy **2.** *szl* kutya **3.** jéghegy (kiszakadt része)

grown [groʊn] *mn* felnőtt, teljes méretű/nagyságú

grown-up *fn/mn* felnőtt; **the ~s** a felnőttek, nagyok *[gyermekek szempontjából]*

growth [groʊθ] *fn* **1. a)** növ(eked)és, (ki)fejlődés; **of foreign ~** külföldi/idegen eredetű/származású; **of one's own ~** saját termesztésű/nevelésű *[fa, virág stb.]*; **attain full ~** teljes nagyságát eléri; megérik *[növény]*; **check the ~** fejlődésben visszavet; **trees in full ~** fák teljes virágjukban/pompájukban; **incidental to ~** fejlődéssel kapcsolatos, fejlődési **b)** hajtás, termés; **yearly ~** évi termés; **new ~** évi növekmény *[fáké]*; **second ~** másodvirágzás, sarjú; **a week's ~ on his chin** egyhetes szakáll(a van) **c)** *közg* **economic ~** gazdasági növekedés **2.** növekmény, fejlemény *[ügyeké]*, terjeszkedés *[vállalaté]* **3.** (szerves) képződmény, *orv* daganat, kinövés, tumor; **cancerous ~** rákos képződmény; **malignant ~** rosszindulatú daganat

growth hormone *fn biol* növekedési hormon

growth industry *fn közg* húzó iparág

growth rate *fn* növekedési ütem/ráta

growth ring *fn* évgyűrű

groyne [grɔɪn] *fn épít* cölöpgát, hullámtörő gát

grr *isz* brr! *[utálatot/ellenségességet kifejező felkiáltás]*

grub [grʌb] **I.** *fn* **1.** *áll* **a)** lárva **b)** húslégy lárvája, légykukac, dögféreg csali **2.** *szl [étel]* kaja, zaba **II. -bb-** **A.** *tsi* **1.** (fel)ás, kitúr, feltúr **2.** feltör, termővé/művelhetővé tesz *[földet]* **3.** összeollóz, gyűjt *[információt könyvekből stb.]* **4.** keres, kutat **B.** *tni* **1.** ás *[kertben]* **2. a)** nehéz munkát végez **b)** *biz* tanul

grub about *tni* kotorászik, turkál, keresgél, matat

grub along *tni* **1.** *biz* nehezen él, tengődik, éldegél **2.** gürcöl, melózik

grub away *tni biz* **1.** bifláz **2.** gürcöl, melózik

grub up *tsi* **1.** *[fatönköt, gyökeret]* kiirt, kiás, gyökerestől kitép *[növényt]* **2.** irt *[erdőt, bozótot]*

grub-axe *fn* irtókapa

grubber [ˈgrʌbə ‖ –ər] *fn* **1.** ásó (személy) **2. a)** gyomirtó gép, irtó-porhanyító gép, kultivátor **b)** irtókapa **3.** *durva* -gyűjtő *[pénz stb.]*

grubby [ˈgrʌbi] *mn* **1.** kukacos, férges *[fa]* **2.** piszkos, mocskos, szurtos, mosdatlan

grub-hoe *fn mezőg* irtókapa

grub-screw *fn műsz* hernyócsavar, sima fejű (v. fej nélküli) süllyesztett csavar

grubstake *US biz* **I.** *fn* vállalkozás **II.** *tsi* támogat *[vállalkozást nyereségrészesedés fejében]*

Grub Street *fn* **1.** ‹londoni utca, ahol a 18. században irodalmi napszámosok laktak› **2.** *biz* irodalmi bohémek/zugírók társadalma

grudge [grʌdʒ] **I.** *fn* neheztelés, ellenszenv, ellenérzés, harag (vm miatt); **bear sy a ~, have/nurse** (v. **keep up**) **a ~ against sy** vkre neheztel, vkvel szemben haragot táplál, pikkel vkre **II. A.** *tsi* sajnál, irigyel, vonakodva (v. nem szívesen) ad/juttat (vmt vknek); ~ **no pains** nem sajnálja a fáradságot; ~ **oneself sg** megtagad magától vmt **B.** *tni* irigykedik

grudging [ˈgrʌdʒɪŋ] *mn* kelletlenül/húzódozva (v. nem szívesen) adott/engedélyezett/nyújtott *[ajándék, szívesség, kedvezmény]* • *hsz* **grudgingly**

gruel [ˈgruːəl] **I.** *tsi* **-ll-**, *US* **-l-** agyonfáraszt, kifáraszt, kidögleszt *[ellenfelet]* **II.** *fn* zabkása(leves)

gruelling [ˈgruːəlɪŋ], *US* **grueling** *mn* nagyon fárasztó, kidöglesztő, kimerítő, nehéz; **give sy a ~ time** kellemetlen/nehéz perceket okoz/szerez vknek

gruesome [ˈgruːsəm] *mn* ijesztő, rémes, borzalmas

gruff [grʌf] *mn* **1.** nyers, goromba, barátságtalan *[viselkedés]* **2.** rekedtes, mély hangú • *fn* **gruffness** *hsz* **gruffly**

grumble [ˈgrʌmbl] **I. A.** *tni* **1.** morog, dörmög, zsörtölődik; ~ **at sy** zsémbel, veszekszik (vkvel), (le)szid (vkt) **2.** dübörög, morajlik *[mennydörgés, tenger stb.]* **3.** korog *[gyomor]* **B.** *tsi* ~ **out an answer** morogva/dörmögve válaszol, dünnyögve felel **II.** *fn* **1. a)** morgás, dörmögés, zsörtölődés **b)** helytelenítés, elégedetlenkedés **2. without a ~** mukkanás nélkül, egyetlen szó/megjegyzés nélkül • *fn* **grumbler** *mn* **grumbling**

grume [gruːm] *mn orv* alvadt vércsomó/vérrög • *mn* **grumous**

grump [grʌmp] *fn biz* morózus ember • *mn* **grumpish**

grumps [grʌmps] *fn tsz* rosszkedv, kedvetlenség

grumpy [ˈgrʌmpi] *mn* kelletlen, rosszkedvű, mogorva, barátságtalan • *fn* **grumpiness** *hsz* **grumpily**

Grundy [ˈgrʌndi] *tul* **Mrs. ~** ‹kicsinyes kispolgári konvenciókhoz ragaszkodás jelképe›; **what will Mrs. ~ say?** mit fognak szólni hozzá az emberek?, mit szól hozzá a világ? • *fn* **Grundyism**

grunge [ˈgrʌndʒ] *fn* **1.** *US* kosz, trutyi **2.** *zene* grunge (rock) • *mn* **grungy**

grunt [grʌnt] **I.** *fn* **1.** röfögés *[sertésé]*, *biz* morranás, morgás *[emberé]*; **give a ~** felröfög, felröffen; felmordul, morog (egyet) *[ember]* **2.** *szl [gyalogos katona]* nyúl, bokorugró **II. A.** *tsi* **~ (out) an answer** odadörmög valamit válaszképpen **B.** *tni* röfög, morog, dörmög • *mn/fn* **grunting**

grunter [ˈgrʌntə ‖ ˈgrʌntər] *fn* **1.** morgó, dörmögő **2.** *biz* röfi, coca **3.** *áll* röfögő hal

grunt-grunt *isz* röf-röf

Gruyère [ˈgruːjeə ‖ –ˈjer] *fn* grójì sajt

gr. wt. *röv gross weight* bruttó súly, btto., br.

G-string *fn* **1.** *zene* g-húr **2.** *US* zsinórbugyi, tanga

G-suit *fn rep gravity suit* űrruha, szkafander

GTC *röv good till cancelled* visszavonásig érvényes

Guam [gwɑːm] *tul földr* Guam (szigete)

Guamanian [gwɑːˈmeɪnɪən] *mn* Guam-szigeti

guano [ˈgwɑːnoʊ] **I.** *fn* guanó, madártrágya; **fish ~** haltrágya **II.** *tsi* guanóval (meg)trágyáz

guarantee [ˌgærənˈtiː] **I.** *fn* **1.** szavatosság, szavatolás, kezesség, jótállás, garancia; **give a ~ for sg** jótállást vállal vmre **2.** kezes, jótálló, szavatos; **go/serve as a ~ for sy** kezességet/szavatosságot vállal vkért, kezeskedik/jótáll vkért **3. a)** óvadék, biztosíték **b)** garancialevél, jótállási jegy(füzet) **II.** *tsi* **-eeing 1.** szavatol (vmt), kezeskedik, jótáll, kezességet/garanciát vállal (vmért), garantál (vmt); **I ~** biztosítom, megígérem, garantálom önnek **2.** biztosít, biztosítékot nyújt; **~ sy from/against loss** vkt veszteség ellen biztosít, vk veszteségeinek megtérítését vállalja

guarantee fund *fn GB* szavatossági alap

guarantor [ˌgærənˈtɔː ‖ –ˈtɔr] *fn* szavatos, kezes, jótálló, biztosítékot/kezességet/szavatosságot nyújtó/adó (személy); **stand as ~ for sy** kezességet/szavatosságot vállal vkért

guaranty [ˈgærəntiː] → **guarantee** I.

guard [gɑːd ‖ gɑrd] **I.** *fn* **1. a)** védekezés, őrködés **b)** *sp* védekező (test)állás/testtartás, hátvéd *[amerikai futball]*; **on ~ (position)** alapállás *[vívás, ökölvívás]*; **on ~!** en garde! *[vívás]* **c) be/stand on one's ~** vigyáz, őrizkedik, elővigyázatos, résen van; **be off one's ~** nem vigyáz, elővigyázatlan; **be caught/taken off one's ~** készületlenül találják **2.** *kat* őrség; **main ~** elõőrs/előhad zöme; **Old G~** régi káderek; **~ of honour** díszőrség; **be on ~ (duty)** őrt áll, őrségen van *[őrszem stb.]*; **come off ~** őrséget átad/befejez, őrhelyről/őrségről levonul; **keep ~** őrt áll; **go on** (v. **mount) ~** őrhelyre/őrségre felvonul; **mount ~ over sy/sg** vk/vm mellett őrt áll **3. the G~s** gárdisták, gárdaezred **4. a)** futár, hírnök **b)** *GB vasút* vonatvezető, főkalauz, vonatkísérő **5.** *US* fogházőr, fegy(ház)őr, börtönőr **6.** védő(-szerkezet), védőrács *[gépé stb.]*, korlát, karfa; **(fire-)~** kályhaellenző **II. A.** *tsi* őriz, óv, véd(elmez) (vmt), vigyáz, ügyel (vmre); **~ one's clubs** tartalékolja/megtartja a treffeit *[kártyajátékban]* **B.** *tni* óvakodik, vigyáz, elhárít, kikerül vmt; **~ against an error** vigyáz, hogy tévedésbe ne essék

guard dog *fn* házőrző kutya, őrkutya

guard-duty *fn* őrszolgálat

guarded [ˈgɑːdɪd ‖ ˈgɑr–] *mn* **1.** védett, őrzött **2.** körültekintő, óvatos, visszafogott *[beszéd]*; **be ~ in one's speech** ügyel a szavára, tartózkodó beszédű • *hsz* **guardedly**

guardhouse *fn* **1.** *kat* őrház, őrszoba **2.** rendőrőrs, rendőrőrszoba

guardian [ˈgɑːdɪən ‖ ˈgɑr–] *fn* **1.** gyám, gondnok *[elmebetegé]* **2. a)** felügyelő *[múzeumban]* **b)** gvárdián *[ferences rendház elöljárója]* • *fn* **guardianship**

guardian angel *fn* őrangyal, védangyal

guard rail *fn* mellvéd, karfa, védőkorlát *[vasból]*

guard ring *fn vill* védőgyűrű, szigetelőgyűrű

guardroom → **guardhouse**

guardsman [ˈgɑːdzmən ‖ ˈgɑr–] *fn tsz* **-men 1.** gárdatiszt, testőrtiszt **2.** *GB* gárdista, testőr, darabont

Guatemala [ˌgwɑːtəˈmɑːlə] *tul földr* Guatemala; **~ City** Guatemalaváros

Guatemalan [ˌgwɑːtəˈmɑːlən] *mn/fn* guatemalai

guava [ˈgwɑːvə] *fn növ* **1. ~ tree** guajávafa **2.** guajávafa gyümölcse, guajáva

gubbins [ˈgʌbɪnz] *fn tsz GB* **1.** *biz* holmi, cókmók, cucc **2.** bigyó, szemét **3.** *régi* ostoba fajankó, dilis személy

gubernatorial [ˌguːbənəˈtɔːrɪəl ‖ –bər–] *mn US* kormányzói; **~ election** kormányzóválasztás

gudgeon [ˈgʌdʒən] **I.** *fn* **1.** *áll* fenékjáró küllő **2.** *biz [hiszékeny ember]* balek, pali **II.** *tsi szl [becsap]* átver, bepaliz

gudgeon pin *fn* **1.** *gk* dugattyúcsapszeg **2.** *műsz* keresztfejcsapszeg

guenon [gəˈnɒn ‖ gəˈnɑn] *fn áll* cerkóf

guerdon [ˈgɜːdn ‖ ˈgɜrdn] *vál* **I.** *fn* jutalom, díj **II.** *tsi* jutalmaz, díjaz

guerilla [gəˈrɪlə] *fn* gerilla(harcos)

guerilla war(fare) *fn kat* gerillaháború

guernsey [ˈgɜːnzi ‖ ˈgɜrnzi] *fn* **1. a)** testhez álló kötött gyapjúzubbony *[matróz-, munkás-, gyermeköltözet]* **b)** *Ausz sp* mez *[futballistáé]*; **get a ~** felöltheti a válogatott mezt **2. G~** ‹tehénfajta›

Guernsey [ˈgɜːnzi ‖ ˈgɜrnzi] *tul földr* Guernsey

guerrilla [gəˈrɪlə] → **guerilla**

guess [ges] **I.** *tsi/tni* **1. ~ at sg** találgat, kitalálni igyekszik (vmt); **keep sy ~ing** bizonytalanságban hagy vkt **2. ~ right** kitalál (vmt); **~ wrong** nem talál el/ki (vmt), tévesen becsül meg (vmt) **3.** *US* hisz, vél(ekedik); **I ~** azt/úgy hiszem, úgy vélem; **I ~ no(t)!** nem!, nem hiszem!; **I ~ so** nyilván, bizonyára *[válaszképpen]* **II.** *fn* **1.** találgatás, sejtés, sejdítés, gyanítás, hiedelem **2. a)** feltevés, feltételezés **b)** becslés; **at a ~, by ~** találomra, becslés/érzés szerint; *US* **by my ~** véleményem szerint; **give/have/make a ~** találgat; feltevést megkockáztat, feltételez vmt; **it's anybody's ~** itt szabadon lehet találgatni (mert még nem dőlt el a dolog), szabad a vásár; **be out in one's ~** mellléfog *[találgatásban]*, nem találja el, tévesen becsüli fel/meg • *fn* **guesser** *mn* **guessable**

guessing game *fn* (ki)találós játék

guess-rope *fn hajó* **1.** vontatókötél meghosszabbítása **2.** vontatókötél

guesstimate *biz* **I.** *fn* [ˈgestɪmət] becslés, találgatás, (meg)saccolás **II.** *tsi* [ˈgestɪmeɪt] (fel)becsül, (meg)saccol

guesswork *fn* becslés, feltevés, sejtés, *biz* saccolás

guest [gest] **I.** *fn* **1. a)** vendég, meghívott, látogató; **be my ~** persze *[kérésre válaszként]* **b)** vendég, utas *[szállodában]* **2.** *áll növ* parazita **II.** *tni* vendégszerepel *[tévében, rádióban, színházban]*, fellép mint vendég

guest appearance *fn* vendégfellépés

guest artist *fn* vendégművész

guest-house *fn* **1.** vendégház **2.** penzió, családi szálló

guestimate → **guesstimate**

guest-night *fn* vendégest *[klubban]*

guest professor *fn okt* meghívott professzor, vendégprofesszor *[egyetemeken]*

guest-rope *fn hajó* vontatókötél, kukázókötél

guest speaker *fn* meghívott előadó, vendégelőadó

guest worker *fn* vendégmunkás

guff [gʌf] *fn szl [ostobaság, nonszensz]* süket duma, rizsa

guffaw [gəˈfɔː] **I.** *fn* hahota, hahotázás, röhögés **II. A.** *tsi* hahotázva/röhögve (v. nevetéstől pukkadozva) közöl *[hírt]* **B.** *tni* hahotázik, röhög, pukkadozik *[a nevetéstől]*

GUI *röv infor graphical user interface* grafikus felhasználói felület, grafikus kezelőfelület

guidance [ˈgaɪdns] *fn* **a)** irányítás, vezetés, vezérlés, távvezérlés *[űrhajóé]* **b)** útmutatás, tanács(adás); **for your ~** tájékoztatásra, miheztartás végett, útmutatásként; **under the ~ of...** ...irányítása/útmutatása mellett; **vocational ~** pályaválasztási tanácsadás

guide [gaɪd] **I.** *tsi* **1.** vezet, irányít, kalauzol; **~ the way for sy** vk lépteit irányítja, utat mutat vknek; **I will be ~d by your advice** követni fogom útmutatását/tanácsát **2.** alapul szolgál, megalapoz, meghatároz *[pl. döntést]* **II.** *fn*

1. a) vezető, idegenvezető, kísérő, kalauz; **take sg as a ~** vmt szabályként fogad/ismer el **b) (Girl) G~** cserkészlány **c)** *kat* felderítő, előőrs **d)** (túra)vezető *[hegymászóknak]* **2. a)** útikalauz, útikönyv **b)** útmutató, ismertető *[könyv]*; **~ to photography** fényképészeti útmutató **3.** irányelv(ek), példa(mutatás), vezérfonal **4.** *műsz* vezetékléc, vezetéksín, csúszósín • *fn* **guider** *mn* **guidable**
guide-block *fn műsz* csúszótömb, csúszószán, másolószerkezet vezetőtömbje
guidebook → **guide II.2.a.**
guided ['gaɪdɪd] *mn* **1.** vezetett, irányított; **~ tour** csoportos idegenvezetés **2.** *rep kat* irányított, távirányítású; **~ missile** irányított lövedék
guide dog *fn* vakvezető kutya
guideline *fn átv* irányelv(ek)
guide-post *fn* (út)irányjelző
guide rope *fn* **1.** *műsz* vezérlőkötél **2.** kikötőkötél *[léghajóé]*, fékezőkötél, vontatókötél
guideway *fn* vájat, menet, vezeték
guidon ['gaɪdn] *fn kat* kis lovassági zászló
guild [gɪld] *fn* **1.** céh, (ipar)testület; **merchant ~** kereskedők testülete; **trade ~** céh, ipartestület, szakmai egyesület **2.** egyesület, vallásos/jótékony társulat; **church ~** vallásos/egyházi kör/egyesület
guilder ['gɪldə ‖ −ər] *fn* (holland) forint
guildhall *fn* **1.** céhszékház **2.** *GB* városháza
guildsman *fn tsz* **-men** céhtag
guile [gaɪl] *fn* **a)** csel, ravaszság, fortély, alattomosság **b)** rászedés, csalárdság, árulás • *mn* **guileful** *hsz* **guilefully**
guileless ['gaɪlləs] *mn* **1.** nyílt, őszinte, egyenes, nem hazug **2. a)** egyszerű, gyanútlan, naiv **b)** jámbor, jó • *fn* **guilessness**
guillemot ['gɪlɪmɒt ‖ −mɑt] *fn áll* **(common) ~** lumma *[sarkvidéki madár]*
guilloche [gɪ'lɒʃ ‖ −'loʊʃ] *fn műv* gilos(minta), gilosálás
guillotine ['gɪləti:n] **I.** *fn* **1.** nyaktiló, guillotine **2.** *nyomd* papírvágó gép, síkvágó **3.** *orv* mandulakacs **II.** *tsi* **1.** nyaktilóz, lenyakaz *[guillotine-on]* **2.** *nyomd* körülvág *[papírost könyv íveinek szélén]*
guilt [gɪlt] *fn* **1.** bűnösség, vétkesség **2.** bűncselekmény **3.** büntetendőség, büntethetőség
guilt complex *fn* bűntudat
guiltless ['gɪltləs] *mn* **1.** ártatlan, bűntelen, vétlen **2.** tudatlan, vétlen *[vmben]* • *fn* **guiltlessness**
guilty ['gɪlti] *mn* **1.** bűnös, vétkes; **~ act** bűnös/vétkes cselekedet/cselekmény **2. a)** *jog* **find sy ~** vkt bűnösnek kimond, vk bűnösségét megállapítja, vkt elítél *[esküdtszék, bíró]*; **find sy not ~** vkt ártatlannak mond (ki), vk ártatlanságát megállapítja/kimondja, vkt felment *[esküdtszék, bíró]*; **plead ~** bűnösnek vallja magát, beismeri bűnösségét; **plead not ~** nem ismeri be (v. tagadja) bűnösségét, ártatlannak vallja magát **b)** magát bűnösnek valló, bűnösségét beismerő; **~ conscience** rossz lelkiismeret, lelkiismeret-furdalás • *fn* **guiltiness** *hsz* **guiltily**
guimp [gɪmp] *fn* paszomány, zsinór
guinea ['gɪni] *fn* **a)** ‹egykori angol aranyérme = 21 shilling› **b)** ‹angol pénzegység 1971 előtt = 21 shilling; mai értéke £1,05 azaz 105 p(ence)›
Guinea ['gɪni] *tul földr* Guinea
Guinea-Bissau [ˌgɪnibɪ'saʊ] *tul földr* Bissau-Guinea
guinea fowl *fn áll* gyöngytyúk
Guinean ['gɪnɪən] *mn/fn* Guineából való, guineai
guinea pig *fn* **a)** *áll* tengerimalac **b)** *átv* kísérleti nyúl(ként használt személy)
Guinness ['gɪnɪs] *fn* ‹erős barna sör›
guipure [gɪ'pjʊə ‖ −'pjʊr] *fn* ‹vastag, nagy mintás csipkefajta›
guise [gaɪz] *fn* **1. a)** külső megjelenés, alak **b)** látszat, álruha; *biz* **in/under the ~ of friendship** barátság örve/leple/álarca alatt **2.** *régi* öltözet, öltözék, ruházat
guitar [gɪ'tɑ: ‖ gɪ'tɑr] *fn zene* gitár • *fn* **guitarist**
guiver ['gaɪvə ‖ −ər] *fn Ausz szl [hízelgő célzatú viselkedés/beszéd, amin azonban átlátnak]* duma, link szöveg
gulch [gʌltʃ] *fn US* völgyszoros, mélyút, szurdok, szakadék
gulden ['gʊldən] *fn* (holland) forint
gulf [gʌlf] *fn* **1.** *földr* öböl; **the G~** a Perzsa-öböl; **the G~ (of Mexico)** a Mexikói-öböl; *US* **the G~ State** Florida **2. a)** szakadék, feneketlen mélység **b)** *átv* szakadék *[különböző vélemények között]*
Gulf [gʌlf] *mn* öböl menti *[főként a Perzsa-öböllel kapcsolatos]*; **~ war** v. **war in the ~** öbölháború, öbölmenti háború
Gulf States *fn tsz földr* **1.** ‹az USA Mexikói-öböl menti államai (Texas, Louisiana, Mississippi, Alabama és Florida)› **2.** a Perzsa-öböl menti államok
Gulf Stream *tul földr* **the ~** a Golf-áram
gulfweed *fn növ* Sargasso-moszat, Sargasso-hínár
gull[1] [gʌl] *fn* sirály
gull[2] [gʌl] *régi* **I.** *fn* hiszékeny/együgyű ember; balek **II.** *tsi* rászed, becsap
gullet ['gʌlɪt] *fn orv* garatnyelőcső
gullible ['gʌləbl] *mn* (könnyen) becsapható, rászedhető, átejthető • *fn* **gullibility**
gulp [gʌlp] **I. A.** *tsi* **a) ~ sg down** nagy harapásokkal/falatokban (mohón) lenyel/bekebelez vmt **b) ~ back/down one's tears** lenyeli/visszafojtja könnyeit **B.** *tni* nyel(ni próbál), elszorul a torka **II.** *fn* **1.** nyelés, korty **2.** nagy falat • *fn* **gulper**
gully ['gʌli] **I.** *fn* **1.** hegyi patak, (kis) vízmosás, bevágás **2.** szennyvízleeresztő/víznyelő akna **3.** keskeny csatorna **II.** *tsi* elmos, kiváj *[víz, eső]*
gully-hole *fn* víznyelő akna nyílása, kanálisnyílás, csatornaszem
gum[1] [gʌm] **I.** *fn* **1. a)** mézga, gumi **b)** → **gum arabic c)** ragasztó(anyag), (ragasztó)gumi **2. ~ (elastic), elastic ~** gumi, kaucsuk; **thicken with ~** gumival átitat, impregnál, begumiz *[szövetet]* **3. a) (chewing) ~** rágógumi **b)** gumicukor **c)** *tsz* **gums** *US* gumicsizma, hócsizma **4.** csipa *[szemben]* **II. -mm- A.** *tsi* **1.** gumival átitat, impregnál, gumíroz **2.** (be)enyvez, beragaszt, megragaszt, összeragaszt, ragasztószerrel bevon **B.** *tni* kátrányos/üledékes/ragacsos lesz, besűrűsödik; **~ up** bepiszkolódik *[ráspoly, műszer]*, eldugul *[vezeték]*, besül *[dugattyú]*
gum[2] [gʌm] *fn* (fog)íny, foghús; **receding ~s** fogínysorvadás
gum arabic *fn* gumiarábikum, arab mézga
gumbo ['gʌmboʊ] *fn US* **1.** *növ* gombó, bámia **2.** *gaszt* gombóval, rizzsel tálalt csirke *[fűszerezve]* **3.** *gaszt* gombóval készült leves
gumboil ['gʌmbɔɪl] *fn orv* fogínytályog
gum-boots *fn tsz* gumicsizma, hócsizma, (magas szárú) sárcipő
gum-drop *fn US* mézgalabdacs, mézgagolyó
gum-juniper *fn* szandarakgyanta
gummy[1] ['gʌmi] *mn* **1.** nyúlós, ragadós, ragacsos **2.** mézgás *[fa]* • *fn* **gumminess**
gummy[2] ['gʌmi] *mn* fogatlan
gump [gʌmp] *fn US szl* együgyű, ostoba ember
gumption ['gʌmpʃn] *fn biz* józan (paraszti) ész, sütnivaló, leleményesség
gum resin *fn* mézgagyanta
gumshield *fn* fogvédő *[ökölvívásnál]*
gumshoe *fn* **1.** *US szl [detektív, titkosrendőr]* hekus **2.** *tsz* **gum-shoes** sárcipő, kalocsni
gum-tree *fn* **1.** *növ* gumifa, mézgafa, gumicserje **2.** eukaliptusz **3.** *GB szl* **be up a ~** *[szorult* v. *nehéz anyagi helyzetben van]* (nyakig) benne van a kakiban/csávában/pácban
gun [gʌn] **I.** *fn* **1. a)** *kat* lőfegyver **b)** *kat* ágyú, löveg; *biz* **the ~s** a tüzérség; **salute of six ~s** hat ágyú dísztüze/szalvéja **c)** *kat* puska, (nem vont csövű) vadászfegyver; **double-barrelled ~** kétcsövű fegyver/puska; **service ~** szolgálati fegyver; **a party of six ~s** hat vadászból/

puskásból álló (vadász)társaság **d)** *US* revolver, pisztoly; ~ **license** fegyverviselési engedély **e)** *szl* **big/great** ~ fejes, nagykutya, főmufti; *szl* **son of a** ~ csirkefogó, betyár; csibész, gazember; **be going great ~s** nagyra van, fenn hordja az orrát; **beat sy to the** ~ fürgébb/gyorsabb, mint más vk, gyorsabban cselekszik, mint más *[döntő helyzetben]*; *sp* **beat/jump the** ~ (az indítópisztoly jelzése előtt) kiugrik; **stick to one's ~s** álláspontjához/véleményéhez (mereven) ragaszkodik, nem enged a negyvennyolcból **2.** ágyúlövés, ágyúzás **3.** *műsz* **a)** zsírzó(prés), kényszerolajozó **b)** szórópisztoly *[dukkózásra]* **4.** *US* fegyveres rabló, gengszter **5.** *hajó szl* (hajó)tüzér **II. A.** *tsi* **-nn-***US* ~ **(down)** revolverlövéssel/pisztolylövéssel megöl/megsebesít, agyonlő **B.** *tni* **1.** vadászik; **go out ~ning** vadászni jár/megy **2.** lő, lövöldöz; ~ **for (sy, sg)** (i) hajszol/hajt/üldöz/űz (vkt); fúr/üldöz (vkt) (ii) hajt vmre **3.** *szl* rákapcsol *[nagyobb sebességre]*; **give it/her the** ~ *[felgyorsít járművet]* ad neki, odatapos

G

gunboat *fn* ágyúnaszád
gunboat diplomacy *fn* katonai erővel való fenyegetés *[két ország közötti vita eldöntésére]*
gun carriage *fn kat* lövegtalp, ágyútalp, mozdony *[ágyúé]*
gun cotton *fn kat* lőgyapot
gun crew *fn kat* lövegkezelő személyzet
gun-deck *fn kat* ágyúfedélzet *[hadihajón]*
gun dog *fn* vadászkutya *[apróvadhoz]*, vizsla
gunfight *fn* revolverharc, fegyveres összetűzés/csetepaté, lövöldözés
gunfire *fn* **a)** ágyúzás, ágyúszó, ágyúdörgés, ágyúmoraj, ágyútűz **b)** gyorstüzelés
gunge [gʌndʒ] *fn GB szl [ragacsos anyag]* trutyi, trutymó
gung-ho [ˌgʌŋ ˈhoʊ] *mn* **1.** felbuzdult, lelkes, buzgó **2.** dologra kész
gun licence *fn* fegyverviselési engedély
gunlock *fn* lövegzár, závárzat
gunmaker *fn* fegyvergyáros, ágyúgyáros/-készítő/-öntő
gunman [ˈgʌnmən] *fn tsz* **-men a)** fegyveres **b)** fegyveres rabló/bandita, gengszter
gunmetal I. *fn* **1.** bronz **2.** kékesszürke szín **II.** *mn* kékesszürke
gun moll *fn szl* gengszternő
gunned [ˈgʌnd] *mn összet* ágyúkkal felszerelt; **heavily-~** sok ágyúval felszerelt; nagy kaliberű (v. nehéz) ágyúkkal felszerelt
gunnel [ˈgʌnl] → **gunwale**
gunner [ˈgʌnə ‖ −ər] *fn* **1. a)** tüzér **b)** gépfegyverirányzó, géppuskás **c)** lövész *[vadászgépeken]* **2.** puskás, vadász
gunnery [ˈgʌnəri] *fn* **1.** tüzérség **2.** ágyúzástan, ballisztika **3.** lőgyakorlat
gunplay *fn* pisztolylövések, revolverlövések, pisztolyharc, párbaj
gunpoint *fn* **at** ~ (lő)fegyverrel (kényszerítve)
gunpowder *fn* lőpor, puskapor
Gunpowder Plot *fn tört* lőporos összeesküvés (1605-ben)
gunpowder(tea) *fn gaszt* ‹szorosan felsodort levelű zöld tea›
gunroom *fn* **1.** *GB hajó* tengerész tisztjelöltek/hadapródok/kadétok helyisége **2.** fegyverszoba
gun-runner *fn* fegyvercsempész • *fn* **gun-running**
gunshot *fn* **1.** ágyúlövés, ágyútűz **2.** puskalövés; **within** ~ ágyúlövésnyire, puskalövésnyire
gun-shy *mn* puskalövéstől ijedező *[kutya]*
gunsight *fn* lövegirányzék
gun-site *fn GB kat* ágyúállás
gunslinger *fn szl* **1.** fegyveres *[gengszter]* **2.** bérgyilkos
gunsmith *fn* fegyvermester, fegyverkovács, fegyverkészítő; **~'s shop** fegyverkereskedés
gunstock *fn* puskatus
Gunter [ˈgʌntə ‖ ˈgʌntər] *tul/fn* **~'s chain** (i) földmérőlánc (ii) egy földmérőláncnyi távolság *[66 láb]*
gunwale [ˈgʌnl] *fn hajó* **1.** hajóperem, hajópárkány, hajókorlát **2. a)** csónak széle **b)** szegélydeszka *[csónakon evezőknek]*
gunyah [ˈgʌnjə] *fn* ‹ausztráliai bennszülött kunyhója›
gunny [ˈgʌni] *fn* **1.** juta **2. a)** jutavászon, jutaszövet, zsákvászon **b)** jutazsák
guppy [ˈgʌpi] *fn áll* guppi *[díszhalfajta]*
gurgle [ˈgɜːgl ‖ ˈgɜrgl] **I. A.** *tsi* ~ **out sweet nothing** édes semmiségeket csacsog **B.** *tni* **1.** kotyog, bugyog *[palackból kiöntött folyadék]*, csobog, csörgedez(ik) *[patak]* **2.** ~ **with laughter** turbékolva nevet, kacag **II.** *fn* **1.** bugyogás, kotyogás *[palackból kiömlő folyadéké]*, csobogás, csörgedezés *[pataké]* **2.** bugyborékoló/turbékoló/gyöngyöző nevetés/kacagás; **~s of laughter** gurguláző nevetés
Gurkha [ˈgɜːkə ‖ ˈgɜr−] *fn* **1.** gurkha *[nepáli nép/nyelv]* **2.** nepáli katona *[a brit hadseregben]*
guru [ˈguruː] *fn* **1.** guru, lelki tanácsadó, vallási vezető, hitoktató *[Indiában]* **2.** guru, tekintélyes/befolyásos személy, szaktekintély
Gus [gʌs] *tul* ‹*Gustavus* becézett alakja›
gush [gʌʃ] **I. A.** *tsi* **1.** vastag sugárban ömlik, dűl *[folyadék vmből]*; ~ **forth/out** kibuggyan, feltör *[víz földből]*; kilövell, kispriccel *[folyadék]*; **his blood was ~ing forth** dőlt a vére **2.** *átv* áradozik, ömleng (*over* vmről), szenveleg, olvadozik **B.** *tni* vastag sugárban ont/kibocsát **II.** *fn* **1.** felbugyogás *[forrásé]*, kilövellés *[vízsugáré]*, ömlés *[véré, könnyeké]* **2.** kilövellő vízsugár, ömlő vér **3.** *átv* ömlengés, ömledezés, szenvelgés
gusher [ˈgʌʃə ‖ −ər] *fn* **1.** áradozó, ömlengő, szenvelgő (személy) **2.** gazdagon ömlő természetes olajkút
gushy [ˈgʌʃi] *mn* áradozó, ömlengő, olvadozó, szenvelgő, érzelgős
gusset [ˈgʌsɪt] *fn* (háromszög alakú) eresztték, betoldás, pálha *[ruhán, kesztyűn]*
gussy [ˈgʌsi] *tsi biz* ~ **up** kicsinosít *[pl. szobát]*
gust [gʌst] **I.** *fn* **1.** ~ **(of wind)** szélroham, széllökés; ~ **of rain** felhőszakadás, zápor, futó eső **2.** *átv* kitörés, kifakadás *[indulaté]* **II.** *tni* lökésszerűen fúj *[szél]*, viharos szél fúj
gustation [gʌˈsteɪʃn] *fn* (meg)ízlelés, ízlés *[érzék]* • *mn* **gustative, gustatory**
gusto [ˈgʌstoʊ] *fn* **1. a)** élvezet, gyönyör, kedv; **do sg with** ~ élvezettel/passzióval/kedvvel csinál vmt **b)** *régi* (költői) lendület **2.** *régi* (egyéni) ízlés, gusztus, érzék (vmhez)
gusty [ˈgʌsti] *mn* **1.** szeles, viharos *[idő, hely]* **2. a)** lobbanékony, ingerlékeny, heves *[természet]* **b)** viharos *[derültség]* **3.** élvezetes, gusztusos
gut [gʌt] **I.** *fn* **1.** bél **2.** *tsz* **guts a)** belek, belső részek, zsigerek; *biz* **hate a person's ~s** nagyon utál vkt **b)** *szl* has, pocak **c)** *biz* vmnek a veleje/tartalma/lényege **d)** *szl* mersz, kurázsi, rámenősség, energia; **have ~s** van mersze/bátorsága, van vér a pucájában; *biz* **sweat/work one's ~s out** kidolgozza a belét **3.** bélhúr **4. silk-(worm)** ~ hernyóbél *[horgászzsinórnak]* **5. a)** folyószűkület, folyókanyar **b)** utcaszűkület, szűk utca, sikátor **II.** *tsi* **-tt- 1. a)** kizsigerel, kibelez *[állatot]* **b)** kifoszt, kirámol *[házat stb.]*; **houses ~ted by fire** kiégett házak **2.** kivonatol *[könyvet stb.]*
gutless [ˈgʌtləs] *mn biz* gyáva, gyenge, majrés
gutsy [ˈgʌtsi] *mn biz* **1.** *GB* mohó, falánk **2.** bátor, derék
gutta-percha [ˌgʌtəˈpɜːtʃə ‖ ˌgʌtəˈpɜrtʃə] *fn* guttapercsa *[gumiszerű anyag]*
guttate [ˈgʌteɪt] *mn* **1.** csepp alakú **2.** *tud* foltos, pettyes
gutter [ˈgʌtə ‖ −ər] **I.** *fn* **1.** esővízcsatorna, csurgó *[ereszen]* **2. a)** szegélyárok, csatorna, kanális *[kocsiút szélén]* **b)** barázda, vízlevezető árok **3.** horony, vájat *[lemezen stb.]* **4.** *átv* kültelki szegénység; **born in the** ~ nyomorban született; **raise sy from the** ~ vkt nyomorból kiemel **II. A.** *tsi* **1.** csurgóval ellát *[házat]*, csatornáz *[utcát]* **2.** árkol, barázdál, csatornáz *[földet]*, hornyol *[lemezt]* **B.** *tni* **1.** csurog *[víz stb.]* **2.** csöpög *[gyertya]*
gutterpress *fn* zugsajtó, revolversajtó, szennysajtó, szennylapok

guttersnipe [ˈgʌtəsnaɪp ‖ ˈgʌtər–] *fn* utcagyerek, utcakölyök, csibész

guttural [ˈgʌtərəl] **I.** *mn* torki, torok-, gutturális **II.** *fn nyelv* torokhang, gutturális

guv, **guvnor** [gʌv(nə) ‖ (–nər)] *fn GB szl [vezető, tulajdonos]* főnök, tulaj

Guy [gaɪ] *tul* ‹férfinév›

guy[1] [gaɪ] **I.** *fn* **1.** *biz* **a)** *US* alak, pasas, tag, krapek, fej; **he is a regular ~** rendes fickó/alak, jó pofa **b)** *tsz* **guys** haverok, srácok *[rendszerint megszólításként, nemtől függetlenül]* **2.** *GB* **a)** madárijesztő, nevetséges figura **b)** ijesztő báb *[a lőporos összeesküvés emlékére nov. 5-én nyilvánosan elégetik]* **II.** *tsi biz* kifiguráz, megtréfál, gúnyt/tréfát űz (vkből)

guy[2] [gaɪ] **I.** *fn épít* feszítőkötél, merevítőtartó, oszloptartó **II.** *tsi* kifeszít, merevít *[kötéllel]*

Guyana [gaɪˈænə] *tul földr* Guyana

Guyanese [ˌgaɪəˈniːz] *mn/fn* guyanai

Guys Fawkes Night [ˌgaɪˈfɔːks–] → **Gunpowder Plot**

guzzle [ˈgʌzl] *tsi/tni* **1.** iszik, (be)nyakal, vedel *[szeszes italt]*, részegeskedik, korhelykedik **2.** fal, zabál, dőzsöl, dorbézol, lakmároz • *fn* **guzzler**

gybe [dʒɑɪb] *hajó* **I. A.** *tsi* átvág (v. visszásra forgat) *[vitorlát]* **B.** *tni* széllel/visszásra fordul, átvág(ódik) *[vitorla]*, halzol, irányt változtat **II.** *fn* vitorla átvágása (v. visszás forgatása), szélben a vitorla átfordítása, halzolás

gym [dʒɪm] *fn biz* **1.** → **gymnasium** 1. **2.** → **gymnastics**

gymkhana [dʒɪmˈkɑːnə] *fn GB* **1.** sportünnepély *[főleg futószámokkal]* **2.** sportpálya **3.** mutatványos lovasjáték, gimkána

gymnasium [dʒɪmˈneɪzɪəm] *fn tsz* **gymnasia** [–zɪə], **~s 1.** tornaterem, tornacsarnok **2.** *ritk* (humán rendszerű) gimnázium *[Közép-Európában]* • *mn* **gymnasial**

gymnast [ˈdʒɪmnæst] *fn sp* tornász

gymnastic [dʒɪmˈnæstɪk] *mn* torna-, gimnasztikai

gymnastics [dʒɪmˈnæstɪks] *fn* **1.** *(esz)* torna *[mint versenysport]* **2.** *(tsz)* testgyakorlás, testedzés, torna(gyakorlatok), gimnasztika *[gyakorlatok]*; *átv* **mental ~s** fejtorna, szellemi torna

gymnosperm [ˈdʒɪmnouspɜːm ‖ –spɜrm] *fn növ* nyitvatermő (növény); *tsz* **gymnosperms** nyitvatermők (törzse) • *mn* **gymnospermous**

gym-shoe *fn* tornacipő

gymslip *fn GB* (női) kötényruha *[gyakran a lányok iskolai egyenruhájának részeként]*

gynaeceum [ˌgaɪnɪˈsiːəm] *fn növ* termőtáj, termőkör *[virágban]*

gynaecology [ˌgaɪnɪˈkɒlədʒi ‖ –ˈkɑ–], *US* **gyneco-** *fn orv* nőgyógyászat • *fn* **gynaecologist** *mn* **gynaecological**

gynandromorph [gaɪˌnændrəˈmɔːf ‖ –ˈmɔrf] *fn áll* hímnős, hermafrodita

gynandrous [dʒaɪˈnændrəs ‖ dʒɪ–] *mn növ* hímnős *[virág]*

gyne- *US* → **gynae-**

gynoecium [dʒaɪˈniːsɪəm] → **gynaeceum**

gyp[1] [dʒɪp] *fn GB biz* **give sy ~** (i) leszid, lehord (ii) fáj (vknek), gyötör/kínoz vkt *[rossz fog stb.]*

gyp[2] [dʒɪp] *fn GB* kollégiumi szolga/inas *[Cambridge-ben]*

gyp[3] [dʒɪp] *szl* **I.** *fn [becsapás, csalás]* átejtés, svindli **II.** *tsi* **-pp-** *[becsap, megcsal]* átejt, csőbe húz

gypsum [ˈdʒɪpsəm] *fn ásv* gipsz, alabástrom, *vegy* kalciumszulfát • *mn* **gypseous**, **gypsiferous**

Gypsy [ˈdʒɪpsi], **gypsy** → **Gipsy**→ **gipsy**

gyrate I. *tni* [dʒaɪˈreɪt ‖ ˈdʒaɪreɪt] forog, pörög, kering *[levegőben]* **II.** *mn* [ˈdʒaɪrət] *növ* felkunkorodó

gyration [dʒaɪˈreɪʃn] *fn* **1.** (kör)forgás, pörgés, keringés; **centre of ~** forgási középpont **2.** *orv* agytekervényrendszer

gyratory [ˈdʒaɪrətəri ‖ –tɔri] *mn* forgó, pörgő *[mozgás stb.]*; **~ traffic-system** körforgalom

gyre [ˈdʒaɪə ‖ ˈdʒaɪər] *vál* **I.** *tni* → **gyrate** I. **II.** *fn* **1.** (kör)forgás **2.** kör, gyűrű

gyrfalcon [ˈdʒɜːfɔːlkən ‖ ˈdʒɜrfælkən] → **gerfalcon**

gyro [ˈdʒaɪrou] *fn biz* **1.** → **gyroscope 2.** → **gyrocompass**

gyrocompass *fn hajó* pörgettyűs iránytű/tájoló

gyromagnetic [ˌdʒaɪroumægˈnetɪk] *mn fiz* forgómágneses, giromágneses

gyropilot [ˈdʒaɪrəpaɪlət] *fn rep* pörgettyűs kormánygép, robotkormány

gyroplane [ˈdʒaɪrəpleɪn] *fn rep* helikopter

gyroscope [ˈdʒaɪrəskoup] *fn fiz* giroszkóp, pörgettyű • *mn* **gyroscopic**

gyrus [ˈdʒaɪrəs] *fn orv* agytekervény

H

H[1], **h** [eɪtʃ] *fn tsz* **H's** h (betű/hang); **H for Hotel** H mint Huba; **silent h** néma h; *GB* **drop one's h's** ‹a szó eleji h-hangot nem ejti ki (és ezzel elárulja műveletlenségét)›

H[2], **h** *röv* **1.** *hard* ‹ceruzabélről› **2.** *hecto-* **3.** *height* **4.** *henry(s)* ‹mértékegység› **5.** *heroin* **6.** *hour(s)* **7.** *hundred* **8.** *Hungary*

Ha [hɑː] *fn röv vegy* hahnium

ha[1] [hɑː] *isz* ha(h)!, ah! *[csodálkozás jeléül]*

ha[2] [hɑː] → **hum**

ha[3] *röv hectare* hektár, ha.

Hab [hæb] *tul röv Habakuk*

habanera [ˌhæbəˈnjeərə ‖ ˌhɑbəˈnerə] *fn* ‹lassú kétnegyedes kubai tánc/zene›

habdabs [ˈhæbdæbz] *fn tsz szl* **have/get the screaming ~** *[izgul aggódik]* sikítófrászt kap vktől/vmtől, idegeire megy vk/vm

habeas corpus [ˌheɪbɪəs ˈkɔːpəs ‖ –ˈkɔr–] *fn latin jog* habeas corpus

haberdasher [ˈhæbədæʃə ‖ ˈhæbərdæʃər] *fn* **a)** rövidáru-kereskedő, rőfös **b)** *US* férfidivatáru-kereskedő

haberdashery [ˈhæbədæʃəri ‖ –bər–] *fn* **1. a)** rövidáru **b)** *US* férfidivatáru **2. a)** rövidáru-kereskedés **b)** *US* férfidivatáru-üzlet

habergeon [ˈhæbədʒən ‖ –bər–] *fn tört* rövid ujjatlan páncéling

habiliment [həˈbɪlɪmənt] *fn tsz* **~s a)** (hivatali) díszruha **b)** *tréf* ruha

habilitate [həˈbɪlɪteɪt] *tni* képesítést/fokozatot szerez, habilitál *[tanár egyetemen]* • *fn* **habilitation**

habit [ˈhæbɪt] **I.** *fn* **1.** szokás; **by ~** megszokásból, ösztönösen; **the force of ~** a (meg)szokás hatalma; **eating ~s** asztali viselkedés; **be in the** (v. **make a) ~ of doing sg** vmt szokásszerűen tesz; **grow out of a ~** fokozatosan/idővel elhagy egy szokást (v. leszokik vmről) **2. a)** (test)alkat, habitus **b)** *pszich* (lelki) alkat, habitus; **~ of mind** észjárás **c)** *áll növ* megjelenési forma, habitus **3.** magatartás, viselkedésmód **4.** káros szenvedély **5.** ruha, öltözék **II.** *tsi* öltöztet

habitable [ˈhæbɪtəbl] *mn* lakható *[terület, ház]* • *fn* **habitability**

habitant [ˌhæbɪtənt] *fn* **1.** francia eredetű és anyanyelvű kanadai/louisianai lakos **2.** *ritk* lakó, lakos; → **inhabitant**

habitat [ˈhæbɪtæt] *fn* **a)** *biol* természetes környezet, előfordulási hely, élőhely **b)** lelőhely, tartózkodási hely

habitation [ˌhæbɪˈteɪʃn] *fn* **1.** lakás, tartózkodás **2.** lakóhely, tartózkodási hely, *jog* állandó lakhely

habit-forming drug *fn* addiktív kábítószer

habitual [həˈbɪtʃuəl] *mn* **1.** szokásos, megszokott **2.** megrögzött • *hsz* **habitually**

habituate [həˈbɪtʃueɪt] *tsi* **~ sy to (doing) sg** rászoktat/rákapat vkt vmre, hozzászoktat vkt vmhez • *fn* **habituation**

habitude [ˈhæbɪtjuːd ‖ –tuːd] *fn vál* **1.** alkat, habitus, hajlam **2.** szokás, megszokott életmód

habitué [həˈbɪtʃueɪ] *fn* habitüé, rendszeres látogató, törzsvendég

hachures [hæˈʃʊə ‖ –ˈʃʊr] *fn tsz műv* (árnyaló) vonalkázás, sraffozás *[rajzon, térképen]* • *tni* **hachure**

hacienda [ˌhæsiˈendə ‖ ˌhɑ–] *fn spanyol* **1.** ‹birtok/ültetvény/farm lakóházzal spanyol nyelvterületen› **2.** gyár, üzem

hack[1] [hæk] **I.** *tsi* **1. a)** csapkod, csapdos, vagdal; **~ sg away/down** csákányozással elbont/lebont/lerombol **b)** nyiszál, marcangol **c)** kapál, fellazít *[talajt]* **d)** nagyolva/durván farag **2.** bevág, bevagdos **3.** *sp* sípcsonton rúg *[labdarúgót]* **4.** *infor* feltör *[számítógépes adatbázist]* **II.** *fn* **1.** csapás, odavágás **2.** bevágás **3.** csákány(kapa), tompa élű balta/fejsze

hack[2] [hæk] **I.** *fn* **1. a)** bérelhető hátas- és kocsiló **b)** *biz* gebe **2.** *US* taxi **3.** firkász **II.** *tsi* **a)** élvezetből lovagol **b)** elcsépel; **~ an argument to death** a végletekig ismétel egy érvet

hack[3] [hæk] *fn* **1.** szárító(állvány), szárítórács **2.** sólyometető

hackberry [ˈhækbri ‖ –beri] *fn növ* **1. a)** májusfa **b)** májusfa bogyója, zelnicemeggy **2.** *US* nyugati ostorfa

hacker [ˈhækə ‖ –ər] *fn* **1.** csákányozó, csákányos **2.** *infor* hekker, számítógépkalóz

hackle [ˈhækl] **I.** *fn* **1.** *tex* gereben, kártoló **2.** nyaktoll; **~s** nyaktollazat, gallér; **make one's ~s rise** feldühít vkt **3.** műlégy **II.** *tsi* gerebenez, kártol *[kendert, lent]*

hackney [ˈhækni] **I.** *fn* **1.** kocsiló, hátasló **2.** bérkocsi **II.** *tsi* elcsépel, elkoptat, elnyű

hackneyed [ˈhæknɪd] *mn* elcsépelt, elkoptatott, elnyűtt, agyoncsépelt; **~ phrase** közhely

hacksaw *fn* fémfűrész

had [d, həd, hæd] → **have**

haddock [ˈhædək] *fn* foltos tőkehal

hade [heɪd] **I.** *fn ásv geol* elhajlás *[függőlegestől]* **II.** *tni* elhajlik *[függőlegestől]*

Hades [ˈheɪdiːz] *tul mit* alvilág *[görög hitregében]*

hadj [hædʒ] *fn* ‹mohamedán zarándoklat/zarándokút›

hadn't [ˈhædnt] *röv had not*

haema- [ˈhiːmə, ˈhemə] *előtag* vér-

haemadynamometer *fn orv* vérnyomásmérő *[készülék]*

haemal [ˈhiːml] *mn orv* érrendszeri, vér-

haematic [hiːˈmætɪk, he–] *mn* **1.** *orv* vér-, hem(at)o- **2.** *orv* vérszínű

haematin [ˈhiːmətɪn, he–] *fn vegy orv* hematin

haematite [ˌhiːmətaɪt, ˈhe–] *fn ásv* vörösvasérc, hematit

haemato- [ˈhiːmətoʊ, he–] *előtag* vér-

haematoblast [ˈhiːmətəblɑːst, he– ‖ –blæst] *fn biol* hematoblaszt, vértestecske, vérlemezke

haematocyte [ˈhiːmətoʊsaɪt, he–] *fn biol* vérsejt

haematogenesis [ˈhemətoʊdʒenəsɪs, he–] *fn orv* vérképzés

haematology [ˌhiːməˈtɒlədʒi, ˌhemə– ‖ –ˈtɑlədʒi] *fn orv* vértan, hematológia • *fn* **haematologist** *mn* **haematologic(al)**

haematoma [ˌhiːməˈtoʊmə, he–] *fn orv* vérömleny, véraláfutás, hematóma

haematophagous [ˌhiːməˈtɒfəgəs, ˌhe–] *mn* vérszívó, vérszopó, a vérben élő

haematosis [ˌhiːməˈtoʊsɪs, he–] *fn orv* **1.** vér(sejt)képzés **2.** vérömleny, vérbőség

haematuria [ˌhiːməˈtjʊərɪə, ˌhemə– ‖ –ˈtʊrɪə] *fn orv* vérvizelés, véres vizelés

haemo- [ˈhiːmoʊ] *előtag* vér-

haemoglobin [ˌhiːməˈgloʊbɪn, ˌhe– ‖ ˈhiːməgloʊbɪn, he–] *fn biol* hemoglobin

haemophilia [ˌhiːməˈfɪlɪə, ˌhe– ‖ ˈhiːməfɪlɪə, ˈhe–] *fn orv* vérzékenység • *mn* **haemophilic**

haemorrhage [ˈhemərɪdʒ] *fn orv* vérzés; **cerebral ~** agyvérzés; **internal ~** belső vérzés • *mn* **haemorrhagic**

haemorrhoids [ˈhiːmərɔɪd(z), ˈhe–] *fn tsz* aranyér • *mn* **haemorrhoidal**

haemostasis [ˌhiːmoʊˈsteɪsɪs, ˌhe–] *fn* **1.** *orv* vérpangás **2.** *orv* vérzéselállítás, vérzéscsillapítás • *mn* **haemostatic**

hafiz [ˈhɑːfɪz] *fn* hafiz *[a Koránt könyv nélkül tudó mohamedán]*

hafnium [ˈhæfnɪəm] *fn vegy* hafnium
haft [hɑːft ‖ hæft] **I.** *fn* nyél, fogantyú, markolat **II.** *tsi* nyéllel/fogantyúval ellát
hag[1] [hæg] *fn* **1.** **(old)** ~ vén boszorka/banya **2.** → **hagfish** • *mn* **haggish**
hag[2] [hæg] *fn skót* tőzegláp puha/szilárd része/helye
hagfish *fn áll* nyálkahal
haggard [ˈhægəd ‖ –ərd] **I.** *mn* **a)** beesett, sovány, nyúzott **b)** elkínzott, elgyötört **II.** *fn szl US* ronda nő • *fn* **haggardness** *hsz* **haggardly**
haggis [ˈhægɪs] *fn gaszt* ‹skót nemzeti étel›
haggle [ˈhægl] **I.** *fn* kicsinyes alkudozás **II.** *tni* kicsinyesen alkudozik; civakodik • *fn* **haggler**
hagio- [ˈhægioʊ ‖ ˈheɪdʒioʊ] *előtag* szent-, szentekkel kapcsolatos
hagiographer [ˌhægiˈɒgrəfə ‖ ˌheɪdʒiˈɑgrəfər] *fn vall* szent(ek) életrajzírója
hagiography [ˌhægiˈɒgrəfi ‖ ˌheɪdʒiˈɑ–] *fn vall* **a)** szentek élettörténete/élete **b)** szentek életének tanulmányozása, hagiográfia • *mn* **hagiographic(al)**
hagiolatry [ˌhægiˈɒlətri ‖ ˌheɪdʒiˈɑ–] *fn vall* szentek imádása, hagiolátria
hagiology [ˌhægiˈɒlədʒi ‖ ˌheɪdʒiˈɑ–] *fn vall* szentekről szóló tan, hagiológia • *fn* **hagiologist** *mn* **hagiological**
hag-ridden [ˈhægrɪdən] *mn régi* lidércnyomásos
Hague [heɪg] *tul földr* **the** ~ Hága; **the** ~ **Conventions** *tört* hágai egyezmények
hah [hɑː] *isz* ha(h)!, ah!
ha-ha[1] [ˈhɑːhɑː] *isz* **1.** ha-ha! **2.** hah!, (h)ohó!
ha-ha[2] [ˌhɑːˈhɑː] *fn* (mély árokba) süllyesztett kerítés *[pl. állatkertben]*
hahnium [ˈhɑːniəm] *fn vegy* hahnium
haick [haɪk] *fn* ‹arabok által viselt a testre és fejre csavart gyapjú- v. pamutlepel›
haiku [ˈhaɪkuː] *fn ir.tud* haiku *[háromsoros 17 szótagú (5–7–5) japán költeményforma]*
hail[1] [heɪl] **I.** *fn* **1.** jégeső, jégverés **2.** zápor *[ütéseké, köveké]* **II. A.** *tsi* zúdít *[köveket, átkokat]*; ~ **down curses on sy** átkokat szór vkre **B.** *tni* **1.** **it is ~ing** jég(eső) esik **2.** **bullets were ~ing on us** golyók záporoztak ránk
hail[2] [heɪl] **I.** *fn* **1.** (oda)kiáltás, rikkantás **2.** köszöntés, üdvözlés **3.** hallótávolság **II. A.** *tsi* **1.** üdvözöl, köszönt; ~ **sy (as) king** királynak kiált ki vkt **2.** leint *[taxit]*, kiált *[taxinak]*; **within ~ing distance** hallótávolságban **B.** *tni hajó* ~ **from a port** vmlyen kikötőhöz tartozik **III.** *isz vál régi* üdv (neked)!, üdvöz légy!
hail-fellow-well-met *hsz/mn biz* **be ~ with everybody** mindenkivel komázik, túlságosan bizalmaskodó
Hail Mary *fn vall* Üdvözlégy/Ave Maria *[kezdetű imádság]*
hailstone *fn* jég(eső)szem, jég(darab)
hailstorm *fn* jeges zápor, jégverés
hair [heə ‖ her] *fn* **1.** haj(zat); **comb one's** ~ fésülködik; **do one's** ~ megfésülködik, haját rendbe hozza; **keep your ~ on!** *biz* csak nyugalom!, nyugi!; **let/put down one's** ~ leengedi a haját; *biz* felenged; **do/put up one's** ~ feltűzi a haját; **make one's ~ stand on end** az ember hajaszála égnek áll tőle, hajmeresztő **2.** haj(szál); **by a ~'s breadth** hajszálnyira, egy hajszálon múlt; **not turn a** ~ szeme se rebben, arcizma se rándul **3.** szőr(szál) *[emberen, állaton, növényen]*; **against the** ~ szőr ellen(ében); vk kedve ellenére; **lose its** ~ szőrét hullatja, vedlik **4.** hajszáldrót, hajszálrugó • *mn* **haired**, **hairless**, **hairlike**
hairbreadth [ˈheəbredθ ‖ herbredθ] **I.** *mn* hajszálnyi **II.** *fn* → **hair**[1] I.2.
hairbrush *fn* hajkefe
hair-clasps *fn tsz* hajcsat
haircloth *fn* szőrszitaszövet
hair conditioner *fn* hajápoló balzsam
hair-curler *fn* hajsütő vas, hajcsavaró
haircut *fn* **1.** hajvágás, hajnyírás; **have/get a** ~ levágatja a haját, (meg)nyiratkozik **2.** frizura, hajviselet
hairdo *fn tsz* **~s** frizura, hajviselet
hairdresser *fn* fodrász • *fn* **hairdressing**
hairdryer *fn* hajszárító
hair-grass *fn növ* lengefű
hairgrip *fn GB* hullámcsat, hajcsat
hair implant *fn orv* hajbeültetés
hairline *fn* **1.** hajszálvonal **2.** hajzat körvonalai *[fejbőrön]*
hairnet *fn* (női) hajháló
hairpiece *fn* álhaj, vendéghaj
hairpin *fn* hajtű
hairpin bend *fn* hajtűkanyar
hair-raising *mn* hajmeresztő, elképesztő
hair-restorer *fn* hajregeneráló szer
hair-root *fn* hajgyökér
hair shirt **I.** *fn* szőrcsuha *[önsanyargatóké]*, cilicium **II.** *mn* szigorú, önsanyargató • *mn* **hair-shirt**
hair slide *fn GB* hajcsat
hair-splitting **I.** *mn* szőrszálhasogató **II.** *fn* szőrszálhasogatás • *fn* **hair-splitter**
hairspray *fn* hajlakk
hairstyle *fn* hajviselet, frizura • *fn* **hairstyling**, **hairstylist**
hair-trigger *fn* érzékeny ravasz, gyorsító (puska elsütéséhez); **be ~ of temper** lobbanékony természetű
hair wash *fn* hajmosás
hairy [ˈheəri ‖ ˈheri] *mn* **a)** szőrös, hajas **b)** szőrös, bolyhos *[növény]*
Haiti [ˈheɪti, hɑːˈiːti ‖ ˈheɪti] *tul földr* Haiti
Haitian [ˈheɪʃən, hɑːˈiːʃən] *mn/fn* haiti (lakos)
Haji [ˈhædʒi] *fn vall* hadzsi
hake [heɪk] *fn áll* szürke tőkehal, csacsihal
hakeem [ˈhɑːkɪm, həˈkiːm] → **hakim**
hakim [ˌhɑːkɪm, həˈkiːm] *fn* **1.** orvos *[Indiában és mohamedán országokban]* **2.** bíró, uralkodó, kormányzó *[Indiában és mohamedán államokban]*
halberd [ˈhælbəd ‖ –bərd] *fn tört* alabárd
halberdier [ˌhælbəˈdɪə ‖ –bərˈdɪr] *fn tört* alabárdos
halcyon [ˈhælsɪən] *fn áll* jégmadár
halcyon days *fn* **1.** ‹a téli napfordulót megelőző és követő hét-hét nap› **2.** *biz* derűs/nyugodt idők, gyöngyélet
hale[1] [heɪl] *mn* (makk)egészséges, jó erőben levő *[öregember]*
hale[2] [heɪl] *tsi régi* von(tat), húz
half [hɑːf ‖ hæf] **I.** *mn* fél, nem teljes, befejezetlen **II.** *fn tsz* **halves** [hɑːvz ‖ hævz] **1. a)** fél, vmnek a fele; *biz* **my better** ~ a párom, feleségem; ~ **a cup** fél csésze; ~ **a dozen** fél tucat; ~ **an hour** (egy) félóra; **one/an hour and a** ~ másfél óra; ~ **past four** fél öt; *US* ~ **after four** fél öt; ~ **the time** az idő nagyobbik részében/felében; *biz* **too clever by** ~ túlontúl/túlságosan (is) ügyes/agyafúrt; **do sg by halves** félmunkát végez vmvel **b)** *GB* egy pohár sör **2. a)** *ritk* félév *[iskolában]* **b)** *sp* félidő **c)** *sp* térfél **3.** fél *[jogügyletben]* **4.** *sp* fedezet *[labdarúgásban]* **III.** *hsz* félig, (fele)részben; ~ **as big** félakkora; *biz* **not** ~! de még mennyire!, nagyon is!, mi az hogy!
half-and-half [ˌhɑːfənˈhɑːf ‖ ˌhæfənˈhæf] **I.** *mn* **1.** fele(s) arányú **2.** középutas **II.** *fn* **1.** *GB* világos és barna sör keveréke **2.** *US* kávétejszín **III.** *hsz* felerészben, egyforma/egyenlő arányban/mértékben
half-back *fn sp* fedezet
half-baked *mn* **1.** félig sült/nyers **2. a)** *átv biz* együgyű **b)** *biz* kellően át nem gondolt, kiforratlan *[intézkedés]*
halfbeaks *fn tsz áll* félcsőrös csukafélék
half-binding *fn* félbőr kötés bőrsarkokkal, félvászon kötés vászonsarkokkal
half-blood *fn* **1.** féltestvérség **2.** féltestvér **3.** félvér
half-blooded *mn* félvér
half board *fn* félpanzió
half-boot *fn* rövid szárú csizma
half-bred **I.** *mn* **a)** félvér **b)** kevert fajú **II.** *fn* félvér, korcs, keresztezett fajta *[állaté, növényé]*
half-breed *fn pej* félvér
half-brother *fn* féltestvér *[férfi]*

H

half-caste *mn/fn pej* félvér *[főleg európai apától és ázsiai anyától]*
half-circle *fn* félkör
half-cocked *mn* (elsülés ellen) biztosított *[puska]*; *US biz* **go off ~** meggondolatlanul/hebehurgyán cselekszik
half-cooked *mn* félig (meg)főtt
half-crown *fn* félkoronás *[pénzdarab]*
half-cut *mn GB szl* félrészeg
half-dollar *fn US* féldollár(os)
half-done *mn* **1.** félig elvégzett *[munka stb.]* **2.** félig (meg)sült
half-dozen *fn* fél tucat
half-face *fn* **1.** profil **2.** *kat* féljobb/félbal fordulat
half-fare ticket *fn* félárú jegy
half-hardy *mn* féltélálló *[dísznövény]*
half-hearted *mn* **a)** kedvetlen, lélektelen **b)** bátortalan
half-hitch *fn hajó* félcsat, félbog
half holiday *fn* szabad délután *[diáké]*
half-hour *fn* félóra • *mn* **half-hourly**
half-inch I. *fn* félhüvelyk **II.** *tsi GB szl [ellop]* megfúj, lenyúl
half-landing *fn* közbenső lépcsőpihenő
half-length *fn* **~ (portrait)** mellkép
half-life *fn fiz* felezési idő
half-light *fn* félhomály, alkonyati/gyönge megvilágítás
half-marathon *fn sp* félmaratoni futás *[21,243 km]*
half-mast *fn* **at ~**, **~ high** félárbocon
half-moon *fn* félhold
half-naked *mn* félmeztelen
half note *fn ált US zene* félhang(jegy)
half pay *fn* félfizetés, a fizetés/munkabér fele
halfpenny [ˈheɪpni] *fn tsz* **halfpence** [ˈheɪpəns] *GB* félpenny *[1971 előtt: 1/2d, ma: 1/2p]*
halfpennyworth *fn* **a)** félpenny értékű/árú **b)** elhanyagolható, kis értékű
half-price *fn* félár; **~ ticket** félárú jegy
half-relief *fn műv* féldombormű
half-shaft *fn US gk* féltengely
half-sister *fn* féltestvér *[nő]*
half-size *fn* félméret, félszám *[pl. cipőben]*
half-sovereign *fn GB tört* félfontos (pénzdarab), tízshillinges *[aranypénz]*
half-step *fn zene* félhang
half-term *fn GB* negyedévi/háromnegyedévi szünet *[iskolában]*
half-timbered *mn épít* favázas, fakeretes • *fn* **half-timbering**
half-time *fn* **1. work ~** félnapot/félállásban dolgozik **2.** félidő, szünet *[mérkőzés, verseny közben]*
half-title *fn* **1.** rövidített cím *[könyvé]* **2.** fejezetcím
half-tone *fn zene* fél hang
half-truth *fn* féligazság
half-volley *fn sp* félröpte
halfway [ˌhɑːfˈweɪ ‖ ˌhæf–] **I.** *hsz* félúton, feleúton, középen *[kiinduló és végpont közt]*; **~ up/down the hill** félúton a hegyen; **meet sy ~** félúton találkozik vkvel, az út feléig eléje megy vknek, *átv* hajlandó ésszerű/reális engedményeket tenni vknek **II.** *mn* bizonyos mértékű, többé-kevésbé
halfway house *fn* **1.** középutas megoldás, kompromisszum **2.** félúton lévő pont *[folyamat, utazás során]* **3.** fogadó két helység között félúton **4.** rehabilitációs központ *[börtönből/elmegyógyintézetből kiengedett embereknek]*
halfway line *fn sp* felezővonal
halfwit *fn* féleszű, hülye • *mn* **half-witted**
half-yearly *ált GB* **I.** *mn* félév(enként)i, félévenként esedékes **II.** *hsz* félévenként
halibut [ˈhælɪbət] *fn áll* óriás laposhal
halide [ˈheɪlaɪd] *fn vegy* halogenid, halid
halieutic [ˌhæliˈuːtɪk] *mn* halászati
haliotis [ˌhæliˈoutɪs] *fn áll* fülcsiga
halite [ˈhælaɪt] *fn* kősó
halitosis [ˌhælɪˈtousɪs] *fn* bűzös lehelet, rossz szájszag
hall [hɔːl] *fn* **1. a)** (nagy) terem, csarnok **b) (dining-)~** (nagy) ebédlő; közös ebédlő/étkezde *[kollégiumban]* **2.** (vidéki) kastély, kúria **3.** székház, palota *[testületé]*; **Westminster H~** a westminsteri igazságügyi palota **4.** előcsarnok, hall, *US* folyosó **5. a)** *okt* kollégium, diákszálló *[egyetemistáknak]* **b)** *okt [kisebb egyetemi]* kollégium **6.** *biz* mulató, zenés kávéház, kabaré
hallelujah [ˌhælɪˈluːjə] *fn/isz* (h)alleluja
hallmark I. *fn átv* fémjel(zés), (finomsági) próba **II.** *tsi átv* fémjelez, fémjelzéssel ellát
hallo [həˈloʊ] *GB* **I.** *isz* **1.** hé!, halló! **2.** szervusz(tok)!, szia! **II.** *fn* „halló" kiáltás, halló(zás) **III.** *tni* hallózik, kiáltozik
halloo [həˈluː] **I.** *fn* **a)** hujjogatás **b)** kurjantás, rákiáltás (vkre), odakiáltás (vknek) **II. A.** *tsi* **a)** hujjogatva/kurjongatva hajszol/űz *[vadat]* **b)** odakiált (vknek), rákiált (vkre) **B.** *tni* hujjogat, kurjongat **III.** *isz* hé!, hajhó!, hajrá!
hallow [ˈhæloʊ] **I.** *tsi* **1.** felszentel, beszentel, megszentel **2.** szentként tisztel **II.** *fn régi* szent; **All H~s day** mindenszentek (napja)
Hallowe'en [ˌhæloʊˈiːn] *fn* mindenszentek előestéje *[október 31-e]*
hallstand *fn* előszobai fogas, előszobafal
hallucinate [həˈluːsɪneɪt] **A.** *tsi ritk* érzékcsalódásba ejt, hallucinációt okoz **B.** *tni* hallucinál, érzékcsalódásban szenved
hallucination [həˌluːsɪˈneɪʃn] *fn* érzékcsalódás, hallucináció; *orv* **stump ~** fantomfájás • *mn* **hallucinatory**
hallucinogen [həˈluːsɪnədʒen] *fn orv* érzékcsalódást/hallucinációt előidéző anyag, hallucinogén (anyag) • *mn* **hallucinogenic**
hallux [ˈhæləks] *fn tsz* **halluces** [–jusiːz] *biol* **1.** nagylábujj **2.** gerincesek hátsó végtagjának legbelső ujja
hallway *fn US* **a)** előszoba, belépő **b)** előcsarnok
halm [hɑːm] *fn növ* fűszál, szár
halma [ˈhælmə] *fn ját* halma (játék)
halo [ˈheɪloʊ] **I.** *fn tsz* **haloes 1. a)** (nap)gyűrű, fényudvar **b)** *fényk* fényudvar **2.** *átv* glória, dicsfény **II.** *tsi átv* dicsfénnyel övez (v. vesz körül)
halogen [ˈhælədʒen] *fn vegy* halogén • *mn* **halogenous**
halogenation [ˌhælədʒəˈneɪʃn] *fn vegy* halogénezés • *mn* **halogenated**
halophyte [ˈhæləfaɪt] *fn növ* sótűrő növény, halofita
halophytic [ˌhæləˈfɪtɪk] *mn növ* sótűrő, halofita
halt[1] [hɔːlt] **I.** *fn* **1.** megállás *[menet közben]*, rövid pihenő, megakadás, elakadás, szünet; **long ~** *kat* hosszú pihenő; **call/make a ~** pihenőt rendel el, pihenőt ad; **come to a ~** megáll *[útközben]*; megakad *[beszédben]* **2.** megálló(hely) *[vasúté, villamosé]* **II. A.** *tsi* megállít **B.** *tni* megáll, rövid szünetet/pihenőt tart; **~!** állj!
halt[2] [hɔːlt] **I.** *mn régi* sánta **II.** *tni* **1. a)** akadozva/szaggatottan beszél, habog **b) ~ between two opinions** habozik, vacillál **2. a)** *vál régi* sántít, biceg **b)** *átv* sántít *[pl. érvelés]*
halter [ˈhɔːltə ‖ –ər] **I.** *fn* **1.** kötőfék, hám **2.** akasztó(fa)kötél, hurok; **come to the ~** akasztófára/bitóra jut; *biz* **put a ~ round one's own neck** saját nyakába akasztja a kötelet, maga alatt vágja a fát **3.** nyakpántos ruhaderék **II.** *tsi* **1. ~ (up) a horse** lovat kötőfékkel megköt, lovat felszerszámoz **2.** felköt, felakaszt *[embert]*
halter-break *tsi* betör *[csikót]*, kötőfékhez szoktat
halting [ˈhɔːltɪŋ] *mn* **a)** sántikáló, bicegő **b)** akadozó, dadogó **c)** *átv* sántító, döcögő, nehézkes • *hsz* **haltingly**
halve [hɑːv ‖ hæv] *tsi* **a)** felez, kettéoszt, félbevág **b)** elfelez, megfelez (vkvel) **c)** felére csökkent *[pl. költséget]*
halves [hɑːvz ‖ hævz] → **half**
halyard [ˈhælɪəd ‖ –ərd] *fn hajó* felhúzó kötél
ham[1] [hæm] *fn* **1.** sonka **2.** tompor, farpofa, comb; **the ~s** alfél
ham[2] [hæm] **I.** *fn biz* rossz színész, ripacs **II.** *tni* **-mm-** ripacskodik, mesterkélten/affektáltan játszik

ham³ [hæm] *fn biz* rádióamatőr *[saját adó-vevő készülékkel]*
hamadryad [ˌhæmə'draɪəd] *fn* **1.** *mit* erdei nimfa, hamadriád *[görög regében]* **2.** *áll* királykobra
hamadryas [ˌhæmə'draɪəs] *fn áll* hamadriász, galléros pávián
ham and eggs *fn gaszt* sült sonka tükörtojással
Hamburger ['hæmbɜːgə ‖ –bɜrgər] *fn* **1.** hamburgi (lakos) **2.** *US* **h~** (olajban kisütött) vagdalthús-pogácsa *[felébe vágott zsemlében]*, hamburger
hames [heɪmz] *fn tsz* járom(rudak)
ham-fisted *mn biz* **1.** lapátkezű **2.** kétbalkezes, esetlen
ham-handed → **ham-fisted**
Hamish ['heɪmɪʃ] *tul skót* Jakab
Hamite ['hæmaɪt] *fn* hamita
Hamitic [hæ'mɪtɪk] *mn* hamita
hamlet ['hæmlɪt] *fn* falucska
Hamlet ['hæmlɪt] *tul* Hamlet
hammam ['hæmæm] *fn* török fürdő
hammer ['hæmə ‖ –ər] **I.** *fn* **1.** *ált* kalapács, pöröly, ütő *[óráé]*; **come under the ~** dobra/árverésre (v. kalapács alá) kerül; **give sy a good ~ing** jól elkalapál/elpáhol vkt **2.** ütőszeg, kakas *[lőfegyveren]* **3.** *vízügy* cölöpverő kos **4.** *orv* kalapács(csont), malleus *[fülben]* **II. A.** *tsi* **1. a)** kalapál **b)** (ki)kalapál, kovácsol **c)** zúz *[pöröllyel]* **2. a)** eldönget, elpüföl **b)** *US* agyonbírál, lehúz, lerántás, lecsepül **c)** *biz* **~ prices** leveri az árakat **B.** *tni* **1.** kalapál, kopácsol **2.** *szl [száguld]* dönget
hammer at *tni* **1. ~ at the door** dörömböl az ajtón **2. ~ at sg** szünet nélkül dolgozik vmn
hammer away *tni* **~ at sg** lankadatlanul dolgozik vmn
hammer in *tsi* **1. ~ in a nail** szöget bever **2.** besulykol *[tudnivalót]*
hammer out *tsi* **1.** kikalapál *[vékonyra]* **2. a)** *átv* meghány-vet *[kérdést]*, tisztáz *[tényeket]* **b)** *biz* kigondol, kitervel **3.** kiver *[dallamot zongorán]*
hammer and sickle *fn tört* sarló-kalapács *[a volt Szovjetunió szimbóluma]*
hammerblow *fn* kalapácsütés
hammer drill *fn* ütvefúró
hammerhead *fn* **1.** kalapácsfej **2.** *áll* **~ (shark)** pörölycápa **3.** *áll* gógó (madár)
hammerlock *fn sp* karkulcs *[birkózásban]*
hammer throw *fn sp* kalapácsvetés
hammertoe *fn orv* kalapácsujj
hammock ['hæmək] *fn* függőágy *[vászonból, hálóból]*
hammy¹ ['hæmi] *mn* sonkás, sonka ízű
hammy² ['hæmi] *mn biz* ripacskodó
hamper¹ ['hæmpə ‖ –ər] *fn* **a)** fedeles kosár *[pl. gyümölcsnek]*, gyümölcsszállító láda/konténer **b)** *GB* élelmiszercsomag *[diáknak]* **c)** *US* szennyeskosár
hamper² ['hæmpə ‖ –ər] **I.** *fn* szükséges de sokszor útban levő felszerelési tárgyak **II.** *tsi átv* akadályoz, gátol, útban van
Hampshire ['hæmpʃə ‖ –ər] *tul földr* Hampshire
Hampstead ['hæmpstɪd] *tul földr* Hampstead
hamster ['hæmstə ‖ –ər] *fn áll* hörcsög
hamstring ['hæmstrɪŋ] **I.** *fn orv* térdín **II.** *tsi pt/pp* **-strung** [–strʌŋ] **1.** térdínt átvág **2.** *átv* lehetetlenné tesz, megbénít, tönkretesz
hamulus ['hæmjʊləs] *fn tsz* **hamuli** [–ˌlaɪ] *biol* kacs
Hancock ['hænkɒk ‖ –kɑk] *tul US* **put (one's John) ~ underneath sg** alákanyarít vmt, aláírja a nevét vmre
hand [hænd] **I.** *fn* **1. a)** kéz(fej); **the strong ~** a kemény kéz politikája; *sp* **~s** kezezés *[labdarúgásban]*; **~s down** könnyen, könnyűszerrel; **~s off!** el a kezekkel!, ne nyúlj hozzá!; **~s up!** fel a kezekkel!; **change ~s** kezet/fogást cserél/vált; gazdát cserél *[holmi]*; *biz* **get one's ~ in** beletanul/belejön vmbe; *US biz* **give sy a ~** megtapsol vkt; **give a ~ to sy** segít vkt/vknek, segédkezet nyújt vknek; **have one's ~s full** nagyon el van foglalva; **have a ~ in sg** benne van a keze vmben; **join ~s with sy** összefog/társul/szövetkezik vkvel; *biz* **to keep one's ~ in** hogy ki ne jöjjön a gyakorlatból; **lay ~s on sg** megkaparint/eltulajdonít vmt; **lay ~s on sy** kezet emel vkre; előkerít/elfog vkt; **take sy's ~** kézen fog vkt; **take a ~ in sg** részt vesz vmben; **turn one's ~ to sg** nekifog vmnek; vmre adja magát; **be at ~** kéznél van *[tárgy]*; közel van, küszöbön áll *[esemény]*; **at sy's ~s** vk részéről; **made by ~** kézi munka; **live from ~ to mouth** máról holnapra él; **cash in ~** készpénz; **hat in ~** levett kalappal, alázatosan; **the matter in ~** a kérdéses (v. szóban forgó) dolog/ügy; **go ~ in ~ with sg** együtt jár vmvel; **put the matter in the ~s of a lawyer** ügyvédre bízza az ügyet; **get sy/sg off one's ~s** megszabadul vktől/vmtől; **take sy off sy's ~s** megszabadít vkt vktől; **be on ~** *US* kéznél van; **go on one's ~s and knees** négykézláb jár; **do sg out of ~** kapásból/azonnal megcsinál vmt; **get out of ~** kicsúszik vknek a keze közül; elhatalmasodik **b)** kéz *[majomé]*, lábfej *[pl. békáé]* **c) ~ of tobacco** (felfűzött száraz) dohánylevélcsomó **d)** *jelzői haszn* kézi **2. a)** (segéd)munkás, napszámos, kisegítő; **~s wanted** munkásokat felveszünk **b)** hajóslegény, matróz **c) be a good/great ~ at (doing) sg** kitűnő érzéke/tehetsége van vmhez, remekül csinál vmt **3. a)** kézírás; **round ~** gömbölyű betűs írás **b)** aláírás, kézjegy **4.** *ját* **a)** leosztás **b)** ütés *[kártyajátékban]* **c)** játékos **5. a)** mutató *[óráé]*; **big ~** percmutató **b)** útjelző/iránymutató nyíl/kar/tábla **c)** *vasút* (jelző)kar **6. on every ~, on all ~s** mindenütt, mindenfelé; **on the left ~** bal oldalon/oldalt, balra; **on the one ~** egyrészt, egyfelől; **on the other ~** másrészt, ezzel szemben, viszont **II.** *tsi* **a)** (át)ad, odaad, (át)nyújt **b)** eljuttat, kézbesít **c)** (szóban) közöl *[vkvel vmt]*
hand down *tsi* **1.** lead, levesz, leemel **2. a)** örökbe/örökül hagy **b)** átad, továbbad **c) ~ an opinion** (jogi) szakvéleményt ad **d)** átörökít
hand in *tsi átv* benyújt, bead
hand on *tsi* átad, továbbad *[híreket, szokást, hagyományt]*
hand out A. *tsi* kioszt, kiad **B.** *tni biz* pénzt ad ki, fizet; → **handout**
hand over A. *tsi* átad, átruház *[birtokot, tisztséget]* **B.** *tni kat* parancsnokságot/szolgálatot/hadállást átad
hand round *tsi* körbe ad
hand to *tsi* **1. ~ sg to sy** vmt vknek (át)ad/(át)nyújt/odaad **2. ~ it to sy** vk fölényét elismeri
hand up *tsi* felad(ogat)
hand arms *fn tsz* kézifegyver
handbag I. *fn* **a) (lady's) ~** (női) táska, retikül **b)** kézitáska **II.** *tsi* vkvel durván bánik, nem kímél vkt
handball *fn sp* **1.** kézilabda **2.** kezezés
handbasin *fn* mosdótál, lavór
handbell *fn* kézicsengő
handbill *fn* reklámcédula, röplap
hand blender *fn* kézi mixer
handbook *fn* **1.** kézikönyv, segédkönyv, tankönyv **2.** útikönyv, útikalauz **3.** *US* fogadási könyv *[lóversenyen]*
handbrake *fn GB gk* kézifék
h. and c. *röv GB hot and cold (water)*
handcart *fn* kézikocsi *[mozgóárusé]*
handclap *fn* taps(olás)
handcraft I. *fn* kézművesség **II.** *tsi* kézzel gyárt/készít
hand cream *fn* kézápoló krém
handcuff I. *fn* **1.** (kéz)bilincs **2.** *US tréf* jegygyűrű **II.** *tsi* bilincsbe ver, megbilincsel
-handed ['hændɪd] *utótag* -kezű
handedness ['hændɪdnəs] *fn* (jobb vagy bal) kezűség
handful ['hændfʊl] *fn* **1.** egy marok(nyi)/marék(nyi) **2.** nehezen kezelhető *[személy]*, nehéz feladat
handglass *fn* **1.** kézi nagyító **2.** kézitükör
hand grenade *fn* kézigránát
handgrip *fn* **1.** kézszorítás **2.** fogantyú, markolat
handgun *fn* kézi lőfegyver
hand-held I. *mn* kézi, kézben fogható/tartható **II.** *fn infor* kéziszámítógép

H

handhold *fn* kapaszkodó, fogantyú
hand-hot *mn* kézmeleg *[víz]*
handicap [ˈhændikæp] **I.** *fn* **1. a)** *sp* hátrány *[versenyben induláskor]*, adott előny *[esélytelen versenytársnak]*, hendikep, esélykiegyenlítés **b)** *átv* hátrány, akadály; **physical ~** testi fogyatékosság/fogyatkozás **2. ~ (race)** előnyverseny, hendikep **II.** *tsi* **-pp- a)** hátránnyal indít, hendikeppel **b)** *átv* hátráltat, akadályoz • *fn* **handicapper** *mn* **handicapped**
handicraft [ˈhændikrɑːft ‖ –kræft] *fn* kézművesség, kézműipar, kisipar
handicraftsman [ˈhændikrɑːftsmən ‖ –kræfts–] *fn tsz* **-men** kézműves
handiwork [ˈhændiwɜːk ‖ –wɜrk] *fn* **1.** kézzel végzett munka **2. sy's ~** vk kezemunkája
handjob *fn szl tabu [kézzel történő kielégítés]* kézimunka
handkerchief [ˈhæŋkətʃɪf ‖ –kər–] *fn* zsebkendő
hand-knit *mn* kézzel kötött
handle [ˈhændl] **I.** *fn* **1. a)** fogantyú, fogó, fül, nyél, kilincs; **fly/be off the ~** dühbe jön/gurul; begurul **b)** vk neve/címe; *biz* **have a ~ to one's name** van valamiféle címe/rangja **2.** fogás, tapintás *[anyagé]* **II.** *tsi* **1. a)** (meg)fog (vmt), hozzányúl (vmhez), bánik (vmvel); **please ~ with care!** óvatosan kezelendő! **b)** bánik (vkvel), kezel (vkt) **2. a)** kezel *[pl. gépet]* **b)** intéz, kezel *[ügyet]*; **~ a situation** kezébe veszi az ügyek intézését *[sikeresen]* **c)** bonyolít, kidolgoz *[témát]* • *fn* **handleability** *mn* **handleable**, **handled**
handlebar *fn* kormány *[kerékpáré]*
handler [ˈhændlə ‖ –ər] *fn* **1.** vmvel bánó, vmt kezelő, idomár **2.** *sp* edzőtárs *[ökölvívóé]*
handling [ˈhændlɪŋ] *fn* kezelés, bánásmód; **rough ~** durva bánásmód, bántalmazás
handling charges *fn tsz gazd* kezelési költség(ek)
handloom *fn* kézi szövőszék
hand luggage *fn* kézipoggyász
handmade *mn* kézzel gyártott, kézi munka
handmaid(en) *fn régi* szolgáló, kézilány
hand-me-down *fn* használt/ócska ruha
handout [ˈhændaʊt] *fn* **1.** alamizsna **2.** írásban (sokszorosítva) adott hivatalos tájékoztatás, *tud* előadás vázlata/példaanyaga *[sokszorosítva, szétosztva]* **3.** szórólap; → **hand out**
handover [ˈhændoʊvə ‖ –ər] *fn ált GB* átadás, transzfer
hand-painted *mn* kézzel festett
hand-pick *tsi* gondosan kiválogat/szed • *mn* **hand-picked**
hand-post *fn* útjelző/irányjelző oszlop
handpump *fn* (kézi)pumpa *[kerékpárhoz]*
handrail *fn* korlát, karfa
handsaw *fn* kézifűrész
handscrub *fn US* körömkefe
handsel [ˈhænsl] *régi* **I.** *fn* **1.** újévi ajándék, ajándék *[új vállalkozás kezdetekor]* **2.** első élmény/tapasztalat vmből, vmnek előíze **II.** *tsi* **-ll-** *ált GB* megajándékoz (vkt)
handset *fn* telefonkagyló, maroktelefon, mobil
handshake *fn* kézfogás, kézszorítás
hands-off *mn* **1.** automatikus **2.** szándékosan be nem avatkozó *[politika]*
handsome [ˈhænsəm] *mn* **a)** szép, jóképű, jóvágású *[férfi]* **b)** csinos, elegáns *[lakás, bútor]* **c)** csinos, tekintélyes *[összeg]*; **make a ~ profit on sg** szépen/jócskán keres vmn **d)** szép, jó *[minőségű áru]* • *fn* **handsomeness**
handsomely [ˈhænsəmli] *hsz* **1. a)** szépen, jól, elegánsan, csinosan **b)** nagylelkűen, nagyvonalúan **2.** *hajó* fokozatosan, óvatosan
hands-on [ˌhændzˈɒn ‖ –ˈɑn] *mn* gyakorlati; **~ training** gyakorlati képzés
handspike *fn* emelőrúd, emelőkar
handspring *fn sp* kézenátfordulás *[talajon]*
handstand *fn sp* kéz(en)állás
hand-to-hand *mn* **~ fight** közelharc, kézitusa
hand tool *fn* kéziszerszám
handwork *fn* kézi munka • *mn* **handworked**
handwriting *fn* (kéz)írás • *mn* **handwritten**
handy [ˈhændi] *mn* **1.** ügyes (kezű), ügyesen bánó (*with* vmvel); **be ~ at** (v. **in doing) sg** ügyes vmben **2. a)** jól használható, praktikus *[szerszám, segédeszköz]* **b)** kényelmes, alkalmas; **come in ~** jól/kapóra jön **3.** kéznél levő, jól/könnyen elérhető; **keep sg ~** kezeügyében tart vmt
handyman *fn tsz* **-men** ezermester
hang [hæŋ] **I.** *i pt/pp* **hung** [hʌŋ] **A.** *tsi* **1.** (fel)akaszt, (fel)függeszt (*on/from* vmre) **2. ~ one's head** fejét lehorgasztja **3. ~ fire** lassan/nehezen sül el; *biz* sokáig elhúzódik; habozik **4.** felakaszt *[embert]* **5. ~ a jury** esküdtszék ítélethozatalát meghiúsítja/késlelteti *[külön véleménnyel]*; **a hung jury** határozatképtelen esküdtszék **B.** *tni* **1. a)** lóg, függ, csüng; **~ loose** leng, csapkod **b)** dől *[torony]*, kiugrik *[szirt]* **2.** lóg *[bűnös]*; **you'll ~ for it** *biz* ezért lógni fogsz **3.** esik, omlik, redőt vet **4.** csatangol, kószál, lődörög, lóg **5. time ~s heavy (on sy's hands)** unatkozik, nehezen/lassan telik/múlik az idő **6.** késlekedik **II.** *fn* **1. a)** lejtés, hajlás, dőlés **b)** állás *[ruháé]*, esés *[szöveté]* **2.** *biz* **get the ~ of sg** rájön vmnek a nyitjára, beletanul vmbe **3.** *biz* **I don't care a ~** nekem mindegy, fütyülök rá **4.** *ritk* fennakadás, megtorpanás
hang about *tni* **1.** kószál, lődörög **2.** készülődik, közeleg, a levegőben van
hang around → **hang about**
hang back *tni* **1. a)** hátramarad, elmarad **b)** nem mozdul/indul **2.** *biz* habozik, húzódozik
hang in *tni US biz* kitart
hang on *tni* **1. a)** lóg/függ vmn **b) ~ on sy's lips/words** vknek a szaván függ/csüng **c) everything ~s on his answer** minden a válaszától függ **2. a)** (bele)kapaszkodik, (bele)csimpaszkodik **b)** ragaszkodik, kitart **c) will you ~ on please** kérem tartsa a vonalat *[telefonáláskor]*
hang out A. *tsi* kiakaszt, kiterít, kitűz; *szl* **let it all ~** *biz [pihen]* elereszti magát **B.** *tni* **1.** kint lóg, kilóg **2.** kiugrik, kinyúlik **3. a)** *biz* lakik, megszáll **b)** lóg, csellengн; → **hang-out**
hang together *tni* **1. they ~ together** összetartanak, segítik egymást **2.** egybevág, összefügg, összhangban van
hang up A. *tsi* **1.** felakaszt, felfüggeszt; **~ up the receiver** leteszi/visszateszi a (telefon)kagylót **2. a)** késleltet, feltartóztat; **be hung up** elakad, fennakad, *szl [felháborodik]* ki van akadva **b)** felfüggeszt, elnapol, elhalaszt **3.** *US* **~ up a mark** rekordot/csúcsteljesítményt állít fel **B.** *tni* leteszi a (telefon)kagylót; **~ up on sy** vknek lecsapja a kagylót
hangar [ˈhæŋə ‖ –ər] *fn* hangár, gépcsarnok
hangdog *mn* sunyi, lapító, bűntudatos
hanger [ˈhæŋə ‖ –ər] *fn* **1.** kampó, horog, (ruha)akasztó, vállfa **2.** *US* hirdetmény, plakát **3.** *régi* hóhér, bakó **4.** *GB* ‹meredek fal, oldalában erdő›
hanger-on *fn tsz* **hangers-on a)** lógós, élősdi **b)** létszámfeletti
hang-glider *fn sp* sárkányrepülő • *tni* **hang-glide** *fn* **hang-gliding**
hanging [ˈhæŋɪŋ] **I.** *mn* **1.** függő, (le)lógó, fityegő; **~ door** önműködő csapóajtó; **~ garden** függőkert **2.** *biz* **~ judge** kegyetlen (v. mindenkit akasztófára ítélő) bíró **3.** → **hang dog I. II.** *fn* **1. a)** felakasztás, felfüggesztés **b)** (fel)akasztás *[emberé]* **2.** *tsz* **hangings** tapéta, faliszőnyeg, drapéria
hangman [ˈhæŋmən] *fn tsz* **-men 1.** hóhér, bakó **2.** *ját* akasztófa
hangnail *fn* körömszálka
hang-out [ˈhæŋaʊt] *fn* törzshely, kedvenc tartozkodási hely; → **hang out**
hangover [ˈhæŋoʊvə ‖ –ər] *fn* **1.** *biz* másnaposság, macskajaj **2.** *US* maradvány, csökevény *[babonáé, szokásé]* **3.** → **hang over**
hang-up [ˈhæŋʌp] *fn szl [lelki probléma]* mánia, flúg
hank [hæŋk] *fn* **1.** motring, gombolyag **2.** vitorlarúdgyűrű

hanker [ˈhæŋkə ‖ –ər] *tni* ~ **after sg** sóvárog/vágyakozik/epekedik vm után; ~ **for sg** vágyik vmre • *fn* **hankerer, hankering**
hanky [ˈhæŋki] *fn biz* zsebkendő
hanky-panky [ˌhæŋkiˈpæŋki] *fn biz* szemfényvesztés, gyanús trükkök, csalafintaság
Hannah [ˈhænə] *tul* Hanna
Hanover [ˈhænouvə ‖ –ər] *tul földr* Hannover
Hanoverian [ˌhænouˈvɪəriən ‖ –ˈviriən] *mn/fn* **1.** Hannover-házbeli **2.** hannoveri
Hansa [ˈhænsə] → **Hanse**
Hansard [ˈhænsɑːd ‖ –sɑrd] *tul GB* parlamenti napló
Hanse [hænsə] *fn* kereskedő városok szövetsége *[Észak-Európában]*, Hanza; **the H** ~ a Hanza(-szövetség)
hansel [ˈhænsəl] → **handsel**
hansom [ˈhænsəm] *fn tört* ~ **(cab)** ‹könnyű egyfogatú kétkerekű kocsi magas hátsó bakkal›
Hants. [hænts] *röv Hampshire*
Hanukkah [ˌhɑːnəkə, ˌhɑːnʊˈkɑː] *tul vall* Hanuka
hap[1] [hæp] *régi* **I.** *fn* **1.** véletlen, szerencse, sors, végzet **2.** véletlen (esemény) **II.** *tni* **-pp- 1.** megesik, véletlenül történik, előfordul **2.** ~ **(up)on sg** (véletlenül) rábukkan/ráakad vmre
hap[2] [hæp] *tni* **-pp-** ~ **at sg** utánakap vmnek *[kutya]*
hapax legomenon [ˌhæpæks lɪˈgɒmənɒn ‖ – lɪˈgɑmənɑn] *fn nyelv* egyszer előforduló szó, egyszeri/egyetlen olvasat
ha'penny [ˈheɪpni] *tsz* **ha'pence** [ˈheɪpəns] *biz* → **halfpenny**
haphazard [hæpˈhæzəd ‖ –ərd] **I.** *mn* rendszertelen, ötletszerű **II.** *hsz* **live** ~ ötletszerűen/rendszertelenül él
hapless [ˈhæpləs] *mn* szerencsétlen, boldogtalan • *fn* **haplessness** *hsz* **haplessly**
haplography [hæpˈlɒgrəfi ‖ –ˈlɑ–] *fn nyelv* kettőződő/ismétlődő betű/szótag egyszeri írása, haplográfia
haploid [ˈhæplɔɪd] *mn biol* fél kromoszómaszámú
haplology [hæpˈlɒlədʒi ‖ –ˈlɑ–] *fn nyelv* egyszerejtés, haplológia
ha'p'orth [ˈheɪpəθ ‖ –ərθ] *fn biz* → **halfpennyworth**
happen [ˈhæpən] *tni* **I. 1.** (meg)történik, előfordul, megesik, adódik; **whatever ~s** bármi történjék; **as it ~s** valójában; történetesen; véletlenül; **such things will** ~ megesik az ilyesmi; **what has ~ed to him?** mi történt/lett vele?; mi lett belőle? **2.** ~ **to do sg** véletlenül/történetesen (éppen) csinál vmt; **I** ~ **to know that ...** véletlenül/történetesen tudom, hogy ... **3.** *biz* ~ **along** odavetődik, arrafelé viszi az útja; ~ **on/upon sg** véletlenül rábukkan/rátalál/ráakad vmre **II.** *mn* talán, esetleg, lehet (hogy)
happening [ˈhæpənɪŋ] **I.** *fn* **a)** esemény, történés **b)** ‹rögtönzött rendhagyó látványosság nézők részvételével› happening **II.** *mn szl [izgalmas divatos]* menő
happenstance [ˈhæpənstɑːns ‖ –stæns] *fn US* véletlen előfordulás/helyzet
happy [ˈhæpi] *mn* **1. a)** boldog, megelégedett **b) be** ~ **to do sg** szívesen/örömmel tesz vmt; **I am** ~ **to see you** örvendek, hogy lát(hat)om **2.** *biz [enyhén ittas]* kapatos, becsípett **3.** *összet* megszállottja, mániákus használója (vmnek) • *fn* **happiness** *hsz* **happily**
happy ending *fn* boldog/szerencsés vég(kifejlet) *[történeté]*, *biz* hepiend
happy event *fn biz* gyermekáldás
happy-go-lucky *mn* könnyed, gondtalan
Hapsburg [ˈhæpsbɜːg ‖ –bɜrg] *tul* Habsburg
haptic [ˈhæptɪk] *mn* érintési, tapintási
hara-kiri [ˌhærəˈkɪri] *fn* harakiri
harangue [həˈræŋ] **I.** *fn* szónoklat, beszéd *[tömeghez]* **II.** *tsi* **a)** beszédet intéz, buzdít, lelkesít **b)** felloval, izgat
harass [ˈhærəs ‖ həˈræs] *tsi* **a)** zaklat, gyötör, molesztál **b)** nyugtalanít, fáraszt *[ellenséget]* • *fn* **harasser**
harassment [ˈhærəsmənt ‖ həˈræs–] *fn* zaklatás, molesztálás
harbinger [ˈhɑːbɪndʒə ‖ ˈhɑrbɪndʒər] *fn* **1.** előfutár, hírnök **2.** útimarsall
harbor [ˈhɑːbə ‖ ˈhɑrbər] *US* → **harbour**
harbour [ˈhɑːbə ‖ ˈhɑrbər] **I.** *fn* **1.** kikötő, kikötőhely; **leave** ~, **clear the** ~ elhagyja a kikötőt, kifut a kikötőből **2.** *régi* szállás, menedék, menhely **II. A.** *tsi* **a)** bújtat, rejteget, szállást/menedéket ad (vknek) **b)** táplál *[gyanút, haragot]*, foglalkozik *[gondolattal]*; ~ **revenge** bosszút forral **B.** *tni* kikötőben horgonyoz
harbourage [ˈhɑːbərɪdʒ ‖ ˈhɑr–] *fn* rév, horgonyzóhely *[hajóknak]*
harbour master *fn* révkapitány, kikötőmester, kikötőfelvigyázó
harbour seal *fn US áll* borjúfóka
hard [hɑːd ‖ hɑrd] **I.** *mn* **1. a)** kemény; ~ **core** *átv* kemény mag; mozgatója, motorja *[vmlyen közösségnek]*; ~ **court** salak/aszfalt/beton teniszpálya; ~ **palate** kemény szájpadlás **b)** ~ **drink/liquor** rövid/tömény ital, pálinka(-féle); ~ **drugs** kemény kábítószerek/drogok **c)** ~ **light** éles megvilágítás; ~ **voice** kemény/érdes hang **d)** szilárd *[pl. értékpapír, árfolyam]*; ~ **currency** kemény valuta **2.** kemény, fáradságos, kitartó, fáradhatatlan *[pl. munkás]*; ~ **labour** kényszermunka *[mint büntetés]*; ~ **worker** kitartó/szorgalmas/jó munkás **3.** nehéz, fárasztó, keserves; *biz* **the** ~ **way** keservesen, saját kárán, a nehezebb úton **4. a)** kemény, rideg, szigorú, *pol* szélsőséges, radikális; ~ **fact** rideg tény/valóság; *biz*, ~ **luck!** pech!; **take a** ~ **look at sg** kritikus szemmel néz vmt; **grow** ~ megkeményedik *[szív]*; **be** ~ **on sy** kemény/szigorú/igazságtalan vkvel szemben; **have a** ~ **time** nehézségekkel/bajokkal küzd; **no** ~ **feelings** nincs harag **b)** ~ **winter** kemény/zord tél **c)** ~ **evidence** megcáfolhatatlan bizonyíték **II.** *hsz* **1.** keményen, keményre **2.** keményen, erősen, kitartóan, szívósan; **die** ~ szívós; nehezen/lassan múlik/tűnik el (v. vész ki); **think** ~ megfeszítetten gondolkozik; **try** ~ minden erejét összeszedve próbálja **3. bear/come** ~ **on him** keservesen sújtja, érzékenyen érinti **4.** ~ **by** közvetlen közelében, egészen közel **III.** *fn* **1.** *biz* kényszermunka **2.** *GB* kőből kirakott gázló *[mocsárban]*
hard and fast [ˌhɑːdənˈfɑːst ‖ ˌhɑrdənˈfæst] szigorú, merev
hardback *mn/fn* kemény kötésű/táblájú (könyv)
hardball I. *fn* **1.** *US* baseball **2.** *biz pol* kemény vonal **II.** *tni biz pol* (politikai) nyomást gyakorol
hardbitten *mn biz* makacs, hajthatatlan, cinikus
hardboard *fn* préseltlemez
hard-boiled *mn* **a)** keményre főtt, kemény *[tojás]* **b)** *biz* makacs, nyakas
hard copy *fn infor* kinyomtatott példány
hard-core *mn* **1.** kemény magot alkotó **2.** kompromisszumot nem ismerő **3.** obszcén *[pornó]* **4.** keménydrog-*[főleg heroin-]* függőséggel kapcsolatos **5. hardcore** *zene* hardcore
hardcover *US* → **hardback**
hard disk *fn infor* merev (mágnes)lemez, winchester
hard-earned *mn* nehéz munkával szerzett
harden [ˈhɑːdn ‖ ˈhɑrdn] **A.** *tsi* **a)** (meg)keményít, (meg)szilárdít, (meg)edz **b)** ~ **oneself against sg** hozzászoktatja/hozzáedzi magát vmhez **c)** ~ **(off) seedlings** palántát szétültet **B.** *tni* **a)** (meg-)keményedik, megszilárdul, *átv* megedződik **b)** kialakul, megállapodik *[közvélemény]*; ~ **(up)** megszilárdul *[pl. részvény]* • *mn* **hardened**
hardening [ˈhɑːdnˈɪŋ ‖ ˈhɑrd–] *fn* **1.** megkeményedés **2.** *orv* ~ **of the arteries** érelmeszesedés
hard hat *fn* **1.** *US* fejvédő, védősisak **2.** építőmunkás
hard-headed *mn* gyakorlatias, realista • *fn* **hard-headedness**
hardheads *fn növ* fekete imola
hard-hearted *mn* keményszívű, szívtelen, könyörtelen
hard-hitting *mn* agresszíven kritikus
hardie [ˈhɑːdi ‖ ˈhɑr–] → **hardy**

H

hard line I. *fn* hajthatatlanság, szigorúság **II.** *mn* **hardline** szigorú, kemény

hardliner *fn* az erőpolitika híve

hardly [ˈhɑːdli ‖ ˈhɑrdli] *hsz* **1. a)** alig; **~ anyone** szinte/jóformán senki; **~ ever** szinte sohasem **b)** aligha, nemigen **2.** nehezen, nagy fáradsággal

hard-nosed *mn biz* kemény, realista

hard-on [ˈhɑːdɒn ‖ ˈhɑrdɑn] *fn szl tabu* hímvessző merevedése *stand*; **get/have a ~** feláll a farka

hardpan *fn geol* tömörödött/kemény altalaj

hard-pressed *mn* erősen szorongatott, nyomasztó helyzetben levő *[adós]*

hard rock *fn zene* kemény rock

hardshell *mn* **1. a)** kemény héjú, páncélos *[teknős]* **b)** csonthéjas *[gyümölcs]* **2.** *US biz* merev, vaskalapos

hardship [ˈhɑːdʃɪp ‖ ˈhɑrd–] *fn* **a)** nehézség, viszontagság **b)** megpróbáltatás

hard shoulder *fn GB gk* leállósáv

hard stuff *fn szl* **1.** kemény drog *stand* **2.** *[magas alkoholtartalmú ital]* kerítésszaggató

hard tack *fn* tengerészek kétszersültje/keksze

hard-to-get *mn* nehezen megszerezhető/beszerezhető

hard-top *fn gk* kemény tetős (személy)autó

hardware *fn* **1.** vas- és fémáru **2.** *infor* hardver

hardware store *US* vaskereskedés

hard-wearing *mn* tartós, strapabíró *[ruha, szövet]*

hard-won *mn* nehezen kivívott *[győzelem]*

hardwood *fn* keményfa, szerszámfa

hard-working *mn* dolgos, szorgalmas

hardy [ˈhɑːdi ‖ ˈhɑrdi] *mn* **1. a)** erős, szívós, edzett **b)** ellenálló, téltűrő *[növény]*; **~ annual** évelő szabadföldi növény **2.** merész, rettenthetetlen, vakmerő

hare [heə ‖ her] **I.** *fn áll* mezei nyúl; **start a ~** *GB átv biz* eltereli a beszélgetést, új beszédtémát kezdeményez; *biz* **run with the ~ and hunt with the hounds** *GB* kétszínű játékot folytat, kétkulacsoskodik **II.** *tni* szalad mint a nyúl, szedi a lábát

harebell *fn növ* kereklevelű harangvirág

hare-brained *mn* kelekótya, bolondos

Hare Krishna [ˌhæriˈkrɪʃnə ‖ ˌhɑr–] *fn vall* Hare Krisna *[hindu szekta]*

harelip *fn orv* nyúlajak, nyúlszáj • *mn* **harelipped**

harem [ˈhɑːriːm ‖ ˈhærəm] *fn* hárem

hare's-foot *fn növ* tarlóhere

harewood *fn* jávorfa, juharfa

haricot [ˈhærɪkoʊ] *fn* **1.** *növ* **~ (bean)** (karó)bab, paszuly **2.** *gaszt* **~ mutton** zöldséges ürütokány/birkagulyás

hark [hɑːk ‖ hɑrk] *tni régi* **1. ~!** figyelj!, hallgasd!, csitt csak! **2.** *biz* **~ back to sg** visszatér vmhez, újra felhoz vmt; visszaemlékezik vmre

harken [ˈhɑːkn ‖ ˈhɑr–] → **hearken**

harl [hɑːl ‖ hɑrl] *fn* **1.** lenrost, kenderrost, rostanyag **2.** tollpihe *[struccé, pávaé]*

harlequin [ˈhɑːləkwɪn ‖ ˈhɑr–] **I.** *fn* harlekin, paprikajancsi **II.** *mn* tarka

harlequinade [ˌhɑːləkwɪˈneɪd ‖ ˌhɑr–] *fn szính* **a)** ‹némajáték/színdarab (része), melyben a harlekin játssza a főszerepet› **b)** bohóckodás

harlot [ˈhɑːlət ‖ ˈhɑr–] *fn régi* ringyó, szajha • *fn* **harlotry**

harm [hɑːm ‖ hɑrm] **I.** *fn* kár, sérelem, ártalom; **do ~ to sy** árt vknek; **do more ~ than good** többet árt mint használ; **be out of ~'s way** biztonságban van; nem árthat **II.** *tsi* árt, bajt okoz/csinál (vknek), megsért *[érdeket]*

harmattan [hɑːˈmætn ‖ ˈhɑr–] *fn meteo* ‹nyugat-afrikai forró szél›

harmful [ˈhɑːmfl ‖ ˈhɑrm–] *mn* káros, ártalmas, sérelmes, hátrányos (vkre/vmre nézve)

harmless [ˈhɑːmləs ‖ hɑrm–] *mn* **1.** ártalmatlan, ártatlan **2.** *jog* **save sy ~** mentesít vkt *[követelés/kötelezettség alól]* • *fn* **harmlessness** *hsz* **harmlessly**

harmonic [hɑːˈmɒnɪk ‖ hɑrˈmɑ–] **I.** *mn* össz(e)hangzó, harmonikus, arányos; *mat* **~ curve** harmonikus görbe, színuszvonal; *mat* **~ mean** harmonikus közép; *fiz* **~ motion** harmonikus mozgás; *mat* **~ progression** harmonikus haladvány; *mat* **~ series** harmonikus sor **II.** *fn* **1. a)** *zene* (harmonikus) felhang **b)** *tsz* **harmonics** *távk* harmonikus frekvenciák **2.** *zene* üveghang *[vonós hangszeren]* **3.** *esz* **harmonics** összhangzattan

harmonica [hɑːˈmɒnɪkə ‖ hɑrˈmɑ–] *fn* (száj)harmonika

harmonious [hɑːˈmoʊnɪəs ‖ hɑr–] *mn* **1. a)** össz(e)hangzó, harmonikus, arányos **b)** jó/kellemes hangzású **2.** egyetértő, békés, harmonikus

harmonist [ˈhɑːmənɪst ‖ ˈhɑr–] *fn biz* költő, rímfaragó; az összhangzattan művelője • *mn* **harmonistic**

harmonium [hɑːˈmoʊnɪəm ‖ hɑr–] *fn zene* harmónium

harmonize [ˈhɑːmənaɪz ‖ ˈhɑr–], **-ise A.** *tsi* **a)** összhangba hoz, összehangol, egyeztet **b)** *zene* kíséretet szerez *[dallamhoz]* **B.** *tni* összhangban van, harmonizál, egyetért • *fn* **harmonization**

harmony [ˈhɑːməni ‖ ˈhɑr–] *fn* **1. a)** *zene* összhang, harmónia, összhangzat **b)** *zene* összhangzattan **2.** összhang, harmónia, egyetértés; **in ~ with...** vmvel összhangban/megegyezően **3.** evangéliumharmónia

harness [ˈhɑːnɪs ‖ ˈhɑr–] **I.** *fn* **1 a)** lószerszám, hám; *átv* **in ~** a napi munkában **b)** *gk* kábelköteg, vezetékköteg **II.** *tsi* **1.** felkantároz, felszerszámoz, befog *[lovat]* **2.** kihasznál, munkába/munkára fog, (fel)használ **3.** *régi* felvértez, felfegyverez

harp [hɑːp ‖ hɑrp] **I.** *fn* **1.** *zene* hárfa **2.** rosta **3.** Líra csillagkép **4.** *áll* → **harp seal II.** *tni* hárfázik; *átv biz* **~ on one (v. the same) note/string** folyton ugyanazt a nótát fújja • *fn* **harper, harpist**

harpoon [hɑːˈpuːn ‖ hɑr–] **I.** *fn* szigony **II.** *tsi* megszigonyoz • *fn* **harpooner**

harpoon gun *fn* szigonyágyú

harp seal *fn áll* grönlandi fóka

harpsichord [ˈhɑːpsɪkɔːd ‖ ˈhɑrpsɪkɔrd] *fn zene* csembaló • *fn* **harpsichordist**

harpy [ˈhɑːpi ‖ ˈhɑrpi] *fn* **1.** *mit* hárpia *[görög regében]* **2.** vérszopó, hárpia

harpy eagle *fn áll* hárpia

harridan [ˈhærɪdən] *fn* vén banya

harrier¹ [ˈhærɪə ‖ –ər] *fn* **1.** pusztító, dúló, fosztogató **2.** *tsz* **harriers** *áll* réti héják

harrier² [ˈhærɪə ‖ –ər] *fn* **1.** angol falkakopó; **~s** kutyafalka *[nyúlvadászaton]* **2.** *tsz* **harriers** mezei futók klubja

harrow¹ [ˈhæroʊ] **I.** *fn* borona; *biz* **be under the ~** gyötrik a gondok **II.** *tsi* boronál; *biz* **~ sy's feelings, ~ sy** vk érzelmeibe gázol

harrow² [ˈhæroʊ] → **harry** • *fn* **harrower** *hsz* **harrowingly**

harrowing [ˈhæroʊɪŋ] *mn* szívszaggató, szívfájdító, szívfacsaró

harrumph [həˈrʌmf] *tsi* **1.** krákog, harákol, torkát köszörüli **2.** ötöl-hatol, hümmög

harry [ˈhæri] *tsi* **1.** elpusztít, feldúl, kifoszt *[országot]* **2.** kínoz, gyötör

Harry [ˈhæri] *tul* ‹férfinév›

harsh [hɑːʃ ‖ hɑrʃ] *mn* **1.** érdes, durva, fanyar *[íz]*; **give a ~ laugh** rekedten/durván felkacag **2.** nyers *[jellem]*, kíméletlen, kemény *[bánásmód]*; **say ~ things to sy** keményen odamondogat vknek

harslet [ˈhɑːslət ‖] → **haslet**

hart [hɑːt ‖ hɑrt] *fn* szarvasbika

hartal [hɑːˈtɑːl ‖ hɑrˈtɑl] *fn* ‹munkaszüneti nap Indiában gyász alkalmából v. politikai tüntetésként›

hartebeest [ˈhɑːtɪbiːst ‖ ˈhɑrtɪ–] *fn áll* káma *[dél-afrikai antilop]*

hartshorn [ˈhɑːtshɔːn ‖ ˈhɑrtshɔrn] *fn vegy* agancssó, ammónium-karbonát; **spirit of ~** agancsszesz, szalmiákszesz

hart's-tongue *fn növ* (közönséges) gímpáfrány

harum-scarum [ˌheərəmˈskeərəm ‖ ˌherəmˈskerəm] *mn/fn biz* vakmerő, vad

haruspex [həˈrʌspeks] *fn tört vall* haruspex

Harvard [ˈhɑːvəd ‖ ˈhɑrvərd] *tul* Harvard Egyetem *[Cambridge, Mass.]*

harvest [ˈhɑːvɪst ‖ ˈhɑr–] **I.** *fn* **1.** aratás, betakarítás, szüret **2.** *átv* aratás, termés(eredmény); **get in the ~** arat; betakarítja a termést **II. A.** *tsi* arat, begyűjt, betakarít, (le)szüretel **B.** *tni* arat, begyűjt, betakarít ● *mn* **harvestable**

harvester [ˈhɑːvɪstə ‖ ˈhɑrvɪstər] *fn* **1.** arató **2.** aratócséplő gép, kombájn **3.** *US áll* kaszáspók

harvest festival *fn* aratóünnep

harvestman [ˈhɑːvɪstmən] *fn tsz* **-men 1.** arató(munkás) **2.** *áll* kaszáspók

harvest moon *fn* ‹az őszi napéjegyenlőséghez legközelebb eső holdtölte› szeptember végi holdtölte

harvest mouse *fn tsz* **- mice** *áll* törpeegér

harvest spider *fn áll* kaszáspók

has [z, həz, s, hæz] → **have** I.

has-been [ˈhæzbɪn] *fn biz* **1.** lecsúszott ember **2.** divatjamúlt/ósdi dolog

hash¹ [hæʃ] **I.** *fn* **1.** vagdalék, hasé, fasírozott **2.** zagyvaság, zagyvalék; **make a ~ of sg** *biz* összekavar/elfuserál/elront vmt; **settle sy's ~** *biz* elszámol/leszámol vkvel; felborítja vk terveit **3.** *átv* felmelegített dolog **4.** papírhulladék **5.** *távk* frekvenciazavar, sistergés **II.** *tsi* **1. a) ~ (up)** vagdal, fasíroz *[húst]* **b)** összezagyvál **2.** *átv* újra felmelegít, újra feltálal

hash² [hæʃ] *fn biz* hasis

hash browns *fn US gaszt* cicege, tócsi; ‹hagymás reszelt burgonya olajban barnára sütve›

hashhead *fn szl [drogos kábítószeres]* zöldfejű

hashish [ˈhæʃɪʃ] *fn* hasis

hash mark *fn* **1.** *kat szl [rangjelzés]* gerenda **2.** kettős kereszt *[#]*

haslet [ˈheɪzlɪt] *fn* belsőség, zsigerek *[disznóé]*

hasn't [ˈhæznt] *röv has not* → **have** I.

hasp [hæsp] **I.** *fn* **1.** hevederpánt, (lakat)retesz, csat, kapocs **2.** fonalorsó **II.** *tsi* belakatol, lakatra zár

hassle [ˈhæsl] **I.** *fn biz* **1.** szóváltás, vita, veszekedés **2.** kavarodás, zűrzavar **3.** verekedés **II. A.** *tsi* zavart/kavarodást okoz **B.** *tni* vitázik, veszekszik

hassock [ˈhæsək] *fn* **1.** térd(eplő)párna *[templomban]*, párnázott zsámoly **2.** nedves csapzott fűcsomó

hastate [ˈhæsteɪt] *mn növ* lándzsa alakú, dárdás *[levél]*

haste [heɪst] **I.** *fn* sietség; **make ~** siet, igyekszik; **do sg in ~** sietve/kapkodva csinál vmt **II.** *tsi/tni régi* → **hasten**

hasten [ˈheɪsn] **A.** *tsi* siettet, (meg)gyorsít, előmozdít **B.** *tni* siet, igyekszik; **~ to do sg** siet vmt tenni

hasty [ˈheɪsti] *mn* **1.** gyors, sietős, futó **2.** meggondolatlan, elhamarkodott **3.** hirtelen *[természet]*

hat [hæt] **I.** *fn* kalap, fejfedő, *[tiszti]* sapka; **~-trick** kalapmutatvány *[bűvészé]*; *sp* mesterhármas; **take off one's ~** kalapját leveszi; **take off one's ~ to sy** kalapot emel vknek; *átv* kalapot emel vk előtt; **~s off (to sy)!** le a kalappal (vk előtt); *biz* **talk through one's ~** összevissza beszél/dumál; hantázik; **throw one's ~ in the ring** jelöltként fellép, jelölteti magát *[választáson]*; *biz* **keep sg under one's ~** vmt titokban tart **II.** *tsi* **-tt- a)** kalapot ad (vkre), kalapot tesz *[fejre]* **b)** bíborosi kalapot adományoz *[papnak]*

hatband *fn* kalapszalag

hatbox *fn* kalapdoboz

hatch¹ [hætʃ] *fn* **1. a)** félajtó **b)** nyílásfedél, raktárfedél **c)** tolóajtó, tolóablak, tálalóablak **d)** zsiliptábla, zsilipkapu **2.** *hajó* lejáró, fedélzeti nyílás

hatch² [hætʃ] **I. A.** *tsi* **1. a)** (ki)költ *[tojást]*; **~ out eggs** tojásokat kikölt **b)** keltet *[pl. tojást, halikrát]* **c)** *orv* kifejleszt, megérlel *[betegséget]* **2.** *átv* **~ a plot** rosszat forral, összeesküvést sző **B.** *tni* **1.** költ *[kotló]* **2. ~ (out)** kikel **3. a plot is ~ing** valami készül, titokban vm rosszat forralnak **II.** *fn* **1.** kikelés *[tojásból]*, kiköltés **2.** egy fészekalja/tyúkalja tojás

hatch³ [hætʃ] *tsi* **1.** vonalkáz, satíroz *[metszetet, rajzot]* **2.** rovátkol

hatchback [ˈhætʃbæk] *fn gk* ötajtós kocsi

hatchery [ˈhætʃəri] *fn mezőg* csirke- v. halkeltető telep, keltetőház

hatchet [ˈhætʃɪt] *fn* kis balta/szekerce; **bury the ~** *biz* elássa a csatabárdot; **dig/take up the ~** *biz* kiássa a csatabárdot

hatchet-faced *mn* éles/markáns arcélű, *biz* csúnya, ijesztő

hatchet job *fn biz* vitriolos kritika/támadás

hatchet man *fn tsz* **-men 1.** bérgyilkos **2.** kíméletlen (tollú) újságíró

hatching [ˈhætʃɪŋ] *fn* vonalkázás *[rajzon]*

hatchling [ˈhætʃlɪŋ] *fn* **a)** nemrég kikelt madárfióka **b)** nemrég kikelt hal

hatchment [ˈhætʃmənt] *fn* **1.** címerpajzs gyászházon **2.** *régi* címer(pajzs)

hatchway *fn hajó* lejáró, fedélzeti nyílás, rakodónyílás

hate [heɪt] **I.** *tsi* **1.** gyűlöl, utál **2. ~ to do sg** nagyon nem szívesen tesz vmt **II.** *fn* **1.** gyűlölet, gyűlölködés **2.** *biz* gyűlölet tárgya ● *fn* **hater** *mn* **hat(e)able**

hateful [ˈheɪtfl] *mn* gyűlöletes, utálatos

hate-love *fn pszich* gyűlölet-szeretet *[érzelmi ambivalencia]*

hate mail *fn* gyalázkodó levél

hatpin *fn* kalaptű

hatred [ˈheɪtrɪd] *fn* gyűlölet, gyűlölködés; **out of ~ for sy** vk iránti gyűlöletből

hatstand *fn* álló (kalap)fogas

hatter [ˈhætə ‖ ˈhætər] *fn* kalapos

hat-trick *fn sp* mesterhármas

hauberk [ˈhɔːbɜːk ‖ –bɜrk] *fn tört* páncéling

haughty [ˈhɔːti] *mn* dölyfös, gőgös, fennhéjázó, rátarti ● *fn* **haughtiness** *hsz* **haughtily**

haul [hɔːl] **I. A.** *tsi* **1.** húz, von(tat), hurcol **2.** szállít, fuvaroz **B.** *tni* **1. a)** húz **b)** széthúz **2.** irányt változtat *[hajó, szél]* **II.** *fn* **1.** erőteljes húzás, vontatás **2.** fogás *[halászé]*; *átv* **get/make a good ~** remek fogást csinál **3.** vontatott tárgy által megtett út/távolság; **length of ~** szállítási/vontatási távolság **4.** szállítás; **long ~** nehéz és hosszú munka; hosszú út/táv, nagy távolság

haulage [ˈhɔːlɪdʒ] *fn* **1.** szállítás **2.** szállítás díja

hauler [ˈhɔːlə ‖ –ər] *fn* **1.** *hajó* (hajó)vontató **2.** *bány* szállítócsillés

haulier [ˈhɔːlɪə ‖ –ər] *fn GB* **1.** *gazd* szállító, fuvarozási vállalkozó **2.** *bány* szállítócsillés

haulm [hɔːm] *fn* **1.** fűszál, szár *[növényé]* **2.** szár, szalma *[tetőfedésre]*

haunch [hɔːntʃ] *fn* **1. a)** tompor, comb felső része, hátsó fertály *[embernél]*; **squat on one's ~es** kuporog, összekuporodva ül **b)** comb *[vadé elkészítve]* **2.** *épít* ívváll

haunt [hɔːnt] **I. A.** *tsi* **1.** gyakran felkeres/meglátogat *[helyet ember/állat]*, gyakran megfordul *[vhol]* **2. a)** látogat, jár *[házat kísértet]*; **this place is ~ed** itt kísértetek járnak **b)** háborít, háborgat, kísért, üldöz *[rémkép]*; **be ~ed by memories** üldözik/kísértik az emlékek **B.** *tni* **~ in/about a place** rendszeresen odajár valahova *[állat]* **II.** *fn* **a)** törzshely, megszokott/állandó találkozóhely *[társaságé]* **b)** állatok ivó- és evőhelye ● *fn* **haunter**

haunted [ˈhɔːntɪd] *mn* **a)** kísértet járta *[ház]* **b) ~ looking eyes** riadt/zavaros tekintet

haunting [ˈhɔːntɪŋ] *mn* visszatérő, kísértő, sajgó *[emlék]*, meg-megújuló *[kétség]*

Hausa [ˈhausə] *mn/fn tsz* **Hausa**, **Hausas** hausza *[nép és nyelv]*

haute couture [ˌout kuːˈtjuə ‖ –ˈtur] *fn francia* haute couture *[vezető divatházak* v. *azok termékei]*

haute cuisine [ˌout kwɪˈziːn] *fn francia gaszt* szakácsművészet

haute école [ˌout eɪˈkɒl ‖ ˌout eɪˈkɔl] *fn francia* magasiskola; klasszikus elegancia *[divatban, öltözködésben]*
Havana [həˈvænə] *tul* **1.** *földr* Havanna *[Kuba fővárosa]* **2.** ~ **(cigar)** havanna(szivar)
have [hæv] **I.** *tsi pt/pp* **had** [hæd] **1.** van (vknek vmje), vmt bír; ~ **an idea** van/támadt egy ötlete; ~ **no idea/notion of sg** fogalma/sejtelme sincs vmről; ~ **need of sg** szüksége van vmre; ~ **a right to sg** joga van vmhez; ~ **to do with sg** köze van vmhez, dolga/kapcsolata van vmvel; ~ **to do with sy** kapcsolata/dolga van vkvel; köze van vkhez; ~ **nothing to do** nincs semmi dolga; ~ **nothing to do with** semmi köze sincs (vkhez/vmhez) **2.** kap, szerez **3.** elfogyaszt, elkölt *[pl. ételt, italt]*; ~ **tea with sy** együtt teázik/uzsonnázik vkvel; **what will you ~?** mit parancsol? **4. a)** ~ **a bath** megfürdik, fürdőt vesz; ~ **a dream** álmodik, álmot lát; ~ **a walk** sétál (egyet) **b)** ~ **a lesson** órát/leckét vesz; ~ **a talk/word with sy** beszélget vkvel, szót vált vkvel **5. ah! I ~ it!** most már értem!, megvan! **6.** állít, tart, fenntart *[állítást vitában]*; **he will ~ it that** (azt) állítja, hogy **7. a)** elismer *[állítást]*, belát *[tényt]* **b)** eltűr, megenged; **I won't ~ it** erről hallani sem akarok **8. a)** *biz* túljár az eszén (vknek), behúz a csőbe (vkt), kitol (vkvel); *biz* **I'm not to be had** engem nem lehet rászedni/becsapni **b)** *biz* **you ~ me there!** na most megfogtál! **9. a)** ~ **sg done** vmt csináltat **b)** ~ **sy do sg** vkvel elvégeztet vmt **10.** ~ **to do sg** meg kell tennie vmt, muszáj vmt megtennie **II.** *fn* **1.** *biz* **the ~s and the ~-nots** a gazdagok és a szegények **2.** *GB szl [csalás]* svindli; *biz* **it's a ~** átverték
have back *tsi* **1.** visszahív(at) (vkt) **2.** visszakap vmt
have for *tsi* **1.** ~ **sy for sg** vkt vmnek tart **2.** van vmje vk számára, vknek szán vmt
have in *tsi* **1.** betessékel, bevezet **2.** ~ **sy in to dinner** meghív vkt vacsorára **3.** ~ **sg in** ellátja magát vmvel, beszerez vmt **4.** *biz* ~ **it in for sy** bosszút forral vk ellen
have off *tsi* **1.** levet *[ruhát]*; *szl* ~ **it off (with sy)** félrelép vkvel **2.** ~ **the afternoon off** szabad a délutánja
have on *tsi* **1.** ~ **sg on** visel/hord vmt **2.** ~ **sg on** vm elfoglaltsága/programja/dolga van **3.** ~ **sy on** *Ausz* elfogadja a kihívást (verekedésre) **4.** ~ **it on sy** legyőz vkt, fölébe kerekedik vknek
have out *tsi* **1. a)** kihív, kihívat **b)** párbajra (ki)hív **2.** *biz* ~ **it out with sy** vmt tisztáz vkvel, tiszta vizet önt a pohárba **3.** ~ **it out of sy** megfizet vknek, bosszút áll vkn
have up *tsi* **a)** *GB biz* bíróság elé állít(tat), felelősségre von **b)** *biz* beidéz, berendel *[hatóság]*
haven [ˈheɪvn] *fn* **a)** kikötő, rév **b)** *átv* menedék
have-not → **have II.1.**
haven't [ˈhævnt] *röv have not*→ **have I.**
haver [ˈheɪvə ‖ –ər] **I.** *tni GB* ostobaságokat/összevissza beszél, hetet-havat összehord **II.** *fn tsz* **havers** *skót* ostobaságok, butaságok, összevissza beszéd
haversack [ˈhævəsæk ‖ –vər–] *fn kat* **a)** oldalzsák **b)** tölténytáska
havoc [ˈhævək] **I.** *fn* pusztítás, dúlás, rombolás; **play ~ with, wreak ~ on** nagy pusztítást/rombolást visz véghez **II.** *tsi pt/pp* **havocked** elpusztít, letarol *[fagy termést stb.]*
haw[1] [hɔː] *fn növ* galagonya(bogyó)
haw[2] [hɔː] *fn áll* pislogóhártya *[ló/kutya szemén]*
haw[3] [hɔː] **I.** *fn* hümmögés **II.** *tni* **hum and ~** hümmög, nem tud dönteni
Hawaii [həˈwaɪi] *tul földr* Hawaii
Hawaiian [həˈwaɪən] *mn/fn* hawaii; **the ~ Islands** a Hawaii-szigetek
hawfinch *fn áll* meggyvágó
hawk[1] [hɔːk] **I.** *fn* **1. a)** *áll* **~s** héják; szenderek; **great/pigeon ~** héja; **sparrow ~** karvaly **b)** *pol* harcias (személy), háború(s)párti **2.** *biz* kapzsi ember, hiéna **II.** *tni* **1.** solymászik **2.** ~ **at the prey** lecsap áldozatára *[madár]*
hawk[2] [hɔːk] **A.** *tsi* ~ **up** felköhög, felkrákog *[slejmet]* **B.** *tni* köhécsel, krákog, reszeli a torkát • *mn* **hawkish, hawklike**
hawk[3] [hɔːk] *tni* házal, ügynösködik
hawk[4] [hɔːk] *fn épít* simítódeszka
hawker[1] [ˈhɔːkə ‖ –ər] *fn* solymár
hawker[2] [ˈhɔːkə ‖ –ər] *fn* házaló
hawk-eyed *mn* sasszemű • *fn* **hawkeye**
hawkmoth *fn áll* szender; **eyed ~** esti lepke/pávaszem
hawk-nosed *mn* karvalyorrú, sasorrú
hawksbill *fn áll* ~ **(turtle)** álcserepes teknős
hawkshaw *fn US biz* detektív
hawkweed *fn növ* erdei hölgymál
hawse [hɔːz] *fn hajó* **1.** horgonyláncnyílás **2.** a horgony és a hajó közötti tér *[lehorgonyzott hajónál]* **3. cross ~** kereszteződött horgonylánc; **clear/open ~** szabadon/tisztán futó horgonylánc/kötél
hawse-hole *fn hajó* horgonyláncnyílás
hawse-pipe *fn hajó* horgonyláncvezető cső
hawser [ˈhɔːzə ‖ –ər] *fn hajó* hajókötél, kábel, horgonykötél
hawthorn [ˈhɔːθɔːn ‖ –θɔrn] *fn növ* galagonya
hay [heɪ] **I.** *fn* széna, szárított szálas takarmány; *közm* **make ~ while the sun shines** addig üsd a vasat, amíg meleg; *biz* **make ~ of sg** összekuszál, összezavar; felborít *[pl. terveket]*; **hit the ~** *szl [elalszik]* szunyál(ni megy) **II. A.** *tsi* **1.** kaszálónak bevet **2.** szénával ellát **B.** *tni* szénát kaszál/szárít/gyűjt/forgat
haycart *fn* szénásszekér
haycock *fn* szénaboglya
hay fever *fn orv* szénanátha
hayfield *fn* kaszáló
hayloft *fn* szénapadlás, csűr
haymaker *fn* **1.** szénaforgató, szénagyűjtő *[személy]* **2.** szénaforgató gép **3.** *szl [nagy lendületű/erős ütés]* parasztlengő • *fn* **haymaking**
haymow *fn* **1.** szénakazal, szénaboglya *[pajtában]* **2.** szénapajta
hayrick *fn* szénakazal
hay-scented *mn* szénaillatú
haystack *fn* szénakazal
haywire **I.** *fn* szénakötöző huzal; *US szl* **go ~** *[megbolondul]* kibukik **II.** *mn szl [megkergült]* dilis
hazard [ˈhæzəd ‖ –ərd] **I.** *fn* **1.** véletlen; **game of ~** szerencsejáték **2.** kockázat, rizikó, veszély; **fire ~** tűzveszély; **at all ~s** bármilyen/minden áron **3.** mesterséges (v. természetes akadály) *[golfpályán]* **4.** *ját* ‹kockajátékfajta› **II. 1.** *tsi* veszélyeztet, kockáztat, kockára tesz *[életét, vagyonát]* **2.** megkockáztat, merészel megtenni *[megjegyzést]*; ~ **doing sg** megpróbál/megkísérel vmt tenni
hazard light *fn gk* vészvillogó *[gépkocsin]*
hazardous [ˈhæzədəs ‖ –zər–] *mn* **1.** kockázatos, veszélyes **2.** merész *[vállalkozás]*, kalandos *[terv]*
hazardous waste *fn körny* veszélyes hulladék
haze[1] [heɪz] *fn* **1.** (köd)pára, ködfátyol **2.** *átv* homály, ködösség, zavarosság **3.** fátyolképződés, fátyolosodás
haze[2] [heɪz] *tsi* **1.** elcsigáz, holtra fáraszt **2.** *US okt* szekál, bosszant
hazel [ˈheɪzl] **I.** *fn* **1.** *növ* mogyoró(fa), mogyoróbokor **2.** mogyoró **3.** mogyorószín **II.** *mn* **1.** mogyorófa- **2.** mogyorószínű
hazel-eyed *mn* őzszemű, barna szemű
hazel-grouse *fn áll* császármadár
hazelnut *fn növ* mogyoró
hazy [ˈheɪzi] *mn* **1.** párás, ködös **2. a)** elmosódott, határozatlan, bizonytalan *[körvonal]* **b)** ködös, zavaros *[pl. gondolatok]*
HB *röv hard black*
HBM *röv Her/His Britannic Majesty*
HC *röv House of Commons*
HDTV *röv high-definition television* nagyfelbontású televízió
he [hiː] **I.** *nm* ő *[férfi* v. *fiú]*, az **II.** *fn* **a)** férfi, fiú; ~ **man** férfias férfi **b)** hím (állat); ~ **bear** hím medve
He *röv vegy helium*

head [hed] **I.** *fn* **1. a)** fej *[testrész]*; ~ **down** leszegett fővel; ~ **first/foremost** fejjel előre, fejest; *biz* **let sy have his** ~, **give sy his** ~ enged vknek, enged vk akaratának, szabad kezet ad vknek; **from** ~ **to toe** tetőtől talpig; *biz* **laugh one's** ~ **off** halálra neveti magát; *biz* **talk sy's** ~ **off** telebeszéli vknek a fejét; **lie on sy's** ~ vk lelkén szárad, lelke rajta; ~ **over heels** hanyatt-homlok; fülig; nyakig; **be hanging over sy's** ~ fenyeget vkt *[pl. veszély]*; **give orders over sy's** ~ vk tudta/beleegyezése nélkül ad utasításokat/parancsokat **b)** (ábrázolt) fej *[pl. műalkotáson, érmén]*, arckép; **~s or tails** fej vagy írás **c)** *vad* ~ **(of horn)** szarvasagancs **2. a)** személy; **crowned** ~ koronás fő; ~ **to** ~ ember ember ellen *[közelharcban]* **b)** darab *[állatokról]* **c)** állomány, készlet **3. a)** *átv* fej, ész, értelem; **keep one's** ~, **keep a cool** ~ nem veszti el a fejét, megőrzi hidegvérét/higgadtságát/nyugalmát; **keep one's** ~ **above water** valahogy kijön a jövedelméből; **lose one's** ~ elveszti a fejét; **get sg into one's** ~ fejébe vesz vmt; **put ideas into sy's** ~ felnyitja a szemét, bolhát tesz vk fülébe; **put sg out of one's** ~ nem gondol tovább vmre; elveti vmnek a gondolatát; **go to sy's** ~ fejébe száll vknek *[ital]*; **out of one's own** ~ a saját fejéből, a maga jószántából; **over one's** ~ szellemi képességeit meghaladó; vk háta mögött; **go off one's** ~ megbolondul, becsavarodik, bedilizik; megőrül; **weak in the** ~ gyagya, gyengeelméjű **b)** *biz* **have a bad** ~, **have a** ~ **on one** fáj a feje; fejfájása van; **have a (bad)** ~ másnapos **4. a)** fej *[káposztáé, salátáé]*, korona *[fáé]*, kalász *[búzáé]* **b)** fej(es) (rész) *[szerszámé, szegé]* **c)** felső rész, orom, csúcs *[tűzhányóé]*, (oszlop)fő, *nyomd* cím(szöveg); *nyomd* ~ **of a page** fejléc; ~ **of a river** folyó forrása/eredete **d)** hab *[sörön]*; ~ **on beer** sörhab **e)** fenék *[hordóé, dobé]* **5.** rovat, kategória, tárgykör; **on this** ~ e tekintetben, ezt illetően; *jog* **~s of a charge** vádpontok **6. a)** *hajó* hajó orra/előrésze **b)** *földr* → **headland** 2. **7. a)** vezető hely, főhely, él *[meneté]*, eleje *[listának]*; **at the** ~ **of the list** a lista elején; **at the** ~ **of the table** az asztalfőn **b)** irányító, fő, feje *[vállalkozásnak]*, fő *[családé, egyházé]*, főnök *[cégé]*, igazgató *[iskoláé]*; ~ **of a department** osztályvezető **c)** *jelzői haszn* fő-; ~ **agent** vezérképviselő; *nyelv* ~ **clause** főmondat **8.** *vízügy* esés *[vízerőműé, szivattyúé]*; *műsz* ~ **of steam** gőznyomás; *átv* **gather** ~ fokozódik, növekszik **9.** → **headway** 1. **II. A.** *tsi* **1. a)** (meg)fejel, fejjel lát el *[szeget, gombostűt]* **b)** megfenekel *[hordót]* **c)** felzettel ellát *[levelet]*, vmlyen címet ad *[fejezetnek, cikknek]* **2. a)** feje, irányítója (vmnek), vezet *[pártot, felvonulást]*, élén halad *[menetnek, csapatnak]*, élén áll *[listának]*; ~ **the poll** élen van, vezet *[jelöltválasztáson]* **b)** koronáz, legfelül/tetején van (vmnek) **c)** *ját* ~ **the trick** hazaviszi az ütést **3. a)** szembeszáll *[veszéllyel]* **b)** *hajó* ~ **the sea** a hullámokkal szembe hajózik/vitorlázik **4.** felülről/forrásánál megkerül *[folyót]* **5.** *sp* fejel *[labdát]* **B.** *tni* **1.** megy, halad, tart, igyekszik *[személy, hajó]*; ~ **(to the) east** keletnek tart *[hajó]* **2. a)** fejesedik *[káposzta]*, kalászba szökik *[gabona]* **b)** meggyűlik, megérik *[kelés]* **3.** *US* ered *[folyó]*

head back *tsi* **1.** felhajt *[vadat]*, elvágja a visszavonulás útját *[ellenségnek]* **2.** elindul visszafelé

head for A. *tsi* irányít, terel (vhová) **B.** *tni* tart/igyekszik vmlyen irányba, megy/tart vhová

head off *tsi* **1.** eltérít *[irányból]*, visszafordulásra késztet, eltorlaszolja/elállja vk útját **2.** *átv biz* lebeszél, eltérít *[szándékától]*

head out *tni* **1.** *US* → **head up B. 2.** elmegy, távozik

head up A. *tsi* **1.** fejrésszel ellát, lezár *[hordót]* **2.** *US* vezetőt kinevez **B.** *tni* **1.** *US* fejesedik *[káposzta]*, kalászba szökik *[gabona]* **2.** összegyűlik *[víz a forrásnál]*

headache *fn* **a)** fejfájás; **splitting** ~ hasogató fejfájás, fejgörcs; **have a** ~ fáj a feje **b)** *biz* gond, bajlódás, nyűg, bosszúság; **it gives him a** ~ fő a feje tőle • *mn* **headachy**

headband *fn* **a)** hajszalag, fejszalag **b)** *távk* fejhallgató pántja; ~ **receiver** fejhallgató

headbanger *fn szl* **1.** *[heavy metal-rajongó]* fejrázó **2.** *[őrült]* agyament

headboard *fn* fejlap *[ágyé]*

head-butt *szl* **I.** *fn* lefejelés, belefejelés **II.** *tsi* lefejel vkt, belefejel vkbe

head case *fn biz [bolond]* pszichikai eset

headcount *fn* **1.** létszámellenőrzés **2.** teljes létszám

headdress *fn* **1.** hajviselet, frizura **2.** fejdísz, bóbita

-headed [ˈhedɪd] *utótag* -fejű

header [ˈhedə ‖ –ər] *fn* **1.** *sp* **a)** *biz* fejes(ugrás); **take a** ~ fejest ugrik **b)** (labda)fejelés **2.** *épít* kötőkő, kötőtégla **3.** *US* **double** ~ vonat két mozdonnyal

head first *hsz* **1.** fejjel előre **2.** gyorsan, meggondolatlanul

headgear *fn* fejfedő, fejrevaló, kalap

headguard *fn sp* fejvédő

headhunting *fn átv* fejvadászat • *tsi* **headhunt** *fn* **headhunter**

heading [ˈhedɪŋ] *fn* **1. a)** felzet, címsor, fejszöveg **b)** rovat, rubrika, (könyvelési) tétel **2.** (haladási) irány; **their** ~ **was northerly** északnak tartottak **3.** *bány* előfúrás, elővájás **4.** *régi* lefejezés

headlamp → **headlight**

headland *fn* **1.** *mezőg* forgó *[szántóföld végén]* **2.** *földr* (hegy)fok, előfok, földnyelv

headlight *fn* fényszóró *[autón]*, jelzőlámpa *[mozdony elején]*

headline I. *fn* **a)** főcím, címfej *[újságcikknél]*; **the large ~s** a nagybetűs címsorok; **hit/make the ~s** nagy szenzáció(vá) lesz, feltűnést kelt **b)** **~s** főbb hírek **II. A.** *tni* fő attrakcióként szerepel *[vmlyen produkcióban]* **B.** *tsi US* feltűnő formában (v. a címoldalon) közöl *[újság]*

headliner *fn US szính* sztár

headlock *fn sp* fejfogás *[birkózásban]*

headlong I. *mn* **1.** fejes, fejjel előre való *[esés]* **2.** hirtelen, elhamarkodott, meggondolatlan **II.** *hsz* **1.** fejjel előre; **fall** ~ fejjel előre esik **2.** hanyatt-homlok, meggondolatlanul

head louse *fn tsz* **-lice** *áll* fejtetű

headman [ˈhedmən] *fn tsz* **-men** törzsfőnök

headmaster *fn* iskolaigazgató

headmistress *fn* iskola-igazgatónő

headmost *mn* élen/legelöl haladó, legelső *[hajó]*

headnote *fn* megjegyzés, jegyzet dokumentum/lap tetején

head-nurse *fn* főnővér

head-on I. *mn* **a)** frontális; *kat* ~ **attack** arctámadás **b)** szemből való, frontális **II.** *hsz* **a)** fejjel előre/neki, frontálisan **b)** szemtől szembe

headphone *fn* fejhallgató

headpiece *fn* **1.** sisak **2.** fejrész **3.** *biz* ész, elme, értelem

headplate *fn* homloklemez

headquarters *fn esz* **1.** *kat* főhadiszállás, parancsnokság **2.** *gazd* központ, székhely, székház *[cégé]*

headrest *fn* fejtámasz

headroom *fn* belső keresztmetszet/magasság

headsail [ˌhedseɪl, ˈhedsl] *fn hajó* orrvitorla, elővitorla

headscarf *fn* fejkendő

headset *fn távk* fejbeszélő, fejhallgató, headset

head-shrinker *fn szl [pszichiáter]* dilidoki

headsman [ˈhedzmən] *fn tsz* **-men 1.** *tört* hóhér, bakó **2.** *hajó* bálnavadászhajó parancsnoka

headspring *fn vál átv* forrás, főforrás, ősforrás, eredet

headsquare *fn tex* fejkendő

headstall *fn* kantárfej, kötőfék

head start *fn* kezdeti előny

headstone *fn* **1.** sírkő **2.** *épít* **a)** zárókő *[boltozaté]* **b)** sarokkő

headstrong *mn* konok, makacs, önfejű

head throw *fn sp* fejdobás *[cselgáncsban]*

head voice *fn zene* fejhang, falsetto

headwaiter *fn* főpincér, fizetőpincér

headwall *fn* **1.** főfal, homlokfal **2.** szakadék felső pereme

headwater *fn* **1.** *vízügy* felvíz, felső vízszint **2.** *US* folyó forrásvidéke, felső vízfolyás *[vízrendszerben]*

H

headway *fn* **1.** *átv* előmenetel, haladás, térnyerés **2.** *hajó* előrehaladás, sebesség; **gather/fetch ~** nekilendül, nekiindul, felgyorsul; **make ~** (szépen) halad **3.** belső magasság, belvilág

headwind *fn hajó* ellenszél

headword *fn* címszó, első szó *[fejezeté, okiraté]*

headwork *fn* szellemi munka, agymunka

heady [ˈhedi] *mn* **1.** heves, féktelen, szilaj **2.** önfejű, nyakas, konok **3. a)** kábító *[illat]*, mámorító, részegítő **b)** szédítő *[magasság]* **4.** fejfájás

heal [hiːl] **A.** *tsi* **1.** (meg)gyógyít, kigyógyít (*of* vmből), begyógyít *[sebet]* **2.** *átv bibl* megtisztít (*of* vmtől) **B.** *tni* meggyógyul, begyógyul; **~ up/over** begyógyul, beheged, beforr *[seb]*

heal-all *fn* **1.** gyógyír, csodaszer **2.** *növ* **a)** közönséges gyíkfű **b)** kanadai kakastaréj **c)** görvélyfű

heald [hiːld] *fn tex* nyüstfonál, nyüstszál

healer [ˈhiːlə ‖ –ər] *fn* gyógyító, orvosló, kuruzsló

healing [ˈhiːlɪŋ] **I.** *mn* **1.** (be)gyógyító, meggyógyító, *[sebet]* behegesztő; **~ ointment** sebkenőcs; **~ power** gyógyhatás **2.** gyógyuló; **~ process** gyógyulási folyamat; **~ sore** gyógyuló/hegedő seb **3.** *biz* megnyugtató, lecsillapító *[pl. szavak]* **II.** *fn* **1. a)** (meg)gyógyítás **b)** *tört* gyógyítás ráolvasással **2.** gyógyulás **3.** behegedés *[sebé]*

health [helθ] *fn* **1.** egészség, egészségi állapot; **be in good ~** egészséges; jó egészségnek örvend **2. a)** egészségügy; **public ~** közegészségügy **b)** *jelzői haszn* (köz)egészségügyi; **Ministry of H~** Egészségügyi Minisztérium

health card *fn US* betegbiztosítási kártya

health care *fn* közegészségügy

health centre *fn GB* orvosi rendelő

health certificate *fn* egészségügyi igazolás

health farm *fn* egészségfarm

health food *fn* egészséges étel, bioétel

healthful [ˈhelθfl] *mn* egészséges, egészséget elősegítő, jótékony hatású, *átv* üdvös • *fn* **healthfulness** *hsz* **healthfully**

health insurance *fn* egészségbiztosítás, betegbiztosítás

health resort *fn* gyógyhely, fürdőhely, üdülőhely

health service *fn GB* társadalombiztosítás

health tourism *fn* gyógyturizmus

health visitor *fn GB* egészségügyi szociális munkás, (látogató) védőnő

healthy [ˈhelθi] *mn* **1. a)** egészséges, jó erőben/egészségben levő **b)** gyógyhatású, gyógyerejű **2.** *átv* üdvös; **~ criticism** építő kritika **3.** kiadós *[adag]* • *fn* **healthiness**

heap [hiːp] **I.** *fn* **1.** rakás, halom, kupac; **all in a ~** (egymás) hegyén-hátán **2.** *biz* csomó, tömeg, rakás; **a ~ of people** egy csomó ember **3.** *szl [ócska/kiselejtezett autó]* ócska tragacs **II.** *tsi* **1. ~ (up/together)** halomba rak; összehord, felhalmoz; púpoz **2. a)** elhalmoz (with vmvel) **b) ~ praises/insults (up)on sy** dicsérettel/szidalmakkal elhalmoz vkt **c) ~ sg with sg** vmt színültig (meg)tölt (v. telerak) vmvel

hear [hɪə ‖ hɪr] *i pt/pp* **heard** [hɜːd ‖ hɜrd] **A.** *tsi* **1.** (meg)hall; **be heard** hallatszik **2. a)** (meg)hallgat; **~ sy out** vkt végighallgat **b)** *jog* (le)tárgyal *[bíróság ügyet]*; **~ the witnesses** kihallgatja a tanúkat *[bíróság]* **3.** megtud, értesül (vmről); **~ a piece of news** megtud egy hírt, értesül vmről **B.** *tni* **1.** hall **2. a) ~ from sy** levelet/hírt/üzenetet kap vktől **b) ~ of/about sy/sg** hírt kap (v. tudomást szerez) vkről/vmről; hall/értesül vmről • *fn* **hearer** *mn* **hearable**

heard [hɜːd ‖ hɜrd] → **hear**

hearing [ˈhɪərɪŋ ‖ ˈhɪrɪŋ] *fn* **1. a)** hallás, hallóérzék; **the organ of ~** a hallás szerve, hallószerv; **~ aid** hallókészülék, hallásjavító készülék; **be quick of ~, have a keen sense of ~** jó/éles füle van; **hard of ~** nagyothalló **b)** hallótávolság; **out of ~** hallótávolságon kívül; **within ~** hallótávolságon belül **2. a)** (meg)hallgatás; **at the first ~** első hallásra; **trial ~ of a singer** énekes próbaéneklése **b)** kihallgatás (vknél/vk által); *jog* **~ of witnesses** tanúkihallgatás **c)** *jog* (bírósági) tárgyalás

hearing-impaired *mn* hallássérült

hearken [ˈhɑːkən ‖ ˈhɑr–] *tni vál* fülel, hallgat(ózik), figyel

hearsay *fn* hallomás, szóbeszéd, mendemonda; **take sg on ~** puszta szóbeszéd alapján elhisz vmt

hearsay evidence *fn* másodkézből való értesülés *[mint tanúvallomás, bizonyíték]*

hearse [hɜːs ‖ hɜrs] *fn* halottaskocsi; **follow the ~** gyászkíséretben megy

heart [hɑːt ‖ hɑrt] **I.** *fn* **1. a)** szív; *biol* **~ action, action of the ~** szívműködés; **have a weak ~** szívbajos, szívbeteg **b)** *átv* szív; **dear ~!** drága/édes szívem!; **have a ~ of gold** aranyból van a szíve, jószívű; **have a ~ of stone** kőszívű, szívtelen; **at ~** szívében, a szíve mélyén; **after one's own ~** szíve szerint (v. kedvére) való; **in one's ~ of ~s** szíve legmélyén; **to one's ~'s content** szíve (vágya) szerint, kedve szerint; **with one's whole ~** teljes szívvel; tiszta szívből; **break sy's ~** összetöri vknek a szívét; *átv* **have one's ~ in one's mouth** *biz* összeszorul a torka, torkában dobog a szíve; **set one's ~ on sg** nagyon vágy(akoz)ik vmre; **wear one's ~ on one's sleeve** túlzottan nyíltszívű/őszinte, ami a szívén, az a száján **2. a)** bátorság, lelkiállapot; **in (good, strong) ~** jó kedvben/egészségben van *[személy]*; **lose ~** elveszíti a bátorságát; elkedvetlenedik, elcsügged; **his ~ sank** elfacsarodott/elszorult a szíve **b) by ~** könyv nélkül, kívülről **3.** belső rész, mag, ér *[kábelé]*, szív *[salátáé]*, geszt *[fatörzsé]*; *biz* **~ of oak** bátor ember; **the ~ of the matter** az ügy lényege/magva/veleje; **in the ~ of sg** vm szívében, vm kellős közepén **4. a)** *ját* piros, kőr; *ját* **queen of ~s** kőr dáma **b)** *tsz* **hearts** *ját* ‹angol kártyajáték› **II. A.** *tsi épít* **~ (in)** kitölt *[térközt, hézagot]* **B.** *tni* **~ (up)** fejesedik *[saláta, káposzta]*

heartache *fn átv* szívfájdalom, bánat

heart attack *fn orv* szívroham, szívinfarktus

heartbeat *fn* szívverés, szívdobogás

heartbreak *fn* szívettépő fájdalom • *mn* **heartbreaking**, **heartbroken**

heartbreaker *mn* szívtipró

heartburn *fn* gyomorégés

-hearted [ˈhɑːtɪd ‖ ˈhɑrtɪd] *utótag összet* -szívű

hearten [ˈhɑːtn ‖ ˈhɑrtn] **A.** *tsi* bátorít; **~ (on)** bátorít, biztat, buzdít; **~ (up)** felvidít, felélénkít; lelket/bátorságot önt (vkbe) **B.** *tni* **~ (up)** felvidul, felélénkül; nekibátorodik

heart failure *fn* szívbénulás, szívszélhűdés

heartfelt *mn* őszinte, szívből jövő

hearth [hɑːθ ‖ hɑrθ] *fn* **1. a)** kandalló, tűzhely **b)** családi tűzhely, otthon **2.** *fémip* tűztér

hearthrug *fn* ‹kis szőnyeg a kandalló előtt›

hearthstone *fn* **a)** kandalló márványlapja **b)** tűzhelykő

heartily [ˈhɑːtɪli ‖ ˈhɑrtɪ–] *hsz* **1.** szívélyesen, lelkesen, szívesen; *biz* **be ~ sick of sg** vmtől alaposan megcsömörlött/megundorodott **2.** bőségesen, jó étvággyal

heartland *fn* hátország

heartless [ˈhɑːtləs ‖ ˈhɑrt–] *mn* szívtelen, lelketlen, kegyetlen

heart-lung machine *fn orv* szív-tüdő készülék/motor

heart-muscle *fn orv* szívizom, myocardium

heart rate *fn orv* szívfrekvencia, pulzus

heart-rending *mn* szívet tépő, szívfacsaró, szívbe markoló • *hsz* **heart-rendingly**

heart-sac *fn orv* szívburok, pericardium

heart-searching *fn* lelkiismeret-vizsgálat

heartsease [ˈhɑːtsiːz ‖ ˈhɑrts–] *fn növ* mezei árvácska

heartsick *mn* lehangolt, levert, kedélybeteg • *fn* **heartsickness**

heartsore *mn régi vál* sebzett szívű, bánatos, bús

heart-stricken *mn* lesújtott, porig sújtott

heartstrings *fn tsz* mély érzelmek; **play upon sy's ~** *biz* vknek az érzelmeire hat

heart surgery *fn orv* szívsebészet

heart-throb *fn* **1.** szívverés, (erős) szívdobogás **2.** szíve csücske (vknek), ideál

heart-to-heart *mn* ~ **talk** bizalmas/meghitt beszélgetés
heart transplant *fn orv* szívátültetés
heart valve *fn orv* szívbillentyű
heartwarming *mn* szívmelengető, kedves, megható
heartwood *fn növ* fageszt, színfa, bélfa
hearty ['hɑːti ‖ 'hɑrti] **I.** *mn* **1.** szívélyes, őszinte, szívből jövő **2. a)** erős, erőteljes, életerős **b)** bőséges, kiadós *[étkezés]* **c)** termékeny, jó hozamú *[föld]* **II.** *fn GB* **1.** *hajó biz* cimbora, bajtárs **2.** szívélyes ember
heat [hiːt] **I.** *fn* **1. a)** meleg, hő(ség), forróság; **in the ~ of the day** a nap legmelegebb időszakában **b)** *fémip* hevítés, izzítás; *átv* **work oneself up into a white ~** indulatba lovalja magát **c)** hőfok, hőmérséklet, hő intenzitása/erőssége **d)** csípős íz **2. a)** felindulás, düh, hév, tűz; **~ of youth** a fiatalság lelkesedése; **in the ~ of the moment** a pillanat hevében **b)** érdeklődés/figyelem tetőfoka/csúcspontja **3.** *US szl* **a)** csetepaté, összetűzés *[rendőrséggel]* **b)** harmadfokú vallatás *[erőszakos eszközökkel]*, megfélemlítés; *US biz* **turn the ~ on** rászáll vkre **4.** *áll* tüzelés **5.** *orv* **a)** láz **b)** piros folt *[bőrön]* **6.** *szl [rendőr(ség)]* a jard **II. A.** *tsi* **1.** (be)fűt, melegít, hevít, izzít **2.** tűzbe hoz, lelkesít **B.** *tni* **1.** (fel)melegszik, felhevül, gerjed **2.** (be)fülled *[széna, gabona]*
heat-absorbing *mn* hőelnyelő
heat barrier *fn rep* hőhatár
heated ['hiːtɪd] *mn* **1.** melegített, fűtött **2.** heves, indulatos; *átv* **~ debate** szenvedélyes/heves vita; **make a ~ reply** felfortyanva/indulatosan válaszol • *hsz* **heatedly**
heat emission *fn fiz* hőkibocsátás, hősugárzás
heat engine *fn* hőerőgép
heater ['hiːtə ‖ 'hiːtər] *fn* **1. a)** *műsz* fűtőberendezés, fűtőtest, radiátor **b)** melegítő, rezsó **c)** fűtőcső *[kazáné]* **d)** *vill* izzószál, fűtőszál **2.** *szl [pisztoly]* stukker
heat-exchanger *fn fiz* hőcserélő készülék
heath [hiːθ] *fn* **1.** *ált GB* harasztos, hangás, sztyeppe **2.** *növ* **a)** erika **b)** csarab
heathen ['hiːðn] *mn/fn* **1.** pogány; **the ~** a pogányok, a pogányság; *bibl* az idegenek **2.** *biz* primitív egyszerűség(ű), tudatlanságban élő • *fn* **heathendom**, **heathenism**
heather ['heðə ‖ –ər] *fn növ* erika, hanga; *biz* **set the ~ on fire** zendülést/viszályt szít • *mn* **heathery**
heather mixture *fn GB tex* hangaszínű mintás szövet
Heath Robinson [ˌhiːθ 'rɒbɪnsn ‖ –'rɑ–] *mn GB* abszurd és funkciótlan tervezésű/konstrukciójú *[W. Heath Robinson angol karikaturista után]*
heating ['hiːtɪŋ] *fn* fűtés, tüzelés; **central ~** központi fűtés; **turn off the ~** elzárja/lezárja a fűtést
heating oil *fn* fűtőolaj
heating plant *fn* fűtőtelep, hőerőmű
heat insulator *fn* hőszigetelő anyag
heatproof *mn* **1.** hőálló, hőszigetelő **2.** *orv* hőálló, termostabil
heat pump *fn* hőszivattyú
heat radiation *fn* hősugárzás
heat rash *fn orv* lázkiütés
heat-resistant *mn* hőálló, tűzálló
heat-seeking *mn* hőkövető *[rakéta]*
heat shield *fn* hőpajzs
heat sink *fn* fölösleges hőt elnyelő szerkezet/anyag
heat stroke *fn orv* hőguta, napszúrás
heat treatment *fn* **1.** *orv* hőterápia, hőkezelés **2.** hőkezelés *[anyagé]* • *tsi* **heat-treat**
heatwave *fn* hőhullám
heave [hiːv] **I.** *fn* **1. a)** (fel)emelés, lökés **b)** erőfeszítés *[vm emeléséhez]* **c)** *sp* dobás, lökés, vetés **2. a)** émelygés **b)** visszahőkölés **3. a)** hullám; **~ of the sea** tenger hullámzása/áramlása **b)** *geol* oldalvetődés *[rétegé]* **4.** kehesség *[lóé]* **II.** *i pt/pp* **heaved**, **hove** [hoʊv] **A.** *tsi* **1. a)** (fel)emel *[terhet]*; *hajó* **~ (up) the anchor** felszedi/felvonja a horgonyt **b)** *geol* oldalvást tol *[réteget]* **2. ~ a name** kiböк nevet **3.** *biz* dob, vet, hajít **B.** *tni* **1. a)** megdagad, megduzzad, háborog *[tenger]*, hullámzik, emelkedik *[kebel]*, felfúvódik *[állat]* **b)** hányingere van, felfordul *[gyomor]* **c)** zihál, liheg *[ló]* **2. ~ in sight** feltűnik a látóhatáron
heave to *ts/tni* kis vitorlákkal lavíroz *[viharban nem haladva]*; **be hove to** vesztegel, egy helyben marad
heave-ho [ˌhiːv 'hoʊ] *isz hajó* hó-rukk!, húzzad! *[vitorlát, kötelet]*
heaven ['hevn] *fn* **a)** mennyország, ég; **in ~** az égben, a mennyekben; *biz* **it is ~ on earth** földi paradicsom; **go to ~** a mennybe száll/jut **b)** égbolt, mennybolt **c) Good H~s!** jóságos ég!; **for H~'s sake!** az isten szerelmére!; **move ~ and earth** eget-földet (v. minden követ) megmozgat
heavenly ['hevnli] *mn* mennyei, égi, pompás • *fn* **heavenliness**
heaven-sent *mn* **1.** gondviselés-küldötte **2.** égből pottyant
heaver ['hiːvə ‖ –ər] *fn* **1.** rakodómunkás **2.** emelőrúd, emelőkar
heavier-than-air *mn rep* levegőnél nehezebb *[repülőgép]*
heavily ['hevɪli] *hsz* **1.** teljes súlyával *[elvágódik]*, nehézkesen *[jár]* **2.** erősen, nagyon; *vasút* **~-travelled line** nagy forgalmú vonal; **~ underlined** vastagon aláhúzva; **drink ~** iszákos, nagy ivó; **lose ~** nagy összegeket veszít **3. sigh ~** nagyot sóhajt; **sleep ~** mélyen alszik, úgy alszik, mint a bunda **4.** nehezen *[lélegzik, mozog]*; *gazd* **go off ~** nehezen fogy, lassan kel el *[áru]*
heaving ['hiːvɪŋ] **I.** *mn* **~ billows** hullámverés; **~ bosom** zihálό mellkas **II.** *fn* **1.** (fel)emelkedés, dagadás *[áradaté]*, undor, csömör **2.** fordulat *[hajóé]*
heavy ['hevi] **I.** *mn* **1. a)** nehéz, súlyos, terhes; **~ blow** erős ütés; *átv* súlyos (sors)csapás; *fiz* **~ bodied** sűrű, tömött; **lie ~ on sg** ránehezedik vmre; **~ food** nehéz (v. nehezen emészthető) étel **b)** nehéz, nehézkes, lassú felfogású; **~ tread** nehézkes/esetlen járás, súlyos lépés; **have a ~ hand** ügyetlen/esetlen/nehézkes kezű; *átv* vaskezű, zsarnok **c) ~ with** megrakott, megterhelt, leterhelt; **make sy ~** elkábít vkt **2. a)** nehéz, nagy, ormótlan; **~ industry** nehézipar **b) ~ in build** nagytestű, vaskos, drabális; **~ line** vastag vonal; *nyomd* **~ type** kövér/fett betű **c)** erős; **~ cold** erős nátha/meghűlés; **~ current** *vill* erősáram; erős áramlás *[vízé]*; **~ losses** súlyos veszteségek; **~ traffic** erős forgalom; teheráru-forgalom **3. ~ eyes** fáradt/karikás szemek; **~ odour** nehéz/nyomasztó szag **4. a)** nehéz, kemény, terhes, fáradságos *[munka]*; **~ breathing** zihálό lé(le)gzés; **~ day** nehéz/zsúfolt nap **b) ~ sea** viharos/háborgó tenger; **~ weather** viharos/zord idő **5.** *szính* **~ parts** komor/tragikus szerepek; *biz* **do/come/play the ~ (swell)** adja az előkelőt; nagyképűsködik, fontoskodik **6. ~ drinker** nagyivó; **~ eater** nagyétű, nagyevő; **~ sleeper** jó/mély alvó; **~ smoker** erős dohányos **II.** *hsz* nehezen, nehézkesen, fáradságosan, terhesen; **lie ~ on sg** ránehezedik vmre **III.** *fn* **1.** nagy hordképességű teherkocsi **2.** *GB biz* komoly újság **3.** *szl* sör *stand* **4.** *szính biz* intrikus (szerep) **5.** *szl* nehézfiú
heavy-duty *mn* **1.** nagy teherbírású/teljesítményű, strapabíró **2.** *US biz* böhöm nagy, irtó sok
heavy-handed *mn* **1.** elnyomó/zsarnoki/vaskezű **2.** ügyetlen, esetlen, kétbalkezes
heavy-hearted *mn* szomorú, levert, letört
heavy hydrogen *fn vegy* nehézhidrogén, deutérium
heavy industry *fn* nehézipar
heavy metal *fn* **1.** nehézfém **2.** *kat biz* nehéztüzérség **3.** *zene* heavy metal
heavy petting *fn tabu* ‹nemi közösülés határát súroló petting›
heavy sleeper *fn* mélyalvó (személy)
heavy water *fn fiz* nehézvíz, deutériumoxid
heavyweight *fn sp* **1.** nehézsúly; **light ~** félnehézsúly **2. a)** nehézsúlyú bokszoló/birkózó **b)** *átv* nehézsúlyú, bennfentes, befolyásos, nagyágyú
hebdomadal [heb'dɒmədl ‖ –'dɑ–] *mn vál* heti, hetenkénti

H

hebetude [ˈhebətjuːd ‖ –tuːd] *fn* szellemi tompaság, bárgyúság, elbutultság
Hebraic [hɪˈbreɪɪk] *mn* héber
Hebraism [ˈhiːbreɪɪzm] *fn* hebraizmus, héber tudományok
Hebraist [ˈhiːbreɪɪst] *fn* hebraista, héber nyelvész
Hebraistic [ˌhiːbreɪˈɪstɪk] *mn* héber, héberre vonatkozó, héberhez hasonló
Hebraize [ˈhiːbreɪaɪz], **-ise A.** *tsi* héberré tesz/változtat **B.** *tni* héber kifejezéseket/szavakat használ, héber tudományokkal foglalkozik, héberré lesz
Hebrew [ˈhiːbruː] **I.** *mn* héber, zsidó, izraelita **II.** *fn* **1.** héber (nyelv) **2.** zsidó (ember), izraelita
Hebridean [ˌhebrəˈdiːən] *mn/fn földr* hebridai
Hebrides [ˈhebrədiːz] *tul tsz földr* **the ~** a Hebridák
hecatomb [ˈhekətuːm ‖ –toʊm] *fn* **1.** száz állat feláldozása, hekatomba **2.** vérengzés, öldöklés
heck [hek] *fn US biz* fene, pokol; **what the ~!** az ördögbe!, mi a fene!
heckle [hekl] **I.** *fn tex* gereben **II.** *tsi* **1.** *tex* gerebenez **2.** kellemetlen kérdéseket intéz jelölthöz/szónokhoz, közbeszólásokkal/megjegyzésekkel bosszant (vkt) • *fn* **heckler**
hectare [ˈhektɑː ‖ –tɑr] *fn* hektár
hectic [ˈhektɪk] **I.** *mn* **1.** *orv* hektikás, sorvadásos **2.** lázas, nyugtalan, izgatott *[ember]*, mozgalmas, kimerítő *[napok]*; **~ life** zaklatott élet **II.** *fn orv* sorvadás, hektika
hecto- [ˈhektoʊ] *előtag* száz-
hectogram [ˈhektəgræm], **hectogramme** *fn* száz gramm
hectograph [ˈhektəgrɑːf ‖ –græf] *fn* sokszorosító készülék, hektográf
hectolitre [ˈhektəliːtə ‖ –liːtər], *US* **hectoliter** *fn* hektoliter, hektó
hectometre [ˈhektəmiːtə ‖ –miːtər], *US* **hectometer** *fn* hektométer
hector [ˈhektə ‖ –ər] **I.** *tsi* **1.** megfélemlít(vkt) **2.** durván rátámad (vkre), megszid **II.** *fn* ‹erőszakos/másokat terrorizáló egyén›
he'd [hid] *he had*→ **have** I.; *he should*→ **shall**; *he would*→ **will**[1] III.
hedge [hedʒ] **I.** *fn* **1.** élő sövény, sövénykerítés; **dead ~** száraz sövény; **sit on the ~** nem vall színt **2.** sorfal *[rendőröké, katonaságé]* **3.** *pénz* lefedezés, ellentranzakció *[tőzsdén]* **II.** *tni* **1.** *US* veszteséget korlátozó ellenügyletet köt *[tőzsdén]* **2. a)** *biz* kibújik a válaszadás alól, nem vall színt, kertel **b)** *pol biz* úszik az árral, úgy helyezkedik, ahogy a szél fúj **3.** sövényt nyír • *fn* **hedger**
hedge clause *fn US* veszteségkorlátozó kikötés *[szerződésben]*
hedgehog [ˈhedʒhɒg ‖ –hɔg] *fn* **1.** *áll* sündisznó; *biz* **curl up like a ~** összekuporodik/összehúzza magát; *átv* visszahúzódik **2.** *US áll* tarajos sül
hedge rose *fn növ* vadrózsa, gyepűrózsa; csipkerózsa
hedgerow *fn* élő sövény, sövénykerítés
hedge sparrow *fn áll* **1.** erdei szürkebegy **2.** *US* fazekasmadár
hedgethorn *fn növ* galagonya
hedge trimmers *fn tsz* sövénynyíró olló
hedonic [hiːˈdɒnɪk ‖ –ˈdɑ–] *mn* hedonisztikus
hedonism [ˈhiːdnˑɪzm] *fn fil* hedonizmus • *fn* **hedonist** *mn* **hedonistic**
heebie-jeebies [ˌhiːbiˈdʒiːbiz] *fn tsz szl* **1.** *[delirium tremens]* tremoló **2. the ~** *[nyugtalanság, izgatottság]* majré; **have the ~** majrézik
heed [hiːd] **I.** *fn* figyelem, gond(osság); **give/pay ~ to sy/sg** figyelmet szentel vknek/vmnek **II.** *tsi* figyelembe vesz, méltányol, ügyel, (gondosan) figyel
heedful [ˈhiːdfl] *mn* éber, gondos, óvatos, körültekintő
heedless [ˈhiːdləs] *mn* **1.** szeleburdi, hebehurgya **2.** figyelmetlen, hanyag, nemtörődöm
hee-haw [ˈhiːhɔː] **I.** *fn* iá!, iázás, szamárbőgés **II.** *tni* ordít, bőg *[szamár]*, iázik
heel[1] [hiːl] **I.** *fn* **1.** sarok *[lábé, cipőé, harisnyáé]*; **cool** (*GB* **kick**) **one's ~s** *biz* igen soká várakozik, megvárakoztatják, ácsorog; **kick up one's ~s** ugrál örömében; **turn on one's ~s** sarkon fordul; **down at ~** félretaposott (sarkú) cipő; **be down at ~** *biz* le van rongyolódva; topis(an jár); **at ~** vknek a nyomában/sarkában; **come to ~s** engedelmeskedik a gazdájának **2. a)** *műsz* sarok, szél, vég *[szerszámé]* **b)** fogás *[hegedűvonóé]* **c)** (sajt)vég, kenyérvég, sercli **d)** *hajó* árboctalp **3.** *áll* **a)** sarkantyú *[kakasé]* **b)** pata **4.** *US szl [megvetett, ellenszenves ember]* szemétláda, patkány **II. A.** *tsi* **1.** (meg)sarkal *[cipőt]* **2.** közelről követ, sarkában/nyomában van (vknek) **3.** *sp* sarokkal üt *[golfban]* **B.** *tni sp* sarkaz, hátrarúgja a labdát • *mn* **heelless**
heel[2] [hiːl] *hajó* **I. A.** *tsi* ferdén oldalára állít/dönt **B.** *tni* **~ (over)** oldalra dől/hajol; megdől **II.** *fn* dőlés, labilis egyensúly
heelbone *fn orv* sarokcsont
heeled [ˈhiːld] *mn* **1.** *összet* sarkos, sarkú; **high-~ shoes** magas sarkú cipő **2.** sarkantyús, sarkantyúzott *[kakas]* **3.** *US biz* pénzes, gazdag
heft [heft] **I.** *fn US* súly **II.** *tsi átv* mérlegel, latol, súlyt emeléssel megbecsül
hefty [ˈhefti] *mn* **1.** *biz* meglehetősen nehéz/súlyos *[tárgy]* **2.** *biz* erős, izmos, jól megtermett • *fn* **heftiness**
Hegelian [hɪˈgeɪlɪən] *fil* **I.** *mn* hegeli **II.** *fn* hegeliánus • *fn* **Hegelianism**
hegemonic [ˌhegəˈmɒnɪk ‖ –ˈmɑ–] *mn* uralkodó, fensőbbséges, vezető szerepű
hegemony [hɪˈgeməni ‖ həˈdʒe–] *fn* hegemónia, vezető/uralkodó szerep, fennsőbbség, főuralom *[országé]*
Hegira [ˈhedʒɪrə, hɪˈdʒaɪrə] *fn* **1.** *vall* hedzsra, a Futás *[Mohamedé i. sz. 622-ben Mekkából Medinába, az iszlám időszámítás kezdete]* **2.** az iszlám időszámítás **3.** *átv* emigráció, menekülés, szökés
he-goat *fn* kecskebak, bakkecske
he-he I. *isz* hihi! **II.** *fn tsz* **he-he's** elfojtott nevetés/kuncogás
heifer [ˈhefə ‖ –ər] *fn* **1.** *áll* üsző **2.** *szl pej [nő]* spiné
heigh [heɪ] *isz* **1.** hé!, halló! **2.** hé, vigyázat!
heigh-ho [ˌheɪˈhoʊ] *isz* **1.** jaj!, ah!, hajaj! *[fáradtság, unalom kifejezésére]* **2.** húha!, hej! *[öröm, meglepetés kifejezésére]*
height [haɪt] *fn* **1.** magasság; **~ above sea-level** tengerszint feletti magasság; **gain ~** feljebb emelkedik *[repülőgép]* **2.** méret, nagyság, magasság, termet; **full ~** teljes magasság *[termeté]*; **of average ~** közepes termetű **3.** magaslat, kiemelkedés, domb, hegy **4.** tetőfok, tetőpont, csúcspont *[pl. dicsőségé]*, teteje, netovábbja *[pl. őrületnek]*
heighten [ˈhaɪtn] **A.** *tsi* **1.** magasít, magasabbra emel, feltold *[falat]*, felemel *[árat]* **2.** növel *[örömöt]*, fokoz, súlyosbít *[bajt]*, kiemel *[ellentétet]*, érvényre juttat *[színt]* **B.** *tni* **1.** (ki)emelkedik, kimagaslik, növekedik **2.** fellendül, javul
height gauge *fn* magasságmérő
height sickness *fn* hegyi betegség
heinous [ˈheɪnəs, hiː–] *mn* kegyetlen, szörnyű, iszonyatos, gyalázatos; **a ~ crime** égbekiáltó bűn
heir [eə ‖ er] *fn* örökös; **be ~ to sy** vknek az örököse • *fn* **heirdom, heirship** *mn* **heirless**
heir apparent *fn jog* törvényes/feltétlen örökös
heir-at-law *fn tsz* **heirs-at-law** vér szerinti/általános/törvényes örökös
heiress [ˈeərɪs ‖ ˈerɪs] *fn* örökösnő
heirloom [ˈeəluːm ‖ er–] *fn* családi ékszer/bútor; **family ~** családi ereklye
heir presumptive *fn jog* vélelmezett/feltételezett (trón)örökös
Heisenberg uncertainty principle [ˈhaɪznbɜːg ‖ –bɜrg] *fn fiz* Heisenberg-féle határozatlansági elv
heist [haɪst] *US szl* **I.** *fn* **1.** *[rablás]* buli, balhé **2.** *[zsákmány]* szajré **II.** *tsi [(ki)rabol]* kirámol
held [held] → **hold**[1] I.

Helen [ˈhelən] *tul* Helén, Ilona
Helena [ˈhelənə] → **Helen**
heli- [ˈhelɪ] *előtag* helikopter-
heliacal [hɪˈlaɪəkl] *mn csill* napra vonatkozó, heliákus, napközelségben levő
helianthemum [ˌhiːliˈænθɪməm] *fn növ* napvirág, tetem(t)oldó
helianthus [ˌhiːliˈænθəs] *fn növ* napraforgó
helical [ˈhelɪkl] *mn* csavar alakú, csavarvonalas, spirális, csigavonalú • *fn/mn* **helicoid**
helices [ˈhelɪsiːz] → **helix**
helicon [ˈhelɪkən ‖ ˈheləkɑn] *fn zene* helikon, kontrabaszszus szaxkürt
Helicon [ˈhelɪkən ‖ ˈheləkɑn] *tul földr vál* Helikon
helicopter [ˈhelɪkɒptə ‖ –kɑptər] **I.** *fn* helikopter **II. A.** *tni* helikopteren/helikopterrel megy/utazik **B.** *tsi* helikopteren/ helikopterrel visz/szállít
helio- [hiːliou] *elölj* nap-, nappal kapcsolatos
heliocentric [ˌhiːliouˈsentrɪk] *mn csill* heliocentrikus, napközpontú • *hsz* **heliocentrically**
heliogram [ˈhiːlɪəgræm] *fn* heliogram *[fénytávíróval továbbított üzenet]*
heliograph [ˈhiːlɪəgrɑːf ‖ –græf] **I.** *fn* **1. a)** heliográf **b)** heliosztát **c)** fénytávíró **2.** *fényk* fénynyomat, heliogravűr **II.** *tsi* **1.** heliográf útján közvetít *[üzenetet]* **2.** heliográffal fényképez *[napot]* **3.** fénynyomással reprodukál *[rajzot]* • *fn* **heliography**
heliogravure [ˌhiːlɪəgrəˈvjuə ‖ –ˈvjʊr] *fn* heliogravűr, fotogravűr
heliolithic [ˌhiːlɪəˈlɪθɪk] *mn régi* napimádó, megalitikus *[kultúra]*
heliometer [ˌhiːlɪˈɒmɪtə ‖ –ˈɑmɪtər] *fn* csillagtestmérő, nap(fény)mérő, heliométer
heliophobia [ˌhiːlɪəˈfoubɪə] *fn* (nap)fényiszony
heliosis [ˌhiːliˈousɪs] *fn orv* napszúrás
heliotherapy [ˌhiːliouˈθerəpi] *fn* napfénykezelés, nap(fény)kúra, helioterápia
heliotrope [ˌhelɪətroup, ˈhiː–] **I.** *mn* heliotrop (színű) *[vöröseskék, lilás rózsaszín]* **II.** *fn* **1.** *növ* **a)** napraforgó **b)** kunkor **2.** *ásv* heliotrop, vérkő
heliotropism [ˌhiːliˈɒtrəpɪzm ‖ –ˈɑ–] *fn növ* napraforgás, heliotropizmus • *mn* **heliotropic**
heliotype [ˈhiːlɪətaɪp] *fn nyomd* heliotípia, fénynyomat(os eljárás)
helipad [ˈhelɪpæd] *fn* helikopter-felszállóhely
heliport [ˈhelɪpɔːt ‖ –pɔrt] *fn* helikopter-repülőtér
heli-skiing *fn sp* helikopteres sízés
helium [ˈhiːlɪəm] *fn vegy* hélium
helix [ˈhiːlɪks] *fn tsz* **helices** [ˈhiːlɪsiːz, he–] **1. a)** csavarvonal, csigavonal **b)** *épít* csiga, voluta **c)** *vill* spiráltekercs **2.** *orv* tekervény *[fülkagylóé]*
hell [hel] *fn* **1.** pokol; *szl* **~ of a noise** pokoli/szörnyű lárma; **for the ~ of it** poénból; *US* **come ~ or high-water** ha a fene fenét eszik is; *US* **beat/knock the ~ out of sy** hülyére ver vkt, jól helybenhagy vkt; **give sy ~** gyötör/kínoz vkt, jól kibabrál vkvel; **go to ~** menj a pokolba/fenébe; **he will have a ~ of time until** pokoli nehéz lesz a dolga, míg; *szl* **like ~** mint az őrült, őrülten; **play ~ with sy** idegesít/ zavar vkt; **raise ~** (őrült) nagy balhét csinál; **~ for leather** lóhalálában; **scare the ~ out of sy** halálra ijeszt vkt; *biz* **what the ~?** mi a fene/fenét? **2.** játékbarlang, kártyabarlang **3.** *US szl [eszem-iszom]* dőzsölés, tivornya
he'll [hil] *röv he shall*→ **shall**; *he will*→ **will**[1] III.
hellacious [heˈleɪʃəs] *mn US szl* pokoli, szörnyű, fantasztikus
Hellas [ˈhelæs] *tul földr régi* Görögország, Hellász
hellbender *fn áll* amerikai óriásszalamandra
hell-bent I. *mn* **1.** szilárdan eltökélt **2.** veszettül száguldó *[jármű]* **II.** *hsz US* veszettül, elszántan, tekintet nélkül
hellcat *fn* boszorkány, rosszindulatú némber
hellebore [ˈhelɪbɔː ‖ –bɔr] *fn növ* hunyor, papkalap
Hellene [ˈheliːn] *fn* hellén, görög • *mn* **Hellenic**
Hellenism [ˈhelɪnɪzm] *fn* hellenizmus, görög civilizáció, görögség • *ts/tni* **Hellenize** *fn* **Hellenization**
Hellenist [ˈhelɪnɪst] *fn* hellenista, grécista
Hellenistic [ˌhelɪˈnɪstɪk] *mn* hellenisztikus *[nyelv, korszak]*
hellfire *fn* **a)** pokol tüze **b)** *átv* a pokol kínjai/gyötrelmei
hell-hole *fn biz* nyomasztó/elviselhetetlen hely
hell-hound *fn* a Sátán kutyája
hellion [ˈhelɪən ‖ –ər] *fn US szl [komisz kölyök]* kis ördög, ördögfióka
hellish [ˈhelɪʃ] **I.** *mn biz* pokoli, ördögi; **~ to see** rossz nézni **II.** *hsz GB biz* rettenetesen; **~ expensive** borzasztó drága
hello [həˈlou, he–] *isz* **1.** halló! *[telefonba]* **2.** szervusz(tok)!, szia!
hellraiser *fn* bajkeverő, zűrzavart keltő személy • *fn/mn* **hellraising**
Hell's Angel *fn* a pokol angyala *[vandál motorosbanda tagja]*
helluva [ˈheləvə] *röv szl hell of a* ...→ **hell**
helm[1] [helm] *fn régi* sisak • *mn* **helmed**
helm[2] [helm] *hajó* **I.** *fn* kormányrúd, kormánykerék, kormányszerkezet; *biz* **the ~ of the State** az államügyek irányítása/irányítója; **be at the ~** kormánynál van, kormányoz; *átv* irányít **II.** *tsi* kormányoz, irányít
helmet [ˈhelmɪt] *fn* **1. a)** *kat* sisak **b)** *gk sp* (bukó)sisak, pólósisak, vívósisak **c)** *cím* címersisak **d)** mefisztó sapka **2.** *növ* sisak • *mn* **helmeted**
helminth [ˈhelmɪnθ] *fn* bélféreg • *fn* **helminthology** *mn* **helminthic, helminthoid**
helminthiasis [ˌhelmɪnˈθaɪəsɪs] *fn orv* (bél)férgesség, helminthiasis
helmsman [ˈhelmzmən] *fn tsz* **-men** *hajó* kormányos *[hajóé]*
Heloise [ˈelouiːz ‖ ˈhel–] *tul* ‹női keresztnév›
helot [ˈhelət] *fn tört* helóta, spártai rabszolga • *fn* **helotism, helotry**
help [help] **I. A.** *tsi* **1. a)** (meg)segít, segélyez, támogat, gyámolít, segítségére van (vknek), segédkezik (vknek vmben); **~!** segítség!; **~ sy to do sg** vknek segít vmben; **can I ~ you?** mit parancsol?, mivel szolgálhatok? *[üzletben]* **b)** elősegít *[emésztést, haladást]* **2. a)** felszolgál, tálal (vknek); **~ yourself!** parancsolj(on) (még)!; **~ sy to sg** vmhez juttat vkt **b)** *biz* **~ oneself to sg** kiszolgálja magát *[étellel]*; elvesz/elcsen vmt **3. a) I can't ~ it** nem tehetek róla; nem tudok ellenállni (vmnek) **b) it can't be ~ed** ezen nem lehet változtatni/segíteni; ez elkerülhetetlen **4.** orvosol **B.** *tni* segít **II.** *fn* **1.** segítség, segély, támogatás; **be a ~ to sy** segítségül/támaszul szolgál vknek; **come to sy's ~** vknek segítségére jön/siet **2. a)** segítő, segéd(erő), támogató, támasz **b)** *US* háztartási alkalmazott, bejárónő **3.** (étel)adag **4.** *infor* súgó *[számítógépes programé]* • *fn* **helper**
help out *tsi* kisegít *[vkt élelemmel, pénzzel]*
help desk *fn* információs pult
helpful [ˈhelpfl] *mn* **1.** szolgálatkész, készséges *[személy]* **2.** hasznos, üdvös, hatékony • *fn* **helpfulness** *hsz* **helpfully**
helping [ˈhelpɪŋ] *fn* (étel)adag; **second ~** repeta
helping hand *fn* segítő kéz, segítség
helpless [ˈhelpləs] *mn* **1. a)** elhagyatott, támasz/segítség nélküli **b)** kétségbeesett **2.** tehetetlen, gyámoltalan
helpline *fn* telefonos lelki segélyszolgálat
helpmate [ˈhelpmeɪt] *fn* **1.** segítőtárs, munkatárs, segéd **2.** (élet)társ, hitves(társ)
helter-skelter [ˌheltəˈskeltə ‖ ˌheltərˈskeltər] **I.** *mn* zűrzavaros, rendetlen **II.** *hsz* összevissza, rendetlenül, fejetlenül **III.** *fn GB* (spirál)csúszda
helve [helv] *fn* (szerszám)nyél • *mn* **helved**
Helvetia [helˈviːʃə] *tul földr* Helvécia, Svájc
Helvetian [helˈviːʃn] *mn/fn földr* helvét, svájci

H

hem[1] [hem] **I.** *fn* szél, (be)szegés, szegély, korc *[ruhadarabon]* **II.** *tsi* **-mm- 1.** szegélyez, szegélyt/korcot rak *[ruhára]* **2.** ~ **in** körülzár, bekerít *[ellenséget]*; körülvesz, övez *[helyet]*
hem[2] [həm, hem] **I.** *isz* hm! **II.** *tni* **-mm- 1. a)** hümmög **b)** köhécsel, krákog, torkát köszörüli **2.** ~ **and haw** hímezhámoz, hebeg-habog; köntörfalaz
he-man *fn tsz* **he-men** *US biz* energikus/rámenős ember, férfias férfi
hemato- [ˈhiːmətoʊ] → **haemato-**
hemerocallis [ˌhemərəˈkælɪs] *fn növ* sárgaliliom
hemi- [ˈhemi] *előtag* fél-
hemianopsia [ˌhemɪəˈnɒpsɪə ‖ –ˈnɑ–] *fn orv* féloldali látótérkiesés
hemicircle [ˈhemɪsɜːkl ‖ –sɜrkl] *fn* félkör
hemicycle [ˈhemɪsaɪkl] *fn* félkör alakú terem/épületrész
hemihedral [ˌhemɪˈhiːdrəl] *mn* feles alakú *[kristály]*
hemiplegia [ˌhemiˈpliːdʒɪə] *fn orv* féloldali bénulás/szélütés, hemiplegia
hemipterous [heˈmɪptrəs] *mn áll* félfedelesszárnyú *[rovar]*
hemisphere [ˌhemɪsfɪə ‖ –sfɪr] *fn* **a)** *földr* félgömb, félteke; **the northern** ~ az északi félteke/félgömb **b)** *orv* **cerebral** ~ (agy)félteke • *mn* **hemispheric(al)**
hemistich [ˈhemɪstɪk] *fn ir.tud* félsor *[versé]*, hemisztichion
hemline *fn* ruha széle/szegélye/hossza
hemlock [ˈhemlɒk ‖ –lɑk] *fn növ* bürök
hemlock fir *fn növ* kanadai fenyőfa
hemo- [ˈhiːmoʊ] → **haemo-**
hemp [hemp] *fn* **a)** *növ* kender **b)** *tex* kender, kenderkóc
hemp agrimony *fn növ* sédkender
hempen [ˈhempən] *mn* kender-, kenderből való
hemp-nettle *fn növ* kenderkefű
hemp rope *fn* kenderkötél
hempseed *fn* kendermag
hemstitch I. *fn* azsúrszegély, azsúrozás **II.** *tsi* azsúroz, azsúrral díszít
hen [hen] *fn* **1. a)** tyúk, tojó **b)** *szl [nő]* tyúk **c)** *szl [gyáva teremtés]* nyúl **2.** nőstény *[madáré]* **3.** nőstény homár/rák/lazac
hen and chickens *fn növ* indás növény(ek)
henbane [ˈhenbeɪn] *fn növ* beléndek
hence [hens] *hsz* **1.** ezentúl, ezután, mostantól fogva, mától kezdve, a jövőben; **a week** ~ egy hét múlva, mához egy hétre **2.** innen, ebből *[ered, következik]*, ennélfogva, ezért **3.** *vál* **(from)** ~ innét, innen
henceforth *hsz* ezután, ezentúl, mostantól fogva
henceforward → **henceforth**
henchman [ˈhentʃmən] *fn tsz* **-men 1.** *pej* vknek (párt)híve/követője/csatlósa **2.** *tört* pajzshordó, fegyvernök, csatlós
hen-coop *fn* tyúkketrec
hendecagon [henˈdekəgən ‖ –gɑn] *fn mat* tizenegyszög
henequen [ˈhenɪkɪn] *fn* **1.** *növ* mexikói agavé **2.** az ebből nyert erős rost
hen harrier *fn áll* kékes rétihéja
hen house *fn* tyúkól
henna [ˈhenə] **I.** *fn növ* hennabokor, hennagyökér **II.** *tsi pt/pp* **~ed** hennával (be)fest • *mn* **hennaed**
henpeck [ˈhenpek] *tsi biz* papucs alatt tart *[férjet]* • *mn* **henpecked**
hen-roost *fn* ülő, kapaszkodórúd *[amelyen a baromfi alszik]*
hen-run *fn GB* baromfiudvar
henry [ˈhenri] *fn fiz* henry *[az induktivitás SI egysége]*
Henry [ˈhenri] *tul* Henrik
hen-witted *mn* tyúkeszű
hen yard *fn* baromfiudvar
hep [hep] → **hip**[2]
hep → **hip**[3]
heparin [ˈhepərɪn] *fn orv* heparin *[véralvadásgátló anyag]* • *tsi* **heparinize**
hepatic [hɪˈpætɪk] *mn* **1.** *orv* májra vonatkozó, máj- **2.** barnásvörös, májszínű
hepatica [hɪˈpætɪkə] *fn növ* májvirág, májkökörcsin, májfű
hepatitis [ˌhepəˈtaɪtɪs] *fn orv* (fertőző) májgyulladás, hepatitis; ~ **B** hepatitis B *[vírusfertőzés]*
Hepplewhite [ˈheplwaɪt] *fn* ‹18. századi angol könnyed és elegáns stílusú faragott bútor›
hepta- [ˈheptə] *előtag* hét-
heptad [ˈheptæd] *fn fil vegy* hetes (v. hét tagból álló) csoport
heptagon [ˈheptəgən ‖ –gɑn] *fn mat* hétszög • *mn* **heptagonal**
heptahedron [ˌheptəˈhiːdrən, –ˈhedrən] *fn mat* hétlap(ú test), heptaéder • *mn* **heptahedral**
heptameter [hepˈtæmɪtə ‖ –mɪtər] *fn ir.tud* hétlábú/hétszótagú vers
heptane [ˈhepteɪn] *fn vegy* heptán
heptarchy [ˈheptɑːki ‖ –tɑrki] *fn* hetek uralma, hét állam szövetsége/közössége, heptarchia • *mn* **heptarchic(al)**
Heptateuch [ˈheptətjuːk ‖ –tuːk] *fn bibl* heptateuch *[az Ótestamentum első hét könyve]*
heptathlon [hepˈtæθlɒn] *fn sp* hétpróba, héttusa • *fn* **heptathlete**
heptavalent [ˌheptəˈveɪlənt] *mn vegy* hét vegyértékű
her [hɜː ‖ hɜr] *nm* **1. a)** őt *[nőnemű lényt]*; **I love** ~ szeretem (őt) **b)** (ő)neki; **I gave** ~ **the books** odaadtam neki a könyveket **c) look at** ~ nézz(en) rá; **of** ~ róla; **to** ~ neki **2. a)** ő maga, önmaga, (őt) magát, önmagát, (ön)magával; **she took** ~ **son with** ~ magával vitte a fiát **b)** *biz* ő; **it's** ~ ő az **3. a)** (az ő) vkje/vmje; ~ **father** (az ő) apja **b) H~ Ladyship** őméltósága
herald [ˈherəld] **I.** *fn* **1.** hírnök, herold **2.** *biz* előfutár, előhírnök **II.** *tsi* **1.** kikiált, közhírré tesz **2.** beharangoz, előre jelez
heraldic [heˈrældɪk] *mn* címertani, heraldikai • *hsz* **heraldically**
heraldist [ˈherəldɪst] *fn* címertudós, heraldikus
heraldry [ˈherəldri] *fn* **1.** címertan, heraldika **2.** címerékítmény, címerdísz **3.** hírnök tisztsége
Heralds' College *fn GB biz* a Címerügyi Testület
herb [hɜːb ‖ hɜrb] *fn növ* **a)** fű, lágyszárú növény **b)** konyhakerti fűszernövények **c)** *növ* **medicinal ~s** gyógyfüvek • *mn* **herbiferous**, **herblike**
Herb [hɜːb ‖ hɜrb] *tul* ‹*Herbert* becézett alakja›
herbaceous [həˈbeɪʃəs ‖ hɜr–] *mn* fűnemű, fűszerű
herbage [ˈhɜːbɪdʒ ‖ ˈhɜrb–] *fn* **1. a)** fűnövényzet, füvezet **b)** legelő **2.** *jog* legeltetési jog/díj
herbal [ˈhɜːbl ‖ ˈhɜrbl] **I.** *mn* füvekkel/füvekből készített *[ital, főzet]* **II.** *fn* füvészkönyv
herbalist [ˈhɜːbəlɪst ‖ ˈhɜr–] *fn* **1.** növénygyűjtő **2.** gyógyfűkereskedő **3.** → **herb-doctor** • *fn* **herbalism**
herbarium [hɜːˈbeərɪəm ‖ hərˈberɪəm] *fn tsz* **herbaria** [–rɪə] növénygyűjtemény, herbárium
herb doctor *fn* gyógyfűvel gyógyító személy/orvos
Herbert [ˈhɜːbət ‖ ˈhɜrbərt] *tul* Herbert
herbicide [ˈhɜːbɪsaɪd ‖ ˈhɜr–] *fn* gyomirtó/növényirtószer
herbivore [hɜːˈbɪvərə ‖ hɜr–] *fn tsz áll* fűevők, növényevők • *mn* **herbivorous**
herb tea *fn* herbatea, gyógytea
herb tobacco *fn* dohánypótló fűkeverék
herby [ˈhɜːbi ‖ ˈhɜrbi] *mn* **1.** → **herbous 2.** gyógynövény/fűszernövény jellegű
Herculean [ˌhɜːkjuˈliːən ‖ hɜrkjə–] *mn* herkulesi; ~ **task** óriási/herkulesi feladat
Hercules [ˈhɜːkjuliːz ‖ ˈhɜrkjə–] **I.** *tul mit* Herkules **II.** *fn* rendkívül erős ember
Hercules beetle *fn biz* herkulesbogár
herd [hɜːd ‖ hɜrd] **I.** *fn* **1.** gulya, csorda, konda, ménes, falka, nyáj, raj, sereg, *biol* baktériumtelep **2.** *pej* (ember)-csorda, gyülevész népség/had **3. a)** pásztor, juhász **b)** *átv*

pásztor **II. A.** *tsi* **1.** összeterel, csordába terel *[állatokat]* **2.** állatokat őriz/gondoz **B.** *tni* **1.** pásztorkodik; **~ together** falkába verődik **2.** *biz* **~ with** ... csatlakozik *[párthoz]*; összejön, társul • *fn* **herder**
herd book *fn mezőg GB* törzskönyv
herd instinct *fn* **1.** nyájösztön **2.** *átv* csordaszellem
herdsman [ˈhɜːdzmən ‖ ˈhɜrdz–] *fn tsz* **-men** marhapásztor, csordás, gulyás
here [hɪə ‖ hɪr] **I.** *hsz* **1.** itt, ide; **~ and now** itt és most/azonnal; **about ~** errefelé; **(come) ~!** ide gyere!; **in ~** idebent, idebe; **~ goes!** gyerünk!, rajta! **2.** íme; **~ we are!** megjöttünk!, itt vagyunk; **~ you are!** no (végre hogy) itt vagy!; **~ we go again!** *biz* na, már megint! **3.** **~'s to you!** kedves egészségedre! *[koccintásnál]* **4.** *US* jelen! **5. a)** **~ and there** itt-ott; helyenként, hébe-hóba **b)** **~ there and everywhere** mindenfelé **c)** **neither ~ nor there** se(m) itt se(m) ott **II.** *fn* a most, a jelen *[idő, hely]*
hereabout(s) [ˌhɪərəˈbaut ‖ ˌhɪr–] *hsz* errefelé, a közelben, a környéken, ezen a tájon
hereafter [ˌhɪərˈɑːftə ‖ ˌhɪrˈæftər] **I.** *hsz* **1.** alább, lejjebb, ezután, mostantól/innét kezdve **2.** mostantól fogva, ezentúl, ezután, a jövőben **3.** a másvilágon, a síron túl **II.** *fn* másvilág, túlvilág
hereat [ˌhɪərˈæt ‖ ˌhɪr–] *hsz régi* emiatt, ezen
hereby [ˌhɪəˈbaɪ ‖ ˌhɪr–] *hsz* **a)** ezáltal **b)** ezennel
hereditable [hɪˈredɪtəbl] → **heritable**
hereditament [ˌherɪˈdɪtəmənt] *fn jog* **1.** ‹minden örökölhető vagyontárgy› **2.** örökség *[főként ingatlané]*
hereditary [həˈredɪtəri ‖ –teri] *mn* örökös, örökletes, öröklődő, örökölhető
heredity [həˈredəti] *fn biol* (át)öröklés, öröklékenység
Hereford [ˈherɪfəd ‖ ˈhɜrfərd] *tul földr* Hereford
herein [ˌhɪərˈɪn ‖ ˌhɪr–] *hsz* **1.** itt, e helyen, ebben (a könyvben); **the letter enclosed ~** a mellékelt levél **2.** erre vonatkozólag, ezt illetőleg
hereinafter [ˌhɪərɪnˈɑːftə ‖ ˌhɪrɪnˈæftər] → **hereunder**
hereinbefore [ˌhɪərɪnbɪˈfɔː ‖ ˌhɪrɪnbɪˈfɔr] *hsz ált jog vál* fentebb, a fentebbiekben, a jelen (irat), keresetlevél stb. korábbi pontja alatt *[már említett...]*
hereof [ˌhɪərˈɒv ‖ ˌhɪrˈɑv] *hsz régi* ettől, ebből
heresy [ˈherɪsi] *fn* eretnekség
heretic [ˈherɪtɪk] *fn* eretnek személy
hereto [ˌhɪəˈtuː ‖ ˌhɪr–] *hsz jog vál* **annexed/attached ~**, **~ annexed/attached** idecsatolva, idecsatolt, mellékelve, mellékelt
heretofore [ˌhɪətuˈfɔː ‖ ˌhɪrtəˈfɔr] *hsz vál* egykor, hajdan, régente, azelőtt, eddigelé, mindeddig
hereunder [ˌhɪərˈʌndə ‖ ˌhɪrˈʌndər] *hsz vál* alább, alant, a(z) alábbiakban/továbbiakban
hereupon [ˌhɪərəˈpɒn ‖ ˈhɪrəˈpɑn] *hsz* **1.** ezen **2.** ezek után, ennek következtében
herewith [ˌhɪəˈwɪð ‖ ˌhɪr–] *hsz* ezzel, ezennel, ezúttal
heriot [ˈherɪət] *fn GB tört* ‹földesúrnak fizetett illeték v. átadott szolgáltatás bérlő halálakor›
heritable [ˈherɪtəbl] *mn* **1.** *biol* öröklődő, örökölhető **2. a)** *jog* öröklési, örökösödési *[jog]*, örökölhető **b)** *jog* öröklésre képes/alkalmas
heritage [ˈherɪtɪdʒ] *fn* **1. a)** örökség, örökrész **b)** nemzeti örökség **2. a)** *bibl* Izrael népe, a kiválasztott nép **b)** *vall* az egyház **3.** *biol* örökölt tulajdonságok
heritor [ˈherɪtə ‖ –rɪtər] *fn ált skót jog* örökös, örökösnő
herm [hɜːm(ə) ‖ hɜrm(ə)] *fn műv* ‹szakállas fejben végződő szögletes kőpillér/kőoszlop› herma
Herman [ˈhɜːmən ‖ ˈhɜr–] *tul* ‹férfinév›
hermaphrodite [hɜːˈmæfrədaɪt ‖ hɜr–] **1.** *mn/fn áll növ* hermafrodita, kétnemű, hímnős, kétivarú **2.** kettős énnel rendelkező egyén, hermafrodita • *fn* **hermaphroditism** *mn* **hermaphroditic(al)**
hermeneutic(al) [ˌhɜːməˈnjuːtɪk ‖ ˌhɜrməˈnuːtɪk] *mn* szövegmagyarázó, hermeneutikus
hermeneutics [ˌhɜːməˈnjuːtɪks ‖ ˌhɜrməˈnuːtɪks] *fn esz* hermeneutika
hermetic [hɜːˈmetɪk ‖ hɜrˈmetɪk] *mn* **1.** légmentes, jól/légmentesen/hermetikusan záródó, hermetikus **2.** Hermészre vonatkozó, titokzatos; **~ art/science** alkímia • *fn* **hermetism** *hsz* **hermetically**
hermit [ˈhɜːmɪt ‖ ˈhɜr–] *fn* remete
hermitage [ˈhɜːmɪtɪdʒ ‖ ˈhɜrmɪtɪdʒ] *fn* **1.** remetelak **2.** kolostor
hermit crab *fn áll* remeterák
hernia [ˈhɜːnɪə ‖ ˈhɜr–] *fn orv* sérv • *mn* **hernial**, **herniated**
hero [ˈhɪərou ‖ ˈhiːrou] *fn tsz* **heroes** hős, dalia, hérosz, félisten
Herod [ˈherəd] *tul* Heródes
heroic [hɪˈrouɪk] *mn* hősi, hősies, vitéz, emberfölötti, heroikus • *hsz* **heroically**
heroic couplet *fn ir.tud* ‹tíz szótagú sorokból álló rímes verspár›
heroics [hɪˈrouɪks] *fn tsz* **1.** hősi versek **2. a)** nagyhangú beszéd/viselkedés **b)** *biz* dagályosság, fellengzősség; **mock ~** blöff
heroin [ˈherouɪn] *fn vegy* heroin
heroine [ˈherouɪn] *fn* hősnő
heroinism [ˈherouɪnɪzm] *fn orv* heroinfüggőség, heroinizmus
heroism [ˈherouɪzm] *fn* hősiesség, vitézség, bátorság
heroize [ˈhɪərouaɪz ‖ ˈhɪr–], **-ise A.** *tsi* hőssé avat/tesz, hősként magasztal (vkt) **B.** *tni* adja a hőst, hősködik
heron [ˈherən] *fn áll* (szürke) gém
hero's welcome *fn* lelkes/boldog üdvözlés
hero-worship *fn* hősök kultusza
herpes [ˈhɜːpiːz ‖ ˈhɜr–] *fn orv* herpesz, sömör • *mn* **herpetic**
herpes simplex [– ˈsɪmpleks] *fn orv* herpes simplex
herpes zoster [– ˈzɒstər ‖ – ˈzɑstər] *fn orv* övsömör
herpetology [ˌhɜːpəˈtɒlədʒi ‖ ˌhɜrpəˈtɑ–] *fn* herpetológia *[csúszómászó állatok tana]* • *fn* **herpetologist**
Herr [heə ‖ her] *fn tsz* **Herren** [ˈheərən ‖ ˈherən] *német* úr, uram
herring [ˈherɪŋ] *fn* hering; **red ~** füstölt hering; *biz* elterelő mozdulat/manőver
herringbone I. *fn* **1.** heringszálka **2. a)** *bány* csúcsíves fejtés **b)** *épít* átlós kötés **II. 1.** *tni* keresztöltéssel kivarr/kihímez (vmt) **2.** *sp* halszálkázik *[síelő halszálkázva halad fölfelé]*
herringbone pattern *fn tex* halszálkaminta *[szöveten]*
hers [hɜːz ‖ hɜrz] *nm* az övé, az övéi *[nőnemű lényről]*; **a friend of ~** egy barátja/barátnője
herself [həˈself, hɜː– ‖ hərˈself, hɜr–] *nm* **1.** (ön)maga, saját maga *[nő]*; **it is like ~** ez egészen rávall; **she was beside ~** magánkívül volt **2.** (ön)magát, saját magát *[nő]* **3. she was by ~** egész egyedül volt
Hertfordshire [ˈhɑːtfəd, ˈhɑːfəd ‖ ˈhɜrtfərd] *tul földr* Hertfordshire
Herts. [hɑːts ‖ hɑrts] *röv Hertfordshire*
hertz [hɜːts] *fn fiz* hertz
Hertzian wave [ˌhɜːtsɪən ˈweɪv ‖ ˈhɜr–] *fn vill* Hertz-hullám, elektromágneses hullám
he's [hiz] *röv he is*→ **be**; *he has*→ **have** I.
hesitant [ˈhezɪtənt] *mn* habozó, határozatlan, ingadozó, tétovázó • *fn* **hesitance**, **hesitancy** *hsz* **hesitantly**
hesitate [ˈhezɪteɪt] *tni* tétovázik, habozik, vonakodik; **~ over her choice** habozik a választását illetően; **he didn't ~ to take the job** nem habozott elfogadni az állast • *fn* **hesitater**, **hesitation** *mn* **hesitative**
hesperian [heˈspɪərɪən ‖ –ˈspɪr–] *mn/fn vál* nyugati
Hesperides [heˈsperɪdiːz] *fn vál* Heszperidák
hesperidium [ˌhespəˈrɪdɪəm] *fn* citrusgyümölcs
hesperis [ˈhespərɪs] *fn növ* estike
Hesperus [ˈhesprəs ‖ –ər] *tul vál* esthajnalcsillag
Hesse [hes, ˈhesə], **Hessen** *tul földr* Hessen
Hessian [ˈhesɪən] **I.** *mn* hess(z)eni; **~ fly** hesszeni légy **II.** *fn tex* zsákvászon

H

Hester [ˈhestə ‖ –ər] *tul* Eszter
hetaera [hɪˈtɪərə ‖ –ˈtɪr–] *fn tsz* **hetaerae** [–riː] *régi* hetéra, ágyas, kéjnő
hetaerism [hɪˈtɪərɪzm ‖ –ˈtɪr–] *fn* **1.** hetéraság, ágyasság **2.** *tört* törzsi férfi és nőközösség
hetero [ˈhetəroʊ ‖ ˈhetəroʊ] **I.** *mn* heteroszexuális **II.** *fn* heteroszexuális személy
hetero- [hetəroʊ] *előtag* más-, különböző, több-, többféle
heterochromatic [–krəˈmætɪk] → **heterochromous**
heterochromous [–kroʊməs] *mn növ* többféle színű, heterokróm *[virág]*
heteroclite [–klaɪt] *mn/fn* **1.** *nyelv* változó tövű, rendhagyó *[szó]*, heteroklitikus **2.** szabálytalan, különös
heterocyclic [–ˈsaɪklɪk] *mn vegy* heterociklusos
heterodox [–dɒks ‖ –dɑks] *mn* téves hitű, tévhitű, eretnek • *fn* **heterodoxy**
heterodyne [–daɪn] **I.** *mn távk* transzponáló, heterodin *[vevőkészülék]* **II.** *tni* lebeg, lebegtet
heterogamous [ˌhetəˈrɒgəməs ‖ ˌhetəˈrɑ–] *mn növ biol* heterogám
heterogamy [ˌhetəˈrɒgəmi ‖ ˌhetəˈrɑ–] *fn növ biol* heterogámia
heterogeneous [–ˈdʒiːnɪəs] *mn* különböző nemű/fajú, másfajta, másnemű, vegyes, heterogén • *mn* **heterogeneity**
heterogenesis [–ˈdʒenɪsɪs] *fn biol* heterogenezis, abiogenezis • *mn* **heterogenetic**
heterogony [ˌhetəˈrɒdʒəni ‖ –ˈrɑ–] *fn* **1.** *biol* különböző neműség/fajúság **2.** *biol* → **heterogenesis** • *mn* **heterogonous**
heterologous [ˌhetəˈrɒləgəs ‖ ˌhetəˈrɑ–] *mn* heterológ • *fn* **heterology**
heteromerous [ˌhetəˈrɒmərəs ‖ ˌhetəˈrɑ–] *mn áll* egyenlőtlenül ízelt *[rovar]*; *növ* felemás tagú, heteromer *[virág]*
heteromorphic [–ˈmɔːfɪk ‖ –ˈmɔr–] *mn* **1.** *növ áll* külön alakú, kétalakú, felemás **2.** heteromorf, polimorf *[ásvány]* • *fn* **heteromorphism**
heteronomous [ˌhetəˈrɒnəməs ‖ ˌhetəˈrɑ–] *fn* heteronóm
heteronomy [ˌhetəˈrɒnəmi ‖ ˌhetəˈrɑ–] *fn* heteronómia
heterophony [ˌhetəˈrɒfəni ‖ ˌhetəˈrɑ–] *fn nyelv* heterofónia *[szándéktalan beszédtévesztés]*
heterophyllous [–ˈfɪləs] *fn növ* felemás lombú/levelű
heteroplasty [–plæsti] *fn orv* (szövet)átültetés
heteropolar [–ˈpoʊlə ‖ –ər] *mn fiz* többpólusú, heteropoláris
heteroptera [ˌhetəˈrɒptərə ‖ ˌhetəˈrɑp–] *fn tsz áll* másféle szárnyúak *[földi poloskák]* • *mn* **heteropterous**
heterosexism [–ˈseksɪzm] *fn* heteroszexizmus • *fn/mn* **heterosexuality**
heterosexual [–ˈsekʃʊəl] **I.** *mn* **1.** a másik nemhez vonzódó, heteroszexuális **2.** másnemű **II.** *fn* heteroszexuális személy • *fn* **heterosexuality**
heterosis [ˌhetəˈroʊsɪs] *fn biol* heterózis
heterotrophic [–ˈtrɒfɪk ‖ –ˈtrɑfɪk] *mn biol* heterotróf
heterozygote [–ˈzaɪgoʊt] *fn biol* heterozigóta
het up [ˌhetˈʌp] *mn biz* izgatott, túlfűtött, fölpörgetett
Hetty [ˈheti] *tul* ‹*Henrietta* női név becézett alakja›
heuristic [hjʊˈrɪstɪk ‖ hjuː–] **I.** *mn fil* a megértést/felfedezést szolgáló, heurisztikus **II.** *fn esz fil* heurisztika • *hsz* **heuristically**
heuristics [hjʊəˈrɪstɪks ‖ hjuː–] → **heuristic** II.
hevea [ˈhiːvɪə] *fn növ* kaucsukfa
hew [hjuː] *i pt* **hewed** [hjuːd], *pp* **hewed, hewn** [hjuːn] **A.** *tsi* **1. a)** vág, vagdal, dönt, aprít *[fát]*; ~ **coal** szenet fejt; ~ **one's way** (fejszecsapásokkal) utat tör magának **b)** körülvág, körülfarag **2.** *átv* kialakít **B.** *tni* vagdalkozik *[maga körül]*
  hew out *tsi* **1.** kivág *[lyukat]*, kiképez *[átjárót]* **2.** *biz* ~ **out a career for oneself** kiverekszi magának az érvényesülést
hewer [ˈhjuːə ‖ ˈhjuːər] *fn* **1.** kőfaragó; favágó **2.** *bány* (jövesztő)vájár
hex[1] [heks] **I.** *fn* **1.** boszorkány **2.** bűbáj, bűvölet, varázslat, igézet, rontás **II.** *tsi* megbűvöl, megbabonáz, megigéz, megront
hex[2] [heks] *röv* **1.** *hexagon* **2.** *hexagonal* **3.** *hexadecimal*
hexa- [ˈheksə] *előtag* hat-
hexachord [ˈheksəkɔːd ‖ –kɔrd] *fn zene* hathangú skála, hexachord
hexad [ˈheksæd] *fn* hat számból/elemből álló sorozat
hexadecimal [ˌheksəˈdesɪml] **I.** *mn infor* hexadecimális *[rendszer]* **II.** *fn* hexadecimális rendszer
hexagon [ˈheksəgən ‖ –gɑn] *fn mat* hatszög • *mn* **hexagonal**
hexagram [ˈheksəgræm] *fn* **1.** hatágú csillag, zsidócsillag **2.** ‹hat egymást metsző vonalból alkotott síkidom›
hexahedron [ˌheksəˈhiːdrən] *fn* kocka, hatlap, hexaéder • *mn* **hexahedral**
hexameter [hekˈsæmɪtə ‖ –mɪtər] *fn ir.tud* hatlábú/hatméretű vers(sor), hexaméter • *fn* **hexametrist** *mn* **hexametric**
hexane [ˈheksеɪn] *fn vegy* hexán
hexapla [ˈheksəplə] *fn tsz bibl* hatnyelvű szentírás
hexapod [ˈheksəpɒd ‖ –pɑd] *áll* **I.** *mn* hatlábú *[rovar]* **II.** *fn* hatlábú rovar, hexapoda
hexastyle [ˈheksəstaɪl] **I.** *mn* hat oszlopból alkotott *[oszlopcsarnok]* **II.** *fn* hat oszlopból alkotott oszlopcsarnok
Hexateuch [ˈheksətjuːk ‖ –tuːk] *fn* Ószövetségi Szentírás első hat könyve *[Mózes öt könyve és Józsua könyve]*
hexavalent [ˌheksəˈveɪlənt] *mn vegy* hat(vegy)értékű
hexose [ˈheksoʊs] *fn vegy* hexóz
hey [heɪ] *isz* **1. a)** hé!, halló! **b)** tyuhaj **2.** mit?, mi az? **3.** *US biz* szia
heyday *fn* csúcspont, tetőpont *[pl. gazdagságé, dicsőségé]*, aranykor (vmé); **be in the ~ of youth/life** ifjúsága/élete virágjában van
Hf *röv vegy hafnium* hafnium
Hg *röv vegy mercury* higany
HG *röv* **1.** *Her/His Grace* **2.** *High German*
HH *röv* **1.** *Her/His Highness* **2.** *His Holiness* **3.** *double hard [ceruzabélről]*
hi [haɪ] *isz biz* szia!, csá!, szevasz(tok)!
HI *röv* **1.** *US Hawaii(an)* **2.** *Hawaiian Islands*
hiatus [haɪˈeɪtəs] *fn tsz* **~es** folytonossági hiány, rés, megszakítás • *mn* **hiatal**
hibernate [ˈhaɪbəneɪt ‖ –bər–] *tni* (ki)telel, téli álmot alszik, téli álomba merül • *fn* **hibernation, hibernator**
Hibernia [haɪˈbɜːnɪə ‖ –ˈbɜr–] *tul vál régi* Írország
Hibernian [haɪˈbɜːnɪən ‖ –ˈbɜr] *mn/fn vál régi* ír, írországi, írlandi
Hibernicism [haɪˈbɜːnɪsɪzm ‖ –ˈbɜr–] *fn* ír(landi) kifejezés/szólásmód
hibiscus [haɪˈbɪskəs, hɪ–] *fn tsz* **~es** *növ* hibiszkusz
hiccough [ˈhɪkʌp, –əp] → **hiccup**
hiccup [ˈhɪkʌp, –kəp] **I.** *fn* **1.** csuklás; **get/have ~s** csuklik **2.** *biz* pillanatnyi fennakadás/hiba **II.** *tni* csuklik
hick [hɪk] *fn US szl [faragatlan ember]* tahó, bunkó
hickey [ˈhɪki] *fn US szl* ‹csókolódzás után a bőrön maradt folt› *[nyakon]* kiszívás
hickory [ˈhɪkəri] *fn* **1.** *növ* hikori(-fa) **2.** hikori pálca/vessző/bot
hid [hɪd] → **hide**[1]
hidalgo [hɪˈdælgoʊ] *fn* hidalgó, spanyol nemes
hidden [ˈhɪdn] *mn* (el)rejtett, eldugott, titkolt; **~ agenda** hátsó szándék • *fn* **hiddenness**
hidden field *fn infor* rejtett mező
hidden folder *fn infor* rejtett mappa/könyvtár
hidden hand *fn biz* titkos/ismeretlen befolyás
hidden reserves *fn tsz pénz* rejtett tartalékok
hide[1] [haɪd] *pt* **hid**, *pp* **hid** [hɪd], **hidden** [ˈhɪdn] **I. A.** *tsi* **1.** elrejt, eldug, eltakar, elbújtat (vk elől vmt), eltitkol (vmt); **~ sg from sy** elrejt vmt vk elől; elhallgat/eltitkol vmt vk elől;

~ one's face elrejti/elfátyolozza az arcát; *biz* **~ one's light under a bushel** véka alá rejti (v. parlagon heverteti) a tehetségét **2. ~ sg from sight** vmt eltüntet **B.** *tni* elbújik, elrejtőzik, megbúvik **II.** *fn* **1.** rejtekhely, búvóhely **2.** leshely *[vadászé]*
hide out *tni US* elrejtőzik, eltűnik *[rendőrség elől]*; → **hideout**
hide up *tsi* **~ up a scandal** botrányt eltitkol/eltussol
hide[2] [haɪd] **I.** *tsi biz* kicserzi a bőrét (vknek), elpüföl, elpáhol (vkt) **II.** *fn* (nyúzott) bőr, irha, nyersbőr *[állaté]*
hide-and-seek [ˌhaɪdən'si:k] *fn* bújócska
hideaway ['haɪdəweɪ] *fn* búvóhely, rejtekhely
hidebound ['haɪdbaʊnd] *mn* **1.** (csupa) csont és bőr *[marha]* **2. a)** *biz* szűk látókörű, maradi, ultrakonzervatív **b)** csökönyös, makacs
hideous ['hɪdɪəs] *mn* **1.** undok, undorító, utálatos, förtelmes *[bűn]* **2.** *biz* csúnya, visszataszító
hideout *fn* búvóhely, rejtekhely; → **hide out**
hider ['haɪdə ‖ –ər] *fn* **1.** képmutató **2. a)** bujkáló **b)** bújó *[játékban]*
hiding[1] ['haɪdɪŋ] *fn* **1.** leplezés, rejtegetés *[bűnösé]*; **come out of ~** kijön rejtekhelyéből **2.** *infor* elrejtés
hiding[2] ['haɪdɪŋ] *fn biz [verés]* elpáholás
hiding place *fn* rejtekhely, búvóhely
hidrosis [haɪ'droʊsɪs] *fn orv* verejtékkiválasztás • *mn* **hidrotic**
hie [haɪ] *tni vál* siet; **~ to a place** vhova siet/igyekszik
hierarch ['haɪərɑ:k ‖ –rɑrk] *fn vall* főpap, érsek
hierarchy ['haɪərɑ:ki ‖ –rɑr–] *fn* **a)** rangsor, rangszervezet, hierarchia **b)** papi kormányszervezet • *fn* **hierarchism** *mn* **hierarchic(al)**
hieratic [haɪə'rætɪk] *mn* papi, hieratikus, szent *[írás, stílus]*
hiero- ['haɪər(oʊ)] *előtag* szent, isteni, feljebbvaló
hierocracy [haɪə'rɒkrəsi ‖ –'rɑ–] *fn tört* hierokrácia, papi/egyházi uralom *[állam fölött]*
hieroglyph ['haɪrəglɪf] *fn* **1.** (egyiptomi) képírásjel, hieroglif(a) **2.** *átv* hieroglifa
hieroglyphic(al) [ˌhaɪrə'glɪfɪk(l)] *mn* **1.** képírásos, hieroglifikus, hieroglifás; **~ writing** hieroglif írás **2.** titokzatos
hierogram ['haɪrəgræm] *fn régi* hierogramma, szent/hieratikus jelkép/szimbólum
hierograph ['haɪrəgrɑ:f ‖ –græf] → **hierogram**
hierolatry [haɪ'rɒlətri ‖ –'rɑl–] *fn* szentek imádata
hierology [haɪ'rɒlədʒi ‖ –'rɑl–] *fn* **1.** (ókoriak) szent dolgainak tudománya, szent dolgokra vonatkozó írásbeliség **2.** szentek élete, hagiológia
hierophant ['haɪrəfænt] *fn* **1.** *régi* eleuziszi misztériumot vezető pap **2.** szent misztériumok magyarázója **3.** hirdetője/szószólója vmnek • *mn* **hierophantic**
hi-fi [ˌhaɪ'faɪ] *röv biz* **I.** *fn távk* hifi **II.** *fn távk biz* hifiberendezés/készülék; → **high-fidelity**
higgle ['hɪgl] *tni* **1.** alkuszik, alkudozik **2.** házal *[áruval]*
higgledy-piggledy [ˌhɪgldi'pɪgldi] *biz* **I.** *mn* rendetlen, összevissza **II.** *hsz* rendetlenül, összevissza **III.** *fn* rendetlenség, összevisszaság, felfordulás
high [haɪ] **I.** *mn* **1. a)** magas; *sp* **~ dive** toronyugrás; **~ tide** tetőfok, kulminálás *[dagályé]*; **wall six feet ~** hat láb magas fal **b)** magas (nyakú) **2. a)** (fel)emelkedett, emelt, felemelő; *hajó* **with colours ~** felvont lobogóval **b)** vezető, előkelő, fő; **~(er) command** magasabb parancsnokság; felső vezetés; **H~ Commissioner** főbiztos; *US* **junior ~ school** ‹ált. iskola legfelső osztálya és a középiskola első és második osztálya›; **~ and mighty** nagy és hatalmas; gőgös **c) ~ mind** emelkedett/nemes lélek; **~ thoughts** fennkölt gondolatok **d)** *meteo* **~ area** magas nyomású (v. anticiklonális) terület **e) play ~, play for ~ stakes** nagyban/hazárdul játszik **f) ~ pulse** szapora érverés; **~ speed** nagy sebesség; **~ grade** magas fokú, jó minőségű **g)** nagyfokú, nagymérvű, erős; **~ explosive** nagy erejű robbanószer; **~ respect** mély tisztelet; **~ treason** hazaárulás; felségárulás; **~ wind** heves szél, orkán **h) have a ~ opinion of sy** vkt sokra becsül; sokat tart (v. jó véleménnyel van) vkről **i) ~ colour** élénk/rikító szín; arcbőr élénksége, kipirultság **j) ~ voice** magas (fekvésű) hang; vékony hang **k)** *vill* **~ tension/voltage** nagyfeszültség; → **high voltage 3. a) the ~er animals** felsőbbrendű/magasabbrendű állatok; **~er education** felsőoktatás **b) ~ cards** magasabb értékű kártyalapok, valőrök **4. ~ fashion** → **haute couture**; előkelő divat **5. ~ day** ünnepnap **6. a) ~ noon** fényes nappal; **it's ~ time** legfőbb ideje, ideje már **b) get ~** *szl* be van lőve **7.** *nyelv* **~ German** felnémet *[nyelv]*; → **Dutch 8.** *hajó* **~ and dry** megfeneklett, zátonyra futott **9.** magasztos, fenséges **10.** *biz* **(s)he is ~** be van csípve; kábítószer hatása alatt van **11.** *nyelv* **~ vowel** felső nyelvállású/zárt magánhangzó **II.** *hsz* **1. a)** magasan, fent, felül; **aim/fly ~** magasra céloz/repül; magasra tör, nagyra vágyik **b) ~er up the river** a folyón felfelé **2. go as ~ as £2000** egészen 2000 fontig elmegy; **play/stake ~** nagyban (v. magas tétekben) játszik **3.** nagyon, igen, erősen, roppant; **run ~** háborog *[tenger]*; túlcsordul; nekihevül **4. live ~** nagy lábon él **5. sing ~** magasan énekel **III.** *fn* **1.** *biz* csúcsteljesítmény; **an all-time ~** világrekord **2.** harmadik sebesség *[autónál]* **3.** *meteo* magas nyomású terület **4. on ~** odafönt, a mennyországban; **from on ~** odafentről; a magasságból **5.** *US* → **high school 6.** *szl [alkohol/kábítószer okozta mámor/eufória]*, lebegés
highball *fn US* **1.** whisky jeges szódával **2.** vasúti jelzés teljes menetsebességre
highbinder ['haɪbaɪndə ‖ –ər] *fn US biz* zsarolóbanda tagja, gengszter
high-born *mn* előkelő születésű/származású
highboy *fn US* magas lábú fiókos szekrény
highbrow ['haɪbraʊ] **I.** *mn biz* kifinomult ízlésű, kulturált, intellektuális **II.** *fn biz* **a)** kifinomult/igényes (v. intellektuális beállítottságú) ember **b)** *pej* kultúrsznob
high chair *fn* etetőszék
High Church *fn vall* ‹az anglikán egyháznak a róm. kat. egyházhoz (külsőségekben) legközelebb álló szárnya›
High Churchman [ˌhaɪ'tʃɜ:tʃmən ‖ –'tʃɜrtʃ–] *fn tsz* **-men** a High Church híve/papja
high-class *mn biz* elsőrendű, kiváló minőségű
high-definition *mn távk el* nagy felbontóképességű
high-density *mn* nagy sűrűségű
high-end *mn* csúcs minőségű, műszakilag a legfejlettebb
higher ['haɪə ‖ –ər] *mn* **1.** *átv* magasabb **2.** felsőbb; → **high**
higher education *fn okt* felsőoktatás
higher-up *fn biz* magas/vezető állású személy, magas rangú személy
highfalutin [ˌhaɪfə'lu:tɪn ‖ –'lu:tn] *biz* **I.** *mn* dagályos, cikornyás, fellengzős *[stílus, előadás]* **II.** *fn* cikornyás/eltúlzott történet
high-fidelity I. *mn távk* ‹nagyfokú hang-, ill. képhűségű› hifi; torzításmentes (hangvisszaadású) *[rádió* v. *tv-készülék]* **II.** *fn távk* nagyfokú hanghűség/természethűség; *távk* → **hi-fi**
high-five *US biz* **I.** *tsi* pacsit ad *[gratulációként magasra tartott kézzel]* **II.** *fn* pacsi(zás)
high-flown *mn* **1.** dagályos, fellengzős, cikornyás **2.** szertelen, túlzó
high-flyer, high-flier *fn* **1.** magasan repülő/szálló madár **2. a)** *biz* túlzottan nagyra törő (v. nagyravágyó/ambiciózus) ember **b)** menő cikk, biztos siker *[áru]* • *mn* **high-flying**
high frequency *fn el* nagyfrekvencia
high-grade *mn* nagyfokú, magas százalékú, kiváló minőségű
high-grossing *mn* nagy hasznot hajtó
high-grown *mn* magas növésű/termetű, nagyra nőtt
high-handed *mn* **a)** önkényes, erőszakos *[cselekedet]*, zsarnokoskodó **b)** fölényes *[viselkedés]* • *fn* **high-handedness** *hsz* **high-handedly**

high hat *US biz* **I.** *mn* fölényeskedő, nagyképű **II.** *fn* fölényeskedő/nagyképű alak/fráter **III. -tt- A.** *tsi* lekezel, fölényeskedik, felvág (vknek) **B.** *tni* fölényeskedik, nagyképűsködik, felvág
high-heeled *mn* magas sarkú
high-income *mn* **1.** magas jövedelmű **2.** magas hozamú
high jump *fn sp* magasugrás • *fn* **high-jumper**
high-key *mn fényk* erős tónusú *[kép]*
high-keyed [ˌhaɪˈkiːd] *mn* **1.** *zene* magas fekvésű *[szólam]*, magasra hangolt *[hangszer]* **2.** túlfűtött, egzaltált *[ember]*, túlfeszített *[idegzet]*
highland [ˈhaɪlənd] **I.** *fn* **1.** felvidék, felföld, hegyvidék **2.** *tsz* **Highlands** skót felvidék, Felső-Skócia **II.** *mn* **1.** felvidéki, felföldi, hegyvidéki **2. H~** skót felvidéki, felső-skóciai
Highland cattle *fn mezőg* skót hosszúszarvú marhafajta
Highland dress → **kilt**
highlander [ˈhaɪləndə ‖ –ər] *fn* **1.** felvidéki, felföldi, hegyvidéki, hegylakó **2. H~** a Skót felföld/hegyvidék lakója; skót ezred katonája
Highland fling *fn* skót néptánc
high latitudes *fn tsz földr* magas földrajzi szélesség, sarki övezet
high-level *mn* **1.** magas színvonalú **2.** magasan fekvő, magaslaton levő
high-level language *fn infor* magasszintű programozási nyelv
high life *fn* az előkelő világ/társaság
highlight I. *fn* **1. a)** ~(s) világos folt, fényfolt **b)** ~(s) *fényk* csúcsfény(ek) **2.** csúcspont, fénypont; **the ~ of the performance** az előadás fénypontja **3.** melír *[hajban]*, melírozás **II.** *tsi* **1.** éles megvilágításba helyez, előtérbe hoz, kiemel, kihangsúlyoz; vezető helyen foglalkozik vmvel *[sajtó]* **2.** melíroz *[hajat]*
highlighter *fn* szövegkiemelő (filc)toll
high-lows *fn tsz* magas szárú fűzős cipő
highly [ˈhaɪli] *hsz* **1. a)** ~ **placed official** magas állású hivatalnok **b) be ~ descended** előkelő származású **2.** nagyon, igen, roppant; ~ **amusing** rendkívül mulatságos; **think ~ of sy** sokra tart vkt
highly strung → **high-strung**
High Mass *fn vall* nagymise
high-minded *mn* **1.** emelkedett szellemű, nemes lelkű, fennkölt **2.** *régi* gőgös, kevély
high-necked *mn* magas nyakú *[ruha]*
highness [haɪnəs] *fn* **1. a)** magasság *[pl. áré]* **b)** nagyság, emelkedettség *[léleké]* **c)** erő, hevesség *[szélé]* **2. His/Her H~** őfensége
high-octane *mn* nagy oktánszámú
high-output *mn* nagy teljesítményű
high-performance *mn* nagy teljesítményű
high-pitched *mn* **1. a)** éles, átható, magas *[hang]* **b)** *épít* meredek, magas *[tető]* **2.** *átv* nemes, fennkölt, magasztos *[pl. jellem]*
high-power(ed) *mn* **1.** nagy teljesítményű/erejű **2.** fontos, befolyásos
high pressure I. *mn* nagy/magas nyomású; ~ **area** magas légnyomású terület **II.** *fn* **1.** nagy nyomás **2.** *meteo* magas nyomás *[anticiklonban]*
high-priced *mn* drága, borsos árú
high-priest *fn* **1.** *vall* főpap **2.** *átv* befolyásos személy, guru
high-principled *mn* **1.** (szigorú) elvekhez ragaszkodó **2.** fennkölt/emelkedett gondolkodású
high-priority *mn* elsőbbséget élvező
high-proof *mn* nagy százalékú *[alkoholtartalom]*
high-quality *mn* jó minőségű
high-ranking *mn* magas rangú/állású *[pl. tisztviselő]*
high-reaching *mn* **1.** magasba nyúló **2.** *átv* nagyra törő, ambiciózus
high-rise I. *mn* sokemeletes *[épület]* **II.** *fn* toronyház; felhőkarcoló
high-risk *mn* nagy kockázattal járó, veszélyes *[pl. sportok]*
high road → **highway**
high roller *fn US biz* **1.** nagy tétben játszó személy **2.** költekező világfi • *mn* **high-rolling**
high school *fn US* középiskola *[14–18 éveseknek]*; *GB* gimnázium *[11–18 éveseknek]*; → **junior high school**
high school diploma *fn US okt kb* érettségi bizonyítvány
high school graduation *fn US okt* érettségi vizsga
high sea *fn tsz* **high seas** **1.** nemzetközi vizek **2.** nyílt tenger
high season *fn* főidény
high-security *mn* abszolút biztonságos *[pl. zár, börtön]*
high-soaring *mn* magasröptű
high-sounding *mn* **1.** hangos, erős/harsány hangú *[hangszer]* **2.** *biz* hangzatos, fellengzős *[pl. cím]*
high-speed *mn* nagy sebességű, gyorsjáratú, gyors-; *fényk* ~ **lens** nagy fényerejű lencse/optika
high-spirited *mn* **a)** nemes lelkű, fennkölt/emelkedett gondolkozású **b)** merész, rettenthetetlen **c)** túláradó (jó)kedvű, lelkes
high spot *fn biz* **1.** fénypont, csúcspont *[pl. eseményé]* **2.** híres látnivaló; **hit the ~s** megnézi a látnivalókat vhol; túlzásba esik
high-stakes *mn* ~ **game** nagy tétekre menő játék, *átv* nagyon kockázatos dolog
high-stand *fn vad* magasles
high-stepper *fn* **1.** táncos lábú (v. lábait magasra emelgető) ló **2.** *biz* méltóságteljes megjelenésű/viselkedésű/modorú ember • *mn* **high-stepping**
high street *fn GB* főutca, főút
high-strung *mn* ideges, ingerlékeny, érzékeny
hight [haɪt] *mn vál tréf* nevezett, hívott, nevű
hightail *tni US szl [gyorsan halad]* pucol, tép, spurizik
high tea *fn GB* étkezéssel egybekötött ötórai tea, uzsonnavacsora
high-tech [ˌhaɪˈtek] **I.** *mn* **1.** *épít* funkcionális **2.** korszerű, csúcstechnológiát alkalmazó **II.** *fn röv* → **high technology**
high technology *fn ált el* csúcstechnológia
high-tensile *mn* nagy (szakító)szilárdságú *[acél]*
high-tension → **high voltage**
high-toned *mn* **1.** magas színvonalú, magasröptű, emelkedett hangú **2.** elsőosztályú, előkelő
high-top *fn US* magas szárú fűzős sportcipő
high-ups *fn tsz biz* magas állású/rangú (v. vezető) személyek, nagyfejűek
high voltage *fn vill* nagyfeszültség
high water mark *mn* árvízszint, legmagasabb vízállás szintje; *átv* tetőfok, tetőpont
highway *fn* **1.** országút, közút, főútvonal, autópálya **2.** *átv* **be on the ~ to success** a sikerhez vezető úton van **3.** *infor* infosztráda
Highway Code *fn kb* KRESZ *[a közúti közlekedés szabályai]*
highwayman [ˈhaɪweɪmən] *fn tsz* **-men** útonálló, rabló, haramia, betyár
high-wrought *mn* **1.** finoman kidolgozott **2.** rendkívül ideges/izgatott nyugtalan
HIH *röv Her/His Imperial Highness*
hijack [ˈhaɪdʒæk] **A.** *tsi* **1.** elrabol, eltérít *[repülőgépet]* **2.** zsarolással/fenyegetéssel kényszerít **B.** *tni* áruszállító járművet fosztogat/kifoszt • *fn* **hijacker**
hijacking [ˈhaɪdʒækɪŋ] *fn* géprablás, repülőgép-eltérítés
hijra [ˈhɪdʒrə], **hijrah** → **hegira**
hike [haɪk] **I.** *fn* **1.** (gyalog)túra, kirándulás **2.** *biz* vándorlás, kóborlás, csatangolás **3.** *biz* emelés *[tété, áré]*, növelés *[összegé]* **II. A.** *tni* **1.** kirándul, túrázik **2.** gyalogol, kutyagol **3.** vándorol, kóborol, csatangol **B.** *tsi US biz* emel *[pl. tétet kártyában]* • *fn* **hiker**
hilarious [hɪˈleərɪəs ‖ –ˈler–] *mn* **1.** vidám, hangosan jókedvű **2.** *biz* fantasztikus, vicces, falrengető
hilarity [hɪˈlærəti] *fn* derültség, vidámság

Hilary ['hɪləri] *tul* ‹férfi- és női név›
Hilary term ['hɪləri tɜːm ‖ –tɜrm] *fn GB* második évharmad *[egyetemen; január végétől húsvétig]*
hill [hɪl] **I.** *fn* **1.** domb, halom, (kis) hegy; **up ~ and down dale** hegyen-völgyön át; viszontagságokon keresztül; **old as the ~s** vén, mint az országút **2.** (föld)rakás, kupac, (föld)túrás **3.** *kat* magaslat **4. a)** emelkedés, kaptató **b)** lejtő, ereszkedő, part; *átv* **be over the ~** túl van a nehezén; *biz* túl van a fénykorán **II.** *tsi* **1.** halomba hord/rak *[földet]*, felkupacol **2.** feldombol, feltölt *[növényt]*
hill-billy ['hɪlbɪli] *fn US* **1.** *biz* hegyi lakó, hegylakó (paraszt) **2.** *pej* mucsai, hegyi paraszt **3.** *zene biz* ‹az Egyesült Államok déli részére jellemző country-zene›
hill climb *fn* **1.** hegymenet, hegymászás **2.** sebességi kapaszkodóverseny
hill fort *fn* dombra épült erőd
hillman ['hɪlmən] *fn tsz* **-men a)** hegylakó **b)** *India* hegyvidéki bennszülött
hillock ['hɪlək] *fn* dombocska, halom, bucka, túrás • *mn* **hillocky**
hillside *fn* domboldal, hegyoldal, part
hilltop *fn* **1.** dombtető, hegytető **2.** emelkedő teteje/vége
hillwalking *fn* kirándulás, túra • *fn* **hillwalker**
hilt [hɪlt] **I.** *fn* **1.** markolat *[pl. kardé, tőré]*; **(up) to the ~** tövig; teljes mértékben **2.** *bány* nyél *[csákányé]* **II.** *tsi* markolattal lát el *[kardot]*
hilum ['haɪləm] *fn* **1.** *növ* köldök *[magé]* **2.** *orv* köldök, torkolló, hílus
hilly *mn* **a)** hegyes, dombos *[vidék]* **b)** egyenetlen, hepehupás *[talaj]*
him [hɪm] *nm* **1. a)** őt *[hímnemű lényt]*; **I love ~** szeretem (őt); **~ who** azt aki ..., bárkit aki ... **b)** (ő)neki **c) look at ~** nézz(en) rá; **of ~** róla; **to ~** neki **2. a)** ő maga, önmaga, (őt) magát, önmagát, (ön)magával; **he closed the door behind ~** betette maga mögött az ajtót **b)** *biz* ő; **it's ~** ő az; **that's ~!** íme itt van!; jellemző rá!
HIM *röv Her/His Imperial Majesty*
Himalaya [ˌhɪmə'leɪə] *tul földr* Himalája; **the ~ mountains, the ~s** a Himalája (hegység)
Himalayan [ˌhɪmə'leɪən] *mn/fn földr* himalájai
himation [hɪ'mætɪɒn ‖ –'mætiɑn] *fn* tóga
himself [hɪm'self] *nm* **1.** (ön)maga, saját maga *[férfi]*; **all by ~** teljesen egyedül, egymaga; **beside ~** magánkívül **2.** (ön)magát, saját magát *[férfi]* **3.** *vál* fontos személy, a ház ura
Hinayana [ˌhiːnə'jɑːnə] *fn vall* hínajána *[a buddhizmus egyik irányzata]*
hind[1] [haɪnd] *mn* hát(ul)só; **~ legs/feet** hátsó lábak; **~ quarters** hátsórész, hátsó fertály *[négylábúé]*
hind[2] [haɪnd] *fn* szarvastehén, szarvassuta
hind[3] [haɪnd] *fn* **1. a)** *skót* béres **b)** *GB* gazdasági intéző, tiszttartó **2.** *biz* paraszt, falusi
hindcalf *fn áll* szarvasüsző
hinder[1] ['haɪndə ‖ –ər] → **hind**[1]
hinder[2] ['hɪndə ‖ –ər] *tsi* **1.** gátol, akadályoz, késleltet, feltart **2.** visszatart, meggátol, megakadályoz (vmben)
hindermost ['haɪndəmoʊst ‖ 'haɪndər–] → **hindmost**
Hindi ['hɪndi] *fn* hindi *[nyelv]*
hindmost ['haɪndmoʊst] *mn* leghát(ul)só
Hindoo [ˌhɪn'duː] *mn/fn régi* hindu, indus, indiai
hindquarters [ˌhaɪnd'kwɔːtə ‖ –'kwɔrtər] *fn tsz áll* négylábúak hátsóteste
hindrance ['hɪndrəns] *fn* **1.** (meg)akadályozás, (meg)gátolás **2.** (meg)akadályoztatás, (meg)gátoltatás **3.** akadály, gátló körülmény; **without (let or) ~** akadálytalanul, szabadon
hindsight ['haɪndsaɪt] *fn* **1.** utólagos éleslátás/bölcsesség, eső után köpönyeg **2.** irányzék *[(lő)fegyveren]*
Hindu [ˌhɪn'duː] *mn/fn vall* hindu (vallás)
Hinduism ['hɪnduːɪzm] *fn* hinduizmus
Hindustan [ˌhɪndu'stɑːn, –'stæn] *tul* Hindusztán
Hindustani [ˌhɪndu'stɑːni, –stæni] *mn* hindusztáni
hinge [hɪndʒ] **I.** *fn* **1.** sarokvas, csukló, csukló(s)pánt, forgópánt, vasalás, zsanér; *biz* **be off one's ~** zavarban van, megzavarodott, kiesett a kerékvágásból; nem érzi jól magát, gyengélkedik; nincs eszénél; ki van borulva **2. a)** csuklóízület **b)** záróizom *[kagylóé]* **3.** *átv* sarkalatos pont, fordulópont **II. A.** *tsi* **1.** sarkaiba beilleszt/beakaszt *[ajtót]* **2.** pántokat/zsanérokat tesz (vmbe) **B.** *tni* **1.** forog, fordul **2.** *átv* megfordul, sarkallik, függ (vmtől) • *mn* **hinged**
hint [hɪnt] **I. A.** *tsi* értésre ad, sejtet(ni enged); **~ to sy that** ... vknek értésére adja, hogy ... **B.** *tni* **~ at sg** céloz(gat) vmre, burkoltan utal/rámutat vmre **II.** *fn* **1.** célzás, utalás, burkolt figyelmeztetés/javaslat, útmutatás, tipp; **give/drop sy a ~** célzást tesz (vmre), sejtet(ni enged) vkvel vmt; **take a ~** kevés szóból is ért **2.** jel, nyom, utalás; **not a ~ of surprise** a meglepetésnek legkisebb jele/nyoma sem **3.** tanács, útmutatás, útbaigazítás
hinterland ['hɪntəlænd ‖ 'hɪntər–] *fn német* hátország, mögöttes országrész/terület; *biz* **in the ~ of his mind** elméjének legrejtettebb zugában
hinny[1] ['hɪni] *fn* öszvér *[nőstény szamár és csődör ivadéka]*
hinny[2] ['hɪni] *fn skót* édesem, drágám
hip[1] [hɪp] *fn* **1.** csípő; **have sy on the ~** csípőfogást alkalmaz vkn *[birkózásban]*; *biz* markában/hatalmában tart vkt; **~ and thigh** kíméletlenül, teljes erőből **2.** *fn* dobás *[birkózásban]* **3.** *épít* élszaru(fa), tetőél • *mn* **hipped**, **hipless**
hip[2] [hɪp] *fn növ* csipkebogyó
hip[3] [hɪp] *mn US biz* **a) ~ to sg** *[jól informált]* dörzsölt, bennfentes vmben, jól ismer vmt, benne van vmben, jól ért vmhez; **be ~ about women** bolondul a nőkért **b)** *[modern, divatos]* menő, újdonságokért rajongó, a legmodernebb dolgokban jártas, a(z) divatos/új jelenségekben/fejleményekben tájékozott
hip[4] [hɪp] *isz* **~!, ~! hurrah!** éljen!; hip! hip! hurrá!
hip bath *fn* ülőkád
hip bone *fn* csípőcsont
hip flask *fn [hátsó nadrágzsebbe illő]* lapos pálinkásüveg
hip-hop ['hɪphɒp ‖ –hɑp] *fn* **1.** *zene* hip-hop *[zenei műfaj]* **2.** ‹e zenei műfajjal egy időben kialakult szubkultúra›
hip joint *fn orv* csípőízület
hip-length *mn* csípőig érő; **~ coat** csípőkabát
hip pad *fn* csípőtömés, csípővattázás; *biz* súlyfölösleg a csípőn
hipped [hɪpt] *mn US szl* mániákus, fanatikus, vmnek a megszállottja; **be ~ on sg** *[vm a hóbortja/mániája]* heppje/dilije
hippie [hɪpi], **hippy** *fn biz* hippi
hippo ['hɪpoʊ] *fn röv biz hippopotamus* víziló
hippocampus [ˌhɪpoʊ'kæmpəs] *fn* **1.** tengeri ló *[görög mitológiában]* **2.** *áll* csikóhal **3.** hippocampus
hip pocket *fn* hátsó nadrágzseb, farzseb; **be in one's ~** *US* kezében van
hippocras ['hɪpəkræs] *fn* fűszeres bor
Hippocratic oath [ˌhɪpə'krætɪk] *fn* orvosi eskü
Hippocrene ['hɪpəkriːn] *tul mit* Hippokrene *[a múzsáknak szentelt forrás a Helikonon]*
hippodrome ['hɪpədroum] *fn* **1.** *tört* lóversenypálya **2. a)** cirkusz, aréna **b)** varieté(színház) **3.** *US sp szl [eladott mérkőzés]* bunda
hippogriff ['hɪpəgrɪf], **hippogryph** *fn* szárnyas ló, hippogriff
hippopotamus [ˌhɪpə'pɒtəməs ‖ –'pɑtə–] *fn áll* víziló
hippy[1] ['hɪpi] *mn* széles csípőjű
hippy[2] ['hɪpi] → **hippie**
hip roof *fn* kontytető
hip-shot *mn* csípőficamos
hipster ['hɪpstə ‖ –ər] **I.** *mn* csípőre szabott, csípőn viselt, csípő- *[szoknya, nadrág]* **II.** *fn* **1.** *biz* újdonságokért rajongó személy **2.** *tsz* **hipsters** csípőnadrág • *fn* **hipsterism**

H

Hiram [ˈhaɪrəm] *tul* ‹férfinév›
hire [ˈhaɪə ‖ –ər] **I. A.** *tsi* **1. a)** (ki)bérel, bérbe vesz; **~ out** kibérel **b)** felfogad, szolgálatába fogad, *US* szerződtet, alkalmaz, felbérel **2. a) ~ (out)** bérbe ad *[pl. kocsit]* **b) ~ oneself out** elszegődik; szolgálatba áll **B.** *tni US* **~ in/on/out** leszegődik; beáll (vmnek); szolgálatba áll **II.** *fn* **1. a)** felfogadás, szolgálatba fogadás, alkalmazás **b)** kibérlés, bérbevétel **2.** bérlet; **let sg (out) on ~** bérbe ad vmt; **take sg on ~** bérbe vesz vmt **3. a)** bér, fizetés **b)** bér(leti díj) **c)** díj, ellenszolgáltatás • *fn* **hirer** *mn* **hireable**
hire car *fn GB* bérautó
hired [ˈhaɪəd ‖ –rd] *mn* **a)** bérelt; **~ car** bérelt autó **b) ~ assassin/gun** bérgyilkos; **~ troops** zsoldoscsapatok
hireling [ˈhaɪəlɪŋ ‖ ˈhaɪər–] *mn/fn pej* bérenc
hire purchase *fn GB jog* (tulajdonjog-fenntartásos) részletvásárlás, lízing
hirsute [ˈhɜːsjuːt ‖ ˈhɜrsuːt] *mn* **a)** szőrös, bozontos, torzonborz **b)** *növ* bolyhos, tüskés, szúrós • *fn* **hirsuteness**
hirsutism [ˈhɜːsjuːtɪzm ‖ ˈhɜrsuːtɪzm] *fn biol* nagyfokú/rendellenes szőrösség *[emberen]*
hirundinidae [ˌhɪrʌnˈdɪnɪdiː] *fn tsz áll* fecskefélék
his [hɪz] *nm* **1. a)** (az ő) vmje/vkje; **one of ~ friends** egy(ik) barátja **b) H~ Majesty** őfelsége; **H~ Lordship** őlordsága **2.** (az) övé; **the book is ~** a könyv az övé
Hispania [hɪˈspeɪnɪə] *tul régi földr* Hispánia, *vál* Spanyolország
Hispanic [hɪˈspænɪk] *mn* **1.** hispániai, *vál* spanyol **2.** ‹spanyol nyelvterületről származó, USA-ban élő spanyol ajkú személy› • *tsi* **Hispanicize**
Hispanicism [hɪˈspænɪsɪzm] *fn* spanyolos szólás/kifejezés, hispanizmus
Hispano-American [hɪˈspænoʊ–] *mn/fn* spanyol-amerikai
hispid [ˈhɪspɪd] *mn tud* szőrös, sörtés, sörtehajú
hiss [hɪs] **I. A.** *tsi* **1.** sziszeg **2.** lepisszeg, kifütyül; **~ sy off the stage** kifütyül vkt a színpadról **B.** *tni* **1.** sziszeg **2.** pisszeg, fütyül **3. a)** sistereg *[víz forró vason]* **b)** fütyül, sípol *[kiszabaduló levegő/gáz]* **II.** *fn* **1.** sziszegés, sziszegő hang **2.** pisszegés, fütyülés **3. a)** sistergés *[vízé forró vason]* **b)** fütyülés, sípolás **4.** *nyelv* sziszegő hang, (susogó) réshang
hist [ssst, hɪst] *isz régi* **1.** csend!, figyelem! **2.** pszt!, halló!, hé!
histamine [ˈhɪstəmiːn] *fn orv* hisztamin • *mn* **histaminic**
histogenesis [ˌhɪstəˈdʒenɪsɪs ‖ –ˈstɑ–] *fn biol* szövetképződés, szövetfejlődés • *mn* **histogenetic**
histogeny [hɪˈstɒdʒəni ‖ –ˈstɑ–] → **histogenesis**
histogram [ˈhɪstəgræm] *fn* hisztogram, gyakoriságmegoszlási grafikon *[statisztikában]*
histology [hɪˈstɒlədʒi ‖ –ˈstɑ–] *fn biol* szövettan, hisztológia • *fn* **histologist** *mn* **histological**
histolysis [hɪˈstɒləsɪs ‖ –ˈstɑ–] *fn biol* szövetszétesés, szövetbomlás, szövetoldódás, hisztolízis • *mn* **histolytic**
histone [ˈhɪstoʊn] *fn vegy* hiszton
histopathology [ˌhɪstoʊpəˈθɒlədʒi ‖ –ˈθɑ–] *fn* szövetkórtan • *fn* **histopathologist** *mn* **histopathological**
historian [hɪˈstɔːrɪən] *fn* történész, történetíró
historiated [hɪˈstɔːrieɪtɪd] *mn* illuminált, állati/növényi/emberi alakokkal díszített *[pl. kézirat, építészeti elem]*
historic [hɪˈstɒrɪk ‖ –ˈstɑ–] *mn* történelmi, kiemelkedő, sorsdöntő *[esemény]*
historical [hɪˈstɒrɪkl ‖ –ˈstɑ–] *mn* **1.** történelmi, történeti; **~ approach** történelemszemlélet; **~ year** naptári év, a január 1-el kezdődő év **2.** történelmi *[pl. regény, festmény]*; **~ novel** történelmi regény
historicism [hɪˈstɒrɪsɪzm ‖ –ˈstɑ–] *fn* historizmus • *fn* **historicist**
historicity [ˌhɪstəˈrɪsəti] *fn* történelmi/történeti valóság/hitelesség
historiographer [hɪˌstɒriˈɒgrəfə ‖ hɪˌstɔriˈɑgrəfər] *fn* történetíró
historiography [hɪˌstɒriˈɒgrəfi ‖ hɪˌstɔriˈɑgrəfi] *fn* történetírás • *mn* **historiographic(al)**
history [ˈhɪstri] *fn* **1. a)** történelem, történet; **ancient ~** ókori történelem; *szl* **the guy is ~** *[neki már vége]* a fickónak már lőttek/befellegzett **b)** *okt* történelem *[mint tantárgy/tankönyv]* **c)** történet *[vmlyen tudományágé]*; **a ~ of criminal law** a büntetőjog története **2.** történet, mese; **know the inner ~ of an affair** ismeri egy ügy hátterét/kulisszatitkait **3.** múlt; **nation with a ~** nagy (történelmi) múltú nemzet **4. a)** történettudomány, történetírás **b) natural ~** természetrajz **5.** *orv* kórtörténet; **case ~** kórtörténet, esetleírás
histrionic [ˌhɪstriˈɒnɪk ‖ –ˈɑnɪk] *mn* **1.** színészi, színházi, színpadi **2. a)** *pej* ripacs-, ripacskodó, színpadias **b)** *pej* kétszínű, álszenteskedő
histrionics [ˌhɪstriˈɒnɪks ‖ –ˈɑnɪks] *fn esz* **1.** színművészet, színészet **2.** *pej* tettetés, színlelés, hatásvadászat
hit [hɪt] **I.** *pt/pp* **hit A.** *tsi* **1.** (meg)üt; **~ sy** megüt vkt **2.** (el)talál; **be ~ (by a bullet)** eltalálja egy (puska)golyó, találat éri, megsebesül; *sp* **~ the post** kapufát lő; **~ the target** célba talál; *átv* eléri a kitűzött célt; **~ the wrong note** *zene* hamisat fog, melléüt; *átv* nem találja meg a helyes/megfelelő hangot **3.** (neki)ütődik, (neki)ütközik (vmnek); *szl* **~ the hay** *[lefekszik aludni]* bedobja a szunyát **4. a)** eltalál, kitalál **b)** rátalál, rábukkan, ráakad (vmre) **5. a)** érint *[vkt vm vhogyan]*, sújt **b)** érint, bánt, sért; **~ home** érzékenyen érint, elevenére tapint *[pl. célzás]* **6. a)** elér *[eredményt]* **b)** *US* megérkezik, (oda)ér (vhova); *rep* **~ the field** földetér; **~ the road** *US biz* útnak indul, útra kel **7.** *biz* benyomást tesz (vkre), benyomást kelt (vkben) **8.** *szl* **~ sy (up for sg)** *[(kölcsön)kér vktől vmt]* megvág, lenyúl **9.** *US* helytelenít, kritizál *[pl. sajtóban]* **10.** működtet, bekapcsol; **~ the lights** felgyújtja a lámpákat **11.** *szl [megöl]* kinyír **B.** *tni* **1.** üt; **~ hard** keményen (v. teljes erőből) üt **2. ~ or miss** lesz, ami/ahogy lesz; **it's ~ or miss!** minden(t) vagy semmi(t); → **hit-and-miss II.** *fn* **1.** célba találó ütés/csapás, találat; **direct ~** telitalálat **2.** (össze)ütődés, összecsapódás **3.** *átv* **a)** találó/odavágó kifejezés/megjegyzés, telitalálat **b)** gúny(or)os/szarkasztikus megjegyzés; *biz* **have a ~ at sy** gúnyos megjegyzést tesz vkre **4. a)** siker; **make a ~** sikere van (vknek), vmnek, befut **b)** siker, *zene* sláger **5.** szerencse, szerencsés fogás/húzás/ötlet; **make a lucky ~** szerencséje van, jó fogást csinál; ráhibázik **6. a)** *sp* találat, eredményes ütés *[krikett, baseball]* **b)** *sp* találat; *sp* **score a ~** találatot ér el **c)** *sp* tus *[biliárd]* **7.** *kat* **a)** becsapódás **b)** találat • *fn* **hitter**
hit off *tsi* **1.** utánoz; **~ a likeness** jól/ügyesen lekap vkt *[rajzoló]*, jól eltalál hasonlatosságot **2. ~ it off with sy (v. together)** jól kijön/megfér vkvel **3.** rögtönöz, improvizál
hit on → **hit upon**
hit out *tni* vagdalkozik; **~ at sy** odaüt/odavág vk felé (v. vknek); vk felé csap
hit upon *tni* **1.** rátalál, ráhibázik **2.** (rá)akad, (rá)bukkan
hit-and-miss [ˌhɪtənˈmɪs] *mn* találomra/vaktában tett/történő
hit-and-run [ˌhɪtənˈrʌn] *mn* **~ accident** cserbenhagyásos baleset; *kat* **~ raid** gyors/rajtaütésszerű támadás/visszavonulás
hitch [hɪtʃ] **I. A.** *tsi* **1.** ránt, húz **2.** odaerősít, odarögzít, hozzákapcsol, ráerősít (vmre) *[hurokkal, horoggal]*; **~ one's wagon to a star** nagyra tör, nagy ambíciói vannak **3.** *US* **~ a ride** autóstoppal utazik **B.** *tni* **1.** beleakad, rátapad (vmre), összeakad **2.** biceg **3.** *biz* egyezik, összevág, passzol **4.** *biz* **get ~ed** horogra akad *[megházasodik]* **II.** *fn* **1. a)** rántás, húzás **b)** rándulás, rázkódás, zökkenés **c)** bicegés, sántikálás **2. a)** *átv* (váratlan) akadály/nehézség, bökkenő; *átv* **a ~ has occurred** váratlan akadály merült fel **b)** (átmeneti) fennakadás/akadozás; **without a ~** simán,

minden akadály/nehézség nélkül **c)** *gk* működési zavar, defekt **3. a)** *hajó* hurok, csomó **b)** *US gk* horog **4.** *biz* autóstop **5.** *US szl [munka]* meló

hitch up *tsi* **1.** felránt, felhúz **2.** *szl* összeházasít; **be ~ed up** házas

hitch-hike [ˈhɪtʃhaɪk] **I.** *fn biz* autóstop(pal utazás) **II.** *tni biz* autóstoppal utazik/megy, (autó)stoppol • *fn* **hitch-hiker**

hi-tech [ˌhaɪˈtek] → **high-tech**

hither [ˈhɪðə ‖ –ər] *vál* **I.** *mn* innenső, inneni, közelebbi **II.** *hsz* ide

hither and thither *hsz* ide-oda

hithermost [ˈhɪðəmoust ‖ ˈhɪðər–] *mn* innenső, legközelebbi

hitherto [ˌhɪðəˈtuː ‖ ˌhɪðər–] *hsz* (mind)eddig, ezidáig, mostanáig

hitherward [ˈhɪðəwəd ‖ ˈhɪðərwərd] *hsz régi* erre(felé)

Hitlerism [ˈhɪtlərɪzm] *fn* hitlerizmus, nemzeti szocializmus

hit list *fn* **1.** *szl* ‹ meggyilkolandó áldozatok listája › **2.** *infor* találati lista *[keresésnél]*

hitman [ˈhɪtmən] *fn tsz* **-men** *szl* bérgyilkos *stand*

hit-off *fn* utánzás

hit-or-miss *mn* találomra/vaktában való/történő/tett

hit parade *fn biz* slágerparádé

hit probability *fn* találati valószínűség

hit rate *fn infor* találati arány *[keresésé]*

hit squad *fn kat* halálkommandó

Hittite [ˈhɪtaɪt] *fn/mn* hettita

HIV *röv human immunodeficiency virus* ‹ az AIDS kórokozó vírusa ›

hive [haɪv] **I.** *fn* **1. a)** (méh)kas, kaptár **b)** *átv* nyüzsgő/mozgalmas/forgalmas hely **2. a)** méhraj **b)** nyüzsgő/rajzó tömeg/sokaság **II. A.** *tsi* **1. a)** bekaptároz **b)** *átv* jól, kényelmesen elhelyez (vkt), hajlékul szolgál (vknek/vmnek) **2.** gyűjt, felhalmoz *[pl. élelmet]* **B.** *tni* **1.** elfoglal (v. birtokba vesz) kast/kaptárt *[méhraj]* **2.** *biz* együtt/tömegben/közösségben élnek/halnak

hive off *tni ált GB* **1.** (ki)rajzik **2.** *biz* (csoportosan) kivándorol **3.** leválik, kiválik *[cég]*

hive-bee *fn áll* háziméh

hives [haɪvz] *fn tsz orv* **a)** csalánkiütés, utricaria **b)** (gége)krupp

hl *röv hectolitre* hektoliter, hl

HL *röv House of Lords* ‹ az angol parlament felsőháza ›

HM *röv* **1.** *headmaster* **2.** *headmistress* **3.** *Her/His Majesty*

HMAS *röv His/Her Majesty's Australian Ship*

HMNZS *röv His/Her Majesty's New Zealand Ship*

HMS *röv GB Her/His Majesty's Ship* Õfelsége hadihajója

ho [hou] *isz* **1.** óh!, áh!, jé!, ejha! *[meglepetés/öröm kifejezésére]* **2.** halló!, hé! *[figyelem felkeltésére]*; *hajó* **land ~!** föld a láthatáron! **3. westward ~!** nyugatra!

hoar [hɔː ‖ hɔr] **I.** *mn* → **hoary II.** *fn* dér, zúzmara

hoard [hɔːd ‖ hɔrd] **I. A.** *tsi* összegyűjt, összehord, felhalmoz **B.** *tni* **1.** készletet gyűjt, árut felhalmoz **2.** gyűjt *[pl. öreg napjaira]* **II.** *fn* **1.** titkos/felhalmozott készlet; **~ of money** töméntelen sok pénz **2.** *biz* **~ of facts** adathalmaz • *fn* **hoarder**

hoarding [ˈhɔːdɪŋ ‖ ˈhɔr–] *fn* **1.** *GB* falragasztábla, plakáttábla **2.** (ideiglenes) deszkafal, védőpalánk *[építkezési terület körül]*

hoar frost *fn* dér

hoarhound → **horehound**

hoarse [hɔːs ‖ hɔrs] *mn* rekedt, érdes *[hang]*; **shout oneself ~** rekedtre kiabálja magát • *ts/tni* **hoarsen** *fn* **hoarseness**

hoarstone *fn GB* határkő

hoary [ˈhɔːri] *mn* **1. a)** deres, ősz, fehér *[haj]* **b)** fehéres, sápadt, fakó *[szín]* **c)** *tud* fehéres szőrrel/pihével borított *[levél, rovar]* **2.** (ős)régi, öreg **3.** elcsépelt, szakállas *[vicc]*

hoax [houks] **I.** *fn* megtévesztés, félrevezetés, kacsa *[újságban]*, beugratás **II.** *tsi* megtéveszt/félrevezet vkt, beugrat/felültet vkt • *fn* **hoaxer**

hob¹ [hɒb ‖ hab] *fn* **1.** manó, kobold **2.** hím menyét **3. play/raise ~** bajt/zűrt/felfordulást csinál

hob² [hɒb ‖ hab] *fn* **1.** *GB* tűzhely-asztallap **2.** kandalló vasbetétje/vasállványa **3.** *műsz* menetmaró, menetfúró **4.** → **hobnail**

hobble [ˈhɒbl ‖ ˈhabl] **I. A.** *tsi* **1.** megbéklyóz *[lovat]* **2.** *biz* kellemetlen helyzetbe hoz *[vkt]* **3.** lesántít **B.** *tni* **1.** sántít, sántikál, biceg **2. a)** *átv* akadozva/döcögve halad **b)** *átv* sántít *[pl. rím]* **II.** *fn* **1.** bicegés, sántítás **2.** béklyó *[lónak]* **3.** *biz* kellemetlen/kínos helyzet • *fn* **hobbler**

hobbledehoy [ˌhɒbldɪˈhɔɪ ‖ ˌhab–] *fn biz* kamasz, félszeg/esetlen fickó

hobble skirt *fn* bukjelszoknya

hobby¹ [ˈhɒbi ‖ ˈha–] *fn* kedvenc időtöltés/elfoglaltság/szórakozás, hobbi • *fn* **hobbyist**

hobby² [ˈhɒbi ‖ ˈha–] *fn áll* kabasólyom

hobby horse *fn* **1.** faló, hintaló **2.** *átv* vesszőparipa

hobgoblin [hɒbˈgɒblɪn ‖ ˈhabgab–] *fn* **1.** manó, kobold, lidérc **2.** rémkép, mumus

hobnail [ˈhɒbneɪl ‖ ˈhab–] *fn* bakancsszeg, talpszeg, túraszeg • *mn* **hobnailed**

hobnail(ed) liver *fn orv* cirózisos/májzsugorodásos máj

hobnob [ˈhɒbnɒb ‖ ˈhabnab] *tni* **-bb- 1.** iszik, iddogál (*with* vkvel) **2.** pajtáskodik, komázik, cimborál (*with* vkvel)

hobo [ˈhoubou] *fn US* **1.** vándormunkás **2.** *biz* csavargó

Hobson's choice [ˌhɒbsnz ˈtʃɔɪs ‖ ˌhab–] *fn* ‹ az egyetlen "választási" lehetőség ›; **he has ~** nincs más választása

hock¹ [hɒk ‖ hak] *fn* **1.** csánk *[lóé, marháé]* **2.** csülök

hock² [hɒk ‖ hak] *fn GB gaszt* rajnai fehér bor

hock³ [hɒk ‖ hak] **I.** *fn US szl [zálogház]* zaci; **put sg into ~** bevág vmt a zaciba **II.** *tsi US szl [elzálogosít]* bevág a zaciba

hockey [ˈhɒki ‖ ˈhaki] *fn GB sp* hoki *[gyep-* v. *jéghoki]*, gyeplabda, *US* jégkorong

hockey stick [haki ‖ haki] *fn sp* hokiütő

hocus [ˈhoukəs] *tsi* **-ss- 1.** becsap, megtéveszt, felültet **2. a)** kábítószerrel elkábít/elbódít **b)** kábítószert/orvosságot kever (vmbe)

hocus-pocus [ˌhoukəs ˈpoukəs] **I.** *fn* **1. a)** hókusz-pókusz **b)** bűvészmutatvány **2.** csalás, becsapás, szédítés, megtévesztés **II. -ss- A.** *tsi* **1.** becsap, megtéveszt **2.** eltüntet, elvarázsol (vmt) **B.** *tni* bűvészkedik

hod [hɒd ‖ had] *fn* **1.** habarcshordó/téglahordó saroglya **2.** szenesvödör, szeneszláda

hodden [ˈhɒdn ‖ ˈhadn] *fn skót* durva kézi szövésű gyapjúszövet

Hodge [hɒdʒ ‖ hadʒ] *fn GB biz* vidéki/falusi ember, mucsai

hodgepodge → **hotchpotch**

Hodgkin's disease [ˌhɒdʒkɪnz dɪˈziːz ‖ ˈhadʒ–] *fn orv* Hodgkin-kór

hodiernal [ˌhoudiˈɜːnl ‖ –ˈɜr–] *mn vál* mai

hodman [ˈhɒdmən ‖ ˈhad–] *fn tsz* **-men** *GB* **1.** habarcshordó/téglahordó (munkás) **2.** *biz* **the hodmen of literature** irodalmi napszámosok

hodometer [hɒˈdɒmɪtə ‖ haˈdamɪtər] *fn* hodométer *[távolságmérő]*

hoe [hou] **I.** *fn* **1.** kapa **2.** *orv* (sebészi) kaparószerszám, (fogorvosi) exkavátor **II. A.** *tsi* (meg)kapál, gyomtalanít; *Ausz ÚjZ szl* **~ in** *[gyorsan megeszi]* belapátol *[ételt]* **B.** *tni* kapál, gyomlál, sarabol; *Ausz ÚjZ szl* **~ into** nekiesik *[ételnek, személynek, munkának]*

hog [hɒg ‖ hɔg, hag] **I.** *fn* **1. a)** sertés, disznó; *biz* **go the whole ~** mindent teljesen (v. elejétől végig) megcsinál; a végletekig elmegy **b)** miskárolt hízó/kan **2.** *GB* fiatal ürü *[első nyírás előtt]* **3. a)** *biz* disznó fráter **b)** *biz* → **road-hog II.** *i* **-gg- A.** *tsi* **1.** domborít, ív alakban emel **2.** rövidre nyír *[lósörényt]* **3.** *biz* elhappol (vmt) **B.** *tni* **1.** kidomborodik, felpúposodik *[hajófenék]* **2.** disznó módra viselkedik

hogan [ˈhougən] *fn US* (navaho) indián kunyhó

hogback *fn földr* hegynyereg, nyeregvonulat

hog cholera *fn állatorv* sertésvész, sertéspestis

hogget [ˈhɒgɪt ‖ ˈha–] *fn* fiatal ürü *[nyíratlan]*

hoggin ['hɒgɪn ‖ ˌhɒgɪn, 'hɑ–] *fn* rostált kavics
hoggish ['hɒgɪʃ ‖ 'hɔ–, 'hɑ–] *mn biz* **1.** önző **2.** falánk **3.** piszkos, mocskos, disznó
Hogmanay ['hɒgməneɪ ‖ 'hɑgməneɪ] *fn skót* **a)** az év utolsó napja, szilveszter(est) **b)** újévi ajándék
hog's-back → **hogback**
hogshead ['hɒgzhed ‖ 'hɑgz–] *fn* **1.** nagyhordó **2.** ‹űrmérték 52 1/2 gallon, 240 liter›
hogwash *fn* **1.** moslék **2.** *biz* mosogatólé, lötty **3.** *biz* hülyeség, értelmetlen duma, zagyvaság
hogweed *fn növ* medvetalp
ho-hum [ˌhoʊ'hʌm] *isz US* hajaj! *[ásítozást utánzó hangutánzó szó unalom kifejezésére]*
hoick[1] [hɔɪk] *tni GB biz* köp (egyet)
hoick[2] [hɔɪk] *GB* **I. A.** *tsi biz* felránt **B.** *tni rep* **a)** *biz* felrántja a gépet **b)** meredeken felszáll **II.** *fn* rántás, lökés, taszítás
hoist [hɔɪst] **I.** *tsi* **1.** ~ **(up)** felhúz, felvon *[pl. vitorlát, lobogót]*; felemel *[emelőcsigával vmt]*; ~ **one's flag on a ship** felhúzza a (tengernagyi) lobogót **2.** *szl [ellop]* megfújt **II.** *fn* **1.** felvonás, felhúzás, emelés; **give sg a ~** felvon/felhúz vmt **2. a)** emelőszerkezet, csörlő, daru **b)** (teher)felvonó, (teher)lift **3.** *hajó* **a)** magasság *[zászlóé, vitorláé]* **b)** húzó-/felvonókötél *[vitorlához, zászlóhoz]* **c)** jelzőzászlósor • *fn* **hoister**
hoity-toity [ˌhɔɪti 'tɔɪti] **I.** *mn* **1.** állhatatlan, felelőtlen, könnyelmű **2.** nagyképű, fontoskodó **3.** *régi* bolondos, bohókás **II.** *isz* na-na!, ugyan-ugyan! **III.** *fn régi* felelőtlen/állhatatlan/könnyelmű viselkedés/ember
hokey [hɒki ‖ hɑki], **hoky** *mn US Kan szl [szentimentális, melodramatikus]* csöpögős
hokey-pokey [ˌhoʊki 'poʊki] *fn biz* **1.** fagyi *[utcai árusnál]* **2.** hókuszpókusz
hokum ['hoʊkəm] *fn US szính szl* **1. a)** giccs **b)** olcsó hatásvadászat **2.** bolondítás
Holarctic [hɒ'lɑːktɪk ‖ hɑ'lɑrk–] **I.** *mn biol* holarktikus **II.** *fn* holarktikus zóna/régió
hold[1] [hoʊld] **I.** *pt/pp* **held** [held] **A.** *tsi* **1.** (meg)fog *[kézzel]*, tart *[kézben]*; ~ **hands** egymás kezét fogják; ~ **sy/sg tight(ly)** szorosan/erősen tart/fog vkt/vmt **2. a)** tart, (meg)támaszt, rögzít **b)** megtart, elbír **3.** tart, hord; ~ **one's head high** magasan hordja a fejét, büszkén viselkedik **4. a)** (vissza)tart, féken tart, gátol, akadályoz; ~ **one's breath** visszafojtja/visszatartja a lélegzetét; ~ **your hand!** állj!, hagyd abba!; ~ **one's tongue/peace** hallgat, csendben van; ~ **sg against sy** vmt vknek felró (v. szemére hány); ~ **oneself ready** készenlétben van **b)** előzetes letartóztatásba helyez; ~ **sy prisoner** fogva/fogságban tart, fogolyként őriz vkt **c)** *átv* ~ **sy to his promise** szaván fog vkt **5. a)** tartalmaz **b)** tartogat, magában rejt **6. a)** be(le)fér, belemegy *[pl. edénybe]* **b)** megtart, magában tart, nem ereszt át; ~ **water** vízhatlan; *átv biz* elbírja a behatóbb vizsgálatot *[pl. érvelés]* **7. a)** leköt *[pl. figyelmet]*; ~ **an audience (spellbound)** leköti a hallgatóság figyelmét **b)** elfoglal *[pl. vk gondolatait]* **8. a)** (birtokában) tart, megvéd; ~ **the fort** tartja az erődöt/várat; *átv biz* tartja a frontot (vm/vk ellen) **b)** *átv* ~ **one's ground/own** helytáll, állja a sarat; ~ **the line!** (kérem) tartsa a vonalat! *[telefonon]* **9. a)** bír, birtokol, birtokában van (vm), van (vmje); ~ **land** földje/földbirtoka van; ~ **shares in a company** részvényese egy vállalatnak **b)** visel *[címet]*, betölt *[állást]* **10.** (meg)tart *[pl. gyűlést, konferenciát]*; ~ **a public discussion** nyilvános vitát rendez; ~ **a conversation with sy** beszélget/társalog vkvel **11. a)** tart, becsül; ~ **sg cheap** kevésre becsül vmt, semmibe vesz vmt; ~ **sg dear** nagy becsben tart vmt **b)** tart, vél; ~ **sg to be impossible** vmt lehetetlennek tart; ~ **sy responsible** felelősségre von vkt; **he ~s that ...** azt tartja/véli, hogy ... **12.** *zene* ~ **(on) a note** kitart egy hangot **B.** *tni* **1.** (jól erősen) tart, fog *[pl. kötél, szög]*; ~ **fast/firm/tight** szorosan/erősen/szilárdan/biztosan tart **2.** kitart, tovább tart; **if your luck ~s** ha kitart a szerencséd **3.** ~ **(good/true)** (továbbra is) fennáll, érvényben van/marad **4.** megtartóztatja magát, uralkodik magán **5.** *szl* ‹kábítószer van nála eladási célból› **II.** *fn* **1. a)** fogás; **have ~ of sy/sg** fog vkt/vmt; **catch/lay/take ~ of sy** megragad/megfog vkt; elfog/elkap/elcsap (v. kézre kerít) vkt; *biz* **get ~ of sg** (meg)szerez vmt; megkaparint vmt **b)** *átv* **lose one's ~ on reality** elveszti a valóság iránti érzékét **c)** befolyás, hatalom; **gain a firm ~ over sy** befolyásra/hatalomra tesz szert vk felett; **get ~ of sy** befolyása alatt tart vkt **2.** *épít* támasz, gyám, tartó **3.** *zene* fermata, korona **4. a)** üreg, odú *[rőtvadé, halé]* **b)** erőd, vár **5.** *régi* börtön
hold back A. *tsi* **1.** visszatart, feltart(óztat) **2.** visszafojt, magába fojt **3.** eltitkol, elhallgat **B.** *tni* **1.** háttérben marad, visszahúzódik **2.** habozik, tétovázik **3.** tartózkodik
hold by *tni* **1.** kitart (vm mellett), ragaszkodik (vmhez); ~ **by one's decision** kitart elhatározása mellett **2.** megfogadja (vk) tanácsát
hold down A. *tsi* **1.** lefog, lenyom **2.** megtart *[állást]*, fenntart *[lefoglalt helyet]*; *US biz* ~ **a job** jól megállja a helyét; állásban van **3. a)** elnyom *[személyt, népet]* **b)** fékentart **B.** *tni* szorítkozik (vmre)
hold in A. *tsi* visszafojt *[lélegzetet]*; ~ **oneself in** uralkodik magán **B.** *tni* uralkodik magán, fékezi/visszatartja magát
hold off A. *tsi* visszatart, távol tart (vmt), vkt, elhárít (vmt) **B.** *tni* **1.** távol tartja magát **2.** kés(leked)ik
hold on *tni* **a)** ~ **to sg** megkapaszkodik/fogódzkodik vmben, nem enged el vmt; ragaszkodik vmhez **b)** kitart; ~ **on!** (i) kitartás! (ii) kérem tartsa a vonalat *[telefonbeszélgetéskor]*
hold out A. *tsi* **1. a)** (oda)nyújt, kinyújt, (oda)tart *[pl. kezet]* **b)** *biz* ~ **a hand to sy** segítséget/segédkezet nyújt vknek **2.** ~ **sg at arms length** kartávolságnyira (ki)tart vmt **3.** *átv* ígér(get), kecsegtet (vmvel) **4.** *US* ~ **on sy** elhallgat vk elől vmt; visszatart vmt vktől **B.** *tni* kitart *[pl. harcban]*, állja a sarat; ~ **to the end** a végsőkig kitart
hold over *tsi* **a)** (el)halaszt, halogat **b)** félretesz, későbbre tart(ogat)
hold together A. *tsi* összetart, összefog, *átv* egységbe fog **B.** *tni* tart, nem esik szét
hold up A. *tsi* **1. a)** tart, megtámaszt, alátámaszt **b)** *átv* támogat, fenntart; ~ **law and order** fenntartja a jogrendet **2. a)** felemel, magasba emel **b)** felmutat, felhoz (vmt), hivatkozik (vmre) **3.** *biz* **a)** *US* megállít és kirabol **b)** feltart(óztat) (vkt/vmt), akadályoz **B.** *tni* fenntartja magát, fennmarad
hold with *tni biz* ~ **sy** vk pártján áll, egyetért vkvel
hold[2] [hoʊld] *fn hajó* rakodótér, hajófenék(rekesz)
holdall *fn GB* útitáska
holdback *fn* **1.** akadály(oztatás) **2.** visszafutásgátló kilincs; → **hold back**
holder ['hoʊldə ‖ –ər] *fn* **1.** tartály **2.** fogantyú, fogó **3.** birtokos, birlaló, birtokban tartó, jogosított, betöltő *[állásé]*, viselő *[címé]*
holdfast ['hoʊldfɑːst ‖ –fæst] *fn* **1. a)** rögzítőkampó, leszorítókapocs, tartóvas **b)** *átv* támasz **2.** *növ* léggyökér, kapaszkodógyökér
holding ['hoʊldɪŋ] *fn* **1.** alátámasztás, rögzítés **2.** *zene* kitartás *[hangé]* **3. a)** birtoklás **b)** birtok, tulajdon; **small ~s** kisbirtokok, parcellák **c)** vagyon, vagyonrész (vmben), aktívák **4.** *gazd* → **holding company**
holding capacity *fn* befogadóképesség
holding company *fn gazd* holdingtársaság, konszern, csúcsvállalat
holdout *fn* szembenállás, ellenállás
hold-over *fn US* **a)** maradvány (a múltból) **b)** *pej* csökevény
hold-up *fn* **1. a)** forgalmi akadály, torlódás **b)** üzemzavar **2.** *US* fegyveres rablótámadás, útonállás
hole [hoʊl] **I.** *fn* **1.** gödör, verem, mélyedés, üreg; *biz* **be in a ~, find oneself in a ~** kellemetlen/kényes helyzetben van; benne van a csávában **2.** lyuk, szakadás; **make a ~ in sg** kilyukaszt/kilyuggat/elszakít vmt; *biz* jócskán elhasznál vmből **3.** lyuk, nyílás **4. a)** vacok, odú, lyuk, verem *[állaté]*

b) *biz* lyuk, nyomorúságos lakás/odú/viskó **5. a)** lyuk *[golfban]*; **play the ~** lyukra üt **b)** pont *[golfban]* **6.** *szl [vagina]* luk **II. A.** *tsi* **1.** kilyukaszt, átlyukaszt, kifúr, átfúr; *biz* **~ sy** lelő/keresztüllő vkt **2.** fúr *[alagutat, tárnát]* **3. ~ (out)** lyukba üt *[golflabdát]* **B.** *tni* **1.** kilyukad, elszakad **2.** beássa magát *[állat]* **3.** *biz* **~ in** meghúzza magát vhol; **~ up** (el)rejtőzik, megbújik

hole-and-corner *mn* titkos, sötét, titokzatos, gyanús

hole-in-the-wall *fn biz* **1.** *GB* bankautomata, pénzautomata **2.** lebuj, ócska hely

hole-proof *mn* ellenálló *[pl. ruha]*

holiday [ˈhɒlɪde, –dɪ ‖ ˈhɑlɪdeɪ] **I.** *fn* **1.** *GB* **a)** szabadság, nyaralás; **be on ~, be on one's ~s** szabadságon van; nyaral **b)** *okt* szünidő, vakáció **2. a)** ünnep(nap); **keep a ~** megtart ünnepet; **the Easter ~s** a húsvéti ünnepek **b)** munkaszüneti nap, szünnap **II.** *tni* szabadságon van, nyaral, üdül

holiday camp *fn GB* kemping *[faházas]*

holidaymaker *fn ált GB* nyaraló, vakációzó, üdülő

holiday resort *fn* nyaralóhely

holier-than-thou *mn biz* szenteskedő, nagyképűen önelégült

holiness [ˈhoulinəs] *fn* szentség, szent/megszentelt volta (vmnek); **His H~** őszentsége

holism [ˈhoulɪzm] **1.** *fil* holizmus **2.** *orv* holisztikus gyógymód • *mn* **holistic**

holla [ˈhɒlə ‖ ˈhɑ–] **I.** *isz* halló!, hahó! *[figyelemfelkeltésre]*; → **hollo**→ **holloa II.** *tsi* ordít, kiabál

Holland [ˈhɒlənd ‖ ˈhɑ–] **I.** *tul földr* Hollandia **II.** *fn* holland, nyersvászon

hollandaise sauce [ˌhɒlənˈdeɪz ‖ ˈhɑ–] *fn gaszt* holland öntet

Hollander [ˈhɒləndə ‖ ˈhɑləndər] *fn* **1.** hollandi, hollandus **2.** holland hajó

Hollands [ˈhɒləndz ‖ ˈhɑ–] *fn gaszt* borókapálinka

holler [ˈhɒlə ‖ ˈhɑlər] **I.** *tni US biz* (torka szakadtából) kiabál, ordít, üvölt(öz) **II.** *fn US biz* üvöltés, ordítás

hollo [hɒˈlou ‖ hɑ–] *régi* → **holla**

hollow [ˈhɒlou ‖ ˈhɑ–] **I.** *mn* **1.** üre(ge)s, lyukas; **~ brick** üreges tégla; *biz* **feel ~** éhes; kiesik a gyomra **2.** homorú; **~ cheeks** beesett arc; **~ eyes** mélyen ülő szemek **3.** tompa, kongó, mélyről jövő *[hang]* **4.** *biz* tartalmatlan, értéktelen, komolytalan, hamis *[pl. ígéret, barátság]*; **~ pretext** átlátszó kifogás **II.** *hsz* tompán, hamisan; **sound/ring ~** kong, tompán/fakón hangzik; nem hangzik őszintén **III.** *fn* **1. a)** üreg, mélyedés, vájat **b)** *geol* medence, teknő **2. ~ of the hand** tenyér **IV. A.** *tsi* **~ (out)** kimélyít, kiás, kiváj, üregessé tesz **B.** *tni* beesik, üreges lesz

hollow-cheeked *mn* beesett arcú

hollow-eyed *mn* beesett (v. mélyen ülő) szemű

hollow-hearted *mn* hamis, álnok

hollowware *fn* üreges üveg/porcelán/fém (háztartási) edényáru

holm[1] [houm] *fn GB* **1.** (kis folyami) sziget **2.** ártér *[folyóé]*

holm[2] [houm] → **holm oak**

holmium [ˈhɒlmɪəm ‖ ˈhoul–] *fn vegy* holmium

holm oak *fn növ* magyaltölgy

holo- [ˈhɒlou ‖ ˈhɑlou] *előtag* egész, teljes

holocaust [ˈhɒləkɔːst ‖ ˈhɑləkɔst] *fn* **1.** *átv* tűzzel-vassal való pusztítás, teljes pusztulás **2.** *tört* **the H~** a holocaust *[náci zsidóirtás 1941–45 -ben]* **3.** (tűz)áldozat

hologram [–græm] *fn* hologram, lézerkép

holograph [–grɑːf ‖ –græf] *mn/fn* **1.** saját kezűleg írt (okirat/végrendelet) **2.** *fiz* holográf

holography [–ˈlɒgrəːfɪ] *fn fiz* holográfia • *mn* **holographic**

holohedral [–ˈhiːdrəl, –ˈhe–] *mn ásv* holoedrikus

holothuria [–ˈθjuərɪə ‖ –ˈθjurɪə] *fn áll* tengeri uborka

hols [hɒlz ‖ hɑlz] *fn tsz okt biz* szünidő, vakáció

holster [ˈhoulstə ‖ –ər] *fn* pisztolytáska, pisztolytok

holt[1] [hoult] *fn vál* **1.** bozót, (sarj)erdő, berek, liget **2.** erdős/bozótos domb

holt[2] [hoult] *fn GB* vacok, odú, lyuk, verem *[állaté]*

holus-bolus [ˌhouləs ˈbouləs] *hsz biz* **1.** szőröstül-bőröstül **2.** egy nyelésre/hajtásra/húzásra

holy [ˈhouli] **I.** *mn* **1.** szent(séges), (meg)szentelt **2. H~ Alliance** Szent Szövetség; **H~ Cross Day** Keresztfelmagasztalás napja (szept. 14.); **~ day** (vallási) ünnep *[katolikus szóhasználatban]*; → **holiday**; **the H~ Ghost/Spirit** a Szentlélek; **the H~ Family** a szent család; **the H~ Father** a Szentatya *[a római pápa]*; **H~ Innocents' Day** Aprószentek (dec. 28.); **the H~ Land** a Szentföld; **the H~ City** a szent város, Jeruzsálem; **~ place** kegyhely, zarándokhely; **the H~ Name (of Jesus)** Jézus Szent Neve; **~ Office** papi hivatás; **the H~ office** az inkvizíció; **H~ Roman Empire** római szent birodalom; **the H~ See** (pápai) Szentszék; **H~ Thursday** nagycsütörtök *[katolikusoknál]*; áldozócsütörtök *[anglikánoknál]*; **the H~ Trinity** a Szentháromság; **H~ Week** nagyhét; **the H~ Scripture/Writ** a Szentírás; **the H~ Sepulchre** a Szent Sír *[Krisztus sírja]*; **~ war** keresztes háború; **~ water** szenteltvíz **3.** kegyes, jámbor, szent életű *[személy]* **II.** *fn* **the H~ of Holies** a Szentek Szentje, *ált* (a legbelső) szentély; mennyország

holly [ˈhɒli ‖ ˈhɑ–] *fn növ* magyal, krisztustövis

hollyhock *fn növ* mályvarózsa

holly oak → **holmoak**

Hollywood [ˈhɒliwud ‖ ˈhɑ–] **I.** *tul földr* Hollywood **II.** *mn* hollywoodi

holystone I. *fn hajó* habkő, horzsakő **II.** *tsi hajó* horzsakővel felsúrol *[fedélzetet]*

homage [ˈhɒmɪdʒ ‖ ˈhɑ–] *fn* **1.** *tört* **a)** hűbéreskü **b)** hűbéresek, vazallusok **2.** tisztelet, hódolat, tiszteletnyilvánítás; **do/pay ~ to sy** hódolatát/tiszteletét fejezi ki vknek; hódol vk előtt

hombre [ˈɒmbreɪ ‖ ˈɑm–] *fn US szl [férfi]* arc, haver, fickó

Homburg [ˈhɒmbɜːg ‖ ˈhɑmbɜrg] *fn* (széles karimájú) puha kalap

home [houm] **I.** *mn* **1.** családi *[pl. kör, élet]*; **~ training** családi nevelés **2.** otthoni, házi **3.** ház körüli, az otthonhoz közel eső **4.** hazai, hely(bel)i, saját **5.** hazai, belföldi, bel-; **~ affairs** belügyek; **~ currency** belföldi pénznem; **~ news** belföldi hírek; *GB* **the H~ Office** belügyminisztérium **6.** haza-, vissza-, vissz-; **~ journey** hazautazás, út hazafelé; *US sp* **~ run** hazafutás *[baseballban]* **7.** találó, érzékeny ponton érintő **II.** *hsz* **1. a)** haza-; **go ~** (i) hazamegy, hazatér (ii) meghal; **see/take sy ~** hazakísér vkt **b)** otthon; **stay ~** otthon marad/tartózkodik **2. bring sg ~ to sy** megértet vmt vkvel; meggyőz vmről vkt; **get/hit/strike ~** (célba) talál *[pl. lövés]*; talál, érzékenyen érint, elevenére tapint *[pl. megjegyzés]* **3.** egészen, teljesen; **drive sg ~** egészen/tövig bever/becsavar vmt; **drive sg ~ to sy** megértet vmt vkvel, meggyőz vmről vkt; belever vmt vknek a fejébe **4.** a helyére; **screw a piece ~** a helyére csavar(oz) vmt **5.** *hajó* a part felé **III.** *fn* **1. a)** otthon, lakás; **at ~** otthon, itthon; *sp* saját/hazai pályán; *átv* **be at ~ in/on/with sg** otthonos/jártas vmben; **feel at ~ with sy** fesztelenül/otthonosan érzi magát vkvel; **make oneself at ~** kényelembe helyezi magát; otthonosan viselkedik; **make a ~ for sy** befogad vkt az otthonába/lakásába, otthont nyújt vknek; *GB* **~ and dry** dolgavégeztével **b)** *US* (lakó)ház; **the Smith ~** a Smithék háza **2. a)** haza, hon, szülőföld; **long for ~** honvágya van **b)** belföld; **service at ~** belföldi/anyaországbeli szolgálat **3.** *áll növ* lelőhely **4.** *átv* haza, otthon **5. a)** menhely, otthon **b)** menedék **6. a)** cél, kapu *[játékoknál]* **b) the line for ~** célegyenes **IV. A.** *tsi* **1.** otthont nyújt (vknek) **2.** hazaküld, hazavezet, hazairányít **3.** *rep* rádióval/vezetősugárral irányít **B.** *tni* **1.** visszatér, hazarepül *[galamb]* **2. a)** *rep kat* visszarepül (kiindulási pontjára) **b)** célra repül, rárepül, célrepülést végez **c)** vezetősugárral repül

home address *fn* lakáscím

home banking *fn pénz* számítógépes/telefonos banki (táv)szolgáltatásrendszer

home-bird *fn GB biz* otthonülő (ember)

homebody *fn US biz* otthonülő (ember)
homebound *mn* hazafelé tartó
homeboy *fn* **1.** környékbeli, földi **2.** *biz [bandatag]* haver
home-brew *fn* házi főzet *[pl. sör]* • *mn* **home-brewed**
home care *fn orv* házi ápolás, házi gondozás
homecomer *fn* hazatérő
homecoming *fn* hazatérés
home delivery *fn* házhozszállítás
home economics *fn esz* háztartástan
home-grown *mn* hazai/belföldi termelésű, házi
homekey *fn infor* soreleje *[nyomógomb]*
homeland *fn* **1.** haza, szülőföld **2.** anyaország
homeless [ˈhoumləs] *mn* **a)** otthontalan, hajléktalan **b)** hontalan, hazátlan; **~ people** hajléktalanok • *fn* **homelessness**
home loan *fn pénz* lakásvásárlási kölcsön
home-loving *mn* otthonszerető
homely [ˈhoumli] *mn* **1.** *GB* **a)** egyszerű, szerény, igénytelen *[pl. ember, étel]* **b)** egyszerű, keresetlen, mesterkéletlen *[pl. stílus, kifejezés]* **c)** primitív **2.** családias, meghitt, barátságos **3.** *US* jelentéktelen/semmitmondó külsejű, csúnyácska • *fn* **homeliness**
home-made *mn* otthon készült, házi (készítésű)
home-making *fn* otthon kialakítása • *fn* **homemaker**
home movie *fn* házimozi *[családi életről készült film]*
homeopathy [ˌhoumiˈɒpəθi ‖ –ˈɑpə–] → **homoeopathy**
homeowner *fn* ház/lakástulajdonos
homepage *fn infor* címlap, honlap, címoldal *[web-en]*
homer [ˈhoumə ‖ –ər] *fn* **1.** postagalamb **2.** *sp* hazafutás *[baseballban]*
Homer [ˈhoumə ‖ –ər] *tul* Homérosz
Homeric [houˈmerɪk ‖ –ˈmɪrɪən] *mn* homéroszi
home rule *fn* önkormányzat, autonómia *[tartományé, nemzeti kisebbségé]*
home shopping *fn* távvásárlás, rendelés útján történő vásárlás *[telefonon, postán]*
homesick *mn* hazavágyódó; **be ~** honvágya van • *fn* **homesickness**
home side *fn sp* hazai csapat
homespun I. *mn* **1. a)** házilag font *[fonal]* **b)** házilag font fonalból készült **c)** házilag szőtt, házi szövésű **d)** háziszőttesből készült **2.** *biz* nyers, kezdetleges, faragatlan **II.** *fn* háziszőttes, durva/goromba szövésű szövet/vászon
homestead [ˈhoumsted] *fn* **1.** tanya *[hozzá tartozó gazdasági épületekkel]*, gazdaság **2.** *US* (elidegeníthetetlen) családi birtok, telepeseknek juttatott föld **3.** *Ausz* állattenyésztő földbirtokos háza • *fn* **homesteader**
home straight *sp* → **home stretch**
home stretch *fn sp* célegyenes
home team *fn sp* hazai csapat
home town *fn* szülőváros
home truth *fn biz* vk elevenére tapintó megjegyzés
home unit *fn Ausz* lakás
homeward [ˈhoumwəd ‖ –wərd] **I.** *mn* hazafelé tartó/vezető/vivő, haza- **II.** *hsz* → **homewards**
homeward-bound *mn hajó* hazai kikötőbe (v. hazafelé) tartó, visszatérő *[hajó]*
homewards [ˈhoumwədz ‖ –wərdz] *hsz* hazafelé
home watch *fn* lakásfigyelés *[pl. betörés megelőzése céljából]*
homework *fn* **1.** háziipari (v. otthon végzett) munka **2.** *okt* házi feladat, lecke; **do one's ~** megcsinálja a házi feladatot; *átv* alaposan felkészül
homeworker *fn* otthon dolgozó munkás, bedolgozó
homey [ˈhoumi] *mn* **1.** otthonos, kényelmes, meghitt **2.** → **homeboy** 2 • *fn* **homeyness**
homicide [ˈhɒmɪsaɪd ‖ ˈhɑ–] *fn* **1.** gyilkos **2.** *jog* emberölés; **culpable/wilful ~** szándékos emberölés; **excusable ~, ~ by misfortune** véletlenségből/gondatlanságból elkövetett emberölés; **~ in self-defence** önvédelemből elkövetett emberölés • *mn* **homicidal**
homiletic [ˌhɒmɪˈletɪk ‖ ˌhɑmɪˈletɪk] **I.** *mn* egyházi szónoklattani, homiletikai **II.** *fn esz* **homiletics** hitszónoklattan, homiletika
homiliary [hɒˈmɪlɪəri ‖ hɑˈmɪliəri] *fn vall* szónoklat(tani) gyűjtemény, homilietika könyv
homily [ˈhɒmɪli ‖ ˈhɑ–] *fn* **1.** hitszónoklat **2.** *biz* unalmas erkölcsprédikáció, lelki fröccs • *fn* **homilist**
homing [ˈhoumɪŋ] *mn* **1. ~ pigeon** postagalamb; *kat* **~ action** célrarepülés **2.** *kat rep* önvezérléses *[irányított lövedék]*; **~ beacon** iránysávadó, leszállásjelző; **~ beam** vezetősugár
hominid [ˈhɒmɪnɪd ‖ ˈhɑ–] **I.** *mn áll* emberszabású **II.** *fn* az ember
hominoid [ˈhɒmɪnɔɪd ‖ ˈhɑ–] **I.** *mn áll* emberszabású **II.** *fn* ‹ emberfélék családjába tartozó emlős ›
hominy [ˈhɒmɪni ‖ ˈhɑ–] *fn US gaszt* puliszka, kukoricakása
homo [ˈhoumou ‖ ˈhɑ–] *fn szl [homoszexuális]* homokos, buzi
homo- [ˈhoumou ‖ ˈhɑ–] *összet* egy-, egynemű, homo-
homocentric [ˌhoumouˈsentrɪk] *mn* azonos középpontú, homocentrikus
homoeopath [ˈhoumɪəpæθ] *fn orv* homeopata *[hasonszenvi gyógymódot alkalmazó orvos]*
homoeopathy [ˌhoumiˈɒpəθi ‖ –ˈɑpə–] *fn orv* hasonszenvi gyógymód, homeopátia • *fn* **homoeopathist** *mn* **homoeopathic**
homogeneous [ˌhouməˈdʒiːnɪəs] *mn* hasonnemű, egynemű, homogén • *fn* **homogeneity**
homogenize [həˈmɒdʒənaɪz ‖ –ˈmɑ–], **-ise** *tsi* homogénez, homogenizál
homogeny [həˈmɒdʒəni ‖ –ˈmɑ–] *fn biol* homogénia
homograph [ˈhɒməgrɑːf ‖ ˈhɑməgræf] *fn nyelv* ‹ azonos írású, de eltérő eredetű/hangzású szó › homográf
homoiothermic [həˌmɔɪouˈθɜːmɪk ‖ houˌmɔɪəˈθɜrmɪk] *mn biol* állandó hőmérsékletű, meleg vérű; **~ organisms** meleg vérűek
homoiousian [ˌhoumɔɪˈuːsɪən] *fn vall tört* homoiuziánus
homologate [həˈmɒləgeɪt ‖ –ˈmɑ–] *tsi* **1.** *jog* megerősít, jóváhagy *[eljárást, okmányt]* **2.** egyöntetűsít, harmonizál • *fn* **homologation**
homologize [həˈmɒlədʒaɪz ‖ –ˈmɑ–], **-ise A.** *tsi* megegyezővé/homológgá/egyöntetűvé (v. azonos lényegűvé) tesz (*with/to* vmvel) **B.** *tni* megegyezik, azonos lényegű (*with/to* vmvel)
homologous [həˈmɒləgəs ‖ –ˈmɑ–] *mn biol* azonos lényegű, megfelelő, megegyező, homológ
homologue [ˈhɒməlɒg ‖ ˈhɑməlɔg, –lɑg], *US* **-log** *fn biol* megfelelő/megegyező/egyenértékű (v. azonos lényegű) dolog/rész
homology [həˈmɒlədʒi ‖ –ˈmɑ–] *fn biol* azonos lényegűség, megegyezés, megfelelés, egyértékűség, homológia • *mn* **homological**
homomorphism [ˌhɒməˈmɔːfɪzm ‖ ˌhouməˈmɔr–] *fn mat* homomorfizmus • *mn* **homomorphic**
homonym [ˈhɒmənɪm ‖ ˈhɑ–] *fn* **1.** *nyelv* homonima **2.** névrokon • *mn* **homonymic** *mn* **homonymous**
homonymy [həˈmɒnɪmi ‖ –ˈmɑn–] *fn nyelv* ‹ azonos alakúság jelentésbeli rokonság nélkül ›
homoousian [ˌhoumouˈuːsɪən ‖ –mɑ–] *fn vall tört* homouziánus
homophobia [ˌhɒməˈfoubɪə ‖ ˌhɑ–] *fn* ‹ homoszexualitással szemben érzett túlzott/kóros ellenszenv ›
homophone [ˈhɒməfoun ‖ ˈhɑ–] *fn nyelv* ‹ azonos hangot jelölő betű ›
homophonic [ˌhɒməˈfɒnɪk ‖ ˌhɑməˈfɑnɪk] *mn nyelv* rokon hangzású, homofón
homophony [həˈmɒfəni ‖ –ˈmɑ–] *fn* **1.** egybecsengés, homofónia **2.** *zene* homofónia • *mn* **homophonous**
homopolar [ˌhoumouˈpoulə ‖ –ər] *mn biol* azonos pólusú, homopoláris

homoptera [hɒˈmɒptərə ‖ hɑˈmɑ–] *fn tsz áll* homopterák, egyenlő szárnyúak • *mn* **homopterous**
homosexual [ˌhoumәˈsekʃuәl] *mn/fn* homoszexuális • *fn* **homosexuality** *hsz* **homosexually**
homozygote [ˌhoumouˈzaɪgout] *fn biol* homozigóta, azonos génösszetételű • *mn* **homozygous**
homunculus [houˈmʌŋkjuːl] *fn* emberke, homunkulus
homy [ˈhoumi] → **homey**
Hon, Hon. *röv Honorary; Honorable*
honcho [ˌhɒntʃәu ‖ ˌhɑn–] *fn szl [vezető]* góré, főnök
Honduranean [ˌhɒndjuˈreɪnɪәn ‖ ˌhɑndu–] *mn/fn* hondurasi
Honduras [hɒnˈdjuәrәs ‖ hɑnˈdurәs] *tul földr* Honduras
hone [houn] **I.** *fn* fenőkő **II.** *tsi* **1.** élesít, fen *[borotvát kövön]* **2.** kiegyenesít, egyenget *[szerszámot]*
honest [ˈɒnɪst ‖ ˈɑnәst] **I.** *mn* **1.** becsületes, tisztességes; *US biz* **H~ Abe** Abraham Lincoln; **an ~ piece of work** lelkiismeretes/rendes munka; *biz* **to earn an ~ penny** becsületes munkával keres pénzt **2.** őszinte, nyílt, egyenes, jóhiszemű; **~ attempt** jóhiszemű kísérlet **3.** igaz, való(di), hamisítatlan **4.** derék, rendes, jóravaló **5.** *régi* tiszta, szűzies **II.** *hsz biz* igazán, tényleg, szavamra, becsületemre
honestly [ˈɒnɪstli ‖ ˈɑnә–] *hsz* **1.** becsületesen **2.** nyíltan, őszintén **3. ~!** isten bizony!, becsületszavamra!
honest-to-God → **honest-to-goodness**
honest-to-goodness *mn US* **1.** őszinte, jóhiszemű; **~ republican** meggyőződéses republikánus **2.** igaz, való(di), hamisítatlan
honesty [ˈɒnɪsti ‖ ˈɑnә–] *fn* **1. a)** becsületesség, tisztesség **b)** őszinteség, jóhiszeműség, nyíltszívűség **2.** *növ* holdviola
honey [ˈhʌni] *fn* **1. a)** méz **b) maple ~** platánszirup **2.** *átv* **a)** méz, kedvesség, nyájasság **b)** *biz*, **life is not all ~** az élet nem fenékig tejfel **c)** *US* kedves(em), drágám, édes(em) *[megszólításként]*
honey bee *fn áll* (közönséges) méh, háziméh
honeybun *fn* édes(em), kedves(em) *[megszólításként]*
honey buzzard *fn áll* darázsölyv
honeycomb **I.** *fn* **1.** lép, méhsejt, lépsejt **2.** poloska *[öntvényhiba]* **3.** lépsejt/hatszög mintázat **II. A.** *tsi* **1. a)** átlyuggat **b)** *átv* aláás, aláaknáz **2.** lépsejtszerűen/hatszögekkel mintáz **B.** *tni* likacsossá/üregessé/repedtté válik *[fém]*
honey-dew *fn* **1.** mézharmat **2.** melasszal ízesített dohány **3. ~ melon** sárgadinnye
honey-eater → **honeysucker**
honeyed [ˈhʌnid] *mn* **1.** mézes, mézzel borított **2.** *biz* édeskés, mézesmázos
honeyguide *fn áll* morok
honeymoon **I. 1.** *fn* mézeshetek **2.** kezdeti lelkesedés, fellángolás **II.** *tni* mézesheteket tölt, nászúton van (*at/in* vhol) • *fn* **honeymooner**
honeypot *fn* **1.** mézesköcsög **2.** vonzó/csábító dolog
honey sac *fn* mézzsák *[méhé, darázsé]*
honeysucker *fn áll* mézevő madár
honeysuckle *fn növ* lonc
honey-sweet *mn* mézédes
honey-tongued *mn* mézesmázos beszédű
Hong Kong [ˌhɒŋˈkɒŋ ‖ ˌhɑŋˈkɑŋ] *tul földr* Hongkong
honied [ˈhʌnɪd] → **honeyed**
honing [ˈhounɪŋ] *fn* fenés *[borotváé]*
honk [hɒŋk ‖ hɑŋk] **I.** *fn* **1.** vadliba hangja/gágogása **2.** *gk* tülkölés, dudálás **II. A.** *tsi gk* tülköl, dudál **B.** *tni* tülköl, dudál
honky [ˈhɒŋki ‖ ˈhɑ–] *fn US szl* fehér ember *[becsmérlően]*
honky-tonk [ˈhɒŋkitɒŋk ‖ ˈhɑŋkitɑŋk] *fn US biz* **1.** *zene* honky-tonk *[pianínón játszott ragtime]* **2.** másodrendű kis mulató/lokál
Honolulu [ˌhɒnәˈluːluː ‖ ˌhɑ–] *tul földr* Honolulu
honor [ˈɒnә ‖ ˈɑnәr] *US* → **honour**
honorable [ˈɒnrәbl ‖ ˈɑn–] → **honourable**
honorarium [ˌɒnәˈreәrɪәm ‖ ˌɑnәˈrerɪәm] *fn* tiszteletdíj, honorárium
honorary [ˈɒnәri ‖ ˈɑnәreri] *mn* **1. a)** tiszteletbeli, fizetéstelen, díjazás nélküli *[állás]* **b)** tisztelet(bel)i, dísz- *[pl. elnök, doktor]* **c)** címzetes *[rang]* **d) ~ monument** díszemlék, síremlék **2.** becsületbeli *[kötelezettség, megállapodás]*
honorific [ˌɒnәˈrɪfɪk ‖ ˈɑnә–] **I.** *mn* megtisztelő, díszítő *[jelző]*; *nyelv* **~ form** udvarias alak/forma **II.** *fn* udvariassági szó/formula
honour [ˈɒnә ‖ ˈɑnәr] **I.** *fn* **1.** becsület; **point of ~** becsületbeli kérdés, presztízskérdés; **in ~ bound** becsületből; *biz* **~ bright** szavamra, becsületemre, hitemre **2.** (női) becsület, erény, tisztesség, jóhír **3.** becsületesség, tisztesség **4.** megbecsülés, tisztelet, tisztesség; **in ~ of sy** vk tiszteletére; **pay/do ~ to sy** megtisztel vkt **5.** megtiszteltetés; **consider it an ~** megtiszteltetésnek veszi; *gazd* **I have the ~ to** van szerencsém **6.** dísz, ékesség, büszkeség; **be an ~ to one's country** hazájának díszére/becsületére válik **7. a)** méltóság, magas rang/állás **b) your H~** bíró/elnök úr; méltóságos uram *[angol bírák megszólítása]* **8.** *gazd* **act of ~** kezességvállalás *[váltón]* **9.** *tsz* **honours a)** tiszteletadás, tisztességadás; **pay the/last ~s to sy** megadja vknek a végtisztességet **b)** kitüntetés, érdemjel, érdemrend **c)** *okt* kitüntetés *[vizsgán]*; **~s degree** kitüntetéssel szerzett egyetemi diploma **II.** *tsi* **1. a)** tisztel, (nagyra) becsül (vkt), tiszteletben tart (vmt) **b)** megtisztel, kitüntet (*with* vmvel) **2.** *gazd* **~ a cheque** bevált/kifizet csekket
honourable [ˈɒnrәbl ‖ ˈɑnә–] *mn* **1. a)** dicséretes, dicséretre méltó **b)** dicső(séges), dicsőséget hozó **2.** tiszteletreméltó, előkelő *[pl. család]* **3.** megtisztelő, kitüntető **4.** tisztességes, becsületes; **~ man** tisztességes/becsületes ember **5. the H~** a tiszteletreméltó; nagyságos, méltóságos *[megszólításként]*
honours list *fn* kiváló hallgatók listája
honour system *fn* ‹bizalmon alapuló vizsgarendszer›
hooch [huːtʃ] *US* → **hootch**
-hood [hud] *utótag* ‹főnévképző› -ság, -ség, -kor; **man~** férfiasság; **child~** gyermekkor
hood[1] [hud] **I.** *fn* **1. a)** csuklya, kámzsa, kapucni **b)** fejkötő, főkötő *[pl. apácáé]* **2. a)** *növ* sisak *[virágé]* **b)** *áll* búb, bóbita **3.** *GB gk* **a)** leereszthető/lehajtható vászontető **b)** *US* motorháztető **4.** *hajó* **a)** tető, fedél **b)** ponyvaernyő **5.** *fényk* lencsevédő sapka **II.** *tsi gk* fedéllel lát el
hood[2] [hud] *fn US szl* gengszter *stand*
hooded [ˈhudɪd] *mn* **a)** csuklyás, kámzsás, fejkötős **b)** kapucnis *[pl. kabát]* **c)** *növ* sisakos *[virág]* **d)** *áll* búbos *[madár]*
hoodie [ˈhudi] *fn áll* hamvas varjú
hoodlum [ˈhuːdlәm] *fn* **a)** kis stílű gengszter **b)** huligán
hood-mould, *US* **–mold** *fn épít* eresz, szemöldökfa
hoodoo [ˈhuːduː] **I.** *fn US* **1. a)** titkos néger varázslat *[Amerikában]* **b)** néger varázsló **c)** varázserejű tárgy **2. a)** balszerencsét hozó személy/tárgy **b)** pech, balszerencse **II.** *tsi US* balszerencsét hoz (vkre)
hoodwink [ˈhudwɪŋk] *tsi biz* becsap, megtéveszt, félrevezet
hooey [ˈhuːi] *US szl* **I.** *fn [szemfényvesztés]* humbug, svindli **II.** *isz [marhaság]* duma
hoof [huːf ‖ huf] **I.** *fn tsz* **hooves** [huːvz] **1.** pata; **beef on the ~** élő marha/jószág **2.** *biz* láb; *US* **shake a ~** táncol **II. A.** *tsi* **1.** megrúg *[ló]* **2.** *szl* **~ sy out** kirúg vkt **3. ~ it** gyalogol, kutyagol **B.** *tni* gyalogol, kutyagol • *mn* **hoofed**
hoofer [ˈhuːfә ‖ ˈhufәr] *fn szl* hivatásos táncos *stand*
hook [huk] **I.** *fn* **1.** kampó, horog; *biz* **be on the ~** tartalékban van; kínos/szorult helyzetben van; *biz* **by ~ or (by) crook** mindenáron, ha törik ha szakad **2.** (beakasztós) kapocs *[ruhán, cipőn]* **3.** *biz* **off the ~s** (azon)nyomban, azonnal; kint van a slamasztikából **4.** halászhorog; **take the ~** *átv* bekapja a horgot; **do sg on one's own ~** egyedül (v. segítség nélkül) csinál vmt; saját felelősségére/szakállára/számlájára csinál vmt **5.** csapda **6.** sarló **7.** *zene* zászlócska (hangjegyen) **8.** *sp* **a)** horog(ütés) *[bokszban]* **b)** balra eltérő ütés *[golfnál]* **9.** *földr* **a)** fok **b)** (éles) kanyar *[folyóé]* **10. sling/take one's ~** *[elmegy, megszökik]* szedi a

H

sátorfáját; meglép, meglóg, lelép **11.** *US szl* csaló, szélhámos, betörő **II. A.** *tsi* **1.** begörbít *[ujjat]* **2.** horoggal/kampóval megfog/megragad **3.** felakaszt, ráakaszt (*to* vmre) **4.** bekapcsol *[ruhát]* **5.** *biz* elemel, elcsen, megcsap *[zsebtolvaj]* **6.** *átv* horogra kap *[halat]* **7.** *sp* **a)** bevisz egy horgot (vknek) *[ökölvívásban]* **b)** balra elüt *[labdát golfban]* **8.** felöklel *[szarvval]* **9.** *szl* **~ it** *[megszökik]* meglép, meglóg **B.** *tni* **1.** öklel *[szarvval]* **2.** prostituáltként dolgozik • *mn* **hookless, hooklike**

hook up *tsi* **1. a)** bekapcsol *[ruhát]* **b)** vezetékbe bekapcsol *[telefont, gázt, vizet]* **2.** *szl* partnert szerez vknek

hookah [ˈhʊkə] *fn* nargilé, vízipipa

hooked [hʊkt] *mn* **1.** hajlott, görbe *[csőr, orr]* **2.** kampós, horgos, kampó/horog alakú **3.** *US* **~ rug** egyszerű csomózású szőnyeg **4.** *biz* **be ~ on sy** odavan/megőrül vkért, belezúgott vkbe

hooker¹ [ˈhʊkə ‖ −ər] *fn* **1.** *sp* **a)** csatár *[rögbiben]* **b)** balra eltérő ütés *[golfban]* **2.** *szl [tolvaj]* zsebes **3.** *szl [prostituált]* kurva, prosti

hooker² [ˈhʊkə ‖ −ər] *fn hajó* ‹hollandi/ír kisebb fajta vitorlás hajó›

hookey [ˈhʊki] *fn US szl* **play ~** *[iskolát kerül]* bliccel, lóg

hooking [ˈhʊkɪŋ] *fn sp* bottal akasztás *[jégkorongban]*

hook-nose *fn* kampós/horgas orr • *mn* **hook-nosed**

hook-up *fn US ált távk* kapcsolat(létesítés), összeköttetés (létesítése)

hookworm *fn áll* bányaféreg

hooligan [ˈhuːlɪgən] *fn* huligán • *fn* **hooliganism**

hoop¹ [huːp] **I.** *fn* **1.** abroncs *[pl. hordón]*, gyűrű *[pl. cölöpön]* **2.** karika *[gyermekjáték]* **3.** (papírral beragasztott) karika *[cirkuszi]*; **go through the ~** karikán/abroncson ugrat/ugrik át; *biz* megpróbáltatáson megy keresztül; vesszőt fut; **put sy through the ~** vk életét megkeseríti/megnehezíti **4.** (szoknya)abroncs **5.** ponyvatartó abroncs/ív *[kocsin]* **6.** *GB sp* kapu *[krokettjátékban]* **II.** *tsi* **1. a)** abroncsoz *[pl. hordót]*, abroncsot húz/ver (vmre), gyűrűz *[pl. cölöpöt]* **b)** abroncsoz *[szoknyát]* **2.** (abroncsszerűen) körülölel, körülvesz

hoop² [huːp] → **whoop**

hoop-iron *fn* szalagvas, vaspánt, vasgyűrű, vasabroncs

hoopla [ˈhuːplɑː, ˈhʊ−] *fn* **1.** *GB* karikadobás *[vásárokon]* **2.** *szl* hűhó, dobverés, reklámverés

hoopoe [ˈhuːpuː] *fn áll* búbos banka

hooray [hʊˈreɪ] *isz* **1.** hurrá! **2.** *Ausz ÚjZ* isten vele(d)!, viszontlátásra!

hoosegow [ˈhuːsgaʊ] *fn US szl [börtön]* sitt, dutyi

Hoosier State *tul földr US biz* ‹Indiana állam›

hoot [huːt] **I. A.** *tsi* **1.** kifütyül, lehurrog, lepisszeg, kigúnyol *[pl. színészt, szónokot]*; **~ sy down** lehurrog vkt, pisszegéssel/fütyüléssel elhallgattat vkt **2.** pisszegéssel/fütyüléssel/lármázással (v. hangos tüntetéssel) kifejezést ad (vmnek) **B.** *tni* **1.** huhog, kuvikol *[bagoly]* **2. a)** lármázik, pisszeg, fütyül, gúnyolódik **b)** kifütyül, lehurrog, lepisszeg, kigúnyol (*at* vkt) **3. a)** (gk) dudál, tülköl **b)** fütyül, sípol **II.** *fn* **1.** huhogás *[bagolyé]* **2.** kiabálás, pisszegés, fütyülés, gúnykacaj **3. a)** tülkölés, dudálás *[autóé]* **b)** fütyülés, sípolás **4. not worth a ~** fabatkát/hajítófát sem ér **5.** *Ausz szl [pénz]* zsozsó, lé

hootch *fn US szl [erős ital]* bundapálinka

hooter [ˈhuːtə ‖ ˈhuːtər] *fn* **1.** *GB* **a)** *hajó ip* sziréna, kürt **b)** autókürt **2.** *US biz* bagoly **3.** *tsz* **hooters** *durva szl [mellek]* dudák, csöcsök

hoots [huːts] *isz skót* ugyan!, menj/eredj már!

Hoover [ˈhuːvə ‖ −ər] *GB* **I.** *fn* porszívó (gép) *[márkanévből]* **II.** *tsi* (ki)porszívóz *[szőnyeget]*

hooves [huːvz] → **hoof I.**

hop¹ [hɒp ‖ hɑp] **I.** *i* **-pp- A.** *tsi* **1.** *GB biz* átugrik *[akadályt]*; *szl* **~ the stick/twig** *[elmenekül, megszökik]* meglép, meglóg; elhúz; *[meghal]* elpatkol; *szl* **~ it** *[elmenekül]* meglép, meglóg **2.** *US szl* **~ a train** felugrik a vonatra *[potyautasként]* **3.** *szl* elindít *[repülőgépet]* **4.** átrepül *[pl. óceánt]* **B.** *tni* **1.** (féllábon) ugrándozik, ugrál, szökdécsel **2.** ugrik; **~ down to the city** beszalad/beugrik a városba; **~ out of bed** kiugrik az ágyból; **~ to it** nekiugrik, nekivág (munkának) **3.** *biz* táncol **4.** sántikál, biceg **5.** *szl* megy, battyog; **~ along** mendegél **II.** *fn* **1.** (féllábon való) szökd(écs)elés, ugrándozás; **on the ~** *GB biz* sürögve-forogva; felkészületlenül **2.** ugrás, szökellés; *sp* **~, step/skip, and jump** hármasugrás **3.** *rep* **journey in five ~s** repülőút öt leszállással/útszakaszban **4.** *biz* tánc(-mulatság), bál, (házi)buli

hop² [hɒp ‖ hɑp] **I.** *fn* **1.** *növ* komló **2. a)** *US szl* kábítószer, ópium **b)** *Ausz ÚjZ biz* sör **II.** *i* **-pp- A.** *tsi* **1.** komlóval főz/ízesít, komlóz *[sört]* **2.** *US szl* **~ sy up** *[elkábít vkt kábítószerrel]* belő **B.** *tni* **1.** komlót terem **2.** komlót szed

hop-bind *fn* komlószár, komlóinda

hop-bine → **hop-bind**

hope [hoʊp] **I. A.** *tsi* **1.** remél, (el)vár, számít (vmre); **hoping to hear from you** válaszát várva **2.** remél, óhajt, kíván, reménykedik (vmben); **I ~ you may be right** bárcsak igazad lenne **B.** *tni* remél (*for* vmt), reménykedik, bizakodik (*for* vmben); **~ against ~** a kilátástalan helyzet ellenére is remél **II.** *fn* **1.** remény(kedés), bizakodás; **be full of ~** erősen reménykedik/bizakodik, tele van reménnyel; *földr* **Cape of Good H~** Jóreménység foka **2.** remény, kilátás, valószínűség; **(be) past/beyond ~** reménytelen, kilátástalan; **hold out a ~ to sy** reménnyel kecsegtet vkt **3.** remény, várakozás, számítás (vmre); **in the ~ of sg** vmnek reményében, vmre számítva; **vain ~** hiú ábránd/remény **4.** remény(ség)

hopeful [ˈhoʊpfl] **I.** *mn* **1.** reménykedő, bizakodó; **in a ~ mood** bizakodó hangulatban **2. a)** biztató, reményt keltő; **~ sign** biztató jel **b)** sokat ígérő, reményteljes, szépreményű **II.** *fn* reménység; **young ~** fiatal reménység, nagyreményű/szépreményű ifjú • *fn* **hopefulness** *hsz* **hopefully**

hopeless [ˈhoʊpləs] *mn* **1.** reményvesztett, csüggedt, kétségbeesett **2. a)** reménytelen, kilátástalan; **~ case** reménytelen eset; **~ situation** kilátástalan/kétségbeesett helyzet **b)** *biz* reménytelen, javíthatatlan; **you're ~!** javíthatatlan (v. reménytelen eset) vagy! • *fn* **hopelessness** *hsz* **hopelessly**

hophead *fn szl* **1.** *US* narkós **2.** *Ausz ÚjZ [alkoholista]* piás

hopped-up [ˌhɒpt ˈʌp ‖ ˌhɑpt ˈʌp] *mn szl* **1.** *[kábítószer hatása alatt levő]* lebegő, repülő **2.** *[lelkes, izgatott]* fel van húzva **3.** felpiszkált, felerősített teljesítményű *[autó]*

hopper¹ [ˈhɒpə ‖ ˈhɑpər] *fn* **1. a)** ugrándozó, szökdécselő **b)** ugró **c)** táncoló **2. a)** bolha **b)** sajtkukac **3.** (töltő)garat **4.** fenékürítő kocsi/csille/hajó

hopper² [ˈhɒpə ‖ ˈhɑpər] *fn biz* komlószedő

hopping *mn* **1.** aktív, élénk, energikus **2.** *[egyik helyről a másikra]* ugráló

hopping mad *mn biz* nagyon dühös

hopple [ˈhɒpl ‖ ˈhɑpl] **I.** *fn* béklyó, kötőfék **II.** *tsi* megbéklyóz *[lovat]*

hopsack *fn* **1.** komlószsák **2.** *tex* durva szövésű seviot, panama

hopscotch *fn* ugróiskola *[gyermekjáték]*

Horace [ˈhɒrəs ‖ ˈhɔːr−] *tul* Horatius

horary [ˈhɔːrəri] *mn* óránkénti, óránként ismétlődő, óra-

Horatian [həˈreɪʃn] *mn ir.tud* horatiusi

horde [hɔːd ‖ hɔrd] *fn* horda, sereg, csorda

horehound [ˈhɔːhaʊnd ‖ ˈhɔr−] *fn növ* **white ~** orvosi pemetefű; **black ~** fekete peszterce

horizon [həˈraɪzn] *fn* **1.** lát(ó)határ, horizont; **apparent/local/visible ~** látszólagos lát(ó)határ/horizont; *rep* **artificial ~** mesterséges horizont, műhorizont; **celestial/rational/true ~** csillagászati horizont **2.** *átv* látókör, érdeklődési kör **3.** *geol* emelet, rétegszint

horizontal [ˌhɒrɪˈzɒntl ‖ ˌhɑrɪˈzɑntl] **I.** *mn* **1.** lát(ó)határi, látóköri **2.** vízszintes, horizontális **3.** sík, lapos **II.** *fn* vízszintes • *fn* **horizontality** *hsz* **horizontally**

hormone [ˈhɔːmoʊn ‖ ˈhɔr−] *fn biol* hormon • *mn* **hormonal**

horn [hɔːn ‖ hɔrn] **I.** *fn* **1.** *áll* **a)** szarv; *biz* **draw in one's ~s** visszahúzódik a házába; behúzza a farkát **b)** agancs *[szarvasé]* **c)** csáp, tapogató **d)** tollbóbita *[bagolyé]* **e)** pata **2. a)** szarv *[holdsarlóé]* **b)** tölcsér alakú vízfolyás/torkolat/öböl **c)** *földr* **the H~** a Horn-fok **3.** szaru **4. on the ~s of a dilemma** válaszúton, dilemmában **5. a)** *zene* tülök **b)** kürt **c)** *gk* kürt, duda; **blow one's own ~** *US* dicsekszik **6.** tölcsér, hangszóró *[fonográfé, megafoné]* **7.** *régi* **~ of plenty** bőségszaru **II. A.** *tsi* **1.** szarvaz, szarvval ellát **2.** felöklel, felnyársal **B.** *tni US szl* **~ in** *[beleavatkozik]* beleüti az orrát, betolakszik • *fn* **hornist** *mn* **hornless, hornlike**

hornbeam *fn növ* gyertyán(fa)

horned [hɔːnd ‖ hɔrnd] *mn* **1.** szarvat hordó/viselő, szarvas-; *áll* **~ owl** fülesbagoly **2. a)** sarló alakú **b)** *műsz* **~ nut** koronás csavaranya

hornet [ˈhɔːnɪt ‖ ˈhɔr–] *fn áll* lódarázs; **stir/raise up a ~'s nest** *biz* darázsfészekbe nyúl; bajt zúdít a saját fejére

hornet's nest *fn* darázsfészek

horn-rimmed *mn* szarukeretes *[szemüveg]*

horn rims *fn tsz* szarukeretes szemüveg

hornswoggle [ˈhɔːnswɒgl ‖ ˈhɔrnswɑgl] *tsi US szl [becsap, rászed]* átejt

hornwort [ˈhɔːnwɜːt ‖ ˈhɔrnwɜrt] *fn növ* borzhínár

horny [ˈhɔːni ‖ ˈhɔrni] *mn* **1.** szaruszerű, szaru- **2.** kérges, kemény *[pl. tenyér]* **3.** *szl tabu [szexuálisan felizgult]* fickós, kanos • *fn* **horniness**

horologe [ˈhɒrəlɒdʒ ‖ ˈhɔrəloudʒ] *fn* óramű, óra

horology [həˈrɒlədʒi ‖ –ˈrɑ–] *fn* **1.** órakészítés, óragyártás **2.** időmérés • *fn* **horologer, horologist** *mn* **horologic(al)**

horoscope [ˈhɒrəskoup ‖ ˈhɑrə–, ˈhɔrə–] *fn* csillagjóslat, horoszkóp; **cast sy's ~** elkészíti vk horoszkópját • *fn* **horoscopy** *mn* **horoscopic(al)**

horrendous [həˈrendəs] *mn* szörnyűséges, borzasztó • *fn* **horrendousness** *hsz* **horrendously**

horrent [ˈhɒrənt ‖ ˈhɔ–, ˈhɑ–] *mn vál* tüskés, tüskeszerűen/sörteszerűen felmeredő

horrible [ˈhɒrəbl ‖ ˈhɔ–, ˈhɑ–] *mn* **1.** borzalmas, borzasztó, rettenetes, szörnyű, iszonyatos **2.** pocsék, rémes; **~ weather** rémes idő • *fn* **horribleness** *hsz* **horribly**

horrid [ˈhɒrɪd ‖ ˈhɔ–, ˈhɑ–] *mn* **1.** → **horrible 2.** *biz* kellemetlen, elviselhetetlen, ocsmány • *fn* **horridness** *hsz* **horridly**

horrific [həˈrɪfɪk ‖ hɔ–, hɑ–] → **horrible**

horrify [ˈhɒrɪfaɪ ‖ ˈhɔ–, ˈhɑ–] *tsi* **1.** megrémít, megrettent, elborzaszt, borzalmat/undort kelt (vkben) **2.** *biz* megbotránkoztat • *fn* **horrification** *mn* **horrifying** *hsz* **horrifiedly**

horripilation [həˌrɪpɪˈleɪʃn] *fn* borzongás, libabőr

horror [ˈhɒrə ‖ ˌhɔrər, ˈhɑ–] *fn* **1. a)** rémület, rettegés **b)** irtózás, iszonyodás, undorodás (*of* vmtől) **2.** iszonyatosság, szörnyűség (*of* vmé), borzasztó/rettenetes volta (vmnek) **3.** borzalom, szörnyűség; **the ~s of war** a háború borzalmai **4.** *orv* borzongás, hidegrázás **5.** *jelzői haszn* rém-

horror film *fn film* horrorfilm

horror story *fn* horrortörténet, rémtörténet

horror-stricken *mn* rémült, rettegő, a rémülettől megdermedt

hors d'oeuvre [ˌɔː ˈdɜːv ‖ ˌɔr ˈdɜrv] *fn francia* vegyes ízelítő, előétel

horse [hɔːs ‖ hɔrs] **I.** *fn* **1. a)** ló; **mount** (v. **get on**) **a ~, take ~** lóra ül, nyeregbe száll; **get on one's high ~** magas lóról beszél, fölényeskedik, nagyzol; **come off the high ~** leszáll a magas lóról; *biz* **straight from the ~'s mouth** első kézből, biztos forrásból **b)** (herélt) mén, csődör **c)** *US* **it's ~ and ~** egyre megy, egy kutya **2. a)** lovasság **b)** lovas (katona) **3. the Flying H~** Pegazus *[csillagkép]* **4. (vaulting) ~** ló *[tornaszer]*; *biz* **iron ~** *[mozdony]* vasparipa **5.** *hajó* kötélhágcsó **6.** *biz* lóerő **7.** *szl* heroin *stand* **II. A.** *tsi* **1.** lóval ellát, lovat ad (vknek/vk alá) **2.** hátán visz/lovagoltat **3.** megkorbácsol **4. a)** fedeztet *[kancát]* **b)** meghág, fedez *[csődör kancát]* **B.** *tni* **1.** lóra száll/ül **2.** lovagol **3.** sárlik *[kanca]*

horse around *biz* bolondozik, hülyéskedik, marháskodik

horse-and-buggy *mn US* **the ~ days** a régimódi idők, a múlt század

horseback *fn* **on ~** lóháton, lovon; *US* **~ opinion** kapásból adott vélemény

horse bean *fn növ* lóbab

horse-block *fn* felhágókő *[lóraszálláshoz]*

horsebox *fn* lószállító kocsi/rekesz

horse brass *fn* rézdíszítés hámon/lószerszámon

horsebreaker *fn* lóidomító

horse chestnut *fn növ* **~ (tree)** vadgesztenye(fa)

horse-cloth *fn* lótakaró, lópokróc

horse-coper *fn* lókereskedő, lókupec, lócsiszár

horse-doctor *fn biz* lódoktor

horse-drawn *mn* lóvontatású, fogatolt *[jármű]*

horseflesh *fn* **1.** lóhús **2.** *biz* lovak

horsefly *fn áll* **1.** bögöly **2.** tetűlégy *[lóé]*

Horse Guards *fn tsz GB* lovas testőrség

horsehair *fn* lószőr

horse latitudes *fn tsz* szélcsendes övezet az Atlanti-óceánon

horseleech *fn* **1. a)** *áll* nagy pióca **b)** *biz* kapzsi/pénzéhes fráter **2.** *régi* lódoktor, gyógykovács

horse mackerel *fn* **1.** *áll* közönséges tonhal **2.** érdesfarkú hal

horseman [ˈhɔːsmən ‖ ˈhɔrs–] *fn tsz* **-men** (jó) lovas

horsemanship [ˈhɔːsmənʃɪp ‖ ˈhɔrs–] *fn* lovaglóművészet, lovagolni tudás

horse marine *fn tréf* lovas tengerész *[képzeletbeli fegyvernem]*; **tell that to the ~s!** hiszi a piszi!

horse opera *fn US szl* western *[film]*, cowboyfilm

horse-pistol *fn* nyeregpisztoly

horseplay *fn* durva tréfa/játék

horse-pond *fn* lóitató (medence)

horsepower *fn fiz* lóerő, LE *[teljesítmény egysége, 1 LE=745.7W]*; **~ hour** lóerőóra

horse race *fn* lóverseny • *fn* **horse racing**

horseradish *fn növ* (közönséges) torma

horse sense *fn US biz* józan/paraszti ész

horseshoe *fn* **1.** (ló)patkó **2.** patkó alak(ú tárgy)

horseshoe crab *fn áll* kardfarkú tarisznyarák, királyrák

horse-soldier *fn* lovas katona

horsetail *fn* **1.** lófarok **2.** *növ* zsurló

horse-trading *fn US* **1.** lóvásár **2. a)** *átv* egyezkedés, alku(dozás) **b)** *átv* „kéz kezet mos" egyezség, picsi-pacsi ügy, gyanús ügylet *[pl. politikában]*

horse-vault(ing) *fn sp* lóugrás *[tornaszeren]*

horsewhip I. *fn* lovaglóostor, lovaglópálca **II.** *tsi* **-pp-** megkorbácsol (vkt)

horsewoman *fn tsz* **-women** lovasnő, lovarnő

horsy [ˈhɔːsi ‖ ˈhɔrsi] *mn* **1.** lószerű, ló-, lovakkal kapcsolatos **2. a)** lókedvelő **b)** lovász/zsoké módjára öltöző/viselkedő/beszélő • *fn* **horsiness** *hsz* **horsily**

hortative [ˈhɔːtətɪv ‖ ˈhɔrtətɪv] *mn* **1.** buzdító, serkentő, bátorító **2.** intő, figyelmeztető • *fn* **hortation**

hortatory [ˈhɔːtətəri ‖ ˈhɔrtətɔri] → **hortative 1.**

hortensia [hɔːˈtensɪə ‖ hɔr–] *fn növ* hortenzia

horticulture [ˈhɔːtɪkʌltʃə ‖ ˈhɔrtɪkʌltʃər] *fn* kertészet, kertművelés • *fn* **horticultur(al)ist** *mn* **horticultural**

hortus siccus [ˌhɔːtəs ˈsɪkəs ‖ ˈhɔrtəs–] *fn latin* herbárium

hosanna [houˈzænə] *isz/fn* hozsanna

hose [houz] **I.** *fn* **1.** *tsz* **hose a)** (hosszú) harisnya **b)** térdnadrág **c)** *régi* lábszárpáncél **2.** (gumi)tömlő, (kerti) öntözőcső; **air ~** légtömlő **II.** *tsi* (meg)öntöz; **~ (down)** (öntözőcsővel) lemos *[pl. kocsit]*

hosepipe *fn* öntözőcső, fecskendő

hosier [ˈhoʊzɪə ‖ ˈhoʊʒər] *fn* harisnya- és kötöttáru kereskedő

hosiery [ˈhoʊzɪəri ‖ ˈhoʊʒəri] *fn* **1.** harisnya, köt(szöv)öttáru **2.** harisnyakereskedés

hospice [ˈhɒspɪs ‖ ˈhɑ–] *fn* **1.** menhely, otthon, szeretetház **2.** (kolostori) menedékház

hospitable [hɒˈspɪtəbl ‖ ˈhɑspɪ–] *mn* vendégszerető, vendégmarasztaló, vendéglátó • *hsz* **hospitably**

hospital [ˈhɒspɪtl ‖ ˈhɑspɪtl] *fn* kórház; **general ~** közkórház; **admit sy to/into a ~** vkt kórházba felvesz; **discharge sy from a ~** vkt kórházból kibocsát/elbocsát

hospitaler, *US* **hospitaller** *fn* **1.** máltai lovag **2.** vezető lelkész *[londoni kórházakban]*

hospital fever *fn régi orv* kiütéses tífusz

hospitalism [ˈhɒspɪtəlɪzm ‖ ˈhɑspɪtl–] *fn* rossz egészségi állapotok *[rosszul vezetett kórházban]*

hospitality [ˌhɒspɪˈtæləti ‖ ˌhɑspɪˈtæləti] *fn* vendégszeretet, vendéglátás

hospitalize [ˈhɒspɪtəlaɪz ‖ ˈhɑspɪtl–], **-ise** *tsi* **1.** beutal/felvesz/beszállít kórházba, kórházban elhelyez **2.** kórházban ápol/gondoz • *fn* **hospitalization**

hospital ship *fn* sebesültszállító hajó

hospital train *fn* kórházvonat

host[1] [hoʊst] *fn* **1. a ~ of** sok, temérdek, egy sereg/csomó **2.** *régi vál* (had)sereg; **the ~(s) of heaven** az ég minden seregei

host[2] [hoʊst] *fn* **1.** vendéglátó(gazda), szállásadó, házigazda **2.** fogadós, vendéglős **3.** konferanszié, házigazda *[tv-műsoré]* **4.** *biol* kórokozó-hordozó, vírusgazda **5.** *orv* átültetett szervet befogadó egyén

host[3] [hoʊst] *fn vall* (szent)ostya

hostage [ˈhɒstɪdʒ ‖ ˈhɑ–] *fn* **1.** túsz **2.** *biz* zálog, biztosíték • *fn* **hostageship**

hostage taker *fn* túszejtő, túszszedő

hostel [ˈhɒstl ‖ ˈhɑstl] *fn* **1.** otthon, szálló *[pl. diák, munkás]* **2.** turistaház, menedékház; **youth ~** (ifjúsági) turistaház; ifjúsági szálló **3.** *régi* (vendég)fogadó

hostelling [ˈhɒstlɪŋ ‖ ˈhɑstlɪŋ], *US* **hosteling** *fn* (diák)szállóban való tartózkodás • *fn* **hosteller**

hostess [ˈhoʊstɪs] *fn* **1.** háziasszony, a ház asszonya **2.** ‹vendégeket fogadó női alkalmazott éjszakai szórakozóhelyen› **3.** → **air-hostess**

hostile [ˈhɒstaɪl ‖ ˈhɑstl] *mn* **1.** ellenséges *[ország, hadsereg]* **2.** ellenséges *[érzelem, szándék]*, ellenséges érzületű, barátságtalan, rosszindulatú **3. be ~ to sg** ellenez vmt, ellensége vmnek **4.** *jog* kedvezőtlenül elfogult *[tanú]* • *hsz* **hostilely**

hostility [hɒˈstɪləti ‖ hɑˈstɪləti] *fn* **1.** ellenséges érzelem/érzület, barátságtalanság, rosszindulat (*to/towards* vk iránt, vkvel szemben) **2. a)** ellenséges viszony, ellenségeskedés, viszály(kodás) **b)** hadiállapot **3.** *tsz* **hostilities** háborús cselekmények **4.** ellenzés (*to* vmé), szembehelyezkedés (vmvel)

hostler [ˈɒslə ‖ ˈɑslər] *fn* **1.** lovász **2.** *vasút* gépkezelő, gépész

hot [hɒt ‖ hɑt] **I.** *mn* **-tt- 1. a)** forró, meleg; **on ~ pursuit** forró nyomon; *US szl* **not so ~** *[nem vm érdekes]* nem nagy durranás; **~ air** *kat szl* radioaktív levegő; *biz* süket duma; **it sells like ~ cakes** úgy viszik, mint a cukrot; **~ wave** meleg hullám, hőhullám *[időjárásban]* **b)** *átv* **~ fever** forró láz; *US biz* **~ goods** csempészáru; lopott holmi; *biz* **~ stuff** sikamlós történet; *szl [klassz nő]* jó bőr; **~ war** fegyveres hadviselés *[szemben a hidegháborúval]*; **blow ~ and cold** percenként változtatja a(z) véleményét/elhatározását; határozatlan; *biz* **make things/it ~ for sy** kellemetlenné/tűrhetetlenné teszi vk számára a helyzetet **2. a)** heves, féktelen, szilaj **b)** lelkes, tüzes, szenvedélyes; **get ~ under the collar** indulatba jön; fejébe száll a vér, begurul; **~ temper** indulatos/hirtelen természet **3.** *gaszt* erős, csípős *[étel]* **4.** *biz* friss, új **5.** *szl [nemileg felgerjedt]* be van gerjedve **6.** túl élénk, rikító *[szín]* **7.** *fiz biz* (erősen) radioaktív **II.** *hsz* **1.** forrón, melegen **2.** lelkesen, tüzesen, szenvedélyesen **3.** indulatosan, dühösen **III.** *i* **-tt- A.** *tsi biz* felmelegít/felhevít vmt **B.** *tni* **~ up** hevessége fokozódik

hot-air baloon *fn sp* hőlégballon

hotbed *fn átv* melegágy

hot-blooded *mn* **a)** forróvérű, szenvedélyes, tüzes **b)** hirtelen haragú

hotchpotch [ˈhɒtʃpɒtʃ ‖ ˈhɑtʃpɑtʃ] *fn* **1.** zagyvalék, kotyvalék, keverék **2.** *skót gaszt* ‹húslevesféle, egytálétel sok zöldségfélével›

hot dog I. *fn* **1.** *gaszt* hotdog **2.** *US Kan szl [akrobatikus sportmutatványokat végző személy]* vagány **II.** *isz US Kan szl* klassz!, nem semmi! **III.** *tni* **hotdog** *US Kan szl [bravúros sportmutatványokat végez, pl. sí, szörf, snowboard]* vagánykodik • *fn* **hotdogger**

hotel [ˌhoʊˈtel] *fn* szálloda, hotel, szálló

hotelier [hoʊˈtelieɪ ‖ –ɪər] szállodás, szállodatulajdonos, fogadós

hotfoot I. *hsz* lélekszakadva, lóhalálában **II.** *tni US* **~ (it) after sy** vk nyomába iramodik, vkt üldözőbe vesz

hot gospeller *fn* túl vallásos személy, bigott térítő

hothead *fn* heves/lobbanékony/meggondolatlan ember

hot-headed *mn* lobbanékony, forrófejű, heves • *fn* **hot-headedness** *hsz* **hot-headedly**

hothouse *fn* **1.** melegház, üvegház **2.** *átv biz* **~ of corruption** korrupció melegágya/táptalaja

hothouse effect *fn körny* üvegházhatás

hotline *fn* forródrót, közvetlen vonal

hot pants *fn szl* **1.** ‹szexuális izgalom állapota›; **have/get the ~** begerjed, beindul **2.** ‹szexmániás személy›

hotplate *fn* **1. a)** tányérmelegítő **b)** melegítőpult **2.** (villany)főzőlap, rezsó

hotpot *fn* **1.** *GB gaszt* ‹fedő alatt burgonyával párolt birkahús/marhahús› **2.** *US* vízmelegítő, vízforraló edény

hot-press I. *fn tex* simítógép **II.** *tsi* **1.** *tex* fényez, gőzöl *[textilanyagot]* **2.** *műsz* melegen sajtol

hot rod I. *fn gk szl [nagy sebességűre átépített]* felturbózott autó **II. 1.** felturbóz *[autót]* **2.** felturbózott autót vezet

hot seat *fn US szl* **1.** villamosszék **2.** katapultülés *[repülőgépen]*

hot-short *mn* melegtörékeny, fehértörékeny *[vas]*

hotshot *US biz* **I.** *mn* fontos, kiemelkedő *[személy]* **II.** *fn* **1.** *[fontos/kiemelkedő személy]* nagymenő **2.** *sp [kivételesen jól játékos]* menő

hot spot *fn* **1.** túlmelegedett hely *[motor robbanóterében]* **2.** *geol* melegpont, geotermikus hőforrás **3.** népszerű szórakozóhely **4.** *infor* hivatkozási hely, hipermutató

hotspur *fn* forrófejű/lobbanékony személy

hot-tempered *mn* ingerlékeny, indulatos, hirtelen haragú

Hottentot [ˈhɒtntɒt ‖ ˈhɑtntɑt] **I.** *mn* **a)** hottentotta **b)** *biz pej* nehéz felfogású/fejű, korlátolt *[ember]* **c)** műveletlen, modortalan *[személy]* **II.** *fn* **1.** hottentotta **2.** *növ* **~(s) bread** elefánttalp, hottentottakenyér

hot topic *fn* divatos téma

hot-water bottle ágymelegítő, lábmelegítő (palack)

hot well *fn műsz* kondenzvíztartály

hot-wire *mn vill* áram alatt levő vezeték

hot word *fn infor* hivatkozás, utalás, hipermutató

Houdini [huːˈdiːnɪ] *fn* **1.** (meg)menekülés hajszál híján **2.** menekülőművész

hough [hɒk ‖ hɑk] **I.** *fn* térdhajlás, térdízület *[lóé]* **II.** *tsi* lovat megbénít *[ideg átvágásával]*

hound [haʊnd] **I.** *fn* **1. a)** vadászkutya, agár, kopó, véreb; **ride to ~s** hajtóvadászaton/falkavadászaton vesz részt **b)** *vál* kutya **c)** futó, üldözött *[társasjátékban]* **2.** *átv* detektív, kopó **3.** *pej* **you miserable ~!** nyomorult!; hitvány kutya! **II.** *tsi* **1. a)** vadászkutyával/kopóval vadászik **b)** *biz* **~ sy down** nyomon követ vkt *[lerázhatatlanul]* **2. ~ a dog at/on sy** nyomot ad kutyának **3.** *átv* üldöz, nem hagy békén vkt

hound's-tongue *fn növ* ebnyelvfű

houndstooth *fn* tyúklábminta

hour ['auə ‖ 'auər] *fn* **1.** óra *[mint időmennyiség]*; **a quarter of an ~** negyedóra; **half an ~** félóra; **an ~ and a half** másfél óra; **~ by ~** óraszámra; **office ~s** hivatalos idő/órák; **by the ~, every ~** óránként; **work long ~s** sokáig (v. késő estig) dolgozik **2. a)** óra *[mint időpont]*; **on the ~** órakor, minden órában; **at all ~s** bármikor, a nap bármely/minden órájában **b) keep late ~** késő éjjel jár haza; későn fekszik le **3.** *vall* **Book of H~s** zsolozsmáskönyv; breviárium

hourglass *fn* homokóra; *biz* **~ waist** darázsderék

hour hand *fn* óramutató, kismutató *[órán]*

houri ['huəri ‖ 'huri] *fn* **1.** huri **2.** *biz* buja szépségű nő

hour-long I. *mn* egy órán át tartó **II.** *hsz* egy órányi

hourly ['auəli ‖ 'auərli] **I.** *mn* **1.** óránkénti, minden órában jelentkező **2.** gyakori, örökös *[pl. panaszkodás]* **II.** *hsz* **1.** óránként, óráról órára, minden órában **2.** folytonosan, szüntelenül

house [haus] **I.** *fn tsz* **houses** ['hauzız] **1. a)** ház, lakóház, lakóhely, hajlék; **at my ~** nálam/nálunk otthon; a házamban, otthonomban; **keep ~ for sy** vezeti vk háztartását; **keep (to) the ~** otthon marad/tartózkodik, *átv* őrzi a házat; **set up ~** otthont alapít; különköltözik; **set up ~ together** összeköltöznek **b)** *átv* **get on like a ~ on fire** úgy megy, mint a karikacsapás **2. a)** *pol* **the H~** a Ház *[képviselőház]*; **H~ of Commons** *GB* alsóház; **H~ of Lords** *GB* lordok háza; *US* **H~ of Representatives** *US* képviselőház; **keep/make a ~** együtt van (v. megvan) a határozatképességhez szükséges létszám *[ülésen]* **b)** *okt* kollégium, internátus; **the H~** *GB* ‹a Christ Church kollégium [Oxfordban]› **c)** *gazd* üzletház, cég, vállalat; *biz* **the H~** a Tőzsde **d)** *vall* **the ~ of God** Isten háza, templom **e) ~ of correction** fegyintézet; **big ~** *US szl [börtön, fegyház]* sitt; *GB* kastély; **on the ~** a tulajdonos fizet **3. a)** *biz* **the little ~** illemhely; vécé **b)** *műsz* torony *[darun]*, *hajó* parancsnoki fülke **4. a)** háznép **b)** uralkodóház, dinasztia; **the H~ of Hapsburg** a Habsburg-dinasztia, Habsburgok **5.** *szính* **a)** színház, nézőtér, hallgatóság; **full ~** telt ház **b)** előadás **6.** *biz* bordélyház **II. A.** *tsi* **1.** elszállásol, elhelyez, befogad (vkt), szállást csinál (vknek) **2.** istállóz, behajt *[nyájat]*, betakarít *[gabonát]*, üvegházba tesz *[növényt]* **3.** hangárba visz *[repülőgépet]*, gépszínbe/kocsiszínbe/garázsba visz *[járművet]*, beraktároz *[felszerelést, eszközt]* **4.** *hajó* **a)** lebocsát *[árbocot]* **b)** behúz *[vitorlát]* **B.** *tni* lakik, megszáll, lakást vesz, tanyáz, hajlékra talál (vhol) • *fn* **houseful** *mn* **houseless**

house agent *fn GB* házügynök, lakásügynök

house arrest *mn* házi őrizet

houseboat *fn hajó* lakóbárka, lakóhajó

housebound *mn* házhoz kötött

houseboy *fn régi* háziszolga

housebreaker *fn* **1.** betörő **2.** *épít* bontási vállalkozó

housebreaking *fn* betörés

house-broken *mn* szobatiszta *[állat]*

housebuilder *fn* épít(kez)ési vállalkozó • *fn* **housebuilding**

housecarl *fn tört* testőr

housecleaning *fn* nagytakarítás • *tsi* **houseclean**

housecoat *fn* otthonka

housecraft *fn GB* házvezetés, házimunkák

house dog *fn* házőrző kutya

house-father *fn* a ház feje/igazgatója *[gyermekotthoné]*

house-flag *fn* hajózási társaság lobogója

housefly *fn áll* közönséges/házi légy

house guest *fn* szállóvendég

household ['haushould] *fn* **1. a)** háznép, család(hoz tartozók), háziak **b)** háztartás **2. a)** személyzet, cselédség **b) the H~** az udvartartás *[uralkodóé]*

household gods *fn tsz vall* házi istenségek, a házitűzhely istenei, lares & penates

household troops *fn tsz GB kat* a brit uralkodó közvetlen szolgálatára rendelt csapatok, testőrség

household word *fn* általánosan elterjedt szó, közismert fogalom

house-hunting *fn biz* lakáskeresés • *tni* **house-hunt** *fn* **house-hunter**

househusband *fn* háztartást ellátó férj

housekeeper *fn* **1.** házvezetőnő **2.** háziasszony **3.** házfelügyelő • *tni* **housekeep**

housekeeping *fn* **1.** háztartás; **give up ~** feloszlatja a háztartását; **set up ~** berendezkedik; otthont alapít; háztartást kezd vezetni **2.** házvezetés, gazdálkodás *[háztartáson belül]* **3.** *infor* rendezés *[programoké, dokumentumoké]*

houseleek ['hausli:k] *fn növ* kövirózsa

house magazine *fn* belső kiadvány, hírlevél *[cégé, intézményé]*

housemaid *fn* szobalány, szobaasszony

housemaid's knee *fn orv* apácatérd

houseman ['hausmən] *fn tsz* **-men 1.** *[kórházban]* bentlakó orvos **2.** → **houseboy**

house martin *fn áll* molnárfecske

housemaster *fn GB okt* internátusi felügyelő tanár

housemate *fn* lakótárs

house mouse *fn áll* háziegér

house party *fn GB* **1.** vendéglátás vidéki kastélyban **2.** házibuli

house plant *fn* szobanövény

house-proud *mn* **a)** házias **b)** otthonát/lakását szerető, lakására büszke, pedáns *[háziasszony]*

houseroom *fn* (férő)hely *[lakásban]*

house search *fn* házkutatás

house sparrow *fn áll* háziveréb

house style *fn* ‹kiadóvállalatok kiadványaiban alkalmazott eltérő konvenció›

house swallow *fn áll* füsti fecske

house-to-house *mn* háztól házig; *kat* **~ fighting** utcai harc

housetop *fn* háztető; *biz* **proclaim/cry sg from the ~** világgá kürtöl (nagydobra ver) vmt

house-trained *mn* szobatiszta

house-warming *fn* házavatás, házavató, házszentelő *[ünnepség]*

housewife[1] ['hauswaıf] *fn tsz* **-wives** [–waıvz] **a)** háziasszony, a ház úrnője **b)** *ritk* családanya • *mn* **housewifely**

housewife[2] ['hʌzıf] *fn tsz* **-wifes** ['hʌzıfs] varrókészlet

housewifery ['hauswıfri ‖ –waı–] *fn* háztartás vezetése/ellátása, házvezetés

housework *fn* házi munka; **do the ~** háztartási/házi munkát végez

housey-housey *fn GB* tombola-kártyajáték

housing[1] ['hauzıŋ] *fn* **1. a)** lakás, szállás, menedék, hajlék; *épít* **the ~ problem** a lakáskérdés **b)** lakásépítés **2. a)** istállózás *[nyájé]*, betakarítás *[gabonáé]* **b)** kocsiszínbe/garázsba elhelyezés **3. a)** falhorony, falfülke **b)** *műsz gk* ház, védőberendezés, burkolat *[motoré]* **4.** *hajó* árboctalpazat, árbocfészek

housing[2] ['hauzıŋ] *fn régi* nyeregtakaró, lótakaró

housing estate *fn GB* lakótelep

housing unit *fn Ausz* lakás *[többlakásos házban]*, apartman

Houston ['hju:stən] *tul US földr* Houston

hove [houv] → **heave II.**

hovel [hɒvl ‖ hʌvl] *fn* **1.** kalyiba, kunyhó, viskó, kulipintyó **2.** fészer, szín, nyitott pajta/csűr

hover ['hɒvə ‖ 'hʌvər] *tni* **1. a)** felette szálldos, lebeg, kering, köröz **b)** lebeg *[pl. hang]*; *biz* **a smile ~ed over her lips** mosoly játszadozott az ajkai körül **2. a) ~ about sy** lebzsel/lézeng vk körül; *biz* lóg vk nyakán **b) ~ between two courses** két lehetőség között ingadozik/habozik • *fn* **hoverer**

hovercraft ['hɒvəkra:ft ‖ 'hʌvərkræft] *fn* légpárnás vízijármű

H

how [haʊ] **I.** *hsz* **1. a)** hogy(an), miképpen, miként, mi módon; ~ **about it?** mit szól hozzá?; ~ **are you?** hogy van?; ~ **can you!** hogy tehetsz ilyet!; ~ **come** hogyan van/lehet az (hogy ...); igazán? ne mondja!; ~ **do you do?** jó napot (kívánok)! *[köszönés bemutatkozáskor, melyre ugyanígy válaszolnak]*; ~ **now?** *régi* nos?; ~ **so?** hogyan?; ~**'s that?** hogy-hogy?; *biz* **and** ~**!** de még hogy/mennyire!; mi az hogy! **b) here's** ~**!** kedves egészségére! *[koccintásnál]* **2. a)** mennyire, milyen (mértékben); ~ **much/many?** mennyi?; hány?; ~ **many times?**, ~ **often?** hányszor?; hány alkalommal?; ~ **old are you** hány éves vagy? **b)** (felkiáltásban:) milyen...!; ~ **kind of you** igazán szép/kedves (tőled) **II.** *fn* **the** ~**s and the whys** a hogyanja és miértje a dolognak **III.** *ksz* hogy; *biz* **he told us as** ~ **he had met her** elmondta, hogy (miképp) találkozott vele (v. találkoztak)

howdah [ˈhaʊdə] *fn* ‹elefántra szerelt baldachinos ülőhely›

howdy [ˈhaʊdi] *isz US biz* **a)** helló! *[találkozásnál]* **b)** hogy van?, mizujs?

however [haʊˈevə ‖ –ər] *hsz* **1.** bármennyire, bárhogy, akárhogy is, akármennyire; ~ **little ...** bármilyen kevés/csekély/kicsiny ...; **your English,** ~ **perfect it is...** bármennyire is tökéletes az angol tudásod **2.** azonban, mégis mindamellett, annak ellenére, jóllehet; ~, **he may do it** mindamellett lehet, hogy mégis megteszi

howitzer [ˈhaʊɪtsə ‖ –ər] *fn kat* tarack (ágyú), haubic

howl [haʊl] **I.** *tsi/tni* **1.** ordít, üvölt, vonít, fájdalmas kiáltást hallat **2.** fütyül, sivít **II.** *fn* **1.** üvöltés, ordítás, vonítás, fájdalmas kiáltás; **give a** ~ **of rage** dühében nagyot kiált/üvölt (v. felüvölt) **2.** *távk* akusztikus/kisfrekvenciás begerjedés

howl down *tsi* lehurrog, lepisszeg *[szónokot]*

howler [ˈhaʊlə ‖ –ər] *fn* **1. a)** ordító, üvöltő *[személy]* **b)** *áll* bőgőmajom **2.** *régi* kietlen, sivár **3.** *biz* durva/kirívó hiba

howling dervish *fn* üvöltő dervis

howsoever [ˌhaʊsoʊˈevə ‖ –ər] *hsz* bármennyire (is), akárhogyan (is)

howzat [haʊˈzæt] *röv szl how's that* hogy (is) van az

hoy[1] [hɔɪ] *fn hajó* **1.** rövid járatot végző parti hajó **2.** nehéz bárka

hoy[2] [hɔɪ] *isz* hé!, hó!, hej!, halló!

hoya [ˈhɔɪə] *fn növ* viaszvirág, porcelánvirág

hoyden [hɔɪdn] *fn* pajkos/rakoncátlan (v. fiús viselkedésű) leány • *mn* **hoydenish**

Hoyle [ˈhɔɪl] *fn ját* kártyaszabályok/társasjátékok kézikönyve; **according to** ~ helyesen; a szabályok szerint

hp *röv horsepower* lóerő

HQ *röv headquarters*

HR *röv US House of Representatives* Képviselőház

HRH *röv Her/His Royal Highness* Ő Királyi Felsége

HSH *röv Her/His Serene Highness*

ht *röv height*

HTML *röv infor hypertext markup language* hipertext-jelölőnyelv, HTML-nyelv

HTTP *röv infor hyper text transfer protocol* hipertext átviteli protokol, HTTP

hub [hʌb] *fn* **1.** kerékagy **2.** *biz* középpont, súlypont; **the** ~ **of the universe** a világegyetem középpontja; a világ közepe **3.** *US* **H**~ Boston *[város]* **4.** *infor* elosztófej

hubble-bubble [ˈhʌblbʌbl] *fn* **1.** bugyborékoló hang, bugyborékolás **2.** hangzavar, morajlás **3.** nargiléféle, vízipipa

Hubble's constant [ˌhʌblz ˈkɒnstənt ‖ –ˈkɑn–] *fn fiz* Hubble-állandó

hubbub [ˈhʌbʌb] *fn* **a)** hangzavar, lárma, zsivaj(gás), zsibongás **b)** csődület, tumultus, ribillió

hubby [ˈhʌbi] *fn biz* **my** ~ férjem(uram); férjecském

hubcap *fn gk* dísztárcsa

hubris [ˈhjuːbrɪs] *fn* önhittség, pimaszság, szemtelenség, arrogancia

huckaback [ˈhʌkəbæk] *fn tex* háromnyüstös vászon/pamutszövet *[törülközőnek]*

huckleberry [ˈhʌklbri ‖ –beri] *fn* **1. a)** *US növ* amerikai áfonya, tőzegáfonya **b)** *US* → **whortleberry 2.** *[gyantás* v. *fekete]* Gay-Lussac bogyó

huckster [ˈhʌkstə ‖ –ər] **I.** *fn* **1. a)** házaló (árus), ószeres **b)** utcai/vásári árus **2.** közvetítő kereskedő **3.** *US* hirdetési ügynök, reklámszervező **4.** kalmár lélek, kapzsi/pénzsóvár személy **II. A.** *tsi* **1.** viszontelad, viszontárusít (vmt) **2.** hamisít *[pl. bort]* **B.** *tni* **1.** házal **2.** alkudozik, üzérkedik **3.** mesterkedik, manipulál (vmvel) • *fn* **hucksterism**

huddle [ˈhʌdl] **I.** *fn* **1.** zűrzavar, összevisszaság, felfordulás, fejetlenség **2.** *US szl* szűk körű (v. bizalmas) értekezlet; **go into a** ~ **with sy** bizalmas értekezletre/megbeszélésre megy; összeül (v. összedugja a fejét) vkvel **II. A.** *tsi* **1.** ~ **things (up, together)** összehány, összezsúfol; összedobál; összecsap (vmt) **2.** ~ **(oneself) up** behúzódik; összehúzza magát; összekuporodik **3.** ~ **over/through a piece of work** sebtében végez el munkát; összecsap, kutyafuttában csinál vmt **B.** *tni* ~ **together** (össze)zsúfolódik; összehúzódik

hue[1] [hjuː ‖ hjuː] *fn* szín(árnyalat), árnyalat, színfokozat • *mn* **hued, hueless**

hue[2] [hjuː] *fn* ~ **and cry** hangos felháborodás; általános méltatlankodás; *jog* körözőlevél; elfogatóparancs; **with** ~ **and cry** nagy zenebonával/lármával

huff [hʌf] **I. A.** *tsi* **1.** nekitámad (vknek), megsért (vkt), ráförmed (vkre) **2.** *ját* kiüt *[ellenfél bábját dámajátékban]* **B.** *tni* **1.** durváskodik **2.** megsértődik (vmn), felfortyan **3.** *régi* liheg, zihál; **he puffed and** ~**ed** nagyokat lihegett és fújt **II.** *fn* **1.** hirtelen felfortyanás/harag; ~ **and puff** *átv* füstölög, fortyog; **in a** ~ hirtelen haragjában **2.** *ját* kiütés *[bábé dámajátékban]*

huffy [ˈhʌfi] *mn* sértődött, ingerült • *fn* **huffiness** *hsz* **huffily**

hug [hʌg] **I.** *fn* **1.** átölelés, átkarolás, (meg)ölelés; **give sy a** ~ megölel, átölel vkt; magához ölel/szorít **2. a)** ölelés, szorítás *[gorilláé, medvéé]* **b)** *sp* fogás *[birkózásban]* **II.** *tsi* **-gg- 1. a)** átkarol, átölel, megölel, karjaiba kap/zár **b)** ragaszkodik *[hibáihoz]*; ~ **prejudice** előítélettel viseltetik (vk/vm iránt) **2.** *hajó* ~ **the land/shore** a szárazföld/part közelében marad; a part mentén hajózik • *mn* **huggable**

huge [hjuːdʒ ‖ hjuːdʒ] *mn* hatalmas, óriási, roppant (nagy), szörnyű/igen/rettentő nagy, temérdek, irtózatos • *fn* **hugeness** *hsz* **hugely**

hugger-mugger [ˈhʌgəmʌgə ‖ ˈhʌgərmʌgər] **I.** *mn* **1.** titkos, rejtett; ~ **secrecy** titkolódzás **2.** rendszertelen, zavaros **II.** *hsz* **1.** titkon, titokban, suba alatt, lopva, rejtve **2.** rendszertelenül, összevissza **III.** *fn* **1.** titokzatosság **2.** összevisszaság, zűrzavar **IV. A.** *tsi* agyonhallgat, eltitkol, elken *[pl. botrányt]* **B.** *tni* összevissza tesz-vesz, kapkod

Hugh [hjuː] *tul* Hugó

Huguenot [ˈhjuːgənoʊ ‖ –nɑt] *fn tört* hugenotta

huh [hə, hʌh] *isz US* mi?, hogy? mi az?

hula [ˈhuːlə] *fn* ‹hawaii tánc›

hula hoop [ˌhuːləˈhuːp] *fn* hula-hop (karika)

hula skirt [ˈhuːlə] *fn* hulaszoknya, hosszú fűszoknya

hulk [hʌlk] *fn* **1.** *hajó* **a)** hajó váza, (csupasz) hajótest **b)** *biz* **unwieldy old** ~ kiszolgált/rozoga vén bárka **c)** *tsz* **hulks** hajóbörtön **d)** roncs **2.** *biz* nagy darab/melák ember

hulking [ˈhʌlkɪŋ] *mn biz* otromba, ormótlan, (jól) megtermett, lomha *[test]*

hull [hʌl] **I.** *fn* **1.** hüvely *[pl. borsóé, babé]*, héj *[dióé]* **2. a)** (hajó)test, hajóderék **b)** törzs *[repülőgépé]* **II.** *tsi* **1.** fejt *[pl. borsót]*, hüvelyez, hámoz *[diót]* **2.** *kat* telibe talál *[hajót]*

hullabaloo [ˌhʌləbəˈluː] *fn* felzúdulás, zűrzavar, hűhó

hullo [həˈloʊ] → **hello**

hum [hʌm] **I.** *i* **-mm- A.** *tsi* dúdol, dudorászik **B.** *tni* **1.** zümmög, döngicsél, zsong, búg, hümmög, dudorászik, búg, zsibong; *biz* **keep things** ~**ming** ügyel, hogy jól menjenek a dolgok **2.** hímez-hámoz, tétovázik; *GB* ~ **and haw** köhécsel *[mielőtt beszélni kezd]*; (hebeg-)habog, dadog; habozik, tétovázik; hümmög; hápog *[zavarában]*

. *szl* bűzlik **II.** *fn* **1.** dongás, zümmögés, döngicsélés, berregés, zúgás, mor(mo)gás, hümmögés, búgás; ~ **of conversation** a beszéd moraja/zsongása; ~ **and haw** tétovázás; huzavona; hümmögés **2.** *orv* **venous** ~ vénazörej **3.** bűz **4.** *régi* erős szeszes ital **III.** *isz* hm-hm! • *fn* **hummer** *mn* **hummable**

human [ˈhjuːmən ‖ ˈhjuː –] **I.** *mn* **a)** emberi, emberhez tartozó, emberre valló; ~ **engineering** pszichotechnika; ~ **nature** az emberi természet **b)** ~ **relations** ‹vállalaton belüli jó viszony ápolása vállalatvezetőség és dolgozók között›; ‹dolgozók egymás közti jó viszonyának ápolása vállalaton belül› **II.** *fn* ember(i lény), teremtmény; ~**s** emberek • *hsz* **humanly**

human being *fn* emberi lény

humane [hjuːˈmeɪn ‖ hjuː –] *mn* **1.** emberséges, emberi(es), emberszerető, humánus; ~ **society** állatvédő liga **2.** humanista, humán; ~ **studies** humán tárgyak/tanulmányok • *fn* **humaneness** *hsz* **humanely**

humanism [ˈhjuːmənɪzm ‖ ˈhjuː –] *fn* humanizmus

humanist [ˈhjuːmənɪst ‖ ˈhjuː –] *fn* **1.** humanista **2.** ókori művészettel/tudományokkal foglalkozó tudós, humanista • *mn* **humanistic** *hsz* **humanistically**

humanitarian [hjuːˌmænɪˈteərɪən ‖ hjuːˌmænɪˈter –] **I.** *mn* **1.** emberbaráti, emberséges, humanitárius **2.** az emberiséggel foglalkozó, emberbaráti **II.** *fn* emberbarát, az emberi jogok harcosa, humanitárius • *fn* **humanitarianism**

humanity [hjuːˈmænəti ‖ hjuːˈmænəti] *fn* **1.** az emberiség, az emberi nem, az emberek **2.** emberi természet/tulajdonságok **3.** ember(ies)ség, jóság **4.** *fil* **(the) humanities** humán tárgyak, bölcsészet(tudomány)

humanize [ˈhjuːmənaɪz ‖ ˈhjuː –], **-ise** *tsi* **1.** emberré/emberiessé tesz, emberi mérethez közelít **2.** emberibbé/emberségesebbé/szelídebbé/jobbá tesz, kifinomít • *fn* **humanization**

humankind [ˌhjuːmənˈkaɪnd ‖ ˌhjuː –] → **humanity** 1.

humanoid [ˈhjʊmənɔɪd] *mn* humanoid, emberszabású

human resources *fn tsz gazd* humán/emberi erőforrás

human resources management *fn gazd* emberierőforrás-gazdálkodás, személyügyi munka

human rights *fn tsz* emberi jogok

human shield *fn* élő pajzs *[pl. tüntetésen, túszszedéskor]*

humble [ˈhʌmbl] **I.** *mn* **1. a)** alázatos *[kérés, hang]* **b)** *átv biz* **eat** ~ **pie** megalázkodik; visszaszívja szavát; behúzza a farkát **2. a)** szerény, egyszerű, alacsony *[származás]*; **my** ~ **self** csekélységem; **in my** ~ **opinion** szerény véleményem szerint **b)** *növ* ~ **plant** mimóza, érzőke **c)** szerény, gyengébb minőségű, igénytelen **II.** *tsi* megaláz, lealacsonyít, megszégyenít(vkt); ~ **oneself** megalázkodik; lealacsonyodik • *fn* **humbleness** *hsz* **humbly**

humble-bee [ˈhʌmblbiː] *fn áll* dongó, poszméh

humbug [ˈhʌmbʌg] **I.** *fn* **1.** csalás, szélhámosság, szemfényvesztés, humbug **2. a)** csaló, szédelgő, szélhámos **b)** nagyzoló, lódító **3.** *GB* fodormentás cukorka **II.** *i* **-gg- A.** *tsi* becsap, rászed, lóvá tesz(vkt), szédít *[közönséget]* **B.** *tni* szélhámoskodik, szédeleg (*about sg* vm tárgyában) **III.** *isz* **(that's all)** ~! ez (mind csak) szemfényvesztés/csalás/humbug • *fn* **humbuggery**

humdinger [hʌmˈdɪŋə ‖ – ər] *fn US szl [jó/kiváló dolog/ember]* tuti cucc/alak

humdrum [ˈhʌmdrʌm] **I.** *mn* egyhangú, érdektelen, unalmas, monoton **II.** *fn* **1.** szürke/unalmas/színtelen egyéniség **2.** egyhangúság, unalmasság, köznapiság, érdektelenség, sivárság **III.** *tni* **-mm-** halad a megszokott kerékvágásban, egyhangúan morzsolja napjait

humectant [hjʊˈmektənt] **I.** *mn* nedvesítő, áztató **II.** *fn orv* oldószer, (folyékony) vivőanyag

humic [ˈhjuːmɪk ‖ ˈhjuː –] *mn* humuszos, televényes; *vegy* ~ **acid** huminsav

humid [ˈhjuːmɪd ‖ ˈhjuː –] *mn* nedves, nyirkos, párás *[levegő]* • *hsz* **humidly**

humidifier [hjuːˈmɪdɪfaɪə ‖ hjuːˈmɪdɪfaɪər] *fn* **1.** nedvesítőberendezés, párásító **2.** nedvesítőszer

humidify [hjuːˈmɪdɪfaɪ ‖ hjuː –] *tsi* (be)nedvesít, bevizesít, párásít • *fn* **humidification**

humidity [hjuːˈmɪdəti ‖ ˈhjuː –] *fn* nyirkosság, nedvesség, páratartalom; **degree of** ~ nedvességtartalom; *fiz* légpáratartalom, légköri nedvesség; **relative** ~ relatív páratartalom

humidor [ˈhjuːmɪdɔː ‖ ˈhjuːmɪdɔr] *fn* **1.** légnedvesítő **2.** *US* szivarraktár *[ahol kiszáradás ellen védik a dohányt]*

humify [ˈhjuːmɪˌfaɪ] **A.** *tsi* humuszt képez **B.** *tni* humusszá válik/képződik • *fn* **humification**

humiliate [hjuːˈmɪlieɪt ‖ hjuː –] *tsi* **1.** megaláz, megszégyenít, lealacsonyít **2.** ~ **oneself** megalázkodik; lealacsonyítja magát, lealacsonyodik • *fn* **humiliation**, **humiliator** *mn* **humiliating**

humility [hjuːˈmɪləti ‖ hjuːˈmɪləti] *fn* alázatosság, alázat, megadás; **with all** ~ teljes/legnagyobb alázattal

hummingbird [ˈhʌmɪŋbɜːd ‖ – bɜrd] *fn áll* kolibri

hummock [ˈhʌmək] *fn* **1.** halom, domb(ocska), magaslat, földhányás **2.** jégtorlasz • *mn* **humocky**

humongous [hjuːˈmʌŋgəs ‖ hjuː –] *mn szl [óriási, hatalmas]* baromi nagy, bazi nagy

humor [ˈhjuːmə ‖ – ər] *US* → **humour**

humoral [ˈhjuːmərəl ‖ ˈhjuː –] *mn orv régi* testnedvi, testnedvre vonatkozó, humorális

humorist [ˈhjuːmərɪst] *fn* **1.** humorista *[író]*, komikus *[színész]* **2.** mulatságos/humoros/tréfakedvelő személy, tréfacsináló • *mn* **humoristic**

humorous [ˈhjuːmərəs] *mn* humoros, mulatságos, tréfás, vicces, szórakoztató • *fn* **humorousness** *hsz* **humorously**

humour [ˈhjuːmə ‖ ˈhjuːmər] **I.** *fn* **1.** humor, komikum, vicc; **grim** ~ keserű humor, akasztófahumor; **sense of** ~ humorérzék **2.** hangulat, kedély(állapot), kedv; **bad** ~ rosszkedv(űség); lehangoltság; **be out of** ~ rosszkedvű; **be in the** ~ **to do sg** kedve/hangulata van vmhez **3.** *biol* testnedv **II.** *tsi* **1.** ~ **sy** vk kedvét keresi (vknek), kedvében jár (vknek) **2.** alkalmazkodik • *fn* **humourlessness** *mn* **humourless** *hsz* **humourlessly** *utótag* **-humoured**

humous [ˈhjuːməs] *mn* humuszos, televényes

hump [hʌmp] **I.** *fn* **1. a)** púp, kinövés *[testen]*; *biz* **live on one's** ~ megáll a maga lábán; gondoskodik magáról **b)** *biz* teve **2. a)** partvidék kimagasló része **b)** domb, dombocska **3.** *biz* kritikus/nehéz/megerőltető időszak/fázis; **be over the** ~ túl van a nehezén **II.** *tsi* **1.** púpot csinál, görbít; ~ **the back** meggörbíti a hátát; **go** ~**ed** görnyedten jár **2.** *biz* rosszkedvűvé tesz, elkedvetlenít **3.** *szl [közösül]* megdug **4.** *szl [cipel]* cígöl • *mn* **humped**, **humpless**

humpback *fn* **1.** púp(osság), *orv* kyphosis **2.** púpos (személy) • *mn* **humpbacked**

humph [hʌmf] **I.** *isz* hm-hm! *[kétkedve]* **II.** *tni* (kétkedően) hümmög(et)

humpty-dumpty [ˌhʌmpti ˈdʌmpti] *fn* **1.** köpcös emberke **2.** *GB* ‹olyan személy/dolog, ami ha leesik, tönkremegy› *[közismert L. Carrol mesealakról elnevezve]*

humpy[1] [ˈhʌmpi] *mn biz* púpos, (dimbes)-dombos

humpy[2] [ˈhʌmpi] *fn Ausz* kunyhó, kaliba

humus [ˈhjuːməs ‖ ˈhjuː –] *fn mezőg* humusz, televényföld

Hun [hʌn] *fn tsz* **Huns** **1.** *tört* hunok, hun nép **2.** *átv* barbárok, pusztítók • *mn* **Hunnish**

hunch [hʌntʃ] **I.** *tsi* **1.** meggörbít *[hátat]*, meggörnyeszti *[vállát]*, összehúzza magát; **sit** ~**ed up** összekuporodva ül **2.** *US biz* tippeket ad (vknek) **II.** *fn* **1.** púp, kinövés, dudor **2.** nagy karéj/darab *[sajt, kenyér]* **3.** *US biz* gyanú, sejtelem, megérzés; **just a** ~ csak vm előérzet/megérzés

hunchback *fn* **1.** púp **2.** púpos (ember); **H**~ **of Notre Dame** Notre Dame-i toronyőr • *mn* **hunchbacked**

hundred [ˈhʌndrəd] **I.** *mn* száz; ~ **and two** százkettő; **in nineteen** ~ 1900-ban; **(a)** ~ **per cent** száz százalék; *biz* **a** ~ **miles away** jó messzire; **a** ~ **times** százszor (is); nem

tudom hányszor **II.** *fn* **1.** a száz(as szám); **not one in a ~** száz közül egy sem **2.** *GB tört* vármegye • *fn/mn* **hundredth** *mn/hsz* **hundredfold**
hundredweight *fn* ‹súlymérték, *GB* 50,802 kg, *US* 45,359 kg›
hung [hʌŋ] → **hang I.**
Hung. *röv* **1.** *Hungarian* **2.** *Hungary*
Hungarian [hʌŋˈgeərɪən ‖ –ˈger–] **I.** *mn* magyar *[ember, nyelv]*; **the ~ Republic** a Magyar Köztársaság **II.** *fn* magyar *[nyelv, ember]*
Hungaro- [ˈhʌŋgərə] *előtag* magyar-
Hungary [ˈhʌŋgəri] *tul földr* Magyarország
hunger [ˈhʌŋgə ‖ –ər] **I.** *fn* **a)** éhség; **pang of ~** maró éhség; **feel ~** éhes; **die of ~** éhen hal **b)** *átv* éhség, mohó vágyakozás (*for* vmre), epekedés (vmért); **~ for knowledge** tudásszomj **II. A.** *tsi* kiéheztet (vkt) **B.** *tni* **1.** éhezik, koplal **2.** éhséget érez, éhes **3.** *átv* áhítozik, sóvárog (*after/for* vmre/vm után), *átv* éhezik, szomjazik (vmre)
hunger march *fn* éhségtüntetés • *fn* **hunger marcher**
hunger strike *fn* éhségsztrájk
Hunglish [ˈhʌŋglɪʃ] *mn/fn nyelv* ‹az angol nyelv "magyarosított" változata›
hung-over *mn biz* másnapos
hungry [ˈhʌŋgri] *mn* **1.** éhes, éhező; **be/feel ~** éhes; megéhezik; korog/üres a gyomra; **get ~** megéhezik **2.** *átv* éhes, áhító, mohón vágyódó(vmre); **be ~ for knowledge** szomjúhozza a tudást **3.** sovány, terméketlen *[pl. föld]* • *fn* **hungriness** *hsz* **hungrily**
hunk [hʌŋk] *fn* **a)** nagy darab *[sajt, sütemény]*, nagy karéj *[kenyér]* **b)** *Ausz* nagy darab ember **c)** *szl [szexuálisan vonzó férfi]* jó pasi • *mn* **hunky**
hunkers [ˈhʌŋkəz ‖ –ərz] *fn tsz biz* **on one's ~** guggolva, kuporogva
hunky-dory [ˌhʌŋkiˈdɔːri] *mn biz* nagyszerű, pompás, igényeknek megfelelő
hunt [hʌnt] **I. A.** *tsi* **1. a)** üldöz *[vadat]*, űz *[vadat kutyával]* **b)** vadászik *[vadra]* **2. ~ a thief** tolvajt üldöz/kerget **3.** bejár, felkutat, átkutat *[területet, helyet]* **B.** *tni* **1.** kopóval vadászik, hajtóvadászaton/falkavadászaton vesz részt **2.** *infor* (adatot) keres *[számítógép]* **II.** *fn* **1. a)** vadászat, falkavadászat, hajtóvadászat **b)** vadászat résztvevői **c)** vadászterület **2. a)** keresés, kutatás, nyomozás (vm után); **go on a ~ for sg** mindenütt keres vmt; tűvé tesz mindent vm keresése közben **b)** *átv* hajtóvadászat, hajsza *[vk ellen]*
hunt down *tsi* **1.** kifürkész, becserkel *[vadat]*, *átv* fáradhatatlanul nyomoz **2.** *biz* kézre kerít (vkt)
hunt out *tsi* **a)** felhajt *[vadat]* **b)** *átv* felkutat, megszerez, kinyomoz (vmt), kinyomoz *[igazságot]*
huntaway [ˈhʌntəweɪ] *fn Ausz ÚjZ* terelőkutya
hunter [ˈhʌntə ‖ ˈhʌntər] *fn* **1. a)** vadász **b)** *átv biz* (szerencse)vadász, (kincs)kereső, (siker)hajhász **2.** vadászkutya, kopó, agár
hunter's moon *fn* ‹az őszi napéjegyenlőséghez legközelebb eső holdtölte utáni első holdtölte›
hunting [ˈhʌntɪŋ] *fn* **a)** vadászat, (falka)vadászat, hajtás, űzés *[vadé]* **b)** *átv* vadászat *[pl. adatok után]*, keresés, nyomozás
hunting crop *fn* lovaglópálca
hunting ground *fn* **1.** vadászterület **2.** *átv* lelőhely, vadászterület; **the Happy H~s** az örök vadászmezők
hunting horn *fn vad* vadászkürt
huntress [ˈhʌntrɪs] *fn* vadásznő
huntsman [ˈhʌntsmən] *fn tsz* **-men 1.** vadász **2.** vadászlegény *[falka őrzője]*
hurdle [ˈhɜːdl ‖ ˈhɜrdl] **I.** *fn* **1. a)** *mezőg* karám **b)** *sp* gát, akadály *[futóversenyen, lóversenyen]*; *biz* **~s** gát(futás); akadályverseny **c)** *GB régi* ‹ketrecféle, amiben a bűnösöket a vesztőhelyre hurcolták› **2. (fruit-drying) ~** (gyümölcsszárító) kas, rosta **II. A.** *tsi* **1.** léccel körülkerít (vmt); **~ off the ground** elkerít telket **2.** *sp* átugorja a gátat **B.** *tni* **1.** gátfutásban vesz részt **2.** akadályversenyen ugrat
hurdler [ˈhɜːdlə ‖ ˈhɜrdlər] *fn* **1.** karámkészítő **2. a)** *sp* gátfutó **b)** *sp* akadályugró ló
hurdy-gurdy [ˈhɜːdigɜːdi ‖ ˌhɜrdiˈgɜrdi] *fn zene* **a)** *biz* kintorna, verkli **b)** nyenyere, tekerőlant, forgólant
hurl [hɜːl ‖ hɜrl] *tsi* **1. a)** (oda)dob, odalök, odahajít, odataszít (*at* vkre); **~ from the throne** letaszít a trónról; **~ oneself at sy/sg** ráveti magát vkre/vmre; nekiront vknek/vmnek **b)** *átv biz* **~ abuse/invective** átkozódik, sértéseket vág fejéhez **2.** hokizik *[Írországban]* • *fn* **hurling**
hurley [ˈhɜːli ‖ ˈhɜrli] *fn* **a)** hoki(zás) *[Írországban]* **b)** hokiütő
hurly-burly [ˌhɜːliˈbɜːli ‖ ˌhɜrliˈbɜrli] *fn* kavarodás, csődület, felfordulás, zűrzavar
Huron [ˈhjʊərən ‖ ˈhjʊrən] *mn/fn* huron *[indián]*
hurrah [həˈrɑː] **I.** *isz* hurrá!, éljen! **II.** *fn* üdvrivalgás, éljenzés **III. A.** *tsi* (meg)éljenez, éltet (vkt) **B.** *tni* éljenez, hurráz
hurray [həˈreɪ] → **hurrah**
hurricane [ˈhʌrɪkən ‖ ˈhɜrɪkeɪn] *fn* hurrikán, orkán, forgószél, (szél)vihar; *átv* **a ~ of applause** viharos tetszésnyilvánítás; tapsorkán
hurricane-bird *fn áll* fregattmadár
hurricane deck *fn hajó US* sétafedélzet *[folyami gőzösé]*
hurricane lamp *fn* **a)** viharlámpa **b)** petróleumlámpa
hurried [ˈhʌrid ‖ ˈhɜrid] *mn* sietős, gyors, gyorsan/sebtében odavetett, elsietett
hurry [ˈhʌri ‖ ˈhɜri] **I. A.** *tsi* **1.** siettet, sürget; **~ oneself** siet, igyekszik **2. ~ sy to a place** sietve elküld vkt vhova; odatuszkol vkt **B.** *tni* **1.** siet (vmvel), sietve/gyorsan cselekszik; **why ~?** miért oly sietős?; ráérünk arra még **2.** siet(ve megy/jár) **II.** *fn* **1.** sietség, sietés; **there is no ~** nem kell (vele) sietni, nem sürgős; **be in a ~** siet; sürgős dolga van; **in a ~** sietve, sebtében; kutyafuttában **2.** sürgölődés
hurry along A. *tsi* gyorsan/sietve elvisz/elszállít (vkt vhova), magával ragad (vkt) **B.** *tni* elsiet
hurry on A. *tsi* siettet, sietségre késztet (vkt), sürget *[vm elvégzését]* **B.** *tni* gyorsan/sietve folytatja útját (v. továbbmegy), továbbhalad
hurry out A. *tsi* gyorsan/sietve kitessékel/kituszkol (vkt) **B.** *tni* kisiet, kirohan, elrohan (*of* vhonnan)
hurry up *tni* **1.** felsiet, felszalad **2.** meg-gyorsítja lépteit, sietni kezd; *biz* **(now then) ~ up!** csak szaporán!; gyerünk (gyerünk)!; siess!
hurry-scurry [ˈhʌriˈskʌri ‖ ˈhɜriˈskɜri] **I.** *hsz* kapkodva, összevissza **II.** *mn* kapkodó, összevissza **III.** *fn* lázas sietség, kapkodás, összevisszaság
hurst [hɜːst ‖ hɜrst] *fn* **1. a)** homokbucka **b)** homokzátony, homokpad **2. a)** berek, liget **b)** fákkal benőtt/borított halom
hurt [hɜːt ‖ hɜrt] *i pt/pp* **hurt I. A.** *tsi* **1.** megsebez, megsebesít (vkt) **2.** fájdalmat okoz (vknek), megbánt, megsért (vkt); **~ the eye** sérti a szemét; **~ sy's feelings** megbánt/megsért vkt **3.** árt, kárára van, ártalmas (vmre); **~ sy's interests** sérti vk érdekeit **B.** *tni* **1.** *biz* fáj; *biz* **that ~s!** ez fáj! **2.** *biz* **it won't ~ to ...** nem fog ártani (ha) ... **II.** *fn* **1. a)** seb(esülés), sérülés **b)** megsebzés **2.** kár(osodás), ártalom
hurtful [ˈhɜːtfl ‖ ˈhɜrtfl] *mn* **1. a)** fájó, fájdalmat okozó **b)** káros, ártalmas (*to* vmre nézve) **2. ~ to the feelings** sértő, bántó • *fn* **hurtfulness** *hsz* **hurtfully**
hurtle [ˈhɜːtl ‖ ˈhɜrtl] **A.** *tsi* összecsap, összeütközik, nekiront **B.** *tni* **1.** nekilódul, nekivágódik; *régi* **~ into sg** összeütközik vmvel; belerohan/beleütközik vmbe **2.** kopog *[jégeső]*
husband [ˈhʌzbənd] **I.** *fn* férj **II.** *tsi* **1.** gazdálkodik (vhol/vmvel), ellát, gondoz *[gazdaságot]* **2.** jól gazdálkodik *[anyagi erővel]* • *fn* **husbander**, **husbandhood** *mn* **husbandless**, **husbandly**
husbandman [ˈhʌzbəndmən] *fn tsz* **-men** gazdálkodó, gazda, földműves

husbandry ['hʌzbəndri] *fn* **1.** mezőgazdaság, gazdálkodás **2. bad ~** helytelen/rossz gazdálkodás

hush [hʌʃ] **I. A.** *tsi* **1. a)** lecsendesít, elhallgattat, elnémít, csendre int **b)** megnyugtat *[gyermeket]* **2.** a elfojt *[sírást]*, visszatart *[nevetést]* **3. ~ (up)** agyonhallgat, eltussol **B.** *tni* csendben marad, hallgat **II.** *fn* (néma) csend, hallgatás, némaság **III.** *isz* csönd legyen!, psztǃ, csitt!

hushaby ['hʌʃəbaɪ], **hushabye** *isz biz* **~ baby!** tente baba, tente!

hush-hush *mn biz* agyonhallgatott, titkos, szigorúan bizalmas

hush money *fn* hallgatási díj/pénz

hush puppy *fn US gaszt* kukoricapogácsa

husk [hʌsk] **I.** *fn* hüvely *[borsóé, babé]*, héj *[hagymáé, dióé]*, magburok, maghéj **II.** *tsi* héjától megfoszt/megtisztít, hámoz

husky[1] ['hʌski] *mn* **1. ~ voice** nyers/fátyolos (v. érzelemtől fojtott) hang **2.** *US* robusztus, tagbaszakadt **3. a)** csupa hüvely, száraz **b)** *átv* nem fizető/jövedelmező *[pl. birtok]* • *fn* **huskiness** *hsz* **huskily**

husky[2] ['hʌski] *fn áll* eszkimókutya, sarki kutya, szánhúzó kutya

hussar [hʊ'zɑː ‖ hə'zɑr] *fn kat* huszár

Hussite ['hʌsaɪt] *fn vall tört* huszita

hussy ['hʌsi] *fn biz pej* nőcske, ledér nő, némber, ringyó

hustings ['hʌstɪŋz] *fn tsz* **1.** *GB tört* szószék *[ahonnan a képviselőjelölteket megválasztásra ajánlották 1872 előtt]* **2. a)** (képviselő)választás **b)** választási hadjárat/agitáció, kortesút

hustle ['hʌsl] **I. A.** *tsi* lökdös, meglök, taszigál (vkt) *[tolongásban]* **B.** *tni* **1.** lökdösődik, tolakodik **2.** *US* **a)** sürgölődik, serénykedik **b)** gyorsan/energikusan mozog/dolgozik **3.** *US szl [prostituált kuncsaftot vár]* strichel **II.** *fn* **1.** lökdösődés, taszigálás **2.** sietség, sürgés-forgás; *US biz* **get a ~ on** *[meggyorsítja lépteit]* rákapcsol

hustle into *tsi* **~ sy into a decision** (hirtelen) beugrat vkt vm döntésbe/elhatározásba

hustle on *tsi* **~ things on** ráfekszik a munkára

hustle up *tsi* **~ sy up** fellök vkt

hustle-bustle *fn* tolongás, sürgés-forgás, zsivaj *[nagyvárosé]*

hustler ['hʌslə ‖ –ər] *fn* **1.** *US* rámenős, mozgékony/agilis (üzlet)ember **2.** *US szl [prostituált]* kurva

hut [hʌt] **I. a)** *fn* kunyhó, kalyiba, bódé **b)** *kat* (alkalmi szükség)barakk **II. -tt- A.** *tsi kat* barakkban szállásol el **B.** *tni kat* barakkszálláson van, barakkban lakik • *mn* **hut-like**

hutch ['hʌtʃ] *fn* **1.** láda **2. a)** nyúlketrec **b)** *biz* szűk kis odú/lakás

hutments ['hʌtmənts] *fn tsz kat* barakktábor

hutting ['hʌtɪŋ] *fn kat* barakkok építésére szolgáló anyagok

huzzy ['hʌzi] → **hussy**

hyacinth ['haɪəsɪnθ] **I.** *fn* **1.** *ásv* jácint(kő), cirkon **2.** *növ* jácint **3.** ibolyakék (szín) **II.** *mn* ibolyakék (színű) • *mn* **hyacinthine**

hyaena [haɪ'iːnə] → **hyena**

hyaline ['haɪəlɪn] *mn biol* átlátszó, üvegszerű *[anyag, felület]*

hyalite ['haɪəlaɪt] *fn ásv* hialit, üvegopál

hyaloid ['haɪəlɔɪd] **I.** *mn orv* üveg, üvegszerű **II.** *fn orv* **~ (membrane)** hialoidea, üvegtestet borító hártya

hybrid ['haɪbrɪd] **I.** *mn* **1.** hibrid, félvér, keresztezett (fajú), vegyes származású; *tud* **~ corn** hibrid kukorica **2.** *tud* heterogén, különfajú **3. ~ language** keveréknyelv **II.** *fn* **1.** félvér, hibrid **2.** *növ* keresztezett/hibrid alak **3.** keresztezett fajtájú állat, hibrid **4.** *biol* keresztezéssel létrjött utód *[szülőktől eltérő]* • *fn* **hybridism**, **hybridity**

hybridize ['haɪbrɪdaɪz], **-ise A.** *tsi biol* hibridizál, keresztez **B.** *tni biol* kereszteződik, hibrid alakot hoz létre *[szülőktől eltérő]* • *fn* **hybridization** *mn* **hybridizable**

Hyde Park [haɪd] *tul* Hyde-park

hydra ['haɪdrə] *fn* **1. a)** lernai hidra, vízikígyó **b)** ‹nehezen elpusztítható dolog›; *átv* **the ~ of anarchy** az anarchia réme/szörnye(tege) **2. a)** *áll* édesvízi hidra **b)** tömlősbelű, hidra(féle)

hydrangea [haɪ'dreɪndʒə] *fn növ* hortenzia

hydrant ['haɪdrənt] *fn* tűzcsap, hidráns; **fire ~** tűzcsap, vészcsap

hydrate ['haɪdreɪt] **I.** *fn vegy* hidrát; *vegy* **calcium ~, ~ of lime** kalciumhidrát, mészhidrát; oltott mész **II. A.** *tsi* hidr(at)ál, vízzel egyesít **B.** *tni* hidratálódik, vízzel egyesül • *fn* **hydration**, **hydrator** *mn* **hydratable**

hydraulic [haɪ'drɔːlɪk] *mn* **1.** vízi, víz-, víznyomásos, folyadéknyomásos, hidraulikus; **~ brake** hidraulikus fék, folyadékfék; **~ cement** hidraulikus (v. víz alatt kötő) cement; **~ lift** hidraulikus felvonó; **~ press** vízsajtó, hidraulikus sajtó; **~ ram** hidraulikus kos **2.** vízműtani, hidraulikus; **~ engineer** hidraulikus (mérnök); vízépítő mérnök • *fn* **hydraulicity** *hsz* **hydraulically**

hydraulics [haɪ'drɔːlɪks] *fn esz* hidraulika, gyakorlati áramlástan, vízerőtan, vízműtan

hydro ['haɪdroʊ] *fn biz* **1.** → **hydro-hotel 2.** vízerőmű

hydro- ['haɪdroʊ] *előtag* hidro-, vízi

hydrobomb [ˌhaɪdroʊ'bɒm ‖ –'bɑm] *fn kat* (vízi)torpedó

hydrobromic acid [ˌhaɪdrəbrɒmɪk 'æsɪd ‖ –broʊmɪk–] *fn vegy* hidrogén-bromid

hydrocarbon [ˌhaɪdroʊ'kɑːbən ‖ –'kɑr–] *fn vegy* szénhidrogén

hydrocele ['haɪdroʊsiːl] *fn orv* vízsérv, hidrokelé

hydrocephalus [ˌhaɪdroʊ'sefələs] *fn orv* vízfej(űség) • *mn* **hydrocephalic**

hydrochloric [ˌhaɪdroʊ'klɒrɪk ‖ –'klɔr–] *mn vegy* sósavas; **~ acid** sósav

hydrochloride [ˌhaɪdroʊ'klɔːraɪd] *fn vegy* hidroklorid

hydrocortisone [ˌhaɪdroʊ'kɔːtɪsoʊn ‖ –'kɔr–] *fn biol* hidrokortizon

hydrodynamics [ˌhaɪdroʊdaɪ'næmɪks] *fn esz* hidrodinamika, áramlástan • *fn* **hydrodynamicist** *mn* **hydrodynamic(al)**

hydroelectric [ˌhaɪdroʊɪ'lektrɪk] *mn* hidroelektromos; **~ power plant** vízerőmű • *fn* **hydroelectricity**

hydrofoil ['haɪdroʊfɔɪl] *fn* szárnyashajó

hydrogel ['haɪdrədʒel] *fn vegy* hidrogél

hydrogen ['haɪdrədʒən] *fn vegy* hidrogén; **heavy ~** nehézhidrogén, deutérium • *mn* **hydrogenation**

hydrogen bomb *fn* hidrogénbomba

hydrogen bond *fn vegy* hidrogénkötés

hydrogeology [ˌhaɪdrədʒi'ɒlədʒi ‖ –'ɑlə–] *fn* hidrogeológia • *fn* **hydrogeologist** *mn* **hydrogeological**

hydrography [haɪ'drɒgrəfi ‖ –'drɑ–] *fn* hidrográfia, vízrajz • *fn* **hydrographer** *mn* **hydrographic(al)**

hydro-hotel *fn* **a)** gyógyfürdővel összekötött szálloda, gyógyszálló **b)** gyógyfürdő

hydroid ['haɪdrɔɪd] **I.** *mn áll* hidroid, hidroszerű, hidrás, hidra-, polip **II.** *fn áll* hidroidea

hydrology [haɪ'drɒlədʒi ‖ –'drɑ–] *fn* víztan, hidrológia

hydromechanics [ˌhaɪdroʊmɪ'kænɪks] *fn esz* hidromechanika

hydropathy [haɪ'drɒpəθi ‖ –'drɑ–] *fn orv* vízgyógyászat, vízkúra • *fn* **hydropathist** *mn* **hydropathic**

hydrophilous [haɪ'drɒfɪləs ‖ –'drɑ–] *mn tud* hidrofil, vízfelszívó, nedvességtartó

hydrophobia [ˌhaɪdroʊ'foʊbɪə] *fn* **1.** *orv* víziszony, hidrofóbia **2.** tengeriszony, víziszony

hydrophobic [ˌhaɪdroʊ'foʊbɪk] *mn* **a)** *orv* víztől irtózó/iszonyodó, víziszonyban szenvedő **b)** *vegy* hidrofób

hydroplane ['haɪdrəpleɪn] **I.** *fn* **1.** *rep* hidroplán, vízirepülőgép **2.** *sp* → **speedboat 3. ~s (of a submarine)** merülési kormány *[tengeralattjáróé]* **II.** *tni* vízirepülőgépen/hidroplánon közlekedik

hydrostatics [ˌhaɪdroʊ'stætɪks] *fn esz* hidrosztatika

hydrotherapy [ˌhaɪdroʊ'θerəpi] *fn orv* vízgyógyászat, vízkúra, hidroterápia • *fn* **hydrotherapist**

hydrothermal [ˌhaɪdrou'θɜːml ‖ –θɜrml] *mn geol* hidrotermális, hidrotermikus • *hsz* **hydrothermally**
hydrous ['haɪdrəs] *mn* víztartalmú, vizenyős, hidratált
hydroxide [haɪ'drɒksaɪd ‖ –'drɑk–] *fn vegy* hidroxid; **aluminium ~** alumíniumhidroxid, timföldhidrát
hyena [haɪ'iːnə] *fn áll* hiéna; **laughing ~** nevető hiéna; **painted ~** hiénakutya; **spotted ~** foltos hiéna
hygiene ['haɪdʒiːn] *fn* **1.** egészségtan, higiénia **2.** egészségügy; **industrial ~** ipari egészségügy; **oral ~** szájápolás; **personal ~** testápolás; **public ~** közegészségügy; **food ~** élelmiszer-higiénia
hygienic [haɪ'dʒiːnɪk ‖ –dʒi'enɪk] *mn* egészségügyi követelményeknek megfelelő, egészséges, higiénikus • *hsz* **hygienically**
hygienics [haɪ'dʒiːnɪks ‖ –dʒi'enɪks] → **hygiene** 1.
hygienist [haɪ'dʒiːnɪst] *fn* közegészségügyi szakértő
hying ['haɪɪŋ] → **hie**
hymen ['haɪmən] *fn orv* szűzhártya • *mn* **hymenal**
hymeneal [ˌhaɪmə'niːəl] *mn vál* házassági, házassággal kapcsolatos
hymenoptera [ˌhaɪmə'nɒptərə ‖ –'nɑp–] *fn tsz áll* hártyásszárnyúak • *mn* **hymenopterous**
hymn [hɪm] **I. a)** *fn vall* zsolozsma, egyházi ének, hálaadó ének; **Book of H~s** énekeskönyv **b)** himnusz, *régi* isteneket/hősöket dicsőítő ének, himnusz **II. A.** *tsi* **1.** hálaadó éneket énekel (Isten dicsőségére), énekszóval dicsőíti *[az Urat]* **2.** *biz* **~ the praise of sy** ódákat/dicshimnuszokat zeng vkről **B.** *tni vál* dicséreteket/himnuszokat zeng • *mn* **hymnic**
hymnal ['hɪmnəl] **I.** *mn vall* himnikus **II.** *fn vall* himnuszgyűjtemény, egyházi énekeskönyv
hymnary ['hɪmnəri] → **hymnal** II.
hype[1] [haɪp] **I.** *fn szl* **1.** túlzó népszerűsítés, agresszív reklám **2.** *[csalás]* átverés **II.** *tsi* **1.** *[agresszíven reklámoz]* nyom **2.** *[csal vmben]* átver vkt
hype[2] [haɪp] *fn szl* **1.** *[kábítószeres]* narkós **2.** ‹bőr alá, a hipodermába adott injekció, főleg kábítószer›
hyped up [ˌhaɪpt 'ʌp] *mn szl [kábítószer hatása alatt van]* belőtt, elszállt
hyper- ['haɪpə ‖ –ər] *előtag* hiper-, túl-, túlzott
hyper ['haɪpə ‖ –ər] *mn biz* túlzottan aktív, hiperaktív
hyperactive [ˌhaɪpər'æk'tɪv] *mn* hiperaktív • *fn* **hyperactivity**
hyperaemia [ˌhaɪpə'riːmɪə] *fn orv* vérbőség, vértolulás, bővérűség, hiperémia
hyperaesthesia [ˌhaɪpəriːs'θiːzɪə ‖ –es'θiːʒə] *fn orv* túlérzékenység • *mn* **hyperaesthetic**
hyperbola [haɪ'pɜːbələ ‖ –'pɜr–] *fn mat* hiperbola
hyperbole [haɪ'pɜːbəli ‖ –'pɜr–] *fn nyelv* túlzás, nagyítás, túlzó kijelentés • *fn* **hyperbolism**
hyperbolic(al) [ˌhaɪpə'bɒlɪk(l) ‖ –pər'bɑ–] *mn* **1.** *mat* hiperbolikus; **~ curve** hiperbola **2.** *nyelv* túlzó, hiperbolikus • *hsz* **hyperbolically**
hypercritical [ˌhaɪpə'krɪtɪkl ‖ –pər–] *mn* túl szigorúan bíráló, a kritikát végletekbe vivő *[olvasó, bíráló]*, kákán csomót kereső, hiperkritikus
hypercriticism [ˌhaɪpə'krɪtɪsɪzm ‖ –pər–] *fn* túl szigorú bírálat/kritika, akadékoskodás, hiperkritika
hyperemia [ˌhaɪpə'riːmɪə] *US* → **hyperaemia**
hyperesthesia [ˌhaɪpəriːs'θiːzɪə ‖ –es'θiːʒə] *US* → **hyperaesthesia**
hyperfocal [ˌhaɪpə'foukl ‖ –pər–] *mn fényk* fókuszon túli; **~ distance** fókuszon túli (v. végtelen) távolság
hyperkinetic [ˌhaɪpəkɪ'netɪk ‖ –pər–] *fn orv* túl mozgékony, hiperkinetikus *[gyermek]* • *fn* **hyperkinesis**
hyperlink ['haɪpəlɪŋk ‖ –pər–] *fn infor* élőkapocs, (hiper)hivatkozás
hypermarket ['haɪpəmɑːkɪt ‖ –pərmɑr–] *fn GB* bevásárlóközpont, hipermarket
hypermedium [ˌhaɪpə'miːdɪəm ‖ –pər–] *fn infor* hipermédia
hyperphysical [ˌhaɪpə'fɪzɪkl ‖ –pər–] *mn* természetfeletti, metafizikai • *hsz* **hyperphysically**
hypersensitive [ˌhaɪpə'sensɪtɪv ‖ –pər–] *mn orv fényk* túlérzékeny • *fn* **hypersensitiveness, hypersensitivity**
hypersonic [ˌhaɪpə'sɒnɪk ‖ –pər'sɑnɪk] *mn* ‹a hangsebességnél ötszörösen gyorsabb(an repülő)› hiperszonikus • *hsz* **hypersonically**
hyperspace ['haɪpəspeɪs ‖ –pər–] *fn mat* nagydimenziós/többdimenziós tér, hipertér
hypertension [ˌhaɪpə'tenʃn ‖ –pər–] *fn* **1.** *orv* magas vérnyomás (okozta testi állapot), fokozott nyomás, hipertónia, hipertenzió **2.** túlfeszített állapot • *mn* **hypertensive**
hypertext ['haɪpətekst ‖ –pər–] *fn infor* hipertext, hiperszöveg *[weben]*
Hypertext Markup Language → **HTML**
Hypertext Transfer Protocol → **HTTP**
hypertonia [ˌhaɪpə'tounɪə ‖ –pər–] *fn* **1.** *orv* magas vérnyomás, hipertónia **2.** *orv* izomtúlfeszítettség • *fn* **hypertonicity, hypertonic**
hypertrophy [haɪ'pɜːtrəfi ‖ –'pɜr–] *fn orv* túlnövekedés, túltengés, beteges megnagyobbodás, hipertrófia • *mn* **hypertrophic**
hyperventilation [ˌhɑipəˌventɪ'leɪʃn ‖ –pər–] *fn* hiperventilláció *[túlzottan gyors légzésből eredő szén-dioxid hiány]* • *tni* **hyperventilate**
hyphen ['haɪfn] **I.** *fn* kötőjel, választójel **II.** *tsi* kötőjelet tesz *[szavak közé]*, kötőjellel összeköt/ír, kötőjelez *[szavakat]* • *fn* **hyphenation**
hyphenate ['haɪfəneɪt] → **hyphen** II.
hypno- ['hɪpnou–] *előtag* alvás-, álom-
hypnoanalysis [ˌhɪpnouə'næləsɪs] *fn pszich* hipnoanalízis
hypnoid ['hɪpnɔɪd] *mn pszich* hipnotikus, hipnoid
hypnosis [hɪp'nousɪs] *fn* hipnózis, delejes álom
hypnotherapy [ˌhɪpnou'θerəpi] *fn pszich* hipnoterápia, hipnózisos kezelés • *fn* **hynotherapist**
hypnotic [hɪp'nɒtɪk ‖ –'nɑtɪk] **I.** *mn* delejes, hipnotikus **II.** *fn* **1.** hipnotizált (v. hipnózis hatása alatt álló) ember **2.** altató(szer) • *hsz* **hypnotically**
hypnotize ['hɪpnətaɪz], **-ise** *tsi* hipnotizál • *mn* **hypnotizable**
hypo ['haɪpou] *fn* **1.** *vegy fényk* nátrium-tios szulfát, fixírsó **2.** *biz* hipochondria **3.** *biz* **a)** injekciós fecskendő **b)** szubkután injekció
hypo-allergenic *mn* hipoallergén
hypochondria [ˌhaɪpou'kɒndrɪə ‖ –'kɑn–] *fn* **1.** beteges lehangoltság/depresszió **2.** *orv* hipochondria, képzelt betegség
hypochondriac [ˌhaɪpou'kɒndriæk ‖ –'kɑn–] **I.** *mn* hipochondriás **II.** *fn* hipochonder, képzelt beteg • *mn* **hypochondriacal**
hypocrisy [hɪ'pɒkrəsi ‖ –'pɑ–] *fn* szenteskedés, álszenteskedés, képmutatás, hipokrízis
hypocrite ['hɪpəkrɪt] *fn* képmutató, álszent, szenteskedő, hipokrita • *mn* **hypocritical** *hsz* **hypocritically**
hypodermic [ˌhaɪpou'dɜːmɪk ‖ –'dɜr–] *orv* **I.** *mn* **a)** bőr alatti (v. alá adott), szubkután; **~ injection** bőr alá adott (v. szubkután) injekció **b) ~ needle** injekciós tű; **~ syringe** injekciós fecskendő **II.** *fn* **1.** bőr alá adott (v. szubkután) injekció **2.** injekciós fecskendő/tű • *hsz* **hypodermically**
hypomania *fn orv* enyhe fokú mánia • *mn* **hypomanic**
hyponym ['haɪpounɪm] *fn nyelv* alnév • *fn* **hyponymy**
hypophysis [haɪ'pɒfəsɪs ‖ –'pɑ–] *fn orv* **~ (cerebri)** agyalapi mirigy, agyfüggelék, hipofízis • *mn* **hypophyseal**
hypostasis [haɪ'pɒstəsɪs ‖ –'pɑ–] *fn tsz* **1.** *fil* hiposztázis, szubsztancia, (hordozó) alap **2. a)** *vall* alap, anyag, való(ság), önálló állag, szubsztancia **b)** *vall* személyiség, Krisztus istenemberi személyisége **3.** *orv* **a)** hiposztázis, süllyedékes vérbőség **b)** leülepedés *[pl. vizeletben]*
hypostasize [haɪ'pɒstətaɪz ‖ –'pɑ–], **-ise** *tsi* tárgyi/anyagi formához köt (vmt), valóságos létet tulajdonít *[elvont fogalomnak]*, hiposztazál

hypostatic(al) [ˌhaɪpəˈstætɪk(l)] *mn* **1.** *vall* egyetlen személyt alkotó, hypostasis **2.** *orv* hypostasis
hypostyle [ˈhaɪpoustaɪl] *mn épít* oszlopos; **~ hall** oszlopterem
hypotaxis [ˌhaɪpouˈtæksɪs] *fn nyelv* alárendelés • *mn* **hypotactic**
hypotension [ˌhaɪpouˈtenʃn] *fn orv* alacsony vérnyomás, vérnyomáscsökkenés, hipotenzió • *mn* **hypotensive**
hypotenuse [haɪˈpɒtənjuːz ‖ –ˈpɑtnuːz] *fn mat* átfogó
hypothalamus [ˌhaɪpouˈθæləməs] *fn orv* hipotalamusz • *mn* **hypothalamic**
hypothec [haɪˈpɒθɪk ‖ –ˈpɑ–] *fn régi jog* jelzálog, zálogjog • *mn* **hypothecary**
hypothecate [haɪˈpɒθɪkeɪt ‖ –ˈpɑ–] *tsi jog* jelzáloggal megterhel, zálogba tesz, elzálogosít • *fn* **hypothecation**
hypothermia [ˌhaɪpouˈθɜːmɪə ‖ –ˈθɜr–] *fn orv* a rendesnél alacsonyabb testhőmérséklet, hypothermia
hypothesis [haɪˈpɒθəsɪs ‖ –ˈpɑ–] *fn tsz* **hypotheses** [–siːz] feltevés, vélelem, hipotézis
hypothesize [haɪˈpɒθəsaɪz ‖ –ˈpɑ–], **-ise A.** *tsi* feltételez, feltesz, vélelmez **B.** *tni* hipotéziseket állít fel • *fn* **hypothesist**, **hypothesizer**
hypothetic(al) [ˌhaɪpəˈθetɪk(l)] *mn* **1.** felt(ételez)ett, vélelmezett, hipotetikus **2.** *nyelv* kikövetkeztetett • *hsz* **hypothetically**
hypotonia [ˌhaɪpouˈtounɪə] *fn orv* hipotónia, alacsony vérnyomás, tónuscsökkenés *[izomzatban]*
hypoventilation [ˌˌhaɪpouˌventɪˈleɪʃn] *fn* hipoventilláció *[túlzottan lassú légzésből eredő szén-dioxid többlet]* • *tsi* **hypoventilate**
hypoxia [haɪˈpɒksɪə ‖ –ˈpɑk–] *mn orv* oxigénhiány *[szöveté, sejté]* • *mn* **hypoxid**
hyson [ˈhaɪsn] *fn gazd* zöld (kínai) tea
hyssop [ˈhɪsəp] *fn növ* izsóp
hysterectomy [ˌhɪstəˈrektəmi] *fn orv* méheltávolítás, méhkiirtás • *tsi* **hysterectomize, -ise**
hysteria [hɪˈstɪərɪə ‖ –ˈsterɪə, –ˈstɪrɪə] *fn* **1.** *orv* hisztéria **2.** *biz* beteges/túlfűtött izgatottság
hysteric [hɪˈsterɪk] **I.** → **hysterical II.** *fn* hisztériás/hisztérikus személy, hisztérika
hysterical [hɪˈsterɪkl] *mn* **1.** *orv* hisztériás **2.** túlfeszített idegzetű, betegesen izgatott, hisztérikus; **~ laugh** ideges/hisztérikus nevetés; *biz* **become ~** elveszti az önuralmát; elkezd hisztizni **3.** *biz* nagyon mulatságos, óriási • *hsz* **hysterically**
Hz *röv hertz*

H

I

I[1], **i** [aɪ] *fn tsz* **I's** *röv* **1.** I, i (betű); **I for India** I mint Ilona; *biz* **dot one's i's and cross one's t's** (túl) részletesen ad elő vmt; aprólékoskodó, (túl) akkurátus, (túl) pedáns **2.** egy *[mint római szám]*

I[2], **i** *röv* **1.** *US Idaho* **2.** Imperator, Imperatrix, *emperor* **3.** *Island(s)* szigetek; szk. **4.** *Isle(s)*

IA, Ia, Ia. *röv US Iowa*

IAEA *röv International Atomic Energy Agency* Nemzetközi Atomenergia Ügynökség

-ial [–ɪəl] *utótag* ‹melléknévképző› -i; **editorial** szerkesztői; **presidential** elnöki

iamb [ˈaɪæm] *fn ir.tud* jambus *[versláb]*

iambic [aɪˈæmbɪk] *ir.tud* **I.** *mn* jambikus, jambusos **II.** *fn* **1.** szatirikus/jambikus/jambusi költemény/vers, jambus **2.** jambus *[versláb]*

iambus [aɪˈæmbəs] *fn tsz* **~es**, **iambi** [–baɪ] jambus *[versláb]*

-ian [–ɪən] → **-an**

Ian [ˈiːən] *tul skót* ‹férfinév›

Iberian [aɪˈbɪərɪən ‖ –ˈbɪr–] **I.** *mn* ibériai; **~ Peninsula** Ibériai-félsziget **II.** *fn* ibériai

ibex [ˈaɪbeks] *fn tsz* **~es**, **ibices** [ˈaɪbɪsiːz] *áll* kőszáli kecske, vadkecske

ibid. [ˈɪbɪd] *röv* ibidem; *in the same place* ugyanott, uo.

ibidem [ˈɪbɪdem] *hsz* ugyanott *[könyvben, fejezetben]*

-ible [–ɪbl, –əbl] *utótag* ‹melléknévképző› -as/-es/-os/-ös, -ható/-hető; **possible** lehetséges; **reversible** megfordítható; → **-able**

IBRD *röv International Bank for Reconstruction and Development* Nemzetközi Újjáépítési és Fejlesztési Bank

-ic [ɪk] *utótag* **I.** ‹melléknévképző› -i/-ikus, -os/-es/-ös; **heroic** hősies; **specific** sajátságos **II.** ‹főnévképző›; -kus, -ista; **alcoholic** alkoholista; **classic** klasszikus

IC *röv infor integrated circuit* integrált áramkör

-ical [–ɪkl] *utótag* ‹melléknévképző›; -ikus, -os/-es; **classical** klasszikus; **economical** gazdaságos

ICBM *röv intercontinental ballistic missile*

ice [aɪs] **I.** *fn* **1.** jég; **get on to thin ~** síkos talajra lép, kockázatos dologba fog; *US* **skate on thin ~** veszélyes/kényes helyzetben van, veszélyes területen mozog; *átv* **break the ~** megtöri a jeget; **cut no ~** nem számít/fontos, nincs súlya; *szl* **put sg on ~** behűt/bejegel vmt; *átv* félretesz, későbbre tartalékol; **put sy on ~** bekasztliz (v. hidegre tesz) vkt **2. a)** fagylalt **b)** cukormáz, fondant *[süteményen]* **3.** *táj* **the I~ Saints** a fagyosszentek **4.** *szl* gyémánt **5.** *szl* ‹methamphetamine nevű kábítószer kristályos formája› **6.** *szl* ‹gengsztereknek fizetett védelmi pénz› **II.** *tsi* **1. be ~d over/up** befagy **2.** (be)jegel *[italt]* **3.** cukormázzal bevon *[süteményt]* **4.** *szl [megöl]* hidegre tesz

ice-age *fn* jégkorszak

ice-axe *fn* jégcsákány, gleccserbot

ice-bag *fn* jégtömlő

iceberg [ˈaɪsbɜːg ‖ ˈaɪsbɜrg] *fn* **1.** jéghegy; **tip of the ~** a jéghegy csúcsa **2.** *átv [hideg/rideg/érzéketlen ember]* (valóságos) jégcsap

iceberg lettuce *fn [keménylevelű]* fejes saláta; jégsaláta

ice-blindness *fn* hóvakság

ice-boat *fn* **1.** jégvitorlás **2.** jégtörő hajó

ice-bound *mn* befagyott *[hajó, kikötő]*

ice-box *fn* **1.** *régi* jégszekrény **2.** *US* hűtőszekrény, jégláda

ice-break *fn* (jég)rianás

ice-breaker *fn hajó* jégtörő (hajó)

ice bucket *fn* jeges/pezsgős vödör

ice-cap *fn* **1.** hósapka *[hegyen]* **2.** jégfedő, jégtakaró, glaciális takaró *[szárazföldön]*

ice-cave *fn* jégbarlang

ice-chamber *fn* **1.** (hűtőházi) jégkamra **2.** jégtartály *[jégszekrényben]*

icechest *fn US* jégláda

ice-cold *mn* jéghideg, jeges *[szél, ital]*

ice-compress *fn* jeges borogatás

ice-cream *fn* fagylalt

ice-cream cone *fn* fagylalttölcsér

ice cube *fn* jégkocka

iced [aɪst] *mn* **1.** jegelt, hűtött *[ital]* **2.** cukormázzal bevont *[sütemény]*

ice dancing *fn sp* jégtánc

ice-drome *fn* fedett műjégpálya v. stadion

ice-field *fn* jégmező

ice-floe *fn* úszó jégtábla

ice-flow *fn* jégár, gleccser

ice-free *mn* jégmentes

ice-hockey *fn sp* jégkorong, jéghoki

ice-house *fn* jégverem

ice-jam *fn* jégtorlasz, jégtorlódás

Iceland [ˈaɪslənd] *tul földr* Izland

Icelander [ˈaɪsləndə ‖ –ər] *fn* izlandi *[ember]*

Icelandic [aɪsˈlændɪk] **I.** *mn* izlandi **II.** *fn* izlandi (nyelv)

ice lolly *fn GB* jégkrém (nyalóka)

ice-machine *fn* fagylaltgép, fagyasztógép

iceman *fn tsz* **-men** **1.** alpinista, gleccsermászó **2.** jegesember, jégkereskedő **3.** fagylaltos, fagylaltárus

ice-parlor *fn US* fagylaltozó(hely)

ice-pick *fn* jégcsákány

ice-pit *fn* jégverem

ice point *fn* fagyáspont

ice-quake *fn* (jég)rianás

ice-rink *fn* korcsolyapálya, (mű)jégpálya

ice-room *fn* hűtőkamra

ice-sheet *fn földr* (nagy) jégár, jégtakaró

ice-show *fn* jégrevü

ice-skate *fn* korcsolya *[jégpályán]* • *fn* **ice-skater**

ice storm *fn meteo* ónos eső, jégvihar, jégeső

ice surfing *fn* jéglovaglás, jégszörfözés • *fn* **ice-surfer**

ice-tray *fn* jégkockatál *[hűtőszekrénybe]*

ice-water *fn* jégbe hűtött víz, hideg ivóvíz

ice-yacht *fn* jégvitorlás

icicle [ˈaɪsɪkl] *fn* jégcsap

icing [ˈaɪsɪŋ] *fn* **1. a)** fagyasztás **b)** behűtés, bejegelés **c)** jegesedés, jégképződés *[repülőgépen stb.]* **2. a)** cukormáz (bevonat), glazúr, cukoröntet **b)** cukormázzal való bevonás

ICJ *röv International Court of Justice* Nemzetközi Bíróság *[ENSZ, Hágai Nemzetközi Bíróság]*

icky [ˈɪki] *mn* **1.** *biz* émelyítő **2.** *szl* vacak, tré

icon [ˈaɪkɒn ‖ –kɑn] *fn* **1.** *vall* ikon, szentkép **2.** *infor* ‹kisméretű grafikus kijelző› ikon **3.** *átv* ideál, bálvány, az imádat tárgya

iconize [ˈaɪkənaɪz], **-ise** *tsi* istenít, bálványoz

iconoclasm [aɪˈkɒnəklæzm ‖ –ˈkɑ–] *fn* **1.** képrombolás **2.** *átv* tekintélyrombolás

iconoclast [aɪˈkɒnəklæst ‖ –ˈkɑ–] *fn* **1.** képromboló **2.** *átv* tekintélyromboló • *mn* **iconoclastic**

iconography [ˌaɪkəˈnɒgrəfi ‖ –ˈnɑ–] *fn műv* ikonográfia

iconology [ˌaɪkəˈnɒlədʒi ‖ –ˈnɑ–] *fn műv* ikonológia *[régi képek/szobrok magyarázata]*, képszimbolika

ICR *röv infor intelligent character recognition* intelligens karakterfelismerés

ICU *röv orv intensive care unit*

icy [ˈaɪsi] *mn* **1.** jeges, jéggel borított **2. a)** jeges, jéghideg, fagyos **b)** *átv* fagyos, rideg, barátságtalan **3.** *szl [jó, remek]* haláli, csúcs
id [ɪd] *fn pszich* id
ID [ˌaɪ] *röv* **1.** *identification* **2.** ‹személyazonosságot igazoló dokumentum›
id. *röv* idem; *the same* ugyanaz, ua.
I'd [aɪd] *röv* **1.** *I had*; → **have** I. **2.** *I would*→ **will**[1] III. **3.** *I should*→ **shall**
Ida [ˈaɪdə] *tul* ‹női név›
Ida. *röv US Idaho*
Idaho [ˈaɪdəhoʊ] *tul US földr* Idaho (állam)
ID card *fn* személyi igazolvány/lap
idea [aɪˈdɪə] *fn* **1.** eszme, gondolat, ötlet; *biz* **the ~!** no de/ még ilyet!, ki hallott már ilyet!; hallatlan!; *biz* **what an ~** micsoda ötlet!; *US iron* **the big/great ~** nagy(szerű) terv/ elgondolás; **the ~ is this** a dolog így áll, az elképzelésem a következő; **what's the big ~!?** mi jut eszedbe?, mit jelentsen ez?, mit vettél már megint a fejedbe?; **that's an/ the ~!** ez az!, erről van szó!; **man of ~s** ötletekben gazdag ember, ötletes ember; **get ~s into one's head** fejébe vesz (bolond) dolgokat, mindenfélét beképzel magának; nagyot képzel magáról, beképzelt lesz; **I don't quite get the ~** nem egészen értem, nem elég világos előttem; **he got the ~ that** azt képzelte/hitte, hogy, az ötlött fel benne, hogy; **don't get any ideas!** eszedbe ne jusson! **2.** fogalom, (bizonytalan) elgondolás, (halvány) elképzelés; **have an ~ that** (valahogy) úgy képzeli/látja/sejti, hogy, az a gyanúja, hogy; **I haven't the faintest ~** halvány sejtelmem/fogalmam sincs; **that is not my ~ of pleasure** én nem így képzelem el a mulatságot; nekem más elgondolásom van a szórakozásról **3.** fogalom, kép(zet), ismeret; **general ~** átfogó kép **4.** terv, szándék; **do sg with the ~ of...** vmlyen szándékkal tesz vmt • *mn* **idealess**
ideal [aɪˈdɪəl] **I.** *mn* **1.** eszményi, tökéletes, ideális **2.** képzelt, képzeletbeli, elméleti **II.** *fn* **1.** eszmény, ideál **2.** eszménykép, példakép • *hsz* **ideally** *mn* **idealistic**
idealism [aɪˈdɪəlɪzm] *fn* idealizmus • *fn* **idealist**
idealize [aɪˈdɪəlaɪz], **-ise** *tsi* eszményít, idealizál
idem [ˈɪdem, ˈaɪdem] **I.** *hsz* ugyanott, ugyanúgy, dettó **II.** *fn* ugyanaz
identical [aɪˈdentɪkl] *mn* **1.** azonos, identikus, ugyanaz (mint) **2.** egyforma, (teljesen) megegyező, ugyanolyan (mint); *biol* **~ twins** egypetéjű ikrek
identification [aɪˌdentɪfɪˈkeɪʃn] *fn* **1.** személyazonosság megállapítása **2.** azonosítás, meghatározás
identification card *fn* személyi igazolvány/lap
identification parade *fn* gyanúsítottak felsorakoztatása felismerés céljából
identify [aɪˈdentɪfaɪ] *tsi* **1.** felismer (vkt/vmt), ráismer (vkre), személyazonosságot megállapít (vkét/vmét) **2.** azonosít, azonosnak/egynek tekint (*with* vkvel/vmvel) **3. ~ oneself with sg** azonosítja magát vmvel; azonosságot/ szolidaritást vállal vmvel • *mn* **identifiable**
identikit [aɪˈdentɪkɪt] *fn* **1.** ‹mozaikképet alkotó rendőrségi készülék› **2. ~ (picture)** mozaikkép *[pl. körözött személyről]*
identity [aɪˈdentəti] *fn* **1. a)** azonosság, önazonosság, öntudat, identitás **b)** egyformaság, teljes megegyezőség **2.** személyazonosság; **prove one's ~** személyazonosságát igazolja **3.** *Ausz* **old ~** különc, különös alak/figura
identity card *fn* személy(azonosság)i igazolvány/lap
identity disc *fn kat* azonossági jegy; *biz* dögcédula
ideogram [ˈɪdɪəgræm] *fn* képírásjel, ideogramma
ideograph [ˈɪdɪəgrɑːf ‖ –græf] *fn* képírásjel, ideogramma, fogalomírás • *mn* **ideographic(al)**
ideology [ˌaɪdiˈɒlədʒi ‖ –ˈɑlə–] *fn* **1.** világnézet, világszemlélet, (jellemző) gondolkodásmód, ideológia **2. a)** *fil* eszmetan **b)** *fil* fogalomrendszer • *mn* **ideological** *fn* **ideologist**, **ideologue**
idiocy [ˈɪdɪəsi] *fn* **1.** gyengeelméjűség, idiotizmus *[személyé]* **2.** *biz* hülyeség, ostobaság, butaság
idiom [ˈɪdɪəm] *fn* **1.** (speciális/idiomatikus) kifejezés, idióma **2. a)** népnyelv, idióma **b)** tájszólás, nyelvjárás **3.** kifejezésmód, nyelvsajátság **4.** *műv* stílus, (jellemző) kifejezésmód, nyelvezet, formanyelv
idiomatic [ˌɪdɪəˈmætɪk], **idiomatical** *mn* **1.** idiomatikus **2. a)** nyelvjárási, tájnyelvi **b)** köznyelvi **3. a)** nyelvre/ nyelvjárásra jellemző **b)** *nyelv* **~ phrase/turn** szólás, szólásmód, idiomatizmus; **speak idiomatic English** zamatos/tőrőlmetszett angolsággal beszél • *hsz* **idiomatically**
idiosyncrasy [ˌɪdɪəˈsɪŋkrəsi] *fn* **1. a)** egyéni/sajátos vérmérséklet/gondolkodásmód, egyéni lelki/szellemi beállítottság **b)** *biz* bogár, hóbort **2.** egyéni/sajátos kifejezésmód **3.** *orv* idioszinkrázia, kóros érzékenység
idiosyncratic [ˌɪdɪəsɪŋˈkrætɪk] *mn* egyéni, sajátos
idiot [ˈɪdɪət] *fn* **1.** *orv* gyengeelméjű, idióta; **village ~** a falu bolondja **2.** *biz* hülye, ostoba, félkegyelmű, tökkelütött, féleszű • *fn* **idiotism** *mn* **idiotic**
idiot box *fn US tréf szl* ‹televíziókészülék›
idle [ˈaɪdl] **I.** *mn* **1. a)** munkanélküli, tétlen, dologtalan **b)** lusta, rest **2.** szünetelő, nem dolgozó/működő *[üzem]*, holt *[tér, játék]*, üres *[járat]* **3.** hiábavaló, haszontalan, meddő **II. A.** *tsi* **~ one's time away** lopja a napot **B.** *tni* **1. a)** lustálkodik, henyél **b)** tétlenül/céltalanul ődöng/ ténfereg **2.** *gk* üresen jár *[gép]* • *fn* **idleness** *hsz* **idly**
idler [ˈaɪdlə ‖ –ər] *fn* **a)** tétlen/dologtalan ember **b)** naplopó, semmittevő
idol [ˈaɪdl] *fn* **1.** *vall* bálvány(kép); hamis isten **2.** *átv* bálvány *[emberről]*, ideál
idolatry [aɪˈdɒlətri ‖ –ˈdɑ–] *fn* **1.** bálványimádás **2.** *átv* bálványozás, imádat, (körül)rajongás • *fn* **idolater** *mn* **idolatrous**
idolize [ˈaɪdl·aɪz], **-ise** *tsi* bálványoz, bálványozásig szeret, imád, körülrajong • *fn* **idolization**
idyll [ˈɪdl ‖ ˈaɪdl] *fn* **1.** *ir.tud* pásztorköltemény, idill **2.** *átv* idill • *mn* **idyllic**
IE *röv Indo-European*
i.e. *röv that is* azaz, úgymint, úm., annyi mint, a.m.
if [ɪf] **I.** *ksz* **1.** ha, feltéve hogy; **~ I were you...** (én) a te helyedben..., ha neked lennék...; **he is fifty ~ anything** (megvan) legalább ötven éves; **~ not** mert/vagy különben, mert ellenkező esetben; **~ I had only known** bárcsak tudtam volna; **as ~** mintha (csak) **2.** hogy (vajon)...-e; **do you know ~ Jack is at home?** nem tudja, otthon van-e J.? **3.** bár, ha... is; **pleasant weather ~ rather cold** kellemes idő, bár elég hűvös **II.** *fn* ha; **it is a very big ~** ez még nagyon is bizonytalan
iffy [ˈɪfi] *mn biz* bizonytalan, feltételes
IFOR *röv kat Implementation Force* (katonai) végrehajtó erő
-ify [–ɪfaɪ] *utótag* ‹igeképző›; -ít, -ul; **clarify** megtisztít, kitisztul
igloo [ˈɪgluː] *fn* (eszkimó) jégkunyhó, iglu
Ignatius [ɪgˈneɪʃəs] *tul* Ignác
igneous [ˈɪgnɪəs] *mn* tüzes, izzó
ignite [ɪgˈnaɪt] **A.** *tsi* (meg)gyújt, lángra lobbant **B.** *tni* meggyullad, belobban, lángra lobban • *mn* **ignitable**
ignition [ɪgˈnɪʃn] *fn* **1. a)** (meg)gyulladás, begyulladás **b)** *gk* robbanás, terjeszkedés(i ütem) *[hengerben]* **2.** *gk műsz* (be)gyújtás
ignition key *fn* indítókulcs, slusszkulcs
ignoble [ɪgˈnoʊbl] *mn* **1.** alantas/alacsony/közönséges (v. nem nemesi) származású **2.** nemtelen, aláváló, becstelen, hitvány
ignominious [ˌɪgnəˈmɪnɪəs] *mn* **1.** meggyalázó, megalázó, megszégyenítő, szégyenletes, gyalázatos **2.** *régi* aljas, aláváló
ignominy [ˈɪgnəmɪni] *fn* **1.** szégyen, gyalázat **2.** becstelenség, aljasság
ignoramus [ˌɪgnəˈreɪməs] *fn* tudatlan *[iskolázatlan/műveletlen ember]*

ignorance [ˈɪgnərəns] *fn* **1.** tudatlanság; ~ **is bliss** boldog tudatlanság, boldogok az együgyűek **2.** nem ismerés (*of* vmé); ~ **of the law excuses no man** a törvény nem tudása nem mentség; **keep sy in ~ of sg** nem világosít fel vkt vmről

ignorant [ˈɪgnərənt] *mn* **1. a)** tudatlan, műveletlen; **an ~ question** tudatlanságra valló kérdés **b)** tudatlan, akaratlan **2. be ~ of sg** nem tud vmről, nincs tudomása vmről, járatlan vmben

ignore [ɪgˈnɔː ‖ ɪgˈnɔr] *tsi* **1.** (szándékosan) figyelmen kívül hagy, semmibe sem vesz, nem vesz tudomást (vmről) **2.** *jog* elvet, elutasít *[esküdtszék a vádat]*

iguana [ɪˈgwɑːnə] *fn áll* leguán, iguana gyík

IHS *röv Iesus Hominum Salvator* ‹Jézus görög neve rövidítésének egy latinos értelmezése›

ikebana [ˌiːkeɪˈbɑːnə] *fn japán* ikebana *[virágok elrendezésének, kötésének művészete]*

ikon [ˈaɪkɒn ‖ ˈaɪkɑn] → **icon**

IL *röv US Illinois*

ileum [ˈɪlɪəm] *fn tsz* **ilea** [ˈɪlɪə] *orv* csípőbél, ileum

ileus [ˈɪlɪəs] *fn orv* bélelzáródás, ileus

ilex [ˈaɪleks] *fn* **1.** *növ* örökzöld tölgy **2.** *növ* téli magyal(fa), krisztustövis

Iliad [ˈɪlɪəd] *fn* Iliász; *biz* **an ~ of woes** egy sor kellemetlenség; a bajok sorozata

ilium [ˈɪlɪəm] *fn tsz* **ilia** [ˈɪlɪə] **1.** *orv* csípő(tányér) **2.** *orv* lágyék

ilk [ɪlk] *mn skót* **of that ~** ugyanazon nevű, azonos nevű helyről való; *biz* hasonszőrű, ugyanabból a családból/fajtából való

ill [ɪl] **I.** *mn kfok* **worse** [wɜːs ‖ wɜrs], *ffok* **worst** [wɜːst ‖ wɜrst] **1. a)** rossz *[hír, modor]*; **run of ~ luck** pechsorozat, sorozatos balszerencse; **do sy an ~ turn** rossz szolgálatot (v. rosszat) tesz vknek **b)** gonosz *[tett, nyelv]*; **~ deed** rossz cselekedet; **~ nature** rossz/gonosz természet; **~ temper** rossz/nehéz/összeférhetetlen természet; rossz kedv/hangulat **c)** rossz, rosszul megválasztott, nem szerencsés *[pillanat]* **2.** beteg; **be/feel ~** beteg; rosszul érzi magát; **fall/get ~, be taken ~** megbetegedik **II.** *hsz kfok* **worse**, *ffok* **worst 1.** rosszul, kedvezőtlenül, szerencsétlenül; **take sg ~** rossz néven vesz vmt **2.** nem jól/megfelelően/kielégítően; **be ~ provided with sg** szűkölködik vmben; nincs jól ellátva vmvel; **it ~ becomes you to...** nem illik hozzád, hogy...; rosszul áll neked, hogy... **3. be ~ at ease** zavarban van; kínosan/kellemetlenül/kényelmetlenül érzi magát; feszeng **III.** *fn* **1.** rossz; **do ~** rosszat/gonoszat cselekszik; **think ~ of sy** rosszat gondol vkről; **speak ~ of sy** rossz hírét költi vknek; rosszat beszél vkről **2. a)** hátrány, kár **b)** *tsz* **-s** baj, csapás, szerencsétlenség, vész

I'll [aɪl] *röv* **1.** *I shall*→ **shall 2.** *I will*→ **will**[1] III.

Ill. *röv US Illinois*

ill-advised *mn* meggondolatlan, nem bölcs/tanácsos/célszerű/szerencsés

ill-affected *mn* nem jóindulatú, barátságtalan, elégedetlen

ill-assorted *mn* össze nem illő, rosszul összeválogatott/összeállított

illation [ɪˈleɪʃn] *fn* következtetés, levezetés

illative [ɪˈleɪtɪv] *mn* **1.** *nyelv* illativus *[eset, a magyarban –ba, –be esetrag jelöli]* **2.** *fil* levezető, deduktív *[okoskodás]*

ill-balanced *mn* rosszul felépített *[beszéd stb.]*, kiegyensúlyozatlan *[lélek]*; **have an ~ mind** kiegyensúlyozatlan természetű/lelkű/gondolkodású

ill-begotten *mn* balsorsú, szerencsétlen csillagzat alatt született

ill-behaved *mn* rossz viseletű/modorú, neveletlen, modortalan

ill-boding *mn* vészjósló, baljóslatú

ill-bred *mn* neveletlen(ül viselkedő), bárdolatlan, faragatlan

ill-breeding *fn* neveletlenség, udvariatlanság, bárdolatlanság, faragatlanság

ill-concealed *mn* alig/rosszul leplezett

ill-considered *mn* meggondolatlan, megfontolatlan, nem átgondolt/megfontolt

ill-defined *mn* tévesen/rosszul meghatározott

ill-disposed *mn* **1.** rosszindulatú, rosszakaratú **2. be ~ to do sg** nincs semmi kedve/hangulata vmre/vmhez; nem érez hajlandóságot vmre

ill-doer *fn* gonosztevő, semmirekellő; *közm* **~s are ill-deemers** ki mint él, úgy ítél

illegal [ˌɪˈliːgl] *mn* törvénytelen, jogtalan, illegális; *infor* **~ usage** jogosulatlan/jogtalan felhasználás • *fn* **illegality**

illegalize [ɪˈliːgəlaɪz], **–ise** *tsi* törvénytelennek nyilvánít, törvényen kívül helyez

illegible [ɪˈledʒəbl] *mn* olvashatatlan • *fn* **illegibility**

illegitimate I. *mn* [ɪləˈdʒɪtəmət] **1.** törvénytelen, házasságon kívül született **2.** jogosulatlan, alaptalan *[következtetés]* **3.** jogtalan, törvénytelen **4.** rendellenes, szabálytalan **5.** *sp biz* **~ racing** akadályverseny **II.** *fn* [ɪləˈdʒɪtəmət] házasságon kívül született (v. törvénytelen) gyermek **III.** *tsi* [–meɪt] törvénytelennek nyilvánít

ill-equipped *mn* rosszul felszerelt, hiányos

ill-famed *mn* rossz hírű, hírhedt

ill-fated *mn* szerencsétlen, balsorsú, végzetes

ill-favoured, *US* **–favored** *mn* **1.** szerencsétlen/rossz külsejű, csúnya **2.** kellemetlen, bántó

ill-feeling *fn* **1.** harag, neheztelés, rossz érzés; **no ~!** (csak) semmi harag!, ne vedd rossz néven! **2.** barátságtalan/ellenséges érzület

ill-fitted *mn* alkalmatlan (vmre)

ill-formed *mn nyelv* rosszul formált

ill-founded *mn* alaptalan, téves, hamis *[hír]*

ill-gotten *mn* nem egyenes úton szerzett, ebül szerzett *[pénz, vagyon]*

ill-groomed *mn* ápolatlan, rendetlen *[ember, ló stb.]*

ill-health *fn* rossz/gyenge egészség(i állapot), betegeskedés

ill-humour *fn* harapós kedv/hangulat, rosszkedv, rossz hangulat • *mn* **ill-humoured**

illiberal [ɪˈlɪbərəl] *mn* **1.** szűk látókörű, korlátolt, nem szabadelvű, antiliberális **2.** közönséges, műveletlen **3.** szűkmarkú, kicsinyes, fukar **4.** szabad emberhez nem méltó, szolgai • *fn* **illiberality**

illicit [ɪˈlɪsɪt] *mn* tiltott, meg nem engedett, jogellenes, jogtalan, törvénybe ütköző

illimitable [ɪˈlɪmɪtəbl] *mn* határtalan, korlátlan, korlátok/határok közé nem zárható/szorítható, nem korlátozható

ill-informed *mn* **1.** rosszul értesült/tájékozott **2.** tudatlan

Illinois [ˌɪləˈnɔɪ] *tul földr US* Illinois (állam)

Illinoisan [ˌɪləˈnɔɪən] *mn/fn* Illinois állambeli, illinoisi

ill-intentioned rosszindulatú, rossz szándékú

illiquid [ɪˈlɪkwɪd] *mn pénz* lekötött, nem likvid *[tőke]*, nem mobilizálható *[követelés]*

illiterate [ɪˈlɪtərət] **I.** *mn* **1.** *okt* írástudatlan, írni-olvasni nem tudó, analfabéta **2.** műveletlen, tanulatlan **II.** *fn* **1.** írástudatlan/analfabéta (ember) **2.** műveletlen/tanulatlan ember • *fn* **illiteracy**

ill-judged *mn* nem okos/bölcs, józan ésszel ellenkező, belátás hiányára valló *[cselekedet]*

ill-mannered *mn* modortalan, rossz modorú, neveletlen, faragatlan

ill-matched *mn* össze nem illő, rosszul összeállított/összetársított

ill-natured *mn* barátságtalan, nyersen rideg, rossz természetű, harapós modorú, összeférhetetlen, komisz

illness [ˈɪlnəs] *fn* **1.** betegség **2.** rosszaság, kellemetlenség (vmé), kedvezőtlenség

ill-nourished *mn* rosszul táplált

illogical [ɪˈlɒdʒɪkl ‖ ɪˈlɑ–] *mn* nem következetes, logikátlan, illogikus, ésszerűtlen • *fn* **illogicality**

ill-omened *mn* baljós(latú), vészjósló

ill-qualified *mn* alkalmatlan, nem megfelelő/alkalmas/rátermett

ill-spoken *mn* csúnya beszédű, mocskos szájú

ill-starred *mn* rossz csillagzat alatt született, szerencsétlen, balsorsú, balvégzetű
ill-tempered *mn* **1.** rossz/nehéz/összeférhetetlen természetű **2.** rosszkedvű, rossz hangulatú, harapós kedvű/hangulatú, morcos, morózus, ingerült **3.** harapós, rúgós, szeszélyes, kiszámíthatatlan *[állat]*
ill-timed *mn* rosszkor alkalmazott/tett *[megjegyzés]*, nem időszerű, rosszul időzített
ill-treat *tsi* rosszul/kegyetlenül/durván bánik (vkvel)
ill-treatment *fn* rossz/kegyetlen/durva/embertelen bánásmód, bántalmazás, helytelen kezelés
illude [ɪˈluːd] *tsi* félrevezet, becsap, elvakít
illume [ɪˈluːm] *tsi vál* megvilágít, fényt vet (vmre)
illuminant [ɪˈluːmɪnənt] **I.** *mn* (meg)világító **II.** *fn* világító anyag, fényforrás
illuminate [ɪˈluːmɪneɪt] *tsi* **1. a)** megvilágít, fénybe borít, fénnyel áraszt el *[termet]* **b)** kivilágít *[épületet]* **2.** megvilágosít, felvilágosít *[eszmeileg]*, fényt gyújt *[elmében]* **3.** megvilágít, tisztáz, megmagyaráz, helyes megvilágításba helyez *[kérdést]*, világosságot/fényt vet, világosságot derít (vmre) **4.** *műv* kifest, kiszínez, színes iniciálékkal/kezdőbetűkkel díszít/ellát *[kódexet]*, képekkel díszít *[szöveget]* • *fn* **illuminator** *mn* **illuminating**, **illuminative**
illumination [ɪˌluːmɪˈneɪʃn] *fn* **1. a)** (meg)világítás; **artificial ~** mesterséges világítás **b)** kivilágítás *[épületé]* **2.** *műv* iniciálé **3.** felvilágosultság, felvilágosodás **4.** *vall* megvilágosodás *[keleti vallásokban]*
illumine [ɪˈluːmɪn] → **illuminate**
illuminism [ɪˈluːmɪnɪzm] *fn vall* illuminizmus, megvilágosodottság tana
ill-usage → **ill-treatment**
ill-use *tsi* **a)** rosszul bánik (vkvel) **b)** igazságtalanul/csúnyán viselkedik (vkvel szemben)
illusion [ɪˈluːʒn] *fn* **a)** (érzék)csalódás, tévedés, káprázat; **optical ~** optikai csalódás **b)** képzelgés, ábránd(kép), áltatás, illúzió; **be under an ~** téveszmében él/leledzik; illúzióban ringatja magát; **cherish an ~** áltatja/ámítja magát; hiú reményt táplál
illusionist [ɪˈluːʒənɪst] *fn* **1.** bűvész, illuzionista **2.** ábrándkergető, ábrándokban élő
illusive [ɪˈluːsɪv] *mn* csalóka, csalékony, áltató, ámító, megtévesztő, félrevezető, hiú (vm)
illusory [ɪˈluːsəri] → **illusive**
illustrate [ˈɪləstreɪt] *tsi* **1.** (példával), rajzzal szemléltet, megvilágít, megmagyaráz **2.** képekkel/rajzokkal díszít/ellát, illusztrál; **~d paper** képes újság
illustration [ˌɪləˈstreɪʃn] *fn* **1.** (példával/rajzzal való) megvilágítás, megmagyarázás, szemléltetés; **by way of ~** magyarázatképpen, példaképpen, illusztrációképpen; példának okáért **2. a)** illusztráció, kép, rajz, ábra *[könyvben, lapban]* **b)** illusztrálás, képekkel/rajzokkal való díszítés/ellátás *[könyvé]*
illustrative [ˈɪləstrətɪv ‖ ɪˈlʌstrətɪv] *mn* megvilágító, magyarázó, szemléltető, illusztráló, példa-; **~ of sg** jellemző vmre
illustrator [ˈɪləstreɪtə ‖ –ər] *fn* illusztrátor, rajzoló
illustrious [ɪˈlʌstrɪəs] *mn* nagynevű, nagyhírű, hír(nev)es, nev(ezet)es, jeles, kiváló, kitűnő, előkelő, illusztris; **most ~** főmagasságú *[cím]*
ill-will *fn* rosszakarat, rosszindulat, rossz szándék; **bear sy ~** rosszindulattal viseltetik vkvel szemben; neheztel vkre
ill-wisher *fn* rosszakaró
ILP *röv GB Independent Labour Party*
im- [ɪm–] *előtag* ‹tagadás›; **impossible** lehetetlen
'im [ɪm] *szl him*
I'm [aɪm] *röv I am*→ **be**[1]
image [ˈɪmɪdʒ] **I.** *fn* **1.** (faragott) kép, szobor, bálvány **2.** *távk* kép; **~ carrier** képfelvivő; *fiz* **~ processing** képtisztítás, képátalakítás *[számítógéppel]*; **~ ratio** képméret; **~ tube** televíziós képfelvevőcső **3.** kép(más), hasonmás; **the child is the spitting/living ~ of his father** a gyerek tökéletes mása az apjának, kiköpött apja ez a gyerek **4.** kép(zet), elképzelés **5.** *infor* **a) ~ processing** képfeldolgozás **b) ~ scanning** képbeolvasás **c) ~ toolbar** képi eszközsor/eszköztár **6.** *ir.tud* kép, hasonlat, metafora **II.** *tsi* **1.** lefest, ábrázol, képet fest (vkről), vmről **2.** visszatükröz **3. ~ sg to oneself** elképzel/elgondol magában vmt **4.** szimbolizál, megtestesít • *mn* **imageable**
image-maker *fn* ‹közéleti szereplők, termékek stb. arculatának alakításával foglalkozó személy› arculatteremtő
imagery [ˈɪmɪdʒəri] *fn* **1.** képek, képanyag, ábrázolás(ok), ábrázolat(ok), szobrok **2.** (jel)képes/képletes beszéd, szónoki figura/fogás, szókép *[irodalmi műben]*, hasonlat(ok)
image-worship *fn* képimádás, bálványimádás
imaginable [ɪˈmædʒnˑəbl] *mn* elképzelhető, elgondolható
imaginal [ɪˈmædʒɪnl] *mn* **1.** elképzelhető **2.** képszerű **3.** képzeletbeli
imaginary [ɪˈmædʒɪnəri ‖ –neri] **I.** *mn* (el)képzelt, képzeletbeli, képzeletben élő, képzelet alkotta/szülte, kitalált, kiagyalt; *mat* **~ number** képzetes/imaginárius szám **II.** *fn mat* képzetes/imaginárius szám
imagination [ɪˌmædʒɪˈneɪʃn] *fn* **1.** képzelet, képzelőtehetség, képzelőerő, fantázia **2.** képzelődés, kitalálás, elképzelés; *biz* **it's a figment of your ~!** ez csak/puszta képzelődés!
imaginative [ɪˈmædʒɪnətɪv] *mn* **1.** nagy képzelőtehetségű, színes/élénk képzeletű, gazdag/bő/dús fantáziájú, ötletes **2.** képzelő *[erő stb.]*
imagine [ɪˈmædʒɪn] *tsi* **1.** elképzel (vmt), fogalmat/képet alkot magának (vmről); **as may (well) be ~d** ahogy gondolható is, ahogy könnyen elképzelhető; **~ meeting you here!** ki hitte volna, hogy itt találkozunk!; **just ~** képzelje csak **2.** képzel, vél, gondol, hisz **3.** (be)képzel, kitalál, bebeszél magának, fejébe vesz
imaginings [ɪˈmædʒɪnɪŋz] *fn tsz* képzelődés
imagism [ˈɪmɪdʒɪzm] *fn GB ir.tud* ‹XX. század elejei angol/amerikai költői irányzat, mely pontos képekben igyekezett kifejezni magát›; imagizmus • *fn* **imagist**
imago [ɪˈmeɪgoʊ] *fn tsz* **~s, imagines** [ɪˈmeɪdʒɪniːz] **1.** *áll* rovar kialakult formája, imágó **2.** *pszich* imágó
imam [ɪˈmɑːm] *fn vall* imám
imbalance [ɪmˈbæləns] *fn orv pszich* egyensúlyhiány, kiegyensúlyozatlanság, stabilitáshiány
imbecile [ˈɪmbəsiːl ‖ –sl] *mn/fn* gyengeelméjű, hülye, félkegyelmű, tökkelütött, bárgyú • *fn* **imbecility** *mn* **imbecilic**
imbed [ɪmˈbed] → **embed**
imbibe [ɪmˈbaɪb] *tsi* **1.** magába szív, felszív, teleszívja magát (vmvel) **2.** iszik *[italt]*, beszív, belélegez *[levegőt]* • *fn* **imbibition**
imbricated [ˈɪmbrɪkeɪtɪd] *mn* pikkelyszerűen/tetőcserépszerűen egymásra boruló, zsindelyszerűen rétegzett • *fn* **imbrication**
imbroglio [ɪmˈbroʊlioʊ] *fn* **1. a)** zavar, bonyodalom, félreértés **b)** keveredés, belekeveredés *[vmbe]* **2.** rendezetlen tömeg
imbrue [ɪmˈbruː] *tsi vál* **~ (sg) in/with blood** vérrel áztat/bemocskol, vérbe áztat/márt *[kezet, kardot]*
imbue [ɪmˈbjuː] *tsi* **1.** átáztat, beáztat, átitat, telít (vmt vmvel) **2.** sötét színűre fest **3. ~ with hatred** gyűlölettel tölt el; **~ sy with an idea** vknek lelkét egy eszmével eltölti, vkt egy eszme rabjává tesz; **~d with prejudices** előítéletekkel teli
IMF *röv International Monetary Fund* Nemzetközi Valutaalap
IMHO *röv infor in my humble opinion* szerény véleményem szerint
imitate [ˈɪmɪteɪt] *tsi* **1.** utánoz, példát követ, imitál **2.** (le)utánoz, majmol, (le)másol **3. ~ its surroundings** hozzáhasonul a környezetéhez *[rovar]* **4.** *nyomd* utánzatot készít, jogtalanul sokszorosít, hamisít • *mn* **imitable**

I

imitation [ˌɪmɪˈteɪʃn] *fn* **1. a)** utánzás, követés; **defy ~** utánozhatatlan, nem utánozható, **in ~ of sy/sg** vkt/vmt utánozva; vknek/vmnek a példájára **b)** *zene* imitáció **2.** utánzat, hamisítvány; **beware of ~s** óvakodjunk/őrizkedjünk az utánzatoktól//hamisítványoktól **3. a)** pótanyag, műanyag, szurrogátum **b)** *jelzői haszn* mesterséges, hamis, mű-; **~ diamonds** strassz; **~ leather** műbőr

imitative [ˈɪmɪtətɪv ‖ –teɪtɪv] *mn* **1. a)** utánzó **b)** utánzásra hajlamos **c)** hangutánzó *[szó]* **2.** utánzott • *fn* **imitativeness** *hsz* **imitatively**

imitator [ˈɪmɪteɪtə ‖ –ər] *fn* **1. a)** utánzó **b)** *gazd* hamisító **c)** *vál* stílusutánzó, stílusmásoló **2.** majmoló, majom

immaculate [ɪˈmækjʊlət] *mn* **1.** szeplőt(e)len, makulátlan, mocsoktalan, tiszta, hibátlan; *vall* **the I~ Conception** a szeplőtelen fogantatás **2.** *biz* kifogástalan, hibátlan, tökéletes *[ruha]* • *fn* **immaculacy** *hsz*

immanent [ˈɪmənənt] *mn fil* immanens, benne rejlő; **~ contradiction** belső/benső ellentmondás • *fn* **immanence**, **immanency**

immanifest [ɪˈmænɪfest] *mn* nem nyilvánvaló

Immanuel [ɪˈmænjʊəl] *tul* Emánuel

immaterial [ˌɪməˈtɪərɪəl ‖ –ˈtɪr–] *mn* **1.** testetlen, anyagtalan **2. a)** lényegtelen, jelentéktelen, mellékes **b) ~ to the subject** a tárgyhoz nem tartozó • *tsi* **immaterialize** *fn* **immateriality**

immaterialism [ˌɪməˈtɪərɪəlɪzm ‖ –ˈtɪr–] *fn fil* immaterializmus

immatriculate [ˌɪməˈtrɪkjʊleɪt] **A.** *tsi* beiktat, beír **B.** *tni* beiratkozik, matrikulál

immature [ˌɪməˈtʃʊə ‖ –ˈtʊr] *mn* **1. a)** éretlen **b)** kiforratlan, kezdetleges, tökéletlen **2.** korai, elhamarkodott, idő előtti • *fn* **immaturity**

immeasurable [ɪˈmeʒərəbl] *mn* mérhetetlen, óriási, végtelen, fel nem mérhető

immediate [ɪˈmiːdɪət] *mn* **1.** közvetlen; **the ~ future** a közvetlen jövő, a közeljövő; **my ~ object** közvetlen/első célom; **in the ~ vicinity** a (közvetlen) szomszédságban/közelben **2.** azonnali, rögtöni, késedelem/haladék nélküli **3. a)** sürgető, sürgős *[szükséglet]* **b)** fenyegető, közeli, közvetlen *[veszély]* • *fn* **immediacy**, **immediateness**

immediately [ɪˈmiːdɪətli] **I.** *hsz* **1.** közvetlenül **2.** azonnal, rögtön, sürgősen, késedelem/haladék nélkül; **~ after** rögtön utána **II.** *ksz* amint, mihelyt

immedicable [ɪˈmedɪkəbl] *mn orv* (gyógy)kezelhetetlen, kezelésre nem reagáló, gyógyíthatatlan

immemorial [ˌɪmɪˈmɔːrɪəl] *mn* ősrégi, ősi, időtlen; **from time(s) ~** ősidők/emberemlékezet óta, időtlen idők óta

immense [ɪˈmens] *mn* **1.** óriási, mérhetetlen, roppant (nagy), sok, hatalmas, tömérdek, rengeteg **2.** *biz* bámulatos, nagyszerű, remek • *fn* **immensity**

immensurable [ɪˈmenʃərəbl] *mn* felmérhetetlen, megmérhetetlen, végtelen • *fn* **immensurability**

immerse [ɪˈmɜːs ‖ ɪˈmɜrs] **A.** *tsi* **1.** be(le)merít, be(le)márt *[folyadékba]*; **be ~d in debt** fülig el van adósodva **2.** megkeresztel *[vízbemártás által]* **B.** *tni* belemélyed, elmerül; **~ oneself in sg** belemélyed/belemerül vmbe

immersion [ɪˈmɜːʃn ‖ ɪˈmɜrʒn] *fn* **1. a)** be(le)merítés, be(le)mártás, víz alá merítés **b)** (meg)keresztelés *[vízbemártás által]* **2.** elmerülés, belemerülés, elmélyedés; **total ~ program** intenzív nyelvkurzus **3.** *csill* égitest belépése egy másik égitest árnyékába

immersion heater *fn vill* merülőforraló

immigrant [ˈɪmɪgrənt] *mn/fn* bevándorló

immigrate [ˈɪmɪgreɪt] **A.** *tsi* bevándoroltat, betelepít *[külföldieket]* **B.** *tni* bevándorol

immigration [ˌɪmɪˈgreɪʃn] *fn* **1.** bevándorlás **2.** bevándoroltak száma *[adott időszakban]*

immigration officer *fn* bevándorlási hatóság tisztviselője

imminent [ˈɪmɪnənt] *mn* bekövetkező, fenyegető, közelgő, közeli, küszöbön álló; **be ~** minden percben bekövetkezhet, küszöbön áll, közeleg, fenyeget • *fn* **imminence**

immitigable [ɪˈmɪtɪgəbl] *mn* **1.** kérlelhetetlen, engesztelhetetlen, meg nem békíthető **2.** nem enyhíthető/tompítható/mérsékelhető *[fájdalom, banat]*

immixture [ɪˈmɪkstʃə ‖ –ər] *fn* **1.** összekeverés *[két anyagé]* **2.** belekeveredés

immobile [ɪˈmoʊbaɪl ‖ –bl] *mn* **1.** rögzített, megmozdíthatatlan, (el)mozdíthatatlan **2.** mozdulatlan; *kat* **~ target** álló cél(tábla) • *fn* **immobility**

immobilize [ɪˈmoʊbɪlaɪz], **-ise** *tsi* **1. a)** rögzít, megerősít, megmozdíthatatlanná tesz; *orv* **~ a fracture** törést rögzít **b)** megbénít, mozdulatlanságra kárhoztat; **the patient was ~d for 3 months** a beteg 3 hónapig mozgásképtelen volt **2.** leköt *[ellenséget, tőkét stb.]*; *pénz* **~ capital** tőkét immobilizál/befektet • *fn* **immobilization**

immobilizer [ɪˈmoʊbɪlaɪzə ‖ –ər] *fn gk* indításgátló

immoderate [ɪˈmɒdərət ‖ ɪˈmɑ–] *mn* mértéktelen, túlzott, túlságos, szertelen, szélsőséges, féktelen, zabolátlan • *fn* **immoderation**

immodest [ɪˈmɒdɪst ‖ ɪˈmɑ–] *mn* **1. a)** elbizakodott, szemtelen, arcátlan, pimasz **b)** szerénytelen **2.** szemérmetlen, sikamlós *[szó]* • *fn* **immodesty**

immolate [ˈɪməleɪt] *tsi* **1.** feláldoz, leöl, levág *[áldozati állatot]* **2.** *átv* feláldoz, áldozatul hoz (vmt) • *fn* **immolation**

immoral [ɪˈmɒrəl ‖ ɪˈmɔ–] *mn* **1.** erkölcstelen, züllött, kicsapongó, buja, immorális **2.** *jog* **~ offence** szemérem elleni vétség • *fn* **immorality**

immortal [ɪˈmɔːtl ‖ ɪˈmɔrtl] **I.** *mn* **1. a)** halhatatlan, örökkévaló, isteni *[lény]* **b)** halhatatlan *[író]*, örökéletű *[alkotás]*, feledhetetlen *[emlék]*; **~ bard** halhatatlan költő; **~ flowers** szalmavirág, immortella **2.** *biz* el nem múló, szűnni nem akaró, nagyon hosszú *[időben]* **II.** *fn* halhatatlan (lény); **the ~s** (i) a halhatatlan istenek *[ókori mitológia]* (ii) a halhatatlanok *[a Francia Akadémia tagjai]* • *tsi* **immortalize** *fn* **immortality**

immovable [ɪˈmuːvəbl] **I.** *mn* **1. a)** megmozdíthatatlan, rögzített, szilárd, helyhez kötött, *ip* beszerelt; *vall* **~ feast** állandó ünnep **b)** mozdulatlan **2.** megváltozhatatlan, megindíthatatlan, megingathatatlan, szilárd, állhatatos, rendíthetetlen **3.** érzéketlen, szenv(edély)telen, közömbös, érzéstelen *[arckifejezés]* **4.** *jog* ingatlan; **~ estate** ingatlan (birtok) **II.** *fn jog* ingatlan (vagyon) • *hsz* **immovably**

immune [ɪˈmjuːn] **I.** *mn* **1.** védett, ment(es) **2.** *orv* immunis, nem fogékony *[betegséggel szemben]*; **~ from contagion** fertőzéssel szemben immunis, fertőzéstől védett; **~ against/from/to poison** méreggel szemben immunis/immunizált/védett **3.** *orv* **a) ~ deficiency disease** immunhiányos betegség **b) ~ response** immunválasz **II.** *fn* immunis (v. nem fogékony) személy

immune-body *fn orv* immuntest, antitest, ellentest

immune system *fn biol* immunrendszer

immunity [ɪˈmjuːnəti] *fn* **1. a)** mentesség, védettség, sértetlenség **b)** mentesítés **c)** mentelmi jog, immunitás **2. acquired ~** szerzett immunitás; **diplomatic/consular ~** diplomáciai/konzuli mentesség

immunize [ˈɪmjʊnaɪz], **-ise** *tsi orv* immunizál, védetté tesz *[betegséggel szemben]* • *fn* **immunization**

immuno- [ˌɪmjʊnoʊ–] *előtag biol orv* immuno-; **immunogen** immunogén

immunology [ˌɪmjʊˈnɒlədʒi ‖ –ˈnɑ–] *fn orv* immunológia • *fn* **immunologist**

immunoreaction [ˌɪmjʊnoʊrɪˈækʃn] *fn orv* immunreakció

immunotherapy [ˌɪˌmjuːnoʊˈθerəpi] *fn orv* immunterápia, szérumterápia

immure [ɪˈmjʊə ‖ ɪˈmjʊr] *tsi* **1.** bezár, elzár, bebörtönöz **2.** bekerít, elkerít, elfalaz, fallal bekerít

immutable [ɪˈmjuːtəbl] *mn* (meg)változhatatlan, állandó

imp [ɪmp] **I.** *fn* **1.** kis ördög, ördögöcske, manó, kobold **2.** *biz* huncut/pajzán/pajkos gyerek, kópé, lurkó; **little ~** kis gazember; *tréf* **~ of Satan** ördögfióka **II.** *tsi* **1.** *régi* megerősít, kiegészít **2.** gyötör

impact I. *fn* [ˈɪmpækt] **1.** lökés, (neki)ütődés, (össze)ütközés, rázkódás, *kat* becsapódás *[lövedéké]*; **point of ~** becsapódási pont **2.** hatás, kihatás, behatás, befolyás **II.** [ɪmˈpækt] **A.** *tsi* **1.** befog, be(le)erősít, be(le)illeszt, beékel **2.** zsúfol **B.** *tni* **~ with/against sg** beleütközik vmbe, nekiütközik/nekiütődik vmnek

impair [ɪmˈpeə ‖ –ˈper] *tsi* elront, (meg)rongál, (meg)gyengít, (meg)károsít, csorbít (vmt), kárára van (vmnek), kárt okoz (vmnek); **~ed health** megrendült egészség(i állapot); **~ed hearing** csökkent hallás/hallóképesség • *fn* **impairment**

impala [ɪmˈpɑːlə] *fn áll* impala

impale [ɪmˈpeɪl] *tsi* **1.** karóba húz, felnyársal; *biz* **~ sy with one's eye** felnyársal vkt a szemeivel **2. a)** karókkal bekerít/körülkerít *[területet]* **b)** szorult helyzetbe hoz, sarokba szorít • *fn* **impalement**

impalpable [ɪmˈpælpəbl] *mn* **1.** (ki)tapinthatatlan **2.** *biz* felfoghatatlan, nehezen felfogható, megfoghatatlan, érthetetlen

impardonable [ɪmˈpɑːdənəbl ‖ –ˈpɑr–] *mn* megbocsáthatatlan

impart [ɪmˈpɑːt ‖ –ˈpɑrt] *tsi* **1.** ad *[bátorságot]*, átad, átvisz *[mozgást]* juttat, részesít *[vkt vmben]*; **~ one's skill** átadja a tudását **2.** közöl, tudat, tudomására hoz (vknek vmt), előad, mond **3.** részesít *[kegyben]*

impartial [ɪmˈpɑːʃl ‖ –ˈpɑr–] *mn* pártatlan, nem részrehajló, tárgyilagos • *fn* **impartiality**

impartible [ɪmˈpɑːtəbl ‖ –ˈpɑr–] *mn jog* oszthatatlan

impassable [ɪmˈpɑːsəbl ‖ –ˈpæ–] *mn* áthatolhatatlan, áthághatatlan, járhatatlan • *fn* **impassability**

impasse [æmˈpɑːs ‖ ˈɪmpæs] *fn* **1. a)** *átv* zsákutca, patthelyzet, megoldhatatlan helyzet **b)** *átv* sarokbaszorítás **2.** *bány* vakvágat

impassible [ɪmˈpæsəbl] *mn* **1.** érzéketlen, szenvedésre képtelen, sebezhetetlen **2.** érzéstelen, közömbös, rideg **3.** higgadt, szenvtelen *[arckifejezés]* • *fn* **impassibility**

impassion [ɪmˈpæʃn] *tsi* fellelkesít, szenvedélyessé tesz, szenvedélyre lobbant, felhevít, feltüzel, felizgat

impassioned [ɪmˈpæʃnd] *mn* lelkes, szenvedélyes, heves, tüzes, rajongó, lázban égő; **make an ~ plea** esdekelve könyörög

impassive [ɪmˈpæsɪv] *mn* **1.** érzéstelen, érzésre/érzelemre képtelen, érzelem nélküli, egykedvű, közömbös, szenvtelen **2.** érzéketlen, szenvedésre képtelen, apatikus **3.** higgadt, nyugodt *[arckifejezés]* • *fn* **impassiveness**, **impassivity**

impasto [ɪmˈpæstoʊ] *fn nyomd* sűrű festékek használata, *műv* festék vastag felrakása; **~ work** vastagon felrakott színekkel készült festmény, impasto

impatiens [ɪmˈpeɪʃienz] *fn növ* nebáncsvirág

impatient [ɪmˈpeɪʃnt] *mn* türelmetlen; **be ~ to do sg** türelmetlenül várja (v. ég a vágytól/türelmetlenségtől), hogy megtehessen vmt • *fn* **impatience** *hsz* **impatiently**

impeach [ɪmˈpiːtʃ] *tsi* **1. a)** kétségbe von *[vknek a becsületét]*, sért, támad, becsmérel **b)** *jog* kizár, kifogásol *[tanút]* **2.** *jog* (be)vádol, vád alá helyez, felelősségre von *[közéleti tisztséget betöltő személyt]* **3.** kifogásol, helytelenít, rosszall, gáncsol, fedd, elítél **4.** (meg)akadályoz • *mn* **impeachable**

impeachment [ɪmˈpiːtʃmənt] *fn* **1. a)** lebecsülés, leszólás, becsmérlés, ócsárlás, kifogásolás, kétségbevonás **b)** *jog* kizárás, kifogásolás, visszautasítás *[tanúé]* **2.** *jog* vád(emelés), vád alá helyezés *[köztisztviselő hivatalból eltávolítására indított jogi eljárás]* **3.** (meg)akadályozás

impeccable [ɪmˈpekəbl] *mn/fn* **1. a)** feddhetetlen **b)** kifogástalan, hibátlan, tökéletes **2.** csalhatatlan **3.** bűnre képtelen

impecunious [ˌɪmpɪˈkjuːnɪəs] *mn vál* pénztelen, kispénzű

impedance [ɪmˈpiːdns] *fn el* impedancia *[váltóáramú ellenállás]*, látszólagos ellenállás

impede [ɪmˈpiːd] *tsi* (meg)akadályoz, (meg)gátol, feltartóztat, hátráltat, késleltet, visszatart (vmt), útját állja (vmnek); **~d circulation** keringési zavar

impediment [ɪmˈpedɪmənt] *fn* **1. a)** akadály, gát **b) ~ of speech** beszédhiba; dadogás, hebegés **2.** *jog* házassági akadály **3.** *tsz* **impediments → impedimenta**

impedimenta [ɪmˌpedɪˈmentə] *fn tsz* **1.** *kat* málha, poggyász, felszerelés, holmi **2.** *kat* málhavonat, társzekerek

impel [ɪmˈpel] *tsi* **-ll- 1.** (előre)hajt, ösztönöz, ösztökél, kényszerít, rávisz **2.** hajt, mozgat, űz

impeller [ɪmˈpelə ‖ –ər] *fn* **1.** felbujtó, bujtogató **2.** kezdeményező, ösztönző **3.** *műsz* munkakerék *[turbináé]*

impend [ɪmˈpend] *tni* **1.** függ, lóg, lebeg **2. a)** fenyeget **b)** közeleg, küszöbön áll

impending [ɪmˈpendɪŋ] *mn* fenyegető, közelgő, küszöbönálló, közeli *[veszély]*; **~ doom** küszöbönálló katasztrófa

impenetrable [ɪmˈpenɪtrəbl] *mn* **1.** áthatolhatatlan **2.** kideríthetetlen, kifürkészhetetlen **3.** nem fogékony/befogadóképes *[szellemileg]* • *fn* **impenetrability**

impenetrate [ɪmˈpenɪtreɪt] *tsi* mélyen behatol (vmbe)

impenitent [ɪmˈpenɪtənt] *mn* megátalkodott, konok, megrögzött, bűnbánat nélküli • *fn* **impenitence**

imperative [ɪmˈperətɪv] **I.** *mn* **1.** *nyelv* **~ mood** felszólító mód **2.** parancsoló, erélyes, határozott, ellenmondást nem tűrő *[hang]* **3.** sürgető, kényszerítő, szükséges, fontos; **~ need for sg** sürgős szükség vmre; **it is ~ to...** feltétlenül szükséges (v. rendkívül fontos), hogy; **make sg ~** vmt szükségessé/elkerülhetetlenné tesz **II.** *fn* **1.** *nyelv* felszólító mód **2.** *fil* **categorical/moral ~** kategorikus imperativusz **3. a)** kényszer(ítő) erő **b)** kötelesség

imperator [ˌɪmpəˈrɑːtɔː ‖ –ɔr] *fn* császár, imperátor, uralkodó • *mn* **imperatorial**

imperceptible [ˌɪmpəˈseptəbl ‖ ˌɪmpər–] *mn* észrevehetetlen, nem/alig észrevehető, nem érzékelhető, nagyon kicsi, nehezen felfogható; **~ to the eye** szabad szemmel nem látható • *fn* **imperceptibility**

imperception [ˌɪmpəˈsepʃn ‖ ˌɪmpər–] *fn* észlelési/percepciós hiány, impercepció

imperfect [ɪmˈpɜːfɪkt ‖ –ˈpɜr–] **I.** *mn* **1. a)** hiányos, hézagos **b)** tökéletlen, hibás **2.** befejezetlen; *zene* **~ cadence** félzárlat **3.** *épít* **~ arch** nyomott ív **4.** *nyelv* **~ tense** folyamatos/befejezetlen *[igeszemlélet]* **II.** *fn nyelv* imperfektum, elbeszélő, folyamatos múlt idő • *hsz* **imperfectly**

imperfection [ˌɪmpəˈfekʃn ‖ –pər–] *fn* **1. a)** hiányosság **b)** tökéletlenség, hibásság, hiba **2.** befejezetlenség **3.** *tsz* **imperfections** hiányos ívek/lapok *[könyvben]*

imperfective [ˌɪmpəˈfektɪv ‖ –pər–] *mn nyelv* folyamatos, befejezetlen *[igeszemlélet]*

imperforate [ɪmˈpɜːfərət ‖ –ˈpɜr–] *mn* **1.** *orv* imperforált, zárva maradt **2.** perforálatlan, fogazat nélküli *[bélyeg]*

imperial [ɪmˈpɪərɪəl ‖ –ˈpɪr–] **I.** *mn* **1.** császári; **His/Her I~ Majesty** ő császári felsége **2. a)** birodalmi; **~ green** párizsi zöld **b)** *GB* brit birodalmi **3.** *GB* Egyesült Királyságbeli *[súlyok, mértékek]* **4.** *biz* méltóságteljes, fenséges, felséges, nagyszerű, magasztos; *áll* **~ eagle** parlagi sas **II.** *fn* **1.** *régi* kocsitető ülésekkel/poggyásztartóval **2.** alsó ajak alatti kis szakáll *[III. Napóleon-féle]* **3.** nagy formátumú nyomdai papír, jézuspapír; ‹kb. 76x56 cm› **4. the I~s** *tsz tört* a német császári csapatok

imperialism [ɪmˈpɪərɪəlɪzm ‖ –ˈpɪr–] *fn* **1. a)** imperializmus, világhatalmi törekvések, terjeszkedő/gyarmatosító politika **b)** *közg* imperializmus **2.** birodalmi politika, a gyarmatok szükségességét valló felfogás *[Angliában]* **3. a)** császári uralom **b)** császárpártiság • *fn* **imperialist** *mn* **imperialistic**

imperil [ɪmˈperɪl] *tsi* **-ll-**, *US* **-l-** veszélyeztet, veszélynek tesz ki

imperious [ɪmˈpɪərɪəs ‖ –ˈpɪrɪəs] *mn* **1.** parancsoló, dölyfös, erélyes, ellenmondást nem tűrő, zsarnoki, diktatórikus **2.** sürgető, kényszerítő, fontos, szükséges **3.** fenséges

imperishable [ɪmˈperɪʃəbl] *mn* elmúlhatatlan, hervadhatatlan, maradandó, elpusztíthatatlan
imperium [ɪmˈpɪərɪəm ‖ −ˈpɪr−] *fn* abszolút hatalom, tekintély
impermanent [ɪmˈpɜːmənənt ‖ −ˈpɜr−] *mn* nem állandó/tartós, átmeneti, múló, állandóság nélküli, változékony • *fn* **impermanence**
impermeable [ɪmˈpɜːmɪəbl ‖ −ˈpɜr−] *mn* **1.** áthatolhatatlan **2.** ~ **(to water)** vízhatlan, vízálló • *fn* **impermeability**
impermissible [ˌɪmpəˈmɪsəbl ‖ −pər−] *mn* megengedhetetlen
imperscriptible [ˌɪmpəˈskrɪptəbl ‖ −pər−] *mn* íratlan *[szabály]*, szokás- *[jog]*
impersonal [ɪmˈpɜːsnl ‖ −ˈpɜr−] *mn* **1.** személytelen; *nyelv* ~ **verb** személytelen ige **2.** egyéniség nélküli *[stílus]* **3.** személyes vonatkozások nélküli, nem személyeskedő/bizalmaskodó **4.** *gazd* ~ **account** névtelen/holt számla; tárgyszámla, anyagszámla • *fn* **impersonality**
impersonate [ɪmˈpɜːsəneɪt ‖ −ˈpɜr−] *tsi* **1.** megszemélyesít, megtestesít, testtel/személyiséggel felruház *[fogalmat, dolgot]* **2. a)** *szính* megszemélyesít (vkt), szerepet játszik/alakít/tolmácsol **b)** kiadja magát (vknek) • *fn* **impersonation** *fn* **impersonator**
impertinent [ɪmˈpɜːtɪnənt ‖ −ˈpɜrtnˑənt] **I.** *mn* **1. a)** szemtelen, arcátlan, pimasz **b) would it be ~ to ask you...?** nem veszi tolakodásnak, ha megkérdezem...? **2.** *jog* a tárgyhoz nem tartozó, nem helyénvaló **II.** *fn biz* szemtelen/arcátlan/pimasz fráter • *fn* **impertinence**
imperturbable [ˌɪmpəˈtɜːbəbl ‖ −pərˈtɜr−] *mn* rendíthetetlen, megzavarhatatlan, rendületlen, higgadt, nyugodt, hidegvérű, egykedvű, sodrából ki nem hozható
impervious [ɪmˈpɜːvɪəs ‖ −ˈpɜr−] *mn* **1. a)** áthatolhatatlan, járhatatlan **b) ~ to air** légmentes; **~ to water** vízhatlan **2.** érzéketlen; **person ~ to reason** érvek által befolyásolhatatlan személy, aki nem hallgat a józan észre; *biz* **become ~ to sy's insults** már kutyába sem veszi vk sértéseit; lepattognak róla vk sértései
impetigo [ˌɪmpɪˈtaɪgoʊ] *fn orv* var(asodás), (csecsemő)ótvar, impetigo
impetuous [ɪmˈpetʃʊəs] *mn* **1.** féktelen, zabolátlan, heves, dühöngő *[vihar]* **2. a)** lobbanékony, tüzes, heves, indulatos, szenvedélyes *[jellem]*; **~ disposition** szilaj természet **b)** hirtelenkedő *[ember]*, elhamarkodott, meggondolatlan *[cselekedet]* • *fn* **impetuosity**
impetus [ˈɪmpɪtəs] *fn* **1.** lendítő-/lökő-/hajtóerő **2.** ösztönzés, késztetés, (kezdeti) lendület, impulzus, svung; **gather ~** lökést kap; **give an ~ to sg** az első lökést megadja vmnek, lendületbe hoz vmt
impiety [ɪmˈpaɪəti] *fn* **1.** istentelenség **2.** kegyetlenség
impinge [ɪmˈpɪndʒ] *tni* **1. ~ (up)on sg** hirtelen érintkezésbe jön (vmvel), összeütközik (vmvel), nekicsapódik (vmnek), nekiütközik (vmnek), ráesik (vmre); jogsértést/túlkapást követ el, bitorol **2.** hatást gyakorol, hat (vmre) • *fn* **impingement**
impious [ˈɪmpɪəs] *mn* **1. a)** istentelen, vallástalan, hitetlen, szentségtörő *[beszéd]* **b)** káromkodó, durva, trágár **2.** kegyelet nélküli
impish [ˈɪmpɪʃ] *mn* pajkos, pajzán, huncut, hamiskás
implacable [ɪmˈplækəbl] *mn* engesztelhetetlen, kérlelhetetlen • *fn* **implacability**
implant I. *tsi* [ɪmˈplɑːnt ‖ ɪmˈplænt] **1. a)** beültet, beilleszt, belehelyez **b)** elültet **2.** (bele)ültet, (bele)plántál, beolt *[gondolatot vk fejébe, érzelmet vk lelkébe]* **II.** *fn* [ˈɪmplɑːnt ‖ −plænt] **1.** *orv* beültetett/behelyezett szövet/anyag **2.** *orv* beinjekciózott anyag **3.** *orv* áttétel *[rákban]* • *fn* **implantation**
implausible [ɪmˈplɔːzəbl] *mn* valószínűtlen • *fn* **implausibility**
implead [ɪmˈpliːd] *tsi jog* bevádol, vádat emel, keresetet indít (vk ellen)
implement I. *fn* [ˈɪmpləmənt] **a)** szerszám, eszköz, felszerelés **b) implements** *tsz* háztartási eszközök; **farm ~s** mezőgazdasági gépek/felszerelés **II.** *tsi* [ˈɪmpləment] **1.** megvalósít, végrehajt, foganatosít **2.** feltölt, pótol, kiegészít *[kellékekkel]* • *fn* **implementation**
implicate I. *tsi* [ˈɪmplɪkeɪt] **a)** magában foglal **b) ~ sy in a crime** belekever/belevon vkt egy bűncselekménybe **II.** *fn* [ˈɪmplɪkət] bennfoglalt dolog, velejáró • *mn* **implicative**
implication [ˌɪmplɪˈkeɪʃn] *fn* **1. a)** belekeveredés **b)** belevonás, belefoglalás **2.** (hallgatólagos) következtetés; **by ~** közvetve; hallgatólagosan, következ(tet)ésképpen **3.** *fil* implikáció, feltételes következtetés **4.** jelentőség, horderő **5.** sejtetés, burkolt célzás
implicit [ɪmˈplɪsɪt] *mn* hallgatólagosan hozzátartozó/beleértett/bennfoglalt (v. vele járó) • *fn* **implicitness**
implied [ɪmˈplaɪd] *mn* **1.** bennefoglalt, beleértődő, (értelemszerűen) vmből következő/adódó **2.** hallgatólagos, ki nem fejezett; *jog* **~ contract** vélelmezett (v. hallgatólagos) kötelem; *jog* **~ recognition** hallgatólagos elismerés
imploration [ˌɪmpləˈreɪʃn] *fn* könyörgés
implore [ɪmˈplɔː ‖ −ˈplɔr] *tsi* könyörög, könyörögve/kérve kér, esedezik, esdekel; **~ sy to do sg** nagyon kér vkt vm megtételére, könyörög vknek, hogy tegyen meg vmt
implosion [ɪmˈploʊʒn] *fn* **1.** beszakadás, betódulás, implózió, *műsz* összeroppanás *[külső nyomás hatására]* **2.** *nyelv* implozíva *[belégző glottális zárhang]* képzése **3.** láncreakciót előidéző (belső) robbanás *[atombombában]*
implosive [ɪmˈploʊsɪv] **I.** *mn nyelv* implozív *[hang]* **II.** *fn* implozíva, belső glottális zárhang
imply [ɪmˈplaɪ] *tsi* **1.** magában foglal, maga után von, értelmileg tartalmaz, jelent, utal (vmre) **2.** sejtet, burkoltan céloz (vmre); **do you mean to ~ that...?** azt akarja ezzel mondani, hogy...?, ezzel arra céloz, hogy...?
impolder [ɪmˈpɒldə ‖ −ˈpɑldər] *tsi* tengerparti ingoványos területet lecsapol, tengert visszaszorít
impolite [ˌɪmpəˈlaɪt] *mn* udvariatlan, neveletlen, goromba • *fn* **impoliteness**
imponderabilia [ɪmˌpɒndərəˈbɪlɪə ‖ −ˌpɑn−] → **imponderable II.**
imponderable [ɪmˈpɒndərəbl ‖ −ˈpɑn−] **I.** *mn* lemérhetetlen, mérlegelhetetlen, imponderábilis **II.** *fn tsz* **-s** imponderábiliák • *fn* **imponderability**
import I. *tsi* [ɪmˈpɔːt ‖ −ˈpɔrt] **1. a)** importál, behoz *[árut]* **b)** *infor* beemel, importál *[adatot]* **2. a)** jelent, magában foglal *[jelentést]* **b)** jelez, sejtet, magába foglal *[következményként]*, befolyással van vmre **II.** *fn* [ˈɪmpɔːt ‖ −pɔrt] **1.** jelentés, értelem **2.** fontosság, jelentőség, horderő; **matter of great ~** nagy jelentőségű/horderejű ügy; **it's of no ~** nincs jelentősége **3. a)** *tsz* **imports** árubehozatal, import **b)** importáruk, behozatali áruk, importált árucikkek **4.** *infor* **~ (data)** (adat)beemelés, import • *fn* **importation**, **importer** *mn* **importable**
importance [ɪmˈpɔːtns ‖ −ˈpɔr−] *fn* **1.** fontosság, jelentőség, súly, horderő; **be of ~** fontos, jelentőséggel bír; **matter/question of first/capital/great/primary/prime ~** elsőrendű fontosságú/jelentőségű (v. nagy jelentőségű/horderejű) kérdés; **of vital ~** életbevágóan fontos; **it is of ~ to...** fontos, hogy...; **without ~, of no ~** jelentéktelen, mellékes, jelentőség nélküli; **attach ~ to sg** fontosságot//jelentőséget tulajdonít vmnek **2.** tekintély, súly, befolyás *[személyé]*; **people of ~** tekintélyes/jelentékeny/befolyásos emberek; fontos személyiségek **3.** fontoskodás, nagyképűség
important [ɪmˈpɔːtnt ‖ −ˈpɔr−] *mn* **1.** fontos, jelentős **2.** tekintélyes, jelentékeny, befolyásos *[ember]* **3.** fontoskodó, nagyképű; **look ~** fontoskodik, nagyképűsködik • *hsz* **importantly**
import duty *fn* behozatali vám
import permit *fn* behozatali engedély

importunate [ɪm'pɔːtʃunət ‖ –'pɔrtʃə–] *mn* **1.** erőszakos, tolakodó, követelődző, okvetetlenkedő **2.** (kellemetlenül) sürgető *[ügy]* **3. a)** *régi* alkalmatlan, időszerűtlen, nem időszerű **b)** *régi* terhes, bosszantó • *fn* **importunity**

importune [ˌɪmpə'tjuːn ‖ ˌɪmpər'tuːn] *tsi* **1.** zaklat, molesztál, nyakára jár; ~ **a woman** nőt molesztál (szerelmi ajánlatokkal) **2.** okvetetlenkedik, alkalmatlankodik, kellemetlenkedik (vknek)

impose [ɪm'pouz] **A.** *tsi* **1.** rárak, rátesz; *vall* ~ **hands on sy** kézrátétellel megáld vkt **2.** ~ **sg upon sy** előír vmt vknek; ~ **conditions upon sy** feltételeket szab vknek; ~ **duty on sg** vámot vet ki vmre; ~ **penalty/punishment upon sy** büntetést kimér vkre; ~ **a tax on sg** adót vet ki vmre, megadóztat vmt **3.** ~ **oneself upon sy** ráakaszkodik vkre, vk nyakába varrja magát **B.** *tni* ~ **on/upon sy** tiszteletet kelt vkben, imponál vknek; rászed/becsap vkt; visszaél vk bizalmával/jóságával

imposing [ɪm'pouzɪŋ] *mn* lenyűgöző, tekintélyes, imponáló, impozáns; ~ **display of learning** elképesztő tudás

imposition [ˌɪmpə'zɪʃn] *fn* **1. a)** adó **b)** teher, megterhelés **2.** előírás *[feladaté]*, kivetés, kiszabás *[büntetésé, adóé]* **3.** *vall* ~ **of hands** kézrátétel **4.** visszaélés *[vk jóakaratával]*

impossibility [ɪmˌpɒsə'bɪləti ‖ –ˌpɑ–] *fn* lehetetlenség, képtelenség; **it's next to an** ~ úgyszólván lehetetlen

impossible [ɪm'pɒsəbl ‖ –'pɑ–] **I.** *mn* **1.** lehetetlen, megvalósíthatatlan, keresztülvihetetlen **2.** képtelen, hihetetlen *[történet]* **3.** *biz* lehetetlen, nevetséges, szörnyű; ~ **person** kiállhatatlan alak, szörnyű fráter; **you are** ~! igazán borzasztó/lehetetlen vagy!, (mondhatom) lehetetlen alak vagy! **II.** *fn* **a)** lehetetlenség **b) the** ~ a lehetetlen • *hsz* **impossibly**

impost[1] ['ɪmpoust] *fn* **1.** adó, illeték, vám **2.** *biz* súlytöbblet, hendikep *[versenylóé lóversenyen]*

impost[2] ['ɪmpoust] *fn* *épít* vállkő, párkány, sarokkő

impostor [ɪm'pɒstə ‖ –'pɑstər] *fn* csaló, szélhámos, imposztor

imposture [ɪm'pɒstʃə ‖ –'pɑstʃər] *fn* csalás, szélhámosság, szédelgés

impotence ['ɪmpətəns] *fn* **1.** tehetetlenség, gyöngeség, erőtlenség **2.** közösülési tehetetlenség, impotencia

impotent ['ɪmpətənt] *mn* **1.** tehetetlen, gyönge, erőtlen **2.** (nemileg) tehetetlen, közösülésre képtelen, impotens

impound [ɪm'paund] *tsi* **1.** *jog* lefoglal, elkoboz, zár alá vesz, bírósági letétbe helyeztet (v. megőrzésben tart) **2. a)** bezár, beterel, karámba zár *[elkószált állatot]* **b)** befog, duzzaszt, tárol *[vizet medencében]*, gátak közé szorít *[vizet]*

impoverish [ɪm'pɒvərɪʃ ‖ –'pɑ–] *tsi* **1.** elszegényít, tönkretesz, koldusbotra/szegénységbe juttat **2.** kimerít *[talajt]* **3.** legyengít, kiveszi/kiszedi az erejét (vmnek) • *fn* **impoverishment**

impoverished [ɪm'pɒvərɪʃt ‖ –'pɑ–] *mn* elszegényedett, legyengített; ~ **health** leromlott/meggyengült egészség

impracticable [ɪm'præktɪkəbl] *mn* **1.** kivihetetlen, megvalósíthatatlan, gyakorlatilag lehetetlen **2.** használhatatlan, nehezen kezelhető *[dolog]*, járhatatlan *[út]*, hozzáférhetetlen *[tárgy]*, nem célra vezető *[módszer]* **3.** hajlíthatatlan, kezelhetetlen, nehéz *[ember]*

impractical [ɪm'præktɪkl] *mn* **1.** *US* → **unpractical** **2.** *US* → **impracticable**

imprecation [ˌɪmprɪ'keɪʃn] *fn* **a)** átkozódás, elátkozás, megátkozás **b)** átok, szidalom • *tsi* **imprecate**

imprecatory ['ɪmprɪkeɪtəri ‖ 'ɪmprɪkətɔri] *mn* átok- *[formula]*, átkozódó *[beszéd]*

imprecise [ˌɪmprɪ'saɪs] *mn* nem pontos/precíz

imprecision [ˌɪmprɪ'sɪʒn] *fn* pontatlanság, pongyolaság; lazaság

impregnable [ɪm'pregnəbl] *mn* **1.** bevehetetlen **2.** megcáfolhatatlan *[igazság]*, megtámadhatatlan *[bizalom]*, legyőzhetetlen *[akarat]*, megdönthetetlen *[érv]* **3. a)** telíthető, impregnálható **b)** megtermékenyíthető *[tojás]*

impregnate I. ['ɪmpregneɪt] **A.** *tsi* **1. a)** megtermékenyít *[nőstényt]* **b)** *átv* megtermékenyít, gyümölcsözővé tesz **2. a)** átitat, telít, impregnál **b)** átitat *[eszmékkel]*, hatással van vkre **B.** *tni* **a)** megtermékenyül **b)** átitatódik, telítődik **c)** *geol* beágyazódik **II.** *mn* [ɪm'pregnət] **1.** *átv* terhes **2.** átitatott, telített, impregnált • *fn* **impregnation** *mn* **impregnated**

impresario [ˌɪmprɪ'sɑːriou] *fn tsz* **~s**, **impresari** [ˌɪmpre'sɑːri] impresszárió, művészi vállalkozó

imprescriptible [ˌɪmprɪ'skrɪptəbl] *mn* elévülhetetlen, el nem évülő, sérthetetlen *[jog]*

impress I. [ɪm'pres] **A.** *tsi* **1.** ~ **sg upon sg** rányom/rábélyegez vmt vmre; ~ **sg upon the mind** belevés vmt az elmébe/emlékezetbe **2.** ~ **sg upon sy** jól megértet vmt vkvel, vmt vknek az elméjébe vés **3.** ~ **sy** jó benyomást kelt vkben; nagy/kellő hatással van vkre; *biz* **I am not ~ed** ez nekem nem imponál, nem vagyok meghatva **4.** *nyomd* sokszorosít, lehúz, levon **5.** erőszakkal toboroz, katonai szolgálatra kényszerít **6.** igénybe vesz, rekvirál *[élelmet, járműveket]* **B.** *tni* hat, hatást gyakorol **II.** *fn* ['ɪmpres] **a)** benyomás, lenyomás, rányomás **b)** *nyomd* ~ **(copy)** lenyomat, másolat **c)** bélyeg(ző), ismertetőjel, *átv* nyom, bélyeg, jegy

impression [ɪm'preʃn] *fn* **1. a)** benyomás, rányomás *[pecsétnyomót viaszra]* **b)** alapozás *[festésben]* **2. a)** benyomódás, lenyomat, karc, nyom, bélyeg, jegy, ismertetőjel; **take an ~ of sg** lenyomatot vesz vmről **b)** lenyomat *[fogról]* **3.** benyomás, hatás, impresszió; **I have an ~ that, I am under the ~ that** az a benyomásom (v. érzésem), hogy; **make an ~** nagy hatással van; **make a good ~ (on sy)** jó benyomást tesz (vkre) **4. a)** *nyomd* levonat, lenyomat **b)** (változatlan) újranyomás, utánnyomás **c)** kiadás, példányszám **d)** nyom(tat)ás, kinyomtatás *[könyvé]*

impressionable [ɪm'preʃnəbl] *mn* **1. a)** befolyásolható **b)** érzékeny *[benyomásokra, hatásokra]*, fogékony **2.** nyomtatásra alkalmas, (fény)érzékeny

impressionism [ɪm'preʃənɪzm] *fn* *műv* impresszionizmus

impressionistic [ɪmˌpreʃə'nɪstɪk] *mn* **1.** impresszionista (festmény) **2. a)** szubjektív **b)** vázlatos • *hsz* **impressionistically**

impressive [ɪm'presɪv] *mn* hatásos, hatást keltő, mély benyomást keltő, lenyűgöző

imprest I. *fn* ['ɪmprest] költségelőleg **II.** *mn* ['ɪmprest] kölcsönzött, előlegezett

imprimatur [ˌɪmprɪ'mɑːtə ‖ –'mɑtur] *fn* **1. a)** nyomási engedély, imprimatúra **b)** → **imprint** I.2. **2. a)** (egyházi) engedély, jóváhagyás, hozzájárulás *[könyv kinyomásához]* **b)** *átv* engedély, jóváhagyás

imprint I. *fn* ['ɪmprɪnt] **1.** lenyomat *[bélyegzőé, lábé]* **2.** impresszum, megjelenési adatok; **no ~** kiadó és nyomda megjelölése nélkül **II.** *tsi* [ɪm'prɪnt] **a)** *átv* ~ **sg on sg** ráüt/rányom vmt vmre; beüt/benyom/bevés vmt vmbe; ~ **on the memory/mind** emlékezetébe/lelkébe vés **b)** ~ **sg with sg** vmt vmvel megjelöl/lebélyegez

imprison [ɪm'prɪzn] *tsi* bebörtönöz, börtönbe zár, *átv* rabul ejt

imprisonment [ɪm'prɪznmənt] *fn* **1.** bebörtönöztetés, fogság, rabság **2.** börtönbüntetés, szabadságvesztés; **false/illegal ~** jogtalan/törvénytelen fogvatartás; **ordinary ~, ~ in the first division** rendőrhatóság általi elzárás; **rigorous ~, ~ in the second division** bíróság által kiszabott szabadságvesztés-büntetés; **serve a sentence of ~** börtönbüntetését tölti

impro [ɪm'prəu] *fn* → **improvisation**

improbable [ɪm'prɒbəbl ‖ –'prɑ–] *mn* valószínűtlen, nem/kevéssé valószínű, kevéssé hihető; **it is highly ~ that** nagyon valószínűtlen, kevéssé valószínű, alig hihető (hogy) • *fn* **improbability**

improbity [ɪm'proubəti] *fn* tisztességtelenség, becstelenség, álnokság

impromptu [ɪmˈprɒmptjuː ‖ –ˈprɑmptuː] **I.** *mn* rögtönzött, elő nem készített **II.** *hsz* rögtönözve, előkészület nélkül, hevenyében, hevenyészve **III.** *fn* **a)** rögtönzés, rögtönzött vers/színdarab **b)** *zene* rögtönzött zenemű, impromptu

improper [ɪmˈprɒpə ‖ –ˈprɑpər] *mn* **1. a)** nem megfelelő/helyénvaló, helytelen, nem illő, helytelenül/rosszul alkalmazott **b)** nem helyes/megfelelő **2.** modortalan, ízléstelen, illetlen, szemérmetlen • *hsz* **improperly**

impropriate [ɪmˈproʊprieɪt] *tsi* világi tulajdonba vesz *[egyházi]* java(dalma)kat, kisajátít • *fn* **impropriation**

impropriety [ˌɪmprəˈpraɪəti] *fn* **1. a)** pontatlanság, helytelen szóhasználat **b)** szabálytalanság, előírástól való eltérés **2.** ízléstelenség, illetlenség, ízléstelen/helytelen beszéd/viselkedés; **commit improprieties** szabálytalanságot követ el, bakot lő; illetlenséget/neveletlenséget követ el, megsérti az illendőséget

improve [ɪmˈpruːv] **A.** *tsi* **1.** (meg)javít, jobbá tesz, feljavít *[talajt]*, tökéletesít *[találmányt]*, kipalléroz *[elmét]*, kifinomít *[ízlést]*, bővít, fejleszt *[tudást]*; **~ sg away**, **~ sg out of existence** agyonjavítgat vmt **2. ~ the occasion/opportunity** kihasználja/megragadja az alkalmat, él az alkalommal **3.** *US* telek értékét növeli *[beépítéssel, megműveléssel, világítás/csatornázás bevezetésével]* **B.** *tni* **1.** feljavul, megjavul, tökéletesedik; **~ with use** használattal egyre javul (v. jobb lesz); **things are improving** (egyre) javul a helyzet, a dolgok jobbra fordulnak; **~ upon sy** túlszárnyal/felülmúl vkt; lefőz vkt; **~ upon sg** megjavít/tökéletesít vmt; **~ on sy's offer** ráígér/rálicitál vk ajánlatára **2.** *gazd* emelkedik *[ár]*, megszilárdul *[piac]* • *mn* **improvable**

improvement [ɪmˈpruːvmənt] *fn* **1. a)** javulás, jobbrafordulás *[helyzeté]*, tökéletesedés *[találmányé]*, fejlődés *[városé]*, kiművelődés, kifinomodás *[szellemé]*, haladás, előmenetel *[tanulmányokban]* **b)** javítás, tökéletesítés, fejlesztés, kiművelés, kifinomítás; **technical ~** technikai haladás/fejlődés; **open to ~** javítható, tökéletesíthető, fejleszthető; **there's room for ~** van még mit javítani rajta, nem tökéletes **2.** haladás, fejlettebb fok; **be an ~ on sy/sg** túlszárnyal/felülmúl vkt/vmt; többet ér vknél/vmnél **3.** értéknövelés *[földé/teleké beépítés/megművelés által]* **4. improvements** *tsz* javítások, hasznos változtatások, szépítések, beruházási munkálatok

improver [ɪmˈpruːvə ‖ –ər] *fn* **1.** újító, tökéletesítő, javító **2.** fizetés nélküli tanonc (v. ipari tanuló), gyakorló jelölt **3.** (viszkozitást növelő) adalék, serkentő(szer), javítóanyag

improvident [ɪmˈprɒvɪdənt ‖ –ˈprɑ–] *mn* **a)** könnyelmű, (anyagilag) előre nem gondoskodó, holnappal nem törődő/gondoló **b)** vigyázatlan, nem előrelátó • *fn* **improvidence**

improvisation [ˌɪmprəvaɪˈzeɪʃn ‖ ɪmˌprɑvə–] *fn* rögtönzés

improvise [ˈɪmprəvaɪz] *tsi* rögtönöz, improvizál *[verset, zeneművet, beszédet]*, előkészület nélkül csinál vmt, hevenyész (vmt); **~d comedy** commedia dell'arte • *fn* **improvisator**, **improviser**

improviso [ˌɪmprəˈvaɪzoʊ] *mn* rögtönzött, hevenyészett

imprudent [ɪmˈpruːdnt] *mn* **1.** meggondolatlan, gondatlan, oktalan, elővigyázatlan, nemtörődöm *[következményekkel]* **2.** tapintatlan • *fn* **imprudence** *mn* **imprudential** *hsz* **imprudently**

impuberty [ɪmˈpjuːbəti ‖ –bər–] *fn* nemi éretlenség

impudence [ˈɪmpjʊdəns] *fn* **1. a)** arcátlanság, szemtelenség, pimaszság, tiszteletlenség; **none of your ~!** elég (volt/legyen) a pimaszságból! **b)** szerénytelenség **c)** hetykeség, vakmerőség **2.** *régi* szemérmetlenség, szégyentelenség; **have the ~ to say/do sg** van mersze/pofája/képe azt mondani/tenni, hogy

impudent [ˈɪmpjʊdənt] *mn* **1. a)** szemtelen, pimasz, arcátlan; **~ lie** durva hazugság; **as ~ as a cock-sparrow** szemtelen/pimasz, mint a piaci légy **b)** szerénytelen **c)** hetyke, vakmerő **2.** *régi* szemérmetlen, szégyentelen

impudicity [ˌɪmpjuˈdɪsəti] *fn* szemérmetlenség; szerénytelenség

impugn [ɪmˈpjuːn] *tsi* (meg)támad, vitat, kétségbe von, kifogásol; *jog* **~ the character of a witness** vitatja (v. kétségbe vonja) egy tanú szavahihetőségét; *jog* **~ a piece of evidence** bizonyíték érvényességét megtámadja (v. kétségbe vonja) • *fn* **impugnment** *mn* **impugnable**

impuissant [ɪmˈpjuːɪsnt] *mn vál* tehetetlen, gyenge, erőtlen • *fn* **impuissance**

impulse [ˈɪmpʌls] *fn* **1.** *fiz* impulzus, lendület, (rövid ideig tartó) erőlökés **2. a)** ösztönzés, indíték, impulzus **b)** lendület, nekilendülés, ösztön, érzés, sugallat, ihlet; **the vital ~** az életerő, az élni akarás; **man of ~** ösztönember, ösztönösen (v. megfontolás nélkül) cselekvő ember, impulzív ember; **feel an ~ to do sg** úgy érzi, hogy vmt meg kell tennie, indítva érzi magát, hogy vmt megtegyen; **feel an irresistible ~ to** ellenállhatatlan/leküzdhetetlen vágyat érez, hogy; **give an ~ to sg** ösztönzően/ösztökélően hat vmre; lendületbe hoz vmt; lendületet ad vmnek; **act on ~** ösztönösen (v. megfontolás nélkül) cselekszik; **on the/a first ~** első érzésre; **under the ~ of the moment** a pillanat hatása alatt

impulse buying *fn* impulzív *[előre nem tervezett]* vásárlás • *fn* **impulse buyer**

impulsion [ɪmˈpʌlʃn] *fn* **1.** hajtóerő, lökés, lendítés, impulzus **2.** → **impulse** 2.; **act at the ~ of sy** vknek az ösztönzésére cselekszik

impulsive [ɪmˈpʌlsɪv] *mn* **1. a)** *fiz* **~ force** erőlökés, (rövid ideig tartó) hajtóerő, lökőerő, impulzus **b)** ösztönző, gerjesztő, ösztökélő **2.** fogékony, ösztönözhető, felizgatható, megfontolás nélküli, impulzív

impunity [ɪmˈpjuːnəti] *fn* büntetlenség; **with ~** szabadon, büntetlenül; **get away with ~** büntetlenül elmenekül; megússza szárazon

impure [ɪmˈpjʊə ‖ –ˈpjʊr] *mn* **1.** nem tiszta, kevert **2.** tisztátalan, szemérmetlen, szennyes *[gondolatok, beszéd]*

impurity [ɪmˈpjʊərəti ‖ –ˈpjʊr–] *fn* **1. moral ~** erkölcsi tisztátalanság, erkölcstelenség **2.** *tsz* **impurities** szennyeződés, szennyező anyagok, kísérő/idegen anyag, *bány* ásványi szennyeződés, meddő **3.** *fiz* szennyezés

impute [ɪmˈpjuːt] *tsi* **1.** tulajdonít, betud, beszámít; **~ an action to sy** cselekedetet vknek tulajdonít (v. vk számlájára/rovására ír) **2.** megvádol (vkt) • *fn* **imputation** *mn* **imputable**

in [ɪn] **I.** *elölj* **1. a)** -ban, -ben, -on, -en, -ön, -ba, -be; **~ Europe** Európában; **~ the provinces/country** vidéken; **a street ~ London** egy londoni utca; **wounded ~ the shoulder** a vállán sebesült; **~ one's birthday suit** anyaszült meztelenül; **he is ~ his thirties** harmincas, elmúlt harminc (éves) **b) three ~ number** szám szerint három; **two feet ~ length** két láb hosszú **2. a)** -ban, -ben, alatt, idején; **~ 1955** 1955-ben; **~ the nineties** a kilencvenes években; **~ summer** nyáron; **~ the reign of Queen Elisabeth** Erzsébet királynő uralkodása alatt/idején; **~ my time** az én időmben **b)** alatt, folyamán; **do sg ~ three hours** három óra alatt megcsinál vmt; **~ the daytime** nappal, napközben; **be back ~ two days** két nap alatt visszajön, két napon belül visszatér **c) ~... ing** -va, -ve, -ván, -vén; miközben, mialatt...; **~ crossing the river** a folyón átkelve, miközben a folyón átkelt(ünk) **d)** múlva; **~ a little while** hamarosan, rövidesen, nemsokára; kis idő múlva/múltával; **he'll be here ~ three hours** három óra múlva (v. három órán belül) itt lesz **3.** közül, -ként; **one ~ ten** tíz közül egy, egy a tízből, minden tizedik; **a slope of one ~ three** harminc fokos lejtő; **blind ~ one eye** félszemére vak; **die ~ hundreds** százával halnak meg; **once ~ ten years** tízévenként (v. minden tíz évben) egyszer; → **insofar II.** *hsz* **1. be ~** itthon/otthon van; *biz* börtönben van, le van csukva, ül; befutott, megérkezett, megjött *[vonat, hajó, posta]*; **the Tories were ~** a konzervatívok voltak kormányon/uralmon; **our candidate is ~** megválasztották a jelöltünket, bejött a jelöltünk; **~ with you!** (indulj) befele/befelé!, gyere/menj (már) be!; **he is always ~ and out of the house** állandóan ki-be mászkál; **know sy/sg ~ and out** kívül-belül ismer vkt/

vmt, úgy ismer vkt, mint a saját tenyerét; **day/week/year ~ day/week/year out** egész nap/héten/évben, folyton, állandóan, szünet nélkül; **my hand is ~** tréningben (v. jó formában) vagyok; **the harvest is ~** a termést betakarították; **my luck is ~** szerencsém van; **short skirts are ~** rövid szoknya a divat; **strawberries are ~** itt az eperszezon, az eper megjelent a piacon; **be ~ for** ... ... előtt állunk, ...-nak nézünk elébe; **we are ~ for a storm** vihar lesz/közeledik **2.** *biz* **be ~ for it** nyakig benne van (a bajban); **we are ~ for having lost the parcel** majd (ki)kapunk , hogy elvesztettük a csomagot; **be (well) ~ with sy** jó viszonyban van vkvel; **be ~ on sg** részt vesz vmben, tájékozva van vmről, benne van a dologban **III.** *mn* **1.** belül/bent lévő **2.** befelé irányuló; **the ~ train** az érkező/befutó vonat **3.** divatos **IV.** *fn* **1.** *régi* **the ~s** a hatalmon levő párt **2. know the ~s and outs of a matter** ismeri egy ügy minden csínját-bínját; kívül(ről)-belül(ről) ismeri az ügyet **3.** *szl* divatos, kurrens *[dolog]*; menő

IN, **In** *röv US Indiana*

in. *röv inch*

inability [ˌɪnə'bɪləti] *fn* képesség hiánya, képtelenség, tehetetlenség

inaccessible [ˌɪnək'sesəbl] *mn* **1.** elérhetetlen **2.** megközelíthetetlen, hozzáférhetetlen, megszerezhetetlen **3. person ~ to beauty** a szépség iránt (v. a szépséggel szemben) érzéketlen ember

inaccuracy [ɪn'ækjurəsi] *fn* **a)** pontatlanság **b)** hiba, tévedés; **work full of inaccuracies** hibáktól/tévedésektől hemzsegő munka

inaccurate [ɪn'ækjurət] *mn* **1.** pontatlan, nem pontos/szabatos/hű, hézagos **2.** hibás, téves, helytelen; **~ balance** hamis mérleg

inaction [ɪn'ækʃn] *fn* **1. a)** tunyaság, renyheség; **policy of ~** be nem avatkozás politikája **b)** dologtalanság, munkátlanság, tétlenség **2.** üzemszünet, (gép)leállás

inactivate [ɪn'æktɪveɪt] *tsi* semlegesít, hatástalanít, tétlenségre kárhoztat, *orv* inaktivál

inactive [ɪn'æktɪv] *mn* **1. a)** tétlen, tunya **b)** tartalékos **2.** nem dolgozó/működő *[gyár]* **3.** *vegy* hatástalan, semleges, közömbös, indifferens, inaktív • *fn* **inactivity**

inadaptability [ˌɪnədæptə'bɪləti] *fn* **1.** alkalmazkodni/beilleszkedni/hozzáidomulni nem tudás **2.** alkalmatlanság, alkalmazhatóság hiánya

inadequate [ɪn'ædɪkwət] *mn* **1.** alkalmatlan, nem megfelelő; **be ~ to a purpose** nem felel meg a célnak; **be ~ to do sg** nem megfelelő/rátermett/alkalmas vm elvégzésére **2.** elégtelen, hiányos, nem kielégítő, inadekvát; **decide on ~ grounds** elégtelen okok alapján dönt **3.** szegényes *[stílus]*, pontatlan, nem helyes/megfelelő/odaillő *[kifejezés]* • *fn* **inadequacy**

inadmissible [ˌɪnəd'mɪsəbl] *mn* meg nem engedhető, megengedhetetlen, el nem fogadható, elfogadhatatlan

inadvertent [ˌɪnəd'vɜːtnt ‖ –'vɜr–] *mn* figyelmetlen, gondatlan, nemtörődöm, hanyag, vigyázatlan; nem szándékos, véletlen • *fn* **inadvertence**

inadvisable [ˌɪnəd'vaɪzəbl] *mn* nem tanácsos/célszerű

inaesthetic [ˌiniːs'θetɪk] *mn* **1.** nem esztétikus/szép **2.** esztétikai érzéket nélkülöző

inalienable [ɪn'eɪlɪənəbl] *mn* elidegeníthetetlen, át nem ruházható

inalterable [ɪn'ɔːltərəbl] *mn* **1.** megmásíthatatlan, megváltozhatatlan, megingathatatlan **2.** nem változó, változatlan

in-and-out *mn/hsz* ki-be, átmenő; **~ bolt** átmenő csapszeg

inane [ɪ'neɪn] *mn* **1.** üres **2.** együgyű, értelmetlen, semmitmondó

inanimate [ɪn'ænɪmət] *mn* **1.** élettelen, holt, mozdulatlan; **~ nature** az élettelen természet **2.** lélektelen, szellemtelen, unalmas

inanity [ɪ'nænəti] *fn* **1.** hívság, hiábavalóság, haszontalanság, semmiség; **sweet inanities** kedves semmiségek **2.** ostobaság, bárgyúság, hülyeség

inappeasable [ˌɪnə'piːzəbl] *mn* **1.** csillapíthatatlan, kielégíthetetlen **2.** (ki)engesztelhetetlen, megbékíthetetlen

inappellable [ˌɪnə'peləbl] *mn* megfellebbezhetetlen

inapplicable [ˌɪnə'plɪkəbl ‖ ɪn'æplɪkəbl] *mn* nem alkalmazható/használható, alkalmazhatatlan, *[adott esetre]* nem érvényes

inapposite [ɪn'æpəzɪt] *mn* nem megfelelő/alkalmas, nem helyénvaló, rossz helyen alkalmazott, oda nem illő

inappreciable [ˌɪnə'priːʃəbl] *mn* **1.** észrevehetetlen, jelentéktelen, alig látható/számbavehető/észrevehető **2.** felbecsülhetetlen

inappreciation [ˌɪnəpriːʃi'eɪʃn] *fn* elismerés/méltánylás hiánya

inapprehensible [ɪnˌæprɪ'hensəbl] *mn* fel nem fogható, érthetetlen, felfoghatatlan, megfoghatatlan

inapprehension [ˌɪnæprɪ'henʃn] *fn* **1.** megértés/belátás hiánya **2.** felfogóképesség hiánya

inappropriate [ˌɪnə'prouprɪət] *mn* (alkalomnak) nem megfelelő/odaillő, oda nem való, rossz helyen alkalmazott, nem helyénvaló; **delete whichever is ~** a nem kívánt (rész) törlendő

inapt [ɪn'æpt] *mn* **1.** nem való/alkalmas, alkalmatlan **2.** ügyetlen, nem jártas • *fn* **inaptness** *hsz* **inaptly**

inaptitude [ɪn'æptɪtjuːd ‖ –tuːd] *fn* **1.** alkalmatlanság, nem megfelelő volta (vmnek) **2.** képtelenség, ügyetlenség, járatlanság

inarticulate [ˌɪnɑː'tɪkjulət ‖ ˌɪnɑr'tɪkjələt] *mn* **1.** tagolatlan, artikulá(la)tlan *[beszéd]*, tökéletlenül kiejtett, artikulá(-la)tlan *[hang]* **2. a)** beszélni nem tudó, néma *[állat]* **b)** érthető beszédre képtelen; **~ with rage** a dühtől elfúló hangon; **~ with drink** részegen dadogva/hebegve **3.** *biol* ízület nélküli

inartistic [ˌɪnɑː'tɪstɪk ‖ –ɑr–] *mn* **1.** művészietlen **2.** művészi érzékkel nem rendelkező, művészetben járatlan

inasmuch [ˌɪnəz'mʌtʃ] *ksz* **~ as** mivel, minthogy; *régi* amennyiben, amilyen mértékben

inattention [ˌɪnə'tenʃn] *fn* **1.** figyelmetlenség, szórakozottság **2.** hanyagság, nemtörődömség; **~ to one's business** saját dolgával való nem törődés; ügyeinek elhanyagolása **3.** figyelmetlenség, előzékenység/udvariasság hiánya

inattentive [ˌɪnə'tentɪv] *mn* **1.** figyelmetlen, szórakozott **2.** hanyag, nemtörődöm **3.** figyelmetlen, nem előzékeny/udvarias

inaudible [ɪn'ɔːdəbl] *mn* nem/rosszul/alig hallható, gyenge, elhaló *[hang]*, kivehetetlen, érthetetlen *[szavak]*

inaugural [ɪ'nɔːgjurəl] **I.** *mn* (fel)avató *[ünnepség]*, megnyitó, bevezető *[előadás]*, székfoglaló, beköszöntő *[beszéd]*; **~ address** székfoglaló **II.** *fn* **1.** *US* megnyitó/bevezető/avató/székfoglaló/beköszöntő beszéd **2.** *US* ‹az USA elnökének hivatalba lépő beszéde›

inaugurate [ɪ'nɔːgjureɪt] *tsi* **1.** beiktat *[hivatalba, méltóságba]* **2.** felavat *[emlékművet]*, ünnepélyesen megnyit/átad *[hidat stb.]* **3.** bevezet, életbe léptet, kezdeményez *[új rendszert stb.]* • *fn* **inauguration**, **inaugurator** *mn* **inauguratory**

Inauguration Day *fn US* az elnök hivatalbalépésének napja *[január 21.]*

inauspicious [ˌɪnɔː'spɪʃəs] *mn* kedvezőtlen, baljós(latú), szerencsétlen

in-between *mn/fn* közvetítő; köztes

inboard ['ɪnbɔːd ‖ –bɔrd] **I.** *mn hajó* belső, hajótesten belüli; **~ cabin** belső fülke **II.** *hsz* **1.** belül **2.** be; **take the anchor ~** felszedi a horgonyt **III.** *elölj* -ban, -ben, belsejében

inborn [ˌɪn'bɔːn ‖ –'bɔrn] *mn* **1.** vele született, természetadta *[tehetség]* **2.** *régi* **an ~ speaker** született szónok

inbound ['ɪnbaʊnd] *mn hajó* part/kikötő felé tartó, kikötőbe befutó, beérkező

inbox *fn infor* levelesláda *[beérkező leveleknek]*

inbreathe [ɪn'briːð] *tsi* **1.** *vál* beszív, felszív, belélegez (vmt) **2.** *vál* (vmre) ihlet (vkt), *[bátorságot]* önt (vkbe), *[érzést]* kelt (vkben)

I

inbred [ɪn'bred] *mn* **1.** vele született, természetadta **2.** beltenyésztésű *[lovak stb.]*
inbreeding [ɪn'bri:dɪŋ] *fn* beltenyésztés
inbuilt ['ɪnbɪlt] *mn* beépített
inc., Inc. *röv Incorporated GB* bejegyzett cég, *US* részvénytársaság
Inca ['ɪŋkə] *fn* inka
incalculable [ɪn'kælkjuləbl] *mn* **1.** megszámlálhatatlan, felmérhetetlen, felbecsülhetetlen, kiszámíthatatlan *[kár]* **2.** kiszámíthatatlan, szeszélyes *[természet]* **3.** előre nem látható, beláthatatlan, kiszámíthatatlan *[következmények]*
in-calf *mn* hasas *[tehén]*
incandesce [ˌɪnkæn'des ‖ –kən–] **A.** *tsi* izzít, izzásba hoz **B.** *tni* izzik, izzásba jön, áttüzesedik, megtüzesedik
incandescent [ˌɪnkæn'desnt ‖ –kən–] *mn* **1.** (fehéren) izzó, fehérizzó, izzásig hevített; **~ lamp** izzó(lámpa); **~ light** izzófény **2.** *biz* **~ temper** heves/lobbanékony/indulatos természet • *fn* **incandescence**
incantation [ˌɪnkæn'teɪʃn] *fn* **1.** ráolvasás, varázslás, bájolás, igézés **2.** varázsige
incapable [ɪn'keɪpəbl] *mn* **1.** képtelen; **~ of improvement** javíthatatlan *[emberről]*; **~ of understanding sg** képtelen megérteni vmt **2.** tehetetlen, nem rátermett; **drunk and ~** a beszámíthatatlanságig részeg **3. a)** *jog* cselekvőképtelen; *jog* **declared ~ of managing his own affairs** cselekvőképtelenné nyilvánított **b)** *jog* **~ of being elected to a position** cselekvő/szenvedő közjogi jogképességgel nem bíró; politikai jogvesztésre ítélt • *fn* **incapability**
incapacitate [ˌɪnkə'pæsɪteɪt] *tsi* **1.** megfoszt képességtől/erőtől, képtelenné/alkalmatlanná tesz, munkaképtelenné tesz, akadályoz, meggátol **2.** *jog* megfoszt cselekvőképességtől/jogképességtől **3.** kikapcsol, inaktivál
incapacitation [ˌɪnkəpæsɪ'teɪʃn] *fn* **1.** képtelenség, alkalmatlanság; **~ for/from work** munkaképtelenség **2.** akadályoz(tat)ás, gátol(tat)ás, (munka)képtelenné válás/tevés **3. a)** *jog* képtelenné tétel **b)** *jog* jogilag vmre alkalmatlan/képtelen
incapacity [ˌɪnkə'pæsəti] *fn* **1.** alkalmatlanság, képtelenség **2.** munkaképtelenség **3.** tehetetlenség, erőtlenség, gyengeség **4.** *jog* cselekvőképesség/jogképesség hiánya
in-car *mn* autó-, autóba szerelt
incarcerate [ɪn'kɑ:səreɪt ‖ –'kɑr–] *tsi* bebörtönöz, bezár, börtönbe vet
incarceration [ɪnˌkɑ:sə'reɪʃn ‖ –ˌkɑr–] *fn* **1.** bebörtönzés, börtönbe vetés **2.** *orv* kizáródás *[sérvé]*, megrekedés *[székleté]*
incarnadine [ɪn'kɑ:nədaɪn ‖ –'kɑr–] **I.** *mn* **a)** hússzínű, halványpiros **b)** (vér)vörös, bíborvörös **II.** *fn* **a)** hússzín, halványpiros (szín) **b)** vörös (szín) **III.** *tsi vál* pirosra/vörösre fest
incarnate I. *mn* [ɪn'kɑ:nət ‖ –'kɑr–] megtestesült; *biz* **a devil ~** megtestesült/valóságos (v. maga az) ördög/sátán; testet öltött gonoszság **II.** *tsi* ['ɪnkɑ:neɪt ‖ –kɑr–] megtestesít
incarnation [ˌɪnkɑ:'neɪʃn ‖ –kɑr–] *fn* **1.** megtestesülés; **be the ~ of kindness** a megtestesült (v. testet öltött) jóság **2.** *vall* testté válás
incase [ɪn'keɪs] → **encase**
incautious [ɪn'kɔ:ʃəs] *mn* meggondolatlan, (elő)vigyázatlan, gondatlan, elhamarkodott
incavation [ˌɪnkə'veɪʃn] *fn* **1.** kiásás, kivájás, kimélyítés, bemélyítés **2.** mélyedés, üreg
incendiarism [ɪn'sendɪərɪzm] *fn* **1.** gyújtogatás, pirománia **2.** bujtogatás, lázítás, háborús uszítás
incendiary [ɪn'sendɪəri ‖ –dieri] **I.** *mn* **1. a)** gyújtó *[bomba]*; *kat* **~ bullet** gyújtólövedék **b)** gyúlékony, tűzveszélyes *[anyag]* **2.** bujtogató, lázító, háborúra uszító **II.** *fn* **1.** gyújtogató, piromániás **2.** bujtogató, lázító, háborúra uszító **3.** *biz* gyújtóbomba
incense ['ɪnsens] **I.** *fn* **1. a)** tömjén; füstölő **b)** tömjénfüst, tömjénillat **2.** tömjénezés, magasztalás, feldicsérés; *biz* **the sweet ~ of praise** a dicséret édes méze **II.** *tsi* **1.** füstölőt lóbál (vm előtt) **2.** éget *[tömjént]* **3. a)** illatossá tesz, illattal telít, illatosít **b)** hízeleg (vknek) **4.** [ɪn'sens] **a)** feldüh(ös)ít, felbőszít, felingerel, megharagít; **become/grow ~d** haragra gerjed, felbőszül; megharagszik (vkre) **b)** gerjeszt, fellobbant *[szenvedélyt]* • *fn* **incensation**
incense-bearer *fn vall* tömjénező, füstölőt tartó pap
incensory ['ɪnsensəri] *fn vall* füstölő, tömjéntartó
incentive [ɪn'sentɪv] **I.** *mn* **1.** serkentő, ösztönző, ösztökélő, buzdító, bátorító; **~ pay/wages** teljesítménybér, (ösztönző hatású) akkordbér **2.** gyújtogató, bujtogató, izgató, lázító **II.** *fn* buzdítás, bátorítás, ösztönzés, ösztöke, indíték; *közg* **monetary/pecuniary ~s** anyagi ösztönzők
incept [ɪn'sept] *tsi* **1.** *biol* magához vesz, felvesz *[táplálékot]* **2.** *ir.tud* megkezd (vmt), belekezd (vmbe) • *fn* **inception**
inceptive [ɪn'septɪv] **I.** *mn* kezdő, kezdeti; *nyelv* **~ verb** kezdő ige **II.** *fn nyelv* kezdő ige
incertitude [ɪn'sɜ:tɪtju:d ‖ –'sɜrtɪtu:d] *fn* határozatlanság, bizonytalanság, kétség
incessant [ɪn'sesnt] *mn* szüntelen, szünet nélküli, szűnni nem akaró, állandó, szakadatlan, folytonos, örökös, egyre ismétlődő • *fn* **incessancy**
incessive [ɪn'sesɪv] *mn* fokozatos, lépésről lépésre történő
incest ['ɪnsest] *fn* vérfertőzés • *mn* **incestuous**
inch [ɪntʃ] **I.** *fn* hüvelyk *[mint mértékegység: 2,54 cm]*; **at an ~** pontosan, hajszálra; **~ by ~, by ~es** apránként, lassacskán, lassanként, lépésről lépésre, centiről centire; **every ~** teljesen, minden ízében; **within an ~** majdnem, már-már, egy hajszálon múlt; **thrash sy within an ~ of one's life** félholtra ver; **an ~ of cold iron/steel** tőrdöfés; kardszúrás; *közm* **give him an ~ and he'll take an ell** kisujjadat mutatod egész kezed kéri **II. A.** *tsi* apránként (v. lépésről lépésre) szorít előre/hátra **B.** *tni* lépésről lépésre előrenyomul/hátrál; **~ ahead/along** lassan halad (előre), araszol
incher ['ɪntʃə ‖ –ər] *fn* hüvelyknyi dolog
inchmeal ['ɪntʃmi:l] *hsz* apránként, lassan, lépésről lépésre; **die (by) ~** gyötrelmes lassúsággal hal meg
inchoate I. *mn* ['ɪŋkouɪt] **1.** kezdeti, kezdődő, megkezdett **2.** befejezetlen, kezdetleges, fejletlen; *jog* **~ crimes** megkezdett bűncselekmények **II.** *tsi* ['ɪŋkoueɪt] **1.** elkezd, megkezd, belekezd (vmbe) **2.** kezdeményez, előidéz, okoz
inch-worm → **measuring worm**
incidence ['ɪnsɪdəns] *fn* **1.** elterjedtség, előfordulás (gyakorisága) *[betegségé stb.]*; **~ rate** előfordulás gyakorisága/aránya; megbetegedési arányszám **2.** *pénz* terhelés *[át nem hárítható adóé]* **3. (angle of) ~** *fiz* beesés(i szög); *kat* becsapódás(i szög); *rep* állásszög **4.** *mat* (részleges) egybeesés **5.** (véletlen) esemény
incident ['ɪnsɪdənt] **I.** *fn* **1. a)** véletlen/váratlan/közbejött esemény **b)** kellemetlen/zavarkeltő esemény/eset, incidens **c)** mellékes esemény/mozzanat, mellékkörülmény, *szính* mellékcselekmény, epizód **2.** *jog* járulék **3.** bombatalálat (bomba)becsapódás **II.** *mn* **1.** (vele)járó, kísérő (vmt), (hozzá)tartozó (vmhez) **2. a)** *fiz* beeső *[sugár]*, beesési *[szög]* **b)** *kat* becsapódó, becsapódási
incidental [ˌɪnsɪ'dentl] **I.** *mn* **1.** véletlen(ül felmerülő), előre nem látott, esetleges, mellékes, mellék-; **~ expenses** mellékköltségek, előre nem látott kiadások **2.** (vele)járó, együtt járó, kísérő (vmt), hozzátartozó (vmhez); **~ music** kísérőzene; színpadi zene **3.** *jog* **~ plea of defence** járulékos kifogás/védekezés *[nem érdemi]* **II.** *fn* **1.** előre nem látott eset, véletlen **2.** *tsz* **incidentals** mellékköltségek, előre nem látható (v. esetleg felmerülő) kiadások
incidentally [ˌɪnsɪ'dentli] *hsz* **1.** mellékesen, közbevetőleg, odavetőleg, esetleg **2.** mellesleg (szólva), egyébként
incinerate [ɪn'sɪnəreɪt] *tsi* elhamvaszt, eléget, kremál • *fn* **incineration**

incinerator [ɪn'sɪnəreɪtə ‖ –ər] *fn* égető(mű); **waste ~** hulladékégető
incipient [ɪn'sɪpɪənt] *mn* kezdeti, kezdő(dő), fellépő • *fn* **incipience**
incise [ɪn'saɪz] *tsi* **1.** bemetsz, bevág **2.** *műv* bevés
incision [ɪn'sɪʒn] *fn* **1.** (be)metszés, bevágás, *orv* incisio **2.** vágás, metszés, seb
incisive [ɪn'saɪsɪv] *mn* **1.** éles, metsző, átható *[hang]* **2.** éles, metsző, csípős, maró, gúnyos *[bírálat]* **3.** éles, mélyrehatoló *[elme]* **4.** *orv* **~ teeth** metszőfogak
incisor [ɪn'saɪzə ‖ –ər] *fn orv* metszőfog
incite [ɪn'saɪt] *tsi* **1.** izgat, ingerel, felbujt **2.** sarkall, ösztökél, stimulál, ösztönöz, indít, lelkesít, buzdít, bátorít • *fn* **incitation** *fn* **incitement**
incivility [ˌɪnsɪ'vɪləti] *fn* udvariatlanság, neveletlenség, durvaság
incl. *röv* **1.** *including* **2.** *inclusive*
inclement [ɪn'klemənt] *mn* **1.** barátságtalan, rideg, zord(on) *[éghajlat]*, szigorú, kemény *[tél]* **2.** irgalmatlan, könyörtelen, kegyetlen • *fn* **inclemency**
inclination [ˌɪnklɪ'neɪʃn] *fn* **1.** hajlam(osság), hajlandóság, előszeretet, kedv; **have an ~ for sg** hajlama van vmre; kedve van vmhez; **have an ~ towards sy** vonzalmat érez vk iránt **2.** meghajtás, lehajtás; **~ of the head** fejbólintás, főhajtás, meghajlás **3. a)** lejtő(sség), lejtés, dőlés, elhajlás; **~ compass** mágneses elhajlást mérő műszer **b)** lejtésszög, inklináció, pálya hajlása
incline I. [ɪn'klaɪn] **A.** *tsi* **1. a)** (le)hajt, előrehajt; **~ one's head** (fejével) bólint; lehajtja fejét; fejet hajt; **~ one's ear to** meghallgat vkt; **~ oneself** meghajlik, meghajtja magát **b)** elhajít, (meg)dönt **2.** késztet, indít, vezet, hajlamossá tesz (*to* vmre) **3. ~ one's steps to(wards) a place** vmerre irányítja a lépteit **B.** *tni* **1. a)** (el)hajlik, hajol, dől (*to/ towards* vmerre); **~ to the right** jobbra dől/hajlik **b)** *régi vál* meghajlik, meghajtja magát **2. a)** hajlik, hajlandó(ságot érez) **b)** hajlama van, hajlamos **3. brown that ~s to red** vörösbe hajló barna, vörösesbarna **II.** *fn* ['ɪnklaɪn] **1.** hajlás, esés, meredekség, lejtősség **2.** lejtő, emelkedő **3.** *bány* lejtős akna
inclined [ɪn'klaɪnd] *mn* **1.** elhajló, lejtős, ferde, dőlt, rézsútos, ereszkedő, emelkedő; **~ plane** ferde sík; **~ railway** lejtővasút, meredek pályájú vasút **2. ~ to (do) sg** kész/hajlandó vmre, kedve van vmhez; **be favourably ~ towards sg** szívesen/tetszéssel fogad vmt, jóindulattal tekint vmre; **if you feel ~ (to)** ha hajlandó vagy, ha kedved van hozzá; **I am ~ to think that** azt kell hinnem, hogy
inclinometer [ˌɪnklɪ'nɒmɪtə ‖ –'nɑmətər] *fn műsz* dőlésmérő, inklinométer, hajlásszögmérő
inclose [ɪn'klouz] → **enclose**
include [ɪn'klu:d] *tsi* **1.** magában foglal, tartalmaz **2.** beleért, beleszámít, belevesz, felvesz *[számításba]*; **the garden ~d** a kerttel együtt, a kert is; **not including the grown-ups** nem számítva a felnőtteket, a felnőtteken kívül; *biz* **~ out** kihagy, figyelmen kívül hagy **3.** magába zár, körülzár
included [ɪn'klu:dɪd] *mn* **1.** beleértve, beleszámítva, belevéve **2.** zárt; *mat* **~ angle** bezárt szög; *növ* **~ stamens** zárt porzószálak
inclusion [ɪn'klu:ʒn] *fn* **1.** beleértés, beleszámítás **2.** *geol* zárvány, *biol* beékelődés, bezáródás **3.** *biol* betokozódás, zárvány
inclusive [ɪn'klu:sɪv] *mn* **1. a)** magában foglaló, tartalmazó, beleértett, beleszámított; **be ~ of sg** vmt magában foglal; **~ cost** teljes költség; **~ sum** teljes összeg; **~ terms** mindent magukban foglaló árak; minden költséget magában foglaló ár **b)** bezárólag; **from the 2nd to 17th May ~** május 2–17-ig bezárólag **2.** körülzáró, körülkerítő
incoercible [ˌɪnkou'ɜ:səbl ‖ –'ɜr–] *mn* **1.** elnyomhatatlan, csillapíthatatlan, visszafojthatatlan **2.** *fiz* összenyomhatatlan
incog [ɪn'kɒg ‖ ɪn'kɑg] *biz* → **incognito**
incognito [ˌɪnkɒg'ni:tou ‖ –kɑg–] **I.** *mn* ismeretlen, rangrejtett **II.** *hsz* inkognitóban, rangrejtve **III.** *fn tsz* **~s** [–nɪti:] **1.** *ritk* **the young ~** az ifjú ismeretlen **2.** *ritk* ismeretlenség, rangrejtés, inkognitó
incognizant [ɪn'kɒgnɪznt ‖ –'kɑg–] *mn* **be ~ of sg** nincs tudomása (v. nem tud) vmről • *fn* **incognizance**
incoherent [ˌɪnkou'hɪərənt ‖ –'hɪr–] *mn* **1.** összefüggéstelen, zavaros, következetlen; **~ ideas** összefüggés nélküli (v. zavaros) gondolatok; **~ style** szétfolyó stílus **2.** *fiz* **~ molecules** kohézió nélküli molekulák • *fn* **incoherence**
incombustible [ˌɪnkəm'bʌstəbl] **I.** *mn* **1.** éghetetlen, tűzálló, nem gyulladó; **~ waste** nem éghető hulladék **2.** égést gátló **II.** *fn* **1.** éghetetlen anyag **2.** égést gátló szer
income ['ɪnkʌm, –əm] *fn* **1.** jövedelem, kereset; **earned ~** kereset; **private ~** (nem keresetből származó) magánjövedelem; **exceed/outrun one's ~** többet költ, mint amennyi a jövedelme/keresete **2.** *gazd* bevétel
income bracket *fn US* jövedelmi kategória, jövedelemkategória; *átv* társadalmi osztály
incomer ['ɪnkʌmə ‖ –ər] *fn* **1. ~s and outgoers** jövőkmenők, érkezők-távozók **2.** bevándorló, jövevény **3.** betolakodó **4.** utód *[állásban]*
income tax *fn* jövedelemadó; **graduated ~** progresszív jövedelemadó; **~ return** jövedelemadó-bevallás
incoming ['ɪnkʌmɪŋ] **I.** *mn* **1.** belépő, bejövő, beérkező; **~ mail** beérkező posta; **~ tide** dagály; ár **2.** jövevény, újonnan érkezett; **the ~ councillors** a hivatalukba lépő tanácsosok **3. ~ profit** felszaporodó nyereség/profit *[vállalaté évközben]* **II.** *fn* **1.** belépés, beérkezés **2.** *tsz* **–s** bevétel(ek), jövedelem
incommensurable [ˌɪnkə'menʃərəbl] *mn mat nyelv* összemérhetetlen, össze nem mérhető, megmérhetetlen, inkommenzurábilis (*with* vmvel); **be ~ with sg** összemérhetetlen vmvel; *átv* összehasonlíthatatlan vmvel, nem állja az összehasonlítást vmvel
incommensurate [ˌɪnkə'menʃərət] *mn* **1.** aránytalan, arányban nem álló; **be ~ with/to sg** nem áll arányban vmvel **2.** → **incommensurable**
incommode [ˌɪnkə'moud] *tsi* háborgat, zavar, inkommodál, terhére van, kényelmetlenséget/alkalmatlanságot okoz (vknek) • *fn* **incommodity** *mn* **incommodious**
incommunicable [ˌɪnkə'mju:nɪkəbl] *mn* **1. a)** közölhetetlen, nem közölhető, el nem mondható **b)** megoszthatatlan *[másokkal]* **2.** *régi* nem beszédes, zárkózott, hallgatag
incommunicado [ˌɪnkəmju:nɪ'kɑ:dou], **incomunicado** *mn* **1.** *US jog* másokkal való érintkezéstől (v. minden érintkezési lehetőségtől) elzárt **2.** *US jog* magánzárkás
incommunicative [ˌɪnkə'mju:nɪkətɪv ‖ –keɪtɪv] → **uncommunicative**
incommutable [ˌɪnkə'mju:təbl] *mn* **1.** változtathatatlan, át nem változtatható **2.** felcserélhetetlen
incomparable [ɪn'kɒmpərəbl ‖ –'kɑm–] *mn* **1.** össze nem hasonlítható, össze/egybe nem vethető **2.** hasonlíthatatlan, páratlan, egyedülálló, utolérhetetlen
incompatibility [ˌɪnkəmpætə'bɪləti] *fn* összeférhetetlenség, összeegyeztethetetlenség (with vmvel); **~ of temper** összeférhetetlen természet; **~ of blood-types** vércsoport-inkompatibilitás
incompatible [ˌɪnkəm'pætəbl] *mn* **1.** összeférhetetlen, összeegyeztethetetlen, inkompatíbilis **2.** *vegy* vegyíthetetlen, nem vegyíthető, *biol* nem keresztezhető, nem termékenyíthető; *orv* **~ blood** idegen vércsoporthoz tartozó vér
incompetent [ɪn'kɒmpətənt ‖ –'kɑm–] *mn* **1.** alkalmatlan, képtelen, nem hozzáértő/rátermett, tehetetlen **2.** *jog* **a)** nem illetékes *[bíróság]* **b)** cselekvőképtelen *[személy]*, tanúként ki nem hallgatható **c)** nem kielégítő, hiányos, elégtelen *[bizonyíték]* **d)** illetékesség hiánya • *fn* **incompetence**, **incompetency**
incomplete [ˌɪnkəm'pli:t] *mn* befejezetlen, hiányos, tökéletlen, csonka, nem teljes • *fn* **incompleteness**

I

incomprehensible [ɪnˌkɒmprɪˈhensəbl ‖ –ˌkam–] *mn* **1.** érthetetlen, megfoghatatlan, felfoghatatlan **2.** *régi* határtalan, végtelen

incomprehension [ɪnˌkɒmprɪˈhenʃn ‖ –ˌkam–] *fn* értetlenség, meg nem értés

incompressible [ˌɪnkəmˈpresəbl] *mn* összenyomhatatlan, össze nem nyomható

inconceivable [ˌɪnkənˈsiːvəbl] *mn* **1.** felfoghatatlan, megfoghatatlan **2.** elképzelhetetlen, alig hihető

inconclusive [ˌɪnkənˈkluːsɪv] *mn* nem döntő/meggyőző

incongruity [ˌɪnkənˈgruːəti] *fn* **1.** össze nem egyezés/illés, összhang/egybevalóság hiánya **2.** képtelenség, hiba, abszurditás **3.** neveletlenség, illetlenség

incongruos [ɪnˈkɒŋgruəs ‖ –ˈkaŋ–] *mn* **1.** összeférhetetlen, összeegyeztethetetlen, összhangban nem álló, ellentétes, nem egybevágó/összeillő, elütő (vmtől) **2.** nem helyénvaló/odaillő, helytelen, képtelen, lehetetlen • *fn* **incongruence** *hsz* **incongruously**

inconquerable [ɪnˈkɒŋkərəbl ‖ –ˈkaŋ–] *mn* legyőzhetetlen, leküzdhetetlen, verhetetlen

inconsecutive [ˌɪnkənˈsekjʊtɪv ‖ –ˈsekjətɪv] *mn* következetlen, nem logikus, ésszerűtlen, inkonzekvens

inconsequent [ɪnˈkɒnsɪkwənt ‖ –ˈkan–] *mn* **1.** következetlen, logikátlan, ésszerűtlen **2.** nem összefüggő • *fn* **inconsequence**

inconsequential [ɪnˌkɒnsɪˈkwenʃl ‖ –ˌkan–] *mn* **1.** nem fontos, jelentéktelen, lényegtelen *[körülmény stb.]* **2.** → **inconsequent**

inconsiderable [ˌɪnkənˈsɪdərəbl] *mn* jelentéktelen, csekély, kevés, említésre sem méltó

inconsiderate [ˌɪnkənˈsɪdərət] *mn* **1.** másokra tekintettel nem levő, másokkal nem törődő, másokat semmibe vevő, tapintatlan, kíméletlen **2.** meggondolatlan, megfontolatlan, hirtelen, elhamarkodott, hebehurgya • *fn* **inconsideration**

inconsistent [ˌɪnkənˈsɪstənt] *mn* **1. a)** következetlen, logikátlan, összefüggéstelen **b)** állhatatlan, kitartás nélküli **2.** összeegyeztethetetlen, összeférhetetlen, ellentmondó, ellentétes, ellentétben álló • *fn* **inconsistency**

inconsolable [ˌɪnkənˈsouləbl] *mn* vigasztalhatatlan

inconsonant [ɪnˈkɒnsənənt ‖ –ˈkan–] *mn* összeférhetetlen, összeegyeztethetetlen, összhangban nem álló, ellentmondó • *fn* **inconsonance**

inconspicuous [ˌɪnkənˈspɪkjuəs] *mn* nem feltűnő/szembetűnő/szembeszökő, nehezen/alig észrevehető/látható, jelentéktelen

inconstant [ɪnˈkɒnstənt ‖ –ˈkan–] *mn* **1.** állhatatlan, ingatag **2.** változékony, változó, szeszélyes • *fn* **inconstancy**

incontestable [ˌɪnkənˈtestəbl] *mn* (el)vitathatatlan, tagadhatatlan, megdönthetetlen, megcáfolhatatlan, kétségbevonhatatlan

incontinence [ɪnˈkɒntɪnəns ‖ –ˈkan–] *fn* **1. a)** mértéktelenség, szertelenség, zabolátlanság; **~ of speech/tongue** szószátyárság, túlzott bőbeszédűség **b)** bujaság, bujálkodás **2.** *orv* akaratlan váladékömlés *[tej, vizelet, ürülék]*

incontinent [ɪnˈkɒntɪnənt ‖ –ˈkan–] **I.** *mn* **1. a)** mértéktelen, szertelen, zabolátlan **b)** buja **2. ~ of secret** titkot megőrizni/megtartani nem tudó **3.** *orv* **~ of urine** önkéntelen vizelő, vizeletet visszatartani nem tudó, inkontinens **II.** *fn* **1. nocturnal ~** ágybavizelő **2.** buja személy

incontrovertible [ˌɪnkɒntrəˈvɜːtəbl ‖ –kantrəˈvɜr–] *mn* (el)vitathatatlan, kétségbevonhatatlan, tagadhatatlan, megdönthetetlen, megcáfolhatatlan

inconvenience [ˌɪnkənˈviːnɪəns] **I.** *fn* alkalmatlanság, kényelmetlenség, vesződés, kellemetlenség, nehézség, hátrány; **at a great personal ~** sok nehézség árán, rengeteg vesződséggel; **put sy to a lot of ~** sok vesződséget/fáradságot okoz vknek **II.** *tsi* zavar, háborgat, zaklat, kényelmetlenséget/fáradságot/alkalmatlanságot/vesződséget/nehézséget okoz, alkalmatlankodik, terhére van (vknek)

inconvenient [ˌɪnkənˈviːnɪənt] *mn* **1.** nem megfelelő, alkalmatlan; **if it is not ~ to you** ha nem alkalmatlan önnek; ha önnek is megfelel **2.** kellemetlen, terhes, kínos, bajos

inconvertible [ˌɪnkənˈvɜːtəbl ‖ –ˈvɜr–] *mn* **1.** átváltozhatatlan **2.** *pénz* átválthatatlan

inco-ordination [ˌɪnkouɔːdɪˈneɪʃn ‖ –ɔr–] *fn* rendezetlenség, kuszaság, összevisszaság, egybehangolás hiánya, hiányos együttműködés

incorporate [ɪŋˈkɔːpəreɪt ‖ –ˈkɔr–] **A.** *tsi* **1. a)** egyesít, vegyít, elegyít, összekever, belekever, belevegyít, belefoglal **b)** *gazd* egyesít, fuzionáltat, egybeolvaszt **c)** bekebelez, beolvaszt **2.** magában foglal, felölel **3.** megtestesít **4. a)** *jog* jogi személlyé/testületté alakít **b)** *jog gazd* bejegyez *[cégjegyzékbe]* **5.** *okt* **be ~d a member of a college** kollégium *[= egyetem* v. *főiskola]* tagja (lesz) (v. tagjának felveszik) **B.** *tni* **1.** keveredik, elegyedik **2.** *gazd* egyesül, fuzionál, összeolvad

incorporated [ɪnˈkɔːpəreɪtɪd ‖ –ˈkɔr–] *mn* **a)** *gazd* **~ company** *GB* bejegyzett cég; *US* bejegyzett részvénytársaság; *US* **~ corporation** bejegyzett cég **b) ~ town** község

incorporation [ɪnˌkɔːpəˈreɪʃn ‖ –ˌkɔr–] *fn* **1.** *jog* **a)** jogi személy létesítése **b)** jogi személyiséggel bíró testület **c)** bejegyzés, beiktatás *[cégjegyzékbe]*; **certificate of ~** cégjegyzéki kivonat **2. a)** összekeverés, elegyítés, belekeverés **b)** *gazd* egyesítés, fuzionáltatás, egybeolvasztás **c)** bekebelezés, beolvasztás **3.** megtestesítés

incorporeal [ˌɪnkɔːˈpɔːrɪəl ‖ ˌɪnkɔr–] *mn* testetlen, anyagtalan; *jog* **~ hereditaments** örökölhető eszmei/inkorporeális javak • *fn* **incorporeality**

incorrect [ˌɪnkəˈrekt] *mn* **1.** téves, nem igaz/helyes, a tényekkel ellenkező **2.** hibás, helytelen *[szóhasználat]* **3.** nem pontos, nem hiteles, az eredetivel nem egyező **4.** nem szabályos, nem tisztességes/korrekt *[viselkedés]*; **~ act** tisztességtelen cselekedet; inkorrektség

incorrigible [ɪnˈkɒrɪdʒəbl ‖ –ˈkɔ–] *mn* javíthatatlan, megrögzött

incorrodible [ˌɪnkəˈroudɪbl] *mn* saválló, korrózióálló

incorruptible [ˌɪnkəˈrʌptəbl] *mn* **1. a)** nem romlandó, romlásálló, ellenállóképes **b)** meg nem rontható **2.** megvesztegethetetlen; **The I~** Robespierre

increase I. *fn* [ˈɪŋkriːs] **1.** növekedés, gyarapodás, szaporodás, erősödés, emelkedés, fokozódás, nagyobbodás **2.** növelés, gyarapítás, szaporítás, erősítés, emelés, fokozás, nagyobbítás **3. a)** szaporulat **b)** növedék, haszon, kamat, nyereség **II.** [ɪŋˈkriːs] **A.** *tsi* növel, gyarapít, szaporít, erősít, emel, fokoz, nagyobbít **B.** *tni* növekedik, növekszik, gyarapodik, szaporodik, erősödik, emelkedik, fokozódik, nagyobbodik

increased [ɪnˈkriːst] *mn* fokozott, megnövekedett; **~ demand** megnövekedett/fokozott kereslet

increasing [ɪnˈkriːsɪŋ] *mn* növekvő, emelkedő, fokozódó, gyarapodó, szaporodó, erősödő, nagyobbodó; **~ tendency** (egyre) erősödő tendencia

increasingly [ɪnˈkriːsɪŋli] *hsz* mindinkább, egyre inkább, fokozatosan

incredible [ɪnˈkredəbl] *mn* **1.** el nem hihető **2.** *biz* hihetetlen, alig hihető, valószínűtlen, meglepő; **it's ~!** hihetetlen!

incredulity [ˌɪnkrəˈdjuːləti ‖ –ˈduːləti] *fn* hitetlenség, hitetlenkedés, kétkedés

incredulous [ɪnˈkredjʊləs ‖ –dʒə–] *mn* hitetlen(kedő), két(el)kedő

increment [ˈɪŋkrɪmənt] *fn* **1. a)** növ(eked)és, növekvés, nagyobbodás, gyarapodás, szaporodás **b)** *mat* növekmény; **~ of a function** függvényváltozás **2. a)** növedék, szaporulat, hozadék **b)** haszon, nyereség, profit **c)** emelés *[fizetésé]*, béremelés • *mn* **incremental**

increscent [ɪnˈkresnt] *mn* növ(ekv)ő, növekedő; *cím* **~ moon** növekvő hold

incretion [ɪnˈkriːʃn] *fn orv* belső mirigyelválasztás

incriminate [ɪnˈkrɪmɪneɪt] *tsi* **1.** belekever *[bűnügybe]*, gyanúba kever **2. a)** okol, hibáztat **b)** vádol • *fn* **incrimination** *mn* **incriminatory**

incriminating [ɪnˈkrɪmɪneɪtɪŋ] *mn* **1.** terhelő *[bizonyíték]* **2.** gyanús, gyanút keltő, gyanú alapjául szolgáló

incrust [ɪnˈkrʌst] → **encrust**

incrustation [ˌɪnkrʌˈsteɪʃn] *fn* **1. a)** bekérgezés, kéreggel/réteggel való bevonás **b)** bekérgeződés, kéreggel/réteggel való bevonódás, lerakódás, kazánkőképződés **2. a)** berakás, berakott munka **b)** színes kőlapburkolat **c)** kazánkő, vízkő **3.** *biz* megcsontosodás, megrögződés *[szokásban]*

incubate [ˈɪŋkjubeɪt] **A.** *tsi* **1. a)** (ki)költ **b)** kikeltet *[tojást]* **2.** *átv* titokban sző/érlel *[tervet]* **B.** *tni* **1.** kotlik **2.** *orv* lappang *[betegség]*

incubation [ˌɪŋkjuˈbeɪʃn] *fn* **1. a)** (ki)költés, kotlás **b)** (ki)keltetés; **artificial ~** mesterséges keltetés, gépkeltetés **2.** *orv* lappangás, inkubáció; **~ period** lappangási időszak • *mn* **incubatory**

incubator [ˈɪŋkjubeɪtə ‖ ˈɪŋkjəbeɪtər] *fn* **1.** keltetőgép **2.** *orv* inkubátor

incubus [ˈɪŋkjubəs] *fn* **1.** lidérc, gonosz szellem **2. a)** *biz* **be an ~ on sy** a réme vknek **b)** *biz* lidércnyomás, nyomasztó súly/tehertétel *[kötelezettségé]*

inculcate [ˈɪnkʌlkeɪt ‖ ɪnˈkʌl–] *tsi* **~ sg upon sy** elméjébe/szívébe/emlékezetébe vés vknek vmt; belenevel vkbe vmt • *mn* **inculcation**

inculpate [ˈɪnkʌlpeɪt ‖ ɪnˈkʌl–] *tsi* **1.** vádol, gáncsol, hibáztat **2.** megvádol, bevádol, okol, hibáztat • *fn* **inculpation**

incumbent [ɪnˈkʌmbənt] **I.** *mn* **1.** háruló, tartozó; **be ~ on sy** kötelező (érvényű) vm vkre, vkre hárul/háramlik *[kötelesség]* **2.** *régi* támaszkodó, fekvő **II.** *fn* **1.** egyházi javadalom élvezője **2. a)** (köz)tisztviselő, (köz)hivatalnok **b)** betöltő *[állásé, tanszéké]*, hivatalban levő • *fn* **incumbency**

incumbrance [ɪnˈkʌmbrəns] → **encumbrance**

incunable [ɪnˈkjuːnəbl] *fn* ősnyomtatvány, inkunábulum

incunabulum [ˌɪnkjuˈnæbjuləm] *fn tsz* **incunabula** [–bjulə] ősnyomtatvány, inkunábulum, korai/első példány *[vmely művészeti ágból]*

incur [ɪnˈkɜː ‖ ɪnˈkɜr] *tsi* **-rr-** magára von/zúdít *[haragot]*, szenved *[kárt, veszteséget]*, kelt *[gyűlöletet]*, kiteszi magát *[veszélynek]*; **~ burnings** égési sebeket szenved, megég; **~ criticism** (kedvezőtlen) bírálatban részesül, megkritizálják; **~ a debt** adósságot csinál, adósságba keveredik, adósságba veri magát; **~ a loss** kárt/veszteséget szenved; **~ punishment** büntetés alá esik

incurable [ɪnˈkjuərəbl ‖ –ˈkjur–] **I.** *mn* **1.** gyógyíthatatlan *[beteg(ség)]* **2.** orvosolhatatlan *[baj, hiba]* **3.** javíthatatlan, megrögzött *[iszákos stb.]* **II.** *fn* **home for ~s** gyógyíthatatlan betegek otthona; elfekvő

incurious [ɪnˈkjuərɪəs ‖ –ˈkjur–] *mn* **1.** nem kíváncsi, közömbös **2.** unalmas, érdektelen • *fn* **incuriosity**

incursion [ɪnˈkɜːʃn ‖ –ˈkɜrʒn] *fn* betörés, berontás, behatolás, benyomulás, hirtelen/meglepetésszerű támadás; **make ~s into an enemy's country** be-betör ellenség országába; **the inevitable ~ of new techniques** az új technikai eljárások szükségszerű térhódítása • *mn* **incursive**

incurve [ɪnˈkɜːv ‖ –ˈkɜrv] **A.** *tsi* → **incurvate B.** *tni* begörbül, behajlik, befelé görbül/hajlik/ível • *fn* **incurvation**

incus [ˈɪŋkəs] *fn tsz* **incudes** [ɪŋˈkjuːdiːz] *orv* üllőcsont *[fülben]*

incuse [ɪnˈkjuːz] **I.** *fn* **1.** mélyítetten vert érme **2.** mélyített veret *[érmén]* **II.** *mn* mélyítetten vert/kalapált

indebted [ɪnˈdetɪd] *mn* **1.** adós, eladósodott; **be ~ to a large sum** nagy összeggel tartozik **2.** lekötelezett, hálás • *fn* **indebtedness**

indecency [ɪnˈdiːsnsi] *fn* **1.** szemérmetlenség, trágárság, vaskosság; *jog* **public act of ~** közerkölcsöt sértő vétség; szemérem elleni cselekmény **2.** illetlenség, modortalanság, neveletlen viselkedés, ízléstelenség

indecent [ɪnˈdiːsnt] *mn* nem illő/méltó/helyénvaló, illetlen

indeciduous [ˌɪndɪˈsɪdʒuəs] *mn növ* örökzöld *[növény]*, le nem hulló *[levél]*, lombját megtartó *[növény]*

indecipherable [ˌɪndɪˈsaɪfərəbl] *mn* **1.** kibetűzhetetlen, olvashatatlan **2.** megfejthetetlen, érthetetlen

indecision [ˌɪndɪˈsɪʒn] *fn* határozatlanság, ingadozás, habozás, dönteni/határozni nem tudás

indecisive [ˌɪndɪˈsaɪsɪv] *mn* **1.** nem elhatározó/döntő/meggyőző, nem bizonyító erejű **2.** határozatlan, habozó, ingadozó, dönteni/határozni nem tudó **3.** változékony *[időjárás]*

indeclinable [ˌɪndɪˈklaɪnəbl] *mn nyelv* ragozhatatlan

indecorous [ɪnˈdekərəs] *mn* illetlen, neveletlen, ildomtalan, nem illő/helyénvaló, ízléstelen

indecorum [ˌɪndɪˈkɔːrəm] *fn* ízléstelenség, illetlenség, neveletlenség, ildomtalanság, modortalanság

indeed [ɪnˈdiːd] **I.** *hsz* **1.** valóban, igazán, tényleg, csakugyan; **yes ~!** minden bizonnyal!, hogyne!, természetesen!; de igazán!, de igen(is)!; **no ~!** igazán nem!; de nem!; a világért sem!; semmi esetre sem!; **~ a surprise!** micsoda (v. ez aztán a) meglepetés; **there are ~ exceptions** valóban/csakugyan vannak kivételek; **I have lived in London, - ~?** én éltem Londonban, - igazán?/valóban?; **does that surprise you? - it does ~!** meglepőnek találod? – de még mennyire; **if ~** ha egyáltalán, ha (csak)ugyan **2.** sőt még... is; **he asserted it, ~ he proved it** állította sőt még be is bizonyította **II.** *isz* hát még mit nem, csak az kellene még

indefatigable [ˌɪndɪˈfætɪgəbl] *mn* fáradhatatlan, szívós, kitartó • *fn* **indefatigability**

indefeasible [ˌɪndɪˈfiːzəbl] *mn* elévülhetetlen, visszavonhatatlan, elidegeníthetetlen, megtámadhatatlan *[jog]*

indefectible [ˌɪndɪˈfektəbl] *mn* **1.** elmúlhatatlan, hervadhatatlan, maradandó **2.** csalhatatlan **3.** hibátlan, kifogástalan

indefensible [ˌɪndɪˈfensəbl] *mn* tarthatatlan, védhetetlen, igazolhatatlan • *fn* **indefensibility**

indefinable [ˌɪndɪˈfaɪnəbl] *mn* **1.** meghatározhatatlan **2.** bizonytalan, határozatlan *[érzés]*, ködös, megfoghatatlan *[dolog]*

indefinite [ɪnˈdefənət] *mn* **1.** határozatlan, bizonytalan, pontatlan; *mat* **~ integral** határozatlan integrál **2.** korlátlan, határtalan; **~ leave** bizonytalan időre szóló távozási engedély **3.** *nyelv* határozatlan; **~ article** határozatlan névelő; **~ vowel** semleges magánhangzó *[schwa]*

indefinitely [ɪnˈdefənətli] *hsz* **1.** bizonytalanul, határozatlanul, pontatlanul, nem tüzetesen **2.** korlátlanul, határtalanul, a végtelenségig; **postpone sg ~** bizonytalan időre elhalaszt vmt; a végtelenségig halogat vmt

indelible [ɪnˈdeləbl] *mn* **1.** letörölhetetlen, eltörölhetetlen, kitörölhetetlen, kivakarhatatlan, kiradírozhatatlan, kivehetetlen; **~ ink** vegytinta; **~ pencil** tintaceruza **2. a)** *átv* feledhetetlen, kitörölhetetlen *[emlék]* **b)** *átv* lemoshatatlan *[szégyenfolt]*

indelicate [ɪnˈdelɪkət] *mn* **1.** tapintatlan, kíméletlen, gyöngédtelen, nyers, durva, bántó, sértő **2.** illetlen, ildomtalan, neveletlen • *fn* **indelicacy**

indemnify [ɪnˈdemnɪfaɪ] *tsi* **1.** biztosít **2.** kártalanít, kárpótol, kártérítést ad • *fn* **indemnification**

indemnity [ɪnˈdemnəti] *fn* **1.** jótállás, biztosíték *[veszteség ellen]*; *gazd* **~ bond, letter of ~** garancialevél, kezesség **2.** kártérítés(i összeg), jóvátétel; **~ for expropriation** kisajátításért járó megtérítés; *gazd* **invoice of ~** kárszámla; **war ~** hadisarc **3.** *pol* **act/bill of ~** felelősség alól felmentő törvénycikk, felmentvény

indemonstrable [ɪnˈdemənstrəbl ‖ ˌɪndɪˈmɑn–] *mn* bebizonyíthatatlan

indent[1] **I.** *fn* [ˈɪndent] **1.** fogazat, csipkézet(tség), félkör alakú bemélyedés *[partvonalé]* **2.** csap *[ácsmunkánál]* **3.** hatósági igénybevétel, rekvirálás *[árukészleté]*; *kat* **ration ~** élelmiszer-utalvány **4.** *gazd* tengerentúli (külföldi) ügynök által beküldött rendelés **5.** szerződés **II.** [ɪnˈdent]

A. *tsi* **1.** fogaz, kicsipkéz, mélyen belevág *[víz partba]* **2.** csapol *[ács]* **3.** perforál, átlyuggat, közepén kettéválaszt *[okiratot]* **4.** *nyomd* bekezdést szed, sort behúz **5.** *gazd* tengerentúlról (külföldről)(meg)rendel *[árut]* **B.** *tni* ~ **upon sy for sg** rendelést ad fel vknek vmre

indent[2] **I.** *fn* [ˈɪndent] horpadás, benyomódás, bemélyedés, ütés nyoma *[tárgyon]* **II.** *tsi* [ɪnˈdent] behorpaszt, benyom, bemélyít

indentation [ˌɪndenˈteɪʃn] *fn* **1.** kicsipkézés, rovátkolás, bemetszés, bevágás **2.** csap *[ácsmunkánál]* **3.** csipkézet, fogazat, félkör alakú bemélyedés *[szárazföldé]* **4.** horpadás, bemélyedés **5.** *nyomd* → **indention** 1.

indention [ɪnˈdenʃn] *fn* **1.** *nyomd* bekezdés szedése, sor beugratása; **reverse/hanging ~** beljebbezett szedés, bekezdés, behúzott sor **2.** → **indentation** 1., 2.

indenture [ɪnˈdentʃə ‖ –ər] **I.** *fn* **1.** *jog* kétoldali szerződés **2.** *tsz* **indentures** *jog* tanoncszerződés; *jog* **take up** (v. **be out of) one's ~s** megkapja a segédlevelet **3.** bevágás, bemetszés **4.** bemélyedés, horpadás **II.** *tsi* **1.** szerződéssel kötelez; **~d labour** szerződéses/leszerződött munkások **2. a)** tanoncnak/tanulónak ad **b)** tanoncnak/tanulónak szerződtet/szegődtet/felvesz/felfogad **3.** rovátkol, barázdál

independence [ˌɪndɪˈpendəns] *fn* **1.** függetlenség (*of* vktől/vmtől) **2. a)** függetlenség, szabadság *[országé]* **b)** önállóság **c)** anyagi függetlenség, magánvagyon

Independence Day *fn US* ‹az amerikai függetlenségi nyilatkozat (1776) kiadásának emléknapja (július 4.), amerikai nemzeti ünnep›

independent [ˌɪndɪˈpendənt] **I.** *mn* **1.** független (*of* vmtől/vktől) **2.** független, szabad, autonóm *[ország]* **3.** önálló, független; *kat* **~ firing** egyestűz, csatártűz; **~ school** nem állami iskola, magániskola **4.** anyagilag független; **man of ~ means** anyagilag független ember **5.** szabad, fesztelen, merész **6.** *pol* párton kívüli **7.** *tört* **I~** independens, kongregacionalista **8.** *mat* **~ events** (egymástól) független események; **~ variable** független változó **II.** *fn* **1.** *pol* pártonkívüli **2.** *tört* **the I~s** az independensek • *hsz* **independently**

in-depth *mn* alapos (és részletes), (alaposan és gondosan) kimunkált

indescribable [ˌɪndɪˈskraɪbəbl] *mn* leírhatatlan, elmondhatatlan, kifejezhetetlen; **the ~ something** az a szavakkal alig kifejezhető vm • *fn* **indescribability**

indestructible [ˌɪndɪˈstrʌktəbl] *mn* elpusztíthatatlan • *fn* **indestructibility**

indeterminable [ˌɪndɪˈtɜːmɪnəbl ‖ –ˈtɜr–] *mn* **1.** meghatározhatatlan, megállapíthatatlan **2.** eldönthetetlen *[vita]*

indeterminate [ˌɪndɪˈtɜːmɪnət ‖ –ˈtɜr–] *mn* **1.** határozatlan **2.** nem meghatározott **3.** eldöntetlen *[vita]*

indetermination [ˌɪndɪtɜːmɪˈneɪʃn ‖ –tɜr–] *fn* **1.** határozatlanság, tétovázás, ingadozás, dönteni nem tudás **2.** meghatározatlanság

indeterminism [ˌɪndɪˈtɜːmɪnɪzm ‖ –ˈtɜr–] *fn fil* indeterminizmus

index [ˈɪndeks] **I.** *fn tsz* **~es 1.** mutatóujj **2.** *műsz* mutató, nyelv, irányjelző, jelzőkar, index *[autón]*, kompasz *[órában]* **3.** névmutató, tárgymutató, tartalommutató, betűrendes mutató; **word ~** szómutató **4.** *vall* **~ (librorum prohibitorum)** tiltott könyvek jegyzéke, index; **put a book on the I~** könyvet indexre tesz (v. betilt) **5.** *tsz* **indices** [ˈɪndɪsiːz] **a)** index(szám), jelzőszám, mutatószám, mérőszám **b)** *mat* kitevő; **~ of radical** gyökkitevő **II.** *tsi* **1. a)** tárgymutatóval/névmutatóval ellát **b)** tartalomjegyzékbe felvesz/beiktat **c)** tárgymutatót készít (vmről) **2.** *vall* betilt, indexre tesz *[könyvet]* **3.** → **index-link**

index-finger *fn* mutatóujj

index-link *tsi pénz* indexhez köt, indexál

India [ˈɪndɪə] *tul földr* India; **~ ink** tus; **~ paper** biblianyomó papír, bibliapapír

Indian [ˈɪndɪən] **I.** *mn* **1. a)** indiai; **~ ink** tus; *földr* **I~ Ocean** Indiai-óceán **b)** hindu, indus **2.** indián; **~ corn** kukorica, tengeri; **~ file** libasor; **~ ladder** létófa, állófa; **~ summer** vénasszonyok nyara; **~ weed** dohány **II.** *fn* **1. a)** hindu, indus **b)** → **Anglo-Indian 2.** (amerikai) indián

Indiana [ˌɪndiˈænə] *tul földr US* Indiana (állam)

India-rubber *fn* **1.** gumi, kaucsuk **2.** radír(gumi)

indicate [ˈɪndɪkeɪt] **A.** *tsi* **1.** jelez, mutat **2.** (röviden) vázol, közöl, megemlít, feltüntet, rámutat, utal, figyelmeztet (vmre), említést tesz (vmről); **at the hour ~d** a megadott órában/időpontban **3.** *orv* javall, szükségesnek mutat, indokolttá/szükségessé tesz, indikál **4.** sejtet, sejtetni enged (vmt), vall, utal (vmre) következtetni enged (vmre), tanúskodik (vmről); **the face ~s energy** az arc energiára vall **B.** *tni gk* jelez, indexel; **~ left/right** balra/jobbra jelez/indexel

indication [ˌɪndɪˈkeɪʃn] *fn* **1.** rámutatás, feltüntetés, utalás, figyelmeztetés **2.** (elő)jel, (vmre utaló) jel; **give clear ~ of one's intentions** nyíltan/világosan utal szándékaira, nyíltan feltárja/felfedi szándékát

indicative [ɪnˈdɪkətɪv] **I.** *mn* **1.** valló, mutató, utaló, figyelmeztető, következtetni engedő, jelző, sejtető, sejteni engedő **2.** *nyelv* jelentő *[mód]* **II.** *fn nyelv* jelentő mód

indicator [ˈɪndɪkeɪtə ‖ –ər] *fn* **1.** mutató, jelző(készülék), mérő-/regisztrálókészülék, jelzőtábla, útjelző; **~ board** kapcsolótábla, jelzőtábla **2.** *gk* irányjelző, index; **~ lamp** irányjelző lámpa **3.** *vegy* indikátor, savjelző, lúgjelző **4.** *orv* mutatóujj

indicatory [ɪnˈdɪkətəri ‖ –tɔri] *mn* valló, mutató, utaló, figyelmeztető, következtetni engedő (*of* vmre), jelző, sejtető, vmt sejteni engedő

indices [ˈɪndɪsiːz] → **index** I. 5.

indicia [ɪnˈdɪʃə] *fn tsz* **1.** előjelek, figyelmeztető jelek **2.** *US* készpénzzel bérmentesítve (bélyegző) *[postán]*

indicial [ɪnˈdɪʃel] *mn* **1.** jelző, megmutató **2.** *orv* mutatóujji

indict [ɪnˈdaɪt] *tsi* (meg)vádol, bevádol (vmért), vádat emel, vádemelési indítványt tesz; **~ a statement as false** hamisnak nyilvánít állítást • *fn* **indicter** *mn* **indictable**

indictment [ɪnˈdaɪtmənt] *fn* (meg)vádolás, vádemelés(i javaslat), vádbeszéd, vádindítvány, vádirat, vádhatározat; **lay/prefer** (v. **bring in) an ~ against sy** vádat emel (v. vádiratot ad ki) vk ellen; **find an ~** vádhatározatot hoz *[esküdtszék]*; **bill of ~** vádirat

indie [ˈɪndi] *fn* ‹popzenei felvételeket, televíziós programokat gyártó önálló vállalkozás›

indifference [ɪnˈdɪfərəns] *fn* **1.** közöny, közömbösség, érzéketlenség, részvétlenség, nemtörődömség **2.** középszerűség, jelentéktelenség **3.** *közg* **~ curve** közömbösségi görbe; **~ relation** közömbösségi reláció

indifferent [ɪnˈdɪfərənt] *mn* **1.** közönyös, közömbös, részvétlen, érzéketlen, nemtörődöm **2.** középszerű, elég rossz; **~ health** elég rossz egészségi állapot **3.** nem fontos/lényeges, jelentőség/fontosság nélkül való **4.** *vegy* semleges, közömbös

indifferentism [ɪnˈdɪfərəntɪzm] *fn* politikai/vallási közömbösség, minden állásfoglalástól való tartózkodás, indifferentizmus • *fn* **indifferentist**

indigenous [ɪnˈdɪdʒənəs] *mn* **1.** bennszülött, belföldi, őshonos, hazai, endemikus **2.** *átv* vele született, velejáró, benne rejlő, lényeges

indigent [ˈɪndɪdʒənt] *mn/fn* szegény, ínséges, nélkülöző • *fn* **indigence**

indigestible [ˌɪndɪˈdʒestəbl, –daɪ–] *mn* (meg)emészthetetlen, nehezen emészthető

indigestion [ˌɪndɪˈdʒestʃən, –daɪ–] *fn* **1.** gyomorrontás, emésztési zavar; **he has an attack of ~, he suffers from ~** elrontotta a gyomrát, emésztési zavarai vannak; **it gives me ~** elrontja a gyomromat; **touch of ~** enyhe gyomorrontás **2.** meg nem emésztett *[étel, ismeret]*

indigestive [ˌɪndɪˈdʒestɪv, –daɪ–] *mn* nehezen emészthető, emészthetetlen

indignant [ɪn'dɪgnənt] *mn* felháborodott, méltatlankodó, dühös, haragos, ingerült; **be/feel ~ at sg** méltatlankodik vm miatt; dühös/haragszik vm miatt (v. vmre); **make sy ~** felháborít/felingerel vkt

indignation [ˌɪndɪg'neɪʃn] *fn* felháborodás, méltatlankodás, megbotránkozás, ingerültség; **righteous ~** jogos felháborodás; **~ meeting** tiltakozó gyűlés

indignity [ɪn'dɪgnəti] *fn* **1.** méltatlanság, érdemtelenség **2.** aljasság, gonoszság **3.** sértés, megalázás; **treat sy with ~** megaláz/megsért/megszégyenít/megbánt vkt

indigo ['ɪndɪgoʊ] **I.** *mn* indigókék **II.** *fn* **1.** *növ* indigócserje **2.** indigókék

indirect [ˌɪndə'rekt, –daɪ–] *mn* **1.** közvetett, indirekt *[útvonal, eredmény]*; *gazd* **~ costs/expenditure** közvetett költségek; *jog* **~ evidence** közvetett bizonyíték; **~ lighting** szórt fény; *nyelv* **~ object** részeshatározó; *mat* **~ proof** indirekt bizonyítás *[reductio ad absurdum]*; *nyelv* **~ speech** függő beszéd; **make an ~ hit** kerülő úton ér el (v. tud meg) vmt **2. a)** kerülő, kitérő, félreeső, elhagyatott, rejtett *[út]* **b)** ferde, sanda, fondorlatos, alattomos, titkos *[eszköz]*, rejtett, burkolt *[értelem, szemrehányás]*, *Sh* becstelen *[ember]*

indiscernible [ˌɪndɪ'sɜːnəbl ‖ –'sɜr–] *mn* **1.** megkülönböztethetetlen, felismerhetetlen **2.** észrevehetetlen, szabad szemmel nem/alig látható, kivehetetlen

indiscipline [ɪn'dɪsɪplɪn] *fn* fegyelmezhetetlenség, féktelenség

indiscreet [ˌɪndɪ'skriːt] *mn* **1.** indiszkrét, tapintatlan **2.** oktalan, gondatlan, meg nem gondolt, elővigyázatlan *[ember]*; **~ step** meggondolatlan lépés; tapintatlan cselekedet

indiscrete [ˌɪndɪ'skriːt] *mn* oszthatatlan

indiscretion [ˌɪndɪ'skreʃn] *fn* **1.** tapintat hiánya, indiszkréció, kíváncsiság **2. a)** oktalanság, meggondolatlanság, megfontolatlanság; **calculated ~** megfontolt/szándékos/tudatos tapintatlanság **b)** helytelen/indiszkrét viselkedés; **~ of youth** ifjúkori eltévelygések

indiscriminate [ˌɪndɪ'skrɪmɪnət] *mn* válogatás nélküli, összevissza történő; **~ slaughter** általános mészárlás ● *fn* **indiscrimination**

indispensable [ˌɪndɪ'spensəbl] **I.** *mn* **1.** kötelező, el nem hanyagolható **2.** nélkülözhetetlen, szükséges; **no one is ~** senki sem nélkülözhetetlen **II.** *fn* **1.** (a) legszükségesebb **2.** *tsz* **indispensables** *régi* (alsó)nadrág, bugyi

indispose [ˌɪndɪ'spoʊz] *tsi* **1.** *régi* **~ sy towards sy** vk ellen hangol vkt, rossz hangulatba hoz vkt vkvel szemben; **~ sy to do sg** elveszi vknek hajlandóságát/kedvét (v. elkedvetlenít vkt) vm megtételétől; **~ sy from a course of action** távoltart/eltérít vkt szándékától/cselekedetétől **2.** *régi* **~ sy for sg** vkt vmre alkalmatlanná/képtelenné tesz

indisposed [ˌɪndɪ'spoʊzd] *mn* **1.** kevéssé hajlamos **2. be/feel ~** rosszul érzi magát, gyengélkedik

indisposition [ˌɪndɪspə'zɪʃn] *fn* **1.** ellenszenv, ellenérzés **2.** hajlam/vonzalom/vonzódás hiánya, idegenkedés **3.** rossz közérzet, gyengélkedés, indiszpozíció

indisputable [ˌɪndɪ'spjuːtəbl] *mn* kétségbe nem vonható, kétségtelen, elvitathatatlan, vitán felül álló, nem vitatható

indissoluble [ˌɪndɪ'sɒljubl ‖ –'sɑljə–] *mn* **1.** felbonthatatlan *[barátság, szerződés]*; **~ bonds of affection** a szeretet elszakíthatatlan köteléke **2.** oldhatatlan *[anyag]*

indistinct [ˌɪndɪ'stɪŋkt] *mn* határozatlan, alig kivehető, bizonytalan körvonalú, tisztán nem érthető *[kép, hang, elképzelés]*

indistinction [ˌɪndɪ'stɪŋkʃn] *fn* **1. a)** összezavarás, összekeverés, összetévesztés **b)** zagyvaság, zavartság, konfúzió **2.** megkülönböztethetetlenség **3.** homályosság

indistinguishable [ˌɪndɪ'stɪŋgwɪʃəbl] *mn* **1.** megkülönböztethetetlen, nem megkülönböztethető; **they are ~** nem lehet különbséget tenni köztük (v. őket megkülönböztetni) **2.** tisztán nem érthető/kivehető *[látható, hallható]*; **~ to the naked eye** szabad szemmel nem látható (v. megkülönböztethetetlen v. kivehetetlen)

indite [ɪn'daɪt] *tsi tréf* (meg)alkot, (meg)szerkeszt, (meg)fogalmaz, (meg)szövegez, összeállít *[levelet]*

indium ['ɪndɪəm] *fn vegy* indium

indivertible [ˌɪndaɪ'vɜːtəbl ‖ –'vɜrtəbl] *mn* eltéríthetetlen, megmásíthatatlan *[nézet]*

individual [ˌɪndɪ'vɪdʒuəl] **I.** *mn* **1. a)** egyéni, individuális **b)** sajátos, jellegzetes, különös, különleges, egyes **c)** egyedi *[darab]* **2. ~ initiative** önálló kezdeményezés **3.** oszthatatlan, elszakíthatatlan **II.** *fn* egyén, egyed, személyiség; **average ~** átlagember

individualism [ˌɪndɪ'vɪdʒuəlɪzm] *fn fil* individualizmus, az egyéniség kultusza

individualist [ˌɪndɪ'vɪdʒuəlɪst] *fn* individualista ● *mn* **individualistic**

individuality [ˌɪndɪvɪdʒu'æləti] *fn* **1.** egyéniség, egyéni jelleg **2.** *biz* **he has his individualities** megvannak a maga szokásai/vonásai/bogarai

individualize [ˌɪndɪ'vɪdʒuəlaɪz], **-ise** *tsi* **1.** egyénít, egyénileg/egyedileg kezel, egyenként bírál/alkot véleményt (vmről) **2.** egyéni jelleget ad/kölcsönöz

individually [ˌɪndɪ'vɪdʒuəli] *hsz* **1.** egyénien, egyénileg **2.** egyénenként, személyesen **3. I am speaking ~** csak a magam nevében beszélek

individuate [ˌɪndɪ'vɪdʒueɪt] → **individualize**

indivisible [ˌɪndɪ'vɪzəbl] **I.** *mn* (fel)oszthatatlan, részekre nem osztható **II.** *fn* **1.** oszthatatlan dolog **2.** *mat* oszthatatlan mennyiség ● *hsz* **indivisibly**

Indo-Aryan [ˌɪndoʊ–] *mn/fn* indoárja *[faj, nyelv]*

Indo-China [ˌɪndoʊ–] *tul földr* Indokína

indocile [ɪn'doʊsaɪl ‖ ɪn'dɑsl] *mn* **1.** csökönyös, engedetlen **2.** nem tanulékony/irányítható/vezethető ● *fn* **indocility**

indoctrinate [ɪn'dɒktrɪneɪt ‖ –'dɑk–] *tsi* (be)tanít, kioktat; **~ sy with sg** belenevel vkbe vmt *[felfogást, nézetet]* ● *fn* **indoctrinatrion**

Indo-European [ˌɪndoʊjuərə'piːən ‖ –jʊrə–] *mn/fn* indoeurópai; **~ languages** indoeurópai nyelvek

Indo-Germanic [ˌɪndoʊdʒə'mænɪk ‖ –dʒər–] *mn/fn* indogermán

indolent ['ɪndələnt] *mn* **1.** hanyag, nemtörődöm, közömbös, tunya, lusta, tétlen, indolens **2.** *orv* **a)** kevéssé fájdalmas, fájdalmat alig okozó **b)** lassan progrediáló/romló (betegség), lassú lefolyású ● *fn* **indolence**

indomitable [ɪn'dɒmɪtəbl ‖ –'dɑ–] *mn* megszelídíthetetlen, megfékezhetetlen; **~ will** vasakarat

Indonesia [ˌɪndoʊ'niːzɪə ‖ ˌɪndə'niːʒə] *tul földr* Indonézia ● *mn/fn* **Indonesian**

indoor [ɪn'dɔː ‖ ɪn'dɔr] *mn* szobai, házi, szoba-, *sp* fedett *[pálya]*, fedettpályás *[verseny]*; **~ aerial/antenna** szobaantenna; **~ complexion** beteges arcszín; **~ games** teremsport; **~ plant** szobanövény; **~ pool** fedett uszoda *[szállodában]*; *sp* **~ soccer** teremfoci

indoors [ɪn'dɔːz ‖ ɪn'dɔrz] *hsz* szobában, zárt helyiségben, otthon, a házban, bent; **go ~** bemegy a házba/szobába; **keep ~** otthon marad, őrzi a szobát

indorse [ɪn'dɔːs ‖ –'dɔrs–] → **endorse**

indraft ['ɪndrɑːft ‖ 'ɪndræft] → **indraught**

indraught ['ɪndrɑːft ‖ 'ɪndræft] *fn* **1.** beömlés *[vízé, levegőé]*, hozzáfolyás, beáramlás **2.** beszívás

indrawn [ɪn'drɔːn] *mn* **1.** benntartott, beszívott *[levegő]* **2.** tartózkodó, zárkózott

indubitable [ɪn'djuːbɪtəbl ‖ ɪn'duːbɪtəbl] *mn* kétségtelen, elvitathatatlan, vitán felüli, kétségbevonhatatlan

induce [ɪn'djuːs ‖ ɪn'duːs] *tsi* **1. ~ sy to do sg** rávesz, rábír; kényszerít, késztet, befolyásol vkt vmre **2. a)** létrehoz, előidéz, okoz; **~ perspiration** izzaszt, izzadást vált ki; **~ sleep** alvást idéz elő **b)** *el* indukál, gerjeszt **3.** következtet; **~ a law from the ascertained results** törvényt levon a kapott eredményekből ● *fn* **inducer**

induced [ɪn'djuːst ‖ ɪn'duːst] *mn* **1.** *vill* **~ field** indukciós tér; **~ current** gerjesztett/indukált áram **2.** *orv* **~ labo(u)r** indított szülés

I

inducement [ɪn'dju:smənt ‖ –'du:s–] *fn* **1. a)** indítás, indíték, indítóok **b)** (mozgató)rugó, impulzus, hajtóerő; **hold out an ~ to sy to (do) sg** (vonzó/előnyös ajánlatok segítségével) kecsegtet/késztet/ösztönöz/ösztökél vkt vm megtételére; **the ~s of the capital town** a főváros vonzóereje/varázsa; a főváros kísértései **c)** *jog* felbujtás **2.** *jog* **a)** indok *[bizonyos bírói ténykedésé/eljárásé]* **b)** jogi cél *[ügyleté]*

induct [ɪn'dʌkt] *tsi* **1. a)** *vall* beiktat *[papot állásába]*; **~ clergyman to a benefice/living** papot hivatalba/stallumba iktat **b)** hivatalba iktat/helyez *[köztisztviselőt]* **c)** *US* behív *[katonának]*, besoroz, bevonultat **2.** (ünnepélyesen) beavat, bevezet (vkt vmbe)

inductance [ɪn'dʌktəns] *fn vill* induktív ellenállás, reaktancia, induktivitás, induktancia; *távk* **~ coupling** induktív csatolás; *vill távk* **~ coil** indukciós tekercs

inductee [ˌɪndʌk'ti:] *fn US* besorozott *[személy]*, újonc

induction [ɪn'dʌkʃn] *fn* **1. a)** beiktatás, hivatalba helyezés *[papé, köztisztviselőé]* **b)** beavatás, belépés **2.** adatelemzés; **~ of facts** a tények/bizonyítékok feltárása/felsorolása/elemzése *[vm bizonyítására]* **3. a)** *fil mat* rávezetés, indukció, következtetés; **mathematical ~** matematikai/teljes indukció **b)** általánosítás **4.** *el* **~ (of current)** (elektromos) áramgerjesztés, indukció (elektromágneses); **~ motor** indukciós motor, aszinkronmotor **5.** *műsz* admisszió, bebocsátás, beeresztés, beszívás *[gőzé, gázé]*; **~ stroke** szívóütem, szívási út *[dugattyúnál]*; **~ valve** beeresztőszelep, beömlőszelep **6.** *orv* művi úton való előidézés *[állapoté, betegségé]*; **~ of sleep** elaltatás; *orv* **medical ~ of labor** szülés gyógyszeres megindítása **7.** *US kat* (be)sorozás; **~ center** bevonulási központ

induction-coil *fn vill távk* indukciós/öngerjesztő tekercs

inductive [ɪn'dʌktɪv] *mn* **1.** *fil mat* **the ~ method** induktív/rávezető módszer **2.** *vál* **vices ~ to sin** bűnre vezető/ösztönző rossz szokások **3.** *el* áramgerjesztő, indukáló, indukciós, induktív; **~ capacity** dielektromos állandó, permeabilitás; **~ current/circuit** gerjesztő/indukáló áram(-kör); **~ resistance** induktív ellenállás

inductor [ɪn'dʌktə ‖ –ər] *fn* **1.** *vall* egyházi állásba beiktató funkcionárius **2.** *műsz* áramfejlesztő készülék, (áram)-gerjesztő, induktor, indukciós tekercs

indue [ɪn'dju:] → **endue**

indulge [ɪn'dʌldʒ] **A.** *tsi* **1. a)** elnéz, megbocsát (vknek vmt), elnézést/megbocsátást tanúsít (vk iránt), tűri vk szeszélyét, elkényeztet, elront *[gyermeket]*; **~ oneself** túl sokat törődik magával, túlságosan kíméli magát (v. félti az egészségét); megenged magának (vmt), semmit sem tagad meg magától; belemerül (vmbe); **~ sy in sg** vknek megenged/elnéz vmt **b)** kedvébe jár, kedvez, kedveskedik (vknek), kielégít (vkt) **2.** *vall* bűnbocsánatot ad **3.** *gazd* haladékot ad **4.** átadja magát, szabad folyást enged *[ábrándozásnak, hajlamnak, szenvedélynek]*, (hiú) reményt táplál **5.** *biz* túl sok szeszes italt fogyaszt **B.** *tni* **1. ~ in** enged (vmnek); rászokik, rákap *[szokásra]*; megenged magának (v. nem tagad meg magától) *[élvezetet, szórakozást]*; **~ in a new suit** meglepi magát egy új öltönnyel **2.** *biz* felönt a garatra, sokat iszik, hajlik az iszákosságra **3. ~ too freely in sg** visszaél vmvel

indulgence [ɪn'dʌldʒəns] *fn* **1.** elnézés, engedékenység, megbocsátás, béketűrés **2. a)** belemerülés, élvezet, kielégítés *[hajlamé]*; **~ in sin** bűnben élés, elmerülés a bűnben **b) allow oneself the ~ of a glass of wine** egy pohár bort engedélyez magának **c) ~ in sg** hódolás vm előtt **3.** *vall* bűnbocsánat, búcsú **4.** *gazd* fizetési haladék/halasztás *[váltó fizetője számára]*

indulgent [ɪn'dʌldʒənt] *mn* engedékeny, elnéző, gyenge(-kezű); **~ husband** engedékeny férj; *tréf* túlzottan elnéző férj

indurate I. *mn* ['ɪndjurət ‖ –də–] → **indurated II.** [ɪn'djuˌreɪt ‖ –də–] **A.** *tsi* **a)** (meg)keményít, keménnyé/edzetté tesz, megedz *[testet, anyagot]* **b)** *biz* eldurvít, kérgessé/rideggé/érzéketlenné tesz, megkeményít *[lelket, szívet]* **B.** *tni* (meg)keményedik, megkeményíti magát, *átv* keménnyé/érzéketlenné/rideggé válik, eldurvul, *orv* megkeményedik *[szövet]*, meggyökeresedik *[szokás]* • *fn* **induration** *mn* **indurative**

indusium [ɪn'dju:zɪəm ‖ –'du:–] *fn tsz* **–sia** [–zɪə] **1.** *áll* (lárva)burok, lárvatok **2.** *növ* fátyol *[harasztok levelein]*

industrial [ɪn'dʌstrɪəl] **I.** *mn* ipari, ipar-; **~ accident** üzemi baleset; **~ alcohol** (denaturált) ipari szesz; **~ art** iparterve-zés, formatervezés, iparművészet; **~ design** (ipari) formatervezés; **~ estate** ipari negyed, gyárnegyed; **~ engineer** üzemgazdász; üzemszervező; **~ plant** gyárüzem, ipartelep; **~ railway** iparvasút; **~ untreated water** ipari szennyvíz; **~ refuse** ipari selejt/hulladékanyag; **~ revolution** ipari forradalom; **~ television** ipari (v. zárt láncú) televízió; **~ trainee** ipari tanuló; **~ unit** üzemegység, ipartelep; **~ worker** gyári munkás, ipari dolgozó **II.** *fn tsz* **industrials** *pénz* ipari részvények/(érték)papírok

industrialism [ɪn'dʌstrɪəlɪzm] *fn* az iparosítás tana, indusztrializmus

industrialist [ɪn'dʌstrɪəlɪst] *fn* **1.** (gyár)iparos, gyáros **2.** az iparosítás híve, iparosító *[ember]*, iparűző, indusztrialista

industrialize [ɪn'dʌstrɪəlaɪz], **–ise** *tsi* iparosít, indusztrializál • *fn* **industrialization**

industrious [ɪn'dʌstrɪəs] *mn* szorgalmas, buzgó, iparkodó, törekvő

industry ['ɪndəstri] *fn* **1.** ipar(ág); **heavy ~** nehézipar; **light ~** könnyűipar **2.** (kitartó) szorgalom, igyekezet, iparkodás, buzgalom, kitartó munka

indwell [ɪn'dwel] *tsi/tni vál* **~ (in)** (egy helyen) lakik/tartózkodik/marad • *fn* **indweller**

inebriate I. *tsi* [ɪ'ni:brɪeɪt] lerészegít, megrészegít, elkábít, (meg)mámorosít, mámorossá tesz **II.** *mn* [ɪ'ni:brɪət] → **inebriated III.** *fn* [ɪ'ni:brɪət] iszákos, részeges, korhely, alkoholista *[ember]* • *fn* **inebriation**

inebriated [ɪ'ni:brieɪtɪd] *mn* részeg, ittas, mámoros, becsípett, kapatos, borközi állapotban levő

inedible [ɪn'edəbl] *mn* ehetetlen, nem ehető, táplálkozásra nem alkalmas

ineducable [ɪn'edjukəbl ‖ –'edʒə–] *mn* nevelhetetlen

ineffable [ɪn'efəbl] *fn* szavakkal ki nem fejezhető, kimondhatatlan

ineffaceable [ˌɪnɪ'feɪsəbl] *mn* kitörölhetetlen *[betűk, benyomás]*

ineffective [ˌɪnɪ'fektɪv] *mn* **1. a)** hatástalan, eredménytelen, célra nem vezető, hiábavaló *[szer, kezelés, módszer]* **b)** (művészi) hatás nélküli, benyomást nem keltő *[alkotás, mű]*; **~ style** lapos/színtelen stílus **2.** képtelen, tehetetlen, erőtlen, alkalmatlan (vmre)

ineffectual [ˌɪnɪ'fektʃuəl] *mn* **1.** hatástalan, eredménytelen, eredményre nem vezető, hiábavaló, hasztalan *[igyekezet, érvelés]* **2. a)** a gyengeség benyomását keltő, színtelen, szürke, egyéniség nélküli *[ember]* **b)** eredményt felmutatni nem tudó, (cselekvésre) képtelen, tehetetlen, hasznavehetetlen, gyenge akaratú *[ember]*

inefficacious [ˌɪnefɪ'keɪʃəs] *mn* hatástalan, eredménytelen *[gyógyszer, kezelés]*

inefficient [ˌɪnɪ'fɪʃnt] *mn* **1.** nem hatékony, elégtelen/gyenge teljesítményű, nem (kellően) termelékeny, gazdaságtalan, ki nem elégítő *[rendszabály]* **2.** (vmre) képtelen, nem megfelelő képességű, szakszerűtlen, szakmai tudással nem rendelkező, ügyetlen, használhatatlan, kellő eredményt felmutatni nem tudó *[ember]*

inelastic [ˌɪnɪ'læstɪk] *mn* **1. a)** nem ruganyos, rugalmatlan, merev, nem nyúló **b)** *biz* nem simulékony, alkalmazkodásra képtelen, merev (természetű) *[ember]* **2.** *közg* nem rugalmas • *fn* **inelasticity**

inelegant [ɪn'elɪgənt] *mn* **a)** nem elegáns/választékos, nem jó megjelenésű **b)** kifinomultság nélküli, csiszolatlan *[ízlés, stílus, ember]* • *fn* **inelegance**

ineligible [ɪnˈelɪdʒəbl] *mn* **1. a)** megválasztásra nem számbajöhető, jelölésből kizárt **b)** alkalmatlan (vmre) *[katona]* **2.** nem kívánatos/megfelelő/hozzáillő, elfogadhatatlan • *fn* **ineligibility**

ineluctable [ˌɪnɪˈlʌktəbl] *mn* kikerülhetetlen, elkerülhetetlen, szükségszerű, múlhatatlan

inept [ɪˈnept] *mn* **1. a)** alkalmatlan, rosszkor alkalmazott, nem helyénvaló/odavaló **b)** képtelen, ostoba, idétlen *[megjegyzés]* **2.** *jog* semmis, hatálytalan, érvénytelen *[szerződés]* • *fn* **ineptitude**

inequable [ɪnˈekwəbl] *mn* egyenlőtlen, egyenetlen, nem egyöntetű, szabálytalan

inequal [ɪnˈiːkwəl] *mn* **1.** egyenetlen, egyenlőtlen, hepehupás *[talaj]* **2.** *vál* → **unequal**

inequality [ˌɪnɪˈkwɒləti ‖ –ˈkwɑl–] *fn* **1. a)** egyenlőtlenség, különféleség *[méreté, összegé, minőségé, rangé]* **b)** egyenetlenség, változékonyság *[éghajlaté]* **c)** egyenetlenség, domborulat, göröngyösség, gyűrődés *[talajé]* **2.** *mat* egyenlőtlenség

inequitable [ɪnˈekwɪtəbl] *mn* nem méltányos/igazságos, méltánytalan

inequity [ɪnˈekwəti] *fn* igazságtalanság, jogtalanság, méltánytalanság

ineradicable [ˌɪnɪˈrædɪkəbl] *mn* kiirthatatlan, meggyökeresedett, mélyen gyökerező; ~ **habits** meggyökeresedett (v. mélyen gyökerező) szokások

inerrancy [ɪnˈerənsi] *fn* tévedhetetlenség

inert [ɪˈnɜːt ‖ ɪˈnɜrt] *mn* **1. a)** tehetetlen, mozdulatlan, nyugvó, élettelen *[test, anyag]* **b)** renyhe, tunya, tétlen, tehetetlen, érzéketlen, fásult *[szellem, elme]*; *orv* **an ~ patient** magatehetetlen beteg **2.** *vegy* inaktív, semleges *[hatású]*, indifferens, közömbös; ~ **gas** közömbös/inert/iners gáz; *bány* nem lobbanékony gáz • *fn* **inertness**

inertia [ɪˈnɜːʃə ‖ –ˈnɜr–] *fn* **1.** *fiz műsz* tehetetlenség; *fiz* **moment of ~** tehetetlenségi nyomaték **2. a)** tétlenség, restség, renyheség, tompultság, mozdulatlanság, élettelenség *[testi, szellemi]* **b)** erélytelenség, gyámoltalanság, petyhüdtség

inertial [ɪˈnɜːʃl ‖ –ˈnɜr–] *mn* tehetetlen, tehetetlenségi; *fiz* ~ **force** tehetetlenségi erő; ~ **guidance** tehetetlenségi vezérlés *[irányított lövedéknél]*; *fiz* ~ **mass** tehetetlen tömeg

inertia-reel seatbelt *fn gk* automata biztonsági öv

inescapable [ˌɪnɪˈskeɪpəbl] *mn* kikerülhetetlen, elkerülhetetlen

inessential [ˌɪnɪˈsenʃl] **I.** *mn* lényegtelen, nem lényeges, nem lényegbevágó **II.** *fn* **omit ~s** a lényegtelent elhagyja/mellőzi/elhanyagolja

inestimable [ɪnˈestɪməbl] *mn* felbecsülhetetlen, megbecsülhetetlen, eléggé nem értékelhető, megszámlálhatatlan, kiszámíthatatlan *[értékű, nagyságú]*; ~ **benefit** felbecsülhetetlen/megbecsülhetetlen jótétemény

inevitable [ɪnˈevɪtəbl] *mn* **a)** elkerülhetetlen, kikerülhetetlen, biztosan bekövetkező; **resign oneself to the ~** belenyugszik/beletörődik a kikerülhetetlenbe/megváltoztathatatlanba **b)** szükségszerű, kényszerű, végzetes, sorsszerű; **the ~ hour** a végső/végzetes/gyászos/utolsó óra, a halál órája **c)** elmaradhatatlan, obligát • *fn* **inevitability**

inexact [ˌɪnɪɡˈzækt] *mn* pontatlan, nem szabatos/pontos/helyes, nem megbízható *[forrás]*

inexactitude [ˌɪnɪɡˈzæktɪtjuːd ‖ –tuːd] *fn* **a)** pontatlanság, pontatlan/téves adat **b)** megbízhatatlanság; → **terminological**

inexcusable [ˌɪnɪkˈskjuːzəbl] *mn* nem menthető, megbocsáthatatlan, védhetetlen, nem igazolható, meg nem okolható, nem indokolható

inexhaustible [ˌɪnɪɡˈzɔːstəbl] *mn* **1.** kimeríthetetlen, kiapadhatatlan, kifogyhatatlan **2.** (ki)fáradhatatlan, nem fáradt

inexistent [ˌɪnɪɡˈzɪstənt] *mn* nem létező

inexorable [ɪnˈeksərəbl] *mn* hajthatatlan, kérlelhetetlen, feltartóztathatatlan, (ki)engesztelhetetlen • *fn* **inexorability**

inexpedient [ˌɪnɪkˈspiːdɪənt] *mn* **a)** nem alkalmas, alkalmatlan **b)** nem célravezető/politikus, célszerűtlen **c)** meggondolatlan • *fn* **inexpediency**

inexpensive [ˌɪnɪkˈspensɪv] *mn* olcsó, nem drága/költséges

inexperience [ˌɪnɪkˈspɪərɪəns ‖ –ˈspɪr–] *fn* tapasztalatlanság, járatlanság, gyakorlatlanság

inexperienced [ˌɪnɪkˈspɪərɪənst ‖ –ˈspɪr–] *mn* **1.** tapasztalatlan, járatlan, gyakorlatlan, kezdő; **he is entirely ~** (még) nincs semmi gyakorlata **2.** gyanútlan, akit nem figyelmeztettek

inexpert [ɪnˈekspɜːt ‖ –spɜrt] **I.** *mn* **1.** nem hozzáértő, ügyetlen, szakértelem nélküli **2. a)** tapasztalatlan, járatlan, gyakorlatlan, kezdő **b)** ki/meg nem próbált, ki nem kísérletezett **II.** *fn* gyakorlatlan személy, kezdő, laikus

inexpiable [ɪnˈekspɪəbl] *mn* **a)** megbocsáthatatlan, jóvá nem tehető, jóvátehetetlen *[bűn]* **b)** *vál* engesztelhetetlen *[gyűlölet]*, könyörtelen *[harc]*

inexplicable [ˌɪnɪkˈsplɪkəbl] *mn* megmagyarázhatatlan, meg nem érthető, érthetetlen, felfoghatatlan, megfoghatatlan

inexplicit [ˌɪnɪkˈsplɪsɪt] *mn* ki nem fejezett, meg nem határozott, nem szabatos, (meg)határozatlan, nem pontos, pontatlan, bizonytalan

inexpressible [ˌɪnɪkˈspresəbl] *mn* kimondhatatlan, ki nem fejezhető, kifejezhetetlen, leírhatatlan *[báj, gyönyör, érzelem]*

inexpressive [ˌɪnɪkˈspresɪv] *mn* **1.** nem kifejező *[szó, mozdulat]*, kifejezéstelen, semmitmondó *[arc, tekintet]* **2.** → **inexpressible**

inexpugnable [ˌɪnɪkˈspʌɡnəbl ‖ –ˈspjuːnəbl] *mn* **a)** legyőzhetetlen, bevehetetlen *[erődítmény]* **b)** meg nem támadható, (meg)támadhatatlan *[érvelés]*; ~ **error** kiirthatatlan hiba

inexpungeable [ˌɪnɪkˈspʌndʒəbl] *mn* kitörölhetetlen, kiirthatatlan

inextensible [ˌɪnɪkˈstensəbl] *mn* (ki)nyújthatatlan, ki nem nyújtható

inextinguishable [ˌɪnɪkˈstɪŋɡwɪʃəbl] *mn átv* (ki)olthatatlan

in extremis [ˌɪn ɪkˈstriːmɪs] *hsz latin* **1.** végső szükségben **2.** halálán, haldokolva

inextricable [ˌɪnɪkˈstrɪkəbl] *mn* megfejthetetlen, kibogozhatatlan, megoldhatatlan, ki nem bonyolítható; ~ **difficulties** legyőzhetetlen akadályok, megoldhatatlan nehézségek

infallible [ɪnˈfæləbl] *mn* csalhatatlan, biztos *[ítélet, gyógyszer stb.]*, tévedhetetlen, csalatkozhatatlan; ~ **remedy** biztos hatású gyógyszer • *fn* **infallibility**

infamous [ˈɪnfəməs] *mn* **a)** aljas, alávaló, gyalázatos, becstelen *[személy, viselkedés]* **b)** rossz hírű, hírhedt *[személy, hely]*

infamy [ˈɪnfəmi] *fn* **a)** becstelenség, gyalázat(osság), aljasság, (erkölcsi) romlottság, gonoszság, erkölcstelen viselkedés; **be guilty of an ~** becstelenséget/gyalázatosságot/aljasságot követ(ett) el **b)** szégyen(bélyeg)

infancy [ˈɪnfənsi] *fn* **1. a)** csecsemőkor, korai gyermekkor/gyermekévek, (kis)gyermekkor, zsengekor; **from ~** (kis)gyermekkora óta **b)** *jog* kiskorúság **2.** *átv* vmnek a kezdete/eleje, vmnek kezdeti szaka, vmnek első időszaka

infant [ˈɪnfənt] *fn* **1. a)** csecsemő, kisbaba, kisgyermek; **the ~ Jesus** a kis/gyermek Jézus **b)** *jog* kiskorú *[fiú, lány]* **2.** *átv* kezdő, újonc, gyermekcipőben járó, új/tapasztalatlan (v. gyakorlattal nem rendelkező) ember

infanta [ɪnˈfæntə] *fn tört [spanyol]* infánsnő

infant-care *fn* csecsemőgondozás

infante [ɪnˈfænti ‖ ɪnˈfænteɪ] *fn tört [spanyol]* infáns

infanticide [ɪnˈfæntɪsaɪd] *fn* **1.** gyermekgyilkos, csecsemőgyilkos **2.** gyermekgyilkosság, csecsemőgyilkosság, *jog* újszülött megölése

I

infantile [ˈɪnfəntaɪl] *mn* **a)** gyermekes, gyermeki, gyermekded, gyermeteg *[szellem, képződés, gondoskodás]*; **~ disorder** *orv átv* gyermekbetegség; **~ paralysis** *orv* gyermekbénulás, -paralízis **b)** elemi/kezdeti fokon levő/álló, kezdetleges, testileg/szellemileg fejletlen, infantilis *[felnőtt]* • *fn* **infantility**

infantilism [ɪnˈfæntɪlɪzm] *fn* infantilizmus, gyermekdedség

infant mortality *fn* csecsemőhalandóság

infantry [ˈɪnfəntri] *fn kat* gyalogság

infantry division *fn kat* gyalogoshadosztály

infantryman [ˈɪnfəntrimən] *fn tsz* **-men** *kat* lövész, gyalogos(katona), baka

infant school, **infant-school** *fn GB* kb. óvoda *[nagycsoport]*; ‹általános iskola első két osztályának megfelelő iskola, 5–7 éveseknek›

infarct [ɪnˈfɑːkt ‖ ɪnˈfɑrkt] *orv* → **infarction**

infarction [ɪnˈfɑːkʃn ‖ ɪnˈfɑrkʃn] *fn orv* **(myocardial) ~** szívinfarktus

infare [ˈɪnfeə ‖ ˈɪnfer] *fn US* lakásavatás, házavatás *[főleg ifjú páré]*

infatuate [ɪnˈfætʃʊeɪt] *tsi* **a)** elfogulttá/elvakulttá tesz (vk/vm iránt) **b)** megbolondít, megőrjít, megvadít (vkt), elveszi az eszét (vknek); **~ sy with an idea** bogarat ültet vk fejébe **c)** nagy/őrült szenvedélyt vált ki (vkből), belebolondít (vkt vkbe/vmbe)

infatuation [ɪnˌfætʃʊˈeɪʃn] *fn* **a)** elfogultság, elvakultság, lelkesedés, rajongás, elragadtatás, (túlzott) bámulat (vk/vm iránt) **b)** belehabarodás, belebolondulás (vkbe), vmbe; **throes of ~** szerelmi bánat; **have an ~ for sy** beleszeret/belebolondul/belehabarodik vkbe, lángra lobban vk iránt; **have lost one's ~ for sy/sg** kiábrándul vkből, kijózanodik vmből

infect [ɪnˈfekt] *tsi* **1. a)** (meg)fertőz, megmételyez, megront, beszennyez, dögletessé tesz *[levegőt, vizet]* **b)** *orv* (meg)fertőz, inficiál *[fertőző anyagokkal]* **c)** *átv* megfertőz, elront, megront *[erkölcsöt, jellemet]* **d)** *átv* eltölt, átitat *[gondolattal, eszmével]*; *biz* **~ sy with an evil theory** helytelen elmélettel fertőz meg (v. itat át) vkt; **the laughter ~ed everybody** a nevetés mindenkit hatalmába kerített **2.** *jog* jogellenessé tesz; **contract ~ed with fraud** csalárd megtévesztéssel kötött szerződés

infection [ɪnˈfekʃn] *fn* **1. a)** fertőzés, ragály, *orv* fertőzés, infekció; **airborne ~** inhalációs fertőzés; **centre/source of ~** fertőzési góc; **transmissible ~** ragályos betegség **b) the ~ of his excitement** izgalmának/izgatottságának ragályos/ragadós volta/jellege **2.** *jog* jogellenessé tétel, megtámadhatóvá/elkobozhatóvá válás **3.** *nyelv* umlaut *[egyik magánhangzónak a másik által okozott módosulása]*

infectious [ɪnˈfekʃəs] *mn* **a)** dögletes, pestises, fertőzött *[levegő]* **b)** *orv* fertőző, ragályos *[betegség]*; **~ diseases ward** fertőző betegek osztálya/kórterme **c)** *átv* ragályos, más(ok)ra átterjedő/kiható *[erkölcsi/érzelmi/szellemi hatás]*; *átv* **laughter is ~** a nevetés ragadós/ragályos

infective [ɪnˈfektɪv] *mn* **a)** *orv* fertőző, fertőző természetű **b)** *biz* fertőző, ragályos

infelicitous [ˌɪnfəˈlɪsɪtəs] *mn* **1. a)** boldogtalan *[házasság]* **b)** bosszantó, kellemetlen, bántó *[esemény, hír]* **2.** nem helytálló/helyénvaló/találó, szerencsétlen(ül kifejezett); **~ remark** szerencsétlen megjegyzés

infelicity [ˌɪnfəˈlɪsəti] *fn* **1.** boldogtalanság, szerencsétlenség, balszerencse **2. a)** szabatosság/pontosság/időszerűség hiánya *[kifejezésben]* **b)** nem szerencsés/szabatos/találó/helyes kifejezés, (kifejezésbeli) hiba, ügyetlenség, baklövés

infer [ɪnˈfɜː ‖ ɪnˈfɜr] *tsi* **-rr- 1.** következtet, bizonyít, magával von; **it is ~red that...** arra következtetnek, hogy, arra lehet következtetni, hogy...; **~ a general rule from sg** általános szabályra következtet vmből **2.** magában foglal, beleértődik, feltételez (vmt); **silence ~s consent** hallgatás beleegyezés(t jelent) • *mn* **infer(r)able**

inference [ˈɪnfərəns] *fn* **1.** következtetés, levezetés, dedukció; **by ~** következtetés/indukció útján/által; **draw the ~** következtetést levon; **make an ~** megfogalmaz egy következtetést **2.** következmény, konklúzió

inferential [ˌɪnfəˈrenʃl] *mn* **a)** levezető, levezetett, deduktív, (ki)következtetett **b) ~ peril** feltételezhető/valószínűsíthető/vélhető veszély

inferior [ɪnˈfɪərɪə ‖ ɪnˈfɪrɪər] **I.** *mn* **1.** al(ul)só, alsóbb, alul/alacsonyan levő, *növ* alsóállású *[magház]* **2. a) ~ to sg** gyengébb/rosszabb minőségű, kisebb értékű, alábbvaló, alsóbbrendű vmnél **b) ~ to sy/sg** alárendeltje vknek, alantas, alsóbbrangú vknél **3. a)** gyenge, rossz, hitvány, gyatra, silány *[minőség]*, másodosztályú, közepes, középszerű, csökkent értékű **b)** *csill* **the ~ planets** belső bolygók **c)** alacsony/szerény állású, az alsóbb (társadalmi) osztályhoz tartozó **II.** *fn* **1.** alsóbbrangú/alárendelt alkalmazott/tisztviselő, alantas munkát végző dolgozó; **one's ~s** alárendeltjei, alantasai, beosztottjai; **be condescending to one's ~s** leereszkedő alkalmazottaival/alárendeltjeivel/beosztottaival szemben **2.** csökkent (v. nem nagy) képességű/tehetségű ember, tehetségtelen ember

inferiority [ɪnˌfɪəriˈɒrəti ‖ ɪnˌfɪriˈɔrəti] *fn* **1. a)** alsóbbrendűség **b)** alacsonyabb helyzet/állás/fekvés **2.** rossz minőség

inferiority complex *fn* alsóbbrendűségi érzés/komplexus, kisebbségi érzés

infernal [ɪnˈfɜːnl ‖ –ˈfɜr–] *mn* **1.** alvilági, pokol(bel)i, a pokolhoz tartozó; **the ~ regions** az alvilág, a pokol; **~ machine** pokolgép; *vegy* **~ stone** pokolkő, ezüstnitrát **2. a)** *biz* pokoli, ördögi, sátáni, förtelmes, szörnyű, gonosz, embertelen, kegyetlen; *biz* **~ cruelty** pokoli/embertelen kegyetlenség **b)** *biz* pokoli *[hőség, zaj]*; *biz* **~ row** pokoli/szörnyű zsivaj/lárma

inferno [ɪnˈfɜːnəʊ ‖ –ˈfɜr–] *fn* alvilág, pokol, *átv* elolthatatlan tűz *[pl. házé]*

infertile [ɪnˈfɜːtaɪl ‖ ɪnˈfɜrtl] *mn átv* terméketlen, meddő, kiszáradt; **~ egg** vaktojás • *fn* **infertility**

infest [ɪnˈfest] *tsi* **1.** eláraszt, ellep, háborgat, megrohan, megtámad, rátámad *[útonállók, férgek]*; **~ed with...** ellepték/elárasztották a ... *[poloskák, sáskák]* **2.** fertőz *[rovarok útján]* • *fn* **infestation** *mn* **infested**

infestant [ɪnˈfestənt] *fn* parazita, élősködő, élősdi *[rovar, féreg]*

infidel [ˈɪnfɪdl] *mn/fn* **a)** *vall* hitetlen, pogány **b)** *pej* hitetlen, nem istenhívő, ateista

infidelity [ˌɪnfɪˈdeləti] *fn* **1.** *vall* hitetlenség, pogányság **2.** hűtlenség, illojalitás *[alkalmazott részéről]*; **(conjugal) ~** házastársi hűtlenség

infield [ˈɪnfiːld] *fn* **1. a)** *mezőg* belsőség, a tanyaépülethez legközelebb eső földek **b)** termőföld, megművelhető/megművelt talaj **2.** *sp* **a)** *GB* a krikettkapu/krikettrács/wicket melletti pályarész **b)** *US* baseballpálya belső része **c)** *US* a baseball legbelső játékosai

infielder [ˈɪnfiːldə ‖ –ər] → **infieldsmen**

infieldsmen [ˈɪnfiːldzmən] *fn tsz sp* **1.** *GB* ‹a krikett legbelső játékosai› **2.** *US* ‹a baseball legbelső játékosai›

infighting [ˈɪnfaɪtɪŋ] *fn* **1.** *sp* közelharc, belharc *[ökölvívásban]* **2.** *átv* belső harc

infill [ˈɪnfɪl] **I.** *tsi* feltölt, betölt **II.** *fn* foghíjbeépítés *[foghíjas telek beépítése]*

infiltrate [ˈɪnfɪltreɪt ‖ ɪnˈfɪl–] **A.** *tsi* **a)** beszivárogtat, átszivárogtat *[folyadékot]* **b)** átitat, telít, impregnál *[anyagot folyadékkal]*, átjár *[folyadék anyagot]* **c)** *átv* átitat *[propaganda útján stb.]* **B.** *tni* **a)** beszivárog, beszűrődik, beszüremlik, behatol, áthatol **b)** *átv* behatol, beszivárog *[katonaság ellenséges vonal mögé, nézet, gondolat stb.]*, beépül *[szervezetbe]*

infiltration [ˌɪnfɪlˈtreɪʃn] *fn* **a)** beszivárgás, átszivárgás, beszűrődés **b)** *átv* beszivárgás *[tanoké, eszméké, katonaságé]*

infinite [ˈɪnfɪnɪt] **I.** *mn* **1. a)** végtelen, határtalan, korlátlan; *mat* ~ **series/sequence** végtelen sor(ozat); ~ **set** végtelen halmaz **b)** igen/nagyon nagy, óriás **c)** számtalan, igen/nagyon sok, nagyszámú; ~ **ways of doing sg** a cselekvés (v. vm) elvégzésének számtalan módja **2.** *nyelv* ~ **verb**, **verb** ~ az ige névszói alakjai **II.** *fn* **a) the** ~ a végtelen(ség) **b)** *mat* **the** ~ végtelen mennyiség/nagyság

infinitesimal [ˌɪnfɪnɪˈtesɪml] **I.** *mn* **a)** *mat* parányi, végtelen kis, elenyésző *[mennyiség]* **b)** *mat* ~ **calculus** differenciál- és integrálszámítás, infinitezimális számítás **II.** *fn* **a)** végtelenül kis/csekély mennyiség, végtelen kicsi **b)** *tsz* **infinitesimals** differenciál- és integrálszámítás, infinitezimális számítás

infinitive [ɪnˈfɪnətɪv] *mn/fn* ~ **(mood)** főnévi igenév, infinitivus; **in the** ~ főnévi igenévben (álló); **bare** ~ csupasz főnévi igenév; **split** ~ hasított főnévi igenév *[pl. to boldly go]*

infinitude [ɪnˈfɪnɪtjuːd ‖ –tuːd] *fn* végtelen(ség), határtalanság

infinity [ɪnˈfɪnəti] *fn* **a)** végtelenség, határtalanság *[téré stb.]* **b)** *mat* végtelen mennyiség/nagyság; ~ **point** végtelenben levő pont

infirm [ɪnˈfɜːm ‖ ɪnˈfɜrm] **I.** *mn* **a)** gyenge, beteges, erőtlen *[ember]* **b)** határozatlan, ingadozó, bizonytalan(kodó), habozó *[ítélet]*, gyenge *[jellem]*, erőtlen *[akarat]* **II.** *tsi jog* érvénytelenít, érvénytelennek nyilvánít (vmt), tagadja/kétségbevonja az érvényességét (vmnek)

infirmary [ɪnˈfɜːməri ‖ –ˈfɜr–] *fn* **a)** betegszoba, gyengélkedő (szoba) *[internátusban, kaszárnyában]* **b)** kórház

infirmity [ɪnˈfɜːməti ‖ –ˈfɜr–] *fn* **a)** gyengeség, erőtlenség, határozatlanság; ~ **of purpose** akarathiány, határozatlanság **b)** *[egy bizonyos]* betegség, (beteges) bántalom, fogyatékosság, törődöttség

infix I. *fn* [ˈɪnfɪks] *nyelv* infixum; ‹a szóalak belsejébe toldott nyelvi elem, toldalék› **II.** *tsi* [ɪnˈfɪks] **a)** be(le)illeszt, behelyez, (be)rögzít, (be)erősít, (be)kapcsol, befoglal **b)** *átv* (bele)vés, (be)rögzít, be(le)plántál *[emlékezetébe, elméjébe]* **c)** *nyelv* be(le)told, beékel, behelyez, beiktat *[betűt, hangot, képzőt, szóelemet]* • *fn* **infixation**

inflame [ɪnˈfleɪm] **A.** *tsi* **a)** meggyújt, felgyújt, lángra lobbant, felizzít *[anyagot]* **b)** *átv* feltüzdel, tűzbe hoz, lelkesít *[embert, kedélyt]*, lángra lobbant, (fel)kelt, felszít *[szenvedélyt, vágyat]* **c)** (fel)forral *[vért]*, feldühösít, dühbe hoz, kihoz a sodrából (vkt); ~ **discord** viszály(kodás)t szít/éleszt **d)** *orv* gyulladásba hoz *[sebet]*, elmérgesít *[pattanást]* **B.** *tni* **a)** felgyullad, lángra lobban, lángot/tüzet fog *[anyag]* **b)** *átv* tűzbe/izgalomba/dühbe jön, kijön a sodrából *[ember]*, fellobban, lángra lobban *[szenvedély]*, felforr, felpezsdül, megpezsdül *[vér]* **c)** *orv* gyulladásba jön (v. megy át), elmérgesedik *[seb]* • *fn* **inflamer**

inflammable [ɪnˈflæməbl] **I.** *mn* **a)** gyúlékony, lobbanékony, éghető **b)** *átv* feltüzelhető, lobbanékony, ingerlékeny *[ember, tömeg]* **II.** *fn tsz* **inflammables** gyúlékony anyagok • *fn* **inflammability**

inflammation [ˌɪnfləˈmeɪʃn] *fn* **a)** meggyulladás, fellángolás, lángra lobbanás, meggyújtás *[tüzelőanyagé]*; *fiz* ~ **temperature** lobbanási hőfok/pont **b)** *átv* fellángolás, lángra lobbanás *[szenvedélyé]*, felizgulás, (fel)hevülés, izgalom, düh **c)** *orv* gyulladás, lob *[szervé, sebé]*; ~ **of the lungs** tüdőgyulladás; **purulent** ~ gennyesedés

inflammatory [ɪnˈflæmətəri ‖ –tɔri] *mn* **a)** gyújtó (hatású), lángra lobbantó **b)** *átv* gyújtó hatású, feltüzelő, szenvedélyeket felkeltő, (fel)izgató, lázító *[beszéd, kiáltvány]*; ~ **speeches** izgató/lázító (v. gyújtó hatású) szavak/beszéd **c)** *orv* gyulladásos, gyulladásra hajló, gyulladást okozó

inflatable [ɪnˈfleɪtəbl] *mn* felfújható

inflate [ɪnˈfleɪt] *tsi* **1.** felfúj, felduzzaszt *[léggömböt]*, duzzaszt *[vitorlát]*, megduzzaszt, felfúj, felpuffaszt *[hasat]* **2.** pöffeszkedővé/dölyfössé/elbizakodottá/gőgössé/beképzeltté tesz (vkt) **3.** *gazd* **a)** (fel)emel *[árakat]*; *gazd* ~ **the currency** inflációt okoz, pénzhígítást idéz elő **b)** *mat* megnöveszt *[számlát]* • *fn* **inflator**

inflation [ɪnˈfleɪʃn] *fn* **1. a)** felfújás, felduzzasztás **b)** felfúvódás, megduzzadás *[léggömbé, gumiabroncsé]* **c)** *orv* felfúvódás, (fel)puffadás *[gyomoré, beleké]* **d)** kelés *[sütőiparban]* **2.** *gazd pénz* áremelkedés, infláció; ~ **of the currency** bankjegyforgalom megnövekedése, bankjegyszaporítás, pénzhígítás, infláció **3.** *vál* dagályosság, terjengősség *[stílusé]*

inflation rate *fn közg* inflációs ráta

inflect [ɪnˈflekt] *tsi* **1. a)** befelé hajlít, elhajlít, meghajlít, elgörbít **b)** eltérít *[eredeti iránytól]*; **the wind often ~s its course** a szél gyakran megváltoztatja irányát **2.** *nyelv* hajlít, deklinál *[főnevet]*, ragoz *[főnevet, igét]*, konjugál *[igét]* **3. a)** *nyelv [hangot]* modulál, kifejező hanghordozással beszél **b)** *zene* módosít *[előjelekkel hangjegyet]*, modulál *[hangot]*

inflected [ɪnˈflektɪd] **1.** (meg)hajlított, meggörbített **2.** *nyelv* ~ **language** hajlító/ragozó/flektáló nyelv **3.** *zene* ~ **note** (előjelekkel) módosított hang

inflection [ɪnˈflekʃn] *fn* **1. a)** (meg)hajlítás, meggörbítés **b)** (meg)hajlás, görbület *[testé]*, elkanyarodás, irányváltoztatás *[úté, folyóé]*, *növ* fény felé fordulás **c)** *fiz mat* elhajlás *[fénysugáré, görbéé]*; **angle of** ~ hajlásszög; **point of** ~, ~ **point** hajlási/inflexiós pont, irányváltoz(tat)ás *[vonalé, sugáré]* **2. a)** *nyelv* ragozás **b)** *nyelv* ragozott alak, rag **3. a)** hangváltozás, hanghullámzás, hanghordozás **b)** *zene* módosítás, moduláció *[hangé]*

inflectional [ɪnˈflekʃnəl] *mn nyelv* ~ **language** hajlító/ragozó/flexiós/ragozott nyelv; ~ **morphology** ragozási alaktan

inflective [ɪnˈflektɪv] *mn nyelv* hajlító, ragozó, flektáló *[nyelv]*

inflexible [ɪnˈfleksəbl] *mn* **a)** nem hajlékony, hajlíthatatlan, merev **b)** *átv* hajthatatlan, rendíthetetlen, kérlelhetetlen, törhetetlen *[bátorság, akarat]*, szilárd, megingathatatlan *[jellem]*, makacs *[természet]*; ~ **determination** szilárd eltökéltség, rendíthetetlen elhatározás • *fn* **inflexibility**

inflexion [ɪnˈflekʃn] → **inflection**

inflexional [ɪnˈflekʃnəl] → **inflectional**

inflict [ɪnˈflɪkt] *tsi* **1.** *[ütést]* ad (vknek), *[csapást]* mér (vkre), *[sebet, fájdalmat]* okoz (vknek); ~ **a blow on/upon sy** megüt vkt, ütést mér vkre; ~ **a wound upon a person** sebet ejt, megsebez vkt **2.** *kiró*; ~ **a punishment/penalty/fine on sy** (pénz)büntetésre ítél, (pénz)büntetéssel/(pénz)bírsággal sújt vkt, (pénz)büntetést/(pénz)bírságot (ki)ró/mér vkre **3.** ~ **oneself on sy**, ~ **one's company on sy** ráerőlteti/ráerőszakolja/rátukmálja magát vkre, vknek a nyakára ül

infliction [ɪnˈflɪkʃn] *fn* **1. a)** kiszabás, kirovás *[büntetésé, bírságé]* **b)** kirótt/kiszabott büntetés/bírság **2.** okozás *[fájdalomé]*

in-flight [ɪnˈflaɪt] *mn* repülés közbeni, repülési; ~ **meal** repülőn felszolgált étel

inflorescence [ˌɪnfləˈresns] *fn* **a)** (ki)virágzás **b)** virágzat *[fáé]* **c)** virágzatfajta, virágzattípus

inflow [ˈɪnfloʊ] *fn* **1. a)** befolyás, beáramlás, beömlés, betorkollás *[folyóé]*, beömlés, áramlás *[gázé, vízé]* **b)** *bány* beszivárgás **c)** hozzáfolyó víz/folyadék **2.** *átv* **a)** betódulás, beáramlás, beözönlés *[embereké, árué]*; *közg* ~ **of capital** tőkebeáramlás **b)** elterjedés *[új gondolatoké]* **c)** befolyás, hatás *[egyik nyelvé a másikra]*

influence [ˈɪnfluəns] **I.** *fn* **a)** hatás, befolyás; **exercise** ~ **on sg** hatással/befolyással van vmre, befolyást gyakorol vmre, hat vmre, befolyásol vmt; **exert/exercise an** ~ **on sy** befolyást gyakorol (v. hat) vkre, befolyásol vkt; **bring every** ~ **to bear** minden befolyását latba veti, minden követ megmozgat; **under the** ~ **of drink** alkohol/ital hatása alatt, ittas állapotban; *biz* **under the** ~ alkohol hatása alatt; *jog* **undue** ~ jogtalan/illetéktelen befolyásolás, megfélemlítés

b) befolyás, hatalom, tekintély, összeköttetés, protekció; *US biz* ~ **peddler** kijáró, protektor; **man of** ~ befolyásos ember; **use one's** ~ **with sy to do sg** közbenjár (vkért), vk érdekében **II.** *tsi* **1.** befolyásol, rábír (vkt), vmt, befolyást gyakorol **2.** (ki)hat (vkre), vmre • *mn* **influenceable**

influent [ˈɪnfluənt] **I.** *mn* befolyó, beömlő, be(le)torkolló; ~ **streams** talajba szivárgó vízfolyások; **the** ~ **tide** (a) dagály **II.** *fn földr* mellékfolyó

influential [ˌɪnfluˈenʃl] *mn* **a)** befolyásoló, hatással levő, vmre ható **b)** befolyásos, tekintélyes, (megfelelő) összeköttetéssel/protekcióval rendelkező *[ember]*

influenza [ˌɪnfluˈenzə] *fn orv* influenza; **bout of** ~ (heveny) influenzás megbetegedés, influenzás roham

influx [ˈɪnflʌks] *fn* **1. a)** befolyás, beáramlás, beömlés, behatolás, benyomulás *[vízé, gázé]* **b)** (folyó)torkolat **2.** betódulás, beáramlás, beözönlés *[embereké, árué]*

info [ˈɪnfoʊ] *röv biz information*

inform [ɪnˈfɔːm ‖ ɪnˈfɔrm] **A.** *tsi* **1. a)** ~ **(sy of sg, that...)** tájékoztat, értesít, tudósít (vkt vmről), közöl, tudat (vmt vkvel), tudomására hoz (vmt vknek), tudtul ad (vmt vknek); **keep sy ~ed of what is happening** állandóan/folyamatosan tájékoztatja/értesíti a történtekről (v. tudatja vele a történteket); *gazd* **I regret to have to** ~ **you that** sajnálattal kell közölnöm/értesítenem, hogy **b)** ~ **sy on/about sg** felvilágosít/tájékoztat/informál vkt vmről (v. vm felől), felvilágosítást ad/nyújt vknek vmről; **be well ~ed on a subject** nagy szaktudással (v. alapos felkészültséggel) rendelkezik vmben, igen járatos vmben **2.** áthat, átjár, eltölt, lelkesít *[érzés]*, (vmlyen) érzést kelt; ~ **sy with a feeling** vmlyen érzést/érzelmeket kelt vkben; **~ed with new life** új élettől áthatva **B.** *tni* ~ **against sy** feljelent/bevádol vkt, feljelentést tesz vk ellen, denunciál; besúg

informal [ɪnˈfɔːml ‖ ɪnˈfɔrml] *mn* **1. a)** nem előírásos/szabályszerű/hivatalos/formaszerű *[okirat]* **b)** félhivatalos *[értesülés]* **2. a)** fesztelen, bizalmas, közvetlen, ceremónia nélküli *[összejövetel]* **b)** hétköznapi *[ruha]*

informality [ˌɪnfɔːˈmæləti ‖ ˌɪnfɔr–] *fn* **1.** alaki hiba, formaszerűség hiánya **2.** fesztelenség, informalitás, ceremóniamentesség, közvetlenség, meghittség

informant [ɪnˈfɔːmənt ‖ ɪnˈfɔr–] *fn* **1. a)** tájékoztató, informátor, tudósító, hírközlő, forrás **b)** *jog* bejelentő/nyilatkozattevő (v. vallomást/bevallást tevő) személy **c)** besúgó, spicli **2.** *nyelv* közlő, nyelvi konzultáns

informatics [ˌɪnfəˈmætɪks ‖ ˌɪnfər–] *fn esz* informatika, információtechnológia; → **telematics**

information [ˌɪnfəˈmeɪʃn ‖ ˌɪnfər–] *fn* **1. a)** felvilágosítás, információ, értesítés, tudósítás, tájékoztatás, hír(közlés), közlemény, értesülés, adat; **piece of** ~ (egy) hír, közlemény; *átv biz* **worm a piece of** ~ **out of sy** (bizalmas) hírt/értesülést/adatot szed ki vkből; **get** ~ **about sg** értesül, értesülést szerez, tájékoztatást/felvilágosítást nyer vmről (v. vm felől); **for further** ~**, apply to ...** további/bővebb felvilágosításért/információért forduljon ...hoz; **freedom of** ~ tájékoztatás (és tájékozódás) szabadsága **b)** információ **2.** tudás, ismeret, műveltség; **be a mine of** ~ a tudás/ismeret(anyag) valóságos kincsestára/tárháza **3.** feljelentés, bevádolás, beárulás, besúgás, vád, panasz; **lay an** ~ **against sy with the police** rendőrségen feljelent (v. rendőrségnél besúg) vkt

information booth *fn* felvilágosítást nyújtó személy fülkéje, tudakozó(hely)

information broker *fn infor* információbróker

information bureau *fn* tájékoztató iroda/hivatal, tudakozó

information desk *fn* tájékoztató hely/pult *[pl. szállodában]*

information highway *fn infor* információs adatút/szupersztráda

information mapping *fn infor* információleképezés

information resource management, **IRM** *fn infor* információ-erőforrás management

information retrieval *fn infor* információ-/adat(vissza)-keresés, információ-/adatbetöltés

information science *fn infor* informatika

information service *fn* tájékoztató szolgálat

information society *fn infor* információs társadalom

information storage *fn infor* információtárolás

information super-highway → **information highway**

information system, **IS** *fn infor* információs rendszer

information technology, **IT** *fn infor* információtechnológia, informatika

information theory *fn* információelmélet

information utility *fn infor* információs közmű

informative [ɪnˈfɔːmətɪv ‖ ɪnˈfɔr–] *mn* tájékoztató, felvilágosító, informatív, ismeretterjesztő, tanulságos; *ját* ~ **bid** információs licit; *közl* ~ **signs** tájékoztatást adó jelzőtáblák

informatory [ɪnˈfɔːmətəri ‖ ɪnˈfɔrmətɔri] → **informative**

informed [ɪnˈfɔːmd ‖ ɪnˈfɔrmd] *mn* (jól) tájékozott; **well-**~ jól értesült

informer [ɪnˈfɔːmə ‖ ɪnˈfɔrmər] *fn* feljelentő, (rendőrségi) besúgó, beáruló, denunciáns, *biz* spicli, spion; **common** ~ hivatásos/hivatásszerű besúgó; **turn** ~ árulóvá válik

infotainment [ˌɪnfoʊˈteɪnmənt] *fn pej information* + *entertainment* ‹szórakoztató jellegű tájékoztató tévéműsor›

infra [ˈɪnfrə] *hsz* alá, alább, lejjebb, túl, alul, alant

infra- [ˈɪnfrə–] *előtag* al-, alsó, alatti, aluli; **~-axillary** hónalj alatti

infraction [ɪnˈfrækʃn] *fn* **1.** megszegés, áthágás, megsértés *[törvényé, jogszabályé]*; ~ **of discipline** fegyelmi vétség; ~ **of the law** jogsértés, törvénysértés; törvény megszegése; **minor** ~ **of the law**, ~ **of regulation** törvény/jogszabály áthágása/megszegése, kihágás, szabálysértés **2.** *orv* részleges törés

infra-dig *mn biz* méltóságon aluli, nem méltó hozzá, derogáló; **find it** ~ méltóságán alulinak tartja

infrangible [ɪnˈfrændʒəbl] *mn* **1.** (el)törhetetlen **2.** megszeghetetlen, sérthetetlen *[egyezmény]*

infrapsychic *mn pszich* tudatküszöb alatti

infra-red *mn* infravörös, vörösön inneni; *kat* ~ **homing** infravörös vezérlésű *[irányított lövedék]*; *fiz* ~ **radiation** infravörös sugárzás

infrasound *fn fiz* infrahang *[a hallhatónál alacsonyabb frekvenciájú hang]*

infrastructure [ˈɪnfrəstrʌktʃə ‖ –ər] *fn* **a)** alépítmény, alap **b)** infrastruktúra

infrequent [ɪnˈfriːkwənt] *mn* ritka, nem gyakori, ritkán előforduló; **not ~ly** elég(gé) gyakran, nem ritkán • *fn* **infrequency**

infringe [ɪnˈfrɪndʒ] *tsi* megsért, megszeg, áthág *[szabályt, törvényt]*, beleütközik *[szabályba, törvénybe]*, megszeg *[esküt, ígéretet]*; ~ **promise** ígéretét megszegi; ~ **a patent** hamisít/utánoz egy szabadalmazott találmányt, szabadalomsértést/szabadalombitorlást követ el; ~ **the right(s) of sy**, ~ **upon sy's rights** vknek a jogait (meg)sérti/csorbítja • *fn* **infringer**

infringement [ɪnˈfrɪndʒmənt] *fn* megsértés *[szabályé, törvényé]*

infundibular [ˌɪnfʌnˈdɪbjʊlə ‖ –ər] *mn tud* tölcsér alakú

infuriate [ɪnˈfjʊərieɪt ‖ –ˈfjʊr–] *tsi* felbosszant, feldühít, felmérgesít, dühbe/méregbe hoz, felbőszít

infuse [ɪnˈfjuːz] *tsi* **a)** *átv* be(lé)önt, beletölt; ~ **courage/hope into sy** bátorságot/reményt önt vkbe, bátorsággal/reménnyel tölt el vkt; ~ **sy with ardour** lelkesedéssel tölt el vkt **b)** leforráz *[teát]* **c)** beáztat, macerál *[kioldható elemek kivonására]*

infusible [ɪnˈfjuːzəbl] *mn* (meg)olvaszthatatlan, nem olvasztható, lángálló

infusion [ɪnˈfjuːʒn] *fn* **1.** *orv* **a)** infúzió **b)** *régi* beöntés **2. a)** leforrázás *[teáé* v. *más italé]* **b)** forrázat, főzet, öntelék; ~ **of herbs** gyógytea, gyógyfőzet; ~ **of lime-blossoms** hársfatea **c)** *vall* **baptism by** ~ keresztelés bemerítéssel **d)** beömlesztés, *bány* belövellés

infusoria [ˌɪnfjuːˈzɔːrɪə] *fn tsz áll* ázalag, ázalékállatkák *[egysejtű véglények]*, infuzóriumok

-ing [ɪŋ] *utótag* **I.** ‹jelen idejű melléknévi igenév›; **go dancing** táncolni megy **II.** ‹főnévképző› -ás/-és, -mány/-mény, -at/-et; **parking** parkolás; **swimming** úszás; **wedding** esküvő

ingather [ˈɪngæðə ‖ –ər] *tsi* begyűjt

ingathering [ˈɪngæðrɪŋ] *fn mezőg* behordás, betakarítás, begyűjtés *[termésé]*

ingeminate [ɪnˈdʒemɪneɪt] *tsi* **a)** (meg)ismétel, újra csinál/tesz/mond (vmt) **b)** megkettőztet

ingenious [ɪnˈdʒiːnɪəs] *mn* **a)** eszes, ügyes, leleményes, találékony, magát könnyen/jól feltaláló *[ember]* **b)** ötletes, elmés, szellemes, eredeti, ügyes *[szerkezet, gondolat]*

ingénue [ˈænʒəˈnjuː ‖ ˈændʒənuː] *fn* **a)** mesterkéletlen/egyszerű/tapasztalatlan leány **b)** *szính* naiva, szende

ingenuity [ˌɪndʒɪˈnjuːəti ‖ –ˈnuːəti] *fn* **1. a)** találékonyság, leleményesség, ügyesség, éleseszűség *[emberé]*; **tax one's ~** töpreng, töri (a) fejét, erőlteti (az) agyát; próbára teszi a találékonyságát **b)** ötletesség, elmésség, szellemesség, eredetiség, ügyesség *[szerkezeté, gondolaté stb.]* **2.** naivság, naivitás, nyíltság, tisztalelkűség, ártatlanság, egyszerűség

ingenuous [ɪnˈdʒenjuəs] *mn* **a)** őszinte, nyílt, becsületes, egyenes **b)** ártatlan, egyszerű, mesterkéletlen, természetes, jámbor, naiv, tapasztalatlan

ingest [ɪnˈdʒest] *tsi* (be)juttat, bevisz, bevezet *[táplálékot gyomorba]*, (le)nyel, elfogyaszt, magához vesz • *fn* **ingestion**

ing-form *fn nyelv ing*-es alak *[igéé, present participle* v. *gerund]*

inglorious [ɪnˈglɔːrɪəs] *mn* **1.** egyszerű, szerény, ismeretlen, névtelen, hírnév nélküli *[ember]* **2.** dicstelen, becstelen, gyalázatos, szégyenletes, szégyenteljes *[csata]*

ingoing [ˈɪngoʊɪŋ] **I.** *mn* belépő, bemenő, beáramló, befelé menő/tartó/igyekvő, behatoló; **~ tenant** beköltöző/új bérlő **II.** *fn* **1.** belépés, bemenet **2.** lelépés

ingot [ˈɪŋgət] *fn* nemesfémrúd, öntvény, öntecs, buga, ingot

ingraft [ɪnˈgrɑːft ‖ ɪnˈgræft] → **engraft**

ingrain [ɪnˈgreɪn] *tsi* **1.** *átv* bevés, begyökereztet, megrögzít, tartóssá tesz *[szokást, meggyőződést, előítéletet, ízlést]* **2. a)** *tex* színtartóan/fonálban (v. nyers állapotban) fest **b)** *tex* tartósít/fixál festést

ingrained [ɪnˈgreɪnd] *mn* **a)** beleivódott, beévődött, (vmt) átjárt; **face ~ with dirt** piszoktól fekete arc **b)** megrögz(őd)ött, begyökeresedett, mélyen gyökerező; **~ habits** megrögzött/meggyökeresedett szokások; **~ prejudices** mélyen gyökerező előítéletek

ingratiate [ɪnˈgreɪʃieɪt] *tsi* kegyébe/bizalmába férkőzik, elnyeri/megnyeri kegyeit/jóindulatát/bizalmát; **~ oneself with sy** megkedvelteti magát vkvel, megnyeri vk kegyét/bizalmát, vk bizalmába/kegyébe férkőzik

ingratiating [ɪnˈgreɪʃieɪtɪŋ] *mn* behízelgő, megnyerő *[viselkedés]*; **an ~ manner** megnyerő modor

ingratitude [ɪnˈgrætɪtjuːd ‖ ɪnˈgrætətuːd] *fn* hálá(da)tlanság; **repay sy with ~** hálátlansággal fizet vknek

ingravescent [ˌɪngrəˈvesnt] *mn* rosszabbodó, súlyosbodó, rosszabbá/súlyosabbá váló, elmérgesedő *[betegség]* • *fn* **ingravescence**

ingredient [ɪnˈgriːdɪənt] *fn* **a)** alkotórész, alkotóelem, alkatrész, tartozék, kellék, hozzávaló **b)** *vegy* alapelem, alapanyag, keverék alkatrésze

ingress [ˈɪngres] *fn* **1. a)** bemenetel, bejárás, belépés, *bány* behatolás; *jog* **free ~, ~ and regress** a szabad bemenet(el) és kimenet(el) szolgalma/joga, szabad be- és kilépés **b)** bebocsátás, beeresztés, admisszió *[gázé]*, beáramlás *[levegőé]*; **~ of heat** hőbeáramlás **2.** *csill* ingresszió, belépés *[égbolti térbe, föld árnyékába, csillagképbe]* • *fn* **ingression**

in-group [ˈɪngruːp] *fn pej* zárt csoport, klikk

ingrowing [ɪnˈgroʊɪŋ] **I.** *mn* befelé növő, benőtt *[köröm]*; **~ nail** körömbenövés, benőtt köröm **II.** *fn* (köröm)benövés • *fn* **ingrowth**

ingrown [ɪnˈgroʊn] *mn* **1.** benőtt *[köröm]*; **~ nail** benőtt köröm **2.** meggyökeresedett, gyökeressé vált, berögződött, megrögzött; **~ prejudice** megrögzött előítélet

inguinal [ˈɪŋgwɪnl] *mn orv* lágyéktáji, lágyék-

ingulf [ɪnˈgʌlf] → **engulf**

ingurgitate [ɪnˈgɜːdʒɪteɪt ‖ ɪnˈgɜr–] *tsi* **a)** bekap, (le)nyel, elnyel, lehajt *[italt]*, felfal **b)** *vál* elnyel, felszív • *fn* **ingurgitation**

inhabit [ɪnˈhæbɪt] *tsi* (benn) lakik, lakozik, tartózkodik *[városban, házban]*, elfoglal *[lakóhelyet]* • *mn* **inhabitable**

inhabitancy [ɪnˈhæbɪtənsi] *fn* **1.** lakhely **2.** helyben lakás *[választói jog elnyerésére]* **3.** lakottság **4.** székhely *[cégé]*

inhabitant [ɪnˈhæbɪtənt] *fn* lakó, lakos; **~s** lakosok, lakosság

inhabitate [ɪnˈhæbɪteɪt] *tsi* lakik (vmt), vmben

inhabitation [ɪnˌhæbɪˈteɪʃn] *fn* (benn)lakás, lakóhely

inhabited [ɪnˈhæbɪtɪd] *mn* lakott *[ház]*, elfoglalt *[lakrész]*

inhalant [ɪnˈheɪlənt] *fn* inhaláló/belélegző szer

inhale [ɪnˈheɪl] *tsi* **a)** *orv* belehel, belélegzik *[étert stb.]*, inhalál **b)** belélegzik, beszív, magába szív, felszív, (fel)szippant *[illatot stb.]*, beszív, leszív *[füstöt]* • *fn* **inhalation**

inhaler [ɪnˈheɪlə ‖ –ər] *fn* **a)** *orv* inhalálókészülék, respirator **b)** *orv* (be)légzőkészülék, belélegző, légzőálarc, légszűrő **c)** (mentholos) szippantó

inharmonic [ˌɪnhɑːˈmɒnɪk ‖ ˌɪnhɑrˈmɑnɪk] *mn* diszharmonikus, összhang nélküli

inharmonious [ˌɪnhɑːˈmoʊnɪəs ‖ –hɑr–] *mn* **a)** *zene* összhang(zat) nélküli, nem összhangzó, diszharmonikus **b)** nem egyező, viszálykodó

inhere [ɪnˈhɪə ‖ –ˈhɪr] *tni* **a)** benne van, benne rejlik, megvan (vkben), vmben, hozzátartozik (vkhez), vmhez, lényegéhez tartozik, velejár (vmvel), tapad, ragad (vmhez); **a quality inhering in a person** a benne rejlő tulajdonság **b)** magába foglal, benne foglaltatik, beleértődik *[szabály, jelentés]* **c)** rá van ruházva (vkre, vmre), hozzátartozik (vkhez, vmhez), vknek/vmnek birtoka *[joga]*

inherent [ɪnˈhɪərənt ‖ –ˈher–] *mn* benne rejlő/lakozó, velejáró, hozzátartozó, elidegeníthetetlen, elválaszthatatlan, (vele) született, öröklött; **be ~ (in)** rejlik (vmben); **~ contradictions** belső ellentmondások; **~ power in an office** hivatallal/tisztséggel járó (v. vmilyen hivatalhoz tartozó) hatalom; **~ right** velejáró jog; **~ vice** rejtett hiba • *fn* **inherence**

inherit [ɪnˈherɪt] **A.** *tsi* **a)** örököl, örökbe kap; *átv* **he ~ed all his father's shortcomings** apja összes hibáját örökölte; **an ~ed quality** öröklött tulajdonság **b)** vk örökségébe lép, örököl vktől; **he ~ed his uncle** örökölt a nagybátyjától, a nagybátyja örököse lett **c)** átvesz *[korábban fennálló hibákat/nehézségeket]*; **we ~ed this problem** ez a probléma ránk maradt *[az előző kormányzattól]* **B.** *tni* örökségbe lép, átvesz örökséget

inheritable [ɪnˈherɪtəbl] *mn* **1. a)** örökletes *[cím]* **b)** örökölhető, öröklődő, örökölt *[betegség]* **2.** *jog* öröklésre képes/jogosult • *fn* **inheritability**

inheritage [ɪnˈherɪtɪdʒ] *fn* örökség, örökrész, hagyaték

inheritance [ɪnˈherɪtəns] *fn* **1. a)** öröklés, örökösödés; **linear ~** egyenes ági öröklés; **certificate of ~** hagyatéki végzés, örökségi bizonyítvány; **law of ~** öröklési/örökösödési jog; **right of ~** öröklés joga, öröklési jog, örökjog; **by ~** örökösödés útján **b)** hagyatéki eljárás, örökösödési per **2.** (szülői) örökség, örökrész, hagyaték; **come into an ~** örököl, örökséget vesz fel, örökséghez jut

inheritance tax *fn* örökösödési adó/illeték

inheritor [ɪnˈherɪtə ‖ –ər] *fn* örökös

inheritress [ɪnˈherɪtrɪs] *fn* örökösnő

inheritrix [ɪnˈherɪtrɪks] *régi* → **inheritress**

inhesion [ɪnˈhiːʒn] *fn* összetartozás, velejárás, benne rejlés

inhibit [ɪnˈhɪbɪt] *tsi* **1. a)** *jog* **~ sy from doing sg** (meg)akadályoz/(meg)gátol/késleltet vkt vm megtételében; eltilt vkt vm megtételétől; tilalmaz, megtilt vknek vmt **b)** gátol, akadályoz, elnyom, elfojt *[érzést, cselekvést,* *folyamatot]* **c)** *orv* gátol, megbénít *[folyamatot]* **2.** *vall* felfüggeszt, egyházi tilalom/interdiktum alá helyez, felfüggesztéssel sújt *[papot]*, eltilt papot hivatása gyakorlásától; **~ed priest** felfüggesztett/szuszpendált pap • *fn* **inhibitor** *mn* **inhibitory**

inhibited [ɪnˈhɪbɪtɪd] *mn* gátolt, akadályozott, elfojtott

inhibition [ˌɪnhɪˈbɪʃn] *fn* **1. a)** *jog* (szigorú) tilalom, megtiltás, eltiltás **b)** gátlás **2.** *vall* felfüggesztés, szuszpenzió *[papé]* **3.** *pszich orv* gátlás

inhomogeneous [ɪnˌhoʊməˈdʒiːnɪəs] *mn* heterogén, inhomogén, nem egynemű

inhospitable [ˌɪnhɒˈspɪtəbl ‖ –hɑ–] *mn* **a)** nem vendégszerető, barátságtalan *[ember]* **b)** zord, rideg, nem vonzó, lakatlan, sivár *[hely, vidék]*

inhospitality [ˌɪnhɒspɪˈtæləti ‖ –ˌhɑ–] *fn* vendégszeretet hiánya

in-house I. *mn* [ˈɪnhaʊs] vállalaton/házon belüli, belső; **~ project** belső készítésű terv **II.** *hsz* [ˌɪnˈhaʊs] vállalaton/házon belül; **~ work** házon belüli *[külső segítség nélküli]* munka

inhuman [ɪnˈhjuːmən] *mn* **a)** embertelen, kegyetlen, könyörtelen, érzéketlen, durva, (vad)állati, állatias, brutális, barbár; **~ treatment** embertelen bánásmód **b)** nem emberi, nem emberhez hasonló, nem az emberi nemhez tartozó

inhumane [ˌɪnhjuːˈmeɪn] → **inhuman a.**

inhumanity [ˌɪnhjuːˈmænəti] *fn* embertelenség, kegyetlenség, durvaság, (vad)állatiasság, brutalitás, barbárság

inhume [ɪnˈhjuːm] *tsi* eltemet, elföldel, földbe ás *[holttestet]* • *fn* **inhumation**

inimical [ɪˈnɪmɪkl] *mn* **a)** ellenséges, barátságtalan **b)** kedvezőtlen, mostoha *[körülmény]*, rossz, ártalmas *[szokás, cselekedet]*; **circumstances ~ to success** a sikernek nem kedvező körülmények

inimicality [ɪˌnɪmɪˈkæləti] *fn* **1.** ellenségesség, barátságtalanság **2.** kedvezőtlenség

inimitable [ɪˈnɪmɪtəbl] *mn* utánozhatatlan, (a maga nemében) páratlan, versenytárs nélküli

iniquitous [ɪˈnɪkwɪtəs] *mn* **1.** rossz, gonosz **2.** *régi* méltánytalan, igazságtalan

iniquity [ɪˈnɪkwəti] *fn* **1.** romlottság, gonoszság, bűn; **sink of ~** a bűn fertője **2.** *régi* igazságtalanság, méltánytalanság

initial [ɪˈnɪʃl] **-ll-**, *US* **-l- I.** *mn* (meg)kezdő, kiinduló, kezdeti, (leg)első; *gazd* **~ capital** befektetett tőke; alaptőke; **~ costs/outlay** beruházási kiadások; kezdeti/alapítási/szervezési költségek; *pénz* **~ dividend** osztalékelőleg; *nyomd* **~ letter** (díszes) kezdőbetű, nagybetű; *fényk* **~ sensitivity** küszöbérzékenység *[emulzióé]*; *műsz* **~ speed/velocity** kezdősebesség; **~ stages** kezdete (v. kezdeti/első szakasza/foka) (vmnek); **~ symptom** kezdeti tünet; **~ training** *kat* előkészítő kiképzés, *okt* alapozó képzés; **~ word** betűszó; ‹több szóból álló fogalom/intézmény stb. kezdőbetűiből alkotott szó› **II.** *fn* **a) ~(s)** kezdőbetű, iniciálé; személynév kezdőbetű, monogram, névbetű(k); egymásba font kezdőbetűk *[névé]* **b)** *zene* kezdő hang **c) ~(s)** névjel, kézjegy; **put one's ~s to sg** parafál, szignál vmt, kézjegyével ellát vmt **d)** iniciálé, díszes kezdőbetű **III.** *tsi* kézjegyével/névjelével láttamoz/ellát, parafál, szignál *[iratot, szerződést stb.]*

initialism [ɪˈnɪʃl·ɪzm] *fn* **a)** *nyelv* betűrövidítés **b)** mozaikszó

initialization [ɪˌnɪʃəlaɪˈzeɪʃn], **-isation** *fn infor* inicializálás, kezdetiérték-adás

initialize [ɪˈnɪʃəlaɪz], **-ise** *tsi* **1.** kézjegyével/névjelével kinevez/kijelöl (vkt vmre), vkre kiszignál vmlyen munkát **2.** *műsz infor* kezdeti értéket beállít *[pl. számítógépen]*

initiate I. *tsi* [ɪˈnɪʃɪeɪt] **1. a)** elkezd, megkezd, megnyit, elindít *[tárgyalást, új korszakot]*, megveti az alapját *[barátságnak]*, kezdeményez, bevezet, megalapít, létesít, divatba hoz *[rendszert]* **b)** *jog* **~ proceedings against sg** eljárást/pert indít vk ellen, törvényes lépéseket tesz vkvel szemben **2.** beavat *[titokba]*, bevezet *[társaságba, ismeretekbe]*, felavat *[új tagot]*; **~ sy into a secret** beavat vkt egy titokba; **~ sy in a science** bevezet vkt egy tudományágba **II.** *fn* [-ət] beavatott/felavatott ember, (vhova) bevett/felvett személy **III.** *mn* [ɪˈnɪʃɪət] beavatott *[titokba]*, bevett, felvett *[társaságba]*, felavatott *[taggá]*

initiation ceremonies *fn tsz* beavatási szertartás

initiative [ɪˈnɪʃətɪv] **I.** *fn* **1.** kezdemény(ezés), kezdeményező erő/képesség, iniciatíva; **private ~** magánkezdeményezés; **have the ~** kezdeményező/kezdeményezési joga van; **take the ~** kezdeményez, magához ragadja a kezdeményezést; **do sg on one's own ~** saját kezdeményezésére (v. saját magától) tesz/végez vmt; **lack ~** nincs kezdeményező képessége/ereje, semmit sem tesz magától **2.** *jog* javaslattételi jog **II.** *mn* kezdő, kezdeti, bevezető, előkészítő

initiatory [ɪˈnɪʃətəri ‖ –tɔri] *mn* **a)** kezdő, kezdeti, bevezető, előkészítő; **~ steps** kezdő/kezdeti lépések **b)** beavató, beavatási, bevezető *[szertartás stb.]*

inject [ɪnˈdʒekt] *tsi* **1.** befecskendez *[vizet, gyógyszert]*, *műsz* belövell, befúvat **2.** *átv* közbevet, közbeszúr *[megjegyzést]* **3.** *orv* vmlyen injekciót ad

injection [ɪnˈdʒekʃn] *fn* **1.** *orv* **a)** befecskendezés, injekció, belövellés; **~ fluid** injektált folyadék, injekció; *orv* **~ syringe** injekciós fecskendő **b)** *orv* (a hajszálerek) bővérűség(e)/belövelltség(e) **2.** *gk műsz* üzemanyag-befecskendezés, befúvás; **~ pump** üzemanyag-befecskendező szivattyú

injection moulding *fn* fröccsöntés

injector [ɪnˈdʒektə ‖ –ər] *fn* **a)** *orv* injekciós/befecskendező tű, fecskendő **b)** irrigátor **c)** *műsz gk* injektor, befecskendező fúvóka

injudicious [ˌɪndʒuˈdɪʃəs] *mn* **1. a)** meggondolatlan **b)** időszerűtlen; **an ~ remark** meggondolatlan/időszerűtlen megjegyzés **2.** oktalan, botor, értelmetlen, ítélőképesség/judicium nélküli

injunction [ɪnˈdʒʌŋkʃn] *fn* **a)** parancs, rendelkezés, meghagyás, végzés **b)** *jog* a büntetés végrehajtását felfüggesztő határozat/végzés, tiltó (bírósági) rendelkezés/végzés/határozat • *mn* **injunctive**

injure [ˈɪndʒə ‖ –ər] *tsi* **1.** árt, kárt okoz (vmnek/vknek), rosszat tesz (vknek), igazságtalanságot/méltánytalanságot követ el (vkvel szemben), megsért (vkt), *jog* megkárosít, kárt okoz, (meg)sérti vk jogait/érdekeit; **~ sy's reputation** aláássa vk jóhírét/hírnevét **2. a)** bánt(almaz), megsebesít, megsért (vkt), sebet ejt (vkn), betegséget/sérülést/fájdalmat okoz (vknek) **b)** kárt tesz (vmben), megrongál, tönkretesz, elront (vmt), *gazd* megrongál; **~ one's health** aláássa az egészségét • *fn* **injurer**

injured [ˈɪndʒəd ‖ ˈɪndʒərd] **I.** *mn* **1.** (meg)sértett, megkárosított, sérelmet szenvedett *[személy]*; **an ~ look** sértődött pillantás/tekintet; **~ husband** megcsalt férj; **the ~ party** a sértett fél; *jog* jogsérelmet/érdeksérelmet szenvedett fél **2. a)** (meg)sebesült, megnyomorított, elnyomorított, megbénult *[ember, testrész]*; **fatally ~** halálosan megsebesített/megsebesült **b)** (meg)romlott, megrongálódott, megsérült *[áru, szállítmány]* **II.** *fn* **the ~** a sebesültek, a baleset/katasztrófa sebesültjei/áldozatai

injuria [ɪnˈdʒʊərɪə ‖ –ˈdʒʊr–] *fn tsz jog* jogsérelem, jogsértés

injurious [ɪnˈdʒʊərɪəs ‖ –ˈdʒʊr–] *mn* **a)** ártalmas, káros, kártékony; **be ~ to sy/sg** árt vknek/vmnek **b)** hátrányos, sérelmes, (jog)sértő **c)** bántó, sértő, rágalmazó, gyalázó *[beszéd, hang]* • *fn* **injuriousness**

injury [ˈɪndʒəri] *fn* **1. a)** (testi) sértés, bántalom, *orv* sérülés, sebesülés; *sp* **~ time** ápolási idő beszámítása, hosszabbítás *[sérülés miatt]* **b)** (meg)rongálás, pusztítás, kártétel, kár(osodás), veszteség, hátrány, kár, rakományban esett kár/rongálódás; **do ~ to sg** kárt okoz vmn; (meg)rongál vmt **2.** kár(osodás), sérelem, hátrány, igazságtalanság; **to the ~ of sy** vknek a kárára/sérelmére/hátrányára **3.** megsértés *[jogé, érdeké]*, becsmérlés, rágalmazás; **~ to sy's reputation** vk hírnevének/jóhírének (becsmérlése/(meg)rágalmazása/megsértése); **add insult to ~**, **pile ~ upon insult** sértést sértésre halmoz, sértést sértéssel tetéz **4.** *körny* ártalom

injustice [ɪnˈdʒʌstɪs] *fn* **a)** igazságtalanság, jogtalanság, méltánytalanság **b)** igazságtalan/méltánytalan tett/cselekedet; **do a person an ~** igazságtalan/méltánytalan vkvel szemben, igazságtalanságot követ el vkvel szemben

ink [ɪŋk] **I.** *fn* **1. a)** tinta; **in ~** tintával *[írott]*; *biz átv* **to sling ~** sértő/bántó cikkeket ír *[újságíró]* **b)** *nyomd* nyomdafesték **2. a)** *áll* tintahal, szépia **b)** tintahal kibocsátott festéke **II.** *tsi* **a)** tintával megjelöl/piszkít/bemázol, betintáz, elken *[tintát]* **b)** *nyomd* nyomdafestékkel beken, festékez *[betűket]*

ink in *tsi* tintával/tussal kirajzol/kihúz

ink out *tsi* (tintával) áthúz, kihúz, kitöröl (egy szót stb.)

ink-blot *fn* tintafolt

ink-blot test *fn pszich* Rorschach-teszt

inkhorn I. *fn tört* (szaruból készült) hordozható tintatartó **II.** *mn biz* tudálékos, vaskalapos

ink-jet printer *fn infor* festék- v. tintasugaras nyomtató

inkling [ˈɪŋklɪŋ] *fn* gyanú, gyanúsítás, célzás, sejt(et)és; **have an ~ of sg** gyanít/sejt vmt; konyít vmhez; **has no ~ of the matter** fogalma (v. a leghalványabb sejtelme) sincs a dologról/ügyről; **give sy an ~ of sg** vkvel sejtet vmt, célzást tesz vknek vmről

in-knees *fn tsz* x-lábak; **a man with ~** x-lábú ember

ink-pad, inking-pad *fn* festékpárna, bélyegzőpárna, dörzspárna

ink-well *fn* (iskolapadba/asztalba süllyesztett) tintatartó

inky [ˈɪŋki] *mn* **a)** tintás, tintafoltos, tintával borított/fedett, festékes **b) ~ (black)** (tinta)fekete; koromfekete, koromsötét

INLA *röv Irish National Liberation Army*

inlaid [ˌɪnˈleɪd] *mn* **1.** berakásos, berakott, berakásokkal díszített, intarziás, faburkolatos, parkettás, mozaik-; **~ floor(ing)** mozaikpadló, parkettás padló **2.** beillesztett, berakott *[lap, füzet könyvbe]*

inland I. *mn* [ˈɪnlənd] **a)** belső, belterületi, szárazföldi; *geol* **~ dune** futóhomok bucka; **~ sea** beltenger; **an ~ town** az ország (v. kontinens) belsejében fekvő város **b)** belföldi, hazai, bel-; *GB pénz* **~ bill** belföldi váltó; **~ duty** belső vám, belvám; **~ postage rates** belföldi tarifa *[postai szállítmányokra]*; **~ revenue** adózás; egyenes/közvetett adó; **~ trade** belkeresedelem **II.** *hsz* **go/march ~** ország belsejébe (v. belseje felé) megy/hatol **III.** *fn* [ɪnˈlænd, –lənd] az ország belseje (v. belső része), belföld • *fn* **inlander**

Inland Revenue *fn GB ÚjZ* **1.** az államkincstár **2.** (közvetett és közvetlen) befolyó adók

in-laws [ˈɪnlɔːz] *fn tsz biz* **my ~** a házastársam/férjem/feleségem családja/hozzátartozói

inlay I. *fn* [ˈɪnleɪ] **1. a)** (fa)berakás, berakott munka, intarzia **b)** *épít* burkolás, fedés **2.** *nyomd* beillesztés *[nyomtatványba]* **3.** *orv* betét, inlay *[fogban]* **II.** *tsi pt/pp* **inlaid** [ɪnˈleɪd] berak, berakással (v. berakott munkával) díszít, intarziát készít, mozaikszerűen parkettáz, arannyal/ezüsttel kirak *[kardot, pengét]* • *fn* **inlayer**

inlet [ˈɪnlet] **I.** *fn* **1. a)** bebocsátás, beeresztés **b)** *gk* **~ valve** szívószelep **2.** *földr* öböl, *hajó* keskeny nyílás partvonalban **3.** betoldás, betoldott/beékelt darabok *[ruhán]* **II.** *mn* (csipke)betéttel díszített

inlier [ˈɪnlaɪə ‖ –ər] *fn geol* idegen kőzetsáv *[egy rétegben]*

in-line [ˈɪnlaɪn] *mn* **1.** egyvonalban lévő; sorban haladó *[pl. repülők]* **2.** *infor* beépített/beiktatott; **~ image** szövegbe iktatott kép **3.** *sp* **~ skate** egysoros görkorcsolya; **~ skating** egysoros görkorcsolyázás

inly [ˈɪnli] *hsz vál* **1.** belül, titokban, titkon; **he fumed ~** titokban/magában bosszankodott **2.** bensőségesen, mélyen, őszintén; **it made me ~ stirred** mélyen megrendített

inmarriage *fn* belházasság, endogámia

inmate [ˈɪnmeɪt] *fn* (benn)lakó *[börtönben, kórházban]*

inmost [ˈɪnmoʊst] *mn* **a)** legbelső, legmélyebb, legtávolibb **b)** legtitkosabb, legbizalmasabb; **one's ~ feelings** az ember legmélyebb/legtitkosabb érzelmei (v. legbelső érzései)

inn [ɪn] *fn* **1. a)** (vendég)fogadó, szálló, szálloda **b)** kocsma, vendéglő, csárda **2.** *GB* **The I~s of Court** a londoni négy jogászkollégium, a londoni jogászkollégiumok

innards [ˈɪnədz ‖ ˈɪnərdz] *fn tsz biz* (állati) belsőségek, belső részek/szervek, zsigerek

innate [ˌɪˈneɪt] *mn* vele született, ösztönös, természetes, intuitív, istenadta; **~ gift** istenadta tehetség; *fil* **~ ideas** velünk született fogalmak, idea innata

innavigable [ɪˈnævɪgəbl] *mn* nem hajózható, hajózhatatlan *[tenger, folyó]*

inner [ˈɪnə ‖ ˈɪnər] **I.** *mn* belső, belül levő, vm belsejében levő, *átv* belső, benső, titkos, rejtett, lelki; **~ city** belváros, óváros, városközpont; **~ court** kis hátsó udvar; **his ~ life** lelki élete; **the ~ man** lélek, lelkiismeret; *tréf* gyomor; *zene* **~ part/voice** középső szólam; *pénz* **~ reserves** rejtett tartalékok; *pszich* **~ speech** hangtalan beszéd **II.** *fn* **1.** belső kör *[céltábláé]* **2.** belső kört ért találat • *mn* **innerly**

inner-directed *mn* nem befolyásolható, nem-konformista; ‹a saját értékrendszere által irányított›

innermost [ˈɪnəmoust ‖ ˈɪnər–] *mn* legbelső; **our ~ being** legbensőbb énünk

innervate [ˈɪnɜːveɪt ‖ ɪˈnɜrveɪt] *tsi orv* **1.** idegekkel ellát/működtet, beidegez **2.** ösztönöz, stimulál

innings [ˈɪnɪŋz] *fn tsz* **1.** lecsapolás/kiszárítás által nyert terület **2.** *sp* az egyik fél ütési joga/ideje *[krikettben, baseballban]* **3.** uralmon/hivatalban levés (ideje); *biz* **he had long ~** sokáig volt hivatalban (v. a kormány tagja); *biz* **he had good ~** hosszú és szép élete volt

innkeeper *fn* (vendég)fogadós, szállodás, vendéglős, kocsmáros

innocence [ˈɪnəsns] *fn* **a)** ártatlanság, büntetlenség *[vádlotté stb.]* **b)** tisztalelkűség, gyermetegség, naivság

innocent [ˈɪnəsnt] **I.** *mn* **1. a)** ártatlan, büntetlen, nem bűnös/vétkes; **~ of a crime** ártatlan egy bűn elkövetésében; **as ~ as a new-born babe** ártatlan, mint egy ma született bárány **b)** ártatlan, feddhetetlen, tiszta, szeplőtlen, szűzi(es) **2. a)** ártatlan, gyermeteg, nyílt(szívű), mesterkéletlen, természetes, jámbor **b)** naiv; tudatlan, együgyű, balga **c)** *biz* vm nélküli, vmt nélkülöző, vmnek híjával levő, használatlan, új, eredeti állapotban levő **d)** vmt nem tudó, mentes vmtől; *biz* **I am ~ of Arabic** egy árva szót sem tudok arabul **3.** ártatlan, ártalmatlan *[játék, gyógyszer]* **II.** *fn* **a)** egyszerű/mesterkéletlen/naiv/ártatlan/jámbor ember **b) Holy I~s** aprószentek **c)** együgyű/féleszű ember; **the village ~** a falu bolondja

innocuous [ɪˈnɒkjuəs ‖ ɪˈnɑ–] *mn* ártalmatlan *[ember, orvosság]*

innominate [ɪˈnɒmɪnət ‖ ɪˈnɑ–] *mn* **1.** *jog* névtelen, név nélküli, nem megnevezett **2.** *orv* **~ bone** medencecsont, csípőcsont

innovate [ˈɪnəveɪt] *tni* (fel)újít, megújít, reformál, újat/újítást (v. új módszereket) hoz/vezet be

innovation [ˌɪnəˈveɪʃn] *fn* **a)** (fel)újítás, megreformálás, újítás (v. új módszer) bevezetése, ésszerűsítési javaslat **b)** újítás, ésszerűsítés, új (divatú) szokás/használat/alkalmazás, újonnan bevezetett dolog, újdonság

innovative [ˈɪnəveɪtɪv] *mn* újító

innovator [ˈɪnəveɪtə ‖ –veɪtər] *fn* **1.** újító **2.** *nyelv* (nyelv)újító, neológus

innuendo [ˌɪnjuˈendoʊ] *fn* **1. a)** burkolt/homályos célozgatás/célzás, burkolt megjegyzés **b)** rosszindulatú célzás, burkolt gyanúsítás **2.** *jog* **a)** rágalmazó jellegű kifejezés **b)** rágalmazó kifejezés magyarázata

innumerable [ɪˈnjuːmərəbl ‖ ɪˈnuː] *mn* megszámolhatatlan, megszámlálhatatlan, számtalan

innumerate [ɪˈnjuːmərət ‖ ɪˈnuː–] *mn* számolni nem/nehezen tudó, matematikához nem értő

innutrition [ˌɪnjuːˈtrɪʃn ‖ ˌɪnuː–] *fn* hiányos táplálkozás; *orv* ~ **of the bones** angolkór, rachitisz • *mn* **innutritious**

inobservance [ˌɪnəbˈzɜːvns ‖ –ˈzɜr–] *fn* **a)** hanyagság, figyelmetlenség, figyelmen kívül hagyás **b)** megszegés, be nem tartás *[törvényé]*; ~ **of a rule** egy szabály be nem tartása (v. figyelmen kívül hagyása)

inoccupation [ˌɪnɒkjʊˈpeɪʃn ‖ ˌɪnɑkjə–] *fn* munkanélküliség, foglalkozásnélküliség, tétlenség

inoculate [ɪˈnɒkjʊleɪt ‖ ɪˈnɑkjəleɪt] *tsi* **1. a)** *orv* (be)olt, oltást ad (vknek); ~ **sy against a disease** betegség ellen beolt vkt **b)** ~ **oneself** megfertőzi magát **2.** *mezőg* (be)olt, szemez *[növényt]*, talajt beolt, *vegy* beolt *[kristályosításhoz]* • *fn* **inoculation**

inodorous [ɪnˈoʊdərəs] *mn* szagtalan *[gáz]*

inoffensive [ˌɪnəˈfensɪv] *mn* **a)** ártatlan, ártalmatlan, semleges *[ember, állat, megjegyzés, gyógyszer]* **b)** nem kellemetlen *[szag, megjegyzés]* • *fn* **inoffensiveness**

inoperable [ɪnˈɒpərəbl ‖ ɪnˈɑ–] *mn orv* nem operálható, operálhatatlan *[beteg, betegség]*

inoperative [ɪnˈɒpərətɪv ‖ ɪnˈɑ–] *mn* **1.** *jog* hatástalan, érvénytelen, hatálytalan, hatályon kívüli, hatályon kívül helyezett **2.** tétlen, álló, nem működő *[gép]*

inopportune [ɪnˈɒpətjuːn ‖ ɪnˌɑpərˈtuːn] *mn* nem időszerű, időszerűtlen, nem kellő időben/alkalommal (v. rosszkor) történő, alkalmatlan

inordinate [ɪˈnɔːdɪnət ‖ ɪnˈɔr–] *mn* **a)** mértéktelen, szertelen, szélsőséges, túlságos, túlzott, féktelen, rendkívüli, rendetlen, zilált, fegyelmezetlen; ~ **appetite** mértéktelen/túlzott étvágy **b)** rendezetlen, szabályozatlan, rendszertelen • *hsz* **inordinately**

inorganic [ˌɪnɔːˈgænɪk ‖ ˌɪnɔr–] *mn* **1.** *vegy* szervetlen, anorganikus, élettelen; ~ **chemistry** szervetlen/anorganikus kémia **2.** nem szervezett, szervezetlen *[felépítésű]* **3.** nem alapvető/lényegbeli, külsőséges, külsőleges

inosculate [ɪnˈɒskjʊleɪt ‖ –ˈɑskjə–] **A.** *tsi* összeilleszt, egymásba torkolltat **B.** *tni* egymásba torkollik, egyesül

inostensible [ˌɪnɒˈstensəbl] *mn* nem feltűnő/tüntető, feltűnés nélküli, feltűnésmentes

in-patient [ˈɪnpeɪʃnt] *fn* kórházi ápolt/beteg, (benn)fekvő beteg

input [ˈɪnpʊt] *fn* **1. a)** betáplált energia, energiafelhasználás **b)** anyagfelhasználás *[gépé]* **c)** *közg* input, ráfordítás, termelési tényező; **capital** ~ tőkeráfordítás; **labour** ~ munkaráfordítás **2. a)** *el* bemenő teljesítmény, teljesítményfelvétel **b)** *infor* bemenőjel, betáplált információ

input-output *fn* **a)** *közg* ráfordítás-kibocsátás; input-output; ~ **analysis** input-output elemzés; ~ **model (table)** input-output modell (tábla), ágazati kapcsolatok modellje (mérlege) **b)** *infor* adatbevitel és kivitel, ki-bemenet

inquest [ˈɪŋkwest] *fn* **1.** (bírói), bírósági vizsgálat, nyomozás; **coroner's** ~ halottszemle **2.** esküdtbíróság, esküdtszék; *GB* **The Grand I~ of the nation** a (brit) parlament alsóháza, az angol alsóház **3.** *vall* **The Great/Last** ~ az utolsó ítélet, végítélet

inquietude [ɪnˈkwaɪətjuːd ‖ –tuːd] *fn* nyugtalanság, izgatottság, izgalom *[testé, szellemé]*

inquire [ɪnˈkwaɪə ‖ –ər] **A.** *tsi* (meg)kérdez, megérdeklődik (vmt); ~ **sy's name** megkérd(ez)i vknek a nevét **B.** *tni* **a)** érdeklődik, kérdezősködik, kérdés(eke)t tesz, felvilágosítást kér **b)** ~ **about/concerning sg** érdeklődik/kérdezősködik vm iránt, felvilágosítást kér vm felől; ~ **into sg** kutat/tanulmányoz vmt, (meg)vizsgál *[kérdést, ügyet]*; *jog* vizsgálatot folytat, nyomoz *[egy ügyben]* • *fn* **inquirer**

inquiring [ɪnˈkwaɪərɪŋ] a érdeklődő, kutató, fürkésző, kíváncsi; **an** ~ **look** érdeklődő/fürkésző/kíváncsi pillantás/tekintet; **an** ~ **mind** kutató szellem/elme

inquiry [ɪnˈkwaɪəri] *fn* **1.** kérdezősködés, érdeklődés, tudakozódás, informálódás; **make inquiries about/after sy/sg** érdeklődik, kérdezősködik, tudakozódik, informálódik vk, vm felől/után; **on** ~ **I learnt that** érdeklődésemre megtudtam, hogy **2.** vizsgálat, nyomozás, kutatás, *jog* kivizsgálás; **conduct/hold an official** ~ hivatalos vizsgálatot/nyomozást tart/folytat/végez; **make a searching** ~ nyomozó vizsgálatot folytat; **open** (v. **set up) a judicial** ~ **regarding sg** bírói vizsgálatot indít vmvel kapcsolatban; **free** ~ szabad/független vizsgálódás/kutatás

inquiry agent *fn GB* magándetektív

inquisition [ˌɪŋkwɪˈzɪʃn] *fn* **1. a)** érdeklődés, tudakozódás, vizsgálódás **b)** *jog* (alapos) vizsgálat, nyomozás, kutatás **2.** *vall* **The I~** az inkvizíció

inquisitive [ɪnˈkwɪzətɪv] *mn* (sokat) kérdező, firtató, tapintatlanul/tolakodóan kíváncsi

inquisitor [ɪnˈkwɪzɪtə ‖ –zɪtər] *fn* **a)** *jog* vizsgálóbíró, vizsgálóbiztos, vizsgálatot/nyomozást végző tisztviselő (v. hivatalos személy) **b)** *vall* inkvizítor; **Grand I~** főinkvizítor

inquisitorial [ɪnˌkwɪzɪˈtɔrɪəl] *mn* **a)** inkvizitorikus, zaklató, sanyargató **b)** tapintatlanul/tolakodóan kíváncsi

inquorate [ɪnˈkwoʊreɪt] *mn* határozatképtelen *[gyűlés, értekezlet]*

in re[1] [ɪn ˈriː] *hsz* magában; **we must consider the subject** ~ a tárgyat magában (véve) kell megvizsgálnunk

in re[2] [ɪn ˈriː] *elölj jog* hivatkozással, tekintettel, figyelembe véve, ügyében; ~ **the defendant's claim** figyelembe véve az alperes állítását

inroad [ˈɪnroʊd] *fn* **1.** *kat* támadás, roham, megrohanás, betörés, invázió **2.** *biz* erős/túlzott igénybevétel; **make ~s upon sy's time** túlságosan igénybe veszi vk idejét

inrush [ˈɪnrʌʃ] *fn* **a)** berohanás, berontás (vké) **b)** beáradás, beáramlás, betódulás, bezúdulás, beömlés, beözönlés *[vízé, gázé, tömegé]* **c)** *bány* betörés *[úszó homoké]*, *épít* talajvízbetörés *[pl. alagútba]*

ins. *röv inches*

insalubrious [ˌɪnsəˈluːbrɪəs] *mn* egészségtelen, nem egészséges, ártalmas *[éghajlat, vidék stb.]* • *fn* **insalubrity**

insane [ɪnˈseɪn] *mn* **a)** elmebeteg, elmebajos, őrült, bolond; ~ **asylum** elmegyógyintézet, bolondokháza **b)** *átv biz* esztelen, őrült *[vágy, terv]*; **an** ~ **proposal** őrült/esztelen indítvány/javaslat

insanitary [ɪnˈsænɪtəri ‖ –teri] *mn* egészségtelen, higiénia (v. egészségügyi berendezések) nélküli

insanity [ɪnˈsænəti] *fn* **a)** *orv* elmezavar, elmebaj, elmebetegség, őrület; **adolescent** ~ serdüléses elmezavar; **moral** ~ erkölcsi beszámíthatatlanság **b)** *átv* bolondság, esztelenség *[cselekedeté, lépésé]*

insatiable [ɪnˈseɪʃəbl] *mn* kielégít(het)etlen, telhetetlen, mohó *[vágy, éhség]* • *fn* **insatiability**

insatiate [ɪnˈseɪʃɪət] *mn* telhetetlen, kielégít(het)etlen

inscape [ˈɪnskeɪp] *fn* lelkivilág

inscribe [ɪnˈskraɪb] *tsi* **1. a)** (be)ír, felír, feljegyez, előjegyez, bevezet, bejegyez *[jegyzékbe]* **b)** ráír, bevés; ~ **a stone with one's name** kőbe vési nevét; ~ **sg on one's memory** emlékezetébe vés vmt **c)** *mat* beír, berajzol *[idomot]* **2.** ajánl, dedikál *[könyvet]* • *fn* **inscriber**

inscription [ɪnˈskrɪpʃn] *fn* **1.** felírás, (magyarázó) felirat *[emlékművön, érmén]* **2.** ajánlás, dedikáció *[könyvben]* **3.** *pénz* ‹névre szóló részvények tulajdonosa nevének bejegyzése részvénynyilvántartó könyvbe›

inscrutable [ɪnˈskruːtəbl] *mn* kifürkészhetetlen, kideríthetetlen, megfejthetetlen *[terv]*, kiismerhetetlen *[arc]*

insect [ˈɪnsekt] *fn tsz* **~s, insecta** [ɪnˈsektə] **1.** rovar, bogár **2.** *átv pej* (hitvány kis) féreg

insectarium [ˌɪnsekˈteərɪəm ‖ –ˈter–] *fn tsz* **-ria** [–rɪə] **1.** rovartenyésztő telep **2.** rovargyűjtemény

insectary [ɪnˈsektəri ‖ ˈɪnsektəri] → **insectarium**

insecticide [ɪnˈsektɪsaɪd] **I.** *mn* rovarirtó, rovarölő **II.** *fn* rovarirtó/féregirtó szer, növényvédő szer

insectivore [ɪnˈsektɪvɔː ‖ –vɔr] *fn tsz* **-ra** [ˌɪnsekˈtɪvərə] *áll* rovarevő • *mn* **insectivorous**

insecure [ˌɪnsɪ'kjʊə ‖ –'kjʊr] *mn* **a)** bizonytalan, gyenge, veszélyes, nem teherbíró/szilárd/erős *[tárgy]* **b)** *átv* veszélyeztetett, veszélynek kitett, bizonytalan, kritikus *[helyzet]*, nem megbízható, megbízhatatlan, csalóka *[beszéd, ígéret]*

insecurity [ˌɪnsɪ'kjʊərəti ‖ –'kjʊr–] *fn* bizonytalanság

inseminate [ɪn'semɪneɪt] *tsi* megtermékenyít • *fn* **insemination**

insensate [ɪn'senseɪt] *mn* **1.** érzéketlen *[test(rész), anyag]*, eszméletlen *[ember]* **2. a)** értelmetlen, oktalan **b)** esztelen, őrült, bolond *[terv, vágy]*; ~ **rage** esztelen/őrült düh(öngés) **c)** kegyetlen, embertelen

insensibility [ɪnˌsensə'bɪləti] *fn* **a)** érzéketlenség, közöny(össég), közömbösség, érzésnélküliség, tompaság; ~ **to pain** fájdalommal szembeni érzéketlenség/közömbösség **b)** eszméletlenség, ájultság

insensible [ɪn'sensəbl] *mn* **1. a)** érzéketlen; **hands ~ from cold** hidegtől meggémberedett kéz; **fall ~** elájul **b)** *átv* érzéketlen, nem érdeklődő, közönyös, közömbös, fásult; ~ **to fear** félelmet nem ismerő **c)** öntudatlan, eszméletlen, ájult **d)** buta **e)** durva, közönséges **2.** észrevétlen, észrevehetetlen, alig észrevehető, jelentéktelen; ~ **motion** alig észrevehető mozgás

insensitive [ɪn'sensətɪv] *mn* érzéketlen, nem fogékony, fásult, közönyös; ~ **to light** nem fényérzékeny • *fn* **insensitivity**

insentient [ɪn'senʃnt] *mn* érzéketlen, élettelen, elhalt

inseparable [ɪn'sepərəbl] *mn* **1.** elválaszthatatlan; ~ **companions** elválaszthatatlan társak (v. társai egymásnak) **2.** oszthatatlan

insert I. *tsi* [ɪn'sɜːt ‖ –'sɜrt] **1.** betesz, beilleszt, bedug *[kulcsot zárba]*, bever *[faszeget, csapot]*, berak *[formát présbe]*, *el* áramkörbe iktat/kapcsol **2.** betesz, behelyez, beilleszt *[lapot könyvbe, hirdetést újságba]*, újsághirdetést közzétesz, közbeiktat; ~ **a word in a line** beszúr egy szót a sorba **II.** *fn* ['ɪnsɜːt ‖ –sɜrt] **1. a)** *nyomd* beillesztés, beszúrás *[korrektúrába]* **b)** behúzás/beillesztés *[prospektusoké, reklámfüzeteké]* könyvbe/folyóiratba **2. a)** *US* reklámmelléklet, külön melléklet **b)** *szính* betoldott/beillesztett darab, betét **c)** szövegfilmezés, inzert

insertion [ɪn'sɜːʃn ‖ –'sɜr–] *fn* **1.** beszúrás, beillesztés, betétel; közzététel, közlés, hirdetés *[újságban stb.]*; ~ **mark** beszúrás jele *[V, kéziratban, korrektúrában]* **2.** *orv növ* tapadás *[izomé csonthoz, levélé szárhoz]*, illeszkedés *[levélé szárhoz]* **3.** *biol* beékelés, beépítés *[DNS-be]* **4.** *műsz* ~ **(piece)** betét(darab) **5.** betét *[ruhában]*; **lace ~** csipkebetét

in-service [ˌɪn'sɜːvɪs ‖ –sɜr–] *mn* szolgálat alatti/közbeni; *okt* ~ **training** szakmai továbbképzés

insessorial [ˌɪnse'sɔːrɪəl] *mn/fn* ~ **(bird)** fészeklakó *[madár]*

inset *pt/pp* **inset**, **~ted I.** *fn* ['ɪnset] **1. a)** betétlap(ok) *[könyvben, nyomtatványban stb.]*, (újság)melléklet **b)** behúzás/beillesztés *[prospektusoké/reklámfüzeteké könyvbe/folyóiratba]* **2.** *nyomd* szövegközi kép/ábra/illusztráció; ‹nagyobb térkép/ábra szélére/szegélyére/sarkába nyomtatott kisebb térkép/ábra› **3.** berakás, betét, beállítás *[női ruhán]* **4. a)** *geol* beágyazás **b)** *műsz* kávéfőző gép kávétartálya **II.** *tsi* [ɪn'set] **1. a)** beilleszt, beékel, beleköt *[betétet, mellékletet, külön lapot könyvbe]*, közbeiktat *[lapot]* **b)** beszúr *[szót, betűt stb.]* **2. a)** beilleszt egy darabot *[ruhába]* **b)** berak *[szoknyát, ruhát]*

in-shore ['ɪn ʃɔː] **I.** *mn* parti/part menti halászat **II.** *hsz hajó* közel a parthoz, part mentén/irányában/felé

inside [ˌɪn'saɪd] **I.** *mn* bel(ül)ső, benn levő, belül elhelyezett; *sp* ~ **fighting** belharc *[ökölvívásban]*; *biz* ~ **information** magánértesülés, bizalmas értesülés/tájékoztatás; *US szl* ~ **dope** *[bizalmas értesülés/tájékoztatás]* füles, drót; **have ~ information** ismeri a kulisszatitkokat, bennfentes; ~ **lane** *GB közl* külső sáv; *sp* belső pálya *[atlétika]*; **the ~ ring** a bennfentesek, beavatottak; *sp* ~ **track** belső kör/pálya *[versenyen]*; *átv biz* előnyös helyzet *[vkvel szemben]*; *US* **have the ~ track** az előnyösebb helyzetben van **II.** *fn* **1.** (rész), felület, vmnek a belseje; **on the ~** belül(ről); ~ **out** (ki)fordítva, belsejével kifelé; **turn ~ out** kifordít *[kesztyűt, ernyőt]*; *átv* **turn everything ~ out** mindent kiforgat értelméből; *átv* **know sg ~ out** töviről hegyire ismer vmt, úgy ismeri, mint a saját tenyerét **2.** *sp* ~ **(player)** belső (csatár); ~ **left** balösszekötő **3.** *biz* bizalmas értesülés/tájékoztatás; **the ~** a valódi helyzet, az igazi története vmnek; **know the ~ of an affair** jól ismeri az ügy hátterét **4.** beépített ember, besúgó **5.** *tsz* **insides** *biz* has, gyomor, belek **III.** *hsz* **1. a)** belül, benn; **with the fur ~** a szőrmés oldalával befelé; *biz* **walk ~!** tessék besétálni!; ~ **and out** kívül-belül *[ismer]*; *US biz* **be ~ on a matter** be van avatva vmbe; **to get an ~ view of sg** betekintést nyer vmbe **b)** befelé, be **c)** *szl [börtönben]* bent, hűvösön, dutyiban **2.** *biz* ~ **of** vm időn belül; ~ **of a year** egy éven belül **IV.** *elölj* -ban, -ben, vm belsejében; *szính biz* **get right ~ a part** beleéli magát a szerepbe

inside job *fn* ‹belső/beépített társ által/segítségével elkövetett bűncselekmény›

insider [ˌɪn'saɪdə ‖ –ər] *fn* beavatott, bennfentes

insider dealing *fn jog* bennfentes kereskedelem *[tőzsdén]*

insider trading → **insider dealing**

insidious [ɪn'sɪdɪəs] *mn* alattomos, álnok, ármányos, csalárd; ~ **disease** alattomos betegség

insight ['ɪnsaɪt] *fn* **1. a)** éleslátás, éleselméjűség; **a man of ~** okos/bölcs ember; ~ **into character** jó emberismeret **b)** ösztönös megérzés, intuíció, érzékelés **2.** bepillantás; **get an ~ into sg** betekintést nyer vmbe • *mn* **insightful**

insignia [ɪn'sɪgnɪə] *fn tsz* jelvények *[katonai, uralkodói]*; **royal ~** koronázási jelvények; *kat* ~ **of command** parancsnoki rangjelzés; *kat* ~ **of grade/rank** rangjelzés; **officer's ~** tiszti rangjelzés

insignificant [ˌɪnsɪg'nɪfɪkənt] *mn* **1.** jelentéktelen; **an ~ part** elenyésző rész **2.** jelentés nélküli *[szó]*, semmitmondó *[kézmozdulat]* • *fn* **insignificance**

insincere [ˌɪnsɪn'sɪə ‖ –'sɪr] *mn* nem őszinte, tettetett, színlelt, hamis, kétszínű • *fn* **insincerety**

insinuate [ɪn'sɪnjʊeɪt] *tsi* **1.** célozgat (vmre), burkoltan állít/sejtet; **do you mean to ~ that...?** azt akarja ezzel mondani, hogy...? **2. a)** ~ **oneself** befurakszik, beférkőzik **b)** ~ **oneself into sy's favour** beférkőzik vk kegyeibe, behízelgi magát vknél • *fn* **insinuation** *mn* **insinuative**

insinuating [ɪn'sɪnjʊeɪtɪŋ] *mn* **1.** sokat sejtető, célzatos *[megjegyzés]* **2.** behízelgő, megnyerő *[modor, mosoly]*

insipid [ɪn'sɪpɪd] *mn* **1.** íztelen, ízetlen *[étel, ital]*, *kif* se íze se bűze **2.** *átv* unalmas, érdektelen, szellemtelen *[beszélgetés]*, erőtlen, színtelen *[stílus]*, sótlan *[személy]*, üres, kifejezéstelen *[arc]*, hideg *[szépség]*, bárgyú *[mosoly]* • *fn* **insipidity**

insist [ɪn'sɪst] *tni* **1.** erősködik, kitart, bizonygat (vmt); ~ **on the importance of sg** hangsúlyozza vm fontosságát; ~ **upon one's innocence**, ~ **that one is innocent** makacsul hangoztatja/bizonygatja ártatlanságát **2.** ragaszkodik (*on/upon* vmhez), megkövetel (vmt); ~ **on doing sg** ragaszkodik vm megtételéhez (v. ahhoz, hogy megtegyen vmt); ~ **that sy shall do sg**, ~ **on sy's doing sg** megköveteli (v. ragaszkodik ahhoz), hogy vk megtegyen vmt; **I ~ upon it** (feltétlenül) ragaszkodom hozzá

insistent [ɪn'sɪstənt] *mn* **1. a)** ragaszkodó **b)** kitartó, állhatatos *[ember]*, követeléséhez ragaszkodó *[hitelező]* **c)** sürgető *[szükség]*, megoldást követelő *[körülmény]*; **these facts are very ~** ezek a tények nagy figyelmet érdemelnek **d)** *biz* ~ **colours** rikító színek **2.** *áll* ~ **hind toe** nem vetélő ujj *[madáré]* • *fn* **insistence**

in situ [ɪn'sɪtjuː ‖ –'saɪtuː] *hsz latin* eredeti helyzetben/helyén, természetes helyén/helyzetében

insobriety [ˌɪnsə'braɪəti] *fn* mértéktelenség *[ivásban]*, részegesség

I

insofar [ˌɪnsoʊˈfɑː ‖ ˌɪnsəˈfɑr] *hsz* olyannyira, olyan mértékben (*as* hogy); amennyiben, amennyire
insolation [ˌɪnsəˈleɪʃn] *fn* napfény hatásának való kitevés/kitétel
insole [ˈɪnsoʊl] *fn* **a)** talpbélés **b)** talpbetét
insolence [ˈɪnsələns] *fn* szemtelenség, arcátlanság, pökhendiség, pimaszság
insolent [ˈɪnsələnt] *mn* szemtelen, arcátlan, pökhendi, pimasz • *fn* **insolence**
insoluble [ɪnˈsɒljubl ‖ –ˈsɑl–] **I.** *mn* **1.** megoldhatatlan *[probléma]*, megfejthetetlen *[rejtvény, rejtély]*, leküzdhetetlen *[nehézség]* **2.** *vegy* oldhatatlan *[anyag]* **II.** *fn vegy* oldhatatlan, nem oldódó (anyag), alkatrész
insolvable [ɪnˈsɒlvəbl ‖ –ˈsɑl–] *mn* **1.** megoldhatatlan **2.** oldhatatlan, nem oldható
insolvent [ɪnˈsɒlvənt ‖ –ˈsɑl–] *mn/fn* fizetésképtelen, inszolvens; *jog* **The I~ Act** csődtörvény • *fn* **insolvency**
insomnia [ɪnˈsɒmnɪə ‖ –ˈsɑm–] *fn orv* álmatlanság • *fn/mn* **insomniac**
insomuch [ˌɪnsoʊˈmʌtʃ] *hsz* **1.** olyannyira, olyannyiban, olyan mértékben, olyformán **2.** **~ as** minthogy, mivel; lévén
insouciant [ɪnˈsuːsɪənt] *mn* **1.** gondtalan **2.** nemtörődöm, közönyös • *fn* **insouciance**
inspect [ɪnˈspekt] *tsi* **1.** szemügyre vesz, megtekint **2.** **a)** (hivatalosan) megvizsgál, felülvizsgál *[könyvelést]*, ellenőriz *[iskolát, gyárat]*; **~ing officer** ellenőrző közeg/tisztviselő **b)** *kat* megszemlél *[csapatokat]*, szemlét tart
inspection [ɪnˈspekʃn] *fn* **1.** **a)** megtekintés, szemrevételezés, megszemlélés, megvizsgálás, felülvizsgálás, vizsgálat, ellenőrzés; **sanitary ~** egészségügyi vizsgálat/ellenőrzés; **second/check ~** felülvizsgálat, ellenőrző vizsgálat; **ticket ~** jegyellenőrzés; **~ panel** ellenőrző testület; **for sy's ~** megtekintésre; **on close/closer ~** alapos(abb) vizsgálat után; jobban megvizsgálva **b)** felügyelet **2.** *kat* szemle; **~ of arms** fegyverszemle; **hold an ~** (csapat)szemlét tart **3.** *gk* inspekció, időszaki karbantartás
inspector [ɪnˈspektə ‖ –ər] *fn* felügyelő, ellenőr; **~ general** főfelügyelő; **~ of weights and measures** mértékhitelesítő
inspectorate [ɪnˈspektərət] *fn* felügyelőség
inspiration [ˌɪnspɪˈreɪʃn] *fn* **1.** **a)** ihlet; **poetic ~** költői véna/ihlet **b)** ötlet; **have a sudden ~** hirtelen ötlete támad **2.** **a)** sugalmazás, lelkesítés, ösztönzés; **under sy's ~** vk ösztönzésére, vk hatása alatt; **take one's ~ from sy** lelkesíti vk jó példája, követi vk jó példáját **b)** *vall* sugalmazás, ihletettség; **divine ~** isteni sugallat; **do sg by ~** belső sugallatból cselekszik **3.** belélegzés
inspirator [ˈɪnspɪreɪtə ‖ –ər] *fn* **1.** *műsz* injektor **2.** *orv* inhalátor
inspire [ɪnˈspaɪə ‖ –ər] *tsi* **1.** **a)** eltölt; **~ respect** tiszteletet ébreszt/parancsol **b)** ösztönöz, lelkesít; **~ new courage in sy** bátorságot önt vkbe; **~ a feeling in(to) sy** érzést felébreszt vkben **c)** sugalmaz; **~ a thought in(to) sy** gondolatot sugalmaz vknek **d)** megihlet **2.** belélegzik, beszív *[levegőt]*
inspired [ɪnˈspaɪəd ‖ –ərd] *mn* **a)** nagytehetségű, hivatott *[művész]*, ihletett *[pillanat]*, költői, művészi *[írás]* **b)** (hivatalos helyről) sugalmazott *[hír]*; **~ article** sugalmazott cikk **c)** *vall* sugalmazott, ihletett *[szentírási könyv]*, ihletett, sugalmazás alatt álló *[próféta, szentíró]*
inspirit [ɪnˈspɪrɪt] *tsi* (fel)lelkesít, buzdít, serkent, bátorít
inst. *röv instant* folyó, f.hó; *institute*; *institution*
instability [ˌɪnstəˈbɪləti] *fn* **1.** ingatagság, bizonytalanság, labilitás *[épületé, hídé]* **2.** **a)** *átv* ingatagság, állhatatlanság *[jellemé]*, változékonyság *[időjárásé]*; *átv* **~ of temper** változékony vérmérséklet **b)** *átv biol* változékonyság *[fajtáé]*, *átv vegy* instabilitás *[vegyületé]*

install [ɪnˈstɔːl], **instal** *tsi* **-ll- 1.** **a)** bevezet *[villanyt, központi fűtést]*, beszerel, felszerel, beállít, montíroz *[gépet]* **b)** berendez *[műhelyt]* **2.** *infor* telepít, üzembe állít *[programot]*, felszerel *[eszközt]*, installál **3.** beiktat *[hivatalba, méltóságba]* **4.** (kényelmesen) elhelyez (vkt vhol)
installation [ˌɪnstəˈleɪʃn] *fn* **1.** **a)** beiktatás *[hivatalba]* **b)** bevezetés *[villanyé]*, felszerelés, felállítás *[gépé.]* **2.** berendezés, felszerelés *[világításé, fűtésé, gépé]* **3.** *műsz* szerelési vázlatrajz, gépberendezési rajz **4.** *infor* telepítés, felszerelés, üzembe állítás, installálás
instalment [ɪnˈstɔːlmənt], *US* **installment** *fn* **1.** részlet(-fizetés); **buy on the ~ system** részlet(fizetés)re vásárol; **pay in/by ~s** részletekben fizet; *pénz* **issue a loan in ~s** részletekben bocsát ki kölcsönt **2.** folytatás *[folytatásos regényé]*; **~ of a publication** folytatásokban megjelenő mű egy füzete **3.** *gazd* rész, tétel; **first ~ of goods ordered** első részszállítás
instalment plan *fn US* részletfizetés(i rendszer)
instance [ˈɪnstəns] **I.** *fn* **1.** példa, eset; **for ~** például, példának okáért; **in many ~s** sok esetben **2.** szorgalmazás, javaslat, kérelem; **at the ~ of sy** vknek a kérésére/kívánságára **3.** **a)** *jog* bírói fokozat *[mint pert tárgyaló fórum]*; **court of first ~** elsőfokú bíróság, alsóbíróság; **court of the highest ~** legfelsőbb bíróság **b)** **in the first ~** elsősorban, mindenekelőtt, először is; **in the last ~** végső fokon **II.** *tsi* **1.** példaként felhoz/említ *[esetet]*, hivatkozik, utal (vkre) **2.** **be ~d in sg** vm azt példázza/mutatja
instancy [ˈɪnstənsi] *fn* **1.** sürgetés, szorgalmazás **2.** sürgősség, vmnek a sürgető volta
instant [ˈɪnstənt] **I.** *mn* **1.** **a)** azonnali, rögtöni, közvetlen; **~ coffee** gyorskávé, neszkávé **b)** fenyegető, közeli *[veszély]* **2.** sürgős, sürgető; **have ~ need of sg** égető/sürgős szüksége van vmre; **be ~ with sy to do sg** sürget vkt vm megtételére **II.** *fn* pillanat; **come this ~** azonnal gyere ide; **the ~ he arrived** amint/mihelyt megérkezett; **it was the work of an ~** egy pillanat műve volt
instantaneous [ˌɪnstənˈteɪnɪəs] *mn* **1.** pillanatnyi, egy pillanatig tartó, pillanat-; *fiz mat* **~ acceleration** pillanatnyi gyorsulás; *fényk* **~ exposure** pillanatfelvétel **2.** azonnali, rögtöni
instantiate [ɪnˈstænʃieɪt] *tsi* példával szemléltet, bemutat, megmutat
instantly [ˈɪnstəntli] *hsz* azonnal, rögtön, tüstént, nyomban
instar [ˈɪnstɑː ‖ –stɑr] *fn áll* lárvaállapot
instate [ɪnˈsteɪt] *tsi jog* **~ sy in(to) his rights** jogaiba helyez vkt
instauration [ˌɪnstɔːˈreɪʃn] *fn* helyreállítás, újjáépítés, renoválás • *fn* **instaurator**
instead [ɪnˈsted] **I.** *elölj* **~ of** helyett; **act ~ of sy** helyettesít vkt; **~ of doing sg** ahelyett, hogy tenne/csinálna vmt **II.** *hsz* helyette, inkább; **give me this ~** inkább ezt kérem/add
instep [ˈɪnstep] *fn* lábfej felső része, rüszt *[lábbelié]*; **~ raiser** lúdtalpbetét
instigate [ˈɪnstɪgeɪt] *tsi* **1.** uszít, felbujt, ösztönöz, sarkall *[főleg rosszra]* **2.** szít *[lázadást]* • *fn* **instigation**, **instigator**
instil [ɪnˈstɪl], *US* **instill** *tsi* **-ll- 1.** *ritk* becsepegtet **2.** *átv* belenevel *[érzést stb.]*
instinct [ˈɪnstɪŋkt] **I.** *mn* telített, áthatott, duzzadó (vmtől); **~ with life** életerős, életvidám; élettől duzzadó **II.** *fn* **1.** ösztön; **by/from ~** ösztönszerűen, ösztönösen; **act on ~** ösztönösen cselekszik **2.** hajlam; **~ for order** rendszeretet
instinctive [ɪnˈstɪŋktɪv] *mn* ösztönös, ösztönszerű
institute [ˈɪnstɪtjuːt ‖ –tuːt] **I.** *fn* **1.** **a)** intézet *[tudományos]* **b)** *US* szakmai továbbképző tanfolyam **2.** **a)** *régi* intézmény **b)** *tsz* **institutes** *jog* törvények gyűjteménye, törvénytár **II.** *tsi* **1.** alapít, létesít, (meg)szervez *[intézményt stb.]* **2.** *jog* folyamatba tesz, megindít *[vizsgálatot, eljárást]*; **~ (legal) proceedings**, **~ an action against sy** beperel vkt **3.** **a)** **~ sy to a benefice** beiktat vkt, egyházi javadalmat

adományoz vknek **b)** *jog* ~ **sy as heir** örököséül végrendeletileg kijelöl vkt, *vall jog* egyházi javadalommal/hatáskörrel felruház

institution [ˌɪnstɪ'tjuːʃn ‖ –'tuː–] *fn* **1.** intézmény, szokás; **become an** ~ megszokottá (v. mindennapos jelenséggé) válik **2. a)** intézet, létesítmény; **charitable** ~ szegényház, menhely; aggok háza; árvaház **b)** *GB biz* diliház **c)** egyesület, szervezet *[szakmai]* **3. a)** alapítás *[államé, banké]*, bevezetés *[intézményé, törvényé]*, megalakítás *[bizottságé, testületé]* **b)** *jog* megindítás, folyamatba tétel *[vizsgálaté, eljárásé]*; ~ **of bankruptcy proceedings** csődnyitás **c)** *vall* beiktatás *[méltóságba, javadalomba]* **d)** örökösrendelés **e)** *vall* szentség rendelése

institutional [ˌɪnstɪ'tjuːʃnəl ‖ –'tuː–] *mn* **1.** intézményes, bevett, bevezetett, rendszeresített, szokásos **2. a)** intézeti **b)** közületi; ~ **food** közületi étkeztetés, közétkeztetés

institutionalize [ˌɪnstɪ'tjuːʃnəlaɪz ‖ –'tuː–], **-ise A.** *tsi* **1.** intézményesít **2.** (vm) intézmény *[szeretetotthon, javítóintézet stb.]* gondjaira bíz **B.** *tni* apatikussá/önállótlanná válik *[hosszú rabság/betegség után]*

institutionalized [ˌɪnstɪ'tjuːʃnəlaɪzd ‖ –'tuː–], **-ised** *mn* **1.** intézményesített **2.** menhelyi, árvaházi *[gyermek]*

instroke ['ɪnstroʊk] *fn műsz* szívólöket

instruct [ɪn'strʌkt] *tsi* **1.** tanít, oktat, (ki)képez **2.** tájékoztat, útbaigazít; ~ **sy of a fact** tájékoztat vkt vmről; **an ~ed common sense** elővigyázatosan/okosan józan gondolkodás **3.** utasít; *US pol* ~ **a representative** utasításokat ad a (kongresszusi) képviselőjének

instruction [ɪn'strʌkʃn] *fn* **1.** tanítás, oktatás, (ki)képzés; **give ~ in swimming** úszni tanít **2.** tanulság, példa **3.** *tsz* **-s a)** utasítás, rendelkezés, parancs, útbaigazítás, *gazd* használati utasítás/előírás; *műsz gk* ~ **book** használati utasítás; gépkönyv; **book of standing ~s** szolgálati szabályzat **b)** *jog* ügyvédnek adott megbízás/tájékoztatás • *mn* **instructional**

instructive [ɪn'strʌktɪv] *mn* tanulságos, tanító; *US* ~ **ballot** próbaszavazás

instructor [ɪn'strʌktə ‖ –ər] *fn* **1.** oktató, tanító, kiképző; **driving** ~ gyakorlati oktató *[gépjárművezetői]*; **flying** ~ repülőoktató; *kat* **sergeant** ~ kiképző őrmester **2.** *US* egyetemi előadó/oktató **3.** kiskáté, segédkönyv

instrument I. *fn* ['ɪnstrumənt] **1.** *átv* eszköz; ~ **of labour** munkaeszköz; *vál* **~s of war** fegyverek, harci eszközök **2. a)** műszer, készülék, szerszám; **precision** ~ precíziós műszer; ~ **altitude** vakrepülési magasság; *rep* ~ **flying/flight** műszeres repülés, vakrepülés; *rep* ~ **landing** vakleszállás; ~ **reading** műszerjelzés, műszerleolvasás **b) (musical)** ~ hangszer; **wind** ~ fúvós hangszer; **play an** ~ hangszeren játszik **3.** *jog* okirat, okmány; **negotiable** ~ forgatható értékpapír **II.** *tsi* [–ment] **1.** hangszerel *[zeneművet]* **2.** *jog* bead *[kérvényt]*, intéz *[vkhez kérelmet]*

instrumental [ˌɪnstrə'mentl] **I.** *mn* **1. a)** műszeres *[vizsgálat, kísérlet]*, műszer-; ~ **constant** műszerállandó; ~ **error** műszerhiba **b)** hangszeres *[zene]*; ~ **performer** zenész **2.** közreműködő, hozzájáruló (vmhez); **be ~ in** közrehat, hathatósan közreműködik, nagy része van (vmben) **3.** *nyelv* eszközhatározói *[eset, rag]* **II.** *fn nyelv* eszközhatározói eset • *fn* **instrumentalist**

instrumentality [ˌɪnstrəmen'tæləti] *fn* közbenjárás, segítség, eszközül való felhasználás *[vm elérésére]*; **through the ~ of sy** vknek a közbenjárására/segítségével; **there have been instrumentalities at work** protekció volt a dologban

instrumentation [ˌɪnstrəmen'teɪʃn] *fn* **1.** hangszerelés **2.** *orv* műszerezés, *műsz* műszerekkel való ellátás, műszerezettség **3.** *ritk* → **instrumentality**

instrument board *fn gk rep* műszerfal, szerelvényfal, műszertábla, kapcsolótábla

instrument panel → **instrument board**

insubordinate [ˌɪnsə'bɔːdənət ‖ –'bɔr–] *mn* engedetlen, szófogadatlan *[diák]*, fegyelemsértő, függelemsértő *[katona]*; *kat* ~ **behaviour** függelemsértés • *fn* **insubordination**

insubstantial [ˌɪnsəb'stænʃl] *mn* **1.** képzeletbeli, nem létező **2. a)** testtelen, anyagtalan **b)** lényeg nélküli, tartalmatlan, sovány *[étel]*, híg *[leves]*, üres, súlytalan *[érv]*; ~ **evidence** elégtelen bizonyíték

insufferable [ɪn'sʌfərəbl] *mn* kibírhatatlan, tűrhetetlen *[állapot]*, kiállhatatlan *[ember]*, elviselhetetlen *[klíma]*

insufficiency [ˌɪnsə'fɪʃnsi] *fn* **1.** elégtelenség, hiány(osság), ki nem elégítő volta (vmnek); ~ **of food** táplálékhiány, élelmiszerhiány **2.** alkalmatlanság, meg nem felelés **3.** *orv* elégtelen működés *[szervé]*

insufficient [ˌɪnsə'fɪʃnt] *mn* **1.** elégtelen, hiányos, ki nem elégítő **2.** alkalmatlan, meg nem felelő *[vmlyen munkára]*

insufflate ['ɪnsʌfleɪt ‖ 'ɪnsə–] *tsi* befúj, felfúj, levegővel telít *[testüreget]* • *fn* **insufflation**

insulant ['ɪnsjulənt ‖ 'ɪnsə–] *fn vill* szigetelőanyag

insular ['ɪnsjulə ‖ 'ɪnsələr] **I.** *mn* **1.** szigeti, sziget- **2.** *átv* szűklátókörű, elkülönült; ~ **mind** szűklátókörű/korlátolt felfogás **II.** *fn* szigetlakó

insulate ['ɪnsjuleɪt ‖ 'ɪnsə–] *tsi* **1. a)** elszigetel, elkülönít **b)** *földr* szigetté formál, kontinenstől elválaszt **2.** *vill műsz* szigetel

insulation [ˌɪnsju'leɪʃn ‖ ˌɪnsə–] *fn* **1. a)** elszigetelés, elkülönítés **b)** elszigetelődés, elszigeteltség **2.** szigetelés **3.** szigetelő(anyag), hőszigetelő anyag

insulator ['ɪnsjuleɪtə ‖ 'ɪnsəleɪtər] *fn* **a)** *vill* szigetelő(anyag) **b)** *vill* szigetelő, szigetelés

insulin ['ɪnsjulɪn ‖ 'ɪnsə–] *fn orv* inzulin

insult I. *fn* ['ɪnsʌlt] sértés, bántalmazás; **an ~ to one's honour** vk becsületén/méltóságán ejtett/esett csorba/sérelem; **add ~ to injury** az igazságtalanságot (v. rossz bánásmódot) sértéssel tetézi, sértést sértésre halmoz **II.** *tsi* [ɪn'sʌlt] megsért, sérteget, bántalmaz; **feel ~ed** sértve érzi magát • *fn* **insulter** *mn* **insulting**

insuperable [ɪn'suːpərəbl] *mn* legyőzhetetlen, leküzdhetetlen, áthidalhatatlan *[akadály, nehézség]*

insupportable [ˌɪnsə'pɔːtəbl ‖ –'pɔr–] *mn* kibírhatatlan, szörnyű *[fájdalom]*, elviselhetetlen *[adó, teher]*, tűrhetetlen, tarthatatlan *[állapot]*

insurance [ɪn'ʃʊərəns ‖ ɪn'ʃʊr–] *fn* **1.** biztosítás; **credit** ~ hitelbiztosítás; **old-age** ~ öregségi biztosítás; **social/state/national** ~ társadalombiztosítás; **third-party** ~, **public liability** ~ szavatossági biztosítás; **all-risk ~ policy** minden kockázat esetére szóló biztosítási kötvény; ~ **premium** biztosítási díj; **take out an** ~ biztosítást köt **2. a)** biztosítási díj **b)** biztosítási kötvény

insurance agent *fn* biztosítási ügynök

insurance broker → **insurance agent**

insurance company *fn* biztosító társaság

insurance policy *fn* **a)** biztosítási kötvény **b)** biztosítási szerződés

insurant [ɪn'ʃʊərənt ‖ ɪn'ʃʊr–] *fn* biztosított

insure [ɪn'ʃʊə ‖ ɪn'ʃʊr] *tsi* **1.** biztosít *[biztosító]*, biztosít(tat) *[biztosított]* **2. a)** → **ensure b)** ~ **against a danger** védekezik (v. biztosítja magát) a veszély ellen

insured [ɪn'ʃʊəd ‖ ɪn'ʃʊrd] **I.** *mn* biztosított *[vagyontárgy]* **II.** *fn* **the** ~ a biztosított (fél)

insurgence [ɪn'sɜːdʒəns ‖ ɪn'sɜr–] *fn* felkelés, lázadás *[cselekedete]*

insurgent [ɪn'sɜːdʒənt ‖ ɪn'sɜr–] **I.** *mn* **1.** felkelő, lázadó **2.** *vál* **the ~ sea** a feltámadott/háborgó tenger **II.** *fn* felkelő, lázadó, inszurgens, zendülő, rebellis; *US tört* **the I~s** a felkelők *[a függetlenségi háborúban]* • *fn* **insurgency**

insurmountable [ˌɪnsə'maʊntəbl ‖ –sər–] *mn* leküzdhetetlen, áthidalhatatlan *[nehézség]*, áthághatatlan *[akadály]* • *fn* **insurmountability**

insurrection [ˌɪnsə'rekʃn] *fn* felkelés, lázadás, zendülés

insusceptible [ˌɪnsəˈseptəbl] *mn* nem fogékony, érzéketlen; ~ **of medical treatment** nem gyógykezelhető *[betegség]*; **heart ~ of/to mercy** könyörtelen szív

intact [ɪnˈtækt] *mn* sértetlen, ép, egészséges; **remain ~** ép/sértetlen marad, nem szenved sérülést

intagliated [ɪnˈtælieɪtɪd] *mn* kőbe metszett

intaglio [ɪnˈtɑːlioʊ ‖ ɪnˈtælioʊ] *fn műv* intaglio, homorúan/mélyítetten vésett gemma

intake [ˈɪnteɪk] *fn* **1. a)** beömlés, beszívás **b)** felvétel *[vízé, levegőé stb.]*, felvett tápanyag; ~ **of food** táplálékfelvétel, táplálkozás; **caloric ~** kalóriafelvétel **c)** energiafelhasználás **d)** felhasznált/elfogyasztott anyag **e)** szaporulat *[könyvtári]* **2.** beömlőnyílás *[víznek, gőznek, levegőnek]*, szívónyílás, szívócsonk *[szivattyúé]* **3. a)** szűkülés *[csőé, harisnyáé]* **b)** beszűkítés *[ruháé]* **4. a)** felvett munkaerők/hallgatók létszáma **b)** *kat* újonc, besorozott

intangible [ɪnˈtændʒəbl] *mn* **1.** meg nem fogható, ki nem tapintható; *gazd* ~ **assets** nem tárgyi eszközök, eszmei vagyonrészek/aktívák *[vevőkör, szabadalmi jog stb.]*; ~ **property** nem forgalomképes/átruházható ingó *[pl. értékjegy]* **2.** *átv* felfoghatatlan **3.** (szent és) sérthetetlen • *fn* **intangibility**

intarsia [ɪnˈtɑːsɪə ‖ –ˈtɑr–] *fn* berakásos munka, intarzia

integer [ˈɪntɪdʒə ‖ –ər] *fn* **1.** csorbítatlan egész **2.** *mat* egész szám

integral [ˈɪntɪgrəl] **I.** *mn* **1. a)** szerves(en hozzátartozó), lényeges, nélkülözhetetlen; **be/form an ~ part of sg** szerves/nélkülözhetetlen része vmnek; elválaszthatatlan vmtől **b)** *műsz* egybeépített, összeépített, egységet alkotó **2.** ép, egész, teljes **3.** *mat* **a)** egész számú; ~ **multiple** egész számú többszörös **b)** integrál; ~ **calculus** integrálszámítás; ~ **tables** integráltáblázat **II.** *fn mat* integrál; **definite ~** határozott integrál; **indefinite ~** határozatlan integrál; **multiple ~** többszörös integrál • *fn* **integrality**

integrand [ˈɪntɪgrænd] *fn mat* integrálandó függvény, integrandus

integrant [ˈɪntɪgrənt] **I.** *mn* szervesen hozzátartozó, lényeges, nélkülözhetetlen **II.** *fn* integráns rész(e vmnek)

integrate I. *tsi* [ˈɪntəgreɪt] **1. a)** kiegészít, teljessé tesz **b)** egyesít, egységbe rendez, egységesít, integrál, koordinál (*with* vmvel); **be ~d** egy(ség)esül, egybeolvad, integrálódik **2.** összegez **3.** *mat* integrál **II.** *mn* [ˈɪntɪgrət] egész, teljes, egységes/összefüggő egészt alkotó

integrated [ˈɪntɪgreɪtɪd] *mn* **1. (racially) ~** (faji alapon) különbséget nem tevő, teljes egyenjogúságot biztosító **2. ~ circuit** integrált áramkör **3.** *infor* ~ **library system** integrált könyvtári rendszer; **I~ Services Digital Network (ISDN)** integrált szolgáltatású digitális (távközlési) hálózat, ISDN

integration [ˌɪntɪˈgreɪʃn] *fn* **1. a)** egységbe rendezés/foglalás, egy(ség)esítés, koordinálás, koordináció **b)** egységesülés, integráció **2.** beillesztés, (társadalmi) beilleszkedés, integráció; *US* **racial ~** faji különbségtétel megszün(tet)ése, faji egyenjogúsítás/egyenjogúsodás, teljes faji egyenjogúság biztosítása, integráció **3.** *mat* integrálás; **element of ~** az integrálás eleme; **sign of ~** integráljel; **~ by parts** parciális integrálás

integrationist [ˌɪntɪˈgreɪʃənɪst] *mn/fn US* faji egyenjogúsításért küzdő

integrity [ɪnˈtegrəti] *fn* **1. a)** teljesség, osztatlanság; **in its ~** a maga teljességében **b)** épség, sértetlenség, integritás, csorbítatlanság **2.** *átv* becsületesség, tisztesség, megközelíthetetlenség, megvesztegethetetlenség

integument [ɪnˈtegjumənt] *fn* **1.** *tud* kültakaró, testtakaró, köztakaró *[toll, szőr, bőr, pikkely]*, (mag)burok, (mag)héj; **common ~** a test élő bőre **2.** burkolat, bevonat, göngyöleg *[árué]*

intellect [ˈɪntəlekt] *fn* **1.** ész, értelem, szellem; **man of ~** intelligens ember **2. a)** *átv* nagy elme, szellemóriás **b)** *átv* **the ~ of the country** az ország értelmisége (v. szellemi elitje)

intellection [ˌɪntəˈlekʃn] *fn fil* intellekció, értelmi/felfogási folyamat

intellectual [ˌɪntəˈlektʃuəl] **I.** *mn* **1.** észbeli, értelmi, szellemi, intellektuális **2. a)** értelmiségi, szellemi foglalkozást űző **b)** értelmes *[lény]*, intelligens *[ember]* **II.** *fn* **1.** értelmiségi; **the ~s** az értelmiség **2.** a szellem embere • *tsi* **intellectualize** *fn* **intellectuality**

intellectualism [ˌɪntəˈlektʃuəlɪzm] *fn fil* intellektualizmus • *fn* **intellectualist**

intelligence [ɪnˈtelɪdʒns] *fn* **1. a)** felfogás, felfogóképesség, értelem, ész **b)** értelmesség, intelligencia; ~ **quotient** IQ, intelligenciahányados, intelligenciaarány, intelligenciafok **c)** megértés; **a look of ~** megértő/egyetértő pillantás **d)** belátó okosság, belátás **2.** értesülés, értesítés, hír, információ; **receive ~ of sg** értesítést kap (v. értesül) vmről **3.** *kat* hírszerzés, felderítés, titkos szolgálat; **maintain ~ with sy** hírszerző érintkezésben áll vkvel

intelligence agency *fn* hírszerző iroda

intelligence agent *fn kat* hírszerző, kém

intelligence bureau *fn kat* hírszerző iroda/osztály

intelligence officer *fn kat* felderítő/hírszerző tiszt

intelligence test *fn* intelligenciavizsgálat, intelligenciapróba, értelmességi vizsgálat/próba

intelligent [ɪnˈtelɪdʒnt] **1.** *mn* értelmes *[lény, válasz]*, intelligens *[ember]* **2.** *infor* ~ **search agent** intelligens kereső/nyomozóprogram **3.** *vál* **be ~ of sg** tudomással bír vmről, tájékozva van vmről; **be ~ of a subject** jártas vmely tárgykörben

intelligentsia [ɪnˌtelɪˈdʒentsɪə] *fn* **the ~** az értelmiség, intelligencia; **technical ~** műszaki értelmiség

intelligible [ɪnˈtelɪdʒəbl] *mn* (meg)érthető, felfogható

INTELSAT [ˈɪntelsæt] *röv International Telecommunications Satellite Consortium*

intemperate [ɪnˈtempərət] *mn* **1.** mértéktelen, féktelen, gátlástalan, zabolátlan; ~ **weather** szélsőséges/zord időjárás **2.** részeges, iszákos • *fn* **intemperance**

intend [ɪnˈtend] *tsi* **1. ~ (doing) sg, ~ to do sg** szándékozik/akar tenni vmt; **was that ~ed?** ez szándékos volt?; **you don't ~ me to believe that?** azt kívánja, hogy elhiggyem?, csak nem képzeli, hogy ezt elhiszem? **2.** szán, előirányoz (vmre); **I ~ed it for a compliment** ezt bóknak szántam

intendant [ɪnˈtendənt] *fn ritk* (fő)felügyelő, intendáns

intended [ɪnˈtendɪd] **I.** *mn* **1. a)** szándékolt, tervezett; **the ~ effect** a kívánt hatás **b)** *biz* jövendőbeli, választott *[férj, feleség]* **2.** szándékos **II.** *fn biz* jegyes, jövendőbeli, szíve választottja (vknek); **my ~** a jövendőbelim/vőlegényem/menyasszonyom

intense [ɪnˈtens] *mn* **1.** erős, nagyfokú, hathatós, mély, engesztelhetetlen *[gyűlölet]*, éles, heves, maró *[fájdalom]*, mérhetetlen, végtelen *[ostobaság]*, élénk *[szín]*, megfeszített *[figyelem]*, beható *[tanulmányozás]*, mélyen átélt *[műalkotás]* **2.** mély érzelmi életet élő, elmélyült, szenvedélyes, (túl) komoly *[személy]*, érdeklődő, figyelő, fürkésző *[arckifejezés]*, elmélyült *[ember]* • *hsz* **intensely**

intensifier [ɪnˈtensɪfaɪə ‖ –ər] *fn* **1. a)** erősítő (szerkezet), *vízügy* nyomásfokozó **b)** *el* utángyorsító **2.** *fényk* erősítőfürdő/-oldat **3.** *nyelv* nyomatékosítószó

intensify [ɪnˈtensɪfaɪ] **A.** *tsi* (fel)erősít *[hangot, negatívot]*, élénkít *[színt]*, fokoz, növel *[hatást]*, elmélyít *[kapcsolatot]* **B.** *tni* erősödik, fokozódik, elmélyül • *fn* **intensification**

intension [ɪnˈtenʃn] *fn* **1. ~ of mind** feszült/kitartó figyelem **2.** *fil* tartalom, intenzió *[fogalomé]* • *mn* **intensional**

intensity [ɪnˈtensəti] *fn* **1.** erősség, élénkség *[színé]*, hevesség *[fájdalomé]*; **the ~ of conviction** a meggyőződés ereje/mélysége **2.** *fiz* erősség, intenzitás; **light ~** fényerősség, fényesség, világosság

intensive [ɪnˈtensɪv] *mn* **1.** alapos, intenzív, beható, átfogó *[tanulmány]*, erős, erőteljes *[támadás]*, összpontosított, feszült *[figyelem]* **2.** *mezőg* belterjes *[gazdálkodás]* **3.** *nyelv*

erősítő, nyomatékosító *[ige, rag]* **4.** *orv* ~ **care** intenzív megfigyelés/ápolás; ~ **care unit**, *röv* **ICU** intenzív osztály, intenzív ápolási egység
intent [ɪn'tent] **I.** *fn* **1.** szándék, célzat; **with good** ~ jó szándékkal, jóakaratúlag; **with** ~ **to kill** gyilkos szándékkal; **do sg with** ~ készakarva/szándékosan/szántszándékkal tesz vmt **2. to all ~s and purposes** valójában, tulajdonképpen; szemmel láthatólag; minden tekintetben **II.** *mn* **1. a)** elszánt, törekvő; **be** ~ **on doing sg** (feltett) szándéka vmt (meg)tenni, mindenáron meg akar vmt tenni **b) be** ~ **on sg** vmnek odaadja magát, vmnek él; teljesen elfoglalja/leköti vm **2. a)** vmre irányuló *[gondolat]*; **mind** ~ **on a problem** a problémát boncolgató elme **b)** átható, szúrós, fürkésző *[pillantás]*; **sit silent and** ~ csendben ül és figyel • *fn* **intentness**
intention [ɪn'tenʃn] *fn* **a)** (feltett) szándék; **do sg with the best (of) ~s** a legjobb szándékkal/akarattal/indulattal tesz vmt; *közm* **it is the** ~ **that counts** fő a jó szándék; *közm* **the road to Hell is paved with good ~s** a pokol tornáca jó szándékkal van kikövezve **b)** (vég)cél, célzat; **with the** ~ **of** avégett, a célból hogy; **grasp sy's** ~ megérti, hogy vk mire céloz **c)** *tsz* **intentions** *biz* házassági szándék; **honourable ~s** tisztességes/házassági szándék *[udvarlóé]*; **make known one's ~s** bejelenti házassági szándékát, megkéri vk kezét
intentional [ɪn'tenʃnəl] *mn* szándékos, célzatos
intentionally [ɪn'tenʃnəli] *hsz* szándékosan, szántszándékkal, készakarva
inter- [ɪntə– ‖ ɪntər–] *előtag* köz(ött)i, közbeni, inter-; kölcsönös, egymásközti; **international** nemzetközi; **interrelation** kölcsönös (egymásközti) viszony; **interactive** párbeszédes, interaktív
inter[1] [ɪn'tɜː ‖ ɪn'tɜr] *tsi* **-rr-** eltemet, elföldel, elhantol, elás *[halottat]*
inter[2] [ɪn'tɜː ‖ ɪn'tɜr] *fn okt biz* ‹beiratkozás és képesítő vizsga közötti vizsga›
interact[1] [ˌɪntər'ækt] *tni* kölcsönösen/egymásra hat; **~ing forces** egymásra ható erők • *fn/mn* **interactant**
interact[2] [ˌɪntər'ækt] *fn* **1.** *szính* felvonásköz **2.** *szính* közjáték, intermezzó
interaction [ˌɪntər'ækʃn] *fn* kölcsönhatás; ~ **of opposed forces** ellentétes erők kölcsönhatása
interactive [ˌɪntər'æktɪv] *mn* **1.** egymásra/kölcsönösen ható **2.** *infor* párbeszédes, interaktív; ~ **mode** párbeszédes üzemmód; ~ **voice response** automatikus hangválasz, *röv* IVR
inter alia [ˌɪntər'eɪlɪə] *hsz latin* többek között
inter-American [ˌɪntərə'merɪkən] *mn pol* amerikai államok közötti
interatomic [ˌɪntərə'tɒmɪk ‖ –'tɑmɪk] *mn fiz* atomok közötti, atomközti
interbank [ˌɪntə'bæŋk ‖ ˌɪntər–] *mn* bankközi; ~ **loan** bankközi kölcsön
interbedded [ˌɪntə'bedɪd ‖ ˌɪntər–] *mn geol* közérétegeződött, közbetelepült, beágyazódott
interblend [ˌɪntə'blend ‖ ˌɪntər–] **A.** *tsi* vegyít, elegyít **B.** *tni* (össze)vegyül, elegyedik
interbreed [ˌɪntə'briːd ‖ ˌɪntər–] *pt/pp* **-bred** [–bred] **A.** *tsi* keresztez *[fajtákat]* **B.** *tni* kereszteződéssel szaporodik, kereszteződik, (fajilag) keveredik
interbreeding [ˌɪntə'briːdɪŋ ‖ ˌɪntər–] *fn* **1.** keresztezés **2.** kereszteződés
intercalary [ɪn'tɜːkələri ‖ ɪn'tɜrkəleri] *mn* **1.** szökő- *[nap, hó, év]* **2.** *növ* intercalaris *[növekedés]*; *geol* ~ **strata** betelepedett/beágyazódott rétegek
intercalate [ɪn'tɜːkəleɪt ‖ –'tɜr–] *tsi* (köz)beiktat, betold, beszúr • *fn* **intercalation**
intercede [ˌɪntə'siːd ‖ ˌɪntər–] *tni* **1.** közbenjár, közbelép **2.** *tört* vétót emel *[néptribun]* • *fn* **interceder**
intercellular [ˌɪntə'seljʊlə ‖ ˌɪntər'seljələr] *mn biol* sejtközi, sejtek közötti; *növ* ~ **space** sejtköz
intercensal [ˌɪntə'sensl ‖ ˌɪntər–] *mn* két népszámlálás közötti *[időszak]*
intercept I. *tsi* [ˌɪntə'sept ‖ –tər–] **1. a)** elfog, elcsíp *[levelet]*, feltartóztat *[küldöncöt, forgalmat, hajót]*, elvág *[visszavonulási utat, utánpótlást]*; *sp* ~ **the ball** megszerzi/elcsípi a labdát **b)** felfog *[fényt ernyő]*, eláll, eltakar *[kilátást]* **c)** *távk* lehallgat, üzenetet elfog, eltérít **2.** *mat* közrefog *[két vonal szöget]* **II.** *fn* ['ɪntəsept ‖ –tər–] **1.** elfogott/lehallgatott rádiójelentés/rádióüzenet **2.** *mat* metszet, ordinátakülönbség • *fn* **interception**
interceptor [ˌɪntə'septə ‖ ˌɪntər'septər] *fn* **1.** felfogóedény, kondenzedény; **oil** ~ olajfogó **2.** *épít* gyűjtőcsatorna, ülepítőgyűjtő **3.** *vill* megszakító *[készülék]* **4.** *kat* elfogó vadász; ~ **missile** légvédelmi irányított lövedék
intercession [ˌɪntə'seʃn ‖ ˌɪntər–] *fn* **1.** közbenjárás, közvetítés **2.** közbenjáró/könyörgő ima, könyörgés
intercessory [ˌɪntə'sesəri ‖ ˌɪntər–] *mn* közvetítő, közbenjáró; ~ **prayer** közbenjáró ima, vkért könyörgő ima
interchange I. [ˌɪntə'tʃeɪndʒ ‖ –tər–] **A.** *vt* **1.** (el)cserél; ~ **places** helyet cserél(nek) **2.** (egymás között) felcserél *[alkatrészeket]* **B.** *tni* **1.** felcserélődik **2.** váltakozik **II.** *fn* ['ɪntətʃeɪndʒ ‖ –tər–] **1. a)** kicserélés, felcserélés, csere; ~ **of views** eszmecsere **b)** többszintű/különszintű útkereszteződés/(út)csatlakozás/csomópont **2.** váltakozás **3.** (kölcsönös) átalakulás; ~ **of energy** energiaátalakulás • *fn* **interchangeability** *mn* **interchangeable**
intercity [ˌɪntə'sɪti ‖ ˌɪntər'sɪti] *mn* városközi
intercity train *fn* városok közötti (helyközi) expresszvonat, InterCity, IC
intercollegiate [ˌɪntəkə'liːdʒət ‖ ˌɪntər–] *mn* egyetemközi
intercolonial [ˌɪntəkə'loʊnɪəl ‖ ˌɪntər–] *mn* gyarmatközi, gyarmatok közötti *[kereskedelem]*
intercom ['ɪntəkɒm ‖ 'ɪntərkɑm] *távk biz* duplex távbeszélőrendszer; → **interphone**
intercommunicate [ˌɪntəkə'mjuːnɪkeɪt ‖ ˌɪntər–] **1.** *tni* egymásba nyílik *[két helyiség]* **2.** érintkeznek egymással *[személyek]*; **the prisoners** ~ a foglyok érintkeznek egymással
intercommunication [ˌɪntəkəmjuːnɪ'keɪʃn ‖ ˌɪntər–] *fn* **1. a)** kölcsönös érintkezés, összeköttetés, kapcsolat **b)** egymásba nyílás *[szobáké]* **2.** kereskedelmi forgalom *[államok között]*, *vasút* országok közötti forgalom **3.** *távk* nemzetközi távbeszélő rendszer
intercommunication system *fn távk* duplex távbeszélő rendszer
intercommunion [ˌɪntəkə'mjuːnɪən ‖ ˌɪntər–] *fn* **1.** bizalmas érintkezés/viszony **2.** *vall* felekezeti együttműködés
interconnect [ˌɪntəkə'nekt ‖ ˌɪntər–] *tsi műsz* (egymással kölcsönösen) összeköt, összekapcsol
interconnected [ˌɪntəkə'nektɪd ‖ ˌɪntər–] *mn* **1.** összekapcsolt, egymásba nyíló *[szobák]* **2.** szorosan összefüggő, láncolatos *[események, tények]*
intercontinental [ˌɪntəkɒntɪ'nentl ‖ ˌɪntərkɑntn'entl] *mn* földrészek közötti, interkontinentális *[kereskedelem]*; *kat* ~ **ballistic missile** interkontinentális (hatótávolságú) ballisztikus rakéta (v. irányított lövedék); ~ **bomber** nagy hatótávolságú bombázógép
interconversion [ˌɪntəkən'vɜːʃn ‖ ˌɪntərkən'vɜrʒn] *fn* egymásba alakulás, kölcsönös átalakulás
interconvertible [ˌɪntəkən'vɜːtəbl ‖ ˌɪntərkən'vɜrtəbl] *mn* (egymással) felcserélhető, kölcsönösen átalakítható, kölcsönösen beváltható *[pénz]*
intercooler [ˌɪntə'kuːlə ‖ ˌɪntər'kuːlər] *fn* **1.** *műsz* közbenső hűtő **2.** *gk* töltőlevegő-visszahűtő (turbófeltöltés)
intercourse ['ɪntəkɔːs ‖ 'ɪntərkɔrs] *fn* **1. (sexual)** ~ nemi érintkezés, közösülés **2. a)** érintkezés, kapcsolat, összeköttetés; **business** ~ üzleti kapcsolat; **right of free** ~ a szabad érintkezés joga **b)** *vall* ~ **with God** Istennel való közösség/kapcsolat *[szentáldozás, ima, úrvacsora]*

I

intercross [ˌɪntəˈkrɒs ‖ ˌɪntərˈkrɔs] **A.** *tsi* **1.** egymásba fon, összefon **2.** keresztez *[fajtákat]* **B.** *tni* **1.** egymást keresztezik *[vonalak]* **2.** kereszteződnek *[fajták]*

intercultural [ˌɪntəˈkʌltʃərəl ‖ ˌɪntər–] *mn* **1.** *mezőg* köztes *[növény]* **2.** kultúrák közötti

intercurrent [ˌɪntəˈkʌrənt ‖ ˌɪntərˈkɜrənt] *mn* **1. a)** közbejövő *[esemény]* **b)** közbeeső, eltelt *[idő két esemény között]* **2.** *orv* hozzájött, társuló *[betegség]*

intercut I. *fn* [ˈɪntəkʌt ‖ –tər–] *film* közbevágott jelenet **II.** *tsi* [ˌɪntəˈkʌt ‖ –tər–] közbevág *[jelenetet]*

interdenominational [cɪntədɪnɒmɪˈneɪʃnəl ‖ ˌɪntərdɪ–] *mn vall* felekezetek közötti, felekezetközi

interdental [ˌɪntəˈdentl ‖ ˌɪntər–] *mn orv* fogközi, fogak közötti *[hézag]*

interdepartmental [ˌɪntədiːpɑːtˈmentl ‖ ˌɪntərdiːpɑrt–] *mn* osztályközi, minisztériumközi, tárcaközi

interdependence [ˌɪntədɪˈpendəns ‖ ˌɪntər–] *fn* **1.** egymástól függés, összefüggés, *nyelv* kölcsönös összefüggés **2.** egymásrautaltság • *mn* **interdependent**

interdict I. *fn* [ˈɪntədɪkt ‖ –tər–] **1.** tilalom, *jog* eltiltás **2.** *vall* egyházfegyelmi büntetőintézkedés, interdiktum, misetilalom, szentségektől való eltiltás, templomból való kizárás **II.** *tsi* [ˌɪntəˈdɪkt ‖ –tər–] **1.** megtilt, eltilt **2.** egyházfegyelmi megtorló büntetéssel sújt **3.** *US kat* bombázással megszakít/lefog *[kommunikációs* v. *utánpótlás vonalat]* • *mn* **interdictory**

interdiction [ˌɪntəˈdɪkʃn ‖ ˌɪntər–] *fn* **1.** tilalom **2.** *jog* **impose judicial ~ on sy** ‹gondnokság alá helyez vkt (v. cselekvőképességét bíróilag korlátozza vknek) elmebetegség miatt› **3.** *US kat* **~ fire** lefogó tűz **4.** *vall* → **interdict** I. 2.

interdisciplinary [ˌɪntəˈdɪsɪplɪnəri ‖ ˌɪntərˈdɪsəpləneri] *mn* komplex *[kutatómódszer]*, interdiszciplináris

interest [ˈɪntrəst] **I.** *fn* **1.** érdeklődés; **these questions have no ~ for me** ezek a kérdések nem érdekelnek; **feel/take an ~ in sy/sg** vk/vm iránt érdeklődik; figyelemmel kísér vkt/vmt; **lose ~ in sg** már nem érdekli vm, megun vmt, többé nem érdeklődik vm iránt **2.** érdekesség, fontosság, jelentőség; **places of ~** (nevezetes) látnivalók, nevezetességek *[idegenforgalmi szempontból]*; **a question of ~** fontos/lényeges kérdés; **a question of no ~** jelentéktelen (v. nem fontos/jelentős/lényeges) kérdés; **be of ~ to sy** jelentősége/fontossága van vk számára **3.** érdek, előny, haszon; **the public ~** a közérdek; **in the ~(s) of truth** az igazság érdekében; **act for/in one's own ~** saját érdekében cselekszik; **consult one's own ~** saját érdekét nézi; **promote sy's ~** vknek az érdekeit képviseli (v. mozdítja elő, v. érdekében cselekszik); *biz* **everyone has an eye to his own ~** minden szentnek maga felé hajlik a keze **4.** érdekeltség, részesedés; **have an ~ in the profits** a nyereségből/haszonból részesedik; **his ~ in the company is £10 000** tulajdonrésze/vagyonbetéte a vállalatban 10 000 font sterling **5. a)** *pénz* kamat; **simple ~** egyszerű kamat; **~ on ~** kamatos kamat; **rate of ~**, **~ rate** kamatláb; *pénz* **fixed ~ securities** fix kamatozású kötvények; **bear ~ at 5 p.c.** 5% kamatot hoz, 5%-kal kamatozik; **borrow at ~** kamatra vesz (fel) kölcsönt; **put one's money out at ~** kihelyezi pénzét kamatra; *biz* **repay with ~** kamatostul/busásan megfizet **b)** *jelzői haszn* kamatteher; **~ charges**, **~ computation** kamatszámítás; **~ table** kamattáblázat **6.** *átv* befolyás, hitel; **have ~ with sy** vk ad a szavára; *átv* hitele van vknél; **make ~ with sy** felhasználja befolyását vknél; **use one's ~ on sy's behalf** befolyását latba veti vk érdekében **7. a) British ~s** brit (politikai), gazdasági érdekek *[külföldön* v. *külfölddel szemben]*; brit tőkecsoport érdekeltsége *[külföldön]* **b) the brewing ~** a söripar; a sörfőzők, sörgyárosok; **the shipping ~** a tengeri hajózás(i vállalatok); a hajótulajdonosok; **the Liberal ~** a liberális/szabadelvű párt **II.** *tsi* **1.** felkelt/leköt érdeklődést (vm iránt), érdekel (vkt); **what you tell me ~s me very much** nagyon érdekel, amit mondasz; **be ~ed in sg** érdekli vm, érdeklődik vm iránt; **I am not ~ed** ez nem érdekel, ehhez semmi közöm **2.** érdekeltté tesz (vkt); **~ sy in a business** bevon vkt egy vállalkozásba, érdekeltté tesz vkt egy vállalkozásban; **be ~ed in sg** érdekelve van vmben, érdekelt vmben, érdeke fűződik vmhez

interested [ˈɪntrəstɪd] *mn* **1.** érdeklődő, érdeklődést tanúsító **2.** érdekelt; **the ~ parties** az érdekelt felek **3.** önző; **~ motives** önző indokok; számítás

interest-free *mn* kamatmentes; **~ loan** kamatmentes kölcsön

interest group *fn* érdekcsoport

interesting [ˈɪntrəstɪŋ] *mn* **1.** érdekes, érdekfeszítő **2.** *biz* **be in an ~ condition** másállapotban van; **~ event** szülés

interface [ˈɪntəfeɪs ‖ ˈɪntər–] *fn* **1. a)** érintkező felület, határfelület **b)** határterület **2.** *infor fiz* illesztőegység, csatlakozási felület, interfész

interfere [ˌɪntəˈfɪə ‖ ˌɪntərˈfɪr] *tni* **1. a)** beavatkozik, közbelép, megakadályoz; **~ with sy**, **~ in sy's affairs** beleavatkozik vknek a dolgaiba; meghiúsítja vk terveit; **don't ~!** ne ártsa bele magát; törődjön a maga dolgával! **b)** hozzányúl (vmhez); **don't ~ (with it!)** ne nyúljon hozzá!, hagyja békében! **c)** ‹szexuális célból megtámad›; **she had been ~d with** megerőszakolták **d) ~ with (sg)** megbolygat (vmt); keresztez *[vknek a terveit]*; akadályoz *[forgalmat]*; gátol, akadályoz *[ügymenetet]*; eltakar *[kilátást]*; megzavar *[cselekvést]*; **~s with my interests** ez érdekeimbe ütközik; ez ellentétes érdekeimmel **e)** *kat* **~ with each other's fire** felveszik a tüzérségi érintkezést *[hadihajók]* **2. a)** *fiz* interferál(nak) *[hullámok]* **b)** zavar *[rádióadást]*

interference [ˌɪntəˈfɪərəns ‖ ˌɪntərˈfɪrəns] *fn* **1. a)** beavatkozás, zavaró hatás; *jog* **unwarrantable ~** illetéktelen/jogosulatlan beavatkozás **b)** összeütközés **2.** egymásrahatás, összetalálkozás, kölcsönhatás **3. a)** *fiz* interferencia, hullámmozgások összetevődése; **~ bands/fringes** interferenciacsíkok, interferenciasávok **b)** *távk* interferencia, hullámösszegzésből eredő zavar; **constructive ~** erősítő interferencia; **destructive ~** gyengítő interferencia **4.** lábak felhorzsol(ód)ása *[lovaké]* • *mn* **interferential**

interflow [ˈɪntəfloʊ ‖ ˈɪntər–] *tni* összekeveredik *[folyadék]*, összeömlik *[két folyó]*

interfluent [ɪnˈtɜːfluːənt ‖ ɪnˈtɜrfluənt] *mn* egymásba folyó/ömlő, összevegyülő, egymásba olvadó *[hang]*

interfuse [ˌɪntəˈfjuːz ‖ ˌɪntər–] **A.** *tsi* **a)** összekever, összevegyít, elegyít, egyesít (vmt vmvel) **b)** áthatol, átjár (vmt) **B.** *tni* összevegyül, összekeveredik, összeomlik, elegyedik • *fn* **interfusion**

intergalactic [ˌɪntəgəˈlæktɪk ‖ ˌɪntər–] *mn csill* galaktikaközi, intergalaktikus

interglacial [ˌɪntəˈgleɪʃl ‖ ˌɪntər–] *mn geol* interglaciális, két jégkorszak közötti *[lerakódás]*; *geol* **~ period** jégkorszakköz

inter-governmental [ˌɪntəgʌvnˈmentl ‖ ˌɪntərgʌvərnˈmentl] *mn* kormányközi *[tárgyalás]*

intergrade I. *fn* [ˈɪntəgreɪd ‖ –tər–] *biol* átmeneti/köztes alak(zat) **II.** *tni* [ˌɪntəˈgreɪd ‖ –tər–] fokozatosan megy át *[egyik alak a másikba]*, fokozatosan közeledik egymáshoz *[két alakzat]* • *fn* **intergradation**

intergrowth [ˈɪntəgroʊθ ‖ ˈɪntər–] *fn* **1. a)** közbenövés, összefonódás *[két fáé]* **b)** *geol* közbeágyazódás **2.** *orv* szövődmény

interim [ˈɪntərɪm] **I.** *fn* **1.** időköz **2.** ideiglenes állapot; **in the ~** ezalatt, időközben; addig is, egyelőre, továbbiakig **II.** *mn* ideiglenes, átmeneti, helyettes(ítő) *[tanár]*, közbenső **III.** *hsz* évközben, időközben, addig is, amíg; **ad ~** ideiglenesen, átmenetileg, helyettesként

interim agreement *fn* időközi/közbenső megállapodás

interim dividend *fn* osztalékelőleg, részosztalék

interim report *fn* **a)** évközi/közbenső jelentés **b)** előzetes/ideiglenes jelentés

interior [ɪn'tɪərɪə ‖ ɪn'tɪrɪər] **I.** *mn* **1. a)** belső; *mat* ~ **angle** belső szög; ~ **screw** anyacsavar **b)** belföldi; ~ **economy** belgazdaság, belső gazdálkodás; ~ **trade** belkereskedelem **2.** ~ **feelings** benső(séges) érzelmek **II.** *fn* **1. a)** belső, belseje (vmnek) **b)** belföld, belterület *[országé]* **c)** belügyek *[országé]*; *US* **Department of the I~** belügyminisztérium **2.** lelki világ/élet **3.** *műv* enteriőr kép; **forest** ~ erdőrészlet *[kép]* • *tsi* **interiorize** *hsz* **interiorly**

interior decoration *fn* belsőépítészet

interior decorator *fn* belsőépítész

interior design → **interior decoration**

interior designer → **interior decorator**

interior-sprung *mn* ~ **mattress** rugós ágybetét, epeda

interject [ˌɪntə'dʒekt ‖ ˌɪntər–] *tsi* ~ **a remark** közbevet megjegyzést

interjection [ˌɪntə'dʒekʃn ‖ ˌɪntər–] *fn* **1.** *nyelv* indulatszó **2.** közbeszólás, közbevetett megjegyzés • *mn* **interjectional**

interknit [ˌɪntə'nɪt ‖ ˌɪntər–] *pt/pp* **interknit, –ted** **I.** *mn* egymásba kapcsolódó, összefogódzó *[kezek]*, összefonódó *[ujjak]* **II. A.** *tsi* összefon, összefűz, összeköt, egymásba fon **B.** *tni* összefonódik, egymásba fonódik

interlace [ˌɪntə'leɪs ‖ˌɪntər–] **A.** *tsi* **1.** összefon, összefűz, összeköt, egybeköt **2. a)** összekever, összevegyít **b)** átsző **B.** *tni* **1.** összefonódik, összefűződik **2. a)** összekeveredik, összevegyül **b)** átszövődik • *fn* **interlacement**

interlaced image *fn infor* összeszőtt kép(beállítás)

interlap [ˌɪntə'læp ‖ ˌɪntər–] *tni* **-pp-** átfed, átlapolódik, egymás fölé nyúlik

interlard [ˌɪntə'lɑ:d ‖ ˌɪntər'lɑrd] *tsi átv* (meg)tűzdel, spékel, tarkít (vmvel), kever, vegyít *[idegen szavakat beszédbe]*

interleaf I. *fn* ['ɪntəli:f] **1.** fehér/tiszta/üres beillesztett lap, betétlap *[könyvben]* **2. a)** *növ* levélköz *[szőlőn]* **b)** *növ* melléklevél, hónalji levél **II.** *tsi* [ˌɪntə'li:f ‖ –tər–] → **interleave**

interleave [ˌɪntə'li:v ‖ ˌɪntər–] *tsi nyomd* könyv lapjai közé tiszta/üres lapokat köt/illeszt, betétlapokat illeszt be; **~d copy** belőtt/betétlapos példány *[könyvé]*

interlibrary [ˌɪntə'laɪbrəri ‖ ˌɪntər'laɪbreri] *mn* ~ **loan** könyvtárközi kölcsönzés

interline [ˌɪntəlaɪn ‖ ˌɪntər–] **I.** *fn nyomd* űrtöltő, betét; ~ **spacing** sortávolság **II.** *tsi* **1. a)** *nyomd* ritkít *[szedést]* **b)** ritkítva ír le *[kéziratot, okiratot]* **2.** sorok közé ír *[fordítást]* **3.** ellát közbülső béléssel *[ruhadarabot]* • *fn* **interlineation**

interlinear [ˌɪntə'lɪnɪə ‖ ˌɪntər'lɪnɪər] *mn* sorközi, sorok közé írott *[fordítás]*

interlingua [ˌɪntə'lɪŋgwə ‖ ˌɪntər–] *fn nyelv* ‹a gépi fordítás céljaira készített mesterséges közvetítő nyelv›

interlingual [ˌɪntə'lɪŋgwəl ‖ ˌɪntər–] *mn nyelv* ~ **dictionary** kétnyelvű/többnyelvű szótár

interlink [ˌɪntə'lɪŋk ‖ ˌɪntər–] **A.** *tsi* összefűz, összekapcsol, összeköt, egyesít (vmt vmvel) **B.** *tni* **1.** összefűződik, összekapcsolódik, egymásba fonódik, egyesül (vm vmvel) **2.** összeköttetésben/kapcsolatban áll

interlock I. [ˌɪntə'lɒk ‖ –'lɑk] **A.** *tsi* **1. a)** egymásba illeszt, beilleszt, bepászít, összeereszt *[asztalosmunkát]* **b)** *vasút* összekapcsol, reteszel, kényszerkapcsol **c)** *film* összekapcsol, szinkronizál *[felvevőkészüléket]* **2.** körülzár **B.** *tni* **1.** összefonódik, összekapcsolódik, kereszteződik **2.** *műsz* egymásba kapcsolódik, egymásba illeszkedik/kapaszkodik *[fogaskerék]*, *tex* egymásba hurkolódik **II.** *fn* ['ɪntəlɒk] **1.** összekötés, egymásba eresztés **2. a)** zárószerkezet **b)** *vasút* reteszelés, blokkolás • *fn* **interlocker**

interlocution [ˌɪntələ'kju:ʃn ‖ ˌɪntər–] *fn* **1.** beszélgetés, párbeszéd, dialógus **2.** közbeszólás

interlocutor [ˌɪntə'lɒkjutə ‖ ˌɪntər'lɑkjətər] *fn* **1.** beszélgetőtárs, beszélő, párbeszéd résztvevője **2. a)** *jog* közbenszóló határozat/ítélet **b)** *jog* megindokolt határozat/ítélet

interlocutory [ˌɪntə'lɒkjutəri ‖ ˌɪntər'lɑkjətɔri] *mn* **1.** párbeszédes *[forma, jelleg]*, párbeszédszerű **2.** *jog* közbenszóló, előzetes; ~ **decree/judgement** közbenszóló végzés/ítélet

interloper ['ɪntəloupə ‖ 'ɪntərloupər] *fn* (be)tolakodó, befurakodó, beavatkozó

interlude ['ɪntəlu:d ‖ 'ɪntər–] *fn* **1.** közjáték, intermezzo; **musical** ~ közzene; zenei betét **2.** felvonásköz **3.** interlúdium, középkorvégi vígjáték

intermarry [ˌɪntə'mæri ‖ ˌɪntər–] *tni* **1. a)** összeházasodnak *[különböző törzsek tagjai]* **b)** összeházasodnak *[rokonok]* **2.** *jog* házasságot köt, házasságra lép, megesküszik (vkvel) • *fn* **intermarriage**

intermediary [ˌɪntə'mi:dɪəri ‖ ˌɪntər'mi:dieri] **I.** *mn* **1.** közvetítő **2.** közbenső, közben levő, közbülső **II.** *fn* **1. a)** közvetítő **b)** közvetítő kereskedő **2.** *jog* (csalárdul) más helyett szereplő harmadik személy *[ajándékozásnál]*

intermediate I. *mn* [ˌɪntə'mi:dɪət ‖ –tər–] **1. a)** közbeeső, közbenső, közbülső; ~ **points** mellékvilágtájak *[pl. délnyugat]* **b)** *okt* ~ **course** középfokú/középhaladó tanfolyam; ~ **education** középfokú oktatás **c)** *közg* ~ **goods** közbenső termékek; ~ **sales** közbenső értékesítés **2. a)** közvetítő; ~ **part** közvetítő/másodlagos szerep; ~ **trade** közvetítő kereskedelem **b)** közbelépő **c)** *kat* ~ **training** tartalékos továbbképzés **3.** közvetett **II.** *fn* [ˌɪntə'mi:dɪət ‖ –tər–] **1.** közvetítő (személy) **2.** közbenső láncszem *[következtetésben]* **3.** *tsz* **intermediates** **a)** félkészáruk, félkészgyártmányok, közbenső termékek **b)** segédanyagok **III.** *tni* [ˌɪntə'mi:dieɪt ‖ –tər–] közvetít, közvetítőül szolgál, közbenjár • *fn* **intermediator** *hsz* **intermediately**

intermediate-range *mn* ~ **ballistic missile** közepes hatótávolságú ballisztikus lövedék/rakéta

intermediation [ˌɪntəmi:di'eɪʃn ‖ ˌɪntər–] *fn* közvetítés (vkik, vmik között)

interment [ɪn'tɜ:mənt ‖ ɪn'tɜr–] *fn* (el)temetés, elföldelés

intermezzo [ˌɪntə'metsou ‖ ˌɪntər–] *fn tsz* **–mezzi,** [–'metsi], **~s** intermezzo, közjáték, közzene

interminable [ɪn'tɜ:mɪnəbl ‖ ɪn'tɜr–] *mn* véget nem érő, vég nélküli, végtelen hosszú *[vitatkozás]*, végeláthatatlan *[sor]*

intermingle [ˌɪntə'mɪŋgl ‖ˌɪntər–] **A.** *tsi* összekever, vm közé vegyít **B.** *tni* összekeveredik, összevegyül, elegyedik

intermission [ˌɪntə'mɪʃn ‖ ˌɪntər–] *fn* **1. a)** félbeszakítás, megszakítás **b)** szünet(elés), pauza **2.** *US* szünet *[moziban, színházban, sporteseményen]*, felvonásköz

intermit [ˌɪntə'mɪt ‖ ˌɪntər–] **-tt- A.** *tsi* megszakít, félbeszakít *[munkát]* **B.** *tni* ideiglenesen szünetel *[láz]*, váltakozik *[lázas és lázmentes állapot]*, kihagy *[érverés]*

intermittent [ˌɪntə'mɪtnt ‖ ˌɪntər–] **I.** *mn* **1.** szünetelő, kihagyó, félbemaradó; ~ **current** szaggatott áram; ~ **pulse** szabálytalan érverés **2.** időszakos, váltakozó; ~ **fever** váltóláz **II.** *fn* váltóláz • *fn* **intermittence** *hsz* **intermittently**

intermix [ˌɪntə'mɪks ‖ˌɪntər–] **A.** *tsi* összekever, összevegyít **B.** *tni* elegyedik, összekeveredik, összevegyül • *fn* **intermixture** *mn* **intermixable**

intern I. *mn* ['ɪntɜ:n ‖ –tɜrn] **1.** belső **2.** bizalmas **II.** *fn* ['ɪntɜ:n ‖ –tɜrn] **1. a)** *US* (kórházban) bennlakó orvos **b)** *US* (kórházban) bennlakó orvostanhallgató (v. szigorló orvos) **2.** ‹szakmai gyakorlaton levő egyetemista› gyakornok **3.** *US* internált személy **III. A.** *tsi* [ɪn'tɜ:n ‖ –'tɜrn] internál, fogva/őrizetben tart *[csapatokat, idegeneket]* **B.** *tni* ['ɪntɜ:n ‖ –tɜrn] szigorló orvosként dolgozik (és lakik) kórházban

internal [ɪn'tɜ:nl ‖ –'tɜr–] *mn* **I. 1.** belső, bel-; **for** ~ **application** belsőleg *[felirat gyógyszeres üvegen]*; ~ **bleeding** belső vérzés; ~ **medicine** belgyógyászat; ~ **navigation** belvízi hajózás; ~ **secretion** belső elválasztás; hormonképzés; ~ **specialist** belgyógyász (szakorvos); ~ **war** polgárháború; ~ **water** belvíz **2.** bizalmas, titkos,

I

meghitt **3. a)** belföldi; *US* ~ **revenue** adójövedelem; ~ **trade** belkereskedelem; ~ **legislation** hazai/nemzeti törvényhozás; ~ **economy** belgazdaság, hazai gazdálkodás **b)** ~ **student** bennlakó diák; ~ **year** szigorlóév, hatodév **4.** *fiz* belső; ~ **conversion** belső átalakulás *[atommagoké]*; ~ **energy** belső energia; ~ **force** belső erő; ~ **resistance** belső ellenállás **II.** *fn* **1.** *orv euf* nőgyógyászati vizsgálat **2. a) internals** *tsz* belek, belső részek/szervek **b)** belső tulajdonságok

internal-combustion *mn* belső égésű; ~ **engine** belső égésű motor, robbanómotor

internalize [ɪn'tɜːnəlaɪz ‖ ɪn'tɜr–], **-ise** *tsi* **1.** *pszich* internalizál *[érzést, magatartást]* **2.** *közg* befoglal az árba

international [ˌɪntə'næʃnəl ‖ ˌɪntər–] **I.** *mn* nemzetközi, internacionális; ~ **call** külföldi távolsági beszélgetés; **I~ Court of Justice**, *röv* **ICO** (Hágai) Nemzetközi Bíróság; ~ **covenant** nemzetközi szerződés; *földr* ~ **date line** dátumválasztó vonal; ~ **law** nemzetközi jog; **I~ Monetary Fund**, *röv* **IMF** Nemzetközi Valutaalap; *nyelv* ~ **phonetic alphabet** nemzetközi fonetikai jelek/(át)írás, APhI-jelek; *zene* ~ **pitch** normál a(-hang), kamarahang, diapazon; **I~ Standards Organization**, *röv* **ISO** Nemzetközi Szabványügyi Szervezet **II.** *fn* **1. I~** internacionálé **2.** *sp* **a)** nemzetközi mérkőzés **b)** válogatott játékos

I

Internationale [ˌɪntənæʃə'nɑːl ‖ ˌɪntər–] *fn tört* Internacionálé *[induló]*; → **international** II. 2.

internationalism [ˌɪntə'næʃnəlɪzm ‖ ˌɪntər–] *fn* nemzetköziség, internacionalizmus • *fn* **internationalist**

internationalize [ˌɪntə'næʃnəlaɪz ‖ ˌɪntər–], **-ise** *tsi* nemzetközivé tesz *[területet]* • *fn* **internationalization**

internecine [ˌɪntə'niːsaɪn ‖ ˌɪntər'niːsiːn] *mn* egymást pusztító; ~ **fight/war** irtóháború, pusztító háború; testvérharc

internee [ˌɪntɜː'niː ‖ –tɜr–] *fn* internált

Internet ['ɪntənet ‖ 'ɪntərnet] *fn infor* internet; ~ **Protocol**, *röv* **IP** internet (hálózati) protokoll, IP; ~ **Relay Chat**, *röv* **IRC** internet élő csevegés *[kommunikációtechnika]*, IRC; ~ **Service Provider**, *röv* **ISP** internet-szolgáltató, ISP

Internet access *fn infor* internet-hozzáférés; **high-speed** ~ nagysebességű internet-hozzáférés

internetworking [ˌɪntə'netwɜːkɪŋ ‖ ˌɪntər'netwɜrkɪŋ] *fn infor* hálózatok összekapcsolása

internist [in'tɜːnɪst ‖ –'tɜr–] *fn US* belgyógyász (szakorvos)

internment [ɪn'tɜːnmənt ‖ –'tɜr–] *fn* **1.** internálás **2. penal** ~ börtön

internment camp *fn* internáló tábor, koncentrációs tábor

internship ['ɪntɜːnʃɪp ‖ –tɜrn–] *fn* szakmai gyakorlat *[végzős* v. *frissen végzett egyetemisták részére]*

internuclear [ˌɪntə'njuːklɪə ‖ ˌɪntər'nuːklɪər] *mn* (atom)magok közötti, internukleáris

internuncial [ˌɪntə'nʌnʃɪəl ‖ ˌɪntər–] *mn* **1.** *biol* egymás közti összeköttetésben levő *[idegek a szervezetben]* **2.** *vall* internunciusi

interoceanic [ˌɪntəoʊʃi'ænɪk ‖ ˌɪntər–] *mn* óceánok közötti, óceánokat összekötő

interoperability [ˌɪntərɒpərə'bɪləti ‖ –ɑpərə–] *fn infor* együttműködő-képesség

interosculate [ˌɪntər'ɒskjʊleɪt ‖ ˌɪntər'ɑskjə–] *tni* **1.** → **inosculate** B. **2.** összeköt(ő kapcsot alkot)

interparliamentary [ˌɪntəpɑːlə'mentəri ‖ ˌɪntərpɑrlə'mentəri] *mn* **I~ Union** Interparlamentáris Unió

interparty [ˌɪntə'pɑːti ‖ ˌɪntər'pɑrti] *mn* pártok közötti, pártközi

interpellate [ɪn'tɜːpəleɪt ‖ ˌɪntər'peleɪt] *tsi* interpellál, kérdést intéz *[miniszterhez képviselőházban]* • *fn* **interpellation**

interpenetrate [ˌɪntə'penɪtreɪt ‖ ˌɪntər–] **A.** *tsi* behatol (vmbe), áthatol (vmn), (el)terjed *[levegőben, vidéken]*, áthat *[levegőt]* **B.** *tni* kölcsönösen áthatják egymást, behatolnak egymásba • *fn* **interpenetration**

interpersonal [ˌɪntə'pɜːsənəl ‖ ˌɪntər'pɜrsənəl] *mn* személyek közötti

interphone [ˌɪntəfoun ‖ ˌɪntər–] *fn vill* házi telefon(rendszer), belső telefon, kaputelefon; → **intercom**

interplait [ˌɪntə'plæt ‖ ˌɪntər'pleɪt] *tsi* összefon, egymásba fon

interplanetary [ˌɪntə'plænətəri ‖ ˌɪntər'plænəteri] *mn* bolygóközi, kozmikus; ~ **flight/travel** űrhajózás; ~ **rocket** űrrakéta, bolygóközi rakéta

interplay [ˌɪntəpleɪ ‖ ˌɪntər–] **I.** *fn* **1.** kölcsönhatás, kölcsönös hatás/kapcsolat **2.** *műsz* összjáték, együttlengés **II.** *tni* közrejátszik (vmben)

interplead [ˌɪntə'pliːd ‖ ˌɪntər–] *tni jog* beavatkozik perbe, perbe hív • *fn* **interpleader**

Interpol ['ɪntəpɒl] *röv International Police Commission* Interpol

interpolate [ɪn'tɜːpəleɪt ‖ –'tɜr–] **1.** *tsi* közbeiktat, beszúr, betold *[szót, mondatot]* **2.** *mat* interpolál **3.** *orv* átültet *[szövetet plasztikai műtéten]* • *fn* **interpolation**

interpose [ˌɪntə'poʊz ‖ ˌɪntər–] **A.** *tsi* **1.** közbehelyez, közbetesz **2.** ~ **one's veto** tiltakozik (vm ellen); felemeli tiltó szavát vm ellen, vétójogot gyakorol (vm tekintetében) **3.** ~ **(a remark)** megjegyzést tesz; közbeszól *[beszélgetésbe]* **B.** *tni* **1.** közbelép, közbeveti magát *[két ellenfél közé]* **2.** közvetít *[két ellenfél között]*

interposition [ˌɪntəpə'zɪʃn ‖ ˌɪntər–] *fn* **1.** közébe helyezés/kerülés, közbeékelés **2.** közbelépés, közbejövetel, beavatkozás, intervenció, közvetítés

interpret [ɪn'tɜːprɪt ‖ –'tɜr–] *tsi* **1.** értelmez, magyaráz, interpretál *[szöveget, álmot, törvényt]*, tolmácsol *[gondolatokat]*, megfejt *[jeleket]* **2.** előad, interpretál *[szerepet, zenedarabot]* **3.** vmlyen értelmet tulajdonít vmnek **4.** fordít, tolmácsol *[beszédet stb.]*

interpretation [ɪnˌtɜːprə'teɪʃn ‖ –ˌtɜr–] *fn* értelmezés, magyarázat, kiértékelés *[szövegé]*, előadás *[zenedarabé]*, interpretáció *[szerepé]*, tolmácsolás *[gondolatoké]*, előadásmód *[színészé]*; *jog* ~ **clause** szövegértelmező záradék *[jogszabályé]*

interpreter [ɪn'tɜːprɪtə ‖ ɪn'tɜrprɪtər] *fn* **1.** tolmács; **conference** ~ szimultán tolmács **2.** *infor* interpreter, értelmezőprogram

interpretive [ɪn'tɜːprɪtɪv ‖ –'tɜr–] *mn* értelmező, kifejtő

interprovincial [ˌɪntəprə'vɪnʃl ‖ ˌɪntər–] *mn* tartományok közötti *[közlekedés, érintkezés]*, több tartománnyal közös

interpunctuate [ˌɪntə'pʌŋktʃueɪt ‖ ˌɪntər–] *tsi* írásjelekkel ellát, központoz • *fn* **interpunctuation**

interracial [ˌɪntə'reɪʃl ‖ ˌɪntər–] *mn* **1.** több fajjal közös **2.** különböző fajok közötti *[házasság]*

interregnum [ˌɪntə'regnəm ‖ ˌɪntər–] *fn tsz* **~s**, **interregna** [–'regnə] **1.** interregnum, trónüresség, két uralom közötti időszak **2.** folytonosság megszakadása *[uralomé stb.]*

interrelate [ˌɪntərɪ'leɪt ‖ ˌɪntər–] *tsi* kölcsönös kapcsolatba/viszonyba hoz • *fn* **interrelation**, **interrelationship**

interrelated [ˌɪntərɪ'leɪtɪd ‖ ˌɪntər–] *mn* **1.** kapcsolatban levő **2.** összefüggésben levő, kölcsönös kapcsolatban levő, egymástól függő

interrogate [ɪn'terəgeɪt] *tsi* (ki)kérdez, kihallgat, vallat (vkt) • *fn* **interrogator**

interrogation [ɪnˌterə'geɪʃn] *fn* **1.** kikérdezés, vizsgáztatás *[jelölté]*, kihallgatás, vallatás *[vádlotté]* **2.** kérdés

interrogation mark *fn* kérdőjel

interrogative [ˌɪntə'rɒgətɪv ‖ ˌɪntə'rɑgətɪv] **I.** *mn* kérd(ez)ő *[hang, tekintet]* **II.** *fn* ~ **pronoun** kérdő névmás • *hsz* **interrogatively**

interrogatory [ˌɪntə'rɒgətəri ‖ ˌɪntə'rɑgətɔri] **I.** *mn* kérd(ez)ő **II.** *fn jog* **1.** kihallgatás, vallatás **2.** (vádlottnak feltett) kérdés

interrupt [ˌɪntə'rʌpt] **A.** *tsi* **1.** félbeszakít, megszakít *[cselekményt, beszédet, vitát]*; ~ **sy** vknek a szavába vág; ~ **a circuit** áramkört megszakít **2. a)** megakaszt *[forgalmat]*, elzár, megbénít *[közlekedést]*, elvág, megszakít *[elektromos áramot stb.]* **b)** megzavar, megakadályoz, felfog *[felhők a napsugarat]* **B.** *tni* közbeszól, szavába vág (vknek), közbevet *[megjegyzéseket]*; **don't ~** ne szakítson félbe!, ne szóljon közbe!, hagyjon beszélni! • *mn* **interruptory**

interruption [ˌɪntəˈrʌpʃn] *fn* **1.** félbeszakítás, megszakítás, szétbontás, szétkapcsolás; **without ~** egyfolytában, szakadatlanul, megszakítás nélkül **2. ~ in continuity** folytonosság megszakadása, folytonossági hiány; szünetelés

intersect [ˌɪntəˈsekt ‖ ˌɪntər–] **A.** *tsi* (át)metsz, átszel, átvág, keresztez, megszakít (vmt vmvel), egymást metszi/szeli **B.** *tni* kereszteződik, megszakad

intersection [ˌɪntəˈsekʃn ‖ ˌɪntər–] *fn* **1. a)** *mat* metszőpont *[két vonalé]*, metszés *[két síké]*, metszet *[két halmazé]* **b)** *orv* bemetszés, átvágás **2.** *közl* útkeresztez(őd)és, csomópont, útcsatlakozás; **point of ~** keresztezési pont

intersex [ˈɪntəseks ‖ ˈɪntər–] *fn orv* hermafrodita

intersexual [ˌɪntəˈsekʃuəl ‖ ˌɪntər–] *mn orv* hermafrodita

interspace [ˌɪntəspeɪs ‖ ˌɪntər–] **I.** *fn* **1.** hézag, (tér)köz, távolság *[két test között]*; **~ of the ribs** bordaköz **2.** időköz, intervallum **II.** *tsi* **1.** ritkít *[látogatásokat]* **2.** *nyomd* betűközökkel szed, ritkít *[szedést]*

intersperse [ˌɪntəˈspɜːs ‖ ˌɪntərˈspɜrs] *tsi* közbeszór, belevegyít, összevegyít, összekever, tarkít (vmvel), teleszór, telehint (vmvel)

interstate [ˌɪntəˈsteɪt ‖ ˌɪntər–] **I.** *mn US jog* államok közötti *[kereskedelem]*, államközi; több államot érintő *[megállapodás]*; **~ agreement** államok közötti megállapodás **II.** *fn US* ‹szövetségi államokat összekötő autópálya(-rendszer)›

interstellar [ˌɪntəˈstelə ‖ ˌɪntərˈstelər] *mn csill* csillagok közötti, csillagközi; **~ flight** űrhajózás

interstice [ɪnˈtɜːstɪs ‖ –ˈtɜr–] *fn* hézag, (tér)köz, repedés, rés, likacs, keskeny nyílás; *biol* szövetköz, interstitium

interstitial [ˌɪntəˈstɪʃl ‖ ˈɪntər–] *mn* közbeeső, térközti, *biol* szövetközi *[rés]*; *orv* **~ tissue** kötőszövet

intertrade [ˈɪntətreɪd ‖ ˈɪntər–] *fn* árucsere-forgalom, kölcsönös kereskedelmi forgalom

intertwine [ˌɪntəˈtwaɪn ‖ ˌɪntər–] **A.** *tsi* belefon, egybefon, összefon, egymásba fon, összesodor **B.** *tni* egybefonódik, összefonódik, egymásba fonódik

interval [ˈɪntəvl ‖ ˈɪntərvl] *fn* **1.** időköz, intervallum; **at ~s** időnként; néha-néha, hellyel-közzel; **at ~s of one minute** percenként; **at three-hourly ~s** három óránként, minden három órában; **at regular ~s** szabályos időközökben; **bright ~s** átmeneti/időnkénti derülés (v. derült idő); **a short ~ of fair weather** rövid ideig tartó szép idő **2. a)** *okt* (óraközi) szünet, tízperc; *ip* **meal ~** ebédszünet **b)** *szính* szünet, felvonásköz **c)** *sp* félidő, (félidei) szünet *[játékrészek közötti]* **3. a)** távolság, köz, sáv; **full ~s** teljes sorköztávolság **b)** *zene* hangköz, intervallum **c)** *mat* intervallum • *mn* **intervallic**

intervene [ˌɪntəˈviːn ‖ ˌɪntər–] *tni* **1. a)** közbejön, közbelép, útjába áll vmnek, közbeveti magát; **~ in a quarrel** veszekedésbe/vitába beavatkozik **b)** közbenjár **c)** felszólal *[vitában]* **d)** közbeesik **2.** (meg)történik, bekövetkezik, létrejön *[esemény]*

intervening [ˌɪntəˈviːnɪŋ ‖ ˌɪntər–] **1.** *mn* beavatkozó, közbelépő; **the ~ party** kötelezettséget átvállaló harmadik személy **2.** közbenső *[korszak, terület]*; **during the ~ week** a közbeeső héten, a közben eltelt héten

intervention [ˌɪntəˈvenʃn ‖ ˌɪntər–] *fn* **1.** beavatkozás, intervenció *[személyé, fegyveres erőé, idegen hatalomé, harmadik személyé perben]*, közbejötte (vmnek), közébe kerülés *[testé]*; *orv* **surgical ~** művi/sebész(et)i beavatkozás **2.** közbenjárás, közbelépés, közvetítés, intervenció

interventionist [ˌɪntəˈvenʃənɪst ‖ ˌɪntər–] *fn* a beavatkozás híve, intervencionista

intervertebral [ˌɪntəˈvɜːtɪbrəl ‖ ˌɪntərˈvɜrtɪbrəl] *mn orv* csigolyaközi; **~ disk** porckorong

interview [ˈɪntəvjuː ‖ ˈɪntər–] **I.** *fn* **1.** interjú **2.** találkozás *[tárgyalás céljából]*, megbeszélés; **personal ~** személyes megbeszélés **II.** *tsi* **1.** tárgyal, értekezik, megbeszélést folytat (vkvel) **2.** meginterjúvol (vkt), kikéri véleményét (vknek) • *fn* **interviewee** *fn* **interviewer**

intervocalic [ˌɪntəvoʊˈkælɪk ‖ ˌɪntər–] *mn nyelv* magánhangzók közötti, intervokalikus

inter-war [ˌɪntəˈwɔː ‖ ˌɪntərˈwɔr] *mn* **the ~ years** a két (világ)háború közötti évek/időszak

interweave [ˌɪntəˈwiːv ‖ ˌɪntər–] *pt* **-wove** [–woʊv], *pp* **-woven** [–woʊvn] **A.** *tsi* **1.** belesző, egymásba fon, egybefűz **2.** *átv* belekever *[érzelmeket]*, összekever *[gondolatokat]* **B.** *tni* összefonódik, összefűződik, összekeveredik, összeszövődik

interwind [ˌɪntəˈwaɪnd ‖ ˌɪntər–] *tsi pt/pp* **-wound** [–waʊnd] egybefon, összefon, összecsavar, összegöngyöl, összesodor, összeteker, egybecsavar, egybesodor *[két tárgyat]*

interwork [ˌɪntəˈwɜːk ‖ ˌɪntərˈwɜrk] *pt/pp* **-worked, -wrought** [–ˈrɔːt] **A.** *tsi* egybedolgoz, összedolgoz, egymásba dolgoz **B.** *tni* kölcsönösen hatnak (v. reagálnak) egymásra, együttműködnek, összeműködnek

interzonal [ˌɪntəˈzoʊnl ‖ ˌɪntər–] *mn* zónaközi

intestate [ɪnˈtestɪt] **I.** *mn* végrendelet nélküli; **~ estate** végrendelet nélkül örökölt birtok/vagyon; **~ succession** törvényes öröklés(i rend); **die ~** végrendelet nélkül hal meg **II.** *fn* **1. a)** végrendelet nélkül elhalt személy **b)** ‹vagyontárgy, amelyről végrendeletileg nem rendelkeztek› **2. ~ fortitude** nagyfokú bátorság • *fn* **intestacy**

intestinal [ɪnˈtestɪnl] *mn orv* bél-, béllel kapcsolatos, bélre vonatkozó; **~ canal** bélcsatorna; **~ wall** bélfal

intestine [ɪnˈtestɪn] **1.** *fn orv* bél; **large ~** vastagbél; **small ~** vékonybél **2.** *tsz* **-s a)** belek **b)** zsigerek

intimacy [ˈɪntɪməsi] *fn* **1.** bizalmasság, közvetlenség, meghittség, bensőséges/bizalmas viszony **2.** *euf* bizalmas/szerelmi viszony, nemi közösülés

intimate I. *mn* [ˈɪntəmət] **1.** belső, bizalmas, közvetlen, meghitt, mély, intim; **~ friend** benső/bizalmas/meghitt barát; **become ~ with sy** bizalmas barátságba kerül vkvel **2. be on ~ terms with sy** viszonya van vkvel **3. ~ diary** titkos napló **4. a) ~ connection** szoros kapcsolat **b) have an ~ knowledge of sg** bizalmas értesülése van vmről; alapos/mélyreható ismeretekkel rendelkezik vmről **II.** *fn tsz* [ˈɪntəmət] bizalmas, intimus; **his ~s** bizalmasai; bizalmas barátai, bizalmi emberei **III.** *tsi* [ˈɪntəmeɪt] **1. a)** közöl, tudat, tudtul ad *[szándékot]*; **~ sg to sy** értesít/tudat vkt vmről; tudtul ad vmt vknek **b)** sejtet, célozgat **2.** kiad *[parancsot]*, meghagy (vknek vmt) **3.** ajánl, indítványoz, sugalmaz

intimation [ˌɪntɪˈmeɪʃn] *fn* **1.** értesítés, közlés, tudtul adás **2. a)** burkolt célzás/javaslat, sejtetés, sugalmazás **b)** előjel *[pl. betegségé]*

intimidate [ɪnˈtɪmɪdeɪt] *tsi* megfélemlít, megijeszt • *fn* **intimidation**

intimity [ɪnˈtɪmɪti] *fn* **1.** bensőség, bizalmasság, intimitás **2. a)** magánélet, bizalmas kör **b)** (el)zárkózottság

intinction [ɪnˈtɪŋkʃn] *fn vall* bemártás, a kenyér belemártása borba *[úrvacsoraosztásnál]*

intitule [ɪnˈtɪtjuːl ‖ –ˈtɪtʃuːl] *tsi GB [törvényt]* címmel ellát

int'l *röv international*

into [ˈɪntə, ˈɪntu, ˈɪntuː] *elölj* **1.** -ba, -be, bele; (mozgást v. irányt jelzően); **far ~ the night** késő éjszakáig **2.** (változásra v. eredményre vonatkozóan); **~ the bargain** ráadásul azonfelül; **grow ~ a woman** felnő, asszonnyá érik **3. he has willed it ~ Winchester** W-re hagyta örökül/örökségképpen **4.** *mat* **two numbers multiplied ~ each other** két egymással megszorzott szám; **4 ~ 20 goes 5 times** 4 a 20-ban megvan 5-ször

intolerable [ɪnˈtɒlərəbl ‖ –ˈtɑ–] *mn* tűrhetetlen, kibírhatatlan, elviselhetetlen • *hsz* **intolerably**

I

intolerance [ɪnˈtɒlərəns ‖ –ˈtɑ–] *fn* **1.** türelmetlenség, intolerancia (vkvel szemben); **religious ~** vallási türelmetlenség **2.** képtelenség vm eltűrésére; **drug ~** gyógyszer-intolerancia

intolerant [ɪnˈtɒlərənt ‖ –ˈtɑ–] *mn* **1.** türelmetlen *[vallási/politikai kérdésekben]*; **he is ~ of opposition** nem tűr ellenkezést, nem visel el ellentmondást **2.** képtelen vm elviselésére • *hsz* **intolerantly**

intonate [ˈɪntəneɪt] **1.** *tsi* → **intone 2.** csengően/vibrálóan ad hangot, dallamosan recitál

intonation [ˌɪntəˈneɪʃn] *fn* **1. a)** intonálás, hangvétel, hangadás **b)** hanglejtés, hanghordozás *[zenében, beszédben]*, intonáció, moduláció **2.** *vall zene* megszólaltatás, intonálás *[gregorián énekét]*

intone [ɪnˈtoʊn] **A.** *tsi* **1. a)** megad(ja a) hangot, intonál, énekelni kezd *[dallamot]*, rázendít *[énekre]*; **~ (a hymn/ song)** előénekel **b)** énekel *[zsoltárt]*, zsolozsmáz **2.** *[hangot]* modulál, vmlyen hangon/hanghordozással/hanglejtéssel mond ki **B.** *tni* **1.** erős hanglejtéssel beszél **2.** dallamosan recitál

in toto [ɪnˈtoʊtoʊ] *hsz latin* teljes egészében

intoxicant [ɪnˈtɒksɪkənt ‖ –ˈtɑ–] **I.** *mn* részegítő, mámorító *[ital]*, kábító *[illat]* **II.** *fn* **1.** szeszes ital **2.** *orv* mérgező/ toxikus anyag

intoxicate 1. *tsi* berúgat, mámorossá tesz **2.** *átv* elkábít, mámorossá tesz • *mn* **intoxicating**

intoxicated [ɪnˈtɒksɪkeɪtɪd ‖ –ˈtɑ–] *mn* ittas, kapatos, mámoros, becsípett; **~ with love** szerelemittas, szerelemtől ittas; **~ with praise** dicsérettől elkábulva/mámorosan/ megszédülve

intoxication [ɪnˌtɒksɪˈkeɪʃn ‖ –ˌtɑ–] *fn* **1. a)** részegség, ittasság **b)** *biz* (öröm)mámor **2.** *orv* mérgezés; **septic ~** vérmérgezés

intra- [ˌɪntrə–] *előtag* benn, bent, belül, belsejében; be; intra-; **intra-venous** intravénás

intractable [ɪnˈtræktəbl] *mn* engedetlen, fegyelmez(het)etlen, féktelen, kormányozhatatlan, konok, makacs, hajthatatlan *[természet]*, csökönyös *[ló]*, meggyökeresedett, makacs *[betegség]*, megművelhetetlen *[föld]*, nehezen megmunkálható/kidolgozható *[fa]*; **~ problem** megoldhatatlan probléma

intractile [ɪnˈtræktɪl] *mn* nem kezelhető, engedetlen, konok, makacs

intramural [ˌɪntrəˈmjʊərəl ‖ –ˈmjʊrəl] *mn US okt* egyetemen/főiskolán belüli • *hsz* **intramurally**

intramuscular [ˌɪntrəˈmʌskjʊlə ‖ –ər] *mn orv* izomba történő, intramuszkuláris *[injekció]*

intranational [ˌɪntrəˈnæʃnəl] *mn* nemzeti, nemzeten belüli

intranet [ˈɪntrənet] *fn infor* intranet; ‹vállalatok, társaságok belső információk hálózata, amely az Internet elvén működik›

intranquility [ˌɪntræŋˈkwɪləti] *fn* nyugtalanság, nyughatatlanság

intransigent [ɪnˈtrænsɪdʒənt], **intransigeant** *mn/fn* meg nem alkuvó, hajthatatlan, rendíthetetlen, intranzigens (ember) • *fn* **intransigency**

intransitive [ɪnˈtrænsətɪv] *mn* **1.** *nyelv* tárgyatlan *[ige]* **2.** át nem ható, nem átható

intrapreneur [ˌɪntrəprəˈnɜː ‖ –nɜr] *fn* ‹új termékek (ki)fejlesztésével foglalkozó személy›

intra-uterine [ˌɪntrəˈjuːtəraɪn] *mn orv* méhen belüli; **~ device** IUD, hurok, spirál

intravenous [ˌɪntrəˈviːnəs] *mn orv* intravénás

in-tray [ˈɪn treɪˈɪn treɪ] *fn* elintézendő ügyiratok tálcája

intrepid [ɪnˈtrepɪd] *mn* elszánt, rettenthetetlen, bátor, merész, félelem nélküli, vakmerő • *fn* **intrepidity**

intrepidity [ˌɪntrəˈpɪdəti] *fn* elszántság, rettenthetetlenség, vakmerőség

intricate [ˈɪntrɪkət] *mn* **a)** bonyolult, komplikált *[szerkezet]*, bonyodalmas, tekervényes, nehezen tisztázható/érthető, körülményes *[ügy]* **b)** kusza, zavaros *[gondolatok]* • *fn* **intricacy**

intrigant [ˈɪntrɪgənt ‖ ˌɪntriˈgɑnt], **intriguant** → **intriguer**

intrigue [ɪnˈtriːg] **I.** *fn* **1.** ármány, áskálódás, cselszövés, fondorlat, fondorkodás, intrika **2.** szerelmi ügy/kaland, titkolt (szerelmi) viszony **3.** *szính* bonyodalom, meseszövés **II. A.** *tsi biz* érdekel, kíváncsiságot felkelt (vkben), kíváncsivá tesz, fejtörést okoz, izgat, nyugtalanít (vkt) **B.** *tni* **1.** ármánykodik, fondorkodik, intrikál; **~ against sy** vk ellen áskálódik/mesterkedik; **~ with sy** cselt sző vkvel **2.** viszonyt folytat (vkvel) • *fn* **intriguer**

intriguing [ɪnˈtriːgɪŋ] *mn* érdekes, érdekfeszítő; *biz* **all this is very ~** mindez nagyon érdekes (v. kíváncsivá tesz, v. sok fejtörést okoz)

intrinsic [ɪnˈtrɪnsɪk(əl)], **intrinsical** *mn* belső, lényeges, valódi; **~ qualities** belső tulajdonságok; **~ value** belső érték, belbecs

intrinsically [ɪnˈtrɪnsɪkli] *hsz* lényegében, valójában, valósággal

intro [ˌɪntroʊ] *fn biz* bemutatkozás, bevezetés

intro- [ˈɪntroʊ] *előtag* befelé, belé, belül

intro., **introd.** *röv introduction*; *introductory*

introduce [ˌɪntrəˈdjuːs ‖ –ˈduːs] *tsi* **1. a)** bemutat; **~ sy to sy** vkt bemutat vknek; **~ oneself (by name)** bemutatkozik; megnevezi magát **b) be ~d to society** bevezetik a társaságba **2. a)** bevezet, behoz, bevisz; **~ a subject into the conversation** egy témára tereli a társalgást; egy kérdést vet fel a társalgás során **b)** betesz *[kulcsot zárba]*, behelyez, beilleszt **c)** behoz, bevezet, elfogadtat, meghonosít *[szokást, törvényt]*, divatba hoz; **~ (a bill)** felterjeszt (törvényjavaslatot) **d)** megkezd, bevezet *[mondatot]* **3. ~ sy to a process** beavat vkt egy eljárásba; megismertet egy eljárást vkvel • *fn* **introducer**

introduction [ˌɪntrəˈdʌkʃn] *fn* **1.** bemutatás, bevezetés *[társaságba]*; **letter of ~** ajánlólevél **2.** bevezetés, előszó *[könyvé]*; *zene* bevezetés, introdukció **3.** (elemi) kézikönyv, alapvetés **4.** *orv* bevezetés; **~ of a catheter** katéter bevezetése

introductory [ˌɪntrəˈdʌktəri] *mn* bevezető, ajánló; **(budget) ~** (pénzügyi) expozé *[miniszteré]*

introspection [ˌɪntrəˈspekʃn] *fn* önelemzés, önmegfigyelés, önvizsgálat, lelkiismeret-vizsgálat, introspekció

introspective [ˌɪntrəˈspektɪv] *mn* önelemző, introspektív

introvert [ˈɪntrəvɜːt ‖ –vɜrt] *fn pszich* befelé forduló személy/egyéniség • *fn* **introversion** *mn* **introverted**, **introversive**

intrude [ɪnˈtruːd] **A.** *tsi* **1.** ráerőszakol (vmt vmre) **2. ~ sg into sg** erővel behelyez/benyom/betol vmt vmbe **B.** *tni* **1.** behatol, beférkőzik, befurakodik (vhova); **~ upon sy** alkalmatlankodik (vknek); zaklat (vkt) **2.** tolakszik

intruder [ɪnˈtruːdə ‖ –ər] *mn* betolakodó, behatoló

intrusion [ɪnˈtruːʒn] *fn* **1. a)** betolakodás, befurakodás **b)** ráerőszakolás **2. ~ of the sea** tenger beáramlása/ beözönlése **3.** *jog* bitorlás

intrusive [ɪnˈtruːsɪv] *mn* tolakodó, alkalmatlankodó *[egyén]*

intuit [ɪnˈtjuːɪt ‖ ɪnˈtuːɪt] *tsi* ösztönösen megérez (vmt), előérzete van (vmről), intuíciója van (vmről)

intuition [ˌɪntjʊˈɪʃn ‖ –tuː–] *fn* ösztönös megérzés, előérzet, intuíció; **know sg by ~** intuitíve tud vmt, ösztönösen megérez/megsejt vmt • *mn* **intuitional**

intuitive [ɪnˈtjuːɪtɪv ‖ –ˈtuːɪtɪv] *mn* intuitív, belső szemléleti, ösztönösen felfogó, intuíción alapuló

intumesce [ˌɪntjʊˈmes ‖ –tuː–] *tni* **a)** kitágul, megnagyobbodik *[meleg következtében]* **b)** felfúvódik, megduzzad • *mn* **intumescent**

intumescence [ˌɪntjʊˈmesns ‖ –tuː–] *fn orv* (meg)nagyobbodás, megduzzadás, megdagadás

Inuit ['ɪnuɪt] *mn/fn tsz* **Inuit,**, **Inuits** *[észak-amerikai* v. *grönlandi]* eszkimó, inuit *[nép és nyelv]*
inundate ['ɪnʌndeɪt] *tsi* eláraszt (vmvel), elönt
inundation [ˌɪnʌn'deɪʃn] *fn* **1.** (ki)áradás, árvíz **2.** elárasztás
inurbane [ˌɪnɜː'beɪn ‖ ˌɪnɜr–] *mn* udvariatlan • *fn* **inurbanity**
inure [ɪ'njʊə ‖ ɪ'njʊr] **A.** *tsi* hozzászoktat (vmhez), rászoktat (vmre), megedz (vmhez v. vmvel szemben), *átv* (meg)acéloz **B.** *tni jog* hatályba lép, jogerőre emelkedik, alkalmazásra kerül
invade [ɪn'veɪd] *tsi* **1.** betör, eláraszt *[pl. ellenség]*; ~ **sy's privacy** betolakszik vkhez, rátör vkre **2.** bitorol *[jogot]*, megsért *[előjogot]*
invader [ɪn'veɪdə ‖ –ər] *fn* **1.** támadó **2.** törvénysértő, jogbitorló
invaginate [ɪn'vædʒɪneɪt] **A.** *tsi orv* befordít *[belet]* **B.** *tni orv* betűrődik, betüremkedik *[bél]* • *fn* **invagination**
invalid[1] ['ɪnvəlɪd] **I.** *mn* beteg, béna, nyomorék, rokkant; ~ **chair** tolószék, tolókocsi **II.** *fn* **1.** hadirokkant **2.** magatehetetlen beteg **III.** *tsi* beteggé/rokkanttá tesz; *GB kat* ~ **sy out (of the army)** betegség/sebesülés miatt leszerel/kiszuperál *[katonaságtól]* • *fn* **invalidity**
invalid[2] [ɪn'vælɪd] *mn* érvénytelen, hatálytalan, semmis *[pl. szerződés, házasság]*
invalidate [ɪn'vælɪdeɪt] *tsi* **1.** megsemmisít *[végrendeletet]*, érvénytelennek nyilvánít, érvénytelenít *[megállapodást]* **2.** hatálytalanít, megsemmisít *[ítéletet]* • *fn* **invalidation**
invalidism ['ɪnvəliːdɪzm ‖ –lɪdɪzm] *fn* betegesség, rokkantság; **grade of** ~ rokkantsági fok/százalék
invaluable [ɪn'væljʊəbl] *mn* felbecsülhetetlen, megbecsülhetetlen *[érték, kincs]*, megfizethetetlen *[segítség]*
invariable [ɪn'veərɪəbl ‖ –'ver–] *mn* állandó, változatlan, (meg)változ(tat)hatatlan, konstans • *fn* **invariability**
invariably [ɪn'veərɪəbli ‖ –'ver–] *hsz* mindig, változatlanul
invariant [ɪn'veərɪənt ‖ –'ver–] *mn/fn mat* állandó, invariáns, konstans • *fn* **invariance**
invasion [ɪn'veɪʒn] *fn* **1.** betörés, benyomulás, elözönlés, megrohanás, invázió *[ellenségé]*, beáradás *[vízé]*, elburjánzás *[növényzeté]*, elharapózás *[tűzé]* **2.** *orv* hirtelen elterjedés, betörés *[betegségé]*; ~ **stage** kezdeti szakasz *[betegségé]* **3.** ~ **of sy's rights** vk jogainak bitorlása; vk jogainak megsértése
invasive [ɪn'veɪsɪv] *mn* **1.** (meg)támadó, betörő *[ellenség]*, inváziós *[háború]* **2.** *orv* behatoló *[kórokozó]*, terjedő *[daganat]*
invective [ɪn'vektɪv] *fn* **1.** (gúnyos) kirohanás *[vk ellen]*, kigúnyolás **2.** *tsz* **invectives** szitkozódás, szidalmazás, szidalmak
inveigh [ɪn'veɪ] *tni* gyalázkodik, szitkozódik, kifakad, kikel, kirohan (vk/vm ellen); ~ **against sg** kárhoztat vmt; ~ **against sy** sérteget/szidalmaz vkt
inveigle [ɪn'veɪgl] *tsi* csalogat, elcsal, elcsábít *[nőt]*, (fondorlatosan) odacsábít, ravaszul rábír; **be ~d** elcsábul; lépre megy • *fn* **inveiglement**
invent [ɪn'vent] *tsi* feltalál *[gépet]*, kitalál, kiagyal, kieszel, kigondol *[történetet]*
invention [ɪn'venʃn] *fn* **1. a)** találmány **b)** álhír, koholmány **2. a)** feltalálás *[gépé]*, kiagyalás, kigondolás *[történeté]*; **story of his own** ~ maga kitalálta történet **b)** találékonyság, invenció
inventive [ɪn'ventɪv] *mn* leleményes, ötletes, találékony, invenciózus *[elme]* • *fn* **inventiveness**
inventor [ɪn'ventə ‖ ɪn'ventər] *fn* feltaláló
inventory ['ɪnvəntərɪ ‖ –tɔrɪ] **I.** *fn* leltár; ~ **control** leltárrevízió; **draw/take an** ~ leltároz (vmt), leltárt felvesz/készít (vmről) **II.** *tsi* leltároz (vmt), leltárt felvesz/készít (vmről)
invermination [ɪnˌvɜːmɪneɪʃn ‖ –ˌvɜr–] *fn* elférgesedés, megtetvesedés
inverse [ɪn'vɜːs ‖ ɪn'vɜrs] **I.** *mn* ellenkező, ellentétes, (meg)fordított, inverz; *el* ~ **current** ellenirányú áram; **in ~ ratio/proportion to sg** vmvel fordított arányban **II.** *fn* vmnek fordítottja/ellenkezője; *mat* ~ **of an operation** inverz/fordított művelet
inversely [ɪn'vɜːsli ‖ –'vɜrs] *hsz* fordítottan, fordítva
inversion [ɪn'vɜːʃn ‖ ɪn'vɜrʒn] *fn* **1. a)** megfordítás **b)** átfordulás, megfordulás; ~ **fog** talaj menti köd; *geol* ~ **of a stratum** rétegdőlés **c)** (meg)fordítottság, *nyelv* fordított szórend **2.** *el* egyenáram-váltóáram átalakítás; *el* **pole** ~ pólusváltás **3.** *meteo* felcserélődés *[évszaké, hőmérsékleté]*; ~ **of values** értékek felcserélése
invert I. *tsi* [ɪn'vɜːt ‖ ɪn'vɜrt] **1.** átfordít, felfordít, megfordít *[tárgyat]*; *zene* ~ **a chord** hangzatot megfordít **2.** felforgat, felcserél, felborít *[sorrendet]* **3.** felkavar, visszájára fordít **II.** *fn* ['ɪnvɜːt ‖ 'ɪnvɜrt] *orv* homoszexuális (egyén)
invertebrate [ɪn'vɜːtɪbrət ‖ –'vɜr–] **I.** *mn* **1.** gerinctelen *[állat]* **2.** *biz* gerinctelen, gyenge, határozatlan, pipogya *[egyén]* **II.** *fn* **1.** gerinctelen állat **2.** *átv biz* gerinctelen/határozatlan (v. gyenge jellemű) alak, teddide-teddoda (v. tutyimutyi) ember, pipogya fráter
inverted [ɪn'vɜːtɪd ‖ –'vɜr–] *mn* **1. a)** átfordított, felfordított, (meg)fordított; *US* ~ **commas** idézőjel(ek); ~ **order** fordított szórend **b)** *zene* fordított *[hangzat]*; ~ **triad** fordított hármashangzat **c)** *rep* ~ **flight** hátonrepülés **2.** fordított elrendezésű *[henger]*, fordított kapcsolású *[generátor, motor]*; *épít* ~ **well** nyelőkút
invest [ɪn'vest] *tsi* **1. a)** beruház, befektet *[pénzt, tőkét]* **b)** *biz* vásárol; **I ~ed in an umbrella** vásároltam egy esernyőt **2.** (be)fektet (vmt vmbe), szentel *[energiát, pénzt, időt]*; **I ~ed a lot in this relationship** sok energiát fektettem ebbe a kapcsolatba **3. a)** felruház *[hatalommal]*; ~ **sy with full power** felruház vkt teljhatalommal; ~ **sy with an office** hivatali állásba beiktat vkt **b)** felruház, felöltöztet (vmbe)
investigate [ɪn'vestɪgeɪt] *tsi* tanulmányoz, (meg)vizsgál, fontolóra vesz, kikutat
investigation [ɪnˌvestɪ'geɪʃn] *fn* kutatás, nyomozás, vizsgálat, vizsgálódás, tanulmányozás; **department of** ~ nyomozó osztály; *jog* ~ **of a title** tulajdonjog tisztázása/megállapítása; **on further** ~... tovább vizsgálva/kutatva..., (további) kutatásaim során... • *mn* **investigational**
investigative [ɪn'vestɪgətɪv ‖ ɪn'vestəgeɪtɪv] *mn* kutató, nyomozó, fürkésző
investigator [ɪn'vestɪgeɪtə ‖ –ər] *fn* nyomozó
investiture [ɪn'vestɪtʃə ‖ –ər] *fn* **a)** beiktatás, felavatás *[püspöké stb.]* **b)** kitüntetések átadása
investment [ɪn'vestmənt] *fn* **1. a)** *pénz* befektetés, beruházás; *közg* **gross/net** ~ bruttó/nettó beruházás; *pénz* **employee** ~ alkalmazotti részesedés *[vállalatban]* **b)** *tsz* **~s** *gazd* részesedések *[mérlegtétel]* **c)** felruházás, beiktatás **2.** *biol* burok, héj
investment bank *fn pénz* beruházási/finanszírozási bank
investment trust *fn közg* tőkekihelyező társaság
investor [ɪn'vestə ‖ –ər] *fn* pénzét befektető/elhelyező ember, befektető, részvényes, tőkés; **small** ~ kistőkés
inveterate [ɪn'vetərət] *mn* **1.** meggyökerezett, meggyökeresedett, *átv* megcsontosodott, megrögzött **2.** makacs • *fn* **inveteracy**
inviable [ɪn'vaɪəbl] *mn* életképtelen; *átv* járhatatlan *[út]* • *fn* **inviability**
invidious [ɪn'vɪdɪəs] *mn* **1.** gyűlöletes, szégyenletes **2. a)** bántó, bosszantó, gyűlöletet keltő **b)** irigylésre méltó
invigilate [ɪn'vɪdʒɪleɪt] *tni GB okt* őrködik, felügyel jelöltekre *[írásbeli vizsgán]* • *fn* **invigilator**
invigorate [ɪn'vɪgəreɪt] **A.** *tsi* **1.** erősít, erőt ad (vknek) **2.** éltet, erősít *[levegő]* **B.** *tni* **1.** (meg)erősödik **2.** visszanyeri erejét, új erőre kap • *fn* **invigoration**, **invigorator** *mn* **invigorating**, **invigorative**

I

invincible [ɪnˈvɪnsəbl] *mn* (le)győzhetetlen, leküzdhetetlen • *fn* **invincibility**

inviolable [ɪnˈvaɪələbl] *mn* megszeghetetlen, sérthetetlen *[személy]*

inviolate [ɪnˈvaɪələt] *mn* sérthetetlen; megszentségteleníthetetlen • *fn* **inviolacy**

invisible [ɪnˈvɪzəbl] *mn* láthatatlan, nem látható; *közg* ~ **exports** láthatatlan/szellemi export • *fn* **invisibility**

invitation [ˌɪnvɪˈteɪʃn] *fn* **1.** meghívás **2. a)** felkérés (vmre) **b)** felhívás (vmre) **c)** csábítás (vmre)

invite I. *tsi* [ɪnˈvaɪt] **1.** meghív **2. a)** felhív, ösztökél, ösztönöz *[vm megtételére]* **b)** felkér *[vkt előadás tartására]* **3.** kihív, provokál *[kritikát, veszélyt]* **II.** *fn* [ˈɪnvaɪt] *biz* meghívás • *fn* **invitee, inviter**

inviting [ɪnˈvaɪtɪŋ] *mn* hívogató, kívánatos, vonzó, étvágygerjesztő *[étel]*

in vitro [ɪn ˈviːtroʊ] *hsz latin biol* üvegben; laboratóriumi vizsgálattal/körülmények között, in vitro

in vivo [ɪn ˈviːvoʊ] *hsz latin biol* élőben; élő szervezetben, in vivo

invocation [ˌɪnvəˈkeɪʃn] *fn* **a)** könyörgés, segítségül hívás **b)** megszólítás • *mn* **invocatory**

invoice [ˈɪnvɔɪs] **I.** *fn gazd* **1. a)** (részletezett) számla **b)** árujegyzék *[szállítmányról]*; **shipping** ~ szállítási jegyzék *[egész szállítmányról]* **2.** egyidejűleg szállított/átvett áruköteg, szállítmány **II.** *tsi* számláz *[árut]*, számlát küld (vknek)

invoice book *fn gazd* számlamásolati könyv, számlakönyv

invoke [ɪnˈvoʊk] *tsi* **1. a)** segítségül hív *[Istent, az Úr nevét, vk emlékét]* **b)** ~ **sy's aid** segítséget kér vktől **2.** felidéz, (szellemet) idéz

invoker [ɪnˈvoʊkə ‖ –ər] *fn* (szellem)idéző

involuntary [ɪnˈvɒləntəri ‖ ɪnˈvɑlənteri] *mn* akaratlan, önkéntelen, szándék nélküli; ~ **manslaughter** gondatlanságból okozott emberölés; *orv* ~ **muscle** sima izom; ~ **nervous system** vegetatív idegrendszer

involute [ˈɪnvəluːt] **I.** *mn* bonyolult, komplikált **II.** *fn mat* befelé hajló (v. lefejlő) görbe vonal, evolvens

involution [ˌɪnvəˈluːʃn] *fn* **1. a)** komplikáltság, bonyolultság **b)** összebonyolítás **2. a)** összekuszálódás, összezavarodás, összegabalyodás, konfúzió **b)** összekuszálás, összezavarás, összegabalyítás **3.** *mat* hatványozás, hatványra emelés **4.** *orv* visszafejlődés, hanyatlás *[erőké]*; ~ **of the womb** méhvisszahúzódás **5.** *biol* elfajulás, elkorcsosodás; ~ **form** elsatnyult alak/forma

involve [ɪnˈvɒlv ‖ ɪnˈvɑlv] *tsi* **1.** magában foglal, magával hoz, vele jár *[következmény]*; ~ **many responsibilities** felelősséggel jár **2.** belekever; ~ **oneself in debt** adósságba veri magát; ~ **oneself in trouble** bajba keveredik; kutyaszorítóba/csávába kerül; ~ **sy in a quarrel** veszekedésbe belevon/belerángat vkt; **get ~d in sg** belekeveredik/belesodródik vmbe; **the forces ~d** a közreműködő/bevont erők; **the object ~d** a szóban forgó tárgy **3.** összezavar *[elbeszélést, tudósítást]*; **get ~d with a rope** belegabalyodik kötél(zet)be **4.** hatványra emel **5. this ~s** ebből az következik; ez azt jelenti/involválja

involved [ɪnˈvɒlvd ‖ ɪnˈvɑlvd] *mn* **1.** bonyolult, körülményes, kusza, nyakatekert, zavaros *[stílus, beszéd]* **2.** eladósodott *[személy]*; **be in ~d circumstances** el van adósodva, anyagi nehézségekkel küzd

involvement [ɪnˈvɒlvmənt ‖ ɪnˈvɑlv–] *fn* **1.** belekeverés **2.** belekeveredés, belegabalyodás *[vmlyen ügybe]* **3.** eladósodottság, pénzzavar **4.** zűrzavar, bonyodalom, konfúzió

invulnerable [ɪnˈvʌlnrəbl] *mn* **1.** sérthetetlen, sebezhetetlen **2.** bevehetetlen

inward [ˈɪnwəd ‖ ˈɪnwərd] **I.** *mn* **a)** belső, benső, bel-, benti **b)** belső, lelki, bensőséges; ~ **peace** lelki béke; ~ **rhythm** belső ritmus **II.** *hsz* → **inwards**

inwardly [ˈɪnwədli ‖ ˈɪnwərdli] *hsz* befelé, belsőleg, benn, belül

inwardness [ˈɪnwədnəs ‖ ˈɪnwərd–] *fn* **1.** igazi belső mivolta (vmnek) **2.** mély érzés, bensőségesség **3.** szellemiség

inwards [ˈɪnwədz ‖ ˈɪnwərdz] **I.** *hsz* **1. a)** befelé, belsőleg, benn, belül **b)** befelé, az ország belseje felé, hazafelé; ~ **bound** hazafelé tartó *[hajó]* **2.** belsőleg, belsejében, lelkében, lelke, mélyén **II.** *fn tsz* zsigerek, belek, belső részek

inweave [ɪnˈwiːv] *tsi pt* **-wove**, *pp* **-woven** belesző *[mintát szövetbe]*

i/o, I/O *röv infor input/output* kimenet/bemenet, kimeneti/bemeneti

Io. *röv US Iowa*

IOC *röv International Olympic Committee* Nemzetközi Olimpiai Bizottság, NOB

iodine [ˈaɪədiːn ‖ –daɪn] *fn vegy* jód

iodize [ˈaɪədaɪz], **–ise** *tsi orv vegy* jódoz, jóddal kezel

ion [ˈaɪən] *fn fiz vegy* ion; *fiz* ~ **current** ionáram

-ion → **-ation**

Ionian[1] [aɪˈoʊnɪən] *mn zene* jón; ~ **mode** jón hangnem

Ionian[2] [aɪˈoʊnɪən] *mn földr* ~ **Sea** Jón-tenger; ~ **Islands** Jón-szigetek

ionic [aɪˈɒnɪk ‖ –ˈɑnɪk] *mn fiz el* ionos

Ionic [aɪˈɒnɪk ‖ –ˈɑnɪk] **I.** *mn* jón **II.** *fn* **1.** jón nyelvjárás **2.** jón vers(láb)

ionization [ˌaɪənaɪˈzeɪʃn ‖ ˌaɪənə–], **-isation** *fn* **1.** *fiz el* ionizálás; ~ **chamber** ionizációs kamra **2.** *orv* ionizációs kezelés

ionize [ˈaɪənaɪz], **-ise** *fiz* **A.** *tsi* ionizál, ionokkal telít *[levegőt, gázt]* **B.** *tni* ionokkal telítődik • *mn* **ionizable**

ionizer [ˈaɪənaɪzə ‖ –ər], **-iser** *fn fiz* ionizáló készülék

ionosphere [aɪˈɒnəsfɪə ‖ aɪˈɑnəsfɪr] *fn fiz* ionoszféra

iota [aɪˈoʊtə] *fn* **1.** iota *[görög betű]* **2.** *biz* jottányi, semmi, szemernyi

IOU [ˌaɪoʊˈjuː] *röv I owe you* adóslevél, kötelezvény

Iowa [ˈaɪoʊə ‖ ˈaɪəwə] *tul földr US* Iowa

Iowan [ˈaɪoʊən ‖ ˈaɪəwən] *mn/fn* iowai, Iowa állambeli

IP *röv internet protocol*

IPA *röv* **1.** *International Phonetic Alphabet* **2.** *International Phonetic Association*

IQ *röv intelligence quotient* intelligenciahányados, IQ

i.q. *röv the same as* ugyanaz, ua.

IR *röv* **1.** *infrared* **2.** *inland revenue*

IRA *röv Irish Republican Army*

Iran [ɪˈrɑːn] *tul földr* Irán

Irani [ɪˈrɑːni] *mn földr* perzsa, pakisztáni *[aki Iránban él]*; → **Iranian**

Iranian [ɪˈreɪnɪən] *mn/fn földr* iráni

Iraq [ɪˈrɑːk] *tul földr* Irak

Iraqi [ɪˈrɑːki], **Iraqian** *mn/fn földr* iraki

irascible [ɪˈræsəbl] *mn* ingerlékeny, kolerikus, könnyen feldühödő, hirtelen haragú, lobbanékony • *mn* **irascibility**

irate [aɪˈreɪt] *mn* dühös, haragos, ingerült, mérges

IRC *röv infor internet relay chat* internet élő csevegés, IRC

ire [ˈaɪə ‖ ˈaɪər] *fn vál* harag, felindulás, felindultság • *mn* **ireful**

Ireland [ˈaɪələnd ‖ ˈaɪər–] *tul földr* Írország; **Republic of** ~ Ír Köztársaság

Irene [ˈaɪriːn ‖ aɪˈriːn] *tul* Irén

irenic [aɪˈriːnɪk], **irenical** *mn* békés, békevágyó *[irat]*

iridescent [ˌɪrɪˈdesnt] *mn* irizáló, szivárványszínekben játszó, színjátszó *[anyag]* • *fn* **iridescence**

iridium [ɪˈrɪdɪəm] *fn vegy* irídium

iridology [ɪrɪˈdɒlədʒi ‖ –ˈdɑl–] *fn* íriszdiagnosztika

iris [ˈaɪrɪs] *fn* **1.** *tsz* **irides** [ˈɪrɪdiːz] *orv* szivárványhártya, írisz **2.** *tsz* **~es** *növ* nőszirom; **stinking** ~ büdös liliom, csizmafű; **yellow** ~ sárga nőszirom **3.** *tsz* **-es** *vál* szivárvány

Iris [ˈaɪrɪs] *tul* ‹női név›

Irish [ˈaɪrɪʃ] **I.** *mn* ír, írországi; ~ **coffee** ír kávé *[whiskyvel és tejszínnel kevert kávé]*; ~ **stew** ‹birkagulyásszerű étel›; ~ **wolf-hound** ír agár **II.** *fn* **1.** az ír nyelv **2.** *tsz* **the Irish** az írek **3.** történelmi ír *[nyelv]*; ~ **Gaelic** ír-gall nyelv

Irishman [ˈaɪrɪʃmən] *fn tsz* **-men** ír férfi

Irishwoman *fn tsz* **-women** ír nő

irk [ɜːk ‖ ɜrk] *tsi* bosszant, (ki)fáraszt (vkt), terhére van; **it ~s me to** fáj nekem, nehezemre esik, kellemetlen

irksome [ˈɜːksəm ‖ ˈɜrk–] *mn* bosszantó, kellemetlen *[helyzet]*, hálátlan *[munka]*, terhes, fárasztó *[feladat, kötelesség]*

IRO *röv GB Inland Revenue Office*

iron [ˈaɪən ‖ ˈaɪrn] **I.** *fn* **1.** vas; **crude/raw** ~ nyersvas; **will of** ~ vasakarat, szilárd akarat; **rule with a rod of** ~ vaskézzel kormányoz; **lay/put every** ~ **in the fire** mindent megkísérel; *közm* **strike while the** ~ **is hot** addig üsd a vasat, amíg meleg **2. a)** vasgerenda **b)** **(plane)** ~ gyaluvas, gyalu kése **3.** vasaló **4.** *[fémből készült]* golfütő **5. a)** *vál* kard, penge, fegyver **b)** *infor* hardver **6.** *tsz* bilincs, béklyó; **put a man in ~s** megvasal (v. láncra ver) vkt **II. A.** *tsi* **1.** vasal, vasalással ellát *[ajtót]* **2.** megvasal, láncra ver **3.** (ki)vasal *[fehérneműt]* **B.** *tni* vasal

iron out *tsi* **1.** kivasal, kisimít **2.** *átv* áthidal, kiegyenlít *[ellentéteket]*; ~ **out difficulties** elsimít nehézségeket

Iron Age *fn* vaskor(szak)

iron-bark *fn növ* eukaliptusz, mézgafa

iron-bound *mn* **1.** vasalt, vasabroncsos *[hordó]* **2.** ~ **coast** szirtes/sziklás part **3.** kimért, szigorú, hajthatatlan, kérlelhetetlen

ironclad I. *mn* **1.** vasburkolatú, páncélos, páncélozott *[hajó, kábel]*, *vill* tokos, tokozott **2.** szigorú **II.** *fn* páncélos (hajó)

iron curtain *fn tört* vasfüggöny

iron-deficient *mn* vashiány, vashiányos; ~ **anaemia** vashiányos vérszegénység

iron-fisted *mn* **1.** fösvény, zsugori **2.** kíméletlen, könyörtelen

iron hand *fn átv* erős kéz, vasmarok

ironic [aɪˈrɒnɪk ‖ aɪˈrɑ–], **ironical** *mn* ironikus, gúnyos, gunyoros

iron industry *fn* vasipar, vaskohászat

ironing-board *fn* vasalódeszka

ironise [ˈaɪənaɪz ‖ ˈaɪrnaɪz], **-ize** *tni* ironizál

ironist [ˈaɪrənɪst] *fn* gúnyolódó, gunyoros, ironizáló, az irónia művelője

iron-lung *fn orv biz* tankrespirátor, vastüdő

Ironman *fn sp* Vasember, Ironman *[ultrahosszúságú triatlon verseny]*

ironmaster *fn* **1.** vasgyáros, vasiparos **2.** vasipari szakmunkás

ironmonger [ˈaɪənmʌŋgə ‖ ˈaɪrnmʌŋgər] *fn* vaskereskedő • *fn* **ironmongery**

iron mould, **– mold** *fn* rozsdafolt, kokilla

iron ore *fn* vasérc

iron ration *fn* vastartalék, tartalékadag *[élelmiszerből]*

iron-shod *mn* (meg)vasalt, megpatkolt

Ironside *fn GB tört* **1.** Vasbordájú *[II. Edward angol király]* **2. -s a)** a vasbordájúak *[Cromwell katonái]* **b)** angol harckocsiezred **3. i~** vasakaratú ember

ironsmith *fn* **1.** kovács **2.** (vas)üstkészítő, üstfoldozó

ironwork *fn* **1. a)** vasszerkezet; **constructional/heavy** ~ vasgerendázat **b)** vasalás, vasveret, lakatosáru, lakatosmunka, kovácsoltvas-készítmény **2.** *esz* **ironworks** vashuta, vaskohó, vasgyár, vasmű

ironworker *fn* **1.** lakatos **2.** vasmunkás

irony[1] [ˈaɪrəni] *fn* gúny, irónia

irony[2] [ˈaɪəni ‖ ˈaɪərni] *mn* vastartalmú, vasas, vasból való

Iroquoian [ˌɪrəˈkwɔɪən] *mn/fn* irokéz *[indián]*

Iroquois [ˈɪrəkwɔɪ] *mn/fn* irokéz

irradiant [ɪˈreɪdɪənt] *mn* (ki)sugárzó, ragyogó, fénylő • *fn* **irradiance**

irradiate [ɪˈreɪdieɪt] **A.** *tsi* **1. a)** kisugároz, kibocsát *[sugarakat]*, sugarakkal eláraszt *[földet]*, megvilágít *[felületet]* **b)** *orv* sugarakkal kezel *[beteget]* **2. a)** megvilágít, érthetővé tesz *[tárgyat, múltat]* **b)** felvilágosít *[elmét]* **3.** sugárzóvá/ragyogóvá tesz *[arcot]* **B.** *tni* ragyog, sugárzik

irradiation [ɪˌreɪdiˈeɪʃn] *fn* **1. a)** (ki)sugárzás, ragyogás, kivilágítás, irradiáció **b)** *orv* sugárkezelés **c)** *fényk* fényudvar **d)** *fiz* besugárzás *[pl. ionizáló sugárzással]* **2. a)** megvilágítás *[kérdésé]* **b)** megvilágosodás *[agyé]*

irrational [ɪˈræʃnəl] *mn* **1. a)** irracionális *[viselkedés]* **b)** *mat* irracionális *[szám]*; ~ **root** irracionális gyök **2.** oktalan, alaptalan *[félelem]*, esztelen, ostoba *[viselkedés]*, értelem nélküli *[állat]* • *fn* **irrationality**

irrebuttable [ˌɪrɪˈbʌtəbl] *mn* kétségbevonhatatlan, megcáfolhatatlan *[tanúskodás]*

irreclaimable [ˌɪrɪˈkleɪməbl] *mn* **1.** javíthatatlan *[ember]*, megrögzött **2.** megművelhetetlen

irreconcilable [ˌɪrekənˈsaɪləbl] *mn* **1.** összeegyeztethetetlen, összeférhetetlen **2.** kibékíthetetlen, engesztelhetetlen • *fn* **irreconcilability**

irrecoverable [ˌɪrɪˈkʌvərəbl] *mn* behajthatatlan *[kinnlevőség]*, pótolhatatlan *[veszteség]*, jóvátehetetlen *[kár]*, vissza nem szerezhető *[tárgy]* • *fn* **irrecoverably**

irrecusable [ˌɪrɪˈkjuːzəbl] *mn* kétségtelenül hiteles

irredeemable [ˌɪrɪˈdiːməbl] *mn* **1.** jóvátehetetlen *[hiba]*, behajthatatlan *[pénzösszeg]*, beválthatatlan *[papírpénz]* **2. a)** jóvátehetetlen, orvosolhatatlan *[baj, szerencsétlenség, aljasság]* **b)** javíthatatlan *[gazfickó]*

irredentist [ˌɪrɪˈdentɪst] *mn/fn* irredenta • *fn* **irredentism**

irreducible [ˌɪrɪˈdjuːsəbl ‖ –ˈduː–] *mn* **1.** nem csökkenthető/kisebbíthető, nem egyszerűsíthető *[tört, egyenlet]*, helyre nem igazítható **2.** megmagyarázhatatlan

irrefragable [ɪˈrefrəgəbl] *mn* **1.** kétségbevonhatatlan, megcáfolhatatlan *[tekintély, tanúskodás, válasz]*, vitathatatlan **2.** törhetetlen, elszakíthatatlan

irrefrangible [ˌɪrɪˈfrændʒəbl] *mn* **1.** megszeghetetlen *[törvény]*, meg nem változtatható *[szabály]* **2.** *fiz* ~ **rays** törést nem szenvedő sugarak

irrefutable [ˌɪrɪˈfjuːtəbl] *mn* megcáfolhatatlan, meg nem dönthető

irregular [ɪˈregjulə ‖ –gjələr] **I.** *mn* **1. a)** szabálytalan, rendszertelen, szabályellenes **b)** rendellenes **c)** *nyelv* rendhagyó; ~ **plurals** rendhagyó többes szám **2.** aszimmetrikus, aszimmetriás, részaránytalan **3.** egyenetlen **4.** *kat* ~ **troops** irreguláris csapatok, szabadcsapatok **II.** *fn tsz* **irregulars** **1.** irreguláris csapatok, szabadcsapatok **2.** *gazd* osztályos/osztályon kívüli áru

irregularity [ɪˌregjuˈlærəti ‖ ɪˌregjəˈlærəti] *fn* rendellenesség, szabálytalanság, helytelenkedés

irrelative [ɪˈrelətɪv] *mn* **1.** viszonyban nem levő, önállóan létező **2.** lényegtelen

irrelevant [ɪˈreləvənt] *mn* **1.** nem odaillő/helytálló, a tárgyhoz nem tartozó; **it is ~ to the subject** nincs összefüggésben a tárggyal **2.** lényegtelen, számba nem vehető, jelentéktelen • *fn* **irrelevance**

irreligion [ˌɪrɪˈlɪdʒən] *fn* vallástalanság, hitetlenség

irreligious [ˌɪrɪˈlɪdʒəs] *mn* vallástalan, hitetlen

irremediable [ˌɪrɪˈmiːdɪəbl] *mn* **a)** helyrehozhatatlan, jóvátehetetlen, megváltoztathatatlan **b)** orvosolhatatlan, gyógyíthatatlan

irremissible [ˌɪrɪˈmɪsəbl] *mn* **1.** megbocsáthatatlan **2.** ~ **duty** elengedhetetlen kötelesség

irremovable [ˌɪrɪˈmuːvəbl] *mn* **1.** elmozdíthatatlan *[tárgy, hivatalnok]* **2.** eltávolíthatatlan, rendíthetetlen, szilárdan álló

irreparable [ɪˈrepərəbl] *mn* helyrehozhatatlan, jóvátehetetlen, pótolhatatlan *[veszteség]*

irreplaceable [ˌɪrɪˈpleɪsəbl] *mn* pótolhatatlan *[kincs]*

I

irrepressible [ˌɪrɪˈpresəbl] *mn* elfojthatatlan, elnyomhatatlan *[ásítás]*, el nem nyomható *[erő]*
irreproachable [ˌɪrɪˈproutʃəbl] *mn* kifogástalan, feddhetetlen, hibátlan *[jellem, magatartás, öltözködés]*
irresistible [ˌɪrɪˈzɪstəbl] *mn* ellenállhatatlan
irresolute [ɪˈrezəlu:t] *mn* ingadozó, bizonytalan, határozatlan, tétovázó • *fn* **irresolution, irresoluteness**
irresolvable [ˌɪrɪˈzɒlvəbl ‖ –ˈzɑl–] *mn* **1.** megoldhatatlan, megfejthetetlen *[probléma]* **2.** szétbonthatatlan, részekre nem bontható *[test]*, (fel)oldhatatlan *[anyag]*
irrespective [ˌɪrɪˈspektɪv] **I.** *mn* független vmtől **II.** *hsz* ~ **of sg** tekintet nélkül vmre; függetlenül vmtől
irresponsible [ˌɪrɪˈspɒnsəbl ‖ –ˈspɑn–] *mn* **1.** felelőtlen, meggondolatlan *[cselekedet]* **2.** *jog* beszámíthatatlan; **legally** ~ jogilag beszámíthatatlan; ~ **state** beszámíthatatlan állapot • *fn* **irresponsibility**
irresponsive [ˌɪrɪˈspɒnsɪv ‖ –ˈspɑn–] *mn* **1.** közönyös, egykedvű, érzéketlen, zárkózott, flegmatikus *[személy]* **2.** nem reagáló/válaszoló; **be ~ to sg** nem reagál vmre
irretrievable [ˌɪrɪˈtri:vəbl] *mn* jóvátehetetlen, pótolhatatlan, visszaszerezhetetlen
irreverent [ɪˈrevərənt] *mn* tiszteletlen • *fn* **irreverence**
irreversible [ˌɪrɪˈvɜ:səbl ‖ –ˈvɜr–] *mn* **1.** meg/vissza nem fordítható **2.** visszavonhatatlan, megmásíthatatlan *[döntés, ítélet]* **3.** *vegy mat* irreverzibilis **4.** *orv* maradandó, irreverzibilis *[károsodás]*; visszafordíthatatlan *[folyamat]*
irrevocable [ɪˈrevəkəbl] *mn* visszavonhatatlan, megmásíthatatlan, megfellebbezhetetlen *[döntés]*; ~ **changes** maradandó változások • *fn* **irrevocability**
irrigate [ˈɪrɪgeɪt] *tsi* **1.** (meg)öntöz *[földet]* **2.** *orv* fecskendővel (ki)öblít *[sebet]*, beöntést ad, irrigál • *fn* **irrigator** *mn* **irrigable**
irrigation [ˌɪrɪˈgeɪʃn] *fn* **1.** öntözés, elárasztás *[földeké]*; ~ **canal** öntözőcsatorna **2.** *orv* öblítés, beöntés, irrigálás; **gastric** ~ gyomormosás
irritable [ˈɪrɪtəbl] *mn* **1.** ingerlékeny, hirtelen haragú **2.** *biol orv* túlérzékeny • *fn* **irritability**
irritant [ˈɪrɪtənt] *mn/fn orv* izgató, gyulladást okozó, ingerlő hatású *[anyag, szer]*
irritate [ˈɪrɪteɪt] *tsi* **1.** felingerel, felbosszant, felizgat **2.** *orv* **a)** izgat *[szervet]* **b)** serkent • *fn* **irritation** *mn* **irritating**
irruption [ɪˈrʌpʃn] *fn* betörés, berontás *[ellenségé]*, elözönlés, kiáradás *[víztömegé]*
is [ɪz, s, z] → **be**[1]
Is. *röv* **1.** *Isaiah* Ézsaiás, Ézs. **2.** *Island(s)* sziget(ek), sz(k). **3.** *Isle(s)* sziget(ek), sz(k).
Isaac [ˈaɪzək] *tul* Izsák
Isabel [ˈɪzəbel] *tul* Izabella
isagogics [ˌaɪsəˈgɒdʒɪks ‖ –ˈgɑ–] *fn esz* **1.** *vall* bibliai irodalomtörténet, izagogika **2.** bevezetés (vmely) tudományba • *mn* **isagogic**
-isation [aɪˈzeɪʃn ‖ əˈzeɪʃn] → **-ization**
ISBN *röv International Standard Book Number* nemzetközi szabványos könyvszám, ISBN-szám
ischium [ˈɪskɪəm] *fn tsz* **ischia** [ˈɪskɪə] *orv* ülőcsont, ülőgumó
ISDN *röv infor integrated services digital network* integrált szolgáltatású digitális (távközlési) hálózat, ISDN
-ise [aɪz] *utótag* **I.** ‹igeképző›; **advise** tanácsol; **compromise** megalkuszik **II.** ‹főnévképző›; **compromise** kompromisszum; **exercise** gyakorlat
-ish [ɪʃ] *utótag* **I. a)** nemzeti hovatartozás; **Scottish** skót; **Danish** dán **b)** -os/-ös/-es/-s, -i, -szerű; **childish** gyerekes; **slavish** szolgai **c)** *[megközelítőleg]* -as/-es/-ös; **fortyish** negyvenes **II. 1.** ‹főnévként többes számú jelentéssel›; **the British** a britek; **the Irish** az írek **2.** ‹főnévként: nyelv›; **English** angol; **Danish** dán
Ishmael [ˈɪʃmeɪəl] **I.** *tul* Izmael **II.** *fn biz* pária, kitagadott
Ishmaelite [ˈɪʃmeɪəlaɪt] *fn* **1.** *bibl* izmaelita **2.** *biz* kitagadott pária
isinglass [ˈaɪzɪŋglɑ:s ‖ –glæs] *fn* halenyv, zselatin

Islam [ˈɪzlɑ:m] *fn* iszlám/mohamedán vallás/nép, iszlám • *fn* **Islamism** *mn* **Islamic**
island [ˈaɪlənd] *fn* **1.** sziget **2.** *átv* **a)** elszigetelt/különálló csoport *[pl. házakból]* **b)** **(safety)** ~, **traffic** ~ járdasziget
islander [ˈaɪləndə ‖ –ər] *fn* szigetlakó
isle [aɪl] *fn* **1.** *vál* **a)** sziget; **the British I~s** a Brit szigetek **b)** kis sziget, szigetecske **2.** félsziget
islet [ˈaɪlɪt] *fn* **1. a)** szigetecske **b)** *orv* sziget **2.** járdasziget
ism [ɪzm] *fn pej biz* tan, elmélet, izmus
-ism [–ɪzm] *utótag* ‹főnévképző› -izmus; **idealism** idealizmus; **Calvinism** Kálvinizmus
isn't [ɪznt] *röv is not*→ **be**
iso- [ˈaɪsou] *előtag* izo-, azonos, egyenlő; **isometric** azonos/egyenlő méretű, izometrikus
ISO [ˈaɪsou] *röv* **1.** *Imperial Service Order* **2.** *International Standards Organization* Nemzetközi Szabványügyi Szervezet, ISO
isobar [ˈaɪsəbɑ: ‖ –bɑr] *fn* **1.** *földr* izobár *[egyenlő légnyomású pontokat összekötő vonal]* **2.** *fiz* izobár atom, azonos atommag *[azonos nukleonszámú atommag]* • *mn* **isobaric**
isochromatic [ˌaɪsəkrouˈmætɪk] *mn fiz* egyszínű, azonos színű, izokróm *[vonal, görbe]*
isochronal [aɪˈsɒkrənl ‖ –ˈsɑkrənl] → **isochronous**
isochronous [aɪˈsɒkrənəs ‖ aɪˈsɑ–] *mn* egyidejű, izokrón • *fn* **isochrony**
isoclinal [ˌaɪsəˈklaɪnl] *mn geol* egyenlő irányban dűlő/lejtősödő, izoklinális *[gyűrődés, réteg]*
isodynamic [ˌaɪsədaɪˈnæmɪk] *mn* **1.** *fiz* egyenlő térerősségű, izodinamikus *[vonal, görbe]* **2.** *orv* egyenlő tápértékű
isoelectric [ˌaɪsouɪˈlektrɪk] *mn vegy* izoelektromos *[pont]*
isogamy [aɪˈsɒgəmi ‖ –sɑ–] *fn növ* izogámia
isogenetic [ˌaɪsədʒəˈnetɪk] *mn* azonos keletkezésű, izogenetikus
isogeotherm [ˌaɪsəˈdʒɪəθɜ:m ‖ –θɜrm] *fn geol* izogeoterma *[egyenlő hőmérsékletű helyek a föld belsejében]*, geoizoterma
isogloss [ˈaɪsouglɒs ‖ –glɑs] *fn nyelv* izoglossza
isogonic [ˌaɪsouˈgɒnɪk ‖ –ˈgɑ–] *mat* **I.** *mn* egyenlő szögű **II.** *fn* **1.** egyenlőszögű sokszög/poligon **2.** izogón vonal
isohels [ˈaɪsəhelz] *fn tsz földr* ‹azonos napfénytartamú helyeket összekötő vonalak›
isohyets [ˌaɪsəˈhaɪəts] *fn tsz földr* ‹egyenlő csapadékmennyiségű helyeket összekötő vonalak› izohiéták
isolate I. *tsi* [ˈaɪsəleɪt] **1.** elszigetel, izolál, elkülönít; *mat* ~ **the unknown quantity** *mat [egyenletben]* kifejezi/kiemeli az ismeretlent **2.** *vegy* elkülönít, megtisztít, vegytisztán előállít *[elemet]* **II.** *mn* [ˈaɪsələt] → **isolated**
isolated [ˈaɪsəleɪtɪd] *mn* **1.** (el)szigetelt, izolált **2.** magányos(an álló) *[ház]*, egyedülálló *[eset]*
isolating [ˈaɪsəleɪtɪŋ] *mn nyelv* ~ **languages** elszigetelő/izoláló nyelvek
isolation [ˌaɪsəˈleɪʃn] *fn* **1.** elszigetelés, elkülönülés, izolálás; ~ **hospital** járványkórház; ~ **ward** fertőző betegek osztálya/kórterme **2.** magány, elvonultság, remeteség; **policy of splendid** ~ (gőgös) elszigetelődés politikája
isolationism [ˌaɪsəˈleɪʃənɪzm] *fn pol* elszigetelődési politika • *fn* **isolationist**
isolator [ˈaɪsəleɪtə ‖ –ər] *fn el* szigetelő(anyag), rossz vezető, izolátor
isomer [ˈaɪsəmə ‖ –ər] *fn vegy* izomer
isometric [ˌaɪsouˈmetrɪk(əl)], **isometrical** *mn mat* egyenlő méretű/mértékű, izometrikus
isometrics [ˌaɪsouˈmetrɪks] *fn esz* izometrika
isomorphic [ˌaɪsouˈmɔ:fɪk ‖ –ˈmɔr–] *mn* **1.** *mat vegy* izomorf **2.** azonos szerkezetű/alakú, izomorf • *fn* **isomorphism**
isomorphous [ˌaɪsouˈmɔ:fəs ‖ –mɔr–] → **isomorphic**
ISO reference model *fn röv infor* ISO-referenciamodell, nyílt rendszerkapcsolati modell

isosceles [aɪ'sɒsɪliːz ‖ aɪ'sɑ–] *mn mat* egyenlő szárú *[háromszög]*
isoseismal [ˌaɪsə'saɪzməl] *mn geol* ~ **curves** földrengés-egyenlőségi vonalak, izoszeizták
isotherm ['aɪsoʊθɜːm ‖ –θɜrm] *fn fiz földr* egyenlő középhőmérsékletű helyeket összekötő vonal, izoterma • *mn* **isothermal**
isotonic [ˌaɪsoʊ'tɒnɪk ‖ –'tɑ–] *mn orv* izotóniás *[szérum]*, *orv* azonos feszültségű/tónusú *[izom]*, *fiz orv* izotonikus, egyező ozmózisnyomású
isotope ['aɪsətoʊp], **isotop** *fn fiz vegy* izotóp; ~ **analysis** izotópanalízis
isotropic [ˌaɪsə'trɒpɪk ‖ –'trɑ–] *mn fiz* minden irányban azonos tulajdonságú, izotróp
ISP *röv infor internet service provider* internet-szolgáltató, ISP
Israel ['ɪzreɪəl ‖ 'ɪzrɪəl] *tul földr* Izrael
Israeli [ɪz'reɪli] *mn/fn* Izraelből való, izraeli
Israelite ['ɪzrɪəlaɪt] *mn/fn* izraelita, zsidó
ISSN *röv international standard serial number* nemzetközi szabványos sorozat szám, ISSN-szám
issue ['ɪʃuː] **I.** *fn* **1.** tárgyalt/vitatott kérdés/ügy, probéma, vitapont; *jog* ~ **of fact** ténykérdés; **evade the ~ in his reply** nem ad érdemleges választ, kitér az érdemleges válasz(adás) elől; **force the/an ~** élére állít egy kérdést, forszírozza a döntést; **join ~ with sy about sg** vitába száll vkvel; **make an ~ out of sg** (nagy) ügyet csinál vmből; **raise an ~** felvet gondolatot/kérdést; **take ~ with** nem ért egyet vmvel, eltér vmtől; **case at ~** peres ügy; napirenden/szőnyegen levő ügy, tárgyalt/fennforgó/kérdéses/szóbanforgó ügy; **be at ~ with sy** vitatkozik vkvel **2. a)** *pénz* kibocsátás, forgalomba hozatal *[bankjegyé, bélyegé, prospektusé, kölcsöné, részvényé]*; **bank of ~** jegybank **b)** kiadás, megjelenés *[könyvé]* **c)** szám, példány *[újságé, folyóiraté]* **d)** kiadás, kiszolgáltatás *[jegyé, útlevélé]* **e)** *kat* kiosztás, kiutalás, kiadás, *[ellátmányé]* **f)** *kat* kihirdetés *[parancsé]* **3.** kimenet, kijárat, kivezető út/nyílás, kifolyás **4.** *orv* nedvesedés, szivárgás *[véré, gennyé]* **5.** *átv* kimenetel, (vég)eredmény, fejlemény; **face the ~** szembenéz a tényekkel/következményekkel **6.** ivadék, utód, leszármazott; **die without ~** utód nélkül hal meg **II. A.** *tsi* **1.** kibocsát, forgalomba hoz *[bankjegyet, váltót]*, kiállít *[váltót]* **2.** kiad, megjelentet *[napilapot, könyvet, új kiadást, ismertetést]* **3.** kioszt, kiutal, kiad, kiszolgáltat **B.** *tni* **1.** ~ **(forth/out)** kimegy *[személy]*; kifolyik, kiömlik; csöpög, szivárog *[víz, vér]* **2.** keletkezik, származik, ered, jön, fakad (vhonnan); ~ **suddenly (from swhere)** előrohan (vhonnan) **3.** ~ **in sg** vmt eredményez; vmvel végződik, vmre vezet **4.** nyílik (vhová) • *fn* **issuance, issuer**
issueless ['ɪʃuːləs] *mn* **1.** gyermektelen, utód/ivadék nélküli **2.** eredménytelen, céltalan
-ist [ɪst] *utótag* ‹főnév és melléknévképző› -ista, -ós/-s, -us, -ész, -ó/-ő; **motorist** autós; **soloist** szólista
Istanbul [ˌɪstæn'bʊl] *tul földr* Isztambul
isthmian ['ɪsθmɪən] **I.** *mn* **1.** földszorosszerű, földszoros környéki *[terület]* **2.** *tört* iszthmoszi *[játékok, ódák]* **II.** *fn tört* a Korintoszi-földszoros lakói
isthmus ['ɪsməs] *fn tsz* **-es** ['ɪsməsɪz] **1.** földszoros, földnyelv **2.** *orv* szűkület, szoros, isthmus
istle [ɪstli] *fn növ* ~ **fibre** tampiko *[mexikói növényrost]*
Istria ['ɪstrɪə] *tul földr* Isztria, Isztriai-félsziget
IT *röv infor information technology*
it[1] [ɪt] *nm* **1.** ő, az, őt, azt, neki, annak *[semleges nemű]*; **how is ~ with him?** hogy van ő?; **that's ~!** ez az! **2. a)** érvényesülési képesség; **he has ~** őbenne megvan az a ... képesség **b) she's got ~** csinos, pikáns szépség, van benne vm, van szexepilje **3. this book is absolutely ~!** ez a könyv szenzációs! **4. a) to face ~** szembenéz vele; **to foot ~** gyalogol, kutyagol; *tréf* táncol; **go ~!** próbáld meg!; **hang ~!** bánom is én!, egye fene!; **to lord ~** megjátssza a nagyurat **b) I had a bad time of ~** elég ronda dolog volt; kellemetlen perceket szerzett nekem; **the worst of ~ is that** a legrosszabb a dologban az, hogy; **far from ~** távolról sem **5.** ~ **is said that** (azt) mondják, hogy; ~ **is written that** meg van írva, hogy; **how is ~ that** hogy lehet/van az, hogy
it[2] [ɪt] *fn biz* olasz ürmös/vermut
Italian [ɪ'tælɪən] **I.** *mn* olasz **II.** *fn* **1.** olasz (férfi/nő) **2.** olasz (nyelv)
Italianate I. *mn* [ɪ'tælɪənət] **1.** olaszos **2.** elolaszosodott **II.** *tsi* [ɪ'tælɪəneɪt] elolaszosít
italic [ɪ'tælɪk] **I.** *mn* **1.** *földr* **I~** ókori itáliai **2.** *nyomd* dőlt, kurzív *[betű]* **II.** *fn tsz* **italics** *nyomd* dőlt/kurzív betű/szedés; **my ~s, (the) ~s (are) mine** kiemelés tőlem; **print in ~(s)** dőlt betűvel (v. kurzívval) szed
italicize [ɪ'tælɪsaɪz], **-ise** *tsi nyomd* **a)** dőlt betűvel (v. kurzívval) szed/nyomtat, kurzivál **b)** kurzívan szedet
Italy ['ɪtəli ‖ 'ɪtl·i] *tul földr* Olaszország, Itália
itch [ɪtʃ] **I.** *fn* **1. a)** viszketés, viszketegség **b)** *átv* vágyódás (vmre); *biz* **have an ~ for sg** (v. **to do sg**) vágyik vm után; fáj a foga vmre **2.** *orv* rüh(össég), ótvar **II.** *tni* **1.** viszket **2.** *átv biz* ~ **to do sg** ég a vágytól (v. alig tudja kivárni), hogy vmt (meg)tegyen; **he's ~ing for trouble** nem fér a bőrébe, keresi a bajt
itching ['ɪtʃɪŋ] *mn* **1.** viszkető **2. have ~ ears** pletykaéhes; **have an ~ palm** nyereségvágyó, haszonleső, kapzsi
itchy ['ɪtʃi] *mn* **1.** viszketős, rühes **2.** *átv* izgága, nyughatatlan • *fn* **itchiness**
it'd ['ɪtəd] *röv* **1.** *it had*→ **have** I. **2.** *it should*→ **shall** **3.** *it would*→ **will**[1] III.
-ite [aɪt] *utótag* **1.** ‹főnévképző: vmely országhoz, néphez tartozó›; **Israelite** izraelita **2.** ‹főnévképző: vmely csoporthoz, felfogáshoz tartozó› -i/-ánus/-ita; **Labourite** munkáspárti
item ['aɪtəm] **I.** *fn* **1. a)** adat, tétel *[könyvelésben, szótárban]*; **expense ~** költségtétel; *okt* ~ **analysis** feladatelemzés **b)** részlet(ezés) **c)** darab, (áru)cikk **2.** pont *[tárgysorozatban]*; **~s on the agenda** napirendi kérdések/tárgypontok **3.** (rövid) hír *[újságban]* **4.** cikkely, szakasz, paragrafus **5.** *átv* (szerelmes) pár **II.** *hsz* azután, továbbá, hasonlóképpen, dettó *[felsorolásban]*
itemize ['aɪtəmaɪz], **-ise** *tsi* részletez *[számlát]*, részletezve felsorol; **~d account** részletezett/tételenkénti számla
iterate ['ɪtəreɪt] *tsi* (állandóan) megismétel, ismételget • *fn* **iteration**
iterative ['ɪtərətɪv ‖ 'ɪtəreɪtɪv] **I.** *mn* (meg)ismételt, ismétlődő **II.** *fn* iteratívum, gyakorító ige
itinerant [aɪ'tɪnərənt] *mn* vándor, kóbor
itinerary [aɪ'tɪnərəri ‖ –reri] **I.** *fn* **1. a)** útiterv, úti program, túraprogram **b)** útvonal **c)** *sp* itiner *[raliban]* **2.** útikönyv, útikalauz **II.** *mn* út, utazási
itinerate [aɪ'tɪnəreɪt] *tni* utazgat, vándorol
it'll ['ɪtl] *röv* **1.** *it will*→ **will**[1] III. **2.** *it shall*→ **shall**
ITO *röv International Trade Organization*
its [ɪts] *mn* **1.** övé, azé *[semleges nemű]* **2.** (annak a/az) ...-a, ...-e, ...-ja, ...-je
it's [ɪts] *röv* **1.** *it has* **2.** *it is*
itself [ɪt'self] *nm* **1.** (ő) maga, az maga; **she is kindness ~** ő maga a jóság **2.** magát **3. by ~** önmagától, egyedül, (ön)magában; külön; **all by ~** (teljesen/egészen) egyedül; **in ~** önmagában véve; **this in ~** ez egymagában/önmagában/egyedül is; **of ~** magától
ITV *röv GB Independent Television*
-ity [–əti, –ɪti] *utótag* ‹főnévképző› -ás/-és, -ság/-ség, -itás; **publicity** nyilvánosság; **purity** tisztaság
itty-bitty [ˌɪti'bɪti] *mn* icipici
IUD *röv intrauterine device* méhűri betét, fogamzásgátló hurok/gyűrű
ius cogens *fn latin jog* kogens (v. feltétlen alkalmazást igénylő) jog
IV, i.v. *röv intravenous*
Ivan ['aɪvn, ˌiː'væn] *tul* Iván

I

-ive [ɪv] *utótag* ‹melléknév- és főnévképző› –ív, -os/-es/-ös/-s, -ó/-ő; **attractive** vonzó; **detective** nyomozó
I've [aɪv] *röv I have*→ **have I.**
ivied [ˈaɪvid] *mn* repkénnyel befuttatott/borított
Ivor [ˈaɪvə ‖ –ər] *tul* ‹férfinév›
Ivorean [ˌaɪvəˈriːən] *mn/fn földr* elefántcsontparti
ivory [ˈaɪvəri] **I.** *mn* elefántcsontszínű; **~ paper** elefántcsontpapír; finom kartonpapír **II.** *fn* **1.** elefántcsont **2.** *tsz* **ivories** biliárdgolyók, játékkockák, *biz* fogak; *szl* **tickle the ivories** kalimpál, klimpíroz
Ivory Coast [ˌaɪvəriˈkoust] *tul földr* Elefántcsontpart
ivory-nut *fn növ* elefántcsontdió, növényi elefántcsont
ivory tower elefántcsonttorony
ivy [ˈaɪvi] *fn* **1.** *növ* repkény, vadborostyán; *növ* **poison ~** szömörce **2.** *növ* **American ~** ötlevelű/amerikai borostyánszőlő
Ivy [ˈaɪvi] *tul* ‹női név›
ivy-league *mn/fn US biz* ‹a legelőkelőbb amerikai keleti partvidéki egyetemekhez tartozó›
ixia [ˈɪksɪə] *fn növ* ixia *[dísznövény]*
izard [ˈɪzəd ‖ ˈɪzərd] *fn áll* (pireneusi) zerge
-ization [aɪˈzeɪʃn ‖ əˈzeɪʃn], **-isation** *utótag* ‹főnévképző› -izáció, -izálás; **civilization** civilizáció; **organization** szervezet
-ize [aɪz], **-ise** *utótag* ‹igeképző› -izál; **modernize** modernizál; **realize** megvalósít; **hospitalize** kórházba felvesz

J

J¹, **j** [dʒeɪ] *fn tsz* **J's** j (betű/hang); **J for Juliet** J mint Júlia
J², **j** *röv* **1.** *joule* **2.** *journal* **3.** *Judge* **4.** *Justice*
jab [dʒæb] **I. -bb- A.** *tsi* **1.** ~ **sy/sg with sg** leszúr/beledöf vkbe/vmbe, megszúr vkt/vmt vmvel **2.** hirtelen megüt, szurkál (vkt) *[bokszolásban]* **B.** *tni* ~ **at sy/sg** hirtelen ütést mér vkre/vmre **II.** *fn* **1.** ütés *[vmnek a végével]*, döfés, bökés **2.** *orv biz* injekció
jabber [ˈdʒæbə ‖ –ər] **I.** *fn* **1.** fecsegés, locsogás **2.** értelmetlen/zagyva beszéd, halandzsa **II. A.** *tsi* ~ **French** töri a franciát **B.** *tni* **1.** fecseg, locsog **2.** értelmetlenül/zagyván/zavarosan beszél, halandzsázik, hadar
jabberwock [ˈdʒæbəwɒk ‖ –bərwɑk], **jabberwocky** *fn* halandzsa beszéd/szöveg
jacinth [ˈdʒæsɪnθ ‖ ˈdʒeɪ–] *fn* **1.** *növ* jácint **2.** *ásv* orientális jácint
Jack [dʒæk] *tul* **1.** ‹*John* becéző alakja› **2. a)** *biz* szolga, napszámos, segédmunkás **b)** átlagember **c)** ~ **of all trades** ezermester, mindenes; **every ~ gets his Jill** minden zsák megleli a foltját
jack¹ [dʒæk] *fn* **1.** emelőbak, emelőrúd, csavaros emelő *[gépkocsihoz]*, támaszték **2.** alsó, jung, búb *[kártyában]* **3.** *vill* konnektor, többpólusú csatlakozódugó **4.** célgolyó *[golyós játékban]* **5.** hím (állat) **6. a)** *hajó* orrárbocзászló, orrárboclobogó **b) Union J~** a brit zászló/lobogó
  jack down *tsi* lebocsát, leenged
  jack in *tsi szl [abbahagy, felad]* hagy a fenébe
  jack off *szl* **A.** *tsi* **1.** *[önkielégítést végez]* kiveri **2.** elhúz, lelép **B.** *tni* **1.** *Ausz szl [elintéz/elrendez vmt]* sínre tesz, lerendez **2.** belő *[kábítószert]*
  jack up *tsi* **1. a)** felemel *[autót csavaros emelővel, súlyt emelőgéppel]* **b)** *US* felhajt *[árakat]* **2.** *[abbahagy vmt]* bedobja a törölközőt
jack² [dʒæk] *fn szl* **1.** *[rendőr, nyomozó]* hekus **2.** *[pénz]* guba, lé **3. on one's ~** *[egyedül]* szólóban, tökegyedül
jackal [ˈdʒækɔːl ‖ –kl] *fn* **1.** *áll* sakál **2.** *biz* lakájkodó/készséges/kiszolgáló személy
jackanapes [ˈdʒækəneɪps] *fn* **a)** *biz* szemtelen/öntelt fráter, ostoba/léha alak **b)** *biz* (kis) semmirekellő/haszontalan kópé, kis csibész
jackaroo [ˌdʒækəˈruː] *fn Ausz biz* **1.** új bevándorló/gyarmatos **2.** tanonc, kezdő *[juhtenyészetben]*
jackass [ˈdʒækæs] *fn* **a)** hím szamár, szamárcsődör **b)** hülye, buta, szamár *[emberről]*
jack-boots *fn tsz* **1.** *biz* térden felül érő lovaglócsizma/halászcsizma **2.** katonai csizma **3.** *átv* ‹katonai elnyomás szimbóluma›
jackdaw *fn* csóka
jackeroo [ˌdʒækəˈruː] → **jackaroo**
jacket [ˈdʒækɪt] **I.** *fn* **1. a)** (rövid férfi felső) kabát, zakó, dzseki, kosztümkabát; *sp* plasztron *[vívásboz]*; **single-breasted ~** egysoros kabát; *szl* **dust sy's ~ for him** kiporolja (vk) nadrágját **b)** állati bőr/szőrzet **c)** (gyümölcs)héj **2. a)** borítólap, burkoló(lap) *[könyvé]* **b)** lemezborító *[hanglemezé]* **3.** *műsz* borítás, burkolat, burok, köpeny **II.** *tsi* **1.** kabátba bújtat/öltöztet **2.** elver, elpáhol (vkt)
jacket potato *fn* héjában főtt krumpli
jack-frame *fn tex* csévélő gép
jackhammer *fn* légkalapács
jack-in-office *fn tsz* **jacks-in-office** beképzelt/pökhendi hivatalnok, mitugrász
Jack-in-the-box *fn* **1.** ‹varázsdoboz kiugró alakkal› krampusz (dobozban) **2.** *biz* báb, komolytalan figura
jackknife I. *fn tsz* **jackknives 1.** nagy zsebkés, (erős rugós) bicska **2.** *sp* ~ **dive** bicskaugrás **3.** összecsuklás, összeomlás **4.** bebicskázás *[pótkocsié]* **II. 1.** *tni* öszszecsukódik, összeesik **2.** ‹V alakban kifordul/kitolat› *[utánfutóval]*
jack-o'-lantern [ˌdʒækəˈlæntən ‖ –ərn] *fn* **1.** lidércfény, bolygó fény (a tengeren) **2.** töklámpás
jack-plane *fn* hántoló/nagyoló/eresztő gyalu
jackpot *fn* **1.** *ját* főnyeremény; **hit the ~** (i) *biz* megüti a főnyereményt (ii) *átv* megfogja az isten lábát **2.** *ját* felgyülemlő pókerkassza
jackrabbit *fn áll* ‹észak-amerikai mezei nyulak közös neve›
jack-staff *fn biz* zászlórúd *[hajó orrán]*
jack-straw *fn biz* **a)** *tsz* **jack-straws** marokkó *[pálcikajáték]* **b)** pálcika *[marokkójátékhoz]*
jack tar *fn tréf biz* matróz, tengeri medve
jack-towel *fn biz* egybeszabott (v. hengereken mozgó) törülköző
Jacob [ˈdʒeɪkəb] *tul* Jakab, *bibl* Jákob *[Ószövetségben]*
Jacobean [ˌdʒækəˈbiːən] *mn* **1. a)** I. Jakab korabeli, XVII. századbeli *[építészet stb.]* **b)** régi/patinás tölgyfából való **2.** *vall* Szent Jakab-féle, Szent Jakabtól származó
jacobin [ˈdʒækəbɪn] *mn/fn tört* jakobinus
Jacobite [ˈdʒækəbaɪt] *mn/fn tört* II. Jakab-párti, Stuart-párti, jakobita
Jacob's ladder *fn* **1.** *bibl* Jákob létrája **2.** kötélhágcsó *[fafokokkal]*
Jacob's staff *fn* földmérő pózna/karó
Jacquard loom [ˈdʒækɑːd– ‖ –ɑrd–] *fn* Jacquard-szövőszék, Jacquard-gép
Jacqueline [ˈdʒækəliːn] *tul* ‹női név›
jactitation [ˌdʒæktɪˈteɪʃn] **1. a)** kérkedés, hetvenkedés, hencegés **b)** *jog* ~ **of marriage** ‹magát vk házastársának adja ki› **2.** *orv* hánykolódás *[idegbaj, dobáló mozgásokkal]*, jaktáció
jadder [ˈdʒædə ‖ –ər] *fn GB* kőfaragó
jade¹ [dʒeɪd] **I.** *fn* **1. a)** gebe **b)** csökönyös/ijedős ló, könnyen megbokrosodó ló **2. a)** (vén) szipirtyó **b)** vadóc, fékezhetetlen/szemtelen fiatal lány **c)** szajha **II. A.** *tsi* kimerít, túlhajszol *[embert, lovat]* **B.** *tni* (el)lankad, csökken *[érdeklődés, figyelem]*
jade² [dʒeɪd] *fn ásv* **1.** zsád, jáde, nefritkő **2.** → **jadeite** **3.** ~ **(-green)** zsádzöld, olívzöld
jaded [ˈdʒeɪdɪd] *mn* **1.** elcsigázott, kimerült, agyonhajszolt, holtfáradt *[ember, ló]*; *orv* ~ **circulation** petyhüdt/elégtelen vérkeringés **2.** eltompult *[íny, ízlés, élvezetekkel szemben]* (vmbe) beleunt, (vmtől) megcsömörlött
jadeite [ˈdʒeɪdaɪt] *fn ásv* jadeit, jádekő
jaffa [ˈdʒæfə] *fn* ‹vastag héjú narancsfajta›
Jaffa [ˈdʒæfə] *tul földr* Jaffa
jag¹ [dʒæg] **I.** *fn* **1.** rovátka, szabálytalan csipkézés, egyenetlen/fogazott/tüskés kiképzés **2.** bevágás, hasíték *[ruhán]* **3.** (kiálló) éles fog *[fűrészé is]*, kiálló pont **4.** csap *[asztalosmunkában]* **II.** *tsi* **1.** rovátkol *[fát]*, (ki)csipkéz *[szövetet]*, kicsorbít *[kést]* **2.** behasít, hasítékot csinál *[ruhaujjon]*, beszaggat, betép *[ruhát]* **3.** fogakat készít, fogaz
jag² [dʒæg] *fn US* **1.** alkalmi pókerozgatás, nevetgélés **2.** belefeledkezés **3. a)** kis teher/rakomány *[fa, rőzse, széna]* **b)** *US* adag, rész, porció **4.** *US* **a)** *szl [ital]* itóka **b)** *régi* spicc, mámor; **have a ~ on** spicces, mámoros; részeg **5.** *szl* ‹önfeledt v. kontroll nélküli tevékenység v. érzelmi állapot›

J

jagged[1] ['dʒægɪd] *mn* egyenetlen, fűrészfogas, csipkés, kicsorbult *[vágószerszám]*, fogazott, szaggatott *[szél, vonal]*, cakkos *[ruhakivágás]*; ~ **line** egyenetlen/fűrészfogas vonal; ~ **stone** csipkézett/éles szélű kő; ~ **wound** marcangolt szélű seb
jagged[2] [dʒægd] *mn US szl* pityókás, spicces
jagger[1] ['dʒægə ‖ –ər] *fn* **1.** (konyhai) szaggató, magkivájó **2.** gereben, fogasvéső *[szobrászé, kőfaragóé]*
jagger[2] ['dʒægə ‖ –ər] *fn GB* batyuzó, házaló
jaggery ['dʒægəri] *fn* kókuszpálma nedvéből nyert cukor
jaguar ['dʒægjuə ‖ 'dʒægwɑr] *fn áll* jaguár
jaggy ['dʒægi] → **jagged**[1]
jail [dʒeɪl] *US* **I.** *fn* fogda, börtön **II.** *tsi* bebörtönöz, lecsuk; → **gaol** I.
jailbait *fn szl* ‹kiskorú lány, akivel még beleegyezése esetén is büntetendő a nemi érintkezés›
jailbird *fn* börtöntöltelék
jail-breaking *fn* szökés, kitörés *[börtönből]*
jail delivery **1.** börtön kiürítése (a vizsgálati fogságban levőknek bíróság elé állításával) **2.** erőszakos rabszabadítás, kitörés a börtönből
jailer ['dʒeɪlə ‖ –ər] *fn* börtönőr; → **gaoler**
jail fever *fn orv biz* tífusz
jailhouse *fn US* börtön
Jain [dʒaɪn] *tul* dzsainizmus/jainizmus alapítója/híve
jake [dʒeɪk] *mn Ausz szl [jó, remek]* állati
Jake [dʒeɪk] *tul* ‹*Jacob* ill. *John* becéző alakja›
jalopy [dʒə'lɒpi ‖ –'lɑ–] *fn US biz [ócska/rozzant autó]* (vén) tragacs, durrancs
jalousie ['ʒæluzi: ‖ 'dʒæləsi] *fn* zsalu(gáter), ablakredőny
jam[1] [dʒæm] **I.** *fn* dzsem, gyümölcsíz, lekvár; ~ **sandwich** dzsemes szendvics; **that's real ~!** ez aztán finom/nyalánkság!, ez aztán igazi dzsem!; gusztusos kis nő! jó bőr! klassz nő! **II.** *tsi/tni* cukorban eltesz *[gyümölcsöt]*, dzsemet/gyümölcsízt/lekvárt készít (vmből)
jam[2] [dʒæm] **I.** *fn* **1. a)** préselés, sajtolás, beszorulás, beékelődés **b)** bepréselés, beszorítás, beékelés **c)** összenyomás, összezúzás **2. a)** tolongás, zsúfolt tömeg **b)** (forgalmi) torlódás, dugó **c)** (jég)torlasz *[folyóban]* **d)** teletömés **e) clear the ~** akadályt elhárít **3.** *szl [nehéz/kínos/kényelmetlen helyzet]* baj, lekvár **II. A.** *tsi* **1. a)** présel, sajtol, szorít; *US* ~ **a bill through (Congress)** törvényjavaslatot nagy sietséggel elfogadtat/keresztülhajszol **b)** beékez *[kereket]*, biztosít *[géppuskát]* **c)** (össze)zúz **2. a)** megakaszt *[forgalmat, szerkezetet]*; **get ~med** beékelődik, beszorul; megszorul *[tárgy]*; **the passage was ~med with people** az emberek eltorlaszolták az átjárót **b)** (zsúfolásig) megtölt **3.** *távk* zavar *[jelzést, rádióadást]* **B.** *tni* **1.** beszorul, beakad *[fiók]*, megakad *[gépalkatrész]*, elakad *[lift, ismétlőfegyver]*, megszorul *[csapágy]*, beragad *[fék]*, feszül *[fogaskerék]* **2.** dzsemmel, örömzenél
jam between *tni tni* beszorul, odaszorul (vmhez); közészorít, beékel
jam in *tni tni* közbeiktat, bepresel; beszorul, odaszorul (vmhez)
jam on *tni* ~ **on the brakes** *biz* beletapos a fékbe; hirtelen fékez; berántja a féket
jam up *tni* megtorlódik
Jamaica [dʒə'meɪkə] *tul földr* Jamaica; *növ* ~ **pepper** szegfűbors • *fn/mn* **Jamaican**
jamb [dʒæm], **jambe** *fn* ablakfélfa, ajtófélfa, keret
jamboree [ˌdʒæmbə'ri:] *fn* **1.** lármás vidám dáridó/mulatság/összejövetel, nagy muri **2.** cserkész-összejövetel
James [dʒeɪmz] *tul* Jakab; **the Court of St. ~'s** az angol királyi udvar
jam jar *fn* dzsemes-/ízes-/lekvárosüveg
jammer ['dʒæmə ‖ –ər] *fn távk* zavaróadó, zavaróállomás
jamming[1] ['dʒæmɪŋ] **I.** *mn távk* ~ **station** zavaró állomás **II.** *fn* **1. a)** préselés, sajtolás, összenyomás, összeszorítás, összezúzás **b)** leállás *[gépé]*, megakadás *[géprészé, szelepé]*, elakadás *[lőfegyveré]*, megszorulás *[kötélé]*, beragadás *[dugattyúé]* **2.** *távk* zavarás, interferencia **3.** (jég)torlasz **4.** táncolás, mulatozás *[jamaikai/reggae zenére]*
jamming[2] ['dʒæmɪŋ] *mn* ~ **sugar** befőzőcukor
jammy ['dʒæmi] *mn* **1.** lekváros, ragadós **2.** szerencsés, mázlis
jam-packed *mn US* zsúfolt, zsúfolásig megtelt/teli
jam session *fn* örömzene *[zenészek rögtönzött játéka a saját kedvükre]*
Jan, **Jan.** *röv January* január, jan.
jane [dʒeɪn] *fn US szl [nő]* spiné, csaj; **plane ~** *[nő]* szürke egér
Jane [dʒeɪn] *tul* ‹női név›
Janet ['dʒænɪt, 'dʒænɪt] *tul* ‹női név›
Janette [dʒə'net] *tul* ‹női név›
jangle ['dʒæŋgl] **I.** *fn* **1.** lárma, hangzavar **2.** csörömpölés **II. A.** *tsi* csörget, csörömpöltet *[kulcsokat]*; *biz* **~d nerves** idegesség, ingerült idegállapot **B.** *tni* **1.** lármázik, zajong **2. a)** csörömpöl **b)** fülsértően szól/csörög **3.** fecseg, locsog
Janice ['dʒænɪs], **Janis** *tul* ‹női név›
janissary ['dʒænɪsəri ‖ –seri] *fn* **1.** *tört* janicsár **2.** *biz* elkötelezett híve, elvakult követője (vknek)
janitor ['dʒænɪtə ‖ –ər] *fn* **1. a)** portás, kapus, ajtónálló **b)** (segéd)házfelügyelő; *biz* cerberus **2.** *US* **a)** takarító(nő) **b)** pedellus **c)** házfelügyelő • *mn* **janitorial**
janizary ['dʒænɪzəri ‖ –əzeri] → **janissary**
jankers ['dʒæŋkəz ‖ 'dʒæŋkərz] *fn tsz kat szl* büntetőosztag, büntetőszázad *[mind: stand]*
January ['dʒænjuəri ‖ –jueri] *fn* január
Janus-faced *mn* Janus-arcú
Jap [dʒæp] *fn US szl [japán ember]* japcsi
japan [dʒə'pæn] **I.** *fn* ~ **(enamel)** japánlakk; szigetelőlakk; **black ~** vaslakk **II.** *tsi* lakkoz, lakkal bevon, fényez • *mn* **japanned**
Japan [dʒə'pæn] *tul földr* Japán; ~ **current/stream** Kurosio-áramlás *[meleg tengeráramlat]*
Japanese [ˌdʒæpə'ni:z] **I.** *mn* japán **II.** *fn* **a)** japán (ember), férfi, nő **b)** japán (nyelv)
jape [dʒeɪp] **I.** *fn* **1.** tréfálkozás, csipkelődés, gúnyolódás **2.** *vál* tréfa, vicc, hecc **II.** *tni* csipkelődik, tréfálkozik, gúnyolódik
Japlish ['dʒæplɪʃ] *fn* japlish *[japán és angol nyelv keveréke]*
jar[1] [dʒɑ: ‖ dʒɑr] *fn* **1.** (agyag)korsó, köcsög, cserépbödön, bögre, (lekváros)üveg, agyagedény **2.** *GB szl* egy pohár/pofa sör
jar[2] [dʒɑ: ‖ dʒɑr] **I. A.** *tsi* **1.** sért *[fület]*, bánt, sért *[érzékeket]*, borzol *[idegeket]* **2.** megüt **B.** *tni* **1.** csikorog, nyikorog, serceg **2.** nekiütődik (vmnek)beleütközik (vmbe); ~ **on sy's feelings** bántja/sérti vknek az érzéseit **3.** veszekszik, civakodik; ~ **(with)** élesen elüt (vmtől); **they ~** nem illenek össze **4.** rezeg *[ajtó, ablak]*, vibrál *[gép]*, zökkenőkkel/lökésszerűen megy *[gép]* **II.** *fn* **1.** csikorgás, nyikorgás, sercegés, éles/bántó hang **2. a)** megrendülés, rengés, rázkódás, zökkenés, megrázkódtatás **b)** összezördülés, öszszezörrenés, civakodás, veszekedés
jar[3] [dʒɑ: ‖ dʒɑr] *fn* **on/at the ~** félig nyitott *[ajtó]*
jargon ['dʒɑ:gən ‖ 'dʒɑr–] *fn* **1.** szakmai nyelv, csoportnyelv, osztálynyelv, zsargon **2.** érthetetlen/zagyva beszéd, halandzsa, blabla • *tsi* **jargonize** *mn* **jargonic**
jarring ['dʒɑ:rɪŋ] **I.** *mn* **1.** csikorgó, sercegő, diszharmonikus, hamisan hangzó, fülsértő *[hang]* **2.** megrendítő, megrázkódtató *[ütés, lökés]*, kellemetlen benyomást/hatást keltő *[viselkedés]* **3.** rezgő, vibráló *[ajtó, ablak]* **4.** ellentétes, nem egyetértő, elütő **II.** *fn* **1.** csikorgás, sercegés, diszharmonikus hang **2.** rázkódás, rengés, rezgés, vibrálás, kopogás *[motoré]*, lökés, ütődés; ~ **of the nerves** idegek felőrlődése/ingerlése **3.** civakodás, veszekedés, viszály, nézeteltérés
Jas. *röv James*

jasmin [ˈdʒæzmɪn], **jasmine** *fn növ* jázmin

Jason [ˈdʒeɪsn] *tul* ‹férfinév›

jasper [ˈdʒæspə ‖ –ər] *fn ásv* jáspis

Jasper [ˈdʒæspə ‖ –ər] *tul* ‹férfinév›

jasper-opal [ˈdʒæspə– ‖ –ər–] *fn ásv* sárga opál *[ékkő]*, jáspis, opál, jaspopál

jaundice [ˈdʒɔːndɪs] *fn* **1.** *orv* sárgaság **2.** *vál* **a)** irigység **b)** kajánság • *mn* **jaundiced**

jaunt [dʒɔːnt] **I.** *fn* kis kirándulás, kiruccanás, séta, kóborlás, kószálás **II.** *tni* kirándul, kiruccan, sétál, kószál

jaunty [ˈdʒɔːnti] *mn* **1. a)** gondtalan, könnyed, fesztelen *[viselkedés, modor]* **b)** hetyke, öntelt, szemtelen **2.** derűs, vidám, élénk, jókedvű, jókedélyű • *fn* **jauntiness**

Java [ˈdʒɑːvə] *tul földr* Jáva

Javaman, Java ape-man *fn* jávai majomember

Javanese [ˌdʒɑːvəˈniːz ‖ ˌdʒævə–] *mn/fn* jávai

javelin [ˈdʒævlˑɪn] *fn* dárda, gerely

javelin throw *fn sp* gerelyhajítás

jaw [dʒɔː] **I.** *fn* **1. a)** állkapocs; **his ~ fell** leesett az álla *[csodálkozástól]* **b)** *műsz* (befogó) pofa *[féké, satué]* **c)** tátongó nyílás, (völgy)torkolat **2. a)** *biz* fecsegés, locsogás, duma; **hold/stop your ~!** fogd be a pofádat! **b)** csevegés, beszélgetés **c)** épületes beszéd/szónoklat, lelki fröccs, prédikáció, intés, dorgálás, feddés, megrovás **d)** szitkozódás, szájaskodás **II. A.** *biz tsi* megszid, megint, megró, megleckéztet, megfedd (vkt) **B.** *tni* **1.** fecseg-locsog, cseveg, tereferél **2.** épületes beszédet mond, prédikál **3.** szitkozódik, szájaskodik, szájal, pofázik

jawbone *fn* állkapocs(csont); **upper ~** felső állkapocs; **lower ~** alsó állkapocs

jaw-breaker *biz* nyelvtörő szó

jaw tooth *fn* zápfog

jay [dʒeɪ] **I.** *fn* **1.** *áll* szajkó, mátyásmadár **2. a)** *szl* pali, balek, mucsai, bumfordi pasas, pacák **b)** *szl* könnyűvérű nő **c)** *szl* nagy fecsegő, örökké karattyoló, szószátyár **d)** *szl* → **jaywalker II.** *mn US biz* nyomorult

jaywalk *tni* lassan/óvatlanul *[az USA-ban]* szabálytalanul/tilosban megy át az utcán • *fn* **jaywalker, jaywalking**

jazz [dʒæz] **I.** *fn* **1.** *zene* dzsessz(zene) **2.** nagy lárma, zenebona, zsivaj, zajos összevisszaság **3.** tarka szövet **4.** *szl [őszintétlen beszéd]* halandzsa, rizsa, kamu (szöveg); **all that ~** (az a) sok (rossz) szöveg/duma **5.** *szl [közösülés]* kefélés **II. A.** *tsi* **1. ~ a tune** dallamot dzsesszesít (v. dzsesszbe tesz át) **2.** *szl [közösül]* kefél **B.** *tni* **1.** dzsesszt játszik **2.** dzsesszzenére táncol

jazz around *tni US* mulatóhelyekre jár

jazz up A. *tsi* **1. ~ sy up** jókedvre hangol; felvidít/felvillanyoz vkt **2. ~ up a colour scheme** tarkít, tarkabarkává tesz; színpompássá tesz **B.** *tni US* rákapcsol, belefekszik

jazzman *tsz* **-men** *zen* dzsesszzenész

jazzy [ˈdʒæzi] *mn* **1.** dzsessz(szerű) *[zene]* **2. a)** tarkabarka, feltűnő, rikító mintájú *[szövet]* **b)** vadul élénk

J-bar [ˈdʒeɪbɑː ‖ –bɑr] *fn* sífelvonó, sílift

JC *röv* **1.** *Jesus Christ* **2.** *Julius Caesar*

jct., jctn. *röv junction*

JD *röv Doctor of Laws* a jog- és államtudomány doktora

jealous [ˈdʒeləs] *mn* **1.** féltékeny **2.** irigy **3.** gyanakvó **4. ~ care** féltő gond

jealousy [ˈdʒeləsi] *fn* **1.** féltékenység **2.** irigység **3.** gyanú, gyanakvás **4.** féltő gond(osság)

Jean [dʒiːn] *tul* ‹női név›

jeans [dʒiːnz] *fn tsz* farmer(nadrág)

jeep [dʒiːp] **I.** *fn US* dzsip, terepjáró gépkocsi **II.** *tni* dzsipen jár/közlekedik

jeeper-creepers I. *fn tsz* hátborzongató történet **II.** *isz* ‹gúnyos hitetlenséget kifejező csodálkozó felkiáltás›

jeer [ˈdʒɪə ‖ dʒɪr] **I.** *fn* **1.** gúnyolódás, csúfolódás, bántó/sértő tréfa **2.** gúnykacaj, gúnyos kiáltás, lehurrogás **II. A.** *tsi* **~ (sy) off the stage** kifütyül *[színészt]* **B.** *tni* **1. ~ at sy** gúnyt űz vkből, kigúnyol vkt; lehurrog vkt **2. ~ at sg** vmt kigúnyol/kicsúfol

jeers [dʒɪəz ‖ dʒɪrz] *fn tsz hajó* többszörös csigamű

jeez [dʒiːz] *isz szl* jesszus(om)!

Jeff [dʒef] *tul* ‹*Jeffrey* becéző alakja›

Jeffrey [ˈdʒefri] *tul* ‹férfinév alakváltozata›

jehad [dʒɪˈhɑːd] → **jihad**

Jehovah [dʒɪˈhoʊvə] *tul* **a)** *vall* Jehova *[helyesebben:]* Jahve; → **Yahveh b)** *vall* **~'s Witnesses** Jehova tanúi *[millenista szekta]* • *mn* **Jehovist, Jehovistic**

jejune [dʒɪˈdʒuːn] *mn* terméketlen, meddő *[szerző, föld stb.]*, unalmas, érdektelen, üres, íztelen, hálátlan, száraz *[irodalmi mű]* • *fn* **jejunity**

jejunum [dʒɪˈdʒuːnəm] *fn orv* éhbél

jell [dʒel] *tni* **1.** *US* → **jelly II. B. 2.** *US* kialakul, kiérlődik, kikristályosodik, formát ölt

jellification [ˌdʒelɪfɪˈkeɪʃn] *fn* **1.** megkocsonyásodás, megalvadás, megdermedés **2.** megkocsonyítás, megalvasztás, megfagyasztás, megdermesztés • *ts/tni* **jellify**

jello [ˈdʒeloʊ] *fn US* zselé

jelly [ˈdʒeli] **I.** *fn* **1.** kocsonya, zselé; **fruit/table ~** gyümölcskocsonya, gyümölcszselé; gél; **red-currant ~** ribiszkezselé; *biz* **beat/pound sy into a ~** laposra/ripityára ver vkt **2.** *US* dzsem **3. mineral/petroleum ~** ásványi zsiradék, vazelin; *vegy* **vegetable ~** pektin **4. royal ~** méhpempő **II. A.** *tsi* **1.** megkocsonyásít, megalvaszt, megfagyaszt **2.** kocsonyába/aszpikba rak **B.** *tni* megkocsonyásodik, megalvad, megfagy, zseléneművé válik, megszilárdul, összeáll *[zselé]*

jelly baby *fn* zselés cukorka

jelly-bag *fn* szűrőkendő, szűrőzacskó, szűrőzsák *[zselé készítéséhez]*; **~ cap** jambósapka

jelly bean *fn* töltött cukorka

jelly-belly *fn* **1.** nagyhasú/pocakos ember **2.** gyáva (ember)

jelly doughnut, jelly donut *fn* ízes fánk

jellyfish *fn* **1.** *áll* medúza **2.** erélytelen ember, teddideteddoda ember/alak

jelly roll *fn* lekváros tekercs, piskótatekercs

Jemima [dʒɪˈmaɪmə] *tul* ‹női név›

jemmy [ˈdʒemi] **I.** *fn* **1.** feszítővas, feszítővéső, feszítőrúd; *GB* **burglar's ~** /*US* **burglar's jimmy** tolvajkulcs; feszítővas **2.** birkafej *[étel]* **II.** *tsi* feszítővassal feltör

jennet [ˈdʒenɪt] *fn* kis spanyol ló, poroszka

Jennie [ˈdʒeni] → **Jenny**

Jennifer [ˈdʒenɪfə ‖ –ər] *tul* ‹női név›

jenny [ˈdʒeni] *fn* **1.** nőstény *[állaté]* **2.** *tex* **(spinning-)~** mozgókocsis fonógép

Jenny [ˈdʒeni] *tul* **1.** ‹*Jennifer* becéző alakja› **2.** ‹női dolgokkal törődő férfi›

jenny winch *fn* kis kézicsörlő

jenny wren *fn* ökörszem

jeopardize [ˈdʒepədaɪz ‖ –pər–], **-ise** *tsi* kockáztat, veszélyeztet, kockázatnak/veszélynek kitesz

jeopardy [ˈdʒepədi ‖ –pər–] *fn* kockázat, veszély; **be in ~** (élet)veszélyben van, kockán forog *[élete, becsülete, boldogsága]*, hanyatlik, rosszul áll *[üzlet]*

jerboa [dʒɜːˈboʊə ‖ dʒɜr–] *fn áll* egyiptomi ugróegér

jeremiad [ˌdʒerɪˈmaɪəd] *fn* **1.** vég nélküli panaszok/panaszkodás, sirám, siralmak **2.** panaszdal, siralomének, Jeremiás siralmai

jeremiah [ˌdʒerɪˈmaɪə] *fn biz* siránkozó/sopánkodó/jajgató személy

Jeremiah [ˌdʒerɪˈmaɪə] *tul* Jeremiás

Jeremy [ˈdʒerəmi] *tul* ‹férfinév›

Jericho [ˈdʒerɪkoʊ] *tul földr* Jerikó; *szl* **go to ~!** menj a fenébe/csudába/pokolba/pitlibe!

J

jerk[1] [dʒɜ:k ‖ dʒɜrk] **I.** *fn* **1. a)** (hirtelen) rántás, lökés, rázás; **at/with one ~** egy rántással/húzással; hirtelen; **by ~s** lökésszerűen; zökkenőkkel, zökkenésekkel **b)** hirtelen rándulás, (meg)rázkódás, zökkenés **2.** *orv* rángatózás, remegés *[végtagé]*, tik, akaratlan mozdulat, (ín)reflex **3.** *sp* lökés *[súlyemelésben]*; *sp* **two-handed ~** kétkezes lökés **4.** *átv* tréfás ötlet **5. a)** *US szl [férfi]* pasi, pacák, pofa **b)** *US szl* jelentéktelen/mitugrász alak, balfácán **c)** *US szl [buta/ostoba fráter]* seggfej **II. A.** *tsi* **1.** megránt, megráz, megrángat, (ki)ránt, hirtelen (meg)húz/odahúz, (meg)lök, lódít, taszít; **~ water** vizet vesz fel *[mozdony menet közben]* **2.** hirtelen mozdulattal eldob/elhajít *[követ stb.]* **3.** *US* csapol *[sört]*, ereszt *[szódavizet]* **B.** *tni* hirtelen megmozdul, (meg)rándul, rángatózik, összerezdül

jerk along A. *tsi* rángatva mozgat/hajt, lökésszerűen mozgat előre **B.** *tni* tovazötyög

jerk away *tsi* **~ away one's hand** elkapja a kezét (vhonnan)

jerk back *tsi* **~ back one's hand** visszarántja/elkapja a kezét (vhonnan)

jerk off A. *tsi* **~ the bedclothes off** ledobja a takarót; **~ the bedclothes off sy** lerántja vkről a takarót **B.** *tni szl [önkielégítést végez]* kézimunkázik, kiveri, maszturbál

jerk open *tni* **the door ~ed open** az ajtó felpattant (v. hirtelen kinyílt/kitárult)

jerk out *tsi* **1.** kiböK, odavet *[szavakat]* **2. ~ sg out of sy's hand** kikap vmt vk kezéből

jerk up *tsi* felkapja *[fejét]*, (hirtelen mozdulattal) kihúzza magát

jerk[2] [dʒɜ:k ‖ dʒɜrk] *Dél-Af* **I.** *fn* szeletekben napon szárított hús **II.** *tsi [húst]* szeletekben napon szárít

jerkin [ˈdʒɜ:kɪn ‖ ˈdʒɜr–] *fn régi* (testhez álló) zeke, bőrmellény, ujjas

jerky [ˈdʒɜ:ki ‖ ˈdʒɜrki] *mn* szaggatott, rángató(zó), lökésszerű *[mozdulat, lépés, hang stb.]*, szaggatott, egyenetlen, döcögő *[stílus]*

jeroboam [ˌdʒerəˈbouəm] *fn* **1.** nagy öblös (kb. 4 literes) palack *[pezsgőnek stb.]* **2.** *régi* nagy ivókehely/serleg, nagy talpas pohár

Jerome [dʒəˈroum] *tul* Jeromos

jerry [ˈdʒeri] *fn* **1.** *szl* **~ (-shop)** csárda, kocsma; ivó, csapszék; lebuj **2.** *szl* éjjeliedény, bili, serbli

Jerry [ˈdʒeri] *tul* **1.** ‹ *Jerome* és *Jeremy* becéző alakja › **2.** *szl* német (ember), katona

jerry-build *tsi pt/pp* **jerry-built** selejt anyagból épít *[házat]*, olcsón és rosszul épít

jerrycan [ˈdʒerikæn] *fn* marmonkanna

jerrymander [ˈdʒerɪmændə ‖ –ər] → **gerrymander**

jersey [ˈdʒɜ:zi ‖ ˈdʒɜrzi] *fn* **1.** *tex* jersey-fonal/szövet *[finom gyapjúból]* **2.** kötszövött ujjas/mellény, testhez álló (finom) gyapjú trikó/szvetter; **football ~** (labdarúgó)trikó, mez; sporting; **sailor's ~** matrózzubbony

Jersey [ˈdʒɜ:zi ‖ ˈdʒɜrzi] *tul földr* **I. a)** Jersey *[sziget]* **b)** *US biz* New-Jersey *[állam]* **II.** *fn* ‹ szarvasmarha-fajta ›; **~ (-bull)** jersey-i bika

jersey wool *fn tex* válogatott finom gyapjú

Jerusalem [dʒəˈru:sələm] *tul* Jeruzsálem; **Knights of Saint John of ~** máltai lovagrend

Jerusalem artichoke *fn növ* csicsóka

Jess [dʒes] *tul* ‹ *Jessica* becéző alakja ›

jessamine [ˈdʒesəmɪn] *növ* → **jasmin**

Jesse [ˈdʒesi] *tul* **a)** *bibl* Jesse, Jessé **b)** *US* ‹ férfinév ›

Jessica [ˈdʒesɪkə] *tul* ‹ női név ›

Jessie [ˈdʒesi] *tul sk* ‹ *Jessica* becéző alakja ›

jest [dʒest] **I.** *fn* **1.** tréfa, tréfálkozás, viccelődés; **take a ~** érti a tréfát; **say sg in ~** tréfából/viccből mond vmt **2.** szellemes bemondás, vicc **3.** nevetség tárgya **II. A.** *tsi* megtréfál, kigúnyol, pukkaszt, ugrat, heccel (vkt) **B.** *tni* tréfálkozik, tréfát űz, viccel, gúnyolódik, élcelődik • *mn/fn* **jesting**

jest-book *fn* viccgyűjtemény, tréfás történetek

jestee [dʒesˈti:] *fn* megtréfált, móka tárgya *[ember]*

jester [ˈdʒestə ‖ –ər] *fn* **1.** tréfás/viccelődő/gúnyolódó férfi/nő/ember, tréfacsináló, tréfakedvelő **2. a)** *tört* (udvari) bolond **b)** *tört* kóbor énekes, lantos, hegedős

Jesuit [ˈdʒezjuɪt ‖ ˈdʒeʒuət] *fn* jezsuita

Jesuitical [ˌdʒezjuˈɪtɪkəl ‖ ˌdʒeʒuˈɪtɪkəl] *mn pej* jezsuita, ravasz, alattomos

Jesus [ˈdʒi:zəs] *tul* Jézus; **~ Christ** Jézus Krisztus; **the Lord ~ Christ** az Úr Jézus Krisztus; **the Society of ~** jezsuita rend, Jézus-társaság

jet[1] [dʒet] **I.** *fn* **1. a)** sugárban kiáramlás/kilövellés/kiszökkenés *[vízé, véré, gőzé, gázé stb.]*; **~ tone** sistergés; kiáramlási hang **b)** sugárban kilövellő anyag *[víz, vér, gáz, gőz stb.]*, folyadéksugár, gázsugár, hőlégsugár, rakétasugár; **~ of flame** lángcsóva, lángkéve, lángsugár **2.** fecskendő, locsoló *[öntözőcsőé, tűzoltócsőé]* **3.** *rep* **a)** (gáz)sugárhajtómű **b)** sugárhajtású (repülő)gép **4.** dobás, hajítás **II. -tt- A.** *tsi* kilövell, kibuggyant, kifröccsent, kisugároz, kibocsát, fecskendez *[sugárban]* **B.** *tni* **1.** kilövell, kibuggyan, kifröccsen, kiszökken, kispriccel *[sugárban]*, kisugároz *[gáz, víz stb.]* **2.** sugárhajtású (repülő)géppel repül/megy/szállít

jet[2] [dʒet] **I.** *mn* koromfekete, szurokfekete, gagátfekete, zsettfekete **II.** *fn* **1.** szurokszén **2.** *ásv* gagát, fekete borostyánkő, zsett

jet bomber *fn* sugárhajtású bombázó

jet fighter *fn* sugárhajtású vadászgép

jetfoil *fn GB* szárnyashajó

jet lag *fn* ‹ hosszú repülőút és időeltolódás okozta fáradtság ›; **feel ~ged** fáradt *[hosszú repülés és időeltolódás miatt]*

jet plane *fn* sugárhajtású utasszállító repülőgép

jet-propelled *mn* **1.** *rep* sugárhajtású **2.** *biz* rendkívül gyors és erős

jet propulsion *fn* sugárhajtás

jetsam [ˈdʒetsəm] *fn* **1.** rakomány kidobása hajóról *[veszély esetén]* **2.** (hajóterhelés könnyítésére) tengerbe dobott rakomány/áru **3.** tengerpartra kivetett tárgy, hajóroncs úszó darabjai

jet set *fn biz* **the ~** a felső tízezer

jet ski I. *fn* dzsetszkí *[motorszerű vízijármű]* **II.** *tni* dzsetszkízik

jet stream *fn* **a)** kondenzcsík **b)** *meteo* futóáramlás, sugáráramlás, jet stream

jettison [ˈdʒetɪsən] **I.** *fn* **1.** → **jetsam** 1. **2.** *átv* megszabadulás (vmtől), lemondás (vmről), (vmnek) elvetése **II.** *tsi* **1.** hajóból könnyítésül kidob; **~ the cargo** a rakományt tengerbe veti **2.** *biz* vmtől megszabadul; **~ a bill** törvényjavaslatot elvet

jettison seat *fn rep* katapultülés

jetty [ˈdʒeti] *fn* **a)** kőgát, hullámtörő gát, révgát, sarkantyú, (benyúló) kikötőgát, cölöpgát, móló **b)** állványhíd, (magas) rakodóállvány; **landing ~** kikötőhíd, stég **c)** révhez vezető töltés

Jew [dʒu:] *fn* **I.** *fn* zsidó; **black ~s** falasák *[etiópiai szemita nép]*; **disbelieving ~** hitetlen Tamás **II. A.** *tsi* **j~ down** árat lenyom/lealkuszik **B.** *tni* keményen alkuszik/alkudozik

jewel [ˈdʒu:əl] **I.** *fn* **1.** ékszer, ékkő; **~s** drágakövek; **the ~s of the Crown** a koronaékszerek; *biz* a brit gyarmatok; **a ~ of a child** aranyos/drága gyermek **2.** kincs **3.** kő, rubin *[órában]* **II.** *tsi* **-ll-**, *US* **-l- 1.** ékszerrel/ékkővel díszít/ékesít **2.** rubinra szerel, rubinnal ellát *[óraszerkezet]*

jeweller [ˈdʒu:ələ ‖ –ər], *US* **jeweler** *fn* ékszerész, drágakőkereskedő

jewellery [ˈdʒu:əlri], *US* **jewelery** *fn* **1.** ékszerkereskedés, drágakőkereskedés, ékszer(ész)bolt, ékszeripar **2. a)** ékszerek, ékszerféleség **b)** bizsu(téria), hamis ékszer

Jewess [ˈdʒu:ɪs] *fn* zsidónő

jewfish *fn áll* tengeri sügér

Jewish [ˈdʒu:ɪʃ] *mn* zsidó(s)

Jewry [ˈdʒʊəri ‖ ˈdʒʊri] *fn* **1. a)** zsidóság **b)** zsidónegyed, gettó **2.** *földr régi* Judea
jew's-harp *fn* doromb *[hangszer]*
Jezebel [ˈdʒezəbel] *tul* **1.** Jezabel **2.** *biz* szemérmetlen/ledér nő; **painted ~** kimázolt öregasszony (v. vén tyúk); **the ~!** micsoda satrafa!
JFK *röv John Fitzgerald Kennedy*
jib[1] [dʒɪb] *fn* **1.** *hajó* (háromszögű) orrvitorla; **~ in!** orrvitorlát be! **2. the cut of his ~** vk arckifejezése/képe/külseje
jib[2] [dʒɪb] *tni* **-bb- 1.** csökönyösködik, csökönyösen viselkedik, nem engedelmeskedik, makrancoskodik, visszahőkken *[ló]* **2.** *biz* habozik, ellenszegül, megmakacsolja magát *[ember]* • *fn* **jibber** *mn* **jibbing**
jibba [ˈdʒɪbə], **jibbah** *fn* hosszú köntös *[mohamedánoké]*
jib-boom [dʒɪˈbuːm] *fn hajó* orrárboc, orrsudár, orrvitorlarúd, ormányrúd; **flying ~** külső orrárbocsudár
jibe[1] [dʒaɪb] *US* → **gibe**[1]
jibe[2] [dʒaɪb] *tni* **1.** *US* egyetért, egy véleményen (v. összhangban) van (vkvel), egybehangzik (vmvel) **2.** *US* megegyezik, megfelel *[előírásnak]*, összeillik
jibe[3] [dʒaɪb] *US* → **gybe**
jiff [dʒɪf(i)], **jiffy** *fn biz* pillanat; **in a ~** egy másodperc/szempillantás alatt
jiffy bag [ˈdʒɪfibæg] *fn* bélelt boríték *[pl. könyvek küldésére]*
jig [dʒɪg] **I.** *fn* **1.** dzsigg *[tánc]* **2.** *műsz* szerszám(be)fogó és -vezető berendezés **3.** *[horgászatban]* ‹ egyfajta csali › **II. -gg- A.** *tsi* (könnyedén) megráz, rostál, szitál, *bány [ércet]* mos, ülepít **B.** *tni* **1.** dzsigget jár/táncol, dzsiggel **2.** *biz* ugrándozik; **~ it** kapálódzik (lábával); rángatja a lábát • *mn/fn* **jigging**
jig-a-jig *fn fn US szl [közösülés]* sikamika
jigger [ˈdʒɪgə ‖ –ər] *fn* **1.** dzsiggtáncos **2. a)** (segédmotoros) kerékpár **b)** állvány *[biliárddákóknak]*
jiggered *mn szl* **1. I am ~!** kutyafáját!; **I'm ~ if I do it!** egy frászt fogom én ezt megtenni!; **well, I'm ~!** mi a csuda!, bánom is én! **2. be ~ed up** fáradt, elcsigázott
jiggery-pokery [ˌdʒɪgəriˈpoʊkəri] *fn* mesterkedés, machináció, hóka-móka
jiggle [ˈdʒɪgl] *tsi* rázogat, billeget, ütöget
jigsaw [ˈdʒɪgsɔː] **I.** *fn* **1.** lombfűrész **2. ~ puzzle** kirakós; (összerakós) türelemjáték; mozaikrejtvény **II.** *tsi* (lomb)fűrészel
jihad [dʒɪˈhæd ‖ –ˈhɑd] *fn* dzsihad; ‹ a mohamedánok szent háborúja ›
Jill [dʒɪl] *tul* ‹ *Gillian* becéző alakja ›; **Jack and ~** Jancsi és Juliska
jilt [dʒɪlt] *tsi* otthagy, elhagy, cserbenhagy, faképnél hagy
Jim [dʒɪm] *tul* ‹ *James* férfinév becéző alakja ›
Jim Crow *tul US* **1.** *pej* néger **2. ~ policy** négerüldözés, faji megkülönböztetési rendszer
jim-jams *fn tsz szl [delirium tremens]* tremoló
jimmy [ˈdʒɪmi] **I.** *fn US* feszítővas **II.** *tsi US* feszítővassal feltör
jingle [ˈdʒɪŋgl] **I.** *fn* **a)** csengés, csilingelés, csörgés, csörömpölés *[poharaké, evőeszközé]*; **~ bell** csengettyű **b)** összecsengés *[rímeké, hangzóké]*, rímjáték **II. A.** *tsi* csörget, ráz *[pénzt, kulcsot stb.]* **B.** *tni* **1.** cseng, csilingel *[harang]*, csörög *[kulcs, pénz stb.]* **2.** rímel, összecseng, alliterál • *mn/fn* **jingling**
jingo [ˈdʒɪŋgoʊ] **I.** *mn* **the ~ party** a soviniszta párt **II.** *fn* soviniszta, harcias hazafi, intranzigens nacionalista • *fn* **jingoism**, **jingoist**, *mn* **jingoistic**
jink [dʒɪŋk] *sk* **I.** *fn* **1.** fürge kikerülés/kitérés **2.** *biz* **high ~s** lármás szórakozás, nagy muri **II. A.** *tsi* (fürgén) kitér (vk elől), ügyesen kikerül (vkt) **B.** *tni* **1.** fürgén mozog **2.** elillan, eloson, meglép
jinn [dʒɪn] *fn* → **jinnee**; → **jinni**
jinx [dʒɪŋks] *fn biz* vésztjósló (v. balszerencsét hozó) személy/dolog, vészmadár
jism [ˈdʒɪzm] *fn durva szl* **1.** *[ondó, sperma]* geci **2.** *[energia, erő]* spiritusz, kakaó
JIT *röv just in time*
jitter [ˈdʒɪtə ‖ –ər] *tsz* **jitters** *biz* **I.** *fn [idegesség]* citerázás, trémázás, tréma; *biz* **give (sy) the ~s** (alaposan) begyullaszt (vkt) **II. A.** *tsi* alaposan befűt (vknek), begyullaszt (vkt) **B.** *tni* szurkol, drukkol, izgul, nem leli a helyét, ideges(kedik) • *fn* **jittery**, **jitteriness**
jitterbug **I.** *fn* **1.** *biz* idegember **2. a)** *biz* (rángatódzó) szvingtánc **b)** *biz* (rángatódzó) szvingtáncos **II.** *tni* **-gg-** *biz* jitterbug táncot jár
jiu-jitsu [ˌdʒuːˈdʒɪtsuː] → **jujitsu**
jive [dʒaɪv] **I.** *fn* **1.** szenvedélyes/fékevesztett szving muzsika, dzsesszmuzsika **2.** halandzsa, kama **II. A.** *tsi* becsap, bepaliz (vkt) **B.** *tni* **a)** vadul szvingel **b)** „hot jazz"-t játszik, dzsesszel **c)** *szl [hazudozik, félrevezet]* süketel, kamázik
jnr, **Jnr** *röv junior* ifjabb, ifj.
Joan [dʒoʊn] *tul* Johanna, Janka; **~ of Arc** Jeanne d'Arc *[az orleans-i szűz]*
Joanna [dʒoʊˈænə] *tul* Johanna
job [dʒɒb ‖ dʒɑb] **I.** *fn* **1. a)** munka, dolog, feladat; **sell as a ~ lot** elkótyavetyél, elramsol; **odd ~s** apró-cseprő (ház körüli) munkák; alkalmi munkák; *US szl* **do a ~ on sy** kitol vkvel; **that's a good ~!, and a good ~ too!** ez nem is rossz!, nagyszerű!; **to work by the ~** darabbérben/akkordban dolgozik; átalánydíjért dolgozik; *biz* **be on the ~** hévvel/szenvedélyesen dolgozik, melózik; nagy erőfeszítést tesz; **he is not really on the ~** nem szívvel-lélekkel csinálja a dolgot **b)** nehéz/kínos feladat/munka; **I had a ~ to do it** nagy fáradságomba került elvégezni/megcsinálni, nehéz munka volt **c)** elsőrendű készítmény/munkadarab **2.** *biz* állás, foglalkozás; *biz* **be out of ~** nincs állása, munkanélküli, munka nélkül van; *biz* **hold down a ~** van állása, állást betölt; *biz* **every man to his ~** mindenki maradjon a maga szakmájában; suszter maradjon a kaptafánál, megfelelő embert a megfelelő helyre **3.** (befolyással való) üzérkedés, jogosulatlan mellékkereset, panama, korrupció **4.** *biz* **it's a lovely ~!** gyönyörű darab, remekül megcsinált dolog *[csak tárgyról]* **II. -bb- A.** *tsi* **1.** *biz* elvégez feladatot **2. a)** átalányösszegért vállal munkát **b)** átalányösszegért kiad *[munkát alvállalkozónak]* **3. ~ shares** értékpapírokkal kereskedik/spekulál *[tőzsdén]* **4.** kihasznál (tisztességtelenül) *[állást]*, befolyással üzérkedik, panamázik **5.** bérbe ad *[kocsit, lovat]* **B.** *tni* **1. a)** akkordban dolgozik **b)** alkalmi munkákat végez **2. a)** kereskedik, spekulál *[tőzsdén]* **b)** nagyban vásárol és kicsiben ad el **3.** befolyással üzérkedik
job off *tsi* **~ sy off** megszabadul vktől, leráz vkt *[tisztességtelen eszközöket alkalmazva]*
job out *tsi* alvállalkozásba kiad *[munkát]*
Job [dʒoʊb] *tul* Jób; **~'s comforter** *biz* ‹ pesszimista vigasztaló, aki vigasztalás ürügyével kelt aggodalmakat ›
jobber [ˈdʒɒbə ‖ ˈdʒɑbər] *fn* **1. a)** közvetítő (nagy)kereskedő, ügynök **b)** tőzsdeügynök, értékpapír-kereskedő, bróker, tőzsdei spekuláns/játékos **c)** *pej* befolyással üzérkedő, panamista **2.** akkordmunkás, szakmánymunkás, darabbérben dolgozó munkás **3.** bérkocsi-tulajdonos, bérkocsifuvarozó, kocsik és lovak bérbeadója **4.** spirálfúró
jobbery [ˈdʒɒbəri ‖ ˈdʒɑ–] *fn* **1.** *biz* befolyással való üzérkedés, panamázás, korrupció; *biz* **it's all ~** minden(ütt) csak protekció **2.** (valuta)üzérkedés, valutázás *[tőzsdén]*, tőzsdejáték
jobbing [ˈdʒɒbɪŋ ‖ ˈdʒɑbɪŋ] **I.** *mn* **1.** darabbérben/akkordban dolgozó; **~ workman** rendelésre/darabszámra dolgozó iparos **2. ~ gardener** napszámban dolgozó kertész **3.** nyerészkedő, szélhámoskodó, befolyással üzérkedő, korrupt, panamista **II.** *fn* **1.** akkordmunka, rendelésre végzett munka, mérték utáni munka *[szabóé]* **2.** közvetítő kereske-

J

delem, eladás nagyban és kicsiben **3.** tőzsdei ügynökösködés; ~ **in contangoes** tőzsdei díjügyletekkel való arbitrálás **4.** bérkocsifuvarozás, kocsik/lovak bérbeadása

job-cab *fn* bérkocsi

job centre, **job bank** *fn GB* munkaközvetítő (iroda)

job cuts *fn tsz* leépítés *[munkahelyi]*

job description *fn* munkaköri leírás

job evaluation *fn* munkakiértékelés

job experience *fn* szakmai gyakorlat

jobholder *fn* **1.** *US biz* közalkalmazott **2.** *US biz* rendes/állandó foglalkozással bíró személy, állásban levő személy, alkalmazott, dolgozó

job-hopping *fn US biz* vándormadárkodás, sűrű munkahely-változtatás *[magasabb kereset érdekében]*

job-hunt *tni* állásra vadászik

job jumper *fn* ‹munkáját/munkahelyét felmondás nélkül otthagyó személy› vándormadár

jobless [ˈdʒɒbləs ‖ ˈdʒɑb–] *mn* munkanélküli, munkátlan, kereset nélküli

job lot alkalmi áruk, maradékáruk, selejtáruk; **sell as a ~** elkótyavetyél, elramsol

job sharing *fn* munkahelymegosztás; ‹két v. több részmunkaidős foglalkoztatása egy munkakörben›

job splitting *fn* munkahelymegosztás; ‹egy állás(hely) kettéosztása két munkavállaló között›

J

jock [dʒɒk ‖ dʒɑk] *fn biz* **1.** → **jockey I.1. 2.** lemezlovas

Jock [dʒɒk ‖ dʒɑk] **I.** *tul sk* ‹ *John* becéző alakja› **II.** *fn* **1.** *szl sk* katona **2.** *szl* skót (férfi)

jockey [ˈdʒɒki ‖ ˈdʒɑki] **I.** *fn* **1.** zsoké **2.** *US* lókereskedő **3.** csaló (kereskedő) **4.** fickó **5.** vezető *[járműé]*, kezelő **II. A.** *tsi* **1.** *[versenylovat]* megül, lóra száll, lovagol *[versenyen]* **2. a)** ügyeskedve/mesterkedve/helyezkedve/fifikával csinál/intéz/elér (vmt), beügyeskedik (vmt vhová), (jól) manőverez (vmvel) **b)** becsap, rászed, kijátszik, megcsal (vkt) **B.** *tni* **1.** lóra száll **2.** csal, helyezkedik, mesterkedik, manőverez; *pej* ~ **for sg** vm megszervezésén mesterkedik; ~ **for position** *sp* ravaszul taktikázik; *átv* ügyesen helyezkedik, ügyeskedik, helyzeti előnyre tör

jockey cap *fn* zsokésapka

jocko [ˈdʒɒkoʊ ‖ ˈdʒɑkoʊ] *fn* **1.** csimpánz **2.** *biz* majom

jock-strap *fn biz* szuszpenzor, herefelkötő

jocose [dʒəˈkoʊs ‖ dʒoʊ–] *mn* **1.** víg, vidám, tréfás, mókás, vicces, bolondos, kötekedő, viccelődő **2.** kedélyes, joviális • *fn* **jocosity**

jocular [ˈdʒɒkjʊlə ‖ ˈdʒɑkjələr] *mn* **1.** víg, vidám, derűs, tréfás, mókás, vicces, bolondos **2.** kedélyes, joviális • *fn* **jocularity**

joculator [ˈdʒɒkjʊleɪtə ‖ ˈdʒɑkjəleɪtər] *fn* tréfacsináló, mókázó, mókamester, kópé

jocund [ˈdʒɒkənd ‖ ˈdʒɑ–] *mn vál* vidám, derűs, jókedvű, bohó • *fn* **jocundity**

jodhpurs [ˈdʒɒdpəz ‖ ˈdʒɑdpərz] *fn tsz* lovaglónadrág

Jodie [ˈdʒoʊdi] *tul* ‹női név›

Joe [dʒoʊ] *tul* **1 1.** ‹ *Joseph* becéző alakja› **2.** ~ **Miller** régi/szakállas vicc **3.** *szl [férfi]* fickó, fazon, (a) béla, (a) géza

joey [ˈdʒoʊi] *fn Ausz biz* fiatal kenguru

Joey [ˈdʒoʊi] *tul* ‹férfinév›

jog [dʒɒg ‖ dʒɑg] **I.** *fn* **1. a)** (meg)lökés, (meg)bökés; *biz* **give sy's memory a ~** felfrissíti/megpiszkálja vknek a(z) emlékezetét/emlékezőtehetségét/memóriáját **b)** rázás, zötykölődés, zökkenés *[kocsié stb.]* **2.** ügetés **3.** lassú futás, kocogás **II. -gg- A.** *tsi* **a)** (meg)bök, (meg)lök; ~ **sy's memory** felfrissíti/felrázza/megpiszkálja vknek a(z) emlékezetét **b)** összeráz, összezötyköl, összetör *[kocsi utasokat]* **B.** *tni* **1.** lassan fut, kocog **2.** ~ **along** lassan üget, lassú ügetésben baktat/halad/megy **3.** *biz* ~ **with sy** toszik/dug vkvel • *mn/fn* **jogging**

jogger [ˈdʒɒgə ‖ ˈdʒɑgər] *fn* lassan futó, kocogó

jogging togs *fn tsz* szabadidőruha, jogging

joggle[1] [ˈdʒɒgl ‖ ˈdʒɑgl] **I.** *fn biz* rázogatás, gyenge rázás, megbökés **II. A.** *tsi* könnyedén (meg)ráz, megbök; ~ **sg in** beráz vmt *[apró rázó mozdulatokkal]* **B.** *tni* **1.** (meg)inog, (meg)mozdul, mozog **2.** ~ **along** zötyögve/döcögve megy/halad; tovazötyög, továbbdöcög; úgy-ahogy megy, valahogy csak megy

joggle[2] [ˈdʒɒgl ‖ ˈdʒɑgl] **I.** *fn* **1.** ~**(-joint)** vállazás, beeresztés, lapolás *[fakötésnél]*; ékelés *[gerendakötésnél]* **2.** (illesztő)csap, pecek **II.** *tsi* **1.** összecsapol, csappal/pecekkel összeerősít/összeilleszt **2.** ferdén egymásba illeszt *[gerendákat]*

jogtrot I. *mn* egyhangú, mindennapos, monoton, álmos; ~ **life** egyhangú/monoton/rutin élet **II.** *fn* **1.** könnyű/lassú ügetés **2.** *biz* mindennapos robot/rutin, monoton munka(menet)

Johanna [dʒɒˈhænə] *tul* Johanna

Johannine [dʒoʊˈhænaɪn] *mn vall* János evangelistára vonatkozó, jánosi

john [dʒɒn ‖ dʒɑn] *fn US szl* **1.** *[vécé]* budi, klotyó **2.** *[prostituált vendége]* fuvar

John [dʒɒn ‖ dʒɑn] *tul/fn* János; ~ **Blunt** goromba, de tisztességes ember; *biz* ~ **Bull** ‹az angol nemzet megszemélyesítője, (tipikus) angol (ember)›; ~ **Chinaman** a kínai ember/nép, a kínaiak; *jog* ~ **Doe** ‹fiktív személy jogi vitában›; *áll* ~ **Dory** Szent Péter hala; *biz* ~ **Hancock** saját kezű néválaírás; **St. ~ the Baptist** Keresztelő Szt. János

Johnny [ˈdʒɒni ‖ ˈdʒɑni] **I.** *tul* ‹*John* becéző alakja› **II.** *fn* **1.** *GB szl [férfi]* hapsi, pacák, alak, pali, tag, krapek **2.** *[óvszer]* koton, gumi

Johnny-come-lately, **Johnny newcome, Johnny Raw** *fn* újonc, kezdő; tejfölösszájú, zöldfülű; jövevény

Johnny-jump-up *fn növ* árvácska

join [dʒɔɪn] **I. A.** *tsi* **1. a)** (össze)illeszt, hozzáilleszt, egymáshoz/egymásba illeszt, (össze)kapcsol, (össze)köt, beköt *[deszkákat]*, egyesít, összefűz, (össze)told, összehúz *[sebet]*, összeforraszt *[csontot]*, egybekapcsol, egybeköt; ~ **forces with sy**, ~ **oneself with sy in doing sg** összefog/együttműködik vkvel, egyesítik erejüket **b)** hozzátesz, hozzáad, mellékel, csatol; ~ **documents to a report** okmányokat csatol/mellékel egy jelentéshez **2. a)** csatlakozik vmhez/vkhez; ~ **the majority** *átv biz* elhuny, meghal, megtér őseihez **b)** *kat* ~ **the army** bevonul katonai szolgálatra, katonának megy, felcsap katonának; belép a hadseregbe **c)** belép *[klubba, pártba stb.]* **3.** beletorkollik *[patak folyóba]*, találkozik *[ösvény úttal stb.]* **B.** *tni* (össze)kapcsolódik, csatlakozik, egyesül, érintkezik, összeér, beforr *[seb]*, összeforr *[csont]*; ~ **with sy in doing sg** összefog vkvel vmnek elvégzésére; **there I ~ with you** ebben egyetértek veled **II.** *fn* **1. a)** (össze)illesztés, (össze)kapcsolás, kötés, egyesítés, csatlakozás, toldás **b)** (össze)forradás *[csontoké]* **2.** metszéspont, érintkezési pont, út(vonal-)kereszteződés, két pontot összekötő egyenes

join up A. *tsi* összeilleszt, összekapcsol, egymáshoz/egymásba illeszt *[két dolgot]*, összevarr, összeköt, csatol *[fővonalhoz utat, vezetéket]*, *el* csatlakozást létesít **B.** *tni kat biz* bevonul katonai szolgálatra, katonának megy

joinder [ˈdʒɔɪndə ‖ –ər] *fn* **1.** egyesítés; *jog* ~ **of actions** perek/ügyek egyesítése **2.** egyesülés

joiner [ˈdʒɔɪnə ‖ –ər] *fn* **1.** asztalos **2. a)** hozzákapcsolódó, összekapcsolódó *[személy, tárgy]* **b)** *US* sokféle egyesület tagja, sok egyesületbe belépő ember

joining fee *fn* belépési díj *[pl. pártba, klubba]*

joint [dʒɔɪnt] **I.** *mn* közös, együttes, egyesített, kapcsolt, társas, társ-; ~ **account** közös számla; ~ **author** társszerző; ~ **business** társas cég/vállalat; közös/részes üzlet, metaügylet; ~ **capital** társasági (alap)tőke; ~ **committee** egyesített/közös bizottság; interparlamentáris bizottság; ~ **(and several)** egyetemleges; ~ **and several bond** egyetemleges felelősség; ~ **and several debt** adósság, amelyért adósok egyetemlegesen felelősek; ~ **efforts** közös erőfeszítés(ek); *kat* ~ **operations** közös hadműveletek; ~ **owner/proprietor** társtulajdonos, tulajdonostárs; ~ **stock** alaptőke, társasági vagyon; ~ **tenancy** közös bérlemény; ~ **tenant** társbérlő, bérlőtárs; ~ **undertaking** közös vállalkozás **II.** *fn* **1. a)** becsapolás *[faiparban]*, *épít* hézag **b)** könyvgerinc széle, falcnyílás **2.** *orv* ízület, csukló; **out of** ~ kificamodott *[kar stb.]*; *biz* kizökkentett, megzavart *[rendszer, szerkezet]*; elégedetlen **3.** két ízület közötti rész *[testé, tagolt szerkezeté]*, (ujj)íz, ujjperec **4. a)** egybesütni való hús **b)** bélszín, vesepecsenye *[megsütés előtt]*, pecsenye, egybesült vesepecsenye/bélszín *[feltálalva]* **5. a)** *növ* csomó, görcs, bütyök *[száré]* **b)** *áll* tag, íz **6.** *geol* repedés, hasadék **7.** *szl* **a)** *[bár, lokál]* lebuj, késdobáló **b)** hírhedt/alvilági tálálkahely **c)** *[börtön]* sitt, kóter **8.** *szl [marihuánás cigaretta]* spangli, dzsodzsó, lola **III.** *tsi* **1.** összeköt, összekapcsol, összeillészt *[fadarabokat stb.]*, egymásba illeszt/ereszt *[csöveket stb.]* **2.** felvág, felbont *[csirkét stb.]*, ízel, ízekre bont • *mn* **jointed**

jointly [ˈdʒɔɪntli] *hsz* együttesen, egyetemlegesen, közösen; *jog* ~ **liable/responsible** egyetemlegesen felelős; ~ **and severally liable** együttesen és egyetemlegesen felelős; **acting** ~ közösen eljáró

joint-stock bank *fn* ‹részvénytársasági formában működő bank›

joint-stock company *fn* részvénytársaság

jointure [ˈdʒɔɪntʃə ‖ –ər] *jog* **I.** *fn* **1. a)** házastársak osztatlan közös tulajdona **b)** közös szerzemény **2.** özvegyi eltartás **II.** *tsi* özvegyi eltartás céljaira hagyományoz (v. kijelöl) vagyonrészt

joint venture *fn gazd* vegyesvállalat, vegyes/társas vállalkozás

joist [dʒɔɪst] **I.** *fn* **1.** *épít* (födém)gerenda, kötőgerenda, padozattartó gerenda **2.** *épít* padlótartó gerendaszerkezet; **~s** ácsszerkezet **II.** *tsi* **1.** *épít* födémgerendát beszerel *[házába stb.]* **2.** *épít* gerendázatra erősít *[deszkákat stb.]*

joke [dʒoʊk] **I.** *fn* **1.** tréfa, móka, bolondozás, vicc, szellemesség; **crack/cut a** ~ elsüt egy viccet; **it is no** ~ ez nem vicc/tréfa(dolog); komolyan gondolom/beszélek; **the** ~ **is that...** a vicc az, hogy..., az a vicc(es) benne, hogy; *biz* **the** ~ **is on me** most az én káromra (v. rajtam) nevethetsz/nevethetnek; **coin ~s** vicceket farag/gyárt; **he can't see/take a** ~ nem érti a tréfát **2.** nevetség tárgya; **he's the** ~ **of the town** falu bolondja; az egész város rajta nevet **II. A.** *tsi* kigúnyol, megtréfál (vkt), gúnyt űz (vkből); ~ **away sg** elüt vmt viccel **B.** *tni* tréfál(kozik), viccel(ődik), kötekedik, bolondozik; ~ **about/at sg** tréfálkozik/viccelődik vmn • *mn* **joking**

joker [ˈdʒoʊkə ‖ –ər] *fn* **1.** tréfacsináló, viccmester; **practical** ~ csínytevő **2.** *szl [férfi]* pasi, pacák, hapsi, manusz, pali, tag **3.** dzsóker *[kártya]* **4.** *US szl* ‹burkolt érvénytelenítő kikötés/kitétel/passzus szerződésben›

jollify [ˈdʒɒlɪfaɪ ‖ ˈdʒɑ–] **A.** *tsi* felvidít, jókedvre hangol, felélénkít (vkt) **B.** *tni* szórakozik, vigad, mulatozik, dáridózik, dáridót/murit csap

jollity [ˈdʒɒləti ‖ ˈdʒɑ–] *fn tsz* **jollities 1. a)** vidámság, jókedv **b)** mulatság, mulatozás **c)** móka **2.** ünnepség, népünnepély

jolt [dʒoʊlt] **I.** *fn* **1. a)** zökkenés, zötykölődés, rázás, rázkódás, ráng(at)ás **b)** lökés, üt(őd)és, lökésszerű indulás, zökkenésszerű megállás **2.** *biz* meglepetés, megrázkódtatás, kiábrándulás **3.** *szl* ‹szeszes ital ereje› löket **4.** *szl* ‹egy adag ital v. narkotikum› **II. A.** *tsi* **1.** zökkent, zötykölődtet, zötyögtet, (meg)ráz, döcögtet, rángat, lökdös, hirtelen meglök (vmt) **2.** *Ausz* megüt (vkt) **B.** *tni* **1.** zökken, zötykölődik, zötyög, döcög, lökdösődik **2.** ~ **along** zötyög(ve halad); nehezen/nehézkesen megy • *fn* **joltiness** *mn* **jolty**

jolly [ˈdʒɒli ‖ ˈdʒɑli] **I.** *mn* **1. a)** vidám, jókedvű, jókedélyű, derűs, víg; *biz* ~ **fellow** vidám fickó, víg cimbora, kedélyes ember; *biz* **he is a** ~ **good fellow** rém jó pofa **b)** *biz* spicces, pityókás **2.** *biz* kedves, rendes, csinos **II.** *hsz* igen, nagyon, alaposan, ténylegesen, meglehetősen; ~ **glad** meglehetősen megelégedett/örül **III.** *tsi* felvidít, megtréfál, ugrat (vkt)

jolly boat *fn [hajóhoz tartozó]* kis csónak, jolle

jolly good *mn/isz GB* nagyon jó, nagyszerű, pompás

Jonah [ˈdʒoʊnə] *tul* **1.** Jónás **2.** *biz* szerencsétlen alak/flótás *[játékban]*; **a** ~ **aboard** szerencsétlenséget okozó alak

Jonathan [ˈdʒɒnəθən ‖ ˈdʒɑ–] *tul* Jonatán

jongleur [ʒɒŋˈglɜː ‖ ˈʒɑŋglɜr] *fn tört* vándorkobzos, vándorénekes

Jordan[1] [ˈdʒɔːdn ‖ ˈdʒɔrdn] *tul föld*r Jordán (folyó)

Jordan[2] [ˈdʒɔːdn ‖ ˈdʒɔrdn] *fn* ~ **almond** malagai (első osztályú) mandula

Jordanian [dʒɔːˈdeɪnɪən ‖ dʒɔr–] *mn/fn* jordán, jordániai

jorum [ˈdʒɔːrəm] *fn* **1.** bólé, puncs **2.** *régi* kupa, nagy kehely

Jos. *röv Joseph*

Joseph [ˈdʒoʊzəf] *tul* József; *régi biz* **not for** ~ a Szűz Máriának sem, én aztán nem hagyom magam!

Josephine [ˈdʒoʊzəfiːn] *tul* Jozefina; ‹női név›

josh [dʒɒʃ ‖ dʒɑʃ] *US szl* **I.** *fn [jóindulatú tréfa]* ugratás, húzás, heccelés **II.** *tsi [megtréfál]* ugrat, húz, heccel (vkt), incselkedik (vkvel) • *fn* **josher**

Joshua [ˈdʒɒʃwə ‖ ˈdʒɑ–] *tul bibl* Józsua, Józsué; *növ* ~ **tree** sivatagi jukka

Josiah [dʒoʊˈsaɪə] *tul bibl* Jósiás

joss [dʒɒs ‖ dʒɑs] *fn* kínai bálvány

josser [ˈdʒɒsə ‖ ˈdʒɑsər] *fn szl [férfi]* alak, pasas, pasi, hapsi, pofa; **old** ~ vén kenyérpusztító

joss house *fn* kínai templom/szentély

joss stick *fn* füstölő rudacska/pálca, tömjénrudacska

jostle [ˈdʒɒsl ‖ ˈdʒɑsl] **I.** *fn* **1.** lökdösés, lökdösődés, taszigálás, tolakodás **2.** összeütközés **II. A.** *tsi* **1.** lökdös, taszigál, megtaszít (vkt), megtol; **be ~d about** ide-oda lökdösik/taszigálják/rángatják *[tömegben, tolongásban]* **2.** összeüt *[két tágyat]*, hozzáüt (vmt vmhez) **B.** *tni* **1.** tolakodik, (könyökkel) lökdösődik (v. utat tör magának) *[tömegben]*; ~ **(one's way) to the front** könyökkel lökdösve tör előre *[tolongásban, tömegben]* **2.** összeütközik *[tömegben]*, zsúfolódik, szorong *[tömegben]*

jot [dʒɒt ‖ dʒɑt] **I.** *tsi* **-tt** ~ **sg down** feljegyez/lejegyez vmt, papírra vet vmt, lefirkant vmt **II.** *fn* **1.** iota *[görög betű]* **2.** pont, jotta, csekélység; *biz* **not a** ~, **not one** ~ **or title** egy jottányi(t)/szemernyi(t) sem; semmi(t) sem

jotter [ˈdʒɒtə ‖ ˈdʒɑtər] *fn* **1.** jegyzetblokk **2.** jegyzetkészítő ceruza, golyóstoll

joule [dʒuːl] *fn fiz* joule *[az energia SI-egysége]*

jounce [dʒaʊns] **I.** *fn* zökkenés, rázás, zötyögés, ide-oda dobálás, összerázás *[utasoké]* **II. A.** *tsi* ráz, zötyögtet, dobál, *[utasokat]* **B.** *tni* ráz, zötyög, zötykölődik; ~ **along** döcögve/zötyögve (v. nagy nehezen) halad, tovadöcög

journal [ˈdʒɜːnl ‖ ˈdʒɜrnl] *fn* **-ll-**, *US* **-l- 1.** napló, hajónapló; **the J~s** parlamenti ülések jegyzőkönyvei; parlamenti napló **2. a)** újság, hírlap, (napi)lap **b)** szakfolyóirat, tudományos folyóirat

journalese [ˌdʒɜːnəˈliːz ‖ ˌdʒɜr–] *fn pej* újságírói/zsurnalisztikai (mű)nyelv, újságírói zsargon

journalism [ˈdʒɜːnəlɪzm ‖ ˈdʒɜr–] *fn* hírlapírás, újságírás, zsurnalisztika

journalist [ˈdʒɜːnəlɪst ‖ ˈdʒɜr–] *fn* **1.** hírlapíró, újságíró **2.** naplóíró, naplószerkesztő • *mn* **journalistic**

journalize [ˈdʒɜːnəlaɪz ‖ ˈdʒɜr–], **-ise A.** *tsi* **1.** naplóba bejegyez *[élményt stb.]* **2.** *gazd* naplóba bevezet, naplóz *[tételt]* **B.** *tni* **1.** újságba ír, újságírással foglalkozik **2.** naplót vezet • *fn* **journalizer**

J

journey [ˈdʒɜːni ‖ ˈdʒɜrni] **I.** *fn* út, utazás; **set out on a ~** útra kel, útnak indul; **I had my ~ for my trouble** hiábavaló volt az utazásom, az ördögnek tartoztam ezzel az úttal **II. A.** *tni* utazik, utazgat **B.** *tsi* bejár, beutazik *[területet]*
journeyman [ˈdʒɜːnɪmən ‖ ˈdʒɜr–] *fn tsz* **journeymen a)** (ipari) szakmunkás, iparoslegény, iparossegéd, *tört* céhbeli mesterlegény **b)** *biz* napszámos, *átv* igavonó (ember)
journeyman clock *fn* **1.** (csillagászati) obszervatórium másodórája *[szabványórák ellenőrzésére]* **2.** villanyóra
journo [ˈdʒɜːnoʊ ‖ ˈdʒɜr–] *fn Ausz biz* újságíró
joust [dʒaʊst] **I.** *fn vál régi* harci játék dárdával/gerellyel, dárdaöklelés, lovagi torna **II.** *tni vál régi* lovas harci játékban/öklelésben vesz részt, lándzsát tör
Jove [dʒoʊv] *tul* Jupiter; **by ~!** persze!, meghiszem azt; teringettét!, a kutyafáját!
jovial [ˈdʒoʊvɪəl] *mn* derűs, vidám, kedélyes, joviális • *fn* **joviality**
jowl [dʒaʊl] *fn* **1.** állkapocs **2.** orca, arc, kép, pofa; **cheek by ~** szorosan egymás mellett, fej fej mellett **3.** (áll)lebernyeg *[kérődzőkön]*, toka, szakáll *[baromfié]* **4.** *áll* pofazacskó
joy [dʒɔɪ] **I.** *fn* öröm, élvezet, vidámság; **my ~!** drágám!, boldogságom!; **the ~s of the countryside** a falusi élet örömei; **jump/leap for ~** majd kiugrik a bőréből örömében, örömében azt sem tudja hová legyen; **beaming with ~** örömtől ragyogva/sugározva **II. A.** *tsi vál* felvidít, boldoggá tesz (vkt), örömet szerez (vknek) **B.** *tni vál* örül; **~ to do sg** örömét leli vm megtevésében, boldogan csinál vmt
joyful [ˈdʒɔɪfl] *mn* örömteli, vidám, jókedvű, örvendetes, boldog; **~ news** jó hír, örömhír • *fn* **joyfulness**
joy girl *fn szl* örömlány
joyhop [ˈdʒɔɪhɒp ‖ –hɑp] *fn/tni* **-pp-** *biz* → **joyride**
joy house *fn szl [bordélyház]* kupleráj
joy juice *fn szl [erős ital]* pia
joyride I. *fn* **1. a)** autókázás, motorozgatás, autókirándulás, sétakocsi(ká)zás **b)** vad autózás *[különösen lopott autóval]* **2.** sétarepülés **II.** *tni pt* **-rode** [–roʊd], *pp* **-ridden** [–rɪdn] autózik, kocsizik *[autóval]*, autókirándulást tesz, sétakocsi(ká)zik; **go joyriding** autót „kölcsönvesz" a tulajdonos tudta nélkül, elköt egy kocsit (és furikázik vele); sétakocsikázásra megy, autózik (egyet) • *fn* **joyrider**
joystick [ˈdʒɔɪstɪk] *fn* **1.** *biz* botkormány, kormányrúd *[repülőgépé]* **2.** *biz műsz* kezelőfogantyú, kezelőemeltyű **3.** *infor* botkormány, joystick
JP *röv Justice of the Peace*
jr., Jr. *röv junior* ifjabb, ifj.
jt. *röv joint*
juba [ˈdʒuːbə] *fn* sörény *[lóé]*
jubba [ˈdʒuːbə], **jubbah** *fn* hosszú köntös *[mohamedánoké]*
jubilant [ˈdʒuːbɪlənt] *mn* örvendező, ujjongó, öröm- *[kiáltás stb.]* • *fn* **jubilance**
jubilate I. *fn* [ˌdʒuːbɪˈlɑːti] **1.** *biz* diadalének **2.** *vall* **J~** „Jubilate Deo" zsoltár **II.** *tni* [ˈdʒuːbɪleɪt] örvendezik, ujjong, örömkiáltásokat/diadalkiáltásokat zeng
jubilation [ˌdʒuːbɪˈleɪʃn] *fn* **1.** öröm, vidámság, örvendezés, ujjongás **2.** *biz* mulatozás, mulatság, ünnepség
jubilee [ˈdʒuːbɪliː] *fn* **1.** jubileum; **diamond ~** hatvanadik évforduló; **golden ~** ötvenéves évforduló; **silver ~** huszonötödik/huszonötéves évforduló; **~ celebrations** jubiláris ünnepségek; **celebrate one's ~** ötvenéves évfordulót ünnepel **2. a)** *vall* jubileumi/jubiláris év, szentév *[katolikusoké]* **b)** *vall* jóbel-év, szabadságév *[zsidóké]* **3.** örvendezés, vigasság
Judaea [dʒuːˈdɪə] *tul földr* Júdea
Judaean [dʒuːˈdɪən] *mn/fn* júdeai
Judaeo-Christian [dʒuːˈdiːoʊ–] *mn vall* zsidó-keresztény, zsidó és keresztény
Judah [ˈdʒuːdə] *tul* Júda
Judaic, Judaical [dʒuːˈdeɪɪk(l)] *mn* zsidó(s), judaista
Judaism [ˈdʒuːdeɪɪzm] *fn* **1.** zsidóság **2.** *vall* zsidó vallás, judaizmus
judaize [ˈdʒuːdeɪaɪz ‖ ˈdʒuːdiaɪz] **A.** *tsi* elzsidósít, zsidó tanokkal telít *[egyházat stb.]* **B.** *tni* zsidó törvényeket követ
judas [ˈdʒuːdəs] → **judas-hole**
Judas [ˈdʒuːdəs] *tul* **1.** **~ (Iscariot)** Júdás (iskarióti v. Iskáriótes) **2.** áruló
Judas-coloured *mn* vörös(es) *[haj]*
judas-hole *fn* kémlelőnyílás *[ajtón]*, kukucskálóablak
Judas kiss *fn* júdáscsók
judas-trap → **judas-hole**
judder [ˈdʒʌdə ‖ –ər] *fn* **I.** *fn gk* rezgés, vibrálás *[féké stb.]*, csúszkálás, szakadatlan intenzitásváltozás **II.** *tni gk* rezeg, vibrál *[fék stb.]*, tép, nem jól vág *[szerszám]*
Jude [ˈdʒuːd] *tul* Júdás Tádé (apostol)
Judea [dʒuːˈdɪə] → **Judaea**
Judean [dʒuːˈdɪən] → **Judaean**
judge [dʒʌdʒ] **I.** *fn* **1. a)** bíró; **associate ~** ülnök; **chief ~** legfelsőbb bíróság elnöke; bíróság elnöke; tanácselnök; **circuit ~** utazó bíró; **presiding ~** bíróság elnöke; tanácselnök, tanácsvezető; **the ~s** a bíróság; a bírák; **~ ordinary** egyesbíró; **~ of appeal** fellebbviteli bíróság tagja **b)** *US* ítélkezési joggal felruházott igazságügyi tisztviselő, bíró, békebíró, rendőrbíró (esküdtszéki) esküdt, bírósági jegyző/titkár **2.** *sp* (döntő)bíró, célbíró **3.** szakértő, vmben jártas személy **II. A.** *tsi* **1.** elítél, megítél, ítéletet mond ki *[vk ügyében]* **2.** felbecsül, megbírál, elbírál, gondolatban felmér *[távolságot stb.]*; **~ sy on his face** arca alapján ítél meg vkt **B.** *tni* **a)** ítélkezik; **~ on the merits of a case** érdemben ítél egy perben/ügyben **b)** következtet, vmből ítél; **~ for yourself** győződjön meg saját maga; **judging by his words...** szavai szerint..., szavaiból ítélve... • *fn* **judger**, **judgeship**
judge advocate *fn kat jog* ‹hadbírósági eljárásban előadó bíró›; katonai ügyész/védő; kirendelt katonai védő
Judge Advocate General *fn kat jog* (legfelsőbb) haditörvényszék elnöke
Judge's Marshal *jog* → **marshal I.3.a.**
Judge's Rules *fn tsz jog* eljárási szabályok *[bírósági tárgyaláson]*
judgment [ˈdʒʌdʒmənt], **judgement** *fn* **1.** *jog* ítélet, döntés, fellebbviteli bírósági ítélet/végzés/határozat; **enforceable ~** végrehajtható ítélet; **deliver/give/pass ~** ítél, ítéletet hoz, bírósági határozatot/végzést hoz; **suspend ~** felfüggeszt ítéletet; **~ by/in default** mulasztási ítélet; **sit in ~ on sy** ítélkezik vk felett; **enter into ~ with sy** pereskedik vkvel, perbe száll vkvel; **~ on the merits** érdemi/érdemleges ítélet **2.** nézet, vélemény, megítélés, bírálat; **in/according to my ~** nézetem/véleményem/megítélésem szerint; **give one's ~ on sg** véleményét/nézetét nyilvánítja vmről; **pass ~ on a work** megítél/elbírál munkát **3.** józan ész/ítélet, ítélőképesség, judícium; **have a clear/good/sound ~** józan ítélőképessége van, jó szeme van; **by ~** csak úgy szemre/érzésre
Judgment-day, Judgement-day *fn vall* utolsó ítélet (napja)
judgment-seat, judgement-seat *fn* **a)** *vál* bíróság, törvényszék **b)** *vál* bírói szék
judicature [ˈdʒuːdɪkətʃə ‖ –keɪtʃər] *fn* **1.** igazságszolgáltatás; **court of ~** törvényszék, bíróság; **the J~ Acts** ‹az angol igazságszolgáltatást szabályozó 1873-75. évi törvények› **2.** működési időszak *[bíróé]* **3.** bírói testület, bírák
judicial [dʒuːˈdɪʃl] *mn* **1. a)** bírói, bírósági, törvényszéki; **~ enquiry** bírói vizsgálat; **~ murder** justizmord; **~ proceedings/process** bírósági/törvényszéki eljárás/tárgyalások **b)** jogi jogászi **c)** *GB régi* **the J~ Committee of the Privy Council** a királyi titkos tanács ítélőszéke *[a felső bíróság őse]* **2.** pártatlan, igazságos, jó ítélőképességű, jó kritikai képességű; **~ faculty** kritikai érzék, megítélő képesség

judiciary [dʒuːˈdɪʃəri ‖ –ʃieri] **I.** *mn* bíró(ság)i, jogi; **J~ Committee** igazságügyi bizottság *[parlamenti]* **II. a)** *fn* a bírói testület, bírák; **officials of the ~** a bírói kar/testület tagjai **b)** igazságügy, igazságszolgáltatás *[mint hatalmi ág]*

judicious [dʒuːˈdɪʃəs] *mn* **1.** okos, értelmes, józan ítéletű/eszű, megfontolt, belátó, judíciummal rendelkező **2.** *Sh* hozzáértő, szakértő

Judith [ˈdʒuːdɪθ] *tul* Judit

judo [ˈdʒuːdoʊ] *fn sp* cselgáncs • *fn* **judoist**

judoka [ˈdʒuːdoʊkə] *fn sp* cselgáncsozó

Judy [ˈdʒuːdi] **I.** *tul* ‹*Judith* becéző alakja› **II.** *fn GB szl [nő]* női, csaj

jug[1] [dʒʌg] **I.** *fn* **1.** korsó, kancsó, köcsög **2.** *szl [börtön]* sitt, dutyi **II.** *tsi* **-gg- 1.** párol, gőzön főz dinsztel *[húst]*; **~ged hare** nyúlragu **2.** *szl [bebörtönöz]* dutyiba zár, bekasztniz, lesittel

jug[2] [dʒʌg] **I.** *fn* **the ~ of the nightingale** a fülemüle csattogása **II.** *tni* **-gg-** énekel, csattog *[fülemüle]*

jugful [ˈdʒʌgfʊl] *fn* korsónyi, köcsögnyi, kancsónyi

Juggernaut [ˈdʒʌgənɔːt ‖ –gər–] *fn* **1.** *vall* hindu isten, Visnu egyik alakja **2. j~** eltipró/gyilkos erő, könyörtelenül elpusztító erő **3.** *GB biz* **j~** kamion

juggins [ˈdʒʌgɪnz] *fn biz [mulya/együgyű/hiszékeny ember]* fajankó, balek, tökfilkó, ütődött alak

juggle [ˈdʒʌgl] **I. A.** *tsi* **~ sg away** eltüntet vmt *[észrevétlenül]*; **~ sy into doing sg** csalással rávesz vkt vmre (v. vkt vmnek az elkövetésére); **~ sg out of sy** kicsal/elcsen vmt vktől **B.** *tni* **1.** zsonglőrködik *[labdákkal stb.]* **2.** bűvészkedik, szemfényvesztést űz, kóklerkedik; *biz* **~ with facts** elkeni/leplezi a tényeket; bűvészkedik (v. szemfényvesztést űz) a tényekkel **II.** *fn* **a)** zsonglőrködés, zsonglőrmutatvány *[golyókkal stb.]* **b)** szemfényvesztés, bűvészkedés, bűvészmutatvány

juggler [ˈdʒʌglə ‖ –ər] *fn* **1. a)** zsonglőr **b)** bűvész, varázsló, szemfényvesztő, kókler **2.** *biz* csaló, rosszhiszemű ember, kalandor **3. ~ of words** zsonglőrje a szavaknak • *fn* **jugglery**

jugular [ˈdʒʌgjʊlə ‖ –ər] **I.** *mn orv* nyaki, nyakhoz/torokhoz tartozó, torkolati, jugularis; *orv* **~ vein** nyakér, torkolati véna **II.** *fn biz* nyakér, torkolati véna

jugulate [ˈdʒʌgjʊleɪt] *tsi* **1.** elmetszi/elvágja nyakát/torkát (vknek) **2.** megfojt (vkt); *biz* **~ a disease** elfojt egy betegséget; **~ an epidemic** megfékez egy járványt

jugulum [ˈdʒuːgjʊləm] *fn tsz* **jugula** [–lə] **1.** kulcscsont **2.** torok, gége *[madáré]*

juice [dʒuːs] **I.** *fn* **1.** lé, nedv, szaft *[húsé, gyümölcsé]*, gyümölcslé, dzsúsz, ivólé **2.** *biz* lényege/magva/lelke/veleje/zamatja vmnek *[elbeszélésé, tudományé]* **3.** *gk szl [benzin, üzemanyag]* kakaó; **step on the ~** rátapos a gázra, nyomja a kakaót **4.** *orv* emésztőnedv, váladék; **gastric ~** gyomornedv; **intestinal ~** bélnedv; **prostatic ~** prosztataváladék **II.** *tsi* **1. be ~ed a)** *szl* villamosszékben kivégzik, villanyáram megöli **b)** elektromos ütést (v. áramütést) kap *[vezetéken végzett munka közben]* **2.** *[felélénkít]* felvillanyoz, feldob; **be ~d up** *[részeg]* piás, tintás

juiceless [ˈdʒuːsləs] *mn* **1.** lé/nedv nélküli, szaft nélküli, nem eléggé leves/szaftos, száraz **2.** *biz* száraz, sivár, érdektelen *[történet stb.]*

juicer [ˈdʒuːsə ‖ –ər] *fn* gyümölcsprés

juicy [ˈdʒuːsi] *mn* **1. a)** zamatos, leves, lédús, bő nedvű, szaftos, bő levet eresztő *[pecsenye]* **b)** *biz* **~ pipe** szortyogó/elduguló/eltömődő pipa **2. a)** *biz* nedves, esős *[időjárás]* **b)** *biz* zamatos, ízes *[elbeszélés, stílus]*, pikáns *[történet]* • *fn* **juiciness**

ju-jitsu [dʒuːˈdʒɪtsuː] *fn sp* dzsiudzsicu *[távol-keleti küzdősport]*

ju-ju [ˈdʒuːdʒuː] *fn* **1.** fétis, amulett, talizmán, zsuzsu **2.** tiltó varázslat, tabu, érinthetetlen és szent dolog

jujube [ˈdʒuːdʒuːb] *fn* gumicukorka, hurutot oldó cukorka, köhögés elleni cukorka

juke [dʒuːk] *fn* **I.** *[bordélyház, olcsó útmenti szórakozóhely]* kupi, lebuj **II.** *tni* táncol *[különösen ócska lebujban]*, ráz, csörög

jukebox [ˈdʒuːkbɒks ‖ –bɑks] *fn* wurlitzer, (pénzbedobós) zenegép

Jul. *röv July* július, júl.

julep [ˈdʒuːlɪp] *fn* **1. a)** üdítő/nyugtató szirup(os lé) **b)** *orv* mézgás/ópiumos csillapító keverék **2.** *US* alkoholos édesített hűsített ital

Julia [ˈdʒuːlɪə] *tul* Júlia

Julian [ˈdʒuːlɪən] **I.** *mn* Julius Caesarra vonatkozó, Julius Caesar-i, Julius Caesar-féle, Julianus-, Julián-; **~ account** Julián-féle időszámítás; **~ Alps** Júliai-Alpok; **~ calendar** Julianus-(féle) naptár; **~ day** Julián-nap; **~ period** Julianus-periódus; **~ year** Julián-év **II.** *tul* ‹férfinév›

julienne [ˌdʒuːliˈen] *fn* ‹vékony csíkokra vágott zöldség›

Juliet [ˈdʒuːlɪət] *tul* Júlia

Julius [ˈdʒuːlɪəs] *tul* ‹férfinév›; **~ Caesar** Julius Caesar

July [dʒʊˈlaɪ] *fn* július

jumble [ˈdʒʌmbl] **I.** *fn* **1. a)** zűrzavar, felfordulás, rendetlenség, (vk által okozott) zavar, zagyvalék, kusza halmaz *[limlomé, kacaté]*, egyveleg **b)** összekuszálódás, összegabalyodás, összezavarodás, összekeveredés *[gondolatoké]*, összevisszaság, vegyülék *[szavaké]* **2.** rázás, zötyögés *[kocsié]*, ringás, ringatás *[tengeré]* **II. A.** *tsi* összekuszál, összegabalyít, összezavar, összekever, összeforgat, összevegyít, összezagyvál; **~d story** kusza (értelmetlen) történet; **~ up one's papers** összekuszálja/összekeveri iratait **B.** *tni* **1.** összekeveredik, összekuszálódik, összegabalyodik **2. ~ along** tovadöcög, tovazötyög

jumble goods *fn tsz* ócska áru, ószeresáru, zsibáru

jumble sale *fn* **1.** használt tárgyak (v. kacatok) vására *[jótékonysági célra]* **2.** kirakó árusítás *[házaló árusé]*

jumbo [ˈdʒʌmboʊ] **I.** *mn* óriás(i méretű) *[edény, kifli stb.]* **II.** *fn* **1.** *biz* elefánt **2.** *szl* **a)** a kövér/lomha/nehézkes (v. nagy darab) ember **b)** „nagykutya", magasállású ember **c)** nagysikerű ember

jumbo jet *fn rep biz* ‹többszáz személyes sugárhajtású utasszállító repülőgép› óriásgép, óriás jet

jumbo-size *mn biz* extra nagy

jumbuck [ˈdʒʌmbʌk] *fn Ausz* juh, birka

jump [dʒʌmp] **I. A.** *tsi* **1. a)** átugrik vmt/vmn; **~ the queue** előrefurakodik sorbanállásnál; soron kívül jut hozzá vmhez **b) ~ a ship** megszökik *[hajóról]*; **~ the tracks** kisiklik *[vonat]* **c) ~ the gun** *sp* kiugrik, az indító lövés/jeladás előtt startol/rajtol; *átv* elhamarkodja a dolgot, megengedett/megbeszélt idő előtt kezd el vmt **2. a)** ugrásra késztet, ugrat *[lovat stb.]* **b)** kiugrat *[biliárdgolyót asztalról]* **c) ~ sy's nerves** vknek az idegein táncol **d)** hirtelen kisüt/megsüt *[burgonyát]* **3. a)** váratlanul megragad/elkap (vmt) **b)** *biz* **~ sy** rászed/meglop vkt; megkörnyékez vkt; kirántja a talajt vk lába alól **c)** *US* **~ a train** (mozgó) vonatra felugrik; (mozgó) vonatról leugrik **4.** *régi* kockáztat, kockára tesz (vmt) **B.** *tni* **1.** ugrik, szökken; **~!** hopp ide!, ugorj! *[kutyának]*; **~ clear** félreugrik **2.** felugrik, felpattan, felszökken; **my heart ~ed** a szívem repesett (v. nagyot dobbant) örömében]; a szívem összeszorult *[rossz hír hallatára]*; **you needn't ~!** nem kell megijedned/idegeskedned! **II.** *fn* **1.** ugrás, zökkenés, szökellés; **long ~** távolugrás; *rep* **delayed ~** kézi nyitású ejtőernyős ugrás; **running ~** nekifutásos (távol)ugrás, ugrás nekifutással/rohammal; **high ~** magasugrás; **a ~ ahead of sy** jóval vk előtt; **get the ~ on sy** fölényben van vkvel szemben; *biz* **not by a long ~** távolról sem; szó sincs róla; *US biz* **from the ~** kezdettől fogva; *biz* **on the ~** rohan(ásban van); elfoglalt **2.** felpattanás, felriadás, visszahőkölés, hirtelen kiegyenesedés; **give sy a ~** meghökkent/megrettent vkt; *biz* **keep sy on the ~** nem enged/hagy vkt lélegzethez jutni, folyton

J

ugráltat vkt **3. a)** *sp* gát, (ugró)akadály; **put a horse at/over a ~** lóval átugrat gáton/akadályon **b)** *ját* ugrólicit *[bridzsben]* **4.** *szl [közösülés]* kefélés, dugás

jump about *tni* ugrándoz(ik), szökdécsel

jump across *tsi* átugrik (vmt)

jump at *tni* **~ at sy** ráugrik vkre, ráveti magát vkre; **~ at sg** kézzel kap vm után, kapva kap vmn

jump back *tni* hátraugrik, hirtelen hátrál, visszaugrik *[rugó stb.]*

jump down *tni* **1.** leugrik *[lováról stb.]*, földre ugrik, ugrással leszáll **2.** *biz* **~ down sy's throat** összeteremtettéz vkt; letol/lekap/lehord vkt, erélyesen rendreutasít vkt, beléfojtja a szót vkbe

jump for *tni* **~ for joy** majd kiugrik a bőréből örömében; *szl* **~ for it!** ugorj!, siess!, ne aludj!, nosza rajta!

jump in *tni* beugrik (vhova), benn terem; **~ in!** gyorsan szállj(on) fel!, ugorj(on) be! *[járműbe]*

jump into A. *tsi* **~ sy into doing sg** beugrat vkt vmbe, rávesz vkt vm megtételére **B.** *tni* beleugrik vmbe

jump off *tni* leugrik *[falról stb.]*

jump on *tni US* **~ on sy** vknek nekiesik/nekitámad és lehordja

jump out *tni* kiugrik; **~ out of one's skin** kiugrik a bőréből; halálra rémül; **~ out on sy** lecsap/ráugrik vkre *[lesből]*

jump to *tni* **1. ~ to it** két kézzel kap rajta, megragadja az alkalmat; nekifog, nekilát, erélyesen hozzáfog, cselekedni kezd **2. ~ to conclusions** elhamarkodottan következtetésekbe bocsátkozik; **~ to the eye** szemet szúr

jump together *tni biz* egybeesik, egyezik, összevág *[több tény stb.]*

jump up *tni* **1.** felugrik, talpra ugrik; **~ up!** fel!; felkelni!, ugorj fel!, ugorj ki! *[ágyból]* **2.** hirtelen emelkedik, felugrik, felmegy *[vmnek az ára]*

jump upon *tni* **~ upon sy** ráugrik vkre; kirohan/kifakad vk ellen; megrohan/lehord vkt

jump with *tni biz* megegyezik/egybevág, vmvel; **~ with sg** egyetért vmvel

jump ball *fn sp* labdafeldobás *[kosárlabdában]*

jumped [dʒʌmpt] *mn biz* felkapaszkodott, parvenü *[polgár stb.]*

jumper[1] [ˈdʒʌmpə ‖ −ər] *fn* **1. a)** *összet* ugró, aki ugrik **b)** jegyellenőr, kalauz *[vonaton]* **c)** kis szánkó **2.** *tréf* szöcske, bolha, sajtkukac, mitugrász

jumper[2] [ˈdʒʌmpə ‖ −ər] *fn* **1.** *GB* pulóver **2.** tengerészzubbony, matrózblúz **3.** (női) blúz **4.** eszkimó prémruha **5. a)** *US* kötényruha **b) jumpers** *US* játszóruha, tipegő, kötényruha *[kislányé]*

jumper cable *fn* **1.** *vasút* kocsiközi kábel **2.** → **jump lead**

jumper-dress *fn* **a)** kötényruha **b)** kétrészes kötött ruha

jumpiness [ˈdʒʌmpinəs] *fn* **1.** idegesség, izgatottság, nyugtalanság **2.** kiegyensúlyozatlanság, ingadozás *[tőzsdéé]*

jumping [ˈdʒʌmpɪŋ] **I.** *mn* ugráló, ugrándozó, szökdelő; **at ~ stones** lóugrás szerint **II.** *fn* **1.** ugrálás, ugrándozás, szökd(écs)elés; **~ in sacks** zsákfutás *[játék]* **2. a)** átugrás *[lóval, sövényen]*, gátugrás; *sp* **hurdle ~** gátfutás **b)** *vasút* **~ of the metals/tracks** kisiklás **3.** akad(oz)ás, rázás *[készüléké]* **4.** *fémip* zömítés, tömörítés, összekovácsolás

jumping-bean *fn növ* mexikói ugróbab(szem)

jumping-board *fn sp* ugródeszka, trambulin

jumping jack *fn* zsinóron/dróton rángatott báb(u); *biz* **political ~** politikai báb, bábpolitikus

jumping-off *mn* kiinduló, kezdő

jumping-pole *fn sp* ugrórúd

jumping-rope *fn sp* ugrókötél

jump jet *fn GB* helyből (függőlegesen) felszálló repülőgép

jump lead *fn GB gk* indítókábel, bikakábel

jump seat *fn* pótülés, csapóülés *[autóban, repülőgépen]*

jump-start *tsi* betol *[autót]*

jump suit *fn* **1.** ejtőernyős öltözék/felszerelés **2.** overall

jumpy [ˈdʒʌmpi] *mn* **1.** *biz* ideges, nyugtalan, izgatott, ijedős *[személy]* **2. a)** *biz* kiegyensúlyozatlan, ingadozó *[tőzsde]* **b)** *biz* szaggatott, egyenetlen *[stílus]*

Jun. *röv* **1.** *June* június, jún. **2.** *Junior*

junc. *röv junction*

junction [ˈdʒʌŋkʃn] **I.** *fn* **1. a)** egyesülés, találkozás, kapcsolás, csatlakozás, összefolyás, egybefolyás *[folyóké]*, egybetorkollás *[csöveké]* **b)** összekapcsolás, összeillesztés **2. a)** *közl* útkereszteződés, útcsatlakozás, csomópont, gócpont, elágazási hely/pont *[vasúté, utaké]*; **T ~** T-csatlakozás, derékszögű csatlakozás **b)** (vasúti) csomópont **c)** elágazás *[vasúté]* **3.** *fémip* forrasztott kötés **II.** *tni* csatlakozik *[vasútvonal stb.]*

junction-box *fn* **1.** *el* elágazó doboz, csatlakozó szekrény **2.** *el* kábelkamra, kábelház

juncture [ˈdʒʌŋktʃə ‖ −ər] *fn* **1.** → **junction** I. 1. 2. csatlakozó rész, csukló, eresztékek, varrat, kötés *[csöveké]* **3. a)** összetalálkozás, egybeesés *[körülményeké]*; **~s of time** körülmények összetalálkozása **b)** fordulat, kritikus helyzet/pillanat; **at this ~** ebben a (kritikus) helyzetben/pillanatban

June[1] [dʒuːn] *fn* június

June[2] [ˈdʒuːn] *tul* ‹női név›

June-cold *fn* szénanáz, szénanátha

jungle [ˈdʒʌŋgl] *fn* **1.** dzsungel, trópusi (ős)erdő, őserdő; *szl tabu* **~ bunny** *[néger]* feka, boxos, csoki; *szl* **~ juice** *[házilag készített]* alkohol **2.** *US szl* csavargótanya, csavargótábor **3.** *zene* ‹gyors, élénk ritmusú zene ingázó basszusdallammal›

jungle-fever *fn* tropikus mocsárláz, malária

jungle gym *fn US* mászóka *[játszótéren]*

jungle-rice *fn* köles

junior [ˈdʒuːnɪə ‖ −ər] **I.** *mn* **1.** ifjabb, fiatalabb, *sp* ifjúsági, junior **2.** alsóbbfokú, alárendelt, alacsonyabb rangú, fiatal; **the J~ Service** a hadsereg *[a hadiflottával szemben]* **3.** későbbi *[civilizáció stb.]* **II.** *fn* **1. a)** az ifjabb, a fiatalabb; **my ~s** a nálam fiatalabbak **b)** *biz* öcsi **c)** *biz* a gyerek, a kicsi **2. a)** *okt* **the ~** az általános iskolások, az elemisták, a kicsik **b)** *okt US* harmadikos *[tanuló]*, harmadéves (hallgató) • *fn* **juniority**

junior college *fn US* ‹főiskola első két évének megfelelő v. főiskolára előkészítő oktatási intézmény›

junior high school *fn US okt* ‹ált. iskola két legfelső osztálya és a középiskola első és második osztálya›

junior minister *fn* miniszterhelyettes

junior primary school *fn okt* alsó tagozat

junior school *fn GB okt* általános iskola *[7–11 éves korig]*, alsó tagozat *[általános iskoláé]*

juniper [ˈdʒuːnɪpə ‖ −ər] *fn növ* **juniper(-tree)** boróka(fenyő)

junk[1] [dʒʌŋk] **I.** *fn* **1. a)** limlom, hulladék, ócskavas, szemét **b)** ócskaság, vacak, bóvli, szemét *[áruról]*; **piece of ~** eladhatatlan áru, bóvli **c)** *biz* **that/s'all ~** ez mind hülyeség, ez csak afféle értelmetlen beszéd **2.** tagbaszakadt (v. nagy darab) ember **3.** *hajó* sózott marhahús **4.** bálnavelő, cetvelő, spermaceti **5.** *US szl* kábítószer, heroin **II.** *tsi* **1.** nagy darabokra vág (vmt) **2.** *US* kiselejtez, kidob, félredob, kiszuperál (vmt)

junk[2] [dʒʌŋk] *fn orv* sín *[csonttörés számára nádból]*

junk[3] [dʒʌŋk] *fn* kis japán/kínai vitorláshajó, dzsunka

junk bond *fn pénz* bóvlikötvény *[nagy hozammal kecsegtető, de kockázatos értékpapír]*

junker [ˈdʒʌŋkə ‖ −ər] *fn tört* fiatal porosz nemes

junket [ˈdʒʌŋkɪt] **I.** *fn* **1.** ‹édességként szolgáló ízesített aludttej› **2. a)** *biz* lakoma, lakmározás, eszem-iszom **b)** *biz US* társas kirándulás, majális **c)** *biz US* szórakozás utaz(gat)ás államköltségen **d)** *biz US* út, utazás, körutazás **II.** *tni* **1.** lakomázik, lakmározik, eszik-iszik **2.** *US* társas kirándulást tesz **3.** *US* államköltségen szórakozik/utazik/utazgat • *fn* **junketing**

junk food *fn* **1.** egészségtelen ennivaló, *biz* gyorskaja **2.** *átv* vacak, értéktelen, giccses *[pl. színdarab]*

junkie [ˈdʒʌŋki] *fn US szl [kábítószeres]* narkós

junk mail *fn US pej* ‹postai úton terjesztett hirdetések, reklámok›

junk shop *fn* **1.** ószeresbolt, zsibárukereskedés **2.** ócskavaskereskedés

junkyard [ˈdʒʌŋkjɑːd ‖ –jɑrd] *fn* **1.** szeméttelep **2.** autóroncstelep, autótemető

junta [ˈdʒʌntə, ˈhuntə] *fn* **1.** katonai/tiszti klikk *[államvezetésben]*, junta **2.** törvényhozó/kormányzó testület **3.** → **junto**

junto [ˈdʒʌntoʊ] *fn* klikk, frakció, politikai csoportosulás, titkos szövetkezés

Jupiter [ˈdʒuːpɪtə ‖ –ər] *tul csill* Jupiter

jupon [ˈʒuːpɒn ‖ –pɑn] *fn* **1.** zeke, ujjas **2.** (alsó)szoknya

Jura [ˈdʒʊərə ‖ ˈdʒʊrə] **I.** *tul földr* Jura **II.** *fn geol* → **Jurassic** II.

jural [ˈdʒʊərəl ‖ ˈdʒʊrəl] *mn* **1.** jogi, jogtudományi, törvénykezési, bírói **2.** jogokkal kapcsolatos, (erkölcsi) kötelezettségekkel kapcsolatos

Jurassic [dʒʊˈræsɪk] **I.** *mn geol* jura; *geol* ~ **period** jura időszak **II.** *fn geol* jura; *geol* **the upper** ~ a felsőjura(-réteg)

jurat [ˈdʒʊəræt ‖ ˈdʒʊræt] *fn* **1.** *jog* ‹affidavithoz mellékelt jegyzőkönyv, amely feltünteti, hogy mikor, ki előtt és hol állították ki› **2.** városi tisztviselő

juratory [ˈdʒʊərətəri ‖ ˈdʒʊrətɔri] *mn jog* eskü alatti *[nyilatkozat]*, eskü mellett vállalt *[kötelezettség]*

juridical [dʒʊˈrɪdɪkl] *mn* **1.** jogi, jogászi, jogtudományi, bírói, bíráskodási, jog szerinti, törvénykezési; ~ **days** törvénynapok **2.** ~ **person** jogi személy

jurisconsult [ˈdʒʊərɪskənsʌlt ‖ ˈdʒʊrɪskɑn–] *fn jog* jogtudós, jogász, törvénytudós

jurisdiction [ˌdʒʊərɪsˈdɪkʃn ‖ ˌdʒʊr–] *fn* **1.** bíráskodás, törvénykezés, igazságszolgáltatás, jogszolgáltatás; **have ~ over sy** bíráskodási joga van vk felett **2.** hatáskör, illetékesség, fennhatóság; **area under/within the ~ of sy** vk fennhatósága alá tartozó terület • *mn* **jurisdictional**

jurisprudence [ˌdʒʊərɪsˈpruːdns ‖ ˌdʒʊr–] *fn jog* jogtudomány; **medical** ~ törvényszéki orvostan • *mn* **jurisprudent**, **jurisprudential**

jurist [ˈdʒʊərɪst ‖ ˈdʒʊrɪst] *fn* **1. a)** *jog* jogász, jogtudós, jogtudományi/jogi író **b)** *jog US* ügyvéd, jogász **2.** *jog* joghallgató • *mn* **juristic**

juror [ˈdʒʊərə ‖ ˈdʒʊrər] *fn* **1. a)** *jog* esküdt, esküdtszék tagja; **petty** ~ kis/ítélkező esküdtszék tagja; **grand** ~ nagy/vádemelő esküdtszék tagja **b)** kiállítás zsűrijének tagja, zsűritag **2.** *GB tört* az államra felesküdött pap *[az 1688. évi forradalom után]*

jurory [ˈdʒʊərəri ‖ ˈdʒʊrəri] *fn* hamis tanúvallomás/tanúzás

jury[1] [ˈdʒʊəri ‖ ˈdʒʊri] *fn* **1.** *jog* esküdtbíróság, esküdtszék; **common/petty/trial** ~ kis/ítélkező esküdtszék; **grand** ~ vádesküdtszék, nagy/vádemelő esküdtszék; ~ **process** az esküdtszék összeállítása; **foreman of the** ~ az esküdtek szószólója; **be/serve/sit on the** ~ esküdtszék tagja **2.** versenybíróság, zsűri *[kiállításé, versenyé]*; ~ **of award** bírálóbizottság

jury[2] [ˈdʒʊəri ‖ ˈdʒʊri] *mn hajó* ideiglenes, rögtönzött

jury box *fn* **1.** *jog* esküdtek padja **2.** versenybírói emelvény/páholy, zsűriemelvény

juryman [ˈdʒʊərimən ‖ ˈdʒʊr–] *tsz* **-men** → **juror** 1.

jurywoman *tsz* **-women** → **juror** 1.

jus [ʒuː] *fn* leves, lé

just [dʒʌst] **I.** *mn* **1.** igazságos, pártatlan *[ember, ítélet]*, jogos *[igény]*; ~ **reward** méltányos jutalom; *jog* **a ~ and lawful decision** igazságos/helyes és pártatlan ítélet **2.** igaz, becsületes *[ember]*, helyes, ésszerű *[eljárás]*; **sleep the sleep of the** ~ az igazak álmát alussza **II.** *hsz* **1. a)** épp(en), egészen, pont(osan); *biz* **very "~ so"** nagyon korrekt *[személy]*; ~ **married** újdonsült házas(ok), most kötöttek házasságot, nászutasok; **that's ~ it** hát éppen ez az **b)** ~ **as** épp oly(an)/úgy, mint; ~ **as you please** úgy, ahogy önnek tetszik, ahogy parancsolja **c)** ~ **now** épp most, ez idő szerint; pár perce **2.** ~ **cooked** friss(en főtt); *nyomd* ~ **off press** most jelent meg, legfrissebb kiadás; ~ **out** (éppen) most megjelent *[könyv]* **3.** alig, éppen hogy, csaknem, majdnem; ~ **about** körülbelül; nagyjából; **it's ~ about it** körülbelül így (is) van; **you are ~ in time** épp(en hogy) idejében érkezik (v. nem késett el); *gazd* ~ **in time** éppen időben való szállítás, időzített alkatrész-beérkezés **4. a)** csak; ~ **a (little) bit** csak egy egész keveset, csak egy icipicit; ~ **once** csak egyetlenegyszer **b)** *biz* ~ **sit down please** tessék csak helyet foglalni üljön hát/csak le kérem **5.** *hangsúlyozóan:* **they were ~ starving** egyszerűen éheztek!, a szó szoros értelmében éheztek; ~ **wait and see!** nohát majd meglátod!; *szl* **won't you catch it ~ !/won't you ~ catch it!** ezt nem úszod meg!, na most megkapod

justice [ˈdʒʌstɪs] *fn* **1. a)** igazság(szolgáltatás), méltányosság, pártatlanság; **eternal** ~ örök igazságosság; **administer/dispense** ~ igazságot szolgáltat; **dispute the ~ of a claim** követelés jogalapját kétségbevonja/vitatja; **do ~ to sg** eleget tesz vmnek; **to do him** ~ hogy méltányosak legyünk vele szemben; **do oneself** ~ kifejti (v. érvényre juttatja) képességeit, érvényesül; kitesz magáért; *biz* **do ~ to the dinner** jó étvággyal elfogyasztja a vacsorát; **do ~ to one's talent** érvényre juttatja tehetségét; **do ~ to sy, do sy** ~ igazságot szolgáltat vknek; igazat ad vknek; **in** ~ igazság szerint, hogy igazságosak/méltányosak legyünk; **he complained with ~ of his treatment** joggal panaszkodott az őt ért bánásmódra **b) bring sy to** ~ bíróság/igazságszolgáltatás elé állít vkt **c)** *tört* **bed of** ~ a francia király trónja az országgyűlésen; a francia országgyűlés ünnepi ülése a király jelenlétében **2.** (törvényszéki) bíró; ~ **of the peace** békebíró; *GB* **the Lord Chief J~, the Chief J~ of England** az angol legfelsőbb bíróság elnöke; **the Lord J~s** az angol legfelsőbb semmitőszék bírái; *US* **Chief J~** az Egyesült Államok legfelsőbb bíróságának elnöke; **trial** ~ vizsgálóbíró

justicer [ˈdʒʌstɪsə ‖ –ər] *fn* bíró

justiciable [dʒʌˈstɪʃəbl] *mn* felelősségre vonható, vknek (v. vmely törvénynek stb.) ítélkezése alá tartozó

justiciar [dʒʌˈstɪʃɪə ‖ –ʃɪer] *fn GB tört* ‹legmagasabb politikai és bírói tisztség a normann és Plantagenet-házi királyok idejében›

justiciary [dʒʌˈstɪʃɪəri ‖ –ʃieri] **I.** *mn* bíráskodó, igazságosztó **II.** *fn sk jog* **High Court of J~** legfelsőbb skót büntető törvényszék

justifiable [ˈdʒʌstɪfaɪəbl] *mn* igazolható, indokolható, megokolható, menthető *[bűntett stb.]*, jogos *[harag, cselekedet]*; ~ **self-defence** jogos önvédelem

justification [ˌdʒʌstɪfɪˈkeɪʃn] *fn* **1.** igazolás, indokolás, megokolás, indokoltság *[cselekedeté]*, mentség, menthetőség *[bűntetté stb.]*, jogosság *[haragé]*; **it can be said in his** ~ mentségére/igazolásul azt lehet mondani/felhozni; **there is no ~ for such an action** ilyen tettre/eljárásra nincs mentség **2.** *vall* megigazulás **3. a)** *nyomd* soregyenlősítés, (sor)kizárás **b)** *nyomd* tördelés • *mn* **justificative**

justify [ˈdʒʌstɪfaɪ] *tsi* **1.** (be)igazol *[viselkedést stb.]*, indokol, megokol, véd *[magatartást]*, igazat ad *[esemény vk cselekedetének]*; *jog* ~ **bail** fizetőképességet igazol *[óvadék letétele előtt]*; ~ **sy before sy** igazol/kiment vkt vknél; **the end justifies the means** a cél szentesíti az eszközt; **be justified in doing sg** igaza/joga van vmt megtenni; **he was justified in the event** az esemény őt igazolta; **I do not feel justified in...** nem érzem magam feljogosítva arra, hogy... **2. a)** felment **b)** feloldoz *[bűn alól]* **3.** *vall* **be justified** megigazul **4.** *nyomd* **a)** egyenlősít, kizár *[sort]* **b)** tördel *[szedést]* • *fn* **justifier** *mn* **justified**, **justifying**

J

Justinian [dʒʌˈstɪnɪən] *mn* Justinianus-féle *[kódex]*
justly [ˈdʒʌstli] *hsz* **1.** igazságosan, jogosan **2.** helyesen, becsületesen, tisztességesen, illendően **3.** *Sh* pontosan
justness [ˈdʒʌstnəs] *fn* **1.** igazság *[ügyé]* **2.** helyesség, pontosság *[eszméé, megfigyelésé]*
jut [dʒʌt] **I.** *fn* kiugró rész, kiugrás, kiszögellés *[épületen, tetőn stb.]* **II.** *tni* **-tt-** **~ out** kiugrik, kiáll, kiszögell, előrenyúlik, kidagad *[térben]*
jute [dʒuːt] *fn növ tex* juta
Jutland [ˈdʒʌtlənd] *tul földr* Jütland
juvenal [ˈdʒuːvnˌəl] *mn* fiatalos, ifjúi
Juvenal [ˈdʒuːvnˌəl] *tul* Juvenalis
juvenescence [ˌdʒuːvəˈnesns] *fn* **1.** serdülés, serdülő kor **2.** fiatalosság
juvenescent [ˌdʒuːvəˈnesnt] *mn* serdülő, fiatalkori
juvenile [ˈdʒuːvənaɪl ‖ –vnˌəl] *tsz* **juveniles I.** *mn* ifjú, ifjúsági, fiatal(os), fiatalkorú, serdülőkori, juvenilis; **J~ Court** fiatalkorúak bírósága; **~ delinquency** fiatalkori bűnözés; **~ delinquent** fiatalkorú bűnöző; **~ labour** fiatalkorúak munkája; fiatalkorú munkások; **~ offenders** fiatalkorú bűnözők **II.** *fn* **1.** fiatalember, ifjú **2.** *biz* ifjúsági irodalom/könyvek, gyerekkönyvek
juvenility [ˌdʒuːvəˈnɪləti] *fn* fiatalság, ifjúság, fiatalkorúság, fiatalosság
juvie [ˈdʒuːvi] *fn szl* **1.** tini **2.** javítóintézet; javcsi
juxtapose [ˌdʒʌkstəˈpouz ‖ ˈdʒʌkstəpouz] *tsi* **a)** melléhelyez, egymás mellé helyez **b)** *nyelv* mellérendel
juxtaposition [ˌdʒʌkstəpəˈzɪʃn] *fn* **a)** melléhelyezés, csatlakozó helyzet, határosság **b)** *nyelv* mellérendelés *[mondatoké]*, egymás melléhelyezés *[szavaké]*
jynx [dʒɪŋks] *fn* boszorkányság, varázsige, varázslat

J

K

K¹, k [keɪ] *fn tsz* **K's** k (betű/hang); **K for Kilo** K mint Katalin
K², k *röv* **1.** *karat* **2.** *Kelvin, kelvin(s)* **3.** *kilo(s)* **4.** *kilobyte* **5.** *king* **6.** *knight* **7.** *one thousand* **8.** *potassium*
kabala [kəˈbɑːlə], **kabbala(h)** *fn vall* kab(b)ala, zsidó misztikus tan
kabuki [kəˈbuːki] *fn szính* kabuki *[hagyományos japán színház]*
Kabyle [kəˈbaɪl] *mn/fn* kabil *[nép, nyelv]*
Kaffir [ˈkæfə ‖ –ər] *mn/fn* **a)** kaffer (nyelv) *[ma: xhosza]* **b)** színesbőrű dél-afrikai *[fehér emberek szóhasználatában]*
Kafir [ˈkæfə ‖ –ər] → **Kaffir**
Kafkaesque [ˌkæfkəˈɛsk] *mn* kafkai *[atmoszféra, helyzet]*
kaftan [ˈkæftæn, –ˌtɑːm] *fn* **1.** kaftán **2.** hosszú, bő női köntös
kai [kaɪ] *fn ÚjZ biz* kaja
kail [keɪl] *sk* → **kale**
kailyard [ˈkeɪljɑːd ‖ –jɑrd] *sk* → **kaleyard**
kaiser [ˈkaɪzə ‖ –ər] *fn tört* császár *[Német-római Birodalomé, Ausztriáé, Németországé]*
kalashnikov [kəˈlæʃnɪkɒf ‖ kəˈlɑːʃnɪkɑf] *fn* kalasnyikov(-géppisztoly)
kale [keɪl] *fn* **1.** *sk* takarmánykáposzta, marhakáposzta; **curly/green ~** fodros káposzta, fodorkel **2.** *US szl [pénz]* guba, dohány
kaleidoscope [kəˈlaɪdəskoup] *fn* kaleidoszkóp • *mn* **kaleidoscopic, kaleidoscopical**
kaleyard *fn sk* konyhakert, veteményeskert
Kalmuck [ˈkælmʌk] *mn/fn* kalmük
kalpa [ˈkælpə ‖ ˈkɑl–] *fn vall* kalpa *[a világ kezdete és vége közt eltelő idő hinduizmusban és buddhizmusban]*
Kama Sutra [ˌkɑːməˈsuːtrə] *tul ir.tud* Káma-Szútra
kamikaze [ˌkæmɪˈkɑːzi ‖ ˌkɑm–] **I.** *fn* kamikáze pilóta *[gépével együtt felrobbanó öngyilkos japán pilóta]* **II.** *mn* kamikáze, vakmerő
kamikaze attack *fn* öngyilkos/kamikáze támadás
Kan. *röv Kansas*
kana [kɑːnə] *fn* japán szótagírás, kana
kangaroo [ˌkæŋgəˈruː] *fn* kenguru
kangaroo closure *fn GB* részleges klotűr *[amikor a parlamenti bizottsági elnök csak egyes törvényjavaslatmódosításokat enged megtárgyalni]*
kangaroo court *fn US biz* szabálytalan/rendkívüli bíróság
kanji [ˈkændʒi ‖ ˈkɑn–] *fn* kínai írásjegy *[japánban]*
Kansan [ˈkænzən] *mn/fn* kansasi
Kansas [ˈkænzəs] *tul földr US* Kansas
Kansian [ˈkænzɪən] *mn/fn* kansasi
Kantian [ˈkæntɪən] *mn/fn* kantiánus, Kant-követő
Kanuck [kəˈnʌk] → **Canuck**
kaolin [ˈkeɪəlɪn] *fn ásv* kaolin, porcelánföld • *tsi* **kaolinize**
kapai [kəˈpaɪ] *isz Ausz* helyes!, jó!
kapok [ˈkeɪpɒk ‖ –pɑk] *fn ip* kapokszőr
Kaposi's sarcoma [kəˈpousɪz –ʃɪz] *fn orv* Kaposi-szarkóma
kaput [kəˈput] *mn szl* **it's ~** *[tönkrement, nem sikerült]* bedöglött, kampec, kaput
karabiner [ˌkærəˈbiːnə ‖ –ər] *fn* kampózár, karabiner
karakul [ˈkærəkʊl] *fn áll* karakül juh *[kettős hasznosítású juhfajta]*
karaoke [ˌkærɪˈouki] *fn* karaoke
karat [ˈkærət] *fn* karát *[mértékegység]*; **16-karat gold** tizenhat karátos arany
karate [kəˈrɑːti] *fn sp* karate • *fn* **karateka**
karma [ˈkɑːmə ‖ ˈkɑr–] *fn vall* karma, sors *[buddhizmusban és hinduizmusban]*
karst [kɑːst ‖ kɑrst] *fn geol* karszt(osodás) • *mn* **karstic**
kasbah [ˈkæzbɑː ‖ –ˈkɑ] *fn* észak-afrikai arab/mór fellegvár/erőd, kasba
Kashmir [ˌkæʃˈmɪə ‖ –ˈmɪr] *tul földr* Kasmír
Kashmiri [kæʃˈmɪəri ‖ –ˈmɪri] *mn* kasmíri
Kashmirian [kæʃˈmɪərɪən ‖ –ˈmɪr–] → **Kashmiri**
katabolism [kəˈtæbəlɪzm] *fn biol* katabolizmus, disszimiláció, lebontás
katakana [ˌkætəˈkɑːnə ‖ ˌkɑ–] *fn* katakana *[az egyik japán szótagírás]*
Kate [ˈkeɪt] → **Katie**
Katherine [ˈkæθərɪn] *tul* ‹*Catherine* női név változata› Katalin
Kathleen [ˈkæθliːn] *tul* Katalin *[íreknél]*
Kathryn [ˈkæθrɪn] *tul* ‹*Katherine* női név változata›
Kathy [ˈkæθi] *tul bec* ‹ *Katherine* becéző alakja›
Katie [ˈkeɪti] *tul bec* ‹ *Katherine* becéző alakja›
Katy [ˈkeɪti] → **Katie**
Kay [keɪ] → **Katie**
kayak [ˈkaɪæk] **I.** *fn* kajak **II.** *tni* kajakozik
kayo [ˌkeɪˈou] *US szl* **I.** *fn* kiütés *stand* **II.** *tsi* kiüt, leüt
Kazak [kəˈzæk], **Kazakh** *mn/fn* kazah
Kazakhstan [ˌkæzækˈstɑːn] *tul földr* Kazahsztán
KB *röv kilobyte(s)*
kbyte [ˈkɪloubaɪt] *röv infor* kilobyte
KC *röv* **1.** *King's College* **2.** *King's Counsel* **3.** *Kansas City*
kebab [kɪˈbæb ‖ kɪˈbɑb] *fn gaszt* kebab
kedgeree [ˈkedʒəriː] *fn gaszt* **1.** ‹hüvelyessel, hagymával, tojással készített indiai rizsétel› **2.** ‹rizses hal tojással és vajjal melegen tálalva›
keek [kiːk] *tni sk* kukucskál, kandikál, les • *fn* **keeker**
keel [kiːl] **I. 1.** *fn* (hajó)gerinc, tőkesúly; **on an even ~** *biz* egyenletesen, nyugodtan **2.** *vál* hajó **II.** *hajó* **A.** *tsi* oldalára fektet/fordít *[javítás céljából]*; **~ over a ship** felborít hajót **B.** *tni* oldalára borul; **~ over** (i) felborul (ii) *átv* összeesik, eléjul
keelson [ˈkelsn] *fn hajó* (belső) gerinc
keen¹ [kiːn] *mn* **1.** lelkes, buzgó, szenvedélyes *[sportoló, kívánság, érdeklődés]*, rámenős *[üzletember]*; *biz* **be ~ on sg** szenvedélyesen/hévvel úz vmt, rajong/lelkesedik vmért; **be ~ on sy** erősen kultivál vkt, bukik vkre, odavan vkért, tetszik neki vk **2. a)** éles *[ész]*, élénk, gyors *[észjárás]*, éles, jó, pontos *[megfigyelés]* **b)** éles *[szem, fül]*, finom, kifinomult *[hallás, szimat]* **3.** éles *[kés]* **4.** mélységes *[bánat]*, mardosó *[lelkifurdalás]*, fájó, keserű *[csalódás]*, lelkes *[öröm]*, heves *[vágy]* **5.** éles, csípős, metsző, átható *[hideg, szél]* **6.** éles, metsző *[hang, fény]* **7.** éles, maró, sajgó *[fájdalom]*, mardosó *[éhség]* **8.** *GB* élénk *[érdeklődés, kereslet]* • *fn* **keenness** *hsz* **keenly**
keen² [kiːn] **I.** *fn Írorsz* siratóének **II.** *tsi* halottat sirat *[siratóénekkel]* • *fn* **keener**
keep [kiːp] **I.** *pt/pp* **kept** [kept] **A.** *tsi* **1.** tart (vmben/vhol) **2.** megtart, eltesz *[magának]* **3.** tart *[állapotban, helyzetben, irányban]*; **~ sy waiting** megvárakoztat vkt; **to be kept in a cool place** hűvös helyen tartandó; **~ sg warm** melegen tart vmit **4.** megtart *[törvényt, esküt]*; **~ an appointment** ott van a megbeszélt helyen és időben **5.** megtart, megül, megünnepel *[ünnepet]* **6. a)** (meg)tart, (meg)őriz *[alakot]*, (fenn)tart *[helyet]*; **is this place being kept?** foglalt ez a hely? **b)** (meg)tart, megőriz *[titkot]*, (meg)tart *[adatot emlékezetben]*, (fenn)tart *[rendet]*; **~ one's composure/cool** megőrzi a hidegvérét/nyugalmát **7.** tart, oltalmaz, véd(elmez) *[katonaság erődöt]*; **he ~s (the) goal** ő a kapus, ő véd *[labdarúgócsapatban]*; **he ~s**

K

(the) wicket ő a kapus, ő véd *[krikettcsapatban]* **8. a)** vezet *[háztartást]*, fenntart *[üzletet, szállodát]*; **~ house for sy** vezeti vk háztartását; **~ a good house/table** jó konyhája van **b)** vezet *[naplót, hivatalos könyvet, elszámolást]*; *gazd* **~ the books** az üzleti könyveket vezeti, könyvel; **~ note of sg** feljegyez/megjegyez vmt, rendszeresen jegyez vmt **c)** őriz *[nyájat, vadállományt]*, gondoz, ápol, kezel *[kertet]* **9. a)** (el)tart *[családot]*, kitart *[nőt]*, tart *[szeretőt]* **b)** tart *[személyzetet, kocsit, állatot, árut raktáron]*, (vissza)tart, ott tart/marasztal (vkt vhol); **don't let me ~ you!** ne zavartassa magát **10. ~ one's bed** az ágyat őrzi, nyomja az ágyat; **~ one's seat** ülve marad; **~ silent, ~ one's silence** csendben marad **B.** *tni* **1.** marad, tartózkodik (vhol); **~ indoors** bent marad, nem megy/jár ki **2.** marad, van *[állapotban]*; **~ hot** meleg(en) marad; **~ quiet** nyugton/csendben marad/van, hallgat; *GB* **how are you ~ing?** hogy van?, hogy szolgál az egészsége? **3. ~ smiling** mindig derűs marad, nem veszti el optimizmusát; **~ working** meg nem áll a munkában; tovább dolgozik **4.** eláll, nem romlik meg *[étel, gyümölcs]* **5.** véd *[krikettben]* **II.** *fn* **1.** élelem, koszt, ellátás költsége; **earn one's ~** megkeresi a létfenntartáshoz szükségeset, megkeresi a rezsirevalót **2.** *biz* **for ~s** örökbe, örökre *[odaajándékoz vmt]* **3.** *tört* vártorony • *mn* **keepable**

keep at A. *tsi* **~ sy at work** folytonosan (v. megállás nélkül) dolgoztat vkt; *biz* **~ sy at it** rászorít vkt *[munkára]* **B.** *tni* **~ at work** szünet/megállás nélkül dolgozik; **~ at it!** ne add/adja fel!

keep away A. *tsi* távol tart, nem enged közel **B.** *tni* távol tartja magát, távol marad

keep back A. *tsi* **1.** feltartóztat, visszaszorít *[előrenyomulókat]*, visszatart, visszafojt *[sírást]* **2. a)** visszatart *[bérből]* **b)** elhallgat, eltitkol *[körülményt, újságot]*, elleplez *[igazságot]*; **~ things back from sy** titkolódzik vk előtt **B.** *tni* távol marad, a háttérben marad/tartózkodik, nem jön közelebb/előbbre

keep down A. *tsi* **a)** lenyom, lefog, leszorít(va tart); **he cannot ~ his food down** nem marad meg benne az étel, mindent kihány **b) ~ one's head down** lehorgasztja a fejét **c)** megfékez, lever *[lázadást]*, elnyom(ás alatt tart) *[népet]*, elfojt, visszafojt, lenyel, fékez *[indulatot]*; **~ prices down** alacsonyan tartja az árakat, megakadályozza az árak emelkedését **B.** *tni* lapul, kushad

keep for *tsi* **1. ~ sg for sy** félretesz/eltesz/fenntart vmt vknek **2. ~ sy for dinner** vacsorára/ebédre ott tart/marasztt vkt

keep from A. *tsi* **1.** (meg)gátol, megakadályoz (vmiben), visszatart, megóv, megőriz (vmtől); **~ sy from falling** elkap/megfog vkt, hogy el ne essen; **~ oneself from doing sg** visszatartja magát attól, hogy vmt megtegyen, erőt vesz magán és nem tesz meg vmt **2. ~ sg from sy** (el)titkol vmt vk elől **B.** *tni* **~ from doing sg** megállja, hogy ne tegyen vmt; erőt vesz magán és nem tesz meg vmt; **I could not ~ from laughing** nem álltam meg nevetés nélkül

keep in A. *tsi* **1. a)** benn tart, nem enged/ereszt ki *[szobából, edényből]*; **~ a pupil in** növendéket bezár *[büntetésből]* **b)** fékez, visszatart, visszafojt *[haragot]* **2.** táplál, nem hagy elaludni/kialudni *[tüzet]*; *biz* **~ one's hand in** rendszeresen csinál(gat) vmt (hogy ne jöjjön ki a gyakorlatból); **~ sy in clothes** vkt ruház, vknek a ruházkodását anyagilag fedezi **B.** *tni* **1.** otthon marad, nem megy ki a szobából/házból **2.** ég(ve marad), nem alszik ki *[tűz]* **3.** *biz* **~ in with sy** fenntartja a jó viszonyt vkvel, jó viszonyban (v. jóban) marad vkvel

keep off A. *tsi* **1.** távol tart, nem enged közel **2. ~your hands off!** ne nyúljon hozzá!, el a kezekkel! **B.** *tni* **1.** távol marad, félrehúzódik, elhúzódik *[ember]*, elhúzódik *[eső]* **2. ~ off sg** elkerül vmt, nem érint vmt; **~ off the grass** fűre lépni tilos!; **~ off a subject** tárgyat/témát (el)kerül/mellőz (v. nem érint) **3.** tartózkodik vmtől, nem nyúl vmhez *[pl. cigarettához]*

keep on A. *tsi* **1.** magán tart, nem vesz/vet le *[ruhadarabot]* **2.** megtart *[alkalmazottat]* **3.** *biz* **~ tabs on sy** számon tart vkt **B.** *tni* **a)** tovább halad, folytatja útját; **~ straight on** folyvást egyenes irányban megy/halad, egyre csak előre megy **b) ~ on doing sg** tovább/folytatólagosan csinál vmt, nem hagy abba vmt; *biz* **~ on at sy** állandóan zaklat/háborgat vkt; nem hagy békén vkt

keep out A. *tsi* **a)** nem enged be, kirekeszt *[vkt, fényt, esőt]* **b) ~ sy out of sg** vkt megfoszt vmtől (v. vkt nem hagy hozzájutni vmhez), ami joggal megilletné **B.** *tni* kívül marad, nem avatkozik be; **~ out of a quarrel** nem elegyedik/avatkozik bele veszekedésbe; *átv* **~ out of the rain** elkerüli a bajokat

keep to A. *tsi* **1. ~ sg to oneself** hallgat vmről, megtart magában/magának vmt *[benyomást, véleményt]*; *biz* **you may ~ your remarks to yourself!** tartsa meg magának a megjegyzéseit!, a megjegyzéseire nem vagyok kíváncsi!; **~ oneself to oneself, ~ to oneself** nem ereszt senkit sem közel magához, nem érintkezik senkivel **2. ~ sy to his promise** behajtja vkn az ígéretét **B.** *tni* **1.** tartja magát *[elhatározáshoz, szabályhoz, ígérethez]*, megtart *[előírást]*, betart *[étrendet]*; **~ to the left** balra hajt/tart; **~ to the subject** nem tér/kalandozik el a témától/tárgytól **2. ~ to one's bed** őrzi/nyomja az ágyat; **~ to one's room** nem hagyja el (v. őrzi) a szob(áj)át

keep together A. *tsi* összetart, együtt tart *[személyeket, dolgokat]* **B.** *tni* összetart *[vk vkvel, társaság, testület]*

keep under *tsi* elnyomás alatt tart *[népet]*

keep up A. *tsi* **1. a)** fenntart, megtámaszt, megtart *[falat, elesőt]*, nem hagy lecsúszni, tart *[nadrágot]*, nem enged lemerülni *[fuldoklót]*, magasra tart/emel, felemelve tart *[fejet, kezet]* **b) ~ prices up** magasan tartja az árakat **2. a)** fenntart *[intézményt, épületet, utat]*, karban tart *[kocsit, házat]* **b)** megőriz *[szokást]*, folytat, fenntart, nem hagy abba *[levelezést]*, frissen tart *[nyelvtudást]*, nem hagy abba *[tapsot]*; *biz* **~ it up!** folytasd!, ne hagyd abba!, csak így tovább! **c)** megtart, nem veszít el *[érdeklődést]*, megőriz *[bátorságot, látszatot]*; **~ up appearances** megőrzi/fenntartja/megóvja a látszatot; **~ up your courage!** fel a fejjel!, ne csüggedj! **3. ~ sy up at night** vkt nem hagy lefeküdni/elaludni **B.** *tni* **1.** nem lankad/csügged, keményen tartja magát **2.** fenn marad/van, virraszt, nem fekszik le **3. a) ~ up with sy** lépést tart vkvel; felveszi a versenyt vkvel; **~ up with the Joneses** nem akar (társadalmilag) elmaradni a magafajtájú emberektől; **~ up with the times** halad a korral **b) ~ up with sy** levelez vkvel, kapcsolatban marad vkvel

keeper [ˈkiːpə ‖ −ər] *fn* **1.** őr *[börtönben, múzeumban, világítótoronyé stb.]*, őrző, ápoló *[elmebetegé]* **2.** tulajdonos, vezető *[üzleté]*, gazda **3.** szorítógyűrű, kísérőgyűrű *[jegygyűrűhöz]*

keeping [ˈkiːpɪŋ] *fn* **1.** (meg)őrzés, őrizet; **be worth ~** érdemes eltenni/megőrizni/megtartani; **have sg in one's ~** vm a(z) őrizete/felügyelete alatt van, vm a gondjaira van bízva, vigyáz/felügyel vmre **2. in ~ with sg** vmvel összhangban (levő); **out of ~ with sg** vmvel ellentétben

keepnet *fn* (halász)háló

keepsake [ˈkiːpseɪk] *fn* emlék(tárgy) *[ajándékul]*; **for a ~** emlékbe, emlékül

kef [ˈkef] *fn* **1.** marihuana okozta bódulat **2.** marihuana **3.** semmittevés

keg [keg] *fn* (kis) hordó *[általában tíz gallonnál kisebb]*

keg beer *fn GB* csapolt sör

keister [ˈkiːstə ‖ −ər] *fn US szl [fenék]* ülep, kuffer

Keith [kiːθ] *tul* ‹férfinév›

kelp [kelp] *fn* **1.** tengeri hínár, nagy barna moszatok **2.** tengeri moszat jodidtartalmú hamuja, kalcinált tengeri moszat *[ipari célokra]*

kelpie [ˈkelpi] *fn* **1.** *sk* ‹ló alakú baljóslatú vízi kísértet› **2.** *Ausz* korcs kutya *[juhászkutyafajta]*

kelson [ˈkelsn] → **keelson**

kelt [kelt] *fn sk* ‹lazac vagy tengeri pisztráng ívás után›

kelvin [ˈkelvɪn] *fn fiz* kelvin, röv K *[SI-egység]*

K

Kelvin scale ['kelvɪn –] *fn fiz* abszolút hőfokskála, Kelvin-skála
Ken [ken] *tul biz* ‹ *Kenneth* becéző alakja›
Ken. *röv Kentucky*
ken[1] [ken] *fn* látótávolság, látókör, szemhatár; **within one's ~** látótávolságán/szemhatárán belül, látókörében; ismeretkörén belül
ken[2] [ken] *tsi pt* **kenned**, *pp* **kent** [kent] *sk táj* **1.** ismer **2.** megismer, felismer
kendo ['kendoʊ] *fn* kendó *[japán harcművészet egy fajtája: bambuszrudakkal való vívás]*
kennel [kenl] **I.** *fn* **1. a)** kutyaól, kutyaház **b)** *biz* ól, viskó **2.** *tsz* **kennels** kutyatenyésztő telep, kutyatenyészet **3.** kutyafalka **II. -ll-**, *US* **-l- A.** *tsi* ólba zár **B.** *tni* bebújik az ólba
kennel-work *fn* **1.** kutyatenyésztés **2.** kutyaidomítás
Kenneth ['kenɪθ] *tul* ‹férfinév›
Kensington ['kenzɪŋtən] *tul földr* Kensington
kenspeckle ['kenspekl] *mn sk* feltűnő
kent [kent] → **ken**[2]
Kent [kent] *tul földr* Kent
Kentish ['kentɪʃ] *mn* kenti
Kentuckian [ken'tʌkɪən] *mn/fn* kentuckyi, Kentucky állambeli
Kentucky [ken'tʌki] *tul földr* Kentucky
Kenya ['kenjə] *tul földr* Kenya
Kenyan ['kenjən] *mn/fn* kenyai
Kenny ['keni] → **Ken**
kepi ['keɪpi] *fn* kepi *[francia és amerikai ellenzős katonasapka kissé előre lejtő tetővel]*
kept [kept] *mn* **~ woman** kitartott nő; → **keep** I.
keratin ['kerətɪn] *fn vegy orv* szaruanyag, keratin • *mn* **keratinous**
keratose ['kerətous] *mn* szaruszerű
kerb [kɜːb ‖ kɜrb] *GB* → **curb**
kerb-crawling *fn biz* ‹prostituált keresése autóval› • *fn* **kerb-crawler**
kerb drill *fn GB* elővigyázatosság *[jobbra-balra nézés úttesten való átkelés előtt]*
kerbstone → **curbstone**
kerchief ['kɜːtʃɪf ‖ 'kɜr –] *fn* **1. a)** (fej)kendő **b)** sál **2.** *vál* keszkenő
kerf [kɜːf ‖ kɜrf] *fn* **1.** bevágás, (függőleges) rovátka **2.** vágási felület *[kivágott fáé]*
kermis ['kɜːmɪs ‖ 'kɜrməs –] → **kirmess**
kernel ['kɜːnl ‖ 'kɜrnl] *fn* **a)** bél *[csonthéjasé, hüvelyesé]* **b)** *átv* **the ~ of sg** magva/veleje/(leg)lényege vmnek
kerosene ['kerəsiːn], **kerosine** *fn* **a)** *vegy* kerozin **b)** *US* petróleum *[világításra]*, lámpaolaj
kersey ['kɜːzi ‖ 'kɜrzi] *fn tex* durva gyapjú háziszőttes
kerseymere ['kɜːzimɪə ‖ 'kɜrzimɪr] *fn tex* kasmír(szövet)
kestrel ['kestrəl] *fn* vörös vércse
ketchup ['ketʃəp] *fn* ketchup
kettle [ketl] *fn* **1.** (vízforraló) kanna *[teavíznek]* **2.** *átv biz* **(here's) a pretty/fine/nice ~ of fish!** szép kis komédia/kalamajka; **that's quite a different ~ of fish** ez más lapra tartozik; **it's not my ~ of fish** semmi közöm hozzá, nem az én hatásköröm
kettledrum *fn zene* üstdob, timpani • *fn* **kettledrummer**
kettle-holder *fn* edényfogó, fogóruha, fogórongy, fülfogó
keV *röv kilo-electron-volt*
Kev [kev] *tul bec* ‹ *Kevin* becéző alakja›
Kevin ['kevɪn] *tul* ‹férfinév›
key[1] [kiː] **I.** *fn* **1. a)** kulcs; **pin ~** tömör/fúratlan kulcs; **piped ~** lyukas kulcs; *biz* **get the ~ of the street** az utcára kerül; *közm* **money is a golden ~, a golden ~ opens every door** az arany minden ajtót/zárat kinyit **b)** (felhúzó) kulcs *[óraszerkezeté]*, kulcs *[csapé]*, (csavar)kulcs, kulcs *[szardíniásdobozhoz]* **c)** *átv jelzői haszn* **~ industry** kulcsipar, legfontosabb ipar, alapvető fontosságú ipar; **~ figure/man** kulcspozícióban levő ember, kulcsember, kulcsfigura; **~ position** vezető (v. döntő fontosságú) állás, kulcspozíció, kulcshelyzet **2. a)** *átv* kulcs *[helyzeté, rejtélyé stb.]*, (jel)kulcs *[titkos írásé]*; **~ plan** elhelyezési/magyarázó (terv)rajz; **the ~ to sg** vmnek a nyitja/titka/kulcsa **b)** kész megoldás/megfejtés, megoldás(ok), kulcs *[számtanpéldáké, idegen nyelvű feladványoké hibák ellenőrzésére]* **c)** jelmagyarázat *[térképen, szótárakban stb.]*; **pronunciation ~** kiejtési jelek magyarázata **3.** *zene* hangnem; *US* **sing off ~** hamisan énekel; *átv* **be out of ~ with sg** nincs összhangban vmvel; *átv biz* **speak in a high ~** magas/éles hangon beszél **4.** billentyű *[hangszeré, írógépé stb.]*; *átv biz* **touch the right ~** megfelelő/helyénvaló hangot üt meg **5.** zárószeg, ék **6.** *épít* kikötő habarcs, kötőhabarcs **7.** *növ* szárnyas termés **II.** *tsi* **1.** *infor* **~ (in)** beír **2. a)** kulccsal bezár **b)** *műsz* felékel *[kereket]*, csapszeggel rögzít, kiékel, kipeckel **3. a)** *zene* **~ (up)** felhangol *[hangszert]* **b) ~ (up)** felcsigáz *[várakozást]*; felajz, feltüzel (vkt vmre); **he is ~ed up** izgatott, fel van csigázva
key[2] [kiː] *fn* korallsziget, korallzátony
key assignment *fn infor* billentyű-kijelölés *[adott karakterhez]*
keyboard I. *fn* billentyűzet, klaviatúra *[zongoráé, írógépé, számítógépé]*; **~ instruments** billentyűs hangszerek **II.** *tsi/tni infor* beír
keyboarder *fn infor* beíró
keyboardist *fn* billentyűs elektromos hangszeren játszó zenész
key-case *fn* kulcstok, kulcstartó
key colour, *US* **key color** *fn* alapszín
key cutting *fn* kulcsmásolás
key-drop *fn* kulcslyukfedő, kulcslyukpajzs
keyhole *fn* kulcslyuk *[zárban]*
key-line *fn nyomd* jelkulcsot tartalmazó sor *[pl. szótári lap alján]*
key map *fn* vázlatos térkép
key money *fn GB* kaució *[lakásba/házba költözéskor fizetendő letét]*
keynote *fn átv* alaphang, alapeszme, alapelgondolás; **strike the ~ of sg** megadja az alaphangját vmnek
keynote address *fn* **1.** vitaindító főelőadás *[(meghívott) tekintélyes előadó által]* **2.** *pol* programbeszéd
keynote lecture *fn* megnyitó előadás, vitaindító (előadás)
keynote speaker *fn* **1.** vezérszónok **2.** ‹aki a megnyitó előadást tartja›
keypad *fn* billentyűzet *[kisebb, pl. zsebszámológépen]*, nyomógombok *[telefonon, kalkulátoron]*
key punch *fn* kártyalyukasztó
key question *fn* központi kérdés, kulcskérdés
keyring *fn* kulcskarika
key signature *fn zene* (hangnem)előjegyzés
keystone *fn* **1. a)** *épít* zár(ó)kő **b)** talpkő, alappillér **2.** *átv* sarokkő, alappillér
Keystone State *tul földr US biz* Pennsylvania állam
keystroke *fn infor* billentyűleütés
keyword *fn ált* **1.** vezérszó, kulcsszó **2.** *infor* kulcsszó
kg *röv kilogram(s)* kilogramm, kg
khaki ['kɑːki ‖ 'kæki] **I.** *mn* khakiszínű, tábori barna, „khaki" **II.** *fn* khakiszövet
khan[1] [kɑːn] *fn* kán • *fn* **khanate**
khan[2] [kɑːn] *fn* karavánállomás, karavánszállás, karavánszeráj
kHz *röv kilohertz*
kibble[1] ['kɪbl] *fn bány* vödör, szállító bödön
kibble[2] ['kɪbl] *tsi* durván darál
kibbutz [kɪ'buts] *fn tsz* **kibbutzim** [ˌkɪbut'siːm] kibuc *[termelőközösség Izraelben]*
kibbutznik [kɪ'butsnɪk] *fn* kibuc tagja
kibe [kaɪb] *fn* kisebesedett fagyás, fagydaganat *[sarkon]*
kibitz ['kɪbɪts] *US* **I.** *fn* kibic **II.** *tni* kibicel *[játéknál]*
kibitzer ['kɪbɪtsə ‖ – ər] *fn US* kibic
kibosh ['kaɪbɒʃ ‖ – bɑʃ] *fn szl* **1.** *[butaság]* szamárság, ostobaság, hülyeség **2. put the ~ on sy/sg** *[elront, meghiúsít]* elfuserál, egyszer s mindenkorra elintéz vkt/vmt

K

kick [kɪk] **I. A.** *tsi* **a)** (meg)rúg, rugdos, rugdal; *biz* ~ **the bucket** *[meghal]* elpatkol, a fűbe harap, beadja a kulcsot, feldobja a talpát; *sp* ~ **a goal** gólt rúg/lő; *biz* ~ **sy downstairs** kirúg vkt *[állásából]*; *biz* ~ **sy upstairs** vkt felfelé buktat; **he felt like ~ing himself** szerette volna felpofozni saját magát **b)** megrág, megüt *[puska vállat]* **c)** *szl [abbahagy, elhagy szokást]* eldob *[cigarettát]* **d)** *szl* ~ **ass** *[durván/agresszíven viselkedik,intenzíven cselekszik]* ráhajt, ráver (vmre); **it ~s ass** *[kitűnő, nagyszerű]* (ez) nagyon király **e)** *szl* ~ **one's heels** *[vár(akozik)]* szobrozik, dekkol **B.** *tni* **1. a)** rúg, rugdalódzik, rugdos, kapálódzik *[lábaival]*, kirúg *[ló]* **b)** (hátra)rúg, (hátra)lök, hátrasiklik, üt *[puska]*; ~ **high** magasra (v. nagy erővel) visszapattan, felugrik *[labda]* **2.** *US* panaszkodik, tiltakozik, protestál; **he didn't** ~ rugódozás/szó nélkül hagyta, tegyenek vele, amit akarnak **II.** *fn* **1. a)** rúgás; *sp* **free** ~ szabadrúgás; **high** ~ lábdobogás *[táncban]*; *szl* ~ **in the pants** (i) *[szidás]* fenékberúgás (ii) *[kellemetlen meglepetés]* pofon **b)** rúgás, ütés, lökés, hátrasiklás *[puskáé]*, hátraugrás, visszaugrás *[motoré]* **2. a)** *US biz* (élet)erő, energia, frisseség, rámenősség; **he has no ~ left in him** minden erejét kiadta, kikészült **b)** *biz* erő, tűz *[szeszesitalban]* **3.** *biz* **get a ~ out of sg** nagy örömet/élvezetet talál vmben, imád vmt csinálni/átélni, vm feldobja; **do it for (the) ~s** csak úgy heccből (v. vagányságból) tesz vmt **4.** *sp* **good** ~ jól rúgó játékos/futballista • *fn* **kicker**

kick about A. *tsi* ide-oda rúg/rugdal, rugdos **B.** *tni* **1.** ide-oda mászkál, utazgat **2.** szanaszét hever

kick against *tni* ~ **against sg** kapálódzik vm ellen, ódzkodik vmtől, hevesen tiltakozik vm ellen

kick around *tsi* **1.** rugdal (vkt), durván bánik (vkvel) **2.** körüljár vmt, labdázik *[kérdéssel]*

kick back A. *tsi* **1.** visszarúg *[labdát]* **2. a)** *biz* visszaad *[fizetésből egy részt]*, lead *[sápot]* **b)** *biz* visszaküld, viszszajuttat *[lopott holmit]* **B.** *tni* hátrarúg, visszarúg *[motor]*; → **kick-back**

kick in *tsi* **1.** berugdos, berugdal *[helyiségbe]* **2.** ~ **the door in** berúgja az ajtót **3.** *US Ausz biz* beszáll *[pénzzel]*

kick off A. *tsi* lerúg *[cipőt stb.]* **B.** *tni* **a)** *sp* játékot kezd *[futballban]*; elvégzi a kezdőrúgást **b)** *biz* kezd; (meg)nyit, elindít; → **kick-off**

kick out A. *tsi átv biz* kirúg **B.** *tni* kirúg, hátrarúg *[ló]*; → **kick-out**

kick over *tni* ~ **over the traces** kirúg a hámból

kick up *tsi* **1. a)** felrúg *[levegőbe]* **b)** felver *[port lábbal]* **2.** ~ **up hell**, ~ **up a fuss/racket/row** lármát csap, nagy hűhót/felhajtást csinál

kickback *fn* **1.** hátrarúgás, visszarúgás *[motoré]* **2.** *biz* erélyes felelet, visszavágás **3.** *US biz* sáp, részesedés, jutalék, kenőpénz; → **kick back**

kick boxing *fn sp* kickbox

kickdown *fn gk* ‹a gázpedál hirtelen lenyomása sebességváltáshoz automata sebességváltónál›

kicking [ˈkɪkɪŋ] *mn* rúgó(s); *biz* **he's (a)live and** ~ kutya baja, nagyon is élénk/eleven

kick-off *fn sp* **a)** kezdőrúgás *[futballmérkőzésen]* **b)** mérkőzés kezdete; → **kick off**

kick-off circle *fn sp* kezdőkör *[futballban]*

kick-out *fn sp* kirúgás *[futballban]*; → **kick out**

kickshaw *fn* **1.** *régi* ínyencfalat, nyalánkság **2.** apró haszontalanság, csecsebecse

kickstand *fn* motorállvány, kerékpárállvány *[járműre szerelt, lehajtható]*

kick-start I. *fn* **1.** → **kick-starter 2.** berúgás/beindítás *[motorkerékpáré]* **3.** (újra)indítás **II.** *tsi* **1.** berúg *[motorkerékpárt]* **2.** indít, újraindít

kick-starter *fn gk* berúgó *[motorkerékpáron]*

kid¹ [kɪd] **I.** *fn* **1.** *biz* srác, kölyök, fiú, gyerek; ~ **brother/sister** kisebb testvér **2. a)** (kecske)gida, gödölye **b)** kecskebőr; **handle sy with ~ gloves** kesztyűs kézzel bánik vkvel **II. -dd- A.** *tsi* ellik *[gidát kecske]* **B.** *tni* (meg)ellik *[kecske]*

kid² [kɪd] *tsi* **-dd- 1.** *biz [tréfából bosszant]* heccel, ugrat, viccel **2.** *biz* bolonddá tesz, elbolondít; ~ **oneself** áltatja (v. hiú reményekbe ringatja) magát

kiddie [ˈkɪdi] *fn biz* gyerkőc, kölyök, srác

kidding [ˈkɪdɪŋ] *fn biz* húzás, ugratás; **no ~!** vicc nélkül!, igazán mondom!; **you must be** ~ te most viccelsz(?)

kiddo [ˈkɪdoʊ] *fn biz* öcsi *[gyerek, fiatalember megszólításaként]*

kiddy [ˈkɪdi] → **kiddie**

kidnap [ˈkɪdnæp] *tsi* **-pp-** elrabol *[gyermeket, embert]*, elhurcol, elragad • *fn* **kidnapper**

kidney [ˈkɪdni] *fn* **a)** vese; **stone in the ~s** vesekő **b)** természet, temperamentum; *biz* **a man of my** ~ magamfajta ember

kidney bean *fn növ* veteménybab

kidney machine *fn orv* művese

kidney-shaped *mn* vese alakú

kidney stone *fn* vesekő

kidskin *fn* kecskebőr

kidvid [ˈkɪdvɪd] *fn US* gyerektelevízió *[műsor]*

Kiev [ˈkiːef] *tul földr* Kijev *[Ukrajna fővárosa]*

kike [kaɪk] *fn US szl tabu [zsidó]* bibsi, biboldó

Kilimanjaro [ˌkɪlɪmənˈdʒɑːroʊ] *tul földr* Kilimandzsáró

kill¹ [kɪl] **I. A.** *tsi* **1. a)** (meg)öl, (meg)gyilkol, levág, (ki)öl, elpusztít; **be ~ed** *[balesetben]* életét veszti; **be ~ed in action** hősi halált hal, elesik (a fronton/háborúban); ~ **or cure remedy** drasztikus orvosság; *biz szl* ~ **oneself** *[túl sokat dolgozik vmért]* töri magát *[vm érdekében]*, halálra melózza magát **b)** kiöl *[becsvágyat, érzést vkből]*; **ready to** ~ mindenre elszánt, eltökélt **2. a)** ~ **time** agyonüti az időt **b)** ~ **a bill** törvényjavaslatot/törvénytervezetet megbuktat/leszavaz *[parlamentben]* **3. a)** tompít, elnyel *[hangot szigetelés]*, elnyom, túlharsog *[hang másik hangot]* **b)** hatástalanít, (agyon)üt *[szín másik színt]* **c)** *biz* ~ **the engine** leállítja a motort **4.** semlegesít *[pl. cinkkel sósavat]* **5.** *sp* **a)** leállít, stoppol *[futball-labdát]* **b)** ~ **the ball** megöli a labdát *[teniszben]* **6.** felhajt *[italt]* **B.** *tni* **1.** öl, gyilkol **2.** *biz* **be out to** ~ nagy hatást akar elérni; **be dressed to** ~ teljes harci díszbe vágja magát **II.** *fn* **1. a)** elejtés **b)** elsüllyesztés *[tengeralattjáróé]* **2.** elejtett vad, vadász-zsákmány, teríték; *átv* **it's a** ~ tuti dolog/üzlet **3.** *sp* lecsapás, megölés *[labdáé teniszben]*

kill off *tsi* **a)** leöldös, kiirt, kipusztít **b)** *átv* meghalaszt, kivégez, kiirt *[regény stb. alakjait]*

kill with *tsi* ~ **sy with kindness** kedveskedéssel agyonhalmoz, kedvességével agyonnyaggat vkt

kill² [kɪl] *fn US* patakocska, ér, csermely

killer [ˈkɪlə ‖ –ər] **I.** *fn* gyilkos **II.** *mn szl [jó, remek]* haláli, csúcs

killer instinct *fn* **1.** ölési/gyilkolási vágy/ösztön **2.** gátlástalanság, könyörtelenség *[vminek az elérésében/megszerzésében]*

killer whale *fn áll* kardszárnyú delfin

killick [ˈkɪlɪk] *fn hajó* horgonynak használt nagy kő *[kis vízi járműveknél]*

killing [ˈkɪlɪŋ] **I.** *mn* **1.** ölő, gyilkos *[hideg, iram]*, halálosan fárasztó, kínzó *[foglalkozás]*; ~ **agent** tömegpusztító eszköz; *kat* ~ **range** hatásos lőtávolság *[fegyveré]* **2.** *biz* **a)** pokolian/iszonyúan mulatságos **b)** elragadó, bűbájos, ellenállhatatlan; ~ **glance** metsző pillantás, halálra sebző tekintet **II.** *fn* **1.** megölés, levágás *[állaté]* **2.** tarolás; **make a** ~ hatalmas sikert arat

killing ground *fn* kivégző hely

killjoy *mn/fn* ünneprontó

kiln [kɪln] *fn* **a)** égetőkemence **b)** szárító(kemence), aszaló

kilo [ˈkiːloʊ] *fn röv* **1.** kilogramm **2.** kilométer

kilo- [kɪlə–, kɪloʊ–] *előtag* kilo-

kilobyte [ˈkɪloʊbaɪt] *fn infor* kilobyte, *röv* Kb

kilocycle [ˈkɪloʊsaɪkl] *fn vill* kilociklus, ezer herz (1000 Hz)

kilogram [ˈkɪləgræm], **kilogramme** *fn* kilogramm

kilohertz [ˈkɪləhɜːts ‖ –hɜrts] *fn el* kilohertz, *röv* kHz

kilometre ['kɪləmi:tə ‖ kə'lɑmətər], *US* **kilometer** *fn* kilométer • *mn* **kilometric**
kiloton ['kɪloʊtʌn] *fn fiz* kilotonna *[1000 tonna TNT robbanóereje]*
kilovolt ['kɪloʊvoʊlt] *fn el fiz* kilovolt (1000 V)
kilowatt ['kɪləwɒt ‖ –wɑt] *fn vill* kilowatt (1000 W)
kilowatt-hour *fn vill* kilowattóra, *röv* kWh (1000 W)
kilt [kɪlt] **I.** *fn sk* szoknya *[férfié]* **II.** *tsi* **1.** **~ (up) one's skirt** feltűri a szoknyáját **2.** berak, plisszíroz *[szövetet]* • *mn* **kilted**
kilter ['kɪltə ‖ –ər] *fn US* állapot, kondíció; **be out of ~** nincs rendben, rossz (állapotban van)
Kim [kɪm] *tul* ‹női név›
kimono [kɪ'moʊnoʊ] *fn* kimonó
kin [kɪn] **I.** *fn* **a)** rokonság, rokonok, atyafiság **b)** rokonság, rokoni kapcsolat; **be of ~ to sy** rokonságban/atyafiságban van vkvel, rokona vknek; **next of ~** legközelebbi hozzátartozó(k) **II.** *mn* rokon • *mn* **kinless**
kinaesthesia [ˌkɪnəs'θi:zɪə] *fn* mozgásérzet, izomérzet
kind[1] [kaɪnd] *mn* **1. a)** jóindulatú, kedves, jóságos *[ember]*, jó *[szív]*; **be ~ to sy** kedves vkhez, gyengéden/jóságosan bánik vkvel; **it is very ~ of you** (ez) nagyon kedves öntől; **you are really too ~** ez (a kedvesség) igazán túlzás (öntől); **be so ~ as to ..., (will you) be ~ enough to ...** legyen olyan jó és ..., legyen szíves..., szíveskedjék...; *iron* **be ~ enough to hold your tongue** légy szíves hallgass (v. fogd be a szád) **b)** szíves, szívélyes *[szavak, fogadtatás]*, jó(tett); **give Mr. Jordan my ~ regards** adja át Jordan úrnak szívélyes üdvözletemet **2.** kedvező **3.** *régi* szerető *[anya, barát, szív]*
kind[2] [kaɪnd] *fn* **1.** faj(ta); **the human ~** az emberi faj/nem **2. a)** féleség, fajta; **perfect of its ~** tökéletes a maga nemében; **of the same ~** ugyanolyan, ugyanabból a fajtából való; **of all ~s** mindenféle, mindenfajta; különböző, vegyes; **of a ~** valamiféle, afféle; **we had coffee of a ~** vm kávéféle löttyöt ittunk; **nothing of the ~** semmi olyan/olyat; szó se/sincs róla; **sg of the ~** ilyesmi, olyasmi, ilyenféle, vm ehhez hasonló; **this is the ~ of thing I want** ilyesmit akarok; **a ~ of** valamiféle, afféle; **what ~ of tree is this?** milyen/miféle fa ez? **b)** *biz* **these ~ of men** ilyen(fajta) emberek; **all ~s of** sokféle **c)** *biz* **~ of** olyasvalahogy, olyasformán; **I ~ of expected it** mintha megéreztem volna, vártam is, nem is; **he looked ~ of frightened** olyan ijedtformán viselkedett **3. a)** jelleg; **difference in ~** fajlagos/minőségi különbség/eltérés **b)** *vall* **communion in both ~s** két szín alatt való szentáldozás **4. in ~** természetben *[nem pénzben]*; **payment in ~** természetbeni fizetés; **allowances in ~** természetbeni juttatások, naturáliák; *biz* **repay sy in ~, pay ~ with ~** amilyen az adjonisten olyan a fogadjisten **5.** *régi* **a)** természet, hajlam **b) the law of ~** természetjog
kinda ['kaɪndə] *röv US biz kind of*; **it's ~ hard to get it** elég nehéz megkapni/megszerezni; → **kind**[2]
kindergarten ['kɪndəgɑ:tn ‖ –dərgɑrtn] *fn* óvoda; **~ teacher** óvónő
kind-hearted *mn* jószívű, jó(ságos), jóindulatú, jótékony • *fn* **kind-heartedness** *hsz* **kind-heartedly**
kindle ['kɪndl] **A.** *tsi* **1. a)** meggyújt, lángra lobbant *[tüzet]* **b)** *átv* lángba borít **2.** *átv* (fel)gerjeszt *[indulatot]*, ébreszt *[szerelmet]*, (fel)kelt *[érdeklődést]*, fellelkesít, magával ragad *[hallgatóságot]*; **~ sy's anger** haragra lobbant vkt, dühbe gurít vkt **B.** *tni* **1. a)** fellángol *[tűz]*, tüzet fog, lángra lobban, meggyullad *[fa]* **b)** *átv* **her eyes ~d** felcsillant a szeme; **his eyes ~d with anger** haragtól szikrázott/villogott a szeme; **her face ~d** kipirult az arca; elpirult, lángolt az arca **2.** *átv* fellángol *[lelkesedés]*, kigyúl *[szerelem]*, haragra gyullad, dühbe gurul *[személy]* • *fn* **kindler**
kindling ['kɪndlɪŋ] *fn* gyújtós, aprófa
kindly[1] ['kaɪndli] *hsz* kedvesen, jóindulatúan, szívélyesen, gyengéden; **will you ~ ...?** szíveskedjék..., legyen/lenne (olyan) szíves...; **would you ~ tell me the time** lenne szíves megmondani, hány óra van; *iron* **~ behave properly** legyen/légy oly szíves tisztességesen viselkedni; **speak ~ of sy** szeretettel/jóindulatúan beszél vkről; **speak ~ to sy** gyengéden/atyailag/barátilag beszél vkvel; **take sg ~** szívesen fogad/vesz vmt; **take ~ to sy** barátságába fogad vkt; **I thank you ~** hálásan köszönöm
kindly[2] ['kaɪndli] *mn* **1.** jó(ságos), jóindulatú, jólelkű, jószívű, kedves; **~ feeling** jóindulat; **~ advice** atyai jótanács **2.** enyhe, kellemes *[éghajlat]*, kedvező *[szél]* **3.** *régi* **a ~ Scot** született skót • *fn* **kindliness** *hsz* **kindlily**
kindness ['kaɪndnəs] *fn* **1.** jóság, jóindulat, kedvesség, szívélyesség, előzékenység; **show ~ to sy** vk irányában jóindulatúnak mutatkozik; **will you have the ~ to ...?** lenne olyan szíves/kedves, hogy ...?; **he is ~ itself** (maga) a megtestesült jóság **2.** szívesség, jótétemény, jótett; **do sy a ~** szívességet tesz vknek
kindred ['kɪndrəd] **I.** *fn* **1. a)** (vér)rokonság, atyafiság; **ties of ~** rokoni/vérségi kötelékek **b)** rokon jelleg, hasonlóság **2.** rokonság, nemzetség **II.** *mn átv* rokon; **~ languages** rokon nyelvek; **~ spirits** rokon lelkek
kinematic [ˌkɪnɪ'mætɪk] **I.** *mn* mozgástani, kinematikai **II.** *fn* **kinematics** mozgástan, kinematika
kinematograph [ˌkɪnə'mætəgrɑ:f ‖ –græf] → **cinematograph**
kinesics [kɪ'ni:sɪks] *fn nyelv* kinezika *[az arcmimika és a testbeszéd kommunikációs rendszere]*
kinetic [kɪ'netɪk] **I.** *mn* mozgási, kinetikai, kinetikus; **~ energy** mozgási/kinetikus energia; **~ theory** kinetikus elmélet **II.** *fn* **kinetics** kinetika
kinfolk *US* → **kinsfolk**
king [kɪŋ] **I.** *fn* **1. a)** király; **K~ George** György király; **~ of beasts** az állatok királya *[oroszlán]*; **~ of birds** a madarak királya *[sas]*; *bibl* **(the Book of) K~s** Királyok könyve; *bibl* **the three K~s** három királyok, a napkeleti bölcsek; **crown sy ~** királlyá koronáz vkt; *biz* **dish fit for a ~** királyi falat; **~ for a day** pünkösdi királyság **b)** iparbáró, kiskirály; *kat biz* fejes, főmufti; **oil~** olajkirály **2.** király *[sakkban]*; dáma *[dámajátékban]*, király *[kártyalap]* **II.** *tsi* **1.** *ritk* királyt csinál vkből **2.** *biz* **~ it** királykodik, basáskodik; **~ it over one's associates** uralkodik a társai felett • *fn* **kinghood, kingliness, kingship** *mn* **kingless, kinglike, kingly**
kingbird *fn áll* **1.** király-paradicsommadár **2.** királygébics
king cobra *fn áll* királykobra
king crab *fn áll* kardfarkú tarisznyarák
kingdom ['kɪŋdəm] *fn* **1. a)** királyság; **the United K~** Egyesült Királyság; **the K~ of Sweden** Svéd Királyság **b)** királyi hatalom, királyság (intézménye) **c)** *átv biz* birodalom, hatáskör; **he has come (in)to my ~** bekerült az én utcámba; **the kitchen is the cook's ~** a konyha a szakács(nő) birodalma **2.** *vall* uralom; **~ of heaven** mennyek országa; *bibl* **thy ~ come** jöjjön el a te országod **3.** *tud* -világ; **the animal, vegetable and mineral ~s** az állat-, növény- és ásványvilág
kingdom come *fn* örökkévalóság, másvilág; **send sy to ~** vkt másvilágra küld, eltesz vkt láb alól
kingfish *fn* **1.** *áll* **a)** holdhal; fénylőhal **b)** kaliforniai árnyékhal **2.** *biz* vezető *[párté, közösségé]*
kingfisher *fn áll* jégmadár
King James Bible *fn tört* ‹az 1611-es bibliafordítás›; → **authorized b.**
King James Version → **King James Bible**
kinglet ['kɪŋlət] *fn* **1.** *iron* királyocska, bábkirály **2.** *áll* királyka (madár)
king-maker *fn átv* (helyi) hatalmasság
King of Arms *fn cím* címerkirály
kingpin *fn* **1.** *biz* vezércsillag, vezető személyiség **2.** *US* **~ of an undertaking** amin egy vállalkozás áll vagy bukik **3.** *sp* király, középső báb *[tekejátékban]*
King's Counsel *fn GB jog* királyi tanácsos *[némely rangidős barrister tiszteletbeli címe]*
King's English → **English** II.1.a.
King's evidence *fn* bűntársai ellen valló vádlott; **turn ~** rávall bűntársára *[kegyelem reményében]*
king's gambit *fn ját* királycsel

king-size, king-sized *mn* extra méretű/nagy *[pl. cigaretta]*

King's speech *fn* trónbeszéd *[királyé]*

kink [kɪŋk] **I.** *fn* **1.** csomó, görcs, kunkorodás, hurok *[fonálon, huzalon stb.]*, tekervény *[kötélen]* **2.** hóbort, szeszély **II. A.** *tsi* összecsomóz, összesodor *[fonalat]* **B.** *tni* összegubancolódik, összecsavarodik *[fonál]*

kinky [ˈkɪŋki] *mn* **1.** *szl* perverz, szexéhes *stand* **2.** *biz* hóbortos, rögeszmés **3.** göndör/kondor hajú **4.** csomós

kinsfolk [ˈkɪnzfoʊk] *fn tsz* rokonok, rokonság, atyafiság

kinship [ˈkɪnʃɪp] *fn* **1.** rokonság, vérségi/rokoni kapcsolat; **the call of ~** a vér szava; **be of ~ with sy** rokonságban van vkvel **2.** *átv* rokon jelleg, hasonlóság

kinsman [ˈkɪnzmən] *fn tsz* **-men** *vál* (vér)rokon

kinswoman *fn tsz* **-women** *vál* nőrokon

kiosk [ˈkiːɒsk ‖ ˈkiːɑsk] *fn* **1. a)** kioszk **b)** kerti ház, pavilon **2. a)** elárusító bódé **b)** *GB* (utcai telefon)fülke

kip¹ [kɪp] *szl* **I.** *fn* **1.** alvás, szunyókálás **2. a)** éjjeli szállás **b)** ágy **3.** *régi* bordély(ház) **II.** *tni* **-pp- 1.** alszik, huny, szunyál **2. ~ (down)** lefekszik aludni

kip² [kɪp] *fn* kipbőr *[fiatal állaté]*

kipper [ˈkɪpə ‖ −ər] **I.** *fn* **1.** (enyhén sózott) füstölt hering **2.** hím lazac *[íváskor]* **II.** *tsi* sóz és füstöl *[halat]*; **~ed herring** enyhén sózott füstölt hering

Kirghiz [kɪəˈgiːz ‖ kɪrˈgiːz] *mn/fn* kirgiz

Kirghizia [kɪəˈgiːzɪə ‖ kɪrˈgiːzə] *tul földr* Kirgízia

Kiribati [ˌkɪrɪˈbɑːti] *tul földr* Kiribati

kirk [kɜːk ‖ kɜrk] *fn sk* **1.** templom **2.** egyház; **the K~** a skót presbiteriánus egyház

Kirk [kɜːk ‖ kɜrk] *tul* ‹férfinév›

kirkman *fn tsz* **-men** *sk* egyháztag *[a skót presbiteriánus egyházban]*

Kirk-session *fn vall sk* presbitérium *[az egyházközség vezető testülete]*

kirkyard *fn sk* temető

kirmess [ˈkɜːmes ‖ ˈkɜrməs−] *fn* **a)** (templom)búcsú **b)** *US* ‹jótékony célú bazár/vásár műsoros rendezvénnyel›

kirsch [kɪəʃ ‖ kɪrʃ], **kirschwasser** *fn gaszt* cseresznyepálinka

kiss [kɪs] **I. A.** *tsi* **1.** (meg)csókol, csókolgat; *biz* **~ the dust** fűbe harap; **~ the ground** leborul, megalázza magát (vk előtt); **~ the rod** alázatosan (v. zokszó nélkül) aláveti magát a büntetésnek; **~ hands** kézcsókra járul *[uralkodóhoz]*; **~ sy goodbye** búcsúcsókot ad vknek, búcsúzóul megcsókol vkt; **~ sg goodbye** elbúcsúzhat tőle, annak annyi; **~ away sy's tears** csókjaival szárítja (v. lecsókolja) vk könnyeit **2. a)** *átv* simogat, csókol *[szellő stb.]* **b)** *átv* vékonyan talál *[egyik biliárdgolyó a másikat]* **3.** *szl* **~ off** (i) *tsi [megöl]* elpaterol, hidegre tesz (ii) *tni* meghal, elpatkol, bemondja az unalmast **B.** *tni* **1.** csókolódzik; **~ and be friends** kibékülnek **2.** súrolják egymást *[biliárdgolyók]* **II.** *fn* **1.** csók; **give sy a ~** megcsókol vkt; **send/blow sy a ~** csókot dob vknek; *orv* **~ of life** szájonlélegeztetés *[élesztési módszer]* **2.** *átv* **a)** simogatás, csók *[szellőé stb.]* **b)** vékony találat *[biliárdban]* **3.** (hab)csók *[sütemény]* • *mn* **kissable**

kiss-curl *fn* halántékfürt, huncutka

kisser [ˈkɪsə ‖ −ər] *fn szl* **1.** *[arc]* ábrázat, pofa **2.** *[száj]* csőr, etető

kissing gate *fn* ütközős csapóajtó

kiss-proof *mn* csókálló *[rúzs]*

kit¹ [kɪt] **I.** *fn* **1.** készlet, felszerelés, szerszámláda (szerszámokkal); *sp* **golfing ~** golffelszerelés; **~ of tools** szerszámkészlet; *infor* **(software) ~** (program)csomag/készlet **2. a)** *kat* (katonai) felszerelés, szerelvény *[fegyver nélkül]* **b)** cókmók, poggyász **3.** (fa)bödön, favödör **II.** *tsi* **-tt-** *GB* **~ out/up** felszereléssel ellát

kit² [kɪt] *fn* cica, kismacska, macskakölyök

kitbag *fn* **1.** utazózsák **2.** *kat* (katonai) oldalzsák **3.** sporttáska

kitchen [ˈkɪtʃən] *fn* **1.** konyha; **everything but the ~ sink** minden, ami elképzelhető **2.** *biz* **the ~** ütősök *[zenekarban]*

kitchen aid *fn* háztartási gép/készülék

kitchen cabinet *fn pol* ‹az USA elnökének nem hivatalos tanácsadói, az elnök politikai barátainak köre›

kitchen dresser *fn* konyhakredenc

kitchen Dutch *fn* konyhaholland *[Fokvárosban beszélt holland nyelv]*

kitchenette [ˌkɪtʃəˈnet] *fn* teakonyha, főzőfülke

kitchen garden *fn* konyhakert

kitchen knife *fn tsz* **− knives** konyhakés

kitchen maid *fn* konyhalány

kitchen staff *fn* konyhaszemélyzet

kitchen table *fn* konyhaasztal

kitchen unit *fn* **1.** konyhai munkalap **2.** beépített konyhabútor(elem) **3.** (üzemi) konyha *[külön egység üzemen belül]*

kitchen-utensils *fn tsz* konyhaedény(ek)

kitchenware *fn* konyhaedény(ek)

kitchen work *fn* konyhai/háztartási munka

kite [kaɪt] **I.** *fn* **1. a)** (játék)sárkány **b)** *pénz* szívességi váltó, pinceváltó; **fly a ~** sárkányt ereget **2.** *áll* vörös kánya **3.** *GB szl [repülőgép]* repcsi, göbzi **4.** *mat* deltoid **II. A.** *tsi* **1.** sárkány módjára ereget/felereszt **2.** *pénz* fedezetlen csekket bocsát ki **B.** *tni* sárkány módjára repül

Kitemark *fn GB* ‹deltoid-alakú jelzés a brit szabványoknak megfelelő áruk megjelölésére›

kith [kɪθ] *fn* **~ and kin** hozzátartozók és barátok, rokonság, pereputty; **have neither ~ nor kin** se kutyája, se macskája

kitsch [kɪtʃ] *fn* giccs

kitten [ˈkɪtn] **I.** *fn* kismacska, cica; *átv szl* **have ~s** nagy hűhót csap, murizik, dühbe gurul, dühöng, bepöccen **II.** *tsi/tni* kölykezik *[macska]*

kittenish [ˈkɪtnˈɪʃ] *mn* **1.** macskaszerű **2.** huncut, hamiskás *[kislány]*, ártatlanul játékos *[természet]*

Kitty [ˈkɪti] *tul bec* ‹ *Katherine* becéző alakja›

kitty¹ [ˈkɪti] *fn* cica, kismacska

kitty² [ˈkɪti] *fn ját* pinka, kassza, talon

kiwi [ˈkiːwiː] *fn* **1.** *áll* kivi(madár) **2.** *biz* **K~** újzélandi ember

kiwi fruit *fn növ* kivi

KKK *röv US Ku Klux Klan* Ku-Klux-Klán *[fajgyűlölő titkos szervezet]*

Klan [klæn] *fn US* Ku-Klux-Klan

Klansman [ˈklænzmən] *fn tsz* **-men** *US* a Ku-Klux-Klan tagja

klaxon [ˈklæksən] *fn* (elektromos) autókürt

Kleenex [ˈkliːneks] *fn* papírzsebkendő, papír törlőrongy

klepto [ˈkleptoʊ] *fn biz* kleptomán

kleptomania [ˌkleptəˈmeɪnɪə] *fn* kleptománia • *mn/fn* **kleptomaniac**

klieg light *fn* jupiterlámpa

klister [ˈklɪstə ‖ −ər] *fn sp* síviasz *[vizes hóhoz]*

klutz [klʌts], **klotz** *fn szl [ügyetlen/ostoba ember]* balfasz

km *röv kilometre* kilométer, km

knack [næk] *fn* ügyesség, fortély, trükk, csínja-bínja; **have the ~ of (v. a ~ for) doing sg** ismeri a trükkjét vmnek, érti a módját, hogy kell vmt csinálni; **lose the ~ of (doing) sg** kijön a gyakorlatból

knacker [ˈnækə ‖ −ər] *GB* **I.** *fn* **1.** dögnyúzó, kivénhedt lovak mészárosa; **~'s yard** → **knackery 2.** bontási vállalkozó *[épületé, hajóé]* **II.** *tsi szl [kifáraszt]* kicsinál, kidöglesz

knackery [ˈnækəri] *fn* dögnyúzótelep, lóvágóhíd

knag [næg] *fn* gö(r)cs, csomó *[fában]*, ágcsonk

knap [næp] *tsi* **-pp-** *táj* összeroppant, összetör, összezúz; **~ stones** követ zúz/tör • *fn* **knapper**

knapsack *fn* hátizsák

knar [nɑː ‖ nɑr] *fn* göcs, csomó, bütyök *[fán]*

knave [neɪv] *fn* **1.** *régi* gazfickó, csirkefogó, kópé **2.** *ját* bubi • *fn* **knavery, knavishness** *mn* **knavish**

knead [ni:d] *tsi* **1.** dagaszt, gyúr *[tésztát]* **2.** *orv sp* gyúr, masszíroz • *fn* **kneader**
knee [ni:] **I.** *fn* **1.** térd; ~ **boot** csizma; **the ~s of the trousers** a nadrág térde; **on one ~** féltérdre ereszkedve; **be on one's ~s** (térden állva) könyörög; térden áll; **on your ~s!** térdre!; **up to one's ~s** térdig; **bend/bow the ~ to/before sy** térdet hajt vk előtt; megalázkodik vk előtt; **bring sy to his ~** térdre kényszerít vkt; **drop on one ~** féltérdre ereszkedik; **drop/fall on one's ~s, go down on one's ~s** letérdel, térdre rogy; **be seated ~ to ~** (közvetlenül) egymás mellett ülnek **2.** *műsz épít* könyök, könyökfa, könyöklemez, könyökcső **3.** *mat* hirtelen irányváltozás *[görbéé]* **II.** *tsi* **1.** térddel meglök/megnyom/megrúg **2.** *biz* kitérdel *[nadrágot]*
knee-breeches *fn tsz* térdnadrág
kneecap *fn* **1.** térdkalács **2.** térdvédő
knee-deep *mn* térdig érő *[alulról]*
knee-high *mn* térdig érő *[alulról]*; *biz* ~ **to a grasshopper/frog** ki se látszik a földből *[kicsi]*
kneehole *fn* lábnyílás *[íróasztalé]*
knee-jerk *fn* térdreflex
knee joint *fn* **1.** térdízület **2.** *műsz* könyökcsuklós kapcsolat
kneel [ni:l] *tni pt/pp* **knelt** [nelt], *US* **kneeled 1.** térdel, térdepel **2.** ~ **(down)** letérde(pe)l
knee-length *mn* térdig érő *[felöltő stb.]*
kneeler ['ni:lə ‖ –ər] *fn* **1.** *vall* térdeplő, imazsámoly **2.** térde(pe)lő *[személy]*
kneeling cushion ['ni:lɪŋ –] *fn* térdeplőpárna
knee-pad *fn* térdpárna, térdvédő
knee-pan *fn orv* térdkalács
knees-up *fn GB biz* vidám party, buli
knell [nel] **I.** *fn* **(death)** ~ lélekharang (szava); *átv* **sound/ring the (death) ~ of sg** megkondítja a (lélek)harangot vm felett **II. A.** *tsi* kongat *[harangot]*, harangoznak (vknek) *[halálára]* **B.** *tni* lélekharangot kongat, temetésre harangoz
knelt [nelt] → **kneel**
Knesset ['kneset] *tul* a Knesszet *[Izrael parlamentje]*
knew [nju: ‖ nu:] → **know I.**
knickerbocker ['nɪkəbɒkə ‖ 'nɪkərbɑkər] *fn* **1.** *tsz* **knickerbockers a)** (buggyos) térdnadrág, golfnadrág **b)** → **knickers** 1. **2. a)** New York-i (ember) **b)** ‹New York holland őslakosainak leszármazottja›
knickers ['nɪkəz ‖ 'nɪkərz] *fn tsz biz* **1.** női bugyogó/bugyi, (száras) női nadrág **2.** (buggyos) térdnadrág, bricsesz
knick-knack ['nɪknæk] *fn* mütyürke, csecsebecse • *fn* **knick-knackery**
knife [naɪf] **I.** *fn tsz* **knives** [naɪvz] **1. a)** kés; *biz* **get one's ~ into sy** élesen bírál vkt, ledöf vkt; *biz* **have one's ~ in sy** fúr vkt, pikkel vkre; **before you could say ~** azon nyomban, tüstént **b)** *műsz* kés, penge *[vágógépé stb.]* **2.** *átv biz* műtét, operáció, kés; **go under the ~** műtétnek veti magát alá, kés alá fekszik **II.** *tsi* **1.** megkésel, leszúr **2.** *US szl* kitúr vhonnan, meghiúsít vmit, megfúr (vkt/vmit) **3.** átszel (vmt), átmegy (vmn) *[mint kés a vajon]* • *mn* **knifelike**
knife-edge *fn* **1. a)** késél **b)** *műsz* éktámasz, éltámasz *[mérlegen]* **2.** éles sziklahát **3.** nagy veszély, bizonytalanság
knife-grinder *fn* **1.** köszörűs **2.** köszörűkő
knife-point *fn* késhegy; **at a ~** nekiszegezve (v. torkának/mellének szegezve) a kést
knifer ['naɪfə ‖ –ər] *fn* késelő, bicskás
knife-sharpener *fn* fenőacél, fenőkő, késélesítő
knight [naɪt] **I.** *fn* **1.** lovag; *GB tört* ~ **of the shire** *kb* megyei képviselő *[országgyűlésen]*; ~ **in shining armour** megmentő **2.** *[sakkban]* ló, huszár **II.** *tsi* lovaggá üt • *fn* **knighthood, knightliness** *mn* **knightly**
knightage ['naɪtɪdʒ] *fn* lovagság, lovagok testülete
knight bachelor *fn tsz* **knights bachelors** *GB* lovag *[legalacsonyabb lovagi cím]*
knight errant *fn tsz* **knights errant** kóbor lovag
knighting ['naɪtɪŋ] *fn* lovaggá ütés
knight-marshal *fn* udvarnagy
Knight Templar *fn tsz* **Knights Templar(s)** templomos lovag *[jeruzsálemi zarándokok védelmezője]*; → **Templar** 3.
knish [kə'nɪʃ] *fn gaszt kb* sajtos pogácsa
knit [nɪt] **I.** *pt/pp* **knit** v. **knitted A.** *tsi* **1.** (meg)köt *[harisnyát stb.]*; ~ **two, purl two** két sima, két átemelés **2. a)** összeköt *[kereket]*, összeerősít *[részeket]*, összeilleszt *[törött csontot]* **b)** *átv* ~ **(together)** összefűz, összeköt; egyesít *[barátságban, házasságban]* **3.** ~ **one's brows** összevonja a szemöldökét, homlokát ráncolja **4. a)** ~ **up** megköt, kötéssel kijavít/összeállít *[ruhadarabot]* **b)** *biz* ~ **up an argument** kereken/szabatosan érvel **B.** *tni* **1.** köt(öget) **2. a)** köt *[cement stb.]*, beforr, összeforr *[csont]* **b)** *átv* egyesül *[barátságban, érdekközösségben]* **3. his brows ~** szemöldöke/homloka ráncolódik **II.** *mn* **1.** kötött, hurkolt *[textilanyag]*; ~ **goods** kötött áru **2.** *átv* **closely ~** kerek, szabatos *[érvelés]*; **closely ~ sentences** tömör mondatfűzés **III.** *fn* kötés, kötésmód; **of loose ~** laza kötésű, lazán kötött *[ruha]* • *fn* **knitter**
knitting ['nɪtɪŋ] *fn* **1. a)** kötés *[ruháé]* **b)** összeforrás *[csontoké]* **2. a)** kötés(mód); **plain ~** sima kötés **b)** kötés(munka), kötnivaló
knitting machine *fn tex* kötőgép
knitting needle *fn* kötőtű
knitwear *fn* kötött áru
knob [nɒb ‖ nɑb] **I.** *fn* **1. a)** dudor, (testi) kinövés, bütyök *[fán]*; *szl* **with ~s on** de még mennyire; hát még mit nem? **b)** gomb *[fiókon, sétapálcán]*, gömbkilincs, gömbfogantyú *[ajtón, ablakon]*, *műsz* fogógomb, kapcsológomb; **push ~** nyomógomb **2.** darabka *[szén, cukor stb.]* **3.** *US* kerekded domb/halom **II. -bb- A.** *tsi* (ki)domborít, (ki)dudorít **B.** *tni* ~ **(out)** kidudorodik • *mn* **knobby**
knobble ['nɒbl ‖ 'nɑbl] *fn* kis dudor/bütyök • *mn* **knobbly**
knock [nɒk ‖ nɑk] **I.** *fn* **1.** ütés; **get a nasty ~** alaposan megüti magát; **give sy a ~ on the head** fejbe vág, fejbe kólint vkt; *szl* **take the ~** *[pórul jár, ráfizet]* ráfázik **2. a)** kopogás, kopogtatás *[ajtón]*; **loud ~** dörömbölés; ~, ~! kipkop!, *átv* van ott valaki?, fogd már fel!; **there was a ~ at the door** kopogtak az ajtón **b)** *gk* kotyogás, kopogás *[motorban]* **3.** *sp* az ütés joga *[krikettben]* **4.** *US biz* rosszindulatú bírálat, ledorongolás **II. A.** *tsi* **1.** (meg)üt, megzörget *[ajtót]*; ~ **one's leg** megüti/beüti a lábát; *szl* ~ **the hell out of (sy/sg)** *[nagyon megver]* agyba-főbe ver; agyonstrapál(vmt); ~ **a hole in/through sg** lyukat üt vmbe; *biz* ~ **(on) wood** lekopog *[babonából]*; *US biz* **he was ~ed cold** elvesztette az eszméletét *[szerencsétlenség/baleset következtében]* **2. a)** *biz* elképeszt, meghökkent; **that ~s me!** megáll az eszem! **b) nothing can ~ him** semmi sem tudja kiborítani (v. kihozni a sodrából) **c)** *gk* kopog, kotyog *[motor]* **3.** *US biz* rosszindulatúan bírál, ledorongol **B.** *tni* **1.** kopog(tat) *[ajtón]*; **do not ~!** ne tessék kopogni! **2.** *gk* kopog, kotyog *[motor]*
knock about A. *tsi* **1.** durván bánik (vkvel, vmvel), bántalmaz, elver(vkt), megrongál (vmt); *átv* **I got ~ed about a good deal** sokat nyomorogtam, sok megpróbáltatás ért **2.** ~ **about (with)** együtt lófrál/fut vkvel **B.** *tni* **1. a)** ~ **about (the world)** kóborol, bolyong a világban **b)** ~ **about for half an hour** fél óra hosszat kószál **2.** léha/könnyelmű életet él **3.** teng-leng; → **knockabout**
knock against A. *tsi* **1.** nekiüt (vmnek); ~ **one's foot against a stone** belebotlik (v. beüti a lábát) egy kőbe; *átv* ~ **one's head against a brick wall** fejjel megy a falnak, leküzdhetetlen akadályba ütközik **2.** *átv* összetalálkozik (vkvel), beleütközik (vhol vkbe) **B.** nekiütődik, nekicsapódik (vmnek)
knock around *tni US* → **knock about B.**
knock at *tni* kopog(tat), dörömböl *[ajtón]*; *átv* ~ **at an open door** nyitott kaput (v. tárt ajtót) dönget
knock back *tsi biz* **1.** (egyszerre) felhörpint, lenyel **2.** (jócskán) visszavet *[pénzügyileg]* **3.** *GB* megrendít, megráz

knock down A. *tsi* **1. a)** leüt, földhöz vág/teremt, fellök; **was ~ed down by a car** elgázolta/elütötte egy autó; *biz* **it was fit to ~ you down** el lehetett tőle ájulni; **you might have ~ed me down with a feather** tátva maradt a szám, leesett az állam **b)** lever *[gyümölcsöt a fáról]* **c)** lebont *[épületet]*, szétszerel *[gépet szállításhoz]* **2. a)** bever, lever *[karót, cölöpöt]* **b)** lelapít, lekalapál *[szegecsfejet]* **3.** árverésen leüt/odaítél (to vknek); **~ sg down cheap** potom áron túlad vmn *[árverésen]* **4.** *gazd biz* lever, letör *[árat]*, lealkuszik *[árból]*; → **knock-down 5.** *Ausz szl [költ]* seggére ver vmennyinek **B.** *tni* **easily ~s down** könnyen szétszedhető

knock in *tsi* bever *[szeget]*

knock into *tsi* be(le)ver *[szeget falba stb.]*; **~ into a cocked hat** tönkrezúz, halomra dönt

knock off A. *tsi* **1. a)** lever, leüt, lefricskáz (vmről); **~ the book off the table** leveri/lelöki a könyvet az asztalról **b)** *biz* **~ sy's head off** laposra ver vkt; összever vkt; magasan felülmúl vkt **2.** enged *[vmt árból]*, csökkent *[vmvel sebességet]*; **~ 1000 forints off the price** 1000 forintot enged/lealkuszik **3.** *biz* (gyorsan) elvégez/befejez/elkészít, összecsap vmt; **~ off work** befejezi a munkát *[műszak végén]*; abbahagyja a munkát *[sztrájkoló]*; **~ off an article in half an hour** félóra alatt összeüt egy cikket; *szl* **~ it off!** *[hagyd abba!]* állítsd le magad! **4.** *szl [ellop]* megfúj, meglóg (vmvel), kirabol *[bankot]* **B.** *tni* **a)** abbahagyja/szünetelteti a munkát; **~ off for a smoke** cigarettaszünetet tart **b)** (aznapra) befejezi a munkát; **we ~ off at four** négyig dolgozunk

knock on *tsi* **1. a) ~ sy on the head** fejbe vág; agyonüt **b)** *átv* **~ on the head** meghiúsít *[tervet]*, véget vet vmnek; **~ on wood** lekopog *[babonából]* **2.** *sp* előredob, előread *[labdát rögbiben]*; → **knock-on**

knock out *tsi* **1. a)** kiüt; *átv* **~ the bottom out of sg** halomra dönt *[érvelést, elméletet]*; **~ sy's brains out** agyonver vkt; *átv* **~ sg out of sy's head** kiver vknek a fejéből vmt **b) ~ sy out** kiüt vkt, kiütéssel legyőz vkt *[ökölvívásban]*; *átv* harcképtelenné tesz vkt **2.** *biz* **be ~ ed out in an exam** vizsgán megbukik; *sp* **be ~ed out in a tournament** kiesik a versenyből **3.** *biz* hevenyész, összecsap *[tervet, vázlatot, írást]* **4.** meghökkent, kiakaszt; → **knockout**

knock over *tsi* ledönt, feldönt, kidönt, felborít (vmt), kivág *[fát]*

knock together A. *tsi* **1.** összeüt, egymáshoz üt **2.** összecsap, összetákol, összeüt **B.** *tni* összeütődik, összeverődik

knock under *tni biz* megadja magát, beadja a derekát

knock up A. *tsi* **1. a)** felüt; **~ up the ball** gyertyát üt/rúg, felüti/felrúgja a labdát **b)** *sp biz* **~ up the balls** (néhányat) ütöget *[teniszmérkőzés előtt]* **c)** *sp* **~ up a century** száz pontot csinál *[krikettben]* **2. a)** kopogással jelt ad (vknek), bekopog (vkhez) **b)** felzörget **3.** *biz* összecsap, összetákol, hevenyész; **~ up a lunch at a moment's notice** sebtiben összecsap egy ebédet **4.** *biz* kimerít, kifáraszt, lestrapál; **~ed up** kimerült, pilledt; **I am quite ~ed up** teljesen kivagyok **5.** *US szl* **~ up a girl** *[teherbe ejt]* felcsinál egy lányt **6.** *nyomd* íveket kiüt, stószol **7.** keres, kap *[pénzt keresetként]* **B.** *tni* **1. ~ up against sg** nekiütközik vmnek, szembetalálja magát (vmvel); *átv* **~ up against sy** beleütközik vkbe, összefut/összetalálkozik vkvel **2.** összeroskad *[fáradtságtól]*, letörik, leromlik *[betegségtől]* **3.** *sp* bemelegít(ő ütögetést/gyakorlatot végez) *[versenyző]*; → **knock-up**

knockabout I. *mn* **1.** *szính* nyers helyzetkomikumú, sok pofonnal fűszerezett, mozgalmas és hangos *[bohózat]*; **~ comedian** bohóc, aki a pofonokat kapja; **~ performance** vásári komédia **2.** munka-, strapa- *[ruha]* **II.** *fn Ausz* mindenes ember; → **knock about**

knock-back *fn Ausz biz* csalódás, visszautasít(tat)ás

knock-down *mn* **1. a)** földre sújtó *[ütés]* **b)** *átv* teljes *[vereség]*, megtámadhatatlan *[érv]*, kategorikus, határozott *[válasz]* **2.** szétszedhető, összecsukható *[bútor]*, szétszerelhető *[gép]* **3. ~ price** árminimum, legalacsonyabb/végső ár; → **knock down**

knocker [ˈnɒkə ‖ ˈnɑkər] *fn* **1.** ajtókopogtató **2. a)** kopogó *[személy]* **b)** *US szl* ledorongoló kritikus *stand* **3.** házaló ügynök **4.** *szl* **~s** *[nagy mellek]* duda, lökhárító

knocking shop *fn GB szl [nyilvánosház]* kupolda, döngető

knock knees *fn tsz* ikszláb • *mn* **knock-kneed**

knock-on *fn sp* előreadás *[labdáé]*; → **knock on**

knockout *fn* **1.** kiütés *[ökölvívásban]* **2.** *sp* kieséses rendszer/verseny **3.** *szl [feltűnő/elképesztő dolog/személy]* bombázó; **~ of a fellow** remek pofa; → **knock out**

knock-up *fn sp* ütögetés, bemelegítés; → **knock up B. 3.**

knoll[1] [noʊl] *fn* halom, domb(ocska), bucka

knoll[2] [noʊl] **A.** *tsi régi* harangoz, kongat *[harangot]* **B.** *tni* szól *[harang]*

knot [nɒt ‖ nɑt] **I.** *fn* **1. a)** csomó, göb, bog; **fool's ~** rosszul megkötött csomó, vénasszonybog; **tie a ~** csomót köt **b)** szalagcsokor, kokárda, nyakkendő, masni, bojt **c) ~ of hair** konty **2.** csomósodás, bütyök, ágcsomó *[fán]*, ághely, csomóhely *[deszkán]*, szárcsomó *[növényen]* **3. a)** *átv* **the marriage/nuptial ~** a házasság köteléke; **tie the ~** összead, összeesket *[pap házasulandókat]* **b)** *átv* bökkenő, nehézség, bonyodalom; **cut the ~** elvágja a gordiuszi csomót, megoldja a problémát; *biz* **tie oneself (up) in(to) ~s** bonyolult/nehéz helyzetbe hozza önmagát **c)** csoport; **stand about in ~s** kis csoportokra oszolva álldogálnak **4.** *hajó* csomó *[óránként 1 tengeri mérföld = 1853 m]* **II. A.** *tsi* **a)** csomót köt (vmre), összecsomóz, összeköt **b)** csomóz *[kézimunkázásnál]* **B.** *tni* összegubancolódik • *fn* **knotter** *mn* **knotless**

knot-free *mn* csomó/gö(r)cs/bütyök nélküli *[fa]*

knot garden *fn* ‹kert mértani alakzatokban ültetett növényekkel›

knot-hole *fn* göblyuk *[fán]*, görcslyuk *[deszkában]*

knotting [ˈnɒtɪŋ ‖ ˈnɑtɪŋ] *fn* **1. a)** (össze)csomózás **b)** elfedés, gittelés *[csomóhelyeké faanyagban]* **2.** csomóképződés *[fában]* **3.** makráma, csomózott terítő

knotwork *fn* makráma, csomózott kézimunka

knotty [ˈnɒti ‖ ˈnɑti] *mn* **1.** csomós, csomózott *[kötél]* **2.** bütykös *[láb, kéz]*, ághelyes, csomóhelyes *[faanyag]* **3.** *biz* bonyolult, nehéz *[kérdés]* • *fn* **knottiness** *hsz* **knottily**

know [noʊ] **I.** *tsi pt* **knew** [nju: ‖ nu:], *pp* **known** [noʊn] **1. a)** tud, tudomása van (vmről); *biz* **you ~** (i) tudod... *[szünetkitöltő]* (ii) tudod, emlékszel; *biz* **you ~ something/what?** tudod, mit?...; **you ~ what I mean?** érted?, érted...; **you never ~** soha nem lehet tudni; **now I ~!** most már mindent tudok!; **God only ~s** isten tudja; **heaven ~s how!** isten tudja, hogyan; **as far as I ~, for all I ~** amennyire én tudom; felőlem, tőlem éppenséggel; **how do/should I ~?** honnan tudjam!; tudom is én!; mit tudom én; *biz* **don't I ~ it!** na ne mondja!; mintha én nem tudnám!; **~ one's own** tudja mit akar; **before you ~ where you are** mielőtt észbe kapnál; **he ~s what he is after** tudja, (hogy) mit akar; **be it ~n that** közhírré tétetik, hogy ...; **as is well ~n** ahogy köztudomású (v. mindenki tudja) **b) I ~ him to be a liar** tudom, hogy hazug; **I have ~n people die of it** hallottam már olyanokról is, akik belehaltak **c) get to ~ sg** megtud vmt; **please let me ~ whether** szíveskedjék velem közölni, hogy **d) ~ better (than)** ... több esze van annál, mintsem...; **~ better than to** óvakodik attól, hogy; **you ought to ~ better than ...** okosabbat is tehetnél, mint...; **you ~ best** te tudod (a legjobban), ezt neked kell eldöntened, ahogy akarod **2. a)** tud, ért (vmhez), képes (vmre); **all one ~s** ami vktől (csak) telik; **~ how to do sg** tudja, hogyan kell csinálni vmt; **he ~s a thing or two, he ~s what's what** őt sem a gólya költötte, ő sem esett a feje lágyára; tudja, mitől döglik a légy **b)** tud, ismer *[nyelvet, szakmát]*; **~ sg inside out** úgy ismeri, mint a tenyerét; **~ all the ins and outs of sg** ismeri minden csínját-bínját vmnek; **~ sg by heart** könyv nélkül (v. betéve) tud vmt **3. a)** ismer *[vkt, helyet]*; **get/come to ~ sy** megismer vkt, megismerkedik vkvel; **also ~n as ... ...,** *röv* **a.k.a.** álneve, úgy is ismerik, hogy; **he is ~n to his friends as Jack** barátai Jacknek szólítják; **~n to sy** vk által ismert; **become ~n** ismertté válik *[író]*; **be well ~n** jól ismert; közismert, köztudomású **b) ~ no bounds** nem ismer határt; túlmegy minden határon; **~ no fear** félelmet nem ismer; **he has ~n poverty** tudja, mi a szegénység; tudja, mi az szegénynek lenni **c)** ismeretségben áll (vkvel), jól ismer (vkt); **I ~ him by sight but I don't ~ him personally** csak látásból ismerem, személyesen nem **4. a)** megismer, felismer; **don't you ~ me?** nem ismer meg?; **I knew him by his walk** megismertem a járásáról **b)** meg tud különböztetni *(from* vmtől), tud disztingválni; **~ two things apart** meg tud két dolgot különböztetni egymástól; **~ good from evil** különbséget tud tenni a jó és a rossz között; **I don't ~ which is which** nem tudom megkülönböztetni, hogy melyik melyik **5.** *régi* ismer *[nőt] [= közösül vele]* **II.** *fn biz* **in the ~** jól értesült, tájékozott, beavatott • *mn* **knowable**

know about *tni* tud(omása van) (vmről); **he ~s all about it** ő töviről hegyire ismeri a dolgot, ő mindent tud

know of *tni* tud, hallott (vmről), megtud (vmt); **get to ~ of sg** tudomást szerez vmről, értesül vmről; *biz* **not that I ~ of** tudomásom szerint nem

know-all *mn/fn biz* mindentudó, nagyokos

know-how *fn* hozzáértés, szakértelem, technikai tudás; know-how

knowing [ˈnouɪŋ] **I.** *mn* **1. a)** értelmes, intelligens **b)** ügyes, ravasz, szemfüles **2. a ~ smile** összemosolygás, beavatott ember mosolya **II.** *fn* **1.** megértés, megismerés, tudás **2. there is no ~ (how/why)** azt nem lehet tudni (hogyan/miért)

knowingly [ˈnouɪŋli] *hsz* **1.** tudatosan, szánt szándékkal **2.** mindentudóan

know-it-all *US* → **know-all**

knowledge [ˈnɒlɪdʒ ‖ ˈnɑ–] *fn* **1.** tudomás (vmről), ismerés *[személyé]*; **not to my ~** tudomásom szerint nem; **without my ~** tudtomon kívül, tudtom nélkül; **to the best of my ~** legjobb tudomásom szerint; **get ~ of sg** tudomást szerez vmről, tudomására jut vm, értesül vmről; **it has come to his ~ that ...** tudomására jutott, hogy ...; **speak with full ~ of the facts** a tények teljes ismeretében beszél; **it's common ~** közismert tény; **I had no ~ of it** nem volt tudomásom róla, nem tudtam róla **2. a)** tudás, ismeret, tudomány; **have a thorough ~ of the subject** alaposan ismeri a tárgyat; **~ is power** a tudás hatalom; **theory of ~** ismeretelmélet **b)** tapasztalat; **~ of life** élettapasztalat; **speak from (one's own) ~** (saját) tapasztalata alapján beszél **3.** *régi* **carnal ~** nemi érintkezés, közösülés

knowledgeable [ˈnɒlɪdʒəbl ‖ ˈnɑ–] *mn* **1.** jól értesült, jól informált **2.** értelmes, intelligens

knowledge engineering *fn infor* ismerettechnológia • *fn* **knowledge engineer**

known [noun] *mn* ismert, tudott, közismert, köztudott; **a ~ fact** ismeretes/tudvalevő dolog; *mat* **~ quantity** ismert mennyiség, *átv* ismert tényező; **a ~ thief** közismert/hírhedt tolvaj; → **know I.**

knuckle [ˈnʌkl] **I.** *fn* **1.** ujjízület; *átv* **rap sy over the ~s, give sy a rap on the ~s** körmére koppint vknek **2.** lábszárhús csonttal *[közvetlenül térd alatt és fölött levő rész húsállatnál]*; *biz* **that's getting rather near the ~** ez közel jár az illetlenséghez, ez már kissé sikamlós **3. (brass) knuckles** *US* bokszer **II. A.** *tsi* (öklével) üt; **~ one's eyes** öklével törli a szemét **B.** *tni* ökölbe szorítja a kezét

knuckle down *tni biz* **1. ~ down to sg** alaposan nekilát/nekigyürkőzik (vmnek), hozzáfog vmhez **2.** enged, beadja a derekát, megadja magát

knuckle under *tni biz* beadja a derekát, megadja magát

knuckle-bone *fn* **a)** ujjperc **b)** → **knuckle** I. 2.

knuckle duster *fn* bokszer

knucklehead *fn biz [hülye ember]* agyatlan

knur [nɜː ‖ nɜr] *fn* göcs, bütyök, csomó *[fatörzsön]*

knurl [nɜːl ‖ nɜrl] *fn* **1.** göcs, bütyök, csomó *[fában]* **2. a)** recéző(szerszám) **b)** recézés, peremezés *[érmén]*

KO, k.o. [keɪˈou] *röv* **I.** *fn tsz* **KO's** *knockout* kiütés *[bokszban]* **II.** *tsi pr.p* **KO'ing,** *pt/pp* **KO'd** kiüt (vkt)

koala [kouˈɑːlə] *fn áll* **~ (bear)** koala

kobold [ˈkɒbould ‖ ˈkoubɔld] *fn* kobold, manó

kohlrabi [ˌkoulˈrɑːbi] *fn növ* karalábé

kolkhoz [ˌkɒlˈkɒz ‖ ˌkɑlˈkɑz] *fn tört* kolhoz, mezőgazdasági termelőszövetkezet *[a volt Szovjetunióban]*

Kongo [ˈkɒŋgou ‖ ˈkɑŋ–] *fn* **1.** kongói *[ember]* **2.** kongó *[nyelv]*

Kongolese [ˌkɒŋgəˈliːz ‖ ˌkɑŋ–] *mn/fn* kongói

kook [kuːk] *fn US szl [furcsa viselkedésű, öltözetű különc]* lökött hapsi; → **screwball** 1.

kookaburra [ˈkʊkəbʌrə ‖ ˈkʊkəbɜːrə] *fn áll Ausz* óriás kacagó, nevető jégmadár

kooky [ˈkuːki] *mn US szl* flúgos, lökött, dilis

kopek [ˈkoupek], **kopeck** *fn* kopejka

Koran [kɔːˈrɑːn ‖ kə–] *tul vall* Korán • *mn* **Koranic**

Korea [kəˈrɪə ‖ –ˈriːə] *tul földr* Korea

Korean [kəˈrɪən ‖ –ˈriːən] *mn/fn* koreai

korfball [ˈkɔːfbɔːl ‖ ˈkɔrfbɔl] *fn sp* korfball *[kosárlabdához hasonló holland játék, 6–6 férfi és 6–6 nő játssza]*

kosher [ˈkouʃə ‖ –ər] **I.** *mn* **1.** kóser **2.** *biz* kóser, oké **II.** *fn* kóser hús

kowtow [ˌkauˈtau] **I.** *fn* földreborulás, alázatos üdvözlés/tiszteletadás **II.** *tni* **1.** földre borul, alázatosan üdvözöl (vkt) **2.** *átv biz* alázatoskodik, hajbókol

kph *röv kilometres per hour* kilométer per óra, km/ó

kraft [krɑːft ‖ kræft], **kraft-paper** *fn* (vastag) csomagolópapír

Kraut [kraut] *fn szl [német ember]* sváb

Kremlin [ˈkremlɪn] *tul/fn* **1.** Kreml **2. the ~** az orosz parlament

Kremlinologist [ˌkremlɪˈnɒlədʒɪst ‖ –ˈnɑ–] *fn US* kremlinológus • *fn* **Kremlinology**

krill [krɪl] *fn* (állati) plankton

Krishnaism [ˈkrɪʃnəɪzm] *fn vall* krisnaizmus, Krisna-hit

krona [ˈkrəunə] *fn* korona *[Svédországban, Izlandon]*

krone [ˈkrəunə] *fn* korona *[Dániában, Norvégiában]*

krypton [ˈkrɪptɒn ‖ –tɑn] *fn vegy* kripton

KS *röv US Kansas*

kudos [ˈkjuːdɒs ‖ ˈkjuːdouz] *fn biz* dicsőség, hírnév

Ku-Klux-Klan [ˌkuː klʌks ˈklæn] *fn US* Ku-Klux-Klan *[néger-ellenes, valamint zsidókat és katolikusokat, s minden idegent üldöző titkos társaság az USA déli államaiban]*

Kuman [kjuːˈmɑːn] *fn* kun(ok)

kumquat [ˈkʌmkwɒt ‖ –kwɑt] *fn növ* savanyú narancs, kamkvat

kung fu [ˌkʊŋ ˈfuː] *fn sp* kungfu *[ütésekre és rúgásokra épülő kínai eredetű küzdősport]*

Kurd [kɜːd ‖ kɜrd] *mn/fn* kurd

Kurdish [ˈkɜːdɪʃ ‖ ˈkɜrdɪʃ] **I.** *mn* kurd **II.** *fn* kurd nyelv

Kuwait [kuˈweɪt] *tul földr* Kuvait

Kuwaiti [kuˈweɪti] *mn/fn* kuvaiti

kV *röv kilovolt*

kvas [kvæs], **kvass** *fn* kvasz

kvetch [kvetʃ] *tni US szl [panaszkodik]* rinyál, sír

kW *röv kilowatt*

kWh *röv kilowatt-hour*

KY, Ky. *röv US Kentucky*

kyle [kaɪl] *fn sk* tengerszoros, keskeny öböl

K

L

L[1], **l** [el] *fn tsz* **L's 1.** l (betű/hang); **L for Lima** L mint László **2.** *ip L iron* sarokvas, szögletvas **3.** *US* L alakú épületszárny **4.** 50 *[mint római szám]*

L[2], **l** *röv* **1.** *US biz elevated railroad*; magasvasút **2.** *Lady* **3.** *large* **4.** *Latin* **5.** *league* **6.** *GB learner driver* tanuló vezető, T **7.** *left* **8.** *length* **9.** *Liberal* **10.** libra, *pound* **11.** *Licentiate* **12.** *line* **13.** *lira* **14.** *litre(s)* liter, l **15.** *lodge*

LA *röv* **1.** *Legislative Assembly* **2.** *Los Angeles* **3.** *US Louisiana*

La. röv *US Louisiana*

la [lɑː] *fn zene* la *[a diatonikus skála hatodik hangja]*

laager [ˈlɑːɡə ‖ −ər] **I.** *fn Dél-Af* szekértábor **II.** *tsi Dél-Af* szekértábort létesít

lab [læb] *laboratory*

label [ˈleɪbl] **I.** *fn* **1. a)** címke, cédula **b)** *biz* megjelölés, elnevezés **c)** ragtapasz **2.** lemezfelirat, lemezgyártó cég **3.** radioaktív nyomjelző izotóp **4.** *infor* címke, etikett **II.** *tsi* **-ll-**, *US* **-l- 1. a)** címkéz, címkével ellát/megjelöl (vmt) **b)** osztályoz, besorol; **~ sy (as)** vkt vmnek nevez **2.** árut felcímkéz **3.** *fiz* megjelöl *[nyomjelző izotóppal]*

labeler [ˈleɪbl·ə ‖ −ər] *fn* címkeragasztó/címragasztó gép • *fn* **labeller**, **labelling** *mn* **labelled**

labia [ˈleɪbɪə] → **labium**

labial [ˈleɪbɪəl] *mn* **1.** ajaki, az ajakhoz tartozó, ajakszerű **2.** *nyelv* ajak-, labiális, ajakkerekítéses *[hang]*

labial pipe *fn zene* ajaksíp

labiate [ˈleɪbɪət] **I.** *mn növ* ajakos, ajak alakú **II.** *fn növ* ajakos virágú növény

labile [ˈleɪbaɪl] *mn* ingatag, változékony, labilis; *vegy* bomlékony • *fn* **lability**

labiodental [ˌleɪbiouˈdentl] *mn nyelv* labiodentális

labium [ˈleɪbɪəm] *fn tsz* **labia** [−bɪə] **1.** *növ* ajak *[ajakosvirágúaké]* **2.** *áll* alsó ajak *[rovaroké]* **3.** *tsz* **labia** *orv* szeméremajkak

labor [ˈleɪbə ‖ −ər] *US* → **labour**

laboratory [ləˈbɒrətəri ‖ ˈlæbərətɔri] *fn* **1.** laboratórium; **~ animal** kísérleti állat; **~ assistant** laboráns **2.** laboratóriumi gyakorlat *[óra]*

Labor Day *fn US Kan* a munka ünnepe *[szeptember első hétfője]*

laborious [ləˈbɔːrɪəs] *mn* **1.** fáradságos, nehéz, terhes, vesződséges *[feladat]* **2.** szorgalmas **3.** mesterkélt, nehézkes, döcögős *[stílus]*

labour [ˈleɪbə ‖ −ər] **I.** *fn* **1. a)** munka; **~ skill** munkában való gyakorlottság; **lose one's ~** hiábavalóan fáradozik **b) ~ camp** munkatábor **c)** nagy munka/teljesítmény, erőkifejtés **2. a)** munkaerő, munkás; **~ agreement/contract** munkaszerződés; *közg* **~ exchange** munkaközvetítés; munkaközvetítő hivatal/iroda; **~ force** munkaerő; **~ market** munka(erő)piac; **~ service** közmunka; **~ turnover** munkaerővándorlás; **manual ~** kétkezi/fizikai munka; **shortage of ~** munkaerőhiány; **skilled ~** szakmunka; szakmunkás **b) ~ code** munkatörvény; **the L~ Code** a munka törvénykönyve; *US* **Labor Department** munkaügyi minisztérium; *GB* **L~ government** munkáspárti kormány; **~ union** (munkás)szakszervezet; *GB* **Minister of L~**, *US* **Secretary of Labor** munkaügyi miniszter **c)** *pol* a munkásság, a munkások; **~ movement** munkásmozgalom; **~ organization**, **organized ~** érdekvédelmi (tömeg)szervezet; *GB* **L~ Party** Munkáspárt **3.** *orv* vajúdás, (szülési) fájás, szülés(i fájdalmak); **premature ~** koraszülés; **woman in ~** vajúdó asszony **II. A.** *tsi* kidolgoz *[művet]*, kicsiszol *[stílust]*, erőltet *[kérdést]* **B.** *tni* **1. a)** dolgozik, munkálkodik, fáradozik, erőlködik; **~ at/over sg** dolgozik vmn; **~ for sg** (meg)dolgozik vmért **b) ~ along** fáradsággal halad előre **2.** szenved; **~ under a delusion/misapprehension** tévhitben él; **~ under a disease** betegségben szenved **3.** *műsz* nehezen/fáradtan dolgozik/működik *[gép]*; *hajó* küszködik, hánykolódik **4. ~ with child** vajúdik, szül, szülési fájásai/fájdalmai vannak

labour contract *fn* munkaszerződés

labour cost *fn közg* munkabérköltség

Labour Day *fn GB* a munka ünnepe *[május elseje]*

labourer [ˈleɪbərə ‖ −ər] *fn* **1.** (fizikai) munkás **2.** *tp* segédmunkás, szakképzetlen (v. nem szakképzett) munkás, tanulatlan munkás

labour exchange *fn közg* munkaközvetítés; munkaközvetítő iroda; *GB* munkaerőgazdálkodási hivatal

labour force *fn* munkaerő

labour-intensive *mn* munkaigényes

Labourite [ˈleɪbəraɪt] **I.** *mn GB pol biz* munkáspárti **II.** *fn GB pol* a Munkáspárt tagja, munkáspárti

labour market *fn* munkaerőpiac

labour movement *fn* munkásmozgalom

labour-pains *fn tsz orv* szülés(i fájdalmak), vajúdás

Labour Party *fn GB* Munkáspárt

labour-saving I. *mn* (emberi) munkát megtakarító, munkakímélő; **~ equipment** munkakímélő/automatizált berendezés **II.** *fn* munkamegtakarítás

labour supply *fn* munkaerőpiac, munkaerő-kínálat, munkaerő-utánpótlás

labour union *fn GB* (munkás)szakszervezet

Labrador [ˈlæbrədɔː ‖ −dɔr] *tul* **1.** *földr* Labrador **2. ~ (retriever)** labrador *[kutyafajta]*

labret [ˈleɪbrət] *fn* ajakfüggő *[ősnépeknél]*

lab use *mn el távk* laborban használt, beltéri *[pl. műszer]*

labyrinth [ˈlæbərɪnθ] *fn* **1.** útvesztő, labirintus **2.** *orv* labirintus *[fülé]* • *mn* **labyrinthine**

lac [læk] *fn* (nyers) sellak, lakkgumi, lakkmézga

lac-bearing *mn* sellaktermő

lace [leɪs] **I.** *fn* **1.** cipőfűző **2.** zsinór, fűzőzsinór **3.** paszomány; **gold ~** aranyzsinór, aranypaszomány **4.** csipke **II. A.** *tsi* **1.** befűz, összefűz, összecsatol; **~ oneself** befűzi/összefűzi magát *[fűzővel]*; **~ sg with sg** összefűz vmt vmvel **2.** csipkével díszít/szegélyez **3.** tarkít, tarkára fest *[felületet]* **4.** *biz* elnáspángol; **~ sy's coat** kiporolja vknek a nadrágját **B.** *tni* összefűződik

lace in *tsi* **~ oneself in** befűzi magát

lace into *tni biz* **~ into sy** megszól/szapul vkt, kirohan vk ellen

lace up *tsi* befűz, összefűz, összecsatol, összekötöz

lace boots *fn tsz* fűzős cipő/bakancs

lace-curtain *fn* csipkefüggöny

lace-glass *fn* (velencei) filigránüveg

lacemaker *fn* csipkeverő, csipkekészítő

laceman [ˈleɪsmən] *fn tsz* **lacemen 1.** csipkekészítő *[munkás, vállalkozó]* **2.** csipkekereskedő

lace-pillow *fn* csipkeverő párna

lacerate [ˈlæsəreɪt] *tsi* **1.** széttép, szétszaggat; leszakít **2.** kínoz, gyötör • *fn* **laceration** *mn* **lacerated**

laceration [ˌlæsəˈreɪʃn] *fn* **1.** leszaggatás, letépés, szétszaggatás **2.** *orv* felszakadás, felrepedés *[sebé]*

lacertian [ləˈsɜːʃn ‖ −sɜr−] **I.** *fn áll* gyíkféle **II.** *mn* gyíkféle, gyíkszerű

lace trimming *fn* csipkedísz, csipkeszegély

lace-up *mn* fűzős *[cipő]*; → **lace up**

lace-work *fn tex* **a)** csipkedíszítés **b)** csipkeszövés **c)** csipkeáru

laches [ˈlætʃɪz] *fn jog* hanyagság, gondatlanság, mulasztás

lachrymal ['lækrɪml] **I.** *mn* **1.** *orv* könny-, könnyre vonatkozó; ~ **canal/duct** könnycsatorna **2.** könnyes **II.** *fn tsz* **lachrymals** *orv* könnyzacskó
lachrymation [ˌlækrɪ'meɪʃn] *fn* könnyezés, könnyhull(a-t)ás
lachrymator ['lækrɪmeɪtə ‖ –ər] *fn kat* könnygáz, könnyfakasztó gáz
lachrymatory ['lækrɪmətərɪ ‖ –tɔri] **I.** *mn* könnyfakasztó *[gáz]* **II.** *fn régi* kis római edény *[illatszerek számára]*
lachrymose ['lækrɪmoʊs] *mn* **1.** könnyes, sírós, pityergős **2.** szomorú, elszomorító, lehangoló
lacing ['leɪsɪŋ] *fn* **1.** összefűzés, befűzés *[cipőé, fűzőé]* **2. a)** fűzőszalag, fűzőzsinór **b)** szegélydísz, paszomány **3.** csipke **4.** *biz* verés, elnáspángolás
lacing-course *fn épít* átkötő/erősítő kötősor *[terméskő falazatban]*
laciniate-leaved [læ'sɪnɪət–] *mn növ* hegyesen csipkézett levelű
lack [læk] **I.** *fn* **1.** hiány, vmnek a híja, hiányérzet; ~ **of balance** (ki)egyensúlyozatlanság; **for ~ of sg** vmnek a hiányában/híján; ~ **of sleep** kialvatlanság, álmatlanság; ~ **of vitamins** vitaminhiány; ~ **of will-power** akaraterő hiánya **2.** *Sh* **our ~ is nothing but our leave** már csak a búcsú van hátra **II. A.** *tsi* **1.** hiányzik (vmje), híján van (vmnek), hiányol (vmt); ~ **words** nem talál szavakat... **2.** szüksége van (vmre) **B.** *tni* **be ~ing** hiányzik, nincs meg; **money was ~ing** hiányzott (v. nem volt meg/elég) a pénz; ~ **for sg** híján van vmnek, hiányzik vmje, nélkülöz vmt; **they ~ed (for) nothing** semmiben nem szenvedtek szükséget; **be ~ing in courage** nincs bátorsága; bátortalan, gyáva
lackadaisical [ˌlækə'deɪzɪkl] *mn* affektáltan érzelgős; panaszosan méláző
lacker ['lækə ‖ 'lækər] → **lacquer**
lackey ['læki] **I.** *fn* **1.** urasági inas, lakáj **2.** *biz* szolgalelkű ember, hízelgő, talpnyaló **II.** *tsi* **1.** kiszolgál (vkt) **2.** *biz* hízeleg (vknek)
lackey-moth *fn áll* gyűrűs pille
lacking ['lækɪŋ] *mn* hiányzó
lackland ['læklænd] *mn/fn* föld nélküli; *tört* **John L~** Földnélküli János
lack-lustre *mn* fakó, fénytelen, megtört *[szem]*, élettelen, fásult; unalmas, középszerű
laconic [lə'kɒnɪk ‖ –'kɑ–] *mn* szűkszavú, rövid, tömör, velős • *hsz* **laconically**
laconism ['lækənɪzm] *fn* **1.** szófukarság, szűkszavúság, lakonikus rövidség/tömörség **2.** tömör/velős mondás
lacquer ['lækə ‖ –ər] **I.** *fn* **1.** lakk, politúr; ~ **coat** (fedő) lakkréteg **2.** *biz* zománc; hajlakk; lakktárgy *[lakkal bevont műtárgy]*; lakkfa nedve **II.** *tsi* **1.** (be)lakkoz, (be)politúroz **2.** *biz* (be)zománcoz
lacquer-tree *fn növ* kínai lakkfa
lacquer-ware *fn* lakkozott áru, lakkmunka
lacquey ['læki] → **lackey**
lacrimal ['lækrɪməl] → **lachrymal**
lacrosse [lə'krɒs ‖ lə'krɔs] *fn* lacrosse *[kanadai kétkapus ütős labdajáték]*
lactase ['lækteɪs] *fn vegy* laktáz
lactate ['lækteɪt, læk'teɪt] **I.** *fn vegy* tejsavas só, laktát **II.** *tni* tejet választ ki, tejel
lactation [læk'teɪʃn] *fn* **1.** *biol* **a)** szoptatás **b)** szopás **2.** tejelválasztás, tejképződés, laktáció
lacteal ['læktɪəl] **I.** *mn* tej-, tejre vonatkozó, tejhez hasonló **II.** *fn tsz* **lacteals** *orv* nyirokedények, nyirokerek
lactescent [læk'tesnt] *mn* tejszerű, tejes, tejelő *[növény]* • *fn* **lactescence**
lactic ['læktɪk] *mn* tejes, tejszerű, tej-; *vegy* ~ **acid** tejsav
lactiferous [læk'tɪfərəs] *mn biol* tejelválasztó, tejelő
lacto- ['læktoʊ–] *előtag* tej-
lactodensimeter [ˌlæktoʊden'sɪmɪtə ‖ –mətər] *fn* tej(-fajsúly)mérő, laktodenziméter
lactometer [læk'tɒmɪtə ‖ –'tɑmətər] → **lactodensimeter**
lactone ['læktoʊn] *fn vegy* lakton
lactoprotein *fn vegy* tejfehérje
lactose ['læktoʊs] *fn vegy* tejcukor, laktóz
lacuna [lə'kjuːnə] *fn tsz* **lacunae** [–niː] **1.** hézag, rés, üreg **2.** hiányos/üres oldal *[régi kéziratban, könyvben]* • *mn* **lacunar**, **lacunary**, **lacunose**
lacustrine [lə'kʌstraɪn] *mn* tavi *[növény]*
lacy ['leɪsi] *mn* csipkés, csipke-, csipkeszerű
lad [læd] *fn [fiú]* ifjú, legény, fickó, *GB* haver, ivócimbora; **young hopeful** ~ nagyreményű fiatalember
ladder ['lædə ‖ –ər] **I.** *fn* **1. a)** létra; **extending/telescopic** ~ tolólétra **b)** ~ **of success** a(z) siker/érvényesülés lépcsőfokai; *biz* **the social** ~ társadalmi ranglétra; **be on the top of the** ~ magas/jó pozícióban van **2.** (le)futó/leszaladó szem *[harisnyán]*; **her stocking has a** ~ szalad a szem a harisnyáján **II. A.** *tsi* kiszakít *[harisnyát]* **B.** *tni* leszalad *[szem]*
ladder-back *fn* létrás (v. vízszintes lécezetű) széktámla
ladder escape *fn* mentőlétra, tűzlétra
ladder-stitch *fn* gomblyukőltés *[kézimunka]*
laddie ['lædi] *fn sk biz* legény, fiú(cska), fickó • *fn* **laddishness** *mn* **laddish**
lade[1] [leɪd] *fn* **1. a)** malomárok, vízvezető csatorna malomhoz **b)** vízfolyás **2.** folyótorkolat
lade[2] *i pt* **laded** ['leɪdɪd], *pp* **laden** ['leɪdn] **A.** *tsi* **a)** megrak, megterhel *[hajót]* **b)** hajóra rak *[árut]* **c)** teletöm, megrak *[vmt vmvel]*; **trees ~n with fruit** gyümölcstől roskadó fák **d)** *átv* megterhel, nyomaszt(ólag hat); **~n with responsibilities** a felelősség terhe/súlya alatt **B.** *tni* rakodik *[hajó]* • *mn* **laden**
la-di-da [ˌlɑːdɪ'dɑː] *mn biz* szenvelgő, affektáló
ladies' man *fn* nőbolond
Ladin [læ'diːn] **I.** *fn* **a)** ladin nyelv **b)** ladin nyelvet beszélő személy **II.** *mn nyelv* ladin, rétoromán
lading ['leɪdɪŋ] *fn* **1.** megrakás, berakodás *[hajóé]*, hajóra rakás **2.** teher, rakomány; *gazd* **bill of** ~ hajóraklevél, raklevél, fuvarlevél *[hajó-* v. *vasúti rakományé]*
lading door *fn* berakodásra szolgáló ajtó; töltőnyílás, adagolónyílás; *hajó* rakodónyílás
lading port *fn hajó* rakodókikötő
Ladino [lə'diːnoʊ] *fn* **1.** *nyelv* ladino *[spanyol–héber keveréknyelv]* **2.** ‹ladinót beszélő szefárd zsidó› **3.** mesztic
ladle ['leɪdl] **I.** *fn* **1.** merőkanál **2.** *ip* merítőedény, merítőkanál; *nyomd* tömöntödei merítőkanál; **(foundry)** ~ öntőkanál, öntőüst **II.** *tsi* **1.** ~ **(out) the soup** levest merőkanállal tálal **2. a)** *ip* merít **b)** *fémip* kiönt *[öntvényt]*
ladleful ['leɪdlful] *fn* mer(ít)őkanál(nyi)
lad's-love *fn növ* istenfa
lady ['leɪdi] *fn* **1. a)** hölgy, úrnő; **ladies and gentlemen!** hölgyeim és uraim!; **young** ~ kisasszony; **she looks a** ~ úrinőnek látszik; **play the fine** ~, **set up for a** ~ játssza az előkelőt v. a dámát **b)** asszony, nő; **"ladies"** nők (részére) *[felirat]* **2. a)** lady *[lovag, lord feleségének megnevezése]* **b)** ~ **of the manor** a kastély úrnője **3.** udvarhölgy **4.** *vall* **Our L~** Miasszonyunk **5.** kedves, szerelmes *[nő]* **6.** *biz* feleség
ladybird *fn* **1.** *áll* katicabogár, katalinka, isten tehénkéje **2. my ~!** szerelmem!, kis bogaram!
lady-bug *US áll* → **ladybird**
lady-fern *fn növ* (erdei) hölgypáfrány
lady-finger → **lady's-finger**
lady-in-waiting *fn* (szolgálattevő) udvarhölgy
lady-killer *fn biz* nőcsábász, szoknyavadász
ladylike ['leɪdilaɪk] *mn* **1. a)** úrinői *[magatartás, modor]* **b)** finom, elegáns *[női ruha]* **2.** *biz* nőies *[férfi]*
lady-love *fn* a kedves, a szerető
lady's-finger 1. *növ* nyúlszapuka, nyúlhere **2.** babapiskóta **3.** *Ausz* apró vékony banán
lady's-glove *fn növ* gyűszűvirág
ladyship ['leɪdiʃɪp] *fn* **her** ~ őméltósága *[nőről]*; **your** ~ méltóságos asszonyom
lady's-mantle *fn növ* közönséges palástfű

L

lady-smock → **lady's-smock**
lady's seal *fn növ* pirítógyökér
lady's slipper *fn növ* Boldogasszony papucsa, Mária cipellője, Vénusz cipellője, rigópohár
lady's-smock *fn növ* kakukktorma, foszlár
lady's thistle *fn növ* máriatövis
lady's-thumb *fn növ* baracklevelű keserűfű, disznóhunyor
laevo- [ˈliːvoʊ–] *előtag* bal-, balra-, bal felé, bal oldali
laevorotatory [ˌliːvoʊˈroʊtətəri ‖ –ˈroʊtətɔri] *mn vegy* balraforg(at)ó
laevulose [ˈliːvjʊloʊs ‖ ˈlevjə–] *fn vegy* levulóz *[gyümölcscukor]*
LAFTA [ˈlæftə] *röv Latin American Free Trade Area*
lag[1] [læg] **I.** *fn* **a)** lemaradás, visszamaradás, késés, késedelem **b)** *fiz vill* késés **II.** *tni* **-gg- 1. ~ behind** elmarad(ozik), lemarad(ozik), hátramarad **2.** *műsz* lemarad, kés(leked)ik
lag[2] [læg] **I.** *fn szl* (kényszermunkára/deportálásra ítélt) rab, fegyenc, fogoly; **an old ~** visszaeső bűnös **II.** *tsi* **-gg-** letartóztat, őrizetbe vétet; **get ~ged** letartóztatják
lag[3] [læg] **I.** *fn* hőszigetelő borítás, hőszigetelés **II.** *tsi* **-gg-** bevon, beburkol, beborít, hőszigetelővel ellát, (el)szigetel
lager [ˈlɑːgə ‖ –ər] *fn* **1. ~ (beer)** *[német típusú]* világos sör **2.** → **laager** I.
laggard [ˈlægəd ‖ –ərd] **I.** *mn* lusta, tunya, késlekedő, elmaradozó **II.** *fn* lusta/lassú/mulya ember
lagging [ˈlægɪŋ] *fn* szigetelőanyag
lagoon [ləˈguːn] *fn* **1.** *földr* lagúna **2.** *földr* korallsziget lagúnája/tava **3.** *vízügy* derítőtó
lag-tooth *fn tsz* **-teeth** *biz* bölcsességfog
lah [lɑː] *zene* → **la**[1]
laic [ˈleɪɪk] **I.** *mn* világi, laikus **II.** *fn* világi személy • *fn* **laical**
laicize [ˈleɪɪsaɪz], **-ise** *tsi* világiasít, szekularizál
laid [leɪd] → **lay**[3] I.
laid-back *fn biz* laza *[fickó]*; **in a ~ way/manner** könnyed stílusban, higgadtan, lazán
laid-up *mn gazd* ágyhoz kötött, négy fal közé zárt
lain [leɪn] → **lie**[2] I.
lair [leə ‖ ler] **I.** *fn* **1.** barlang, odú, búvóhely *[vadállaté]* **2.** karám **3. a)** tartózkodási hely **b)** nyugvóhely, pihenőhely, fek(vő)hely, ágy **II. A.** *tsi* karámba fog, elzár, bezár *[háziállatot]* **B.** *tni* **1.** fekszik, pihen, elfekszik *[odújában, vackán]* **2.** vackot/odút készít magának • *fn* **lairage**
laird [leəd ‖ lerd] *fn sk* földbirtokos, földesúr
laissez-faire [ˌleseɪ ˈfeə ‖ –ˈfer] ‹nem beavatkozás gazdaságpolitikai elve›; ‹az egyéniséget érvényesülni engedő pedagógiai módszer›
laissez-passer [ˌleseɪ ˈpæseɪ ‖ –pæˈseɪ] *fn* belépési/átkelési/közlekedési engedély, igazolvány, menetlevél; *kat* nyílt parancs
laity [ˈleɪəti] *fn* **the ~** világi személyek, a laikusok
lake[1] [leɪk] *fn* tó; *biz* **the Great L~** az Atlanti-óceán
lake[2] [leɪk] *fn* lakk(festék)
lake-dwelling *fn* cölöplakás, cölöpház, cölöpépítmény • *fn* **lake-dweller**
lakeland [ˈleɪklənd] *fn* tóvidék
lakelet [ˈleɪklɪt] *fn* tavacska, tengerszem, gleccsertó
Lake Poets *fn tsz* **1.** *ir.tud* ‹a „tavi iskolához" tartozó romantikus költők› *[Coleridge, Southey, Wordsworth]* **2. the ~** a tavi iskola
Lallan [ˈlælən] *mn sk* dél-skóciai
lallation [læˈleɪʃn] *fn* **1.** gagyogás, gőgicsélés **2.** *nyelv* nyelvhiba *[r helyett l]*, lambdacizmus
lam [læm] **I.** *fn szl* **on the ~** menekülve, szökve, rejtőzve *[rendőrség elől]* **II. -mm- A.** *tsi* **~ sy** jól elver/elpáhol/elagyabugyál vkt **B.** *tni* **~ into sy** nekiesik vknek
Lam. *röv bibl Lamentations*
lama[1] [ˈlɑːmə] *fn vall* láma *[tibeti buddhista pap]*
lama[2] [ˈlɑːmə] *fn áll* → **llama**
lamaism [ˈlɑːməɪzm] *fn vall* lámaizmus *[tibeti buddhizmus]* • *fn* **lamaist**
La Manche [ˌlɑːˈmɑːnʃ] *tul földr* La Manche (csatorna)
lamasery [ˈlɑːməsəri ‖ ˈlɑməseri] *fn vall* lámakolostor
lamb [læm] **I.** *fn* **1.** bárány; **like ~ and salad** teljes rendben; **a wolf in ~'s clothing** báránybőrbe bújt farkas; **he's anything but the snow-white ~** nem olyan ártatlan, mint a ma született bárány **2.** bárány(hús) *[étel]* **3.** szelíd, jólelkű ember **II. A.** *tsi* **1. sheep ~ed in February** februári ellésű juh **2. ~ (down) the ewes** juhot (meg)ellet **3.** legelőre hajt *[juhokat]* **B.** *tni* bárányt ellik
lambast [læmˈbæst] *tsi* **1.** *biz* alaposan elver/megver, elagyabugyál **2.** *biz* leszól, letol (vkt)
lambaste [læmˈbeɪst] → **lambast**
lambda [ˈlæmdə] *fn* **1.** lambda *[a görög ábécé 11. betűje]* **2.** *fiz* hullámhossz szimbóluma; *csill* égi hosszúsági fokok szimbóluma
lambent [ˈlæmbənt] *mn* **1.** pislákoló, sápadt *[lángolás]*, nyaldosó *[láng]* **2.** csillogó, ragyogó *[szem, szellem]*, könnyed *[stílus]* • *fn* **lambency**
lambert [ˈlæmbət ‖ –bərt] *fn fiz* lambert *[1 lumen/cm]*
lambkin [ˈlæmkɪn] *fn* jerkebárány, kis bárány, bari(ka)
lambrequin [ˈlæmbrəkɪn] *fn* lambrekin *[kárpité]*, drapéria *[függönykarnist eltakaró kárpit]*, felső függöny
lamb's-lettuce *növ* galambbegy
lamb's-tails *növ* barka *[diófáé]*
lamb's-wool *fn* báránygyapjú
lame [leɪm] **I.** *mn* **1.** sánta, nyomorék, béna; **be/walk ~** sántít; **be ~ in/of one leg** egyik lábára sántít/sántikál **2. ~ excuse** átlátszó/gyenge/olcsó kifogás/mentség; **~ story** zavaros/homályos történet **II.** *tsi* **1.** lesántít (embert, lovat); megbénít, bénává tesz (vkt) **2.** megnyomorít, nyomorékká tesz (vkt)
lamé [ˈlɑːmeɪ ‖ lɑˈmeɪ] *fn tex* **silver ~** ezüstlamé
lame brain *fn US szl* hülye, ostoba *[ember]* • *mn* **lame-brained**
lame duck *fn* **1.** ügyefogyott alak, balfácán **2.** fizetésképtelen vállalat **3.** ‹újra meg nem választott, de még hivatalban lévő képviselő/testület/elnök›
lamella [ləˈmelə] *fn tsz* **~s**, **lamellae** [–liː] kis/vékony lemez/réteg, lamella, hártya; *növ* lemez, pikkely • *mn* **lamellar**, **lamellate**, **lamellated**
lamellibranchs [ləˌmelɪˈbræŋk] *fn tsz áll* kagylók
lamellicorn [ləˈmelɪkɔːn ‖ –kɔrn] **I.** *mn áll* lemezescsápú **II.** *fn tsz* **lamellicorns** [ləˌmelɪˈkɔːnɪə ‖ –ˈkɔr–] *áll* lemezescsápú bogarak
lamellose [ləˈmeloʊs] *mn* lemezekre/lapokra oszló
lament [ləˈment] **I.** *fn* **1.** siránkozás, siralom, jajgatás, jajveszékelés **2.** *zene régi* sirám, siralmas ének, panaszdal **II. A.** *tsi* (meg)sirat **B.** *tni* **~ for/over sg/sy** jajgat/jajveszékel/panaszkodik/siránkozik vk/vm miatt/felett, kesereg (vmn)
lamentable [ˈlæməntəbl, ləˈmentəbl] *mn* **1.** szánalomra méltó, szánalmas, siralmas **2.** panaszos, sírós
lamentation [ˌlæmənˈteɪʃn] *fn* siránkozás, jajveszékelés, panaszkodás; *bibl* **the L~s of Jeremiah** Jeremiás siralmai
lamented [ləˈmentɪd] *mn* megsiratott, elhunyt, néhai; **your late ~ father** fájón nélkülözött apád; **our ~ friend** szegény barátunk
lamina [ˈlæmɪnə] *fn tsz* **laminae** [–niː] **a)** lemez, (vékony) lap, lapocska **b)** *geol* vékony kőzetréteg, csúszási/vetési sík
laminal [ˈlæmɪnəl] → **laminar**
laminar [ˈlæmɪnə ‖ –ər] *mn fiz* réteges, lamináris; *el* lamináris/hosszirányú áramlás; *fiz* **~ flow** áramlás, réteges áramlás
laminate I. *mn* [ˈlæmɪneɪt ‖ –ət] *tud* lemezes, réteges, pikkelyes **II.** *fn* [ˈlæmɪneɪt ‖ –ət] rétegelt/lemezelt (mű)anyag **III.** [ˈlæmɪneɪt] **A.** *tsi* **1.** hengerel, lemezzé nyújt *[fémet]* **2.** lemezekre/lapokra/rétegekre hasít/fűrészel, lemezel **3.** rétegel **4.** lemezzel beborít **B.** *tni* **1.** kihengerlődik, kinyúlik, ellapul **2.** lemezekre/lapokra hasad • *fn* **lamination** *mn* **laminated**
lamish [ˈleɪmɪʃ] *mn* kissé/enyhén sántító/sántikáló

Lammas [ˈlæməs] *fn* augusztus elseje *[Angliában aratóünnep napja, Skóciában lakbérfizetés napja]*; *biz* **at** (v. **in the season of) latter ~** holnapután kiskedden, majd ha fagy!

lammergeyer [ˈlæməgaɪə ‖ ˈlæmərgaɪər] *fn áll* szakállas (sas)keselyű

lamp [læmp] **I.** *fn* **1.** lámpa, fényforrás **2. ~ (bulb)** izzó; villanykörte; **~ socket** (lámpa)foglalat **3.** (üveg) gyertyatartó **4.** *vál tsz* **lamps** szemek **II. A.** *tsi* **1.** lámpával ellát/felszerel (vmt) **2.** *vál* világít, megvilágosít **B.** *tni* világít, ragyog, fénylik

lampblack *fn* (lámpa)korom; koromfesték

lamp-chimney *fn* lámpaüveg, lámpacilinder

lampern [ˈlæmpən ‖ –pərn] *fn áll* folyami ingola/orsóhal

lamp-holder *fn* lámpatartó

lampion [ˈlæmpɪən] *fn* **1.** mécses **2.** lampion

lamplight *fn* lámpafény; **by ~** lámpafénynél, lámpa mellett

lamplighter *fn régi* lámpagyújtogató

lampoon [læmˈpuːn] **I.** *fn* gúnyirat, gyalázkodó röpirat **II.** *tsi* (ki)gúnyol, ócsárol, gúnyiratban nevetség tárgyává tesz • *fn* **lampooner**, **lampoonery**, **lampoonist**

lamp-post *fn* lámpaoszlop

lamprey [ˈlæmpri] *fn áll* ingola, orsóhal

lamp-shade *fn* lámpaernyő

lamp-stand *fn* állólámpa (állványa)

lamp standard → **lamp post**

LAN [læn] *röv infor local area network* helyi hálózat, LAN

Lancastrian [læŋˈkæstrɪən] *mn/fn tört* Lancaster-párti, vörös rózsa párti; *földr* lancasteri, lancashire-i

lance [lɑːns ‖ læns] **I.** *fn* **1.** lándzsa; *biz* **brake a ~ with sy** vitába száll vkvel, összecsap/megmérkőzik vkvel *[szóban]* **2.** *tört* lándzsás, dzsidás **3.** → **lancet II.** *tsi* **1.** lándzsával átdöf/átszúr **2.** *orv* felvág, felszúr **3.** *vál* hajít, vet

Lancelot [ˈlɑːnsəlɒt ‖ ˈlænsəlɑt] *tul vál* ‹Arthur király lovagja›

lancer [ˈlɑːnsə ‖ ˈlænsər] *fn* **1.** *tört* lándzsás, dzsidás **2.** *tsz* **lancers**‹egy fajta tánc(zene)› *[a négyes egyik formája]*

lancet [ˈlɑːnsɪt ‖ ˈlæn–] *fn* **1.** *orv* gerely **2.** *orv* szike, orvosi kés • *mn* **lanceted**

lancet arch *fn épít* lándzsa alakú csúcsív

lancet window *fn épít* csúcsíves ablak

lancewood *fn növ* lándzsafa

land [lænd] **I.** *fn* **1.** (szároz)föld; **by ~ and sea**, **on ~ and at sea** szárazföldön és tengeren; *átv* **see how the ~ lies** kifürkészi a terepet, terepszemlét tart, kitapasztalja a helyzetet, megnézi, honnan fúj a szél **2.** föld, talaj **3.** terület, ország, vidék; **distant ~s** távoli országok/vidékek; **the ~ of dreams** az álmok világa **4.** föld(birtok) **5.** *mezőg* tábla, földsáv **II. A.** *tsi* **1. a)** partra tesz **b)** letesz, lerak, kirak; **~ an aeroplane** repülőgéppel leszáll, landol **2.** kifog vmt, jut vmhez; **~ a fish** halat kifog/kiemel; *biz* **~ a fortune** vagyonhoz jut; *biz* **~ a prize** díjat nyer **3.** juttat, visz, hoz; *biz* **that will ~ you in prison** ez börtönbe juttat **4. ~ one's horse first** elsőnek fut be *[zsoké]* **5.** *biz* **~ sy one in the face** behúz egyet vknek **6.** *hajó* bevon, leereszt *[vitorlát, egyéb felszerelést]* **B.** *tni* **1. a)** partra száll, kiszáll *[ember]*, kiköt *[hajó]* **b)** leszáll, landol *[repülőgép]* **2. a)** vhová érkezik, kiköt vhol **b)** (rá)esik (vmre); **~ on one's feet** talpra esik; vmlyen helyzetbe kerül; **he ~ed in a ditch** egy árokban kötött ki **3. ~ first** elsőnek fut be *[versenyló]*

land-act *fn* agrártörvény

land-agent *fn* **1.** földbirtok kezelője, jószágigazgató **2.** *US* ingatlanközvetítő, ingatlanügynök

land agent *fn régi* ispán • *fn* **land-agency**

landau [ˈlændɔː ‖ –daʊ] *fn* hintó, landauer

land-bank *fn* földhitelintézet, mezőgazdasági bank

land-bred *mn* vidéken/falun nevelt/nevelődött

land-breeze *fn* parti szél, parttól fújó szél

land-bridge *fn* földnyelv

land-crab *fn áll* szárazföldi tarisznyarák

landed [ˈlændɪd] *mn* **1.** kiszállt, partra szállt *[utas]* **2. ~ gentry** földbirtokos nemesség; **~ property** földbirtok; **~ proprietor** földbirtokos, földesúr

lander [ˈlændə ‖ ˈlændər] *fn* **1.** *űr* leszállóegység *[bolygón, holdon]* **2.** *biz* telitalálat *[bokszütés]*

landfall *fn* **1.** *hajó* kikötés **2.** *rep* földközelbe érkezés *[tenger felől]*

land-girl *fn* **1.** falusi/tanyai lány **2.** mezőgazdasági munkáslány

landholder *fn* **1.** földbirtokos **2.** haszonbérlő *[földé]*

landing [ˈlændɪŋ] *fn* **1. a)** partraszállás, partraszállítás; **operate a ~** partraszállást végrehajt **b)** leszállás, földreérés, landolás *[repülőgépé]*; **forced ~** kényszerleszállás **2.** *épít* pihenő/forduló *[lépcsőházban]*

landing area *fn rep* leszállóhely

landing barge *fn kat* deszantbárka

landing card *fn rep* kiszállókártya

landing craft *fn űr* leszálló egység; *kat* partra szálló jármű, átkelőeszköz, deszantjármű

landing-gear *fn rep* futószerkezet, futómű

landing light *fn rep* leszállásjelző fény

landing-net *fn* merítőzsák *[halkiemelésre]*, szák

landing party *fn kat* partra szálló egység

landing-place *fn* **1. a)** kikötőhely **b)** partraszállóhely **2.** *régi* pihenőállomás

landing rocket *fn* fékező rakéta

landing-stage *fn hajó* kikötőhely, rakodópart, rakodómóló

landing-strip *fn rep* leszállópálya

landlady *fn* **1. a)** földbirtokosnő **b)** háztulajdonosnő **2.** főbérlő **3.** kocsmárosné, vendéglősné, fogadósné

land-laws *fn tsz* agrártörvények

landler [ˈlændlə ‖ ˈlændlər], **ländler** *fn* ländler *[osztrák háromnegyedes ütemű tánc, a keringő elődje]*; ländler zenéje

land-line *fn* légvezeték, szabad vezeték

landlocked *mn* **1.** partokkal körülvett/körülzárt, földközi, belső *[tenger]* **2.** tenger nélküli, kontinentális *[ország, melynek nincs tengerpartja]*

land-loper [–loʊpə ‖ –ər] *fn* csavargó

landlord *fn* **1. a)** földbirtokos, földesúr **b)** háziúr, háztulajdonos **2.** főbérlő **3.** kocsmáros, vendéglős, fogadós

land-lubber *fn biz* szárazföldi patkány *[hajózáshoz nem értő személy]*

landmark *fn* **1. a)** határkő, határjel, jelzőkaró **b)** (feltűnő) tereptárgy, feltűnő építmény **2.** jellegzetesség, jellegzetes tájékozódási pont, fix pont **3.** *átv* határkő, döntő esemény, korszakalkotó tény

landmine *fn* gyalogsági akna, taposóakna

land-office business *fn US biz [nagyszerű/remek üzlet]* bombaüzlet, ragyogó üzletmenet

landowner *fn* földbirtokos

landrail *fn* haris

land-register *fn* telekkönyv

landscape [ˈlændskeɪp] **I.** *fn* **1.** táj, vidék **2.** tájkép **3. ~ format** *infor* fektetett papírforma **II.** *tsi* tájkertivé alakít

landscape-architecture *fn* tájkerttervezés, kertépítészet, tájkertészet • *fn* **landscape-architect**

landscape-garden *fn* tájkert, angolkert • *fn* **landscape gardening**

landscape-painter *fn műv* tájképfestő • *fn* **landscapist**

Land's End *tul földr* ‹Cornwall és Anglia legnyugatibb pontja›

land-sick *mn* a szárazföldre vágyó *[tengerész]*

landslide *fn* **1.** földcsuszamlás, földomlás **2.** *átv pol* földcsuszamlás

landslip *fn* földcsuszamlás

landsman [ˈlændzmən] *fn tsz* **landsmen** szárazföldön élő ember *[nem tengerész]*

land-surveying *fn* felmérés, földmérés, geodézia

land-surveyor *fn* földmérő

land-swell *fn* ‹hullámképződés a tenger sekélyebb helyén›
land tax *fn jog* földadó
land-tie *fn épít* támfa, gyám, dúc
landward ['lændwəd ‖ –wərd] **I.** *mn* az ország belsejéhez tartozó, belső **II. ~s** *hsz* szárazföld/part felé
land-warfare *fn* szárazföldi hadviselés
land wash *fn* vízmosás
land-wind *fn* parti szél
lane [leɪn] *fn* **1. a)** ösvény, dűlőút **b)** keskeny mellékutca, köz, átjáró **c)** *gk* **(traffic) ~** (forgalmi) sáv; *GB* **inside/nearside/***US* **slow ~** külső (forgalmi) sáv; *GB* **outside/offside/***US* **fast ~** belső (forgalmi) sáv; *GB* **middle/***US* **centre ~** középső (forgalmi) sáv; **change ~s** sávot változtat **d)** sáv *[uszodában]*, pálya **e)** *sp* futópálya **2.** hajózási útvonal
lang ['læŋ] *mn sk* **~ syne** régen, valaha; a(z) régi/elmúlt idők
langouste [lɒŋ'guːst] *fn* languszta
language ['læŋgwɪdʒ] *fn* **1. a)** nyelv; **foreign ~s** idegen nyelvek **b)** szaknyelv; **the ~ of diplomacy** a diplomácia nyelve; **the ~ of flowers** virágnyelv **2.** nyelvezet, beszédmód, kifejezésmód, stílus; **bad ~** durva/közönséges beszédmód; **strong ~** szigorú/kemény beszédmód, erős kifejezések; *biz* **use (abusive) ~** durván/közönségesen beszél
language aquisition *fn nyelv okt* nyelvelsajátítás
language laboratory, **language lab** *fn okt* nyelvi labor(atórium)
language universal *fn nyelv* nyelvi univerzálé
languid ['læŋgwɪd] *mn* **1.** erőtlen, bágyadt, lankadt, pilledt; **grow ~** elbágyad, elpilled **2.** közönyös, egykedvű; **be ~ about sg** nem lelkesedik vmért **3.** tunya, nehézkes, lassú mozgású **4.** unalmas, színtelen, érdektelen **5.** lanyha; **take ~ interest in sg** lanyha érdeklődést tanúsít vm iránt **6.** pangó *[üzlet]*
languish ['læŋgwɪʃ] *tni* **1.** lankad, (el)bágyad, elpilled, elernyed **2.** sorvad hervad(ozik) **3.** epekedő/sóvárgó/ábrándos pillantást vet vkre **4.** epekedik, sóvárog • *fn* **languishment**
languor ['læŋgə ‖ –ər] *fn* **1.** bágyadtság, lankadtság, erőtlenség **2.** kedvetlenség, közöny, egykedvűség **3.** restség, tunyaság **4.** sóvárgó/epekedő hangulat, ábrándozás **5.** tikkasztó hőség • *mn* **languorous**
laniary ['lænɪəri ‖ 'leɪnieri] **I.** *mn* tépő *[fog]* **II.** *fn* tépőfog, szemfog
laniferous [læ'nɪfərəs] *mn* gyapjas, gyapjúhordó
lank [læŋk] *mn* **1.** sovány, vékony, karcsú **2. ~ hair** tartás nélküli haj **3.** üres *[pénztárca]*
lanky ['læŋki] *mn* magas és szikár, hórihorgas
lanky-legs *fn tsz* hórihorgas (ember), égimeszelő
lanner ['lænə ‖ –ər] *fn* **1.** *áll* kis sólyom **2.** nőstény vadászsólyom
lanoline ['lænəlɪn] *mn vegy* lanolin, gyapjúzsír
lantana [læn'tɑːnə] *fn növ* lantanacserje
lantern ['læntən ‖ 'læntərn] *fn* **1.** lámpás **2.** világítótest **3.** *épít* bevilágító, ablakos kupola/tornyocska, laterna
lantern-fly *fn* lámpáshordó lepke
lantern-jawed *mn* beesett arcú
lanuginous [lə'njuːdʒɪnəs] *mn* gyapjas, bolyhos, pelyhes, pihés, szőrös
lanugo [lə'njuːgoʊ ‖ –'nuː–] *fn orv* magzatpehely
lanyard ['lænjəd ‖ –jərd] *fn* **1. a)** *hajó* (macskafejes) feszítőkötél, rögzítőkötél **b)** *hajó* nyakba vetett késtartó zsinór **2. a)** *kat* elsütő zsinór *[lövegen]* **b)** rohamszíj
Laos [laʊs ‖ 'lɑoʊs] *tul földr* Laosz
Laotian ['laʊʃn ‖ leɪ'oʊʃn] *mn/fn* laoszi
lap[1] [læp] **I.** *fn* **1.** öl; **hold sy/sg in/on one's ~** az ölében tart vkt/vmt; **sit in/on sy's ~** vk ölében/térdén ül **2.** (lebegő), lógó szárny *[ruháé, kabáté]*, szoknya eleje **3.** bemélyedés, völgy *[dombok között]* **4.** ágyékkötő **5.** *sp* hossz *[uszodában]*, kör, forduló *[versenypályán]*; **do three ~s** három kört fut; **~ of honour** tiszteletkör **6.** *műsz* csiszolókorong, metszőkorong **II. -pp- A.** *tsi* **1. a)** *sp* lehagy, leköröz *[ellenfelet]* **b)** *sp* **~ the course** egy kört megtesz **2.** *műsz* átlapol, (át)fed, beborít, betakar; **~ sg over sg** beborít/fed vmt; átlapol (vmt) **3. a)** felcsavar, felteker; **~ sg round/up with sg** vmt vmvel körülcsavar/körülteker **b) ~ped in luxury** luxusban, fényűzően; fényűzéssel körülvett **4.** *vill* (szigetelő réteggel) szigetel **5.** *műsz* csiszol, tükrösít **B.** *tni* **1.** feltekeredik, felcsavarodik **2.** fekszik (vm alatt/mellett) **3. ~ over (sg)** kiáll/kiszögell vm felett, ráborul vmre
lap[2] [læp] **I.** *fn* **1. a)** korty(nyi), nyelés(nyi) **b)** nyalakodás, lefetyelés **2.** csobogás, loccsanás, hullámverés **3.** *biz* lőre, lötty **II. -pp- A.** *tsi* **1. a)** lefetyel *[állat]* **b) ~ down/up a drink** italt felhörpint; **lap up** *biz* elhisz, bevesz **2.** mos, verdes *[hullám partot]* **B.** *tni* loccsan, csobog *[hullám]*
laparoscope ['læpərəskoʊp] *fn orv* laparoszkóp • *fn* **laparoscopy**
laparotomy [ˌlæpə'rɒtəmi ‖ –'rɑtəmi] *fn orv* hasmetszés, hasfelnyitás
lap-dog *fn* öleb
lapel [lə'pel] *fn* hajtóka *[kabáté]*; *távk* **~ mic(rophone)** gomblyukmikrofon
lapicide ['læpɪsaɪd] *fn* kőfaragó
lapidary ['læpɪdəri ‖ –əderi] **I.** *mn* **1.** kövi, kő- **2. a)** kőbe vésett, faragott **b)** tömör és monumentális, lapidáris *[stílus]* **II.** *fn* **1.** drágakőcsiszoló/kőfaragó munkás **2.** vésnök • *fn* **lapidarist**
lapidation [ˌlæpɪ'deɪʃn] *fn* megkövezés
lapidify [lə'pɪdɪfaɪ] **A.** *tsi* kővé változtat, megkövesít **B.** *tni* kővé válik, megkövesedik
lapis infernalis [ˌlæpɪs ɪn'fɜːnəlɪs ‖ –'fɜr–] *fn vegy* lapis infernalis, ezüst-nitrát, pokolkő
lapis lazuli [ˌlæpɪs 'læzjuli ‖ –'læzəli] *ásv* lapis lazuli, lazurit
lap-joint **I.** *fn* lapkötés, átfedő/lapolt illesztés **II.** *tsi* egybelapol, lapoltan illeszt
Lapland ['læplænd] *fn* Lappföld • *fn* **Laplander**
Lapp ['læp] *mn/fn* lapp (ember/nyelv)
lappet ['læpɪt] *fn tsz* **lappets** **1. a)** (lebegő), lógó szárny *[ruháé, kabáté]* **b)** (főkötőről lelógó) szalag **c)** legombolható ruharész **2. a)** *orv* cimpa *[fülé]* **b)** *áll* pötyögő *[pulyka nyakán]*, lebernyeg *[kérődzőkön]*
Lappish ['læpɪʃ] *mn/fn* lapp
lapsana ['læpsənə] *fn növ* bojtorjánsaláta
lapsang ['læpsæŋ ‖ 'lɑpsɑŋ] *mn/fn gaszt* **~ souchong** ‹kínai füstölt fekete tea›
lapse [læps] **I.** *fn* **1. a)** hiba, tévedés, botlás; **~ of memory** emlékezetkihagyás; **~ of the pen** íráshiba; **~ of the tongue** nyelvbotlás, elszólás **b)** mulasztás, vétek; **~ from one's duty** kötelességteljesítés elmulasztása **2.** múlás, folyás, leforgás *[időé]*, időköz; **after a ~ of two years** két évvel később **3.** *jog* megszűnés, elenyészés, hatályvesztés, elévülés, átszállás, visszaszállás, lejárat *[határidőé]* **II.** *tni* **1. a)** mulaszt(ást követ el), hibázik, vét **b)** botlik, téved; **to ~ into a smile** elmosolyodik **c) ~ back** visszaesik, visszasüllyed **2. ~ away** múlik, telik *[idő]* **3.** *jog* elévül, hatályát/érvényét veszti, lejár *[határidő]*; **it has ~d** érvényét veszítette **4.** *orv* **~ into a coma** kómába esik
lapstrake ['læpstreɪk] *hajó* **I.** *mn* palánkos építésű **II.** *fn* átlapolt palánkolású hajó
laptop (computer) *fn infor* laptop, hordozható (kisméretű) számítógép
lap-weld **I.** *fn fémip* átlapolt hegesztett varrat **II.** *tsi* átlapoltan hegeszt
lapwing *fn áll* bíbic
larboard ['lɑːbəd ‖ 'lɑrbərd] *fn hajó régi* bal oldal
larceny ['lɑːsnˑi ‖ 'lɑr–] *fn jog* lopás, tolvajlás; *tört* **petty/grand ~** kis/nagy lopás • *fn* **larcener** *mn* **larcenous**
larch [lɑːtʃ ‖ lɑrtʃ] *fn növ* vörösfenyő

lard [lɑ:d ‖ lɑrd] **I.** *fn* (disznó)zsír, (disznó)háj, szalonna **II.** *tsi* **a)** szalonnával (meg)tűzdel *[húst]*, zsírral/hájjal megken **b)** *átv* megtűzdel, telespékel (vmvel vmt); **~ one's writings/speech with quotations** idézetekkel tűzdeli meg írásait/beszédeit

larder ['lɑ:də ‖ 'lɑrdər] *fn* éléskamra

lardo(o)n [lɑ:'du:n ‖ lɑr'du:n] *fn* tűzdelni való szalonna(szelet)

lardy ['lɑ:di ‖ 'lɑrdi] *mn* szalonnás, szalonnaszerű, zsíros, zsír-tartalmú

lardy cake *fn* hájastészta

large [lɑ:dʒ ‖ lɑrdʒ] **I.** *mn* **1. a)** nagy, terjedelmes, nagyszámú, nagy mennyiségű, megtermett, erős; **~ hands** nagy kéz; **~ town** nagyváros; **as ~ as life** életnagyságú; *mat* **law of ~ numbers** a nagy számok törvénye; **in a ~ way** nagyvonalúan, nagyszabásúan; **on a ~ scale** nagyban, nagy méretekben; **get/grow large(r)** nő, növekszik **b)** bőséges, tágas, széles; **~ meal** bőséges étkezés **2.** nagyszabású; **~ eater** nagyevő; **a ~ order** nagyszabású vállalkozás; **a ~ producer** nagyban termelő, nagyiparos **3.** széles körű, kiterjedt, messzemenő; **~ liberty** széles körű/messzemenő szabadság; **~ powers** széles körű hatalom **II.** *fn* **1. at ~** szabadlábon, szabadlábra; **the people at ~** a nagyközönség, az emberek (általánosságban véve) **2. in (the) ~** nagyban; általánosságban; **viewed in the ~** egészében véve, nagyjából • *fn* **largeness** *mn* **largish**

largely ['lɑ:dʒli ‖ 'lɑr–] *hsz* **1.** nagymértékben, jórészt, túlnyomóan, nagy(obb)részt, főleg **2.** bőven, bőségesen, nagy méretekben

large-minded *mn* szabadelvű, liberális, türelmes, elnéző, toleráns

larger-than-life *mn* **1.** életnagyságúnál nagyobb méretű, extra méretű **2.** rendkívül színes **3.** eltúlzott, túlzásba menő

large-scale *mn* **1.** nagyarányú, nagymérvű; **~ production** nagyüzemi termelés **2. ~ map** nagy léptékű/méretarányú térkép

large-screen *mn* nagy képernyőjű *[tv]*

largess(e) [lɑ:'dʒes ‖ 'lɑr–] *fn* **1.** *régi vál* adomány, ajándék **2.** *régi vál* bőkezűség

lariat ['lærɪət] *fn* **1.** kötőfék **2.** pányva, lasszó

lark¹ [lɑ:k ‖ lɑrk] *fn* pacsirta; **crested/tufted ~** búbos pacsirta; **be happy as a ~** madarat lehetne fogatni vele; *biz* **get up** (v. **rise) with the ~s** hajnalban/korán kel

lark² [lɑ:k ‖ lɑr–] **I.** *fn biz* bolondozás, móka, tréfa; *biz* **do sg for a ~** tréfa kedvéért csinál vmt; *biz* **what a ~!** jó móka! **II. A.** *tsi* heccel, ugrat **B.** *tni* bolondozik, mókázik, tréfál • *mn* **larky**

lark-heel, lark's-heel *fn* **1.** *növ* böjtfű **2.** *növ* → **larkspur**

larkspur *fn* *növ* kerti szarkaláb

larrikin ['lærɪkɪn] *fn* *Ausz* (fiatal) vagány, huligán

larrup ['lærəp] *biz tréf* **I.** *fn* szemét, kacat **II.** *tsi* szemetel, szétszór *[kacatot]*

Larry ['læri] *tul* ‹*Lawrence* becéző alakja›

larva ['lɑ:və ‖ 'lɑrvə] *fn tsz* **larvae** [–vi:] *áll* lárva, álca • *mn* **larval**

laryngeal [lə'rɪndʒl ‖ ˌlærənd'ʒɪəl] *mn orv* gége-, gégefő-

laryngitis [ˌlærɪn'dʒaɪtɪs] *fn orv* gégegyulladás

laryngoscope [lə'rɪŋgəskoup] *fn orv* gégetükör

laryngotomy [ˌlærɪŋ'gɒtəmi ‖ –gɑ–] *fn orv* gégemetszés

larynx ['lærɪŋks] *fn tsz* **~es, larynges** [lə'rɪndʒi:z] *orv* gége(fő)

lasagna [lə'zænjə ‖ –'zɑn–], **lasagne** *fn* lasagna *[széles, lapos olasz tésztaféle]*

lascivious [lə'sɪvɪəs] *mn* buja, kéjvágyó, kéjes

lase [leɪz] *tni* lézerként működik

laser ['leɪzə ‖ –ər] *fn fiz el* = *light amplification by stimulated emission of radiation* lézer

laser beam *fn fiz műsz* lézersugár

laser disc *fn* lézerlemez, sugárlemez

laser gun *fn kat* lézerfegyver

laser printer *fn infor* lézernyomtató, lézerprinter

lash ['læʃ] **I.** *fn* **1.** ostorcsapás, korbácsütés **2. a)** ostor(szíj), korbács **b)** ostorhegy **3. (the penalty of) the ~** megkorbácsolás *[büntetés]* **4.** (szem)pilla **5.** *Ausz szl* trükk; **have a ~ at sg** megpróbál vmt **II. A.** *tsi* **1.** (ostorral) ver, (meg)korbácsol; **~ the windows** veri az ablakot *[eső]*; *biz* **~ oneself into a fury** dühbe lovallja magát **2. ~ its tail** farkával legyezi/csapkodja magát *[állat]* **3.** *átv* ostoroz *[bűnöket]*, szid, erélyesen korhol **4.** hajszol, űz **5.** (meg)köt, megerősít **B.** *tni* ver(des), zuhog, csapkod, csapdos, csapódik, nekivágódik • *fn* **lasher**

lash on *tsi* **1.** ostorral hajt *[állatot]* **2.** rákötöz, ráerősít (vmre), odaköt, hozzáköt(öz), odaerősít (vmhez)

lash out *tni* **1.** *biz* kitör, kirobban *[ember]*; **~ out at sy** kirohan vk ellen, szidalmaz vkt **2. ~ out into expenditure** eszeveszetten költekezik

lash together *tsi* összeköt(öz)

lash up *tsi* felkorbácsol *[szenvedélyt stb.]*; → **lash-up**

lashing ['læʃɪŋ] *fn* **1.** *hajó* rögzítőbilincs **2.** hajókötél

lash-up *fn biz* gyorsan/sebtében összetákolt/összeütött dolog, tákolmány; → **lash up**

lass [læs] *fn* **1.** *sk* lány **2.** *sk* **sy's ~** vk kedvese/szerelmese

lassie ['læsi] *fn sk* lányka, kislány

lassitude ['læsɪtju:d ‖ –tu:d] *fn* fáradtság, kimerültség; tunyaság, restség, közöny

lasso [lə'su: ‖ 'læsou] **I.** *fn* lasszó **II.** *tsi pt/pp* **~ed** megpányváz, meglasszóz, hurokkal/lasszóval fog *[állatot]*

last¹ [lɑ:st ‖ læst] **I.** *mn* **1.** (leg)utolsó; *biz* **~ but not least** utoljára, de nem utolsósorban; **the ~ but one, the second ~** az utolsó előtti; **L~ Day** az ítélet napja; *vall* **L~ Judgment** utolsó ítélet, végítélet; *US* **~ name** vezetéknév; **~ price** utolsó/végső ár; *vall* **the L~ Supper** az utolsó vacsora; **be on one's ~ legs** a végét járja; teljesen ki van merülve; **have the ~ word** övé az utolsó szó; **he was the ~ to come** ő érkezett utolsónak; **in the ~ resort, as a ~ resort** végső megoldásként **2.** legutóbbi, (el)múlt; **~ Tuesday** múlt kedden; **~ night** az elmúlt éjjel; **~ week** múlt hét(en); **this day ~ week** ma egy hete **3.** legújabb; **it's the ~ thing** ez a legújabb divat **4.** legfőbb, legmagasabb; **a matter of the ~ importance** rendkívül fontos ügy **II.** *hsz* **1.** (leg)utoljára; **when I saw him ~** mikor utoljára láttam; **he came ~** ő jött utoljára **2.** vég(ezet)ül **III.** *fn* **1.** az utolsó; **that's the ~ I saw of him** azóta nem láttam; **look one's ~ on sg** utolsó pillantást vet vmre; *gazd* **in my ~ letter** legutóbbi levelemben **2.** vég; **we shall never hear the ~ of it** ennek soha nem lesz vége; **to/till the ~** (véges-)végig; **at (long) ~** végre (valahára); **be near one's ~** végéhez közeledik, utolsó órája közeledik

last² [lɑ:st ‖ læst] *fn* kaptafa; *közm* **let the shoemaker stick to his ~** a varga maradjon a kaptafánál

last³ [lɑ:st ‖ læst] *fn hajó* ‹mértékegység hajósúly mérésére›

last⁴ [lɑ:st ‖ læst] **A.** *tsi* eltart, kitart *[addig amíg vk/vm él]*; **~ sy out** túlél vkt; **~ the winter out** kitart tél végéig **B.** *tni* **1.** (el)tart *[időben]*; **how long does your leave ~?** meddig tart a szabadsága/kimenője? **2.** kitart, fennmarad, tartós; **it will not ~** nem lesz tartós; *biz* **he won't ~ (out) long** nem sokáig bírja/él már

last agony *fn* haláltusa

last-ditch *mn* körömszakadtáig harcoló/küzdő, elkeseredett *[küzdelem]*; **~ effort** utolsó kétségbeesett erőfeszítés, végső próbálkozás/nekifutás

lastex ['læsteks] *fn* lastex

lasting¹ ['lɑ:stɪŋ ‖ 'læstɪŋ] *mn* tartós, állandó, maradandó; **a ~ cold** makacs nátha; **~ peace** tartós béke

lasting² ['lɑ:stɪŋ ‖ 'læstɪŋ] *fn* kaptafára húzás *[cipőé]*

lastly ['lɑ:stli ‖ 'læstli] *hsz* **1.** végül, utoljára **2.** *régi* nemrég, mostanában

last-minute *mn* utolsó pillanatban történő *[helyfoglalás stb.]*

Lat. *röv Latin*

L

latch [lætʃ] **I.** *fn* **1. a)** kilincs **b)** zárnyelv, kallantyú; **leave the door on the ~** kilincsre zárja az ajtót **2.** rugós retesz **II. A.** *tsi* kilincsre zár *[ajtót]* **B.** *tni* **1.** bezárkózik, becsukódik *[ajtó]* **2. ~ on to sg** csatlakozik vmhez, bekapcsolódik vmbe; felfog vmit, kapcsol; rákap/rámozdul vmre

latch-key *fn* (apró) kapukulcs, lakáskulcs

latchkey child *fn* kulcsosgyerek *[aki sokat van egyedül, mert a szülei sokat dolgoznak]*

latchkey kid → **latchkey child**

late [leɪt] *kfok* **later**, **latter**, *ffok* **latest**, **last I.** *mn* **1. a)** késő; **it is ~** késő van; **it is getting ~** későre jár az idő; *közm* **it is never too ~ to mend** jobb későn mint soha; **a ~ bird** *biz* éjszakai bagoly *[későn fekvő ember]*; **keep ~ hours** sokáig szokott fennmaradni; **at a ~r date** későbbi időpontban; **at (the) ~st** legkésőbb(en) **b) be ~** (el)késik; **be ~ for sg** lekésik vmt/vmről, elkésik vmről **2.** kései, késői; **~ frosts** kései fagyok; **in the ~ eighties** a nyolcvanas évek vége felé **3. a)** egykori, volt, azelőtti; **the ~ minister** a volt miniszter **b)** néhai **4.** (leg)utóbbi, (leg)újabb; **of ~** az utóbbi időben; újabban; mostanában; **of ~ years** az utóbbi években; **~st news** a legfrissebb/legutolsó hírek **II.** *hsz kfok* **later**, *ffok* **last 1.** későn; *közm* **better ~ than never** jobb későn mint soha; **keep sy ~** késleltet vkt; **~ into the night** a késő éjszakai órákig; **~ in life** előrehaladott korban; **as ~ as yesterday** még tegnap; **as ~ as the seventeenth century** még a tizenhetedik században is **2.** *vál* utóbbi időben **3. ~ of London** azelőtt/régebben londoni lakos

late-comer *fn* késve érkező, későn jövő

lateen [lə'ti:n] *mn hajó* **~ sail** háromszögű vitorla

lately ['leɪtli] *hsz* az utóbbi időben, mostanában, újabban; **till ~** egészen a legutóbbi időkig; **as ~ as yesterday** még tegnap is

latency period *fn orv* lappangási idő *[betegségé]*

late-night *mn* késő esti

latent ['leɪtnt] *mn* lappangó, rejtőző, rejtett, látens; *jog* **~ defect** rejtett hiba/hiányosság; *fiz* **~ energy** potenciális/rejtett energia; *fiz* **~ heat** kötött/rejtett/latens hő; *orv* **~ infection** lappangó fertőzés; *orv* **~ period** lappangási/inkubációs idő(szak)

later ['leɪtə ‖ –ər] *mn/hsz* később, utóbb, azután, azt követően; **no ~ than yesterday** csak tegnap; **sooner or ~** előbb-utóbb; *biz* **see you ~** viszontlátásra; **~ on** később(iek folyamán)

lateral ['lætərəl] **I.** *mn* oldalsó, oldal-, mellék-, oldalt fekvő; **~ forces** oldalirányú erők; *áll* **~ line (organ)** oldalvonal, oldalszerv; **~ position** oldalhelyzet, oldalfekvés; **~ thinking** asszociatív (nem lineáris) gondolkodás; **~ view** oldalnézet **II.** *fn* **1.** oldalrész, oldalszárny **2.** oldalági leszármazott

laterite ['lætəraɪt] *fn geol* laterit, vörös agyag

latescent [lə'tesnt] *mn* elrejtőző, rejtett, rejtetté váló

latest ['leɪtɪst] **I.** *mn* legutolsó, legutóbbi, legfrissebb, legújabb; **the ~ news** a legfrissebb hírek; *biz* **the ~ thing** a legutolsó/legfrissebb divat; *biz* **what's the ~?** mi újság?; **at (the) ~** legkésőbb **II.** *hsz* legutoljára, legutóbb

lath [lɑ:θ ‖ læθ] **I.** *fn épít* léc, lécezet; **~ and plaster** vakolt/gipszelt lécezés; **that's all ~ and plaster** *biz* mindez csak szemfényvesztés; nem mind arany, ami fénylik; **as thin as a ~** ösztövér, sovány, deszka *[ember]* **II.** *tsi* **1.** (meg)lécez, belécez **2.** léccel lehúz (vmt)

lathe [leɪð] **I.** *fn* eszterga(pad); **form in the ~** esztergál **II.** *tsi* esztergályoz, esztergál

lather ['lɑ:ðə ‖ 'læðər] **I.** *fn* **1.** szappanhab; **heavy ~** sűrű/dús szappanhab **2.** tajték *[lovon]* **3.** izgatottság, nyugtalanság **II. A.** *tsi* **1.** (be)szappanoz *[borotválkozáshoz]* **2.** *biz* elver, elpáhol, elfenekel **B.** *tni* **1.** habzik, habos lesz *[szappan]* **2.** tajtékzik • *mn* **lathery** *mn* **lathering**

lathi ['lɑ:ti] *fn India* szeges/vasalt bot *[rendőré]*, szeges végű bambuszbot

lathy ['lɑ:θi ‖ 'læθi] *mn* **1.** nyurga, szikár, ösztövér **2. ~ partition** lécrekeszfal

Latin ['lætɪn ‖ 'lætn] **I.** *mn* **1. a)** *nyelv* latin; *nyomd* **~ characters** latin betűk; **~ grammar** latin nyelvtan **b)** *tört* latin *[az egykori Latium lakója]*; **the ~ Quarter** diáknegyed *[Párizsban]* **c)** (új)latin, román; **~ America** Latin-Amerika; **the modern ~ tongues** az újlatin nyelvek **2.** *vall* **a)** latin (szertartású) *[egyház]* **b) ~ Church** a római katolikus egyház **II.** *fn* a latin nyelv; **late ~** ezüstkori latinság; **low ~** középkori latin (jogi) nyelv; *biz* **thieves' ~** tolvajnyelv; **vulgar ~** népi/vulgáris latin • *fn* **Latinism**, **Latinist**

Latin-American *mn/fn* latin-amerikai, közép- és délamerikai

Latinate ['lætɪneɪt ‖ 'lætn–] *mn* latinból eredő

Latinize ['lætɪnaɪz ‖ 'lætn–], **-ise** *i* **A.** *tsi nyelv* latinosít, latin végződéssel lát el *[szót]*; latinra fordít, latinra átültet **B.** *tni* latinosan/latinul beszél

latish ['leɪtɪʃ] **I.** *mn* **1.** (kissé) késő; **it is ~** (elég) későre jár az idő **2.** késlekedő, későn érkező **II.** *hsz* későn, elkésve *[jön]*; **~ in the day** a késői órákban

latitude ['lætɪtju:d ‖ 'lætətu:d] *fn* **1.** (földrajzi) szélesség; **(degree of) ~** szélességi fok; *csill* **celestial ~** éggömbi szélesség **2.** éghajlati öv, égöv; **warm ~s** meleg égöv **3. a)** kiterjedés, terjedelem **b)** mozgástér; **allow sy the greatest ~** szabad kezet ad vknek **c)** *fényk* exponálási/megvilágítási időhatárok, megvilágítási terjedelem • *mn* **latitudinal**

latitudinarian [ˌlætɪtju:dɪ'neərɪən ‖ ˌlætətu:dn'erɪən] *mn/fn vall* egyházi kérdésekben sok szabadságot engedő, liberális (vallási elveket valló), latitudináris • *fn* **latitudinarianism**

latria [lə'traɪə] *fn vall* istenimádás, imádás

latrine [lə'tri:n] *fn* árnyékszék, illemhely, latrina

-latry [lətri] *utótag* -imádás, -kultusz; **ido|latry** bálványimádás

latte *fn olasz* tejeskávé

latten ['lætn] *fn* **1.** vékony rézlemez **2.** vasbádog

latter ['lætə ‖ –ər] *mn* **1.** utóbbi, későbbi, utóbb említett, második; **the ~** az utóbbi; **the ~ half/part of June** június második fele; **the ~ half/part of the story** a történet második része **2.** *régi* **the ~ rain** a késő őszi esőzés

latter-day *mn* új, újabb keletű, újszerű, mai, modern; *vall* **the L~ Saints** a mormonok

latterly ['lætəli ‖ 'lætərli] *hsz* az utóbbi időben, mostanában, *[vmely időszak]* vége felé, második felében

lattermost *mn* (leg)utolsó

lattice ['lætɪs] **I.** *fn* **1. a)** (ablak)rács(ozat), lécezet **b)** rostély *[kazáné]* **2.** *fiz* rács **II.** *tsi* (be)lécez, léccel/ráccsal ellát, (be)rácsoz, rostélyoz, rostéllyal ellát

lattice constant *fn fiz* rácsállandó

lattice fence *fn* léckerítés, rács(os) kerítés

lattice frame *fn* rácskeret, rácsos tartó

lattice window *fn* **1.** rácsos ablak **2.** (ólomszalagokba foglalt) színes üvegablak

lattice-work *fn* rácsozat, rácsmű

Latvia ['lætvɪə] *tul földr* Lettország

Latvian ['lætvɪən] *mn/fn* lett, lettországi

laud [lɔ:d] **I.** *fn* **1.** *vál* dicséret, dicsőítés, magasztalás **2.** *tsz* **lauds** *vall* zsolozsmák **II.** *tsi* dicsér, dicsőít, magasztal

laudable ['lɔ:dəbl] *mn* dicséretes, dicséretre méltó

laudanum ['lɔ:dənəm] *fn orv* ópiumkivonat, ópiumoldat, ópiumtinktúra

laudation [lɔ:'deɪʃn] *fn* dicséret, dicsőítés, magasztalás

laudative ['lɔ:dətɪv] *mn* dicsérő, dicsőítő, magasztaló

laudatory ['lɔ:dətəri ‖ 'lɔdətɔri] *mn* dicsérő, dicsőítő, magasztaló

laugh [lɑ:f ‖ læf] **I. A.** *tsi* **~ consent** nevetve/mosolyogva hozzájárul **B.** *tni* nevet, kacag, hahotázik; **~ and cry at the same time** egyik szeme sír a másik nevet; **~ till one cries**, **~ till the tears come** úgy nevet, hogy a könnye is kicsordul; **~ till one's sides ache** oldalát fogja nevettében; **~ in sy's face** szemébe nevet vknek; **~ in/up one's sleeve**, **~ in one's beard** markába nevet; **~ inwardly**, **~ to oneself** befelé/magában nevet/kuncog; **~ on the wrong/**

other side of the face/mouth kényszeredetten/erőltetetten nevet; csalódott képet vág; **don't make me ~!** na ne viccelj! **II.** *fn* nevetés, kacagás, *biz* nevetséges/komikus *[tárgy/személy]*; **a hearty ~** szívből jövő nevetés; **burst into a (loud) ~** nevetésbe tör ki; **force a ~, give a forced ~** kényszeredetten nevet; **we got a good ~ out of it** sokat nevettünk rajta; **get a (good) ~ out of sy** (jól) megnevettet vkt; **he had the last ~** végül neki lett igaza; **raise a ~** megnevettet; **raise a general ~** általános derültséget kelt; **with a ~** nevet(gél)ve, kacagva • *fn* **laugher**

laugh at *tni* **~ at sg** vmn nevet; **~ at sy** kinevet/kigúnyol/kicsúfol vkt; **get ~ed at** kinevetik; **there is nothing to ~ at** nincs ezen mit nevetni; ez nem nevetséges

laugh away *tsi* nevetéssel elűz vkt, nevetéssel elintéz vmt

laugh aside *tsi* **~ a question aside** tréfával elüti a dolgot

laugh back A. *tni* visszanevet **B.** *tsi* **~ sy back into good humour** vknek tréfálkozással visszaadja jókedvét, vkt nevetéssel/tréfálkozással jókedvre hangol

laugh down *tsi* **~ down a proposal** nevetségessé tesz egy indítványt/javaslatot

laugh off *tsi* **~ off sg** tréfának vesz vmt

laugh out *tsi* **1. ~ out sy** kinevet vkt **2. ~ sy out of sg** tréfálkozva/nevetéssel lebeszél vkt vmről

laugh over *tsi* nevetve tárgyal meg (vmt)

laughable [ˈlɑːfəbl ‖ ˈlæ–] *mn* nevetséges, nevetni való, komikus

laughing [ˈlɑːfɪŋ ‖ ˈlæfɪŋ] **I.** *mn* nevető, kacagó, hahotázó **II.** *fn* nevetés, kacagás, hahota; **it is no ~ matter** ez nem nevetséges, ez nem nevetség tárgya, ezen nincs mit nevetni

laughing-gas *fn vegy* kéjgáz, nevetőgáz, dinitrogénoxid

laughing-goose *fn áll* lilik, gyöngyvér

laughing hyena *fn áll* foltos hiéna

laughing-muscle *fn orv* nevetőizom

laughing-stock *fn* nevetség tárgya; **make a ~ of oneself** nevetségessé teszi magát

laughter [ˈlɑːftə ‖ ˈlæftər] *fn* **1.** nevetés, kacagás, hahota, hahotázás; **he made us cry with ~** kicsordultak a könnyeink a nevetéstől; *biz* **die/split with ~** majd meghal (v. oldalát fogja) nevettében **2.** nevetség tárgya

launch [lɔːntʃ] **I. A.** *tsi* **1. a)** (el)hajít, lódít, lök, dob, vet **b)** kilő, indít, felbocsát *[rakétát, űrhajót]* **c)** katapultál **2.** vízre bocsát *[hajót]* **3. a)** *biz* elindít, bevezet *[társaságba vkt]*, (meg)alapít, kezdeményez *[vállalatot]*; *kat* **~ an offensive** offenzívát indít, támadást elindít **b)** *biz* **~ sy into eternity** másvilágra küld vkt **B.** *tni* **1.** tengerre száll **2.** nekiereszkedik **II.** *fn* **1. a)** vízrebocsátás *[hajóé]* **b)** kilövés, felbocsátás *[űrhajóé]* **c)** vízrebocsátó sólya **2.** dereglye, bárka, kisebb hajó; **motor ~** motorcsónak **3.** felröppenés *[madáré]*

launch out *tni* **1. ~ out against/at sy** vkre ütést mér; kirohan vk ellen **2.** tengerre száll; **~ out into the sea of life** elindul az élet útján **3. ~ out on an enterprise** vállalkozásba kezd; **~ out into expense** költségbe veri magát; **~ out into explanations** magyarázkodásba bocsátkozik

launcher [ˈlɔːntʃə ‖ ˈlɔntʃər] *fn kat* katapultszerkezet, rakétavető/rakétaindító állvány, indítóállvány

launch(ing) pad *fn rep* indítósín, kilövőpálya *[rakétához]*

launch(ing) ram → **launching pad**

launch(ing) site *fn rep* kilövőhely, indítóállás *[rakétáé]*

launder [ˈlɔːndə ‖ ˈlɔndər] **I. A.** *tsi* tisztít, mos *[fehérneműt]* **B.** *tni* **1.** mosodai munkát végez **2. sg ~s well** jól/könnyen mosható *[mosodában]* **C.** *tsi biz* tisztára mos *[pénzt]* **II.** *fn bány* ércmosó vályú; *épít* szennyvízlevezető; *vegy* folyadékvezeték

launderette [ˌlɔːndəˈret] *fn* önkiszolgáló mosoda, gyorstisztító szalon

laundress [ˈlɔːndres] *fn* mosónő

laundromat [ˈlɔːndrəmæt] → **launderette**

laundry [ˈlɔːndri] *fn* **1. a)** mosoda, mosóüzem **b)** mosókonyha **c)** önkiszolgáló mosoda **2. a)** szennyes (fehérnemű) **b)** frissen mosott/tisztított fehérnemű; **~ bill/list** mosócédula, (mosodai) átvételi jegyzék

laundry basket *fn* szennyeskosár, ruháskosár

laundryman [ˈlɔːndrimən] *fn tsz* **-men** mosodás, mosodai dolgozó

laureate I. *mn* [ˈlɔːrɪət] **a)** borostyánnal/babérral koszorúzott/övezett *[mellszobor, mellkép]* **b)** borostyánkoszorús, babérkoszorús, laureátus **II.** *fn* [ˈlɔːrɪət] **1.** *GB* koszorús/udvari költő **2.** díjnyertes, kitüntetett; **Nobel ~** Nobel-díjas • *fn* **laureateship, laureation**

laurel [ˈlɒrəl ‖ ˈlɔ–, ˈlɑ–] *fn* **1.** *növ* babér(fa), borostyán; *növ* **~ wreath** babérkoszorú; **look to one's ~s** félti a babérait; *biz* **reap/win ~s** babérokat/dicsőséget arat/szerez; **rest on one's ~s** ül a babérjain **2.** *US* rododendron

laurustine [ˈlɒrəstaɪn ‖ ˈlɔr–] *fn növ* babérbangita

lav [læv] *fn biz lavatory* mosdó, WC

lava [ˈlɑːvə] *fn* láva; **cellular ~** vulkanikus salak; **~ pit** vulkánkráter

lavabo [ləˈveɪbou ‖ ləˈvɑ–] *fn* **1.** *vall* kézmosásnál mondott ima *[mise közben]* **2.** pap kéztörlő kendője **3.** mosdó(-kagyló)

lavage [ˈlævɪdʒ ‖ /ˈlævɑːʒ ‖ ləˈvɑʒ] *fn orv* (ki)mosás, öblítés *[üreges szervé]*; **internal/rectal ~** beöntés

lavatic [ləˈvætɪk] *mn* lávás, láva-

lavation [læˈveɪʃn] *fn* **1.** (ünnepélyes) mosakodás, tisztálkodás **2.** mosdóvíz

lavatory [ˈlævətəri ‖ –tɔri] **I.** *fn* **1.** illemhely, vécé; **public ~** nyilvános illemhely **2.** mosdó, mosdóhely(iség) **3.** *vall* kézöblítés **II.** *mn* mosási, mosó-

lavatory paper *fn* WC-papír, toalettpapír

lave [leɪv] *tsi* **1.** *vál* mos *[kezet]*, mos, áztat, öntöz *[partot, rétet]* **2.** *orv* (ki)áztat *[sebet]*

lavender [ˈlævəndə ‖ –ər] **I.** *fn növ* **(French) great ~** közönséges levendula; **~ oil, oil of ~** levendulaolaj; *biz* **brought up in ~** burokban nevelkedett **II.** *mn* levendulaszínű; **~ blue** levendulakék **III.** *tsi* levendulával illatosít

lavender water *fn* levendulavíz

laver[1] [ˈleɪvə ‖ –ər] *fn növ* **green ~** tengerisaláta

laver[2] [ˈleɪvə ‖ –ər] *fn* **1.** *bibl* rézmedence, mosdóüst *[ószövetségi templomudvarban]* **2.** *vall* keresztelővíz

lavish [ˈlævɪʃ] **I.** *mn* **1.** bőkezű, pazar(ló), adakozó *[személy]*; **be ~ of/with one's advice** csak úgy ontja a jótanácsokat, eláraszt vkt tanácsaival; **be ~ in/of praises** nem fukarkodik a dicsérettel; **~ in spending** pazarlóan bánik a pénzzel **2.** pompás, fényűző, gazdag, luxus **II.** *tsi* pazarol, tékozol, fecsérel; **~ sg (up)on sy** elhalmoz vkt vmvel • *fn* **lavishness**

law [lɔː] *fn* **1. a)** *jog* törvény; **he thinks he's above the ~** azt hiszi, hogy a törvény felett áll (v. neki mindent szabad); *átv* **his word is ~, what he says is ~** az ő szava törvény/szent; **be a ~ unto oneself** csak a saját feje után megy; **break the ~** megszegi a törvényt; **lay down the ~** törvényt lefektet/előír vknek; véleményt rákényszerít vkre; *közm* **hunger/necessity has/knows no ~** szükség törvényt bont **b)** *szl biz* **the ~** *[rendőrség]* a jard, a szerv **c)** *tud* törvény, szabály; **~ of the jungle** farkastörvények; **~ of nature** a természet törvénye; *biz* **it seems a ~ of nature that** törvényszerű dolognak tűnik; **~ of supply and demand** a kereslet-kínálat törvénye **d) ~s of a game** játékszabályok **2. a)** *jog [jogok/törvények összessége]*; **~ of inheritance** örökösödési jog; **international ~** nemzetközi jog **b) court of ~** bíróság, törvényszék; *US* **~ office** ügyvédi iroda; **be at ~** perben áll (vkvel); **be in the ~** jogi pályán működik; **go in for the ~** jogi pályára lép; **go to ~** bírósághoz fordul; jogorvoslattal él; **go to ~ with sy** beperel vkt, perbe fog vkt; **practise ~** jogi/jogászi tevékenységet folytat; **read/study ~** jogot tanul/hallgat; **take the ~ into one's own hands** önhatalmúan cselekszik; **take the ~ of sy** törvényes úton vesz elégtételt, beperel vkt

law-abiding *mn* jogtisztelő, törvénytisztelő

L

law agent *fn sk* ügyvéd

lawbreaker *fn* törvényszegő

law case *fn* peres ügy, polgári per

law court *fn* bíróság, törvényszék

law department *fn* jogügyi osztály

law expenses *fn tsz* perköltségek, eljárási költségek

lawful [ˈlɔːfl] *mn* **1.** megengedett, megengedhető, helyénvaló **2. a)** törvényes, törvényszerű; ~ **age** törvényes kor **b)** érvényes *[szerződés]*; ~ **currency/money** törvényes fizetési eszköz; *jog* ~ **day** törvénykezési nap; ~ **share** törvényes örökrész **3.** jogos, jogszerű *[követelés]*

lawless [ˈlɔːləs] *mn* **1.** jog/törvény nélküli **2.** törvényellenes, jogtalan **3.** féktelen, vad

lawmaker *fn* törvényhozó • *fn/mn* **lawmaking**

lawman [ˈlɔːmən] *fn tsz* **-men** *US* hivatalos személy/közeg *[pl. sheriff, rendőrtiszt]*, a törvény embere, a törvény őre

lawn^1 [lɔːn] *fn* **1.** *tex* (len)batiszt, patyolat **2.** *biz* **the** ~ (anglikán) püspöki tisztség

lawn^2 [lɔːn] **I.** *fn* pázsit, gyep **II.** *tsi* fűvel beültet, gyepesít • *mn* **lawny**

lawn grass *fn* pázsitfű

lawn mixture *fn* pázsitkeverék *[fűmag]*

lawn mower *fn* fűnyíró (gép)

lawn party *fn US* garden party

lawn tennis *fn sp* tenisz *[füves pályán játszott]*; ~ **court** (füves) teniszpálya

Lawrence [ˈlɒrəns ‖ ˈlɔrəns] *tul* Lőrinc; *biz* **a (lazy)** ~ semmittevő/lusta valaki

law school *fn US* jogi kar *[egyetemen]*

law student *fn* joghallgató

lawsuit *fn* per, beperelés, kereset; **bring a** ~ **against sy** pert indít vk ellen

law term *fn* **1.** jogi kifejezés **2.** bírósági ülésszak

lawyer [ˈlɔːjə ‖ ˈlɔjər] *fn* **1.** jogász, jogtudós, törvénytudós **2.** ügyvéd, jogtanácsos, jogász; *biz szl* **lie like a** ~ úgy hazudik, mintha könyvből olvasná

lax [læks] *mn* **1. a)** laza, meglazult, hanyag, felületes, megbízhatatlan *[személy]*, gyenge, nem szigorú, bő, rendetlen *[ruha]*; **be** ~ **in (carrying out) one's duties** hanyagul teljesíti a kötelességét **b)** feslett *[életmód]*; ~ **morals** laza erkölcsök **c)** pongyola, határozatlan, nem pontos *[kifejezés, tolmácsolás]*, helytelen, kétértelmű *[szóhasználat]* **2.** petyhüdt, ernyedt • *fn* **laxity, laxness** *hsz* **laxly**

laxative [ˈlæksətɪv] *mn/fn orv* hashajtó, laxativum, purgatív

lay^1 [leɪ] **I.** *pt//pp* **laid** [leɪd] **A.** *tsi* **1. a)** lefektet, lehelyez **b)** létesít, megalapoz **c)** (vm) helyzetbe hoz; ~ **oneself open to sg** kiteszi magát vmnek; ~ **flat/low** tönkretesz; lerombol; ~ **sy/sg low** földre fektet vkt/vmt; földhöz vág vkt/vmt; **he was laid low by sickness** a betegség leverte a lábáról; ~ **waste** letarol; elpusztít **d)** *szl* ~ **a woman** *[szeretkezik]* lefektet, megkefél **2. a)** lever *[port]*, csökkent *[hullámzást]*, megszüntet; ~ **the dust** öntöz **b)** elűz, kiűz *[ördögöt, kísértetet]*; ~ **sy's fears** elhesseget vk aggodalmait/félelmét; ~ **a ghost** kísértetet elűz **3.** helyez, rak, tesz, fektet (vmt vmre); ~ **a child to sleep** gyermeket lefektet; ~ **hands on (sg)** megragad, erőszakosan megfog; megkaparint, ráteszi a kezét *[vmre]*; ~ **hold of** megragad, megfog; ~ **one's homage at sy's feet** vk előtt hódolatának ad kifejezést; ~ **stress upon sg** súlyt helyez vmre; hangsúlyoz vmt; ~ **sy to rest**, ~ **sy in the grave** vkt eltemet; **have nowhere to** ~ **one's head** nincs hova lehajtania a fejét **4.** tojik, rak *[tojást]* **5.** előterjeszt *[kérést, kérdést]*, ismertet, előad *[tényállást]*; ~ **a claim to sg** igényt támaszt (v. jogot formál) vmre; ~ **a complaint** panaszt emel *[bíróságnál]*; ~ **the facts before sy** elébe tárja a helyzetet/tényállást **6. a)** helyez, (le)rak, épít, alapoz; ~ **the table** megterít; ~ **for two** két személy számára terít; ~ **the fire** tüzet rak; ~ **floor** padlóz, parkettáz **b)** felállít *[csapdát]*, cselt vet; ~ **siege to sg** megostromol vmt; ~ **a trap** csapdát állít **c)** tervez, kigondol; ~ **a scheme to do sg** kitervez vmt **d)** *hajó* ~ **the course** kijelöli/megadja az útirányt **7.** összesodor *[kötelet]*; ~ **the rope** kötelet ver **B.** *tni* **1.** tojik *[tyúk]* **2.** fekszik **3.** tervet készít, tervez, terve(ke)t sző **4.** alábbhagy, csendesedik *[szél]* **II.** *fn* **1.** fekvés, helyzet; ~ **of the land** terület fekvése/helyzete; talaj domborzata, *US átv* a helyzet/a dolgok állása **2.** részesedés, nyereség *[tengeri halászoké]* **3. a)** *szl tabu* szerető **b)** *szl tabu [a közösülés aktusa]* numera, dugás, kefélés

lay about *tni* vagdalkozik, üt-vág

lay aside *tsi* **1.** félretesz, megtakarít *[pénzt]* **2.** felad, abbahagy, felhagy (vmvel); ~ **aside all prejudice** minden előítéletet félretesz

lay away A. *tsi* **1.** elrak, elzár, elcsuk **2.** eltesz, félretesz, tárol **B.** *tni* **hen that ~s away** tyúk, mely nem a fészekbe tojik

lay back A. *tsi* lehajt, hátrafordít, hátrasimít; ~ **back its ears** sunyít *[ló]* **B.** *tni* hátradől

lay by *tsi* **1.** félretesz, tartalékol, megtakarít; ~ **money by** pénzt takarít meg, takarékoskodik **2.** elfektet, félretesz *[intéznivalót]*

lay down A. *tsi* **1. a)** letesz, lerak; ~ **down the/one's arms** leteszi a fegyver(ei)t **b)** lemond *[állásról, hivatalról, hatalomról]* **c)** ~ **down one's life** odaadja/feláldozza az életét **2. a)** ~ **down a railway** vasúti pályát épít; ~ **down a ship** hajót építeni kezd **b)** lefektet, leszögez *[elvet, szabályt]*, megállapít *[feltételeket]*, meghatároz; ~ **down conditions to sy** feltételeket szab vknek; ~ **down general rules** általános szabályokat megállapít/lefektet **c)** kijelöl, rajzol *[térképen, terven]* **3.** ültet; ~ **down land to/under/with grass** területet füvesít **B.** *tni szl* → **lie down**

lay in *tsi* bevásárol, felhalmoz *[készletet]*, ellátja magát vmvel; *gazd* ~ **in goods** árut beraktároz; ~ **in a store of sg** készletet gyűjt vmből

lay into *tsi biz* ~ **into sy** elver, elpáhol, elfenekel, elagyabugyál (vkt); leszól, letámad

lay off A. *tsi* elbocsát, elküld **B.** *tni* **1. a)** *US* munkát abbahagy/beszüntet *[munkás]* **b)** *US szl [abbahagy vmt]* lelövi magát, megszűnik **2.** → **lie off**

lay on *tsi* **1.** kivet, kiró *[adót]*, kiszab *[büntetést]*; ~ **a tax on sg** megadóztat vmt, adót vet ki vmre; ~ **hands on sy** elfog/kézre kerít vkt **2. a)** felrak, felhord *[festéket]*; *nyomd* ~ **on colours** festéket felhord *[nyomóformára]*; *műv* ~ **on the paint** vastagon rakja fel a festéket; ~ **it on thick**, ~ **it on with a trowel** (otrombán) hízeleg (vknek); erősen túloz **b)** beszerez, felhalmoz *[készletet]* **3.** ~ **on the lash** ostoroz; ütlegel, ver **4. a)** bevezet *[gázt stb. lakásba]*; **have the water laid on** beszerelteti a vizet **b)** gondoskodik, ellát; **everything was laid on** minden elő volt készítve

lay out *tsi* **1.** kirak, szétrak, elrendez, kitereget, közszemlére tesz, felszolgál *[étkezést]* **2. a)** kiterít, felravataloz *[halottat]* **b)** *biz* harcképtelenné tesz, egy csapással kiüt *[ökölvívásban]*; ~ **out sy cold** vkt leüt/leterít **c)** *szl [öl, gyilkol]* kifektet **3.** ~ **out money** pénzt kiad/elkölt **4.** ~ **oneself out to** mindent elkövet, költségbe veri magát (vmért); ~ **oneself out to please** tetszeni akar

lay up *tsi* **1.** beszerez, felhalmoz *[készletet]*, *régi* gyűjt *[kincseket]*; ~ **sg up for a rainy day** a nehéz időkre eltesz vmt; **you are ~ing up trouble for yourself** sok boszszúságot szerez magának **2. a)** ideiglenesen félretesz **b)** leszerel *[hajót]*, kikötőben lehorgonyoz *[hajót]*, leszed *[felszerelt vmt]* **3.** lefektet, ágynak dönt, ágyhoz köt, beteggé tesz; **be laid up** betegen fekszik, ágynak dőlt

lay upon *tsi* **the obligations laid upon him** a ráháruló/ráhárított kötelezettségek

lay^2 [leɪ] *fn* **1.** dal, ének **2.** lírai költemény, ballada

lay^3 [leɪ] *mn* **a)** világi, laikus; *vall* ~ **clerk** sekrestyés; kántor; ~ **elder** presbiter, egyházi elöljáró **b)** nem hivatásos, laikus; ~ **judge** bírósági ülnök; ~ **opinion** laikus nézet/vélemény; *biz* **to the** ~ **mind** a hozzá nem értőnek

lay^4 [leɪ] *i pt/pp* **laid** [leɪd] → **lie**^{2} **II.**

layabout *fn szl* csavargó, semmittevő

lay-by *fn* **1. a)** pihenőhely **b)** *gk* parkolóhely, pihenő(hely) *[autóút/autópálya szélén]*, leállóhely **2.** kikötői/folyami partmenti vasútállomás **3.** *Ausz ÚjZ* előleg, letét, foglalás

layer [ˈleɪə ‖ –ər] **I.** *fn* **1.** réteg, (kő)réteg, téglasor, habarcsréteg *[téglasorok között]*, *geol* (ülepedési) réteg, telep(réteg), *infor* réteg, szint **2. good** ~ jó tojó *[tyúk]* **3.** *mezőg* bujtóág, bujtvány, dugványinda **II.** *tsi* **1.** rétegez, rétegbe rak **2.** lépcsőzetesen vág *[hajat]* **3.** *mezőg* bujtványról szaporít • *mn* **layered**

layer cake *fn* (réteges) torta

layer-out *fn* hullamosó, ravatalozó (munkás)

layette [leɪˈet] *fn* babakelengye, csecsemőkelengye

lay-figure *fn* **1. a)** mozgatható végtagokkal bíró bábu *[műteremben]* **b)** próbababa *[szabóműhelyben]* **2.** *biz [egyéniség/akarat nélküli személy/regényalak]* (szalma)-báb

layman *fn tsz* **-men 1.** *vall* világi/laikus ember **2.** nem szakmabeli, hozzá nem értő, laikus, műkedvelő

lay-off *fn US* **1. a)** létszámcsökkentés, elbocsátás **b)** *biz* elbocsátott munkás/alkalmazott **2.** uborkaszezon

lay-out *fn* **1. a)** terv, tervrajz, elrendezés **b)** *nyomd infor* szedésterv, szövegtükör, tördelési terv/vázlat **2.** szerkezet (vmé)

layover *fn* pihenő(állomás) *[utazás stb. közben]*

lay-shaft *fn műsz* fekvő/vízszintes tengely

laywoman *fn tsz* **-women 1.** világi/laikus nő **2.** laikus/műkedvelő (v. nem szakmabeli) nő

lazar [ˈlæzə ‖ –ər] *fn* **1.** *régi* ínséges/szegény sorsú beteg **2.** leprás, bélpoklos

laze [leɪz] **I.** *fn biz* **an hour's** ~ egy órányi lustálkodás **II. A.** *tsi biz* ~ **away one's time** ellustálkodja az időt **B.** *tni biz* henyél, lustálkodik; *biz* ~ **about** lopja a napot; *biz* ~ **in bed** sokáig lustálkodik az ágyban

laziness [ˈleɪzinəs] *fn* lustaság

lazy [ˈleɪzi] *mn* **1.** lusta, tunya, henyélő, semmittevő; ~ **Susan** ‹asztalra állított és tengelye körül forgatható állványos tál csemegének›; **have a** ~ **fit** lustálkodik **2.** ~ **weather** lankasztó/álmosító/bágyasztó idő **3.** ~ **jack** csigasoros emelő

lazy-bones *fn* lusta/tunya/henyélő/semmittevő ember, léhűtő, pernahajder, álomszuszék

lazy-boots → **lazy-bones**

lb *röv* libra, *pound*

LC, lc *röv* **1.** *Library of Congress* **2.** *Lord Chancellor* **3.** *röv in the place cited* (az) idézett helyen, i. h.

LCD *röv* **1.** *lowest common denominator* **2.** *infor liquid crystal display* folyadékkristályos kijelző, LCD

lcm, LCM *röv least/lowest common multiple*

LDS *röv Licentiate in Dental Surgery*

lea [liː] *fn vál* rét, legelő, mező

leach [liːtʃ] **A.** *tsi* **a)** átszűr, filtrál *[folyadékot]*, átmos, átáztat, öblít **b)** kilúgoz **c)** ~ **away/out salts** sókat lúgozással kivon **B.** *tni* **a)** átszűrődik, átszivárog *[folyadék]* **b)** kilúgozódik **c)** átázik • *fn* **leaching** *mn* **leachy**

lead[1] [led] **I.** *fn* **1.** ólom; *biz* **send an ounce of ~ into sy's head** golyót röpít vk fejébe **2.** grafit, ceruzabél **3.** *hajó* mérőón, mélységmérő ón **II.** *tsi pt/pp* **leaded** [ˈledɪd] ólmoz, ólommal bevon/borít • *mn* **leaded**

lead[2] [liːd] **I.** *pt/pp* **led** [led] **A.** *tsi* **1.** vezet, irányít, első vmiben; ~ **the way** előremegy; az élen halad/megy; ~ **by the nose** orránál fogva vezet; ~ **to the altar** oltár elé vezet *[menyasszonyt]* **2.** kézen fogva vezet *[vakot]*, pórázon vezet *[kutyát]*, kantáron vezet *[lovat]*; **he is easily led** könnyen befolyásolható/irányítható **3. a)** rábír, rávesz, ösztönöz, hajt, bíztat, késztet *[vmnek a megtételére]*; **that ~s us to believe that...** ebből arra kell következtetnünk, hogy, ennek alapján azt kell hinnünk hogy **b)** oktat, útbaigazít **4.** folytat, él *[boldog/szerencsétlen életet]*; ~ **a dog's/wretched life** szerencsétlen körülmények között él **5. a)** vezényel *[hadsereget]*; **~ing his troops** csapatai élén **b)** megnyit *[táncot]*; ~ **sy a dance** → **dance I.1.a. c)** ~ **an orchestra** zenekart vezényel; ~ **a party** párt élén áll **d)** *jog [pert]*, vezet *[több ügyvéd megbízatása esetén]* **6.** *sp* elöl van, élen halad *[versenyen]*; ~ **the field** vezeti a mezőnyt *[versenyen]*, *sp* támad *[boxban]* **7.** *ját* kezd, kijátszik, hív *[kártyában]* **B.** *tni* **1. a)** vezet, visz (vhova); **road that ~s to the town** városba vezető út; **where does this way ~ to?** hova vezet ez az út? **b)** elöl megy, vezet **c)** uralkodik **2.** ~ **to a discovery** felfedezésre jut; ~ **to nothing** nem vezet semmire; ~ **to a good result** jó eredményre vezet; **what will it ~ to?** mire fog ez vezetni?; **everything ~s to the belief that...** minden arra enged következtetni, hogy...; **one word led to another** szó szót követett **II.** *fn* **1. a)** a vezetés, irányítás, elsőség; **follow sy's** ~ (i) követ vkt (ii) követi vk példáját/útmutatását; **give sy** ~ útbaigazít vkt **b)** vezetés, előny *[vkvel szemben]*; **take the** ~ átveszi a vezetést, élre kerül, elfoglalja a vezető helyet; **take the ~ of/over sy** megelőz vkt, elébe kerül vknek **2.** fő hír *[rádióhíradásban]* **3.** vezércikk *[újságban]* **4.** nyom *[nyomozásban]*; **give sy a ~ on sg** nyomra vezet vkt; útba igazít vkt **5.** *zene* prímszólam *[hangszercsoporton belül]* **6. a)** *ját* hívás joga *[kártyában]* **b)** *ját* elsőként kijátszott kártya; *ját* **your ~!** Ön kezd!; *ját* **return a ~** visszahívja a színt **7.** *szính* főszerep, vezető szerep; **do/play the ~** főszerepet játszik *[színész]* **8.** póráz, kötél, szíj *[kutyáé]* **9.** *vill* vezeték • *mn* **leadable**

lead astray *tsi* félrevezet, tévútra visz

lead away *tsi* **1.** elvezet, elvisz, magával visz (vkt) **2.** elterel, elvon (vmtől); **be led away** hagyja magát eltéríteni (vmtől)

lead back *tsi* visszavezet, visszavisz, visszatérít

lead in *tsi* **1.** behoz, bevisz **2.** bevezet *[áramot]*

lead off *tni* **1.** (hozzá)kezd (vmhez), elkezdődik (vm) **2.** belekezd, belefog, elkezdi/elindítja a játékot

lead on *tsi* **a)** vezet, kísér (vkt), utat mutat (vknek) **b)** *biz* ~ **sy on** ingerkedik/csipkelődik vkvel; kacérkodik vkvel

lead up A. *tsi* **1.** felhoz, felvisz, felvezet **2.** *biz* ~ **sy up the garden path** a bolondját járatja vkvel **B.** *tni* felvisz, felvezet *[létra, lépcső]*

lead-bearing [ˈled–] **I.** *mn* ólomtartalmú **II.** *fn* (ólomtartalmú) csapágybélés

lead chamber [ˈled–] *fn* ólomkamra

leaden [ˈledn] *mn* **1.** ólom-, ólomból való, ólmos, ólomszínű, szürke *[ég]*; ~ **complexion** sápadt arcszín **2. a)** nehézkes; ~ **limbs** ólmos/tehetetlen/zsibbadt végtagok **b)** nyomasztó; ~ **silence** néma csend • *fn* **leadenness** *hsz* **leadenly**

leader [ˈliːdə ‖ –ər] *fn* **1. a)** vezető **b)** *kat* vezér, parancsnok **c)** (párt)vezér *[politikában, üzleti vállalkozásban]*, főkolompos *[felkelésé]*; *sp* **team** ~ csapatvezető; *GB* ~ **of the House of Commons** ‹alsóház kormánytöbbségének vezetője› **2.** *zene* **a)** szólamvezető, karvezető **b)** dirigens; ~ **(of a gipsy band)** (cigány)prímás **c)** első hegedű(s) **d)** *zene* hangversenymester **3. a)** vezércikk **b)** *nyomd* **~s** sorkitöltő pontsor *[felsorolásnál]* **4.** *fényk/film* filmbefűző vég *[filmszalagé]*, *[kép nélküli filmrész]* • *fn* **leadership** *mn* **leaderless**

lead-free [ˈled–] *mn* ólommentes

lead-glass [ˈled–] *fn* ólomüveg, üvegmozaik

lead-glazed [ˈled–] *mn* ólommázas

lead guitar [ˈliːd–] *fn zene* szólógitár

lead-in [ˈliːd–] *mn/fn* **1.** bevezetés, előszó **2. a)** *vill* bevezető (kábel/huzal) **b)** *távk* antennabevezetés

leading[1] [ˈledɪŋ] *fn* **1.** ólmozás, ólommal kitöltés **2.** *nyomd* ritkítás

leading[2] [ˈliːdɪŋ] **I.** *mn* fő, első, vezető, legfontosabb; ~ **article** vezércikk *[újságban]*; *gazd* reklámcikk; ~ **edge (over sy/sg)** jelentékeny előny; ~ **idea** alapgondolat; *szính* ~ **lady** női főszereplő; ~ **man** vezető ember/személyiség; férfi főszereplő; ~ **motive of an action** tett fő indítóoka; *zene* ~ **note** vezérhang; ~ **part** *szính* főszerep; ~ **shareholder** főrészvényes **II.** *fn* **a)** igazgatás, vezetés, irányítás *[vállalkozásé]*, befolyás, hatás, példakép **b)** *kat* parancsnoklás, parancsnokság

L

leading-out [ˈliːdɪŋ –] *mn vill* ~ **cable** kivezető kábel
leading-rein [ˈliːdɪŋ –] *fn* vezetékszár, kantárszár, gyeplő
lead-off [ˈliːd –] *fn* kezdet, megnyitás; ~ **article** vitaindító cikk
lead-poisoning [ˈled –] *fn orv* ólommérgezés
lead-screw [ˈliːd –] *fn* anyacsavar *[esztergáé]*
lead shot [ˈled –] *fn* sörét
lead singer [ˈliːd –] *fn zene* szólóénekes
lead violin [ˈliːd –] *fn zene* első hegedű
leaf [liːf] **I.** *fn tsz* **leaves** [liːvz] **1. a)** levél *[növényé]*, falevél, tealevél, dohánylevél, lombozat, lombkorona; **in** ~ lombos; **the trees are coming into** ~ a fák kizöldülnek **b)** *biz* (virág)szirom **2.** lap *[könyvé]*; **turn over the leaves of a book** könyvben lapozgat, könyvet végiglapoz; *átv* **turn over a new** ~ új életet kezd **3.** fémfüst, fémfólia **4.** szárny *[ablaké, ajtóé]* **II. A.** *tni* lombosodik, kilevelesedik **B.** *tsi* ~ **through a book** könyvet átlapoz, könyvben lapozgat • *fn* **leafage** *mn* **leafed**
leaf-bud *fn növ* levélrügy
leaf-canopy *fn* lombsátor
leaf-cutter, **leaf-cutterbee** *áll* rózsaméh, szabóméh, levélmetsző méh
leaf-fall *fn* lombhullás, levélhullás, *átv* ősz
leaf-gold *fn* aranyfüst, aranyfólia
leaf-green **I.** *mn* fűzöld *[szín]* **II.** *fn* **1.** fűzöld *[szín]* **2.** levélzöld, klorofill
leafiness [ˈliːfinəs] *fn* dús lombozat *[fáé]*
leaf-insect *fn áll* vándor levélsáska
leafless [ˈliːfləs] *mn* levél/lomb nélküli, levéltelen, lombtalan, csupasz *[fa]*
leaflet [ˈliːflɪt] *fn* **1.** reklámcédula, szórólap, röpcédula **2.** *növ* kis levél, levélke, falevelecske, összetett levél levélkéje
leaflet raid *fn kat* röpcédulaszórás *[ellenséges terület fölött]*
leaf-like *mn* levél alakú, levélszerű
leaf-miner *fn áll* hosszú bajuszú zöld molypille
leaf-mould *fn* **1.** avar, növényi trágya, komposzt **2.** ‹sárgásvörösbe hajló barna szín›
leaf-silver *fn* ezüstfüst, ezüstfólia
leaf-spring *fn* lemezrugó
leaf-stalk *fn növ* levélnyél, levélszár
leaf-tobacco *fn* leveles dohány, dohánylevél
leafy [ˈliːfi] *mn* **1.** leveles, lombos, zöldellő **2.** levélszerű
league[1] [liːg] **I.** *fn* szövetség, liga; *tört* **the L~ of Nations** a Nemzetek Szövetsége, a Népszövetség; **he was in ~ with them** szövetségesük/cinkosuk/cinkostársuk volt; **form a ~ against sy** szövetséget kötnek vk ellen; **be in the big ~** a legnagyobbak szűk köréhez tartozik, nagykutya; **not in the same ~ as** nem lehet egy napon említeni, nem lehet egy kalap alá venni; *sp* ~ **match** bajnoki mérkőzés; ligamérkőzés; **top of the ~** élmezőny; **bottom of the ~** sereghajtók **II. A.** *tsi* **be ~d with sy** összefog vkvel **B.** *tni* ~ **(together)** szövetkezik; összeesküszik (vk/vm ellen)
league[2] [liːg] *fn vál* mérföld *[= kb. 3 angol mérföld]*
leaguer[1] [ˈliːgə ‖ –ər] *fn tört* ligapárti, liga/szövetség tagja, szövetséges
leaguer[2] [ˈliːgə ‖ –ər] **I.** *fn* **1.** *régi* **a)** ostromlók tábora **b)** bekerítő/körülzáró sereg **2.** ostrom, bekerítés, körülzárás *[váré]* **II.** *tsi* ostromol, körülzár
Leah [ˈliːə] *tul* Lea
leak [liːk] **I.** *fn* **1.** rés, hézag, hasadék; **spring a ~** léket kap *[hajó]*; **stop a ~** léket betöm **2.** (el)szivárgás, kiszivárgás, kicsepegés, (el)folyás *[folyadéké]*; *szl* **go for/take a ~** *[pisil]* leereszti a fáradt gőzt, huggyant (egyet) **3.** kiszivárogtatás *[információé]*; **there has been a ~ somewhere** vknek eljárt a szája **II.** *tni* **1.** léket kap *[hajó]* **2.** szivárog, kiszivárog, csöpög, folyik, átszűrődik, átüt *[nedvesség]*, kiömlik; **the cask ~s** a hordó csepeg **3.** *tsi* kiszivárogtat *[titkot/információt]*
leak away *tni* elfolyik, elszivárog
leak in *tni* beszivárog
leak out A. *tsi* kiszivárogtat **B.** *tni* kiszivárog, elterjed, nyilvánosságra jut, kitudódik, híre megy
leakage [ˈliːkɪdʒ] *fn* **1. a)** szivárgás, elfolyás, kicsurgás, kifolyás *[vízé]*, ömlés *[gázé]* **b)** *vill* felületi kúszás, szivárgás **2.** ~ **of official secrets** hivatali titok kiszivárgása/kipattanása **3. a)** *gazd* súlyveszteség, súlyhiány, elfolyás, elcsurgás **b)** pénztári hiány, mankó
leak detector *fn* **1.** tömítésvizsgáló **2.** *vill* földzárlatkereső, szivárgáskereső
leak-proof *mn* szivárgásmentes
leaky [ˈliːki] *mn* **1.** foly(at)ó, szivárgó, lyukas *[hordó]*, rossz tömítésű *[vezeték]*; ~ **pipes** szivárgó csővezeték; ~ **shoes** átázó/lyukas cipők **2. a)** *biz* fecsegő, indiszkrét *[személy]* **b)** *biz* ~ **memory** megbízhatatlan emlékezet
leal [liːl] *mn sk* hűséges, lojális; **Land of the L~** *[a mennyország]* a boldogok birodalma • *fn* **lealty**
lea-land *fn mezőg* parlag, ugar, legelő
lean[1] [liːn] **I.** *pt/pp* **leant** [lent], *ritk* **leaned A.** *tsi* (neki)támaszt (vmt vmnek) **B.** *tni* **1.** támaszkodik (vmre), nekidől (vmnek) **2.** hajol, hajlik, lejt **3.** hajlama van vmre, alkalmazkodik **II.** *fn* (el)hajlás, lejtő, esés; **on the ~** hajlott, ferde, lejtős
lean against A. *tsi* (neki)támaszt (vmt vmnek); ~ **a ladder against the wall** létrát nekitámaszt a falnak **B.** *tni* támaszkodik (vmre), nekidől (vmnek); ~ **(with one's back) against the wall** (háttal) nekidől a falnak
lean back *tni* hátradől, hátrahajlik, hátradől; ~ **one's head back** hátrahajtja a fejét
lean forward A. *tsi* előrehajt *[fejet]* **B.** *tni* előredől, előrehajol, előrehajlik
lean in *tni* ~ **in (on the turn)** bedől *[kerékpár/repülőgép kanyarban]*
lean on *tni* **1.** támaszkodik vmre; ~ **on a broken reed** gyenge segítségre támaszkodik; ~ **on one's elbow** könyököl; *biz* ~ **on sy (for aid)** vkre támaszkodik, vknek a segítségére épít/számít/támaszkodik **2.** ~ **on sy** nyomást gyakorol vkre, erőszakot alkalmaz vkvel szemben
lean out *tni* kihajol
lean over *tni* **1.** áthajlik (vmn vhova) **2.** kihajol *[ablakon]*, áthajol (vmn); *biz* ~ **over backwards** nagyon igyekszik/erőlködik, hogy..., kezét-lábát töri, hogy...
lean to *tni* hajlik, hajlama van vmre; ~ **to(wards) mercy** hajlik a kegyelemre; ~ **to an opinion** hajlik vm nézetre
lean[2] [liːn] **I.** *mn* **1. a)** sovány, szikár, vézna, lefogyott, girhes *[állat]*; ~ **meat** sovány hús; ~ **diet** kalóriaszegény étrend; *biz* **as ~ as a shotten herring** olyan, mint egy kiaszott kóró **b)** ~ **soil** sovány föld/talaj **2.** ~ **crops** gyenge termés; ~ **years** ínséges/szűkös esztendők **II.** *fn* (hús) soványa
leaning [ˈliːnɪŋ] **I.** *mn* **1.** támaszkodó **2.** hajló, ferde, lejtős; **the ~ tower of Pisa** a pisai ferde torony **II.** *fn* **1.** ferdeség, elhajlás **2.** hajlam, vonzalom (vm iránt); **have a ~ towards** vonzódik (vkhez/vmhez), vonzalmat érez (vk iránt), vmlyen beállítottságú
leanness [ˈliːnnəs] *fn* soványság, szikárság, ösztövérség
leant → **lean**[1] **I.**
lean-to I. *mn* ~ **ladder** támasztólétra; ~ **roof** félnyeregtető **II.** *fn* félnyeregtető, fészer, szín
leap [liːp] *pt/pp* **leaped**, **leapt** [lept] **I. A.** *tsi* átugrik (vmt), vmn **B.** *tni* (fel)ugrik, felpattan, hirtelen ugrik egyet *[ló]*; felszökik *[vminek az ára]* **II.** *fn* **1.** ugrás, szökkenés; **(take) a ~ in the dark** vaktában cselekszik; bizonytalan kimenetelű dologba/ügybe bocsátkozik; **by ~s and bounds** rohamosan, ugrásszerűen **2.** *áll* meghágás, fedez(tet)és • *fn* **leaper**
leap across → **leap over**
leap at *tni* **1.** ráugrik, nekiugrik vknek/vmnek; ~ **at flies** rovarokra vadászik; legyek után kap *[hal]* **2.** kap vmn; *biz* ~ **at an offer** kapva kap egy ajánlaton
leap away *tni* **he leapt away** szökdécselve/ugrálva távozott
leap for *tni* ~ **for joy** majd kiugrik a bőréből örömében

leap into *tni átv* beleugrik (v. beleveti magát) vmbe; **~ right into romance** beleveti magát egy (romantikus) kalandba

leap out *tni* kiugrik; **he was ready to ~ out of his skin** majd kiugrott a bőréből *[örömében, mérgében]*

leap over A. *tsi* átugrat; **~ a horse over a ditch** lovat/lóval árkon átugrat **B.** *tni* átugrik

leap to *tni* **1.** (rá)ugrik vmre; **~ to one's feet** felugrik, talpra ugrik; **~ to the conclusion that** azonnal arra következtetett, hogy; **~ to conclusions** elhamarkodottan ítél **2. it ~s to the eye** szembeötlik, szembeszökik

leap up *tni* felszökik, feltör, felfakad, kibuggyan *[forrás]*; **~ up with indignation** felpattan fölháborodásában

leap-frog I. *fn sp* bakugrás; **play ~** bakot ugrik **II. A.** *tsi/tni sp* bakugrást csinál, bakot ugrik; elébe kerül vkinek/vminek, felváltva előzget *[járműveket]* **B.** *infor* **~ test** programellenőrzés

leapt [lept] → **leap I.**

leap-year *fn* szökőév

learn [lɜːn ‖ lɜrn] *tsi pt/pp* **learnt** [lɜːnt ‖ lɜrnt], **learned 1.** (meg)tanul, elsajátít *[tudást]*; **~ sg by heart** kívülről/szóról szóra megtanul vmt; **~ from experience, ~ from one's mistakes** saját hibáiból tanul; *biz* **I have ~t better since then** ma már/azóta több eszem van; *közm* **it is never too late to ~** a jó pap holtig tanul; **live and ~** → **live I.B.1.a. 2.** megtud (vmt), értesül (vmről); **~ sg about sy** vmt hall/megtud vkről; **I have yet to ~ why...** még nem tudom, miért...; még meg kell mondanod, hogy miért... **3.** *szl* **~ sy sg** vkt megtanít vmre; **I'll ~ you to speak to me like that** majd adok neked velem így beszélni!

learned [ˈlɜːnɪd ‖ ˈlɜr–] *mn* tanult, tudós, művelt; **~ journal/periodical** tudományos folyóirat; **~ profession** értelmiségi foglalkozás/szakma; *jog* **my ~ friend** tanult/(igen) tisztelt kollégám *[bíróságon]*; **be ~ in the law** jogban jártas/tapasztalt

learner [ˈlɜːnə ‖ ˈlɜrnər] *fn* **1. a)** tanuló **b)** tanítvány, növendék, tanonc **2.** *gk* tanuló vezető

learning [ˈlɜːnɪŋ ‖ ˈlɜr–] *fn* **1.** (meg)tanulás **2.** tudás, tudomány, tanultság, műveltség; **man of great ~** nagy tudású ember; **seat of ~** tudományos központ; *tréf [szellemi központ]* agy

learning disability *fn okt* tanulási rendellenesség, tanulási nehézség

learning kit *fn okt* oktatócsomag

lease [liːs] **I.** *fn* **1. a)** *jog* (haszon)bérlet, (haszon)bérleti szerződés, (haszon)bérbeadás, (haszon)bérbevétel; **contract of ~** haszonbérleti szerződés; **let by ~** (haszon)bérbe ad; **take by/in/on ~** bérel, (haszon)bérbe vesz; *jog* **take a new** (v. **renew the**) **~ of a house** házbérleti szerződést megújít/meghosszabbít **b)** (haszon)bér(leti díj) **c)** (haszon)bérlet időtartama; **long ~** hosszú lejáratú bérleti szerződés; **take (on) a new ~ of life** új erőre kap, visszanyeri életkedvét, újjászületik, mintha kicserélték volna **2.** kihasználási engedély, koncesszió *[energiaforrásé]* **II.** *tsi* **1. ~ out** bérbe ad, kiad, haszonbérbe ad **2.** kibérel, bérbe vesz *[házat]*, haszonbérbe vesz *[földet]* • *fn* **leaser** *mn* **leasable**

leased line [ˈliːst–] *fn mn infor* bérelt vonal; bérelt vonalas

leasehold I. *mn* (haszon)bérbe adott, bérbe vett **II.** *fn* **1. a)** kibérlés, bérbevétel, haszonbérlet **b)** örökbérlet **2.** (haszon)bérbe adott/vett ingatlan/birtok

leaseholder *fn* (haszon)bérlő

lease-lend → **lend-lease**

leash [liːʃ] **I.** *fn* póráz; **on the ~** pórázon levő/tartott *[kutya]*; *átv biz* **hold sy on a short ~** szigorúan/kordában tart vkt **II.** *tsi* pórázon vezet, pórázra köt/fog *[kutyát]*; *átv* megfékez, visszatart; **strain at the ~** ugrásra kész, tettrekész

leasing [ˈliːsɪŋ] *fn* **1.** *gazd* lízing **2.** *táj* hazugság

least [liːst] **I.** *mn* **1. (the) ~** legkisebb, legkevesebb; **not the ~ bit** egyáltalá(ba)n nem, legkevésbé sem; **I do not know the ~ thing about it** sejtelmem sincs róla; *mat* **the ~ common multiple** a legkisebb közös többszörös **2.** legkevésbé fontos, legjelentéktelenebb; *biz* **that is the ~ of my cares** kisebb gondom is nagyobb annál **II.** *hsz* **(the) ~** legkevésbé; **~ of all** bárkinél/bárminél kevésbé; **last but not ~** → **last¹ I.1. III.** *fn* **the ~** a legkevesebb; **to say the ~ (of it)** enyhén szólva, túlzás nélkül szólva; **at ~** legalább; **at the (very) ~** legalábbis; minimum; **I can at ~ try** legalábbis megpróbálhatom; **not in the ~ (degree)** legkevésbé sem, egyáltalán nem, a legkisebb mértékben sem; *közm* **(the) ~ said (the) soonest mended** ne szólj szám, nem fáj fejem; beszélni ezüst, hallgatni arany

leastways [ˈliːstweɪz] *hsz szl* legalábbis, mindenesetre

leastwise [ˈliːstwaɪz] *szl* → **leastways**

leat [liːt] *fn* **1. a)** *épít* vízlevezető árok, malomárok **b)** ‹csatornarész két duzzasztó/zsilip között› **c)** malomzsilip **2.** *bány* kis vízfolyás

leather [ˈleðə ‖ –ər] **I.** *fn* **1.** (kikészített) bőr; **artificial ~** műbőr; **undressed ~** kikészítetlen bőr, nyersbőr; **fancy ~ goods** bőrdíszműáru; *biz* **lose ~** felhorzsolódik; *biz* **nothing like ~!** úgy a legjobb, ahogy van; a mi holmink a legkülönb! **2. a)** *sp biz* **the ~** *[krikett/futball-labda]* bőr **b)** *tsz* **leathers** bőrnadrág **c)** bőr védőruha, bőr motorosruha, bőroverall **II.** *tsi* **1. a)** bőröz, bőrrel bevon/díszít **b) become ~ed** megkeményedik, bőrszerűvé válik **2.** *biz [elver]* elpüföl, elpáhol, eldönget (vkt)

leather-back *fn áll* kérges teknős

leather-board *fn* **1.** bőrlemez **2.** műtalpbőr **3.** kemény kartonlemez

leather-bound *mn* bőrkötésű, bőrbe kötött *[könyv]*

leather cloth *fn* műbőr, bőrvászon, bőrszerű szövet *[gumírozott szövetből]*

leatherette [ˌleðəˈret] *fn* műbőr, bőrutánzat

leather glue *fn* bőrragasztó enyv

leather-head *fn biz* tökfej

leather-jacket *fn* **1.** (derékig érő) bőrkabát **2.** *áll* **a)** európai íjhal **b)** ‹egy nyugat-indiai tüskés hal› **3.** tipoly álcája

leathern [ˈleðən ‖ –ərn] *mn* **1.** bőr-, bőrből készült/való **2.** szívós, rágós, inas *[hús]*

leatherneck *fn US tréf* tengerész

leather-wood *fn növ* bőrfa

leather-work *fn* **1.** bőripar, bőrmegmunkálás **2. a)** *gk* bőrborítás, bőrkárpitozás *[karosszériáé]* **b) fancy ~** bőrdíszműáru

leathery [ˈleðəri] *mn* **1.** bőrszerű; *áll* **~ turtle** kérges teknős **2.** szívós, rágós, inas *[hús]*

leave [liːv] **I.** *pt/pp* **left** [left] **A.** *tsi* **1. a)** otthagy, (el)hagy, hátrahagy; **~ a wife and a son** feleséget és egy fiút hagyott hátra; **~ the door ajar** félig nyitva hagyja az ajtót; **~ sy alone** békén/nyugton hagy; **let's ~ it at that** maradjunk ennyiben, ne feszegessük (tovább) a dolgot; **I won't ~ it at that** nem hagyom annyiban; **~ no stone unturned** minden követ megmozgat; *biz* **take it or ~ it** vagy-vagy, tetszik, nem tetszik: ez van **b)** rábíz, átad **c) be left** megmarad; **left on hand** raktáron maradt, megmaradt **d)** *mat* **three from seven ~s four** ha hétből kivonunk hármat, négy marad **e) ~ in abeyance** felfüggeszt *[rendelkezés érvényességét]*; *biz* **~ go** (v. **hold of**) **sg** elereszt/szabadjára ereszt vmt **2. a)** elhagy *[helyet]*, elmegy, távozik (vhonnan); *hajó* **~ harbour** kifut a tengerre; **~ the nest** kirepül a fészekből; **~ (it to)the reader to judge** az elbírálást az olvasóra bízza; *kat* **~ the service** kilép a hadseregből; **~ the table** asztaltól feláll *[étkezés után]*; **~ a word/message** üzen(etet hátrahagy); **she never ~s the house** sohasem megy el otthonról; **you may ~ us** elmehet; visszavonulhat; **I am leaving at Christmas** karácsonykor elmegyek *[iskolából, állásból]*; karácsonykor elutazom; **on leaving, just as he was leaving** éppen indulófélben volt; induláskor **b)** elhagy, cserbenhagy, magára hagy **c)** *biz* **get left** versenytársai megelőzik/lehagyják; **be left with** rámarad (vm elintézése/felelőssége) **d) ~ the rails/track** kisiklik *[vonat]* **e) ~ its seat** leválik *[csap, szelep]* **B.** *tni* elmegy, távozik, elutazik; **it is time to**

~ ideje elindulni; **the train is due to ~ at 9 o'clock** a vonat 9 órakor indul **II.** *fn* **1.** engedély(ezés), felhatalmazás, *kat* eltávozási engedély; **~ to go out** kilépési/(el)távozási engedély, kimenő; **beg ~ to do sg** engedélyt kér vmre; **give/grant sy ~ to do sg** vknek megenged/engedélyez vmt; **take ~ to do sg** bátorkodik vmt megtenni **2. a) ~ (of absence)** szabadság; **absence without ~** önkényes távolmaradás, engedély nélküli távollét *[szolgálatból]*; **shore ~** partraszállási engedély/kimenő; **be on ~** szabadságon/szabadságolva van; **be on short ~, be on ~ of absence** (rövid) szabadságon van; **break ~** *[engedély nélkül kimegy]* meglóg, kilóg *[kaszárnyából, hajóról]*; **give/grant ~** szabadságot ad/engedélyez (vknek), szabadságol (vkt); **overstay one's ~** a megengedettnél tovább marad távol **b)** *jog* **release of prisoner on ticket of ~** elítélt/fogoly feltételes szabadlábra helyezése; **break one's ticket of ~** megsérti a feltételes szabadlábra helyezés során előírt követelményeket **3.** búcsú(zás), búcsúzkodás; **take ~ of sy** búcsút vesz vktől; **take one's ~** (el)búcsúzik; **take French ~** angolosan/észrevétlenül távozik; *biz* **take ~ of one's senses** elveszti az (józan) eszét **4.** felütés, ziccer *[biliárdban]*; **give one's opponent a ~** felüt (v. ziccert hagy) az ellenfélnek

leave about *tsi* elszórva/rendetlenül/szerteszét hagy

leave behind *tsi* **1.** elhagy, otthagy, elfelejt, ottfelejt **2.** visszahagy *[nyomokat, szagokat]* **3.** elhagy, hátrahagy, megelőz, maga mögött hagy *[versenytársat]*

leave for *tsi* elutazik/elmegy vhová

leave off A. *tsi* **1.** levesz, letesz *[ruhát]* **2.** felhagy *[szokással]*, lemond (vmről) **3. ~ off work** munkát abbahagy/megszüntet **B.** *tni* megszűnik, abbamarad, eláll; **~ off!** hagyja már abba!; **where did we ~ off?** hol hagytuk abba?; → **left-off**

leave on *tsi* **~ one's card on sy** névjegyét leadja vknél

leave out *tsi* **1.** kihagy, kifelejt, mellőz (vmt), átugrik (vmn) **2.** kizár **3. ~ it out** hagyd abba!, állítsd le magad!, szűnj meg!

leave over *tsi* **1.** elhalaszt, későbbre halaszt, eltesz, félretesz *[későbbre]* **2. ~ sg over** meghagy *[máskorra]*; **be left over** (meg)marad, visszamarad; → **left-over**

leave to *tsi* **~ one's money to sy** ráhagyja a pénzét vkre; **left to oneself** magára hagyva/hagyatva; **~ it to me** bízza csak rám; **I ~ it to you** önre bízom; **~ it to time** bízzuk ezt az időre; **nothing was left to accident** semmit sem bíztak a véletlenre; **nothing was left to me but to...** nem tehettem mást mint...

leaved [liːvd] *mn* **1. a)** leveles, lombos, levéldíszes **b)** *összet* -lombú, -levelű **2.** szárnyas, kétszárnyú *[ajtó]*, kihúzható *[asztal]*; **three-~** háromlapú/háromszárnyú *[paraván, ajtó]*

leaven [ˈlevn] **I.** *fn* **1.** kovász, élesztő, erjesztőszer **2.** *átv* kovász; **a ~ of revolt** a lázadás csírája **II.** *tsi* **1.** (meg)keleszt, kovászol, erjeszt **2.** *biz* átformál, átalakít, megváltoztat

leavening [ˈlevnˑɪŋ] **I.** *mn* **~ influence** átformáló befolyások/hatások/tényezők **II.** *fn* → **leaven** I.

leave of absence → **leave**[1] II. 2. a

leave-pass *fn kat* szabadságos levél

leaves [liːvz] → **leaf** I.

leave-taking *fn* búcsúzkodás, búcsú, elbúcsúzás

leaving [ˈliːvɪŋ] **I.** *mn* távozó; *okt* **(school) ~ certificate** záróbizonyítvány, képesítő oklevél; *okt* **~ examination** (középiskolai) záróvizsga, képesítő vizsga **II.** *fn* **1.** távozás, elutazás **2.** *tsz* **leavings** maradékok, maradványok, törmelék, hulladékok

Lebanese [ˌlebəˈniːz] *mn/fn földr* libanoni

Lebanon [ˈlebənən ‖ −ənɑn] *tul földr* Libanon

lebensraum [ˈleɪbənzraum] *fn pol* lebensraum, élettér *[nemzeté]*

lech [letʃ] *fn* **1.** *biz* kéjenc, kéjvágyó ember **2.** *biz* kéjvágy **3.** *tsi* kéjeleg; **~ after** koslat *[vki után]* • *fn* **lecher**, **lechery**

lecherous [ˈletʃərəs] *mn* kicsapongó, züllött, ledér, kéjelgő, kéjvágyó, élvhajhászó, buja

lecithin [ˈlesɪθɪn] *fn vegy* lecitin

lectern [ˈlektən ‖ −ərn] *fn* énekeskönyvtartó polc, olvasópolc, felolvasóasztal, hangjegyállvány, pulpitus

lection [ˈlekʃn] *fn* **1.** *ir.tud* olvasat, (többitől eltérő) változat *[régi szövegé]* **2.** *vall* lecke *[istentisztelet során felolvasott bibliai részlet]*

lectionary [ˈlekʃnˑəri ‖ −eri] *fn vall* misei és zsolozsmai leckekönyv

lector [ˈlektɔː ‖ ˈlektər] *fn* **1.** *okt* előadó, lektor **2.** *vall régi* olvasó

lectorate [ˈlektərət] *fn régi vall* olvasói hivatal/rend

lectrice [ˈlektrɪs] *fn* felolvasónő, lektor(nő)

lecture [ˈlektʃə ‖ −ər] **I.** *fn* **1.** előadás, felolvasás; **attend ~s** előadásokra jár, előadásokat hallgat; **deliver/give a ~** előadást/felolvasást tart (vmről); **go on a ~ tour** előadó körútra megy **2.** *biz* rendreutasítás, intés, dorgálás, prédikáció; **read/give sy a ~** megleckéztet/megpirongat vkt **II. A.** *tsi* **1.** előadás(oka)t tart (vknek), előad (vknek) **2.** *biz* megdorgál, megró, megint, rendreutasít, prédikál **B.** *tni* előad, előadás(oka)t/előadás-sorozatot tart, felolvas; **~ to students** egyetemi hallgatóknak tart előadásokat

lecture-hall *fn* előadóterem

lecturer [ˈlektʃərə ‖ −ər] *fn* **1.** előadó *[aki előadást tart]* **2. a)** *okt* (egyetemi/főiskolai megbízott) előadó; **assistant ~** tanársegéd **b)** *okt* adjunktus; **senior ~** docens

lecture-room *fn* előadóterem

lectureship [ˈlektʃəʃɪp ‖ −tʃər−] *fn* **1.** *okt* egyetemi előadói állás/megbízatás **2.** *okt* előadás-sorozat, kollégium

led [led] *mn* **~ horse** igásló *[szolga által vezetett tartalék ló]*; → **lead**[2] I.

LED [led] *fn infor röv Light Emitting Diode* fényemittáló dióda, LED; **~ display** LED-es megjelenítő

ledge [ledʒ] *fn* **1.** szél, szegély, perem, polc, kiugró rész, kiszögellés, *épít* párkány(zat), szemöldökfa **2.** sziklapad, sziklagerinc, kőszirt; **~ of a rock** sziklafal kiugró része **3. a)** *geol* lerakódás, szakadék, menedékes part *[állóvízé]* **b)** *bány* réteg, telep, telér(kibúvás) • *mn* **ledged**

ledger [ˈledʒə ‖ −ər] *fn* **1. a)** *gazd* főkönyv; **goods-bought ~** beszerzett áruk nyilvántartása; **goods-sold ~** eladási napló; **pay-roll ~** fizetési főkönyv, személy(zet)i kiadások nyilvántartása **b)** *US* lajstrom, jegyzék, nyilvántartás **2.** *épít* **~(-pole)** keresztgerenda(kötés) *[állványzaton]* **3.** *zene* segédvonal *[kottában]*

ledger line *fn zene* segédvonal *[kottában]*

ledger stone *fn* **1.** lapjára fektetett kőlap, sírkő(lap) **2.** *épít* szemöldökkő, fejkő

ledger tackle *fn* fenékhorgászati felszerelés

ledgy [ˈledʒi] *mn* zátonyos, sziklapados *[part]*

lee [liː] *fn* fedett/szélárnyékos v. széltől védett hely/oldal

lee-board *fn hajó* ‹a szélhiány ellensúlyozására a hajó szélmentes oldalán leeresztett deszka›

leech[1] [liːtʃ] *fn* **1. a)** pióca **b)** *átv* pióca, vérszopó; **stick like a ~** olyan mint a pióca, nem lehet lerázni **2.** *tréf* orvos, felcser **3.** *biz* alkalmatlankodó/tolakodó személy

leech[2] [liːtʃ] *fn hajó* vitorla hátsó szegélye

leechcraft *fn régi tréf* gyógyászat, gyógykezelés, felcserség

leechdom [ˈliːtʃdəm] *fn tréf* gyógyír, recept

Leeds [liːdz] *tul földr* Leeds

leeguminous [liːˈgjuːmɪnəs] *mn növ* hüvelyes; **~ plant** hüvelyes növény

leek [liːk] *fn növ* póré(hagyma); **sand ~** török fokhagyma; **stone ~** mogyoróhagyma; **~ green** hagymazöld (szín); *biz* **eat the ~** (i) eltűri a sértéseket, lenyeli a békát/sértéseket (ii) szelídebb húrokat penget; *biz* **make sy eat the ~** porig aláz vkt

leer[1] [lɪə ‖ lɪr] **I.** *fn* **a)** kihívó nézés, sokatmondó pillantás, szemtelen bámulás, fixírozás **b)** kacsintás, gúnyos oldalpillantás **II.** *tni* (el)csábít; **~ at sy** kacsint vkre, szemez vkvel; rosszindulatúan/sokatmondóan sandít/pislant vkre; rábámul vkre; fixíroz vkt; **~ sy to his death** halálába taszít vkt

leer[2] [lɪə ‖ lɪr] *fn* üveglágyító kemence
leery [ˈlɪəri ‖ ˈlɪri] *mn biz* **1.** furfangos, ravasz, agyafúrt **2. be ~ of sy** bizalmatlan vkvel szemben, tart vktől, gyanúsít vkt, sejt vkről vmt
lees [li:z] *fn tsz* **1.** seprő, alj, üledék *[boré]*; **drain/drink the cup to the ~** fenékig üríti a poharat **2.** *biz* **the ~ of society** a társadalom söpredéke
lee-shore *fn* **1.** *hajó* szélárnyas (v. szél alatti) irányban fekvő part **2.** veszélyes part vihar esetében; *átv* **on a ~** nehézségek között, veszélyben
lee-side *fn* szélmentes/szélvédett oldal
leet[1] [li:t] *fn sk* (állásra) pályázók listája; **short ~** végső jegyzék *[utolsó körben maradt pályázóké]*
leet[2] [li:t] *fn GB tört jog* földesúri bíróság (ülése)
leeward [ˈli:wəd ‖ –ərd] **I.** *mn hajó* szélárnyékos, szél alatti, széltől védett *[helyzetű]*; *földr* **the L~ Islands** az Antillák **II.** *hsz hajó* széltől védett helyre/oldalra **III.** *fn* széliránnyal ellentétes oldal; **drop/fall to ~** széllel halad; **to the ~ of...** szél alatt ...tól
leeway *fn* **1.** *hajó* útiránytól való eltérés, szél irányába való eltérés, ráhagyás; **make ~** útjától eltér *[hajó]* **2.** *biz* késés, elmaradás; **make up ~** mulasztást bepótol, lemaradást/hátrányt/késést behoz **3.** mozgástér; **I have no ~** nincs semmi mozgásterem (az ügyben)
left[1] [left] **I.** *mn* bal, bal oldali; **~ hand** bal kéz, *szính* bal oldal *[színpadé]*; → **left-hand**; **on one's ~ (hand)** bal (kéz) felől, vknek a bal oldalán; **the ~ side of the fabric** a szövet fonákja/visszája; *szl* **over the ~ shoulder** nem hiszem!, nem úgy lesz az! **II.** *hsz* balra, bal felől, bal oldalon, *kat* bal láb *[menetelésnél]*; *kat* **~ about!** balra át!; **~ turn!** balra át! **III.** *fn* **1.** bal kéz, bal oldal; **on/to the ~** bal oldalon, balra, bal kéz felől; **keep to the ~** balra tart(s); **have two ~ feet** kétballábas, ügyetlen, esetlen; **~, right and center** mindenütt, mindenfelől **2.** *kat* balszárny **3.** *pol* baloldal, baloldali párt; **the L~** a baloldal(i pártok); **is he of the ~?** baloldali beállítottságú/gondolkozású/érzelmű-e? **4.** *sp* balkezes ütés *[ökölvívásban]*
left[2] [left] → **leave**[1] **I.**
left-back *fn sp* balhátvéd *[futballban, hokiban stb.]*
left-footed *mn* ballábas *[játékos, rúgás]*
left-footer *fn* ballábas *[sportoló]*; *átv* kétballábas, ügyetlen
left-hand *mn* **1.** bal oldali, bal kéz felőli, balkezes *[kesztyű]*, bal oldalon levő *[zseb]*; *gk* **~ drive** balkormányos vezetés; *gk* **~ drive car** balkormányos autó; **~ marriage** → **left-handed I.4.**; *vill* **~ rule** balkézszabály; *mat* **~ side of an equation** egyenlet bal oldala (v. első tagja); **on the ~ side** a bal oldalon **2.** *műsz* balmenetes, balra forgó, balra forduló *[zár, fúró stb.]*; **~ screw** balmenetű csavar; **~ finish** balos kivitelű; **~ (screw) thread** balmenet *[csavaron]*; **~ tool** balmenetvágó szerszám; bal kézhez való szerszám; *tex* **~ twist** balsodrat, „S" sodrat
left-handed I. *mn* **1.** balkezes **2.** *biz* ügyetlen, esetlen, félszeg **3.** *biz* kétes (értékű), gúnyos; **~ compliment** kétes értékű bók **4. ~ marriage** balkézről való házasság, vadházasság **5.** balkezesek számára készült *[tárgy]* **6.** *sp* balkezes *[ütés]* **7.** balra kanyarodó **8.** *sp* órajárással ellentétes irányú *[versenypálya]* **9.** *műsz* → **left-hand II.** *hsz* bal felé, balra *[fordul, kanyarodik]*; **play tennis ~** bal kézzel (v. balkezesen) teniszezik
left-handedness *fn* **1.** balkezesség **2.** *biz* ügyetlenség, esetlenség, félszegség
left-hander *fn* balkezes *[személy, ütés]*
leftish [ˈleftɪʃ] *mn pol* a ballal rokonszenvező, balos
leftist [ˈleftɪst] **I.** *mn pol* baloldali *[érzelmű]*, balszárnyhoz tartozó, balos; *pol* **~ deviation** baloldali elhajlás **II.** *fn pol* baloldali (politikai) párt tagja, baloldali politikus, baloldali politika követője • *fn* **leftism**
left-luggage *mn* **~ locker** poggyászmegőrző automata; **~ office/counter** (vasúti/pályaudvari) csomagmegőrző, poggyászmegőrző; **~ ticket** (vasúti) ruhatári elismervény/jegy
leftmost [ˈleftmoust] *mn* legbaloldalibb
left-off I. *mn* **~ clothing** ócska/elnyűtt/kopott ruha **II.** *fn tsz* **left-offs** ócska ruha
left-over I. *mn* fölösleges, fennmaradt, visszamaradt; *gazd* **~ stock** maradékok, visszamaradt áru; *biz* **~ moments** szabad percek **II.** *fn* **1.** maradvány **2.** *tsz* **left-overs** maradékok *[áruból, ételből]* **3.** *[régimódi ember]* vén ember/kenyérpusztító, más kor embere
leftward [ˈleftwəd ‖ –wərd] **I.** *mn* bal, bal felőli, bal oldali **II.** *hsz* balra, bal felé (eső/tartó)
leftwards [ˈleftwədz ‖ –wərdz] *mn/hsz* balra, bal felé (tartó)
left-wing *mn* bal oldali, balszárnyhoz tartozó, *pol* baloldali
left-winger *fn* **1.** *pol* baloldali politikus **2.** *sp* balszélső *[csapatjátékban]*
lefty [ˈlefti], **leftie** *fn biz* balkezes; *pol biz [politikus]* baloldali
leg [leg] **I.** *fn* **1.** láb, lábszár; **artificial ~** műláb; **wooden ~** faláb, gólyaláb; **~ of chicken** csirkecomb; **be on one's ~s** talpon van/áll; *biz* szónokol *[ülésen]*; *átv biz* **be on one's last ~s** a végét járja, halálán van, alig áll a lábán; már alig lézeng; *átv* **be left no ~ to stand on** kicsúszik a lába alól a talaj; **be carried off one's ~s** elveszti a talajt a lába alól; *biz* leveszik a lábáról; *biz* **get a ~ in** behízelgi magát **2. get/have one's ~s over sy** *szl durva [közösül]* rámászik, beveri a lompost, megdug; *szl* **give (free play to one's) ~s** *[elmenekül]* elpucol, elfut, meglóg; **have good (walking) ~s, have a good pair of ~s** *[jó gyalogló]* jó lábai vannak, bírja a gyaloglást/sétát; *US biz* **have sy by the ~** a markában tart vkt, azt tehet vkvel, amit akar; *biz* **he hasn't a ~ to stand on** nincs rá semmiféle bizonyítéka; **keep one's ~s** szilárdan áll; *biz* **pull sy's ~** ugrat/húz/heccel vkt; **put one's best ~ foremost/forward** jól kilép, siet, ahogy csak tud (v. bírják a lábai); legelőnyösebb színben mutatkozik; *biz* **run off one's ~** lejárja a lábát; **set sy on his ~s again** talpra állít vkt, kihúz vkt a csávából; *biz* **shake a loose ~** könnyelmű/szabados életet él; *biz* **show a ~** felkel/kikecmereg az ágyból; **stretch one's ~s** sétálni megy, jár egyet *[sok ülés után]*; *biz* **take to one's ~s** elinal, eliszkol; megfutamodik, meglóg; **take sy off his ~s** feldönt vkt; elsodor vkt *[áradat]*; levesz vkt a lábáról **3.** harisnyaszár, nadrágszár **4. a)** láb *[bútoré]*, lábazat *[állványé]*, szár *[körzőé, szögé]* **b)** állvány **5.** *épít* pillér, oszlop, talapzat **6.** (út)szakasz, menet, forduló **7.** *mat* befogó *[derékszögű háromszögé]* **8.** mellékvonal *[mely a telefon-mellékállomást a fővonalhoz kapcsolja]* **9.** *sp* forduló *[többfordulós küzdelemben]* **10.** ‹krikettben az ütőjátékostól balra és mögéje eső játéktér› **II.** *tsi* **-gg- 1.** *biz* **~ it** gyalog megy, gyalogol, kutyagol; meglóg, elfut **2.** elrúg *[csónakot parttól]* **3.** megtámaszt, aládúcol *[hajót szárazdokkban]* **4.** *biz* elgáncsol (v. lábánál fogva elkap) és leterít
legacy [ˈlegəsi] *fn* hagyaték, örökség; **come into a ~** örököl, örökséghez jut; *biz* **~ of shame** öröklött szégyen/gyalázat
legacy duty *fn* hagyatéki/örökösödési adó/illeték
legacy hunter *fn* örökséghajhász, örökségvadász
legacy tax → **legacy duty**
legal [ˈli:gl] *mn* **1.** törvényes, jogos, jogszerű, megengedett, legális; **~ fare** előírt díjszabás *[taxinál stb.]*; **~ year** polgári/közönséges év **2.** jogi, törvényes, törvényszerű, bírói, bírósági, törvényszéki; **~ aid** jogsegély *[perköltségek fedezése]*; **~ adviser** jogtanácsos; **~ charges/expenses** perköltségek; ügyvédi költségek; **~ claim** jogszerű követelés/igény; **~ currency/tender** törvényes fizetési eszköz; **~ decision** jogerős ítélet; **~ department** jogügyi osztály *[hivatalban, bankban]*; **~ document** hiteles okmány/irat; **~ entity** jogi személy; **of ~ force** hatályos, jogerős; **~ holiday** (hivatalos) munkaszüneti nap; **~ incapacity** (jogi) cselekvőképtelenség; **~ language** jogi terminológia/kifejezésmód, jogásznyelv; **~ medicine** törvényszéki orvostan; **~ practitioner** jogász(ember); ügyvéd; **~ procedure** jogi eljárás; **~ remedy** jogorvoslat; **~ representative** jogi képviselő; **~ separation** bírói ítélettel felbontott házasság,

L

jogerős válás; **by ~ process** törvényes úton; **acquire ~ status** jogi személyiséget szerez, jogi személlyé válik; **be brought to a ~ trial** bíróság elé kerül/állítják; **go into the ~ profession** jogi pályára lép; **take ~ advice** jogi tanácsot kér **3.** *vall* a mózesi törvény szerinti • *hsz* **legally**
legalism [ˈliːɡəlɪzm] *fn* **1. a)** törvényesség **b)** ‹a törvény betűjéhez való túlzott ragaszkodás› **2.** *vall* **a)** külsőségekben kimerülő vallásosság **b)** ‹rituális előírások betartását sürgető irányzat›
legalistic [ˌliːɡəˈlɪstɪk] *mn* jogászias, paragrafusrágó
legality [lɪˈɡæləti] *fn* törvényesség, jogszerűség, jogérvényesség; *tsz* **legalities** állampolgári kötelességek
legalize [ˈliːɡəlaɪz], **-ise** *tsi* **1.** hitelesít, hatóságilag igazol, (felül)hitelesít *[iratot]*, okiratilag igazol/bizonyít **2.** törvényesít *[eljárást]*
legatary [ˈleɡətəri ‖ ˈleɡəteri] **I.** *fn* → **legatee II.** *mn* örökségi, örökösödési
legate [ˈleɡət] *fn* **1.** (pápai) legátus, nuncius **2.** *régi* követ **3.** *tört* helytartó • *mn* **legatine**
legatee [ˌleɡəˈtiː] *fn jog* végrendeleti örökös, hagyományos; **general/residuary ~** általános örökös
legation [lɪˈɡeɪʃn] *fn* **1. a)** követség **b)** követi működés **2.** követség épülete
legation fees *fn tsz* konzuli illeték
legato [lɪˈɡɑːtoʊ] *hsz* **I.** *zene* legato, kötötten **II.** *fn* legato *[előadásmód/passzus]*
legator [lɪˈɡeɪtə ‖ lɪˈɡeɪtər] *fn jog* végrendelkező, hagyományozó
legend [ˈledʒənd] *fn* **1.** legenda, monda, rege **2.** legendárium, legendagyűjtemény **3.** kitaláció, legenda **4.** *biz* élő legenda **5. a)** körirat, felirat *[érmén]* **b)** magyarázó felirat, jelmagyarázat *[térképen, grafikonon]*; **it bears the ~** ez áll rajta, ez a szövege/felirata **6.** *[szentek élete]* legenda
legendary [ˈledʒəndəri ‖ –deri] *mn* legendás, mondai, mesebeli
legerdemain [ˌledʒədəˈmeɪn ‖ –dʒər–] *fn* bűvészet, bűvészkedés; szemfényvesztés, bűvészmutatvány
-legged [leɡd, ˈleɡɪd] *utótag összet* -lábú, -lábszárú; **four-~** négylábú
leggings [ˈleɡɪŋz] *fn tsz* lábszárvédő, bokavédő, sípcsontvédő *[labdarúgásban stb.]*, nadrágszár; elasztikus (sztreccs) nadrág
leg-guards *fn tsz sp* lábszárvédő, sípcsontvédő
leggy [ˈleɡi] *mn* **1.** hosszú lábú, megnyúlt, nyurga, nyakigláb **2.** szép lábú **3.** hosszúra nyúlt/felnőtt *[növény]*
Leghorn [ˈleɡhɔːn ‖ –hɔrn] **I.** *tul földr* Livorno **II.** *fn* **l~ 1. ~ (fowl)** leghorn *[baromfifajta]* **2.** finom szalmafonat **3. ~ (hat)** olasz szalmakalap
legible [ˈledʒəbl] *mn* olvasható, kibetűzhető, világos, tiszta *[írás]* • *fn* **legibility**
legion [ˈliːdʒən] *fn* **1.** légió, csapat, hadtest **2.** sokaság, tömérdek ember; *biz* **their name is ~** rengetegen vannak
legionary [ˈliːdʒənəri ‖ –neri] **I.** *mn* **1.** légió-, légióra vonatkozó **2.** tengernyi, tömérdek **3.** *áll* **~ ant** kalózhangya **II.** *fn* légionárius, légió tagja
legionnaire [ˌliːdʒəˈneə ‖ –ˈner] *fn* → **legionary II.**; idegenlégiós
legionnaire's disease *fn orv* légionáriusbetegség *[baktérium okozta tüdőbetegség]*
leg-iron *fn orv* (láb)sín
legislate [ˈledʒɪsleɪt] *tsi/tni* törvényeket hoz/alkot
legislation [ˌledʒɪsˈleɪʃn] *fn* **1.** törvényhozás, törvényhozó hatalom **2.** becikkelyezett törvények
legislative [ˈledʒɪslətɪv ‖ –leɪtɪv] *mn* törvényhozó(i)
Legislative Assembly *fn tört* Törvényhozó Nemzetgyűlés *[Franciaországban]*
legislative power *fn pol* törvényhozó hatalom
legislator [ˈledʒɪsleɪtə ‖ –ər] *fn* törvényhozó
legislatorial [ˌledʒɪsləˈtɔːrɪəl] *mn* törvényhozói
legislature [ˈledʒɪsleɪtʃə ‖ –ər] *fn* törvényhozás, törvényhozó hatalom/testület, országgyűlés
legit [lɪˈdʒɪt] *mn szl [törvényes]* frankó
legitim [ˈledʒɪtɪm] *jog* → **legitime**
legitimacy [lɪˈdʒɪtɪməsi] *fn* **1.** törvényesség, törvényes születés *[gyermeké]*, legitimitás, (trón)öröklési jog **2.** jogosultság, jogosság, következetesség *[állásponté]*, legalitás
legitimate I. *mn* [lɪˈdʒɪtɪmət] **1.** törvényes *[gyermek, örökös, uralkodó, hatalom]*, szabályszerű *[eljárás]*; **~ demands** törvényes követelmények **2.** alaposan indokolt, helyénvaló *[érvelés]*, helyes *[kifejezés]* **II.** *tsi* [lɪˈdʒɪtɪmeɪt] törvényesít *[gyermeket, intézkedést]*, igazol *[eljárást, személyt]*
legitimation [lɪˌdʒɪtɪˈmeɪʃn] *fn* **1.** *jog* törvényesítés *[házasságon kívül született gyermeké]* **2.** törvényessé tétel, törvényerőre emelés **3.** hitelesítés *[okiraté]*
legitime [ˈledʒɪtɪm] *fn sk jog* törvényes osztályrész *[elhunyt ingóságaiból]*
legitimism [lɪˈdʒɪtɪmɪzm] *fn tört* legitimizmus • *fn/mn* **legitimist**
legitimize [lɪˈdʒɪtɪmaɪz], **-ise** *tsi* törvényesít *[gyermeket]*; igazol, legitimizál
legless [ˈleɡləs] *mn* **1.** lábatlan, csonka lábú **2.** *szl [nagyon részeg]* merevrészeg, csontrészeg, holtrészeg
leg-lock *fn sp* lábkulcs *[birkózásban]*
legman [ˈleɡmən] *fn tsz* **-men 1.** *US* (segéd) riporter *[újságé]* **2.** vmnek utánjáró ember
leg-of-mutton sail *fn biz* háromszögvitorla
leg-of-mutton sleeve *fn biz* sonkaujj *[ruhán]*
leg-pads → **leg-guards**
leg-pull, **leg-pulling** *fn biz* ugratás, heccelés, megtévesztés, félrevezetés
leg-puller *fn biz* tréfacsináló, ugrató/heccelődő
leg-rest *fn* **1.** lábtámasz **2.** *orv* kengyel
leg show *fn* revüszínház/műsor *[táncosnőkkel]*
leg-support *fn* **1.** lábtámasz **2.** támasztó, állvány, láb *[műszeré, készüléké]*
legume [ˈleɡjuːm] *fn* **1.** *növ* hüvelyes termése **2.** *tsz* **legumes** *növ* hüvelyesek
leguminous [lɪɡˈjuːmɪnəs] *mn növ* hüvelyes
leg-up *fn* segítség, anyagi támogatás; nyeregbe segítés, lóra ültetés; → **leg I.1.**
leg-work *fn* **1.** lábmunka **2. a)** utánajárás (vmnek) **b)** *US* híranyag/riportanyag gyűjtése *[újság számára]*
lehm [lem] *fn geol* agyagos föld
lei [leɪ] *fn* hawaii virágfüzér
Leicester [ˈlestə ‖ –ər] *tul* **1.** *földr* Leicester **2.** ‹egy juhfajta› **3. Red ~** ‹Leicestershire-ben készült sajt›
Leicestershire [ˈlestəʃə ‖ –ər] *tul földr* Leicestershire
leister [ˈliːstə ‖ –ər] **I.** *fn* háromágú (halász)szigony **II.** *tsi* háromágú szigonnyal fog *[halat]*; átdöf *[szigonnyal]*
leisure [ˈleʒə ‖ ˈliːʒər] **I.** *fn* **1.** szabad/pihenő/ráérő idő; **people of ~** a vagyonosok; dologtalan/tétlen/henyélő emberek; **be at ~** ráér, van szabad ideje **2.** kényelem, megfelelő alkalom; **do sg at one's ~** kényelmesen csinál vmt, akkor csinálja, amikor kedve tartja **II.** *mn* **1.** elfoglaltság nélküli, szabad, pihenő, ráérő; **~ hours** üres v. elfoglaltság nélküli órák/idő; **~ time** szabadidő, ráérő idő **2.** *US* **~ coat** házikabát
leisure clothes *fn tsz* szabadidőruha
leisured [ˈleʒəd ‖ ˈliːʒərd] *mn* **1.** tétlen, munka nélkül jól élő, henye *[élet]*; **~ classes** vagyonos/előkelő osztályok **2.** szabad idővel bíró, tétlen *[személy]* **3.** kényelmes *[munkavégzés]*
leisurely [ˈleʒəli ‖ ˈliːʒərli] **I.** *mn* ráérő, kényelmes, komótos; **~ journey** kis szakaszonként megtett utazás, pihenőkkel félbeszakított utazás; **~ pace** kimért/kényelmes járás **II.** *hsz* **1.** nyugodtan, higgadtan, meggondoltan, megerőltetés nélkül **2.** hideg fejjel, jól meggondolva
leisure suit → **leisure clothes**
leisure wear → **leisure clothes**
leitmotif [ˈlaɪtmoʊtiːf] *fn zene* vezérmotívum
LEM [lem] *röv lunar excursion module*
Leman [ˈlemən] *tul földr* **Lake ~** a Genfi-tó

lemma [ˈlemə] *fn tsz* **lemmas**, **lemmata** [ˈlemətə] **1.** *mat fil* **a)** lemma, segédtétel **b)** feltételezés, előfeltétel, premissza **2.** fej(írás), fejléc *[könyvé, folyóiratcikké]* **3.** *nyelv* címszó, vezérszó, gyűjtőszó

lemme [ˈlemi] *szl let me*

lemming [ˈlemɪŋ] *fn áll* lemming *[rágcsáló]*

lemna [ˈlemnə] *fn növ* békalencse

lemon [ˈlemən] **I.** *fn* **1. a)** *növ* citrom; ~ **oil, oil of ~s** citromolaj, citromeszencia **b)** citrom(fa) **2.** *US szl [csúnya/kellemetlen személy/dolog]* vacak; **the answer is a ~** majd ha fagy!; **he's a ~** ez egy balek; **she's a ~** nagyon csúnya *[nő]*; **hand sy a ~** *[becsap vkt üzletkötésnél]* befürdet/átver vmivel **II.** *mn* **~(-coloured)** citromsárga (színű)

lemonade [ˌleməˈneɪd] *fn* limonádé, citromos szódavíz/üdítő; **still ~** szénsavmentes citromos üdítő, citromlé, citromszörp/*[szódavíz helyett sima vízzel]*

lemon-balm *fn növ* citromfű, mézfű, igaz nádrafű

lemon-curd *gaszt* ‹citromból, tojásból, vajból és cukorból készült tészta›

lemon-dab *fn áll* lepényhal

lemon-drop *fn* savanyú/citromízű cukor(ka)

lemon-grass *fn növ* fenyérfű, ischaemum

lemon juice *fn* citromlé, citromszörp

lemon-kali *fn* pezsgőpor

lemon-lime *fn US gaszt* kesernyés, szénsavas citromos üdítőital

lemon-peel *fn* citromhéj

lemon-plant *fn növ* citromkóró, puncskóró

lemon pudding *fn gaszt* citrompuding

lemon soda *fn US gaszt* citromos szénsavas üdítőital, limonádé

lemon-sole *áll* → **lemon-dab**

lemon-squash *fn* limonádé, citromszörp *[szódavízzel]*

lemon-squeezer *fn* citromnyomó, citromprés

lemon thyme *fn növ* vadkakukkfű

lemon-tree *növ* → **lemon II.1.b.**

lemon-verbena → **lemon-plant**

lemon-wood *fn növ* pittosporum-fa

lemon yellow *mn/fn* citromsárga

lemony [ˈleməni] *mn* citromos, citromszerű

lemur [ˈliːmə ‖ –ər] *fn áll* maki(majom)

lemurian [lɪˈmjuərɪən ‖ –ˈmjurɪən] *mn áll* makiszerű, makikhoz tartozó • *mn* **lemuroid**

lend [lend] *tsi pt/pp* **lent** [lent] **1. a)** kölcsönöz, kölcsönad (vknek vmt); **~ money at interest** kamatra ad pénzt, kamatozó/kamatos kölcsönt nyújt **b) ~ (out) books** könyveket kölcsönad/kölcsönöz **2. a)** ad, nyújt, biztosít; **~ sy aid** segítséget nyújt vknek **b) ~ an ear, ~ one's ears (to)** ... meghallgat (vkt); **~ a hand** segít *[fizikailag, munkával]*; közreműködik **3. ~ itself for/to sg** alkalmas vmre; **~ oneself to sg** belemegy vmbe, alkalmazkodik vmhez; **spot that ~s itself to meditation** elmélkedésre/gondolkodásra alkalmas hely; **I would not ~ myself to this** erre nem vagyok kapható; ebbe nem megye bele • *fn* **lending**

lend-a-hand *mn US biz* **~ club** segélyegylet

lender [ˈlendə ‖ –ər] *fn* kölcsönadó, kölcsönző

lending library *fn* kölcsönkönyvtár

lend-lease **I.** *fn* **1.** kölcsönbérlet **2.** kölcsönös segítségnyújtás **II.** *tsi* **1.** kölcsönbérletbe ad/vesz **2.** kölcsönös segítségnyújtásban részesít

Lend-Lease Act *fn US tört* kölcsönbérleti törvény *[a szövetségesek hadianyagokkal való ellátása, 1941]*

length [leŋθ] *fn* **1.** hossz(úság), vmnek hossza; **dress ~** ruha hossza; **~ of hair** hajhosszúság; **at full ~** egész hosszában/terjedelmében; hosszadalmasan, terjengősen; **~ along sides** oldalhosszúság; **along the ~ of the tracks** a vasút teljes hosszában; **overall ~** teljes hossz(úság); *biz* **over the ~ and breadth of the country** az ország széltében-hosszában; **two feet in ~** két láb hosszú(ságú); **I fell all my ~** elvágódtam, hanyatt vágódtam; **win by half a ~** fél hosszal nyer/győz *[evezősversenyen, lóversenyen]* **2.** tartam; **~ of service** (i) szolgálati idő (ii) rangidősség; **for some ~ of time** jó ideig/darabig; **at ~** (i) végre, végül is (ii) alaposan, részletesen, hossza(dalma)san **3. a)** távolság, (út)szakasz, úthossz; **keep sy at arm's ~** távol tart magától vkt, három lépés távolságot tart vktől **b) go to any ~s** mindent elkövet, semmitől sem riad vissza; **go to all ~s, go to the whole ~** végletekbe esik; **to great ~s** messzire; **to some ~** elég messzire/sokáig; elég hosszan **4.** levágott darab *[zsineg, szövet]*, darab *[fa]*

lengthen [ˈleŋθən] **A.** *tsi* (meg)hosszabbít, megtold, (meg)nyújt, kinyújt; *átv* **~ out a story** történetet megtold/kiszínez **B.** *tni* (meg)hosszabbodik, (ki)nyúlik; *biz* **his face ~ed** megnyúlt a képe, leesett az álla

lengthman, **lengthsman** *fn tsz* **-men** vasúti pályaőr, pályaszakasz-felvigyázó

lengthways [ˈleŋθweɪz] → **lengthwise II.**

lengthwise [ˈleŋθwaɪz] **I.** *mn* hosszúkás, hosszirányú **II.** *hsz* hosszában, hosszant(i irányban)

lengthy [ˈleŋθi] *mn* **1.** hosszú, hosszadalmas, terjengős, szószátyár *[beszéd]* **2.** *biz* magas, nyúlánk *[személy]* **3.** eléggé hosszú, hosszúkás

lenience [ˈliːnɪəns] → **leniency**

leniency [ˈliːnɪənsi] *fn* **1.** engedékenység, elnézés, megbocsátás; **show ~ toward sy** megértést tanúsít vkvel szemben **2.** kegyelem

lenient [ˈliːnɪənt] *mn* **1.** elnéző, enyhe, megbocsátó, szelíd **2.** enyhe, mérsékelt, nem szigorú *[büntetés]* **3.** kegyelmes, kegyelmet gyakorló, kegyes **4.** engedékeny

Leningrad [ˈlenɪngræd] *tul földr* Leningrád (ma Szentpétervár) • *fn* **Leningrader**

Leninism [ˈlenɪnɪzm] *fn pol* leninizmus • *mn* **Leninist**

lenitive [ˈlenətɪv] **I.** *orv mn* enyhítő, csillapító **II.** *fn* **1. a)** fájdalomcsillapító, enyhe nyugtató **b)** enyhe hashajtó **2.** *biz* pillanatnyi enyhítés, múló segítség, tüneti gyógyítás

lenity [ˈlenəti] *fn* kegyelem, szelídség, elnézés

leno [ˈliːnou] *fn tex* gézszövet, géz kötésű (v. forgószálas) szövet

lens [lenz] *fn* **1.** *fiz* lencse *[szemüvegé, nagyítóé, fényképezőgépé]*; **field ~** tábori látcső; **reading ~** kézi nagyítóüveg, lupe; **supplementary ~** pótlencse, előtétlencse; **system of ~es** lencserendszer **2.** *tsz* **lenses** szemüveg; **contact ~es** kontaktlencse; **protective ~es** védőszemüveg

lens shutter *fn fényk* központi zár

lent [lent] → **lend**

Lent [lent] *fn vall* (hamvazószerdától húsvétig terjedő) nagyböjt; **keep ~, fast in ~** böjtöl, megtartja a böjtöt

Lenten [ˈlentən] *mn* böjti, böjtös, szegényes, sovány *[étkezés]*; **~ entertainment/fare/feast** böjti/szegényes étkezés; *biz* **~ face** beesett/sovány/sápadt arc; **~ pie** hús nélkül készült pástétom

lenticel [ˈlentɪsel] *fn* **1.** *növ* kis barna folt/bog *[fák kérgén]* **2.** *orv* ciliáris mirigy, pillamirigy • *mn* **lenticellate**

lenticular [lenˈtɪkjulə] *mn* lencse alakú/formájú; szemlencse- • *mn* **lenticulated**

lentigo [lenˈtaɪgou] *fn tsz* **lentigines** [lenˈtɪdʒɪniːz] **1.** *orv* szeplő **2.** májfolt

lentil [ˈlentl] *fn növ* lencse

lentisk [ˈlentɪsk] *fn növ* masztixfa

lent-lily *fn növ* sárga nárcisz, húsvétvirág

lento [ˈlentou] **I.** *hsz zene* lento **II.** *fn zene* lassú tétel

lentoid [ˈlentɔɪd] *mn* lencse alakú

Lent-term *fn GB okt* ‹iskolaév harmadik negyedéve›

Leo [ˈliːəu] **I.** *tul* **1.** ‹férfinév› **2.** *birt* **Leonis** [ˈliːəunɪs] *csill* Oroszlán (csillagkép) **II.** *fn* Oroszlán *[jegyben született ember]*

Leonid [ˈliːounɪd] *fn tsz* **Leonides** *csill* Leonida, Leonidák *[meteorraj]*

leonine [ˈliːənaɪn] *mn* **1.** oroszlán-, oroszlánszerű **2.** *jog* **~ convention/partnership** oroszlántársaság

leonurus [lɪəˈnjuərəs ‖ –ˈnurəs] *fn növ* gyöngyajak, oroszlánfark

L

leopard [ˈlepəd ‖ –ərd] *fn* **1.** *áll* leopárd, párduc **2.** *áll* **American ~** jaguár; *áll* **hunting ~** vadászgepárd **3.** *cím* címeroroszlán
leopard cat *fn áll* ocelot, párducmacska
leopardess [ˈlepədes ‖ –pərdes] *fn áll* nőstény leopárd
leopard-man [ˈlepədmən ‖ –ərd–] *fn tsz* **-men** ‹indiai varázsló, aki leopárddá tud átváltozni›
leopard-moth *fn áll* kisfarágó (hernyó)
leopard's-bane *fn növ* zergevirág
leopard-wood *fn növ* kígyófa, tigrisfa
Leopold [ˈlɪəpould] *tul* Lipót
leotard [ˈliːətɑːd ‖ –tɑrd] *fn* akrobatatrikó, balett-trikó, testre simuló tornadressz
lepas [ˈliːpæs] *fn áll* kacsakagyló
leper [ˈlepə ‖ –ər] *fn* leprás, bélpoklos; *biz* **moral ~** *[züllött ember]* utolsó fráter
leper-hospital *fn* leprakórház
leper-house *fn régi* bélpoklosok menhelye
lepidopter [ˌlepɪˈdɒptə ‖ –ˈdɑptər] *fn tsz* **lepidopters, lepidoptera** [–rə] *áll* pikkelyesszárnyú lepke • *mn* **lepidopteran, lepidopterous**
lepidopterist [ˌlepɪˈdɒptərɪst ‖ –ˈdɑp–] *fn* lepkekutató, lepkegyűjtő
leporidae [lɪˈpɒrɪdiː] *fn tsz áll* leporida *[üregi és házinyúl keresztezése]*
leporine [ˈlepəraɪn] *mn* nyúl-, nyúlszerű, nyúlféle
leprosarium [ˌleprəˈseərɪəm ‖ –ˈser–] *fn tsz* **leprosaria** [–rɪə] lepratelep, leprakórház
leprosy [ˈleprəsi] *fn orv* lepra; **Italian ~** pellagra; **moral ~** erkölcsi züllöttség
leprous [ˈleprəs] *mn* leprás
lepto- [ˈleptou] *előtag* kis-, keskeny-
leptocephalia [ˌleptousəˈfeɪlɪə] *fn biol* keskenyfejűség • *mn* **leptocephalic**
leptodactyl [ˌleptouˈdæktl] **I.** *mn áll* hangzacskós *[békahím]* **II.** *fn áll* füttyentő béka **III.** keskeny lábú madár • *mn* **leptodactylous**
lepton[1] [ˈleptɒn ‖ ˈleptɑn] *fn tsz* **lepta** *pénz* ‹görög pénzegység, a drachma századrésze›
lepton[2] [ˈleptɒn ‖ ˈleptɑn] *fn tsz* **leptons** *fiz* lepton *[az erős kölcsönhatásban részt nem vevő elemi részecskék, pl. elektron, muon, neutrino]*
leptosome [ˈleptəsoum] *mn orv* leptosom, gyenge/gracilis alkatú
leptus [ˈleptəs] *fn áll* gabonaatka
lerot [ˈlerət] *fn áll* kerti pele
Lesbian [ˈlezbɪən] **I.** *mn/fn földr* leszboszi **II.** *fn* **l~** leszbikus/homoszexuális nő
lesbianism [ˈlezbɪənɪzm] *fn* leszboszi szerelem, leszbikusság
Lesbos [ˈlezbɒs ‖ ˈlezbɑs] *tul földr* Leszbosz
lese-majesty [ˌliːz ˈmædʒəsti] *fn jog* felségsértés, hazaárulás
lesion [ˈliːʒn] *fn* **1.** *orv* sérülés, seb, horzsolás; **internal ~** belső sérülés **2.** *jog* **a)** sérelem, károsodás **b)** sértés, megkárosítás • *mn* **lesional**
Lesley [ˈlezli] *tul* ‹női név›
Leslie [ˈlezli] *tul* ‹női név›
Lesotho [ləˈsoutou] *tul földr* Lesotho
-less [les] *utótag* **A.** -tlan/-tlen, -talan/telen *[fosztóképző]* **B.** nélküli, mentes; **fear~** félelem nélküli; **crime~** bűnözésmentes
less [les] *kfok* **lesser** [ˈlesə ‖ –ər], *ffok* **least** [liːst], **lest** [lest] **I.** *mn* **1.** kisebb, kevesebb; **grow ~** csökken, kisebbedik, fogy; **make ~** csökkent; **in a lesser degree** kisebb mértékben; **he does the lesser work** ő végzi az alantasabb munkát **2.** csekélyebb, alantasabb **3.** *régi* kevésbé (v. nem annyira) fontos, kisebb jelentőségű **4. a)** *régi* **no ~ person than the Duke** nem kisebb személyiség, mint maga a herceg **b) this picture is no ~ than a masterpiece** ez a kép valóságos remekmű; **I expected no ~ from you** nem is vártam tőled mást **II.** *hsz* kevésbé, kisebb mértékben, nem annyira; **~ and ~** egyre kevesebb; egyre kevésbé; **even/still ~** még kevesebb, még kevésbé; **~ known** kevésbé ismert; **none the ~** mindazonáltal; **nothing ~ than** legalábbis, nem kevesebb, mint; **no ~ good** éppen olyan jó; **he fears it no ~ than I** ő éppúgy fél tőle, mint én **III.** *elölj* levonva (belőle), mínusz; **~ fines** eljárási költségek levonásával; **purchase-price ~ 10%** vételár 10 százalékát levonva **IV.** *fn* kevesebb; **the ~ said the better** erről jobb nem beszélni; **the ~ you think of it the better** minél kevesebbet gondolsz rá, annál jobb; *tréf* **in ~ than no time** pillanatok alatt
lessee [leˈsiː] *fn* **1.** (haszon)bérlő, bérbe vevő *[ingatlané, tanyáé, halászati jogé]* **2.** engedélyes, koncesszió birtokosa
lessen [ˈlesn] **A.** *tsi* csökkent, kisebbít, gyengít, mérsékel, fékez, enyhít *[fájdalmat]* **B.** *tni* csökken, kisebbedik, kevesbedik, gyengül, fogy, enyhül *[tünet]*, mérséklődik, apad
lesser [ˈlesə ‖ –ər] *mn* kisebb, kevesebb, csekélyebb; **choose the ~ evil** (v. **the ~ of two evils**) két rossz közül a kisebbet választja
Lesser Antilles [–ænˈtɪliːz] *tul földr* Kis-Antillák
Lesser Bear *tul csill* Kismedve, Kisgöncöl
lesser-known *mn* kevéssé/kevésbé ismert
lesson [ˈlesn] **I.** *fn* **1. a)** (tanulmányi) óra, tanítás, oktatás; **dancing ~s** táncórák, táncoktatás; **give ~s in French** franciaórákat ad; **take ~s** órákat vesz, órákra jár **b)** lecke, feladat; **hear/check the ~s** kikérdezi a leckét; feleltet **2.** tanulság; **severe ~** nagy tanulság; **draw a ~ from sg** vmből levonja a tanulságot, okul vmből; **learn one's ~** saját kárán tanul; *átv* **let that be a ~ to you!** ez szolgáljon tanulságul!; *biz* **read sy a ~** megdorgál vkt; megmossa vknek a fejét; **take that ~ to heart!** szívleld meg ezt a tanulságot! **3.** *vall* (szent) lecke, lekció; **the second ~** második ima/könyörgés **II.** *tsi* meglecкéztet, megdorgál, megró
lessor [ˈlesɔː ‖ –sɔr] *fn* bérbeadó
lest[1] [lest] *ksz* **1.** nehogy, hogy ne(m); *vál* **~ we forget** nehogy elfelejtsük **2.** attól félve, hogy... **3.** hogy; **we were afraid ~ we should miss the train** féltünk, hogy lekéssük a vonatot
lest[2] [lest] → **less**
Lester [ˈlestə ‖ ˈlestər] *tul* ‹férfinév›
-let [let] *utótag* **A.** -cska/-cske *[kicsinyítőképző]* **B.** kis vm; **piglet** kismalac; **starlet** csillagocska
let[1] [let] **I.** *pt/pp* **let, letted**, *pr.p* **letting A.** *tsi* **1. a)** hagy, eltűr; **~ come what may** történjék bármi is; **~ drop** kikottyant vmt, vm kicsúszik a száján; **~ fall/slip** elejt/leejt vmt; **~ fly at** rátámad, ráló; *átv* rázúdítja a haragját, rátámad vkre; **sy/sg ~** elenged, ereszt *[vmt/vkt]*, lezár; **~ oneself go** elengedi magát, szabad folyást enged érzelmeinek; **~ go the rope** elengedi/elereszti a kötelet; **~ loose** szabadon/szabadjára bocsát/enged, elenged, elereszt; **~ me tell you** engedje (meg), hogy megmondjam; **~ us have a beer** igyunk egy sört; **~ sy do sg** hagyja/eltűri, hogy vk megtegyen vmt **b)** tudtul ad, értesít; **~ know** közöl, tudat, tudtul ad, értesít; **~ sy know about sg** vkvel tudat vmt, vkt értesít vmről, vknek tudomására hoz vmt; **~ me hear the story** mondja el (v. halljuk) a történetet; **I will ~ him know** értesíteni fogom **c)** (meg)enged; **the captain ~ no one aboard** a kapitány senkit sem engedett a hajóra; *orv* **~ blood** eret vág vkn **2.** bérbe ad, kiad *[házat]*; **house to ~** kiadó ház, bérbe adó ház; **be ~ with immediate possession** azonnal beköltözhető **B.** *tni* bérbe adják/adható; **these rooms ~ well** könnyű ezeket a szobákat bérbe adni **C.** *i [első és harmadik személy egyes és többes számának felszólító módja]* **a) ~ me be!** hagyj(on) békén!; **~ me die if ...** úgy éljek, ha ...; **~ (me) see!** mutassa!; **~ me try now!** hadd próbáljam most én meg!; **~ him be accursed!** legyen átkozott!; **so ~ it be!** ám legyen!; **~ there be light!** legyen világosság!; **~ there be no mistake about it!** tévedés ne essék!; **~ us go!** induljunk!; **~ us pray!** imádkozzunk!; **don't ~ us start yet!** ne induljunk (v. várjunk) még!; *US biz*

~'s **talk turkey** térjünk rá a lényegre **b)** *mat* ~ **AB be equal to CD** tegyük fel, hogy AB egyenlő CD-vel **II.** *fn GB* bérbeadás, bérlet

let alone *tsi* **1.** ~ **sy/sg alone** békén hagy vkt/vmt, nem törődik vkvel/vmvel; ~ **me alone** hagyj békében!, ne zavarj/molesztálj! **2.** még kevésbé, nem is beszélve arról, (hogy)

let by *tsi* elenged maga mellett

let down *tsi* **1. a)** leereszt, leenged **b)** (le)tűr, visszahajt, leenged, kibont *[hajat]* **2. a)** *biz* ~ **sy down** csalódást okoz; cserbenhagy vkt **b)** *biz* ~ **sy down gently** tapintatosan mutat rá vknek a hibáira; elnézően bánik vkvel **c)** megszégyenít, megaláz (vkt) **3.** meglazít *[rugót]*, kiereszt *[levegőt gumikerékből]*, leenged

let in *tsi* **1. a)** beenged, beereszt; ~ **oneself in with a key** kulccsal kinyitja (magának) az ajtót **b)** *biz* ~ **sy in on a secret** vkt beavat egy titokba; ~ **sy in on it** beavat vkt vmbe **2.** beilleszt *[lemezt]*, bevág *[ajtónyílást]*, betold *[egy részt ruhába]* **3. a)** *biz* lóvá tesz, becsap, rászed; *biz* **be** ~ **in for sg** berántják/beugratják vmbe **b)** *biz* ~ **oneself in for sg** (nem szívesen) szánja el magát vmre; *biz* **I've been** ~ **in for a speech** kénytelen voltam beszédet tartani

let into A. *tsi* **a)** ~ **sy into the house** vkt beenged a házba; ~ **sy into a secret** vkt titokba beavat **b)** ~ **a door into a wall** ajtónyílást vág a falba; ~ **a piece into a garment** betold egy részt ruhába **B.** *tni biz szl* ~ **into sy** *[hirtelen megtámad vkt]* nekiesik vknek; rátámad vkre; beleköt vkbe

let off *tsi* **1. a)** elsüt *[lőfegyvert]*, kilő *[nyilat]*, felrobbant *[bombát]*, elfolyat *[vizet]*, kiereszt *[vizet, gőzt, rugót]*; ~ **off steam** gőzt kiereszt; *átv* levezeti a mérgét **b)** *átv* megereszt gúnyos megjegyzést **2. a)** ~ **sy off from doing sg** vkt mentesít (kínos) munka alól **b)** ~ **sy off** megbocsát/megkegyelmez vknek; **be** ~ **off with a fine** pénzbírsággal megússza a dolgot

let on A. *tsi* **1.** elárul, kifecseg; **don't go and** ~ **on that I was there** nehogy elmeséld, hogy ott voltam! **2.** színlel, tettet, állít vmt *[ami nem igaz]* **B.** *tni* ~ **on about sg to sy** spicliskedik/árulkodik vknek vmről; **I never** ~ **on** nekem sohase jár el a szám

let out A. *tsi* **1. a)** kienged, kiereszt, szabadon bocsát, szabadlábra helyez *[rabot]*; **be** ~ **out on bail** óvadék ellenében szabadlábra helyezik; *biz* ~ **out a yell** (akaratlanul) felkiált; nem tud elnyomni egy (jaj)kiáltást **b)** *gk biz* ~ **her out** adjon gázt, hadd menjen *[a kocsi]* **2.** ~ **out a garment** ruhát kiereszt/kibővít/kienged **3.** bérbe ad **4.** ~ **out a secret** titkot kipattant; titkot kifecseg; eljár a szája; *biz* ~ **the cat out of the bag** titkot kipattant (v. kiszalaszt a száján); elárul/kifecseg titkot; elárulja/elköpi a dolgot; eljár a szája **B.** *tni* **1.** *biz* ~ **out at sy with one's fist** ökölcsapást mér vkre; *biz* ~ **out at sy with one's foot** belerúg vkbe **2.** *biz* ~ **out at sy** kirohan/kifakad vk ellen

let through *tsi* **1.** átereszt, átbocsát, keresztülenged **2.** *biz* ~ **sy through (an exam)** átenged vkt (vizsgán)

let up *tni* **1.** *US* csökken, szűnőfélben van *[eső]*, gyengül, enyhül **2.** meglassul; ~ **up on a pursuit** üldözéssel felhagy, üldözést abbahagy

let² [let] *fn pt/pp* **let, letted I. 1.** *régi* akadály, akadályoztatás, gátló körülmény; **without** ~ **or hindrance** akadály(oztatás) nélkül, akadálytalanul **2.** ~ **ball** újrajátszandó (v. nem számító) ütés/labda *[teniszadogatásban]* **II.** *i* megakadályoz, gátol, korlátoz, késleltet, elódáz

let-down I. *mn* **1.** ~ **seat** felcsapható/lehajtható (pót)ülés **2.** lehangolt, levert, szomorú **II.** *fn* **1.** *biz* kiábrándulás, csalódás **2.** (megalázó) cserbenhagyás, hopponmaradás

let-George-do-it *mn* ~ **man** Pató Pál (úr)

lethal [ˈliːθl] *mn* halálos; ~ **chamber** gázkamra; ~ **dose (LD)** halálos adag/mennyiség; **execution by** ~ **injection** halálos injekció általi kivégzés; ~ **weapon** gyilkos fegyver

lethargy [ˈleθədʒi ‖ −θər−] *fn* **1.** *orv* álomkór, letargia **2.** tespedtség, bódultság, fásultság, tompultság, letörtség, levertség, letargia • *mn* **lethargic(al)**

lethe [ˈliːθiː] *fn orv* emlékezetkiesés, amnézia

Lethe [ˈliːθi] *tul* **1.** *régi* Léthé *[a feledés folyója]* **2.** *vál* feledés • *mn* **Lethean**

let-in *biz* csalás, ámítás, félrevezetés, megtévesztés

let-off *fn* **1.** *biz* széles jókedv, tomboló kikapcsolódás, feszültséglevezetés **2.** *sp* kihagyott helyzet, elszalasztott lehetőség *[góllövésre]*

let-out *fn biz* ürügy

let's [lets] *röv let us*

Lett [let] *fn* lett *[ember/nyelv]*

letter [ˈletə ‖ −ər] **I.** *fn* **1. a)** betű, írásjel, *nyomd* betűtípus, fontkészlet; *US* ~ **man** (főiskolai/egyetemi) válogatott csapat tagja *[aki a pólóján a főiskola kezdőbetűjét viselheti]*; *GB biz* tudományos fokozat rövidítése *[név után]*; **we must mark that in red** ~**s** ezt felírjuk a kéménybe korommal **b) to the** ~ szó szerint; **obey to the** ~ a végsőkig pontos, a legvégső részletekbe menően pontos **2. a)** levél, irat; **by** ~ levélben; **answer a** ~ levélre válaszol **b)** *gazd* ~ **of advice** értesítés, értesítő levél, avizó(levél); ~ **of credit** hitellevél, akkreditív **c)** *jog* ~**s of attorney** (ügyvédi) meghatalmazás; ~ **of credence** (követi) megbízólevél **3.** *tsz* **letters** irodalom(tudomány); műveltség, tanultság; **a man of** ~**s** irodalmár, íróember; tudós; **the commonwealth/republic of** ~**s** írótársadalom, irodalmi világ **II. A.** *tsi* **1.** betűvel megjelöl, betűt belevés (vmbe) **2.** címet helyez/rak *[könyvre, könyvborításra]* **B.** *tni* betűt vet/rajzol

letter bomb *fn* levélbomba

letter book *fn gazd* másolókönyv

letter-bound *mn* betűhöz szigorúan ragaszkodó

letter box *fn GB* levélszekrény, postaszekrény

letter card *fn* zárt levelezőlap *[borítékban]*

letter carrier *fn US* (levél)kézbesítő, postás

letter case *fn* **a)** levéltárca **b)** aktatáska

letter clip *fn* levélkapocs, papírkapocs

lettered [ˈletəd ‖ ˈletərd] *mn* **1. a)** betűvel jelzett **b)** felirattal ellátott *[könyv]* **2.** irodalmilag képzett, tanult, művelt *[ember]*

letter-file *fn* irattartó, levélrendező, dosszié

letter-head *fn* cégjelzés, fejléc, felirat *[levélpapíron]*

lettering [ˈletrɪŋ ‖ ˈletərɪŋ] *fn* **1.** betűkkel való jelölés/(le)bélyegzés/márkázás; *nyomd* ~ **by hand** kézi nyomás *[hiányzó betűk kézi nyomása]*; domborítás **2.** felirat, szöveg; **it bears the** ~ ez áll rajta; ez a szövege/felirata

letter-lock *fn* kombinációs/betűs zár/lakat *[beállítható betűkkel/számokkal]*

letter pad *fn* (levélpapír)blokk, írótömb

letter paper *fn* levélpapír

letter-perfect *mn* **1.** betűhű **2.** *szính* szerepét szó szerint tudó; **be** ~ **in one's part** szóról szóra (v. betéve) tudja szerepét

letter-press *fn* **1.** *nyomd* **a)** nyomda **b)** másolóprés, másológép **2. a)** szöveg(rész) *[könyvé nyomdászati szempontból]* **b)** képszöveg, nyomtatott szöveg *[illusztráció mellett/alatt]*, felírás *[kép alatt]*

letter-quality *mn* ‹üzleti levél céljára alkalmas színvonalú nyomtatás›; ‹ilyen minőségű nyomtatvány készítése›

letter rack *fn* irattartó (polc)

letter rate *fn* postai levélkézbesítési díj

letter scales *fn tsz* levélmérleg

letter weight *fn* levélnehezék

letter-wood *fn növ* kígyófa, tigrisfa

letter-writer *fn* **1.** levélíró **2.** levélminták gyűjteménye, levelezési/levelező (segéd)könyv

Lettic [ˈletɪk] **I.** *mn/fn földr* lettországi **II.** *fn* lett *[nyelv]*

letting [ˈletɪŋ] *fn* **1.** bérbeadás, bérlet; **I cannot get a** ~ **for the rooms** nem tudom kiadni a lakásomat/szobáimat, alig találok (al)bérlőket **2.** ~ **sy in on sg** vk beavatása *[tervbe]*

Lettish [ˈletɪʃ] → **Lettic**

lettuce [ˈletɪs] *fn növ* saláta; **cabbage head** ~ fejes saláta

let-up *fn biz* csökkenés, megszűnés, megállás

leu [ˈleɪuː] *fn tsz* **lei** [leɪ] *pénz* leu *[román pénzegység, váltópénze a bani, 100 bani = 1 leu]*

L

leuchaemia [lu:'ki:mıə], **leucaemia** *orv* → **leukaemia**
leuco- ['lu:koʊ] *előtag* fehér-
leucocyte ['lu:kəsaıt] *fn biol* fehérvérsejt, leukocita
leucocythaemia [ˌlu:kəsaı'θi:mıə] → **leukaemia**
leucocytosis [ˌlu:kəsaı'toʊsıs] *fn orv* fehérvérsejt-szaporulat *[a vérben]*, leukocitózis
leucoma [lu:'koʊmə] *fn orv* **1.** szaruhártyahomály **2.** leukoplakia
leucosis [lu:'koʊsıs] *fn orv* fehérvérűség
leukaemia [lu:'ki:mıə] *fn* fehérvérűség, leukémia
lev [lef, 'levə], **leva** *tsz* **leva** ['levə], **levas**, **levs** [lefs] *fn pénz* bolgár pénzegység
Lev. *röv* **1.** *Levant* **2.** *Leviticus*
levant [lı'vænt] *tni biz* adósság megfizetése nélkül meglóg/megszökik *[kártyaadós, fogadás elvesztője]*
Levant [lı'vænt] *fn* **1. a)** *régi* a Kelet **b)** Földközi-tenger keleti partvidéke **2.** keleti/levantei szél
levanter [lı'væntə ‖ –'væntər] *fn hajó* keleti szél *[Földközi-tengeren]*; levantei lakos
Levantine ['levntaın] *mn/fn földr* keleti, levantei
levator [lı'veıtə ‖ –'veıtər] *fn orv* (fel)emelőizom
levee[1] ['levi] *fn* **1.** *US* fogadás *[az elnöknél]*; **hold a ~** fogad, fogadást rendez **2.** *tört* reggeli tisztelgés *[az udvarnál]*
levee[2] ['levi] *fn* **1. a)** *épít* (árvédelmi) töltés, gát **b)** rakodópart **2.** *mezőg* bakhát *[sávos öntözésnél]*, táblahatároló töltés *[árasztó öntözésnél]*
level ['levl] **I.** *mn* **1. a)** sík, vízszintes, horizontális; **~ crossing** szintbeni útkereszteződés, vasúti pályakeresztezés; **~ flight** vízszintes repülés; **~ run/stretch** vízszintes útszakasz/pályaszakasz; **~ spoonful** csapott kanálnyi; **~ with sg** egy szinten/magasságban (vmvel), (vmvel) azonos magasságú/szintvonalú; *sp* **draw ~ with sy/sg** vk/vm mellé kerül; szorosan vk/vm mellett halad **b)** sima, egyenletes **2. ~ life** szabályos/rendes életmód; **~ tone** kiegyensúlyozott/egyenletes hang/beszéd(mód); *biz* **do one's ~ best** megtesz minden tőle telhetőt; **keep a ~ head** megőrzi hidegvérét/józanságát (v. lelki egyensúlyát) **II.** *hsz rep* **fly ~** vízszintesen repül **III.** *fn* **1. a)** szint, színvonal, vízszintes felület; **at eye ~** szemmagasságban; **shoulder ~** vállmagasság; **sea ~** tengerszint; **on a ~ with sg** vmvel egy színvonalon/szinten; **out of ~** egyenetlen, hepehupás **b)** szint, réteg *[társadalomé, osztályé]*; **at cabinet ~** kormányszinten; **of his own ~** egyenrangú, hozzá hasonló, magaféle, hasonszőrű *[társadalmi állású]*; **find one's ~** megtalálja a helyzetének megfelelő környezetet; **rise to the ~ of sy** vknek a színvonalára emelkedik **2. a)** vízszintes felület/terület; **dead ~** teljes vízszintes sík **b)** *földr* síkság, rónaság **3.** *bány* fejtési szint **4.** *épít* csatornarész két duzzasztó/zsilip között **5.** *US* védőgát **6.** *műsz geol* (szintező) libella, vízszintező, szintezőműszer *[ácsé]*; **plummet/vertical ~** függőón, függőólmos szintező; **surveyor's ~** szintező látcső **IV.** *i* **-ll-**, *US* **-l- A.** *tsi* **1. a)** kiegyenlít, szintez, nivellál **b)** elegyenget, simít, egyenletessé/simává tesz, lesimít, lelapít (vmt) **c) ~ a building** épületet lerombol (v. a föld színével tesz egyenlővé) **d)** *vál* **~ sy to the ground** (ökölcsapással) vkt a földre terít **2.** ráirányít, rászegez, nekiszegez *[fegyvert]*; **~ accusations against sy** vádakkal illet vkt, vádakat emel vk ellen; **~ a blow at sy** ütést mér vkre; **~ one's gun against/at sy** vkt célba vesz, vkre ráfogja a fegyvert; *átv* **~ sarcasms against sy** csípős gúnnyal támad vkre **3.** *épít* szintez **B.** *tni* **1.** irányul, vmlyen irányban fekszik **2.** törekszik (vmre) **3. ~ with** őszinte; **on the ~** *biz* őszintén, becsületesen; *biz* **I tell you this on the ~** igazán/őszintén mondom (önnek) • *fn/mn* **levelling**
level away *tsi* **1.** elegyenget, elsimít *[göröngyösséget]* **2.** megszüntet, eltöröl *[társadalmi megkülönböztetéseket]*
level off A. *tsi* kiegyenlít, egy szintre hoz **B.** *tni* kiegyenlítődik, egyenletessé válik
level out *tsi* (ki)egyenlít, egy szintre hoz
level up *tsi* **~ sg up to...** vmt magasabb színvonalra emel/helyez
level-headed *mn* higgadt, megfontolt, kiegyensúlyozott
leveller ['levələ ‖ –ər] *fn* **a)** *tört* az egyenlőség híve, egyenlőségpárti **b)** *tsz* **L~s** *GB tört* a Levellerek
levelling compass *fn épít* szintmérős iránytű
levelling screw *fn műsz* szintező/szintbeállító csavar, állítócsavar *[szintező műszeré]*
level-pegging(s) I. *fn tsz* egyenlő állás *[vetélkedőben]* **II.** *tni* **be ~-pegging with** fej fej mellett halad
level playing field *fn kif átv* semerre sem lejtő pálya, mindenkinek azonos feltételek
lever ['li:və ‖ 'levər] **I.** *fn* **1.** *műsz* emelő, emelőrúd, emelőkar; *műsz rep* **elevator ~** magassági kormányrúd **2.** fogantyú **3.** (erkölcsi)nyomás **II. A.** *tsi* **~ sg up** emelő(rúd) segítségével megemel vmt; nyomást gyakorol vmre **B.** *tni* emelőkart kezel; **~ against sg** emeltyűt/emelőkart alkalmaz vm felemeléséhez
leverage ['li:vərıdʒ ‖ 'le–] *fn* **1. a)** emelés **b)** emelőerő, emelőhatás; **~ of a force** erő emelőhatása **c)** *átv* befolyás, hatalom; **bring ~ to bear on sg** nyomást gyakorol vkre *[hatalmi pozícióból]* **2. a)** *átv* eszköz *[cél elérésére]*; **give sy a ~** előnyt ad vknek *[rendsz. önmaga felett]* **b)** emeltyűrendszer **c)** áttétel *[emelővel]*
lever-escapement *fn műsz* horgonyjárat *[óráé]*
lever-watch *fn* horgonyjáratú óra, ankeróra
leviable ['levıəbl] *mn* **1.** kivethető, behajtható *[adó]* **2.** megadóztatható *[dolog, tárgy]*
leviathan [lı'vaıəθən] *fn* **1.** *bibl* tengeri szörny, leviatán **2. a)** *biz* óriási (tengeri) hajó **b)** *átv* szörnyű nagy vm, nagy monstrum **3.** autokrata *[uralkodó, állam]*
levier ['levıə ‖ –ər] *fn* (adó)kivető, (adó)behajtó
levigate ['levıgət] *tsi* **1.** *orv* porlaszt, finom porrá dörzsöl/morzsol **2.** *orv* hígít, felereszt *[port]* • *fn* **levigation**
levirate ['levırət] *fn tört* sógorházasság, levirátus
Levi's ['li:vaız] *fn US* Levis farmernadrág
levitate ['levıteıt] *i* **A.** *tsi pszich* felemel *[testet érintés nélkül]* **B.** *tni pszich* felemelkedik (érintés nélkül), szabadon lebeg • *fn* **levitation**
levity ['levəti] *fn* **1.** léhaság, komolytalanság, sikamlósság **2.** könnyelműség, felületesség, gondatlanság **3.** könnyűség, lengeség
levo- [li:voʊ–] → **laevo-**
levulose ['levjʊloʊs] *fn vegy* levulóz, fruktóz, gyümölcscukor
levy ['levi] **I.** *tsi* **1.** kivet, beszed, behajt *[adót, bírságot]*, emel *[adót, hozzájárulási költséget]*; **~ duty on sg** vámot vet ki vmre; **~ a fine** bírságol, bírságot kivet/kiszab **2. a)** soroz, verbuvál, toboroz *[katonákat]* **b)** *kat* rekvirál, igénybe vesz *[terményeket katonaság részére]* **3. a)** *jog* elkoboz, lefoglal, letilt; **~ attachment** zár alá vesz *[ingó vagyont]*; őrizetbe vesz *[személyt]*; **~ execution on sy's goods** lefoglalja vknek a vagyonát **b) ~ blackmail** zsarol **c)** → **war II.** *fn* **1. a)** adószedés, adóbehajtás, adókivetés **b)** zálogolás, lefoglalás **2. a)** adó(teher), illeték, dézsma **b)** *tört* sarc **3. a)** *kat* újoncozás, toborzás, verbuválás, besorozott katonák; *kat* **~ in mass** népfelkelés; *kat* **~ of troops** katonaállítás **b)** *kat* katonai igénybevétel, rekvirálás *[lovaké]*
lewd [lu:d] *mn* **a)** buja, kéjvágyó, érzéki, léha, züllött, feslett **b)** *átv* sikamlós, obszcén • *fn* **lewdness**
lewis ['lu:ıs] *fn* **1.** (háromrészes) kőemelő kapocs, kabala **2.** fiatal szabadkőműves
Lewis ['lu:ıs] *tul* **1.** Lajos **2.** *régi kat* **~ (machine) gun** géppuska, golyószóró
LF *röv low frequency*
LI, L.I. *röv Long Island*
liability [ˌlaıə'bıləti] *fn* **1. a)** felelősség, kötelezettség, kötelem, tartozás; **joint ~** együttes/közös felelősség/kötelezettség; **joint and several ~** egyetemleges kötelezettség/kötelem/tartozás; **several ~** külön/egyéni felelősség/kötelezettség **b)** *átv* tehertétel **2.** *tsz* **liabilities** *gazd közg* tartozás(ok), teher, passzívák *[mérlegben]*; **assets and liabilities** aktívák és passzívák, vagyon és teher; **contingent**

L

liabilities in respect of acceptances visszleszámított váltókkal kapcsolatos (feltételes) kötelezettség *[bankmérlegtétel]*; **current liabilities** folyó/esedékes kötelezettségek/tartozások/adósságok; **meet one's liabilities** eleget tesz (v. megfelel) (fizetési) kötelezettségének, teljesíti fizetéseit **3.** ~ **to a fine** pénzbírsággal sújtható cselekedetért való felelősség **4.** ~ **to military service** hadkötelezettség **5.** hajlam(osság); ~ **to explode** robbanási veszély

liable [ˈlaɪəbl] *mn* **1.** *jog* felelős (vmért), köteles (vmre); ~ **to a fine** pénzbírsággal/pénzbüntetéssel sújtható; **be** ~ **to taxation** adó alá esik; ~ **to duty** vámköteles **2.** hajlamos, hajlandó; **he is** ~ **to err** könnyen téved/hibázik **3.** kitéve (vmnek), fenyegető (vm); **difficulties are** ~ **to occur** nehézségek fenyegetnek/merülhetnek fel; ~ **to misconstruction** félreérthető **4.** *US biz* **he is** ~ **to go** valószínűleg el fog menni

liaise [liˈeɪz] *tni* **a)** *kat szl* összeköttetést/kapcsolatot létesít/fenntart **b)** ~ **with** érintkezésbe lép (vkvel)

liaison [liˈeɪzn ‖ ˈlɪəzɑn] *fn* **1.** összeköttetés, kapcsolat, kölcsönös érintkezés **2.** (szerelmi) viszony

liaison link *fn* távbeszélővonal

liaison net *fn* hírhálózat

liaison officer *fn* összekötő tiszt

liana [liˈɑːnə] *fn növ* kúszónövény, lián(a)

liane [liˈɑːn] → **liana**

liar [ˈlaɪə ‖ ˈlaɪər] *fn* hazug, hazudozó; *biz* **I'm a bit of a** ~ **myself** néha én is szoktam hazudni; *közm* **show me a** ~ **and I'll show you a thief** aki hazudik, az lop is

liard [liˈɑː ‖ ljɑr] *fn [kis értékű pénzérme]* garas, peták

lias [ˈlaɪəs] *fn* **1.** *geol* cerithiumos mészkő, kemény épületmészkő **2.** liász *[korszak]* • *mn* **liasic, liassic**

lib. *röv* **1.** *liberation*; **women's** ~ a nők felszabadítása, nőmozgalom **2.** *liberal* **3.** *librarian* **4.** *library*

libate [ˈlaɪbeɪt] *tni* italozik, iddogál

libation [laɪˈbeɪʃn] *fn* **1.** (ókori) boráldozat, italáldozat **2.** *tréf* ivás, iddogálás

libbard [ˈlɪbəd ‖ ˈlɪbərd] *áll* → **leopard**

Libby [ˈlɪbi] *tul* ‹*Elisabeth* becéző alakja›

libel [ˈlaɪbl] **I.** *fn* **1.** rágalom, becsületsértés, hamis vád(askodás) **2. a)** becsületsértő/rágalmazó írás **b)** sajtóvétség, sajtó útján elkövetett rágalmazás; **bring an action for** ~ **against sy**, **bring a** ~ **action against sy** becsületsértési/rágalmazási pert indít vk ellen; **utter a** ~ **against sy** rágalmazó kijelentést tesz vkről *[a sajtóban elhangzott/megjelent becsmérlésért]* **c)** *jog* panaszirat, vádirat *[rágalmazási/becsületsértési ügyben]* **3.** *biz* **the portrait is a** ~ **on him** az arckép nem előnyös/hízelgő rá nézve **II.** *tsi* **-ll-**, *US* **-l- 1.** *jog* (meg)rágalmaz, hamisan vádol, becsületsértést követ el (vk ellen), becsületsértő cikket közöl valakiről **2. a)** *sk* panaszt megfogalmaz/megszövegez vk ellen **b)** pert indít a tengernagyi bíróságnál *[hajótulajdonos ellen]*

libelant [ˈlaɪblˑænt], **libellant** *fn jog* kérelmező, keresetet benyújtó

libelee [ˌlaɪbəˈliː], **libellee** *fn jog* alperes *[rágalmazási perben]*

libeler [ˈlaɪblˑə ‖ –ər], **libeller** *fn jog* becsületsértő, rágalmazó

libellula [laɪˈbeljʊlə] *fn áll* szitakötő

libelous [ˈlaɪblˑəs], **libellous** *mn* becsületsértő, rágalmazó, becsületbe vágó

liberal [ˈlɪbərəl] **I.** *mn* **1. a)** szabad szellemű, előítéletektől mentes elfogulatlan, széles látókörű **b)** szabadelvű, liberális *[politikus]* **2. the** ~ **arts** *US* bölcsészettudomány; **student in the faculty of** ~ **arts** bölcsészhallgató; ~ **education** általános műveltségre való nevelés; *vall* liberális *[teológia]* **3. a)** bőkezű, nagylelkű (*to/towards* vkvel szemben), nagyvonalú; ~ **offer** nagylelkű ajánlat; **be** ~ **of one's promises** nem fukar(kodik) ígéretekben **b)** bőséges *[adag, ellátás]*; ~ **table** dús asztal; bőkezű/szíves vendéglátás **4.** szabad, kötetlen *[fordítás]*; **in the most** ~ **sense of the word** a szó legtágabb értelmében **5. tea is at** ~ **four** a tea/uzsonna négy óra körül/tájban van **II.** *fn* **1.** *pol* szabadelvű, liberális **2.** *pol GB* **L**~ a liberális párt tagja, liberális

liberalism [ˈlɪbərəlɪzm] *fn* liberalizmus, szabadelvűség

liberality [ˌlɪbəˈræləti] *fn* **1.** bőkezűség, nagylelkűség **2.** nagylelkű ajándék **3.** kötetlenség, elfogulatlanság *[nézeteké]*, pártatlanság, megértés, széles látókörűség

liberalize [ˈlɪbərəlaɪz], **-ise** *i* **A.** *tsi* **a)** kitágít, szabadelvűbbé tesz *[nézeteket]* **b)** szabadelvűvé/liberálissá tesz *[politikailag]* **B.** *tni ritk* szabadelvű lesz, szabadelvűvé válik

liberate [ˈlɪbəreɪt] *tsi* **a)** megszabadít, szabaddá tesz (*from* vmtől), kiszabadít, felszabadít **b)** *biz szl [ellop]* megszabadít vkt vmitől, meglovasít vmit **c)** felszabadít *[erőt]*, *vegy* fejleszt, felszabadít *[gázt]* **d)** *pénz* ~ **capital** tőkét felszabadít/mozgósít

liberation [ˌlɪbəˈreɪʃn] *fn* **1.** megszabadítás, kiszabadítás, felszabadítás **2.** megszabadulás, kiszabadulás, felszabadulás

liberationism [ˌlɪbəˈreɪʃnˑɪzm] *fn* ‹az állam és az egyház szétválasztásának politikája›

liberator [ˈlɪbəreɪtə ‖ –ər] *fn* (fel)szabadító

Liberia [laɪˈbɪərɪə ‖ –ˈbɪr–] *tul földr* Libéria

Liberian [laɪˈbɪərɪən ‖ –ˈbɪr–] *mn/fn földr* libériai

libertarian [ˌlɪbəˈteərɪən ‖ –bərˈter–] **I.** *mn* a szabad akaratban hívő, a szabad akarat tanát valló **II.** *fn* **1.** a szabad akarat vallója (v. tanának híve) **2.** a gondolat- és cselekvésszabadság híve

libertine [ˈlɪbətiːn ‖ –bər–] **I.** *mn* **1.** szabados *[viselkedés]*, feslett, kicsapongó, züllött **2.** szabadgondolkodó **II.** *fn* **1. a)** szabados viselkedésű v. feslett erkölcsű v. kicsapongó életet élő ember **b)** *tréf* különc, csodabogár, excentrikus ember **2.** szabadgondolkodó • *fn* **libertinage**

liberty [ˈlɪbəti ‖ ˈlɪbərti] *fn* **1. a)** szabadság; ~ **of conscience** lelkiismereti szabadság; ~ **of the press** sajtószabadság; ~ **of thought** gondolatszabadság; **civil** ~ polgári szabadság; ~ **to do sg** szabad lehetőség vmnek a megtételére; **be at** ~ **to do sg** szabad vmt megtennie, jogában áll, hogy vmt megtegyen; **set sy at** ~ kiszabadít vkt; szabadlábra helyez, kienged *[börtönből]*; *biz* **this is L**~ **Hall** itt minden szabad **b) take the** ~ **to do** (v. **of doing**) **sg** bátorkodik/merészkedik megtenni vmt **c) take liberties with sy** vkvel szemben az illendőnél többet enged meg magának; szemtelenkedik vkvel **2.** *tsz* **liberties** jogok, kiváltságok

liberty-boat *fn kat* ‹eltávozásra menő tengerészeket szállító hajó›

liberty-ticket *fn kat* eltávozási engedély

libidinal [lɪˈbɪdnˑəl] *mn pszich* libidós

libidinous [lɪˈbɪdnˑəs] *mn* **a)** érzéki, buja, szabados **b)** érzékeket ingerlő *[könyv stb.]*, pornográf

libido [lɪˈbiːdoʊ] *fn pszich* libidó, nemi vágy

Lib-lab pact [ˌlɪbˈlæb] *mn/fn GB biz* ‹liberális és munkáspárti kormányalakítási szövetség›

libra [ˈlaɪbrə] *fn* **1.** font *[súlymértékként]* **2.** font (sterling)

Libra [ˈliːbrə] **I.** *tul birt* **Libri** [ˈliːbriː] *csill* Mérleg (csillagkép) **II.** Mérleg *[Mérleg jegyében született személy]*

librarian [laɪˈbreərɪən ‖ –ˈbrer–] *fn* könyvtáros • *fn* **librarianship**

library [ˈlaɪbrəri ‖ –breri] *fn* könyvtár; **circulating/lending/subscription** (v. *US* **rental)** ~ kölcsönkönyvtár; **free/public** ~ közkönyvtár, nyilvános könyvtár; **reference** ~ (olvasótermi) kézikönyvtár; *biz* **he is a walking** ~ valóságos élő (v. két lábon járó) könyvtár; kiadvány, könyvsorozat; ~ **binding** erős/tartós könyvkötés; *infor* (program)könyvtár

libration [laɪˈbreɪʃn] *fn* **1. a)** lengés, játék *[mérlegé]* **b)** *csill* libráció *[Holdé]* **2.** egyensúly • *mn* **libratory**

libretto [lɪˈbretoʊ] *fn* szövegkönyv, librettó *[operáé, operetté]* • *fn* **librettist**

Libya [ˈlɪbɪə] *tul földr* Líbia

Libyan [ˈlɪbɪən] *mn/fn földr* líbiai

lice [laɪs] → **louse**

L

licence [ˈlaɪsns] *fn* **1. a)** engedély, felhatalmazás; **under ~ from the author** a szerző engedélyével/hozzájárulásával; **have no ~ to do sg** nincs joga vmt megtenni **b)** (hatósági) engedély, jogosítvány, koncesszió, (ipar)engedély; **driving ~** vezetői engedély, jogosítvány; **gun ~** fegyvertartási engedély; **import ~** behozatali engedély; **liquor ~** italmérési engedély; **marriage ~** házassági engedély, diszpenzáció; **shooting ~** vadászengedély, vadászjegy; **trades requiring** (v. **subject to) a ~** engedélyhez kötött iparok/iparágak; **take out a ~** iparengedélyt kivált **2.** szabadság *[művészé]*; **poetic ~** költői szabadság **3.** szabadosság, féktelenség, túlzott szabadság **4.** licenciátus *[egyetemen]*

license [ˈlaɪsns] **I.** *tsi* **-ensing 1.** engedélyez (vmt), engedélyt/jogosítványt ad (vknek); **~ a play** színdarab előadását engedélyezi **2.** igazol *[sportegyesületben]* **II.** *fn US* → **licence** • *fn* **licenser, licensing**

licensed [ˈlaɪsnst] *mn* **1. a)** engedélyezett, engedéllyel rendelkező; **fully ~** mindenféle szeszes ital árusítására jogosult *[vendéglő stb.]*; **~ dealer** árusítási engedéllyel rendelkező kereskedő; **~ pilot** képesített/vizsgázott pilóta **b)** okleveles, képesített **2.** kiváltságos, különleges szabadságot élvező

licensee [ˌlaɪsnˈsiː] *fn* **a)** (ipar)engedélyes **b)** italmérési engedély birtokosa

license plate *fn gk* rendszámtábla; **~ lights** rendszámtábla-világítás

licentiate [laɪˈsenʃɪət] *fn* **1. a)** ‹a licenciátusi fokozatot elnyert személy›; **~ in medicine** okleveles orvos; **~ in dental surgery** vizsgázott/képesített fogász; **~ in midwifery** okleveles szülésznő **b)** segédlelkész, káplán *[református egyházban]* **2.** licenciátus(i fokozat); ‹a doktorátus előtti egyetemi fokozat›

licentious [laɪˈsenʃəs] *mn* szabados, féktelen, kicsapongó, buja, feslett

lichen [ˈlaɪkən, ˈlɪtʃn] *fn* **1.** *növ* zuzmó; **greybeard ~** szakállzuzmó **2.** *orv* lichen, sömör • *mn* **licheous**

lichwort *fn növ* falgyom

licit [ˈlɪsɪt] *mn* megengedett, törvényes

lick [lɪk] **I. A.** *tsi* **1.** (meg)nyal, nyaldos; **~ one's lips** nyal(ogat)ja a szája szélét, összefut a nyál a szájában *[vm láttán]*; *átv biz* **~ sy's boots** nyalja vknek a talpát, nyalizik vknél; **~ one's wounds** nyalogatja a sebeit *[vereség után]*; *biz* **~ sy into shape** kinevel vkt, embert farag vkből; **~ sg into shape** kipofoz vmt, formába pofoz vmt; **~ sg off sg** vmt lenyal vmről; mosakszik, tisztára nyalja magát *[állat]*; *szl tabu [férfi orális szexet végez]* nyal **2. a)** *biz* megver, elver, elpáhol, eldönget **b)** *biz* legyőz, lever, megver, tönkrever *[ellenséget, ellenfelet]*; *biz* **this ~s me** ez nekem túl magas, ez meghaladja a képességeimet; *biz* **that ~s creation/everything** ez mindent felülmúl, ez mindennek a teteje! **B.** *tni biz* **go as hard as one can ~** fut, ahogy csak bír **II.** *fn* **1. a)** (meg)nyalás, nyalintás; **give sy a ~** megnyal vkt *[kutya]*; *biz* **give sg a ~ and a promise** futólag és felületesen intéz el (v. csinál meg) vmt **b)** *biz* egy nyalásnyi *[vaj stb.]*; *US biz* **he won't do a ~ of work** egy cseppet sem hajlandó dolgozni, két szalmaszálat sem tenne keresztbe **2.** *biz* **at full ~, at a great ~** teljes sebességgel/gyorsasággal/gőzzel **3. a)** *US* sziksó *[földben]* **b)** *US vad* sózó, nyalató

licker [ˈlɪkə ‖ —ər] *fn* nyaló, nyalakodó; *szl* **that's a ~** *[ez aztán sok]* ez mindennek a teteje!

lickerish [ˈlɪkərɪʃ] *mn* **1.** buja, ledér **2.** mohó, falánk **3. a)** ínyenc **b)** ínycsiklandozó; **~ viands** ínycsiklandó ételek

lickety-split [ˌlɪkətiˈsplɪt] *hsz US biz* mint a villám, szélsebesen, teljes gőzzel, lélekszakadva, hanyatt-homlok

licking [ˈlɪkɪŋ] *fn* **1.** nyalás, nyalogatás **2. a)** *biz* verés, elpáholás; *biz* **give sy a good ~** jól/alaposan elver/elnadrágol/megrak vkt; *biz* **take one's ~ like a man** mukkanás/szó nélkül (v. hősiesen) tűri a verést **b)** vereség

lickspittle *fn* tányérnyaló, talpnyaló

licorice [ˈlɪkərɪs] → **liquorice**

lid [lɪd] *fn* **1. a)** fedél, fedő, kupak *[pipáé]*; **snap ~** csapófedél, rugós fedél; **put the ~ on sg** vmt korlátoz/csökkent/beszüntet; *szl* **that puts ~ on it!** *[ez már sok]* ez mindennek a teteje!; már csak ez kellett/hiányzott!; *US szl* **play with the ~ off** féktelen/vad játék; **take/blow the ~ off** felfed, leleplez, megszellőztet *[botrányt, titkot]* **b)** *szl [fejfedő]* tökfödő, sityak **2.** szemhéj; **lower ~** alsó szemhéj; **upper ~** felső szemhéj; **have ~s as heavy as lead** laposakat pislant, majd leragad a szeme **3.** *tud* fedél, fedő, operculum **4.** *szl* ‹egy uncia marihuána› • *mn* **lidded**

lidless [ˈlɪdləs] *mn* **1.** fedél nélküli, fedeletlen **2.** szemhéj nélküli *[szem]*

lido [ˈliːdoʊ] *fn* strand

lie[1] [laɪ] **I.** *pr.p* **lying A.** *tni* hazudik; *szl* **~ like a gas-meter** (v. **lawyer**), *Ausz* **~ like a pig** úgy hazudik, mintha könyvből olvasná **B.** *tsi* **~ away sy's reputation** hazugságokkal/rágalmakkal tönkreteszi vknek a jóhírét; **~ oneself into a scrape** hazugságaival bajt hoz magára; **~ oneself out of a scrape** hazugsággal kivágja magát a bajból **II.** *fn* hazugság; **big/great ~** nagy/fantasztikus hazugság; **white ~** füllentés, ártatlan hazugság; **act a ~** hamisan cselekszik, hamisan jár el; **give sy the ~** meghazudtol vkt; **tell a ~** hazudik; **live a ~** állandó hazugságban él; **tell ~s** hazud(oz)ik; **that's a ~!** hazugság!, hazudsz!, nem igaz!; *biz* **it's a pack of ~s!** egy szó sem igaz belőle!, színtiszta hazugság!

lie[2] [laɪ] **I.** *pr.p* **lying**, *pt* **lay** [leɪ], *pp* **lain** [leɪn] **A.** *tni* **1. a)** fekszik, hever; **~ asleep** fekszik és alszik; **~ low** elterülve fekszik; *átv biz* szándékát leplezi, lapít; **here ~s ...** itt nyugszik ... **b)** fekszik, elterül *[város]*; **the coast ~s east and west** a part kelet-nyugati irányban fekszik/húzódik; **let sg ~** elkerül, nem hoz fel *[témát, problémát stb.]* **2. a) ~ open** nyitva van **b) the snow did not ~** a hó nem maradt meg **3.** *kat* állomásozik **4.** *jog* helye van, megáll, jogalapja van; **the appeal does not ~** fellebbezésnek nincs helye **B.** *tsi hajó* **~ her course** irányt vesz **II.** *fn* **1.** fekvés, helyzet; **~ of the ground** a terep fekvése; **~ of the land** terepviszonyok; *átv GB* a dolgok állása, a helyzet **2.** *vad* tanya, búvóhely, vacok *[állaté]* **3.** *sp* a labda helyzete *[amelybe az az ütés eredményeként kerül* v. *ahogyan a játék kezdetén elhelyezik]*

lie about *tni* hányódik, szanaszét hever

lie against *tni jog* **a criminal action ~s against him** bűnvádi eljárás indításának helye van ellene

lie ahead *tni* **(sg) ~s ahead of sy** (vm) vár rá (a jövőben)

lie along *tni* **1.** *hajó* megdől, oldalt dől **2. ~ along the shore** a parthoz közel (maradva) hajózik, a part mentén hajózik

lie at *tni* **1. ~ at the bank** a bankban van/hever *[pénz]* **2. ship lying at her berth** lehorgonyzott hajó **3. ~ at the heart of sy** vknek nagyon kedves/kívánatos; **~ at sy's mercy** ki van szolgáltatva vk kényének-kedvének **4. the fault ~s at your door** ebben ön a hibás, a hibáért ön a felelős **5.** *régi* **~ at sy** piszkál/nyaggat/molesztál vkt

lie back *tni* **1.** hanyatt dől, hátradől, hátratámaszkodik *[karosszékben]* **2.** pihen, lazít

lie by *tni* **1. a)** pihen, nyugszik, heverészik **b)** félrehúzódik, a háttérben marad **c)** használatlanul hever **2. have sg lying by** van vmje tartalékban/félretéve

lie down *tni* **1.** lefekszik, lehever(edik); **~ down a little/for a while** ledől/leheveredik egy kicsit; *US szl* **~ down and die** elveszti minden reményét, kétségbeesik; **~ down!** feküdj! *[kutyának]* **2.** *biz* **~ down under sg**, **take sg lying down** vmt (zok)szó nélkül (v. megadással) elviseli/eltűr/lenyel, lefekszik; *biz* **take a defeat lying down** harc nélkül megadja magát **3. ~ down on the job** lazsál, nem hal bele a munkába

lie in *tni* **1.** ágyban marad *[lustálkodik]* **2.** *régi* gyermekágyban fekszik *[asszony]* **3. ~ in ruins** romokban hever **4. the difficulty ~s in this** ebben rejlik a nehézség, a nehézséget ez jelenti/okozza **5. a) ~ in ambush, ~ in wait** lesben áll **b) ~ in state** fel van ravatalozva *[holttest]* **6. ~ in prison** börtönben van **7. ~ in the way** (i) készenáll (ii) útban van

lie off *tni* **1.** *hajó* nem köt ki, a nyílt tengeren marad, a parttól távol horgonyoz **2.** munkát (átmenetileg) beszüntet/abbahagy, (átmenetileg) nem dolgozik **3.** vmtől távolmarad

lie on *tni* **1. a) ~ on sg** fekszik vmn **b) ~ (heavy) on one's stomach** megfekszi a gyomrát *[étel]* **2. time ~s heavy on my hands** unatkozom, nem tudok az időmmel mit kezdeni **3.** *sp* **~ on a competitor** szorítja az ellenfelet *[versenyben]*

lie out *tni* **~ out of one's money** pénze nem térül vissza

lie over *tni* későbbre marad, elnapolják; **let sg ~ over** elhalaszt, elodáz

lie to *tni* **1.** *hajó* nekifeszül a lapátnak *[evezésnél]* **2.** áll, nem halad, vesztegel *[vitorlás]*

lie under *tni* **~ under a charge** vád alatt áll, vádolják; **~ under suspicion** gyanúsítják; **~ under an obligation to do sg** köteles/kénytelen megtenni vmt

lie up *tni* **1.** *biz* őrzi/nyomja az ágyat, ágyban marad *[betegen]* **2.** pihen, erőt gyűjt **3.** téli kikötőbe megy *[hajó]*, leáll *[télre]*

lie upon *tni* **1. ~ upon sg** fekszik/hever vmn **2. it ~s upon them to prove** nekik kell bebizonyítaniuk, az ő dolguk, hogy bebizonyítsák

lie with *tni* **1. the fault ~s with you** ön a hibás, ez az ön hibája **2. it ~s with you** ez (v. a döntés) tőled függ, ebben te döntesz/határozol; **it ~s entirely with you to do it** csak/kizárólag önön múlik/áll hogy megteszi-e

lie-abed ['laɪəbed] *fn* álomszuszék, későn kelő

lie-awake ['laɪəweɪk] *mn* **~ nights** átvirrasztott/álmatlan éjszakák

Liechtenstein ['lɪktənstaɪn] *tul földr* Liechtenstein

Liechtensteiner ['lɪktənstaɪnə ‖ –ər] *fn/mn* lichtensteini

lied[1] [li:d] *fn* (német) romantikus műdal

lied[2] [laɪd] → **lie**[1]

lie-detector *fn* hazugságmérő/hazugságjelző készülék

lie-down *fn* lefekvés, leheveredés, ledőlés; → **lie down**

lief [li:f] *hsz* **a)** *vál* szívesen, örömest **b)** szívesebben, inkább

liege [li:dʒ] **I.** *mn tört* hűbéres, hűbéri; **~ lord** hűbérúr; **~ service** hűbéri szolgálat **II.** *fn* **1.** hűbéres, vazallus **2.** hűbérúr

liegeman ['li:dʒmən] *fn tsz* **-men** *tört* hűbéres, vazallus

lie-in *fn* reggeli ágybanmaradás

lie-in-bed *fn* hétalvó, álomszuszék

lien[1] [lɪən] *fn* **1.** *jog* visszatartási/megtartási jog, *gazd pénz* (kézi) zálogjog; **general ~** ‹a zálogtartó/letéteményes visszatartási joga a felek közti összes függő tartozás kiegyenlítéséig›; **~ on goods** áruvisszatartási jog; **have a ~ (up)on a cargo** joga van megtartani/visszatartani egy szállítmányt **2.** kiváltság

lien[2] [lɪən] → **lie**[2]

lienee [ˌlɪə'ni:] *fn jog* zálogba adó, letevő, letétbe helyező (személy)

lienor ['lɪənə ‖ –ər] *fn jog* visszatartási jog (v. zálogjog) jogosítottja; *gazd pénz* zálogba adó személy

lierne [li'ɜ:n ‖ –'ɜrn] *fn épít* gyűrűborda *[csillagboltozaton]*

lieu [lu:] *fn* **in ~ of sg** vm helyett/helyébe(n)

Lieut *röv Lieutenant*

Lieut.-Col. *röv Lieutenant-Colonel*

lieutenant [lef'tenənt ‖ 'lu:tn'ənt–] *fn* **1.** *kat* **a)** *GB* főhadnagy **b)** *US* hadnagy; **first ~** főhadnagy; **second ~** hadnagy **2.** helyettes, helytartó, kormányzó • *fn* **lieutenancy**

lieutenant-colonel *fn kat* alezredes

lieutenant-commander *fn kat* sorhajóhadnagy

lieutenant-general *fn* **a)** *kat* altábornagy **b)** *US* főparancsnok

lieutenant-governor *fn* **a)** *US Ausz* alkormányzó **b)** főkormányzóhelyettes **c)** *GB* kormányzó *[Man-, Jersey-, Guernesey-szigeteké]*

life [laɪf] *fn tsz* **lives** [laɪvz] **1. a)** élet; **animal ~** az állatvilág; **bird ~** a madarak; **vegetable ~** a növényvilág; **the ~ and soul of sg** lelke vmnek; *tréf* **there he was as large as ~** ott állt/volt teljes életnagyságban; **full of ~** eleven, életteli; **a matter of ~ and death** élet-halál kérdés(e); **great loss of ~** sok áldozat/halott *[balesetnél]*; *biz* **(you) bet your ~** holtbiztos, erre mérget vehetsz; **give ~ to sg** életet/elevenséget visz vmbe; **give new ~ to sg, put new ~ into sg** felfrissít vmt, újabb lendületet ad vmnek; **give new ~ to sy, put new ~ into sy** lelket ver/önt vkbe; **have as many lives as a cat** nem lehet agyonütni (sem), kilenc élete van; **lose one's ~** meghal; **risk one's ~** életét kockáztatja; **risk ~ and limb** vásárra viszi a bőrét; **save sy's ~** megmenti vknek az életét; **seek sy's ~** az életére tör vknek; **take sy's ~** megöl vkt, kioltja vknek az életét; **take one's own ~** öngyilkos lesz; **take one's ~ in one's hands** veszedelmes dologra vállalkozik, nagyot kockáztat; *biz* **not for the ~ of me** ha agyonütnek, sem...; **characters taken from ~** az életből vett alakok, hús-vér emberek; *biz* **put some ~ into it!** több életet bele!, elevenebben!; **true to ~** élethű; *biz* **imitate sy to the ~** a megszólalásig hűen (v. élethűen) utánoz vkt; **paint sg to the ~** vmt élethűen fest le; **come to ~** életre kel, megelevenedik; **bring sy to ~ again, recall sy to ~** vkt feltámaszt, vkt életre kelt; **escape with one's ~** épségben menekül meg; **escape with ~ and limb** ép bőrrel szabadul; **beat sy within an inch of his ~** félholtra ver vkt **b)** lét; **struggle for ~** létért való küzdelem; **means of ~** létfenntartási eszközök **2. a)** élet(hossz), élet(tartam) *[tárgyé]*; **for ~** élethossziglan, életfogytiglan; **imprisonment for ~** életfogytiglani börtönbüntetés; **serve ~** életfogytiglani börtönbüntetését tölti **b) early ~** gyermekkor, ifjúkor; **working ~** a munka/tevékenység ideje/évei/évtizedei *[személyé]*; **never in (all) my ~** soha (világ) életemben **3.** *biz* **such is ~!** ilyen az élet!; **this ~** a földi (v. az evilági) élet/lét; **depart this ~** meghal, eltávozik az élők sorából; **we had the time of our ~** remekül mulattunk **4.** élet(mód), életvitel; *biz* **what a ~!** micsoda élet!; **high ~** nagyvilági élet; **low ~** alantas, alvilági élet; **be down in ~** tönkrement, lecsúszott **5.** az élet, a (nagy)világ; **see ~** világot lát; *biz tréf* szórakozik, megismeri az éjszakai életet; **enter ~** kilép az életbe **6.** életrajz, élettörténet **7. be a good ~** jó életbiztosítási alany **8.** *régi* **my dear ~** életem, szívem, édes lelkem

life-and-death *mn* **~ struggle** élethalálharc

life annuity *fn* életjáradék

life assurance *fn* életbiztosítás

life belt *fn* mentőöv

life blood *fn* **a)** *vál* (az élet fenntartásához szükséges) vér **b)** *biz átv* éltető (elem) *[vállalkozásé]*

lifeboat *fn* mentőcsónak

life buoy *fn hajó* úszó mentőszerkezet, mentőbója, mentőöv; **sling ~** pányvás mentőöv

life cycle *fn biol* életciklus

life estate *fn jog* életfogytig/holtig tartó haszonélvezet

life expectancy *fn orv* várható élettartam

life-force *fn* életerő

life-giving *mn* **a)** életet adó/osztó **b)** éltető, felfrissítő

lifeguard *fn US* úszómester *[uszodában]*, vizimentő, strandőr *[tengerparton]*

life-guardsman ['laɪfgɑ:dzmən ‖ –gɑr–] *fn tsz* **-men** testőr

life history *fn* **a)** *biol* életciklus, élettartam **b)** *[hosszadalmasan előadott]* élettörténet

life insurance *fn* életbiztosítás

life-jacket *fn* mentőkabát

L

lifeless [ˈlaɪfləs] *mn* **1.** élettelen **2.** öntudatlan **3.** mozdulatlan
lifeline *fn* **1. a)** mentőkötél *[vízbe esett embernek]* **b)** biztosítókötél **c)** búvárkötél **2.** életvonal *[tenyéren]* **3.** *átv* elsőrendű fontosságú katonai/kereskedelmi útvonal *[szárazon, vízen, levegőben]*, létfontosságú utánpótlási vonal **4.** segélykérő telefonvonal
lifelong *mn* az egész életen át tartó
life member *fn* örökös tag *[egyesületben]*
life peer *fn GB pol* ‹politikai szolgálataiért, munkásságáért élethossziglan kinevezett főrend, akinek címét és tagságát a Lordok Házában leszármazottai nem öröklik›
life preserver *fn* **1.** mentőkészülék *[hajón]* **2.** ólmos/bunkós bot, gumibot
lifer [ˈlaɪfə ‖ −ər] *fn* **1.** *biz* életfogytiglani fegyházra/kényszermunkára ítélt rab **2.** *biz* életfogytiglani börtönbüntetés/kényszermunka; *biz* **he was given a ~** életfogytiglani fegyházra/kényszermunkára ítélték **3.** *US* hivatásos katona
life raft *fn* mentőtutaj
life saver *fn* **1.** életmentő **2.** mentőöv • *fn* **lifesaving**
life sciences *fn tsz* az élettel foglalkozó tudományok *[biológia, orvostudomány stb.]*
life sentence *fn* életfogytiglani ítélet
life size I. *mn* életnagyságú **II.** *fn* életnagyság
life span *fn* (átlagos) élettartam
lifestyle *fn* életmód, életstílus
life-support machine, **-system** *fn orv [életben tartó készülék]* lélegeztetőgép/-készülék
lifetime *fn* **1.** élet(tartam); **in/during one's ~** életében; **in our ~** a mi időnkben/korunkban; **it is the chance of a ~** ez élete nagy lehetősége; **the experience of a ~** életreszóló élmény **2.** *fiz* élettartam *[pl. elemi részé, gerjesztett állapoté]*
life-work *fn* életmű
lift [lɪft] **I. A.** *tsi* **1. a)** (fel)emel; **~ one's hand on/against sy** kezel emel vkre; **~ oneself by one's bootstraps** hajánál fogva húzza ki magát a vízből, önerejéből küzdi fel magát a semmiből; **the wind ~ed him off his feet** a szél felkapta; **he will not ~ a finger for him** kisujját sem mozdítja meg érte; **~ up one's head** gőgösen/büszkén felemeli fejét; *átv* összeszedi magát; **~ sy up** felemel vkt *[földről]* **b)** (meg)emel *[labdát golfban stb.]* **c)** *US* (fel)emel, növel *[adót stb.]* **2.** felvon, felhúz *[vitorlát]* **3. a)** felszed, kiás *[burgonyát]* **b)** kibányász, felhoz *[ércet]* **4. a)** *biz szl [ellop]* elemel, megfúj, elcsen, elköt **b)** *biz* elnyer, elvisz *[díjat versenyen]* **5.** felold, megszüntet *[korlátozást, tilalmat]*; **~ sanctions against (a country/company)** feloldja a bojkottot (ország/cég ellen) **6. have one's face ~ed** felvarratja a ráncait **7.** *US* **~ the mortgage** jelzálogadósságot kifizet/töröl **B.** *tni* **1. a)** (fel)emelkedik; **~ off** felemelkedik, felszáll *[űrhajó]* **b)** felszáll, eloszlik *[köd]*, *US* eláll *[eső]* **c)** feldudorodik, felpúposodik *[padló]* **2.** feltűnik, felbukkan a láthatáron *[szárazföld, égitest]* **3.** lobog *[vitorla]* **II.** *fn* **1.** (fel)emelés; *biz* **ask for a ~** felkéredzkedik autóra *[országúton]*, stoppol; *biz* **give sy a ~** felvesz vkt az autójára, az autóján elvisz vkt vhova; *átv* a hóna alá nyúl vknek; **get a ~ up in the world** előbbre jut a világban, feljebb jut a társadalmi ranglétrán **2.** felvonó, lift; **goods ~** teherfelvonó, teherlift **3.** *rep* felhajtóerő *[repülőgépé]* **4. a)** légi szállítás **b)** légi szállítmány **5. ~ in the ground** talajemelkedés **6. a)** emelkedés mértéke/magassága **b)** szintkülönbség **7.** *vasút* szerelvény **8.** sarokfolt *[cipőn]* • *fn* **lifting**
lift-attendant *fn* liftkezelő, liftes
lift-boy *fn* liftes(fiú), liftkezelő
lifter [ˈlɪftə ‖ −ər] *fn* **1. a)** emelő(szerkezet) **b)** *mezőg* gyökérkiemelő gép, kiásó gép **2.** *biz* tolvaj, enyveskezű
lifting-machinery *fn* emelőgépezet
lift-lock *fn vízügy* kamarazsilip
lift-off *fn* felemelkedés, felszállás *[űrhajóé]*
ligament [ˈlɪgəmənt] *fn* **1.** *orv* (ín)szalag **2.** *átv* kötelék
ligate [ˈlaɪgeɪt] *tsi* elköt, leköt *[eret]* • *fn* **ligation**
ligature [ˈlɪgətʃə ‖ −ər] **I.** *fn* **1. a)** érlekötő fonal **b)** kötelék **2.** elkötés, lekötés *[éré, karé]* **3.** *nyomd* ikerbetű, kettős betű, ligatúra **4.** *zene* kötőív, ív, ligatúra **II.** *tsi* **1.** elköt, leköt *[eret, kart]* **2.** *nyomd* egymásba fon *[két betűt]*
liger [ˈlaɪgə ‖ −ər] *fn áll* ‹oroszlánapa és tigrisanya ivadéka›
light¹ [laɪt] **I.** *mn* **1.** világos, jól megvilágított **2.** ragyogó, csillogó, tiszta **3.** sápadt, halvány (színű); **~ blue** világoskék, halványkék **II.** *fn* **1. a)** *átv* fény, világosság; **point of ~** világító pont, fénypont; **the ~ of day** napfény, nappali világosság; *átv* **the ~ of one's eyes** vk kedvese/szemefénye; **by the ~ of the moon** holdvilágnál; **it is ~** világos/nappal van; **see the ~ (of day)** napvilágot lát; *US biz* **see the ~** meggyőzték, jobb belátásra tér; *biz* **he was beginning to see ~** kezdett derengeni/világosodni előtte a dolog; **stand in sy's ~** vk elől elállja a fényt; *biz* **stand in one's own ~** túlságosan szerény; **bring sg to ~** kiderít; **come to ~** napvilágra kerül, kiderül *[bűn, titok]* **b)** *átv* (meg)világítás, fény, jól megvilágított rész; **artificial ~** mesterséges fény/világítás; **cast/shed/throw ~ on sg** fényt vet vmre, megvilág(os)ít vmt; **throw new ~ upon sg** vmt új megvilágításba helyez; **picture hung in a good ~** jól megvilágított/akasztott kép; **in (the) ~ of sg** vmnek a fényében/figyelembevételével; **place sy's conduct in a false ~** hamis színben tünteti fel vknek a viselkedését; **put sg in a favourable ~** kedvező színben tüntet fel vmt; **see the ~ at the end of the tunnel** már a célegyenesben van, már látszik az alagút vége; **appear in one's true ~** valódi oldaláról mutatkozik meg; **set sg in its true/proper ~** helyes oldaláról világít meg vmt, helyes megvilágításban lát vmt; **I do not look upon it in that ~**, **I do not see it in that ~** én nem így látom (a dolgot), én ezt másképpen látom **2. a)** fényforrás, (égő) lámpa; **the ~(s)** világítás; **advertising ~s** reklámfények, fényreklámok; **small ~s** hangulatvilágítás; **show sy a ~** világít vknek; **~s out** lámpaoltás **b)** fény(jel), jelzőfény, (gyakran pl.) közlekedési lámpa; **intermittent/occulting ~** felvillanó fény, ki-kialvó fényjel **III.** *pt/pp* **lighted**, **lit** [lɪt] **A.** *tsi* **a)** világít, bevilágít; **~ up** megvilágít; felgyújt *[lámpát]* **b)** meggyújt *[lámpát, cigarettát]* **B.** *tni* **~ up** megvilágosodik, kivilágosodik
light² [laɪt] **I.** *mn* **1. a)** *átv* könnyű; **~ clothes** könnyű/vékony ruha, lenge öltözet; **~ drink** cukormentes/diabetikus ital; **~ lunch** könnyű ebéd, zsír-/koleszterinszegény étel; **~ sleep** éber alvás/álom, könnyű álom; **be a ~ sleeper** éberen alszik; **~ weight** könnyű súly; **~ wine** könnyű bor; **~ work** könnyű munka; **~ as a feather** pehelykönnyű **b)** könnyű, könnyed *[mozgás]*, nem megterhelő, könnyen elvégezhető *[munka]*; **~ touch** könnyed érintés; **be ~ on one's feet** könnyedén/fürgén jár; **with a ~ step** könnyed/fürge léptekkel **c) ~ comedy** bohózat; **~ music** könnyűzene; **~ reading** könnyű olvasmány/olvasnivaló **2. a)** teher nélküli, terheletlen, üres; *hajó* **~ boat** könnyű (építésű) hajó/csónak; gyengén terhelt hajó; → **lightboat**; **~ railway** kisvasút, keskeny nyomtávú (tábori) vasút; **~ running** *műsz* üres járás *[motoré, gépé]*; *vasút* üres menet **b)** *kat* **~ artillery** könnyűtüzérség; **~ battery** aknavető üteg; **~ cavalry** könnyűlovasság; *kat* **~ infantry** könnyűgyalogság **3. a)** *hajó* **~ airs** gyenge szellő; **~ frost** gyenge fagy; **~ wind** gyenge szél **b) ~ attack of measles** könnyű lefolyású (v. enyhe) kanyaró; **~ punishment** enyhe büntetés; **his ~est wish** legkisebb óhaja **c) ~ crop** gyenge termés **4. a)** léha, frivol *[megjegyzés]*; *biz* **make ~ of sg** nem csinál nagy dolgot vmből, félvállról vesz vmt **b) ~ woman** könnyű/laza erkölcsű/feslett nő; **~ in the head** szeleburdi, hebehurgya, meggondolatlan **5.** könnyű, gondtalan, derűs *[szív]* **6.** *nyomd* világos betűtípus, antikva **7.** *kat szl* **~ colonel** alezredes **II.** *hsz* **1. a)** könnyen; **sleep ~** könnyű álma van; éberen alszik; **travel ~** kevés csomaggal utazik **b)** könnyedén, könnyeden; **get off ~** enyhe büntetéssel megússza **2. run ~** üresen jár *[motor,*

gép]; üresen (v. teher/rakomány nélkül) megy/halad *[vasúti szerelvény]* **III.** *pt/pp* **lighted, lit** [lɪt] *tsi régi* (meg)könynyít

light[3] [laɪt] *tni pt/pp* **lighted, lit** [lɪt] **1. a)** leszáll *[madár ágra]* **b)** földet ér, leesik, esik *[fénysugár, tekintet vmre]*; ~ **on one's feet** talpra esik **c)** *régi* ~ **down/off** leszáll *[lóról]* **2.** ~ **(up)on sy** találkozik/összeakad vkvel, belebotlik vkbe; ~ **upon sg** rábukkan/rálel vmre **3.** *US biz* ~ **out** felszedi a sátorfáját, elkotródik **4.** ~ **into** megtámad

light absorption *fn fiz* fényelnyelés

light alloy wheels *fn gk* könnyűfém kerék

light-automatic *fn kat* golyószóró

light bulb *fn* égő, villanykörte

light-case bomb *fn kat* robbanóbomba

light-coloured *mn* világos (színű), halvány (színű)

light-cure *fn orv* fénygyógyászat, napkúra, fototerápia

light-emitting diode *fn fiz* fénydióda, LED

lighten[1] ['laɪtn] **A.** *tsi* **a)** megvilág(os)ít, kivilágít **b)** felderít *[arcot]* **B.** *tni* **1. a)** kiderül, kivilágosodik *[ég]*, világosabbá válik **b) his eyes ~ed (up)** a szeme felragyogott **2. it ~s** villámlik

lighten[2] ['laɪtn] **A.** *tsi* **a)** csökkenti a terh(elés)ét (vmnek), könnyebbít *[terhet]* **b)** enyhít *[bánatot/büntetést]* **B.** *tni* **a)** megkönnyül, könnyebbé válik, csökken *[teher, súly]* **b)** megkönnyebbül *[szív]* **c)** *US szl* ~ **up!** nyugi!

lightening ['laɪtn·ɪŋ] *fn orv* könnyebbedés *[terhes nőé szülés előtt a méh leereszkedésekor]*

lighter[1] ['laɪtə ‖ –ər] *fn* öngyújtó

lighter[2] ['laɪtə ‖ –ər] **I.** *fn hajó* uszály, rakodóhajó, kirakó-/átrakóhajó **II.** *tsi hajó* uszályon szállít

lighterage ['laɪtərɪdʒ] *fn* **1.** *hajó* uszályokkal való szállítás/rakodás **2.** csónakpénz hajórakodásért

lighterman ['laɪtəmən ‖ 'laɪtər–] *fn tsz* **-men** *hajó* átrakódereglye/átrakóhajó vezetője

lighter-than-air *mn* ~ **craft** *[levegőnél könnyebb légi járműellentétben a repülőgéppel]* léggömb, léghajó

light-fingered *mn* **1.** könnyű/ügyes kezű **2.** enyveskezű; *biz* **the ~ gentry** a zsebtolvajok, a zsebesek

light-foot, light-footed *mn* könnyű léptű/járású

light-handed *mn* **1.** könnyű kezű **2. be ~** jó kézügyessége van

light-headed *mn* **1.** meggondolatlan, szeleburdi, hebehurgya, könnyelmű **2.** hibbant, dilinyós

light-hearted *mn* **1.** vidám, jókedvű **2.** gondtalan

lighthouse *fn* világítótorony

lighthouse-keeper *fn* világítótorony őre

lighting ['laɪtɪŋ] *fn* **1.** megvilágítás, kivilágítás; **studio ~** műteremvilágítás **2.** *fényk* megvilágítás *[fényképezett tárgyé/arcé]* **3.** bevilágító nyílás

lighting effects *fn tsz* fényhatások, világítási hatások

lighting engineer *fn* világítástechnikus/mérnök

lighting-up *fn* ~ **time** lámpagyújtás ideje *[közvilágításnál]*

lightish[1] ['laɪtɪʃ] *mn* meglehetősen/eléggé világos

lightish[2] ['laɪtɪʃ] *mn* meglehetősen könnyű, könnyebb fajta

lightly ['laɪtli] *hsz* **1.** könnyen, könnyedén; ~ **clad** lengén öltözött; ~ **come ~ go** könnyen szerzett jószág könnyen is vész el; **pass ~ over** (v. **touch ~ on) a delicate matter** elsiklik egy kényes kérdés fölött; **sleep ~** éberen alszik; **step ~** könnyed léptekkel megy, halkan lépked **2. get off ~** olcsón megússza, enyhe büntetéssel megússza **3.** felszínesen, könnyelműen; **commit oneself ~** könnyen belemegy/beleugrik vmbe, meggondolatlan ígéretet tesz; **speak ~ of sy** lekicsinylően beszél vkről; **think ~ of sg** nem tulajdonít nagy jelentőséget vmnek

light meter *fn fiz* fénymérő

light-minded *mn* könnyelmű, komolytalan, felelőtlen

lightning ['laɪtnɪŋ] *fn* **a)** villám(lás); **chain(ed) ~** cikcakkos villám; **ribbon/streak ~** szalagvillám **b)** villámszerű, olyan gyors, mint a villám; *biz* **~ blow** váratlan erős csapás; **~ change** villámgyors átöltözés *[színészé]*; *biz* **~ progress** villámgyors haladás; **~ strike** meglepetésszerű sztrájk; **struck by ~** villámsújtotta; **as quick as ~** villámgyorsan, mint a villám; *biz* **like greased ~, like a streak of ~** mint az olajozott istennyila

lightning bug *fn US* szentjánosbogár

lightning conductor *fn* **a)** *vill* villámhárító **b)** villámhárító vezetéke

lightning switch *fn vill* világítás kapcsoló

light-organ *fn műsz* fényorgona

light pen *fn infor* fényceruza

lightproof *mn* fénymentes, fénybiztos, fényáthatlan

light-reflecting *mn* fényvisszaverő

light-refracting *mn* fénytörő

lights [laɪts] *fn tsz* tüdő *[mint hentesáru]*

light-sensitive *mn* fényérzékeny

lightship *fn [világítótoronyként szolgáló hajó]* világító/fényjelző hajó

lightsome ['laɪtsəm] *mn* **1.** *vál* **a)** könnyű, könnyed, kecses **b)** fürge, friss **2.** vidám, derűs

light source *fn* fényforrás

light trap *fn* fénycsapda *[rovarok ellen]*

light-up *fn* motor(be)gyújtás

light wave *fn fiz* fényhullám

light-weight I. *mn* **1. a)** könnyűsúlyú *[ökölvívó]* **b) ~ concrete** könnyűbeton **2.** *átv biz* súlytalan, jelentéktelen **II.** *fn* **1.** könnyűsúlyú ökölvívó **2.** *biz átv [jelentéktelen ember]* nulla

lightwood[1] *fn* **1.** *növ* tasmániai akác **2. a)** könnyűfa **b)** *biz* gyantás gyújtós *[fenyőből]*

lightwood[2] *fn növ US* jamaicai/amerikai rózsafa

light year *fn* **1.** *csill* fényév *[csillagászati távolságegység]* **2.** *biz* **~s** fényévnyi távolságra, nagyon messze

ligneous ['lɪgnɪəs] *mn* fás, faszerű

lignify ['lɪgnɪfaɪ] **A.** *tsi* elfásít, fává alakít, lignifikál **B.** *tni* fás szerkezetűvé válik (v. alakul át)

lignin ['lɪgnɪn] *fn vegy* lignin

lignite ['lɪgnaɪt] *fn bány* barnaszén, lignit

lignum vitae [ˌlɪgnəm 'vaɪtiː] *növ* csúzfa, guajakfa

ligula ['lɪgjʊlə] *fn tsz* **ligulae** [–liː] **1. a)** *növ* nyelvecske, levélhártya, ligula **b)** *áll* szívó(ka) **2.** *áll* haldobóka *[fehérhalak bélférge]*

ligulate ['lɪgjʊlət] *mn* levélhártyával ellátott; **~ floret** a fészkesek szabálytalan virága

ligule ['lɪgjuːl] *fn növ* nyelvecske, levélhártya, ligula

Ligurian [lɪ'gjʊərɪən ‖ –'gjʊr–] *mn földr* **~ Sea** Ligur-tenger

likable ['laɪkəbl] → **likeable**

-like [–laɪk] *mn/utótag* **1.** -szerű, -(i)es; **cat~** macskaszerű; **child~** gyerekes **2.** vmhez illő/méltó, -i; **gentleman~** úriemberhez méltó; **statesman~** államférfiúi, államférfiúhoz illő

like[1] [laɪk] **I.** *mn* **1. a)** hasonló, (ugyan)ilyen, (ugyan)olyan, akkora; **in ~ manner** (ehhez) hasonlóan, ugyanúgy; *közm* **~ master ~ man** amilyen a gazda, olyan a cselédje; **you have to compare ~ with ~** összevetni csak a hasonlókat lehet **b)** hasonlatos, hasonlító; **they are as ~ as two peas** úgy hasonlítanak egymáshoz, mint két tojás **2. a) be ~ sy/sg** hasonlít vkhez/vmhez, olyan, mint vk/vm; **of ~ mind** hasonló gondolkodású; **what is the weather ~?** milyen az idő?; **tell me what was it ~?** mondd milyen volt; **what is he ~?** hogy néz ki?; **who(m) is he ~?** kihez hasonlít?; **fellows ~ you** az olyanok, mint te; **he was ~ a father to me** úgy bánt velem mint, apa a fiával; **there is nothing ~ it** ez mindent felülmúl; nincs semmi ehhez fogható; *biz* **that's something ~ a day!** ez aztán remek nap!; **something ~ ten pounds** körülbelül tíz font **b) that's just ~ him!** ez jellemző rá!, ez rávall!; **this is not ~ you** ez nem rád vall, ez nem igazán te vagy **II.** *hsz* **1. a)** úgy, ahogy; **do ~ I do** tedd azt, amit én, tégy úgy, ahogy én **b) ~ poor people as they were** mint afféle szegény emberek; **~ the good chap (as) he is** amilyen jó fiú **c) feel ~ fainting** az ájulás környékezi; → **feel** II.B.1.c. **2.** *biz* **~ enough, very much ~, (as) ~ as**

not valószínűleg, minden valószínűség szerint **III.** *fn* hasonló, hasonmás; **... and the ~** ... és még/más hasonlók, ... és így tovább; **do as the ~** ugyanúgy tesz, ugyanúgy jár el; **give/return ~ for ~** visszaadja a kölcsönt vknek; *biz* **he and the ~s of him** ő és a hozzá hasonlók; *biz* **not for the ~s of me** nem a magamfajta szegény embernek; *közm* **~ will to ~** minden zsák megtalálja a maga foltját **IV.** *elölj* -ként, mint; **act ~ a soldier** katonához illően/méltóan jár el; **don't speak to me ~ that** velem ne beszélj ilyen hangon; **it fits her ~ a glove** úgy áll rajta, mintha rá szabták volna; **hate sy ~ poison** egy kanál vízben meg tudná fojtani; *biz* **he ran ~ anything/blazes/hell, he ran ~ the (very) devil** úgy futott, hogy a lába sem érte a földet, futott, mint a bolond **V.** *ksz US szl [konkrét jelentéssel nem bíró „töltelékszó", amely azt mutatja, hogy a beszélő nagyon informálisan, „szlengben" beszél]*

like[2] [laɪk] **I.** *tsi* **1. a)** szeret, kedvel; **I came to ~ him** megszerettem, megkedveltem; *biz* **I ~ that!** no de ilyet!, ejha!, nahát!, ez már aztán sok!; **I ~ to see them now and then** szívesen találkozom velük néhanapján **b) I do not ~ it at all** egyáltalán nem tetszik nekem, egyáltalán nem szeretem; **whether he ~s it or not** akár tetszik neki, akár nem; **how do you ~ your tea?** hogyan/mivel issza a teáját? **c) as you ~** ahogyan óhajtja/akarja; **just as you ~** pontosan úgy, ahogy ön óhajtja/akarja; **if you ~** ha akarja, ha úgy tetszik; **I can do as I ~ with him** azt teszek vele, amit akarok **2. I ~ wine but it does not ~ me** szeretem a bort, de árt nekem **II.** *fn* **~s and dislikes** rokonszenvek és ellenszenvek

likeable [ˈlaɪkəbl] *mn* szeretetre méltó, rokonszenves, kellemes, szimpatikus

likelihood [ˈlaɪklihʊd] *fn* valószínűség; **in all ~** minden valószínűség szerint, minden bizonnyal

likely [ˈlaɪkli] **I.** *mn* **1. a)** valószínű, hihető; **~ story** valószínű(en hangzó) történet **b) it is ~ to rain** valószínűleg esni fog; **it is very ~ to happen** könnyen megeshetik **2. the likeliest** (v. **most ~**) **place for sg** a legmegfelelőbb/legalkalmasabb hely vmre; **he asked every ~ person** minden lehetséges embert megkérdezett **3. a ~ young man** sokat ígérő (v. szépreményű) fiatalember; **a ~ lad** belevaló gyerek/fiú **II.** *hsz* **1. most/very ~** valószínűleg; **as ~ as not** alighanem, meglehet, amennyire én tudom; *szl* **not (blooming) ~!** attól nem kell félni!, az a veszély nem fenyeget! **2.** *sk* **you'll ~ be staying here?** biztos, hogy itt marad?; ön talán itt időzik?

like-minded *mn* hasonlóan gondolkozó, azonos gondolkodású, egyívású

liken [ˈlaɪkən] *tsi* **1.** *ritk* hasonlóvá/hasonlóbbá tesz **2. a)** hasonlít (*sg to sg* vmt vmhez); **be ~ed to sg** hasonlatos vmhez **b)** összehasonlít, összevet (*with* vmvel)

likeness [ˈlaɪknəs] *fn* **1.** hasonlóság (*between* között, *to* vmhez) **2.** (arc)kép, képmás; **good ~** jó(l eltalált) arckép, élethű képmás/arckép; **speaking ~** megszólalásig hű arckép **3.** *régi* látszat, *átv* álarc, hamis/csalóka külső; **an enemy in the ~ of a friend** magát barátnak álcázó/mutató ellenség

likewise [ˈlaɪkwaɪz] *hsz* **1.** ugyancsak, szintén, hasonlóképpen **2. do ~** ugyanúgy/hasonlóan cselekszik, ugyanazt teszi

liking [ˈlaɪkɪŋ] *fn* **a)** szeretet, vonzalom, vonzódás (*for* vk iránt); **have a ~ for sy** kedvel vkt; **take a ~ for/to sy** megszeret/megkedvel vkt **b)** kedv (*for* vmre); **take a ~ for/to sg** kedvet kap vmre, rákap vmnek az ízére; **to one's ~** kedve szerint, kedvére, ínyére

lilac [ˈlaɪlək] **I.** *mn* orgonalila, halványlila **II.** *fn* **1.** orgona(-fa), orgonabokor; **common ~** közönséges/lila orgona; **Persian ~** fehér orgona **2.** orgona(virág) **3.** orgonalila *[szín]*, halványlila

liliaceous [ˌlɪliˈeɪʃəs] *mn* **1.** *növ* liliomféle **2.** liliomfehér

Lilian [ˈlɪlɪən] *tul* Lili

Lilliput [ˈlɪlɪpʌt] *tul* **1.** Liliput **2.** *jelzői haszn* liliputi, törpe

Lilliputian [ˌlɪlɪˈpjuːʃn] *mn/fn* liliputi, törpe, apró, miniatűr

Lilo [ˈlaɪlou], **lilo** *fn GB* felfújható matrac *[márkanév]*

lilt [lɪlt] **I.** *fn* **1.** ütem, ritmus, lejtés *[versé]* **2.** édesen ömlő dal(lam), vidám/lendületes dal **II.** *tsi/tni* **1.** dallamosan/vidáman/lendületesen énekel **2.** ringó léptekkel jár

lilting [ˈlɪltɪŋ] *mn* **1. ~ metre** eleven ritmus, lendületes dallam **2. ~ gait** ringó/hintázó járás

lily [ˈlɪli] *fn* **1. a)** liliom; **tiger-spotted ~** tigrisliliom; **white/madonna/Ascension ~** fehér liliom; **~ hand** liliomfehér kéz; **pure as a ~** tiszta mint a hó; **paint the ~** a szépet akarja szebbé tenni, ami úgyis szép **b)** *cím* **the lilies (of France)** Bourbon-liliomok **2. ~ of the valley** (májusi) gyöngyvirág **3.** *jelzői haszn* halvány, fakó

Lily [ˈlɪli] *tul* Lili

lily-livered *mn régi* gyáva, nyúlszívű

lily-pad *fn US növ* tavirózsa levele

lily-white *mn* **1.** liliomfehér **2.** hibátlan, makulátlan

lima [ˈlaɪmə] *fn áll* reszelőkagyló

Lima [ˈliːmə] *tul földr* Lima *[Peru fővárosa]*

limanda [lɪˈmɑːndə] *fn áll* közönséges/sima lepényhal

limb[1] [lɪm] **I.** *fn* **1. a)** végtag; **artificial ~** művégtag; **large of ~** nagy kezű/lábú/csontú, tagbaszakadt; **tear an animal ~ from ~** állatot feldarabol **b)** láb, comb **c)** főág *[fáé]*, ág *[kereszté]*; *US biz* **out on a ~** nehéz/szorult helyzetben van; elszigetelt *[helyzetben levő]*, kilóg a sorból **d)** nyúlvány *[hegyláncé]*, előhegy(ség) **2. a)** *biz* vásott kölyök, csibész, kis ördögfióka; **~ of Satan, ~ of the devil** az ördög cimborája **b) ~ of the law** jogász, rendőr **II.** *tsi* **1.** feldarabol, részekre vág *[testet]*; *biz* **I'll ~ him** széttépem **2.** megnyes, legallyaz *[fát]*

limb[2] [lɪm] *fn* **1. a)** *csill* égitest korongjának pereme **b)** *növ* sziromlevél/csészelevél széle **c)** *geol* vetődés/gyűrődés szárnya **2.** *mat* szögmérő fokokra beosztott kerülete

-limbed [ˈlɪmd] *utótag* végtagú, -kezű, -lábú, -csontú

limber[1] [ˈlɪmbə ‖ –ər] **I.** *fn kat* ágyútaliga, lövegmozdony; **gun and ~** felmozdonyozott ágyú **II. A.** *tsi kat* **~ a gun** löveget/ágyút felmozdonyoz, löveget taligához köt **B.** *tni kat* **~ up** felmozdonyoz

limber[2] [ˈlɪmbə ‖ –ər] **I.** *mn* **a)** hajlékony, rugalmas, rugékony **b)** sima, puha **c)** *átv* hajlékony, könnyed, fürge **II. A.** *tsi* hajlékonnyá/rugalmassá tesz **B.** *tni* **~ up** felmelegszik, ruganyossá válik *[csuklógyakorlattal]*, bemelegít *[sportoló]*

limbers [ˈlɪmbəz ‖ ˈlɪmbərz] *fn tsz* **1.** *hajó* vízvezető csatornák *[hajó belsejében]* **2.** → **limber**[1] I.2.

limbic [ˈlɪmbɪk] *mn orv* **~ system** limbikus rendszer *[amely az érzelmekért felelős az agyban]*

limbo[1] [ˈlɪmbou] *fn* **1.** *vall* a pokol tornáca, limbus **2. in ~** függőben van, átmeneti álapotban van **3.** *biz* dutyi, börtön **4.** *biz* lomtár; **descend into ~** feledésbe merül; *biz* **pass into the ~ of things outworn** lomtárba kerül

limbo[2] [ˈlɪmbou] *fn* limbó *[karibtengeri tánc]*

Limburger [ˈlɪmbɜːgə ‖ –ˈbɜrgər] *fn* limburgi sajt

lime[1] [laɪm] **I.** *fn* **1. a)** mész; **caustic ~** égetett mész; **slaked/slack(ed) ~** oltott mész, kalciumhidroxid **b)** meszes oldat *[bőrkikészítéshez]* **2.** *vál* madárlép, madárenyv **II.** *tsi* **1. a)** *[talajt]* meszez, mésszel trágyáz, mészvízzel öntöz **b)** meszez, meszesbe tesz *[bőrt cserzésnél]* **2. a)** léppel (v. más ragadós anyaggal) von be *[ágat]* **b)** léppel fog *[madarat]*

lime[2] [laɪm] *fn* **a)** *növ* lime; ‹apró citromfajta› zöld citrom **b)** limefa, citrusfa

lime[3] [laɪm] *fn növ* hársfa

lime burner *fn* **a)** mészégető munkás **b)** mészégető tulajdonosa

lime-deficient *mn* mészszegény

lime glue *fn* csontenyv

lime juice *fn* citromlé, limonádé *[lime-citromból]*

limejuicer *fn* **1.** → **limey** 1. **2.** *Ausz* újonnan érkezett bevándorló

lime kiln *fn* mészégető kemence

limelight I. *fn* rivaldafény, reflektorfény; *biz* **in the ~** rivaldafényben, az érdeklődés (v. a figyelem) köz(ép)pontjában; **in the ~ of publicity** a nyilvánosság előtt; **bring into the ~** kiemel, feltűnővé tesz (vmt) **II.** *tsi pt/pp* **limelighted, limelit** *szính* fényszórót ráirányítja *[színészre]*
limelighter *fn* sokat szereplő ember
limen ['laımən] *fn tsz* **limina** ['lımınə] *pszich* küszöb, határ *[tudaté, ingeré stb.]*
lime-pit *fn* **1. a)** mészkőbánya **b)** meszesgödör **2.** meszes *[oldat bőrkikészítéshez]*
limerick ['lımərık] *fn* limerick; ‹ötsoros vidám abszurd vers›
limestone *fn ásv geol* mészkő; **hard ~** kemény épületmészkő
lime tree[1] *növ* → **lime**[2] **b.**
lime tree[2] *fn növ* hársfa
lime water *fn* **a)** meszes/kemény víz **b)** mészvíz **c)** mésztej
lime whiting *fn* meszelés
limey ['laımi] *fn* **1.** *régi US szl* angol **2.** brit tengerész/hajó **3.** *Ausz* újonnan érkezett angol (bevándorló)
liminal ['lımınəl] *mn* **a)** küszöbön/bejáratnál levő; **~ value** határérték **b)** *pszich* a tudatküszöbre vonatkozó **c)** jelentéktelen, marginális
limit ['lımıt] **I.** *fn* **1.** határ, *átv* korlát; **there's a ~ to everything** mindennek van határa; **the sky is the ~** nincs határ, semmi sem lehetetlen; *biz* **that's the ~!** ez aztán már sok!, ez már mindennek a teteje!; **set a ~ to sg, set ~s to sg** határt szab vmnek; **off ~s** megengedett területen kívüli; **within ~s** (egy) bizonyos fokig/mértékig, bizonyos határok között; **within the ~s of the country** az ország határain belül; **without ~, no ~s** korlát(ozás)/megszorítás nélkül **2.** *mat* határ(érték), limes; **method of ~s** határértékmódszer **3.** *műsz* tűrés, megengedett eltérés, tolerancia **II.** *tsi* **a)** korlátoz, megszorít; **~ oneself to sg** vmre szorítkozik **b)** határt szab, elhatárol, meghatároz • *mn* **limiting, limitary**
limitation [ˌlımı'teıʃn] *fn* **1. a)** korlát(ozás), megkötés, megszorítás; **have one's ~s** megvannak a maga korlátai **b)** (el)határolás **2.** *jog* elévülés *[követelésé stb.]*; **time ~, period/term of ~** elévülési határidő
limitative ['lımıtətıv ‖ –teıtıv] *mn* korlátozó; *jog* **clause ~** korlátozó záradék
limited ['lımıtıd] *mn* korlátok közé szorított, korlátozott, meghatározott; *US biz* **~ divorce** házassági közösség megszüntetése, különélés; *nyomd* **~ edition** számozott példányszámú (v. bibliofil) kiadás; **~ monarchy** alkotmányos királyság; **~ owner** életfogytiglani haszonélvező; **our space is very ~** igen kevés helyünk van, kevés hellyel rendelkezünk
limited company *fn gazd* korlátolt felelősségű társaság, kft
limited liability *fn gazd* korlátolt felelősség; **~ company** korlátolt felelősségű társaság *US*, kft, zártkörű alapítású részvénytársaság
limiting angle *fn mat* határszög
limiting clause *fn jog* korlátozó záradék
limiting condition *fn* korlátozó körülmény
limitless ['lımıtləs] *mn* határtalan, végtelen, korlátlan; **~ ambition** végtelen nagyravágyás, határtalan becsvágy
limit load *fn műsz* csúcsterhelés, terhelési határ
limitrophe ['lımıtrouf] *mn* határos, szomszédos (*to* vmvel)
limit value *fn mat* határérték
limn [lım] *tsi* **1.** *régi* képekkel/iniciálékkal díszít *[kéziratot stb.]* **2.** arcképet készít (vkről), lerajzol, lefest (vkt), ábrázol
limner ['lımnə ‖ –ər] *fn* **1.** *régi* illusztrátor *[képiraté stb.]* **2.** festő(művész), piktor
limnology [lım'nɒlədʒi ‖ –'nɑ–] *fn* belvíztan, limnológia
limousine [ˌlımə'zi:n ‖ 'lıməzi:n] *fn gk* limuzin
limp[1] [lımp] *mn* **a)** puha, erőtlen, petyhüdt, ernyedt, lotytyadt; **~ handshake** erőtlen/ernyedt/petyhüdt kézfogás; **feel ~** erőtlennek/fáradtnak érzi magát **b)** puha, laza, hajlékony; **~ leather binding** hajlékony/puha bőrkötés
limp[2] [lımp] **I.** *tni* **a)** biceg, sántikál, sántít, húzza a lábát **b)** *biz* nehezen/akadozva halad/megy, döcög *[sérült hajó* v. *jármű]* **c)** akadozik, sántít *[verssor]* **II.** *fn* bicegés, sántikálás, sántítás; **have a ~, walk with a ~** sántít, sántikál, biceg; **he has a decided ~** kifejezetten sánta/sántít
limpet ['lımpıt] *fn* **1.** *áll* tapadó tengeri csiga, tengeri tapadókagyló; kacsakagyló **2.** *kat* **~ mine** tapadóakna **3.** *biz* ‹állásához görcsösen ragaszkodó hivatalnok›; **he sticks like a ~** olyan mint a kullancs/pióca, nem lehet lerázni
limpid ['lımpıd] *mn* **1.** *átv* tiszta, világos, áttetsző *[folyadék stb.]* **2.** olvasható *[írás]* • *fn* **limpidity**
limy ['laımi] *mn* **1.** meszes *[talaj stb.]* **2. a)** madárléppel bekent **b)** enyves, ragadós
linage ['laınıdʒ] *fn* **a)** *nyomd* sorok száma/összmennyisége *[cikkben]* **b)** sorok száma szerinti díjazás *[cikké]*
linchpin *fn* **1.** *műsz* tengelyszög *[kocsikerék rögzítésére]*, kerékrögzítő csap **2.** *átv* mozgatója, lelke vmnek
Lincoln ['lıŋkən] *tul földr* Lincoln
Lincoln green *fn tex* ‹Lincolnban gyártott világoszöld textilanyag›
Lincs. [lıŋks] *röv Lincolnshire*
Linda ['lındə] *tul* ‹női név›
linden ['lındən], **lindentree** *fn növ* (széles levelű) hárs(fa)
line[1] [laın] **I.** *fn* **1. a)** vonal, egyenes; **the ~s of the hand** a tenyér vonalai; **a ~ of houses** házsor; **~ of light** vékony fénysugár/fénycsík; *fiz* **~ of sight, ~ of vision** látótengely; **lay down the broad ~s of a work** nagy vonalakban elkészít/eltervez egy munkát; **along the whole ~** az egész vonalon/fronton; **in ~** egy vonalban; **in ~ with sg** párhuzamosan/kapcsolatban vmvel, *US* vmvel összhangban/megegyezően; **picture hung on the ~** szemmagasságban felakasztott kép **b)** *épít* irányvonal **c)** síkmetszetvonal *[hajótesté]* **2. the L~** (az) egyenlítő; **L~ Islands** az Egyenlítő alatti szigetek **3. a)** *vill távk* vezeték, összeköttetés, vonal; *US* **~(s) busy**/*GB* **~ engaged** mással beszél, foglalt *[telefonvonal]*; **he has just been on the ~** éppen most telefonált **b)** *műsz* csőrendszer, csőhálózat **c)** *vasút* (vasút)vonal, útvonal, pálya, sín, vágány; **main ~** fővonal; **~ of rails** vasúti vágány; **down the ~** lefelé *[vonaton fővárosból vidékre]*; **up the ~** felfelé *[vonaton főváros felé]* **d)** *vasút hajó* (közlekedési) vállalat, társaság **4.** körvonal, vonal *[ruháé stb.]*, (arc)vonás; **he has good ~s in his face** jó (arc)vonásai vannak **5. ~ (of demarcation)** határ(vonal), demarkációs vonal; **draw the ~ at sg** határt von vm előtt; elhatárol (vmt vmtől); *átv biz* **one must draw the ~ somewhere** vhol meg kell szabni a határt; mindennek van határa; **go over the ~** túllépi a megengedett határokat, túlmegy a megengedett határon; *okt* **below the ~** elégtelen, nem megfelelő *[dolgozat]*; **on the top ~** kitűnő **6.** irányvonal, politika(i vonal); **~ of conduct** irányvonal; **what ~ is he going to take?** mit határoz?, mire szánja el magát?; *biz* **take up a/the ~** (vmlyen) álláspontot elfoglal; **take a strong ~** erélyesen lép fel; **don't take that ~ with me** ne használja ezt a hangot velem szemben; **think along the right ~s** helyesen gondolkozik; **on/along the same ~s with** hasonló módon, hasonlóképpen; **work on the ~s of sy** a vk által megadott irányban folytatja a munkát, vk által megadott irányvonalat követi munkájában; **work on the right ~s** a helyes úton halad, jó irányban halad **7.** *US* tájékoztatás, értesülés, hír; **get a ~ on sg** bizalmas tippeket szerez vmről, tájékozódik vmről **8. a)** sor, *US* sorban állás *[várakozva]*, libasor; **~ of cars** kocsisor; **form ~** sorba áll; **head the ~** elöl áll, a sor elején áll; *US* **stand in ~** sorban áll; *biz* **bring sy into ~ with the others** összeegyeztet/összehangol/összebékít vkt a többiekkel; **come into ~** összhangban van, megegyezik; **fall into ~ with sy's ideas** alkalmazkodik vk elképzeléseihez; **fall out of ~** kiáll

kiugrik/kilép a(z egyenes) sorból, *átv* eltér a szabályostól/megadottól/mindennapitól; **all the way up the ~** végesvégig, sorozatosan **b)** *kat* csatasor, arcvonal, terepszakasz; **~(s)** erődítési vonal, erődvonal; **the front ~s** az arcvonal, a front; **hold the ~** védelemben van; **the back ~s** a hátsó vonalak; **~ officer** csapattiszt; **~ of battle** csatavonal, csatasor; **~ of defense** védelmi sáv; **~ (of fire)** tűzvonal; **ship of the ~** sorhajó; **go into the ~, go up the ~** előremegy az arcvonalba, kimegy a frontra **9.** írott/nyomtatott sor, verssor; **~s** vers, költemény; *okt* írásbeli büntetés; *biz* **hard ~s** nehéz sors; *biz* **it's hard ~s** ez bizony baj; ez nagy pech; *szính* **actor's ~s** egy színész szerepe; *biz* **drop sy a ~** (v. **a few ~s**) ír egy pár sort vknek **10. a)** (mérő)fonal, mérőszalag, zsinór, (hajó)kötél; *biz* **give sy ~ enough** teljes cselekvési szabadságot biztosít vknek, szabad kezet ad vknek **b)** horgászzsineg v. -zsinór; **rod and ~** horgászbot és zsinór **c)** gyeplő(szár); *US táj* **the ~s** gyeplő(szár), kantárszár **d)** *mezőg* vetőzsinór, ültetőzsinór **11.** (származási) ág, leszármazás, családfa; **in direct ~** egyenes ágon; **come of a good ~** jó családból származik **12.** foglalkozás(i ág), szakma, mesterség; **what is his ~ (of business)?** mi a foglalkozása/szakmája/mestersége?, mivel foglalkozik?; *biz* **that's just in my ~** ez éppen a szakmámba vág **13. ~ (of goods)** árufajta, árucikk; **leading ~** reklámcikk **14.** vonás *[egy hüvelyk 12-ed része: 2,1 mm]* **15.** *szl* **a)** *[vki ámítására, becsapására szánt beszéd]* púder, vaker, rizsa, süket duma; **give sy a ~** hantázik, füllent **b)** ‹por alakban belélegzett kábítószer› **16.** *zene* kottavonal, dallamvonal **17. lay/put it on the ~** őszinte, szókimondó **II.** *tsi* **1. a)** (meg)vonalaz, vonalkáz **b)** csíkoz, barázdál, szánt *[arcot, homlokot stb.]*; **face ~d with pain** fájdalomtól barázdált arc; **become ~d** (meg)ráncosodik **2.** sorakoztat, sorba állít; **~ troops along the road** csapatokat sorakoztat (v. állít sorba) az út mentén **3.** szegélyez; **the lake was ~d by trees** fák szegélyezték a tópartot **4. a)** (be)bélel, béléssel ellát *[ruhát]* **b)** kibélel, bevon, (be)burkol (with vmvel), béléssel lát el, bélel; **~ a sail** vitorlát kimerevít **c)** (meg)tölt; **~ one's pockets** megszedi magát; **have one's pockets well ~d** tele van a zsebe *[pénzzel]*; tele van pénzzel; → **well-lined**; *biz* **~ one's stomach** megtölti a gyomrát **d)** *műsz* dugaszt *[féket]*

line off *tsi* **a)** vonalakkal elválaszt/elkülönít **b)** *műsz* **~ off a piece of wood** fadarabot megjelöl **c) ~ off a town on a plan** térképre várost berajzol

line out *tsi* **1.** → **line off 2. ~ out a seedling** fiatal csemetét átültet

line through *tsi* áthúz, kihúz, (ki)töröl *[egy szót]*

line up A. *tsi* **1.** sorba állít/rak, felsorakoztat **2.** felállít, felszerel *[gépet]*; megszervez, felvonultat *[vkket vmlyen eseményre/rendezvényre]* **B.** *tni* **1. a)** *US* sorba áll, (fel)sorakozik **b)** *US* sor áll *[üzlet előtt stb.]* **2.** beigazodik, vonalba áll **3.** *Ausz* **~ up to sy** odamegy vkhez és megszólít, leszólít **4. ~ up with sy** egyetért vkvel; → **line-up**

line[2] [laɪn] *fn tex* (fésült) len, lenszövet

lineage [ˈlaɪnɪdʒ] *fn* **1.** (le)származás, *biol* utódvonal, eredet, rokonsági ág; **a man of illustrious ~** híres/előkelő család sarja/leszármazottja **2.** → **linage**

lineal [ˈlɪnɪəl] *mn* **1.** vonalas, egyenes (vonalú), lineáris **2.** egyenes ágon leszármazó, egyenes ági; **~ descent** egyenes ágú leszármazás

lineament [ˈlɪnɪəmənt] *fn* **1.** arcvonás **2.** ismertető/megkülönböztető vonás

line analyzer *fn infor* hálózatfigyelő készülék

linear [ˈlɪnɪə ‖ –ər] *mn* **1.** vonalas, lineáris, egyenes irányú, egyenes alakú; **~ network** lineáris hálózat; *kat* **~ defense** állóvédelem; **~ dimension** hosszúsági méret, hosszméret; **~ measures** hosszmértékek **2.** *mat* elsőfokú, lineáris; **~ equation** elsőfokú egyenlet; **~ function** elsőfokú/lineáris függvény; **~ programming** lineáris programozás

lineation [ˌlɪniˈeɪʃn] *fn* **a)** vonalakkal való megjelölés, megvonalazás **b)** vonal meghúzása

lined [laɪnd] *mn* **1. a)** (meg)vonalazott, csíkozott; **~ paper** vonalas papír **b)** csíkolt, barázdált, barázdás *[arc stb.]*; **deeply ~ brow** mély ráncokkal/redőkkel barázdált homlok **2.** bélelt; **~ cloth** bélelt szövet

line diagram *fn* vonalasrajz, vázlat

line drawing *fn* **a)** *nyomd* vonalas rajz **b)** árnyékolás nélküli vázlatrajz

line engraving *fn* **a)** *műv* rézmetszés **b)** rézmetszet, (réz)karc

line etcher *fn műv* rézmetsző

line firing *fn kat* sortűz

line fishing *fn* (botos) horgászat, horgászás

line frequency *fn távk* sorfrekvencia

lineman [ˈlaɪnmən] *fn tsz* **-men 1.** *vasút* pályaőr, vonalvizsgáló, vonalellenőr **2. a)** telefonvezetéket felállító munkás **b)** telefonvezeték/távíróvonal ellenőre, vonalfelügyelő, vonalvizsgáló **3.** *sp* (oldal)vonalbíró, partjelző; → **linesman**

linen [ˈlɪnɪn] **I.** *fn* **1.** (len)vászon; **~ industry** lenipar, vászonipar **2.** fehérnemű, vászonnemű; *átv biz* **wash one's dirty ~ in public** kiteregeti a szennyesét **II.** *mn* vászon-

linen closet *fn* fehérneműs szekrény, fehérneműkamra

linen-faced *mn* **~ paper** vászonpapír, vászonbevonatú papír

linen-finished *mn* **~ paper** vászonpréselésű papír

linenfold *fn műv* függönyredős díszítés *[fali burkolat faragványaként]*

line number *fn távk* képsorszám

line post *fn vill távk* vezetékoszlop, pózna

line printer *fn infor* sornyomtató

liner [ˈlaɪnə ‖ –ər] *fn* **1.** *műsz* **a)** bélés(cső), hengerbélés, belső hengerfal; **~ of bearing** csapágybélés **b)** alátét, tömítő/beállító betét **c)** huzatfogó ajtó *[kazánon]* **2.** *épít* burkolófal, bélésfal, bélésfa **3.** *nyomd* könyvfedélenyvező **4. a) (ocean) ~** *hajó* nagy tengerjáró hajó *[menetrend szerint közlekedő]*, óceánjáró **b)** *rep* **(air-)~** nagy személyszállító repülőgép

line segment *fn mat* szakasz, távolság

line signal *fn vasút* vonaljelzés; hívójel *[híradástechnikában]*

linesman [ˈlaɪnzmən] *fn tsz* **-men 1.** *rep* repülőműszerész **2.** *kat* frontkatona; → **lineman**

line space *fn nyomd* sorköz, sortávolság

line spacing *fn infor* sortávolság

line standard *fn távk* képbontási szabvány

line-up *fn* **1. a)** sorakozó, felállítás *[csapaté]* **b)** sorban állás **2.** műsor(összeállítás) *[rádióban, tévében]* **3.** *sp* összeállítás, felállás *[futballban]*; → **line-up**

line-work *fn* **1.** körvonalrajz **2.** fametszet

linger [ˈlɪŋgə ‖ –ər] **A.** *tni* **1.** (hosszasan) időzik, habozik, kés(leked)ik, halogat, őgyeleg, ácsorog, lődörög, lézeng; **~ about/round the garden** a kert körül ácsorog/őgyeleg, a kertben járkál; **~ over/upon a subject** sokáig időzik egy tárgynál; **~ over one's work** sokáig piszmog a munkájával **2. ~ (on)** senyved, sínylődik, tengődik; **he may ~ on a long time yet** még sokáig elélhet/(el)húzhatja *[beteg]*; **~ on** tovább él, még megvan/érezhető/él *[szokás, utóhatás stb.]* **B.** *tsi* **1.** halogat, elodáz **2. ~ away one's time** elvesztegeti/elpiszmogja az idejét; **~ out one's days/life** nyomorúságban tengeti életét • *fn* **lingerer**

lingerie [ˈlænʒəriː ‖ ˈlɑnʒəreɪ] *fn* **a)** *régi* fehérneműkészlet, fehérnemű-állomány **b)** női fehérnemű/alsóruha

lingering [ˈlɪŋgərɪŋ] *mn* **1. a)** hosszadalmas, hosszúra nyújtott/nyúlt/nyúló, hosszan tartó, lassú; **~ effect** utóhatás; **~ illness** lassú lefolyású (v. krónikus) betegség **b)** sokáig megmaradó/érezhető *[utóíz, utóhatás]* **2.** sóvár, epe(ke)dő; **~ look** sóvár/epedő pillantás/tekintet

lingo [ˈlɪŋgoʊ] *fn* **a)** *biz* (idegen) nyelv **b)** nyelvjárás, tájszólás, zsargon **c)** szaknyelv, szakzsargon

lingua franca [ˌlɪŋgwə ˈfræŋkə] *fn nyelv* lingua franca, közös nyelv *[olasz, spanyol, francia, görög és arab nyelvkeverék Közel-Keleten]*
lingual [ˈlɪŋgwəl] *mn orv nyelv* nyelv-, nyelvre vonatkozó, nyelvi
linguiform [ˈlɪŋgwɪfɔːm ‖ –fɔrm] *mn* nyelv alakú
linguist [ˈlɪŋgwɪst] *fn nyelv* nyelvész, nyelvtudós; **a good ~** tehetsége van a nyelvekhez, jó nyelvérzéke van
linguistic [lɪŋˈgwɪstɪk] *mn nyelv* nyelvi, nyelvészeti, nyelvtudományi; **~ area** nyelvi térség; **~ atlas** nyelvatlasz; **~ change** nyelvi változás; **~ island** nyelvsziget, nyelvi sziget; **~ science** nyelvtudomány • *hsz* **linguistically**
linguistics [lɪŋˈgwɪstɪks] *fn nyelv* nyelvészet, nyelvtudomány; **descriptive/synchronic ~** leíró/szinkrón nyelvészet; **general/theoretical ~** általános/elméleti nyelvészet; **historical/diachronic ~** történeti/diakrón nyelvtudomány
liniment [ˈlɪnɪmənt] *fn orv* híg kenőcs, kenet, linimentum; **burn ~** égési sebkenőcs
lining [ˈlaɪnɪŋ] *fn* **1.** (meg)vonalazás **2.** barázda, csík, rovátka **3.** *kat* (fel)sorakozás **4.** kibélelés, béléssel való ellátás, burkolás **5. a)** bélés, burkolat, bevonat; **removable/detachable ~** begombolható bélés; *US* **zip-in ~** villámzárral behelyezhető bélés; **every cloud has a silver ~** jön még borúra derű, minden rosszban van valami jó is **b)** *épít* (dísz)borítás, egyszintbehozás; **frame ~** keret *[ajtóé, ablaké]*; ablakborítás **c)** *műsz* szigetelés, tömítés, alátét, (fék)betét **6.** tartalom, belső, vmnek a belseje
link¹ [lɪŋk] **I.** *fn* **1. a)** láncszem **b)** szem *[kötésben]* **2. a)** kapcsolat, kötelék, kapocs, kapcsoló elem; *átv* **connecting ~** összekötő kapocs/láncszem **b)** *távk* összeköttetés, rádió-/reléállomás **c)** *vegy* (kémiai) kötés **d)** *infor* csatolás; kapcsolópont, hivatkozás, ugrópont; (kommunikációs) kapcsolat **e)** bekötő út **3.** *[mértékegység]* a (földmérő) lánc századrésze *[20,1 cm]* **4.** kézelőgomb **5.** *tsz* **links** golfpálya **II. A.** *tsi* (össze)kapcsol, összeköt, (össze)csatol, összeláncol; **they ~ed arms** karon fogták egymást; **with arms ~ed** karonfogva; **~ up** összekapcsol, összecsatol; **be ~ed up with sy** kapcsolatban/összefüggésben áll/van vkvel **B.** *tni* **~ on to sg, ~ in/up/with sg** csatlakozik vmhez, (össze)kapcsolódik vmvel; **~ up with sy** társul vkvel
link² [lɪŋk] *fn régi* fáklya *[éjszakai utcai világításra]*
linkage [ˈlɪŋkɪdʒ] *fn* **1.** lánc, láncszemek rendszere **2.** kapcsolódás, kapcsolat, összeköttetés; *biol [genetikai]* kapcsoltság **3.** *el távk* összekapcsolás, kapcsolószerkezet **4.** *vegy* kémiai kötés
linkage computer *fn infor* programkapocs
linkage heat *fn vegy* kötési energia, kötéshő
link-boy *fn régi* fáklyavivő, fáklyahordozó (fiú)
linking [ˈlɪŋkɪŋ] **I.** *mn* összekötő, összekapcsoló, *nyelv* ejtéskönnyítő *[hang]*; *GB nyelv* **~ r** ‹szóvégi r hang, melyet a brit angolban csak magánhangzóval kezdődő szó előtt ejtenek ki›; *távk* **~ station** közvetítőállomás, reléállomás **II.** *fn* **~ (up)** összekötés, egyesítés; összeköttetés, láncolat, kapcsolat, egyesülés
linkman [ˈlɪŋkmən] *fn tsz* **-men** *szính* kocsi-előszólító *[színházlátogatók számára előadás után]*
link-up *fn* **1.** összeköttetés, kapcsolat, csatlakozás **2.** összekapcsol(ód)ás *[űrhajóké]*; → **link¹** II.
linn [lɪn] *fn* **1.** *sk* vízesés (lábánál képződött medence) **2.** sziklaszakadék, szurdok
Linn(a)ean [–lɪˈniːən] *mn növ* **~ system** a Linné-féle rendszer; *fn* Linné követője
linnet [ˈlɪnɪt] *fn* **1.** *áll* kenderike; **green ~** zöldike **2.** *ásv* oxidált ólomérc
lino [ˈlaɪnoʊ] *fn biz* linóleum
linocut [ˈlaɪnəkʌt] *fn* linóleummetszet, linóleummetszés
linoleic [ˌlɪnəˈliː(n)ɪk], **linolenic** *mn vegy* **~ acid** lenolajsav, linolsav
linoleum [lɪˈnoulɪəm] *fn* linóleum
Linotype [ˈlaɪnətaɪp] *fn* **a)** *nyomd* sorszedőgép, linotype szedőgép **b)** linószedés
linsang [ˈlɪnsæŋ] *fn áll* linszang, tigrispetymeg
linseed [ˈlɪnsiːd] *fn* lenmag
linseed oil *fn* lenolaj
linsey-woolsey [ˌlɪnziˈwulzi] *fn* **1.** *tex* félgyapjú-félpamut szövet **2.** silány keverék
linstock *fn régi* kanócos rúd *[ágyú elsütéséhez]*
lint [lɪnt] *fn* **a)** *orv* tépés *[sebek kötözésére]* **b)** kötszer, sebkötő géz, mullpólya **c)** *text* gyapotpihe **d)** *sk* len
lintel [ˈlɪntl] *fn* **a)** *épít* szemöldökfa, felső küszöbfa, fejgerenda **b)** keresztrúd, keresztvas *[kandallópárkányé]*
linters [ˈlɪntəz ‖ ˈlɪntərz] *fn tsz tex* gyapothulladék
liny [ˈlaɪni] *mn* **1.** vonalas, barázdált, ráncos **2.** *műv* erős (kör)vonalakat használó
lion [ˈlaɪən] *fn* **1. a)** oroszlán; **the old British L~** a brit oroszlán; *biz* **the ~'s share** oroszlánrész; **like a ~** oroszlánként, bátran, erősen; *átv* **a ~ in the way/path** (képzelt) veszély, akadály; *áll* **a ~ at home a mouse abroad** csak otthon olyan nagy hős, csak odahaza van nagy szája; **put one's head into the ~'s mouth** az oroszlán szájába dugja a fejét, bemerészkedik az oroszlánbarlangba; **it's the ass in the ~'s skin** oroszlánbőrbe bújt szamár **b)** *áll* **American/mountain ~** kugár, puma **2. a)** *biz* **the ~s** egy hely nevezetességei/látványosságai/látnivalói; *biz* **see/show the ~s of a place** megnézi/megmutatja egy hely nevezetességeit/látványosságait **b)** *biz* (pillanatnyi) híresség, kiemelkedő egyéniség; *biz* **the ~ of the day** a nap hőse; *biz* **make a ~ of sy** érdeklődés/figyelem középpontjába helyez vkt **3.** *csill* **the L ~** az Oroszlán *[csillagkép]* **4.** *cím* oroszlán(os) címer, oroszlán(os) pajzs *[fegyveres oroszlánnal]*
lion ant *fn áll* hangyász
lioncel [ˈlaɪənsel] *fn* **1.** fiatal oroszlán, oroszlánkölyök **2.** *cím* pajzs oroszlánokkal
Lionel [ˈlaɪənl] *tul* ‹férfinév›
lioness [ˈlaɪənɪs] *fn* nőstény oroszlán
lion-heart *fn* bátor/rettenthetetlen ember; *tört* **the L~** Oroszlánszívű Richárd
lion-hearted *mn* oroszlánszívű, bátor, rettenthetetlen
lionize [ˈlaɪənaɪz], **-ise** *tsi* **1.** *biz* **a)** megnézi egy hely/vidék látványosságait/nevezetességeit **b)** megmutatja a helyi látványosságokat (v. a vidék szépségeit) (vknek) **2.** híres embert csinál (vkből), vkt híres emberként ünnepel, a(z) érdeklődés/figyelem középpontjába állít (vkt); **be ~d** híres ember lett, felkapott lett *[rövid időre]*
lion-monkey *fn áll* szőke oroszlánmajmocska
lion's-ear *fn növ* oroszlánfül
lion's-tooth *növ* pitypang, gyermekláncfű
lion tamer *fn* oroszlánszelídítő
lip [lɪp] **I.** *fn* **1.** ajak; **lower ~** alsó ajak; **upper ~** felső ajak; **a curl of the ~** ajakrándulás, fintor, gúnyos mosoly; **my ~s are sealed** lakat van a számon; **bite one's ~s** ajkát harapdálja; **hang/purse/screw up one's ~** *[duzzog]* felhúzza az orrát, biggyeszti a száját; *biz* **keep a stiff upper ~** arcizma se rezdül/rándul, megőrzi nyugalmát, nem érzékenyedik el, nem mutatja meghatottságát/bosszúságát/csalódását, nem neveti el magát; **smack/lick one's ~s over sg** a szája szélét is megnyalja vm után; **hang on a person's ~s** vknek az ajkán csüng; **be steeped to the ~s in sg** megcsömörlik vmtől **2.** *biz* fecsegés, szemtelenség, feleselés, duma; **give a ~ to sy** szemtelenkedik/felesel vkvel; **none of your ~!** ne feleselj! **3. a)** nyílás, száj *[sebé]*; **~ of a wound** sebszáj, sebszél **b)** perem, szél *[tányéré, csészéé]*, száj *[barlangé]*, kútkáva, szegély; **the ~ of a crater** kráter pereme/széle/nyílása **c)** **(pouring) ~** száj, kiöntő (ajak) *[kancsóé, edényé]*; csőr, szájnyílás *[sütő, merítő, kotró, vakoló stb. szerszámoké]*; **the ~ of a jug** kancsó/korsó szája **4.** *épít* kiálló szegély, kiugró rész, kiugró kő *[falsíkból]*, perem, párkány **5.** *zene* szájhoz illesztés, megfúvás, anzacc *[fúvós hangszeré]* **II.** *tsi* **-pp- 1. a)** ajkaihoz emel (vmt),

L

szájához emel/illeszt *[fúvós hangszert]* **b)** (meg)csókol *[kezet]* **2.** nyaldos *[víz sziklát]* **3.** mormol, halkan mond **4.** *sp* ~ **the ball** a lyuk széléhez üti a labdát *[golfban]*

lip-deep *mn* nem mély/őszinte, felszínes *[érzelem stb.]*

lip-homage *fn* nem őszinte tisztelet, hízelgés

lipid [ˈlɪpɪd] *fn biol* zsírnemű anyag, zsír, lipid

lip-microphone *fn* szájmikrofon, ajakmikrofon, kontaktmikrofon

lipography [lɪˈpɒgrəfi ‖ –pɑ–] *fn nyelv* szótag kihagyása *[két azonos szótag esetén]*, haplológia, egy betű hiánya a szövegből

lipoid [ˈlɪpɔɪd] **I.** *mn biol* zsírnemű anyag, lipoid **II.** *fn* → **lipid**

lipothymy [lɪˈpɒθɪmi ‖ –pɑ–] *fn orv* ájulás, (múló) eszméletlenség, rosszullét

lipotropic [ˌlɪpəˈtrɒpɪk ‖ –trɑ–] *mn vegy* zsírban oldódó, lipotróp

lipped [ˈlɪpt] *mn* **1.** -aj(a)kú **2.** *növ* ajakos, ajak alakú **3. a)** ajkas, szájjal/csőrrel/kifolyóval rendelkező *[edény stb.]* **b)** szegéllyel/peremmel ellátott *[fal stb.]*

lippy [ˈlɪpi] *mn* **1.** nagy/duzzadt ajkú **2.** *biz* szemtelen, feleselő **3.** *biz* bőbeszédű, nagy dumás

lip-read *tni/tsi pt/pp* **lip-read** [–red] vknek az ajkáról olvas(sa le a mondanivalóját), szájról olvas • *fn* **lip reading**

lipsalve [ˈlɪpsɑːv] *fn* **1.** ajakír, ajakkenőcs **2.** *biz* hízelgés, talpnyalás

lip service *fn* színlelés, nem őszinte tiszteletadás; **do/pay/show ~ to sy** hűséget/tiszteletet/odaadást színlel/tettet vkvel szemben, szép szavakat mond vknek *[őszinteség nélkül]*

lipstick *fn* rúzs, szájfesték

lip worship → **lip-service**

liquate [ˈlaɪkweɪt] *tsi koh* csurgat, csurogtat *[kénércet stb.]*, csurgatás által elválaszt, (ki)olvaszt, kiválásos olvasztást végez • *fn* **liquation**

liquate out A. *tsi* csurgatással elkülönít/elválaszt *[fémeket egymástól]* **B.** *tni* csurgatás útján elválik/elkülönül egymástól *[két fém]*

liquefaction [ˌlɪkwɪˈfækʃn] *fn* **1. a)** cseppfolyósítás, megolvasztás **b)** cseppfolyósodás, olvadás, olvadt/cseppfolyós állapot **2.** *koh* kivál(aszt)ás olvasztással

liquefy [ˈlɪkwɪfaɪ] **A.** *tsi* **1.** cseppfolyósít, elfolyósít *[gázt stb.]* **2.** *nyelv* jésít, palatalizál, lágyít **B.** *tni* **a)** megolvad, cseppfolyós lesz, cseppfolyóssá válik **b)** felenged, folyóssá válik *[olaj stb.]* • *fn* **liquefier** *mn* **liquefiable**

liquescent [lɪˈkwesnt] *mn* cseppfolyósodó, cseppfolyóssá váló

liqueur [lɪˈkjʊə ‖ lɪˈkɜr] *fn* likőr, finom pálinka

liquid [ˈlɪkwɪd] **I.** *mn* **1. a)** cseppfolyós, folyékony; *épít* ~ **concrete** hígbeton; ~ **eyes** könnyes szemek; *kat* ~ **fire gun** lángszóró; ~ **fuel** folyékony üzemanyag; ~ **make-up** folyékony púder/alapozó; *ip vegy* ~ **rubber** folyékony kaucsuk, latex **b)** *átv* cseppfolyós állapotban levő, *biz* rugalmas, változékony, állhatatlan *[elv, vélemény stb.]* **2. a)** tiszta, átlátszó, világos, sima **b)** tiszta, harmonikus *[hang]* **3.** *pénz* folyósítható, rendelkezésre álló, likvid *[pénz]*; ~ **assets** likvid tőke/vagyon/eszközök/aktívák, könnyen pénzzé tehető eszközök; ~ **debt** likvid követelés/kinnlevőség **II.** *fn* **1.** folyadék **2.** *nyelv* folyékony mássalhangzó, likvida

liquidambar [ˌlɪkwɪˈdæmbə ‖ –ər] *fn növ* ámbrafa

liquidate [ˈlɪkwɪdeɪt] *i* **A.** *tsi* **1. a)** *gazd* felszámol, megszüntet, likvidál *[társaságot, vállalatot]* **b)** kiegyenlít *[adósságot]* **2.** megsemmisít, elpusztít, kiirt, eltesz láb alól **B.** *tni gazd* felszámolják, végelszámolást tart, megszűnik, csődbe megy/jut *[üzlet]*

liquidation [ˌlɪkwɪˈdeɪʃn] *fn* **1.** *gazd* **a)** felszámolás, megszüntetés, beszüntetés, likvidálás *[cégé, üzleté stb.]*; **go into** ~ felszámolják, csődbe megy **b)** kiegyenlítés *[adósságé]*, lebonyolítás *[ügyé stb.]* **2.** megsemmisítés, elpusztítás, kiirtás; ~ **of the contract** szerződés teljesítése

liquidator [ˈlɪkwɪdeɪtə ‖ –ər] *fn gazd* felszámoló, likvidátor

liquid brake *fn műsz* hidraulikus fék, folyadékfék

liquid fuel rocket *fn* folyékony üzemanyagú rakéta

liquidity [lɪˈkwɪdəti] *fn* **1.** (csepp)folyósság, folyékonyság, (csepp)folyós állapot **2.** tisztaság, tisztaság, átlátszóság, világosság *[folyadéké stb.]*, simaság *[anyagé]* **3.** *pénz* likviditás, fizetőképesség; *közg* **excess liquidities** *tsz* vásárlóerő-felesleg **4.** *pénz* → **liquid** I.3.

liquid measure *fn* űrmérték

liquor [ˈlɪkə ‖ –ər] **I.** *fn* **1.** szeszes ital; **hard** ~ erős/tömény szesz; *biz* **be in** ~, **be the worse for** ~ részeg, ittas; **sleep off one's** ~ kialussza mámorát **2. a)** folyadék, lé **b)** pecsenyelé, sütéshez való zsír/zsiradék **c)** *vegy* lúg, (gyógyszer)oldat, főzet **II.** *tsi* **1.** *biz* ~ **sy up** berúgat/leitat vkt **2.** vízzel kever *[malátát sörfőzésnél]* **3.** bezsíroz, (zsírral) beken, megken *[bőrt, cipőt]*; *biz* ~ **sy's boots** felszarvaz vkt

liquor cabinet *fn* italszerény, bárszekrény

liquorice [ˈlɪkərɪs] *fn* **a)** igazi édesgyökér, édesfa **b)** *orv vegy* édesgyökérlé; **stick** ~ édesgyökér nyalóka

liquorish [ˈlɪkərɪʃ] *mn* **1.** részeges, részegeskedésre/ivásra hajlamos, alkoholista **2. a)** ínyenckedő, buja **b)** mohó, kapzsi

lira [ˈlɪərə ‖ ˈlɪrə] *fn tsz* **lire** [ˈlɪərə ‖ ˈlɪreɪ] líra *[olasz, ill. török pénz]*

liriodendron [ˌlɪrɪəˈdendrən] *fn növ* tulipánfa

Lisa [ˈliːsə, liːzə, laɪzə] *tul* ‹*Eliza* becéző alakja›

Lisbon [ˈlɪzbən] *tul földr* Lisszabon *[Portugália fővárosa]*

lisle [laɪl] *fn tex* ~ **finish** ‹hosszú szárú pamutból sodrott perzselt mercerizált fonal›; ~ **goods** erősen sodrott (flór) fonalból készült áruk

lisle thread *fn* finom pamutcérna, flór

lisp [lɪsp] **I.** *fn* **1.** selypítés, pöszeség, pösze beszéd; **have a** ~, **speak with a** ~ selypít, pöszén beszél **2.** *biz* zizegés *[leveleké]*, csobogás, moraj(lás) *[pataké]* **II. A.** *tsi* ~ **sg (out)** pöszén/selypítve mond vmt **B.** *tni* selypít, pöszén beszél • *fn* **lisper**

lisp [lɪsp], **LISP** *röv list processing*

lissom(e) [ˈlɪsəm] *mn* **a)** hajlékony, ruganyos **b)** mozgékony, fürge

list[1] [lɪst] **I.** *fn* **1.** lista, jegyzék, lajstrom, leltár; **free** ~ *gazd* vámmentes áruk listája; *pénz* **official** ~ hivatalos tőzsdei jegyzék; ~ **of additions** új szerzemények jegyzéke; ~ **of casualties** veszteséglista; *gazd pénz* ~ **of bills for collection** behajtandó számlák jegyzéke; **make a** ~ **of sg** jegyzékbe vesz vmt; **make out a** ~, **draw up a** ~ jegyzéket készít; *infor* ~ **box** keretezett lista **2.** *tsz* **lists** küzdőtér, bajvívótér; *átv* **enter the ~s** sorompóba lép, felveszi a küzdelmet **3. a)** *tex* posztószél, (szövet)szegély, durva posztócsík **b)** ~ **mill** drágakőcsiszoló/fényező gép **4.** *épít* kiálló rész, párkány **II. A.** *tsi* **1. a)** jegyzékbe/listára vesz, összeír, katalogizál, besorol; *US pénz* ~ **on the Stock Exchange** bevezet a tőzsdén **b)** *US* felsorol, elősorol, feltüntet **2.** *épít* szegélyez, korláttal körülvesz **3.** *infor* listáz **B.** *tni régi [katonának áll]* bevonul, berukkol

list[2] [lɪst] **I.** *fn* **a)** *hajó* oldalradőlés, oldalirányú megdőlés **b)** megfeneklés, zátonyra futás; **have/take a** ~ oldalára dől, megfeneklik; zátonyra fut *[hajó]* **II.** *tni* ~ **(over)** oldalt/oldalára dől

listed [ˈlɪstɪd] *mn* **1.** *tex* hibás szegélyű *[gyapjúszövet]* **2.** lajstromozott, listába foglalt; ~ **securities** *US pénz* tőzsdén jegyzett *[értékpapír]*; ~ **stock** hivatalos tőzsdei árjegyzésre felvett értékpapír **3.** *GB épít* ~ **building** műemlék épület

listen [ˈlɪsn] **I.** *tni* **1. a)** (meg)hallgat, (oda)figyel; **~ to sy/sg** (meg)hallgat vkt/vmt **b)** hallgatózik, fülel; **~ in** lehallgat, kihallgat *[telefonbeszélgetést stb.]* **2.** hallgat (vkre), megfogad, követ *[tanácsot]*; **~ to sy** hallgat vkre **II.** *fn* **be on the ~** hallgatózik, kihallgat (vmt); csupa fül; *biz* **~ out** csupa fül, erősen figyel

listener [ˈlɪsnə ‖ –ər] *fn* **1. a)** hallgató *[személy]* **b)** *pej* hallgatózó; *közm* **~s never hear good of themselves** aki hallgatózik, önmagáról is hallhat rosszat **2. a)** *kat* lehallgató **b)** (rádió)hallgató; **~ research** közvélemény-kutatás rádióhallgatók között

listening [ˈlɪsn·ɪŋ] **I.** *mn* **a)** hallgató, figyelő, halló; **~ tube** hallócső **b)** lehallgató, kihallgató *[készülék stb.]*, hallgatózó *[személy]*; *kat hajó* **~ apparatus** lehallgató készülék **II.** *fn* kihallgatás, (le)hallgatás

listening comprehension *fn okt* beszédértés

listening post *fn* **a)** *távk* lehallgató áll(om)ás **b)** hírgyűjtő hely

listening station → **listening post**

lister [ˈlɪstə ‖ –ər] *fn mezőg* töltőgető/barázdáló eke

listerize [ˈlɪstəraɪz], **-ise** *tsi orv* antiszeptikusan kezel, fertőtlenít *[sebet]*

listing [ˈlɪstɪŋ] *fn* **1. a)** lista, jegyzék **b)** lajstromozás, jegyzékbe vétel, *infor* listázás; **free ~** díjmentes jegyzékbe vétel **c)** *pénz* tőzsdei jegyzés, árfolyam-jegyzék/lap **d)** *infor* listázás, kiírás **2.** *tex* szövetszegély

listless [ˈlɪstləs] *mn* közömbös, fásult, apatikus, egykedvű, kedvetlen, unott; **~ look** csüggedt tekintet

list price *fn gazd* árjegyzéki ár

listserver *fn infor* listaszerver, listakezelő szoftver

list system *fn* listás választási rendszer

lit [lɪt] → **light**[2]

lit. *röv* **1.** *literally* **2.** *literature* **3.** *litre* liter, l

litany [ˈlɪtəni ‖ ˈlɪtn·i] *fn* **1.** *vall* litánia, vecsernye **2.** panasz, sirám, siránkozás

litchi [ˌlaɪˈtʃiː ‖ ˈliːtʃi] *fn növ* licsifa

liter [ˈliːtə ‖ ˈliːtər] *US* → **litre**[1]

literacy [ˈlɪtərəsi] *fn* **1.** írni-olvasni tudás **2.** műveltség, olvasottság

literal [ˈlɪtərəl] **I.** *mn* **1.** betű/szó szerinti; *nyomd* **~ error/mistake** sajtóhiba, gépelési hiba; **~ interpretation** szó/betű szerinti értelmezés/magyarázat; **~ translation** szó szerinti fordítás; **in the ~ sense of the word** a szó szoros értelmében **2.** kicsinyes (gondolkodású), fantázia/lendület nélküli, a tényekhez túlságosan ragaszkodó, prózai **3.** *mat* betűkkel kifejezett; **~ calculus** betűszámtan, algebra; **~ notation** betűvel való jelölés(i rendszer) **II.** *fn nyomd* (betűcseréből eredő) sajtóhiba, betűhiba

literalize [ˈlɪtərəlaɪz], **-ise** *tsi* betű/szó szerint vesz/értelmez/követ

literal-minded *mn* kicsinyes (gondolkodású), prózai, fantázia nélküli, a tényekhez túlságosan ragaszkodó

literally [ˈlɪtərəli] *hsz* szó szerint, betűről betűre, szóról szóra, a szó szoros értelmében (véve); **~ speaking** a szó szoros értelmében, azt mondhatni; **~ drenched to the skin** a szó szoros értelmében bőrig ázva/ázott

literary [ˈlɪtərəri ‖ ˈlɪtəreri] *mn* irodalmi; **~ agency** irodalmi ügynökség; **~ criticism** irodalomkritika; **~ history** irodalomtörténet; **~ work** irodalmi mű/munka

literate [ˈlɪtərət] **I.** *mn* **a)** írni-olvasni tudó **b)** tanult, olvasott **c)** irodalmilag képzett/művelt **II.** *fn* **1.** írni-olvasni tudó ember **2.** művelt/tudós ember

literati [ˌlɪtəˈrɑːtiː] *fn tsz* **1.** irodalmárok, írók, irodalmi/tudományos világ **2.** *biz* művelt/olvasott emberek

literatim [ˌlɪtəˈrɑːtɪm ‖ ˌlɪtəˈreɪtɪm] *hsz* szó szerint, betűről betűre, szóról szóra, betű szerint

literature [ˈlɪtrətʃə ‖ ˈlɪtərətʃər] *fn* **1. a)** irodalom **b)** irodalom *[irodalmi művek összessége]*; **he has very little ~** igen csekély az irodalmi tudása/műveltsége/ízlése **2.** irodalmi alkotás, irodalmi mű **3. a)** (egy bizonyos tárgyra vonatkozó) irodalom, szakirodalom, bibliográfia **b)** *biz* prospektus, brosúra

lithe [laɪð] *mn* hajlékony, ruganyos, karcsú

lithesome [ˈlaɪðsəm] *mn* hajlékony, ruganyos, fürge

lithia [ˈlɪθɪə] *fn vegy* litium(hidr)oxid

lithic [ˈlɪθɪk] *mn* **1.** kő-, köves **2.** *vegy* lithiumos **3.** *biol* **~ acid** húgysav **4.** *orv* epe/veseköves

lithify [ˈlɪθɪfaɪ] **A.** *tsi* megkövesít **B.** *tni* megkövesedik, megkövül • *fn* **lithification**

lithium [ˈlɪθɪəm] *fn vegy* lítium *[fém és elem]*

lithoglyph [ˈlɪθəglɪf] *fn* **a)** (drága)kővésés **b)** vésett drágakő • *fn* **lithoglyptics**

lithographic [ˌlɪθoʊˈgræfɪk] *mn műv nyomd* litográfiai; **~ machine/press** kőnyomdai sajtó, litográfiai prés, kőnyomógép; **~ printing** kőnyomás; **~ writer** kőrajzoló, litográfus

lithography [lɪˈθɒgrəfi ‖ –ˈθɑ–] *fn műv nyomd* kőnyom(tat)ás, kőrajz, litográfia • *tsi/fn* **lithograph** *fn* **lithographer**

lithology [lɪˈθɒlədʒi ‖ –ˈθɑ–] *fn* **1.** *geol* kőzettan **2.** *orv* kőtan, lithiasis-tan, lithológia

lithophyte [ˈlɪθəfaɪt] *fn növ* litofita *[köves talajt kedvelő növény]*

lithopone [ˈlɪθəpoʊn] *fn* litopon, fehér fedőfesték *[linoleum és gumiáruk gyártásában]*

lithoprint [ˈlɪθəprɪnt] **I.** *fn műv nyomd* kőnyomat, litográfia **II.** *tsi műv nyomd* kőnyomatot készít (vmről), litografál

lithosphere [ˈlɪθəsfɪə ‖ –sfɪr] *fn geol* litoszféra, a föld szilárd kérge

lithotome [ˈlɪθətoʊm] *fn orv* kőmetsző *[kés, műszer]*

lithotomy [lɪˈθɒtəmi ‖ –ˈθɑtəmi] *fn orv* kőmetszés, hólyagkő-eltávolítás, lithotomia

lithotripsy [ˈlɪθətrɪpsi] *fn orv* kőmorzsolás, (hólyag)kőzúzás

Lithuania [ˌlɪθjuˈeɪnɪə ‖ –θʊ–] *tul földr* Litvánia

Lithuanian [ˌlɪθjuˈeɪnɪən ‖ –θʊ–] *mn/fn földr* litván

litigant [ˈlɪtɪgənt] **I.** *mn* peres(kedő), perl(eked)ő; **~ parties** peres(kedő) felek **II.** *fn* pereskedő, peres fél

litigate [ˈlɪtɪgeɪt] *i* **A.** *tsi* pert folytat (vmért), beperel (vkt) **B.** *tni* perel, pereskedik • *fn* **litigation**

litigious [lɪˈtɪdʒəs] *mn* **1.** peres, vitás, kétes **2.** kötekedő, izgága, pereskedő **3.** peres, perrel kapcsolatos, per tárgyát képező

litmus [ˈlɪtməs] *fn vegy* lakmusz

litmus (test) paper *fn vegy* lakmuszpapír

litotes [ˈlaɪtətiːz] *fn* litotész *[szónoki figura]*

litre [ˈliːtə] *fn* liter *[= 1,75 pint]*

LittD *röv* Litterarum Doctor; *Doctor of Letters* az irodalomtudomány doktora

litter [ˈlɪtə ‖ ˈlɪtər] **I.** *fn* **1. a)** szemét, hulladék, limlom **b)** rendetlenség, összevisszaság; **all in a ~** szerteszéjjel, szerteszét **2.** egy ellésnyi kölyök, egyszerre szült kölyök, alom **3. a)** gyaloghintó, hordszék **b)** hordágy **4. a)** almozás, alom, alomszalma **b)** avar, gyékény, szalmaborítás **5.** macskahomok **II. A.** *tsi* **1. ~ (up)** felforgat, széjjelhány, szétdobál; teleszór *[limlommal szobát stb.]*; **~ sg with sg** összevissza dobál; **papers ~ed the desk** az íróasztalon szanaszét hevertek a papírok **2.** kölykezik, almot vet **3. a) ~ (down)** almot csinál, almoz; **~ (down) a stable** istállót szalmával felszór **b)** *kert* szalmával befed, szalmával burkol *[növényt]* **B.** *tni* **a)** (meg)ellik, almot vet **b)** *szl [szül]* lebabázik, lebetegszik

litterbin *fn GB* szemétláda

litterbug *fn US biz* szemetelő ember

litter-lout *fn* szemetelő ember

little [ˈlɪtl] *kfok* **less** [les], *ffok* **least** [liːst] **I.** *mn* **1.** kis, kicsi, apró, pici; *csill* **the L~ Bear** Kismedve; **~ brain** kisagy; **the ~ Browns** a Brown gyerekek; **~ farmer** kisparaszt; **~ finger** kisujj; *pej* **her ~ game(s)/schemes** az ő kis(ded) játékai, az ő (kis) cselszövései/intrikái; **a ~ man** alacsony/kis termetű ember; **~ man** kisember; **the ~**

ones a gyerekek; **the ~ people** tündérek, manók; **L~ Russian** kisorosz; *US* **~ theater** ‹művészeti és nem profitcélok kedvéért rendsz. műkedvelők által fenntartott színház, amely haladó/kísérleti színműveket ad elő› kis színház; *pej* **his ~ ways** különcségei, bogarai, szeszélyei; **a ~ while/time** egy kis idő; *közm* **~ and good** kicsi a bors, de erős **2.** kevés, kis mennyiségű, csekély, nem sok; **~ money** kevés pénz; **a ~ money** egy kis pénz; **for as ~ as 5 dollars** mindössze 5 dollárért; **~ or nothing** szinte semmi(t); **he drinks ~ else than water** alig iszik mást, mint vizet; **no ~** igen/nagyon sok, nagymennyiségű; **I took no ~ pains over this matter** nem sajnáltam a fáradságot, fáradságot nem kíméltem; **ever so ~** egy egész kevés, egy csepp; **be it ever so ~** akármilyen/bármilyen kevés/kicsi legyen is; **~ if any, ~ or no** kevés vagy egyáltalán semmi; *közm* **least said soonest mended** ne szólj szám, nem fáj fejem **3.** gyenge (minőségű), silány **4.** kicsinyes; **a ~ mind** kicsinyes gondolkodás **II.** *hsz* kevéssé, egy kicsit/kissé, kis/csekély mértékben; **~ more than half an hour** alig múlt (v. alig több mint) félórája; **a ~ known poet** kevéssé/alig ismert (v. ismeretlen/névtelen) költő; **he ~ knows** alig(ha) tudja; **~ did he think** távolról sem gondolt rá; *átv* **be ~ short of sg** határos vmvel, majdnem eléri **III.** *fn* **1.** kevés, nem sok, kicsi (mennyiség); **~ by ~, by ~ and ~** apránként, lassanként; *közm* **every ~ helps** minden (apróság is) számít; **I had ~ to do with it** kevés közöm volt hozzá, kevés dolgom volt vele; **make/think ~ of sy** nem nagy véleménnyel van vkről, kevésre becsül vkt; **make/think ~ of sg** nem csinál nagy ügyet vmből; **I saw ~ of him lately** nem igen láttam őt az utóbbi időben; **in ~** kicsiben; **come to ~** nem sok/nagy eredményre vezet **2. a ~** egy kicsi(t), egy kevés/keveset; **a ~ more** még egy kicsi(t); **not a ~** nagyon; **he did not a ~ for him** sokat tett érte; **wait a ~!** várj egy kicsit!; **for a ~** egy kis/rövid ideig

Little Rock *tul földr* Little Rock

littlish [ˈlɪtl·ɪʃ] *mn* elég/meglehetősen kis/kicsi

littoral [ˈlɪtərəl] **I.** *mn* (tenger)parti, partmenti; **~ zone** littorális öv **II.** *fn* tengerpart, partvidék

lit-up *mn szl [részeg]* be van kapva

liturgic, liturgical [lɪˈtɜːdʒɪk(l) ‖ –tɜr–] *mn vall* liturgikus, a liturgiához tartozó, szertartási • *fn* **liturgics, liturgist**

liturgy [ˈlɪtədʒi ‖ ˈlɪtər–] *fn vall* liturgia, egyházi szertartás(rend)

livable [ˈlɪvəbl] → **liveable**

live I. *i* [lɪv] **A.** *tsi* **1. ~ one's life** éli (az) életét; **~ a happy life** boldogan él **2.** beleéli magát (vmbe), átél (vmt); *szính* **~ a part** (teljesen) beleéli magát egy szerepbe; **he ~d what he related** (újból) átélte történetét **B.** *tni* **1. a)** él, életben van, létezik; **as/so long as he ~s** ameddig (ő) él; **he will ~ to be a hundred** száz évet is megér; **he has not long to ~** nem sok ideje van hátra, nem fog sokáig élni; **long ~!** éljen!; **as I ~!** úgy éljek (én)!; *közm* **~ and learn** a jó pap holtig tanul **b)** (el)tart *[időben]*, létezik, fennmarad, megmarad; **the poet's fame will ~** a költő hír(nev)e fennmarad **2.** él *[valahogyan, vm módon]*, megél; **~ carefully** takarékosan él, takarékoskodik; **~ hard** könnyelmű/kicsapongó életet/életmódot folytat; nélkülöz, súlyos gondokkal küzd; **~ beyond one's means** többet költ, mint ahogy körülményei engedik, tovább nyújtózik, mint ameddig a takarója ér; **~ from hand to mouth** máról holnapra él; **~ in style** nagylábon él; **~ free from care** gond nélkül él, gondtalanul él; **a man must ~!** valahogy csak meg kell élni!; **they ~d happily ever after** boldogan éltek, míg meg nem haltak **3.** él, lakik (vhol); **where do you ~?** hol lakik/laksz?; **building not fit to ~ in** lakásra nem alkalmas épület **II.** *mn* [laɪv] **1. a)** élő, életben levő, eleven; **~ weight** élősúly; *pénz* **~ claims** érvényes/fennálló követelések; **~ glacier** eleven jégár *[gleccser]*; *műsz* **~ steam** friss gőz **b)** *biz* élénk, életteli, eleven; **~ coals** (izzó) parázs, üszök; **~ green** zöldellő, élénk zöld **2.** *média* egyenes, élő, nem felvételről közvetített *[adás]*; **~ broadcast coverage** élő közvetítés; **~ program(me)/transmission/performance** élő/egyenes/közvetlen adás/műsor; **~ music** élő zene *[étteremben stb.]* **3.** *US* időszerű, aktuális *[kérdés, tárgy]*; **~ question** időszerű/aktuális kérdés **4. a)** működő, tevékeny, változó, mozgó *[teher]*; *műsz* **~ axle** hajtótengely; *kat* **~ bomb** robbanó/élesített bomba; *kat* **~ fire manoeuvre** éleslövészet; *műsz* **~ lever** áramkapcsolókar; **~ match** meggyújtatlan gyufa; *műsz* **~ weight** hasznos teher, haszonteher **b)** *vill* feszültség/áram alatti; **~ wire** elektromos áram alatt lévő vezeték/huzal; *US biz* mozgékony/agilis/rámenős/energikus ember **III.** *hsz* [laɪv] *média* egyenes/élő adásban, egyenesben, élőben *[közvetítik]*; **broadcast a programme ~** élőben közvetít *[programot]*; **the show is going out ~** élőben megy a műsor

live apart *tni* külön élnek *[pl. szülők]*

live by *tni* **1.** közel lakik **2.** vmből/vmn él, megél, fenntartja magát; **~ by one's work, ~ by working** a munká(já)ból él, munkával tartja fenn magát

live down *tsi* (lelkileg) túlél/kihever vmt; **~ sg down** (idővel) kiköszörüli a csorbát, jóvátesz vmt; **~ down prejudice** elfeledteti/legyőzi az (ellene irányuló) előítéletet

live in *tni* bent lakik *[pl. kollégiumban, munkáltatónál]*

live off *tsi* **~ off the country** helyszíni beszerzésből él; **~ off the land** a földből él; **~ off sy** vkt szipolyoz, vk nyakán él, vkn élősködik

live on *tni* **1.** tovább él, fennmarad; **his fame will ~ on** hír(nev)e fennmarad (v. élni fog) **2.** vmből/vmn él; **~ on others** mások nyakán él, másokon élősködik

live out A. *tsi* **1.** túlél vmt; **he won't ~ out this day** nem éri meg a holnapot **2. ~ out again** vmt még egyszer átél **B.** *tni* bejáró, nem lakik bent *[munkahelyén]*, nem lakik otthon *[háztartási alkalmazott stb.]*

live through *tsi* átél, túlél (vmt)

live to *tni* **~ to oneself** csak magával törődik, csak magának él

live together *tni* együtt él (vkvel), *biz* közös háztartásban él *[férfi és nő]*

live up *tni* **a)** megfelel *[várakozásnak]*, beváltja *[a hozzáfűzött reményeket]*; **~ up to expectations** beváltja a (hozzáfűzött) reményeket, megfelel az elvárásnak; **~ up to one's promise** megtartja ígéretét **b)** méltó (vkhez/vmre); **he felt he could never ~ up to his wife** úgy érezte, hogy sohasem lehet méltó a feleségéhez

live with *tni* **~ with sy** (együtt) él/lakik vkvel; **she is living with him** élettársak, együtt élnek *[férfi és nő]*

liveable [ˈlɪvəbl] *mn* **1.** elviselhető *[élet]* **2.** lakható, lakályos *[ház, lakás stb.]* **3. ~ (with)** összeférhető, alkalmazkodó *[személy, társ stb.]*

live-and-let-live [ˈlɪv–] *mn* **1.** elnéző, szemet hunyó **2.** toleráns, megengedő

live-bait [ˈlaɪv–] *fn* élő csali *[horgászé]*

live-bearer [ˈlaɪv–] *fn áll* elevenszülő

live fence [ˈlaɪv–] *fn US* élő sövény

live-in *mn* **1.** benn lakó (alkalmazott) **2.** együtt lakó *[szerelmi partner]*

livelihood [ˈlaɪvlihʊd] *fn* kenyérkereset, megélhetés, létfenntartás; **earn/get/gain/make a ~** megkeresi a kenyerét, fenntartja magát, megél; **pick up a scanty ~** szűkösen él meg, nehezen tartja fenn magát

livelong[1] [ˈlɪvlɒŋ ‖ –lɔŋ] *mn vál* hosszadalmas, hosszan tartó, maradandó; **the ~ day** egész áldott nap, naphosszat

livelong[2] [ˈlɪvlɒŋ ‖ –lɔŋ] *fn növ* bablevelű varjúháj

lively [ˈlaɪvli] *mn* **1. a)** élénk, eleven, lendületes, friss, energikus; **~ breeze** élénk szellő; **a ~ tune** élénk/vidám/friss dallam/hang; **a ~ intellect** élénk/eleven értelem; **step ~!** tessék igyekezni!, szedd a lábad!; *vegy* **~ reaction** erős reakció **b)** vidám, víg, jókedvű; **as ~ as a cricket** nagyon vidám **2.** élénk, eleven, ragyogó *[szín]*, eleven, mozgalmas *[leírás, elbeszélés]*; **a ~ description** szemléletes leírás **3.** élénk, erős, erőteljes, mélyen átérzett *[érzelem, érzés* *stb.]*; **a ~ sense of gratitude** élénk/mélységes hálaérzet **4.** *biz* **make it/things ~ for sy** megnehezíti vknek az életét; megtáncoltat vkt

liven [ˈlaɪvn] **A.** *tsi* **~ (up)** (fel)lelkesít, felélénkít; felderít, felvidít **B.** *tni* **~ up** felélénkül, megélénkül, aktivizálódik, fellelkesedik, felbuzdul, tűzbe jön

livener [ˈlaɪvənə ‖ −nər] *fn szl [tömény ital]* szíverősítő, itóka

liver [ˈlɪvə ‖ −ər] *fn* **1.** máj; *biz* **have a ~** májbetegsége van, beteg a mája, májbajos **2.** *vegy* **~ of sulphur** kénmáj *[nyers kálium-szulfid és poliszulfid keverék]*

liver extract *fn* májkivonat

liver-hearted *mn biz* gyáva, félénk, ijedős, nyúlszívű

liverish [ˈlɪvərɪʃ] *mn* **1.** *biz* májbajos, májbeteg **2.** *biz* rosszkedvű, mélabús

liverleaf *fn US növ* májvirág, májkökörcsin, májfű

liver oil *fn* csukamájolaj

liver ore *fn ásv* kuprit, vörösrézérc

Liverpool [ˈlɪvəpuːl] *tul földr* Liverpool

Liverpudlian [ˌlɪvəˈpʌdlɪən ‖ −vər−] *mn/fn földr* Liverpoolba való, liverpooli (lakos)

liver sausage *fn gaszt* májas hurka

liver spot *fn* májfolt

liver-wing *fn* jobb szárny *[baromfié]*

liverwort *növ* → **liverleaf**

liverwurst [ˈlɪvəwɜːst ‖ ˈlɪvərwɜrst] *fn* májas hurka

livery[1] [ˈlɪvəri] *mn* **1.** májszínű **2.** *biz* májbeteg, májbajos, epebajos, epés **3.** zsíros *[föld]*

livery[2] [ˈlɪvəri] *fn* **1.** libéria, egyenruha **2. take up one's ~** az egyik céh tagja lesz, belép az egyik szakmai testületbe **3.** *tört* ellátás, elszállásolás *[kísérete]* **4. a)** szállásadás lovaknak; **take/keep horses at ~** lovakat gondoz/ellát *[tulajdonosaik megbízásából díjazás ellenében]* **b)** *US* béristálló, bérkocsivállalat *[lovas]* **5. a)** *jog* átruházás, birtokbahelyezés; **~ of seisin** birtokbavétel **b)** nagykorúsítás

livery (company) *fn régi* londoni céh, londoni szakmai testület

liveryman [ˈlɪvərimən] *fn tsz* **-men 1.** libériás/egyenruhás inas/lakáj **2.** londoni céhtag, londoni városi szakmai testület tagja

livery servant *fn* libériás szolga/lakáj

livery-stable *fn* **a)** béristálló *[ahol mások lovait pénzért gondozzák]* **b)** béristálló *[ahonnan lovat és kocsit lehet bérelni]*

livestock [ˈlaɪvstɒk ‖ −stɑk] *fn* **1.** *mezőg* állatállomány, lábas jószág, haszonállatok *[egy gazdaságban]* **2.** élő leltár

livestock caretaker *fn mezőg* állatgondozó, állatkísérő

livid [ˈlɪvɪd] *mn* **1.** fakó, halálsápadt, hamuszínű, ólomszürke, elkékült; **~ sky** ólomszürke ég; **~ spots** hullafoltok; **~ with cold** elkékülve a hidegtől; **face ~ with anger** dühtől elsápadt/elkékült (v. hamuszínűvé vált) arc **2.** *biz* rettenetesen/szörnyen dühös, rettentően zabos

lividity [lɪˈvɪdəti] *fn* fakó szín, halálsápadtság, ólmos szürkeség

living [ˈlɪvɪŋ] **I.** *mn* **1.** élő, életben levő, eleven; **~ being** élőlény; **~ death** a halálnál is rosszabb élet, élő halál; **~ language** élő nyelv; **~ picture** élőkép; **~ or dead** élve (vagy) halva; **not a ~ soul was there** egy (teremtett) lélek sem volt ott **2.** eleven, élénk, életszerű, életerős; **~ labour** eleven/élő munka; **within ~ memory** (még) eleven emlékezetben (élő) **II.** *fn* **1.** élet(mód); **style/rate of ~** életmód, életforma; *közg* **standard of ~** életszínvonal **2. the ~** az élők, az élő emberek **3.** megélhetés, életfenntartás; **earn one's ~** megkeresi kenyerét; **make a ~** megkeresi a betevőt; **make a good ~** jó megélhetést teremt; **do sg for a ~** foglalkozásszerűen űz vmt **4. there is no ~ with him** nem lehet vele együtt élni; **capable of ~** életképes; **incapable of ~** életképtelen **5.** *vall* egyházi javadalom, plébánia (javadalma)

living conditions *fn* életkörülmények

living expenses *fn* létfenntartási/megélhetési költségek

living-room *fn* nappali *[szoba]*

living wage *fn* ‹annyi fizetés, amennyiből (éppen, hogy) meg lehet élni› létminimum szintű fizetés

lixiviate [lɪkˈsɪvieɪt] *tsi vegy* hamut kilúgoz • *fn* **lixivation**

lizard [ˈlɪzəd ‖ −ərd] *fn* **1.** *áll* gyík; **flying ~** repülő sárkánygyík; **frilled ~** leguán (gyík) **2.** *biz* → **lounge lizard**

Lizzie [ˈlɪzi] *tul/fn* **1.** ‹*Elisabeth* becéző alakja› **2.** *US biz* **(Tin) ~** olcsó kisautó

LJ, **L.J.** *röv GB Lord Justice*

LJJ, **L.J.J.** *röv Lord Justices*

llama [ˈlɑːmə] *fn* **1.** *áll* láma **2.** lámagyapjúszövet

llama('s)hair *fn* lámaszőr

llano [ˈlɑːnoʊ] *fn* ‹dél-amerikai füves síkság› llano

LLB, **LL.B.** *röv Bachelor of Laws* a jogtudomány baccalaureusa

LLD, **LL.D.** *röv Doctor of Laws* a jogtudomány doktora

LLM *röv Master of Laws*

Lloyd's [ˈlɔɪdz] *fn hajó* ‹londoni Lloyd hajóbiztosító társaság›; **A 1 at ~** elsőrendű a maga nemében

lo [loʊ] *isz régi vál* íme!, lám!; **~ and behold!** látod!, íme!, és tényleg

loach [loʊtʃ] *fn áll* csík; **common ~** kövi csík; **spined/spiny ~** vágócsík

load [loʊd] **I.** *fn* **1.** teher, rakomány; *biz* **~s of ...** igen sok, nagy mennyiségű, rengeteg; *átv* **bear a ~ on one's back** terhet visz a hátán **2.** *átv* nyomás, súly; **a ~ of grief** bánat/fájdalom súlya; **have a ~ on one's mind** nagy súly nyomja lelkét; **a ~ off one's mind** nagy kő (esett le) a szívéről **3. a)** *műsz épít vill* terhelés, teher(bírás), kapacitáskihasználás *[üzemé]*; *műsz* **safe ~** megengedett terhelés; *műsz* **working ~** megengedhető/üzemi/hasznos terhelés **b)** rakodás, megrakás **II. A.** *tsi* **1. a)** (meg)terhel, megrak, rárak, *épít műsz* terhelést alkalmaz; **~ sy with sg**, **~ sg on to sy** megterhel vkt vmvel **b)** (meg)tölt *[fegyvert]*; **~ a gun** puskát tölt, megtölt egy puskát **2. ~ (a spring)** rugót megszorít/megfeszít **3. a)** elhalmoz, eláraszt, elborít (vkt vmvel); **~ sy with honours** kitüntetésekkel áraszt el vkt; **~ with reproaches** szemrehányásokkal áraszt el **b)** túlterhel, megterhel, igen megrak *[étellel]*; **~ the stomach** megterheli/túlterheli gyomrát **4.** *pénz [biztosítási díjat]* felemel **5. a)** meghamisít *[játékkockát ólomnehezékkel látva el]*, cinkel *[kártyát]* **b)** nehezebbé tesz **c)** alkohollal kever, szeszesít, hamisít *[bort]*; **this wine has been ~ed** ezt a bort meghamisították, ez hamisított bor **B.** *tni* **1. ~ (up)** (meg)rakodik *[jármű]* **2.** *biz* **~ up** teleszívja magát benzinnel *[autó motorja]*; teletömi/teleeszi magát *szl* **drop one's ~** *[pénzt veszít]* bukik vmennyit; **have/get a ~** *[részeg]* be van szívva; **get a ~ of sg** figyelmesen néz, hallgat • *fn* **loadability**

load up *tsi infor* betölt, feléleszt, elindít

load-bearing capacity *fn műsz* teherbíró/teherbefogadó képesség, hordképesség, raksúly

load cable *fn bány* vontatókötél, terhelt kötél

load circuit *fn vill* terhelési áramkör

loaded [ˈloʊdɪd] *mn* **1. a)** (meg)terhelt, megrakott, tele; **~ cane** ólmosvégű bot; *pénz* **~ premium** biztosítási díjtöbblet **b)** túlterhelt, megterhelt *[étellel]*; **a ~ stomach** (meg)terhelt gyomor **2.** kevert, hamisított; **~ dice** cinkelt játékkocka, hamis kocka; **~ wine** hamisított bor **3.** *US szl [részeg]* be van szívva, tajt; *[kábítószer hatása alatt álló]* be van állva **4.** *US szl [pénzes]* vastag, jól el van eresztve

loader [ˈloʊdə ‖ −ər] *fn* **1. a)** *épít műsz* rakodógép, felrakógép **b)** rakodó/töltő/terhelő berendezés **2. a)** rakodómunkás **b)** *infor* (program)betöltő **c)** puskatöltögető *[vadász kísérője]*

loading [ˈloʊdɪŋ] **I.** *mn* (be)rakodó, megrakó, (meg)terhelő, terhelési, (meg)töltő *[hely, szerkezet, berendezés stb.]*; **~ area** rakfelület; **~ conveyor** rakodószalag; **~ device** rakodószerkezet, rakodóberendezés; *hajó* **~ dock** rak(odó)part, rakodómóló; **~ platform** *vasút* nyílt rakodó; *hajó*

L

rakodóhíd; *hajó* ~ **port** rakodókikötő; *vasút* ~ **station** rakodóállomás, feladóállomás **II.** *fn* **1. a)** (be)rakodás *[vagonba, hajóra stb.]*, megrakás, (meg)terhelés, (meg)töltés *[áruval]*, *műsz* lapátolás; *rep* ~ **out** teher ledobása, tehermentesítés **b)** *kat* lőfegyver töltése **2.** *távk* hullámhossz meghosszabbítása/változtatása **3.** rakomány, teher **4.** *gk biz* eldugulás *[motoré]* **5.** *orv* terhelés, terheléses vizsgálat

loadline *fn hajó* merülési szintvonaljelzés *[hajó oldalán]*

load platform *fn* rakodófelület

loadstar *fn* **1. a)** vezércsillag **b)** sarkcsillag **2.** célpont, központ, (köz)figyelem tárgya

loadstone *fn ásv* mágnes, magnetit, mágnesvasérc

load test *fn műsz* terhelési próba, próbaterhelés

load waterline → **loadline**

load weight *fn* raksúly

loaf[1] [ˈloʊf] *fn tsz* **loaves** [loʊvz] **1.** vekni kenyér, cipó; *biz* **the loaves and fishes** a földi javak **2.** salátafej, káposztafej **3.** ‹gerincformában készített/sütött pástétom/húsvagdalék› **4.** *szl* **use your** ~ *[gondolkodj]* használd a fejed

loaf[2] [loʊf] **I. A.** *tsi* ~ **away one's time** semmittevéssel/lustálkodással/henyéléssel tölti idejét, ellógja az idejét **B.** *tni* ~ **(about)** csavarog, csatangol, kószál, őgyeleg, lóg, lézeng, ténfereg; *US* ~ **around** csavarog, csatangol, kószál, lézeng, ténfereg, flangál **II.** *fn tsz* **loafs** kószálás, csatangolás, barangolás; **be on the** ~ csatangol, barangol, kószál

loaf bread *fn* egész kenyér

loaf cake *fn US gaszt* négyszögletes sütemény

loafer [ˈloʊfə ‖ −ər] *fn* **1.** csavargó, léhűtő, semmittevő, naplopó **2.** *US* papucscipő, rohangálócipő

loaf-sugar *fn* süvegcukor

loam [loʊm] *fn* **a)** *geol* iszapos/homokos/sárga agyag, márga, agyagos föld, vályog(talaj) **b)** *mezőg* termőtalaj, termőföld, televény, komposzt, kerti föld **c)** *koh* fazekasagyag, mintázóagyag, agyagforma

loam pit *fn* agyaggödör, vályoggödör

loam wall *fn* tömésfal, vályogfal, agyaggal tapasztott fal

loamy [ˈloʊmi] *mn* kövér, termékeny *[termőföld]*, agyagos, agyag tartalmú

loan [loʊn] **I.** *fn* **1.** *gazd pénz* kölcsön, kölcsönzés, kölcsönadás, kölcsönvétel; **mortgage** ~ jelzálogkölcsön; **public** ~ államkölcsön; ~ **of security** zálogkölcsön; ~ **at notice** határidős kölcsön; ~ **on trust** becsületbeli (biztosíték nélküli) kölcsön; **offer sy a** ~ **of sg**, **offer sg to sy on** (v. **as a**) ~ vknek felajánlja vm kölcsönadását/kölcsönzését; **put out on** ~ kölcsönad, kikölcsönöz; **raise a** ~ kölcsönt vesz fel; kölcsönt bocsát ki *[állam]*; **issue a** ~ kölcsönt bocsát ki *[állam]*; **on** ~ kölcsönképpen; különítménybe küldött **2.** *nyelv* → **loanword II.** *tsi US* (pénzt) kölcsönad *[kamatra]*, kölcsönöz

loan bank *fn pénz* hitelintézet

loan certificate *fn pénz* kölcsönelismervény

loanee [loʊˈniː] *fn* kölcsönvevő, kölcsönkérő

loaner [ˈloʊnə ‖ −ər] *fn* kölcsönadó, kölcsönző, hitelező

loan holder *fn pénz* jelzáloghitelező

loan office *fn pénz* hitelintézet

loan shark *fn US* uzsorás

loan translation *fn* tükörfordítás, tükörszó

loanword *fn nyelv* jövevényszó, kölcsönszó, átvett szó, szóátvétel

loath [loʊθ] *mn* vonakodó, kelletlen; **be** ~ **to do sg** nem hajlandó/nincs kedve vmt megtenni, nem szívesen/vonakodva/kelletlenül tesz meg vmt

loathe [loʊð] *tsi* **loathing a)** utál, megvet, gyűlöl, ki nem állhat (vmt), vkt, vktől; ~ **doing sg** irtózik/undorodik vmnek a megtételétől **b)** ellenszenvvel viseltetik, ellenszenvet táplál (vmvel szemben), idegenkedik (vmtől); ~ **tea for breakfast** nem szívesen iszik teát reggelire

loathly [ˈloʊðli] *mn vál* visszataszító, undorító, utálatos

loathsome [ˈloʊðsəm] *mn* **a)** visszataszító, undorító, irtóztató **b)** felháborító, megdöbbentő, megbotránkoztató

loaves [loʊvz] → **loaf**[1]

lob [lɒb ‖ lɑb] **I.** *tsi* **-bb-** *sp* felüt, átemel, magasba üt *[labdát teniszben]* **II.** *fn* **a)** *sp* emelt/magas/ívelt labda, átemelés, ejtés *[vízilabdában]* **b)** rög, szemcse, vastag és nehéz (lecsüngő) tárgy/darab

lobar [ˈloʊbə ‖ −ər] *mn tud orv* lebenyes, lebeny-; ~ **pneumonia** lebenyes tüdőgyulladás

lobate [ˈloʊbeɪt] *mn tud* lebenyes, karéjos

lobby [ˈlɒbi ‖ ˈlɑbi] **I.** *fn* **1.** előcsarnok, előtér, hall, folyosó; **the L~ (of the House of Commons)** parlamenti folyosó; **Division L~** ‹az angol alsóház azon folyosója, amelyen a képviselők szavazáskor áthaladnak› **2.** *US* befolyást gyakorló érdekcsoport, lobby *[parlamentben]* **II. A.** *tsi US* kijár (vknél vmt), lobbizik; ~ **(members)** a parlamenti folyosókat látogatja hírszerzés céljából; *US* befolyásol(ni igyekszik) *[törvényhozókat]*; *US* ~ **a bill through** megszavaztat egy törvényt *[lobbizás útján]* **B.** *tni* előszobázik, protekciót keres/gyakorol • *fn* **lobbyist**

lobe [loʊb] *fn* **1. a)** *orv* lebeny, lebernyeg; **a** ~ **of the lungs** tüdőlebeny **b)** ~ **of the ear** fülcimpa **2.** *növ* levélkaréj **3. a)** *rep* (légcsavar)szárny **b)** *rep* kormánysúlyzsák *[sárkányléggömbön]* **4.** *épít* teknő, vályú, medence • *mn* **lobed**

lobectomy [loʊˈbektəmi] *fn orv* lebenyeltávolítás, lebenykiirtás *[tüdőlebenyé, agylebenyé stb.]*

lobelia [loʊˈbiːlɪə] *fn növ* lobélia

lob-lie-by-the-fire *fn* jóindulatú házi manó/tündér

loblolly-bay *fn US növ* gordonia

loblolly-pine *fn növ* tömjénfenyő

lobo [ˈloʊboʊ] *fn US áll* amerikai szürke farkas

lobotomy [loʊˈbɒtəmi ‖ −ˈbɑtə−] *fn orv* lebenymetszés, homloklebenyműtét, lobotomia, leukotómia

lobscouse [ˈlɒbskaʊs ‖ ˈlɑb−] *fn hajó* vagdalt hús főzelékkel *[hajósétel]*

lobster [ˈlɒbstə ‖ ˈlɑbstər] *fn áll* tengeri rák, homár; **spiny** ~ languszta; **Norway** ~ szkampo

lobster-flower → **poinsettia**

lobster net *fn* homárfogó/langusztafogó tölcsér alakú háló

lobster-pot *fn* ‹vesszővarsaszerű rákfogó szerszám›

lobster tail *fn* rákfarok, homárfarok

lobstick *fn* határfa, határjelző farúd/oszlop

lobular [ˈlɒbjʊlə ‖ ˈlɑbjələr] *mn* **1.** *orv* lebenyszerű, lebenyekből álló, lebenyes **2.** *növ* karéjszerű, karéjokból álló, karéjos

lobulate [ˈlɒbjʊlət ‖ lɑb−] *mn növ* szikleveles, lebenyes

lobule [ˈlɒbjuːl ‖ ˈlɑ−] *fn* **1.** *orv* kis lebeny, lebenyke **2.** *növ* álsziklevél *[füveknél]*

lobworm *fn* **1.** *áll* homoki csaliféreg **2.** → **lugworm**

local [ˈloʊkl] **I.** *mn* **1.** helyi, helybeli, helyben levő; ~ helyben *[borítékon]*; ~ **authority** önkormányzat; ~ **authorities** helyi hatóság(ok); *távk* ~ **call** helyi beszélgetés; ~ **branch** helyi/fiókszervezet; *gazd* ~ **credit** lokálakkreditív; ~ **delivery** házhozszállítás; ~ **doctor** körzeti orvos; ~ **government** (törvényhatósági) önkormányzat *[megyei, városi, községi]*; ~ **habitation** lak(ó)hely; ~ **horizon** szemhatár, lát(ó)határ; ~ **interests** helyi/kicsinyes érdekek; *távk* ~ **interference** helyi zavar; ~ **message** helyi beszélgetés *[telefonon]*; ~ **option** községi/helyi italmérési engedély; *US* ‹helyhatósági jog vmely törvény/határozat alkalmazására/elfogadására›; ~ **railway** helyiérdekű vasút, elővárosi vasút; *sp* ~ **side** hazai csapat; *US* ~ **taxes** városi pótadó; ~ **time** helyi idő; ~ **thunder** helyi viharok/zivatarok; ~ **train** helyi(érdekű) vonat, *US* személyvonat **2.** *orv* helyi (jellegű), lokális, lokalizált; ~ **anaesthesia** helyi érzéstelenítés; ~**(-ized) disease** helyi/lokális megbetegedés; ~ **injury** helyi sérülés; ~ **pain** helyi/lokális/lokalizált fájdalom **II.** *fn* **1.** helyi ember, helybeli **2. a)** helyi(érdekű) vonat **b)** *US* szakszervezeti helyi fiók **c) the** ~ a legközelebbi italbolt/kocsma **d)** *US* helyi hírek *[újságrovat címe]* **3.** körzeti orvos **4.** *orv biz* helyi érzéstelenítés

Local Area Network *fn infor* LAN helyi hálózat

locale [loʊ'kɑːl] *fn* színhely, helyszín *[eseményé, irodalmi műé stb.]*

localism ['loʊkəlɪzm] *fn* **1. a)** helyi jelleg/saját(os)ság, egy vidékre jellemző szokás, lokalizmus **b)** egy vidékre jellemző beszédmód/nyelv(járás)/kifejezésmód **2.** lakóhely/szülőföld szeretete, lokálpatriotizmus **3. a)** vidékiesség, provincializmus **b)** kicsinyes gondolkodás, (vidéki) szűklátókörűség

locality [loʊ'kæləti] *fn* **1. a)** hely(ség), helyszín; *biz* **have the bump of ~** jó tájékozódó képessége van **b)** *pszich* **(sense of) ~** lokalizáció *[ingeré]* **2.** környék, vidék, körzet **3.** lelőhely

localize ['loʊkəlaɪz], **-ise** *tsi* **1.** helyhez köt, elszigetel, lokalizál *[járványt, tüzet stb.]*, továbbterjedését megakadályozza (vmnek); **become ~d** korlátozódik, lokalizálódik *[betegség vmely testrészre/szervre]* **2.** meghatároz, megállapít, megjelöl **3.** széthelyez, szétoszt **4.** *infor* ‹szoftverterméket helyi nyelvre fordít› • *fn* **localization**

locate [loʊ'keɪt ‖ 'loʊkeɪt] **A.** *tsi* **1.** helyére tesz, elhelyez (vmt), telepít (vmt vhova); **be ~d (in a place)** elterül, található (vhol); *US* **house ~d on 45th Street** a 45-ik utcában levő/található ház **2. a)** *US* megállapít, meghatároz, megjelöl, rögzít *[helyet]*; **~ a quotation** megjelöli egy idézet forrását; **~ the source of a pain** megállapítja/megtalálja a fájdalom eredetét/forrását **b)** *kat* felderít, felfed, bemetsz, (célt) megállapít **B.** *tni* **a)** tartózkodik, található (vhol) **b)** *US* letelepszik, megtelepül

locating [loʊ'keɪtɪŋ ‖ 'loʊkeɪtɪŋ] **I.** *mn rep* **~ beacon** irányadó **II.** *fn* helymegállapítás, helymeghatározás; **~ by radio** rádiós helymeghatározás/bemérés

location [loʊ'keɪʃn] *fn* **1. a)** elhelyezés, fekvés, helyzet; *orv* **~ of a disease** betegség fészke **b)** helyszín, *US* hely, színhely **c)** *US film* külső felvétel színhelye; **(the film) was shot on ~ in Veszprém** (a film) külső felvételei Veszprémben készültek **2. a)** telepítés, letelepedés, letelepülés **b)** *tört* bennszülöttek számára fenntartott terület *[Dél-Afrikában]* **3. a)** helymeghatározás, kitűzés *[munkahelyé]*, *épít* területkiválasztás **b)** *kat* célmeghatározás **c)** *vasút* nyomkitűzés, nyomjelzés **4.** felderítés, felfedés **5.** *Ausz* juhtenyésztés

locative ['lɒkətɪv ‖ 'lɑkətɪv] **I.** *mn nyelv* helyhatározói esetben álló **II.** *fn nyelv* helyhatározói eset, locativus

locator [loʊ'keɪtə ‖ 'loʊkeɪtər] *fn* **1. a)** (meg)találó, felderítő **b)** *US szl* ‹előzetes helyszíni szemlét tartó gonosztevő› **2. a)** hely(zet)meghatározó elem **b)** helymeghatározó berendezés, lokátor *[híradástechnikában]*

loc. cit. [ˌlɒk 'sɪt ‖ ˌlɑk–] *röv* loco citato; *in the place cited* idézett helyen, i. h.

loch [lɒx ‖ lɑk] *fn* **1.** *sk* tó **2.** tengeröböl

lochia ['lɒkɪə ‖ 'loʊ–] *fn tsz orv* gyermekágyi folyás

lock¹ [lɒk ‖ lɑk] **I.** *fn* **1.** zár, lakat, zárószerkezet; **pick a ~** zárt álkulccsal kinyit; **under ~ and key** lakat alatt, jól elzárva; *biz* lakat alatt, dutyiban, börtönben **2.** *kat* závárzat, lobbantyú *[lőfegyveré]*; *biz* **~ stock and barrel** mindenestül, szőröstül-bőröstül **3. a)** *gk* kerékkötő (lánc), kerékfék **b)** *gk* **(steering) ~** kormányozhatósági szög, fordulékonyság **4.** *vízügy* zsilipmű, (kamara)zsilip **5.** torlasz, elakadás *[járműveké]*, közlekedési zavar **6.** *sp* kulcsolás *[birkózásban]* **7.** *orv* → **lock-hospital** **II. A.** *tsi* **1. a)** bezár, lezár, becsuk, elzár, lelakatol, elreteszel; *vasút* **~ a switch** váltót tilosra állít **b)** *átv* (meg)őriz, magába zár, mélyen eltemet *[pl. titkot]* **2. a)** rögzít, (szorosan) összezár, összeszorít; *műsz* **~ a bolt** csavart/csapszeget biztosít; **~ one's teeth** összeszorítja a fogait **b)** karjaiba zár, átölel; **he ~ed her in his arms** karjaiba zárta, megölelte **c)** egybekapcsol, összekapcsol, kereket köt/lefékez; **~ fingers together** összekapcsolja/összefonja ujjait; **~ horns with sy** összeakaszkodik vkvel; **be ~ed (together) in a struggle** dulakodnak **3.** *vízügy* zsilipekkel elzár/felszerel *[csatornát]*; **~ a boat** hajót zsilipez, hajót zsilipkamrán átereszt **4.** szinkronizál *[híradástechnikában]* **B.** *tni* **1.** (be)zárul, záródik **2.** összekapcsolódik, egybekapcsolódik **3.** elakad, összeakad *[kerék stb.]*; **the parts ~ into each other** az alkatrészek összekapcsolódnak **4.** *vízügy* zsilipen átmegy/áthalad *[hajó]*

lock away *tsi* elzár *[kulccsal, lakattal]*

lock in *tsi* **a)** bezár *[vkt szobába stb.]* **b)** körülzár, körülvesz; **the lake is ~ed in with/by forests** a tavat erdő veszik körül

lock off *tsi* zsilipekkel elzár *[folyóágat]*

lock out *tsi* **a)** kicsuk, kizár *[vkt szobából/lakásból]* **b)** *pol* kizár *[sztrájkolókat üzemből]*; → **lock-out**

lock up *tsi* **1. a)** bezár, becsuk, elzár, rázár; **~ up one's house** lezárja/bezárja a házát; **~ oneself up** bezárkózik **b)** *biz [bezár, börtönbe zár vkt]* hűvösre tesz vkt **2.** *pénz* **~ up one's money** befekteti/leköti pénzét

lock² [lɒk ‖ lɑk] *fn* **1. a)** hajfürt, hajtincs, lokni **b)** *vál tsz* **locks** haj(zat), hajfürtök; **golden ~s** arany(színű) haj(fürtök) **2.** *tex* gyapjúpihe, pamutpihe

lockage ['lɒkɪdʒ ‖ 'lɑ–] *fn* **1.** *vízügy* ‹két duzzasztó/zsilip közötti szintkülönbség› zsilipmagasság **2.** zsilipdíj **3. a)** zsilipsorozat **b)** zsilipépítés **c)** *hajó* zsilipezés, csegézés

lock-and-block system *vasút* térközbiztosító rendszer

lock bolt *fn* zárónyelv, záróretesz

lock canal *fn* (hajózható) zsilipes csatorna

lock-chamber *fn vízügy* zsilipkamra

locked-up stress *fiz* belső feszültség

locker ['lɒkə ‖ 'lɑkər] *fn* **1.** kulcsra/kulccsal zárható szekrény, öltözőszekrény; *biz* **I've still got a shot in the ~** még van egy segélyforrásom **2. a)** *hajó* élelmiszerláda, ruhásláda **b)** raktár, kamra *[hajófenékben]* **3.** záró(öv)

locker room *fn sp* szekrényes öltöző

locket ['lɒkɪt ‖ 'lɑ–] *fn* **a)** nyakérem/medaillon **b)** (füles), horgos kapocs *[órán stb.]*

lockfast *mn* **a)** kulcsra, járó, kulccsal/lakattal zárható/záródó **b)** kulcsra bezárt, lelakatolt

lock hospital *fn orv* zárt nemibetegkórház

locking bar ['lɒkɪŋ–] *fn* zárórúd, záróretesz, heveder(-pánt)

locking screw *fn műsz* zárócsavar, ütközőcsavar, rögzítőcsavar

lock jaw *fn* **1.** *orv* rágóizomgörcs, szájzár, trismus **2.** *biz* tetanusz, merevgörcs **3.** *állorv biz* lótetanusz

lock keeper *fn vízügy* zsilipőr, zsilipkezelő

locknut *fn* **a)** *műsz* biztosító/rögzítő/tömítő anya(csavar) **b)** ellenanya(csavar)

lock-out *fn ip* munkáskizárás, munkáselbocsátás *[üzemből]*; → **lock out**

locksmith *fn* lakatos; **~ nail** kovácsolt vasszeg

lockstep *fn* **march in ~** tömött oszlopban menetel

lockstitch *fn* tűzőöltés, steppelés, *tex* fűzőkötés

lockup **I.** *fn* **1.** (be)zárás, lezárás, lelakatolás **2.** rendőrőrszoba, fogda, dutyi; **be in the ~** börtönben/dutyiban ül **3. a)** *pénz* lekötés, befektetés, zárolás *[tőkéé]* **b)** *pénz* lekötött/befektetett tőke **4.** üzlethelyiség **II.** *mn* bezárható, (el)zárható, lezárható, lelakatolható; **a ~ shed** bezárható (v. kulcsra zárható) kocsiszín/barakk

loco¹ ['loʊkoʊ] *fn biz* mozdony, lokomotív

loco² ['loʊkoʊ] **I.** *mn US szl [bolond]* dilis, lökött, flúgos **II.** *fn* **1.** *US növ* → **locoweed** **2. a)** *US orv* → **loco-disease** **b)** *US szl* agybaj, elmebaj

loco-disease *fn állatorv* düh *[ló/szarvasmarha betegsége]*

locomotion [ˌloʊkə'moʊʃn] *fn* hely(zet)változtatás, mozgás

locomotive [ˌloʊkə'moʊtɪv] **I.** *fn* **a)** *vasút* mozdony, lokomotív **b)** *tréf* **use one's ~s** (el)fut, elinal **II.** *mn* **1. a)** mozgató **b)** mozgó, helyzetváltoztató; **~ power** mozgó/helyzetváltoztató erő; **~ engine** mozdony, lokomotív **2.** *tréf* ide-oda utazgató, nyugtalan vérű

locomotive engineer *fn US* mozdonyvezető

L

locomotor [ˌloʊkəˈmoʊtə ‖ –ˈmoʊtər] **I.** *mn* **1.** mozgató, mozgási, helyváltoztatási **2.** *orv* ~ **ataxy** tábesz, hátgerincsorvadás **II.** *fn* **a)** hordozható/magánjáró motor **b)** elektromos mozdony

loco-price *fn gazd* helyi/helybeni ár

locoweed *fn* **a)** *US növ* csüdfű **b)** csajkavirág

locum [ˈloʊkəm] *fn biz* helyettes

locum-tenency [ˌloʊkəm ˈtiːnənsi] *fn* helyettesi állás/beosztás *[átmenetileg]*

locum-tenens [ˌloʊkəm ˈtiːnenz] *fn* **1.** helyettes, helyettesítő, *vall* helytartó; **act as ~ for sy** helyettesít (vkt) **2.** helyettesi állás/beosztás

locus [ˈloʊkəs] *fn tsz* **loci** [ˈloʊsaɪ] **1.** hely, (pontos) fekvés *[épületé]*, színhely **2.** *mat* **a)** mértani hely/pálya **b)** mozgásdiagram **3.** *biol* lókusz *[gének helye a kromoszómán]*

locust [ˈloʊkəst] *fn* **1.** *áll* sáska **2.** *növ* **a)** szentjánoskenyér **b)** → **locust-tree 3.** *áll* → **cicada**

locust bean *fn növ* szentjánoskenyér

locust tree *fn* **1.** *növ* szentjánoskenyérfa **2.** *növ* fehér akácfa **3.** *növ* kurbarilfa

locution [ləˈkjuːʃn] *fn* **1.** *nyelv* állandósult szókapcsolat, frazeológiai egység **2.** beszédmód, kifejezésmód, frazeológia

loden [ˈloʊdn] *fn tex* lóden

lodestar *fn* **1. a)** vezércsillag **b)** sarkcsillag **2.** *átv* vezérelv, alapelv

lodestone → **loadstone**

lodge [lɒdʒ ‖ lɑdʒ] **I. A.** *tsi* **1. a)** elhelyez, elszállásol (vkt), albérleti/bútorozott szobát kiad (vknek); **I can ~ you for a day or two** egy-két napig adhatok szállást **b)** elhelyez (vmt vhol), odahúz, odaüt *[ütést]*, odatapaszt, beledöf *[kardot, lándzsát]*; **~ a bullet on the target** golyót lő a céltáblába **c)** megáll, megakad (vhol); **get ~d (in sg)** megakad (vmben), vmn **2.** benyújt, bejelent *[írásban]*; **~ a claim** igényt támaszt; **~ a complaint** panaszt tesz/emel, feljelentést tesz; **~ information against sy** feljelent vkt; **~ one's protest** bejelenti tiltakozását **3.** kap, befogad, magában foglal **4.** *pénz* letétbe helyez, deponál, letesz; **~ money in the bank** letétbe helyezi (v. beteszi) a pénzt a bankba; **~ money with sy** pénzt letétbe helyez vknél, pénzt bíz vkre; **~ credit** hitelt nyit; **~ power in the hands of sy** hatalmat ruház vkre **5.** megdönt, letarol *[szél/eső gabonát]* **B.** *tni* **1. a)** lakik, megszáll, tartózkodik; **~ with sy** albérletben lakik vknél **b)** *vad* erdőbe behúzódik/fut *[rőtvad]* **2.** befészkeli magát, behatol (vhova); **the bullet ~d in his brain** a golyó agyvelejébe fúródott **3.** megdől, lefekszik *[gabona stb.]* **II.** *fn* **1. a)** kapusfülke, portásfülke, kapuslakás, portáslak(ás); **keeper's ~** vadőrlak **b)** házikó, kunyhó, lak **c)** indiánkunyhó, vigvam **2. a)** szabadkőműves-páholy **b)** **~ (meeting)** ülés(ezés) **3.** (föld alatti) üreg *[vidráé, hódé]* **4.** igazgatói lakás *[kollégium igazgatójáé, Oxfordban, Cambridge-ben]* **5.** helyi szervezet *[szakszervezeté]*

lodge gate *fn* kapusbejáró; parkkapu

lodge keeper *fn* kapus, portás, házfelügyelő, házmester

lodg(e)ment [ˈlɒdʒmənt ‖ ˈlɑdʒ–] *fn* **1.** szállás, lak(ó)hely **2.** *jog* letétbe helyezés (*with* vknél) **3.** kérvénybenyújtás **4.** lerakódás, üledék

lodger [ˈlɒdʒə ‖ ˈlɑdʒər] *fn* albérlő; **take in ~s** albérlőket tart

lodging [ˈlɒdʒɪŋ ‖ ˈlɑ–] *fn* **1. a)** szállásadás, elszállásolás; **common ~ house** szociális otthon, szegényház, menhely **b)** szállás; **board and ~** lakás és ellátás **c)** **~(s)** bútorozott szoba/lakás; **furnished ~s** bútorozott szoba **d)** ‹némely oxfordi és cambridge-i kollégium igazgatójának szolgálati lakása és hivatali helyisége› **2.** letétbe helyezés *[pénzé, értéké]* **3.** *jog* benyújtás *[panaszé, fellebbezésé]* **4.** megdőlés *[gabonáé]*

lodging house *fn* vendégfogadó, ház, amelyben bútorozott szobák bérelhetők

loess [ˈloʊes ‖ les] *fn geol* lösz, sárga/agyagos föld; **ochre ~** sárga föld

loft [lɒft ‖ lɔft] **I.** *fn* **1. a)** padlás(tér), padlásszoba, tetőtér **b)** galéria *[lakásban kialakítva]* **c)** szénapadlás **2.** galambdúc; **a ~ of pigeons** galambcsapat **3.** karzat, galéria **4.** *sp* emelőütés *[golfban]* **II.** *tsi* **1.** *sp* emelő ütéssel üt *[golfban]* **2.** galambházban/galambdúcban tart *[galambokat]*

lofty [ˈlɒfti ‖ ˈlɔfti] *mn* **1.** magas, kiemelkedő *[hegy, fa, épület stb.]* **2.** emelkedett, fenséges, magasztos, fennkölt, magasröptű **3.** gőgös, büszke, öntelt, fennhéjázó

log[1] [lɒg ‖ lɔg] **I.** *fn* **1.** fatuskó, farönk, fatörzs, hasábfa, szálfa, gerenda; **King L~** bábkirály; **sleep like a ~** úgy alszik, mint a bunda; *átv* **keep the ~ rolling** nem hagyja a dolgot elaludni; **roll my ~ and I'll roll yours** kéz kezet mos **2.** *hajó* **a)** sebességmérő orsó/kötél, log(zsinór); **patent ~** sebességmérő, gyorsaságmérő, sodormérő **b)** sebességmérő *[gépházban]* **3.** → **logbook II.** *tsi* **-gg-** **1.** feldarabol, felhasogat, felhasít, darabokra hasít *[fát]* **2.** **the ship ~s ... miles** a hajó ... sebességgel halad/megy **3. a)** *hajó rep* hajónaplóba/gépnaplóba bevezet/bejegyez/beír; **the pilot has ~ged 200 flying hours** a pilóta repülési óráinak a (bejegyzett) száma 200 **b)** *ip* munkanaplóba/teljesítménynaplóba bejegyez/feljegyez **4.** *infor* bejelentkezik, bejegyzi magát; **~ in/on** bejelentkezik, belép; **~ out/off** kijelenkezik, kilép (a rendszerből) **5.** elér *[eredményt, teljesítményt, pontot]*

log[2] [lɒg ‖ lɔg] **I.** *mn mat biz* logaritmikus **II.** *fn mat biz* logaritmus

logarithm [ˈlɒgərɪðm ‖ ˈlɑ–] *fn mat* logaritmus; **natural ~** természetes logaritmus

logarithmic [ˌlɒgəˈrɪðmɪk ‖ lɑ–] *mn mat* logaritmikus, logaritmus-; **~ curve** logaritmikus görbe; **~ function** logaritmusfüggvény; **~ table** logaritmustábla, logaritmustáblázat

logbook *fn* **1. a)** *hajó* út(mérő)könyv **b)** hajónapló; **ship's ~** úti hajónapló **2.** *gk rep* útinapló, gépnapló, menetnapló **3.** *ip* teljesítménynapló, munkanapló **4.** *geol* geológiai metszeteket tartalmazó jelentés **5.** *kat* hadműveleti napló **6.** *infor* napló

log-cabin *fn* fakunyhó, gerendaház

log-canoe *fn* fatörzsből kivájt csónak

log file *fn infor* naplóállomány

logger [ˈlɒgə ‖ ˈlɔgər] *fn* **1. a)** tuskózó, rönkvágó **b)** → **lumberjack 2.** rönkemelő vontató *[gépkocsi stb.]* **3.** *el távk* **data ~** adatgyűjtő és regisztráló berendezés

loggerhead *fn* **1.** *[ostoba/buta ember]* tökfilkó; **be at** (v. **come to**) **~s with sy** civakodik/összeszólalkozik vkvel **2.** *áll* cserepes teknős **3.** *műsz* szurokolvasztó páka

loggerheaded *mn* **1.** buta, ostoba, lassú észjárású **2.** *áll* nagyfejű

loggia [ˈlɒdʒɪə ‖ ˈloʊdʒə] *fn épít* boltíves folyosó, loggia

logging [ˈlɒgɪŋ ‖ ˈlɔgɪŋ] *fn* **1.** fakitermelés, erdőkitermelés, fakivágás és megmunkálás **2. a)** *hajó gk rep* naplóvezetés **b)** *infor* esemény rögzítés **c)** kísérleti eredmények feljegyzése

logging railroad *fn* erdei iparvasút *[rönkszállításra]*

logic [ˈlɒdʒɪk ‖ ˈlɑ–] *fn* **1. a)** *[a gondolkodás tana]* logika **b)** ésszerű/világos gondolkodás, logika; **chop ~** üres szalmát csépel, fölöslegesen vitatkozik **2.** konklúzió, végeredmény *[döntésé, vitáé]*

logical [ˈlɒdʒɪkl ‖ ˈlɑ–] *mn* **a)** logikus, ésszerű; **~ analysis** ésszerű elemzés; **~ argument** logikus/ésszerű érv(elés) **b)** logikus/módszeres gondolkodású **c)** logikai

logic-chopper *fn biz* kicsinyeskedő/szőrszálhasogató/akadékoskodó ember, szofista • *fn* **logic-choppering**

logician [ləˈdʒɪʃn ‖ loʊ–] *fn* **a)** logikával foglalkozó tudós, logikatanár **b)** logikusan/módszeresen gondolkodó személy

login [ˈlɒgɪn ‖ ˈlɔgɪn] *fn infor* bejelentkezés, belépés

logistic [ləˈdʒɪstɪk ‖ loʊ–], **logistical I.** *mn* **1.** *mat* logisztikus, logisztikai; **~ curve** logisztikus görbe **2.** *kat* hadtáp-; **~ support** anyagi-technikai támogatás **II.** *fn mat* logisztika

logistics [lə'dʒɪstɪks ‖ loʊ–] *fn tsz* **1.** → **logistic II. 2.** utánpótlás, hadtáp(szolgálat), anyagi-technikai támogatás
logjam *fn* szálfatorlódás *[folyón]*; *átv* zsákutca, holtpont
log-line *fn hajó* útmérőfonál, logkötél
logo ['loʊgoʊ] *fn* **1.** *gazd* logo, márkajel, embléma *[cégé, intézményé, egyesületé]* **2.** → **logotype**
logoff *fn infor* → **logout**
logogram ['lɒgəgræm ‖ 'lɔ–] *fn* **1.** gyorsírási jel(kép), sztenogram **2.** szójel, logogram *[mezopotámiai, egyiptomi stb. írásokban]*
logographer [lɒ'gɒgrəfə ‖ loʊ'gɑgrəfər] *fn* **a)** *tört* görög prózaíró, történetíró, logográfus **b)** védőbeszédíró rétor *[régi görögöknél]*
logogriph ['lɒgəgrɪf ‖ 'lɔ–] *fn* szórejtvény, betűrejtvény, anagramma
logomachy [lɒ'gɒməki ‖ loʊ'gɑ–] *fn* szócsata, szóvita
logon [ˌlɒg'ɒn ‖ ˌlɔg'ɑn] *fn infor* → **login**
logopedics [ˌlɒgə'pi:dɪks ‖ ˌlɔgə–], **logopaedics** *fn esz orv okt* logopédia
logorrhoea [ˌlɒgə'ri:ə ‖ ˌlɔ–], **-rhea** *fn pszich* kóros bőbeszédűség
Logos ['lɒgɒs ‖ 'loʊgɑs] *fn vall fil* **(the) ~** az Ige, a Logos
logotype ['lɒgətaɪp ‖ 'lɔgə–] *fn nyomd* egybeöntött betűcsoport, logotípia
logout *fn infor* kijelentkezés, kilépés
logroller *fn* **1.** *US* rönköket folyóhoz görgető munkás **2.** vkvel érdekszövetséget kötő ember
logrolling *fn* **1.** *US* rönk(le)görgetés **2. a)** kölcsönös segítség, kéz kezet mos politikája, baráti protekcionizmus, politikai érdekszövetség **b)** kölcsönös öndicséret/reklámozás *[sajtóban, irodalmi körökben]* • *tsi* **logroll**
logwood *fn* **1.** *növ* börzsönyfa, kampisfa, kékfa **2.** rönkformára összerakott fűrészáru
loin [lɔɪn] *fn* **a)** *orv* **~(s)** (l)ágyék; **gird up one's ~s** összeszedi magát, nekigyürkőzik **b)** keresztcsont *[lóé]* **c)** vesepecsenye, bélszín, (pecsenye)hátszín, borjúfilé, marhafilé
loin chop *fn* csontos oldalas/hátszínszelet, vesepecsenyeszelet
loin-cloth *fn* ágyékkötő
loir ['lɔɪə ‖ –ər] *fn áll* alvópele
loiter ['lɔɪtə ‖ –ər] *tni* álldogál, lebzsel, lézeng, ácsorog; **~ away one's time** ellógja/vesztegeti az idejét; **~ over sg** elidőzik vmnél, hosszasan (piszmogva) csinál vmt • *fn* **loiterer**
loll [lɒl ‖ lɑl] **A.** *tsi* **~ the tongue out** (ki)lógatja a nyelvét *[kutya stb.]* **B.** *tni* **a) ~ out** kilóg, lelóg **b)** elterül, elnyúlik; **~ on a sofa** elterül/elnyúlik egy díványon, díványon hever(észik) **c) ~ about** ácsorog, kószál, csatangol; lebzsel, henyél, lustálkodik
Lollard ['lɒləd ‖ 'lɑlərd] *mn/fn vall tört* lollard, Wycliffe követője
lollipop ['lɒlipɒp ‖ 'lɑlipɑp] *fn* **1.** nyalóka, cukorka; *tsz* **~s** cukorka, bonbon **2.** jégkrém
lollop ['lɒləp ‖ 'lɑ–] *tni* **a)** *biz* **~ (along)** nehézkesen megy/mozog, vánszorog **b)** *biz* fickándozik, ugrándozik, ide-oda ugrál **c)** *biz* hullámokon táncol/hánykolódik *[hajó]*
lolly ['lɒli ‖ 'lɑli] *fn* **1.** *szl [pénz]* guba, dohány, steksz **2.** *GB* → **lollipop 3.** *Ausz* édesség
Lombard ['lɒmbəd ‖ 'lɑmbərd] **I.** *mn tört* longobárd, lombardiai; **~ Street** ‹London banknegyedének egyik utcája› *átv* a londoni banknegyed/pénzvilág; *biz* **it is ~ street to a China orange** ég és föld a különbség, össze sem lehet hasonlítani **II.** *fn* **1.** longobárd, lombárd, lombardiai **2.** pénzváltó, zálogos
Lombardy ['lɒmbədi ‖ 'lɑmbərdi] *tul földr* Lombardia
Lombardy poplar *fn növ* jegenyenyár(fa)
London ['lʌndən] *tul* London *[az Egyesült Királyság fővárosa]*; **~ white** ólomfehér (festék)
Londoner ['lʌndənə ‖ –ər] *fn* londoni ember/lakos
Londonism ['lʌndənɪzm] *fn* ‹sajátos londoni kiejtés/kifejezés›
London pride *fn növ* gyepes kőtörőfű
lone [loʊn] *mn* **a)** *vál* magányos, egyedülálló; **~ parent** egyedülálló szülő; **play a ~ hand** egyedül játszik a többiek ellen *[kártyában]*; a maga útján jár, saját szakállára csinál vmt; *biz* **be on/by one's ~(s)** magára hagyatott **b)** félreeső, elhagyatott, magányos, puszta *[hely]*; **a ~ waste** magányos/elhagyott pusztaság
loneliness ['loʊnlinəs] *fn* **a)** magány(osság), elhagyatottság **b)** elhagyatottság érzése, lehangoltság
lonely ['loʊnli] *mn* **a)** magányos, egyedülálló, elhagyatott; **~ heart** magányos lélek; **a ~ life** magányos/visszavonult élet; **feel ~** egyedül érzi magát **b)** elhagyatott, puszta, egyedülálló, magányos *[hely stb.]* **c)** elhagyatott helyen levő *[út]* **d)** elszomorító
loner ['loʊnə ‖ –ər] *fn biz* magányos/zárkózott ember, magának való ember
lonesome ['loʊnsəm] *mn vál biz* magányos, egyedülálló, elhagyatott; **be on one's ~** magára hagyatott
long[1] [lɒŋ ‖ lɔŋ] **I.** *mn* **1.** hosszú *[térben]*; *átv* **have a ~ arm** messzire elér a keze (v. terjed a hatalma); *biz* **words as ~ as your arm** véget nem érő beszéd/szavak; **~ bill** nagy számla; **~ chance** kevés esély; **~ drink** vízzel hígított ital, hosszú ital; **~ dozen** tizenhárom (darab); *tex* **~ dye bath** híg festőlé; **~ face** hosszúkás/keskeny arc; *átv* megnyúlt/csalódott ábrázat; **pull a ~ face** savanyú képet vág; **face as ~ as a fiddle** gyászos/szomorú ábrázat; **~ family** nagy/népes család; **a ~ figure** borsos ár; **five ~ miles** jó öt mérföld(nyire); *sp* **~ horse** ló *[tornaszer]*; *US* **~ house** ‹irokéz indián törzsi hosszú szállásház›; **~ hundred** tíz tucat, 120; *sp* **~ jump** távolugrás; *US* **~ knife** fehér ember, sápadt arcú *[indiánok által használt elnevezés]*; **~ letters** ékezettel ellátott betűk; **~ measure** hossz(úság)mérték; **make a ~ nose at sy** szamárfület mutat vknek; *tex* **~ pile** plüss; **~ price** magas ár; **that's a ~ price!** jól meg van fizetve!; *US* **~ potato** batáta; **~ purse** tele/tömött erszény; *film média* **~ shot** totál(kép); → **long-shot**; *tex* **~ stripe pattern** hosszcsíkos/láncsíkos minta; **~ ton** angol/hosszú tonna *[1016 kg]*; *távk* **~ wave** hosszú hullám; **a ~ way about** nagy kerülő; **be ~ on sg** bőven van neki vmből, bőven el van látva vmvel; **it is as broad as it is ~** egyre megy; **have a ~ tongue** sokat beszél/fecseg; **at ~ range** távolról, messziről; **(the best) by a ~ way/chalk** jóval (jobb), messze a (legjobb); **in the ~ run**, *US* **over the ~ pull** hosszú távra; végtére, végül (is) **2.** hosszú *[időben]*, hosszan tartó, hosszadalmas; → **long-run**; **a ~ memory** jó emlékezőtehetség; **a ~ time ago** (jó) régen; **for a ~ time** hosszú ideig, sokáig; **for a ~ time past** hosszú ideje, régóta; **the ~ vacation** a nagy/nyári szünet; **~ views** előrelátás; **bid sy a ~ farewell** hosszú időre búcsúzik vktől; **to cut a ~ story short** hogy szavamat rövidre fogjam; de hogy ne szaporítsuk a szót **II.** *hsz* **1. a)** hosszú ideje, hosszú időn át; **all day ~** egész nap; **all night ~** egész éjjel; **an hour ~** egy óra hosszat; **his life ~** egész életében; **~ after** sokkal később; **~ ago/since** régóta, régen, hosszú ideje; **~ before** sokkal előbb; **before ~** nemsokára, hamarosan; **not ~ before** kevéssel azelőtt; **it will not be ~ before you know** nemsokára megtudjátok **b) how ~?** mennyi ideje?, mióta?; mennyi ideig?, meddig?; **how ~ have you been here?** mióta van itt?; **it is ~ since I saw him** régen nem láttam **2. a)** hosszú ideig, sokáig, hosszasan; **so/as ~ as** (addig) ameddig; mindaddig; feltéve, hogy; **as ~ as I live** ameddig (én) élek; **as ~ as you like** ameddig tetszik; **I had only ~ enough to...** csak annyi időm volt, hogy...; **he won't be ~** nem fog sokáig ott maradni; **it will not take ~** nem fog sokáig tartani; **for ~** hosszú ideig, sokáig, hosszasan; **be ~ in doing sg** sokáig/lassan csinál meg vmt; **he isn't ~ about it** gyorsan/hamar elintézi **b)** *pénz* **lend ~** hosszú lejáratú kölcsönt ad **3.** *biz* **so ~!** viszlát! **III.** *fn* **1. the ~ and the short of it is** a lényeg az, hogy; **he knows the ~ and the**

L

short of the matter az ügy minden részletét ismeri **2.** hosszú/terjedelmes idő(tartam); *okt biz* **the ~** nyári/nagy szünet/vakáció; **he hasn't ~ to live** nem sok ideje van hátra; **before ~** nemsokára; **be away for ~** sokáig távol van **3.** *tsz* **longs** *US* hosszú alsónadrág

long² [lɒŋ ‖ lɔŋ] *tni* **a) ~ for sg** vágyódik/áhítozik/sóvárog vm után; **~ for fresh air** friss/szabad levegőre vágyik; **~ for home** haza vágyódik, honvágya van; **~ after/for sg** vágyódik vm után, szeretne vmt **b) ~ to do sg** nagyon szeretne vmt tenni, ég a vágytól, hogy megtegyen vmt; **I ~ to see her** bárcsak láthatnám őt

long-ago I. *mn* régi, hajdani, egykori **II.** *fn* a régi idők; **in the days of ~** hajdan(ában), régen, valamikor

longbeard *fn* **1.** hosszú szakállú ember **2.** *növ* faszakáll, szakállas zuzmó

longbill *fn áll* nagy mocsári szalonka, sárszalonka, nagy bekasszin

long-billed *mn áll* hosszú csőrű

longboat *fn hajó* dereglye, hosszú/nagy csónak *[hajón]*

longbow *fn* nagy íj *[amely a földre állítva olyan magas, mint az íjász]*; *biz* **draw the ~** túloz, nagyzol, (nagyokat) lódít, elveti a sulykot

long-cut wood hosszfa

long-dated *mn pénz* hosszú lejáratú *[váltó]*

long-distance *mn* **a)** nagy távolságú; *kat* **~ gun** messzehordó ágyú **b)** hosszú távú *[verseny]*; **~ race/running** hosszútávfutás **c)** távolsági, interurbán *[telefonbeszélgetés]*, nagytávolságú *[összeköttetés]*; *US* **~ call** távolsági/interurbán beszélgetés **d)** távolsági *[autóbuszjárat]*

long-distance coach *fn gk* távolsági autóbusz

long distance headlamp *fn gk* országúti fényszóró

long-drawn, **long-drawn-out** *mn* hosszú(ra nyújtott), hosszadalmas, elnyújtott

longe [lʌndʒ] → **lunge²**

long-eared *mn* hosszú fülű

longer [ˈlɒŋgə ‖ ˈlɔŋgər] **I.** *mn* hosszabb *[időben, térben]* **II.** *hsz* hosszabbra, hosszabban, távolabbra, messzebbre; **the ~ the better** minél tovább, annál jobb; **how much ~ will it last?** meddig fog még tartani?; **no ~** soha többé

longeron [ˈlɒndʒərən ‖ ˈlɑndʒərɑn] *fn rep* hossztartó, (repülőszárny-)főtartó

longest [ˈlɒŋgɪst ‖ ˈlɔŋ–] **I.** *mn* leghosszabb *[időben, térben]* **II.** *hsz* **1.** leghosszabban; **a week at (the) ~** legfeljebb egy hét(ig) **2.** legtávolabbra

long-established *mn* régóta fennálló *[kapcsolat stb.]*

longeval [lɒnˈdʒiːvəl ‖ lɑn–] *mn* hosszú életű, magas korú

longevity [lɒnˈdʒevəti ‖ lɑn–] *fn* hosszú élet(tartam), magas kor

long-forgotten *mn* régen elfelejtett (v. feledésbe merült)

longhair *fn* **1.** *ritk* hosszú hajú férfi **2. a)** *biz* elméleti ember, szobatudós **b)** *biz* a komoly művészet rajongója **c)** hippi • *mn* **longhaired**

longhand *fn* kézírás, folyóírás; **write out in ~** átír *[gyorsírást]*

longheaded *mn* **1. a)** eszes, éles eszű **b)** csalafinta, számító **2.** hosszúkás fejformájú, hosszú fejű, keskeny fejű *[ember]*

longhorn I. *mn* hosszú szarvú **II.** *fn* hosszú szarvú szarvasmarha, *US* (hosszú szarvú) texasi marha

longicorn [ˈlɒndʒɪkɔːn ‖ ˈlɑndʒəkɔrn] **I.** *mn áll* hosszú csápú *[bogár]* **II.** *fn áll* **~ (beetle)** hőscincér

longing [ˈlɒŋɪŋ ‖ ˈlɔŋɪŋ] **I.** *mn* vágyódó, vágyakozó, sóvárgó, áhítozó; **with ~ eyes** sóvár szemmel **II.** *fn* **a)** vágyódás, vágyakozás, sóvárgás **b)** *tsz* **longings** *orv* megkívánás *[terhes asszonyé]*

longiroster [ˌlɒndʒɪˈrɒstə ‖ ˌlɑndʒəˈrɔstər] *fn áll* hosszú csőrű madár • *mn* **longirostral**

longish [ˈlɒŋɪʃ ‖ ˈlɔŋɪʃ] *mn* meglehetősen hosszú, hosszúkás

longitude [ˈlɒndʒɪtjuːd ‖ ˈlɑndʒətuːd] *fn* **a)** hosszúság **b)** *csill földr* (földrajzi) hosszúság; *hajó* **~ in** elért földrajzi hosszúság; *hajó* **~ left** túlhaladott földrajzi hosszúság

longitudinal [ˌlɒndʒɪˈtjuːdnˈəl ‖ ˌlɑndʒəˈtuː–] *mn* hosszanti, hosszirányú, hosszúsági; *fiz* **~ wave** longitudinális hullám; *fiz* **~ vibration** hosszanti rezgés; **~ view** hossznézet

longitudinal control arm *fn gk* hosszlengőkar

longjohn *fn tréf* hosszú gatya *[alsónadrág]*, jégeralsó

long-keeping *mn* sokáig (v. hosszú ideig) tartó, tartós, elálló; **~ apples** tartós/télálló alma

longleaf pine *fn növ* mocsári (hosszú levelű) fenyő

long-lease *fn jog* **~ agreement** örökbér-szerződés

long-legged *mn* **1.** hosszú lábú *[ember, állat]*, nyakigláb, hosszú csüdű *[ló]* **2.** gyors, sebes

longlegs *fn tsz* **1.** gólyaláb(ak) **2.** → **daddy-long-legs** 2.

long-life *mn* hosszú életű, tartós; **~ milk** tartós(ított) tej; **~ battery** tartós elem

long-line *mn távk gk* nagytávolságú, távolsági

long-lived *mn* **a)** hosszú életű, *tud* hosszú élettartamú, évelő *[növény]* **b)** hosszan tartó, állandó(sult), megrögzött; **~ error** állandó/megrögzött hiba

long-lost *mn* régen elveszett

long-play record, **long-playing record** *fn* mikrobarázdás/hosszanjátszó hanglemez, mikrolemez, LP

long-range *mn* **a)** távolsági, hosszú távú, hosszú lejáratú; *rep* **~ aircraft** távolsági repülőgép; **~ plan** távlati terv **b)** *fiz* nagy hatótávolságú/hatósugarú, *kat* messzehordó; *rep* **~ bomber** nagy hatósugarú bombázó-repülőgép; *kat* **~ gun** messzehordó ágyú; **~ operation** (i) távműködés (ii) *kat* nagy hatósugarú hadművelet

long-run *mn* hosszú távú, hosszú lejáratú; → **long¹ I.1.**

long-shore *mn* **a)** partlakó **b)** tengerparton kószáló/kóborló

longshoreman *fn tsz* **-men 1.** *hajó* kikötőmunkás, (ki)rakodómunkás, dokkmunkás **2.** parti halász

long-short *fn* hosszú novella, nagynovella, kisregény

long-shot *fn* **1.** *biz* hosszúlépés *[ital]* **2.** *biz* csekély esély; **it's a ~ but you never know** nincs sok esélye, de soha nem lehet tudni; **not by a ~** semmi esélye sincs

longsighted *mn* **1.** *orv* távollátó, messzelátó **2.** *átv* előrelátó, gondoskodó, körültekintő • *fn* **longsight**

longspun *mn* hosszúra nyúlt, terjengős, véget nem érő *[történet stb.]*

long-standing *mn* régóta fennálló, régi keletű

long-stay *mn orv* **hospital for ~ patients** elfekvő kórház; **~ car park** *GB [huzamosabb időre igénybe vehető]* fizető parkoló

long-suffering I. *mn* **a)** türelmes, kitartó **b)** béketűrő, elnéző **II.** *fn* **a)** türelem, kitartás **b)** béketűrés, engedékenység, elnézés

long-tailed *mn áll* hosszú farkú; **~ monkey** cerkófmajom; **~ mealybug** hosszú farkú vándorpajzstetű

long-term *mn* hosszú lejáratú *[hitel, terv stb.]*, hosszú távú

long-tongued *mn* szószátyár, fecsegő

long-wave *mn* **1.** *távk* hosszú hullámú **2.** *geol* **~ phase** főfázis *[földrengésnél]*

longways [ˈlɒŋweɪz ‖ ˈlɔŋ–] *hsz* hosszában, hosszirányban

long-wearing *mn* tartós, hosszú élettartamú, elnyűhetetlen, *biz* strapabíró *[anyag stb.]*

long-winded *mn* **a)** hosszú lélegzetű, terjengős, hosszadalmas, bőbeszédű, fáradhatatlan *[szónok]*; **be ~ about sg** bő lére ereszt vmt **b)** *sp* nem kifulladó *[ember, ló]*

longwise [ˈlɒŋwaɪz ‖ ˈlɔŋ–] *hsz* hosszában, hosszirányban

long-wool, **long-wooled** *mn* hosszúszőrű; **~ sheep** racka (juh)

loo¹ [luː] *fn ját* ‹egy fajta angol kártyajáték›

loo² [luː] *fn GB biz [vécé]* klotyó

loofah [ˈluːfə] *fn* ‹száraz tökbélből készült frottírszivacs› luffa

look [lʊk] **I. A.** *tsi* **1.** (meg)néz, pillantást vet; **~ sy (full/ straight) in the face/eyes** vknek az arcába néz, vknek a szeme közé néz; **~ the other way** másfelé néz, szemet huny; **~ sy up and down** (tetőtől talpig) végigmér vkt; **he ~ed a query at me** kérdőleg nézett rám; **~ daggers** gyilkos pillantást vet; *közm* **never ~ a gift-horse in the mouth** ajándék lónak ne nézd a fogát **2. she ~ed her best** a legelőnyösebben nézett ki; **she ~s her age** annyinak látszik, mint amennyi (idős); **he ~s the part** ezt a szerepet neki találták ki **B.** *tni* **1. a)** néz, tekint, szemlél, pillantást vet; *biz* **~ here!** idefigyelj(en)!, hallgass(on) ide!; **~, here he comes!** nézd csak, ott jön!; **I did it while he wasn't ~ing** azalatt csináltam, amíg nem nézett oda; *közm* **~ before you leap** először gondolkodj, aztán cselekedj **b)** (vmerre) néz *[ablak, ház stb.]*; **which way do the windows ~?** merre néznek az ablakok? **2.** vmnek látszik/tűnik/kinéz; **how did he ~?** milyennek tűnt?, milyen volt a külseje?, hogy(an) nézett ki?; **~ like sg** vmlyennek látszik/tűnik; **he ~s like an honest man** becsületes embernek látszik; **~ ill** rossz színben van; **~ well/good** jó színben van, „jól néz ki"; **what does he ~ like** hogy néz ki?; **he ~s as if/though...** úgy néz ki, mintha...; **it ~s to me as if...** úgy tűnik nekem, mintha...; *US biz* **~s like** úgy tűnik; **it ~s like rain** esőre áll, alighanem eső lesz; **he/it ~s like it** (meg)látszik rajta; **she ~s young for her age** korához képest fiatalnak látszik (v. néz ki); **~ alive** siet, igyekszik, csipkedi magát; *biz* **~ blue** rosszkedvűnek/levertnek látszik; **~ oneself (again)** visszanyeri az egészségét, felépül; **business ~s promising** az üzlet biztatónak látszik **II.** *fn* **1.** nézés, pillantás, tekintet; **have a ~ at sg** megnéz/megvizsgál vmt; **have a ~ at the paper** átnézi az újságot; **may I have a ~?** megnézhetem?; **have a ~ at that!** ezt nézd meg!; **have/take a good ~ at sy** alaposan megnéz/megvizsgál vkt, szemügyre vesz vkt **2. a)** megjelenés, külső, arckifejezés; **good ~s** szép/csinos arc/külső; **get back one's ~s** ismét talpraáll *[egészségileg]*; **I don't like the ~ of the thing** nem tetszik nekem ez a dolog; **affairs took an unfavourable ~** a dolgok kedvezőtlen fordulatot vettek; **by the ~(s) of it** a látszat szerint; **judge by ~s** külső alapján/után ítél **b) new ~** az új divat

look about *tni* **1. ~ about** körülnéz **2. ~ about for sy/ sg** keres vkt/vmt; **~ about for a post** állást keres

look after *tsi* gondoz (vkt), vmt, gondoskodik (vkről), törődik (vkvel), vmvel, gondját viseli; **~ after sy's wants** vknek a szükségleteiről gondoskodik; **he is not able to ~ after himself** nem képes magáról gondoskodni; **~ after one's interests** megóvja/megvédi az érdekeit

look around *tni US átv* körülnéz

look at *tni* **a)** megnéz; **what are you ~ing at?** mit néz(el)?; **(here's) ~ing at you!** egészségére! *[koccintásnál]*; **just ~ at this!** nézzen csak ide!; **not much to ~ at** nem sok látnivaló, semmi különös; **to ~ at him one would say...** ha az ember ránéz, azt hinné, hogy...; **she will not ~ at him** hallani sem akar róla; **fair to ~ at** kellemes külsejű/megjelenésű; jó ránézni **b)** megszemlél, megvizsgál; **the building ~ed at from the outside...** az épület kívülről nézve; **way of ~ing at things** a dolgok szemléletének a módja; **it depends on how you ~ at it** megítélés kérdése; **~ at it as he might...** bárhogy nézze is a dolgokat...

look back *tni* **a)** hátranéz, hátrafordul, visszanéz, viszszafordul, megfordul **b)** később újra benéz/bekukkant *[vkhez látogatóba]* **c) ~ back upon the bygone days** visszatekint/visszanéz a régmúlt napokra **d)** hanyatlik, leáll; *biz* **since that time he has never ~ed back** attól az időtől kezdve állandó haladást/fejlődést mutatott

look down A. *tsi* **~ down a list** átnézi a névsort, végigpillant a névsoron **B.** *tni* **1. a)** lenéz, lesüti a szemét **b)** *biz* **~ down on sy** lenéz/megvet vkt; **~ down the nose at** fölényesen lenéz vmt/vkt **2.** *gazd* csökkent, leszállít *[árat]*

look for *tsi* **1.** (meg)keres, kutat, nyomoz; **he is ~ing for a job** munkát keres; **~ for trouble** kötekedik, bajt kever/keres **2.** (el)vár, előre lát; **it is too soon to ~ for results** most még túl(ságosan) korán van ahhoz, hogy eredményeket várjunk

look forward *tni* **~ forward to (doing) sg** örömmel/alig vár vmt; előre örül vmnek; **I am ~ing forward to meeting you again** előre örülök, hogy újra találkozhatunk; *gazd* **~ing forward to your reply** válaszát várva *[levél végén]*

look in *tni* **1.** belenéz (vmbe), megnéz, szemügyre vesz (vmt); **she ~ed in his face** szemébe nézett **2. a)** benéz, bekukkant (vmbe/vhová) **b)** *[rövid látogatásképpen]* benéz; **~ in on sy**, **~ in at sy's house** vkhez benéz/bekukkant; **he just ~ed in** csak egy percre nézett/ugrott be **3.** tévét néz, tévézik

look into *tsi* **a)** belenéz, átnéz, átfut, átlapoz *[könyvet stb.]* **b)** megvizsgál, kivizsgál, tanulmányoz; **he ~s into the matter thoroughly** alaposan/behatóan megvizsgálja/(át)tanulmányozza az ügyet

look on *tni* **1.** vmt végignéz, vhol nézőként van jelen; **he merely ~ed on and did nothing** csak nézte és nem csinált semmit **2. ~ on (to)...** vhová néz *[épület, lakás]*; **the rooms ~ on (to) the street** a szobák az utcára (v. az utca felé) néznek **3.** vmt vmlyennek tekint; → **look upon** 2.

look out A. *tsi* (ki)keres, kiszemel, kinéz *[magának vmt]* **B.** *tni* **1. a)** kinéz; **~ out of the window**, **~ out through the window** kinéz/kitekint az ablakon **b) room that ~s out on the street** utcai szoba, utcára néző szoba **2.** vigyáz, figyel, vmre, óvakodik; **~ out for sy** megles vkt, leselkedik vkre; **~ out for sg** vár vmre; **~ out!** vigyázz!, légy óvatos!

look over *tsi* átnéz, megvizsgál (vmt); **~ over an account (again)** számlát (újra) átnéz/átvizsgál; *ját* **he is ~ing over my hand** figyeli a játékomat, kibicel; **~ sy all over** tetőtől talpig végigmér vkt; **~ over a house** szemrevételez egy házat

look round *tni* **a)** körülnéz; **~ round for sy** tekintetével/pillantásával keres vkt **b)** hátranéz, hátrafordul; **don't ~ round!** ne nézz hátra! **c)** számításba vesz *[lehetőséget]*, megfontol vmt

look through *tsi* **a)** átnéz, átfut, átvizsgál *[írást, leckét stb.]* **b) ~ sy through and through** alaposan szemügyre vesz vkt **c) ~ sy/sg** átlát vkn/vmn **d)** keresztülnéz vkn, levegőnek néz vkt

look to *tni* **1.** vigyáz/ügyel (vmre); **~ to it that ...** ügyelj (arra,) hogy ...; **just ~ to it that this doesn't happen again** vigyázz hogy ez még egyszer elő ne forduljon **2.** (el)vár (vmt), számít (vmre); **I ~ to you to put things right** elvárom tőled hogy rendbe hozod a dolgokat; **~ to sy for support** támaszt/segítséget vár vktől, támaszkodik vkre **3.** néz, tekint (vhova); **house that ~s to the east** keleti fekvésű ház

look toward, **look towards** *tni* vk/vm felé néz/tekint; **the building ~s toward the north** az épület északra néz (v. északi fekvésű)

look up A. *tsi* **1. ~ sy up and down** végigmér vkt **2. a)** *biz* **~ sy up** felkeres/meglátogat vkt; **~ me up when you are in town** látogasson meg, ha a városban jár; **I'll ~ you up** majd benézek hozzád **b)** megkeres, kikeres (vmt), utánanéz *[adatnak]*; **~ it up in the dictionary** megnézi/megkeresi/kikeresi a szótárban **B.** *tni* **1.** felnéz, felfelé néz; **~ up old chap!** fel a fejjel öregfiú! **2.** javul, fellendül, virágzásnak indul; **business is ~ing up** az üzlet javul/biztató; **things begin to ~ up** a dolgok kezdenek jóra fordulni (v. rendbe jönni) **3.** felnéz, tisztelettel néz; **~ up to one's teachers** tisztelettel néz fel tanáraira

look upon *tsi* **1.** ránéz, rátekint; **fair to ~ upon** kellemes látványt nyújt; **~ upon death without fear** bátran szembenéz a halállal **2.** (vmt) vmlyennek tekint/tart; **let us ~ upon that as done** tekintsük azt/ezt elintézettnek

look-alike *fn* hasonmás

L

looker ['lukə ‖ –ər] *fn* **1.** *US szl* ‹igen jóképű/csinos személy› **2.** *US szl* tévénéző

looker-in *fn tsz* **lookers-in** (tévé)néző

looker-on *fn tsz* **lookers-on a)** néző, szemlélő **b)** jelenlevő

look-in *fn* **1.** rövid látogatás; **give sy a ~** bekukkant/benéz/beugrik vkhez **2.** rövid betekintés, bepillantás (vmbe) **3.** *sp* **he won't have/get a ~** nincs esélye

looking-glass *fn* **1.** tükör **2.** *növ* **Venus's ~** Vénusz tükre

lookout *fn* **1. a)** (meg)figyelés, őrködés, őrség, *hajó* őrszolgálat, virrasztás; *átv* **that's my ~!** ez az én dolgom!, ez rám tartozik; **keep a ~** vigyáz, résen van; **be (up)on the ~** őrségen van; vigyáz/ügyel magára; résen áll **b)** (meg)lesés, lesben állás; **be a ~ man** falaz *[betörőnek]*; **be on the ~ for sy** megles vkt, lesben áll vkre; **be on the ~ for sg** kutat vm után **2.** *átv* kilátás(ok), perspektíva; **a wonderful ~ over the sea** gyönyörű kilátás a tengerre (v. tenger felé)

look-over *fn* **give sg a ~** átnéz, átfut, megvizsgál vmt; → **look over**

look-round *fn* nézelődés, körülnézés; **political ~** politikai helyzetkép; → **look round**

look-see *fn biz* szemrevétel, futólagos/felületes megtekintés/körülnézés, mustra; **have/take a ~** szétnéz, körülnéz (vhol)

look-up *fn infor* **1.** (adat)kikeresés **2.** szókeresés

look-up table *fn infor* adatválogató/hivatkozási táblázat

loom¹ [lu:m] **I.** *fn* **1. a)** *tex* szövőszék; **plain ~** síkszövőgép **b)** *tex* szövés **2. a)** eszköz, szerszám **b)** *vegy* nyitott edény **II.** *tsi tex* sző

loom² [lu:m] **I.** *tni* **1.** feltűnik, kiemelkedik *[láthatáron]*, homályosan láthatóvá válik, ködlik, dereng **2.** fenyegetően közeledik/van jelen; **dangers ~ing ahead** fenyegető/közeli veszély; *biz* **~ large** elkerülhetetlenül bekövetkezik *[esemény]*; **his own troubles ~ very large in his mind** csak a maga bajára tud gondolni **II.** *fn hajó biz* (köd által) homályos/elmosódó/megnagyobbodott körvonal • *fn* **looming**

loom³ [lu:m] *fn áll* északi búvár

loon [lu:n] *fn* **1. a)** *áll* óriás alka **b)** *áll* jeges búvár **2.** *áll* **greater ~** búbos vöcsök; *áll* **smaller ~** vöcsök

loony ['lu:ni] **I.** *mn US biz [bolond]* stikkes, flúgos, lökött **II.** *fn szl [bolond ember]* hülye, elmebeteg

loop [lu:p] **I.** *fn* **1. a)** hurok, csomó, gúzs; **overcoat ~** (bevarrt) kabátakasztó **b)** fogantyú, gyűrű, karika, kampó, fül; **~ of a door** ajtópánt **c)** hurokvonal **d) (intra-uterine) ~** méhhurok *[fogamzásgátló]*, spirál **e)** *tex* szem, hurokoltés **f)** csuklószíj *[síboton]* **2. a)** kanyar(odás), kanyargás *[folyóé stb.]* **b)** *műsz* cérnamenet, csavarodás, fonalfordulat *[csévéé, orsóé]* **c)** *vasút* hurok(vágány), kitérővágány, összekötő sínpár **d)** *sp* bukfenc *[műrepülésben]*, hurok *[műkorcsolyafigura]* **e)** *el távk* áramhurok, zárt áramkör **3.** *fiz* hullámhegy, hullámhas, maximális hullámamplitúdó **II. A.** *tsi* **1. a)** hurkot formál, hurkol, csomóz *[zsineget, kötelet]*, megköt, csomóra köt, csomóz **b)** begöngyöl, becsavar **c) ~ up the hair** feltűzi/felcsavarja a haját **2.** *rep* bukfencet/lupingot csinál; **~ the ~** (repülőgéppel) bukfencet/hurkot vet, bukfencezik **B.** *tni* **1.** hurkot formál, hurkolódik, (össze)csomósodik *[zsineg stb.]* **2.** *rep* bukfencezik; *rep* **~ horizontally** túldöntve fordul • *fn* **looping** *mn* **looped**

loophole I. *fn* **1. a)** kibúvó, menekülési lehetőség; **find a ~ of escape** kibúvót talál, egérutat nyer **b)** kibúvó *[rendelkezés/törvény kijátszására]*, kiskapu **2. a)** *kat* lőrés **b)** rés, nyílás, kém(le)lőnyílás **II.** *tsi kat* lőrésekkel ellát *[falat]*, lőréseket nyit *[falban]*

looplet ['lu:plət] *fn* kis hurok/csomó

loop-stitch *fn* hurokoltés, pikó *[kézimunkán, csipkén]*

loop-way *fn* kitérő *[úté]*

loopy ['lu:pi] *mn szl [bolond]* ütődött, dilis

loose [lu:s] **I.** *mn* **1. a)** szabad, meglazult, laza, kibomlott, tág, bő, lötyögő; **~ bowels** jól működő belek; **~ funds** le nem kötött tőke; **~ tooth** mozgó fog; **come/get ~** kibomlik; meglazul, kitágul, szétnyílik; leválik *[csavar stb.]*; **work ~** meglazul **b)** megerősítetlen, mozgatható, lebegő, szabad; **~ end** vmnek a szabad vége, *átv* elvarratlan szál; **tie up the ~ ends** elköti az elvarratlan szálakat; **~ end of rope** kötél szabad(on lógó) vége; **be at a ~ end** elfoglaltság/foglalkozás nélkül van; *biz* **leave everything at ~ ends** mindent elintézetlenül/szanaszéjjel hagy; **~ ice** úszó jég **c)** kivehető, különálló *[könyvlap stb.]*; **~ leaf** különálló lap; **~ part** pótalkatrész, tartalék alkatrész **2.** ömlesztett állapotban levő (v. állapotú); **~ cargo** ömlesztett rakomány; **~ change/cash** aprópénz; **the money was ~ in his pocket** a pénz szabadon volt a zsebében, a pénz nem pénztárcában volt **3.** *vegy* szabad, felszabadult, (természetben) szabadon előforduló **4.** elszabadult *[állat stb.]*; **he has a ~ tongue** szabadszájú; nem tudja befogni a száját; **get/break ~** elszabadul; **he tried to get his hand ~** megpróbálta kiszabadítani a kezét; **go about ~, go on the ~** szabadon jár-kel, szabadon jön-megy; **let the dog ~** szabadon ereszti a kutyát; **let ~ one's indignation** szabad folyást enged felháborodásának/megbotránkozásának; *átv* **(ride) with a ~ rein** szabadjára engedi a gyeplőt, lazán kezeli alárendeltjeit **5. a)** nem összefüggő, ritka, laza; **~ cheeks** petyhüdt/ernyedt arc; **~ earth/soil** laza/porhanyós föld/talaj; **~ fabric** laza/ritka szövésű kelme; *épít* **~ masonry** száraz/laza falazás *[kötőanyag nélkül]* **b)** *tex* **~ colour** fakuló szín **6. a)** laza, nem pontos *[meghatározás stb.]*, zavaros, összefüggéstelen *[beszéd stb.]*; **a ~ answer** pontatlan válasz; **~ translation** pontatlan fordítás, szabad fordítás; **a ~ worker** hanyag munkás; *sp* **~ ball** gyenge ütés/labda *[teniszben]*; *sp* **~ play/game** tervszerűtlen játék *[futballban]* **b)** *biz* **have a screw ~** nincs ki a négy kereke, hiányzik egy kereke **7.** laza, kicsapongó, züllött, feslett, szabados; *biz* **~ fish** kicsapongó/züllött ember, lump; **lead a ~ life** kicsapongó/züllött életet folytat; **be on the ~** csavarog, kujtorog; nőzik; laza életmódot folytat **II. A.** *tsi* **1. a)** kiold(oz), megold, kibont, kibogoz, megereszt, meglazít; **~ a knot** kibogoz egy csomót; **his tongue was ~d by drink** az italtól megoldódott a nyelve **b)** *vall* felold(oz) *[bűntől pap]* **2.** kiszabadít, elszabadít, szabadon enged; **~ sy from his bonds** kiszabadít vkt, szabadlábra helyez vkt; **~ hold of sg** elereszt vmt **3. ~ (off)** kiröpít, elröpít, kilő *[nyilat]*, elsüt *[fegyvert]* **B.** *tni* **1.** kinyílik, kioldódik, kibomlik **2.** meglazul, enged **3. ~ at sy** rálő vkre

loose box *fn* ‹istállórekesz, ahol a ló nincs megkötve›

loose-fitting *mn* laza, bő, tág, bő szabású *[ruha]*, lötyögő *[nadrág]*

loose-leaf *mn* kivehető/cserélhető lapokból álló *[kapcsos album, jegyzetkönyv stb.]*; **~ book** gyűrűs könyv; **~ ledger** szabadlapos főkönyv

loose-limbed → **loose-jointed**

loosely ['lu:sli] *hsz* **1.** lazán, tágan **2.** határozatlanul, homályosan, pontatlanul, összefüggéstelenül **3.** züllötten, szabadosan, kicsapongóan

loosen ['lu:sn] **A.** *tsi* **1. a)** megold, kiold, szétbont, kibont, kibogoz; *biz* **~ sy's tongue** megoldja vknek a nyelvét, beszédre bír vkt **b)** leold, levesz, leválaszt (vmt vmről) **2. a)** (meg)lazít, megereszt, kitágít; *mezőg* **~ the soil** meglazítja a talajt; **~ discipline** lazítja a fegyelmet **b)** *orv* megtisztítja a beleket, hajt; **~ a cough** oldja a köhögést/nyálkát **B.** *tni* **1.** kinyílik, kiold(oz)ódik, kibomlik **2. a)** meglazul, megereszkedik, enged *[kötél stb.]*; *US biz* **~ up** felenged *[merev magatartás]*; nagylelkűnek mutatkozik **b)** oldódik *[köhögés]* **c)** *sp* bemelegít

loose-tongued *mn* szószátyár, fecsegő, szabad szájú

loot [lu:t] **I.** *fn* **1.** fosztogatás; **soldiers on the ~** fosztogató/garázdálkodó katonák **2.** (hadi)zsákmány **3.** *szl [pénz]* dohány, lé **II. A.** *tsi* **1.** kifoszt, kirabol *[várost stb.]* **2.** zsákmányol **B.** *tni* fosztogat; ellop, elemel (vmt)

loo-table *fn* egylábú kerek asztalka

lootenant ['lu:tn'ənt] *fn US* → **lieutenant**

looter ['lu:tə ‖ 'lu:tər] *fn* fosztogató, martalóc

lop¹ [lɒp ‖ lɑp] **I.** *tsi* **-pp-** lenyes, megnyes, nyír *[fát/sövényt]*; **~ away/off a bough** faágat lenyes/levág **II.** *fn* (fa)rönkfűrészelési hulladék; **~ and top/crop** gally és rőzse; *átv* minden együtt, cakumpakk

lop² [lɒp ‖ lɑp] *tni* **-pp- 1. ~ over** (le)lóg, petyhüdten csüng, fityeg **2.** lekonyul *[állat füle]* **3. a) ~ about** (ide-oda) csoszog **b)** *US* **~ down in an arm-chair** karosszékbe veti magát, elterpeszkedik a karosszékben **4.** szökdécsel *[állat]*

lope [loup] **I.** *fn* ügetés, szökdécselés; **at an easy ~** könnyedén szökdécselve **II.** *tni* **1. a) ~ along** üget **b)** hosszú léptekkel jár **2.** *US* egyenetlenül jár, kihagy *[motor, gép]*

lop-ears *fn tsz* lelógó fül • *mn* **lop-eared**

loplolly ['lɒplɒli ‖ 'lɑplɑli] → **loblolly**

lopsided *mn* **1.** féloldalára dűlő, aszimmetrikus, aránytalan; **~ chair** rozzant/megroggyant szék; *hajó* **~ ship** egyik oldalon túlsúlyos hajó **2. a)** *átv* kiegyensúlyozatlan, háklis **b)** félszeg, kétbalkezes *[ember]*

loq. *röv* loquitur; *he/she speaks*

loquacious [lou'kweɪʃəs] *mn* bőbeszédű, beszédes, fecsegő, locsi-fecsi, csacsogó *[madár]*

loquacity [lou'kwæsəti] *fn* bőbeszédűség, beszédesség, szószátyárság, fecsegés

loran ['lɔ:rən] *fn távk long-range navigation* hosszú távú rádiótájoló berendezés

lord [lɔ:d ‖ lɔrd] **I.** *fn* **1. a)** úr; *tört* **~ paramount** uralkodó; *tört* **~ of the manor** földesúr, hűbérúr; *tréf* **her ~ and master** férje-ura, ura és parancsolója **b)** iparmágnás, iparbáró **2.** lord; **my ~** ‹lordok, főbírák és püspökök megszólítása› uram, milord; **L~** Lord *[főnemesi cím/megszólítás]*; **the House of L~s**, *biz* **the L~s** a Lordok Háza *[brit felsőház]*; **~s spiritual** ‹a Lordok Házának egyházi tagjai›; **~s temporal** ‹a Lordok Házának világi tagjai› világi főrendek; *biz* **live like a ~** főúri módon él; **swear like a ~** káromkodik mint egy kocsis **3.** *vall* **a) the L~** az Úr *[az Úristen* v. *Krisztus]*; *biz* **good L~!**, **L~ bless my soul!** uramisten! **b) Our L~** (Urunk) Jézus Krisztus; **the L~'s Day** vasárnap; **The L~'s Prayer** Miatyánk; **in the year ... of Our L~** Krisztus után; időszámításunk szerinti ... évben; **the L~'s Supper** az úrvacsora **4.** *sp* **L~'s (cricket ground)** londoni krikettpálya **5.** *csill* aszcendens **II. A.** *tsi* **1.** lordi rangra emel **2.** lordnak szólít/titulál **B.** *tni* **~ it** adja az urat, fölényeskedik; *biz* **~ it over sy** uralkodik vk felett, hatalmaskodik/fölényeskedik vkvel

lordless ['lɔ:dləs ‖ 'lɔrd–] *mn* uratlan, gazdátlan

lord-lieutenant *fn* **1.** ‹angliai grófság kormányzója› *[régen főként katonai ügyek intézésére]*, *[később]* főispán **2.** *tört* írországi alkirály

lordling ['lɔ:dlɪŋ ‖ 'lɔrd–] *fn* uracska, lordocska, grófocska

lordly ['lɔ:dli ‖ 'lɔrd–] *mn* **1.** nagyúri, méltóságteljes **2.** gőgös, dölyfös, fölényeskedő

lordosis [lɔ:'dousɪs ‖ lɔr–] *fn orv* ‹gerincoszlop előre görbülése› lordosis

lords-and-ladies *fn növ* foltos kontyvirág

lordship ['lɔ:dʃɪp ‖ 'lɔrd–] *fn* **1.** uralom, hatalom, felsőbbség **2. his ~** őlordsága; **your ~** méltóságod, lord uram *[megszólításban]*

lore¹ [lɔ: ‖ lɔr] *fn* isme, tan

lore² [lɔ: ‖ lɔr] *fn tud* kantár *[madárfejen]*

lorgnette [lɔ:'njet ‖ lɔr–] *fn* **1.** lornyon **2.** nyeles (színházi) látcső

lorgnon [lɔ:'njɒn ‖ lɔr'njɔn] *fn* **1.** → **lorgnette 2.** cvikker, csíptető *[szemen, orron]*

loricarian [ˌlɒrɪ'keərɪən ‖ ˌlɔrɪ'kerɪən] *mn/fn áll* páncélos harcsa

loricate ['lɒrɪkeɪt(ɪd) ‖ 'lɔ–], **loricated** *mn tud* vértes, páncélos

lorikeet ['lɒrɪki:t ‖ 'lɔ–] *fn áll* ékfarkú lóripapagáj

loris ['lɔ:rɪs] *fn áll* lóri(majom); *áll* **slender ~** karcsú lóri

lorn [lɔ:n ‖ lɔrn] *mn vál tréf* elhagyatott; **lone ~ creature** szegény elhagyatott teremtés

lorry ['lɒri ‖ 'lɔri] **I.** *fn* **1.** *GB* teherautó, tehergépkocsi **2.** lóré, kis pőrekocsi **II.** *tsi/tni* teherautóval szállít

lorryborne *mn* gépkocsizó *[alakulat]*

lory ['lɔ:ri] *fn Ausz* papagáj, lóri

Los Angeles [lɒs'ændʒəli:z ‖ lɔs'ændʒələs] *tul földr* Los Angeles

lose [lu:z] *pt/pp* **lost** [lɒst ‖ lɑst], [I] **A.** *tsi* **1. a)** elvesz(í)t; **~ a document** elveszít egy iratot; **~ one's money** elveszti a pénzét; **stand to ~ nothing** nincs semmi veszíteni valója **b) ~ the art of writing** elveszti íráskészségét; **~ one's balance** elveszti az egyensúlyát; elveszíti az önuralmát/lélekjelenlétét; **~ an eye** fél szemét elveszti, fél szemére megvakul; *átv* **~ flavour** ellaposodik; **~ ground** területet veszt; **~ interest for sy** többé nem érdekel vkt; **~ interest in sg** elkedvetlenedik vmtől, kiábrándul vmből; **~ skill** kijön a gyakorlatból; **~ strength** elgyengül, fogy az ereje; **~ value** elértéktelenedik; **~ weight** veszít a súlyából, (le)fogy **c) ~ one's friends** elhagyják a barátai; **~ one's mother** elveszti az édesanyját; **be lost at sea** tengerbe vész **d)** elveszít *[pert, játszmát]*; **~ a race** elveszíti a versenyt; **~ the exchange** minőséget veszít *[sakkban]* **e)** megszabadul (vmtől); **~ a cold** meggyógyul a náthából, elmúlik a náthája; **~ fear** nekibátorodik **2. a) ~ oneself**, **~ one's way**, **get lost** eltéved; → **lost 4.**; *sp* **~ one's competitors** lehagyja a versenytársakat; **~ oneself in sg** elmélyed, elmerül vmben; **~ sight of sy** szem elől téveszt vkt; **~ the thread of a discourse** elveszíti a beszéd fonalát; **be lost in sg** elmerül vmben **b) be lost to sg** érzéketlen vm iránt; **be lost to all sense of duty** nincs benne egy szemernyi kötelességérzet **3.** elveszteget, elpocsékol *[időt, fáradságot]*; **~ a day** elveszít/elveszteget egy napot; **~ no time in doing sg** azonnal megtesz vmt; **there is not a moment to ~**, **no time to ~** nincs veszteni való idő; **be lost (up)on sy** hatástalan vkre; nem hat vkre; kár belé; *biz* **the joke was lost on him** nem értette meg a tréfát; **all advice is lost upon him** csak falra hányt borsó neki tanácsot adni; **good music is lost upon me** nem tudom értékelni a jó zenét **4. a)** késik *[óra]*; **the clock ~s five minutes a day** az óra naponta öt percet késik **b)** lekésik *[vonatról stb.]*, elmulaszt, elszalaszt *[lehetőséget]*, elhibáz *[célt, vadat]*; **~ the opportunity** elszalasztja az alkalmat **c)** elesik (vmtől), nem hall/lát meg; **~ a word** nem hall/ért meg egy szót; **~ the end of a sentence** nem hallja a mondat végét **5.** elvet *[javaslatot]* **6.** veszteséget okoz (vm vknek); **his laziness lost him his job** lustasága az állásába került **7. ~ a baby** elveszíti a babáját, elvetél; halva születik a gyermeke **8. ~ one's pursuers** egérutat nyer *[üldözői elől]* **B.** *tni* **1. a)** veszít, veszteséget szenved, *sp* vereséget szenved, kikap; **~ in interest** ellaposodik; csökken iránta az érdeklődés; **~ in value** csökken az értéke, veszít az értékéből; **~ on a competitor** lemarad a versenytárs mögött; **~ heavily** sok pénzt veszít; **it did not ~ in the telling** elmondva sem veszített az érdekességéből **b) ~ by sg** ráfizet vmre; **I don't want you to ~ by me** nem akarom, hogy miattam ráfizess (v. hogy veszteség érjen) **c)** *ját* **the finesse ~s** az impassz nem ül **2.** fogy, leromlik *[beteg]* **3. be losing** késik *[óra]* **4.** *biz* **~ out** veszít; kudarcot vall; *US* **~ out on sg** nem sikerül vmt megszerezni, veszít vmn

loser ['lu:zə ‖ –ər] *fn* **1.** vesztes, legyőzött; **be a bad ~** nehezen tudja a vereséget elviselni; **be a good ~** sportszerűen viseli el a vereséget; **be a ~ by sg** kárt vall vmvel, ráfizet vmre; *közm* **the ~s are always in the wrong** mindig az erősebbnek van igaza **2.** *szl [örök vesztes]* rakás szerencsétlenség, szerencsétlen flótás; **he's such a ~** micsoda szerencsétlen alak! **3.** *szl* börtönviselt ember; **two-time ~** kétszer volt börtönben **4. a)** saját golyó lyukba lökése *[biliárdban]* **b)** *ját* kiadó lap/ütés

losing [ˈluːzɪŋ] **I.** *mn* vesztes, vesztő, vesztésre álló; **fight a ~ battle** szélmalomharcot vív; **~ game** reménytelen játszma/mérkőzés, vesztésre álló játszma/mérkőzés; **~ side** vesztes fél/csapat **II.** *fn* **1.** (el)vesztés **2.** *tsz* **losings** veszteség *[kártyán stb.]*

loss [lɒs ‖ lɔs] *fn* **1. a)** elvesztés; *jog* **~ of civic rights** polgári jogok elvesztése; **~ of a game** a játszma elvesztése; **~ of sight** megvakulás; **without ~ of time** késedelem/időveszteség nélkül **b)** *el* elektromos veszteség **c)** elkallódás **2. a)** veszteség; **dead ~** tiszta veszteség; *biz* **cut one's ~es** leírja a veszteségeit; **inflict heavy ~es on the enemy** súlyos veszteségeket okoz az ellenségnek; **meet with a ~** veszteség éri; *gazd* **sell at a ~** veszteséggel (v. áron alul) ad el; **it is your ~** a te bajod, te látod kárát; **it is no ~** nem nagy veszteség, nem kár érte; **he is a great ~** távozása/halála nagy veszteség számunkra **b)** *gazd* kár *[biztosításnál]*; **constructive total ~** teljesnek (v. száz százalékosnak) tekintett/minősülő kár(eset) **c)** veszteség, csökkenés *[hőé, erőé stb.]*; **~ of blood** vérveszteség; **~ of power/energy** energiaveszteség **3. be at a ~** zavarban van, tanácstalan; **be at ~ to...** alig tudja hogyan..., képtelen...; **be at a ~ what to do** azt sem tudja, mihez kezdjen, nem tudja mitévő legyen; **be at a ~ for money** pénzzavarban van; **be at a ~ for a topic** nem tud miről beszélni; **be at a ~ for a word** keresi a szavakat; **never to be at a ~ for an answer** mindenre talál választ

loss-and-gain account *gazd* nyereség/veszteség számla

lost [lɒst ‖ lɑst] *mn* **1. a)** elveszett, elvesztett, elkallódott; **~ property office** talált tárgyak osztálya; *US* **~ river** búvópatak, föld alatti folyó; **give sg up for ~** belenyugszik, hogy vm végleg elveszett/elkallódott **b)** elvesz(í)tett *[mérkőzés, per]*, vesz(t)ett *[ügy]*; **~ cause** reménytelen ügy; reménytelen eset *[ember]* **c)** kárba veszett, hiábavaló; **~ labour** kárba veszett fáradság/igyekezet; *műsz* **~ motion** mozgásveszteség, üresjárás, (holt)játék **2. a)** eltévedt; **~ child** eltévedt gyerek; **he seems/looks ~** idegenül érzi magát, nem leli a helyét vhol **b) be ~ in sg** belemélyed vmbe, elmerül vmben; **be ~ without sg/sy** nem tud meglenni vk/vm nélkül, elveszett vk/vm nélkül; **be ~ for words** nem talál szavakat *[a megilletődöttségtől]* **3.** elkárhozott *[lélek]* **4.** *szl* **get ~!** *[menj el!]* takarodj, húzz el innen, kopj le!

lot [lɒt ‖ lɑt] **I.** *fn* **1.** sorshúzás, (ki)sorsolás; **by ~** sorshúzás/sorsolás útján; **draw/cast ~s** sorsot húz; **throw/cast in one's ~ with sy** osztozik vk sorsában, sorsközösséget vállal vkvel; **the ~ fell upon him** rá esett a választás, őt sorsolták ki (vmre) **2. a)** osztályrész; **fall to sy's ~** vknek osztályrészül jut; **it falls to my ~ to..., it falls to me as my ~ to ...** nekem jutott osztályrészül... **b)** sors, végzet; **the human ~** az emberi sors/végzet; **submit to one's ~** beletörődik a sorsába **3. a)** telek, parcella, sírhely; **across ~s** toronyiránt **b)** *gazd* (áru)tétel; **in ~s** tételenként; **buy in one ~** egy tételben vásárol **c)** *biz* **a bad ~** gazfickó, sötét alak, senki; *biz* **they are a bad ~** pocsék egy társaság; *iron* **you're a nice ~!/a nice ~ you are!** mondhatom szép kis alak vagy! **d)** *biz* **the ~** az egész; **that's the ~** ez minden; **the whole** (v. **all the**) **~ of you** ahányan vagytok; *biz* **and the whole bally ~** és az egész pereputty/banda **4. a)** *biz* nagy mennyiség, halom, rakás; *biz* **a ~ (of)** sok, rengeteg; *biz* **quite a ~** elég sok; *biz* **I know quite a ~ about it** tudok egyet s mást a dologról; *biz* **I saw quite a ~ of him in London** gyakran találkoztam vele, mikor Londonban voltam; *iron* **a ~ you care** törődsz is te azzal; *biz* **I have a ~ to say** rengeteg mondanivalóm van; *biz* **he would have given a ~ to ...** sokért nem adta volna, ha ... **b) ~s of** tömérdek, rengeteg; **he has ~s of money** tele van pénzzel, felveti a pénz **c) ~s, a ~** igen; sokkal; **a ~ more** sokkal több; **~s better, a (whole) ~ better** sokkal jobban **II.** *tsi* **-tt- 1. ~ (out)** felparcelláz **2.** *US biz* **~ upon sy** számít vkre; **~ upon sg** számol vmvel

Lot [lɒt ‖ lɑt] *tul bibl* Lót

loth [loʊθ] → **loath**

Lotharingia [ˌloʊθəˈrɪndʒɪə] *tul régi földr tört* Lotaringia

lotion [ˈloʊʃn] *fn* **a)** ‹tejszerű krém›; **body ~** testápoló (krém); **after-shave ~** borotválkozás utáni arcszesz **b)** *szl* **have a ~** *[iszik]* megöntözi a torkát

lottery [ˈlɒtəri ‖ ˈlɑtəri] *fn* **1.** lottó, tombola, *átv* szerencsejáték **2.** *átv* lutri; **marriage is a ~** a jó házasság szerencse dolga

lotto [ˈlɒtoʊ ‖ ˈlɑtoʊ] *fn* lottó, tombola

lotus [ˈloʊtəs] *fn* **1.** *növ* lótusz; *növ* **Egyptian ~** egyiptomi lótusz; *növ* **African ~** korallszilfa **2.** szarvaskerep **3.** lótusz *[hindu és buddhista vallási szimbólum]*

lotus-eater *fn* **1.** lótuszevő **2.** ‹álmodozó/ábrándozó semmittevő›

loud [laʊd] **I.** *mn* **1.** hangos, zajos; **~ cheers/applause** zajos éljenzés/tetszésnyilvánítás; **~ noise** lárma; **in a ~ voice** hangosan, fennhangon **2. a)** hangoskodó, lármás, feltűnő **b)** feltűnő *[ruha]*, rikító *[szín]* **c)** kiáltó *[sérelem, sértés]*, szemenszedett *[hazugság]* **II.** *hsz* hangosan; **~er!** hangosabban!; **we laughed ~ and long** majd megszakadtunk a nevetéstől

louden [ˈlaʊdn] **A.** *tsi* (fel)hangosít, (fel)erősít **B.** *tni* (fel)hangosodik, hangosabb lesz

loud-hailer *fn* hangerősítő *[készülék]*, elektromos szócső

loudmouth *fn* hangoskodó, nagyhangú

loud-mouthed *mn* hangoskodó, nagyhangú, nagyszájú

loudness [ˈlaʊdnəs] *fn* **1.** hangosság; hangerősség **2.** feltűnőség *[öltözködésé, viselkedésé]*; **~ of colours** élénk/rikító színek

loudspeaker *fn* hangszóró, hangerősítő

loud-spoken *mn* hangos beszédű

lough [lɒx ‖ lɑk] *fn* **1.** *Írorsz* tó **2.** keskeny tengeröböl, tengerszoros

Louisa [luˈiːzə] *tul* ‹női név›

Louisiana [luːˌiːziˈænə] *tul földr* Louisiana

lounge [laʊndʒ] **I. A.** *tsi* **~ away the time** henyéléssel/semmittevéssel tölti az idejét **B.** *tni* **1. a)** ácsorog, lebzsel; **~ along** hányaveti módon jár; **~ about** cselleng **b)** henyél; **~ through the day** áthenyéli a napot **2.** lustán elnyúlik *[karosszékben, heverőn]* **II.** *fn* **1.** *ritk* csellengés, ácsorgás **2.** lebzselés, henyélés, semmittevés, henye/nemtörődöm modor **3. a)** előcsarnok, hall *[színházé, szállodáé]*, társalgó *[helyiség]*; váróterem *[repülőtéri stb.]*, várócsarnok **b)** *szính* dohányzó, foyer **c)** *GB* ‹söröző/szálló/stb. első osztályú helyisége› **d)** fogadószoba *[magánházban]*, nappali

lounge chair *fn* klubfotel

lounge jacket *fn* zakó(kabát), kiskabát

lounge lizard *fn biz* aranyifjú, bártöltelék

lounger [ˈlaʊndʒə ‖ –ər] *fn* **1.** henyélő, naplopó, semmittevő **2.** *US* házicipő, mamusz **3.** ‹otthoni/kényelmes viselet› **4.** fotel

lounge suit *fn* öltöny

loupe [luːp] *fn* **1.** nagyító, lupe **2.** ‹nem tökéletes csillogású drágakő›

lour [ˈlaʊə ‖ –ər] **I.** *tni* **1.** elkomorodik, összeráncolja a szemöldökét; **~ upon/at sy** komor/fenyegető pillantást vet vkre **2.** beborul, elsötétedik *[égbolt]* **II.** *fn* **1.** borús/komor tekintet **2.** beborulás, elsötétedés *[égbolté vihar közeledésekor]* • *mn* **louring, loury**

louse [laʊs] *fn tsz* **lice** [ˈlaɪs] **1.** tetű **2.** *tsz* **louses** [ˈlaʊzɪz] *szl [hitvány/aljas ember]* tetű alak

louse up [laʊz –] *tsi szl [elront]* elcsesz, elszúr

lousewort *fn növ* kakastaréj

lousy [ˈlaʊzi] *mn* **1.** tetves **2. a)** *biz* ocsmány, aljas; ~ **trick** disznóság **b)** *szl [gyenge minőségű]* vacak, nyamvadt, pocsék, hitvány, aljas *[személy]* **c)** *US szl* ~ **with sg** tele/ zsúfolva vmvel; **he's ~ with money** *[gazdag]* tele van dohánnyal

lout [laʊt] *fn [faragatlan fickó]* mufurc

loutish [ˈlaʊtɪʃ] *mn* faragatlan, esetlen *[ember]*

louver [ˈluːvə ‖ –ər] *fn* **1. a)** *épít* zsalus szellőzőnyílás **b)** *hajó* redőnyzsalu *[szellőzőnyíláson, világítónyíláson]*, *gk rep* hűtőzsalu, szellőzőzsalu, *műsz* zsalus szellőzőkürtő **c)** zsalu **2.** *régi épít* tetőablak, zsalus kis tetőtorony

louver-boards *fn tsz épít* zsalu(leveles ablaktábla), zsalulécezés

louvre [ˈluːvə ‖ ˈluːvər] → **louver**

lovable [ˈlʌvəbl] *mn* szeretetre méltó, kedves

lovage [ˈlʌvɪdʒ] *fn növ* lestyán

lovat [ˈlʌvət] *mn/fn* kékesszürke

love [lʌv] **I.** *fn* **1. a)** szeretet; ~ **of/for/to/towards sy** vk iránti szeretet/ragaszkodás; ~ **of (one's) country** hazaszeretet; **with much ~** sok szeretettel *[levél befejezése]*; **learn a language for the ~ of it** kedvtelésből megtanul egy nyelvet; **play for ~** időtöltésből/szórakozásból (v. nem pénzben) játszik; **send one's ~ to sy** szívélyes üdvözletét küldi vknek; **work for ~** ingyen/szívességből dolgozik, szerelemből csinál vmt; *biz* **there is no ~ lost between them** nem szívelik egymást; **not for ~ or money** semmi pénzért sem **b)** szerelem; **be in ~ with sy** szerelmes vkbe; **madly in ~, head over ears in ~** őrülten/fülig szerelmes; **fall in ~ with sy** beleszeret vkbe; **live ~'s young dream** boldog szerelemben él; **make ~ to sy** szeretkezik vkvel; **marry for ~** szerelmi házasságot köt **2. a)** vknek a szerelme; **my ~** szerelmem, szívecském, drágám; **an old ~ of mine** egy régi szerelmem **b)** *biz* édes pofa, cuki/ pompás dolog; **isn't he a ~?** hát nem aranyos?, meg kell enni!; **what a ~ of a child!** milyen édes kisgyerek! **3. L~** Ámor, Cupido *[a szerelem istene]* **4.** *sp* null(a), semmi *[teniszben]*; ~ **all** null(a)-null(a) *[játékeredmény]*; ~ **game** sima gém/játék **II. A.** *tsi* **1. a)** szeret (vkt); *közm* ~ **me ~ my dog** ha engem szeretsz, szeresd a barátaimat is **b)** szeret (vkt) *[szerelemmel]*, szerelmes (vkbe); **I ~ you** szeretlek, imádlak; ~ **me little ~ me long** a heves lángolás hamar ellobog **2. a)** nagyon szeret (vmt), imád (vmt), rajong (vmért); ~ **music** szereti a zenét, rajong a zenéért; **as you ~ your life** ha kedves az élete **b)** *biz* élvezetet/örömet talál (vmben), imád (vmt); ~ **doing sg, ~ to do sg** szívesen csinál vmt **B.** *tni* szeret, szerelmes

loveable [ˈlʌvəbl] → **lovable**

love affair *fn* (szerelmi) viszony, *átv is* szívügy

love apple *fn* **1.** *régi* paradicsom **2.** padlizsán

love bed *fn* nászágy

love bird *fn* **1.** *áll* afrikai törpe papagáj, inseparabel **2.** *biz* **~s** szerelmes pár

love-bite *fn* szívás (nyoma) *[nyakon]*

love-bond *fn* szerelmi kapcsolat/kötelék

love-child *fn* szerelemgyerek, törvénytelen gyermek

love-curl *fn* huncutka

love-entangle, love-entangled *fn növ* erdei iszalag

love-feast *fn vall* szeretetlakoma, agapé, szeretetvendégség

love handles *fn tsz biz [derékon levő zsírpárnák]* úszógumi

love-in-a-mist *fn növ* borzaskata

love-in-idleness *fn növ vad* árvácska

love-inspired *mn* szerelem/szeretet sugallta

love-inspiring *mn* szerelemkeltő, szeretetre méltó

loveless [ˈlʌvləs] *mn* **1.** szeretetlen, érzéstelen **2.** senki által nem szeretett **3.** nem szerelemből kötött *[házasság]*, szerelem nélküli

love-letter *fn* szerelmes levél

love-lies-bleeding, love-lies-ableeding *fn növ* bárányfar(o)k, csüngő amaránt

love life *fn* szerelmi/nemi/szexuális élet

lovelock *fn* huncutka, halántékfürt

love-lorn *mn* **1.** reménytelenül szerelmes, elhagyott *[szerelmes]* **2.** szerelemtől epedő

lovely [ˈlʌvli] **I.** *mn* **1.** csinos, bájos, kedves, szeretetre méltó **2.** *biz* pompás, nagyszerű, finom, remek **II.** *fn* **1.** *US [ragyogóan szép nő]* istennő **2.** *szl [vonzó lány]* csinibaba

love making *fn* szeretkezés

love match *fn* szerelmi házasság

love nest *fn* szerelmi fészek

love potion *fn* szerelmi bájital

lover [ˈlʌvə ‖ –ər] *fn* **1. a)** szerelmes, udvarló **b)** szerető, kedves, barát **c)** *tsz* **lovers** szerelmes pár, szerelmesek **2.** ~ **of sg** kedvelője/barátja vmnek; ~ **of pictures** képkedvelő

love scene *fn* szerelmi jelenet

love seat *fn* kétszemélyes fotel/kanapé

lovesick *mn* **1.** fülig/őrülten szerelmes **2.** epekedő, szerelme miatt szenvedő

love-smitten *mn* szerelemittas, szerelem bolondja

love song *fn* szerelmi dal, románc

love story *fn* szerelmi történet/regény

love token *fn* szerelmi zálog

loveworthy *mn* szeretetre méltó

lovey-dovey [ˌlʌviˈdʌvi] *fn biz* szivikém, galambocskám, tubicám

loving [ˈlʌvɪŋ] **I.** *mn* **1.** szerető, szerelmes; **your ~ mother** szerető anyád *[levél végén]* **2.** kedves *[szavak stb.]* **3.** *összet* kedvelő, (-)szerető; **home-~** otthonát szerető, otthonülő; **peace-~** békeszerető **II.** *fn* szeretet

loving-hearted *mn* melegszívű, szerető szívű

loving-kindness *fn* nyájasság, szeretet

low[1] [loʊ] **I.** *mn* **1. a)** alacsony; ~ **ceiling** alacsony menynyezet; ~ **dress** (mélyen) kivágott ruha; *épít* ~ **pitch** lapos tető; ~ **shoe** félcipő; ~ **stature** alacsony termet/testalkat; ~ **tide** apály; ~ **water** apály; alacsony vízállás; *biz* pénztelenség **b)** *átv* alacsony *[ár, hőmérséklet stb.]*; ~ **consumption** kis/csekély fogyasztás; ~ **fever** hőemelkedés; *távk* ~ **frequency** kisfrekvencia; ~ **latitudes** az Egyenlítő tájéka; **a ~ number of...** csekély számú; *fiz* ~ **pressure** kis nyomás; ~ **price** alacsony/olcsó ár; ~ **profile** nyilvánosság kerülése, háttérbe szorulás; ~ **speed** kis sebesség; *vill* ~ **voltage** kis feszültség; **at a ~ price/figure** olcsón, kedvező áron; **it will cost 10 000 forints at the very ~est** a legoptimistább számítás szerint is 10 000 forintba fog kerülni **2. a)** alacsony(an fekvő), mély; **the L~ Countries** Németalföld; ~ **valley** mély völgy **b)** alsó *[helyzetben]*; ~ **limit** alsó határérték **c)** *nyelv* ~ **German** alnémet; ~ **Latin** késői latin **3. a)** alsó *[rangban]*, alacsony *[származás]*, földhözragadt *[életmód]*; **bring sy ~** megaláz vkt **b)** alacsonyrendű, alsóbbrendű; ~ **comedy** bohózat; *biol* ~ **forms of life** alacsonyrendű életformák **c)** elmaradott, hátul kullogó; **be ~ in one's class** a rossz tanulók között van **d)** aljas, hitvány, silány, közönséges; ~ **blow** övön aluli ütés; ~ **company** rossz társaság; ~ **woman** közönséges nő; **a ~ thing (to do)...** aljasság (megtenni)... **e) have/hold a ~ opinion of sy** rossz véleménnyel van vkről **4.** gyenge, erőtlen, rosszkedvű; ~ **diet** sovány koszt; *orv* ~ **physical condition** csökkent fizikai erőnlét; **feel ~** gyengének érzi magát, rossz a közérzete; **be in ~ spirits** letört, lehangolt, rosszkedvű **5. a)** halk, gyenge *[hang]*; **in a ~ voice** halkan, halk hangon **b)** *zene* mély *[hang]* **6.** *vall* **a)** ~ **mass/ celebration** kismise, csendes mise; **L~ Sunday** *[húsvét utáni első vasárnap]* Fehérvasárnap; **L~ Week** húsvét utáni (második) hét **b) L~ Church** ‹az anglikán egyháznak a református egyházhoz közel álló része› **II.** *fn* **1.** alföld, mélyföld **2.** alacsony nyomású terület *[meteorológiában]* **3. a)** *gk* első sebesség **b)** *ját* legalacsonyabb adu **4.** *US biz* (eddig elért) legalacsonyabb teljesítmény/eredmény **III.** *hsz* **1.** alacsonyan; **bow ~** mélyen meghajol; *sp* **hit ~** övön alul üt *[bokszban]*; **lie ~** lapul, lekushad; *biz* sunyít, meg sem mukkan; **run ~** kifogy *[készlet]*; **run ~ on sg** alig van már neki vmből; **he cannot go so ~ to do that** nem ala-

L

csonyodhat odáig, hogy ezt megtegye; **dress cut ~ in the back** hátul mélyen kivágott ruha **2. buy ~** olcsón vásárol; **play ~** kicsiben játszik; **the ~est paid employees** a legalacsonyabb bérkategóriába sorolt alkalmazottak **3. a)** halkan *[beszél]* **b)** *zene* **she cannot get so ~ as that** nem tud olyan mélyre lemenni *[hanggal]* **4. live/feed ~** sovány koszton él, rosszul táplálkozik **5. as ~ as...** annyira nem régen, mint...

low² [loʊ] **I.** *fn* tehénbőgés **II.** *tni* bőg *[tehén]*

low beam headlights *fn gk* tompított fényszóró

low-boiling *mn* alacsony forrpontú *[folyadék]*

lowborn *mn* **1.** alacsony/egyszerű származású **2.** szegény családból való

lowboy *fn US* ‹alacsony lábú sokfiókos asztalka/szekrény› díner

lowbred *mn* neveletlen, nyers modorú

lowbrow I. *mn* nyárspolgári, nem intelligens, alacsony szellemi színvonalú, nem kifinomult ízlésű **II.** *fn* nyárspolgár

low-capacity *mn vill* kiskapacitású *[kábel]*

Low-Churchman *fn tsz* **Low-Churchmen** *vall* ‹az anglikán Low Church híve›; → **low¹** I.6.b.

low-class *mn* közönséges, gyenge/rossz minőségű, alacsonyrendű

low-consumption *mn* kis fogyasztású

low-cut *mn* mély kivágású *[női ruha]*

low-definition *mn távk* kis felbontóképességű *[televízió, képernyő]*

low-down I. *mn* aljas, hitvány, becstelen **II. lowdown** *fn US biz* bizalmas közlés/információ, a nyers tények; **give sy the ~** közli vkvel a tényállást, bizalmas értesüléseket közöl vkvel

L

lower¹ [ˈloʊə ‖ –ər] **I.** *mn* **1.** alsó; **~ jaw** alsó állkapocs; **~ part** alsó rész, alj; **L~ Egypt** Alsó-Egyiptom; **the ~ world/regions** a pokol, az alvilág **2. a)** alacsonyabb, lejjebb, mélyebb; **~ beam** tompított világítás; **~ school/section** alsó tagozat *[iskolában]*; **L~ House** (parlamenti) alsóház, képviselőház **b) the ~ animals** alsóbbrendű állatok **II. A.** *tsi* **1. a)** lehajt *[fejet]*, lesüt *[szemet]*, szemébe húz *[kalapot]* **b)** leenged, leereszt, leszállít; **~ sy on a rope** vkt kötélen lebocsát/leereszt; *hajó* **~ a sail** vitorlát bevon **2.** mélyít, süllyeszt, alacsonyabbra tesz/helyez **3. a)** leszállít *[árat, bért]*, csökkent *[hőmérsékletet, kamatlábat stb.]*; **~ the fever** csökkenti a lázat **b)** lehalkít *[hangot]*; **~ one's voice** lehalkítja a hangját **c) ~ sy's spirits** elkedvetlenít/letör vkt **4. a)** *átv* lealacsonyít, megaláz **b) ~ oneself to do sg** addig alacsonyodik (v. arra vetemedik), hogy vmt tegyen **B.** *tni* **1.** süllyed, lejt *[terület stb.]* **2.** esik, csökken *[ár, lakbér stb.]*

lower² [ˈlaʊə ‖ –ər] → **lour**

lower-class I. *mn* **1.** alsó (társadalmi) osztály(ok)hoz tartozó **2.** → **low-class II.** *fn tsz* **the ~ classes** az alsó (társadalmi) osztályok

lower-deck *mn hajó* **~ ratings** *[a tisztséget nem viselő személyzet]* a legénység

lowering [ˈloʊərɪŋ] *fn* **1.** leeresztés, leengedés, csökkentés **2.** leereszkedés, csökkenés, süllyedés

lowermost [ˈloʊəmoʊst ‖ ˈloʊər–] *mn* legalsó

lowest [ˈloʊɪst] *mn* legalsó, legalacsonyabb; *mat* **~ common multiple** legkisebb közös többszörös; → **low¹** I.→ **lower¹** I.

low-frequency *fn/mn el távk* kisfrekvencia, alacsonyfrekvencia

low-grade *mn* rossz minőségű, silány

low-heeled *mn* lapos sarkú *[cipő]*

low-key, low-keyed *mn* visszafogott, mérsékelt, nem hivalkodó

lowland [ˈloʊlənd] **I.** *mn* dél-skóciai, alföldi **II.** *fn* **1.** alacsonyan fekvő terület **2.** *tsz* **lowlands** alföld; *földr* **the L~s** a skót síkság

lowlander [ˈloʊləndə ‖ –ər] *fn* **1.** alföldi ember **2.** dél-skóciai ember, lowlandi

low-level *mn* **1.** alacsony színvonalú **2.** alacsony szintű, alacsonyan fekvő

lowly [ˈloʊli] **I.** *mn* **1.** *régi* alacsony, mély(en fekvő) **2.** alázatos, szerény, egyszerű, igénytelen **3.** alacsonyrendű *[szervezet, élőlény]* **II.** *hsz* **1. ~ born** alacsony származású, szegény családból való **2.** szerényen, alázatosan

low-lying *mn* alacsony fekvésű, mélyen fekvő *[terület]*

low-melting *mn* alacsony olvadáspontú

low-minded *mn* alantas gondolkodású

low-necked *mn* mély kivágású *[ruha]*

low-pass filter *távk el* aluláteresztő szűrő

low-pitched *mn* **1. a)** mély *[hang]* **b)** mélyre hangolt *[hangszer]* **2.** *épít* kis hajlású *[tető(szerkezet)]*, alacsony mennyezetű *[szoba]*

low-powered *mn* kis teljesítményű *[motor stb.]*

low-premium *mn* **~ insurance** leszállított/kedvezményes biztosítási díj

low-pressure *mn* kisnyomású

low-priced *mn* olcsó

low-resistance *mn* kis ellenállású

low-speed *mn* lassú járatú, kis sebességű

low-spirited *mn* lehangolt, letört

low-swung *mn gk* alacsony építésű *[alváz]*

low-temperature *mn* alacsony hőmérsékletű

low-tension *mn vill* kisfeszültségű; **~ circuit** kisfeszültségű áramkör

low-visibility *mn* rossz látási viszonyú

low voiced *mn* **1.** mély hangú **2.** halk hangú/szavú

low-voltage *fn/mn vill* kisfeszültség(ű)

low-water mark *fn* **1. a)** legalacsonyabb vízállás *[folyóé]*, apály **b)** apályszint, *hajó* nullvíz **2.** *átv* eddigi legalacsonyabb teljesítmény/eredmény

low-wing airplane *fn rep* alsószárnyas repülőgép

lox¹ [lɒks ‖ lɑks] *fn US* füstölt lazac

lox² [lɒks ‖ lɑks] *fn bány* ‹folyékony oxigénes robbantóanyag›

loyal [ˈlɔɪəl] **I.** *mn* **1.** hű(séges), kitartó, állhatatos *[barát]*, hű **2.** *pol* **a)** fennálló államrendet támogató, lojális **b)** királyhű **II.** *fn* **the ~s** a fennálló államrend hívei

loyalism [ˈlɔɪəlɪzm] *fn pol* lojalitás

loyalist [ˈlɔɪəlɪst] *fn* **1.** a fennálló államrend híve, kormányhű **2.** királyhű, lojalista **3.** *GB* **L~** ‹Nagy-Britannia és Észak-Írország uniójának támogatója/híve›

loyalty [ˈlɔɪəlti] *fn* **a)** hűség, állhatatosság, kitartás **b)** *pol* kormányhűség, királyhűség, lojalitás; *US* **~ oath** állampolgári hűségeskü; **~ to one's party** párthűség

Loyolite [ˈlɔɪəlaɪt] *fn vall* jezsuita

lozenge [ˈlɒzɪndʒ ‖ ˈlɑ–] *fn* **1.** *mat* ferde négyszög, rombusz **2.** szögletes tabletta/cukorka **3.** rombusz alakú ablaktábla **4.** rombusz alakú lap *[drágakőé]*

LPS *röv Lord Privy Seal*

LSD [ˌelesˈdiː] **1.** *röv lysergic acid diethylamide* lizergsavdiamid; ‹hallucinogén kábítószer› LSD **2.** *mat least significant difference*

Lt, lt *röv Lieutenant* főhadnagy, főhdgy.

Ltd, ltd *röv limited(liability company)* korlátolt felelősségű társaság, kft., Kft.

L-train *fn US [városi]* magasvasút

lubber [ˈlʌbə ‖ –ər] *fn* nehézkes/esetlen fickó

lubberly [ˈlʌbəli ‖ –bər–] **I.** *mn* nehézkes, esetlen, kétbalkezes **II.** *hsz* nehézkesen, esetlenül, ügyetlenül

lubricant [ˈluːbrɪkənt] **I.** *mn* kenő, síkosító *[anyag]* **II.** *fn* **1.** kenőanyag, kenőzsír, gépolaj **2.** *orv* síkosító kenőcs

lubricate [ˈluːbrɪkeɪt] *tsi* **1.** ken, zsíroz, olajoz, síkosít **2.** *szl [megvesztegetet]* megken **3.** *biz szl [iszik]* öblöget(i a torkát) • *fn* **lubrication**

lubricating oil [ˈluːbrɪkeɪtɪŋ–] kenőolaj, gépolaj

lubricator [ˈluːbrɪkeɪtə ‖ –keɪtər] *fn* olajozó, kenőberendezés

lubricity [luːˈbrɪsəti] *fn* **1. a)** kenhetőség *[kenőanyagé]*, síkosság, csúszósság **b)** állhatatlanság, fondorlatosság, csalárdság **2.** sikamlósság, érzékiség, bujaság

lucanus [luˈkeɪnəs] *fn áll* szarvasbogár

Lucas [ˈluːkəs] *tul* Lukács

luce [luːs] *fn áll* csuka

lucent [ˈluːsnt] *mn* **1.** ragyogó, fényes, fénylő **2.** tiszta, világos, átlátszó

lucernal microscope [luːˈsɜːnl ‖ –ˈsɜr–] *fn fiz* világítással ellátott mikroszkóp • *fn* **lucency**

lucern(e) [luːˈsɜːn ‖ –ˈsɜrn] *fn növ* lucerna

Lucerne [luːˈsɜːn ‖ –ˈsɜrn] *tul földr* Luzern

Lucia [ˈluːsɪə] *tul* Luca, Lúcia

lucid [ˈluːsɪd] *mn* **1. a)** világos, érthető *[stílus, érvelés]* **b)** *orv* ~ **interval** világos pillanat *[őrültéké]* **2. a)** *vál* ragyogó, csillogó, tündöklő **b)** *tud* fényes felületű

lucidity [luːˈsɪdəti] *fn* **1. a)** világosság, érthetőség **b)** *orv* világos pillanat *[őrültnél]* **c)** *pszich* hipnotikus álomban megnyilatkozó tisztánlátás **2.** *vál* ragyogás, csillogás, fényesség

Lucifer [ˈluːsɪfə ‖ –ər] *tul/fn* **1.** Lucifer *[a pokol ura]* **2.** *vál* hajnalcsillag, Vénusz **3.** *régi* **l~ (match)** kénes gyufa

lucilia [luːˈsɪlɪə] *fn áll* aranyoszöld döglégy

luck [lʌk] **I.** *fn* **1.** szerencse, véletlen; **ill/bad/hard ~** balszerencse, pech; *biz* **tough ~!** van ez így!; **worse ~!** *biz* sajnos; **good ~ to you!** sok szerencsét!; **it is bad ~ to...** rosszat jelent, ha...; *iron* **just my ~!** ilyen/ez az én szerencsém!; **no such ~** sajnos nem; **with ~** ha minden jól alakul; *biz* **be down on one's ~** elpártolt tőle a szerencse; **bring sy bad ~** balszerencsét hoz vkre; **bring sy good ~** szerencsét hoz vknek; **try one's ~** szerencsét próbál; **he is having a run of bad ~** üldözi a balszerencse; **as ~ would have it** a véletlen úgy akarta **2.** jószerencse; **bit/piece/stroke of ~** (váratlan) szerencse, mázli; **be in ~ ('s way)** kedvez neki a szerencse; **be out of ~** nincs szerencséje, pechje van; **have the ~ to...** olyan szerencsés, hogy...; **have the devil's own ~, have the ~ of the damned** átkozott szerencséje van; **keep sg for ~** talizmánként megőriz vmt **3.** szerencsetárgy, talizmán **II.** *tni* **1. ~ upon sy, ~ up on sy** összefut vkvel **2. ~ into sg** megszerez vmt, hozzájut vmhez *[szerencsével]* **3. ~ out** sikeres, kedvez neki a szerencse

luckie [ˈlʌki] *sk* → **lucky**

luckily [ˈlʌkɪli] *hsz* szerencsére, szerencsésen; **~ for me** szerencsémre

luckless [ˈlʌkləs] *mn* **1.** szerencsétlen, peches *[ember]* **2.** baljós, végzetes; **born in a ~ hour** rossz órában született

luck money *fn* szerencsepénz

luck penny *fn* szerencsefillér

lucky [ˈlʌki] **I.** *mn* **1. a)** szerencsés, mázlis *[ember]*; *biz* **~ dog/beggar!** mázlista!; **he was born ~** szerencsés csillag(zat) alatt született **b)** szerencsés *[véletlen dolog]*; **~ hit/shot** szerencsés találat; **how ~!** micsoda szerencse!; *US* **make a ~ strike** jó fogást csinál **2.** szerencsét hozó; **~ pig** szerencsemalac **II.** *fn* **1.** *biz* szerencsetárgy, talizmán **2.** *szl* **cut/make one's ~** *[megszökik]* kereket old

lucky bag *fn* zsákbamacska

lucky dip → **lucky bag**

lucrative [ˈluːkrətɪv] *mn* jövedelmező, hasznot hajtó *[vállalkozás, foglalkozás]*

lucre [ˈluːkə ‖ –ər] *fn pej* haszon, nyereség; **do sg for (filthy) ~** csak (a piszkos) anyagiakért tesz vmt

Lucretia [luːˈkriːʃə] *tul* Lukrécia

lucubrate [ˈluːkjubreɪt ‖ –kjə–] *tni vál* éjjel dolgozik • *fn* **lucubration** *mn* **lucubratory**

luculent [ˈluːkjʊlənt] *mn ritk* világos, meggyőző *[érvelés, magyarázat]*

Lucullian [luːˈkʌlɪən], **Lucullan** *mn* lukulluszi *[lakoma]*

Lucy [ˈluːsi] *tul* ‹női név›

lud [lʌd] *fn GB* **my ~** elnök/bíró úr *[megszólítás bírósági tárgyaláson]*

Luddite [ˈlʌdaɪt] *fn* **I.** *mn tört* gépromboló *[Angliában a XIX. század elején]* **II.** *fn* iparosodást ellenző, fejlődésellenes, luddita

ludibrious [luːˈdɪbrɪəs] *mn* **1.** *régi* játékos **2.** gúnyos

ludicrous [ˈluːdɪkrəs] *mn* nevetséges, komikus, groteszk

ludo [ˈluːdoʊ] *fn GB* ‹egy fajta társasjáték›

Ludolphian number [luːˈdɒlfɪən– ‖ –ˈdɑl–] *fn mat* Ludolph-féle szám, pi

lues [ˈluːiːz] *fn orv* szifilisz, vérbaj

luetic [luːˈetɪk] *mn orv* szifiliszes, vérbajos

luff [lʌf] **I.** *fn hajó* **1.** szélfél, széloldal, luvoldal; **keep the ~** szélre tart; **spring the ~** szélnek fordul **2.** hajótest telt első része **3.** vitorla első éle, vitorla szélfelőli éle *[keresztvitorlázatnál]* **II. A.** *tsi* **1. a)** szél irányába fordít *[hajót]* **b) ~ an antagonist away** kiluvol egy ellenfelet *[vitorlásversenyen]* **2.** *műsz* darugémet billent, darugémbillentéssel áttesz *[terhet]* **B.** *tni hajó* szélnek vitorlázik, szélnek tart, szél felé fordul, szélre húz

luffing [ˈlʌfɪŋ] *fn hajó* szélbe fordulás; **have a ~ match with sy** luvharcot vív *[másik vitorlással]*

lug[1] [lʌg] **I. -gg- A.** *tsi* **1.** rángat, vonszol, hurcol, cipel; **~ sg along/away** elvontat/elvonszol vmt **2.** *átv* **~ in** hajánál fogva rángat elő *[érvet, témát]* **B.** *tni* **1. ~ at sg** megránt/meghúz/ráncigál vmt; ránt egyet vmn **2.** cipekedik; **~ round/about sg** cipel vmt, hurcol vmt; **~ along/to** belerángat vkt vmbe **II.** *fn* (meg)rántás, vonszolás; **give sg a hard ~** erősen megránt vmt

lug[2] [lʌg] *fn* **1.** fül, fogó, fogantyú *[edényen]*, kampó, csatló **2. a)** *sk biz* fül *[hallószerv]*, kagyló **b)** *sk biz* fülvédő *[sapkán]* **3.** *US szl [faragatlan, buta alak]* bunkó

luge [luːʒ] **I. 1.** *fn* (egyszemélyes) szánkó, ródli **2.** *sp* versenyszánkó **II.** *tni* szánkózik, ródlizik

luggage [ˈlʌgɪdʒ] *fn* poggyász, csomag; **personal ~** kézipoggyász; **~ in advance** előre feladott poggyász; **left ~ counter/office** csomagmegőrző

luggage-carrier *fn* csomagtartó

luggage compartment *fn gk* csomagtartó; **~ lid** csomagtartó fedél

luggage-grid *fn* csomagtartó

luggage locker *fn* poggyászmegőrző rekesz/automata

luggage rack *fn* csomagtartó, poggyásztartó, csomagháló

luggage rail *fn* csomagtartó *[kocsi tetején]*

luggage ticket *fn* poggyász-feladóvevény, poggyászjegy

luggage trailer *fn* utánfutó

luggage trolley *fn vasút* poggyásztargonca, villanytargonca

luggage van *fn vasút GB* poggyászkocsi

lugger [ˈlʌgə ‖ –ər] *fn hajó* könnyű kétárbocos/háromárbocos lugvitorlázatú halászhajó

lugsail *fn hajó [trapéz alakú vitorlafajta]* lugvitorla

lugsole *fn US* bordázott gumitalp, traktortalp *[cipőn]*

lugubrious [ləˈguːbrɪəs] *mn* gyászos, siralmas, panaszos

lugworm *fn áll* tengeri gyűrűsféreg

luic [ˈluːɪk] *mn orv* szifiliszes

Luke [luːk] *tul* Lukács

lukewarm [ˌluːkˈwɔːm ‖ –ˈwɔrm] *mn* **1.** langyos, kézmeleg **2.** *átv* lagymatag, se hideg, se meleg, közömbös

lull [lʌl] **I.** *fn* pillanatnyi/átmeneti nyugalom, szélcsend, szünet; **~ before the storm** vihar előtti csend; **there was a ~ in the traffic** átmenetileg megcsappant a forgalom **II. A.** *tsi* **1. a) ~ a baby asleep** (v. **to sleep)** kisbabát álomba ringat (v. elaltat) **b)** eloszlat *[gyanút]* **2. a)** lecsendesít *[tengert, vihart]* **b)** *átv* csillapít *[fájdalmat]*, megnyugtat; **~ sy with false hopes** hiú reményeket ébreszt vkben **B.** *tni* lecsendesedik, lecsillapodik, elül *[vihar]*

lullaby [ˈlʌləbaɪ] *fn* bölcsődal, altatódal

lulu [ˈluːluː] *fn* **A.** *szl [remek dolog]* nagy/óriási szám **B.** *[csinos nő]* bombázó, szexbomba

lumbago [lʌmˈbeɪgoʊ] *fn orv* lumbágó, derékzsába, ágyékzsába, keresztcsontfájás, hekszensussz • *mn* **lumbaginous**

L

lumbar [ˈlʌmbə ‖ –ər] **I.** *mn orv* ágyéki, ágyéktáji, ágyék-; ~ **vertebra** ágyékcsigolya; ~ **pains** keresztcsont-fájdalmak **II.** *fn* ágyékcsigolya, keresztcsigolya

lumber[1] [ˈlʌmbə ‖ –ər] **I.** *fn* **1. a)** limlom, kacat **b)** *sp* többletsúly **2.** *US* épületfa, szerszámfa, fűrészáru, rönkfa **II. A.** *tsi* **1. a)** limlommal telerak *[helyiséget]*, felhalmoz; *átv* ~ **up a story with details** aprólékos részletekkel tűzdeli tele az elbeszélést; ~ **sy with sg** ráhagyja vkre a piszkos munkát **b)** összehány, összedobál *[holmit]* **2.** *US* kitermel *[fát területen]* **3.** *GB* elzár vmt, eltöm vmt **B.** *tni* **1.** *US* erdőt kitermel, fát dönt **2.** *US* gömbfát feldolgoz

lumber[2] [ˈlʌmbə ‖ –ər] *tni* **1.** nehéz léptekkel jár, nehézkesen ballag, baktat **2.** dübörög, zörögve halad *[jármű]*

lumberer [ˈlʌmbərə ‖ –ər] *fn US* favágó, fatelepi munkás

lumberjack *fn* **1.** *US* favágó, fatelepi munkás, erdőirtó **2.** → **lumber jacket**

lumber jacket *fn* ujjas sportmellény, lemberdzsek

lumberly [ˈlʌmbəli ‖ –bər–] *mn* nehézkes

lumberman [ˈlʌmbəmən ‖ –ˈbər–] *fn tsz* **-men 1.** *US* favágó, fatelepi munkás **2.** épületfa-kereskedő **3.** faszállító hajó

lumber room *fn* lomtár

lumbersome [ˈlʌmbəsəm ‖ –bər–] *mn ritk* nehéz(kes), esetlen

lumber-trade *fn US* fűrészáru-kereskedelem, épületfa-kereskedelem

lumberyard *fn US* fatelep

lumbrical [ˈlʌmbrɪkl] *mn/fn orv* féreg(izom)

lumen [ˈluːmɪn] *fn tsz* **~s, lumina** [–mɪnə] **1.** *orv [üreg]*, beltér/-világ *[szerveké, ereké]* **2.** *fiz [fényáram egysége]* lumen

luminance [ˈluːmɪnəns] *fn el fiz* fénysűrűség, fényerő(sség)

luminary [ˈluːmɪnəri ‖ –neri] *fn* **1.** világítótest, égitest **2.** *átv* nagy elme, szellemi nagyság; **the luminaries of the country** az ország szellemi nagyjai **3.** vezéralak, vezéregyéniség

luminesce [ˌluːmɪˈnes] *tni fiz* lumineszkál, foszforeszkál

luminescence [ˌluːmɪˈnesns] *fn fiz* lumineszkálás, lumineszcencia, foszforeszkálás • *mn* **luminescent**

luminiferous [ˌluːmɪˈnɪfərəs] *mn* fénygerjesztő, fényterjesztő

luminosity [ˌluːmɪˈnɒsəti ‖ –ˈnɑsəti] *fn* fényesség, fényerő(sség), fénymennyiség

luminous [ˈluːmɪnəs] *mn* **1. a)** világító, fényes, ragyogó, sugárzó; ~ **body** világítótest; égitest; ~ **clock** világító számlapú óra; ~ **paint** világító festék **b)** foszforeszkáló **c)** élénk *[szín]* **d)** *fiz* fény-; ~ **efficiency** fényhatásfok; ~ **flux** fényáram; ~ **intensity** fényerősség; ~ **sensitivity** fényérzékenység; ~ **source** fényforrás **2.** okos, felvilágosult *[elme]*, világos, érthető *[okfejtés]*

lumme [ˈlʌmi] *isz szl* teringettét!, kutyafáját!

lummox [ˈlʌməks] *fn US szl [mafla pasas]* fajankó, esetlen fickó

lump[1] [lʌmp] **I.** *fn* **1. a)** darab *[vmből]*, rög; **a big ~ of sg** nagy/öklömnyi darab vmből; **have a ~ in one's throat** összeszorul a torka, gombóc van a torkában; **he is a ~ of selfishness** ő a megtestesült önzés **b)** daganat, dudor, kinövés, púp **2.** *szl* halom, kupac, rakás **3. in a ~** egy tételben, egyben, egészben; **in/by the ~** globálisan; **buy sg in the ~** egy tételben vásárol meg vmt **4.** esetlen/lomha ember, tenyeres-talpas ember **5. the ~** segédmunkások **6. take one's ~s** támadás/ütés éri **II. A.** *tsi* **1.** összehord, összedobál; *biz* ~ **(one's all) on a horse** mindent egy kártyára/lóra tesz fel **2.** *átv* egészben vesz; ~ **together,** ~ **in with** egy kalap alá vesz; **items ~ed under the heading...** ... kategóriába sorolt cikkek **B.** *tni* **1.** darabosan összeáll; *átv biz* ~ **large in sy's eyes** fontos személyiség vk szemében **2. a)** ~ **along** nehézkesen baktat/halad **b)** ~ **down** lehuppan, nehézkesen leül

lump[2] [lʌmp] *tsi biz* kelletlenül tesz, elvisel, lenyel, zsebrevág *[sértést]*; **like it or ~ it!** akár tetszik, akár nem; **he'll have to ~ it** le kell nyelnie a békát

lumpenproletariat [ˌlʌmpənproulәˈteərɪət ‖ –ˈter–] *fn tört* lumpenproletariátus

lumper [ˈlʌmpə ‖ –ər] *fn* kikötői rakodómunkás, dokkmunkás

lumping [ˈlʌmpɪŋ] *mn biz* kövér, óriási, hatalmas

lumpish [ˈlʌmpɪʃ] *mn* **1.** ormótlan, idomtalan **2. a)** *átv* nehézkes, lomha, tenyeres-talpas **b)** *átv* lassú észjárású, nehéz felfogású

lumpkin [ˈlʌmpkɪn] *fn táj* nehézkes/lomha ember

lump sugar *fn* kockacukor

lump-sum *fn gazd* egyösszegű fizetés, egyösszegű licencdíj; ~ **freight** átalány fuvardíj

lumpy [ˈlʌmpi] *mn* **1. a)** darabos, göröngyös, rögös *[föld]* **b)** ~ **sea** fodros/háborgó tenger **c)** dudorodásos, dudorokkal borított *[homok]* **2.** → **lumpish**

lunacy [ˈluːnəsi] *fn* **1.** *jog* elmebaj, beszámíthatatlanság **2.** *biz* őrület, őrültség, esztelenség, bolondság; **it's sheer ~** tiszta/kész őrültség

lunar [ˈluːnə ‖ –ər] *mn* **1.** *csill* hold-; ~ **cycle** holdciklus; ~ **day** holdnap; ~ **eclipse** holdfogyatkozás; ~ **flight** holdrepülés; ~ **module** holdkomp; ~ **orbit** hold körüli pálya, holdpálya; ~ **month** holdhónap **2.** félhold/sarló alakú **3.** *vegy* ~ **caustic** ezüstnitrát **4.** gyér *[fény]*

lunarian [luːˈneərɪən ‖ –ˈner–] *mn csill* holdhoz tartozó, holdra vonatkozó, holdon élő/lakó

lunary [ˈluːnəri] → **lunar**

lunate [ˈluːneɪt] *mn* félhold/sarló alakú

lunatic [ˈluːnətɪk] **I.** *mn* **1.** elmebajos, eszelős, őrült, bolond **2.** szeszélyes, bogaras, különc; *US* ~ **fringe** mlyen mozgalomnak/pártnak komolyan nem vett s nevetségesen szélsőséges töredéke/frakciója› **3.** holdkóros **II.** *fn* elmebeteg, őrült

lunatic asylum *fn régi* elmegyógyintézet, *pej* bolondokháza

lunation [luːˈneɪʃn] *fn csill* lunáció, holdhónap, szinodikus hónap

lunch [lʌntʃ] **I.** *fn* ebéd **II. A.** *tsi* ebédet ad *[vk tiszteletére]*, megebédeltet **B.** *tni* **1.** ebédel, villásreggelizik **2.** *US* eszik egy harapást

luncheon [ˈlʌntʃn] *fn* → **lunch I.**; ~ **bar** gyorsbüfé, falatozó

luncheon basket *fn* **1.** piknikeskosár *[kirándulásra]* **2.** *vasút* ebédcsomag

luncheon car *fn vasút* étkezőkocsi

luncheonette [ˌlʌntʃəˈnet] *fn* vendéglő, falatozó

lune [luːn] *fn mat* (Hippokratész-féle) félhold

lunette [luːˈnet] *fn* **1.** *épít* lunetta, íves ablak *[boltozatban]* **2.** homorú-domború üveg *[szemüveghez]* **3.** szemellenző *[lónak]* **4.** közepén lapos óraüveg **5.** fél lópatkó *[szárak nélkül]* **6.** vontató gyűrű **7.** *műv* félköríves festmény

lung [lʌŋ] *fn* (**~s**) tüdő; *orv* **artificial** ~ vastüdő; **apex of the** ~ tüdőcsúcs; **inflammation of the ~s** tüdőgyulladás; *átv* **the ~s of a city** egy város parkjai és terei; **have good ~s** jó tüdeje van; jó torka/hangja van; *biz* **shout at the top of one's** ~ teli tüdőből ordít/kiabál

lung disease *fn* tüdőbaj

lunge[1] [lʌndʒ] **I.** *fn* **1.** tőrdöfés, kardszúrás, *sp* kitörés, roham *[vívásban]* **2. a)** hirtelen előretörés, előrelendülés **b) with each ~ of the ship** a hajó minden himbálózásánál **II. A. 1.** *tsi* ~ **out its sting** kiereszti a fullánkját *[méh]* **2.** ráirányít *[fegyvert]* **B.** *tni* **1. a)** kitöréssel támad *[vívó]* **b)** ~ **out at sy** ütést mér vkre; *sp* horogütést mér vkre *[boxban]*; ~ **at sy with one's walking-stick** botjával ráhúz vkre **2.** ~ **forward** hirtelen előrelendül, előretör

lunge[2] [lʌndʒ] **I.** *fn* vezetőszár, futószár **II.** *tsi* **lungeing** vezetőszáron/futószáron futtat/idomít

lung-examination *fn* tüdővizsgálat *[átvilágítással]*

lungfish *fn áll* tüdős-kopoltyús hal, kettős lélegzésű hal

lungi [ˈlʊŋgi] *fn* **1.** *India* ágyékkötő, ágyékkendő **2.** turbán *[hinduké]*

lung-power *fn* hangerősség *[emberi hangé]*

lungwort *fn növ* pettyegetett/orvosi tüdőfű
lunisolar [ˌluːnɪˈsoʊlə ‖ –ər] *mn csill* napra és holdra vonatkozó, naptól és holdtól függő
lunistice [ˈluːnɪstɪs] *fn csill* holdforduló
lunkhead [ˈlʌŋkhed(ɪd)] *fn US biz* tökfilkó, fajankó
lunula [ˈluːnjʊlə ‖ ˈluːnʊlə] *fn tsz* **lunulae** [–liː] *orv* holdacska *[köröm tövén]*
lunular [ˈluːnjʊlə ‖ –ər] *mn* félhold/sarló alakú
lunule [ˈluːnjuːl ‖ ˈluːnuːl] → **lunula**
lupine [ˈluːpaɪn] *mn* farkasszerű, farkastermészetű, ragadozó
lupus [ˈluːpəs] *fn orv* bőrfarkas, lupus
lurch[1] [lɜːtʃ ‖ lɜrtʃ] **I.** *tni* **1. a)** megdől, inog, tántorog, megtántorodik *[személy]* **b)** megzökken, zötyög *[jármű]* **2. ~ (along)** dülöngél, tántorog(va jár); **~ in** betámolyog **II.** *fn* **1. a)** megingás, megtántorodás **b)** zökkenés *[járműé]* **c)** dülöngélés, tántorgás **2.** *US* hajlam
lurch[2] [lɜːtʃ ‖ lɜrtʃ] *fn* **leave sy in the ~** cserbenhagy vkt, benne hagy vkt a pácban
lurcher [ˈlɜːtʃə ‖ –ər] *fn* **1. a)** tolvaj, vadorzó **b)** csaló, szélhámos **c)** kém, besúgó, spicli **2.** vadorzó kutyája
lure [ljʊə ‖ lʊr] **I.** *tsi* **1.** csábít, csalogat; **~ sy into the trap** tőrbe csal; **~ sy to a place** vkt vhova odacsal; **~ sy with bright prospects** ragyogó kilátásokkal kecsegtet vkt **2.** visszacsalogat **II.** *fn* **1. a)** *átv* csalétek, csáb(ítás) **b)** vonzerő, varázs; **the ~ of the sea** a tenger ellenállhatatlan vonzereje **2. a)** *vad* sólyomcsalogató **b)** mesterséges csali, műcsali
lurid [ˈljʊərɪd ‖ ˈlʊrɪd] *mn* **1. a)** égő színű, rikító, vöröses; **~ flames** füstös felcsapó lángok; *biz* **this casts a ~ light on the facts** ez baljós színben tünteti fel a dolgokat **b)** piszkossárga **2.** (halott)sápadt, kísérteties **3.** rémes, szörnyű(séges) **4.** csiricsáré, cifra, tarka
lurk [lɜːk ‖ lɜrk] **I.** *tni* **1.** lesben áll, leselkedik, ólálkodik, meglapul **2.** *átv* lappang, megbúvik, rejtőzik (vm) **II.** *fn* **1. be on the ~** lesben áll, leselkedik, ólálkodik **2.** leshely **3.** *Ausz szl* szellemes/agyafúrt ötlet/terv/módszer
lurking [ˈlɜːkɪŋ ‖ ˈlɜrkɪŋ] *mn* rejtett, titkos *[szándék stb.]*; **~ danger** rejtett/leselkedő veszély; **~ suspicion** sanda gyanú; **a ~ thought** hátsó gondolat
lurking-place *fn* **1.** les(hely) **2.** rejtekhely, búvóhely
lurky [ˈlɜːki ‖ ˈlɜrki] → **lurking**
luscious [ˈlʌʃəs] *mn* **1.** édes *[ízű* v. *illatú]*, zamatos **2.** *pej* **a)** mézédes, émelyítő *[bor]* **b)** dagályos, édeskés *[stílus]* **c)** *pej* érzéki, buja, kéjes **d)** szexi *[nő]*
lush[1] [lʌʃ] *mn* **1.** buja, nedvdús, friss *[fű, növény]* **2.** fényűző **3.** csinos, szemrevaló
lush[2] [lʌʃ] **I.** *mn szl [részeg, berúgott]* beszívott **II.** *fn* **1.** *[szeszes ital]* pia **2.** *[részeg ember]* piás **III. A.** *tsi* beszívat **B.** *tni* **~ up** beszív
lusher [ˈlʌʃə ‖ –ər] *fn szl [iszákos/részeges ember]* piás
lushings [ˈlʌʃɪŋz] **I.** *fn Ausz* bőség *[enni-innivalóból]* **II.** *hsz* bőven
lust [lʌst] **I.** *fn* **1. a)** testi/nemi vágy **b)** bujaság, kéjelgés, paráznaság **2.** *vál* erős vágy; **~ of power** hatalomvágy; **the ~ of destruction** a pusztítás öröme/gyönyöre **II.** *tni* szenvedélyesen vágyakozik, sóvárog, epekedik (vmért), testi vágyat érez (vm után); **~ after a woman** szenvedélyesen (meg)kíván egy nőt; **~ for revenge** bosszúért liheg
luster [ˈlʌstə ‖ –ər] → **lustre**
lustful [ˈlʌstfl] *mn* **1.** buja, kéjsóvár **2.** *régi* → **lusty**
lustily [ˈlʌstɪli] *hsz* erőteljesen, nagy elánnal, teli tüdőből *[kiabál]*
lustral [ˈlʌstrəl] *mn* **1.** *tört* megtisztító, engesztelő *[áldozat stb. rómaiaknál]* **2.** öt évenként visszatérő/megismétlődő
lustrate [ˈlʌstreɪt] *tsi vall* áldozattal megtisztít/feloldoz
lustration [lʌˈstreɪʃn] *fn* **1.** *tört* engesztelő áldozat(tal való megtisztítás) **2.** *biz tréf* mosdás, tisztálkodás **3.** *ritk* megszemlélés, áttekintés **4.** átvilágítás
lustre[1] [ˈlʌstə ‖ –ər], **luster I.** *fn* **1. a)** ragyogás, csillogás **b)** fényesítő/fényező anyag **c)** fénylő/fényvisszatükröző felület **d)** → **lustreware e)** *átv* hírnév, kiválóság; **shed ~ on sy's name** híressé/dicsővé teszi vk nevét; **add fresh ~ to sy's name** még fényesebbé teszi vk hírnevét **2. a)** függő kristálydísz/üvegdísz *[csilláron]* **b)** csillár **3.** *tex* **cotton ~** lüszter **II.** *tsi* **lustring** fényez, fénymázzal bevon, fényesít
lustre[2] [ˈlʌstə ‖ –ər] *fn tört* ötévi időszak
lustreless [ˈlʌstələs ‖ –tər–] *mn* **1.** homályos, fénytelen, fakó, tompa, matt **2.** *átv* színtelen, érdektelen *[előadás]*
lustreware [ˈlʌstəweə ‖ –tərwer] *fn* fénymázas cserépedény
lustrous [ˈlʌstrəs] *mn* fényes, fénylő, ragyogó, csillogó
lustrum [ˈlʌstrəm] → **lustre**[2]
lusty [ˈlʌsti] *mn* **1.** erőteljes, izmos, élettől duzzadó; **~ fellow** keménykötésű legény **2.** energikus, határozott, erős **3.** vidám, élénk
lutanist [ˈluːtənɪst] *fn* **1.** lantos **2.** *régi* költő
lute[1] [luːt] *fn zene* lant
lute[2] [luːt] **I.** *fn* **1.** ragasztószer, tömítőanyag, kitt **2.** tömítőgyűrű, gumigyűrű *[befőttes üvegen]* **II.** *tsi* (be)ragaszt, (be)tapaszt, kittel
lute player *fn* lantos
Lutheran [ˈluːθrən] *mn/fn vall* evangélikus, lutheránus
Lutheranism [ˈluːθər(ən)ɪzm], **Lutherism** *fn vall* evangélikusság, lutheranizmus
lutist [ˈluːtɪst] *fn* **1.** *zene* lantos **2.** *zene* lantkészítő
lutulent [ˈluːtjʊlənt] *mn* zavaros, iszapos, sűrű
luv [lʌv] *fn GB szl* → **love**
lux [lʌks] *fn fiz* lux, lx
luxation [lʌkˈseɪʃn] *fn orv* (ki)ficamodás, ficam
Luxemburg [ˈlʌksəmbɜːg ‖ –bɜrg] *tul földr* Luxemburg; **the Grand Duchy of ~** Luxemburg nagyhercegség
Luxemburger [ˈlʌksəmbɜːgə ‖ –bɜrgər] *mn/fn földr* luxemburgi
luxuriance [lʌgˈzjʊərɪəns ‖ lʌgˈʒʊr–] *fn* **1. a)** túltengés, bujaság *[növényzeté]* **b)** bőség, termékenység **2.** *átv* gazdagság, színesség *[stílusé]*, csapongás, szertelenség
luxuriant [lʌgˈzjʊərɪənt ‖ lʌgˈʒʊr–] *mn* **1.** buja, buján tenyésző *[növényzet]*; **~ growth** burjánzás **2.** *átv* gazdag, színes, szárnyaló, csapongó *[képzelet]*, pazar *[ornamentika]*, túláradó, szertelen
luxuriate [lʌgˈzjʊərieɪt ‖ lʌgˈʒʊr–] *tni* **1.** buján tenyészik/nő, burjánzik, túlteng *[növényzet]* **2.** bőségben/pazarul él **3. a)** tobzódik, kéjeleg, kiéli magát **b)** (ki)élvez; **~ in sunshine** kiélvezi a napsütést **4.** kényelembe helyezi magát, lazít, lustálkodik
luxurious [lʌgˈzjʊərɪəs ‖ lʌgˈʒʊr–] *mn* **1.** fényűző, pazar *[életmód stb.]* **2.** fényűzően élő **3.** *régi* kéjelgő, parázna, kéjenc
luxury [ˈlʌkʃəri] *fn* **1. a)** fényűzés, luxus; **live in ~** fényűzően él **b)** fényűző berendezés, pompa *[lakásé stb.]* **2.** luxustárgy, luxuscikk; **~ article** fényűzési cikk; **~ tax** fényűzési adó, luxusadó; **table luxuries** ínyencfalatok, nyalánkságok **3.** élvezet; **indulge in the ~ of a cigar** megengedi magának egy szivart
LV *röv GB luncheon voucher*
-ly [li] *utótag* **I.** *mn* -as/-es/-ös/-s, -i, -kénti *[melléknévképző]*; **scholarly** tudományos; **brotherly** testvéries **II.** *hsz* -an/-en, -ként, -lag (határozóképző); **quickly** gyorsan; **hourly** óránként; **financially** anyagilag
Lybia [ˈlɪbɪə] *tul földr* Líbia
lycanthrope [ˈlaɪkənθroʊp] *fn* **1.** *orv* ‹magát farkasnak képzelő elmebeteg› **2.** farkasember *[népmesékben]*
lycée [ˈliːseɪ ‖ liːˈseɪ] *fn* (állami) gimnázium, középiskola *[Franciaországban]*
lyceum [laɪˈsiːəm] *fn* **1.** *[tudományos/irodalmi]* előadóterem **2.** *US* ismeretterjesztő társulat, népfőiskola **3.** líceum *[középiskolafajta Európában]* **4.** *tört* **the L~** a Lykeion *[ahol Arisztotelész tanított]*
lych-gate [ˈlɪtʃgeɪt] → **lich-gate**
lycopodium [ˌlaɪkəˈpoʊdɪəm] *fn növ* korpafű
Lycra [ˈlaɪkrə] *fn* ‹egy fajta szintetikus anyag, melyből fürdőruhák és más sportruházati cikkek készülnek›

L

Lydia [ˈlɪdɪə] *tul* **1.** *földr* Lydia **2.** ‹női név› Lídia
Lydian [ˈlɪdɪən] *mn* **1.** líd(iai); *zene* ~ **mode** líd hangsor **2. a)** lágy, nőies **b)** érzéki
lye [laɪ] **I.** lúg **II.** *tsi* **lying** lúgoz
lye-ashes *fn tsz vegy* hamulúg
lye-proof *mn vegy* lúgálló
lye-water *fn vegy* hamulúg-oldat
lying[1] [ˈlaɪɪŋ] **I.** *mn* hazudó(s), hazug; ~ **prophet** hamis próféta; → **lie**[1] **II.** *fn* hazugság
lying[2] [ˈlaɪɪŋ] **I.** *mn* fekvő; **~(-down) position** fekvő helyzet **II.** *fn* **1.** fekvés; ~ **on the back** háton fekvés; ~ **on the side** oldalfekvés **2.** fekhely
lying-in *fn* szülés, gyermekágyasság
lyke-wake [ˈlaɪkweɪk] *fn* halottvirrasztás
Lyme disease [laɪm] *fn orv* Lyme-kór
lyme grass *fn növ* hajperje
lymph [lɪmf] *fn* **1.** *orv* nyirok, limfa **2.** *orv* oltóanyag; **animal** ~ vakcina
lymphatic [lɪmˈfætɪk] **I.** *mn* **1.** *biol* nyirok-, limfatikus, limfás **2.** *biz* erőtlen, puha *[vérmérséklet]* **II.** *fn orv* nyirokedény
lymphocyte [ˈlɪmfəsaɪt] *fn orv* nyiroksejt, lymphocita, limfocita
lymphoid [ˈlɪmfɔɪd] *mn biol* nyirokszerű, nyirok-
lymphoma [lɪmˈfoʊmə] *fn orv* nyirokcsomóduzzanat/-megnagyobbodás/-daganat
lymph-producing *mn biol* nyiroktermelő
lyncean [ˈlɪnsɪən] *mn* **1.** hiúzszerű **2.** *átv* éles szemű, sasszemű, hiúzszemű *[ember]*
lynch [lɪntʃ] *tsi* (meg)lincsel • *fn* **lyncher**
lynch law *fn* lincselés
lynx [lɪŋks] *fn áll* hiúz; **Persian** ~ karakál, sivatagi hiúz; **Spanish** ~ párducmacska
lynx-eyed *mn* éles szemű, sasszemű, hiúzszemű
Lyonese [ˌlaɪəˈniːz] *mn/fn földr* lyoni
Lyons [ˈlaɪənz] *tul földr* Lyon
Lyra [ˈlaɪərə] *tul birt* **Lyrae** [ˈlaɪəriː] *csill* Lant (csillagkép)
lyra-flower *fn növ* szívvirág
lyrate [ˈlaɪrət] *mn tud* lant alakú
lyre [ˈlaɪə ‖ –ər] *fn zene* líra, lant
lyrebird *fn áll* lantfarkú madár, lantmadár; *Ausz* **a bit of a** ~ szeret hazudozni
lyric [ˈlɪrɪk] **I.** *mn vál* lírai, lírikus *[költészet, költemény, költő]*; énekelhető, dallamra írt *[dalszöveg, vers]* **II.** *fn* **1.** *vál* lírai költemény **2.** *tsz* **lyrics** (dal)szöveg; **~s by...** dalszöveget írta...
lyrical [ˈlɪrɪkl] *mn* **1.** → **lyric** I. **2.** *biz* lírai/érzelgős hangon elmondott/megírt
lyricism [ˈlɪrɪsɪzm] *fn* **1.** *vál* líraiság, lírai hév/hangulat **2.** *biz* érzelgősség
lyricist [ˈlɪrɪsɪst] *fn ir.tud* lírai költő, lírikus
lyse [laɪs] **A.** *tsi biol* feltár, felold *[sejtet]* **B.** *tni* feloldódik, roncsolódik, felbomlik *[sejt]*
lysergic acid [laɪˈsɜːdʒɪk– ‖ –ˈsɜr–] *fn vegy* lizergsav
lysin(e) [ˈlaɪsiːn] *fn vegy biol* lizin
lysis [ˈlaɪsɪs] *fn biol* feltárás, feloldódás
lysol [ˈlaɪsɒl ‖ –sɔl] *fn orv* lizol *[fertőtlenítőszer]*

M

M[1], m [em] *fn tsz* **M's 1.** m (betű/hang); **M for Mike** M mint Mária **2.** 1000 *[mint római szám]*

M[2], m *röv* **1.** *married* **2.** *masculine* **3.** *Master* **4.** *mega-* millió- **5.** *Member* **6.** *metre(s)* **7.** *mile(s)* **8.** *milli-* ezred- **9.** *million(s)* **10.** *minute(s)* **11.** *month(s)* **12.** *GB Motorway*

MA *röv* **1.** *Massachusetts* **2.** *Master of Arts* egyetemi doktor, bölcsészdoktor **3.** *Military Academy*

ma [mɑː] *fn biz* mama, anyu

Mab [ˈmæb] *tul bec* ‹ *Mabel* női név becéző alakja ›; **Queen ~** tündérkirálynő

Mabel [ˈmeɪbl] *tul* ‹ női név ›

mac [mæk] *fn biz* esőkabát

Mac [mæk] *fn* **1.** *biz* skót *[ember]* **2.** *US* haver *[megszólítás]*

macabre [məˈkɑːbrə) ‖ –bər] *mn* hátborzongató, kísérteties

macadam [məˈkædəm] *fn épít* makadám (útburkolat), zúzottkő burkolat • *tsi* **macademize, -ise**

macaque [məˈkɑːk] *fn áll* makákó

macaroni [ˌmækəˈrouni] *fn* makaróni, csőtészta

macaronic [ˌmækəˈrɒnɪk ‖ –ˈrɑ–] **I.** *mn* zagyva, összevissza, makaróni stílusú, kevert nyelvű **II.** *fn esz* **macaronics** *ir.tud* makaróniköltészet, kevert nyelvű tréfás vers

macaroon [ˌmækəˈruːn] *fn gaszt* mandulás/diós/mogyorós csók, puszedli

macaw [məˈkɔː] *fn áll* ara papagáj

Maccabees [ˈmækəbiːz] *tul tsz tört vall* a Makkabeusok • *mn* **Maccabean**

mace[1] [meɪs] *fn* **1. a)** ceremóniapálca, jogar **b)** pálcavivő **2.** *tört* buzogány **3. M~** gázspray

mace[2] [meɪs] *fn* szerecsendió

mace-bearer *fn* pálcamester, jogarvivő

macédoine [ˌmæsɪˈdwɑːn] *fn gaszt* **1.** gyümölcssaláta **2.** francia saláta

Macedonia [ˌmæsɪˈdounɪə] *tul földr* Macedónia

Macedonian [ˌmæsɪˈdounɪən] *fn/mn* macedóniai; macedón

macer [ˈmeɪsə ‖ –ər] *fn* **1.** pálcamester, pálcavivő **2.** *skót jog* törvényszéki altiszt

macerate [ˈmæsəreɪt] **A.** *tsi* **1.** áztat, puhít, foszlat, elmállaszt *[folyadékban]* **2.** *vegy orv* macerál **B.** *tni* (el)ázik, (szét)foszlik, (el)mállik • *fn* **maceration, macerator**

Mach [mæk] *fn fiz rep* Mach *[a hangsebesség mértékegysége]*

machete [məˈʃeti] *fn* hosszú éles kés

machiavellian [ˌmækɪəˈvelɪən] *mn* machiavelli • *fn* **machiavellianism**

machicolate [məˈtʃɪkəleɪt] *tsi tört épít* lőrésekkel ellát • *fn* **machicolation**

machinable [məˈʃiːnəbl] *mn fémip* gépileg/géppel megmunkálható

machinate [ˈmækɪneɪt] *tni* cselt sző, áskálódik, fondorlatoskodik, machinál • *fn* **machination, machinator**

machine [məˈʃiːn] **I.** *fn* **1.** (munka)gép, gépezet **2.** *átv* gépezet; *pol biz* **(party) ~** pártgépezet, pártapparátus **3.** *biz* masina **4.** gépies ember *[érzelmek nélküli, gépiesen cselekvő személy]* **II.** *tsi* **1.** gépesít, gépi felszereléssel lát el **2.** géppel varr **3.** géppel/futószalagon állít elő

machine code *fn infor* gépi kód

machine-gun *tsi* géppuskáz, géppuskatűz alá vesz • *fn* **machine-gunner**

machine gun *fn* géppuska, gépfegyver

machine language *fn infor* gépi nyelv

machine-minder *fn* gépszerelő, lakatos, gépkezelő, gépész

machine-operator *fn műsz* gépkezelő, gépész

machine-readable *mn infor* géppel olvasható

machine-room *fn nyomd* gépterem

machinery [məˈʃiːnəri] *fn* **1.** (munka)gép, felszerelés, szerkezet; **driving ~** hajtómű **2.** alkatrész(ek) **3.** *átv biz* gépezet, szervezet

machine time *fn infor* gépidő

machine tool *fn műsz* szerszámgép

machine translation *fn infor* gépi fordítás

machine-washable *mn* géppel mosható

machinist [məˈʃiːnɪst] *fn* **1. a)** gépész, gépkezelő **b)** géptervező, gépszerelő **2.** *GB* gépvarrónő

machismo [məˈtʃɪzmou ‖ mɑˈtʃiːz–] *fn biz [agresszív férfiasság]* macsóság, macsóskodás

Machmeter [ˈmækmiːtə ‖ –ər] *fn rep* Mach-számmérő, sebességmérő *[mely a hang terjedési sebességét veszi mértékegységül]*

macho [ˈmætʃou ‖ ˈmɑːtʃou] *biz* **I.** *mn [agresszívan férfias]* macsó **II.** *fn [agresszívan férfias személy]* macsó

Machtpolitik [ˌmɑːktˈpɒlɪtiːk ‖ –poulɪˈtiːk] *fn német* erőpolitika

macintosh → mackintosh

mack [mæk] *fn* **→ Mac**

mackerel [ˈmækrəl] *fn áll* makréla, makrahal

mackerel sky *fn* bárányfelhős ég(bolt)

mackintosh [ˈmækɪntɒʃ ‖ –tɑʃ] *fn* **1.** esőkabát, esőköpeny, vízhatlan kabát **2.** vízhatlan anyag/szövet

mackle [ˈmækl] *fn nyomd* elkenődés, tisztátlan nyomás; makulatúra

macle [ˈmækl] *fn ásv* ikerkristály, chiastolit

macramé [məˈkrɑːmi ‖ ˈmækrəmeɪ] *fn tex* **1.** paszománycsomózás, makramé(zás) **2.** csomózott terítő, makramé

macro [ˈmækrou] *fn infor* makró, makróprogram

macro- [ˈmækrou] *előtag* makro-

macrobiotic [ˌmækroubaɪˈɒtɪk ‖ –ˈɑtɪk] *mn orv* makrobiotikus, életmeghosszabbító, egészségmegőrző

macrobiotics [ˌmækroubaɪˈɒtɪks ‖ –ˈɑtɪks] *fn esz orv* életmeghosszabbítás, egészségmegőrzés

macrocephalic [ˌmækrousɪˈfælɪk] *mn orv* nagyfejű • *fn* **macrocephaly** *mn* **macrocephalous**

macrochemistry [ˌmækrouˈkemɪstri] *fn vegy* makrovegyészet

macroclimate [ˈmækrouklaɪmət] *fn* makroklíma

macrocosm [ˈmækroukɒzm ‖ –kazm] *fn* világegyetem, a nagyvilág, makrokozmosz • *mn* **macrocosmic** *hsz* **macrocosmically**

macroeconomics [ˌmækrouiːkəˈnɒmɪks ‖ –ekəˈnɑ–] *fn esz közg* makroökonómia • *mn* **macroeconomic**

macroevolution [ˌmækrouiːvəˈluːʃn ‖ –evə–] *fn biol* makroevolúció

macromolecule [ˌmækrouˈmɒlɪkjuːl ‖ –ˈmɑ–] *fn vegy* makromolekula

macron [ˈmækrɒn ‖ ˈmeɪkrɑn] *fn nyomd nyelv* hosszúsági jel/ékezet *[magánhangzón]*

macronutrient [ˌmækrouˈnjuːtrɪənt ‖ –ˈnuː–] *fn biol* makroelem

macrophage [ˈmækroufeɪdʒ] *fn biol* falósejt, makrofág

macrophotography [ˌmækroufəˈtɒgrəfi ‖ –ˈtɑ–] *fn fényk* makrofényképezés

macroscopic [ˌmækroʊˈskɒpɪk ‖ –ˈskɑ–] *mn* makroszkopikus, szabad szemmel (is) látható
macrovirus [ˈmækroʊvaɪrəs] *fn infor* makrovírus
macula [ˈmækjʊlə ‖ –kjə–] *fn tsz* **maculae** [–liː] **1.** *orv* folt *[bőrön, szemfenéken]*; **yellow ~, ~ lutea** sárgafolt *[szemfenéken]* **2.** *csill* napfolt • *fn* **maculation** *mn* **macular**
mad [mæd] **I.** *mn* **-dd- 1.** bolond, őrült, eszeveszett; *biz* **raving/stark ~, as ~ as a hatter** teljesen bolond (v. elvesztette az eszét), sült bolond; **drive sy ~** megőrjít vkt, őrületbe kerget vkt; **go ~, run ~** megbolondul, megőrül; *biz* **like ~** mint az őrült, őrült módjára, őrülten, hevesen; **~ for revenge** bosszúra éhes/vágyik **2. be ~ about sg/sy** bolondul/megőrül vmért/vkért **3.** *biz* dühös, haragos, ideges, mérges; **be ~ at/with sy** haragszik vkre; **be ~ with joy** majd megőrülök az örömtől; **get ~ at sy** vk méregbe hozza, megharagszik vkre **4. a) ~ bull** megvadult bika **b) ~ dog** veszett kutya **II.** *tni* **-dd-** *régi* megőrül, megvadul • *fn* **madness**
Madagascan [ˌmædɪˈgæskən] *mn/fn* madagaszkári
Madagascar [ˌmædɪˈgæskə ‖ –gæskər] *tul földr* Madagaszkár
madam [ˈmædəm] *fn* **1.** *[megszólítás]* asszonyom, *okt* tanárnő (kérem) **2.** hölgyike *[beképzelt/nagyképű fiatal nő]* **3.** madám *[bordélyház főnöknője]*
Madame [ˈmædəm ‖ məˈdæm] *fn tsz* **Mesdames** [meɪˈdæm ‖ –ˈdɑm] *[franciás megszólítás]* asszonyom
madcap I. *mn* rakoncátlan, féktelen **II.** *fn* féktelen ember, vadóc
mad cow disease *fn biz orv* kergemarha-kór *[BSE]*
madden [ˈmædn] **A.** *tsi* **1.** megbolondít, megőrjít **2.** dühbe hoz, felidegesít, felmérgesít **B.** *tni* **1.** megőrül, megbolondul **2.** dühbe gurul, ideges lesz • *mn* **maddening**
madder [ˈmædə ‖ –ər] *fn* **1.** *növ* festőbuzér **2.** buzérvörös, buzérfesték
mad-doctor *fn biz* elmegyógyász, ideggyógyász; diliorvos
made [meɪd] *mn* **1. a)** kész, elkészült; **~ in England** angol áru; Angliában készült; **~ of iron** vasból készült **b)** mesterségesen előállított **2.** *átv* befutott, beérkezett; **he is ~** befutott, karriert csinált; **a ~ man** beérkezett ember; → **make I.**
Madeira [məˈdɪərə ‖ məˈdɪrə] *tul földr* Madeira; *gaszt* **~ (wine)** madeira (bor)
Madeleine [ˈmædlˑeɪn, ˈmædlˑɪn] *tul* Magda(léna), Magdolna
Mademoiselle [ˌmædmwəˈzel] *fn* kisasszony *[franciás használatban]*
made over *mn* átalakított
made to measure *mn* mérték után készült, mérték utáni
made to order *mn* rendelésre készült
made up *mn* **1.** kitalált, kiagyalt **2.** összeállított, elkészített; **~ clothes** konfekcióruha **3.** kifestett, sminkelt *[arc]*, jóvágású *[ember]* **4.** aszfaltozott *[út]*
Madge [mædʒ] *tul bec* ‹Margaret becéző alakja›
madhouse [ˈmædhaus] *fn* **1.** *átv biz* őrültekháza, bolondokháza **2.** *régi* elmegyógyintézet
madly [ˈmædli] *hsz* **1.** őrülten, vadul **2.** *átv biz [nagyon]* őrülten; **he is ~ in love** őrülten szerelmes
madman [ˈmædmən] *fn tsz* **-men** bolond, őrült, elmebeteg
Madonna [məˈdɒnə ‖ –ˈdɑ–] *fn* **1.** *vall* Madonna, Szűz Mária **2. m~** Madonna-kép, Madonna-szobor, Mária-kép
madonna lily [məˈdɒnə lɪlɪ ‖ –ˈdɑ–] *fn növ* fehér liliom, madonnaliliom
Madras [məˈdræs, məˈdrɑːs ‖ ˈmædrəs] **I.** *tul földr* Madrasz **II.** *fn tex* **~ (muslin)** madrasz *[félselyemféle]*
Madrasi [məˈdræsi] *mn/fn* madraszi *[ember]*
madrepore [ˈmædrɪpɔː ‖ –pɔr] *fn áll* zátonyépítő/kőépítő korall, madrepora • *mn* **madreporic**
Madrid [məˈdrɪd] *tul földr* Madrid *[Spanyolország fővárosa]*
madrigal [ˈmædrɪgl] *fn* **1.** *zene* pásztordal, madrigál **2.** *ir.tud* madrigál *[rövid, szerelmes vers]* • *fn* **madrigalist** *mn* **madrigalian**
Madrilenian [ˌmædrɪˈliːnɪən] *mn/fn földr* madridi
madwoman *fn tsz* **-women** bolond/elmebajos/őrült nő
Maecenas [maɪˈsiːnəs ‖ mɪˈsiːnəs] *fn* mű(vészet)pártoló, műbarát, mecénás
maelstrom [ˈmeɪlstrəm] *fn* **a)** örvény **b)** *átv biz* forgatag, kavarodás
maenad [ˈmiːnæd] *fn* **1.** menád, bacchánsnő **2.** izgatott/dühöngő nő • *mn* **maenadic**
maestoso [maɪˈstousou, –zou] *hsz zene* **I.** maestoso, méltóságteljesen **II.** *fn* maestoso játszandó mű
maestro [ˈmaɪstrou] *fn tsz* **maestri** [ˈmaɪstri] **1.** *zene* mester *[nagy zeneszerző, karmester]*, maestro **2.** *műv* mester *[nagy tekintélyű/hírnevű művész]*, maestro
Mae West [ˌmeɪ ˈwest] *fn US szl* felfújható mentőmellény/mentőkabát
Mafia [ˈmæfɪə ‖ ˈmɑːfɪə], **Maffia** *fn* **1.** az olasz maffia **2. m~** bűnszövetkezet, maffia
Mafioso [ˌmæfiˈouzou ‖ ˌmɑfiˈousou] *fn* **1.** az olasz maffia tagja **2. m~**, *tsz* **mafiosos, mafiosi** maffiózó, bűnöző
mag [mæg] *fn biz* **1.** (képes) folyóirat, magazin **2.** elektromágnes, gyújtómágnes
magazine [ˌmægəˈziːn ‖ ˈmægəziːn] *fn* **1.** (képes) folyóirat, magazin **2.** *kat* **a)** tölténytár, heveder **b)** fegyverraktár, lőszerraktár
magazine rights *fn tsz jog* folyóiratokban való közlés joga
Magdalen [ˈmægdəlɪn, ˈmɔːdlɪn–] *tul* **1.** *vall* Mária Magdolna **2.** Magda, Magdolna
Magdalene [ˌmægdəˈliːni, ˈmɔːd-lɪn–] *tul* → **Magdalen**
mage [meɪdʒ] *fn régi* **1.** mágus **2.** tudós/bölcs ember
Magellan [məˈgelən ‖ məˈdʒelən] *tul földr* **Strait of ~** Magellán-szoros
Magellanic cloud [ˌmægɪˈlænɪk ‖ ˌmædʒəˈlænɪk] *fn csill* Magellán-köd
magenta [məˈdʒentə] *mn/fn* fukszin, bíborvörös *[szín]*, magenta *[festék]*
Maggie [ˈmægi] *tul bec* ‹*Margaret becézett alakja*›
maggot [ˈmægət] *fn* **1.** kukac, bogár, féreg **2.** szeszély, hóbort, rögeszme • *mn* **maggoty**
magi [ˈmeɪdʒaɪ] → **magus**
magian [ˈmeɪdʒɪən] **I.** *mn* varázslatos, mágikus **II.** *fn* mágus, varázsló • *fn* **magianism**
magic [ˈmædʒɪk] **I.** *mn* varázslatos, bűvös, csodálatos, mágikus, varázs-; **~ lantern** állóképes/diapozitíves vetítőgép **II.** *fn* varázslat, mágia, *átv* varázs(lat); **like ~** nagyon gyorsan/hatékonyan **III.** *tsi pt/pp* **magicked** elvarázsol, elbűvöl; **~ away** eltüntet *[varázslattal]*
magical [ˈmædʒɪkl] → **magic I.**
magician [məˈdʒɪʃn] *fn* **1.** bűvész, szemfényvesztő **2.** mágus, varázsló, boszorkánymester
Maginot Line [ˈmæʒɪnou laɪn] *fn* **1.** *tört* Maginot-vonal **2.** *átv* biztos védelem, áthatolhatatlan védelmi vonal
magisterial [ˌmædʒɪˈstɪərɪəl ‖ –ˈstɪr–] *mn* **1.** oktató, parancsoló, fölényes, ellentmondást nem tűrő *[hang, viselkedés]* **2.** magisztrális, mesteri **3.** hatósági, hivatali
magistracy [ˈmædʒɪstrəsi] *fn* **1.** bírósági/közigazgatási hivatal, (béke)bírói/elöljárói hivatal **2.** (béke)bírói/elöljárói rang/tisztség; **the ~** a közhivatalnokok, a közhivatalnoki kar
magistral [məˈdʒɪstrəl] *mn* **1. a)** tanári, tanítói, oktatói *[kar]* **b)** tanáros, oktató *[hang, modor]* **2.** *orv* orvosi vényre készült *[orvosság]*
magistrate [ˈmædʒɪstreɪt, –strət] *fn* elöljáró, bírói/közigazgatási tisztviselő, (béke)bíró, köztisztviselő • *fn* **magistrateship, magistrature**
maglev [ˈmæglev] *fn közl* mágneses lebegtetésű vasút
magma [ˈmægmə] *fn tsz* **magmata** [–mətə], **magmas** *geol* magma • *mn* **magmatic**
Magna Carta [ˌmægnə ˈkɑːtə ‖ –ˈkɑrtə], **Magna Charta** *tul GB tört* ‹Földnélküli János 1215-ben kiadott alkotmánylevele›

magnanimous [mæg'nænɪməs] *mn* nagylelkű, nemes(szívű) • *fn* **magnanimity**
magnate ['mægneɪt, –nət] *fn* **1.** *tört* mágnás **2.** *biz* **the ~s of industry** iparbárók, iparmágnások
magnesia [mæg'ni:ʃə ‖ –ʒə] *fn vegy* égetett magnézia, magnéziumoxid • *mn* **magnesian, magnesic**
magnesite ['mægnɪsaɪt] *fn ásv* magnéziaszilikát, magnezit
magnesium [mæg'ni:zɪəm] *fn vegy* magnézium
magnet ['mægnɪt] *fn* **1.** mágnes **2.** elektromágnes **3.** *átv* vonzó személy
magnetic [mæg'netɪk] *mn* **1.** mágneses, mágnes-; **~ equator** mágneses egyenlítő; **~ field** mágneses mező; *infor* **~ media** mágneses adathordozó; *kat* **~ mine** mágnesgyújtású akna; **~ pole** mágneses sarok; **~ tape** magnetofonszalag, mágnesszalag **2.** vonzó, elbűvölő *[személyiség, megjelenés]*; **(have a) magnetic pull** mágneses vonzás, *átv* ellenállhatatlan • *fn* **magnetics** *hsz* **magnetically**
magnetism ['mægnətɪzm] *fn* **1.** mágnesség, mágneses erő **2.** *átv* vonzóerő
magnetite ['mægnətaɪt] *fn ásv* magnetit, mágnesvasérc
magnetize ['mægnətaɪz], **–ise** *tsi* **1.** mágnesez *[vasat]* **2.** megbűvöl, lenyűgöz, vonz (vkt), vonzerőt gyakorol vkre • *fn* **magnetization, -isation, magnetizer**
magneto [mæg'ni:toʊ] *fn* elektromágnes, gyújtómágnes
magneto- [mæg,ni:toʊ] *előtag* mágnes-, mágneses
magneto-electric [mæg,ni:toʊɪ'lektrɪk] *mn* elektromágneses • *fn* **magneto-electricity**
magnetometer [,mægnɪ'tɒmɪtə ‖ –'tɑmətər] *fn* mágnestérmérő, magnetométer
magnetomotive [mæg'ni:toʊmoʊtɪv] *mn fiz* magnetomotoros
magneton ['mægnɪtɒn ‖ –tɑn] *fn fiz* magneton *[mágneses nyomaték egysége]*
magnetosphere [mæg'ni:toʊsfɪə ‖ –sfɪr] *fn fiz* magnetoszféra
magnetron ['mægnɪtrɒn ‖ –trɑn] *fn fiz* magnetron
Magnificat [mæg'nɪfɪkæt] *fn vall* magnificat
magnification [,mægnɪfɪ'keɪʃn] *fn* **1.** nagyítás **2.** nagyítás (mértéke/foka) **3. a)** túlzás **b)** *régi* dicsőítés, magasztalás
magnificent [mæg'nɪfɪsnt] *mn* **1.** pompás, fényes, fényűző **2.** nagyszerű, nemes, fennkölt; **a ~ poem** nagyszerű vers **3.** *biz* nagyszerű, remek, pompás; **a ~ opportunity** remek/pompás alkalom/lehetőség **4.** *ritk* bőkezű, nagylelkű • *fn* **magnificence**
magnifico [mæg'nɪfɪkoʊ] *fn tört* (velencei) főúr, grand
magnify ['mægnɪfaɪ] *tsi* **1.** nagyít, megnagyít, kinagyít, felnagyít **2.** *biz* eltúloz, felfúj *[eseményt]* **3.** *régi* magasztal, dicsőít • *fn* **magnifier**
magnifying glass *mn* nagyítóüveg, lupe
magniloquent [mæg'nɪləkwənt] *mn* **1.** fellengzős, dagályos **2. a)** nagyzoló, hencegő, kérkedő **b)** nagyhangú • *fn* **magniloquence**
magnitude ['mægnɪtju:d ‖ –tu:d] *fn* **1. a)** nagyság, terjedelem; **bigger by a ~ of 10** tíz nagyságrenddel nagyobb **b)** mennyiség **c)** *csill* magnitúdó, fényrend; **star of the first ~** első fényrendű csillag **2. a)** nagyszabású volta (vmnek) **b)** fontosság, jelentősség; **of the first ~** nagy fontosságú/jelentőségű
magnolia [mæg'noʊlɪə] *fn* **1.** *növ* magnólia, (nagyvirágú) liliomfa **2.** *fémip* magnóliafém
Magnolia State *tul földr US biz* ‹Mississippi állam›
magnum ['mægnəm] *fn* ‹kb. kétszeres méretű borospalack›
magnum opus [– 'oʊpəs] *fn tsz* **- opuses, - opera** **1.** remekmű **2.** főmű *[művészé]*
magpie ['mægpaɪ] *fn* **1.** *áll* **a)** szarka **b)** gébicsfaj **2.** locsogó/fecsegő/szószátyár ember **3.** *tréf* szarka *[alkalmi tolvaj]* **4.** *sp* találat *[lövészetben külső célkörbe]*
maguey [mə'geɪ] *fn növ* agávé
magus ['meɪgəs] *fn tsz* **magi** ['meɪdʒaɪ] **1.** mágus *[perzsa tűzimádók papja]*; **the Three Magi** a napkeleti bölcsek, a három király(ok) **2.** varázsló, mágus, bűvész
Magyar ['mægjɑ: ‖ –jɑr] **I.** *mn* magyar **II.** *fn* magyar *[ember, nyelv]* • *tsi* **Magyarize, -ise**
maharaja [,mɑ:hə'rɑ:dʒə], **maharajah** *fn* maharadzsa
maharanee [,mɑ:hə'rɑ:ni:], **maharani** *fn* maharadzsa felesége
maharishi [,mɑ:hə'ri:ʃi] *fn vall* hindu tanító, guru; bölcs
mahatma [mə'hætmə ‖ mə'hɑtmə] *fn India* nagylelkű bölcs
Mahayana [,mɑ:hə'jɑ:nə] *fn vall* mahajána-buddhizmus
Mahdi ['mɑ:di:] *fn vall* mahdi *[Allah küldötte néhány mohamedán szekta felfogása szerint]* • *fn* **Mahdism, Mahdist**
mah-jong [,mɑ:'dʒɒŋ ‖ –'dʒɑŋ], **mah-jongg** *fn ját* kínai dominójáték, madzsong
mahlstick ['mɔ:lstɪk ‖ 'mɑl–] → **maulstick**
mahogany [mə'hɒgəni ‖ mə'hɑ–] **I.** *fn* **1.** *növ* mahagóni(fa) **2.** mahagónibarna *[szín]* **II.** *mn* mahagónibarna *[színű]*
Mahomet [mə'hɒmɪt ‖ mə'hɑ–] *tul* Mohamed
maid [meɪd] *fn* **1.** szobalány; **lady's ~** komorna **2.** *GB régi vál* leány(zó), hajadon **3.** *régi vál* szűz **4. ~ of honour** *GB* udvarhölgy; *US* nyoszolyólány
maidan [maɪ'dɑ:n] *fn India* **1.** sétány, liget **2.** katonai gyakorlótér
maiden ['meɪdn] **I.** *mn* **1.** hajadon; **~ aunt** hajadon nagynéni **2.** első; **~ flight** első berepülés; első repülőút; **~ speech** szűzbeszéd, bemutatkozó beszéd *[parlamentben]* **II.** *fn* **1.** *régi vál* leány(zó) **2.** szűz • *fn* **maidenhood** *mn* **maidenlike, maidenly**
maidenhair ['meɪdnheə ‖ –her] *fn növ* **~ (fern)** Szent Ilona füve, fodorka, vénuszhaj
maidenhead ['meɪdnhed] *fn* **1.** szüzesség, leányság **2.** *orv* szűzhártya
maiden name *fn* leánykori név
maidservant *fn* szolgálólány, cselédlány
maieutic [,meɪ'ju:tɪk] *mn fil* maieutikus, bábáskodó *[szókratészi módszer]* • *fn* **maieutics**
maigre ['meɪgə ‖ –ər] *mn* böjt-, böjti-; **~ day** böjti nap; **~ dishes** böjti ételek
mail¹ [meɪl] **I.** *fn* **1.** (napi) posta *[érkező/kimenő küldemények összessége]*; **open the ~** postát bont **2.** (posta)járat; **by return of ~** postafordultával **3.** posta(szolgálat) **4.** postaszállítmány **5.** → **e-mail** **II.** *tsi* postáz, (postán) felad/elküld **III.** *mn* postai, posta-
mail² [meɪl] **I.** *fn* **1.** *tört* páncél(ing), vértezet **2.** *áll* páncél **II.** *tsi* páncélba/páncélingbe öltöztet, felvértez, páncéloz • *mn* **mailed**
mailable ['meɪləbl] *mn* postán küldhető/feladható/továbbítható
mailbag *fn* **1.** postazsák **2.** levelesláda *[rovat újságban, műsorban]*
mailboat *fn* postahajó
mail bomb *fn* levélbomba
mailbox *fn* **1.** *US* postaláda, levélszekrény **2.** *infor* (elektronikus) postaláda
mail car postakocsi *[vonaton]*
mail carrier *fn US* levélhordó, levélkézbesítő
mail cart *fn GB* **1.** *régi* postakocsi **2.** kis gyerekkocsi
mail coach *fn régi* postakocsi, postafogat
mail drop *fn US* postaláda
mailing ['meɪlɪŋ] *fn* **1.** postázás, feladás/elküldés postán **2.** levél, posta(küldemény)
mailing address *fn* postacím, levélcím
mailing list *fn* **1.** címjegyzék, címlista *[akiknek rendszeresen küldenek árjegyzéket, reklámanyagot]* **2.** *infor* levelező lista, levelezőcsoport
maillot [mæ'joʊ ‖ mɑ'joʊ] *fn* **1.** tornadressz **2.** fürdőtrikó, fürdőruha
mailman ['meɪlmən] *fn tsz* **-men** *US* levélkézbesítő, postás
mail order *fn* postai rendelés *[utánvéttel]*
mail-order company → **mail-order firm**

M

mail-order firm *fn gazd* katalógusáruház, csomagküldő szolgálat
mailpouch *US* → **mailbag**
mailshot *fn* reklámposta
mail train *fn* postavonat
mail van *fn* postakocsi, postaautó
maim [meɪm] *tsi* **1.** megnyomorít, megcsonkít **2.** *átv* megbénít, meghiúsít
Main [maɪn] *tul földr* **the ~** Majna *[folyó]*
main[1] [meɪn] **I.** *mn* **1.** fő-, legfontosabb, leglényegesebb; *nyelv* **~ clause** főmondat; **~ course** főfogás *[étkezésnél]*; **~ office** központi iroda; **the ~ point/thing** a lényeg; a fő dolog; **~ street** főutca; **M~ Street banks** a legnagyobb bankok **2. by ~ force** erőszakkal; teljes erővel/erőből **II.** *fn* **1.** erő; **with might and ~** teljes erőből/erővel **2.** *vál régi* **a)** nyílt tenger, óceán **b)** szárazföld **3. in the ~** általában; nagyrészt, nagyrészben **4.** *műsz* főcsatorna, *vill* fővezeték, *vasút* fővonal
main[2] [maɪn] *fn* kakasviadal
mainboard *fn infor* alaplap
main brace *fn hajó* fő keresztvitorla fordítókötele
maincrop *fn mezőg* főtermék
main deck *fn hajó* felső fedélzet, főfedélzet
Maine [meɪn] *tul földr* Maine *[az USA egyik tagállama]*
mainframe *fn infor* **1.** nagyszámítógép *[rendszer* v. *központi egység]* **2.** *távk* alapegység, főegység
mainland ['meɪnlənd ‖ –lænd] *fn* szárazföld, kontinens • *fn* **mainlander**
mainline *tni szl [kábítószert vénásan bead magának]* belövi magát • *fn* **mainliner**
main line *fn* **1.** *közl* fővonal **2.** *US* főutca **3.** *szl* főér *[kábítószer befecskendezésére alkalmas]*
mainly ['meɪnli] *hsz* **1.** főleg, főként, legfőképpen, elsősorban **2.** főrészt, nagyrészt
mainmast *fn hajó* főárboc
mainsail ['meɪnseɪl] *fn hajó* fővitorla
mainspring *fn* **1.** főrugó **2.** *biz* hajtóerő, főok, főindíték
mainstay *fn* **1.** *hajó* főárboctarcs, főárbocfeszítő kötél **2.** *biz* támasz, támogató
mainstream *fn* **1.** mainstream *[divat/közízlés meghatározó irányzata]* **2.** főáram, az ár(amlat) közepe/zöme/dereka
maintain [meɪn'teɪn] *tsi* **1.** fenntart *[rendet, kapcsolatokat, állapotot]*, visel *[háborút]*, megőrzi *[méltóságát, hidegvérét]*, folytat *[beszélgetést, levelezést]*; **~ one's silence** csendben marad, nem szólal meg **2.** eltart *[személyt, családot]*, gondoskodik (vkről) **3.** fenntart, karbantart, gondoz, kezel **4.** támogat, megvéd, képvisel *[ügyet]*; **~ one's right** megvédi jogait, kiáll jogaiért **5.** fenntart *[álláspontot]*; **~ that** fenntartja, hogy • *mn* **maintainable**
maintained school *fn GB okt* alapítványi iskola
maintainer [meɪn'teɪnə ‖ –ər] *fn* **1.** fenntartó, eltartó **2.** *jog* vétkes módon támogató
maintenance ['meɪntənəns ‖ 'meɪntnəns] *fn* **1.** fenntartás *[rendé]* **2.** eltartás *[családé]*, gondoskodás *[családról]*, tartásdíj; **~ of the poor** szegényellátás **3.** fenntartás, karbantartás, gondozás **4.** támogatás, védelem **5.** fenntartás *[álláspontél]*
maintenance crew *fn* karbantartó személyzet
maintenance-free *mn* karbantartást nem igénylő
maintenance man *fn* karbantartó
maintenance order *fn jog* tartásdíj-kötelezettség *[elvált házastárs részére]*
maintenance vehicle [– viːɪkl] *fn* műhelykocsi
maintenance worker *fn* karbantartó munkás
main yard *fn hajó* fő vitorlarúd
maiolica → **majolica**
maisonette [ˌmeɪzə'net], **maisonnette** *fn* **1.** *GB* (kis) lakás *[bérházban]* **2.** házacska, házikó, kis ház
maize [meɪz] *fn* **1.** *növ* kukorica, tengeri **2.** kukoricasárga (szín)
Maj *röv major* őrnagy, őrgy.
majestic [mə'dʒestɪk] *mn* méltóságteljes, fenséges • *hsz* **majestically**
majesty ['mædʒəsti] *fn* **1.** felség; **His/Her M~** őfelsége a király/királynő; **On His M~'s Service** Őfelsége szolgálatában; **Your M~!** Felség!, Fenség! *[megszólításban]* **2. a)** méltóság, fenség, magasztosság **b)** királyi hatalom
majolica [mə'dʒɒlɪkə ‖ –'dʒɑ–] *fn* majolika
major[1] ['meɪdʒə ‖ –ər] *fn kat* őrnagy • *fn* **majorship**
major[2] ['meɪdʒə ‖ –ər] **I.** *mn* **1.** fontos, komoly, nagy, jelentős, fő; *mat* **~ axis** főtengely; *US sp* **M~ League Baseball, MLB** ‹az amerikai professzionális baseball liga›; *US sp* **M~ League Soccer, MLS** ‹az amerikai professzionális labdarúgó liga›; **the ~ part** a nagyobbik rész; **~ road** főútvonal **2.** nagykorú **3. a)** *zene* dúr; *zene* **~ key** dúr/kemény hangnem **b)** *zene* nagy *[hangköz]* **4.** *ját* **~ suit** nemes szín *[pikk* v. *kőr]* **II.** *fn* **1.** *jog* nagykorú (személy) **2.** *fil* logikai főtétel **3.** *US okt* fő(tan)tárgy, szak(tárgy), fő(tan)szak **III.** *tni US okt* **~ in sg** (fő)szaknak/főtantárgynak választ, specializálódik vmre
major-domo [ˌmeɪdʒə'doumou ‖ –dʒər–] *fn* főudvarmester
majorette [ˌmeɪdʒə'ret] *US* → **drum majorette**
major general *fn kat* vezérőrnagy, dandártábornok
majority [mə'dʒɒrəti ‖ mə'dʒɑrəti] *fn* **1. a)** többség, majoritás **b)** szótöbbség; **obtain a ~** megkapja/elnyeri a szótöbbséget; **decision taken by ~** szótöbbséggel hozott határozat **c)** legnagyobb/túlnyomó rész **d)** *US* abszolút többség **2.** *jog* nagykorúság; **attain one's ~** eléri nagykorúságát, nagykorú lesz **3.** *kat* őrnagyi rang
majority stake *fn gazd* többségi részesedés
majority verdict *fn jog* többségi határozat
majorize ['meɪdʒəraɪz], **-ise A.** *tsi zene* dúrba traszponál **B.** *tni* nagykorú lesz
majuscule ['mædʒəskjuːl] **I.** *mn* nagybetűs, nagy kezdőbetűs **II.** *fn* nagybetű
make [meɪk] **I.** *pt/pp* **made** [meɪd] **A.** *tsi* **1.** csinál, készít, előállít, gyárt; **~ bread** kenyeret süt; **~ tea** teát főz; **what is it made of?** miből van ez?; *átv* **show what one is made of** megmutatja, hogy milyen fából faragták; **he is made for this work** erre a munkára van teremtve **2.** megteremt, létrehoz; **~ a law** törvényt hoz; **~ a rule** felállít egy szabályt; **~ headway** halad; **~ a joke** tréfát űz, tréfál; **to ~ matters worse he …** a bajt azzal is megtetézte, hogy …; **~ objections** ellenvetéseket tesz; **~ a speech** beszédet mond/tart; **~ the team** bekerül a (válogatott) csapatba; **~ way** utat enged; előremegy **3.** kiállít, megír; **~ one's will** végrendeletet csinál, végrendelkezik **4.** válik belőle (vm); **he will ~ a good doctor** jó orvos lesz belőle **5.** kitesz *[mennyiség]*; **two and three ~ five** kettő meg három az öt; **it ~s no sense** nincs értelme **6.** (rendbe) rak; **~ the bed** megveti az ágyat, megágyaz; beágyaz; **~ a fire** tüzet rak **7.** megtesz *[távolságot]*; **he will ~ the whole distance in three hours** az egész távolságot megteszi három óra alatt **8.** keres *[pénzt]*, szert tesz (vmre), haszonhoz jut; **~ profits** nyereségre/haszonra tesz szert; **~ thirty pounds a week** heti harminc fontot keres **9.** megalapítja vknek/vmnek a szerencséjét; *biz* **he is a made man** befutott ember, megalapozta a szerencséjét; **that one deal made him** az az egyetlen üzlet megalapozta szerencséjét; *biz* **it made my day** bearanyozta a napom **10.** feltüntet, beállít, mond (vmt vmnek); **~ light of sg** könnyen vesz vmt; **~ the most/best of sg** helyzetet kihasznál, javára fordít *[a lehetőségekhez mérten]*; **~ much of sg** nagyra tart vmt, nagyra van vmvel; **the climate is not so bad as you ~ it** az éghajlat nem olyan rossz, amilyennek feltünteted **11.** tesz vkt vmvé; **~ sy happy** boldoggá tesz vkt; **~ sy rich** gazdaggá tesz vkt; **~ sy an earl** grófi rangja emel vkt; **~ a friend of sy** megbarátkozik vkvel; *közm* **the cowl does not ~ the monk** nem a ruha teszi az embert **12. a)** kényszerít, késztet (vkt vmre); **~ sy laugh** megnevettet vkt; **you should ~ him do it** kényszerítened kellene, hogy megtegye; **he was made to leave** kényszerítették/felszólították, hogy távozzék; **what ~s**

you so late? miért késtél el ennyire? **b)** ~ **do with sg/sy** megelégszik vmvel/vkvel; **he can always ~ do** a jég hátán is megél **c)** ~ **sg felt** éreztet vmt; **~s itself felt** megmutatkozik, érezhető; ~ **good** jóvá tesz; ~ **good one's word** beváltja az ígéretét; ~ **oneself heard** eléri, hogy meghallják/meghallgassák; ~ **sg known** tudat vmt, (köz)tudomásra hoz vmt; ~ **sg understood** megértet vmt **13.** elér; *US* **he can ~ the train in five minutes** öt perc alatt elérheti a vonatot; *biz* ~ **it** sikert ér el, sikere van, befut; **he made the team** bekerült a csapatba; **I couldn't ~ the meeting** nem tudtam ott lenni a találkozón **14.** vél, tart, ért; **he doesn't know what to ~ of it, he can ~ nothing of it** nem ért belőle semmit, nem tudja, mit gondoljon (róla); **what do you ~ of it?** te mit gondolsz róla?, hogyan értelmezed? **15.** *szl [közösül]* megdug; ~ **it (with sy)** ágyba bújik/lefekszik vkvel **B.** *tni* **1.** ~ **as if/though** úgy tesz mintha, azt színleli, hogy **2. a)** emelkedik, dagad *[ár dagálykor]* **b)** csökken, apad *[ár apálykor]* **3.** *ját* üt *[lap]* **II.** *fn* **1. a)** forma, elkészítési mód, kivitel, *tex* szabásmód **b)** gyártmány, készítmény, márka **c)** termelés *[termelt árumennyiség]* **2. a)** termet, testalkat **b)** lelki alkat, jellem; **a man of quite another ~** egészen más jellemű/vágású ember **3. be on the ~** (i) kezdi megcsinálni a szerencséjét, kezd előrejutni (az életben) (ii) *szl* hajtja a pénzt, törtet/fut a pénz után (iii) *szl [szexuális partnert keres]* hajt(ja a csajokat/fickókat), vadászik, koslat **4.** *ját* (végső) bemondás *[bridzsben]* **5.** *szl [nő mint szexuális partner]* numera, dugás **6.** *szl [bűntett]* balhé, buli, meló • *mn* **makeable**

make after *tni* ~ **after sy** vk után veti magát; vk után ered, üldözőbe vesz vkt

make against *tni* ~ **against sg** ellenkezik vmvel, ellene szól vmnek; **experience ~s against this assertion** a tapasztalat ellene szól ennek az állításnak

make away *tni* **1.** odébbáll, meglép, eltávolodik **2.** ~ **away with sg** eltékozol, felemészt, elpazarol *[vagyont stb.]* **3.** ~ **away with sy** megöl vkt, eltesz vkt láb alól, megszabadul vktől

make for *tni* **1.** ~ **for a place** vhová megy/tart/igyekszik; ~ **a rush for sg** nekiiramodik vm felé; ~ **for the open sea** a nyílt tengerre kel **2.** elősegít, használra van, hozzájárul vmhez; **such conduct ~s for the happiness of all** az ilyen viselkedés hozzájárul mindenki boldogságához

make off *tni biz* odébbáll, eloson, meglép, meglóg; ~ **off with the cash** meglóg (v. odébbáll) a pénzzel, elemeli a kasszát

make out A. *tsi* **1.** elkészít, összeállít, írásba foglal *[listát]*, megszerkeszt *[iratot]*, összeállít, elkészít *[számlát]*, kiállít *[csekket]* **2.** kihoz *[eredményt]*, felhoz *[vk védelmére]*; **how do you ~ that out?** hogyan jutsz erre az eredményre? **3.** feltüntet; ~ **sy out to be older than he is** vkt idősebbnek tüntet fel mint amilyen; **they made out that** azt állították, hogy; **he is not such a fool as people ~ out** nem olyan bolond, mint amilyennek hiszik/mondják **4.** megért *[problémát, jellemet]*, eligazodik (vmn); **I can't ~ it out** nem tudok rajta eligazodni, egyáltalában nem értem, nem foghatom fel **5.** kivesz *[szemmel]*, kisilabizál *[írást]* **6.** *szl [szexuális ingerlés, előjáték]* pettingel (vkvel) **B.** *tni US biz* sikere van, boldogul, összejön neki, jól megvan

make over *tsi* **1.** átenged, átruház, örökül hagy **2.** átalakít *[ruhát, házat]* **3.** átdolgoz

make up A. *tsi* **1.** kiegészít, kikerekít *[összeget]*; ~ **up the even money** kikerekíti az összeget **2. a)** (be)pótol, behoz *[hiányt]*; ~ **up (for) the shortage** pótolja a hiányt **b)** visszaszerez; ~ **up lost ground** visszanyeri az elvesztett területet; behozza a lemaradást **3.** kárpótol, kártalanít; ~ **it up to sy for sg** kárpótol/kártalanít vkt vmért **4. a)** összeállít; **"customers' own material made up"** varrás hozott anyagból is **b)** *nyomd* betördel *[oldalt]* **5.** elkészít *[gyógyszerész orvosságot]* **6.** megfogalmaz, kiállít *[okmányt]* **7.** kitalál, kohol; **made up story** költött/kitalált történet **8.** összehoz *[társaságot]*, összegyűjt *[pénzösszeget]* **9.** ~ **up the fire** rak a tűzre *[tüzelőt]* **10.** alkot, képez *[egészet]*; **be made up of** áll vmből *[részekből]*, fel van építve vmből **11. a)** rendbe szed/rak; ~ **up a bed** beágyaz; ~ **up a room** szobát kitakarít **b)** kikészít, kifest *[arcot, magát]*; **made up face** kifestett arc **12.** ~ **up one's mind** elhatározza magát, dönt; **have you made up your mind?** döntöttél?, átgondoltad?, meggondoltad?; **they had their minds made up for them** kész helyzet elé voltak állítva **13.** elintéz *[vitás kérdést]*; ~ **it up (with sy)** kibékül, összebékül (vkvel); **let's ~ it up** béküljünk ki **14.** kiegyenlít *[számlát]*, lezár *[számadást]* **B.** *tni* **1.** *nyomd* tördel **2.** ~ **up for sg** pótol vmt; ~ **up for lost time** pótolja az elveszett időt; **that ~s up for it** ez kárpótlás azért **3.** ~ **up to sy** közeledik vkhez; udvarol/hízeleg vknek; **I'll ~ it up to you later** *[vigasztalóan elszalasztott alkalomért:]* (majd) később bepótoljuk

make-believe, make-belief I. *mn* színlelt, hamis, ál-, mű-; ~ **indignation** műfelháborodás **II.** *fn* látszatkeltés, színlelés, alakoskodás, tettetés

make-do I. *mn* ideiglenes, rögtönzött, kisegítő, szükség- *[megoldás]* **II.** *fn* kisegítő megoldás, szükségmegoldás

make-over *fn* **1.** átdolgozás; **this play needs a complete ~** ezt a darabot teljesen át kell dolgozni **2.** átalakítás *[ruháé]* **3.** (át)alakított ruha

maker [ˈmeɪkə ‖ –ər] *fn* **1.** csináló, készítő, gyártó; **~'s price** gyári ár **2.** *vall* **Our M~, the M~ of all** a Teremtő; **meet one's ~** elköltözik Ábrahám kebelébe *[meghal]* **3.** *régi* költő

makeshift I. *mn* kisegítő, rögtönzött, ideiglenes **II.** *fn* **1.** szükségmegoldás, kisegítő megoldás **2.** silány munka

make-up *fn* **1. a)** smink, make-up, kifestés **b)** kozmetikai szerek, szépítőszerek **2. a)** szerkezet, felépítés, összeállítás; **the ~ of a team** csapat-összeállítás **b)** alkat, egyéniség; **people of nervous ~** ideges alkatú/természetű emberek **3.** *nyomd* tördelés, tükör **4.** kitalálás, kitalált történet

make-up girl *fn film szính média* sminkesnő

make-up man *fn film szính média* sminkes

makeweight *fn* **1.** súlypótlék, súlykiegészítés, nyomaték; **as a ~** a súly kiegészítése végett, *biz* a társaság számának kiegészítéseül **2.** *biz* kolonc, felesleges harmadik

making [ˈmeɪkɪŋ] *fn* **1.** gyártás, készítés; **be in the ~** munkában van; keletkezőben van; **history in the ~** a szemünk előtt lejátszódó történelmi események; **of one's own ~** saját készítményű/gyártmányú **2.** *tsz* **makings a)** adottság, kellék; **he has the ~s of a poet** költői adottságai vannak **b)** *US* kellék, hozzávaló *[pl. cigarettasodrásé]* **3.** *tsz* **makings** *gazd* bevétel, kereset

mal- [ˌmæl] *előtag* hibás, hiányos, nem megfelelő; **malfunctioning** hibásan működő

malabsorption [ˌmæləbˈzɔːpʃn ‖ –ˈzɔrp–] *fn orv* felszívódási zavar

Malachi [ˈmæləkaɪ] *tul* Malakiás

malachite [ˈmæləkaɪt] *fn ásv* malachit

malacology [ˌmæləˈkɒlədʒi ‖ –ˈkɑ–] *fn áll* malakológia *[puhatestűek tana]*

maladaptation [ˌmælədæpˈteɪʃn] *fn biol* rossz alkalmazkodás

maladdress [ˌmæləˈdres] *fn* ügyetlenség, tapintatlanság

maladjusted [ˌmæləˈdʒʌstɪd] *mn* **1.** *műsz* nem megfelelően (v. hibásan) beállított/összeállított/összeillesztett, rosszul elhelyezett/fekvő **2.** környezethez/életkörülményekhez rosszul/nehezen alkalmazkodó, beilleszkedni/alkalmazkodni képtelen, helytelenül viszonyuló • *fn* **maladjustment**

maladminister [ˌmælədˈmɪnɪstə ‖ –ər] *tsi* rosszul alkalmaz/kezel, helytelenül irányít *[ügyeket]* • *fn* **maladministration**

maladroit [ˌmæləˈdrɔɪt] *mn* ügyetlen, balkezes

maladventure [ˌmælədˈventʃə ‖ –ər] *fn* baleset, szerencsétlenség

malady [ˈmælədi] *fn* betegség, baj

Malaga [ˈmæləgə] *fn gazd* malaga(bor)

M

Malagasy [ˌmælə'gæsi] *mn/fn* madagaszkári, malgas *[ember, nyelv]*
malaise [mə'leɪz] *fn* gyengélkedés, rossz közérzet, betegség
malamute ['mæləmju:t], **malemute** *fn áll* malamut *[kutya]*
malapert ['mæləpɜ:t ‖ –'pɜrt] *mn* **I.** szemtelen, pimasz **II.** *fn régi* pernahajder *[szemtelen/pimasz ember]*
malapropism ['mæləprɒpɪzm ‖ –prɑ–] *fn nyelv* malapropizmus *[félreértésen alapuló helytelen nyelvhasználat]*
malapropos [ˌmælæprə'poʊ] **I.** *mn* nem időszerű/alkalomszerű, rosszkor alkalmazott **II.** *hsz* rosszkor, nem alkalmas pillanatban **III.** *fn nyelv* malapropizmus
malar ['meɪlə ‖ –ər] *orv* **I.** *mn* pofacsonti **II.** *fn* pofacsont
malaria [mə'leərɪə ‖ –'lerɪə] *fn orv* malária, mocsárláz, váltóláz • *mn* **malarial**, **malarian**
malarkey [mə'lɑ:ki ‖ –'lɑr] *fn biz* halandzsa, süket duma, mese habbal, kitaláció
malathion [ˌmælə'θaɪən] *fn vegy* ‹foszfortartalmú rovarirtó›
Malawi [mə'lɑ:wi] *tul földr* Malawi (Köztársaság)
Malawian [mə'lɑ:wɪən] *mn/fn* malawi
Malay [mə'leɪ ‖ 'meɪleɪ] *mn/fn földr* maláj *[ember/nyelv]*; **the ~ Peninsula** Maláj-félsziget; **the ~ Archipelago** maláj szigetvilág
Malaya [mə'leɪə] *tul földr* Malájföld, Malaja
Malayalam [ˌmælɪ'ɑ:ləm] **I.** *mn* malayalam *[nyelv]* **II.** *fn* malayalam (nyelv)
Malaysia [mə'leɪzɪə ‖ mə'leɪʒə] *tul földr* Malajzia
Malaysian [mə'leɪzɪən ‖ mə'leɪʒn] *fn/mn* malaysiai
Malcolm ['mælkəm] *tul* ‹férfinév›
malcontent ['mælkəntent ‖ –'tent] *mn/fn* elégedetlen(kedő), zúgolódó
maldigestion [ˌmældɪ'dʒestʃn] *fn orv* emésztési zavar
maldistribution [ˌmældɪstrɪ'bju:ʃn] *fn* helytelen elosztás; *gazd* aránytalan terítés
Maldive Islands [ˌmɔ:ldaɪv 'aɪləndz, 'mæl–] *tul tsz földr* Maldív-szigetek
Maldives ['mɔ:ldɪvz] → **Maldive Islands**
Maldivian [mɔ:l'dɪvɪən, mæl–] *mn/fn* maldív, Maldív-szigeteki
male [meɪl] **I.** *mn* hím, *biol* hímivarú **II.** *fn* **1.** hím, férfi **2.** hím növény
male bonding *fn* férfibarátság
malediction [ˌmælɪ'dɪkʃn] *fn* **1.** átok **2.** elátkozás, átkozódás • *mn* **maledictive**, **maledictory**
malefactor ['mælɪfæktə ‖ –ər] *fn* gonosztevő • *fn* **malefaction**
malefic [mə'lefɪk] *mn vál* **1.** ártó, (meg)rontó, megbabonázó **2.** ártalmas *[varázshatás]*
maleficent [mə'lefɪsnt] *mn* **1.** rossz, gonosz (*to* vkvel szemben) **2.** bűnöző **3.** ártalmas, káros, rontó • *fn* **maleficence**
male-nurse *fn* ápoló
malevolence [mə'levələns] *fn* rosszindulat, rosszakarat (*towards sy* vk iránt, vkvel szemben)
malevolent [mə'levələnt] *mn* **a)** rosszindulatú, rosszakaratú **b)** ellenséges **c)** kaján, kárörvendő
malfeasance [mæl'fi:zns] *fn* **1.** gonosztett **2.** *jog* **a)** törvényszegés, törvénysértés **b)** hivatali visszaélés, hűtlen kezelés • *mn* **malfeasant**
malformation [ˌmælfɔ:'meɪʃn ‖ –fɔr–] *fn* **1. a)** formátlanság **b)** (el)torzulás **2.** *orv* deformitás, fejődési rendellenesség • *mn* **malformed**
malfunction [ˌmæl'fʌŋkʃn] **I.** *fn* akadály, működési hiba **II.** *tni* rosszul/hibásan működik
Mali ['mɑ:li] **I.** *tul földr* Mali (Köztársaság) **II.** *mn/fn* mali
Malian ['mɑ:lɪən] *mn/fn* mali, malibeli
malic acid ['mælɪk, 'meɪlɪk–] *mn vegy* almasav
malice ['mælɪs] *fn* **1.** rosszindulat, rosszakarat, rosszhiszeműség; **bear ~ to(wards) sy** vknek rosszakarója, haragszik/neheztel vkre **2.** rosszmájúság, gúny, kajánság, káröröm; **not without ~** némi éllel, nem minden rosszmájúság nélkül **3.** *jog* vétkes/bűnös szándék; **with ~ aforethought/prepense** előre megfontoltan
malicious [mə'lɪʃəs] *mn* **1.** gonosz, rosszakaratú, rosszindulatú **2.** rosszmájú, gúnyos **3.** *jog* szándékos, bűnös *[szándék]*; **~ abandonment** hűtlen elhagyás *[házastársi]*; **~ act** szándékos/megfontolt bűncselekmény • *fn* **maliciousness**
malign [mə'laɪn] **I.** *mn* **1.** ártalmas, káros **2.** baljóslatú, vészterhes **3. a)** *orv* rosszindulatú *[daganat]* **b)** *régi* rosszindulatú, rosszakaratú, gyűlölködő **II.** *tsi* **1.** megrágalmaz, befeketít **2.** becsmérel, ócsárol vkt • *fn* **maligner**, **malignity**
malignant [mə'lɪgnənt] *mn* **1. a)** rosszakaratú, rosszindulatú, gonosz **b)** ellenséges, veszélyes **2.** baljóslatú, vészterhes **3.** *orv* rosszindulatú *[daganat]* • *fn* **malignancy**
malinger [mə'lɪŋgə ‖ –ər] *tni* szimulál, színlel *[betegséget]*, lóg *[munkából/szolgálatból betegség ürügyével]*, bliccel • *fn* **malingerer**
Mall [mɔ:l, mæl, mæl, mɔ:l, mɔ:l] *tul* **the ~** ‹egy londoni útvonal neve›
mall[1] [mɔ:l] *fn* **1.** árnyas sétány **2.** sétálóutca **3.** *US* bevásárlóközpont
mall[2] [mɔ:l] *fn régi* **a)** kalapácsszerű labdaütő **b)** malljáték **c)** malljátszótér
mallard ['mæləd ‖ –ərd] *fn áll* gácsérkacsa, vadkacsa, vadréce
malleable ['mælɪəbl] *mn* **1.** nyújtható, kovácsolható, jól megmunkálható, képlékeny *[fém]* **2.** *átv* alakítható, formálható, fogékony *[jellem]* • *fn* **malleability**
mallee[1] ['mæli] *fn* indiai kertész
mallee[2] ['mæli] *fn Ausz* **1.** *növ* eukaliptusz, törpe gumifa **2.** gumifacserjés terület, bozótos
malleolus [mə'lɪələs] *fn tsz* **malleoli** [–laɪ] *orv* bokacsont
mallet ['mælɪt] *fn* **1.** fakalapács, bunkó **2.** *sp* ütő *[krikettben, pólóban]*
malleus ['mælɪəs] *fn tsz* **mallei** [–lɪaɪ] *orv* kalapácscsont *[fülben]*
mallow ['mæloʊ] *fn növ* **1.** papsajt **2.** fehér mályva
malm [mɑ:m] *fn* **1.** *geol* malm **2.** *mezőg* márgás/agyagos talaj
malmsey ['mɑ:mzi] *fn gaszt* ‹édes madeirai borfajta›
malnourished [ˌmæl'nʌrɪʃt ‖ –'nɜr–] *mn orv* alultáplált
malnutrition [ˌmælnju'trɪʃn ‖ –nu–] *fn* **a)** alultápláltság **b)** hiányos (v. nem megfelelő) táplálkozás
malocclusion [ˌmælə'klu:ʒn] *fn orv* helytelen fogsorilleszkedés
malodorous [mæl'oʊdərəs] *mn* rossz szagú, kellemetlen szagú, büdös, bűzös
malpractice [ˌmæl'præktɪs] *fn* **1.** szabálytalan/rendellenes/törvénysértő viselkedés/cselekedet **2. a)** *jog* hanyagság, gondatlanság, mulasztás, (orvosi)műhiba; **~ case** orvosi műhiba miatti per *[kórház/orvos ellen]* **b)** hűtlen kezelés, hivatali sikkasztás
malt [mɔ:lt] **I. 1.** *fn* maláta **2.** *GB biz* → **malt whisky** **II. A.** *tsi* malátáz, csíráztat *[árpát]* **B.** *tni* malátává változik
Malta ['mɔ:ltə] *tul földr* Málta
Maltese [ˌmɔ:l'ti:z] **I.** *mn* máltai; **~ cross** máltai kereszt **II.** *fn* **1.** máltai *[ember]* **2.** *tört* máltai lovag
maltha ['mælθə] *fn épít* szurok, ásványi kátrány, bitumen
malthouse *fn* malátacsíráztató (helyiség)
Malthusian [mæl'θju:zɪən ‖ –'θu:ʒn] *közg* **I.** *mn* malthusi, malthusiánus **II.** *fn* malthusiánus, Malthus követője • *fn* **Malthusianism**
malting ['mɔ:ltɪŋ] *fn* **1.** csíráztatás, malátázás **2.** → **malthouse**
malt liquor *fn gaszt* ‹malátából erjesztett sörszerű ital›
maltose ['mɔ:ltoʊs] *fn vegy* malátacukor, maltóz
maltreat [ˌmæl'tri:t] *tsi* bánt, bántalmaz (vkt), rosszul/durván bánik (vkvel/vmvel) • *fn* **maltreatment**

maltster [ˈmɔːltstə ‖ –ər] malátakészítő (munkás) *[szeszfőzdében, italgyárban]*
malty [ˈmɔːlti] *mn* **1.** malátaízű **2.** malátaszerű
malvaceous [ˌmælˈveɪʃəs] *mn növ* mályvaszerű
malversation [ˌmælvəˈseɪʃn ‖ –vər–] *fn jog* hűtlen kezelés, korrupció, hivatali sikkasztás/visszaélés
malvoisie [ˌmælvwɑːˈziː ‖ ˈmælvəzi] *gaszt* → **malmsey**
mam [mæm] *fn biz* **1.** → **madam 2.** *gyerm* mami, anyu(ci)
mama [məˈmɑː ‖ ˈmɑːmə] → **mamma¹**
mamba [ˈmæmbə ‖ ˈmɑmbə] *fn áll* mamba kígyó
mambo [ˈmæmbou ‖ ˈmɑm–] *fn* mambó *[tánc]*
mamelon [ˈmæmələn] *fn* kerek dombocska
mameluke [ˈmæmɪluːk] *fn* **1.** *tört* mameluk **2.** rabszolga
mamilla [mæˈmɪlə ‖ mə–] *fn tsz* **-lae 1.** *orv* mellbimbó, mamilla **2.** szemölcs, bibircsók, kidudorodás • *mn* **mamillary**
mamma¹ [məˈmɑː ‖ ˈmɑːmə] *fn* **1.** *biz* mama **2.** *szl [csinos/szexis nő]* bombázó, dögös csaj, jó bige/bőr **3.** *szl [barátnő, feleség]* anyu
mamma² [ˈmæmə] *fn tsz* **mammae** [–miː] emlő, csecs, mellbimbó
mammal [ˈmæml] *fn* emlős(állat) • *fn* **mammalogy** *fn/mn* **mammalian**
mammaliferous [ˌmæməˈlɪfərəs] *mn geol* emlősmaradványokat tartalmazó *[kőzet]*
mammary [ˈmæməri] **I.** *mn orv* emlő-; **the ~ glands, the mammaries** az emlőmirigyek **II.** *fn szl [női mell]* csöcs, cickó
mammiferous [mæˈmɪfərəs] *mn* emlős
mammilla [mæˈmɪlə] *US* → **mamilla**
mammogram [ˈmæməgræm] *fn orv* mellröntgen, mammogram
mammography [mæˈmɒgrəfi ‖ məˈmɑ–] *fn orv* mammográfia
Mammon [ˈmæmən] **I.** *tul vall* Mammon *[aranyborjú, a pénz istene]* **II. m~** *fn* gazdagság, pénz • *fn* **Mammonist**
mammoplasty [ˈmæməplæsti] *fn orv* mellplasztika
mammoth [ˈmæməθ] **I.** *fn* mamut **II.** *mn* óriási, hatalmas, óriás-, mamut-; **~ bank** óriásbank; *növ* **~ tree** mamutfa, mamutfenyő
mammy [ˈmæmi] *fn* **1.** *gyerm* mama, anyu(ka) **2. a)** *US régi* fekete dada/dajka **b)** *US régi* öreg fekete házicseléd *[nő]*
mammy boy *fn US biz* mama kedvence
MAN *röv fn infor Metropolitan Area Network* nagyvárosi hálózat
man [mæn] **I.** *fn tsz* **men** [men] **1. a)** ember, emberi lény; **the ~ in the street** az átlagember; **as one ~** egyhangúan; **not fit for ~** nem embernek való; *közm* **~ proposes, God disposes** ember tervez, isten végez **b) any ~** bárki; **every ~** mindenki; **no ~** senki; **(all) to a ~** utolsó emberig, mind egy szálig **c) a ~ must live** az embernek csak meg kell élnie (valahogy) **d) the inner ~** a lélek; *biz tréf* gyomor, has; *biz tréf* **satisfy the inner ~** jóllakik, megtölti a bendőjét **e)** *okt* **he's an Oxford ~** oxfordi diák; Oxfordban végzett **2.** az ember(iség) **3. a)** férfi; **young ~** fiatalember; **a ~'s ~** igazi férfi; **as ~ to ~, between ~ and ~** mint férfi a férfival *[őszintén]*; **bear sg like a ~** férfiasan (el)visel vmt; **make a ~ of sy** embert/férfit farag vkből; **show oneself a ~** férfiasan viselkedik (v. megállja a helyét); **it takes a ~ to do that** ehhez egész emberre van szükség **b)** férj; **her ~** a férje; **~ and wife** férj és feleség **c)** *szl* **my young ~** az udvarlóm; a vőlegényem **d)** úr, parancsoló; **be one's own ~** a maga ura; független **e)** *jelzői haszn* **~ cook** (férfi)szakács **4.** *tsz* **men a)** *ip* munkások; **the men are on strike** a munkások sztrájkolnak **b)** *kat* legénység, sorállomány **5. a)** *tört* hűbéres **b)** szolga, inas, *kat* tisztiszolga; **I'm your ~** én vagyok az ön embere; önnek éppen rám van szüksége **c)** alkalmazott **d)** *sp* játékos, ember **6.** *sp* figura, báb *[sakkban]* **7.** *szl [idegennek megszólításként is]* barát; haver, öreg **8.** *szl* **the ~** *[rendőr]* a jard, a szerv, a hé **II.** *tsi* **-nn- 1.** legénységgel ellát/felszerel **2.** betölt *[állást]* **3. ~ oneself** összeszedi bátorságát/erejét, megembereli magát • *mn* **manless**
Man., Manit. *röv Manitoba*
-man [mən] *utótag* ‹főnévi utótag› -ember; **businessman** üzletember; **salesman** eladó, *US* üzletkötő
mana [ˈmɑːnə] *fn* **1.** *ÚjZ* tekintély, hatalom **2.** mana *[természetfölötti erő]*
man about town *fn* világfi
manacle [ˈmænəkl] **I.** *fn* **1.** bilincs **2.** *tsz* **manacles** *biz* béklyó, kötelék, rabság **II.** *tsi* megbilincsel
man advantage *fn sp* emberelőny
manage [ˈmænɪdʒ] **I. A.** *tsi* **1. a)** menedzsel, igazgat, vezet *[céget, vállalatot]*; **~ the household** vezeti a háztartást **b)** intéz, irányít *[ügyet]*; **~ sy's affairs** intézi vknek az ügyeit **c)** menedzsel *[színészt, sportolót]* **2.** sikerül *[vmt csinálni]*, megvalósít, keresztülvisz, boldogul, megbirkózik (vmvel); **~ to do sg** sikerül megtennie/elvégeznie vmt; **I shall ~ it** majd valahogy megcsinálom(v. boldogulok vele); **I can't ~ it** nem boldogulok vele; *biz* **can you ~ another cake?** meg tud birkózni még egy süteménnyel? **3. a)** kezel, irányít, kézben tart, boldogul (vkvel); **know how to ~ sy** tudja, hogy kell bánni vkvel; **a difficult person to ~** nehéz ember **b)** rávesz, rábír (vkt) **4.** kezel *[eszközt, szerszámot]*, bánik (vmvel) **5.** gazdálkodik, takarékoskodik, gondosan bánik (vmvel) **6. a)** gondoz *[állatot]* **b)** (meg)művel *[földet]* **B.** *tni* **1.** intézi az ügyeket, vezeti/igazgatja a vállalatot/intézményt **2.** boldogul; **~ as best as you can** segítsen magán ahogy tud!; **we could just ~** éppen csak hogy sikerült; épp csak hogy megéltünk/eléldegéltünk; **how did you ~, since you didn't speak Spanish? – oh, we ~d!** hogy boldogultak spanyol tudás nélkül? – hát valahogy csak kivágtuk magunkat **II.** *fn* → **manège**
manageable [ˈmænɪdʒəbl] *mn* **1.** kezelhető *[készülék]* **2.** kezelhető, nevelhető, engedelmes *[személy]* **3.** megvalósítható, sikerre vihető *[vállalkozás]* • *fn* **manageability**
management [ˈmænɪdʒmənt] *fn* **1.** igazgatás, vezetés, menedzsment **2.** igazgatóság, vezetőség, menedzsment **3.** kezelés, bánásmód **4.** ügyesség, jártasság, képesség
management consultant *fn* szervezési/üzletvezetési tanácsadó
management team *fn* a vezetés
manager [ˈmænɪdʒə ‖ –ər] *fn* **1. a)** igazgató, ügyvezető, menedzser; **general ~** vezérigazgató **b)** *sp* klubmenedzser, edző **c)** menedzser *[játékosé, színészé]* **d)** *szính* impresszárió **2.** jó gazdaasszony/gazda, takarékos ember; **he is no ~** nincs semmi gyakorlati érzéke • *fn* **managership** *mn* **managerial**
manageress [ˌmænɪdʒəˈres ‖ ˈmænɪdʒərəs] *fn* igazgatónő, üzletvezetőnő, menedzser *[nő]*
managing [ˈmænɪdʒɪŋ] *mn* **1.** igazgató, vezető, intéző; **~ clerk** üzletvezető, irodavezető; **~ director** ügyvezető igazgató; **~ editor** szerkesztőségvezető, szervező szerkesztő **2.** *régi* takarékos, jól gazdálkodó
man-at-arms [ˌmæn ət ˈɑːmz] *fn tsz* **men-at-arms** *régi* (teljesen felfegyverzett, lovas) katona
Manchester [ˈmæntʃɪstə ‖ –tʃəstər–] *tul földr* Manchester
Manchu [ˌmænˈtʃuː] → **Manchurian**
Manchuria [mænˈtʃuərɪə ‖ –ˈtʃur–] *tul földr* Mandzsúria
Manchurian [mænˈtʃuərɪən ‖ –ˈtʃurɪ–] *mn/fn* mandzsu, mandzsúriai *[nyelv, ember]*
manciple [ˈmænsɪpl] *fn* gondnok, gazdasági vezető, árubeszerző *[kollégiumé, intézményé]*
Mancunian [ˌmæŋˈkjuːnɪən] *mn/fn* manchesteri
mandala [ˈmændələ] *fn vall pszich* mandala
mandamus [mænˈdeɪməs] *fn jog* mandamus *[az angol felsőbb bíróságnak az alsóbb bíróságokhoz intézett utasítása]*

M

mandarin[1] [ˈmændərɪn] *fn* **1. a)** kínai mandarin; **nodding ~** kínai fejbólintó figura **b) M~ (Chinese)** mandarin (nyelv) **2.** *biz* maradi politikus/bürokrata
mandarin[2] [ˈmændəriːn] *fn növ* mandarin
mandarin duck *fn áll* mandarinréce
mandatary [ˈmændətri ‖ –teri] *fn tört* megbízott, meghatalmazott
mandate [ˈmændeɪt] **I.** *fn* **1.** megbízás, meghatalmazás, felhatalmazás, mandátum; *pol* **electoral ~** képviselői mandátum/megbízás **2.** *jog* utasítás, rendelkezés, rendelet, parancs **II.** *tsi* **1.** szavazásra késztet *[küldöttet]* **2.** *tört pol* **~ a country to one of the powers** egy országot az egyik nagyhatalom mandátuma alá helyez (v. mandátumává tesz)
mandatory [ˈmændətri ‖ –tɔri] **I.** *mn* **1.** rendelkező, végzést kibocsátó; **~ writ** végzés, meghagyás **2.** (feltétlenül) szükséges, kötelező **II.** *fn* megbízott, meghatalmazott
mandible [ˈmændəbl] *fn* **1.** *áll* rágó, állkapocs, csőrkáva **2.** *orv* alsó állkapocs • *mn/fn* **mandibulate** *mn* **mandibular**
mandola [mænˈdoʊlə] *fn zene* mandola *[lanthoz hasonló régi olasz hangszer]*
mandolin [ˌmændəˈlɪn] *fn zene* mandolin • *fn* **mandolinist**
mandragora [mænˈdrægərə] → **mandrake**
mandrake [ˈmændreɪk] *fn növ* mandragora, álomfű, alraun
mandrel [ˈmændrəl] *fn* **1.** *műsz* tövis, esztergatüske *[esztergapadon]* **2.** *fémip* tágító tüske, dörgölő ár *[csőtágító]*, irányító kúp, gömbölyítő henger *[gyűrűknek]*
mandrill [ˈmændrɪl] *fn áll* mandrill
manducate [ˈmændʒʊkeɪt ‖ –dʒə–] *tsi régi* (meg)rág, rágcsál, eszik, majszol • *fn* **manducation** *mn* **manducatory**
Mandy [ˈmændi] *tul bec* ‹ *Amanda* női név becéző alakja ›
mane [meɪn] *fn* **1.** sörény **2.** *biz [hosszú haj]* sörény, lobonc • *mn* **maned**
man-eater *fn biz* férfifaló *[nő]*
manège [mæˈneɪʒ ‖ mæˈneʒ], **manege** *fn* **1.** lovaglóiskola **2.** lovaglóművészet, műlovaglás **3.** idomított ló mozgása
maneuver [məˈnuːvə ‖ –vər] *US* → **manoeuvre**
maneuverable [məˈnuːvərəbl] *US* → **manoeuvrable**
man Friday *fn tsz* **men Friday, man Fridays** *biz* **1.** segítő, munkatárs **2.** követő
manful [ˈmænfl] *mn* bátor, harcias, derék, elszánt, férfias • *hsz* **manfully**
manganate [ˈmæŋgəneɪt] *fn vegy* mangánsó, manganát
manganese [ˈmæŋgəniːz] *fn* **1.** *ásv* mangándioxid, barnakő **2.** *vegy* mangán • *mn* **manganic**
mange [meɪndʒ] *fn állatorv* rühösség
manger [ˈmeɪndʒə ‖ –ər] *fn* jászol, vályú *[etető]*
mangle[1] [ˈmæŋgl] **I.** *fn GB tört* mángorló **II.** *tsi* mángorol • *fn* **mangler**
mangle[2] [ˈmæŋgl] *tsi* **1. a)** összevagdal, összekaszabol **b)** szétmarcangol, szétroncsol **2.** eltorzít, deformál, kiforgat *[szót]*, elferdít, értelméből kiforgat *[szöveget]*
mango [ˈmæŋgoʊ] *fn növ* **1.** mangó **2. ~ tree** mangófa
mangrove [ˈmæŋgroʊv] *fn növ* (tarka) mangrove
mangy [ˈmeɪndʒi] *mn* **1.** rühes, koszos **2.** *biz* ócska, ütött-kopott, szedett-vedett • *fn* **manginess**
manhandle *tsi* **1.** kézi erővel mozgat/szállít **2.** *biz* (tettleg) bántalmaz, durván kezel *[vkt, vmt]*, durván bánik (vkvel)
Manhattan [mænˈhætn] *tul földr* Manhattan
manhole *fn* **1.** búvónyílás, bebúvó nyílás *[aknáé járdán]* **2.** *vasút* fedezék, fülke *[alagútban]* **3.** *bány* beszállónyílás
manhood [ˈmænhʊd] *fn* **1. a)** férfikor, férfiasság **b)** ember/férfi volta (vknek) **2.** (felnőtt) férfilakosság **3.** férfiasság, bátorság, határozottság **4. a)** potencia, férfiasság **b)** *biz* hímtag, férfiasság
man-hour *fn* munkaóra *[egy (szak)ember egy órai munkája]*
manhunt *fn* embervadászat, hajtóvadászat, üldözés

mania [ˈmeɪnɪə] *fn* **1.** *orv* (mániás/dühöngő) elmezavar **2.** *biz* hóbort, őrület, mánia; **have a ~ for (doing) sg** mániákusan lelkesedik vmért
-mania [ˈmeɪnɪə] *utótag* mánia, rögeszme; **kleptomania** kleptománia
maniac [ˈmeɪniæk] **I.** *mn orv* dühöngő, őrjöngő, mániás **II.** *fn* **1.** *orv* dühöngő őrült **2.** *biz* bolondja (vmnek) • *mn* **maniacal**
-maniac [ˈmeɪniæk] *utótag* mániás, rögeszmés; **pyromaniac** piromániás
manic [ˈmænɪk] *mn orv* mániás; **~-depressive** mániás-depressziós, futóbolond
Manichaean [ˌmænɪˈkiːən], **Manichean** *mn/fn vall tört* manicheus
manicure [ˈmænɪkjʊə ‖ –kjʊr] **I.** *fn* **1.** kézápolás, körömápolás, manikűr(özés) **2.** manikűrös, kézápoló **II.** *tsi* kezet/körmöt ápol, manikűröz
manicurist [ˈmænɪkjʊərɪst ‖ –kjʊr–] *fn* kézápoló, körömápoló, manikűrös
manifest [ˈmænɪfest] **I.** *mn* nyilvánvaló, kézzelfogható, világos, kétségtelen; **a ~ error** nyilvánvaló tévedés; **make sg ~** kifejezésre juttat vmt; nyilvánvalóvá tesz vmt **II.** *fn rep vasút hajó* utaslista, árunyilatkozat, teherjegyzék **III. A.** *tsi* **1.** világosan/leplezetlenül megmutat/kinyilvánít (v. kifejezésre juttat) **2.** tanúsít, kimutat, elárul *[érzelmet viselkedéssel]* **3. ~ itself** megnyilvánul, kifejeződik, megmutatkozik **4.** bizonyít, tanúbizonyságot nyújt, tanúskodik (vmről) **5.** *rep vasút hajó* **a)** utaslistát/árunyilatkozatot/teherjegyzéket ad **b)** utaslistán/árunyilatkozaton/teherjegyzéken feltüntet **B.** *tni* **1.** *pol* tüntet **2.** megjelenik, testet ölt, jelentkezik *[szellem]*
manifestation [ˌmænɪfeˈsteɪʃn ‖ –fə–] *fn* **1. a)** kinyilvánítás, kifejezésre juttatás **b)** megnyilatkozás, megnyilvánulás, manifesztálódás **2.** *pol* tüntetés
manifesto [ˌmænɪˈfestoʊ] *fn pol* kiáltvány, manifesztum
manifold [ˈmænɪfoʊld] **I.** *mn* **1. a)** sokféle, különféle, mindenféle, sokfajta, változatos **b)** sokrétű, sokoldalú, sokirányú, többirányú **2.** *nyomd* **~ paper** sokszorosítópapír **II.** *fn* **1.** összetett/sokféle dolog **2.** *műsz* többcsonkos csőidom, elosztócső, elosztóvezeték **III.** *tsi* sokszorosít *[iratot]* **IV.** *hsz* sokszorosan
manikin [ˈmænɪkɪn], **mannikin** *fn* **1.** apró/kis emberke, törpe **2. a)** *orv* tanbábu **b)** próbababa
Manila [məˈnɪlə], **Manilla I.** *mn földr* manilai **II.** *tul földr* Manila *[a Fülöp-szigetek fővárosa]* **III.** *fn* manillaszivar
Manila paper *fn* ‹ erős barna csomagolópapír ›
manilla [məˈnɪlə] *fn* karperec, fémgyűrű *[afrikai négereké]*
manille [məˈnɪl] *fn ját* manille *[kártyajáték]*
man in the street, *US* **man on the street** *fn* (az) átlagember, az utca embere
manioc [ˈmæniɒk ‖ –ɑk] *fn* **1.** *növ* manióka **2. a)** maniókaliszt **b)** maniókalepény
maniple [ˈmænɪpl] *fn* **1.** *tört* manipulus *[római katonai egység]*, gyalogos csapat **2.** *vall* karék, manipula, manipulus
manipulate [məˈnɪpjʊleɪt ‖ –pjə–] *tsi* **1.** mozgat, (ügyesen) kezel (vmt), ügyesen bánik (vmvel) **2. a)** (ravaszul) irányít, befolyásol (vkt) **b)** *pénz* **~ the market** a piacot mozgatja/alakítja *[tőzsdén]* **3.** *biz* mesterkedik, tesz-vesz, manipulál *[vmvel]* **4.** *orv* kezel, megvizsgál *[testrészt]* **5.** kézzel ingerel *[nemi szervet]* • *fn* **manipulation**, **manipulator** *mn* **manipulative**
Manitoba [ˌmænɪˈtoʊbə] *tul földr Kan* Manitoba
Manitoban [ˌmænɪˈtoʊbən] *mn/fn* manitobai
Manitou [ˈmænɪtuː] *fn vall* Nagy Szellem, Manitu *[néhány amerikai indián népnél]*
mankind [ˌmænˈkaɪnd] *fn* **1.** emberiség, az emberi faj **2.** férfiak
manky [ˈmæŋki] *mn GB szl [rossz, ócska, piszkos]* szar, tré, gagyi, gáz(os)
manlike [ˈmænlaɪk] *mn* **1. a)** férfias, férfihoz méltó/illő **b)** férfiúi **2.** férfias *[nő]* **3.** emberhez hasonló; **~ apes** emberszabású majmok

manly ['mænli] *mn* férfias, férfihoz illő/méltó, bátor, határozott • *fn* **manliness**

man-made *mn* **1.** mesterséges **2.** szintetikus, mű-; ~ **fibres** műszál

manna ['mænə] *fn* **1.** manna **2.** *orv* ~ **(sugar)** mannacukor, mannit; *növ* **Syrian/Turkish** ~ trehala

manna-ash *fn növ* virágzó kőris, mannakőris

manned [mænd] *mn* ember vezette, (kezelő)személyzettel ellátott

mannequin ['mænɪkɪn] *fn* **a)** manöken, próbakisasszony **b)** próbababu

manner ['mænə ‖ –ər] *fn* **1.** mód, módszer; **after/in this** ~ ilyen módon, ekképp(en), így; **in such a** ~ **that** oly(an) módon, hogy, akképp(en) hogy; *nyelv* **adverb of** ~ módhatározó; **in a** ~ **(of speaking)** bizonyos mértékben/értelemben/szempontból/fokig; hogy úgy mondjam **2. a)** *tsz* **manners** modor, illem; **bad ~s** rossz modor; modortalanság; **it is bad ~s to stare** nem illik bámészkodni; **good ~s** jó modor, jólneveltség, illemtudás; **where are your ~s?** hogy viselkedsz?, nem tudod, hogy kell viselkedni?; **teach sy ~s** móresre/udvariasságra tanít vkt, megmutatja vknek, hogy kell viselkedni; **forget one's ~s** megfeledkezik magáról (v. az illemről) **b)** viselkedés, magatartás **3.** *műv vál* stílus; **the ~ and the matter** a forma és a tartalom; **in the ~ of Dickens** Dickens stílusában **4.** *vál régi* szokás; **as his ~ was** szokása szerint **5.** *tsz* **manners** erkölcsök, szokások, életmód *[koré, népé]*; **comedy of ~s** társasági vígjáték **6.** fajta, féle; **what ~ of man is he?** miféle ember?; **all ~ of people** minden rendű és rangú ember; **no ~ of doubt** semmi(nemű) kétség • *mn* **mannerless**

mannered ['mænəd ‖ –ərd] *mn* **1.** *összet* modorú; **ill-~** rossz modorú **2.** mesterkélt, affektált, affektáló

mannerism ['mænərɪzm] *fn* **1.** mesterkéltség, affektáltság, affektálás **2.** sajátos modor *[íróé]* **3.** *műv* manierizmus • *fn* **mannerist**

mannerly ['mænəli ‖ –ər–] **I.** *mn* jó modorú, udvarias, jól nevelt, tisztelettudó **II.** *hsz* jómodorúan, udvariasan, tisztelettudóan

mannikin ['mænɪkɪn] → **manikin**

mannish ['mænɪʃ] *mn* férfias *[nő]*, nőietlen

manoeuvre [mə'nuːvə ‖ –ər] **I.** *fn* **1.** *átv* lépés, manőver; *tréf* **underhand ~s** alattomos manőverek/mesterkedések **2.** *kat* **(army) ~s** hadgyakorlat **II. A.** *tsi* **1.** *kat* mozgat *[csapatokat]* **2.** *biz átv* ~ **sy into a corner** ügyesen sarokba szorít vkt; ~ **one's car into (a difficult parking space)** (kis parkolóhelyre) ügyesen beáll kocsijával; *biz* ~ **oneself into a good job** jó állást ügyeskedik ki magának **3.** működtet, kezel, intéz, irányít **B.** *tni* **a)** *kat* hadmozdulato(ka)t tesz **b)** manőverez *[hajó, űrhajó]* **c)** *átv* mesterkedik, ravaszkodik, taktikázik; *biz* ~ **for position** helyezkedik • *fn* **manoeuvrability**, **manoeuvrer** *mn* **manoeuvrable**

man-of-war [ˌmænə'wɔː ‖ –'wɔr] *fn tsz* **men-of-war** *tört* hadihajó

manometer [mə'nɒmɪtə ‖ mə'nɑmətər] *fn fiz* nyomásmérő, manométer *[folyadéknál]*

manor ['mænə ‖ –ər] *fn GB* **1.** udvarház, kastély, kúria **2.** uradalom, nemesi földbirtok, majorság • *mn* **manorial**

manpower *fn* **1.** emberi/kézi erő **2.** munkaerő, munkáslétszám

manqué ['mɒŋkeɪ ‖ mɑŋ'keɪ] *mn* sikertelen, be nem teljesült, teljesületlen; **he is a poet ~** költő veszett el benne

mansard ['mænsɑːd ‖ –sɑrd] *fn épít* **a)** ~ **roof** manzárdtető **b)** manzárdszoba, padlásszoba

manse [mæns] *fn skót* parókia, paplak

manservant *fn tsz* **menservants** szolga, inas

-manship [mənʃɪp] *utótag* készség, jártasság, tudás; **horsemanship** lovaglótudás

mansion ['mænʃn] *fn* **1.** urasági kastély *[vidéken]*, palota *[városban]* **2.** *tsz* **mansions** bérpalota, lakóháztömb

Mansion House *fn* a londoni polgármester palotája, a londoni városháza

man-size, man-sized *mn* **1.** embernagyságú **2.** emberes, méretes **3.** egész embert kívánó *[munka]*

manslaughter *fn jog* (gondatlanságból elkövetett) emberölés; **voluntary ~** erős felindulásban elkövetett szándékos emberölés

mansuetude ['mænswɪtjuːd ‖ –tuːd] *fn régi* szelídség, jámborság

mantel ['mæntl] *fn* **a)** kandallóburkolat **b)** kandallópárkány

mantelet ['mæntlɪt] *fn* **1.** rövid női köpeny/kabát, kabátka **2.** *kat* könnyű fedezék *[lövegkezelő legénységnek]*

mantelpiece *fn* **a)** kandallópárkány **b)** kandallóburkolat

mantic [mæntɪk] *mn* jósló, jövendölő

mantilla [mæn'tɪlə] *fn* vállra hulló csipkefejkendő *[főleg Spanyolországban]*

mantis ['mæntɪs] *fn áll* mantisz, imádkozó sáska, ájtatos manó

mantissa [mæn'tɪsə] *fn mat* mantissza, logaritmus tört része

mantle ['mæntl] **I.** *fn* **1. a)** köpeny, köpönyeg, pelerin; *vall* palást **b)** *átv* takaró, lepel *[hóból, sötétségből]*, fátyol *[ködből]* **2.** *áll* **a)** háti tollazat *[madáré]* **b)** köpönyeg *[puhatestűé]* **3. a)** *épít* köpeny, burkolat **b)** *fémip* formaköpeny, tartókoszorú **4.** *orv* agykéreg, cortex **5.** *geol* földköpeny **II. A.** *tsi* **a)** köpenyt borít/ad (vkre) **b)** beborít, elfed, eltakar (vmt) **B.** *tni* **1.** szétterjed, elterjed *[felületen]*; **her cheeks ~d with blushes** arcát elborította/elöntötte a pír, arca lángba borult **2.** habzik, tajtékzik *[folyadék]*

mantlet ['mæntlɪt] → **mantelet**

mantling ['mæntlɪŋ] *fn cím* címerpalást, sisaktartó, orrjegy

mantra ['mæntrə] *fn vall* mantra

mantrap *fn* csapda, kelepce

mantua ['mæntjuə ‖ –tʃuə] *fn* **a)** *régi* bő női ruha **b)** *régi* (ujjatlan bő) női köpeny

manual ['mænjuəl] **I.** *mn* kézi, kézzel végzett/működtetett; ~ **alphabet** süketnémák ujjbeszéd-ábécéje; *infor* ~ **input** kézi adatbevitel; ~ **labour** fizikai/testi munka; *gk* ~ **transmission** kézi/mechanikus sebességváltó **II.** *fn* **1. a)** használati utasítás **b)** kézikönyv, kalauz **c)** *vall* szertartáskönyv **2.** billentyűzet, klaviatúra, manuál *[orgonáé]* **3.** *kat* fegyverfogás, fegyvergyakorlat • *hsz* **manually**

manufactory [ˌmænju'fæktri] *fn* **1.** *régi* üzem, műhely, gyár **2.** manufaktúra

manufacture [ˌmænju'fæktʃə ‖ ˌmænjə'fæktʃər] **I.** *fn* **1.** gyártás, ipari előállítás **2.** ipar(ág) **3.** *pej* kommersz mű/művészet **II.** *tsi* **1. a)** gyárt, előállít, készít, termel **b)** *pej* gyárt *[kommersz írói műveket]* **c)** kohol, kiagyal *[történetet, híreket]* **2.** megmunkál, feldolgoz • *fn* **manufacturer**

manumit ['mænju'mɪt ‖ –jə–] *tsi* **-tt-** *tört* felszabadít *[rabszolgát, jobbágyot]* • *fn* **manumission**

manure [mə'njuə ‖ mə'nʊr] **I.** *fn* trágya, ganéj **II.** *tsi* (meg)trágyáz

manuscript ['mænjuskrɪpt ‖ –jə–] **I.** *fn* kézirat **II.** *mn* kéziratos, kézzel írott

manuscript paper *fn* kottapapír

Manx [mæŋks] **I.** *mn* Man-szigeti; ~ **cat** Man-szigeti farkatlan macska **II.** *fn* **1.** a Man-szigeti nyelv **2.** a Man-szigeti nép

Manxman ['mæŋksmən] *fn tsz* **-men** Man-szigeti ember/férfi

Manxwoman *fn tsz* **-women** Man-szigeti nő/asszony

many ['meni] **I.** *mn kpfok* **more** [mɔː ‖ mɔr], *ffok* **most** [moust] sok; ~ **a man/one** sok ember; sokan; **(~ and) ~ a time** gyakran, sokszor; ~ **times** sokszor; **in ~ instances** sok esetben; **of ~ kinds** sokféle, sokfajta; ~ **of us** sokunk, sokan közülünk; **how ~?** hány?, mennyi?; **as ~** (ugyan)annyi; **as ~ more/again**, **twice as ~** még egyszer/kétszer annyi; **as ~ as you want** amennyit csak akar; **a good/great ~ people** igen/jó sok ember, jó sokan; **too ~ by half** jóval több a kelleténél/szükségesnél; **one too ~** eggyel több a kelleténél; **have one too ~** berúg, lerészegedik; **they were so ~** olyan sokan voltak; **~'s the time I've heard that** jó

M

néhányszor (v. gyakran) hallottam; *közm* **so ~ men so ~ minds** ahány ember, annyiféle, ahány ház, annyi szokás **II.** *fn* **the ~** a sokaság/tömeg; **a great/good ~** sok

manyfold [ˈmænɪfould] *hsz* sokszorosan

many-sided *mn* **a)** sokoldalú *[mértani test]* **b)** sokoldalú *[személy]*, szétágazó *[kérdés]*

mañana [mænˈjaːnə ‖ mən–] *hsz biz spanyol* majd, nemsokára

Maoism [ˈmauɪzm] *fn pol* maoizmus • *mn* **Maoist**

Maori [ˈmauri] **I.** *mn* maori **II.** *fn* **1.** új-zélandi/maori bennszülött **2.** maori nyelv

Mao suit [ˈmau sjuːt ‖ –suːt] *fn* maoöltöny *[kínai egyenkabát]*

map [mæp] **I.** *fn* **1.** térkép; **put sg/sy on the ~** előtérbe helyez, vkt/vmt ismertté/fontossá tesz; *biz* **wipe off the ~** megsemmisít, eltöröl a föld színéről **2.** *szl [arc]* kép, pofa, fizimiska **II.** *tsi* **-pp- 1.** (fel)térképez, térképet készít (vmről), leképez (vmt) **2.** *mat* társít *[két halmaz elemeit]*

map out *tsi* megtervez, kijelöl; **~ out a course of action** elterveli, hogy mit fog tenni, megszabja magának a teendőket; **~ out a route** útvonalat kijelöl; **~ out one's time** idejét előre beosztja

maple [meɪpl] *fn növ* juhar(fa), jávor(fa)

maple leaf *fn tsz* **-leaves 1.** juharlevél **2.** ‹kanadai felségjel›

maple syrup *fn gaszt* juharszirup

map-maker *fn* térképész, térképrajzoló, kartográfus

map pocket *fn gk* ajtózseb

map-read *tni* térképpel tájékozódik

maquette [mæˈket] *fn műv* **1.** makett **2.** vázlat

maquillage [ˌmækɪˈɑːʒ] *fn francia* **1.** make-up, (arc)kozmetikum, maszk **2.** maszkírozás

maquis [ˈmæki, ˌmɑːˈkiː] *fn* francia ellenállási/partizán csoport/mozgalom *[a második világháborúban a német megszállás alatt]* • *fn* **maquisard**

mar [mɑː ‖ mɑr] *tsi* **-rr-** elront, megrongál, tönkretesz, elcsúfít *[tárgyat, szépséget]*, tönkretesz, leront *[hatást]*

Mar. *röv March* március, márc.

marabou [ˈmærəbuː] *fn* **1.** *áll* marabu **2.** marabutoll

maraca [məˈrækə] *fn zene* rumbatök

maraschino [ˌmærəˈskiːnou, –ˈʃiː–] *fn gaszt* maraszkinó (likőr)

maraschino cherry *fn gaszt* koktélcseresznye *[maraszkinó-likőrben tartósított]*

marasmus [məˈræzməs] *fn orv* elgyengülés, senyvedés, végelgyengülés, marasmus

marathon [ˈmærəθən ‖ –θɑn] *fn* **1.** *sp* **~ (race)** maratoni futás **2.** nagy teljesítmény *[időben, kitartásban]*; *biz* **dancing ~** táncverseny a végkimerülésig • *fn* **marathoner**

maraud [məˈrɔːd] **A.** *tsi* kifoszt, kirabol, fosztogat **B.** *tni* fosztogat, rabol, (zsákmányolva) portyázik; **~ (up)on a place** fosztogat egy helységben, fosztogat egy helységet • *fn* **marauder**, **marauding**

marble [ˈmɑːbl ‖ ˈmɑrbl] **I.** *fn* **1. a)** *ásv* márvány **b)** márványszobor, márványtárgy **2. a)** színes játékgolyó **b)** *esz* **marbles** *ját* golyójáték, golyózás **c)** *szl* **lose one's ~s** *[elveszti a józan eszét]* meggárgyul **3.** *szl [here]* golyó, tök **4. ~ cake** vegyesszínű édestészta **II.** *tsi* (be)márványoz, márvánnyal borít

marc [mɑːk ‖ mɑrk] *fn* **1.** seprő, törköly *[gyümölcsé]* **2.** *gaszt* törköly(pálinka)

Marcan [ˈmɑːkən ‖ ˈmɑr–] *mn bibl* Márk evangéliumában előforduló v. arra utaló

marcasite [ˈmɑːkəsaɪt ‖ ˈmɑr–] *fn ásv* markazit, vaspiritkristály

marcato [mɑːˈkɑːtoʊ ‖ mɑr–] *fn zene* marcato

marcel [mɑːˈsel ‖ mɑr–] **-ll-**, *US* **-l- I.** *fn* **~ (wave)** hajsütés, ondolálás **II.** *tsi* (ki)süt, ondolál, hullámosít *[hajat]*

marcescent [mɑːˈsesnt ‖ mɑr–] *mn növ* (száron/szirmon) fonnyadó *[levél]* • *fn* **marcescence**

March [mɑːtʃ ‖ mɑrtʃ] *fn* március

march[1] [mɑːtʃ ‖ mɑrtʃ] **I. A.** *tsi* **a)** meneteltet **b) ~ sy off** vkt (gyorsan) elvezet **B.** *tni* **1.** menetel, vonul, masíroz; **~!** indulj!; **~ in/into** bevonul; **~ out** kivonul **2.** halad, megy *[vállalkozás, esemény]* **II.** *fn* **1. a)** menet(elés), gyaloglás, vonulás; **a day's ~** egy napi menet; **on the ~** menet közben, menetelve, felvonulóban **b)** lépés, menet, járás; **slow/parade ~** díszlépés, díszmenet **2.** haladás *[eseményeké, időé]*; **the ~ of progress** a haladás útja; **the ~ of time** az idők múlása/változása **3.** *zene* induló • *fn* **marcher**

march[2] [mɑːtʃ ‖ mɑrtʃ] **I.** *fn* **a)** *tört ritk* határ, határvonal, határvidék **b)** *tört* **the M~es** ‹határterület/határvidék Anglia és Skócia/Wales között› **II.** *tni* határos (*upon/with* vmvel)

marcher [ˈmɑːtʃə ‖ mɑrtʃər] *fn* határvidéki lakos

marching orders *fn kat* menetparancs

marchioness [ˌmɑːʃəˈnes ‖ ˈmɑrʃənɪs] *fn* **1.** márkiné **2.** márkinő

marchpane [ˈmɑːtʃpeɪn ‖ ˈmɑrtʃ–] *fn* → **marzipan**

Marcia [ˈmɑːsɪə ‖ ˈmɑrʃə] *tul* ‹női név›

Mardi Gras [ˌmɑːdi ˈgrɑː ‖ ˈmɑrdi grɑ] **1.** húshagyó kedd **2.** húshagyó keddi mulatozás/vigadalom **3.** *Ausz* karnevál, vásár

mardy [ˈmɑːdi ‖ ˈmɑrdi] *mn táj* elkényeszetett, elkapatott

mare[1] [meə ‖ mer] *fn* **1.** kanca; *biz* **the grey ~ is the better horse** az asszony az úr a háznál, az asszony viseli a nadrágot **2.** *GB szl durva [nő]* kanca

mare[2] [ˈmɑːreɪ] *fn* **1.** tenger; **~ clausum** felségvizek **2.** *csill* tenger *[sötétebb területek a Holdon, Marson]*

maremma [məˈremə] *fn tsz* **maremme** [–mi] maremma, mocsaras vidék

mare's nest *fn biz* **1.** vaklárma, (hírlapi) kacsa **2.** nagy zűrzavar

Margaret [ˈmɑːgrɪt ‖ ˈmɑrgrɪt] *tul* Margit

margarine [ˌmɑːdʒəˈriːn, ˌmɑːgə– ‖ ˈmɑrdʒərɪn] *fn* margarin *[háztartási célra]*

margay [ˈmɑːgeɪ ‖ ˈmɑrgeɪ] *fn áll* tigrismacska

marge[1] [mɑːdʒ ‖ mɑrdʒ] *fn vál* szél, szegély, perem, határ

marge[2] [mɑːdʒ ‖ mɑrdʒ] *fn GB biz* margarin

margin [ˈmɑːdʒɪn ‖ ˈmɑr–] **I.** *fn* **1. a)** szél, szegély, perem, part **b)** lapszél, margó *[oldalé, lapé]*, szegély *[fényképé]*; **in/on the ~** lapszélen; mellesleg **2.** eltérés, különbözet, *műsz* határ, tűrés, tolerancia, ráhagyás, mozgástér; **~ for safety** biztonsági ráhagyás; **~ (of error)** hibahatár, tolerancia; **allow sy some ~** bizonyos mozgási teret/szabadságot ad vknek; **with a wide ~** bőven számítva **3.** alsó küszöb/határ **4.** *US* **a)** *gazd* árrés **b)** *pénz* haszonkulcs; **narrow ~ of profit** csekély haszon; **have no ~** alig keres rajta **5.** *pénz* fedezet, óvadék **6.** *Ausz* alapbérkiegészítés, pótlék **II.** *tsi* **1. a)** szeg(élyez) **b)** margót hagy *[lapon]* **2.** széljegyzetekkel ellát *[könyvet]*; **~ a fact** adatot/tényt mellékesen feljegyez

marginal [ˈmɑːdʒɪnl ‖ ˈmɑr–] *mn* **1. a)** határ-, szegély(ező); *közg* **~ cost** határköltség **b) ~ case** határeset **2.** lapszéli; **~ note** széljegyzet, lapszéli jegyzet **3.** elhanyagolható, jelentéktelen, marginális; *GB* **~ seat** igen kis szótöbbséggel megszerzett képviselőházi mandátum • *fn* **marginality** *hsz* **marginally**

marginalia [ˌmɑːdʒɪˈneɪlɪə ‖ ˈmɑr–] *fn tsz* széljegyzetek, lapszéli jegyzetek

marginalize [ˈmɑːdʒɪnəlaɪz ‖ ˈmɑr–], **-ise** *tsi* háttérbe szorít, elhanyagol

marginate I. *tsi* [ˈmɑːdʒɪneɪt ‖ ˈmɑr–] **1.** → **marginalize 2.** margóval ellát **II.** *mn* [ˈmɑːdʒɪnət ‖ ˈmɑr–] *biol* szegélyes

margrave [ˈmɑːgreɪv ‖ ˈmɑr–] *fn tört* őrgróf

margravine [ˈmɑːgrəviːn ‖ ˈmɑr–] *fn tört* őrgrófné

marguerite [ˌmɑːgəˈriːt ‖ ˈmɑr–] *fn növ* margaréta, mezei margitvirág

Maria [məˈriːə] *tul* Mária

Marian[1] [ˈmeərɪən ‖ ˈmer–] *tul* Mariann(e)

Marian[2] ['meərɪən ‖ 'mer–] *mn vall* Mária-, máriás • *fn* **Marianism**
Mariana Islands [ˌmæri'ɑːnə– ‖ –'ænə–] *tul tsz földr* Marianák, Mariana-szigetek
Mariana Trench *tul földr* Mariana-árok
Marie [mə'riː, mɑːri ‖ mə'riː] *tul* Mária
marigold ['mærɪgould] *fn növ* **a)** körömvirág **b) African ~** nagy büdöske
marihuana [ˌmærɪ'wɑːnə, –'hwɑːnə] → **marijuana**
marijuana [ˌmærɪ'wɑːnə, –'hwɑːnə] *fn* **1.** marihuána *[kábítószer]* **2.** *növ* marihuána *[növény]*, vadkender
marimba [mə'rɪmbə] *fn zene* marimba *[xilofonszerű hangszer]*
marina [mə'riːnə] **1.** tengerparti sétány **2.** *hajó* yachtkikötő, sporthajókikötő
marinade [ˌmærɪ'neɪd] **I.** *fn gaszt* boros ecetes fűszeres pác **II.** *tsi* (boros ecetes fűszeres lében) pácol, mariníroz *[halat, húst]*
marinate ['mærɪneɪt] *tsi* → **marinade II.**
marine [mə'riːn] **I.** *mn* **a)** tengeri **b)** (tenger)hajózási, tengerészeti; **~ chart** tengerészeti térkép **c)** a tengerészetnél szolgáló, tengerész **II.** *fn* **1.** tengerészet, flotta; **commercial/mercantile ~** kereskedelmi tengerészet/flotta **2.** (hadi)tengerész; *US* **the blue ~s** tengerésztüzérség; **the red ~s** tengerészgyalogság; *GB* **the Royal M~s** a királyi tengerészet tagjai; *tréf* **tell that to the ~s!** hiszi a piszi! **3.** tengert ábrázoló kép **4.** tengerkék
marine biology *fn tud* tengerbiológia
Marine Corps *fn tsz US kat* tengerészgyalogság
marine law *fn jog* tengeri jog
mariner ['mærɪnə ‖ –ər] *fn* tengerész
Mariolatry [ˌmeəri'ɒlətri ‖ ˌmeri'ɑlətri] *fn pej* Mária-imádás
Marion ['mæriən] *tul* Marion *[női név]*
marionette [ˌmærɪə'net] *fn ját* marionett, *[zsinóron/drótton rángatott]* báb
Marist ['meərɪst ‖ 'merɪst] *fn vall* a Mária Társaság tagja
marital ['mærɪtl] *mn* **1.** férji **2.** házassági, házastársi
marital status *fn* családi állapot
maritime ['mærɪtaɪm] *mn* **1. a)** tengerparti, tengermelléki *[ország]* **b)** tengeri *[állat]* **2.** tengerész(eti), hajózási, tengeri; **~ nation** tengerész/hajós nemzet; **~ power** tengeri hatalom; **~ trade** tengeri kereskedelem
marjoram ['mɑːdʒərəm ‖ 'mɑr–] *fn növ* majoránna
Marjorie ['mɑːdʒəri ‖ 'mɑr–] *tul* ‹női név›
Mark ['mɑːk ‖ 'mɑrk] *tul* Márk(us)
mark[1] [mɑːk ‖ mɑrk] **I.** *tsi* **1. a)** megjelöl, jelzéssel lát el; **~ the cards** kártyát megjelöl/cinkel **b) ~ (the price of) an article** árucikk árát feltünteti **c)** vkt/vmt vmre szán/kijelöl/kiszemel **2.** nyomot hagy; **face ~ed with smallpox** himlőhelyes arc **3. a)** jelez, feltüntet *[ábrán, térképen]* **b)** mutat, jelez *[műszer, mutató]* **4.** jelez, jellemez *[vonás, tulajdonság]*; **~ an era** jellemző egy korszakra **5. a)** megjegyez *[intelmet]*; **~ my words!** jegyezze meg (amit mondok)!, figyeljen rám! **b)** *vál* néz, szemlél, figyel; **~ sy closely** figyelmesen/erősen néz vkt/vkre, vizsgálgat vkt **6. ~ one's approval** helyeslésének kifejezést ad; *zene* **~ the rhythm** kiemeli a ritmust; *kat* **~ time** helyben jár; *átv* egy helyben topog, várakozó állásponton van **7.** *sp ját* jegyez, ír *[játékeredményt]* **8.** osztályoz *[dolgozatot]* **9.** méltat, kiemeli vmnek a jelentőségét/fontosságát **10.** *Ausz ÚjZ* kasztrál, ivartalanít *[bárányt]* **11.** *sp* fog *[játékost ellenfél csapatából]* **II.** *fn* **1. a)** nyom, folt; **~ of a foot** lábnyom; **~ of a wound** sebhely; **bear ~s of sg** magán viseli vmnek a jegyeit/bélyegét; **leave a ~ on sg** foltot hagy vmn; *átv* **leave one's ~ upon sg** meglátszik a kezenyoma vmn **b)** *sp* **make a ~** pályát kimér **2. a)** jel; **~s of (old) age** az öregedés jelei **b) man of ~** jelentős/híres ember; **of great ~** nagyfontosságú/jelentős **3. a)** jel(zés), (véd)jegy, márka, *gk* típusjelzés, modell; **put a ~ on sg** ismertető jelet tesz vmre, megjelöl **b)** kézjegy, kézjel *[írástudatlané]*; **make one's ~** kézjegyét odateszi, keresztet ír **c) proof-correction ~s** korrektúrajelek; **punctuation ~** írásjel **4.** jegy, osztályzat *[iskolában]* **5.** *hajó* jelzés, bója; **leading ~** útvonaljelző bója **6.** cél(pont), *átv* céltábla; **hit the ~** (célba) talál; **miss the ~** célt téveszt, mellléfog; *biz* **be near the ~** közel jár az igazsághoz; **be wide of the ~** távol jár a valóságtól **7. a)** jelzővonal, szintjel(zés); *műsz* **assembly ~** (össze)illesztési jel/pont **b) be/come up to the ~** megfelel a kívánalmaknak/követelményeknek, megüti a mércét **8.** *sp* rajtvonal, startvonal; **on the ~!** elkészülni!; **be quick off the ~** gyorsan indul **9.** *szl [rászedhető ember]* pali(madár), balek, veréb
mark down *tsi* **1.** leszállít *[árat]*, leszállítja az árát (vmnek), leértékel *[árut]* **2. a)** *sp* lepontoz *[sportolót bíró]* **b)** lepontoz, alulértékel *[dolgozatot tanár]*
mark off *tsi* **1.** kimér, kijelöl *[távolságot, területet]* **2.** *átv* elkülönít, elhatárol, megkülönböztet (*from* vktől/vmtől)
mark out *tsi* **1.** kijelöl *[útvonalat, határt]*, kitűz *[útvonalat, versenypályát]* **2. ~ed out for sg** vmre hivatott; **~ed out for success** sikerre hivatott
mark up *tsi* **1.** felemel *[árat]* **2.** *gazd* áraz, eladási árat megállapít **3.** nyomdai utasításokkal lát el
mark[2] [mɑːk ‖ mɑrk] *fn pénz* márka
markdown ['mɑːkdaun ‖ 'mɑrk–] *fn* árleszállítás
marked [mɑːkt ‖ mɑrkt] *mn* **1.** észrevehető, szembetűnő, felismerhető, feltűnő; **~ improvement** észrevehető/határozott javulás; **strongly ~ features** jellegzetes/markáns vonások **2.** megjelölt; **~ card** megjelölt/cinkelt kártya • *fn* **markedness** *hsz* **markedly**
marker ['mɑːkə ‖ 'mɑrkər] *fn* **1.** *sp* **a)** találatjelző, pontjelző **b)** eredményjelző **2.** *kat* jelzőrakéta **3. a)** útjelző tábla **b)** kilométerkő, mérföldkő **4.** szövegkiemelő, filctoll
market ['mɑːkɪt ‖ 'mɑr–] **I.** *fn* **1. a)** piac, vásár **b)** *gazd* piac, tőzsde; **find a ~ for sg** piacot/vevőt talál vmre, elhelyez vmt a piacon; **be in the ~ for sg** megvételre keres vmt, vevőnek jelentkezik vmre; **come into the ~** piacra kerül; **be on the ~** kapható, piacon van; **place/put sg on the ~** piacra dob vmt **c) make a ~** befolyásolja a tőzsdei árfolyam-alakulást; *US* **play the ~** tőzsdézik **2.** piac, vásártér; **covered ~** vásárcsarnok; **open-air ~** szabadtéri piac **II. A.** *tsi* **a)** piacra/vásárra visz, piacon/vásáron elad, értékesít **b)** áruba bocsát **B.** *tni* **a)** (piacon) vásárol **b)** (piacon/vásáron) árusít, vásároz
marketable ['mɑːkɪtəbl ‖ 'mɑr–] *mn* piacképes, eladható, értékesíthető; **~ products** piacképes termékek • *fn* **marketability**
market cross *fn* piactér közepén álló kereszt
market day *fn GB* piacnap, vásárnap
market economy *fn közg* piacgazdaság
marketeer [ˌmɑːkɪ'tɪə ‖ ˌmɑrkə'tɪr] *fn* **1.** piaci árus/vásárló **2.** piaci szereplő **3.** *gazd biz* reklámszakember, termékértékesítő
marketer ['mɑːkətə ‖ 'mɑrkətər] *fn* → **marketeer**
market garden *fn GB* bolgárkertészet; kertészeti üzem • *fn* **market gardener**
market hall *fn* vásárcsarnok
marketing ['mɑːkətɪŋ ‖ 'mɑr–] *fn* **1.** *közg* marketing, piacszervezés, piacbefolyásolás **2. a)** piaci adásvétel, vásározás; **go ~** bevásárolni/piacra megy **b)** értékesítés, forgalomba hozatal; **~ of a product** vmlyen cikk forgalombahozatala (v. értékesítése)
market maker *fn pénz* piacalakító, piacot befolyásoló (személy)
market niche *fn közg* piaci rés
marketplace *fn* **1.** piactér, vásártér **2.** *átv* piac; színtér *[versenyé, kereskedelmi ügyleté]*
market price *fn gazd pénz* piaci/napi/tőzsdei ár
market quotation *fn pénz* tőzsdei árfolyam
market research *fn közg* piackutatás, marketing • *fn* **market researcher**
market-ripe *mn* piacérett *[gyümölcs]*
market segment *fn gazd* piacszegmens, piaci (rész)terület

M

market share *fn gazd* piaci részesedés
market town *fn GB* (vásártartási joggal felruházott) mezőváros
market value *fn gazd* piaci/forgalmi érték
markhor [ˈmaːkɔː ‖ ˈmarkɔr] *fn áll* pödrött szarvú kecske
marking [ˈmaːkɪŋ ‖ ˈmar–] *fn* **1.** jel, (meg)jelölés **2. a)** jel(zés)ek, csíkozás, foltok, pettyek, mintázat *[állaton]* **b)** felségjel *[repülőgépen]*
markka [ˈmaːkaː ‖ ˈmarka] *fn* finn márka *[pénznem]*
marksman [ˈmaːksmən ‖ ˈmarks–] *fn tsz* **-men** mesterlövész • *fn* **marksmanship**
mark-up *fn* **1.** *közg* nyereségkulcs *[költséghez viszonyítva]* **2.** javítás, korrektúra *[szövegben]*
markup language *fn infor* jelölőnyelv
marl[1] [maːl ‖ marl] **I.** *fn ásv* márga, agyagos mészkő, csapóföld **II.** *tsi mezőg* márgáz, márgával javít *[talajt]* • *mn* **marly**
marl[2] [maːl ‖ marl] *mn tex* **1.** melírozott kötőfonal **2.** melírozott ruhaanyag
Marlene [ˈmaːliːn ‖ marˈliːn] *tul* ‹női név›
marlin [ˈmaːlɪn ‖ ˈmar–] *fn áll* nyársorrú hal, marlin
marlinespike [ˈmaːlɪnspaɪk ‖ ˈmar–] *fn hajó* kötélbontó szerszám
marlite [ˈmaːlaɪt ‖ ˈmar–] *fn ásv* marlit, márgakő
marmalade [ˈmaːməleɪd ‖ ˈmar–] *fn* **a)** narancslekvár **b)** lekvár, gyümölcsíz *[héjával főzött kesernyés gyümölcsből]*
marmalade cat *fn* vöröstarka macska
Marmora [ˈmaːmərə ‖ ˈmar–] *tul földr* **the Sea of ~** Márvány-tenger
marmoreal [maːˈmɔːrɪəl ‖ marˈmɔr–] *mn vál* márvány-, márványszerű
marmoset [ˈmaːməzet ‖ ˈmarməset] *fn áll* selyemmajom
marmot [ˈmaːmət ‖ ˈmar–] *fn áll* mormota, marmota
Maronite [ˈmærənaɪt] *vall* **I.** *fn* maronita, libanoni szír rítusú katolikus ember **II.** *mn* maronita
maroon[1] [məˈruːn] **I.** *mn* vöröses (gesztenye)barna **II.** *fn* **1.** vöröses (gesztenye)barna *[szín]* **2.** maróni, szelíd gesztenye **3.** *GB* petárda *[tűzijátékhoz]*, jelzőrakéta
maroon[2] **I. A.** *tsi* **a)** lakatlan/elhagyott szigetre/partra kitesz **b) be (kept) ~ed** ottreked, el van vágva a közlekedéstől *[természeti katasztrófa miatt]* **B.** *tni* kószál, csatangol **II.** *fn* **1.** nyugat-indiai szökött néger rabszolga leszármazottja **2.** lakatlan/elhagyott szigetre/partra kitett ember
marque [maːk ‖ mark] *fn* (autó)márka; **the Ford ~** a Ford (márka)
marquee [maːˈkiː ‖ mar–] *fn* **1.** (nagy) sátor *[rendezvényhez]* **2.** *US* védőtető *[színház/szálló bejárata előtt/fölött]*
marquess [ˈmaːkwɪs ‖ ˈmar–] *fn* őrgróf *[Angliában]*
marquetry [ˈmaːkɪtri ‖ ˈmar], **marqueterie** *fn* berakás (fából/elefántcsontból/gyöngyházból), intarzia, famozaik
marquis [ˈmaːkwɪs ‖ ˈmar–] *fn* márki • *fn* **marquisate**
marquise [maːˈkiːz ‖ mar–] *fn* **1.** márkiné, márkinő, őrgrófné, őrgrófnő **2. ~ (ring)** csúcsos ovális foglalatú drágaköves gyűrű
marquisette [ˌmaːkwɪˈzet ‖ ˌmar–] *fn tex* vékony selyemszövet *[függönyanyag]*, marquisette
marriage [ˈmærɪdʒ] *fn* **1. a)** házasság; **plural ~** többnejűség, poligámia; **give sy in ~** férhez ad vkt; **seek sy('s hand) in ~** megkéri vk kezét, feleségül kér vkt; **take sy in ~** feleségül vesz **b)** házasságkötés; **civil ~** polgári esküvő/házasságkötés **2.** *átv* egyesülés, szoros kapcsolat/összetartás
marriageable [ˈmærɪdʒəbl] *mn* **1.** férjhez adható, eladó *[leány]*, házasulandó korú *[fiatalember]* **2.** házasul(and)ó *[kor]* • *fn* **marriageability**
marriage broker *fn* házasságközvetítő
marriage bureau *fn* házasságközvetítő iroda
marriage certificate *fn* házassági anyakönyvi kivonat
marriage counsellor *fn* házassági tanácsadó; házasságközvetítő
marriage licence *fn* házasságkötési engedély
marriage lines *fn tsz GB* házassági anyakönyvi kivonat
marriage of convenience *fn* érdekházasság
marriage settlement *fn jog* vagyonjogi szerződés
marriage vow *fn* házastársi eskü/fogadalom
married [ˈmærid] **I.** *mn* **1.** házas, nős *[férfi]*, férjezett, férjes *[nő]*; **~ couple** házaspár; **get ~** megházasodik, megnősül; férjhez megy **2.** házassági, házas-; **~ life** házasélet **II.** *fn* **the young ~s** a fiatal házasok, az ifjú pár
marron glacé [ˌmærɒn glæˈseɪ] *fn tsz* **marrons glacés** cukormázas gesztenye
marrow [ˈmærəʊ] *fn* **1. a)** (csont)velő; **to the ~ of one's bones** csontja velejéig; **pierce to the ~** velőkig hat, velőt ráz *[sikoly]*; **be frozen to the ~** csontig átjárja a hideg **b)** *átv* **~ of sg** vmnek a veleje **2.** *GB növ* **(vegetable) ~** tök, tojástök; **~ pea** velőborsó • *mn* **marrowless**, **marrowy**
marrowbone *fn* velőscsont
marrowfat *fn növ* velőborsó
marry [ˈmæri] **A.** *tsi* **1.** feleségül vesz, elvesz (vkt), férjhez megy (vkhez); **they married each other** összeházasodtak, egybekeltek; *biz* **~ money** érdekházasságot köt, pénzéért vesz el vkt **2.** férjhez ad, hozzáad (*to* vkhez), megházasít; **~ off** férjhez ad **3. a)** összead, esket *[pap]* **b)** *hajó* összesodor *[köteleket]* **c)** egyesít, összekapcsol, összeházasít *[tulajdonságokat]* **d)** házasít *[borokat]* **B.** *tni* (meg)házasodik, (meg)nősül, férjhez megy
marrying [ˈmærɪɪŋ] *mn* házasodó, házasodni akaró
Mars [maːz ‖ marz] *tul* **1.** *mit* Mars (isten) *[régi rómaiaknál]* **2.** *csill* **(the planet) ~** a Mars (bolygó)
Marsala [maːˈsaːlə ‖ mar–] *fn* marsala *[szicíliai borfajta]*
marsh [maːʃ ‖ marʃ] *fn* mocsár, láp, ingovány • *mn* **marshy**
marshal [ˈmaːʃl ‖ ˈmarʃl] **-ll-**, *US* **-l-** **I.** *fn* **1.** *kat* tábornagy, marsall **2.** udvarmester **3.** *US* békebíró, rendőrbíró **II. A.** *tsi* **1. a)** elrendez, felállít, (fel)sorakoztat, rendbe/sorba állít **b)** *US* rendez *[vasúti teherkocsikat]* **c)** *átv* rendbe szed, (el)rendez **2. ~ sy in** vkt szertartásosan bevezet; **~ sy out** vkt szertartásosan kikísér **B.** *tni* (fel)sorakozik, felállít, rendbe áll • *fn* **marshalship**
marshalling yard *fn közl* rendező-pályaudvar
marsh fever *fn orv* mocsárláz, malária
marsh gas *fn* mocsárgáz, metán
marsh harrier *fn áll* barna réti héja
marsh hawk *áll* → **hen-harrier**
marshland [ˈmaːʃlənd ‖ ˈmarʃlænd] *fn* mocsár(vidék), láp, mocsaras/ingoványos terület
marshmallow [ˌmaːʃˈmæləʊ ‖ ˈmarʃmeləʊ] *fn US* pehelycukor
marsh mallow *fn növ* orvosi ziliz
marsh marigold *fn növ* mocsári gólyahír
marsupial [maːˈsjuːpɪəl ‖ ˌmarˈsuːpɪəl] **I.** *fn áll* erszényes, fiahordó (állat) **II.** *mn* **a)** *áll* erszényes, fiahordó **b)** *orv* erszény alakú
mart [maːt ‖ mart] *fn* **1.** kereskedelmi központ **2.** árverési csarnok **3.** piactér
martagon lily [ˈmaːtəgən lɪli ‖ ˈmar–] *fn növ* turbánliliom
martello tower [maːˈteləʊ ‖ mar–] *fn* parti toronyerőd
marten [ˈmaːtɪn ‖ ˈmartn] *fn* **1.** *áll* nyest, nyuszt **2.** nyest (prém)
Martha [ˈmaːθə ‖ ˈmarθə] *tul* Márta
martial [ˈmaːʃl ‖ ˈmarʃl] *mn* **a)** katonás, harcias, marcona **b)** katonai, hadi; *kat jog* **~ law** hadi jog, katonai/rögtönítélő bíráskodás, statárium • *hsz* **martially**
martial arts *fn tsz sp* (ázsiai) küzdősportok, harcművészet
Martian [ˈmaːʃn ‖ ˈmarʃn] **I.** *mn* marsi, mars(beli) **II.** *fn* marslakó
Martin [ˈmaːtɪn ‖ ˈmartn] *tul* Márton
Martina [maːˈtiːnə ‖ mar–] *tul* ‹női név›
martinet [ˌmaːtɪˈnet ‖ ˌmartnˈet] *fn kat biz* embernyúzó, fenevad, szőrözö tiszt/kiképző

martingale [ˈmɑːtɪngeɪl ‖ ˈmɑrtn–] *fn* **1.** ló fejét leszorító szíj **2.** *hajó* bukdálókötél, bukdálófa alsó merevítő kötele **3.** *ját* vesztett tét kettőzése
martini [mɑːˈtiːni ‖ mɑr–] *fn* **1.** Martini *[italmárka]* **2. dry ~** száraz martini *[vermut és gin]*; **~ (cocktail)** martini koktél
Martinmas [ˈmɑːtɪnməs ‖ ˈmɑrtn–] *fn* Szent Márton napja *[november 11.]*
martlet [ˈmɑːtlɪt ‖ ˈmɑrt–] *fn áll régi* házifecske
Marty [ˈmɑːti ‖ ˈmɑr–] *tul bec* ‹Martin becéző alakja›
martyr [ˈmɑːtə ‖ ˈmɑrtər] **I.** *fn átv* vértanú, mártír; **die a ~ in/to a cause** vértanúságot szenved egy ügyért; *átv* **make a ~ of oneself** mártírt csinál magából **II.** *tsi* **1.** vértanúhalállal megöl **2.** *átv* agyongyötör, halálra gyötör/kínoz
martyrdom [ˈmɑːtədəm ‖ ˈmɑrtər–] *fn* **1.** vértanúság, mártíromság, vértanúhalál, mártírhalál **2.** *átv* szenvedés, gyötrelem
martyrize [ˈmɑːtəraɪz ‖ ˈmɑrtər–], **–ise** *tsi* vértanút/mártírt csinál vkből
martyrology [ˌmɑːtəˈrɒlədʒi ‖ ˈmɑrtəˈrɑ–] *fn* **a)** martirológium; ‹vértanúk és szentek névsora és rövid életrajza› **b)** vértanú(k) története
marvel [ˈmɑːvl ‖ ˈmɑrvl] **I.** *fn* **1. a)** csoda, csodálatos dolog **b) work ~s** csodá(ka)t művel *[gyógyszer]*; **no ~** nem csoda **2.** csodálkozás, (el)álmélkodás **II.** *tni* **-ll-**, *US* **-l-** csodálkozik, (el)álmélkodik • *fn* **marveller**
marvellous [ˈmɑːvl·əs ‖ ˈmɑr–] **1.** *mn* csodálatos, bámulatos, csodás **2.** pompás, kitűnő • *hsz* **marvellously**
Marxism [ˈmɑːksɪzm ‖ ˈmɑr–] *fn* marxizmus • *mn/fn* **Marxist**
Mary [ˈmeəri] *tul* Mária
Mary Jane *fn US szl [marihuána]* fű, mariska
Maryland [ˈmeərilənd] *tul földr* Maryland
marzipan [ˈmɑːzɪpæn ‖ ˈmɑr–] **I.** *fn* marcipán **II.** *tsi* **-nn-** (be)marcipánoz
Masai [ˈmɑːsaɪ] *tsz* **Masai**, **Masais** **I.** *fn* **1.** a maszájok **2.** a maszáj nyelv **II.** *mn* maszáj
masala [məˈsɑːlə] *fn* **1.** maszala, (indiai) fűszerkeverék **2.** maszalával készült étel
masc. *röv masculine*
mascara [mæˈskɑːrə ‖ mæˈskærə] *fn* szempillafesték
mascarpone [ˌmæskəˈpouni ‖ –skər–] *fn* ‹olasz krémsajt›
mascot [ˈmæskət ‖ ˈmæskɑt] *fn* **a)** szerencsefigura, talizmán, kabala **b)** üdvöske
masculine [ˈmæskjəlɪn] **I.** *mn* **a)** férfi(as); **~ voice** férfias hang **b)** *nyelv* hímnemű *[névszó]* **c)** *ir.tud* **~ rhyme** hímrím, egyszótagos/végszótag rím **II.** *fn nyelv* **a)** hímnem *[névszóé]* **b)** hímnemű névszó • *tsi* **masculinize, -ise** *fn* **masculinity**
maser [ˈmeɪzə ‖ –ər] *fn távk* mézer, molekuláris rezgéskeltő/oszcillátor
mash [mæʃ] **I.** *fn* **1.** pép, keverék **2. a)** leforrázott maláta *[sörfőzéshez]*, malátalé **b)** nedves takarmánykeverék/darakeverék, lágy keverék *[állatnak]* **3.** *GB biz* krumplipüré **II.** *tsi* **1. ~ sg (up)** összezúz, péppé zúz; **~ potatoes** burgonyát áttör; **~ through a sieve** átpaszíroz *[szitán]*, áttör **2. a)** leforráz, forró vízzel elkever *[malátát]* **b) ~ tea** teát leforráz • *fn* **masher**
mashed [mæʃt] *mn* (össze)tört, (össze)zúzott, pépes; **~ potatoes** tört burgonya, burgonyapüré, krumplipüré
mashie [ˈmæʃi] *fn sp* vasfejű golfütő
mask [mɑːsk ‖ mæsk] **I.** *fn* **1. a)** *átv* álarc, maszk; *biz* **under the ~ of friendship** barátság álarca/álcája alatt; *átv* **drop the ~, throw off the ~** álarcát leveti **b)** (védő)álarc, (védő)maszk; **protective ~** védőálarc **c)** *távk fényk* maszk **d)** *műsz* sablon **e)** *infor* kitakarás, illesztés **2. a)** maszk *[színjátszásban, természeti népeknél]* **b)** halotti maszk **c)** (kozmetikai) pakolás **II.** *tsi* **1. a)** álarc alá rejt, álarccal eltakar, álcáz; **~ one's face** álarcot ölt **b)** *átv* palástol, (el)leplez, takargat *[érzelmeket, hibákat]* **c)** *orv biz* tünetileg meggyógyít/megszüntet *[betegséget]* **2.** *kat* álcáz • *fn* **masker**
masked [mɑːskt ‖ mæskt] *mn* **1. a)** álarcos; **~ ball** álarcosbál **b)** *növ* **~ flower** álcás virág(zat) **2.** *kat* **~ battery** álcázott üteg
masking tape *fn* kitakaróragasztószalag *[mázolóé]*
masochism [ˈmæsəkɪzm] *fn* mazochizmus • *fn* **masochist** *mn* **masochistic**
mason [ˈmeɪsn] **I.** *fn* **1.** kőműves **2.** szabadkőműves **II.** *tsi* falaz
Masonic [məˈsɒnɪk ‖ –ˈsɑ–] *mn* szabadkőműves
masonry [ˈmeɪsnri] *fn* **1.** kőművesmesterség, kőművesség **2.** kőművesmunka, falazat **3. M~** szabadkőművesség
Masorah [məˈsɔːrə] → **Massorah**
masquerade [ˌmæskəˈreɪd] **I.** *fn* **1. a)** álarcosbál, álarcos/jelmezes mulatság/menet **b)** *átv* komédia, képmutatás **2.** maskara, jelmez **II.** *tni* **a)** álarcosbálon vesz részt, maskarázik **b)** *átv* komédiázik, színlel, szerepet játszik • *fn* **masquerader**
Mass. *röv US Massachusetts*
mass[1] [mæs] **I.** *fn* **1. a)** *fiz* tömeg **b)** tömeg, halom, (nagy) csomó, rakás; **a ~ of people** (ember)tömeg, sokaság, temérdek ember **2. the great ~es of the people** a széles néptömegek; az embere zöme; **in the ~** túlnyomó többségben, zömben **II. A.** *tsi* (össze)tömörít, halmoz, összevon *[csapatokat]* **B.** *tni* felgyülemlik, felhalmozódik, tömegbe verődik • *mn* **massless**
mass[2] [mæs] **I. 1.** *fn* mise; *vall* **high ~** nagymise; **attend/hear ~** misét hallgat; **say ~** misét mond, misézik **2.** *zene* mise **II.** *tni* misézik
Massachusetts [ˌmæsəˈtʃuːsɪts] *tul földr* Massachusetts
massacre [ˈmæsəkə ‖ –ər] **I.** *fn* **1.** mészárlás, öldöklés, vérfürdő **2.** *biz [teljes megsemmisülés]* K.O., totálkár **II.** *tsi biz* **1.** (le)mészárol, leöldös *[tömegesen]*, halomra öl/gyilkol **2.** nagy fölénnyel legyőz, teljesen lerombol
massage [ˈmæsɑːʒ ‖ məˈsɑːʒ] **I.** *fn* masszázs, masszírozás, gyúrás, dögönyözés **II. 1.** *tsi* (meg)masszíroz, (meg)gyúr, (meg)dögönyöz **2.** *átv biz* kozmetikáz *[statisztikát]* **3.** *biz* tömjénez, dicsér, hízeleg vknek • *fn* **massager**
massage parlour *fn* **1.** masszázsszalon **2.** bordélyház
mass communication *fn* tömegtájékoztatás, tömegkommunikáció
mass defect *fn fiz* tömegdefektus
massé [ˈmæsi ‖ mæˈseɪ] *fn sp* lökés felülről, masszé *[biliárdban]*
mass energy *mn fiz vegy* **~ equation** tömeg és energia ekvivalenciája
masseter [mæˈsiːtə ‖ –tər] *fn orv* **~ (muscle)** rágóizom, masseter
masseur [mæˈsɜː ‖ mæˈsʊr] *fn* masszőr, masszírozó, gyúró
masseuse [mæˈsɜːz ‖ mæˈsuːz] *fn* masszőz, masszír(ozó)nő
mass-grave *fn* tömegsír
massif [ˈmæsiːf ‖ mæˈsiːf] *fn* hegytömb
massive [ˈmæsɪv] *mn* **a)** súlyos, nehéz, nagy tömegű, erős, masszív, *orv* súlyos *[kollapszus]*, erős *[vérzés]*; **~ effect** erős hatás *[szeré]*; **~ protest** tömegtiltakozás, tömeges tiltakozás; *geol* **~ rock** masszív (v. rétegezetlen eruptív) kőzet **b)** *átv* szolid, megbízható • *fn* **massiveness** *hsz* **massively**
mass market *fn gazd* tömegcikkpiac
mass-market *tsi gazd* tömegcikként értékesít, nagyban elad
mass media *fn* tömegtájékoztatási eszközök, a média
mass noun *fn nyelv* megszámlálhatatlan(t jelölő) főnév
mass number *fn fiz* tömegszám, atomsúly
mass observation *fn GB* népességvizsgálat
Massorah [məˈsɔːrə] *fn bibl* masszóra; ‹a biblia héber szövegének hagyományos értelmezése és írásmódja›

M

mass production *fn* tömegtermelés • *tsi* **mass-produce**
mass spectograph *fn fiz* tömegspektográf
mass spectrum *fn fiz* tömegspektrum
mast[1] [mɑːst ‖ mæst] **I.** *fn* **1.** árboc **2.** pilon, (vezeték)oszlop, torony *[antennáé, darué]* **II.** *tsi* árboccal felszerel *[hajót]* • *mn* **masted**
mast[2] [mɑːst ‖ mæst] **I.** *fn* (bükk)makk *[takarmány]* **II.** *tsi* makkoltat *[sertést]*
mastaba [ˈmæstəbə] *fn épít régész* masztaba *[óegyiptomi csonka gúla alakú sír]*
mastectomy [mæˈstektəmi] *fn orv* emlőeltávolítás, mastectomia
master [ˈmɑːstə ‖ ˈmæstər] **I.** *fn* **1.** úr *[házban]*, gazda *[cselédé, háziállaté]*; **one's own ~** a maga ura; **~ of a ship** (hajós)kapitány *[kereskedelmi hajón]*; **meet one's ~** emberére talál/lel/akad **2.** *okt* igazgató **3.** tanár, tanító, pedagógus, oktató **4. a)** mester, szakember **b)** *műv* **old ~** régi mester/festő **5. M~ of Arts** *röv* MA, bölcsészdoktor; **take one's ~'s degree** bölcsészdoktori/MA képesítést szerez **6. M~ Charles** Charles úrfi/fiatalúr **II.** *mn* felsőbbrendű, uralkodó, fő- **III.** *tsi* **1. a)** uralkodik *[máson, önmagán, indulatain]*, megfékez *[lovat]*, féken tart *[indulatokat]*, legyőz *[nehézséget]* **b)** úr *[házban]*, ura *[háznak]* **2.** (teljesen) elsajátít, (tökéletesen) megtanul, mester(e vmnek) • *fn* **masterdom, masterhood**
master class *fn* mesterkurzus
master control *fn távk* vezérlőasztal, irányítópult
master copy *fn* eredeti példány *[filmé, hangfelvételé]*
master document *fn infor* fődokumentum
masterful [ˈmɑːstəfl ‖ ˈmæstər–] *mn* **1.** mesteri, kiváló, remek **2.** önkényeskedő, ellentmondást nem tűrő *[személy, modor]* • *hsz* **masterfully**
master hand *fn* mestere/tudója vmnek, mesteri kéz
master key *fn* **1.** tolvajkulcs, álkulcs **2.** főkulcs
masterless [ˈmɑːstələs ‖ ˈmæstər–] *mn* **1.** gazdátlan **2.** kóbor
masterly [ˈmɑːstəli ‖ ˈmæstərli] *mn* mesteri, kiváló, tökéletes; **~ stroke** mesterfogás, mesteri húzás • *fn* **masterliness**
master mariner *fn hajó* kereskedelmi/hosszú járatú hajó kapitánya
master mason *fn* **1.** kőművesmester **2.** szabadkőműves mester
mastermind **I.** *fn* nagy szellem/gondolkozó, lángész, lángelme **II.** *tsi* háttérből irányít
masterpiece *fn* mestermű, remekmű, főmű *[vké]*
mastership [ˈmɑːstəʃɪp ‖ ˈmæstər–] *fn* **1. a)** igazgatói tisztség/hivatás **b)** tanári állás **2.** hatalom, uralom, ellenőrzés (*over* vm fölött)
mastersinger *fn régi* mesterdalnok
masterstroke, master stroke *fn* mesterfogás, ügyes sakkhúzás *[politikában, diplomáciában]*
master switch *fn vill* főkapcsoló
master touch *fn* mesterfokú tudás, szakértelem
masterwork *fn* mestermű
mastery [ˈmɑːstri ‖ ˈmæ–] *fn* **1.** uralom (*of* vm fölött), hatalom, ellenőrzés (*over* vm fölött); **gain the ~** felülkerekedik (*over* vkn) **2.** alapos/beható ismeret *[tárgyköré]*; **~ of the English language** az angol nyelv alapos/beható ismerete
mast-fed *mn* makkon hízlalt
masthead **I.** *fn* **1.** *hajó* árboctető, árboccsúcs; *kat* **~ bombing** bombázás mélyrepülésből; **be at the ~** éjszakai őrségen van *[hajón]* **2. a)** címfej *[hírlapé]* **b)** *US* impresszum *[hírlapé]* **II.** *tsi hajó* **1.** árboctetőre mászat *[büntetésül]* **2.** árboccsúcsra felvon
mastic [ˈmæstɪk] *fn* **1.** masztix (gyanta) **2.** ragasztómézga, ragasztószer
masticate [ˈmæstɪkeɪt] *tsi* (meg)rág, összerág *[ételt]* • *fn* **mastication** *mn* **masticatory**
mastiff [ˈmæstɪf] *fn áll* masztiff, szelindek
mastitis [mæˈstaɪtɪs] *fn orv* emlőgyulladás; *áll* tőgygyulladás
mastodon [ˈmæstədɒn ‖ –dɑn] *fn áll* masztodon • *mn* **mastodontic**
mastoid [ˈmæstɔɪd] *orv* **I.** *mn* csecsbimbó alakú **II.** *fn* **~ (process)** csecsnyúlvány, masztoid, *biz* csecsnyúlványgyulladás
masturbate [ˈmæstəbeɪt ‖ –tər–] *tni* (nemi) önkielégít(ést végez), maszturbál • *fn* **masturbation**
mat [mæt] **I.** *fn* **1.** gyékényfonat, szalmafonat, nádfonat **2.** (durva) szőnyeg, *sp* birkózószőnyeg **3.** lábtörlő; *biz* **have sy on the ~** faggat vkt **4.** (tál)alátét **II. -tt- A.** *tsi* **1.** gyékényfonattal beborít **2. a)** fon *[gyékényt]* **b)** összefon *[hajat]* **B.** *tni* összekuszálódik *[haj]*, összegubancolódik *[cérna]*
matador [ˈmætədɔː ‖ –dɔr] *fn* **1.** bikaölő, matador **2.** *ját* ‹kártyák neve egyes játékokban›
match[1] [mætʃ] **I.** *fn* **1. a)** vknek méltó párja *[erő/tudás dolgában]*; **be a ~ for sy** egyenrangú/méltó ellenfele vknek; **be no ~ for sy** nem ellenfél vk számára; **be more than a ~ for sy** túl erős/agyafúrt vkhez; **find/meet one's ~** emberére akad/talál **b)** vknek/vmnek a mása; **we shall never see his ~** sohasem találunk hozzá hasonlót **c) be a (good) ~** jól illenek/passzolnak egymáshoz; összhangban vannak, összeillenek; **be a bad ~** nem illenek össze **2.** házasság, parti; **make a good ~** jól nősül/házasodik, jól megy férjhez **3.** *sp* mérkőzés, verseny, meccs **II. A.** *tsi* **1. a)** összeházasít (*with* vkvel) **b)** szembeállít (*against* vkvel) **2.** fölér, vetekszik (vkvel/vmvel); **they are well ~ed** méltó ellenfelek; egymáshoz valók **3. a)** összeválogat, (hasonlóval) kiegészít, összehangol *[színeket]*; **~ed outfit** (színben) összeillő öltözék **b)** *műsz* összeilleszt **c)** összemér, méretet egyeztet **B.** *tni* összeillik, harmonizál; **they ~ well** jól illenek egymáshoz; **to ~** összeillő, harmonizáló *[színben]*; **colours to ~** összeillő/harmonizáló színek • *mn* **matchable**
match[2] [ˈmætʃ] *fn* **1.** gyufa; **a box of ~es** egy doboz gyufa; **a book of ~es** levélgyufa; **strike a ~** gyufát gyújt **2.** kanóc; **(slow) ~** gyújtózsinór
match ball *fn sp* mérkőzéslabda, meccslabda
matchboard *fn* hornyolt palló
matchbox *fn* gyufásdoboz
matching [ˈmætʃɪŋ] **I.** *mn* összeillő, összetartozó *[darab, pár]* **II.** *fn* összeillesztés, *távk* illesztés, összehangolás
matchless [ˈmætʃləs] *mn* (össze)hasonlíthatatlan, utánozhatatlan, egyedülálló, páratlan
matchlock *fn tört* kovás/kanócos puska, elöltöltő ágyú
matchmaker *fn* házasságközvetítő, házasságszerző • *fn* **matchmaking**
matchplay *fn sp* versenyjáték *[golfban]*
match point *fn sp* a győzelemhez szükséges egyetlen pont; mérkőzéslabda, meccslabda *[teniszben]*
matchstick *fn* gyufaszál; *biz* **have legs like ~s** pipaszára van
matchup [ˈmætʃʌp] *fn* párosítás
matchwood *fn* **1.** gyufafa, gyufagyártásra alkalmas rönkfa **2.** aprófa, szilánk; *átv* **reduce to ~** apró darabokra tör, szilánkokra/rapityára tör
maté [ˈmæteɪ ‖ ˈmɑːteɪ] *fn gaszt* paraguayi tea
mate[1] [meɪt] **I.** *fn* **1.** társ, pajtás, cimbora, kolléga; **room-~** szobatárs; **work-~** munkatárs **2.** segéd(munkás), kisegítő; *gk* **driver's ~** kocsikísérő; **surgeon's ~** asszisztens, műtős **3.** *GB biz* haver *[megszólításként]* **4.** *biz* vk élete párja, férj, feleség **5.** *hajó* **a)** másodkapitány, első tiszt *[kereskedelmi hajón]* **b)** tiszthelyettes *[hadihajón]* **II. A.** *tsi* **1.** *áll* pároztat, (össze)párosít *[állatokat]*, bebúgat *[emsét]*, fedeztet *[kancát]* **2.** összeházasít, összeboronál (*with* vkvel) **B.** *tni* **1.** *áll* párosodik, párzik **2. a)** összeházasodik, egybekel (*with* vkvel) **b)** közösül (*with* vkvel) **3.** *műsz* kapcsolódik, illeszkedik • *mn* **mateless**
mate[2] [ˈmeɪt] **I.** *fn* matt *[sakkban]* **II.** *tsi/tni* mattot ad, (meg)mattol *[sakkozó]*; **~ in two** két lépésben mattot ad
matelot [ˈmætləʊ] *fn GB szl* matróz, tengerész

matelote [ˈmætlout] *fn* fűszeres mártással készült hal
mater [ˈmeɪtə ‖ –ər] *fn szl* **the ~** a mamám, a muterom
materfamilias [ˌmeɪtəfəˈmɪliæs ‖ ˌmeɪtər–] *fn* családanya
material [məˈtɪərɪəl ‖ –ˈtɪr–] **I.** *fn* **1. a)** *átv* anyag; **~ for thought** gondolkodni való dolog **b)** *tsz* **materials** hozzávaló, kellék, alapanyag, felszerelés; **photographic ~s** fényképészeti cikkek; **writing ~s** írószerek **2.** *tex* szövet, anyag **II.** *mn* **1. a)** testi *[szükséglet, kényelem]* **b)** *fil* anyagi, az anyagra vonatkozó; **the ~ universe** az anyagi világ **c)** anyagi, tárgyi, dologi; **~ expenditure** dologi kiadás **2.** anyagias **3. a)** fontos, jelentős, lényeges (*to* vk szempontjából); **~ witness** perdöntő tanú **b)** *jog* lényegbevágó; **~ proof** tárgyi bizonyíték • *fn* **materiality**
materialism [məˈtɪərɪəlɪzm ‖ –ˈtɪr–] *fn* **1.** anyagiasság, materializmus **2.** *fil* materializmus, anyagelvűség • *fn* **materialist** *mn* **materialistic**
materialize [məˈtɪərɪəlaɪz ‖ –ˈtɪr–], **-ise A.** *tsi* **1.** anyagi formát ad vmnek **2.** megjelenít, megidéz *[szellemet]* **B.** *tni* **1.** megvalósul, beteljesedik, valóra válik, kialakul; **his hopes failed to ~** reményei nem váltak valóra **2.** testet ölt, megjelenik *[szellem]* **3.** *biz* hirtelen megjelenik, ott terem • *fn* **materialization**
materially [məˈtɪərɪəlɪ ‖ –ˈtɪr–] *hsz* **1.** anyagilag **2.** lényegesen, jelentősen, nagy mértékben **3.** anyagszerűen, anyagként
materia medica [məˌtɪərɪə ˈmedɪkə‖–ˌtɪr–] *orv* gyógyszer, orvosi anyag
matériel [məˌtɪəriˈel ‖ –ˌtɪr–] *fn esz francia* eszközök, felszerelés
maternal [məˈtɜːnl ‖ məˈtɜrnl] *mn* anyai, anya-; **~ care** anyai gondoskodás; **~ grandmother** anyai nagyanya
maternity [məˈtɜːnəti ‖ –ˈtɜr–] *fn* **1.** anyaság **2.** *[szóösszetételben]* szülő-, szülészeti, anyasági
maternity benefit *fn* anyasági segély
maternity leave *fn* szülési szabadság
maternity ward *fn* szülészet(i osztály)
mateship [ˈmeɪtʃɪp] *fn Ausz* társaság *[vké]*, cimboraság
matey [ˈmeɪti] **I.** *mn* barátkozó természetű, nyílt, barátságos; **get ~ with sy** összebarátkozik vkvel **II.** *fn GB biz [barát]* haver, cimbora • *fn* **matiness**
math. [ˈmæθ] *röv mathematics*
mathematical [ˌmæθəˈmætɪkl] *mn* **1.** matematikai, számtani, mennyiségtani **2.** mértani pontosságú • *hsz* **mathematically**
mathematician [ˌmæθəməˈtɪʃn] *fn* matematikus
mathematics [ˌmæθəˈmætɪks] *fn esz* matematika, mennyiségtan; **applied ~** alkalmazott matematika
maths [mæθs] *fn tsz biz* matek
Matilda [məˈtɪldə] *tul* **1.** Matild **2.** *Ausz szl tréf* **m~** batyu, betyárbútor; **walk/waltz ~** viszi a batyuját/motyóját/cuccát, csavarog
matinée [ˈmætɪneɪ ‖ ˌmætnˈeɪ] *fn* délutáni előadás *[moziban, színházban]*
mating [ˈmeɪtɪŋ] *fn* **1.** közösülés *[embernél]*, párosodás, párzás, nász *[állatoknál]* **2.** *műsz* párosítás
mating season *fn biol* nászidőszak, hágatási/párzási időszak
matriarch [ˈmeɪtriɑːk ‖ –ɑrk] *fn* **1.** matriarcha **2.** *tréf* asszony, aki úr a házban • *mn* **matriarchal**
matriarchy [ˈmeɪtriɑːki ‖ –ɑr–] *fn* anyajog, matriarchátus
matricide [ˈmætrɪsaɪd] *fn* **1.** anyagyilkos **2.** anyagyilkosság • *mn* **matricidal**
matriculate [məˈtrɪkjuleɪt ‖ –kjə–] **A.** *tsi okt* egyetemre felvesz/beír(at) *[diákot]* **B.** *tni* felvételt nyer, beiratkozik *[egyetemre]*
matriculation [məˌtrɪkjuˈleɪʃn ‖ –kjə–] *fn okt* **1.** beiratkozás *[egyetemre]* **2.** *tört* (egyetemi) felvételi vizsga
matrilineal [ˌmætrɪˈlɪnɪəl] *mn* anyasági, anyai ágon való *[leszármazás]*
matrimonial [ˌmætrɪˈmounɪəl] *mn* házassági, házastársi, hitvesi
matrimony [ˈmætrɪməni ‖ –mouni] *fn* **1.** házasság **2.** házasságkötés
matrix [ˈmeɪtrɪks] *fn tsz* **matrices** [–siːz], **~es 1. a)** öntőforma, matrica **b)** *nyomd* szedőgépmatrica **2.** *mat* mátrix **3.** *orv* méh **4.** *biol* sejtközi állomány
matrix printer *fn infor* mátrixnyomtató
matron [ˈmeɪtrən] *fn* **1.** családanya, idősebb asszony, matróna **2. a)** felügyelőnő, gondnoknő **b)** *GB* főnővér, főápolónő • *fn* **matronhood**
matronly [ˈmeɪtrənli] *mn* **1.** idősebb asszonyhoz (v. matrónához) méltó/illő **2.** házvezetőnői, gondnoknői
matt [mæt], **matte I.** *mn* fakó, tompa színű, fénytelen, matt; **~ complexion** sápadt arcszín; *fényk* **~ paper** fénytelen/matt papír **II.** *fn* **1.** matt aranyozás **2. a)** (aranyozott) képkeret szegély **b)** *US* képszegély *[keret és kép között]*, paszpartu **III.** *tsi műsz* fénytelenít, homályosít *[felületet]*
Matt [mæt] *tul bec* Máté
Matt. *röv Matthew* Máté, Mt.
matter [ˈmætə ‖ ˈmætər] **I.** *fn* **1. a)** anyag **b) grey ~** *orv* szürkeállomány *[agyvelőé]*; *biz* ész **2.** tárgy, téma, mondanivaló *[írásé, beszédé]*; **~ for discussion** vitaanyag **3. a)** ügy, dolog, eset; **~ of conscience** lelkiismereti kérdés; **~ of dispute** vitás pont; vitatható dolog; **~ of history** történelmi tény; *biz* **~ of life and death** életbevágó/élethalálkérdés; **~ of opinion** vélemény dolga; **it is a ~ of/for regret** sajnálatos dolog; **~ of taste** ízlés dolga/kérdése; **it is simply a ~ of time** csak idő kérdése; **for that ~** ami azt illeti; egyébként, különben; **as a ~ of fact** valójában, tulajdonképpen; **in this ~** ebben a tekintetben/vonatkozásban; **in the ~ of sg** vmre vonatkozóan, vmnek a kérdésében/dolgában/ügyében; **it is not great ~, this is a small ~** jelentéktelen (v. nem nagy) ügy/dolog; **it is an easy ~** könnyű dolog, gyerekjáték; **that's quite another ~** ez már egészen más lapra tartozik **b)** fontos/lényeges dolog, lényeg; *GB* **what ~?** lényegtelen!; hát aztán?; **no ~ how** mindegy, hogy milyen; **no ~ what** mindegy, hogy micsoda/mit; bármi(t) (is); **no ~ when** mindegy mikor; bármikor (is) **c)** baj; **what is the ~?** mi a baj?, mi történt?; **there is something the ~** valami baj van; **what is the ~ with you?** mi bajod?, mi ütött beléd?; **what is the ~ with it?** mi nem tetszik?, mit kifogásolsz rajta? **d) a ~ of** körülbelül, hozzávetőlegesen; **it is a ~ of ten miles** körülbelül tíz mérföld **4. postal ~** postai küldemény; *US* **first-class ~** levélpostai küldemény, lezárt levél; *US* **second-class ~** rendszeresen megjelenő nyomtatvány; *US* **third-class ~** rendszertelenül megjelenő nyomtatvány **II.** *tni* **1.** fontos, lényeges (*to* vknek); **it ~s little** nem nagyon fontos/lényeges; **it ~s a good deal to me** számomra igen fontos/lényeges; **it doesn't ~ (a bit** v. **in the least)** annyi baj legyen; említésre sem méltó, semmi az egész **2.** gennyesedik, gennyedzik
matter of course *mn/fn* természetes, közvetlen, magától értetődő (dolog)
matter-of-fact *mn* **1.** tárgyilagos, gyakorlati(as) *[észjárás, cselekedet]* **2.** száraz, unalmas, prózai *[személy, stílus]* • *fn* **matter-of-factness** *hsz* **matter-of-factly**
Matthew [ˈmæθjuː] *tul* Máté
Matthias [məˈθaɪəs] *tul* Mátyás
matting[1] [ˈmætɪŋ] *fn* **1. a)** gyékényfonás **b)** összetapadás *[hajé]*, gubanc **2.** gyékényfonat, gyékényszőnyeg, nádfonat *[bútoron]*
matting[2] [ˈmætɪŋ] *fn* **1.** képszegély, kasírozás **2.** fénytelenítés
mattock [ˈmætək] *fn* ásókapa, csákánykapa, *bány* bányászfejsze, *épít* bontócsákány
mattress [ˈmætrəs] *fn* matrac, ágybetét, derékalj
maturate [ˈmætʃureɪt ‖ –tʃə–] *tni orv* **1.** megérik *[kelés]* **2.** gennyesedik, gennyed

maturation [ˌmætʃʊ'reɪʃn ‖ –tʃə–] *fn* **1.** *orv* megérlelés *[kelésé]* **2. a)** megérés, éretté válás **b)** *orv* megérés *[kelésé]* **c)** (be)érés *[gyümölcsé]*, kifejlődés, kialakulás, megformálódás *[jellemé]* • *mn* **maturational, maturative**
mature [mə'tʃʊə ‖ mə'tʊr] **I.** *mn* **1.** *átv* érett; ~ **plan** jól átgondolt terv; **after/upon ~ consideration** alapos megfontolás után; **man of ~ years** megállapodott/középkorú ember **2.** *pénz* lejárt, esedékes *[váltó, hitel]* **II. A.** *tsi* **a)** (meg)érlel *[élelmiszert]* **b)** (részletesen) kidolgoz *[tervet]* **B.** *tni* **1.** megérik *[gyümölcs, zöldség]*, kiforr *[bor, ítélőképesség]* **2.** *pénz* esedékessé válik, lejár *[váltó, hitel]* • *fn* **matureness**
maturity [mə'tʃʊərəti ‖ mə'tʊrəti] *fn* **1. a)** érettség *[gyümölcsé, személyé]*, beérés, megérés *[gyümölcsé]*, teljes kifejlődés *[élő szerveké]*; **the years of ~** az érett kor; **come to ~** érett korba lép, benő a fejelágya **b)** kiforrottság *[jellemé]* **2.** *pénz* **(date of) ~** lejárat, esedékesség ideje, határnap *[váltóé, hitelé]*
matutinal [ˌmætjʊ'taɪnl ‖ mə'tuːtnl] *mn* hajnali, reggeli
matzoth ['mɒtsoʊθ ‖ 'mɑtsoʊθ] *fn* macesz
maty ['meɪti] → **matey**
maud [mɔːd] *fn* **1.** skót juhászköpeny **2.** csíkos útitakaró
Maud [mɔːd] *tul* ‹női név›
maudlin ['mɔːdlɪn] *mn* érzelgős, szentimentális *[ember, színdarab]*
maul [mɔːl] **I.** *tsi* **1.** összever, (szét)marcangol *[állat]*; ~ **sy about** ide-oda rángat vkt **2.** *átv biz* ledorongol, leránt *[szerzőt, művet]* **II.** *fn* nehéz fakalapács, sulyok, bunkó • *fn* **mauler**
maulstick ['mɔːlstɪk] *fn műv* festőpálca
maunder ['mɔːndə ‖ –ər] *tni* **1.** összevissza fecseg/locsog, ostobaságokat beszél **2.** kószál, csatangol, csavarog, kujtorog
maundy ['mɔːndi] *fn vall* nagycsütörtöki alamizsna/szeretetadomány
Maundy Thursday *fn vall* nagycsütörtök
Maureen ['mɔːriːn] *tul* ‹női név›
Maurice ['mɒrɪs ‖ 'mɔːrəs] *tul* Mór, Móric
Mauritania [ˌmɒrɪ'teɪnɪə ‖ ˌmɔː–] *tul földr* Mauritánia
Mauritanian [ˌmɒrɪ'teɪnɪən ‖ ˌmɔː–] *mn/fn* mauritániai
Mauritian [mɔː'rɪʃn] *mn/fn* mauritiusi
Mauritius [mɔː'rɪʃəs ‖ –ɪəs] *tul földr* Mauritius (szigete)
mausoleum [ˌmɔːsə'liːəm] *fn tsz* **mausolea** [–lɪə], **~s** síremlék, mauzóleum
mauve [moʊv] **I.** *mn* mályvaszín(ű); **turn ~ with fury** lila lesz a méregtől **II.** *fn* mályva(szín) • *mn* **mauvish**
maven ['meɪvən] *fn US biz [szakértő]* okostojás
maverick ['mævrɪk] **I.** *mn* **a)** független *[politikus]*, saját útját járó *[személy]* **b)** ellenzéki *[magatartás]* **II.** *fn* **1. a)** független/ellenzéki képviselő **b)** szellemileg a maga útját járó egyén **2.** *US* fiatal marha *[a tulajdonos besütött jegye nélkül]*
mavis ['meɪvɪs] *fn áll* énekes rigó
Mavis ['meɪvɪs] *tul* ‹női név›
maw [mɔː] *fn* **1. a)** oltógyomor **b)** begy *[madáré]* **c)** *biz* gyomor, bendő **2.** pofa, torok *[vadállaté]*
mawkish ['mɔːkɪʃ] *mn* **1.** *átv* ömlengő, szenvelgő *[stílus]*, édeskedő *[modor]*, érzelgős, szentimentális *[darab]* **2. a)** ízetlen, vizenyős **b)** édeskés, émelyítő
max [mæks] *US biz* **I.** *fn* a maximum; **do sg to the ~** mindent belead vmbe, maximálisan tesz **II.** *hsz* maximálisan **III.** *tsi* **~ed out** *[kimerült]* teljesen kész van, kivan
Max [mæks] *tul* ‹férfinév›
max. *röv maximum*
maxi- ['mæksi] *előtag* nagy, hosszú; maxi
maxi ['mæksi] *fn* maxi (szoknya), kabát
maxilla [mæk'sɪlə] *fn orv* felső állkapocs(csont); **inferior ~** alsó állkapocs(csont) • *mn* **maxillary**
maxim ['mæksɪm] *fn* **1. a)** velős mondás, szállóige **b)** irányelv, életelv **2.** *nyelv* maxima
Maxim ['mæksɪm] *tul* ‹férfinév›
maximal ['mæksɪml] *mn* legnagyobb, maximális
maximalist ['mæksɪməlɪst] *fn* maximalista
Maximilian [ˌmæksɪ'mɪlɪən] *tul* Miksa
maximize ['mæksɪmaɪz], **-ise** *tsi* (végsőkig) felfokoz, megnagyobbít, megnövel • *fn* **maximization**
maximum ['mæksɪməm] **I.** *fn tsz* **-s, maxima** legfelső fok/határ, csúcsérték, maximum; **to a ~** legfeljebb **II.** *mn* legnagyobb, legtöbb, legmagasabb, maximális, maximum-, csúcs-; **average ~ day temperature** legmagasabb napi középhőmérséklet
maxwell ['mækswəl, –wel] *fn fiz* maxwell *[mágneses fluxus cgs-egysége]*
may [meɪ] *i/si pt* **might** [maɪt] **1.** lehet, -hat, -het; **I wish I might (do it)** bárcsak megtehetném; **be that as it ~** akárhogy is áll a dolog; **that ~ or ~ not be true** talán igen talán nem; **how old might she be?** hány éves lehet?; **I ~ (possibly) have said so** éppenséggel mondhattam; **you might have made less noise** kisebb zajt is csaphattál volna **2.** szabad; **~ I?** szabad?, megengedi, hogy?; **if I ~ say so** ha szabad megjegyeznem **3.** bárcsak; **~ I rather die!** bárcsak inkább meghalnék; **~ he live long!** éljen sokáig!; **~ he rest in peace!** nyugodjék békében!
May [meɪ] *fn* május
Maya ['maɪə], **Mayan** *mn/fn* maja *[nép, nyelv]*
maybe ['meɪbi] *hsz* talán, esetleg
may-bug *fn áll* cserebogár
mayday *isz távk* SOS!, segítség!
May Day *fn* május elseje
mayday call *fn* segélyhívás, vészjelzés
mayflower *fn növ* **1.** havasi kankalin **2.** réti foszlár, kakukktorma **3.** galagonya
mayfly *fn* **1.** *áll* kérész, tiszavirág **2.** műlégy *[horgászáshoz]*
mayhap ['meɪhæp] *hsz vál régi* talán, esetleg
mayhem ['meɪhem ‖ 'meɪəm] *fn* **a)** felfordulás, zűrzavar, rendbontás; verekedés; **commit ~ on sy** összever vkt **b)** *tört* (meg)csonkítás, súlyos testi sértés
mayn't [meɪnt] *röv may not*→ **may**
mayonnaise [ˌmeɪə'neɪz ‖ 'meɪəneɪz] *fn* majonéz (mártás)
mayor [meə ‖ 'meɪər] *fn* polgármester • *fn* **mayorship** *mn* **mayoral**
mayoralty ['meərəlti ‖ 'meɪərəlti] *fn* polgármesteri tisztség/megbízatás
maypole *fn* májusfa
May Queen *fn* május királynője, májusszépe
mayweed *fn növ* nehézszagú pipitér
mazard ['mæzəd ‖ 'mæzərd] *fn* **1.** → **mazzard**[1] **2.** → **mazzard**[2]
mazarine [ˌmæzə'riːn] *mn/fn* sötétkék, mélykék (szín)
maze [meɪz] **I.** *fn* **1.** útvesztő, labirintus; *átv* **tread a ~** belegabalyodik vmbe **2.** *átv biz* zavar(odottság); **be in a ~** zavarban van, elveszti a fejét **II.** *tsi* zavarba hoz, összezavar
mazed [meɪzd] *mn* megzavarodott, fejvesztett
mazer ['meɪzə ‖ –ər] *fn tört* talpatlan ivóedény
mazuma [mə'zuːmə] *fn US Ausz szl [pénz]* guba, dohány
mazurka [mə'zɜːkə ‖ –'zɜr–] *fn zene* mazurka *[lengyel tánc]*
mazy ['meɪzi] *mn* **1.** kanyargós, tekervényes *[út]* **2.** *átv biz* zavaros, bonyolult, bonyodalmas
mazzard[1] ['mæzəd ‖ –ərd] *fn növ* vadcseresznye, madárcseresznye
mazzard[2] ['mæzəd ‖ –ərd] *fn régi* koponya, fej
MB *röv* **1.** Medicinae Baccalaureus, *Bachelor of Medicine* az orvostudomány baccalaureusa **2.** *fn infor megabyte* Mbyte, megabyte
MBA *röv Master of Business Administration*
MBE *röv Member of(the Order of)the British Empire*
Mbyte ['megəbaɪt] *röv fn infor* Mbyte, megabyte
MC *röv* **1.** *Marine Corps* **2.** *Master of Ceremonies* **3.** *Medical Corps* **4.** *US Member of Congress* **5.** *GB Military Cross*
McCarthyism [mə'kɑːθiɪzm ‖ –'kɑr–] *fn US pol* McCarthyizmus *[kommunistaüldözés az 50-es években]*; McCarthy-korszak/éra

McCoy [mə'kɔɪ] *fn szl* **the real ~** a valódi/hamisítatlan/igazi dolog; a kóser
MCh *röv* Magister Chirurgiae; *Master of Surgery*
McKinley [ˌmə'kɪnli] *tul földr* McKinley
MD *röv* **1.** Medicinae Doctor, *Doctor of Medicine* **2.** *Managing Director* **3.** *mentally deficient*
Md., **MD** *röv US Maryland*
m-dash ['emdæʃ] *fn nyomd* gondolatjel
Me., **ME** *röv US Maine*
me[1] [mi, miː] *nm* **1. a)** engem **b) (to/for) ~** nekem **c) above ~** fölöttem; **behind ~** mögöttem; **with ~** velem; **I will take it with ~** magammal viszem **2.** én; **it's ~** én vagyok (az); **~ and mine** én és a rokonaim/rokonságom **3. dear ~!** jaj istenem!; no de ilyet!; **poor ~!** szegény fejem!
me[2] [mi, miː] → **mi**
mea culpa ['meɪɑː'kʊlpɑː] **I.** *fn* ‹bűn/hiba beismerése› **II.** *isz* mea culpa!
mead[1] [miːd] *fn* mézsör, mézbor
mead[2] [miːd] *fn vál régi* rét
meadow ['medoʊ] *fn* rét, kaszáló
meadow grass *fn növ* réti perje
meadowland *fn* rét(ség)
meadowlark *fn áll* **1.** réti pipis **2.** *US* csirögeféle
meadow rue *fn növ* borkóró
meadow saffron *fn növ* őszi kikerics
meadowsweet *fn növ* bakszakáll, gyöngyvessző, tündérfüst
meager ['miːgə ‖ –ər] *US* → **meagre**
meagre ['miːgə ‖ –ər] *mn* **1.** sovány, keszeg, vézna **2.** *átv* sovány *[koszt, jövedelem]*, hálátlan, sivár *[téma]*, hiányos *[műveltség]*, csekély *[érdeklődés]*, szűkös *[anyagi helyzet]*; **~ attendance** csekély érdeklődés *[rendezvényen]*
meal[1] [miːl] *fn* **1.** étkezés, evés; **main ~** főétkezés; **take/make a ~** étkezik, eszik; **make a ~ of it** (i) megeszi/elfogyasztja amije van (ii) *GB biz* nagy ügyet/faksznit csinál vmből; **to be taken after ~s** étkezés után szedendő *[orvosság]* **2.** étel
meal[2] [miːl] *fn* **1.** (egyszeri kiőrlésű) liszt **2.** liszt(té őrölt anyag) **3.** *gaszt skót* zabkása
mealbeetle *fn áll* lisztbogár, malombogár
meal break *fn* ebédszünet
mealie ['miːli], **mielie** *fn Dél-Af* kukorica
meals on wheels *fn esz* ételkihordás, étel házhozszállítása
meal ticket *fn* **1.** étkezési jegy/kupon **2.** *biz átv* fő jövedelmi forrás, megélhetési alap
mealtime *fn* étkezési idő, ebédidő
mealworm *fn áll* lisztkukac
mealy ['miːli] *mn* **1.** lisztes, lisztszerű, kásás *[gyümölcs]* **2. a)** belisztezett, liszttel beszórt, hamvas *[gyümölcs]* **b)** (halál)sápadt, falfehér *[arc]* **3.** mézesmázos, finomkodó **4.** pettyes, foltos *[ló]*
mealy bug *fn áll* karmazsintetű, bíbortetű
mealy-mouthed *mn* mézesmázos, finomkodó, édeskés modorú
mean[1] [miːn] *tsi pt/pp* **meant** [ment] **1. a)** szándékozik, tervbe vesz, akar (*to do sg* vmt tenni); **no offence ~t** nem sértő szándékkal mondtam; **he ~s no harm** nem akar ártani, nem forgat semmi rosszat a fejében; **without ~ing it** nem szándékosan, akaratlanul; **what do you ~ to do?** mit szándékozik tenni?, mik a tervei?; **he didn't ~ (to do) it** nem szándékosan/készakarva tette; **he ~s business** komolyan beszél/gondolja, nem tréfál **b)** feltett szándéka, megköveteli (*to* hogy); **I ~ to be obeyed** feltétlen engedelmességet követelek; **I ~ to have it** ha törik, ha szakad megszerzem **2. a)** szán (*for* vmre/vknek); **I ~t this for you** neked szántam; **he was ~t for a lawyer** ügyvédnek született/szánták **b) do you ~ me?** rólam beszél?, rám céloz? **3. a)** jelent, vm értelme van; **what does that word ~?** mit jelent az a szó?; **the name ~s nothing to me** ez a név ismeretlen előttem **b)** mondani akar, komolyan mond/gondol, céloz (*by* vmvel); **I ~ it** komolyan mondom; nem tréfálok; **what do you ~ by that?** hogy érti ezt?; **he ~s what he says** komolyan gondolja (amit mond); **I did not ~ that** nem ezt akartam mondani; rosszul fejeztem ki magam; **you know what I ~** (ugye) érted, hogy mire célzok/gondolok (v. mit akarok mondani)?; **when I say no I ~ no** ha egyszer azt mondom, hogy nem, akkor nem **c)** jelent, jelentősége van (*to* vk számára); **what is this to ~?** ez (meg) mit jelentsen?; **he has ~t everything to me** a szemem fénye volt; **music ~s very little to him** nem nagyon érdekli a zene
mean[2] [miːn] *mn* **1.** kicsinyes, zsugori, fukar, szűkmarkú **2. a)** egyszerű, szegény sorsú, alacsony rangú *[ember]*; **of ~ birth/parentage** egyszerű/szegény családból való; alacsony származású **b)** kopottas, szegényes *[külső]* **c)** alacsony *[értelmi színvonal]*, lesújtó *[vélemény]*; **of no ~ ability** nem megvetendő képességekkel bíró **3.** aljas, hitvány, becstelen, aláváló; **a ~ trick** galád csel(fogás); **it's ~ of him** ez nagyon csúnya dolog tőle; **take a ~ advantage of sy** aljas módon kihasznál vkt; *biz* **don't be so ~!** ne légy (már) olyan utálatos! **4.** *biz [nagyon jó, remek]* oltári, szuper, csúcs
mean[3] [miːn] **I.** *mn* **1.** közepes, átlagos, közép-, átlag-; **~ annual temperature** évi középhőmérséklet; *mat* **~ proportional** mértani középarányos; **~ sea level** középtengerszint; **~ time** középidő; *mat* **~ value** középérték **2.** középszerű **II.** *fn* **1. a)** középút **b)** átlag, középérték **c)** *mat* **(arithmetical) ~** (számtani) középarányos **2.** *tsz* **means a)** eszköz(ök); **~s of production** termelési eszköz(ök); **~s of transport/conveyance** szállítóeszköz(ök) **b)** *tsz* **means** eszköz, mód(ozat), módszer, út; **the end justifies the ~s** a cél szentesíti az eszközt; **by ~s of sg** vm által/révén; vmnek a segítségével; **by all ~s** minden lehetséges módon; feltétlenül; **by all ~s!** természetesen!, csak rajta!, hogyne!; **by any ~s** mindenáron, ha törik, ha szakad; **by no ~s, not by any ~s** semmi esetre se(m); a világért sem; **by this ~s** ily módon, ennek a révén; **by some ~s or other** vagy így vagy úgy; valahogyan csak; **find (a) ~s to** megtalálja a módját, hogy **3.** *tsz* **means a)** anyagi eszközök/erőforrások; **according to our ~s** amennyire azt anyagi helyzetünk megengedi; **live beyond one's ~s** tovább nyújtózkodik, mint ameddig a takarója ér; **it does not lie within my ~s** nem engedhetem meg magamnak **b)** vagyon; **private ~s** magánvagyon **c) ~ of identification** (különös) ismertetőjel
meander [mi'ændə ‖ –ər] **I.** *tni* **1.** kanyarog, kígyózik *[folyó, út]* **2. a)** *átv* bolyong, kószál, kóborol **b)** elkalandozik *[beszédben]*, összefüggéstelenül beszél **II.** *fn* **1. a)** kanyargás, kígyózás *[folyóé, úté]* **b)** bolyongás, kóborlás, kószálás **2. a)** folyókanyar, hurokkanyar **b)** *tsz* **meanders** *átv* útvesztő, labirintus • *mn/fn* **meandering** *mn* **meandrous**
mean deviation *fn mat* középeltérés
meanie ['miːni] *fn biz* kicsinyes ember
meaning ['miːnɪŋ] **I.** *fn* **1. a)** jelentés, értelem *[szóé, mondaté]* **b) you mistake my ~** ön félreért engem **2.** cél, szándék; *biz* **what's the ~ of this?** mit jelentsen ez? **3.** jelentőség; **look full of ~** jelentőségteljes/sokatmondó pillantás; **say sg with ~** nyomatékosan mond vmt **II.** *mn* **1. well-~** jószándékú, jóhiszemű **2.** sokatmondó, jelentőségteljes *[mosoly, pillantás]*
meaningful ['miːnɪŋfl] *mn* **1.** jelentőségteljes, sokatmondó **2.** értelmes, értelemmel bíró
meaningless ['miːnɪŋləs] *fn* **1.** értelmetlen, semmitmondó **2.** céltalan
meaningly ['miːnɪŋli] *hsz* jelentőségteljesen, sokatmondóan
mean-looking *mn* gyanús/sötét kinézésű
mean-spirited *mn* gonosz lelkű, galád, aljas, becstelen
means test *fn* rászorultsági vizsgálat *[pénzügyi támogatás megadása előtt]*, környezettanulmány
means-test *tsi* **1.** környezettanulmányt végez vknél **2.** környezettanulmányra alapoz v. vizsgálathoz köt *[támogatást]*
meant [ment] → **mean**[1]

M

meantime [ˈmiːntaɪm] *hsz/fn* **(in the) ~** (idő)közben, ezalatt; **for the ~** addig is
meanwhile [ˈmiːnwaɪl] *hsz/fn* **(in the) ~** (idő)közben, ezalatt
measles [ˈmiːzlz] *fn esz* **1.** *orv* kanyaró; **German ~** rubeola **2.** *állatorv* sertés-borsókakór
measly [ˈmiːzli] *mn* **1.** *biz* vacak, nyamvadt, piszlicsáré **2.** kanyarós, kanyarószerű *[kiütés]* **3.** borsókás *[sertéshús]*
measurable [ˈmeʒrəbl] *mn* lemérhető • *fn* **measurability** *hsz* **measurably**
measure [ˈmeʒə ‖ –ər] **I.** *fn* **1. a)** mérték; **liquid ~** folyadék űrmérték; **~ of capacity** űrmérték; **for good ~** ráadásul; **~ for ~** szemet szemért; **sell sg by ~** kimérve árusít vmt **b)** méret, nagyság *[ruhaneműé]*; **made to ~** mérték után (v. méretre) készült *[ruhanemű]*; **take sy's ~ (for a suit)** mértéket vesz vkről; *átv* **have taken sy's ~** tudja hányadán áll vkvel **c)** *hajó* köbözés **2. a)** mérőedény *[gabonához, tejhez]* **b)** mérőrúd, mérőszalag **c)** *átv* fokmérő; **~ of value** értékmérő **3.** *átv* mérték, határ, fok; **a ~ of** némi; **beyond ~** mértéktelenül, végtelenül; túlságosan; **in a/some ~** bizonyos mértékben/fokig; részben, részint; **in a large ~** nagymértékben; nagyrészt; **in/with due ~** a kellő mértékben; mértéktartóan; megfontoltan; **know no ~** nem ismer határt; szertelen, mértéktelen; **set ~s to sg** határt szab vmnek, korlátoz vmt **4. a)** intézkedés, rendszabály, lépés; **protective ~s** óvintézkedés(ek); **as a ~ of economy** takarékossági okokból; **take/adopt ~s to** lépéseket tesz, hogy; **take legal ~s** törvényes eszközökhöz folyamodik **b)** *jog* törvényes szabályozás, jogszabály, rendszabály **5.** *mat* osztó; **common ~** közös osztó **6. a)** *zene* ütem, taktus, *ir.tud* versmérték **b)** *régi* tánc **7.** *tsz* **measures** *geol* vonulat, geológiai rétegek, érctelep, széntelep; **barren ~s** kimerült/meddő lelőhely **II.** *tsi* **1. a)** (meg)mér, kimér, lemér, bemér, felmér; **~ sy (with one's eye)** végigmér vkt **b)** mértéket vesz (vkről) **c) ~ one's strength** (v. **~ oneself**) **with sy** összeméri vkvel az erejét; megmérkőzik vkvel **2.** vmlyen méretű; **the room ~s four metres by four** a szoba négyszer négyméteres **3. a)** *átv* felmér, felbecsül *[helyzetet]*, megfontol, mérlegel *[döntést]*; *átv* **~ one's words** megfontolja/mérlegeli szavait **b)** *átv* **~ one's spending by one's means** addig nyújtózkodik, amíg a takarója ér
measure up A. *tsi* megmér, lemér **B.** *tni* megfelel (*to* vmnek); **~ up to sy** felér vkvel, egyenlő ellenfele vknek; **~ up to a standard** elér vmlyen színvonalat
measured [ˈmeʒəd ‖ –ərd] *mn* **1. a)** ütemes, ritmikus *[mozdulat, lépés]* **b) with ~ steps** kimért/lassú léptekkel **2.** megmért, kimért, lemért *[idő, távolság]* **3.** megfontolt, kimért *[beszéd]*
measureless [ˈmeʒələs ‖ –ʒər–] *mn* (fel)mérhetetlen, végtelen, határtalan, korlátlan
measurement [ˈmeʒəmənt ‖ –ʒər–] *fn* **1.** (meg)mérés, lemérés, felmérés, bemérés **2.** méret, kiterjedés; **inside ~** belméret; **outside ~** külméret; **take sy's ~s** mértéket vesz vkről
measuring jug *fn GB* mérőedény, mérőpohár
measuring rod *fn* mérőrúd, méterrúd
measuring tape *fn* mérőszalag
meat [miːt] *fn* **1. a)** hús; **red ~** vörös hús *[marha, disznó, borjú, vad]*; **white ~** fehér hús *[baromfi, hal]*; *US* mellehúsa *[baromfié]* **b)** *US* hús *[osztrigáé, gyümölcsé]* **2. a)** *régi* étel, eledel, táplálék **b)** *régi* étkezés, evés • *mn* **meatless**
meat-axe *fn* hentesbárd, mészárosbárd
meatball *fn* húsgombóc
meat-broth *fn* húsleves
meat-eater *fn* **1.** húsevő *[személy]* **2.** húsevő állat
meat fly *fn* húslégy
meat inspection *fn* hatósági/piaci húsvizsgálat
meat loaf *fn gaszt* vagdalt, fasírt
meat packing *fn* húsfeldolgozás
meat pie *fn gaszt* húspástétom
meatus [miˈeɪtəs] *fn tsz* **~es** *orv* járat, nyílás, üreg; **auditory ~** hallójárat
meaty [ˈmiːti] *mn* **1.** húsos, húsból való, hús- **2.** *biz* tömör, velős *[stílus]*, tartalmas *[tárgy, téma]*
Mecca [ˈmekə] *tul* **1.** *földr* Mekka **2.** *átv* vágyaink/törekvéseink célja; **London the ~ of tourists** London a turisták Mekkája
Meccan [ˈmekən] *mn/fn* mekkai
mechanic [mɪˈkænɪk] *fn* **1. a)** szerelő, gépész, műszerész **b)** kézműves, mesterember, szakmunkás **2.** *esz* **mechanics a)** erő(mű)tan, mechanika **b)** *átv* szerkezet, mechanizmus
mechanical [mɪˈkænɪkl] **I.** *mn* **1.** mechanikai **2.** gépi, műszaki, mechanikus; **~ drawing** géprajz; **~ engineer** gépészmérnök; **~ engineering** gépszerkesztés, gépgyártás; gépipar; gépészet; **~ skill** műszaki jártasság/ügyesség **3.** *átv* gépies, mechanikus *[munka]*, önkéntelen *[mozdulat]* **II.** *fn régi* kézműves • *fn* **mechanicalism** *hsz* **mechanically**
mechanician [ˌmekəˈnɪʃn] *fn* gépszerelő, műszerész
mechanism [ˈmekənɪzm] *fn* **1.** szerkezet, gépezet **2.** (mechanikus) működés
mechanist [ˈmekənɪst] *fn* műszerész, gépszerelő
mechanize [ˈmekənaɪz], **–ise** *tsi* **1.** gépesít, *kat* gépesít, motorizál *[hadosztályt]* **2.** *átv* (el)gépiesít, gépiessé tesz • *fn* **mechanization**, **-isation**
mechanized [ˈmekənaɪzd], **-ised** *mn* gépesített; *kat* **~ gun** önjáró löveg; *kat* **~ troops** gépesített/gépkocsizó egységek
mechano- [ˌmekənoʊ] *előtag* gépi, gépiesített, gép-
MEcon *röv Master of Economics*
meconium [mɪˈkoʊnɪəm] *fn orv* magzatszurok
MEd *röv Master of Education*
med. *röv* **1.** *medical* **2.** *medicine* **3.** *medium*
medal [ˈmedl] **-ll-**, *US* **-l-** **I.** *fn* érem, kitüntetés, emlékérem, rendjel; **award a ~** kitüntet; *átv* **the reverse of the ~** az érem másik oldala **II.** *tsi* éremmel kitüntet • *mn* **medalled, medallic**
medalist [ˈmedl·ɪst] *US* → **medallist**
medallion [mɪˈdælɪən] *fn* nagy (emlék)érem, kerek dombormű, medalion
medallist [ˈmedlɪst] *fn* **1.** *sp* érmes *[sporteseményen]*; **gold ~** aranyérmes **2.** érmész, éremkészítő, éremmetsző
meddle [ˈmedl] *tni* **1.** beleavatkozik, beleártja magát, belekontárkodik (*in/with* vmbe); **he is always meddling** örökké beleártja magát mások dolgába; minden lében kanál; *közm* **~ and smart for it** aki támad, meg is bánja **2.** babrál, vacakol (*with* vmvel), piszkál (vmt); **don't ~ with the clock!** hagyd békén az órát!, ne piszkáld az órát! • *fn* **meddler**
meddlesome [ˈmedlsəm] *mn* tolakodó, alkalmatlankodó, kotnyeles, minden lében kanál
meddling [ˈmedlɪŋ] *fn* beavatkozás
Mede [miːd] *fn tört* méd • *mn* **Median**
media[1] [ˈmiːdɪə] *fn tsz* **the ~** a tömegtájékoztatási eszközök; a média, tömegtájékoztatás; → **medium I.**
media[2] [ˈmiːdɪə] *fn tsz* **mediae** [–diiː] *nyelv* zöngés zárhang
mediaeval [ˌmediˈiːvl] → **medieval**
mediaevalism [ˌmediˈiːvəlɪzm ‖ ˌmiː–] → **medievalism**
mediaevalist [ˌmediˈiːvlɪst ‖ ˌmiː–] → **medievalist**
media event *fn* közérdeklődésre számot tartó esemény, médiaesemény
media file *fn infor* multimédia-állomány
medial [ˈmiːdɪəl] *mn* **1.** középső, közbeeső, közbülső, *nyelv* szó belsejében levő *[mássalhangzó]* **2. a)** átlagos **b)** közepes (nagyságú), kiterjedésű • *hsz* **medially**
median [ˈmiːdɪən] **I.** *mn* **1.** középső, közbülső **2.** *mat* felező, közép-; **~ line** oldalfelező, középvonal; **~ plane** felezősík, középsík, szimmetriasík **II.** *fn* **1.** *orv* középső ideg **2.** *mat* oldalfelező, középvonal

M

mediant [ˈmiːdɪənt] *fn zene* mediáns, középső hang, III. fok

mediastinum [ˌmiːdɪəˈstaɪnəm] *fn tsz* **mediastina** [–nə] *orv* gátor(űr), mediastinum • *mn* **mediastinal**

mediate I. [ˈmiːdieɪt] **A.** *tsi* összeköt, összekapcsol **B.** *tni* **1.** közbenjár, közvetít (*between* vk között) **2.** összekapcsol, összekötő kapocsként szolgál *[két dolog között]* **II.** *mn* [ˈmiːdɪət] **1.** közvetett **2.** közbülső (*between* vm között) • *hsz* **mediately**

mediation [ˌmiːdiˈeɪʃn] *fn* közvetítés, közbenjárás, közbelépés

mediator [ˈmiːdieɪtə ‖ –ər] *fn* közvetítő, közbenjáró • *mn* **mediatory**

medic[1] [ˈmedɪk] *US* → **medick**

medic[2] [ˈmedɪk] *fn* **1.** *biz* orvostanhallgató, medikus **2.** *biz [orvos]* doki

medicable [ˈmedɪkəbl] *mn* gyógyítható, kezelhető *[betegség]*

Medicaid [ˈmedɪkeɪd] *fn US* társadalombiztosítás

medical [ˈmedɪkl] **I.** *mn* **1.** orvosi, orvostudományi, egészségügyi; ~ **adviser** háziorvos; ~ **attention/attendance** orvosi ellátás/kezelés/felügyelet; gyógykezelés; ~ **bill/fees** orvosi tiszteletdíj, orvosi kezelés költsége; ~ **certificate** orvosi bizonyítvány; ~ **condition** orvosi kezelésre szoruló állapot; ~ **examination** orvosi vizsgálat; *jog* ~ **examiner** bírósági/rendőrségi orvos, *US* halottkém; ~ **jurisprudence** törvényszéki orvostan; ~ **officer** tisztiorvos; *kat* katonaorvos; ~ **practitioner** gyakorló/általános orvos; ~ **record** kórtörténet; ~ **representative** orvoslátogató; ~ **school** orvosi egyetem/fakultás; ~ **science** orvostudomány; ~ **student** orvostanhallgató; **the ~ profession** az orvosi hivatás/pálya; az orvosi kar **2.** belgyógyászati **II.** *fn* **1.** *biz* orvostanhallgató, medikus **2.** *biz* orvos, doktor • *hsz* **medically**

medicament [mɪˈdɪkəmənt, ˈmedɪ–] *fn* orvosság, gyógyszer

Medicare [ˈmedɪkeə ‖ –ər] *fn US* (idős kori) állami betegbiztosítás; *Ausz Kan* társadalombiztosítás

medicate [ˈmedɪkeɪt] *tsi* **1.** gyógykezel, gyógyít **2.** gyógyszerez • *mn* **medicative**

medication [ˌmedɪˈkeɪʃn] *fn* **1.** gyógyítás, gyógykezelés **2.** gyógyszerezés, gyógyszerek alkalmazása **3.** gyógyszer, orvosság

Medicean [ˌmedɪˈtʃiːən, –ˈsiːən] *mn tört* Medici-, a Mediciekkel kapcsolatos

medicinal [mɪˈdɪsnəl] **I.** *mn* gyógyító, gyógyhatású, gyógy-; ~ **herb/plant** gyógynövény; ~ **treatment** gyógyszeres kezelés; ~ **water** gyógyvíz **II.** *fn* gyógyszer, gyógyhatású anyag/készítmény • *hsz* **medicinally**

medicine [ˈmedsn ‖ ˈmedɪsn] *fn* **1. a)** orvostudomány, orvostan **b)** belgyógyászat **2.** orvosság, gyógyszer; **take one's ~** beveszi az orvosságot; *biz* lenyeli a békát **3. a)** boszorkányság, bűbájosság **b)** varázsszer, varázsige

medicine ball *fn sp* medicinlabda

medicine chest *fn* gyógyszerszekrény, gyógyszerdoboz

medicine man *fn tsz* ~ **men** kuruzsló, vajákos, varázsló

medick [ˈmedɪk] *fn növ* **(purple)** ~ lucerna

medico- [ˈmedɪkoʊ] *előtag* orvosi

medico [ˈmedɪkoʊ] *fn biz* orvos, orvostanhallgató

medico-legal *mn* törvényszéki orvostani

medieval [ˌmediˈiːvl, meˈdiːvl ‖ ˌmiː–] *mn* **1.** középkori, középkorra vonatkozó **2.** *átv biz* elmaradott, középkori • *fn* **medievalism, medievalist**

mediocre [ˌmiːdiˈoʊkə ‖ –ər] *mn* középszerű, közepes, *pej* gyatra, silány

mediocrity [ˌmiːdiˈɒkrəti ‖ –ˈɑkrəti] *fn* középszerűség, közepesség

meditate [ˈmedɪteɪt] **A.** *tsi* tervez, latolgat; ~ **revenge** bosszút forral; ~ **doing sg** vmt tenni szándékozik **B.** *tni* **1.** meditál **2.** elmélkedik, töpreng, elgondolkozik, mereng (*on/upon* vmn) • *fn* **meditation, meditator**

meditative [ˈmedɪtətɪv ‖ –teɪtɪv] *mn* elmélkedő, tűnődő, merengő, gondolatokba merült • *fn* **meditativeness**

Mediterranean [ˌmedɪtəˈreɪnɪən] **I.** *tul földr* **the ~ (Sea)** a Földközi-tenger **II.** *mn* **1.** mediterrán *[éghajlat, nép]* **2.** földközi-tengeri

medium [ˈmiːdɪəm] *tsz* **media** [–dɪə], **mediums I.** *fn* **1.** közép, középút; *átv* **happy ~** arany középút/középszer **2. a)** közeg, közvetítő eszköz/tényező; **through the ~ of the press** a sajtó útján **b)** *közg* **~ of circulation** forgalmi eszköz **3. a)** *fiz* közeg **b) (social) ~** társadalmi környezet **c)** *vegy* oldószer, kötőanyag **4.** *pszich* médium **II.** *mn* közepes, közép-, átlag(os); **~ gray** középszürke; *távk* **~ wave** középhullám

medium dry *mn gaszt* félszáraz *[bor, pezsgő]*

mediumism [ˈmiːdɪəmɪzm] *fn pszich* médiumi képesség • *mn* **mediumistic**

medium-range *mn rep* közepes hatótávolságú

medium-sized *mn* középnagyságú, középméretű, átlagos

medlar [ˈmedlə ‖ –ər] *fn növ* naspolya(fa)

medley [ˈmedli] **I.** *fn* **1.** keverék, zagyvalék **2.** *zene* egyveleg **3.** *sp* vegyes váltó/úszás **II.** *mn* **1.** kevert, vegyes, összekeveredett **2.** *régi* tarka(barka) **III.** *tsi* összekever, összezagyvál *[nem összeillő dolgokat]*

medley relay *fn sp* vegyesváltó

Medoc [ˈmedɒk ‖ meɪˈdɑk] *fn gaszt* medoc *[bor]*

medrep *biz* → **medical representative**

medulla [mɪˈdʌlə] *fn orv* (csont)velő; ~ **oblongata** nyúltagy; ~ **spinalis** gerincvelő • *mn* **medullary**

medusa [mɪˈdjuːzə ‖ –ˈduːsə] *fn áll* medúza

meed [miːd] *fn vál* jutalom, érdem; **one's ~ of praise** megérdemelt dicséret

meek [miːk] *mn* szelíd, szerény, alázatos, béketűrő, jámbor; *biz* **~ as a lamb** szelíd mint a bárány • *fn* **meekness** *hsz* **meekly**

meerschaum [ˈmɪəʃəm ‖ ˈmɪr–] *fn német* **1.** *ásv* habkő, tajték, szepiolit **2. ~ (pipe)** tajtékpipa

meet[1] [miːt] **I.** *pt/pp* **met** [met] **A.** *tsi* **1. a)** (össze)találkozik (vkvel), szembe megy (vkvel); ~ **another car** egy másik autó jön vele szembe; ~ **one's death/fate** eléri a végzet, meghal; **my eye met his** pillantásunk összetalálkozott **b)** fogad, (meg)vár; ~ **sy at the airport** vár vkt a repülőtéren; **go to ~ sy** elébe megy vknek; *átv* ~ **sy halfway** hajlandó nagy/ésszerű/reális engedményeket tenni vknek **c)** megismerkedik (vkvel); *US* ~ **my son!** bemutatom a fiamat; **pleased/glad to ~ you** örülök, hogy megismerhetem (önt); örvendek a szerencsének **d)** keresztez *[egyik út a másikat]*, belefolyik, ömlik *[egyik folyó a másikba]* **2. a)** találkozik, összecsap *[ellenféllel]* **b)** szembeszáll, szembenéz, dacol *[veszéllyel]* **3. ~ the eye** látható; **~ the ear** hallatszik, hallható; **there is more in it than ~s the eye** rejtett vonatkozásai is vannak (ennek az ügynek/dolognak) **4. a)** engedményeket tesz (vknek), eleget tesz *[vk kérésének]* **b)** kielégít *[szükségletet]*, megfelel *[követelményeknek]*; ~ **sy's wishes** eleget tesz vk kívánságainak; **it does not ~ the requirements** nem felel meg a követelményeknek **c) ~ expenses** fedezi/viseli a költségeket **d)** *gazd* teljesít *[fizetési kötelezettséget]* **B.** *tni* **1. a)** találkoznak, összejönnek, összejárnak; **until we ~ again** viszontlátásra, viszontlátásig; **we have met before** már találkoztunk, már ismerjük egymást **b)** találkoznak *[utak]*, összefolynak *[folyók]*, metszik/keresztezik egymást, összefutnak *[vonalak]* **c)** összeér *[két vége vmnek]* **d)** *átv* egyesülnek *[tulajdonságok vkben]* **2. ~ (together)** összejön, összeül *[társaság, gyűlés]*; **Parliament ~s tomorrow** a Ház holnap összeül/ülésezik **3.** ráakad, rábukkan (*with* vmre); **~ with an accident** baleset éri; **~ with a loss** veszteséget/kárt szenved; **~ with a kind reception** szívélyes fogadtatásban van része; **~ with a refusal** visszautasításra talál, kosarat kap; **it is met with everywhere** mindenütt megtalálható **II.** *fn* **1.** *sp* verseny, találkozó **2.** *mat* érintkezési pont, metszéspont *[görbéké]*

meet² [miːt] *mn vál régi* illő, illendő, alkalmas, helyes, megfelelő
meeting [ˈmiːtɪŋ] *fn* **1.** (össze)találkozás, összefolyás *[folyóké]*; *jog* **right of public ~** gyülekezési jog **2. a)** gyűlés, összejövetel, ülés, értekezlet; **notice of ~** meghívó a gyűlésre; **address the ~** beszél az egybegyűltekhez; **call a ~** gyűlést összehív; **hold a ~** gyűlésezik, ülésezik; értekezletet tart **b)** *sp* mérkőzés, verseny, találkozó **c)** párbaj, párviadal **d)** *US vall* vallásos összejövetel, istentisztelet; **go to ~** templomba megy
meetingplace *fn* találkozóhely
meeting point *fn* találkozási pont, csomópont
meeting room *fn* tárgyaló
Meg [meg] *tul skót* ‹ *Margaret* becéző alakja›
mega- [ˈmegə] *előtag* **1.** *[mint mértékegység]* millió- **2.** *biz* nagy, óriás-
megabuck [ˈmegəbʌk] *fn US szl* **1.** *[egymillió dollár]* mil(k)a **2.** *[sok pénz]* nagy dohány/lóvé
megabyte [ˈmegəbaɪt] *fn infor* megabyte, megabájt
megadeath [ˈmegədeθ] *fn* egymillió haláleset *[mértékegység atomháború áldozatainak megszámlálására]*
megadose [ˈmegədous] *fn orv* megadózis, (túl) nagy adag/dózis *[gyógyszer, vitamin]*
megaflop [ˈmegəflɒp ‖ –flɑp] *fn* **1.** *infor* egymillió lebegőpontos művelet **2.** *szl [kudarc]* óriás bukta, hatalmas pofáraesés
megahertz [ˈmegəhɜːts ‖ –hɜrts] *fn fiz el* megahertz
megalith [ˈmegəlɪθ] *fn régi* megalit
megalithic [ˌmegəˈlɪθɪk] *mn régi* megalitikus
megalo- [ˈmegəlou] *előtag* nagy-; **megalomania** nagyzási hóbort; **megalopolis** mamutváros, nagyváros
megalocephalic [ˌmegəsɪˈfælɪk] *mn orv* nagyfejű
megalomania [ˌmegəlouˈmeɪnɪə] *fn* nagyzási hóbort, megalománia • *mn* **megalomaniac**
megalopolis [ˌmegəˈlɒpəlɪs ‖ –ˈlɑ–] *fn* mamutváros, sokmilliós nagyváros, megalopolisz • *mn/fn* **megalopolitan**
megalosaurus [ˈmegələsɔːrəs] *fn áll* óriásgyík, megaloszaurusz
megaphone [ˈmegəfoun] *fn* szócső, hangszóró, megafon
megaspore [ˈmegəspɔː ‖ –spɔr] *fn növ* megaspóra
megastar [ˈmegəstɑː ‖ –stɑr] *fn* híresség, megasztár
megastore [ˈmegəstɔː ‖ –stɔr] *fn* (szak)áruház
megaton [ˈmegətʌn] *fn fiz* megatonna *[egymillió tonna TNT robbanószer energiája]*
megavolt [ˈmegəvɒlt] *fn vill* megavolt
megawatt [ˈmegəwɒt ‖ –wɑt] *fn vill* megawatt
megger [ˈmegə ‖ –ər] *fn vill* szigetelésmérő, ellenállásmérő, megohm-mérő
megilp [məˈgɪlp] *fn műv*; ‹lenolaj és terpentin felhasználásával készült festékanyag›
megohm [ˈmegoum] *fn vill* megohm
megrim [ˈmiːgrɪm] *fn* **1.** *régi* féloldali fejfájás, migrén **2.** szeszély, hóbort, bogár **3.** *tsz* **megrims a)** életuntság, búskomorság, depresszió **b)** *áll* szédülés, kergeség
meiosis [maɪˈousɪs] *fn* **1.** *nyelv* kicsinyítés, miózis *[szónoki alakzat]* **2.** *biol* osztódás (kromoszómaszám-csökkentő) • *mn* **meiotic**
Meissen [ˈmaɪsn] **I.** *tul földr* Meissen **II.** *fn* meisseni porcelán
melancholia [ˌmelənˈkoulɪə] *fn orv pszich* búskomorság, melankólia
melancholy [ˈmelənkəli ‖ –kɑli] **I.** *fn* búskomorság, mélabú, melankólia **II.** *mn* **1.** búskomor, mélabús, levert, melankóliás *[személy]* **2.** szomorú, gyászos, elszomorító *[hír]*, borús, bús *[hangulat]* • *mn* **melancholic**
Melanesia [ˌmeləˈniːzɪə ‖ –ˈniːʒə] *tul földr* Melanézia
Melanesian [ˌmeləˈniːzɪən ‖ –ˈniːʒn] *mn/fn* melanéziai
mélange [meɪˈlɑːnʒ] *fn* keverék, vegyület
Melanie [ˈmeləni] *tul* ‹női név›
melanism [ˈmelənɪzm] *fn orv* melanizmus, bőrfeketedés • *mn* **melanic**

melanoma [ˌmeləˈnoumə] *fn orv* pigmentsejtes daganat, melanóma
melanosis [ˌmeləˈnousɪs] *fn orv* melanózis, a bőrnek körülírt területen való pigmentáltsága • *mn* **melanotic**
melba [ˈmelbə] *fn gaszt* melba; ‹gyümölcsfagylalt málnaszörppel és tejszínhabbal›
Melbourne [ˈmelbən ‖ ˈmelbərn] *tul földr* Melbourne
Melbournian [melˈbɔːnɪən ‖ –ˈbɔr–] *mn/fn* melbourne-i *[lakos]*
meld¹ [meld] *ját* **I.** *fn* bemondás *[kártyajátékban]* **II.** *tsi/tni* bemond
meld² [meld] **A.** *tsi* (egy)beolvaszt, egyesít **B.** *tni* (egy)beolvad, egyesül, fuzionál
melee [ˈmeleɪ ‖ ˈmeɪleɪ], **mêlée** *fn francia* csetepaté, verekedés, zűrzavar; *biz* **be above the ~** páholyból nézi a dolgokat
melic [ˈmelɪk] *mn vál* lírai, dalszerű
melilot [ˈmelɪlɒt ‖ –lɑt] *fn növ* somkóró
Melinda [məˈlɪndə] *tul* Melinda
meliorate [ˈmiːlɪəreɪt] **A.** *tsi* megjavít, feljavít **B.** *tni* (meg)javul, feljavul, jobbra fordul • *fn* **melioration** *mn* **meliorative**
meliorism [ˈmiːlɪərɪzm] *fn fil* meliorizmus
melisma [mɪˈlɪzmə] *fn tsz* **melismata**, **melismas** *zene* melizma • *mn* **melismatic**
melliferous [məˈlɪfərəs] *mn* mézelő, mézgyűjtő, méztermő
mellifluous [məˈlɪfluəs] *mn* mézédes, édes, mézes • *fn* **mellifluence**
mellivorous [məˈlɪvərəs] *mn áll* mézevő
mellow [ˈmelou] **I.** *mn* **1. a)** érett, lédús, puha *[gyümölcs]*, érett, zamatos *[bor]* **b)** *átv* érett, kiforrott, lehiggadt *[jellem, gondolkodás]*; **grow ~** lehiggad, benő a feje lágya **2.** gazdag, termékeny, humuszos *[talaj]* **3.** meleg, lágy, bársonyos *[hang]*, meleg, megnyugtató *[fény]*, lágy, finom *[szín]*, omlós *[sütemény]* **4. a)** jókedélyű, kedélyes, derűs, vidám **b)** *biz* becsípett, spicces **II. A.** *tsi* **1. a)** (meg)érlel *[gyümölcsöt, bort]* **b)** *átv* megérlel *[jellemet]*, lehiggaszt *[vérmérsékletet]*; **town ~ed with age** régi patinás város **2.** fellazít, termékennyé tesz *[talajt]* **3.** puhít, bársonyossá tesz *[anyagot]*, lágyít, tompít *[színt, fényhatást]* **B.** *tni* **1. a)** megérik *[gyümölcs, bor]* **b)** *átv* kiforr, lehiggad *[jellem]* **2.** bársonyossá válik *[hang]*, tompul, lágyul *[szín, fényhatás]* • *fn* **mellowness**
melodeon [mɪˈloudɪən] *fn zene* harmónium, amerikai orgona
melodic [mɪˈlɒdɪk ‖ məˈlɑ–] *mn zene* dallamos, melodikus *[hangsor]* • *hsz* **melodically**
melodion [mɪˈloudɪən] → **melodeon**
melodious [mɪˈloudɪəs ‖ mə–] *mn* dallamos, jól hangzó, fülbemászó, melodikus
melodist [ˈmelədɪst] *fn* **1.** dalszerző **2.** dalénekes
melodize [ˈmelədaɪz], **-ise A.** *tsi* **1.** dallamossá tesz **2.** megzenésít **B.** *tni* **1.** dallamot/zenét szerez **2.** dallamot/melódiát énekel
melodrama [ˈmelədrɑːmə ‖ –dræmə] *fn* **1.** zenés színjáték, melodráma **2.** *átv* érzelgős/hatásvadász beszéd • *tsi* **melodramatize**, **-ise** *fn* **melodramatist** *mn* **melodramatic**
melodramatics [ˌmelədrəˈmætɪks] *fn tsz* **1.** érzelgősség **2.** giccses/érzelgős írás
melody [ˈmelədi] *fn* **1.** dal, ének **2. a)** zeneművek dallama/témája **b)** dallam, melódia
melon [ˈmelən] *fn* dinnye
melt [melt] **I.** *pt* **melted**, *pp* **melted**, **molten** [ˈmoultn] **A.** *tsi* **1. a)** (meg)olvaszt, (fel)olvaszt *[fémet, üveget, jeget]* **b)** (fel)old *[folyadékban]* **2.** *átv* meghat, megindít, elérzékenyít, meglágyít *[szívet]* **B.** *tni* **1. a)** (meg)olvad, elolvad; *biz* **~ in the mouth** *[ízletes]* (valósággal) elolvad a szájban; *biz* **be all ~ing** majd elolvad (a nagy hőségtől); *biz* **money ~s in his hands** minden pénz kifolyik a kezéből **b)** (fel)oldódik, elolvad *[folyadékban]* **2.** *átv* ellágyul,

elérzékenyül, (fel)enged, megindul *[érzelmileg]*; **his heart ~ed with pity** a szánakozás meglágyította a szívét **3.** *átv* elpárolog *[bátorság]* **II.** *fn* **1. a)** (meg)olvasztás **b)** (meg)olvadás, elolvadás; **be on the ~** olvadásponton van, olvadni kezd **2.** *fémip* olvadék • *fn* **melter**

melt away *tni* **1.** (teljesen) elolvad *[hó]* **2.** eloszlik, szertefoszlik *[felhő]*, szétszéled, feloszlik *[tömeg]*, elfolyik *[pénz]*, elpárolog *[harag]*

melt down *tsi* beolvaszt *[fémtárgyat]*; → **meltdown**

meltdown [ˈmeltdaʊn] *fn* **1.** beolvasztás **2.** *fiz* zónaolvadás *[reaktorban]* **3.** *átv gazd* óriási zuhanás *[tőzsdén]*, teljes összeomlás

melting point *fn* olvadáspont

melting pot *fn* **1.** olvasztótégely; *átv biz* **everything is in the ~** minden az átalakulás állapotában van, minden cseppfolyós állapotban van **2. a)** *US biz* Amerika **b)** ‹a bevándorlókat egy nemzetbe forrasztó állam›

meltwater *fn* olvadékvíz

member [ˈmembə ‖ –ər] *fn* **1. a)** tag *[családé, szervezeté]* **b) M~ of Parliament** országgyűlési képviselő **2. a)** testrész, (vég)tag, szerv **b)** hímvessző, hímtag **c)** *mat* tag *[kifejezésben]*, oldal *[egyenletben]* **d)** *épít* szerkezeti elem/tag, *műsz* kapcsolótag, csuklóelem • *mn* **-membered, memberless**

member country *fn* tagország

membership [ˈmembəʃɪp ‖ –bər–] *fn* **1.** tagság *[vké]* **2. a)** tagság *[tagok összessége]* **b)** taglétszám

membership card *fn* tagsági igazolvány, tagkönyv

membership fee *fn* tagdíj

membrane [ˈmembreɪn] *fn* **1.** *biol* hártya **2.** *műsz* membrán • *mn* **membranaceous, membraneous, membranous**

memento [mɪˈmentoʊ] *fn tsz* **-os, -oes 1.** emlékeztető/ figyelmeztető (jel), emlék **2.** megemlékezés

memento mori [mɪˈmentoʊ ˈmɔːri] *fn* **1.** emlékeztető a halálra, memento mori **2.** koponya, halálfej

memo [ˈmemoʊ] *fn biz* → **memorandum**

memoir [ˈmemwɑː ‖ –wɑr] *fn* **1.** emlékirat, beszámoló (jelentés), (emlékeztető) feljegyzés **2. a)** értekezés, disszertáció, tanulmány **b)** tudományos/tudós társaság üléseinek jegyzőkönyve **3.** rövid/vázlatos életrajz, önéletrajz **4.** *tsz* **memoirs** emlékiratok, emlékezések • *fn* **memoirist**

memorabilia [ˌmemrəˈbɪlɪə] *fn tsz* emlékezetes/fontos/ nevezetes események/cselekmények emlékei/emléktárgyai

memorable [ˈmemrəbl] *mn* emlékezetes, emlékezetre méltó, nevezetes, híres • *fn* **memorability**

memorandum [ˌmeməˈrændəm] *fn tsz* **memoranda** [–rændə], **memorandums 1. a)** emlékeztető, feljegyzés, jegyzet, jelentés, emlékirat, memorandum; **make a ~ of sg** feljegyez vmt, feljegyzést csinál vmről; felír/leír vmt **b)** diplomáciai jegyzék, emlékirat, memorandum **c)** *tsz* **memoranda** naplójegyzetek **2.** *jog* kísérő irat/feljegyzés *[szerződésé]* **3.** körlevél

memorial [mɪˈmɔːrɪəl] **I.** *fn* **1.** emlékmű, szobor; **as a ~ of sg** vmnek az emlékezetére/emlékére, megemlékezésül **2.** *tsz* **memorials** emlékiratok, (meg)emlékezések, krónika **II.** *mn* emlékeztető, megemlékező *[szobor, ünnepély]*; **~ mass** gyászmise, requiem • *fn* **memorialist**

Memorial Day *fn US* háborús hősök emléknapja *[május utolsó hétfője]*

memorialize [mɪˈmɔːrɪəlaɪz], **-ise** *tsi* **1.** emlékezetbe idéz (vkt, vmt), megemlékezik (vkről, vmről), feljegyez (vmt) **2.** vk emlékét megörökíti

memorize [ˈmeməraɪz], **-ise** *tsi* megjegyez, memorizál

memory [ˈmemri] *fn* **1.** emlékezet, emlékezés, emlékezőtehetség; **by/from ~** kívülről, fejből, emlékezetből; **loss of ~** emlékezetkiesés; amnézia; **commit sg to ~** emlékezetébe vés vmt; **it escaped/slipped my ~, it went out of my ~** ezt elfelejtettem, teljesen kiment a fejemből; **to the best of my ~** legjobb emlékezetem/tudásom szerint; **if my ~ serves me well** ha emlékezetem nem csal, ha jól emlékszem **2.** emlék(ezet) (vké/vmé); **childhood memories** gyermekkori emlékek; **in ~ of Elvis** Elvis emlékére/emlékezetére; **its ~ is still alive** még él az emléke; **we shall keep his ~** emlékét meg fogjuk őrizni **3.** *infor* **~ (unit)** memóriaegység, tároló(egység)

memory bank *fn* **1.** *infor* memóriaegység **2.** emlékezet

memory lane *fn* emlékezés, nosztalgiázás; **down/along ~** az emlékek országútján

memsahib [ˈmemsɑːɪb ‖ –sɑhɪb] *fn tört* úrnő *[európai férjes asszony megszólítása Indiában bennszülött részéről]*

men [men] → **man I.**

menace [ˈmenɪs] **I.** *fn* **1.** veszély, fenyegetés; **it is a ~ to our safety** ez veszélyezteti biztonságunkat **2.** *tréf* átok, nyűg *[pl. gyerekről]* **II. A.** *tsi* veszélyeztet, (meg)fenyeget (vkt) **B.** *tni* fenyegetődzik • *hsz* **menacingly**

ménage [meɪˈnɑːʒ, mə–] *fn* háztartás

menagerie [mɪˈnædʒəri] *fn* **1.** állatsereglet, menazséria **2.** állatkert

menarche [meˈnɑːki ‖ –ˈnɑr–] *fn biol* első menstruáció/ havivérzés

mend [mend] **I. A.** *tsi* **1.** (ki)javít, (meg)foltoz, rendbe hoz, megigazít; **~ the fire** felszítja a tüzet; tüzelőt rak/tesz a tűzre; **~ up one's clothes** kijavítja/megfoltozza ruháit **2.** kijavít, megjavít, helyrehoz; **~ one's manners** megjavítja/megváltoztatja modorát/viselkedését; **~ one's ways** *[erkölcsileg]* megjavul, jó útra tér **3. a)** helyrehoz, rendbe hoz, jóvátesz *[hibát, rossz cselekedetet]*; **~ matters** rendbe hozza (v. helyrehozza) a dolgokat/helyzetet; **~ or end** vagy megszokik, vagy megszökik **b)** támogat, segít, erősít, szaporít; **~ one's pace** meggyorsítja/szaporázza lépteit; fokozza az iramot **c)** túlszárnyal **B.** *tni* **1.** (meg)javul; **be ~ing** javul *[állapota, helyzete]*; javulóban van **2.** meggyógyul, visszanyeri egészségét, talpra áll *[beteg]* **3. a)** megszűnik, rendbe jön, kiküszöbölődik *[hiba]* **b)** rendbe jön *[helyzet, állapot]* **II.** *fn* **1. a)** kijavítás, (meg)foltozás, rendbehozás, kiigazítás **b)** folt, javítás (helye) **2.** javulás, jobbulás; **be on the ~** a javulás/jobbulás/ gyógyulás útján van, javulóban van, fokozatosan javul • *fn* **mender** *mn* **mendable**

mendacious [menˈdeɪʃəs] *mn* hazug, hazudozó, hamis • *fn* **mendacity**

mendicant [ˈmendɪkənt] **I.** *mn* kolduló, kéregető, koldus; *vall* **~ orders** kolduló szerzetesrendek **II.** *fn* koldus • *fn* **mendicancy**

mending [ˈmendɪŋ] *fn* **1.** kijavítás, megfoltozás, rendbehozás *[ruháké]*, megstoppolás *[harisnyáé]* **2.** javítani való cipők/ruhák

menfolk [ˈmenfoʊk] *fn* **1.** férfinép(ség) **2.** a férfiak *[a családban]*

menial [ˈmiːnɪəl] **I.** *mn* cselédi, szolgai, alantas *[munka, elfoglaltság]*; **be in ~ position** cselédsorban van, alantas sorban van **II.** *fn* **1.** szolga **2.** *tsz* **menials** *rendsz pej* cselédség

meningitis *fn orv* agyhártyagyulladás • *mn* **meningitic**

meninx [ˈmiːnɪŋks] *fn tsz* **meninges** [mɪˈnɪndʒiːz] *orv* agyhártya, agyburok

meniscus [mɪˈnɪskəs] *fn tsz* **menisci** [–skaɪ], **meniscuses 1.** *fiz* meniszkusz **2.** *fiz* homorú-domború (v. konvex-konkáv) lencse **3. a)** félhold, holdsarló **b)** sarlóalak, félholddíszítés *[ékszeren]* **4.** *orv* félhold alakú ízületporc, ízületi szegély • *mn* **meniscoid**

Mennonite [ˈmenənaɪt] *mn/fn vall* mennonita

menopause [ˈmenəpɔːz] *fn orv* klimax, a havivérzés megszűnése, kritikus kor • *mn* **menopausal**

menorah [mɪˈnɔːrə] *fn vall* hét/kilencágú gyertyatartó *[zsidó szertartásban]*

menorrhagia [ˌmenəˈreɪdʒə] *fn orv* túl erős/bőséges havivérzés/menstruáció

menorrhoea [ˌmenəˈriːə] *fn orv* havivérzés, menstruáció, havibaj

menostasis [mɪˈnɒstəsɪs ‖ –ˈnɑ–] *fn orv* havivérzés elmaradása

menses [ˈmensiːz] *fn tsz orv* menstruáció, havivérzés

M

Menshevik [ˈmenʃəvɪk] *mn/fn pol tört* mensevik
menstrual [ˈmenstruəl] *mn orv* havivérzéssel összefüggő, havivérzéses, menstruációs; **~ cycle** menstruációs ciklus; **~ flow** havivérzés, menstruáció
menstruate [ˈmenstrueɪt] *tni orv* menstruál, havivérzése van
menstruation [ˌmenstruˈeɪʃn] *fn orv* havivérzés, menstruáció; **a missed ~** kimaradt menstruáció
menstruous [ˈmenstruəs] *mn* **1.** hav(onként)i **2.** *orv* havivérzéssel/menstruációval járó, menstruáló
menstruum [ˈmenstruəm] *fn tsz* **menstrua** [–struə] *vegy* oldóközeg, oldóeszköz, oldószer
mensual [ˈmenʃuəl] *mn* havi, havonkénti
mensurable [ˈmenʃərəbl ‖ ˈmensərəbl] *mn* **1.** mérhető **2.** *zene* menzurális
mensural [ˈmenʃərəl ‖ ˈmensərəl] *mn* **1.** mértékes **2.** *zene* menzurális
mensuration [ˌmenʃəˈreɪʃn ‖ ˌmensə–] *fn* **1.** (le)mérés, megmérés **2.** felmérés *[területé]*
menswear [ˈmenzweə ‖ –wer] *fn* férfiruha
-ment [mənt] *utótag* ‹főnévképző› -ás/-és, -mány/-mény, -zat/-zet; **arrangement** elrendezés, intézkedés; **achievement** teljesítmény; **department** részleg, tanszék; **environment** környezet
mental [ˈmentl] *mn* **1.** szellemi, észbeli, elmebeli, *orv* agy-, elme-; **do ~ arithmetic** fejben számol; **a ~ case** elmebeteg, elmebajos; **~ deficiency** értelmi/szellemi fogyatékosság; gyengeelméjűség; **~ hygiene** mentálhygiéne; **~ state** szellemi/lelki állapot **2.** *szl [bolond]* flúgos, dilis; **she is ~ about pop music** megőrül a popzenéért
-mental [–mentl] *utótag* ‹melléknévképző› -i; **departmental** osztály-, tanszéki; **developmental** fejlesztési; **environmental** környezet(védelm)i
mental handicap *fn* értelmi fogyatékosság
mental home *fn* elmegyógyintézet
mentalism [ˈmentl·ɪzm] *fn fil pszich nyelv* mentalizmus
mentality [menˈtæləti] *fn* lelki alkat, gondolkodásmód, észjárás, lelki beállítottság, mentalitás
mental specialist *fn* elmegyorvos, ideggyógyász
mentally [ˈmentl·i] *hsz* szellemileg, intellektuálisan; **~ retarded** szellemileg visszamaradott
mentation [menˈteɪʃn] *fn* **1.** észbeli/lelki tevékenység, agyműködés **2.** elmeállapot, lelkiállapot
menthol [ˈmenθɒl ‖ –θɔl, –θɑl] *fn vegy* mentol
mention [ˈmenʃn] **I.** *tsi* (meg)említ, emleget, idéz, említést tesz, megemlékezik (vkről/vmről), kiemel, megállapít *[tényt]*, utal (vmre); **do not ~ it** szóra sem érdemes *[megköszönésre adott válasz]*; kérem; említésre sem méltó, ne is beszéljen/beszéljünk róla/erről; **not to ~** nem is beszélve vmről/vkről, nem is említve vmt/vkt; **we never ~ her** sohasem beszélünk róla; **write ~ing sy's name** vkre hivatkozva ír **II.** *fn* (meg)említés (vké/vmé), utalás (vmre); **make ~ of sg** megemlít vmt, beszél vmről • *mn* **mentionable**
mentor [ˈmentɔː ‖ ˈmentɔr] *fn* tanácsadó, tanító, vezető, irányító, útmutató
menu [ˈmenjuː] *fn* **1.** **~ (card)** étlap, étrend **2.** *infor* menü, elérhető fájlok listája
menu-driven *mn infor* menüvezérelt
MEP *röv Member of the European Parliament*
Mephistopheles [ˌmefɪ ˈstɒfəliːz ‖ –ˈstɑ] *tul* Mefisztó, ördög(ember) • *mn* **Mephistophelean**
mephitis [mɪˈfaɪtɪs] *fn* egészségtelen/káros kigőzölgés, a levegő megfertőzése • *mn* **mephitic**
mercantile [ˈmɜːkəntaɪl ‖ ˈmɜrkəntiːl] *mn* **1.** kereskedelmi, kereskedői, kereskedő-; **~ agency** kereskedelmi ügynökség; **~ marine** kereskedelmi tengerészet **2.** *közg* **~ doctrine/theory** merkantilista elmélet
mercantilism [ˈmɜːkəntɪlɪzm ‖ ˈmɜr–] *fn* **1.** *közg* merkantilizmus, merkantilista iskola **2. a)** kereskedelmi szellem/tevékenység **b)** *pej* haszonlesés, mohó pénzvágy, kalmárszellem, merkantil szellem • *fn* **mercantilist**
Mercator projection [mɜːˌkeɪtə prəˈdʒekʃn ‖ mɜrˌkər–] *fn földr* Mercator-féle vetület, hengervetület
mercenary [ˈmɜːsnˈri ‖ ˈmɜrsəneri] **I.** *mn* **1. a)** bérért dolgozó **b)** zsoldos *[katona]* **2.** *pej* pénzért megvásárolható *[ember, sajtó]*; **~ spirit** kalmárszellem **3.** érdekhajhász, haszonleső, pénzsóvár **II.** *fn* zsoldos (katona)
mercer [ˈmɜːsə ‖ ˈmɜrsər] *fn GB* selyem(áru-)kereskedő(-nő) • *mn* **mercery**
mercerize [ˈmɜːsəraɪz ‖ ˈmɜr–], **-ise** *tsi tex* fényesít, mercerizál, selymesít *[pamutfonalat]*
merchandise [ˈmɜːtʃəndaɪz ‖ ˈmɜr–], **–ize** **I.** *fn* áru, portéka; **M~ Marks Act** védjegytörvény **II.** *tsi/tni* **1.** kereskedik, árul, áruba bocsát **2.** *US* értékesít *[gyár/nagykereskedő nagyban, reklámozással]*
merchandiser [ˈmɜːtʃəndaɪzə ‖ ˈmɜrtʃəndaɪzər], **-izer** *fn* **1.** kereskedő **2.** *US gazd* értékesítési tanácsadó, piacstratéga
merchandising [ˈmɜːtʃəndaɪzɪŋ ‖ ˈmɜr–], **-izing** *fn gazd* értékesítés
merchant [ˈmɜːtʃənt ‖ ˈmɜr–] **I.** *mn* kereskedelmi, kereskedői; **~ fleet/marine** kereskedelmi flotta; **~ ship/vessel** kereskedelmi hajó **II.** *fn* **a)** *GB* nagykereskedő; **M~'s Court** kereskedelmi bíróság/törvényszék **b)** *US* (kis)kereskedő, boltos
merchantable [ˈmɜːtʃəntəbl ‖ ˈmɜr–] *mn* **1.** eladó, piacképes *[áru]* **2.** kelendő, könnyen eladható/értékesíthető, keresett *[áru]*
merchant bank *fn GB* kereskedelmi bank
merciful [ˈmɜːsɪfl ‖ ˈmɜr–] *mn* irgalmas, könyörületes, kegyes, kegyelmes, jóságos (*to* vkhez/vk iránt); **be ~ to me** irgalmazz nekem, könyörülj rajtam
merciless [ˈmɜːsɪləs ‖ ˈmɜr–] *mn* irgalmatlan, könyörtelen, kíméletlen
mercurial [mɜːˈkjʊərɪəl ‖ mɜrˈkjʊrɪəl] **I.** *mn* **1. a)** élénk, eleven, fürge, szemfüles, fürge észjárású, leleményes, találékony *[ember]* **b)** állhatatlan, ingatag, szeszélyes *[személy]* **c)** *csill* Merkúrral kapcsolatos **2.** *orv* higanytartalmú, higanyos, higany- *[készítmény]* **II.** *fn orv* higanytartalmú gyógyszer • *fn* **mercuriality**
mercury [ˈmɜːkjʊri ‖ ˈmɜrkjəri] *fn* **1.** *vegy* higany; *biz* **the ~ is falling** esik a hőmérő; csökken a hőmérséklet **2.** hírnök, követ, küldönc **3.** *növ* szélfű, merkúrfű, merkúrcsilla • *mn* **mercuric, mercurous**
Mercury [ˈmɜːkjʊri ‖ ˈmɜrkjəri] *tul* **1.** *mit* Merkúr, Mercurius **2.** *csill* Merkúr (bolygó)
mercury vapour lamp *fn* higanygőzlámpa
mercy [ˈmɜːsi ‖ ˈmɜrsi] *fn* **1.** könyörületesség, irgalom, kegyelem, megkegyelmezés, bocsánat, megbocsátás; **without ~** irgalmatlanul, könyörtelenül; **beg/call/cry for ~** irgalomért könyörög; kegyelmet kér; **have ~ on/upon sy** (meg)sajnál vkt; megkegyelmez vknek; **show ~ to sy** megkönyörül vkn **2. at the ~ of sy** vk személyének kiszolgáltatva; vknek kénye-kedve szerint; **at the ~ of the waves** a hullámok szeszélyének kitéve **3.** szerencse; **it's a ~ to** szerencse, hogy
mercy flight *fn GB* légi betegszállítás
mercy killing *fn orv biz* könyörületi halál, eutanázia
mere[1] [mɪə ‖ mɪr] *mn* merő, puszta, egyedüli; **the ~ fact** maga a puszta tény; **~ nonsense** merő ostobaság; **as a ~ spectator** mint egyszerű/puszta megfigyelő/néző
mere[2] [mɪə ‖ mɪr] *fn vál táj régi* (kis) tó, tavacska, pocsolya
merely [ˈmɪəli ‖ ˈmɪr–] *hsz* merőben, csak, csupán, pusztán, önmagában, egyedül; **not ~** nemcsak, nem csupán
meretricious [ˌmerɪˈtrɪʃəs] *mn* **1.** rikító, felcicomázott, mesterkélt, feltűnősködő **2.** prostituáltra/örömlányra jellemző, erkölcstelen, szemérmetlen
merganser [mɜːˈgænsə ‖ mɜrˈgænsər] *fn áll* bukó(madár), búvárlúd
merge [mɜːdʒ ‖ mɜrdʒ] **A.** *tsi* **1.** összeolvaszt, egybeolvaszt, összevon, egyesít *[szervezeteket]* **2.** bemerít, lemerít; **~ oneself** megmeríti magát, lemerül; **~ sg in(to) sg** összeolvaszt/egybeolvaszt vmt vmvel **B.** *tni* összeolvad, ösz-

szekeveredik (*in/into* vmvel), belevész (*in/into* vmbe), elmerül, eltűnik (*in/into* vmben), egyesül, beolvad, fuzionál *[bank]* • *fn* **mergence**

merger [ˈmɜːdʒə ‖ ˈmɜrdʒər] *fn* **1.** *gazd* egybeolvadás, összeolvadás, egyesülés, fúzió *[több vállalaté]*; **industrial ~** iparvállalatok egyesülése/fúziója; **~ company** összeolvadt/fuzionált vállalat **2.** *jog* megszűnés/konszolidáció egyesítés/fúzió által

meridian [məˈrɪdɪən] **I.** *fn* **1.** *földr* délkör, meridián; **first/zero ~** a kezdő meridián *[amelytől a földrajzi hosszúságot számítják]* **2.** tetőpont, csúcspont, tetőfok; *biz* **at the ~ of his glory** dicsősége csúcspontján/tetőpontján **3. a)** dél *[napszak]* **b)** déli pihenő/szunyókálás **II.** *mn* **1. a)** déli *[napszak vidék]*, délvidéki **b)** *csill* délköri, meridián-; **~ line** meridiánvonal, észak-dél vonal, meridián, délkör; *csill* **~ passage** áthaladás délkörön; *hajó* **~ sailing** hajózás északi v. déli irányban **2.** legmagasabb, tetőponti, tető-, kulamináló, tetőpontján levő, tetőző

meridian circle *fn csill* meridiánkör

meridional [məˈrɪdɪənl] **I.** *mn* **1. a)** déli, délvidéki **b)** délfranciaországi, délfrancia **2.** *csill hajó* délköri, meridián- **II.** *fn* **1.** délvidéki/dél-európai férfi/nő **2.** délfrancia férfi/nő

meringue [məˈræŋ] *fn gaszt* **1.** habcsók **2.** sült (cukrozott) tojáshab

merino [məˈriːnoʊ] *fn* **1.** *áll* merinó juh **2.** *tex* merinógyapjú

meristem [ˈmerɪstem] *fn növ* merisztéma • *mn* **meristematic**

merit [ˈmerɪt] **I.** *fn* **1. a)** érdem; **make a ~ of (doing) sg, take ~ to oneself for (doing) sg** vmvel (v. vmnek a megtételével) dicsekszik; **treat sy according to his ~s** vkvel úgy bánik ahogy megérdemli **b)** *tsz* **merits** *jog* érdem, fő (szem)pontok *[ügyé]*; **the case is at issue upon its ~s** az ügy érdemben kerül tárgyalásra **2.** kiválóság, jóság, érték(esség), tehetség; **certificate/diploma of ~** dicséret, kitüntetés, elismerő oklevél *[díjkiosztásnál]*; **man of ~** érdemes/értékes/kiváló ember **II.** *tsi* (meg)érdemel, kiérdemel *[jutalmat, büntetést]*

meritocracy [ˌmerɪˈtɒkrəsi ‖ –ˈtɑ–] *fn* meritokrácia, teljesítményelvű rendszer/társadalom • *mn* **meritocratic**

meritorious [ˌmerɪˈtɔːrɪəs] *mn* **1.** érdemes, érdemdús *[személy]*, elismerésre/dicséretre méltó *[tett]*, tiszteletre méltó, dicséretre méltó **2.** érdemleges, meritórikus *[tárgyalás]*

merit rating *fn* teljesítményalapú minősítés

merlin [ˈmɜːlɪn ‖ ˈmɜr–] *fn áll* kis sólyom

merlon [ˈmɜːlən ‖ ˈmɜr–] *fn épít tört* két lőrés közti falszakasz *[várfalon]*, falpárta, pártázat, merlon

Merlot [ˈmeəlou ‖ ˈmer–] *fn gaszt* merlot *[bor és szőlő]*

mermaid [ˈmɜːmeɪd ‖ ˈmɜr–] *fn* hableány, sellő, szirén

merman [ˈmɜːmæn ‖ ˈmɜrmæn] *fn tsz* **-men** [–men] triton, haltestű tengeri félisten, férfisellő

Merovingian [ˌmeroʊˈvɪndʒɪən] *mn/fn tört* Meroving *[dinasztia, korszak]*

merriment [ˈmerimənt] *fn* **1.** vígság, vidámság, jókedv, derültség **2.** mulatság, mulatozás, szórakozás, vigadozás; **to the great ~ of the crowd** a tömeg nagy mulatságára/szórakozására

merry [ˈmeri] *mn* **1.** vidám, jókedvű, derűs, mulatságos; **a ~ Christmas!** kellemes karácsonyi ünnepeket!; **make ~** mulat, mulatságot csap, szórakozik, vigadozik; **make ~ over sy** kigúnyol/kinevet vkt, nevetségessé tesz vkt **2.** *GB biz* pityókás, spicces, kicsit el van ázva; **be ~ in one's cups** borközi állapotban vidám a hangulata • *fn* **merriness** *hsz* **merrily**

merry andrew *fn* **a)** bohóc, pojáca, paprikajancsi **b)** tréfacsináló

merry-go-round *fn* **1.** körhinta, ringlispíl **2.** *átv* forgatag, örvény, zűrzavar

merrymaking *fn* **1.** mulatság, mulatozás, vidámság, szórakozás **2.** vidám gyülekezet/összejövetel/találkozó • *fn* **merrymaker**

merry thought [ˈmeriθɔːt ‖ –θɑt] *fn GB* mellcsont, villacsont, húzócsont *[szárnyasé]*

mesa [ˈmeɪsə] *fn földr* táblahegy, fennsík, plató

mésalliance [meˈzælɪəns ‖ ˌmeɪzælˈjɑns] *fn francia* rangon aluli házasság, mezaliansz

mescal [ˈmeskæl] *fn* **1.** *növ* texasi kaktusz **2.** *gaszt* ‹agávéból erjesztett alkoholos ital›

mescaline [ˈmeskəliːn, –lɪn], **mescalin** *fn vegy* meszkalin

Mesdames [meɪˈdæm ‖ meɪˈdɑːm] → **Madame**

mesencephalon [ˌmesenˈsefəlɒn ‖ –lɑn] *fn orv* középagy

mesentery [ˈmezntri ‖ –teri] *orv* bélfodor • *mn* **mesenteric**

mesh [meʃ] **I.** *fn* **1. a)** szem, csomó *[hálóé]* **b)** hálószerű anyag, neccanyag **c)** lyukbőség, lyuknagyság *[hálóé]* **d)** *tsz* **meshes** *orv* hálózat *[ereké]*, rács(ozat) **e)** *átv* hálózat, szövevény; **~es of intrigue** intrikák szövevénye; **~ of circumstances** a körülmények összefonódása **2.** *műsz* fogaskerekek egymásba illeszkedése/kapaszkodása; **in ~** bekapcsolva, üzemben; **out of ~** kikapcsolva **II. A.** *tsi* hálóba/hálóval fog, hálóba rak (vmt) **B.** *tni* **1.** egymásba kapaszkodnak/illeszkednek, összekapcsolódnak *[fogaskerekek]*, érintkezik, érintkezésben van **2.** harmonizál, harmóniában van (vmvel)

mesial [ˈmiːzɪəl] *mn orv* középső, közbülső, közép-; **~ view** középnézet(ből)

mesmerism [ˈmezmərɪzm] *fn* igézet, delejesség, állati mágnesesség, hipnotizmus, hipnózis, mesmerizmus • *fn* **mesmerist** *mn* **mesmeric**

mesmerize [ˈmezməraɪz], **-ise** *tsi* **a)** delejez, hipnotizál **b)** megigéz, megbabonáz (vkt)

mesne [miːn] *mn jog* közbeeső, közbenső, közbülső, két időpont közötti; *tört* **~ lord** alhűbéres, hűbéres hűbérese

meso- [ˈmesoʊ] *előtag* közép-, köz-, középső

mesoblast [ˈmesoʊblɑːst ‖ –blæst] *fn biol* középső csíralemez, mezoblaszt

mesocephalic [ˌmesoʊsɪˈfælɪk] *mn orv* **1.** közepes koponyaméretű **2.** középagyi-, középagyfodor-

mesoderm [ˌmesoʊˈdɜːm ‖ –ˈdɜrm] *fn biol* középső csíralevél/lemez, mezoderma • *mn* **mesodermal**

mesolithic [ˌmesoʊˈlɪθɪk] *mn régész* mezolitikus

Mesolithic [ˌmesoʊˈlɪθɪk] *fn régész* mezolitikum

mesomorph [ˈmesoʊmɔːf ‖ –mɔrf] *fn orv* mezomorf, atlétaalkat • *mn* **mesomorphic**

meson [ˈmiːzɒn ‖ –zɑn] *fn fiz* mezon *[elemi részecske]* • *mn* **mesic**, **mesonic**

mesophyll [ˈmesoʊfɪl] *fn növ* levélkéregszövet, mesophyllum

mesophyte [ˈmesoʊfaɪt] *fn növ* mesophyta, mezofita *[közepes nedvességi viszonyok közepette növő növény]*

Mesopotamia [ˌmesəpəˈteɪmɪə] *tul földr* Mezopotámia

Mesopotamian [ˌmesəpəˈteɪmɪən] *mn/fn* mezopotámiai

mesosphere [ˈmesəˌsfɪə ‖ –ˌsfɪər] *fn meteo* mezoszféra

mesozoic [ˌmesoʊˈzoʊɪk, ˌmezə–] *mn geol* másodkori, mezozoikus

Mesozoic [ˌmesoʊˈzoʊɪk, ˌmezə–] *fn geol* másodkor, mezozoikum

mesquite [meˈskiːt] *fn növ* mesquitofa, mesquitocserje

mesquite bean *fn* mesquitebab *[takarmány]*

mess [mes] **I.** *fn* **1.** piszok, kosz, szemét, mocsok; **make a ~ of the table-cloth** bepiszkítja/bepiszkolja az asztalterítőt **2. a)** rendetlenség, összevisszaság, zűrzavar; **what a ~!** micsoda rendetlenség/zűrzavar/felfordulás! **b)** *biz* kellemetlenség, pác *[eset]*; **be in a bad ~** bajban van, kínos helyzetben van, nyakig benne van a pácban/slamasztikában; **clear up the ~** rendbe rakja a dolgokat; tisztázza a zavaros helyzetet; **get into a ~** bajba (v. kínos helyzetbe) kerül/jut; **make a ~ of it** elront/elügyetlenkedik vmt; összezavar vmt; **make a ~ of a job** munkát/feladatot elront **3.** ürülék *[háziállaté]*; **make a ~ on the carpet** odapiszkít a szőnyegre **4. a)** *kat* tiszti étkezde, legénységi étkezde/

M

kantin **b)** katonai étkezdében felszolgált étel/fogás **5. a)** étel, fogás **b)** állati eledel, takarmány(adag) **II. A.** *tsi* (be)piszkít, (be)piszkol, (be)mocskol **B.** *tni* együtt/közösen étkezik
mess about *tni biz* **1.** babrál, tesz-vesz, piszmog, vacakol, idejét fecsérli **2.** könnyedén/hetykén viselkedik, ostobáskodik
mess around → **mess about**
mess up *tsi* ~ **up sg** elront/összezavar vmt
mess with *tni* **1.** beleártja magát, beleavatkozik, belebonyolódik vmbe **2.** *biz* kikezd vkvel
message ['mesɪdʒ] **I.** *fn* **1.** üzenet, híradás, közlés, értesítés; **bear/carry/deliver a** ~ üzenetet ad át; *biz* **get the** ~ érti a dolgot/lényeget; **leave a** ~ **for sy** üzenetet hagy vk részére **2.** megbízás, küldetés; **go on a** ~ megbízatást teljesít/elintéz **3. a)** jóslat, jövendölés, kinyilatkoztatás, prófécia **b)** *átv* mondanivaló, üzenet *[íróé, műé]* **II.** *tsi* **1.** üzenetet küld, üzenetet eljuttat/továbbít **2.** jelzésekkel/távírón/telefonon továbbít *[parancsot]*
message board *fn US* hirdetőtábla
messenger ['mesndʒə ‖ –ər] *fn* **a)** hírvivő, hírnök **b)** hivatalsegéd, hivatali altiszt **c)** küldönc, kifutó
messenger RNA *fn biol* messzendzser RNS, mRNS
mess hall *fn US* kantin
Messiah [mɪ'saɪə] *tul* Messiás, Megváltó
messianic [ˌmesi'ænɪk] *mn vall* messiási, a Megváltóval kapcsolatos • *fn* **messianism**
Messieurs [meɪ'sjɜːz ‖ –'sjɜrz] → **Monsieur**
messmate *fn kat* asztaltárs, ebédtárs
Messrs ['mesəz ‖ –ərz] *röv Messieurs* a *Mr* többese
messuage ['meswɪdʒ] *fn jog* ingatlan(birtok) *[ház, föld és telek]*
messy ['mesi] *mn* **1. a)** *biz* piszkos, koszos, szennyes **b)** *biz* rendetlen **2.** *biz* (be)piszkoló, (be)piszkító **3.** *biz* kellemetlen, zűrös • *fn* **messiness** *hsz* **messily**
mestiza [me'stiːzə] *fn* mesztic nő
mestizo [me'stiːzoʊ] *fn* mesztic férfi
met [met] → **meet**[1] I.
Met *röv* **1.** *GB Meteorological Office* **2.** *Metropolitan Line/Railway* **3.** *US Metropolitan Opera House*
meta- ['metə] *előtag* meta-
metabolic [ˌmetə'bɒlɪk ‖ ˌmetə'bɑ–] *mn biol* anyagcserével kapcsolatos, anyagcsere-; ~ **disease** anyagcsere-betegség • *hsz* **metabolically**
metabolism [mɪ'tæbəlɪzm] *fn biol* anyagcsere, metabolizmus
metabolize [mɪ'tæbəlaɪz], **-ise** *tsi* anyagcserével átalakít/átváltoztat *[zsírt, szénhidrátot]*
metacentre ['metəsentə ‖ – ər], *US* **-center** *fn fiz* metacentrum • *mn* **metacentric**
metadata [ˌmetə'deɪtə] *fn infor* metaadat, leíró adat
metagalaxy [ˌmetə'gæləksi] *fn csill* metagalaxis, metagalaktika
metage ['miːtɪdʒ] *fn* **1.** mérés, mérlegelés, mázsálás **2.** mérés/megmérés/mázsálás díja
metagenesis [ˌmetə'dʒenɪsɪs] *fn biol* ivadékváltás, ivadékcsere • *mn* **metagenetic**
metal ['metl] **-ll-**, *US* **-l- I.** *fn* **1. a)** fém, érc; **base** ~ közönséges fém; ötvözet alapanyaga; **noble/precious** ~**s** nemesfémek **b)** öntött fém, öntvény **c)** fémötvözet **d) coat/cover a surface with** ~ (vékony) fémréteggel bevon egy felületet, galvanizál **2.** megolvasztott/olvadt üveg **3. a)** *ásv* érc(kő), érctartalmú kőzet **b)** *ásv* megkeményedett agyag, pala **4.** *épít* kőalapozás, kőzúzalék **5.** *tsz* **metals** *vasút* sínek, pálya; **jump/leave the** ~**s** kiugrik a sínből, kisiklik *[mozdony]* **6.** *cím* arany(szín), ezüst(szín) **7.** metál *[rockzenei irányzat]* **II.** *tsi* **1.** kőzúzalékkal megalapoz, makadámmal burkol *[utat]* **2.** (vékony) fémréteggel bevon, galvanizál
metalanguage ['metəlæŋgwɪdʒ] *fn nyelv* metanyelv
metal detector *fn* fémkereső, fémérzékelő, fémdetektor
metal fatigue *fn* anyagfáradás *[fémben]*
metalinguistics [ˌmetəlɪŋ'gwɪstɪks] *fn nyelv* metalingvisztika • *mn* **metalinguistic**
metallic [mɪ'tælɪk] *mn* **1.** fémes, fém-, érces, érc- **2.** *átv* csengő, hideg; ~ **voice** érces hang
metalliferous [ˌmetəl'ɪfərəs] *mn* érctartalmú, fémtartalmú
metallize ['metəlaɪz], **-ise** *tsi* **1.** fémréteggel bevon, fémez, galvanizál **2.** vulkanizál *[kaucsukot]* • *fn* **metallization**
metallography [ˌmetəl'ɒgrəfi ‖ ˌmetl'ɑ–] *fn* fémismerettan, metallográfia • *mn* **metallographic**
metalloid ['metəlɔɪd] **I.** *mn* félfém-, metalloid **II.** *fn* félfém, metalloid
metallurgy [mɪ'tælədʒi ‖ 'metlˑɜrdʒi] *fn* **1. a)** kohászat, fémgyártás **b)** kohászattan **2.** fémipar, vasipar • *fn* **metallurgist** *mn* **metallurgic, metallurgical**
metalwork *fn* **1. a)** fémmegmunkálás, lakatosmunka **b)** megmunkált fém **2.** *esz* **metalworks** fémfeldolgozó (gyár), bádogosműhely • *fn* **metalworker** *fn/mn* **metalworking**
metamere ['metəmɪə ‖ –mɪr] *fn áll* testszelvény
metameric [ˌmetə'merɪk] *mn* **1.** *biol* szelvényes **2.** *vegy* metamerikus
metamorphic [ˌmetə'mɔːfɪk ‖ –'mɔr–] *mn geol* metamorf, átalakult • *fn* **metamorphism**
metamorphose [ˌmetə'mɔːfoʊz ‖ –'mɔr–] **A.** *tsi* átalakít, átváltoztat (*to/into* vmvé) **B.** *tni* átalakul, átváltozik (*into* vmvé)
metamorphosis [ˌmetə'mɔːfəsɪs ‖ –'mɔr–] *fn tsz* **metamophoses** [–siːz] átalakulás, alakváltozás, metamorfózis
metamorphous [ˌmetə'mɔːfəs] *mn geol* metamorf, átalakult
metaphor ['metəfə, –fɔː ‖ 'metəfɔr] *fn* szókép, hasonlat, metafora; **mixed** ~ képzavar • *mn* **metaphoric, metaphorical** *hsz* **metaphorically**
metaphrase ['metəfreɪz] **I.** *fn* szó szerinti fordítás, tükörfordítás **II.** *tsi* szó szerint (le)fordít • *mn* **metaphrastic**
metaphysical [ˌmetə'fɪzɪkl] **I.** *mn* **1.** metafizikai, természetfeletti **2.** metafizikus **II.** *fn vál* a metafizikai iskolához tartozó költő • *hsz* **metaphysically**
metaphysics [ˌmetə'fɪzɪks] *fn esz* **1.** metafizika **2.** *biz* puszta elmélet, teoretizálás • *fn* **metaphysician** *tni* **metaphysicize**
metaplasia [ˌmetə'pleɪzɪə ‖ –'pleɪʒə] *fn biol* metaplázia • *mn* **metaplastic**
metastable [ˌmetə'steɪbl] *mn fiz* metastabilis, kevéssé állékony
metastasis [me'tæstəsɪs] *fn tsz* **metastases** [–siːz] *orv* áttétel *[ráké, daganaté]* • *tni* **metastasize** *mn* **metastic**
metatarsus [–'tɑːsəs ‖ –'tɑrsəs] *fn tsz* **metatarsi** [–saɪ] *orv* lábközép(csont) • *mn* **metatarsal**
metathesis [me'tæθəsɪs] *fn tsz* **metatheses** [–siːz] **1.** *nyelv* áttétel *[hangé]*, metatézis **2.** *vegy* cserebomlás, metatézis • *mn* **metathetic, metathetical**
metazoan [ˌmetə'zoʊən] *áll* **I.** *fn* metazoon **II.** *mn* metazoákhoz tartozó
mete[1] [miːt] *fn jog* ~**s and bounds** határjelek, határkövek; (terület)határok
mete[2] [miːt] *tsi* **1.** *vál* (meg)mér, kimér **2.** *vál* szolgáltat *[igazságot]*, kioszt *[jutalmakat]*
mete out *tsi* kioszt, kimér *[büntetést]*; ~ **out justice** igazságot szolgáltat
metempsychosis [ˌmetempsaɪ'koʊsɪs ‖ ˌmetəm–] *fn tsz* **metempsychoses** [–siːz] lélekvándorlás
meteor ['miːtɪə ‖ –ər] *fn* **a)** *csill* hullócsillag, meteor **b)** *átv* üstökös, meteor
meteoric [ˌmiːti'ɒrɪk ‖ –'ɔrɪk, –'ɑrɪk] *mn* **1. a)** meteorikus, meteor- **b)** *átv* meteorszerű, üstökösszerű, tüneményes **2.** légköri, levegőből származó • *hsz* **meteorically**
meteorite ['miːtɪəraɪt] *fn ásv* meteorit, meteorkő, meteorvas • *mn* **meteoritic**

meteorograph [ˈmiːtɪərəgrɑːf ‖ ˌmiːtiˈɔrəgræf] *fn meteo* meteorográf
meteorology [ˌmiːtɪəˈrɒlədʒi ‖ –ˈrɑ–] *fn* meteorológia, időjárástan, légkörtan • *fn* **meteorologist** *mn* **meteorological**
meteor shower *fn csill* meteorzápor, csillaghullás
meteosat [ˈmiːtioʊsæt] *fn távk* meteorológiai műhold
meter [ˈmiːtə ‖ –ər] **I.** *fn* **1. a)** mérőeszköz, mérőműszer, (mérő)óra, számláló(készülék) **b)** parkolóóra **2.** *US* → **metre II.** *tsi* **1.** (meg)mér, lemér *[mérőeszközzel]* **2.** óráról/mérőeszközről leolvas
-meter [miːtə, mɪtə ‖ miːtər, mətər] *utótag* **1.** mérőberendezés; **barometer** barométer **2.** *ir.tud* metrum, (vers)láb; **pentameter** pentameter
meter-candle *fn fiz* métergyertya, lux *[megvilágítás egysége]*
metered [ˈmiːtəd ‖ –ərd] *mn* **1.** felmért, megmért, számlált; **~ mail** (automatikus) bélyegzőgéppel bérmentesített postai küldemény **2.** pontosan adagolt
meter rate *fn vill* fogyasztáson alapuló árszabás
meter reader *fn* **1.** vízóra- v. gázóra-leolvasó **2.** *US szl rep* másodpilóta • *fn* **meter reading**
meter zone *fn közl* parkolóórákkal ellátott terület
meth [meθ] *fn US szl* metamphetamin, speed *[drog]*
methane [ˈmiːθeɪn ‖ ˈme–] *fn vegy* metán
methanol [ˈmeθənɒl ‖ –nɔl] *fn vegy* metanol, metilalkohol, faszesz
methedrine [ˈmeθədriːn] *fn vegy* → **metamphetamine**
methinks [mɪˈθɪŋks] *tsi pt* **methought** [mɪˈθɔːt] *régi* úgy gondolom/vélem
methionine [məˈθaɪəniːn] *mn vegy* metionin
metho [ˈmeθoʊ] *fn Ausz szl* **1.** metilalkohol **2.** metilalkoholfüggő
method [ˈmeθəd] *fn* **1.** mód(szer), eljárás **2.** rendszer(esség); **man of ~** rendszeres/módszeres ember; **there's ~ in this madness** *biz* nem is olyan bolond, mint amilyennek látszik
methodic [məˈθɒdɪk(l) ‖ –ˈθɑ–], **methodical** *mn* módszeres, rendszeres, tervszerű, szisztematikus • *hsz* **methodically**
Methodism [ˈmeθədɪzm] *fn* **1.** *vall* metodista vallás/tan, metodizmus **2.** módszerességre/rendszerességre való (túlzott) törekvés, túlzott módszeresség/rendszeresség
methodist [ˈmeθədɪst] **I.** *mn* **1.** (túlzottan) rendszeres, módszeres **2.** *vall* **M~** metodista, wesleyánus **II.** *fn* **1.** *vall* metodista, wesleyánus **2.** túlzottan alapos/rendszeres ember • *mn* **Methodistic**, **Methodistical**
methodize [ˈmeθədaɪz] *tsi* rendszerez, rendszerbe foglal (vmt), rendszert visz (vmbe) • *fn* **methodizer**
methodology [ˌmeθəˈdɒlədʒi ‖ –ˈdɑ–] *fn* módszertan, metodika, metodológia • *mn* **methodological** *fn* **methodologist**
methought [mɪˈθɔːt] → **methinks**
Methuselah [mɪˈθjuːzɪlə ‖ –ˈθuː–] *fn* **1.** *tul* Matuzsálem **2.** idős ember, matuzsálem **3.** ‹nyolcszoros méretű borospalack› matuzsálem
methyl [ˈmeθɪl] *fn vegy* metil, metilgyök • *mn* **methylic**
methylate [ˈmeθɪleɪt] *tsi vegy* metilez; **~d spirit** denaturált/ipari szesz • *fn* **methylation**
methylene [ˈmeθəliːn] *fn vegy* metilén
meticulous [mɪˈtɪkjʊləs ‖ –kjə–] *mn* aprólékos(kodó), aggályos(kodó), kínosan lelkiismeretes, pedáns; **prepared with ~ care** aprólékos gonddal kidolgozott/elkészített • *fn* **meticulousness** *hsz* **meticulously**
métier [ˈmetieɪ ‖ meɪˈtjeɪ] *fn francia* **1.** szakma, hivatás **2.** specialitás, erősség *[vmben]*
métis [meɪˈtiːs)] *fn* **1.** *US* nyolcadvér *[akinek egyik dédszülője fekete bőrű]* **2.** *Kan* mesztic
Met Office *röv Meteorological Office*
metol [ˈmetɒl] *fn fényk* metol *[előhívó]*
Metonic cycle [mɪˈtɒnɪk ‖ meˈtɑnɪk] *fn csill* Metonciklus, holdciklus
metonym [ˈmetənɪm] *fn nyelv* metonima
metonymy [mɪˈtɒnɪmi ‖ –ˈtɑ–] *fn nyelv* metonímia, fogalomcsere • *mn* **metonymic**, **metonymical**
metope [ˈmetoʊp] *fn épít* metopé
metralgia [meˈtrældʒɪə] *fn orv* méhfájdalom, méhfájás, méhgörcs
metre [ˈmiːtə ‖ –ər] *fn* **1.** méter; **cubic ~** köbméter; **square ~** négyzetméter **2.** versmérték, ütem; **in ~** versben
met report *fn GB biz* időjárás-jelentés
metric [ˈmetrɪk] *mn* méter-, méterrendszerű, metrikus; **~ hundredweight** 50 kg; **~ system** tízes mértékrendszer, méterrendszer; **~ ton(ne)** metrikus tonna, 1000 kg • *hsz* **metrically**
-metric [ˈmetrɪk] *utótag* -metrikus
metrical [ˈmetrɪkl] *mn* **1.** mérhető, mérő, mérési, metrikus **2.** versmértékes, időmértékes, verselési **3.** *nyelv* hangsúlyozási, metrikus • *hsz* **metrically**
metricate [ˈmetrɪkeɪt] **A.** *tsi* metrikus szabványra átállít **B.** *tni* metrikus szabványra átáll • *tsi* **metricize** *fn* **metrication**
metrics [ˈmetrɪks] *fn esz ir.tud* verstan, metrika
metrify [ˈmetrɪfaɪ] *tsi/tni* vers(mérték)be szed • *fn* **metrification**
metritis [meˈtraɪtɪs] *fn orv* méhgyulladás
metro [ˈmetroʊ] *fn közl* földalatti (vasút), metró
metrology [mɪˈtrɒlədʒi ‖ –ˈtrɑ–] *fn* mértékismeret, metrológia • *mn* **metrologic**, **metrological**
metronome [ˈmetrənoʊm] *fn zene* ütemjelző, ütemmérő, metronóm • *mn* **metronomic**
metronymic [ˌmetrəˈnɪmɪk] *mn* anyai (őstől származó) *[név]*
metropolis [mɪˈtrɒpəlɪs ‖ –ˈtrɑ–] *fn* **1.** metropolisz, világváros, főváros **2.** központ **3.** *vall* érseki székhely
metropolitan [ˌmetrəˈpɒlɪtən ‖ –ˈpɑlɪtn] **I.** *mn* fővárosi, világvárosi; *GB* **the M~ area** Nagy-London; **~ country** anyaország **II.** *fn* **1.** fővárosi lakos **2.** *vall* **a) ~ (bishop)** érsek **b)** metropolita *[görögkeleti egyházaké]* • *fn* **metropolitanism**
metrorrhagia [ˌmiːtrɔːˈreɪdʒɪə ‖ –trə–] *fn orv* méhvérzés
mettle [ˈmetl] *fn* **1.** hév, hevesség, lelkesedés *[személyé]*, tüzesség *[emberé, lóé]*; **full of ~** bátor; hévvel/lelkesedéssel/tűzzel tele; **put sy on his ~** vk becsületérzésére hivatkozik; vetélkedésre ösztönöz/sarkall vkt **2.** természet *[vké]*, vérmérséklet, jellem; **show one's ~** megmutatja mit ér/tud, megállja a helyét • *mn* **mettlesome**
mettled [ˈmetld] *mn* tüzes, heves, eleven, indulatos; **high-~ horse** nagyon tüzes ló
meum [ˈmeɪʊm] *fn növ* hajszállevelű nedvesgyökér
mew[1] [mjuː] **I.** *fn* nyávogás *[macskáé]*, bőgés *[tehéné]* **II.** *tni* nyávog, miákol *[macska]*, bőg *[tehén]*
mew[2] [mjuː] **I.** *fn* kalitka *[sólyom részére]* **II.** *tsi* kalitkába zár *[sólymot]*; *biz* **~ sy (up)** bezár/bebörtönöz/elhallgattat vkt
mew[3] [mjuː] *fn áll* sirály, csér, halászmadár
mewl [mjuːl] *tni* nyögdécsel, sír(-rí), nyafog, nyávog, nyivákol
mews [mjuːz] *fn esz GB* **1.** (ló)istállók, istállósor **2.** *[Londonban]* zsákutca, köz, sikátor *[melynek két oldalán valaha istállók voltak]*
Mex. *röv* **1.** *Mexican* **2.** *Mexico*
Mexican [ˈmeksɪkən] *mn/fn* mexikói
Mexican wave *fn sp* ‹szurkolók hullámzása a lelátókon›
Mexico [ˈmeksɪkoʊ] *tul földr* Mexikó
Mexico City *tul földr* Mexikóváros *[Mexikó fővárosa]*
mezereon [mɪˈzɪərɪən ‖ –ˈzɪr–] *fn növ* farkasboroszlán
mezzanine [ˈmezəniːn, ˈmetsə– ‖ ˌmezəˈniːn] *fn épít* magasföldszint, félemelet
mezzo [ˈmetsoʊ, ˈmedzoʊ] *zene* **I.** *hsz* közepesen, félig **II.** *fn* mezzoszoprán (énekes/mű)
mezzo-relievo [ˌmetsoʊrɪlˈjeɪvoʊ] *fn műv* féldombormű, középdombormű

mezzo-soprano [ˌmetsousə'prɑːnou] *fn zene* mezzoszoprán
mezzotint ['metsoutɪnt] *műv* **I.** *fn* **1.** mezzotinto, hántó/fekete rézmetszőeljárás **2.** mezzotinto eljárással nyert rézmetszet **II.** *tsi* fekete/hántolt modorban (v. mezzotinto modorban) vés • *fn* **mezzotinter**
mf, **MF** *röv* **1.** *mezzo forte* **2.** *medium frequency*
mgr, **Mgr** *röv* **1.** *manager* **2.** *Monseigneur, my Lord* **3.** *Monsignor*
MHR *röv US Ausz Member of the House of Representatives*
MHz *röv fn fiz* MHz, Megaherz *[frekvenciaegység]*
mi [miː] *fn zene* **1.** mi *[a diatonikus skála harmadik hangja]* **2.** e hang
MI *röv US Michigan*
mi. *röv US mile(s)*
MIA *röv US missing in action*
Miami [maɪ'æmi] *tul földr* Miami
miaow [mi'au] **I.** *fn* nyávogás, miákolás *[macskáé]* **II.** *tni* nyávog, miákol *[macska]*
miasma [mi'æzmə ‖ maɪ–] *fn tsz* **miasmata** [–mətə], **miasmas** *régi* **1.** ártalmas kigőzölgés, gyilkos pára **2.** fertőző kóranyag, miazma
miaul [mi'aul] *tni* **a)** nyávog, miákol, nyivákol **b)** *biz* nyávogva énekel
mica ['maɪkə] *fn ásv* csillám(kő) • *mn* **micaceous**
Micah ['maɪkə] *tul bibl* Mikeás
mica-schist *fn ásv* csillámpala
mica-slate → **mica-schist**
mice [maɪs] → **mouse I.**
Michael ['maɪkl] *tul* Mihály
Michaelmas ['mɪklməs] *fn* (Szent) Mihály-nap *[szeptember 29.]*
Michaelmas daisy *fn növ* őszirózsa
Michaelmas term *fn GB okt* őszi trimeszter
Michelle [mɪ'ʃel] *tul* ‹női név›
Michigan ['mɪʃɪgən] *tul földr* Michigan
Michigander ['mɪʃɪgændə ‖ –ər] *fn US* Michigan állam lakosa
mick [mɪk] *fn szl pej* **1.** ír(országi személy) **2.** római katolikus
Mick [mɪk] *tul* ‹férfinév›
Mickey ['mɪki] *tul bec* → **Michael**; *szl* **take the ~ out of sy** kigúnyol, nevetségessé tesz, ugrat (vkt)
Mickey Finn *fn szl* ‹ital, amelybe titokban alkoholt/kábítószert kevertek›
Mickey Mouse **I.** *tul* Miki Egér *[rajzfilmfigura]* **II.** *mn* **1.** *biz* ócska, olcsó **2.** *biz [jelentéktelen]* röhejes, nevetséges
mickle ['mɪkl] *skót régi* **I.** *mn* **a)** sok **b)** nagy **II.** *fn* sokaság, tömeg; *közm* **many a little/pickle makes a ~** sok kicsi sokra megy
Micky ['mɪki] *tul bec* → **Michael**
micro- ['maɪkrou] *előtag* **1.** mikro-, *[mint mértékegység]* milliomod **2.** kis-
micro ['maɪkrou] *fn biz* **1.** mikrohullámú sütő **2.** mikroszámítógép **3.** mikroprocesszor
microampere [ˌmaɪkrou'æmpeə ‖ –pɪr] *fn el* mikroamper
microanalysis [ˌmaɪkrouə'nælɪsɪs] *fn vegy* mikroanalízis
micro-balance [ˌmaɪkrou'bæləns] *fn fiz* mikrosúly-mérleg
microbe ['maɪkroub] *fn biol* mikroba • *mn* **microbic**
microbiology [ˌmaɪkroubaɪ'ɒlədʒi ‖ –'ɑlə–] *fn* mikrobiológia • *fn* **microbiologist** *mn* **microbiological**
microcephaly [ˌmaɪkrou'sefəli] *fn orv* kisfejűség, mikrokefália • *mn* **microcephalic, microcephalous**
microchip ['maɪkroutʃɪp] *fn infor* mikrochip, chip
microcircuit ['maɪkrousɜːkɪt ‖ –sɜr–] *fn el infor* mikroáramkör • *fn* **microcircuity**
microclimate [ˌmaɪkrou'klaɪmət] *fn* mikroklíma • *mn* **microclimatic**
microcomputer ['maɪkroukəmˌpjuːtə ‖ –tər] *fn infor* mikroszámítógép, mikrokomputer
microcook ['maɪkroukuk] *tsi* mikrohullámú sütőben süt/főz, mikróz
microcopy ['maɪkroukɒpi ‖ –kɑpi] **I.** *fn* mikro(film)kópia **II.** *tsi* mikro(film)kópiát készít
microcosm ['maɪkrəkɒzm ‖ –kɑzm] *fn* mikrokozmosz, a világ foglalata kicsiben • *mn* **microcosmic**
microdot ['maɪkrədɒt ‖ –dɑt] *fn* mikrofénykép
microeconomics [ˌmaɪkrouekə'nɒmɪks, –iːkə– ‖ –'nɑ–] *fn esz közg* mikroökonómia • *mn* **microeconomic**
microelectronics [ˌmaɪkrouɪlek'trɒnɪks ‖ –'trɑ–] *fn esz infor* mikroelektronika • *mn* **microelectronic**
microelement [ˌmaɪkrou'elɪmənt] *fn* **1.** *vegy* mikroelem **2.** *növ* nyomelem
microfiche ['maɪkroufiːʃ] *fn tsz* **~** v. **~s** mikro(film)kártya, mikrofiche
microfilm ['maɪkroufɪlm] **I.** *fn* mikrofilm **II.** *tsi* mikrofilmes felvételt készít (vmről), mikrofilmet készít (vmről)
microform ['maɪkroufɔːm ‖ –fɔrm] *fn biol* mikroorganizmus
micrograph ['maɪkrougrɑːf ‖ –græf] *fn* mikrofotó, mikrofelvétel • *mn* **micrographic**
microgroove ['maɪkrougruːv] **I.** *mn* mikrobarázdás *[hanglemez]* **II.** *fn* mikrobarázda *[hanglemezen]*
microlathe ['maɪkrouleɪð] *fn műsz* finomműszerész-esztergapad, óráseszterga
microlight ['maɪkroulaɪt] *fn rep* könnyű sportrepülőgép *[150 kg-ig]*
microlith ['maɪkrəlɪθ] *fn* **1.** *ásv* mikrolit **2.** *orv* vesehomok **3.** *régész* parányi kőeszköz • *mn* **microlithic**
micromesh ['maɪkroumeʃ] *fn tex* finom szövésű anyag
micrometer [maɪ'krɒmɪtə ‖ –'krɑmətər] *fn* mikrométer; **~ balance** mikromérleg
microminiaturization [ˌmaɪkroumɪnɪtʃəraɪ'zeɪʃn ‖ –tʃərə–], **-isation** *fn infor* mikrominiatürizáció, mikrominiatürizálás
micron ['maɪkrɒn ‖ –krɑn] *fn* mikron, mikromilliméter • *tsi* **micronize**
Micronesia [ˌmaɪkrou'niːzɪə ‖ –rə'niːʒə] *tul földr* Mikronézia
Micronesian [ˌmaɪkrou'niːzɪən ‖ –rə'niːʒən] *fn/mn* mikronéz(iai)
micronutrient [ˌmaɪkrou'njuːtrɪənt ‖ –'nuː–] *fn biol* nyomelem
micro-organism [ˌmaɪkrou'ɔːgənɪzm ‖ –'ɔr–] *fn biol* mikroorganizmus
microphone ['maɪkrəfoun] *fn* mikrofon • *mn* **microphonic**
microphotograph [ˌmaɪkrou'foutəgrɑːf ‖ –græf] *fn* mikrofotográfia, mikrofénykép • *fn* **microphotography**
microphyte ['maɪkroufaɪt] *fn növ* mikrofita *[egysejtű növény]*
microprocessor [–'prousesə ‖ –'prɑsesər] *fn infor* mikroprocesszor
microscope ['maɪkrəskoup] *fn* mikroszkóp
microscopic [–'skɒpɪk ‖ –'skɑ–] *mn* mikroszkopikus, parányi • *mn* **microscopical** *hsz* **microscopically**
microscopy [maɪ'krɒskəpi ‖ –'krɑ–] *fn* mikroszkópia, mikroszkóp használata
microsecond ['maɪkrəsekənd] *fn* mikroszekundum
microspore ['maɪkrouspɔː ‖ –spɔr] *fn növ* mikrospóra, apró spóra
microstructure ['maɪkroustrʌktʃə ‖ –tʃər] *fn* mikroszerkezet
microsurgery [ˌmaɪkrou'sɜːdʒəri] *fn orv* mikrosebészet • *mn* **microsurgical**
microtome ['maɪkroutoum] *fn* kismetsző, metszetvágó, metszőgép
microwave ['maɪkrəweɪv] **I.** *fn* **1.** mikrohullám, ultrarövid hullám **2.** → **microwave oven** **II.** *tsi* mikrohullámú sütőben süt, mikróz • *mn* **microwaveable**
microwave oven *fn* mikrohullámú sütő

M

micrurgy [ˈmaɪkrɜːdʒi ‖ –krɜr–] *fn* mikrosebészet, sejtsebészet

micturition [ˌmɪktjuˈrɪʃn ‖ –tʃə–] *fn orv* vizelés

mid[1] [mɪd] *mn* **1.** közép-, középső, középen levő; **~ month** a hónap közepe/tizenötödike; **in ~ air** a levegőben, repülés közben **2.** *nyelv* középső nyelvállású *[magánhangzó]*

mid[2] [mɪd] *vál* → **amid**

Midas touch *fn* ‹kitűnő üzleti érzék›; **have the ~** *átv biz* amihez nyúl, arannyá változik

mid-Atlantic *mn* középatlanti; *geol* **~ ridge** középatlanti hátság

midbrain [ˈmɪdbreɪn] *fn orv* középagy

midday [ˌmɪdˈdeɪ] *fn* dél(idő)

midden [ˈmɪdn] *fn* **1.** szemétdomb **2.** trágyadomb

middle [ˈmɪdl] **I.** *mn* **1.** középső, közép-; *nyelv* **M~ English** középangol *[nyelv]*; **~ finger** középső ujj; **~ point** középpont; **~ price** középárfolyam **2.** közepes, átlagos, középszerű *[minőség]* **3.** közbelépő, közvetítő **II.** *fn* **1.** vmnek a közepe, középpont; **in the ~ of sg** vmnek a közepén; **I was in the ~ of reading** *biz* éppen olvastam **2. a)** derék *[testrész]*; **round his ~** a dereka körül **b)** ‹levágott sertésnek/juhnak/marhának a lapocka és a far/sonka közé eső része› **III.** *tsi* **1.** középre tesz/helyez **2.** *sp* középre adja a labdát, bead

middle-aged *mn* középkorú, javakorabeli *[személy]*

Middle Ages *fn tört* **(the) ~** (a) középkor

middlebrow *biz* **I.** *mn* átlagos ízlésű/műveltségű, közepes műveltségű **II.** *fn* átlagosan művelt ember

middle class *fn* **the ~(es)** a középosztály, a polgárság

middle-class *mn* **1.** középosztálybeli **2.** közepes, középszerű, polgári • *fn* **middle-classness**

middle course *fn átv* középút; **follow/take a/the ~** a középutat választja

middle distance *fn sp* középtáv

middle-distance *mn sp* középtáv-

Middle East *fn földr* **(the) ~** Közel-Kelet

middle-income *mn* közepes jövedelmű

middleman *fn tsz* **-men** **1.** *gazd* viszonteladó, közvetítő kereskedő **2.** közvetítő, ügynök

middlemost [ˈmɪdlmoust] *mn* a kellős közepén levő, középponthoz legközelebb eső, centrális

middle name *fn* **1.** második keresztnév **2.** *átv* fő jellemvonás; **modesty is my ~** a legfőbb erényem a szerénység

middle-of-the-road *mn* **1.** középutas, szélsőségeket kerülő **2.** *zene* sablonzene • *fn* **middle-of-the-roader**

middle-rate *mn* középszerű, közepes

Middlesex [ˈmɪdlseks] *tul földr* Middlesex

middle-sized *mn* közepes méretű, középméretű

middleweight *fn sp* középsúly

middling [ˈmɪdlˈɪŋ] **I.** *mn* **1. a)** közepes *[minőségű]* **b)** *biz* elég jó, tűrhető **2.** középszerű, átlagos *[méret, képesség]* **II.** *hsz* **~(ly)** elég jól, közepesen, tűrhetően **III.** *fn tsz* **middlings a)** középfinom (v. közepes minőségű) áru **b)** középtöretek *[malomiparban]*, derce, dara

Middx. *röv földr* Middlesex

middy blouse *fn* matrózblúz *[nőké, gyermekeké]*

midfield [ˈmɪdfiːld] *fn sp* **1.** középpálya **2. ~ (player)** középpályás *[játékos]*

midfielder [ˈmɪdfiːldə ‖ –dər] → **midfield** 2.

midge [mɪdʒ] *fn* **1.** *áll* **a)** szúnyog **b)** muslica **2.** *biz* törpe, apró növésű ember

midget [ˈmɪdʒɪt] **I.** *mn* apró, törpe, pici, miniatűr **II.** *fn* törpe *[apró növésű ember]*

midi [ˈmɪdi] *fn* midi *[szoknya, kabát]*

Midi [ˈmɪdi], **MIDI** *röv fn infor musical instrument digital interface* Midi-zenekódolási szabvány

midiron [ˈmɪdaɪən ‖ –rən] *fn sp* ‹golfütő fajta›

midland [ˈmɪdlənd] **I.** *mn* **1.** ország belsejében fekvő, belvidéki **2.** közép-angliai **II.** *fn* **1.** ország belterülete, belvidék **2. the Midlands** Közép-Anglia • *fn* **midlander, Midlander**

midlife [ˈmɪdlaɪf] *fn* középkor, az élet dele

midlife crisis *fn orv* ‹középkorúaknál fellépő érzelmi válság›

midline [ˈmɪdlaɪn] *fn* középvonal

mid-morning *hsz* délelőtt, a délelőtt folyamán *[kb. 10-11 órakor]*

midmost [ˈmɪdmoust] **I.** *mn* (leg)középső **II.** *hsz* pontosan a közepén

midnight [ˈmɪdnaɪt] *fn* **1.** éjfél **2.** mély sötétség

midnight appointments *fn pol US* ‹kormányzati időszak legvégén eszközölt kinevezések›

midnight blue *mn/fn* éjszínkék, mély sötétkék

midnight hours *fn tsz* az éjfél utáni órák, korahajnal

mid-off *fn sp* közép-balcsatár *[krikettben]*

mid-on *fn sp* közép-jobbcsatár *[krikettben]*

midpoint [ˈmɪdpɔɪnt] *fn mat* felezőpont

mid-range **I.** *fn* **1.** *távk* sávközép **2.** *kat* közepes hatótávolság *[lövedéké]* **II.** *mn kat* közepes hatótávolságú *[lövedéké]*

midrib [ˈmɪdrɪb] *fn növ* középső erezet *[levélen]*

midriff [ˈmɪdrɪf] *fn* **1.** *orv* rekeszizom, diafragma **2.** testhez simuló derékrész *[női ruhán]*

midship [ˈmɪdʃɪp] *fn hajó* hajó közepe

midshipman [ˈmɪdʃɪpmən] *fn tsz* **-men** *hajó* tengerészhadapród, tengerészkadét

midships [ˈmɪdʃɪps] *hsz hajó* a hajó közepén

midst [mɪdst] **I.** *elölj* között, közepütt **II.** *fn* közép, a középső; **in our ~** közöttünk, nálunk, társaságunkban; **in the ~ of sg** közepette, vm közepén/közben

midstream [ˈmɪdstriːm] *fn* **1.** középvonal *[folyóé]* **2.** vm kellős közepe; **in ~** vm közepém/közepette

midsummer [ˈmɪdsʌmə ‖ –mər] *fn* **1.** nyárközép, a nyár dereka **2.** nyári napfordulat

Midsummer Day *fn* Szent Iván napja, János napja *[június 24.]*

midterm [ˈmɪdtɜːm ‖ –tɜrm] *fn* **1.** *okt* **a)** negyedév **b)** negyedévi vizsga **2.** *US* félidő *[kormányzaté]*

midtown [ˈmɪdtaun] *fn US* ‹a belváros és a külváros közti terület›

midway [ˈmɪdweɪ] *hsz* feleúton, félúton; **~ between Minneapolis and Los Angeles** félúton Minneapolis és Los Angeles között

midweek [ˈmɪdwiːk] **I.** *fn* a hét közepe **II.** *hsz* hétközben, a hét közepén

Midwest [ˈmɪdwest] *tul földr US* a Középnyugat • *mn* **Midwestern**

midwife [ˈmɪdwaɪf] **I.** *fn tsz* **-wives** [–waɪvz] szülésznő, bába **II.** *tni* szülés levezetésénél közreműködik, bábáskodik • *fn* **midwifery**

midwife toad *fn áll* bábavarangy

midwinter [ˈmɪdwɪntə ‖ –tər] *fn* **1.** télközép, a tél dereka **2.** téli napfordulat

midyear [ˈmɪdjɪə ‖ –jɪr] **I.** *mn* évközi, félévi **II.** *fn* az év közepe

mien [miːn] *fn vál* arc(vonás), arckifejezés, magatartás, megjelenés

miff [mɪf] *biz* **I.** *tsi* **be ~ed** haragszik, mérges, megbotránkozik; **be ~ed at sg** megsértődik vmn, duzzog vm miatt **II.** *fn* **1.** civakodás, összekoccanás, összezördülés **2.** rosszkedv, bosszúság

miffy [ˈmɪfi] *mn biz* érzékeny, sértődékeny, könnyen haragra gerjedő

might[1] [maɪt] *fn* erő, képesség, hatalom; **man of ~** erős bátor ember; *kif* **~ against right** az erősebb joga; *kif* **with ~ and main** teljes erővel; **work with all one's ~** teljes erővel dolgozik; *közm* **~ is right** aki kapja marja

might[2] [maɪt] → **may**[1]

might-have-been *fn biz* **he is a ~** lecsúszott ember; örök tehetség marad(t)

mightn't [ˈmaɪtnt] *röv might not* → **may**[1]

mighty [ˈmaɪti] **I.** *mn* **1.** erős, hatalmas; *bibl* **~ works** csodák, csodálatos tettek **2.** nagy, hatalmas, nagyszerű **3.** *biz* nagy, tekintélyes; **a ~ swell** fejes, nagyfejű *[fontos szemé-*

M

lyiségről] **II.** *hsz biz* igen, nagyon, rendkívül; ~ **easy** *biz* csudakönnyű, pofonegyszerű • *fn* **mightiness** *hsz* **mightily**

mignonette [ˌmɪnjəˈnet] *fn* **1.** *növ* kerti/illatos rezeda **2.** világoszöld szín, rezedaszín, rezedazöld **3.** ~ **(lace)** finom francia csipke

migraine [ˈmiːgreɪn ‖ ˈmaɪ–] *fn orv* féloldali/ideges fejfájás/fejgörcs, migrén • *mn* **migrainous**

migrant [ˈmaɪgrənt] **I.** *mn* vándorló, kóborló, vándor-, költöző *[ember, madár]* **II.** *fn* **1.** vándor, kóborló **2.** kivándorló, emigráns

migrate [maɪˈgreɪt ‖ ˈmaɪgreɪt] *tni* **1.** kivándorol, emigrál **2.** költözik *[madár]* • *fn* **migration** *mn* **migrational**, **migratory**

mikado [mɪˈkɑːdoʊ] *fn* mikádó *[a japán császár]*

Mike [maɪk] *tul bec* → **Michael**; **for the love of** ~ *biz* az isten szerelmére

mike[1] [maɪk] *fn biz* **1.** mikrofon **2.** mikroszkóp

mike[2] [maɪk] *tni szl [tétlenkedik, lustálkodik]* lóg, lazsál

mil [mɪl] *fn ip* a hüvelyk ezredrésze *[= 0,025 mm]*

mil. *röv* **1.** *mileage* **2.** *military* **3.** *militia* **4.** *million*

milady [mɪˈleɪdi] *fn* **1.** (fő)nemes hölgy, méltóságos asszony **2.** méltóságos asszonyom *[megszólításként]*

milage [ˈmaɪlɪdʒ] → **mileage**

Milan [mɪˈlæn] *tul földr* Milánó

Milanese [ˌmɪləˈniːz] **I.** *mn* milánói **II.** *fn* **1.** milánói ember **2.** *tex* **m~** habselyem

milch [mɪltʃ] *mn* tejelő, fejős *[háziállat]*

milch cow *fn átv biz* fejőstehén *[könnyű haszonszerzés forrása]*

mild [maɪld] *mn* **1.** szelíd, jámbor, barátságos, kedves *[ember]*; ~ **criticism** enyhe/jóindulatú bírálat; **as** ~ **as milk** (v. **a dove**) *biz* szelíd mint a bárány/galamb (v. a kezes bárány) **2.** enyhe, mérsékelt *[büntetés, éghajlat]* **3.** enyhe, enyhén ható, gyenge, könnyű *[szivar]*; ~ **ale** ‹édeskés sörfajta› **4.** *orv* **a)** könnyű, jóindulatú, enyhe lefolyású *[betegség]* **b)** enyhe hatású *[gyógyszer]* **5.** mérsékelt, lanyha, gyenge *[erőfeszítés]*

milden [ˈmaɪldn] **A.** *tsi* enyhébbé/szelídebbé tesz, enyhít, lágyít, puhít **B.** *tni* enyhébbé/szelídebbé válik, megenyhül, meglágyul, megpuhul

mildew [ˈmɪldjuː ‖ –duː] **I.** *fn* **1.** penész, élelmiszerek gomba által okozott romlása **2.** megpenészedett/nedves rész *[papíron, bőrön]* **3.** *növ mezőg* rozsda *[gabonában, hüvelyesekben]*, üszög *[gabonán, füveken, kukoricán]*, peronoszpóra *[szőlőn]* **II. A.** *tsi* **1.** penészesedést okoz, megpenészít **2.** rozsdát/üszögöt okoz *[növényen]* **B.** *tni* **1.** megpenészedik, penészedésnek indul **2.** megrozsdásodik, megüszkösödik *[növény]* • *mn* **mildewy**

mildly [ˈmaɪldli] *hsz* enyhén, lágyan, szelíden; **to put it** ~ enyhén szólva, jóindulatúan beállítva

Mildred [ˈmɪldrɪd] *tul* ‹női név›

mile [maɪl] *fn* **1.** mérföld; **British/statute** ~ angol mérföld *[= 1609,33 m]*; **nautical/sea** ~ tengeri mérföld *[GB = 1853,2 m, US = 1852,9 m]* **2. miles from ~s** *biz* nagyon távolról; **not a hundred ~s away** nem a világ végén; **he lives ~s away** nagyon messzire lakik

mileage [ˈmaɪlɪdʒ] *fn* **1. a)** mérföldekben kifejezett hosszúság/távolság **b)** mérföldteljesítmény *[járműé]* **2.** mérföldpénz *[útiköltség]*, utazási költségtérítés **3.** *biz* előny, haszon

mileage allowance *fn* mérföldpénz *[útiköltség]*, utazási költségtérítés

milepost *fn* mérföldkő, mérföldtábla *[kilométertábla amerikai és brit megfelelője]*

miler [ˈmaɪlə ‖ –ər] *fn sp biz* ‹mérföldes távolságra legalkalmasabb versenyző/versenyló›; **he's the best** ~ egy mérföldön a legjobb futó, a legjobb egymérföldes futó

Miles [maɪlz] *tul* ‹férfinév›

milestone *fn* **1.** mérföldkő, határkő **2.** *átv* mérföldkő, fordulópont *[nagy jelentőségű esemény vk életében]*

milfoil [ˈmɪlfɔɪl] *fn növ* cickafark, egérfarkfű

miliary [ˈmɪlɪəri ‖ ˈmɪlieri] *mn orv* kölesszerű, köles alakú, köles-

milieu [ˈmiːljɜː ‖ –ˈjuː] *fn* környezet, miliő

militant [ˈmɪlɪtənt] **I.** *mn* harcos, küzdő, aktív **II.** *fn pol* mozgalmi aktíva, pártmunkás, aktivista • *fn* **militancy**

militarism [ˈmɪlɪtərɪzm] *fn* militarizmus, katonai szellem • *mn* **militaristic** *hsz* **militaristically**

militarist [ˈmɪlɪtərɪst] *fn* **1.** militarista **2.** ‹katonai tudományokkal foglalkozó személy› hadtudós

militarize [ˈmɪlɪtəraɪz], **-ise** *tsi* felfegyverez, militarizál, katonásít • *fn* **militarization**

military [ˈmɪlɪtəri ‖ –teri] **I.** *mn* katonai, hadi, harcias; *GB* **M~ Academy** tüzérségi és hadmérnöki főiskola; ~ **action** katonai akció; ~ **age** sorköteles kor; ~ **authority** katonai hatóság; ~ **band** katonazenekar; ~ **court** haditörvényszék; ~ **engineering** haditechnika; ~ **government** katonai közigazgatás(i hatóság/kormány); ~ **hospital** honvédkórház, hadikórház; ~ **intelligence service** katonai hírszerző és elhárító szolgálat; ~ **law** haditörvény; rögtönítélő bíráskodás, statárium; ~ **police** katonai rendőrség; ~ **service** katonai szolgálat **II.** *fn tsz* **the** ~ a katonák, a katonaság; a hadsereg; **the ~ were called in** kivezényelték a katonaságot • *fn* **militariness**

militate [ˈmɪlɪteɪt] *tni átv* mellette/ellene küzd/harcol; ~ **against sg** (szavakkal) küzd vm ellen; ellenkezik/szembeszáll vmvel, ellene szól vmnek

militia [məˈlɪʃə] *fn* nemzetőrség, polgárőrség, milícia

militiaman [məˈlɪʃəmən] *fn tsz* **-men** nemzetőr, polgárőr, milicista

milk [mɪlk] **I.** *fn* **1. a)** tej; **skim(med)** ~ lefölözött tej; **be in** ~ tejel, tejet ad; **cow in** ~ fejőstehén, tejelő tehén; **land of** ~ **and honey** *átv biz* tejjel-mézzel folyó Kánaán **b)** *biz* **come home with the** ~ hajnalban megy haza **2. a)** ~ **of almonds** mandulatej; ~ **of lime** mésztej, mészlé, mészvíz; ~ **of sulphur** kéntej, lecsapott kén **b)** tej *[kozmetikában]*; **cleansing** ~ tisztítótej **II. A.** *tsi* **1.** (meg)fej *[tehenet]* **2.** *biz* kifoszt, megkopaszt, megfej (vkt) **3. a)** ~ **sap from a tree** fát megcsapol; ~ **the venom from a snake** mérget vesz egy kígyótól **b)** *GB szl* ~ **a message** lehallgatja más telefonbeszélgetését **B.** *tni* tejel, tejet ad

milk-and-water *mn* **a)** *biz* ízetlen, unalmas, érdektelen **b)** *biz* limonádé, szentimentális; *biz* ~ **style** vizenyős/csöpögős stílus

milk bar *fn* tejcsárda, tejbüfé

milk brother *fn* tejtestvér

milk chocolate *fn* tejcsokoládé

milker [ˈmɪlkə ‖ –ər] *fn* **1. a)** fejő *[személy]* **b)** **(mechanical)** ~ fejőgép **2. bad** ~ rosszul tejelő tehén

milk farm *fn* tejgazdaság, tehenészet

milk fever *fn orv* tejláz

milk float *fn GB* tejeskocsi

milk glass *fn* tejüveg, opálüveg

milk intolerant *mn orv* tejallergiás

milk leg *fn orv* gyermekágyi vénagyulladás

milk-loaf *fn GB gaszt* tejeskenyér, zsúrkenyér, kalács

milkmaid *fn* **1.** tejárusnő, tejesasszony **2.** fejőnő, fejőlány

milkman [ˈmɪlkmən] *fn tsz* **-men** tejárus, tejkihordó, tejesember

milk nurse *fn* szoptatós dajka

milk of magnesia *fn orv* magnéziatej *[hashajtó és gyomorégés elleni szer]*

milk powder *fn* tejpor

milk round *fn* **1.** tejszállítási/kihordási útvonal **2.** *átv* körutazás

milk run *fn US kat* rendszeres berepülés/repülőtámadás

milk shake *fn gaszt* (tej)turmix

milksop *fn biz* gyáva ember, anyámasszony katonája, nyámnyila alak

milk sugar *fn* tejcukor, laktóz

milk tooth *fn tsz* **- teeth** tejfog

milk-vetch *fn növ* baktövis

milkweed *fn növ* **1.** csorbóka **2.** disznókömény

milk white *mn* **1.** tejfehér, fehér mint a tej **2.** *műsz* tejszerű *[folyadék]*

milkwort [ˈmɪlkwɜːt ‖ –wɜrt] *fn növ* hegyi pacsirtafű

milky [ˈmɪlki] *mn* **1. a)** tej-, tejes, tejszerű, opálszerű, zavaros, felhős *[drágakő]* **b)** jól tejelő, tejben gazdag **2.** gyengéd, lágy, puha • *fn* **milkiness**

Milky Way *fn csill* **(the) ~** a Tejút, a Tejútrendszer

mill¹ [mɪl] **I.** *fn* **1. a)** malom; **go/pass through the ~** *biz* (nagy) megpróbáltatásokon megy keresztül; kiállja a próbát; **put sy through the ~** *biz* próbára tesz vkt, kálváriát járat vkvel **b)** törőgép, zúzógép, őrlőgép, darálógép **2.** üzem, gyár; **run of the ~** átlagos *[minőség]* **3.** ökölharc, verekedés **II. A.** *tsi* **1. a)** őröl, darál **b)** aprít, tör, zúz **2.** *tex* ványol, kallóz *[posztót]* **3. a)** *fémip* mar, marással megmunkál **b)** peremez, recéz *[érme szélét]* **4.** *biz* elpüföl, elpáhol (vkt) **B.** *tni* hemzseg, nyüzsög, nyüzsgölődik • *mn* **millable**

mill² [mɪl] *fn US* a dollár ezredrésze

millboard *fn nyomd* kéregpapír, papírlemez, papírmasé

mill-dam *fn* malomgát

millenarian [ˌmɪlɪˈneərɪən ‖ –ˈner–] **I.** *mn* **1.** ezer évre vonatkozó, ezredéves, milleniumi **2.** *vall* a milleniumra *[Krisztus eljövendő ezeréves uralmára]* vonatkozó **3.** millennárius, millennista **II.** *fn vall* millennárius, millennista

millenary [ˈmɪlənəri ‖ ˈmɪləneri] **I.** *fn* ezer év, évezred, ezredév **II.** *mn* **1.** ezeréves, ezredéves, milleniumi **2.** *vall* millenniumi

millenium bug *infor* → **Y2K**

millennium [mɪˈlenɪəm] *fn tsz* **millennia** [–nɪə] **1.** *vall* millennium, Krisztus eljövendő ezeréves uralma, eljövendő boldog kor **2.** évezred, ezer év • *fn* **millenialism** *fn/mn* **millenialist** *mn* **millenial**

millepede [ˈmɪlipiːd] *fn áll* százlábú, ezerlábú

millepore [ˈmɪlɪpɔː ‖ –pɔr] *fn áll* millepora

miller [ˈmɪlə ‖ –ər] *fn* molnár

millesimal [mɪˈlesɪml] *mn/fn* ezredrész

millet [ˈmɪlɪt] *fn növ* köles

millet-grass *fn növ* kásafű

millhand *fn* **1.** malommunkás, molnárlegény **2.** (gyári) munkás

milli- [ˈmɪli] *előtag* milli- *[ezredrész]*

milliammeter [ˌmɪliˈæmɪtə ‖ –ər] *fn vill* milliampermérő

milliamp [ˈmɪliæmp] *fn el biz* milliamper

milliampere [ˌmɪliˈæmpeə ‖ –pɪr] *fn el* milliamper

milliard [ˈmɪliɑːd ‖ –ɑrd] *fn GB* milliárd, ezermillió

millibar [ˈmɪlɪbɑː ‖ –bɑr] *fn fiz* millibár

millicurie [ˌmɪliˈkjʊəri ‖ –ˈkjʊri] *fn fiz* millicurie *[a radioaktivitás egysége]*

milligrade [ˈmɪligreɪd] *fn* millifok

milligram [ˈmɪligræm], **-gramme** *fn* milligramm

millilitre [ˈmɪliliːtə ‖ –ər], *US* **-liter** *fn* milliliter

millimetre [ˈmɪlimiːtə ‖ –ər], *US* **-meter** *fn* milliméter

milliner [ˈmɪlɪnə ‖ –ər] *fn* női kalapos, kalaposnő, divatáru-kereskedő, divatszalonos; **~'s shop** kalapszalon; divatszalon • *fn* **millinery**

million [ˈmɪlɪən] *fn* **1.** millió; *US* **feel like a ~ dollars** remekül/ragyogóan érzi magát **2. ~s** *biz* (egy) csomó, rengeteg **3.** *biz* **the ~** a tömegek, a széles néprétegek • *mn/hsz* **millionfold**

millionaire [ˌmɪlɪəˈneə ‖ –ˈner] *fn* milliomos

millionairess [ˌmɪlɪəˈneərɪs ‖ –ˈner–] *fn* milliomosnő, milliomosné

millionth [ˈmɪlɪənθ] **I.** *mn* milliomodik **II.** *fn* milliomod(rész)

millipede [ˈmɪlipiːd] → **millepede**

millivolt [ˈmɪlivoʊlt] *fn el* millivolt

millpond *fn* malom víztárolója, malomtó; **like a ~** sima, mint a tükör, tükörsima *[tengerről]*

millrace *fn* malomárok, csorgó, zuhogó *[malomnál]*

millstone *fn* **1.** malomkő **2.** *átv* teher, nehézség

millstream → **millrace**

mill town *fn* gyárváros

millwheel *fn* malomkerék

milometer [maɪˈlɒmɪtə ‖ –ˈlɑmətər] *fn gk* mérföldszámláló, mérföldóra *[a kilométeróra amerikai és brit megfelelője]*

milord [mɪˈlɔːd ‖ –ˈlɔrd] *fn tört* **1.** angol úr, méltóságos úr **2.** méltóságos uram, méltóságod *[megszólításként]*

milt [mɪlt] *fn* **1.** *orv* lép **2.** *áll* ikra, tej *[halé]*

milter [ˈmɪltə ‖ –ər] *fn áll* tejeshal

Miltonism [ˈmɪltənɪzm] *fn ir.tud* miltoni kifejezés/alakzat

Milwaukee [mɪlˈwɔːki ‖ –ˈwɑ–] *tul földr* Milwaukee

mime [maɪm] **I.** *fn* **1. a)** némajáték, pantomim **b)** bohózat **2.** némajátékszínész, pantomimszínész **II. A.** *tsi* némajátékkal ábrázol *[jelenetet]* **B.** *tni* **1.** mozdulatokkal játszik **2.** tátog *[énekes előre felvett zenére]* • *fn* **mimer**

mimeograph [ˈmɪmɪəgrɑːf ‖ –græf] **I.** *fn* (stenciles) sokszorosítógép **II.** *tsi* (stenciles) géppel sokszorosít

mimesis [mɪˈmiːsɪs] *fn* mimikri, színutánzás, alakutánzás

mimetic [mɪˈmetɪk] *mn* **1.** utánzási **2.** utánzó, majmoló **3.** *biol* színutánzó, alakutánzó, környezetutánzó • *hsz* **mimically**

mimic [ˈmɪmɪk] **I.** *tsi pt/pp* **mimicked** utánoz, imitál, majmol (vkt) **II.** *fn* **1.** némajátékos, pantomimszínész **2.** utánzó, majmoló **III.** *mn* **1.** utánzó, majmoló **2.** némajátékkal/gesztusokkal kifejező • *fn* **mimicker**

mimicry [ˈmɪmɪkri] *fn* **1.** utánzás, majmolás **2.** *biol* mimikri, alakutánzás, színutánzás, természetutánzás

miminy-piminy [ˌmɪməniˈpɪməni] *mn biz* mesterkélt, finomkodó, affektált

mimosa [mɪˈmoʊzə ‖ –sə] *fn növ* mimóza

min [mɪn] *röv minute(s)*

mina¹ [ˈmaɪnə] *fn régi* mina *[pénz és súly]*

mina² [ˈmaɪnə] *fn áll* beo, mejno

minaret [ˌmɪnəˈret] *fn épít* minaret, mecset tornya • *mn* **minareted**

minatory [ˈmɪnətəri ‖ –tɔri] *mn* fenyegető, ijesztő

mince [mɪns] **I. A.** *tsi* **1.** összevág, apróra vagdal, darál *[húst]* **2. not to ~ one's words** egyenesen/nyíltan beszél, nem szépítgeti szavait, őszintén kimond vmt **B.** *tni* finomkodik, finomkodva/affektálva jár/beszél **II.** *fn* húsvagdalék, darált/vagdalt hús, fasírozott • *fn* **mincer** *hsz* **mincingly**

minced meat *fn* → **mince** II.

mincemeat [ˈmɪnsmiːt] *fn* **1.** *gaszt* ‹zsírral összekevert és konyakkal leöntött mazsola, alma, mandula és cukrozott narancshéj› **2. make ~ of sy** *átv* ízekre szed vkt

mince pie [ˈmɪnspaɪ] *fn* **1.** *gaszt* mincemeatet tartalmazó pite (v. kis kosárka) **2.** *szl [szem]* pilács, csecsebogyó

mind [maɪnd] **I.** *fn* **1. a)** elme, ész, értelem; **be uneasy in one's ~** nyugtalan a lelkiismerete; **it comes to my ~** eszembe jut; **such a thought had never entered his ~** ez a gondolat sohasem jutott eszébe (v. mindig távol állt tőle); **she has sg on her ~** vm foglalkoztatja/nyugtalanítja; **take her ~ off her problems** eltereli figyelmét problémáiról; **put it out of your ~** verje ki a fejéből. **b)** józan ész; **of sound ~, sound in/of ~** épeszű, épelméjű; **be out of one's ~** elvesztette józan eszét, megőrült; **lose one's ~** megőrül; **you must be out of your ~!** megőrültél!; **you'll drive me out of my ~!** megőrjítesz!, megbolondítasz!; *közm* **great ~s think alike** a nagy szellemek találkoznak **2.** emlékezés, emlékezet; **bear/keep sg in ~** emlékezik/gondol vmre, észben tart vmt, nem feledkezik meg vmről; **bring/(re)call sg to sy's ~** emlékezetébe idéz vknek vmt; **it went out of my ~** teljesen kiment a fejemből, egészen megfeledkeztem róla; **keep one's ~ on sg** vmre összpontosítja a figyelmét **3. a)** vélemény, nézet, álláspont, érzület; **to my ~** véleményem/nézetem szerint; szerintem; **this is much to my ~** ez nagyon kedvemre való; **it is against my ~** nem helyeslem, ellenzem; **be of sy's ~, be of the same ~ as sy, be of a ~ with sy** egy véleményen van vkvel; **keep an open ~** nem foglal véglegesen állást; **tell sy (v. let sy know v. give sy a piece of) one's ~** (jól) megmondja vknek a véleményét, odamondogat vknek; *kif* **so many men so many ~s** ahány ember annyi vélemény **b)** cél, szándék, akarat, vágy; **my ~ is up** döntöttem,

M

elhatározásra jutottam; **alter/change one's ~** megváltoztatja a szándékát, meggondolja magát; **be in two ~s about (doing) sg** nem tudja eldönteni, mit csináljon (v. hogy járjon el); **give one's ~ to sg** átadja magát vmnek, foglalkozik vmvel; **have sg in ~** vmt akar/szándékol (meg)tenni; vmre gondol; **know one's own ~** tudja, hogy mit akar; **he cannot make up his ~** nem tudja (v. képtelen) eltökélni/rászánni magát, nem tud dönteni/határozni; **set one's ~ on sg** igen erősen/határozottan akar vmt **c)** gondolat; **bring one's ~ to bear on sg** figyelmét vmre fordítja; **have sy in ~** gondol vkre **d)** lélek, szellem, gondolkodásmód; **a noble ~** szép/nemes lélek; **absence of ~** szórakozottság; **frame of ~** gondolkodásmód, lelki alkat; **peace of ~** lelki nyugalom; **presence of ~** lélekjelentét; **state of ~** lelki állapot; **that is a weight off my ~** nagy kő esett le a szívemről; **in his ~'s eye** lelki szemei előtt; **have sg on his ~** vm nyomja a lelkét **II. A.** *tsi* **1.** figyel (vkre/vmre), figyelembe vesz (vmt); **~ my words!**, **~ what I say** (jól) figyeljen a szavaimra (v. arra amit mondok); **~ (you)!** jegyezze meg!, figyeljen!, el ne felejtse!; **never ~ him, never ~ what he says** ne figyelj rá, ne törődj vele **2.** foglalkozik/törődik vmvel; **~ your own business** törődjék a saját dolgával!, ne ártsa magát bele! **3. a)** kifogásol, ellenez; **I don't ~** nem bánom, nekem mindegy; hogyne, szívesen; **I don't ~ telling you** igenis nyíltan megmondom; **I don't ~ trying** szívesen megkísérlem; **a glass of wine? – I don't ~** egy pohár bort? – nem bánom!; **if you don't ~** ha nincs kifogása ellene, ha megengedi; *biz* **d'you ~ if I open the window?** nincs kifogása ellene, ha kinyitom (v. megengedné kérem, hogy kinyissam) az ablakot?; **would you ~ open the door?** szabadna kérnem(,) hogy nyissa ki az ajtót?, volna olyan kedves kinyitni az ajtót?, lenne/legyen szíves kinyitni az ajtót; **do you ~ if I smoke?**, **you don't ~ my smoking?** megengedi, hogy rágyújtsak? **b)** törődik (vmvel), nyugtalankodik (vm miatt); **never ~!** nem fontos!, sebaj!, ne törődjék vele!; **never ~ the consequences** ne/sohase törődjék a következményekkel; **I don't ~ what people say** fütyülök az emberek (v. a szomszédok) véleményére **4.** vigyáz (vmre); **~ the step!** vigyázz a lépcsőre!, vigyázat: lépcső(fok)!; **~ yourself** vigyázz!, vigyázz magadra!; **~ you don't fall** vigyázz, el ne ess!; **~ and don't be late** *biz* vigyázz, hogy el ne késs! **5.** gondoz, őriz, rendben tart; **~ a child** gyermekre felügyel; **~ the house** rendben tartja a házat **6.** *táj* emlékszik **B.** *tni* körültekint, vigyáz (vmre), óvakodik (vmtől)

mind-bending *mn biz* hallucinogén, tudatmódosító *[kábítószer]*

mind-blowing *mn szl* **1.** elképesztő, döbbenetes **2.** hallucinogén, tudatmódosító *[kábítószer]*

mind-boggling *mn biz* döbbenetes, elképesztő, eszméletlen

minded ['maɪndɪd] *mn* **1.** hajlandó, hajlamos; **if you are so ~** ha erre van kedve, ha úgy óhajtja **2.** *összet* hajlamú, gondolkodású; **commercially ~** kereskedő gondolkozású **3.** *összet* érdeklődésű; **filthy-~** mocskos gondolkodású; **science-~** természettudományos érdeklődésű/beállítottságú

minder ['maɪndə ‖ –ər] *fn* **1. a)** dajka, felügyelő, nevelő *[gyermeké]* **b)** őr, felügyelő **2.** *szl [testőr]* gorilla

mind-expanding *mn* az érzékvilágot felszabadító, tudattágító

mindful ['maɪndfl] *mn* figyelmes, törődő; **be ~ of one's duties** törődik a kötelességével; **be ~ of an event** tekintettel van egy eseményre, figyelembe vesz egy eseményt • *fn* **mindfulness** *hsz* **mindfully**

mindless ['maɪndləs] *mn* **1.** buta, unintelligens **2.** közömbös, nemtörődöm, gondatlan; **be ~ of what has happened** a történtek hidegen hagyják, nem törődik azzal, ami történt • *fn* **mindlessness** *hsz* **mindlessly**, **maidenly**

mind-read *tsi* **~ sy** olvas vk gondolataiban (v. gondolatai között) • *fn* **mindreader**, **mindreading**

mindset ['maɪndset] *fn* vélemény, gondolkodásmód

mine[1] [maɪn] *nm* **1.** enyém(ek), enyéim; **what is ~ is thine** ami az enyém az a tied is; **it is no business of ~** ehhez semmi közöm (nincs), ez nem rám tartozik; **a friend of ~** egy barátom **2.** az enyéim, a hozzátartozóim; **be good to me and ~** légy jó hozzám és az enyéimhez

mine[2] [maɪn] **I.** *fn* **1.** bánya; *biz* **his book is a ~ of information** könyve az adatok kincsesbányája/tárháza **2.** bányászott érc **3. a)** *kat* akna; **lay a ~** aknát lerak; **lift ~s** aknamentesít; **spring a ~**, **touch off a ~** aknát felrobbant; **spring a ~ on sy** *átv* kellemetlen meglepetést szerez vknek **b)** *bány* robbantófurat **II.** *tsi* **1.** fejt *[ércet, szenet]*, *[bányát]* művel; **~ coal** szenet bányászik/fejt **2. a)** *kat* aláaknáz, elaknásít (vmt); *kat* **~ the sea** tengert elaknásít **b)** *kat* aknát robbant • *fn* **mining**

mine detector *fn* aknakereső

mine disposal squad *fn* tűzszerész osztag

minefield *fn kat* aknamező

mine hunter → **minesweeper**

minelayer *fn kat* aknarakó hajó/ember

miner ['maɪnə ‖ –ər] *fn* **1.** bányász, bányamunkás **2.** *áll* bányaféreg

mineral ['mɪnərəl] **I.** *mn* **1.** ásványi, ásványos, ásvány- **2.** bányászott **II.** *fn* **1.** ásvány **2. a)** érc **b)** szén **3.** *tsz* **minerals a)** *GB biz* ásványvíz, kristályvíz **b)** szénsavas italok

mineralize ['mɪnərəlaɪz], **-ise A.** *tni* ásványosodik, ásványossá válik *[víz]* **B.** *tsi* ásványos anyagokkal átitat/impregnál, ásványos ízűvé tesz *[vizet]*

mineralogy [ˌmɪnə'rælədʒi] *fn* ásványtan, kőzettan • *fn* **mineralogist** *mn* **mineralogical**

mineral oil *fn* ásványolaj, kőolaj

mineral-rich *mn* nyersanyagokban gazdag

mineral water *fn* ásványvíz

mine shaft *fn bány* akna

minestrone [ˌmɪnɪ'strouni] *fn gaszt* minestrone

minesweeper *fn kat* aknakutató/aknaszedő hajó

minever ['mɪnɪvə ‖ –ər] → **miniver**

Ming [mɪŋ] **I.** *tul tört* a Ming-dinasztia **II.** *fn* Ming(-kori) porcelán

mingle ['mɪŋgl] **A.** *tsi* összekever, összevegyít; **~ one's tears with sy's** osztozik vknek a bánatában, együtt sír vkvel; **with ~d feelings** vegyes érzelmekkel; **joy ~d with pain** fájdalommal vegyes öröm **B.** *tni* (össze)keveredik, összevegyül (*with* vmvel/másokkal); **~ with/in the crowd** elvegyül a tömegben

mingy ['mɪndʒi] *mn GB biz* zsugori, fukar, garasos • *hsz* **mingily**

mini ['mɪni] **I.** *előtag* mini- **II.** *fn* miniszoknya

mini- ['mɪni] *előtag* mini-, kis, rövid

miniature ['mɪnətʃə ‖ –'mɪnɪətʃʊr] **I.** *mn* miniatűr, arányosan kicsinyített; *ip* **~ model** apró modell **II.** *fn* **1.** kis alak, kis léptékű ábrázolás; **the family is society in ~** a család a társadalom kicsiny mása; **paint in ~** kis alakban fest le **2.** *műv* miniatúra, miniatűr *[kisméretű festmény/szobor]* **III.** *tsi* miniatürizál • *fn* **miniaturist**

miniaturize ['mɪnətʃəraɪz ‖ –tʃʊr–], **-ise** *tsi* parányi alakban/változatban készít el, miniatürizál • *fn* **miniaturization**

minibar ['mɪnibɑː ‖ –bɑr] *fn* minibár, szobabár(pult)

minibus ['mɪnibʌs] *fn* minibusz

minicab ['mɪnikæb] *fn GB* magántaxi *[engedély nélküli]*

minicomputer ['mɪnikəmpjuːtə ‖ –ər] *fn infor* miniszámítógép

minikin ['mɪnɪkɪn] **I.** *mn* **1.** apró, csöpp, pöttöm **2.** kényeskedő, affektált **II.** *fn* emberke, pöttöm ember, csöppség

minim ['mɪnɪm] *fn* **1.** *zene* minima, félkotta, fél(értékű) hangjegy **2.** csepp/parányi dolog **3.** ‹gyógyszeriparban folyékony orvosságmérték = 0,062 ml› **4.** a betűk függőleges vonala/szára

minimal [ˈmɪnɪml] *mn* **1.** nagyon kicsiny, elenyésző **2.** legkisebb, minimális; *nyelv* **~ pair** minimálpár • *hsz* **minimally**
minimalist [ˈmɪnɪməlɪst] *fn/mn* minimalista
minimize [ˈmɪnɪmaɪz], **–ise** *tsi* **a)** minimál, a minimálisra csökkent, a lehető legkisebbre csökkent **b)** lekicsinyel • *fn* **minimization**, **minimizer**
minimum [ˈmɪnɪməm] *tsz* **minima** [ˈmɪnɪmə], **~s I.** *fn* legalsó fok/határ, minimum; **reduce sg to a ~** a minimumra csökkent vmt **II.** *mn* legkisebb, legalacsonyabb, legkevesebb, minimális, minimum-; **~ price** legkisebb/legalacsonyabb ár; **~ wage** bérminimum
mining [ˈmaɪnɪŋ] *fn* **1.** *bány* **a)** bányászat, bányaipar **b)** bányászszakma **c)** fejtés, bányakitermelés, bányászás; **open ~** felszíni fejtés **2.** *kat* aláaknázás, (el)aknásítás
mining engineer *fn* bányamérnök
mining industry *fn* bányászat
minion [ˈmɪnɪən] *fn* **1.** *pej* kegyelt, kedvenc, kegyenc **2.** *pej* tányérnyaló **3.** *régi* szerető, kedves
miniseries *fn tsz* **~** rövid sorozat, kissorozat *[televízióban]*
miniskirt *fn* miniszoknya
minister [ˈmɪnɪstə ‖ –ər] **I.** *fn* **1. a)** miniszter; **~ of the interior** belügyminiszter; **~ of state** államminiszter; **~ without portfolio** tárca nélküli miniszter **b)** miniszter, követ *[diplomáciai szolgálatban]*; **~ plenipotentiary** meghatalmazott miniszter; **the British M~ in Budapest** a budapesti brit/angol követ **2. a)** *vall* lelkész, lelkipásztor *[protestáns]* **b)** *vall* rendfőnök **II. A.** *tsi régi* ellát *[hivatalt]*, nyújt *[segélyt, vigasztalást]* **B.** *tni* **1.** segít; **~ to** közrehat; közreműködik (vmben); **~ to sy's comfort** vknek a kényelmét szolgálja (v. kényelmére szolgál) **2.** szolgál, ellát *[segéllyel, vigasztalással]*
ministerial [ˌmɪnɪˈstɪərɪəl ‖ –ˈstɪr–] *mn* **1.** *jog* miniszteri; **~ benches** kormánypárt padsorai/oldala *[parlamentben]*; *GB* miniszteri padsor; **~ team** *biz* a kormány **2.** *vall* lelkészi, lelkipásztori **3.** végrehajtó, (ügy)intéző, szolgálati **4.** járulékos, pót-, segítő, támogató; **be ~ to ...** hozzájárul vmhez *[pénzzel]*; segít (vmt) • *fn* **ministerialist** *hsz* **ministerially**
ministration [ˌmɪnɪˈstreɪʃn] *fn* **1.** szolgálat, közreműködés, segédkezés **2. a)** *vall* papi pálya, lelkészkedés **b)** *vall* **go about one's ~s** papi teendőit végzi **3.** ellátás, juttatás, szolgáltatás • *fn/mn* **ministrant** *mn* **ministrative**
ministry [ˈmɪnɪstri] *fn* **1.** *pol* minisztérium **2.** *pol* **a)** kormány *[testület]* **b)** kormánymegbízás (időtartama) **c)** miniszterség (ideje/időtartama) **3.** *vall* **a)** lelkészi/papi pálya/hivatás/szolgálat, lelkészség **b) the ~** a lelkészség; a papi rend
miniver [ˈmɪnɪvə ‖ –ər] *fn* hermelin (prém)
mink [mɪŋk] *fn áll* **American ~** vidramenyét
mink coat *fn* nercbunda
Minn. *röv US Minnesota*
Minneapolis [ˌmɪniˈæpəlɪs] *tul földr* Minneapolis
Minnesota [ˌmɪnɪˈsoʊtə] *tul földr* Minnesota
Minnesotan [ˌmɪnɪˈsoʊtən] *mn/fn* Minnesota állambeli, minnesotai
Minnie [ˈmɪni] *tul bec* → **Mary**
minnow [ˈmɪnoʊ] *fn áll* fürge cselle, csetri
Minoan [mɪˈnoʊən] *mn régész* minószi
minor [ˈmaɪnə ‖ –ər] **I.** *mn* **1.** kicsi, kis-, kisebb (méretű/fontosságú); **Asia M~** Kisázsia **2.** jelentéktelen, csekély(ebb); **~ accident** kisebb baleset; *szính* **~ character** mellékszereplő; **~ poet** másodrendű költő; **~ repairs** kisebb javítások **3. a)** *fil* **~ term** altétel *[szillogizmusban]* **b)** *mat* aldetermináns, minor **4.** *zene* **~ interval** kis hangköz; **in the ~ key** mollban; **~ triad** moll hármashangzat **5.** *GB* **Smith ~** az ifjabb (v. fiatalabb) Smith *[kettő közül]* **II.** *fn* **1.** *jog* kiskorú fiú/lány **2.** *vall* **the M~s** a ferencesek **3.** *fil* altétel **4.** *zene* moll (hangnem); **in the ~** mollban, moll hangnemben **5.** *US okt* melléktantárgy, mellékszak, B-szak **III.** *tni US* melléktantárgyként/mellékszakként/B-szakként felvesz
Minorite [ˈmaɪnəraɪt] *fn vall* ferences, ferencesrendi szerzetes, minorita szerzetes
minority [maɪˈnɒrəti ‖ mɪˈnɔrəti, –ˈnɑ–] *fn* **1.** kisebbség; **be/form a ~ of one** egyedül áll véleményével **2.** kisebbség *[társadalomban]* **3.** *jog* kiskorúság
minority programme *fn* nemzetiségi műsor *[tv-ben, rádióban]*
minor planet *fn csill* aszteroida
Minsk [ˈmɪnsk] *tul földr* Minszk *[Fehéroroszország fővárosa]*
minster [ˈmɪnstə ‖ –ər] *fn* **1.** székesegyház, katedrális **2.** apátsági templom
minstrel [ˈmɪnstrəl] *fn tört* hegedűs, lantos, regös, vándorénekes
minstrelsy [ˈmɪnstrəlsi] *fn* **1.** lantos/kobzos művészete/dala, dalnokság **2.** népdalköltészet, népdalok, (nép)dalgyűjtemény
mint[1] [mɪnt] **I.** *fn* **1. a)** pénzverde, pénzverő; **in ~ condition/state** vadonatúj; teljesen új állapotban levő *[érme, bélyeg, könyv]* **b)** nagy pénzösszeg, vagyon **2.** *átv* eredet, forrás **II.** *tsi* **~ money** pénzt ver • *fn* **mintage**
mint[2] [mɪnt] *fn növ* (illatos) menta • *mn* **minty**
mint julep *fn US gaszt* mentolos hideg puncs
mint mark *fn* verdejel
mint master *fn* a pénzverde igazgatója
mint par → **mint parity**
mint parity *fn pénz* törvényes nemesfémtartalom *[pénzérméé]*
mint sauce *fn gaszt* mentamártás *[rendszerint báránysülthöz]*
minuend [ˈmɪnjuend] *fn mat* kisebbítendő *[kivonásnál]*
minuet [ˌmɪnjuˈet] *fn zene* menüett
minus [ˈmaɪnəs] **I.** *elölj* **1.** *mat* kevesebb, mínusz; **eight ~ three leaves five** nyolcból levonva három marad öt **2.** *biz* nélkül, kivéve; **he returned ~ his wife** a felesége nélkül tért haza/vissza **3. 10 degrees ~ zero** mínusz 10 fok **II.** *mn* **~ amount** hiány; **~ quantity** negatív mennyiség **III.** *fn mat* **1.** mínusz(jel) **2.** negatív mennyiség
minuscule [ˈmɪnəskjuːl] **I.** *fn nyomd* kis betű, kurrens, minusculum **II.** *mn* nagyon kicsi, apró, pici • *mn* **minuscular**
minus sign *fn mat* mínuszjel
minute[1] [ˈmɪnɪt] **I.** *fn* **1. a)** perc; **five ~s to two** öt perc múlva kettő (v. két óra) **b)** (másod)perc, pillanat; **this (very) ~** ebben a percben/pillanatban, (most) azonnal; **wait a ~!** várj egy percig!, egy pillanat türelmet!; **any/every ~** bármely percben/pillanatban, pillanatokon belül; **in a ~** egy perc múlva; **in a few ~s** pár/néhány perc múlva; **on/to the ~** percnyi pontossággal; **up to the ~** a legmodernebb/legkorszerűbb/legfrissebb/legújabb **2.** *mat* szögperc, ívperc **3.** fogalmazvány **4. a)** jegyzet, feljegyzés; **make a ~ of sg** jegyzeteket készít vmről **b)** *tsz* **minutes** jegyzőkönyv; **~s of a meeting** egy értekezlet/gyűlés jegyzőkönyve; **keep the ~s** vezeti a jegyzőkönyvet **II.** *tsi* **1. ~ (the proceedings of) a meeting** értekezletről jegyzőkönyvet vesz fel (v. vezet) **2.** jegyzőkönyvet elküld vknek
minute[2] [maɪˈnjuːt ‖ –ˈnuːt] *mn* **1.** parányi, kicsiny, apró; **~ details** a legkisebb részletek **2.** aprólékos, részletes, pontos **3.** apró, jelentéktelen; bagatell • *fn* **minuteness** *hsz* **minutely**
minute glass [ˈmɪnɪt glɑːs ‖ –glæs] *fn* (percrendszerű) homokóra
minute-gun [ˈmɪnɪt gʌn] *fn* ágyúlövések *[egy perces közökkel gyász v. veszély jeléül]*
minute hand [ˈmɪnɪt hænd] *fn* percmutató, nagymutató *[órán]*
Minuteman [ˈmɪnɪtmæn] *fn* **1.** *tsz* **-men** *US tört* polgárőr *[amerikai szabadságharcban a XVIII. sz. végén]* **2.** *US kat* ‹ballisztikus rakétalövedék-fajta›
minute steak [ˈmɪnɪt steɪk] *fn gaszt* ‹hirtelen sütött/gyorsan kisüthető vékony hússzelet›

M

minutia [maɪ'nju:ʃɪə ‖ –'nu:] *fn tsz* **minutiae** [–ʃii:] *[rendszerint többesszámban]* a részletek
minx [mɪŋks] *fn tréf* huncut/kacér leány(zó) • *mn* **minxish**
Miocene ['maɪəsi:n] *geol* **I.** *mn* miocénkor(bel)i **II.** *fn* miocénkor
miosis [maɪ'ousɪs] → **myosis** • *mn* **miotic**
mips [mɪps], **m.i.p.s.**, **MIPS** *röv infor million instructions per second*
mirabelle [ˌmɪrə'bel] *fn növ* ~ **(plum)** mirabellszilva
miracidium [ˌmaɪrə'sɪdɪəm] *fn tsz* **miracidia** [–dɪə] *áll* szívóférgek csillóshámmal fedett lárvája
miracle ['mɪrəkl] *fn* **1.** csoda(tétel) **2.** *biz* csoda, csodálatos dolog; **accomplish/work a ~** csodát tesz/művel
miracle drug *fn orv biz* csodagyógyszer
miracle play *fn ir.tud* mirákulum *[középkori dráma szentek életéből]*
miraculous [mɪ'rækjuləs] *mn* **1.** csodálatos, természetfeletti, csodatevő **2.** *biz* csodá(lato)s, rendkívüli, nagyszerű, remek • *fn* **miraculousness** *hsz* **miraculously**
mirador [ˌmɪrə'dɔ: ‖ –'dɔr] *fn épít* kilátó *[spanyol házak tetején]*, erkély, balkon
mirage ['mɪrɑ:ʒ ‖ mə'rɑʒ] *fn* **1.** délibáb, káprázat *[nem valóság]* **2.** *átv* délibáb, ábrándkép
Miranda [mɪ'rændə] *tul* ‹női név›
mire [maɪə ‖ –ər] **I.** *fn* **1.** mocsár, mocsaras terület, ingovány **2.** sár, piszok; **be in the ~** *biz* (jól) benne van a pácban/slamasztikában **3. drag sy('s name) through the ~** *átv biz* bemocskol/meghurcol (v. sárba ránt) vkt **II. A.** *tsi* **1.** *átv* sárba taszít/ránt **2.** besároz, bemocskol **B.** *tni* elmerül a sárban/piszokban • *mn* **miry**
Miriam ['mɪrɪəm] *tul* Miriam, Mirjám
mirk [mɜ:k ‖ mɜrk] *fn skót* sötétség
mirky ['mɜ:ki ‖ 'mɜrki] *mn skót* sötét
mirror ['mɪrə ‖ –ər] **I.** *fn* **1.** tükör **2.** *infor* tükrözés *[állományé, dokumentumé, szolgáltatásé]* **II.** *tsi* **1.** (vissza)tükröz **2.** *infor* tükröz *[az interneten]*
mirror image *fn* tükörkép
mirroring ['mɪrərɪŋ] *fn* **1.** tükrözés **2.** *infor* tükrözés *[állományé, dokumentumé, szolgáltatásé]*
mirror site *fn infor* ‹tükrözésre használt site/webhely›
mirror symmetry *fn mat* tükörszimmetria
mirror writing *fn* tükörírás
mirth [mɜ:θ ‖ mɜrθ] *fn* **1.** jókedv, vidámság, vígság, öröm **2.** szórakozás, mulatság **3.** dallam • *fn* **mirthfulness**, **mirthlessness** *mn* **mirthful**, **mirthless**
mis- [mɪs] *előtag* hibásan, rosszul, félre-, helytelenül
misaddress [ˌmɪsə'dres] *tsi* **1.** rosszul/tévesen címez, rossz címre küld *[levelet]* **2.** helytelenül/tiszteletlenül szólít meg
misadventure [ˌmɪsəd'ventʃə ‖ –ər] *fn* baj, szerencsétlenség, baleset, balszerencse; **by ~** véletlenül, akaratlanul, balszerencse folytán • *mn* **misadventurous**
misalign [ˌmɪsə'laɪn] *tsi* összekever, összezavar, rosszul kapcsol, helytelenül állít össze • *fn* **misalignment**
misalliance [ˌmɪsə'laɪəns] *fn* rangon aluli házasság, mésalliance
misallied [ˌmɪsə'laɪd] *mn* **1.** rosszul párosított **2.** rangon aluli házasságból származó • *tsi* **misally**
misandry [mɪs'ændri] *fn pszich* férfigyűlölet
misanthrope ['mɪsnθroup, 'mɪzn–] *fn* embergyűlölő, emberkerülő, mizantróp • *tni* **misanthropize** *fn* **misanthropy** *mn* **misanthropic(al)**
misapply [ˌmɪsə'plaɪ] *tsi* **1.** rosszul használ/alkalmaz *[szót, orvosságot]* **2.** jogellenesen használ fel *[összeget]*, (el)sikkaszt, hűtlenül kezel • *fn* **misapplication**
misapprehend [ˌmɪsæprɪ'hend] *tsi* rosszul ért meg (vkt/vmt), félreért *[szót]* • *fn* **misapprehension**
misappropriate [ˌmɪsə'prouprieɪt] *tsi* hűtlenül kezel, jogellenesen használ fel, (el)sikkaszt *[pénzt]* • *fn* **misappropriation**
misbegotten [ˌmɪsbɪ'gɒtn ‖ –'gɑtn] *mn* **1. a)** törvénytelen, házasságon kívül született *[gyerek]* **b)** korcs, csenevész, elsatnyult **2.** *biz* értéktelen, hitvány, szerencsétlen
misbehave [ˌmɪsbɪ'heɪv] *tsi/tni* ~ **(oneself)** illetlenül/neveletlenül/rosszul viselkedik, neveletlenkedik, illetlenkedik • *fn* **misbehaviour**, **misbehavior**
misbelief [ˌmɪsbɪ'li:f] *fn* **1.** téves vélemény/nézet **2.** *vall* tévhit
misbelieve [ˌmɪsbɪ'li:v] **A.** *tsi* nem hisz (el), félreért (vmt) **B.** *tni* téves nézetet vall
misc. *röv* **1.** *miscellaneous* **2.** *miscellany*
miscalculate [mɪs'kælkjuleɪt] *tsi* hibásan/rosszul számít ki (vmt) • *fn* **miscalculation**
miscall [mɪs'kɔ:l] *tsi* **1.** helytelenül nevez (vkt vmnek) **2.** *régi táj* becsmérel, szid, megsért (vkt)
miscarriage [mɪs'kærɪdʒ] *fn* **1.** *orv* **a)** elvetélés, abortusz; **have a ~** elvetél, abortál **b)** koraszülés **2.** meghiúsulás, kudarc, felsülés **3.** elveszés, elkallódás, tévedés kézbesítés *[levélé, küldeményé postán]* **4.** *jog* ~ **of justice** igazságtalan ítélet(hozatal), justizmord
miscarry [mɪs'kæri] *tni* **1.** *orv* elvetél, abortál **2.** meghiúsul, kudarcba fullad, összeomlik *[terv]* **3. a)** elvész, elkallódik *[levél]* **b)** eltéved, rossz címre érkezik *[levél]*
miscast [mɪs'kɑ:st ‖ –kæst] *tsi pt/pp* **miscast 1.** nem megfelelő szereposztásban ad elő **2.** nem neki való szerepben léptet fel
miscegenation [ˌmɪsɪdʒə'neɪʃn] *fn* **1.** fajkeresztezés, kereszteződés **2. a)** fajkeveredés, különböző fajúak nemi közösülése **b)** fajgyalázás *[fasiszta szóhasználatban]*
miscellanea [ˌmɪsə'leɪnɪə] *fn tsz ir.tud* vegyes cikkek/művek
miscellaneous [ˌmɪsə'leɪnɪəs] *mn* kevert, vegyes, különféle; *média* ~ **column** vegyes hírek, innen-onnan *[rovatcím újságban]* • *fn* **miscellaneousness** *hsz* **miscellaneously**
miscellany [mɪ'seləni ‖ 'mɪsəleɪni] *fn* **1.** egyveleg, keverék **2. a)** *tsz* **miscellanies** *ir.tud* vegyes (v. különféle jellegű) írások/művek **b)** *ir.tud* vegyes tartalmú kötet **c)** *média* vegyes, innen-onnan *[rovatcím újságban]* • *fn* **miscellanist**
mischance [mɪs'tʃɑ:ns ‖ –'tʃæns] *fn* **1.** balszerencse, pech **2.** baj, baleset, véletlen; **by ~** véletlenül, szerencsétlen véletlen következtében
mischief ['mɪstʃɪf] *fn* **1.** csíny(tevés), rosszalkodás; **where the ~ have you been?** *biz* hol az ördögben/csodában voltál?; **get into ~** mindig rosszalkodik *[gyermek]*; bajba keveredik *[felnőtt]*; **full of ~** olyan, mint az ördög; **make ~** rosszalkodik; bajt okoz, egyenetlenséget kelt, viszályt szít **2.** gonoszság, rosszindulat, méregkeverés; **keep sy out of ~** vkt szamárságtól visszatart, nem engedi, hogy vk ostobaságokat tegyen **3.** baj, hiba; **be up to ~** rosszban mesterkedik, rosszat forral; **do sy a ~** bántalmaz/megsebesít/megöl vkt; **out of pure ~** merő rosszindulatból/gonoszságból **4.** gonosz/rosszindulatú ember, bajkeverő, gonosztevő
mischief-maker *fn* bajcsináló, bajkeverő, méregkeverő • *fn* **mischief-making**
mischievous ['mɪstʃɪvəs] *mn* **1.** gonosz, rosszindulatú, ártalmas, kártékony *[ember]* **2.** rossz, káros, ártalmas *[dolog]* **3.** csintalan, pajkos, rosszalkodó *[gyermek]*, huncut *[mosoly]* • *fn* **mischievousness** *hsz* **mischievously**
miscible ['mɪsəbl] *mn* **a)** keveredő, elegyedő, vegyülő **b)** keverhető, elegyíthető, vegyíthető (*with* vmvel) • *fn* **miscibility**
miscommunication [ˌmɪskəmju:nɪ'keɪʃn] *fn* félreértés
miscomprehend [ˌmɪskɒmprɪ'hend ‖ –kɑm–] *tsi* félreért, rosszul ért (meg) (vmt)
misconceive [ˌmɪskən'si:v] *tsi/tni* rosszul ért/értelmez *[szót]*; ~ **of one's duty** rosszul értelmezi feladatát/kötelességeit • *fn* **misconceiver**, **misconception**

M

misconduct I. *fn* [mɪsˈkɒndʌkt ‖ –ˈkɑn–] **1. a)** helytelen/illetlen viselkedés, neveletlenség; **professional ~** műhiba, a szakmai etikába ütköző cselekedet/viselkedés **b)** *jog* házasságtörés **2.** helytelen vezetés/irányítás, rossz igazgatás/menedzsment **II.** *tsi* [ˌmɪskənˈdʌkt] **1.** helytelenül irányít/vezet, rosszul igazgat/menedzsel **2. ~ oneself** helytelenül/illetlenül viselkedik, neveletlen

misconstrue [ˌmɪskənˈstruː] *tsi* **1.** félremagyaráz, helytelenül magyaráz **2.** félreért, félreértelmez • *fn* **misconstruction**

miscopy [mɪsˈkɒpi ‖ –ˈkɑ–] *tsi* hibásan/rosszul másol/ír le (vmt)

miscount I. *tsi* [mɪsˈkaʊnt] rosszul/hibásan számol/számít **II.** *fn* [ˈmɪskaʊnt] számolási/számítási hiba, hibás számolás/számítás

miscreant [ˈmɪskrɪənt] **I.** *fn* **1.** gonosztevő, gazember **2.** *régi* hitetlen, istentelen **II.** *mn* **1.** bűnös, gazember **2.** *régi* hitetlen

miscue [mɪsˈkjuː] *sp* **I.** *fn* gikszer *[biliárdban]* **II. A.** *tni* **1.** gikszert kap *[biliárdban]* **2.** *szính* eltéveszti a végszót **B.** *tsi* **he ~s it** gyertyát rúg, lecsúszik a lábáról a labda/lövés *[labdarúgásban]*

misdate [mɪsˈdeɪt] *tsi* rosszul/tévesen keltez *[levelet]*

misdeal [mɪsˈdiːl] *ját* **I.** *tsi pt/pp* **misdealt** hibásan oszt, eloszt *[kártyákat]* **II.** *fn* hibás osztás, elosztás *[kártyáké]*

misdeed [mɪsˈdiːd] *fn* **1.** rossz tett, helytelen cselekedet **2.** bűn, vétség, gonosztett

misdemeanant [ˌmɪsdɪˈmiːnənt] *fn* tettes, bűnös

misdemeanour [ˌmɪsdɪˈmiːnə ‖ –ər], *US* **-demeanor** *fn* **1.** rossz tett/viselkedés **2.** *jog* vétség

misdescribe [ˌmɪsdɪˈskraɪb] *tsi* helytelenül/tévesen/pontatlanul jelöl/nevez meg (v. ír le) • *fn* **misdescription**

misdirect [ˌmɪsdəˈrekt, –daɪ–] *tsi* **1.** rosszul címez/irányít *[levelet]* **2.** rosszul céloz **3.** rosszul vezet/irányít *[vállalkozást]* **4.** *jog* **the judge ~ed the jury** a bíró helytelen helyzetismertetést/összefoglalást adott az esküdteknek *[jogi/ténybeli kérdésről]* • *fn* **misdirection**

misdoing [mɪsˈduːɪŋ] *fn* **1.** gonosztett **2.** vétség

misdoubt [mɪsˈdaʊt] *tsi* **1.** kételkedik (vmben), megkérdőjelez (vmt), kétségei/balsejtelmei vannak (vm felől) **2.** gyanít, sejt, tart (vmtől)

mise en scène [ˌmiːzɒnˈseɪn ‖ –zɑn–] *fn francia szính* rendezés, beállítás *[színdarabé]*

misemploy [ˌmɪsɪmˈplɔɪ] *tsi* rosszul használ (fel/ki) • *fn* **misemployment**

miser [ˈmaɪzə ‖ –ər] *fn* **1.** fösvény, zsugori (ember) **2.** szerencsétlen fráter

miserable [ˈmɪzrəbl] *mn* **1.** boldogtalan, szerencsétlen; **make sy's life ~** tönkreteszi (v. szerencsétlenné teszi) vknek az életét; **feel ~** boldogtalannak/szerencsétlennek érzi magát, el van keseredve **2.** siralmas, nyomorúságos, gyászos *[idő, helyzet, esemény]* **3.** nyomorult, nyomorúságos, szánalmas **4.** értéktelen, jelentéktelen; **~ dinner** sovány ebéd **5.** *skót Ausz ÚjZ* fukar, szűkmarkú • *fn* **miserableness** *hsz* **miserably**

Miserere Day *fn vall* hamvazószerda

Miserere Week *fn vall* nagyböjt első hete

misericord [mɪˈzerɪkɔːd ‖ –kɔrd] *fn vall* **1. a)** idegenek fogadóterme *[rendházban]* **b)** szerzeteseknek engedélyezett könnyítés, felmentés böjt alól **c)** támaszkodópolc *[templomban]* **2. ~ (dagger)** tőr *[kegyelemdöfés megadására]*

miserly [ˈmaɪzəli ‖ –zər–] *mn* fösvény, zsugori, szűkmarkú • *fn* **miserliness**

misery [ˈmɪzəri] *fn* **1. a)** szenvedés, kín, gyötrelem, boldogtalanság; **put sy out of his/her ~** véget vet vk szenvedéseinek **b)** *tsz* **miseries** sorscsapások **2.** nyomor(úság), ínség **3.** *biz* ‹jajgató/siránkozó személy›

misfeasance [mɪsˈfiːzns] *fn jog* **1. a)** hatalommal való visszaélés **b)** joggal való visszaélés, más jogának csorbítása **2.** jogsértés

misfeed [mɪsˈfiːd] *fn* papírbegyűrődés, papírelakadás *[fénymásológépben]*

misfield [mɪsˈfiːld] *tsi sp* nem tudja megfogni *[a labdát]*

misfire [mɪsˈfaɪə ‖ –ər] **I.** *tni* **1. a)** *kat* csütörtököt mond, nem sül el *[fegyver]* **b)** *kat* elhibázza/eltéveszti a célt/lövést **2.** *műsz* nem indul be/el *[motor]*, kihagy *[gyújtás]* **3.** nem éri el a kívánt hatást *[tréfa]* **II.** *fn* **1.** kihagyás *[motorban, gépben]*, visszarobbanás, gyújtáshiba **2.** *kat* bedöglött lövedék **3.** rosszul égetett tégla

misfit [ˈmɪsfɪt] *fn* **1.** beilleszkedésre képtelen (v. nem odavaló v. aszociális) személy **2.** rosszul álló v. rossz méretű ruha/cipő

misform [mɪsˈfɔːm] *tsi* alaktalanná tesz

misfortune [mɪsˈfɔːtʃən ‖ –fɔr–] *fn* baj, balszerencse, szerencsétlenség, csapás; **by ~** véletlenül, szerencsétlenül

misgive [mɪsˈgɪvmɪsˈgɪv] *tsi pt* **misgave** [mɪsˈgeɪv], *pp* **misgiven** [mɪsˈgɪvn] *tsi* félelmet/gyanút ébreszt, kétkedést támaszt; **my heart/mind ~s me about her** rosszat sejtek (v. balsejtelmeim vannak) vele kapcsolatban

misgiving [mɪsˈgɪvɪŋ] *fn* kétség, kételkedés, gyanakvás, aggodalom, rossz előérzet, balsejtelem; **cause ~s** nyugtalanít, rossz előérzeteket támaszt; **have ~s** rossz előérzete van, gyanakodik

misgovern [mɪsˈgʌvn ‖ –vərn] *tsi* rosszul kormányoz/uralkodik • *fn* **misgovernment**

misguide [mɪsˈgaɪd] *tsi* **1. a)** félrevezet, téves felvilágosítást/tájékoztatást ad **b)** elcsábít **2.** rossz tanácsot ad (vknek) • *fn* **misguidance** *mn* **misguided** *hsz* **misguidedly**

mishandle [mɪsˈhændl] *tsi* **1.** rosszul bánik (vkvel), bánt(almaz) (vkt) **2.** rosszul/helytelenül kezel (vmt) **3.** helytelenül fejteget, félremagyaráz *[egy kérdést]*

mishap [ˈmɪshæp] *fn* baleset, baj, balsors, sorscsapás

mishear [mɪsˈhɪə ‖ –ər] *tsi pt/pp* **misheard** [mɪsˈhɜːd ‖ mɪsˈhɜrd] rosszul hall, félreért (vmit)

mishit [mɪsˈhɪt] *sp* **I.** *fn* rossz ütés **II.** *tsi* rosszul/félre üt *[labdát]*

mishmash [ˈmɪʃmæʃ] *fn biz* zagyvalék, keverék, keszekuszaság, összevisszaság

Mishna [ˈmɪʃnə] *fn vall* Misna • *mn* **Mishnaic**

misinform [ˌmɪsɪnˈfɔːm ‖ –ˈfɔrm] *tsi* tévesen tájékoztat, félretájékoztat, félrevezet • *fn* **misinformation**

misinterpret [ˌmɪsɪnˈtɜːprɪt ‖ –ˈtɜr–] *tsi* rosszul/tévesen magyaráz/értelmez, félreért, félremagyaráz, téves következtetéseket von le • *fn* **misinterpretation**, **misinterpreter**

misjudge [mɪsˈdʒʌdʒ] *tsi* félreismer, lebecsül, rosszul/tévesen ítél meg (vkt/vmt), téved (vknek/vmnek) a megítélésében • *fn* **misjudg(e)ment**

mislay [mɪsˈleɪ] *tsi pt/pp* **mislaid** [mɪsˈleɪd] elhagy, elkavar *[ismeretlen helyre]*; **I mislaid it** elkavartam, vhová félretettem és most nem találom

mislead [mɪsˈliːd] *tsi pt/pp* **misled** [mɪsˈled] **1. a)** félrevezet, becsap (vkt) **b)** rossz útra visz, megtéveszt (vkt) **2.** bűnre csábít, megront, elcsábít (vkt) • *fn* **misleader**

misleading [mɪsˈliːdɪŋ] *mn* félrevezető, csalóka • *hsz* **misleadingly**

mislike [mɪsˈlaɪk] *régi* **I.** *fn* ellenszenv **II.** *tsi* ellenszenvvel viseltetik/van (vkvel szemben), nem helyesel (vmt)

mismanage [mɪsˈmænɪdʒ] *tsi* rosszul vezet/irányít/kezel/menedzsel • *fn* **mismanagement**

mismarriage [mɪsˈmærɪdʒ] *fn* **1.** balul kiütött házasság/szövetség **2.** rossz/szerencsétlen párosítás

mismatch [ˈmɪsmætʃ] **I.** *tsi* **1.** hibásan/rosszul egyesít/párosít **2.** szerencsétlen házasságba kényszerít, rosszul házasít ki (vkt) **II.** *fn* hibás illesztés/párosítás, téves összeállítás

mismated [mɪsˈmeɪtɪd] *mn* rosszul összepárosított, nem összeillő

misname [mɪsˈneɪm] *tsi* rossz néven nevez, hibásan nevez el/meg

misnomer [mɪsˈnoumə ‖ –ər] *fn* **1.** névhiba, névtévesztés **2. a)** téves/helytelen elnevezés, nem a helyes (v. az igazi) név, téves név **b)** alkalmatlan (v. nem alkalmas/ráillő) jelző/leírás

misogamy [mɪˈsɒgəmi ‖ mɪˈsɑ–] *fn* irtózás a házasságtól • *fn* **misogamist**

misogyny [mɪˈsɒdʒɪni ‖ mɪˈsɑ–] *fn* nőgyűlölet • *fn* **misogynist** *mn* **misogynistic, misoginous**

mispickel [ˈmɪspɪkl] *fn ásv* arzenopirit

misplace [mɪsˈpleɪs] *tsi* **1.** rossz helyre tesz *[hangsúlyt, tárgyat]*, elkavar *[tárgyat]* **2.** rossz személyt választ *[bizalma/szeretete tárgyául]*; **he ~d his confidence** bizalmát méltatlanra pazarolta **3.** *átv* helytelenül/rosszul alkalmaz *[kifejezést, hasonlatot]*

misplay [ˌmɪsˈpleɪ] *sp* **I.** *tsi* rosszul játszik (meg vmt); kihagy *[helyzetet]*; elad *[labdát]* **II.** *fn* rossz játék

misprint [ˈmɪsprɪnt] *nyomd* **I.** *tsi* sajtóhibát vét, helytelenül nyomtat/szed *[szót]* **II.** *fn* nyomdahiba, sajtóhiba, nyomáshiba

misprision[1] [mɪsˈprɪʒn] *fn* **1. a)** *jog* **~ of treason** árulás fel nem fedése **b)** *jog* kötelességmulasztás **2.** félremagyarázás, helyzet rossz megítélése

misprision[2] [mɪsˈprɪʒn] *fn* **1.** alábecsülés *[vké vagy vk képességeié]* **2.** *régi* megvetés

misprize [mɪsˈpraɪz] *tsi vál* **1.** megvet, lenéz (vkt) **2.** félreismer, alábecsül (vkt)

mispronounce [ˌmɪsprəˈnauns] *tsi* rosszul ejt ki *[hangot]* • *fn* **mispronunciation**

misput [mɪsˈput] *tsi pt/pp* **misput** *US* rosszul tesz fel *[kérdést]*

misquote [mɪsˈkwout] *tsi* hibásan/pontatlanul idéz • *fn* **misquotation**

misread [mɪsˈriːd] *tsi pt/pp* **misread** [mɪsˈred] **1.** rosszul olvas/magyaráz *[szöveget]* **2.** félreért, félremagyaráz; **~ sy's feelings** *biz* félreértelmezi/félreismeri vk érzelmeit

misreckon [mɪsˈrekən] *tsi* **1.** rosszul számol **2.** rosszul számít, *átv* nem lát élesen

misremember [ˌmɪsrɪˈmembə ‖ –ər] *tsi* rosszul emlékezik vissza (vmre), téved

misreport [ˌmɪsrɪˈpɔːt ‖ –ˈpɔrt] **I.** *tsi* pontatlanul számol be (vmről), tévesen jelent (vmt) **II.** *fn* pontatlan beszámoló/jelentés

misrepresent [ˌmɪsreprɪˈzent] *tsi* helytelenül mutat be, elferdít, hamisan ír le, hamis színben tüntet fel • *fn* **misrepresentation** *mn* **misrepresentative**

misrule [mɪsˈruːl] **I.** *fn* rossz közigazgatás/kormányzás, igazságtalan uralkodás **II.** *tsi* rosszul kormányoz/igazgat, igazságtalanul uralkodik

Miss. *röv US Mississippi*

miss[1] [mɪs] **I. A.** *tsi* **1. a)** eltéveszt, elhibáz, nem talál *[ütés]*; **~ the point** *átv* lényeget nem ért meg (v. érint), célt téveszt; **he never ~es** ő soha sem hibázik, mindig eltalálja; **~ one's step/footing** elcsúszik, rosszul lép, megbotlik; **~ one's way** eltéved **b)** nem talál(kozik); **I called at his house but ~ed him** felkerestem (v. elmentem hozzá), de nem találtam otthon **2.** elmulaszt, elszalaszt vmt, lekésik/lemarad vmről; **~ the boat** lekési a hajót; *biz* jóvátehetetlen tévedést követ el; *biz* elszalasztja a kellő alkalmat, nagy lehetőséget hagy ki *[mert rosszul ítélte meg a helyzetet]*; **~ a joke** nem ért meg egy viccet; **~ an opportunity** elszalaszt egy alkalmat/lehetőséget; **you haven't ~ed much** *biz* nem sokat mulasztottál/vesztettél; **he doesn't ~ a trick** minden lehetőséget/alkalmat kihasznál; **~ the obvious** nem veszi észre a nyilvánvalót **3.** kihagy; **~ (out) a word** kihagy egy szót **4.** hiányol, nélkülöz vkt/vmt, hiányzikvk/vm; **I ~ you** hiányzol nekem; **it will never be ~ed** senkinek sem fog hiányozni (v. feltűnni, hogy nincs ott); *GB* **~ out** (i) kibocsát, kiereszt *[gázt, folyadékot]* (ii) kimarad, kihagy **B.** *tni* **1.** nem talál *[célba]*, mellémegy *[lövedék]*; **hit or ~** találomra **2.** hiányzik (vm), kimarad, elmarad; **some books are ~ing** néhány könyv hiányzik **3.** nem/rosszul sikerül, balul üt ki **II.** *fn* **1.** hiba, tévedés, *kat* céltévesztés; **near ~** (i) ez majdnem talált *[bomba, lövedék]*; *rep* csaknem összeütközés, éppen hogy elkerült légi baleset (ii) majdnem sikerült; **give sy/sg a ~** *GB* kihagy vkt/vmt, nem néz meg vkt/vmt; (el)kerül vkt **2.** *orv biz* abortusz **3.** hiány, veszteség • *mn* **missable**

miss[2] [mɪs] *fn* **1. a) M~ Black** Black kisasszony; **the M~ Blacks** v. **the M~es Black** a Black kisasszonyok/lányok **b) M~ Europe** Miss Európa *[Európa szépségkirálynője]* **2.** *biz* kisasszony **3. a)** *tréf* fiatal lány, ifjú hölgy; **a modern ~** egy mai lány **b)** iskoláslány **4.** ‹eladónő stb. megszólítása› • *mn* **missish**

missal [ˈmɪsl] *fn vall* misekönyv, misszálé

missel [ˈmɪzl, ˈmɪsl], **missel thrush** → **mistle-thrush**

misshape [ˈmɪsʃeɪp] *tsi* eltorzít

misshapen [ˈmɪsʃeɪpn] *mn* alaktalan, idomtalan, torz, eltorzult • *fn* **misshapenness** *hsz* **misshapenly**

missile [ˈmɪsaɪl ‖ ˈmɪsl] *fn* **1.** lövedék **2.** rakéta(lövedék), (táv)irányított lövedék • *fn* **missilery**

missing [ˈmɪsɪŋ] *mn* **1.** hiányzó, elveszett, eltűnt; **~ in action** harc közben elesett/eltűnt; **~ link** hiányzó láncszem, rés, hézag *[elméletben]* **2.** távollevő

mission [ˈmɪʃn] *fn* **1. a)** (ki)küldetés, megbízás **b)** követség **c)** küldöttség **2. a)** *vall* misszió, hittérítés **b)** missziós terület/telep **c) ~ in life** (élet)hivatás **3.** *kat* **a)** ellenséges területen végrehajtandó megbízatás/feladat **b)** meghatározott feladat végrehajtásával megbízott katonai egység **c)** bevetés *[repülőrajé]* • *tsi* **missionize**

missionary [ˈmɪʃənəri ‖ –əneri] **I.** *mn* missziónárius, (hit)térítő **II.** *fn* missziónárius, hittérítő

mission commander *fn űr* parancsnok *[űrhajón]*

mission control *fn űr* irányítóközpont

missioner [ˈmɪʃnˑə ‖ –ər] *fn* **1.** követ, megbízott **2.** *vall* plébánia missziós munkájának vezetője

mission statement *fn* **1.** ‹tevékenység pontos, részletes leírása› **2.** *okt* ‹felvételi alapelvek/politika (leírása)› **3.** hitvallás

missis [ˈmɪsɪz] *fn biz* **1. a)** asszony **b)** asszonyom *[megszólításként]* **2.** feleség, nej; **the ~** az asszony *[vk felesége]*

Mississippi [ˌmɪsɪˈsɪpi] *tul földr* Mississippi

Mississippian [mɪsɪˈsɪpɪən] **I.** *mn* a Mississippivel kapcsolatos, a Mississippihez tartozó **II.** *fn* a Mississippi (környékének) lakosa

missive [ˈmɪsɪv] *fn* **1.** hivatalos levél/irat **2.** *tréf* ‹hosszú/komoly levél›

Missouri [mɪˈsuəri ‖ mɪˈzuri] *tul földr* Missouri

Missourian [mɪˈsuərɪən ‖ mɪˈzurɪən] **I.** *mn* a Missourival kapcsolatos, a Missourihoz tartozó **II.** *fn* a Missouri (környékének) lakosa

misspell [mɪsˈspel] *tsi pt/pp* **misspelled, misspelt** [mɪsˈspelt] rosszul betűz, rosszul ír *[szót]* • *fn* **misspelling**

misspend [mɪsˈspend] *tsi pt/pp* **misspent** [mɪsˈspent] elpazarol, eltékozol *[időt, pénzt]*

misstate [mɪsˈsteɪt] *tsi* helytelenül számol be (vmről), elferdít *[tényeket]*, tévesen állít/mond • *fn* **misstatement**

misstep [mɪsˈstep] *fn* **1.** félrelépés, botlás **2.** *átv* balfogás

missus [ˈmɪsɪz] → **missis**

missy [ˈmɪsi] *fn biz* kisasszony(ka) *[megszólításként]*

mist [mɪst] **I.** *fn* **1.** pára, gyenge köd; **go away in a ~** az éj leple alatt (v. titokban) meglép; **lost in the ~s of time** *biz* elvész az idő homályában **2.** fátyol *[a szem előtt, sírástól]* **II. A.** *tsi* **1.** ködbe borít (vmt) **2.** elhomályosít *[üveget]* **B.** *tni* **1.** ködbe borul **2.** elhomályosodik **3.** elfátyolosodik *[tekintet]*

mistake [mɪˈsteɪk] **I.** *fn* **1.** hiba, botlás; **a bad ~** csúnya hiba; **make a ~** téved, hibázik, hibát követ el **2.** tévedés, félreértés; **make the ~ of going there** elköveti azt a hibát, hogy odamegy; **by ~** tévedésből, véletlenül; **make no ~** félreértés/tévedés ne essék **II.** *tsi pt* **mistook** [mɪˈstuk], *pp* **mistaken** [mɪˈsteɪkn] **1.** félreismer (vkt), téved (vmben), eltéveszt (vmt); **~ sy/sg for sy/sg** összetéveszt vkt/vmt

vkvel/vmvel; **people often ~ it for gold** az emberek gyakran aranynak nézik; **be ~n** téved; **be ~n about/in sy** tévedésben van vk felől **2.** rosszul ért, nem ért meg, félreért; **there is no mistaking** nem lehet félreérteni/eltéveszteni/összetéveszteni **3.** rosszul dönt, tévesen ítél meg • *mn* **mistakable** *hsz* **mistakably**

mistaken [mɪ'steɪkən] *mn* **1.** téves, helytelen, félreértett **2.** ~ **opinion** téves vélemény/nézet/felfogás; ~ **identity** vknek összetévesztése vk mással; személycsere (tévedésből) • *fn* **mistakenness** *hsz* **mistakenly**

misteach *tsi* félrenevel, rossz szellemben/felfogásban nevel/tanít

mister ['mɪstə ‖ –ər] *fn* **1.** úr *[megszólításban, csak névvel; rövidítve Mr.]*; **Mr. Goodman** Goodman úr; **Mr. Chairman** Elnök Úr; **a mere ~** *biz* egy polgár, egy egyszerű ember **2.** *biz* uram *[megszólításként]*

mistigris ['mɪstɪgriː] *fn ját* **1.** joker értékű lap *[pókerben]* **2.** jokerrel játszott póker

mistime [mɪs'taɪm] *tsi* rosszul időzít (vmt), alkalmatlan időben/időpontban tesz (vmt)

mistle thrush [mɪsl] *fn áll* léprigó, húros rigó

mistletoe ['mɪsltoʊ] *fn növ* (fehér) fagyöngy

mistook [mɪs'tʊk] → **mistake II.**

mistral ['mɪstrəl] *fn* misztrál *[szél]*

mistranslate [ˌmɪstrænz'leɪt, –træns–] *tsi* rosszul/pontatlanul fordít, félrefordít (vmt) • *fn* **mistranslation**

mistreat [mɪs'triːt] *tsi* rosszul bánik (vkvel/vmvel), rosszul kezel (vkt/vmt) • *fn* **mistreatment**

mistress ['mɪstrɪs] *fn* **1. a)** úrnő; **be one's own ~** a maga ura, független *[nő]*; **she is ~ of her subject** alaposan ismeri témáját, ura témájának **b)** háziállat-tulajdonos(nő) **c) ~ of a family/household** a ház úrnője **d)** házvezetőnő *[királyi udvarban]*; **M~ of the Robes** főruhatárosnő *[királyi udvari cím]* **2.** *GB okt* tanítónő, tanárnő **3.** *régi* (-)né; **Mrs. Woody** Woodyné **4.** *régi* **a)** szerető, kedves(e) vknek **b)** a szeretett nő

mistrial [mɪs'traɪəl] *fn jog* eljárási hiba miatt érvénytelenített ítélet

mistrust [mɪs'trʌst] **I.** *fn* bizalmatlanság, gyanakvás **II.** *tsi* nem bízik, kételkedik (vkben), bizalmatlan (vkvel szemben), gyanakszik (vkre)

mistrustful [mɪs'trʌstfl] *mn* bizalmatlan, gyanakvó • *fn* **mistrustfulness** *hsz* **mistrustfully**

misty ['mɪsti] *mn* **1.** ködös, borult, borús, esős *[idő]*; **~ outlines** *biz* homályos körvonalak **2.** *átv* ködös, homályos *[szavak]* • *fn* **mistiness** *hsz* **mistily**

misunderstand [ˌmɪsʌndə'stænd ‖ –dər–] *tsi pt/pp* **misunderstood** [ˌmɪsʌndə'stʊd ‖ –dər–] **1.** félreért (vkt/vkt) **2.** félreismer, félreért (vkt)

misunderstanding [ˌmɪsʌndə'stændɪŋ ‖ –dər–] *fn* **1.** félreértés **2.** nézeteltérés, viszály

misusage [mɪs'juːsɪdʒ] *fn* **1. a)** rossz/helytelen bánásmód/kezelés/felhasználás **b)** rossz/téves/helytelen (szó)használat **2.** visszaélés

misuse I. *fn* [mɪs'juːs] **1.** visszaélés, rossz célra felhasználás; *jog* **fraudulent ~ of funds** hűtlen kezelés; sikkasztás **2.** bántalmazás, lehordás (vké) **II.** *tsi* [mɪs'juːz] **1.** visszaél (vmvel), rossz célra használ fel (vmt) **2. a)** rosszul bánik (vmvel), tévesen használ (vmt) **b)** bántalmaz, lehord (vkt) • *fn* **misuser**

mite[1] [maɪt] *fn* **1.** fillér, garas *[kis értékű pénz]* **2.** (szerény/kisebb) adomány, hozzájárulás **3. a)** gyerek, kölyök, csöppség **b)** kis tárgy **c)** apró élőlény

mite[2] [maɪt] *fn áll* atka; **cheese ~** sajtkukac

miter ['maɪtə ‖ –ər] *US* → **mitre**

Mithraism ['mɪθreɪɪzm] *fn vall tört* Mitrász-kultusz • *fn* **Mithraist** *mn* **Mithraic**

mithridate ['mɪθrɪdeɪt] *fn orv* ellenméreg

mithridatism [ˌmɪθrɪ'deɪtɪzm] *fn orv* ellenálló-képesség/immunitás mérgek ellen

mithridatize [ˌmɪθrɪ'deɪtaɪz], **-ise** *tsi orv* immunizál (v. ellenállóvá tesz) mérgek ellen • *mn* **mithridatic**

mitigate ['mɪtɪgeɪt] *tsi* **1.** csillapít *[haragot]*, megnyugtat *[kedélyeket]* **2.** enyhít, csillapít *[fájdalmat]*, mérsékel, csökkent *[terhet, büntetést]* • *fn* **mitigation** *hsz* **mitigatory**

mitigating ['mɪtɪgeɪtɪŋ] *mn* enyhítő, csökkentő, kisebbítő; *jog* **~ circumstances** enyhítő körülmények

mitosis [maɪ'toʊsɪs] *fn tsz* **mitoses** [–siːz] *biol* mitózis, számtartó sejtosztódás • *mn* **mitotic**

mitral ['maɪtrəl] *mn* püspöksüveghez tartozó; püspöksüvegszerű

mitre ['maɪtə ‖ –ər] **I.** *fn* **1.** *vall* **a)** mitra, püspöksüveg, püspökfőveg **b)** püspöki méltóság/tisztség, püspökség **2.** *műsz* (fél)derékszögű illesztés **3. a)** félderékszögmérő, 45°-os szögmérő **b)** 45°-os szög **II.** *tsi műsz* **1.** ferde alakra vág/farag **2.** ferdén illeszt, összesarkal

mitre wheel *fn műsz* 45°-os kúp(fogas)kerék

mitt [mɪt] *fn* **1. a)** ujjatlan félkesztyű **b)** *US* baseballkesztyű **2.** *US biz [kéz]* praccli, mancs

mitten ['mɪtn] *fn* **1. a)** ujjatlan kesztyű **b)** *US* baseballkesztyű **2. get the ~, be given the ~** *biz* kosarat kap; elbocsátják, kidobják állásából, kiteszik; **give the ~** *biz* kosarat ad; elbocsát, kidob/kitesz állásából • *mn* **mittened**

mittimus ['mɪtəməs] *fn jog* letartóztatási/elfogatási parancs

mix [mɪks] **I. A.** *tsi* **1. a)** összekever, összevegyít, elegyít; **~ business with pleasure** összeköti a kellemest a hasznossal **b)** kever, habar, készít *[ételt, italt]* **2.** összezavar *[tényeket]*; **get ~ed** megzavarodik, összezavarodik, zavarba jön, elveszti a fejét **3. ~ it** *szl* összeverekszik; harcba száll (*with* vkvel) **B.** *tni* **1.** (össze)keveredik, összevegyül; **oil and water will not ~** olaj és víz nem vegyül (egymással); **~ well** jól illenek egymáshoz *[színek]* **2.** érintkezik; **~ in society** társaságba jár, társaságban forog **II.** *fn* **1.** keverék **2. a)** *biz* **be in a ~** zavarban/pácban van **b)** *szl [verekedés]* bunyó **3.** *film* áttűnés *[képeké]* • *mn* **mixable**

mix in *tni* részt vesz vmben

mix up *tsi* **1.** összekever, összevegyít **2.** összetéveszt (*with* vkvel) **3. be ~ed up in an affair** egy ügybe belekeveredett **4.** összezavar, zavarba hoz (vkt); **I got all ~ed up** egészen összezavarodtam/belezavarodtam

mix with *tni* rendszeresen érintkezik, összejár *[emberekkel]*, forog *[társaságban]*

mixed [mɪkst] *mn* **1.** (össze)kevert, vegyes, összetett **2.** *okt* koedukált, vegyes *[iskola]*; *sp* **~ double** vegyes páros *[teniszben]*; *okt* **~ education** koedukáció **3.** *biz* összezavart, megzavarodott • *fn* **mixedness**

mixed bag *fn* **1.** keverék, gyűjtemény **2.** ‹különböző alkotóelemekből álló műalkotás›

mixed blessing *fn* ‹előnyökkel és hátrányokkal is járó dolog› jó is, rossz is

mixed economy *fn közg* vegyes (tulajdonú) gazdasági rendszer

mixed grill *fn gaszt* fatányéros

mixed media I. *fn* **1.** *média* multimédia, multimédiás eszközök használata **2.** *műv* ‹különböző eszközökkel létrehozott műalkotás› **II.** *mn média* multimédia, multimédiás

mixed metaphor *fn ir.tud* képzavar

mixed number *fn mat* vegyes tört/szám

mixed-up *mn biz* összezavart, tanácstalan, zavarodott

mixer ['mɪksə ‖ –ər] *fn* **1.** keverő(gép), mixer **2.** *média* mixer, keverőberendezés **3.** hangmérnök, hangtechnikus **4.** mixer, italkeverő csapos/pincér **5.** *US* **good ~** társasági ember; könnyen teremt kapcsolatot, társaságban felleli magát

mixture ['mɪkstʃə ‖ –ər] *fn* **1.** keverék, elegy; *GB* **the ~ as before** változatlan mód(on)/összeállítás(ban) **2.** orvosság, gyógyszer *[gyógyszertárban készített]* **3.** keverés, elegyítés

mix-up *fn* **1.** (zűr)zavar, kavarodás **2.** *biz* verekedés, csetepaté

mizzen ['mɪzn] *fn hajó* farvitorla, tatvitorla

mizzen-mast *fn hajó* hátsó árboc

mizzen-yard *fn hajó* fősudárvitorla vitorlarúdja

M

mizzle[1] [ˈmɪzl] **I.** *fn táj* permetező/szitáló hideg eső, ködeső **II.** *tni táj* hideg szitáló eső (v. ködeső) esik, hideg eső permetezik/szitál • *hsz* **mizzly**

mizzle[2] [ˈmɪzl] *tni GB szl [megszökik]* meglóg, lelép, olajra lép, felszívódik

ml *röv* **1.** *mile(s)* **2.** *millilitre(s)* **3.** *US mail*

MLB *röv sp Major League Baseball* ‹az amerikai professzionális baseball liga›

MLitt *röv* Magister Litterarum, *Master of Letters* az irodalomtudomány magistere

Mlle [ˌmædmwəˈzel] *röv Mademoiselle*

MLS *röv sp Major League Soccer* ‹az amerikai professzionális labdarúgó liga›

Mme [mæˈdəm ‖ məˈdæm] *röv Madame* asszony(om)

Mmes [meɪˈdæm ‖ meɪˈdɑːm] *röv Madames* hölgyek, hölgyeim

MN *röv* **1.** *GB Merchant Navy* **2.** *US Minnesota*

mnemonic [nɪˈmɒnɪk ‖ –ˈmɑ–] **I.** *mn* emlékezeterősítő **II.** *fn* (más szóra/fogalomra utaló) emlékeztető kódszó/jelzés • *fn* **mnemonist** *hsz* **mnemonically**

mnemonics [nɪˈmɒnɪks ‖ –ˈmɑ–] *fn esz* **1.** emlékezés elősegítése **2.** emlékezetsegítő módszer

Mngr *röv Monseigneur*

mo [moʊ] *fn biz* perc, pillanat; **half a ~!** egy perc/pillanat!

-mo [moʊ] *utótag nyomd* -rét; **16mo** tizenhatodrét

MO *röv* **1.** *US Missouri* **2.** *money order*

Mo., **mo.** *röv* **1.** *Monday* hétfő, H **2.** *US Missouri* **3.** *month*

moan [moʊn] **I.** *fn* **1.** nyögés, nyöszörgés, sóhaj; **make (one's) ~** panaszkodik **2.** (szél)zúgás **II. A.** *tsi* **a)** nyögve elmond (vmt) **b)** *régi vál* nyögést hallat, sopánkodik, panaszkodik (vmre) **B.** *tni* **1.** nyög, nyöszörög, siránkozik, sóhajtozik, jajgat **2.** *biz* panaszkodik, siránkozik • *fn* **moaner** *mn* **moanful** *hsz* **moanfully**

Moaning Minnie *fn szl [panaszkodós ember]* sírógép, rinyagép

moat [moʊt] **I.** *fn* sáncárok, várárok, vizesárok *[város/vár körül]* **II.** *tsi* körülárkol, árokkal vesz körül *[várat/várost]*

mob [mɒb ‖ mɑb] *biz* **I.** *fn* **1.** népség, csőcselék **2.** tömeg, sokaság, sokadalom **3.** *biz* a maffia **II. -bb- A.** *tsi* **1.** megtámad, megrohan *[épületet]* **2.** megostromol (vkt) *[a rajongók tömege]*; odacsődül, becsődül *[épületbe]* **B.** *tni* összecsődül, összeverődik *[tömeg]* • *fn* **mobber**

mob cap *fn régi* (otthon viselt) főkötő

mobile [ˈmoʊbaɪl ‖ ˈmoʊbl] **I.** *mn* **1.** mozgó, mozgékony, mozgatható, hordozható **2.** változékony, változó, gyorsan reagáló, élénk *[jellem]* **3.** mobilis *[társadalmilag]* **II.** *fn* *műv* ‹szobormű, melynek némely részét a légáramlat mozgatni tudja› lengő idomszobor

mobile home *fn* lakókocsi, lakóautó

mobile phone *fn távk* mobiltelefon, rádiótelefon

mobilize [ˈmoʊbɪlaɪz], **-ise A.** *tsi* mozgósít, mobilizál *[csapatokat, tőkét]* **B.** *tni* megkezdi a mozgósítást • *fn* **mobilization**, **mobilizer** *mn* **mobilizable**

mob law *fn biz* lincselés, népítélet

mobocracy [mɒˈbɒkrəsi ‖ mɑˈbɑ–] *fn biz pej* a csőcselék uralma

mob orator *fn pej* népszónok

mobster [ˈmɒbstə ‖ ˈmɑbstər] *fn biz* gengszter(banda tagja)

mob violence *fn biz* utcai (tömeg)verekedés

mocha [ˈmoʊkə] *fn gaszt* **1. ~ (coffee)** mokkakávé **2.** feketekávéval kevert csokoládé/kakaó

mock [mɒk ‖ mɑk] **I.** *mn* **1.** utánzott, utánzat, mű-, ál- **2.** mellék-; *csill* **~ moon** holdudvar, mellékhold; *csill* **~ sun** melléknap **II.** *fn* **1.** gúnyolódás, kigúnyolás **2.** gúny tárgya; **make (a) ~ of sy/sg** kigúnyol vkt/vmt, gúny tárgyává tesz vkt/vmt **3.** utánzat **III. A.** *tsi* **1.** kigúnyol, kicsúfol **2.** *biz* **a)** kikezd/packázik (vkvel) **b)** becsap, rászed, félrevezet (vkt) **c)** utánoz, majmol (vkt/vmt) **B.** *tni* gúnyolódik, csúfolódik; **~ sy/sg** kigúnyol/kicsúfol vkt/vmt • *mn* **mockable** *hsz* **mockingly**

mocker [ˈmɒkə ‖ ˈmɑkər] *fn* **1. a)** tréfáló, gúnyolódó, csúfolódó **b)** utánzó, majmoló **2.** becsapó, rászedő, félrevezető

mockery [ˈmɒkəri ‖ ˈmɑ–] *fn* **1.** (ki)gúnyolás, (ki)csúfolás, gúny(olódás), csúfság; **make a ~ of sg** megcsúfol vmt **2.** nevetség/gúny tárgya **3.** utánzás, utánzat **4.** tettetés, látszat, szemfényvesztés

mock-heroic *ir.tud* **I.** *mn* komikus époszi **II.** *fn* komikus/szatirikus eposz

mockingbird *fn áll* sokszavú poszáta

mod [mɒd ‖ mɑd] *biz* **I.** *mn* modern, divatos **II.** *fn GB* divatfi, piperkőc, jampi

MoD [mɒd ‖ moʊd], **MOD** *röv GB Ministry of Defence*

modal [ˈmoʊdl] *mn* **1.** *nyelv* alaki, módbeli; **~ auxiliary** módbeli segédige **2.** *fil zene* modális **3.** *jog* végrehajtási utasítással ellátott • *hsz* **modally**

modality [moʊˈdæləti] *fn* **1.** *fil nyelv zene* modalitás **2.** módozat, körülmény

mode [moʊd] *fn* **1.** mód(szer), eljárás, módozat **2.** üzemmód **3.** divat, módi, ízlés, szokás **4.** *nyelv* igemód **5.** *zene* **a)** hangnem; **major ~** dúr hangnem **b)** skála **6.** *mat* modus, módusz *[leggyakoribb érték]* **7.** *fil* létforma, létmód, alak, modus *[szillogizmusban]*

model [ˈmɒdl ‖ ˈmɑdl] **-ll-**, *US* **-l- I.** *fn* **1.** minta(darab), modell, makett **2.** mintakép **3.** manöken, modell **II. A.** *tsi* **1.** (meg)mintáz, modellál, alakít, formál, képez; **~ sg after/(up)on sg** vm szerint formál/szab vmt, vm után készít vmt **2. ~ oneself (up)on sy** *átv* követ vkt, mintaképül vesz/választ vkt **B.** *tni* **1.** *műv* formál, alakít **2.** manökenként/próbakisasszonyként működik **3.** *műv* modellt ül **4.** modellez

modeler [ˈmɒdl·ə ‖ ˈmɑdl·ər] *US* → **modeller**

modeller [ˈmɒdl·ə ‖ ˈmɑdl·ər] *fn* mintázó, mintakészítő *[szobrász, munkás]*

modem [ˈmoʊdem] *röv fn infor modulator-demodulator* modem

moderate I. *mn* [ˈmɒdərət ‖ ˈmɑ–] **1.** mérsékelt, mértéktartó, mértékletes; **~ life** mértékletes életmód **2.** egyszerű, szerény, közepes *[képesség]*, mérsékelt *[ár]*, enyhe *[idő]*; **~ abilities** közepes képességek/tehetség; **~ meal** szerény ebéd/vacsora; **~ price** mérsékelt ár **3.** megfontolt, nyugodt *[vérmérsékletű]* **II.** *fn* [ˈmɒdərət ‖ ˈmɑ–] *pol* mérsékelt (irányzatú politika/politikus) **III.** [ˈmɒdəreɪt ‖ ˈmɑ–] **A.** *tsi* **1. a)** mérsékel, enyhít, fékez **b)** megnyugtat **2.** visszatart **3.** elnököl *[ülésen]* **B.** *tni* mérséklődik, enyhül • *fn* **moderateness**, **moderatism** *hsz* **moderately**

moderato [ˌmɒdəˈrɑːtoʊ ‖ ˌmɑdəˈrɑtoʊ] *hsz zene* mérsékelt tempóban/ütemben, moderato

moderator [ˈmɒdəreɪtə ‖ ˈmɑdəreɪtər] *fn* **1.** közvetítő, mérséklő, megnyugtató **2.** konferencia/gyűlés levezetője, elnöklő személy, vitavezető, moderátor **3.** *vall* a presbitérium lelkészi elnöke **4.** *fiz* (neutron)lassító, moderátor

modern [ˈmɒdn ‖ ˈmɑdərn] **I.** *mn* korszerű, újszerű, modern; *nyelv* **~ English** újangol *[nyelv kb. 1500-tól]*; **~ languages** élő nyelvek; **~ history** újkori (v. újabb kori) történelem **II.** *fn* **~s** modern ember • *fn* **modernity**

modernism [ˈmɒdn·ɪzm ‖ ˈmɑdərnɪzm] *fn* **1. a)** újszerű/modern jelleg/szokás/találmány **b)** az újszerű/modern dolgok kedvelése **2.** *műv* modernizmus • *fn* **modernist** *mn* **modernistic** *hsz* **modernistically**

modernize [ˈmɒdn·aɪz ‖ ˈmɑdərnaɪz], **-ise** *tsi* korszerűsít, felújít, modernizál • *fn* **modernization**, **modernizer**

modest [ˈmɒdɪst ‖ ˈmɑ–] *mn* **1. a)** szerény, egyszerű **b)** szerény, szegényes *[ház]* **2.** mérsékelt, mértékletes **3.** erkölcsös, erényes • *hsz* **modestly**

modesty [ˈmɒdɪsti ‖ ˈmɑ–] *fn* **1.** szerénység, egyszerűség **2.** mérséklet, mértékletesség **3.** erényesség, erkölcsösség

modicum [ˈmɒdɪkəm ‖ ˈmɑ–] *fn* **a (small) ~ of** kis mennyiség/adag; egy kevés

modification [ˌmɒdɪfɪˈkeɪʃn ‖ ˈmɑ–] *fn* **1.** módosítás, (meg)változtatás, átalakítás **2.** módosulás, (meg)változás, átalakulás

modifier ['mɒdɪfaɪə || 'mɑdɪfaɪər] *fn* **1.** módosító (tényező) **2.** *nyelv* módosító (szó/elem)
modify ['mɒdɪfaɪ || 'mɑ–] *tsi* **1. a)** módosít, megváltoztat, átalakít **b)** enyhít, csillapít, csökkent, mérsékel **c)** *vegy* modifikál *[műanyagot]* **2.** *nyelv* **a)** közelebbről meghatároz **b)** umlautosít • *mn* **modifiable, modificatory**
modillion [moʊ'dɪlɪən] *fn épít* korinthusi párkánykonzol, gyámfej
modish ['moʊdɪʃ] *mn* **1.** divatos **2.** *pej* divatot utánzó/majmoló • *fn* **modishness** *hsz* **modishly**
modiste [moʊ'di:st] *fn* **1.** kalaposnő **2.** szabó, ruhakészítő
modular ['mɒdjʊlə || 'mɑdʒələr] *mn* **1.** moduláris, modulokból/elemekből álló **2.** *mat* modulusos • *fn* **modularity**
modulate ['mɒdjʊleɪt || 'mɑdʒə–] **A.** *tsi* **1.** módosít **2.** *zene* modulál **3.** *távk* modulál *[frekvenciát, amplitúdót, fázist]* **B.** *tni zene* ~ **from one key (in)to another** (egyik hangnemből a másikba) modulál • *fn* **modulation, modulator**
module ['mɒdju:l || 'mɑdʒu:l] *fn* **1.** *mat* modulus, modul **2.** *épít műsz* modul **3.** közepes vízszolgáltatás *[folyónál]* **4.** *űr* egység, modul *[űrhajó része]* **5.** *okt* képzési szakasz, modul
modulus ['mɒdjʊləs || 'mɑdʒə–] *fn tsz* **moduli** [–laɪ] *mat* **1.** arányszám, modulus **2.** tényező, együttható
modus operandi [ˌmoʊdəs ˌɒpə'rændi || –ˌɑpə–] *fn tsz* **modi** [–daɪ–] **1.** eljárásmód **2.** működési mód
modus vivendi [ˌmoʊdəs vɪ'vendi] *fn tsz* **modi** – [–daɪ–] **1.** életmód **2.** *jog* modus vivendi, áthidaló/kompromisszumos megegyezési alap
mofette [moʊ'fet] *fn geol* mofetta
mog [mɒg || mɑg] *fn GB szl [macska]* macsek, macs
mogul ['moʊgl] *fn sp* buckasíelés
Mogul ['moʊgl] *fn* **1.** *tört* mogul; **the Great/Grand** ~ a nagymogul **2.** *biz* **m~** *[főember]* nagykutya, fejes
mohair ['moʊheə || –her] *fn* **1.** angórakecske szőre, moher **2.** *tex* moherszövet, angóragyapjú-szövet
Mohammed [moʊ'hæmɪd] *tul* Mohamed
Mohammedan [moʊ'hæmɪdn] *mn/fn vall* mohamedán
Mohawk ['moʊhɔ:k] **I.** *mn* mohawk *[törzs, nyelv]* **II.** *fn* **1.** mohawk indián **2.** *US* indián hajviselet **3.** *sp* hasonélű táncfordulat *[korcsolyázásban]*
Mohican [moʊ'hɪkən] *mn/fn* mohikán *[indián]*
moidore ['mɔɪdɔ: || –dɔr] *fn tört* ‹régi portugál aranypénz›
moiety ['mɔɪəti] *fn* **1.** *jog* fél, felerész, fele, osztályrész **2.** felerész, a két félből az egyik
moil [mɔɪl] *régi* **I.** *fn* **1.** fáradozás, vesződés **2.** (szenny)folt, piszok **3.** felfordulás, összevisszaság **II.** *tni* fáradozik, kínlódik, vesződik
moire [mwɑ: || mwɑr] *fn régi tex* habos/moaré selyem/szövet, moaré
moiré ['mwɑ:reɪ || mwɑ'reɪ] **I.** *mn tex* habos *[selyem]* **II.** *fn tex* habos selyemszövet, moaré(selyem)
moist [mɔɪst] *mn* **1.** nedves, nyirkos **2.** *orv* nedvező, gennye(d)ző • *fn* **moistness** *hsz* **moistly**
moisten ['mɔɪsn] **A.** *tsi* benedvesít, megnedvesít, nedvessé/nyirkossá tesz **B.** *tni* megnedvesedik, nyirkosodik, nyirkossá válik
moisture ['mɔɪstʃə || –ər] *fn* **1.** nedvesség, nyirkosság **2.** csapadék • *mn* **moistureless**
moisture content *fn* nedvtartalom, nedvesség
moisturize ['mɔɪstʃəraɪz], **-ise** *tsi* nedvesít, hidratál • *fn* **moisturizer**
moke [moʊk] *fn szl* **1.** *GB* szamár, csacsi **2.** *Ausz [kivénhedt ló]* gebe
mol [moʊl] *fn fiz vegy* mól
molal ['moʊləl] *mn vegy* moláris, mól- • *fn* **molality**
molar[1] ['moʊlə || –ər] *biol* **I.** *mn* záp- *[fog]* **II.** *fn* őrlőfog, zápfog; **third** ~ bölcsességfog
molar[2] ['moʊlə || –ər] *mn fiz* tömegre vonatkozó, tömeg-, moláris, mól- • *fn* **molarity**
molasses [mə'læsɪz] *fn esz* melasz, szörplé
mold [moʊld] *US* → **mould**
Moldavia [mɒl'deɪvɪə || mɑl–] *fn földr* Moldva
Moldavian [mɒl'deɪvɪən || mɑl–] *mn/fn* moldován, moldvai
molder ['moʊldə || –ər] *US* → **moulder**
mole[1] [moʊl] *fn* **1.** anyajegy, májfolt, szépségfolt **2.** szemölcs **3.** szeplő
mole[2] [moʊl] *fn* **1.** *áll* vakondok **2.** *biz* besúgó, spicli
mole[3] [moʊl] *fn* móló, kikötőgát
mole[4] [moʊl] *fn orv* üszög, móla *[méhben]*
mole[5] [moʊl] *fn fiz vegy* mól
mole cricket *fn áll* lótetű
molecular [mə'lekjʊlə || –kjələr] *mn* molekuláris, molekula-; *fiz vegy* ~ **formula** molekulaképlet; *fiz vegy* ~ **heat** mólhő; *fiz vegy* ~ **weight** molekulasúly • *fn* **molecularity** *hsz* **molecularly**
molecular biology *fn biol* sejtbiológia, molekulabiológia
molecule ['mɒlɪkju:l || 'mɑ–] *fn* **1.** molekula **2.** *biz* apró rész, részecske
molehill *fn* vakondtúrás; **make a mountain out of a** ~ *biz* felfújja a dolgot, bolhából elefántot csinál
mole rat *fn áll* földikutya
moleskin *fn* **1.** vakondprém **2.** *tex* **a)** pamutbársony **b)** *tsz* **moleskins** pamutbársony nadrág
molest [mə'lest] *tsi* **1.** zaklat, háborgat, molesztál **2.** rátámad (vkre), durván bánik (vkvel) • *fn* **molestation, molester**
moll [mɒl || mɑl] *fn szl* **1.** *[prostituált]* szajha, lotyó, ringyó **2.** gengszter barátnője v. női cinkosa
mollify ['mɒlɪfaɪ || 'mɑ–] *tsi* **1.** kiengesztel (vkt), meglágyít *[szívet]* **2.** csillapít, enyhít; ~ **sy** csillapítja/enyhíti vknek a haragját, lecsillapít vkt • *fn* **mollification, mollifier**
mollusc ['mɒləsk || 'mɑ–] *fn áll* puhány; puhatestű állat • *mn* **molluscan, molluscoid, molluscous**
mollusk ['mɒləsk || 'mɑ–] *US* → **mollusc**
Moloch ['moʊlɒk || 'mɑlək] **I.** *tul/fn bibl* Moloch **II.** *fn áll* moloch(gyík), tűzgyík
Molotov cocktail [ˌmɒlətɒf 'kɒkteɪl || ˌmɑlətɔf 'kɑk–] *fn* Molotov-koktél *[gyújtóbomba]*
molt [moʊlt] → **moult**
molten ['moʊltən || 'moʊltn] *mn* olvadt, olvasztott
moly ['moʊli] *fn növ* vadfokhagyma
molybdenite [mə'lɪbdənaɪt] *fn ásv* molibdenit
molybdenum [mə'lɪbdənəm] *fn vegy* molibdén
Molly ['mɒli || 'mɑ–] *tul bec* → **Mary**; *biz* **a Miss** ~ anyámasszony katonája
mollycoddle ['mɒlikɒdl || 'mɑlikɑdl] *biz* **I.** *fn* **1.** a mama kedvence **2. a)** elpuhult/elkényeztetett/tutyimutyi ember **b)** anyámasszony katonája **II.** *tsi* kényeztet, babusgat *[gyereket]*
mom [mɒm || mɑm] *fn US biz* anyu, mama
moment ['moʊmənt] *fn* **1.** pillanat, (másod)perc, időpont; **the man of the** ~ a nap embere; **on the spur of the** ~ pillanatnyi ihlet hatására; **the** ~ **that** abban a pillanatban, amint; **to the** ~ percnyi pontossággal; **wait a** ~**!**, **one** ~**!** várj egy percig, egy pillanat (türelmet)!; **at the** ~ pillanatnyilag; **at that (very)** ~ éppen akkor; **at a** ~**'s notice** azonnal, rögtön; **not for a** ~**!** soha(sem)!, a világért sem!; **in a** ~ egy pillanat múlva, azonnal; ugyanakkor; **just a** ~ még/csak egy pillanat(nyi) türelmet kérek; azonnal!, csak egy percre/pillanatra!; **(just/only) this** ~ éppen most **2.** *fiz műsz* (forgató)nyomaték, indíték **3.** jelentőség, (hang)súly, fontosság
momentarily ['moʊməntərɪli || ˌmoʊzmən'terɪli] *hsz* **1.** pillanatnyilag **2.** *US* minden pillanatban **3.** *US* bármely pillanatban
momentary ['moʊməntəri || –teri] *mn* **1.** pillanatnyi, azonnali, hirtelen, futólagos, átmeneti **2.** minden pillanatban bekövetkezhető • *fn* **momentariness**
momently ['moʊməntli] *hsz vál* **1.** pillanatnyilag, azonnal **2.** minden pillanatban **3.** egyik pillanatról a másikra

M

momentous [moʊˈmentəs] *mn* (igen) fontos, jelentős, nagy fontosságú/jelentőségű • *fn* **momentousness** *hsz* **momentuously**

momentum [moʊˈmentəm] *fn tsz* **momenta** [–tə] **1.** *fiz* **a)** elevenerő, impulzus(momentum), mozgásmennyiség **b)** nyomaték **2.** *biz* lendület; **gather ~** lendületbe jön; lökést kap

momma [ˈmɒmə ‖ ˈmɑmə] *fn US biz* mama, mami

mommy [ˈmɒmɪ ‖ ˈmɑmɪ] *fn US biz* anyu, mami

Mon. *röv Monday* hétfő, h., H

Monaco [ˈmɒnəkoʊ, məˈnɑːkoʊ ‖ ˈmɑn–] *tul földr* Monaco

monad [ˈmɒnæd ‖ ˈmoʊ–] *fn* **1.** *fil* monász **2.** *biol* egysejtű lény, csillós protozoa **3.** *vegy* **a)** oszthatatlan anyag, parány **b)** egyvegyértékű elem/gyök • *fn* **monadism** *mn* **monadic**

monadnock [məˈnædnɒk ‖ –nɑk] *fn geol* maradékhegy, tanúhegy

monandry [məˈnændri] *fn* **1.** egyférjűség **2.** *növ* egyporzósság

monarch [ˈmɒnək ‖ ˈmɑnərk] *fn* **1.** (egyed)uralkodó, fejedelem, császár(nő), király(nő) **2.** *átv* egyeduralkodó, meghatározó *[személy, irányzat]* **3.** *áll* danaida *[pillangó]* • *mn* **monarchal**, **monarchic**, **monarchical** *hsz* **monarchically**

monarchism [ˈmɒnəkɪzm ‖ ˈmɑnər–] *fn pol* egyeduralmi rendszer • *fn* **monarchist**

monarchy [ˈmɒnəki ‖ ˈmɑnərki] *fn* **1.** monarchia, monarchikus állam **2.** egyeduralom • *mn* **monarchial**, **monarchic**

monastery [ˈmɒnəstri ‖ ˈmɑnəsteri] *fn* monostor, kolostor, zárda, rendház *[szerzetesrendé]*

monastic [məˈnæstɪk] **I.** *mn* szerzetesi, kolostori; **~ quarters** rendház; **~ vows** szerzetesi fogadalmak **II.** *fn* szerzetes • *tsi* **monasticize** *fn* **monasticism** *hsz* **monastically**

monatomic [ˌmɒnəˈtɒmɪk ‖ ˌmɑnəˈtɑmɪk] *mn vegy* egyatomos

monaural [ˌmɒnˈɔːrəl ‖ ˌmɑnˈɔrəl] *mn* **1.** *orv* egy fülre vonatkozó, monaurális **2.** *távk* monó, egyhangcsatornás *[hangfelvétel]* • *hsz* **monaurally**

mondaine [mɒnˈdeɪn ‖ moʊn–] *francia* **I.** *mn* nagyvilági, divatos **II.** *fn* nagyvilági dáma

Monday [ˈmʌndeɪ, –di] **I.** *fn* hétfő **II.** *mn* hétfői, hétfőnkénti

monetary [ˈmʌnɪtri ‖ ˈmɑnəteri] *mn* pénzügyi, valutaügyi; *közg* **~ crisis** pénzügyi válság; **~ unit** pénzegység; **International M~ Fund** Nemzetközi Valutaalap

monetize [ˈmʌnɪtaɪz ‖ ˈmɑnətaɪz], **-ise** *tsi* **1.** pénzérméket bocsát ki **2.** törvényes fizetőeszközzé tesz • *fn* **monetization**

money [ˈmʌni] *fn tsz* **moneys**, **monies** **1.** pénz, fizetőeszköz; **bad/base/counterfeit ~** hamis pénz; **present/ready ~**, **~ out of hand** készpénz; **~ down** készpénz; előleg; *pénz* **~ at call** azonnal/bármikor lehívható (v. látra szóló) követelés; **electronic money** elektronikus pénz *[számítógépes rendszerrel lebonyolított pénzforgalomban]*; **~ begets/makes ~** a pénz pénzt szül; **it is ~ thrown away** kidobott pénz; **there is ~ in it** ezen lehet keresni; **be short of ~** kevés a (v. nincs) pénze; *biz* **have ~ to burn** felveti a pénz; **make ~** (sok) pénzt keres; *biz* **marry ~** gazdagon nősül; *biz* **be rolling in ~** felveti a pénz; **your ~ or your life!** pénzt vagy életet! *[rablók felszólítása az értékek átadására]*; **time is ~** az idő pénz; *közm* **~ talks** pénz beszél; **~ for jam**, **~ for old rope** *biz* könnyen szerzett pénz **2.** pénzdarab, pénzérme, pénzjegy, bankjegy, papírpénz **3. a)** (pénz)összeg **b)** *jog* (pénz)összegek; **public ~s** közpénzek; *gazd* **~s paid in** bevételek; *gazd* **~s paid out** teljesített fizetések **4.** *átv* vagyon, gazdagság, jólét • *mn* **moneyless**

moneybag *fn biz* **a)** *tsz* **moneybags** gazdagság, vagyon **b)** *esz pej* pénzeszsák, zsugori/gazdag ember

money box *fn GB* persely

money broker *fn pénz* pénzügynök, bankbizományos, váltóügynök

money changer *fn* pénzváltó

money economy *fn közg* pénzgazdaság, pénzgazdálkodási/hitelgazdálkodási rendszer

moneyed [ˈmʌnid] *mn* **1.** pénzes, gazdag, vagyonos **2.** készpénzből álló, készpénz-

money-grubber *fn biz* pénzsóvár/krajcároskodó/fukar ember • *fn* **money-grubbing**

money-laundering *fn gazd* pénzmosás

moneylender *fn* pénzkölcsönző *[bankár, uzsorás]* • *mn/fn* **moneylending**

moneymaker *fn* **a)** pénzgyűjtő, pénzhalmozó, (hirtelen) vagyonosodó **b)** jövedelmező ötlet/vállalkozás • *fn* **moneymaking**

money market *fn pénz* pénzpiac, rövid lejáratú hitelek piaca

money order *fn* postautalvány, pénzesutalvány

money spider *fn áll biz* ‹a közhiedelem szerint szerencsét hozó házipók›

moneywort *fn növ* pénzeslevelű lizinka, ínynyújtó fű

monger [ˈmʌŋgə ‖ ˈmɑŋgər] *fn* **1.** kereskedő, árus **2.** *pej* ‹vmt kitaláló/koholó személy›

Mongol [ˈmɒŋgl ‖ ˈmɑŋgl] *mn/fn* mongol

Mongolia [mɒŋˈgoʊlɪə ‖ mɑŋ–] *tul földr* Mongólia

Mongolian [mɒŋˈgoʊlɪən ‖ mɑŋ–] **I.** *mn* mongol **II.** *fn* **1.** mongol *[személy]* **2.** mongol nyelv

mongolism [ˈmɒŋgəlɪzm ‖ ˈmɑŋ–] *fn orv* mongolizmus, Down-kór

mongoloid [ˈmɒŋgəlɔɪd ‖ ˈmɑŋ–] *mn orv* mongoloid

mongoose [ˈmɒŋguːs ‖ ˈmɑŋ–] *fn áll* manguszta

mongrel [ˈmʌŋgrəl ‖ ˈmɑŋ–] **I.** *fn* **1.** keverék állat, korcs **2.** *szl durva* korcs *[ember]* **II.** *mn* keverék, korcs *[kutya]* • *tsi* **mongrelize** *fn* **mongrelism**, **mongrelization**

monial [ˈmoʊnɪəl] *fn épít* ablakkereszt, ablakosztás

Monica [ˈmɒnɪkə ‖ ˈmɑ–] *tul* Mónika

moniker [ˈmɒnɪkə ‖ ˈmɑnɪkər] *fn szl* **1.** név, becenév **2.** aláírás

moniliform [mɒˈnɪlɪfɔːm ‖ moʊˈnɪlɪfɔrm] *mn biol* nyaklánc/gyöngysor alakú

monism [ˈmɒnɪzm ‖ ˈmɑ–] *fn fil* monizmus, monista filozófia • *fn* **monist** *mn* **monistic**

monition [məˈnɪʃn] *fn* **1.** *vál* intés, figyelmeztetés, óvás **2.** *jog* idézés **3.** *vall* intés, figyelmeztetés *[egyházi fenyítés előtt]*

monitor [ˈmɒnɪtə ‖ ˈmɑnɪtər] **I.** *tsi* **1. a)** megfigyel, ellenőriz, követ, figyelemmel kísér *[folyamatosan, rendszeresen]* **b)** rádiófigyelő szolgálatot teljesít, külföldi híranyagot lehallgat **2. a)** *fiz* jelez *[sugárzást]* **b)** káros anyagok hatását (v. radioaktivitást) ellenőriz *[dolgozók ruházatán]* **II.** *fn* **1. a)** felügyelő, figyelő *[személy, eszköz]* **b)** *okt* kisebbekre felügyelő diák, felvigyázó **2.** *távk* **a)** rádiófigyelő, külföldi híranyag/leadások lehallgatója **b)** *média* **~ (screen)** ellenőrző képernyő, monitor **c)** *fiz* sugárzásjelző berendezés **3.** *infor* képernyő **4.** vészjelző berendezés/készülék **5.** *kat* monitor, folyami hadihajó • *fn* **monitorship** *mn* **monitorial**

monitor lizard *fn áll* varánusz

monitory [ˈmɒnɪtri ‖ ˈmɑnətɔri] **I.** *mn vál* intő, figyelmeztető **II.** *fn vall* intés

monk [mʌŋk] *fn* szerzetes, barát • *mn* **monkish**

monkey [ˈmʌŋki] **I.** *fn* **1. a)** majom **b) make a ~ of sy** bolonddá/nevetségessé tesz vkt; **play the ~** bolondozik, majomkodik **2.** *szl* **a)** *GB* 500 angol font **b)** *US* 500 amerikai dollár **3.** *US szl* **have a ~ on one's back** kábítószer rabja **4.** *épít* sulyok, cölöpverő gép sulykolója **II. A.** *tsi* utánoz, majmol (vkt) **B.** *tni* **1.** majomkodik, bohóckodik **2.** *szl* **~ (about) with sg** birizgál vmt, babrál vmvel; **~ around with sg** babrál vmvel, vmvel vacakol

monkey bread *fn növ* **1.** majomkenyér **2. ~ (tree)** baobab, majomkenyérfa

M

monkey business *fn szl* **1.** gyanús dolog/eljárás/üzlet/ügy **2.** szamárkodás
monkey flower *fn növ* bohócvirág
monkey jacket *fn* ‹szoros, testhezálló tengerészzubony›
monkey nut *fn GB* amerikai mogyoró
monkey puzzle *fn növ* araukáriafenyő
monkey suit *fn biz* frakk, férfi nagyestélyi ruha
monkey tricks *fn tsz* **1.** pajkos csíny(ek) **2.** bohóckodás
monkey wrench *fn műsz* állítható csavarkulcs, franciakulcs
monkeywrench *tsi biz* szabotál *[környezetvédelmi szándékkal]*
monkfish *fn áll* **1.** angyalcápa **2.** ördöghal
monniker [ˈmɒnɪkə ‖ ˈmɑnɪkər] → **moniker**
mono [ˈmɒnoʊ ‖ ˈmɑ–] *mn távk* monó
mono- [ˈmɒnoʊ, ˈmɒnə ‖ ˈmɑnoʊ, mɑnə] *előtag* mono-, egy-
monobasic [ˌmɒnoʊˈbeɪsɪk] *mn növ vegy* egybázisú
monocarpic [ˌmɒnoʊˈkɑːpɪk ‖ ˌmɑnəˈkɑrpɪk] *mn növ* egyszer gyümölcsöző, egynyári, egyvirágzású
monocarpous [ˌmɒnoʊˈkɑːpəs ‖ ˌmɑnəˈkɑrpəs] → **monocarpic**
monocephalous [ˌmɒnoʊˈsefələs ‖ ˌmɑnə–] *mn növ* egyfejű
monochord [ˈmɒnəkɔːd ‖ ˈmɑnəkɔrd] *fn zene régi* ‹egyhúros hangszer› monochord
monochromatic [ˌmɒnoʊkroʊˈmætɪk ‖ ˌmɑnə–] *mn* egyszínű, egyhullámhosszú, monokromatikus • *hsz* **monochromatically**
monochrome [ˈmɒnəkroʊm ‖ ˈmɑ–] **I.** *mn* **1.** egyszínű **2.** *infor* fekete-fehér *[képernyő]* **II.** *fn műv* egyszínű (v. egy színben készült) festmény *[ugyanazon szín árnyalataival]*, monokróm/egyszínű nyomás • *mn* **monochromic**
monocle [ˈmɒnəkl ‖ ˈmɑ–] *fn* monokli, félszemüveg • *mn* **monocled**
monocline *fn geol* monoklinális/egyhajlásos redő
monocoque [ˈmɒnəkɒk ‖ ˈmɑnəkoʊk] *fn rep* héjszerkezetű (v. fasávokból összeenyvezett törzsű) repülőgép
monocotyledon [ˌmɒnoʊkɒtəˈliːdn ‖ ˌmɑnəkɑtə–] *fn növ* egyszikű virág • *mn* **monocotyledonous**
monocracy [məˈnɒkrəsi ‖ –ˈnɑ–] *fn pol* egyeduralom, abszolutizmus • *mn* **monocratic**
monocular [məˈnɒkjʊlə ‖ –ˈnɑkjələr] *mn biol* félszemű, egyszemű, félszemes • *hsz* **monocularly**
monoculture [ˈmɒnoʊkʌltʃə ‖ ˈmɑnəkʌltʃər] *fn mezőg* egyetlen növényfaj termesztése, monokultúra
monocycle [ˌmɒnoʊˈsaɪkl ‖ ˌmɑnə–] *fn* egykerekű velocipéd
monocyte [ˈmɒnəsaɪt ‖ ˈmɑnə–] *fn biol* monocita
monodactylous [ˌmɒnoʊˈdæktɪləs ‖ ˌmɑnə–] *mn áll* egyujjú
monodrama [ˈmɒnədrɑːmə ‖ ˈmɑnədræmə] *fn ir.tud* monodráma, egyszemélyes dráma
monody [ˈmɒnədi ‖ ˈmɑ–] *fn* **1.** monódia, kíséret nélküli ének, gyászdal **2.** gyászbeszéd • *fn* **monodist** *mn* **monodic**
monoecious [mɒˈniːʃəs ‖ mɑ–] *mn* **1.** *növ* egylaki **2.** *áll* hermafrodita
monogamy [məˈnɒgəmi ‖ –ˈnɑ–] *fn* egynejűség • *fn* **monogamist** *mn* **monogamous** *hsz* **monogamously**
monogenesis [ˌmɒnoʊˈdʒenɪsɪs ‖ ˌmɑnə–] *fn* **1.** *biol* monogenezis, ivartalan (v. nem nélküli) szaporodás **2.** *tud* egyeredetűség • *mn* **monogenetic**
monogeny [məˈnɒdʒənɪ ‖ –ˈnɑ–] → **monogenesis**
monoglot [ˈmɒnoʊglɒt ‖ ˈmɑnəglɑt] **I.** *mn* egynyelvű **II.** *fn* egynyelvű (személy)
monogram [ˈmɒnəgræm ‖ ˈmɑnə–] *fn* névjel, monogram • *mn* **monogrammatic**, **monogrammed**
monograph [ˈmɒnəgrɑːf ‖ ˈmɑnəgræf] *fn* monográfia • *fn* **monographer**, **monographist** *mn* **monographic**
monogynous [məˈnɒdʒənəs ‖ –ˈnɑ–] *mn növ* egybibéjű, egybibés
monogyny [məˈnɒdʒəni ‖ –ˈnɑ–] *fn* **1.** *növ* egybibéjűség **2.** egynejűség, monogámia
monohydric [ˌmɒnoʊˈhaɪdrɪk ‖ ˌmɑnə–] *mn vegy* egybázisú, egyértékű
monokini [ˌmɒnəˈkiːni ‖ ˌmɑnə–] *fn* monokini *[felsőrész nélküli bikini]*
monolingual [ˌmɒnoʊˈlɪŋgwəl ‖ ˌmɑnə–] *mn* egynyelvű, egynyelvi
monolith [ˈmɒnəlɪθ ‖ ˈmɑ–] *fn* **1.** monolit *[egy tömbből faragott oszlop/emlékmű]* **2.** egy darabból épült létesítmény • *mn* **monolithic**
monologize [məˈnɒlədʒaɪz ‖ –ˈnɑ–], **-ise** *tni* monologizál, monológot mond, magában beszél
monologue [ˈmɒnəlɒg ‖ ˈmɑnəlɔg, –lɑg] *fn* monológ, magánbeszéd • *fn* **monologist** *mn* **monologic**
monomania [ˌmɒnəˈmeɪnɪə ‖ ˌmɑ–] *fn pszich* rögeszme, kényszerképzet, monománia • *mn/fn* **monomaniac** *mn* **monomaniacal**
monomer [ˈmɒnəmə ‖ ˈmɑnəmər] *fn vegy* monomer • *mn* **monomeric**
monomial [məˈnoʊmɪəl] *mat* **I.** *mn* egytagú, monóm *[szám, kifejezés]* **II.** *fn* egytagú szám/kifejezés, monóm
monomolecular [ˌmɒnoʊməˈlekjʊlə ‖ ˌmɑnoʊməˈlekjələr] *mn fiz vegy* egymolekulás, monomolekuláris
monomorphic [ˌmɒnəˈmɔːfɪk ‖ ˌmɑnəˈmɔrfɪk] *mn biol vegy* monomorf
monomorphous [ˌmɒnəˈmɔːfəs ‖ ˌmɑnəˈmɔrfəs] → **monomorphic**
mononucleosis [ˌmɒnənjuːkliˈoʊsɪs ‖ ˌmɑnənuː–] *fn orv* mononukleózis; **infectious ~** Pfeiffer-féle mirigyláz
monopetalous [ˌmɒnoʊˈpetl·əs ‖ ˌmɑnə–] *mn növ* egyszirmú
monophonic [ˌmɒnəˈfɒnɪk ‖ ˌmɑnəˈfɑnɪk] *mn* **1.** *távk* egy(hang)csatornás, mono **2.** *zene* egyszólamú • *hsz* **monophonically**
monophthong [ˈmɒnəfθɒŋ ‖ ˈmɑnəfθɔŋ] *fn nyelv* egyeshangzó, monoftongus • *mn* **monophtongal**
monophyletic [ˌmɒnoʊfaɪˈletɪk ‖ ˌmɑnə–] *mn biol* monofiletikus, törzsfejlődéstanilag egységes eredetű
monophysite [məˈnɒfəsaɪt ‖ –ˈnɑ–] *mn/fn vall* **a)** monofizita, az emberi természet (pogány) átistenülését valló **b)** Jézus istenemberségét tagadó
monoplane [ˈmɒnəpleɪn ‖ ˈmɑ–] *fn rep* monoplán, egyfedelű repülőgép
monopole [ˈmɒnəpoʊl ‖ ˈmɑ–] *fn* **1.** *fiz* egypólus **2.** *távk* rúdantenna
monopolist [məˈnɒpəlɪst ‖ –ˈnɑ–] *fn* **1. a)** monopolista, egyedárus(ító) **b)** monopolizáló, kisajátító **2.** *pol* a monopólium híve • *mn* **monopolistic**
monopolize [məˈnɒpəlaɪz ‖ –ˈnɑ–], **-ise** *tsi* **1.** *gazd* monopolizál *[iparágat, kereskedelmet]*, kizárólagos hozzáférhetést élvez, egyeduralmi pozíciót/jogot élvez/gyakorol **2.** magához ragad (vmt), monopolizál, kisajátít; **~s the conversation** mindig csak ő beszél, nem hagy mást szóhoz jutni • *fn* **monopolization**, **monopolizer**
monopoly [məˈnɒpəli ‖ –ˈnɑ–] *fn* monopólium, kizárólagos jogosítvány (vmre); **have the ~ of/on sg** vm monopóliumának birtokában van
monorail [ˈmɒnəreɪl ‖ ˈmɑnə–] *fn vasút* egysínű vasút
monosaccharide [ˌmɒnoʊˈsækəraɪd ‖ ˌmɑnə–] *vegy* monoszacharid, egyszeres cukor
monospermous [ˌmɒnəˈspɜːməs ‖ ˌmɑnəˈspɜr–] *mn növ* egymagú
monosyllabic [ˌmɒnəsɪˈlæbɪk ‖ ˌmɑnəsɪ–] *mn nyelv* egy(szó)tagú, egy(szó)tagos • *hsz* **monosyllabically**
monosyllable [ˈmɒnəsɪləbl ‖ ˈmɑnə–] *fn nyelv* egytagú szó; **answer in ~s** kurtán felelget
monotheism [ˈmɒnəθiːɪzm ‖ ˈmɑnə–] *fn vall* egyistenhit, monoteizmus • *fn* **monotheist** *mn* **monotheistic**
monotint [ˈmɒnətɪnt ‖ ˈmɑnə] *fn műv* egyszínű festmény

M

monotone [ˈmɒnətoʊn || ˈmɑnətoʊn] **I.** *mn* egyhangú, egyszínű, monoton **II.** *fn* **a)** egyhangúság *[stílusban, beszédben]* **b)** monoton/egyhangú előadásmód/olvasásmód • *mn* **monotonic** *hsz* **monotonically**

monotonous [məˈnɒtn·əs || –ˈnɑ–] *mn* **1.** egyhangú, monoton *[hangszer, beszéd, zaj]* **2.** változatosság nélküli, unalmas, sivár, egyhangú, monoton *[élet]* • *tsi* **monotonize** *fn* **monotonousness** *hsz* **monotonously**

monotony [məˈnɒtn·i || –ˈnɑ–] *fn* egyhangúság, unalmasság, változatosság hiánya

monotype [ˈmɒnətaɪp || ˈmɑnə–] *fn nyomd* **a)** monotype/monó szedőgép; ~ **operator** monotype-szedő **b)** monotype-szedés, monószedés

monotypic [ˌmɒnəˈtɪpɪk || ˌmɑnə–] *mn biol* egy nemmel képviselt *[növény]*

monovalent [ˌmɒnəˈveɪlənt || ˌmɑnə–] *mn vegy* egyvegyértékű

monovular [məˈnɒvjʊlər || –ˈnɑ–] *mn biol* egy petéből való/származó, egypetéjű

monoxide [məˈnɒksaɪd || –ˈnɑk–] *fn vegy* monoxid

monozygotic [ˌmɒnəzaɪˈgɒtɪk || ˌmɑnəzaɪˈgɑ–] *mn biol* egypetéjű *[ikrek]*

Monroe doctrine [mənˈroʊ] *fn US tört* a Monroe-elv *[„Amerika az amerikaiaké"]*

Monseigneur [mɒnˈsiːnjə || mɑnˈsiːnjər] *fn tsz* **Messeigneurs** *francia* ‹francia herceg v. püspök megszólítása›

Monsieur [məˈsjɜː || məˈsjɜr] *fn tsz* **Messieurs** *francia* **1.** úr *[francia férfiak megszólítása]*; ~ **Blanc** Blanc úr **2.** *biz* francia ember

Monsignor [mɒnˈsiːnjə || mɑnˈsiːnjər] *fn tsz* **Monsignori** [–ˈjɔːri] *vall* monsignore *[katolikus főpapok megszólítása]*

monsoon [ˌmɒnˈsuːn || ˌmɑn–] *fn földr* monszun(szél) • *mn* **monsoonal**

monster [ˈmɒnstə || ˈmɑnstər] *fn* **1.** szörny(eteg), torzszülött **2.** elvetemült/kegyetlen ember **3.** óriás, kolosszus, monstrum; ~ **of ingratitude** a hálátlanság tetőfoka

monstrance [ˈmɒnstrəns || ˈmɑn–] *fn vall* szentségtartó, monstrancia

monstrosity [mɒnˈstrɒsəti || mɑnˈstrɑsəti] *fn* **1.** szörny(eteg), óriás alak **2.** iszonyatosság, szörnyűség, borzalom, borzalmasság

monstrous [ˈmɒnstrəs || ˈmɑn–] *mn* **1.** szörnyű, irtózatos, rettenetes **2.** óriási, éktelen (nagy); ~ **lie** szemenszedett hazugság • *fn* **monstrousness** *hsz* **monstrously**

mons Veneris [ˌmɒnz ˈvenərɪs || ˌmɑnz–] *fn orv* Vénuszdomb

montage [mɒnˈtɑːʒ || mɑn–] *fn műv* montázs

Montana [mɒnˈtænə || mɑn–] *tul földr* Montana *[az USA tagállama]*

Montanan [mɒnˈtænən || mɑn–] *mn/fn* Montana-állambeli, montanabeli, montanai

montbretia [mɒnˈbriːʃə] *fn növ* montbrécia, tengerszem

Montenegro [ˌmɒntɪˈniːgroʊ || ˌmɑntəˈniːgroʊ] *tul földr* Montenegro

Montessori method [ˌmɒntɪˈsɔːri ˈzmeθəd || ˌmɑntəˈsˈs-fri–] *fn okt* Montessori-módszer

Montezuma's revenge [ˌmɒntɪˈzuːmə || ˌmɑn–] *fn biz* Montezuma bosszúja, hasmenés *[mexikói turistabetegség]*

month [mʌnθ] *fn* **1.** hó(nap); **current/this** ~ folyó hó(nap); **last** ~ múlt hóban; **once a** ~ havonként (egyszer), havonta; **this day a** ~ **ago** ma egy hónapja, egy hónappal ezelőtt; **what day of the** ~ **is this?** hányadika van? **2. a** ~ **of Sundays** *biz* meghatározatlan idő, egy örökkévalóság

monthly [ˈmʌnθli] **I.** *mn* hav(onként)i, egy hónapig tartó; ~ **instalment** havi részlet; *vasút* ~ **return ticket** egy hónapig érvényes menettérti jegy; *pénz* ~ **statement** havonkénti/hóvégi kimutatás/számlakivonat **II.** *hsz* havonként, havonta, minden hónapban **III.** *fn* **1.** *biz* (havonként megjelenő) folyóirat **2.** *tsz* **monthlies** havivérzés, menstruáció

monticle [ˈmɒntɪkl] *fn* **1.** *geol* kis hegy, domb(ocska), halmocska **2.** *orv* monticulus

monticoline [mɒnˈtɪkoʊlaɪn || mɑn–] *mn* hegyekben élő, hegyek között élő *[állat]*

monticule [ˈmɒntɪkjuːl || ˈmɑntɪ–] *fn geol* **a)** kis hegy, domb(ocska) **b)** parazita kúp *[vulkánon]*

Montreal [ˌmɒntriˈɔːl || ˌmɑn–] *tul földr* Montreal

Montrose [mɒnˈtroʊz || mɑn–] *tul földr* Montrose

Montserrat [ˌmɒntsəˈræt || ˌmɑnt–] *tul földr* Montserrat

monument [ˈmɒnjʊmənt || ˈmɑnjə–] *fn* **1.** emlék(mű), szobor, műemlék; **ancient** ~ műemlék; *US* **registered national** ~ védett műemlék **2.** síremlék, sírkő **3.** vmnek a határát jelző kő/fa/folyó stb. **4.** nyelvemlék, irodalmi emlék

monumental [ˌmɒnjʊˈmentl || ˌmɑnjəˈmentl] *mn* **1.** emlékművi (jellegű) **2.** hatalmas, monumentális, nagyszabású

moo [muː] **I.** *fn* (tehén)bőgés **II.** *tni* bőg *[marha]*

mooch [muːtʃ] *biz* **I.** *fn* csavargás, tekergés, kószálás, lófrálás; **be on the** ~ csavarog, cselleng, lődörög **II. A.** *tsi* **1.** (el)csen, (el)lop, elcsór (vmt) **2.** *kat szl [szerez]* faszol **B.** *tni* ~ **about** csavarog, tekereg, kujtorog, lődörög • *fn* **moocher**

moo-cow [ˈmuːkaʊ] *fn gyerm* boci

mood[1] [muːd] *fn* **1.** hangulat, kedélyállapot, lelkiállapot, kedv; **be in the** ~ **to write** kedve van az íráshoz; **I'm in no laughing** ~ nem vagyok nevető kedvemben **2. man of** ~**s** a hangulat embere, szeszélyes/bogaras ember; **have** ~**s** szeszélyes, (gyorsan) váltakozó hangulatú; raplis

mood[2] [muːd] *fn* **1.** *nyelv* igemód **2.** hangnem **3.** *fil* **a)** létforma, létmód **b)** következtetésmód

moody [ˈmuːdi] *mn* szeszélyes, változó/változékony hangulatú; **be** ~ mogorva, barátságtalan; rossz kedve van, rosszkedvű

Moog synthesizer [ˌmuːg–] *fn zene* Moog-szintetizátor

moollah [ˈmuːlə] → **mullah**

moon [muːn] **I.** *fn* **1. a)** hold; **full** ~ telihold, holdtölte; **new** ~ újhold; **waning** ~ fogyó hold; **waxing** ~ növekvő hold **b)** *biz* **promise sy the** ~ **and stars** eget-földet ígér vknek; **once in a blue** ~ *biz* hébe-hóba, nagyritkán, néhanapján; **many** ~**s ago** réges rég, valaha **2. a)** *csill* holdhónap, szinódikus hónap **b)** *vál* hó(nap) **3. be over the** ~ *biz* boldog, vidám **II.** *tni* **1. a)** őgyeleg, lézeng, lődörög **b)** tűnődik, (el)ábrándozik **2.** *szl* ‹provokatívan meztelen fenekét mutatja vknek›

moonbeam *fn* holdsugár, holdfény

moon boot *fn* hótaposó csizma

mooncalf *fn tsz* **mooncalves** gyengeelméjű, hülye, bolond

moon-faced *mn* kerek arcú, gömbölyded fejű

moonfish *fn áll* tengeri felcser

moonglade *fn vál US* ezüsthíd, holdfénycsillám *[víztükrön]*

moon landing *fn* holdraszállás

moonless [ˈmuːnləs] *mn* koromsötét *[éjszaka]*, holdtalan

moonlight I. *fn* holdfény, holdvilág; **it was** ~ sütött a hold; **by** ~, **in the** ~ holdvilágnál, holdfénynél **II.** *tni pt/pp* **-lighted** másodállásban dolgozik *[éjjel]*, maszekol • *fn* **moonlighter**

moonlight flit *fn GB biz* távozás az éj leple alatt *[fizetés nélkül]*

moonlit [ˈmuːnlɪt] *mn* holdvilágos *[éj]*, holdsütötte, holdfény által megvilágított *[táj stb.]*

moonquake *fn geol* holdrengés

moonrise *fn* holdkelte

moonscape *fn fényk geol* holdfénykép, a Hold felszínéről készült kép

moonshine *fn* **1.** holdfény, holdvilág **2.** *biz* üres/bolond beszéd, süket duma, blabla; **that's all** ~! ez mind hülyeség; ez mese habbal **3.** *US szl* csempészett pálinka *[szesztilalom idején]*

moonshiner *fn US szl* **1.** szeszcsempész **2.** engedély nélküli pálinkafőző

moon shot *fn biz* holdrakéta-felbocsátás

moonstone *fn ásv* holdkő, adulár
moonstruck *mn* **1.** holdkóros **2.** *átv* ütődött, bolond
moony ['mu:ni] *mn* **1.** holdas, holdfényes *[éj]*, holdsütötte *[táj]* **2.** hold alakú/formájú, holdszerű **3.** álmodozó, ábrándozó, gondolatokba merült/mélyedt *[ember]*
Moor ['muə ‖ mʊr] *fn* mór, szerecsen, berber
moor[1] [muə ‖ mʊr] *fn* **1. a)** mocsár, láp, ingovány **b)** tőzeges terület **2.** rekettyés/hangafüves puszta(ság) • *mn* **moorish**, **moory**
moor[2] [muə ‖ mʊr] **A.** *tsi* kiköt, lehorgonyoz *[hajót]*, megköt, odaköt *[csónakot]* **B.** *tni* kiköt *[hajó]* • *fn* **moorage**
moorcock *fn áll* fajdkakas
moorfowl *fn áll* nyírfajd
moorhen *fn áll* fajdtyúk
mooring ['muərɪŋ ‖ 'mʊr–] *fn hajó* **1. a)** kikötés, (le)horgonyzás **b)** kikötőhely **2.** *tsz* **moorings a)** hajókötél/hajólánc kikötéshez **b)** kikötési cölöp **c) ship at her ~s** horgonyzó/kikötött hajó
Moorish ['muərɪʃ ‖ 'mʊrɪʃ] *mn* mór, szerecsen, berber
moorland ['muələnd ‖ 'mʊr–] → **moor**[1]
moose [mu:s] *fn áll US Kan* amerikai jávorszarvas; → **elk**
moot [mu:t] **I.** *mn* vitatható, függő, eldöntetlen *[kérdés, ügy]* **II.** *tsi* felvet, megvitat, vita tárgyává tesz *[kérdést]* **III.** *fn tört* tanácskozó gyűlés
mop [mɒp ‖ mɑp] **I.** *fn* **1.** mosogatórongy, nyélre erősített felmosórongy, mop **2. ~ of hair** hajcsomó, (haj)tincs **II.** *tsi* **-pp- 1.** feltöröl, felmos, felsúrol *[padlót ronggyal]* **2.** letöröl *[könnyeket, izzadságot]*
mop up *tsi* **1.** felitat *[vizet]*, feltöröl *[padlót]*, letöröl *[nedves tárgyat]* **2.** *biz* felemészt, elnyel, felszív **3.** *kat biz* megtisztít *[ellenségtől]*, felszámol *[ellenállást]* **4.** befejez, véghez visz *[tervet, akciót]* • *mn* **moppy**
mope [moʊp] **I.** *tni* **1.** szomorkodik, búslakodik, álmodozik **2.** unatkozik **II.** *fn* szomorú/szomorkodó/bús(lakodó) ember • *fn* **moper**, **mopiness** *mn* **mopy** *hsz* **mopily**
moped ['moʊped] *fn* robogó, moped
mophead *fn* kócos/bozontos hajú ember
mopoke ['moʊpoʊk] *fn áll* **1.** bubuk, bagoly **2.** *[Tasmániában]* kecskefejő
moppet ['mɒpɪt ‖ 'mɑ–] **a)** (kis) kölyök, (kis)srác **b)** kislány, lányka
moquette [mɒ'ket ‖ moʊ–] *fn tex* mokett
moraine [mə'reɪn] *fn geol* moréna, gleccserturzás, jégártól hagyott törmelékkúp
moral ['mɒrəl ‖ 'mɔrəl] **I.** *mn* **1.** erkölcsi, erkölcsre vonatkozó; **~ faculty/sense** erkölcsi érzék; **~ law** erkölcsi törvény; **~ philosophy** erkölcstan, etika **2.** erkölcsös, a jó erkölcsnek megfelelő **3.** lelki *[erő]*, erkölcsi *[győzelem]*; **~ support** erkölcsi támasz/támogatás; **~ victory** erkölcsi diadal **4. ~ certainty** az emberek közös véleményére alapított bizonyosság **II.** *fn* **1.** tanulság *[meséből]*; **story with a ~** tanmese, tanulságos mese; **draw the ~ of an experience** levonja a tanulságot egy tapasztalatból **2. a)** *tsz* **morals** erkölcsösség, erkölcs(ök) **b)** *esz* **morals** erkölcstan, etika • *hsz* **morally**
morale [mə'rɑ:l ‖ mə'ræl] *fn* (köz)szellem, (köz)hangulat, harci szellem *[csapaté]*, *sp* csapatszellem; **undermine the ~** demoralizál, lázít
moralism ['mɒrəlɪzm ‖ 'mɔr–] *fn* **1.** moralizálás **2.** erkölcsi tanulság
moralist ['mɒrəlɪst ‖ 'mɔr–] *fn* **1.** moralista, erkölcstanító, erkölcsbíráló **2.** erkölcsös (de nem hívő) ember • *mn* **moralistic** *hsz* **moralistically**
morality [mə'ræləti] *fn* **1. a)** erkölcsi érzék/felfogás **b)** erény, erkölcs, erkölcsös magatartás/viselkedés, morál **c)** *tsz* **moralities** erkölcsi elvek **2.** erkölcsi elmélkedés **3.** *régi* etika, erkölcstan
morality play *fn ir.tud* allegórikus színmű, moralitás
moralize ['mɒrəlaɪz ‖ 'mɔr–], **-ise A.** *tsi* **1.** erkölcsi magyarázatot ad (vmről), erkölcsileg magyaráz (vmt) **2.** erkölcsileg javít/nevel/nemesít, erkölcsössé tesz *[gyermeket, vad törzset]* **B.** *tni* moralizál, erkölcsre tanít, erkölcsről elmélkedik, erkölcsi prédikációt tart • *fn* **moralization**, **moralizer** *hsz* **moralizingly**
morass [mə'ræs] *fn* **1.** mocsár, ingovány, láp **2.** *átv* posvány, fertő
moratorium [ˌmɒrə'tɔ:rɪəm ‖ ˌmɔrə'tɔr–] *fn tsz* **moratoria** [–rɪə], **~s 1.** *pénz* (fizetési) haladék, moratórium **2.** *átv* moratórium, fegyvernyugvás, fegyverszünet
Moravian [mə'reɪvɪən] **I.** *mn földr* morva(országi) **II.** *fn* morva (ember)
moray ['mɒreɪ ‖ 'mɔ–] *fn áll* muréna
morbid ['mɔ:bɪd ‖ 'mɔr–] *mn* **1. a)** morbid, bizarr **b)** beteges, kóros **2.** hátborzongató, szörnyű, rémítő *[részletek]* • *fn* **morbidity**, **morbidness** *hsz* **morbidly**
morbid anatomy *fn orv* kórbonctan
morbific [mɔ:'bɪfɪk ‖ mɔr–] *mn orv* kórokozó
morbilli [mɔ:'bɪlaɪ ‖ mɔr–] *fn tsz orv* kanyaró
mordant ['mɔ:dnt ‖ 'mɔr–] **I.** *mn* **1.** maró *[sav]* **2.** metsző *[gúny]*, csípős, gúnyos, maró *[megjegyzés]*; **~ pain** szúró/éles fájdalom **II.** *fn* **1.** marósav, maratószer **2.** *vegy* pác • *fn* **mordancy** *hsz* **mordantly**
mordent ['mɔ:dnt ‖ 'mɔr–] *fn zene* parányzó, mordent
more [mɔ: ‖ mɔr] **I.** *mn* **1.** több (mint), nagyobb; **have no ~ money** elfogyott a pénzem, nincs több pénzem **2.** még, továbbá; **one ~** még egy, eggyel több(et); **some ~** (i) még egy kicsi, még egy (ii) még egy kicsit, még egy keveset **II.** *hsz* **1. a)** nagyobb mértékben, jobban, inkább, többé; **~ and ~** egyre inkább, mindinkább; egyre több(et); **~ or less** többé-kevésbé; **never ~** soha többé/többet; **neither ~ nor less than ridiculous** ez egyszerűen nevetséges **b) when I shall be no ~** amikor én már nem leszek **c)** ‹rendhagyó fokozású melléknevek középfokának képzője›; **~ difficult** nehezebb; **make sg ~ difficult** megnehezít vmt, nehezebbé tesz vmt; **~ easily** könnyebben; **~ fortunate** szerencsésebb; **~ serious** komolyabb/súlyosabb; **do it ~ like this** inkább így csinálja; **he was ~ surprised than annoyed** ő inkább meglepődött mint bosszankodott; **I did not do it any ~ than you did** épp úgy nem én voltam/tettem mint ahogy ön sem **2.** továbbá, ezenfelül; **any ~** még több; többé nem; **a little ~** még egy kevés/keveset; **is there any ~?** van még?, maradt még valami?; **no ~** már nem, több(é) nem; **once ~** még egyszer; **there is plenty ~** van még bőven; **it will ~ than pay the trouble** bőségesen megéri a fáradságot; **what ~ do you want?** mit óhajt/kíván/akar még?; **all the ~** annál inkább; **so much the ~** annál is inkább; **the ~ ... the ~** minél inkább ... annál inkább; **the fewer the joys of life, the ~ we value them** az élet örömeit annál inkább élvezzük, minél kevesebb van belőlük; *közm* **much will have ~** evés közben jön meg az étvágy **3.** és, meg, plusz **III.** *fn* a nagyobb, a több; **no ~**, **not any ~** nem több(et), többet nem; elég; **I have no ~** nincs többem *[elfogyott]*; **say no ~** egy szót se többet; **~ than enough** bőven elég; több a soknál; sok a jóból; **what is ~ ...** mi több ...; **the ~ one has the ~ one wants** minél többje van az embernek, annál többre vágyik, evés közben jön meg az étvágy
moreen [mə'ri:n] *fn tex* moaré
moreish ['mɔ:rɪʃ] *mn GB biz [finom]*, jól csúszó *[étel]*
morel [mə'rel] *fn növ* közönséges kucsmagomba
morello [mə'reloʊ] *fn növ* **~ (cherry)** meggy
moreover [mɔ:'roʊvə ‖ –ər] *hsz* azonkívül, ezenkívül, azonfelül, mi több, sőt, egyébként, különben
morepork ['mɔ:pɔ:k ‖ 'mɔrpɔrk] → **mopoke**
mores ['mɔ:reɪz] *fn tsz* szokások, erkölcsök
Moresque [mɔ:'resk] *mn* mór *[stílus]*
morganatic [ˌmɔ:gə'nætɪk ‖ ˌmɔr–] *mn* morganatikus, rangon aluli *[házasság]*
morgue [mɔ:g ‖ mɔrg] *fn* **1.** hullaház, halottaskamra **2.** *biz média* ‹hírlapszerkesztőség kézikönyvtára és dokumentációs anyaga›
moribund ['mɒrɪbʌnd ‖ 'mɔ–] *mn* haldokló, haldódó, végét járó *[ember, állat]* • *fn* **moribundity**

M

morisco [məˈrɪskoʊ] **I.** *mn* mór *[ember, stílus]* **II.** *fn* **1.** mór ember **2.** → **morris dance**
morish [ˈmɔːrɪʃ] → **moreish**
Mormon [ˈmɔːmən ‖ ˈmɔr–] *fn* mormon (vallású ember)
morn [mɔːn ‖ mɔrn] *fn vál* → **morning**
mornay [ˈmɔːneɪ ‖ ˈmɔr–] *fn gaszt* sajtszósz
morning [ˈmɔːnɪŋ ‖ ˈmɔr–] *fn* **1. a)** reggel; **good ~** jó reggelt (kívánok); jó napot (kívánok) *[déli 12 óra előtt használt köszönés]* **b)** délelőtt *[a déli étkezésig]*; **next ~**, **~ after** holnap reggel/délelőtt; **this ~** ma reggel/délelőtt; **early in the ~** kora reggel/délelőtt; **~ off** szabad délelőtt **2.** *vál* hajnal; **in the ~ of life** az élet hajnalán
morning after *fn biz* másnaposság, macskajaj
morning-after pill *fn* (aktus utáni) fogamzásgátló tabletta
morning coat *fn* zsakett
morning glory *fn növ* hajnalka
morning paper *fn* reggeli újság
morning room *fn* nappali (szoba)
morning sickness *fn orv* reggeli rosszullét/hányás *[terhesség jele]*
morning star *fn csill* Hajnalcsillag, Vénusz
morning watch *fn hajó* reggeli őrség/őrszolgálat *[rendszerint 4 és 8 óra között]*
Moroccan [məˈrɒkən ‖ –ˈrɑk–] **I.** *mn* marokkói *[ember, termék]* **II.** *fn* marokkói (ember)
Morocco [məˈrɒkoʊ ‖ məˈrɑ–] *tul földr* Marokkó
moron [ˈmɔːrɒn ‖ ˈmɔrɑn] *fn* **1.** értelmi fogyatékos *[8-12 évesekre jellemző értelmi szinttel]* **2.** *biz* idióta, bolond, hülye • *mn* **moronic** *hsz* **moronically**
morose [məˈroʊs] *mn* mogorva, morc(os), morózus *[ember, hangulat]* • *fn* **moroseness** *hsz* **morosely**
morph [mɔːf ‖ mɔrf] *fn* **1.** *nyelv* alakelem, (allo)morf **2.** *biol* morf, változat
morpheme [ˈmɔːfiːm ‖ ˈmɔr–] *fn nyelv* morféma • *mn* **morphemic** *hsz* **morphemically**
morphemics [mɔːˈfiːmɪks ‖ mɔr–] *fn esz nyelv* morfológia
Morpheus [ˈmɔːfɪəs, –fjuːs ‖ ˈmɔr–] *tul* Morfeusz *[az álom istene]*
morphin → **morphine**
morphine [ˈmɔːfiːn ‖ ˈmɔr–] *fn orv* morfin, morfium • *fn* **morphinism**, **morphinist**
morphogenesis [ˌmɔːfoʊˈdʒenɪsɪs ‖ ˌmɔr–] *fn biol* alakfejlődés • *mn* **morphogenetic**, **morphogenic**
morphology [mɔːˈfɒlədʒi ‖ mɔrˈfɑ–] *fn biol nyelv* alaktan, morfológia • *fn* **morphologist** *mn* **morphological** *hsz* **morphologically**
Morris [ˈmɒrɪs ‖ ˈmɔrɪs] **I.** *tul* Mór(ic) **II.** *fn* **1.** *gk márkanév* Morris *[autó]* **2. ninemen's m~** malom *[játék]*
Morris chair *fn* ‹szabályozható támlájú karosszék›
morris dance *fn* ‹jelmezes, hagyományos angol népitáncfajta› • *fn* **morris dancer**, **morris dancing**
morrow [ˈmɒroʊ ‖ ˈmɔroʊ] *fn* **1.** holnap, a rákövetkező nap; *vál* **on the ~** a következő napon, másnap **2.** *vál* ‹vmt közvetlenül követő időszak›; *vál* **on the ~ of World War II** közvetlenül a második világháború (befejezése) után
Morse [mɔːs ‖ mɔrs] *távk* **I.** *fn* morze (írás), morzejelek **II.** *tni/tsi* morzejelekkel táviratozik, morzéz(ik)
Morse code *fn távk* morzeábécé, morzejelek
morsel [ˈmɔːsl ‖ ˈmɔrsl] *fn* morzsa, falat, darabka, harapásnyi/falatnyi étel
mort [mɔːt ‖ mɔrt] *fn vad* ‹hangjelzés a vad kimúlásakor›
mortadella [ˌmɔːtəˈdelə ‖ ˌmɔrtə] *fn gaszt* mortadella
mortal [ˈmɔːtl ‖ ˈmɔrtl] **I.** *mn* **1.** halandó; **no ~ man** egy földi halandó sem; **unknown to ~ man** halandó számára fel nem fogható; **~ remains** porhüvely, földi maradványok **2. a)** halálos, végzetes, gyilkos; **~ agony** haláltusa; **~ anxiety/fear** halálos rettegés, halálfélelem; **~ combat** halálos/ádáz küzdelem; **~ enemy** halálos/ádáz ellenség; *vall* **~ sin** halálos bűn/vétek; **~ wound** halálos sebesülés **b) in a ~ hurry** *biz* lóhalálában **3.** *biz* (szörnyen) unalmas; **two ~ hours** két vég nélküli (v. borzalmasan hosszú) óra **4. it's no ~ use** *biz* semmire sem használható, teljesen hasznavehetetlen **II.** *fn* ember, halandó; **the ~s** a halandók, az emberek • *hsz* **mortally**
mortality [mɔːˈtæləti ‖ mɔr–] *fn* **1. a)** halandóság **b)** halálozás *[nagy tömegű/arányú]* **c)** halálos volta *[bűnnek]* **2.** a halandók, a halandó lények, az emberi lények
mortality rate *fn* halálozási arány
mortar [ˈmɔːtə ‖ ˈmɔr–] **I.** *fn* **1.** *épít* habarcs, malter, vakolat **2.** mozsár *[gyógyszertári, háztartási]* **3.** *kat* mozsárágyú **II.** *tsi* **1.** *épít [falat]* habarccsal/malterrel megköt, vakol **2.** *kat* ágyúz *[mozsárral]* • *mn* **mortarless**, **mortary**
mortarboard *fn* **1.** *biz okt* négyszögletű kalap *[angol/amerikai egyetemeken]* **2.** *épít* habarcstartó lap/deszkalap
mortgage [ˈmɔːgɪdʒ ‖ ˈmɔr–] *pénz* **I.** *fn* jelzálog(i teher), teher *[ingatlanon]*; **loan on ~** jelzálogkölcsön; **raise a ~** jelzálogkölcsönt vesz fel **II.** *tsi* (jelzáloggal) megterhel *[ingatlant]*; *biz* **~ one's happiness** eljátssza a boldogságát • *mn* **mortgageable**
mortgage bond *fn pénz* (jel)záloglevél
mortgagee [ˌmɔːgəˈdʒiː ‖ ˌmɔr–] *fn pénz* jelzálogos hitelező, jelzálog-tulajdonos
mortgager [ˈmɔːgɪdʒə ‖ ˈmɔr–] *fn pénz* jelzálogos adós
mortician [mɔːˈtɪʃn ‖ mɔr–] *fn US Kan* temetkezési vállalkozó
mortify [ˈmɔːtɪfaɪ ‖ ˈmɔr–] **A.** *tsi* **1.** sanyargat, gyötör, megaláz, megszégyenít **2.** önsanyargatást végez **3. a)** elfojt *[érzelmeket/szenvedélyt]*, uralkodik *[érzelmei/szenvedélye felett]* **b)** *orv* (el)üszkösít, üszkössé tesz **B.** *tni* **a)** elhal **b)** *orv* (el)üszkösödik, üszkössé válik • *fn* **mortification** *fn/mn* **mortifying** *hsz* **mortifyingly**
mortise [ˈmɔːtɪs ‖ ˈmɔr–] **I.** *fn* csapszáj, csaplyuk, furat, bevágás, ereszték *[gerendán]* **II.** *tsi* **1.** csapot vág (vmben), csaplyukat vés (vmbe), kivés **2.** összeilleszt, csappal összeköt
mortmain [ˈmɔːtmeɪn ‖ ˈmɔrt–] *fn jog* holtkéz; **goods in ~** holtkézi vagyon(tárgyak)
mortuary [ˈmɔːtʃuəri ‖ ˈmɔrtʃueri] **I.** *mn* halotti, halottas, temetkezési; **~ cloth** halotti lepel; **~ urn** hamvveder **II.** *fn* **1.** halottasház, ravatalozó **2.** hullaház, hullakamra
morula [ˈmɒrulə ‖ ˈmɔrələ] *fn tsz* **morulae** [–liː] *biol* morula
mosaic [moʊˈzeɪɪk] **I.** *fn* mozaik **II.** *tsi* mozaikkal kirak/díszít
Mosaic [moʊˈzeɪɪk] *mn bibl* mózesi
mosaic gold *fn vegy* sárgaréz aranyutánzat, sztannoszulfid
moschatel [ˌmɒskəˈtel ‖ ˌmɑs–] *fn növ* **(tuberous) ~** pézsma boglárka
Moscow [ˈmɒskoʊ ‖ ˈmɑskaʊ] *tul földr* Moszkva *[Oroszország fővárosa]*
Moselle [moʊˈzel] *fn gaszt* moseli bor
Moses [ˈmoʊzɪz, ˈmoʊzəz] *tul bibl* Mózes
mosey [ˈmoʊzi] *tni szl* jön-megy, mászkál, csámborog
Moslem [ˈmɒzləm ‖ ˈmɑzləm] → **Muslim**
mosque [mɒsk ‖ mɑsk] *fn épít vall* mecset
mosquito [məˈskiːtoʊ] *fn áll* szúnyog, moszkitó
mosquito bite *fn* szúnyogcsípés
mosquito repellent *mn* szúnyogriasztó, szúnyogűző *[kenőcs]*
moss [mɒs ‖ mɔs] **I.** *fn* **a)** *növ* moha **b)** *tsz* **mosses** *növ* mohafélék **II.** *tsi* mohával beborít/betelepít
moss agate *fn ásv* mohaagát, mohakő
moss-grown *mn* mohával benőtt, mohafödte, mohos, mohlepte
moss-hag *fn skót* (kimerült) tőzegtelep
mosso [ˈmɒsoʊ ‖ ˈmoʊsoʊ] *hsz zene* élénken, mosso
moss stitch *fn* rizskötés *[kézimunka]*
mosstrooper *fn tört* ‹XVII. századbeli skót martalóc›
mossy [ˈmɒsi ‖ ˈmɔsi] *mn* **1.** mohos, mohlepte **2.** *US szl* régimódi, divatjamúlt • *fn* **mossiness**

most [moust] **I.** *mn* legtöbb; ~ **men/people** az emberek legnagyobb része, a legtöbb ember; **for the ~ part** a legtöbb esetben, legnagyobbrészt, legtöbbször, többnyire; **in ~ cases** a legtöbb esetben, legtöbbször, általában **II.** *hsz* **1.** ‹rendhagyó fokozású melléknevek felsőfokának képzője›; **the ~ handsome man** a legjóképűbb férfi; **the ~ beautiful woman** a legkívánatosabb/legvonzóbb nő **2.** nagyon, igen; ~ **likely** nagyon/igen valószínűen, valószínűleg, alighanem **3.** legjobban, leginkább, nagyon, igen; ~ **of all** leginkább; **what I desire ~** amire a leginkább/legjobban vágyom **4.** nagyon, igen erősen, módfelett; **that's ~ strange** ez nagyon/igen/rendkívül különös; **for the ~ part** legnagyobbrészt **5.** *US táj* majdnem; ~ **everybody is here** úgyszólván mindenki itt van **III.** *nm* ~ **of them** javarészük/nagyrészük; ~ **of us** nagyrészünk **IV.** *fn* **1.** a legtöbb(et), a többség; **at (the) (very) ~** legfeljebb, ha sokat mondok, a legjobb/legrosszabb esetben; **make the ~ of sg** (i) gyümölcsöztet, kamatoztat *[pénzét]*; jól (ki)használ/kiaknáz/hasznosít *[idejét, összeköttetéseit]* (ii) a legjobb/legrosszabb színben tüntet fel vmt **2.** a legnagyobb része vmnek, a többség; ~ **of the time** az idő javarésze/javarészében (v. legnagyobb része/részében)

-most [moust] *utótag* **topmost peak** a legmagasabb csúcs; **the easter~ coast** a legkeletebbre fekvő part; **the further~ house** a legtávolabbi ház; **in his inner~ heart** szíve legmélyén

mostly ['moustli] *hsz* **1.** főként, javarészt, jórészt; **the work is ~ done** a munka legnagyobbrészt elkészült **2.** legtöbbször, leggyakrabban

mot [mou] *fn francia vál* szellemes mondás, szellemesség

MOT *röv Ministry of Transport*

mote [mout] *fn* **a)** porszem(cse) **b)** részecske, parány

motel [mou'tel] *fn* motel

motet [mou'tet] *fn zene* motetta

moth [mɒθ ‖ mɔθ] *fn* **1.** *áll* lepkefélék, lepkék **2.** ruhamoly

mothball ['mɒθbɔːl ‖ 'mɑθ–] *fn* **1.** molyirtó szer, naftalingolyócska **2. in ~s** benaftalinozva

moth-eaten *mn* **1.** molyette, molyrágta; **become ~** szétrágta a moly **2.** *biz* idejétmúlt, elavult

mother ['mʌðə ‖ –ər] **I.** *fn* **1. a)** anya; ~ **of three** három gyermek anyja; **yes M~!** igen anyám/anya!; *biz* **every ~'s son** minden teremtett lélek, minden emberfia; *közm* **necessity is the ~ of invention** a szükség találékonnyá tesz **b)** szülőanya, létrehozó, kezdet, bölcső, anya-; **Greece the ~ of the arts** Görögország a művészet(ek) bölcsője/szülőanyja **2.** *biz régi* nénike *[megszólításnál]*; **M~ Smith** Smith mama/néni **3.** *vall* **reverend ~** főapátasszony, főnökasszony, főtisztelendő Anya, főtisztelendő anyám *[megszólításként]*; **M~ Superior** fejedelemasszony/főnökasszony *[apácarendé]* **II.** *tsi* **1. a)** anyaként gondoz, (anyai) gondját viseli (vknek) **b)** kényeztet, babusgat (vkt), anyáskodik (vk felett) **c)** vk anyjának adja ki *[magát]* **2.** *átv* szül, világra hoz, létrehoz, eredményez, termel • *fn* **motherhood** *mn* **motherless** *mn/hsz* **motherlike**

motherboard ['mʌðəbɔːd ‖ 'mʌðərbɔrd] *fn infor* alaplap

mother church *fn vall* **1.** anya(szent)egyház **2.** főtemplom

mother country *fn* **1.** (szülő)haza, szülőföld **2.** anyaország

mothercraft ['mʌðəkrɑːft ‖ 'mʌðərkræft] *fn* anyai gondoskodás

mother earth *fn* anyaföld, földanya

motherfucker ['mʌðəfʌkə ‖ 'mʌðərfʌkər] *fn szl tabu [ellenszenves ember]* rohadék, fasz(fej), geci • *mn* **motherfucking**

Mother Goose rhyme *fn US* gyermekvers

Mothering Sunday *fn GB vall* ‹negyedik vasárnap nagyböjtben, amelyen szokás a szülőket meglátogatni›

mother-in-law *fn tsz* **mothers-in-law** anyós

motherland ['mʌðəlænd ‖ –ðər–] *fn* **1.** (szülő)haza, szülőföld **2.** anyaország

motherly ['mʌðəli ‖ –ðər–] *mn* **1.** anyai, gyengéd **2.** anyához méltó

mother naked *mn* anyaszült meztelen, pucér

Mother Nature *fn* anyatermészet

mother-of-pearl *fn* gyöngyház

Mother's Day 1. anyák napja **2.** → **Mothering Sunday**

mother ship *fn kat* anyahajó *[repülőgépeké, tengeralattjáróké]*

mother's milk *fn* anyatej

mother's son *fn biz* az ember; **every ~** mindenki, bárki

mother-to-be *fn* kismama, várandós anya

mother tongue *fn nyelv* anyanyelv

mother wit *fn* józan ész

mothproof ['mɒθpruːf ‖ 'mɑθ–] **I.** *tsi* molyállóvá tesz, molyirtóz **II.** *mn* molyálló *[anyag]*

mothy ['mɒθi ‖ 'mɔθi] *mn* **1.** molyos, molylepte **2.** molyette, molyrágott

motif [mou'tiːf] *fn* **1.** (hímzés)motívum, ismétlődő minta, díszítőelem, *tex* mintaelem **2.** *műv* motívum

motile ['moutaɪl ‖ 'moutl] *mn biol* mozgó(képes), mozgékony, mozgásra képes • *fn* **motivity**

motion ['mouʃn] **I.** *fn* **1.** mozgás, helyváltoztatás; **in ~** mozgásban; *csill* **planetary ~** bolygók vándorlása, bolygójárás; **put/set in ~** mozgásba hoz; elindít; *átv* **put/set every wheel in ~** mindent megmozgat/elkövet, minden követ megmozgat **2. a)** mozdulat *[testrészeké]*, járásmód **b)** taglejtés, gesztus; **go through the ~s of sg** megjátssza hogy, úgy tesz mintha; **make a ~** (i) megmozdul (ii) indítványt/javaslatot tesz (v. terjeszt elő) **3. a)** indítvány, javaslat; *pol* **~ of censure/nonconfidence** bizalmatlansági indítvány; **carry a ~** elfogad/megszavaz egy javaslatot/indítványt; **move/propose a ~, bring forward a ~** indítványt/javaslatot tesz (v. terjeszt elő); **on whose ~?** kinek az indítványára/kezdeményezésére? **b)** indíték; **of one's own ~** önszántából, saját elhatározásából **4.** *jog* bíróság elé terjesztett kérelem, perbeli indítvány **5. a)** (mozgó) szerkezet, hajtómű **b)** (óra)járat, órajárás **6.** *orv* széklet, ürülés **II.** *tsi/tni* **1.** int, *[kézmozdulattal]* irányít/jelt ad **2.** javasol, indítványoz, indítványt tesz • *mn* **motional**, **motionless** *hsz* **motionlessly**

motion away *tsi* ~ **sy away** elhesseget, vkt intéssel elküld, int vknek, hogy menjen el (v. távozzék)

motion in *tsi* ~ **sy in** intéssel behív vkt, int vknek, hogy lépjen be

motion picture *mn* film, mozgókép

motion sickness *fn orv* tengeri betegség, légibetegség

motivate ['moutɪveɪt] *tsi* **1.** indíttat, motivál (vmre) **2.** (meg)indokol **3.** késztet, okoz, előidéz • *mn* **motivational** *hsz* **motivationally**

motivation [ˌmoutɪ'veɪʃn] *fn* **1.** indíték, indíttatás, motiváció **2.** indoklás

motive ['moutɪv] **I.** *mn* mozgató, hajtó, indító *[erő]* **II.** *fn* **1.** (indító)ok, indíték, motiváció **2.** → **motif** **III.** → **motivate**

mot juste [ˌmou 'ʒuːst] *fn tsz* **mots justes** *francia* a legodaillőbb/legtalálóbb kifejezés

motley ['mɒtli ‖ 'mɑtli] **I.** *mn* **1.** tarka(barka), sokszínű **2.** különféle, különböző, többféle, kevert, vegyes **II.** *fn* **1.** zagyvaság, elütő (v. össze nem illő) dolgok keveréke **2.** bohóc; **do/wear the ~** komédiázik, bohóckodik

motmot ['mɒtmɒt ‖ 'mɑtmɑt] *fn áll* motmot *[madár]*

motocross ['moutoukrɒs ‖ –krɔs] *fn sp* motocross, (motorkerékpáros) gyorsasági terepverseny

motor ['moutə ‖ –ər] **I.** *fn* **1.** motor, hajtómű **2.** *orv* mozgató/motorikus izom/ideg **3.** *GB* gépkocsi, autó **II. A.** *tsi* autón visz/szállít vkt **B.** *tni* autózik, motorozik, autóval/motorral megy (vhová); *sp* részt vesz autóversenyen • *mn* **motorial**, **motory**

motorable ['moutərəbl] *mn GB* gépkocsival/autóval járható *[út]*

motorbike ['moutəbaɪk ‖ –tər–] → **motorcycle**

motorboat *fn* motorcsónak

motorcade ['moutəkeɪd ‖ –tər–] *fn* **1.** autófelvonulás **2.** gépkocsikíséret *[fontos/hivatalos személyiségé]*

motor car *fn* (gép)kocsi, autó

M

motor caravan *fn gk* lakókocsi, utánfutó
motorcycle [ˈmoutəsaɪkl ‖ –tər–] *fn* motorkerékpár, motorbicikli; ~ **combination**, ~ **with sidecar** oldalkocsis motorkerékpár • *fn* **motorcycling**, **motorcyclist**
motorhome *fn gk* lakóautó
motoring [ˈmoutərɪŋ] *fn* autózás, autóturisztika; **school of** ~ autósiskola, gépjárművezető-iskola; sofőriskola
motorist [ˈmoutərɪst] *fn* autós, gépkocsivezető, autóvezető
motorize [ˈmoutəraɪz], **-ise** *tsi* **1.** gépesít, motorizál **2.** géperőre rendez be; ~**d agriculture**/**farming** gépesített mezőgazdaság/gazdálkodás • *fn* **motorization**
motorman [ˈmoutəmən ‖ –tər–] *fn tsz* **-men 1.** gépkocsivezető, sofőr **2. a)** villamosvezető **b)** mozdonyvezető **c)** metróvezető
motormouth [ˈmoutəmauθ ‖ –tər–] *fn US Kan szl [feleslegesen beszélő]* fecsegő, locsi-fecsi
motor race *fn sp* autóverseny • *fn* **motor racing**
motor scooter *fn* robogó
motor vehicle *fn közl* gépjármű
motorway [ˈmoutəweɪ ‖ –tər–] *fn GB közl* autópálya
Motown [ˈmoutaun] **I.** *fn zene* Motown *[rhythm and blues és soul alapú, detroiti eredetű irányzat]* **II.** *tul földr US biz* Detroit
motte [mɒt ‖ mɑt] *fn* **1.** dombocska, magaslat **2.** földvár, várdomb
M.O.T.-test *fn GB gk* műszaki vizsga *[évenkénti]*
mottle [ˈmɒtl ‖ ˈmɑtl] **I.** *fn* folt, petty, foltosság, pettyesség **II.** *tsi* foltokkal/pettyekkel (meg)jelöl, befoltoz, bepettyez
motto [ˈmɒtou ‖ ˈmɑtou] *fn tsz* **mottoes 1.** jelmondat, mottó **2.** *zene* motívum
moue [mu:] *fn* fintor, grimasz
mouflon [ˈmu:flɒn ‖ –flən], **moufflon** *fn áll* muflon
moujik [ˈmu:ʒɪk ‖ –ˈʒɪk] *fn* muzsik *[orosz paraszt]*
mould[1] [mould] **I.** *fn* **1. a)** (öntő)forma, öntőminta; ~ **candle** öntött gyertya; **characters cast in the same** ~ egyforma/egyöntetű jellemek **b)** *fémip* **casting** ~ öntőforma, kokilla, minta **c)** matrica, lenyomat, alakozás **2.** *geol* benyomat, lenyomat *[kövületé]* **3.** *épít* **a)** párkánysablon **b)** tagozott párkány **II.** *tsi* **1. a)** formába önt, mintáz, formáz *[szobrot]*; ~ **iron** vasat önt; ~ **a face in** (v. **out of**) **clay** arcot megmintáz agyagból **b)** képlékennyé tesz **2. a)** gyúr, dagaszt *[kenyeret]* **b)** formába tesz *[kenyértésztát]* **c)** ~ **oneself to sy** idomul vkhez; ~ **sy's character** alakítja/formázza vk jellemét **3. a)** *nyomd* ~ **a page** lenyomatot készít egy oldalról **b)** ~ **a record** hanglemezt sajtol **4.** *épít* zsaluz • *fn* **moulder** *mn* **mouldable**
mould[2] [mould] **I.** *fn* penész(gomba), penészfolt **II.** *tni* (meg)penésze(se)dik
mould[3] [mould] *fn* televényföld, humusz
mould[4] [mould] *fn orv táj* kutacs, fejelágya
mouldboard *fn mezőg* ekevas (felső része)
moulder [ˈmouldə ‖ –ər] *tni* **1.** porrá válik/mállik, elporlad, elmorzsolódik *[kő, szikla]* **2.** összeomlik, romba dől, szétesik *[birodalom]*, (el)sorvad *[intézmény]* **3.** rothad
moulding [ˈmouldɪŋ] *fn* **1. a)** öntés, mintázás, alakítás *[szoboré]* **b)** forma, öntőminta **c)** öntvény **2. a)** gyúrás, dagasztás **b)** formába tétel *[kenyéré]* **3.** sajtolás *[hanglemezé]* **4.** *épít* **a)** párkány, szegély, bordűr **b)** zsaluzás
mouldy [ˈmouldi] *mn* **1.** penészes, dohos; **go** ~ (meg)penész(es)edik **2.** régimódi, elavult, idejétmúlt, ósdi **3.** *szl [értéktelen]* vacak, nyamvadt, tré, lepra
moult [moult] **I. A.** *tsi* elhullat *[madár tollát]* **B.** *tni* vedlik *[hüllő, madár]*, megkopaszodik *[madár]*, bőrt vált *[hüllő]* **II.** *fn* vedlés; **be in** ~ vedlik
mound[1] [maund] **I.** *fn* **a)** mesterséges domb/bucka, kupac, rakás; **sepulchral** ~ sírhalom, sírhant **b)** egyedülálló domb/bucka/halom, erőddomb **c)** *US sp* dombocska *[baseballdobóé]* **d)** *műsz* földbaba **II.** *tsi* felhantol, feldombol
mound[2] [maund] *fn cím* országalma

mount [maunt] **I. A.** *tsi* **1. a)** felmegy, felmászik *[hegyre, létrára]*, megmászik *[hegyet]*, (fel)hág *[várfalra]*, lép *[trónra]* **b)** (fel)ül *[lóra, kerékpárra]* **2.** felültet *[lóra]*, nyeregbe segít, lóra ültet **3.** felállít *[ágyút]*, felszerel *[állványra]*, ráerősít; *el* alkatrészt beültet **4.** befoglal *[drágakövet]*, befog *[fűrész pengéjét]*, keretre feszít *[vásznat]*, montíroz, felragaszt, (fel)kasíroz *[képet, térképet]* **5. a)** *szính* beállít *[darabot]*, színpadra visz *[darabot]* **b)** *kat* ~ **an offensive** támadást/offenzívát indít **B.** *tni* **1. a)** fellép, felhág, felmászik (*on*/*upon* vmre); ~ **on the scaffold** vérpadra lép **b)** ~ **(on/upon) a horse** lóra ül, nyeregbe száll **2.** ~ **(up)** felemelkedik, felszáll; **the blood** ~**ed to his head** a vér a fejébe szállt/tolult **3.** ~ **(up)** nő, növekszik, emelkedik *[ár, összeg]*; **it all** ~**s up** sok kicsi sokra megy **II.** *fn* **1. a)** hegy, domb **b)** domb *[tenyéren]* **c)** *cím* halom **2.** hátasló, hátas/nyerges állat **3.** állvány, láb, talp *[műszeré]* **4.** foglalat *[drágakőé]*, paszpartu, *nyomd* lemezalátét, kliséalátét **5.** lovaglás *[versenyfutamban]* • *fn* **mounter** *mn* **mountable**
mountain [ˈmauntɪn ‖ ˈmauntn] *fn* **1. a)** hegy; **make a** ~ **out of a molehill** *biz* bolhából elefántot csinál, felfúj vmt **b)** ~**s** hegység, hegyvidék **2.** *biz* nagy/óriás halom/rakás *[pénz, tárgy]*; ~ **of difficulties** rengeteg/temérdek nehézség; ~ **of flesh** hústorony • *mn* **mountainy**
mountain ash *fn növ* veres berkenye, madárberkenye
mountain bike *fn* hegyikerékpár, mountain bike
mountain chain → **mountain range**
mountaineer [ˌmauntɪˈnɪə ‖ ˌmauntnˈɪr] **I.** *fn* **1.** hegymászó, alpinista **2.** hegylakó, hegyvidéki ember **II.** *tni* hegye(ke)t mászik, hegyi túrá(ka)t csinál
mountaineering [ˌmauntɪˈnɪərɪŋ ‖ ˌmauntnˈɪrɪŋ] *fn sp* hegymászás, turisztika, alpinizmus
mountain goat *fn áll* havasi kecske
mountain laurel *fn növ* babérrózsa, hegyi babér
mountain lion *fn áll* kugár, puma
mountainous [ˈmauntɪnəs ‖ ˈmauntnəs] *mn* **1.** hegyes *[vidék, ország]* **2. a)** hegymagas(ságú) **b)** óriási, temérdek
mountain range *fn geol* hegylánc, hegyvonulat, hegység
mountain refuge *fn* (hegyi) menedékház, hegyi lak
mountain sickness *fn orv* magaslati betegség, hegyibetegség
mountainside [ˈmauntɪnsaɪd ‖ ˈmauntn–] *fn* hegyoldal
Mountain Standard Time *fn US* ‹a Sziklás-hegység övezetének zónaideje›
mountebank [ˈmauntɪbæŋk] *fn* **1.** szélhámos, szemfényvesztő **2.** bohóc **3.** vásári kuruzsló/csodadoktor • *fn* **mountebankery**
Mountie [ˈmaunti] *fn Kan biz* lovasrendőr
mounting [ˈmauntɪŋ] *fn* **1.** felszállás, lóra szállás **2.** felszerelés, felállítás **3.** felragasztás, montírozás **4.** állvány, talapzat, talp *[ágyúé]* **5.** foglalat, nyél *[legyezőé]* **6.** *tsz* **mountings** alkatrészek, szerkezeti elemek
mourn [mɔ:n ‖ mɔrn] **A.** *tsi* (meg)gyászol, (meg)sirat **B.** *tni* gyászol, búslakodik; ~ **for**/**over sg** gyászol/sirat vmt; ~ **for sy** gyászol/sirat vkt
mourner [ˈmɔ:nə ‖ mɔrnər] *fn* **1.** gyászoló **2. a)** a gyászkíséret/gyászmenet tagja; **the** ~**s** a gyászkíséret, gyászmenet **b)** gyászhuszár
mournful [ˈmɔ:nfl ‖ ˈmɔrn–] *mn* **a)** gyászos, komor, szomorú **b)** siralmas • *fn* **mournfulness** *hsz* **mournfully**
mourning [ˈmɔ:nɪŋ ‖ ˈmɔr–] *fn* **1. a)** gyász(olás) **b)** búslakodás, siratás **2. a)** gyász(ruha); **in deep** ~ mély gyászban; **wear** (v. **be in**) ~ **for sy** gyász(ruhá)t visel vkért, gyászol vkt; **go into** ~ gyászt ölt **b)** **eye in** ~ *biz* ütéstől véraláfutásos/kékkarikás szem, monoklis szem
mourning band *fn* gyász(kar)szalag
mourning dove *fn* vadgalamb
mourning paper *fn* gyászkeretes (levél)papír
mourning ring *fn* emlékgyűrű *[halott emlékére]*
mousaka [muˈsɑ:kə] *fn gaszt* ‹görög nemzeti étel›

mouse [maʊs] **I.** *fn tsz* **mice** [maɪs] **1.** egér **2.** félénk/csendes ember; **little ~ of a thing/girl** félénk/csendes/hangtalan leányka, egérke *[kislányra]* **3.** *infor* egér **4.** *szl* monokli *[véraláfutásos szem]* **II.** *tni* **a)** egerészik **b)** ~ **(about)** *biz* ólálkodik, leselkedik • *fn* **mouser** *mn/hsz* **mouselike**

mousetrap ['maʊstræp] *fn* egérfogó

moussaka [mʊ'sɑːkə] → **mousaka**

mousse [muːs] *fn gaszt* krém, hab, mousse *[desszert]*

mousseline [muːs'liːn] *fn tex* muszlin

moustache [mə'stɑːʃ ‖ 'mʌstæʃ] *fn* bajusz • *mn* **moustached**

mousy ['maʊsi] *mn* **1.** egérszürke **2.** egérszagú **3.** *átv* csendes, félénk, tartózkodó, visszahúzódó *[ember]*

mouth [maʊθ] **I.** *fn* **1.** száj; **by word of ~** élőszóval; **take words out of sy's ~** *átv* szájából veszi ki a szót; **have a (foul) ~** *biz* csúnyán/trágárul beszél, mocskos szája van; **open one's ~ too wide** *biz* túlságosan sokat kér; **keep one's ~ shut** befogja a száját, hallgat; **put words into sy's ~** szavakat tulajdonít vknek; **spread from ~ to ~** szájról szájra terjed/száll/jár; *biz* **straight from the horse's ~** első kézből; **it makes his ~ water** összefut a nyála tőle; *átv* csorog a nyála *[az irigységtől]*; **give ~** csahol(ni kezd), ugat(ni kezd) *[kutya]* **2. a)** száj *[palacké, zsáké]*, nyílás, száj, bejárat *[kikötőé, szorosé]* **b)** torkolat *[folyóé]* **3. a)** *szl biz [szemtelen beszéd]* szájalás, pofázás, szájtépés **b)** beszédesség, bőbeszédűség **II. A.** *tsi* **1.** nyomatékkal mond, hangsúlyoz **2. a)** majszol, eszeget **b)** szájába vesz, bekap **B.** *tni* **1.** választékosan beszél; tépi a száját, szájal, ugat **2.** fintorog, grimaszol • *fn* **mouther** *mn* **mouthed**, **mouthless**

mouthful ['maʊθfʊl] *fn* **1.** falat, egy falás/harapás *[étel]*, korty *[ital]* **2.** hosszú név/szó **3.** *US biz* **you've said a ~!** ezt jól megmondtad!

mouth organ *fn zene* szájharmonika

mouthpiece ['maʊθpiːs] *fn* **1. a)** szopóka *[szipkáé]*, csutora *[pipáé]*, fúvóka, szájrész *[hangszeré]* **b)** mikrofon, beszélő *[telefoné]* **2.** *átv* szócső, szószóló *[csoporté]*

mouth-to-mouth *mn/hsz* szájból szájba történő; **~ resuscitation** szájból szájba lélegeztetés

mouthwash *fn* szájvíz

mouthy ['maʊθi] *mn biz* **a)** nagyhangú, nagyszájú, szószátyár **b)** fellengzős, bombasztikus *[beszéd]*

mouzhik ['muːʒɪk] → **muzhik**

movable ['muːvəbl] *mn* **1. a)** mozg(athat)ó, mozdítható **b)** **~ feast** változó ünnep **2.** *jog* ingó; **~ effects** ingó javak • *fn* **movability**, **movableness** *hsz* **movably**

move [muːv] **I. A.** *tsi* **1. a)** (meg)mozgat, (meg)mozdít, elmozdít, mozgat, hajt *[gépet erő]*; **he did not ~ a muscle** szempillája sem rezzent meg, arcizma sem rezdült **b)** elmozdít, elmozgat; **~ house** költöz(köd)ik, hurcolkodik; **~ a piece** lép (egy figurával) *[sakkban]*; *kat* **~ troops** csapatokat átcsoportosít/áthelyez **2. a)** megindít, meghat, megrendít **b)** indít (*to* vmre) **c)** **~ sy to do sg** vkt vm megtételére késztet/sarkall/indít; **feel ~d to do sg** indíttatva érzi magát, hogy vmt tegyen; **he is not to be ~d, nothing will ~ him** rendíthetetlen, hajthatatlan **d)** *régi* kelt *[nevetést, szánalmat]*, gerjeszt *[haragot]* **3. ~ a resolution** javaslatot/indítványt tesz (v. terjeszt be/elő v. nyújt be); **~ that** ... azt indítványozza/javasolja, hogy ... **B.** *tni* **1. a)** mozog, jár *[szerkezet]*, mozog, forog *[vmlyen társaságban]*; **keep moving!** mozgás!, ne ácsorogjunk! **b)** (meg)mozdul, elmozdul; **don't ~!** ne mozogjon/mozduljon/moccanjon! **c)** megy, halad *[csoport, jármű]*, halad, alakul *[esemény]* **d)** *zene* **the tenor ~s upwards** a tenorszólam felfelé ível **2. a)** lép *[játékban]*; **it is for you to ~** ön lép, öné a következő lépés **b)** megmozdul, lépés(eke)t tesz *[vmlyen ügyben]* **3. a)** (el)költöz(köd)ik, (el)hurcolkodik **b)** vándorol *[nomád nép]* **4.** javaslatot/indítványt tesz (v. nyújt be v. terjeszt be/elő), előterjesztést nyújt be **II.** *fn* **1.** mozgás, mozdulat; **be on the ~** mozgásban/úton van; **be always on the ~** folyton jön-megy, állandóan talpon/úton van, sürög-forog; **get a ~ on** *biz* siet, igyekszik, halad; **get a ~ on!** *biz* mozgás!, gyerünk!, élénkebben! **2. a)** lépés *[játékban]*; **make a ~** (meg)indul, elindul; lép *[játékban]*; **whose ~ is it?** ki lép/jön?, kié a soron következő lépés? **b)** *átv* lépés; **clever ~** ügyes lépés/sakkhúzás; **make the first ~** megteszi az első (v. a kezdeményező) lépést **c)** *sp* elem *[műkorcsolyában]* **3.** költözködés, hurcolkodás

move along *tni* **~ along!** gyerünk tovább!, el innen!, mozgás!

move away *tni* elmegy, elköltözik

move in *tni* **1.** beköltöz(köd)ik **2. ~ in with sy** beköltözik vkhez, összeköltözik vkvel

move on *tni* **a)** (tovább)halad, tovább megy, folytatja útját; **~ on please!** tessék tovább menni! **b)** odébb áll

move out *tni* **1.** kiköltöz(köd)ik, kihurcolkodik **2.** kimozdul *[otthonról]*

move to *tsi* **~ sy to anger** haragra gerjeszt/ingerel vkt, felbőszít/megharagít/feldühösít vkt; **~ sy to pity** szánalmat/részvétet ébreszt/kelt vkben, felkelti vknek a részvétét; **~ sy to tears** könnyekig meghat vkt, könnyekre fakaszt

moveable ['muːvəbl] → **movable**

movement ['muːvmənt] *fn* **1. a)** mozgás **b)** járás, működés *[szerkezeté]* **c) onward and upward ~** előrehaladó felfelé ívelő mozgás **2.** mozgatás, szállítás **3. a)** mozdulat, lépés **b)** *kat* hadmozdulat **4.** mozgalom; **popular ~** népmozgalom, népi mozgalom **5.** szerkezet *[óráé]* **6. a)** mozgalmasság, lendület, élet *[műalkotásban]* **b)** élénkség *[tőzsdén]* **7.** *zene* **a)** tétel *[zeneműé]* **b)** tempó, ritmikus mozgás **8.** *orv* székelés, ürítés **9.** szellemi indíték, ösztönzés, impulzus

mover ['muːvə ‖ −ər] *fn* **1.** mozgató *[személy, szerkezet]* **2.** szállítmányozó/fuvarozó vállalat, speditőr **3.** indítványozó, javaslattevő **4.** *US* költöztető

movie ['muːvi] *fn* **1.** *biz* (mozi)film; **go to the ~s** *biz* moziba megy **2.** *US biz* mozi

movie-goer ['muːvigoʊə ‖ −ər] *fn US* mozilátogató, mozijáró • *fn* **movie-going**

movie-maker ['muːvimeɪkə ‖ −ər] *fn US* filmes, filmkészítő • *fn* **movie-making**

movie star *fn biz* filmcsillag, filmsztár

moving ['muːvɪŋ] *mn* **1.** mozgó, mozgatható **2.** mozgató, hajtó; **the ~ spirit of sg** mozgatója/lelke/éltetője vmnek **3.** megindító, megható, megkapó *[elbeszélés, eset]* • *hsz* **movingly**

mow [moʊ] *pt* **mowed** *pp* **mowed, mown** [moʊn] **I.** *tsi* lenyír, megnyír *[fűnyíró géppel]*; **~ the lawn** lenyírja/levágja a füvet; *biz* **~ down the enemy** lekaszálja/lekaszabolja az ellenséget **II.** *fn* [maʊ] *US* (széna)kazal, (széna)boglya, (szalma)kazal • *fn* **mower**

moxie ['mɒksi ‖ 'mɑ−] *fn US szl [bátorság]* spiritusz, vagányság, kurázsi

Mozambique [ˌmoʊzæm'biːk] *tul földr* Mozambik

Mozambiquean [ˌmoʊzæm'biːkən] *mn/fn* mozambiki

mozzarella [ˌmɒtsə'relə ‖ ˌmɑ−] *fn gaszt* mozzarella sajt

MP *röv* **1.** *Member of Parliament* országgyűlési képviselő, orsz.gyűl. képv. **2.** *military police(man)*

mpg *röv miles per gallon*

mph *röv miles per hour*

Mr ['mɪstə ‖ −ər] *röv Mister*

Mrs ['mɪsɪz] *röv Mistress*→ **mistress** 2.

MS *röv* **1.** *manuscript* **2.** *Master of Science* **3.** *Master of Surgery* **4.** *US Mississippi* **5.** *multiple sclerosis*

ms [mɪz] *röv* **1.** *manuscript* **2.** *millisecond(s)*

Ms [mɪz] *röv* ‹családi állapotot nem feltüntető női megszólítás›

MSc *röv Master of Science*

MS-DOS [ˌemes'dɒs ‖ −'dɑs] *röv infor MicroSoft Disk Operating System* MS-DOS operációs rendszer

MSS *röv manuscripts*

MT *röv US Montana*

Mt *röv mount(ain)* hegy(ség), hg.
Mt Everest [ˌmaʊnt ˈevərəɪst] *tul földr* Mount Everest
MTV *röv Music Television*
Mt Vesuvius [ˌmɒnt vəˈsuːvɪəs] *tul földr* Vezúv
mu [mjuː] *fn* **1.** mű *[görög betű]* **2.** *távk* erősítő tényező
much [mʌtʃ] **I.** *mn kfok* **more** [mɔː ‖ mɔr], *ffok* **most** [moʊst] sok; **~ money** sok pénz; **how ~?** mennyi?; **how ~ is it?** mennyibe/mibe kerül?, mennyi/mi az ára? **II.** *hsz* sokkal, nagyon; **~ better** sokkal jobb(an); **ever so ~ better** sokkalta/ezerszer(te) jobb(an); **~ to be desired** nagyon/igen/felettébb kívánatos; **~ too small** túl kicsi, túlságosan (is) kicsi, jóval/sokkal kisebb a kelleténél; **thank you very ~** nagyon (szépen) köszönöm, hálásan köszönöm; **they are ~ the same** (v. **of an**) **age** körülbelül egyidősek; **it is pretty ~ the same thing** tulajdonképpen/nagyjából mindegy; **~ to my astonishment** legnagyobb meglepetésemre **III.** *fn* **a) it is not worth ~** nem sokat ér, nem valami nagy dolog; **there is not ~ in him** (nincs benne) semmi különös; **do you see ~ of him?** gyakran találkozik vele?; **make too ~ of sg** *átv* túlságosan nagy dolgot csinál vmből, eltúlozza vmnek a jelentőségét/fontosságát, felfúj vmt; **think ~ of sg** jó/nagy véleménnyel/véleménye van vmről, sokra/nagyra becsül/tart vmt; **~ as I like them ...** bármennyire kedvelem/szeretem is őket **b) as ~** (ugyan)annyi(t); **as ~ again** még egyszer annyi **c) as ~ as** ugyanannyi(ra) mint; **it is as ~ my fault as yours** ez éppen annyira az én hibám, mint az öné; **it is as ~ as he can do** *biz* ennél többet nem tehet, annál több nem telik tőle; **does he hate you as ~ as that?** ennyire gyűlöli önt? **d) so ~** ennyi, annyi; ennyire, annyira; **so ~ for his sincerity!** ennyit az őszinteségéről!; **so ~ the better** annál/annyival jobb **e) so/as ~ as ...** ugyanannyi, annyi mint; ugyanannyira, amennyire ..., ugyanúgy, mint ...; **he went away without so ~ as saying good-bye** elment, és még csak el sem búcsúzott/köszönt; **he is not so ~ a writer as a scholar** inkább tudós, mint író, nem is annyira író, mint amennyire/inkább tudós **f) that ~** annyi, ennyi; **this ~** ennyi **g) too ~** túl sok; **~ too ~** túlságosan sok, nagyon is sok, jóval több a kelleténél; **five pounds too ~** öt fonttal több a kelleténél; **it is too ~** sokkal több a kelleténél; **think too ~ of oneself** beképzelt, túl sokat tart magáról
muchly [ˈmʌtʃli] *hsz biz [nagyon]* irtóra, baromira
muchness [ˈmʌtʃnəs] *fn* **1.** *biz* **much of a ~** (majdnem) teljesen ugyanaz, egyik kutya másik eb, egyik tizenkilenc, a másik egy híján húsz **2.** nagy mennyiség/méret
mucilage [ˈmjuːsɪlɪdʒ] *fn* **a)** nyálka *[növényekből, állatokból]* **b)** mézga, gyanta **c)** *US* mézgaoldat *[ragasztáshoz]*, gumiarábikum • *mn* **mucilaginous**
muck [mʌk] **I.** *fn* **1. a)** trágya, ganéj, komposzt **b)** mocsok, szenny, piszok; **be all in a ~** nyakig/fülig sáros, csupa mocsok **2. a)** *biz [rendetlenség]* zsibvásár, kupi, kupleráj, zűr **b)** *biz* **make a ~ up of sg** *[elront, tönkretesz]* elbénáz/elcsesz/elfuserál/elpuskáz vmt **II. A.** *tsi* **1.** megtrágyáz **2. a)** feltakarít *[ásatást, meddőt]* **b) ~ (out) a stable** istállót kiganajoz **3. a)** bemocskol, összemocskol, beken, bepiszkít **b)** *átv biz* összezavar, összekavar, felforgat **B.** *tni* **1. ~ about/around** *biz* csavarog, lófrál, kujtorog; vacakol, piszmog, babrál **2.** *GB* **~ in with sy** összedolgozik vkvel
mucker [ˈmʌkə ‖ –ər] *fn szl* **1.** *GB* haver, cimbora **2.** *US [buta/ellenszenves személy]* tuskó, bunkó, surmó, suttyó **3.** *GB [nagy esés]* (el)tanyázás, (el)taknyolás, zakó(zás), perec(elés), borulás
muckheap *fn* trágyadomb, ganéjdomb
muckrake [ˈmʌkreɪk] *tni biz* korrupciót/panamát leleplez, csalást/botrányt kipiszkál • *fn* **muckraker**, **muckraking**
mucky [ˈmʌki] *mn* **a)** mocskos, szennyes **b)** undorító, ronda • *fn* **muckiness**
mucosa [mjuːˈkoʊsə, –zə] *fn tsz* **mucosae** *biol* nyálkahártya
mucous [ˈmjuːkəs] *mn* **1.** nyálkás, nyálka- **2.** *biol* nyálkás, nyálkát termelő • *fn* **mucosity**

mucro [ˈmjuːkroʊ–] *fn tsz* **mucrones** [–ˈkroʊniːz] *növ* hegy, csúcs
mucus [ˈmjuːkəs] *fn biol orv* nyálka
mud [mʌd] *fn* **1.** sár; *biz* **drag sy's name through the ~** *átv* sárba rántja vknek a becsületét, meghurcolja vknek a nevét; **fling/throw ~ at sy** *átv biz* bemocskol vkt, rágalmakat szór vkre; **his name is ~** rossz híre van, népszerűtlen; *US biz* **~ in your eyes!** egészségedre *[koccintásnál]*; isten-isten! **2.** iszap **3.** szenny, mocsok
mud bank *fn* homokzátony, iszapzátony
mud bath *fn* iszapfürdő
muddle [ˈmʌdl] **I.** *fn* rendetlenség, felfordulás, zűrzavar; **make a ~ of an affair** összegabalyít/összezavar/összekuszál egy ügyet **II. A.** *tsi* **1.** összekuszál, összezavar *[dolgokat]*, megzavar, megbolondít *[vkt]*; **~ things up** összezavarja/összekeveri/összekuszálja a dolgokat; **get ~d up** összezavarodik, összekuszálódik *[ügy]*; megzavarodik, összezavarodik *[személy]*; **be ~d with drink** fejébe szállt az ital **2.** elront, elügyetlenkedik *[ügyet, vállalkozást]* **B.** *tni* **~ about** (el)piszmog (*with* vmvel) • *fn* **muddler** *hsz* **muddlingly**
muddled [ˈmʌdld] *mn* rendetlen, kusza, zavaros
muddle-headed *mn* zavaros fejű, kótyagos, tökkelütött
muddy [ˈmʌdi] **I.** *mn* **1. a)** sáros **b)** iszapos **2. a)** zavaros *[folyadék]* **b)** fakó, szürkés *[arcbőr]* **c)** zavaros, zagyva *[gondolkodás, stílus]* **II.** *tsi* **1.** besároz **2. a)** felkavar, felzavar *[vizet]* **b)** ront *[arcbőrt]* **3.** megzavar *[vknek az eszét]* • *fn* **muddiness** *hsz* **muddily**
mudfish [ˈmʌdfɪʃ] *fn áll* iszaphal
mudflap [ˈmʌdflæp] *fn gk* sárfogó/kőfogó gumi
mudflat *fn* iszapos (alacsony fekvésű) lapály
mudguard [ˈmʌdgɑːd ‖ –gɑrd] *fn közl* sárhányó, sárvédő
mudlark [ˈmʌdlɑːk ‖ –lɑrk] *fn régi* utcakölyök, utcagyerek, csibész
mudpack *fn* iszappakolás, iszapgöngyölés
mud pie *fn* homoktorta *[homokozó gyereké]*
mudslinger *fn biz* rágalmazó, piszkálódó, sárdobáló • *fn* **mudslinging**
mudstone [ˈmʌdstoʊn] *fn geol* agyagpala
mud-stream *fn geol* iszapgörgeteg
muesli [ˈmjuːzli] *fn gaszt* müzli
muezzin [muːˈezɪn] *fn vall* müezzin
muff[1] [mʌf] *fn* muff, karmantyú
muff[2] [mʌf] **I.** *tsi biz* **a)** *sp* elhibáz, eltéveszt, nem talál/kap el *[labdát labdajátékban]* **b)** elügyetlenkedik (vmt), mellėfog (vmnek); *biz* **~ the chance** (ügyetlenül) elszalasztja az alkalmat **II.** *fn* **1.** *biz* ügyetlen/élhetetlen alak **2. a)** *biz sp* luft *[melléütés, mellérúgás labdajátékokban]* **b)** *biz átv* mellėfogás, balfogás
muffin [ˈmʌfɪn] *fn gaszt GB* ‹pirítva és megvajazva melegen fogyasztott kerek lapos teasütemény›; *US* muffin
muffin man *fn* **-men** utcai muffinárus
muffle[1] [ˈmʌfl] **I.** *tsi* **1. a)** bebugyolál, betakar(gat) **b)** beburkol *[hangszigetelővel]*, bevon *[dobot]* **c)** betömi a száját (vknek), elnémít (vkt) **2.** tompít, elnyel *[hangot szőnyeg]*, halkít, felfog **II.** *fn* égetőkemence *[porcelánnak]*, *fémip* tokoskemence
muffle[2] [ˈmʌfl] *fn* orr, száj *[tehéné, ököré]*
muffled [ˈmʌfld] *mn* **1. a)** bebugyolált **b) ~ drums** *[hangtompítás céljából]* bevont dobok **2. ~ voice** (el)fojtott/tompa hang
muffler [ˈmʌflə ‖ –ər] *fn* **1.** hangtompító **2.** *gk US* kipufogódob **3.** (nyak)sál
mufti [ˈmʌfti] *fn* **1.** mufti **2.** *biz* polgári ruha, civil(ruha) *[katonáé]*; **in ~** civilben
mug[1] [mʌg] **I.** *fn* **1. a)** csupor, bögre **b)** csupornyi/bögrényi ital **2. a)** *szl [arc]* pofa, fizimiska **b)** *szl [száj]* pofa, bagóleső **3.** *szl* grimasz, fintor, ripacskodás **4.** *szl [rászedhető ember]* balek, pali(madár) **II. -gg- A.** *tsi szl*

1. kirabol, megtámad *[vkt]* **2.** (megtámad és) fojtogat *[útonálló, rabló]* **B.** *tni* pofákat/grimaszokat vág • *fn* **mugger**

mug[2] [mʌg] **I.** *fn biz* stréber, aktakukac **II.** **-gg-** *tsi GB biz* **~ (up) a subject** (be)magol/bevág/bebifláz egy tárgyat *[vizsgázó]*

mugful ['mʌgful] *fn* egy korsó *[sör]*, egy csupor/bögre *[víz]*

mugging ['mʌgɪŋ] *fn* **1.** ripacskodás, túljátszás **2.** *biz* (utcai) rablótámadás

muggins ['mʌgɪnz] *fn szl* **1.** balek, balfék, tökfilkó **2.** *GB* én ostoba; én hülye/barom/állat

mugshot *fn szl* arcképfotó *[rendőrségi célokra]*

mugwort ['mʌgwɜ:t ‖ –wɜrt] *fn növ* fekete üröm

mugwump ['mʌgwʌmp] *fn* **1.** *US biz* nagyfejű, nagykutya **2.** *US biz* pártonkívüli politikus

muggy ['mʌgi] *mn* meleg és párás *[idő, levegő]*, fülledt, nyomott *[idő]* • *fn* **mugginess**

Muhammad [mʊ'hæməd ‖ –'hɑ–] → **Mohammed**

Muhammadan [mʊ'hæmədən ‖ –'hɑ–] → **Mohammedan**

mulatress [mju:'lætrəs] *fn* mulatt nő

mulatto [mju:'lætoʊ ‖ mʊ–] **I.** *fn* mulatt *[személy]* **II.** *mn* **1.** mulatt **2.** világosbarna, sárgásbarna *[arcbőr]*

mulberry ['mʌlbri ‖ –beri] *fn* **1.** *növ* faeper **2.** *kat* előre gyártott úszó kikötő

mulch [mʌltʃ] *mezőg* **I.** *fn* talajtakarás **II.** *tsi* takar *[talajt]*, talajtakarást végez *[fiatal vetésen]*

mulct [mʌlkt] *jog* **I.** *fn* (pénz)bírság **II.** *tsi* **1.** (pénz)bírsággal sújt, megbírságol; **~ sy (in) 200 pounds** vkt kétszáz font pénzbírsággal sújt, vkre kétszáz font pénzbírságot ró **2.** **~ sy of 200 pounds** kétszáz fontot elvesz/kicsal vktől

mule[1] [mju:l] *fn* **1.** öszvér; **obstinate/stubborn as a ~** csökönyös mint egy szamár **2.** *tud* keresztezés, hibrid **3.** *biz* csökönyös/makacs/buta ember **4.** *biz* kábítószerküldönc, drogfutár

mule[2] [mju:l] *fn* sarkatlan papucs, mamusz, tutyi

mule deer *fn US áll* füles amerikai szarvas

muleteer [ˌmju:lɪ'tɪə ‖ –'tɪr] *fn* öszvérhajcsár

mulga ['mʌlgə] *fn Ausz növ* ausztráliai akác

muliebrity [ˌmju:li'ebrəti] *fn* **1.** nőiesség, asszonyi szépség **2.** elnőiesedés

mulish ['mju:lɪʃ] *mn* **1.** csökönyös, makacs, konok **2.** keresztezett, hibrid, öszvér • *fn* **mulishness** *hsz* **mulishly**

mull[1] [mʌl] *tni biz* **~ over sg** tűnődik/töpreng/tanakodik/rágódik vmn, egyre vmn jár az esze

mull[2] [mʌl] *tsi* forral (és fűszerez) *[bort]*; **~ed wine** forralt bor

mullah ['mʌlə] *fn vall* mullah, molla *[mohamedán papi funkcionárius]*

muller ['mʌlə ‖ –ər] *fn* dörzsölőkő, mozsártörő *[festéknek, gyógyszernek]*

mullet ['mʌlɪt] *fn áll* **a)** tengeri pérhal **b)** márna

mullion ['mʌlɪən] *fn épít* ablakborda, ablakosztó, (függőleges) ablakosztás • *mn* **mullioned**

mullock ['mʌlək] *fn Ausz* **1.** **a)** meddő kőzet/föld *[aranybányában]* **b)** ‹aranytartalmú kőzet törmeléke, melyből az aranyat kivonták› **2.** szemét, vacak; **poke ~ at sy** kigúnyol, bolondot csinál vkből, gúnyt űz vkből

multangular [ˌmʌl'tæŋgjʊlə ‖ –gjələr] *mn* sokszög(let)ű

multeity [mʌl'ti:əti] *fn* **1.** sokféleség, sokaság (vmé) **2.** tekintélyes/jelentős/szép szám

multi- ['mʌlti] *előtag* sok-, több-

multi-access *mn* több oldalról hozzáférhető, több szempontból hasznosítható

multicellular [ˌmʌlti'seljʊlə ‖ –jələr] *mn biol* többsejtű

multichannel [ˌmʌlti'tʃænl] *mn távk* többcsatornás

multicolor [ˌmʌlti'kʌlə ‖ –ər] *US* → **multicolour**

multicolour [ˌmʌlti'kʌlə ‖ –ər], **multicoloured** *mn* sokszínű, többszínű

multicultural [ˌmʌlti'kʌltʃrəl] *mn* sokkultúrájú, multikulturális • *fn* **multiculturalism** *fn/mn* **multiculturalist**

multidimensional [ˌmʌltɪdaɪ'menʃn'əl] *mn* többdimenziós • *fn* **multidimensionality**

multidirectional [ˌmʌltidaɪ'rekʃnəl, –dɪ–] *mn* többirányú

multidisciplinary [ˌmʌltidɪsɪ'plɪnəri ‖ –'dɪsəplɪneri] több tudományágat átfogó, multidiszciplináris

multifaceted *mn* sokoldalú, sokrétű

multifid ['mʌltifɪd] → **multifidous**

multifidous [mʌl'tɪfɪdəs] *mn biol* többszörösen hasított

multifoil ['mʌltifɔɪfɔɪl] *mn épít* többkaréjos *[díszítmény]*

multifoliate [ˌmʌlti'foulɪət] *mn növ* soklevelű

multiform ['mʌltifɔ:m ‖ –fɔrm] *mn* sokalakú, többalakú, változó formájú, különféle • *fn* **multiformity**

multilateral [ˌmʌlti'lætərəl ‖ –'lætərəl] *mn* többoldali, többoldalú, multilaterális • *fn* **multilateralism** *fn/mn* **multilateralist**

multilevel ['mʌltilevl] *mn* többszintes; *gazd* **~ marketing** többszintű marketing, multilevel-marketing

multilingual [ˌmʌlti'lɪŋgwəl] *mn* soknyelvű, többnyelvű • *fn* **multilingualism**

multimedia [mi:dɪə] **I.** *fn infor* multimédia **II.** *mn* **1.** *infor* multimédiás **2.** sokcsatornás, több módon zajló/ható

multimillionaire [ˌmʌltimɪljə'neə ‖ –'ner] *mn/fn* multimilliomos, többszörös milliomos

multinational [ˌmʌlti'næʃnəl] **I.** *mn* multinacionális, több országot érintő **II.** *fn* multinacionális (nagy)vállalat, multi

multiparous [mʌl'tɪpərəs] *mn* **1.** *biol* egyszerre többet kölykező/ellő *[állat]* **2.** többször szülő *[nő]*

multipartite [ˌmʌlti'pɑ:taɪt ‖ –'pɑr–] *mn* **1.** több részre osztott **2.** → **multilateral**

multi-party ['mʌltipɑ:ti ‖ –pɑr–] *mn pol* többpárti

multiphase ['mʌltifeɪz] *mn vill* többfázisú *[áram]*

multiple ['mʌltɪpl] **I.** *mn* **a)** sokrészes, sokrészű, összetett; **~ meaning** több/sok jelentés; *pszich* **~ personality** tudathasadásos személyiség, személyiséghasadás **b)** *vill* többszörös párhuzamos kapcsolású; *gk* **~ drive** többtengelyes meghajtás **c)** *mat* **~ mark** szorzójel **d)** **~ voting** plurális választójog **II.** *fn mat* többszörös, többes; **12 is the ~ of 3** 12 a 3 többszöröse

multiple-choice *mn okt* feleletválasztós; **~ test** feladatlapos vizsga/teszt

multiplex ['mʌltɪpleks] **I.** *mn távk* többszörös *[távírás]* **II.** *fn* többtermes mozi, mozikomplexum, multiplex • *mn* **multiplexer**, **multiplexing**

multipliable ['mʌltɪplaɪəbl ‖ –'plɪkəbl] *mn* **1.** szorozható **2.** megsokszorozható, szaporítható **3.** sokszorosítható

multiplicand [ˌmʌltɪplɪ'kænd] *fn mat* szorzandó

multiplication [ˌmʌltɪplɪ'keɪʃn] *fn* **1.** **a)** (meg)sokszorozás, szaporítás **b)** *mat* szorzás; **~ of a number by another** egy szám (meg)szorzása egy másikkal **c)** sokszorosítás **2.** (meg)sokszorozódás, szaporodás • *mn* **multiplicative**

multiplication sign *fn mat* szorzásjel

multiplication table *fn mat* szorzótábla

multiplicity [ˌmʌltɪ'plɪsəti] *fn* **1.** sokféleség, sokszerűség **2.** tömeg; **such ~ of people** az emberek ilyen sokasága

multiplier ['mʌltɪplaɪə ‖ –ər] *fn* **1.** *mat* szorzó **2.** *el* sokszorozó **3.** *fiz* elektronsokszorozó **4.** *közg* multiplikátor

multiply ['mʌltiplaɪ] **A.** *tsi* **a)** (meg)sokszoroz, (meg)többszöröz, szaporít **b)** *mat* (meg)szoroz; **~ 5 by 3** megszorozza az 5-öt 3-mal, 3-mal szorozza az 5-öt; **8 multiplied by 4 is 32** 8 szorozva 4-gyel (az) 32, 8-szor 4 az 32 **B.** *tni* **1.** (meg)sokszorozódik, szaporodik, sokasodik **2.** *mat* **~ up** kiküszöböli a törteket *[egyenletből]* **3.** terjed

multipolar [ˌmʌlti'poulə ‖ –ər] *mn vill biol* többpólusú, sokpólusú

multiprogramming [ˌmʌlti'prougræmɪŋ] *fn infor* multiprogramozás

multi-purpose [ˌmʌlti'pɜ:pəs ‖ –'pɜrpəs] *mn* többcélú, többféleképpen felhasználható

M

multiracial [ˌmʌltiˈreɪʃl] *mn* soknemzetiségű
multi-role [–roʊl] *mn* többfunkciós
multi-stage [ˈmʌltisteɪdʒ] *mn kat vill* többfokozatú, többlépcsős *[rakéta]*
multi-storey [ˈmʌltistɔːri] **I.** *mn épít* sokemeletes **II.** *fn* parkolóház
multi-storied *mn épít* sokemeletes
multistory [ˈmʌltistɔːri] *US* → **multi-storey**
multitasking [ˌmʌltiˈtɑːskɪŋ ‖ –ˈtæskɪŋ] *fn infor* sokfeladatos *[programozás/gépüzem]*
multitude [ˈmʌltɪtjuːd ‖ –tuːd] *fn* **1.** sokaság, nagy szám/mennyiség *[tárgyaké]* **2.** sokaság, tömeg
multitudinous [ˌmʌltɪˈtjuːdɪnəs ‖ –ˈtuːdnˑəs] *mn* **1. a)** nagyszámú, számtalan, tömeges, roppant **b)** sokféle, sokszerű **2.** tömeg • *fn* **multitudinousness**
multi-user *mn infor* többfelhasználós, sokfelhasználós
multivalent [ˌmʌltiˈveɪlənt] *mn* **a)** *vegy* több vegyértékű **b)** *orv* több értékű, több hatású, multivalens, polivalens • *fn* **multivalency**
multivalve [ˈmʌltivælv] *mn* **1.** többszelepes **2.** *távk* többcsöves
multiversity [ˌmʌltiˈvɜːsəti ‖ –ˈvɜr–] *fn okt* óriásegyetem, mamutegyetem
multivocal [mʌlˈtɪvəkl] *mn nyelv* többjelentésű
multi-way [ˌmʌltiˈweɪ] *mn távk* többcsatornás
mum[1] [mʌm] *fn gyerm* mama, anyu
mum[2] [mʌm] *mn biz* csendes, néma; **~'s the word** (de) csitt!, pszt, egy szót se (erről)!
mumble [ˈmʌmbl] **I.** *tsi/tni* **1.** motyog; **~ a curse** foga(i) között (v. bajusza alatt) káromkodik **2.** majszol **II.** *fn* motyogás • *fn* **mumbler** *hsz* **mumblingly**
mumbo-jumbo [ˌmʌmboʊ ˈdʒʌmboʊ] *fn* **1.** *[értelmetlen, összevissza beszéd]* halandzsa **2.** *[hazugság, mellébeszélés]* porhintés, duma, kamu
mu-meson [ˈmjuː miːzɒn] *fn fiz* müon
mummer [ˈmʌmə ‖ –ər] *fn* **a)** némajátékos *[népi játékban]*, mímes **b)** *pej* komédiás, ripacs
mummery [ˈmʌməri] *fn* **1.** némajáték **2.** *pej* hókuszpókusz, nevetséges ceremónia/szertartás, felhajtás
mummification [ˌmʌmɪfɪˈkeɪʃn] *fn* **1. a)** múmiává tevés/balzsamozás, mumifikálás **b)** múmiává válás, mumifikálódás **2.** *orv* száraz üszkösödés
mummify [ˈmʌmɪfaɪ] **A.** *tsi* múmiává tesz/balzsamoz, mumifikál, bebalzsamoz **B.** *tni átv* múmia lesz belőle, múmiává válik/aszalódik/fonnyad, mumifikálódik
mummy[1] [ˈmʌmi] *fn GB gyerm* mama, anya
mummy[2] [ˈmʌmi] **I.** *fn* **1.** múmia **2.** múmiabarna festék **3.** *mezőg* fekete oltóviasz **II.** *tsi* mumifikál, bebalzsamoz
mumps [mʌmps] *fn esz orv* járványos fültőmirigy-gyulladás, mumpsz
munch [mʌntʃ] *tsi* ropogtatva rág, rágcsál, csámcsogva eszik
Munchausen's syndrome *fn orv pszich* Münchausen szindróma, Münchausen-tünetcsoport
mundane [ˌmʌnˈdeɪn] *mn* földi, (e)világi *[örömök]*; világias • *fn* **mundaneness**, **mundanity**
mungo [ˈmʌŋgoʊ] *fn tex* mungó; ‹regenerált/rövidszálú tépett gyapjú›
mungoose [ˈmɒŋguːs ‖ ˈmɑn–] → **mongoose**
Munich [ˈmjuːnɪk] *tul földr* München
municipal [mjuːˈnɪsɪpl] *mn* **a)** törvényhatósági, helyhatósági, városi, községi; **~ services/undertakings** közszolgáltatások *[közművek, közlekedés]* **b)** *jog* **~ law** helyhatósági szabályrendelet • *tsi* **municipalize** *fn* **municipalization**
municipality [mjuːˌnɪsɪˈpæləti] *fn* **1.** törvényhatóság, helyhatóság, törvényhatósági terület **2.** törvényhatósági joggal felruházott város/község
munificent [mjuːˈnɪfɪsnt] *mn* bőkezű, nagylelkű, adakozó • *fn* **munificence** *hsz* **munificently**
muniment [ˈmjuːnɪmənt] *fn* okirat, okmány; **~ (room)** okmánytár, irattár, levéltár
munition [mjuːˈnɪʃn] **I.** *fn* **~s** hadianyag, muníció, lőszer **II.** *tsi* hadianyaggal/lőszerrel ellát, felfegyverez *[csapatot]* • *fn* **munitioner**
muon [ˈmjuːɒn ‖ ˈmjuːɑn] *fn fiz* müon
mural [ˈmjʊərəl ‖ ˈmjʊrəl] **I.** *mn* fali, fal-; **~ painting** falfestmény, freskó **II.** *fn* falfestmény, freskó
muralist [ˈmjʊərəlɪst ‖ ˈmjʊr–] *fn műv* falfestményfestő
murder [ˈmɜːdə ‖ ˈmɜrdər] **I.** *fn jog* gyilkosság; *jog* **premeditated ~** gyilkosság, előre megfontolt szándékkal elkövetett emberölés; *US jog* **~ in the first degree** gyilkosság, előre megfontolt szándékkal elkövetett emberölés; **commit a ~, do ~** gyilkosságot követ el, gyilkol; **cry ~** gyilkost kiált; **cry blue ~** *biz* eszeveszetten kiabál; **he could get away with ~** a legnagyobb gazságot is büntetlenül úszná meg **II.** *tsi* **a)** (meg)gyilkol **b)** *biz* összetör, tönkretesz *[művet rossz előadó]*, nyúz, nyaggat *[hangszert]*
murderer [ˈmɜːdərə ‖ ˈmɜrdərər] *fn* gyilkos
murderess [ˈmɜːdərɪs ‖ ˈmɜrdərɪs] *fn* gyilkos nő
murderous [ˈmɜːdrˑəs ‖ ˈmɜr–] *mn* gyilkos, vérengző; **~ intention** gyilkos szándék; **~ heat** gyilkos hőség • *fn* **murderousness** *hsz* **murderously**
murex [ˈmjʊəreks ‖ ˈmjʊr–] *fn áll* tövisescsiga
muriatic [ˌmjʊəriˈætɪk ‖ ˌmjʊriˈætɪk] *mn vegy* **~ acid** sósav
Muriel [ˈmjʊərɪəl ‖ ˈmjʊrɪəl] *tul* ‹női név›
murine [ˈmjʊəraɪn ‖ ˈmjʊr–] *mn* **1.** *áll* patkányszerű, egérszerű **2.** *orv* patkány/egér által terjesztett *[betegség]*
murk [mɜːk ‖ mɜrk] **I.** *mn régi* **a)** sötét, homályos **b)** ködös, sűrű *[homály]* **II.** *fn régi* sötétség, homály
murky [ˈmɜːki ‖ ˈmɜrki] *mn* **a)** sötét, homályos **b)** **~ past** *biz* sötét/homályos/ködös múlt • *fn* **murkiness** *hsz* **murkily**
murmur [ˈmɜːmə ‖ ˈmɜrmər] **I. A.** *tsi* (el)mormol, (el)morog, (el)suttog **B.** *tni* **a)** mormol, suttog *[ember]*, zúg, morajlik *[patak, szél]* **b)** morog, zúg *[rosszallásul]* **II.** *fn* **a)** moraj(lás), zúgás, zörej, mormolás, zsongás; *orv* **cardiac ~** szívzörej **b)** morgás, felmordulás, zúgás *[rosszallásul]*; **without ~** morgás/szó/hang nélkül • *fn* **murmurer** *mn* **murmurous**
murphy [ˈmɜːfi ‖ ˈmɜrfi] *fn szl* krumpli
Murphy's Law *fn tréf* Murphy törvénye *[ami elromolhat, az el is romlik]*
murrain [ˈmʌrɪn ‖ ˈmɜrɪn] *fn* **1.** *állatorv* marhavész, lépfene, ál-takonykór, száj- és körömfájás **2.** *régi orv* pestis, dögvész, fene
murrey [ˈmʌri ‖ ˈmɜri] *fn régi* sötétbíbor (szín) *[az érett szeder színe]*
MusB, **MusBac** *röv* Musicae Baccalaureus , *Bachelor of Music* a zenetudomány baccalaureusa
muscadine [ˈmʌskədaɪn, –dɪn] *fn* **1.** muskotályszőlő **2.** muskotálybor
muscardine [mʌˈskɑːdiːn ‖ –ˈskɑr–] *fn áll* mogyorós pele
muscarine [ˈmʌskəriːn, –rɪn] *fn vegy* muszkarin
Muscat [ˈmʌskæt] *tul földr* Muszkat *[Omán fővárosa]*
muscat [ˈmʌskət] *fn* **1. ~ (grape)** muskotály(szőlő) **2. ~ (wine)** muskotály(bor)
muscatel [ˌmʌskəˈtel] *fn* **1. a)** muskotályszőlő **b)** aszú malagaszőlő **2.** muskotály(bor)
muscle [ˈmʌsl] **I.** *fn* **a)** izom; **striated/striped ~** harántcsíkolt izom; **non-striated ~, smooth ~** sima izom; **not to move a ~** szempillája sem rezdül, mozdulatlan **b)** izomerő **II.** *tni biz* **~ in** beleüti az orrát az ügybe; belepofázik; **~ in on sg** befurakszik vhová *[vkt helyéről kiszorítva]*, betolakodik • *mn* **muscleless**, **muscly**
muscle-bound *mn* izomlázas
muscled [ˈmʌsld] *összet* -izmú; **strong-~** erős izmú, izmos, erős
muscle-man [ˈmʌslmæn] *fn tsz* **-men** izomember

muscology [mʌ'skɒlədʒi ‖ –'skɑ–] *fn növ* muscologia, mohok tana • *fn* **muscologist**

muscovado [ˌmʌskə'vɑːdoʊ ‖ –'veɪ–] *fn* nyers nádcukor

Muscovite ['mʌskəvaɪt] *mn/fn* **1.** *régi* muszka, orosz **2.** moszkvai (lakos)

Muscovy ['mʌskəvi] *tul/fn régi* **a)** moszkvai nagyfejedelemség **b)** Muszkaföld, Oroszország

muscular ['mʌskjʊlə ‖ –kjələr] *mn* **1.** izmos, fejlett izomzatú **2.** *biol orv* izom-; **~ aches** izomfájdalmak; **~ power/strength** izomerő; **~ strain** izommegerőltetés, izomláz • *fn* **muscularity** *hsz* **muscularly**

musculature ['mʌskjʊlətʃə ‖ –kjələtʃər] *fn orv* izomzat, izomrendszer

MusD, **MusDoc** *röv* Musicae Doctor; *Doctor of Music* a zenetudomány doktora

muse [mjuːz] *vál régi* **I.** *fn* merengés, tűnődés, mélázás, elmélkedés; **fall into a ~ over sg** tűnődni/merengeni kezd vmn **II.** *tni* **1.** (el)mereng, (el)tűnődik, (el)mélázik, (el)elmélkedik (*on/upon/about* vmn) **2.** csodálkozik, álmélkodik (*at* vmn)

Muse [mjuːz] *fn átv* múzsa

museology [ˌmjuːzi'ɒlədʒi ‖ –'ɑlədʒi] *fn* muzeológia • *fn* **museologist**

musette [mjuː'zet] *fn* **1.** *zene* **a)** finom hangú duda *[Franciaországban]* **b)** kis oboa **2.** *zene* musette, dudatánc **3.** *US* kézitáska, válltáska

museum [mjuː'zɪəm] *fn* múzeum

museum piece *fn* **1.** muzeális értékű darab, ritka/értékes régiség **2.** *GB szl [idős ember]* múzeumi példány, vén trotyli/trottyos

mush[1] [mʌʃ] *fn* **1. a)** kása, pempő, pép; **~ of snow** kásás hó, hókása **b)** *US* kukoricakása **2.** *biz* **a)** ostobaság, zagyvaság **b)** giccs, limonádé

mush[2] [mʌʃ] *US Kan* **I.** *fn* (kutya)szánutazás **II.** *tni* kutyaszánon utazik

mushroom ['mʌʃruːm, –rʊm] **I.** *fn* **1.** *[ehető]* gomba **2. town of ~ growth**, *biz* **~ town** gombamód(ra) növő város **3.** gombaszín, világosbarna **II.** *tni* **1.** gombát szed, gombászik **2.** szétterül, gomolyog *[felcsapó füst, atombomba felhője]*

mushroom cloud *fn* gombafelhő *[atombombáé]*

mushroom growth *fn átv* gyors/gombamód való növekedés/szaporodás/terjedés

mushy ['mʌʃi] *mn* **1.** pépes *[étel]*, kásás *[jég]*, puha, felpuhult *[talaj]* **2.** *biz* **a)** érzelgős, limonádé, szirupos; **~ sentimentality** érzelgősség **b)** elpuhult, kényeskedő

music ['mjuːzɪk] *fn* **1.** zene, muzsika; **orchestral ~** zenekari muzsika; **~ to our ears** zene füleinknek; **face the ~** *biz* bírálattal/következményekkel bátran szembenéz; **set/put to ~** megzenésít; **college of ~** konzervatórium, zeneakadémia **2.** kotta **3.** dal, ének *[madáré]*; **~ of the nightingale** a pacsirta dala

musical ['mjuːzɪkl] **I.** *mn* **1. a)** zenés; **~ evening** zeneest, dalest **b)** zenei *[hangsor]*, zenélő-; **~ clock** zenélőóra; **~ form** zenei forma; **~ instrument** hangszer; **~ setting** zenei átirat/feldolgozás/változat **2.** zenei, dallamos *[vers, beszéd]* **3. a)** muzikális; **have a ~ ear** *átv biz* jó füle (v. zenei hallása) van **b)** zenekedvelő, zeneértő **II.** *fn* **1.** zenés (víg)játék, musical **2.** zenés film • *fn* **musicalness** *hsz* **musically**

musical box *fn* **1.** zenélődoboz, zenedoboz **2.** *régi* verkli, kintorna

musicality [ˌmjuːzɪ'kæləti] *fn* zenei tehetség/hajlam, muzikalitás

musicalize ['mjuːzɪkl·aɪz], **-ise** *tsi* megzenésít

music center *US* → **music centre**

music centre *fn távk* music center, (mini) hifi-berendezés

music hall *fn* varieté(színház), zenés kabaré, orfeum, műsoros mulató

musician [mjuː'zɪʃn] *fn* zenész, muzsikus • *fn* **musicianship** *hsz* **musicianly**

musicology [ˌmjuːzɪ'kɒlədʒi ‖ –'kɑ–] *fn* zenetudomány, muzikológia • *fn* **musicologist** *mn* **musicological**

music paper *fn* kottapapír

music scene *fn átv* a zenei élet

music stand *fn* kottatartó állvány

music stool *fn* zongoraszék

musing ['mjuːzɪŋ] **I.** *mn* (el)merengő, (el)tűnődő, elmélkedő **II.** *fn* merengés, tűnődés, mélázás; **idle ~s** hiú álmok/ábrándok

musingly ['mjuːzɪŋli] *hsz* elmerengve, eltűnődve, elmélázva

musk [mʌsk] *fn* **1. a)** pézsma **b)** pézsmaillat **2.** *növ* **a)** pézsmagyöngyike **b)** pézsmaillatú bohócvirág • *mn* **musky**

musk cat *fn áll* cibet(macska)

musk deer *fn áll* pézsmaszarvas

muskeg ['mʌskeg] *fn* mocsaras síkság, láp, mocsár *[Kanadában]*

musket ['mʌskɪt] *fn tört* muskéta, (kanóc)puska, karabély

musketeer [ˌmʌskɪ'tɪə ‖ –'tɪr] *fn tört* muskétás

musketry ['mʌskɪtri] *fn* **1.** lövészet; **school of ~** lőiskola **2.** muskétások csapata

musk melon *fn növ* sárgadinnye

musk ox *fn tsz* **musk-oxen** *áll* pézsmatulok

musk plant → **musk** 2.

muskrat *fn áll* pézsmapatkány

musk-rose *fn növ* pézsmarózsa

Muslim ['mʌzlɪm, 'mʊz– ‖ 'mɑz–] *mn/fn vall* muzulmán, mohamedán

muslin ['mʌzlɪn] *fn* **1.** *tex* muszlin, csalánszövet; **cambric ~** perkál, színes karton **2.** *tex US* kalikó, karton

muso ['mjuːzoʊ] *fn GB szl* zenész

musquash ['mʌskwɒʃ ‖ 'mʌskwɑʃ] *fn áll* pézsmapatkány

muss [mʌs] *US Kan biz* **I.** *fn* rendetlenség, összevisszaság, zűrzavar, felfordulás **II.** *tsi* **1.** összekuszál **2.** összezavar, összekever, elront • *mn* **mussy**

mussel ['mʌsl] *fn áll* éti kagyló

Mussulman ['mʌslmən] → **Muslim**

must[1] [məs(t), mʌst] **I.** *si* **1.** kell; **I ~ go** mennem kell; **you ~ do as you are told** azt kell tenned, amit mondanak neked; **if you ~ you ~** ha kell, hát kell, ha muszáj, hát muszáj **2. you ~ know him** nyilván/bizonyára ismeri, kell, hogy ismerje; **there's a ring, it ~ be the postman** csengetnek, ez biztosan a postás (lesz); **I ~ have made a mistake** nyilván tévedtem **3. ~ not** nem szabad; **you ~ not do it** nem szabad megtennie; **it ~ not go on like that** ez így nem mehet tovább, ennek véget kell vetni **II.** *fn biz* kötelező/elkerülhetetlen/előírt dolog, elengedhetetlen feltétel, feltétlen követelmény; **it's a ~** ez feltétlenül szükséges, ez kötelező

must[2] [mʌst] *fn gaszt* must

must[3] [mʌst] *fn* penész(edés), doh(osság)

must[4] **I.** *mn* megvadult *[teve, elefánt párzó időszakban]*, dühödt, tomboló; **go ~** megvadul; **on/in ~** nekidühödve **II.** *fn* vadság, düh *[állatoknál párzó időszakban]*, kandüh, kangörcs

mustache [mə'stɑːʃ ‖ 'mʌstæʃ] *US* → **moustache**

mustang ['mʌstæŋ] *fn áll* musztáng, amerikai vadló

mustard ['mʌstəd ‖ –ərd] *fn* **1.** mustár **2.** *növ* mustár(fű) **3. ~ (yellow)** mustársárga (szín)

mustard gas *fn vegy kat* mustárgáz

mustard plaster *fn orv* mustártapasz

mustard seed *fn* mustármag

mustelid [mʌ'stelɪdiː] *fn tsz áll* menyét

muster ['mʌstə ‖ –ər] **I.** *fn* **1. a)** (sereg)szemle, mustra, felsorakozás *[szemlére]*; **pass ~** *biz* kiállja a próbát, megüti a mércét, megfelel a követelményeknek **b)** sorakozó, gyülekező **c)** gyülekezés, összejövetel **2.** csoport, csapat,

M

gyülekezet **3.** létszám *[felsorakozott csapaté]*, sorakozási létszám **4.** létszámjegyzék, névsor *[felsorakozott csapaté]* **5.** *gazd* minta **II. A.** *tsi* **1.** felsorakoztat *[csapatot szemlére]*, szemlét tart; *US* ~ **in** besoroz *[újoncokat]*; *US* ~ **out** kiszuperál *[katonákat]*; kimustrál **2.** összetoboroz, összehív, összegyűjt *[embereket]*, számba vesz *[embereket, könyveket]* **3.** ~ **up one's courage** összeszedi a bátorságát **B.** *tni* összegyülekezik

muster-roll *fn* létszámjegyzék, létszámjelentés

mustiness [ˈmʌstɪnɪs] *fn* dohosság, penészesség, áporodottság, állottság

mustn't [ˈmʌsnt] *röv must not*→ **must**[4]

musty [ˈmʌsti] *mn* **1. a)** dohos, dohszagú, penészszagú, avas *[szalonna]*, záp *[tojás]*, állott (szagú), áporodott **b)** *biz* idejétmúlt, elavult, ódivatú **2.** *régi* rosszkedvű, zsémbes

mutable [ˈmjuːtəbl] *mn* változékony, változó • *fn* **mutability**

mutagen [ˈmjuːtədʒen] *fn biol* mutagén • *mn* **mutagenic**

mutant [ˈmjuːtnt] *mn/fn biol* mutáns, mutáló

mutate [mjuːˈteɪt ‖ ˈmjuːteɪt] **A.** *tsi* megváltoztat **B.** *tni* (meg)változik, átalakul

mutation [mjuːˈteɪʃn] *fn* **1. a)** változás, módosulás, eltérés **b)** *biol* mutáció, genetikai változás **c)** *nyelv* hangzóváltozás, hangmagasítás, umlaut **2.** sorsfordulat, viszontagság **3.** *zene* fekvésváltoztatás *[hegedűn]* **4.** hangváltozás, mutálás *[serdülőé]* • *mn* **mutational** *hsz* **mutationally**

mutatis mutandis [muːˈtɑːtɪs muːˈtændɪs ‖ –muːˈtɑndɪs] *hsz latin* a szükséges változtatásokkal

mute [mjuːt] **I.** *mn* **1.** hangtalan, néma **2.** *nyelv* ~ **letter** néma betű **II.** *fn* **1. a)** néma **b)** néma szereplő, statiszta *[színpadon]* **2.** *nyelv* zárhang **3.** *zene* hangfogó **4.** *film* némafilm **III.** *tsi* **1.** *zene* (hangfogóval) tompít *[hangot]*, hangfogót tesz *[hegedűre]* **2.** ~ **must** a must erjedését megakasztja/lassítja • *fn* **muteness** *hsz* **mutely**

muted [ˈmjuːtɪd] *mn* **1.** *zene* hangfogós, szordínós *[húr]* **2. a)** elnémított **b)** tompított

mutilate [ˈmjuːtɪleɪt] *tsi* megcsonkít *[embert, testrészt, szobrot, szöveget]*, megrongál • *fn* **mutilator**

mutilation [ˌmjuːtɪˈleɪʃn] *fn* **1.** (meg)csonkítás; **voluntary** ~ öncsonkítás **2.** csonkaság, csonkultság

mutineer [ˌmjuːtɪˈnɪə ‖ ˌmjuːtnˈɪr] *fn* zendülő, lázadó

mutinous [ˈmjuːtɪnəs ‖ ˈmjuːtn·əs] *mn* zendülő, lázad(oz)ó • *hsz* **mutinously**

mutiny [ˈmjuːtɪni] **I.** *fn* zendülés, lázadás **II.** *tni* zendül, fellázad

mutism [ˈmjuːtɪzm] *fn* **1.** (makacs) hallgatás, némaság **2.** némaság, süketnémaság

mutt [mʌt] *fn szl* **1.** *[ügyefogyott/ostoba ember]* balfék, balfasz, gyökér **2.** *[kutya]* blöki

mutter [ˈmʌtə ‖ –ər] **I. A.** *tsi* motyog, mor(m)og, dörmög, dünnyög **B.** *tni* **1.** motyog, mor(m)og, dörmög, dünnyög; ~ **at/against sy** morog vkre, morog/dörmög/zúgolódik vk ellen **2.** morajlik, dörög **II.** *fn* motyogás, mor(mo)gás, dünnyögés • *fn* **mutterer** *hsz* **mutteringly**

mutton [ˈmʌtn] *fn* juhhús, birkahús, ürühús; **leg of** ~ ürücomb; *biz pej durva* ~ **dressed as lamb** fiatalosan öltözött/kikészített öreg nő • *mn* **muttony**

mutton chop [ˈmʌtntʃɒps ‖ –tʃɑps] *fn* ürüborda, birkaborda, juhborda, ürüszelet

muttonhead *fn biz* tökfilkó, tökfej, szamár • *mn* **muttonheaded**

mutual [ˈmjuːtʃʊəl] *mn* **1.** kölcsönös, viszonos; *jog* ~ **testament/will** kölcsönös végrendelet; **on** ~ **terms/principles** a kölcsönösség/viszonosság (elvének) alapján **2.** *biz* közös; **our** ~ **friend** közös barátunk • *hsz* **mutually**

mutuality [ˌmjuːtʃʊˈæləti] *fn* kölcsönösség, viszonosság

muzhik [ˈmuːʒɪk] *fn tört* muzsik, orosz paraszt

muzzle [ˈmʌzl] **I.** *fn* **1.** pofa *[állaté]* **2.** csőtorkolat, csőszáj *[lőfegyveré]* **3. a)** szájkosár, szájkarika *[kutyának]*, szájfék, pipa *[lónak]* **b)** gázmaszk **II.** *tsi* **1.** szájkosarat tesz (fel) *[kutyára]* **2.** *biz* elnémít, elhallgattat *[sajtót]* **3.** *hajó* vitorlát bevon

muzzle-loader *fn* elöltöltő lőfegyver

muzzle velocity *fn* kezdősebesség *[lövedéké]*

muzzy [ˈmʌzi] *mn biz* **a)** nehézfejű, bamba **b)** eltompult *[italtól]* • *fn* **muzziness** *hsz* **muzzily**

MVP *röv sp most valuable player* a legértékesebb játékos

M-way [ˈemweɪ] *röv motorway*

my [maɪ] *nm* (az én) -m; ~ **book** a(z én) könyvem; ~ **turn** én vagyok soron, én jövök/következem

myalgia [maɪˈældʒə] *fn orv* izomfájás, izomfájdalom • *mn* **myalgic**

myall [ˈmaɪəl ‖ –ɔl] *fn* **1.** *növ* ausztráliai akác **2.** ausztráliai őslakos

myasthenia [ˌmaɪəsˈθiːnɪə] *fn orv* miaszténia, izomgyengeség

mycelium [maɪˈsiːlɪəm] *fn növ* gomba tenyésztése, micelium

Mycenae [maɪˈsiːni] *tul földr* Mükéné

Mycenaean [ˌmaɪsəˈniːən] *mn* mükénéi

mycology [maɪˈkɒlədʒi ‖ –ˈkɑ–] *fn* gombatan, mikológia • *fn* **mycologist** *mn* **mycologic**

mycorrhiza [ˌmaɪkəˈraɪzə] *fn növ* mycorrhiza, gombagyökér

mycosis [maɪˈkoʊsɪs] *fn orv* gombafertőzés, mycosis

myelin [ˈmaɪəlɪn], **myeline** *fn orv* mielin

myeloma [ˌmaɪəˈloʊmə] *fn orv* plazmasejtdaganat, myeloma

myo- [ˈmaɪoʊ] *előtag orv* izom-

myoblast [–blɑːst ‖ –blæst] *fn biol* izomsejt, mioblaszt

myoma [maɪˈoʊmə] *fn orv* izomdaganat, mióma

myope [ˈmaɪoʊp] *fn* rövidlátó, közellátó

myopia [maɪˈoʊpɪə] *fn orv* rövidlátás, közellátás • *mn* **myopic** *hsz* **myopically**

myosis [maɪˈoʊsɪs] *fn orv* pupillaszűkület

myosotis [ˌmaɪəˈsoʊtɪs] *fn növ* mocsári nefelejcs

myriad [ˈmɪrɪəd] **I.** *mn* miriád, számtalan **II.** *fn* **a)** miriád **b)** tízezer, tízezres szám

myriapod [ˈmɪrɪəpɒd ‖ –pɑd] *mn/fn áll* százlábú

myrica [ˌmɪˈraɪkə] *fn növ* viaszbokor

myrinx [ˈmaɪrɪŋks] *orv* dobhártya

myrrh [mɜː ‖ mɜr] *fn* **1.** mirha(gyanta) **2.** *növ* illatos mirhafű/turbolya • *mn* **myrrhic**

myrtle [mɜːtl ‖ mɜrtl] *fn növ* **1.** mirtusz **2.** *US* télizöld meténg

myself [maɪˈself] *nm* **1.** (én/saját) magam; **I can do it (all) by** ~ (egy)magam is meg tudom csinálni **2. a)** (ön)magam(at), saját magam(at), engem; **I hid** ~ elbújtam, elrejtőztem; **I am enjoying** ~ jól mulatok, jól érzem magam *[mulatságban]* **b) as for** ~ ami engem illet, magam részéről

mysterious [mɪˈstɪərɪəs ‖ –ˈstɪr–] *mn* titokzatos, rejtelmes, rejtélyes, sejtelmes • *fn* **mysteriousness** *hsz* **mysteriously**

mystery[1] [ˈmɪstəri] *fn* **1. a)** rejtély, rejtelem, titok(zatosság); **make a** ~ **of sg** titokzatoskodik vmt illetően **b)** *vall* misztérium, hittitok **2.** *szính* misztérium(játék), misztériumdráma

mystery[2] [ˈmɪstəri] *fn régi* mesterség, szakma, foglalkozás; **arts and mysteries** iparok és mesterségek

mystery play *fn szính* misztérium(játék), misztériumdráma

mystery tour *fn GB* kirándulás az ismeretlenbe *[a résztvevők előtt eltitkolt úticéllal]*

mystic [ˈmɪstɪk] **I.** *fn* misztikus **II.** *mn* **a)** titokzatos, rejtélyes, rejtelmes, rejtett/homályos értelmű, misztikus **b)** titkos, rejtett *[erő]* **c)** *vál* hátborzongató, félelmetes; *jog* ~ **will** lezárt és lepecsételt végrendelet

mystical [ˈmɪstɪkl] *mn* titkos, titokzatos, rejtelmes, misztikus • *hsz* **mystically**

mysticism [ˈmɪstɪsɪzm] *fn* **1.** *ir.tud* miszticizmus **2.** titokzatosság, rejtelmesség, homályosság (vmé)

mystification [ˌmɪstɪfɪˈkeɪʃn] *fn* **1.** ámítás, megtévesztés, félrevezetés, misztifikálás **2.** zavar(odottság) **3.** (el)ködösítés *[problémáé]*

mystify [ˈmɪstɪfaɪ] *tsi* **1.** (el)ámít, áltat, megtéveszt, félrevezet, zavart kelt (vkben) **2.** (el)ködösít, homályba burkol

mystique [mɪˈstiːk] *fn* **1.** misztika, titokzatosság **2.** misztérium, rejtély

myth [mɪθ] *fn* **1.** mítosz, monda, rege **2.** rejtélyes személy, mítikus alak, mítosz **3.** koholmány, mese, kitalálás • *mn* **mythic**, **mythical**

mythicize [ˈmɪθɪsaɪz], **-ise** *tsi* **1.** mitizál, mítoszt csinál (vmből) **2.** mitológiailag magyaráz *[Szentírást stb.]* • *fn* **mythicism**, **mythicist**

mythographer [mɪˈθɒgrəfə ‖ –ˈθɑgrəfər] *fn* mítoszkutató, mondakutató, mitológiaíró

mythography [mɪˈθɒgrəfi ‖ –ˈθɑ–] *fn* **1.** mítoszkutatás, mondakutatás **2.** mítoszábrázolás *[képzőművészetben]*

mythological [ˌmɪθəˈlɒdʒɪkl ‖ –ˈlɑ–] *mn* mitológiai, hitregei, mondabeli

mythologize [mɪˈθɒlədʒaɪz ‖ –ˈθɑ–], **-ise** **A.** *tsi* mitologizál **B.** *tni* **1.** mitikus történeteket mesél **2.** mítoszt költ

mythology [mɪˈθɒlədʒi ‖ –ˈθɑ–] *fn* **1. a)** mitológia, hitrege **b)** néprege, népmonda **2.** mítoszkutatás • *fn* **mythologer**, **mythologist**

myxedema [ˌmɪksɪˈdiːmə] *US* → **myxoedema**

myxoedema [ˌmɪksɪˈdiːmə] *fn orv* mixödéma

myxoma [mɪkˈsoumə] *fn* **myxomata** *orv* mixóma

M

N

N[1], **n** [en] *fn tsz* **N's 1.** n (betű/hang); **N for November** N mint Nóra **2.** *mat* **to the nth power** az n-edik hatványra; *biz átv* **to the nth degree** a legmagasabb fokra/fokon; a legnagyobb mértékben; szörnyen, borzasztóan, rettentően

N[2], **n** *röv* **1.** *neuter* **2.** *newton(s)* **3.** *North(ern)* **4.** *name* **5.** *nano-* **6.** *net* **7.** *neutron* **8.** *Norse* **9.** *noun* **10.** *November* november, nov. **11.** *number* szám(ú), sz.

NA *röv* **1.** *North America(n)* **2.** *not applicable* **3.** *not available*

na I. *hsz biz táj* → **no II.** *ksz* → **nor**

Naafi [ˈnæfi], **NAAFI** *röv GB Navy, Army, and Air Force Institutes* ‹angol katonai szórakoztató szervezet›

nab [næb] *tsi* **-bb-** *szl* **1. a)** *[hirtelen]* (f)elkap **b)** *[letartóztat]* lekapcsol, elcsíp, fülön csíp; **be ~bed** lebukik **2.** *[ellop]* elemel, elcsór, megfúj, lenyúl • *fn* **nabber**

nabob [ˈneɪbɒb ‖ –bɑb] *fn* **1.** *tört* **a)** nábob *[régi indiai magas méltóság]* **b)** nábob *[Keleten meggazdagodott ember]* **2.** *átv* krőzus

nacelle [næˈsel] *fn rep* **1. a)** léggömbkosár, léghajókosár **b)** gondola *[léghajóé]* **2. a)** motorburkolat, motorgondola *[repülőgépé]* **b)** pilótafülke

nacho [ˈnɑːtʃəʊ] *fn tsz* **~s** *gaszt* nacho, tortilla chips

nacre [ˈneɪkə ‖ –ər] *fn* gyöngyház • *mn* **nacr(e)ous**

nadir [ˈneɪdɪə ‖ –dər] *fn* **1.** *csill* nadír **2.** *átv* mélypont

nae [neɪ] *hsz skót* **1.** → **no 2.** → **not**

naevus [ˈniːvəs], *US* **nevus** *fn tsz* **naevi** [ˈniːvaɪ], *US* **nevi** *orv* anyajegy, lencse *[bőrön]*, naevus

naff [næf] *GB szl* **I.** *mn* **a)** ízléstelen, közönséges **b)** értéktelen, bóvli, szemét **II.** *tni* **~ off** tűnj el, tűnés, kopj le, húzzál, menj a sunyiba; **~ing bastard** szemét disznó, utolsó gané

NAFTA [ˈnæftə] *röv North American Free Trade Agreement* Észak-amerikai Szabadkereskedelmi Egyezmény

nag[1] [ˈnæg] **I. -gg- A.** *tsi* **a)** nyugtalanít, nem hagy nyugodni *[gondolat]* **b)** nyaggat, zaklat, gyötör, bosszant (vkt vk/vm); **~ sy to death** halálra gyötör vkt, felbosszant **c)** *biz* szekál, ugrat, húz (vkt) **d)** szid, fedd, korhol **B.** *tni* **1. a)** zsörtölődik, zsémbeskedik, házsártoskodik, kárál **b)** veszekedik, pöröl (vkvel), állandóan hibát talál (vkben) **2.** tompán/folyamatosan fáj **II.** *fn* **1. a)** zsémbeskedés, zsörtölődés; **it is ~, ~, all day long** egész nap megy a zsörtölődés **b)** korholás, nyaggatás **2.** *biz* állandóan zsémbeskedő/zsörtölődő személy • *fn* **nagger** *fn/mn* **nagging** *mn* **naggish**, **naggy**

nag[2] [næg] *fn biz* **a)** lovacska, póni **b)** *pej* gebe; **an old ~** gebe **c)** ló, versenyló

Nahuatl [ˈnɑːwɑːtl] *fn tsz* **~** v. **~s** *földr* ‹közép-amerikai és mexikói indián népcsoport tagja/nyelve› náhuatl • *mn* **Nahuatlan**

naiad [ˈnaɪæd ‖ ˈneɪəd] *fn tsz* **~s** v. **~es 1.** najád, hableány **2.** lárva

nail [neɪl] **I.** *fn* **1.** köröm *[emberé, állaté]*; *átv* **tooth and ~** foggal-körömmel, elkeseredetten, minden eszközzel; **bite one's ~s** körmét rágja; **be off the ~** nem egészen józan, spicces; **go off the ~** furcsán viselkedik, bedilizik, becsavarodik; *biz* **to a/the ~** tökéletesen, kifogástalanul **2.** szög, szeg; **as hard as ~s** (i) kőkemény, kemény, mint a kő; *átv* szívós, keménykötésű (ii) kőszívű, szívtelen; **right as ~s** teljesen rendben van; **~ in one's coffin** koporsószeg; **on the ~** (i) azonnal, tüstént; helyben (ii) égető, sürgős *[probléma, kérdés]*; *közm* **one ~ drives out the other** új gond elkergeti/elfeledteti a régit; **plug a ~ in the wall** szeget betipliz; *biz átv* **hit the ~ (right) on the head** fején találja a szöget; *biz átv* **drive the ~ home** végére jár a dolognak **II.** *tsi* **1. a)** (rá)szegez, odaerősít; **he stood ~ed to the ground** földbe gyökerezett a lába; **~ one's colours to the mast** leszögezi álláspontját és kitart mellette **b)** szegekkel kirak/kiver/díszít; **have one's boots ~ed** szegekkel vereti ki a bakancsát/csizmáját **2.** *biz szl* **a)** *[elfog, elkap, letartóztat]* elcsíp, fülön csíp (vkt), lekap(csol); **police have ~ed the thief** a rendőrség elfogta/letartóztatta a tolvajt **b)** *[azonosít, felismer]* kiszúr **c) ~ it** rájön, észrevesz *[csalást, trükköt]* **3.** *biz* **a)** *[megüt]* padlóra küld, padlót fogat **b)** *[eltalál, lelő]* lepuffant, leszed **4.** *biz* (el)csen, (el)lop • *fn/mn* **nailing** *mn* **nailed**, **naily**

nail down *tsi* **1.** leszegez, beszegez **2.** *[átv]* leszögez *[álláspontot]* **3.** *biz* vmnek megtartására kényszerít (vkt); **~ sy down to his promise** ígérete megtartására kényszerít (v. szaván fog) vkt **4.** rábizonyít (vkre vmt)

nail on *tsi* **~ on (to)** rászögez, (szögekkel) ráerősít, odaerősít; **~ a notice on (to) the door** hirdetményt szögez az ajtóra

nail together *tsi* **1.** összeszögez, (szögekkel) megerősít **2.** összetákol, összeüt

nail up *tsi* **1. a)** felszögez; **~ up a poster on/to a billboard** hirdetőtáblára felszegez/kifüggeszt plakátot **b)** beszegez, leszegez, összeüt **2.** *kert* felfuttat *[szőlőt, gyümölcsfát]*

nail-bed *fn* körömágy

nail-biting *mn* izgalmas, izgalmat keltő; **~ suspense** feszült/izgatott várakozás

nail brush *fn* körömkefe

nail-clippers *fn tsz* körömvágó, körömcsípő

nail enamel → **nail varnish**

nailer [ˈneɪlə ‖ –ər] *fn* **1.** szegkovács **2.** *biz [nagyszerű/elsőrangú ember/dolog]* kiváló példány

nailery [ˈneɪləri] *fn* szöggyártó üzem/műhely

nail file *fn* körömráspoly, körömreszelő

nail head *fn* **a)** szegfej **b)** *épít* (szegfejhez hasonló) párkánydísz • *mn* **nail-headed**

nail polish *fn* körömlakk; **~ remover** körömlakklemosó

nail punch *fn műsz* szegbeverő, lyukasztó, szegecselőkalapács

nail scissors *fn tsz* körömolló

nail varnish *GB* → **nail polish**

nainsook [ˈneɪnsʊk] *fn tex* **a)** nanszu *[pamutvászon, ágyneművászon]* **b)** nanszuk *[indiai muszlin]*

naira [ˈnaɪrə] *fn pénz* ‹nigériai hivatalos pénzegység›

naïf [naɪˈiːf] **I.** *mn* → **naive II.** *fn* naiv/tapasztalatlan/hiszékeny ember

naïveté [naɪˈiːvəti ‖ nɑˈiːvəti] → **naivety**

naive [naɪˈiːv], **naïve** *mn* **1. a)** tapasztalatlan, hiszékeny, járatlan, naiv **b)** ártatlan, őszinte, nyílt, gyermeteg **2.** *műv fil* naiv, primitív *[festészet, személy]*; **~ realism** naiv realizmus • *fn* **naiveness** *hsz* **naively**

naivety [naɪˈiːvəti ‖ nɑˈiːvəti] *fn* **1. a)** tapasztalatlanság, hiszékenység, járatlanság, naivitás **b)** ártatlanság, őszinteség, nyíltság, gyermetegség **2.** naív cselekedet/megállapítás

naked [ˈneɪkɪd] *mn* **1. a)** meztelen, csupasz, *biz* pucér; **stark/mother ~** anyaszült meztelen **b)** fedetlen, puszta, meztelen *[testrész]*; **with ~ fist** csupasz/puszta ököllel **c) the ~ eye** szabad szem; **visible to the ~ eye** szabad szemmel (is) látható **d)** *áll* csupasz, toll/szőr nélküli; **the ~ ape** a csupasz majom, az ember; **ride on a ~ horse** szőrén üli meg a lovat, nyereg nélkül lovagol **e)** *növ* csupasz, levélzet/lomb nélküli, kopár *[fa]*; **~ branches** lombtalan/kopár/csupasz ágak **2. a)** mez(í)telen, csupasz, fedetlen, puszta *[tárgy, dolog]*; **~ flame** nyílt láng; **~ sword** csupasz/kivont kard **b)** mez(í)telen, csupasz, üres, kopár, dísztelen **3.** *átv* **a)** leplezetlen, puszta, nyers, nyilvánvaló *[tény stb.]*;

N

the ~ truth leplezetlen igazság, rideg valóság; **the ~ facts** puszta tények; **to his ~ word** puszta szavára **b)** *vál* védtelen, fegyvertelen, kiszolgáltatott **c)** megfosztott *[képességtől, tulajdonságtól]* **4.** *vill* nem szigetelt, szigeteletlen, csupasz; **~ cable** csupasz kábel • *fn* **nakedness** *hsz* **nakedly**

naker ['neɪkə || –ər] *fn zene* üstdob

Nam, **'Nam** [næm] *tul röv US biz* Vietnam, a vietnami háború; **I fought in ~** harcoltam Vietnamban

namby-pamby [ˌnæmbi'pæmbi] **I.** *mn* **1.** mesterkélt, affektált, modoros, kényes(kedő), érzelgős, szentimentális *[stílus, ember]*; **a ~ novel** érzelgős/szentimentális regény **2.** erőtlen, gyenge **II.** *fn* **1. a)** érzelgős/szentimentális/kényeskedő/affektált/modoros ember **b)** érzelgős/szentimentális írás **2.** *biz* pipogya ember, anyámasszony katonája, nyámnyila alak, tejbetök

name [neɪm] **I.** *fn* **1. a)** név, elnevezés; **Christian/first ~** utónév, keresztnév; **family/last ~** vezetéknév, családnév; **full ~** teljes név; **~ of a firm** cég neve/elnevezése; **list of ~s** névsor, névjegyzék; *biz* **what's his/her ~** hogyishívják; **the last of his ~** nemzetségének/családjának utolsó tagja; *biz* **the ~ of the game** a dolog lényege, a legfontosabb (dolog); **another ~ for ...** más néven ...; *átv* **truth is only a ~ to him** az igazság csak üres/puszta szó számára; **give sg a ~**, **put a ~ to sg** megnevez vmt, nevet ad vmnek; **have/bear a ~** nevet visel; **lend one's ~ to sg** nevét adja vmhez; **put one's ~ down** jelölteti magát (v. pályázik) *(for sg* vmre); beiratkozik/feliratkozik (vmre); aláír (vm célra); **set/put one's ~ to a document** okiratot/szerződést aláír (v. aláírásával lát el); **take sy's ~ and address** felírja vk nevét és lakcímét *[rendőr stb.]*; **take one's ~ off the books** töröltleti nevét a névjegyzékről/névsorból; **by/under the ~ of** (vk) neve szerint/alatt; **go by/under the ~ of ...** vm néven (v. név alatt) ismert; **by ~** név szerint; névről; **I know him well by ~** névről jól ismerem; **refer to sy by ~** név szerint hivatkozik vkre (v. említ meg vkt); **by whatever ~ you call it** akárhogy/akárminek nevezik (is); **in the ~ of ...** vk/vm nevében; **in the ~ of the law** a törvény nevében; **a king in ~ only** csak névleg király, árnyékkirály; *biz* **what in the ~ of goodness is that?** az isten szerelmére mi ez?; **to one's ~** ami az övé, a neve mellett; **he has a ~ for sg** híres vmről; **without a ~** névtelen, meg nem nevezhető **b)** cím *[színdarabé, regényé stb.]* **2. a)** (hír)név, hír; *közm* **a fair ~ is better than riches** a becsület/jó hírnév többet ér minden vagyonnál; **he has a good ~** jó híre van; *biz* **have nothing but one's ~** becsületén v. jó hírén kívül egyebe nincs; **make a ~ for oneself**, **make one's ~** (hír)nevet szerez magának, hírnévre tesz szert, híres lesz **b)** híres ember, nagy név; **of ~** híres, közismert, jól ismert; **the great ~s of history** a történelem nagy nevei/személyiségei/alakjai; **people of ~** ismert/neves/híres emberek, hírességek **3.** csak névleg létező dolog **4.** *tsz* **names** sértő/becsmérlő szavak/kifejezések, gúnynevek; **call sy ~s** sérteget/becsmérel vkt, csúfol, gúnynevekkel ellát vkt **II.** *tsi* **1.** nevet ad (vknek/vmnek), elnevez (vmt); **she was ~d Mary** Máriának keresztelték/nevezték el; a Mária névre hallgatott; **the child was ~d John after his father** a gyermeket az apja után Jánosnak nevezték el **2.** megnevez, megjelöl, nevén nevez/említ, hív; **~ those present!** nevezze meg a jelenlevőket!; **to ~ only/just/but a few** hogy csak néhányat említsek; *biz* **you ~ it** amit csak el tudsz képzelni **3. a)** idéz *[példát, eseményt]* **b)** kitűz, megjelöl, megállapít *[időpontot, összeget]*; **~ a price** jelölje/mondja meg az árat; **~ a day for ...** egy napot tűz ki vmre, kitűzi vmnek a napját; *biz* **~ the day** kitűzi az esküvő napját **4. a)** jelöl, ajánl, kiválaszt *[megválasztásra]* **b)** kinevez; **~ sy headmaster** kinevez vkt iskolaigazgatónak; **~ sy for a post** vmlyen posztra kinevez vkt • *fn* **naming** *mn* **nam(e)able**

name brand *fn* márkás áru

name-calling *fn* **a)** gúnynévadás, gúnyolás **b)** *US* szitkozódás, szidalmazás

named ['neɪmd] *összet* -nevezett; **afore-~** fentnevezett; fent említett

name day *fn* **1.** névnap **2.** *pénz GB* második rendezési/fizetési nap *[tőzsdén]*

name-dropping *fn* ismert nevekkel való dobálózás • *fn* **name-dropper**

nameless ['neɪmləs] *mn* **1. a)** névtelen, anonim *[író stb.]*; **a well-known person who wants to be/remain ~** egy jól ismert személy, aki nem akarja megnevezni magát **b)** névtelen, ismeretlen, jeltelen; **~ grave** jeltelen sír **c)** házasságon kívül született **2. a)** dicstelen **b)** elmondhatatlan, minősíthetetlen; **~ vices** minősíthetetlen bűnök **c)** kimondhatatlan, leírhatatlan, ki nem fejezhető *[fájdalom, gyász]*; **~ grief** kimondhatatlan/leírhatatlan fájdalom/bánat **d)** megmagyarázhatatlan, érthetetlen *[félelem, borzalom]* • *hsz* **namelessly**

namely ['neɪmli] *hsz* **a)** ugyanis, azaz, tudniillik **b)** mégpedig, név szerint

name part *fn szính* címszerep

nameplate *fn* **1. a)** névtábla, címtábla, cégér **b)** rendszámtábla **2.** *ip* adattábla; **~ rating** névleges teljesítmény *[gyári adattábla szerint]* **3.** címfej *[hírlapé]*

namesake ['neɪmseɪk] *fn* névrokon

name tag *fn* (kitűzhető) névjelzés/jelvény

name-tape *fn* ruhára rögzített névszalag

Namibia [nə'mɪbɪə] *tul földr* Namíbia • *fn/mn* **Namibian**

Nam syndrome *fn US* ‹a vietnami háborúban harcolt katonákra jellemző háborús sokk utóhatása›

nan [næn] *fn gyerm* nagyi

nana ['nɑːnə] *fn szl* **1.** *[fej]* bura, tök, dió; **off one's ~** őrült, nincs magánál, be van zsongva **2.** *[buta ember]* hülye, hígagyú, vízfejű **3. do one's ~** *[dühbe gurul]* bezsong, begerjed, megőrül

Nancy ['nænsi] *tul* ‹női név›

nancy ['nænsi] *fn biz* **1.** *[homoszexuális férfi]* buzi, buzeráns, homokos, meleg **2.** *[elpuhult, nőies férfi]* kislány

nankeen [næn'kiːn] **I.** *fn* **1.** *tex* **a)** ‹világossárga kínai pamutszövet› nanking **b)** *tsz* **nankeens** nankingnadrág **2.** (kék mintájú) nankingi/kínai porcelán **3.** *tex* világos sárgásbarna/szürkésbarna szín **II.** *mn tex* nankingból készült

nanna ['nænə] → **nan**

nano- ['nænou, 'neɪnou] *összet* 10^{-9}

nanometer ['nænəmiːtə || –ər] *fn fiz* nanométer (nm) *[10^{-9} m]*

nanny ['næni] **I.** *fn* **1.** dajka, dada **2.** → **nanny goat II.** *tsi* túlzottan védelmez, a széltől is óv

nanny goat *fn biz* nőstény kecske

nanny state *fn GB pol pej* paternalista/túlzottan gondoskodó állam

Naomi [neɪ'oumi] *tul* Noémi

nap[1] [næp] **I.** *tni* **-pp- a)** szunyókál, szundít, szundikál **b)** *átv* nem áll készen, nincs felkészülve (vmre); **be caught ~ping** alváson kapják; *átv* készületlenül találják; *átv* hibán/mulasztáson kapják **II.** *fn* szundikálás, szunyókálás, szendergés; **afternoon ~** délutáni alvás/szunyókálás, sziesztа; **take/have a ~** szunyókál, elszundít, ledől *[ebéd után]*, sziesztázik *[napközben]*

nap[2] [næp] **I.** *fn* **1.** *tex* **a)** csomó, bolyhosság *[szöveten]*, bolyhozott/bársonyos szövetfelület **b)** *tsz* **naps** bolyhos szövet **c)** szálmente *[bársonyon stb.]*; **against the ~** szőr ellenében, visszájára **2.** *Ausz szl* takaró, ágynemű **II.** *tsi* **-pp-** *tex* bolyhoz, bolyhosít, felkefél *[posztókelmét stb.]* • *fn* **napping** *mn* **nappy**

nap[3] [næp] **I.** *fn* **1. a)** *ját* napóleon, nap *[a whisthez hasonló kártyajáték]* **b)** *átv* **hold a ~ hand** minden ütőkártya a kezében van **2.** *sp* biztos tipp *[lóversenyben]*; *biz* **go ~ on sg** mindent feltesz vmre **II.** *tsi* **-pp-** *sp biz* **~ a horse** biztos/jó tippet ad *[lóversenyben]*

napa ['næpə] → **nappa**

N

napalm [ˈneɪpɑːm ‖ –pɑ(l)m] **I.** *fn vegy* napalm; ~ **bomb** gyújtóbomba, napalmbomba **II.** *tsi kat* napalmbombával támad vmt

nape [neɪp] *fn* **(the) ~ (of the neck)** tarkó, nyakszirt

napery [ˈneɪpəri] *fn* asztalnemű, háztartási vászonnemű/lenáru

naphtha [ˈnæfθə, ˈnæpθə] *fn ásv vegy* könnyűbenzin, szolvens nafta

naphthalene [ˈnæfθəliːn, ˈnæp–] *fn vegy* naftalin • *mn* **naphthalic**

Napierian [nəˈpɪərɪən ‖ –ˈpɪr–] *mn mat* ~ **(logarithms)** Napier-logaritmus, természetes logaritmus

napkin [ˈnæpkɪn] *fn* **1. a)** szalvéta, asztalkendő; *tréf* **knight of the ~** pincér **b)** asztalközép, abroszvédő **c)** *vall* csipkés terítő **d)** kis törülköző **2. a)** pelenka **b) (sanitary) ~** (egészségügyi) betét

napkin ring *fn* szalvétagyűrű

Naples [ˈneɪplz] *tul földr* Nápoly

napoleon [nəˈpoʊlɪən] *fn* **1.** Napóleon/húszfrankos arany, *biz* napcsi; **double ~** negyvenfrankos arany **2.** *ját* napóleon, nap *[egy fajta kártyajáték]* **3.** *tsz* **napoleons** lehajtott szárú csizma **4.** francia krémes **5.** (nagy alakú) erős szivar

Napoleonic [nəˌpoʊlɪˈɒnɪk ‖ –ˈɑnɪk] *mn* napóleoni; *tört* **the ~ wars** a napóleoni háborúk

nappa [ˈnæpə] *fn* nappabőr, festett kikészített juhbőr *[kesztyűkészítéshez]*

nappe [næp] *fn* **1.** *mat* palást **2.** *geol* takaróredő **3.** *vízügy* szabad vízsugár

napper [ˈnæpə ‖ –ər] *fn szl [fej]* búra, kobak, kókusz

nappy[1] [ˈnæpi] *fn GB* pelenka; ~ **liner** eldobható pelenka

nappy[2] [ˈnæpi] *mn* **1.** *biz* habzó, gyöngyöző *[sör]* **2.** *szl* mámorító, részegítő, erős *[ital]* **3.** *szl* álmos, aluszékony

nappy rash *fn GB* kipállás, kivörösödés *[csecsemő pelenkázott bőrfelületén]*

narc [nɑːk ‖ nɑrk] *fn US biz* a kábítószercsoport tagja *[rendőrségnél]*, kábítószeres (esetekkel foglalkozó nyomozó)

narceine [ˈnɑːsiːn ‖ ˈnɑrsiiːn] *fn vegy* narcein *[kábítószer]*

narcissism [ˈnɑːsɪsɪzm ‖ ˈnɑr–] *fn pszich* önimádat, önbálványozás, nárcizmus • *fn* **narcissist** *mn* **narcissistic** *hsz* **narcissistically**

narcissus [nɑːˈsɪsəs ‖ ˈnɑr–] *fn tsz* **-ssuses**, **-ssi** [nɑːˈsɪsaɪ ‖ nɑr–] *növ* nárcisz

narco [ˈnɑːkoʊ ‖ ˈnɑrkoʊ] *fn szl [narkotikum]* narkó, kábszer

narcolepsy [ˈnɑːkəlepsi ‖ ˈnɑr–] *fn orv* rohamszerű kóros álmosság, narkolepszia • *mn* **narcoleptic**

narcoma [nɑːˈkoʊmə ‖ nɑr–] *fn orv* kábítószer okozta kábulat/stupor

narcomania [ˌnɑːkəˈmeɪnɪə ‖ ˈnɑr–] *fn orv* kábítószermánia • *fn* **narcomaniac**

narcosis [nɑːˈkoʊsɪs ‖ nɑrˈkɑtɪk] *fn orv* **a)** narkózis, altatás, érzéstelenítés **b)** kábultság

narcotic [nɑːˈkɒtɪk ‖ nɑr–] **I.** *mn* **1.** *orv* altató, kábító, érzéstelenítő, narkotizáló; ~ **mask** altatókosár, altatóálarc **2.** kábítószerekkel kapcsolatos **II.** *fn* **1.** kábítószer, narkotikum **2.** altatószer, bódítószer • *hsz* **narcotically**

narcotism [ˈnɑːkətɪzm ‖ ˈnɑr–] *fn orv* **a)** (el)bódítás, (el)kábítás, érzéstelenítés, (el)altatás **b)** kábító/bódító hatás

narcotize [ˈnɑːkətaɪz ‖ ˈnɑr–], **-ise** *tsi orv* (el)altat, (el)kábít, (el)bódít, érzéstelenít, narkotizál • *fn* **narcotization**, **-isation**

nares [ˈneəriːz ‖ ˈner–] *fn tsz áll* orrlyuk(ak) • *mn* **narial**

nargile [ˈnɑːgəleɪ ‖ ˈnɑr–], **narghile** *fn* vízipipa, nargilé

nark [nɑːk ‖ nɑrk] **I.** *fn GB Ausz ÚjZ szl* **1.** *[(rendőrségi) besúgó]* spicli, spigó, tégla **2.** *[kellemetlen ember/dolog]* gáz **II. A.** *tsi* **1.** spicliskedik (vkre); ~ **on one's own mother** saját anyját (is) elárulja **2.** ~ **it** hagyd abba! **3.** *[bosszant, dühít]* begerjeszt, bepipásít **B.** *tni [panaszkodik]* rinyál, sír (a szája)

narky [ˈnɑːki ‖ ˈnɑr–] *mn szl [dühös, mérges]* pipás, pipa, zabos

narrate [nəˈreɪt ‖ ˈnæreɪt, næˈreɪt] *tsi* **a)** (el)mesél, elbeszél, elmond (vmt) **b)** alámond *[szöveget]*

narration [nəˈreɪʃn ‖ næ–] *fn* **1. a)** elbeszélés, elmondás, elmesélés *[történeté stb.]*; **the bare ~ of the facts** a tények puszta elbeszélése/elmondása **b)** elbeszélés, történet, mese **2.** tények összefoglalása, expozíció *[szónoklatban]* **3.** *gazd* szöveg *[könyvelésben]*

narrative [ˈnærətɪv] **I.** *fn* **a)** elbeszélés, elmesélés, elmondás **b)** történet, mese, beszámoló **c)** elbeszélés *[művészete]* **d)** *nyelv* narratíva **II. a)** *mn* elbeszélő *[költemény, stílus]*; **a writer of great ~ power** kitűnő elbeszélő tehetségű író; ~ **painting** zsánerfestmény **b)** *nyelv* narratív • *hsz* **narratively**

narratology [ˌnærəˈtɒlədʒi ‖ –ˈtɑ–] *fn nyelv* narratológia • *fn* **narratologist** *mn* **narratological**

narrator [nəˈreɪtə ‖ ˈnæreɪtər, næˈreɪtər] *fn* **1.** elbeszélő, mesemondó, narrátor **2. a)** szólóénekes, recitáló *[oratóriumban]* **b)** *szính* narrátor

narratory [ˈnærətəri ‖ ətɔri] → **narrative II.**

narrow [ˈnæroʊ] **I.** *mn* **1. a)** keskeny, szoros, szűk; **grow ~** (össze)szűkül, (el)keskenyedik; **one's ~ bed** a sír; **~ curve** éles ív/kanyar *[úté]*; **~ path** keskeny ösvény; **the straight and ~ path** az erényes élet útja; *távk* **~ band** keskeny sávú **b)** szűk(ös), szűkre szabott, korlátozott; *biz* **~ means/circumstances** szűkös anyagi körülmények; **within ~ bounds** szűk határok/korlátok között, szűkre szabva; **in the ~est sense** a legszűkebb értelemben **c)** csekély, kicsi, gyenge, nehezen megszerzett *[eredmény]*; **a ~ majority** csekély/kis többség; **~ margin of profit** csekély haszon; **have a ~ escape** egy hajszálon múlt, hogy megmenekült; **~ victory** nehezen megszerzett győzelem **2. a)** szűk látókörű, korlátolt, előítélettel teli, kicsinyes; **~ interests** kicsinyes érdekek; **have/take ~ views** szűk látókörű; → **narrow-minded b)** szűkmarkú, fösvény, zsugori; **~ with his money** szűkmarkú, fukar **c)** aprólékos, gondos, részletekbe menő **3.** *nyelv* **~ transcription** finomabb átírás; **~ vowel** feszített ejtésű (v. szűk) magánhangzó **II. A.** *tsi* **1. a)** (le)szűkít, (le)keskenyít, zsugorít, összehúz; **~ the eyelids** összehúzza a szemét **b)** csökkent, kisebbít, korlátoz, megszorít **2.** *vál szl* beszorít, sarokba/falnak szorít, mozgásban akadályoz (vkt) **B.** *tni* **1.** (le)szűkül, összeszűkül, elkeskenyedik, összeszorul; **the road ~ed into a footpath** az út gyalogösvénnyé keskenyedett/szűkült **2.** *sp* lelassul, nem jut előre *[ló]* **III.** *fn tsz* **narrows** (hegy)szoros, tengerszoros, szűkület, elkeskenyedés *[folyóé, völgyé, úté stb.]*; *US* **the N~s** ‹tengerszoros a New York-i öböl bejáratánál› • *fn* **narrowing**, **narrowness** *mn* **narrowish**

narrow down *tsi* **a)** (le)keskenyít, (le)szűkít **b)** csökkent, korlátoz, szűkebb körre szorít

narrow boat *fn hajó* ‹hosszú, keskeny, csatornában közlekedő hajó›

narrowcast [ˌnæroʊˈkɑːst ‖ –ˈkæst] *US* **I.** *fn* **1.** kábelközvetítés **2.** kábelműsor **II.** *tsi* kábelen közvetít/sugároz *[tévéműsort]* • *fn* **narrowcaster**, **narrowcasting**

narrow-gauge, *US* **narrow-gage** *vasút* **I.** *fn* keskeny vágány **II.** *mn* keskeny vágányú/nyomközű/nyomtávú *[vasút]*

narrowly [ˈnæroʊli] *hsz* **1. a)** szűken, szorosan **b)** alig, nehezen, éppen hogy/csak; **he ~ escaped drowning** egy hajszálon múlt, hogy meg nem fulladt **2.** behatóan, aprólékosan, gondosan, pontosan

narrow-minded *mn* szűk látókörű, beszűkült, elfogult, kicsinyes • *fn* **narrow-mindedness** *hsz* **narrow-mindedly**

narthex [ˈnɑːθeks ‖ ˈnɑr–] *fn épít* narthex, keresztény templom előcsarnoka (v. bejárat előtti oszlopos része) *[katekumenek számára]*

narwhal [ˈnɑːwəl ‖ ˈnɑrhwɑl] *fn áll* tengeri egyszarvú, narvál

N

nary ['neəri ‖ 'neri] *hsz US biz [soha]* majd, ha fagy; **~ a one** egy sem

NASA ['næsə] *röv US National Aeronautics and Space Administration* Országos Repülésügyi és Űrkutatási Hivatal

nasal ['neɪzl] **I.** *mn* **a)** *orv* orral kapcsolatos, orr-, szaglószervi; **~ cavity** orrüreg; **~ drops** orrcsepp(ek); **~ duct** orrkönnycsatorna; **~ organ** szaglószerv, orr **b)** *nyelv* orrhangú, nazális **II.** *fn* **1.** *nyelv* orrhang(zó) **2.** *régi* orrvédő *[sisakon]* • *tsi/tni* **nasalize, -ise** *fn* **nasalization, -isation** *hsz* **nasally**

nasality [neɪ'zæləti] *fn nyelv* orrhangú kiejtés/jelleg

nascency ['næsnsi ‖ 'neɪsnsi] *fn* **a)** kezdet, eredet **b)** születés

nascent ['næsnt ‖ 'neɪsnt] *mn* **1. a)** születő, keletkező, kialakuló, fejlődő **b)** *vegy* keletkező(ben levő) **2.** még nem kifejlett, még nem teljesen érett

naseberry ['neɪzbri ‖ –beri] *fn növ* naspolya

naso- ['neɪzou] *összet* orr-

nasogastric [–'gæstrɪk] *mn orv* **~ tube** orr-nyelőcső szonda

nastic movement ['næstɪk–] *fn növ* nasztia *[növények külső inger által kiváltott helyzetváltoztató mozgása]*

nasties ['nɑːstiəs ‖ 'næstiəs] *fn tsz* **1.** rossz/kellemetlen/undorító íz/szag **2.** rosszindulat **3.** *biz* **a)** piszkosság, tisztátalanság **b)** illetlenség, trágárság, durvaság **c)** aljasság, tisztességtelenség

nasty ['nɑːsti ‖ 'næsti] *mn* **I. 1.** csúnya, kellemetlen, utálatos, undorító, undok; *biz* **cheap and ~** olcsó és rossz, olcsó és ráz is; **a ~ sight** csúnya/kellemetlen/undorító látvány; **~ weather** utálatos/ronda/rossz idő(járás) **2. a)** erkölcstelen, trágár, durva, szemérmetlen; **a ~ story** sikamlós/trágár történet **b)** *US* piszkos, szennyes **3. a)** rossz(indulatú), gonosz, komisz, kellemetlen, visszataszító; **a ~ remark** rosszindulatú/rosszmájú megjegyzés; **a ~ piece of work** rosszindulatú tett/cselekedet; *szl* undorító fráter, piszok alak; **turn ~** kellemetlenné/veszedelmessé válik; **be ~ to sy** ellenségesen/rosszindulatúan viselkedik vkvel szemben **b)** haragos, mogorva, veszekedős, kellemetlenkedő **4. a)** fenyegető, veszedelmes, veszélyes; **a ~ storm is coming** csúnya vihar közeledik/jön; **a ~ look in his eye** fenyegető/vészjósló pillantás/tekintet a szemében **b)** fájdalmas, komoly, veszélyes; **receive a ~ blow** fájdalmas/veszedelmes/csúnya ütést kap; *biz átv* derült égből villámcsapás; **~ cut** csúnya vágás; **a ~ habit** csúnya/visszataszító szokás **5.** nehezen elintézhető/megoldható/kezelhető, bosszantó, kellemetlen, kényes; **~ situation** kellemetlen/bosszantó/kényes helyzet **II.** *fn biz* kellemetlen/undorító fráter; → **video nasty** • *fn* **nastiness** *hsz* **nastily**

nat [næt] *röv* **1.** *national* nemzeti, nemz. **2.** *nationalist* **3.** *native* **4.** *natural* természetes, term.

Nat [næt] *tul* ‹*Nathaniel* v. *Nathan* becézett alakja›

natal ['neɪtl] *mn* születési, szülő; **~ day** születésnap; **~ place** születési hely

Natalie ['nætəli] *tul* Natália

natality [nə'tæləti] *fn* születési (arány)szám

Natasha [nə'tæʃə ‖ nə'tɑːʃə] *tul* Natasa

natation [nə'teɪʃn] *fn vál* úszás • *mn* **natational**

natatorial [ˌneɪtə'tɔːrɪəl ‖ –tɔri] *mn* **a)** úszási, úszó **b)** *tud* úszó *[szerv, hártya]*

natch [nætʃ] *hsz szl [persze, természetesen]* naná, vili

nates ['neɪtiːz] *fn tsz esz* **natis** *orv* farpofák, ülep

Nathan *tul* Nátán

Nathaniel [nə'θænɪəl] *tul* → **Nathan**

nathless ['næθləs], **natheless** *régi* → **nevertheless**

nation ['neɪʃn] *fn* **1.** nemzet; *pol* **the United N~s** az Egyesült Nemzetek, az ENSZ; **the right of ~s to self-determination** a nemzetek önrendelkezési joga **2. a)** nép **b)** nemzetség, fajta, csoport, náció; *US* **the First N~s** az (amerikai) őslakos népek

national ['næʃnəl] **I.** *mn* **a)** nemzeti; **~ anthem** (nemzeti) himnusz; **N~ Bank** Nemzeti Bank; **~ boundary** országhatár; **~ church** nemzeti/autokefál egyház; bevett vallás; **~ colours/flag** nemzeti zászló; *okt* **~ curriculum** nemzeti tanterv; **~ dress** nemzeti viselet, népviselet; *pol* **the N~ Government** a nemzeti egység kormánya *[koalíciós kormány Nagy-Britanniában a II. világháború alatt]*; *US* **N~ Guard** nemzetőrség; **~ (holi)day** nemzeti ünnep; *jog* **~ status** állampolgárság **b)** országos, állami; **~ bankruptcy** államcsőd; *US* **~ convention** elnökjelölt-választó közgyűlés *[pártéj]*; **~ debt** államadósság; **~ defensive** honvédelem; **~ economy** nemzetgazdaság, népgazdaság; **~ income** nemzeti jövedelem; **~ insurance** társadalombiztosítás; **~ insurance number** TB-szám; **~ park** nemzeti park; **gross ~ product**, *röv* **GNP** bruttó nemzeti termék; *GB kat* **N~ Service** kötelező katonai szolgálat; **~ strike** általános sztrájk; **~ wealth** nemzeti vagyon **II.** *fn* **1.** állampolgár; **American ~s** amerikai állampolgárok **2.** polgártárs

National Assembly *fn* **a)** *pol* nemzetgyűlés **b)** *tört* (francia) nemzetgyűlés

nationalism ['næʃnəlɪzm] *fn* **1.** hazafi(as)ság, hazafias/nemzeti érzés, nacionalizmus **2.** *pol* etatizmus; *US* **new ~** ‹a szövetségi kormányzat hatalmának kiterjesztésére irányuló politika› • *fn/mn* **nationalist** *mn* **nationalistic** *hsz* **nationalistically**

nationality [ˌnæʃə'næləti] *fn* **1. a)** nemzetiség, nemzeti jelleg/hovatartozás; **she is of Spanish ~** spanyol nemzetiségű, nemzetiségére nézve spanyol **b)** nemzetiség **2.** állampolgárság; **dual ~** kettős állampolgárság **3.** hazafiság, patriotizmus, nemzeti szellem/érzés **4.** *rep* **~ and registration mark** felség- és lajstromjel; *gk* **~ plate** államjelző tábla *[gépkocsin]*

nationalize ['næʃnəlaɪz], **-ise A.** *tsi* **1.** államosít, állami/nemzeti tulajdonba (v. köztulajdonba) vesz **2.** honosít, állampolgárrá fogad *[idegent]* **3.** beolvaszt, nemzetté tesz, nemzetté/állammá alakít/formál *[népet]* **B.** *tni* honosíttatja magát, állampolgárságot felvesz • *fn* **nationalization, -isation**

National Socialism *fn pol tört* nemzetiszocializmus • *fn/mn* **National Socialist**

nationhood ['neɪʃnhʊd] *fn* nemzeti lét

nation state *fn* nemzetállam

nationwide ['neɪʃnwaɪd] *mn* országos; **~ movement** országos mozgalom

native ['neɪtɪv] **I.** *mn* **1. a)** bennszülött, hazai, belföldi; **a ~ of ...** ... születésű, vhova való; **~ population** bennszülött lakosság **b)** *jog* őshonos, ott született **2.** születési, szülő *[hely stb.]*, anyanyelvi; **~ country/land** szülőföld, haza; **~ language** anyanyelv; **~ place** szülőhely; **~ speaker** anyanyelvi beszélő; **a ~ speaker of English** angol ajkú v. anyanyelvű **3. a) ~ (to sy)** vele született természetes *[tulajdonság stb.]*; **~ talent** vele született tehetség **b)** *régi* egyszerű, természetes, hamisítatlan, közvetlen **4. a)** ősi, őseredetű, (ős)honos, hazai *[növény, állat stb.]*; *nyelv* **~ word** eredeti/ősi/bennszülött szó **b)** eredeti/szabad/természetes állapotban levő, natív *[fém, ásvány]*; *fémip* **~ gold** termésarany; *geol* **~ rock** anyakőzet; *vegy* **~ substance** alapelem, alapanyag; **in ~ state** színállapotban, természetes állapotban **c)** *Ausz* ausztráliai; **~ bear** koala (medve) **II.** *fn* **1. a)** (benn)szülött, őslakó; **a ~ of Hungary** magyar (állampolgár), magyarországi születésű; **he speaks Italian like a ~** anyanyelvi szinten beszél olaszul **b)** bennszülött *[Európán kívüli országé]*, Ausztráliában született fehér ember; *biz* **go ~** alkalmazkodik a helyi (kezdetleges) szokásokhoz **c)** helybéli, idevalósi/odavalósi ember **2. a)** őshonos/hazai állat növény **b)** *áll* angol vizekben tenyésztett osztriga • *fn* **nativeness** *hsz* **natively**

Native American *fn US* bennszülött amerikai, amerikai indián

nativism ['neɪtɪvɪzm] *fn* **1.** *US pol* az őslakosok védelme *[a bevándoroltakkal szemben]* **2.** *fil* nativizmus • *fn/mn* **nativist** *mn* **nativistic**

N

nativity [nəˈtɪvəti] *fn* **1. a)** *régi* születés **b)** *vall* Krisztus születése; **the (festival of the) N~** karácsony (ünnepe) **c)** *vall* Szűz Mária és Keresztelő Szt. János születésének ünnepe **d)** betlehem *[papírból, fából]* **2.** *csill* horoszkóp, csillagjóslat; **cast sy's ~** vknek felállítja a horoszkópját

nativity play *fn szính* karácsonyi misztérium

NATO [ˈneɪtoʊ], **Nato** *röv pol kat North Atlantic Treaty Organization* Észak-atlanti Szerződés Szervezete, *röv* NATO; **~ air-strike** NATO-légicsapás; **~ countries** NATO-tagállamok, NATO-tagországok; **~ membership, membership of ~** NATO-tagság; **~ peace keepers** NATO békefenntartó erők; **~ troops/forces** NATO-csapatok

natron [ˈneɪtrən ‖ ˈneɪtrɑn] *fn ásv* nátron(lúg), sziksó, marószóda, kristályszóda; *földr* **~ lake** szikes tó

natter [ˈnætə ‖ –ər] *biz táj* **I.** *tni* **1.** zsémbel, zsörtölődik, panaszkodik, kárál **2.** locsog, fecseg **II.** *fn* **1.** zsémbelés, zsörtölődés, kárálás **2.** locsogás, fecsegés ● *fn* **natterer**

nattier blue [ˈnætɪə– ‖ –tɪər] *fn/mn műv* halványkék

natural [ˈnætʃrəl] **I.** *mn* **1. a)** természeti, természetes; *körny* **~ disaster** természeti katasztrófa; **~ force/agent** természeti erő; **~ phenomena** természeti jelenségek; **~ resources** természeti kincsek/erőforrások; *biol* **~ selection** természetes kiválaszt(ód)ás **b)** természettel (v. fizikai világgal) foglalkozó, természetre (v. fizikai világra) vonatkozó; **~ history** természetrajz; **~ law** természeti törvény; természetjog; észjog; *mat* **~ numbers** természetes számok; **~ science** természettudomány **c)** természetes/eredeti/ősi állapotban levő, vad, meg nem művelt *[föld, növény]*, szabadon élő, meg nem szelídített *[állat]*; *kat* **~ cover** természetes fedezék; **~ gas** földgáz; *mezőg* **~ economy** primitív/ősi gazdálkodás; *geol* **~ stone** terméskő **2. a)** természetes, természet rendjének megfelelő, természetszerű; *geol* **~ brine** természetes sósvíz, tengervíz; **sy's ~ brother** vk vér szerinti (igazi) fivére; *ritk* házasságon kívül született fivér; **~ day** nappal, napkeltétől napnyugtáig; **~ death** természetes halál; **~ life** földi élet; természetes élettartam; *körny* **~ refuse/waste** természetes hulladék; **~ size** természetes nagyság, életnagyság; *biol* **~ selection** természetes kiválasztódás **b)** természetes, ésszerű, logikus, magától értetődő, értelemszerű, rendszeres, szabályos, szabályszerű, normális; **it is only ~ that** természetes/logikus, hogy, magától értetődő, hogy **3.** természethű, élethű, életszerű, valódi, megfogható, érzékelhető; **the ~ world** az érzékelhető/valóságos/reális világ **4.** házasságon kívül született, természetes *[gyermek]*; **~ child** házasságon kívül született gyermek **5. a)** (vele) született, természetében rejlő, természetes *[adottság, képesség]*; **~ poet** született költő; **~ talent** vele született tehetség; **have a ~ tendency to do sg** természetes adottsága van vmre; **it comes ~ to him** egyszerű/természetes (v. magától értetődő) dolog számára; **~ enemies** ősi ellenségek **b)** jellemző, megszokott, nem meglepő, várható *[szokás, tulajdonság]*; **he behaved with the bravery that was ~ to him** a rá jellemző (v. a tőle megszokott) bátorságot tanúsította; **it is hardly ~ that** természetellenes/meglepő dolog, hogy **c)** mesterkéletlen, közvetlen, könnyed, egyszerű *[modor, viselkedés]*; **speak in a ~ voice/tone** természetes/közvetlen/mesterkéletlen hangon beszél **6.** *zene* **a)** természetes *[skála, hangsor]* **b)** előjegyzés nélküli *[hangjegy]* **c)** feloldott *[hangjegy]* **d)** *zene* üres *[hang]* **II.** *fn* **1. a)** született tehetség **b)** esélyes, vm várományosa **2.** *régi* (születésénél fogva) félkegyelmű, idióta, együgyű; **the village ~** a falu bolondja **3.** *zene* **a)** fehér billentyűk **b)** feloldójel **c)** feloldott hang(jegy) **4.** *ját* **have a ~** első osztásra huszonegyet kap *[huszonegyben]* ● *fn* **naturalness**

natural-born *mn* **a)** született, születésű; **~ Hungarian subject** született magyar/magyar születésű állampolgár **b)** *US* született amerikai **c)** *átv* született; **~ killers** született gyilkosok

natural history *fn* természetrajz ● *fn* **natural historian**

naturalism [ˈnætʃrəlɪzm] *fn* **a)** természetesség, természetes állapot **b)** *fil műv vál* természethez való ragaszkodás, naturalizmus, naturalista irány(zat)

naturalist [ˈnætʃrəlɪst] **I.** *fn* **1. a)** természetkutató, természetbúvár, természettudós **b)** természetbarát **2.** *vál műv* a naturalizmus (v. naturalista irány) híve, naturalista **3.** *vall* természetimádó **II.** *mn vall* természetimádó *[vallás]*

naturalistic [ˌnætʃrəˈlɪstɪk] *mn* **1.** természethű, természetutánzó **2.** *fil műv* naturalisztikus, naturalista; **~ principles in art** naturalista elvek a művészetben ● *hsz* **naturalistically**

naturalize [ˈnætʃrəlaɪz], **-ise A.** *tsi* **1. a)** honosít *[külföldit]* (*to* vmre), állampolgárságot ad *[külföldinek]* **b)** meghonosít, honossá tesz *[szokást, idegen szót]* **c)** meghonosít, betelepít *[növényt, állatot]* **2.** természethűen (v. naturalista módon) ábrázol *[művészetben, irodalomban]* **3.** természeti törvényekkel magyaráz *[természetfölöttit]* **B.** *tni* **1.** meghonosodik *[idegen szó, növény stb.]* **2.** növényeket gyűjt, botanizál ● *fn* **naturalization**, **-isation**, **naturalizing**, **-ising**

naturally [ˈnætʃrəli] *hsz* **1.** természetesen, persze, magától értetődően, értelemszerűen, nyilván(valóan); **~ I refused** természetesen visszautasítottam/elutasítottam **2.** természetesen, mesterkéletlenül, keresetlenül, közvetlenül; **behave ~** természetesen/mesterkéletlenül viselkedik; **die ~** természetes halállal hal meg **3.** természet szerint, természettől fogva; **~ curly hair** természettől fogva (v. természetesen) göndör haj; **it comes to him ~** a természetében rejlik, adottsága van rá **4.** élethűen, életszerűen, természetes módon

nature [ˈneɪtʃə ‖ –ər] *fn* **1. a)** természet, (világ)mindenség, természeti jelenségek/erő; *körny* **protection/preservation of ~, ~ conservation** természetvédelem; *kif* **debt of ~** halál; **in a state of ~** természetes állapotban; a maga valóságában/természetességében/vadságában; *biz* anyaszült meztelenül, ádámkosztümben; **one of N~'s gentlemen** ‹vele születetten nemes viselkedésű ember›; *US biz* **that beats all ~** ez mindent felülmúl, ez aztán a teteje mindennek; **against ~** természetellenes, erkölcstelen; természetfeletti; **draw from ~** természet után rajzol; **in ~** ténylegesen létező, a természetben, a világegyetemben, a mindenségben, bárhol **b)** természet, vadon, (vad) táj **2. a)** lényeg, jelleg, sajátosság, mivolta (vmnek), tulajdonság; **in/by/from the ~ of things** a dolgok adottságait/jellegét/mivoltát tekintve; **it is in the ~ of things** a dolgok lényegéből/természetéből/rendjéből következik, természetes, elkerülhetetlen **b)** (emberi) természet, lelki alkat, jellem, vérmérséklet, (vele született) adottság, hajlam, sajátosság; **good ~** jóindulat, előzékenység; *kif* **habit is second ~** a szokás a második természet, a szokás hatalma; **by ~** természeténél/természettől fogva; **it comes to him by ~** ez nála természetes (v. magától jön); **it is not in his ~ to ...** nem vall/jellemző rá, hogy ..., nem az ő természete, hogy ... **3.** fajta, osztály, nem, minőség; **in the ~ of** vmlyen -szerű/fajta/féle; **of this ~** ilyenfajta; **of a different ~** másfajta, másféle, különböző **4.** életműködés; *tréf* **relieve ~** dolgát végzi

Nature Conservancy Council *tul GB* Természetvédelmi Tanács

nature cure → **naturopathy**

natured [ˈneɪtʃəd ‖ –tʃərd] *mn* **1.** természetű **2.** *összet* **good-~** jóindulatú; **ill-~** rosszindulatú

nature lover *fn* természetbarát

nature printing *fn nyomd* **1.** lenyomat készítése *[előkészített felületre]* **2.** közvetlen lenyomat

nature reserve *fn* természetvédelmi terület

nature study *fn* természetrajz

nature trail *fn* természeti jelenségeket táblákkal jelző gyalogút

nature worship *fn* természetimádás, természetimádat

naturism [ˈneɪtʃərɪzm] *fn* **1.** természetimádat **2.** *orv* természetes gyógymód **3.** nudizmus ● *fn/mn* **naturist**

N

naturopathy [ˌneɪtʃəˈrɒpəθi ‖ –ˈrɑ–] *fn* természetes gyógymód • *fn* **naturopath** *mn* **naturopathic**

natty [ˈnæti] *mn* **1.** csinos, rendes, takaros, jól öltözött, elegáns; *biz* **a ~ little thing** takaros kis teremtés **2. a)** ügyes (kezű); **be ~ with one's hands** van kézügyessége **b)** csinos kivitelű, kézhez álló, jól kezelhető, ügyes *[szerszám]* • *fn* **nattiness** *hsz* **nattily**

naught [nɔːt ‖ nɔt, nɑt] **I.** *fn* **1.** *US mat* nulla, zéró, zérus, semmi; **get a ~ (in an exam)** nullát kap, megbukik *[vizsgán]* **2.** *régi* semmi(t); **all for ~** minden hiába; feleslegesen, haszontalanul; **bring sg to ~** vmt meghiúsít; **come to ~** nem sikerül, kudarcba fullad, kudarcot vall; **set at ~** semmibe vesz, lenéz, megvet **II.** *mn régi* **a)** értéktelen, haszontalan, hitvány **b)** rossz, gonosz **III.** *hsz régi* **a)** haszontalanul, hitványan **b)** rosszul, gonoszul

naughty [ˈnɔːti] *mn* **1. a)** pajkos, csintalan, huncut, engedetlen, rakoncátlan, szófogadatlan, rossz **b)** *biz* rossz, gonosz; **that's very ~ of you** ez nagyon csúnya magától **2.** *biz* merész, pajzán, sikamlós, illetlen *[történet, vicc, stb.]* • *fn* **naughtiness** *hsz* **naughtily**

nauplius [ˈnɔːplɪəs] *fn tsz* **nauplii** [–pliaɪ] *áll* nauplius, rákfélék első lárvastádiuma

Nauru [nauˈruː, nɑːˈuːruː] *tul földr* Nauru • *fn/mn* **Nauruan**

nausea [ˈnɔːsɪə, –zɪə ‖ –zɪə, –ʒə] *fn* **1. a)** émelygés, hányinger **b)** tengeribetegség **2.** undor(odás), meg(csömör)lés • *mn* **nauseous**

nauseant [ˈnɔːsɪənt, –zɪənt ‖ –ʒənt] **I.** *mn* émelygést/hányingert okozó, émelyítő, undorító **II.** *fn* hánytató (szer)

nauseate [ˈnɔːzieɪt, –si– ‖ –zi–, –ʒi–] **A.** *tsi* **a)** émelyít, undorít, utálattal/undorral tölt el (vkt); **I feel ~d** kavarog a gyomrom, hányingerem van **b)** (meg)undorodik (vktől/vmtől), undort érez (vk/vm iránt), utál, megvet (vkt/vmt) **B.** *tni* émelyeg, hányingere van, felfordul/kavarog a gyomra

nauseating [ˈnɔːzieɪtɪŋ, –si– ‖ –zi–, –ʒi–] *mn* **a)** *orv* émelyítő, émelygést keltő **b)** *átv* émelyítő, undorító • *hsz* **nauseatingly**

nautch [nɔːtʃ] *fn* táncbemutató *[Indiában]*, balett, táncjáték

nautch girl *fn* indiai táncosnő, bajadér

nautical [ˈnɔːtɪkl] *mn* tenger(észet)i, (tenger)hajózási; **~ mile** tengeri mérföld *[GB=1853,2 m; US=1852 m]*; **~ tables** hajózási táblázatok

nautilus [ˈnɔːtɪləs] *fn tsz* **-es, nautili** [–tɪlaɪ] *áll* csigáspolip, nautilusz; **paper ~** hajóspolip

nav. *röv naval*

NAVAID [ˈnæveɪd] *röv rep navigational aid* földi rádiónavigációs berendezés

Navajo [ˈnævəhou], **Navaho** *fn/mn* navaho *[nép, nyelv]*

naval [ˈneɪvl] *mn hajó* tengeri, hajózási, haditengerészeti, flotta-; **~ academy** (hadi)tengerészeti (tisztképző) akadémia; **~ air service** haditengerészeti légierő; **~ attaché** haditengerészeti attasé; *rep* **~ aviation** haditengerészeti légierő; *hajó kat* **~ base/station** flottabázis, flottatámaszpont; **~ battle/engagement** tengeri ütközet/csata; **~ gunfire** hajótüzérségi tűz; **~ officer** tengerésztiszt; **~ port** hadikikötő; **~ stores** hajófelszerelési anyagok • *hsz* **navally**

nave[1] [neɪv] *fn épít* főhajó, középhajó *[templomban]*

nave[2] [neɪv] *fn* kerékagy; **~ brake** kerékagyfék

navel [ˈneɪvl] *fn* **1.** *orv* köldök; *biz tréf* **proud below the ~** buja, kéjvágyó, kanos **2.** *biz átv* vmnek a közepe/belseje

navel cord *fn orv* köldökzsinór

navel orange *fn US növ* dudoros/fias narancs

navicular [nəˈvɪkjulə ‖ –kjələr] **I.** *mn* sajka/hajó alakú **II.** *fn* **1.** *orv* **~ (bone)** sajkacsont **2.** *állatorv* **~ (disease)** pataszűkülés *[lóé]*

navigable [ˈnævɪgəbl] *mn* **1.** hajózható, hajózásra alkalmas *[folyó, tenger]*; **~ channel/canal** hajózható (v. hajózásra alkalmas) csatorna; *földr* **~ river** hajózható folyó; *rep* **~ airspace** repülhető légtér; **in the habitable and ~ world** a szárazföldeken és a tengereken, szárazon és vízen **2.** tengerbíró, tengerálló, vízre bocsátható *[hajó]* **3.** kormányozható *[léghajó]*; **~ airship/balloon** kormányozható léghajó • *fn* **navigability**

navigate [ˈnævɪgeɪt] **A.** *tsi* **1. a)** kormányoz, irányít, navigál *[hajót, repülőgépet, léghajót]* **b)** irányít, navigál *[autóvezetőt]* **c)** *biz* **~ a bill through Parliament** elfogadtat/megszavaztat egy törvényjavaslatot a parlamentben **2.** bejár, behajóz *[tengereket, légteret]*; **~ the ocean** bejárja/behajózza az óceánt **B.** *tni* **1.** hajózik, vitorlázik **2.** légiutat tesz **3.** *biz* keresztülverekszi magát *[tömegen]*

navigation [ˌnævɪˈgeɪʃn] *fn* **1. a)** *hajó rep* (tenger)hajózás, navigáció, kormányzás, irányítás *[hajóé, repülőgépé, léghajóé]*; **~ act** tengerészeti törvény; **celestial ~** csillagászati navigáció; csillagok utáni navigációs tájékozódás; **high-seas ~** nyílt tengeri hajózás; **inland ~** belvízi hajózás; **~ canal** hajózócsatorna; **~ lights** helyzetjelző (fények/világítás); *rep* **~ log** hajónapló, navigátornapló; *hajó rep* **~ officer** navigációs tiszt; **~ system** navigációs rendszer, helyzetmeghatározó; **(circum)~ of the globe** a föld körülhajózása **b)** hajózástan, a hajózás tudománya/művészete, navigáció **2.** utazás, út • *mn* **navigational**

navigator [ˈnævɪgeɪtə ‖ –ər] *fn* **1.** *hajó rep* **a)** kormányos; **~'s log** hajónapló, navigátornapló **b)** navigációs tiszt, navigátor **2.** tengeri felfedező

navvy [ˈnævi] **I.** *fn* földmunkás, kubikos (napszámos), anyagmozgató, *régi* csatornaásó földmunkás; *biz átv* **work like a ~** inaszakadtáig dolgozik, dolgozik mint egy rabszolga, melózik **II.** *tni* kubikosmunkát végez, kubikol

navy [ˈneɪvi] *fn* **1. a)** flotta, hajóhad; **~ arsenal** tengerészeti fegyvertár/lőszertár; **~ yard** haditengerészeti dokk; hajójavító telep **b)** haditengerészet; *US* **N~ Department** tengerészeti minisztérium **2. ~ (blue)** sötétkék, matrózkék, tengerészkék **3. ~ cut** finomra vágott *[dohány]*

navy bean → **haricot**

Navy List *fn GB hajó kat* a Brit Királyi Haditengerészet hivatásos tagjainak névjegyzéke

nawab [nəˈwɑːb] *fn tört* **1.** hindu herceg/főúr, indiai magas méltóság **2.** nábob

nay [neɪ] *régi* **I.** *hsz* **1.** nem **2.** sőt, mi több, jobban mondva; **I was surprised, ~, astonished** meglepődtem, sőt (v. mi több) megdöbbentem **II.** *fn* **1.** nem; **say a person ~** nemet mond vknek, visszautasít vkt; **yea and ~** határozatlanság, tétovázás, habozás, huzavona **2.** nem(leges) szavazat

naysay [ˈneɪseɪ] *tsi/tni pt/pp* **naysaid** [ˈneɪsed] tagad, elutasít, visszautasít, nemet mond • *fn* **naysayer**

Nazarene [ˌnæzəˈriːn] **I.** *fn vall* **1. the N~** a Názáreti (Jézus) **2.** nazarénus *[szektába tartozó]* férfi/nő **3.** *műv* nazarénus *[festő]* **II.** *mn* **1.** *bibl* názáreti **2.** nazarénus **3.** keresztény *[zsidó és mohamedán szóhasználat szerint]*

Nazareth [ˈnæzərəθ] *tul földr* Názáret

Nazarite [ˈnæzəraɪt] *fn/mn bibl* **1.** → **Nazarene** II. **2.** nazireus, szent fogadalmat tevő ókori zsidó

Nazi [ˈnɑːtsi] *fn/mn* **1.** *pol tört* náci, nemzetiszocialista, hitlerista, német fasiszta **2.** *pej* szélsőséges, rasszista, fajgyűlölő • *tsi* **nazify** *fn* **Nazidom, Nazism**

NB *röv* **1.** *US Nebraska* **2.** *New Brunswick* **3.** *sp no ball* **4.** nota bene , *note well* megjegyzendő, N.B.

NBA *röv* **1.** *US sp National Basketball Association* NBA; **~-player** NBA-játékos; **~-stars** NBA-csillagok/sztárok **2.** *GB Net Book Agreement*

NBC *röv US média National Broadcasting Company*

NBG *röv biz no bloody good*

NbyE, NbE *röv North by East*

NbyW, NbW *röv North by West*

NC *röv* **1.** *GB okt National Curriculum* **2.** *infor network computer* **3.** *North Carolina* **4.** *numerical control*

NCC *röv* **1.** *körny Nature Conservancy Council* **2.** *GB okt National Curriculum Council*

NCO *röv non-commissioned officer* altiszt, alt.

nd *röv no date*

N.Dak., ND *röv US North Dakota*

N

NE *röv* **1.** *New England* **2.** *US Nebraska* **3.** *North-East*
Neal [niːl] → **Neil**
Neanderthal [niˈændətɑːl ‖ –dərtɔl, –tɑl] *tul földr* **(the) ~** Neander-völgy
Neanderthal man *fn régész* neandervölgyi ember
neap [niːp] **I.** *fn* **a)** apály; **~ rise** alacsony szintű dagály, vakdagály; **~ tide** legkisebb árapály **b)** *tsz* **neaps** *biz* holtvíz **II. A.** *tsi hajó* **be ~ed** (apály miatt) megfeneklik *[hajó]* **B.** *tni* **a)** apad **b)** eléri a vakdagályt (v. alacsony szintű dagályt) • *mn* **neaped**
Neapolitan [nɪəˈpɒlɪtn ‖ –ˈpɑ–] *mn/fn földr* nápolyi; *régi* **~ disease** szifilisz; *zene* **~ sixth** nápolyi szext
near [nɪə ‖ nɪr] **I.** *mn* **1. a)** közel, közel(ben) levő *[hely, időpont, esemény]*; **the N~ East** a Közel-Kelet; **the ~est way** a legrövidebb út; *pénz* **~ money** rövid idő alatt pénzzé tehető követelés; **have a ~ escape** hajszálon múlik a megmegmenekülése; **in the ~ future** a közeljövőben **b)** bal (oldal) *[járműé, állaté, úté]*; *közl* **~ side** jármű járda felőli oldala; **~ horse** *GB* bal oldali ló; nyerges *[fogatban]*; *US* jobb oldali ló; rudas *[fogatban]* **2. a)** közeli *[rokon]*, bizalmas, jó, kedves, meghitt *[barát]*; **my ~ relations** közeli rokonaim; **~ and dear** közel álló és kedves **b)** közelről érintő; **it is a very ~ concern of ours** ez a dolog igen közelről érint bennünket **3.** pontos, hű; **he made/gave a pretty ~ guess** közel járt az igazsághoz, majdnem ráhibázott; *US* **~ portrait** élethű portré, a megszólalásig hasonlító arckép; **~ resemblance** nagy(fokú) hasonlatosság; **a very ~ translation** pontos/hű fordítás; **~ work** finom/kényes munka **4.** *régi* fösvény, fukar, zsugori, szűkmarkú **II.** *hsz* **1. a)** közel *[térben, időben]*; **~er and ~er** egyre közelebb; **~ and far** mindenhol, mindenütt, mindenfelé, közel s távol; **~ at hand** egész közel, (közvetlen) közelben, vknek keze ügyében; a közeljövőben; **~ by** → **nearby**; **he has been very ~ to death's door** a halál torkában volt, a sír szélén volt; **as ~ as I can remember** amennyire vissza tudok emlékezni; **come/draw ~** közeledik, közelebb megy/jön (*to* vkhez/vmhez); **spring draws ~** közeledik a tavasz **b)** közel(i), vkhez közel (álló) *[rokon, barát]*; **we are ~ of kin** közeli rokonok vagyunk **2.** (már) majdnem, csaknem, közel, már-már; **very ~ asleep** már-már aludt; *biz* **I was damn ~ killed** majdnem otthagytam a fogam; *biz* **not anywhere ~ full** sok kell még hozzá (v. sok hiányzik még), hogy tele legyen; **come ~ to doing sg** közel jár ahhoz, hogy megtegyen vmt; **it came very ~ to** kevésen/hajszálon múlt **3.** *régi* **live ~** garasosan/szűkmarkúan (v. zsugori módon) él **III.** *elölj* **1.** (közvetlen) közel, mellett; **~ the town** közel a városhoz, a város közelében/szomszédságában **2. a)** közel, majdnem, csaknem, kis híja/híján; **~ sixty years of age** közel van a hatvanhoz, majdnem hatvanéves; **be ~ the end/goal** közel van a célhoz **b) be/come ~ sy/sg** közel van/áll vkhez/vmhez, megközelít vkt/vmt *[hasonlatosságban]*, hasonlít vkhez/vmhez; **the portrait does not come ~ the original** az arckép meg sem közelíti az eredetit; **nobody can come anywhere ~ her** nyomába se ér senki; senki sem közelítheti meg **3.** mű-, -utánzat, -szerű; **~ gold** műarany; *tex* **~ silk** műselyem **IV.** *tsi/tni* közeledik (vkhez/vmhez), megközelít (vkt/vmt); **he must be ~ing home** bizonyára közeledik hazafelé; **~ one's end** végét járja, haldoklik • *fn* **nearness** *mn* **nearish**
near- [nɪə ‖ nɪr] *összet* **1.** majdnem; **~-perfect** majdnem tökéletes **2.** rövid-, közel-; **~-sighted** rövidlátó
nearby [ˈnɪəbaɪ ‖ ˈnɪrbaɪ] **I.** *mn* közeli, szomszédos, *jog* határos; **the ~ gardens** a közeli/szomszédos kertek **II.** *hsz* közel, közvetlen közelben; **~ stood a house** a közelben állott egy ház
Nearctic [niːˈɑːktɪk ‖ –ˈɑrk–] **I.** *fn tud* Észak-Amerika sarki és mérsékelt égövi zónája **II.** *mn* sarki és mérsékelt övi
near-death experience *fn* halálközeli élmény
nearly [ˈnɪəli ‖ ˈnɪrli] *hsz* **1.** közel, majdnem, csaknem, már-már; **it is ~ five o'clock** csaknem/majdnem öt óra; **the work is ~ finished** a munkát majdnem befejezték; **very ~** majdnem, kevés híján, már-már; **not ~** egyáltalán nem, távolról sem, közel sem **2.** közel, közelről, szorosan; **this concerns me very ~** ez nagyon közelről érint **3.** *régi* fösvényen, szűkmarkúan, zsugori módon
near miss *fn* **1.** épphogy elkerült összeütközés; **that was a ~** majdnem sikerült összeütközniük v. összeütköznünk; ez majdnem talált **2.** *kat* találat/becsapódás a cél közelében **3.** *átv* majdnem-siker
near-perfect *mn* majdnem tökéletes; *rep* **~ landing** majdnem tökéletes leszállás
nearside *mn GB közl* járda felőli, bal oldali; **~ lane** külső sáv *[autópályán]*
nearsight *fn orv* rövidlátás, közellátás, myopia
near-sighted *mn* rövidlátó, közellátó • *fn* **near-sightedness** *hsz* **near-sightedly**
neat[1] [niːt] **1. a)** csinos, takaros, ízléses, elegáns; **a ~ costume/dress** ízléses/csinos/elegáns ruha **b)** rendes, tiszta, ápolt, rendszerezett, rendezett; **~ handwriting** rendes/tiszta kézírás; *kif* **as ~ as a new pin** mintha skatulyából vették/húzták volna ki **2.** formás, jó alakú, arányos; **~ leg** formás láb **3. a)** *US szl [jó]* remek, szuper, klassz, király **b)** ügyes, (jól) sikerült, jól végzett *[munka]*; **make a ~ job of it** ügyesen/megfelelően végez el egy munkát **c)** találó, talpraesett, szellemes, ügyes *[mondás]*; **a ~ retort** szellemes/ügyes visszavágás, talpraesett/találó felelet **4.** tiszta, felhígítatlan, nem kevert *[alkohol, stb.]* **5.** nettó • *fn* **neatness** *hsz* **neatly**
neat[2] [niːt] *fn régi áll* **a)** szarvasmarha; **~'s foot** pata *[szarvasmarháé]* **b)** nagy jószág
neaten [ˈniːtən] *tsi* megigazít, rendbe hoz, elrendez, csinossá/takarossá tesz (vmt)
'neath [niːθ], **neath** *vál* → **beneath**
neb *fn táj* **1. a)** csőr *[madáré]* **b)** száj *[emberé]* **c)** orr *[emberé, állaté]* **2.** vmnek hegye/vége/csúcsa • *mn* **nebbed**
NEB *röv* **1.** *GB National Enterprise Board* **2.** *New English Bible*
nebbish [ˈnebɪʃ] *szl* **I.** *mn [engedékeny, félénk]* tutyimutyi, pipogya **II.** *fn [engedékeny, félénk ember]* nyuszi
Nebr. *röv US Nebraska*
Nebraska [nəˈbræskə] *tul földr* Nebraska • *fn/mn* **Nebraskan**
nebula [ˈnebjʊlə ‖ –bjə–] *fn tsz* **~s** v. **nebulae** [–liː] **1.** *csill* **a)** csillagköd, csillagközi köd **b)** ködfátyol, ködfolt **c)** világító gázfelhő **2. a)** *vegy ásv* folt, homályosság, zavarosság *[vegyi anyagban, ásványban]* **b)** *orv* szaruhártyahomály • *mn* **nebular**
nebulize [ˈnebjʊlaɪz ‖ –bjə–], **-ise A.** *tsi* porlaszt, ködde alakít **B.** *tni* elporlik, ködde válik, elködösül • *fn* **nebulization**, **-isation**, **nebulizer**, **-iser**
nebulous [ˈnebjʊləs ‖ –bjə–] *mn* **a)** *csill* ködfoltos, ködös, felhős **b)** *átv* homályos, bizonytalan, elmosódott • *fn* **nebulousity** *hsz* **nebulously**
N.E. by E. *röv North-East by East*
N.E. by N. *röv North-East by North*
NEC *röv* **1.** *US National Electric Code* **2.** *National Executive Committee*
necessarian [ˌnesəˈseərɪən ‖ –ˈserɪən] *mn/fn* → **necessitarian** • *fn* **necessarianism**
necessarily [ˈnesəsrɪli ‖ ˌnesəˈserɪli] *hsz* szükségképpen, szükségszerűen, feltétlenül, elkerülhetetlenül, múlhatatlanul, biztosan, magától értetődően, elmaradhatatlanul; **it does not ~ follow that** nem feltétlenül következik belőle (v. nem biztos) hogy
necessary [ˈnesəsri ‖ ˈnesəseri] **I.** *mn* **a)** szükséges, nélkülözhetetlen, elengedhetetlen (*to/for* vmhez), elkerülhetetlen, kikerülhetetlen; **if ~** (abban az esetben,) ha szükséges/kell, adott esetben, szükség esetén; **~ conformity** feltétlen összhang; **a ~ evil** szükséges rossz **b)** szükségszerű, törvényszerű, kényszerű; **make it ~ for sy to do sg** rákényszerít/rászorít vkt vm megtételére; **take the ~ steps** megteszi a szükséges lépéseket **II.** *fn*

N

1. a) szükséges dolog; **do the ~ (thing)** tudja, mit kell tennie **b)** *tsz* **necessaries** életszükséglet(ek), szükségleti cikk(ek); **the necessaries of existence/life** életszükségletek, létfontosságú szükségletek **2.** költség(ek); *biz* **we shall provide the ~** mi majd fedezzük a költségeket

necessitarian [nɪˌsesəˈteərɪən ‖ –ˈter–] **I.** *mn tört fil* determinista *[gondolkodás]* **II.** *fn tört fil* a determinizmus híve, determinista • *fn* **necessitarianism**

necessitate [nɪˈsesɪteɪt] *tsi* **1.** szükségessé/elkerülhetetlenné tesz, megkíván, megkövetel **2.** *US* kényszerít • *fn* **necessitation**

necessitous [nɪˈsesɪtəs] *mn* **1.** szűkös, szűkölködő, szükséget szenvedő, nyomorúságos, ínséges; **~ areas** nincstelen/szűkölködő területek; **~ circumstances** szűkös/nyomorúságos körülmények **2.** sürgető, nyomós *[ok]* **3.** szükséges, elkerülhetetlen

necessity [nɪˈsesəti] *fn* **1. a)** szükség, kényszerűség; **absolute ~** elengedhetetlen kényszer, vis major; **of ~** szükségszerűen, természetszerűleg; *közm* **~ knows no law** szükség törvényt bont; *közm* **~ is the mother of invention** a szükség találékonyságot szül; **there is no ~ (to do sg)** nincs kényszer(ítés) (vmnek a megtételére); **by/from/of ~** kényszerből, szükségből; **bow to ~** megadja magát a kényszer(ítés)nek/erőszaknak **b)** szükség(esség); **in case of ~** szükség esetén, ha kell **c)** *fil* **a logical ~** logikai szükségszerűség; **doctrine of ~** a determinizmus tana **2.** szükséglet, kellék, életszükségleti cikk; **bare necessities** létminimum **3.** szükség, szűkölködés, nélkülözés, szegénység, ínség, nyomor; **dire ~ compels me to...** a sanyarú szükség kényszerít, hogy...; **be in ~** szükséget szenved, szűkös körülmények között van, nélkülöz

neck [nek] **I.** *fn* **1. a)** nyak *[emberé, állaté]*; *biz* **~ and crop** mindenestül, teljesen, teljes egészében, szőröstülbőröstül; **~ and ~** fej fej mellett; **~ and ~ race** fej fej melletti küzdelem; **~ or nothing** vagy-vagy, dupla/minden vagy semmi; **be up to one's ~ in sg** nyakig van vmben; *biz* **breathe down sy's ~** mindig a sarkában/nyomában van vknek, nem száll le vkről; **break one's ~** nyakát szegi; *biz tréf* **dead from the ~ up** hülye, sötét; **fling one's arms round sy's ~** nyakába ugrik vknek; *biz* **get it in the ~** megkapja a magáét, jól ellátják a baját; *biz* **pain in the ~** púp a háton, kellemetlenség, nyűg, bosszúság; **save one's ~** megmenti a bőrét; **stick one's ~ out, risk one's ~** kihívja a sorsot maga ellen, kockázatot vállal, kockáztat; **stiff ~** (múló) nyakfájás, nyakmerevedés; *vál régi* makacsság; *sp* **win by a ~** fejhosszal/nyakhosszal győz; *biz átv* **wring sy's ~** kitekeri vknek a nyakát **b)** nyakrész *[állaton]* **c)** nyak *[ruháé]*, nyakkivágás; **low ~** mély kivágás/dekoltázs *[ruhán]* **2. a)** nyak *[edényé, csavaré, hegedűé, stb.]*, nyakcsap *[gépé]*, *kat* csőtorkolat *[puskáé, ágyúé]*, elkeskenyedés **b)** *épít* beszögellés, oszlopnyak **c)** *bány* száj **3.** *földr* földnyelv, földszoros, tengerszoros; **~ of land** földnyelv; *biz* **in our ~ of the woods** mifelénk, (mi)nálunk, a mi környékünkön, errefelé **4.** *geol* **a)** vulkáni kürtő **b)** ‹régi vulkán kráterében megszilárdult láva› **II. A.** *tsi* **1. a)** nyakon/tarkón üt **b)** lenyakaz **c)** *átv* kitekeri a nyakát **2.** elvékonyít **3.** *US szl [ölelget, simogat vkt]* nyomul **B.** *tni US szl [csókolózik]* nyal-fal, nyalakodik, smacizik, smárol • *mn* **neckless**

neckband *fn* inggallér

neckcloth *fn* nyaksál, nyakkendő, gallérvédő

necked [nekt] *mn* **1.** *összet* nyakú; **stiff-~** csökönyös, makacs **2.** *műsz* csapos, nyakkal ellátott

neckerchief [ˈnekətʃɪf ‖ –kər–] *fn régi* **a)** (nyak)sál **b)** vállkendő, mellkendő

necking [ˈnekɪŋ] *fn* **1.** *épít* nyak *[oszlopé]* **2.** *műsz* szorítógyűrű, nyakcsap, fúvóka **3. a)** elvékonyítás **b)** *vasút* sínszeg kopása/vékonyodása **4.** *US szl [csókolózás, ölelgetés]* smárolás, smacizás

necklace [ˈnekləs] *fn* nyaklánc, nyakék

necklet [ˈneklət] *fn* **a)** nyaklánc, gyöngysor **b)** nyakbavaló *[szőrme]*; **fur ~** szőrmegallér, prémgallér, boa

neckline *fn* nyakkivágás *[ruhán]*, kivágás, dekoltázs *[estélyi ruhán]*

neck-oil *fn szl [szeszes ital, sör]* nyakolaj, nyakalapi toroköblítő

neck opening → **neckline**

neckpiece *fn* nyak, gallér

neckstrap *fn* nyakszíj, tartószíj *[fényképezőgépé stb.]*

necktie *fn* **a)** nyakkendő; **fur ~** szőrmegallér, boa **b)** *US szl* **~ party** felkoncolás

neckwear *fn* nyakbavaló, nyakravaló *[gallér, kendő, sál]*

necr(o) [ˈnekrou] *összet* halál-, holt

necrobiosis [ˌnekroubaɪˈousɪs] *fn orv* szövetelhalás, elsajtosodás, nekrobiózis • *mn* **necrobiotic**

necrographer [neˈkrɒgrəfə ‖ neˈkrɑgrəfər] *fn* gyászjelentés (v. halotti jelentés) írója

necrolatry [neˈkrɒlətri ‖ –ˈkrɑ–] *fn* halottak/ősök/manesek tisztelete

necrology [neˈkrɒlədʒi ‖ –ˈkrɑ–] *fn* **1.** gyászjelentés, nekrológ **2.** halottak névsora, elhaltak jegyzéke • *fn* **necrologist** *mn* **necrological**

necromancy [ˈnekrəmænsi] *fn* **a)** halottidézés, szellemidézés **b)** varázslás, fekete mágia • *fn* **necromancer** *mn* **necromantic**

necrophagous [neˈkrɒfəgəs ‖ –ˈkrɑ–] *mn áll* dögevő

necrophilia [ˌnekrouˈfɪlɪə ‖ –ˈkrɑ–] *fn pszich* halottgyalázás, nekrofília *[holttestek iránti erotikus vonzalom]* • *fn* **necrophiliac**, **necrophile**, **necrophilism** *mn* **necrophilic**

necrophobia [–ˈfoubɪə] *fn* **1.** *orv* halálfélelem **2.** holttesttől való irtózat/iszonyat • *fn* **necrophobe** *mn* **necrophobic**

necropolis [neˈkrɒpəlɪs ‖ –ˈkrɑ–] *fn* **a)** *régész* nagy ókori temető/temetkezőhely, holtak városa, nekropolisz **b)** temető, temetkezőhely

necropsy [ˈnekrɒpsi ‖ –krɑ–] *fn orv* **a)** halottszemle, hullaszemle **b)** boncolás; **~ record** boncolási jegyzőkönyv

necrosis [neˈkrousɪs] *fn orv* elhalás, (el)üszkösödés • *mn* **necrotic**

nectar [ˈnektə ‖ –ər] *fn* **1.** nektár, istenek itala **2.** *növ* nektár • *mn* **nectareal**, **nectarean**, **nectar(e)ous**

nectarine [ˈnektəriːn ‖ ˌnektəˈriːn] **I.** *fn növ* nektarin *[sima héjú őszibarack]* **II.** *mn* nektárszerű, mézédes

nectary [ˈnektəri] *fn növ* mézfejtő, méztartó *[virágé]*, nektárium

Ned [ned] *tul* ‹*Edward* becéző alakja›

NEDC *röv National Economic Development Council*

neddy [ˈnedi] *fn biz* csacsi, szamár; **you ~** te csacsi

née [neɪ] *mn US* **nee** született, leánynéven; **Mrs. Brown, ~ Robinson** Brownné született Robinson

need [niːd] **I. A.** *tsi* **a)** szüksége van (vkre/vmre), szükségel (vmt), (meg)kíván, megkövetel, igényel; **~s no introduction** nem kell bemutatni, nem újdonság; **that ~s no saying** az magától értetődik, erről beszélni sem kell; **that's all I ~(ed)!** még csak ez hiányzott!; **what he ~s is a haircut** meg kellene/kéne nyiratkoznia **b) ~ to do sg** *[segédigeként]* meg kell tennie vmt, muszáj vmt megtennie, kénytelen vmt megcsinálni, szükséges, hogy vmt megtegyen; **~ I say more?** mondjam/folytassam tovább?; **~ he go?** muszáj mennie?; **we needn't go, ~ we?** ugye nem kell/szükséges mennünk?; **you only ~ed to ask** csak kérned/szólnod kellett volna; **he didn't ~ to be told twice** nem kellett neki kétszer mondani; **he ~ not trouble himself** nem kell zavartatnia magát **B.** *tni* **1.** szükségben van, nehéz körülmények közt él, szűkölködik, szükséget lát, nyomorog; **give to them that ~** adj a szűkölködőknek, adj azoknak akik szükségben élnek **2.** *régi* szükséges, szükség van rá; **it ~s not** nem szükséges/kell; → **needs II.** *fn* **1. a)** szükség; **there is no ~ to** nem szükséges/kell; **if ~(s) be, in case of ~** szükség esetén, ha szükséges/kell, adott esetben; **have ~ of sg, stand/be in ~ of sg** szüksége van vmre **b)** *tsz* **needs** szükség(let); **bodily and spiritual ~s** testi és szellemi szükségletek **c) do one's ~s** szükségét (el)végzi **2. a)** baj,

N

balszerencse, nehézség, zavar; **in times of ~, in the hour of ~** nehéz percekben/órákban/időkben; *közm* **a friend in ~ is a friend indeed** bajban mutatkozik meg az igazi barát **b)** szükség, szűkölködés, ínség, nélkülözés, nyomor(úság); **be in ~** szükséget szenved, szűkölködik, nélkülöz

needful ['ni:dfl] **I.** *mn* **1.** szükséges, szükségszerű, elengedhetetlen, kell (*to/for* vmhez/vmre) **2.** szűkölködő, szükséget látó **II.** *fn* **1.** *biz* **do the ~** megteszi azt ami szükséges **2.** *szl [pénz]* dohány, zseton, zsozsó • *fn* **needfulness** *hsz* **needfully**

needle ['ni:dl] **I.** *fn* **1. a)** tű, varrótű, kötőtű, horgolótű; **~ mesh** tű lyukbősége; **thread a ~** tűt befűz; **~'s eye** a tű foka; *átv* **pass through the eye of a ~** átjut a tű fokán; *biz* **pins and ~s** bizsergés *[zsibbadás után]*; *biz* **sharp as a ~** igen eszes, éles elméjű; *biz* **look for a ~ in a haystack** szénaboglyában akar egy tűt megtalálni **b)** *műv* tű *[rézkarc készítéséhez]* **c)** gramofontű **d)** *műsz* tű *[iránytűé]*, mutató *[sebességmérőé]*, nyelv *[mérlegé]* **2.** *növ* fenyőtű **3.** *biz* **the ~s** idegesség, türelmetlenség; idegroham; **have the ~s** ideges, türelmetlen, ingerült; **give sy the ~s** vknek az idegeire megy, bosszant/idegesít vkt **4. a)** *épít* obeliszk; **Cleopatra's N ~** Kleopátra Tűje *[Egyiptomból elhozott obeliszk Londonban]* **b)** *geol* tű alakú szikla, sziklaszirt **c)** *ásv* **crystalline ~s** tűkristályok; **~ ice** jégtű, jégcsap **5.** *épít* támasztóék, támasztógerenda **6.** *átv* varrónő **7.** *biz* hamiskártyás, zsebtolvaj **II. A.** *tsi* **1.** varr **2.** *orv* tűvel operál, felszúr **3.** keresztülfurakodik, áthatol *[tömegen]* **4.** *biz szl* **~ sy** vknek az idegeire megy, (fel)bosszant/(fel)idegesít/felhúz **5. a)** *épít* gerendával/támasztóékkel alátámaszt, megtámaszt, feltámaszt *[falat]* **b)** *átv* spékel, tűzdel (vmt vmvel), kiszínez *[történetet, beszámolót]* **B.** *tni* **1.** varr **2.** *ásv* tű alakban kristályosodik, tűvé alakul *[kristály]* • *mn* **needled, needle-like**

needle case *fn* tűtartó, tűtok

needle contest *fn* izgalmas/szoros mérkőzés/verseny

needlecord *fn tex* tűkord, minikord

needlecraft *fn* **1.** kézimunka, varrás **2.** *[kézimunkához]* tehetség, kézügyesség

needle dial *fn* tűmutatós számlap

needleful ['ni:dlful] *fn* egyszeri befűzésre való cérna/fonál

needle game → needle contest

needle lace *fn* varrott csipke, tűcsipke

needle match → needle contest

needlepoint *fn* **1. a)** tűhegy **b)** körzőhegy **2. ~ (lace)** varrott csipke, tűcsipke

needless ['ni:dləs] *mn* szükségtelen, hiábavaló, fölösleges, hasztalan; **~ work** hiábavaló/fölösleges munka; **(it is) ~ to say** felesleges mondani, mondanom sem kell; **comment is ~** nem szorul magyarázatra, nincs mit hozzáfűzni • *fn* **needlessness** *hsz* **needlessly**

needle time *fn GB* ‹rádióadó zenei felvételek sugárzására fenntartott műsorideje›

needle-woman *fn tsz* **-women** (házi)varrónő

needlework *fn* kézimunka, hímzés, varrás

needn't ['ni:dnt] *röv need not*

needs [ni:dz] *hsz* szükségképpen, szükségszerűen, feltétlenül; **if ~ must** ha okvetlen kell, ha muszáj

needy ['ni:di] *mn* szűkölködő, szükséget szenvedő, nincstelen, szegény *[ember]*; **the ~** a szűkölködők, a szegények, a nincstelenek; **be ~** nélkülöz, ínséget szenved • *fn* **neediness**

neep [ni:p] *fn skót táj* répa

ne'er [neə ‖ ner] *hsz vál* soha(sem); **→ never**; **~ the less** mindamellett, mindazonáltal, azonban; **→ nevertheless**

ne'er-do-well [ˌneədu:ˈwel ‖ ˌner–] **I.** *fn* semmirekellő, senkiházi, mihaszna **II.** *mn* semmire sem jó, haszontalan, javíthatatlan *[ember]*

nefarious [nɪˈfeərɪəs ‖ –ˈfer–] *mn* aljas, aláváló, gonosz, gyalázatos • *fn* **nefariousness** *hsz* **nefariously**

neg. *röv negative*

negate [nɪˈgeɪt] *tsi* **1.** tagad, ellenez **2.** érvénytelenít, hatálytalanít *[rendelkezést]* **3.** *nyelv* tagadóvá alakít át *[mondatot]* • *mn* **negatory**

negation [nɪˈgeɪʃn] *fn* **1. a)** tagadás, cáfolat; *fil* **~ of ~** a tagadás tagadása **b)** ellentét **2. a)** negatív állapot **b)** hiány

negative [ˈnegətɪv] **I.** *mn* **1. a)** tagadó(lagos), nemleges, negatív; **a ~ answer/reply** tagadó/nemleges/negatív válasz **b)** *nyelv* tagadó **2. a)** előnytelen, rossz, negatív; **~ qualities** negatív/rossz tulajdonságok **b)** elítélő, bíráló; *pol* **~ campaign(ing)** az ellenfelet bíráló/becsmérlő (választási) kampány(olás) **3. a)** borúlátó, szkeptikus, pesszimista, negatív; **maintain a ~ attitude** következetesen pesszimista **b)** együttműködni nem hajlandó, passzív **4.** negatív *[teszt, vizsgálat eredménye]*; **all her tests were ~** az összes vizsgálati eredménye negatív/rendben volt, jók voltak a leletei **5. a)** *mat* negatív, mínusz; **~ number** mínusz szám; **~ sign** mínusz/negatív előjel, mínuszjel **b)** *fiz* **~ charge** negatív töltés; *vill* **~ electrode** negatív elektród, katód; *fiz* **~ pole** negatív pólus *[mágnesé]* **6.** *fényk* **~ proof** negatív másolat, próbamásolat **II.** *fn* **1.** (meg)tagadás, elutasítás, visszautasítás, *[pol]* vétó **2.** negatívum, negatív/nemleges tulajdonság/jelleg **3.** *nyelv* **a)** tagadás; **answer in the ~, return a ~** tagadó választ ad, tagadólag válaszol **b)** tagadószó **4. a)** *fényk* negatív (kép) **b)** negatív lenyomat **5.** *mat* **a)** negatív szám **b)** mínuszjel **III.** *tsi* **1. a)** ellenez, elutasít, visszautasít *[tervet, stb.]* **b)** megvétóz **c)** *US* visszadob *[jelöltet]* **2.** (meg)cáfol, tagad (vmt), ellentmond (vmnek); **experience ~s the theory** a tapasztalat ellentmond az elméletnek (v. rácáfol az elméletre) **3.** hatástalanná tesz, semlegesít, közömbösít • *fn* **negativity** *hsz* **negatively**

negative equity *fn gazd* ‹a jelzáloggal terhelt tárgy piaci értéke alacsonyabb, mint az az összeg, amelynek a fedezetéül szolgál› negatív fedezet

negative sign *fn mat* **a)** mínuszjel **b)** kivonásjel

negativism [ˈnegətɪvɪzm] *fn* **1.** negatív állásfoglalás **2.** *fil* agnoszticizmus, szkepticizmus • *fn/mn* **negativist** *mn* **negativistic**

negator [nɪˈgeɪtə ‖ –tər] *fn* **1.** tagadó *[személy]* **2.** *nyelv* tagadószó • *mn* **negatory**

neglect [nɪˈglekt] **I.** *tsi* **1.** elhanyagol, mellőz, nem vesz figyelembe/tekintetbe (vkt/vmt), nem törődik (vkvel/vmvel); **~ one's business** elhanyagolja foglalkozását/munkáját **2. a)** elhanyagol, elmulaszt (vmt), megfeledkezik (vmről); **~ to do sg** elmulaszt/elhanyagol megtenni vmt; megfeledkezik vm elvégzéséről **b)** elhanyagol *[embert]*, nem gondoz, nem törődik (vkvel); **~ one's children** nem törődik a gyerekeivel **II.** *fn* **1. a)** figyelmetlenség (*of* vk/vm iránt), mellőzés, semmibevevés; **~ of consequences** a következmények semmibevevése/semmibevétele; **~ of the law** a törvény mellőzése/semmibevevése **b)** elhanyagolás, gondozatlanság, elhanyagoltság, elhagyatottság, mellőzöttség; **~ of one's duties** kötelességeinek elhanyagolása; **children in a state of ~** elhanyagolt/elhagyatott gyerekek **c)** elhanyagolás, rossz karbantartás *[gépeké, stb.]* **2.** gondatlanság, hanyagság, figyelmetlenség, felületesség; **out of ~, from/through ~** hanyagságból, gondatlanságból, felületességből; **treat with ~** gondatlanul/hanyagul/felületesen kezeli (v. bánik vele) • *mn* **neglectable**

neglected [nɪˈglektɪd] *mn* **a)** elhanyagolt, gondozatlan; **~ appearance** elhanyagolt külső/megjelenés **b)** elhagyatott; **a ~ building** elhagyatott/kihalt épület/ház

neglectful [nɪˈglektfl] *mn* hanyag, gondatlan, figyelmetlen, felületes, közömbös, nemtörődöm; **~ of one's family** családjával szemben figyelmetlen/közömbös/nemtörődöm; **be ~ of sy/sg** elhanyagol vkt/vmt; nem törődik vkvel/vmvel; megfeledkezik vkről/vmről • *fn* **neglectfulness** *hsz* **neglectfully**

negligee [ˈneglɪʒeɪ ‖ –ˈʒeɪ], **negligée**, **negligé** *fn francia* **a)** neglizsé, hálóköntös **b)** pongyola

negligence [ˈneglɪdʒəns] *fn* **a)** hanyagság, gondatlanság, felületesség, figyelmetlenség, elhanyagolás *[külsőé]*, elmulasztás *[kötelességé]*, meg nem tartás *[rendelkezésé]*; **culp-**

able ~ vétkes gondatlanság/hanyagság; ~ **of one's attire** ruházat elhanyagoltsága; **through** ~ gondatlanságból, hanyagságból **b)** közömbösség, nemtörődömség, pongyolaság

negligent ['neglɪdʒənt] *mn* **a)** hanyag, gondatlan, figyelmetlen, felületes; **be ~ of sg** elhanyagol vmt, nem törődik vmvel; megfeledkezik vmről **b)** elhanyagolt, gondozatlan *[külső]* **c)** közönyös, nemtörődöm *[hang, viselkedés]* • *hsz* **negligently**

negligible ['neglɪdʒəbl] *mn* elhanyagolható, figyelmen kívül hagyható, jelentéktelen; **a ~ amount** jelentéktelen mennyiség • *fn* **negligibility** *hsz* **negligibly**

negotiable [nɪ'gouʃəbl] *mn* **1.** nyitott, megbeszélés/vita tárgyát kép(e)ző; **these terms are not ~** ezek a feltételek nem kép(e)zik alku/vita tárgyát **2.** *pénz* átruházható, eladható, értékesíthető, forgalomképes, beváltható, forgatható; **not ~** nem forgalomképes/forgatható, át nem ruházható **3.** járható *[terep]*, leküzdhető, legyűrhető *[akadály]* • *fn* **negotiability**

negotiate [nɪ'gouʃieɪt] **A.** *tsi* **1. a)** elintéz, megbeszél, (meg)tárgyal, letárgyal; **~ a treaty** szerződést megtárgyal; szerződést köt **b)** keresztülvisz, kieszközöl **2. a)** alkuszik (vmre) **b)** elad, forgalomba hoz (vmt) **c)** (be)vált *[csekket]*, pénzt vesz fel *[csekkre]* **3.** átjut (vmn), legyőz, leküzd *[akadályt]*; *gk* **~ a curve** kanyart (be)vesz *[autó(val)]* **B.** *tni* **a)** tárgyal, egyezkedik, megállapodik; **be negotiating with sy for ...** vkvel vm ügyben tárgyal/egyezkedik; **~ for peace** béketárgyalásokat folytat **b)** kereskedik, alkuszik

negotiation [nɪˌgouʃi'eɪʃn] *fn* **1.** tárgyalás, alkudozás, egyeztetés, egyezkedés; **~s are under way** (a) tárgyalások folynak/folyamatban vannak; **be in ~ with sy** tárgyal/egyeztet vkvel, tárgyalásokat folytat vkvel; **enter into/upon ~s with sy** tárgyalásokba bocsátkozik vkvel, tárgyalásokat kezd vkvel; **under ~** tárgyalás alatt **2.** forgalomba hozatal **3. a)** átjutás *[akadályon]*, leküzdés, legyőzés *[akadályé]* **b)** *gk* kanyar vétele

negotiator [nɪ'gouʃieɪtə ‖ –ər] *fn* közvetítő, közbenjáró, tárgyaló fél

Negress [nɪ'gres] *fn pej* fekete/néger nő

Negrito [nɪ'gri:tou] *mn/fn* fülöp-szigeti néger/fekete, negrito

Negritude ['negrɪtju:d, 'ni:– ‖ –tu:d] *fn* ‹az afrikai örökség tudatos vállalása› fekete/néger öntudat

negro ['ni:grou] *mn biol* sötét, fekete

Negro ['ni:grou] *pej* **I.** *mn* néger, fekete, sötét bőrű; **~ spiritual** néger spirituálé; **the ~ question** a négerkérdés, a négerprobléma; *US tört* **the ~ States** a rabszolgatartó államok **II.** *fn* néger, fekete

Negroid ['ni:grɔɪd] **I.** *mn* **1.** *népr* néger jellegű, negroid **2.** néger(ekkel kapcsolatos) **II.** *fn* néger

negrophil ['ni:groufɪl] *fn* négerbarát • *fn* **negrophilism**

negrophobe ['ni:groufoub] *fn/mn* négerellenes, négergyűlölő • *fn* **negrophobia** *mn* **negrophobic**

negus ['ni:gəs] *fn gaszt* fűszeres forralt bor

Negus ['ni:gəs] *fn tört* **the ~** Etiópia császára, négus

Nehemiah [ˌnɪə'maɪə] *tul bibl* Nehémiás

neigh [neɪ] **I.** *tni* **1.** (fel)nyerít *[ló]* **2.** *átv* nyerít(ésszerűen nevet) *[ember]* **II.** *fn* **1.** nyerítés *[lóe]* **2.** *átv* nyerítésszerű nevetés

neighbour ['neɪbə ‖ –ər] *US* **neighbor I.** *fn* **1.** szomszéd; **next-door ~** (közvetlen) szomszéd; **her nearest ~ is/lives three miles away** a legközelebbi szomszédja három mérföldre van/lakik; **we are ~s** szomszédok vagyunk **2.** *átv* **a)** szomszéd *[asztalnál, rendezvényen, stb.]*; **my ~ at lunch** az asztalszomszédom ebédnél **b)** szomszéd(os ország); **Hungary and its ~s** Magyarország és szomszédai **3.** *bibl* felebarát; **love thy ~ as thyself** szeresd felebarátodat, mint önmagadat **II. A.** *tsi* **~ sy/sg** vknek/vmnek a szomszédja, vknek/vmnek a szomszédjában lakik; **~ (on) an estate** határos/szomszédos egy birtokkal **B.** *tni* **1.** szomszédos, közeli (*with sg* vmvel); **the wood ~s upon the lake** az erdő határos a tóval (v. a tóig ér/terjed) **2.** szomszédi viszonyban van (*with sy* vkvel) • *fn* **neighbo(u)rship** *mn* **neighbo(u)rless**

neighbourhood ['neɪbəhud ‖ –bər–] *fn US* **neighborhood 1.** környék; **~ centers** a kerület/környék központjai; **fashionable ~** divatos környék/kerület; **in the ~ of London** London környékén/mellett/közelében **2.** peremváros; **~ unit** önálló lakótelep **3.** közelség, szomszédság (*of* vmnek a); **the ~ of the railway is a drawback** a vasút közelsége hátrány; *átv* **in the ~ of** körülbelül, megközelítőleg, közel, mintegy **4.** szomszédság, (jó)szomszédi viszony

neighbourhood watch *fn* ‹szervezett lakókörnyezeti bűnmegelőző figyelőszolgálat› kb. polgárőrség

neighbouring ['neɪbrɪŋ] *mn US* **neighboring a)** szomszédos, határos; **the ~ countries** a szomszédos országok **b)** közeli, közelben lévő/fekvő; **in the ~ woods** a közeli erdőben

neighbourly ['neɪbəli ‖ –bər–] *mn* jószomszédi, kedves, barátságos, lekötelező, udvarias • *fn* **neighbo(u)rliness**

Neil [ni:l] *tul skót* ‹férfinév›

neither ['naɪðə ‖ 'ni:ðər] **I.** *mn* sem egyik, sem másik, egyik sem; **accept ~ offer** egyik ajánlatot sem fogadja el; **~ statement is true** egyik kijelentés/megállapítás sem igaz **II.** *nm* **will you take wine or beer? ~** bort vagy sört parancsol? egyiket sem; **~ (of them) knows** egyikük sem tudja **III.** *hsz/ksz* **a)** sem, se; **if you do not go, ~ shall I** ha te nem mégy, akkor én sem megyek; **I don't know, ~ can I guess** nem tudom, és ki sem tudom találni **b) ~ ... nor** ... sem ...sem; **~ his father nor his mother is alive** sem apja, sem anyja nem él; **she ~ hears nor sees** se nem hall, se nem lát; *átv* **that's ~ here nor there** ez mellékes, ez nem fontos/számít

nelson ['nelsn] *fn sp* járom *[birkózásban]*, nelzon; **double ~** kettős járom

Nelly ['neli] *tul* ‹női becenév›

nelly ['neli] *fn* **1.** *biz* **not on your ~** még mit nem!, ezt neked!, (egy) frászt! **2.** *szl [homoszexuális férfi]* buzi, köcsög, kislány

nem. con. [ˌnem 'kɒn ‖ –'kɑn] *hsz röv latin nemine contradicente* egyhangúlag, közakarattal, ellentmondás nélkül; **vote a law ~** egyhangúan megszavaznak egy törvényt

nemesis ['nemɪsɪs] **I.** *fn* bosszúálló sors, végzet, nemezis **II.** *tul* **N~** Nemeszisz *[a bosszúállás istennője]* • *mn* **nemesic**

neo- ['ni:ou] *előtag* új-, neo-

neo-Catholic [ˌni:ou'kæθlɪk] *mn vall* neokatolikus

neo-Christian [ˌni:ou'krɪstʃən] *mn vall fil* az újkeresztény racionalista irányhoz tartozó

neoclassic, neoclassical [ˌni:ou'klæsɪk(l)] *mn* **a)** *műv épít* neoklasszicista **b)** *zene* újklasszikus, neoklasszikus • *fn* **neoclassicism, neoclassicist**

neocolonialism [ˌni:oukə'lounɪəlɪzm] *fn pol* neokolonializmus • *fn* **neocolonialist** *mn* **neocolonial**

Neo-Darwinism *fn biol* neodarwinizmus • *fn* **Neo-Darwinist** *fn/mn* **Neo-Darwinian**

neofascist [ˌni:ou'fæʃɪst] *fn/mn* újfasiszta • *fn* **neofascism**

neogothic [ˌni:ou'gɒθɪk ‖ –'gɑ–] *épít* **I.** *fn* neogótika **II.** *mn* neogótikus

neo-Greek [ˌni:ou'gri:k] *mn* újgörög

neo-Latin [ˌni:ou'lætɪn] *mn/fn nyelv* újlatin, román

neolith ['ni:əlɪθ] *fn régész* a neolitkorból származó kőszerszám/kőfegyver

neolithic [ˌni:ou'lɪθɪk] *régész* **I.** *mn* új kőkorszakbeli, neolitkorból származó; **~ period** csiszolt kőkorszak **II.** *fn* csiszolt/új kőkorszak, neolitkor

neologism [ni'ɒlədʒɪzm ‖ –'ɑlə–] *fn nyelv* **a)** neologizmus, újkeletű (v. újonnan képzett) szó/kifejezés **b)** nyelv(i) újítás, új szavak/szóösszetételek képzése • *fn* **neologist, neology**

N

neologize [niˈɒlədʒaɪz ‖ –ˈɑlə–], **-ise** *tni* **a)** neologizmusokat használ **b)** neologizmusokat kitalál
neon [ˈniːɒn ‖ ˈniːɑn] *fn vegy* neon(gáz); *vill* ~ **lamp/light** neonfény; ~ **lighting** neonvilágítás; ~ **sign** neon fényreklám/betű; ~ **tube** neoncső
neonate [ˈniːoʊneɪt] *fn orv* újszülött *[4 hetes korig]* • *mn* **neonatal**
Neo-Nazi *fn/mn* neonáci • *fn* **Neo-Nazism**
neophobia [ˌniːoʊˈfoʊbɪə] *fn* újtól való iszony, neophobia *[főleg nyelvi téren]* • *fn* **neophobe** *mn* **neophobic**
neophyte [ˈniːoʊfaɪt] *fn* **1.** *vall* **a)** neofita, újonnan megtért pogány *[őskeresztény egyházban]* **b)** új hitre tért/áttért/megtért ember **2.** *vall* ‹újonnan felszentelt római katolikus pap› novícius **3.** *átv* kezdő, újonc • *mn* **neophytic**
neoplasm [ˈniːoʊplæzm] *fn orv* kóros szövetképződés, daganatképződés, neoplazma • *mn* **neoplastic**
Neoplatonic [–pləˈtɒnɪk ‖ –ˈtɑ–] *mn fil* újplatonikus, neoplatonikus • *fn* **Neoplatonism**, **Neoplatonist**
neoprene [ˈniːəpriːn] *fn vegy* neoprén
neoteric [ˌniːəˈterɪk] **I.** *fn* **a)** ‹divatos irányzathoz tartozó személy› **b)** új/modern/divatos művész/szerző/filozófus **II.** *mn* új, modern, divatos
neotropical [ˌniːoʊˈtrɒpɪkl ‖ –ˈtrɑ–] *mn földr* trópusi és dél-amerikai, újvilági trópusi
Nepal [nɪˈpɔːl] *tul földr* Nepál • *fn/mn* **Nepalese**, **Nepali**
nepenthe [nəˈpenθi] *fn* **1.** *vál* enyhítőszer, búfelejtő, gondűző ital **2.** *növ* kancsóka, kancsóvirág • *mn* **nepenthean**
nephew [ˈnefjuː] *fn* unokaöcs, unokafivér
nephology [nɪˈfɒlədʒi ‖ –ˈfɑ–] *fn meteo* ‹a meteorológia felhőkutatással foglalkozó ága› • *fn* **nephologist** *mn* **nephological**
nephrite [ˈnefraɪt] *fn ásv* nefrit, jadeit
nephritis [nɪˈfraɪtɪs] *fn orv* (gyulladásos) vesebaj • *mn* **nephritic**
nephrosis [nɪˈfroʊsɪs] *fn orv* (nem gyulladásos) vesebaj • *mn* **nephrotic**
ne plus ultra [ˌniː plʌs ˈʌltrə, ˌneɪ–] *fn latin vál* **1.** elérhető legtávolabbi pont **2.** legjobb minőség, csúcs, tökély
nepotism [ˈnepətɪzm] *fn* atyafiságpártolás, nepotizmus • *fn* **nepotist** *mn* **nepotistic**
Neptune [ˈneptjuːn ‖ –tuːn] *tul* **1.** *csill* Neptunusz *[bolygó]* **2.** Neptun(us) *[római tengeristen]* • *mn* **Neptunian**
neptunium [nepˈtjuːnɪəm ‖ –ˈtuː–] *fn vegy* neptúnium
NERC *röv Natural Environment Research Council*
nerd [nɜːd ‖ nɜrd] *fn szl* **1.** *[ügyefogyott ember]* balfasz, gyökér, gizda **2.** *[ellenszenves ember]* majom, köcsög, buzi • *mn* **nerdy**
Nereid [ˈnɪərɪɪd ‖ ˈnɪr–] *fn tsz* **Nereides** sellő, hableány, tengeri nimfa, nereida
neroli [ˈnɪərəli ‖ ˈnerəli] *fn vegy* ~ **(oil)** narancsvirágolaj
Neronian [nɪˈroʊnɪən] *mn* néròi, kegyetlen, zsarnoki, féktelen
nervate [ˈnɜːveɪt ‖ ˈnɜr–] *mn növ* erezett • *fn* **nervation**
nerve [nɜːv ‖ nɜrv] **I.** *fn* **1.** *orv átv* ideg; **optic** ~ látóideg; *kat* ~ **gas** idegbénító harcanyag, ideggáz; ~ **strain** idegfeszültség; *orv* ~ **surgery** idegsebészet; *biz* **fit of ~s** nagyfokú idegesség; idegroham; *átv* **hit/touch a** ~ kényes kérdést/témát érint/hoz fel; **war of ~s** ideghábború, hidegháború; **man of** ~ erős/bátor ember; *biz* **be a bag/bundle of ~s** nagyon ideges/izgulékony, idegroncs; *biz* **she is all ~s** csupa ideg, ideges; **have ~s of steel/iron** kötélből vannak az idegei; *biz* **get on sy's ~s** vknek az idegeire megy, idegesít vkt **2.** *biz* **a)** nyugalom, hidegvér, magabiztosság, öntudatosság; **lose one's** ~ elveszti a fejét/hidegvérét, beijed **b)** arcátlanság, szemtelenség, pimaszság; **have the ~ to ...** van képe/pofája, hogy ...; **have the ~ to say** még azt meri mondani, hogy; **what ~!, you've got some ~!** micsoda szemtelenség/pimaszság! **3.** *növ áll* erezet **4.** *épít* bordázat **5.** *vál* **a)** ín, izom; *biz* **strain every ~ to do sg** minden erejét megfeszíti, hogy, minden erejével azon van, hogy **b)** izomerő, testi erő; **man of ~ and sinew** acélizmú (v. csupa izom) ember **II.** *tsi* bátorít (vkt), erőt/bátorságot önt (vkbe); ~ **oneself** összeszedi magát, erőt vesz magán • *mn* **nerval**, **nerved**
nerve bundle *fn orv* idegköteg
nerve cell *fn orv* idegsejt
nerve centre *fn US* **- center 1.** *orv* idegközpont **2.** *átv* (agy)központ *[szervezeté stb.]*
nerve ending *fn orv* idegvégződés
nerve fibre *fn US* **-fiber** *orv* idegrost
nerve impulse *fn biol* ideginger(ület)
nerveless [ˈnɜːvləs ‖ ˈnɜr–] *mn* **1.** tehetetlen, erélytelen, gyenge, erőtlen, elpuhult, petyhüdt **2. a)** lanyha, erő/lendület nélküli **b)** terjengős, szétfolyó *[stílus]* **3.** *orv* ideg nélküli **4.** *átv* magabiztos, nem ideges **5.** *növ* erezet nélküli, erezetlen *[levél]* • *fn* **nervelessness** *hsz* **nervelessly**
nerve-racking *mn* idegesítő, idegtépő, idegölő, idegőrlő; **it was a ~ experience** idegtépő élmény volt
nerve specialist *fn orv* ideggyógyász, neurológus
nerve tract *fn orv* idegpálya
nervine [ˈnɜːviːn ‖ ˈnɜr–] *orv* **I.** *mn* idegrendszerre ható **II.** *fn* ideggyógyszer
nervous [ˈnɜːvəs ‖ ˈnɜr–] *mn* **1. a)** ideges, nyugtalan, izgatott, ingerlékeny; ~ **wreck** idegroncs; **feel** ~ ideges, izgatott **b)** félénk, bátortalan, félős, megfélemlített; *biz* **get** ~ beijed, izgul; **be ~ of doing sg** idegenkedik/fél vmt (meg)tenni **2.** *orv* ideg-; ~ **breakdown** idegösszeomlás, ideg-összeroppanás; **the ~ system** az idegrendszer; **central ~ system** központi idegrendszer; ~ **tissue** idegszövet **3.** *vál régi* erőteljes, határozott *[stílus, stb.]* • *fn* **nervousness** *hsz* **nervously**
nervure [ˈnɜːvjʊə ‖ ˈnɜrvjər] *fn növ áll* erezet *[levélen, rovar szárnyán]*
nervy [ˈnɜːvi ‖ ˈnɜrvi] *mn* **1.** *biz* ideges, izgatott, izgulékony, ingerlékeny, ingerült; ~ **movement** ideges/nyugtalan/kapkodó/rángatódzó mozgás; **feel** ~ ideges, ingerült, izgatott lelkiállapotban van, táncolnak az idegei **2.** *biz* **a)** merész, vakmerő **b)** arcátlan, szemtelen, pimasz; **I call it pretty** ~ ez aztán arcátlanság/szemtelenség **3.** *vál régi* erőteljes, erős, izmos • *fn* **nerviness** *hsz* **nervily**
nescafé [ˈneskæfeɪ ‖ ˌneskæˈfeɪ] *fn* neszkávé, instant (v. azonnal oldódó) kávé
nescient [ˈnesɪənt ‖ ˈneʃnt] *mn vál* tudatlan, járatlan (*of sg* vmben) • *fn* **nescience**
ness [nes] *fn geol* (hegy)fok, földnyelv
-ness [nəs] *utótag* ‹főnévképző› -ság/-ség, -ás/-és; **greateness** nagyság; **happiness** boldogság
nest [nest] **I.** *fn* **1. a)** fészek; *biz átv* **feather one's** ~ megtollasodik, meggazdagszik **b)** odú *[állaté]* **c)** *átv* búvóhely, menedék, tanya, odú, fészek; *átv* **a ~ of vipers** viperafészek; **robbers'** ~ rablótanya; *orv* ~ **of cancer** a rákos megbetegedés fészke/kiindulása; ~ **of crime and vice** bűnfészek, bűntanya **2. a)** fészekalja *[madár]* **b)** *átv* egy csomó/sereg/sorozat; ~ **of drawers** (sok)fiókos szekrény; ~ **of shelves** rekeszes állvány **II. A.** *tsi* **1.** egymásba illeszt, beilleszt **2.** egymásba skatulyáz **B.** *tni* **1. a)** fészkel, fészket rak *[madár]* **b)** *átv* tanyázik, lakik, rejtőzködik, befészkeli magát *[ember stb.]* **2.** madárfészket kiszed • *fn* **nester** *mn* **nestful**, **nestlike**
nest box *fn* tojókosár, tojófészek, tojóláda *[tyúknak]*
nested [ˈnestɪd] *mn* ~ **boxes** egymásba rakható dobozok; *infor* ~ **list** egymásba ágyazott lista
nest egg *fn* **1.** *biz* eldugott/félretett/megtakarított pénz; **have a nice little** ~ dugeszban van egy kis pénze **2.** palozsnya, tojató (tojás), fészekbe tett/hagyott (mű)tojás
nesting [ˈnestɪŋ] **I.** *fn* **1. a)** fészkelés **b)** kotlás, költés; ~ **time** költési idő **2. a)** egymásba illesztés, összeillesztés **b)** beillesztés helye, eresztték **c)** *infor* egymásba ágyazás **II.** *mn áll* fészkelő, fészekrakó *[madár]*

N

nestle ['nesl] *tni/tsi* befészkeli magát, (oda)bújik, (oda)kuporodik, (oda)húzódik, kényelmesen elhelyezkedik; **a small village ~d in a valley** völgyben meghúzódó/megbúvó/rejtőzködő kis falu; **~ (up) to sy** odabújik/odahúzódik/odasimul vkhez

nestling ['nes(t)lɪŋ] *fn* **1.** madárfióka **2.** *átv* kisgyermek

nestling-place *fn biz* kis fészek/odú, magányos eldugott hely

Nestorian [ne'stɔːrɪən] *vall* **I.** *mn* nesztoriánus; ‹a megtestesült Krisztus külön isteni és emberi személyét valló› Nestorius követője **II.** *fn* nesztoriánus

net¹ [net] **I.** *fn* **1. a)** (halász)háló; **cast(ing) ~** vetőháló; **entangling ~** egyrétű emelőháló/eresztőháló **b)** *vad* **(game) ~** vadfogó háló/kelepce; *biz átv* **walk/fall into the ~** hálóba/kelepcébe esik, besétál a csapdába **2.** *kat* **gun ~** tüzérségi álcázóháló **3.** *sp* **a)** háló *[teniszpályán stb.]*; **~ (ball)!** háló(t ért)!, *biz* necces *[labda]* **b)** háló *[futballkapuban stb.]* **c)** (hálóval körbevett) gyakorlópálya *[krikett-hez]* **4. a)** hálózat; → **network b)** *infor* hálózat *[összekapcsolt számítógépeké]*; **the N~** az internet; → **Internet c)** kémhálózat **5. a)** *tex* tüll, hálószövet, rece; **~ fabric** hálóáru *[kötött]* **b)** pókháló **II. -tt- A.** *tsi* **1. a)** hálóval fog *[halat stb.]* **b)** *átv* hálóba kerít, behálóz; **~ a husband** férjet fog; **~ a handsome profit** jókora nyereséget vág zsebre **c)** halászik *[hálóval folyóban]*, hálót feszít ki *[vízben]* **2. a)** hálóval borít/befed; **~ fruit trees** hálóval fed be (v. borít) gyümölcsfákat **b)** hálóból készít *[függőágyat, stb.]* **3.** *sp* hálóba dob/üt/küld/rúg *[labdát]*; **the player ~ted the ball** a játékos a hálóba továbbította a labdát **B.** *tni* hálót készít/köt/csomóz, filézik ● *mn* **netlike, netted, netty**

net² [net] **I.** *mn* **1.** tiszta, *gazd* nettó *[súly, ár stb.]*; **~ earnings** tiszta kereset; **~ gain/profit** tiszta nyereség/haszon; **~ income** tiszta/nettó jövedelem; **~ income after taxes** adózás utáni nettó jövedelem; **~ price** nettó ár *[adók nélkül]*; **~ product** tiszta termék; **~ of taxes** adók nélkül; **~ ton** kis tonna, fonttonna *[907.20 kg]*; *hajó* **~ tonnage** tiszta tonnatartalom; **~ weight** tiszta súly, nettósúly **2.** *műsz* **~ area** hasznos tér/terület; **~ load** raksúly, hasznos súly **3.** végső, vég-; **~ result** végeredmény **II.** *tsi* **-tt- 1.** tisztán keres/nyer/bevesz, tiszta hasznot húz, bezsebel *[személy]*; **~ a million a year** tisztán/nettó egy milliót keres évente **2.** tiszta hasznot hajt/jövedelmez

netball *fn sp* ‹kosárlabdaszerű játék› netball

nether ['neðə ‖ –ər] *mn* alsó; **~ garments** nadrág; alsóruha; **~ world/regions** alvilág, pokol

Netherlands ['neðələnds ‖ 'neðər–] *tul földr* **the ~** Hollandia ● *fn* **Netherlander** *mn* **Netherlandish**

netiquette ['netɪket] *fn infor* hálózati illemtan, netikett

netizen ['netɪzən] *fn infor* hálózatot/az internetet igénybevevő személy

netsurfer *fn infor* hálózati barangoló, internetkóborló, netszörfölő

netsurfing *fn infor* (inter)netezés

nett [net] *mn* → **net²** I.

netting ['netɪŋ] *fn* **1.** háló(zat), sodronyfonat **2.** *tex* tüll, necc, filé, háló

nettle ['netl] **I.** *fn* **1.** *növ* csalán; **get ~ stings** megcsípi a csalán; *biz átv* **grasp the ~** hozzáfog *[kellemetlen dologhoz]*, nem riad vissza a nehézségtől **2.** *tex* **~ cloth** csalánszövet **II.** *tsi* **1. ~ oneself** megcsípi a csalán **2.** csalánnal ver/bedörzsöl *[gyógymódként]* **3.** *biz átv* ingerel, bosszant, borsot tör az orra alá (vknek); *biz* **the criticism ~d him** a bírálat/kritika bosszantotta ● *mn* **nettled**

nettle rash *fn orv* csalánkiütés, urtikária

nettlesome ['netlsəm] *mn* **1.** bosszantó, idegesítő *[dolog]* **2.** ingerlékeny, idegeskedésre hajlamos *[ember]*

network *fn* **I. 1. a)** hálózat *[ér, ideg, út, vasút stb.]*; **a ~ of shops** üzletlánc **b)** hálózat *[embereké, ügynököké stb.]*; **a ~ of spies** kémhálózat **c)** kapcsolatrendszer, ismeretségek hálózata **2.** *el távk infor* hálózat; **~ computer** hálózati számítógép; **~ (inter)connection** hálózati összeköttetés; **~ management** hálózati felügyelet; **~ traffic** hálózati forgalom **II. A.** *tsi* **1. a)** *távk* hálózatba szervez *[állomásokat]* **b)** *média* hálózaton közvetít **2.** *infor* összekapcsol *[számítógépeket, hálózatokat]* **B.** *tni* hálózaton keresztül kommunikál/üzletel

networker *fn* **1.** *infor* otthoni (hálózati) munkavégző **2.** hálózat tagja

networking *fn* **1.** *infor* otthoni munkavégzés **2.** hálózatépítés **3.** kapcsolatépítés, ismeretségek ápolása

neum [njuːm ‖ nuːm], **neume** *fn zene* neuma

neural ['njʊərəl ‖ 'nʊrəl] *mn orv* ideg-; **~ axis** központi idegrendszer *[agy és gerincvelő]*

neuralgia [njʊ'rældʒə ‖ nʊ–] *fn orv* idegfájás, idegfájdalom, idegzsába, neuralgia; **facial ~** arcidegzsába ● *mn* **neuralgic**

neurasthenia [ˌnjʊərəs'θiːnɪə ‖ ˌnʊrəs–] *fn orv* (alkati) ideggyengeség, neuraszténia ● *mn* **neurasthenic**

neuritis [njʊ'raɪtɪs ‖ nʊ–] *fn orv* ideggyulladás ● *mn* **neuritic**

neurobiology [ˌnjʊərəbaɪ'ɒlədʒi ‖ nuːroʊbaɪ'ɑ–] *fn* idegélettan, neurobiológia ● *fn* **neurobiologist** *mn* **neurobiological**

neurolinguistics [ˌnjʊəroʊlɪŋ'gwɪstɪks] *fn esz biol nyelv* neurolingvisztika *[a nyelvtudománynak a nyelv és az agyműködés közötti összefüggést vizsgáló ága]*

neurology [njʊ'rɒlədʒi ‖ nʊ'rɑ–] *fn orv* ideggyógyászat, neurológia ● *fn* **neurologist** *mn* **neurological**

neuroma [njʊ'roʊmə ‖ nʊ–] *fn tsz* **~s/neuromata** [–mətə] *orv* idegdaganat, neuróma

neuron(e) ['njʊərɒn ‖ 'nʊrɑn] *fn* **1.** *orv* idegsejt **2.** *orv* axon ● *mn* **neuronal, neuronic**

neuropath [ˌnjʊərə'pæθ ‖ ˌnʊrə–] *fn orv* idegbeteg/gyenge idegzetű ember, neuropata ● *fn* **neuropathy** *mn* **neuropathic**

neuropathology [ˌnjʊəroʊpə'θɒlədʒi ‖ ˌnʊrəpə'θɑ–] *fn orv* idegkórtan, neuropatológia ● *fn* **neuropathologist** *mn* **neuropathological**

neuroscience ['njʊəroʊsaɪəns ‖ 'nʊroʊ–] *fn orv* ‹az idegrendszer anatómiájával, fiziológiájával és biokémiájával foglalkozó tudomány› ● *fn* **neuroscientist**

neurosis [njʊ'roʊsɪs ‖ nʊ–] *fn tsz* **neuroses** [–siːz] *orv* idegesség, ideggyengeség, idegbetegség, idegbaj, neurózis

neurosurgery [ˌnjʊəroʊ'sɜːdʒəri ‖ ˌnʊrə'sɜr–] *fn orv* agy- és idegsebészet ● *fn* **neurosurgeon** *mn* **neurosurgical**

neurotic [njʊ'rɒtɪk ‖ nʊ'rɑ–] **I.** *mn* **1.** ideges, ingerlékeny, gyenge idegzetű, idegbajos, neurotikus **2.** *orv* idegekre ható, ideg- *[orvosság stb.]* **II.** *fn* **1.** *orv* idegbeteg **2.** neurotikus/gyenge idegzetű ember ● *hsz* **neurotically**

neurotomy [njʊ'rɒtəmi ‖ nʊ'rɑ–] *fn orv* idegátmetszés, neurotómia

neuter ['njuːtə ‖ 'nuːtər] **I.** *mn* **1.** *nyelv* semleges(nemű) *[főnév, melléknév]* **2. a)** *növ* meddő **b)** *áll* nem nélküli, nem nélkül való, (ki)herélt, kasztrált, *biol* hiányzó/fejletlen ivarszervű; **~ bee** dolgozó (méh) **II.** *fn* **1.** *nyelv* **a)** semleges nem **b)** semleges nemű szó **2.** *áll* **a)** nem nélküli dolgozó *[hangya, méh]* **b)** herélt/kasztrált állat **3.** *átv* **a)** semleges/pártatlan *[ember]* **b)** meghatározhatatlan, bizonytalan, elmosódott *[szín, jelleg]* **III.** *tsi* kasztrál, (ki)herél, ivartalanít *[állatot]*

neutral ['njuːtrəl ‖ 'nuː–] **I.** *mn* **1. a)** *pol* semleges; **a ~ state** semleges állam; **remain ~** semleges marad, megőrzi semlegességét **b)** közömbös, semleges; **~ colour** szürke, nyers színű, beige; *vill* semleges; *el* **~ conductor/wire** semleges vezeték, nullvezeték; *műsz gk* **~ position** üresjárat, üres (állás) *[sebességváltóé]*; *átv* állóhelyzet; *átv* nyugalmi helyzet **c)** *vegy* semleges, közömbös *[se nem savas, se nem lúgos]* **2.** homályos, meghatározhatatlan, bizonytalan **3.** nem nélküli **II.** *fn* **1.** *pol* **a)** semleges állam/ország **b)** semleges ország alattvalója/polgára **2.** *gk* üres állás, üresjárat; **be in ~** üresjáratban/üresben van *[sebességváltó]* ● *hsz* **neutrally**

neutralism [ˈnjuːtrəlɪzm ‖ ˈnuː–] *fn pol* semlegesség(i politika) • *fn/mn* **neutralist**
neutrality [njuːˈtræləti ‖ nuː–] *fn* **a)** *pol* semlegesség **b)** *vegy* közömbösség, semlegesség, semleges kémhatás
neutralize [ˈnjuːtrəlaɪz ‖ ˈnuː–], **-ise** *tsi* **1. a)** semlegesít *[országot, hatást]*, hatástalanít, kiegyensúlyoz *[erőt, hatást]*; *mat* ~ **each other** kölcsönösen megsemmisítik egymást, kiegyenlítik egymást **b)** *kat* semlegesít, megsemmisít *[célpontot, ellenséget]*; **target ~d** célpont semlegesítve **c)** *euf tréf [megöl]* kivon a forgalomból **2.** *vegy* közömbösít, semlegesít *[oldatot]* • *fn* **neutralization**, **-isation** *fn* **neutralizer**, **-iser**
neutrino [njuːˈtriːnoʊ ‖ nuː–] *fn fiz* neutrínó *[leptonikus elemi rész]*
neutron [ˈnjuːtrɒn ‖ ˈnuːtrɑn] *fn fiz* neutron; ~ **bomb** neutronbomba; ~ **capture** neutronbefogás; ~ **number** neutronszám *[atommagban]*; ~ **star** neutroncsillag
Nev. *röv US Nevada*
Nevada [nɪˈvɑːdə ‖ –ˈvæ–] *tul földr* Nevada • *fn/mn* **Nevadan**
névé [ˈneveɪ ‖ ˌneɪˈveɪ] *fn geol* jegesedésben levő hó *[glecscseren]*, firn(mező)
never [ˈnevə ‖ –ər] *hsz* **a)** soha(sem), sose(m); ~ **say die**/~ sose add fel; **I have ~ heard** ... még sohasem hallottam ...; ~ **again/more** soha többé; **better late than** ~ jobb későn, mint soha; *kif* ~ **too late to mend** sohasem késő megjavulni; *biz* **tomorrow come** ~ sohanapján, majd ha fagy, holnapután kiskedden; **you ~ know** sose lehet tudni **b)** egyáltalában nem, semmit sem, sose(m); ~ **a word** egyetlen szót sem; *biz* **I ~ saw you come in** nem láttalak bejönni; *biz* **I ~ slept a wink all night** egész éjszaka le sem hunytam a szemem; ~ **fear** ne/sose félj(en)!; ~ **mind!** ne törődj vele!, nem számít! **c)** *GB biz* **well I ~!** no de ilyet!, hallatlan!, hihetetlen
never-ending *mn* örökös, örökkévaló, véget nem érő, végeérhetetlen, szüntelen; ~ **watch** szüntelenül járó óra *[amelyet nem kell felhúzni]*
nevermore [ˌnevəˈmɔː ‖ ˌnevərˈmɔr] *hsz* soha többé, többé (már) nem
never-never I. *mn* képzeletbeli, utópisztikus; ~ **land** álomország, eszem-iszom ország, eldorádó **II.** *fn GB biz* részletfizetés(i rendszer); **on the** ~ részletre, részletfizetésre
nevertheless [ˌnevəðəˈles ‖ –vər–] *hsz* mindazonáltal, mindamellett, nem kevésbé, azonban, mégis, annak ellenére, hogy; **he did it ~**, ~ **he did it** mégis/mindazonáltal megcsinálta
nevus [ˈniːvəs] *US* → **naevus**
new [njuː ‖ nuː] **I.** *mn* **1. a)** új(szerű), friss, ismeretlen; ~ **development** új fejlesztés; új fejlemény; **~(est) fashion** legfrissebb/legújabb divat; ~ **ground** szűzföld; ~ **moon** újhold; **N~ World** az Újvilág, Amerika; *biz átv* **a whole ~ ball game** teljesen új helyzet/feltételek; **it's ~ to me** ez nekem új, még nem ismerem, szokatlan; *biz* **that's a ~ one** ezt még nem mondtad/hallottuk; *biz* **that's nothing ~** ebben semmi új sincs, ezt már ismerjük/tudjuk; *biz* **tell us something ~!** ezt már hallottuk!, újabbat kérünk!; *közm* **there's nothing ~ under the sun** nincs(en) új a nap alatt; *átv* **turn over a ~ page/leaf** új életet kezd, megjavul; *közm* ~ **brooms sweep clean** új seprű jól seper **b)** új, mai, modern; **the ~ learning** a humanizmus; az új (v. a mai/modern) tudomány(ok)/tanok; **the ~ morality** az új erkölcs; **the ~ rich** az újgazdagok; **the ~ world order** az új világrend **2. a)** új, friss; ~ **bread** friss/új kenyér; *biz átv* **~/fresh blood** friss vér, fiatalok; ~ **potatoes** újkrumpli; ~ **wine** újbor **b)** (vadonat)új, nem használt/hordott; ~ **coat** (vadonat)új kabát; *gazd* **as ~** új(szerű) állapotban, újonnan; **as good as** ~ majdnem új **3.** (meg)új(ult), újjászületett; **I'm a ~ man** új ember lettem, újjászülettem; **start a ~ life** új életet kezd **4.** járatlan, tapasztalatlan, kezdő; **be ~ to business** járatlan/tapasztalatlan az ügyekben (v. üzleti életben); ~ **from school** most került ki az iskolából/iskolapadból **II.** *hsz* **1.** újonnan, frissen **2.** → **news** • *fn* **newness** *mn* **newish**
New Age *fn* ‹a modern, nyugatias értékrendet elvető kulturális irányzat›
New Amsterdam [ˌnjuː ˈæmstədæm ‖ ˌnuː ˈæmstərdæm] *tul tört földr* Új-Amszterdam *[New York]*
newborn *mn* **a)** újszülött **b)** *vall* újjászületett
Newcastle [ˈnjuːkɑːsl ‖ ˈnuːkæsl] *tul földr* Newcastle; *közm* **carry coal to** ~ vizet hord a Dunába
newcomer [ˈnjuːkʌmə ‖ ˈnuːkʌmər] *fn* **a)** újonc, jövevény, újonnan érkezett ember, idegen **b)** kezdő; **a ~ to the stage** kezdő színész
New Delhi [ˌnjuː ˈdeli ‖ ˌnuː–] *tul földr* Új-Delhi *[India fővárosa]*
newel [ˈnjuːəl ‖ ˈnuːəl] *fn épít* lépcsőorsó, orsópillér, korlátpillér
newel-post *fn épít* orsópillér, korlátpillér
New England *tul földr* Új-Anglia *[az Egyesült Államok északkeleti partvidéke]* • *fn* **New Englander**
newfangled [njuːˈfæŋgld ‖ nuː–] *mn pej* újmódi, újkeletű, legutolsó divatú *[szó, elképzelés]*; ~ **ideas** újkeletű eszmék
new-found *mn* újonnan felfedezett/feltalált
Newfoundland [ˈnjuːfəndlənd ‖ ˈnuː–] **I.** *tul földr* **(Island of)** ~ Új-Fundland (szigete) **II.** *fn* ~ **(dog)** újfundlandi kutya • *fn* **Newfoundlander**
Newgate [ˈnjuːgeɪt, –gɪt ‖ ˈnuː–] *tul* ‹híres régi londoni börtön›; *biz* ~ **bird** börtöntöltelék
New Guinea [ˌnjuː ˈgɪni ‖ ˌnuː–] *tul földr* Új-Guinea
new-laid *mn* friss(en tojt) *[tojás]*
new look I. *fn* **1.** (meg)új(ult) külső/kinézet **2.** ‹új divatirányzat a második világháború után› **II.** *mn* **new-look** (meg)új(ult)/megreformált/átalakult; ~ **magazine** megújult/átszerkesztett magazin/képesújság
newly [ˈnjuːli ‖ ˈnuːli] *hsz* **a)** újonnan, frissen, nemrég, minap, legutóbb, most; **he is (just) ~ arrived** épp most érkezett; ~ **shaven** frissen borotvált **b)** újra, újból; **the gate has been ~ painted** a kaput újrafestették
newlywed [ˈnjuːliwed ‖ ˈnuː] **I.** *fn* **the ~s** a friss házasok **II.** *mn* **the ~ couple/pair** az újdonsült pár, a friss házasok
Newmarket [ˈnjuːmɑːkɪt ‖ ˈnuːmɑrkɪt] *tul* **1.** Newmarket *[lóversenyeiről nevezetes angol város]*; *régi* ~ **(coat)** testhez álló hosszú kabát **2.** *fn ját* ‹kirakós kártyajáték›
New Mexico [ˌnjuː ˈmeksɪkoʊ ‖ ˌnuː–] *tul földr US* Új-Mexikó
news [njuːz ‖ nuːz] *fn esz* **1.** hír, újság; **what ('s the) ~?** mi újság (van)?; **a piece of ~** egy hír; **bad ~** rossz hír; **break the ~ to sy** (tapintatosan) közli vkvel a (rossz) hírt; *közm* **bad ~ travels fast** a rossz hírnek szárnya van; *közm* **no ~ is good ~** semmi hír jó hír; **(have) I got ~ for you!** ezt hallgasd meg!, (rossz) hírem van számodra; *biz* **that is ~ to me** ezt még nem hallottam, ez újság számomra; **that's no ~** ez nem újság **2. a)** (újság)hír, tudósítás, közlemény; **official ~** hivatalos közlemény; ~ **analyst** hírmagyarázó; ~ **blackout** hírzárlat; ~ **seller** rikkancs **b)** *média* hírek, híradó, hírműsor; ~ **bulletin** hírek, (reggeli, esti stb.) krónika *[rádióban]*; hírközlemény; ~ **update/in brief** rövid hírek; **be in the ~** közbeszéd tárgya
news agency *fn* hírügynökség
newsagent *fn* újságárus
newscast [ˈnjuːzkɑːst ‖ ˈnuːzkæst] **I.** *fn média* híradó, krónika *[rádióban]* **II.** *tsi* híreket közöl/bemond
newscaster [ˈnjuːzkɑːstə ‖ ˈnuːzkæstər] *média* → **newsreader 1.**
news conference → **press conference**
newsdealer *fn US* újságárus
newsflash *fn média* híradó (rövid) különkiadása, rendkívüli kiadás; **we interrupt our program to bring you a ~** a híradó különkiadása miatt megszakítjuk adásunkat
newshound *fn média biz* riporter, újságíró
news item *fn média* (újság)jelentés, (újság)hír

newsletter *fn* hírlevél
newsman [ˈnjuːzmən ‖ ˈnuːz–] *tsz* **-men** → **newspaperman**
news media *fn/tsz média* a média/médiák, hírközlő szervek *[sajtó, rádió, televízió]*
newsmonger [–mʌŋgə ‖ –ər] *fn pej* pletykafészek, hírhordó, hírharang
New South Wales *tul földr* Új-Dél-Wales
newspaper [ˈnjuːspeɪpə ‖ ˈnuːzpeɪpər] *fn* **a)** újság, hírlap; **be on a ~** újság szerkesztőségében dolgozik; **the ~ press** a napi sajtó; **~ report** újságtudósítás, riport **b)** újságpapír; **wrap sg in ~** újságpapírba csomagol vmt
newspaperman *fn tsz* **-men 1.** újságíró, riporter **2.** újságárus, hírlapárus, rikkancs
newspeak [ˈnjuːspiːk ‖ ˈnuː–] *fn* **Newspeak a)** *ir.tud* újbeszéd **b)** *átv pej* ‹őszintétlen politikai szövegelés›
newsprint *fn* újságpapír
newsreader *fn* **1.** hírolvasó (bemondó), hírbemondó *[rádióban, televízióban]* **2.** *infor* levelezőcsoport olvasóprogram
newsreel *fn* (film)híradó
newsroom *fn* **1. a)** *média* hírszerkesztő szoba **b)** *távk* hírközvetítő/hírbeolvasó stúdió **2.** hírlapolvasó-terem, folyóiratolvasó-terem *[könyvtárban]*
newssheet → **newsletter**
newsstall *fn* újságárus bódé
newsstand → **newsstall**
news value *fn média* hírérték
newsvendor *fn* újságárus, hírlapárus, rikkancs
newsworthy [–wɜːði ‖ –wɜrði] *mn* említésre méltó, újságban való közlésre alkalmas *[hír]* • *fn* **newsworthiness**
news-writer *fn média* újságíró
newsy [ˈnjuːzi ‖ ˈnuːzi] *biz* **I.** *mn* hírekkel/újsággal teli, sok hírt tartalmazó; **~ person** hírharang **II.** *fn US* rikkancsfiú, újságkihordó fiú • *fn* **newsiness**
newt [njuːt ‖ nuːt] *fn áll* gőte; **crested ~** tarajos gőte
New Testament *fn bibl* Újszövetség
newton [ˈnjuːtn ‖ ˈnuːtn] *fn fiz* newton, *[az erő SI egysége, 1N=1kg x m/sec²]*
Newtonian [njuːˈtoʊnɪən ‖ nuː–] *mn* newtoni, Newton-féle; **~ physics** newtoni fizika
New Year *fn* újév; **~'s Day** újév napja; **~'s Eve** szilveszter(est); **~ celebrations/festivities** újévi mulatságok/ünneplések; **happy ~!** boldog újévet!, BÚÉK!; **see the ~ in** megvárja az újév beköszöntét, fennmarad; **wish sy a happy ~** boldog újévet kíván vknek
New York [ˌnjuː ˈjɔːk ‖ ˌnuː ˈjɔrk] *tul földr* New York • *fn* **New Yorker**
New Zealand [ˌnjuː ˈziːlənd ‖ ˌnuː–] *tul földr* Új-Zéland • *fn* **New Zealander**
next [nekst] **I.** *mn* **1.** következő; **~ in line** a következő a sorban *[sorbanállásnál, (trón)öröklésnél]*; **the ~ day** másnap, a következő nap(on); **the ~ day but one** két nap múlva; **from one moment to the ~** egyik pillanatról a másikra; **(the) ~ morning** másnap reggel, a következő reggelen; *biz* **the ~ thing I know** egyszerre csak azt látom/veszem észre; **ask the ~ person you meet** kérdezze meg a legelső embert (akivel találkozik); **in the ~ place** továbbá, azonkívül; **the ~ thing is to ...** a legközelebbi teendő az hogy ...; **the ~ best (thing) would be to ...** ha ez nem megy akkor az volna a legjobb ha ...; **the ~ time** legközelebb, a legközelebbi/következő alkalommal; **~ week** jövő héten; **the ~ week** a következő hét(en); **~ Thursday**, *GB* **(on) Thursday ~** (a most) következő csütörtökön; *skót* jövő csütörtökön; **~ year** jövőre, jövő évben; *biz* **what('s) ~?** no de ilyet!, mi a csoda!; **who is/comes ~?**, **whose turn ~?** ki következik/a következő?, ki van soron?; **he is ~** ő következik/jön **2.** legközelebbi, szomszéd(os), közvetlen mellette fekvő/lakó; **~ door** a szomszéd ház; **live ~ door to sy** vknek a közvetlen szomszédságában lakik; *biz átv* **be ~ door to sg** egy lépés választja el vmtől; **~ (door) to nothing** majdnem/úgyszólván semmi, annyi mint a semmi; **the people ~ door** a szomszédok; **the ~ house but one** innen a második ház; **the ~ town** a következő/legközelebbi város; **~ to** mellett, szomszéd(já)ban, közvetlen közelében **3. ~ to** jóformán, úgyszólván, szinte, majdnem; **~ to impossible** jóformán/szinte lehetetlen; **~ to nobody** úgyszólván senki; *biz* **for ~ to nothing** jóformán ingyen/semmiért, potom áron **4.** *US biz* **get ~ to sy** jóba keveredik vkvel, barátságot köt vkvel; **get ~ to an idea** megért/felfog vmt **II.** *hsz* **1.** az(u)tán, ezután, azt/ezt követőleg; **what shall I do ~?** mit csináljak azután?, mi legyen a következő teendőm?; **the week ~ ensuing** az azután következő hét **2.** legközelebb, a legközelebbi/következő alkalommal, ismét, megint; **when ~ I am that way** ha megint/legközelebb arra járok **III.** *elölj* (közvetlen vm) mellett/mellé; *biz* **the thing ~ (to) my heart** ami a legközelebb áll a szívemhez; **I sat down ~ (to) her** melléje ültem **IV.** *fn* **1.** a legközelebb álló személy/rokon; **her ~** a férje; **~ of kin** legközelebbi hozzátartozó/rokon **2. a)** a következő (vásárló); **~ please** kérem a következőt *[kiszolgálásnál]* **b)** a következő (levél/szám); **in my ~** legközelebbi levelemben
nexus [ˈneksəs] *fn tsz* **-es 1.** összeköttetés, összefüggés, kapcsolat; **causal ~** okozati összefüggés **2.** (össze)kapcsolt csoport/hálózat/széria/rendszer
NF *röv* **1.** *GB National Front* **2.** *Newfoundland*
NFL *röv US National Football League*
NFU *röv US National Farmers' Union*
n.g. *röv no good*
NH *röv New Hampshire*
NHL *röv US sp National Hockey League* NHL
NHS *röv GB National Health Service*
NI *röv* **1.** *national insurance* **2.** *Northern Ireland* **3.** *ÚjZ North Island*
Niagara [naɪˈægərə] *tul földr* Niagara; **the ~ Falls** a Niagara-vízesés; *US biz* **shoot the ~** kockázatot vállal, veszélyes dologra vállalkozik
nib [nɪb] **I.** *fn* **1.** tollhegy, tollszem **2.** hegy, él, csúcs, kiálló rész *[szerszámé]* **3.** fül, pecek *[tetőcserépé]* **4.** *tex* bog **5.** *tsz* **nibs** zúzott kakaóbab **II.** *tsi* **-bb- 1.** meghegyez, kifarag *[lúdtollat]* **2.** tollszemet behelyez *[tollszárba]* **3.** *biz* → **nibble** II. • *mn* **nibbed**
nibble [ˈnɪbl] **I. A.** *tsi* **1. a)** harapdál, rágcsál, majszol **b)** óvatosan beleharap (vmbe) **2. a)** apránként elvesz **b)** *biz szl [ellop]* elcsór, megfúj, lenyúl **3.** *fémip* kivág, levág *[lemezt]* **4.** lekerekít *[csiszolás előtt üveglencsét]* **B.** *tni* **~ (away) at sg** majszolgat/rágcsál vmt; *biz átv* kritizál/bírálgat vmt, gáncsoskodik/akadékoskodik vm felett; **~ (at the bait)** óvatosan harapdálja a csalétket *[hal]*; *biz átv* játszadozik a kísértéssel **II.** *fn* **1. a)** rágcsálás, harapdálás, majszolás **b)** kapás, harapás *[halé csalétekre]* **2.** kis/apró/óvatos harapás **3.** egy harapás/morzsa/falat **4.** *infor* fél byte *[=4 bit]*, négybites szó
  nibble away *tni* eszeget, majszolgat (*at sg* vmt)
  nibble off *tsi* leharap, leesz *[csalétket horogról hal]*
niblet [ˈnɪblɪt] *fn* falat(ka), morzsa
nibs [nɪbz] *fn tréf biz szl* **his ~** őnagyméltósága
nicad [ˈnaɪkæd] *fn röv* nikkel-kadmium; **~ battery** nikkel-kadmium akkumulátor
Nicaea [naɪˈsiːə] *tul* Nicea; *vall tört* **first council of ~** niceai zsinat (Kr.u. 325.)
NICAM *röv near-instantaneous compounded audio multiplex*
Nicaragua [ˌnɪkəˈrægjuə ‖ –ˈrɑgwə] *tul földr* Nicaragua • *fn/mn* **Nicaraguan**
Nice [niːs] *tul* **1.** *földr* Nizza **2.** Nicea
nice [naɪs] *mn* **1. a)** szép, csinos, takaros, tetszetős; **~ day** szép/napfényes nap; **have a ~ day!** minden jót! *[elköszönés]*; **~ house** szép/takaros ház **b)** *biz* szép, jó, kiváló, kitűnő, ragyogó; **~ going!** kitűnő!, csak így tovább!; *iron* hát ezt jól megcsináltad!; **~ one!** szép volt!, ez az!; **try!** szép volt!, szép próbálkozás/kísérlet!; **~ work!** szép munka (volt)! **2. a)** kedves, kellemes, szeretetre méltó, szimpati-

kus, rendes *[ember]*; ~ **guy** kedves/rendes ember/pasas/pasi **b)** kedves, barátságos *[viselkedés stb.]*; **be ~ to sy** kedves vkhez; *biz* **that is very ~ of you** nagyon kedves öntől **c)** kellemes, jó; ~ **evening** kellemes este; ~ **to see you** örülök hogy látlak/látom; **it is very ~ here** nagyon jó itt **d)** *iron* **we are in a ~ mess!** jól nézünk ki!, benne vagyunk a bajban/slamasztikában!, szép kis helyzet! **e)** ~ **and ...** nagyon ..., jó ...; **it is ~ and cool** kellemesen/jó hűvös van; *biz* ~ **and easy** nagyon könnyű; csak nyugodtan! **f)** finom, jó, ízletes *[étel]*; **it's very ~** nagyon finom **3.** *vál* **a)** kényes, igényes, nehezen kielégíthető, kifinomodott ízlésű **b)** pedáns, lelkiismeretes, gondos **c)** kényes *[kérdés, ügy]* **d)** finom, árnyalatos *[megkülönböztetés]* **e)** pontos, aprólékos, részletekbe menő *[vizsgálat stb.]* **f)** éles, érzékeny *[szem, fül]* • *fn* **niceness** *mn* **nic(e)ish**

nicely [ˈnaɪsli] *hsz* **1.** jól, kielégítően, szépen; **he is getting on ~** jól boldogul/van **2. a)** pontosan, találóan, szabatosan; **that was ~ put** ezt szépen/jól megmondtad **b)** lelkiismeretesen, gondosan **3.** kedvesen, szeretetre méltóan, barátságosan; **he spoke very ~ about you** nagyon kedvesen beszélt rólad

Nicene [ˈnaɪsiːn] *fn/mn* niceai; *vall* ~ **Creed** Niceai hitvallás

nicety [ˈnaɪsəti] *fn* **1.** pontosság, tüzetesség, szabatosság; **to a ~** pontosan, hajszálra; **roast done to a ~** tökéletesen (v. éppen jól) elkészített sült **2.** kényesség, bonyolultság *[kérdésé stb.]*; **a point of great ~** kényes kérdés/probléma **3.** finom megkülönböztetés/árnyalat/részlet **4.** *tsz* **niceties a)** apró fogások/technikák **b)** apró(lékos) részletek **c)** kellemességek, apró örömök, jó dolgok

niche [niːʃ ‖ nɪtʃ] **I.** *fn* **1.** falmélyedés, (fal)fülke *[szobor részére]* **2.** *körny* ‹egy organizmus által elfoglalt hely v. játszott szerep a rendszeren belül› **3.** *átv* **a) have/find/fill a ~ in sg** megvan a maga kényelmes/megfelelő szerepe/helye vmben **b)** kényelmes munka/elhelyezkedés **4.** *kat* (lő)állás *[lövészárokban]* **5.** *gazd* piaci rés, piacűr **II. 1.** *tsi* elhelyez fülkében/falmélyedésben *[szobrot]* **2.** ~ **oneself** elhelyezkedik, elrejtőzködik *[sarokban, stb.]*

niche market *fn gazd* ‹a piaci rések kihasználásával létrejövő üzleti lehetőség›

niche product *fn gazd* ‹piaci rések betöltésére hivatott termék›

Nicholas [ˈnɪkələs] *tul* Miklós

nick [nɪk] **I.** *fn* **1. a)** rovátka, vájat, bevágás, bemetszés **b)** csorba, kicsorbulás *[vágófelületen]* **2. (just) in the ~ of time** az utolsó pillanatban, épp(en) időben/jókor **3.** *GB biz szl [egészségiállapot]* kondi; **in good ~** jó kondiban **4.** *GB szl* **a)** *[börtön]* sitt, dutyi **b)** *[rendőrség, rendőrőrs]* jard **II. A.** *tsi* **1. a)** bevág, bemetsz, rovátkol **b)** kicsorbít *[vágófelületet]* **c)** megjelöl, cinkel *[kártyát]* **2.** kitalál, eltalál, ráhibáz (vmre); ~ **it** pontosan eltalálja, ráhibáz **3.** *GB szl* **a)** *[elfog, elkap]* begyűjt, lefülel, lekapcsol *[rendőrség vkt]* **b)** *[ellop]* elcsór, elemel, lenyúl, megfúj (vmt) **4.** *US szl* ~ **sy (for sg)** (i) *[pénzt (kölcsön)kér vktől]* (le)lejmol, levág, lenyúl (ii) *[becsap vkt]* átvág, megszívat **B.** *tni* ~ **in** levágással előnyt szerez *[versenyen]*; *átv* hirtelen/jókor érkezik • *mn* **nicked**

Nick [nɪk] *tul bec* Miki

nickel [ˈnɪkl] **I.** *fn* **1.** *vegy* nikkel; ~ **steel** nikkelacél **2.** *US biz* öt cent(es pénzdarab) **II.** *tsi* **-ll-** nikkelez • *tsi* **nickelize, -ise** *mn* **nickelic, nickelous**

nickelodeon [ˌnɪkəˈloudɪən] *fn US* **1.** *régi* ötcentes mozi **2.** zenegép, wurlitzer **3.** ~ **piano** gépzongora *[pénzbedobós]*

nickel-plate *tsi* nikkelez • *mn* **nickel-plated**

nicker [ˈnɪkə ‖ –ər] *fn GB szl* egy font sterling

nick-nack [ˈnɪknæk] → **knick-knack**

nickname [ˈnɪkneɪm] **I.** *fn* **1.** becenév **2. a)** melléknév, ragadványnév **b)** gúnynév, csúfnév **II.** *tsi* **1. a)** becenevet ad (vknek) **b)** becenevén szólít (vkt) **2. a)** mellléknevet/ragadványnevet ad (vknek) **b)** gúnynevet/csúfnevet ad (vknek)

Nicky [ˈnɪki] *tul bec* ‹*Nicholas* férfi, ill. *Nicole* női nevek becézett alakja›

Nicolas [ˈnɪkələs] → **Nicholas**

Nicole [ˈnɪkəl] *tul* ‹női név›

Nicol prism [nɪkl–] *fn fiz fiz* Nicol-prizma

nicotinamide [ˌnɪkəˈtɪnəmaɪd] *fn vegy* nikotinamid, nikotinsavamid, PP-vitamin

nicotine [ˈnɪkətiːn, –ˈtiːn] *fn vegy* nikotin; ~ **content** nikotintartalom *[cigarettáé]*

nicotine addiction *fn* nikotinfüggőség

nicotine patch *fn* nikotintapasz

nicotinic acid [ˌnɪkətɪnɪk ˈæsɪd] *vegy* nikotinsav

nicotinize [ˈnɪkətiːnaɪz], **-ise** *tsi* nikotinnal kábít/mérgez • *fn* **nicotinism**

nictate [ˈnɪkteɪt] *tni tud* **a)** pislog **b)** hunyorít, hunyorog • *fn* **nict(it)ation**

nictating membrane [ˈnɪkteɪtɪŋ] *fn állatorv* pislogóhártya, harmadik szemhéj

niddle-noddle [ˈnɪdlnɒdl ‖ –ˈnɑdl] **I.** *mn* reszkető fejű *[aggastyán]* **II.** *tni* → **nid-nod**

nide [naɪd] *fn* fészekalja fácán

nidificant [nɪˈdɪfɪkənt] *mn áll* fészekrakó *[madár]*

nidificate *tni* → **nidify** • *fn* **nidification**

nidifugous [nɪˈdɪfjʊgəs] *mn áll* fészekhagyó *[madár]*

nidify [ˈnɪdɪfaɪ] *tni áll* fészkel, fészket rak *[madár]*

nid-nod [ˈnɪdnɒd ‖ –nɑd] *tni* **-dd-** bólogat, bólintgat, leleejti a fejét

nidus [ˈnaɪdəs] *fn tsz* **-es**, **nidi** [ˈnaɪdaɪ] **1.** fészek, petegóc *[rovaré]* **2.** *orv* fészek **3.** *átv* fészek, keletkezési hely *[tané stb.]* **4.** *növ* táptalaj

niece [niːs] *fn* unokahúg

niello [niˈelou] *fn fémip* **1.** nielló, fémszulfidbetét, fémszulfidos fémfesték **2.** niellómunka, fémszulfidbetétes díszítőmunka • *mn* **nielloed**

niff [nɪf] *szl* **I.** *fn [kellemetlen szag, bűz]* stich, oroszlánszag **II.** *tni* szaglik, bűzlik • *mn* **niffy**

nifty [ˈnɪfti] *biz szl* **I.** *mn* **1.** *[csinos, divatos, modern]* klassz, király, menő **2.** *[ügyes, gyors, talpraesett]* tökös, gógyis **II.** *fn [elmés/ügyes/okos megjegyzés/ötlet]* tuti tipp/beszólás • *fn* **niftiness** *hsz* **niftily**

nig [nɪg] *tsi* **-gg-** dorozsmál *[kőműves]*

Nigel [ˈnaɪdʒl] *tul* ‹férfinév›

Niger[1] [ˈnaɪdʒə ‖ –ər] *tul földr* Niger (folyó)

Niger[2] [niːˈʒeə, ˈnaɪdʒə ‖ –ər] *tul földr* Niger *[köztársaság]* • *mn/fn* **Nigerien**

Nigeria [naɪˈdʒɪərɪə ‖ –ˈdʒɪr–] *tul földr* Nigéria • *fn/mn* **Nigerian**

niggard [ˈnɪgəd ‖ –ərd] *régi* **I.** *fn* fösvény, zsugori **II.** *mn* → **niggardly** I.

niggardly [ˈnɪgədli ‖ –gərd–] *régi* **I.** *mn* **1.** zsugori, fukar, fösvény, szűkmarkú, kicsinyes *[személy]* **2.** szegényes, kicsi, szűken mért, szűkre szabott **II.** *hsz* zsugorian, fukaron, fösvényen, szűkmarkúan, kicsinyesen

nigger [ˈnɪgə ‖ –ər] *fn szl pej* **a)** *[néger/fekete ember]* nigger, boxos; **work like a ~** kulizik; *US* **there's a ~ in the woodpile** valami disznóság készül, kutya van a kertben **b)** sötét bőrű ember

niggle [ˈnɪgl] **I. A.** *tsi* bosszankodik, idegeskedik (vm miatt) **B.** *tni* **1.** pepecsel, babrál, (apró-cseprő dolgokkal) bíbelődik; ~ **over trifles** semmiségeken nyargal **2.** kicsinyeskedik **II.** *fn* **1.** (csip-csup ügyön való) bosszankodás, tépelődés **2.** gond, nyűg • *mn* **niggly**

niggling [ˈnɪglɪŋ] **I.** *mn* **1.** jelentéktelen, nem fontos *[részlet stb.]* **2.** kicsinyeskedő, akadékoskodó, részletekben elvesző, szűk látókörű *[személy]* **II.** *fn* **1.** pepecselés, bíbelődés **2.** akadékoskodás, szőrszálhasogatás • *hsz* **nigglingly**

nigh [naɪ] *vál táj* **I.** *mn* közeli **II.** *hsz* **1.** közel *[térben, időben]* **2.** majdnem; → **near** I. **III.** *elölj* közel

night [naɪt] *fn* **1.** éj(jel), éjszaka, est(e); **all (v. the whole) ~ (long)** egész éjjel; **at ~** éjjel, éjszaka; **by ~** éjjel, éjszaka (folyamán/során); **(good) ~!** jó éjszakát!; **wish/bid sy good**

~, **say good ~ to sy** jó éjszakát kíván vknek; **have a good ~('s rest)** jó éjszakája van, jól alszik; **during/in the ~** éjjel, az éj folyamán; **in the dead of ~** az éj közepén/derekán; az éj leple alatt; **far into the ~** késő éjszakáig; **last ~** tegnap este; (az el)múlt éjjel/éjszaka; **over ~** az éj folyamán, éjjelen át; → **overnight**; **~'s lodging** éjjeli szállás; **~ out** mulatás, szórakozás; szabadnap, esti kimenő; **have a ~ out/on the town** szórakozik, mulat, *biz* bulizik; **make a ~ of it** görbe estét csinál; **turn day into ~** az éjjelt is nappallá teszi; **day and ~** éjjel-nappal; *átv* állandóan, egyfolytában; **work day and ~** éjjel-nappal dolgozik **2.** *szính* est, előadás; **first ~** bemutató, premier; **the last ~s** a darab utolsó előadásai **3.** *jelzői haszn* éjjeli, éjszakai; **~ attire** hálóruha; *közl* **~ bus** éjszakai busz; *US* **~ editor** tördelő szerkesztő *[reggeli lapnál]*; **~ flying** éjszakai repülés; **~ man** éjszakai műszakban dolgozó, éjjeles; éjjeliőr; *közl* **~ services** éjszakai járatok/buszok; **~ train** éjszakai vonat

nightbird *fn* **1. a)** éjjeli madár **b)** bagoly **c)** fülemüle **2.** *biz átv [éjszakázó]* éjjeli bagoly

night-black *mn* éjfekete, koromfekete

night-blindness *fn* → **nyctalopia** • *mn* **night-blind**

nightcap *fn* **1.** hálósapka **2.** *biz* lefekvés előtti itóka **3.** *sp* az utolsó mérkőzés *[egy nap versenyszámaiból]*

nightclothes *fn tsz* hálóing, pizsama

nightclub *fn* (éjszakai) mulató(hely), night club

nightdress [ˈnaɪtɪ] *fn* hálóing *[nőé, gyermeké]*

nightfall *fn* alkony(at), este(ledés), szürkület, napszállta; **before ~** a sötétség beállta előtt

night fighter *fn kat rep* éjszakai vadászgép (pilótája)

nightgown *fn* **1.** hálóing *[női]* **2.** *régi* háziköntös

nightie [ˈnaɪtɪ] *fn biz* hálóing, hálóruha

nightingale [ˈnaɪtɪŋgeɪl] *fn* fülemüle

night latch *fn* ‹belülről gömbkilinccsel, kívülről kulccsal működtethető ajtózár›

nightless [ˈnaɪtləs] *mn* álmatlan, éjszakázó

nightlife *fn* éjszakai élet

nightlight *fn* **1.** (tompa) éjszakai fény/világítás *[pl. körteremben]* **2.** *hajó* **~s** éjjeli jelzőlámpák

nightlong *mn/hsz* egész éjszakán át (tartó)

nightly [ˈnaɪtli] **I.** *mn* **1.** esti, éjszakai, éjjeli **2.** minden este/éjjel ismétlődő, esténkénti, éjjelenti **II.** *hsz* minden este/éjjel/éjszaka, esténként, éjjelenként, éjszakánként

nightmare [ˈnaɪtmeə ‖ −mer] *fn* **1.** *[átv is]* rémálom, rossz álom, lidérc(nyomás); **have ~s** rémálmai vannak; *átv* **it was a ~** rémálom/nagyon rossz volt, nagyon rosszul sikerült **2.** rögeszmés félelem • *mn* **nightmarish** *hsz* **nightmarishly**

night nurse *fn* éjszakás nővér

night owl [−aul] *fn átv [éjszakázó személy]* éjjeli bagoly

night porter *fn* éjszakai portás

nights [naɪts] *hsz biz* éjjelente, éjszakánként

night safe *fn* éjszakai széf/trezor

night school *fn okt* esti iskola/tagozat

night shift *fn* éjszakai/éjjeli műszak; **be on ~** éjjel (v. éjszakai műszakban) dolgozik, éjjeles

nightshirt *fn* hálóing *[férfié, fiúé]*

nightspot *biz* → **nightclub**

night stand *fn US* éjjeliszekrény

nightstick *fn US* gumibot *[rendőré]*

night terrors *fn tsz* lidércnyomás, rémálmok, rossz álmok, hirtelen felriadás

night-time *fn* éjszaka, éj(jel); **~ birds** éjszakai madarak; **at ~** éjjel, éjszaka

night watch *fn* éjjeli őrjárat

night watchman *fn tsz* **-men 1.** éjjeliőr **2.** *sp* (aznap) utoljára elütő játékos *[krikettben]*

nighty [ˈnaɪtɪ] → **nightie**

nigrescent [naɪˈgresnt] *mn* feketés, feketébe játszó, sötét(es) *[szín]* • *fn* **nigrescence**

nigritude [ˈnɪgrɪtjuːd ‖ −tuːd] *fn* feketeség

nihilism [ˈnaɪlɪzm] *fn* nihilizmus • *fn* **nihilist** *mn* **nihilistic**

nihility [naɪˈhɪləti] *fn* **1.** semmi, nemlét **2.** semmiség, hitványság, jelentéktelen dolog

nihil obstat [ˌnaɪɪl ˈɒbstæt ‖ −ˈɑb−] *fn latin vall* semmi akadálya *[egyházi cenzor engedélye]*

nil [nɪl] *fn* semmi, nulla, zérus; *sp* **three goals to ~**, **three-~** három null(a)

Nile [naɪl] *tul földr* Nílus

Nile-blue *fn/mn* nílusi kék, zöldeskék

Nilotic [naɪˈlɒtɪk ‖ −ˈlɑ−] *mn* nílusi

nimble [ˈnɪmbl] *mn* **1.** fürge, mozgékony, élénk, gyors **2.** gyors felfogású, ötletes, okos • *fn* **nimbleness** *hsz* **nimbly**

nimbostratus [ˌnɪmbouˈstrɑːtəs ‖ −ˈstreɪ−, −ˈstræ−] *fn meteo* réteges esőfelhő

nimbus [ˈnɪmbəs] *fn tsz* **nimbi** v. **~es** [ˈnɪmbaɪ] **1.** világító felhő *[földre szállt istenek körül]* **2.** *műv* fénykoszorú, glória, nimbusz **3.** holdgyűrű **4.** *meteo* esőfelhő

NIMBY [ˈnɪmbi], **nimby** *röv not in my back yard* ‹kellemetlen fejlesztések helykijelölését ellenző személy›

niminy-piminy [ˌnɪmɪniˈpɪmɪni] *mn* finomkodó, affektált

Nimrod [ˈnɪmrɒd ‖ −rɑd] **I.** *tul* Nimród **II.** *fn biz* nagy vadász

nincompoop [ˈnɪŋkəmpuːp] *fn biz* együgyű/ostoba ember, szamár, tökfej

nine [naɪn] **I.** *fn* kilenc, kilences szám; **he wears a ~** kilences (számú) cipőt/inget/stb. hord; *US* **the ~** baseballcsapat; **the N~** a kilenc múzsa; *biz* **to the ~s** tökéletesen; *biz* **crack up to the ~s** feldicsér; **dress (up) to the ~s** kicsípi/kicicomázza magát **II.** *mn* kilenc; **~ times out of ten** az esetek nagy többségében, rendszerint; *biz* **have ~ lives** nem lehet agyonütni

nine days' wonder *fn biz* három napig tartó csoda

ninefold [ˈnaɪnfould ‖ −ˈfould] **I. 1.** *mn* kilencszeres **2.** kilenc részből álló **II.** *hsz* kilencszeresen

ninepin *fn* **1.** kuglibábu; *biz átv* **drop/fall/go down like ~s** hull, mint az őszi a légy **2.** *tsz* **ninepins** kugli, teke(játék)

nineteen [ˌnaɪnˈtiːn] *mn/fn* tizenkilenc; *biz* **talk ~ (to the dozen)** karattyol, fecseg, locsog, hantázik, halandzsázik

nineteenth [ˌnaɪnˈtiːnθ] *mn/fn* **1.** tizenkilencedik; *sp tréf* **the ~ hole** büfé *[golfpályán]* **2.** tizenkilenced

ninetieth [ˌnaɪntɪɪθ] *fn/mn* kilencvened(ik); **~ birthday** kilencvenedik születésnap

nine-to-five *mn* kilenctől ötig *[normál hivatalos órák, szokásos/munkaidő]*

ninety [ˈnaɪnti] *fn/mn* kilencven; **the nineties** a kilencvenes évek; **in his/her nineties** kilencvenes éveiben

ninety-nine *mn* kilencvenkilenc; *orv* **say ~!** *[a tüdő hallgatásakor]* sóhajtson mélyeket!; *jog* **~ years' lease** örökbérleti szerződés

ninja [ˈnɪndʒɑː ‖ −dʒə] *fn* nindzsa, ninjutsuban jártas személy

ninjutsu [nɪnˈdʒutsu] *fn* ‹japán harcművészeti ág›

ninon [ˈniːnɒn ‖ −nɑn] *fn tex* ninon

ninth [naɪnθ] **I.** *fn* **1.** kilenced(ik) **2.** *zene* nóna **II.** *mn* kilenced(ik)

ninny [ˈnɪni] *fn biz [együgyű/mulya/bárgyú ember]* szamár, tökfej

niobium [naɪˈoubɪəm] *fn vegy* nióbium • *mn* **niobic**, **niobious**

Nip [nɪp] *fn US szl pej [japán személy]* japcsi, ferdeszemű, rizsa

nip[1] [nɪp] **I. -pp- A.** *tsi* **1.** becsíp, beszorít; **get ~ped** beszorul, becsípődik **2.** *mezőg* levág, lemetsz, (le)csíp, lenyes, nyír; *átv* **~ sg in the bud** csírájában elfojt vmt **3. a)** megcsíp *[fagy]*; **the wind ~ped** csípős szél fújt **b)** lefagyaszt, leperzsel *[rügyeket]* **c)** *átv* elfojt, meghiúsít; **~ a plot** összeesküvést csírájában elfojt **4.** *US szl [ellop]* elcsór, lenyúl, megfúj **B.** *tni* **1.** csíp, szúr, ég *[fájdalom, seb]* **2.** *GB biz [fut, siet]* tűz **II.** *fn* **1.** becsípés (vmbe), beszorítás; *szl átv* **put the ~s in(to)** *[pénzt kicsal]* levág, lelejmol

2. csípés *[fagyé]*; **there was a ~ in the air** a levegő kissé csípős volt, hűvös volt **3. ~ and tuck** kemény küzdelem fej fej mellett *[sportban]* • *mn* **nipping**
nip across *tni biz* átszalad, átugrik
nip along *tni biz* nekiiramodik, ugrik, szalad
nip away *tsi* gyorsan elvesz/elragad vmt
nip down *tni biz* leszalad, leugrik
nip in *tni biz* beugrik *[egy pillanatra]*
nip off A. *tsi* lecsíp, levág, lemetsz **B.** *tni* meglép, meglóg, elillan, elpárolog
nip out A. *tsi biz* előránt *[revolvert]* **B.** *tni biz* kioson, meglép, megugrik
nip round *tni biz* átszalad, átugrik (vhova)
nip up A. *tsi biz* felkap, felvesz **B.** *tni biz* felszalad, felugrik
nip² [nɪp] **I.** *fn* egy korty/csepp *[ital]* **II.** *tni* **-pp-** iszogat, iddogál, hörpintget, kortyolgat • *fn* **nipper**
nipple [ˈnɪpl] *fn* **1. a)** mellbimbó, emlőbimbó, csecs **b)** szopóka, gumicucli *[csecsemők szopóüvegén]* **2.** bütyök, dudor **3.** *műsz* csőillesztés, csőkötés, csőkapcsoló karmantyú, hollandi; *műsz* **grease ~** zsírzófej, nippli; *gk* **~ key** küllőkulcs
Nippon [ˈnɪpɒn ‖ ˈnɪpɑn] *tul földr* Japán • *fn/mn* **Nipponese**
nippy [ˈnɪpi] *biz* **I.** *mn* **1.** gyors, fürge, élénk, mozgékony **2.** éles, csípős *[szél]* **II.** *fn* pincérnő • *hsz* **nippily**
nirvana [nɪəˈvɑːnə, nɜː– ‖ nɪr–, nɜr–] *fn* nirvána • *mn* **nirvanic**
Nisei [niːˈseɪ], **nisei** *fn US* ‹Japán bevándorolt leszármazottja›
nisi [ˈnaɪsaɪ] *mn jog* ideiglenes, átmeneti, feltételes; **~ prius court** alsófokú polgári bíróság
nit¹ [nɪt] *fn* **1.** serke, tetűpete; *biz* **as dead as a ~** kinyiffant, kampec **2.** *GB biz* → **nitwit**
nit² [nɪt] *isz Ausz szl* pszt!, vigyázz!; **keep ~** falaz (betörőnek v. bűncselekménynél)
nite [naɪt] *US biz* → **night**
niter [ˈnaɪtə ‖ –ər] → **nitre**
nit-pick *tni biz* gáncsoskodik, kicsinyeskedik, kukacoskodik, szőrszálhasogat • *fn/mn* **nit-picking** *fn* **nit-picker**
nitrate [ˈnaɪtreɪt, –trət] *vegy* **I.** *fn* **1.** fémnitrát, salétromsavas só **2.** nátriumnitrát, (csili)salétrom; **~ fertilizers** nitrogén tartalmú műtrágyák **II.** *tsi* nitrál • *fn* **nitration**
nitre [ˈnaɪtə ‖ –ər] *fn vegy* salétrom
nitric [ˈnaɪtrɪk] *mn vegy* salétromsavas, salétrom-; **~ acid** salétromsav
nitride [ˈnaɪtraɪd] *fn vegy* nitrid
nitrify [ˈnaɪtrɪfaɪ] **A.** *tsi vegy* nitrifikál **B.** *tni vegy* nitrifikálódik • *fn* **nitrification** *mn* **nitrifiable**
nitrite [ˈnaɪtraɪt] *fn vegy* nitrit, szerves cianid
nitrobenzene [ˌmaɪtroʊˈbenziːn] *fn vegy* nitrobenzol
nitrocellulose [ˌnaɪtroʊˈseljulouz] *fn vegy* nitrocellulóz, cellulóznitrát, cellulózbevonat
nitrogen [ˈnaɪtrədʒən] *fn vegy* nitrogén; *fiz* **~ fixation** nitrogén megkötés • *mn* **nitrogenous**
nitrogen cycle *fn körny* nitrogén-körfolyamat, nitrogénkörforgás
nitroglycerin [ˌnaɪtroʊˈglɪsərɪn], **nitroglycerine** *fn vegy* nitroglicerin
nitrous [ˈnaɪtrəs] *mn vegy* nitrogénes, nitrogéntartalmú; **~ oxide** kéjgáz
nitwit [ˈnɪtwɪt] *fn biz szl [buta ember]* félkegyelmű, tökkelütött, tökfej, tökfilkó, hólyag, tökéletlen, szamár, ökör • *fn* **nitwittedness** *mn* **nitwitted**
nitty-gritty [ˌnɪtiˈgrɪti] *fn biz* **a)** lényeg, magja vmnek **b)** részlet(kérdés)ek; **let's get down to the ~** nézzük meg a részleteket/kérdést közelebbről; térjünk a lényegre/tárgyra
nix¹ [nɪks] *szl* **I.** *fn [semmi, nulla]* túrós, fika, lópikula **II.** *nm* túróst, frászt; *US* **~ on that game!** *[erről szó sem lehet!]* egy nagy túróst!, frászt! **III.** *tsi [visszautasít, elutasít]* lefúj
nix² [nɪks] *fn* sellő
nix³ [nɪks] *isz* pszt!, vigyázz!, baj van!; **keep ~** őrt áll, vigyáz, falaz; *szl* **~! the cops!** pszt/vigyázz! zsaruk!
NJ *röv US New Jersey*
NL *röv* **1.** *New Latin* **2.** *north latitude*
NLQ *röv infor near letter quality* nyomtatott szöveg betűminőségét utánzó/megközelítő (mátrixnyomtatás)
NM, N Mex *röv US New Mexico*
NNE *röv North-North-East*
NNTP *fn röv infor Network News Transfer Protocol* ‹hálózati hírcsoportok adatátviteli protokolja› NNTP
NNW *röv North-North-West*
no [noʊ] **I.** *nm* **1.** nem; *biz* **~ go, ~ can do** nem megy, nem tudom megcsinálni; **~ good** haszontalan, felesleges; *[főnévként]* csintalanság; *biz* **~ kidding!?** komolyan?, nem viccelsz?; **~ less than** nem kevesebb mint; nem kisebb személyiség mint; **this is ~ small matter** ez nem kis jelentőségű ügy; **~ such thing** egyáltalán nem; semmi efféle; **he is ~ artist** ő nem művész; **this is ~ place for me** ez nem nekem való hely; **there is ~ getting out of it** ebből nem húzhatja ki magát; **there was ~ stopping him** nem lehetett megállítani/visszatartani **2.** semmi(lyen); **have ~ money** nincs pénze; **~ words can describe it** szóval nem lehet leírni; **it is ~ distance** nincs messze; **letter of ~ date** keltezés nélküli levél; **~ nonsense!** csak semmi bolondság! **3. a)** *közl [tiltásokban, jelzőtáblákon]* **~ left/right turn** balra/jobbra kanyarodni tilos; **~ overtaking** előzni tilos; **~ parking** várakozni tilos; **~ stopping** megállni tilos; **~ thoroughfare/through road** tilos az átjárás; **~ U-turns** megfordulni/visszakanyarodni tilos **b)** *[feliratokon, táblákon]* **~ admittance** belépni tilos; **~ entry** (i) belépni tilos (ii) *közl* behajtani tilos; **~ smoking** dohányozni tilos, tilos a dohányzás **4. ~ man** senki; **~ one** senki; → **no-one II.** *hsz* **1. ~ longer** már nem; **~ more** semmi több; már nem; soha többé; **~ sooner** amint; **~ way!** semmiképp(en sem), lehetetlen, nem vagyok rá hajlandó **2. ... or ~** akár ..., akár nem; **rain or ~ rain** akár esik, akár nem, eső ide vagy oda **3.** *skót* → **not III.** *fn tsz* **noes 1.** nem, visszautasítás, tagadás; **say ~** nemet mond; tagad; **he will not take ~ (for an answer)** nem lehet neki nemet mondani, visszautasítást nem fogad el, nem hagyja magát lerázni **2. a)** nemmel szavazók; **the ~s have it** leszavazták **b)** nemleges szavazatok; **yeses and ~es** a mellette és az ellene szóló szavazatok **IV.** *tsi/tni* nemet mond, tagad; **he ~ed it** tagadóan válaszolt rá **V.** *isz* nem!, ne (csináld)!, hagyd abba!
No. [noʊ] *röv* **1.** *North(ern)* **2.** *number*
N.O. *röv* **1.** *New Orleans* **2.** *natural order*
no-account *mn US biz* jelentéktelen; **~ man** jelentéktelen ember, egy senki
Noah [ˈnoʊə] *tul* Noé; *bibl* **~'s ark** (i) Noé bárkája (ii) *biz átv tréf* batár *[nagy, benzinfaló gépkocsi]*
nob¹ [nɒb ‖ nɑb] *fn szl [fej]* bura, kókusz, dió, tök
nob² [nɒb ‖ nɑb] *fn szl* arisztokrata, előkelőség • *mn* **nobby**
no-ball *sp* **I.** *fn* érvénytelen/szabálytalanul dobott labda *[krikettben]* **II.** *tsi* dobást érvénytelenít *[bíró]*
nobble [ˈnɒbl ‖ ˈnɑbl] *tsi szl* **1.** elkábít *[lovat verseny előtt, hogy formáján alul fusson]* **2.** *[megvesztegет]* megvesz, megumbuldál, megbuliz, megbundáz **3.** *[becsap]* bepaliz **4.** *[elfog, elkap]* lekapcsol **5.** *[ellop, elrabol]* megfúj, lenyúl, lelép vmvel
Nobelist [noʊˈbelɪst] *fn* Nobel-díjas
Nobel Prize [ˌnoʊbel ˈpraɪz] *fn* Nobel-díj
nobiliary [noʊˈbɪlɪəri ‖ –ˈbɪlɪeri] *mn* nemesi
nobility [noʊˈbɪləti] *fn* **1.** nemesség, nemesi rang; **patent of ~** nemesi levél; **the ~** a nemesek, a nemesség, a nemesi rend; **landed ~** földbirtokos nemesség **2.** nemesség, fennköltség, emelkedettség *[jellemé]*
noble [ˈnoʊbl] **I.** *mn* **1.** nemes, előkelő; **of ~ birth** előkelő családból származó, nemesi származású **2.** nemes (lelkű), nemes szívű, fennkölt, emelkedett **3.** nagyszerű, csodálatra méltó, pompás, ragyogó; *sp* **the ~ art** az ökölvívás; *US tört*

the ~ experiment az alkoholtilalom **4.** *vegy* nemes *[gáz, fém]*; **~ gases** nemesgázok; **~ metals** nemesfémek **II.** *fn* nemes(ember) • *fn* **nobleness** *hsz* **nobly**

nobleman [ˈnoublmən] *fn tsz* **-men** főnemes, nemesember

noblesse oblige [noʊˌbles oʊˈbliːʒ] *kif francia* a nemesi rang kötelez

noblewoman *fn tsz* **-women** nemes(asszony), előkelő asszony

nobody [ˈnoubədi ‖ –badi, –bədi] **I.** *nm* senki; **~'s fool** megvan a magához való esze, meggondolt, megfontolt; *biz* **~ in his right mind would do it** erre épeszű ember nem vállalkozna **II.** *fn biz* senkiházi, nagy senki/nulla, nímand

nock [nɒk ‖ nak] **I.** *fn* rovátka *[nyílvessző végén, íjon]* **II.** *tsi* **1.** rovátkát vág *[nyílvesszőbe, íjba]* **2.** íj húrjára ráhelyez *[nyílvesszőt]*

no-claim(s) bonus *gk* balesetmentességi bónusz/díjengedmény *[biztosításnál]*

no-confidence motion *fn pol* bizalmatlansági indítvány

no-confidence vote *fn pol* bizalmatlansági szavazás

noctambulist [nɒkˈtæmbjʊlɪst ‖ nakˈtæmbjə–] *fn orv* alvajáró, holdkóros • *fn* **noctambulism** *mn* **noctambulous**

noctiphobia [ˌnɒktɪˈfoubɪə ‖ ˌna–] *fn pszich* éjjeli félelem, félelem a sötéttől

nocturn [ˈnɒktɜːn ‖ ˈnaktɜrn] *fn vall* éjjeli zsolozsma

nocturnal [nɒkˈtɜːnl ‖ nakˈtɜrnl] *mn* éjjeli, éji, éjszakai; **~ animals** éjszakai állatok

nocturnal emission *fn orv* éjjeli magömlés, pollúció

nocturne [ˈnɒktɜːn ‖ ˈnaktɜrn] *fn* **1.** *zene* éji zene, nocturno **2.** *műv* éjjeli jelenet/kép

nocuous [ˈnɒkjuəs ‖ ˈnak–] *mn* kártékony, káros, ártalmas

nod [nɒd ‖ nad] **I. -dd- A.** *tsi* **1. ~ (one's head)** meghajtja/megbiccenti a fejét, bólint/biccent a fejével; int (v. jelt ad) a fejével **2. ~ assent/approval/yes** beleegyezőleg/helyeslőleg bólint, (fej)bólintással hozzájárulását fejezi ki **3. ~ sy back** fejmozdulattal visszahív vkt **B.** *tni* **1.** bólint, biccent, meghajtja/megbiccenti a fejét, fejbólintással köszön; **~ding acquaintance** köszönő viszony, futólagos ismeretség; **have a ~ding acquaintance with sy/** futólag ismer vkt/vmt **2.** beleegyezőleg/helyeslőleg bólint **3.** (fejével) int, jelt ad **4. a)** bólogat, bólin(t)gat *[álmosságtól]*; **~ off** elbólint, elbóbiskol **b)** *átv* pillanatnyi figyelmetlenségből téved/hibázik, kihagy **5.** leng, lebeg, táncol, hajladozik *[növényzet]* **II.** *fn* **1.** (fej)bólintás, biccentés, főhajtás, köszöntés; **give sy a ~** odabiccent vknek, fejbólintással üdvözöl vkt **2.** beleegyező/helyeslő (fej)bólintás; **give a ~ of assent** helyeslőleg/beleegyezőleg bólint; *US átv* **get the ~** rábólintanak *[tervre]*; *átv biz* **get sg on the ~** ingyen megkap vmt **3.** intés, jeladás *[fejmozdulattal]*; **be at** (v. **depend on) sy's ~** ki van szolgáltatva vk kényekedvének; **have sy at one's ~** kezében tart vkt; **obey on the ~** úgy táncol, ahogy fütyülnek neki **4.** bólogatás, bólin(t)gatás *[álmosságtól]*; **the land of N~** álom, alvás • *fn/mn* **nodding**

noddle [ˈnɒdl ‖ ˈnadl] *biz* **I.** *fn [fej]* kobak; **get sg into one's ~** fejébe vesz vmt **II.** *tsi* **~ one's head** rázza/ingatja a fejét

noddy [ˈnɒdi ‖ ˈnadi] *fn szl [együgyű/bárgyú ember]* tökfej, hólyag, szamár

node [noud] *fn* **1. a)** *el* csomó(pont), kapcsolópont, kapcsológép **b)** *fiz* csomópont *[állóhullámoknál]* **c)** *mat csill* metszéspont, csomópont **2.** *orv* csomó, góc, duzzanat, bütyök, kidudorodás **3.** *infor* hálózatba kapcsolt számítógép • *mn* **nodal**

nodose [ˈnoudous] *mn* csomós, bütykös • *fn* **nodosity**

nodule [ˈnɒdjuːl ‖ ˈnadʒuːl] *fn* **a)** csomó, rög, göb **b)** *orv növ* csomó(cska), góc; *orv* **subcutaneous ~** bőr alatti csomó • *fn* **nodulation** *mn* **nodular, nodulous**

nodus [ˈnoudəs] *fn tsz* **nodi** [ˈnoudaɪ] **1.** *vál* bonyodalom, nehézség, csomópont **2.** *orv régi* csomó, bütyök

Noel [nouˈel] **I.** *tul* ‹férfinév› **II.** *fn* karácsony

noetic [nouˈetɪk] **I.** *mn* **1.** szellemi, értelmi, logikai **2.** elvont, absztrakt, nem érzékelhető **3.** elvont okoskodásra hajló *[gondolkodó]* **II.** *fn* az axiómák/gondolkozás tudománya

no-fault *mn jog US* ‹a károkozói felelősségtől függetlenül érvényes biztosítás›

no-fly zone *fn rep pol* tiltott övezet, repüléstől elzárt légtér

no-frills *mn* egyszerű, dísztelen

nog[1] [nɒg ‖ nag] **I.** *fn* **1.** faszeg **2.** csonkhajtás *[fán]* **3.** *épít* facsap, faék **II.** *tsi* **-gg-** csapszeggel megerősít, megszegel

nog[2] [nɒg ‖ nag] *fn gaszt* **1.** → **egg-flip 2.** *GB* ‹erős sörfajta›

noggin [ˈnɒgɪn ‖ ˈna–] *fn* **1.** kis csésze/bögre **2.** 1/4 pint *[ált. 0,142 l]* **3.** *szl [fej]* kókusz, bura

no-go *mn* **1. ~ area** tiltott övezet, belépni tilos **2.** *biz átv* nem alkalmas/életképes, megvalósíthatatlan

no-good *mn* hasznavehetetlen, értéktelen, haszontalan

no-hitter *fn sp* ‹baseball mérkőzés, ahol a dobó nem ér el találatot›

no-hoper *fn Ausz szl* reménytelen eset *[emberről]*

nohow [ˈnouhau] *hsz* **1.** *US* sehogy(an sem), semmiképp(en) **2.** *biz* rosszul, kellemetlenül, pocsékul; **I feel all ~** pocsék rosszul érzem magam

noil [nɔɪl] *fn tex* fésűskóc, gyapjúhulladék, pamuthulladék

noise [nɔɪz] **I.** *fn* **1. a)** lárma, zaj, zsivaj, *fiz* zaj/zavarás; **deafening ~s** fülsiketítő lárma/zaj; *szính* **~s off** lárma a színfalak mögött; **make ~** lármázik, zajong, zajt csinál **b)** *körny* **ambient ~** környezeti zaj **c) make a ~ in the world** (köz)feltűnést kelt; sokat beszél/panaszkodik **2.** hang, zörej; **have ~s in the ears** cseng a füle **II. A.** *tsi* **~ sg abroad** világgá kürtöl vmt, elhíresztel vmt **B.** *tni* lármázik, zajong • *mn* **noiseful**

noiseless [ˈnɔɪzləs] *mn* **a)** hangtalan, csöndes, nesztelen, zajtalan, zörejmentes; **with ~ steps** hangtalan léptekkel **b)** csendes *[környék]* • *fn* **noiselessness** *hsz* **noiselessly**

noise level *fn* zajszint

noise pollution *fn körny* zajártalom

noisette [nwaːˈzet ‖ nwə–] *fn gaszt* **1.** kb. érme *[kis kerek húsdarab]* **2.** mogyorós csokoládé

noisome [ˈnɔɪsəm] *mn* **1.** büdös, bűzös **2.** káros, kártékony, ártalmas **3.** bántó, sértő, kifogásolható **4.** kellemetlen, visszataszító, undorító *[feladat]* • *fn* **noisomeness** *hsz* **noisomely**

noisy [ˈnɔɪzi] *mn* **1.** zajos, hangos, lármás **2.** zajongó, hangoskodó, lármázó, zsivajgó *[ember(ek)]* **3.** hangos, rikító, kiabáló *[szín, öltözék]* • *fn* **noisiness** *hsz* **noisily**

nola [ˈnoulə] *fn szl [homoszexuális férfi]* köcsög; buzi, kislány

nolens volens [ˌnoulenz ˈvoulenz] *hsz latin* kénytelen-kelletlen

no-load *mn* **1.** *műsz* üres- *[járat]* **2.** *közg* **~ fund** tehermentes vagyon

nom. *röv* **1.** *nominal* **2.** *nominative*

nomad [ˈnoumæd] **I.** *fn* **1.** nomád *[ember, nép]* **2.** vándor **II.** *mn* **1.** nomád **2.** vándorló • *tni* **nomadize, -ise** *fn* **nomadism** *mn* **nomadic** *hsz* **nomadically**

no man's land *fn* **1.** *kat* senki földje **2.** *átv* senki földje, gazdátlan terület

nom de guerre [ˌnɒm də ˈgeə ‖ ˌnam də ˈger] *fn francia* álnév, felvett név, *biz* alias

nom de plume [ˈnɒm də ˈpluːm ‖ ˈnam–] *fn francia* (írói) álnév, művésznév; **what is his ~** milyen néven ír?

nomenclature [nouˈmenklətʃə ‖ ˈnoumənkleɪtʃər] *fn* **1. a)** szaknyelvi elnevezés, szakszó **b)** szaknyelv, szakmai elnevezések/kifejezések összessége, tudományos/szakmai terminológia, nómenklatúra **2.** névjegyzék, szaknyelvi jegyzék, szójegyzék, katalógus • *mn* **nomenclative, nomenclatural**

N

nominal ['nɒmɪnl ‖ 'nɑ–] *mn közg* **1. a)** névleges, név szerinti, fiktív, név-, nominál-, nominális; ~ **load** névleges terhelés; ~ **speed** névleges fordulatszám; ~ **value** névérték; ~ **wages** nominálbérek **b)** jelképes *[összeg]* **2.** névhez tartozó, névre/elnevezésre vonatkozó; *kat* ~ **roll** névsor **3.** *nyelv* névszói, nominális • *hsz* **nominally**

nominalism ['nɒmɪnəlɪzm ‖ 'nɑ–] *fn fil* nominalizmus • *fn/mn* **nominalist** *mn* **nominalistic**

nominalize ['nɒmɪnəlaɪz ‖ 'nɑm–], **-ise** *tsi nyelv* főnevet képez (vmből), főnevesít, nominalizál (vmt) • *fn* **nominalization**, **-isation**

nominate ['nɒmɪneɪt ‖ 'nɑ–] *tsi* **1. a)** jelöl, javasol, ajánl, indít *[jelöltet választáson]* **b)** kinevez; ~ **sy to/for a post** vkt vmlyen állásra kinevez **2.** *ritk* **a)** nevez (vkt vmnek), (vmlyen) névvel illet (vkt) **b)** elnevez, nevet ad vknek/vmnek **c)** megnevez, név szerint említ **d)** megnevez, kijelöl *[helyet, időt]* • *fn* **nominator** *mn* **nominable**

nomination [ˌnɒmɪ'neɪʃn ‖ 'nɑ–] *fn* **1. a)** kinevezés, előléptetés **b)** felterjesztés *[előléptetésre]* **c)** kinevezési jog **2.** jelölés, jelöltetés, ajánlás, indítás *[jelöltté választáson]* **3.** (be)nevezés *[versenyre]*

nominative ['nɒmɪnətɪv ‖ 'nɑ–] **I.** *mn* **1.** *nyelv* alany-*[eset]*, alanyeseti **2. a)** kinevezett *[hivatalnok]* **b)** kinevezési, kinevezéses *[rendszer]* **II.** *fn nyelv* alanyeset, nominativus

nominee [ˌnɒmɪ'ni: ‖ ˌnɑ–] *fn* **1.** jelölt **2.** a megjelölt/kijelölt személy **3.** életjáradék kedvezményezettje

nomogram ['nɒməgræm ‖ 'nɑ–] *fn* nomogram, szerkesztődiagram; ‹mennyiségi viszonyok geometriai ábrázolása›

nomograph ['nɒməgrɑ:f ‖ 'nɑməgræf] → **nomogram** • *fn* **nomographer**, **nomography** *mn* **nomographic**

non- [nɒn ‖ nɑn] *előtag* nem-, non-; **non-smoker** nemdohányzó; **nonconformist** nonkonformista

non-abstainer *fn* nem antialkoholista

non-acceptance *fn* visszautasítás, el nem fogadás

non-addictive *mn* függőséget nem okozó, nem addiktív

nonage ['nounɪdʒ ‖ 'nɑ–] *fn* **1.** kiskorúság **2.** *biz* éretlenség, gyermekkor

nonagenarian [ˌnounədʒɪ'neərɪən ‖ –'nerɪən] *fn/mn* kilencvenes éveiben járó (személy)

non-aggression *fn pol* meg nem támadás; ~ **pact** megnemtámadási szerződés

nonagon ['nɒnəgən ‖ 'nɑnəgɑn] *fn mat* kilencszög

non-alcoholic *mn* alkoholmentes; ~ **drink** alkoholmentes ital, üdítőital

non-aligned *mn pol* el nem kötelezett, semleges • *fn* **non-alignment**

no-name *mn* **a)** nevenincs **b)** *gazd* nem márkás

non-appearance *fn jog* meg nem jelenés

nonary ['nounəri] **I.** *mn mat* kilences *[számrendszer]* **II.** *fn mat* kilenc tagból álló csoport

non-atomic *mn* atommentes; ~ **weapon** hagyományos fegyver

non-attachment *fn* nem ragaszkodás vmhez, függetlenség, lelki szabadság • *mn* **non-attached**

non-attendance *fn* meg nem jelenés, távolmaradás

non-availability *fn* **1.** beszerezhetetlenség, nem kapható volta (vmnek) **2.** rendelkezésre nem állás, vknek be nem vonhatósága vmbe • *mn* **non-available**

non-believer *fn* **1.** nem (isten)hívő, ateista **2.** hitetlen

non-belligerent *fn/mn* nem hadviselő • *fn* **non-belligerence**

non-breakable *mn* (el)törhetetlen

non-carbonated *mn* szénsavmentes

nonce [nɒns ‖ nɑns] *fn* **for the** ~ erre az egy alkalomra, most az egyszer

nonce-word *fn* alkalmi(lag alkotott) szó/kifejezés, egyedi szó/újítás, hapax (legomenon)

nonchalant ['nɒnʃələnt ‖ ˌnɑnʃə'lɑnt] *mn* **1.** közönyös, közömbös, nemtörődöm, érzéstelen, lelkesedés/érdeklődés nélküli **2.** hanyag, gondatlan **3.** hidegvérű, nyugodt, laza • *fn* **nonchalance** *hsz* **nonchalantly**

non-Christian *fn/mn* nem keresztény

non-classified *mn* nem titkos(ított), szabadon hozzáférhető *[információ]*

non-clouding *fn gk* páramentes *[szélvédő üveg]*

non-collegiate *mn* **1.** egyik egyetemi kollégiumhoz sem tartozó *[egyetemi hallgató]* **2.** kollégiumokra nem oszlott *[egyetem]*

non-com [–'kɒm ‖ –'kɑm] *biz* → **non-commissioned**

non-combatant *mn/fn kat* segédszolgálatos, nem harcoló; ~ **labour corps** munkaszolgálat; ~ **service** kisegítő szolgálat

non-commissioned *mn kat* ~ **officer** altiszt, tisztes

non-committal *mn* semmire nem kötelező, semmitmondó, diplomatikus *[válasz, magatartás]*

non-committed *mn pol* el nem kötelezett

non-communicant *fn vall* nem áldozó, az áldozásban részt nem vevő (személy)

non-Communist *fn/mn* nem kommunista

non-completion *fn* be nem fejezés, el nem végzés *[munkáé]*, nem teljesítés *[szerződés]*

non-compliance *fn* engedetlenség, megtagadás, meg nem tartás, nem teljesítés; ~ **with orders** parancsmegtagadás

non compos [–'kɒmpəs ‖ –'kɑm–] *fn szl [bolond]* nem komplett, lökött, buggyant

non compos mentis [nɒn ˌkɒmpɒs 'mentɪs ‖ nɑn ˌkɑmpəs 'mentɪs] *mn* zavart elméjű, ügyeinek intézésére alkalmatlan, nem beszámítható

non-conductor *fn el* nem vezető, szigetelő • *fn* **non-conductability** *mn* **non-conducting**

non-confidential *mn* nem bizalmas

nonconformist *fn/mn* **1.** nonkonformista, nem alkalmazkodó, a maga útját járó, rendhagyó viselkedésű **2.** *vall* nonkonformista, szakadár *[nem anglikán vallású angol protestáns]* • *fn* **non-conformism**

nonconformity *fn* **1. a)** nem alkalmazkodás **b)** meg nem egyezés **2.** *vall* nonkonformizmus

non-contagious *mn orv* nem ragályos/fertőző

non-content [–kən'tent] *fn pol* nemmel szavazó, ellenszavazat *[a Lordok Házában]*

non-contributory *mn* hozzájárulás nélküli, befizetés nélkül nyugdíjat adó *[nyugdíjalap]*

non-cooperation *fn pol* együtt nem működés

non-delivery *fn* a szállítás/kézbesítés elmulasztása

non-democratic *mn* nem demokratikus

non-denominational *mn* nem felekezeti/egyházi, felekezethez/valláshoz nem kötött

nondescript [–dɪskrɪpt] **I.** *mn* leírhatatlan, meghatározhatatlan, bizonytalan (jellegű), nehezen meghatározható **II.** *fn pej* bizonytalan egzisztencia

non-drinker *fn* absztinens, antialkoholista

none[1] [nʌn] **I.** *nm* **1.** egy(ik) sem; ~ **of them** egyikük sem **2.** semmi; **if for ~ other** ha már másért nem is; **I will have ~ of it!** erről ne halljak többé!, ebből nem kérek!; ~ **of your impudence!** ne szemtelenkedj!; ~ **of that!** azt (már) nem!; ezt hagyd abba! **3.** senki; ~ **but he** csak ő, ő egyedül; **it is ~ of your business** semmi közöd hozzá, nem a te dolgod **II.** *mn* semmi(lyen); **money I had** ~ nem volt (semmi) pénzem, pénzem pedig nem volt; **it was ~ other than** nem volt más, mint **III.** *hsz* **1.** semmiképpen, egyáltalán nem; **he is ~ the happier** semmivel sem boldogabb; **I am ~ the wiser for it** ettől nem lettem okosabb; **I am ~ the worse for it** nem lett semmi bajom belőle **2.** ~ **but** csakis; ~ **the less** → **nevertheless**; ~ **too** nem nagyon; ~ **too clear** nem túl világos **3.** *US* **I slept ~ last night** az éjszaka semmit nem aludtam

none[2] [noun] *fn vall* nóna

non-effective I. *mn* **1.** hatástalan **2.** *kat* szolgálaton kívüli *[tiszt]* **II.** *fn kat* szolgálaton kívüli tiszt

non-ego *fn fil* nem én

non-elective *mn pol* nem választott

nonentity *fn* **1. a)** nemlét **b)** nem létező dolog **2.** jelentéktelen ember, senki

nones [noʊnz] *fn tsz tört* nónák
non-essential [ˌnɒnɪˈsenʃl ‖ ˌnɑn–] *mn* nem lényeges, lényegtelen, nem feltétlenül szükséges
nonesuch [ˈnʌnsʌtʃ] → **nonsuch**
nonet [ˌnoʊˈnet] *fn zene* nonett
nonetheless [ˌnʌnðəˈles], **none the less** → **nevertheless**
non-Euclidean [ˌnɒnjuːˈklɪdɪən ‖ ˌnɑnjʊ–] *mn mat* nem-euklideszi
nonevent *fn* **a)** unalmas esemény **b)** csalódást keltő (v. érdektelennek/jelentéktelennek bizonyuló) esemény
non-existent [–ɪgˈzɪstənt] *mn* nem létező • *fn* **non-existence**
non-explosive *mn* robbanásmentes, nem robbanó
non-fat *mn* sovány, zsírmentes; ~ **milk** sovány tej
non-fattening *mn* nem hizlaló
nonfeasance [–ˈfiːzns] *fn jog* vétkes mulasztás, kötelességmulasztás
non-ferrous *mn fémip* nem vas
non-fiction *fn ir.tud* tényirodalom *[nem szépirodalmi mű]* • *mn* **non-fictional**
non-finite *mn nyelv* nem véges *[igealak]*
non-flam [–ˈflæm] → **non-flammable**
non-flammable *mn mn* nem gyúlékony/gyulladó, éghetetlen
non-fulfilment *fn jog* nem teljesítés *[szerződésé]*
nong [nɒŋ ‖ nɔŋ] *fn Ausz szl [ostoba személy]* hólyag, tökfej, szamár
non-governmental *mn* a kormánytól független
non-human *fn/mn* nem ember(i)
non-infectious *mn orv* nem fertőző/ragályos
non-inflammable → **non-flammable**
non-interference *fn* be nem avatkozás
non-intervention *fn pol* be nem avatkozás • *fn/mn* **non-interventionist**
non-iron *mn tex* vasalást nem igénylő *[szövet]*
nonjoinder [ˌnɒnˈdʒɔɪndə ‖ ˌnɑnˈdʒɔɪndər] *fn jog* pertársként való fellépés/beavatkozás elmulasztása
nonjudg(e)mental *mn* nyitott, elfogulatlan, előítéletek nélküli
non-juror [–ˈdʒʊərə ‖ –ˈdʒʊrər] *fn* esküt megtagadó
non-jury *fn jog* ~ **case/action** esküdtszéki eljárást nem kívánó per
non-linear *mn infor* nemlineáris
non-linguistic *mn nyelv* nyelven kívüli, nem nyelvi
non-literary *mn* nem irodalmi
non-malignant *mn orv* nem rosszindulatú *[daganat]*
non-member *fn* kültag, meghívott vendég *[klubban]* • *fn* **non-membership**
non-metal *fn vegy* metalloid, nemfém • *mn* **non-metallic**
non-militant *mn* nem harcos/harcias
non-military *mn* nem katonai
non-moral *mn* amorális, erkölcsön kívüli
non-negotiable *mn pénz* nem forgalomképes, nem forgatható
non-nuclear [–ˈnjuːklɪə ‖ –ˈnuːklɪər] *mn* hagyományos, atomfegyverrel nem rendelkező; ~ **zone** atomfegyvermentes övezet
no-no *fn tsz* **no-nos** *biz* nem lehetséges/elfogadható *[dolog]*
non-objective *mn* **1.** nem az érzékelés útján fölfogható **2.** *műv* nem tárgyi, nem a valóságot ábrázoló, absztrakt *[műalkotás]*
non-observance *fn* meg nem tartás *[törvényé]*, figyelmen kívül hagyás
non-official *mn* nem hivatalos
no-nonsense *mn* értelmes, gyakorlatias, nyílt; ~ **approach** gyakorlatias hozzáállás/megközelítés
nonpareil [ˌnɒnpəˈrel ‖ ˌnɑn–] **I.** *mn* hasonlíthatatlan, páratlan, párját ritkító **II.** *fn* **1.** páratlan (v. párját ritkító) ember/dolog **2.** legfinomabb fajta *[gyümölcs stb.]* **3.** *nyomd* nonpareille (betűnagyság) *[6 pont]*
non-participating *mn* részt nem vevő
non-partisan *mn* párton kívüli, elfogulatlan
non-party *mn* párton kívüli
non-payment *fn* nem fizetés, fizetés elmulasztása (v. nem teljesítése)
non-performance *fn* nem teljesítés *[kötelezettségé]*, meg nem tartás *[szerződésé]*
non-perishable *mn* nem romlandó
non-person *fn* jelentéktelennek v. nem létezőnek tartott személy
non-physical *mn* nem testi • *hsz* **non-physically**
nonplus [–ˈplʌs] **I.** *tsi* megzavar, összezavar, zavarba hoz, elképeszt; **be ~sed** tanácstalan, azt sem tudja mit tegyen/szóljon, el van képedve **II.** *fn* **-ss-**, *US* **-s-** zavar; **be at a ~** zavarban van
non-poisonous *mn* nem mérgező/mérges
nonpolitical *mn* **1.** apolitikus, politikamentes **2.** politikailag közömbös
non-porous *mn* nem porózus, tömör
non-possumus [–pɒˈs(j)uːməs ‖ –ˈpɑs(j)əməs] *fn jog* nem áll módunkban
non-productive *mn* **1.** nem termelő **2.** terméketlen • *hsz* **non-productively**
non-professional *mn* nem hivatásos/hivatásbeli, műkedvelő, amatőr
non-profit [–ˈprɒfɪt ‖ –ˈprɑ–], *US* **nonprofit** *mn* nonprofit, nem anyagi célokat szolgáló, nem haszonra/profitra dolgozó, altruista *[társaság, intézmény]*
non-profit-making *GB* → **non-profit**
non-proliferation *mn pol* ~ **treaty/agreement/pact** atomsorompó-egyezmény
non-racial *mn* nem faji (alapú)
non-reader *fn* analfabéta
non-representational *mn műv* absztrakt, nem figurális *[művészet]*
non-resident *fn/mn* **1.** nem helyben lakó; ~ **landowner** nem helyben lakó földbirtokos **2.** *okt* bejáró *[növendék]* **3.** *pénz* devizakülföldi • *fn* **non-residence** *mn* **non-residential**
non-resistance *fn tört* ellen nem állás, ellenállás hiánya
nonrestrictive *mn nyelv* nem kijelölő értelmű, nem korlátozó
non-returnable *mn* nem visszaváltható *[üveg stb.]*
non-scientific *mn* nem tudományos
nonsense [ˈnɒnsns ‖ ˈnɑnsens] *fn* **1.** értelmetlenség, képtelenség, zagyvaság, badarság, nonszensz; ~ **rhyme** zagyva rím; ~ **verses** halandzsavers; **this passage makes ~** ennek a bekezdésnek/mondatnak nincs semmi értelme **2. a)** ostobaság, oktalanság, szamárság, hülyeség; **~!** ugyan!, menj már!, ostobaság!, hülyeség!; **I've had enough of this ~** elegem van ebből a hülyeségből; **that's all ~!** ez ostobaság!; **talk ~** ostobaságokat mond **b)** ostoba/oktalan viselkedés; **now, no ~!** hagyjátok abba!, nahát, elég legyen!, szűnjetek meg!, elég az ostobaságból! • *fn* **nonsensicality** *mn* **nonsensical** *hsz* **nonsensically**
non sequitur [–ˈsekwɪtə ‖ –ər] *fn fil* a premisszákból logikusan nem következő konklúzió
non-shatterable *mn* törhetetlen, szilánkmentes *[üveg]*
non-slip *mn* **1.** nem csúszó(s) **2.** csúszásgátló
non-smoker *fn* **1.** nem dohányos **2.** *vasút* nemdohányzó fülke/kocsi/szakasz • *fn/mn* **non-smoking**
non-specialist *fn/mn* nem szakember
nonspecific *mn orv* nem korlátozott/konkrét/specifikus
non-standard *mn* **1.** nem elfogadott **2.** *nyelv* anyanyelvi beszélők által nem helyesnek/elfogadottnak tartott szó(lásforma)

N

non-starter *fn* **1.** *sp* ‹versenybe benevezett, de el nem rajtoló személy/jármű/állat› **2.** *biz* ‹sikerre esélytelen személy/dolog›
non-stick *mn* **1.** nem tapadós/ragadós **2.** teflon-; ~ **pots and pans** teflonedények
non-stop I. *mn* megszakítás nélküli, folytatólagos, nonstop; ~ **journey** megszakítás nélküli utazás; *film* ~ **performance** folytatólagos előadás; ~ **train** közvetlen (gyors)vonat **II.** *hsz* megállás/leszállás/megszakítás nélkül **III.** *fn* közvetlen járat
nonsuch [ˈnʌnsʌtʃ] **I.** *mn* hasonlíthatatlan, páratlan, párját ritkító **II.** *fn* páratlan ember/dolog
nonsuit [ˌnɒnˈsuːt ‖ ˈnɑn–] *jog* **I.** *fn* **1.** bírói eljárás megszüntetése **2.** kereset elutasítása **II.** *tsi* **1.** megszüntet *[eljárást]* **2.** elutasít *[felperest]*; **be ~ed** elutasítják a keresetét
nonsurgical *mn* nem sebészi, hagyományos *[kezelési mód]*
non-swimmer *fn* úszni nem tudó személy
non-taxable *mn pénz* adó alá nem eső
non-transferable *mn* át nem ruházható, átruházhatatlan, nem traszferálható
non-U [–ˈjuː] *mn GB biz* iskolázatlan, kulturálatlan, nem kifinomult/művelt, nem a felső osztályokhoz tartozó
non-union *mn* szervezetlen, szakszervezetbe nem tartozó *[munkás]*, nem szakszervezeti • *fn* **non-unionist**
non-usage *fn jog* nem használás, nem használat
non-verbal *mn* nem szavakkal történő, *nyelv* nonverbális • *hsz* **non-verbally**
non-violence *fn* erőszakmentesség, erőszaktól való tartózkodás • *mn* **non-violent**
non-voting *mn* **1.** nem szavazó, szavazati joggal nem élő, szavazástól tartózkodó *[személy]* **2.** szavazati joggal nem rendelkező *[részvény]* • *fn* **non-voter**
non-white I. *mn* nem fehér *[személy(re jellemző)]* **II.** *fn* nem fehér személy
noodle [ˈnuːdl] **I.** *fn* **1.** *gaszt* metélt, tészta, nudli **2.** *biz [együgyű, ostoba ember]* hólyag, szamár, tökfilkó, tökfej **3.** *US szl [fej]* bura, tök, dió **II.** *tni szl [gondolkodik]* filózik, gógyizik
nook [nʊk] *fn* **1.** sarok, zug; **in every ~ and cranny** minden zugban, mindenhol **2.** *épít* beugrás, bemélyedés, beszögellés
nookie [ˈnʊki] *fn szl [közösülés]* dugás, kettyintés, zsákolás
nooky → **nookie**
noon [nuːn] *fn* **1.** dél *[napszak]*; **at ~** délben; **the ~ sun** a déli nap(sütés) **2.** *átv* tetőpont, csúcspont
noonday [ˈnuːndeɪ] *fn* dél *[napszak]*, világos/fényes nappal; *átv* **clear as ~** a napnál is világosabb
no-one [ˈnoʊwʌn], **no one** *fn* senki; **~ told me (about this)** nekem senki nem szólt (erről); **there was ~ there** nem volt ott senki, egy lélek sem volt ott
noontide [ˈnuːntaɪd] *fn* dél *[napszak]*
noose [nuːs] **I.** *fn* **1.** siklóhurok; **hangman's ~** a hóhér kötele; *biz átv* **put one's head in the ~** nyakába veszi az igát, megnősül; saját csapdájába esik **2.** pányva, lasszó **II.** *tsi* **1.** hurkot köt, meghurkol **2. a)** hurokkal fog *[nyulat stb.]* **b)** lasszóval megfog, megpányváz
no overtaking sign *fn közl* előzni tilos tábla
nope [noʊp] *hsz biz [nem, dehogy]* nem, nyet
no place *hsz US* sehol
nor [nɔː ‖ nɔr] *ksz* **1.** sem; **neither ... ~** se(m) ... se(m) ...; **neither good, ~ bad** se nem jó, se nem rossz **2.** és nem is; **I do not know, ~ can I guess** nem tudom és ki sem tudom találni; **~ I (either)** én sem, sem én; **~ does it seem that** különben sem úgy néz ki, hogy
NOR [nɔː ‖ nɔr] *röv infor not OR*
nor' [nɔː ‖ nɔr] *mn/fn hajó* észak
Nora [ˈnɔːrə ‖ ˈnɔrə], **Norah** *tul* Nóra
Nordic [ˈnɔːdɪk ‖ ˈnɔr–] **I.** *mn* **1.** északi, nordikus (fajta), skandináv **2.** *sp* **~ (combined) events** északi (összetett) számok *[síversenyben]* **II.** *fn* északi/skandináv személy
nordic skiing *fn sp* sífutás

Norfolk [ˈnɔːfək ‖ ˈnɔr–] *tul földr* Norfolk; **~ jacket** Norfolk kabát, viharkabát
nork [nɔːk ‖ nɔrk] *fn szl [női mell]* duda, didi, cickó, cici
norland [ˈnɔːlənd ‖ ˈnɔr–] *fn GB vál* északi vidék/táj • *fn* **norlander**
norm [nɔːm ‖ nɔrm] *fn* **1.** norma, zsinórmérték, szabály, minta; **that's the ~** ezt várják el **2.** szabályos/megfelelő viselkedés/viselet **3.** *mat* közép, átlag
Norma [ˈnɔːmə ‖ ˈnɔr–] *tul* ‹női név›
normal [ˈnɔːml ‖ ˈnɔrml] **I.** *mn* **1. a)** szabályos, szabványos, szabályszerű **b)** szokásos, közönséges, elfogadott, rendes, normál(is); *infor* **~ view** normál nézet; **the ~ way** a szokásos mód(szer) **c)** normális *[viselkedés]* **2.** *mat* merőleges **3.** *vegy* normál; **~ solution** normáloldat **4.** *US* **~ school** tanítóképző **II.** *fn* **1.** normális állapot; **everything is back to ~** minden visszatért a megszokott kerékvágásba; **return to ~** normalizálódik **2.** *mat* normális, merőleges • *fn* **normality**, **normalcy**
normalize [ˈnɔːməlaɪz ‖ ˈnɔr–], **-ise A.** *tsi* **1.** szabványosít, rendszeresít *[terméket]* **2.** normalizál *[helyzetet]* **B.** *tni* szabályossá válik, rendeződik, normalizálódik • *fn* **normalization**, **-isation**, **normalizer**, **-iser**
normal range *fn orv* normálérték-tartomány
Norman [ˈnɔːmən ‖ ˈnɔr–] **I.** *mn* **a)** normann; **~ architecture/style** angliai román építészet(i stílus); *tört* **the ~ Conquest** a normann hódítás **b)** normandiai **II.** *fn* **1. a)** normann **b)** normandiai **2.** *épít* angliai román építészet/stílus **3. ~ (French)** normann-francia nyelv **III.** *tul* ‹férfinév› • *tsi/tni* **Normanize**, **-ise** *fn* **Normanism** *mn* **Normanesque**
Normandy [ˈnɔːməndi ‖ ˈnɔr–] *tul földr* Normandia; *tört* **the ~ landings**, **the landings in ~** a normandiai partraszállás
normative [ˈnɔːmətɪv ‖ ˈnɔr–] *mn* **1.** irányadó, szabályozó, törvényszabó, előíró, előírásos, norma szerinti, normatív; **~ theory** normatív elmélet **2.** *fil* normatív *[tudományok]* • *fn* **normativeness** *hsz* **normatively**
Norse [nɔːs ‖ nɔrs] **I.** *fn* **1.** *nyelv* norvég (nyelv) **2. a) the N~** norvégok; vikingek; skandinávok **b)** skandinávok **II.** *mn* **1.** norvég(iai) **2.** *tört* északi, viking, skandináv; **~ mythology** északi/skandináv mitológia; **the ~ myths** az északi legendák • *fn* **Norseman**
north [nɔːθ ‖ nɔrθ] **I.** *fn* **1.** észak; **on the ~** északon; **to the ~** északra, észak felé; **on/to the ~ of sg** vmtől északra; **house facing (the) ~** északi fekvésű ház **2.** *földr* északi rész/település/ország, északi fekvés; **the N~** Észak-Anglia; *US tört* észak, az északi államok; az Északi-sark; **the ~ of England** Anglia északi része **3.** *csill* **~ point** északpont, koordinációs pont **II. a)** *mn* északi, északra néző, északra nyíló; **~ aspect** északi fekvés **b)** *földr* északi, észak-; **N~ Cape** Északi-fok; **the N~ Pole** az Északi-sark **III.** *hsz* **1.** északra, észak felé, északi irányban; *hajó* **sail due ~** észak felé hajózik/halad; **travel ~** északra utazik; **~ by east** észak-északkeleti irányban, észak-északkelet felé; *biz átv* **a little more ~** no még egy kicsit! **2.** északon; *biz átv* **too far ~** sok a jóból, túl szép a menyasszony **3. ~ of sg** vmtől északra **4.** északról, észak felől; **the wind blows ~** északi szél fúj, a szél északról fúj
North America *fn/mn földr* Észak-Amerika • *fn/mn* **North American**
Northants [ˈnɔːθænts ‖ ˈnɔr–] *röv Northamptonshire*
North Atlantic Treaty Organization *tul kat pol* Észak-atlanti Szerződés Szervezete; → **NATO**
northbound *mn* észak felé/északi irányba haladó
North Carolina *tul földr US* Észak-Karolina
North Country *tul földr GB* Észak-Anglia • *fn* **north-countryman**
North Dakota *tul földr US* Észak-Dakota
north-east I. *fn* északkelet **II.** *mn* északkeleti **III.** *hsz* **1.** északkelet felé, északkeletre, északkeleti irányban **2.** északkeleten **3. ~ of sg** vmtől északkeletre **4.** északkeletről, északkelet felől • *mn* **north-eastern**

north-easter [ˌnɔːθ'iːstə ‖ ˌnɔrθ'iːstər] *fn* északkeleti szél

north-easterly I. *mn* északkeleti *[szél, irány]* **II.** *hsz* északkeleti irányban, északkelet felé

north-eastward I. *mn* északkeleti **II.** *hsz* északkelet felé

norther ['nɔːðə ‖ 'nɔrðər] *fn US* (erős) északi szél

northerly ['nɔːðəli ‖ 'nɔrðərli] **I.** *mn* északi **II.** *hsz* északi irányban, észak felé **III.** *tsz* **northerlies** északi szél

northern ['nɔːðən ‖ 'nɔrðərn] *mn* északi, észak-; *nyelv* ~ **English** észak-angliai nyelvjárás; ~ **lights** északi fény, aurora borealis; ~ **star** Északi Sarkcsillag; **the N~ States** az Egyesült Államok északi államai; *földr Ausz* **N~ Territory** Északi terület • *fn* **northerner**

Northern Ireland *tul földr* Észak-Írország

northernmost ['nɔːðənmoust ‖ 'nɔrðərn–] *mn* a legészakibb, a legészakabbra fekvő

North Germanic *fn/mn nyelv* északi germán, skandináv

northing ['nɔːθɪŋ ‖ 'nɔr–] *fn hajó* észak felé vezető út

North Korea [ˌnɔːθ kə'rɪə ‖ ˌnɔrθ kə'riːə] *tul földr* Észak-Korea • *fn/mn* **North Korean**

Northland ['nɔːθlənd ‖ 'nɔrθ–] *fn* **1.** *földr* **the ~s** az északi országok **2.** *vál* **the ~** az ország északi része

north light *fn* **1.** északi irányból kapott fény **2. ~s** *ritk* → **northern lights**

Northman ['nɔːθmən ‖ 'nɔrθ–] *fn tsz* **-men** *tört* skandináv(iai), viking

north-north-east I. *fn* észak-északkelet **II.** *mn* észak-északkeleti **III.** *hsz* **1.** észak-északkelet felé **2.** észak-északkeleten **3.** ~ **of sg** vmtől észak-északkeletre **4.** észak-északkeletről, észak-északkelet felől

north-north-west I. *fn* észak-északnyugat **II.** *mn* észak-északnyugati **III.** *hsz* **1.** észak-északnyugat felé, észak-északnyugatra, észak-északnyugati irányban **2.** észak-északnyugaton **3.** ~ **of sg** vmtől észak-északnyugatra **4.** észak-északnyugatról, észak-északnyugat felől

North Sea *tul földr* Északi-tenger; *GB* ~ **oil** északi-tengeri olaj

north-south *mn* észak-déli

North Star *fn* (Északi) Sarkcsillag

Northumb. *röv Northumberland*

northward ['nɔːθwəd ‖ 'nɔrθwərd] **I.** *mn* északi (irányú) **II.** *hsz* északra, észak felé, északi irányba(n)

northwardly ['nɔːθwədli ‖ 'nɔrθwərdli] **I.** *mn* északi irányú **II.** *hsz* északi irányba(n)

north-west I. *fn* északnyugat **II.** *mn* északnyugati; **N~ Passage** északnyugati átjáró **III.** *hsz* **1.** északnyugatra, északnyugat felé, északnyugati irányban; ~ **by west** nyugat-északnyugati irányban, nyugat-északnyugat felé **2.** északnyugaton; ~ **of sg** vmtől északnyugatra **3.** északnyugatról, északnyugat felől

north-wester [ˌnɔːθ'westə ‖ ˌnɔrθ'westər] *fn* északnyugati szél

north-westerly I. *mn* északnyugati **II.** *hsz* északnyugati irányban, északnyugat felé

north-western *mn* északnyugati

north-westward I. *mn* északnyugati **II.** *hsz* északnyugati irányban, északnyugat felé

Norway ['nɔːweɪ ‖ 'nɔr–] *tul földr* Norvégia

Norwegian [ˌnɔː'wiːdʒən ‖ ˌnɔr–] **I.** *fn* **1.** norvég (ember) **2.** *nyelv* norvég (nyelv) **3.** *tul földr,* ~ **Sea** Norvég-tenger **II.** *mn* norvég(iai)

Nos., nos. *röv numbers*

no-score draw *fn sp* gól nélküli döntetlen *[labdarúgásban]*

nose [nouz] **I.** *fn* **1. a)** orr; **crooked ~** görbe orr; **tip of the ~** orrhegy; *szl* ~ **candy** *[kokain]* kokó, por, hó; ~ **glasses** cvikker, csíptető; *szl* ~ **paint** pálinka, whisky; *biz* **as plain as the ~ on your face** világos, mint a nap; **blow one's ~** orrot fúj; *biz átv* **count/tell ~s** megszámolja a követőit/híveit; *átv* **cut off one's ~ to spite one's face** saját maga kárára neheztel vkre; *szl* **get up sy's nose** vknek az agyára megy; **have a runny/running nose** folyik az orra, náthás; **hold one's ~** befogja az orrát; *biz* **it's under your very ~** ott van az orrod előtt; *biz* **just follow your ~** menj tovább egyenesen; *biz szl* **keep one's ~ clean** rendesen viselkedik, távol tartja magát a bajtól; *átv* **lead sy by the ~** orránál fogva vezet vkt; **make a long ~ at sy** hosszú orrot (v. szamárfület) mutat vknek *[csúfolás]*; *US* **on the ~** pontosan; *átv* **poke one's ~ into sg** beleüti vmbe az orrát; *biz átv* **pull sy's ~** megleckéztet vkt; *átv* **see no further than one's ~** rövidlátó, meggondolatlan; **speak through one's ~** orrhangon beszél; *átv* **turn up one's ~** felhúzza az orrát; **with his/her ~ in the air** nagyképűen, beképzelten; *biz* **win by a ~** egy hajszállal győz **b)** *hajó rep* orr **2.** szaglás, szimat; **dog with a good ~** jó szimatú kutya; *biz* **have a ~ for sg** jó szimata/orra van vmhez **3.** szag, illat; *biz átv* **have a ~ round** körbeszaglászik (vhol), átkutat (vmt) **4.** *műsz* **a)** fúvóka, porlasztó **b)** kiöntő(cső), csőr *[kifolyóé]* **5.** *szl [besúgó, rendőrspicli]* szimat, tégla, spigó **II. A.** *tsi* **1.** megérzi a szagát (vmnek), szag után felfedez **2.** *átv* kiszimatol, megérez *[titkos dolgot]* **B.** *tni* **1.** szaglász, szimatol; ~ **at sg** megszagol vmt **2.** *[átv]* szimatol, fürkész, kutat **3.** lassan/tapogatózva megy/halad **4.** *szl [besúg]* mószerol • *mn* **nosed, noseless**

nose about *tni* → **nose around**

nose after *tni* kutat/szimatol/szaglász vk/vm után

nose around *tni átv* szimatol(gat), fürkész, kutat, puhatol, ide-oda szaglász

nose for *tni* ~ **for sy/sg** kutat/szimatol/szaglász vk/vm után

nose in *tni biz* befurakodik (vhova)

nose out *tsi* **a)** *biz átv* kiszimatol, kiszaglász, kitalál, rájön (vmre), nyomára akad (vmnek) **b)** ~ **out the game** megszimatolja a vad szagát

nosebag *fn [ló fejére akasztható]* abrakos tarisznya; *biz átv* **take a ~ with one** magával viszi az ennivalóját

noseband *fn* orrszíj, orradzó *[lószerszámon]*

nosebleed *fn* orrvérzés

nose-cap *fn kat* csősapka *[lövegnél]*

-nosed [nouzd] *utótag* **broad~** széles orrú

nosedive ['nouzdaɪv] **I.** *fn* **1.** *rep* zuhanórepülés, bukórepülés **2.** *átv* zuhanás *[áraké]* **II.** *tni rep átv* zuhanórepülést végez, zuhan

nose drops *fn tsz* orrcsepp

nosegay ['nouzgeɪ] *fn* (illatos virág)csokor

nose job *fn szl* ‹az orr kozmetikai/sebészeti átformálása›

nose-piece *fn* **1. a)** *régi* orrvédő *[sisaké]* **b)** orrszíj, orradzó *[lószerszámon]* **2.** *műsz rep* orr-rész **3. a)** fúvókafej **b)** csővég **4.** tárgylencsefoglalat, tárgylencserevolver *[mikroszkópon]*

nosepipe *fn* csővég

nose-rag *fn szl [zsebkendő]* orrtörlő rongy

nosering *fn* orrkarika

nose-to-tail *mn/hsz GB* szorosan egymást követő *[járművek]*

nose wheel *fn rep* orrfutómű

nosey ['nouzi] → **nosy 1.**

nosh [nɒʃ ‖ nɑʃ] *szl* **I.** *tsi* **a)** *[eszik]* kajál, burkol, zabázik **b)** *US* nassol **II.** *fn* **a)** *[étel]* kaja, siló, burok **b)** *US* nass

noshery [nɒʃəri ‖ nɑʃəri] *fn szl [étkező, étkezde]* kajálda

nosh-up ['nɒʃʌp] *fn GB szl [nagy evés-ivás]* zaba(túra)

nosing ['nouzɪŋ] *fn* **1.** *épít* élvédő szögvasalás, legömbölyítés *[lépcsőfoké]* **2.** ütköző, csappanó *[zárban]*

nosism ['nouzɪzm] *fn biz* beképzeltség, fontoskodás

nosography [nɒ'sɒgrəfi ‖ nɑ'sɑ–] *fn orv* nozográfia, kórleírás, kórtan

nosology [–'sɒlədʒi ‖ –'sɑ–] *fn orv* kórtan, betegségosztályozás, nosológia, nozológia • *fn* **nosologist** *mn* **nosological**

nostalgia [nɒ'stældʒə ‖ nɑ–] *fn* **1.** sóvárgás, (érzelgős vissza)vágyódás, nosztalgia **2.** honvágy

nostalgic [nɒ'stældʒɪk ‖ nɑ–] **I.** *mn* **1.** érzelgősen sóvárgó/vágyódó, nosztalgikus *[ember]* **2.** nosztalgikus, nosztalgiás *[hangulat stb.]* **3.** honvágytól szenvedő, hazavágyó **II.** *fn* nosztalgiára hajlamos ember • *hsz* **nostalgically**

N

nostril [ˈnɒstrɪl ‖ ˈnɑ–] *fn* orrlyuk; *biz átv* **stink in sy's ~s** undorodik vktől/vmtől, utál vkt/vmt • *mn* **nostrilled**

nostrum [ˈnɒstrəm ‖ ˈnɑ–] *fn* **a)** csodaír, titkos szer, *[kuruzslóé]* **b)** *átv* csodaszer *[politikai* v. *társadalmi reformokra]*

nosy [ˈnoʊzi] *mn biz* **1.** kíváncsi(skodó), kandi, indiszkrét; **a N~ Parker** kotnyeles ember, minden lében kanál **2.** nagy orrú **3. a)** büdös, bűzös **b)** jószagú, illatos *[tea]*

not [nɒt ‖ nɑt] *hsz* **1.** nem; **~ at all** egyáltalán nem; kérem, szívesen *[köszönömre* v. *udvarias kérésre adott válasz]*; **~ available** nem használható/hozzáférhető, nem áll rendelkezésre; nincs adat *[statisztikában]*; **~ in the least/slightest** egyáltalában nem, csöppet sem; **~ quite** nem egészen/teljesen; **little or ~ at all** alig vagy egyáltalán nem; *szl* **~ half!** meghiszem azt!, mi az hogy!, tisztára!, töktotál!; **~ yet** még nem; **~ if I can help it!** szó se lehet róla!; **~ that** nem mintha; **I think ~** azt hiszem, hogy nem; **he is here, isn't he** (v. **is he ~**)? itt van, ugye/nemdebár/vagy nem?; **whether you want it or ~** akár akarod, akár nem **2. ~ a ... egy** ... sem; **~ a thing** semmi

nota bene [ˌnoʊtə ˈbenɪ ‖ ˌnoʊtə ˈbiːni] *kif latin* megjegyzendő, nota bene, NB

notability [ˌnoʊtəˈbɪləti] *fn* **1.** előkelőség, kitűnőség, kiváló/híres ember **2.** jelentőség, fontosság

notable [ˈnoʊtəbl] **I.** *mn* **a)** jelentős, figyelemre méltó, fontos **b)** tekintélyes, nevezetes, neves, híres **II.** *fn* előkelő/kiváló ember, előkelőség

notably [ˈnoʊtəbli] *hsz* **1.** érzékelhetően **2.** különös(képp)en

notarize [ˈnoʊtəraɪz], **-ise** *tsi* (közjegyzőileg) hitelesít *[okmányt]*

notary [ˈnoʊtəri] *fn* **1.** *jog* **~ (public)** közjegyző **2.** *vall* **apostolical ~** apostoli nótárius • *mn* **notarial** *hsz* **notarially**

notate [noʊˈteɪt ‖ ˈnoʊteɪt] *tsi* hangjegyekkel/számjegyekkel jelöl

notation [noʊˈteɪʃn] *fn* **1.** jelölés, (szak)jelzet **2.** *nyelv tud* jelölet, jelölési mód/rendszer, jelölés **3.** *mat* **decimal ~** tízes számrendszer • *mn* **notational**

notch [nɒtʃ ‖ nɑtʃ] **I.** *fn* **1. a)** bevágás, rovátka, horony; **raise the bar one ~** egy fokkal feljebb emeli a lécet *[magasugrásnál]* **b)** csorba *[pengén]* **2.** rovás, jelölés **3.** *biz átv* fok(ozat); **~ by ~** fokról fokra **4.** *US* (hegy)szoros, szurdok **II.** *tsi* **1. a)** bevág, bemetsz, rovátkol, fogaz **b)** kicsorbít *[pengét]* **2. ~ two planks together** két deszkát összeilleszt **3.** *átv* **~ up/down** rovással feljegyez, felró *[eredményt]* • *fn* **notcher** *mn* **notched, notchy**

note [noʊt] **I.** *tsi* **1.** megjegyez, megfigyel, tudomásul vesz; **~ (sg as) a fact** tényként vesz vmt tudomásul; **~ that** vegye figyelembe, hogy; **we duly ~ that** tudomásul vesszük hogy; *gazd* **we have ~d your order** tudomásul vettük rendelését **2. ~ sg (down)** (fel)jegyez, lejegyez, felír; lekottáz vmt **3.** *régi* jegyzetekkel ellát *[szöveget]* **II.** *fn* **1.** *zene* **a)** hangjegy **b)** billentyű *[zongoráé stb.]* **2. a)** hang; **strike the ~** megadja a hangot **b)** madárhang, madárszó **c)** *átv biz* hang(nem); **change one's ~** hangnemet változtat, más hangon kezd beszélni; **strike the right ~** megtalálja a helyes hangot/hangnemet, jó hangot üt meg; **on a sad ~** szomorú hangnemben/hangulatban **3. a)** (ismertető)jel, jellegzetesség, ismérv (of vmé) **b)** *nyomd* **~ of exclamation** felkiáltójel; **~ of interrogation** kérdőjel **c)** *régi* bélyeg, stigma; **~ of infamy** szégyenfolt **4. a)** jegyzet; **compare ~s with sy** jegyzeteket összehasonlít vkvel; *átv* tapasztalatot/eszmét cserél vkvel; **make/take ~s** jegyzeteket készít, jegyzetel; **make a ~ of sg** feljegyez vmt; **speak from/with ~s** jegyzeteiből beszél **b)** megjegyzés, (szél)jegyzet, magyarázat, kommentár; **make/write ~s on a text** szöveget jegyzetekkel ellát **c)** feljegyzés, rövid levél, néhány sor, *biz* cetli **d) diplomatic ~** diplomáciai jegyzék **5.** *pénz gazd* adóslevél, kötelezvény **6.** *pénz* **(bank) ~** bankjegy, papírpénz; **in used ~s** használt bankjegyekben; **ten-pound ~** tízfontos bankjegy **7. a)** kiválóság, hírnév, tekintély; **man of ~** kiváló ember **b)** figyelem; **worthy of ~** figyelemre méltó, érdemes megjegyezni; **nothing of ~** nem/semmi fontos (vm); **take ~ of sg** megjegyez/tudomásul vesz vmt • *mn* **noteless**

notebook [ˈnoʊtbʊk] *fn* **1.** jegyzetfüzet, notesz **2.** *infor* → **notebook computer**

notebook computer *fn infor* hordozható számítógép *[laptopnál kisebb]*

notecase *fn GB* pénztárca, levéltárca

noted [ˈnoʊtɪd] *mn* kiváló, híres, neves, hírneves; **a ~ conductor** neves karmester

notedly [ˈnoʊtɪdli] *hsz* pontosabban, különösképpen, főként

notehead *fn* fejléc *[levélpapíron]*

notelet [ˈnoʊtlɪt] *fn* kisméretű díszes papírlap *[bizalmas levél írására]*

notepad *fn* (jegyzet)blokk, jegyzettömb, írótömb

notepaper *fn* levélpapír; **foreign ~** hártyapapír, bibliapapír

noteworthy [ˈnoʊtwɜːði ‖ –wɜrði] *mn* jelentős, jelentékeny, figyelemre méltó, nevezetes • *fn* **noteworthiness** *hsz* **noteworthily**

nothing [ˈnʌθɪŋ] **I.** *fn* **1.** semmi; **~ but the truth** a színtiszta igazság; *biz* **~ doing** szó se lehet róla, nem vagyok hajlandó rá; reménytelen; **~ else** semmi más; **~ in particular** semmi különös(et), semmi említésre méltó(t); **~ much** nem nagy dolog, nem (valami) sok; **~ will come of it** semmi sem lesz belőle; **for ~** ingyen; hiába; ok nélkül; **all that goes for ~** ez mind nem számít; **better than ~** jobb, mint a semmi, legalább vm; **fit for ~** semmire sem jó/használható, nem ér semmit; **good for ~** semmirekellő, senkiházi (ember); **have ~ on** meztelen; szabad, ráér; **it is not for ~ that** nem ok nélkül van az, hogy; **make sg out of ~** apróságból nagy ügyet csinál, felfúj vmt; **there is ~ (else) for it but** nincs más hátra, mint; **think ~ of it** ne zavarjon, ne figyelj oda rá; *közm* **~ for ~** semmiért cserébe semmit se várj; *közm* **~ venture,~ gain/have/win** aki mer, az nyer; **next to ~** majdnem/úgyszólván semmi, alig valami; *biz* **no ~** egyáltalán semmi; **~ to sy/sg** közömbös vk/vm iránt; semmi vkhez/vmhez képest; **she is ~ to him** nem jelent neki semmit *[nő]*; **that is ~ to you** a maga számára ez semmi, ez magának semmit sem jelent; ez magát nem érdekli; ez nem magára tartozik; **that is ~ to be proud of** ezzel nem lehet dicsekedni/büszkélkedni/hencegni; **that has ~ to do with you** ez nem rád tartozik, semmi közöd hozzá; **there is ~ in/to it** nem nagy ördöngősség, könnyű; ez nem fontos/érdekes; az egyik olyan, mint a másik; **he was ~ if not discreet** nagyon diszkrét volt; *biz* **beat sy/sg all to ~** megsemmisít, elpusztít vkt/vmt, tönkretesz; **come to ~** nem sikerül, megsemmisül, kútba/vízbe esik, semmivé válik; **there's ~ for it but** nincs más hátra, mint; *biz* **I feel like ~ on earth** rosszul/kutyául érzem magam; **have ~ to do with sg** semmi köze sincs vmhez; **I can make ~ (at all) of it** ezt aztán egyáltalán nem értem; **to say ~ of** ... nem is szólva ...-ról; **he has ~ to say for himself** nem tud mit felhozni mentségére; *biz* **you ain't seen ~ yet** ez (még) csak a kezdet, még csak most jön a java **2.** semmi, nemlét **3. a)** semmiség, csekélység, apróság **b)** jelentéktelen/lényegtelen dolog/ember **4.** *mat* nulla, zérus, zéró **II.** *hsz* egyáltalán nem; **that is ~ to the purpose** ez nem vezet célra, ez nem célravezető; **he is ~ the worse for it** nem lett belőle semmi baja; **~ (like) so wonderful** egyáltalán nem olyan csodás; **it is ~ less than...** ez sem több, sem kevesebb, mint...; **this helps us ~** ez rajtunk egyáltalán nem segít

nothingness [ˈnʌθɪŋnəs] *fn* **1.** semmi, nemlét(ezés); **pass into ~** megsemmisül, elenyészik **2.** *biz* **a)** jelentéktelenség *[személyé, dologé]* **b)** értéktelenség, értéktelen ember/dolog

notice [ˈnoʊtɪs] **I.** *fn* **1. a)** értesítés, közlés; **~ of receipt** az átvétel elismerése/nyugtázása **b)** előzetes értesítés, figyelmeztetés, intés; **at short ~** nagyon rövid határidőre, előzetes bejelentés nélkül (de valamivel mégis előbb); **at**

half an hour's ~ egy fél órán belül; **at a moment's/ minute's ~** azonnal, tüstént, rögtön, pillanatokon belül; **until further ~** további értesítésig/intézkedésig; **without ~ (given)** előzetes értesítés nélkül; **without a moment's ~** minden (előzetes) figyelmeztetés nélkül; **give sy ~ of sg** figyelmeztet vkt vmre, előre bejelent vknek vmt; **take ~ that** vegye tudomásul, hogy **c)** hatósági/hivatalos értesítés/ utasítás/felszólítás; *jog* **peremptory ~** hatósági felszólítás; **~ to pay** fizetési meghagyás; **give out a ~** közöl/kihirdet vmt **d) ~ (to quit)** felmondás; **serve ~ upon a tenant** felmond egy lakónak; lakót figyelmeztet; **be under ~ to quit** megkapta a felmondást; **a week's ~** egyheti felmondás **2. a)** hirdetmény, falragasz, felirat, plakát; **public ~** hirdetmény; felhívás a közönséghez **b)** közlemény *[újságban]*; **death ~** halálhír *[újságban]* **c)** szemle, recenzió *[folyóiratban]* **3.** figyelem, megfigyelés, észrevétel; **attract ~** megragadja a figyelmet, feltűnést kelt; **take ~ of sg** felfigyel vmre, tudomásul vesz vmt; **take no ~ of sg** nem vesz figyelembe/tudomásul vmt, nem törődik vmvel; *biz* **sit up and take ~** felfigyel **II.** *tsi* **1.** észrevesz, megfigyel; **get oneself ~d** észrevéteti magát **2. a)** megemlékezik (vmről) *[sajtóban]* **b) ~ sg to sy** megemlít vknek vmt

noticeable [ˈnoutɪsəbl] *mn* **1.** észrevehető, megfigyelhető, szemmel látható; **it's not a ~ difference** észrevehetetlen/ nem észrevehető különbség **2.** figyelemre méltó • *fn* **noticeability** *hsz* **noticeably**

notice board *fn* hirdetőtábla, falitábla

notifiable [ˈnoutɪfaɪəbl] *mn* kötelező bejelentés alá eső *[betegség]*

notify [ˈnoutɪfaɪ] *tsi* **a)** értesít; **~ sy of sg** értesít vkt vmről **b)** (be)jelent, közöl; **the cases of typhoid must be notified** a tífuszeseteket be kell jelenteni • *fn* **notification**

notion [ˈnouʃn] *fn* **1.** *fil* fogalom, képzet **2.** fogalom, gondolat, kép, elképzelés; **form a true ~ of sg** helyes képet alkot magának vmről; **I have no ~ about it** halvány fogalmam sincs róla **3.** nézet, vélemény, elgondolás, elképzelés; **have a/the ~ that** azt hiszi/képzeli, hogy; erős a gyanúja, hogy **4. a)** kedv, hajlam, hajlandóság, szándék; **have no ~ of doing sg** nem hajlandó vmt megtenni; semmi kedve sincs hozzá (v. esze ágába sem jut), hogy vmt megtegyen **b)** szeszély; **newfangled ~s** divatos/újmódi hóbortok; **as the ~ takes him** ahogy éppen eszébe jut (v. a kedve tartja), ahogy a szeszélye diktálja **5.** *tsz* **notions** *US* rövidáru

notional [ˈnouʃnəl] *mn* **1.** fogalmi, spekulatív **2.** képzelt, képzeletbeli **3.** képzelődő, álmodozó **4.** *nyelv* **~ word** fogalomszó • *hsz* **notionally**

notochord [ˈnoutəkɔ:d ‖ –kɔrd] *fn biol* gerinchúr *[gerincesek embrióiban]*

notorious [nouˈtɔ:rɪəs] *mn* **1.** hírhedt, rossz hírű, notórius; **~ criminal** hírhedt bűnöző **2.** (köz)ismert • *fn* **notoriety** *hsz* **notoriously**

no-trump *mn/fn ját* szan(zadu) *[bridzsben]*

no-trumper *fn ját* szanzadu játékhoz alkalmas lap *[bridzsben]*

not-so *mn [melléknév előtt]* nem is olyan nagyon

Notts [nɒts ‖ nɑts] *röv Nottinghamshire*

notwithstanding [ˌnɒtwɪðˈstændɪŋ, –wɪθ– ‖ ˈnɑt–] **I.** *elölj* (vmnek) ellenére/dacára **II.** *hsz* mégis, mindamellett, mindazonáltal **III.** *ksz régi* **~ (that)** annak ellenére hogy, jóllehet, habár

nougat [ˈnu:gɑ: ‖ –gət] *fn gaszt* nugát

nought [nɔ:t ‖ nɒt, nɑt] *fn GB* **1.** *mat* nulla, zérus, zéró; → **naught 2.** semmi

noughts and crosses *fn ját* amőba

noun [naun] *fn* főnév; **collective ~** gyűjtőnév; **common ~** köznév; **proper ~** tulajdonnév; **~ phrase** főnévi frázis/ csoport • *mn* **nounal**

nourish [ˈnʌrɪʃ ‖ ˈnɜrɪʃ] *tsi* **1. a)** táplál, etet; **~ sy on/with sg** táplál vkt vmvel **b)** gazdagít, feljavít *[ételt]* **c)** *ip* telít, tömít *[fát, bőrt]* **2.** *átv* táplál, fenntart *[reményt]*, szívében hordoz/melenget *[érzést]* • *fn* **nourisher**

nourishing [ˈnʌrɪʃɪŋ ‖ ˈnɜrɪʃɪŋ] *mn* tápláló; **~ power** tápérő; **~ value** tápérték

nourishment [ˈnʌrɪʃmənt ‖ ˈnɜrɪʃ–] *mn* táplálék, élelem; **take ~** táplálkozik, eszik

nous [naus ‖ nu:s] *fn* **1.** *fil* **the ~** ész, elme, szellem **2.** *biz [értelem, józan ész]* gógyi

nouveau riche [ˌnu:vou ˈri:ʃ] *fn tsz* **nouveaux riches** *francia* újgazdag

nouvelle cuisine [nu:vel kwɪˈzi:n] *fn francia gaszt* új konyha(művészet)

Nov. *röv November* november, nov.

nova [ˈnouvə] *fn tsz* **-s**, **novae** [ˈnouvi:] *csill* nova

Nova Scotia [ˌnouvə ˈskouʃə] *tul földr* Új-Skócia *[Kanadában]*

novel [ˈnɒvl ‖ ˈnɑvl] **I.** *fn ir.tud* regény; **short ~** kisregény; **the ~** a regény(irodalom) **II.** *mn* **1.** új(szerű), eredeti **2.** szokatlan • *hsz* **novelly**

novelette [ˌnɒvəˈlet ‖ ˌnɑ–] *fn ir.tud* **a)** rövid regény, kisregény **b)** könnyed romantikus ponyvaregény

novelettish [ˌnɒvəˈletɪʃ ‖ ˌnɑ–] *mn pej* érzelmes, érzelgős, szentimentális

novelist [ˈnɒvəlɪst ‖ ˈnɑ–] *fn* regényíró

novelistic [ˌnɒvəˈlɪstɪk ‖ ˌnɑ–] *mn ir.tud* **1.** regényre vonatkozó, regény- **2.** regényszerű, regényes

novelize [ˈnɒvəlaɪz ‖ ˈnɑ–], **-ise** *tsi* megregényesít, regényt ír (vmből); **~d biography** regényes életrajz • *fn* **novelization**, **novelisation**

novella [nouˈvelə] *fn tsz* **novellas** *ir.tud* **a)** kisregény **b)** elbeszélés

novelty [ˈnɒvlti ‖ ˈnɑ–] *fn* **1. a)** újdonság **b)** új dolog/ találmány **2. a)** újszerűség, új volta (vmnek) **b)** eredetiség

November [nouˈvembə, nə– ‖ –ər] *fn* november

novena [nouˈvi:nə] *fn tsz* **~e** [–ni:] *vall* kilenced, kilencnapos ájtatosság, novéna

novice [ˈnɒvɪs ‖ ˈnɑ–] *fn* **1.** kezdő, újonc, járatlan/tapasztalatlan ember **2.** *vall* **a)** papnövendék, novícius **b)** apácajelölt, novícia, próbaidős szerzetes/apáca **3.** *sp* nyeretlen versenyző/versenyállat/csapat

noviciate [nouˈvɪʃɪət] *fn* **1.** *vall* **a)** noviciátus, próbaidő **b)** novícius, novícia **2.** inaskodás, tanonckodás, inasévek, kezdő korszak (vké) **3.** papnövendékek/nóvíciusok szállása

Novocaine [ˈnouvoukeɪn], **novocaine** *fn orv* helyi érzéstelenítő, novokain

now [nau] **I.** *hsz* **1. a)** most, jelenleg, a jelen pillanatban; **as of ~** mostantól (fogva/kezdve); **~ or never, ~ if ever** most vagy soha **b)** most már, ilyen körülmények között, az adott helyzetben; **I cannot ~ very well refuse** (az adott helyzetben) nem igen/nagyon tagadhatom meg **c)** most, mindjárt; **it is going to begin ~** mindjárt elkezdődik **d)** akkor, abban a pillanatban; **Caesar ~ marched east** ekkor Cézár kelet felé vonult **e) just ~** éppen most, nemrég; mindjárt, nemsokára; **only ~** még csak most, éppen most; **(every) ~ and again/then** hébe-hóba, időrőlidőre, néha(-néha), egyszer-egyszer; **~ here ~ there** hol itt, hol ott; **by ~** mostanára, eddigre; **even ~** még most is/sem; **up to ~** mostanáig, eddig, ez ideig **2. a)** na már most; **~ then** hát ezek után, na már most **b)** na(hát), nohát; **~ what's the matter with you?** na mi van veled?, na mi bajod?; **come ~!, ~, ~!** ugyan már!, ugyan-ugyan!, na, na!; **well ~!** nos hát; **~ then** figyelem!, vigyázat!; na(hát)! **II.** *ksz* most hogy (már); **~ that I am older** most hogy már idősebb vagyok **III.** *fn* jelen (idő), ma; **between ~ and then** addig is/még; **from ~ (on)** mostantól kezdve, mától fogva

nowadays [ˈnauədeɪz] **I.** *hsz* manapság, mostanság, ezekben a napokban **II.** *fn* a mai/mostani idők

noway [ˈnouweɪ], **noways** *hsz* semmiképpen, sehogy

Nowel [nouˈel], **Nowell** → **Noel II.**

nowhere [ˈnoʊweə ‖ –hwer] **I.** *hsz* **1.** sehol(sem); *biz* **be ~** nem jön számba; *sp* a pályán sincs; **~ near** távolról sem **2.** sehova; **it got ~** egyáltalán nem sikerült/boldogult **II.** *fn* **come from/out of ~** hirtelen előtűnik valahonnan; **in the middle of ~** a semmi közepén, az isten háta mögött

nowise [ˈnoʊwaɪz] *hsz vál* semmiképp(en), sehogy, semmi módon

nowt [naʊt] *fn/nm táj biz* semmi

noxious [ˈnɒkʃəs ‖ ˈnɑk–] *mn* ártalmas, kártékony, káros, egészségtelen • *fn* **noxiousness** *hsz* **noxiously**

nozzle [ˈnɒzl ‖ ˈnɑzl] *fn* **1.** csővég, (permetező) szórófej *[fecskendőn]*; **water-hose ~** vízfecskendő szája/vége; gumicső csapja **2.** szívószáj, szívókosár **3.** fúvóka *[porlasztóé]* **4. a)** teáskanna csőre **b)** gyertyatartó köpüje **c)** *szl [orr]* hefti, firnyák, ormány, cserpák

NP *röv* **1.** *National Park* Nemzeti Park **2.** *nyelv noun phrase*

n.p. *röv* **1.** *new paragraph* **2.** *no place of publication*

n.p. or d. *röv no place or date*

nr *röv near*

NRA *röv GB National Rifle Association*

NS *röv* **1.** *new style* **2.** *not sufficient* **3.** *Nova Scotia*

n.s. *röv* **1.** *new series* **2.** *not specified*

NSA *röv US National Security Agency*

NSB *röv GB National Savings Bank*

NSC *röv US National Security Council*

NSPCA *röv US National Society for the Prevention of Cruelty to Animals*

NSPCC *röv GB National Society for the Prevention of Cruelty to Children*

NSW *röv New South Wales*

NT [nt] *röv* **1.** *National Trust* **2.** *New Testament* Újszövetség **3.** *Ausz Northern Territory*

n't [nt] *röv not; can't; don't; isn't stb.*

Nth *röv North*

nth [enθ] *mn mat* **1.** n-edik; **the ~ power** n-edik hatvány **2.** *biz* **for the ~ time** ikszedszer, X-edszer **3.** *biz* **to the ~ degree** ‹a legnagyobb mértékben›; szörnyen, borzasztóan

nt. wt. *röv net weight*

n-type *fn el* n-típus

n.u. *röv name unknown*

nuance [ˈnjuːɑːns ‖ nuːˈɑns] *fn* **I.** finom árnyalat/eltérés/megkülönböztetés, csekély különbség, nüansz **II.** *tsi [előadáshoz/kifejezéshez]* finom árnyalatokat hozzátesz, árnyal(ttá tesz)

nub [nʌb] *fn* **1.** kis darab/rög *[szén stb.]* **2.** lényeg, csattanó *[történeté]*; *US* **the ~ of the matter** az ügy lényege/magva **3.** dudorodás, kinövés **4.** csonk, maradvány • *mn* **nubby**

nubble [ˈnʌbl] *fn* kis darab • *mn* **nubbly**

Nubia [ˈnjuːbɪə ‖ ˈnuː] *tul földr* Núbia • *fn/mn* **Nubian**

nubile [ˈnjuːbaɪl ‖ ˈnuːbl] *mn* **a)** férjhezadó korban levő, házasságra érett, anyányi *[lány]* **b)** szexuálisan vonzó, szexi *[nő]* • *fn* **nubility**

nucha [ˈnjuːkə ‖ ˈnuːkə] *fn orv* nyakszirt, tarkó • *mn* **nuchal**

nuclear [ˈnjuːklɪə ‖ ˈnuːklɪər] *mn fiz* magfizikai, nukleáris, (atom)mag-, atom-; **~ bomb** nukleáris bomba, atombomba; **~ charge** atomtöltet; **~ chemistry** magkémia; *biz* **~ club** ‹az atombombával bíró államok együttese›; **~ deterrent** nukleáris elrettentés; **~ disarmament** atomfegyver-leszerelés; **~ energy** magenergia, atomenergia, nukleáris energia; **~ energy plant** atomerőmű; **~ explosion** atom(bomba)-robbanás; **~ fission** (atom)maghasadás; **~ force** magerő; **~ fuel** nukleáris/atomi fűtőanyag, magfűtőanyag; **~ magnetic resonance, NMR** magmágneses rezonancia; **~ mass** magtömeg; **~ particle** (atom)magrészecske, nukleon; **~ physicist** magfizikus; **~ physics** magfizika; **~ power plant/station** atomerőmű; **~ propulsion** atommeghajtás; **~ reaction** magreakció; **~ reactor** (atommag)reaktor, atomreaktor; **~ research** atom(mag)kutatás, magkutatás; **~ retaliation** nukleáris válasz/csapás/megtorlás; **~ rocket** atomrakéta; **~ science** nukleáris tudományágak; **~ stockpile** atomfegyverkészlet; **~ sub(marine)** atomtengeralattjáró; **~ substance** nukleáris anyag; **~ test/trial** (kísérleti) atomrobbantás; *pol* **~ test ban** atomcsend(egyezmény); **~ war(fare)** atomháború, nukleáris háború/hadviselés; **~ warhead** nukleáris robbanófej, atomrobbanófej; **~ waste** atomhulladék, rádióaktív hulladék; **~ weapon** atomfegyver, nukleáris fegyver

nuclear family *fn* ‹a szülőkből és gyermekükből álló szűkebb családi egység› magcsalád

nuclear-free *mn* atomenergia-/atomfegyvermentes

nuclear-powered *mn* atom(meg)hajtású, atomerővel hajtott; **~ rocket** atom(meg)hajtású rakéta, atomrakéta; **~ submarine** atom(meg)hajtású tengeralattjáró, atom-tengeralattjáró

nuclear-proof *mn* atombiztos

nuclear-propelled → **nuclear-powered**

nucleate[1] [ˈnjuːklieɪt ‖ ˈnuː–] *tsi* **A.** *tsi* mag alakúvá formál (vmt), egy magban összegyűjt (vmt) **B.** *tni* magban/maggá tömörül

nucleate[2] [ˈnjuːklɪət ‖ ˈnuː–] *mn biol* magú, magvú, egymagú

nuclei [ˈnjuːklɪaɪ ‖ ˈnuː] → **nucleus**

nucleic acid [njuːˌkliːɪk ˈæsɪd ‖ nuː–] *fn vegy* nukleinsav

nucleolus [ˌnjuːkliˈoʊləs ‖ ˈnuː–] *fn biol* nukleolus, sejtmagvacska • *mn* **nucleolar**

nucleon [ˈnjuːkliɒn ‖ ˈnuːkliɑn] *fn fiz* nukleon, magrészecske, *[a neutron és a proton közös neve]*; **~ number** nukleonszám

nucleonics [ˌnjuːkliˈɒnɪks ‖ ˌnuːkliˈɑ–] *fn esz tud* nukleonika, magtechnika • *mn* **nucleonic** *hsz* **nucleonically**

nucleoside [ˈnjuːklɪəsaɪd ‖ ˈnuː–] *fn biol* nukleozid

nucleosynthesis [ˌnjuːklioʊˈsɪnθəsɪs] *fn fiz* magfúzió • *mn* **nucleosynthetic**

nucleotide [ˈnjuːklɪətaɪd ‖ ˈnuː–] *fn biol* nukleotidok, nukleozid és foszforsav vegyülete

nucleus [ˈnjuːklɪəs ‖ ˈnuː–] *fn tsz* **nuclei** [ˈnjuːklɪaɪ ‖ ˈnuː–] **1.** *fiz* atommag **2.** *biol* sejtmag **3.** *csill* üstökösmag, galaxismag **4.** *nyelv* szótagmag, nukleus **5.** *biz átv* mag, középpont, kiindulópont, lényeg, magva vmnek; **the ~ of a library** könyvtár magja

nuclide [ˈnjuːklaɪd ‖ ˈnuː–] *fn fiz* ‹atommagfajta: meghatározott rendszámú, tömegű és energiájú atommag› • *mn* **nuclidic**

nude [njuːd ‖ nuːd] **I.** *mn* **1.** meztelen, csupasz, ruhátlan, pucér **2.** *jog* egyoldalú *[szerződés]* **II.** *fn* **1.** meztelenség, öltözetlenség; **in the ~** anyaszült meztelenül, pucéran **2.** *műv* akt; **draw from the ~** aktot rajzol **3.** meztelen alak • *fn* **nudity**

nudge [nʌdʒ] **I.** *tsi* **1. a)** (könyökkel) oldalba bök **b)** (kissé) meglök **2.** *átv* nógat, noszogat **II.** *fn* **a)** (könyökkel) oldalba bökés **b)** (kis) meglökés

nudist [ˈnjuːdɪst ‖ ˈnuː–] *fn/mn* nudista • *fn* **nudism**

nuff [nʌf] *hsz US szl* **~ said/sed** eleget beszéltél, rendben van, ennyi is elég

nugatory [ˈnjuːgətri ‖ ˈnuːgətɔri] *mn* **1.** jelentéktelen, haszontalan, értéktelen **2.** érvénytelen, semmis

nugget [ˈnʌgɪt] *fn* **1. a)** aranyrög **b)** *átv* (valóságos) kincs **c)** rög, csomó **2.** *Ausz* **a)** izmos zömök fiatal állat **b)** csinos fiatal nő

nuisance [ˈnjuːsns ‖ ˈnuː–] *fn* **1. a)** kellemetlenség, kényelmetlenség, nyűg; **what a ~!** jaj de kellemetlen! **b)** ellenszenves/kellemetlen(kedő)/terhes ember; **a perfect ~** valóságos istenverése **2.** kár, sérelem, zavarás, háborgatás; *kat* **~ flight** zavaró repülés; *körny* **environmental ~** környezeti ártalom; *jog* **public/common ~** közháborítás

nuisance value *fn* kellemetlenségi (m)érték *[személyé, dologé]*

NUJ *röv GB National Union of Journalists*

nuke [njuːk ‖ nuːk] *biz szl* **I.** *fn* atomfegyver, nukleáris fegyver **II.** *tsi* **1.** atombombával/atomfegyverrel megtámad/elpusztít **2.** *tréf* mikrohullámú sütőben süt/főz

null [nʌl] **I.** *mn* **1.** *jog* semmis, érvénytelen, hatálytalan; ~ **and void** érvénytelen és meg nem történtnek tekintendő **2. a)** értéktelen, jelentéktelen, haszontalan **b)** semmitmondó, jellegtelen, kifejezéstelen **c)** *nyelv* ~ **element** üres, tartalmatlan elem, zéró elem **3. a)** *vill* nullázó, nulla- **b)** *mat* ~ **circle** pont; *infor* ~ **list** üres lista; ~ **sequence** nulla határértékű sorozat; ~ **set** üres halmaz **II.** *fn* nem olvasandó betű *[titkosírásban]*

null hypothesis *fn mat* maradék/nulla hipotézis

nullify ['nʌlɪfaɪ] *tsi* megsemmisít, érvénytelenít, hatálytalanít • *fn* **nullification**, **nullifier**

nullipara [nʌ'lɪpərə] *fn jog orv* egyszer sem szült nő, nullipara • *mn* **nulliparous**

nullity ['nʌləti] *fn* **1.** *jog* érvénytelenség, hatálytalanság, semmisség; ~ **suit** vélt házasság érvénytelenítésére irányuló kereset; **declare an act a** ~ érvénytelenít/hatálytalanít (v. semmisnek nyilvánít) cselekményt **2. a)** nem létezés; **shrink to a** ~ teljesen megsemmisül, semmivé válik **b)** jelentéktelenség, érdemtelenség (vké)

NUM *röv GB National Union of Mineworkers*

numb [nʌm] **I.** *mn* **1.** dermedt, zsibbadt, meggémberedett; *biz* ~ **hand** ügyetlen/élhetetlen ember; **hands ~ with cold** hidegtől meggémberedett kezek **2.** *Ausz* **a)** kábult, bódult, elkábított, elbódított **b)** eltompult, érzéketlen, elfásult **II.** *tsi* **1.** megdermeszt, elzsibbaszt **2. a)** elkábít, elbódít **b)** eltompít, érzéketlenné/fásulttá tesz **3.** megbénít • *fn* **numbness** *mn* **numbed**

number ['nʌmbə ‖ –ər] **I.** *fn* **1. a)** szám; *biz* **a ~ of ...** számos, sok; **any ~ of** bármennyi, akárhány; *biz* egész sereg, töméntelen; **be good at/with ~s** jól számol, jó számtanból; **few/small in ~** kisszámú, kis/csekély létszámú; kevesen; **a great ~ of** sok, nagy mennyiségű; **a large ~ of men** sok férfi/ember; **exceed in ~** többen vannak, nagyobb számban vannak; meghaladja számban; **more in ~ than** többen mint; **ten in ~** szám szerint tízen; **to the ~ of 500** az ötszázas számig; **without ~** számtalan, megszámlálhatatlan, töméntelen; **times without ~, ~s of times** számtalanszor, igen gyakran/sokszor **b)** *tsz* **numbers** sokaság; *kif* **it's the ~s that pay** sok kicsi sokra megy; *kif* **there is safety in ~s** többség dönt/győz; **the power of ~s** a számok/tömegek ereje/hatalma; **win by (force of) ~s** túlerővel győz **c)** ~ **one** az egyes szám, egy; (az) első; *biz* önmaga, én; *kat biz* első tiszt/beosztott; ~ **two** kettes szám, kettő; második; *kat biz* második beosztott **d)** *biz szl [csinos nő, lány]* jó bőr/áru/anyag/csaj; **he has a date with a cute little ~** jó kis nővel van randevúja **2.** *mat* szám(jegy); ~ **theory** számelmélet; **the law of large ~s** nagy számok törvénye **3. a)** (ház)szám, sorszám; **running ~** sorozatszám; *biz* **his ~ is up** napjai meg vannak számlálva, kevés ideje van már csak hátra; *biz átv* **have sy's ~** tisztába jön vkvel, kiismeri vknek a szándékát; **take a car's ~** felírja egy kocsi rendszámát **b)** (telefon)szám; **get sy's ~** megszerzi vknek a számát; **the ~ is engaged** (a telefonszám) foglalt **c)** szám, nagyság, méret *[cipőé, ruháé stb.]* **d)** *tex* (fonal)szám **4.** csoport, társaság; **one of their ~** egy közülük **5. a)** *szính* (műsor)szám **b)** *zene* szám **6.** szám *[újságé]*; **by the ~** példányonként **7.** *bibl* **(the Book of) N~s** Számok könyve, Mózes negyedik könyve **8. a)** *zene* ütem, taktus **b)** *ir.tud* versláb, vers **9.** *nyelv* szám; **singular ~** egyes szám; **plural ~** többes szám **10.** *biz* **do a ~ on sy** leszid vkt; elintéz vkt **II.** *tsi* **1.** megszámol, (meg)számlál; **his days are ~ed** napjai meg vannak számlálva, meg vannak számlálva a napjai **2.** megszámoz **3.** kitesz egy mennyiséget; **the city ~s a million** a városnak egymillió lakosa van; **our company ~ed twenty** húszan voltunk **4.** besorol; ~ **sy among one's friends** vkt barátjai közé számít • *fn* **numbering** *mn* **numbered**

number cruncher *fn infor biz* számdaráló, adatzabáló, nagy számolóteljesítményű számítógép • *fn* **number-crunching**

numberless ['nʌmbələs ‖ –bər–] *mn* számtalan, megszámlálhatatlan, töméntelen

number plate *fn gk GB* rendszámtábla; ~ **bracket** rendszámtáblatartó

numbers game *fn* **1.** *pej* csak számítási műveleteket jelentő munka **2.** *US* versenyeredmények megjósolhatatlan számaira alapozott tiltott lottó **3.** összevetés, versenyszám *[statisztikai szempontból vizsgálva]*

Number Ten *fn GB pol biz* Downing Street 10 *[az angol miniszterelnök hivatalos lakhelye Londonban]*

numbles ['nʌmblz] *fn tsz régi* belek, belső részek, zsigerek *[szarvasé, őzé]*

numbskull ['nʌmskʌl] *fn biz* mamlasz, fajankó, tökfilkó, tökfej, ütődött, ostoba, félcédulás

numen ['nju:mən ‖ 'nu:–] *fn tsz* **numina** [–mɪnə] **1.** isten(ség) **2.** *átv* uralkodó szellem, vezérelv

numerable ['nju:mərəbl ‖ 'nu:–] *mn* megszámolható, számokkal kifejezhető • *hsz* **numerably**

numeral ['nju:mərəl ‖ 'nu:–] **I.** *fn* **1.** szám(jegy) **2.** *nyelv* számnév **II.** *mn* számokból álló, számbeli, szám szerinti, szám-, numerikus

numerate I. *mn* ['nju:mərət ‖ 'nu:–] számolni tudó, matematikában jártas, matematikát jól értő **II.** *tsi* ['nju:məreɪt ‖ 'nu:–] **1.** számol, számlál **2.** kiszámít **3.** felsorol • *fn* **numeracy**

numeration [ˌnju:mə'reɪʃn ‖ ˌnu:–] *fn mat* **1.** számozás, számjelzés **2. a)** számolás, megszámlálás **b)** számrendszer

numerator ['nju:məreɪtə ‖ 'nu:məreɪtər] *fn* **1.** *mat* számláló *[törté]* **2. a)** számozó *[személy, gép]* **b)** számláló *[személy]*

numeric [nju:'merɪk ‖ nu:–] → **numerical**

numerical [nju:'merɪkl ‖ nu:–] *mn* számszerű, számbeli, szám szerinti, numerikus; ~ **data** számszerű adatok; ~ **value** számszerű érték, számérték; abszolút érték; *műsz* ~ **control** számjegyvezérlés • *hsz* **numerically**

numerology [ˌnju:mə'rɒlədʒi ‖ ˌnu:mə'rɑ–] *fn* számmisztika • *fn* **numerologist** *mn* **numerological**

numerous ['nju:mərəs ‖ 'nu:–] *mn* számos, nagyszámú, sok; **we received ~ calls** számos telefonhívás érkezett (hozzánk), sokan telefonáltak

numerus clausus [ˌnju:mərəs 'klausəs ‖ ˌnu:–] *fn latin* numerus clausus, kötött szám *[személyeknek intézménybe való felvételét illetően]*

Numidia [nju:'mɪdɪ ‖ nu:–] *tul földr* Numídia • *fn/mn* **Numidian**

numina ['nju:mɪnə ‖ 'nu:–] → **numen**

numinous ['nju:mɪnəs ‖ 'nu:–] *mn* **1.** Isten jelenlétét jelző **2.** lelki, szellemi **3. a)** félelmetes, rejtélyes **b)** fenséges, lenyűgöző

numismatic [ˌnju:mɪz'mætɪk ‖ ˌnu:–] *mn* éremtani, numizmatikai • *hsz* **numismatically**

numismatics [ˌnju:mɪz'mætɪks ‖ ˌnu:–] *fn esz* éremtan, numizmatika • *fn* **numismatist**

numskull ['nʌmskʌl] *biz* → **numbskull**

nun [nʌn] *fn vall* apáca, nővér, szerzetesnő; **~'s thread** hímző pamut; *tex* **~'s veiling** gyapjúmuszlin • *fn* **nunhood**, **nunship** *mn* **nunlike**, **nunnish**

nunatak ['nʌnətæk] *fn geol* jégsapka felszínéből kiálló sziklacsúcs

nun buoy *fn hajó* úszóhordó *[jelzőbója úszója]*

nunciature ['nʌnsɪətʃə ‖ –tʃur] *fn vall* pápai követség, nunciatúra

nuncio ['nʌnsiou] *fn tsz* **~s** *vall* pápai követ/nuncius

nuncupate ['nʌŋkjupeɪt ‖ –kjə–] *tsi jog* tanúk előtt szóbelileg végrendelkezik • *fn* **nuncupation** *mn* **nuncupative**

nunnery ['nʌnəri] *fn* apácakolostor, zárda

NUPE ['nju:pi ‖ 'nu:pi] *röv GB National Union of Public Employees*

nuptial ['nʌpʃl] *vál* **I.** *mn* menyegzői, nász-, lakodalmas, lakodalmi; ~ **bed** nászágy; ~ **ceremony** esketési/házasságkötési szertartás; ~ **ring** jegygyűrű **II.** *fn* esküvő, lakodalom, menyegző, nász • *tsi* **nuptialize, -ise**

nurd [nɜ:d ‖ nərd] → **nerd**

N

Nuremberg [ˈnjuərəmbɜːg ‖ ˈnurəmbɜrg] *tul földr* Nürnberg; *jog* ~ **trials** a nürnbergi per
nurse [nɜːs ‖ nɜrs] **I.** *fn* **1.** (kórházi) ápolónő, betegápoló(nő), nővér; **attending** ~ házi ápolónő; **hospital** ~ kórházi ápoló(nő); ~ **of an order** ápolónővér; **instrument/surgical** ~ műtősnővér, asszisztensnő; **visiting** ~ beteglátogató nővér; **X-ray** ~ röntgenasszisztensnő **2. a)** gyermekgondozónő, nörsz **b)** (szoptatós) dajka, szárazdajka, dada; **a child at** ~ gondozásra kiadott gyermek; **put a baby out to** ~ gyermeket dajkaságba ad **c) charge** ~ (férfi) főápoló **3.** *áll* dolgozó, munkás, *[méh, hangya]* **II. A.** *tsi* **1.** ápol, gondoz *[beteget]*; ~ **sy back to health** kigyógyít vkt gondos ápolással; ~ **sy through a typhoid** tífuszban vkt (gyógyulásig) ápol; *biz* ~ **a cold** náthával ágyban fekszik, nátháját gyógyítja **2. a)** szoptat *[csecsemőt]* **b)** dajkál *[gyermeket]*, becéz, karjaiban tart (vkt) **c)** felnevel *[gyermeket]*; **be nursed in poverty** szegénységben nevelődött/nőtt fel **3. a)** gondoz, ápol *[növényt]*, jól igazgat *[birtokot]*; ~ **one's public** ápolja népszerűségét **b)** *átv* táplál *[reményt, érzést]*, érlel magában *[tervet]* **c)** ~ **the fire** a tüzet élesztgeti/táplálja, vigyáz a tűzre **4.** *biz* ~ **one's knee** kezével fogja a felhúzott térdét, átkulcsolja a térdét **5.** *biz* (lassan) szopogat, kortyolgat *[italt]* **B.** *tni* **1.** beteget ápol/gondoz **2.** szopik *[csecsemő]*
nurseling [ˈnɜːslɪŋ ‖ ˈnɜrs–] → **nursling**
nursemaid *fn* gyermeklány, dada, pesztra
nursery [ˈnɜːsri ‖ ˈnɜr–] *fn* **1. a)** gyermekszoba; **night** ~ csecsemők hálóterme, gyermek(ek) hálószobája; ~ **tale** dajkamese **b) (day-)**~ bölcsőde; **resident** ~ egész hetes csecsemőotthon **c)** *orv* csecsemőszoba *[szülészeti osztályon]* **2. a)** *mezőg* faiskola, csemetekert, csemeteiskola **b)** műkertészet; ~ **stock** faiskolai fák/bokrok **c)** *átv* nevelőhely; *biz* ~ **for/of artists** művésziskola, művésztelep **d)** *áll* halkeltető; ~ **pond** halastó halivadékkal
nurseryman [ˈnɜːsrimən ‖ ˈnɜr–] *fn tsz* **-men a)** műkertész, csemetekertész **b)** faiskolatulajdonos
nursery officer *fn GB* főnővér
nursery rhyme *fn* gyermekvers, gyermekdal
nursery school *fn* óvoda
nursery slopes *fn tsz GB sp* zöld pálya *[kezdő síelőknek]*
nursery stakes *fn tsz GB sp* kétéves lovak versenye
nursing [ˈnɜːsɪŋ ‖ ˈnɜr–] **I.** *fn* **1. a)** ápolás *[betegé]* **b)** betegápolás *[kórházban]* **2.** gondozás, nevelés *[gyermeké]*, gondozás, ápolás *[növényé]*, intézés *[ügyeké]*, táplálás *[reményé]* **3. a)** dajkálás, ringatás *[gyermeké]* **b)** szoptatás **II.** *mn* **1.** ápoló; ~ **staff** az ápolók, az ápolószemélyzet *[kórházban]* **2. a)** szoptató; ~ **bottle** cuclisüveg; ~ **mother** szoptatós anya; szoptatós dajka **b)** nevelő, gondozó; ~ **father** nevelőapa
nursing home *fn* **1.** nyugdíjasotthon, idősek/öregek otthona, szeretetház **2.** *GB* kis magánkórház, magánklinika
nursling [ˈnɜːslɪŋ ‖ ˈnɜr–] *fn* **1. a)** szopós gyermek, csecsemő **b)** fogadott/nevelt gyermek; *biz átv* **publisher's ~s** fiatal írók *[egy kiadó védőszárnyai alatt]* **c)** kedvenc **2.** *növ* fiatal palánta
nurture [ˈnɜːtʃə ‖ ˈnɜrtʃər] **I.** *fn* **1. a)** élelem, táplálék **b)** élelmezés, táplálás **2. a)** nevelés, ápolás, gondozás; *közm* ~ **is stronger than nature** a nevelés legyőzi a természetet **b)** *biol* környezethatás *[szervezetre]* **II.** *tsi* **1. a)** *átv* táplál *[gyermeket, reményt]*, élelmez, etet **b)** szoptat, dajkál **2.** (fel)nevel, oktat • *fn* **nurturer**
NUS *röv GB National Union of Students*
nut [nʌt] **I.** *fn* **1. a)** dió; ~ **breaker** diótörő; *biz átv* **crack ~s with a steam hammer** ágyúval lő verébre; *biz átv* **hard/tough** ~ **to crack** kemény dió, nehéz ember/eset; *GB biz* **he can't sing for ~s** egyáltalán nem tud énekelni **b)** mogyoró **c)** makk(termés) **2.** *szl* **a)** *[fej]* dió, bura, kobak, kupa; **he's ~s** ütődött, félcédulás; **are you some kind of ~?** bolond vagy?, elment az eszed?; **be/went off one's** ~ *[meghülyült]* meghibbant, nem komplett; **drive sy ~s** idegeire/agyára megy vknek, meghülyít **b) do one's** ~ *[dühös]* be van zsongva/gerjedve, felment a pumpája **c)** alak, pasas, arc, figura **d)** *Ausz* fiatal vagány, fickó **e)** *[vmlyen rajongó]* vmlyen őrült/buzi **3.** *szl [here]* mogyoró(k), tök **4.** *biz* **be ~s about/over sy/sg** *[bolondul/odavan vkért/vmért]* bele van esve/zúgva vkbe, be van indulva vkre/vmre; → **nuts 5. a)** ~ **coal** diószén **b)** *tsz* **nuts** diószén **6.** *műsz* anyacsavar, csavaranya; *biz átv* **~s and bolts** kis részletek, részletkérdések; alkotóelemek **7. a)** nyereg *[vonós hangszeren]* **b)** kápa *[hegedűvonón]* **II. A.** *tsi szl* **1.** *[hízeleg vknek]* nyal **2.** *[lefejel vkt]* lebólint **3.** *[megöl]* kifingat, kicsinál **4.** *[közösül]* megkupakol, megnyom, megdug **B.** *tni* diót/mogyorót szed • *fn* **nutting** *mn* **nutlike**
NUT *röv GB National Union of Teachers*
nutant [ˈnjuːtnt ‖ ˈnuː–] *mn növ* lehajló, lekonyuló
nutation [njuːˈteɪʃn ‖ nuː–] *fn* **1.** *orv* akaratlan (ismétlődő) fejbiccentés **2.** *növ* tengelyhajlás *[levélé, száré]* **3.** *csill* nutáció • *mn* **nutational**
nut brown *mn* gesztenyebarna, dióbarna
nutcase *fn szl [bolond, őrült ember]* gyogyós, gyagyás, klinikai eset
nutcracker *fn* **a) (pair of) ~s** diótörő; *biz* ~ **face** nagyorrú, hegyesállú arc; *biz* ~ **nose** előreugró görbe orr **b)** *szl* **the ~s** a fogak
nuthouse *fn szl [elmegyógyintézet]* diliház, vigyorgó
nutlet [ˈnʌtlɪt] *fn* diócska, mogyorócska
nutmeg [ˈnʌtmeg] *fn* **1.** *növ* szerecsendió **2.** őrölt szerecsendió *[fűszer]*
nut oil *fn* dióolaj
nutria [ˈnjuːtrɪə ‖ ˈnuː–] *fn* nutria(szőrme)
nutrient [ˈnjuːtrɪənt ‖ˈnuː–] → **nutritive**
nutriment [ˈnjuːtrɪmənt ‖ ˈnuː–] *fn* **1.** élelem, táplálék, étel **2.** (szellemi) táplálék • *mn* **nutrimental**
nutrition [njuːˈtrɪʃn ‖ nuː–] *fn* **1. a)** táplálkozás **b)** táplálás, élelmezés **2.** táplálék, élelem, étel **3.** élelmezéstudomány, táplálkozástudomány • *mn* **nutritional** *hsz* **nutritionally**
nutritionist [njuːˈtrɪʃənɪst ‖ nuː–] *fn* élelmezési/táplálkozási szakember
nutritious [njuːˈtrɪʃəs ‖ nuː–] *mn* tápláló, magas tápértékű • *fn* **nutritiousness** *hsz* **nutritiously**
nutritive [ˈnjuːtrətɪv ‖ ˈnuː–] **I.** *mn* tápláló, tápértékű, erősítő; ~ **power** tápérték, táperő **II.** *fn* tápanyag, táplálék, élelem • *hsz* **nutritively**
nuts [nʌts] *US szl* **I.** *mn [őrült, bolond, hülye]* flúgos, hibbant, lökött, nem komplett; **you're ~, man!** ember, neked elment az eszed!, te nem vagy komplett! **II.** *isz* marhaság!, hülyeség!; → **nut**
nutshell *fn* dióhéj; *biz átv* **in a** ~ dióhéjban, pár szóval, röviden, tömören; **to put it in a** ~ dióhéjba foglalva, röviden összefoglalva
nutter [ˈnʌtə ‖ –ər] *fn* **1.** diószedő, mogyorógyűjtő, mogyorószedő **2.** *GB szl [őrült, hülye ember]* félcédulás, gyogyós, gyagyás
nut-tree *fn növ* **a)** diófa **b)** mogyorócserje
nutty [ˈnʌti] *mn* **1.** dióban/mogyoróban gazdag *[vidék]* **2. a)** dió-/mogyoróízű **b)** *átv* ízes, élvezetes *[történet]* **3.** *US szl [bolond]* dilis, süsü, lökött, flúgos; ~ **as a fruitcake** teljesen lökött
nuzzle [ˈnʌzl] **A.** *tsi* **1. a)** odadörgöl *[orrot]*, érint *[orrával]* **b)** megszaglász *[kutya]* **2.** lökdös, döfköd *[orrával, fejével állat]* **3.** ~ **up** (orrával) feltúr *[földet sertés]* **B.** *tni* **1.** orrával túr *[disznó]*; ~ **against sy's shoulder** orrával vknek a vállához dörgölőzik *[ló]* **2.** *átv* **a)** (kényelmesen) fészkelődik, elhelyezkedik *[ágyban stb.]* **b)** ~ **close/up to sy** hozzásimul/hozzádörgölőzik vkhez, odakuporodik vk mellé **c)** ~ **together/with sy** szorosan vk mellett fekszik, hozzásimul vkhez
NV *röv US Nevada*
NW *röv northwest(ern)* északnyugat(i), ÉNY(-i)
NWT *röv Kan Northwest Territories*
NZ *röv New Zealand*
NY *röv New York*

NYC *röv New York City*
nyctalopia [ˌnɪktəˈloʊpɪə] *fn orv* alkonyati/szürkületi vakság, farkasvakság, nyctalopia • *fn* **nyctalope** *mn* **nyctalopic**
nye [naɪ] *fn* fácáncsapat, fácáncsalád, fészekalja fácán
nylon [ˈnaɪlɒn ‖ –lɑn] *fn* **1.** *tex* nejlon **2.** *tsz* **nylons** *tex* nejlonharisnya
nymph [nɪmf] *fn* **1. a)** *régi* nimfa, sellő **b)** *átv vál* szép fiatal leány **2.** *áll* báb, lárva • *mn* **nymphal**, **nymphean**, **nymphlike**
nymphae [ˈnɪmfiː] *fn tsz orv* kis szeméremajkak
nymphet [ˈnɪmfɪt] *fn* **1.** nimfácska **2.** *átv biz* nemileg korán érett lány
nympho [ˈnɪmfoʊ] *fn* **-s**, **-es** *biz [nimfomániás]* nimfó
nympholepsy [ˈnɪmfəlepsi] *fn* az elérhetetlen utáni örjöngő vágy • *fn* **nympholept** *mn* **nympholeptic**
nymphomania [ˌnɪmfəˈmeɪnɪə] *fn orv* nimfománia • *fn/mn* **nymphomaniac** *mn* **nymphomaniacal**
nystagmus [nɪˈstægməs] *fn orv* szem(teke)rezgés, nystagmus

O

O¹, o [oʊ, ə] *fn tsz* **O's,** *tsz* **o's,, oes,, os 1.** o (betű/hang); **O for Oscar** O mint Oszkár **2.** nulla, nullás *[vércsoport]*, zéró, zérus *[telefonszám szóbeli megadásánál]*; **please give me extension one-o-five** kérem a 105-ös mellékállomást **3.** kör, karika

O², o *tsz* **o's,, oes,, os** *röv* **1.** *object* tárgy, t. **2.** *US Ohio* **3.** *old* **4.** *order* **5.** *oxygen*

O' *röv* ‹ír családnevek elején a magyar -fi megfelelője›

oaf [oʊf] *fn tsz* **~s, oaves** [oʊvz] **1.** *biz pej* félkegyelmű, mamlasz, fajankó **2. a)** nehézkes/lehetetlen ember **b)** semmirekellő • *mn* **oafish**

oak [oʊk] **I.** *fn* **1. a)** *növ* tölgy(fa); kocsányos tölgy, mocsártölgy; **Austrian/British/common/French/Russian ~** kocsányos tölgy, mocsártölgy; **chestnut ~** kocsánytalan tölgy; **moss-capped ~, Turkey ~** cser(tölgy), cserfa; **white ~** fehértölgy **b) ~ opening** *US* magányos tölgyfacsoport *[prérin]* **2.** tölgy(fa) *[anyag]* **3.** *növ* **~ of Cappadocia** ambrózia, parlagfű **4.** *sp* **the O~s** epsomi verseny hároméves kancák számára **II.** *mn* tölgyfából készült, tölgy(fa)-; **~ furniture** tölgyfabútor

oak apple *fn* **1.** (tölgyfa)gubacs **2. O~A~ Day** május 29-e *[II. Károly restaurációjának évfordulója]*

oaken ['oʊkən] *mn* tölgy(fa)-, tölgyből/tölgyfából készült/való

oakfern ['oʊkfɜːn ‖ –fɜrn] *fn növ* tölgyespáfrány

oaklet ['oʊklɪt] *fn* tölgy(fa)csemete

oakling ['oʊklɪŋ] *fn* tölgy(fa)csemete

oakum ['oʊkəm] *fn* **1.** (kender)kóc, szösz; **pick ~** (i) kócot készít (ii) *biz* követ tör *[börtönmunkát végez]* **2.** tömítés

oaky ['oʊki] *mn* nemes aromájú, tölgyfa hordóban érlelt *[bor]*

OAP *röv old age pensioner* (öregségi) nyugdíjas

oar [ɔː ‖ ɔr] **I.** *fn* **1. a)** evező(lapát); **ply the ~s, pull at the ~s** evez; **pull a lone ~** a maga útján jár, magányosan él; *biz* **die at the ~** beledöglik a fáradozásba (v. fáradságos munkájába); munka közben hal meg; *biz* **put/shove in one's ~** közbeszól, belekotyog/beleavatkozik; vmbe, beleüti vmbe az orrát; **lie/rest on one's ~s** felemeli az evezőt; *biz* pihen egyet, kifújja magát *[mielőtt tovább dolgozik]*; *biz* pihen a babérjain **b)** orrevező **2.** evezős (ember); **bank of ~s** evezőspad **3. pair of ~s** evezőscsónak **II. A.** *tsi* evezéssel hajt *[csónakot]* **B.** *tni* evez

-oared [ɔːd ‖ ɔrd] *mn* -evezős; **four-oared** négyevezős

oarlock *fn US hajó* evezővilla

oarsman ['ɔːzmən ‖ 'ɔrz–] *fn tsz* **oarsmen** evezős

oarsmanship ['ɔːzmənʃɪp ‖ 'ɔrz–] *fn* evezés *[képesség, tudás]*

oarswoman ['ɔːzwʊmən ‖ 'ɔrz–] *fn tsz* **oarswomen** női evezős

oarweed ['ɔːwiːd ‖ 'ɔr–] *fn növ* fatörzsmoszat *[nagy méretű tengeri alganemzetség]*

OAS, O.A.S. *röv* **1.** *on active service* **2.** *Organization of American States*

oasis [oʊ'eɪsɪs] *fn tsz* **oases** [oʊ'eɪsiːz] **1.** oázis **2.** *átv* nyugodt/békés hely/időszak • *mn* **oasal**

oast [oʊst] *fn* **1. a)** komlószárító, malátaszárító **b)** dohányszárító **2.** aszaló kemence

oast house *fn* komlószárító épület/berendezés

oat [oʊt] *fn* **1.** *növ* zab; *biz* **sow one's wild ~s** kitombolja magát *[fiatalember]*; *biz* **he has sown his wild ~s** benőtt a feje lágya, megjött az esze *[fiatalembernek]* **2.** *régi* pásztorsíp, furulya *[zabszálból]*

oatcake *fn skót* zabpogácsa, zablisztből készült keksz

oaten ['oʊtn] *mn* zabból/zablisztből készült/való, zab-

oatfeed *fn mezőg* zabtakarmány

oath [oʊθ] *fn tsz* **oaths** [oʊðz, oʊθs] **1. a)** eskü; *biz* **dicer's ~** üres fogadkozás; **~ of allegiance** hűségeskü; *tört* **~ of fealty** hűbéreskü; **~ of office** hivatali eskü; **on/under/upon ~** eskü alatt, esküvel; **witness on ~** felesketett tanú, eskü alatt tanúskodó; **break one's ~** megszegi esküjét; **make/swear an ~** esküszik, esküt tesz; **take an/the ~** esküt tesz **b)** esküdözés, fogadkozás, fogadalom; *Ausz szl* **my ~!** *[igen!, hogyne!]* naná!, há' persze! **2. a)** káromkodás, szitkozódás **b)** *régi* szitok

oathable ['oʊθəbl] *mn jog Sh régi* esküképes *[személy]*

oath-bound *mn* eskü által kötött, esküvel fogadott

oath breaker *fn* esküszegő

oatmeal *fn* **1.** zabliszt, zabdara, zabpehely **2.** *US* **~ (porridge)** zabkása

OAU *röv Organization of African Unity* Afrikai Egységszervezet

Obadiah [ˌoʊbə'daɪə] *tul* Abdiás

obconic [ɒb'kɒnɪk ‖ ɑb'kɑ–], **obconical** *mn tud* fordított kúp alakú

obcordate [ɒb'kɔːdeɪt ‖ ɑb'kɔr–] *mn növ* fordított szív alakú

obdurate I. *mn* ['ɒbdjʊrət ‖ 'ɑbdʊrət] **1.** makacs, önfejű, csökönyös, nyakas, megátalkodott, megrögzött *[bűnös]* **2.** kérlelhetetlen, hajthatatlan **II.** *tsi* [–reɪt] hajlíthatatlanná tesz • *fn* **obduracy**

obeah ['oʊbiə] *fn* **1.** fétis, talizmán **2.** varázslat, varázslás *[nyugat-indiai/afrikai]*

obedience [ə'biːdɪəns] *fn* **1.** engedelmesség, szófogadás, behódolás; **enforce ~ to the law** kikényszeríti a törvény megtartását; **owe ~ to sy** engedelmességgel tartozik vknek; *gazd régi* **in ~ to your orders** rendelése szerint, rendel(kez)ésének megfelelően **2. a)** hatalom, felügyelet, tekintély **b)** *vall* egyházi/szerzetesi engedelmesség, alattvalói engedelmesség

obedient [ə'biːdɪənt] *mn* **1.** engedelmes(kedő), szófogadó, kötelességtudó **2.** megalázkodó

obeisant [oʊ'beɪsnt] *mn* tiszteletteljes, hódolatteljes, hódolatteli • *fn* **obeisance**

obelisk ['ɒbəlɪsk ‖ 'ɑbə–] *fn* **1.** *műv* obeliszk **2.** kimagasló tárgy *[fa, hegy]*

obese [oʊ'biːs] *mn* túlsúlyos, elhízott

obesity [oʊ'biːsəti] *fn* túlsúlyosság, elhízottság

obey [ə'beɪ ‖ oʊ'beɪ] *tsi/tni* engedelmeskedik, szót fogad (vknek), alkalmazkodik *[előíráshoz]*, követ *[utasítást]*, teljesít *[parancsot]*; **~ the law** engedelmeskedik (v. aláveti magát) a törvénynek, betartja a törvényt; *biz* **~ the calls of nature** vécére megy, szükségét végzi

obfuscate ['ɒbfəskeɪt ‖ 'ɑb–] *tsi vál* elhomályosít, elsötétít *[látást, ítélőképességet, eget, csillagot]*, összezavar *[kérdéseket]*; **be ~d** *átv* elképedt, megdöbbent; *biz* részeg, pityókás, spicces, bekávézott • *fn* **obfuscation** *mn* **obfuscatory**

obi¹ ['oʊbi] *fn* (japán) selyemöv

obi² ['oʊbi] → **obeah**

obit ['oʊbɪt] *fn* **1.** *régi* gyászjelentés **2.** *régi* gyászszertartás, temetési szertartás **3.** *biz röv* → **obituary**

obiter dictum [ˌɒbɪtə 'dɪktəm ‖ ˌoʊbətər–] *fn jog* bírói megjegyzés/vélemény

obituary [ə'bɪtʃʊəri ‖ oʊ'bɪtʃʊeri] **I.** *mn* halotti, halottra vonatkozó, gyász-; **~ notice** gyászjelentés; nekrológ *[újságban]* **II.** *fn* gyászjelentés, nekrológ • *fn* **obituarist** *mn* **obituarial**

obj. *röv object*

object I. *fn* [ˈɒbdʒɪkt ‖ ˈɑb–] **1.** tárgy, dolog; **~ of interest** érdeklődési kör; **~ for/of pity** a szánalom tárgya; **~ of ridicule** nevetség tárgya; gúny célpontja **2. a)** szándék, cél(pont), feladat; **with this ~** ezért, ezen célból, e célból; **have sg as/for an ~** az a célja/szándéka hogy, arra törekszik hogy; **there's no ~ in doing that** semmi értelme ezt (meg)tenni **b)** *kat* céltárgy, objektum **3.** akadály; **no ~** nem jelent akadályt, nem számít/akadály **4.** *nyelv* tárgy; **direct ~** közvetlen/accusativusi tárgy; **indirect ~** részeshatározó **5.** *infor* objektum, információcsomag **II.** [əbˈdʒekt] **A.** *tsi* kifogásol **B.** *tni* kifogásol, ellenez, tiltakozik; **~ to sg** kifogásol vmt, kifogást hoz fel vm ellen, ellenez vmt, óvást emel vm ellen; **do you ~ to my smoking?** megengedi hogy dohányozzam?, nem bánja (v. veszi rossz néven) ha dohányzom?

object ball *fn* a megcélzott golyó *[biliárdban]*

object clause *fn nyelv* tárgyi mellékmondat

object glass *fn fiz* tárgylencse, objektív

objectify [əbˈdʒektɪfaɪ] *tsi fil* tárgyiasít, objektivál

objection [əbˈdʒekʃn] *fn* **1.** ellenvetés, kifogás, tiltakozás; *jog* **~ to a witness** tanú kifogásolása; **find/make an ~ to sg** kifogást talál/emel vm ellen; **there is no ~** nincs ellenvetés; rendben van; **I have no ~ to him** nincs semmi kifogásom ellene; **raise ~s to sg** kifogásokat hoz fel vm ellen **2.** akadály; **there is no ~ to your leaving at once** semmi akadálya (sincs) annak hogy azonnal indulj

objectionable [əbˈdʒekʃnəbl] *mn* **1.** kifogásolható **2.** kellemetlen, ellenszenves; **use ~ language** gorombaságokat/trágárságokat mond

objective [əbˈdʒektɪv] **I.** *mn* **1.** tárgyilagos, objektív, elfogulatlan **2. ~ case** *nyelv* tárgyeset **3. ~ area** *kat* célterület, célkörlet; **~ point** célpont **4.** *művp ir.tud* objektív, tárgyiasított **II.** *fn* **1. a)** cél(pont), feladat **b)** szándék **2.** *fiz* tárgylencse, objektív **3.** *nyelv* tárgy(eset) • *tsi* **ojectivise**, **objectivize**

objectivism [əbˈdʒektɪvɪzm] *fn* **1.** *fil* objektivizmus **2.** tárgyszerűség

objectivity [ˌɒbdʒekˈtɪvəti ‖ ˌɑb–] *fn* tárgyilagosság, elfogulatlanság, objektivitás

object language *fn* **1.** *nyelv* tárgynyelv **2.** *infor* célnyelv

object lesson *fn* iskolapéldája vmnek

object of virtu [ˌɒbdʒɪkt əv vɜːˈtuː ‖ ˌɑbdʒɪkt əv vɜrˈtuː] *fn művt* műtárgy, ritka/értékes tárgy

objector [əbˈdʒektə ‖ –ər] *mn* **1.** tiltakozó, kifogásoló; **conscientious ~** *kat* ‹katonai szolgálatot lelkiismereti okból megtagadó személy› **2.** ellenző, ellentmondó

objet d'art [ˌɒbʒeɪ ˈdɑː ‖ ˌɑbʒeɪ ˈdɑr] *fn tsz* **objets d'art** [ˈɒbʒeɪ ‖ ɑbˈʒeɪ–] *francia* dísztárgy

objet de vertu [ˌɒbdʒeɪ də vɜːˈtuː ‖ ˌɑbdʒeɪ də vɜrˈtuː] *francia* → **object of virtu**

objurgate [ˈɒbdʒəgeɪt ‖ ˈɑbdʒər–] *tsi vál* korhol, (meg)dorgál, pirongat (vkt), szemrehányást tesz (vknek) • *fn* **objurgation** *mn* **objurgatory**

oblate[1] [ˈɒbleɪt ‖ ˈɑb–] *fn vall* oblátus, kolostorban élő világi (harmadrendi) személy

oblate[2] [ˈɒbleɪt ‖ ˈɑb–] *mn* (sarkaiban) összenyomott, lapított *[mértani test]*, ellipszoid, lapított *[gömb]*

oblation [əˈbleɪʃn] *fn* **1.** *vall* áldozat, felajánlás, istennek ajánlott adomány **2.** *vall* felajánlás *[a felajánlott kenyér és bor]*

obligant [ˈɒblɪgənt ‖ ˈɑb–] *fn jog* kötelezett

obligate I. *mn* [ˈɒblɪgət ‖ ˈɑb–] szükségszerű, kényszerű **II.** *tsi* [ˈɒblɪgeɪt ‖ ˈɑb–] **1. a)** kötelez (vkt) *[erkölcsileg, jogilag]*; **~ sy to do sg** *jog* kötelez vkt vmnek a megtételére **b)** kötelezővé tesz (vmt) **2.** leköt v. letétbe helyez (vmt) *[biztosítékként]*, kötelezettséget vállal (vmre)

obligation [ˌɒblɪˈgeɪʃn ‖ ˌɑb–] *fn* **1.** kötelezettség, kötelesség; *vall* **(holi)days of ~** kötelező ünnepek; **lay/put sy under an ~** kötelez vkt (vmre, vm megtételére); lekötelez vkt, lekötelezettjévé tesz vkt **2. a)** lekötelezettség **b)** lekötelezés; **be under ~s to sy** lekötelezettje vknek **3.** *jog* tartozás, kötelem; **meet one's ~s** *gazd* eleget tesz (fizetési) kötelezettségeinek; teljesíti kötelességeit **4. a)** *jog* kötelezvény **b)** *jog* adóslevél

obligatory [əˈblɪgətəri ‖ –tɔri] *mn* **1.** kötelező **2.** *jog* **writing ~** írásos és pecséttel ellátott kötelezvény

oblige [əˈblaɪdʒ] *tsi* **1. a)** kötelez, kényszerít **b) be ~d to do sg** köteles/kénytelen vmt megtenni **2. a)** lekötelez, szívességet tesz, szívességből csinál (vmt); **anything to ~ you** ha ezzel szívességet tehetek önnek **b) be ~d to sy** lekötelezettje vknek; **I am much ~d** igen hálás vagyok; nagyon köszönöm **c)** *biz* **go out obliging** takarítani jár • *fn* **obliger**

obligee [ˌɒblɪˈdʒiː ‖ ˌɑblɪ–] *fn* **1.** *jog* hitelező, kötelem jogosítottja **2.** *biz* lekötelezett személy

obligement [əˈblaɪdʒmənt] *fn* szívesség

obliging [əˈblaɪdʒɪŋ] *mn* lekötelező, udvarias, előzékeny, szolgálatkész, szívélyes

obligor [ˌɒblɪˈgɔː ‖ ˌɑblɪˈgɔr] *fn jog* adós, kötelem kötelezettje

oblique [əˈbliːk] **I.** *mn* **1.** ferde, rézsútos; **~ glance** ferde/sanda pillantás **2. ~ ways** *átv biz* görbe út, nem egyenes út; kerülő út **3.** *nyelv* **~ case** függő eset **II.** *fn* [əˈbliːk] **1.** *mat* ferde egyenes **2.** *nyomd* kurzív betű **3.** *GB nyomd* átlós/elválasztó vonal, virgula, „/" **III.** *tni* **-iquing 1.** *kat* ferde irányban menetel, letér **2.** ferdül, dől

oblique angle *fn mat* ferdeszög • *mn* **oblique-angled**

oblique triangle *fn mat* ferdeszögű *[nem derékszögű]* háromszög

obo [ˈoʊboʊ] *gazd röv or best offer* kikiáltási ár

oboe [ˈoʊboʊ] *fn zene* **1.** oboa **2.** oboás, oboajátékos

oboe d' amore [ˌoboʊ dəˈmɔːri] *fn zene* oboa d'amore *[mély oboa]*

oboist [ˈoʊboʊɪst] *fn zene* oboás, oboajátékos

obol [ˈɒbɒl ‖ ˈɑbl] *fn* **1.** *régi* obulus, obolosz **2.** *átv* garas, fitying, fillér

obovate [ɒbˈoʊveɪt ‖ ɑb–] *mn növ* fordított tojás alakú *[levél]*

obrogate [ˈɒbrəgeɪt ‖ ˈɑb–] *tsi jog [törvényt]* hatálytalanít/módosít új törvény által

obs. *röv obsolete*

obscene [əbˈsiːn] *mn* **1.** szemérmetlen, szeméremsértő, illetlen, trágár, obszcén **2.** visszataszító, utálatos, ocsmány **3.** *jog* közszeméremsértő

obscenity [əbˈsenəti] *fn* **1.** szemérmetlenség, illetlenség, trágárság, obszcenitás; *tsz* **obscenities** malacságok, disznóságok **2.** utálatosság, ocsmányság

obscurantism [ˌɒbskjʊˈræntɪzm ‖ ˌɑbskjəˈræntɪzm] *fn* maradiság, a haladás ellenzése • *fn* **obscurantist** *mn* **obscurant**

obscure [əbˈskjʊə ‖ əbˈskjʊr] **I.** *mn* **1.** érthetetlen, zavaros, sötét, homályos, bizonytalan (értelmű) **2.** sötét, homályos, borús; **become/grow ~** elsötétedik, besötétedik, elhomályosodik **3. a)** rejtett, kies, távoli **b)** ismeretlen, alacsony (rendű), alsóbbrendű, tizedrangú; **of ~ birth** ismeretlen születésű; bizonytalan/homályos/alacsony származású **4.** elmosódott, meghatározhatatlan *[színű]* **II.** *tsi* **1. a)** elrejt, eltakar, elfed **b)** összezavar, érthetetlenné tesz **2.** elhomályosít, elsötétít, homályba burkol **III.** *fn* sötétség, homály • *fn* **obscuration**

obscurer [əbˈskjʊərə ‖ –ˈskjʊrər] *fn* **1.** homályosító *[dolog* v. *személy]* **2.** *ip* tej-/átlátszatlan üveget készítő

obscurity [əbˈskjʊərəti ‖ əbˈskjʊr–] *fn* **1.** sötétség, homály **2.** zavarosság, homályosság *[stílusé]*; **lapse into ~** elvész a homályban **3.** ismeretlenség, bizonytalanság *[születésé]* **4.** ismeretlen/jelentéktelen dolog/személy

obsecration [ˌɒbsɪˈkreɪʃn ‖ ˈɑb–] *fn* **1.** könyörgés, fohászkodás, esedezés **2.** *vall* könyörgés *[szertartás része]* • *tsi* **obsecrate**

obsequies [ˈɒbsɪkwiz ‖ ˈɑb–] *fn* (ünnepélyes) temetés, gyászszertartás

O

obsequious [əbˈsiːkwɪəs] *mn* **1.** alázatos, szolgalelkű, hajbókoló, lakájtermészetű *[ember]* **2.** alkalmazkodó • *fn* **obsequiousness**

observable [əbˈzɜːvəbl ‖ –ˈzɜr–] **I.** *mn* **1.** megtartandó *[ünnep, rítus]*, betartandó *[előírás]* **2.** észlelhető, észrevehető, *fiz* megfigyelhető, mérhető **3.** figyelembe veendő **II.** *fn* jelenség *[a megfigyelés tárgya]* • *hsz* **observably**

observance [əbˈzɜːvns ‖ –ˈzɜr–] *fn* **1.** betartás, megtartás, figyelembe vétel *[törvényé]*, engedelmeskedés **2. a)** hagyomány, szokás **b)** *vall* regula *[szerzetesrendé]*; **religious ~s** vallási szertartások **c)** *vall* ünnep megszentelése **3.** *régi* tiszteletadás, hódolat

observancy [əbˈzɜːvənsi ‖ –ˈzɜr–] → **observance**

observant [əbˈzɜːvnt ‖ –ˈzɜr–] *mn* **a)** *[törvényt stb.]* betartó, megtartó; **~ Christian** gyakorló keresztény; **be ~ of sg** tiszteletben tart vmt **b)** ‹részleteket jól megfigyelő› figyelmes

observation [ˌɒbzəˈveɪʃn ‖ ˌɑbzər–] *fn* **1. a)** (meg)figyelés, észlelés; **under ~** megfigyelés alatt **b)** *csill* távcsővel való megfigyelés **2.** tapasztalat, megfigyelési adat, mérés **3. a)** megjegyzés, észrevétel; **he didn't make a single ~** egyetlen megjegyzést sem tett **b)** *tsz* **observations** megállapítások, észleletek, észrevételek **4.** betartás, megtartás *[szabályoké, szokásoké]* • *mn* **observational**

observation post *fn* **1.** *kat* (tüzérségi) megfigyelőállás **2.** megfigyelési pont, kilátó

observatory [əbˈzɜːvətəri ‖ əbˈzɜrvətɔri] *fn* **1.** csillagvizsgáló (intézet), obszervatórium **2.** kilátótorony

observe [əbˈzɜːv ‖ əbˈzɜrv] **A.** *tsi* **1.** megtart, betart *[törvényt, fegyelmet, határidőt, böjtöt stb.]*, figyelembe vesz *[előírást]*, megül *[lakodalmat, ünnepet]*; **~ moderation** mérsékletet tanúsít **2.** (meg)figyel, észlel **3.** észrevesz, észlel, megpillant, felfedez, megjegyez *[tényt stb.]* **4.** észrevételt/megjegyzést tesz (vmre), megjegyez, mond, figyelmeztet (vmre) **B.** *tni* **1. a)** figyel **b)** megfigyel(őként működik) **2.** (meg)nyilatkozik • *mn/fn* **observing**

observer [əbˈzɜːvə ‖ əbˈzɜrvər] *fn* **1.** megtartó, betartó *[törvényé, szabályé stb.]* **2.** (meg)figyelő, néző *[eseményeké]*, szemlélődő; *pol* **~ at the UNO** az ENSZ-hez kiküldött megfigyelő **3.** megjegyzéseket/észrevételeket tevő **4.** *kat* felderítő, megfigyelő

obsess [əbˈses] *i* **a)** gyötör, zaklat, kínoz **b)** megszáll, megszállottá tesz **c)** rögeszmével tölt el • *mn* **obsessed**

obsession [əbˈseʃn] *fn* **a)** zaklatottság, lidércnyomás **b)** megszállottság **c)** kényszerképzet, rögeszme, monománia • *fn* **obsessionist** *mn* **obsessional**

obsessive [əbˈsesɪv] *mn* **1.** kínzó, kényszerítő **2.** rögeszmés; **~ behaviour** rögeszmés viselkedés

obsidian [əbˈsɪdɪən] *fn ásv* obszidián, vulkáni üveg

obsign [ɒbˈsaɪn ‖ ɑb–] *tsi jog* ratifikál, megpecsétel *[egyezményt]*

obsolescent [ˌɒbsəˈlesnt ‖ ˌɑb–] *mn* **1. a)** (el)avuló **b)** (el)öregedő, elavulófélben levő, ósdi **c)** erkölcsileg elkopó **2.** *orv* senyvedő, sorvadó, zsugorodó, gyengén fejlett • *fn* **obsolescence**

obsolete [ˈɒbsəliːt ‖ ˌɑbsəˈliːt] *mn* **1.** (el)avult, ósdi, nem használt *[szó]*, megszűnt *[szokás]* **2.** *orv* elsorvadt, elsatnyult, elsenyvedt, gyengén fejlett

obstacle [ˈɒbstəkl ‖ ˈɑb–] *fn* akadály, gát

obstacle race *fn sp* akadályverseny

obstetric [əbˈstetrɪk] *mn orv* szülészeti • *fn* **obstetrician, obstetrix**

obstetrics [əbˈstetrɪks] *fn esz* szülészet

obstetrist [ɒbˈstetrɪst ‖ ɑb–] *orv* → **obstetrician**

obstinacy [ˈɒbstɪnəsi ‖ ˈɑb–] *fn* **1.** önfejűség, makacsság, konokság, nyakasság, megátalkodottság **2.** *orv* makacsság, tartósság *[betegségé]*

obstinate [ˈɒbstɪnət ‖ ˈɑb–] *mn* **1.** csökönyös, makacs **2.** makacs/nehezen gyógyítható; *orv* **~ fever** makacs láz

obstreperous [əbˈstrepərəs] *mn* **a)** lármás, zajos/zajongó **b)** fegyelmezetlen, féktelen(kedő), duhaj

obstriction [ɒbˈstrɪkʃn ‖ ɑb–] *fn* **1.** (le)kötelezettség **2.** *jog* (jogi) korlátozottság

obstruct [əbˈstrʌkt] *tsi* **1.** elzár, eltorlaszol *[utat]*, elrekeszt, eltöm *[szűrőt, csövet]* **2.** *orv* elzár, eltöm *[belet]*, székrekedést okoz **3.** *jog* **~ the course of justice** akadályozza az igazságszolgáltatást **4.** *pol* obstruál • *fn* **obstructor**

obstruction [əbˈstrʌkʃn] *fn* **1. a)** (el)dugulás *[csőé]*, elrekesztés, eltöm(őd)és *[szűrőé]* **b)** *orv* eldugulás, elzáródás *[beleké]* **c)** elakadás, torlódás, forgalmi zavar *[úton]*, akadályozás, fennakadás *[hajózásban]* **2.** (meg)akadályozás, (meg)gátlás **3.** *pol* obstrukció; **practise ~** obstruál **4.** *sp* akadályozás, feltartás *[játékosé]* • *fn* **obstructionism** *mn* **obstructionist**

obstructive [əbˈstrʌktɪv] *mn* akadályozó, gátló

obstruent [ˈɒbstruənt] **I.** *mn* elzáró, eltömő, eldugító **II.** *fn* elzáró szer

obtain [əbˈteɪn] **A.** *tsi* **1.** (meg)szerez, elnyer, elér, (meg)kap (vmt), hozzájut (vmhez) **2.** kieszközöl **3.** *bány ip* kinyer, kivon **B.** *tni* **1.** tartja magát, fennáll **2.** (el)uralkodik, általános • *fn* **obtainer, obtainment** *mn* **obtainable**

obtrude [əbˈtruːd] *i* **A.** *tsi* előtérbe tol/hoz **B.** *tni* tolakszik, alkalmatlankodik • *fn* **obtruder, obtrusion**

obtruncate [ɒbˈtrʌŋkeɪt ‖ ɑb–] *tsi* lefejez, lenyakaz, levágja (vmnek) a csúcsát, csonkra vág, lecsonkít *[kúpot]*

obtrusive [əbˈtruːsɪv] *mn* **1.** alkalmatlankodó, tolakodó, zaklató, erőszakoskodó **2. ~ smell** átható/penetráns szag • *fn* **obtrusiveness**

obtund [ɒbˈtʌnd ‖ ɑb–] *tsi orv* eltompít, elkábít *[érzéket]*, csillapít, enyhít *[fájdalmat]*

obtundent [ɒbˈtʌndənt ‖ ɑb–] *fn/mn* fájdalomcsillapító

obturate [ˈɒbtjuəreɪt ‖ ˈɑbtjə–] *tsi* elzár, eltöm, elrekeszt, eldug(aszol), betöm • *fn* **obturation, obturator**

obtuse [əbˈtjuːs ‖ əbˈtuːs] *mn* **1. a)** tompa, hegyetlen **b)** eltompult, meggyengült *[érzék]*, tompított *[hang]*; **~ angle** *mat* tompaszög; **~ pain** tompa fájdalom **2.** (szellemileg) korlátolt, bárgyú, nehéz felfogású, értetlen *[elme]* • *fn* **obtuseness**

obtusion [ɒbˈtjuːʒn ‖ ɑbˈtuːʒn] *fn* **1.** tompaság, eltompultság **2.** eltompítás

obverse [ˈɒbvɜːs ‖ ˈɑbvɜrs] **I.** *mn* **1.** vk/vm felé fordult/forduló; **~ side of a medal** érme fejoldala/előlapja **2. a)** vm másik oldalát illető, szemben levő, ellentétes/átellenes, ellenkező **b)** kiegészítő **3.** *tud* felül szélesebb, mint alul, (meg)fordított *[szerv]* **II.** *fn* fejoldal, előlap *[éremé]*

obversion [ɒbˈvɜːʃn ‖ ɑbˈvɜrʒn] *fn* **a)** *tud* ‹állítás előjelének megfordításával történő cáfolás› **b)** kiforgatás, visszájára fordítás *[érvelésé]*

obvert [ɒbˈvɜːt ‖ ɑbˈvɜrt] *tsi fil* kiforgat *[mondatot]*, ellenkezőjére fordít *[állítást]*

obviate [ˈɒbvieɪt ‖ ˈɑb–] *tsi* megelőz, megakadályoz, elhárít, elejét veszi, előre leszerel *[aggályokat]*; **~ the need** szükségtelenné tesz

obvious [ˈɒbvɪəs ‖ ˈɑb–] *mn* nyilvánvaló, evidens, kézenfekvő, kézzelfogható, magától értetődő, szembetűnő, szembeszökő; **miss the ~** nem veszi észre a nyilvánvalót • *hsz* **obviously** *fn* **obviousness**

ocarina [ˌɒkəˈriːnə ‖ ˌɑkə–] *fn zene* okarína

occasion [əˈkeɪʒn] **I.** *fn* **1. a)** alkalom, helyzet, kedvező körülmény, eset, ok, alap; **on ~** alkalomadtán; **rise to the ~** a helyzet magaslatára emelkedik **b)** különleges alkalom/esemény; **we'll make this an ~** ezt az alkalmat meg fogjuk ünnepelni; **on the ~ of** abból az alkalomból, (vm) alkalmából **2.** *tsz* **occasions** *régi* elfoglaltság, foglalkozás **II.** *tsi* okoz, előidéz, kivált (vmt), alkalmat ad (vmre)

occasional [əˈkeɪʒnˑəl] *mn* **1. a)** alkalmi, véletlen/véletlenszerűen/esetenként adódó **b)** ideiglenes/alkalmi *[megoldás]* **2.** esetenkénti/időnkénti • *fn* **occasionality** *hsz* **occasionally**

occident [ˈɒksɪdənt ‖ ˈɑksɪdənt] *fn* nyugat; **the O~** a Nyugat

occidental [ˌɒksɪˈdentl ‖ ˌɑksɪˈdentl] **I.** *mn vál* nyugati **II.** *fn vál* nyugati ember • *fn* **occidentalism, occidentalist**

occidentalize [ˌɒksɪˈdentl·aɪz ‖ ˌɑksɪˈdentl–], **-ise** *tsi* elnyugatosít, nyugati jellegűvé tesz

occipital [ɒkˈsɪpɪtl ‖ ɑk–] *mn orv* nyakszirt-, nyakszirthez tartozó; *orv* ~ **bone** nyakszirtcsont

occiput [ˈɒksɪpʌt ‖ ˈɑksɪ–] *fn tsz* **occiputs, occipita** [ɒkˈsɪpɪtə ‖ ɑk–] *orv* nyakszirt, tarkó

occlude [əˈkluːd] *tsi* **1.** elzár, eltöm, eldugít *[edényt, vezetéket]* **2.** *vegy* beszív, elnyel, abszorbeál *[gázt]*

occlusion [əˈkluːʒn] *fn* **1. a)** elzárás, eltömés, eldugítás **b)** *vegy* elnyelés, felszívás, abszorbeálás *[gázé]*, abszorpció **2.** elzáródás, elzártság, eldugulás *[vezetéké]* **3.** *orv* bezáródás *[sebé]* • *mn* **occlusive**

occult [əˈkʌlt] **I.** *mn* rejtett, titkos, ismeretlen, okkult **II. A.** *tsi* **1.** elrejt, eltakar, elfed, elsötétít **2.** eltitkol **B.** *tni* elhomályosodik, pislákol, meg-megszakad, ki-kialszik *[világítótorony fénye]* • *fn* **occultion, occultist, occultness** *mn* **occulting**

occultation [ˌɒkʌlˈteɪʃn ‖ ˌɑkʌl–] *fn* **1.** *csill* csillagfedés, okkultáció **2.** eltűnés, láthatatlanná/nyomtalanná válás

occupancy [ˈɒkjupənsi ‖ ˈɑkjə–] *fn* **a)** elfoglalás *[állásé]*, beköltözés *[lakásba]*, birtokbavétel *[ingatlané]* **b)** betöltés *[állásé]* **c)** bennlakás, birtoklás, birtokban tartás *[ingatlané]*

occupancy rate *fn* szálloda forgalma

occupant [ˈɒkjupənt ‖ ˈɑkjə–] *fn* **1.** bérlő, birtokba vevő *[földé]*, bérlő, lakó *[házé]*, viselő, betöltő *[állásé]* **2. the ~s of the car** a kocsi utasai

occupation [ˌɒkjuˈpeɪʃn ‖ ˌɑkjə–] *fn* **1. a)** birtokbavétel, birtoklás **b)** kibérlés **2.** elfoglalás, megszállás, okkupáció **3.** foglalkozás, munka, mesterség, hivatás **4.** foglalatosság, elfoglaltság

occupational [ˌɒkjuˈpeɪʃn·əl ‖ ˌɑkjə–] *mn* foglalkozásra vonatkozó, hivatással/mesterséggel összefüggő/kapcsolatos; ~ **centre** szociális foglalkoztató *[a munkanélkülieket segítő „job centre" elődje]*

occupational therapy *fn orv pszich* munkaterápia

occupied [ˈɒkjupaɪd ‖ ˈɑkjə–] *mn* **1.** (el)foglalt, megszállt *[terület]* **2.** elfoglalt *[személy]*, foglalkoztatott, kereső; ~ **population** kereső népesség; → **occupy**

occupier [ˈɒkjupaɪə ‖ ˈɑkjəpaɪər] *fn* bérlő, lakó, birtokló *[ingatlané]*

occupy [ˈɒkjupaɪ ‖ ˈɑkjə–] *tsi* **1. a)** elfoglal, lakik *[házat, szobát]* **b)** ellát, betölt *[állást]* **c)** birtokba vesz, birtokában tart (vmt) **d)** megszáll, elfoglal *[ellenséges országot, hadászati pontot]* **2.** betölt, elfoglal *[helyet, teret]*, elvesz *[időt]* **3. a)** elfoglal (vkt vmi); **I am occupied at present** nem érek rá, el vagyok foglalva **b)** foglalkoztat, alkalmaz, munkát/elfoglaltságot ad (vknek); → **occupied**

occur [əˈkɜː ‖ əˈkɜr] *tni* **-rr- 1.** (meg)történik, megesik, bekövetkezik, előfordul, előadódik **2.** akad, előfordul, felbukkan, felmerül *[ásvány, tárgy, típus]* **3.** eszébe jut/ötlik (vknek); **it ~s to me that ...** (most) jut eszembe ...

occurrence [əˈkʌrəns ‖ əˈkɜrəns] *fn* **1.** esemény, eset, (meg)történés; **an everyday ~** mindennapos eset; **a singular ~** egyedülálló eset **2.** előfordulás *[ásványé]*

occurrent [əˈkʌrənt ‖ əˈkɜrənt] *mn* esetleges, felmerülő, előforduló

ocean [ˈouʃn] *fn* **1.** óceán; ~ **currents** tengeráramok, óceáni áramlatok **2.** *biz* igen nagy (v. tengernyi) mennyiség (vmből)

oceanarium [ˌouʃəˈneərɪəm ‖ –ˈner–] *fn tsz* **oceanariums, oceanaria** [–rɪə] oceanárium *[óriás akvárium tengeri élőlények bemutatására]*

ocean-floor *fn* tengerfenék, óceánfenék

ocean-going *mn* ‹tengeri közlekedésre alkalmas hajó›

Oceania [ˌousiˈɑːnɪə ‖ ˌouʃiˈænɪə] *tul földr* Óceánia

Oceanian [ˌousiˈɑːnɪən ‖ ˌouʃiˈænɪən] *mn/fn földr* óceániai

oceanic [ˌouʃiˈænɪk] *mn* **1. a)** óceáni *[utazás, áramlat]*, óceánhoz tartozó, óceánba folyó, óceán- **b)** nyílt tengeri *[fauna]* **2.** *földr* óceáni **3.** *biz* rengeteg

oceanography [ˌouʃəˈnɒgrəfi ‖ –ˈnɑ–] *fn* oceanográfia, tengerkutatás(tan) • *fn* **oceanographer** *mn* **oceanographic, oceanographical**

oceanology [ˌouʃəˈnɒlədʒi ‖ –ˈnɑ–] *fn* oceanológia

Ocean State *tul földr US biz* ‹Rhode Island állam›

ocean tramp *fn hajó* kereskedelmi hajó

ocellus [ouˈseləs] *fn tsz* **ocelli** [ouˈselaɪ] *tud* (pont)szem, egyszerű szem, ocellus *[rovaré]* • *mn* **ocellate, ocellated**

och [ɒx ‖ ɑx] *isz* **ochone, ohone** *skót Írorsz* ‹meglepetés, megvetés, egyet nem értés kifejezése›

ocher [ˈoukə ‖ ˈoukər] *US* → **ochre**

ochlocracy [ɒˈklɒkrəsi ‖ ɑˈklɑ–] *fn* csőcselékuralom • *fn* **ochlocrat** *mn* **ochlocratic**

ochlophobia [ˌɒkləˈfoubɪə] *fn pszich* tömegiszony

ochre [ˈoukə ‖ –ər] **I.** *fn* **1. a)** *ásv* okker, okra; ~ **loess** sárgaföld; **yellow ~** sárga (vas)okker **b)** okkersárga (szín), festék **2.** *biol* ~ **mutation** nonszensz mutáció **3.** *[pénz]* guba **II.** *tsi* **ochring** okkerrel (be)fest/megfest • *mn* **ochrous**

-ock [ək] *utótag [kicsinyítő képző]* -cska/-cske; **hillock** dombocska

ocker [ˈɒkə ‖ ˈɑkər] *fn Ausz szl [faragatlan/indulatos ember]* tuskó, bunkó

OCR *röv infor optical character reader/recognition* optikai karakterfelismerés

Oct, Oct. *röv October* október, okt.

octa- [ɒkt ‖ ɑkt] *előtag* **oct-, octo-** nyolc- *[nyolc tagból álló]*, okta-

octachord [ˈɒktəkɔːd ‖ ˈɑktəkɔrd] **I.** *mn zene* nyolchúros *[hangszer]* **II.** *fn* **1.** *zene* nyolchúros lant **2.** *zene* nyolc hangból álló hangsor/skála

octad [ˈɒktæd ‖ ˈɑk–] *fn* **1.** nyolcas, nyolcas csoport **2.** *vegy* nyolc vegyértékű gyök

octagon [ˈɒktəgən ‖ ˈɑktəgɑn] *fn mat* **1.** nyolcszög, oktogon **2.** nyolcszögletű tárgy/épület • *mn* **octagonal**

octahedron [ˌɒktəˈhiːdrən ‖ ˌɑktə–] *fn tsz* **-s, octahedra** [–drə] *mat* oktaéder, nyolclap(ú test) • *mn* **octahedral**

octal [ˈɒktl ‖ ɑktl] *mn* nyolcas *[beosztás* v. *skála* v. *csoport]*

octamerous [ɒkˈtæmərəs ‖ ɑk–] *mn* nyolcrészes

octameter [ɒkˈtæmɪtə ‖ ɑkˈtæmətər] *mn/fn* nyolclábú *[vers]*

octane [ˈɒkteɪn ‖ ˈɑk–] *fn vegy* oktán; ~ **number/rating** oktánszám

octant [ˈɒktənt ‖ ˈɑk–] *fn* **1.** *mat* oktáns, kör nyolcadrésze, környolcad **2. a)** *csill* égbolt nyolcadrésze **b)** *csill* oktáns *[műszer]*

octastyle [ˈɒktəstaɪl ‖ ˈɑk–] **I.** *mn épít* nyolc oszlopból álló **II.** *fn* nyolctagú oszlopsor

octavalent [ˌɒktəˈveɪlənt ‖ ˌɑk–] *mn vegy* nyolcas kötésű

octave [ˈɒktɪv ‖ ˈɑk–] *fn* **1. a)** nyolcad, oktáv(a) *[vívásban stb.]* **b)** *zene* nyolcad hangköz, oktáv(a) **2. a)** *ir.tud* nyolcsoros strófa **b)** a szonett első két (négysoros) versszaka

octave coupler *fn zene* dublett *[orgonán]*

octennial [ɒkˈtenɪəl ‖ ɑk–] *mn* **1.** nyolc évi(g tartó) **2.** nyolcévenkénti

octet [ɒkˈtet ‖ ɑk–], **octette** *fn* **1.** *zene* oktett, nyolcas **2.** *vál* nyolcsoros versszak **3.** *fiz* oktett

October [ɒkˈtoubə ‖ ɑkˈtoubər] *fn* október

octocentenary [ˌɒktousenˈtiːnəri ‖ –ˈsentnˈeri] **I.** *fn* nyolcszázadik évforduló **II.** *mn* nyolcszázéves

octogenarian [ˌɒktoudʒɪˈneərɪən ‖ ˌɑktoudʒɪˈnerɪən] *mn/fn* 80-89 éves, *biz* nyolcvanas *[ember]*

octogenary [ɒkˈtɒdʒɪnəri ‖ ɑkˈtɑdʒɪneri] → **octogenarian**

octopod [ˈɒktəpɒd ‖ ˈɑktəpɑd] *fn tsz* **~s, octopoda** [ɒkˈtɒpədə ‖ ɑkˈtɑ–] *áll* nyolckarú/nyolclábú polip

O

octopus ['ɒktəpəs||'ɑk–] *tsz* **octopodes** [ɒk'tɒpədi:z || ɑk'tɑ–], **octopuses** *áll* polip
octoroon [ˌɒktə'ru:n || ˌɑk–] *fn US* nyolcadvér *[fehérbőrű akinek egyik dédszülője feketebőrű]*
octosyllabic [ˌɒktousɪ'læbɪk ||ˌɑk–] **I.** *mn ir.tud* nyolcszótagú, nyolclábú **II.** *fn* nyolcszótagú verssor
octosyllable ['ɒktousɪləbl || 'ɑk–] *fn* **1.** *ir.tud* nyolcszótagú verssor **2.** nyolcszótagú szó
octroi ['ɒktrwɑ: || 'ɑktrɔɪ] *fn* **1.** *régi* városi adó/vám **2.** *régi* városi vámhivatal **3.** városi vámtisztviselet, vámhivatalnokok
octuple ['ɒktju:pl || 'ɑktu:pl] **I.** *mn* nyolcszoros **II.** *fn* nyolcszoros mennyiség **III.** *tsi* (meg)nyolcszoroz
ocular ['ɒkjulə || 'ɑkjələr] **I.** *mn* **1.** szem-, szemhez tartozó, szemmel kapcsolatos **2.** nyilvánvaló, látható **II.** *fn fiz* szemlencse, okulár
ocularist ['ɒkjulərɪst || 'ɑkjə–] *fn* műszemkészítő
oculist ['ɒkjulɪst || 'ɑkjə–] *fn* szemész, szemorvos
Od *fn szl euf* ‹a God szó kifordítása szitkozódásban›; **~ rot it!** a fene egye meg!
OD *röv* **I.** *fn overdose* túladagolás, halálos adag **II.** *tni pt/pp* **OD'd**, **ODed**, *pr.p* **ODing** *szl [túladagol]* túllövi magát, halálos adagot vesz be; **she ~ed on heroin** túllőtte magát heroinnal
od[1] [ɒd || ɑd], **OD** *röv* **1.** *Doctor of Optometry* **2.** *officer of the day* **3.** *Old Dutch* **4.** *olive drab* **5.** *on demand* **6.** *operations division* **7.** *ordnance datum* **8.** *outer/outside diameter* **9.** *szl overdose* **10.** *overdraft* **11.** *overdrawn*
od[2] [ɒd || ɑd], **odyl** *fn* ‹feltételezett, a természeti jelenségeket vezérlő természetfeletti erő›
odalisque ['oudəlɪsk] *fn* odaliszk, háremhölgy
odd [ɒd || ɑd] **I.** *mn* **1. a)** páratlan, nem páros, egyenlőtlen; **~ months** 31 napos hónapok; **~ number** páratlan szám **b)** vmlyen szám feletti; **3 pounds ~** 3 font és néhány penny; **twenty ~** húszegynéhány **c) ~ day** szökőnap; **the ~ game** a döntő játszma; bell *[bridzsben]* **2. a)** egyes, visszamaradt *[párból]*, párját vesztett **b)** bármilyen, bármelyik; **~ hand/man** napszámos, alkalmi munkás; mindenes; **~ jobs** alkalmi munkák; mindenféle munkák (pl. ház körül); **do ~ jobs** alkalmi munkákból él; **~ man out** kakukktojás; **at ~ times** időnként, néha-néha, hébe-hóba; **in an ~ corner** bárhol/akárhol; bármely zugban **3. a)** nem szokásos/használatos, szokatlan, furcsa, különös, sajátságos **b)** különc, szertelen *[egyén]*; *biz* **~ fish/stick** különc, furcsa alak, csodabogár **II.** *fn* páratlan szám; → **odds** • *hsz* **oddly** *fn* **oddness** *mn* **oddish**
oddball *fn biz* különc, csodabogár
odd bod *fn szl* fura alak
odd-come-short **I.** *mn US biz* hamaros, nemsokára **II.** *fn tex gazd biz* szövetmaradék
oddfellow, **Oddfellow** *fn* titkos jótékony társaság tagja
oddity ['ɒdəti || 'ɑ–] *fn* **1. a)** különösség, különcség, furcsaság **b) he has some little oddities** kissé hóbortos, különös szokásai vannak **2. a)** különc, eredeti alak **b)** különcség, különlegesség, bizarr vonás, sajátosság, furcsaság
odd-jobber → **odd-job man**
odd-job man *fn biz* **1.** napszámos, alkalmi munkás **2.** mindenes (munkás) *[aki minden ház körüli javítást elvégez]*
oddments ['ɒdmənts || 'ɑd–] *fn* maradék, *gazd* visszamaradt árucikkek, maradékok, párjavesztett holmik, egyes darabok/párok
odds [ɒdz || ɑdz] *fn tsz* **1.** páratlan szám, egyenlőtlenség, túlsúly **2. a)** esély, eshetőség, előny; **by all/long ~** vitán felül, feltétlenül, kétségtelenül; messze; **the ~ are that** a kilátások (v. az esélyek) szerint, igen valószínű, hogy; **make ~ even** különbségeket egyenlít **b)** különbség; **what's the ~?** nem mindegy (ez)?, mi a különbség?, mit számít?; *biz* **the ~ are that, it is long ~ that** nagy az esély(e) hogy; **on which side do the ~ lie?** melyik az esélyesebb?; **the ~ are 10 to 1** az esély tíz az egyhez; **be at ~ with sy/sg** nem ért egyet vkvel/vmvel; haragban/faséban van (v. haragot tart v. hadilábon áll) vkvel, meghasonlottak egymással; → **odd**
odds and ends *fn tsz* dirib-darabok, limlom, kacatok
ode [oud] *fn ir.tud* óda
-ode [oud] *utótag* **a)** ‹jellegű›; **geode** üreg **b)** ‹elektródák nevében›; **cathode** katód
odeon ['oudɪən || –ɑn] → **odeum**
odeum ['oudɪəm || –iɑn] *fn tsz* **-s**, **odea** [ou'di:ə] **1.** ókori görög színház **2.** koncertterem **3.** filmszínház
odic ['oudɪk] *mn* ódai
odious ['oudɪəs] *mn* **1.** gyűlöletes, felháborító, aljas, szégyenletes **2.** undok, utálatos, visszataszító • *fn* **odiousness**
odium ['oudɪəm] *fn* **1. a)** gyűlölet, gyűlölködés **b)** gyűlöletesség, gyalázat(osság), szégyenletesség, ódium *[cselekedeté]*; **accept/bear the ~ of the case** vállalja az ügy ódiumát **2.** rosszallás, kárhoztatás, megbélyegzés
odometer [ou'dɒmɪtə || ou'dɑmɪtər] *fn* lépésszámláló, útmérő, távolságmérő, kerékfordulat-számláló
odontalgia [ˌɒdɒn'tældʒɪə || ˌɑdən–] *fn orv* fogfájás
odontic [ou'dɒntɪk || –'dɑn–] *mn* foggal kapcsolatos, fog-
odontoid [ou'dɒntɔɪd || ou'dɑntɔɪd] *mn orv biol* **a)** fog alakú, fogszerű *[nyúlvány]* **b)** fogszerű, foghoz hasonló
odontosis [ˌoudɒn'tousɪs || –dɑn–] *fn biol* fogképződés, fogzás
odontotherapy [ˌɒdɒntou'θerəpi || ˌɑ–] *fn orv* fogkezelés
odor ['oudə || –ər] *US* → **odour**
odorant ['oudərənt] → **odoriferous**
odoriferous [ˌoudə'rɪfərəs] *mn* **1.** illatos, illatozó, szagos, jószagú **2.** *biz* büdös
odorize ['oudəraɪz], **-ise** *tsi* szagosít, illatosít
odorous ['oud(ə)rəs] *mn* szagos *[szagot bocsát ki]*, illatos, illatosított, illatot/szagot árasztó, bűzös
odour ['oudə || –ər] *fn* **1.** szag, illat **2.** *régi* kegy, elismerés, hírnév; **in good ~** jó hírű, kegyelt; **in bad ~** kegyvesztett, rosszhírű • *mn* **odourless**
Odyssey ['ɒdəsi || 'ɑ–] *fn* **1. the ~** az Odüsszeia **2. o~** kalandos utazás, hányattatás, odisszea
OE *röv Old English*
OECD *röv Organization for Economic Cooperation and Development* Gazdasági Együttműködési és Fejlesztési Szervezet
OED *röv Oxford English Dictionary*
oedema [i:'di:mə] *fn orv* ödéma, vizenyő
oedematous [i:'di:mətəs], **oedematose** *mn orv* ödémás, vizenyős
Oedipus complex ['i:dɪpəs ˌkɒmpleks || 'edɪpəs ˌkɑm–] *fn pszich* Oidipusz-komplexus
OEEC *röv Organization for European Economic Cooperation*
oenology [i:'nɒlədʒi || –'nɑ–] *fn* borászat • *fn* **oenologist** *mn* **oenological**
oenophile ['i:nəfaɪl] *fn mezőg* borkedvelő, borínyenc
oenophilist [i:nɒfɪlɪst || –nɑ–] → **oenophile**
oesophagus [i:'sɒfəgəs || i:'sɑ–] *fn tsz* **oesophagi** [–gaɪ], **s** *orv* nyelőcső • *mn* **oesophageal**
oestrogen ['i:strədʒən || 'es–] *fn orv* ösztrogén *[tüszőhormon-hatású anyag]* • *mn* **oestrogenic**
oestrone ['i:stroun || 'es–] *fn orv* ösztron *[női hormon]*
oestrous ['i:strəs || 'es–] *mn orv* ivarzási, ösztrusz-, oestrus-
oestrum ['i:strəm || 'es–] *fn* **1.** *áll* bögöly **2.** élénkítő szer, izgatószer **3.** *áll* **a)** ivarzás **b)** párzási idő(szak)
oestrus ['i:strəs || 'es–] → **oestrum**
oeuvre ['ɜ:v(rə) || 'ɜ(r)v(rə)] *fn műv* **1.** művek, műalkotások *[egy szerzőé/művészé]* **2.** életmű
of- [əv || əv] → **ob-**
of [əv || əv] *elölj* **1. a)** -ból/-ből, -ról/-ről, -tól/-től, -nak (a)/-nek (a), -ra/-re, -val/-vel, -i, közül, által, alatt, miatt **b)** *US* **ten minutes ~ one** tíz perc múlva egy **2. beloved ~ all**

mindenki által szeretett, közkedvelt **3. a house ~ cards** kártyavár; **made ~ wood** fából való/készült **4.** *biz* **well what ~ it?** no és?, hát aztán?, na és aztán? **5. a) child ~ ten** tízéves gyermek; **hard ~ heart** kőszívű **b) a palace ~ a house** palotának beillő ház **6. the love ~ a mother** az anyai szeretet **7. a) ~ the twenty only one was bad** a húsz közül csak egy volt rossz; **he is one ~ us** ő közülünk való; ő hozzánk tartozik; **a man ~ a thousand** ezer ember közül egy (ember) **b) he ~ all men/people** éppen ő (mind közül) **c) remedy ~ remedies** a legkiválóbb gyógyszer **8. a) citizen ~ London** londoni polgár; **the second ~ May** május másodika **b) a friend ~ mine** egy(ik) barátom **9. ~ old** régen, azelőtt, hajdan; *biz* **~ sorts** valamiféle

ofay [ˌou'feɪ] *fn US szl* fehér ember *[feketék szóhasználatában]*

off[1], **off.** *biz röv office*; *officer*; *official*

off[2] [ɒf ‖ ɔf] **I.** *mn* **1.** legtávolabbi **2. a)** jobb oldali, jobb kézről fekvő **b)** hátoldal, hátlap *[könyvé]* **3.** kiegészítő, segítő, segéd-, pót- **4. ~ duty** nincs szolgálatban; **be ~ form** nincs formában *[sportoló]* **5.** *gazd* **~ consumption** otthoni fogyasztás *[szeszes italoké]*, utcán át való kimérés **6.** mellék-, oldalt fekvő **7.** *gazd* **~ size** szabványmérettől eltérő, mértéken felüli **II.** *hsz* **1. a) far ~** messze, nagy távolságra; **some way ~** valamelyes távolságnyira **b) he is ~ to London** elutazott Londonba; **be ~!** tűnj(ön) el!, tűnés; **they're ~!**, **~ they go!** elindultak!; **I must be ~** el kell sietnem/mennem, már mennem kell; **~ we go!** induljunk!, gyerünk!; **~ with him!** vigyé(te)k!; **keep ~ the grass** a fűre lépni tilos **c)** *szính* **"~"** „el"; a színfalak mögött/mögé **2. a) a button is** (v. **has come**)**~** leszakadt egy gomb; **hats ~!** le a kalappal!; **take ~ one's coat** leveszi/leveti kabátját; **the concert is ~** a hangverseny elmarad **b) "~"** lezárva, kikapcsolva *[fűtés, villany, víz]*; **turn ~ the gas** elzárja a gázt **c)** *US* **be a bit ~** nem egészen kifogástalan/jó **d) finish ~ a piece of work** teljesen befejez egy munkát **3. be badly/poorly ~** rossz sora van, nehéz helyzetben van; szűkös viszonyok között él; **be better ~** jobb módban van; kedvezőbb körülmények között (v. helyzetben) van; **be well ~** gazdag, vagyonos, jómódú, tehetős; **be well ~ for sg** jól el van látva vmvel **4. ~ and on, on and ~** időnként, hébe-hóba, néha-néha, nagynéha; **right/straight ~** azonnal, rögtön, tüstént **III.** *elölj* **a)** -ról/-ről, -tól/-től, -ból/-ből; **take sg ~ the price** vmvel leszállítja az árat; **take sg (from)~ a shelf** polcról levesz vmt **b)** távol, messze (vmtől); **all that is ~ the point** mindez nem tartozik (v. mindennek semmi köze) a kérdéshez; **"~ ground"** fogócska; **~ stage** a kulisszák mögött; **~ the record** bizalmas, nem közlendő, jegyzőkönyvön kívül **c) be ~ one's food** étvágytalan, nincs étvágya **d) a day ~** szabadnap, szünnap; **take a day ~** egy napi szabadságot vesz ki, egy napig nem dolgozik **IV. A.** *tsi* **1.** *szl [megöl]* kikészít, kicsinál, kinyír **2.** *szl [közösül]* megdug **B.** *tni* **1.** *hajó* kifut a nyílt tengerre **2.** *biz* **~ with one's coat** ingujjra vetkőzik **3.** *[meghal]* elpatkol, bemondja az unalmast

off-air [ˌɒf 'eə ‖ ˌɔf 'er] *mn/hsz média* adáson kívül(i), le nem adott, nem sugárzott

offal ['ɒfl ‖ 'ɔfl] *fn* **1. a)** törmelék, hordalék, maradék, selejt **b)** hulladék; *US* **~ timber** faforgács, fahulladék; *mezőg* **~ wheat** ocsú; korpa **c)** moslék **d)** dög **2.** aprólék, belső részek

off artist *fn szl [tolvaj]* zsebes

off-balance *fn* egyensúlyvesztés

offbeat *mn* **1.** mellékes, másodlagos **2.** a megszokottól eltérő, szokatlan **3.** *zene* hangsúlytalan hangra eső *[alapritmustól eltérő]*

off-camera *mn fényk film* felvételen nem látszó

offcast *mn* értéktelen, kiselejtezett

off-centre(d), *US* **off-center(ed)** *mn/hsz* **1.** középről elmozdult/eltolódott/kibillent, excenteres **2.** *átv* excentrikus, nem normális

off chance *fn* csekély valószínűség

off colour, *US* **-color** *mn* **1.** színhibás *[drágakő]*, fakó, másodosztályú **2.** *GB* beteges, rossz bőrben/színben levő **3.** *biz* sikamlós, nem szalonképes, malac *[vicc, gesztus, viselkedés]*

offcut *fn* **1.** *gazd* maradék, levágott végek **2.** *nyomd* papír, karton, keresztkötés

off-day *fn biz* rossz/peches nap

offence [ə'fens], *US* **offense** *fn* **1.** támadás, agresszió **2.** sértés, sérelem, bántás, bántalom; **give ~ to sy** megsért, megbánt vkt; megbotránkoztat vkit; **(I meant) no ~**, **no ~ was meant** nem akartam (senkit) megsérteni/megbántani; **no ~!** ne vegye/vedd zokon!; **take ~** megsértődik (vmn/vm miatt), megütközik/megbotránkozik (vmn) **3. a)** bűn, vétek; **commit an ~ against the law** törvényszegést/törvénysértést követ el **b)** *jog* bűncselekmény, bűntett, szabálysértés, *[régebben:]* kihágás • *mn* **offenceless**

offend [ə'fend] **A.** *tsi* **1.** megbánt, megsért, megütköztet, kellemetlenül érint **2. be ~ed at/by/with sg** megsértődik/megbántódik/megharagszik vmtől; megütközik vmn **B.** *tni* **1. ~ against** áthág, megszeg, megsért; **~ against the law** törvénysértést/törvényszegést követ el **2.** *régi* vétkezik, hibába/bűnbe esik • *fn* **offender** *mn* **offended**

offensive [ə'fensɪv] **I.** *mn* **1.** bántó, sértő, megbotránkoztató *[szavak, tettek]*, kellemetlen, visszataszító *[szag, látvány]* **2.** *kat* támadó, offenzív **3.** káros, ártalmas, ragályos **4.** *US sp* támadó *[játékos, csapat]* **II.** *fn* támadás, offenzíva • *fn* **offensiveness**

offer ['ɒfə ‖ ɔfər] **I.** *fn* **a)** ajánlat, kínálat; **~ of marriage** házassági ajánlat; **on ~** eladó, kapható *[olcsóbb áron]*; **decline an ~** ajánlatot visszautasít *[házasságit is]* **b)** (fel)ajánlás; **make an ~ of sg to sy** vknek (fel)ajánl vmt **II. A.** *tsi* **1.** (fel)ajánl, (fel)kínál **2. ~ one's opinion** véleményt nyilvánít; **~ a remark** megjegyzést tesz **3.** nyújt; **the firework ~ed a fine spectacle** a tűzijáték gyönyörű látványt nyújtott **4.** megkísérel; **~ resistance** ellenáll, ellenállást fejt ki (v. kísérel meg) **B.** *tni* kínálkozik, adódik *[alkalom]*; **as occasion ~s** amint/mihelyt alkalom adódik/kínálkozik • *fn* **offerer**

offering ['ɒfrɪŋ ‖ 'ɔ–] *fn* **1.** kínálat, ajánlat **2.** felajánlás, áldozat, felajánlott tárgy, adomány, ajándék; *vall* **~s** adakozás; adományok, perselypénz

offertory ['ɒfətəri ‖ 'ɔfərtɔri] *fn vall* **1.** felajánlás, offertórium **2. a)** adománygyűjtés, templomi perselyezés **b)** összegyűjtött adomány

offertory box *fn vall* persely

offhand **I.** *mn* **1.** jobb oldali, jobb kézről fekvő **2.** spontán, rögtönzött, készületlen, elő nem készített **3.** könnyed, fesztelen, szókimondó **4.** fölényes, nyegle; **be ~ with sy** fölényesen viselkedik vkvel szemben; lekezel vkt **5.** szabad kézzel készült *[pl. rajz]* **II.** *hsz* **1.** kapásból, hamarjában, első látásra, készületlenül, nyomban, rögtön, váratlanul **2.** egyszerűen, fesztelenül, ceremónia/teketória nélkül **3.** fölényesen, fölényeskedve, nyeglén • *mn* **offhanded**

off-hour *fn* **1.** házon/munkahelyen/szolgálaton kívül töltött idő **2.** *tsz* **off-hours** kis forgalmú idő, csúcsforgalmon kívüli órák/idő

office ['ɒfɪs ‖ 'ɔ–] *fn* **1. a)** szolgálat, közbenjárás **b) last ~s** végtisztesség, temetés **2. a)** hivatali/hivatalos működés/kötelesség, működési kör **b)** állás, hivatal, tisztség; **public ~** köztisztviselői/közhivatalnoki állás; **be in ~**, **hold ~** állást betölt; hatalmon van *[kormány]*; tárcája van *[miniszternek]*; **leave ~** lemond állásáról **3.** *vall* istentisztelet, ceremónia, szertartás **4. a)** iroda, hivatal(i helyiség); *US* **physician's ~** orvosi rendelő; **~ supplies/stationary** irodakellékek, irodafelszerelési cikkek **b) porter's ~** portásfülke **c)** *GB* **government ~** minisztérium **d) insurance ~** biztosítótársaság **5.** *tsz* **offices** melléképületek, mellékhelyiségek *[lakáséi]*; **the usual ~s** az összes szokásos mellékhelyiségek; **~ (of ease)** *euf* illemhely

office-bearer *fn* **1.** tisztviselő, hivatalnok, állás/hivatal betöltője, tisztségviselő **2.** *gazd* vállalat igazgatóságának (v. egyesület elnökségének) tagja

O

office block *fn* irodaház
office boy *fn* kezdő irodai alkalmazott, küldönc
office holder *fn US* állami hivatalnok, köztisztviselő, közalkalmazott
office hours *fn* hivatali órák, félfogadás, fogadóórák
officer [ˈɒfɪsə ‖ ˈɔfɪsər] **I.** *fn* **1. a)** közhivatalnok, köztisztviselő; **custom-house ~** vámtiszt **b)** rendőr; **~!** biztos úr! *[rendőr megszólítása civil által]* **2.** *kat* (katona)tiszt; **army ~** szárazföldi haderőnél szolgáló tiszt **3. high O~ (of an Order)** (egy rend) nagy méltósága (v. nagykeresztese v. nagymestere) **II.** *tsi* **1.** *kat* tisztekkel ellát *[katonai alakulatot]* **2.** *kat* vezényel *[katonai alakulatot]*
office visit *fn orv* orvosi rendelőben való vizsgálat
office work *fn* irodai munka
office worker *fn* hivatalnok
official [əˈfɪʃl] **I.** *mn* **1. a)** hivatalos, szolgálati; **~ language** hivatalos nyelv; **for ~ use only** *[nyomtatványon]* a hatóság tölti ki **b)** hiteles; **~ news** hivatalos/hiteles hírek/közlemények **2.** tényleges *[vezető, elöljáró]* **3.** bürokratikus **4.** *orv* gyógyszertári, gyógy-, officinális, gyógyszerkönyvnek megfelelő **II.** *fn* **1.** hivatalnok, tisztviselő, hivatalos közeg/személy **2.** *vall* **O~ Principal** egyházi bíró; az egyházi bíróság tagja
official birthday *fn GB* az uralkodó születésnapja
officialdom [əˈfɪʃldəm] *fn* hivatalnoki kar, bürokrácia
officialese [əˌfɪʃəˈliːz] *fn pej biz* hivatali zsargon, hivatalos nyelvezet, kuriális stílus, bikkfanyelv
officialism [əˈfɪʃlˑɪzm] *fn* hivatalnoki kar, bürokrácia
officiality [əˌfɪʃiˈæləti] *fn* **1.** közhivatal, hivatalos hely **2. a)** *vall* egyházi bíróság hivatala/teendői **b)** *vall* egyházi bíró tisztsége
officialize [əˈfɪʃlˑaɪz], **-ise** *tsi* hivatalosít, hivatalossá tesz
officially [əˈfɪʃlˑi] *hsz* hivatalosan, hivatalból
officiant [əˈfɪʃɪənt] *fn vall* misézó pap
officiary [əˈfɪʃəri ‖ əˈfɪʃieri] **I.** *mn* hivatalos, hivatali **II.** *fn* hivatali testület, elöljáróság
officiate [əˈfɪʃieɪt] *tsi* **1.** működik, ténykedik; *biz* **~ as host** házigazda szerepét tölti be **2.** hivatalnokoskodik **3.** *vall* misézik, istentiszteletet tart
officinal [ˌɒfɪˈsaɪnl ‖ ˌɔfɪ–] *orv* **I.** *mn* gyógyszertári, gyógy-, orvosi *[növénynevekben]*; **~ herb** gyógynövény **II.** *fn* gyógykészítmény
officious [əˈfɪʃəs] *mn* **1. a)** szolgálatkész, előzékeny, készséges **b)** fontoskodó, túlbuzgó, tolakodó **c)** *biz* parancsolgató, ugráltató **2.** *jog* félhivatalos, nem hivatalos
offing [ˈɒfɪŋ ‖ ˈɔ–] *fn* **1.** *hajó* **the ~** a nyílt tenger **2. a) in the ~** partközelben, nem messze a parttól **b) sg is in the ~** vm készülőben van; kilátásban van *[állás]*
offish [ˈɒfɪʃ ‖ ˈɔ–] *mn* **1.** *biz* tartózkodó, kimért, zárkózott **2.** *biz* rosszkedvű, rossz hangulatú • *fn* **offishness**
off-key *mn* **1.** *US* hamis(an) *[zenében]* **2.** *US átv* nem helyén való, nem odaillő
off-licence *fn* **1.** korlátolt italmérési engedély **2.** palackozott italok boltja
off-line, **offline** *mn/hsz infor* offline *[szétkapcsolva, a hálózattól függetlenül]*
off-load, **offload** *tsi* **A. 1.** kirak **2.** *GB biz* rásóz, elajándékoz, elpasszol **3.** *műsz* tehermentesít **B.** *tni* kirakodik
off-peak *mn* **1.** csúcsforgalmi időn kívüli **2.** elő- v. utószezoni; **~ period** elő- és/vagy utószezon **3.** olcsóbb tarifájú *[telefon-/elektromos szolgáltatás]*
off-price *mn US gazd* engedményes/leszállított árú
offprint [ˈɒfprɪnt ‖ ˈɔ–] *fn nyomd* különlenyomat
off-putting *mn* elkedvetlenítő, taszító, távoltartani akaró, halogató
off-road *mn* terepjáró (jármű)
off-season *mn/fn gazd* elő/utószezon, holtszezon *[csappant forgalmú időszak]*
offset [ˈɒfset ‖ ˈɔ–] **I.** *fn* **1. a)** *növ* sarj(adás), hajtás, rügy, szem, inda; *biz* **~ of a noble house** nemes család sarja **b)** *geol* peremhegység, előhegység **2.** kontraszt, ellentét *[vmnek a kiemelésére]* **3. a)** kárpótlás, kártérítés, ellensúly, viszonzás, megtorlás, ellenérték, ellenkövetelés **b)** ellentétel(ezés) *[könyvelésben]* **4. a)** *épít* falkiugrás, kiugró rész, párkány, falpillér, beugró rész, támaszkör, perem **b)** *műsz* elágazás, leágazás **5.** *hajó* a nyílt tenger felé irányuló áramlás **6.** *ip* leállás, üzemszünet(elés) **II.** *mn műsz* eltolt, eltolódott, különálló, kihajlított **III.** *i pt/pp* **offset** [ɒfˈset ‖ ɔ–] **A.** *tsi* **1.** kompenzál, kiegyenlít, kárpótol, ellensúlyoz, behoz *[veszteséget]* **2.** kihajlít, meghajlít *[szerszámot]* **B.** *tni növ* sarjadzik, indát ereszt *[növény]*
offshoot *fn* **a)** (törzs)hajtás, inda, sarjadás *[növényé]*; *biz* **all the ~s of this policy** e politikának minden következménye/velejárója **b)** sarj *[családé]*
offshore I. *mn* **1. a)** part/föld felőli (v. felől jövő); **~ wind** parti szél **b)** parttól távolabb fekvő **c)** part menti *[víz]*; **~ oil drill** part menti olajkitermelés **2.** *US* külföldi **3.** nem az Egyesült Államokban *[történő, végzett, kötött]*; *kat* **~ picket** ‹ riasztó radarhálózat az USA partjaitól távol › **II.** *hsz* nyílt tengerre/tengeren
off-side, **offside** *mn sp* les; **~ line** leshatár; **the ~ rule** a lesszabály; → **off**[2] III.b.
offsider *fn Ausz* **1.** *biz* barát, társ, kísérő **2.** alparancsnok
offspring [ˈɒfsprɪŋ ‖ ˈɔ–] *fn* **1.** utód(ok)/leszármazott(ak) **2.** sarj, sarjadék, csemete, ivadék **3.** eredmény, következmény
off-stage *mn/hsz szính* színpadon kívül *[a közönség számára nem láthatóan/hallhatóan]*
off-street *mn gk* ‹ parkolóhelyen történő, nem utcai(parkolás) ›
offtake *fn* **1.** eladás, elhelyezés *[árué]* **2. a)** *műsz* kifolyónyílás, kifolyócső, kifolyócsatorna **b)** *épít* elvezetőcsatorna, vízelvezetés
off-the-cuff *mn/hsz biz* kapásból (való), rögtönzött, előrántott *[érv, magyarázat]*
off-the-rack → **off-the-shelf**
off-the-record *mn/hsz* nem hivatalos(an), magánbeszélgetésben közölt *[és közzétételre nem engedélyezett]*
off-the-shelf *mn/hsz* konfekció, kész- *[áru, ruha, termék]*
off the wall, **off-the-wall** *mn US biz* őrült, rendhagyó, szokatlan, váratlan, merész, bizarr
off-time *fn gazd* lanyha/gyenge forgalmú időszak
off-track *mn sp* pályán kívüli; **~ betting** fogadóirodában/pályán kívül történő fogadás
off-white *mn* piszkosfehér, kissé színezett fehér, törtfehér
OFS *tört röv Orange Free State* Oranje Szabad Állam
oft [ɒft ‖ ɔft] *hsz vál régi* gyakran, gyakorta, sokszor, sűrűn
often [ˈɒfn ‖ ˈɔ–] *hsz* gyakran, gyakorta, több ízben, nem egyszer, sokszor, sűrűn; **~ and ~** számtalanszor; hányszor de hányszor; **once too ~** a kelleténél többször
oftentimes [ˈɒfntaɪmz ‖ ˈɔ–] *hsz vál* gyakran, gyakorta, sokszor, sűrűn
oft-times → **oftentimes**
ogam [ˈɒgəm ‖ ˈɑ–] → **ogham**
ogham [ˈɒgəm ‖ ˈɑ–] *fn régi* ogam írás, kelta ábécé
ogival [ˌoʊˈdʒaɪvl] *mn épít* csúcsíves, gótikus
ogive [ˈoʊdʒaɪv ‖ ˌoʊˈdʒaɪv] *fn épít* csúcsív, gótikus/emelkedő boltív
ogle [ˈoʊgl] **I.** *fn* szerelmes szemezés/bámulás/pillantás **II. ogling A.** *tsi* fixíroz, szemez (vkvel), szerelmesen/vágyakozva bámul *[vkt]*, mohón/epe(ke)dve néz *[vkt]* **B.** *tni* vágyakozva néz, kigúvad a szeme *[mohó vágytól]* • *fn* **ogler**, **ogling**
ogre [ˈoʊgə ‖ –ər] *fn* emberevő óriás • *mn* **ogrish**
ogress [ˈoʊgrɪs] *fn* emberevő/kegyetlen óriásnő
oh [oʊ] *isz* → **O**[2] **; ~ yes!** ó igen!
OH *röv* **1.** *US Ohio* **2.** *ohmic heating*
Ohio [oʊˈhaɪoʊ] *tul földr US* Ohio • *mn* **Ohioan**
ohmmeter [ˈoʊmmiːtə ‖ –ər] *fn vill* ellenállásmérő
OHMS *röv On Her/His Majesty's Service*
oho [ˌoʊˈhoʊ] *isz* ohó!, hó!, hohó!
-oholic [əˈhɒlɪk], **-aholic** *utótag biz* -függő, -őrült *[valaminek a rabja]*; **workoholic** munkamániás, a munka rabja

OHP *röv overhead projector*

-oid [ɔɪd] *utótag* -es/-s, -szerű/-forma *[valamihez hasonló]*; **anthropoid** emberszabású

-oidal [ˈɔɪdl] *utótag* -s/-es, -szerű *[valamihez hasonló]*, formájú; **rhomboidal** rombusz alakú

oik [ɔɪk] *fn GB szl [buta]* fajankó, tuskó, ostoba

oil [ɔɪl] **I.** *fn* **1. a)** (kő)olaj; **animal ~** állati olaj; **burning ~** világítóolaj; petróleum; **crude ~** nyersolaj; nyers kőolaj/ásványolaj; **essential ~** illóolaj; **painting in ~(s)** olajfestés; olajfestmény; *átv* **smell of ~** izzadságszaga van *[könyvnek]*; **burn the midnight ~** késő éjszakáig tanul, éjjel-nappal tanul; **pour ~ on troubled waters** lecsillapítja/lecsendesíti a kedélyeket; *biz* **take ~ to extinguish a fire**, **add ~ to the fire** olajat önt a tűzre **b) strike ~** olajat talál, olajra bukkan; *biz* jó fogást tesz *[üzletileg]*; váratlan szerencsében részesül **2. ~ of vitriol** kénsav **3.** *szl [hízelgő beszéd]* sima duma, púder/rizsa **4.** *szl [hír, értesülés]* drót, füles **5.** *szl [megvesztegetésre használt pénz]* kenőpénz, csúszópénz **II. A.** *tsi* **1. a)** olajoz, ken, zsíroz *[gépet]*; *átv* **~ the wheels** kerekeket megken **b) ~ the door-knocker** megvesztegeti a portást; **~ sy's hand/palm** megkeni vknek a markát; megveszteget vkt **2.** beolajoz *[vásznat stb.]* **3.** *tex* zsíroz *[gyapjút fonáshoz]* **4.** (meg)olvaszt *[vajat]* **B.** *tni* **1.** olajossá válik *[vaj]* **2.** *hajó* fűtőolajat vesz fel *[hajó]*

oil out *tni biz [eltűnik]* elpárolog, „olajra lép"

oil up A. *tsi* **1.** beolajoz, megolajoz **2.** bepiszkít, bemocskol *[olajjal]* **B.** *tni* **1.** beolajozódik, bepiszkolódik, bemocskolódik *[olajtól]* **2.** *szl* köpi a markát

oil-bearing *mn* **1.** *növ* olajos, olajtartalmú *[növény]* **2.** *geol* olajtermő, (nyers)olajtartalmú

oil cake *fn mezőg* olajpogácsa *[takarmány]*

oilcan [ˈɔɪlkæn] *fn* **1.** olajkanna, olajtartály **2.** olajozókanna

oilcloth *fn* **1.** vízhatlan szövet **2.** viaszosvászon **3.** linóleum

oil drum *fn* olajoshordó

oiled [ɔɪld] *mn* **1. a)** olajos, olajozott, megkent, bezsírozott **b) ~ silk** vízhatlan selyem/taft **2.** *biz* **well-~ tongue** jól felvágott nyelv, jó kereplő; *szl* **be well ~** *[enyhén ittas]* kicsit pityókás/becsiccsentett, be van szívva

oiler [ˈɔɪlə ‖ –ər] *fn* **1.** olajozó *[személy]* **2.** olajozó, olajozókanna, olajozókészülék **3.** *US* olajosvászon esőkabát **4. a)** *hajó* olajszállító hajó, tartályhajó **b)** *hajó* olajtüzelésű hajó **5.** *szl* mézesmázos (v. sima modorú) alak/egyén

oilfield *fn geol* olajlelőhely, olajmező

oil-fired *mn* olajtüzelésű

oil gas *fn* **a)** világítógáz **b)** kékgáz

oil lamp *fn* olajlámpa, petróleumlámpa

oilman *fn tsz* **-men 1.** olajbányász (ember) **2. a)** olajkereskedő **b)** olajfesték-kereskedő **3.** gépolajozó *[munkás]*

oil-meal *fn mezőg* olajpogácsa

oil paint *fn* olajfesték

oil painting *fn* **1.** olajfestés **2.** olajfestmény; **he is no ~** *biz tréf* nem egy szépség, túlzás lenne szépnek mondani

oil palm *fn növ* olajpálma

oil pan *fn gk* olajteknő

oil-paper *fn* olajos/olajozott papír

oil pipe *fn műsz* olajcső, olajvezeték

oil pipeline *fn* olajvezeték

oil platform *fn bány* fúrósziget

oil rig *fn bány* (olaj)fúrótorony

oil sand *fn bány* olajhomok

oilseed *fn* **1. a)** lenmag **b)** ricinusmag **2.** olajos mag(vak)

oil-shale *fn geol* olajpala

oil-sheik *fn* olajsejk

oil-silk *fn* vízhatlan selyem

oilskin *fn* **1.** viaszosvászon, olajjal impregnált textil **2.** vízhatlan (tengerész)köpeny, viharkabát **3. ~s** impregnált nadrág-kabát együttes/overál

oil slick *fn körny* (úszó) olajszennyeződés, olajfolt

oil tanker *fn* tartályhajó, olajszállító hajó

oiltree *fn* **1.** *növ* ricinus **2.** *növ* → **oil palm**

oil well *fn* olajkút

oily [ˈɔɪli] *mn* **1.** olajos, zsíros, csúszós **2. a)** *átv* sima, alázatos, hízelgő, mézesmázos; *átv biz* **~ voice** behízelgő hang; *átv biz* **~(tongued) rogue** mézesszavú gazfickó **b)** kenetes, kenetteljes *[szavak, modor]*

oink[1] [ɔɪŋk] *fn [hangutánzó]* röfögés

oink[2] [ɔɪŋk] *fn szl [rendőr]* zsaru, bunkó, fakabát

ointment [ˈɔɪntmənt] *fn* gyógykenőcs, balzsam, ír, krém *[kozmetikum]*; **zinc ~** cinkkenőcs; **a fly in the ~** (egy kis) szépséghiba, üröm az örömben

Oireachtas [ˈerəkθəs] *tul* ‹az Ír Köztársaság parlamentje›

OK[1] [ˌoʊˈkeɪ], **O.K. I.** *isz* **1.** helyes!, rendben van!, nagyszerű!, kitűnő!, megegyeztünk! *[beszédben]* **2.** láttam és jóváhagytam *[írásban]* **II.** *tsi pr.p* **OK'ing**, *pt/pp* **OK'd** helybenhagy, jóváhagy, hozzájárul, beleegyezik, szignál *[utasítást stb.]*

OK[2] *röv* Oklahoma

okay [ˌoʊˈkeɪ] → **OK**[1]

okey-dokey [ˌoʊkiˈdoʊki] *isz szl [rendben van]* rendicsek, oké

Oklahoma [ˌoʊkləˈhoʊmə] *tul földr US* Oklahoma • *mn/fn* **Oklahoman**

old [oʊld] **I.** *mn* **1. a)** öreg, koros, idős, vén, ó, agg; **~ maid** vénkisasszony; **~ man** aggastyán, öreg ember; *Ausz* fejlett hímkenguru; *Ausz* (szokatlanul) nagy valami; **a man is as ~ as he feels** mindenki annyi idős, amennyinek érzi magát **b)** régi, öreg; *biz* **~ hat** idejétmúlt; divatjamúlt, ósdi; banális **c)** halvány, fakó; **~ rose** fáradt rózsaszín **2. how ~ are you?** hány éves vagy?; *biz* **a two-year-~ child** kétéves gyermek **3. a)** régi, ósdi, régóta tartó; **an ~ family** régi család; **that's as ~ as the hills** öreg, mint az országút **b) ~ hand** régi/tapasztalt munkás; **he's an ~ hand (at it)** ismeri a szakmáját; a mesterség minden fortélyát kitanulta; (tapasztalt) vén róka; dörzsölt ember **c) travel over ~ ground** már bejárt területre tér vissza, ismert utakon jár **4.** volt, egykori; **his ~ flame** régi szerelmese, régi/volt kedvese; **in the ~ days** annakidején, a régi szép időkben, egykor; *biz* **have a fine/good ~ time** remekül érzi magát, jól szórakozik **5. a)** *biz* **you can dress any ~ how** bármit felvehet; akárhogyan öltözhet **b)** *biz* **~ chap/fellow/man** öregem, öreg fiú, kedves öregem; *szl* **~ bean/cook/geezer/mutt/top** *[öregember]* öreg szivar/fiú, vén csont **c)** *szl* **the ~ man** *[az apa]* az öreg, a fater; a főnök, az öreg; **my/the ~ man** *[a férjem/az apám]* az uram, az öregem; **my/the ~ woman** *[a feleségem/párom]* a bé nejem, az asszony; **the ~ 'un** az öreg **II.** *fn* **1. the ~** az idősek/öregek **2.** *tsz* **olds** (vmlyen) korúak; **the six-year-~s** a hatévesek **3. of ~** hajdani, régi, azelőtti; hajdan(ában), régen; **I know him of ~** jó ideje (v. régóta) ismerem őt • *fn* **oldness** *mn* **oldish**

old-age *mn* öregkori, öregségi; **~ pension** öregségi járadék; → **old I. 1. a.**

old-age pensioner *fn* (öregségi) nyugdíjas

Old Bailey *tul [a központi büntetőtörvényszék Londonban]*

Old Bill *fn GB szl [rendőrség]* a szerv, a jard

old-boy network *fn biz* nexus, személyi kapcsolatok, rendszere, volt iskolatársak hálózata

Old Church Slavonic *fn* ószláv *[ortodox liturgikus nyelv]*

olden [ˈoʊldən] *mn ir.tud* **in ~ time(s)** hajdanta, régen, hajdanában

Old English *fn nyelv* óangol

Old English Sheepdog *fn* bobtail, angol juhászkutya

olde-worlde [ˌoʊldi ˈwɜːldi ‖ –ˈwɜrldi] *mn biz tréf* régimódi, ómódi, ásatag

old-fashioned I. *mn* **1. a)** ódivatú, régies, régi divatú *[ruha, kalap]* **b)** divatból kiment, divatjamúlt *[ruha, kalap]* **2. a)** régivágású, régimódi, *[személy]* **b)** régimódi konzervatív, idejétmúlt *[gondolkodásmód]* **II.** *fn* **1.** (erős) whiskykoktél (jéggel és gyümölccsel) **2.** alacsony széles whisky-s pohár

Old French *fn* ófrancia

Old Glory *tul US biz* ‹az amerikai lobogó›

old gold *mn/fn* óarany (szín, színű)

Old High German *fn nyelv* ófelnémet
oldie [ˈouldi] *fn biz* **1.** régi lemezfelvétel, régi darab **2.** régi darab *[tárgy* v. *személy]*
old-maidenish *mn* vénlányos, vénkisasszonyos, aggályoskodó, prűd
old-maidenly → old-maidenish
old-maidish → old-maidenish
Old Pals Act *GB kif biz* kéz kezet mos elve
old school *mn* régi vágású, konzervatív, hagyományos
old school tie *fn GB* **1.** iskolai nyakkendő *[egyenruha része]* **2.** összetartás, klán-mentalitás *[hűség a régi iskolatársakhoz]*
old soldier *fn* öreg/vén harcos/katona; **come the ~** háryjánoskodik
oldster [ˈoul(d)stə ‖ –ər] *fn* **1. a)** *biz* aggastyán **b)** *biz* öreg fiú **2.** *kat* négyévi szolgálattal bíró tengerészkadét
Old Stone Age *fn geol* paleolitikum
old-style *mn* **1.** régimódi, régi stílusú **2. → style[1]** I.6.
Old Testament *fn bibl* Ószövetség
old-time [ˈoul(d)taɪm] *mn* hajdani, azelőtti, régi, ódivatú
old-timer *fn* **1.** veterán, (továbbszolgáló) öreg katona **2.** gyakorlott ember, öreg fiú (vmben), aki már mindent kitapasztalt vhol **3.** veterán autó, old-timer
old timy, old timey *mn biz* nosztalgikus, régi időt idéző
old wives' tale *kif* (régi) babona, (elavult) szokás
old-womanish *mn* öregasszonyos *[férfi]*
old-womanly *mn* öregasszonyos
old-world *mn* **1. a)** ókori **b)** óvilági **2.** hajdani, azelőtti, ódivatú, régi (világbeli); **→ old[1]** I. 4. b.
-ol(e) [oul] *utótag vegy* -olaj, -ol *[heterociklikus vegyületek nevében]*
oleaceous [ˌouliˈeɪʃəs] *mn növ* olajfaféle
oleaginous [ˌouliˈædʒɪnəs] *mn* **1.** olajos, zsíros *[folyadék]*, olajtartalmú *[növény]* **2.** *biz* kenetteljes, alázatoskodó *[modor]*
oleander [ˌouliˈændə ‖ –ər] *fn növ* (o)leander
oleaster [ˌouliˈæstə ‖ –ər] *fn növ* **1.** ezüstfa, olajfűz **2.** vadolajfa
olefiant [ˌouləˈfaɪənt] *mn* olajtermő, olajat adó; **~ gas** etilén
olei- [ouli:] *összet* olaj-
oleiferous [ˌouliˈɪfərəs] *mn* olajtartalmú, olajtermő, olajat adó
oleometer [ˌouliˈɒmɪtə ‖ ˌouliˈɑmɪtər] *fn fiz* olajfokoló, olajfajsúlymérő, olajsűrűség-mérő
oleoresin [ˌoulioʊˈrezɪn] *fn vegy* illóolaj- és gyantakeverék
oleous [ˈoulɪəs] *mn* olajos
O level *röv GB ordinary level*
olfaction [ɒlˈfækʃn ‖ ɑl–] *fn* **1.** *orv* szaglás **2.** szag, illat • *mn* **olfactive**
olfactory [ɒlˈfæktəri ‖ ɑl–] **I.** *mn orv* szagló(szervi), szag-, illatérző; **~ centre** szaglóközpont; **~ nerve** szaglóideg; **~ organ** szaglószerv **II.** *fn orv* szaglószerv
oligarch [ˈɒlɪgɑːk ‖ ˈɑlɪgɑrk] *fn* oligarcha
oligarchy [ˈɒlɪgɑːki ‖ ˈɑlɪgɑrki] *fn* oligarchia • *mn* **oligarchic, oligarchical**
oligo- [ˌɒlɪgou– ‖ ˌɑlɪgou–] *előtag* kevés-, kis-
oligocene [ˈɒlɪgousiːn ‖ ˈɑlɪ–] *mn geol* oligocén (kori)
oligopoly [ˌɒlɪˈgɒpəli ‖ ˌɑlɪˈgɑ–] *fn közg* oligopólium *[kis számú eladó versenye]*
olio [ˈouliou] *fn* **1.** *biz* tarkabarka egyveleg, zagyvaság, keverék; **~ concert** varieté(műsor) **2. → olla** 2. **olla podrida**
olivaceous [ˌɒlɪˈveɪʃəs ‖ ˌɑ–] *mn* **1.** olajszínű, olajzöld, olívzöld, olajbarna **2.** olajbogyószerű
olivary [ˈɒlɪvəri ‖ ˈɑlɪveri] *mn* olajbogyó formájú, olajbogyószerű; *orv* **~ body** oliva *[nyúltvelőben]*
olive [ˈɒlɪv ‖ ˈɑ–] **I.** *mn* olívaszínű, olajzöld, olív(a)zöld, sárgászöld; **~ (brown)** olajbarna **II.** *fn* **1.** *növ* **~ (tree)** olajfa **2.** *növ* olíva, olajbogyó; **pickled ~** ecetes olajbogyó **3.** *áll* olívacsiga **4. (meat-)~** töltött göngyölt hús **5.** olívzöld szín
olive branch *fn* **1.** olajág; *biz* **hold out the ~ to sy** olajágat/békejobbot nyújt vknek; békülésre megteszi az első lépéseket **2.** *tsz* **olive-branches** *biz tréf* sarjak, gyerekek, utódok
olive-coloured *mn* olajszínű, olajbarna, olívzöld
olive crown *fn* olajágkoszorú
olive-drab I. *mn* olívszürke, barnásszürke, zöldesbarna *[egyenruhaszín]* **II.** *fn US biz* katonai egyenruha
olive-green I. *mn* olajzöld, olív(a)zöld, sárgászöld **II.** *fn* olív(a)zöld szín
olive oil *fn* olívaolaj
Oliver [ˈɒlɪvə ‖ ˈɑləvər] *tul* Olivér
Oliverian [ˌɒlɪˈvɪərɪən ‖ ˌɑlɪˈvɪrɪən] *mn tört* Cromwell-párti
olivet [ˈɒlɪvɪt ‖ ˈɑləvət], **olivette** *fn* **1.** olívzöld szín *[ruháké]* **2.** olíva formájú gyöngyszem (utánzat) **3.** 1000 W-os színházi fényszóró
Olivia [əˈlɪvɪə] *tul* Olívia
olla [ˈɒlə ‖ ˈɑlə] *fn* **1.** agyagkorsó **2. ~ podrida** *gaszt* ‹vegyes fűszeres zöldséges és húsos étel› *átv* vegyes felvágott, keverék, elegy
olm [oulm] *fn áll* barlangi gőte
-ologist [–ˈɒlədʒɪst ‖ –ˈɑ–] *utótag* ‹tudós, tan v. tudomány követője/hirdetője›
oloroso [ˌɒləˈrousou] *fn* ‹félédes sherry›
Olympiad [əˈlɪmpiæd] *fn* **1.** *tört* négyéves időköz *[két görög olimpiai játék között]*, olimpiász **2.** *sp ritk* olimpia, olimpiai játékok
Olympian [əˈlɪmpɪən] **I.** *mn* **1.** olimposzi, égi **2.** lenyűgöző, fenséges, fennkölt *[modor]* **3. ~ green** malachitzöld **II.** *fn sp* olimpikon
Olympic [əˈlɪmpɪk] **I.** *mn* olimpiai; **the ~ Games** az olimpiai játékok, olimpia; **~ title** olimpiai bajnoki cím, olimpiai bajnokság; **~ Village** olimpiai falu **II.** *fn tsz* **Olympics** olimpia(i játékok)
-omat [əmæt] *utótag* (-)automata; **laundromat** mosóautomata
ombre [ˈɒmbrə ‖ ˈɑmbər] *fn ját* ‹kártyajáték› hombre
ombudsman [ˈɒmbudzmən ‖ ˈɑm–] *fn tsz* **-men** ombudsman, állampolgári jogok biztosa
omega [ˈoumɪgə ‖ ouˈmegə] *fn* **1.** omega *[görög betű]* **2.** *átv* vég, befejezés
omelet [ˈɒmlət ‖ ˈɑmlət], **omelette** *fn* tojáslepény, omlett
omen [ˈoumən] **I.** *fn* (elő)jel, ómen; **bird of ill ~** vészmadár; rossz hírt hozó küldönc; **take sg as a good ~** kedvező/jó előjelnek tekint vmt **II.** *tsi* (meg)jósol
omicron [ouˈmaɪkrən ‖ ˈɑmɪkrɑn] *fn* omikron *[görög „o" betű]*
ominous [ˈɒmɪnəs ‖ ˈɑ–] *mn* **1. ~ (of sg)** (vmt) jósló, előre jelző **2.** vészjósló, baljós(latú), rosszat jelentő, fenyegető, nyugtalanító, ominózus
omission [əˈmɪʃn] *fn* **1.** elhagyás, kihagyás, kimaradás *[szóé stb.]* **2.** elhanyagolás, mulasztás, kihagyás, hiány • *mn* **omissible, omissive**
omit [əˈmɪt] *tsi* **-tt- 1. a)** kihagy *[részleteket]* **b)** elhagy, kihagy *[szót]*, kifelejt *[vmt]* **2. ~ to do sg** elmulaszt/elfelejt vmt megtenni
omni- [ˈɒmni ‖ ˈɑmnɪ] *utótag* mind-, össz-, telj-; **omnipotent** mindenható
omnibus [ˈɒmnɪbəs ‖ ˈɑm–] **I.** *mn* gyűjtő, több fajta dolgot összefogó; **~ bill** különféle intézkedéseket felölelő törvényjavaslat; **~ book** antológia; elbeszélések/versek gyűjteménye; **~ volume** gyűjteményes kötet *[egy író műveiből]* **II.** *fn tsz* **omnibuses** omnibusz, *ritk hiv* autóbusz
omnicompetent [ˌɒmnɪˈkɒmpətənt ‖ ˌɑmnɪˈkɑm–] *mn jog* általános hatáskörrel rendelkező *[bíró]* • *fn* **omnicompetence**
omnidirectional [ˌɒmnidaɪˈrekʃnəl ‖ ˌɑmnidɪ–] *mn rep távk* körsugárzó
omnifarious [ˌɒmnɪˈfeərɪəs ‖ ˌɑmnɪˈfer–] *mn* mindenféle, mindennemű

omniform [ˈɒmnɪfɔːm ‖ ˈɑm–] *mn vál tud* többalakú, alakját változtató
omnigenous [ɒmˈnɪdʒɪnəs ‖ ɑm–] *mn tud* mindennemű, minden fajtájú
omnipotent [ɒmˈnɪpətənt ‖ ɑm–] **I.** *mn* korlátlan hatalmú, teljhatalmú, mindenható **II.** *fn* **the O~** a Mindenható • *fn* **omnipotence**
omnipresent [ˌɒmnɪˈpreznt ‖ ˌɑm–] *mn* mindenütt jelenlevő/jelenvaló • *fn* **omnipresence**
omniscient [ɒmˈnɪʃnt ‖ ɑm–] *mn vál* mindentudó, átfogó nagy tudással rendelkező • *fn* **omniscience**
omnium gatherum [ˌɒmnɪəmˈgæðərəm ‖ ˌɑm–] *fn* **1.** *biz* mindenféle *[holmi, ember]* **2.** *biz* vegyes társadalmi összejövetel
omnivore [ˈɒmnɪvɔː ‖ ˈɑmnɪvɔr] *fn áll* mindenevő állat
omnivorous [ɒmˈnɪvərəs ‖ ɑm–] *mn áll* mindenevő, mindent megevő/felfaló
omphalos [ˈɒmfəlɒs ‖ ˈɑmfəlɑs] *fn* **1. a)** köldök **b)** *tört* omfalosz *[szent kő Delphiben]* **c)** *tört* görög pajzs közepén lévő domborítás **2.** középpont, tengely *[birodalomé]*
on [ɒn ‖ ɑn] **I.** *elölj* **1. a)** -on/-en/-ön/-n, -ra/-re, -nál/-nél, -ról/-ről, -hoz/-hez/-höz, vm mellett, után, tovább, iránt, alatt **b) ~ foot** gyalog(osan); **~ horseback** lóháton **c) be ~ the committee** bizottsági tag, a bizottság tagja **d) swear ~ the Bible** a Bibliára esküszik; **~ his honour** becsületére, becsületszavára **2. a) have you any money ~ you?** van nálad pénz? **b) scar ~ the face** sebhely az arcon **c) just ~ a year ago** körülbelül egy éve **3. a) put a ring ~ his finger** gyűrűt húz az ujjára **b) ~ the right** jobbra, jobb oldalon, jobb kéz felől; **~ this side** ezen az oldalon **c) he drew his knife ~ me** kést emelt rám; **march ~ London** London felé halad/nyomul/menetel; **shut the door ~ sy** becsukja az ajtót vk orra előtt; **turn one's back ~ sy** hátat fordít vknek **d) leave one's card ~ sy** névjegyét leadja vknél **e) a curse ~ him!** *vál régi* átok rá!; **his blood be ~ us and our children** *vál* az ő vére mirajtunk és a mi gyermekeinken **4. ~ the advice of sy** vknek a tanácsára; **~ (an) average** átlagosan, átlagban; **~ duty** szolgálatban; **tax ~ beverages** szeszesital-fogyasztási adó; **arrested ~ a charge of murder** gyilkosság vádjával letartóztatott; **based ~ facts** tényeken alapul; **buy sg ~ good terms** kedvező feltételekkel vesz/vásárol vmt; **it is ~ me** rajtam áll/múlik; ezt én fizetem/állom **5. a) ~ that day** azon a napon; **~ Sunday** vasárnap *[időhatározó]*; **~ the second of June** június másodikán **b) ~ delivery of the letter** a levél kézbesítésekor; **~ the occasion of his wedding** esküvője/házasságkötése alkalmából; **be released ~ bail** óvadék ellenében szabadlábra helyezik **c) ~ (my) entering the room ...** amikor/amint a szobába léptem ... **d) ~ time, ~ the minute** percre pontos(an) **6. ~ behalf of sy** vk nevében/részéről/megbízásából; **~ purpose** szándékosan; **~ the sly** titokban, lopva, titkon **7. ~ sale** eladó; **~ tap** csapon, csapolt **8. book ~** ...-ról szóló könyv; **congratulate sy ~ his success** gratulál vknek a sikeréhez; **she condoled with him ~ his loss** részvétét fejezte ki az elszenvedett veszteségért; **he lectures ~ finances** pénzügyekről ad elő **9. ~ business** üzletileg, üzleti ügyben **10. live ~ one's private income** vagyonának hozadékából/jövedelméből él **II.** *mn* **it was not one of his ~ days** nem volt legjobb formájában; nem volt jó napja *[sportolónak]* **III.** *hsz* **1. a) put ~ one's clothes** felveszi a ruháját/öltönyét **b) ~ with your coat!** vegye fel a kabátját! **c)** *szính* **be ~** színpadon van *[színész]*; fut, játsszák *[filmet, színdarabot]*; **the light is ~** ég a lámpa; **what is ~ (at the theatre)?** mit játszanak/adnak (a színházban) most?, milyen darab megy?; **the show is ~ for some time** az előadás már folyik **2. ~ and off** időnként, megszakításokkal; **~ and ~** tovább, folyvást, vég nélkül; **and so ~** és így tovább; és a többi; **go ~** folytat *[utat, utazást, munkát]*; **go ~!** folytassa csak!, rajta!, gyerünk!; **come ~ !** *biz* ugyan már! *[leintés]*, gyerünk! *[sürgetés/biztatás]* **3. a) from that day ~** e naptól kezdve; **later ~** később **b)** *szl* **be a bit ~** *[enyhén ittas]* kissé spicces/pityókás/bekávézott **c)** *szl* **have sy ~** *[becsap]* rászed/lóvá tesz/beugrat vkt **d) be ~** *szl* (i) *[tájékozott]* ismeri a dörgést (ii) kábítószer hatása alatt van, repül **4. "~"** „nyitva"; „bekapcsolt" *[elektromos áram]*, működik/működésben van; **the brakes are ~** a fékek működnek (v. be vannak húzva) *biz* **5. a) I'm ~ (for it)** benne vagyok! **b) the police are ~ to him** a rendőrség a nyomában/sarkában van **c) he is always ~ to me** mindig engem okol/vádol; **he is always ~ at me** mindig engem nyaggat
-on [ɒn ‖ ɑn] *utótag fiz biol* részecske *[atom-, molekuláris,stb.]*; **neutron, photon** neutron, foton
on-and-off *hsz* időnként
onanism [ˈoʊnənɪzm] *fn* **1.** onánia, nemi önkielégítés; **practise ~** onanizál **2.** coitus interruptus, megszakított közösülés • *fn* **onanist** *mn* **onanistic**
onboard [ˈɒnbɔːd ‖ ˈɑnbɔrd] *mn hajó rep* fedélzeti; **~ computer** fedélzeti számítógép
ONC *röv GB Ordinary National Certificate*
once [wʌns] **I.** *hsz* **1.** egyszer, egy ízben; **~ again/more** még egyszer, újra, újból, ismét; **~ and again, ~ in a way/while** néha-néha, időnként, hébe-hóba, nagynéha; **~ and for all** egyszer s mindenkorra; *közm* **~ a thief always a thief** kutyából nem lesz szalonna **2.** azelőtt, régen, hajdan, egykor, valaha; **~(upon a time) there was** egyszer volt (hol nem volt); **~ famous painter** valaha híres festő; **I knew him ~** valamikor ismertem őt **3. a) at ~** azonnal, rögtön, tüstént **b) don't all speak at ~** ne beszéljetek mindnyájan egyszerre; **at ~ a food and a tonic** tápszer és egyúttal erősítő(szer) is; *közm* **one can't do two things at ~** nem lehet két dolgot egyszerre csinálni **II.** *fn* **all at ~** hirtelen, váratlanul; egyszerre; **at ~** azonnal; egyszerre; **for ~** ez egyszer; **this ~** most az egyszer **III.** *ksz* mihelyt, amint; **~ he stops we have him** mihelyt megáll, megfogjuk/megcsípjük
once-over *fn biz* **give sg/sy the ~** kutató (v. futó) pillantást vet vmre/vkre, végignéz vkt; (gyorsan) átnéz, felülvizsgál, átkutat/átfut vmt; elagyabugyál
oncer [ˈwʌnsə ‖ –ər] *fn* **1.** *régi szl* egyfontos bankjegy **2.** *Ausz biz* rövid képviselői pályafutás *[másodszorra már nem választják meg]*
onco- [ˈɒŋkoʊ ‖ ˈɑŋkoʊ] *előtag orv* rák-, daganat-
oncogenic [ˌɒŋkoʊˈdʒenɪk ‖ ˌɑŋ–] *mn orv* rákot okozó, rákkeltő, onkogén
oncology [ɒŋˈkɒlədʒi ‖ ɑŋˈkɑ–] *fn orv* rák-/daganatkutatás, onkológia
oncoming [ˈɒnkʌmɪŋ ‖ ˈɑn–] **I.** *mn* **1. a)** közeledő, közelítő, közeli, szembejövő *[jármű]*; *ip* **~ shift** belépő/kezdő/új műszak; **the ~ storm** a közeledő/fenyegető vihar; **~ traffic** szembejövő forgalom **b)** feltör(ekv)ő *[pl. sportoló, filmsztár]*; **the ~ generation** a jövő/felnövő nemzedék **2.** *biz* elszánt, bátor **II.** *fn* közeledés *[pl. évszaké]*
on-cost [ˈɒnkɒst ‖ ˈɑnkɑst] *fn GB ip gazd* önköltség
one [wʌn] **I.** *szn* **1. a)** egy; **~ or two people** egy-két ember **b) ~ day** egy (szép) napon; egy/vmelyik nap(on); **~ man in a hundred** (csak minden) százból egy; **~ too many** eggyel több a kelleténél; **for ~ thing** először is, mindenekelőtt; **I for ~** ami engem illet, én például; **~ of these days** a minap, valamelyik nap(on) **2. a)** egyetlen; **~ and only** páratlan, egyetlen egy; **my ~ and only son** az egyetlen fiam; **no ~** senki; **no ~ man can do it** nincs ember, aki ezt egymaga megtehetné (v. el tudja végezni); **this ~ thing** ez az egy(edüli) dolog **b) with ~ voice, as ~ man** egyhangúlag **c)** ugyanaz, egyazon, azonos; **~ and the same** (egy és) ugyanaz; *biz* **it's all ~** egyre megy, mindegy **d) be ~ with sg** egy testet alkot vmvel, eggyé vált v. összeforrt vmvel *[pl. munkával]*; **I am ~ with you** egyetértek veled; **become ~, be made ~** egybekel, összeházasodik; egyesül **II.** *nm* **1. a) this ~** ez(t) a, eme(zt) *[az előbbiekben megnevezett tárgyat/személyt helyettesíti]*; **that ~** az(t) a, ama(zt); **which ~?** melyik(et); **she is the ~ who** ő az, aki **b) that's a good ~!** ez jó!, ez nem rossz!, vicces! **c) the absent ~** a távollevő; **the best ~** a legjobb; **foolish ~!** te bolond/(kis) buta!; **the little ~s** a kicsinyek, a (kis)gyermekek **d) the**

O

Evil O~ a gonosz (lélek), az ördög; **the Holy O~** az Örökkévaló **2. a)** ~ **and all** mind(enki) kivétel nélkül, egytől egyig; ~ **by** ~ egyenként; ~ **after another**, ~ **after the other** egyik a másik után, egymásután, sorjában mindegyik; ~ **of them** egyikük, közülük az egyik; **any ~ of us** bárki közülünk, bármelyikünk; **he is ~ of us** ő közülünk való; ő a mi emberünk **b)** ~ **Mr. Smith** egy (v. bizonyos) Smith nevű úr; **I am not (the) ~ to** én nem vagyok az, aki; *biz* **you are a ~** csuda pofa vagy! **3.** valaki, az ember; ~ **cannot always be right** az embernek nem lehet mindig igaza, az ember néha téved; **~'s** (az ő v. valakinek a) ... -(j)a/-(j)e *[általános alany birtokos esete]* **III.** *fn* **1. number ~** első szám; *biz* én/önmaga(m); *biz* kisdolog, pipilés; *szl* **look after number ~, take care of number ~** saját érdekeit nézi/tartja szem előtt; a javát magának kaparintja meg; *biz* **since the year ~** emberemlékezet óta; **eleven is written with two ~s** a tizenegyet két egyessel írjuk **2. a)** ~ **of two things** két dolog egyike; **the last but ~** az utolsó előtti; **arrive in ~s and twos** egyesével és kettesével jönnek; **be at ~ with sy** egyetért vkvel **b) call at a pub for a quick ~** betér a kocsmába egy italra; *biz* **give sy ~ on the nose** orron vág vkt **c)** *pénz* egység, ezer fontos egység *[részvények névértékénél]*

one-aloner *fn pol biz átv* partizán

one another [ˌwʌnəˈnʌðə ‖ –ər] *nm* egymás(t) *[kölcsönös névmás]*

one-armed *mn* egykarú, félkarú; *US szl* ~ **bandit** szerencsejáték-automata, flipper

one-crop *mn* ~ **cultivation/culture** *mezőg* monokultúra; egyoldalú (mező)gazdaság

one-horse *mn* **1.** egylovas, egyfogatú *[jármű]* **2.** *US biz* jelentéktelen, kisszerű, *biz* piti; **a ~ show** olcsó mutatvány; jelentéktelen ügy; ~ **thing** szegényes/kezdetleges/piti dolog; ~ **town** jelentéktelen kisváros, Mucsa

oneiric [oʊˈnaɪrɪk] *mn pszich* álommal kapcsolatos, álom-

oneirodynia [–ˈdɪnɪə] *fn pszich* nyugtalan alvás, nyomasztó álmok; **active ~** alvajárás; **passive ~** lidércnyomás(os álom)

oneirology [ˌɒnɪˈrɒlədʒi ‖ ˌɑnɪˈrɑ–] *fn pszich* tudományos álomfejtés *[freudi, jungi stb.]* • *fn* **oneirologist**

oneiromancy [oʊˈnaɪroumænsi] *fn* álomfejtés, álomjóslás • *fn* **oneiromancer**

one-liner *fn biz* egysoros vicc, rövid aforizma

one-man *mn* egyszemélyes; ~ **band** egyszemélyes zenekar *[több hangszeren játszó utcai zenész]*; ~ **show** egyetlen művész műveit bemutató kiállítás, gyűjteményes kiállítás; szólóest

oneness [ˈwʌnnəs] *fn* **1.** egyidejűség, egyetlenség, páratlanság **2.** (időbeli) azonosság **3.** (meg)egyezés, egység *[nézeté]*

one-night stand *fn* **1.** hakni, egyszeri előadás/koncert **2.** *szl [egyéjszakás kaland]* futó kaland

one-off *mn biz* kivételes, egyetlen, egyszeri, egyedi

one-on-one *mn US sp* egy az egyben, ember ember ellen

one-parent family *fn* egyszülős család

one-piece *mn* egy darabból álló, egyrészes *[fürdőruha]*

oner [ˈwʌnə ‖ –ər] *fn* **1.** *biz* páratlan ember (a maga nemében); *szl* jópofa **2. a)** *szl* erős ökölcsapás **b)** *szl* nagy hazugság **3.** *GB szl* egyfontos

one-room *mn* egyszobás, egy szobából álló

onerous [ˈɒnərəs ‖ ˈɑ–] *mn* terhes, fárasztó *[feladat]*, súlyos *[adó]*

one-seater *fn gk* együléses (autó)

oneself [wʌnˈself] *nm* **1.** (ön)maga *[általános visszaható névmás]*, saját maga, magának; **of ~** (ön)magától, önként **2.** (ön)magát, saját magát, maga magát **3. be beside ~ (with joy)** odáig van az örömtől; **be master/mistress of ~** saját maga ura; **come to ~** magához tér; **take sg upon ~** magára vesz/vállal vmt

one-sided *mn* **1. a)** egyenlőtlen, igazságtalan, méltánytalan *[szerződés]* **b)** egyoldalú, elfogult, részrehajló *[vélemény]* **2.** féloldalas, aszimmetrikus *[alak]* **3.** ~ **street** egy oldalán beépített utca • *fn* **one-sidedness** *hsz* **one-sidedly**

one-step *fn* one-step *[tánc]*

one-storied *mn US* földszintes, egyszintes *[ház]*

one-time [ˈwʌntaɪm] *mn* régi, egykori, hajdani, volt, ex-

one-track *mn* **1.** egyvágányú **2.** egyoldalú, elfogult *[gondolkodás]*; ~ **mind** egyvágányú elme, csak egyetlen szempontra/dologra koncentráló egyén

one-two *fn sp* kényszerítő, (gyors oda-)visszapasszolás; dupla ütés *[ökölvívásban]*

one-up *mn biz* **a)** nyerő/előnyös(ebb helyzetű), eggyel jobb **b)** *sp biz* egy ponttal/góllal vezető

one-upmanship *fn biz* kivagyiság, felülkerekedni tudás, *biz* slágfertigség

one-way *mn* **1.** egyirányú; ~ **classification** egy szempontból történt csoportosítás/osztályozás; ~ **road** egyirányú (forgalmi) út; ~ **street** egyirányú utca; ~ **traffic** egyirányú forgalom/közlekedés **2.** ~ **ticket** egyszeri útra/utazásra szóló menetjegy

onflow [ˈɒnflou ‖ ˈɑn–] *fn* **1.** hozzáfolyás **2.** továbbfolyás

onglaze [ˈɒngleɪz ‖ ˈɑn–] *mn* ‹mázas/fényes felületre, üvegre történő (festés)›

ongoing I. *mn* folyamatos, folyamatban levő **II.** *fn* **1.** esemény, történés, folyamat **2. a)** *tsz* **on-goings** események, történések **b)** helytelenkedés

onion [ˈʌnjən] **I.** *fn* **1.** *növ* vöröshagyma; **pickling ~** apró hagyma; **spring ~** (i) mogyoróhagyma (ii) újhagyma; **Welsh ~** téli hagyma **2.** *szl [fej]* kobak, tökfej; **off his ~** *[bolond]* dilis, elment az esze (v. a józan esze), meg van buggyanva; **go off one's ~** *[megbolondul]* meghibban, meghülyül, megbuggyan, bedilizik **3.** *biz* **she knows her ~s** tudja, merről fúj a szél, tudja, mitől döglik a légy; *biz* **weep with an ~** krokodilkönnyeket hullat **II.** *tsi* **1.** hagymával bedörzsöl **2.** hagyma segítségével megkönnyeztet (vkt)

onion couch *fn növ* franciaperje

onion dome *fn épít* hagymakupola

onionskin *fn* **1.** hagymahéj **2.** *gazd* hártyapapír, pauszpapír, selyempapír

online, **on-line** *mn infor* online, a hálózatba kapcsolt, hálózaton hozzáférhető

onlooker [ˈɒnlukə ‖ ˈɑnlukər] *fn* nézelődő, szemlélő, bámész(kodó) • *mn* **onlooking**

only [ˈounli] **I.** *mn* egyedüli, egyetlen; **an ~ child** egyetlen gyerek; **one and ~** egyedüli/egyetlen-egy; **the ~ thing is it is rather expensive** csak az a baj, hogy eléggé drága **II.** *hsz* csak, csupán, egyedül, kivéve hogy; ~ **just** éppen hogy; ~ **that** kivéve hogy; **not ~ but** nemcsak ... hanem ... is; ~ **too true** nagyon is igaz; **I shall be ~ too pleased to** örömömre fog szolgálni, rendkívül (v. nagyon is) örülni fogok; **if ~** oh bár, ha csak/legalább; **if ~ I knew** bárcsak tudnám; **you can ~ guess** csak találgatni lehet; **he can ~ refuse** ezt nem fogadhatja el, vissza kell utasítania; **he has ~ to ask for it** csak kérnie kell **III.** *ksz* de, hanem, azonban; **I would do it ~ that...** megtenném, ha nem...

only-begotten *mn bibl* ~ **Son of God** Isten egyszülött Fia

on-off I. *mn* **1.** *távk el* be-ki, ki-be *[kapcsolás jelzése gombon]* **2.** akadozó, le-leálló **3.** *el* kétállású/alternatív *[kapcsoló]* **II.** *fn távk* jelszaggatás

onomastics [ˌɒnəˈmæstɪks ‖ ˌɑnə–] *fn* névtan, névtudomány, onomasztika • *fn* **onomasticon** *mn* **onomastic**

onomatology [ˌounɒməˈtɒlədʒi ‖ –naməˈtɑ–] *nyelv* → **onomastics**

onomatopoeia [ˌɒnəmætəˈpiːə ‖ ˈɑnə–] *fn nyelv* hangutánzás, hangfestés • *fn* **onomatope** *mn* **onomatopoeic**

onrush [ˈɒnrʌʃ ‖ ˈɑn–] *fn* támadás, rárohanás, megrohanás, előretörés, hirtelen ömlés

on-set *mn szính* a színen/színpadon lévő/történő

onset ['ɒnset ‖ 'ɑn–] **I.** *fn* **1.** támadás, roham, ostrom; **give the ~** támad; **the first ~ of a disease** egy betegség első rohama, a betegség kitörése **2. a)** kezdet, kezdés **b)** *vegy* kezdet, belépés *[reakcióé]* **II.** *tsi/tni* (meg)támad

onshore [ɒn'ʃɔː ‖ ɑn'ʃɔr] **I.** *mn* **~ wind** tenger felől fújó szél **II.** *hsz* **1.** szárazföld/part felé **2.** szárazföldön

on side *mn/hsz sp* nincs les *[labdarúgásban]*

onslaught ['ɒnslɔːt ‖ 'ɑn–] *fn* (durva) kirohanás, támadás *[valaki ellen]*

on-stage ['ɒnsteɪdʒ ‖ 'ɑn–] *hsz* színpadon, színpadi

on-street *mn* utcai *[utcán való]*

onsweep ['ɒnswiːp ‖ 'ɑn–] *fn* gyors/feltartóztathatatlan előnyomulás *[hullámoké, civilizációé]*

Ont. *röv Ontario*

Ontario [ɒn'teəriou ‖ ɑn'ter–] *tul földr Kan* Ontario • *mn* **Ontarian**

on-the-job-training *fn ip* munkahelyi (tovább)képzés

on-the-spot *mn* a helyszínen (azonnal) megtörténő

onto ['ɒntə, 'ɒntu 'ɒntuː ‖ 'ɑntə, 'ɑntu, 'ɑntuː], **on to** *elölj* -ra/-re, felé

ontogenesis [ˌɒntə'dʒenɪsɪs ‖ ˌɑntə–] *fn biol* ontogenezis, egyedfejlődés • *mn* **onogenetic**

ontogeny [ɒn'tɒdʒəni ‖ ɑn'tɑ–] *biol* → **ontogenesis**

ontologic [ˌɒntə'lɒdʒɪk ‖ ˌɑntə'lɑdʒɪk], **ontological** *mn fil* ontologikus, ontológiai, lételméleti

ontology [ɒn'tɒlədʒi ‖ ɑn'tɑ–] *fn fil* ontológia, lételmélet • *fn* **ontologist**

onus ['ounəs] *fn* súly, teher, felelősség, kötelezettség

onward ['ɒnwəd ‖ 'ɑnwərd] **I.** *mn* (előre)haladó **II.** *hsz* előre, tovább *[térben, időben]* • *fn* **onwardness**

onwards ['ɒnwədz ‖ 'ɑnwərdz] *hsz* **a)** előre, tovább **b) from tomorrow ~** holnaptól fogva/kezdve; **from this time ~** ezentúl, mostantól fogva, a jövőben

onymous ['ɒnɪməs ‖ 'ɑnɪ–] *mn* névvel ellátott *[nem névtelen]*

onyx ['ɒnɪks ‖ 'ɑnɪks] *fn ásv* ónix

onyx-marble *fn ásv* (keleti) alabástrom

oodles ['uːdlz] *fn biz* egy halom, egy rakás, óriási mennyiség; **have ~ of money** tele van pénzzel

oof[1] [uːf] *fn szl [pénz]* guba, dohány

oof[2] [uːf] *isz biz* fú! *[bosszankodás]*, a fenébe!

oofish ['uːfɪʃ] → **oofy**

oofy ['uːfi] *mn szl [pénzes]* **be ~** van dohánya

oogenesis [ˌouə'dʒenɪsɪs] *fn biol* petefejlődés

ooh [uː] *isz biz* hűha! *[meglepetés, öröm, fájdalom miatti felkiáltás]*, hú!

oom [uːm] *fn Dél-Af* bácsi

oomiak ['uːmiæk] *fn* ‹eszkimó csónak›

oomph [um(p)f] *fn szl* **1.** *[életerő, energia]* svung, kakaó **2.** *[szexuális vonzerő]* szexisség, dögösség

oophoron [ˌouə'fɔːrən ‖ –'fɔr] *fn orv* petefészek

oops [ups] *isz biz* zsupsz!, hoppá! *[meglepődés/mentegetőzés véletlen apróság miatt]*

oops-a-daisy *isz biz* hoppá!, hopplá!, hoppsza!

ooze [uːz] **I.** *fn* **1.** sár, iszap, ingoványos/süppedős talaj **2.** (el)szivárgás, csepegés, lassú kiáramlás/kifolyás, váladék **II. oozing A.** *tsi* folyat, szivárogtat, ereszt *[nedvet]*; **the wound ~s blood** a sebből vér szivárog **B.** *tni* **1.** (ki)szivárog, átszűrődik, csepeg; *biz* **the secret was oozing out** a titok kitudódott/kiszivárgott **2.** párolog, izzad, gyöngyözik; *biz* **he is oozing with hatred** árad belőle a gyűlölet **3.** *biz [lassan eltűnik]* felszívódik, elsomfordál

oozy ['uːzi] *mn* **1.** iszapos, sáros, ingoványos, süppedős **2.** nyirkos, nedves, szivárgó, izzadó

OP *röv observation post*

op. *röv opus*

op[1] *fn orv biz* műtét, operáció

op[2] [ɒp ‖ ɑp] *röv out of print*

opacify [ou'pæsɪfaɪ] **A.** *tsi* elhomályosít **B.** *tni* elhomályosodik

opacity [ou'pæsəti] *fn* **1.** átlátszatlanság, homályosság; **acoustic ~** hangszigetelés, hangátnemeresztés **2.** szellemi sötétség, korlátoltság

opal ['oupl] **I.** *mn* opálszínű; **~ mutation** *biol* nonszensz mutáció **II.** *fn* **1. a)** *ásv* opál **b)** opálszín **2. ~ glass** opálüveg, tejüveg, homályos üveg

opal blue *mn/fn* opálkék

opalescent [ˌoupə'lesnt] *mn* opálos (fényű), opálfényű, opalizáló • *fn* **opalescence**

opalesque [ˌoupə'lesk] **I.** *tni* opálos színekben játszik **II.** *mn* opálos, opálszínű, opálfényű, opálszerű

opaline ['oupəliːn, –laɪn] **I.** *mn* → **opalesque II.** *fn* opálüveg, tejüveg, homályos üveg

opaque [ou'peɪk] **I.** *mn* **1.** átlátszatlan, nem átlátszó/áttetsző, fényáthatlan **2.** korlátolt, nehéz fejű/felfogású, tudatlan *[egyén]* **II.** *fn* **1.** *fényk* retusfesték **2.** átlátszatlan anyag

op art *fn műv* op art *[absztrakt irányzat]*

op. cit. *röv* opere citato; *in the work cited* az idézett mű(ben), i.m.

OPEC ['oupek] *röv Organization of Petroleum Exporting Countries*

open ['oupən] **I.** *mn* **1.** nyitott, nyílt; **~ letter** nyílt levél *[sajtóban]*; felbontott *[v. nyitott borítékú]* levél; **~ shelf** nyitott polc; **~ society** a szabad verseny elvére alapított társadalom; diktatúramentes társadalmi rend; **~ wound** nyílt/tátongó seb; **break ~** feltör, kibont; **the door flew ~** az ajtó hirtelen kinyílt/kitárult; *biz* **force an ~ door** nyitott kapu(ka)t dönget; **keep ~ doors, keep an ~ board** nyílt házat visz, szívesen lát vendégeket; **~ all night** egész éjjel nyitva; **in the ~ court** nyilvános (bírósági) tárgyaláson; **~ to the public** nyitva a közönség számára **2.** szabad, nyílt; **in the ~ air** a szabad levegőn, a szabadban; **the ~ sea** a nyílt/szabad tenger; **~ space** beépítetlen/szabad terület/tér; udvar; zöldterület **3.** nyitott, fedetlen, vmnek alávetett, (szélnek) kitett; **~ flame** szabad láng; **~ question** nyílt/nyitott kérdés; **~ to advice** szívesen fogad tanácsot; **~ to conviction** meggyőzhető; **~ to criticism** bírálható, nem bizonyos (v. feltétlenül helyes); kritizálható; **~ to prejudices** előítéletekre hajlamos; **~ to question** kérdéses, vitatható **4.** nyilvánvaló, nyilvános, nyílt, őszinte, leplezetlen, egyenes, világos; **~ admiration** leplezetlen bámulat; **~ hostilities** nyílt ellenségeskedés/harc; **~ pedigreed** ismert leszármazású *[állat]*; **~ secret** nyílt titok; **be ~ with sy** őszinte vkvel szemben **5.** nyitott, nyílt; *orv* **~ pores** kitágult pórusok; **~ route** szabad forgalmú út; **stand with ~ mouth before sg** tátott szájjal áll vm előtt **6.** laza, tág, nem szoros/tömött **7.** szabad, akadálymentes; **road ~ to traffic** közlekedés számára szabad/megnyitott út; **~ view** szabad kilátás; **it is ~ to you to do sg** szabadságában/jogában áll vmt tenni; **keep a day ~ for sy** fenntart egy napot vk számára **8. a)** nyílt, nem eldöntött/megoldott, eldöntetlen; **keep an ~ mind on sg** nem dönt/határoz vm felől, nem foglal állást vmvel kapcsolatban; elfogulatlan vmvel szemben; *gazd* **be ~ for offers** ajánlatokat vár/kér/keres **b)** *gazd* **policy of the ~ door** megkülönböztetés nélküli kereskedelmi politika; szabadkereskedelmi politika **9. ~ weather** enyhe idő *[fagymentes]* **10.** *pénz* **~ account** folyószámla; **~ cheque** nyílt (v. nem keresztezett) csekk **11.** *sp* szabad, nyílt, nemzetközi *[mérkőzés, találkozó]* **II.** *fn* **1. in the ~** (a) szabadban, a szabad ég alatt, a szabad levegőn **2.** nyilvánosság; **come into the ~** nyilvánosságra jut/kerül; **come out into the ~ with sg** a nyilvánosság elé lép vmvel, nyilvánosságra hoz vmt **3.** *gazd* **the ~** a szabadpiac **4.** *sp* **the US O~** az amerikai nyílt teniszbajnokság/golfbajnokság **III. A.** *tsi* **1. a)** kinyit, kitár *[ajtót]*, leenged, lebocsát *[ablakot]*; *biz* **~ the door to abuses** visszaélésekre ad alkalmat **b)** kinyit, kidugaszol, (fel)bont *[palackot]*, felbont *[levelet]*, kibont *[csomagot]*, szétnyit *[újságot]*, megnyit *[zsilipet]*; *orv* **~ the abdomen** felnyitja a hasat, hasmetszést végez; *el* **~ the circuit** megszakítja az áramkört; **~ the mail** felbontja a postát **c)** megnyit, felavat *[intézményt]*; **~ a**

O

road utat átad a forgalomnak; utat épít; **~ one's shop** üzletet nyit/megnyitja üzletét **2.** szétterpeszt *[lábat]*, kitát *[szájat]*, kitár *[kart]*, felnyit *[szemet]* **3. ~ a hole in a wall** falba nyílást vág **4.** felfed, feltár; **~ one's heart, ~ oneself** kiönti a szívét; kitárja a szívét; **~ sy's eyes** felnyitja vk szemét; kiábrándít vkt; **~ the eyes of sy to sg** leleplez vmt vk előtt, igaz valójában mutat meg vmt vknek **5. a)** (meg)-kezd, megnyit, megindít *[vitát]*, megmagyaráz, bevezet; *gazd* **~ an account in sy's name** vknek a nevére folyószámlát nyit; *pénz* **~ the budget** benyújtja költségvetést; *jog* **~ the case** ismerteti a tényállást *[bírósági tárgyaláson]*; *kat* **~ fire** tüzet nyit; tüzelni/lőni kezd; **~ ground** (szűz) talajt feltör **b)** *ját* indít, kezd *[licitálást, kijátszást]*, nyit *[pókerben]*; **~ the play** kijátszik **B.** *tni* **1. a)** (ki)nyílik, (ki)tárul; **half ~, ~ a little** félig/kissé kinyílik *[ajtó]* **b)** *el* megszakad *[kapcsolás]* **2. a)** (el)terjed *[nézet]* **b)** kinyílik, kivirul, fakad *[virág]* **c)** *hajó* kitárul *[öböl]* **3.** kezdődik, indul; **the play will ~ shortly** a darabot rövidesen bemutatják; **he ~ed with a remark about the weather** bevezetésül az időjárásról tett megjegyzést (v. beszélt) • *fn* **openness**

open after *tni* utána veti magát (vmnek), üldözőbe vesz (vmt)

open in *tni* **the door ~s in** az ajtó befelé nyílik

open out A. *tsi* **1.** kinyit, szétnyit, kitár, kigöngyöl, kihajtogat, kiterít *[papírost]* **2.** (fel)fejleszt *[vállalatot]* **3.** nagyobbít, (ki)tágít, kicsiszol *[fúrt lyukat]*, kibővít, kiszélesít *[cső végét]* **B.** *tni* **1.** kinyílik **2.** kifejlődik **3.** kitárul, elterül, kiterjed **4. ~ out to sy** feltárja a lelkét vknek, kitárulkozik vkinek

open up A. *tsi* **a)** kinyit, megnyit, nyit, felvág, üzembe helyez, feltár, *[bányát]*, hozzáférhetővé tesz, felfed *[látványt]*, járhatóvá tesz, épít *[utat]* **b) ~ up on/upon sg** tüzelni/lőni kezd vmre, tüzet nyit **B.** *tni* **1.** kitárul, elterül, kiterjed **2.** nyit, alapít *[boltot, fiókügyletet]* **3.** nyíltan beszél

openable [ˈoupənəbl] *mn* **1.** kinyitható *[ajtó stb.]* **2.** feltárható

open-air *mn* szabadban levő, szabad ég alatti, szabadtéri, szabadban tenyésző/történő; **~ bath** v. **swimming pool** strandfürdő; nyitott uszoda; **~ cinema** kertmozi; *orv* **~ treatment** légkúra, hegyilevegő-kúra

open-and-shut *mn biz* egyszerű, nyilvánvaló, világos, könnyen eldönthető, nehézség nélküli; **it is ~ that...** világos/kézenfekvő, hogy...

open-armed *mn* szívélyes, tárt karokkal való *[fogadtatás]*

open-border trade *fn gazd* nyitott/szabad/határok nélküli kereskedelem *[az Európai Unió tagországai között]*

opencast I. *mn bány* nyitott/külszíni fejtésű *[bánya]*; *bány* **~ coal** felszíni bányászással termelt/nyert szén; *bány* **~ coal-mining** felszíni bányászás/kitermelés **II.** *fn bány* külfejtés, külszíni fejtés

open circuit *fn el* megszakított áramkör

open college *fn* nyitott egyetem *[felnőttoktatási intézmény]*

open day *fn* nyílt nap *[látogatók fogadására]*

open-door *mn* nyitott; **~ policy** *gazd* megkülönböztetés/korlátozás nélküli kereskedelmi politika; szabad kereskedelmi politika

open-eared *mn/hsz* **listen ~ to sy** vkt teljes figyelemmel hallgat, csupa fül

open-end(ed) *mn ált* nyílt, nyitott; nyitva hagyott; **~ discussion** nyitott vita/tanácskozás; **~ question** kiegészítendő kérdés

opener [ˈoupənə ‖ –ər] *fn* **1.** felnyitó, felbontó, kinyitó *[személy]* **2.** nyitó/bontó szerszám **3.** ‹rendezvénysorozat nyitó programja› **4.** *US biz* hashajtó szer **5.** nyitó játékos *[pókerben]*; *tsz* **openers** nyitó lapok *[pókerben]*

open-eyed *mn* **1. a)** nyitott szemű, tisztán látó, nem félrevezethető/becsapható, szemfüles, óvatos **b) he acted ~** teljes tudatossággal cselekedett, teljesen tisztában volt azzal, hogy mit cselekszik **2. look at sy with ~ astonishment, gaze ~ at sy** csodálkozástól tágra nyílt szemekkel néz vkre; nagy szemeket mereszt vkre

open-faced *mn* **1.** nyílt/őszinte arcú **2. ~ watch** fedél nélküli (zseb)óra

open fracture *fn orv* nyílt csonttörés

open-handed *mn* bőkezű, adakozó

open-heart *mn orv* **~ surgery** nyitott szívműtét

open-hearted *mn* **1.** őszinte, nyílt(szívű), egyenes **2.** jólelkű, könyörületes

open house *fn* nyitott ház *[vendégek számára]*

opening [ˈoupənɪŋ] **I.** *mn* **1. a)** (ki) nyíló *[ajtó]* **b)** kezdeti, megnyitó, felavató; *ját* **~ bid** első/bemondás *[licitálásnál]*; **the ~ buds** fakadó rügyek **2. ~ medicine** hashajtó szer **II.** *fn* **1. a)** (ki)nyitás *[ajtóé, múzeumé]*, feltárás *[léleké]*, felbontás *[levélé]*, kidugaszolás, felbontás *[palacké]*, *gazd* (meg)nyitás *[folyószámláé]*, kezdet, megkezdés, bevezetés *[beszédé]*, *műsz* felfedés *[fényé]*; **formal ~** felavatás, hivatalos megnyitás; **~ of the courts** törvénykezési időszak kezdete; *kat* **~ of fire** tűznyitás; **O~ of Parliament** országgyűlés ülésszakának megnyitása; **~ hours** nyitvatartás **b)** kezdés, első hívás *[kártyában]* **2. a)** feslés, kihajtás, kivirágzás *[bimbóé, virágé]* **b)** *el* megszakítás, kikapcsolás **c)** *szính* kezdet, nyitó kép/jelenet **3.** nyílás, rés, lyuk, hézag; bejárat; tisztás *[erdőben]*; derülés, tisztulás *[felhők között]* **4.** kedvező alkalom, érvényesülési lehetőség, megüresedett állás, üresedés, *átv* kilátás

opening ceremony *fn* megnyitó ünnepély, ünnepélyes megnyitó/tanévnyitó

opening night *fn szính film* premier, bemutató

opening price *fn pénz gazd* nyitó ár(folyam)

opening time *GB kif* nyitás *[kocsmáé, üzleté]*

openly [ˈoupənli] *hsz* nyíltan, őszintén, szabadon, nyilvánosan, nyilvánvalóan

open market *fn gazd* szabadpiac

open-minded *mn* **1.** széles látókörű, előítélet-mentes, elfogulatlan **2.** őszinte, nyíltszívű

open-mouthed [ˌoupənˈmauðɪdli] *mn* **1.** tátott szájú; **remain ~ with astonishment** tátva marad a szája a csodálkozástól **2.** falánk

open prison *fn GB* enyhített börtön *[a megengedhető legkevesebb korlátozással működik]*

open season *fn* idény *[tilalom/korlátozások nélküli idény, pl. vadászidény]*

open-shelf *mn* szabadpolcos *[könyvtár]*

open shop *fn ip* ‹nem szakszervezeti munkásokat is foglalkoztató üzem›

open syllable *fn nyelv* nyílt *[magánhangzóra végződő]* szótag

open-topped *mn gk* nyitott tetejű *[autó, autóbusz]*

open trial *fn* nyilvános tárgyalás

Open University *fn GB* esti egyetem, szabadegyetem *[levelező és elektronikus úton sugárzott felnőttoktatási forma]* távoktatás

open verdict *kif jog* ‹ismeretlen okból v. tettes által elkövetett bűncselekmény›

openwork *fn* áttört kötés, csipkekötés, áttört kézimunka, madeira

opera [ˈɒpərə ‖ ˈɑpərə] *fn tsz* **operas 1.** opera, zenedráma, dalmű; **comic ~** vígopera, opera buffa **2.** operaház

operable [ˈɒpərəbl ‖ ˈɑpərəbl] *mn* **1.** *orv* (meg)operálható *[beteg]* **2.** működőképes, funkcionáló • *fn* **operability**

opera buffa [– ˈbuːfə] *fn zene* vígopera

opéra comique [kɒˈmiːk ‖ kɑ –] *fn francia szính* vígopera, zenés játék

opera glasses *fn tsz* színházi látcső

opera hat *fn* klakk, rugós cilinder

opera house *fn* operaház

operand [ˈɒpərænd ‖ ˌɑpəˈrænd] *fn mat* művelet alaptagja

operant [ˈɒpərənt ‖ ˈɑ –] **I.** *mn* tevékeny, működő, hatásos **II.** *fn* dolgozó, munkás

operate [ˈɒpəreɪt ‖ ˈɑ–] *i* **A.** *tsi* **1.** véghezvisz, előidéz, okoz, befolyásol *[gyógyulást, változást]* **2.** működtet, kezel, járat, üzemben tart *[gépet]* **3.** irányít, vezet *[kereskedelmi vállalatot]* **B.** *tni* **1. a)** hat, hatással van (vmre) **b)** működik, üzemel; *ip* ~ **at capacity** teljes üzemmel dolgozik **c)** alkalmazást nyer, érvénybe lép **2.** *pénz* ~ **for a fall** besszre játszik *[tőzsdén]* **3.** *orv* operál; ~ **on sy** műtétet végrehajt/végez vkn, megoperál/megműt vkt **4.** *kat* (katonai) műveletet végrehajt/irányít

-operated [–ˈɒpəreɪtɪd ‖ –ˈɑ–] *utótag* hajtott, hajtású, működésű

operatic [ˌɒpəˈrætɪk ‖ ˈɑ–] **a)** *mn zene* operai, opera- **b)** színpadias, drámai (hatású)

operating [ˈɒpəreɪtɪŋ ‖ ˈɑ–] **I.** *mn* **1.** *orv* operáló, műtői, műtő-; ~ **surgeon** sebész, műtőorvos, operatőr **2. a)** *ip műsz* működtető; *ip műsz* ~ **conditions** üzemi feltételek; munkafeltételek, munkaviszonyok; *ip műsz* ~ **cost** üzemköltség, üzemben tartási (üzemeltetési) költség; *kat* ~ **distance/range** hatótávolság; *US* ~ **staff** üzemi személyzet **b)** kapcsoló **3.** *vall* ~ **grace** működő/ható kegyelem **II.** *fn* **1. a)** működés **b)** hatás *[gyógyszeré]* **2.** kezelés, vezérlés *[gépé]* **3.** üzemeltetés, üzembentartás *[iparvállalaté]* **4.** *orv* operálás, műtét levezetése/elvégzése

operating board *fn műsz* kapcsolótábla, kezelőasztal

operating room *fn* **1.** *US orv* műtő **2.** *film* vetítőkamra **3.** *ip* kezelőhelyiség

operating system *fn infor* operációs rendszer

operating table *fn orv* műtőasztal

operating theatre *fn orv* műtőterem, orvosi előadóterem, amfiteátrum, demonstrációs műtő *[sebészeti klinikán]*

operation [ˌɒpəˈreɪʃn ‖ ˈɑ–] *fn* **1. a)** működés, cselekvés, tevékenység, eljárás, akció; **mode of** ~ operációs/működési eljárás/mód; **sphere of** ~ hatókör **b)** működés *[gépé, szerkezeté]*, üzem; **be in** ~ működik, üzemben van, üzemel; **put in** ~ működésbe hoz, üzembe helyez **c)** működtetés **d)** *műsz* kezelés, vezérlés *[gépé]* **e)** *ip* üzemeltetés, üzemvitel, üzembentartás; **in full** ~ teljes üzemben/üzemmel **f)** *ip* munkafolyamat, munkaművelet **2.** érvény, (jog)hatály; **be in** ~ érvényben/hatályban van *[rendelkezés]*; **come into** ~ érvénybe lép **3. a)** *mat* művelet; **four fundamental** ~**s** a négy alapművelet **b)** *kat* hadművelet, harcmozdulat **c) stock** ~**s** tőzsdeügylet(ek); tőzsdei manőverek **4.** *orv* műtét, sebészeti beavatkozás, operáció; ~ **scar** műtéti heg/nyom

operational [ˌɒpəˈreɪʃnəl ‖ ˈɑ–] *mn* **1.** *kat* hadműveleti, hadműveletre vonatkozó, harci **2.** ~ **costs** üzemeltetési költség(ek)

operation manual *fn infor* használati utasítás/kézikönyv

operative [ˈɒpərətɪv ‖ ˈɑ–, ˈɑpəreɪtɪv] **I.** *mn* **1.** működő, tevékeny, cselekvő, hatásos **2.** *jog* hatályos, érvényes; **become** ~ érvénybe/hatályba/életbe lép *[törvény]* **3.** döntő, kulcsfontosságú **4.** gyakorlott, gyakorlati, jártas **5.** *orv* operáló, műtéti, sebészeti **II.** *fn* **1. a)** munkás, szakmunkás, alkalmazott **b)** gépkezelő **2. a)** *US* magándetektív **b)** kém

operator [ˈɒpəreɪtə ‖ ˈɑ–] *fn* **1.** (gép)kezelő(nő), operátor **2.** *távk* telefonközpontos; **call the operator** a telefonközpontot kéri **3.** *távk* személyi hívó **4.** *gazd* üzletember; üzletkötő, bonyolító **5.** *infor* számítógép-kezelő **6.** *mat* műveleti jel **7.** spekuláns *[főként pénzügyekben]*

operetta [ˌɒpəˈretə ‖ ˌɑ–] *fn zene* operett

operettist [ˌɒpəˈretɪst ‖ ˌɑ–] *fn* operettszerző

Ophelia [əˈfiːlɪə ‖ oʊˈfiːlɪə] *tul* Ofélia

ophidian [ɒˈfɪdɪən ‖ oʊ–] **I.** *mn áll* kígyószerű, kígyóféle **II.** *fn tsz* **ophidia** [–dɪə] *áll* kígyó(félék)

ophiology [ˌɒfiˈɒlədʒi ‖ ˌɑfiˈɑ–] *fn áll* kígyókutatás, kígyóismeret

ophthalmia [ɒfˈθælmɪə ‖ ɑf–] *fn orv* szemgyulladás; **catarrhal** ~ kötőhártya-gyulladás

ophthalmiac [ɒfˈθælmiæk ‖ ɔf–, ɑf–] *fn orv* szemgyulladásos beteg, szembeteg

ophthalmic [ɒfˈθælmɪk ‖ ɔf–, ɑf–] *mn* **1.** *orv* szem-, szemre vonatkozó **2.** *orv* ~ **hospital** szemkórház, szemklinika

ophthalmic optician *fn orv* szemész-optikus

ophthalmology [ˌɒfθælˈmɒlədʒi ‖ ˌɑfθælˈmɑ–] *fn orv* szemészet • *fn* **ophthalmologist** *mn* **ophthalmological**

opiate I. *mn* [ˈoʊpɪət] ópiumos, ópium tartalmú **II.** *fn* [ˈoʊpɪət] ópium, ópiumszerű drog, ópiumszármazék/ópiát, altatószer, kábítószer, narkotikum **III.** *tsi* [ˈoʊpieɪt] **1.** ópiummal vegyít/kever *[orvosságot]* **2.** elkábít, eltompít

opiated [ˈoʊpieɪtɪd] *mn* **1.** ópiumos **2.** eltompult, eltompított, elkábult, elkábított

opine [oʊˈpaɪn] *i* **A.** *tsi* **1.** véleményt mond/nyilvánít (vmről), véleményez (vmt) **2.** hangoztat/kifejez nézetet/véleményt (vmvel kapcsolatban) **B.** *tni* vélekedik, véleményen/nézeten van, véleményt alkot

opinion [əˈpɪnjən] *fn* **1.** nézet, vélemény, vélekedés, ítélet, felfogás; **in my** ~ nézetem/véleményem szerint, szerintem; **be of the** ~ **that...** úgy véli, hogy..., az a nézete, hogy; **have/hold a high** ~ **of sy** jó véleménye van vkről; nagyra tart vkt **2. a)** szakvélemény **b)** *jog* **counsel's** ~ írásban adott ügyvédi/jogi vélemény

opinionated [əˈpɪnjəneɪtɪd] *mn* **1. a)** önfejű, nézetei mellett kitartó, véleményéhez ragaszkodó **b)** nagyképű, fontoskodó **2.** dogmatikus

opinion poll *fn* közvéleménykutatás

opium [ˈoʊpɪəm] *fn* ópium

opium den *fn* ópiumbarlang

opium poppy *fn növ* (kerti) mák

opopanax [oʊˈpɒpənæks ‖ –ˈpɑ–] *fn növ* **1.** kentaurfű **2.** édesillatú akácia

opossum [əˈpɒsəm ‖ əˈpɑ–] *fn* **1.** *áll* oposszum; **water** ~ erszényes vidra **2.** *Ausz áll* kuszkusz **3.** *US átv biz* **play** ~ halottnak tetteti magát, nem ad életjelt, rejtőzik; igen óvatos

opp. *röv* **1.** *opposed* **2.** *opposite*

oppo [ˈɒpoʊ ‖ ˈɑ–] *fn biz* kolléga, barát

opponent [əˈpoʊnənt] **I.** *fn* **1. a)** ellenfél, ellenző, opponens **b)** ellenség **2.** versenytárs **II.** *mn* szemben levő, szemben fekvő • *fn* **opponency**

opportune [ˈɒpətjuːn ‖ ˌɑpərˈtuːn] *mn* alkalomszerű, időszerű, jókor/kapóra jövő, jól időzített, megfelelő, kedvező, alkalmas *[idő]* • *fn* **opportuneness** *hsz* **opportunely**

opportunist [ˌɒpəˈtjuːnɪst ‖ ˌɑpərˈtuː–] *mn/fn* ‹az alkalmat jól kihasználó, ill. a körülményekhez jól alkalmazkodó személy›

opportunity [ˌɒpəˈtjuːnəti ‖ ˌɑpərˈtuː–] *fn* **1.** (kedvező) alkalom, esély, lehetőség, alkalmas idő(pont); **golden** ~ remek lehetőség; **miss an** ~ elmulaszt/elszalaszt egy/vmely alkalmat; **an** ~ **occurs/offers/knocks**, **an** ~ **presents itself** alkalom adódik/nyílik/kínálkozik; **seize/take an** ~ megragadja az alkalmat; **take** (v. **avail oneself of) the** ~ **to do sg** él az alkalommal, hogy vmt megtegyen; *közm* ~ **makes the thief** alkalom szüli a tolvajt **2.** alkalomszerűség, kedvező/szerencsés alkalom

opposable [əˈpoʊzəbl] *mn* **1.** ellenvethető, szembeállítható, szembefordítható **2.** *ritk* ellenállható *[kísértés]* • *fn* **opposability**

oppose [əˈpoʊz] *i* **A.** *tsi* **1. a)** szembeállít, szembehelyez **b)** *átv* ellentétbe állít, szembeállít; ~ **one colour to another** két színt kontrasztba hoz; ~ **force with reason** az erőszak ellen agyafúrtsággal védekezik **2.** szembehelyezkedik, szembeszáll, szemben áll, ellenkezik (vkvel), ellenáll, ellenszegül (vknek), felemeli a szavát (vm ellen), ellenez (vmt); ~ **sg tooth and nail** kézzel-lábbal tiltakozik vm ellen; hevesen ellenez vmt, erélyesen küzd vm ellen; **be** ~**d to sy/sg** szembelyezkedik/ellenkezik vkvel/vmvel **B.** *tni* ellenvéleménnyel él, ellenzékben van/áll • *fn* **opposer**

opposed [əˈpoʊzd] *mn* **1.** ellentétes, szembenálló, ellenséges; **words** ~ **in meaning** ellentétes értelmű szavak **2.** ellenkező, ellentétben álló, ellentmondó (vmnek); **as** ~ **to sg** szemben/ellentétben/összehasonlítva vmvel

O

opposing [əˈpoʊzɪŋ] *mn* szemben álló, ellenséges *[felek, csapatok]*, ellentétes *[érdekek]*, ellenkező *[irányzatok]*
opposite [ˈɒpəzɪt ‖ ˈɑ–] **I.** *mn* **1.** szemben fekvő/levő, szemközti, átellenes, túlsó *[oldal, part]*; **the house ~** a szembenlevő/túloldali ház; **on the ~ page** az átellenes/következő oldalon **2. a)** ellenkező, ellentétes *[irány, mozgás stb.]*; **the ~ sex** a másik nem; **in the ~ direction** ellenkező irányban **b)** (szöges) ellentétben álló, ellentétes *[vélemény stb.]*; **the ~ sides of the question** a probléma (v. az érem) két oldala; **hold ~ views** merőben ellentétes állásponton vannak **II.** *hsz* szemben, átellenben; **they were sitting ~** szemben ültek egymással **III.** *fn* **1.** ellentéte, ellenkezője, fordítottja (of vmnek); **he is the ~ of his brother** ellentéte a bátyjának; **just the ~ of what he says** éppen ellenkezőleg **2.** ellenlábasa, megfelelője *[korban, rangban, beosztásban stb.]* (of vknek), párja, mása (vmnek) **IV.** *elölj* szemben, szemközt, átellenben (vkvel, vmvel); **make a check ~ a name** kipipál egy nevet; *szính* **play ~ sy** vknek partnereként játszik *[neves színész nagy szerepben]* • *hsz* **oppositely**
opposite number *fn biz* kolléga *[más szervezetben egyenrangú* v. *egyenlő beosztású személy]*
opposite prompt *fn GB szính* jobb oldal *[a színész szemszögéből]*
opposition [ˌɒpəˈzɪʃn ‖ ˌɑ–] *fn* **1. a)** szembeállítás **b)** szembenállás; *csill* **superior ~** felső szembenállás; **set two things in ~ (to each other)** két tárgyat egymással szemben elhelyez **2.** ellenállás, ellenszegülés, ellenkezés, szembeszállás; **parties in ~** küzdő (v. szemben álló) felek; **break down all ~** letör minden ellenállást; **place oneself in ~ to the general opinion** szembelyezkedik a közvéleménnyel **3.** *pol* **the (party in) ~** az ellenzék; *GB* **Her/His Majesty's O~** az ellenzéki párt az angol alsóházban; **~ league** ellenzéki koalíció **4.** *fil* ellentét(esség) • *mn* **oppositional**
oppositionism [ˌɒpəˈzɪʃnˌɪzm ‖ ˌɑ–] *fn* ellenzéki magatartás, ellenzékiség • *fn* **oppositionist**
oppress [əˈpres] *tsi* **1.** elnyom, leigáz, nyomorgat, sanyargat *[népet]* **2.** *átv* nyomasztólag hat *[kedélyre]*, lehangol, lesújt, lever • *fn* **oppressor**
oppression [əˈpreʃn] *fn* **1. a)** elnyomás, leigázás, sanyargatás **b)** elnyomatás, rabság *[népé]* **2.** zsarnokság **3. a)** szorongás, nyomasztó érzés, lehangoltság, levertség **b) ~ of the lung** nehézlégzés
oppressive [əˈpresɪv] *mn* **1.** elnyomó, zsarnoki **2.** terhes, nyomasztó *[érzés]*, tikkasztó, fullasztó *[hőség]*
opprobrious [əˈproʊbrɪəs] *mn vál* gyalázatos, szégyenletes, megvetésre méltó *[viselkedés]*, gyalázkodó, piszkolódó, szidalmazó *[beszéd]*
opprobrium [əˈproʊbrɪəm] *fn vál* gyalázat, szégyen, szemrehányás, szidalmazás
opt [ɒpt ‖ ɑpt] *tsi* **1. a)** dönt, választ **b) ~ out (of sg)** kiszáll/kilép/kimarad valamiből **2.** honosságot/állampolgárságot választ, optál
optant [ˈɒptənt ‖ ˈɑp–] *fn* optáns, optáló, (vmlyen) honosságot/állampolgárságot választó
optative [ˈɒptətɪv ‖ ˈɑ–] *mn/fn nyelv* kívánságot kifejező, óhajtó (mód); **~ (mood)** óhajtó mód, optativus • *hsz* **optatively**
optic [ˈɒptɪk ‖ ˈɑp–] **I.** *mn* látási, látó-; *fiz* **~ angle** látószög; binokuláris parallaxis; *orv* **~ nerve** látóideg **II.** *fn* **1.** *tréf* szem **2.** *esz* **optics** fénytan, optika **3.** *GB [márkanév]* italadagoló
optical [ˈɒptɪkl ‖ ˈɑp–] *mn* látási, látó-, szem-, optikai, fénytani; **~ axis** szemtengely, látótengely; optikai tengely; **~ illusion** optikai csalódás
optical art → **op art**
optical brightener *fn* optikai fehérítő
optical character recognition *fn infor* optikai karakterfelismerés
optical disc *fn infor* optikai lemez, lézerlemez
optical fibre, *US* **optical fiber** *fn infor* optikai szál/kábel
optician [ɒpˈtɪʃn ‖ ɑp–] *fn* látszerész, optikus
optimal [ˈɒptɪməl ‖ ˈɑp–] *mn* optimális, a legkedvezőbb
optimistic [ˌɒptɪˈmɪstɪk ‖ ˌɑp–] *mn* derűlátó, bizakodó, reménykedő, optimista; **feel ~ about the future** rózsás színben látja a jövendőt • *fn* **optimism**, **optimist** *hsz* **optimistically**
optimization [ˌɒptɪmaɪˈzeɪʃn ‖ ˌɑptəmə–] *fn* javítás, jobbá tétel, *műsz infor* optimálás
optimize [ˈɒptɪmaɪz ‖ ˈɑp–], **–ise** *i* **A.** *tsi* **1.** a jobbik oldaláról néz **2.** jobbá tesz, javít; *gazd* optimalizál **B.** *tni* optimista/derűlátó módon él/gondolkodik/cselekszik
optimum [ˈɒptɪməm ‖ ˈɑp–] *tsz* **optima** [ˈɒptɪmə ‖ˈ-ɑp–], **optimums I.** *mn* legkedvezőbb, legelőnyösebb, optimális *[körülmények stb.]* **II.** *fn* **1.** legkedvezőbb érték, optimum **2.** *biol* legelőnyösebb/legkedvezőbb élettani körülmények, biológiai optimum
option [ˈɒpʃn ‖ ˈɑpʃn] *fn* **1. a)** (szabad) választás; **at sy's ~** vknek a tetszése/választása/belátása szerint; **make one's ~ between** választ (két alternatíva között) **b)** választás lehetősége/joga, alternatíva; **have the ~ of doing sg** választhat, hogy megtegyen-e vmt vagy sem; **have no ~ but to ...** nincs más választása mint ...; nem marad más hátra mint, hogy ... **2. a)** *gazd* elővételi jog, opció **b)** *gazd pénz* opció, prémiumügylet *[tőzsdeügyletnél]* **3.** *infor* választási lehetőség, parancsopció; **~ button** választókapcsoló
optional [ˈɒpʃnəl ‖ ˈɑp–] *mn* tetszés szerinti, szabadon választható, *okt* fakultatív *[tantárgy]*
optometer [ɒpˈtɒmɪtə ‖ ɑpˈtɑmətər] *fn fiz* látótávolságmérő, látóképesség-mérő (készülék), optométer
optometry [ɒpˈtɒmətri ‖ ɑpˈtɑ–] *fn* **1.** optometria, látásmeghatározás **2.** *fiz* optometria *[a fénytannak a látással foglalkozó része]* • *fn* **optometrist** *mn* **optometric**
optophone [ˈɒptəfoʊn ‖ ˈɑp–] *fn* **1.** *műsz* optofon *[fényenergiát hanggá átalakító készülék]* **2.** olvasógép *[vakok számára]*
opt-out *fn* kiválás *[valamely szervezet hatásköréből]*; *GB* **win an ~** kiszáll/kivonul a(z) önkormányzat/tanács felügyelete alól
opulent [ˈɒpjʊlənt ‖ ˈɑpjə–] *mn* **1.** dúsgazdag, vagyonos, fényűző, pazar **2.** *biz* dús; **~ bosom** dús keblek; *tréf* **her ~ charms** kiadós bájai **3.** viruló • *fn* **opulence**
opus [ˈoʊpəs] *fn tsz* **opuses**, **opera** [ˈɒpərə ‖ ˈɑ–] **1.** *zene* mű, kompozíció **2.** op., *[zenemű sorszáma, kiadásának sorrendjében]* **3.** *[bármilyen]* műalkotás
-or [ə ‖ ər, ɔr] *utótag* ‹főnévképző› -ó/-ő, -ász/-ész; **accelerator** gyorsító, gázpedál; **survivor** túlélő
OR *röv US Oregon*
or[1] [ɔː ‖ ɔr] *fn cím* arany
or[2] [ə, ɔː ‖ ər, ɔr] *ksz* vagy; **either ... ~ ...** vagy ... vagy ...; **either one ~ the other** vagy (az) egyik vagy (a) másik; valamelyik/egyik a kettő közül; **in a day ~ two** egy-két (v. néhány) nap múlva; **~ so/thereabouts** körülbelül, mintegy, cirka; **~ else** (mert) különben; vagy pedig; máskülönben; **stop ~ I'll shoot!** állj vagy lövök!; **~ rather** vagyis, azaz inkább *[kiigazítás]*; **whether he speaks ~ not** akár szól/beszél, akár nem; **he cannot (either) read ~ write** sem olvasni sem írni nem tud
oracle [ˈɒrəkl ‖ ˈɔr–ˈ, ɑr–] *fn* **1. a)** jóslat, jövendölés, orákulum; *szl* **work the ~** mozgatja a (háttérből) a szálakat; működik a kulisszák mögött; titkos befolyását érvényesíti; pénzt teremt elő (v. hajt fel) **b)** jóshely, jósda **2.** *vall iron* nagy bölcs, mindentudó
oracular [əˈrækjʊlə ‖ –jələr] *mn* **1.** rejtett értelmű, kétértelmű, dodonai *[kijelentés, jóslat]* **2.** *biz* magát csalhatatlannak képzelő; *iron* **the ~ press** a mindentudó/csalhatatlan/tévedhetetlen sajtó
oracy [ˈɔːrəsi] *fn vál* beszédkészség, a folyékony beszéd készsége

O

oral ['ɔːrəl] **I.** *mn* **1.** szóbeli *[vizsga, vallomás stb.]*; **~ tradition** szájhagyomány **2.** száji, száj-, orális; *orv* **~ administration of a drug** gyógyszer szájon át (v. orálisan) történő beadása; *orv* **~ cavity** szájüreg; **~ hygiene** szájápolás **II.** *fn* szóbeli (vizsga) • *hsz* **orally**
orange ['ɒrɪndʒ ‖ 'ɔ–, 'ɑ–] **I.** *fn* **1.** *növ* narancs(fa); **blood ~** vérbélű narancs, vérnarancs; **~ drink** (szintetikus) narancsital **2.** narancssárga (szín) **II.** *mn* narancssárga
Orange[1] ['ɒrɪndʒ ‖ 'ɔ–, 'ɑ–] *összet* **Orange-** *tul* ‹ír protestáns, orangista›
Orange[2] ['ɒrɪndʒ ‖ 'ɔ–, 'ɑ–] *tul tört* **the Prince of ~** Oránia hercege; Orániai Vilmos
orangeade [ˌɒrɪn'dʒeɪd ‖ ˌɔr–, ˌɑr–] *fn* narancsszörp, oranzsád
orange blossom *fn* narancsvirág
orange-coloured *mn* narancsszínű, narancssárga
orange juice *fn* narancslé
orange peel *fn* narancshéj
orange-pekoe *fn* ‹indiai apró levelű fekete tea›
orange-red *mn/fn* narancsvörös (szín)
orangery ['ɒrɪndʒri ‖ 'ɔ–, 'ɑ–] *fn* pálmaház, üvegház *[narancsfáknak]*
orange-squash *fn* (sűrű) narancsszörp, oranzsád
orange-stick *fn* ‹manikűrszerszám a körömre ránőtt felhám visszatologatására›
orange-wood *fn* narancsfa *[anyag]*
orang-outang [ɔː'ræŋ ətæn ‖ ə'ræŋ–] *fn áll* orángután
orang-utan → **orang-outang**
orate [ɔː'reɪt] *tni* **1.** szónokol, szónoklatot tart **2.** *biz tréf* fellengzősen , szónokiasan beszél, *pej* szónokol
oration [ɔː'reɪʃn] *fn* **a)** szónoklat, nyilvános beszéd; **funeral ~** gyászbeszéd, (halotti) búcsúztató **b)** *pej tréf [fellengzős beszéd, nagy duma]* szpícs
orator ['ɒrətə ‖ 'ɔ–, 'ɑ–] *fn* szónok • *mn* **oratorial**
oratorian [ˌɒrə'tɔːrɪən ‖ ˌɔ–, ˌɑ–] *mn/fn vall* oratoriánus
oratorical [ˌɒrə'tɒrɪkl ‖ ˌɔrə'tɑ–, ˌɑ–] *mn* **1.** szónoki *[beszéd]*, dagályos, szónokias *[stílus]* **2. a)** ékes beszédű, ékesen szóló, szónoki tehetséggel megáldott, virágos nyelvű *[személy]* **b)** nagyhangú, frázispufogtató *[szónok]* • *hsz* **oratorically**
oratorio [ˌɒrə'tɔːrioʊ ‖ ˌɔ–, ˌɑ–] *fn zene* oratórium
oratorize ['ɒrətəraɪz ‖ 'ɔ–, 'ɑ–] *tni* szónokol
oratory[1] ['ɒrətəri ‖ 'ɔrətɔri, 'ɑ–] *fn* a szónoklás művészete, szónoki képesség/tehetség, ékesszólás
oratory[2] ['ɒrətəri ‖ 'ɔrətɔri, 'ɑ–] *fn* **1.** *vall* házi kápolna, oratórium **2.** *vall* **the O~ (of St. Philip Neri)** imaterem, oratórium; oratoriánus rendház **3.** *vall* kápolna **4.** *régi vall* imazsámoly
orb [ɔːb ‖ ɔrb] **I.** *fn* **a)** gömb, teke, golyó **b)** égitest, földteke, földgolyó; **the ~ of the day** a napkorong **c)** országalma **II. A.** *tsi* kör/gömb alakúvá formál, kikerekít, kigömbölyít **B.** *tni* **1.** körpályán mozog **2.** *régi* gömb alakúvá válik
orbicular [ɔː'bɪkjʊlə ‖ ɔr'bɪkjələr] *mn* **1.** kör/korong/gyűrű alakú, kör-, gömbölyű, gömb alakú, kerek **2.** *átv* egységbe foglaló, egységes egészet adó/mutató, átfogó • *fn* **orbicularity**
orbit ['ɔːbɪt ‖ 'ɔr–] **I.** *fn* **1.** *fiz csill rep* pálya *[égitesté, elektroné, űrhajóé]*; **go into ~** keringését megkezdi, pályára áll *[műbolygó]*; **place/put in(to) ~** pályára állít **2.** *orv* szemgödör, szemüreg **3.** *átv* hatáskör, működési terület/tér, érdekkör, érdekszféra; **draw into the ~ of sg** bevon vmnek a körébe **II. A. 1.** *tsi* kering, köröz (vm körül); **~ the moon** a Hold körül kering, megkerüli a Holdat **2.** pályára állít *[műbolygót, űrhajót]* **B.** *tni rep* köröz *[leszállás előtt repülőgép]*, kering *[bolygó, űrhajó]*
orbital ['ɔːbɪtl ‖ 'ɔr–] *mn* **1.** *orv* szemüregi, szemüreg-; **~ cavity** szemüreg **2.** *csill fiz* pályamenti, orbitális; **~ velocity** első kozmikus sebesség, körsebesség, *fiz* pályasebesség
orbiter ['ɔːbɪtə ‖ 'ɔrbɪtər] *fn* Föld körül pályára helyezett rakéta/űrállomás
orca [ɔːk ‖ ɔrk] *fn áll* bálna
Orcadian [ɔː'keɪdɪən ‖ ɔr–] *mn/fn földr* Orkney-szigeti
orch [ɔːk ‖ ɔrk] *fn szl* zenekar
orch. *röv orchestrated by* hangszerelte *[zenekarra/hangszerre feldolgozó, betanító karmester]*
orchard ['ɔːtʃəd ‖ 'ɔrtʃərd] *fn* **1.** gyümölcsös(kert) **2.** *régi* kert, virágoskert
orcharding ['ɔːtʃədɪŋ ‖ 'ɔrtʃərdɪŋ] *fn* **1.** gyümölcstermesztés, gyümölcskertészet **2.** *US* gyümölcsfákkal beültetett határ/vidék
orchestra ['ɔːkɪstrə ‖ 'ɔr–] *fn* **1.** zenekar **2.** *tört szính* kórus helye, orkesztra *[görög színházban]* • *mn* **orchestral**
orchestra bells *fn zene* harangjáték
orchestra pit *fn szính* zenekari árok
orchestra stalls *fn tsz szính* zenekari ülés/zsöllye *[a földszinti első sorokban]*
orchestrate ['ɔːkəstreɪt ‖ 'ɔr–] *tsi zene* hangszerel, zenekarra feldolgoz • *fn* **orchestration**
orchestrator ['ɔːkəstreɪtə ‖ 'ɔrkəstreɪtər], **orchestrater** *fn* **1.** *zene* hangszerelő, zenekarra feldolgozó **2.** rendező, megrendező, *[jelenetet, szituációt]* beállító
orchid ['ɔːkɪd ‖ 'ɔr–] *fn növ* orchidea, kosbor
orchidaceae [ˌɔːkɪ'deɪʃiiː ‖ ˌɔr–] *fn tsz növ* orchideafélék, kosborfélék
ord. *röv* **1.** *ordained* **2.** *order* **3.** *orderly* **4.** *ordinal* **5.** *ordinance* **6.** *ordnance*
ordain [ɔː'deɪn ‖ ɔr–] *tsi* **1. a)** elrendel, előír *[hatóság, törvény]*; **~ an enquiry** vizsgálatot indíttat (v rendel el) **b)** (el)rendel, előre meghatároz *[sors]*; **fate (v. it was) ~ed that** ... a sors/végzet úgy akarta, hogy ... **2.** *vall* püspökké/pappá szentel, felszentel; **~ sy deacon** szerpappá/diakonussá szentel vkt • *fn* **ordainer**, **ordainment**
ordeal [ɔː'diːl ‖ ɔr–] *fn* **1.** megpróbáltatás **2. a)** *tört* istenítélet; **~ of the bier** tetemrehívás; **~ by fire** tűzpróba **b)** próba(kő)
order ['ɔːdə ‖ 'ɔrdər] **I.** *fn* **1. a)** sorrend, egymásután, sorrendiség; **alphabetical ~** betűrend; ábécérend; **chronological ~** időrend; **logical ~** logikai sorrend; **numerical ~** szám szerinti sorrend; **word ~** szórend **b)** *kat* rend; **~ of battle** csatarend, harcrend; harcparancs; *US biz* **in quick/short ~** a lehető leggyorsabban; tüstént, azon nyomban, késedelem nélkül **c)** (társadalmi) rend(szer); **the ~ of nature** a természet rendje; **the ~ of things (v. the world)** a világ sora **2. a)** rend(ezettség); **love of ~** rendszeretet; **put one's ideas into ~** rendezi gondolatait **b) (public) ~** közrend; **law and ~** jogrend, közrend; **breach of ~** rendbontás; **keep ~** rendet tart; fenntartja a rendet **3. a)** rend, rang, osztály; **the lower ~s** az alsó társadalmi osztályok; **all ~s and degrees of men** minden rendű és rangú ember **b)** *áll növ* rend **c)** (egyházi) rend, lovagrend; **holy ~s** egyházi/papi rend; **monastic ~** szerzetesrend; **~ of knighthood** lovagrend; **confer holy ~s on sy** pappá szentel vkt, felszentel vkt; **take (holy) ~s** papi pályára lép; **be in ~s** fel van szentelve **d)** rendjel, érdemrend, kitüntetés **e)** nagyságrend, fokozat; **~ of magnitude** nagyságrend; **of the ~ of** vmilyen nagyságrendű; **considerations of quite another ~** egészen más természetű/jellegű megoldások **4. a)** (jó) állapot; **cargo received in good ~** jó/sértetlen állapotban érkezett áru; **have one's heart put in ~** gyógykezelteti (v. rendbe hozatja) a szívét; **be out of ~** meghibásodott, elromlott; nem működik/üzemképes; rossz (műszaki) állapotban van **b)** *pol* szabály(szerűség); **~! ~!** rendet! rendet! *[brit parlamenti rendreutasítás]*, térjen a tárgyra! *[gyűlésen]*; **in ~** szabályszerű, előírás szerinti, szabályszerűen; **call to ~** rendreutasít (vkt); *US* megnyit *[ülést]*; felszólít vkt, hogy térjen a tárgyra; *pol* **rule a question out of ~** házszabályellenesnek nyilvánít (interpellációt) **c) ~ of the day** napirend; *biz* **this is the ~ of the day** ez mindennapos dolog **d)** *vall* **~ of service** a szertartás rendeltetése **5. a)** parancs, utasítás; **sealed ~** titkos/bizalmas utasítás; **written ~** írásbeli parancs/utasítás/rendelkezés; **~s are ~s** (a) parancs (az) parancs; **disobe-**

O

dience of ~s parancsmegtagadás; **by ~ of sy** vknek a parancsára; *biz* **I do not take my ~s from him** nekem ő ugyan nem parancsol **b)** rendelet, határozat, végzés; **departmental ~** miniszteri rendelet; **on doctor's ~** orvosi rendeletre; **O~ in Council** minisztertanácsi határozat; miniszteri rendelet; törvényerejű rendelet, *GB*, uralkodói rendelet; *gazd* **~ to pay**, **~ for payment** fizetési meghagyás **c) pay to the ~ of ...** fizessen ... rendeletére **d)** *gazd* (meg)rendelés, megbízás; **export ~** külföldi rendelés; **~ confirmation**, **confirmation/acknowledg(e)ment of ~** rendelés-visszaigazolás; **~ on call** lehívásos rendelés; **call for ~s** rendeléseket gyűjt; **invalidate an ~** rendelést érvénytelenít; **place an ~ with sy** megrendel vknél/vktől vmt; **put goods on ~** árut rendel, árurendelést ad fel; **by ~ and for account of** megrendelésére és számlájára; **made to ~** rendelésre készült, csináltatott **e)** utalvány; **money ~**, **post-office ~** pénzesutalvány; **postal ~** postautalvány **6. in ~ to/that...** avégből, hogy..., azért, hogy..., azzal a céllal, hogy... **II.** *tsi* **1.** (el)rendez, rendbe rak, eligazgat *[tárgyakat]*, rendet csinál *[szobában]*, rendet teremt *[rendetlenségben]*, *átv* (el)rendez *[ügyeket]*, szabályoz *[életmódot]* **2. a)** (meg)parancsol, elrendel, utasítást ad (vmre), rendelkezik (vm felől); **~ sy to do sg** parancsot ad vknek vmre; megparancsol vknek vmt; utasít vkt vm elvégzésére/megtételére; *US* **~ sth done** megparancsolja, hogy valamit elvégezzenek; *US* **he ~ed her expelled** kirúgatta az iskolából *[megparancsolta, hogy kirúgják]* **b)** *orv* előír, rendel *[gyógyszert, kezelést]*, javall, ajánl *[sétát stb.]* **c)** *kat* vezényel; **~ sy home** hazarendel vkt; **ship ~ed to the Mediterranean** a Földközi-tengerre vezényelt hajó **d)** elrendel *[sorsot]*; **so we hoped but it was otherwise ~ed** úgy reméltük, de a sors másképp rendelte **3.** (meg)rendel; **have you ordered already?** kértél/rendeltél már? *[étteremben]*; **~ a taxi/cab** taxit rendel/hozat; **~ goods** árut rendel; **~ a suit** öltönyt csináltat • *fn* **orderer**

order about *tsi* ugráltat (vkt), parancsolgat (vknek)

order away *tsi* elparancsol, kiparancsol, távozást parancsol (vknek), elvezettet (vkt)

order off *tsi* elparancsol, kiparancsol, kiutasít, parancsot ad a távozásra (vknek); *sp* **order a player off (the field)** játékost kiállít (v. leküld a pályáról)

order out *tsi* **1.** kiparancsol, kiutasít (of vhonnan) **2. ~ out troops** csapatokat/katonaságot kirendel/kivezényel (vhova)

order up *tsi* felrendel, felhívat, megparancsolja, hogy felmenjen/feljöjjön

order book *fn* **1.** → **order paper 2.** *gazd* megrendelési könyv, rendelésnyilvántartás **3.** *gazd* rendelésállomány

ordered [ˈɔːdəd ‖ ˈɔrdərd] *mn* rendezett; *mat* **~ set** rendezett halmaz

order form *fn gazd* **1.** igénylőlap **2.** megrendelőlap

ordering [ˈɔːdrɪŋ ‖ ˈɔr–] *fn* **1.** elrendezés, rendbehozatal *[ügyeké, lakásé]*, elhelyezés, elrendezés *[csapatoké]* **2.** *vall* pappá szentelés, ordináció

orderless [ˈɔːdələs ‖ ˈɔrdərləs] *mn* rendetlen, rendezetlen, összevissza

orderly [ˈɔːdəli ‖ ˈɔrdərli] **I.** *mn* **1. a)** rendes, rendszeres, szabályos; **arranged in an ~ fashion** szép rendesen elhelyezett/összerakott, szépen/jól elrendezett **b)** rendszerető, precíz **c)** fegyelmezett, rendesen viselkedő *[tömeg stb.]*, szófogadó, jó magaviseletű *[gyerek]*, rendes *[ember, gyerek]* **2.** szolgálatban levő, szolgálatos **II.** *fn* **1.** *kat* küldönc, tisztiszolga; **~ book** parancskönyv; **~ officer** parancsőrtiszt, napos tiszt; **~ room** századiroda, ezrediroda **2.** (kórházi) beteghordozó, egészségügyi szaksegéd, műtőssegéd • *fn* **orderliness**

Order of Merit *fn GB tört* brit becsületrend *[kimagasló szolgálatért adományozott érdemrend]*

order paper *fn pol* (nyomtatott) napirend *[képviselőházban]*

ordinal [ˈɔːdɪnl ‖ ˈɔrdnˈəl] **I.** *mn* sorrendi, rend-, sor-; *nyelv* **~ number** sorszámnév; *mat* **~ relation** egyenes arány **II.** *fn* **1.** *nyelv* sorszámnév **2.** *vall* (anglikán) lelkészavatási szerkönyv

ordinance [ˈɔːdɪnəns ‖ ˈɔrdnˈəns] *fn* **1.** (szabály)rendelet, előírás, utasítás **2.** *vall* szertartási rend, vallási előírás/rendelet

ordinary [ˈɔːdnˈəri ‖ ˈɔrdnˈeri] **I.** *mn* **1. a)** rendes, szokásos, szokványos, általános, megszokott, mindennapos, mindennapi, közönséges; *pol* **~ ambassador** akkreditált nagykövet; **~ call** helyi/egyszerű/rendes beszélgetés *[távbeszélőn]*; **in ~ use** mindennapos/mindennapi használatban **b)** átlag(os); **the ~ man** az átlagember **2. a)** *pej* közönséges, otromba **b)** *pej* közepes, átlag, tucat *[egyéniség]*, közönséges, alantas *[munka]*, elcsépelt, banális *[történet]*; **a very ~ kind of man** átlagember, tucatember; **a man of very ~ ability** igen szerény képességű ember **II.** *fn* **1.** a szokásos/megszokott/a rendes kerékvágás; **out of the ~** szokatlan; a szokásostól eltérő; rendkívüli; rendellenes; **man above the ~** rendkívüli ember/egyéniség; kimagasló (v. átlagon felüli) egyéniség **2. a)** *jog* bíró **b)** *vall* illetékes főpap, megyéspüspök, megyés főapát, ordinárius *[akinek közvetlen joghatósága van]* **3.** *vall* **the O~ (of the mass)** állandó miserészek • *fn* **ordinariness** *hsz* **ordinarily**

ordinary grade *fn skót okt* ‹középiskolai vizsga első fokozata›

ordinary level, **O level** *fn GB okt* ‹középiskolai vizsga első fokozata›

ordinate I. *mn* [ˈɔːdɪnət ‖ ˈɔr–] **1.** rendes, rendezett, rendben levő **2.** mérsékelt, szabályos, rendszeres **II.** *fn* [ˈɔːdɪnət ‖ ˈɔr–] *mat* ordináta; **axis of ~s** ordinátatengely **III.** *tsi* [ˈɔːdɪneɪt ‖ ˈɔr–] **1.** elrendez, rendbe hoz **2.** elrendel **3.** koordinál, összhangba hoz

ordination [ˌɔːdɪˈneɪʃn ‖ ˌɔrdnˈeɪʃn] *fn* **1.** elrendezés, rendszerezés, rendszerbe foglalás, osztályozás *[növényfajtáké stb.]* **2.** elrendelés, rendelkezés **3.** *vall* püspökszentelés, papszentelés, felszentelés

ordnance [ˈɔːdnəns ‖ ˈɔr–] *fn kat* **1.** szertári szolgálat, ellátás; **~ factory** hadianyaggyár; **stores** hadianyagraktárak; **~ supplies** hadianyag-utánpótlás **2.** tüzérség

ordnance datum *fn kat földr* hivatalosan megállapított tengerszintérték *[térképészeti hatóság szintjele]*

ordnance map *fn kat földr* topográfiai/katonai térkép

ordnance survey, **O~ S~** *fn kat földr* topográfiai/térképészeti szolgálat *[Egyesült Királyság térképészeti hivatala]*

ordure [ˈɔːdjuə ‖ ˈɔrdʒər] *fn* trágya, ürülék, ganéj

ore [ɔː ‖ ɔr] *fn* érc; **~ bed** ércréteg; **~ concentrate** dúsított érc

Ore *röv US Oregon*

Oreg. *röv US Oregon*

oregano [ˌɒrɪˈgɑːnoʊ ‖ əˈregənoʊ] *fn növ* oregano, vadmajoránna

Oregon [ˈɒrɪgən ‖ ˈɔrɪ–, ˈɑrɪ–] *tul földr* Oregon

org [ɔːg ‖ ɔrg] *fn röv organisation szl* szervezet

organ [ˈɔːgən ‖ ˈɔr–] *fn* **1.** szerv, érzékszerv **2. a)** *átv* szerv *[intézményé stb.]* **b)** *átv* hírközlő szerv, szócső, (sajtó)orgánum **3.** *zene* **a)** orgona; **full ~** teljes mű *[orgonáé]*; **great ~** főmű *[orgonáé]*; **barrel ~** kintorna, verkli; **choir ~** karorgona; **mouth ~** szájharmonika; **pedal ~** pedálmű **b) American ~** harmónium **4.** *régi* hangerő, hangszín, orgánum; *biz* **strong/manly ~** erős/férfias hang(szín)/orgánum **5. ~ folds** álló plissé *[legyezőszerű berakás ruhán]*

organelle [ˌɔːgəˈnel(ə) ‖ ˌɔrgə–], **organella** *fn biol orv* sejtszerv(ecske)

organ-formation *fn biol* szervképződés *[magzaté]*

organ-grinder *fn* kintornás, verkli

organic [ɔːˈgænɪk ‖ ɔr–] *mn* **1. a)** szervi; **~ disease** szervi baj; **~ heart-trouble** szervi szívbaj **b)** szerves, organikus *[anyag]*; **~ compound** szerves vegyület **2. a)** *átv* szerves *[része vmnek]* **b)** *átv* szervezett, egységes, rendszeres, (szervesen) összefüggő *[egész]*

organical [ɔːˈgænɪkl ‖ ɔr–] *mn* **1.** → **organic 2.** *zene* hangszeres *[zene, muzsika]* **3.** *zene* orgona *[zene, muzsika]* • *hsz* **organically**

organic chemistry *fn vegy* szerves kémia

organic farming *fn mezőg* biogazdálkodás

organism [ˈɔːgənɪzm ‖ ˈɔr–] *fn* **1. a)** *biol* (élő) szervezet, organizmus **b)** *biol* szervezet, élő test, magasabbrendű szervezet *[növény és állat]* **2.** *átv* (politikai/gazdasági) szervezet

organist [ˈɔːgənɪst ‖ ˈɔr–] *fn* orgonista

organization [ˌɔːgənaɪˈzeɪʃn ‖ ˌɔrgənə–], **-isation 1.** (meg)szervezés, elrendezés, organizálás; *kat* **~ of position** állás berendezése **2. a)** szervezettség, szerkezet, organizáció; **economic ~ of society** a társadalom gazdasági szerkezete **b)** szervezet; **youth ~** ifjúsági szervezet • *mn* **organizational**

organize [ˈɔːgənaɪz ‖ ˈɔr–], **-ise** *i* **A.** *tsi* **1.** *pol* (meg)szervez *[pártot, szervezetet]* **2. a)** (meg)rendez *[kiállítást, bált]* **b)** beoszt *[szabadidőt]* **c)** *biz* beszerez vmit, gondoskodik vmiről **3.** organikussá/szervessé tesz **B.** *tni* **1.** szervessé válik/lesz, szerves anyaggá válik/lesz **2. a)** organizálódik, alakul **b)** szerveződik, szervezetbe tömörül, szervezkedik **3.** szervez(ői munkát végez) • *mn* **organizable**

organized [ˈɔːgənaɪzd ‖ ˈɔr–], **-ised** *mn* **1.** *biol* szerves, szervekkel ellátott *[test, lény]* **2.** (meg)szervezett *[társadalom stb.]*; **~ crime** szervezett bűnözés; **~ labour** szervezett munkásság **3.** *összet* **well-~ fete** jól megszervezett ünnepség

organizer [ˈɔːgənaɪzə ‖ ˈɔrgənaɪzər], **-iser** *fn* **1.** (meg)szervező, (meg)rendező, organizátor **2.** iratrendező

organ loft *fn vall* orgonakarzat

organo- [ɔːgənoʊ– ‖ ɔr–] *vegy összet* szerves-

organoleptic [ˌɔːgənoʊˈleptɪk ‖ ˌɔr–] *mn* **a)** *biol orv* érzékszervi, testi, érzékszervekkel kapcsolatos **b)** *orv* érzékszervekre ható

organon [ˈɔːgənɒn ‖ ˈɔrgənɑn] *fn* érvelési rendszer, logikai rendszer

organotherapy [ˌɔːgənoʊˈθerəpi ‖ ˌɔr–] *fn orv* organoterápia *[gyógykezelés állati eredetű szerekkel]*

organ pipe *fn zene* orgonasíp

orgasm [ˈɔːgæzm ‖ ˈɔr–] *fn* **I. 1.** *biol* orgazmus **2.** érzelmi kitörés/felindulás **II.** *tni* orgazmusa van • *mn* **orgasmic**

orgiastic [ˌɔːdʒiˈæstɪk ‖ ˌɔr–] *mn* orgiába fúló, tobzódó

orgy [ˈɔːdʒi ‖ ˈɔr–] *fn* orgia, (vad) tobzódás, tivornya, dorbézolás; **~ of colours** színek tobzódása/orgiája

oriel [ˈɔːrɪəl] *fn épít* **1.** ablakerkély, zárt erkély **2.** → **window**

oriel window *fn épít* zárterkély-ablak

orient I. *fn* [ˈɔːrɪənt] **1. a)** *vál* (nap)kelet *[égtáj]*; **the O~** *vál* a Kelet; *US* Ázsia; keleti országok **b)** hajnal, pirkadat **2. (pearl of) ~** igazgyöngy; szép fényű gyöngy **II.** *mn vál* [ˈɔːrɪənt] **1.** *vál* keleti **2. a)** fénylő, ragyogó, csillogó **b)** (fel)kelő, ébredő *[nap]*, pirkadó *[hajnal]* **III.** *tsi* [ˈɔːrient] → **orientate A.**

oriental [ˌɔːriˈentl] **I. a)** *mn* keleti, keleties *[külső]*; **~ carpet/rug** keleti szőnyeg, perzsaszőnyeg **b)** eredeti, valódi, hibátlan *[drágakövek jelzőjeként]* **II.** *fn* keleti ember; **O~** ázsiai(ak) • *tsi* **orientalize** *fn* **orientalism**, **orientality**

orientalist [ˌɔːriˈentlˑɪst] *fn* **1.** orientalista **2.** keleti életképfestő/tájfestő **3.** *régi* görögkeleti egyház híve

orientate [ˈɔːrɪənteɪt] *i* **A.** *tsi* **1.** betájol *[térképet]*, beirányít *[látcsövet]* **2. ~ oneself** tájékozódik; (meg)ismerkedik körülményekkel, orientálódik **B.** *tni* **1.** keletre néz *[épület]*, kelet felé fordul *[imádkozó]* **2.** igazodik, orientálódik (vk felé)

orientation [ˌɔːrɪənˈteɪʃn] *fn* **1. a)** (be)tájolás *[térképé]* **b)** tájékozódás *[iránytűvel]*, tájékozódási képesség, eligazodás, *hajó* iránymeghatározás **c)** kelet felé fordulás **2. a)** *átv* tájékoztatás, felvilágosítás **b)** *átv* tájékozódás **c)** irány, igazodás, irányulás, orientáció

orientation course *fn okt* tájékoztató tanfolyam *[újonnan felvettek számára]*

-oriented [ɔːrɪˈentɪd] *összet* valamihez igazodó, irányuló, irányultságú; **market-oriented** piacirány(ultság)ú

orienteer [ˌɔːrɪənˈtɪə ‖ ˌɔrɪənˈtɪr] **I.** *fn sp* tájfutó, tájékozódási futó **II.** *tni sp* tájfut

orienteering [ˌɔːrɪənˈtɪərɪŋ ‖ ˌɔrɪənˈtɪrɪŋ] *fn sp* tájékozódási futás

orifice [ˈɒrɪfɪs ‖ ˈɔrɪ–, ˈɑrɪ–] *fn* nyílás, *átv* száj, lyuk; *orv* **cardiac ~** gyomorszáj

orig. *röv* **1.** *origin* **2.** *original* **3.** *originally*

origami [ˌɒrɪˈgɑːmi ‖ ˌɔrəˈgɑmi] *fn műv* origami *[japán papírhajtogató művészet]*

origanum [əˈrɪgənəm] → **oregano**

origin [ˈɒrɪdʒɪn ‖ ˈɔrɪ–, ˈɑrɪ–] *fn* **1.** eredet, kezdet, forrás, kiindulás, *mat* kiindulópont, kezdőpont, origó *[koordináta-rendszeré]*; **trace sg to its ~** a forrásáig/kiindulásig visszavezet vmt **2.** származás; **of Spanish ~** spanyol származású; **certificate of ~** származási bizonyítvány; *gazd* **country of ~** származási hely *[importárué]*; **word of Latin ~** latin eredetű szó, latin jövevényszó

original [əˈrɪdʒnˑəl] **I.** *mn* **1.** eredeti, ős, kezdeti, legelső, alap-; **~ member** alapító tag *[egyesületé]* **2. a)** eredeti, újszerű, egyéni *[stílus, elgondolás]*, sajátos *[ízlés]*, eredeti/új utakon járó *[elme, gondolkodás, ember, művész]* **b)** *pej* különös, különc, furcsa *[ember]*, újsütetű *[dolog]*, eredetieskedő *[stílus]* **II.** *fn* **1. a)** eredeti; **read a book in the ~** eredetiben (v. az eredeti nyelven) olvas egy könyvet **b)** eredeti modell, divatház kollekciójából származó modell **c)** őskiadás *[könyvé]*, őskézirat, eredeti példány *[okmányé]* **d)** *tud* őstípus **2.** különc, furcsa/különös/eredeti ember **3.** *régi* származás, eredet, ősok • *hsz* **originally**

originality [əˌrɪdʒəˈnæləti] *fn* **1.** eredetiség, eredeti volta vmnek **2.** eredetiség *[emberi viselkedésé]*

original print *fn műv* eredeti (le)nyomat *[réz-, fa-, linómetszet első, az alkotó jelenlétében készített lenyomata]*

original sin *fn vall* eredendő bűn

originate [əˈrɪdʒəneɪt] **A.** *tsi* **1.** (meg)teremt, létrehoz *[folyamatot]*, kezdeményez *[vitát]*, alapít, létesít *[intézményt]*, először felvet *[problémát]* **2.** származtat, keletkeztet (vmből), visszavezet (vmre) **B.** *tni* keletkezik, létrejön, ered, származik (vhonnan, vmtől, vktől), kezdetét veszi, kezdődik, kiüt *[tűz, háborúság]*, (vm) visszavezethető(vmre), lábra kap *[szokás]* • *fn* **origination**, **originator** *mn* **originative**

O-ring [ˈoʊrɪŋ] *fn műsz* tömítőgyűrű

oriole [ˈɔːrioʊl ‖ ˈoʊrioʊl] *fn* **1.** *áll* **(golden) ~** sárgarigó **2.** *US áll* hókás madár

Orion [əˈraɪən] *tul* **1.** *mit* Orion *[óriás vadász a görög mitológiában]* **2.** *birt* **Orionis** [ˌɔːrɪˈəʊnɪs] *csill* Orion (csillagkép), Kaszás; **~'s hound** Nagy Kutya

-orium [ˈɔːrɪəm] *utótag* ‹hely, valamire szolgáló hely›; **auditorium** nézőtér

ork [ɔːk ‖ ɔrk] *fn szl [zenekar]* banda

ormolu [ˈɔːməluː ‖ ˈɔr–] *fn* **1.** aranypor *[festésre]* **2.** aranyozott bronz, sárgaréz aranyutánzat, műarany **3.** aranyozott tárgy, aranyozás *[díszítésben]*

ornament I. *fn* [ˈɔːnəmənt ‖ ˈɔr–] **1.** dísz(ítmény), díszítő elem, díszítés, ruhadísz, *tex* díszítő minta, *épít* ornamentika; **rich in ~s** gazdagon díszített *[ruha]*; gazdag ornamentikájú *[szőnyeg stb.]*; ékes, szóvirágos *[stílus]* **2. a)** dísztárgy **b)** *átv* dísze, büszkesége *[szakmának stb.]* **3.** *tsz* **ornaments a)** *vall* kegyszerek **b)** *zene* ékesítés, díszítés, fioritura, ornamentika **II.** *tsi* [ˈɔːnəment ‖ ˈɔr–] (fel)díszít, (fel)ékesít, dísszel/díszítménnyel lát el, gazdagít, szépít *[stílust]*, cifráz *[melódiát]* • *fn* **ornamentation**, **ornamentist**

O

ornamental [ˌɔːnəˈmentl ‖ ˈɔr–] **I.** *mn* díszítő, ékesítő, díszítési, dísz-; ~ **piece** dísztárgy, nipp; ~ **tree** díszfa **II.** *fn* dísznövény • *fn* **ornamentalism**, **ornamentalist**

ornate [ɔːˈneɪt ‖ ɔr–] **I.** *mn* gazdagon díszített, túldíszített, barokkos; választékos, finomkodó, virágos *[stílus]* **II.** *tsi régi* díszít, ékesít • *fn* **ornateness**

ornery [ˈɔːnəri ‖ ˈɔr–] *mn biz* **1.** *US* mérges/harapós természetű, komisz, nehezen kezelhető *[személy, gyerek]* **2.** *US* makacs, csökönyös **3.** átlagos, közönséges

ornithology [ˌɔːnɪˈθɒlədʒi ‖ ˌɔrnɪˈθɑ–] *fn* madártan, ornitológia • *fn* **ornithologist** *mn* **ornithological**

ornithorhynchus [ˌɔːnɪθoʊˈrɪŋkəs ‖ ˌɔr–] *fn áll* kacsacsőrű emlős

ornithosis [ˌɔːnɪˈθoʊsɪs] *fn áll* madárbetegség, ornithosis

oro- [ɒroʊ ‖ ɔroʊ] *összet* hegy- *[heggyel kapcsolatos]*

orogenesis [ˌɒrəˈdʒenɪsɪs ‖ ˌɔroʊ–] *fn geol* hegyképződés, orogenezis • *mn* **orogenic**

orogeny [əˈrɒdʒəni ‖ –ˈrɑ–] → **orogenesis**

orography [ɒˈrɒgrəfi ‖ ɔˈrɑ–] *fn földr* hegyrajz, orográfia; ~ **and hydrography** hegy- és vízrajz • *mn* **orographic**, **orographical**

OR operation *fn infor* VAGY logikai művelet

orotund [ˈɒroʊtʌnd ‖ ˈɔrə–] *mn* **1.** öblös, zengzetes, zengő *[hang]* **2.** dagályos, fellengzős, bombasztikus *[beszéd, stílus]*

orphan [ˈɔːfn ‖ ˈɔrfn] **I.** *mn/fn* **1.** árva; **war** ~ hadiárva **2.** *mezőg* árvakelés(ű növény) **II.** *tsi* árvaságra juttat • *tsi* **orphanize** *fn* **orphanhood** *mn* **orphaned**

orphanage [ˈɔːfnˑɪdʒ ‖ ˈɔr–] *fn* **1.** árvaság **2.** árvaház

orphan home → **orphanage** 2

Orphean [ˈɔːfɪən ‖ ˈɔr–] *mn* orpheuszi; → **Orphic**

Orpheus [ˈɔːfjuːs ‖ ˈɔr–] *tul* Orpheusz

Orphic [ˈɔːfɪk ‖ ˈɔr–] *mn* **1.** orfikus *[misztériumok]* **2.** titokzatos, rejtelmes **3.** magával ragadó, elbűvölő, bűvös erejű *[zene]* • *fn* **Orphism**

orris[1] [ˈɒrɪs ‖ ˈɔrɪs] *fn* arany/ezüst csipke/paszomány

orris[2] [ˈɒrɪs ‖ ˈɔrɪs] *fn növ* firenzei nőszirom; ~ **powder** íriszpúder

orthian [ˈɔːθɪən ‖ ˈɔr–] *mn zene* fennen szóló/hangzó, magas hangú

ortho- [ˈɔːθoʊ ‖ ˈɔr–], **orth-** *összet* ort(o)-; *orthogonal*

orthocentre [ˈɔːθoʊsentə ‖ ˌɔrθoʊˈsentər], *US* **-center** *fn mat* magassági pont *[háromszögé]*, magasságvonalak metszőpontja, ortocentrum

orthocentric [ˌɔːθoʊˈsentrɪk ‖ ˌɔr–] *mn mat* ortocentrikus

orthodontics [ˌɔːθəˈdɒntɪks ‖ ˌɔrθəˈdɑntɪks] *fn esz* fogszabályozás(tan) • *fn* **orthodontia**, **orthodontist**

orthodox [ˈɔːθədɒks ‖ ˈɔrθədɑks] *mn* **1. a)** óhitű, ortodox **b)** igazhitű, igazhívő **c)** görögkeleti ortodox, pravoszláv; **O~ Church** görögkeleti egyház **2.** hagyományos, konvencionális, ortodox *[módszer]*, maradi, vaskalapos *[ember]*

orthodoxy [ˈɔːθədɒksi ‖ ˈɔrθədɑksi] *fn* **1.** igazhitűség, ortodoxia **2. a)** hagyományokhoz való hűség/ragaszkodás **b)** maradiság, vaskalaposság

orthoepy [ˈɔːθoʊepi ‖ ˈɔrθoʊəpi] *fn nyelv* helyes/szép kiejtés, ortoépia

orthogenesis [ˌɔːθəˈdʒenɪsɪs ‖ ˌɔrθə–] *fn biol* ortogenezis, egyenes vonalú fejlődés • *mn* **orthogenetic**

orthogonal [ɔːˈθɒgənl ‖ ɔrˈθɑ–] *mn mat* derékszögű, ortogonális

orthograde [ˈɔːθəgreɪd ‖ ˈɔr–] *mn áll* hátsó lábán járó *[állat]*

orthographer [ɔːˈθɒgrəfə ‖ ɔrˈθɑgrəfər] *fn* jó helyesíró

orthographic [ˌɔːθəˈgræfɪk(l) ‖ ˌɔr–], **orthographical** *mn* **1.** *nyelv* helyesírási **2.** *mat* derékszögű, ortografikus, ortogonális; ~ **projection** merőleges vetítés, ortogonális projekció

orthography [ɔːˈθɒgrəfi ‖ ɔrˈθɑ–] *fn* **1.** *nyelv* helyesírás, ortográfia **2.** *mat* → **orthographic** 2. **orthographic projection**

orthopaedics [ˌɔːθəˈpiːdɪks ‖ ˌɔr–] *fn orv* ortopédia • *fn* **orthopaedist** *mn* **orthopaedic**

orthopter [ɔːˈθɒptə ‖ ɔrˈθɑptər] *fn* **1.** *áll* egyenesszárnyú(ak rendjébe tartozó rovar) **2.** *rep* helyből felemelkedő repülőgép

orthoptic [ɔːˈθɒptɪk ‖ ɔrˈθɑ–] *mn orv* látáskorrekciós, ortoptikus

orthoptist [ɔːˈθɒptɪst ‖ ɔrˈθɑ–] *fn orv* szemész *[szakorvos]*

Orwellian [ɔːˈwelɪən ‖ ɔr–] *mn vál* orwelli, totalitárius *[társadalom]*

-ory [(ə)riː ‖ ɔri] *utótag* **1.** ‹helynévképző› -órium; **laboratory** laboratórium; **dormitory** hálóterem, *US* diákszállás **2.** ‹melléknévképző› -ó/-ő; **compulsory** kötelező; **explanatory** magyarázó, értelmező

oryx [ˈɒrɪks ‖ ˈɔ–] *fn tsz* **oryxes**, **oryx** *áll* nyársas antilop

Os *vegy röv* ozmium

OS *röv* **1.** *Old Saxon* **2.** *operating system* **3.** *ordinary seaman*

o/s *röv* **1.** *out of service* **2.** *out of stock* **3.** *outsize*

os[1] [ɒs ‖ ɑs] *fn tsz* **ossa** [ˈɒsə ‖ ˈɑsə] *orv* csont; ~ **sacrum** keresztcsont

os[2] [ɒs ‖ ɑs] *fn tsz* **ora** [ˈɔːrə] **1.** *orv* száj, nyílás **2.** *orv* méhszáj

Osage [oʊˈseɪdʒ] *mn/fn* **1.** osage-indián **2.** *növ* ~ **(orange)** narancseper fa, oszázsnarancs

Oscar [ˈɒskə ‖ ˈɑskər] **I.** *tul* Oszkár **II.** *fn* **1. a)** *film* Oscar-díj **b)** *US* ‹az Oscar-díjjal adományozott szobrocska› **2.** *Ausz szl [pénz]* guba, dohány

oscillate [ˈɒsɪleɪt ‖ ˈɑ–] *i* **A.** *tsi* rezegtet, lenget **B.** *tni* **1. a)** leng *[inga]*, kileng *[mutató]*, ing **b)** *fiz* oszcillál, leng, rezeg **2.** *átv* ingadozik, habozik, vacillál; *biz* ~ **between two opinions** ingadozik két álláspont között • *mn* **oscillating**

oscillation [ˌɒsɪˈleɪʃn ‖ ˌɑ–] *fn* **1. a)** rezegtetés, lengetés, ingatás **b)** *fiz távk* rezgés, oszcilláció, lengés; **damped ~s** csillapított rezgések; **sustained ~s** csillapítatlan rezgések **2.** *átv* ingadozás, habozás

oscillator [ˈɒsɪleɪtə ‖ ˈɑsɪleɪtər] *fn* **1.** *fiz távk* oszcillátor, rezgéskeltő **2.** *biz* ingatag/habozó ember • *mn* **oscillatory**

oscillogram [əˈsɪləgræm] *fn távk* hullámrajz, rezgés regisztrálása, oszcillogram

oscine [ˈɒsaɪn ‖ ˈɑsn] *mn áll* az énekesmadarak alrendjébe tartozó

oscitancy [ˈɒsɪtənsi ‖ ˈɑ–] *fn* **1.** ásítozás **2.** lustaság, indolencia, szellemi eltompultság • *tni* **oscitate** *mn* **oscitant**

osculant [ˈɒskjʊlənt ‖ ˈɑ–] *mn mat* érintkező, simuló, oszkuláló

oscular [ˈɒskjʊlə ‖ ˈɑskjələr] *mn* **1. a)** *orv* száj- *[izom]* **b)** *tréf* ~ **demonstrations** csókolózás **2.** *mat* érintőleges, simuló, oszkuláló, oszkulációs

osculate [ˈɒskjʊleɪt ‖ ˈɑskjə–] **A.** *tsi tréf* (meg)csókol **B.** *tni* **1.** *tréf* (össze)csókolóznak **2.** *mat* találkoznak *[több pontban görbék]*; ~ **with a line** oszkulál, érint vonalat **3.** *biol* oszkulál *[azonos tulajdonságok vagy más faj közvetítésével érintkezik]* • *fn* **osculation** *mn* **osculatory**

osculum [ˈɒskjələm ‖ ˈɑ–] *fn tsz* **oscula** [ˈɒskjʊlə ‖ ˈɑs–] *áll* szivacs vízkivezető nyílása

-ose [oʊz] *utótag* **1.** ‹melléknévképző›; **grandiose** grandiózus; **morose** morózus **2.** *vegy* ‹szénhidrát alapú vegyületek képzője›; **cellulose** cellulóz

osier [ˈoʊzɪə ‖ ˈoʊʒər] *fn* **1.** *növ* fűz; **basket/common** ~ kosárkötő fűz, kosárfűz; **golden** ~ sárgavesszős fűz, sárfűz; **red/purple** ~ csigolyafűz **2.** fűzfavessző; ~ **furniture** kosárbútor, fonott bútor; ~ **tie** kötözésre használt fűzfavessző

osier bed *fn* füzes

osiery [ˈoʊzɪəri ‖ ˈoʊʒəri] *fn* **1.** füzes **2. a)** kosárfonás, vesszőfonás **b)** kosáráru

-osis [oʊsɪs] *utótag tsz* **-oses** [oʊsi:z] -ózis; **meiosis** meiózis; **osmosis** ozmózis

-osity [ɒsəti ‖ ɑ–] *utótag* ‹-ose és -ous végű melléknévből főnévképző›; **animosity** ellenséges érzület; **curiosity** kiváncsiság

Osmanli [ɒz'mænli ‖ ɑz–] *mn/fn* oszmán, oszmán-török

osmium ['ɒzmɪəm ‖ 'ɑz–] *fn vegy* ozmium

osmose ['ɒzmoʊs ‖ 'ɑz–] *fiz* **A.** *tsi* átszivárogtat **B.** *tni* átszivárog

osmosis [ɒz'moʊsɪs ‖ ɑz–] *fn* **1.** *fiz* átszivárgás, rekeszfalátszűrődés, ozmózis **2.** *átv* kölcsönhatás *[eszméké stb.]* • *mn* **osmotic**

osmund ['ɒzmənd ‖ 'ɑz–] *fn növ* királyharaszt, királypáfrány

osprey ['ɒspri, –preɪ ‖ 'ɑ–] *fn* **1.** *áll* halászsas **2. a)** kócsagtoll **b)** kócsagforgó, tolldísz *[kalapon]*

osseous ['ɒsɪəs ‖ 'ɑ–] *mn* csont-, csontszerű, csontos *[hal]*

Ossie ['ɒzi ‖ 'ɑzi] *fn szl* ausztrál ember *[az „Aussie" változata]*

ossify ['ɒsɪfaɪ ‖ 'ɑ–] **A.** *tsi* **1.** elcsontosít **2.** *átv* megkeményít *[szívet]*, érzéketlenné/kőszívűvé tesz, rögzít *[szokást stb.]* **B.** *tni* **1.** elcsontosodik, csonttá alakul **2.** *átv* megkeményedik *[szív]*, érzéketlenné válik *[személy]*, megcsontosodik, megrögződik *[szokás stb.]* • *fn* **ossification**

ossuary ['ɒsjuəri ‖ 'ɑ–] *fn* **1.** csonthalom, csontlelet *[barlangban, zárt temetkezési helyen]* **2.** csontokat tartalmazó urna; csontkamra, ossarium *[temetőben]*

ostensible [ɒ'stensəbl ‖ ɑ–] *mn* látszólagos, állítólagos, színlelt *[cél, szándék]*; **with the ~ purpose/object of** azzal az ürüggyel, hogy, azt a látszatot keltve, mintha

ostensive [ɒ'stensɪv ‖ ɑ–] *mn* **1. a)** kézzelfogható, nyilvánvaló, (szemmel) látható **b)** tüntető, kihívó, kirívó **2.** → **ostensible**

ostentation [ˌɒstən'teɪʃn ‖ ɑ–] *fn* kérkedés, hivalkodás, tüntetés, fitogtatás, mutogatás (vmé) • *mn* **ostentatious**, **ostentative**

osteo- [ɒstioʊ ‖ ɑ–] *orv összet* csont- *[csonttal kapcsolatos]*

osteoarthritis [ˌɒstioʊɑ:'θraɪtɪs ‖ ˌɑstioʊɑr–] *fn orv* csont-ízületi gyulladás

osteology [ˌɒsti'ɒlədʒi ‖ ˌɑsti'ɑ–] *fn* **1.** *orv* csonttan, oszteológia **2.** *orv* csontrendszer, csontozat *[állaté, testrészé]* • *fn* **osteologist** *mn* **osteologic**

osteomalacia [ˌɒstioʊmə'leɪʃə ‖ˌɑ–] *fn orv* csontlágyulás

osteomyelitis [ˌɒstioʊmaɪə'laɪtɪs ‖ ˌɑstioʊmaɪə'laɪtɪs] *fn orv* csontvelőgyulladás

osteopathy [ˌɒsti'ɒpəθi ‖ ˌɑsti'ɑ–] *fn orv* csontgyógyászat, csontmasszázs • *fn* **osteopath**, **osteopathist**

osteoplastic [ˌɒstioʊ'plæstɪk ‖ ˌɑ–] *mn orv* **1.** csontképző, csonteredetű **2.** csontplasztikai, csontátültetési

osteoporosis [ˌɒstɪoʊpɔ:'roʊsɪs ‖ ˌɑ–] *fn orv* oszteoporózis, csontritkulás

ostinato [ˌɒstɪ'nɑ:toʊ ‖ ˌɑstɪ'nɑtoʊ] *mn/fn zene* visszatérő, ismétlődő (motivum)

Ostpolitik ['ɒstpɒlɪti:k ‖ 'ɑstpɑlɪti:k] *fn pol tört* keleti politika *[a volt szocialista országokkal kapcsolatos egykori nyugati politika]*

ostracize ['ɒstrəsaɪz ‖ 'ɑ–] *tsi* **-izing 1.** *tört* cserépszavazással száműz **2.** *átv* kiközösít, kitaszít

ostrich ['ɒstrɪtʃ ‖ 'ɑ–] *fn* **1.** *áll* strucc **2.** *biz* struccpolitikát folytató személy

ostrich farm *fn* strucctenyésztő telep, struccfarm

ostrich policy *fn biz* struccpolitika; **pursue an ~** struccpolitikát folytat

Oswald ['ɒzwəld ‖ 'ɑzwəld] *tul* Oszvald

-ot [ət, ɒt ‖ ət, ɑt] *utótag* **1.** ‹főnévképző›; **patriot** hazafi **2.** ‹kicsinyítő képző›; **chariot** homokfutó/hadi szekér

OT *röv Old Testament* Ótestamentum, Ó.T.

other ['ʌðə ‖ 'ʌðər] **I.** *mn* **1.** másik; **the ~ day** minap, a napokban; **the ~ one** a másik; **the ~ side** a túlsó oldal; *gazd* az ellenérdekű fél; **the ~ world** a másvilág/túlvilág; **every ~ day** minden második nap, minden másnap, másodnaponként; **it happens every ~ day** (szinte) mindennapos dolog; *biz* **if he doesn't like it he can do the ~ thing** ha nem tetszik neki, tegyen róla **2. a)** más, többi, további; **a few ~ examples** néhány további példa; **~ people** mások; **~ things being equal** egyéb feltételek egyezése esetén; hasonló/azonos körülmények között; *közm* **~ days ~ ways** más idők más szokások/erkölcsök, más idők más emberek **b)** egyéb, más(féle), másmilyen, különböző; **hardly ~ than bad** alighanem rossz; **quite ~ reasons** egészen másmilyen okok; **in ~ circumstances** más/egyéb körülmények között; **any person ~ than yourself** bárki más, bárki rajtad kívül, bárki a te helyedben **II.** *hsz* másképp(en), máshogyan, másformán, másként; **see things ~ than they are** nem a valódi mivoltukban látja a dolgokat, másként látja a dolgokat **III.** *fn/nm* **1.** a másik(at), más(t); **some ~** valaki/valami más; **some day or ~** majd egyszer; **somehow or ~** valahogy(an); **something or ~** valami, ez vagy az; **one... the ~** az egyik... a másik *[két említett dologra/személyre utalás]*; **one after the ~** egyik a másik után, egymás után, sorban, sorra; **one or ~ of us** egyikünk, valamelyikünk **2.** *szl* **a bit of the ~** egy kis szex **3. ~s** mások(at); **the ~s** a többiek; **some ... ~s** ... egyesek ... mások; **prefer sy to all ~s** mindenkinél jobban szereti, mindenki mással szemben előnyben részesít vkt **4. I could not do ~ than, I could do no ~ than** nem volt más választásom; nem tehettem egyebet; mi mást tehettem volna

other-directed *mn* ‹az aktuális/divatos jelszavak által befolyásolt› konformista

other half *fn biz* házastárs *[a házasfelek utalása egymásra]*, a párom

otherness ['ʌðənəs ‖ 'ʌðər–] *fn* különbözőség, másféleség, vmnek más volta, másság

other place *fn* **1.** *biz* **the ~** pokol **2.** *biz* **a)** a másik hely **b)** *GB* a másik egyetem *[utalás a cambridge-i egyetemre Oxfordban]* **c)** *GB* a másik ház *[utalás a parlament másik házára]*

otherwise ['ʌðəwaɪz ‖ 'ʌðər–] *hsz* **I. 1.** másképpen, másként, másformán, máshogyan; **Samuel Clemens ~ Mark Twain** S. C. más néven M. T.; **tales moral and ~** tanulságos és kevésbé tanulságos történetek; **if he is not ~ engaged** ha nincs más dolga/elfoglaltsága/munkája; ha az ideje/elfoglaltsága engedi **2.** különben, (mert) másképpen, mert ha nem, úgy..., ellenkező esetben; **seize the opportunity ~ you will regret it** ragadd meg az alkalmat, különben megbánod **3.** egyébként, máskülönben, más tekintetben; **he is still weak but ~ well** még gyenge, de máskülönben/egyébként jól van **II.** *mn* **the facts are ~** a tények mást mutatnak, a tények nem ezt mutatják

other world *fn* túlvilág, másvilág

other-worldly *mn* más világban élő, nem e világban élő, túlvilági, szellemi, a másvilággal foglalkozó

-otic [–'ɒtɪk ‖ –'oʊtɪk] *utótag* ‹„-osis" végződésű szavak melléknévképzője›; **neurotic** *orv* neurotikus

otic ['ɒtɪk ‖ 'ɑtɪk] *mn orv* halló, fül-

otiose ['oʊʃious, 'outious] *mn* **1.** hiábavaló, felesleges, meddő, hasztalan **2.** *ritk régi* tétlen, dologtalan, ráérő

otitis [oʊ'taɪtɪs] *fn orv* (közép)fülgyulladás

oto- [oʊtoʊ] *orv összet* fül- *[füllel kapcsolatos]*

otolaryngology [ˌoʊtoʊlærɪŋ'gɒlədʒi ‖ ˌoʊtəlærɪŋ'gɑ–] *fn orv* fül-gégészet • *fn* **otolaryngologist** *mn* **otolaryngological**

otology [oʊ'tɒlədʒi ‖ –'tɑ–] *fn orv* fülgyógyászat, fülészet • *fn* **otologist** *mn* **otological**

otorhinolaryngology [oʊtəraɪnoʊlærɪŋ'gɒlədʒi ‖ –'gɑ–] *fn orv* fül-orr-gégészet

OTT *röv biz over the top* ‹egy határon túl›

Ottawa ['ɒtəwə ‖ 'ɑ–] *tul földr Kan* Ottawa *[Kanada fővárosa]*

O

otter [ˈɒtə ‖ ˈɑtər] *fn* **1. a)** *áll* vidra **b)** vidraprém **c) sea~** tengeri vidra **2.** *kat* kétéltű katonai gépjármű

otto [ˈɒtoʊ ‖ ˈɑ–] *fn* növényi illóolaj, virágkivonat; **~ of roses** rózsaolaj

Otto [ˈɒtoʊ ‖ ˈɑ–] *tul* Ottó

ottoman [ˈɒtəmən ‖ ˈɑtə–] *fn* **a)** heverő, kerevet, dívány, ottomán **b)** puff

Ottoman [ˈɒtəmən ‖ ˈɑtə–] *mn/fn* török, oszmán

OU *röv* **1.** *GB Open University* **2.** *Oxford University*

ouch [aʊtʃ] *isz* jaj! *[hirtelen fájdalom kifejezése]*

ought[1] [ɔːt ‖ ɑt] *fn* **1.** *biz* semmi; **come to ~** nem sikerül **2. for ~ I know** amennyire értesülve vagyok

ought[2] [ɔːt ‖ ɑt] *si* kellene, illenék/illene, illő, tanácsos/helyes, (nagyon) valószínű; **behave as one ~** úgy viselkedik, ahogy illik/való/kell; **that ~ to do** (azt hiszem) így ez jó lesz; **I ~ to be free by six** hat órára valószínűleg szabad leszek; **you ~ to go and see this film** ezt a filmet meg kell(ene) nézned; *biz* **I ~ to be going** már mennem kellene, legfőbb ideje, hogy menjek

oughtn't [ˈɔːtnt ‖ ˈɑtnt] *röv ought not*→ **ought**[2]

ounce[1] [aʊns] *fn* **1.** uncia; **avoirdupois ~** ‹28.35 gramm›; **Troy ~** ‹31.1035 gramm›; *biz* **he hasn't got an ~ of courage** egy csepp bátorság sincs benne **2. fluid ~** *GB* 2841 cm^3; *US* 2957 cm^3; egyharmad deci, 30 milliliter

ounce[2] [aʊns] *fn áll* hópárduc, irbisz

ouncer [ˈaʊnsə ‖ –ər] *fn* unciányi; *összet* **three-~** három unciányi (vmből)

OUP *röv Oxford University Press*

-our [ə ‖ ər], *US* **-or** *utótag* ‹főnévképző›; **honour** becsület; **labour** munka

our [ˈaʊə ‖ –ər] *nm* (a mi) ...-unk, -ünk, -(j)aink, -(ei)nk; **~ house** a (mi) házunk; **O~ Father** Miatyánk; **of ~ own make** a mi saját készítményű/gyártmányú *[valamink]*

Our Lady *tul vall* Miasszonyunk *[Szűz Mária]*

Our Lord *tul vall* **1.** a mi Urunk *[Istenünk]* **2.** az Úr Jézus

ours [ˈaʊəz ‖ ˈaʊərz] *nm* miénk, mieink; **a friend of ~** egy barátunk

ourselves [aʊəˈselvz ‖ aʊər–] *nm* mi magunk/magunkat; **(just) between ~** köztünk maradjon; **we did it ~** mi magunk csináltuk; **we were not ~** magunkon kívül voltunk *[meglepetéstől, bánattól]*

-ous [əs] *utótag* ‹melléknévképző› -s/-as/-es/-os/-ős; **dangerous** veszélyes; **glorious** dicsőséges

ousel [uːzl] → **ouzel**

oust [aʊst] *tsi* kikerget, kiűz, kiforgat, kisemmiz, kitúr; **~ sy from his post** elmozdít/eltávolít vkt állásából; megfoszt vkt állásától; kitúr/kiszorít vkt állásából

ouster [ˈaʊstə ‖ –ər] *fn* **1.** *jog* (jogtalan) birtokelvonás, birtokháborítás **2.** *US* elbocsátás *[állásból]* **3.** kitúró, javakból kiforgató, birtokháborító *[személy]*, *[állásától]* megfosztó

out [aʊt] **I.** *hsz* **1.** ki, kifelé; **~ you go!** kifelé!; mars ki!; **put him ~** ki vele!; **~ with him!** ki vele!; dobják ki!; *biz* **~ with it!** ki vele!; halljuk!; nyögd ki már végre!; **lights ~!** világítást/lámpákat leoltani/kikapcsolni!; **be ~ for sg** teljes erővel törekszik vmre; *átv* **go (all) ~ for sg** minden követ megmozgat, hogy...; minden erejét megfeszíti, hogy..., mindent megtesz hogy ...; **all ~** teljes gőzzel/sebességgel; **~ loud** fennhangon; jó hangosan; **tell sy sg straight/right ~** minden teketória nélkül megmond vknek vmt **2. a)** kinn; **~ at sea** kinn a tengeren; **~ there** ott (kinn); *US* **swhere ~ West** valahol ott nyugaton; **my father is ~** az apám nincs itthon (v. elment hazulról); **be ~ on business** üzleti ügy(ek)ben jár/ment el (v. van távol); **I was ~ with some friends yesterday** tegnap szórakozni voltam (v. elmentem) néhány barátommal; *sp* **be ~ for five seconds** öt másodpercre kiállt a játékból; *biz* **have a night ~** elmegy mulatni/lumpolni; átmulatja az éjszakát; **the book is (already, just) ~** a könyv (már) megjelent (v. éppen most jelent meg); **day ~** szabadnap *[alkalmazottté]*, kimenő; **the secret is ~** a titok kitudódott/kiszivárgott/napvilágra jutott; **long skirts are ~** a hosszú szoknya kiment a divatból; **the sun is ~** kibújt a nap; **the workmen are ~** a munkások sztrájkolnak; **be ~ at elbows/heels** lerongyolódott, toprongyos *[ember]*; **be ~ after sy** nyomoz/kutat vk után; **be ~ after sg** vmre fáj a foga; pályázik vmre; szeretne megszerezni vmt; **be ~ with sy** neheztel/haragszik vkre; nincs jóban (v. beszélő viszonyban) vkvel, haragban van vkvel; **he is 5000 Forints ~** ötezer forinttal tévedett; ötezer forint hiánya van; ötezer forintja hiányzik vmhez; **be ~ in one's calculations** elszámítja magát; rosszul számol; **my hand is ~** kiestem a gyakorlatból; **the Liberals are ~** a Liberális Párt kibukott; **the fire is ~** a tűz kialudt, a tűz nem ég; **my watch is five minutes ~** az órám öt percet siet/késik **b)** *sp* aut, kint, vége *[boksz]*; **be ~ for the count** kiütve fekszik amíg kiszámolják *[bokszoló]* **3. a)** vége; **my patience is ~** vége (szakadt) a türelmemnek; **before the year is ~** még ebben az évben, még az év vége előtt **b)** végig; **hear me ~!** hallgass végig/meg!, hadd fejezzem be!; **have one's sleep ~** kialussza magát **II.** *előtag* **1.** ki-, kifelé; **~break** kitörés **2.** túl-; **~class sy** klasszisokkal jobb vknél; **~live sy** túlél vkt **III.** *fn* **1. from ~** kívülről, kintről **2. a) the ins and the ~s** (i) vmnek a csínja-bínja (ii) a hatalmon levő és a hatalomból kibukott párt(ok), a kormány és az ellenzék **b)** *biz* munkanélküli **3.** *tsz* **outs** *orv biz* járóbetegek, ambuláns betegek **4.** selejt(es holmi) **5. a)** *US biz* **be at ~s with sy** rosszban/haragban van vkvel; nincsenek jóban **b)** *US biz* **make a poor ~** leszerepelt; → **out of IV.** *isz régi vál* **~ upon him!** szégyen reá! **V. A.** *tsi* **1. a)** *sp* kiüt *[bokszban]* **b)** *szl [félholtra ver]* kiüt, lecsap (mint egy levelibékát), bucira ver (vkt) **2.** *biz szl* leleplez, elárul *[homoszexuálist]* **3.** *biz* kiteszi a szűrét (vknek), kirak (vkt) **B.** *tni* **1. truth will ~** az igazság előbb-utóbb kiderül; az igazságot nem lehet véka alá rejteni **2.** *sp* a vonalon túlra üt *[teniszben]* **VI.** *mn* **1.** külső *[rész]*; *sp* **~ match** ‹idegenben játszott mérkőzés› **2.** rendkívüli, a rendestől eltérő

outact [aʊtˈækt] *tsi szính* jobban játszik, túljátszik *[másik színészt]*

outage [ˈaʊtɪdʒ] *fn* **1.** → **ullage** 2. **2. a)** leállás, üzemszünet *[gépé]* **b)** áramszünet

out-and-about *mn biz* felgyógyult, felépült *[betegségből]*

out-and-away *hsz* kiemelkedően, messze *[a legjobb stb.]*

out-and-out I. *hsz* korlátlanul, teljesen, fenntartás nélkül, egészen, körömszakadtáig, végsőkig, kimondottan, ízigvérig **II.** *mn* kimondott, teljes, kötnivaló *[bolond]*, megrögzött *[reakciós]*, javíthatatlan *[hazudozó]*, hétpróbás *[gazember]*

out-and-outer *fn* **1. a)** *biz* páratlan a maga nemében, nagymenő **b)** *biz* hétpróbás gazember **2. a)** *biz* menő dolog, szenzáció, sláger **b)** *biz* arcátlan hazugság

outargue [aʊtˈɑːgjuː ‖ –ˈɑr–] *tsi* érvekkel lehengerel

outasight [ˌaʊtəˈsaɪt], **outasite** *mn US biz* fantasztikus, hihetetlen

outback [ˈaʊtbæk] *Ausz* **I.** *mn* isten háta mögötti **II.** *hsz* az isten háta mögött **III.** *fn* távoli elhagyott vidék, isten háta mögötti terület/hely *[messze a lakott helyektől az ausztráliai kontinensen]*

outbalance [aʊtˈbæləns] *tsi* **1.** többet nyom (vmnél), túlsúlyban van (vm felett) **2.** *átv* fontosabb, többet nyom a latban (vmnél)

outbid [aʊtˈbɪd] *tsi pt* **-bade** [–ˈbæd ‖ –ˈbeɪd], **-bid**, *pp* **-bidden** [–ˈbɪdn], **-bid 1.** túllicitál, felüllicitál, többet ígér (vknél) *[árverésen stb.]* **2.** *biz* felülmúl, túltesz (vkn); **~ sy in generosity** rádupláz vkre az adakozásban (v. a jószívűségben)

outblaze [aʊtˈbleɪz] *tsi* túlragyog, elhomályosít, fényesebb, ragyogóbb (vknél/vmnél)

outboard [ˈaʊtbɔːd ‖ –bɔrd] **I.** *mn hajó rep* külső, fedélzeten kívüli; **~ motor/engine** külső hajtómű, oldalmotor, külmotor *[csónaké]*; **~ propeller** oldalsó légcsavar **II.** *hsz [hajó/repülőgép]* külsején, külseje felé

outbound [ˈaʊtbaʊnd] *mn* **1.** *hajó* indulásra kész, (ki)induló, kifelé tartó *[hajó]* **2.** elszállításra kész, kimenő *[szállítmány]*

outbrag [aʊt'bræg] *tsi* **-gg-** hencegésben/nagyzolásban túltesz (vkn)

outbrave [aʊt'breɪv] *tsi* **1.** szembeszáll, szembenéz, dacol *[veszéllyel]*, (hősiesen) kiáll *[megpróbáltatást]* **2.** bátorságban felülmúl

outbreak ['aʊtbreɪk] *fn* **1.** kitörés *[járványé, tűzhányóé, háborúé]*, kirobbanás, kiáradás, kitörés *[érzelemé]*; **~ of temper** dühkitörés **2.** zendülés, forrongás, felkelés **3.** *geol bány* kibúvás

outbreeding [aʊt'bri:dɪŋ] *fn* vérfrissítés *[állattenyésztésben]*, keresztezés • *tsi* **outbreed** *mn*

outbuilding ['aʊtbɪldɪŋ] *fn* (udvari) melléképület; **~s** gazdasági épületek

outburst ['aʊtbɜ:st ‖ –bɜrst] *fn* **1.** kitörés, kirobbanás *[indulatoké]*, felharsanás *[nevetésé]*; **~ of temper** dühroham **2.** *geol* felbukkanás, kibúvás *[rétegé]*, kitörés *[vulkáné]*, *bány* (váratlan) gázkitörés

outcast I. *mn* [aʊt'kɑ:st ‖ –'kæst] kitaszított, kivetett, kiközösített, számkivetett **II.** *fn* ['aʊtkɑ:st ‖ –kæst] **1.** száműzött, csavargó; **social ~, ~ of society** a társadalom kitaszítottja; pária; *biz* **the ~s of fortune** a szerencse mostohagyermekei **2.** szemét, hulladék

outcaste I. *mn/fn* ['aʊtkɑ:st ‖ –kæst] kasztjából kiközösített *[személy]*, pária **II.** *tsi* [aʊt'kɑ:st ‖ –'kæst] kivet, kiközösít *[kasztból]*

outclass [aʊt'klɑ:s ‖ –'klæs] *tsi* **1.** *sp* leiskoláz (vkt), klasszisokkal jobb (vknél), könnyedén legyőz **2.** magasabb osztályba tartozik (vknél)

outcome ['aʊtkʌm] *fn* (vég)eredmény, következmény, kimenetel; **the ~ of his labours** fáradozása/munkája gyümölcse

outcrop I. *fn* ['aʊtkrɒp ‖ –krɑp] **1.** *geol bány* kibúvás, felbukkanás *[rétegé]*; *pszich* **~ of the unconscious** a tudattalan felszínre kerülése **2.** felbukkanás, előbukkanás, előadódás, megjelenés, megnyilvánulás **II.** *tni* [aʊt'krɒp ‖ –'krɑp] **-pp-** felszínre jut/kerül, felbukkan, kibukkan, kibúvik

outcry I. *fn* ['aʊtkraɪ] **1.** felkiáltás **2. a)** felzúdulás, feljajdulás, felhördülés, hangos méltatlankodás; **raise a general ~** általános felzúdulást okoz/kivált **b)** felszólalás, heves tiltakozás **3.** kikiáltás *[árverésen]*, hirdetés *[élőszóval]*; *US* **public ~** nyilvános árverés **II.** *tsi* [aʊt'kraɪ] **1.** kikiált, elárverez **2.** túlkiabál

outdance [aʊt'dɑ:ns ‖ –'dæns] *tsi* jobban táncol *[valakinél]*

outdare [aʊt'deə ‖ –der] *tsi* **1.** (bátran) szembeszáll, szembenéz, dacol *[veszéllyel]* **2.** felülmúl, túltesz (vkn) bátorságban, bátrabbnak/merészebbnek mutatkozik (vknél), merészségben túlszárnyal/felülmúl

outdistance [aʊt'dɪstəns] *tsi* megelőz, elhagy, lehagy, teljesen maga mögött hagy *[versenytársat]*

outdo [aʊt'du:] *tsi pt* **-did** [–'dɪd] *pp* **-done** [–'dʌn] felülmúl, lepipál, lefőz, túltesz (vkn); **she is not to be outdone in kindness** nincs nála jobbszívű nő

outdoor ['aʊtdɔ: ‖ –dɔr] *mn* **1.** külső, házon kívüli, a szabadban történő, szabadtéri; **~ swimming pool** nyitott uszoda; **~ theatre** szabadtéri színpad **2.** a szabadban élni/tartózkodni/dolgozni szerető *[ember]* **3.** nem intézeti/kórházi *[kezelésben részesülő]*

outdoor pursuits *fn tsz* szabadban űzött sportok

outdoors [ˌaʊt'dɔ:z ‖ –'dɔrz] **I.** *hsz* kinn, a szabadban, a szabad levegőn, a szabad ég alatt, házon kívül **II.** *fn* **the (great) ~** a szabad természet

outer ['aʊtə ‖ 'aʊtər] **I.** *mn* külső; **the ~ man** a test; az emberi külső, külső megjelenés, küllem; **the ~ side of sg** a külseje vmnek **II.** *fn* **1.** *biz* felsőruha **2.** *sp biz* knock-out, kiütés

outer Bar *fn GB jog* ‹ügyvédek, akik még nem érték el a Queen's Counsel címet v. nem jogosultak képviseletre fellebviteli bíróságon›

outer garments *fn tsz vál* felsőruha

outermost ['aʊtəmoʊst ‖ 'aʊtər–] *mn* **1.** legkülső, legkívülebbi, legszélső, legkívülebb eső **2.** legtávolabbi, legmeszszebb eső, legkiesőbb

outer planet *fn csill* külső bolygó

outer space *fn csill* világűr; **~ missile** kozmikus rakéta/űrrakéta

outerwear ['aʊtəweə ‖ –ər] *fn* felsőruházat

outface [aʊt'feɪs] *tsi* **1.** megfélemlít, (erőszakos fellépéssel) legyőz, (szigorú modorral) visszavonulásra/meghátrálásra kényszerít **2.** hetykén/merészen szembeszáll (vkvel), visszafelesel (vknek)

outfall ['aʊtfɔ:l] *fn* kifolyó/kivezető nyílás, torkolat *[folyóé]*, betorkollás *[völgyé]*

outfield ['aʊtfi:ld] *fn* **1.** távol eső földterület; *skót* megműveletlen földterület, ugar **2. a)** *sp* mezőny **b)** *sp* a pálya külső része *[baseballban]*, külső játéktér *[krikettben]* • *fn* **outfielder**

outfight [aʊt'faɪt] *tsi pt/pp* **outfought** [aʊt'fɔ:t] jobb harcosnak/taktikusnak bizonyul (vknél), (harcban) legyőz

outfit I. *fn* ['aʊtfɪt] **1. a)** felszerelés, szerelvény, készlet; **first-aid ~** elsősegély-készlet **b)** ruházat, szerelés **c)** *szl [kábítószer beadásához használt eszközök]* utazótáska **2.** *átv* **mental ~** szellemi felkészültség, beállítottság **3. a)** *biz* társaság, csapat, kompánia **b)** *US kat biz* alakulat **II.** *tsi* [aʊt'fɪt] **-tt-** felszerel(éssel ellát); *kat* **~ troops** egységet felszerel

outfitter ['aʊtfɪtə ‖ –tər] *fn* **1.** *US* útifelszerelés-kereskedő, sportfelszerelés-kereskedő **2.** konfekcióárus, ruhakereskedő; **(gentlemen's) ~s** férfiruha-kereskedő

outflank [aʊt'flæŋk] *tsi* **1.** *kat* átkarol *[ellenséget]* **2.** *biz* túljár az eszén (vknek), rászed • *mn* **outflanking**

outflow ['aʊtfloʊ] *fn* **1.** kifolyás, kiáramlás, kiömlés **2.** *átv* kiáradás *[érzelemé]*; **an ~ of language** szóáradat

outflung ['aʊtflʌŋ] *mn* kitárt, széttárt *[kar]*

outfly [aʊt'flaɪ] *tsi pt* **-flew** [–'flu:] *pp* **-flown** [–'floʊn] sebesebben/magasabban repül (vknél, vmnél)

outgas [aʊt'gæs] *tsi* **-ss- 1.** gázt kibocsát/kienged **2.** gáztalanít, gázmentesít, gázt kiszorít (vmből)

outgeneral [aʊt'dʒenərəl] *tsi* **-ll-**, *US* **-l-** ügyesebb taktikusnak/hadvezérnek bizonyul (vknél), jobb stratégiát folytat (vknél), kijátszik (vkt)

outgo I. *fn* ['aʊtgoʊ] **1.** kiadás, költség, ráfordítás **2.** kiáramlás, ömlés **3.** következmény, eredmény **II.** *tsi* [aʊt'goʊ] *pt* **outwent** [–'went], *pp* **outgone** [–'gɒn ‖ –'gɑn] *régi* túlhalad, felülmúl • *fn* **outgoer**

outgoing ['aʊtgoʊɪŋ] **I.** *mn* **1.** kimenő *[vonat, posta]*, kivezető *[cső]*, távozó, elköltöző *[bérlő]*, leköszönő *[kormány/tisztségviselő]*; **~ director** távozó igazgató; **~ tide** apály **2.** barátságos, nyitott, extrovertált, társaságkedvelő **II.** *fn* **1.** távozás, elmenetel, kimenetel, leköszönés, lelépés, kilépés; **~ inventory** átadási leltár **2.** *tsz* **outgoings** kiadás(ok), költség(ek), ráfordítás(ok)

outgrow [aʊt'groʊ] *tsi pt* **-grew** [–'gru:], *pp* **-grown** [–'groʊn] **1.** túlnő, növésben elhagy, gyorsabban/magasabbra nő (vknél, vmnél) **2. a)** kinő *[ruhát, gyermekbetegséget]*; **~ one's strength** túlságosan megnyúlik *[serdülő]*; **the family has ~n the house** a családnak lassan kicsinek bizonyul a ház **b) ~ a habit** elhagy/levetkőz szokást

outgrowth ['aʊtgroʊθ] *fn* **1.** kinövés; **an ~ of hair** szőrkinövés **2.** eredmény, természetes folyomány/következmény, velejárója, kísérő jelensége (vmnek)

outguess [aʊt'ges] *tsi* kikövetkeztet, rájön *[burkolt/rejtett szándékra/okra]*

outgun [aʊt'gʌn] *tsi* **1.** *kat* tűzerőben felülmúl, erőfölényben van (valakivel szemben) **2.** *sp kat* jobban lő (vknél), lövésben/lövészetben jobb vknél **3.** fölébe kerekedik (vknek), lepipál/leköröz vkt

outhouse ['aʊthaʊs] **I.** *fn* **1.** (udvari) melléképület, hátsó épület, szín; **~s** gazdasági épületek **2.** *US* árnyékszék **II.** *tsi* elkülönítve/külön tárol *[műtárgyat/könyvet]*

O

outing [ˈaʊtɪŋ] *fn* **1.** séta, levegőzés **2.** kirándulás, szabadtéri rendezvény látogatása **3.** tenger partmenti része **4.** *biz* felfedés, leleplezés *[ismert személyiség homoszexualitásáé]*
outjockey [aʊtˈdʒɒki ‖ –ˈdʒɑki] *tsi biz* túljár az eszén (vknek), becsap (vkt)
outjump [aʊtˈdʒʌmp] *tsi sp* nagyobbat ugrik, ugrásban felülmúl
outland [ˈaʊtlænd] **I.** *mn* **1.** *régi* külföldi(es) **2.** *régi* távol eső **II.** *fn* **1.** *régi* külország, külföld **2.** *tsz* **outlands** távol eső vidékek/tartományok/országrészek
outlander [ˈaʊtlændə ‖ –ər] *fn* **1.** külföldi, idegen **2.** *Dél-Af* nem búr, uitlander, idegen telepes
outlandish [ˌaʊtˈlændɪʃ] *mn* **1. a)** idegenszerű, külföldies, különös, furcsa *[szokás, viselet]* **b)** idegen hangzású *[név, szó]* **2.** *régi* idegen, külföldi
outlast [aʊtˈlɑːst ‖ –ˈlæst] *tsi* túlél, tovább tart (vmnél)
outlaw [ˈaʊtlɔː] **I.** *fn* **1. a)** száműzött, számkivetett, jogfosztott, törvényen kívül helyezett személy, földönfutó **b)** zsivány, betyár **2.** *Ausz* makrancos/vad/betöretlen ló **II.** *tsi* **1.** száműz, kitaszít, kivet *[társadalomból]*, törvényen kívül helyez **2.** megtilt, eltilt (vmt)
outlay [ˈaʊtleɪ] *fn* költség(ek), kiadás(ok)
outlet I. *fn* [ˈaʊtlet] **1.** kivezetés, levezetés, elvezetés, kibocsátás **2. a)** kivezető/kiömlési/levezető/lecsapoló nyílás, kifolyó, lefolyó, kijárat, torkolat *[alagúté, völgyé]*; **water ~** vízlevezető cső/csatorna **b)** *el* kivezetés, csatlakozó aljzat **3. a)** *átv* megnyilvánulási alkalom/lehetőség; *átv* **~ for one's energy** fölös energia levezetője **b)** *gazd* üzlet, fiók **4.** legelő, kifutó *[állatoknak]* **II.** *tsi* [aʊtˈlet] **-tt-** kienged
outlier [ˈaʊtlaɪə ‖ –ər] *fn* **1. a)** elkülönült *[rész/személy]*, magányos **b)** munkahelyétől távol lakó személy **c)** magányos (v. a csordától elkülönülten élő) vad **2.** kívülálló, beavatatlan, outsider
outline [ˈaʊtlaɪn] **I.** *fn* **1. a)** körvonal, kontúr, kirajzolódó alak *[réteg/takaró alatt]* **b)** kontúrrajz, vázlat; **drawn in ~** vázlatosan, körvonalakban; felvázolva **2.** vázlat, áttekintés, főbb pontokban való ismertetés; **in ~** vázlatosan; **rough ~s** nyers vázlat/terv; **give a bold ~ of sg** nagy vonalakban vázol vmt **3.** szóróvidítés, jel *[gyorsírásban]* **II.** *tsi* **1.** körvonalaz, körvonalakban megrajzol; **mountains ~d against the horizon** a láthatáron kirajzolódó hegyek **2.** (fel)vázol, körvonalaz, röviden/vázlatosan (v. nagy vonásokban) leír/ismertet/elmond
outlive [aʊtˈlɪv] *tsi* **1.** túlél (vmt) **2.** átél, megél *[eseményt]* **3.** tovább él
outlook [ˈaʊtlʊk] *fn* **1.** őrködés, (elő)vigyázat; **be on the ~ for sg** lesi a kedvező pillanatot vmre **2.** kilátás, látvány **3.** *átv* kilátás, remény, perspektíva, horizont **4.** szemléletmód; **~ upon life** életszemlélet, életfelfogás, életfilozófia
outlying [ˈaʊtlaɪɪŋ] *mn* **1.** távoli, eldugott, isten háta mögötti *[hely]*, magányos, elhagyatott *[ház]*, félreeső *[sziget]*, központtól távol eső *[kerület, városrész]* **2.** kívül eső/fekvő
outmanoeuvre [ˌaʊtməˈnuːvə ‖ –ər] *tsi biz* túljár az eszén (vknek), ügyesebben manőverez (vknél), keresztülhúzza (vk) számításait
outmatch [aʊtˈmætʃ] *tsi* felülmúl, túltesz (vkn), jobbnak/erősebbnek/fortélyosabbnak bizonyul (vknél)
outmeasure [aʊtˈmeʒə ‖ –ər] *tsi* mennyiségben túltesz (vmn), több/nagyobb (vmnél)
outmoded [ˌaʊtˈmoʊdɪd] *mn* idejétmúlt, elavult, ósdi, maradi *[gondolkodás]*, divatjamúlt, ódivatú *[holmi]*
outmost [ˈaʊtmoʊst] **I.** *mn* → **outermost II.** *fn régi* **to the ~** a legnagyobb mértékben; **at the ~** legfeljebb
outnumber [aʊtˈnʌmbə ‖ –ər] *tsi* (számban) több (vmnél), számbeli fölényben van, többségben van (vkvel, vmvel szemben), számban meghalad/felülmúl, számbeli túlsúlyban van, emberanyag/munkaerő szempontjából felülmúl; **be ~ed** számbelileg kisebbségben van
out of *elölj* **1.** (vmn) kívül; **be ~ the country** külföldön tartózkodik; **throw sg ~ the window** kidob/kihajít vmt az ablakon; *átv* **be ~ it** (i) kimarad belőlel *[szórakozásból, sportból stb.]*; nem vesz részt benne; *biz* semmi köze az egész dologhoz, nincs benne a pakliban/buliban; kihagyták belőle, félreállították, mellőzték (ii) *szl [részeg]* kivan, totálkáros; **be ~ sg** szűkölködik vmben, hiányzik/nincs vmje; *biz* **be ~ friends (with sy)** neheztel (vkre); **be ~ cash** kifogyott a pénze, nincs (több) pénze; **feel ~ it** kívülállónak/idegenül érzi magát vhol/vmben; nem leli a helyét; **be ~ danger** túl van a veszélyen; **be ~ one's mind** nincs eszénél; eszét veszti, (majd) megőrül, megbolondul; **times ~ number** számtalanszor, de hányszor; **the ball is ~ play** játékon kívül van a labda; **that is ~ our power** ez nem áll hatalmunkban/módunkban; **~ sight** nem látható; **~ spirits** rosszkedvű, lehangolt, kedvetlen, lóg az orra; **be ~ stock** kifogyott, nincs több (raktáron) **2.** -ból/-ből; **be made ~ ...** készül vmből, csinálják/készítik/van vmből; **copy sg ~ a book** kimásol/kiír vmt egy könyvből; *biz* **~ the blue** hirtelen, teljesen váratlan(ul) **3.** közül, között **4.** vmből *[érzésből]*; **~ respect for you** ön iránti tiszteletből
out-of-balance *mn* kiegyensúlyozatlan, *műsz* elégtelenül kiegyensúlyozott *[gép stb.]*
out-of-body experience *fn pszich* testenkívüliség *[halálközelben tapasztalt]* élménye
out-of-bounds *hsz* **1.** tiltott *[terület]* **2.** *sp* kint van *[labda]*
out-of-court *mn gazd jog* peren kívüli *[megállapodás]*
out-of-date *mn* **1.** idejétmúlt, elavult, régimódi, régies, ósdi, divatjamúlt **2.** lejárt, érvénytelenné vált *[jegy, vízum]*
out-of-door, **out-of-doors I.** *mn* → **outdoor II.** *hsz* → **outdoors**
out-of-pocket *mn* készpénzes, készpénzt igénylő; **~ expenses** előlegezett kiadások, készkiadások
out-of-the-way *mn* **1.** távoli, félreeső, isten háta mögötti, nehezen megközelíthető *[hely]* **2.** szokatlan, nem mindennapi, túlzott, elképesztő *[ár]*
out-of-the-world → **out-of-the-way** 1.
out-of-town *mn* városon kívüli *[pl. üzletközpont]*
outpace [aʊtˈpeɪs] *tsi átv* lehagy, megelőz
outpatient [ˈaʊtpeɪʃnt] *fn* járóbeteg, ambuláns beteg
outperform [ˌaʊtpəˈfɔːm ‖ –pərˈfɔrm] *tsi* teljesítményben felülmúl • *fn* **outperformance**
outplacement [ˈaʊtpleɪsmənt] *fn* kihelyezés, áthelyezés *[főként feleslegessé vált vezető beosztásúaké]*
outplay [aʊtˈpleɪ] *tsi sp* jobban játszik (vknél)
outpoint [aʊtˈpɔɪnt] *tsi sp* magasabb pontszámot ér el *[ellenfélnél]*, pontozással győz (vk ellen)
outport [ˈaʊtpɔːt ‖ –pɔrt] *fn* **1.** (ki)indulási kikötő **2. a)** külső kikötő, előkikötő **b)** *GB*; ‹Londonon kívül bármely kikötő› **c)** *Kan* távoli halászfalu
outpost [ˈaʊtpoʊst] *fn* **1. a)** *kat* előörs, előretolt állás **b)** *átv* előretolt bástya/állás **2. a)** távoli vidék; az ország/birodalom távoli pontja **b)** *közg* kirendeltség, külső/kihelyezett egység *[vállalaté vagy szervezeté]*
outpouring [ˈaʊtpɔːrɪŋ] *fn* **1.** (ki)ömlés **2.** *átv* áradozás, ömlengés, kiáradás *[érzelmeké]*, kiöntés *[szívé]*
outpsych [ˌaʊtˈsaɪk] *tsi US biz* lélektani fogásokkal legyőz
output I. *fn* [ˈaʊtpʊt] **1. a)** *ált* termelés(i eredmény), *gazd* kibocsátás, *gazd műsz* teljesítmény, *bány* műszakeredmény, hozam; *közg* **per capita ~** egy főre eső termelés; *átv* **the literary ~ of the year** az év irodalmi termése **b)** *el* kimenő teljesítmény; **~ voltage** kimenő feszültség **2.** kimenet *[mint adat informatikában stb.]*, output, *összet* kimeneti **II.** *tsi pt/pp* **output 1.** *ritk* termel, eredményez **2.** *infor* eredményt kiír
outrage [ˈaʊtreɪdʒ] **I.** *fn* **1. a)** erőszak, bántalmazás, súlyos sértés, merénylet; **bomb ~** pokolgépes merénylet, bombamerénylet; **commit an ~ on/against sy** durván megsért/bántalmaz vkt **b)** meggyalázás, megbecstelenítés *[nőt]* **c)** dühkitörés, felháborodás **2.** gyalázatos/felháborító tett/dolog, gyalázat, gaztett **II.** *tsi* durván megsért, meggyaláz; felháborít; **~ decency** átlépi az illendőség határát; *biz* **~ common sense** ellenkezik a józan ésszel

outrageous [aʊt'reɪdʒəs] *mn* **1. a)** gyötrő, elviselhetetlen, mértéktelen, szörnyű *[kegyetlenség]* **b)** *biz átv* szörnyű, borzalmas **2.** felháborító, vérlázító, égbekiáltó *[igazságtalanság]*, gyalázatos, erőszakos, botrányos *[magatartás]* **3.** durva, sértő *[beszéd]*
outrange [aʊt'reɪndʒ] *tsi* **a)** messzebbre hord *[fegyver másiknál]* **b)** túlér, túlterjed (vmn)
outrank [aʊt'ræŋk] *tsi* **1.** magasabb rangú (vknél), magasabb rendfokozatban van, rangidős (vkhez képest) **2.** *átv* fontosabb (vmnél)
outré ['u:treɪ ‖ u:'treɪ] *mn francia* túlzott, túlhajtott, kirívó, megbotránkoztató
outreach ['aʊtri:tʃ] *tsi* **1. a)** túlér, túlnyúlik (vmn) **b)** kinyújtja a karját, érte nyúl (vmnek) **2.** segítséget/szolgálatot nyújt *[vmely szervezet a lakosságnak]*
outrelief ['aʊtrɪli:f] *fn GB tört* községély
outride [aʊt'raɪd] *tsi pt* **outrode** [aʊt'roʊd], *pp* **outridden** [aʊt'rɪdn] **1.** (lovaglásban) lehagy, gyorsabban lovagol/kerékpározik (vknél) **2.** *hajó* átvészel, kivár *[vihart]*
outrider ['aʊtraɪdə ‖ –ər] *fn* **1.** *régi* lovas kísérő, csatlós **2.** motoros kísérő **3.** *US* marhapásztor, csordás
outrigger ['aʊtrɪgə ‖ –ər] *fn* **1.** *hajó* külvilla **2.** támasztó talp; ~ **wheels** egyensúlyozó kerekek *[gyerekbiciklin]* **3.** *hajó* árboctámasz *[hajó megdöntésénél, gerincdöntésnél]*
outright ['aʊtraɪt] **I.** *mn* **a)** őszinte, nyílt, egyenes *[válasz stb.]* **b)** megrögzött, javíthatatlan *[gazfickó]*; **it is ~ wickedness** ez merő rosszindulat/gonoszság **II.** *hsz* **1.** nyíltan, egyenesen, leplezetlenül, köntörfalazás nélkül **2.** egészen, teljesen, egészében, egyszer s mindenkorra; **buy sg ~** úgy ahogy van,megvásárol vmt; **he is mad ~** teljesen őrült **3.** (azon) nyomban, egy csapásra; **he was killed ~** nyomban meghalt, szörnyethalt
outrival [aʊt'raɪvl] *tsi* **-ll-** *US* legyőzi a riválisát, fölébe kerekedik (vknek), előnybe jut/kerül (vkvel szemben)
outro ['aʊtroʊ] *fn média biz* zárószignál, zárókép *[az "intro" ellentéte]*
outrun [aʊt'rʌn] **I.** *tsi pt* **outran** [aʊt'ræn], *pp* **outrun** [aʊt'rʌn] **1.** lefut, lehagy, leköröz *[futásban]*, gyorsabban fut (vknél) **2.** elfut, megszökik (vm elől) **3.** *átv* túlszárnyal, lehagy (vkt), meghalad (vmt); → **constable II.** *fn* ['aʊtrʌn] *Ausz* törzsmajortól messze eső birkalegelő
outrush ['aʊtrʌʃ] *fn* kilövellés, kitódulás, kiáramlás
outsail [aʊt'seɪl] *tsi* megelőz *[másik hajót]*
outsell [aʊt'sel] *tsi pt/pp* **outsold** [aʊt'soʊld] jobban eladható/elkel, kelendőbb, kapósabb (vmnél)
outset ['aʊtset] *fn* kezdet, (meg/el)indulás; **at the ~** kezdetben, az elején, eleinte; **from the ~** kezdettől/elejétől fogva
outshine [aʊt'ʃaɪn] *tsi pt/pp* **outshone** [aʊt'ʃɒn ‖ aʊt'ʃoʊn] **1.** túlragyog, ragyogóbb, fényesebb (vmnél) **2.** *átv* túlszárnyal, felülmúl, elhomályosít *[másokat]*, túltesz (vkn)
outshoot ['aʊtʃu:t] *pt/pp* **outshot** [aʊt'ʃɒt ‖ aʊt'ʃɑt] **A.** *tsi* **1.** jobban/messzebbre lő *[vknél]* **2.** *US* több gólt lő, több pontot ér el (vknél) **3.** túllő (vmn), messzebbre lő (vmnél) **4.** kilő, kilövell **B.** *tni* kiáll, kiszögellik, kinyúlik
outside I. *mn* ['aʊtsaɪd] **1. a)** külső, kinti; **~ seat** tetőülés *[autóbuszon]*; szélső ülés/szék *[sorban]*; **~ worker** bedolgozó (munkás); otthon(ában) dolgozó munkás **b)** kívülálló, kívülről jövő; **~ firm** idegen cég; **~ help** kisegítő, külsős *[nem az intézmény alkalmazottja]*; **~ interference** külső (v. kívülről jövő) beavatkozás; *közl GB* **~ lane** gyorsító/belső sáv *[autópályán]*; **~ man** kívülálló; beavatatlan; **~ opinion** kívülálló(k) véleménye; **the ~ world** a külvilág **2.** legnagyobb, végső; **~ price** maximális ár; *biz* **it's the ~ edge** eddig és nem tovább; ez a legvégső határ **3.** mellékes, nem a tárgyhoz/tananyaghoz tartozó; **discuss ~ subjects** mellékes kérdéseket tárgyal **II.** *hsz* [aʊt'saɪd] **1. a)** kint, kinn, a szabadban; **leave sg ~** kinn hagy vmt; *szl* **be ~** *[nincs börtönben]* póteren van **b)** ki, a szabadba; **put sy ~** kirak vkt, kiteszi vknek a szűrét **c)** kívül(ről), a külső részén, a külsején **2. a) ~ of** kívül vmn **b)** *US* **~ of** vmnek a kivételével **III.** *fn* **1. a)** külső (oldal), rész, felület; **on the ~ of sg** vmnek a külső részén; **open to the ~** kifelé nyílik; **turn sg ~ in** visszájára fordít vmt **b)** *Ausz* lakatlan terület *[ausztrál kontinens belsejében]* **2.** *sp* szélső *[futballban]*; **~ left** balszélső; **~ right** jobbszélső **3. a)** *átv* külső (megjelenés); *átv* **a rough ~ but a good heart** a durva külső jó szívet takar **b)** külsőség, külszín, látszat; **judge by the ~** csak a látszat után ítél **4.** *biz* **those/people on the ~** a kívülállók **5.** *biz* **at the ~** legfeljebb; maximum **IV.** *elölj* **1.** vmn kívül; **~ the gate** a kapun kívül; **that's ~ the question** ez nem tartozik a tárgyhoz/kérdéshez; *biz* **get ~ (sg)** megeszik, megiszik **2.** vm kivételével, vmt kivéve; **no one knows it ~ a few people** néhány ember kivételével senki sem tudja
outside broadcast *fn* helyszíni közvetítés
outside edge *fn* külső él *[korcsolyán]*
outside help *fn* **1.** külső munka *[nem cégen belüli]*, kisegítés, bedolgozás **2.** külső munkavégző, kisegítő, bedolgozó
outside interest *fn* hobbi, szabadidős elfoglaltság
outside lane *fn közl* gyorsító/belső sáv
outside price *fn gazd* kereskedelmi ár, piaci ár
outsider [ˌaʊt'saɪdə ‖ –ər] *fn* **1.** kívülálló, beavatatlan, nem bennfentes, nem szakmabeli **2.** *sp biz* esélyleső, outsider, esélytelen
outside track *fn sp* külső sáv *[futásban]*
outsit [aʊt'sɪt] *tsi pt/pp* **outsat** [aʊt'sæt] végigül *[műsort]*, tovább marad *[mint a többi vendég stb.]*, kivárja vk elmenetelét
outsize ['aʊtsaɪz] **I.** *mn* szokottnál nagyobb méretű, rendkívüli/extra/különleges méretű *[ruha stb.]* **II.** *fn* **1.** rendkívüli/extra/különleges méret **2.** szokottnál nagyobb méretű ruha/dolog; **the ~ shop** különleges méretek boltja
outskirts ['aʊtskɜ:ts ‖ –skɜrts] *fn tsz* **1. a)** kültelek, periféria, külső övezet, külváros(ok), peremváros(ok) **b)** környék, határ *[falué stb.]* **2.** periféria, szél *[vmé]*
outsmart [aʊt'smɑ:t ‖ –'smɑrt] *tsi biz* túljár az eszén (vknek)
outspan[1] *Dél-Af* **I. -nn- A.** *tsi* kifog *[lovat]* **B.** *tni* szekértábort üt **II.** *fn* ['aʊtspæn] **1.** kifogás *[hámból]* **2.** szekértábor *[ahol az állatokat kifogják]*
outspan[2] **I.** *fn* ['aʊtspæn] kiterjedés **II.** *tsi/tni* [aʊt'spæn] **-nn-** elterül, kiterjed (vmre)
outspend [aʊt'spend] *tsi pt/pp* **outspent** [aʊt'spent] többet költ (vknél v. saját lehetőségeinél)
outspoken [aʊt'spoʊkn] *mn* őszinte, nyílt, egyenes, szókimondó
outspread [aʊt'spred] **I.** *mn* **1.** szétterített, kiterített, szétterpesztett *[ujjak]*, széttárt *[karok]*, kibontott *[vitorla, szárny]* **2.** szétszórt **II.** *fn* kiterjedés **III. A.** *tsi* kiterjeszt, szétterít, szétszór **B.** *tni* szétterül, kiterjed
outstanding [aʊt'stændɪŋ] *mn* **1.** kiemelkedő, szembetűnő *[jellegzetesség]*, kimagasló *[tárgy/személy/esemény]*, kiváló, nevezetes *[személy]*, jelentős, elsőrendű *[fontosság]* **2. a)** kifizetetlen, rendezetlen, fennálló *[számla]*, hátralékos *[összeg]*, esedékes *[kamatok]*; **~ debts** kinnlevőségek, kifizetetlen tartozások **b)** elintézetlen, elintézésre váró *[ügy]*
outstare [aʊt'steə ‖ –ər] *tsi* mereven az arcába bámul (vknek), addig néz/fixíroz (vkt), amíg az elfordul
outstation ['aʊtsteɪʃn] *fn* kirendeltség, kihelyezett részleg
outstay [aʊt'steɪ] *tsi* **1.** tovább marad *[mint vk]* **2. ~ one's welcome** tovább vendégeskedik a kelleténél (v. mint illik)
outstep [aʊt'step] **-pp-** → **overstep**
outstretch [aʊt'stretʃ] **A.** *tsi* kinyújt, kiterjeszt **B.** *tni* kinyúlik, kiterjed • *mn* **outstretched**
outstrip [aʊt'strɪp] *tsi* **-pp- 1.** megelőz *[futásban]*, elhagy, lehagy, maga mögött hagy; **demand ~ped supply** a kereslettel az ellátás nem tudott lépést tartani, a kereslet nagyobb volt a kínálatnál **2.** *átv* felülmúl, túlszárnyal
out-take *fn film* kiszerkesztett/kivágott kép, *[rádióban]* nem sugárzott anyag

O

out-talk *tsi* **1.** túlbeszél, gyorsabban/hangosabban/hosszabban beszél vknél **2.** lebeszél *[valamiről]*
out-think *tsi pt/pp* **out-thought 1.** *biz* gyorsabb észjárású (vknél), gyorsabban kapcsol (vknél) **2.** *biz* túljár vknek az eszén
out-thrust I. *fn* **1.** kidobás, kilökés **2.** kiugró rész, kiugrás, kiszögellés **II.** *tsi* kilök, kidob, kinyújt
out-to-lunch *mn biz szl [bolond]* flúgos, lökött
out-top *tsi* **-pp- 1.** magasabb (vmnél) **2.** *átv* túlszárnyal
out-tray *fn* elintézett ügyiratok tálcája
out-turn [ˈauttɜːn ‖ –tɜrn] *fn* hozam, term(el)és, eredmény, kimenetel
outvalue [autˈvæljuː] *tsi* többet ér, értékesebb, drágább, nagyobb értékű (vmnél)
outvote [autˈvout] *tsi* megszerzi a szavazatok többségét (vkvel szemben); **be ~d** leszavazzák, kisebbségben marad
outwalk [autˈwɔːk] *tsi* **1.** jobb gyalogló (vknél), gyaloglásban lehagy (vkt) **2.** túlhalad, túlmegy *[célon]*
outward [ˈautwəd ‖ –wərd] **I.** *mn* **1.** kifelé tartó/irányuló; *hajó* **~ cargo** kimenő rakomány; **~ traffic** kifelé irányuló forgalom *[állomásról]* **2.** külső, felületi, felszíni; **for ~ application** külső használatra, „külsőleg" *[orvosság]*; **~ form** (külső) megjelenési forma; **the ~ man** a test; *biz* ruházat, öltözék; **~ things** a környező világ, a külvilág **II.** *hsz* → **outwards III.** *fn* **1.** külső *[megjelenés]* **2.** *tsz* **outwards** a környező világ, a külvilág
outward-bound *mn hajó* kifelé tartó/induló *[hazai kikötőből]*; *GB* **O- B-** ‹szabadtéri sportokra/kirándulásra buzdító mozgalom›
outwardly [ˈautwədli ‖ –wərd–] **I.** *mn* → **outward II.** *hsz* **1.** kinn, kívül **2.** külsőleg, látszólag, látszatra
outwardness [ˈautwədnəs ‖ –wərd–] *fn* **1.** objektivitás, tárgyilagosság *[ítéleté]* **2.** külső, külső/konkrét jelleg, külsőség
outwards [ˈautwədz ‖ –wərdz] *hsz* kifelé; → **outward III.2.**
outwash [ˈautwɒʃ] *fn geol* elmosott/kimosott anyag, kimosás, oldalmoréna-hordalék
outwatch [autˈwɒtʃ] *tsi* **1.** *régi* átvirraszt **2.** különbül/jobban figyel (vknél)
outway [ˈautweɪ] → **out-of-the-way**
outwear [autˈweə ‖ –ər] *tsi pt* **outwore** [autˈwɔː ‖ –ˈwɔr], *pp* **outworn** [autˈwɔːn ‖ –ˈwɔrn] **1.** elkoptat, elhasznál, elnyű, agyonhasznál *[ruhát]*, megvisel, aláás *[egészséget]*, *átv* elkoptat *[jelszót stb.]* **2.** kinő, elhagy *[szokást]* **3.** tovább tart, tartósabb *[másik anyagnál stb.]*
outweigh [autˈweɪ] *tsi* **1.** többet nyom, nehezebb, súlyosabb, nagyobb a súlya (vmnél) **2.** *átv* többet nyom a latban, fontosabb, lényegesebb, befolyásosabb (vmnél); **the advantages ~ the drawbacks** több az előnye, mint a hátránya
outwit [autˈwɪt] *tsi* **-tt-** túljár az eszén (vknek)
outwith [ˈautwɪθ, –wɪð] *hsz/elölj skót* kívül
outwork [ˈautwɜːk ‖ –wɜrk] *pt/pp* **outworked**, **outwrought** [autˈrɔːt] **1.** külső munka *[épületen]* **2.** kiadott munka, bedolgozói munka, nem a munkahelyen végzett munka **3. a)** *tsz* **outworks** *kat* előretolt védőállás (v. védelmi berendezések) **b)** *épít* kiugró/előreugró épületrész, kiszögellés • *fn* **outworker**
outworking [ˈautwɜːkɪŋ ‖ –wɜrkɪŋ] *fn* kidolgozás
outworn [ˈautwɔːn ‖ –wɔrn] *mn* elnyűtt *[ruha]*, elkoptatott *[frázis, szólam]*, elavult, túlhaladott *[eszme]*; → **outwear**
ouzel [uːzl] *fn áll* **black/cock/garden ~** fekete rigó
ouzo [ˈuːzou] *fn* ouzo *[görög ánizsos pálinka]*
ov- *összet* ‹összetételekben tojás-, pete-, ovum›
ova [ˈouvə] → **ovum**
oval [ˈouvl] **I.** *mn* tojásdad, ovális **II.** *fn* tojásidom, tojásvonal, ovális; *sp* **the O~** ‹nagy londoni krikettpálya›
Oval Office *tul* ‹az amerikai elnök irodája a Fehér Házban›
ovariectomy [ouˌveəriˈektəmi ‖ –ˌveri–] *fn orv* petefészek-eltávolítás, petefészek-kiirtás, ovariectomia
ovariotomy [ouˌveəriˈɒtəmi ‖ –ˌveriˈɑ–] → **ovariectomy**
ovary [ˈouvəri] *fn* **1.** *orv* petefészek **2.** *növ* magház • *mn* **ovarian**
ovate [ˈouveɪt] *mn tud* tojás alakú, tojásdad
ovation [ouˈveɪʃn] *fn* (lelkes) üdvözlés, éljenzés, hangos tetszésnyilvánítás/helyeslés, ováció; **give sy an ~** lelkesen ünnepel, megéljenez, lelkes tapssal köszönt vkt
oven [ˈʌvn] *fn* **1.** sütő; **(cooking) ~** (gáz/villany)sütő **2.** kemence **3.** *szl [anyaméh]* **have a bun in the ~** terhes, tolat, bekapta a legyet
ovenbird *fn áll* fazekasmadár
oven glove *fn* fogókesztyű *[konyhai]*
ovenproof [ˈʌvnpruːf] *mn* hőálló, tűzálló
oven-ready *mn* konyhakész *[előkészítést nem igényel]*
ovenware [ˈʌvnweə ‖ –wər] *fn* tűzálló edények
over [ˈouvə ‖ –ər] **I.** *elölj* **1. ~ (the top of) sg** vm fölött/fölé, vmn felül, rá; *mat* **five ~ X plus two** öt törve iksz plusz kettővel; **with his hat ~ his eyes** szemébe húzott kalappal; **head ~ heels (in love)** fülig (szerelmes); *átv* **~ sy's head** vk háta mögött, vk tudta/megkérdezése nélkül; **have an advantage ~ sy** előnyben van vkvel szemben; **have a chat ~ a glass of wine** elbeszélgetnek egy pohár bor mellett; **reign ~ a land** uralkodik egy országban; **sitting ~ the fire** a tűznél melegedve; a tűz mellett üldögélve **2.** végig, szerte(széjjel) **3. a)** át, keresztül; **cross ~ the road** átmegy az utcán/úton, átkel az úttesten; **~ the border** a határon túl, át a határon; **the bridge ~ the river** híd a folyón; **live ~ the river** a folyó túlsó partján/oldalán lakik; **from ~ the seas** a tengeren túlról **b) ~ against sg** szembe(n) vmvel **4.** felett, felüli *[számban]*; **numbers ~ a hundred** száz felett van; több mint száz; száznál többet számlál; **~ ten (years of age)** tíz éves elmúlt, több mint tíz éves; **he spoke for ~ an hour** több mint egy óra hosszat beszélt **5.** át *[időtartam]*; **they will stay ~ the weekend** itt töltik a hétvégét; itt maradnak a hét végére; **~ the last ten years** az utóbbi tíz évben **6.** vm miatt/kapcsán/tárgyában; **man held ~ a woman's murder** asszony meggyilkolása miatt fogva tartott férfi; **sue sy ~ sg** beperel vkt vm miatt **II.** *hsz* **1.** elmúlt, vége, befejeződött; **~!** vége! *[telefonbeszélgetésben]*; *biz* **it's all ~** már befejeződött/befejezték; vége van, nincs tovább; **that's ~ and done with** ezt sikerült befejezni!; **let's get/have it ~ with** essünk túl rajta; **it's all ~ with him** ennek/neki vége van, neki befellegzett **2. a)** át, keresztül; **ask sy ~** áthívat/átkéret vkt; **they are ~ from England** Angliából jöttek; **cross ~** átmegy *[úton stb.]*; átkel *[Csatornán, Atlanti-óceánon stb.]*; **come ~ and see me on Friday** gyere el/át (hozzám) pénteken; **think it ~!** gondold meg (jól)!; **~ here** itt (nálunk); (erre) mifelénk; **~ there/yonder** ott; odaát; **~ in England** (odaát) Angliában; *US* **~ there** odaát Európában; **~!** lapozz!, fordíts! **b)** fel, hátra, hanyatt; **and ~ I went** és egyszerre csak a földön találtam magam **3.** ismételten; **six times ~** hatszor egymásután; **~ and ~ (again)** újra meg újra, ismételten; számtalanszor **4.** több mint, felül, túl; **women of 60 and ~** hatvan éves és hatvanon (v. hatvan éven) felüli nők; **he is 6 foot and a bit ~** hat lábnál vmvel magasabb; **the milk boiled ~** kifutott a tej; **~ and above** ráadásul, továbbá, azonfelül, (még) ezenfelül; nem is szólva arról, hogy **5.** mindenütt, egész felületén/felszínén, egészen, minden pontján; *US* **all ~** mindenütt; **all ~ the world** az egész világon; **search London ~** tűvé teszi (v. átkutatja) egész Londont; **be all ~ dust** csupa por, tetőtől talpig poros; **ache all ~** fáj mindene, fáj minden tagja; **he is English all ~** minden ízében angol; tipikus angol; **that is Frank all ~!** ez jellemző/rávall Frankre!; *biz* **be all ~ sy** rajong, egészen odavan vkért **III.** *mn* **1.** felső, borító *[réteg]*; *földr* **~ arm (of river)** folyó felső ága/szakasza; → **overarm 2.** felesleges, többlet- **IV.** *fn* **1. a)** *gazd* **~ in the cash** készpénztöbblet; **shorts and ~s** hiány/deficit és többlet **b)** *tsz* **overs** *nyomd* tartalékpéldányok **2.** *kat* hosszú (v. célon túl menő) lövés, célponton túl becsapódó lövedék

over- [ouvə– ‖ –ər–] *előtag* túl-, túlzottan, túlságosan, felül-; **overestimate** túlbecsül; **overwork** agyondolgozza magát

overabundant [ˌouvərəˈbʌndənt] *mn* túlságosan bőséges • *fn* **overabundance**

overachieve [ˌouvərəˈtʃi:v] **A.** *tsi* túlteljesít **B.** *tni okt* többet/jobban teljesít • *fn* **overachiever**

overact [ˌouvəˈrækt] *tsi szính* túljátszik *[szerepet]*, eltúloz *[alakítást]*

overactive [ˌouvəˈræktɪv] *mn* túlzottan tevékeny, túl agilis • *fn* **overactivity**

overage [ˌouvəˈreɪdʒ] *mn* korosztályon felüli, túlkoros

overage [ˈouvərɪdʒ] *fn* **a)** *gazd* árutöbblet, többletmennyiség **b)** *gazd* többlet, szufficit

overall [ˈouvərɔ:l] **I.** *mn* teljes, átfogó, mindenre kiterjedő, általános, össz-; **~ dimensions** külső főméretek; **~ efficiency** összhatásfok; **~ length** teljes hossz(úság); **~ picture/view** összkép, áttekintő kép **II.** *hsz* teljes hosszában/szélességében, összesen; **~ed** összegzett, mindent összevéve **III.** *fn GB* munkaköpeny, iskolaköpeny, munkaruha; **~ed (men)** munkaruhás/overálos (férfiak); → **overalls**

overalls [ˈouvərɔ:lz] *fn tsz* **1.** szerelőruha, kezeslábas **2.** *GB* szűk nadrág *[katonai egyenruha]* **3.** munkanadrág; → **overall** III.

overambitious [ˌouvəræmˈbɪʃəs] *mn* **1.** (túlzottan) becsvágyó, túl magasra/nagyra törő **2.** túlzottan merész *[terv]*

over-anxious *mn* **1.** túlzottan aggodalmaskodó, aggódó természetű **2.** túlbuzgó • *fn* **over-anxiety**

overarch [ˌouvəˈrɑ:tʃ ‖ –ˈɑrtʃ] *tsi* átível (vm fölött)

overarm [ˌouvəˈrɑ:m ‖ –ˈrɑrm] *mn sp* **1. a)** **~ stroke** víz feletti kartempó *[úszásban]* **b)** *sp* **~ blow** keresztütés *[ökölvívásban]* **2.** **~ service** magasba emelt karral végzett *[ütés, dobás]*; → **over** I. 1.

overawe [ˌouvəˈrɔ:] *tsi* lenyűgöz, megilletődötté tesz, eláraszt *[érzés, érzelem]*

overbalance [ˌouvəˈbæləns ‖ –vər] **I. A.** *tsi* **1. a)** többet nyom, súlyosabb, nehezebb (vmnél) **b)** *átv* fontosabb, többet nyom a latban (vmnél) **2.** feldönt, felborít, egyensúlyi helyzetéből kibillent; **~ oneself** elveszti az egyensúlyát **B.** *tni* eldől, feldől, felborul **II.** *fn* többletsúly, többletérték

overbear [ˌouvəˈbeə ‖ ˌouvərˈber] *tsi pt* **overbore** [ˌouvəˈ-bɔ: ‖ –vərˈbɔr], *pp* **overborne** [ˌouvəˈbɔ:n ‖ –vərˈbɔrn] **1.** leterít, földre sújt *[ellenséget]*, átgázol *[ellenfélen]* **2. a)** megfélemlít, lenyűgöz, fölébe kerekedik, fejére nő (vknek) **b)** **~ sy('s will)** engedelmességre bír vkt; ráerőszakolja/ráerőlteti az akaratát vkre; basáskodik vkvel **3.** *átv* lényegesebb, fontosabb, többet nyom a latban (vmnél) • *mn* **overbearing**

overbid *pt* **overbid** [ˌouvəˈbɪd ‖ –vər–], **overbade** [ˌouvəˈbæd ‖ –vərˈbeɪd], *pp* **overbid**, **overbidden** [ˌouvəˈbɪdn ‖ –vər–] **I.** *tsi* ráígér (vkre), magasabb árat kínál (vknél), túllicitál **II.** *fn* [ˈouvəbɪd ‖ –vər–] *ját* túllicitálás *[kártyában]* • *fn* **overbidder**

overbite [ˈouvəbaɪt ‖ –vər–] *fn orv* mélyharapás, kutyaharapás, disznóharapás *[fogszabályozásban]*

overblouse [ˈouvəblauz ‖ –vərblaus] *fn* kívül hordott blúz, blézerszerűen viselt blúz

overblown[1] [ˌouvəˈbloun ‖ –vər–] *mn* **1.** elült, lecsendesedett *[szél, vihar]* **2.** *átv* felfújt *[eset]* **3.** *átv* bombasztikus, nagyhangú

overblown[2] [ˌouvəˈbloun ‖ –vər–] *mn* elvirágzott, elnyílt *[virág]*, hervadó *[virág/nő]*

overboard [ˈouvəbɔ:d ‖ ˈouvərbɔrd] **1.** *hsz hajó* a hajó oldalán át, hajóból ki; **man ~!** tengerbe esett egy ember!, ember a vízben!; *átv* **throw sy ~** otthagy/cserbenhagy vkt, faképnél/sorsára hagy vkt; *átv* **throw a plan ~** elvet/ejt egy tervet **2.** *biz* **go~** túlzottan lelkes; túlzásokba esik, túl messzire megy

overbold [ˌouvəˈbould ‖ –vər] *mn* **1.** vakmerő **2.** elbizakodott, szemtelenül merész, kihívó

overbook [ˌouvəˈbuk ‖ –vər–] *tsi* túlfoglal, több rendelést vesz fel

overboot [ˈouvəbu:t ‖ –vər–] *fn* **1.** kalucsni **2.** cipőre húzott papucs

overbrim [ˈouvəbrɪm ‖ –vər–] *tsi/tni* **-mm-** kicsordul, túlcsordul, csordultig (tele) van; **filled to ~ming** csordulásig megtöltve

overbuild [ˌouvəˈbɪld ‖ –vər–] *tsi pt/pp* **overbuilt** [ˌouvəˈbɪlt ‖ –vər–] **1.** túlzottan beépít *[helyet]*; **land overbuilt with weekend-houses** víkendházakkal teleszórt/túlzsúfolt telep **2.** ráépít, föléépít

overburden I. *fn* [ˈouvəbɜ:dn ‖ –vərbɜrdn] **1.** túlterhelés, túlzott teher **2.** *bány* takaró, fedőréteg **II.** *tsi* [ˌouvəˈbɜ:dn ‖ –vərˈbɜrdn] *átv* túlterhel, túlságosan/nagyon megterhel, túlságosan igénybe vesz

overbusy [ˈouvəbɪzi ‖ –vər–] *mn* túlzottan elfoglalt

overbuy [ˌouvəˈbaɪ ‖ –vər–] *tsi pt/pp* **overbought** [ˌouvə-ˈbɔ:t ‖ –vər–] **1.** túl sokat (fel)vásárol; *gazd* **overbought market** telített piac **2.** *gazd* erején felül vásárol *[részvényt]*, túlvásárol(ja magát)

overcall I. *tsi* [ˌouvəˈkɔ:l ‖ –vər–] túllicitál, felüllicitál *[partnert, ellenfelet]*; *ját* **~ one's hand** túllicitálja a lapját, ment **II.** *fn* [ˈouvəkɔ:l ‖ –vər–] *ját* felüllicit *[bridzsben]*

overcapacity [ˌouvəkəˈpæsəti ‖ –vər–] *fn ip ker* túltelítettség; a befogadóképesség/kapacitás meghaladása

overcapitalize [ˌouvəˈkæpɪtəlaɪz ‖ –vər–], **-ise** *tsi pénz gazd* túlzottan felértékel, túltőkésít *[céget]* • *fn* **overcapitalization**

overcareful [ˌouvəˈkeəful ‖ ˌouvərˈkerful] *mn* túl óvatos

overcast I. *mn* [ˈouvəkɑ:st ‖ –vərkæst] **1. a)** felhős *[égbolt]*, borús/beborult, esőre hajló *[idő]* **b)** *átv* borús, levert *[hangulat]* **2.** *geol* **~ strata** egymáson fekvő rétegek **II.** *fn* [ˈouvəkɑ:st ‖ –vərkæst] **1.** **~ (stitch)** hímzőszegés, szegőöltés, kivarró öltés **2.** *bány* légi híd/keresztezés **III.** *tsi pt/pp* **overcast** [ˌouvəˈkɑ:st ‖ –vərˈkæst] **1.** elsötétít, elhomályosít, beborít; **face ~ with grief** bánatos arc **2.** beszeg *[szegőöltéssel]* **3.** kidob *[ruhát]*, megszabadul *[betegségtől]*; **~ clothes** levetett holmi

overcautious [ˌouvəˈkɔ:ʃəs ‖ –vər–] *mn* túl óvatos • *fn* **overcaution**

overcharge I. *tsi* [ˌouvəˈtʃɑ:dʒ ‖ –vərˈtʃɑrdʒ] **1. a)** túlterhel, túltölt *[akkumulátort stb.]* **b)** *átv* túlságosan megtöm/telerak; túlterhel *[embert/gépet]* **2.** túlfizettet, túlzott árat kér (vmért) **II.** *fn* [ˈouvətʃɑ:dʒ ‖ –vərtʃɑrdʒ] **1.** túlterhelés, túladagolás, túlfeszültség, túltöltés *[akkumulátoré stb.]* **2. a)** túlzott ár/követelés; *pénz* **fraudulent ~** csalárd túlkövetelés, csalárdan túlzott ármegállapítás/költségfelszámítás **b)** *gazd* felár

overcheck [ˈouvətʃek, ˌouvəˈtʃek ‖ –vər–] *fn tex* kettős kockaminta

overcloud [ˌouvəˈklaud ‖ –vər–] **A.** *tsi* **1.** felhőkkel borít **2.** *átv* elkomorít, elsötétít *[arcot]* **B.** *tni* **1.** beborul *[ég]* **2.** *átv* elsötétedik, elborul, elkomorul *[arc]*

overcome [ˌouvəˈkʌm ‖ –vər–] *pt* **overcame** [ˌouvəˈk-eɪm ‖ –vər–], *pp* **overcome** **A.** *tsi* **1.** legyőz, győzedelmeskedik, felülkerekedik (vkn), elfojt/legyőz *[indulatot]*, erőt vesz, uralkodik *[érzésein]*, úrrá lesz *[nehézségen]* **2. be ~ by/with sg** elfogja, erőt vesz rajta, hatalmába keríti vm; **be ~ by temptation** enged a kísértésnek; **be ~ by tears** rájön a sírás; könnyekre fakad **B.** *tni* győzedelmeskedik, diadalmaskodik • *mn* **overcomeable**

overcommit [ˌouvəkəˈmɪt ‖ –vər–] *tsi* **~ oneself** túl sokat vállal, túlzottan elkötelezi magát

overcompensate [ˌouvəˈkɒmpənseɪt ‖ –vərˈkɑm–] *tsi/tni pszich orv* túlkompenzál • *fn* **overcompensation** *mn* **overcompensatory**

overconfident [ˌouvəˈkɒnfɪdənt ‖ –vərˈkɑn–] *mn* **1.** vakon bízó **2.** önhitt, öntelt • *fn* **overconfidence**

overcook [ˌouvəˈkuk ‖ –vər–] *tsi* szétfőz, túlfőz • *mn* **overcooked**

overcritical [ˌouvəˈkrɪtɪkl ‖ –vər–] *mn* hiperkritikus, szőrszálhasogatóan bíráló

overcrop [ˌouvəˈkrɒp ‖ ˌouvərˈkrɑp] *tsi* **-pp-** *mezőg* kimerít *[termőföldet]*
overcrowd [ˌouvəˈkraud ‖ –vər–] *tsi* **1.** túlzsúfol **2.** túlnépesít, túlságosan benépesít • *mn* **overcrowded**
overcrowding [ˌouvərˈkraudɪŋ ‖ –vər–] *fn* **1.** túlzsúfolás **2.** túlzsúfoltság, túlnépesedés
over-curious [ˌouvəˈkjuərɪəs ‖ ˌouvərˈkjurɪəs] *mn* kíváncsiskodó, túl kíváncsi • *fn* **over-curiosity**
over-delicate [ˌouvəˈdelɪkət ‖ –vər–] *mn* túlérzékeny/törékeny; túlságosan kifinomult • *fn* **over-delicacy**
overdetermine [ˌouvədɪˈtɜːmɪn ‖ ˌouvərdɪˈtɜrmɪn] *tsi* túlszabályoz, túlzottan megszab
overdevelop [ˌouvədɪˈveləp ‖ –vər–] *tsi* **1.** túlságosan kifejleszt *[pl. izmot]* **2.** *fényk* túlhív • *fn* **overdevelopment**
overdo [ˌouvəˈduː ‖ –vər–] *tsi pt* **overdid** [ˌouvəˈdɪd ‖ –vər–], *pp* **overdone** [ˌouvəˈdʌn ‖ ver] **1.** túlzásba visz *[dolgokat]*, eltúloz, túljátszik *[szerepet]*, túlkarikíroz *[képet]*, elcsépel *[témát stb.]* **2.** *biz* **don't ~ things!** ne hajtsd agyon magad!; **~ oneself, ~ one's strength** agyonhajszolja magát **3.** agyonsüt, túlsüt, agyonfőz *[ételt]* **4.** túltesz *[vkin]* • *mn* **overdone**
overdose I. *fn* [ˈouvədous ‖ –vər–] **1.** túl nagy adag, káros/halálos adag *[orvosságból, drogból]* **2.** túladagolás **II.** [ˌouvəˈdous ‖] **A.** *tsi* túl nagy adagot ad (vknek) *[orvosságból]*, túladagol *[orvosságot, drogot]* **B.** *tni* túladagolja magát • *fn* **overdosage**
overdraft [ˈouvədrɑːft ‖ ˈouvərdræft] *fn pénz* hiteltúllépés *[csekkszámlán]*, fedezetlen csekk/utalvány; **~ credit** folyószámlahitel, technikai hitel, könyvhitel
overdramatize [ˌouvəˈdræmətaɪz ‖ –vər–], **-ise** *tsi* túldramatizál
overdraw [ˌouvəˈdrɔː ‖ –vər–] *tsi pt* **overdrew** [ˌouvəˈdruː ‖ –vər–], *pp* **overdrawn** [ˌouvəˈdrɔːn ‖ –vər–] **1.** túlkarikíroz, elrajzol *[arcképet]*, túlságosan kiszínez *[történetet]* **2.** *pénz* **~ one's account** hiteltúllépést követ el; fedezet nélküli csekket állít ki • *fn* **overdrawer**
overdress I. *fn* [ˈouvədres ‖ –vər–] *GB* felsőruha **II.** *tsi/tni* [ˌouvəˈdres ‖ –vər–] túlságosan kiöltöztet; **~ oneself** túlságosan kiöltözik
overdrink [ˌouvəˈdrɪŋk ‖ –vər–] *pt* **overdrank** [ˌouvəˈdræŋk ‖ –vər–], *pp* **overdrunk** [ˌouvəˈdrʌŋk ‖ –vər–] **A.** *tsi* **~ oneself** leissza magát **B.** *tni* többet iszik a kelleténél, többet iszik, mint amennyit elbír
overdrive I. *fn* [ˈouvədraɪv ‖ –vər–] *gk* gyorsító áttétel; *átv* **go in(to) ~** túlhajtja magát, túlhajt *[valamit]* **II.** *tsi* [ˌouvəˈdraɪv ‖] *pt* **overdrove** [ˌouvəˈdrouv ‖ –vər–], *pp* **overdriven** [ˌouvəˈdrɪvn ‖ –vər–] agyonhajszol *[lovat]*, túlságosan kihasznál *[gépet]*; túlerőltet
overdub [ˌouvəˈdʌb ‖ –vər–] *pt/pp* **-bb- I.** *tsi/tni* áthangosít, további hangeffektusokat ad **II.** *fn* áthangosítás
overdue [ˌouvəˈdjuː ‖ ˌouvərˈduː] *mn* **1. a)** (rég) esedékes *[fizetés]*, lejárt *[váltó]*, elmaradt *[részletfizetés]*; **interest on ~ payments** késedelmi kamat **b)** *átv* rég esedékes, időszerűvé vált *[reform stb.]* **2. be ~** késik *[vonat stb.]*
overeager [ˌouvəˈriːgə ‖ –gər] *mn* túl mohó
overeat [ˌouvəˈriːt] *tni/tsi pt* **overate** [ˌouvəˈret, ˌouvəˈreɪt], *pp* **overeaten** [ˌouvəˈriːtn] **~ oneself** túl sokat eszik, egyfolytában eszik, betegre eszi magát
over-elaborate I. *mn* [ˌouvərɪˈlæbərət] túl bonyolult, agyonkomplikált *[terv stb.]*, agyoncsiszolt, mesterkélt *[stílus]* **II.** *tsi* [ˌouvərɪˈlæbəreɪt] túl bonyolulttá tesz, túlkomplikál *[tervet]*, agyoncsiszol, túlrészletez, túlságosan mesterkéltté tesz *[stílust]*
over-emotional *mn* túl érzelmes
overemphasis [ˌouvəˈremfəsɪs] *fn* túl(zó) hangsúly • *tsi* **overemphasize**
overenthusiasm *fn* túlbuzgóság, túlzott lelkesedés • *mn* **overenthusiastic**
overestimate I. *fn* [ˌouvəˈrestɪmət] túlértékelés, túlbecsülés **II.** *tsi* [–meɪt] túlértékel, túlbecsül

overexcite [ˌouvərɪkˈsaɪt] *tsi* túlságosan felizgat • *fn* **overexcitement**
over-exercise I. [ˌouvəˈreksəsaɪz ‖ –sər–] **A.** *tsi* **1.** túlterhel *[izmot]* **2.** túlzott befolyást/hatalmat gyakorol **B.** *tni* túledz **II.** *fn* [ˈouvəreksəsaɪz ‖ –sər–] túlzott fizikai terhelés, túlterhelés, túlhajtás, túledzés
overexert [ˌouvərɪgˈzɜːt ‖ –ˈzɜrt] *tsi* agyonhajszol, agyonstrapál • *fn* **overexertion**
overexpose [ˌouvərɪkˈspouz] *tsi* **1.** *fényk* túlexponál **2.** *átv* kirakatba tesz, túl sok nyilvánosságot ad (vknek) • *fn* **overexposure**
overextend *tsi* **1.** *átv* túlhajt, túlfeszít **2. ~ oneself** túl sokat vállal; **~ financially** túlköltekezik
overfall [ˈouvəfɔːl ‖ –vər–] *fn* **1.** *hajó* rövid törőhullám, bukóhullám **2.** *vízügy* túlfolyó
overfamiliar [ˌouvəfəˈmɪlɪə ‖ –vər–] *mn* **be ~ with sy** túl bizalmaskodó hangot üt meg (v. sokat megenged magának) vkvel szemben • *fn* **overfamiliarity**
overfatigue [ˌouvəfəˈtiːg ‖ –vər–] **I.** *fn* teljes kimerültség, agyonhajszoltság, elcsigázottság **II.** *tsi* agyonhajszol, elcsigáz, túlfeszít, teljesen kimerít
overfault [ˈouvəfɔːlt ‖ –vər–] *fn geol* rátolódás
overfeed [ˌouvəˈfiːd ‖ –vər–] *pt/pp* **overfed** [ˌouvəˈfed ‖ –vər–] túltáplál, túltöm, agyonetet, *műsz* túladagol
overfill [ˌouvəˈfɪl ‖ –vər–] **A.** *tsi* túlságosan megtölt, csordultig tölt **B.** *tni* túltöltődik, túlcsordul
overfine [ˌouvəˈfaɪn ‖ –vər–] *mn* túl finom, túl aprólékos
overfish [ˌouvəˈfɪʃ ‖ –vər–] *tsi* **~ a stream** túlhalászással folyót kimerít
overflow [ˌouvəˈflou ‖ –vər–] **I.** *i pt/pp* **overflowed A.** *tsi* **1.** túlcsordul/túlfolyik (vmn); **the river ~ ed its bank** a folyó kilépett a medréből **2.** *átv* eláraszt; **the crowd ~ed the barriers** a tömeg áttört a kordonon **B.** *tni* **1. a)** kicsordul *[pohár]* **b)** *átv* bővelkedik, bővében van (vmnek); **~ with** csordultig van (vmvel), túlárad, majd kicsordul *[szív érzelemtől]* **2.** kiönt, kiárad *[folyó]*, kiömlik *[folyadék]*, kiözönlik *[tömeg]* **II.** *fn* **1.** túlcsordulás, túlfolyás, kiömlés, kiáradás **2. a)** túlcsorduló/felesleges folyadék **b)** *átv* felesleg, többlet, *távk infor* túlcsordulás *[pl. memóriáé]*; **~ hospital** kiürítő kórház; **~ meeting** pótgyűlés *[az elsőről kiszorultak részére]*; **~ of population** túlnépesedés **3.** túlfolyó **4.** *vál* átlépés, enjambement *[versben]*
overflowing [ˌouvəˈflouɪŋ ‖ –vər–] **I.** *mn* csordulásig teli, kicsorduló, kiáradó, túláradó *[érzelem]*; *szính* **~ house** telt ház **II.** *fn* kiáradás, kicsordulás, túláradás *[érzelemé]*; **full to ~** zsúfolásig/csordultig/színültig tele
overfly [ˌouvəˈflaɪ ‖ –vər] *tsi pt* **overflew** [ˌouvəˈfluː ‖ –vər–], *pp* **overflown** [ˌouvəˈfloun ‖ –vər–] átrepül (vm fölött), túlrepül vmin
overfold [ˈouvəfould ‖ –vər–] *fn geol* átbukott redő
overfond [ˌouvəˈfɒnd ‖ ˌouvərˈfɑnd] *mn* **be ~ of (sweets)** él-hal (az édességért)
overfulfil [ˌouvəfulˈfɪl ‖ –vər–] *tsi* **-ll-**, *US* **-l-** túlteljesít *[normát, tervet stb.]* • *fn* **overfulfilment**
overfull [ˌouvəˈful ‖ –vər] *mn* telis-tele, színültig/csordultig tele, túlzsúfolt, túltömött
overgarment [ˈouvəgɑːmənt ‖ –vərgɑr–] *fn* felsőruha, felsőruházat
overgeneralize [ˌouvəˈdʒenrlˑaɪz ‖ –vər–], **-ise** *tsi* kevés adatból általánosít; messzemenő következtetéseket von le
overgenerous [ˌouvəˈdʒenrəs ‖ –vər–] *mn* túlzottan nagylelkű
overglaze [ˈouvəgleɪz ‖ –vər–] *mn/fn* zománc feletti (festés), átlakkozás, mázbevonat
overgo [ˌouvəˈgou ‖ –vər–] *i pt* **overwent** [ˌouvəˈwent ‖ –vər–], *pp* **overgone** [ˌouvəˈgɒn ‖ –vərˈgɑn] **A.** *tsi* **1.** átlép, áthág, átmegy *[pl. változásokon]* **2.** felülmúl, (le)győz **B.** *tni* túlhalad, túlmegy
overgone [ˌouvəˈgɒn ‖ ˌouvərˈgɑn] *mn* **1.** elavult, túlhaladott **2.** elnyomott, lenyűgözött; → **overgo**

overgraze [ˌouvəˈgreɪz ‖ –vər–] *tsi* (teljesen) lelegel *[mezőt]*, lelegeltet, túllegeltet
overground [ˌouvəˈgraund ‖ –vər–] *mn* föld feletti, felszíni
overgrow [ˌouvəˈgrou ‖ –vər–] *tsi pt* **overgrew** [ˌouvəˈgruː ‖ –vər–], *pp* **overgrown** [ˌouvəˈgroun ‖ –vər–] **1.** benő, befut *[falat növény]*, elborít *[növényzet területet]*, felver *[gaz kertet]* **2. a)** túlnő, nagyobbra nő (vmnél); ~ **oneself** hirtelen nő *[kamasz]* **b)** kinő *[ruhát]* • *mn* **overgrown**
overgrowth [ˈouvəgrouθ ‖ –vər–] *fn* **1.** *átv* túlnövés, túlburjánzás; *orv* **bony ~** csontos proliferáció **2.** növénytakaró, bozót, cserje **3.** legfelső szint, második emelet *[erdőé]*
overhand [ˈouvəhænd ‖ –vər–] *mn* **1.** → **overarm 2.** ~ **knot** egyszerű kötés/csomó **3.** lefelé fordított tenyérben tartott
overhang [ˌouvəˈhæŋ ‖ –vər–] **I.** *fn* **1.** túlnyúlás **2.** *épít* kiálló/kiugró rész, kiugrás, eresz **II.** *tsi pt/pp* **overhung** [ˌouvəˈhʌŋ ‖ –vər–] **1.** kinyúlik, kihajlik, kiugrik *[épületrész]*, húzódik (vm fölött), túlnyúlik (vmn)/nyúlik (vm fölé); ~ **the fence** áthajlik a kerítésen *[lomb stb.]* **2.** beborít, kiaggat, díszít *[drapériával]* **3.** *átv* fenyeget *[veszély]*
overhanging [ˌouvəˈhæŋɪŋ ‖ –vər–] **I.** *mn* kiálló, kiugró, előrenyúló (vm felett); ~ **footway** konzolos gyalogjáró; ~ **foliage** árnyat adó lombozat **II.** *fn* túlnyúlás, kihajlás, kiszögellés
overhaste [ˈouvəheɪst ‖ –vər–] *fn* túlzott sietség • *mn* **overhasty**
overhaul I. *tsi* [ˌouvəˈhɔːl ‖ –vər–] **1.** kivizsgál *[beteget]*, alaposan átvizsgál *[szerkezetet stb.]*, nagyjavítást/generáljavítást végez *[járművn]* **2.** *hajó* utolér *[másik hajót]* **II.** *fn* [ˈouvəhɔːl ‖ –vər–] **1.** kivizsgálás *[betegé]*, alapos átvizsgálás *[gépé]* **2.** nagyjavítás, generáljavítás *[gépé]*
overhead [ˌouvəˈhed ‖ –vər–] **I.** *mn* **1. a)** felső, fenti, fej fölötti; ~ **bridge** felüljáró; ~ **crossing** felüljáró; *el* ~ **line/wire** felső vezeték, szabadvezeték, légvezeték **b)** *műsz* felülvezérelt *[motor]*; ~ **drive** felső meghajtás; ~ **valve** függőszelep **2.** *gazd* általános *[költség]*; ~ **charges/expenses/costs** általános költségek, rezsi(költség) **II.** *hsz* felül, fej fölött, a magasban, a levegőben; **our neighbours ~** a fölöttünk lakók **III.** *fn gazd* általános költségek, rezsi(költség)
overhead projector *fn* írásvetítő
overhear [ˌouvəˈhɪə ‖ –vərˈhɪr] *tsi pt/pp* **overheard** [ˌouvəˈhɜːd ‖ –vərˈhɜrd] (véletlenül) meghall *[elejtett szavakat]*, kihallgat *[beszélgetést]*
overheat [ˌouvəˈhiːt ‖ –vər–] **A.** *tsi* **1.** túlfűt, túlhevít *[kemencét]* **2.** ~ **oneself** felhevül; feltüzel *[vkit vmire]* **B.** *tni gk vasút* túlmelegszik • *mn* **overheated**
over-indulge [ˌouvərɪnˈdʌldʒ] **A.** *tsi* **1.** túlságosan elnéző/engedékeny (vkvel szemben), túl sokat megenged/elnéz/megbocsát (vknek) **2.** túlhajszol *[élvezeteket]* **B.** *tni* tobzódik, nem tart/nem ismer mértéket; ~ **in eating** mértéktelenül sokat eszik • *fn* **over-indulgence** *mn* **over-indulgent**
over-inflate *tsi* **1.** túlfúj, túlpumpál *[autógumit]* **2.** *átv* túlságosan felfúj/felnagyít • *fn* **over-inflation**
over-insure [ˌouvərɪnˈʃuə ‖ –ʃur] *tsi* túlbiztosít, értéken felül biztosít • *fn* **over-insurance**
overissue [ˈouvərɪʃuː] **I.** *fn pénz* engedélyezett (v. szabály szerinti) mértéket meghaladó kibocsátás *[papírpénzé stb.]* **II.** *tsi pénz* engedélyezett (v. szabály szerinti) mértéket meghaladóan bocsát ki *[papírpénzt stb.]*
overjoy [ˌouvəˈdʒɔɪ ‖ –vər–] *tsi* nagy örömmel tölt el, elragadtat; **be ~ed** majd kiugrik a bőréből (v. alig bír magával) örömében; magánkívül van az örömtől
overjoyed [ˌouvəˈdʒɔɪd ‖ –vər] *mn* elragadtatott, végtelenül boldog
overkill [ˈouvəkɪl ‖ –vər–] **I.** *fn* **1.** tömegpusztítás, felesleges *[a győzelemhez szükségtelen]* pusztítás **2.** túlzásba vitt cselekvés **II.** *tsi* **1.** indokolatlan arányban pusztít **2.** eltúloz, eltúlzott cselekvéssel elront
overlade I. *mn* [ˈouvəleɪd ‖ –vər–] túlterhelt; túlsúlyos **II.** *tsi* [ˌouvəˈleɪd ‖ –vər–] túlterhel; többlet súllyal terhel • *mn* **overladen**
overland I. *mn* [ˈouvəlænd ‖ –vər–] szárazföldi *[út]*, terepjáró *[gépkocsi]*; ~ **bus** távolsági autóbusz; *Ausz* ~ **man** marhahajcsár; birkaterelő juhász; ~ **route** szárazföldi út **II.** *hsz* [ˌouvəˈlænd ‖ –vər–] szárazföldön át, szárazföldi úton, a kontinensen át **III.** *fn* [ˈouvəlænd ‖ –vər–] *Ausz* isten háta mögötti terület *[az ausztráliai kontinens belsejében]* **IV.** *tsi/tni* [ˌouvəˈlænd ‖ –vər–] **1.** *Ausz* (juhot kontinensen át) nagy távolságokra hajt **2.** (kontinensen át) nagy távolságra utazik
overlander [ˈouvəlændə ‖ –vərlændər] *fn Ausz* **1.** marhahajcsár **2.** más (ausztrál) államból való ember **3.** utazó
overlap I. *fn* [ˈouvəlæp ‖ –vər–] átlapolás, átfedés, egybeesés *[két eseményé]*, áthajlás, *geol* egymásra tolódás/rétegződés **II.** [ˌouvəˈlæp ‖ –vər–] **A.** *tsi* **-pp- 1. a)** (részlegesen) fed, túlfed, átfed; ~ **one another** (félig) eltakarják egymást; egymáson fekszenek **b)** félig egymás fölé rak, cserépszerűen egymásra rak, átlapol **2.** túlmegy, túlér vmn **B.** *tni* egymáson feküsznek, fedik egymást, áthajolnak, ölelkeznek *[tárgyak]*, egybeesik/átfedi egymást *[pl. két tudományág]* • *mn* **overlapping**
over-large *mn* túl nagy
overlay [ˌouvəleɪ ‖ –vər–] **I.** *fn* **1.** beborítás **2. a)** matrac **b)** ágytakaró **c)** (asztal)terítő **3.** fémveret *[mint díszítés]* **II.** *tsi pt/pp* **overlaid** [ˌouvəˈleɪd ‖ –vər–] **1.** beborít, befed, takar (*with* vmvel) **2.** *infor* programot rátölt/felülír
overleaf [ˌouvəˈliːf ‖ –vər–] *hsz* a hátlapon/túloldalon, a következő oldalon; **see ~** lásd a hátlapon/túloldalon
overleap [ˌouvəˈliːp ‖ –vər–] *tsi pt/pp* **overleaped**, **overlept** [ˌouvəˈlept ‖ –vər–] **1. a)** átugrik (vmt, vmn) **b)** *átv* kihagy, átugrik **2.** ~ **oneself** túl nagyot ugrik; *átv* túllő a célon
overlie [ˌouvəˈlaɪ ‖ –vər–] *tsi pr.p* **overlying**, *pt* **overlay** [ˌouvəˈleɪ ‖ –vər–], *pp* **overlain** [ˌouvəˈleɪn ‖ –vər–] ráfekszik, ráborul (vmre), rajta fekszik (vmn), eltakar (vmt)
overload I. *fn* [ˈouvəloud ‖ –vər–] **1.** tehertöbblet, túl súly **2.** *műsz el* túlterhelés **II.** *tsi* [ˌouvəˈloud ‖ –vər–] túlterhel
overlong [ˌouvəˈlɒŋ ‖ –vərˈlɑŋ] **I.** *mn* túl hosszú, túl hosszúra nyúlt, terjengős **II.** *hsz* túl sokáig, túl hosszú ideig
overlook I. *tsi* [ˌouvəˈluk ‖ –vər–] **1. a)** lenéz (vmre), nyílik *[vmre ablak]*, ural; **room ~ing the garden** kertre néző szoba **b)** keresztülnéz (vmn) **2. a)** átnéz, átvizsgál **b)** ellenőriz *[munkát]*, felügyel *[munkára]*, szemmel tart (vkt) **3. a)** nem vesz észre/tudomásul, elfeledkezik (vmről), elkerüli a figyelmét (vm); **I ~ed the fact that...** az elkerülte a figyelmemet, hogy... **b)** nem vesz figyelembe/tekintetbe **c)** átsiklik, szemet huny (vm fölött), elnéz, megbocsát *[hibát]* **4.** megver a szemével, megigéz, megbabonáz **II.** *fn* [ˈouvəluk ‖ –vər–] kilátópont *[magaslaton]* • *fn* **overlooker**
overlord [ˈouvəlɔːd ‖ ˈouvərlɔrd] *fn* hűbérúr, legfőbb úr • *fn* **overlordship**
overly [ˈouvəli ‖ ˈouvərli] *hsz* túlságosan, nagyon is
overlying [ˌouvəˈlaɪɪŋ ‖ –vər–] *mn* (vmn) fekvő, vmt takaró/borító; *geol* ~ **rock** → **overlie**
overman [ˈouvəmæn ‖ –vər–] **I.** *fn tsz* **-men 1.** munkafelvigyázó, felügyelő, előmunkás **2.** *fil* felsőbbrendű ember, „Übermensch" **II.** *tsi* [ˌouvəˈmæn ‖ –vər–] **-nn-** feleslegesen sok munkaerőt alkalmaz (vmben, vmn)
overmantel [ˈouvəmæntl ‖ –vər–] *fn* kandallópárkány - borítás, kandallópárkányra épített polc
overmantle [ˌouvəˈmæntl ‖ –vər–] *tsi* beborít, burkol
over-many *mn* túl sok, rengeteg, megszámlálhatatlan

O

overmaster [ˌouvəˈmɑːstə ‖ ˌouvərˈmæstər] *tsi* hatalmába kerít/ejt, leigáz, uralkodik (vkn) • *mn* **overmastering**
overmatch [ˌouvəˈmætʃ ‖] legyőz, felülmúl, erősebbnek bizonyul (vknél); **be ~ed** alulmarad
overmeasure [ˈouvəmeʒə ‖ ˈouvərmeʒər] *fn* mértéken felüli (v. fölös) mennyiség
overmuch [ˌouvəˈmʌtʃ ‖ –vər–] **I.** *mn* túl sok, mértéktelen, túlzásba vitt **II.** *hsz* túlságosan, nagyon is, túlzottan, mértéktelenül **III.** *fn* túlzás, mértéktelenség
overnice [ˌouvəˈnaɪs ‖ –vər–] *mn* **1.** túl finnyás/válogatós/kényeskedő **2.** aprólékos • *mn* **overnicety**
overnight [ˌouvəˈnaɪt ‖ –vər–] **I.** *mn* **1.** az éjszaka folyamán történő **2.** éjszakán át tartó, éjszakai; **~ bag** víkendtáska, úti neszeszer; *pénz* **~ loan** 24 órás kölcsön, gyorskölcsön **II.** *hsz* **1.** előző este **2. a)** estétől reggelig, egész éjjel; **stay ~** ottmarad éjszakára; ott tölti az éjszakát **b)** *átv* máról holnapra, egyik napról a másikra
overnighter [ˈouvənaɪtə ‖ ˈouvərˈnaɪtər] *fn* **1.** szállóvendég **2.** kisebb utazótáska
over-optimistic [ˌouvərɒptɪˈmɪstɪk ‖ –ɑptɪ–] *mn* túlzottan derűlátó
overpaint [ˌouvəˈpeɪnt ‖ –vər–] *tsi* **1.** átfest **2.** túl erősen befest
overparted [ˌouvəˈpɑːtɪd ‖ ˌouvərˈpɑrtɪd] *mn GB szính* képességeit meghaladó szereppel megbízott
over-particular [ˌouvəpəˈtɪkjələ ‖ ˌouvərpərˈtɪkjələr] *mn* túlzottan aprólékos/pedáns/szőrszálhasogató
overpass I. *fn* [ˈouvəpɑːs ‖ ˈouvərpæs] *US* felüljáró *[vasúti, országúti]* **II.** *tsi* [ˌouvəˈpɑːs ‖ ˌouvərˈpæs] **1.** átmegy, áthalad, átutazik *[országon stb.]*, átkel *[folyón]* **2.** nem vesz észre, átsiklik (vm fölött) • *mn* **overpassed, overpast**
overpay [ˌouvəˈpeɪ ‖ –vər–] *tsi pt/pp* **overpaid** túlfizet, túl sokat fizet (vmért) • *fn* **overpayment**
overpitch [ˌouvəˈpɪtʃ ‖ –vər–] *tsi* túlzásba visz, túloz, túlhajt; *biz* **~ one's praise of sy** egekig magasztal vkt
overplay [ˌouvəˈpleɪ ‖ –vər–] *tsi* **1.** túljátszik *[szerepet]*, eltúlozza valaminek a jelentőségét **2.** legyőz *[játékban]*
overplus [ˈouvəplʌs ‖ –vər–] *fn* **1.** többlet, fölösleg **2.** *épít* falsíkból kiugró kő
over-polite [ˌouvəpəˈlaɪt ‖ –vər–] *mn* túl udvarias, udvariaskodó, kínosan udvarias/szertartásos
overpopulated [ˌouvəˈpɒpjuleɪtɪd ‖ –vərˈpɑp–] *mn* túl népes, túlnépesedett • *fn* **overpopulation**
overpower [ˌouvəˈpauə ‖ ˌouvəˈpauər] *tsi* **1.** legyőz, leigáz *[ellenséget]*, túlerőben (v. számbeli fölényben) van (vkvel szemben) **2.** *átv* legyőz, lebír, leküzd *[szenvedélyt]*, úrrá lesz *[indulaton]*; **be ~ed (with)** lesújtja *[bánat]*; elfogja, hatalmába keríti *[félelem, kíváncsiság]*; leveszi a lábáról *[betegség]*; összeroskad *[fájdalom súlya alatt]*
overpowering [ˌouvəˈpauərɪŋ ‖ –vər–] *mn* ellenállhatatlan, túlerejű, hatalmas, erős; **~ heat** tikkasztó/fullasztó hőség
over-prescribe [ˌouvəprɪˈskraɪb ‖ –vər–] *tsi* a kellőnél nagyobb dózist/mennyiséget ír fel *[gyógyszerből]*; túlgyógyszerel *[orvos beteget]* • *mn* **over-prescription**
overprice [ˌouvəˈpraɪs ‖ –vər–] *tsi* túláraz, túl magasra értékel
overprint I. *fn* [ˈouvəprɪnt ‖ –vər–] **1.** többletpéldány **2.** felülbélyegzés *[bélyegé]* **II.** *tsi* [ˌouvəˈprɪnt ‖ –vər–] **1.** átnyom, felülnyom, felülbélyegez *[bélyeget]* **2.** fölös példányszámban nyom, többet nyom
overproduce [ˌouvəprəˈdjuːs ‖ ˌouvərprəˈduːs] *tsi* túltermel, túl sokat termel (vmből) • *fn* **overproduction**
overproof [ˌouvəˈpruːf ‖ –vər–] *mn* ötven térfogatszázaléknál több alkoholt tartalmazó *[ital]*
overprotective [ˌouvəprəˈtektɪv ‖ –vər–] *mn* túlzottan gyámolító/megóvó • *tsi* **overprotect**
overqualified [ˌouvəˈkwɒlɪfaɪd ‖ –vərˈkwɑ–] *mn* túl magasan képzett/kvalifikált *[adott álláshoz/feladathoz képest]*
overrate [ˌouvəˈreɪt ‖ –vər–] *tsi* túlértékel, túlbecsül
overreach [ˌouvəˈriːtʃ ‖ –vər–] **A.** *tsi* **1.** továbbér (vmnél), túlér, túlterjed, túlnyúlik (vmn) **2.** rászed, becsap, lóvátesz, túljár az eszén (vknek) **3. ~ oneself** megerőlteti magát; túlbecsüli erejét/képességeit, képességeit meghaladó célra tör **B.** *tni* áthajlik, átnyúlik (vhová)
overreact [ˌouvəriˈækt] *tni* hevesen reagál, túlreagál • *fn* **overreaction**
over-refine 1. túlfinomít *[cukrot, olajat]* **2.** túl keresetté/mesterkéltté tesz *[stílust]* • *fn* **over-refinement**
override [ˌouvəˈraɪd] *tsi pt* **overrode** [ˌouvəˈroud], *pp* **overridden** [ˌouvəˈrɪdn] **1.** agyonhajszol, holtra fáraszt, elcsigáz *[lovat]* **2. a)** hatálytalanít *[előző rendelkezést]*, lábbal tipor *[jogot]*, semmibe vesz *[előírást]*; **~ one's commission** visszaél (hivatali) hatalmával; túllépi a hatáskörét **b)** elnyom, uralkodik (vkn) **c)** fontosságban felülmúl (vmt), fontosabb (vmnél) • *mn* **overriding**
overrider [ˈouvəraɪdə ‖ –ər] *fn gk* gumibaba/-bak *[lökhárítón]*
overripe [ˌouvəˈraɪp] *mn* túlérett
overripen [ˌouvəˈraɪpn] *tsi* túlérlel
overrule [ˌouvəˈruːl ‖ –vər–] **1.** fennhatósága alatt tart, felsőbbséget gyakorol (vk/vm felett) **2. a)** megváltoztat, eltöröl, semmisnek nyilvánít *[előző döntést]* **b)** *jog* hatályon kívül helyez, megmásít, érvénytelenít *[ítéletet]*, elutasít *[kárigényt]* **c)** legyőz *[nehézséget]*, napirendre tér *[javaslat fölött]* **3.** erősebb(nek bizonyul)(vknél), döntőbb (vmnél)
overrun [ˌouvəˈrʌn] **I.** *pt* **overran** [ˌouvəˈræn], *pp* **overrun A.** *tsi* **1. a)** átfut, átrohan (vmn) **b)** elönt, eláraszt *[víz]* **c)** *átv* elözönöl, lerohan, eláraszt *[ellenség országot]* **d)** beborít, benő, belep *[növény]*; **garden ~ with weeds** elgazosodott, elgyomosodott kert **e)** legázol, elgázol, letapos **2. a)** túlmegy, túlfut (vmn) *[idő, termelés, kiadás]* **b)** *átv* átfut, gyorsan átnéz **3.** gyorsabban/jobban/messzebbre fut (vknél) **B.** *tni* **1.** kiönt, kiárad *[folyó]*, kicsordul *[folyadék]* **2.** túlfut (vmn) **II.** *fn* [ˈouvərʌn] **1.** elárasztás **2.** kiáradás, túlömlés
oversailing [ˌouvəˈseɪlɪŋ ‖ –vər–] *mn épít* kinyúló, kiugró *[téglasor]*
overscrupulous *mn* kínosan pontos, túlzottan lelkiismeretes/aggályoskodó, szőrszálhasogató
oversea, overseas [ˌouvəˈsiː(z) ‖ –vər–] **I.** *mn* tengerentúli, külföldi **II.** *hsz* tengeren túl, külföldön
oversee [ˌouvəˈsiː ‖ –vər–] *tsi pt* **oversaw** [ˌouvəˈsɔː ‖ –vər–], *pp* **overseen** [ˌouvəˈsiːn ‖ –vər–] **1.** felügyel, vigyáz (vmre), ellenőriz *[munkát]*, átnéz, megvizsgál **2.** elnéz, elhagy, nem vesz észre; → **overlook II.3.a.**
overseer [ˈouvəsiːə ‖ ˈouvərsiːər] *fn* felvigyázó, felügyelő, munkavezető
oversell [ˌouvəˈsel ‖ –vər–] *tsi pt/pp* **oversold** [ˌouvəˈsould ‖ –vər–] **1.** *gazd* értéken felül elad **2.** *pénz* készleténél többet ad el *[értékpapírokat tőzsdén]*
oversensitive [ˌouvəˈsensɪtɪv ‖ –vər–] *mn* túl érzékeny • *fn* **oversensitivity**
overset [ˌouvəˈ-set ‖ –vər–] *tsi* **a)** felborít, feldönt **b)** *átv* megdönt *[érvelést]*, megbuktat *[kormányt]*, keresztülhúz *[vk számítását]*
oversew [ˌouvəˈsou ‖ –vər–] *tsi pt* **oversewed** [ˌouvəˈsoud ‖ –vər–] *pp* **oversewn** [ˌouvəˈsoun ‖ –vər–] átvarr, föléje varr
oversexed [ˌouvəˈsekst ‖ –vər–] *mn* fokozott szexualitású, buja
overshadow [ˌouvəˈʃædou ‖ –vər–] *tsi* **1. a)** beárnyékol, árnyékba borít, elsötétít **b)** elnyom *[pl. egy tünet egy másikat]*, nem hagy érvényesülni **2.** *átv* elhomályosít, háttérbe szorít
overshoes [ˈouvəʃuːz ‖ –vər–] *fn tsz* hócipő, sárcipő
overshoot I. *fn* [ˈouvəʃuːt ‖ –vər–] túlhaladás, túlfutás, túlrepülés **II.** *tsi* [ˌouvəˈʃuːt ‖ –vər–] *pt/pp* **overshot a)** túlhalad, túlfut *[megállóhelyen]*, túlrepül **b)** túllő *[célon]*; *átv* **~ the mark** túllő a célon
overside [ˌouvəˈsaɪd ‖ –vər–] *hsz* **discharge ~** kirakás a hajó oldalán/korlátján át

oversight [ˈouvəsaɪt ‖ –vər–] *fn* **1.** elnézés, (figyelmetlenségből eredő) tévedés **2.** felügyelet
oversimplify [ˌouvəˈsɪmplɪfaɪ ‖ –vər–] *tsi* túlzottan leegyszerűsít • *fn* **oversimplification**
oversize [ˈouvəsaɪz ‖ –vər–] *fn* **a)** nagy/extra méret **b)** szokásosnál/előírtnál nagyobb méretű dolog
oversized [ˌouvəˈsaɪzd ‖ –vər–] *mn* **1.** extra/különleges méretű **2.** *átv* túlméretezett
overskirt [ˈouvəskɜːt ‖ ˈouvərskɜrt] *fn* felsőszoknya
overslaugh [ˈouvəslɔː ‖ –vər–] *tsi* **1.** *GB kat* ügyeletességet/szolgálatot átruház **2.** *US* **a)** kedvezőbbért ejt/átpaszszol **b)** ejt, figyelmen kívül hagy
oversleep [ˌouvəˈsliːp ‖ –vər–] *i pt/pp* **overslept** [ˌouvəˈslept ‖ –vər–] **A.** *tsi* **1.** elalszik *[időpontot]*, túlalszik; tovább alszik, mint kellene **2.** ~ **oneself** későn ébred, elalussza az időt **B.** *tni* elalszik, későn ébred
oversleeves [ˈouvəsliːvz ‖ –vər–] *fn tsz* könyökvédő
oversolicitous [ˌouvəsəˈlɪsɪtəs ‖ –vər–] *mn* túlzottan aggályoskodó; szorongó • *fn* **oversolicitude**
overspecialization [ˌouvəspeʃlˑaɪˈzeɪʃn ‖ –vər–] *fn* túlzott szakosítás/specializálódás
overspend I. *tni* [ˌouvəˈspend ‖ –vər–] *pt/pp* **overspent** [ˌouvəˈspent ‖ –vər–] erején felül költekezik, túlköltekezik **II.** *fn* [ˈouvəspend ‖ –vər–] túlköltekezés; többletkiadás
overspill [ˈouvəspɪl ‖ –vər–] *fn* **1.** túlömlés, túlcsepegés **2.** kiáramlás, kiszóródás, többlet **3.** *GB* (bel)városból kiszoruló/kiköltöző lakosság
overspread [ˌouvəˈspred ‖ –vər–] *tsi pt/pp* **overspread** [ˌouvəˈspred ‖ –vər–] **1.** befed, betakar, eltakar; **the snow ~s the valley** a hó belepi a völgyet **2.** eláraszt
overstaff [ˌouvəˈstɑːf ‖ ˌouvərˈstæf] *tsi* túl sok munkaerőt alkalmaz (vmben, vmnél)
overstate [ˌouvəˈsteɪt ‖ –vər–] *tsi* eltúloz, túlhangsúlyoz, *biz* felfúj • *fn* **overstatement**
overstay [ˌouvəˈsteɪ ‖ –vər–] *tsi* tovább marad *[időpontnál/engedélyezettnél]*; ~ **one's welcome** illetlenül tovább marad (vhol)
oversteer I. *tni* [ˌouvəˈstɪə ‖ ˌouvərˈstɪr] *gk* túlkormányozottan viselkedik *[jármű]* **II.** *fn* túlkormányozottság
overstep [ˌouvəˈstep ‖ –vər–] *tsi* **-pp-** *tsi átv* átlép, túllép *[vm határán]*; *biz* **don't ~ the mark** ne lőj túl a célon!
overstitch [ˈouvəstɪtʃ ‖ –vər–] *fn* díszöltés, szegőöltés, szegővarrás/endlizés
overstock I. *fn* [ˈouvəstɒk ‖ –vərstɑk] túlkészletezés, túlzott árubőség, raktári fölösleg, túlméretezett raktárkészlet **II.** *tsi* [ˌouvəˈstɒk ‖ ˌouvərˈstɑk] **1.** áruval telít *[piacot]* **2.** túlnépesít *[halastavat]*, túlságos nagy állatállománnyal lát el *[gazdaságot]* **3.** felhalmoz *[árut]*
overstrain [ˌouvəˈstreɪn ‖ –vər–] *tsi* túlerőltet, túlfeszít, túlhajszol
overstress I. *tsi* [ˌouvəˈstres ‖] túlságosan kiemel/hangsúlyoz *[részletet stb.]*, túlzott fontosságot tulajdonít *[részletnek, részletkérdésnek]* **II.** *fn* [ˈouvəstres ‖ –vər–] *orv* túlterheltségi feszültség
overstretch [ˌouvəˈstretʃ ‖ –vər–] *tsi* túlfeszít *[rugót stb.]*
overstretched [ˌouvəˈstretʃt ‖ –vər–] *mn* túlzó, eltúlzott *[követelés]*, (jogos) határon túlnyúló; visszaélő vmivel/vkivel
overstrung [ˌouvəˈstrʌŋ ‖ –vər–] *mn* **1.** túlságosan felajzott/izgatott, túlfeszített *[idegállapot]* **2.** ~ **piano** kereszthúros zongora
overstudy [ˈouvəstʌdi ‖ –vər–] *fn* túlfeszített tanulás, szellemi munkával túlerőltetés(e önmagának)
overstuffed [ˌouvəˈstʌft ‖ –vər–] *mn* **1.** (ki)párnázott kitömött/kárpitozott **2.** *átv* túlzsúfolt
oversubscribe [ˌouvəsəbˈskraɪb ‖ –vər–] *tsi* többet igényel/előjegyez az elérhetőnél, *pénz* túljegyez *[kölcsönt/részvényt]*
oversubtle [ˌouvəˈsʌtl ‖ –vər–] *mn* túlfinomított, túlbonyolított, túlcizellált
oversupply I. *fn* [ˈouvəsəplaɪ ‖ –vər–] **1.** *műsz* túltáplálás, túltöltés *[motoré]* **2.** *gazd* árutöbblet, túlkínálat **II.** *tsi* [ˌouvəsəˈplaɪ ‖ –vər–] **1.** túltáplál, túltölt *[motort]* **2.** *gazd* túlszállít
oversusceptible [ˌouvəsəˈseptɪbl ‖ –vər–] *mn* túlérzékeny, betegesen érzékeny
overt [ouˈvɜːt ‖ ouˈvɜrt] *mn* nyilvánvaló, kétségtelen, bizonyos, szemmel látható, világos; *jog* ~ **act** bűncselekmény kísérlete, megkezdett bűncselekmény; *orv* ~ **disease** szemmel látható kórtünetek; *jog* **market** ~ nyílt piac/árusítás
overtake [ˌouvəˈteɪk ‖ –vər–] *i pt* **overtook** [ˌouvəˈtuk ‖ –vər–], *pp* **overtaken** [ˌouvəˈteɪkn ‖ –vər–] **A.** *tsi* **1. a)** utolér, elér **b)** megelőz, elébe kerül (vknek, vmnek) **2.** meglep *[vihar]*, sújt, ér *[csapás]*, rászakad *[baj vkre]*; **darkness overtook us** hirtelen ránk esteledett, hirtelen ránk borult a sötétség **3.** legyőz, erősebb(nek bizonyul)(vknél), elfog *[félelem]* **B.** *tni GB gk* előz; *gk* **pull out and ~** kihúzódik és előz
overtaking [ˈouvəteɪkɪŋ ‖ –vər–] *fn GB gk* előzés; **no ~!, ~ prohibited/forbidden!** előzni tilos!; **~ lane** belső (forgalmi) sáv, előzősáv
overtask [ˌouvəˈtɑːsk ‖ ˌouvərˈtæsk] *tsi* agyondolgoztat, túl nagy feladatot ró (vkre), túlterhel, túlerőltet, túlhajszol
overtax [ˌouvəˈtæks ‖ –vər–] *tsi* **1.** túladóztat *[személyt, ingatlant]* **2.** túlságosan igénybe vesz; **~ one's strength** túlhajszolja magát; túlbecsüli erejét
over-the-counter *mn gazd* szabadkézből/készpénzért való *[árusítás]*, *pénz* tőzsdén kívüli *[piac, értékesítés]*; **~ medicine** vény nélkül vásárolható gyógyszer
overthrow I. *tsi* [ˌouvəˈθrou] **1.** *pt* **overthrew** [ˌouvəˈθruː ‖ –vər–], *pp* **overthrown** [ˌouvəˈθroun ‖ –vər–] felfordít, feldönt, felborít **2.** legyőz *[ellenfelet]*, megdönt *[birodalmat, elméletet]*, megbuktat *[kormányt]*, meghiúsít *[tervet]*, keresztülhúz *[számítást]* **II.** *fn* [ˈouvəθrou ‖ –vər–] **a)** megdöntés *[hatalomé, birodalomé]*, meghiúsítás *[tervé]* **b)** vereség, bukás *[birodalomé]*, elvesztés *[pozícióé]*, kudarc, meghiúsulás *[tervé]*
overtime [ˈouvətaɪm, ˌouvəˈtaɪm ‖ –vər–] **I.** *fn* **1.** túlóra, túlórázás, túlmunka **2.** túlóradíj **3.** *US Kan sp* hosszabbítás **II.** *mn* túlórai, túlórás **III.** *hsz* túlórázva, túlórában; **work ~** túlórázik
overtire [ˌouvəˈtaɪə ‖ ˌouvərˈtaɪər] *tsi* elcsigáz, agyonhajszol, agyonfáraszt, végsőkig kimerít
overtone [ˈouvətoun, –vər–] *fn zene* **1.** felhang, részhang **2.** árnyalat; mellékértelem
overtop [ˌouvəˈtɒp ‖ ˌouvərˈtɑp] *tsi* **-pp- 1.** kimagaslik (vm közül, vmből), magasabb (vknél/vmnél) **2.** *átv* felülmúl, túltesz (vkn)
overtrain [ˌouvəˈtreɪn ‖ –vər–] *tni/tsi* túledz
overtrump [ˌouvəˈtrʌmp ‖ –vər–] *tsi ját* felüllop, felülüt
overture [ˈouvətʃuə ‖ ˈouvərtʃur] *fn* **1.** kezdeményező lépés, kínálgatás, ajánlat; **make ~s to sy** kezdeményező lépéseket tesz vk felé, (üzleti) tárgyalást kezdeményez **2.** *zene* nyitány, előjáték **3.** *ir.tud* előhang; vers felütése
overturn I. [ˌouvəˈtɜːn ‖ –vər–] **A.** *tsi* **1. a)** felborít, feldönt, felfordít **b)** *átv* megdönt *[elméletet]*, megbuktat *[kormányt]*, legyőz *[ellenfelet]* **2.** túlhúz, túl erősen meghúz *[csavart]* **B.** *tni* felfordul, felborul, feldől *[kocsi, csónak]*, átvágódik *[repülőgép]* **II.** *fn* [ˈouvətɜːn ‖ –vər–] *US* bukás, (politikai) fordulat, forradalom
overuse I. *tsi* [ˌouvəˈjuːz ‖ –vər–] elkoptat, elnyű **II.** *fn* [ˈouvəjuːs ‖ –vər–] túlzásba vitt használat, túl gyakori használat
overvalue I. *tsi* [ˌouvəˈvæljuː ‖ –vər–] túlértékel, túlbecsül, többre értékel **II.** *fn* [ˈouvəvæljuː ‖ –vər] *pénz* ázsió, felülértékeltség • *fn* **overvaluation**
overview [ˈouvəvjuː ‖ –vər–] *fn* áttekintés, összefoglalás
overweening [ˌouvəˈwiːnɪŋ ‖ –vər–] *mn* elbizakodott, beképzelt, gőgös, fennhéjázó

overweight [ˌouvəˈweɪt ‖ –vər–] **I.** *mn* túlsúlyos, a megengedettnél nagyobb súlyú *[csomag, érme]* **II.** *fn* **1.** súlytöbblet, többletsúly, túlsúly **2.** túlsúly *[embernél]* **III.** *tsi* **1.** túlterhel **2.** (túl)hangsúlyoz, nyomatékosít

overwhelm [ˌouvəˈwelm ‖ ˌouvərˈhwelm] *tsi* **1. a)** eláraszt, elönt, elborít **b)** *átv* eláraszt, elhalmoz; **be ~ed with work** nyakig van a munkában, ki se látszik a munkából **2. a)** megsemmisít, lever, legyőz, eltipor *[ellenséget]* **b)** *átv* lesújt *[bánat]*, erőt vesz *[vkn érzés]*

overwhelming [ˌouvəˈwelmɪŋ ‖ ˌouvərˈhwelmɪŋ] *mn* megsemmisítő *[csapás]*, nyomasztó *[fölény]*, elsöprő *[győzelem]*; **~ majority** elsöprő/döntő többség

overwind I. *tsi* [ˌouvəˈwaɪnd ‖ ˌouvərˈwaɪnd] *pt/pp* **overwound** [ˌouvəˈwaund ‖ –vər–] túlhúz *[órát]* **II.** *fn* [ˈouvəwaɪnd ‖ ˈouvərwaɪnd] túlhúzás *[óráé]*

overwinter [ˌouvəˈwɪntə ‖ ˌouvərˈwɪntər] **A.** *tni* **1.** telel **2.** áttelel **B.** *tsi* átteleltet

overwork I. A. *tsi* [ˌouvəˈwɜːk ‖ ˌouvərˈwɜrk] **1.** *pt/pp* **overworked**, **overwrought** [ˌouvəˈrɔːt] agyondolgoztat, agyonhajszol, agyoncsigáz **2.** *átv* elcsépel *[témát]* **B.** *tni* **a)** agyondolgozza/agyonhajszolja magát **b)** felizgatja magát, *biz* felhergelődik **II.** *fn* [ˈouvəwɜːk ‖ ˈouvərwɜːk] **1.** túlmunka **2.** túlfeszített/túlhajtott munka

overwrite [ˌouvəˈraɪt] *tsi pt* **overwrote** [ˌouvəˈrout], *pp* **overwritten** [ˌouvəˈrɪtn] **1.** föléje ír, átír **2.** túl sokat ír **3.** *infor* felülír **4.** dagályosan ír

overwrought [ˌouvəˈrɔːt] *mn* **1.** erőltetett, agyoncsiszolt *[irodalmi mű]*, elcsépelt, túlírt *[téma]* **2. a)** kimerült, agyonhajszolt, elcsigázott **b)** feszült idegállapotban levő; → **overwork** II.

overzealous [ˌouvəˈzeləs ‖ –vər–] *mn* túlbuzgó • *fn* **overzeal**

ovi-[1] [ˈouvi] *összet áll orv* pete-, tojás-

ovi-[2] [ˈouvi] *összet áll* juh-

ovicide [ˈouvɪsaɪd] *fn biol* **1.** a peték elpusztítása **2.** petéket elpusztító anyag *[féregirtó szer]*

Ovid [ˈɒvɪd ‖ ˈɑ–] *tul* Ovidius

Ovidian [ɒˈvɪdɪən ‖ ɑ–] *mn ir.tud* ovidiusi

oviform [ˈouvɪfɔːm ‖ –fɔrm] *mn* tojás alakú, tojásdad, ovális

ovine [ˈouvaɪn] *mn áll* juh-, birka-

ovipara [ouˈvɪpərə] *fn tsz áll* tojásrakó állatok, ovipara

oviposit [ˌouvɪˈpɒzɪt ‖ –ˈpɑzɪt] *tni áll* petét rak, petézik *[rovar]*

ovo- [ˈouvou] *összet biol áll orv* pete-, tojás-

ovoid [ˈouvɔɪd] **I.** *mn* tojásdad, tojás alakú **II.** *fn* **1.** tojásalak **2.** *tsz* **ovoids** tojásbrikett *[szén]*

ovoviviparous [ˌouvouvɪˈvɪpərəs] *mn áll* eleventojó

ovular [ˈɒvjulə ‖ ˈouvjələr] *mn biol* pete-

ovulation [ˌɒvjuˈleɪʃn ‖ ˌouvjə–] *fn biol* ovuláció, peteérés, peteleválás, petézés

ovule [ˈɒvjuːl ‖ ˈou–] *fn* **1.** *biol* pete **2.** *növ* magrügy, magkezdemény

ovum [ˈouvəm] *fn tsz* **ova** [ˈouvə] *biol* pete, tojás; **twins from a single ~** egypetéjű ikrek

ow [au] *isz* áú! *[hirtelen fájdalom kifejezése]*

owe [ou] *tsi* **1. a)** tartozik, adós(a) (vknek) *[pénzzel]*; **~ sy sg, ~ sg to sy** tartozik vknek vmvel **b)** *átv* tartozik (vmvel), kötelessége (vm vkvel szemben); **~ a debt of gratitude to sy** hálára van kötelezve vkvel szemben, le van kötelezve vknek, lekötelezettje vknek; **~ respect to one's father** tisztelettel tartozik apjának; **you ~ it to yourself to do your best** önmagának tartozik azzal, hogy minden lehetőt megtegyen **c)** *sp* mínusz, hátrány *[teniszben]* **2.** köszönhet (vknek, vmnek); **~ one's success to luck** szerencséjének köszönheti a sikerét **3.** viseltetik (vmvel vk iránt); **~ sy a grudge** neheztel vkre

owing [ˈouɪŋ] *mn* **1.** fizetendő, járó, (vkt) megillető **2. a)** köszönhető, betudható; **all this is ~ to your carelessness** minden hanyagságodnak tudható be (v. a következménye) **b) ~ to** következtében, folytán, miatt; **I could not come ~ to the weather** a rossz idő miatt nem jöhettem

owl [aul] *fn áll* **1.** bagoly; **barn/church/white ~** gyöngybagoly; **little/sparrow ~** kuvik; **(long-)eared ~** (i) erdei fülesbagoly (ii) amerikai kis fülesbagoly; **snowy ~**, **great white ~** hóbagoly; **tawny ~** macskabagoly; *US biz* **~ train** éjjeli vonat; *biz* **drunk as an ~** részeg, mint a csap; *biz* **don't be such a silly ~** ne légy olyan ostoba liba; **fly with the ~s** éjszakai életet él; **carry/bring ~s to Athens** (kb.)Dunába vizet hord **2.** *átv* komoly/okos (kinézetű) ember

owlery [ˈauləri] *fn* bagolyodú, bagolyfészek

owlet [ˈaulɪt] *fn* **1.** kis/fiatal bagoly, bagolyfióka **2.** *áll* kuvik

owlish [ˈaulɪʃ] *mn* **1.** bagolyszerű **2. a)** *átv* fontoskodó, nagyképűen komolykodó **b)** *átv* ostoba **c)** *átv* éjszakai életet élő

owl-light *fn biz* szürkület, (derengő) félhomály

owl monkey *fn áll* éji majom

own [oun] **I.** *mn* **1.** saját, tulajdon; **my ~ love!** egyetlen szerelmem!; **with one's ~ hands** saját kezűleg; **I saw it with my ~ eyes** saját szememmel láttam; *sp* **~ goal** öngól *[átvitt értelemben is]* **2.** édes *[rokoni kapcsolatban]*; **one's ~ brother** édes fivére, *biz* a tulajdon bátyja **II.** *fn* **1. a)** sajátja; **his ~** az övé az ő (saját) tulajdona; **come into one's ~** vagyona/javai birtokába lép; *átv* elismerést kap **b) of one's ~** sajátos, különleges, egyéni **c) on one's ~** egyedül, (egy)maga, önállóan; **get one's ~ back** bosszút áll; **hold one's ~** *átv* kitart **2.** hozzátartozói, övéi **III. A.** *tsi* **1.** bír, birtokol, van (vmje), birtokában van (vmnek); **~ a title** címet visel; **who ~s this house?** kié ez a ház?; **state ~ed** állami tulajdonú **2. a)** sajátjának/magáénak elismer; **~ a child** magáénak vall egy gyermeket, vállalja a gyermek apaságát **b)** elismer *[jogot, adósságot, örököst]*; **they refused to ~ the king** nem ismerték el a királyt **c)** beismer, bevall *[tévedést, hibát]* **B.** *tni* **1. ~ (up) to sg** bevall, beismer vmt; **~ up to a crime** beismeri/bevallja a bűncselekményt; **she ~s (up) to (being) forty** nem tagadja, hogy már negyvenéves **2.** *biz* **~ up** vall, vallomást tesz; beadja a derekát

own brand *fn gazd* a ház saját védjegye/márkája/terméke

owner [ˈounə ‖ –ər] *fn* tulajdonos, gazda; **managing ~** igazgató-tulajdonos; **rightful ~** jogos/jogszerű tulajdonos; *hajó szl* **the ~** a kapitány • *mn* **ownerless**

owner-occupier *fn jog* az ingatlant elfoglaló tulajdonos • *mn* **owner-occupied**

ownership [ˈounəʃɪp ‖ –nər–] *fn* tulajdon(jog), birtoklás; *jog* **bare ~** puszta tulajdonjog; **common ~** közös birtoklás; **claim of ~** tulajdoni igény; **transfer/transmission of ~** tulajdonátruházás, tulajdonjog átszállása; *gazd* **under new ~** új vezetés alatt *[cégről]*

ox [ɒks ‖ ɑks] *fn tsz* **oxen** [ˈɔksn ‖ ˈɑksn] ökör; **wild ~en** vad szarvasmarhafélék; **as strong as an ~** bivalyerejű, erős, mint a bivaly

oxalis [ˈɒksəlɪs ‖ ɑkˈsælɪs] *fn növ* madársóska, nyúlkenyér, heresóska

oxblood I. *mn* vörösesbarna **II.** *tul* bikavér *[magyar vörösborfajta]*

oxbow [ˈɒksbou ‖ ˈɑks–] *fn* **1.** ‹ökörjárom U alakú része› **2.** *földr* patkó alakú kanyar/holtág *[folyóé]*

oxbow-lake *fn* holtági tó *[folyókanyarban]*, morotva

Oxbridge [ˈɒksbrɪdʒ ‖ ˈɑks–] *tul biz* Oxford és Cambridge egyetemei(nek világa/rendszere)

ox-eye *fn* **1.** *épít* ovális manzárdablak **2. a)** *növ* **white ~** réti margitvirág, papvirág **b)** *növ* ökörszem **3.** *áll* fenyvescinege

Oxf *röv Oxford*

Oxfam [ˈɒksfæm ‖ ˈɑks–] *fn röv Oxford Committee for Famine Relief* ‹éhínség sújtotta népek megsegítésére alakult oxfordi központú szervezet›

O

ox-fence *fn mezőg GB* **1.** ‹legeltető marhatartásban használt megerősített kerítés›; árokkal-sövénnyel megerősített vaskerítés **2.** → **oxer**

Oxford [ˈɒksfəd ‖ ˈɑksfərd] **I.** *tul földr* Oxford *[angol egyetemi város]* **II.** *fn tsz* **Oxfords a)** *US* (fűzős) félcipő **b)** *US* oxford inganyag

Oxford accent *fn* felvett (normatív) kiejtés, affektált kiejtés; túlzottan pedáns kiejtés

Oxford bag *fn GB biz* **1.** tarisznya, méretes válltáska **2.** *tsz* **~s** bőszárú nadrág

Oxford blue *mn/fn* sötétkék *[kissé liláskékbe hajló]*

oxherd *fn* **1.** ökörpásztor, csordás, gulyás **2.** gulya, marhacsorda

oxhide *fn* marhabőr

oxidant [ˈɒksɪdənt ‖ ˈɑk–] **I.** *mn* oxidáló *[szer]* **II.** *fn* oxidáló (szer)

oxidate [ˈɒksɪdeɪt ‖ ˈɑk–] *tsi vegy* oxidál; → **oxidize A.**

oxidation [ˌɒksɪˈdeɪʃn ‖ ˌɑk–] *fn* oxidálás, oxidálódás, oxidáció; **~ inhibitor** oxidációgátló (szer); **~ promoter** oxidációgyorsító (szer) • *mn* **oxidative**

oxidize [ˈɒksɪdaɪz ‖ ˈɑk–], **-ise A.** *tsi vegy* oxidál; **oxidizing** (v. **-ising**) **agent** oxidálószer **B.** *tni vegy* oxidálódik • *fn* **oxidizer** *mn* **oxidizable**

oxlip *fn növ* sugárkankalin

Oxon [ˈɒksɒn ‖ ˈɑksɑn] **1.** *(Bishop) of Oxford* **2.** *Oxfordshire* **3.** *Oxford University* ‹tudományos fokozat nevében› **4.** *Oxonia* • *mn* **Oxonian**

oxtail *fn* ökörfark

ox-tongue *fn* **1.** marhanyelv **2.** *növ* **a)** vándorvirág **b)** orvosi atracél **c)** borágó

oxy- [ˈɒksi ‖ ˈɑksi] *összet vegy* oxigén-

oxygen [ˈɒksɪdʒən ‖ ˈɑk–] *fn vegy* oxigén

oxygenate [ˈɒksɪdʒəneɪt ‖ ˈɑk–] *tsi vegy* oxigénnel telít, oxidál; **~d water** hidrogén-szuperoxid • *fn* **oxygenation**

oxygenerator [ˌɒksɪˈdʒenəreɪtə ‖ ˌɑksɪˈdʒenəreɪtər] *fn* oxigénfejlesztő (készülék)

oxygenize [ˈɒksɪdʒənaɪz ‖ ˈɑk–], **-ise** → **oxygenate**

oxygen mask *fn orv* oxigénmaszk

oxygen tent *fn orv* oxigénsátor

oxymoron [ˌɒksɪˈmɔːrɒn ‖ ˌɑksɪˈmɔrɑn] *fn nyelv* ellentétes értelmű szavak kapcsolása, oximoron

oyes [oʊˈjez, oʊˈjes] *isz* figyelem!, figyelmet kérek! *[hallgatóságot csöndre és figyelemre intő felszólítás]*

oyez [oʊˈjez, oʊˈjes] → **oyes**

oyster [ˈɔɪstə ‖ –ər] *fn* **1. a)** *áll* osztriga; *áll* **pearl ~** gyöngykagyló **b)** *biz* **he's a regular ~** nagyon hallgatag/szűkszavú, szavát sem lehet venni **2.** *átv* kincsestár, vágyak világa; **the whole world is his~** övé a világ

oyster bed *fn* osztrigatelep, osztrigaponk

oyster-farm *fn* osztrigatelep

oyster-mushroom *fn növ* késői/közönséges laskagomba

oz [aʊns], **oz.** *röv ounce(s)*

Oz [ɒz ‖ ɑz] *fn szl* ausztrál ember

Ozarks [ˈoʊzɑːks ‖ –zɑrks] *tul US* **the ~** ‹Missouri, Arkanzas és Oklahama államok összeszögellésénél levő terület›

ozone [ˈoʊzoʊn] *fn* ózon; **~ apparatus** ózonizáló készülék • *i* **ozonize** *fn* **ozonization, ozonizer** *mn* **ozonic**

ozone-friendly *mn körny* ózonréteget kímélő

ozone hole *fn körny* ózonlyuk

ozone layer *fn körny* ózonréteg, ózontakaró

ozone shield *fn körny* ózonpajzs

Ozzie [ˈɒzi ‖ ˈɑzi] *fn Ausz szl* ausztrál ember

P

P[1], **p** [piː] *fn tsz* **P's** p (betű/hang); **P for Papa** P mint Péter; *biz* **mind one's P's and Q's** vigyáz/ügyel viselkedésére, választékosan beszél; nagyon körültekintő/óvatos, nagyon vigyáz/ügyel

P[2], **p** *röv* **1.** *page* lap, l., oldal, o. **2.** *parking* **3.** *part* **4.** *participle* **5.** *pence* **6.** *(decimal) penny* **7.** *per* **8.** *peseta* **9.** *peso* **10.** *pico-* **11.** *population* **12.** *pressure* **13.** *pro* **14.** *proton*

PA *röv public address (system)*

Pa *röv Pascal*

Pa., **PA** *röv US Pennsylvania*

pabulum [ˈpæbjʊləm] *fn* **1.** táplálék, eleség, élelem; **mental ~** szellemi táplálék **2.** gyenge/silány olvasmány, ponyva

pace[1] [peɪs] **I.** *fn* **1.** lépés; **ten ~s off** tíz lépés távolságban, tíz lépésnyire **2.** járás(mód) **3.** (menet)sebesség, gyorsaság, iram; **at a good/great/quick/smart ~** gyorsan, sebesen, nagy sebességgel, gyors iramban; **at a slow ~** lassan; **at a walking ~** lépésben; *sp* **even ~** egyenletes sebesség/gyorsaság; **force the ~** erőlteti az iramot, rákapcsol; **gather ~** felgyorsul; **keep ~ with sy/sg** lépést tart vkvel/vmvel; **quicken/hasten one's ~** szaporázza a lépést, kilép; **set the ~** iramot diktál; **can't stand the ~** nem bírja az iramot **II. A.** *tsi* **1.** nagy léptekkel ró *[utcát, termet stb.]* **2.** kilép, lelép *[távolságot]*; **~ (out) a distance** kilép távolságot **3.** *sp* iramot/tempót diktál **B.** *tni* **1.** lépésben megy/halad, lépked; **~ up and down** fel-alá járkál **2.** poroszkál *[ló]*

pace[2] [ˈpeɪsi] *elölj* vk engedelmével, ha megengedik, vkvek szemben; **~ Mr. Brown** Brown úr szíves engedelmével, Brown úrral ellentétben; **but ~ Mr. Brown** anélkül, hogy Brown urat meg akarnám bántani

-paced [peɪst] *előtag* léptű, járású, ütemű, iramú; **slow-~** lassú

pacemaker [ˈpeɪsmeɪkə ‖ –ər] *fn* **1.** *sp* iramot diktáló versenyző **2.** *orv* szívritmus-szabályozó, (szív)ütem-szabályozó, pészméker • *fn* **pacemaking**

pacesetter *fn* **1.** vezető, élenjáró; → **pacemaker** 1. **2.** magasabb normát beállító munkás; → **pacemaker** 2.

pachyderm [ˈpækɪdɜːm ‖ –dɜrm] *fn áll* vastagbőrű (emlős)

pachydermata [ˌpækɪˈdɜːmətə ‖ –ˈdɜr–] *fn tsz áll* vastagbőrűek • *mn* **pachydermatous**

pacific [pəˈsɪfɪk] **I.** *mn* **1. a)** békés, békeszerető **b)** csendes, nyugodt **2.** *földr* **the P~ Ocean** a Csendes-óceán; **the P~ Rim** csendes-óceáni térség; *US* **P~ Time** az USA nyugati partvidékének zónaideje **II.** *fn földr* **the P~** a Csendes-óceán

pacification [ˌpæsɪfɪˈkeɪʃn] *fn* **a)** rend/békesség helyreállítása, pacifikálás **b)** (meg)békítés, (meg)nyugtatás, (le)csillapítás **c)** megbékülés, megnyugvás, lecsillapodás

pacifier [ˈpæsɪfaɪə ‖ –ər] *fn* **1.** békéltető **2.** *US* cucli, cumi *[csecsemőé]*

pacifism [ˈpæsɪfɪzm] *fn* pacifizmus • *fn* **pacifist**

pacify [ˈpæsɪfaɪ] *tsi* **1.** pacifikál *[országot]*, helyreállítja a rendet/békességet **2.** megbékít, megnyugtat, (le)csillapít

pack [pæk] **I.** *fn* **1. a)** csomag, málha, poggyász **b)** köteg, bála **c)** batyu, *kat* menetfelszerelés, bornyú **d)** málharakomány **2. a)** falka *[kutya, farkas]* **b)** tömeg, sereg *[ember]*; **~ of thieves** tolvajbanda **c)** boly, zöm *[futóversenyen]* **3.** *biz* csomó, halom, rakás, sereg; **~ of lies** szemenszedett hazugságok **4.** csomag, pakli *[kártya]*, készlet *[dominó]*; **a ~ of cigarettes** egy csomag/doboz cigaretta **5.** (egymásra torlódó) jégtömb(ök), jégtorlasz **6. a)** *orv* pakolás, *[jeges]* borogatás **b)** (kozmetikai) pakolás **7.** csomagolás(mód), kiszerelés **II. A.** *tsi* **1. a)** becsomagol, bepakol; **~ one's things** becsomagol(ja a holmiját) **b)** összecsomagol **c)** becsomagol, beburkol, begöngyöl **2.** beletöm, bepresel, belezsúfol; *biz* **~ed like herrings/sardines in a box** úgy össze voltak zsúfolva, mint a heringek **3.** teletölt, teletöm, megtöm; **the train was ~ed** a vonat zsúfolva/tömve volt **4.** málhával/csomaggal megrak *[öszvért stb.]* **5.** konzervál, dobozol *[élelmiszert]* **6.** *sp szl* nagy erővel képes bevinni/behúzni *[ütést]* **7.** tömít, dugaszt **8.** *biz* visel *[fegyvert]* **B.** *tni* **1.** összepréselődik, összenyomódik, összeáll *[föld stb.]* **2. a)** *átv* összeverődnek, összeállnak *[falkába, rajba]* **b)** *sp* egy bolyba tömörülnek *[futók stb.]* **3.** *biz* **send sy ~ing** elzavar/elkerget vkt, a pokolba/fenébe küld vkt

pack away → **pack off**

pack off *tsi biz* elküld, elzavar, leráz (vkt); **~ the child off to bed** a gyereket aludni/lefeküdni küldi, ágyba dugja a gyereket

pack out *tsi/tni* kipakol, kicsomagol

pack up A. *tsi* **1.** becsomagol, összecsomagol, bepakol **2.** *biz* **~ it up** befejez/abbahagy/felad vmt **B.** *tni* **1.** visszavonul *[harctól, közélettől]* **2.** *szl* leáll, bedöglik *[gép]*, beadja a kulcsot, meghal

package [ˈpækɪdʒ] **I.** *fn* **1.** csomag, áruköteg, bála, göngyöleg **2.** csomagolási díj/költségek **3.** csomag, programcsomag **II.** *tsi* **1.** (össze)csomagol, becsomagol **2.** jó színben tüntet fel, népszerűsít *[terméket, személyt stb.]*

package deal *fn* diplomáciai árukapcsolás, csomagterv

package tour *fn* szervezett társasutazás

packaging [ˈpækɪdʒɪŋ] *fn* csomagolás, kiszerelés, csomagolóanyag

pack animal *fn* teherhordó állat, málhásállat

pack drill *fn kat* menetgyakorlat

packer [ˈpækə ‖ –ər] *fn* **1. a)** csomagoló (munkás) **b)** csomagológép **2.** *US* konzervgyártó

packet [pækɪt] **I. 1. a)** csomag, nyaláb, köteg; **~ of needles** csomag tű **b)** csomag, áruköteg; **postal ~** postacsomag **2.** *GB biz* nagy halom/köteg pénz; **make a ~** egy vagyont keres **3.** postahajó **II.** *tsi* becsomagol, bepakol

packet boat *fn* postahajó, utasszállító hajó

packet switching *fn infor* csomagkapcsolás

pack-horse *fn* málhásló

pack ice *fn* úszó jég, jégtábla, jégtorlasz

packing case *fn* csomagolóláda

packing house *US* → **packing plant**

packing industry *fn* tartósítóipar, konzervipar

pack-mule *fn* málhás öszvér, teherhordó öszvér

pact [pækt] *fn* szerződés, megállapodás, egyezség, egyezmény, paktum; **peace ~** békepaktum; **make a ~ with sy** megállapodást/egyezményt/szerződést köt vkvel

pâté [ˈpæteɪ ‖ pɑˈteɪ] *fn* pástétom; → **paste** I.2.b.

pad[1] [pæd] **I.** *fn* **1. a)** párna, párnázás, tömítés *[rázás csökkentésére stb.]* **b)** *sp* plasztron, láb(szár)védő **2. a)** ujjbegy **b)** mancs **3. a)** (író)tömb, blokk **b)** írómappa **4.** vízililiom levele **5. a)** helikopter-leszállóhely **b)** kilövőhely, indítóállás *[űrhajóé]* **6.** *szl [hétvégi ház]* kégli, (agglegény)odú **7.** *infor* csatlakozó felület **II.** *tsi* **-dd- 1.** kipárnáz, (ki)töm, vattáz **2.** *biz* felduzzaszt, terjengőssé tesz

pad[2] [pæd] **I.** *fn* (állati) léptek tompa nesze **II. -dd- A.** *tsi* **~ the road** *[gyalogol]* rója az utat **B.** *tni* **1.** *szl [gyalogol]* kutyagol **2. ~ (along)** halk/nesztelen léptekkel járkál/halad

padded [ˈpædɪd] *mn* (ki)párnázott, (ki)bélelt; **~ cell** gumiszoba

padder [ˈpædə ‖ –ər] *fn biz* csavargó

padding [ˈpædɪŋ] *fn* vattázás, tömőanyag, töltelékanyag
paddle[1] [ˈpædl] **I.** *fn* **1.** evező *[villa nélküli]*, mártogató evezőlapát **2. a)** vízikeréklapát **b)** vízikerék, lapátkerék, hajókerék **3.** *áll* **a)** úszó, uszony, úszószárny **b)** úszóhártyás láb **4.** *[kényelmes, lassú]* evezés **II. A.** *tsi* lapáttal hajt *[csónakot]*; *biz* ~ **one's own canoe** a saját erejéből boldogul, csak saját magára támaszkodik **B.** *tni* kényelmesen/lassan evez
paddle[2] [ˈpædl] **I.** *fn* **1. a)** sárban/csatakban/vízben járkálás/tocsogás **b)** pancsolás, tapicskolás, lubickolás *[sekély vízben]* **2.** híg sár, iszap **II.** *tni* **a)** sárban/csatakban/vízben járkál/tocsog **b)** pancsol, lubickol *[vízben]*
paddle boat *fn* lapátkerekes hajó
paddle steamer *fn* (lapát)kerekes gőzhajó
paddle wheel *fn* vízikerék, lapátkerék
paddling-pool [ˈpædlˑɪŋ puːl] *fn* lubickolómedence, pancsoló
paddock [ˈpædək] **I.** *fn* **a)** háztáji bekerített rét/legelő **b)** *Ausz* bekerített föld/legelő **c)** bekerített kifutó, kifutókorlát *[istálló mellett]* **d)** nyergelő(hely) *[lóversenytéren]* **e)** boksz *[autóversenyen]* **II.** *tsi* **1.** *áll* földet/legelőt bekerít **2.** *áll* marhát/juhot bekerített legelőre hajt
Paddy [ˈpædi] *tul* **1.** ‹ *Patrick* becéző alakja › **2.** *biz durva* ír (ember)
paddy[1] [ˈpædi] *fn szl* dühroham, düh, méreg; *GB szl* **be in a ~** haragos, mérges, dühöng
paddy[2] [ˈpædi] *fn* hántolatlan rizs
paddy wagon *fn US szl [rabszállító jármű]* rabomobil, *tréf* meseautó
paddywhack [ˈpædiwæk] *fn szl* **1.** dühroham **2.** verés, elfenekelés, elnáspángolás
padlock [ˈpædlɒk ‖ –lɑk] **I.** *fn* (függő)lakat **II.** *tsi* belakatol
padre [ˈpɑːdri ‖ ˈpɑdreɪ] *fn kat* tábori lelkész/pap
padsaw *fn* lombfűrész, illesztőfűrész
paean [ˈpiːən] *fn ir.tud* hálaének, ünnepi/győzelmi/dicsőítő ének
paederasty [ˈpedəræsti] → **pederasty**
paediatrician [ˌpiːdɪəˈtrɪʃn] *fn orv* gyermekorvos, gyermekgyógyász
paediatrics [ˌpiːdiˈætrɪks] *fn esz* gyermekgyógyászat • *mn* **paediatric**
paedophilia [ˌpiːdoʊˈfɪlɪə] *fn pszich* pedofília
pagan [ˈpeɪgən] *mn/fn* pogány • *tsi* **paganize**
paganism [ˈpeɪgənɪzm] *fn* pogányság
page[1] [peɪdʒ] **I.** *fn* lap, oldal; **a glorious ~ in Hungarian history** dicső fejezet a magyar történelemben; **turn the ~** új életet kezd **II.** *tsi* **1.** lapszámmal ellát, lapszámoz **2. ~ (through) sg** átlapoz vmt
page[2] [peɪdʒ] **I.** *fn* **1.** apród **2.** egyenruhás kifutófiú, boy **II.** *tsi* **1. a)** *US* boy-jal kerestet (vkt) *[szállodában]* **b)** *US* nevét kiáltva keres (vkt) *[boy]* **2.** személyhívón hív/keres (vkt)
pageant [ˈpædʒənt] *fn* **1.** fényes/pompás látványosság, parádé **2.** élőkép, tabló *[járművön, színpadon stb.]* **3.** üres pompa, külsőség
pageantry [ˈpædʒəntri] *fn* **1.** pompa, fény, látványosság **2.** *pej* üres pompa, külsőség
pageboy *fn* **1.** egyenruhás kifutófiú, boy **2.** befelé fésült haj, apródfrizura
page break *fn infor nyomd* oldaltörés
page layout *fn infor nyomd* tördelt oldal
pager [ˈpeɪdʒə ‖ –ər] *fn távk* személyhívó
paginate [ˈpædʒɪneɪt] *tsi* lapszámmal ellát, lapszámoz, paginál • *fn* **pagination**
pagoda [pəˈgoʊdə] *fn* pagoda
pagoda tree *fn* japánakác, pagodafa, szofóra
paid [peɪd] *mn* **a)** (ki)fizetett, fizetve; *biz* **put ~ to sg** elintéz/lezár egy ügyet **b)** *összet* fizetett, fizetésű; **well-~** jól fizetett
paid-up *mn* kifizetett; **fully ~ member** hátralékban nem levő, fizetési kötelezettségének eleget tett tag(ország)
pail [peɪl] *fn* vödör • *fn* **pailful**
paillasse [ˈpæliæs ‖ pælˈjæs] *fn* → **palliasse**
pain [peɪn] **I.** *fn* **1. a)** fájdalom, szenvedés, kín; **give sy ~** fájdalmat/szenvedést okoz vknek; **be in (great) ~** (nagyon) szenved, (nagy) fájdalmai vannak; **put sy out of their ~** megadja a kegyelemdöfést vknek **b)** fájdalom, fájás; **shooting ~s** nyilalló fájdalmak; **have a ~ in the head** fáj a feje; *biz* **a ~ in sy's neck** púp vk hátán, nyűg, teher; *biz szl* **~ in the ass/butt** kiállhatatlan figura **2.** *tsz* **pains** fáradozás, fáradság, igyekezet; **take** v. **be at pains to do sg** nagyon igyekszik vmt megtenni, fáradságot nem kímél, hogy megtegyen vmt; **take pains over sg** különös gondot fordít vmre; **get nothing for one's ~s** hiába dolgozik/fáradozik **3.** *tsz* **pains** szülési fájdalmak, vajúdás **4.** *régi* büntetés, fenyítés, fenyíték; **on/under ~ of death** halálbüntetés terhe alatt **II.** *tsi* kínoz, gyötör, bánt, fájdalmat/szenvedést okoz (vknek); **it pains me to say** nehezemre esik kimondani
pained [peɪnd] *mn* **~ expression** fájdalmas arckifejezés
painful [ˈpeɪnfl] *mn* **1.** fájdalmas, fájó(s) **2.** kínos, kellemetlen, fájdalmas; **it is ~ for me to have to say so** fájdalmas/kínos számomra ezt mondani **3.** *régi* fáradságos, vesződséges *[munka]*
painkiller *fn* fájdalomcsillapító (szer) • *mn* **painkilling**
painless [ˈpeɪnləs] *mn* fájdalommentes • *hsz* **painlessly**
pain-relieving *mn* fájdalomcsillapító
painstaking [ˈpeɪnzteɪkɪŋ] *mn* gondos, lelkiismeretes, alapos, precíz • *hsz* **painstakingly**
paint [peɪnt] **I.** *tsi* **1.** (be)fest, (be)mázol, festékkel bevon; *biz* **~ the town red** dáridózik, dorbézol **2.** (meg)fest, lefest **3.** (szavakkal) ecsetel, leír, lefest; *biz* **~ everything in rosy colours** mindent kedvező színben tüntet fel **4.** kifest, kirúzsoz *[arcot stb.]* **II.** *fn* **1.** festék, máz; **coat of ~** festékréteg, festékbevonat; **wet ~** frissen festve/mázolva **2.** festés, mázolás; **give sg a (coat of) ~** befest/bemázol vmt **3.** arcfesték, rúzs, smink
paintbox *fn* festékdoboz
paintbrush *fn* (festő)ecset
painter[1] [ˈpeɪntə ‖ –ər] *fn* **1.** festő(művész) **2.** (szoba)festő, mázoló
painter[2] [ˈpeɪntə ‖ –ər] *fn hajó* vontatókötél, kikötőkötél
painting [ˈpeɪntɪŋ] *fn* **a)** festészet **b)** festmény, kép
paint remover *fn* festékoldó
paintress [ˈpeɪntrɪs] *fn* festő(művész)nő
paint roller *fn* festékhenger, festőhenger
paintwork *fn* **1.** (ki)festés, festett felület **2.** festési munkálatok *[házon stb.]*
pair [peə ‖ per] **I.** *fn* **1.** pár *[cipő stb.]*; **the ~ of you** ti ketten; **~ of scales** mérleg; **~ of scissors** olló; **a ~ of trousers** (férfi)nadrág; **in ~s** páronként; párosával **2.** (házas)pár **3.** fogat; **a coach and ~** kétfogatú/kétlovas hintó **4.** a párja (vmnek); **where is the ~ of this glove?** hol van a párja ennek a kesztyűnek? **II. A.** *tsi* **1.** (össze)párosít **2.** párosít, pároztat *[állatokat]* **B.** *tni* párosodik, párzik
pair off *tsi* (össze)párosít
pajamas [pəˈdʒɑːməs] *US* → **pyjamas**
Paki [ˈpæki] *fn GB szl tabu* pakisztáni (ember)
Pakistan [ˌpɑːkɪˈstɑːn ‖ ˈpækɪstæn] *tul földr* Pakisztán • *fn/mn* **Pakistani**
pal [pæl] **I.** *fn biz* pajtás, haver, cimbora, koma; *US* **we are big pals** jó haverok vagyunk **II.** *tni US* **-ll-~ in/up with sy** összebarátkozik/összehaverkodik (vkvel)
palace [ˈpælɪs] *fn* **a)** palota **b)** királyi/érseki/püspöki palota/rezidencia
palace revolution *fn tört* palotaforradalom
palaeo- [ˈpælioʊ ‖ ˈpeɪlioʊ], *US* **paleo-** *előtag* paleo-, ős-, őskori
palaeoanthropology [ˌpælioʊænθrəˈpɒlədʒi ‖ ˌpeɪlioʊænθ-rəˈpɑ–] *fn* ősembertan, paleoantropológia
palaeoarchaeology [ˌpælioʊɑːkiˈɒlədʒi ‖ ˌpeɪlioʊɑrkiˈɑ–] *fn* ősrégészet
palaeobotany [ˌpælioʊˈbɒtəni ‖ ˌpeɪlioʊˈbɑ–] *fn* ősnövénytan, paleobotanika

P

Palaeocene [ˈpæliousiːn ‖ ˈpeɪ–] *mn/fn geol* paleocén
palaeogeography [ˌpælioudʒiˈɒgrəfi ‖ ˌpeɪlioudʒiˈɑ–] *fn* ősföldrajz, paleogeográfia • *fn* **palaeographer**
palaeography [ˌpæliˈɒgrəfi ‖ ˌpeɪliˈɑ–] *fn nyelv* paleográfia, írástörténet
palaeolithic [ˌpælɪəˈlɪθɪk ‖ ˌpeɪ–] *mn régi* paleolit, őskőkori, csiszolatlan kőkorszakbeli; **~ age/period** őskőkor, csiszolatlan kőkorszak
palaeologist [ˌpæliˈɒlədʒɪst ‖ ˌpeɪliˈɑ–] *fn régi* paleológus, az őskor ismerője
palaeontology [ˌpæliɒnˈtɒlədʒi ‖ ˌpeɪliɑnˈtɑ–] *fn* őslénytan, paleontológia • *fn* **palaeontologist**
palankeen [ˌpælənˈkiːn] *fn* → **palanquin**
palanquin [ˌpælənˈkiːn] gyaloghintó, palankin *[Keleten]*
palatable [ˈpælətəbl] *mn* **1.** ízletes, jóízű, ínyére való **2.** elfogadható *[elmélet stb.]*
palatal [ˈpælətl] *nyelv* **I.** *mn* palatális, jésített, lágyított *[hang]* **II.** *fn* palatális
palatalize [ˈpælətəlaɪz], **-ise** *tsi nyelv* jésít, lágyít, palatalizál *[mássalhangzót]* • *fn* **palatalization**
palate [ˈpælət] *fn* **1.** *orv* szájpad(lás), íny; **bony/hard ~** kemény szájpadlás; **soft ~** lágy íny **2. a)** íny, ízlés; **have a delicate ~** kényes/finom ízlése van, ínyenc **b) have no ~ for sg** nincs ínyére vm, nem szeret/kedvel vmt
palatial [pəˈleɪʃl] *mn* palotaszerű, fényűző, pompás *[épület]*
palatinate [pəˈlætɪnət] *fn* **1.** *tört* palotagrófi tartomány; *földr* **the P~** Pfalz **2. P~** pfalzi (lakos)
palatine[1] [ˈpælətaɪn] **I.** *mn* palotagrófi, nádori **II.** *fn* palotagróf, választófejedelem, nádor
palatine[2] [ˈpælətaɪn] **I.** *mn nyelv* palatális, íny-, szájpad- **II.** *fn orv* szájpad(csont), kemény szájpad(lás)
palaver [pəˈlɑːvə ‖ –ər] **I.** *fn* **1.** *biz* haszontalan/üres beszéd, fecsegés, locsogás, süket duma **2.** *régi* tárgyalás **II. A.** *tsi* szép szavakkal befon/behálóz **B.** *tni régi* locsog, fecseg
pale[1] [peɪl] **I.** *mn* **1.** sápadt, halvány *[arcszín]*; **deadly/ghastly ~** halálsápadt; **grow/become/turn ~** elsápad **2.** halvány, fakó, tompa *[szín]*; **~ yellow** halványsárga **II. A.** *tsi* **1.** (el)sápaszt **2.** (ki)fakít **B.** *tni* **1.** elsápad, elfehéredik **2.** (ki)fakul, színét/fényét veszti; *biz* **my adventures ~ next to yours** kalandjaim elhalványulnak a tieid mellett
pale[2] [peɪl] *fn* **1.** karó, cövek, cölöp **2.** *átv* határ; **beyond the ~ of society** a társadalomból kitaszítva **3. a)** bekerített/elhatárolt terület **b)** *tört* **the (English) P~** Írország angol fennhatóság alatt álló része
paleface *fn tört biz pej* sápadtarc(ú)
paleo- [ˈpæliou– ‖ ˈpeɪliou] *US* → **palaeo-**
Palestine [ˈpæləstaɪn] *tul földr* Palesztina • *fn/mn* **Palestinian**
palette [ˈpælət] *fn műv* (festő)paletta
palette knife *fn tsz* **knives** festékszedő/festékkenő/festékkeverő kés
palfrey [ˈpɔːlfri] *fn vál* poroszka *[ló]*
palimpsest [ˈpælɪmpsest] *fn* újra teleírt pergamen, palimpszeszt
palindrome [ˈpælɪndroum] *fn* palindróma, tükörszó, tükörmondat
palindromic [ˌpælɪnˈdrɒmɪk ‖ –ˈdrɑ–] *mn* jobbról balra és balról jobbra értelmesen olvasható *[szó, mondat]*
paling [ˈpeɪlɪŋ] *fn* **1.** palánk(kerítés) **2.** karó(k), cövek(ek)
palisade [ˌpælɪˈseɪd] **I.** *fn* **1.** palánk(kerítés), cölöpfal, cölöpsor **2.** *kat* sánckaró, paliszád **3.** *geol* éles kőszirt, bazaltoszlopsor **II.** *tsi* karókkal/palánkkal körülkerít, körülpalánkol
palish [ˈpeɪlɪʃ] *mn* sápadtas, halovány
pall[1] [pɔːl] *fn* **1. a)** koporsólepel **b)** *vall* kehelytakaró, palla **2.** (érseki) köpeny, palást **3.** *[sötét]* lepel, takaró; **~ of smoke** füstfátyol
pall[2] [pɔːl] **A.** *tsi* jóllakat, eltölt **B.** *tni* **1.** érdektelenné/íztelenné/unalmassá válik (*on* számára), ellaposodik **2.** jóllakik, megtelik
palladium[1] [pəˈleɪdɪəm] *fn vegy* palládium
palladium[2] [pəˈleɪdɪəm] *fn tsz* **palladia** *átv* védelem, oltalom
pallbearer *fn* **1.** koporsóvivő **2.** ‹gyászmenetben kísérő›
pallet[1] [ˈpælɪt] *fn* **1.** szalmazsák, matrac **2.** szalmaágy, priccs
pallet[2] [ˈpælɪt] *fn* **1.** rakodólap, szállítólap **2.** formázólapátka, formázólapocska *[fazekasé stb.]* **3.** *műv* (festő)paletta
palliasse [ˈpæliæs ‖ pælˈjæs] *fn* szalmazsák, szalmamatrac
palliate [ˈpælieɪt] *tsi* **1.** tünetileg gyógyít, átmenetileg/pillanatnyilag enyhít/csillapít *[betegséget, nyomort stb.]*, ideig-óráig segít (vmn) **2.** menteget, szépít(get)
palliative [ˈpælɪətɪv ‖ ˈpælieɪtɪv] *fn* csillapítószer, enyhítőszer *[tüneti]*
pallid [ˈpælɪd] *mn* sápadt, halvány, fakó
Pall Mall [ˌpælˈmæl] *tul földr* ‹elegáns londoni utca›
pallor [ˈpælə ‖ –ər] *fn* sápadtság, halványság
palm[1] [pɑːm] *fn* **1.** *növ* pálma(fa) **2.** pálma(ág), pálmalevél **3. a)** kiválóság **b)** kiválóságért járó díj
palm[2] [pɑːm] **I.** *fn* **1.** tenyér, marok; *szl* **grease/oil sy's ~** megveszteget/megken vkt; *biz* **hold sy in the ~ of one's hand** vkt a markában tart **2.** *régi* tenyérszélesség *[kb. 10 cm]*, tenyérhossz *[kb. 20 cm]* **3.** agancslapát, korona **II.** *tsi* **1. ~ a card** kártyát tenyérben elrejt *[hamiskártyás, bűvész]* **2.** *szl [tenyerében elrejtve]* ellop
palm off *tsi* elsóz, elsüt; **~ off sg on sy, ~ sy off with sg** rásóz vmt vkre
palmate [ˈpælmeɪt] *mn növ* tenyér alakú
palmed [pɑːmd] *tud* → **palmate**
palmetto [pælˈmetou] *fn US* kis legyezőpálma
Palmetto State *tul földr US biz* ‹Dél-Karolina állam›
palmful [ˈpɑːmful] *fn* tenyérnyi, maréknyi
palm grove *fn* pálmaliget, pálmaerdő
palmist [ˈpɑːmɪst] *fn* tenyérjós
palmistry [ˈpɑːmɪstri] *fn* tenyérjóslás
palm leaf *fn tsz* **-leaves** pálmalevél
palm oil *fn* pálmaolaj
palmtop computer *fn infor* kis méretű számítógép, kézigép
palm tree *fn* pálmafa
palm wine *fn* pálmabor
palmy [ˈpɑːmi] *mn* **1.** *vál* pálmás, pálmákkal borított *[síkság stb.]* **2. ~ days** boldog/szép napok/idők, fénykor
palomino [ˌpæləˈmiːnou] *fn US* aranysárga ló
palp [pælp] *tsz* **palps** v. **palpi** *fn áll* tapogató, tapintócsáp *[rovaré]*
palpable [ˈpælpəbl] *mn* **1.** megfogható, megtapintható, (ki)tapintható, érzékelhető **2.** kézzelfogható, kézenfekvő, világos, nyilvánvaló • *fn* **palpability** *hsz* **palpably**
palpate[1] [ˈpælpeɪt] *tsi orv* (meg)tapogat, kitapint • *fn* **palpation**
palpate[2] [ˈpælpeɪt] *mn áll* tapogatóval/csáppal rendelkező *[rovar]*
palpi [ˈpælpaɪ] → **palpus**
palpitate [ˈpælpɪteɪt] *tsi* **1.** dobog, lüktet *[szív]* **2.** reszket, (meg)remeg (*with* vmtől)
palpitation [ˌpælpɪˈteɪʃn] *fn* **1.** (meg)remegés, reszketés **2.** *tsz* **palpitations** *orv* szívdobogás, palpitáció
palpus [ˈpælpəs] **palpi** [–paɪ] → **palp**
palsy [ˈpɔːlzi] **I.** *fn* **1.** *orv* bénulás, szélütés, gutaütés, paralízis **2.** *átv* bénultság, tehetetlenség **II.** *tsi átv* megbénít, tehetetlenné tesz
palsy-stricken *mn* szélütött, bénult, gutaütött
palter [ˈpɔːltə ‖ –ər] *tni* **1.** köntörfalaz, kertel, mellébeszél **2.** alkudozik **3.** (túl) könnyedén vesz/kezel (vmt) • *mn* **paltering**
paltry [ˈpɔːltri] *mn* értéktelen, jelentéktelen, csekély, silány, vacak; **a ~ sum** csekély összeg • *fn* **paltriness**

pampas [ˈpæmpəs] *fn tsz* pampák *[dél-amerikai füves síkság]*

pamper [ˈpæmpə ‖ –ər] *tsi* **1.** dédelget, babusgat, kényeztet, tenyerén hord **2.** kedvében jár (vknek), hízeleg

pamphlet [ˈpæmflɪt] *fn* **1. a)** röpirat, vitairat, rövid értekezés **b)** gúnyirat, pamflet **2.** vékony fűzött könyv, brosúra

pamphleteer [ˌpæmflɪˈtɪə ‖ –ˈtɪr] *fn* röpiratíró, pamfletíró

p&p *röv postage and packing*

pan- [pæn] *előtag* pán-, össz-

pan¹ [pæn] **I.** *fn* **1.** serpenyő, lábas; **pots and pans** konyhaedények **2.** aranyszér *[aranymosáshoz]* **3. a)** talajbemélyedés, talajhorpadás, földteknő **b)** sziklás kőzetréteg, kemény altalaj **4.** *US szl* arc, pofa, ábrázat, kép **II.** *i* **-nn-** **A.** *tsi* **a)** ~ **(out/off)** (ki)mos *[homokot/kavicsot arany kiválasztása céljából]* **b)** aranyat mos; ~ **for gold** aranyat mos **B.** *tni* **1.** ~ **(out)** aranyat ad *[kavics stb.]* **2.** *átv* beválik; **it did not ~ out well** rosszul végződött, balul ütött ki

pan² [pɑːn] *fn növ* bétel, bételborsfa levele

panacea [ˌpænəˈsɪə ‖ –ˈsiːə] *fn* általános/univerzális gyógyszer, csodaszer, panacea

panache [pəˈnæʃ, –ˈnɑːʃ] *fn* **1.** *biz* határozott fellépés, magabiztosság **2.** (toll)forgó *[csákón]*

panama *fn* ~ **(hat)** *[férfi]* szalmakalap

Panama [ˈpænəmɑː] *tul földr* Panama ● *fn/mn* **Panamanian**

Pan-American [ˌpænəˈmerɪkən] *mn* pánamerikai, összamerikai ● *fn* **Pan-Americanism**

pancake [ˈpæŋkeɪk] **I.** *fn* **1.** palacsinta; **flat as a ~** lapos, mint a palacsinta **2.** *rep biz* futómű nélküli leszállás **II.** *biz* futómű nélkül száll le *[repülőgép]*

Pancake Day *fn vall* húshagyó kedd

panchromatic [ˌpænkrəˈmætɪk] *mn fényk* pánkromatikus

pancreas [ˈpæŋkrɪəs] *fn orv* hasnyálmirigy ● *mn* **pancreatic**

panda [ˈpændə] *fn áll* **(giant)** ~ (óriás) panda, bambuszmedve

panda car *fn GB biz* járőrkocsi

pandemic [pænˈdemɪk] **I.** *fn* országos járvány **II.** *mn* **1.** *biz* országosan/általánosan járványos **2.** *biz* általános, univerzális, országos

pandemonium [ˌpændɪˈmoʊnɪəm] *fn* **1.** pokoli lárma/ricsaj/zűrzavar/felfordulás **2.** féktelen/zabolátlan zajongás/kicsapongás helye

pander [ˈpændə ‖ –ər] **I.** *tni* **1.** kerít, kerítéssel foglalkozik **2.** (ki)szolgálja vk alantas vágyait; ~ **to sy** cinkosa/segítőtársa vknek; ~ **to a vice** elősegíti egy szenvedély kielégítését **II.** *fn* **1.** kerítő(nő) **2.** cinkos(társ), segítőtárs ● *fn* **panderer**

pandit [ˈpændɪt] → **pundit**

Pandora's box [pænˌdɔːrəz ˈbɒks ‖ –ˈbɑks] *fn* Pandora szelencéje

pandowdy [pænˈdaʊdi] *fn US* almafelfújt

pane [peɪn] *fn* (üveg)tábla, táblaüveg, ablaktábla

panegyric [ˌpænɪˈdʒɪrɪk] *fn* dicsőítő/magasztaló beszéd/írás, dicsőítés, magasztalás, dicshimnusz ● *fn* **panegyrist**

panel [ˈpænl] **I.** *fn* **1.** *épít* (fa)tábla, (fa)burkolat, ajtótábla, ablaktábla **2.** *gk* karosszériaelem **3.** *jog* **a)** esküdtek névjegyzéke/lajstroma **b)** esküdtszék **4.** ~ **(of experts)** zsűri **5.** *média* ~ **discussion** vitafórum **II.** *tsi* **a)** táblákra/mezőkre oszt *[falat stb.]* **b)** (fa)lapokkal/(fa)táblákkal borít/burkol *[falat]* ● *fn* **panel(l)ing** *mn* **panel(l)ed**

panel beater *fn* karosszérialakatos

panellist [ˈpænlˈɪst], *US* **panelist** *fn* **a)** résztvevő *[televíziós vitaműsorban]* **b)** zsüritag

panful [ˈpænful] *mn* egy lábasra/serpenyőre való

pang [pæŋ] *fn* **1.** nyilallás, nyilalló/szúró/szaggató fájás **2.** *átv* kín, gyötrelem; ~ **of conscience** lelkiismeretfurdalás

panhandle I. *tni US biz* koldul, kéreget **II.** *fn US* ‹egy állam hosszú keskeny kinyúló területsávja›

panhandler [ˈpænhændlə ‖ –ər] *fn US biz* koldus, kéregető

Panhandle State *tul földr US biz* ‹Nyugat-Virginia állam›

panic [ˈpænɪk] **I.** *fn* pánik, riadalom; **flee in a ~** hanyatthomlok menekül **II.** *pt/pp* **panicked** [ˈpænɪkt] *tni* pánikba esik, elveszti a fejét/lélekjelenlétét ● *mn* **panicky**

panic grass *fn* köles

panicle [ˈpænɪkl] *fn növ* bugavirágzat ● *mn* **panicled**

panic-monger *fn* rémhírterjesztő

panic-stricken *mn* (meg)rémült, fejvesztett

panic-struck → **panic-stricken**

panjandrum [pænˈdʒændrəm] *fn biz* **1.** nagyfejű, fejes **2.** nagyképű/fontoskodó ember

pannier [ˈpænɪə ‖ –ər] *fn* **a)** málháskosár **b)** *[kerékpár hátsó csomagtartójára szerelhető]* táska

pannikin [ˈpænɪkɪn] *fn* kis fémpohár/csésze/serpenyő

panning [ˈpænɪŋ] *fn* **1.** *film* panorámafelvétel, úsztatás *[filmfelvevőgéppel]* **2.** aranymosás

panoply [ˈpænəpli] *fn* **1.** *átv* teljes vértezet **2.** *régi vál* **pomp and ~** nagy pompa ● *mn* **panoplied**

panorama [ˌpænəˈrɑːmə ‖ –ˈræmə] *fn* **1.** panoráma, körkép **2.** *átv* teljes/átfogó kép/ábrázolás/leírás, áttekintés ● *mn* **panoramic**

panoramist [ˌpænəˈræmɪst] *fn műv* körképfestő

panpipe, **Pan's pipes** *fn zene* pánsíp, pásztorsíp

Pan-Slavic [ˌpænˈslɑːvɪk] *mn* pánszláv ● *fn* **Pan-Slavism**

pansy [ˈpænzi] *fn* **1.** *növ* árvácska **2.** *szl* **a)** nőies fiú **b)** *durva* buzi, homokos

pant [pænt] **I.** *tni* **1. a)** zihál, liheg, piheg; ~ **for breath** levegő után kapkod **b)** hevesen/gyorsan dobog/ver *[szív]*, erősen lüktet *[vér]* **2.** ~ **after/for sg** vm után sóvárog/vágyakozik/epekedik, erősen kíván; ~ **for revenge** bosszú után liheg **II.** *fn* **1. a)** lihegés, pihegés, zihálás **b)** visszafojtott/elfúló lélegzet, levegő után kapkodás **2.** dobbanás *[szívé]*

pant forth → **pant out**

pant out *tsi* zihálva/lihegve mond

pantaloons [ˌpæntəˈluːn] *fn* hosszúnadrág, pantalló

pantechnicon [pænˈteknɪkən ‖ –kɑn] *fn* **1.** bútorraktár **2.** bútorszállító kocsi

pantheism [ˈpænθiɪzm] *fn fil* panteizmus ● *fn* **pantheist** *mn* **pantheistic**

pantheon [ˈpænθɪən ‖ –ɑn] *fn* panteon

panther [ˈpænθə ‖ –ər] *fn* **1.** párduc, leopárd **2.** *US* puma

panties [ˈpæntiz] *fn tsz biz* bugyi

pantihose [ˈpæntihoʊs] → **pantyhose**

pantile [ˈpæntaɪl] *fn* holland tetőfedőcserép, kétszerhullámos cserépzsindely

panto [ˈpæntoʊ] → **pantomime**

pantograph [ˈpæntəgrɑːf ‖ ˈpæntəgræf] *fn* gólyaorr, pantográf; ‹rajzmásoló/rajznagyító paralelogramm›

pantomime [ˈpæntəmaɪm] *fn szính* némajáték, pantomim ● *fn* **pantomimist** *mn* **pantomimic**

pantry [ˈpæntri] *fn* éléskamra, spájz

pants [pænts] *fn tsz* **1.** *GB* alsónadrág **2.** *US* (hosszú)nadrág, pantalló; *US* **caught with his ~ down** kellemetlen helyzetben érik/kapják; *biz* **keep your ~ on!** lassan a testtel!; **scare the ~ off sy** halálra rémiszt vkt

pantsuit *fn* nadrágkosztüm

panty [ˈpænti] → **panties**

pantyhose [ˈpæntihoʊz] *fn US* harisnyanadrág

pap [pæp] **I.** *fn* **1.** pép, kása, papi *[gyermekeledel]* **2.** gyümölcsvelő, gyümölcspulp **II.** *tsi* **-pp-** pépesít, péppé alakít

papa [pəˈpɑː ‖ ˈpɑpə] *fn US* papa, apu(ka)

papacy [ˈpeɪpəsi] *fn vall* pápaság

papal [ˈpeɪpl] *mn vall* pápai; ~ **cross** pápai (hármas) kereszt; **P~ State** pápai állam

paparazzo [ˌpæpəˈrætsoʊ] *fn tsz* **-zzi** [–si] *pej* lesifotós

P

papaw ['pɔ:pɔ:] *fn növ* **1. a)** papayafa, dinnyefa **b)** a papayafa gyümölcse **2. a)** papaw-fa **b)** papaw-fa gyümölcse
paper ['peɪpə ‖ –ər] **I.** *fn* **1.** papír, papiros; *vegy* **exploration/indicator** ~ lakmuszpapír; **India/foreign** ~ bibliapapír, hártyapapír; **brown** ~ csomagolópapír; **roofing** ~ kátránypapír, bőrlemez; **on** ~ elméletben; **commit sg to** ~, **put sg down on** ~ papírra vet vmt, leír vmt, írásba foglal vmt; **put pen to** ~ írni kezd **2. a)** írás, irat, akta, okmány, okirat; **bond ~s** kísérő vámiratok; *US* **first ~s** ‹igazolás az amerikai állampolgárságért való folyamodás beadásáról›; *US* **second ~s** ‹amerikai állampolgárság megadásának igazolása› **b)** *tsz* **papers** iratok, személyi igazolvány; **your** ~, **please** kérem az iratait **3.** újság, (hír)lap; **fashion** ~ divatlap **4.** *okt* vizsgadolgozat, írásbeli vizsga/dolgozat, írásbeli; **term** ~ szemináriumi dolgozat; **set a** ~ dolgozattémát kitűz **5.** értekezés, tanulmány, dolgozat, monográfia; előadás *[konferencián]*; **read a** ~ **(to)** beszámolót tart, jelentést tesz *[kutatási eredményről]*; előadást/felolvasást tart, értekezést felolvas (vhol) **6.** tapéta **7.** *pénz* **a)** értékpapír, váltó; **commercial** ~ kereskedelmi papírok **b)** papírpénz, bankjegy **II.** *tsi* **1. a)** papírba (be)csomagol (vmt) **b)** papírral bélel *[dobozt]* **c)** tapétáz; *átv biz* ~ **over the cracks** tünetilag kezel **2.** dörzspapírral csiszol (vmt)
paperback *fn/mn* puhafedelű könyv
paperbag *fn* papírzacskó
paperclip *fn* iratkapocs, gemkapocs
papered ['peɪpəd ‖ –ərd] *mn* papírral bevont, tapétázott
paperhanger *fn* tapétázó (munkás) • *fn* **paperhanging**
paper industry *fn* papíripar
paperknife *fn tsz* **-knives** papírvágó kés
paperless office [ˌpeɪpələs 'ɒfɪs ‖ –pərləs 'ɑ–] *fn infor* elektronikus iroda
papermill *fn* papírmalom, papírgyár
paper money *fn* bankjegy(ek), papírpénz
paper pulp *fn* papírmassza
paper-thin *mn* papírvékony(ságú)
paper tiger *fn biz* papírtigris; ‹harcias, de voltaképp ártalmatlan ember/állam›
paperweight *fn* (levél)nehezék
paperwork *fn* irodai munka, adminisztrálás, aktázás
papery ['peɪpəri] *mn* papírszerű, papírvékonyságú
papier-maché [ˌpæpieɪ 'mæʃeɪ, ˌpeɪpə– ‖ ˌpeɪpər mə'ʃeɪ] *fn francia* papírmasé
papist ['peɪpɪst] *fn pej* pápista; római katolikus (személy) • *fn* **papism** *mn* **papistic(al)**
papoose [pə'pu:s] *fn US* amerikai indián csecsemő/kisgyermek
paprika ['pæprɪkə ‖ pə'pri:kə] *fn* (őrölt piros)paprika
Papua New Guinea [ˌpæpjuə nju: 'gɪni:] *tul földr* Pápua Új-Guinea • *fn/mn* **Papuan**
papyrus [pə'paɪrəs] *fn tsz* **papyri** [–raɪ] **a)** *növ* papirusz(káka) **b)** papirusz(lap), papirusztekercs
par. [pɑ: ‖ pɑr] *röv* **1.** *paragraph* **2.** *parish*
par[1] [pɑ: ‖ pɑr] *fn* **1. a)** egyenlőség, egyenrangúság, egyenérték; **be on a ~ with sy/sg** egyenrangú/egyenértékű vkvel/vmvel **b)** *pénz* pariárfolyam, névérték; **~ of exchange** (pénznemek) átváltási paritása; **at** ~ parin; **below** ~ pénz parin alul; nívótlan, átlagon aluli; *biz* **feel below** ~ nem érzi jól magát, nincs formában **c)** átlag; **on a** ~ átlagban, átlagosan; **up to** ~ színvonalas **2.** *sp* ‹egy kör lejátszásához megszabott ütések száma golfban›
par[2] [pɑ: ‖ pɑr] *fn* **1.** *biz* rövid újságcikk/újságrovat, napi hírek rovata **2.** paragrafus, szakasz, cikkely, (új) bekezdés
par[3] [pɑ: ‖ pɑr] *fn áll* fiatal lazac
para ['pærə] → **paratrooper** → **paratroops**
para. ['pærə] *röv* paragraph
parable ['pærəbl] *fn* példázat, példabeszéd, tanmese
parabola [pə'ræbələ] *fn tsz* **parabolas** v. **parabolae** *mat* parabola
parabolic, parabolical [ˌpærə'bɒlɪk(l) ‖ –'bɑ–] *mn* **1.** példabeszédbe/példázatba burkolt **2.** *mat* parabolikus; ~ **curve** parabolikus görbe
paraboloid [pə'ræbəlɔɪd] *fn mat* parabolatest, paraboloid; ~ **of revolution** forgásparaboloid
parachute ['pærəʃu:t] **I.** *fn* ejtőernyő **II.** *tni* ejtőernyős ugrást végez; ~ **down** ejtőernyővel leszáll • *fn* **parachutist**
parade [pə'reɪd] **I.** *fn* **1. a)** pompa, dísz, parádé **b)** díszfelvonulás; **beauty** ~ szépségverseny **2.** mutogatás, kérkedés, hivalkodás; **make a** ~ **of sg** mutogat vmt, kérkedik vmvel, hivalkodik **3. a)** *kat* szemle, mustra, sorakozó **b)** *kat* **on** ~ szemlén; gyakorlótéren; **go on** ~ felvonul **II. A.** *tsi* **1.** kérkedik, hivalkodik *[gazdagságával, tudásával stb.]* **2.** *kat* (dísz)szemlét tart, megszemlél, felvonultat, elléptet *[csapatokat]* **B.** *tni* **a)** *kat* sorakozik, gyülekezik, szemlére vonul **b)** parádézik, díszeleg
parade ground *fn kat* gyakorlótér, felvonulási tér
paradigm ['pærədaɪm] *fn* **a)** *tud* paradigma **b)** *nyelv* ragozási minta, paradigma • *mn* **paradigmatic**
paradise ['pærədaɪs] *fn* **a)** mennyország **b)** paradicsom(kert), éden(kert) **c)** (paradicsomi) boldogság; **live in a fool's** ~ álomvilágban (v. boldog tudatlanságban) él • *mn* **paradisaical, paradisal, paradisiacal, paradisical**
paradox ['pærədɒks ‖ –dɑks] *fn* paradoxon, látszólagos ellentmondás
paradoxical [ˌpærə'dɒksɪkl ‖ –'dɑk–] *mn* paradox
paraffin ['pærəfɪn] *fn vegy* paraffin, *GB* petróleum
paraffin lamp *fn* petróleumlámpa
paraffin oil *fn vegy* paraffinolaj; kerozin
paragliding ['pærəglaɪdɪŋ] *fn sp* siklóernyőzés • *fn* **paraglider**
paragon ['pærəgən ‖ –gɑn] *fn* **1.** minta(kép), eszménykép, példakép; ~ **of virtue** az erény mintaképe/példaképe **2.** ‹100 karátnál nagyobb súlyú hibátlan gyémánt›
paragraph ['pærəgrɑ:f ‖ –græf] **I.** *fn* **1. a)** (új) bekezdés **b)** *jog* paragrafus, szakasz, cikkely **2.** (rövid újság)cikk, cikkecske, újsághír **II.** *tsi* paragrafusokra/szakaszokra/bekezdésekre oszt • *mn* **paragraphic**
Paraguay ['pærəgwaɪ] *tul földr* Paraguay • *fn/mn* **Paraguayan**
parakeet ['pærəki:t] *fn* (hosszú farkú) törpepapagáj
parallel ['pærəlel] **I.** *mn* **1. a)** párhuzamos; *sp* ~ **bars** korlát *[szertornában]*; **be/run ~ with/to sg** párhuzamos(an halad) vmvel **b)** *vill* párhuzamosan kapcsolt **2.** megegyező, hasonló, megfelelő, analóg; **a ~ case** hasonló/analóg eset **3.** egyidejű, szimultán **II.** *fn* **1. a)** párhuzamos (vonal); **draw a** ~ párhuzamost von; párhuzamba állít, párhuzamot von **b)** *földr csill* szélességi vonal/kör **2.** párhuzam, hasonlóság, analógia, összehasonlítás; **without** ~ páratlan, példátlan **III.** *tsi* **1.** párhuzamosan (el)helyez, párhuzamosra állít, párhuzamosít **2. a)** párhuzamba állít, összehasonlít *[két dolgot]* **b)** párhuzamot/hasonlóságot talál
parallelism ['pærəlelɪzm] *fn* **a)** párhuzam(osság), hasonlóság, megfelelés *[két dolog között]* **b)** összehasonlítás
parallelogram [ˌpærə'leləgræm] *fn mat* paralelogramma
parallel processing *fn infor* párhuzamos feldolgozás
Paralympics [ˌpærə'lɪmpɪks] *fn esz sp* Paraolimpia
paralyse ['pærəlaɪz], *US* **-lyze** *tsi* megbénít, paralizál; **~d in one leg** egyik lábára béna; *biz* **~d with fear** félelemtől/rémülettől dermedt(en)/megkövült(en)
paralysis [pə'rælɪsɪs] *fn tsz* **paralyses a)** *orv* (meg)bénulás, paralízis **b)** *átv biz* tehetetlenség, bénaság
paramecium [ˌpærə'mi:sɪəm ‖ –ʃəm] *fn tsz* **paramecia** [–sɪə] *áll* papucsállatka
parameter [pə'ræmɪtə ‖ –mətər] *fn* **1.** *mat* segédváltozó, paraméter **2.** *[mérhető]* tulajdonság, jellegzetesség • *mn* **parametric**
paramilitary [ˌpærə'mɪlɪtəri ‖ –teri] *mn* félkatonai, katonai jellegű
paramount ['pærəmaunt] *mn* **a)** legfelső, legfőbb, kimagasló **b)** legelső, legnagyobb, mindenekfelett való; **of ~ importance** elsődleges fontosságú/jelentőségű
paramour ['pærəmuə, –mɔ: ‖ –mɔr] *fn* szerető

P

paranoia [ˌpærəˈnɔɪə] *fn orv* paranoia, üldözési mánia • *mn* **paranoiac**, **paranoid**

paranormal [ˌpærəˈnɔːml ‖ –ˈnɔrml] *mn* természetfeletti, szokatlan, különös

parapet [ˌpærəpɪt, –pet] *fn* **1.** *épít* hídkorlát(fal), karfa **2.** *kat* mellvéd(fal)

paraph [ˈpærəf] **I.** *fn* **a)** kézjegy **b)** névaláírás kacskaringója **II.** *tsi* kézjeggyel ellát, aláír, *jog* parafál, kézjegyével ellát *[aktát]*

paraphernalia [ˌpærəfəˈneɪlɪə ‖ –fər–] *fn tsz* **a)** *biz* felszerelés, kellék(ek), tartozék(ok) **b)** *biz* holmi, cókmók, cucc

paraphrase [ˈpærəfreɪz] **I.** *fn* **a)** körülírás, átfogalmazás, más szavakkal való kifejezés/elmondás/visszaadás, parafrázis **b)** hosszadalmas/terjengős/szószátyár átírás/fordítás, bővített változat **II.** *tsi* átfogalmaz, más szavakkal elmond

parapsychology [ˌpærəsaɪˈkɒlədʒi ‖ –ˈkɑ–] *fn pszich* parapszichológia *[az érzéken túli érzékelés lélektana]*

parasite [ˈpærəsaɪt] *fn* **a)** *biol* élősködő, élősdi, parazita **b)** élősködő, ingyenélő, potyaleső (alak)

parasitic, **parasitical** [ˌpærəˈsɪtɪk(l)] *mn biol* élősködő, élősdi, parazita; *növ* **~ weeds** gyom, gaz, dudva

parasol [ˈpærəsɒl ‖ –sɔl, –sɑl] *fn* **1.** napernyő **2.** *növ* **~ mushroom** őzlábgomba

parasymphathetic [ˌpærəsɪmpəˈθetɪk] *mn orv* paraszimpatikus *[ideg]*

paratrooper [ˈpærətruːpə ‖ –ər] *fn kat* ejtőernyős (katona)

paratroops [ˈpærətruːps] *fn tsz kat* ejtőernyős csapatok/alakulat, ejtőernyősök

parboil [ˈpɑːbɔɪl ‖ ˈpɑr–] *tsi* félig megfőz, abál

parcel [ˈpɑːsl ‖ ˈpɑrsl] **I.** *fn* **1.** parcella, földdarab, telekrész, házhely **2.** köteg, nyaláb, rakás; *pénz* **~ of shares** részvénypakett **3.** (posta)csomag **4. part and ~ of sg** lényeges/szerves alkotórésze vmnek **II.** *tsi* **1. ~ (out)** feldarabol, felapróz, (részekre) feloszt, (fel)parcelláz **2. ~ (up)** becsomagol

parcel post *fn* csomagposta

parch [pɑːtʃ ‖ pɑrtʃ] **A.** *tsi* **a)** (ki)szárít, fonnyaszt, aszal **b)** *biz* éget, perzsel *[nap, láz stb.]*, (meg)pörköl **B.** *tni* szomjazik; **be ~ed** eltikkad a szomjúságtól

parchment [ˈpɑːtʃmənt ‖ ˈpɑr–] *fn* pergamen(bőr)

pard [pɑːd ‖ pɑrd] *fn US régi* v. *tréf* **a)** pajtás, cimbora, koma, haver **b)** (üzlet)társ, cégtárs

pardon [ˈpɑːdn ‖ ˈpɑrdn] **I.** *fn* **1.** bocsánat, megbocsátás; **I beg your ~ for ...** bocsánatot/elnézést/engedelmet kérek, hogy/amiért ...; **I beg your ~!** bocsánatot kérek!, már megbocsásson!; de kérem! *[méltatlankodva]*; **(I beg your) ~?** tessék?, nem értettem!; **ask for ~** bocsánatot kér **2.** *vall* bűnbocsánat, búcsú *[mint büntetéselengedés]* **3.** *jog* **~** kegyelem, megkegyelmezés; **general ~** közkegyelem, amnesztia **II.** *tsi* **1.** megbocsát, elnéz; **~ me!** bocsásson meg!, bocsánat!, ezer bocsánat!; **~ me for interrupting you** bocsásson meg (v. bocsánat), hogy félbeszakítom **2.** *jog* megkegyelmez, kegyelmet ad (vknek), amnesztiában részesít (vkt) • *mn* **pardonable**

pare [peə ‖ per] *tsi* **a)** vág, (meg)nyír, (meg)nyes, körülnyes, körülnyír *[fát]*, lefarag, legyalul, leélez *[gerendát]*, farag, gyalul, hántol, beszélez, körülvág *[bőrt]*; *átv* **~ the claws of sy** megszelídít vkt; megnyirbálja vk szárnyait; letöri vk szarvát **b)** lehámoz, meghámoz *[gyümölcsöt]*

paren. *fn röv parenthesis*

parent [ˈpeərənt ‖ ˈper–] *fn* **1.** szülő, apa, anya, ős; **my ~s** szüleim **2.** eredet, forrás; *gazd* **~ company/establishment** anyavállalat, anyaintézet, központi üzlet; *geol* **~ rock/material** anyakőzet; **~ state** anyaország *[gyarmaté]* • *mn* **parentless**

parentage [ˈpeərəntɪdʒ ‖ ˈper–] *fn* **a)** (le)származás, eredet; **of English ~** angol szülőktől **b)** szülők, ősök, elődök

parental [pəˈrentl] *mn* szülői, atyai *[tekintély, hatalom stb.]*

parenthesis [pəˈrenθɪsɪs] *fn tsz* **parentheses** [–siːz] **1.** (kerek) zárójel; **in parentheses** zárójelben; közbevetve **2.** közbevetett megjegyzés/mondat • *tsi* **parenthesize**

parenthetic, **parenthetical** [ˌpærənˈθetɪk(l)] *mn* **1.** zárójeles, zárójelbe tett, zárójelben levő **2.** közbevetett; *nyelv* **~ clause** közbevetett mondat

parenthood [ˈpeərənthʊd ‖ ˈper–] *fn* apaság, anyaság; **planned ~** családtervezés; születésszabályozás

parent-teacher association *fn okt* szülői munkaközösség

pariah [pəˈraɪə] *fn* társadalomból kitaszított ember, pária

parietal [pəˈraɪətl] *mn orv* fali, fal menti, koponyafalcsonti; **~ bone** koponyafalcsont

paring [ˈpeərɪŋ ‖ ˈper–] *fn* **~(s)** (i) lehámozott rész, levágott darab, hulladék (ii) hulladék, reszelék, faragás, forgács

Paris [ˈpærɪs] *tul földr* Párizs • *fn/mn* **Parisian**

parish [ˈpærɪʃ] *fn* **a)** *vall* plébánia, egyházközség, parókia **b)** önkormányzat, kerület

parish church *fn vall* plébániatemplom

parish clerk *fn vall* sekrestyés, egyházfi, templomszolga

parishioner [pəˈrɪʃənə ‖ –ər] *fn vall* az egyházközséghez tartozó (v. az egyházközség területén lakó) hívő

parish priest *fn vall* (falusi) lelkész, plébános

parity [ˈpærəti] *fn* **1. a)** egyenlőség *[rangé stb.]*, egyenértékűség, paritás, megfelelés, megfeleltethetőség **b)** hasonlóság, megfelelés, egyezés, analógia **2.** *pénz* paritás, árfolyam

park [pɑːk ‖ pɑrk] **I.** *fn* **1.** park, díszkert, liget; **public ~** nyilvános park **2.** *gk* parkoló fokozat *[automata sebességváltón]* **3.** *US* sportpálya **II. A.** *tsi* **a)** parkol, (le)parkíroz **b)** *US* vmt vhol hagy, vmt vhova letesz; *US* **~ oneself swhere** vhová letelepszik **B.** *tni* várakozik, (le)parkol, parkíroz *[gépkocsival]*

parka [ˈpɑːkə ‖ ˈpɑrkə] *fn US [csuklyás]* viharkabát; vízhatlan kabát

parking [ˈpɑːkɪŋ ‖ ˈpɑr–] *fn* várakozás, parkolás; **~ prohibited, no ~ (here)** várakozni/parkolni tilos!

parking attendant *fn* parkolóőr

parking brake *fn* kézifék

parking fee *fn* parkolási díj

parking lot *fn* gépjárműparkoló; parkolóhely

parking meter *fn* parkolóóra

parking ticket *fn közl* büntetőcédula *[tiltott parkolásért]*

Parkinson's disease [ˌpɑːkɪnsnz dɪˈziːz ‖ pɑr–] *fn orv* Parkinson-kór

park keeper *fn* parkőr, csősz

parkland *fn* pagonyos/ligetes vidék/táj

parkway *fn US* autópálya

parky [ˈpɑːki ‖ ˈpɑrki] *mn GB biz* hűvös, csípős *[időjárás, levegő]*

parlance [ˈpɑːləns ‖ ˈpɑr–] *fn* beszéd(mód), kifejezésmód, szóhasználat, nyelvhasználat; **in common ~** hétköznapi nyelven; **in legal ~** jogásznyelven

parley [ˈpɑːli ‖ ˈpɑrli] **I.** *fn* **a)** vita, tárgyalás, tanácskozás **b)** alku(dozás), egyezkedés, tűzszüneti tárgyalás; **hold a ~, be in a ~** tárgyal, alkudozik, egyezkedik **II.** *tni* tárgyalásokba kezd/bocsátkozik, tárgyal, tanácskozik, alkudozik, egyezkedik

parliament [ˈpɑːləmənt ‖ ˈpɑr–] *fn* országgyűlés, parlament; **the Houses of P~** országgyűlés épülete, országház; **enter (v. get into) P~** megválasztják képviselőnek

parliamentarian [ˌpɑːləmenˈteərɪən ‖ ˌpɑrləmenˈterɪən] *fn* **1.** országgyűlési kéviselő, országgyűlés/parlament tagja **2.** ‹parlamenti eljárásban jártas személy›

parliamentary [ˌpɑːləˈmentəri ‖ ˌpɑr–] *mn* parlamentáris, országgyűlési *[kormányzat, rendszer]*, parlamenti; **~ election(s)** országgyűlési/parlamenti választás(ok), képviselőválasztás; *GB* **~ system** népképviseleti rendszer

parlor [ˈpɑːlə ‖ ˈpɑrlər] *fn* **a)** → **parlour b)** *US* elegáns üzlet; **beauty ~** szépségszalon

parlor car *fn US* szalonkocsi

parlour [ˈpɑːlə ‖ ˈpɑrlər] *fn GB* kis szalon, társalgó, fogadószoba *[intézményé is]*; **bar ~** kocsma/vendéglő hátsó szobája/terme (v. különszobája/terme); → **parlor**
parlour game *fn* társasjáték, szójáték
parlous [ˈpɑːləs ‖ ˈpɑr –] *mn vál* veszélyes, veszedelmes, kockázatos, bizonytalan
Parmesan [ˌpɑːmɪˈzæn ‖ ˈpɑrmɪzən] *mn/fn* **~ (cheese)** parmezán (sajt)
parochial [pəˈroʊkɪəl] *mn* **1.** *vall* egyházközségi, plébániai, parókiai **2.** szűklátókörű, provinciális
parodize [ˈpærədaɪz], **-ise** *tsi/tni* parodizál, utánoz, kifiguráz
parody [ˈpærədi] **I.** *fn* paródia, utánzat, kifigurázás **II.** *tsi* parodizál, utánoz, kifiguráz ● *fn* **parodist**
parole [pəˈroʊl] **I.** *fn* **~ of honour** becsületszó, adott szó; **break one's ~** adott szavát (v. becsületszavát) megszegi; **release on ~** feltételes szabadon bocsátás, ideiglenes szabadlábra helyezés **II.** *tsi* feltételesen szabadlábra helyez *[elítéltet, gyanúsítottat]*
-parous [pərəs] *utótag* -szülő; *áll* **vivi~** elevenszülő
paroxysm [ˈpærəksɪzm] *fn* **a)** *orv* roham, paroxizmus *[betegségé, lázé stb.]* **b)** *biz átv* kitörés, roham *[nevetésé, dühé]*; **a ~ of rage** dühroham, dühkitörés ● *mn* **paroxysmal**
parquet [ˈpɑːkeɪ, ˈpɑːki ‖ pɑrˈkeɪ] **I.** *fn* **1. ~** parkett(padló), parketta **2.** *US szính* földszint(i ülések) **II.** *tsi* **-tt-** parkettáz
parr [pɑː ‖ pɑr] → **par**[3]
parricide [ˈpærɪsaɪd] *fn* **1.** apa- v. anyagyilkos **2.** apa- v. anyagyilkosság ● *mn* **parricidal**
parrot [ˈpærət] **I.** *fn* **a)** papagáj **b)** szajkó módon utánzó alak **II.** *tsi* ismételget, hajtogat, szajkóz
parry [ˈpæri] **I.** *tsi sp átv* (ki)véd, kipaíroz, felfog, visszaver, elhárít (vmt), kitér (vm elől); **~ a blow** ütést kivéd, ütés elől kitér; **~ a question** kitér egy kérdés elől **II.** *fn sp* (ki)védés, (el)hárítás *[ütésé, vágásé]*
parse [pɑːz ‖ pɑrs] *tsi nyelv* elemez *[szót, mondatot]*
Parsee [pɑːˈsiː ‖ ˈpɑrsiː] *fn* **1.** *vall* az ősi perzsa vallás híve, parszi **2.** *nyelv* parszi/óperzsa nyelv
parsimonious [ˌpɑːsɪˈmoʊnɪəs ‖ ˈpɑr –] *mn* fösvény, fukar, zsugori ● *hsz* **parsimoniously**
parsimony [ˈpɑːsɪməni ‖ ˈpɑrsɪmoʊni] *fn* fösvénység, fukarság, szűkmarkúság
parsley [ˈpɑːsli ‖ ˈpɑr –] *fn növ* petrezselyem
parsnip [ˈpɑːsnɪp ‖ ˈpɑr –] *fn* paszternák, pasztinák
parson [ˈpɑːsn ‖ ˈpɑr –] *fn* **a)** plébános **b)** *biz* pap, lelkész; **~'s nose** püspökfalat
parsonage [ˈpɑːsnɪdʒ ‖ ˈpɑr –] *fn* plébánia, parókia, paplak
part [pɑːt ‖ pɑrt] **I.** *fn* **1. a)** rész, darab; **the five ~s of the world** az öt világrész/földrész; **~ of the year he is at home** az év egy részében itthon van, az évnek egy részét itthon tölti; **only ~ of his story is true** története csak részben igaz, történetének csak egy része igaz; **it is ~ and parcel of...** vmnek szerves/fontos/nélkülözhetetlen része; **it is no ~ of my intentions** nincs (v. nem áll) szándékomban, nem szándékozom; **two third ~s** kétharmad rész; **three ~s vinegar to one of oil** három rész ecet(et) egy rész olajhoz; **be/form ~ of sg** vmnek része/tagja, vmnek részét alkotja; **in ~** részben, némileg; **in ~s** részletekben; **in (a) great ~ due to...** nagymértékben/nagyrészt/főleg ...nak/...nek köszönhető/tulajdonítható **b)** *ip* (szerves) alkatrész; **machine ~** gépalkatrész; **spare ~s** pótalkatrészek, tartalékdarabok **2.** testrész; **body ~s** testrészek; **private ~s** nemi szervek **3.** *nyelv* **~ of speech** szófaj **4. a)** füzet *[füzetes kiadványoknál]*, kötetrész **b)** rész; **Jaws P~ 2** a "Cápa" c. film második része **5.** vidék, táj(ék); **in that ~ of the world** a világnak ezen a tájékán/vidékén/részén; *biz* ezen az eldugott/félreeső (v. isten háta mögötti) helyen/környéken, ebben a távoli/félreeső zugban; **in these parts** ezen a vidéken; errefelé **6.** oldal, rész, párt *[vitás kérdésekben stb.]*; **take sy's ~, take the ~ of sy** pártját fogja vknek, pártján áll vknek; **for my ~** részemről, a magam részéről, ami engem illet; **for the most ~** többnyire; a legtöbb esetben; **take sg in good ~** jó arcot vág vmhez, *biz* nem szívja mellre; **take the matter in good ~** jó képet vág hozzá; **on the one ~** egyrészről **7. a)** *szính* szerep; **the ~ of Hamlet** Hamlet szerepe; **the actors didn't know their ~s** a színészek nem tudták a szerepüket; **play one's ~** jól betölti szerepét/helyét/állását; megállja a helyét; *biz* **play a ~** alakoskodik, színészkedik **b)** *átv* szerep, feladat, kötelesség, dolog; **it is not my ~** nem rám tartozik, nem az én feladatom/kötelességem/dolgom; **do one's ~** megteszi/teljesíti kötelességét, megteszi a magáét; **each one did his ~** mindenki megtette kötelességét; **he had no ~ in it** semmi része/szerepe nem volt benne; **take ~ in sg** részt vesz vmben, közreműködik vmben **8.** *zene* szólam **9.** adottság, képesség, tehetség; **man of (many) ~s** sokoldalú ember **10.** *US* választék *[hajban]* **II.** *hsz* részben; **a lie that is ~ true** féligazság; **it is made ~ of wood and ~ of iron** félig fából és félig vasból készült/van **III. A.** *tsi* **1.** részekre/darabokra oszt, kettéoszt **2.** elválaszt, szétválaszt, kettéválaszt, különválaszt; **~ one's hair** elválasztja a haját, választékot csinál; **~ company** elválik, elbúcsúzik **B.** *tni* **1.** elválik, szétválik, kettéválik, különválik; **the crowd ~ed** a tömeg szétvált **2. a)** elválik, elbúcsúzik; **~ in anger** haraggal/haragban válnak el; **let's ~ (as) friends** váljunk el mint jóbarátok **b) ~ with sg** megválik vmtől; **he won't ~ with a penny** zsugori **3.** elágazik, szétágazik, kettéágazik; **the road ~ed** az út elágazott
part from *tni* elhagy, otthagy (vkt), vmt, elválik (vktől), vmtől
part off *tni műsz* levág, lemetsz, leszúr
part with *tni* megválik (vmtől), átenged, átad, átruház (vmt), lemond (vmről); *biz* **he hates to ~ with his money** nem szeret fizetni, nem szeret megválni a pénzétől
partake [pɑːˈteɪk ‖ pɑr –] *tni pt* **partook** [– ˈtʊk], *pp* **partaken** [– ˈteɪkn] **1.** részt vesz, osztozik, részesül, része van **2. ~ of sg** vmlyen jellegű, vmnek a tulajdonságaival/jellegével bír; **he ~s equally of the philosopher and of the poet** filozófusi és költői adottsággal egyaránt rendelkezik **3.** *vál [ételt, italt]* fogyaszt, eszik, iszik
parterre [pɑːˈteə ‖ pɑrˈter] *fn* **1.** ‹kert virágokkal beültetett területe› **2.** *US* zártszék, földszinti zsöllye
part exchange I. *fn gazd* csereüzlet *[a régi értékének az új árába való beszámításával]* **II.** *tsi* betud, beszámít
parthenogenesis [ˌpɑːθənoʊˈdʒenɪsɪs ‖ ˈpɑr –] *fn biol* szűznemzés, partenogenezis
partial [ˈpɑːʃl ‖ ˈpɑrʃl] *mn* **1.** részleges, helyenkénti, parciális, részbeni, rész-, részlet- **2. a)** részrehajló, elfogult; **a ~ judge** részrehajló bíró **b)** *biz* **~ to sy/sg** vkt/vmt különösen szeret/kedvel, vk/vm iránt vonzódik
partiality [ˌpɑːʃiˈæləti ‖ ˌpɑr –] *fn* részrehajlás, elfogultság, előszeretet
partially [ˈpɑːʃəli ‖ ˈpɑr –] *hsz* **1.** részben, részlegesen **2.** részrehajlóan, elfogultan
participant [pɑːˈtɪsɪpənt ‖ pɑr –] *mn/fn* résztvevő, részes
participate [pɑːˈtɪsɪpeɪt ‖ pɑr –] *tni* részt vesz; **~ in a discussion** vitában/tárgyaláson részt vesz
participation [pɑːˌtɪsɪˈpeɪʃn ‖ pɑr –] *fn* részvétel, részesség
participle [ˈpɑːtɪsɪpl ‖ ˈpɑr –] *fn nyelv* melléknévi igenév, participium ● *mn* **participial**
particle [ˈpɑːtɪkl ‖ ˈpɑr –] *fn* **1. a)** részecske, szemcse; **a ~ of dust** egy porszem; **there is not a ~ of truth in it** szemernyi igazság sincs benne **b)** *fiz* (elemi) részecske; **~ accelerator** részecskegyorsító **2.** *nyelv* viszonyszó, járulékszó, változatlan szó(elem), partikula
particle physics *fn esz fiz* részecskefizika
particoloured [ˌpɑːtiˈkʌləd ‖ ˌpɑrtiˈkʌlərd], *US* **-colored** *mn* sokszínű, tarka(barka)
particular [pəˈtɪkjʊlə ‖ pərˈtɪkjələr] **I.** *mn* **1.** külön(ös), különleges, saját(ság)os, sajátlagos, egyéni; **a ~ friend of ours** nagyon kedves/bizalmas (v. különösen jó) barátunk; **take ~ care over doing sg** különös/különleges/rendkívüli

gonddal csinál/végez vmt; **have nothing ~ to do** nincs különösebb dolga; **do sg in a ~ way** egy bizonyos módon csinál vmt; **for no ~ reason** minden különösebb ok nélkül; **of no ~ importance** nem különösen/különlegesen fontos; **in ~** különösen, főleg; nevezetesen, mégpedig; speciális, konkrét; **in this ~ case** ebben a konkrét esetben **2. a)** szabatos, pontos, aprólékos; **give a full and ~ account** teljes és részletes beszámolót ad **b)** válogatós, kényes, igényes; **very ~ about one's dress** ruhájára nagyon kényes **II.** *fn* **a)** rész(let), körülmény, saját(os)ság, különösség; **in every ~** minden részletben/pontban; **go/enter into ~s** részletekbe bocsátkozik; **full ~s** összes részletek, részletes adatok **b)** közelebbi adat, részletes felvilágosítás; **~s** (személyi) adatok; **give ~s** részletes jelentést/felvilágosítást ad

particularism [pəˈtɪkjulərɪzm ‖ pərˈtɪkjə–] *fn* **1.** *pol* ‹különállásra (v. egyéni érvényesülésre) való törekvés› partikularizmus **2.** *vall* predesztináció • *fn* **particularist**

particularity [pəˌtɪkjuˈlærəti ‖ pərˌtɪkjə–] *fn* **1.** sajátosság, különösség, különlegesség **2.** pontosság, szabatosság, aprólékosság, körülményesség

particularize [pəˈtɪkjuləraɪz ‖ pərˈtɪkjə–], **-ise A.** *tsi* pontosan megkülönböztet/meghatároz, részletesen leír/felsorol/elsorol **B.** *tni* részletez, közelebbről/pontosan megjelöl/meghatároz/felsorol

particularly [pəˈtɪkjuləli ‖ pərˈtɪkjələrli] *hsz* **1. a)** különösen, főképpen, főleg; **that point was ~ mentioned** ezt a pontot különösen/külön szóvá tették/említették **b)** nagyon, fölöttébb; **~ difficult** nagyon/fölöttébb nehéz **2.** részletesen, részletekbe menően

parting [ˈpɑːtɪŋ ‖ ˈpɑr–] *fn* **1.** elválasztás, szétválasztás, elkülönítés, megosztás **2. a)** elválás, különválás, szétválás, elágazás; **~ of the ways** útelágazás; *átv* válaszút **b)** választék *[hajban]* **3.** eltávozás, elválás, búcsú

partisan [ˌpɑːtɪˈzæn ‖ ˈpɑrtəzən] *fn* **I.** *fn* **1.** vknek/vmnek a híve, vknek/vmnek fenntartás nélküli támogatója **2. a)** *tört* portyázó katona **b)** *kat* partizán **II.** *mn* pártos, elfogult, egyoldalú

partition [pɑːˈtɪʃn ‖ pɑr–] **I.** *fn* **1. a)** elosztás, felosztás, szétosztás, feldarabolás, szétdarabolás, parcellázás, elaprózás **b)** elválasztás, szétválasztás, elkülönítés **2.** válaszfal, rekeszfal **3.** partitúra **II.** *tsi* **a)** feloszt, szétoszt, feldarabol, szétdarabol **b)** fallal elválaszt, elkülönít, kettéoszt; **~ (off) a room** szobát fallal elválaszt/elkülönít/leválaszt • *mn* **partitioned**

partitive [ˈpɑːtɪtɪv ‖ ˈpɑr–] **I.** *mn* **1.** *nyelv* részelő, partitív **2.** rész-, részleges, (meg)osztó, partitív **II.** *fn nyelv* részelő eset, partitívusz

partly [ˈpɑːtli ‖ ˈpɑrtli] *hsz* részben, részlegesen, részint

partner [ˈpɑːtnə ‖ ˈpɑrtnər] **I.** *fn* **a)** társ, partner; **a ~ in crime** bűntárs **b)** *gazd* üzlettárs; *gazd* **senior ~** vezető üzlettárs/cégtárs; **silent ~** csendestárt **c)** társ, partner *[sportban, játékban]* **d)** táncpartner **II.** *tsi* **a)** társul (v. társas viszonyba lép) (vkvel); **~ sy with sy** társként/partnerként összehoz/összetársít vkt vkvel **b)** társa/partnere (vknek)

partnership [ˈpɑːtnəʃɪp ‖ ˈpɑrtnər–] *fn* társulás, közösség, társas/partneri viszony, partnerség; **enter/go into ~ with sy** társul vkvel; **be charged with ~ in the crime** bűnrészességgel vádolják; *pol* **P~ for Peace** partnerség a békéért, békepartnerség

partook [pɑːˈtʊk ‖ pɑr–] → **partake**

partridge [ˈpɑːtrɪdʒ ‖ ˈpɑr–] *fn* **a)** fogoly *[madár]* **b) American ~** amerikai vízityúk

part-time I. *mn* részidős, részmunkaidejű, félállású; **~ job/post** mellékfoglalkozás, másodállás **II.** *hsz* nem teljes munkaidőben *[foglalkoztat]* • *fn* **part-timer**

party [ˈpɑːti ‖ ˈpɑrti] *fn* **1.** *pol* párt; **the Labour P~** az angol Munkáspárt; **join a ~** belép egy pártba **2.** összejövetel, parti, *biz* buli; **he's the life of the ~** ő a társaság lelke; **throw/give a ~** estélyt ad, bulit rendez **3. a)** csoport, gyülekezet, társaság; **a ~ of four** négytagú társaság **b)** különítmény, osztag **c)** csapat, brigád **4.** *jog* (szerződő) fél; **concerned/interested ~** érdekelt fél; **third ~** harmadik (v. kívül álló) személy; **~ to a suit/dispute** fél, ellenfél, peres fél; *gazd* **become a ~ to an agreement** szerződést aláír/köt, szerződés részese lesz **5.** vk, akinek része van vmben, vk, aki szerepet játszik vmben, (bűn)részes, cinkostárs; **be a ~ to sg** érdekelve van, részes vmben; **become a ~ to a crime** bűntárssá/bűnrészessé/cinkossá válik **6.** *US* az illető, a szóbanforgó személy

partygoer *fn* társaságba gyakran/szívesen járó személy

party leader *fn* pártvezér

party line *fn* **1.** *távk* osztott kommunikációs vonal; ikervonal, ikerállomás **2.** *pol* politikai választóvonal *[pártok politikája között]*

party platform *fn* pártprogram, politikai program

party politics *fn esz* pártpolitika

parvenu [ˈpɑːvənjuː ‖ ˈpɑrvənuː] **I.** *mn* parvenü, felkapaszkodott **II.** *fn* parvenü, felkapaszkodott/újgazdag ember

pash [pæʃ] *fn szl* szenvedély; **have a ~ for sy** *[beleszeret vkibe]* bolondul vk után, fülig szerelmes vkbe

pasha [ˈpɑːʃə ‖ ˈpæʃə] *fn tört* pasa, basa

pass [pɑːs ‖ pæs] **I. A.** *tsi* **1. a)** elhalad, elmegy (vk/vm mellett/előtt), (megállás nélkül) továbbmegy (vk/vm előtt), (meg)előz *[járművet, versenyzőt]* **b)** túlhalad (vmt), vmn, túljut (vmn), meghalad, felülmúl (vmt) **2. a)** átmegy, keresztülmegy, áthalad *[területen]*, átkel *[tengeren]*; **cars were unable to ~** az autók nem tudtak haladni/átjutni **b)** nem vesz észre, átsiklik vmn, elszalaszt/elpasszol vmt; **let ~ the occasion** elszalasztja az alkalmat **3.** átmegy, keresztülmegy, túljut *[vizsgán, vizsgálaton stb.]*; **~ an examination** levizsgázik, letesz egy vizsgát, vizsgán átmegy; **~ muster** kiállja a próbát **4.** (be)tesz, (be)csúsztat, (be)dug *[kezét rácsok közé stb.]*, átszúr *[tűt vmn]*, áthúz, elhúz, végighúz *[kezet homlokon]* **5.** átad, továbbad, odaad, passzol; *sp* **~ the ball** leadja/passzolja a labdát; *biz* **~ the buck** áthárítja a felelősséget; **will you ~ the bread please** legyen szíves ideadni a kenyeret, kérem a kenyeret *[asztalnál]* **6. a)** jóváhagy, elfogad, megszavaz; **~ a bill** törvényjavaslatot elfogad **b) ~ a candidate** vizsgázót átenged **7. ~ sentence** ítéletet (meg)hoz/kimond **8.** *orv* ürít *[vizeletet, székletet]*; **~ water/urine** vizel **9.** (el)tölt *[időt]*; **~ the time of day** pár szót vált vkvel, elcseveg vkvel *[kedélyesen]*; **~ the time painting** festéssel tölti az időt, időtöltésül fest **B.** *tni* **1. a)** megy, halad, jár *[kézről kézre]* **b)** arra megy, ott megy el, elhalad, elvonul, elmegy *[menet stb. vhol]* átutazik; **allow sy to ~, let sy ~** utat ad vknek, elenged vkt maga mellett; **let it ~!** hagyjuk! **c)** *US gk* előz; **do not ~** előzni tilos! **2.** vkhez kerül *[öröklés folytán]*; **the house passed to his son** a házat fia örökölte **3. a)** halad, (el)megy, (el)múlik, (el)telik *[idő]* **b)** elhangzik *[kijelentés]*; **the statement passed unchallanged** az elhangzott kijelentésre senkinek sem volt észrevétele, az elhangzott kijelentéssel senki sem szállt vitába **4. a)** elmúlik, eltűnik, megsemmisül, semmivé válik/lesz *[birodalom]*, eloszlik *[felhő]*, elmúlik, elszáll *[harag]*; **custom that is ~ing** kihalóban levő szokás **b)** (el)múlik *[idő]*; **months had passed** hónapok teltek el **5.** tartják, ismerik, hírében áll **6. a)** átmegy *[vizsgázó]* **b)** határozattá emelkedik, határozatba megy *[javaslat]*; **if the bill ~es** ha a törvényjavaslatot megszavazzák/elfogadják **7.** *ját* passzol; *biz* **I think I'll ~** azt hiszem, kihagyom **8.** *jog* kimondatik, elhangzik *[ítélet]* **9.** *orv* kiürül, (el)távozik *[vizelet, széklet]* **II.** *fn* **1. a)** *földr* (hegy)szoros, hágó; **hold the ~** tartja a szorost *[katonaság]*; **sell the ~** elárulja az ügyet **b)** hajózható tengerszoros, szűk kikötőbejárat **2.** *okt* **a)** sikeres vizsga, sikeres letétel *[vizsgáé]* **b)** elégséges (eredmény) *[egyetemi vizsgán]*, *US* közepes, "megfelelt" minősítés; **obtain a ~** átmegy *[vizsgán]*, elégségesre vizsgázik **3. a)** válságos/kritikus helyzet/állapot; **things have come to a pretty ~** szép kis helyzet alakult ki **b)** *vál* **come to ~** megtörténik, megesik, előfordul **4. a)** engedély, igazolvány, *kat* kimaradási engedély; **free ~** szabadjegy *[vasúton, színházban]*; **press ~** újságíró-igazolvány; **sol-**

P

dier on ~ kimenős katona **b)** bérlet; **monthly** ~ havibérlet **5.** *sp* leadás, passz(olás) **6.** *US biz* **make ~es at a woman** nővel kikezd

pass away *tni vál* **1.** elhuny, meghal; **he ~ed away** elhunyt **2.** eltűnik, semmivé válik/lesz, megsemmisül *[birodalom]*

pass by A. a) *tsi* elhanyagol, mellőz, nem vesz észre/figyelembe (vmt) **b)** szemet huny (vm felett), elnéz *[bűnt]*, elmegy vm mellett **B.** *tni* **a)** arra megy, ott megy/halad el (vhol), elhalad, elmegy **b)** ~ **by sy's window** elmegy vknek az ablaka alatt/előtt

pass down *tsi* ~ **sg down to sy** vkre hagy vmt, vknek továbbad vmt *[örökséget, hagyományt]*

pass for *tni* **he would ~ for a Frenchman** akár francia is lehetne, franciának is elmenne v. kiadhatná magát

pass in *tni* felvételt nyer

pass into *tni* belekerül, részévé válik vmnek; ~ **into legend** legendává válik

pass off A. *tsi* **1.** ~ **sg off on sy** rásóz vmt vkre; ~ **off a bad coin** elsóz/elsüt egy hamis pénzdarabot **2.** ~ **oneself off as/for an artist** művésznek adja ki magát **3.** ~ **sg off as a joke** tréfának vesz vmt/tréfával üt el vmt; figyelemre sem méltat **B.** *tni* **1.** (meg)szűnik, eltűnik; **the pain is ~ing off** szűnik/múlik a fájdalom, a fájdalom szűnő(fél)ben/múlóban/múlófélben van **2.** lezajlik, lebonyolódik, végbemegy *[esemény]*; **everything ~ed off well** minden jól ment

pass on A. *tsi* továbbad, továbbít, kézről kézre ad; ~ **sg on to later generations** későbbi generációkra hagy vmt **B.** *tni* **1.** továbbhalad, továbbmegy; ~ **on to a new item** új tárgypontra tér át **2.** meghal, elhalálozik

pass out A. *tsi* szétoszt, kioszt **B.** *tni* **1.** végleg elhagyja az iskolát, iskolából kikerül, végez **2. a)** elájul, eszméletét veszti **b)** *biz* meghal

pass over A. *tsi* ~ **sy over** átugrik, keresztülugrik vkt *[előléptetésnél]*; kihagy *[előléptetésből]* **B.** *tni* elhagy, kihagy, mellőz (vmt), átugrik (vmn), átsiklik vm felett, nem méltat figyelemre; ~ **over sg in silence** vmt agyonhallgat; ~ **over the details!** mellőzze a részleteket!

pass round A. *tsi* körbead **B.** *tni* **1.** körbemegy vm körül, megkerül *[akadályt]* **2.** körben jár *[palack]*

pass through *tni* **a)** átmegy, keresztülmegy (vmn), átutazik; **traveller ~ing through Paris** Párizson áthaladó/átutazó utas **b)** ~ **through heavy trials** nagy megpróbáltatásokon megy keresztül

pass up *tsi* **1.** felad (vmt) **2.** *US biz* elmulaszt, elszalaszt *[lehetőséget]*, kihagy *[ziccert]*, elutasít, visszautasít *[felajánlott dolgot]*, lemond (vmről), nem vesz igénybe (vmt), nem tart igényt (vmre), nem hajlandó foglalkozni (vmvel)

passable [ˈpɑːsəbl ‖ ˈpæ–] *mn* **1.** tűrhető, elég jó, elfogadható **2.** keresztezhető, járható *[út]*

passably [ˈpɑːsəbli ‖ ˈpæ–] *hsz* meglehetősen, tűrhetően

passage [ˈpæsɪdʒ] *fn* **1.** átkelés, átvonulás, átjárás, tranzit; *jog* **right of** ~ szolgalmi jog; ~ **of birds** madarak költözése **2. a)** folyosó, átjáró, nyílás; **the North-West** ~ az északnyugati átjáró **b)** vezeték, cső *[emberi testben, gépben]* **3.** szakasz, részlet, hely, passzus *[irodalmi/zenei műben]*; **selected ~s** szemelvények **4.** *pol* ~ **of a bill** törvényjavaslat megszavazása/elfogadása **5.** utazás, átkelés, (hajó)út, repülőút

passageway *fn* **a)** átjáró **b)** *US* folyosó, hall

passé [ˈpɑseɪ] *mn francia* ódivatú, már nem divatos

passenger [ˈpæsɪndʒə ‖ –ər] *fn* **1.** utas **2.** lazsáló ember, kerékkötő *[munkabrigádban, sportcsapatban]*

passenger cabin *fn* utasfülke

passenger car *fn* (vasúti) személykocsi, személyvagon

passenger compartment *fn* **1.** vasúti fülke **2.** utastér *[gépjárműben]*

passenger list *fn* utaslista, utasnévsor *[repülőgépen]*

passenger plane *fn [menetrendszerű]* utasszállító repülőgép

passenger seat *fn gk* vezető melletti utasülés, anyósülés

passepartout [ˌpæspɑːˈtuː ‖ –pɑrˈtuː] *fn* **1.** papírkeret, képkeret, paszpartu **2.** tolvajkulcs, álkulcs

passer-by [ˌpɑːsəˈbaɪ ‖ ˌpæsər–] *fn tsz* **passers-by** járókelő, arrajáró

passim [ˈpæsɪm] *hsz* itt-ott, elszórtan, még más helyeken is *[előforduló utalás]*

passing [ˈpɑːsɪŋ ‖ ˈpæ–] **I.** *mn* **a)** múló *[szeszély]*, mulandó, futó **b)** felületes, futó, odavetett *[megjegyzés]*; **in** ~ felületesen **II.** *fn* **a)** elhaladás, áthaladás **b)** *közl* (meg)előzés; **no** ~ előzni tilos

passion [ˈpæʃn] *fn* **1. a)** szenvedély; **have a** ~ **for gardening** szenvedélyes kertész **b)** *[szenvedélyes]* szerelem, szerelmi hév/hevület **2.** düh(kitörés), indulat; **fit of** ~ dühroham, indulatkitörés; **fly into a** ~ indulatba jön, dühbe gurul **3.** *vall* **P**~ passió, Jézus kínszenvedése

passionate [ˈpæʃnət] *mn* **a)** szenvedélyes, heves; ~ **hatred** szenvedélyes/izzó gyűlölet; ~ **love** szenvedélyes forró/tüzes/lángoló szerelem **b)** indulatos, heves *[ember, természet]* • *hsz* **passionately**

passion flower *fn növ* golgotavirág

passion fruit *fn növ* ‹a golgotavirág gyümölcse›

passionless [ˈpæʃnləs] *mn* szenv(edély)telen, hűvös

passion play *fn szính* passiójáték

Passion Week *fn vall* nagyhét

passive [ˈpæsɪv] **I.** *mn* **1.** tétlen, passzív; ~ **resistance** passzív rezisztencia; ~ **smoking** passzív dohányzás **2. a)** *nyelv* szenvedő, passzív; ~ **voice** szenvedő alak **b)** ~ **vocabulary** passzív szókincs **3.** *gazd* ~ **debts** passzíva, teher, tartozás, adósság **II.** *fn nyelv* szenvedő alak

passivity [pæˈsɪvəti] *fn* tétlenség, passzivitás

passkey *fn* **a)** tolvajkulcs, álkulcs **b)** saját kapukulcs/lakáskulcs

Passover [ˈpɑːsoʊvə ‖ ˈpæsoʊvər] *fn vall* zsidó húsvét

passport [ˈpɑːspɔːt ‖ ˈpæspɔrt] *fn* útlevél

password *fn* jelszó

past[1] [pɑːst ‖ pæst] **I.** *mn* **a)** (el)múlt, régi; **in times** ~ régente, azelőtt, hajdanában, valamikor régen, a régi időkben; **for some time** ~ (már) egy ideje, egy idő óta; ~ **illnesses** régebbi/korábbi betegségek; ~ **week** (a) múlt héten **b)** múltbéli, régebbi **c)** *nyelv* múlt; ~ **participle** múlt idejű melléknévi igenév; ~ **tense** múlt idő **II.** *fn* **a)** múlt; **town with a** ~ történelmi múltú város; **it is a thing of the** ~ az már a múlté; nincs többé; már elavult **b)** *nyelv* múlt (idő)

past[2] [pɑːst ‖ pæst] **I.** *elölj* **1.** el (vm) mellett, (vmn) túl; **walk** ~ **sy** elmegy vk mellett **2.** után, túl *[időben]*; **it is** ~ **five (o'clock)** öt óra (el)múlt; **five (minutes)** ~ **six** öt perccel múlt hat; **a quarter** ~ **five** negyed had **3.** ~ **(all) danger** túl van a veszélyen; **be** ~ **help** nem lehet rajta segíteni; ~ **due** már régen esedékes; ~ **praying for** reménytelen, már semmi nem segíthet rajta; **it is** ~ **all understanding** ez teljesen érthetetlen, ezt nem lehet ésszel felfogni; *biz* **it is** ~ **me** ez nekem magas; **be** ~ **one's work** már túl öreg a munkához; *biz* **I wouldn't put it** ~ **him** kitelik tőle, képes rá **II.** *hsz* **to march** ~ elvonul, arra/előtte vonul/megy el

pasta [ˈpæstə ‖ ˈpɑ–] *fn [száraz/főtt]* tészta

paste [peɪst] **I.** *fn* **1. a)** tésztamassza **b)** (gyúrt) tészta; **Italian** ~ makaróni, spagetti *[száraztészta]* **2. a)** paszta, kenőcs, pép; **dental** ~ fogpaszta, fogkrém **b)** *gaszt* krém, pástétom **3.** csiriz; **starch** ~ keményítőpép **4.** gyémántutánzat, strassz; *biz* **made of** ~ értéktelen **5.** gyúrt agyag *[cserepesé]* **II.** *tsi* **1.** (fel)ragaszt, ráragaszt **2.** *szl [megpofoz vkit]* leken egyet (vknek) • *mn* **pasty**

pasteboard [ˈpeɪstbɔːd ‖ –bɔrd] *fn* karton, papírmasé

pastel [ˈpæstl ‖ pæˈstel] **I.** *mn* pasztell; ~ **shades** tompa/pasztell (szín)árnyalatok **II.** *fn műv* **1.** pasztell(kréta) **2.** pasztellfestés **3.** pasztellkép • *fn* **pastellist**, **pastelist**

pasteurize [ˈpɑːstʃəraɪz ‖ ˈpæs–], **-ise** *tsi* pasztőröz *[tejet]* • *fn* **pasteurization**, **pasteurizer**

pastiche [pæˈstiːʃ] *fn* **1.** *zene* pasticcio, egyveleg **2.** utánzat *[művészé, stílusé, koré]*

P

pastille ['pæstl || pæ'sti:l] *fn* **a)** pasztilla, pirula **b)** illatosító/füstölő pasztilla
pastime ['pɑ:staɪm || 'pæs –] *fn* időtöltés, szórakozás, mulatság
pasting ['peɪstɪŋ] *fn* **1.** (fel)ragasztás **2.** *szl [verés]* ruha *biz*; **give sy a ~** jól elver vkt
past master *fn biz* nagymester, szakértő; **~ in deceit** nagymestere az áltatásnak
pastor ['pɑ:stə || 'pæstər] *fn* lelkész, lelkipásztor
pastoral ['pɑ:strəl || 'pæs –] **I.** *mn* **a)** pásztori, pásztor-; **~ land** legelő; **~ poetry** pásztorköltészet **b)** *vall* **~ letter** pásztorlevél **c)** lelkipásztori; **~ care** lelkigondozás **II.** *fn* **a)** pásztorköltemény, pasztorál **b)** *műv* pásztorjelenet **c)** *szính* pásztorjáték
pastorale [ˌpæstə'rɑ:l, – 'rɑ:li] *fn* **a)** *zene* pásztorének, pasztorál **b)** *szính* pásztorjáték, pasztorál
pastry ['peɪstri] *fn* (sült) tészta
pastry-cook *fn* cukrász
pasturage ['pɑ:stʃərɪdʒ || 'pæs –] *fn* **1. a)** legeltetés **b)** *jog* legeltetési jog **2.** legelő
pasture ['pɑ:stʃə || 'pæstʃər] **I.** *fn* legelő; **common ~** szabad legelő **II. A.** *tsi* legeltet *[rétet pásztor]* **B.** *tni* legel(észik)
pasture-ground *fn* legelő
pasture-land *fn* rét, legelő
pasty ['pæsti] *fn* húspástétom
pasty-faced ['peɪsti feɪst] *mn* sápadt, beteges *[arcú]*
Pat [pæt] *tul* ‹*Patrick* ír férfinév, ill. *Patricia* női név becéző alakja›
pat. *röv patent(ed)*
pat[1] [pæt] **I.** *fn* **1.** veregetés, ütögetés *[keveskedésként]*, gyengéd/gyenge ütés, rálegyintés, lapogatás; *biz* **give sy a ~ on the back** kedvesen hátba ver vkt, *átv* bátorít **2.** halk lépés (nesze) **3.** tömb *[vajból]* **4.** falapát **II.** *tsi* **-tt-** (meg)vereget, (meg)ütöget *[vk hátát]*, simogat; **~ sy on the back** vkt vállon vereget, vkt hátba ütöget *[kedveskedve, bátorítva]*; **~ sg dry** szárazra nyomogat, kinyomkodja belőle a nedvességet
pat[2] [pæt] **I.** *mn* kellő időben/alkalommal jött/jövő; **~ answer** talpraesett válasz; hirtelen válasz **II. a)** *hsz* kellő/alkalmas pillanatban, épp jókor, kapóra; **stand ~** *US* nem mozdul; nem tágít; állhatatosan megmarad vm mellett; → **stand-pat b)** azonnal, rögvest; **answer sy ~** visszavág vknek, azonnal/kapásból válaszol vknek; **know sg off ~** pontosan/kívülről tud vmt
patch [pætʃ] **I.** *fn* **1. a)** folt; **put a ~ on sg** foltot tesz vmre, megfoltoz vmt **b)** *biz* **not to be a ~ on sy/sg** közel sem jár vkhez/vmhez, meg sem közelít vkt/vmt, nyomába sem léphet vknek/vmnek **2.** (fekete) szemkendő **3. a)** folt, darabka; **~ of blue sky** egy tenyérnyi/darabka kék ég; **in patches** foltokban **b)** kis föld(darab), parcella; **potato ~** kis burgonyaföld **4.** *biz* **strike a bad ~** rájár a rúd, pechszériája van, rossz passzban van **5.** *infor* programtoldás/-foltozás **II.** *tsi* **1. a) ~ (sg up)** (meg)foltoz; foltot tesz (vmre) **b) rocks ~ed with moss** mohalepte sziklák **2. a)** összerak, összeállít, összeilleszt, összeeszkábál *[darabokból]*; **~ the fragments of sg together** összerakja vmnek a töredékeit/darabjait **b) ~ up** összetákol, összecsap, összeüt, úgy-ahogy megcsinál *[munkát]*; úgy-ahogy kijavít; elsimít *[verekedést]* **3.** körzet *[rendőré]*
patchouli [pə'tʃu:li || 'pætʃəli] *fn* **1.** *növ* pacsuli **2.** pacsuli *[mint illatszer]*
patchwork *fn* **a)** ‹különböző (színű) szövetdarabokból összeállított terítő/takaró› foltvarrás **b)** *átv* szedett-vedett mű/munka, tákolmány, fércmunka
patchy ['pætʃi] *mn* **a)** foltos, egyenlőtlen *[festék]* **b)** *átv* egyenetlen, nem egységes *[mű]* **c)** foltozott **d)** foltokban előforduló *[köd]*
pate [peɪt] *fn régi tréf* fej, koponya, kobak
patella [pə'telə] *fn tsz* **patellae** [– li:] *orv* térdkalács
patent ['peɪtnt || 'pæ –] **I.** *mn* **1.** nyilvánvaló *[hazugság]*, kétségtelen *[tény]*, evidens **2. a)** szabadalmazott **b)** *biz* újszerű, különleges; **~ food** ételkülönlegesség; **~ fuel** különleges tüzelőanyag; **~ leather** lakkbőr; *biz* **have a ~ way of doing sg** sajátságosan (v. eredeti módon) csinál vmt **3.** *jog* **letters ~** pátens, kiváltságlevél *[uralkodótól]*; szabadalmi okirat, szabadalomlevél **II.** *fn* **1.** *jog* szabadalom, patent; **take out a ~ for sg** szabadalmaztat vmt; **~ pending** szabadalmaztatás alatt **2. a)** szabadalmazott találmány/gyártmány **b)** újszerű/ötletes/ügyes szerkezet, újszerű/ötletes eljárás **3. a)** pátens, kiváltságlevél **b)** *régi* kiváltság **III.** *tsi* szabadalmaztat *[találmányt]* • *mn* **patentable**, **patented**
patentee [ˌpeɪtn'ti: || ˌpæ –] *fn jog* szabadalom tulajdonosa, szabadalmas
patent office *fn* szabadalmi hivatal
paterfamilias [ˌpeɪtəfə'mɪliæs || – tər –] *fn tréf* családapa, családfő
paternal [pə'tɜ:nl || – 'tɜr –] *mn* apai, atyai; **~ grandfather** apai nagyapa
paternalism [pə'tɜ:nəlɪzm || – 'tɜr –] *fn* **a)** gyámkodási rendszer **b)** *pej* atyáskodás
paternalistic [pəˌtɜ:nə'lɪstɪk] *mn* lekezelő
paternally [pə'tɜ:nəli || – 'tɜr –] *hsz* atyaian, atyai módon
paternity [pə'tɜ:nəti || – 'tɜrnəti] *fn* **1.** apaság **2.** származás, eredet; **of doubtful ~** kétes/gyanús eredetű
paternoster [ˌpætə'nɒstə || ˌpɑ:tər'nɑstər] *fn* **1.** miatyánk **2.** páternoszter *[felvonó]*
path [pɑ:θ || pæθ] *fn* **1. a)** ösvény, gyalogút; **beaten ~** járt/kitaposott út; **be in sy's ~** útjában van vknek **b)** járda, gyalogjáró, kerékpárút *[úttest szélén]* **2.** pálya, út(vonal) *[mozgó tárgyé]*; **flight ~** repülési útvonal; **the ~ of the moon** a hold pályája; *átv* **the ~ to success** út a sikerhez
pathetic [pə'θetɪk] *mn* **a)** szánalmas, megrendítő, szívszaggató, szívfacsaró; **~ fallacy** ‹emberi érzelmek tulajdonítása érzéketlen tárgyaknak› **b)** *pej* szánalmas, nevetséges; **a ~ excuse** nevetséges kifogás
pathfinder *fn* **1.** úttörő **2.** repülőalakzatot vezető/felderítő repülőgép
pathogen ['pæθədʒən] *fn orv* kórokozó
pathogenesis [ˌpæθə'dʒenɪsɪs] *fn orv* kórfejlődés, patogenezis
pathological [ˌpæθə'lɒdʒɪkl || – 'lɑ –] *mn orv* kóros, beteges, patológiás, patologikus; **~ anatomy** kórbonctan; **~ findings** kórlelet; **~ lying** beteges hazudozás
pathology [pə'θɒlədʒi || – 'θɑ –] *fn orv* kórtan, patológia; **veterinary ~** állatkórtan • *fn* **pathologist**
pathos ['peɪθɒs || – θɑs] *fn* szánalom, szomorúság, pátosz
pathway *fn* **1.** ösvény, kis út **2.** járda, gyalogjáró
patience ['peɪʃns] *fn* **1.** türelem, béketűrés; **exercise ~** tűr; **have ~!** türelem!; **have ~ with sy** türelmes vkvel szemben; **have no ~ with sy** nem bír vkt, vk az idegeire megy; **lose ~, get out of ~ with sy** elveszti türelmét; **try/tax sy's ~** próbára teszi vknek a türelmét **2.** *ját* passziánsz **3.** kitartás, állhatatosság
patient ['peɪʃnt] **I.** *mn* türelmes, béketűrő **II.** *fn* páciens, beteg
patina ['pætɪnə || pə'ti:nə] *fn tsz* **patinae** [– ni:] patina • *mn* **patinated**
patio ['pætiou] *fn* **a)** kis zárt belső udvar, átrium **b)** zárt földszinti terasz
patriarch ['peɪtriɑ:k || – ɑrk] *fn* **a)** *vall* pátriárka **b)** családfő, nemzetségfő **c)** ‹köztiszteletnek örvendő öreg férfi›
patriarchal [ˌpeɪtri'ɑ:kl || – 'ɑrkl] *mn* patriarkális, apajogú *[társadalom]*
patriarchate ['peɪtriɑ:kət || – ɑr –] *fn* **1.** *vall* patriarchátus, pátriárkaság **2.** patriarchátus, apajogúság
patriarchy ['peɪtriɑ:ki || – ɑr –] → **patriarchate**
patrician [pə'trɪʃn] *tört* **I.** *mn* patrícius, nemes, előkelő **II.** *fn* patrícius, nemes
patricide ['pætrɪsaɪd] *fn* **1.** apagyilkos **2.** apagyilkosság

Patrick ['pætrɪk] *tul* ‹ír férfinév›
patrilineal [ˌpætrɪ'lɪnɪəl] *mn* apai ági
patrimony ['pætrɪməni ‖ –moʊni] *fn* **1.** *átv* (szülői) örökség **2.** egyházi vagyon/jövedelem • *mn* **patrimonial**
patriot ['pætrɪət ‖ 'peɪ–] *fn* hazafi • *mn* **patriotic**
patriotism ['pætrɪətɪzm ‖ 'peɪ–] *fn* hazafi(as)ság, hazaszeretet
patrol [pə'troʊl] **I.** *fn* **a)** őrjárat; **go on ~** őrjáratba megy **b)** járőr **II. -ll- A.** *tsi* bejár *[útvonalat stb. járőr]* **B.** *tni* őrjáraton van, cirkál
patrol car *fn* járőrkocsi *[rendőrségi]*
patrolman [pə'troʊlmən] *fn tsz* **-men 1.** *US* járőr **2.** *biz* (országúti) segélyszolgálati kocsi szerelője, sárga angyal
patrol wagon *fn US* rabszállító kocsi/autó, rabomobil
patron ['peɪtrən] *fn* **1.** védnök, pártfogó, patrónus *[művészeté, jótékonysági akcióé stb.]*; **~ saint** véd(ő)szent **2.** állandó vevő, kuncsaft
patronage ['pætrənɪdʒ ‖ 'peɪ–] *fn* **1.** pártfogás, pártolás *[művészeteké]*, védnökség, patronázs **2. a)** állandó vevőkör *[üzleté]* **b)** állandó/rendszeres vásárlás *[üzletben]*
patronize ['pætrənaɪz ‖ 'peɪ–], **-ise** *tsi* **1.** leereszkedően bánik (vkvel), lekezel **2.** rendszeresen vásárol *[ugyanabban az üzletben]*, rendszeresen jár **3.** pártfogol, támogat
patronizing ['pætrənaɪzɪŋ ‖ 'peɪ–], **-ising** *mn* lekezelő, leereszkedő *[modor]*
patsy ['pætsi] *fn biz* balek, pali
patter[1] ['pætə ‖ –ər] **I.** *fn* **1. a)** halandzsa, hadarás *[bűvészé]* **b)** *biz* fecsegés, duma **2.** pergő szövegű dúdolt rész *[dalban]* **II. A.** *tsi* elhadar, ledarál *[imát stb.]* **B.** *tni* fecseg, locsog, dumál
patter[2] ['pætə ‖ –ər] **I.** *fn* (halk) kopogás *[futó lábaké]*, kopogás, dobolás *[záporé ablakon]* **II.** *tni* kopog *[cipő]*, dobol *[zápor]*; **~ about** tipeg-topog, összevissza járkál/lépeget
pattern ['pætn ‖ 'pætərn] **I.** *fn* **1. a)** minta; **take ~ by sy** példaképül vesz vkt; **set a ~** példát mutat; példával elöl jár **b)** minta sablon, séma; **run to ~** a szokásos/megszokott módon folyik le, sablonosan/sablonra megy; *gazd* **~ of import-export trade** import-export szerkezete **c)** kialakult/törvényszerű/hagyományos rendszer/viselkedésforma **d)** szabásminta **2.** minta, mintázat, motívum, rajz *[díszítésé kelmén stb.]* **3.** *átv* rendszer, módszer, rend, mód **II.** *tsi* **~ sg after/upon sg** vmt vmről mintáz, vmt vmnek a mintájára készít el
paucity ['pɔːsəti] *fn* csekélység, vmnek kicsiny/csekély száma/mennyisége; **~ of money** pénzszűke
Paul [pɔːl] *tul* Pál
Paula ['pɔːlə] *tul* Paula
Pauline ['pɔːliːn ‖ pɔː'liːn] *tul* Paula
paunch [pɔːntʃ] *fn* pocak, has
paunchy ['pɔːntʃi] *mn* pocakos, hasas
pauper ['pɔːpə ‖ –ər] *fn* szegény, koldus, földönfutó
pauperdom ['pɔːpədəm ‖ –pər–] *fn* szegénység, nyomor, ínség
pauperism ['pɔːpərɪzm ‖ –pər–] *fn* **1.** tömegnyomor, általános szegénység/ínség, pauperizmus **2.** → **pauperdom**
pauperize ['pɔːpəraɪz], **-ise** *tsi* elszegényít, szegénysorba juttat • *fn* **pauperization**
pause [pɔːz] **I.** *fn* **1. a)** szünet(elés), megállás *[beszédben, munkában]*; **make a ~** szünetet tart, megáll *[beszédben stb.]* **b)** pauza, cezúra *[versben]* **c) give ~ to sy** megállít vkt, habozásra késztet vkt **2.** *zene* fermáta, korona **II.** *tni* **1. a)** szünetet tart, megáll, megpihen, vár (egy kicsit) *[beszéd stb. közben]*, szünetel *[zene]*, félbemarad **b)** habozik, tűnődik **2. ~ upon sg** időzik vmnél; elgondolkozik/elmereng vmn
pause dots *fn tsz nyomd* ‹a gondolat megszakítása pontjelzéssel› *[pont pont pont]*
pauseless ['pɔːzləs] *mn* szünet/megszakítás nélküli
pave [peɪv] *tsi* (ki)kövez, burkol, kirak *[kővel]*; **~ the way for sg** útját egyengeti vmnek • *mn* **paved**
pavement ['peɪvmənt] *fn* **a)** járda, gyalogjáró **b)** kövezet, (út)burkolat **c)** *US* kocsiút, úttest
pavement artist *fn* aszfaltrajzoló, járdára képet festő művész
pavilion [pə'vɪlɪən] *fn* **a)** pavilon, kerti ház **b)** sportklubház **c)** *épít* tornyos kiugró/épületrész; **~ roof** pavilontető **d)** nagy (csúcsos) sátor
paving ['peɪvɪŋ] *fn* **1.** kövezés, (út)burkolás **2.** kövezet, (út)burkolat
paw [pɔː] **I.** *fn* **a)** mancs, láb *[állaté]* **b)** *biz* mancs, pracli **II.** *tsi* **1. a)** mancsával/lábával megfog *[állat]*, mancsát/lábát ráteszi (vmre) **b) ~ the ground** a földet kaparja *[ló]* **2. a)** *biz* összefogdos **b)** *szl* taperol *[nőt]*
pawky ['pɔːki] *mn* száraz humorú, fahumorú
pawl [pɔːl] *fn műsz* (záró)pecek, rögzítőkampó/horog, (megakasztó) kilincs
pawn[1] [pɔːn] **I.** *tsi* **1.** elzálogosít, zálogba tesz/ad **2. ~ one's honour/word** eljátssza a becsületét **II.** *fn* zálog; **put sg in ~** vmt zálogba tesz, vmt elzálogosít
pawn[2] [pɔːn] *fn* **1.** gyalog *[sakkban]* **2.** *biz* **be sy's ~** eszköze/játékszere vknek
pawnable ['pɔːnəbl] *mn* elzálogosítható, zálogba tehető
pawnbroker *fn* zálogkölcsönző • *fn* **pawnbroking**
pawn office *fn* → **pawnshop**
pawnshop zálogház
pawn ticket *fn* zálogcédula, zálogjegy
pay [peɪ] *pt/pp* **paid** [peɪd] **I. A.** *tsi* **1.** fizet, kifizet, megfizet, lefizet; **~ a bill** számlát kifizet/kiegyenlít; **~ the devil** szörnyű árat fizet; **~ the penalty** megbűnhődik; **~ the piper** vállalja a költségeket; **~ cash** készpénzzel/készpénzben fizet; *biz* **what's to ~?** m(enny)it kell fizetni?, m(enny)it fizetek?, m(enny)ibe kerül?; **I ~ my way** fizetem a magam költségeit; **to be paid in three instalments** három részletben fizetendő; *biz* **put paid to sg** megállít, romba dönt; leszámol vkvel **2. ~ sy a visit** meglátogat vkt, látogatást tesz vknél; **~ attention to sy/sg** odafigyel vmre/vkre; **~ sy a compliment** bókol vknek, szépeket mond **B.** *tni* **1.** fizet **2.** kifizetődik, jövedelmez; **it doesn't ~** nem érdemes, nem fizetődik ki **II.** *fn* fizetség, fizetés, bér, *kat* zsold; **in sy's ~** vknek a szolgálatában; *pej* vknek a zsoldjában
pay back *tsi* visszafizet, megfizet, megad *[kölcsönt]*; **~ sy back** megadja vknek a tartozását; *átv biz* **~ sy back** visszaadja a kölcsönt vknek, bosszút áll, megfizet vknek
pay for *tni* **1. a) ~ for sg** fizet vmért, megfizet/kifizet vmt; **~ sy for sg** fizet vknek vmért, vknek vmt kifizet; **~ sy for his trouble(s)** megfizeti vknek a fáradozásait **b)** lakol/bűnhődik/megfizet vmért; *biz* **~ dear(ly) for one's happiness** nagy árat fizet a boldogságért; *biz* **~ for one's folly** megadja ostobaságának az árát **2. ~ for sy** fizet vknek *[ebédet stb.]*; befizet vknek (v. vki helyett)
pay in A. *tsi* befizet *[pénzt]*; **~ in a cheque** saját bankszámlán jóváírat kapott csekket **B.** *tni* **~ in to a fund** pénzalapba befizet
pay off A. *tsi* **a)** kifizet, kiegyenlít *[számlát, tartozást]* **b)** kifizet, kielégít *[hitelezőt]*; **~ off one's debts** kifizeti minden tarozását **c)** kifizet és elbocsát *[alkalmazottat]* **d)** lefizet, megveszteget **B.** *tni* kifizetődik, beválik, helyesnek bizonyul
pay out *tsi* **1.** kifizet *[összeget]* **2.** *hajó* kienged, ráenged *[vezetőkötelet]*
pay up *tsi* **~ up one's debts** adósságait megfizeti/kifizeti (teljes összegükben); **~ up!** fizessen!
payable ['peɪəbl] *mn* **I. a)** kifizetendő, esedékes *[összeg]*, lejárt *[váltó]*; *pénz* **~ to bearer** bemutatóra szóló **b)** (ki)fizethető **II.** *tsz fn* **payables** tartozások, adósságok, kötelezettségek
paycheck *fn US* fizetési utalvány/csekk
payday *fn* (bér)fizetési nap, *kat* zsoldfizetés (napja), zsoldnap
pay dirt *fn bány* aranytartalmú lerakódás/föveny/kőzet
PAYE [ˌpeɪɪwaɪ'iː] *röv pay-as-you-earn*

payee [ˌpeɪˈiː] *fn* **a)** rendelvényes *[váltóé, csekké]* **b)** bemutató *[csekké]*
payer [ˈpeɪə ‖ –ər] *fn* **1.** fizető, aki fizet; **he is a good ~** jó vendég/kuncsaft; jól fizet **2.** *pénz* intézvényezett
payload *fn* **1.** hasznos teher/súly *[szállítóeszközé]*, *rep* díjköteles rakomány **2.** *kat* robbanófej
paymaster *fn* **1.** *gazd* kifizető pénztáros **2.** *kat* számvivő/fizető tiszt
Paymaster General *fn GB* állami kifizetőhivatal főnöke
payment [ˈpeɪmənt] *fn* **1.** (ki)fizetés; **cash ~** készpénzfizetés; **down ~** előleg, foglaló; **means of ~** fizetési eszköz, fizetőeszköz; **in ~ for sg** kiegyenlítésére; fizetésképpen vmért; **~ in full** teljes kiegyenlítés *[számláé]*; **~ in kind** természetbeni fizetés/juttatás; **subject to ~** fizetés terhe mellett; **European P~ Union** Európai Fizetési Unió **2.** fizetés, fizetség, bér
payoff *fn* **1. a)** *átv* (le)törlesztés, megtérítés *[adósságé]* **b)** lefizetés, megvesztegetés **2.** *pej* jutalom, nyereség **3.** *vál* vég(kifejlet)
payola [peɪˈoʊlə] *fn* **1.** *US szl [megvesztegetés]* kenés **2.** *US szl* kenőpénz
pay packet *fn* bérfizetési boríték
payphone *fn* nyilvános (pénzbedobós/érmés) telefon
pay-raise *fn* fizetésemelés
payroll *fn* **a)** bérlista, fizetési jegyzék, *kat* zsoldfizetési jegyzék; *US* **~ clerk** bérelszámoló; **be on sy's ~** vk alkalmazásában van, vk fizeti **b)** bérek; bérfizetés
payslip *fn* egyéni elszámolási lap
pay station *fn US* nyilvános telefon(állomás)
PBX *röv fn infor private branch exchange* házi alközpont, PBX
pc, p.c. *röv piece*
PC *röv* **1.** *fn infor personal computer* személyi számítógép, PC **2.** *politically correct* **3.** *Privy Council(lor)* **4.** *Post Commander*
PD *röv US police department*
PDP *röv fn infor plasma display panel* plazmás megjelenítőlap
PE *röv physical education*
pea [piː] *fn* borsó; **Egyptian ~** csicseriborsó; **they are as like as two ~s** úgy hasonlítanak egymáshoz, mint két tojás
peace [piːs] *fn* **1.** béke; **in time of ~** békeidőben; **make ~ with sy** kibékül vkvel, békét köt; **be at ~ with sy** békés viszonyban él vkvel **2.** békeszerződés, béke(kötés); **treaty of ~** békeszerződés; békeegyezmény **3. a)** béke, rend, nyugalom; **justice of the ~** békebíró; **disturb the ~** megzavarja a közrendet **b)** béke(sség), nyugalom *[egyes emberé]*; **~ of mind** lelki nyugalom/egyensúly; **hold one's ~** békén/csöndben/nyugton marad, hallgat; **give sy no ~** nem hagy nyugton vkt; **leave sy in ~** békén/nyugton hagy vkt
peaceable [piːsəbl] *mn* **1.** békeszerető **2.** békés, nyugodt
peaceful [ˈpiːsfl] *mn* **1.** békés, csendes, nyugodt, nyugodalmas **2.** békés (szándékú); **~ demonstration** békés tüntetés/felvonulás • *hsz* **peacefully**
peacekeeper *fn pol* békefenntartó
peaceless [ˈpiːsləs] *mn* nyugtalan, zaklatott, háborgó *[kedély]*
peacemaker *fn* békéltető, (ki)békítő
peace march *fn* békemenet
peace offering *fn* **1.** *vall* engesztelő áldozat **2.** *biz* engesztelő ajándék
peace pipe *fn* békepipa
peacetime *fn* béke(idő)
peace treaty *fn* békeszerződés
peach [piːtʃ] *fn* **1. a)** őszibarack **b)** őszibarack(fa) **2.** barackvirágszín, barackrózsaszín **3.** *szl* **a)** *[helyes nő]* édes pofa, cuki/klassz kis nő, üde fiatal lány; **you are a ~** aranyos/édes vagy **b)** *szl [jó]* remek/klassz dolog; **a ~ of a car** tündéri kocsi/autó
peach melba *fn gaszt* pêche melba
peach tree *fn* őszibarackfa
peachy [ˈpiːtʃi] *mn* hamvas; őszibarackszínű
peacoat *US* → **pea jacket**
peacock [ˈpiːkɒk ‖ –kɑk] *fn* **a)** páva **b)** pávakakas; **proud as a ~** büszke
peacock blue *mn/fn* pávakék
peagreen *mn/fn* borsózöld
peahen [ˈpiːhen] *fn* pávatyúk, pávajérce
pea jacket *fn hajó* ‹vastag, sötétkék, kétsoros tengerész gyapjúkabát›
peak [piːk] **I.** *fn* **1. a)** csúcs, orom *[hegyé, háztetőé stb.]* **b)** hegycsúcs **2.** tetőpont, csúcspont, csúcs(forgalom) *[közlekedésben stb.]*, *mat* csúcsérték, maximum; **the ~ of his career** pályájának csúcspontja/delelője; **be at the ~ of one's health** makkegészséges **3.** ellenző *[sapkán]* **II.** *tni* tetőzik, csúcspontot/csúcsértéket elér *[terhelés, forgalom stb.]*
peak hours *fn tsz* csúcsidő, csúcsforgalmi idő
peak load *fn műsz* csúcsterhelés, maximális terhelés
peak season *fn* főszezon
peaky [ˈpiːki] *mn* csúcsos
peal [piːl] **I.** *fn* **1. a)** zúgás, bongás, zengés, kongás *[harangoké]* **b)** zúgás, zengés *[orgonáé]*, moraj *[dörgésé, ágyúké]*, dörej *[ágyúké, villámé]*; **~ of cannon** ágyúdörgés; **~ of laughter** hahota; **~ of rain** felhőszakadás; **~ of thunder** égzengés, mennydörgés; **~ of words** szóáradat **2. ~ (of bells)** harangjáték **II. A.** *tsi* kongat/húz *[harangokat]* **B.** *tni* **1.** zúg, zeng, kong, (cseng-)bong *[harang]* **2.** zúg, zeng *[orgona]*, morajlik *[dörgés, ágyúzás]*, felcsattan *[taps, nevetés]*
pean [piːən] → **paean**
peanut [ˈpiːnʌt] *fn* **1.** földimogyoró, amerikai mogyoró; *biz* **it's no more than a ~ to an elephant** ez semmiség, annyi, mint elefántnak a szúnyogcsípés **2.** *jelzői haszn US biz* apró, jelentéktelen, piti
peanut butter *fn* mogyoróvaj
pear [peə ‖ per] *fn* **a)** körte **b)** körte(fa)
pearl [pɜːl ‖ pɜrl] *fn* **1.** igazgyöngy, igazgyöngy nyaklánc, igazgyöngysor **2.** *átv* gyöngy(szem); **a ~ among women** az asszonyok gyöngye; **cast (one's) ~s before swine** disznók elé szór gyöngyöt **3. (mother of) ~** gyöngyház
pearl barley *fn* árpagyöngy
pearl-diver *fn* gyöngyhalász • *fn* **pearl-diving**
pearlies [ˈpɜːliz ‖ ˈpɜr–] *fn tsz GB* **1.** gyöngyházgombok **2.** gyöngyházgombos ruha
pearl-oyster *fn* gyöngykagyló
pearly [ˈpɜːli ‖ ˈpɜrli] *mn* **1. a)** gyöngyszerű, gyöngyfényű; **~ teeth** gyöngyfogak **b)** gyöngyházfényű **2.** gyöngyökkel díszített, gyöngyös; **the P~ Gates** *biz* a mennyország kapuja
pear tree *fn* körtefa
pearwood *fn* körtefa *[faanyag]*
peasant [ˈpeznt] *fn* **a)** paraszt **b)** gazdálkodó, földműves **c)** *pej* paraszt, bunkó, tapló
peasantry [ˈpezntri] *fn* parasztság
pease pudding *fn gaszt* ‹puding borsópüréből és tojásból›
pea-shell *fn* borsóhüvely
peasouper *fn biz* sűrű sárga (londoni) köd
peat [piːt] *fn* tőzeg • *mn* **peaty**
peatbog *fn* tőzegláp, tőzegmocsár
peat brick *fn* préselt tőzeg, tőzegbrikett
peat-moor *fn* tőzegláp, tőzeges mocsár
peatmoss *fn* **1.** tőzegláp, tőzeges mocsár **2.** tőzegmoha
pebble [ˈpebl] *fn* kavics; *biz* **you're not the only ~ on the beach** nem vagy pótolhatatlan • *mn* **pebbly**
pebble dash *fn épít GB* kőtörmelékes/kavicsos vakolóhabarcs, benyomott kavicsos vakolat
pecan [pɪˈkæn ‖ pɪˈkɑn] *fn* **a)** pekándió, hikoridió **b)** pekánfa, hikoridió(fa)
peccadillo [ˌpekəˈdɪloʊ] *fn* gyarlóság, kis hiba/vétek
peccancy [ˈpekənsi] *fn* **a)** esendőség, gyarlóság **b)** vétek
peccary [ˈpekəri] *fn áll* ‹közép-amerikai vaddisznó› pekari

peck[1] [pek] **I. A.** *tsi* **1. a)** megcsíp, megvág *[csőrrel stb.]*, csipdes, vagdos; ~ **a hole in sg** lyukat vág/vagdos vmn, kivág/átlyukaszt vmit; ~ **out sy's eyes** kivájja vknek a szemét; ~ **up sg** vmt felcsipeget/felszedeget *[madár]* **b)** csipeget, szedeget, szemelget *[szemet madár]*, *biz* csipeget *[ételt ember]* **2.** *biz* futólag megpuszil **B.** *tni* **a)** csipked, kopácsol *[csőrrel]*; ~ **at one's food** csipeget az ételéből **b)** *biz* ~ **at sy** csipkelődik/piszkálódik vkvel **c)** ~ **away** pötyög *[írógépen két ujjal]*; **hunt and** ~ két ujjal ír *[számítógépen]* **II.** *fn* **1.** csípés, vágás *[csőrrel, hegyes tárggyal]* **2.** *biz* puszi **3.** *US pej* fehér ember *[afroamerikai szóhasználatban]*

peck[2] [pek] *fn* **1.** űrmérték ‹8,81 liter› **2.** *biz* nagy csomó, sok; ~ **of trouble** temérdek/rengeteg baj

pecker ['pekə ‖ –ər] *fn* **1.** harkály, fakopács **2.** *szl* orr; **keep one's** ~ **up** nem csügged el, nem veszti el a bátorságát; **keep your** ~ **up!** fel a fejjel! ne lógasd az orrodat! **3.** *tabu szl [férfi nemiszerv]* dákó, farok

pecking order *fn biz [társadalmi]* hierarchia, ranglétra

peckish ['pekɪʃ] *mn biz* **1. be/feel** ~ egy kicsit éhes, harapna vmt **2.** *US* zsémbes, kukacoskodó

pectin ['pekti:n] *fn vegy* pektin

pectoral ['pektərəl] **I.** *mn* mell-; **(bishop's)** ~ **cross** püspöki mellkereszt; ~ **disease** mellbaj, mellbetegség; *áll* ~ **fin** melluszony **II.** *fn* **1.** melldísz, ékszer *[zsidó főpapé]* **2.** *orv* mellizom

peculate ['pekjuleɪt] *tsi jog* hűtlenül kezel, (el)sikkaszt *[közpénzt]* • *fn* **peculation, peculator**

peculiar [pɪ'kju:lɪə ‖ –ər] *mn* **a)** különleges, különös, speciális **b)** saját(ság)os, sajátszerű, jellegzetes; **be** ~ **to sy** vkre sajátosan jellemző, vkt sajátságosan jellemez; **expressions** ~ **to Americans** amerikaiakra jellemző kifejezések, sajátságos(an) amerikai kifejezések **c)** saját(ság)os, különös, furcsa; **of** ~ **interest** különösen érdekes; **she is a little** ~ kicsit furcsa/dilis; **well that's** ~! nahát, ez igazán furcsa!

peculiarity [pɪˌkju:li'ærəti] *fn* **a)** saját(os)ság, jellegzetesség, sajátos vonás **b)** sajátosság, különösség, különlegesség, furcsaság

peculiarly [pɪ'kju:lɪəli ‖ –ərli] *hsz* **a)** különösen, főként, kivált **b)** sajátosan, különösen, furcsán

pecuniary [pɪ'kju:nɪəri ‖ –nieri] *mn* **a)** pénzügyi, anyagi, pénz-; ~ **advantage** anyagi előny **b)** pénzbeli, pénz-; ~ **claim/demand** (pénz)követelés

pedagogue ['pedəgɒg ‖ –gɑg] *fn US* **pedagog a)** *régi* pedagógus, nevelő **b)** *pej* tudálékos/vaskalapos oktató/nevelő

pedagogy ['pedəgɒdʒi ‖ –goʊ, –gɑ–] *fn* **a)** pedagógia, neveléstan **b)** oktatástan, didaktika • *mn* **pedagogic(al)**

pedal ['pedl] **I.** *fn* pedál; ~ **pusher** *biz* biciklista; **put the** ~ **to the metal** *szl [teljes sebességgel]* padlógázzal megy **II. A.** *tsi* pedállal hajt, tapos *[kerékpárt]* **B.** *tni* **1. a)** pedáloz, hajt, tapos *[kerékpáros]* **b)** kerékpározik, biciklizik **2.** pedáloz *[zongorista]*

pedant ['pednt] *fn* **a)** szűklátókörű/vaskalapos ember **b)** betűrágó, doktrinér • *fn* **pedantry** *mn* **pedantic**

peddle ['pedl] **A.** *tsi* **1. a)** ~ **goods** áruval házal **b)** terjeszt *[gondolatokat stb.]* **2.** (illegálisan) árul *[drogot]* **B.** *tni* házal *[áruval]*

peddler ['pedlə ‖ –ər] **a)** drogárus, pusher **b)** *US* → **pedlar**

pederasty ['pedəræsti] *fn* pederasztia • *mn* **pederastic**

pedestal ['pedɪstl] *fn* **a)** talapzat, piedesztál *[szoboré]*; **put/place sy on a** ~ piedesztálra állít/emel vkt, felmagasztal **b)** oszloptalp, pillértalp, talp(kő)

pedestal table *fn* egylábú asztal

pedestrian [pɪ'destrɪən] **I.** *fn* gyalogos **II.** *mn* **1.** gyalogos, gyalog- **2.** *átv* prózai, lapos *[stílus]*, földhöztapadt

pedestrian crossing *fn* kijelölt gyalogátkelőhely, zebra

pedestrian island *fn* járdasziget

pedestrian precinct *fn GB* sétálóutca

pediatric [ˌpi:di'ætrɪk] → **paediatric**

pediatrician [ˌpi:dɪə'trɪʃn] → **paediatrician**

pediatrics [ˌpi:di'ætrɪks] → **paediatrics**

pediatrist [ˌpi:di'ætrɪst] → **paediatrist**

pedicle ['pedɪkl] *fn tud* kocsány

pedicure ['pedɪkjʊə ‖ –kjʊr] **I.** *fn* pedikűr, lábápolás **II.** *tsi* lábat ápol, pedikűröz

pedigree ['pedɪgri:] *fn* **1. a)** (le)származás, régi/ősi származás; **family of** ~ ősi család **b)** pedigré *[tenyészállaté]* **2.** családfa • *mn* **pedigreed**

pediment ['pedɪmənt] *fn épít* háromszögű oromfal, timpanon

pedlar ['pedlə ‖ –ər] *fn* **1.** házaló, kufár **2.** terjesztő *[pletykáé]*, pletykafészek *biz*

pedo- *US* → **paedo-**

pedometer [pɪ'dɒmɪtə ‖ pɪ'dɑmətər] *fn* lépésszámláló (készülék)

pee [pi:] **I.** *fn gyerm* **1.** pisilés; **take a** ~ pisil **2.** pisi **II.** *tni* pisil

peek [pi:k] **I.** *fn* kukucskálás, rövid, gyors pillantás **II.** *tni* kukucskál, kandikál, les

peekaboo [ˌpi:kə'bu:] **I.** *isz* kukk!, kukucs! **II.** *mn* **1.** átlátszó, áttetsző, necc *[ruha]* **2.** (egyik) szemet eltakaró *[frizura]*

peel [pi:l] **I. A.** *tsi* **1.** (meg)hámoz *[gyümölcsöt, burgonyát]*; ~ **the bark off a tree** fa kérgét lehántja/lenyúzza **2.** *biz* ~ **off one's coat** kibújik a kabátjából **3.** *US* **keep one's eyes** ~**ed** nyitott szemmel jár, éber, figyel erősen **B.** *tni* **1.** ~ **(away/off)** (le)hámlik *[bőr, kéreg stb.]*; leválik, lepereg, lemállik *[vakolat, fal]*; lepattogzik *[festék]* **2. oranges that** ~**s easily** könnyen hámozható narancs **3.** *biz* levetkőzik **4.** *biz* kiválik, elkanyarodik *[repülőgép kötelékből]* **II.** *fn* **1.** héj *[citromé stb.]* **2.** *orv* felhám

peeler ['pi:lə ‖ –ər] *fn* hámozókés, fahántoló

peep[1] [pi:p] **I.** *fn* csipogás *[kis madáré]*, cincogás *[egéré]* **II.** *tni* csipog *[kis madár]*, cincog *[egér]*

peep[2] [pi:p] **I.** *tni* ~ **at sy/sg** odales/ráles vkre/vmre; ~ **in** bekukucskál, bekandikál; ~ **through the keyhole** bekukucskál/bekandikál a kulcslyukon **II.** *fn* **a)** kukucskálás, kukkantás; **have/take a** ~ **at sg** egy pillantást vet vmre **b) at** ~ **of day/dawn** hajnalban, pirkadatkor

peepbo ['pi:pbou] **I.** *fn* bújócska **II.** *isz* kukk!

peeper ['pi:pə ‖ –ər] *fn* **1.** kíváncsi(skodó) ember, kandi (ember) **2. a)** *szl* szem **b)** *szl* látcső

peephole *fn* kémlelőnyílás *[ajtón]*

Peeping Tom *fn biz* kíváncsi ember

peepshow *fn biz* peepshow

peer[1] [pɪə ‖ pɪr] *fn* **1.** egyenrangú fél; **have no** ~ páratlan, egyedülálló (a maga nemében); **be sy's** ~ egyenrangú vkvel **2.** *GB* főrend, főnemes, a lordok házának tagja

peer[2] [pɪə ‖ pɪr] *tni* merőn néz, kémlel; ~ **at sy/sg** alaposan megnéz vkt/vmt, megbámul vkt/vmt, vizsgál(gat) vkt/vmt

peerage ['pɪərɪdʒ ‖ 'pɪrɪdʒ] *fn* **1.** *GB* főrendi/főnemesi méltóság/cím; *GB* **life** ~ nem örökölhető főrendi méltóság (v. főnemesi cím) **2.** *GB* **the** ~ a főrendek/főnemesek/főnemesség, a lordok házának tagjai/tagsága; *biz* a nemesség, az arisztokrácia

peeress ['pɪərɪs ‖ 'pɪrɪs] *fn GB* főrangú nő, főrend felesége

peerless ['pɪələs ‖ 'pɪr–] *mn* páratlan, (össze)hasonlíthatatlan, utolérhetetlen

peeve [pi:v] *tsi szl* idegesít, bosszant, felhúz; **be** ~**d** zabos

peevish ['pi:vɪʃ] *mn* nyűgös, durcás, ingerlékeny, duzzogó • *fn* **peevishness**

peewit ['pi:wɪt] *fn áll* bíbic

peg [peg] **I.** *fn* **1.** (fa)szeg **2.** pecek, csap, faék; *biz* **a square** ~ **(in a round hole)** nem odavaló ember **3. a)** fogaspecek *[ruhaakasztó]*; *biz* **off the** ~ konfekcionált *[készruha]* **b) a** ~ **to hang on** jó alkalom/jogcím/ürügy vmre **4.** (létra)fok **5. a)** karó, cölöp **b)** határjel, kitűzőkaró **6.** *zene* kulcs **7. a)** *szl* láb(fej) **b)** *szl* műláb, lábprotézis **8.** ruhaszárító csipesz **II.** *tsi* **-gg- 1.** szeggel/pecekkel összeerősít, megszegel **2.** *pénz* rögzít *[árat, bért]*; **pegged wages/salaries** rögzített bérek/fizetések

peg away *tni biz* ~ **away** kitartóan dolgozik/munkálkodik (vmn); gürcöl
peg down *tsi* **1.** lecövekel, lekaróz **2.** *átv* kierőszakol *[ígéretet]*, elkötelez
peg out A. *tsi* határokat kijelöl/megjelöl, kikaróz, kitűz **B.** *tni szl [meghal]* beadja a kulcsot, feldobja a talpát
Peg [peg] *tul* ‹*Peggy* becéző alakja›
Peggy [ˈpegi] *tul* ‹női név›
pejorative [pɪˈdʒɒrətɪv ‖ –ˈdʒɔ–, –ˈdʒɑ–] *mn* elítélő, pejoratív • *hsz* **pejoratively**
peke [piːk] *fn biz* (kínai) pincsi
Pekinese [ˌpiːkɪˈniːz] **I.** *mn földr* pekingi **II.** *fn* **1. a)** pekingi (ember) **b)** pekingi nyelvjárás *[kínai nyelvé]* **2.** (kínai) pincsi
pekoe [ˈpiːkoʊ] *fn* ~ **(tea)** pekkótea, finom fekete tea
pelagic [pɪˈlædʒɪk] *mn* nyíltvízi, nyílttengeri, mélytengeri *[halászat, élővilág]*
pelican [ˈpelɪkən] *fn* pelikán
pellet [ˈpelɪt] *fn* **1.** golyócska, galacsin, labdacs **2.** *kat* sörét **3.** pirula
pell-mell [ˌpelˈmel] *hsz* **1.** összevissza(ságban), rendetlenül **2.** hebehurgyán, meggondolatlanul
pellucid [pɪˈluːsɪd] *mn* **1.** átlátszó, áttetsző, kristálytiszta **2.** *biz* világos, tiszta • *fn* **pellucidity**
pelmet [ˈpelmɪt] *fn* kárpit/függöny oromdísze, (karnis)drapéria
pelt[1] [pelt] **A.** *tsi* **1.** meghajigál, megdobál; ~ **sy with stones** megkövez vkt, kőzáport zúdít vkre **2.** *átv* eláraszt *[kérdésekkel stb. vkt]* **B.** *tni* **1.** ~ **(down)** zuhog, záporoz *[eső]* **2.** dobál, hajigál; **blows ~ed on his head** ütések záporoztak a fejére **3.** *biz* teljes gőzzel fut/szalad/halad
pelt[2] [pelt] *fn* **1.** szőrme, prémbőr **2.** nyersbőr, irha
pelvis [ˈpelvɪs] *fn orv* **1.** medence; **renal** ~ vesemedence **2.** vesemedence • *mn* **pelvic**
pemmican [ˈpemɪkən] *fn* pemmikán, húspor
PEN *röv International Association of Poets, Playwrights, Essayists, Editors, and Novelists* Pen klub
pen[1] [pen] **I.** *fn* **1.** (író)toll; **stroke of the** ~ tollvonás **2.** *átv* **make one's living by one's** ~ a tollából él, írásból él; **put ~ to paper, take ~ in hand** tollat fog/ragad **3.** író, tollforgató; **poison** ~ névtelen levélíró **II.** *tsi* **-nn-** fogalmaz *[levelet, cikket]*, írásba foglal, leír
pen[2] [pen] **I.** *fn* **1.** karám, akol, ól, ketrec; *mezőg* **chicken** ~ tyúkól, tyúkketrec **2.** *szl [börtön]* sitt **II.** *tsi* **-nn-** ~ **(up/in)** karámba/akolba zár/terel, ketrecbe/ólba zár *[állatokat]*
penal [ˈpiːnl] *mn* **1.** büntető; ~ **code** büntetőtörvénykönyv; *tört* ~ **colony/settlement** büntetőgyarmat; ~ **law** büntetőjog **2.** büntetendő, törvénybe ütköző *[cselekmény]*
penalize [ˈpiːnəlaɪz], **-ise** *tsi* **1.** (meg)büntet, büntetéssel sújt **2.** büntetendőnek nyilvánít *[bűncselekményt]* **3.** hendikeppel, hátrányosabb helyzetbe hoz (vkt)
penalty [ˈpenlti] *fn* **1.** büntetés, megtorlás, szankció, bírság; **the death** ~ halálbüntetés; **impose a** ~ büntetést ró/szab ki; **under ~ of** -büntetés terhe mellett **2.** hátrány, kellemetlenség; **the ~ of fame** a dicsőség ára **3.** *gazd* kötbér, bánatpénz **4.** *sp* büntető(rúgás), tizenegyes *[labdarúgásban]*
penalty area, penalty box *fn sp* büntetőterület, tizenhatos(on belüli terület)
penalty kick *fn sp* büntetőrúgás, tizenegyes; **take the** ~ elvégzi a büntetőt
penalty spot *fn sp* tizenegyes pont
penance [ˈpenəns] *fn* **1.** bűnbánat, megbánás, töredelem **2.** vezeklés, bűnhődés, önsanyargatás, penitencia; **do** ~ vezekel
pen-and-ink *mn* ~ **sketch/drawing** tollvázlat, tollrajz
pence [pens] → **penny**
penchant [ˈpɒnʃɒn ‖ ˈpentʃənt] *fn* hajlam, előszeretet; **have a ~ for sg** vm a gyengéje, kedvel vmt
pencil [ˈpensl] **I.** *fn* **a)** ceruza, irón; **mark sg in** (v. **with a)** ~ ceruzával megjelöl vmt **b)** rudacska, stift *[kozmetikai]* **II.** *tsi* **1. a)** ceruzával megjelöl **b)** ceruzával lerajzol/felvázol/leskiccel **c)** ~ **one's eyebrows** szemöldökét festi; ~ **in** ceruzával/ideiglenesen beír (vmt) **2. a)** ~ **a note** pár sort ír *[ceruzával]* **b)** ~ **down a note** ceruzajegyzetet készít
pencil battery *fn* ceruzaelem
pencil case *fn* tolltartó
pencil sharpener *fn* ceruzahegyező
pendant [ˈpendənt] *fn* **1.** függő, nyaklánc dísze **2.** csillárdísz **3.** → **pennant**
pendent [ˈpendənt] *mn* függő, lógó, fityegő
pending [ˈpendɪŋ] **I.** *mn* függő, elintézetlen, eldöntetlen; **be** ~ elintézés alatt áll **II.** *elölj* **1.** alatt, közben, folyamán; ~ **the negotiations** a tárgyalások folyamán, a tárgyalások (időtartama) alatt **2.** amíg, vmre várva, -ig; ~ **his arrival** addig is, amíg meg nem érkezik, megérkezéséig
pendulous [ˈpendjʊləs ‖ –dʒə–] *mn* **1.** (le)lógó, függő, fityegő **2.** lengő, ingó
pendulum [ˈpendjʊləm ‖ –dʒə–] *fn* inga, óráinga
penetrate [ˈpenətreɪt] **A.** *tsi* **1.** átszúr, keresztülfúr, áthatol, áthalad, keresztülmegy, átfúródik, behatol, befúródik (vmbe); **his eyes could not ~ the darkness** szeme nem tudott áthatolni a sötétségen **2.** átitat, átjár *[hideg, félelem]* **3.** eltölt; ~ **sy's mind** átitatja/betölti vk gondolatvilágát **4.** megért, felfog, felismer, rájön (vmre) **B.** *tni* **1.** behatol, befúródik, elhatol, eljut (vmeddig), áthatol, átfúródik **2.** *átv* belemélyed, belemerül **3.** átívódik **4.** *orv* hüvelybe behatol *[pénisz]* • *mn* **penetrable**
penetrating [ˈpenətreɪtɪŋ] *mn* **1.** átható, éles, metsző *[szél, hang]*, átható, orrfacsaró *[szag]* **2.** belehatoló; *kat* ~ **power** (páncél) átütőképesség **3.** tisztán/élesen látó, éles *[elme]*
penetration [ˌpenəˈtreɪʃn] *fn* **1.** behatolás, befúródás, áthatolás, keresztülhatolás, átfúródás **2.** átitatás **3.** *átv* behatolás, benyomulás, térfoglalás, térhódítás, betörés *[ellenséges állásokba]* **4.** éleslátás **5.** átütőképesség *[fegyveré]* **6.** *orv* behatolás *[hüvelybe]*, közösülés
penetrative [ˈpenətrətɪv ‖ –treɪtɪv] *mn* átható, mélyreható, éles, áthatoló
penfriend *fn* levelezőtárs
penguin [ˈpeŋgwɪn] *fn* pingvin
penicillin [ˌpenɪˈsɪlɪn] *fn orv* penicillin
peninsula [pɪˈnɪnsjʊlə] *fn* félsziget • *mn* **peninsular**
penis [ˈpiːnɪs] *fn orv* hímvessző, pénisz
penitence [ˈpenɪtəns] *fn* bűnbánat, vezeklés, töredelem, penitencia • *mn* **penitential**
penitent [ˈpenɪtənt] *mn/fn* bűnbánó • *hsz* **penitently**
penitentiary [ˌpenɪˈtenʃəri] **I.** *fn* büntetőintézet, *US* fegyház **II.** *mn* büntetőintézeti
penknife *fn tsz* **-knives** zsebkés, bicska
penlight *fn* ‹töltőtoll alakú zseblámpa›
penmanship [ˈpenmənʃɪp] *fn* **1.** írásművészet **2.** szépírás, betűvetés, kalligráfia
Penn. *röv US Pennsylvania*
pen name *fn* írói (ál)név, művésznév
pennant [ˈpenənt] *fn* **1.** *hajó* árbocszalag, *sp* jelzőzászló **2.** *sp [a bajnokságért kapott és ezt szimbolizáló]* zászló
penniless [ˈpeniləs] *mn* pénztelen, szegény, nincstelen
pennon [ˈpenən] *fn* **1.** lándzsazászlócska, kopjalobogó **2.** → **pennant 1.**
penn'orth [ˈpenəθ ‖ –ərθ] → **pennyworth**
Pennsylvania [ˌpenslˈveɪnɪə] *tul földr US* Pennsylvania • *mn/fn* **Pennsylvanian**
penology [piːˈnɒlədʒi ‖ –ˈnɑ–] *fn* **1.** kriminológia **2.** büntetésügy, fogházügy, börtönügy • *mn* **penological**
pen pal *fn biz* levelezőtárs
pen-pusher *fn biz pej* firkász, bértollnok
pension [ˈpenʃn] **I.** *fn* **1.** nyugdíj **2.** panzió **II.** *tsi* nyugdíjaz vkt, nyugdíjba küld vkt
pensionable [ˈpenʃnəbl] *mn* **1.** nyugdíjra jogosult, nyugdíjjogosult **2.** nyugdíjra jogosító *[állás]* • *fn* **pensionability**
pensioner [ˈpenʃənə ‖ –ər] *fn* nyugdíjas

P

pensive ['pensɪv] *mn* (el)gondolkodó, (el)tűnődő, elmélázó, töprengő • *fn* **pensiveness**
pent [pent] *mn* ~ **(in/up)** bezárt, elzárt; felgyülemlett; összetorlódott; visszatartott, elfojtott; ~ **up emotion** visszafojtott érzelem
pentagon ['pentəgɒn ‖ –gɑn] *fn* **1.** *mat* ötszög **2.** *US* **the P~** ‹az Egyesült Államok honvédelmi minisztériumának épülete Washington D.C.-ben› a Pentagon
pentagonal [pen'tægənl] *mn mat* ötszögű
pentagram ['pentəgræm] *fn* ötágú csillag, pentagram
pentameter [pen'tæmɪtə ‖ –mətər] *fn ir.tud* ötlábú vers, pentameter
Pentateuch ['pentətju:k ‖ –tu:k] *fn bibl* Mózes öt könyve
pentathlon [pen'tæθlɒn ‖ –lɑn] *fn sp* **(modern)** ~ öttusa • *fn* **pentathlete**
pentatonic [ˌpentə'tɒnɪk ‖ –'tɑnɪk] *mn zene* pentaton(ikus), ötfokú; ~ **scale** pentaton(ikus)/ötfokú hangsor
Pentecost ['pentɪkɒst ‖ –kɔst, –kɑst] *fn vall* pünkösd • *mn* **Pentecostal**
penthouse ['penthaus] *fn* **1.** *[tetőtéri]* (luxus)lakás **2.** *épít* eresz(alja), védőtető, toldaléktető **3.** *épít* toldalékepület, fészer
pent-up *mn* felgyülemlett, feltorlódott, elfojtott *[harag, érzelmek]*
penult [pɪ'nʌlt ‖ 'pi:nʌlt], **penultimate** *mn* utolsó előtti
penumbra [pɪ'nʌmbrə] *fn csill* félárnyék, penumbra
penurious [pɪ'njuəriəs ‖ –nur–] *mn* **1.** szegény(es), ínséges, szűkös **2.** zsugori, fösvény, fukar
penury ['penjəri] *fn vál* nyomor(úság), ínség, szegénység, nincstelenség; **live in** ~ nyomorog
penny ['peni] *fn tsz* **pence** [pens], **pennies 1.** penny, egypennys (pénzérme); **come back (v. turn up) like a bad** ~ rossz pénz nem vész el; **the** ~ **drops** *biz* leesik a húszfilléres; kapcsol; **a** ~ **for your thoughts!** na, most min/hol jár az eszed?; ~ **wise, pound foolish** az apró dolgokban takarékoskodik/spórolós/kicsinyes, a nagyobbakban könnyelmű **2. (new)** ~ (új) penny; **one half** ~, **half a new** ~/**pence** fél penny; *közm* **in for a** ~, **in for a pound** aki á-t mond, mondjon b-t is; *közm* **take care of the pence and the pounds will take care of themselves** sok kicsi sokra megy, aki a garast nem becsüli, a forintot nem érdemli **3. a pretty** ~ csinos/szép kis összeg/summa; **earn/turn an honest** ~ becsületesen keresi a pénzt **4.** *US Kan biz* cent, egycentes *[érme]*, *átv* fillér
penny-farthing *mn/fn biz régi* ~ **(bicycle)** velocipéd
penny-pincher *fn biz* garasoskodó, krajcároskodó (alak), zsugori
penny-wise *mn* krajcároskodó, kicsinyeskedő
pennywort ['peniwɜ:t ‖ –wɜrt] *fn* **wall** ~ küldökfű
pennyworth ['penəθ, 'peniwəθ ‖ 'peniwərθ] *fn* egy penny érték, egy penny-nyi
peon[1] ['pi:ən, pju:n] *fn India* küldönc, kifutó
peon[2] ['pi:ən ‖ 'pi:ɑn] *fn* **1.** *US* mexikói földműves/földmunkás **2.** *US* adósrabszolga • *fn* **peonage**
peony ['pi:əni] *fn* bazsarózsa
people ['pi:pl] **I.** *fn* **1.** *tsz* **peoples** nép; ~**'s republic** népköztársaság **2.** *tsz* **people** nép(esség), lakosság; **the village** ~ a falu népe, a falusiak **3.** *tsz* alattvalók; **the King and his** ~ a király és népe/alattvalói **4.** rokonság, család; **I'd like you to meet my** ~ szeretném, ha megismerné a családomat **5.** *tsz* **a)** *pol* (állam)polgárok, a nép **b) the (common)** ~ a köznép, népség, a nagy tömeg **6.** *tsz* **a)** emberek; **young** ~ a fiatalok, az ifjúság; **what do you** ~ **think?** maguknak mi a véleménye? **b)** személy, ember **c)** az ember *[mint általános alany]*; ~ **say** azt mondják **7.** *tsz* **the little/good** ~ manók, tündérek **II.** *tsi* **1.** benépesít **2.** lakik, elfoglal, megtölt; **densely** ~**d country** sűrűn lakott (v. sűrű népességű) ország
pep [pep] **I.** *fn US biz* elevenség, lendület, energia, életkedv, tűz; **full of** ~ tele lendülettel/életkedvvel, csupa hév/tűz **II.** *tsi* **-pp-** ~ **sy up** felélénkít, életkedvet lehel vkbe, feldob vkt
pepper ['pepə ‖ –ər] **I.** *fn* **1. a)** (fekete)bors; *US* ~ **shaker** borsszóró **b)** (piros)paprika **2. a) (black)** ~ bors(cserje) **b)** paprika **II.** *tsi* **1.** (meg)borsoz, borssal meghint **2.** megdobál vkt, zúdít vmt vkre, tüzel vmre/vkre **3.** behint, meghint, beszór vmvel
pepper-and-salt *mn tex* ~ **cloth** fehérrel átszőtt fekete *[szövet]*; ~ **hair** őszülő fekete haj
peppercorn *fn* **1.** borsszem **2.** *jog* ~ **rent** névleges/jelképes bér
peppermill *fn* borsdaráló
peppermint *fn* borsmenta
pepperoni [ˌpɛpə'rəunɪ] *fn* ‹fűszeres olasz szalámi›
pepper pot *fn* **1.** borsszóró, borstartó **2.** zöldséges borsos tokány/ragu *[nyugat-indiai étel]*
pepperwort ['pepəwɜ:t ‖ 'pepərwərt] *fn* zsázsa
peppery ['pepəri] *mn* **1.** borsos, borssal fűszerezett **2. a)** *biz* csípős, maró *[írás, szavak]* **b)** hirtelen haragú, lobbanékony, indulatos
pep pill *fn* enyhe izgatószer, stimulálótabletta
peppy ['pepi] *mn US szl* élénk, életteli, lendületes, tetterős, energikus
pepsin ['pepsɪn] *fn vegy* pepszin
pep speech *fn* lelkesítő/buzdító beszéd
peptic ['peptɪk] *mn biol* **1.** emésztést elősegítő/előmozdító; ~ **glands** emésztőmirigyek **2.** emésztési, peptikus; *orv* ~ **ulcer** gyomorfekély
per [pɜ: ‖ pɜr] *elölj* **1.** által, útján, révén, keresztül; ~ **messenger** küldönc útján, küldönccel **2.** *gazd* **as** ~ **invoice** számla szerint; *tréf* **as** ~ **usual** szokás szerint **3.** -enként; ~ **annum** évenként; ~ **capita** fejenként; egy főre eső, fejenkénti; ~ **cent** százalék(ban); → **percent**; ~ **diem** naponta, napibérben; *US* napidíj, napibér; **sixty miles** ~ **hour** óránként hatvan mérföld
perambulate [pə'ræmbjuleɪt] *tsi vál* bejár, végigjár, bebarangol, sétál (vhol) • *fn* **perambulation**
perambulator [pə'ræmbjuleɪtə ‖ –ər] *fn GB vál* gyermekkocsi
perceive [pə'si:v ‖ pər–] *tsi* **1.** észlel, észrevesz, érzékel, (az érzékekkel) felfog **2.** felfog, felismer, megért, értelmez • *fn* **perceivable**
percent [pə'sent ‖ pər–] *fn* százalék
percentage [pə'sentɪdʒ ‖ pər–] *fn* **1.** százalék(arány), arány **2.** *biz* rész, hányad **3.** *biz* százalékos rész(esedés)
percentile [pə'sentaɪl ‖ pər–] *fn mat* százalékosztály
percept ['pɜ:sept ‖ 'pɜr–] *fn fil* **1.** észlelt/érzékelt dolog **2.** észlelet, perceptum • *fn* **perceptibility**
perceptible [pə'septəbl ‖ pər–] *mn* észlelhető, észrevehető, érzékelhető, felfogható, megfigyelhető
perception [pə'sepʃn ‖ pər–] *fn* **1.** észlelés, észrevevés, érzékelés, felfogás, megfigyelés, percepció; **sensory** ~ érzéki észlelet **2.** felfogóképesség, érzékenység *[külső benyomásokra]* **3.** észlelt/érzékelt dolog **4.** megértés, meglátás; **my** ~ **of the matter** ahogy én látom a dolgot • *mn* **perceptional**
perceptive [pə'septɪv ‖ pər–] *mn* **1.** figyelmes, jó felfogóképességű, éles szemű, a lényeget meglátó **2.** felfogó, észlelő, érzékelő • *fn* **perceptiveness**
perch [pɜ:tʃ ‖ pɜrtʃ] **I.** *fn* **1.** kakasülő, ülőrúd *[madaraknak]*; *biz* **knock sy off his** ~ kiüt vkt a nyeregből, legyőz/elintéz/megsemmisít vkt **2.** ülőhely, magas pont **3.** ‹hosszmérték: 5,5 yard› **II. A.** *tsi* (rá)helyez, (rá)telepít, (rá)rak; **castle** ~**ed (up) on a hill** a domb tetejére épített vár **B.** *tni* **1.** gubbaszt, csücsül, ül **2.** letelepedik, rácsücsül, felül
percipient [pə'sɪpɪənt ‖ pər–] *vál* **I. 1.** *mn* felfogó, észrevevő, észlelő **2.** éles szemű **II.** *fn* telepatikus alany/médium • *fn* **percipience**
percolate ['pɜ:kəleɪt ‖ 'pɜr–] **A.** *tsi* **a)** ~ **through** (át)szűr, megszűr *[folyadékot]* **b)** átcsepegtet *[kávét kávéfőző szűrőjén]* **c)** kávéfőzőn/eszpresszógépen főz/készít *[kávét]* **B.** *tni* **1.** átszűrődik, átszivárog **2.** átcsepeg, kicsepeg *[kávé kávéfőzőből]* **3.** *átv* terjed *[pletyka, hír]* • *fn* **percolation**

P

percolator [ˈpɜːkəleɪtə ‖ ˈpɜrkəleɪtər] *fn* kávéfőző gép, eszpresszógép
percussion [pəˈkʌʃn ‖ pər–] *fn* **1.** üt(köz)és, összeütés (hangja/zaja); *zene* **the ~** ütőhangszerek; ütők **2.** *orv* kopogtatás
percussion cap *fn kat* gyújtókupak, gyutacs *[puskán]*
percussion instruments *fn zene* ütőhangszerek, ütők
percussionist [pəˈkʌʃnˑɪst ‖ pər–] *fn zene* ütőhangszeren játszó zenész, ütős
percussive [pəˈkʌsɪv ‖ pər–] *mn* üt(köz)ő, csapódó
perdition [pəˈdɪʃn ‖ pər–] *fn* kárhozat, elkárhozás
peregrinate [ˈperəgrɪneɪt] *tni régi tréf* utazik, utazgat, kóborol, vándorol • *fn* **peregrination**
peregrine [ˈperəgrɪn] *mn régi* külföldi(es), idegen(szerű), különös, egzotikus
peremptory [pəˈremptəri] *mn* **1.** jogerős, kötelező (érvényű); *jog* **~ writ** idézőlevél **2.** ellentmondást nem tűrő, határozott **3.** hatalmaskodó, parancsoló, diktatórikus *[modor stb.]*
perennial [pəˈrenɪəl] **I.** *mn* **1.** állandó, örök(életű), halhatatlan, örökszép *[alkotás]* **2.** egész éven át tartó **3.** *növ* évelő **II.** *fn* évelő növény
perestroika [ˌperəˈstrɔɪkə] *fn pol orosz* peresztrojka
perfect I. *mn* [ˈpɜːfɪkt ‖ ˈpɜr–] **1.** tökéletes, teljes, hiánytalan **2.** tökéletes, hibátlan, kifogástalan, ideális **3.** *biz* tökéletes, teljes, tiszta, kész; **~ idiot** tiszta hülye, kész bolond; **~ stranger** vadidegen **4.** *mat* **~ number** tökéletes szám; **~ power** teljes hatvány **5. ~ interval** tiszta hangköz **6.** *növ* kétivarú, hímnős *[virág]* **7.** *nyelv* **the ~ tense** befejezett igealak, perfektum **II.** *fn* [ˈpɜːfɪkt ‖ ˈpɜr–] *nyelv* befejezett igealak, perfektum; **present ~ (tense)** befejezett jelen (idő); **past ~ (tense)** befejezett múlt (idő), régmúlt; **future ~ (tense)** befejezett jövő (idő) **III.** *tsi* [pəˈfekt ‖ pər–] **1.** befejez, bevégez, elvégez **2.** tökéletesít, megjavít
perfectible [pəˈfektəbl ‖ pər–] *mn* **1.** tökéletesíthető **2.** tökéletesedésre képes • *fn* **perfectibility**
perfection [pəˈfekʃn ‖ pər–] *fn* **1. a)** tökéletesítés, javítás, tökéletesedés **b)** befejezés, bevégzés **2. a)** tökéletesség, teljesség, hiánytalanság **b)** tökéletesség, tökély; **~ itself** maga a tökély; **do sg to ~** tökéletesen/tökéletesre csinál vmt
perfectionist [pəˈfekʃnˑɪst ‖ pər–] *fn* perfekcionista, maximalista
perfectly [ˈpɜːfɪktli ‖ ˈpɜr–] *hsz* **1.** tökéletesen, kitűnően **2.** *biz* teljesen, tökéletesen; **be ~ happy** tökéletesen meg van elégedve
perfect pitch *fn* abszolút hallás
perfervid [pɜːˈfɜːvɪd ‖ pɜrˈfɜrvɪd] *mn* lelkes, (túl)buzgó
perfidy [ˈpɜːfɪdi ‖ ˈpɜr–] *fn vál* hitszegés, szószegés, álnokság, csalárdság, árulás • *mn* **perfidious**
perforate [ˈpɜːfəreɪt ‖ ˈpɜr–] *tsi* kilyukaszt, átlyukaszt, átfúr, perforál, kilyuggat • *fn* **perforation** *mn* **perforated**
perforce [pəˈfɔːs ‖ pərˈfɔrs] *mn/hsz régi vál* elkerülhetetlenül, szükségszerűen, szükségképpen, óhatatlanul
perform [pəˈfɔːm ‖ pərˈfɔrm] **A.** *tsi* **1.** végrehajt, elvégez, megtesz, teljesít; **~ an operation** műtétet hajt végre **2.** előad *[művet]*, játszik *[szerepet]*; **~ a dance** táncot eljár **B.** *tni* **1. ~ in a play** játszik/szerepel egy darabban **2.** működik, funkcionál, beválik
performance [pəˈfɔːməns ‖ pərˈfɔr–] *fn* **1.** megtétel, végrehajtás, véghezvitel, teljesítés, elvégzés **2.** előadás *[műé]*, eljátszás, játék *[szerepé]*; *szính* **afternoon ~** délutáni előadás **3.** teljesítmény; **a very creditable ~** dicséretre méltó teljesítmény; **~ test** teljesítményvizsgálat **4.** teljesítmény *[gépé]* **5.** *biz* komédia, cirkusz
performer [pəˈfɔːmə ‖ pərˈfɔrmər] *fn* **1.** (előadó)művész **2.** színész, színművész
performing arts *fn tsz* előadóművészetek
perfume I. *fn* [ˈpɜːfjuːm ‖ ˈpɜr–] **1.** illatszer, parfüm **2.** illat **II.** *tsi* [pəˈfjuːm ‖ pər–] illatosít, beparfümöz
perfumery [pəˈfjuːməri ‖ pər–] *fn* illatszerbolt
perfunctory [pəˈfʌŋktəri ‖ pər–] *mn* **1.** felületes, hanyag, figyelmetlen **2.** gépies, lélek/szív nélküli, unott **3.** közömbös, nemtörődöm, hanyag *[ember]*
pergola [ˈpɜːgələ ‖ ˈpɜr–] *fn* nyitott kerti lugas, pergola
perhaps [pəˈhæps, præps ‖ pər–] *hsz* talán; esetleg; lehet, hogy
perigee [ˈperɪdʒiː] *fn csill* földközel
perihelion [ˌperɪˈhiːlɪən] *fn csill* napközel
peril [ˈperəl] *fn* veszély, veszedelem; **in ~ of one's life** életveszélyben; **at one's (own) ~** saját kockázatára/felelősségére
perilous [ˈperələs] *mn* veszélyes, veszedelmes, kockázatos
perimeter [pəˈrɪmɪtə ‖ –mətər] *fn mat* kerület • *mn* **perimetric**
perinatal [ˌperɪˈneɪtl] *mn orv* születés körüli, perinatalis
period [ˈpɪərɪəd ‖ ˈpɪr–] **I.** *fn* **1.** (idő)tartam; **~ of six months** hat havi időtartam; **for a fixed ~** meghatározott időre **2.** (idő)szak; **~ of cool weather** hűvös időszak **3.** kor(szak); **typical of the ~** a korra jellemző **4.** ismétlődő/visszatérő időköz, ciklus, *csill* periódus, keringési idő *[bolygóé]* **5.** *nyelv* pont *[írásjel]* **6.** *US okt* óra **II.** *mn* **1.** korabeli, stíl-; **~ furniture** antik bútor, stílbútor; **~ piece** stílbútor; antik holmi; kosztümös (szín)darab **2.** korfestő, történelmi *[színdarab, regény stb.]*; **~ play** kosztümös (szín)darab
periodic [ˌpɪəriˈɒdɪk ‖ ˌpɪriˈɑdɪk] *mn* **1.** időszaki, időszakos, periodikus **2.** szabályosan visszatérő, szakaszos(an ismétlődő); *mat* **~ decimal** szakaszos tizedestört **3.** *vegy* **~ system** periódusos rendszer; **~ table** periódusos tábla *[elemeké]*
periodical [ˌpɪəriˈɒdɪkl ‖ ˌpɪriˈɑdɪkl] **I.** *mn* **1.** időszaki, időszakos, periodikus; **~ publication** időszaki kiadvány, periodika **2.** szabályosan visszatérő, szakaszos(an ismétlődő) **II.** *fn* folyóirat, időszaki kiadvány, periodika • *fn* **periodicity**
periodization [ˌpɪərɪədaɪˈzeɪʃn ‖ ˌpɪr–], **-isation** *fn* korszakolás
peripatetic [ˌperɪpəˈtetɪk] **I.** *mn* vándorló, vándor- **II.** *fn GB* ‹több helyen is tanító tanár›
peripetia [ˌperɪpəˈtiːə], **peripeteia** *fn* hirtelen/váratlan sorsfordulat
peripheral [pəˈrɪfərəl] *mn* **1.** másodlagos (jelentőségű) **2.** külső, kerületi, periferikus; **~ speed** kerületi sebesség
periphery [pəˈrɪfəri] *fn* határ(vonal), szél, perem, szegély, periféria
periphrasis [pəˈrɪfərəsɪs] *fn tsz* **periphrases** [–siːz] körülírás, nyakatekert kifejezés, perifrázis
periphrastic [ˌperɪˈfræstɪk] *mn* **1. a)** körülíró, terjengős **b)** a lényeget elkerülő, nyakatekert **2.** *nyelv* körülírásos, körülíró, segédigével szerkesztett
periscope [ˈperɪskoʊp] *fn* periszkóp • *mn* **periscopic**
perish [ˈperɪʃ] *tni* **1.** elpusztul, megsemmisül, meghal, elvész, elenyészik; **~ by the sword** kard által vész el; **~ from sg** belepusztul vmbe; *vál* **~ the thought!** távol álljon tőlünk ez a gondolat; erre még csak gondolni sem szabad **2.** tönkremegy, megromlik, elromlik *[étel, áru]* **3.** *GB* rohad
perishable [ˈperɪʃəbl] **I.** *mn* **1.** roml(and)ó **2.** *átv* mulandó, tűnő *[dicsőség, szépség]* **II.** *fn tsz* **perishables** romlandó áruk
perished [ˈperɪʃt] *mn* **be ~ with cold** majd megfagy a hidegtől, megveszi az Isten hidege
perishing [ˈperɪʃɪŋ] *mn* **1.** *biz* dermesztő, kutya *[hideg]* **2.** *régi biz* átkozott, nyavalyás *[személy]*
peristaltic [ˌperɪˈstæltɪk ‖ –ˈstɔltɪk] *mn biol* féregszerűen összehúzódó, perisztaltikus; **~ motion** bélmozgás
peristyle [ˈperɪstaɪl] *mn* **1.** *épít* (épület körüli) oszlopsor **2.** *épít* oszlopcsarnok, peristylium
peritonitis [ˌperɪtəˈnaɪtɪs] *fn orv* hashártyagyulladás
periwig [ˈperɪwɪg] *fn régi* paróka, vendéghaj
periwinkle[1] [ˈperɪwɪŋkl] *fn növ* meténg, télizöld
periwinkle[2] [ˈperɪwɪŋkl] *fn* parti csiga

P

perjure [ˈpɜːdʒə ‖ ˈpɜrdʒər] *tsi* ~ **oneself** *jog* hamis tanúvallomást tesz

perjurer [ˈpɜːdʒərə ‖ ˈpɜrdʒərər] *fn jog* hamis tanú

perjury [ˈpɜːdʒəri ‖ ˈpɜr–] *fn jog* hamis tanúzás • *mn* **perjurious**

perk[1] [pɜːk ‖ pɜrk] **A.** *tni* ~ **up** felélénkül, felfrissül, visszanyeri jókedvét, jó kedvre derül, magához tér, új erőre kap *[betegség után]* **B.** *tsi* **1. a)** ~ **up one's head** hetykén felkapja a fejét; fennhordja a fejét **b)** ~ **up the ears** hegyezi a fülét **2.** ~ **sy up** felcicomáz/kicsinosít/kiöltöztet vkt; jókedvre derít, felvidít

perk[2] [pɜːk ‖ pɜrk] *tsi/tni biz* kávét főz *[eszpresszógépen]*

perkiness [ˈpɜːkinəs ‖ ˈpɜr–] *fn* helykeség, gőg

perks [pɜːks ‖ pɜrks] *fn tsz* **1.** természetbeni juttatások **2.** *[pozícióból származó]* előny, kiváltság

perky [ˈpɜːki ‖ ˈpɜrki] *mn* **1.** élénk, eleven **2.** elbizakodott, önhitt, arcátlan, szemtelen

perm [pɜːm ‖ pɜrm] **I.** *fn biz* dauer, tartós hullám **II.** *tsi* **have one's hair ~ed** daueroltat

permafrost [ˈpɜːməfrɒst ‖ ˈpɜrməfrɔst] *fn* örök fagy

permanence [ˈpɜːmənəns ‖ ˈpɜr–] *fn* tartósság, változatlanság, állandóság, folytonosság

permanency [ˈpɜːmənənsi ‖ ˈpɜr–] *fn* **1.** → **permanence 2.** *vál* állandó alkalmazás

permanent [ˈpɜːmənənt ‖ ˈpɜr–] *mn* állandó, tartós, maradandó, végleges, örökös, permanens; ~ **address** állandó lakhely; ~ **president** örökös elnök; ~ **press** állandó vasalás *[ruhán]*; ~ **wave** dauer *[hajban]* • *hsz* **permanently**

permanganate [pəˈmæŋgəneɪt ‖ pər–] *fn vegy* permanganát

permeable [ˈpɜːmɪəbl ‖ ˈpɜr–] *mn* áteresztő, átbocsátóképes, permeábilis • *fn* **permeability**

permeate [ˈpɜːmieɪt ‖ ˈpɜr–] **A.** *tsi* átjár, áthat, átitat, áthatol, átszűrődik (vmn), beszivárog (vmbe), szétterjed (vmben) **B.** *tni* áthatol, átszűrődik, behatol, beszivárog, elterjed • *fn* **permeation**

Permian [ˈpɜːmɪən ‖ ˈpɜr–] **I.** *mn geol* perm, permkorszakbeli **II.** *fn* **1.** *geol* perm(i korszak) **2.** *nyelv* permi nyelvek

permissible [pəˈmɪsəbl ‖ pər–] *mn* megengedett, engedélyezhető, elfogadható, tűrhető, nem kifogásolható • *fn* **permissibility**

permission [pəˈmɪʃn ‖ pər–] *fn* **1.** hozzájárulás, beleegyezés, jóváhagyás; **with your kind** ~ szíves engedelmével **2.** engedély; ~ **to reside** tartózkodási engedély

permissive [pəˈmɪsɪv ‖ pər–] *mn* **1.** engedékeny, megengedő, elnéző; ~ **society** liberális társadalom **2.** megengedő; *jog* ~ **legislation** fakultatív/diszpozitív jogszabályok • *fn* **permissiveness**

permit I. -tt- [pəˈmɪt ‖ pər–] **A.** *tsi* megenged, engedélyez, engedélyt ad (vmre); ~ **sy to do sg** engedélyt ad vknek vmre, megenged vknek vmt **B.** *tni* megenged, lehetővé tesz; **if time ~s** ha futja az időből; **weather ~ting** ha az időjárás megengedi **II.** *fn* [ˈpɜːmɪt ‖ ˈpɜr–] engedély; **parking** ~ parkolási engedély

permutate [ˈpɜːmjuteɪt ‖ ˈpɜr–] → **permute**

permutation [ˌpɜːmjʊˈteɪʃn ‖ ˈpɜrmjə–] *fn* **1. a)** (fel)cserélés, sorrendváltoztatás **b)** (fel)cserélődés, sorrendváltozás **2.** *mat* permutáció

permute [pəˈmjuːt ‖ pər–] *tsi mat* permutál

pernicious [pəˈnɪʃəs ‖ pər–] *mn* ártalmas, káros, veszedelmes, bomlasztó • *fn* **perniciousness**

pernickety [pəˈnɪkəti ‖ pər–] *mn* **1.** aprólékoskodó, szőrszálhasogató, szőröző **2. a)** *biz* kényes **b)** ~ **job/work** babramunka

peroration [ˌperəˈreɪʃn] *fn vál* **1.** szónoklat befejező része, végszó, összefoglalás, peroráció **2.** *pej* hosszadalmas beszéd/szónoklat

peroxide [pəˈrɒksaɪd ‖ pəˈrɑk–] **I.** *fn vegy* (szu)peroxid; **hydrogen** ~ hidrogén-peroxid *[hajfestéshez]*; **red** ~ **of iron** vörösvasoxid; **a** ~ **blonde** hidrogénszőke nő **II.** *tsi biz* (hidrogénnel) szőkít, hidrogénez *[hajat]*

perpendicular [ˌpɜːpənˈdɪkjʊlə ‖ ˌpɜrpənˈdɪkjələr] **I.** *mn* **1.** merőleges **2.** függőleges **3.** (nagyon) meredek **4.** egyenes(en álló) **5.** *épít* ~ **style** ‹az angol gótika utolsó szakasza› **II.** *fn mat* merőleges (egyenes)

perpetrate [ˈpɜːpətreɪt ‖ ˈpɜr–] *tsi vál* elkövet *[bűnt stb.]* • *fn* **perpetration**

perpetrator [ˈpɜːpətreɪtə ‖ ˈpɜrpətreɪtər] *fn jog* elkövető

perpetual [pəˈpetʃʊəl ‖ pər–] *mn* **1.** örök(ké tartó), örökkévaló, örökös, egész életre szóló **2. a)** folytonos, folyamatos, megszakítás nélküli; **the land of** ~ **snows** örök hó **b)** *biz* örökös, folytonos, állandó, szüntelen, szűnni nem akaró; ~ **calendar** öröknaptár **3.** *műsz* ~ **motion** örökmozgás

perpetually [pəˈpetʃʊəli ‖ pər–] *hsz* **1.** örökösen, állandóan, szakadatlanul **2.** örökre, örökké

perpetuate [pəˈpetʃueɪt ‖ pər–] *tsi* **1.** állandósít, fenntart **2.** megörökít, fenntart, feledéstől megóv • *fn* **perpetuation**

perpetuity [ˌpɜːpəˈtjuːəti ‖ ˌpɜrpəˈtuːəti] *fn* örökkévalóság, örökös volta (vmnek); **in/for** ~ (mind)örökké, örökre

perplex [pəˈpleks ‖ pər–] *tsi* **1.** megzavar, zavarba hoz/ejt, kétséggel/bizonytalansággal tölt el **2.** összezavar, bonyolít, komplikál

perplexed [pəˈplekst ‖ pər–] *mn* megzavarodott, zavart

perplexing [pəˈpleksɪŋ ‖ pər–] *mn* **1.** zavarba ejtő/hozó, fogas *[kérdés]*, fejtörtést okozó, különös **2.** zavaros, kusza *[helyzet]*, bonyolult *[probléma]*

perplexity [pəˈpleksəti ‖ pərˈ–] *fn* **1.** zavar(odottság), tanácstalanság **2.** bonyolultság, kuszaság, összevisszaság

perquisite [ˈpɜːkwɪzɪt ‖ ˈpɜr–] *fn* **1.** *[béren felüli]* juttatás **2.** *[pozícióból származó]* előny, kiváltság

perry [ˈperi] *fn* körtebor

persecute [ˈpɜːsɪkjuːt ‖ ˈpɜr–] *tsi* **1.** üldöz **2.** gyötör, zaklat, molesztál

persecution [ˌpɜːsɪˈkjuːʃn ‖ ˌpɜr–] *fn* **1.** üldözés; *orv* ~ **mania** üldözési mánia **2.** zaklatás, háborgatás, alkalmatlankodás **3.** üldöztetés

persecutor [ˈpɜːsɪkjuːtə ‖ ˈpɜrsɪkjuːtər] *fn* üldöző

perseverance [ˌpɜːsɪˈvɪərəns ‖ ˌpɜrsəˈvɪrəns] *fn* kitartás, állhatatosság

persevere [ˌpɜːsɪˈvɪə ‖ ˌpɜrsɪˈvɪr] *tni* **1.** állhatatosan/rendületlenül kitart *[nehézségek ellenére]*; ~ **in one's work** kitartóan/kitartással/rendületlenül végzi a munkáját **2.** erősködik, nem tágít/enged, ragaszkodik vmhez *[vitában]*

persevering [ˌpɜːsɪˈvɪərɪŋ ‖ ˌpɜrsɪˈvɪrɪŋ] *mn* állhatatos, kitartó

Persia [ˈpɜːʃə, ˈpɜːʒə ‖ ˈpɜrʒə] *tul földr* Perzsia

Persian [ˈpɜːʃn, ˈpɜːʒn ‖ ˈpɜrʒn] **I.** *mn* perzsa, perzsiai; ~ **carpet/rug** perzsaszőnyeg; ~ **cat** perzsa macska **II.** *fn* **1.** perzsa (ember) **2.** (új)perzsa(nyelv) **3.** perzsa macska

persiflage [ˈpɜːsɪflɑːʒ ‖ ˈpɜr–] *fn vál* ugratás, csipkelődés

persimmon [pəˈsɪmən ‖ pər–] *fn* datolyaszilva

persist [pəˈsɪst ‖ pər–] *tni* **1.** ~ **in sg** makacsul ragaszkodik vmhez; nem tágít vmtől, nem enged vmből; ~ **in one's opinion** makacsul kitart a véleménye mellett; ~ **in doing sg** rendületlenül (tovább csinál/tesz vmt); nem hagy abba *[idegesítő dolgot]* **2.** (tovább) tart, folytatódik

persistence [pəˈsɪstəns ‖ pər–] *fn* **1.** kitartás, állhatatosság, szívósság **2.** makacsság, konokság **3.** állandóság, folytonosság

persistent [pəˈsɪstənt ‖ pər–] *mn* **1. a)** állhatatos, kitartó, szívós **b)** konok, makacs **2.** állandó, tartó(s), örök(ös), folytonos, ismétlődő

person [ˈpɜːsn ‖ ˈpɜrsn] *fn* **1. a)** személy; **the said ~s** az említett személyek; **in** ~ személyesen; **in the** ~ **of sy** vk személyében **b)** *jog* személy; **artificial** ~ jogi személy; **natural** ~ természetes személy; **private** ~ magánszemély, magánember **2.** egyén, ember, valaki; **any** ~ bárki, valaki; **no** ~ senki **3.** az ember *[általános alany]*; **what is a** ~ **to do?** mit csinálhat az ember? **4.** *nyelv* személy; **first** ~ **singular** egyes szám első személy **5.** *szính vál* szereplő, személy; **~s** személyek

persona [pə'soʊnə ‖ pər–] *fn tsz* **personae** [–niː] *szính* személy, szereplő

personable ['pɜːsnˑəbl ‖ 'pɜr–] *mn* kellemes, megnyerő *[külsejű, modorú]*

personage ['pɜːsnˑɪdʒ ‖ 'pɜr–] *fn* **1.** tekintélyes/kiemelkedő személyiség **2.** *szính* szereplő, személy

personal ['pɜːsnəl ‖ 'pɜr–] *mn* **1.** egyéni, individuális; **~ hygiene** testápolás **2.** személyes, saját; **~ friend** személyes barát; **~ safety** személyi biztonság; **for ~ use** személyes használatra **3.** személyes *[nem írásbeli stb.]*; **~ interview** személyes megbeszélés **4.** magán, bizalmas; **~ letter** bizalmas levél; **~ matter** magánügy **5.** személyeskedő; **~ remark** személyeskedés, személyeskedő megjegyzés; **be/become ~** személyeskedik **6.** személyi, személy-; **~ column** személyi rovat; **~ data** személyi adatok **7.** *nyelv* **~ pronoun** személyes névmás

personal computer *fn infor* személyi számítógép, PC

personality [ˌpɜːsə'næləti ‖ ˌpɜrsə–] *fn* **1.** személy(iség); *jog* **legal ~** jogi személy; **television ~** tévés személyiség; **~ cult** személyi kultusz **2. a)** egyéniség; **split ~** tudathasadás, skizofrénia **b)** egyéni jelleg

personalization [ˌpɜːsnəlaɪ'zeɪʃn ‖ ˌpɜrsnələ–] *fn* **1.** megszemélyesítés **2.** megtestesítés

personalize ['pɜːsnˑəlaɪz ‖ 'pɜr–], **-ise** *tsi* **1.** megszemélyesít *[élettelen dolgot stb.]* **2.** megtestesít, megszemélyesít **3.** egyénivé formál/alakít *[névvel, monogrammal]*

personally ['pɜːsnˑəli ‖ 'pɜr–] *hsz* **1.** személy szerint, személyesen, saját személyében **2.** részükről, részemről, ami engem illet; **~** a magam részéről, ami engem illet **3. take sg ~** személyes sértésnek vesz, magára vesz

personification [pə'sɒnɪfɪkeɪʃn ‖ pər'sɑ–] *fn* **1.** *ir.tud* megszemélyesítés **2.** megtestesülés *[tulajdonságé]*

personify [pə'sɒnɪfaɪ ‖ pər'sɑ–] *tsi* **1.** *ir.tud* megszemélyesít **2.** megtestesít; **he is kindness personified** ő a megtestesült kedvesség

personnel [ˌpɜːsə'nel ‖ ˌpɜr–] *fn* **1. a)** személyzet **b)** *kat* személyi állomány, kezelőszemélyzet; **commissioned ~** tiszti állomány **2.** *biz* személyzeti (fő)osztály

personnel department *fn* személyzeti (fő)osztály

personnel manager *fn* személyzeti igazgató • *fn* **personnel management**

personnel shell *fn kat* repeszgránát

person-to-person *mn US* **~ call** meghívásos telefonbeszélgetés

perspective [pə'spektɪv ‖ pər–] *fn* **1.** távlat, perspektíva; **parallel ~** párhuzamos távlat; **drawing in ~** távlatrajz, perspektivikus ábrázolás **2.** *biz* **see sg in its proper/right ~** kellő megvilágításban (v. igaz mivoltában) lát vmt; olyannak lát vmt, amilyen valójában; helyesen ítél meg vmt **3.** rálátás, perspektíva; objektivitás, objektív megítélés

Perspex ['pɜːspeks ‖ 'pɜr–] *fn* plexiüveg

perspicacious [ˌpɜːspɪ'keɪʃəs ‖ ˌpɜr–] *mn vál* éles eszű, tisztánlátó, éles szemű *[ember]*, éles *[elme]* • *fn* **perspicacity**

perspicuity [ˌpɜːspɪ'kjuːəti ‖ ˌpɜr] *fn* világosság, áttekinthetőség, könnyen érthetőség *[gondolaté]*, szabatosság, világosság *[fogalmazásé]*

perspicuous [pə'spɪkjuəs ‖ pər–] *mn* **1.** világos, tiszta, könnyen érthető/áttekinthető **2.** magát szabatosan/világosan kifejező

perspiration [ˌpɜːspə'reɪʃn ‖ ˌpɜr–] *fn* **1.** izzadás, verejtékezés; **sensible ~** normális izzadás, normális testi kipárolgás; **break into (a) ~** kiveri (v. kiüt rajta) a veríték **2.** izzadság, veríték, verejték

perspire [pə'spaɪə ‖ pər'spaɪər] **A.** *tsi növ* párologtat **B.** *tni* izzad, verítékezik, verejtékezik

persuade [pə'sweɪd ‖ pər–] *tsi* **1.** meggyőz; **be ~d of sg** meg van győződve vmről **2. ~ sy to do sg, ~ sy into sg** rábeszél/rávesz/rábír vkt vmre

persuasion [pə'sweɪʒn ‖ pər–] *fn* **1. a)** meggyőzés **b)** rábeszélés, rábírás, rávevés **2.** rábeszélő/meggyőző erő/képesség **3.** meggyőződés; **of liberal ~** liberális meggyőződésű **4. a) (religious) ~** vallásos meggyőződés **b)** (hit)felekezet **5.** nem; **the male ~** az erősebb nem

persuasive [pə'sweɪsɪv ‖ pər–] *mn* meggyőző, megnyerő *[modor]* • *fn* **persuasiveness** *hsz* **persuasively**

pert [pɜːt ‖ pɜrt] *mn* **1.** szemtelen, pökhendi **2.** vidám, élénk, eleven • *fn* **pertness** *hsz* **pertly**

pertain [pə'teɪn ‖ pər–] *tni* **1.** (hozzá)tartozik, része, velejárója (vmnek) **2.** sajátsága, sajátossága, jellegzetessége, jellemző tulajdonsága; **the enthusiasm ~ing to youth** a fiatalokra jellemző lekesedés **3.** vonatkozik, kapcsolatos; **documents ~ing to the case** az ügyre vonatkozó iratok

pertinacious [ˌpɜːtɪ'neɪʃəs ‖ 'pɜr–] *mn vál* **1.** állhatatos, rendületlen, kitartó, határozott **2.** makacs, konok, önfejű • *fn* **pertinence**

pertinent ['pɜːtɪnənt ‖ 'pɜr–] *mn* **1.** találó, (oda)illő, odavaló, releváns, odavágó **2.** vonatkozó, tartozó • *hsz* **pertinently**

perturb [pə'tɜːb ‖ pər'tɜrb] *tsi* **1.** felkavar, felizgat, felzaklat **2.** összezavar, összekavar, összekuszál • *fn* **perturbation**

perturbable [pə'tɜːbəbl ‖ pər'tɜr–] *mn* izgulékony, ingerlékeny, nyugtalankodó

perturbed [pə'tɜːbd ‖ pər'tɜrbd] *mn* **1.** (fel)izgatott, felzaklatott, feldúlt, felkavart, nyugtalan **2.** összekavart, összekuszált

perturbing [pə'tɜːbɪŋ ‖ pər'tɜrbɪŋ] *mn* nyugtalanító, (meg)zavaró, izgató

pertussis [pə'tʌsɪs ‖ pər–] *fn orv* szamárköhögés, pertussis

Peru [pə'ruː] *tul földr* Peru • *fn/mn* **Peruvian**

perusal [pə'ruːzl] *fn* figyelmes/gondos átolvasás/átnézés/áttanulmányozás

peruse [pə'ruːz] *tsi* **a)** figyelmesen/gondosan átolvas/áttanulmányoz/átvizsgál **b)** (el)olvas

perv [pɜːv ‖ pɜrv] *fn szl* → **pervert I.**

pervade [pə'veɪd ‖ pər–] **A.** *tsi* **a)** átjár, átitat, szétterjed (vmben); **spring ~d the air** a tavasz lehelete/illata betöltötte a levegőt **b)** *átv* áthat, eltölt *[gondolat, érzés]* **B.** *tni* áthatol, elterjed • *fn* **pervasion** *mn* **pervading**

pervasive [pə'veɪsɪv ‖ pər–] *mn* **1.** mindent átjáró/átható/átitató **2.** átható, erős, penetráns *[szag]* • *fn* **pervasiveness**

perverse [pə'vɜːs ‖ pər'vɜrs] *mn* **1.** természetellenes, rendellenes, ferde, fonák **2.** elferdült, eltévelyedett, kificamodott *[ízlés]* **3.** romlott, fajtalan, perverz **4.** megátalkodott, csökönyös, makacs, konok, önfejű • *hsz* **perversely**

perversion [pə'vɜːʃn ‖ pər'vɜrʒn] *fn* **1. a)** romlottság, züllöttség, fajtalanság, perverzitás **b)** lezüllesztés, megrontás, pervertálás **2.** természetellenesség, perverzió; **(sexual) ~** nemi perverzió **3.** eltévelyedés, elferdülés, kificamodás *[ízlésé]* **4.** elferdítés, kiforgatás *[értelemé]*; **~ of the truth** az igazság elferdítése

pervert I. *fn* ['pɜːvɜːt ‖ 'pɜrvɜrt] fajtalan/perverz/természetellenes (nemi) életű egyén; **(sexual) ~** beteges hajlamú egyén **II.** *tsi* [pə'vɜːt ‖ pər'vɜrt] **1.** kiforgat eredeti mivoltából, eltérít rendeltetésétől, megzavar, felforgat **2.** (erkölcsileg) megront, lezülleszt, pervertál **3.** kiforgat, elferdít, meghamisít *[értelmet]*

perverted [pə'vɜːtɪd ‖ pər'vɜrtɪd] *mn* **1.** züllött, romlott, fajtalan, erkölcstelen **2.** természetellenes, rendellenes **3.** elferdült, kifacsarodott *[ízlés]* **4.** elferdített *[értelem]*

pesky ['peski] *mn US biz* bosszantó, kellemetlen, idegesítő

pessary ['pesəri] *fn* **1.** *orv* méhgyűrű, pesszárium **2.** *orv* hüvelykúp

pessimism ['pesɪmɪzm] *fn* borúlátás, sötétenlátás, pesszimizmus • *fn* **pessimist** *mn* **pessimistic(al)**

pest [pest] *fn* **1.** kártevő, kártékony állat **2.** *biz* terhes/kellemetlen ember/dolog, nyűg **3.** *orv régi* dögvész, pestis

pest control *fn* rovarirtás, kártevők irtása

P

pester ['pestə ‖ –ər] *tsi biz* kínoz, zaklat, háborgat, nyaggat, szekíroz, gyötör, nyúz, nem hagy békét (vknek); *biz* **~ sy to do sg, ~ sy for sg** örökösen zaklat vkt vmért
pesticide ['pestɪsaɪd] *fn* féregirtó/rovarirtó
pestilence ['pestɪləns] *fn* **a)** pusztító/ragályos/fertőző betegség **b)** bubópestis
pestilent ['pestɪlənt] *mn* **1.** halálos, halált okozó, gyilkos, vészes, pusztító; mételyező, fertőző *[tan stb.]* **2.** *biz* terhes, kellemetlen, zavaró, bosszantó
pestilential [ˌpestɪ'lenʃl] *mn* **1.** pestises, dögvészes **2.** ragályos, fertőző **3.** *átv* ártalmas, káros, veszedelmes
pestle [pesl, pestl] *fn* mozsártörő
pet[1] [pet] **I.** *fn* **1.** kedvtelésből tartott háziállat **2.** kedvenc, kegyelt; **teacher's ~** a tanár kedvence, stréber *biz* **II. -tt- A.** *tsi* **1.** dédelget, becéz, kényeztet, babusgat **2.** simogat, cirógat **B.** *tni biz* csókolódzik, nyalják-falják egymást, smárol, smacizik *szl* **III.** *mn* kedvenc, legkedvesebb; **~ dog** öleb; **~ project** dédelgetett ötlet/terv
pet[2] [pet] *fn* sértődöttség, duzzogás; **get in a ~** megneheztel, megsértődik, megharagszik
petal ['petl] *fn* (virág)szirom • *mn* **petalled**
petard [pɪ'tɑːd ‖ –'tɑrd] *fn kat* petárda; **(be) hoisted with one's own ~** saját kelepcéjébe/csapdájába esik, saját fegyvereivel verik meg
Pete [piːt] *tul* ‹*Peter* becéző alakja›
Peter ['piːtə ‖ –ər] *tul* Péter; **rob ~ to pay Paul** egyik adósságból a másikba zuhan
peter ['piːtə ‖ –ər] *tni biz* **~ (out)** lassan elfogy/kifogy/kimerül *[készlet stb.]*; megszűnik, véget ér
petite [pə'tiːt] *mn/fn francia* kicsi és törékeny/filigrán alkatú (nő)
petition [pə'tɪʃn] **I.** *fn* **1.** kérvény, folyamodvány; **make a ~, send in/up a ~** kérvényt bead/benyújt **2.** felirat, felterjesztés, petíció **3.** *jog* kereset; **~ for a divorce** válókereset **4.** *vál* kérelem, könyörgés, esedezés, *vall* ima, fohász **II. A.** *tsi* **1.** kér, benyújt kérvényt/folyamodványt, folyamodik (vkhez), feliratot/felterjesztést intéz (vkhez); **~ the court for sg** megkeresi a bíróságot vmért **2.** kérve kér, könyörög, esdekel (vknek) **B.** *tni* kér(elmez), esdekel, könyörög (vmért)
petitioner [pə'tɪʃənə ‖ –ər] *fn* **1.** kérelmező, folyamodó, kérvényező **2.** *jog* keresetet benyújtó, felperes *[válóperben]*
petrel ['petrəl] *fn áll* viharmadár
petrified ['petrɪfaɪd] *mn* **1.** megdermedt, halálra vált, megkövült *[félelemtől, ijedségtől]* **2.** megkövesedett, megkövült
petrify ['petrɪfaɪ] **A.** *tsi* **1.** megdermeszt, kővé/sóbálvánnyá mereszt; **be petrified with fear** halálra vált a félelemtől **2.** elkövesít **B.** *tni* **1.** megdermed, kővé/sóbálvánnyá mered, megbénul *[ijedségtől]* **2.** megkövesedik, megkövül
petrochemical [ˌpetroʊ'kemɪkl] *mn* petrolkémiai
petrography [pə'trɒgrəfi ‖ pə'trɑ–] *fn geol* kőzettan, petrográfia • *mn* **petrographic(al)**
petrol ['petrəl] *fn GB* benzin, üzemanyag
petrol bomb *fn kat* Molotov-koktél
petrol can *fn* benzinkanna
petroleum [pə'troʊlɪəm] *fn* kőolaj, ásványolaj, nyersolaj
petroleum jelly *fn* vazelin
petrology [pə'trɒlədʒi ‖ –'trɑ–] *fn* kőzettan
petrol station *fn GB* benzinkút, üzemanyagtöltő állomás
petrol tank *fn GB* benzintartály
petticoat ['petikoʊt] *fn* (alsó)szoknya
pettifogger ['petifɒgə ‖ –fɑgər, –fɔgər] *fn* **1.** zugügyvéd **2.** akadékoskodó/szőrözö ember • *tni* **pettifog** *fn* **pettifoggery**
pettifogging ['petifɒgɪŋ ‖ –fɑ–, –fɔ–] **I.** *mn* **1.** szőröző, szőrszálhasogató **2.** jelentéktelen, triviális **II.** *fn* → **pettifoggery**
petting ['petɪŋ] *fn [szexuálisan izgató]* simogatás, petting; → **pet**[1] II.
pettish ['petɪʃ] *mn* bosszús, ingerült, ingerlékeny
petulant ['petjʊlənt ‖ –tʃə–] *mn* veszekedős, ingerült, sértődékeny, nyűgös(ködő), zsémbelődő • *fn* **petulance**
petunia [pə'tjuːnɪə ‖ pɪ'tuːnjə] *fn* petúnia
petty ['peti] *mn* **1.** jelentéktelen, apró-cseprő, bagatell, piti; **~ bourgeois** kispolgár; nyárspolgár; **~ expenses** aprócseprő kiadások, kisebb/vegyes kiadások **2.** kicsinyes, kisstílű **3.** *jog* **~ larceny** ‹kisösszegű/bizonyos összeget meg nem haladó lopás›; **~ offences** kihágások **4.** *hajó* **~ officer** tengerészaltiszt
petty-minded *mn* kicsinyes, kisstílű, korlátolt
pew [pjuː] *fn* (templomi) pad; **family ~** családi templomülés
pewit ['piːwɪt] *fn áll* **1.** bíbic **2.** feketefejű sirály
pewter ['pjuːtə ‖ –ər] *fn* **1.** ónötvözet **2.** ónedény, cintárgy
peyote [peɪ'oʊti] *fn* **1.** peyote-kaktusz **2.** peyote, meszkál *[kábítószer]*
PG *röv* **1.** *US Parental Guidance* csak szülői kísérettel (ajánlott) *[filmről]* **2.** *paying guest*
pH *röv potential of hydrogen* hidrogénkitevő, pH-érték
phagocyte ['fægəsaɪt] *fn biol* falósejt, fagocita
phalanger [fə'lændʒə ‖ –ər] *fn áll* kuszkusz; **flying ~** repülő mókus
phalanx ['fælæŋks ‖ 'feɪ–] *fn tsz* **phalanges** [fə'lændʒiːz] **1. phalanxes** *tört* falanx **2.** *orv* ujjperc
phallic ['fælɪk] *mn* **1.** fallikus, falloszi **2.** fallosz/hímvessző alakú
phalloid ['fælɔɪd] → **phallic** 2.
phallus ['fæləs] *fn tsz* **phalli** v. **phalluses** ['fælaɪ] **1.** fallosz **2.** *orv* hímvessző
phantasm ['fæntæzm] *fn* **1.** káprázat, látszat, illúzió **2.** kísértet, rémkép • *mn* **phantasmal**
phantasmagoria [fænˌtæzmə'gɔːrɪə, 'fæntæz–] *fn* fantazmagória • *mn* **phantasmagoric**
phantom ['fæntəm] **I.** *mn* **1.** ál-, mű-, fantom; *távk* **~ signals** áljelek; *kat* **~ target** mesterséges cél **2.** képzeletbeli, látszólagos; *orv* **~ limb** ‹még mindig meglevőnek képzelt/érzett amputált végtag› fantom végtag; **~ pregnancy** álterhesség; **~ visions** képzetek, képzeletszülte dolgok **II.** *fn* **1.** jelenés, kísértet, szellem, fantom **2.** rémkép, agyrém, káprázat
Pharaoh ['feəroʊ ‖ 'feroʊ] *fn tört* fáraó
Pharisee ['færɪsiː] *fn* **1.** *tört vall* farizeus **2. p~** álszent, szemforgató, képmutató, farizeus • *mn* **Pharisaic(al)**
pharmaceutics [ˌfɑːmə'suːtɪks ‖ ˌfɑr–] *fn esz* gyógyszerészet, gyógyszertan • *mn* **pharmaceutic(al)**
pharmacist ['fɑːməsɪst] *fn orv* patikus, gyógyszerész
pharmacology [ˌfɑːmə'kɒlədʒi ‖ ˌfɑrmə'kɑ–] *fn orv* gyógyszertan • *fn* **pharmacologist** *mn* **pharmacological**
pharmacopoeia [ˌfɑːməkə'piːə ‖ ˌfɑr–], *US* **-peia** *fn orv* gyógyszerkönyv
pharmacy ['fɑːməsi ‖ 'fɑr–] *fn orv* **1.** gyógyszertár, patika **2.** gyógyszerészet
pharos ['feərɒs ‖ 'ferɑs] *fn* világítótorony
pharyngitis [ˌfærɪn'dʒaɪtɪs] *fn orv* torokgyulladás
pharynx ['færɪŋks] *fn tsz* **pharynxes**, **pharynges** [fə'rɪndʒiːz] *orv* garat, torok • *mn* **pharyngeal**
phase [feɪz] **I.** *fn* **1.** időszak, korszak, szakasz, mozzanat, periódus, fázis **2.** fok(ozat), alakulás, állapot, fázis; **~s of an illness** egy betegség fázisai/szakaszai **3.** oldal, szempont **4.** *csill* holdváltozás, fényváltozás, fázis **5.** *vill* **in ~** fázisban (levő), szinkron **II.** *tsi* **1.** fázisokra oszt/bont **2. ~ in** bevezet *[új terméket/gyártmányt]*; **~ out** kivon *[termelésből, forgalomból]*; fokozatosan megszüntet
phaseout ['feɪzaʊt] *fn* fokozatos leállás/megszüntetés
PhB *röv* Philosophiae Baccalaureus; *Bachelor of Philosophy*
PhD *röv* Philosophiae Doctor; *Doctor of Philosophy* ‹Magyarországon: tudományos doktori fokozat, nem csak filozófusoknak v. bölcsészeknek› PhD
pheasant ['feznt] *fn* fácán
phenol ['fiːnɒl ‖ –nɔl, –nɑl] *fn vegy* karbol(sav), fenol

phenomena [fəˈnɒmɪnə ‖ –ˈnɑ–] → **phenomenon**
phenomenal [fəˈnɒmɪnl ‖ –ˈnɑ–] *mn* **1.** *biz* tüneményes, csodás, nagyszerű, fenomenális **2.** *fil* a jelenségek körébe tartozó, érzékelhető, fenomenális
phenomenon [fəˈnɒmɪnən ‖ fəˈnɑmɪnɑn, –nən] *fn tsz* **phenomena** [fəˈnɒmənə ‖ –ˈnɑ–] **1.** jelenség, tünemény, tünet **2.** *biz* ritka/csodás/különös tünemény, csodálatos dolog/ember, fenomén
phenotype [ˈfiːnoutaɪp] *fn biol* fenotípus *[genetikában]*
phenyl [ˈfiːnaɪl ‖ ˈfenɪl] *fn vegy* fenil(gyök); ~ **alcohol** karbolsav; fenol
phew [fjuː] *isz* hú!, fú!
phi [faɪ] *fn* phi *[görög betű]*
phial [ˈfaɪəl] *fn* fiola, ampulla, üvegcse
Phil [fɪl] *tul* **a)** ‹ *Philip* férfinév becéző alakja › **b)** ‹*Phyllis* női név becéző alakja›
Phil. *röv* **1.** *US Philadelphia* **2.** *Philharmonic* **3.** *Philippians* **4.** *Philosophy* **5.** *Philippines*
philander [fɪˈlændə ‖ –ər] *tni* flörtöl, teszi a szépet, csapja a szelet (vknek) • *fn* **philanderer**
philanthrope [ˈfɪlənθroup] → **philanthropist**
philanthropy [fɪˈlænθrəpi] *fn* emberszeretet, filantrópia • *fn* **philanthropism** *fn* **philanthropist** *mn* **philanthropic(al)**
philately [fɪˈlætəli] *fn* bélyeggyűjtés, filatélia • *fn* **philatelist** *mn* **philatelic**
philharmonic [ˌfɪləˈmɒnɪk, ˈfɪlɑː– ‖ –hɑrˈmɑ–] **I.** *fn* filharmonikus(ok), filharmonikus zenekar **II.** *mn* **a)** filharmonikus **b)** zenekedvelő, zenebarát
Philip [ˈfɪlɪp] *tul* Fülöp
philippic [fɪˈlɪpɪk] *fn* **a)** *vál régi* **the P~s** filippikák **b)** *vál* támadó/szitkozódó kirohanás (vk ellen)
Philippine [ˈfɪlɪpiːn] *mn földr* Fülöp-szigeteki; **the ~s**, **the ~ Islands** a Fülöp-szigetek
Philistine [ˈfɪlɪstaɪn ‖ –stiːn] **I.** *mn* **1.** *bibl* filiszteus **2.** **p~** kispolgári, nyárspolgári, maradi, korlátolt gondolkodású, szűk látókörű **II.** *fn* **1.** *bibl* filiszteus **2.** **p~** kispolgár, nyárspolgár, filiszter
philistinism [ˈfɪlɪstɪnɪzm] *fn* nyárspolgárság
philo- [ˈfɪlou] *előtag* vmnek a kedvelője/barátja/művelője, filo-
philodendron [ˌfɪləˈdendrən] *fn* filodendron
philogynist [fɪˈlɒdʒɪnɪst ‖ –ˈlɑ–] *fn* nőimádó • *mn* **philogynous**
philology [fɪˈlɒlədʒi ‖ –ˈlɑ–] *fn* **1.** filológia **2.** (összehasonlító és történeti) nyelvészet, nyelvtudomány • *fn* **philologist** *mn* **philological**
philosopher [fɪˈlɒsəfə ‖ fəˈlɑsəfər] *fn* **1.** filozófus, bölcselő, gondolkodó **2.** *átv* bölcs; **the ~s' stone** a bölcsek köve
philosophize [fɪˈlɒsəfaɪz ‖ –ˈlɑ–], **-ise** *tni* **a)** filozofál, bölcselkedik, elmélkedik **b)** filozofál(gat), bölcselkedik
philosophy [fɪˈlɒsəfi ‖ –ˈlɑ–] *fn* **1. a)** filozófia, bölcselet **b)** filozófiai/bölcseleti rendszer **2.** életfilozófia, bölcsesség **3.** józan belenyugvás, bölcs mértékletesség/nyugalom • *mn* **philosophic(al)** *hsz* **philosophically**
phiz [fɪz] *fn GB szl tréf* arc, ábrázat, fizimiska, pofa; *tréf* **nice little ~** kedves kis arcocska/profil
phlebitis [flɪˈbaɪtɪs] *fn orv* visszérgyulladás • *mn* **phlebitic**
phlegm [flem] *fn* **1.** nyálka, (nyálkás) váladék, köpet, slejm **2.** *régi vál* egykedvűség, hidegvér, közöny
phlegmatic [flegˈmætɪk] *mn* egykedvű, közönyös, érzéketlen, hidegvérű
phlox [flɒks ‖ flɑks] *fn növ* lángvirág, flox
phobia [ˈfoubɪə] *fn* beteges félelem/szorongás, fóbia
phoebe [ˈfiːbi] *fn US áll* amerikai légykapó
Phoenicia [fəˈnɪʃə] *tul földr* Fönícia • *fn/mn* **Phoenician**
phoenix [ˈfiːnɪks] *fn* főnix(madár)
phone¹ [foun] **I.** *fn biz* telefon; **be on the ~** telefonál; **over the ~** telefonon **II.** *tsi biz* **~ (up) sy** felhív vkt, telefonál vknek
phone² [foun] *fn nyelv* beszédhang
phone book *fn* telefonkönyv
phone booth *fn* telefonfülke
phonecard *fn* telefonkártya
phoneme [ˈfouniːm] *fn nyelv* fonéma • *mn* **phonemic**
phonetic [fəˈnetɪk] *mn* **1.** *nyelv* **a)** hangtani, fonetikai, fonetikus; **~ alphabet** fonetikus ábécé/írás; **~ notation** fonetikai/kiejtési jelölési mód; **~ spelling** fonetikus írás; **~ speech power** fonetikus beszéderősség; **~ symbol/sign** hangjel; kiejtési/fonetikus jel; **~ transcription** fonetikus átírás **b)** kiejtési; **~ exercise** kiejtési gyakorlat **2.** hangírási, hangjelölő • *hsz* **phonetically**
phonetics [fəˈnetɪks] *fn esz nyelv* **1.** hangtan, fonetika **2.** hangírás • *fn* **phonetician**
phoney [ˈfouni] **I.** *mn pej* nem valódi/igazi, ál, hamis(ított) **II.** *fn* szélhámos
phonic [ˈfɒnɪk ‖ ˈfɑ–] *mn fiz* hangbeli, hang-
phonics [ˈfɒnɪks ‖ ˈfɑ–] *fn esz fiz* hang(zás)tan
phonograph [ˈfounəgrɑːf ‖ –græf] *fn régi* gramofon, lemezjátszó
phonologic, **phonological** [ˌfounəˈlɒdʒɪk(l) ‖ –ˈlɑ–] *mn nyelv* **a)** fonologikus **b)** fonológiai
phonology [fəˈnɒlədʒi ‖ –ˈnɑ–] *fn nyelv* fonológia • *fn* **phonologist**
phony [ˈfouni] *US* → **phoney**
phooey [ˈfuːi] *isz* fuj!
phosgene [ˈfɒzdʒiːn ‖ ˈfɑz–] *fn vegy* karbonilklorid, szénoxilklorid, foszgén *[harcigáz]*
phosphate [ˈfɒsfeɪt ‖ ˈfɑs–] *fn vegy* foszforsav sója, foszfát
phosphorescence [ˌfɒsfəˈresns ‖ ˌfɑs–] *fn vegy* villódzás, foszforeszkálás • *tni* **phosphoresce** *mn* **phosphorescent**
phosphoric [fɒsˈfɒrɪk ‖ fɑsˈfɔ–] *mn vegy* foszfortartalmú, foszfor-; *vegy* **~ acid** foszforsav
phosphorus [ˈfɒsfərəs ‖ ˈfɑs–] *fn vegy* foszfor; **red ~** vörös foszfor • *mn* **phosphorous**
photo [ˈfoutou] → **photograph** I.
photoactive [ˌfoutouˈæktɪv] *mn fiz fényk* fényérzékeny
photocell [ˈfoutousel] *fn* fotocella, fényelem
photocopy [ˈfoutoukɒpi ‖ –kɑpi] **I.** *fn* fénymásolat **II.** *tsi/tni* fénymásol, fénymásolatot készít
photodetector [ˌfoutədɪˈtektə ‖ –ər] *fn fiz* fénydetektor, fotodetektor
photoelectric [ˌfoutouɪˈlektrɪk] *mn fiz* fotocellás, fényelektromos
photo finish *fn sp* fej-fej melletti célbaérés *[melyben az elsőbbséget csak célfotó alapján lehet eldönteni]*
photogenic [ˌfoutouˈdʒenɪk] *mn* fényképen jól mutató, hálás *[fototéma]*, fotogén
photograph [ˈfoutəgrɑːf ‖ –græf] **I.** *fn* fénykép, felvétel, fotográfia, kép; **take a ~ of sy/sg** lefényképez vkt/vmt; **have one's ~ taken** lefényképezteti magát **II.** *tsi* (le)fényképez
photographer [fəˈtɒgrəfə ‖ –ˈtɑgrəfər] *fn* fényképész
photographic [ˌfoutəˈgræfɪk] *mn* **a)** fényképészeti, fénykép-; **~ paper** fényképezőpapír, fotópapír; **~ print** fényképnyomat, fényképmásolat **b)** **~ description** pontos/részletes/aprólékos leírás; **~ memory** képmemória
photography [fəˈtɒgrəfi ‖ –ˈtɑ–] *fn* **a)** fényképészet **b)** fényképezés
photolithography [ˌfoutoulɪˈθɒgrəfi ‖ –ˈθɑ–] *fn fényk* fotolitográfia, fényképészeti kőnyomat
photometer [fouˈtɒmɪtə ‖ –ˈtɑmətər] *fn fiz* fény(erősség)mérő, fotométer
photon [ˈfoutɒn ‖ ˈfoutɑn] *fn fiz* foton
photosensitive [ˌfoutouˈsensətɪv] *mn fiz fényk* fényérzékeny; **~ cell** fényérzékeny cella, fotocella • *tsi* **photosensitize** *fn* **photosensitivity**
photostat [ˈfoutəstæt] *fn régi* **1.** fénymásolat, fotokópia, papírnyomat **2.** fénymásoló készülék, fotokópiagép, másológép
photosynthesis [ˌfoutou ˈsɪnθəsɪs] *fn biol* fotoszintézis • *tni* **photosynthesize**

P

phrasal [ˈfreɪzl] *mn nyelv* frázis-; ~ **verb** elöljárós ige *[állandósult kapcsolatban]*
phrase [freɪz] **I.** *fn* **1. a)** szóhasználat, kifejezés(mód), stílus, beszédfordulat; **as the ~ goes** ahogy mondani szokás; **a turn of ~** beszédfordulat; **turn a ~** kifejezi magát *[szellemesen stb.]* **b)** *nyelv* állandósult szókapcsolat, kifejezés; **set ~** állandósult szókapcsolat/szószerkezet; **adverbial ~** határozós szókapcsolat **c)** *nyelv* csoport; **noun ~** főnévi csoport **2.** (zenei) frázis **II.** *tsi* **1.** kifejez, megfogalmaz, szavakba önt/foglal **2.** *zene* frazíroz, tagol
phrase book *fn* kifejezésgyűjtemény
phraseology [ˌfreɪziˈɒlədʒi ‖ –ˈɑlə–] *fn* kifejezésmód, megfogalmazás, stílus • *mn* **phraseological**
phrasing [ˈfreɪzɪŋ] *fn* **1. a)** kifejezés, szavakba/írásba öntés/foglalás, megfogalmazás **b)** kifejezésmód, beszédmód, beszédfordulat, szóhasználat **2.** *zene* tagolás
phrenology [frəˈnɒlədʒi ‖ –ˈnɑ–] *fn* koponyatan, frenológia • *fn* **phrenologist** *mn* **phrenological**
phut [fʌt] *hsz biz* **go ~** elromlik, felmondja a szolgálatot, bedöglik, megbukik, csődöt mond *[terv]*
phylogenesis [ˌfaɪlouˈdʒenɪsɪs] *fn biol* törzsfejlődés, filogenezis • *mn* **phylogen(et)ic**
phylum [ˈfaɪləm] *fn tsz* **phyla** [ˈfaɪlə] *biol* törzs
physical [ˈfɪzɪkl] *mn* **1.** testi, fizikai; **~ education** testnevelés; **~ exercises** testgyakorlat, torna; **~ force/strength** testi/fizikai erő **2. a)** természeti, fizikai; **a ~ impossibility** fizikai lehetetlenség/képtelenség **b)** *fiz* fizikai, természettani • *hsz* **physically**
physicality [ˌfɪzɪˈkæləti] *fn* fizikai állapot
physician [fɪˈzɪʃn] *fn* orvos, doktor, belgyógyász; **consulting ~** konzultáló (v. konzíliumra hívott) orvos
physicist [ˈfɪzɪsɪst] *fn fiz* fizikus
physics [ˈfɪzɪks] *fn esz* fizika; **nuclear ~** magfizika
physiocrat [ˈfɪzioukræt] *fn tört közg* fiziokrata • *mn* **physiocratic**
physiognomy [fɪziˈɒnəmi ‖ –ˈɑgnə–, –ˈɑnə–] *fn* **1.** külsőből való jellemkövetkeztetés, arcismeret, fiziognómia **2. a)** (arc)vonások, arckifejezés **b)** jellegzetesség, sajátosság, arculat • *mn* **physiognomic(al)**
physiological [ˌfɪzɪəˈlɒdʒɪkl ‖ –ˈlɑ–] *mn* élettani, fiziológiai
physiology [ˌfɪzɪˈɒlədʒi ‖ –ˈɑlə–] *fn* élettan, fiziológia • *mn* **physiologist**
physiotherapeutics [ˌfɪziouθerəˈpjuːtɪks] *fn esz orv* fizioterápia, fizikoterápia • *mn* **physiotherapeutic**
physiotherapy [ˌfɪziouˈθerəpi] *fn orv* **a)** fizioterápia, fizikoterápia **b)** gyógytorna • *fn* **physiotherapist**
physique [fɪˈziːk] *fn* **a)** fizikum, testalkat **b)** *biz* alak, (test)forma
phytogenesis [ˌfaɪtouˈdʒenɪsɪs] *fn növ* növény-fejlődéstörténet, fitogenezis
pi[1] [paɪ] *fn* **1.** pi *[görög betű]* **2.** *mat* Ludolf-féle szám, pi
pi[2] [paɪ] *mn GB szl pej* ájtatos
pia mater [ˌpaɪəˈmeɪtə ‖ –ər] *orv* lágy agyburok
pianissimo [ˌpiːəˈnɪsɪmou] *zene* **I.** *mn* pianisszimó, nagyon halk **II.** *hsz* pianisszimó
pianist [ˈpiːənɪst ‖ piˈænɪst] *fn* zongorista, zongoraművész
piano[1] [piˈænou] *fn zene* zongora; **(concert) grand ~** hangversenyzongora; **upright ~** pianínó
piano[2] [ˈpjɑːnou ‖ piˈɑːnou] *zene* **I.** *mn* halk, lágy, csendes, piano **II.** *hsz* **a)** piano, halkan **b)** *átv* halkan, csendesen, zajtalanul
piano accordion *fn zene* tangóharmonika
pianoforte [piˌænouˈfɔːti ‖ –ˈfɔrteɪ] *fn zene régi* zongora
pianola [ˌpiːəˈnoulə] *fn zene* gépzongora
piazza [piˈætsə] *fn* **1. a)** köztér, piac, vásártér **b)** *GB* árkádok **2.** *US* veranda, (elő)tornác
pic [pɪk] *fn tsz* **pix, pics** *biz* **a)** film, mozifilm **b)** kép, fénykép
picador [ˈpɪkədɔː ‖ –dɔr] *fn sp* pikador, lovas bikaviador
picaresque [ˌpɪkəˈresk] **I.** *mn ir.tud* pikareszk; **~ novel** kalandregény, pikareszk regény **II.** *fn ir.tud* pikareszk műfaj
picayune [ˌpɪkəˈjuːn] **I.** *mn* gyatra, silány, értéktelen, hitvány, jelentéktelen, kisszerű, kicsi, piti **II.** *fn* **a)** *US* ötcentes pénzdarab **b)** *biz* értéktelen holmi/apróság, csekélység; **not worth a ~** egy fabatkát sem ér
piccalilli [ˌpɪkəˈlɪli] *fn* mustáros ecetbe rakott zöldség, vegyes savanyúság
piccaninny [ˌpɪkəˈnɪni ‖ ˈpɪkənɪni] *fn tabu* néger gyerek
piccolo [ˈpɪkəlou] *fn zene* kisfuvola, pikoló • *fn* **piccoloist**
pick [pɪk] **I. A.** *tsi* **1.** (ki)szed, (ki)piszkál, (ki)váj, (ki)vés; **~ one's nose** orrát piszkálja, az orrában turkál; **~ one's teeth** fogát piszkálja **2.** letisztogat *[gyümölcsöt stb.]*, kopaszt *[baromfit]*, foszt *[tollat]*, (ki)csipked *[posztót]*, tép *[szálat]*; **~ a bone** megtisztít csontot hústól; csontot leszopogat/(le)rág; **have a bone to ~ with sy** elintézetlen ügye (v. elszámolnivalója) van vkvel **3. a)** (le)szed, letép *[virágot, gyümölcsöt]*, lecsíp; *biz* **~ the eyes out of sg** vmnek a javát saját magának szedi ki (v. tartja meg) **b) ~ to pieces** darabokra/ízekre szed; könyörtelenül megbírál, még a keresztvizet is leszedi róla **c)** csipeget *[madár szemet, vk ételből]*, csipked, felcsíp, szedeget, felkapkod *[szemet]*; *biz* **~ a bit** csipeget, szemelget *[ételből]* **d) ~ rags** rongyot szed, rongyszedéssel foglalkozik **e) ~ a quarrel/fight with sy** veszekedést/verekedést provokál, beleköt vkbe **4.** (ki)választ, (ki)válogat, gondosan megválogat; **~ one's way/step** ügyel a lépéseire; megnézi, hogy hova lép; óvatosan lépked; **~ one's words** megválogatja a szavait; **~ sides** oldalt/mezőnyt választ *[játékban]*; **~ and choose** *[aprólékos gonddal]* kiválogat; **~ a winner** jól választ *biz* **5. a)** feltör *[zárat]*; **~ a lock** álkulccsal (ki)nyit; zárat feltör **b) ~ sy's pocket** kilop/kiemel/kicsen vmt vk zsebéből **c)** *biz* **~ sy's brains** kihasználja vknek a tudását, hasznára fordítja vknek az ismereteit **6. ~ a hole in sg** kilyukaszt vmt, lyukat fúr vmbe; *biz* **~ holes in sg** hibát talál vmben, kifogásol vmt **7. ~ a guitar** gitáron játszik **B.** *tni* **1. a)** csipeget, szedeget *[madár]*; *biz* **~ for food** kapirgál, szemet keres, csipeget *[madár]* **b)** *biz* eszeget, csipeget *[ételből ember]* **2.** (gondosan) válogat **II.** *fn* **1.** csákány, fejtőkalapács **2.** fogpiszkáló, fogvájó **3. a)** kiválogatás, választás **b)** választási lehetőség; **take first ~** elsőnek választ; **take your ~** válassz! **c)** legjava, színe-java, krémje; *biz* **the ~ of the bunch** vmnek a színe-java/legjava
pick off *tsi* **1.** leszed, lecsíp, letép **2.** célba vesz és lelő/lepuffant
pick on *tni* **1. ~ on sy/sg** vkre/vmre esik a választása; kiválaszt **2.** *biz* **~ on sy** beleköt vkbe; utazik/pikkel vkre
pick out *tsi* **1.** kikapar, kiváj *[szemet]* **2. a)** kiválogat, kiválaszt **b)** megkülönböztet, felismer **c)** kivesz, kihámoz, kibetűz, megért *[alapos vizsgálat eredményeként]* **3.** hallás után játszik *[hangszeren]*; **~ out a tune on the piano** hallás után eljátszik egy dallamot a zongorán
pick over *tsi biz* átválogat *[gyümölcsöt]*, különválaszt, megrostál
pick up A. *tsi* **1.** csákánnyal feltör, felcsákányoz **2.** felvesz, felemel, felkap, felszed, felcsíp, összeszed, összemarkol; **~ up the phone** felveszi a telefont; **I'll ~ you up at your house** majd érted megyek **3. a)** szert tesz (vmre), elsajátít (vmt); **~ up a language** gyorsan megtanul/elsajátít nyelvet; **~ up a bad habit** rossz szokást felvesz **b)** keres, talál, szerez (vmt), ismét rátalál (vmre); **~ up information** értesülést/információt szerez; **~ up sg cheap** olcsón jut vmhez; potom pénzért szerez vmt; **~ up the mistakes** felfedezi a hibákat; rátalál a hibákra **c)** *biz* összeismerkedik (vkvel); **~ up new friends** új barátokra tesz szert; **~ sy up** felcsíp/leszólít vkt **4. a)** *távk* felfog, felvesz *[rezgést stb.]* **b) ~ up a trail** nyomra bukkan **5. a) ~ up speed** gyorsul **b) ~ up courage** bátorságot visszanyer; **~ up strength** (újult) erőre kap; felépül; **~ up weight** hízik *[ember]*; **that will ~ you up** ettől erőre kapsz **6. ~ sy up** megdorgál vkt; **~ up the bill/tab** (ki)fizeti a számlát, állja a cechet **B.** *tni* **1. a)** javul, erőre kap, felépül, talpra áll, összeszedi magát, rendbe jön **b)** megélénkül, nekilendül (vm), fellendül

[üzlet] **2.** *biz* ~ **up with sy** ismeretséget köt, összeismerkedik, ismeretségbe kerül vkvel; felszed vkt *[utcán stb.]*

pick-a-back [ˌpɪkəˈbæk] **I.** *hsz* hátán, vállán; **carry sy** ~ hátán visz vkt **II.** *fn* **give sy a** ~ vállán/hátán visz/cipel vkt

pickaxe [ˈpɪkæks], *US* **pickax I.** *fn* (bányász)csákány **II.** *tsi/tni* csákányoz

picket [ˈpɪkɪt] **I.** *fn* **1.** karó, hegyes cölöp/pózna, cövek, jelzőcövek, pecek *[sátorveréshez]* **2.** *kat* előőrs, járőr, különítmény **II.** *tsi* **1.** körülcövekel, palánkkal véd, körülkerít **2.** karóhoz köt, kipányváz *[lovat stb.]* **3. a)** *kat* járőrbe küld, őrséget állít **b)** ~ **a factory** gyár körül sztrájkőrséget/sztrájkőröket állít fel; sztrájkőrségen van, őrséget áll gyár előtt

picket fence *fn* palánk, karókerítés

picket line *fn* sztrájkőrgyűrű

pick-hammer *fn* fejtőkalapács

pickle [ˈpɪkl] **I.** *fn* **1. a)** sós/ecetes pác/lé, sólé **b)** savanyúság; *US* **(dill)** ~ csemegeuborka, kovászos uborka **2. a)** *biz* kellemetlenség, zűr(zavar); *biz* **be in a (nice/fine/pretty/sad/sorry)** ~ benne van a pácban/csávában, szép kis csávába került; *biz* **get into a (right)** ~ csávába/pácba kerül, bajba jut **b)** *biz* kópé, ördögfióka, vásott/komisz kölyök **II.** *tsi* sóba áztat, pácol, besavanyít, ecetbe rak; *biz* ~ **one's nose** felönt a garatra, a pohár fenekére néz

pickled [ˈpɪkld] *mn szl* kapatos, ittas

picklock *fn* **a)** (tolvajkulccsal dolgozó) betörő **b)** tolvajkulcs, álkulcs

pick-me-up *fn biz* üdítő/frissítő/felpezsdítő ital, szíverősítő

pickpocket [ˈpɪkpɒkɪt ‖ –pɑ–] *fn* zsebtolvaj, zsebmetsző, zsebes *biz* • *fn* **pickpocketry**

pick-up *fn* **1.** felszedés, felvétel, összeszedés **2.** hangszedő, lejátszófej, pick-up *[lemezjátszón, elektromos gitáron]* **3. a)** *biz* felépülés, javulás, boldogulás **b)** *US* felpezsdítő szer **4.** *biz pej* felcsípett férfi/nő

pickup truck *fn* nyitott kisteherautó

Pickwickian [ˌpɪkˈwɪkɪən] *mn* nem szó szerinti értelemben vett; **in a** ~ **sense** nem komolyan (v. szó szerint) vett értelemben

picky [ˈpɪki] *mn US* válogatós, kényes(kedő)

picnic [ˈpɪknɪk] **I.** *fn* **1.** piknik; **have** (v. **go for**) **a** ~ → **picnic** II. **2.** *biz* **that's no** ~ ez nem egy leányálom **II.** *tni pt/pp* **picknicked** [ˈpɪknɪkt] piknikezik • *fn* **picnicker**

picnic basket *fn* piknikező kosár

picric acid [ˌpɪkrɪk ˈæsɪd] *fn vegy* pikrinsav, trinitrofenol

Pict [pɪkt] *fn tört* pikt *[nép]* • *mn* **Pictish**

pictogram [ˈpɪktougræm] *fn* piktogram; ‹egyezményes kép/jel›

pictorial [pɪkˈtɔːrɪəl] *mn* **1. a)** képszerű, képi *[megoldás]*, kép-, ábrázolt, rajzos **b)** illusztrált, képes *[folyóirat stb.]* **2.** festészeti, festői szemléletű; ~ **art** festőművészet, festészet

picture [ˈpɪktʃə ‖ –ər] **I.** *fn* **1. a)** kép, festmény, arckép, képmás; *biz* **he's in the** ~ szerepe van (v. benne van) a dologban; **have one's** ~ **taken** lefényképezteti magát; *biz* **put sy in the** ~ beavat, elmondja vknek, hogy mi a helyzet; tájékoztat/eligazít vkt **b)** hasonmás; **she is the** ~ **of her mother** élő mása (v. hasonmása) az anyjának, kiköpött anyja **c)** kép, leírás **2.** jelkép, megelevenítője/példaképe vmnek **3. a)** fénykép, fotó **b)** (mozi)film; *biz* **the** ~**s** mozi **c)** (tévé)kép **II.** *tsi* **1. a)** lefest, megfest, lerajzol, ábrázol **b)** *átv* leír, lefest, érzékeltet *[szavakkal, leírással]* **2.** ~ **(to oneself)** elképzel, elgondol (vmt); **I can't** ~ **him as a father** nem tudom családapának elképzelni (v. elképzelni mint családapát)

picture book *fn* képeskönyv

picture card *fn ját* figurás kártya *[király, királynő, bubi]*

picture definition *fn infor* képfelbontás

picture show *fn biz* (mozi)film, filmelőadás

picturesque [ˌpɪktʃəˈresk] *mn* **1. a)** festői (szépségű), kies *[táj stb.]* **b)** *műv* festészeti **2.** élénk, eleven, színes, változatos **3.** furcsa, szokatlan *[ember, modor stb.]*

piddle [ˈpɪdl] **I.** *fn biz* **1.** pisilés **2.** pisi **II.** *tni* pisil

piddling [ˈpɪdl·ɪŋ] *mn* csekély, jelentéktelen *[összeg stb.]*

pidgin [ˈpɪdʒɪn] *fn* **a)** ~ **English** ‹tört angolság›; *biz* **talk** ~ töri az angolt **b)** keveréknyelv

pie[1] [paɪ] *fn* **1.** pástétom; **fish** ~ halpástétom **2. a)** vajastészta, pite(tészta) **b)** *US* gyümölcstorta **3.** *US* ~ **in the sky** remek dolog; *szl* **eat humble** ~ visszavonja kijelentését; megalázkodik/meghunyászkodik vk előtt; *biz* **have a finger in the** ~ benne van a buliban

pie[2] [paɪ] *fn* szarka

piebald [ˈpaɪbɔːld] **I.** *mn* tarka *[fehér-feketén]*, tarkánfoltos *[ló stb.]* **II.** *fn* (fehér-fekete) tarka ló

piece [piːs] **I.** *fn* **1. a)** darab, darabka, szelet; **a** ~ **of bread** egy darab kenyér; ~ **by** ~ darabonként; apránként; **in** ~**s** darabokban, összetörve; darabokra; **break sg to** ~**s** darabokra tör vmt; **in one** ~ egy darabban/darabból, épségben, sértetlenül; **be of a** ~ egyformák, ugyanolyanok; hasonszőrűek **b)** földdarab, telekrész, parcella **c)** alkatrész, rész; **come/fall/go to** ~**s** szétesik, darabokra törik; *biz* **go to** ~**s** szétesik, darabokra törik (v. megy szét); nem bírja tovább; *biz* **pull/take sy/sg to** ~**s** szétszed; *átv* kíméletlen bírálattal illet, ízekre szed **d) sell sg by the** ~ darabonként árul (v. ad el) vmt **e) pay by the** ~ darabbért/teljesítménybért fizet; ~ **of furniture** bútor(darab) **2. a)** ~ **(of music)** zenedarab, szerzemény, kompozíció **b)** (szín)darab, színmű **c)** irodalmi mű, írás, munka **d)** *[előadott]* rész(let), passzus, szemelvény, szakasz; **say/speak one's** ~ elmondja mondókáját, megmondja a véleményét **3.** bábu *[társasjátékban]*, tiszt *[sakkfigura]* **4.** pénz(darab) *[érme]*; **a 50p** ~ ötvenpennys (pénzdarab) **5. a)** adag, rész, darab; **a** ~ **of advice** tanács; **a** ~ **of luck** szerencsés eset; **a** ~ **of news** újsághír; **give sy a** ~ **of one's mind** jól megmondja vknek a magáét **b)** példa; **a wonderful** ~ **of navigation** a hajózásnak egy nagyszerű példája/(hős)tette; **a fine** ~ **of work** remek/szép/nagyszerű munka, remekmű **6.** *szl durva* **a** ~ **of flesh** jó nő/bőr; **a pretty/saucy** ~ csinos/jó (kis) nő, jó/csinos kis csaj **7.** *US biz* kézifegyver **II.** *tsi* ~ **(together)** összerak, összeilleszt, összeállít

piecemeal [ˈpiːsmiːl] **I.** *mn* darab-, darabonként, részleges, fokozatos **II.** *hsz* **a)** darabonként, egyesével, apránként, fokozatosan, részenként, részletekben **b)** darabokra, ízekre

piece together *tsi* **a)** összeállít; ~ **facts together** felkutatja/összegyűjti a tényeket **b)** törött részeket összeállít

piecework *fn közg* darabmunka, darabszámra fizetett munka • *fn* **piece-worker**

pie chart *fn* torta(szelet)-diagram

piecrust *fn* **a)** tésztahéj **b)** *US* vajastészta

pied [paɪd] *mn* tarka(barka), sokszínű, fehér-fekete

pied-à-terre [piˌeɪd ɑː ˈteə ‖ –ˈter] *fn* ‹csak időszakosan használt lakás›

piedmont [ˈpiːdmɒnt ‖ –mɑnt] *fn US* hegyláb, hegyalja

pièce de résistance [piˌes də reziˈstɑːns] **1.** fénypont **2.** fő fogás *[étkezésnél]*

pier [pɪə ‖ pɪr] *fn* **1. a)** móló, kikötőgát **b)** *hajó* cölöpgát, kirakodóhíd **c)** hullámtörőgát **d)** *rep* terminálszárny **2.** hídpillér **3.** *épít* támpillér, gyámoszlop

pierce [pɪəs ‖ pɪrs] **A.** *tsi* **1.** megszúr, átszúr, átdöf, átfúr, kifúr, átlyukaszt, (ki)lyukaszt; **have one's ears** ~**d** kifúratja a fülét **2. a)** behatol (vmbe), átjár, áthasít, áttör (vmit), átszűrődik, átszivárog (vmn); **the cold** ~**d him to the bone** csontja velejéig átjárta a hideg; **a shrill cry suddenly** ~**d the stillness** egy éles kiáltás hasított bele a csendbe (v. törte meg hirtelen a csendet) **b)** átlát (vmn), mélyére hatol (vmnek), kifürkész *[rejtélyt]* **3. a)** hasogat *[fület, szívet]*, tép *[szívet]* **b)** meghat, elérzékenyít **B.** *tni* **1.** átszűródik, átfúródik, kibújik *[fog]* **2.** áttör, áthatol; **neither light nor sound can** ~ sem fény, sem hang nem tud áttörni/áthatolni

pierce through A. *tsi* átdöf, átszúr, átlyukaszt, áthatol **B.** *tni* átszúródik, átfúródik, áthatol (vmn)

piercing [ˈpɪəsɪŋ ‖ ˈpɪr–] **I.** *mn* **a)** átható, éles, szúrós *[tekintet]*, éles, metsző, dermesztő *[szél stb.]* **b)** süvöltő, fülsértő *[hang]*, velőtrázó *[kiáltás]* **II.** *fn* ‹a fül és egyéb testrészek kilyukasztása ékszerek viselése céljából›

pierglass *fn* nagy állótükör

pierrot [ˈpɪəroʊ] *fn* bohóc, pierrot

pietism [ˈpaɪətɪzm] *fn* **1.** *vall* pietizmus **2. a)** jámborság, vallásosság, kegyesség, áhítatosság **b)** szenteskedés, szemforgató áhítatosság • *fn* **pietist**

piety [ˈpaɪəti] *fn* **1. a)** vallásosság **b)** jámborság **c)** áhítat(osság) **2.** jámbor/kegyes tett/cselekedet

piffle [ˈpɪfl] **I.** *fn biz* ostobaság, szamárság, fecsegés, locsogás **II.** *tni* ostobaságokat/összevissza beszél, locsog, fecseg • *fn* **piffler**

piffling [pɪflɪŋ] *mn biz* haszontalan *[ember]*, jelentéktelen *[összeg]*

pig [pɪg] **I.** *fn* **1. a)** disznó, sertés; **wild ~** vaddisznó; **a ~ in a poke** zsákbamacska; **sow in ~** vemhes emse **b)** (kis)malac **c)** *biz* sertéshús; **roast ~** malacpecsenye **2.** *biz* disznó, goromba fráter; **make a ~ of oneself** zabál, fal **3.** *US szl [rendőr]* zsaru **II. -gg- A.** *tsi* disznó módra eszik, zabál **B.** *tni* **1.** malacozik *[koca]* **2.** *szl* **~ out** hülyére eszi magát, fal, bezabál

pigeon [ˈpɪdʒn] *fn* **1.** galamb **2.** *biz* balek, pali **3.** → **pidgin 4.** *biz* egyéni/felelős munka, hatáskör

pigeon breast *fn orv* tyúkmell • *mn* **pigeon-breasted**

pigeon chest → **pigeon breast**

pigeonhole I. *fn* **1.** *[galambdúcban]* fészkelőhely **2.** rekesz *[íróasztalon, polcon]*; fakk **II.** *tsi* **a)** elrendez, osztályoz, csoportosít, kategóriába sorol, *átv* beskatulyáz **b)** rekeszbe/polcokra (el)helyez/(el)rak/(el)tesz *[iratot stb.]* **c)** félretesz, ad acta tesz *[iratot]*

pigeon's foot *fn tsz* **-foots** *növ* galambláb

pigeon-toed *mn [befelé]* csámpás lábú

piggery [ˈpɪgəri] *fn* **a)** disznóól **b)** sertéshizlalda

piggish [ˈpɪgɪʃ] *mn* **a)** disznó(szerű), piszkos, mocskos, közönséges **b)** mohó, falánk

pig-headed *mn* **a)** makacs, csökönyös, konok, önfejű **b)** nehéz felfogású, tompa agyú, fafejű

pig iron *fn fémip* olvasztott nyers vastömb/vasöntvény, nyersvas

piglet [ˈpɪglɪt] *fn* (kis)malac, malacka

pigmeat *fn* szalonna, sonka

pigment [ˈpɪgmənt] **I.** *fn* **1.** színezőanyag, festőanyag **2.** *biol* bőrfesték, pigment **II.** *tsi* megfest, színez, pigmentál • *mn* **pigmental, pigmentary**

pigmentation [ˌpɪgmənˈteɪʃn] *fn biol* **a)** szín, bőrszín **b)** (el)színeződés, pigmentáció

pigmy [ˈpɪgmi] → **pygmy**

pig-pall *fn* moslékosdézsa/-vödör

pigpen *fn* disznóól

pigskin *fn* **1.** disznóbőr **2.** *US biz* futball-labda *[amerikai futballhoz]*

pig-sticker *fn biz* böllérkés, nagy hegyes konyhakés/henteskés

pigsticking *fn* **1.** vaddisznóvadászat **2.** disznóölés

pigsty [ˈpɪgstaɪ] *fn* **a)** disznóól **b)** *átv biz* disznóól, koszfészek

pigswill [ˈpɪgswɪl] → **pigwash**

pigtail *fn* **1.** copf **2.** vékony dohánytekercs

pigwash [ˈpɪgzwɒʃ ‖ –wɔʃ], **pig's wash** *fn* moslék

pigweed *fn* **1.** libatop, libatalp **2.** medvetalp **3.** madárkeserűfű **4.** nadálytő

piggy [ˈpɪgi] *fn* **1.** *biz* (kis)malac, röfi **2.** *gyerm* lábujj

piggyback [ˈpɪgibæk] **I.** *tsi* hátán visz/szállít **II.** *hsz biz gyerm* vknek a hátán/vállán ülve

piggybank *fn* malacpersely

piggy-wig, piggy-wiggy *fn gyerm* kismalac, malacka

pi jaw [ˈpaɪdʒɔː] *fn szl* erkölcsi prédikáció, lelki fröccs

pike[1] [paɪk] **I.** *fn* **1.** lándzsa, dárda, pika **2.** *GB földr* hegycsúcs, orom **3.** csuka **4.** *sp* csukafejes **II.** *tsi régi* átdöf/átszúr, lándzsával

pike[2] [paɪk] *fn* **a)** vámsorompó, sorompórúd **b)** *US* vámút; → **turnpike**

pikelet [ˈpaɪklət] *fn* ‹kb. pogácsa›

piker [ˈpaɪkə ‖ –ər] *fn US Ausz* lusta

pikestaff [ˈpaɪkstɑːf ‖ –stæf] *fn* **-staffs a)** lándzsanyél, dárdanyél **b)** vashegyű bot; **plain as a ~** nyilvánvaló, világos, egyszerű

Pilate [ˈpaɪlət] *tul bibl* Pilátus

pile[1] [paɪl] **I.** *fn* **1. a)** halom, rakás; *US biz* nagy mennyiségű (v. nagy halom) pénz, nagy vagyon; **make a/one's ~** megszedi magát, megtollasodik **b)** köteg, csomó; **~s of** egész csomó, rengeteg **c)** máglya(rakás) **2. a)** épületcsoport, épületsor **b)** nagy épület **3.** *fiz* **~** (atom)reaktor **II. A.** *tsi* **1. ~ (up)** halomba rak/gyűjt; (fel)halmoz; egymásra rak; **~ it on** túlzásba visz, túloz; **~ on the agony** *biz* rájátszik, túldramatizál **2.** megrak, megterhel; **~ a cart with hay** megrak szekeret szénával **B.** *tni* **a) ~ up** (fel)halmozódik, felgyülemlik, összegyűlik; tornyosul; torlódik *[tennivaló]*; felszaporodik, nő *[vagyon]*; zátonyra/partra fut *[hajó]* **b) ~ into the hall** bezsúfolódik a terembe

pile[2] [paɪl] **I.** *fn* cölöp, karó **II.** *tsi* **piling a)** cölöpökkel alátámaszt, cölöpzettel megerősít *[épületet]* **b)** cölöpöket ver *[földbe]*, cölöpöz

pile[3] [paɪl] *fn* **1. a)** állati szőr(me) **b)** *tex* bolyh(osság) **2.** *tex* rostszál, (elemi) szál

pile[4] [paɪl] *fn tsz* **piles** *orv* aranyér

pile-up *fn biz* tömeges egymásba ütközés/futás *[autóké]*, tömeges autószerencsétlenség

pileus [ˈpɪlɪəs, ˈpaɪl–] *fn tsz* **pilei** [ˈpaɪliaɪ] *latin növ* kalap *[gombáé]*

pilewort [ˈpaɪlwɜːt ‖ –wɜrt] *fn* salátaboglárka

pilfer [ˈpɪlfə ‖ –ər] *tsi/tni* lopkod, (el)csen, elemel, (meg)dézsmál, fosztogat • *fn* **pilferage, pilferer**

pilgrim [ˈpɪlgrɪm] *fn* **1. a)** zarándok **b)** világjáró, vándor, utazó **2.** *US tört* **The P~ Fathers** a Zarándok Atyák

pilgrimage [ˈpɪlgrɪmɪdʒ] *fn* **a)** zarándoklat, zarándoklás, zarándokút **b)** *biz* hosszú utazás

piling [ˈpaɪlɪŋ] *fn* cölöpzet, cölöpépítmény

pill [pɪl] *fn* **1. a)** tabletta, pirula; **a bitter ~** keserű pirula; **sweeten/sugar the ~** szépen tálal *[kellemetlen hírt/mondanivalót stb.]* **b)** *biz* **the P~** fogamzásgátló tabletta **2.** *szl [labda]* bogyó, bőr

pillage [ˈpɪlɪdʒ] **I.** *tsi* **-aging** kifoszt, kirabol, fosztogat, rabol **II.** *fn* **1.** fosztogatás, rablás, zsákmányolás, szabadrablás *[háborúban]* **2.** zsákmány, préda

pillar [ˈpɪlə ‖ –ər] *fn* **1.** *épít* pillér, oszlop; **Doric ~** dór oszlop; **from ~ to post** ide-oda (v. fűhöz-fához) **2. ~ of smoke** füstoszlop **3.** *átv* támasz, oszlop, támogató, oszlopos tag • *mn* **pillared**

pillar box *fn GB [piros, oszlopalakú]* postaláda

pillbox *fn* **1.** pirulás doboz/szelence, orvosságos doboz **2.** *[katonai]* bunker

pillion [ˈpɪlɪən] *fn* **1.** pótülés, hátsó ülés *[motorkerékpáron]*; **ride ~** hátsó ülésen (v. pótülésen) ül/utazik **2. a)** női nyereg **b)** nyeregvánkos, nyeregpárna

pilliwinks [ˈpɪlɪwɪŋks] *fn tsz tört* hüvelykszorító *[kínzóeszköz]*

pillory [ˈpɪləri] **I.** *fn tört* pellengér, szégyenoszlop **II.** *tsi* **-orying 1.** pellengérre állít **2.** *átv* kipellengérez, nyilvánosan megszégyenít

pillow [ˈpɪloʊ] **I.** *fn* párna **II.** *tsi* vánkosra/párnára letesz, lepihentet; **~ up** párnákkal felpolcol

pillow book *fn* kedvenc könyv, állandó olvasmány

pillowcase *fn* párnahuzat

pillow fight *fn* párnacsata

pillow lace *fn* vert csipke

pillowy [ˈpɪloʊi] *mn* párnaszerű, puha

pilot [ˈpaɪlət] **I.** *fn* **1. a)** pilóta **b)** révkalauz **c)** kormányos *[hajón]* **2.** *átv* vezető, kalauz **3.** kísérleti program *[tévében]* **II.** *mn* kísérleti, próba-; **~ model** prototípus, kísérleti modell; **~ project** kísérleti/bemutató vállalkozás **III.** *tsi*

a) kormányoz, vezet, irányít *[hajót, repülőgépet]*, kalauzol **b)** (el)vezet, (el)kalauzol, irányít (vkt vhova), irányt mutat (vknek)
pilot balloon *fn* meteorológiai szonda
pilot fish *fn* kalauzhal, cápavezető
pilot lamp *fn* **a)** (áramellenőrző) jelzőlámpa **b)** *hajó* jelzőlámpa, *rep* vezetőlámpa, ellenőrző lámpa
pilotless ['paɪlətləs] *mn* távirányítású, irányítható, irányított *[lövedék, repülőgép stb.]*
pilot-light *fn* **1.** őrláng **2.** → **pilot lamp**
pilot officer *fn GB kat* ‹legalacsonyabb tiszti rang a brit légierőben›
pilsner ['pɪlznə ‖ –ər] *fn* pilseni (típusú) sör
pilule ['pɪlju:l] *fn* pirula, labdacs • *mn* **pilular**
pimento [pɪ'mentoʊ] *fn* **1.** szegfűbors(fa), pimentacserje **2.** szegfűbors, jamaika bors *[fűszer]* **3.** spanyol paprika
pimp [pɪmp] **I.** *fn* kerítő, strici **II.** *tni* kerít(éssel foglalkozik)
pimple ['pɪmpl] *fn* pattanás, kiütés, mitesszer • *mn* **pimply**
pin [pɪn] **I.** *fn* **1. a)** gombostű; **not care a ~** mit sem törődik vele, fütyül rá; **it is not worth a ~** fabatkát sem ér; *biz* **you could hear a ~ drop** (olyan csend volt, hogy) még a légy zümögését is hallani lehetett; **for two ~s I'd resign** nem kell sok ahhoz, hogy lemondjak **b)** tű, dísztű, hajtű, biztosítótű; **safety ~** biztosítószeg *[kézigránáton]*; **tie ~** nyakkendőtű **c) ~s and needles** bizsergés *[zsibbadás után]*; **be on ~s and needles** tűkön ül **d)** melltű, jelvény **2. a)** *zene* (húrfeszítő) kulcs *[hegedűn stb.]* **b) (rolling-)~** sodrófa, nyújtófa **3.** tekebábu **4.** *tsz* **pins** *biz* láb(ak) **II.** *tsi* **-nn- 1.** megtűz, odatűz, összetűz **2. a)** átszúr, átdöf **b)** *átv* odaszegez; **~ sy's arm to his sides** leszorítja/lefogja vk karjait; lekötözi vk karjait; **~ sy to his word** szaván fog vkt; **~ one's faith/hopes on sy** nagy reményeket fűz vkhez
pin down *tsi* **1.** *átv* odaszegez, leköt, lefog *[ellenséget]*; **~ sy down** elkötelez vkt, ígérete (stb.) megtartására kényszerít vkt; **you cannot ~ him down** nem lehet tőle határozott ígéretet kapni **2.** meghatároz *[pontosan]*
pin up *tsi* feltűz *[hajat stb.]*, tűvel felerősít, felrajzszegez, kitűz *[hirdetést, képet]*
PIN [pɪn] *röv personal identification number* PIN-szám/kód
pinafore ['pɪnəfɔ: ‖ –fɔr] *fn GB* kötény *[előkével]*
pinball *fn* flipper *[játékautomata]*
pinball machine *fn* → **pinball**
pince-nez [ˌpæns 'neɪ, ˌpɪns –] *fn francia* cvikker, csíptetős szemüveg
pincer movement *fn kat* átkaroló/bekerítő hadmozdulat
pinch [pɪntʃ] **I. A.** *tsi* **1.** csíp, megcsipked, belecsíp; **~ one's finger in the door** becsípi az ujját az ajtóba **2. ~ pennies** krajcároskodik; **be ~ed** anyagi zavarokkal küzd, szorult helyzetben van **3.** *szl [ellop]* (el)csen **4.** *szl* elfog, nyakoncsíp *[tolvajt stb.]* **5.** csíp *[hideg]* **6.** megmetsz, lenyír *[sövényt, levelet]* **B.** *tni* **1.** szorít, nyom, töri a lábát *[cipő]* **2. ~ (and scrape)** szűkösen él; megvon magától mindent; fogához veri a garast **II.** *fn* **1. a)** csípés, megcsípés; **give sy a ~** megcsíp vkt, belecsíp vkbe **b)** csipet(nyi); **a ~ of salt** egy csipetnyi só **2.** *átv* kritikus/szorongató helyzet, kutyaszorító, megpróbáltatás; **the ~ of poverty** szorongató szükség, nyomor; **feel the ~** megtudja, milyen a szegénység; **at a ~, if/when it comes to the ~** ha minden kötél szakad; (vég)szükség esetén; legrosszabb esetben; ha arra kerül a sor **3.** *szl [lopás]* elcsenés **4.** *szl [letartóztatás]* elcsípés *[bűnözőé]*
pinchbeck ['pɪntʃbek] **I.** *fn* műarany **II.** *mn* **1.** műarany **2.** *biz* hamis, talmi, nem valódi, ál-
pinched [pɪntʃt] *mn* elgyötört, beesett; **~ by the cold** hidegtől meggyötört
pinchpenny *mn/fn* fösvény, zsugori, garasoskodó
PIN code *röv fn infor* PIN-kód *[személyi azonosító kód]*
pincushion *fn* tűpárna
pine[1] [paɪn] *fn* **1.** fenyő(fa); **Norway ~** erdeifenyő **2.** fenyőfa *[fája]*
pine[2] [paɪn] *tni* **pining 1. ~ (away)** emésztődik, sorvadozik, hervadozik **2.** eped, epekedik, sóvárog, vágyakozik (*for* vk után/vmre)
pineal ['pɪnɪəl, paɪ'ni:əl] *mn* toboz alakú; *orv* **~ body/gland** tobozmirigy
pineapple ['paɪnæpl] *fn* **1.** ananász **2.** *kat szl* kézigránát
pine cone *fn* (fenyő)toboz
pine forest *fn* fenyőerdő, fenyves
pine needle *fn* tűlevél *[fenyőé]*
pine resin *fn* fenyőgyanta
pinewood *fn* **1.** fenyőfa *[faanyag]* **2.** fenyves, fenyőerdő
pinfeather *fn biol* tokos toll
pinfold ['pɪnfoʊld] **I.** *fn* karám **II.** *tsi* karámba zár, összeterel *[állatot]*
ping [pɪŋ] **I.** rövid fémes hang *[lifté, mikrohullámú sütőé stb.]* **II.** *tni* megpendül, rövid fémes hangot ad
ping-pong ['pɪŋpɒŋ ‖ –pɑŋ, –pɔŋ] *fn* asztalitenisz, pingpong
pinhead *fn* **1. a)** tűfej **b)** *átv* parányi dolog **2.** *US szl [hülye]* tökfej
pinhole *fn* **a)** (tű)szúrás helye **b)** tűhegynyi nyílás **c)** *fényk* (tűszúrásnyi) apró pont
pinion[1] ['pɪnɪən] **I.** *fn* **1. a)** szárnyhegy, szárnytoll **b)** *vál* szárny **c)** *tréf* kar **2.** evezőtoll, farktoll **II.** *tsi* **1.** szárnyát megnyesi *[madárnak]* **2. a)** lekötöz, megkötöz, megbilincsel **b)** odakötöz, odaerősít
pinion[2] ['pɪnɪən] *fn műsz* (kis) hajtófogaskerék
pink[1] [pɪŋk] **I.** *mn* **1.** rózsaszín(ű), rózsás *[arc]* **2.** *pol biz* mérsékelten baloldali, balos **3.** *szl* legjobb a maga nemében; **I was tickled ~** jót tett a májamnak **II.** *fn* **1.** rózsaszín *[szín]* **2.** szegfű **3.** *biz* **the ~ of sg** vm megtestesülése, teteje, netovábbja; **be in the ~ (of health)** makkegészséges, ragyogóan érzi magát
pink[2] [pɪŋk] *tsi* **1.** átdöf, átszúr *[karddal stb.]* **2. ~ (out)** fogaz, csipkéz, cakkoz *[szegélyt]*; áttör *[kézimunkát]*; lyuggat *[bőrt]*
pink-eye *fn biz* kötőhártya-gyulladás
pinkie ['pɪŋki] *fn US biz* kisujj
pinking shears *fn tsz* cakkozó olló
pinkish ['pɪŋkɪʃ] *mn* rózsaszín(ű), pirosas
pinko ['pɪŋkoʊ] *fn US szl [baloldali]* balos *[személy]*, szoci(alista)
Pinkster ['pɪŋkstə ‖ –ər] *fn US biz* pünkösd
pinkster flower *fn US* rózsaszínű azálea
pinky ['pɪŋki] *mn biz* **1.** rózsaszín(ű) **2.** → **pinkie**
pin money *fn* tűpénz *[nőé]*, zsebpénz; mellékes
pinnace ['pɪnɪs] *fn* **a)** naszád **b)** dereglye
pinnacle ['pɪnəkl] **I.** *fn* **1. a)** orom, csúcs **b)** *átv* tetőpont, csúcspont **2.** *épít* dísztornyocska **II.** *tsi* **1.** *átv* csúcsra helyez, élre állít **2.** betetőz, megkoronáz
pinniped ['pɪnɪped] *mn/fn biol* úszólábú
PIN number *fn* PIN-szám/kód
pinpoint I. *tsi* **1. a)** (hajszál)pontosan megjelöl/eltalál/megállapít **b)** rámutat, pontosan megmond **2.** *kat* célbombázással támad, célzott bombavetést hajt végre **II.** *mn* hajszálpontos, precíziós
pinprick *fn* **1.** tűszúrás **2.** ‹jelentéktelen, de idegesítő dolog›
pinstripe ['pɪnstraɪp] *fn* **1.** hajszálcsík *[mint szövésminta]* **2.** *átv* hajszálcsíkos öltöny
pint [paɪnt] *fn* **1.** pint *[GB = 0,568 l, US = 0,473 l]* **2. a)** félliteres korsó; **a ~ of beer** egy korsó sör **b)** egy korsó sör; *biz* **go for a ~** meginni egy korsóval
pinta ['paɪntə] *fn GB biz* félliter tej
pinto ['pɪntoʊ] *fn US* tarka/pettyes ló
pinup ['pɪnʌp] *fn [falra tűzött]*, fénykép *[csinos nőé* v. *népszerű személyiségé]*; **~ girl** csinos nő
pinworm *fn* végbélgiliszta
pinny ['pɪni] *fn biz* kötény
pioneer [ˌpaɪə'nɪə ‖ –'nɪr] **I.** *fn* **1. a)** úttörő, pionír **b)** *US* első telepes, *Ausz* hajdani fegyenc *[mint őstelepes]* **2.** *kat* utász, árkász, műszaki **3.** úttörő(mozgalom tagja) **II.** *tsi*

P

1. utat tör/egyenget **2. a)** *átv* vezet, utat mutat (vknek) **b)** *átv* elsőnek alkalmaz, felfedez; *átv* ~ **a cause** új ügyet támogat

pious ['paɪəs] *mn* **1.** vallásos, istenfélő **2.** kegyes, jóindulatú; ~ **deeds** kegyes cselekedet, jótékonyság; ~ **fraud** kegyes csalás **3.** *pej* álszent • *hsz* **piously**

pip[1] [pɪp] *fn* mag *[almáé, körtéé, szőlőé stb.]*

pip[2] [pɪp] *fn* **give sy the** ~ idegesít, lehangol vkt

pip[3] [pɪp] *fn GB biz* hangjelzés, csipogás *[rádióban stb.]*; **the** ~**s** időjelzés *[rádióban]*

pip[4] [pɪp] *fn* **a)** pont *[kártyán, kockán, dominón]*; *ját* ~ **card** kis lap, számos kártya *[kettestől tízesig]* **b)** *kat biz* csillag *[tiszti rangjelzés]*

pip[5] [pɪp] *tsi* **-pp- 1.** legyőz; ~ **sy at the post** nagy küzdelemben v. utolsó pillanatban legyőz; hajszállal legyőz **2.** golyót ereszt (vkbe), meglő

pipe [paɪp] **I.** *fn* **1. a)** cső, (cső)vezeték **b)** *biz* nyelőcső, légcső **2.** pipa; *US biz* ~ **dream** ábrán(dozás), képzelgés, vágyálom; ~ **of peace** békepipa; **smoke a** ~ pipázik; **puff at a** ~ pöfékel; **put that in your** ~ **and smoke it** *biz* na, ehhez mit szólsz?; ez van, ha tetszik, ha nem **3. a)** síp **b)** *tsz* **pipes** duda(szó) **c)** hajósíp **4.** madárszó **5. a)** 105 gallon *[bormérték]* **b)** *[105 gallonos]* boroshordó **II. A.** *tsi* **1. a)** alácsövez, csővezetékkel ellát *[házat]* **b)** elvezet *[vizet stb.]*, csővezetéken továbbít *[olajat stb.]* **2.** zsinórral beszeg/szegélyez *[ruhát]* **3.** *távk* továbbít *[adást stb.]* **4.** cukormázzal díszít *[tortát]* **B.** *tni* **1. a)** sípot fúj, furulyázik, tilinkózik **b)** fújja a dudát **c)** *hajó* sípol, sípjelet ad **2.** fütyül, dalol *[madár]*

pipe down *tni* lehalkul, lenyugszik, elhallgat

pipe up *tni* **1.** játszani kezd *[furulyán, dudán]* **2.** *biz* **a)** rázendít (dalra), nótára gyújt **b)** beszélni kezd, előáll **3.** erősödik, fokozódik *[szél, vihar]*

pipeclay *fn* pipaagyag, fehérre égő plasztikus agyag

pipe-cleaner *fn* pipaszurkáló, pipatisztító

piped music *fn* halk zene *[pl. áruházban]*, háttérzene

pipeline *fn* **1.** csővezeték, távvezeték **2.** *átv* **news** ~ közvetlen hírszolgáltatás; *biz* **in the** ~ folyamatban van, előkészítés alatt áll

pipe organ *fn US* orgona

piper ['paɪpə || –ər] *fn* dudás; *biz* **pay the** ~ fizeti/vállalja a költségeket; viseli a következményeket; *közm* **he who pays the** ~ **calls tune** aki fizet, az választ/parancsol

pipette [pɪ'pet] *fn* cseppentő, pipetta

piping ['paɪpɪŋ] **I.** *fn* **1.** (alá)csövezés *[házé]*, csővezeték **2. a)** szegély(ezés), zsinórozás, paszomány **b)** zsinórszerű díszítés *[tortán stb.]* **II.** *mn* ~ **hot** (tűz)forró; gőzölgő *[kávé, leves]*

pipit ['pɪpɪt] *fn áll* parlagi pipiske

pipless ['pɪpləs] *mn* mag nélküli, magtalan *[narancs stb.]*

pippin ['pɪpɪn] *fn növ* London pepin *[almafajta]*

pip-squeak *fn biz* jelentéktelen ember, mitugrász

piquancy ['pi:kənsi] *fn* **1.** fűszeres/pikáns íz **2.** *átv* érdekesség, különösség, pikantéria *[eseté]*

piquant ['pi:kənt] *mn* **1.** fűszeres, csípős, pikáns **2.** *átv* pikáns *[arc]*, szaftos, sikamlós *[történet]*

pique [pi:k] **I.** *tsi* **1.** megsebzi/megbántja/megsérti vk büszkeségét/hiúságát; **be** ~**d at sg** neheztel vm miatt **2.** felkelt, felajz, felébreszt *[kíváncsiságot, érdeklődést]* **3.** ~ **oneself on sg** kérkedik/büszkélkedik/dicsekszik vmvel; fitogtat vmt **II. 1.** *fn* sértődöttség, sértett hiúság, neheztelés; **have a** ~ **against** ellenszenvvel viseltetik (vk/vm iránt); **take a** ~ **against sy** megneheztel vkre **2.** ingerültség

piqué ['pi:keɪ || pi:'keɪ] *fn tex* piké

piqued [pi:kt] *mn* **1.** ingerült **2.** sértődött

piracy ['paɪrəsi] *fn* **1.** kalózkodás **2.** *jog* szerzői jogbitorlás, illegális terjesztés/másolás

pirate ['paɪrət] **I.** *fn* **1.** kalóz, tengeri rabló **2.** ‹szerzői jog által védett anyagok illegális másolója/terjesztője› **II.** *tsi* jogtalanul másol/terjeszt *[kiadványt, lemezt]* • *mn* **piratical**

pirogue [pɪ'roʊg] *fn* fatörzsből vájt csónak

pirouette [ˌpɪrʊ'et] **I.** *fn* perdülés, piruett **II.** *tni* **-etting** piruettezik

piscatorial [ˌpɪskə'tɔ:rɪəl] *mn* **a)** halászati, halász- **b)** halászatot szerető

Pisces ['paɪsi:z, 'pɪ–] **I.** *tul birt* **Piscium** ['paɪsɪəm] *csill* Halak (csillagkép) **II.** *fn* Halak *[a Halak csillagképben született ember]*

pisciculture ['pɪsɪkʌltʃə || –ər] *fn* haltenyésztés • *mn* **pisciculturist**

piss [pɪs] *szl* **I.** *fn* **1.** húgy, pisa; *US* **take a** ~ húgyozik, pisál; **take the** ~ **out of sy** nevetségessé tesz vkt, kifiguráz, ugrat **2.** gyenge sör **II. A.** *tsi* ~ **in one's pants** bepisál *[nadrágba]*; ~ **oneself** összehúgyozza magát; *szl* ~ **away** *[elpazarol, elkölt]* elver, elherdál *[pénzt]* **B.** *tni* húgyozik, pisál; ~ **off!** *GB* kopj le!

piss about *tni szl [nem csinál semmit]* lézeng, szarakodik

piss around *tni* → **piss about**

piss down *tni szl* zuhog *[eső] stand*

piss off *tsi szl [felidegesít/feldühít vkt]* bepöccent

pissed [pɪst] *mn szl* **1.** *GB szl [nagyon részeg]* tökrészeg, be van nyomva **2.** *US* → **pissed-off**

pissed-off *mn US szl* dühös, ideges; **get** ~ elszáll az agya

pistachio [pɪ'stɑ:ʃioʊ || –'stæ–] *fn* **1.** ~ **(nut)** pisztácia **2.** pisztáciazöld *[szín]*

pistil ['pɪstɪl] *fn növ* termő *[növényé]*, bibe

pistillate ['pɪstɪleɪt] *mn növ* termős, bibés, nőivarú *[növény]*

pistol ['pɪstl] *fn* pisztoly, revolver; **hold a** ~ **to sy's head** pisztolyt szegez vk fejének, pisztollyal kényszerít

piston ['pɪstən] *fn* **1.** dugattyú **2.** *zene* ventil *[rézfúvós hangszeren]*

pit[1] [pɪt] **I.** *fn* **1. a)** gödör, akna **b)** verem **c) the** ~**s** szerelőakna **2. a)** (szén)bánya **b)** *bány* akna, tárnalejárat **c)** kakasviadal küzdőtere **3. a)** gödröcske, benyomódás *[testen]* **b)** himlőhely, ragya **4. a)** *szính* földszint (hátsó része), földszinti zsöllye, hátsó (földszinti) ülések *[nézőtéren]*; ~ **box** földszinti páholy **b) orchestra** ~ zenekari árok **5.** *US* ‹a tőzsde parkettjának mélyített lépcsős része bizonyos fajta üzletek kötésére› **6.** pokol **7.** szerelőakna *[autószerelőműhelyben]* **8.** *GB szl* ágy **II.** *tsi* **-tt- 1. a)** egymásnak ereszt **b)** ~ **sy against sy** egymás ellen uszít; ~ **oneself against sy** összeméri az erejét vkvel **2. a)** kiesz *[sav fémet]* **b)** himlőhelyessé/ragyássá tesz *[bőrt]*

pit[2] [pɪt] **I.** *fn* (csonthéjas) mag *[cseresznyéé stb.]* **II.** *tsi* **-tt-** kimagoz *[gyümölcsöt]*

pit-a-pat [ˌpɪtə'pæt] **I.** *hsz* **go** ~ kopog *[eső, léptek]*; kalapál, hevesen ver/dobog *[szív]*; ketyeg *[óra]* **II.** *fn* kopogás *[esőé]*, topogás *[lábé]*, kalapálás *[szívé]*, ketyegés *[óráé]*, dobogás *[lóé]*

pitch[1] [pɪtʃ] **I. A.** *tsi* **1. a)** hajít, dob, labdát hajít/dob *[baseballban]* **b)** *átv biz* elmesél; ~ **it straight to sy** mindent elmond/bevall vknek; ~ **a yarn** mesél **2.** ~ **one's hopes high** nagy reményeket táplál; ~ **sg high** eltúloz vmt **3.** *GB* piacra dob *[árut]* **4. a)** földbe szúr/ver *[karót]*, leszúr **b)** (fel)állít, (fel)ver *[sátrat]*, tábort üt/ver; *átv* ~ **a tent** sátrat ver **B.** *tni* **1. a)** lezuhan, előrebukik **b)** ~ **(and toss)** *hajó* bukdácsol; hánykolódik **2.** lejt, ereszkedik *[lejtő stb.]* **II.** *fn* **1.** dobás, hajítás **2.** elárusítóhely, bódé, stand, megszokott sarok *[koldusé]* **3. a)** fok, intenzitás; **to such a** ~ **that** olyannyira, hogy; **rise to the highest** ~ tetőfokára hág *[érdeklődés stb.]* **b)** tetőfok, csúcspont **4. a)** *zene* hangmagasság *[hangé, hangszeré]*; **concert** ~ normál a, kamarahang *[440 rezgésszámmal]*; **give the orchestra the** ~ megadja a zenekarnak a hangot; **raise the** ~ **of a violin** hegedűt felhangol (v. magasabbra hangol) **b)** *zene* **absolute/perfect** ~ abszolút hallás; **relative** ~ relatív hallás **c)** *nyelv* relatív hangmagasság; **falling** ~ ereszkedő dallam; **rising** ~ emelkedő dallam **5.** lejtés, dőlés(szög) **6. (sales)** ~ meggyőző v. annak szánt érv *[reklámban]* **7.** sportpálya *[labdarúgásban, jégkorongban]*

pitch about *tsi* ide-oda hány/dobál; **be ~ed about** hánykolódik, hányódik-vetődik

pitch in *tni biz* **1.** nekilát, nekiveselkedik *[munkának, evésnek]*, nekiesik *[ételnek]* **2. ~ in with sg** beszáll, hozzájárul, segít

pitch into *tni* **1.** fejjel előre bukik *[vízbe stb.]* **2.** *műsz* kapcsolódik *[egyik fogaskerék a másikba]* **3.** *biz* nekitámad, nekiront (vknek), leszid, letol (vkt)

pitch[2] [pɪtʃ] **I.** *fn* **1.** szurok; **black as ~** fekete mint a szurok, koromsötét **2.** nyers terpentingyanta **II.** *tsi* (be)-szurkoz • *mn* **pitchy**

pitch[3] [pɪtʃ] *fn infor* karakterszám/hüvelyk *[betűméret]*

pitch-black *mn* **1.** szurokfekete, koromfekete **2.** koromsötét

pitchblende [ˈpɪtʃblend] *fn ásv* (urán)szurokérc, uraninit

pitch-coal *fn* kátrányos/bitumenes szén, barnaszén

pitch-dark *mn* koromsötét

pitched [pɪtʃt] *mn* **1. ~ battle** szabályos ütközet/csata; ádáz harc **2. ~ roof** nyeregtető

pitcher[1] [ˈpɪtʃə ‖ –ər] *fn* **a)** *US* korsó, kancsó **b)** *US* köcsög

pitcher[2] [ˈpɪtʃə ‖ –ər] *fn US sp* dobó(játékos) *[baseballban]*

pitchfork I. *fn* vasvilla **II.** *tsi* **1.** vasvillával hány **2.** *biz* benyom *[vkt állásba]*

pitch pine *fn növ* szurokfenyő

pitch pipe *fn zene* hang(oló)síp

piteous [ˈpɪtɪəs] *mn* sajnálatra/szánalomra méltó, szánalmas, siralmas, szomorú *[helyzet]*

pitfall *fn átv* **a)** csapda, verem **b)** buktató, veszély

pith [pɪθ] *fn* **1.** *növ* **a)** (fa)bél, szárbél **b)** belső (fehér) héj *[narancsé stb.]* **2.** *átv* veleje, lényege, magva

pithy [ˈpɪθi] *mn* **a)** velős, a lényegre szorítkozó, tömör **b)** tartalmas, magvas • *fn* **pithiness** *hsz* **pithily**

pitiable [ˈpɪtɪəbl] *mn* **1.** szánalomra méltó, szánalmas **2.** *pej* silány, hitvány, nyomorúságos

pitiful [ˈpɪtɪfl] *mn* **a)** sajnálatra/szánalomra méltó, szánalmas **b)** *pej* nyomorult, hitvány, nyomorúságos

pitiless [ˈpɪtɪləs] *mn* könyörtelen, irgalmatlan, kegyetlen

pittance [ˈpɪtns] *fn átv* alamizsna

pitted [ˈpɪtɪd] *mn* **1.** üreges, lyukacsos **2.** himlőhelyes, ragyás

pitter-patter [ˈpɪtəpætə ‖ ˈpɪtərpætər] → **pit-a-pat**

pity [ˈpɪti] **I.** *fn* **1.** sajnálat, szánalom, könyörület; **out of ~** szánalomból; **feel ~ for sy** sajnál/szán vkt; *vál* **have ~ upon us!** könyörülj rajtunk!; **move sy to ~** szánalomra késztet vkt; **take ~ on sy** megsajnál/megszán vkt; megesik a szíve vkn **2.** sajnálatos dolog/eset, kár; **what a ~!** de kár!; **it is a ~ that** kár, hogy; *biz* **more's the ~** sajnos **II. 1.** *tsi* (meg)sajnál, (meg)szán, részvéttel van (vk iránt) **2.** megvet, lenéz vkt

pivot [ˈpɪvət] **I.** *fn* **1.** *műsz* forgócsap, forgáscsap, csukló; **~ chair** forgószék **2. a)** *átv* sarkalatos pont **b)** főtámasz, pillér **3.** *kat* támpont, iránytartó **II.** *tsi* **~ on sg** vm körül forog, fordul vmn

pivotal [ˈpɪvətl] *mn* **1.** forgó, forgási **2.** *átv* döntő, sarkalatos *[kérdés]*, döntő fontosságú, kulcs- *[pozíció stb.]*

pix [pɪks] *fn biz* → **pic**

pixel [ˈpɪksl] *fn infor* képelem, képpont

pixie [ˈpɪksi] *fn* manó, kobold, tündér

pixilated [ˈpɪksɪleɪtɪd] *mn* **1.** *US biz* bohókásan fantasztikus, hóbortos, félnótás, bolondos **2.** *US biz* becsípett, spicces

pixy [ˈpɪksi] *fn* → **pixie**

pizazz [pəˈzæz] *fn biz* élet, pezsgés

pizza [ˈpiːtsə] *fn* pizza

pizzeria [ˌpiːtsəˈriːə] *fn* pizzéria

pizzicato [ˌpɪtsɪˈkɑːtoʊ] *mn/hsz/fn zene* pizzicato

pkg. *tsz* **pkgs** *röv package*

pl. *röv* **1.** *place* **2.** *platoon* **3.** *plural*

placable [ˈplækəbl] *mn* békülékeny, könnyen kiengesztelhető, megbocsátó • *fn* **placability** *hsz* **placably**

placard [ˈplækɑːd ‖ –kɑrd] **I.** *fn* plakát, falragasz, *[hivatalos]* hirdetmény **II.** *tsi* **a)** falragaszokkal/plakátokkal borít *[falat]* **b)** kifüggeszt, kiragaszt *[plakátot]* **c)** kiplakátoz, plakáton kihirdet

placate [pləˈkeɪt ‖ ˈpleɪ–] *tsi* kibékít, kiengesztel • *fn* **placation**

placatory [pləˈkeɪtəri ‖ ˈpleɪkətɔri] *mn* engesztelő, békítő *[hang stb.]*

place [pleɪs] **I.** *fn* **1. a)** hely; **take ~** (meg)történik, végbemegy, előfordul (vm); sorra/előadásra kerül; **take your ~s** mindenki foglalja el a helyét!; **take sy's place** pótol vkt, helyére lép vknek; **in ~** kész, működőképes; **in another ~** másutt, máshol, más helyütt, más helyen; *US* **no ~** sehol, sehova; **this is no ~ for you** ez nem neked való hely; itt nincs semmi keresnivalód **b)** hely, terület, tér(ség); **wide open ~s** a szabad természet; **all over the ~** (szétszórva) mindenütt; mindenfelé; **from ~ to ~** egyik helyről a másikra **2. a)** hely(ség), város; **~ of birth** születési hely; **~ of worship** templom; kegyhely **b)** otthon, lakás; **come round to my ~** jöjjön el hozzám, látogasson meg; *közm* **there's no ~ like home** mindenütt jó, de legjobb otthon **c)** *[utcanevekben]* tér **d)** (ülő)hely, állóhely **3. a)** megillető hely, rang, sorrend; **in high ~s** előkelő körökben; **he knows his ~** tudja, hogy hol a helye **b) in the first ~** (leg)elsősorban, először is, mindenekelőtt **c)** *[versenyben]* helyezés; **take first ~** első lesz, győz **d) in ~ of** helyett; **if I were in your ~** én a te helyedben; ha a helyedben volnék; **put sy in his ~** helyreutasít/rendreutasít/leint vkt; **put yourself in his ~** képzeld magad az ő helyzetébe; **it is out of ~** nem helyénvaló; nem odaillő, kirívó **4.** állás, (hivatali) tiszt(ség); **fill a ~** állást betölt; **it is not my ~ to do it** nem áll módomban (megtenni), nem az én tisztem **5.** *mat* **~ (value)** helyiérték; **to three decimal places** három tizedesig, három tizedes pontosságig **6.** rész, hely, passzus *[könyvben, zenében stb.]* **7.** épület, üzlet, étterem; **~s of interest** látnivalók, nevezetességek *[idegenforgalmi szempontból]*; **pizza ~** pizzéria; **go ~s** *biz* színházba/szórakozóhelyekre/kiállításokra jár, sokat jár társaságba/szórakozni; sikeres lesz, befut **II.** *tsi* **1.** (el)helyez, tesz, rak, rendez; **~ in order** rendbe tesz/rak **2. a)** felad *[rendelést]*; **~ an order** (meg)rendel *[árut]* **b)** *pénz* elhelyez *[pénzt]*; **~ a loan** kölcsönt kihelyez; **~ out** kihelyez *[pénzt]* **3.** rábíz (vmt vkre); **~ a matter in sy's hand** vkre bízza az ügyet; vk kezébe teszi le a dolgot **4.** helyez, állít, sorol, számít *[szellemi társadalmi rangban, fontosságban stb.]*; **be ~d first** első helyre teszik **5.** felismer *[helyet stb.]*, emlékszik vmre; **I can't ~ you** nem tudom hova tegyem *[emlékezetemben]* **6. a)** kinevez (papi) tisztségekre, behoz állásba (vkt) **b) ~ sy with a firm** cégnél elhelyez vkt, vállalatnál állást szerez vknek

placebo [pləˈsiːboʊ] *fn orv* placebó *[látszatgyógyszer]*

place card *fn* ültetőkártya, ültetőcédula

place mat *fn* tányéralátét

placement [ˈpleɪsmənt] *fn* **1.** elhelyezés, kinevezés **2.** *US okt* ‹tanulók képesség szerinti besorolása különböző osztályokba› **3.** *pénz* **private ~** zártkörű (részvény)kibocsátás

placement test *fn okt* szintfelmérő vizsga/teszt

place name *fn* földrajzi név

placenta [pləˈsentə] *fn tsz* **placentae** [–tiː] *orv* méhlepény • *mn* **placental**

placid [ˈplæsɪd] *mn* békés, béketűrő, nyugodt, szelíd, nyájas • *fn* **placidity, placidness**

plagiarism [ˈpleɪdʒərɪzm] *fn* plagizálás, plágium • *fn* **plagiarist**

plagiarize [ˈpleɪdʒəraɪz], **-ise** *tsi* plagizál, ellop *[témát, ötletet stb.]*

plague [pleɪg] **I.** *fn* **1.** pestis, dögvész, döghalál **2.** (sors)-csapás, szerencsétlenség, katasztrófa **3.** *biz* idegesítő dolog/ember **II.** *tsi biz* **1.** sújt **2.** gyötör, zaklat, nyaggat, bosszant, idegesít

plaice [pleɪs] *fn* sima lepényhal

P

plaid [plæd] *fn* **1.** *tex* skót mintás gyapjúszövet, tartán **2.** (skót mintás) takaró, pléd • *mn* **plaided**

plain [pleɪn] **I.** *mn* **1. a)** egyszerű, sima, szimpla, dísztelen; ~ **chocolate** tiszta/keserű csokoládé; ~ **country-folk** egyszerű falusiak (v. falusi emberek); **in ~ clothes** civilben; civil/polgári öltözetben; → **plain-clothes man b)** egyszínű, sima, mintázatlan; **a ~ T-shirt** egyszínű v. nem feliratos póló **2.** világos, nyilvánvaló, szemmel látható, (köz)érthető; **in ~ English** magyarán; **it is ~ to see** (világosan) látható, nyilvánvaló; **make one's meaning perfectly ~** pontosan kifejti az elgondolását; félreérthetetlenül megmondja, hogy mit gondol **3.** leplezetlen, őszinte; ~ **dealing** tisztességes eljárás; korrektség; ~ **truth** meztelen/színtiszta igazság; ~ **speech** nyílt beszéd; szókimondás; **be ~ with sy** őszinte vkvel; nem kertel **4.** nem szép/csinos *[nő]* **II.** *hsz* **1.** világosan, félreérthetetlenül, érthetően **2.** *biz* teljesen, egyszerűen; **he is ~ lazy** egyszerűen csak lusta **III.** *fn* síkság, alföld, róna(ság) • *fn* **plainness**

plain-clothes man [pleɪn'klouðzmən] *fn* nyomozó, titkosrendőr, detektív

plain-dealing *mn* tisztességes, becsületes, megbízható, korrekt

plainly ['pleɪnli] *hsz* **1.** világosan, érthetően, félreérthetetlenül; **speak ~** világosan/értelmesen beszél; nyilvánvalóan, szemmel láthatólag; **~ I was not wanted** világos volt, hogy nem volt rám szükség **2.** egyszerűen, dísztelenül **3.** őszintén, nyíltan, kertelés nélkül; **to put it ~** egyszóval, köntörfalazás nélkül

plain-spoken *mn* nyílt, őszinte, szókimondó

plaintiff ['pleɪntɪf] *fn jog* felperes, panaszos

plaintive ['pleɪntɪv] *mn* panaszos, siránkozó, kesergő, gyászos, szomorú • *fn* **plaintiveness**

plait [plæt ‖ pleɪt] **I.** *fn* fonat, copf **II.** *tsi* fon, befon *[hajat]* • *mn* **plaited**

plan [plæn] **I.** *tsi* **-nn- 1.** alaprajzot/tervrajzot készít (vmről), (meg)tervez *[épületet stb.]* **2. a)** (meg)tervez, kitervel, készül (vmre), szándékában áll (vm), foglalkozik a gondolatával (vmnek); **~ to do sg** szándékozik; azt tervezi, hogy **b) ~ out** kitervel, kiagyal, kigondol, kifundál **II.** *fn* **1. a)** alaprajz, tervrajz; **seating ~** ülésrend **b)** vízszintes vetület, metszés, metszet **c)** (kis léptékű) térkép **2. a)** terv, elgondolás, szándék; **a change of ~** új (hadi)terv; **go according to ~** tervszerűen halad; **as planned** terv szerint; **draw up a ~ for sg** kitervez vmt; **upset sy's ~s** keresztülhúzza vk számításait; **do you have any plans for tonight?** van estére programod?, mit csinálsz ma este? **b)** módszer, (követendő) eljárás

planar ['pleɪnə ‖ –ər] *mn mat* sík-, síkbeli

plane[1] [pleɪn] *fn* repülő(gép)

plane[2] [pleɪn] **I. 1.** *fn mat* sík(felület), síklap **2.** *átv* színvonal, szint, nívó, eszmei sík; **a high ~ of intelligence** magas fokú intelligencia; **~ of living** életszínvonal **II.** *mn* **1.** sima, egyenletes (felületű) **2.** *mat* sík(beli), kétdimenziós; **~ angle** lapszög; **~ geometry** síkmértan

plane[3] [pleɪn] **I.** *fn* gyalu **II.** *tsi* **~ (down)** (le)gyalul

plane[4] [pleɪn] *fn* platán(fa)

planet ['plænɪt] *fn* **a)** bolygó **b) the ~** a Föld • *mn* **planetary**

planetarium [ˌplænə'teərɪəm ‖ –'ter–] *fn csill* planetárium

plank [plæŋk] **I.** *fn* palánk, széles deszka, palló **II.** *tsi* **1.** (be)deszkáz, pallóval borít **2.** *US biz* **~ down** lecsap, odavág vmt; letesz, leszurkol *[összeget]*; **~ oneself down on a seat** letelepszik a padra

plank bed *fn* deszkaágy, priccs

planking ['plæŋkɪŋ] *fn* **1. a)** (körül)deszkázás, padlózás **b)** deszkaburkolat, deszkázat **2.** palánk, deszkakerítés

plankton ['plæŋktən] *fn biol* plankton • *mn* **planktonic**

planned [plænd] *mn* **a)** tervezett, kitervelt **b)** tervszerű, szervezett; **~ parenthood** *US* családtervezés; *közg* **~ economy** tervgazdálkodás

planner ['plænə ‖ –ər] *fn* **1.** tervező, rajzoló **2.** határidőnapló

planning permission *fn GB épít* (elvi) építési engedély

plant [plɑːnt ‖ plænt] **I.** *fn* **1. a)** növény **b)** dugvány, palánta, csemete **c)** cserje **2. a)** (ipari) felszerelés, berendezés, gépállomány, géppark **b)** üzem gyár(telep); **manufacturing ~** gyár; **processing ~** feldolgozó üzem **3.** hamis/odacsempészett bűnjel **4.** *GB szl* tégla, beépített ügynök, titkosrendőr, detektív **II.** *tsi* **1. a)** elültet; **~ out** kiültet **b)** beültet *[kertet]*, befásít *[területet]*, benépesít *[halastavat stb.]* **c)** *átv* elültet, plántál *[eszmét]* **2. a)** elhelyez, rak *[bombát stb.]*, felállít; **~ one's feet swhere** megveti a lábát vhol; **~ oneself swhere** betelepszik vhová **b)** (le)telepít, betelepít; **~ people as settlers in a colony** telepeseket küld a gyarmatra **3.** *szl* **a)** *[beszervez]*, beépít *[ügynököt, besúgót, spiclit, bizalmi embert, kémet]* **b)** cselből elhelyez (vhol)

plantain ['plæntɪn] *fn* banán(fa)

plantation [plæn'teɪʃn, plɑːn– ‖ plæn–] *fn* **a)** ültetvény *[kávé, dohány stb.]* **b)** liget, cserjés

plantation song *fn zene* rabszolgadal, munkadal *[ültetvényeken dolgozó fekete rabszolgáké]*

planter ['plɑːntə ‖ 'plæntər] *fn* **1.** ültetvényes **2.** ültetőgép **3.** dísznövénytartó cserép

planting ['plɑːntɪŋ ‖ 'plæn–] *fn* **1.** (be)ültetés, palántázás, veteményezés, (be)fásítás; **~ bed** palántálóágy, ágyás **2.** benépesítés *[halastóé]* **3.** *biz* beépítés *[ügynöké]*

plaque [plæk, plɑːk, pleɪk ‖ plæk] *fn* **1.** emléktábla *[falon]* **2.** *orv* lepedék *[fogon]*

plasm [plæzm] *fn biol* → **plasma**

plasma ['plæzmə] *fn* **1. a)** *biol* (vér)plazma **b)** *biol* sejtanyag, protoplazma **2.** *fiz* plazma *[ionizált gáz]* • *mn* **plasmatic** *mn* **plasmic**

plaster ['plɑːstə ‖ 'plæstər] **I.** *fn* **1.** gipsz; **~ of Paris** (alabástrom)gipsz, orvosi gipsz **2.** *orv* ragtapasz **II.** *tsi* **1. a) ~ (up)** gipsszel betöm, begipszel *[rést]* **b)** *orv* gipszbe tesz *[törött végtagot]* **2. a) ~ (over) a wall** (be)vakol, vakolattal borít falat **b)** beken, bemázol, agyonrak, vastagon beborít; **~ (with bombs** *szl*) lebombáz *[várost stb.]* **3.** betapaszt, letapaszt, leragaszt *[tapasszal]* • *fn* **plasterer** *mn* **plastery**

plasterboard *fn épít* gipszkarton

plaster cast *fn* **1.** gipszöntvény, gipszmásolat **2.** gipszkötés *[végtagon]*

plaster saint *fn* faszent

plasterwork *fn* gipszstukkó

plastic ['plæstɪk] **I.** *fn* **1.** műanyag, plasztik **2.** → **plastic money II.** *mn* **1. a)** műanyag- **b)** formálható, képlékeny, plasztikus; **~ clay** formázó-/mintázóagyag; *műv* **~ art** szobrászat **c)** *átv* irányítható, befolyásolható, tanulékony, fogékony **2. a)** szoborszerű, térhatású, plasztikus **b)** *átv* kifejező **3.** *orv* **~ surgeon** plasztikai sebész; **~ surgery** plasztikai sebészet • *tsi* **plasticize** *mn* **plasticity**

plastic bomb *fn* plasztikbomba

plasticine ['plæstɪsiːn] *fn* gyurma

plastic money *fn biz* hitelkártya

plate [pleɪt] **I.** *fn* **1.** tányér; **dinner ~** lapostányér; **have too much on one's ~** (túl) sok a munkája, elfoglalt **2.** *US* étel, főétel **3.** lemez, lap *[fém stb.]* **4.** tábla, névtábla, rendszámtábla **5.** fém étkészlet, fémtálak, ezüst(nemű); *átv* **on a ~** tálcán kínálják/kínálkozik **6.** aranybevonat, ezüstbevonat **7.** *nyomd* nyomólemez, klisé **8.** egészlapos ábra *[könyvben]*, tábla, oldalas melléklet **9.** *orv* műfogsor, protézis **II.** *tsi* **1.** fémlapokkal/fémlemezekkel fed/borít **2.** (nemes)fémmel befuttat/bevon, galvanizál

plateau ['plætou ‖ plæ'tou] **I.** *fn* **a)** *földr* fennsík, felföld, plató **b)** *átv* **reach a ~** egyenletessé/kiegyensúlyozottá válik **II.** *tni* stagnál *[fejlődés]*

plated ['pleɪtɪd] *mn* **1.** lemezzel fedett/borított, páncélozott **2.** fémmel befuttatott/bevont; **gold-~** aranyozott, arannyal futtatott

plateful ['pleɪtful] *fn* egy tányér(nyi)

plate glass *fn* táblaüveg, síküveg
plate rack *fn* edényszárító
platform ['plætfɔːm ‖ –fɔrm] *fn* **1.** fennsík, terasz, plató **2.** emelvény, dobogó, pódium **3.** *vasút* peron, vágány (peronja) **4.** (politikai) program, platform
platform shoe *fn* magas/vastag talpú cipő
plating ['pleɪtɪŋ] *fn* **1.** (lemez)burkolat; **steel ~** páncélzat *[hadihajón]* **2.** fémbevonat
platinum ['plætɪnəm] *fn* *vegy* platina • *mn* **platinous**
platinum blonde *mn* *biz* platinaszőke *[nő]*
platinum disc *fn* *zene* platinalemez
platitude ['plætɪtjuːd ‖ 'plætɪtuːd] *fn* közhely, elkoptatott frázis, üres szólam, klisé • *mn* **platitudinous**
platonic [plə'tɒnɪk ‖ –'tɑ–] *mn* plátói, platonikus, eszményi, tiszta *[szerelem]*
platoon [plə'tuːn] *fn* *kat* szakasz
platter ['plætə ‖ 'plætər] *fn* **1.** *[nagy lapos]* tányér; **on a ~** könnyen **2.** *biz* hanglemez(tányér)
platypus ['plætɪpəs] *fn* kacsacsőrű emlős
plausibility [ˌplɔːzə'bɪləti] *fn* valószínűség, hihetőség, plauzibilitás
plausible ['plɔːzəbl] *mn* **1.** valószínű(nek tűnő), valószerű, hihető, plazubilis **2.** megbízható(nak tűnő)
play [pleɪ] **I. A.** *tsi* **1. a)** játszik (vmt); *biz* **~ the game** szabályszerűen játszik; *átv* becsületesen/korrektül viselkedik (v. jár el); **~ safe** biztonsági játékot játszik; biztosra megy, nem kockáztat (semmit) **b) ~ chess** sakkozik; **~ a lone hand** senkivel sem közösködik, maga útját járja **2.** játszik *[hangszeren]*; **~ the piano** zongorázik; **~ the second fiddle (to sy)** alárendelt helyzetben van (vkvel szemben); **~ by ear** hallás után játszik; *átv* rögtönöz **3. a)** (el)játszik, előad *[zenedarabot stb.]* **b)** (el)játszik, alakít *[szerepet]*; **~ opposite sy** vknek a partnere *[színdarabban]*; **~ a part** szerepet játszik/alakít; **~ the larger cities** fellép nagyobb városokban *[színtársulat, együttes]* **4.** *biz* (meg)játszik; **~ dead/possum** halottnak tetteti magát; **~ hard to get** *biz* kéreti magát; közönyt színlel; **~ it cool** közönyt tettet; lazán/lezseren viselkedik **5.** lejátszik *[lemezt, dalt felvételről]* **6.** *ját* (ki)játszik, (ki)hív **7.** ráirányít, megcéloz (vmt) **8. ~ a joke/trick on sy** megtréfál/megviccel vkt **9. sy at sg** megmérkőzik vkvel vmben, játszik vkvel vmt **10.** *sp* **~ sy** játszat/indít vkt *[csapatban stb.]* **B.** *tni* **1.** játszik **2.** *biz* viselkedik, eljár; **~ fair** tisztességesen/korrektül jár el; **~ foul** tisztességtelenül jár el (v. viselkedik); **~ fast and loose (with) sy** megbízhatatlanul viselkedik (vkvel szemben); **~ for time** húzza az időt, időt akar nyerni; **~ into the hands of sy** vk kezére játszik **3.** szerepel, játszik *[darabban stb.]* **4. a)** hangszeren játszik **b)** *kif [hangszer, rádió, magnó]* **5. what is ~ing at the cinema?** mit adnak/játszanak a moziban? **II.** *fn* **1.** (szín)darab, színmű, dráma; **put on a ~** színdarabot előad v. színre visz **2.** játék; **be at ~** játszik **3.** tréfa, tréfálkozás, játék; **in ~** tréfából; nem komolyan **4.** eljárás; **fair ~** tisztességes/becsületes/korrekt eljárás; *átv* **foul ~** tisztességtelen eljárás **5.** működés; **in full ~** teljes üzemben; **bring/call into ~** működésbe léptet/hoz; **come into ~** működésbe lép, fellép, hatni kezd **6.** *műsz* (holt)játék, szabad mozgás
play about *biz* játszadozik *[felelőtlenül stb.]*
play along A. *tsi* **~ sy along** kihasznál vkt; manipulál vkt **B.** *tni* együttműködik
play around *tni* → **play about**
play back *tsi* visszajátszik, lejátszik, lehallgat *[hangfelvételt]*; → **playback**
play down *tsi* lebecsül, aláértékel (vmt), lekicsinyel, bagatelizál (vmt)
play off *tsi* **~ off sy against sy** kijátszik vkt vk ellen
play on *tni* **1.** tovább játszik, folytatja a játékot **2. ~ (up)on sy's feelings/emotions** vk érzéseire igyekszik/próbál hatni; **~ (up)on sy's credulity** visszaél vk hiszékenységével
play up A. *tsi* **a)** eltúloz vmt **b)** nagy ügyet csinál vmből, sokat beszél/ír vmről, reklámot csinál vmnek **B.** *tni* **1.** kiemel, hangsúlyoz **2.** *biz* rendetlenkedik *[gyerek]*; **my heart is playing up again** *átv* a szívem már megint rendetlenkedik **3. ~ up to sy** *szính* megadja a végszót vknek; *biz* hízeleg, igyekszik vknél bevágódni
play upon → **play on** 2.
play-act *tni* *biz* színészkedik, ripacskodik • *fn* **play-acting**
playback *fn* visszajátszás, lejátszás *[film-, magnófelvételé]*, playback
playbill *fn* *US szính* **a)** műsorplakát **b)** *US* színlap
playboy *fn* **1.** *biz* aranyifjú, playboy **2.** selyemfiú
player ['pleɪə ‖ –ər] *fn* **1. a)** *sp* játékos **b)** játékos, kártyás **2. a)** zenész, muzsikus **b)** színész **3.** lejátszó *[lemez, CD, kazetta]*
player piano *fn* gépzongora
playful ['pleɪfl] *mn* játékos, könnyed, vidám, tréfás, humoros
playground *fn* játszótér
playhouse *fn* színház
playing card *fn* kártya
playing field *fn* *sp* sportpálya; **a level ~** *átv* azonos feltételek/esélyek, esélyegyenlőség
playmaker *fn* *sp* irányító
playmate *fn* játszótárs, játszópajtás
play-off *fn* *sp* rájátszás; újrajátszott mérkőzés *[döntetlen után]*
playpen *fn* járóka
plaything *fn* *átv* játék(szer)
playtime *fn* óraköz, szünet *[iskolában]*, játékidő
playwright *fn* színműíró, drámaíró
playwriting *fn* színműírás, drámaírás
plaza ['plɑːzə ‖ 'plæzə] *fn* **1.** (köz)tér **2.** *US* bevásárlóközpont
PLC, plc *röv GB Public Limited Company* részvénytársaság, rt.
plea [pliː] *fn* **1.** kérelem, könyörgés, kérvény; **~ for mercy** kegyelmi kérvény **2.** *jog* védőbeszéd, védelem **3.** kifogás, mentség
plea bargain *fn* *jog* vádalku
plead [pliːd] *pt/pp* **pleaded**, *sk/US* **pled** [pled] **A.** *tsi* **1.** *jog* képvisel, véd *[ügyet bíróság előtt]* **2.** *biz* mentségül/védelmül/ürügyül hoz fel, kifogásként hivatkozik (vmre), mentegető(d)zik; **~ ignorance** tudatlanságára hivatkozik **B.** *tni jog* **a)** perbeszédet mond/tart **b) ~ guilty** beismeri bűnösségét, bűnösnek vallja magát; **~ not guilty** tagadja bűnösségét, ártatlannak vallja magát **c) ~ for sg** esedezik/folyamodik vmért; **~ for mercy** kegyelmet kér
pleading ['pliːdɪŋ] *fn* **a)** *jog* **the pleadings** perbeszéd *[ügyészé, védőé]* **b)** *régi jog* pereskedés
pleasant ['pleznt] *mn* kellemes, élvezetes
pleasantry ['plezntri] *fn* **a)** udvarias megjegyzés, bók **b)** vicc, tréfás megjegyzés
please [pliːz] **A. 1.** *tsi* megörvendeztet, örömet okoz/szerez, kedvére tesz, kedveskedik (vknek), kedvére való/van, tetszik (vknek); **you can't ~ everybody** nem lehet mindenkinek a kedvére tenni; **hard to ~** nehéz kedvére tenni; kényes **2. be ~d with sg** meg van elégedve vmvel, örül vmnek; **be ~d to do sg** örömmel/készséggel/szívesen tesz vmt; örül, hogy vmt tehet; **pleased to meet you** örvendek a szerencsének **B.** *tni* **1.** örömet okoz, kedvére van/való, tetszik (vknek); *biz* **just as you ~** ahogy gondolod/akarod; **do as one ~s** úgy tesz, ahogy kedve tartja **2. a) ~ be seated** (kérem) foglaljon/foglaljanak helyet!; **~ turn over** fordíts *[nyomtatványon stb.]*; **may I come in, ~?** szabad bejönnöm? **b) if you ~** legyen szíves; kérem; szíves engedelmével
pleased [pliːzd] *mn* elégedett, boldog
pleasurable ['pleʒərəbl] *mn* kellemes, élvezetes

P

pleasure ['pleʒə ‖ –ər] *fn* **1.** öröm, élvezet, gyönyörűség; **with ~** örömmel, boldogan, szívesen, készséggel; **derive great ~ from sg, take ~ in sg** örömét/kedvét leli/találja vmben, nagy élvezetet/gyönyörűséget okoz neki vm; **it is our ~ to inform you** örömmel értesítjük; **we request the ~ of your company** *vál* tisztelettel meghívjuk **2.** szórakozás, kedvtelés; **travel for ~** kedvtelésből utazik **3.** gyönyör, kéj; **sensual ~** érzéki gyönyör, kéj **4.** akarat, kívánság, tetszés, kénye-kedve (vknek); **at sy's ~** vk tetszése (v. kénye-kedve) szerint; vk kénye-kedvére

pleasure boat *fn* luxusjacht

pleasure trip *fn* kéjutazás

pleat [pli:t] **I.** *fn* **1.** berakás, pliszé **2.** redő, ránc **II.** *tsi* berak, redőz; **pleated skirt** rakott szoknya • *fn* **pleating**

pleb [pleb] *fn biz pej* proli

plebeian [plɪ'bi:ən] **I.** *fn* **1.** *tört* plebejus **2.** *pej* közönséges ember, proletár, proli *biz* **II.** *mn* **1.** plebejusi *[származású]* **2.** *pej* proletár, durva, közönséges *[gondolkodás]* **3.** kulturálatlan, műveletlen

plebiscite ['plebɪˌsaɪt] *fn* **1.** népszavazás **2.** népakarat • *mn* **plebiscitary**

plectrum ['plektrəm] *fn zene* pengető *[húros hangszerhez]*

pled [pled] → **plead**

pledge [pledʒ] **I.** *fn* **1.** fogadalom, ígéret, felajánlás; **make a ~** fogadalmat tesz; felajánl(ást tesz); **be under a ~ of secrecy** titoktartást fogadott **2.** zálog, biztosíték; *átv* **~ of good faith** jóhiszeműség bizonyítéka/jele **II.** *tsi* **1.** fogadalmat tesz, ígér, fogad vmt **2.** biztosítékul ad/leköt • *fn* **pledger**

pledgee [ˌple'dʒi:] *fn jog* záloghitelező, zálogbirtokos

pledget ['pledʒɪt] *fn orv* sebtömő vatta/gézcsomó, tampon

Pleistocene ['plaɪstəsi:n] **I.** *mn geol* pleisztocén kori **II.** *fn* pleisztocén kor

plenary ['pli:nəri, 'ple–] *mn* **1.** teljes, abszolút; **~ powers** teljhatalom **2.** teljes (létszámú), plenáris; **~ session** plenáris ülés

plenipotence [plə'nɪpətəns] *fn régi* teljhatalom

plenipotentiary [ˌplenɪpə'tenʃəri ‖ –ʃieri] **I.** *mn* teljhatalmú; **minister ~** meghatalmazott nagykövet **II.** *fn* meghatalmazott (nagy)követ

plenitude ['plenɪtju:d ‖ –tu:d] *fn vál* **1.** teljesség **2.** bőség

plenteous ['plentɪəs] *mn vál* **1.** bő(séges) **2.** bőven termő, bővelkedő, dús, gazdag • *fn* **plenteousness**

plentiful ['plentɪfl] *mn* bő(séges), kiadós, gazdag

plenty ['plenti] **I.** *fn* bőség; **~ of** sok; elegendő/kellő mennyiség (vmből); **have ~ of sg** bővében van (vmnek); bővelkedik (vmben); **have ~ to go on** van mit a tejbe aprítania; dúslakodik/bővelkedik mindenben **II.** *mn* → **plentiful III.** *hsz biz* **~ large enough** elég nagy; **there is ~ more of sg** van még sok/bőven vmből

pleo- ['pli:ou] *előtag* több-

pleonasm ['pli:ənæzm] *fn nyelv* szóhalmozás, pleonazmus • *mn* **pleonastic**

plethora ['pleθərə] *fn* **1.** túltengés, túlbőség; **a ~ of sg** bősége vmnek **2.** *orv régi* vérbőség • *mn* **plethoric**

pleura ['pluərə ‖ 'plurə] *fn tsz* **pleurae** [–ri:] *orv* mellhártya

pleurisy ['pluərɪsi ‖ 'plur–] *fn orv* mellhártyagyulladás • *mn* **pleuritic**

plexus ['pleksəs] *fn* **1.** *orv* érfonat, idegfonat, idegközpont; **the solar ~** hasi idegközpont **2.** *átv* hálózat, szövevény

plf, plff *röv plaintiff*

pliable ['plaɪəbl] *mn* **1.** hajlékony, rugalmas, flexibilis **2. a)** *átv* simulékony, alkalmazkodó, rugalmas **b)** könnyen befolyásolható/irányítható • *fn* **pliability**

pliant ['plaɪənt] **a)** hajlékony *[fa]* **b)** alkalmazkodó, befolyásolható *[ember]* • *fn* **pliancy**

pliers ['plaɪəz ‖ –ərz] *fn tsz* fogó, laposfogó, harapófogó; **flat wire ~** drótfogó; **long nose ~** hosszú csőrű fogó

plight[1] [plaɪt] *fn [nehéz, szorult]* helyzet; **be in a sorry/sad ~** kínos/nehéz/szorult/szorongatott helyzetben van

plight[2] [plaɪt] *tsi vál* **~ one's troth** odaígéri a kezét (vknek), házasságot ígér

Plimsoll line *fn hajó* vízvonal; ‹maximális merülést jelző vonal hajó oldalán›

plimsolls ['plɪmslz, –soulz] *fn tsz* tornacipő, gumitalpú vászoncipő

plinth [plɪnθ] *fn* **1.** *épít* talplemez *[oszlopé]* **2.** lábazat *[falé]*

Pliny ['plɪni] *tul* Plinius

Pliocene ['plaɪəsi:n] **I.** *mn geol* pliocén- **II.** *fn* **the ~** pliocén kor

PLO *röv Palestine Liberation Organization* Palesztin Felszabadítási Szervezet, PFSZ

plod [plɒd ‖ plɑd] *tni* **-dd- 1. ~ along** botorkál, baktat, cammog, keservesen/nehezen halad/megy előre; **~ on** kitartóan tovább halad **2. ~ (away)** fáradozik, kínlódik, lassan halad *[munkával]*

plodder ['plɒdə ‖ 'plɑdər] *fn* fáradhatatlanul és kitartással dolgozó ember

plonk[1] [plɒŋk ‖ plɑŋk] *fn GB biz* pancsolt bor, lőre

plonk[2] [plɒŋk ‖ plɑŋk] *tsi* **~ down** letesz, lecsap

plop [plɒp ‖ plɑp] **I.** *isz* loccs **II.** *hsz* **1.** loccsanva **2.** pottyanva, huppanva **III.** *fn* **1.** loccsanás **2.** pottyanás, huppanás **IV. -pp- A.** *tsi* (bele)pottyant **B.** *tni* **1.** (bele)loccsan **2.** (bele)pottyan, huppan; **~ down in an armchair** belehuppan egy karosszékbe

plosive ['plousɪv] *fn nyelv* zárhang, exploziva

plot[1] [plɒt] **I.** *fn* **1.** földdarab, parcella, telek **2.** tervrajz, térkép **3.** *mat* grafikon, görbe **II.** *tsi* **1. ~ out** (fel)parcelláz, feloszt **2.** térképet/tervrajzot készít, felvisz, felrajzol *[térképre]* **3.** *mat* (meg)szerkeszt *[görbét]*, pontjait összeköti *[görbének]*

plot[2] [plɒt ‖ plɑt] **I.** *fn* **1.** cselekmény *[irodalmi műé, filmé]*; **the ~ thickens** a cselekmény bonyolódik **2.** összeesküvés, titkos terv; **hatch a ~** összeesküvést sző **II.** *tni* **-tt-** összeesküvést tervez/sző, összeesküszik

plotter ['plɒtə ‖ 'plɑtər] *fn* összeesküvő

plough [plau] **I.** *fn* **1.** eke; **under the ~** felszántott, megművelt *[föld]* **2.** szántás, felszántott föld **3.** *csill* **the P~** Nagy-Göncöl, Göncölszekér **II.** *tsi* **a) ~ up** felszánt, feltör *[földet]* **b)** *átv* szánt *[hajó hullámokat]*

plough back *tsi* **1.** visszaforgat *[termést, füvet ekével]*; beszánt **2.** visszaforgat *[nyereséget]*, újra befektet *[pénzt]*

plough into *tni* teljes erővel belerohan *[összeütközéskor]*

plough through A. *tni* (erővel) áthatol, átvergődik (vmn); **~ through a book** átrágja magát egy könyvön **B.** *tsi* **~ one's way through the mud** nagy nehezen átvergődik a sáron

ploughman ['plaumən] *fn tsz* **-men** szántóvető, földműves

ploughman's lunch *fn GB* ‹kenyér és sajt savanyúsággal v. sajtos kenyér uborkával›

ploughshare *fn* ekevas

plover ['plʌvə ‖ –ər] *fn áll* lile

plow [plau] *US* → **plough**

ploy [plɔɪ] *fn* taktika, húzás, ügyes manőver *[játékban stb.]*

pluck [plʌk] **I.** *tsi* **1. ~ (off/out)** (le)szakít, (le)tép, kitép **2.** megkopaszt; *biz* **have a crow to ~ with sy** van egy kis számolnivalója/elintéznivalója vkvel **3. ~ (at sg)** (meg)rángat, ráncigál **4.** penget *[gitárt]* **II.** *fn* **1.** *biz* bátorság, mersz, kurázsi **2.** rántás, húzás **3.** állati belsőség(ek) *[ételként]*

pluck up *tsi* **1.** *átv* gyökerestől kitép/kiszakít **2. ~ up courage** összeszedi a bátorságát

plucky ['plʌki] *mn* bátor, merész

plug [plʌg] **I.** *fn* **1.** dugó, dugasz; **pull the ~ on sg** megsemmisít, tönkretesz; hirtelen lemond/töröl *[tervet stb.]* **2.** *vill* **a)** villanydugó, hálózati csatlakozó **b)** *biz* konnektor, aljzat **3.** *gk* **(sparking) ~** (gyújtó)gyertya **4. a)** préselt dohánytömb **b) ~ (of tobacco)** egy darab bagó **5.** *szl* műsorba iktatott hirdetés, kedvező említése vmnek *[rádióban, tévében]*, *[ami reklámként hat]* **II.** *tsi*

P

-gg- 1. bedugaszol, tömít *[nyílást]* **2. a)** *US biz* golyót ereszt (vkbe), meglő, lelő (vkt) **b)** ököllel megüt, behúz (vknek) **3.** *US szl* reklámoz, (ingyen)reklámot csinál *[árunak/vknek rádióban, tévében]*

plug away *tni biz* kitartóan/makacsul dolgozik

plug in *tsi/tni* bedug *[falidugót]*

plugger [ˈplʌgə ‖ –ər] *fn szl* bokszoló

plughole *fn* lefolyó *[mosogatóban stb.]*

plug-in(software) *fn infor* kiegészítő/összekötő program, segédprogram

plug-ugly *US szl* **I.** *mn biz* nagyon csúnya, rusnya **II.** *fn* vagány, *[városi]* nagyfiú

plum [plʌm] *fn* **1. a)** szilva **b)** szilvafa **2.** *biz* kívánatos dolog/állás; *biz* **the ~s** a legjobb/legzsírosabb állások/üzletek

plumage [ˈpluːmɪdʒ] *fn áll* toll(azat)

plumb [plʌm] **I.** *fn* **1. a)** függőón **b)** *hajó* mélységmérő, mérőón **c)** nehezék, ólom *[horgászzsinóron]* **2.** függőlegesség; **out of ~, off ~** ferde **II.** *hsz* **1.** *biz* pont(osan); **~ in the centre** pont a (v. a kellős) közepébe(n) **2.** *US biz* teljesen; **~ crazy** tiszta bolond **III.** *tsi* **1. a)** függélyez, függőónnal mér/ellenőriz *[falat stb.]* **b)** *hajó* mér, szondáz *[tenger mélységét]* **2.** megért vmt, mélyére hatol (vmnek); **~ the depths of sg** mélyére hatol *[rejtélynek stb.]*

plumber [ˈplʌmə ‖ –ər] *fn* vízvezetékszerelő

plumbing [ˈplʌmɪŋ] *fn* **1.** vízvezetékhálózat, csővezeték **2.** vízvezetékszerelés

plumb-line *fn* **1.** függőón, függővonal, irányzózsinór **2.** *hajó* mélységmérő (ón), fenékmérő (fonál)

plume [pluːm] **I.** *fn* **1.** *[nagy, díszes]* toll **2.** tollforgó, tolldísz **3. ~ of smoke** füstcsóva **II.** *tsi* **1.** tollal díszít/ékesít **2. a) ~ (itself)** tollászkodik *[madár]* **b)** *biz* **~ oneself on sg** büszkélkedik vmvel, nagyra van vmvel

plummet [ˈplʌmɪt] **I.** *fn* ólomnehezék, mérőón, függőón **II.** *tni* zuhan, esik *[ár stb.]*

plummy [ˈplʌmi] *mn* **1.** *biz* **a)** kívánatos, előnyös **b)** finom, nagyszerű, remek **2.** *biz pej* affektált, előkelősködő *[beszédmód]*

plump¹ [plʌmp] **I.** *mn* kövérkés, gömbölyded, dundi, telt *[idomok]*, pufók *[arc]* **II. A.** *tsi* kövérré/gömbölyűvé tesz **B.** *tni* **~ (out/up)** kigömbölyödik; meghízik; megduzzad • *fn* **plumpness**

plump² [plʌmp] **I.** *mn biz* egyenes, határozott, kategorikus; **~ denial** határozott tagadás **II.** *hsz* **1. fall ~ into the mud** nagy loccsanással beleesik a sárba, belepottyan a sárba **2.** egyenesen, nyíltan, nyersen; **say sg ~** minden kertelés nélkül v. kereken megmond vmt **III.** *fn* huppanás, puffanás, pottyanás **IV. A.** *tsi* **~ (down)** lepottyant, leejt; **~ oneself down** lehuppan *[fotelbe, földre stb.]* **B.** *tni* **1.** huppan, pottyan, puffan **2. ~ for sy** támogat vkt, választ vkt, szavaz vkre

plumpish [ˈplʌmpɪʃ] *mn* kövérkés, kissé molett

plum pudding *fn GB* karácsonyi puding

plum tomato *fn* lukullusz-paradicsom

plumy [ˈpluːmi] *mn* **1.** tollas, tollal borított, pelyhes, pihés **2.** tollszerű

plunder [ˈplʌndə ‖ –ər] **I. A.** *tsi* kifoszt, kirabol **B.** *tni* fosztogat, rabol **II.** *fn* **1. a)** fosztogatás **b)** kirablás, kifosztás **2.** zsákmány, rablott holmi • *fn* **plunderer**

plunge [plʌndʒ] **I. A.** *tsi* **1.** beletaszít, megmerít, belemárt; **~ one's hands into one's pockets** zsebébe süllyeszti a kezeit **2.** *átv* taszít, dönt; **~ into poverty** nyomorba dönt; **~ into war** háborúba sodor **B.** *tni* **1.** beleesik, beleugrik, fejest ugrik, beleveti magát, belemerül **2. ~ forward** lezuhan, esik *[ár stb.]*; előreesik; hirtelen lejt *[út]* **3.** bukdácsol **II.** *fn* **a)** (bele)esés, (bele)ugrás **b)** lemerülés, alábukás *[víz alá]*, fejesugrás; *átv* **take the ~** fejest ugrik vmbe; megteszi a döntő lépést **c)** alámerítés, bemártás

plunger [ˈplʌndʒə ‖ –ər] *fn* **1.** vécépumpa **2.** kávéfőző üvegedény

plunk [plʌŋk] **I.** *fn* **1. a)** pengő hang **b)** pengetés **2.** *US biz* erős ütés **II. A.** *tsi* **1.** megpendít, penget *[húrt]* **2.** ledob, lepottyant **3.** *US* (hirtelen) odaüt, odasóz **B.** *tni* **1.** megpendül *[húr]* **2. ~ down** lepottyan

pluperfect [ˌpluːˈpɜːfɪkt ‖ –ˈpɜr–] *mn/fn nyelv* **~ (tense)** régmúlt (idő), befejezett múlt

plural [ˈplʊərəl ‖ ˈplʊrəl] *nyelv* **I.** *fn* többes (szám) **II.** *mn* többes (számú)

pluralism [ˈplʊərəlɪzm ‖ ˈplʊr–] *fn pol* pluralizmus, többpártrendszer • *fn* **pluralist** *mn* **pluralistic**

plurality [plʊˈræləti] *fn* **1.** sokaság **2.** *pol US* relatív/viszonylagos többség

pluralize [ˈplʊərəlaɪz ‖ ˈplʊr–], **-ise** *tsi nyelv* többes számba tesz

plus [plʌs] **I.** *elölj* meg, és, plusz **II.** *mn mat* pozitív, plusz; **~ quantity** pozitív mennyiség; **~ sign** összeadásjel, pluszjel **III.** *fn* **1.** összeadásjel, pluszjel **2.** előny, többlet, jó pont; **knowledge of English is a ~** angoltudás előnyt jelent *[állásnál stb.]*

plus-fours *fn tsz* golfnadrág, (buggyos) térdnadrág

plush [plʌʃ] **I.** *fn tex* plüss **II.** *mn* **a)** *biz* nagyon elegáns, luxus- **b)** bársonyos, plüss-szerű • *mn* **plushy**

plutocracy [pluːˈtɒkrəsi ‖ –ˈtɑ–] *fn* **1.** pénzuralom, plutokrácia **2.** vagyonos osztály, gazdagok • *fn* **plutocrat** *mn* **plutocratic**

plutonium [pluːˈtoʊnɪəm] *fn vegy* plutónium

ply¹ [plaɪ] *fn* **1.** réteg, vastagság **2.** fonat, sodrat, szál *[zsinegben stb.]*

ply² [plaɪ] **A.** *tsi* **1.** kezel, forgat, bánik *[szerszámmal, fegyverrel]*, alkalmaz, használ **2. ~ one's trade** hivatást folytat, ipart űz **3.** elhalmoz, ellát; **~ sy with questions** kérdésekkel ostromol vkt **B.** *tni* rendszeresen közlekedik/jár *[hajó stb.]*; **~ for hire** munkára/utasra vár *[taxi]*

plywood [ˈplaɪwʊd] *fn* furnér(lemez), rétegelt falemez

PM, P.M. *röv* **1.** *afternoon* délután, du. **2.** *Prime Minister* **3.** *Postmaster* **4.** *Police Magistrate* **5.** *Provost Marshal*

pneumatic [njuːˈmætɪk ‖ nuː–] *mn* **1.** sűrített levegővel működő, lég-, pneumatikus; **~ brake** légfék; **~ hammer** légkalapács **2.** légtömlős, felfújható; **~ tyre (US tire)** gumiabroncs

pneumonia [njuːˈmoʊnɪə ‖ nuː–] *fn orv* tüdőgyulladás • *mn* **pneumonic**

PO, p.o. *röv* **1.** *post office* **2.** *postal order* **3.** *petty officer*

poach¹ [poʊtʃ] *tsi* buggyant; **~ed egg** buggyantott tojás

poach² [poʊtʃ] **A.** *tsi* **a)** engedély nélkül fog *[vadat, halat]* **b)** *átv biz* átcsábít *[munkaerőt]*, ellop *[ötletet]* **B.** *tni* tilosban vadászik, orvvadászik, orvhalászik, oroz; **~ (up)on sy's preserves** tilosban vadászik; *biz* tilosban jár, más jogait bitorolja

poacher¹ [ˈpoʊtʃə ‖ –ər] *fn* tojásbuggyantó lábas

poacher² [ˈpoʊtʃə ‖ –ər] *fn* vadorzó, orvvadász, orvhalász

POB, PO Box *röv Post Office Box* postafiók, Pf.

pocket [ˈpɒkɪt ‖ ˈpɑkət] **I.** *fn* **1.** zseb; **be £100 in ~** száz fontot nyert az üzleten, száz fontal lett gazdagabb; **be out of ~** ki van fogyva a pénzből; veszített *[üzleten]*; *átv biz* **have sy in one's ~** markában tart vkt; *biz* **line one's ~** megszedi magát; **put one's hand in one's ~** zsebre vágja a kezét; *átv* a zsebébe nyúl; *biz* **put one's pride in one's ~** félreteszi a büszkeségét **2.** *átv* pénztárca; **beyond one's ~** nem engedheti meg magának **3.** lyuk *[biliárdasztalon]* **4.** *bány* zseb, kisebb érclencse **5.** *geol [vízzel, gázzal telt]* üreg; *geol* **dead-water ~** pangó vízzel telt üreg **6.** *átv* sziget; **pockets of unemployment** a munkanélküliség szigetei *[régióban]* **II.** *tsi* **1.** zsebre tesz/vág/rak, zsebébe tesz/süllyeszt *[pénzt stb.]* **2.** *pej* bezsebel, zsebre vág, megtart magának *[hasznot stb.]* **3.** visszafojt, elfojt, nem mutat *[érzéseket]*; **~ one's pride** legyőzi a büszkeségét **4.** lyukba lök/taszít *[biliárdgolyót]*, lyukba üt/gurít *[biliárdgolyót]*

pocketbook *fn* **1.** jegyzetkönyv, notesz **2.** irattárca, levéltárca **3.** *US* kézitáska *[női]*

pocket borough *fn GB tört* ‹olyan választókerület, amelyben az eredményt egy személy v. család szabta meg›

P

pocketful [ˈpɒkɪtfʊl ‖ ˈpɑ–] *mn* egy zsebnyi/zsebrevaló

pocket-knife *fn tsz* **-knives** zsebkés, bicska

pocket money *fn* zsebpénz

pocket-size *mn* zsebméretű

pockmark [ˈpɒkmɑːk ‖ ˈpɑkmɑrk] *fn* himlőhely, ragya

pod [pɒd ‖ pɑd] *fn növ* hüvely *[babé, borsóé]*; **like peas in a ~** egyformák

POD *röv pay on delivery* utánvéttel

podagra [pəˈdægrə] *fn orv* köszvény(es lábfájás)

podgy [ˈpɒdʒi ‖ ˈpɑdʒi] *mn* **a)** tömzsi, vaskos, dundi *[testrész]* **b)** köpcös, zömök *[ember]* • *fn* **podginess**

podiatry [pəˈdaɪətri] *fn* **1.** *orv* lábgyógyítás, lábkezelés **2.** lábápolás • *fn* **podiatrist**

podium [ˈpoʊdɪəm] *fn tsz* **podia** [–dɪə] emelvény, dobogó, pódium

poem [ˈpoʊɪm] *fn* vers, költemény

poet [ˈpoʊɪt] *fn* költő; *GB* **~ laureate** koszorús/udvari költő

poetaster [ˌpoʊɪˈtæstə ‖ ˈpoʊətæstər] *fn* fűzfapoéta, versfaragó

poetic [poʊˈetɪk] *mn* költői; **~ language** költői nyelv(ezet); **~ licence** költői szabadság • *hsz* **poetically**

poetry [ˈpoʊətri] *fn* **1.** költészet; **piece of ~** vers, költemény **2.** költészet, költői(es)ség *[tárgyé, természeté stb.]* **3.** versek, költemények; **write ~** verse(ke)t ír, költ

po-faced [ˌpoʊˈfeɪst] *mn GB biz* komor, zord (arcú)

pogo [ˈpoʊgoʊ] *fn* **~ stick** ‹fogantyúval és lábtámasszal ellátott, alul rugós bot, amellyel ide-oda lehet ugrálni›

pogrom [ˈpɒgrəm ‖ ˈpoʊ–] *fn* pogrom

poignant [ˈpɔɪnjənt] *mn* **1. a)** csípős, maró, elevenbe vágó, éles *[szatíra, megjegyzés]* **b)** *ritk* csípős, sós *[íz]*, átható, csípős, orrfacsaró *[szag]* **2.** szomorú, megindító, szívbemarkoló, heves, elsöprő erejű *[érzelem]* • *fn* **poignancy**

poinsettia [pɔɪnˈsetɪə] *fn növ* mikulásvirág

point [pɔɪnt] **I.** *fn* **1. a)** *mat* pont **b) (decimal) ~** tizedespont; **four ~ two** négy egész két tized **2.** pont, hely *[térben, időben]*; **~s of the compass** az égtájak/világtájak; **~ of departure** kiinduló/kiindulási pont; *átv* **~ of no return** kritikus pont *[ahonnan már nem lehet visszafordulni]*; **at all ~s** minden tekintetben/vonatkozásban; **be on the ~ of doing sg** (már éppen) azon a ponton van (v. ott tart,), hogy megtegyen vmt; **when it came to the ~** a döntő/kritikus pillanatban, amikor arra került a sor **3. ~ of view** szempont, szemszög, nézőpont; álláspont **4.** fok, pont; **freezing ~** fagypont; **matters are at such a ~** a dolgok odáig jutottak/fajultak; **severe to the ~ of cruelty** kegyetlenségig szigorú **5. a)** pont, részlet, kérdés *[vitában]*; **~ for ~** részletesen, pontról pontra; **~ of conscience** lelkiismereti kérdés, lelkiismeret dolga; **in ~ of sg** vmre nézve, vm tekintetében; **in ~ of fact** valójában, tulajdonképpen, voltaképpen; **on this ~** ezen a ponton, ebben a kérdésben, e tekintetben; **make a ~** hatásosan érvel; világosan bebizonyít; **make a ~ of doing sg** ragaszkodik ahhoz (v. elvi kérdést csinál abból v. szívügyének tekinti), hogy vmt megtegyen; súlyt helyez vmre; **you have a ~ there** van benne valami, ebben igaza(d) lehet **b) the ~** a lényeg, a kérdés; **that's not the ~** nem erről van szó, nem ezen van a hangsúly, nem ez a lényeg; **wander from the ~** eltér/elkalandozik a tárgytól; **be off/beside the ~** nem tartozik a tárgyhoz; lényegtelen; **to the ~** találó/odavágó; a kérdésre érdemben vonatkozó *[érv, megjegyzés]*; **miss the ~** nem érti meg a lényeget; nem kapcsol **c)** vm értelme; **there is no ~ in doing this** nincs semmi értelme ennek; **I can't/don't see the ~ of it** nem látom (az) értelmét **6.** pont, oldal, vonás *[jellemé stb.]*; **have one's (good) ~s** megvannak a jó oldalai; **touch a sore ~** elevenére tapint (vknek) **7.** *sp* pont(szám), (pont)eredmény; **win on ~s** pontozással győz *[bokszban]* **8. a)** hegy *[tűé, nyelvé stb.]*, csúcs; **at the ~ of a sword/gun** fegyveres kényszer hatása alatt **b) five-~ star** ötágú csillag **9.** tollhegy **10.** földfok, földnyelv **11.** *vasút* **~s** váltó; **shift the ~s** átállítja a váltót **II. A.** *tsi* **1.** mutat, jelez *[útirányt]* **2.** ponto(ka)t tesz/rak *[betűre]*, írásjelekkel ellát *[mondatot]* **B.** *tni* **1.** mutat *[óra, iránytű stb.]*, mutogat, rámutat **2.** céloz, irányít vkre *[fegyvert]*

point out *tsi* **~ out sg to sy** megmutat vknek vmt *[ujjal]*; *átv* rámutat vmre; **~ out the mistakes** rámutat a tévedésekre/hibákra; **let me ~ out** legyen szabad felhívnom a figyelmüket, hadd jegyezzem meg

point up *tsi* kiemel/hangsúlyoz vmt, rámutat vmre

point-blank I. *mn* **a)** *biz* egyenes, nyílt, félreérthetetlen, kategorikus *[visszautasítás]* **b)** közvetlen közeli *[lövés]*; **at ~ range** közvetlen közelről *[lelő]* **II.** *hsz* **a)** *biz* nyíltan, kertelés nélkül, kereken *[tagad, elutasít]* **b)** közvetlenül, egészen közelről

pointed [ˈpɔɪntɪd] *mn* **1. a)** hegyes (végű), csúcsos, kihegyezett, éles **b)** *átv* éles, elevenbe vágó/találó, csípős *[megjegyzés]* **2.** sokatmondó, célzatos *[megjegyzés]*, félreérthetetlen, nyilvánvaló, nyílt *[célzás]* • *fn* **pointedness** *hsz* **pointedly**

pointer [ˈpɔɪntə ‖ –ər] *fn* **1. a)** mutató *[óráé, műszeré]* **b)** mutatópálca **2.** *biz* tanács, tipp, útmutatás **3.** *biz* utalás, jelzés **4.** simaszőrű/rövidszőrű (angol) vizsla

pointing [ˈpɔɪntɪŋ] *fn* **a)** *épít* (ki)hézagolás, fugázás **b)** hézagolóhabarcs, fúga

pointless [ˈpɔɪntləs] *mn* **1.** értelmetlen, céltalan **2.** tompa (végű), hegyetlen *[szerszám, fegyver]* **3.** eredménytelen, ponteredmény nélküli *[mérkőzés, játszma]* • *fn* **pointlessness**

point-of-purchase *mn gazd* **~ advertising** reklám az értékesítés helyszínén

poise [pɔɪz] **I.** *fn* **1. a)** egyensúly, nyugalmi állapot **b)** *átv* nyugalom, higgadtság **2.** tartás *[fejé, testé]* **II. A.** *tsi* (ki)egyensúlyoz, egyensúlyban tart; **be ~d to do sg** készül/szándékozik vmt tenni **B.** *tni* (egy helyben) lebeg *[madár]*

poised [pɔɪzd] *mn* **1.** lebegő **2.** *összet* tartású; **well-~** szép tartású

poison [ˈpɔɪzn] **I.** *fn* **a)** méreg; **slow ~** lassan ölő méreg; **~ cup** méregpohár; **take ~** mérget vesz be, megmérgezi magát **b)** *átv* káros/ártalmas befolyás/hatás, métely **II.** *tsi* **a)** megmérgez **b)** *átv* megmérgez, megmételyez, megfertőz *[gondolkodást stb.]*

poisoning [ˈpɔɪzənɪŋ] *fn* **a)** mérgezés **b)** *átv* megmérgezés, megmételyezés, megfertőzés

poison ivy *fn növ* mérges szömörce

poisonous [ˈpɔɪzənəs] *mn* **a)** mérges, mérgező *[gáz stb.]*, mérgezett, fertőzött *[víz]*, dögletes *[bűz]* **b)** *átv* ártalmas, káros, veszedelmes

poison-pen letter *fn* névtelen rágalmazó/gyalázkodó levél

poke[1] [poʊk] **I. A.** *tsi* **1.** (meg)bök, bökdös, lökdös, taszigál, döf(köd); **~ the fire** megpiszkálja/felpiszkálja/megkotorja a tüzet **2.** *szl durva [közösül]* megbasz, megkefél vkt **B.** *tni* **1. a)** bök(dös), szurkál *[hegyes tárggyal]* **b)** *szl durva [közösül]* baszik, kefél **2. ~ and pry** kíváncsiskodik **II.** *fn* bökés, döfés, lökés; **give sy a ~ in the ribs** oldalba bök/lök vkt

poke at A. *tsi* **~ fun at sy** tréfát/gúnyt űz vkből **B.** *tni* **~ at sg with a stick** vmt bottal bökdös/piszkál/szurkál

poke into *tsi* **~ one's nose into other people's business** mások dolgába ártja magát (v. üti bele az orrát)

poke out *tsi* **a) ~ sy's eye out** kiszúrja vknek a szemét **b) ~ one's head out of the window** kidugja a fejét az ablakon

poke[2] [poʊk] *fn táj* **1.** zacskó; **pig in a ~** zsákbamacska **2.** zseb

poker[1] [ˈpoʊkə ‖ –ər] *fn* piszkavas

poker[2] [ˈpoʊkə ‖ –ər] *fn* póker *[kártyajáték]*

poker-face *fn biz* pléhpofa, faarc, pókerarc • *mn* **poker-faced**

poky [ˈpoʊki], **pokey** *mn* **1.** szűk, levegőtlen *[helyiség]* **2.** nehézkes, lassú, lomha

Polack [ˈpoʊlæk ‖ ˈpoʊlɑk] *fn US pej szl [lengyel]* polyák

Poland [ˈpoʊlənd] *tul földr* Lengyelország

polar [ˈpoulə ‖ –ər] *mn* **1.** *csill földr* sarki, poláris, sark-; ~ **bear** jegesmedve; ~ **circle** sarkkör; ~ **expedition** sarkkutató expedíció; ~ **lights** sarki/északi fény; ~ **region** sarkvidék; ~ **star** sarkcsillag **2.** *fiz* sarkos, poláris, mágneses

polarity [pəˈlærəti] *fn* **a)** *fiz el* sarkosság, polaritás **b)** *átv* ellentettség, polaritás; véleménykülönbség, ellentét

polarization [ˌpouləraɪˈzeɪʃn ‖ –rəˈzeɪʃn], **-isation** *fn fiz* sarkítás, polarizáció, polarizál(ód)ás

polarize [ˈpouləraɪz], **-ise A.** *tsi* **a)** *fiz* sarkít, polarizál **b)** *átv* kiélez, egyoldalúan vet fel *[kérdést]*, megoszt *[véleményt]* **B.** *tni fiz* polarizálódik

Polaroid [ˈpoulərɔɪd] *fn* **1.** polaroid(lemez), fénypolarizáló műanyaglemez **2.** *fényk* **a)** polaroid fényképezőgép **b)** gyorsfotó, polaroid fotó **3. Polaroids** polaroid napszemüveg

polder [ˈpouldər] *fn* ‹tengertől elhódított terület› polder *[Hollandiában]*

Pole [poul] *fn* lengyel *[férfi]*

pole¹ [poul] **I.** *fn* **a)** rúd, pózna, karó; **be up the** ~ dilis, bolond; téved, tévedésben van **b)** zászlórúd **II.** *tsi* rúddal hajt/taszít *[csónakot]*

pole² [poul] *fn* **1.** *földr csill* sark(pont), pólus; **magnetic** ~ mágneses sark **2.** *fiz vill* sarok, pólus, elektród(pólus)

pole-axe I. *fn* **a)** mészárosbárd **b)** *tört* csatabárd, alabárd **II.** *tsi átv* letaglóz

polecat *fn* **a)** görény **b)** *US* szkunksz, bűzös borz

polemic [pəˈlemɪk] *fn vál* **a)** vita, polémia **b)** vitairat, polemika

polemical [pəˈlemɪkl] *mn* vitázó, polemizáló, polemikus, vita-

polemics [pəˈlemɪks] *fn esz* vitázás, hitvita, hitvédelem, polemizálás, polemika • *tni* **polemize** *fn* **polemist**

pole position *fn sp* első rajtkocka *[autóversenyen]*

pole-vault *sp* **I.** *fn* rúdugrás **II.** *tni* rúdugrást végez, ugrik (rúddal) • *fn* **pole-vaulter**, **pole-vaulting**

police [pəˈliːs] **I.** *fn tsz* rendőrség; ~ **constable** rendőr; közrendőr; ~ **department** rendőrség; ~ **dog** rendőrkutya; ~ **force** rendőrség; ~ **officer** rendőr(tiszt), biztos **II.** *tsi* fenntartja/biztosítja a rendet *[országban]*, ellenőriz *[területet]*

policeman [pəˈliːsmən] *fn tsz* **-men** rendőr

police state *fn* rendőrállam

police station *fn* rendőrőrszoba, rendőrőrs, (kerületi) (rendőr)kapitányság, rendőrség

policewoman *fn tsz* **-women** rendőrnő, női rendőr

policy¹ [ˈpɒləsi ‖ ˈpɑ–] *fn* **1.** politika *[kormányé]*, államvezetés, államigazgatás; **foreign** ~ külpolitika **2.** irányvonal, irányelv *[kormányé, párté]*, (vezér)elv, (elvi) álláspont, eljárás(mód); **adopt a** ~ elvet/eljárást követ; elvet/álláspontot kialakít

policy² [ˈpɒləsi ‖ ˈpɑ–] *fn* kötvény; **insurance** ~ biztosítási kötvény; **take out a** ~ biztosítást köt

policy holder *fn* biztosított

policymaker *fn* politikacsináló

polio [ˈpouliou] *biz* → **poliomyelitis**

poliomyelitis [ˌpoulioumaɪəˈlaɪtɪs] *fn orv* gyermekbénulás, gyermekparalízis • *mn* **poliomyelitic**

polish [ˈpɒlɪʃ ‖ ˈpɑ–] **I. A.** *tsi* **a)** ~ **(up)** (ki)fényesít, (ki)tisztít *[cipőt, ezüsttárgyat stb.]*, (ki)csiszol *[kőlapot, fémet]*, fényez *[padlót]* **b)** *átv* (ki)csiszol, palléroz *[modort, embert]*; finomít, simításokat végez vmn **B.** *tni* **mahogany polishes (up) beautifully** a mahagónit szépen lehet fényezni **II.** *fn* **1. a)** fény, ragyogás, csillogás *[csiszolt/lakkozott stb. felületen]*, a csiszolás, csiszoltság *[márványlapon stb.]*; **high** ~ fényes csiszolás; **give sg a** ~ fényez, kifényesít **b)** *átv* csiszoltság, simaság *[modoré, stílusé]*, kifinomultság, pallérozott modor **2.** fénymáz, fényező(anyag); **(shoe)** ~ cipőkrém

polish off *tsi* **a)** összecsap, összeüt, egy-kettőre végez *[munkával]* **b)** egy-kettőre végez *[étellel]*, bevág, befal, eltüntet *[ételt]*

Polish [ˈpoulɪʃ] *mn/fn* lengyel

polished [ˈpɒlɪʃt ‖ ˈpɑ–] *mn* **a)** fényezett, (ki)fényes(ített) **b)** *átv* csiszolt, sima *[modor]*, választékos *[stílus]*

polisher [ˈpɒlɪʃə ‖ ˈpɑlɪʃər] *fn* fényező, csiszoló *[eszköz, szerszám, gép]*

Politburo [ˈpɒlɪtbjuərou ‖ ˈpɑlətbjurou] *fn pol tört* Politikai Bizottság, PB

polite [pəˈlaɪt] *mn* **1.** udvarias, előzékeny **2.** művelt, finom *[társalgás, társaság]*

politic [ˈpɒlɪtɪk ‖ ˈpɑ–] *mn vál* **1.** illő, helyes, bölcs **2. the body** ~ az államtest, az állam *[mint polgárainak összessége]*

political [pəˈlɪtɪkl] *mn* **1.** politikai; ~ **party** politikai párt; ~ **prisoner** politikai fogoly **2.** politikai, államkormányzati; ~ **science** politológia, államtudomány **3.** politikailag elkötelezett; politikában aktív • *hsz* **politically**

politician [ˌpɒlɪˈtɪʃn ‖ ˌpɑ–] *fn* politikus

politicize [pəˈlɪtɪsaɪz], **-ise** *tsi* átpolitizál, politikai jelleget ad *[kérdésnek]*

politico [pəˈlɪtɪkou] *fn* **a)** *US biz* politikus **b)** *GB pej* politikai kalandor, karrierista politikus

politics [ˈpɒlɪtɪks ‖ ˈpɑ–] *fn* **1.** *esz* **a)** politika; **foreign** ~ külpolitika; **high** ~ nagypolitika, magas politika; **internal** ~ belpolitika; **talk** ~ politizál; **go into** ~ politikai pályára lép/megy **b)** politika, államtudomány **2.** *tsz US pej* politikai mesterkedés

polity [ˈpɒləti ‖ ˈpɑ–] *fn* **1.** államigazgatás, közigazgatás **2.** társadalom *[mint politikai tényező]*

polka [ˈpɒlkə ‖ ˈpoulkə] *fn* polka

polka dot *fn* petty *[textilen]* • *mn* **polka-dotted**

poll [poul] **I.** *fn* **1.** szavazás; **go to the polls** szavaz(ni megy), az urnákhoz járul **2.** közvéleménykutatás **3. a)** szavazatok/szavazócédulák megszámlálása; ~ **clerk** szavazatszámláló; **head the** ~ vezet a választáson *[jelölt]* **b)** leadott/megszámlált szavazatok száma, szavazás eredménye; **heavy** ~ sok szavazat **4.** választói névjegyzék **5.** *átv* fő, egyén; **per** ~ fejenként **II. A.** *tsi* **1.** leszavaztat, átveszi a szavazócédulát (vktől) **2.** (közvélemény-kutatásban) megkérdez **3.** elnyer *[szavazatot jelölt]* **4.** ~ **a vote for sy** szavaz vkre, szavazatát leadja vkre **5. a)** visszavág, visszanyes *[fát]* **b)** levágja/letöri a szarvát *[marhának]* **B.** *tni* (le)szavaz *[választáson]*

Poll [pɒl ‖ pɑl] *tul* **1.** Mari(ka) **2. a) (Pretty)** ~ Lórika *[mint papagájnév]* **b) p~** papagáj **3.** *biz* szajha, lotyó

pollard [ˈpɒləd ‖ ˈpɑlərd] **I.** *fn* lenyesett koronájú fa **II.** *tsi* visszavág, visszanyes

pollen [ˈpɒlən ‖ ˈpɑ–] *fn növ* virágpor, pollen

pollen count *fn* pollenszám, pollenindex

poll figures [ˈpoul fɪgəz ‖ –fɪgjərz] *fn tsz* közvélemény-kutatási/választási edmények

pollinate [ˈpɒlɪneɪt ‖ ˈpɑ–] *tsi növ* beporoz • *fn* **pollination**

polling booth *fn* szavazófülke

polling clerk *fn* szavazóbiztos

polling day *fn* választás napja

polling station *fn* szavazóhelyiség

pollinic [pəˈlɪnɪk] *mn növ* virágpor-

poll ratings [ˈpoul reɪtɪŋz] → **poll figures**

pollster [ˈpoulstə ‖ –ər] *fn* kérdezőbiztos

poll tax [ˈpoultæks] *fn* fejadó

pollutant [pəˈluːtnt] *fn* szennyezőanyag

pollute [pəˈluːt] *tsi* **a)** (be)szennyez, megfertőz *[vizet]*, megront *[levegőt]* **b)** *átv* megront, megfertőz, beszennyez

polluted [pəˈluːtɪd] *mn* szennyezett *[levegő, víz stb.]*

pollution [pəˈluːʃn] *fn* **1.** szennyezés, szennyeződés **2.** → **pollutant**

polo [ˈpoulou] *fn sp* **1.** (lovas)póló **2.** → **water polo** • *fn* **poloist**

polonaise [ˌpɒləˈneɪz ‖ ˌpɑ–, ˌpou–] *fn zene* polonéz

polo neck *fn* garbónyak, magas nyak *[pulóveren]*

polonium [pəˈlounɪəm] *fn vegy* polónium

polo shirt *fn* pólóing

poltergeist [ˈpɒltəgaɪst ‖ ˈpoultər–] *fn* kopogó szellem

P

poltroon [pɒlˈtruːn ‖ pɑl–] *fn* gyáva/nyúlszívű ember, pipogya fráter
poly [ˈpɒli ‖ ˈpɑli] *GB biz* → **polytechnic**
poly- [ˈpɒli ‖ ˈpɑli] *előtag* sok-, több-, poli-
polyamid [ˌpɒliˈæmɪd ‖ ˌpɑ–] *fn vegy* poliamid (műgyanta)
polyandry [ˌpɒliˈændri ‖ ˌpɑ–] *fn* **1.** többférjűség, sokférjűség **2.** *növ* többporzójúság • *mn* **polyandrous**
polyanthus [ˌpɒliˈænθəs ‖ ˌpɑ–] *fn* tubarózsa
polychromatic [ˌpɒlɪkrəˈmætɪk ‖ ˌpɑ–] *mn* **a)** színes, tarka, többszínű, sokszínű **b)** színjátszó
polychrome [ˈpɒlɪkroʊm ‖ ˌpɑ–] *mn* sokszínű, színes, tarka
polyclinic [ˌpɒlɪˈklɪnɪk ‖ ˌpɑ–] *fn orv* poliklinika; rendelőintézet
polyester [ˌpɒliˈestə ‖ ˈpɑliestər] *fn vegy* poliészter
polyethylene [ˌpɒlɪˈeθəliːn ‖ ˌpɑ–] *fn vegy* polietilén
polygamy [pəˈlɪgəmi] *fn* poligámia, többnejűség • *fn* **polygamist** *mn* **polygamous**
polygeny [pəˈlɪdʒəni] *fn* **1.** poligenizmus **2.** *biol* poligénia, többgénes jelleg • *mn* **polygenic**
polyglot [ˈpɒlɪglɒt ‖ ˈpɑlɪglɑt] **I.** *mn* **a)** többnyelvű, több nyelven írott **b)** több nyelven beszélő (személy), poliglott; többnyelvű **II.** *fn* poliglott, több nyelven beszélő/tudó ember • *fn* **polyglottism**
polygon [ˈpɒligən ‖ ˈpɑligɑn] *fn mat* sokszög, poligon • *mn* **polygonal**
polygyny [pəˈlɪdʒɪni] *fn* többnejűség • *mn* **polygynous**
polyhedron [ˌpɒliˈhiːdrən, –ˈhe– ‖ ˌpɑ–] *fn mat* soklap, poliéder • *mn* **polyhedral**
Polly [ˈpɒli ‖ ˈpɑli] *tul bec* → **Mary**
pollywog [ˈpɒlɪwɒg ‖ ˈpɑlɪwɑg, –wɔg] *fn US* ebihal
polymath [ˈpɒlɪmæθ ‖ ˈpɑ–] *fn* polihisztor
polymer [ˈpɒlɪmə ‖ ˈpɑlɪmər] *fn vegy* polimer • *mn* **polymeric**
polymorphic [ˌpɒlɪˈmɔːfɪk ‖ ˌpɑlɪˈmɔrfɪk] *mn biol vegy* sokalakú, többalakú, polimorf
polymorphous [ˌpɒlɪˈmɔːfəs ‖ ˌpɑlɪˈmɔr–] *biol* → **polymorphic**
Polynesia [ˌpɒlɪˈniːzɪə ‖ ˌpɑlɪˈniːʒə] *tul földr* Polinézia
Polynesian [ˌpɒlɪˈniːzɪən ‖ ˌpɑlɪˈniːʒn] *mn/fn* **1.** polinéziai **2.** polinéz nyelvek
polyp [ˈpɒlɪp ‖ ˈpɑlɪp] *fn orv* polip • *mn* **polypous**
polyphony [pəˈlɪfəni] *fn* **1.** *zene* többszólamúság, polifónia **2.** *nyelv* többhangértékűség, többhangúság • *mn* **polyphonic**, **polyphonous**
polystyrene [ˌpɒlɪˈstaɪriːn ‖ ˌpɑ–] *fn vegy* polisztriol, polisztirén
polysyllabic [ˌpɒlɪsɪˈlæbɪk ‖ ˌpɑ–] *mn nyelv* többszótagú
polysyllable [ˈpɒlɪsɪləbl ‖ ˈpɑ–] *fn nyelv* többszótagú szó
polytechnic [ˌpɒlɪˈteknɪk ‖ ˈpɑ–] *fn GB* műszaki főiskola/egyetem
polytheism [ˈpɒlɪθiːɪzm ‖ ˈpɑ–] *fn vall* politeizmus, sokistenhit, többistenhit • *fn* **polytheist** *mn* **polytheistic**
polythene [ˈpɒlɪθiːn ‖ ˈpɑ–] *fn GB vegy* polietilén
polyurethane [ˌpɒlɪˈjʊərəθeɪn ‖ ˌpɑ–] *fn vegy* poliuretán *[műanyag]*
polyvinyl [ˌpɒlɪˈvaɪnl ‖ ˌpɑ–] *mn/fn* polivinil; ~ **chloride** polivinilklorid, PVC, pévécé
pom[1] [pɒm ‖ pɑm] *biz* spicc *[kutya]*
pom[2] [pɒm ‖ pɑm] → **pommy**
pomade [pəˈmɑːd, pəˈmeɪd] *fn* pomádé, hajkenőcs
pomegranate [ˈpɒmɪgrænɪt ‖ ˈpɑ–] *fn* **a)** gránátalma **b)** gránátalma(fa)
Pomeranian [ˌpɒməˈreɪnɪən ‖ ˌpɑ–] *fn* spicc *[kutyafajta]*
pommel [ˈpʌml] **I.** *fn* **1.** gomb *[kardmarkolaté]* **2.** nyeregfő **II.** *tsi* **-ll-** püföl, öklöz, ököllel ver, elagyabugyál; → **pummel**
pommel horse *fn sp* ló *[tornában]*
pommy [ˈpɒmi ‖ ˈpɑ–] *fn Ausz biz pej* angol (bevándorló)
pomp [pɒmp ‖ pɑmp] *fn* pompa, fény, ragyogás; ~ **and circumstance** parádé
pomposity [pɒmˈpɒsəti ‖ pɑmˈpɑ–] *fn* **a)** fontoskodás, nagyképűsködés **b)** dagály(osság), fellengzősség
pompous [ˈpɒmpəs ‖ ˈpɑm–] *mn* **a)** nagyképű, fontoskodó *[ember]* **b)** dagályos, fellengzős *[stílus]*
pompousness [ˈpɒmpəsnəs ‖ ˈpɑm–] *fn* → **pomposity**
ponce [pɒns ‖ pɑns] **I.** *fn* **1.** *GB szl [kitartott férfi]* strici **2.** buzi, homokos *[férfi]* **II.** *tni GB pej* ~ **about/around** homoszexuális módjára viselkedik; lustálkodik, lopja a napot
poncho [ˈpɒntʃoʊ ‖ ˈpɑn–] *fn* **1.** poncsó **2.** *US* katonai esőköpeny
poncy [ˈpɒnsi ‖ ˈpɑn–] *mn szl* nőies *[férfi]*; buzis
pond [pɒnd ‖ pɑnd] *fn* tó, tavacska
ponder [ˈpɒndə ‖ ˈpɑndər] *tsi/tni* **a)** latolgat, fontolgat, mérlegel, fontolóra vesz *[kérdést]* **b)** elmereng, eltűnődik
ponderous [ˈpɒndərəs ‖ ˈpɑn–] *mn* **1. a)** nehézkes, esetlen *[mozgás]* **b)** nehéz(kes) *[stílus]* **2.** *pej* nehézkes, erőltetett, unalmas • *fn* **ponderousness**
pond-lily *fn növ* vízililiom, tündérrózsa
pondweed *fn növ* hínár
pone [poʊn] *fn US* kukoricalepény, kukoricamálé
pong [pɒŋ ‖ pɑŋ] *GB biz* **I.** *fn* bűz, szag **II.** *tni* kellemetlen szagot áraszt, bűzlik • *mn* **pongy**
pontiff [ˈpɒntɪf ‖ ˈpɑntɪf] *fn vall* főpap, püspök, prelátus; *vall* **the (sovereign** v. **supreme)** ~ a pápa *[mint Róma püspöke]*
pontifical [pɒnˈtɪfɪkl ‖ pɑn–] *mn* **1.** *vall* **a)** főpapi, püspöki **b)** pápai **2.** nagyképűsködő; megfellebbezhetetlen véleményt valló
pontificate [pɒnˈtɪfɪkət ‖ pɑn–] **I.** *fn vall* **a)** főpapi méltóság/hivatal **b)** pápai méltóság **II.** *tni* **1.** *vall* misét pontifikál **2.** *biz pej* nagyképűsködik, kioktat, kinyilatkoztat
pontoon[1] [pɒnˈtuːn ‖ pɑn–] *fn* ponton, állócsónak, állóhajó
pontoon[2] [pɒnˈtuːn ‖ pɑn–] *fn* huszonegyes *[kártyajáték]*
pontoon bridge *fn* hajóhíd, pontonhíd
pony [ˈpoʊni] *fn* póni(ló)
ponytail *fn* lófarok *[hajviselet]*
pony-trekking *fn GB* pónilovaglás *[terepen]*
pooch [puːtʃ] *fn US biz* kutya
poodle [ˈpuːdl] *fn fn* uszkár, pudli
poof [pʊf, puːf] **a)** *GB pej* nőies férfi **b)** homokos, buzi
pooh [puː] *isz* ugyan!
pooh-pooh [puːˈpuː] *tsi biz* lefitymál, leszól vmt, lehurrog
pool[1] [puːl] *fn* **a)** tavacska, tó(csa); ~ **of blood** vértócsa **b)** (úszó)medence, medencényi víz
pool[2] [puːl] **I.** *fn* **1.** *ját* össztét **2.** *gazd* **a)** közös készlet *[áruból]*, közös alap *[pénz]* **b)** érdekszövetség **3. the pools** totó **4.** *US* biliárd; **shoot** ~ biliárdozik **II.** *tsi* **1.** *gazd* közös alapba összegyűjt/összead *[pénzt, készleteket]*; **they pooled their resources** közös pénzalapot létesítettek; *átv* erőiket egyesítették, összefogtak **2. a)** *gazd* érdekszövetkezetbe/csúcsszervbe tömörít, trösztösít **b)** közösen kezel/üzemeltet *[repülőjáratot stb.]*
poolroom *fn US* biliárdterem, játékterem
pool table *fn* biliárdasztal
poop [puːp] **I.** *fn* **1.** hajófar, (hajó)tat **2.** *gyerm* kaka, kaki **II.** *tsi szl [teljesen kimerít]* kifullaszt (vkt), kidögleszt
pooped [puːpt] *mn US szl* ~ **(out)** *[kifáradt]* kidöglött
poor [pʊə ‖ pʊr] *mn* **1.** szegény **2.** sajnálatra méltó, szegény, szerencsétlen; ~ **thing!** szegény/szerencsétlen teremtés!, szegényke **3.** silány, gyenge, gyatra, rossz *[minőség, teljesítmény stb.]*; ~ **excuse** gyenge kifogás; ~ **health** leromlott egészség(i állapot); **have a ~ opinion of sy** rossz (v. nem valami jó) véleménye van vkről
poorhouse *fn US tört* szegényház, szociális otthon
poorly [ˈpʊəli ‖ ˈpʊrli] *hsz* gyengén, rosszul
pop. *röv population*
pop[1] [pɒp ‖ pɑp] **I.** *isz* pukk!; **go** ~ pukkan, durran *[dugó, pisztoly]*; szétpukkan, elpukkan *[léggömb stb.]* **II. -pp- A.** *tsi* **1. a)** (el)durrant *[pisztolyt stb.]*, pukkant *[dugót]*,

durrant *[pezsgősüveget, lufit]* **b)** *US* ~ **(corn)** pattogat *[kukoricát]* **2.** *biz* ~ **the question** megkéri a kezét (nőnek), nyilatkozik **3.** *szl régi* zálogba tesz/csap **B.** *tni* **a)** pukkan, durran *[dugó, pisztoly]*, kilő *[dugó]* **b)** elpukkan, elcsattan *[léggömb]* **III.** *fn* **1. a)** pukkanás, durranás *[pezsgősdugóé, pisztolyé]* **b)** kísérlet, próbálkozás; **have/take a ~ at sg** megpróbál/megkísérel vmt **2.** *US biz* szénsavas üdítőital

pop in A. *tsi* ~ **sg in** bead, lead vmt **B.** *tni biz* bekukkant, beugrik, benéz (vkhez, vhova)

pop off *tni* **1.** *biz* elszelel, elkotródik, meglép **2.** *biz* hirtelen meghal, kinyiffan, kipurcan

pop out *tni* **1. a)** *biz* kiszalad, kiugrik *[szobából, házból]* **b)** kiugrik, kidülled *[szem stb.]* **2.** kilő, kirepül *[dugó]*

pop over *tni biz* ~ **over to sy** átszalad/átugrik/bekukkant vkhez

pop up *tni biz átv* felbukkan, megjelenik, felmerül *[kérdés, téma]*

pop[2] [pɒp ‖ pɑp] *fn US biz* papa, apus, tata, fater

pop[3] [pɒp ‖ pɑp] **I.** *fn* ~ **(music)** könnyűzene, popzene **II.** *mn biz* népszerű; ~ **culture** popkultúra, tömegkultúra; ~ **song** pop(tánc)dal

popcorn *fn* pattogatott kukorica

pope [poʊp] *fn vall* **1.** pápa; **~'s nose** püspökfalat **2.** pópa

popery [ˈpoʊpəri] *fn pej* pápistaság

pop-eyed *biz* **a)** (ki)düllede szemű **b)** csodálkozó, szemeket meresztő, meglepődött

popgun *fn* játékpuska

popinjay [ˈpɒpɪndʒeɪ ‖ ˈpɑ–] *fn biz régi* piperkőc

popish [ˈpoʊpɪʃ] *a pej* pápista, római katolikus

poplar [ˈpɒplə ‖ ˈpɑplər] *fn növ* nyár(fa)

poplin [ˈpɒplɪn ‖ ˈpɑ–] *fn tex* puplin

poppa [ˈpɒpə ‖ ˈpɑpə] *fn US biz* papa, fater, tata

popper [ˈpɒpə ‖ ˈpɑpər] *fn* **1.** *GB biz* patent **2.** *US Kan* kukoricapattogtató **3.** *szl* kábítószeres kapszula

poppet [ˈpɒpət ‖ ˈpɑ–] *fn biz*, **my ~** kedves(em) *[gyerek v. kedves becézése]*

poppy [ˈpɒpi ‖ ˈpɑpi] *fn* **1. a)** mák; **opium ~** kerti mák **b) (field) ~** pipacs **2.** ópium

poppycock *fn biz* szamárság, marhaság, hülyeség

poppy-seed *fn* mákszem

popsicle [ˈpɒpsɪkl ‖ ˈpɑp–] *fn US [pálcás]* jégkrém

populace [ˈpɒpjʊləs ‖ ˈpɑpjə–] *fn* **a) the ~** a nép(tömeg), a köznép, a tömegek **b)** lakosság, helyi lakosok

popular [ˈpɒpjʊlə ‖ ˈpɑpjələr] *mn* **1.** népszerű, közkedvelt **2. a)** népi(es), nép-; *pol tört* ~ **front** népfront; *US pol* ~ **vote** közvetlen szavazással történő választás *[elektorok nélkül]* **b)** könnyen érthető, közérthető, népszerű; ~ **edition** olcsó kiadás *[könyvé]*; ~ **science** tudományos ismeretterjesztés **c)** elterjedt, gyakori *[hiedelem, tévedés stb.]*

popularity [ˌpɒpjʊˈlærəti ‖ ˌpɑpjə–] *fn* népszerűség, közkedveltség

popularization [ˌpɒpjʊləraɪˈzeɪʃn ‖ ˌpɑpjələrə–], **-isation** *fn* **1.** népszerűsítés **2.** népszerűvé válás, népszerűsödés

popularize [ˈpɒpjʊləraɪz ‖ ˈpɑpjə–], **-ise** *tsi* **a)** népszerűsít, (el)terjeszt *[ismereteket, tant stb.]* **b)** népszerűvé tesz (vkt) **c)** divatba hoz (vmt)

populate [ˈpɒpjʊleɪt ‖ ˈpɑpjə–] **A.** *tsi* benépesít, (le)telepít **B.** *tni* lakik; **populated by Indians** indiánok lakta *[vidék]*; **densely populated region** sűrűn lakott (v. nagy népsűrűségű) vidék

population [ˌpɒpjʊˈleɪʃn ‖ ˌpɑpjə–] *fn* **1. a)** lakosság, népesség **b)** népességszám, összlakosság **2.** benépesítés **3.** *biol* polpuláció

population explosion *fn* demográfiai robbanás

population growth *fn* népszaporodás, népszaporulat

populism [ˈpɒpjʊlɪzm ‖ ˈpɑpjə–] *fn pol* populizmus, *biz* demagógia • *fn* **populist**

populous [ˈpɒpjʊləs ‖ ˈpɑpjə–] *mn* népes, sűrűn lakott, nagy népsűrűségű *[terület]* • *fn* **populousness**

porcelain [ˈpɔːslɪn ‖ ˈpɔr–] *fn* porcelán

porch [pɔːtʃ ‖ pɔrtʃ] *fn* **1.** fedett bejárat **2.** *US* tornác, veranda

porcine [ˈpɔːsaɪn ‖ ˈpɔr–] *mn vál* sertés-, disznó-, disznószerű

porcupine [ˈpɔːkjʊpaɪn ‖ ˈpɔrkjə–] *fn áll* tarajos sül

pore[1] [pɔː ‖ pɔr] *fn orv növ* pórus, nyílás; **sweat at every ~** csorog vkről az izzadság

pore[2] [pɔː ‖ pɔr] *tni* ~ **over sg** (át)tanulmányoz, (meg)vizsgál; ~ **over/upon sg** (el)gondolkozik vmn

pork [pɔːk ‖ pɔrk] **I.** *fn* sertéshús, disznóhús; ~ **chop** sertéskaraj **II.** *tni US szl* ~ **out on sg** *[sokat eszik]* bekajál, degeszre tömi magát vmvel

pork-barrel *fn US pol biz* ‹közpénzek népszerű intézkedésekre való felhasználása›

pork-butcher *fn* hentes

porker [ˈpɔːkə ‖ ˈpɔrkər] *fn* hízó, disznó

porkling [ˈpɔːklɪŋ ‖ ˈpɔrklɪŋ] *fn* malac, süldő

pork-pie ‹tésztába sütött vagdalt disznóhús (hidegen)›

porky [ˈpɔːki ‖ ˈpɔrki] *mn* **1.** disznó-, sertés-, disznószerű, sertésszerű **2.** *biz* (túl) kövér, hájas

porn [pɔːn ‖ pɔrn] *fn biz* pornó

pornographer [pɔːˈnɒgrəfə ‖ pɔrˈnɑgrəfər] *fn* szemérem-sértő/pornográf író; pornográf kiadványok terjesztője

pornographic [ˌpɔːnəˈgræfɪk ‖ ˌpɔr–] *mn* pornográf, szeméremsértő

pornography [pɔːˈnɒgrəfi ‖ pɔrˈnɑ–] *fn* pornográfia

porous [ˈpɔːrəs] *mn* porózus, lyukacsos, likacsos • *mn* **porosity**, **porousness**

porphyry [ˈpɔːfɪri ‖ ˈpɔr–] *fn ásv* porfír

porpoise [ˈpɔːpəs ‖ ˈpɔr–] *fn áll* barna delfin; ~ **hide** delfinbőr

porridge [ˈpɒrɪdʒ ‖ ˈpɔr–, ˈpɑr–] *fn* zabkása

port[1] [pɔːt ‖ pɔrt] *fn* **1.** kikötő, rév; ~ **authority** kikötői (felügyeleti) hatóság; ~ **of call** *átv* megálló, érintett kikötő/pont; ~ **of entry** belépési hely/pont *[országba]*; **put into ~** kiköt, horgonyt vet *[kikötőben]*; befut kikötőbe; *biz* **any ~ in a storm** szükség törvényt bont **2.** kikötőváros

port[2] [pɔːt ‖ pɔrt] *fn* **a)** raktárnyílás *[hajófalban]* **b)** → **porthole**

port[3] [pɔːt ‖ pɔrt] *fn hajó rep* bal oldal *[menetirány szerinti]*; **put the helm to ~** balra fordítja a kormányt

port[4] [pɔːt ‖ pɔrt] *fn* portói bor

portable [ˈpɔːtəbl ‖ ˈpɔr–] *mn* hord(oz)ható, szállítható; ~ **radio** táskarádió; ~ **typewriter** táskaírógép • *fn* **portability**, **portableness**

portage [ˈpɔːtɪdʒ ‖ ˈpɔrtɪdʒ] **I.** *fn* **1.** szállítás, fuvarozás *[árué]* **2.** szállítási költség, fuvardíj **3.** átemelés *[vízijárműé két hajózható pont között]* **II.** *tsi* **-aging** hordúton szállít *[vízijárművet]*

portal [ˈpɔːtl ‖ ˈpɔrtl] **I.** *fn épít* (templom)kapu, díszkapu, bejárat, portál **II.** *mn orv* ~ **vein** kapuér

portcullis [pɔːtˈkʌlɪs ‖ pɔrt–] *fn tört épít* hullórostély, kapurostély *[várban]*

Porte [pɔːt ‖ pɔrt] *fn tört* **the Ottoman/Sublime ~** a Fényes/török Porta

portend [pɔːˈtend ‖ pɔr–] *tsi vál* előre jelez, megjövendöl, előre veti árnyékát

portent [ˈpɔːtent ‖ ˈpɔr–] jelzés; (baljós) előjel, ómen

portentous [pɔːˈtentəs ‖ pɔrˈtentəs] *mn* **1. a)** baljós(latú), vészjósló **b)** jelzésértékű, vmt előre vetítő **2.** nagyképű

porter[1] [ˈpɔːtə ‖ ˈpɔrtər] *fn GB* kapus, kapuőr, portás; **~'s lodge** portásfülke

porter[2] [ˈpɔːtə ‖ ˈpɔrtər] *fn* hordár

porter[3] [ˈpɔːtə ‖ ˈpɔrtər] *fn GB* barna/porter sör

porterhouse *fn* ~ **steak** (finom) bélszínszelet

portfolio [ˌpɔːtˈfoʊlioʊ ‖ ˌpɔrt–] *fn* **1. a)** aktatáska, irattáska **b)** *átv [miniszteri]* tárca; **minister without ~** tárca nélküli miniszter **2.** *közg* portfolió, befektetési csomag, részvénypakett **3.** *pénz* **securities in ~** értékpapír-tárca, értékpapírállomány, vagyonösszetétel

porthole *fn* **a)** ablak *[hajón, repülőn]*, kerek hajóablak **b)** lőrés *[hajón]*

P

portico [ˈpɔːtɪkoʊ ‖ ˈpɔr–] *fn tsz* **portico(e)s** *épít* oszlopcsarnok, (nyitott) oszlopos előcsarnok, galéria

portion [ˈpɔːʃn ‖ ˈpɔrʃn] **I.** *fn* **1. a)** adag, fejadag, porció **b)** rész, részesedés **2.** osztályrész, sors **II.** *tsi* ~ **(out)** feloszt; eloszt, porcióz

Portland [ˈpɔːtlənd ‖ ˈpɔrt–] *tul* ~ **cement** portlandcement; ~ **stone** ‹angliai homokkőfajta›

portly [ˈpɔːtli ‖ ˈpɔrtli] *mn* **1.** kövér, nagyhasú, pocakos **2.** *régi* méltóságteljes

portmanteau [pɔːtˈmæntoʊ ‖ pɔrt–] *fn* **1.** *régi* (úti)bőrönd, kézitáska, kézikoffer **2.** *nyelv* ~ **word** vegyülékszó

portrait [ˈpɔːtrət ‖ ˈpɔr–] *fn* **1.** arckép, portré *[festmény, fénykép]*; **have one's ~ taken** megfesteti az arcképét **2.** leírás, (jellem)ábrázolás, jellemrajz

portraitist [ˈpɔːtrətɪst ‖ ˈpɔrt–] *fn műv* arcképfestő, portréfestő

portrait-painter *fn műv* → **portraitist**

portraiture [ˈpɔːtrɪtʃə ‖ ˈpɔrtrətʃər] *fn műv* **1.** arckép, portré **2.** arcképfestés, portréfestés

portray [pɔːˈtreɪ ‖ pɔr–] *tsi* **1.** *vál* lefest vkt, megfesti vknek az arcképét, ábrázol vkt **2.** *átv* **a)** leír, lefest, ábrázol, megrajzol **b)** *szính* alakít

portrayal [pɔːˈtreɪəl ‖ pɔr–] *fn* **1.** arckép, portré **2.** *átv* **a)** leírás, ábrázolás **b)** *szính* alakítás, jellemábrázolás

port-side *fn hajó* bal oldal

Portugal [ˈpɔːtʃʊgəl ‖ ˈpɔrtʃə–] *tul földr* Portugália • *mn* **Portuguese**

port-wine *fn* → **port**[4]

pose [poʊz] **I.** *fn* **1.** testtartás, póz; **strike a ~** pózt vesz fel, pózba veti magát **2.** pózolás, színlelés, tettetés, affektálás **II. A.** *tsi* **1.** feltesz *[kérdést]*, okoz, állít, felvet *[problémát]* **2.** *műv* beállít, elrendez *[modellt]* **B.** *tni* **1. a)** modellt áll/ül **b)** pózol, affektál **2.** színlel, kiadja magát

poser [ˈpoʊzə ‖ –ər] *fn* **1.** → **poseur 2.** fogas kérdés

poseur [poʊˈzɜː ‖ –ˈzɜr] *fn* pózoló/nagyképű ember

posh [pɒʃ ‖ pɑʃ] **1.** *biz mn* elegáns, flancos, puccos *[hely stb.]* **2.** *pej* felsőosztálybeli, felsőosztályra jellemző

posit [ˈpɒzɪt ‖ ˈpɑ–] *tsi vál* **1.** *fil* állít, kijelent, feltesz, posztulál *[tételt]*, lefektet *[alapelvet]*, leszögez *[elvet]* **2.** elhelyez (vmt vhol)

position [pəˈzɪʃn] **I.** *fn* **1. a)** hely(zet), fekvés; **in ~** megfelelő helyen/helyzetben; **out of ~** rossz helyen, nem megfelelő helyen **b)** *kat* hadállás; **storm the enemy's positions** megrohamozza az ellenség állásait **c)** *zene* fekvés *[húros hangszeren]* **2. a)** állapot, helyzet, állás; ~ **paper** vélemény *[írásban]*; **be in no ~ to do sg** nincs módjában vmt megtenni; **he is in an awkward ~** kínos helyzetben van **b)** társadalmi állás/rang; **man of ~** tekintélyes ember **3.** álláspont, vélemény; **adopt a ~ on a question** állást foglal egy kérdésben **4.** testtartás, helyzet, pozitúra **5.** állás, tisztség, hivatal; ~ **of trust** bizalmi állás; **hold/occupy a ~** állást/hivatalt/tisztséget betölt **II.** *tsi* **1.** elhelyez *[vmt megfelelő helyre]*, beállít *[vmt]* **2. a)** helyet megállapít **b)** elhelyez; ~ **oneself** elhelyezkedik • *mn* **positional**

positioning [pəˈzɪʃnˈɪŋ] *fn* elhelyezés, pozicionálás

positive [ˈpɒzətɪv ‖ ˈpɑ–] **I.** *mn* **1. a)** határozott, kifejezett, igenlő; **a ~ answer** igenlő válasz **b)** *biz* teljes, valóságos, igazi; **he is a ~ nuisance** teljesen kibírhatatlan alak **2.** biztos; ~ **proof** kétségtelen/döntő bizonyíték; **I am ~** meg vagyok róla győződve, biztos vagyok benne **3. a)** *mat* pozitív *[szám, fázis stb.]*, plusz előjelű *[szám]*; ~ **number** pozitív szám **b)** *orv* pozitív *[lelet]* **4.** segítőkész, építő, konstruktív *[hozzáállás stb.]* **5.** jó irányba mutató, pozitív *[fejlemény stb.]* **6.** *fényk* pozitív *[kép]*, diapozitív **7.** *nyelv* alapfokú *[melléknév]* **II.** *fn* **1.** *fényk* pozitív (fény)kép, diapozitív **2.** *nyelv* alapfok *[melléknévé]* • *fn* **positiveness, positivity**

positively [ˈpɒzɪtɪvli ‖ ˈpɑ–] *hsz* **1.** *biz* nagyon; **he is ~ furious** felettébb dühös **2.** határozottan, biztosan, bizonyosan, kétségtelenül, kifejezetten

positivism [ˈpɒzətɪvɪzm ‖ ˈpɑ–] *fn fil* pozitivizmus • *fn* **positivist** *mn* **positivistic**

positron [ˈpɒzətrɒn ‖ ˈpɑzətrɑn] *fn fiz* pozitron

poss. *röv* **1.** *possession* **2.** *possessive* birtokos, birt.

posse [ˈpɒsi ‖ ˈpɑsi] *fn US* **a)** különítmény **b)** *szl* csoport, csapat

possess [pəˈzes] *tsi* **1. a)** bír, birtokol (vmt), birtokában van (vmnek); **all I ~** egész vagyonom, minden (földi) tulajdonom **b)** valamilyen képessége/adottsága/tulajdonsága van, rendelkezik *[vmlyen képességgel]*; **be ~ed of sg** rendelkezik *[képességgel, tulajdonsággal]* **2.** hatalmába kerít, hatalmában tart *[vkt indulat/szenvedély]*; **possessed with an idea** egy gondolat megszállottja; **what's possessed you?** mi bajod van?, miért tetted? **3.** *vál* ~ **oneself** uralkodik magán; fékezi/visszatartja magát

possessed [pəˈzest] *mn* megszállott; **like one ~** mint egy megszállott

possession [pəˈzeʃn] *fn* **1.** birtoklás, bírás, tulajdonjog, tulajdonlás; **be in ~ of sg** birtokol vmt; kisajátít vmt; *jog* birtokban van; **in full ~ of his faculties** szellemi képességeinek teljes birtokában; **right of ~** birtokjog; tulajdonjog; **come/enter into ~ of sg** vmi birtokába jut; **have sg in one's ~** vm a birtokában van; **take ~ of sg** birtokba vesz vmt **2. a)** birtok, tulajdon, vagyon(tárgy) **b)** *tsz* **possessions** vagyon, javak **c)** gyarmat(birtok), gyarmatok **3.** megszállottság

possessive [pəˈzesɪv] **I.** *mn* **1.** birtokos **2.** *nyelv* birtokos *[eset, névmás]*; ~ **pronoun** birtokos névmás **3.** birtokolni (v. hatalmában tartani) vágyó **II.** *fn nyelv* **the ~** birtokos eset, genitivus • *fn* **possessiveness**

possessor [pəˈzesə ‖ –ər] *fn* birtokos, tulajdonos

possibility [ˌpɒsəˈbɪləti ‖ ˌpɑ–] *fn* **1.** lehetőség; **within the bounds of ~** a lehetőség határain belül **2. a)** eshetőség; **allow for all possibilities** minden eshetőségre számít **b)** kilátás

possible [ˈpɒsəbl ‖ ˈpɑ–] **I.** *mn* **a)** lehetséges; **the best ~** a lehető legjobb; **as soon as ~** a lehető legkorábban, amint (csak) lehet; **as far as ~** amennyire csak lehet; **if ~** ha/amennyiben lehetséges; ha lehetőség van rá; **make ~** lehetővé tesz; *biz* **what ~ interest can she have in it?** miféle érdeke fűződhet ehhez? **b)** valószínű **II.** *fn* lehetséges/esélyes jelölt

possibly [ˈpɒsəbli ‖ pɑ–] *hsz* **1. I cannot ~ do it** sehogy sem tudom megtenni; **how can I ~ do it?** hogy (is) tehetném meg?; **it can't ~ be!** (de hiszen) ez lehetetlen!, de ez nem lehetséges! **2.** esetleg, talán

possum [ˈpɒsəm ‖ ˈpɑ–] *fn* **1.** *áll* oposszum **2.** *US biz* **play ~** lapít, lapul, hallgat, úgy tesz, mintha nem tudna semmit; halottnak tetteti magát

post- [poʊst] *előtag* utáni; **postwar** háború utáni; **post-operative** műtét utáni

post[1] [poʊst] **I.** *fn* **1. a)** pózna, oszlop; **be first past the ~** választást megnyer *[a szavazatok abszolút többségével]*; **be left at the ~** lehagyják, lekörözik; **deaf as a ~** süket, mint az ágyú **b)** ajtófélfa, ablakfélfa **c)** *sp* kapufa **2.** *sp* céloszlop, startoszlop **II.** *tsi* **a)** ~ **(up)** kifüggeszt, kiragaszt *[falragaszt, plakátot]*; *[falragaszon]* közzétesz, kiplakátoz *[hirdetményt]*; *US* ~ **no bills** falragaszok felragasztása tilos; ~ **a reward** utalmat tűz ki **b)** ~ **a wall (over)** falat hirdetésekkel/plakátokkal teleragaszt

post[2] [ˈpoʊst] **I.** *fn* **1.** (napi) posta, levelezés; **by return of ~** postafordultával **2. a)** posta; ~ **code** (postai) irányítószám; **send sg by ~** postán küld vmt **b)** postahivatal **II.** *tsi* **1.** felad, postára ad, postáz *[levelet stb.]* **2.** *gazd* könyvel; ~ **an entry** tételt elkönyvel **3.** tájékoztat; **keep sy ~ed** rendszeresen értesít/tájékoztat vkt

post up *tsi* **1.** *gazd* beír *[könyvelési tételt]*, elkönyvel; ~ **up the ledger** főkönyvet lezár (v. napra kész állapotba hoz) **2.** *biz* ~ **sy up with sg** vkt tájékoztat/informál vmről; vknek tudomására hoz vmt; ~ **oneself up on sg** informálódik

post[3] [poʊst] **I.** *fn* **1.** állás, hely, hivatal, szolgálati hely *[diplomáciában]*; **take up one's ~** elfoglalja állását/hivatalát; **relieve sy of a ~** hivatalból felment vkt **2.** *kat*

a) őrhely, poszt; **be on ~** őrt áll, őrségen van **b)** helyőrség, előretolt állás, erőd **c)** őrcsapat **II.** *tsi* **1.** (fel)állít *[őrszemet]* **2.** tisztségre kinevez

postage [ˈpoʊstɪdʒ] *fn* bérmentesítés *[levélé]*, postaköltség; **~ paid** készpénzzel bérmentesítve

postage stamp *fn* levélbélyeg

postal [ˈpoʊstl] *mn* postai, posta-; *GB* **~ code** (postai) irányítószám; **~ tariff** postai díjszabás; **Universal P~ Union** Egyetemes Postaegyesület *[az ENSZ szakosított szerve]*

postbag *fn* postatáska, postazsák

post-bellum [ˈpoʊstˈbeləm] *mn US* a polgárháború utáni

postbox *fn* **1.** (utcai) postaláda **2.** levélszekrény, postaláda

postcard *fn* (postai) levelezőlap; **picture ~** képeslap, képes levelezőlap

postcode *fn GB* (postai) irányítószám

post-date [ˌpoʊstˈdeɪt] *tni* **1.** későbbre keltez **2.** *[időben]* követ

postdoctoral [ˌpoʊstˈdɒktərəl ‖ –ˈdɑk–] *mn* doktorátus utáni

poster [ˈpoʊstə ‖ –ər] *fn* plakát, poszter, falragasz

posterior [pɒˈstɪərɪə ‖ pɑˈstɪrɪər] **I.** *mn* **a)** utólagos, későbbi, vm után következő **b)** hátsó, hátulsó **II.** *fn* **1.** *áll* farokrész **2.** *biz* **the ~(s)** hátsó fél, alfél, fenék • *hsz* **posteriorly**

posterity [pɒˈsterəti ‖ pɑˈsterəti] *fn* **1.** utókor **2.** utódok, leszármazottak, ivadékok

postern [ˈpɒstən ‖ ˈpoʊstərn] *fn vál régi* **~ (door)** hátsó ajtó/bejárat; kiskapu, mellékajtó

post-free I. *mn GB* bérmentesített, díjmentes, bérmentes **II.** *hsz* bérmentve

postgrad [ˈpoʊstgræd] *biz* → **postgraduate**

postgraduate [poʊstˈgrædjʊət ‖ –dʒʊət] **I.** *mn* **1.** posztgraduális *[tanulmányok]*; **~ course** posztgraduális kurzus; **~ studies** posztgraduális tanulmányok, tudományos továbbképzés *[egyetemen]* **2.** *US* továbbtanulással kapcsolatos, középiskola(i tanulmányok) utáni, egyetemi/főiskolai előkészítő **II.** *fn* **1.** posztgraduális egyetemi hallgató **2.** *US* továbbtanuló (középiskolás)

posthaste [ˌpoʊst ˈheɪst] *hsz* lóhalálában, nagy sietséggel

post horn *fn* postakürt

post horse *fn* postaló

posthumous [ˈpɒstjʊməs ‖ ˈpɑstʃə–] *mn vál* halál utáni, hátrahagyott, posztumusz *[mű, kitüntetés]* • *hsz* **posthumously**

postilion [pəˈstɪlɪən], **postillion** *fn* négyesfogat/hatosfogat elülső lovon ülő hajtója

post-impressionism [ˌpoʊstɪmˈpreʃnˌɪzm] *fn műv* posztimpresszizmus

posting [ˈpoʊstɪŋ] *fn* kinevezés *[állásra/hivatalba]*

Post-It (note) *tul* öntapadó jegyzetlap

postman [ˈpoʊstmən] *fn tsz* **-men** postás, levélkihordó

postmarital [ˌpoʊstˈmærɪtl] *mn* házasságkötés utáni

postmark I. *fn* postabélyegző, keletbélyegző **II.** *tsi* lebélyegez, postai bélyegzővel ellát *[levelet]*

postmaster *fn* postamester, postahivatal vezetője

postmeridian [ˌpoʊstməˈrɪdɪən] *mn* délutáni

post meridiem [ˌpoʊstməˈrɪdɪəm] *hsz* délután

postmodern *mn műv* posztmodern • *fn* **postmodernism**

post-mortem [ˌpoʊstˈmɔːtəm ‖ –ˈmɔr–] **I.** *mn* halál utáni; **hold a ~ examination** halottszemlét tart; felboncol hullát **II.** *fn orv* halottszemle, boncolás

postnatal [ˌpoʊstˈneɪtl] *mn* születés utáni; **~ care** csecsemőgondozás

post office *fn* postahivatal, posta; **~ box** postafiók; **Post Office Savings Bank** postatakarékpénztár

post-paid *mn* bérmentesített *[küldemény]*

postpone [poʊstˈpoʊn] *tsi* elhalaszt, elnapol, kitol *[időpontot]*; **he ~d his departure** elhalasztotta távozását/elutazását • *fn* **postponement**

postposition [ˌpoʊstpəˈzɪʃn] *fn nyelv* **1.** hátrahelyezés *[melléknévé stb.]* **2.** névutó, posztpozíció, ragasztékszó, enklitikus szó • *mn* **postpositional**

postpositive [poʊstˈpɒzətɪv ‖ –ˈpɑ–] **I.** *mn nyelv* → **postpositional II.** *fn nyelv* → **postposition 2.**

postscript [ˈpoʊstskrɪpt] *fn* **1.** utóirat *[levélben]* **2.** végszó, utószó **3.** utóélet, adalék

postulant [ˈpɒstjʊlənt ‖ ˈpɑstʃə–] *fn* pályázó, jelölt; *vall* felvételt kérő *[szerzetesrendbe]*, posztuláns

postulate I. *tsi* [ˈpɒstjʊleɪt ‖ ˈpɑs–] **1.** követel, igényel, kiköt, kíván **2.** *fil mat* feltesz **II.** *fn* [ˈpɒstjʊlət ‖ ˈpɑs–] *fil mat* követelmény, kiindulási feltétel, kívánság, posztulátum

postulation [ˌpɒstjʊˈleɪʃn ‖ ˌpɑstʃə–] *fn fil* követelmény, posztulátum

posture [ˈpɒstʃə ‖ ˈpɑstʃər] **I.** *fn* **1.** testtartás, helyzet, póz, pozitúra; **sitting ~** ülő helyzet **2.** magatartás, hozzáállás **II. A.** *tsi* elhelyez *[végtagot vmlyen helyzetbe]*, beállít *[modellt]* **B.** *tni* **1.** elhelyezkedik **2.** *pej* pózol, tetszeleg *[vmilyen szerepben]*

posturer [ˈpɒstʃərə ‖ ˈpɑstʃərər] *fn* hatásvadászó/színészkedő ember, pozőr

posturing [ˈpɒstʃərɪŋ ‖ ˈpɑs–] *fn* színészkedés, affektálás, pózolás

postwar [ˌpoʊstˈwɔː ‖ –ˈwɔr] *mn* háború utáni

posy [ˈpoʊzi] *fn* kis virágcsokor/bokréta

pot [pɒt ‖ pɑt] **I.** *fn* **1. a)** fazék, edény, bögre, korsó, bödön, virágcserép **b)** vasedény, zománcedény; **~s and pans** konyhaedények, konyhaeszközök; *szl* **go to ~** tönkremegy, veszendőbe megy; **keep the ~ boiling** iramot/érdeklődést fenntart; *közm* **the ~ calls the cattle black** bagoly mondja a verébnek, hogy nagyfejű **c)** *sp biz* kupa, serleg *[győztesé]* **2. a)** jelentős/nagy összeg, szép (kis) summa; **make pots of money** egy halom pénzt keres **b)** *ját* **the ~** pénzalap **c)** *ját* tét **3.** *biz* **a big ~** magas állású személy; nagykutya, nagyfejű, fejes **4.** → **pot-paper 5.** → **pot-shot**; **take a ~ at a bird** közelről rálő madárra **6.** *US szl* marihuána, fű **II. -tt- A.** *tsi* **1. a)** fazékba/edénybe rak/tesz, befőz, elrak, eltesz, tartósít, konzervál *[gyümölcsöt]* **b)** *mezőg* cserépbe ültet *[növényt]* **c)** *biz* lyukba lök *[biliárdgolyót]* **d)** *biz* **~ the baby** bilizteti a kisgyereket **2.** *biz* lő, ejt, megöl *[vadat]* **B.** *tni* **1.** *szl* iszik **2. a)** rálő *[vadra]*, lelő, lövöldöz, lesből rálő **b)** beleszeret (vkbe)

potable [ˈpoʊtəbl] *mn* iható, ivásra alkalmas *[víz]*

potash [ˈpɒtæʃ ‖ ˈpɑtæʃ] *fn vegy* **~ (carbonate)** káliumkarbonát; *vegy* **crude carbonate of ~** tiszta fehér hamuzsír

potassium [pəˈtæsɪəm] *fn vegy* kálium; **~ chloride** káliumklorid, kálisó, klórkáli; **~ salt** kálisó

potation [poʊˈteɪʃn] *fn tréf vál* **1.** ital **2.** ivás, italozás, iváscat

potato [pəˈteɪtoʊ] *fn tsz* **~es 1.** burgonya, krumpli; **baked ~es** sült krumpli; **boiled ~es** főtt burgonya; **mashed ~** burgonyapüré; *US* **drop sg like a hot ~** *[hirtelen]* elejt vmt **2.** *biz* **hot ~** kellemetlen/kényes ügy

potato chips *fn tsz US* burgonyaszirom

potato crisps *GB* → **potato chips**

potbelly *fn biz* pocak, potroh • *mn* **potbellied**

pot-boiler *fn* **1.** *biz* ‹anyagi haszonért írott csekély irodalmi értékű munka v. silány kép› fércmű **2.** *biz* ‹anyagi érdekből dolgozó író/festő› • *tni* **pot-boil**

pot-bound *mn* túl kis cserépbe ültetett *[növény]*

potcake *fn* kuglóf

pot cheese *fn US* túró

potent [ˈpoʊtnt] *mn* **1.** hatásos, hathatós, meggyőző *[indok]*, hatékony *[gyógyszer]*, erős *[szeszes ital, méreg]*, gyorsan ható *[méreg]*, nagy teljesítményű *[gép]* **2.** potens, nemzőképes • *fn* **potency**

potentate [ˈpoʊtnteɪt] *fn tört átv* nagyúr, potentát, hatalmasság

potential [pəˈtenʃl] **I.** *mn* **a)** lehetséges, várható, potenciális, lappangó, rejtett *[veszély, betegség]*, benne rejlő **b)** *orv* közvetve ható **II.** *fn* **1.** potenciál, lehetőség **2.** *vill* feszültség, potenciál

P

potentiality [pəˌtenʃiˈæləti] *fn* lehetségesség, (lappangó) lehetőség, rejtett képesség, potencialitás
potentially [pəˈtenʃl·i] *hsz* lehetségesen, potenciálisan
pothead *fn biz* **1.** buta/hülye ember **2.** *biz* marihuánát szívó (ember), füves
potherb *fn* konyhakerti növény, zöldség
pothole *fn* **1.** gödör, kátyú *[úttesten]* **2.** *geol* vízmosta katlanszerű sziklaüreg • *mn* **potholed**
potholer *fn biz* amatőr barlangkutató • *fn* **potholing**
pothunter *fn* **1.** ‹csak a profitért ölő vadász› **2.** *sp* ‹csak a díjért játszó versenyző›
potion [ˈpouʃn] *fn* ital; **love ~** szerelmi bájital; **magic ~** varázsital
potlatch [ˈpɒtlætʃ ‖ ˈpɑt–] *fn* **1.** *US népr* ‹gazdagságot fitogtató ünnepélyes ajándékozás› *[észak-amerikai indiánoknál]* **2.** *US* vidám összejövetel
potluck *fn* rögtönzött étel *[ami éppen akad a háznál]*; *biz* **take ~** megelégszik azzal, ami éppen van ebédre/vacsorára, azt eszik, amit talál
pot-plant *fn* cserepes növény
pot-pourri [pouˈpʊri ‖ –pʊˈriː] *fn* **1.** *zene* (zenei) egyveleg, potpourri **2.** illatosító *[száraz virágszirmokból]*
pot-roast *tsi* párol *[húst]*
potsherd [ˈpɒtʃɜːd ‖ ˈpɑtʃɜrd] *fn vál* edénycserép, üvegcserép, agyagcserép, fazékcserép *[törött darab]*
pot-shot *fn biz átv*, **take a ~ at sg/sy** találomra rálő, vaktában lő vmre/vkre
potted [ˈpɒtɪd ‖ ˈpɑ–] *mn* **1.** befőzött, konzervált *[gyümölcs]* **2.** *pej* lerövidített, kivonatolt *[kiadás, beszámoló stb.]*
potter[1] [ˈpɒtə ‖ ˈpɑtər] *fn* fazekas
potter[2] [ˈpɒtə ‖ ˈpɑtər] *tni* **1.** piszmog, pepecsel, szöszmötöl **2. ~ around/about** ballag, őgyeleg, lézeng
potterer [ˈpɒtərə ‖ ˈpɑtərər] *fn* lassú/pepecselő/piszmogó ember
potter's wheel *fn* fazekaskorong
pottery [ˈpɒtəri ‖ ˈpɑtəri] *fn* **1. a)** fazekasság, fazekasmesterség, agyagművesség **b)** fazekasműhely **2.** fazekasáru, agyagáru, agyagedény, cserép, kerámia, fajansz, terrakotta; **glazed ~** mázas cserépedény
potty[1] [ˈpɒti ‖ ˈpɑti] *mn* **1.** *biz* kicsi, jelentéktelen, vacak, nyavalyás **2.** *GB biz* dilis, őrült, flúgos; **be ~ about a girl** belebolondult/belegabalyodott egy lányba
potty[2] [ˈpɒti ‖ ˈpɑ–] *fn biz* bili
potty-train *tsi biz* szobatisztaságra nevel/szoktat *[kisgyereket]* • *mn* **potty-trained**
pouch [pautʃ] **I.** *fn* **1. a)** zacskó, erszény, tasak **b)** zseb **2. a)** *áll* erszény **b)** pofazacskó *[hörcsögé]* **3.** táska, könnyzacskó *[szem alatt]* **II.** *tsi* **1.** zsebre tesz/vág/rak **2.** *áll* pofazacskóba tesz
pouf [pʊf, puːf], **pouffe** *fn* **1.** puff, ülőpárna **2.** *szl* homokos, buzi
poulterer [ˈpoultərə ‖ –ər] *fn* baromfikereskedő
poultice [ˈpoultɪs] *fn orv* meleg borogatás
poultry [ˈpoultri] *fn tsz* baromfi, háziszárnyas
pounce [pauns] **I. A.** *tsi* lecsap *[zsákmányra]*, megragad (vmt) **B.** *tni* **a) ~ on sy/sg** zsákmányra lecsap v. ráveti magát vmre/vkre **b)** *átv biz* lecsap *[hibára]* **II.** *fn* **make a ~ on sg** lecsap vmre, ráveti magát vmre *[ragadozó]*
pound[1] [paund] *fn* **1.** font *[súlymérték = 453,6 g]*; **by the ~** fontonként *[mér ki, ad el]* **2.** font *[pénzegység]*; **~ sterling** font sterling; **a ~ note** egyfontos bankjegy/papírpénz; **in for a penny in for a ~** aki á-t mond, mondjon bé-t is
pound[2] [paund] *fn* **a)** sintértelep **b)** (rendőrségi) járműtelep *[elvontatott autóknak]*
pound[3] [paund] **A.** *tsi* **1.** apróra/porrá tör, zúz, döngöl, sulykol *[földet]*; **~ sg to pieces** szétzúz vmt, porrá/darabokra zúz vmt; **~ the piano** veri a zongorát **2.** dönget, ököllel ver *[ajtót stb.]*, kalapál **B.** *tni* **~ (at/on sg)** döng(et), zörget, ütlegel; **his heart is ~ing** kalapál a szíve
pound along *tni* súlyos/dübörgő lépésekkel/léptekkel jár
pound away *tni* **~ away at the door** döngeti az ajtót
poundage [ˈpaundɪdʒ] *fn* **1.** *GB gazd* értékvám **2.** *GB* jutalék **3.** súly alapján megállapított ár/jutalék/vám
-pounder [ˈpaundə ‖ –ər] *utótag* **a) two-~** két font súlyú **b) five-~** ötfontos *[bankjegy]*
pour [pɔːr ‖ pɔr] **A.** *tsi* önt, tölt, *[szándékosan]* kiönt; *átv* **~ oil on troubled waters** lecsillapítja/lecsendesíti a kedélyeket; **~ oil on the flames** olajat önt a tűzre **B.** *tni* ömlik, zuhog, szakad *[eső]*, ömlik *[tömeg]*; **it is ~ing with rain, the rain is ~ing** ömlik/szakad az eső; *közm* **it never rains but it ~s** a baj nem jár egyedül
pour down *tni* szakad, ömlik *[eső]*
pour out *tsi/tni* **a)** kitölt, kiönt **b)** *átv* kiönt *[szívét]*, szabad folyást enged *[érzelmeknek]*, ont *[szóáradatot, kémény füstöt]*
pout [paut] **I.** *tsi/tni* **~ (the lips)** biggyeszti az ajkát, duzzog **II.** *fn* ajakbiggyesztés
poverty [ˈpɒvəti ‖ ˈpɑvərti] *fn* **1.** szegénység, nincstelenség **2.** hiány, szükség, ínség, meddőség, silányság *[talajé]*, szegénység *[gondolatoké]*
poverty line *fn* létminimum, szegénységi küszöb
poverty-stricken *mn* szegénység-sújtotta, nyomorúságos
POW [pau] *röv prisoner of war* hadifogoly
powder [ˈpaudə ‖ –ər] **I.** *fn* **1.** por **2.** lőpor, puskapor; *biz* **keep one's ~ dry** résen van **3.** púder **II.** *tsi* **1.** behint, beszór *[tésztát stb.]* **2.** (be)púderoz; **~ one's nose** *biz* vécére megy *[nő]* **3.** porrá tör, porít
powder blue *fn* kobaltkék
powdered [ˈpaudəd ‖ –dərd] *mn* porított; **~ coal** porszén
powderhouse *fn* lőporraktár
powder keg *fn átv* puskaporos hordó
powdermagazine → **powderhouse**
powder room *fn euf* női (nyilvános) vécé, toalett
powdery [ˈpaudəri] *mn* **1.** porszerű, poros **2.** porhanyós **3.** púderos, (be)púderozott
power [ˈpauə ‖ –ər] **I.** *fn* **1. a)** hatalom, befolyás, uralom; **abuse of ~** hatalommal való visszaélés; **balance of ~** (nagy)hatalmi egyensúly; **executive ~** végrehajtó hatalom; **have ~ over sy** hatalmában tart vkt, hatalma van vk fölött; **have sy in one's ~** hatalmában tart vkt; **be in ~** hatalmon/uralmon van; kormányon van; **seize** v. **come into ~** hatalomra/uralomra jut; **full powers** teljhatalom **b)** jogkör, hatáskör **c)** *jog* meghatalmazás, felhatalmazás **2. a)** hatalom, képesség, erő *[vm megtételére]*, lehetőség, mód; **have the ~ to do sg, have it in one's ~ to do sg, be within one's ~ to do sg** hatalmában/módjában van/áll vmt megtenni; **it is beyond my ~s** ez meghaladja az erőimet, nem áll módomban **b)** képesség, szellemi erő; **reasoning ~** logikus gondolkodóképesség; **powers of persuasion** meggyőzőképesség; **~ of will** akaraterő; **his ~s are failing** szellemileg hanyatlik **3. a)** (testi) erő, energia **b)** *fiz* teljesítmény, időegység alatti munka; **loss of ~** energiaveszteség **c)** (természeti) erőforrás, energia **d)** *vill* villamos áram, energia, teljesítmény; **~ supply** áramellátás; **turn off the ~** kikapcsolja az áramot **4. a)** teljesítőképesség, teljesítmény *[gépé stb.]* **b)** nagyítás *[lencséé]*, nagyítóképesség, élesség **5.** hatalom, hatalmasság *[mint számottevő tényező]*; **the Great P~s** a nagyhatalmak; **~s of darkness** alvilági hatalmak, a gonosz; **the ~s that be** a (mindenkori) hatalmasságok **6.** *mat* hatvány; **raise to ~** hatványoz **7. do sg a ~ of good** hasznára válik, jót tesz vknek **II.** *tsi* **a)** meghajt, áramot ad *[gépnek stb.]* **b)** motorral felszerel/ellát *[járművet]*, motort épít/szerel *[járműbe]*
powerboat *fn [nagyteljesítményű]* motorcsónak
power brakes *fn tsz gk* szervófék
power cut *fn* áramszünet
powered [ˈpauəd ‖ ˈpauərd] *mn* **1.** energiát termelő; **~ ascent** emelkedés saját energiával *[rakétánál]* **2.** motoros, géperejű; **~ bomb** szárnyas lövedék

powerful [ˈpauəfl ‖ ˈpauərfl] *mn* **1.** erős, erőteljes **2. a)** hatalmas, befolyásos **b)** hatékony, hathatós, nyomós *[érv]*
powerhouse *fn* **1.** erőműtelep, géptelep, gépház **2.** erős/hatalmas/befolyásos ember/szervezet
powerless [ˈpauələs ‖ ˈpauər–] *mn* **1.** erőtlen **2.** tehetetlen; **be ~ to do sg** nem áll módjában vmt megtenni • *fn* **powerlessness**
powerline *fn [magasfeszültségű]* elektromos/villamos vezeték
power plant *fn* **1.** *US* erőmű **2.** *rep* hajtómű, motor
power point *fn GB* fali csatlakozó, konnektor
power politics *fn esz* hatalmi politika, erőpolitika
power station *fn GB* erőmű(telep); **nuclear ~** atomerőmű
power steering *fn gk* szervókormány(zás)
power supply *fn vill* energiaellátás, áramellátás
power tool *fn [elektromos]* szerszámgép
pow-wow I. *fn* [ˈpauwau] **a)** tanácskozás, gyűlés *[északamerikai indiánoknál]* **b)** *átv* tanácskozás, értekezlet, megbeszélés, konferencia **II.** *tni* [ˌpauˈwau] *biz* **~ about sg** megtárgyal vmt, tanácskozik/értekezik vmről
pox [pɒks ‖ pɑks] *fn* **a)** himlő **b)** *biz* szifilisz
pp, **pp.**, **p.p.** *röv* **1.** *pages* **2.** *past participle* **3.** *per person* **4.** *pianissimo*
ppm *röv part(s)per million*
PR, **P.R.** *röv* **1.** *public relations* **2.** *Puerto Rico*
pr. *röv* **1.** *present* **2.** *price*
practicable [ˈpræktɪkəbl] *mn* **1.** megvalósítható, keresztülvihető, használható *[terv]* **2.** használható, járható *[út, gázló]* • *fn* **practicability**
practical [ˈpræktɪkl] **I.** *mn* **1.** gyakorlati, alkalmazott *[módszer, intézkedés, ember stb.]*; **~ application** gyakorlati alkalmazás **2.** célszerű, praktikus **3.** gyakorlatias, ügyes, életrevaló *[ember]* **4.** voltaképpeni, tulajdonképpeni; **he is the ~ owner of the house** gyakorlatilag/voltaképpen ő a ház tulajdonosa; **for (all) ~ purposes** valójában, voltaképp **II.** *fn GB* gyakorlati óra/vizsga
practically [ˈpræktɪkli] *hsz* **1.** gyakorlatilag, tulajdonképpen, voltaképpen, valójában, lényegében; **~ speaking** úgyszólván, tulajdonképpen, valójában **2.** gyakorlatiasan; **~ minded** gyakorlatias
practice [ˈpræktɪs] **I.** *fn* **1. a)** gyakorlat, alkalmazás *[elméleté]*; **in (actual) ~** gyakorlatban; gyakorlatilag; a valóságban; **put into ~** megvalósít, gyakorlatba átültet **b)** gyakorlat, szokás, eljárás; **shop ~** üzleti gyakorlat/jártasság; *jog* **~ of the courts** perrendtartás; bírói joggyakorlat **2.** gyakorlás, gyakorlat, *sp* edzés, tréning; *sp* **~ match/game** edzőmérkőzés; **piano ~** zongoragyakorlás; **target ~** lőgyakorlat, céllövészet; **be in ~** gyakorlatban/formában van; **be out of ~** nincs gyakorlatban/formában, kijött a gyakorlatból; *közm* **~ makes perfect** gyakorlat teszi a mestert **3.** prakszis, pacientúra *[orvosé]*, klientéla *[ügyvédé]*; **private ~** magánprakszis **4. a) sharp ~(s)** csalás, szédelgés **b)** *tsz* **practices** *régi* üzelmek, praktikák **II.** *tsi/tni US* → **practise**
practise [ˈpræktɪs], *US* **practice A.** *tsi* **1.** gyakorol *[zenét, nyelvet stb.]*, próbál *[művet kórus/zenekar]*; *zene* **~ the scales** skálázik **2.** gyakorol *[erényt stb.]*, alkalmaz, gyakorlatba átvisz *[elvet, módszert]* **3.** gyakorol, űz, folytat *[mesterséget]*; **~ law** ügyvédi gyakorlatot folytat, ügyvédként működik **B.** *tni* **1.** gyakorol *[hangszeren]* **2.** edz, tréningezik **3.** praktizál, gyakorlatot folytat, gyakorol *[vallást]*; **~ at the bar** jogi/ügyvédi pályán működik
practised [ˈpræktɪst], *US* **practiced** *mn* tapasztalt, gyakorlott, jártas (vmben)
practising [ˈpræktɪsɪŋ] *mn* gyakorló, aktív; **a ~ physician** gyakorló orvos
practitioner [prækˈtɪʃnˑə ‖ –ər] *fn* **a)** vmlyen hivatást gyakorló ember **b) (medical) ~** (gyakorló) orvos; **general ~** általános orvos; **local ~** körzeti orvos, körorvos
prae- → **pre-**
pragmatic [prægˈmætɪk] *mn* **1.** *fil* pragmatikus, gyakorlati, ténybeli **2.** pragmatikus, gyakorlatias *[megközelítés]* • *hsz* **pragmatically**
pragmatism [ˈprægmətɪzm] *fn fil* pragmatizmus, gyakorlati(as)ság • *fn* **pragmatist**
Prague [prɑːg] *tul földr* Prága
prairie [ˈpreəri ‖ ˈpreri] *fn* préri; **~ chicken** prérityúk; **~ dog** prérikutya
praise [preɪz] **I.** *fn* **a)** dicséret, dicsérés, dicsőítés, magasztalás; **sound/sing the ~s of sy/sg** vknek/vmnek a dicséretét/dicsőségét zengi; **in ~ of sy/sg** vkről/vmről elismerőleg/dicsérőleg szólva **b)** *vall* hálaadás **II.** *tsi* **a)** dicsér; *biz* **~ up** feldicsér *[árut, könyvet stb.]* **b)** dicsőít, magasztal *[Istent]*
praiseworthy [ˈpreɪzwɜːði ‖ –wɜrði] *mn* dicséretre méltó, dicséretes
praline [ˈprɑːliːn ‖ ˈpreɪ–] *fn* pörkölt cukros mandula
pram [præm] *fn GB biz* gyermekkocsi
prance [prɑːns ‖ præns] **I.** *tni* **a)** ágaskodik *[ló]* **b) ~ about/around** büszkén jár-kel, peckesen lépdel **II.** *fn* ágaskodás *[lóé]*
prang [præŋ] **I.** *tsi* összetör, megtör *[autót]* **II.** *fn szl* ütközés
prank [præŋk] *fn* csíny(tevés); **play a ~ on sy** megtréfál vkt • *mn* **prankish**
prankster [ˈpræŋkstə ‖ –ər] *fn* tréfacsináló, csínytevő
prate [preɪt] *tni biz* **~ (on)** locsog, fecseg
pratfall [ˈprætfɔːl] *fn US szl [kudarc]* seggreesés
prattle [ˈprætl] **I.** *tni* **a)** gügyög *[gyermek]* **b) ~ (on)** fecseg, locsog, pletykál **II.** *fn* **a)** gügyögés *[gyermeké]* **b)** fecsegés, locsogás *[vénasszonyoké]*, pletyka
prattler [ˈprætlˑə ‖ –ər] *fn* fecsegő
prawn [prɔːn] *fn áll* garnélarák, fűrészes garnéla
pray [preɪ] **A.** *tni* imádkozik, könyörög, esedezik, esdekel; **~ for sg** könyörög vmért; **be past praying for** már az imádság sem segít rajta, menthetetlen; **~ to God** könyörög Istennek, imádkozik Istenhez **B.** *tsi* kérlel (vkt)
prayer [preə ‖ prer] *fn* **a)** ima, imádság, könyörgés; *vall* **Evening P~** esti ájtatosság; **the Lord's ~** az Úr imája, a Miatyánk; *GB vall* **Book of Common P~** ‹hivatalos anglikán ima- és liturgiakönyv›; **say one's prayers** imádkozik **b)** kérés, kérelem, könyörgés
prayer book *fn vall* imakönyv, imádságos könyv; *GB* **the P~** ‹hivatalos anglikán ima- és liturgiakönyv›
prayer mat *fn vall [muzulmán]* imaszőnyeg
prayer wheel *[buddhista]* imamalom
praying mantis *fn áll* imádkozó sáska, ájtatos manó
pre- [pri, prə] *előtag* előtt, (vmt) megelőző, előzetes, elő-
preach [priːtʃ] *tsi/tni* **a)** prédikál, igét hirdet, szentbeszédet tart/mond; **~ a sermon** (szent)beszédet/prédikációt tart/mond, prédikál; *biz* **~ to the converted** nyitott kapukat dönget **b)** *átv biz* prédikál, papol **c)** hirdet, pártol, támogat (vmt)
preacher [ˈpriːtʃə ‖ –ər] *fn* prédikátor, igehirdető
preachy [ˈpriːtʃi] *mn biz* prédikáló, papoló
preamble [priˈæmbl] *fn* **1.** bevezető, bevezetés, előszó, preambulum **2. a)** indoklás *[törvénycikké]* **b)** bevezető összefoglalás *[rendeleté, törvénycikké]* • *mn* **preambular**
preamplifier [priːˈæmplɪfaɪə ‖ –ər] *fn el* előerősítő
prearrange [ˌpriːəˈreɪndʒ] *tsi* előre/előzetesen elrendez/elintéz/megbeszél *[házasságot stb.]*
Precambrian [priːˈkæmbrɪən] **I.** *mn* prekambriumi **II.** *fn* **the ~** prekambrium
precarious [prɪˈkeərɪəs ‖ –ˈkerɪəs] *mn* bizonytalan, kétes, ingatag, veszélyes; **~ state of health** törékeny egészség • *hsz* **precariously**
precast [priːˈkɑːst ‖ –ˈkæst] *mn épít* előre öntött *[beton, épületelem]*, előre gyártott *[beton épületelem]*
precaution [prɪˈkɔːʃn] *fn* óvatosság, elővigyázatosság; **(measure of) ~** óvintézkedés; **as a** v. **by way of ~** elővigyázatosságból; **take ~s against** óvintézkedéseket tesz vm ellen

precautionary [prɪˈkɔːʃnˈəri ‖ –eri] *mn* elővigyázatosságból tett, óvatossági *[intézkedés, rendszabály]*
precautious [prɪˈkɔːʃəs] *mn* elővigyázatos, óvatos
precede [prɪˈsiːd] **A.** *tsi* **a)** megelőz (vkt/vmt), előtte jár/van(vknek/vmnek); **the calm that ~s the storm** a vihar előtti csend **b)** bevezet **B.** *tni* elsőbbsége van (vkvel szemben)
precedence [ˈpresɪdəns] *fn* **a)** első(bb)ség, megelőzés *[térben, időben]*; **have/take ~ over sy** elsőbbsége van vkvel szemben **b) (order of) ~** rangidősség
precedent [ˈpresɪdənt] *fn jog* precedens, előzmény, példa, irányadó eset; **according to ~** a szokásnak megfelelően, hagyományosan; **set/create a ~ for sg** precedenst alkot/teremt vmre; **without ~** példa nélkül álló, példátlan
precedented [ˈpresɪdentɪd] *mn* precedensre (v. hasonló előző esetre/példára) támaszkodó, precedenssel/előzményekkel bíró
preceding [prɪˈsiːdɪŋ] *mn* (meg)előző, előbbi; **the ~ year** az előző év
precentor [prɪˈsentə ‖ –ər] *fn vall* **a)** (fő)kántor **b)** egyházkarnagy, énekvezető
precept [ˈpriːsept] *fn [erkölcsi, viselkedési]* elv, szabály, előírás; *közm* **example is better than ~** a jó példa többet ér a szabálynál
preceptor [prɪˈseptə ‖ –ər] *fn* (házi)tanító, nevelő
precinct [ˈpriːsɪŋkt] *fn* **1. a)** bekerített terület *[épület stb. körül]* **b)** *tsz* **precincts** (közvetlen) környék **2.** *GB* övezet; **pedestrian ~** gyalogos övezet, sétálóutca **3.** *US* (választó)kerület; (rendőrségi) körzet
preciosity [ˌpreʃiˈɒsəti ‖ –ˈɑsəti] *fn vál* finomkodás, modorosság, mesterkéltség *[nyelvezeté, stílusé]*
precious [ˈpreʃəs] **I.** *mn* **1. a)** *átv* értékes, drága; **~ metals** nemesfémek; **~ stones** drágakövek **b)** kedves, szeretett, *pej* drágalátos **2.** finomkodó, modoros, mesterkélt *[stílus]* **II.** *hsz biz* nagyon, igen, rendkívül; **~ little** édeskevés, vajmi kevés **III.** *fn* **my ~!** drágám!, aranyom! • *fn* **preciousness**
preciously [ˈpreʃəsli] *hsz biz* mesterkélten, modorosan
precipice [ˈpresɪpɪs] *fn átv* szakadék, mélység, meredély
precipitate I. *fn* [prəˈsɪpɪtət] **a)** csapadék, kicsapódás, üledék **b)** *[légköri]* csapadék **c)** *átv* lecsapódás **II.** *mn* [prəˈsɪpɪtət] **a)** sietős, sebes, kapkodó **b)** kapkodó, hebehurgya *[ember, lépés]*, elhamarkodott, elsietett *[lépés]* **III.** [prəˈsɪpɪteɪt] **A.** *tsi* **1.** *vál átv* letaszít, ledob, levet *[mélységbe]*; **~ the country into war** háborúba sodorja az országot **2.** *vál* siettet, meggyorsít, kivált, kirobbant *[eseményt]*; **~ sy into doing sg** belehajszol vkt vmibe **3.** *vegy* kicsap, lecsap, ülepít *[oldatból szilárd alakban]* **B.** *tni* **a)** *vegy* lecsapódik, kicsapódik, leülepedik **b)** lecsapódik *[eső stb.]*
precipitation [prɪˌsɪpɪˈteɪʃn] *fn* **1.** *meteo* csapadék(mennyiség) **2.** *vegy* **a)** kicsapás, lecsapás **b)** kicsapódás, lecsapódás **3.** *vál* sietség, kapkodás; **act with ~** kapkod; elsieti a dolgot
precipitous [prɪˈsɪpɪtəs] *mn* **1.** meredek(en lezuhanó), hirtelen esésű *[hegyoldal]* **2.** elhamarkodott, elsietett
précis [ˈpreɪsiː ‖ preɪˈsiː] *francia* **I.** *fn tsz* **précis** [ˈpreɪsiːz] összefoglalás, kivonat **II.** *tsi* összefoglal, kivonatol *[írásban]*
precise [prɪˈsaɪs] *mn* **1.** pontos, szabatos, világos, precíz; **to be ~** pontosabban (mondva) **2.** *pej* pontos, precíz, pedáns *[ember]*
precisely [prɪˈsaɪsli] *hsz* **a)** pontosan, precízen, szabatosan **b)** pontosan, éppen
preciseness [prɪˈsaɪsnəs] *fn* **1.** pontosság, szabatosság *[fogalmazásé stb.]* **2.** → **precision**
precision [prɪˈsɪʒn] *fn* pontosság, szabatosság
precision instrument *fn* precíziós műszer
preclude [prɪˈkluːd] *tsi* **1.** (eleve) kizár *[lehetőséget]* **2.** eleve megakadályoz/meggátol
precocious [prɪˈkoʊʃəs] *mn* **a)** koraérett, koravén *[gyermek]* **b)** korai, korán érő • *fn* **precociousness**, **precocity** *hsz* **precociously**
precognition [ˌpriːkɒgˈnɪʃn ‖ –kɑg–] *fn* **1.** *fil* előzetes ismeret **2.** *pszich* előre megsejtés/megérzés, clairvoyance
pre-Columbian [ˌpriːkəˈlʌmbɪən] *mn* Kolumbusz előtti *[Amerika]*
preconceive [ˌpriːkənˈsiːv] *tsi* előre kialakít/megalkot *[véleményt]*; **preconceived idea** előítélet
preconception [ˌpriːkənˈsepʃn] *fn* **a)** előre kialakult/kialakított nézet/vélemény **b)** előítélet
precondition [ˌpriːkənˈdɪʃn] **I.** *fn* előfeltétel **II.** *tsi* előkészít, eleve felkészít, kondicionál (vkt vmre)
pre-Conquest [priːˈkɒŋkwest ‖ –ˈkɑŋ–] *mn tört* a normann hódítás (1066) előtti *[Anglia]*
precursor [prɪˈkɜːsə ‖ –ˈkɜrsər] *fn vál* **a)** előfutár, előhírnök **b)** előjel
precursory [prɪˈkɜːsəri ‖ –ˈkɜr–] *mn* **a)** előzetes; **~ remarks** előzetes (v. elöljáróban tett) megjegyzések **b)** előre jelző/jelentkező; **~ symptoms** előjelek, *orv* előtünetek, kórjelek
predate [ˌpriːˈdeɪt] *tsi* **1.** előre keltez, antedatál *[iratot]* **2.** időrendben megelőz *[más eseményt]*
predator [ˈpredətə ‖ –ər] *fn* ragadozó
predatory [ˈpredətəri ‖ –tɔri] *mn* **a)** ragadozó *[állat]*; **~ birds** ragadozómadarak **b)** fosztogató, rabló **c)** *biz pej* hiéna *[ember]*
predecessor [ˈpriːdɪsesə ‖ ˈpredəsesər] *fn* előd, ős
predestination [prɪˌdestɪˈneɪʃn] *fn* **a)** *vall* eleve elrendelés, predesztináció **b)** sors, végzet, rendelés
predestine [ˌpriːˈdestɪn] eleve elrendel, hivat, predesztinál
predetermine [ˌpriːdɪˈtɜːmɪn ‖ –ˈtɜr–] *tsi* előre elhatároz/megbeszél • *fn* **predetermination**
predicament [prɪˈdɪkəmənt] *fn* nehéz/kellemetlen/kínos helyzet, kellemetlenség
predicate I. *fn* [ˈpredɪkət] *nyelv* állítmány **II.** *tsi/tni* [ˈpredɪkeɪt] **1.** *fil* állít, kimond, kijelent **2.** alapoz, épít *[kijelentést/eljárást vmre]* • *fn* **predication**
predicative [prɪˈdɪkətɪv ‖ ˈpredɪkeɪtɪv] *mn nyelv* állítmányi
predict [prɪˈdɪkt] *tsi/tni* előre megmond, (meg)jósol, (meg)jövendöl
predictable [prɪˈdɪktəbl] *mn* **a)** megjósolható, megjövendölhető **b)** kiszámítható *[viselkedés stb.]*, előre látható • *fn* **predictability**
prediction [prɪˈdɪkʃn] *fn* **a)** jóslat **b)** jóslás, jövendölés **c)** előrejelzés *[időjárásé]*
predigest [ˌpriːdaɪˈdʒest, –dɪˈdʒest] *tsi* ételt könnyen emészthetővé tesz
predilection [ˌpriːdɪˈlekʃn ‖ ˌpredlˈekʃn] *fn vál* előszeretet, részrehajlás; **have a ~ for sg** előszeretettel viseltetik vm iránt
predispose [ˌpriːdɪˈspoʊz] *tsi* **a)** eleve hajlamossá/fogékonnyá/hajlandóvá tesz; **be ~d to sg** eleve hajlamos/hajlik vmre **b)** *[vmilyen irányban]* befolyásol
predisposed [ˌpriːdɪsˈpoʊzd] *mn* hajlamos
predisposition [ˌpriːdɪspəˈzɪʃn] *fn* (eleve meglevő) hajlam, fogékonyság; **hereditary ~** vele született (v. örökölt) hajlam
predominant [prɪˈdɒmɪnənt ‖ –ˈdɑ–] *mn* **a)** túlsúlyban levő, túlnyomó, uralkodó (jellegű); **be ~** túlsúlyban van, uralkodik **b)** meghatározó, legerősebb • *fn* **predominance**
predominate [prɪˈdɒmɪneɪt ‖ –ˈdɑ–] *tsi* túlsúlyban van, érvényesül
pre-eminent [priˈemɪnənt] *mn* kiemelkedő, kiváló, kitűnő • *fn* **pre-eminence**
pre-eminently [priˈemɪnəntli] *hsz* kiváltképp, mindenekelőtt

P

pre-empt [pri'empt] *tsi* **1.** előzetesen/előre (v. mások elől) megszerez, kisajátít **2.** (előre) megakadályoz **3. a)** elővételi jogon vásárol *[település földet]* **b)** elővételi jog elnyeréséért elfoglal *[település földet]*
pre-emption [pri'empʃn] *fn* **1.** *jog* **(right of) ~** elővásárlási/elővételi jog **2.** (előre) megakadályozás
pre-emptive [pri'emptɪv] *mn* **1.** elővételi, elővásárlási **2.** *kat* **~ strike** megelőző csapás/támadás
preen [pri:n] *tsi* **a) ~ its feathers, ~ itself** tollászkodik *[madár]* **b)** *átv* **~ oneself** tetszeleg, cicomázza/szépítgeti magát, illegeti magát
pref. *röv* **1.** *preface* **2.** *prefix*
prefab ['pri:fæb] *mn/fn biz* előre gyártott (ház/épületelem)
prefabricated [pri:'fæbrɪkeɪtɪd] *mn* előre gyártott
preface ['prefəs] **I.** *fn* **1** előszó, bevezetés *[könyvé]* **II.** *tsi* előszóval ellát, bevezet *[könyvet]* • *mn* **prefatory**
prefect ['pri:fekt] *fn* **a)** *tört* prefektus, elöljáró **b)** prefektus, elöljáró, rendőrfőnök *[Franciaországban]* • *mn* **prefectural**
prefecture ['pri:fektʃə ‖ –ər] *fn* **1.** prefektúra **2.** elöljáróság, prefektusi hivatal, rendőrség *[Franciaországban]* **3.** prefektusi méltóság/hivatal
prefer [prɪ'fɜ: ‖ prɪ'fɜr] *tsi* **-rr- 1.** jobban szeret, előnyben részesít; **~ to wait** inkább vár **2.** *jog* (meg)indít *[pert]*; **~ charges against sy** feljelentést tesz vk ellen
preferable ['prefərəbl] *mn* kívánatosabb, vonzóbb, jobb
preferably ['prefərəbli] *hsz* lehetőleg
preference ['prefərəns] *fn* **1.** előny(ben részesítés), kedvezés; **in order of ~** tetszés szerinti sorrendben; **give ~ to** előnyben részesít; **have a ~ for sg** vmt jobban szeret **2.** *közg* kedvezmény *[díjszabásé, vámé]* **3.** első(bb)ségi jog
preference stock *fn pénz* elsőbbségi részvény
preferential [ˌprefə'renʃl] *mn* kedvező, kedvezményes *[elbánás stb.]*; *közg* **~ tariff** preferenciális/kedvezményes (vám)tarifa; **~ treatment** kedvező elbánás, kivételezés
preferment [prɪ'fɜ:mənt ‖ –'fɜr–] *fn vál* előléptetés *[hivatali tisztségre]*
prefigure [pri:'fɪgə ‖ –gjər] *tsi vál* **1.** előrevetít, (meg)jósol **2.** előre elképzel
prefix I. *fn* ['pri:fɪks] **a)** *nyelv* előtag, prefixum **b)** címjelzés, rangjelzés *[tulajdonnév előtt]* **c)** hívószám *[telefonszámé]* **II.** *tsi* [pri:'fɪks] **a)** eléje/elébe tesz *[tartalomjegyzéket könyvnek stb.]* **b)** *nyelv* eléje illeszt, előtagként hozzáilleszt *[szóhoz]* • *fn* **prefixation, prefixion**
pregnancy ['pregnənsi] *fn* **1.** terhesség, *áll* vemhesség **2. a)** termékenység *[szellemé]* **b)** tartalmasság, (jelentés)gazdagság **c)** súly, horderő, jelentőség *[kijelentésé, eseményé stb.]*
pregnancy leave *fn* szülési szabadság
pregnancy test *fn* terhességi próba
pregnant ['pregnənt] *mn* **1.** terhes, állapotos *[nő]*, vemhes *[állat]* **2.** gazdag, bővelkedő; **~ silence** sokatmondó/jelentőségteljes hallgatás; **~ with danger** vészterhes; (súlyos) veszélyekkel járó
preheat [pri:'hi:t] *tsi* előmelegít *[sütőt]*
prehensile [prɪ'hensaɪl ‖ –'hensl] *mn áll* fogó, kapaszkodó *[ujj, farok stb.]*
prehistoric [ˌpri:hɪ'stɒrɪk ‖ –'stɔr–, –'stɑr–] *mn* történelem előtti, őstörténeti, prehisztorikus; **~ archaeology** ősrégészet; *átv* idejétmúlt, *biz* kőkorszaki
prehistory [pri:'hɪstəri] *fn* őstörténet
prejudge [pri:'dʒʌdʒ] *tsi* eleve/előre megítél
prejudice ['predʒʊdɪs] **I.** *fn* **1.** előítélet, elfogultság (vkvel/vmvel szemben); **have a ~ against sg** előítélettel viseltetik vm iránt **2.** *jog* kár, hátrány, sérelem; **to the ~ of sy** vknek a kárára/sérelmére; **without ~ to sg** jogfenntartással, vmre való tekintet nélkül **II.** *tsi* **1.** előre/eleve (vkre nézve) hátrányosan/károsan befolyásol, elfogulttá tesz **2.** ront, csökkent, károsan befolyásol *[esélyeket stb.]*
prejudiced ['predʒʊdɪst] *mn* elfogult, előítéletes
prejudicial [ˌpredʒʊ'dɪʃl] *mn* **1.** hátrányos, sérelmes, kárára van vknek **2.** előítéletet keltő, előítélettel telt
prelacy ['preləsi] *fn* **1.** prelátusi/főpapi méltóság **2.** főpapság, prelátusi/püspöki kar
prelate ['prelət] *fn* prelátus, főpap
prelim ['pri:lɪm] *fn* **1.** *biz* elővizsga, beugró *biz* **2.** *biz* előkészítő lépés/eljárás **3.** *tsz* **prelims** *nyomd* címív, címnegyed
preliminary [prɪ'lɪmənəri ‖ –neri] **I.** *mn* előzetes, előkészítő *[tárgyalás]*, bevezető *[szavak]*, megelőző; **~ sketch/study** előzetes vázlatterv; **~ steps** bevezető/előkészítő lépések **II.** *fn* **1.** *okt* elővizsga **2.** *tsz* **preliminaries** előzetes intézkedések/tárgyalások/megbeszélések/megállapodások, előkészítés
prelude ['prelju:d] *fn* **a)** *zene* előjáték, bevezetés, prelűd **b)** *átv* előjáték, bevezetés, előzmény
premarital [pri:'mærɪtl] *mn* házasság előtti; *vall* **~ sex** házasságkötés előtti nemi élet
premature ['premətʃə ‖ ˌpri:mə'tʊr] *mn* **a)** (túlságosan) korai, idő előtti; **~ ageing** korai öregedés; **~ birth** koraszülés **b)** elhamarkodott; **~ conclusion** elhamarkodott következtetés **c)** korán/hirtelen érett, korai *[gyümölcs]* • *fn* **prematurity** *hsz* **prematurely**
premeditate [ˌpri:'medɪteɪt] *tsi* előre eltervez, előre megfontol/elhatároz • *fn* **premeditation**
premeditated [ˌpri:'medɪteɪtɪd] *mn* előre megfontolt, szándékos, eltervezett; *jog* **~ murder** szándékos emberölés
première ['premieə ‖ prɪ'mɪr] **I.** *fn szính* bemutató (előadás), premier **II.** *tsi* bemutat *[filmet, színdarabot]*
premier ['premɪə ‖ prɪ'mɪr] *fn* **the ~** miniszterelnök, kormányfő • *fn* **premiership**
premise ['premɪs] *fn* **a)** *fil jog* előtétel, premissza **b)** hipotézis, feltevés
premises ['premɪsɪz] *fn tsz* helyiség, épület *[üzleté, intézményé]*, ház; **on the ~** a helyszínen; **off ~** utcán át (fogyasztható) *[ital]*
premiss ['premɪs] *fil* → **premise**
premium ['pri:mɪəm] *fn* **1.** jutalom, díj, prémium, bónusz; **put a ~ on sg** (fel)értékel *[jelentőséget]*, fontosnak tart **2.** *pénz* **(exchange) ~** felár, prémium; **be at a ~** kapós, kelendő; **sell sg at a ~** felárral ad el vmt; *biz* **honesty is at a ~** a becsületesség nem divat **3.** biztosítási díj(részlet)
Premium Savings Bond *fn GB pénz* nyereménybetét
premonition [ˌpremə'nɪʃn, 'pri: –] *fn* **1.** előérzet, (bal)sejtelem, megérzés, megsejtés **2. a)** előzetes figyelmeztetés/intés **b)** *orv* előjel • *tsi* **premonish**
premonitory [prɪ'mɒnɪtri ‖ –'mɑnətɔri] *mn vál* figyelmeztető; **~ sign** előjel
prenatal [ˌpri:'neɪtl] *mn biol* születés előtti, születést megelőző; **~ care** terhesgondozás
prenominal [pri:'nɒmɪnl ‖ –'nɑ–] *mn* utónévre/keresztnévre vonatkozó
prenup [pri:'nʌp] *fn US biz* házassági szerződés; → **prenuptial**
prenuptial [pri:'nʌpʃl] *mn jog* házasság előtti; **~ agreement** házassági szerződés
preoccupation [priˌɒkjʊ'peɪʃn ‖ –ɑkjə–] *fn* **a)** belefeledkezés, belemélyedés, állandó foglalkozás vmvel **b)** szórakozottság, feledékenység
preoccupied [pri'ɒkjʊpaɪd ‖ –'ɑkjə–] *mn* **a)** gondolatokba (el)merült, vmbe belefeledkezett **b)** aggódó
preoccupy [pri'ɒkjʊpaɪ ‖ –'ɑkjə–] *tsi* (erősen) foglalkoztat (vkt), figyelmét kizárólagosan/egészen leköti (vknek)
preordain [ˌpri:ɔ:'deɪn ‖ –ɔr–] *tsi* előre elrendez, eleve elrendel • *fn* **preordination**
prep [prep] **I.** *fn* **1.** *GB okt* házi feladat *[írása]* **2.** *US* elit középiskola; → **preparatory school II.** *tsi/tni* felkészít (vkt vmre)
prep. *röv* **1.** *preparatory* **2.** *preposition*
prepackage *tsi* előre csomagol • *mn* **prepackaged**
prepaid [ˌpri:'peɪd] *mn* előre kifizetett, bérmentesített *[levél]*; **~ letter** válaszbélyeges levél

P

preparation [ˌprepəˈreɪʃn] *fn* **1.** (el)készítés **2.** előkészítés **3. a)** előkészület, felkészülés; **in ~ for sg** vm előkészületeként, vmre készülve **b)** felkészültség, készenlét

preparatory [prɪˈpærətəri ‖ –tɔri] *mn* előkészítő, előzetes

preparatory school *fn* **a)** *GB* magániskola *[6–13 év között]* **b)** *US [egyetemre előkészítő]* elit középiskola

prepare [prɪˈpeə ‖ –ˈper] **A.** *tsi* **1.** (el)készít *[ételt, gyógyszert stb.]*, kikészít *[bőrt, textilt]* **2.** előkészít, felkészít (vmre); **~ oneself for sg** felkészül vmre; **~ the groung for sg** előkészíti a terepet vmre **3. be ~d to do sg** kész/hajlandó megtenni vmt, készséggel megtesz vmt **B.** *tni* készül(ődik), előkészül

prepared [prɪˈpeəd ‖ –ˈperd] *mn* **1.** előkészített, kikészített, preparált **2.** előkészített; **read a ~ statement** előre elkészített nyilatkozatot olvas fel **3.** felkészült

preparedness [prɪˈpeərɪdnəs ‖ –ˈper–] *fn* készenlét, felkészültség

prepay [ˌpriːˈpeɪ] *tsi pt/pp* **prepaid** [–ˈpeɪd] **1.** előre kifizet/megfizet **2.** bérmentesít *[levelet]*; → **prepaid** • *fn* **prepayment**

preponderant [prɪˈpɒndərənt ‖ –ˈpɑn–] *mn* uralkodó, döntő, túlsúlyban levő • *fn* **preponderance**

preponderate [prɪˈpɒndəreɪt ‖ –ˈpɑn–] *tni* túlsúlyban van

preposition [ˌprepəˈzɪʃn] *fn nyelv* elöljáró, prepozíció

prepositional [ˌprepəˈzɪʃnəl] *mn nyelv* elöljárói, elöljárós, prepozíciós; **~ phrase** elöljárós/prepozíciós (szó)szerkezet

prepossessing [ˌpriːpəˈzesɪŋ] *mn* megnyerő, kellemes, rokonszenves, vonzó

preposterous [prɪˈpɒstərəs ‖ –ˈpɑs–] *mn* **a)** lehetetlen, abszurd, felháborító **b)** nevetséges • *fn* **preposterousness** *hsz* **preposterously**

preppie [ˈprepi], **preppy** *fn US biz* ‹drága elitiskolába járó diák›; → **prep school**

prep school → **preparatory school**

prepuce [ˈpriːpjuːs] *fn orv* fityma, előbőr

pre-Raphaelite [ˌpriːˈræfəlaɪt] *mn/fn műv* prerafaelita

prerequisite [priːˈrekwɪzɪt] *fn* előfeltétel

prerogative [prɪˈrɒgətɪv ‖ –ˈrɑ–] *fn* előjog, kiváltság

Pres [prez] *fn US biz* **the ~** az elnök

pres. *röv* **1.** *present(time)* **2.** *presidency* **3.** *president*

presage [ˈpresɪdʒ] *vál* **I.** *fn* **a)** (baljós) előjel, ómen **b)** (rossz) előérzet, (bal)sejtelem **II.** *tsi* előre jelez, (meg)jósol

presbyter [ˈprezbɪtə ‖ –bətər] *fn vall* **1.** presbiter **2.** pap

Presbyterian [ˌprezbɪˈtɪərɪən ‖ –ˈtɪr–] *mn/fn vall* presbiteriánus

presbytery [ˈprezbɪtəri ‖ –teri] *fn vall* **1.** plébánia, paplak **2.** *épít [templomi]* szentély

prescient [ˈpresɪənt ‖ ˈpreʃnt] *mn vál* jövőbe látó • *fn* **prescience**

prescribe [prɪˈskraɪb] *tsi* **a)** előír, (el)rendel **b)** rendel *[betegnek kezelést, gyógyszert]*, felír *[gyógyszert]*

prescript [ˈpriːskrɪpt] *fn vál* előírás, törvény, szabály

prescription [prɪˈskrɪpʃn] *fn* **1. a)** recept, vény; **write/make out a ~** receptet ír **b)** (felírt) gyógyszer **2.** előírás

prescription drug *fn* csak receptre kapható gyógyszer

prescriptive [prɪˈskrɪptɪv] *mn* **1.** *nyelv* előíró, preszkriptív **2.** szokás által szentesített/elfogadott, szokásjogi

presence [ˈprezns] *fn* **1.** jelenlét, előfordulás; **~ of mind** lélekjelenlét; **in the ~ of sy** vknek a jelenlétében **2.** megjelenés *[személyé]*, egyéniség; **commanding ~** imponáló fellépés; **stage ~** színpadi mozgás **3.** szellem, jelenés

present[1] [ˈpreznt] **I.** *mn* **1.** jelenlévő; **~ company excepted** a jelenlévők kivételével **2. a)** jelen(legi), mostani; **to the ~ day** a mai napig **b)** jelen, e(z); **in the ~ case** ebben az esetben, ez/jelen esetben **c)** *nyelv* jelen *[idő]*; **~ perfect (tense)** befejezett jelen (idő); **~ participle** jelen idejű melléknévi igenév **II.** *fn* **1.** jelen; **at ~** jelenleg, most; **for the ~** egyelőre, pillanatnyilag; **up to the ~** mostan(á)ig, (mind)eddig **2.** *nyelv* jelen (idő)

present[2] **I.** *fn* [ˈpreznt] ajándék; **as a ~** ajándékba, ajándékul; **make sy a ~ of sg** vkt megajándékoz vmvel **II.** *tsi* [prɪˈzent] **1. a)** bemutat; **~ sy to sy** bemutat vkt vknek; **~ a play** színdarabot előad/bemutat **b) ~ oneself** jelentkezik, megjelenik **2. a)** nyújt *[vmlyen látványt]*, kelt *[vmlyen látszatot]*; **~ some difficulties** nehézségekkel jár **b) ~ itself** adódik; **a good opportunity ~s itself** kedvező alkalom adódik/kínálkozik **3. a)** benyújt, prezentál *[számlát stb.]*, bemutat **b)** *jog* benyújt, bead *[keresetet stb.]*, előad; **~ a bill** törvényjavaslatot benyújt/beterjeszt *[parlamentben]* **4. a)** ajándékoz, átad; **~ sy with sg** vkt megajándékoz vmvel; **~ sg to sy** vknek vmt (oda)ajándékoz **b) ~ one's respects** üdvözletét küldi/jelenti

presentable [prɪˈzentəbl] *mn* szalonképes • *fn* **presentability**

presentation [ˌpreznˈteɪʃn] *fn* **a)** bemutatás *[társaságban, udvarnál]* **b)** beállítás, tálalás *[kérdésé, tárgyé]* **c)** előadás *[konferencián stb.]*

presentation copy *fn* tiszteletpéldány

present-day *mn* mai, jelenlegi

presenter [prɪˈzentə ‖ –ər] *fn* műsorvezető *[tévében]*

presentiment [prɪˈzentɪmənt] *fn* előérzet, (bal)sejtelem

presently [ˈprezntli] *hsz* **1.** jelenleg, most **2.** azonnal, rögtön

preservation [ˌprezəˈveɪʃn ‖ –zər–] *fn* **1. a)** megóvás, megvédés, védelem **b)** tartósítás, konzerválás **2. in a state of good ~** jó állapotban/karban

preservative [prɪˈzɜːvətɪv ‖ –ˈzɜr–] **I.** *fn* tartósítószer **II.** *mn* **a)** védő, óvó **b)** tartósító *[szer]*

preserve [prɪˈzɜːv ‖ –ˈzɜrv] **I.** *tsi* **1.** megőriz, megvéd, megtart **2.** tartósít, konzervál *[ételt]*, befőz, eltesz *[gyümölcsöt]* **3.** *[saját célra]*, fenntart *[vadaskertet, halászterületet]* **II.** *fn* **1. a)** befőtt **b)** dzsem **2. a)** természetvédelmi terület **b)** *átv* kizárólagos terület

preset [ˌpriːˈset] *tsi pt/pp* **preset** *el* előre beállít, beprogramoz

preshrunk [ˌpriːˈʃrʌŋk] *mn tex* előmosott, beavatott *[ruha, anyag]* • *tsi* **pre-shrink**

preside [prɪˈzaɪd] *tni* **1.** elnököl; **~ at/over a meeting** gyűlésen elnököl **2. a)** vezet, igazgat *[vállalatot stb.]* **b)** felelős vmért

presidency [ˈprezɪdənsi] *fn* elnökség, elnöki méltóság/tisztség; *US* **the P~** az Egyesült Államok elnöki hivatala

president [ˈprezɪdənt] *fn* **a)** elnök **b)** rektor *[egyetemé]* **c)** igazgató *[kollégiumé, főiskoláé]* • *fn* **presidentship**

president-elect *fn US* ‹megválasztott, de hivatalba még nem lépett elnök›

presidential [ˌprezɪˈdenʃl] *mn* **1.** elnöki; **~ chair** elnöki szék **2.** *US* elnökválasztási; **~ campaign** elnökválasztó korteshadjárat; **~ candidate** elnökjelölt; **~ election** elnökválasztás

presidium [prɪˈsɪdɪəm] *fn tört* elnöki tanács

press[1] [pres] **I.** *tsi* **1. a)** (ki)présel, (ki)sajtol **b)** nyom, ránehezedik (vmre), megnyom, összenyom **c)** (meg)szorít, összeszorít **d)** átölel; **~ sy to one's heart** vkt szívére ölel **2.** (ki)vasal, simít **3. a)** nyomást gyakorol (vkre), kényszerít **b)** sürget, siettet; **time ~es** az idő sürget; **be ~ed for time** szűkében van az időnek **c) ~ sy hard** szorongat vkt; **be hard pressed** a sarkában vannak; kétségbeejtő/nyomasztó helyzetben van **d) ~ one's advantage** hajszolja/kihasználja a sikert **II.** *fn* **1. a) the ~** a sajtó; **freedom of (the) ~** sajtószabadság; **have a good/bad ~** jó/rossz sajtója/sajtóvisszhangja van; **meet the ~** sajtókonferenciát tart, interjút ad **b)** prés **c)** sajtó, nyomdagép **2. a)** nyomás, szorítás **b)** *sp* nyomás *[súlyemelésben]*; **bench ~** fekvenyomás **c) the ~ of modern life** a modern élet lázas sietsége **d) ~ forward** elő(re)nyomulás *[hadseregé]* **e)** tolongás; **force one's way through the ~** átvágja magát a tömegen **3. full ~ of sail** teljes vitorlázat

press down A. *tsi* **1.** lenyom; *gk* **~ the pedal down** lenyomja a pedált **2.** lesimít **3.** leprésel **B.** *tni* ránehezedik (vmre)

press for *tsi* erőteljesen sürget, követel; ~ **for an answer** sürgeti a választ; **be ~ed for sg** szűkében van vmnek

press forward *tni* nyomul, (előre)tolakszik, előretör

press on A. *tsi* siettet, sürget, hajszol *[munkát]* **B.** *tni* **a)** siet **b)** eltökélten folytatja útját/munkáját

press² [pres] **I.** *tsi* erőszakkal besoroz/toboroz **II.** *fn régi hajó* erőszakos toborzás

press agency *fn* sajtóügynökség • *fn* **press agent**

press association → **press agency**

press baron *fn* sajtómágnás

press box *fn* sajtópáholy

press-button *fn el* nyomógomb

press clipping *fn GB* újságkivágás

press conference *fn* sajtóértekezlet, sajtókonferencia

press cutting *fn US* újságkivágás

press gallery *fn* sajtókarzat, újságírókarzat

press-gang *tsi* erőszakkal toboroz

pressing [ˈpresɪŋ] **I.** *mn* sürgető, sürgős, halasztást nem tűrő **II.** *fn sp* szoros emberfogás

pressman [ˈpresmən] *fn tsz* **-men 1. a)** nyomdász **b)** *US* nyomdai gépmester **2.** *GB* újságíró, riporter

press release *fn* sajtóközlemény

press stud *fn* patent(kapocs)

press-up *fn GB* fekvőtámasz

pressure [ˈpreʃə ‖ –ər] **I.** *fn* **1.** *fiz* nyomás, feszültség; **high ~** nagy/magas nyomás **2.** kényszer, szorítás; **act under ~** kényszerből cselekszik; **bring ~ to bear on sy, put ~ on sy** nyomást gyakorol vkre, befolyásol vkt; sürget, siettet **II.** *tsi* → **pressurize**

pressure cooker *fn* kukta *[gyorsfőző edény]*

pressure group *fn* érdekvédelmi csoport(osulás), lobby

pressure suit *fn rep* űrhajósruha, szkafander

pressurize [ˈpreʃəraɪz], **-ise** *tsi* **1.** rákényszerít, belekényszerít vkt **2.** nyomás alatt tart *[utasfülkét repülőn]*

prestige [preˈstiːʒ, –ˈstiːdʒ] *fn* tekintély, presztízs; **loss of ~** presztízsveszteség

prestigious [preˈstɪdʒəs] *mn* tekintélyes, köztiszteletben álló

presto [ˈprestoʊ] *zene* **I.** *mn* gyors **II.** *hsz* gyorsan

presumable [prɪˈzjuːməbl ‖ –ˈzuː–] *mn* feltételezhető, gyanítható, valószínű

presumably [prɪˈzjuːməbli ‖ –ˈzuː–] *hsz* feltételezhetően, alighanem, valószínűleg

presume [prɪˈzjuːm ‖ –ˈzuːm] **A.** *tsi* **1.** feltételez, vélelmez, feltesz; **~ sy innocent** ártatlannak tart/vél vkt; **Doctor Livingstone, I ~?** ugyebár Dr. Livingstone-hoz van szerencsém? **2. ~ to do sg** mer(észel) vmt (meg)tenni **B.** *tni* **1.** túl sokat megenged magának (vkvel szemben) **2. ~ (up)on sg** számít/épít vmre; visszaél vmvel

presumption [prɪˈzʌmpʃn] *fn* **1.** feltételezés, vélelem; *jog* **~ of a fact** tény(álladék) vélelme, feltételezett tényállás; **~ in favour of sy** vk mellett szóló elfogultság/valószínűség/vélelem **2.** elbizakodottság, önteltség, arrogancia

presumptive [prɪˈzʌmptɪv] *mn* **a)** vélelmezett, feltételezett **b)** valószínű; **heir ~** várományos *[örökségé, tróné]*

presumptuous [prɪˈzʌmptʃʊəs] *mn* **1.** öntelt, önhitt, elbizakodott, arogáns **2.** merész, vakmerő **3.** hiábavaló *[remény]* • *fn* **presumptuousness**

presuppose [ˌpriːsəˈpoʊz] *tsi* **1.** előre feltesz/feltételez, vélelmez, valószínűnek tart/vél **2.** megkíván, feltételezi *[vmnek a meglétét]*

presupposition [ˌpriːsʌpəˈzɪʃn] *fn* **1.** feltétel(ezés), előfeltétel **2.** előfeltevés

pre-tax [ˌpriːˈtæks] *mn pénz* adózás előtti *[jövedelem]*

pre-teen [ˌpriːˈtiːn] *mn* tizenéveskor/tinédzserkor előtti

pretence [prɪˈtens ‖ ˈpriːtens] *fn* **1. a)** látszat(keltés), színlelés, tettetés; **it's all ~** ez mind csalóka; **make a ~ of doing sg** úgy tesz, mintha csinálna vmt; **under the ~ of friendship** a barátság leple alatt **b) on/under false ~s** fondorlatosan **2. have/make ~ to sg** állít magáról vmt *[jót]*, igényt támaszt vmre; **he makes no ~ to wit** nem tartja magát okosnak/szellemesnek

pretend [prɪˈtend] **A.** *tsi* tettet, színlel; úgy tesz, mintha; **~ ignorance** tudatlannak tetteti magát; **~ to do sg** úgy tesz mintha, csinálna vmt, úgy csinál, mintha dolgoznék (v. intézne vmt); **don't ~ you don't understand** ne tégy úgy, mintha nem értenéd; **let's ~** tegyünk úgy, mintha **B.** *tni* igényel, követel vmt, igényt tart/támaszt vmre; **he does not ~ to be an artist** ő nem pályázik arra, hogy művésznek tartsák

pretender [prɪˈtendə ‖ –ər] *fn* **1.** tettető, színlelő **2. a)** igénylő, igényt tartó (*to* vmre) **b)** *tört* trónkövetelő

pretense [prɪˈtens] *fn US* → **pretence**

pretension [prɪˈtenʃn] *fn* **1.** igény(lés), követelés, jogigény **2. a)** állítás, feltételezés **b)** kifogás, ürügy **3.** elbizakodottság, kérkedés, beképzeltség **4.** nagyravágyás, törekvés; **man of no ~(s)** igénytelen/szerény ember

pretentious [prɪˈtenʃəs] *mn* **1.** követelődző, igényeket támasztó, nagyratörő; **~ man** nagyravágyó/nagyratörő ember; sznob **2.** kérkedő, hencegő, nagyhangú, elbizakodott; **~ style** mesterkélt stílus • *fn* **pretentiousness**

preterite [ˈpretərɪt], *US* **preterit** *fn nyelv* múlt idő

preternatural [ˌpriːtəˈnætʃrəl ‖ ˌpriːtər–] *mn* természetfölötti

pretest I. [ˈpriːtest] előzetes felmérő teszt **II.** *tsi* [priːˈtest] előzetesen megvizsgál/kipróbál • *fn* **pretesting**

pretext [ˈpriːtekst] *fn* kifogás, ürügy (*for* vmre); **on/under the ~ of** azzal az ürüggyel, hogy

pretor [ˈpriːtə ‖ –ər] *fn US* → **praetor**

pretreat [priːˈtriːt] *tsi* előkezel • *fn* **pretreatment**

prettify [ˈprɪtɪfaɪ] *tsi pej* szépít(get), csinosít(gat), (ki)csicsáz

pretzel [ˈpretsl] *fn német* **a)** sósperec **b)** sósrúd, ropi

pretty [ˈprɪti] **I.** *mn* **1.** csinos, szép, kedves, bájos; **~ as a picture** ennivalóan csinos **2.** meglehetős, igen nagyon; **a ~ way off** jó messzire **3.** *iron* szép, csinos; **a ~ penny** csinos összeg/summa; **a ~ state of affairs** szép kis história/kalamajka **II.** *hsz* elég(gé), meglehetősen; **~ damn quick** de azonnal!; *US* **~ much** eléggé, meglehetősen; **~ much the same** nagyjából azonos/ugyanaz; **~ well** elég jól; **be sitting ~** biztonságban van *[anyagilag stb.]*; páholyban van

prevail [prɪˈveɪl] *tni* **1.** uralkodik (vk fölött), előnyben/fölényben van (vkvel szemben) **2. ~ (up)on sy to do sg** rávesz/rábír/rábeszél vkt vmre **3. ~ against/over sy** diadalmaskodik/győzedelmeskedik vkvel szemben; felülkerekedik vkn **4.** gyakori, elterjedt, dominál

prevailing [prɪˈveɪlɪŋ] *mn* uralkodó, elterjedt; **~ opinion** általános nézet/felfogás; **~ winds** uralkodó szelek; **the conditions ~ in England** az angliai helyzet/viszonyok • *hsz* **prevailingly**

prevalence [ˈprevələns] *fn* **1.** túlsúlyban levés, vmnek uralkodó volta **2.** elterjedtség, gyakoriság

prevalent [ˈprevələnt] *mn* **1.** uralkodó, érvényes **2.** elterjedt, gyakori

prevaricate [prɪˈværɪkeɪt] *tni vál* mellébeszél, kitérően válaszol • *fn* **prevarication**, **prevaricator**

prevent [prɪˈvent] *tsi* **1.** (meg)akadályoz, meggátol, meghiúsít (vmt); **~ sy from (doing) sg** megakadályoz vkt vmnek megtételében **2.** megelőz, elhárít, elkerül, kivéd • *mn* **preventable**

preventative [prɪˈventətɪv] → **preventive**

prevention [prɪˈvenʃn] *fn* **1.** megakadályozás, meggátlás; **society for the ~ of cruelty to animals** állatvédő egyesület **2.** megelőzés, prevenció; **~ of disease** betegségmegelőzés; *közm* **~ is better than cure** jobb a betegséget megelőzni, mint gyógyítani

preventive [prɪˈventɪv] **I.** *mn* megelőző, preventív; **~ measure** óvintézkedés; **~ medicine** preventív medicina **II.** *fn* **1.** elhárító/megelőző (biztonsági) intézkedés **2.** *orv* preventív gyógyszer

P

preview [ˈpriːvjuː] **I.** *fn* **a)** szakmai bemutató, sajtóbemutató **b)** filmelőzetes **II.** *tni* sajtóbemutatón/előre megtekint
previous [ˈpriːvɪəs] **I.** *mn* **1.** előzetes, (meg)előző, előbbi; ~ **engagement** korábbi elfoglaltság **2.** elsietett, elhamarkodott **II.** *hsz* ~ **to sg** előbb, vm előtt; vmt megelőzően
previously [ˈpriːvɪəsli] *hsz* korábban, régebben, azelőtt, előzőleg, előzetesen
pre-war [ˌpriːˈwɔː ‖ –ˈwɔr] *mn* háború előtti
pre-wash I. *fn* [ˈpriːwɒʃ ‖ –wɔʃ, –wɑʃ] előmosás **II.** *tsi* [ˌpriːˈwɒʃ ‖ –ˈwɔʃ, –ˈwɑʃ] **1.** előmos *[mosógép]* **2.** eladás előtt kimos *[ruhát]*
prey [preɪ] **I.** *fn* zsákmány, préda, *átv* áldozat; **easy ~** könnyű préda; **be ~ to sg** vmnek az áldozata; szenved vm miatt; **fall ~ to temptation** enged a kísértésnek **II.** *tni* **1. a)** ~ **(up)on sg/sy** zsákmányol, zsákmányul ejt (vmt); megragad (vmt); leselkedik vmre **b)** ~ **on sy** élősködik vkn, kihasznál vkt **2.** bánt, emészt; *átv* **something is ~ing on his mind** vm emészti/foglalkoztatja
Prez → Pres
price [praɪs] **I.** *fn* **1. a)** ár; **reduced ~** leszállított ár; **rise in ~** (meg)drágul, emelkedik az ára; **name/quote a ~** megszab/megmond/meghatároz egy árat; **at a ~** borsos áron; **every man has his ~** minden ember megvásárolható; *szl* **what ~?** mi a valószínűsége?; mit ér?, *[gúnyosan]* **b)** *átv* ár, áldozat; **at any ~** mindenáron; **pay the ~ (for sg)** megfizet, nagy árat fizet vmért **2.** érték, becs; **above/beyond/without ~** megfizethetetlen, felbecsülhetetlen; **set a high ~ on sg** nagyra becsül vmt, vmt nagyra értékel **3.** díj, jutalom; **set a ~ on sy's head** vknek a fejére díjat tűz ki **II.** *tsi* **1.** árat megállapít, beáraz; ~ **sg out (of the market)** ‹túl magas ár megállapításával versenyképtelenné tesz› **2.** becsül, értékel; ~ **sg high** sokra/nagyra becsül/tart vmt
price control *fn közg* árszabályozás
priced [praɪst] *mn* árral jelzett/ellátott, (vmlyen) árú; *összet* **high-~** drága; értékes
priceless [ˈpraɪsləs] *mn* felbecsülhetetlen, megfizethetetlen
price level *fn* árszint, árszínvonal
price tag *fn gazd* árcímke, árcédula; költsége vmnek
pricing [ˈpraɪsiŋ] *fn* **1.** árazás **2.** *közg* árfekvés
prick [prɪk] **I. A.** *tsi* **a)** (meg)szúr, átszúr, kiszúr; ~ **a hole in sg** tűvel átszúr/kilyukaszt vmt **b)** mardos *[lelkiismeretfurdalás]* **c)** ~ **(up) one's ears** hegyezi a fülét, fülel **B.** *tni* szúr, bizsereg *[ideg, bőr]* **II.** *fn* **1.** (tű)szúrás (helye); *átv* **~s of conscience** lelkiismeretfurdalás **2. kick against the pricks** *biz* ellenszegül, ellenáll *[hiábavalóan]* **3.** *tabu szl [hímvessző]* fasz
prick off *tsi mezőg* kiültet, kipalántáz
prick out *tsi mezőg* kipalántáz, kiültet *[növényt]*
prick up *tsi* ~ **up one's ears** hegyezi a fülét; fülel, figyelmesen hallgat
pricking [ˈprɪkɪŋ] *fn* szúrás, bizsergés
prickle [ˈprɪkl] **I.** *fn* **1.** tövis, tüske **2.** szúrás, csípés, bizsergés **II. A.** *tsi* szúr, csíp, szurkál **B.** *tni* szúr, bizsereg *[testrész]*
prickly [ˈprɪkli] *mn* **1. a)** tüskés, szúrós, tövises *[növény]*, tüskés, sün- *[állat]*; *növ* ~ **pear** fügekaktusz, medvetalpkaktusz **b)** *átv* tüskés, ingerlékeny **2.** szúró, csípő, bizsergő *[érzés]*, viszkető; *orv* ~ **heat** hőkiütés *[bőrön]*
pride [praɪd] **I.** *fn* **1.** büszkeség, önérzet; **false ~** önhittség, önteltség; **take ~ in sg** büszke vmre; **wound sy's ~** megsérti vknek az önérzetét **2. a)** gőg, dölyf **b)** hivalkodás, kérkedés **3.** tetőpont, csúcspont; **in the ~ of years** élete virágjában/teljében **4.** *vad* falka, csapat; ~ **of lions** oroszlánfalka **II.** *tsi* ~ **oneself (up)on (doing) sg** büszke vmre, nagyra van vmvel
prier [ˈpraɪə ‖ –ər] *fn* kíváncsi(skodó), fürkésző (személy)
priest [priːst] *fn* pap, lelkész
priestess [ˈpriːstɪs] *fn* papnő
priesthood [ˈpriːsthʊd] *fn* **1.** papság, papi minőség/hivatás **2. the ~** papság, klérus
priestly [ˈpriːstli] *mn* papi, paphoz illő/méltó
prig [prɪg] **I.** *fn* **a)** nagyképű/beképzelt ember **b)** álszent (ember) **c)** *[túlzottan]* pedáns/prűd ember **II.** *tsi* **-gg- 1.** *szl* (el)csen, (el)lop, fosztogat **2.** *skót* alkudozik • *fn* **priggery** *mn* **priggish**
prim [prɪm] *mn* **1.** szemérmes, prűd **2.** kínosan elegáns, merev, hivatalos • *fn* **primness** *hsz* **primly**
prima [ˈpriːmə] *mn* (az) első; ~ **donna** primadonna; *jog* ~ **facie** első látásra (elfogadható); *jog* ~ **facie evidence** meggyőző/elfogadható bizonyíték
primacy [ˈpraɪməsi] *fn* **1.** elsőség, elsőbbség, *jog* primátus **2.** *vall* prímási/érseki méltóság/rang/tisztség
primaeval [ˌpraɪˈmiːvl] *mn* → **primeval**
primal [ˈpraɪml] *mn vál* **1.** első, eredeti, ősi, ős- **2.** fő, alapvető, legfontosabb
primarily [ˈpraɪmərəli ‖ praɪˈmerəli] *hsz* **1.** elsősorban, főként **2.** eredetileg
primary [ˈpraɪməri ‖ –meri] **I.** *mn* **1.** elsődleges, (leg)első, primer, eredeti, kezdeti; *nyelv* ~ **accent** főhangsúly; ~ **colour** alapszín; *okt* ~ **education** elemi v. általános iskolai oktatás; *US* ~ **election → primary II.**; ~ **school** általános iskola (alsó tagozata) **2.** (leg)első, fő, alapvető, elsődleges **II.** *fn* **a)** *US* elnökjelölő pártgyűlés **b)** (képviselőjelölteket) jelölő gyűlés **c)** előválasztás, küldöttválasztás *[az elnökjelöltet állító országos küldöttkongresszusra]*
primate[1] [ˈpraɪmeɪt] *fn vall* prímás; *vall* **the P~ of All England** a canterburyi érsek
primate[2] [ˈpraɪmeɪts] *fn áll* főemlős
prime [praɪm] **I.** *mn* **1. a)** első(rendű), fő, legfontosabb; ~ **minister** miniszterelnök; ~ **mover** (természeti) erőforrás; *átv* motorja, lelke, mozgatórugója vmnek; ~ **necessity** alapvető szükséglet **b)** eredeti, ős, elsődleges, alapvető **2. a)** kiváló/kitűnő/elsőrendű (minőségű), príma, minőségi *[áru]*; ~ **cut** *[hús]* java **b)** tipikus, jó, kitűnő *[példája vmnek]* **II.** *fn* **1.** tetőfok (vmé), virágzás; **in the ~ of life, in one's ~** életének/erejének teljében, élete delén/virágjában; **be past one's ~** öregedni kezd **2.** *pénz* (tőzsdei) prémium; ~ **rate** alapkamatláb, irányadó kamatláb **3.** *mat* → **prime number III.** *tsi* **1.** előkészít, felkészít, előre ellát (vmvel) **2.** tájékoztat, kitanít **3.** begyújt, meggyújt *[gyújtózsinórt]*; ~ **the pump** szivattyúba vizet tölt *[levegőtlenítésre]*; *átv* anyagilag támogat; *közg biz* pénzkibocsátással fellendülést igyekszik előidézni **4.** étellel/itallal (bőven) ellát **5.** alapoz *[festés alá]*
prime number *fn mat* prímszám, törzsszám
primer[1] [ˈpraɪmə ‖ –ər] *fn* **1.** alapozó *[festék]* **2.** gyutacs, gyújtókupak; ~ **charge** gyújtótöltet
primer[2] [ˈpraɪmə ‖ ˈprɪmər] *fn* könyv kezdőknek *[egy adott témában]*
primeval [praɪˈmiːvl] ősi, ősrégi, ős(eredeti), eredeti, kezdeti
primitive [ˈprɪmətɪv] **I.** *mn* **1.** ősi, eredeti, kezdeti **2.** egyszerű, kezdetleges, primitív *[módszer]* **II.** *fn műv* **a)** *tsz* **the Primitives** a primitívek **b)** primitív *[festő, műalkotás]* • *fn* **primitiveness**
primitivism [ˈprɪmətɪvɪzm] *fn* **1.** → **primitiveness 2.** *műv* primitivizmus
primo [ˈpriːmou] *fn zene* vezérszólam, prím
primogenitor [ˌpraɪmouˈdʒenɪtə ‖ –nətər] *mn* első ős/előd; *biz* ősapa, ükapa
primogeniture [ˌpraɪmouˈdʒenɪtʃə ‖ –ər] *fn jog tört* elsőszülöttség; **(right of) ~** elsőszülöttségi (öröklési) jog • *mn* **primogenitary**
primordial [ˌpraɪˈmɔːdɪəl ‖ –ˈmɔr–] *mn* **1. a)** ős-, ősi **b)** primitív, kezdetleges **2.** alapvető, elsőrendű • *fn* **primordiality**
primp [prɪmp] *tni* csinosít(gat)ja/szépítgeti magát, szépítkezik; ~ **(oneself) up** kiöltözik
primrose [ˈprɪmrouz] **I.** *fn növ* kankalin; *átv* **the ~ path** élvezetekkel teli élet(út); **go the ~ path** elzüllik **II.** *mn* ~ **(yellow)** kankalinsárga, halványsárga
primula [ˈprɪmjʊlə ‖ ˈprɪmjələ] → **primrose**
Primus [ˈpraɪməs] *tul GB* ~ **(stove)** hordozható főzőlap

prince [prɪns] *fn* **a)** herceg; **P~ of Wales** a walesi herceg *[az angol trónörökös]* **b)** uralkodó, fejedelem; **the P~ of darkness** a sötétség fejedelme, az ördög
Prince Consort *fn GB* ‹az angol királynő férje›
princedom ['prɪnsdəm] *fn* **1.** hercegi méltóság **2.** hercegség, fejedelemség
prince elector *fn tört* választófejedelem
princely ['prɪnsli] *mn* hercegi, fejedelmi, pompás
prince primate *fn* hercegérsek
Prince Regent *fn* régensherceg
Prince Royal *fn* **1.** királyi herceg **2.** *GB* ‹az angol uralkodó legidősebb fia›
princess [ˌprɪn'ses ‖ 'prɪnsəs] *fn* hercegnő, hercegné, hercegkisasszony
Princess Royal *fn* **1.** királyi hercegnő **2.** *GB* ‹az angol uralkodó legidősebb lánya›
principal ['prɪnsɪpl] **I.** *mn* fő, legfontosabb **II.** *fn* **1. a)** igazgató *[iskoláé]*, főnök, vezető *[vállalaté]* **b)** *szính* főszereplő *[színész, színésznő]* **2.** *jog* megbízó, meghatalmazó (ügyfél) **3.** *jog* tettes, elkövető **4.** *pénz* (kölcsön)tőke
principality [ˌprɪnsɪ'pæləti] *fn* hercegség, fejedelemség; *GB* **the P~** a walesi hercegség
principally ['prɪnsɪpl·i] *hsz* főként, leginkább, elsősorban, mindenekelőtt
principle ['prɪnsɪpl] *fn* (alap)elv; **fundamental ~** alapelv; **guiding ~** vezérelv; **as a general ~** általá(nosság)ban; elvileg; **in ~** elvben, elvileg; **on ~** elvből; **matter of ~** elvi kérdés
principled ['prɪnsɪpld] *mn* elvekkel bíró, vmlyen elvű *[személy]*; *összet* **high-~** fennkölt/emelkedett gondolkodású
print [prɪnt] **I.** *fn* **1. a)** nyomtatás, nyomás; **in ~** nyomtatásban; kapható *[nyomtatott mű, hanglemez]*; **out of ~** kifogyott, nem kapható *[könyv, hanglemez]* **b)** betűtípus; **large ~** nagy betű; **small ~** kis betű **c)** kiadás, kinyomatás **d)** nyomtatvány, *US* újság, hírlap **2.** *műv* (le)nyomat, (fa)metszet, rézmetszet **3.** fényképmásolat, (kontakt)másolat, *film* kópia; **brown ~** barna lehúzás/levonat/másolat **4.** lenyomat *[lábé stb.]*, nyom **5.** *tex* nyomott mintás pamutszövet **II.** *tsi/tni* **1. a)** nyom(tat), kinyom(at), nyomtatásban kiad/megjelentet **b)** nyomtatott betűkkel ír; **~ in block capitals** nyomtatott nagy (kezdő)betűkkel ír **2.** (fénykép) másolatot készít (vmről) **3. a)** (rá)nyom (vmre), bélyeggel/pecséttel ellát, (le)bélyegez (vmt) **b)** nyomot hagy **4.** *tex* nyomással mintáz, nyom *[szövetet]*
print out *tsi* kinyomtat *[nyomtatón stb.]*
printable ['prɪntəbl] *mn* **1. a)** kinyomtatható **b)** nyomdafestéket tűrő **2.** nyom(tat)ható, nyomtatásra kész
printed ['prɪntɪd] *mn* nyom(tat)ott; **~ circuit** nyomtatott áramkör; **~ matter** nyomtatvány *[postai jelzés]*; **~ paper rate** nyomtatványdíjszabás
printer ['prɪntə ‖ –ər] *fn* **1.** nyomdász, nyomdai dolgozó/gépmester **2.** *infor* nyomtató, printer
printing ink *fn* nyomdafesték
printing office *fn* (könyv)nyomda
printing press *fn* nyomógép, nyomdagép, sajtógép
printout ['prɪntaʊt] *fn infor* kinyomtatott lap, nyomtatás
prior[1] ['praɪə ‖ –ər] **I.** *mn* előzetes, (meg)előző, (vm) előtti, korábbi, régebbi (*to* vknél/vmnél) **II.** *hsz* **~ to** megelőzően; **~ to my departure** távozásomat megelőzőleg, elutazásom előtt
prior[2] ['praɪə ‖ –ər] *fn vall* házfőnök, perjel, prior
prioress ['praɪrɪs] *fn vall* főnöknő, főnökasszony *[zárdában]*, priorissza
prioritize [praɪ'ɒrətaɪz ‖ –'ɔ–], **-ise** *tsi/tni* rangsorol *[fontosság szerint]*
priority [praɪ'ɒrəti ‖ –'ɔ–] *fn* **1.** elsőbbség, prioritás, fontosság; **top ~** mindent megelőző elsőbbség; **~ of birth** elsőszülöttség; **of high ~** nagyfontosságú; **have/take ~ (over sy)** (vk előtt) elsőbbsége van; *gk* (áthaladási) elsőbbsége van **2.** prioritás, fő(bb) cél/teendő, fontossági sorrend
priory ['praɪəri] *fn [perjel vezetése alatt álló]* kolostor, rendház
prise [praɪz] → **prize**[2] → **prize**[3]
prism ['prɪzm] *fn* **a)** *fiz* (fénytörő) prizma **b)** *mat* hasáb, prizma; **right ~** egyenes hasáb
prismatic [prɪz'mætɪk] *mn* **1.** prizma alakú, hasáb alakú, prizmás **2.** prizmás; **~ colours** a prizma színei, szivárványszínek; **~ compass** prizmás tájoló/iránytű
prison ['prɪzn] **I.** *fn* börtön, fegyház, fogház, fogda **II.** *tsi vál* bebörtönöz, börtönbe vet
prison camp *fn* (hadi)fogolytábor
prisoner ['prɪzn·ə ‖ –ər] *fn* **1.** rab, fogoly; **~ of war** hadifogoly; **take sy ~** elfog vkt; fogságba ejt vkt; **a ~ of/to sg** vm foglya/rabja **2.** letartóztatott; *jog* **~ at the bar** vádlott; gyanúsított
prissy ['prɪsi] *mn biz* pedánsan precíz, prűd
pristine ['prɪsti:n] *mn* **1. a)** érintetlen, *átv* romlatlan **b)** tiszta, üde, friss **2.** *vál* ősi, kezdeti
privacy ['prɪvəsi ‖ 'praɪ–] *fn* **1. a)** magánélet, magánszféra, egyedüllét; **in the ~ of one's home** az otthon magányában **b) the individual's right to ~** privát élethez/magánélethez való jog **2.** titok(tartás); **in strict ~** a legnagyobb titokban
private ['praɪvət] **I.** *mn* **1.** magántermészetű, magánjellegű, magán-, privát, egyéni; **~ practice** magánpraxis; **~ property** magántulajdon; **in ~ life** a magánéletben, bizalmas körben; *kat* **~ soldier** → **private II. 2.** titkos; **~ entrance** titkos bejárat; külön bejárat; **~ detective** magándetektív; *biz* **~ eye** magándetektív **3.** bizalmas; **strictly ~** szigorúan bizalmas; **~ parts** nemi szervek; **this is for your ~ ear** (egészen) bizalmasan megsúgom magának (v. közlöm magával) **4.** nem nyilvános, zártkörű; **~ joke** ‹csak beavatottak által érthető vicc/tréfa›; **~ school** magániskola **5.** magányos, félreeső, eldugott, elhagyott *[hely]* **II.** *fn* **1. in ~** négyszemközt, titokban, bizalmasan **2.** *kat* közlegény **3.** *tsz* **privates** nemi szervek
privateer [ˌpraɪvə'tɪə ‖ –'tɪr] *fn* **1.** kalózhajó **2.** kalóz(kapitány)
privately ['praɪvətli] *hsz* **1.** titkosan, bizalmasan **2. ~ owned** magántulajdonban levő
privation [praɪ'veɪʃn] *fn* **1.** nélkülözés **2.** nyomor, szükség, ínség **3.** megfosztás, megvonás, elvonás
privatization [ˌpraɪvətaɪ'zeɪʃn ‖ –vətə–], **-isation** *fn* privatizáció, magántulajdonba adás/vétel, magánosítás
privatize ['praɪvətaɪz], **-ise** *tsi* privatizál, magántulajdonba ad
privet ['prɪvɪt] *fn* fagyal
privilege ['prɪvəlɪdʒ] **I.** *fn* **1. a)** előjog, kiváltság, privilégium **b)** *jog* (személyes) mentesség/immunitás **2.** megtiszteltetés; **it's a great ~** nagy megtiszteltetés **II.** *tsi* előnyben/kiváltságban részesít, kiváltsággal felruház
privileged ['prɪvəlɪdʒd] *mn* kiváltságos, privilegizált; **the ~ classes** a kiváltságos osztályok
privy ['prɪvi] *mn* **1.** *vál* **be ~ to sg** tudomással bír vmről **2. a)** *régi* titkos, titkolt, rejtett **b)** *GB* **the P~ Council** a Királyi Államtanács, Titkos Tanács; **the P~ Purse** az uralkodó magánpénztára; **the P~ Seal** a kis pecsét *[uralkodóé]*; **Lord P~ Seal**, **Keeper of the P~ Seal** lordpecsétőr • *hsz* **privily**
prize[1] [praɪz] **I.** *fn* **1. a)** jutalom, díj; **first ~** első díj; **The Nobel P~** Nobel-díj **b)** *jelzői haszn* díjazott, díjnyertes, díjazható; **~ ox** díjat nyert szarvasmarha **2.** nyeremény **II.** *tsi* megbecsül, értékel, nagyra tart/becsül
prize[2] [praɪz] *fn kat* (hadi)zsákmány, elkobzott hajó
prize[3] [praɪz] **A.** *tsi* **~ sg open** feltör/felfeszít; *átv* **~ sg out of sy** harapófogóval húz ki vkből vmt **B.** *tni* **~ against sg** nyomást gyakorol vmre
prizefight *fn sp* ökölvívó-mérkőzés *[hivatásosaké]* • *fn* **prizefighter**
prize-giving *fn GB* díjkiosztás, díjkiosztó ünnepség
pro- [proʊ] *előtag* **1.** helyett, -ért, miatt **2.** helyettes, pro- **3.** -barát, -párti, pro-; **~-British** angolbarát

pro[1] [proʊ] **I.** *elölj* **1.** mellette, -ért; ~ **forma** a forma/látszat kedvéért; formálisan **2.** ~ **rata** arányosan, vmnek az arányában **II.** *fn* **the pros and cons** a mellette és ellene szóló érvek

pro[2] [proʊ] *fn/mn biz sp* profi, hivatásos

probability [ˌprɒbəˈbɪləti ‖ ˌprɑ–] *fn* **a)** valószínűség; *mat* **calculus of** ~ valószínűségszámítás; **in all** ~ minden valószínűség szerint **b)** lehetőség, eshetőség

probable [ˈprɒbəbl ‖ ˈprɑ–] **I.** *mn* **1.** valószínű, lehetséges, várható **2.** ~ **story** elhihető/meggyőző történet **II.** *fn tsz* **probables** *biz* legesélyesebb jelöltek

probably [ˈprɒbəbli ‖ ˈprɑ–] *hsz* valószínűleg

probate [ˈproʊbeɪt] *jog* **I.** *fn* **1.** hiteles/hivatalos elismerés/érvényesítés/jóváhagyás *[végrendeleté]*; **grant** ~ **of a will** hivatalosan elismer/jóváhagy végrendeletet **2.** közjegyzőileg hitelesített végrendelet-másolat **II.** *tsi US* érvényesít, érvényesnek nyilvánít *[végrendeletet]*; ~ **a will** végrendeletet hivatalosan/közjegyzőileg megerősít

probation [prəˈbeɪʃn ‖ proʊ–] *fn* **1.** próbaidő; **on** ~ próbaidőre; **be on** ~ gyakorlati idejét tölti; *jog* feltételesen szabadlábon van **2.** feltételes szabadlábra helyezés

probational [prəˈbeɪʃnəl ‖ proʊ–] → **probationary**

probationary [prəˈbeɪʃnˑəri ‖ proʊˈbeɪʃəneri] *mn* próba-, próbaidős, gyakorlati idejét töltő

probationer [prəˈbeɪʃnˑə ‖ proʊˈbeɪʃənər] *fn* **1.** próbaidős **2.** *jog* próbaidőre szabadlábra helyezett elítélt

probation officer *fn* ‹feltételesen szabadlábra helyezettek felügyeletével megbízott rendőrtiszt›

probe [proʊb] **I.** *fn* **1.** szonda **2.** *US biz* vizsgálat, nyomozás **II. A.** *tsi* **1.** megvizsgál, kivizsgál, kitapogat **2.** *biz* (ki)kutat, kifürkész *[titkot]* **B.** *tni* ~ **into the past** feltárja a múltat

probity [ˈproʊbəti] *fn vál* becsületesség, feddhetetlenség, őszinteség

problem [ˈprɒbləm ‖ ˈprɑ–] *fn* **1.** (megoldandó) kérdés, probléma, feladat **2.** feladvány, feladat, példa; **math** ~ *biz* matekpélda

problematic [ˌprɒbləˈmætɪk ‖ ˌprɑ–], **problematical** *mn* **1.** problematikus, nehéz **2.** kérdéses, két(ség)es, bizonytalan

problematize [ˈprɒbləmətaɪz ‖ ˈprɑb–], **-ise** *tsi* problémaként kezel

problem child *fn tsz* **-children** nehezen nevelhető/kezelhető gyerek

proboscis [prəˈbɒsɪs ‖ proʊˈbɑsɪs] *fn áll* **a)** ormány *[elefánté]* **b)** szívószerv, szívócső *[rovaré]*

procedural [prəˈsiːdʒərəl] *mn* ügyrendi, eljárási; ~ **motion** napirendi indítvány; ügyrendi javaslat

procedure [prəˈsiːdʒə ‖ –ər] *fn* **1.** eljárás(mód), (bánás)mód, procedúra **2.** művelet, folyamat **3.** rendtartás, szabályzat *[gyűlésen]*; **parliamentary** ~ képviselőházi házszabályok; **order/rules of** ~ házszabályok *[testületé]*

proceed [prəˈsiːd] *tni* **1. a)** (tovább)halad, folytatja útját, továbbmegy **b)** ~ **to(wards) a place** vhova/vmre megy/halad/indul/tart **c)** eljár, cselekszik; **how shall we** ~? mit tegyünk? **d)** ~ **to do sg** belefog vmbe, hozzálát vmhez, rátér vmre, áttér *[új témára]*; (vmt követően) tesz vmt **2.** folytatódik, folyamatban van, előrehalad; ~! kérem, folytassa!; ~ **with sg** folytat vmt **3.** eljár *[hivatalosan]*; ~ **against sy** beperel vkt, pert indít vk ellen **4.** ered (*from* vmből), származik; **his conduct proceeds from most noble principles** viselkedése a legnemesebb elvekből fakad

proceeding [prəˈsiːdɪŋ] *fn* **1.** *tsz* **proceedings a)** lefolyás *[gyűlésé]*, ülés(en történtek) **b)** jegyzőkönyv *[gyűlésé]* **2.** per(befogás), bírósági eljárás

proceeds [ˈproʊsiːdz] *fn tsz [eladásból származó]* bevétel, haszon

process **I.** *fn* [ˈproʊses ‖ ˈprɑ–] **1.** folyamat, menete vmnek; **in the** ~ vm során/folyamán; **be in the** ~ **of (doing) sg** vmnek a közepén van, éppen csinál vmt **2.** módszer, eljárás **3.** *jog* **a)** per, beperlés, kereset **b)** bírósági idézés **II.** *tsi* [ˈproʊses] **1. a)** megmunkál, feldolgoz, kezel, vmilyen eljárásnak vet alá **b)** feldolgoz *[adatokat stb.]* **2.** *jog* (be)perel, perbe fog, pert/keresetet indít (vk ellen)

processed [ˈproʊsest ‖ ˈprɑ–] *mn* feldolgozott, megmunkált; ~ **cheese** ömlesztett sajt

processing unit *fn infor* központi processzor

procession [prəˈseʃn] *fn* menet, felvonulás, körmenet

processor [ˈproʊsesə ‖ ˈprɑsesər] *fn infor* processzor

pro-choice [ˌproʊˈtʃɔɪs] *mn* abortuszt támogató, választáspárti

proclaim [prəˈkleɪm ‖ proʊ–] *tsi* **1.** kihirdet, (nyilvánosan) kijelent, kikiált **2.** felfed, elárul; **his accent proclaimed him as a Scot** akcentusa elárulta, hogy skót

proclamation [ˈprɒkləˈmeɪʃn ‖ ˈprɑ–] *fn* **a)** kihirdetés, közhírré tétel **b)** kiáltvány, hirdetmény, proklamáció; ~ **of war** hadüzenet; **issue a** ~ kiáltványt tesz közzé **c)** nyilatkozat

proclivity [prəˈklɪvəti ‖ proʊ–] *fn* hajlam, hajlandóság, hajlamosság (*to* vmre)

proconsul [ˌproʊˈkɒnsl ‖ –ˈkɑn–] *fn tört* prokonzul, tartományi/gyarmati helytartó

procrastinate [proʊˈkræstɪneɪt] **A.** *tsi* halogat, elodáz **B.** *tni* időt húz • *fn* **procrastinator**

procrastination [proʊˌkræstɪˈneɪʃn] *fn* késlekedés, halogatás, elodázás

procreate [ˈproʊkrieɪt] *tsi* nemz; létrehoz, alkot • *fn* **procreation**

proctor [ˈprɒktə ‖ ˈprɑktər] *fn okt* **a)** *GB* fegyelmi tanács végrahajtó tagja, tanulmányi igazgató **b)** *US* felügyelő *[vizsgán]*

procure [prəˈkjʊə ‖ prəˈkjʊr] **A.** *tsi* **1.** (meg)szerez, beszerez **2.** *pej* kerít *nőt* **B.** *tni* kerítéssel foglalkozik

procurement [prəˈkjʊəmənt ‖ –ˈkjʊr–] *fn* **1.** közbeszerzés **2.** *pej* kerítés *[nőé]*

procurer [prəˈkjʊərə ‖ –ˈkjʊrər] *fn pej* kerítő(nő)

procuress [prəˈkjʊərɪs ‖ –ˈkjʊrɪs] *fn* kerítőnő

prod [prɒd ‖ prɑd] **I.** *tsi* **-dd- 1.** döfköd, szurkál **2.** *biz* ösztökél, sarkall, noszogat **II.** *fn* döfés *[hegyes tárggyal]*; **give sy a** ~ megszúr; *átv* sarkall, ösztökél

prodigal [ˈprɒdɪgl ‖ ˈprɑ–] **a)** *mn* pazarló, tékozló; **the** ~ **son** a tékozló fiú **b)** bőkezű • *fn* **prodigality** *hsz* **prodigally**

prodigious [prəˈdɪdʒəs] *mn* **a)** csodálatos, bámulatos **b)** hatalmas, óriási • *mn* **prodigiously**

prodigy [ˈprɒdɪdʒi ‖ ˈprɑ–] *fn* **1.** őstehetség, zseni; **child/infant** ~ csodagyerek **2.** csoda

produce **I.** *tsi* [prəˈdjuːs ‖ –ˈduːs] **1. a)** terem *[gyümölcsöt stb.]*, szül *[ivadékot]*, hoz *[kamatot]*, termel *[áramot stb.]* **b)** létrehoz, alkot **c)** előállít, termel, készít, gyárt, termeszt **2.** felmutat *[jegyet stb.]* bemutat, elővesz (*from* vhonnan); ~ **one's passport** bemutatja/felmutatja útlevelét; ~ **sg from one's pocket** elővesz/kihúz vmt a zsebéből; ~ **evidence** bizonyítékot szolgáltat **3. a)** *szính* ~ **a play** színdarabot bemutat/rendez, színre hoz darabot; ~ **a film** kihoz (egy) filmet **b)** *film* producerként dolgozik *[filmen]* **4.** előidéz, okoz; ~ **no effect** hatástalan (marad) **II.** *fn* [ˈprɒdjuːs ‖ ˈprɑduːs] termény(ek), termék(ek); **agricultural/farm** ~ mezőgazdasági termények

producer [prəˈdjuːsə ‖ –ˈduːsər] *fn* **1.** termelő, gyártó **2. a)** *mn szính* (színházi) rendező, *US* színigazgató **b)** *film média* producer

product [ˈprɒdʌkt ‖ ˈprɑdəkt] *fn* **1. a)** termény, termék, készítmény, gyártmány; **gross national** ~ bruttó nemzeti össztermék **b)** *átv* termék, szülemény **c)** *átv* eredmény, következmény, gyümölcse (vmnek) **2.** *mat* szorzat

production [prəˈdʌkʃn] *fn* **1. a)** feldolgozás, gyártás, előállítás; **go into** ~ gyártani kezdik; *szính* színre/filmre viszik *[darabot]* **b)** *közg* termelés; **cost of** ~ termelési költség **c)** létrehozás, alkotás, keltés *[hatásé, feltűnésé]* **2. a)** *szính* színrehozás, rendezés, produkció **b)** *film* produkció, alkotás

production line *fn* sorozatgyártás, futószalag

productive [prə'dʌktɪv] *mn* **1. a)** termő, termékeny, *átv* hasznot hajtó, jövedelmező, termelékeny **b)** *átv* termékeny *[író, képzelet]*; ~ **imagination** termékeny képzelőerő; ~ **period of an artist** művész alkotó korszaka **2.** eredményes, gyümölcsöző *[tárgyalások, kapcsolat stb.]* **3.** eredményező (of vmt); **it may be ~ of much good** sok jó származhat belőle

productivity [ˌprɒdək'tɪvəti ‖ 'prɑ–] *fn* **1.** *átv* termelőképesség, termékenység **2.** *közg* termelékenység, produktivitás

product manager *fn gazd* termékmenedzser

Prof. [prɒf ‖ prɑf] *biz röv professor* professzor, prof.

profane [prə'feɪn] **I.** *mn* **1.** világi(as), profán *[irodalom, író]* **2. a)** szentségtörő *[tett]*, istenkáromló *[beszéd]* **b)** trágár, obszcén *[személy]* **II.** *tsi* megszentségtelenít, meggyaláz, bemocskol ● *fn* **profanation** *hsz* **profanely**

profanity [prə'fænəti] *fn* **1.** káromkodás, trágárság **2. a)** világi(as)ság, világi jelleg *[írásé]* **b)** szentségtörés

profess [prə'fes] *tsi* **a)** kijelent, állít, vall *[nézetet, hitet]*; ~ **oneself (to be) sg** vmnek vallja magát; ~ **Christianity,** ~ **oneself Christian** a keresztény hitet vallja, keresztény(nek vallja magát) **b)** (hamisan) állít, színlel; ~ **friendship** barátságot színlel; **I do not ~ to be a scholar** nem tartom magam tudósnak

professed [prə'fest] *mn* **1.** meggyőződéses, kifejezett, bevallott, hithű; **a ~ Christian** hithű/hívő keresztény **2.** állítólagos, úgynevezett **3.** hivatásos, hivatásszerű; **a ~ spy** hivatásos kém

professedly [prə'fesɪdli] *hsz* bevallottan, saját állítása szerint, nyíltan

profession [prə'feʃn] *fn* **1. a)** foglalkozás, hivatás, szakma; **by ~** foglalkozására nézve **b) the ~** a szakma(beliek), a szakmához tartozók; **the legal ~** az ügyvédi kar **2.** kijelentés, nyilatkozat

professional [prə'feʃnl] **I.** *mn* **1.** szakmai, szak-, szakértő, szakképzett; *sp* ~ **fault** taktikai szabálytalanság *[labdajátékban]*; ~ **jealousy** szakmai féltékenység; ~ **skill** szakmai jártasság, szakértelem **2.** hivatásos, professzionális, profi *biz*; *sp* ~ **player** hivatásos játékos/sportoló, profi **II.** *fn* **1.** szakértő, szakember **2.** hivatásos, *átv* profi ● *hsz* **professionally**

professionalism [prə'feʃnl·ɪzm] *fn* **1.** szakmai hozzáértés **2.** *sp* hivatásszerű sportolás

professor [prə'fesə ‖ –ər] *fn* egyetemi/főiskolai tanár, professzor; *US* **assistant ~** tanársegéd; *US* **senior assistant ~** adjunktus; *US* **associate ~** docens; **~ of English** az angol nyelv és irodalom tanára; **P~ Smith** Smith professzor úr

professorial [ˌprɒfə'sɔːrɪəl ‖ 'prɑfə–] *mn* tanári, professzori

professorship [prə'fesəʃɪp ‖ –sər–] *fn* tanári/professzori állás, tanszék, katedra; **be appointed to a ~** egyetemi tanárrá nevezik ki

proffer ['prɒfə ‖ 'prɑfər] *tsi vál* (fel)ajánl, kínál; **~ one's services** felajánlja szolgálatait

proficiency [prə'fɪʃnsi] *fn* hozzáértés, jártasság, szakértelem (*in* vmben), gyakorlottság; **~ in English** jó angol nyelvtudás

proficiency examination *fn okt* felsőfokú nyelvvizsga

proficient [prə'fɪʃnt] *mn* jártas, gyakorlott, kompetens, tapasztalt (*in* vmben); **be ~ in Latin** jól tud latinul, latinból kiváló

profile ['proufaɪl] **I.** *fn* **1. a)** arcél, profil, oldalnézet; **in ~** profilban, oldalnézetben; **road ~** út hossz-szelvénye **b)** körvonal, sziluett **c)** *geol épít* függőleges metszet; **~ map** helyrajzi térkép **d) keep a low ~** *biz* meghúzza magát, tartózkodik a (köz)szerepléstől; a háttérben marad **2.** rövid életrajz/méltatás **II.** *tsi/tni* **1.** oldalnézetben/metszetben ábrázol/látszik **2.** rövid életrajzot/méltatást ír (vkről)

profit ['prɒfɪt ‖ 'prɑ–] **I.** *fn* **1.** *közg* nyereség, haszon, profit; **gross ~** bruttó nyereség; **net ~** nettó/tiszta nyereség; **share in the ~** nyereségrészesedés; **make a ~ on a transaction** hasznot húz az üzletből; **sell at a ~** nyereséggel/haszonnal ad el **2.** haszon, előny, nyereség; **turn sg to ~** hasznára fordít vmt, hasznot húz vmből **II.** *tni* hasznot húz (*by/from* vmből), hasznát látja (vmnek), profitál (vmből) ● *fn* **profitability**

profitable ['prɒfɪtəbl ‖ 'prɑfɪtəbl] *mn* jövedelmező, kifizetődő, hasznos, rentábilis

profiteer [ˌprɒfɪ'tɪə ‖ ˌprɑfɪ'tɪr] **I.** *fn pej* nyerészkedő, spekuláns **II.** *tni* nyerészkedik ● *fn* **profiteering**

profitless ['prɒfɪtləs ‖ 'prɑ–] *mn* haszon nélküli, nem gyümölcsöző/jövedelmező, hiábavaló *[erőfeszítés stb.]*

profit-sharing *fn közg* nyereségrészesedés, haszonmegosztás

profligate ['prɒflɪgət ‖ 'prɑ–] *mn* **1.** züllött, erkölcstelen **2.** tékozló, pazarló ● *fn* **profligacy**

profound [prə'faund] *mn* **1. a)** mély(séges) **b)** mély(ről jövő) *[sóhaj]* **2.** *átv* alapos, beható, mélyreható *[ismeret stb.]*, mélyen szántó *[fejtegetés]*; *átv* **take a ~ interest in sg** komolyan érdeklődik vm iránt ● *fn* **profoundness, profundity**

profoundly [prə'faundli] *hsz* **a)** mély(séges)en, nagyon **b)** alaposan, behatóan

profuse [prə'fjuːs] *mn* **1.** bőséges, pazar *[vendéglátás]*, sűrű *[bocsánatkérés]*, heves *[izzadás]*, erős *[vérzés]* **2.** bőkezű, nagylelkű; **be ~ in one's praises** nem fukarkodik a dicsérettel ● *fn* **profusion, profuseness** *hsz* **profusely**

progenitor [prou'dʒenɪtə ‖ –ər] *fn vál* **1.** ős(apa), előd **2.** értelmi szerzője v. atyja vminek

progeny ['prɒdʒəni ‖ 'prɑ–] *fn* **a)** *vál* leszármazott, sarj, ivadék, utód **b)** *növ* utód *[növényé]*

prognosis [prɒg'nousɪs ‖ prɑg–] *fn tsz* **prognoses** [–siːz] előrejelzés, prognózis; *orv* kórjóslat, prognózis

prognostic [prɒg'nɒstɪk ‖ prɑg'nɑ–] *mn* jóslási, jós-; **~ chart** előrejelzési térkép *[meteorológiában]*

prognosticate [prɒg'nɒstɪkeɪt ‖ prɑg'nɑ–] *tsi/tni* (meg)jövendöl, (meg)jósol, (előre) jelez ● *fn* **prognistication**

program ['prougræm] **I.** *fn* **1.** *US* → **programme** I. **2.** *infor [számítógépes]* program **II.** *tsi infor* (be)programoz *[számítógépet]*

programme ['prougræm], *US* **program I.** *fn* **a)** program, műsor **b)** tervezet, *pol* program **c)** *infor* program **II.** *tsi* **1.** műsort összeállít/szerkeszt (vmlyen célra/alkalomra), tervet készít (vmről), megtervez **2.** *infor* (be)programoz

programmed ['prougræmd] *mn infor* programozott

programmer ['prougræmə ‖ –ər], *US* **programer** *fn infor* programozó

progress I. *fn* ['prougres] **1. a)** (előre)haladás, előremenés, folyamat, múlás *[időé]*; **in ~** folyamatban van **b)** haladás, fejlődés, előmenetel; *átv* **make good ~** nagy léptekkel halad, jól halad; **make no ~** egy helyben topog **2.** *GB tört* (királyi), bírói körút, körutazás **II.** *tsi* [prə'gres] **a)** előrehalad, előrelép, előrenyomul, előbbre jut, múlik *[idő]* **b)** (jól) halad, fejlődik, javul

progression [prə'greʃn] *fn* **1.** haladás, fejlődés, előmenetel **2.** *mat* sorozat, vm egymásutánja; **arithmetical ~** számtani sorozat

progressive [prə'gresɪv] **I.** *mn* **1. a)** haladó, folyamatos *[mozgás]* **b)** *pol* haladó (szellemű/gondolkodású), progresszív **2. a)** *orv* súlyosbodó, terjedő *[betegség]* **b)** fokozatos(an növekvő), progresszív; *közg* **~ taxation** progresszív adózás **3.** *nyelv* folyamatos *[alak, idő]* **II.** *fn pol* haladó szellemű/gondolkodású (egyén) ● *fn* **progressiveness**

progressively [prə'gresɪvli] *mn* fokozatosan, progresszíve, egyre inkább

prohibit [prə'hɪbɪt ‖ prou–] *tsi* **1.** (meg)tilt; **~ sy from doing sg** eltilt vkt vmtől, megtilt vknek vmt; **smoking is ~ed** tilos a dohányzás **2.** meggátol, akadályoz, lehetetlenné tesz

prohibition [ˌprouɪ'bɪʃn] *fn* **1.** tilalom, (el)tiltás **2.** *US tört* **P~** szesztilalom

prohibitive [prou'hɪbɪtɪv ‖ prou–] *mn* **a)** tiltó, korlátozó **b) ~ price** megfizethetetlen ár ● *hsz* **prohibitively**

P

prohibitory [prou'hɪbɪtəri ‖ prou'hɪbətɔri] *mn* tiltó, korlátozó, gátló

project I. *fn* ['prɒdʒekt ‖ 'prɑ–] **a)** terv(ezet), projekt **b)** (nagyméretű) beruházás **c)** *okt* (feldolgozandó) téma, feladat **d)** *tud* (kutatási) téma, terv(ezet), projekt **II.** *i* [prə'dʒekt] **A.** *tsi* **1.** (ki)tervez, tervbe vesz **2.** kidob, kirepít, (előre)hajít, kilő **3. a)** vetít *[fényt, képet]*; ~ **a picture on the screen** képet vetít a vászonra **b)** *mat* kivetít *[síkot]* **4.** *pszich* rávetít (vkire) *[érzést, gondolatot]* **5.** megbecsül, előrejelez *[adatok alapján]* **B.** *tni* kiáll, kinyúlik, kiszögell, kiugrik

projectile [prə'dʒektaɪl ‖ –tl] **I.** *mn* röpítő, hajító *[erő stb.]*, katapult-; ~ **weapons** hajítófegyverek **II.** *fn* lövedék

projecting [prə'dʒektɪŋ] **I.** *mn* kiálló, kiugró, kiszögellő **II.** *fn* (műszaki) tervezés

projection [prə'dʒekʃn] *fn* **1.** kilövés, kirepítés *[lövedéké]* **2. a)** vetítés *[filmé stb.]* **b)** *mat* kivetítés *[síkba]* **c)** *pszich* énkivetítés, projekció **3.** *mat földr* vetület, projekció **4.** kiálló/kiugró rész, nyúlvány **5.** előzetes becslés

projectionist [prə'dʒekʃənɪst] *fn* mozigépész

projection room *fn* vetítőszoba, (mozi)gépház

projector [prə'dʒektə ‖ –ər] *fn* vetítő(gép)

prolapse ['proulæps ‖ prou'læps] *fn orv* elő(re)esés, süllyedés

prole [proul] *mn/fn biz pej* proli

proletariat [ˌproulɪ'teərɪət ‖ –'ter–] *fn tört* proletariátus • *mn* **proletarian**

pro-life *mn* abortuszellenes

proliferate [prə'lɪfəreɪt] *tsi/tni* **a)** *tud* osztódással szaporodik/szaporít/burjánzik *[sejt]* **b)** *átv* (el)burjánzik, elszaporodik • *mn* **proliferous**

proliferation [prəˌlɪfə'reɪʃn] *fn* **1.** *tud* (sejt)burjánzás, proliferáció **2.** *átv* (el)burjánzás, elterjedés; *pol* **Non-P~ Treaty** Atomsorompó-egyezmény

prolific [prə'lɪfɪk] *mn* **a)** szapora, termékeny, burjánzó **b)** *átv* termékeny *[elme, író stb.]* • *hsz* **prolifically**

prolix ['proulɪks ‖ prou'lɪks] *mn vál* terjengős, hosszúra nyújtott *[beszéd stb.]* • *fn* **prolixity**

prolog ['proulɒg ‖ –lɔg] → **prologue**

prologue ['proulɒg ‖ –lɔg] *fn* bevezető, előszó, előhang, *átv* előjáték

prolong [prə'lɒŋ ‖ –'lɔŋ, –'lɑŋ] *tsi* meghosszabbít, elnyújt; ~ **the agony** meghosszabbítja a szenvedést

prolongation [ˌproulɒŋ'geɪʃn ‖ –lɔŋ–] *fn* **1.** meghosszabbítás, elnyújtás **2. a)** haladék **b)** toldalék, meghosszabbító rész

prolonged [prə'lɒŋd ‖ –'lɔŋd] *mn* hosszan tartó, hosszadalmas *[elbeszélés]*, huzamos, tartós *[lehűlés stb.]*

prom [prɒm ‖ prɑm] *fn biz* **1.** *GB* sétány, korzó **2.** *US* diákbál, szalagavató (bál)

promenade [ˌprɒmə'nɑːd ‖ ˌprɑmə'neɪd] **I.** *fn* **1.** sétálás, korzózás, sétalovaglás, sétakocsizás **2.** sétány, korzó **3.** *US* diákbál **II. A.** *tsi* **1.** mutogat, felvonultat (vkt) **2.** sétára visz, (meg)sétáltat **B.** *tni* sétál, korzózik

promenade deck *fn hajó* sétafedélzet

prominent ['prɒmɪnənt ‖ 'prɑ–] *mn* **1.** kiálló, kiugró, kinyúló; ~ **nose** előreugró/hosszú/nagy orr **2. a)** szembetűnő, feltűnő **b)** kimagasló, kiemelkedő • *fn* **prominence** *hsz* **prominently**

promiscuity [ˌprɒmɪ'skjuːəti ‖ ˌprɑ–] *fn* **1.** keveredés, összevisszaság **2.** szabad szerelem, partnerváltogatás

promiscuous [prə'mɪskjuəs] *mn* **1.** vegyes, kevert, válogatás nélküli, összevissza **2.** szabados, szexuálisan kicsapongó • *hsz* **promiscuously**

promise ['prɒmɪs ‖ 'prɑmɪs] **I.** *fn* **1.** ígéret; **break one's ~** megszegi a szavát; **keep one's ~** állja a szavát; **make a ~** ígéretet tesz **2.** remény, ígéret, kilátás (*of* vmre); **show great ~** szép reményekkel kecsegtet (vk); **there is a ~ of warm weather** meleg idő várható **II. A.** *tsi* **1.** ~ **sy sg (v. sg to sy)** (meg)ígér vmt vknek; ~ **(sy) to do sg** ígéretet tesz vknek vm megtételére; ~ **(sy) the earth/moon** a csillagokat is lehozza az égről (vki kedvéért) **2.** mutat (vmre); **the clouds ~ rain** a felhők esőt jósolnak, esőre áll az idő **B.** *tni* ígérkezik; **the crops ~ well** jó termésre van kilátás

promised ['prɒmɪst ‖ 'prɑ–] *mn* (meg)ígért; *átv* **the P~ Land** az ígéret földje, Kánaán

promising ['prɒmɪsɪŋ ‖ 'prɑ–] *mn* biztató, sokat ígérő, jónak ígérkező, ígéretes; **the future looks ~** a jövő szép reményekkel kecsegtet; ~ **young man** szép jövő elé tekintő fiatalember • *hsz* **promisingly**

promissory ['prɒmɪsəri ‖ 'prɑmɪsɔri] *mn* ígérő, ígéretet tartalmazó *[eskü stb.]*; *gazd* ~ **note** kötelezvény, saját váltó

promo ['proumou] *fn biz* bemutató, reklám(anyag)

promontory ['prɒməntəri ‖ 'prɑməntɔri] *fn földr [vízből, síkságból]* kimagasló hegyfok

promote [prə'mout] *tsi* **1.** előléptet, *okt sp* felsőbb/magasabb osztályba bocsát; **be promoted captain** századossá léptetik elő **2.** előmozdít, (elő)segít *[fejlődést stb.]*, pártol *[művészetet]*, fejleszt, elmélyít *[kapcsolatot, együttműködést]*; *pol* ~ **a bill (in Parliament)** törvényjavaslatot nyújt be **3.** *US* népszerűsít, reklámoz *[árut, szolgáltatást]*

promoter [prə'moutə ‖ –ər] *fn* **1.** előmozdító, támogató **2.** szervező

promoter's shares *fn tsz gazd* alapítói részvények

promotion [prə'mouʃn] *fn* **1.** előléptetés **2.** előmozdítás, elősegítés **3.** reklám, promóció

promotional [prə'mouʃnəl] *mn* reklám-, promóciós *[anyag]*

prompt [prɒmpt ‖ prɑmpt] **I.** *mn* **a)** gyors **b)** azonnali, rögtöni, haladéktalan; ~ **delivery** azonnali szállítás; ~ **reply** visszavágás, replika; haladéktalan válasz **II.** *hsz* pontosan, pontban; **at eight o'clock ~** pont(osan) nyolc órakor **III.** *tsi* **1.** sarkall, ösztönöz, buzdít, késztet vmre; ~ **sy to do sg** sugalmaz vknek vmt; **feel prompted to speak** indíttatva érzi magát, hogy beszéljen **2.** *szính* súg **IV.** *fn* **a)** emlékeztetés, figyelmeztetés, emlékeztető **b)** *szính* súgás; **give an actor a ~** súg a színésznek **c)** sugalmazás, bizalmas értesítés, tipp • *fn* **promptitude**, **promptness** *hsz* **promptly**

prompter ['prɒmptə ‖ 'prɑmptər] *fn szính* súgó

prompting ['prɒmtɪŋ ‖ 'prɑmtɪŋ] *fn* sugalmazás, ösztönzés, felbujtás (*to* vmre), buzdítás, sarkallás

promulgate ['prɒmlgeɪt ‖ 'prɑ–] *tsi* **1.** kihirdet, életbe/érvénybe léptet *[törvényt, rendeletet]* **2.** (el)terjeszt, hirdet *[eszmét, tant]* • *fn* **promulgation**

prone [proun] *mn* **1.** hason fekvő; **lie ~** hason fekszik **2.** hajlamos vmre; **be ~ to accident** balesetre hajlamos, könnyen éri baleset • *fn* **proneness**

prong [prɒŋ ‖ prɔŋ, prɑŋ] *fn* **1.** (vas)villa **2. a)** villafog **b)** ág, bog *[agancson]* **c)** *US* folyóág

pronged [prɒŋd ‖ prɔŋd, prɑŋd] *mn* fogas, ágas, -ágú

pronominal [prou'nɒmɪnl ‖ –'nɑ–] *mn nyelv* névmási

pronominalization [prəˌnɒmɪnəlaɪ'zeɪʃn ‖ –'nɑ–], **-isation** *fn nyelv* pronominalizáció, névmásulás

pronoun ['prounaun] *fn nyelv* névmás; **demonstrative ~** mutató névmás; **indefinite ~** határozatlan névmás; **interrogative ~** kérdő névmás; **personal ~** személyes névmás; **possessive ~** birtokos névmás; **relative ~** vonatkozó névmás; **reflexive ~** visszaható névmás

pronounce [prə'nauns] **A.** *tsi* **1.** (ki)ejt, kimond (szót stb.); **letter that is not ~d** nem ejtendő (v. néma) betű; **a word difficult to ~** nehezen kimondható/ejthető szó **2. a)** kijelent, kinyilatkoztat, *jog* kihirdet, kimond *[ítéletet]*; ~ **a curse upon sy** átkot mond vkre, megátkoz vkt **b)** nyilvánít (vmnek vmlyennek); ~ **sy healthy** egészségesnek nyilvánít vkt **B.** *tni* állást foglal, dönt (vm mellett v. ellen); ~ **for sy**, ~ **in favour of sy** vk javára dönt *[bíró]*; ~ **(up)on sg** véleményt mond vmről

pronounceable [prə'naunsəbl] *mn* (ki)ejthető *[szó]*

pronounced [prə'naunst] *mn átv* **a)** kifejezett, kimondott, jellegzetes **b)** határozott; ~ **features** markáns arc(vonások) • *hsz* **pronouncedly**

P

pronouncement [prə'naʊnsmənt] *fn* kijelentés, nyilatkozat
pronouncing [prə'naʊnsɪŋ] **I.** *mn* kiejtési; ~ **dictionary** kiejtési szótár **II.** *fn* **1. a)** kinyilvánítás, kinyilatkoztatás, kijelentés *[véleményé]* **b)** *jog* kihirdetés **2.** kiejtés
pronto ['prɒntoʊ ‖ 'prɑntoʊ] *hsz biz* rögtön, azonnal
pronunciation [prəˌnʌnsi'eɪʃn] *fn* kiejtés *[szóé, nyelvé]*
proof [pru:f] **I.** *fn* **1.** bizonyíték, bizonyság, tanújel; **the living ~ of sg** eleven bizonyítéka vmnek; **written ~** írásos/írásbeli bizonyíték; **give ~ of sg** bizonyítékát/tanújelét adja vmnek, bizonyságot tesz vmről **2. a)** próba(tétel), teszt, *mat* bizonyítás; **put sg to the ~** próbára tesz vmt, kipróbál vmt; *közm* **the ~ of the pudding is in the eating** a puding próbája az evés **b)** (előírt) szesztartalom, szeszfok **3. a)** *nyomd* kefelevonat, korrektúra **b)** *műv* lenyomat *[rézmetszeté]* **II.** *mn* **a)** ~ **against sg** vmnek ellenálló, vm ellen védő; ~ **against damp** nedvességálló **b)** *összet* -mentes, -biztos, -álló, -hatlan **III.** *tsi* **1.** levonatot készít **2. a)** vízhatlanít, impregnál **b)** szigetel, tömít **c)** ellenállóvá tesz **3.** próbának vet alá *[anyagot]*
proofread *tsi/tni pt/pp* **-read** [–red] *nyomd* korrektúrázik, korrigál • *fn* **proofreading**
proofreader *fn nyomd* korrektor
prop. [prɒp ‖ prɑp] *röv* **1.** *proper* **2.** *proposition*
prop[1] [prɒp ‖ prɑp] **I.** *fn* **1.** támasz(ték), gyám, dúc **2.** *átv* támasz **3.** *tsz* **props** *szl* láb(ak) **II.** *tsi* **-pp- a)** ~ **(up)** feltámaszt, alátámaszt; megtámaszt **b)** *átv* támogat, fenntart
prop[2] [prɒp ‖ prɑp] *fn szính* kellék
prop[3] [prɒp ‖ prɑp] *fn rep biz* légcsavar, propeller
propaganda [ˌprɒpə'gændə ‖ ˌprɑ–] *fn* propaganda, hírverés • *fn* **propagandist** *mn* **propagandistic**
propagandize [ˌprɒpə'gændaɪz ‖ ˌprɑ–], **-ise** *tsi/tni* (propaganda útján) terjeszt, propagál, propagandát csinál (vmnek)
propagate ['prɒpəgeɪt ‖ 'prɑ–] *i* **A.** *tsi* **1.** szaporít, tenyészt **2. a)** terjeszt *[fertőzést]* **b)** hirdet, terjeszt, továbbad *[hírt]* **c)** propagál, népszerűsít **3.** visz, továbbít; **light is propagated in a straight line** a fény egyenes vonalban terjed **B.** *tni* szaporodik, tenyészik • *fn* **propagation, propagator**
propane ['proʊpeɪn] *fn vegy* propán
propel [prə'pel] *tsi* **-ll-** (előre)hajt, mozgat; *átv* sarkall, ösztönöz, hajt
propellant [prə'pelənt] *fn* **a)** indítótöltet **b)** hajtóanyag, üzemanyag, hajtógáz
propellent [prə'pelnt] → **propellant**
propeller [prə'pelə ‖ –ər] *fn* légcsavar, propeller, hajócsavar
propeller blade *fn* hajócsavarlapát, légcsavarszárny
propelling [prə'pelɪŋ] *mn* hajtó, mozgató; ~ **force** hajtó/mozgató erő; ~ **pencil** töltőceruza
propensity [prə'pensəti] *fn* hajlam(osság), hajlandóság (*for/to/towards* vmre), vonzalom (vmhez); **have a great ~ for lying** előszeretettel hazudik; *közg* ~ **to save** megtakarítási hajlandóság
proper ['prɒpə ‖ 'prɑpər] **I.** *mn* **1. a)** igaz, valódi; *mat* ~ **fraction** valódi tört **b)** tulajdonképpeni, a szó szoros értelmében vett, szűkebb értelemben vett; **England ~** a tulajdonképpeni/szűkebb Anglia **2.** helyes, megfelelő, alkalmas; ~ **expression** helyes kifejezés; **at the ~ time** a kellő/legjobb időben; **the ~ word** a megfelelő/helyénvaló szó, a helyesen alkalmazott szó, az oda kívánkozó szó; **do the ~ thing by sy** becsületesen/korrektül jár el vkvel szemben; **do as you think ~** tégy, ahogy helyesnek tartod **3.** illő, helyénvaló, illedelmes, tisztességtudó **4. a)** sajátos, sajátságos, jellegzetes, jellemző (*to* vmre) **b)** *régi* saját, tulajdon **5.** *biz* alapos *[verés]*, teljes **II.** *hsz szl* alaposan; **they got beaten (good and) ~** alaposan helybenhagyták őket
properly ['prɒpəli ‖ 'prɑpərli] *hsz* **1.** jól, rendesen, gondosan, rendben; ~ **dressed** rendesen/jól öltözött; az alkalomhoz illően öltözött **2. a)** ill(end)ően, illedelmesen, tisztességtudóan; **behave ~** rendesen/illendően viselkedik; úgy viselkedik, ahogy illik **b) he very ~ refused** nagyon helyesen visszautasította **3.** *biz* alaposan; **he was ~ drunk** alaposan beivott/berúgott
proper name *fn nyelv* tulajdonnév
property ['prɒpəti ‖ 'prɑpərti] *fn* **1. a)** tulajdon, vagyon **b)** ingatlan, birtok; ~ **sale** ingatlaneladás; **man of ~** vagyonos/jómódú ember **2. a)** tulajdonság, sajátság; **inherent ~** velejáró tulajdonság/sajátság **b)** *régi* természet, jelleg **3.** *szính* → **prop**[2]
property-tax *fn* **a)** ingatlanadó **b)** vagyonadó
prophecy ['prɒfəsi ‖ 'prɑ–] *fn* **1.** jóslás, jövendölés, jövőbelátás **2.** jóslat, prófécia
prophesy ['prɒfəsaɪ ‖ 'prɑ–] *tsi/tni* (meg)jövendöl, (meg)jósol *[eseményt]*
prophet ['prɒfɪt ‖ 'prɑ–] *fn* **1.** jövendőmondó, jós, látnok; *közm* **no man is a ~ in his own country** senki sem próféta a saját hazájában **2.** *vall* próféta; **the P~** Mohamed; **the Prophets** Próféták könyve **3.** *átv* próféta, hirdető
prophetess ['prɒfɪtɪs ‖ 'prɑ–] *fn* prófétanő, jósnő
prophetic [prə'fetɪk(l)], **prophetical** *mn* prófétai, látnoki, jövőbelátó, próféciás, jövendőmondó • *hsz* **prophetically**
prophylactic [ˌprɒfɪ'læktɪk ‖ ˌprɑ–] **I.** *mn orv* megelőző/elhárító, profilaktikus **II.** *fn* **1.** *[betegséget, járványt]* megelőző/elhárító szer/orvosság, profilaktikum **2.** óvszer
prophylaxis [ˌprɒfɪ'læksɪs ‖ ˌprɑ–] *fn orv* kórmegelőzés, profilaxis
propinquity [prə'pɪŋkwəti] *fn vál* **1.** közelség *[térben, időben]* **2.** vérrokonság
propitiate [prə'pɪʃieɪt] *tsi vál* **1.** vk jóindulatát megnyeri **2.** kiengesztel, megbékít • *fn* **propitiation** *mn* **propitiatory**
propitious [prə'pɪʃəs] *mn* kedvező (*to* vkre nézve, *for* vmre), jót ígérő • *hsz* **propitiously**
propjet *fn rep* turbólégcsavaros hajtómű/repülőgép
proplasm ['proʊplæzm] *fn* öntési szoborminta
proponent [prə'poʊnənt] *fn* támogató, szószólója vmnek
proportion [prə'pɔ:ʃn ‖ –'pɔr–] **I.** *fn* **1. a)** arány; **in ~ to sg** vm arányában/mértékében, viszonyítva vmhez; **out of ~** aránytalan(ul); **be out of ~ to sg** nem áll arányban vmvel; **blow sg out of ~** felfúj vmt, bolhából elefántot csinál **b)** *mat* arány(pár); **inverse ~** fordított arány **2.** arány(osság), méretarány, összhang; **of fine ~s** arányos(an tagolt) *[test, épület]*; **in ~** arányos; összhangban levő **II.** *tsi* **1.** arányosít, arányba állít (vmvel); ~ **a penalty to an offense** a kihágás mértéke szerint szabja meg a büntetést **2.** kiadagol, kimér *[hozzávalókat]* **3.** méretez *[tervrajzot stb.]*
proportional [prə'pɔ:ʃnəl ‖ –'pɔr–] **I.** *mn* arányos, arányban álló/levő (*to* vmvel); ~ **assessment** arányos kivetés *[adóé]*; *pol* ~ **representation** arányos képviselet *[parlamenti választásokon]*; *mat* **be directly ~ to sg** egyenes arányban van vmvel; *mat* **be inversely ~ to sg** fordított arányban van vmvel **II.** *mat* aránytag; **mean ~** középarányos
proportionally [prə'pɔ:ʃnl·i ‖ –'pɔr–] *hsz* arányosan, vm arányában, vmhez viszonyítva, aránylag
proportionate [prə'pɔ:ʃn·ət ‖ –'pɔr–] *mn* arányos, arányban álló (*to* vmvel)
proportionately [prə'pɔ:ʃn·ətli ‖ –'pɔr–] *hsz* arányosan
proportioned [prə'pɔ:ʃnd ‖ –'pɔr–] *mn* arányú; **well-~** arányos(an tagolt)
proposal [prə'poʊzl] *fn* **a)** indítványozás, előterjesztés **b)** indítvány, javaslat, felvetés; **make** v. **put forward a ~** javaslatot tesz, indítványoz **c)** házassági ajánlat
propose [prə'poʊz] **A.** *tsi* **1. a)** indítványoz, ajánl, javasol; ~ **marriage** házassági ajánlatot tesz; megkéri a kezét (*to* vknek) **b)** előterjeszt *[indítványt, javaslatot]*, ajánl *[jelöltet]* **c)** ~ **the health of sy** vk egészségére üríti/emeli poharát; ~ **a toast** pohárköszöntőt mond **2.** ~ **to do sg,** ~

P

doing sg szándékozik/akar vmt tenni; **what do you ~ to do now?** most mi a szándékod (v. mik a terveid)? **B.** *tni* megkéri vk kezét, házassági ajánlatot tesz (*to* vknek)

proposed [prə'poʊzd] *mn* javasolt, tervezett

proposer [prə'poʊzə ‖ –ər] *fn* ajánló, indítványozó, javaslattevő

proposition [ˌprɒpə'zɪʃn ‖ ˌprɑ–] *fn* **1.** ajánlat **2.** *biz* ügy, üzlet, probléma, kérdés; **paying ~** jó üzlet, hasznot hajtó vállalkozás **3.** állítás, kijelentés **4.** *mat* tétel • *mn* **propositional**

propound [prə'paʊnd] *tsi vál* felad *[rejtvényt]*, előad, javasol, előterjeszt, ajánl, felvet, feltesz *[kérdést]*, indítványoz, javasol, bemutat, ismertet, felállít *[tételt]* • *fn* **propoundment**

propounder [prə'paʊndə ‖ –ər] *fn* javaslattevő, indítványozó, kérdés felvetője

proprietary [prə'praɪətəri ‖ –teri] *mn* **1.** tulajdoni, tulajdonosi; **~ rights** tulajdonjog **2.** *gazd* szabadalmazott, védjegyezett; **~ article** kizárólagosan gyártott/árusított cikk, egyedárusági cikk; *gazd* **~ name** védett/bejegyzett név

proprietor [prə'praɪətə ‖ –ər] *fn* tulajdonos • *mn* **proprietorial**

proprietory [prə'praɪətəri ‖ –tɔri] *mn* **1.** tulajdoni **2.** tulajdonosi

proprietress [prə'praɪətrɪs] *fn* tulajdonosnő

propriety [prə'praɪəti] *fn* **1. a)** illem, illendőség; **breach of ~** illemszabályok/konvenciók megszegése/megsértése; **lack of ~** modortalanság, neveletlenség **b)** *tsz* **proprieties** illemszabályok, konvenciók, bevett szokások; **observe the proprieties** betartja a bevett társadalmi szokásokat **2.** helyesség, korrektség *[viselkedésé]*, helyénvalóság, időszerűség *[cselekedeté]*

propulsion [prə'pʌlʃn] *fn* **a)** (meg)hajtás **b)** *átv* hajtóerő • *mn* **propulsive**

propylene ['proʊpɪliːn] *fn vegy* propilén

prorogue [proʊ'roʊg] *tsi* ülésszakot berekeszt *[parlamentben]*, elnapol • *fn* **prorogation**

prosaic [proʊ'zeɪɪk(l)], **prosaical** *mn* prózai, hétköznapi, közönséges, lapos, szürke, unalmas • *fn* **prosaism**

proscenium [prə'siːnɪəm] *fn tsz* **proscenia** [–nɪə] *szính* előszín, proszcénium

proscribe [proʊ'skraɪb] *tsi vál* **1.** megtilt, betilt **2.** törvényen kívül helyez, száműz *[személyt]*

proscript ['proʊskrɪpt] *fn* száműzött

proscription [proʊ'skrɪpʃn] *fn* **1. a)** törvényen kívül helyezés (*of* vké), száműzés **b)** száműzetés **2.** megtiltás, betiltás • *mn* **proscriptive**

prose [proʊz] *fn* **1.** próza **2.** hétköznapiasság, szürkeség, prózaiság *[életé stb.]*

prosecutable ['prɒsɪkjuːtəbl ‖ 'prɑsə–] *mn* **1.** megindítható *[per]*, bíróilag érvényesíthető *[követelés]* **2.** (be)perelhető *[személy, bűncselekmény]*

prosecute ['prɒsɪkjuːt ‖ 'prɑ–] **A.** *tsi* **1.** *jog* vádat emel (vk ellen), beperel (vkt), (büntető)bíróság elé állít, feljelentést tesz (vk ellen) **2.** folytat, végez *[tanulmányokat, vizsgálatot]*, levezet *[ülést]* **B.** *tni* perel, vádat emel

prosecution [ˌprɒsɪ'kjuːʃn ‖ ˌprɑ–] *fn* **1.** *jog* **a)** bűnvádi eljárás, perbefogás **b)** (köz)vád **c) the ~** a vád képviselője; ügyész(ség); *jog* **witness for the ~** a vád tanúja **2. a)** folytatás, (el)végzés *[tanulmányé stb.]* **b)** gyakorlás, űzés *[iparé, mesterségé]*

prosecutor ['prɒsɪkjuːtə ‖ 'prɑsɪkjuːtər] *fn jog* **a)** ügyész, a vád képviselője; **the Public P~** államügyész, közvádló **b)** vádló, feljelentő

proselyte ['prɒsɪlaɪt ‖ 'prɑ–] *fn vál* áttért ember, új hívő, prozelita

proselytize ['prɒsɪlɪtaɪz ‖ 'prɑ–] *vál* **A.** *tsi* új hitre térít, megtérít **B.** *tni* térít • *fn* **proselytization**, **proselytizer**

prosilient [prə'sɪlɪənt] *mn* kiugró, kidomborodó, szembeszökő • *fn* **prosiliency**

prosit ['proʊzɪt] *isz* egészségére!, proszit!

pro-slavery *mn US* rabszolgaságpárti, rabszolgarendszer fenntartását helyeslő/támogató

prosodic [prə'sɒdɪk(l) ‖ –'sɑ–] *mn* prozódiai, *ir.tud* időmértékes

prosody ['prɒsədi ‖ 'prɑ–] *fn ir.tud* verstan, prozódia; *nyelv* metrika, prozódia

prospect I. *fn* ['prɒspekt ‖ 'prɑspekt] **1. a)** kilátás, távlat, lehetőség; **be in ~** várható, ígérkezik; **have sg in ~** kilátása/reménye van vmre; **open up a new ~ to sy** új távlatokat/lehetőségeket nyit meg vk előtt **b)** *tsz* **prospects** kilátások, esély, remény, jövő **2. a)** lehetséges/potenciális vevő/ügyfél **b)** jelölt/pályázó *[állásra stb.]* **II.** [prə'spekt] **A.** *tsi* kutat *[terepet, bányát]* **B.** *tni* kutat (*for* vm után); **~ for gold** aranyat ás

prospective [prə'spektɪv] *mn* leendő, jövőben bekövetkező, várható, kilátásba helyezett; **~ buyer** lehetséges/potenciális vevő; **my ~ son-in-law** jövendőbeli vőm/vejem

prospectively [prə'spektɪvli] *hsz* a jövőben, várhatóan

prospector [prə'spektə ‖ 'prɑspektər] *fn* talajkutató, bányakutató, aranykereső

prospectus [prə'spektəs] *fn* **1.** ismertető, prospektus **2.** *pénz* tájékoztató *[alapítandó vállalkozásról, tőzsdei bevezetésről]*

prosper ['prɒspə ‖ 'prɑspər] *tni* virágzik, prosperál, jól megy (neki), boldogul

prosperity [prɒ'sperəti ‖ prɑ–] *fn* jólét, jómód, prosperitás, fellendülés, konjunktúra

prosperous ['prɒspərəs ‖ 'prɑ–] *mn* virágzó, jómódú, gazdag, jól menő, sikeres

prostate ['prɒsteɪt ‖ 'prɑ–] *fn orv* **~ (gland)** dülmirigy, prosztata • *mn* **prostatic**

prosthesis [prɒs'θiːsɪs ‖ 'prɑs–] *fn* **1.** *orv* végtagpótlás, fogpótlás, protézis; **dental ~** műfog(sor) **2.** *nyelv* szó eleji hangtoldás

prosthetic [prɒs'θetɪk ‖ prɑs–] *mn* **1.** *orv* mű-; **~ dentistry** fogpótlás(tan); **~ device** művégtag **2.** *nyelv* szó eleji

prostitute ['prɒstɪtjuːt ‖ 'prɑstɪtuːt] **I.** *fn* **a)** prostituált **b)** *átv* ‹tehetségét áruba bocsátó személy› **II.** *tsi átv* elad, áruba bocsát *[testet, tehetséget]*; **~ oneself** eladja/prostituálja magát *[nő, tehetséges ember]*

prostitution [ˌprɒstɪ'tjuːʃn ‖ ˌprɑstɪ'tuːʃn] *fn* prostitúció

prostrate ['prɒstreɪt ‖ 'prɑ–] **I.** *mn* **1.** elterült, leborult, földre/arcra borult, megalázkodó; **lie ~** elnyúlva fekszik **2. a)** *átv* letört, levert, lesújtott (*with* vmtől) **b)** *átv orv* elernyedt/elesett, kimerült **II.** *tsi* **1.** leterít, földre fektet; **~ oneself before sy** arcra/földre borul (v. megalázkodik) vk előtt **2.** lever, lesújt, kimerít; **~d by the heat** a hőségtől bágyadtan

prostration [prɒ'streɪʃn ‖ prɑ–] *fn* **1.** földre/arcra borulás, megalázkodás **2.** kimerültség, elgyengülés

prosy ['proʊzi] *mn* hétköznapi, prózai *[lélek]*, unalmas, lapos, egyhangú *[élet]*, érdektelen

protagonist [proʊ'tægənɪst] *fn* **1.** *szính* (fő)szereplő, főhős **2.** *átv* szószóló, élharcos, bajnok

protean ['proʊtɪən, proʊ'tiːən] *mn vál* változatos, mozgalmas, színes, ezerarcú

protect [prə'tekt] *tsi* **1.** (meg)véd, (meg)oltalmaz, (meg)óv; **~ sy from/against sg** megóv/megvédelmez vkt vmtől **2.** *közg* védővámmal véd *[hazai ipart, iparágat]*

protected [prə'tektɪd] *mn* védett, védelem alatt álló

protection [prə'tekʃn] *fn* **1. a)** megvéd(elmez)és (vké), védekezés *[időjárás stb. ellen]*, megóvás, (meg)oltalmazás **b)** védelem, oltalom; **as a ~ against sg** vm elleni védekezésül; **under sy's ~** vk védelme/fedezete alatt; **pay ~ money to sy** védelmi pénzt fizet *[pl. maffiának]*; **provide/offer ~ (against sg)** védelmet nyújt (vm ellen) **c)** pártfogás, támogatás **2. a)** menedék, födél **b)** páncélzat, vértezet **3.** *közg* vámvédelem, védővám(rendszer)

protectionism [prə'tekʃənɪzm] *fn közg* protekcionizmus, védővám(rendszer) • *fn* **protectionist**

P

protective [prəˈtektɪv] **I.** *mn* védő, védelmező, óvó, oltalmazó, óv-; ~ **coating** védőbevonat; ~ **clothing** védőruha; *áll* ~ **colouring** terepszín, mimikri; ~ **custody** védőőrizet; *közg* ~ **duty/tariff** védővám **II.** *fn GB* óvszer, koton

protector [prəˈtektə ‖ –ər] *fn* **1. a)** védelmező, oltalmazó **b)** pártfogó, védnök, mecénás **c)** *GB tört* kormányzó, régens **2.** védőberendezés; **chest** ~ mellvért

protectorate [prəˈtektərət] *fn* védnökség, protektorátus

protégé [ˌprɒteɪˈʒeɪ ‖ ˌprɑ–] *fn francia* védenc, pártfogolt

protein [ˈproutiːn] *fn vegy* fehérje, protein • *mn* **proteic**

protest I. *fn* [ˈproutest] **1.** tiltakozás (*against* vm ellen), kifogásolás; **in** ~ tiltakozásul; *jog* ~ **in writing** írásos fenntartás; **make/lodge a** ~ tiltakozik, ellenvetést tesz; **under** ~ *biz* kelletlenül, kényszeredetten **2.** *sp* (meg)óvás *[mérkőzésé]* **3.** *jelzői haszn* tiltakozó *[felvonulás stb.]* **II.** [prəˈtest] **A.** *tsi* **1.** kifogásol, óvást emel (vm ellen) **2.** ünnepélyesen/határozottan kijelent/állít; ~ **one's innocence** ártatlanságát hangoztatja **B.** *tni* tiltakozik, óvást emel (*against/about* vm ellen)

Protestant [ˈprɒtɪstənt ‖ ˈprɑtə–] *mn/fn vall* protestáns • *fn* **Protestantism**

protestation [ˌprɒtɪˈsteɪʃn ‖ ˌprɑtə–] *fn vál* **1.** ünnepélyes kijelentés/megerősítés; **solemn** ~ **of friendship** barátság ünnepélyes kinyilatkoztatása **2.** tiltakozás

protester [prəˈtestə ‖ –ər] *fn* tiltakozó

prothesis [ˈprɒθɪsɪs ‖ ˈprɑ–] *fn* → **prosthesis**

proto- [ˈproutou] *előtag* ős-, elő-

protocol [ˈproutəkɒl ‖ –kɔl, –kɑl] *fn* **1. a)** jegyzőkönyv **b)** protokoll; ‹a diplomáciai érintkezés formaságainak szabályzata›; **chef de** ~ protokollfőnök **2.** *infor* protokoll

proton [ˈproutɒn ‖ –tɑn] *fn fiz* proton

proton number *fn fiz vegy* protonszám, rendszám

protoplasm [–plæzm] *fn biol* protoplazma • *mn* **protoplasmic**

protoplast [–plæst] *fn* **1.** prototípus, őstípus, protoalak, ősalak **2.** *biol* protoplaszt • *mn* **protoplastic**

prototypal [–ˈtaɪpl] → **prototypic**

prototype [–taɪp] *fn* prototípus, első/kísérleti példány

prototypic [–ˈtɪpɪk], **prototypical** *mn* ősi, eredeti, minta-

protozoan [–ˈzouən ‖ –ˈzouɑn] **I.** *mn* protozoa-, protozoa által okozott *[betegség]* **II.** → **protozoon**

protozoon [ˌproutəˈzouɒn ‖ –ɑn] *fn tsz* **protozoa** [–ˈzouə] véglény, protozoa

protract [prəˈtrækt ‖ prou–] *tsi* meghosszabbít, *pej* elhúz, elnyújt *[időben]* • *fn* **protraction**

protracted [prəˈtræktɪd ‖ prou–] *mn* meghosszabbított, elnyújtott; ~ **call/visit** hosszúra nyúló látogatás

protrude [prəˈtruːd ‖ prou–] **A.** *tsi* kinyújt, kitol, kinyom, kilök, kiölt, előretol, előrelök **B.** *tni* kiáll, kiszögell, kinyúlik, kiugrik, előreugrik • *fn* **protrusion**

protruding [prəˈtruːdɪŋ] *mn* kiálló, előreálló, kiugró, előreugró, kiszögellő

protrusive [prəˈtruːsɪv ‖ prou–] *mn* **1.** → **protruding** **2.** magát előtérbe toló

protuberance [prəˈtjuːbrəns ‖ prouˈtuː–] *fn* **1.** kidudorodás, kidomborodás, daganat, dudor **2.** *csill* napkitörés, protuberancia

protuberant [prəˈtjuːbrənt ‖ prouˈtuː–] *mn* kidomborodó, kiemelkedő, kidudorodó, kiugró

proud [praud] *mn* **1.** büszke (*of* vmre); **be unduly** ~ **of sg** hivalkodik vmvel **2.** gőgös, hiú, fennhéjázó, öntelt **3.** *vál* pompás, nagyszerű, fényes **4. be/stand** ~ **of sg** kiáll, kiszögell vhonnan

prov. *röv* **1.** *province* **2.** *provincial* **3.** *provisional* **4.** *provost*

Prov. *röv Proverbs* Példabeszédek, Péld.

provable [ˈpruːvəbl] *mn* (be)bizonyítható, kimutatható

provably [ˈpruːvəbli] *hsz* (be)bizonyíthatóan

prove [pruːv] *pt* **proved** *pp* **proved** v. **proven** [ˈpruːvn] **A.** *tsi* **a)** (be)bizonyít, igazol *[vmnek igazságát]*; *közm* **the exception ~s rule** a kivétel erősíti a szabályt **b)** *jog* érvényesít, érvényesnek nyilvánít; ~ **a will** végrendelet érvényességét megállapítja **c)** ~ **oneself (to be) sg** vmlyennek mutatkozik/bizonyul **B.** *tni* **1.** bizonyul, mutatkozik; ~ **true** bebizonyosodik **2.** (meg)kel, megemelkedik *[tészta]*

proven [ˈpruːvn] *mn régi* kipróbált, bizonyítottan jó

provenance [ˈprɒvənəns ‖ ˈprɑ–] *fn vál* származás(i hely), eredet; **of unknown** ~ ismeretlen eredetű

provender [ˈprɒvɪndə ‖ ˈprɑvɪndər] *fn* **1.** (száraz)takarmány *[lónak, marhának]*, abrak **2.** *biz tréf* elemózsia

Provençal [ˌprɒvɒnˈsɑːl ‖ ˈprouvənsɑl] **I.** *mn* provence-i **II.** *fn* provence-i nyelv; provencei személy

proverb [ˈprɒvɜːb ‖ ˈprɑvɜrb] *fn* közmondás, szólás; *bibl* **the Book of P~s** Példabeszédek könyve

proverbial [prəˈvɜːbɪəl ‖ –ˈvɜr–] *mn* közmondásos, közismert

provide [prəˈvaɪd] **I.** *tsi* **1.** ellát, felszerel (*with* vmvel) **2.** nyújt, ad, szolgáltat, gondoskodik (vmről), biztosít (vmt vk számára); ~ **an answer** választ ad; ~ **an opportunity for sy to do sg** lehetőséget ad/nyújt vknek vm megtételére; ~ **an excellent shelter** kiváló védelmül szolgál; **accommodation will be provided** szállást biztosítunk **II.** *tni* **1.** gondoskodik (*for* vmről); ~ **against sg** gondoskodik/intézkedik vm elhárításáról; lépéseket tesz, hogy vmt elhárítson; felkészül vmre; ~ **for an eventuality** felkészül bizonyos eshetőségekre **2.** *jog* rendelkezik *[törvény]*, intézkedik; **the agreement provides that** a megállapodás kiköti, hogy **3.** ~ **for sy** gondoskodik vkről; ellát vkt; ~ **for oneself** megáll a saját lábán

provided [prəˈvaɪdɪd] *ksz* ~ **(that)** feltéve, hogy/ha, attól függően, hogy, azzal a feltétellel, hogy, hacsak

providence [ˈprɒvɪdəns ‖ˈprɑ–] *fn* **1 a)** *vall* a gondviselés **b)** előrelátás, óvatosság

provident [ˈprɒvɪdənt ‖ ˈprɑ–] *mn vál* előrelátó, gondoskodó

providential [ˌprɒvɪˈdenʃl ‖ ˈprɑ–] *mn* gondviselésszerű, égből pottyant, szerencsés(en időzített) • *hsz* **providentially**

provider [prəˈvaɪdə ‖ –ər] *fn* ellátó, gondoskodó, eltartó, *biz* kenyérkereső

providing [prəˈvaɪdɪŋ] *ksz* ~ **(that)** → **provided**

province [ˈprɒvɪns ‖ ˈprɑ–] *fn* **1.** tartomány **2. the ~s** a vidék; **in the ~s** vidéken; *GB* **the P~** Észak-Írország **3.** *átv* terület, illetékesség, hatáskör *[bíróságé stb.]*; **that is not (within) my** ~ ez nem az én asztalom

provincial [prəˈvɪnʃl] **I.** *mn* **1.** tartományi **2.** vidéki(es), helyi (jellegű), tájjellegű **3.** *pej* szűk látókörű, maradi, vaskalapos **II.** *fn* vidéki (ember)

provincialism [prəˈvɪnʃl·ɪzm] *fn* **1. a)** vidékiesség, provincializmus **b)** lokálpatriotizmus **2.** szűklátókörűség

provision [prəˈvɪʒn] **I.** *fn* **1.** gondoskodás (*for* vmről), felkészülés (vmre), óvintézkedés, előkészület (*against* vm ellen); **make ~ for sg** gondoskodik vmről, megteszi az előkészületeket vmre **2.** ellátás (*with* vmvel), biztosítás **3.** *jog* rendelkezés *[törvényé stb.]*, intézkedés, kitétel; **the law makes no ~ for a case of this kind** ilyen esetekről a törvény nem intézkedik **4.** *tsz* **provisions** élelmiszer **II.** *tsi* élelmez, élelemmel ellát

provisional [prəˈvɪʒn·əl] *mn* átmeneti, ideiglenes, időleges

proviso [prəˈvaɪzou] *fn* kikötés, feltétel, fenntartás *[szerződésben]*

provisory [prəˈvaɪzəri] *mn* feltételes, fenntartásos *[kikötés stb.]*

provocation [ˌprɒvəˈkeɪʃn ‖ ˌprɑ–] *fn* provokáció, ingerlés, felizgatás, belekötés; **on/at the slightest** ~ a legcsekélyebb/legkisebb ingerlésre

P

provocative [prəˈvɒkətɪv ‖ –ˈvɑ–] *mn* **1. a)** kihívó, provokatív *[magatartás]*, izgató *[beszéd]* **b)** ingerlő, csábító *[mosoly, tekintet]*, izgató *[szexuálisan]* **2.** keltő, okozó, előidéző (*of* vmt); ~ **of laughter** derültséget keltő

provoke [prəˈvoʊk] *tsi* **1.** ingerel, bosszant, provokál, felizgat, felidegesít; ~ **sy into (doing) sg** kiprovokál vmt **2.** felkelt *[kíváncsiságot]*, okoz, kivált *[derültséget]*, előidéz, kivált *[méltatlankodást, felháborodást]*

provoker [prəˈvoʊkə ‖ –ər] *fn* kihívó, sértő, provokatőr

provoking [prəˈvoʊkɪŋ] *mn vál* **1.** → **provocative** 1. **2.** bosszantó, idegesítő, dühítő, idegekre menő

provost [ˈprɒvəst, prəˈvoʊ ‖ ˈproʊ–, ˈprɑ–, ˈproʊvoʊ] *fn* **a)** *GB okt* igazgató *[egyes egyetemeken]* **b)** *skót* polgármester **c)** *tört* elöljáró, felügyelő, börtönparancsnok, börtönőr **d)** *GB vall* perjel, prépost

prow [praʊ] *fn* hajóorr *[víz feletti része]*

prowess [ˈpraʊɪs] *fn* tudás, ügyesség, képesség

prowl [praʊl] **I.** *fn* portyázás, ólálkodás, zsákmány után járás; **be/go on the** ~ zsákmány után jár; *biz* nő/pasi után kajtat **II. A.** *tsi* ~ **the streets** az utcán ólálkodik/lopakodik **B.** *tni* **1.** préda után jár, zsákmányt keres *[állat]* **2.** ~ **about/around** ólálkodik

prowl car *fn US biz* rendőrségi járőrkocsi

prowler [ˈpraʊlə ‖ –ər] *fn* ólálkodó, portyázó (személy)

proximate [ˈprɒksɪmət ‖ ˈprɑk–] *mn vál* legközelebbi, közvetlen előtti/utáni/melletti

proximity [prɒkˈsɪməti ‖ prɑk–] *fn vál* közelség, szomszédság; **in the ~ of the town** a város közelében/szomszédságában

proxy [ˈprɒksi ‖ ˈprɑksi] *fn jog* **1. a)** meghatalmazás, megbízás; **by** ~ megbízásból; **marriage by** ~ távházasság **b)** meghatalmazás, megbízólevél **2.** meghatalmazott, megbízott

prude [pruːd] *fn pej* prűd, szemérmes(kedő), szégyenlős

prudence [ˈpruːdns] *fn* óvatosság, körültekintés, megfontoltság, meggondoltság, bölcsesség, előrelátás

Prudence [ˈpruːdns] *tul* ‹női név›

prudent [ˈpruːdnt] *mn* óvatos, körültekintő, megfontolt, meggondolt, bölcs, előrelátó

prudential [pruːˈdenʃl] *mn* megfontolt, meggondolt, körültekintő; *US jog* ~ **committee** tanácsadó testület • *hsz* **prudentially**

P

prudery [ˈpruːdəri] *fn pej* prüdéria, álszemérem, szemérmeskedés

prudish [ˈpruːdɪʃ] *mn* prűd, szemérmes(kedő), szégyenlős • *fn* **prudishness**

prune[1] [pruːn] *fn* aszalt szilva

prune[2] [pruːn] *tsi* **a)** nyes, megmetsz *[fát]*, kiritkít *[növényt]*; ~ **(off/away) a branch** levág/lenyes *[ágat]* **b)** *átv biz* ~ **(away/down)** eltávolít; megnyirbál, megtisztít *[felesleges részektől]*

pruning [ˈpruːnɪŋ] *fn* fanyesés, fametszés; ~ **hook** ágnyeső kés

prurient [ˈprʊərɪənt ‖ ˈprʊr–] *mn* buja, kéjvágyó, perverz • *fn* **prurience**

Prussia [ˈprʌʃə] *tul földr tört* Poroszország

Prussian [ˈprʌʃn] **I.** *mn* porosz; ~ **blue** berlini kék **II.** *fn* porosz ember

prussic [ˈprʌsɪk] *mn vegy* ~ **acid** ciánhidrogén(sav), hidrogéncianid, kéksav

pry[1] [praɪ] *tsi* kíváncsiskodik, kutat, szimatol; ~ **about/into other people's affairs** más dolgába beleüti/beledugja az orrát

pry[2] [praɪ] *tsi* felnyit, felfeszít, szétfeszít; ~ **a door open** felfeszít/kifeszít ajtót; ~ **a secret out of sy** vkből kiszed egy titkot

prying [ˈpraɪɪŋ] *mn* kíváncsi, fürkésző; ~ **eyes** kutató/fürkésző szemek

Ps *röv* **1.** *psalm* **2.** *Psalms* Zsoltárok, Zsolt.

PS *röv* **1.** *post script* utóirat, ui. **2.** *US public school* **3.** *GB privy seal*

psalm [sɑːm] *fn* zsoltár; *bibl* **Book of P~s** Zsoltárok könyve

psalm-book *fn vall* zsoltároskönyv

psalmist [ˈsɑːmɪst] *fn vall* zsoltáríró, zsoltárköltő

psalter [ˈsɔːltə ‖ –ər] *fn vall* zsoltároskönyv

psephology [sɪˈfɒlədʒi ‖ sɪˈfɑ–] *fn pol* ‹a választások eredményeinek tanulmányozása és előrejelzés ezek alapján›

pseud(o-) [ˈsjuːdoʊ ‖ ˈsuːdoʊ] *előtag* hamis, ál-, pszeudo-

pseudonym [ˈsjuːdənɪm ‖ ˈsuː–] *fn* (írói) álnév, felvett név • *mn* **pseudonymous**

pseudo-pregnancy [ˌsjuːdoʊˈpregnənsi ‖] *fn orv* álterhesség

pseudo-scientific [ˌsjuːdousaɪənˈtɪfɪk ‖ ˌsuː–] *mn* áltudományos

psi [psaɪ, saɪ], **p.s.i.** *röv pounds per square inch*

psittacosis [ˌsɪtəˈkoʊsɪs] *fn orv* papagájkór

psoriasis [səˈraɪəsɪs] *fn orv* pikkelysömör

psst [pst] *isz* psszt!, csönd!

PST *röv US Pacific Standard Time*

psyche [ˈsaɪki] *fn* lélek, szellem, psziché

psych(e) [ˈsaɪk] *tsi biz* **1.** ~ **sy (out)** kikészít, kiborít vkt **2.** ~ **sy/oneself up** lelkiekben felkészül vmre

psychedelic [ˌsaɪkɪˈdelɪk] **I.** *mn* **1. a)** pszichedelikus *[állapot, szer]* **b)** bizarr, képzeletbeli, hallucinációs **c)** hallucinogén *[kábítószer]* **2.** káprázatos, pompás *[szín]* **II.** *fn* hallucinogén kábítószer

psychiatric [ˌsaɪkiˈætrɪk] *mn* pszichiátriai, elmegyógyászati

psychiatrist [saɪˈkaɪətrɪst, sɪ–] pszichiáter, elmeorvos

psychiatry [saɪˈkaɪətri, sɪ–] *fn orv* pszichiátria, elmegyógyászat

psychic [ˈsaɪkɪk] *pszich* **I.** *mn* **a)** lelki, pszichikai, pszichikus, pszichés *[jelenség]* **b)** okkult (tulajdonságú) **II.** *fn* médium • *hsz* **psychically**

psychical [ˈsaɪkɪkl] *pszich* → **psychic** I.

psycho [ˈsaɪkoʊ] **I.** *mn biz* → **psychopathic II.** *fn biz* → **psychopath**

psycho [ˈsaɪkoʊ] *előtag összet pszich* lélek-, pszicho-

psychoanalysis [ˌsaɪkoʊəˈnælɪsɪs] *fn pszich* pszichoanalízis, lélekelemzés • *tsi* **psychoanalyze** *fn* **psychoanalyst** *mn* **psychoanalytic(al)**

psychogenic [ˌsaɪkoʊˈdʒenɪk] *hsz orv* lelki eredetű, pszichogén

psychological [ˌsaɪkəˈlɒdʒɪkl ‖ –ˈlɑ–] *mn* **1.** pszichológiai, lélektani; ~ **warfare** lélektani hadviselés **2.** pszichés alapú *[betegség, fájdalom stb.]* • *hsz* **psychologically**

psychologist [saɪˈkɒlədʒɪst ‖ –ˈkɑ–] *fn* **a)** pszichológus **b)** lélekbúvár

psychology [saɪˈkɒlədʒi ‖ –ˈkɑ–] *fn pszich* pszichológia, lélektan

psychopath [ˈsaɪkəpæθ] *fn pszich* pszichopata • *mn* **psychopathic**

psychosis [saɪˈkoʊsɪs] *fn tsz* **psychoses** [–siːz] *orv* elmebetegség, elmezavar, pszichózis

psychosomatic [ˌsaɪkousəˈmætɪk] *mn pszich orv* pszichoszomatikus

psychotherapy [ˌsaɪkoʊˈθerəpi] *fn orv* pszichoterápia, lelki gyógymód • *fn* **psychotherapist**

pt, PT *röv* **1.** *Pacific Time* **2.** *part* rész, r. **3.** *payment* **4.** *pint* **5.** *point* **6.** *port* **7.** *preterit*

Pte., Pte *röv private(soldier)* közlegény, harcos

pterodactyl [ˌterəˈdæktɪl] *fn áll* (őskori) szárnyas gyík

PTO *röv please turn over* fordíts, ford., l. a következő oldalon

Ptolemy [ˈtɒlɪmi] *tul tört* Ptolemaiosz

ptomaine [ˌtoʊˈmeɪn] *fn vegy* ptomain; ~ **poisoning** élelmiszer-mérgezés, ételmérgezés

pub [pʌb] **I.** *fn GB biz* kocsma, kisvendéglő **II.** *tni* **-bb-** *biz* **go pubbing** kocsmázik

pub-crawl I. *fn szl* kocsmáról kocsmára járás **II.** *tni* kocsmáról kocsmára jár • *fn* **pub-crawler, pub-crawling**

puberty [ˈpjuːbəti ‖ –bər–] *fn* serdülés, serdülőkor, pubertás
pubes [ˈpjuːbiːz] *fn tsz* **pubes 1.** *orv* ágyék, szeméremtáj **2.** *orv* fanszőr
pubescence [pjuːˈbesns] *fn biol* serdülés, pubertás • *mn* **pubescent**
pubic [ˈpjuːbɪk] *mn orv* ágyéki, fan-, szemérem-; ~ **bone** szeméremcsont; ~ **hair** fanszőr
public [ˈpʌblɪk] **I.** *mn* nyilvános, köz-; ~ **address system** *távk* hangosító berendezés; ~ **administration** közigazgatás, államigazgatás; **make a ~ appearance** megjelenik a nyilvánosság előtt; ~ **building** középület; ~ **company** bejegyzett részvénytársaság; ~ **convenience** nyilvános illemhely/vécé; ~ **domain** szabadon felhasználható, nem jogvédett; ~ **education** közoktatás; általános iskolai oktatás; ~ **enemy** közellenség; **in the ~ eye** mindenki szeme láttára; ~ **figure** közéleti/közismert személyiség; ~ **health** közegészségügy; ~ **holiday** (hivatalos) munkaszüneti nap; ~ **house** kocsma; vendéglő; ~ **hygiene** közegészségügy; ~ **indecency** közszemérem megsértése; ~ **library** közkönyvtár, nyilvános könyvtár; ~ **life** közélet; ~ **limited company (plc** v. **PLC)** részvénytársaság, Rt.; ~ **nuisance** közháborítás; ~ **opinion poll** közvélemény-kutatás; ~ **property** köztulajdon; ~ **policy** közérdek; *jog* ~ **prosecutor** közvádló, ügyész; *GB* **P~ Record Office** központi levéltár; *gazd* ~ **relations (PR)** a nagyközönséggel való kapcsolatok ápolása; ~ **relations man** sajtófőnök *[vállalaté]*; ~ **relations office** sajtóiroda; ~ **school** *GB* előkelő zártkörű, tandíjköteles középiskola; *US* nyilvános általános iskola (v. középiskola); *közg* ~ **sector** állami szektor; ~ **servant** köztisztviselő, közalkalmazott; ~ **television** közszolgálati televízió; ~ **transport** tömegközlekedés; **for ~ use** közhasználatra; ~ **works** közművek; közmunkák; **be ~ knowledge** köztudomású, köztudott; **go public** a nyilvánosság elé lép; kiteregeti *[magánügyet]*; *gazd* tőzsdére megy; nyílt részvénytársasággá alakul; **make sg ~** közzé tesz vmt, nyilvánosságra hoz vmt **II.** *fn* **a)** nyilvánosság; **in ~** nyilvánosan, nyilvánosság előtt **b)** közönség; **the general ~, the ~ at large** a nagyközönség
publication [ˌpʌblɪˈkeɪʃn] *fn* **1.** közzététel, nyilvánosságra hozatal *[híré, rendeleté stb.]*, kihirdetés **2. a)** kiadás, megjelenés *[kiadványé]*; **date of ~** megjelenés/kiadás időpontja **b)** kiadvány, publikáció
publicist [ˈpʌblɪsɪst] *fn* közíró, publicista, újságíró
publicity [pʌˈblɪsəti] *fn* **1.** nyilvánosság; **avoid/shun ~** kerüli a nyilvánosságot; **in the glare of ~** a legszélesebb nyilvánosság előtt; **give great ~ to sg** nagy nyilvánosságot biztosít vm számára **2.** hírverés, reklám(ozás); ~ **drive** reklámkampány; ~ **man** reklámügynök
publicize [ˈpʌblɪsaɪz], **-ise** *tsi* reklámoz, hirdet, nyilvánosságot biztosít (vm számára)
publicly [ˈpʌblɪkli] *mn* **a)** nyilvánosan, nyilvánosság előtt **b)** ~ **owned** köztulajdonban levő
publish [ˈpʌblɪʃ] *tsi* **1.** kiad, megjelentet, közzétesz, közrebocsát *[könyvet]* **2. a)** nyilvánosságra hoz, közöl, közread **b)** kihirdet *[rendeletet, házasságkötést]*
publisher [ˈpʌblɪʃə ‖ –ər] *fn* **a)** (könyv)kiadó **b)** *US* laptulajdonos
publishing [ˈpʌblɪʃɪŋ] *fn* **1.** kihirdetés, közzététel **2. a)** kiadás, megjelentetés **b)** könyvkiadás *[mint szakma]*
puce [pjuːs] *mn/fn* vörösbarna
puck [pʌk] *fn sp* korong *[jégkorongban]*
Puck [pʌk] **I.** *tul* Puck *[pajkos tündér]* **II.** *fn* kobold, manó
pucker [ˈpʌkə ‖ –ər] **I. A.** *tsi* (össze)ráncol, (redőkbe) összehúz *[homlokot, arcot]*, berak *[anyagot]*, hajtogat *[papírt]*; ~ **(up) one's brows** összeráncolja/összehúzza szemöldökét **B.** *tni* ~ **(up)** (össze)ráncolódik, összegyűrődik **II.** *fn* ránc(olódás), redő, gyűrődés
puckish [ˈpʌkɪʃ] *mn* csintalan, pajkos, huncut
pudding [ˈpʊdɪŋ] *fn* **1.** puding; **the proof of the ~ is in the eating** a puding próbája az evés **2. black/blood ~** véreshurka; **white ~** májashurka
pudding-faced *mn biz* holdvilágképű
pudding head *fn biz* mamlasz, hájfej, tökfej
puddle [ˈpʌdl] *fn* **1.** tócsa, pocsolya **2.** *biz* zavaros helyzet, zűrzavar, összevisszaság, zűr; *biz* **be in a pretty ~** benne van a pácban
pudenda [pjuːˈdendə] *orv* → **pudendum**
pudendum [pjuːˈdendəm] *fn tsz* **pudenda** [–də] *orv [női]* szeméremtest, külső nemi szervek
pudent [ˈpjuːdnt] *mn* szemérmes, szégyenlős
pudgy [ˈpʌdʒi ‖ ˈpɑ–] → **podgy**
puerile [ˈpjʊəraɪl ‖ ˈpjʊrəl] *mn* **a)** gyermeki, gyerekes, gyermekded **b)** *pej* éretlen, infantilis • *fn* **puerility**
puerperal [pjuːˈɜːprəl ‖ –ˈɜr–] *mn orv* gyermekágyi; ~ **fever** gyermekágyi láz
Puerto Rico [ˌpweətoʊ ˈriːkoʊ ‖ ˌpwert–] *tul földr* Puerto Rico • *mn* **Puerto Rican**
puff [pʌf] **I.** *fn* **1. a)** lehelet, fuvallat; ~ **of air** léglökés **b)** *biz* lélegzés, szusz; **out of ~** kifulladtan, kifulladva **c)** pöfékelés *[dohányzásnál]*, kipufogás, pöfögés *[gőzé]* **d)** *[hangutánzó]* pufogás, pöfögés **2.** könnyű felfújt (tészta), leveles tészta **3.** pamacs; ~ **of cloud** felhőfoszlány; ~ **of smoke** füstgomolyag **4.** *biz* túlzott dicséret/hírverés, agyondicsérés **II. A.** *tsi* **1. a)** ereget, (ki)fúj *[füstöt stb.]* **b)** kifullaszt; **be ~ed (out)** nem győzi szusszal **2.** *biz* (erősen) reklámoz, felmagasztal, feldicsér **3.** púderez *[pamaccsal]* **B.** *tni* **1. a)** fúj(tat), szuszog; ~ **and blow/pant** liheg, zihál **b)** pöfékel, pöfög; ~ **at/on a pipe** pöfékel, pipát szív **2. a)** felpuffad, kidagad *[vitorla]* **b)** pöffeszkedik; **be puffed up (with pride)** nagyképű, pöffeszkedő
puff away A. *tsi* elfúj **B.** *tni* **1.** elpöfékel, elpöfög **2.** ~ **away at a pipe** *[pipával]* pöfékel
puff out A. *tsi* **1.** kifúj *[füstöt]* **2.** felfúj **3.** kifullaszt, kifáraszt **B.** *tni* **1.** felpuffad, kidagad **2.** kigomolyog, kitódul **3.** kipöfög
puff up A. *tsi* **a)** felfúj *[arcot stb.]* **b)** felfuvalkodik, pöffeszkedik; ~ **oneself up** felfújja magát **B.** *tni* gomolyogva felszáll
puff-adder *fn* pufogó vipera
puff-ball *fn* pöfeteg(gomba)
puffed [pʌft] *mn biz* kifulladt, lihegő, ziháló
puffed-up *mn* **a)** (fel)puffadt, duzzadt *[arc]* **b)** felfuvalkodott, felfújt **c)** dagályos, hangzatos, bombasztikus *[stílus nyelv]*
puffy [ˈpʌfi] *mn* dagadt, duzzadt, puffadt *[arc stb.]* • *fn* **puffiness**
pug¹ [pʌg] *fn* **a)** mopszli *[kutya]* **b)** pisze/fitos orr
pug² [pʌg] **I.** *fn* agyagpép, *épít* tapasztóanyag **II.** *tsi* **-gg- 1.** gyúr, dagaszt *[agyagot]* **2.** *épít* vastagon tapaszt *[agyagot]*
pug-dog *fn* mopszli *[kutya]*
pugilist [ˈpjuːdʒɪlɪst] *fn sp vál [hivatásos]* ökölvívó, bokszoló • *fn* **pugilism**
pugnacious [pʌgˈneɪʃəs] *mn vál* verekedő, harcias, kötekedő • *fn* **pugnacity**
pug-nosed *mn* tömpe/benyomott orrú • *fn* **pug-nose**
puke [pjuːk] *szl* **I. A.** *tsi* ~ **(up)** kihány, kiokád **B.** *tni* hány, okád **II.** *fn* hányás
pull [pʊl] **I. A.** *tsi* **1. a)** meghúz, megránt, rángat; ~ **the trigger** meghúzza a ravaszt; *átv biz* **who is ~ing the strings?** ki áll a háttérben?, ki mozgatja a dolgot? **b)** ~ **a muscle** meghúzódik az izma **c)** húz, cibál *[hajat stb.]*; *biz* ~ **sy's leg** évődik vkvel, húz/ugrat/heccel vkt; *US szl* ~ **one's punches** kíméletesen bánik vkvel, visszafogja magát **d)** *sp* (meg)húz *[evezőt]* **e)** *sp* visszatart, visszafog **2. a)** kihúz, kiránt; ~ **a cork** dugót kihúz; ~ **a chicken** csirkét kibelez; ~ **weeds** gyomlál **b)** *US* revolvert ránt; ~ **a pistol at sy** revolvert ránt s vkre szegezi **c)** tép, szakít, szed; ~ **fruits** gyümölcsöt szed; ~ **to/in pieces** ízekre szed, darabokra tép **3. a)** húz, vontat; ~ **wool over sy's eyes** megtéveszt, félrevezet vkt; *US biz* ~ **a fast one** átejt vkt, vmlyen trükkel becsap vkt **b)** vonz(ást gyakorol); **body ~ed by a force** vmlyen erő által vonzott test **4.** ~ **a face,** ~ **faces**

P

arcot/pofát/grimaszt vág **5. a)** *szl [letartóztat]* lefog, nyakon csíp **b)** *szl [rendőrség razziázik]* rajtaüt **6.** *szl [lop]* csór, elemel **B.** *tni* **1. a)** húz *[ló, gép stb.]*; **they are ~ing different ways** széjjelhúznak **b)** húz vmerre **c)** evez; **~ ashore** parthoz evez **2.** iszik egy kortyot, húz egyet *[az üvegből]* **3.** *biz* befolyást gyakorol; **~ for a candidate** egy jelölt érdekében érvényesíti befolyását **II.** *fn* **1.** húzás, rántás; **give sg a ~** meghúz, megránt **2. a)** húzóerő, vonóerő, vontatóerő, vontatás **b)** *fiz* vonzás; **gravitational ~** nehézségi erő, gravitáció(s vonzás); **the ~ of the moon** a hold vonzása **3.** (húzó)fogantyú; **~ handle** húzófogantyú

pull ahead *tni* előz, előretör

pull apart *tsi* széthúz, szétszakít

pull asunder *tsi/tni* → **pull apart**

pull at *tni* **1.** húz, ránt (vmn); **~ at a rope** húz/ránt kötélen **2.** húz, szippant, szív (vmből); **~ at a bottle** iszik egy kortyot; **~ at one's pipe** szippant egyet pipájából

pull away A. *tsi* **1.** elhúz, lehúz, kihúz, széthúz (vmt) **2.** letép, leszakít (vmt), elvonszol, elhurcol (vkt) **B.** *tni* elevez

pull back A. *tsi* visszahúz, visszaránt, hátrahúz, hátravon **B.** *tni* visszahúzódik, visszavonul, hátrál

pull down *tsi* **1.** leenged, lehúz; **~ down one's hat over one's eyes** szemébe húzza kalapját **2. a)** elbont, lebont *[épületet]*, lerombol **b)** *biz* megdönt *[kormányt]* **3. a)** lever, elgyengít, legyengít **b)** *biz* letör, elkedvtelenít **c)** megaláz, lealacsonyít; **~ down a person's pride** letöri vknek a büszkeségét/szarvait **4.** *US* keres *[vmennyi pénzt]*

pull in A. *tsi* **1.** vonz *[közönséget, támogatókat]* **2.** keres *[vmennyi pénzt]* **3. a)** lefog, visszatart *[lovat]*, meghúz, rövidre fog *[gyeplőt]* **b)** csökkent, leszállít, apaszt; **~ in one's expenses** csökkenti költségeit/kiadásait; **~ oneself in** összehúzza magát, szerényebb lesz **c)** *biz* bevisz *[rendőrségre]*, letartóztat, nyakon csíp **B.** *tni* befut, beérkezik *[jármű]*, *sp* beevez

pull into *tni* → **pull in** B.1.; *GB* **~ into a lay-by** lehajt egy kitérőbe/parkolóba *[jármű autópályáról]*

pull off A. *tsi biz* sikerül vmt megcsinálnia **B.** *tni* **a)** *sp* elevez **b)** elindul *[autó, hajó]*

pull out A. *tsi* kivesz, kihúz; **~ sy out of bed** kiráncigál vkt az ágyból **B.** *tni* **a)** elindul, elmegy, kigördül, kifut *[pl. állomásról vonat]* **b)** *sp* elevez *[parttól]*, kifut a nyílt vízre *[hajó]*

pull over A. *tsi* **1.** fölé húz, ráhúz (vmt vmre); **~ one's hat over one's eyes** szemébe húzza a kalapot **2.** félreállít *[autót]* **B.** *tni* áthajt (a másik oldalra); **~ over to one side** félreáll az útból *[autó]*; → **pullover**

pull round A. a) *tsi* talpra állít, lábra állít *[betegség után vkt]*, meggyógyít **b)** magához térít *[ájulásból]* **B.** *tni* **a)** talpra áll, meggyógyul, felépül *[betegség után]* **b)** magához tér *[ájulásból]*, visszanyeri az eszméletét

pull through A. *tsi* **a)** nehéz/szorult/veszélyes helyzetből kisegít, nehézségen átsegít (vkt) **b)** meggyógyít, talpra állít **B.** *tni* átvergődik *[nehézségen]*, átvészel, életben marad, meggyógyul, talpra áll

pull together A. *tsi* **a)** összehúz **b) ~ oneself together** összeszedi/megembereli magát **B.** *tni* összetart, együttműködik

pull up A. *tsi* **1. a)** felhúz, felemel (vkt), vmt; **~ up one's socks** felhúzza a zokniját; *biz* összeszedi magát **b)** felvon, felszed *[horgonyt stb.]* **c)** kitép, kihúz, kiránt, kiirt *[gazt stb.]* **2.** megállít, visszatart, visszaránt *[lovat]*, hirtelen lefékez *[autóval]*; **~ oneself up** visszatartja/fékezi/fékentartja magát **B.** *tni* **1. a)** megáll, leáll *[kocsi stb.]*, odaáll; **~ up short** hirtelen megáll/lefékez **b)** megtorpan, visszatartja/(meg)fékezi magát **2. ~ up with/to sy** utolér vkt

pull-down menu *fn infor* legördülő menü(lista)

pullet [ˈpʊlɪt] *fn* jérce

pulley [ˈpʊli] *fn* **1.** (emelő)csiga, csigasor **2. a)** *műsz* szíjtárcsa *[emelőcsigáé]*, *gk* ékszíjtárcsa **b)** *műsz* görgő, kötéldob

pulley-block *fn műsz* csigasor

pull-in *GB* útmenti kávézó/étterem

Pullman [ˈpʊlmən] *fn vasút* **~ (car)** szalonkocsi, pullmankocsi

pull-out I. a) *mn* kihúzható, kinyújtható **b)** kitéphető, kivehető; **~ supplement** kivehető melléket *[újságban, magazinban]* **II.** *fn* **1.** kivehető/kinyitható melléklet/táblázat/kép *[könyvben, újságban]*, leporelló **2.** kivonulás *[katonáké vhonnan]*, kivonás *[alakulatoké]*

pullover [ˈpʊloʊvə ‖ –ər] *fn* pulóver

pull-up *fn* országút/út menti pihenő(hely), autóspihenő

pulmonary [ˈpʌlmənəri ‖ ˈpʊlməneri] *mn* **1.** *orv* tüdő-; **~ artery** tüdőverőér **2.** *orv* tüdőbajos; **~ cancer** tüdőrák; **~ embolism** tüdőembólia **3.** *áll* tüdővel lélegző, tüdős

pulmonic [pʌlˈmɒnɪk ‖ –ˈmɑ–] **I.** *mn* → **pulmonary II.** *fn orv* tüdőbeteg

pulp [pʌlp] **I.** *fn* **1. a)** bél, pulpa *[test húsos puha része]*, fogbél, fogpulpa **b)** gyümölcshús, gyümölcsvelő, gyümölcspép **c)** pép, kása; **reduce sg to a ~** péppé zúz vmt, pépesít vmt; *biz* **beat sy to a ~** laposra ver vkt **2.** papírpép, rostpép; *US* **~ fiction** ponyvairodalom **II. A.** *tsi* péppé zúz, pépesít *[gyógyszert]*, aprít **B.** *tni* péppé/masszává válik, pépesedik • *fn* **pulpiness**

pulpify [ˈpʌlpɪfaɪ] *tsi* péppé zúz, pépesít

pulping [ˈpʌlpɪŋ] *fn* péppé zúzás/őrlés

pulpit [ˈpʊlpɪt] *fn* **1.** emelvény, dobogó **2.** *[templomi]* szószék

pulpwood *fn* **1.** *épít* sajtolt farostdeszka **2.** papírfa *[papírgyártásra]*

pulpy [ˈpʌlpi] *mn* **a)** pépes, pépszerű, kásás **b)** *biz* puha, puhány, petyhüdt

pulsar [ˈpʌlsɑː ‖ –sɑr] *fn csill* pulzár *[csillagfajta]*

pulsate [pʌlˈseɪt ‖ ˈpʌlseɪt] *tni* **a)** üt, dobog, ver *[szív stb.]* **b)** lüktet, rezeg, remeg, vibrál **c)** *átv* lüktet, remeg (*with* vmtől), fel van villanyozva

pulsation [pʌlˈseɪʃn] *fn* (ér)verés, (szív)dobogás, lüktetés

pulse[1] [pʌls] **I.** *fn* **1.** *orv* érverés, pulzus; **feel/take sy's ~** megméri/kitapintja vk pulzusát **2. a)** dobogás, lüktetés *[szívé stb.]* **b)** rezgés *[húré, hanghullámé stb.]* **c)** *fiz infor távk* impulzus **II. A.** *tsi* **~ out the blood** kilök vért *[szív]* **B.** *tni* → **pulsate**

pulse[2] [pʌls] *fn* hüvelyes növények, hüvelyesek

pulse code dial(l)ing *fn infor távk* impulzuskódos tárcsázás

pulse code modulation (PCM) *fn infor távk* impulzuskód-moduláció, PCM

pulse counter *fn fiz infor* impulzusszámláló

pulse rate *fn orv* pulzusszám

pulverize [ˈpʌlvəraɪz], **-ise A.** *tsi* **1. a)** porrá tör, szétzúz, porít, őröl, porlaszt **b)** porlaszt, permetez **2.** megsemmisít *[ellenfelet]* **B.** *tni* **a)** szétporlad, szétmorzsolódik, szétmállik **b)** szétpermeteződik, szétszóródik • *fn* **pulverizer**

puma [ˈpjuːmə ‖ ˈpjuːmə, ˈpuː–] *fn* puma

pumice [ˈpʌmɪs] *fn geol* habkő, tajték(kő)

pumice-stone *geol* → **pumice I.**

pummel [ˈpʌml] *fn* → **pommel**

pump[1] [pʌmp] **I.** *fn* **1.** szivattyú, pumpa; **bicycle ~** biciklipumpa; **~ station** szivattyúállomás, szivattyútelep; *US* **priming of the ~** → **pump priming**; **work a ~** szivattyúz **2.** szivattyúzás, pumpálás **II. A.** *tsi* **1.** szivattyúz, pumpál, felfúj; **~ (out/up) water** felpumpál, kipumpál *[vizet]*; kiszivattyúz *[vizet]*; *biz* **~ hands (with sy)** (hosszasan) kezet ráz (vkvel) **2.** *biz* kikérdez, kifaggat, firtat; **~ sy** kifürkészi vk gondolatát; kiszed titkot vkből; **~ a secret out of sy**, **~ sy for information** kiszed titkot vkből **B.** *tni* szivattyúz, pumpál *[szív, gép]*; **his head was ~ing** lüktetett a halántéka

pump out *tsi* **a)** kiszivattyúz **b) ~ sg out of sy** vmt kiszed vkből *[információt stb.]*

pump up *tsi* felpumpál, felfúj *[gumitömlőt]*

pump[2] [pʌmp] *fn* **a)** papucscipő **b)** → **plimsoll**

pumpernickel [ˈpʌmpənɪkl ‖ ˈpʌmpər–] *fn* fekete zabkenyér

pumpkin [ˈpʌmpkɪn] *fn* **1.** tök, úritök, takarmánytök **2.** *biz* fajankó, mafla, balfácán
pump priming *fn* **1.** szivattyúfeltöltés **2.** *US pénz* ‹konjunktúraélénkítés pénzkibocsátással›
pun [pʌn] **I.** *fn* szójáték, szóvicc; **make a ~ on sg** szóviccet farag **II.** *tni* **-nn-** szójátékot farag, játszik a szavakkal
Punch [pʌntʃ] *tul* Paprika Jancsi; **~ and Judy show** bábszínház; **as pleased as ~** nagyon elégedett
punch¹ [pʌntʃ] **I.** *fn* **a)** lyukasztó, pontozó **b)** *műsz* szegecselő(rúd) **II.** *tsi* **a)** átfúr, (át)lyukaszt, perforál *[lyukasztóval]* **b)** lyukaszt, kezel *[jegyet]*
punch in *tni* bélyegez, blokkol *[munkába érkezéskor]*
punch out A. *tsi* kivág, kilyukaszt *[lyukasztóval]* **B.** *tni* bélyegez, blokkol *[munkából távozáskor]*
punch² [pʌntʃ] **I.** *fn* **1.** (ököl)csapás, ütés; **give sy a ~ in the face** arcul üt vkt; ököllel üt vknek az arcába **2.** *biz* energia, (ütő)erő, támadóerő/készség *[csapaté]*; *US biz* **pull one's punches** visszafogja magát **II.** *tsi* **1.** *US* terel, őriz, legeltet *[marhát]* **2.** (meg)üt, behúz vknek *biz*; **~ sy in the face** arcon üt *[ököllel]*
punch³ [pʌntʃ] *fn* puncs *[ital]*
punch-ball → **punching ball**
punch-bowl *fn* **1.** puncsostál **2.** *geol* kerek medence/mélyedés/vápa *[hegyoldalban]*
punch-drunk *mn biz* **a)** kapott ütésektől kábult/rogyadozó/tántorgó *[bokszoló]* **b)** *[megzavarodott]* kába
punching ball *fn sp* gyakorlólabda *[ökölvívóé]*
punchline *fn* csattanó, poén
punctilio [pʌŋkˈtɪliou] *fn vál* **1.** külsőségek/formaságok túlzott megtartása, szertartásosság **2.** aprólékos illemszabály
punctilious [pʌŋkˈtɪlɪəs] *mn* **1.** aprólékos(kodó), minuciózus, kínosan rendszerető, akkurátus **2.** szertartásos • *fn* **punctiliousness**
punctual [ˈpʌŋktʃuəl] *mn* **1.** pontos; **be ~ in one's payments** időben/pontosan fizet **2.** *mat fiz* pontszerű • *fn* **punctuality**
punctuate [ˈpʌŋktʃueɪt] *tsi* **a)** központoz *[szöveget]*, írásjeleket kitesz **b)** meg-megszakít vmt
punctuation [ˈpʌŋktʃuˈeɪʃn] *fn nyelv* központozás, írásjelek használata/kitevése; **~ mark(s)** írásjel(ek)
puncture [ˈpʌŋktʃə ‖ –ər] **I.** *fn* **1.** *orv* felszúrás, punkció **2.** lyuk, perforáció **3.** kilyukadás, átlyukadás, kipukkadás, defekt **II. A.** *tsi* **a)** *orv* felszúr *[kelést]* **b)** kilyukaszt, átlyukaszt *[léggömböt stb.]* **B.** *tni* kilyukad, kipukkad *[autógumi stb.]* • *fn* **puncturing** *mn* **punctured**
pundit [ˈpʌndɪt] *fn* **a)** pandit *[brámán tudós]* **b)** *biz tréf* szakértő, hozzáértő, specialista
pungent [ˈpʌndʒənt] *mn* **1. a)** átható, orrfacsaró, penetráns *[szag]*, pikáns, csípős *[íz]* **b)** szúrós, éles *[fájdalom]*, szívettépő *[bánat]* **c)** maró, metsző *[gúny]* **2.** *növ* szúró(s), hegyes • *fn* **pungency**
punish [ˈpʌnɪʃ] *tsi* **1.** (meg)büntet, (meg)fenyít (*for* vmért)/(*by* vmvel), büntetést szab ki **2.** *biz* rosszul/durván bánik (vkvel), bántalmaz
punishable [ˈpʌnɪʃəbl] *mn* **a)** büntetendő **b)** büntethető; **~ by death** halálbüntetéssel sújtható
punisher [ˈpʌnɪʃə ‖ –ər] *fn* büntető, fenyítő (személy)
punishing [ˈpʌnɪʃɪŋ] *mn* megerőltető, fárasztó *[munka, verseny]*
punishment [ˈpʌnɪʃmənt] *fn* büntetés, (meg)fenyítés, megtorlás; **bring sy to ~ for his crimes** megbüntet vkt bűneiért
punitive [ˈpjuːnətɪv ‖ –tɔri] *mn* büntető, fenyítő, megtorló; *kat* **~ expedition** büntető/megtorló expedíció/hadjárat; *jog* **~ justice** megtorló igazságszolgáltatás
punk¹ [pʌŋk] **I.** *fn* **1. a)** punk **b)** punkzene **2.** ostobaság, butaság, üres fecsegés **II.** *mn* **1.** *US* korhadt *[fa]* **2.** *US* rossz, hitvány, értéktelen, vacak
punk² [pʌŋk] *fn* **1. a)** *[ostoba alak]* balfácán **b)** *[kezdő]* zöldfülű **2.** *régi* szajha
punk rock *fn* punkzene, punk rock
punky [ˈpʌŋki] *mn* **a)** *US* korhadó, korhadt *[fa]* **b)** *US szl* rossz, gyenge *[szórakozás stb.]*
punnet [ˈpʌnɪt] *fn* hancskosár, *GB [műanyag]* gyümölcskosár
punster [ˈpʌnstə ‖ –ər] *fn* szójáték-faragó
punt¹ [pʌnt] **I.** *fn* ladik, lapos fenekű csónak **II.** *tsi* rúddal hajt/lök/taszít *[csónakot]*
punt² [pʌnt] *sp* **I.** *tsi* kézből rúg *[labdát]* **II.** *fn* kézből rúgás
punt³ [pʌnt] *tni* **1.** *ját* a bank ellen tesz, *GB* szerencsejátékot játszik **2.** *pénz [kicsiben]* tőzsdézik
punter¹ [ˈpʌntə ‖ –ər] *fn GB* szerencsejátékos
punter² [ˈpʌntə ‖ –ər] *fn* csónakos *[rúddal hajtott csónakon]*
puny [ˈpjuːni] *mn* **a)** apró, kistermetű, kicsi, vékony, jelentéktelen **b)** gyenge, vézna, satnya, csenevész, nyápic **c)** szánalmas, gyenge *[erőfeszítés]* • *fn* **puniness**
pup [pʌp] **I.** *fn* **a)** fiatal kutya, kölyökkutya; **in ~** vemhes *[szuka]* **b)** fiatal állat, kölyök *[pl. fóka]* **II.** *tni* **-pp-** megkölykedzik *[kutya]*
pupa [ˈpjuːpə] *fn tsz* **pupae** [–piː] *áll* (rovar)báb
pupal [ˈpjuːpl] *mn áll* bábszerű
pupate [pjuːˈpeɪt ‖ ˈpjuːpeɪt] *tsi áll* begubózik, bábbá alakul át • *fn* **pupation**
pupil¹ [ˈpjuːpl] *fn okt* iskolás (gyerek), tanítvány, növendék
pupil² [ˈpjuːpl] *fn orv* pupilla, szembogár • *mn* **pupilar, pupillar**
pupilage [ˈpjuːpɪlɪdʒ], **pupillage** *fn* **1.** *jog* **a)** kiskorúság **b)** gyámság alatt állás *[kiskorúé]* **2.** iskoláskor
puppet [ˈpʌpɪt] *fn* **a)** báb, bábfigura **b)** *átv* báb; *pol* **~ government** bábkormány
puppeteer [ˌpʌpɪˈtɪə ‖ –ˈtɪr] *fn* bábjátékos, bábos
puppet-play → **puppet-show**
puppet-player *fn szính* bábjátékos
puppetry [ˈpʌpɪtri] *fn* **1.** bábkészítés **2.** bábozás
puppet-show *fn* bábjáték
puppy [ˈpʌpi] *fn* **1.** kölyökkutya, kiskutya; *biz* **~ fat** gyermekkori dundiság; **~ love** első/gyerekkori szerelem/fellángolás **2.** *biz pej* öntelt/beképzelt fiatalember, taknyos kölyök
puppy-dog *fn* kölyökkutya
puppyhood [ˈpʌpihud] *fn átv* kölyökkor
purchasable [ˈpɜːtʃɪsəbl ‖ ˈpɜr–] *mn* **1.** megvehető, megszerezhető **2.** *átv pej* megvásárolható, megvesztegethető, korrupt
purchase [ˈpɜːtʃɪs ‖ ˈpɜr–] **I.** *tsi* **1.** (meg)vesz, (meg)vásárol **2.** felhúz, felemel, felcsévél; **~ an anchor** horgonyt felhúz/felszed **II.** *fn* **1.** (meg)vásárlás, (meg)vétel, bevásárlás; **chance ~** alkalmi vétel; **proof of ~** vásárlási bizonylat **2.** megvásárolt dolog, vétel **3.** emelő berendezés/szerkezet **4.** támasztópont, támasz; **take ~ on sg** támaszkodik vmre
purchaser [ˈpɜːtʃɪsə ‖ ˈpɜrtʃɪsər] *fn* vevő, (be)vásárló, beszerző
purchasing power *fn közg* vásárlóerő; **~ parity** vásárlóerő-paritás
purdah [ˈpɜːdɑː ‖ ˈpɜrdə] *fn India* elfátyolozás *[hindu nőké]*
pure [pjuə ‖ pjur] *mn* **1. a)** szín(tiszta), vegyítetlen, hamisítatlan, tiszta; **~ copper** vörösréz, tiszta réz **b)** *átv* valódi, puszta, tiszta, csupasz; **the ~ and simple truth** a meztelen igazság; **it's malice ~ and simple** nem más, mint puszta/merő rosszindulat **c)** tiszta, elméleti *[tudomány]* **2.** tiszta, szűzi(es), szeplőtlen • *fn* **pureness**
pure-bred I. *mn* fajtiszta *[állat]*, faj- *[állat]* **II.** *fn* fajtiszta állat, fajállat; telivér
purée [ˈpjuəreɪ ‖ pjuˈreɪ] *fn* püré, (élelmiszer)sűrítmény
purely [ˈpjuəli ‖ ˈpjurli] *hsz* **1. a)** pusztán, csupán, csak **b)** teljesen **2.** tisztán, tiszta állapotban, vegyítetlenül
purgation [pɜːˈgeɪʃn ‖ pɜr–] *fn* **1.** *orv* kitisztítás *[beleké]*, hashajtás, purgálás **2.** *vall* lelki megtisztulás *[purgatóriumban]*
purgative [ˈpɜːgətɪv ‖ ˈpɜrgətɪv] *fn/mn orv* hashajtó

P

purgatory [ˈpɜːgətəri ‖ ˈpɜrgətɔri] *fn vall* tisztítótűz, purgatórium • *mn* **purgatorial**
purge [pɜːdʒ ‖ pɜrdʒ] **I.** *tsi* **1. a)** kitisztít, megtisztít **b)** *átv* megtisztít (*of* vmtől) **c)** *pol* tisztogat, eltávolít, kizár *[szervezetből]* **2.** *orv* hashajtót ad *[betegnek]* **II.** *fn* **1.** *orv* **a)** kitisztítás *[beleké]*, hashajtás **b)** hashajtó **2.** *pol* tisztogatás
purification [ˌpjʊərɪfɪˈkeɪʃn ‖ ˌpjʊr–] *fn* **1.** tisztítás, derítés *[folyadéké stb.]*, tisztulás **2.** *vall* (meg)tisztulás • *mn* **purificatory**
purify [ˈpjʊərɪfaɪ ‖ ˈpjʊr–] *tsi* **a)** (meg)tisztít, (meg)szűr *[anyagot]*, derít **b)** *átv* megtisztít *[lelket, gondolkodást, nyelvet stb.]* • *fn* **purifier** *mn* **purifying**
purism [ˈpjʊərɪzm ‖ ˈpjʊr–] *fn nyelv* nyelvtisztaság, purizmus • *mn* **puristic**
purist [ˈpjʊərɪst ‖ ˈpjʊr–] *fn nyelv* nyelvvédő, nyelvőr, purista
puritan [ˈpjʊərɪtn ‖ ˈpjʊr–] *mn/fn* **a)** *tört vall* puritán **b)** *pej* szigorú erkölcsű, puritán • *mn* **puritanic(al)**
puritanism [ˈpjʊərɪtənɪzm ‖ ˈpjʊrɪtnɪzm] *fn* **a)** *tört vall* puritanizmus, puritán protestantizmus **b)** szigorú erkölcsi felfogás
purity [ˈpjʊərəti ‖ pjʊrəti] *fn* **a)** tisztaság, finomság, jó minőség; ~ **of gold** arany tisztasága/karátszáma **b)** *átv* tisztaság, erkölcsösség, ártatlanság
purl[1] [pɜːl ‖ pɜrl] **I.** *fn* ~ **(stitch)** fordított szem *[kötésben]*; szegélyöltés **II.** *tsi* fordított szemeket köt
purl[2] [pɜːl ‖ pɜrl] **I.** *tni* csobog, csörgedezik *[vízfolyás]*, örvénylik *[víz]* **II.** *fn* csobogás, csörgedezés *[pataké, vízfolyásé]*, örvénylés
purler [ˈpɜːlə ‖ ˈpɜrlər] *fn GB biz* fejjel előre esés/bukás; **come/take a** ~ fejjel előre esik/bukik
purlieu [ˈpɜːljuː ‖ ˈpɜrluː] *fn vál* **1.** határ, mezsgye **2. purlieus** környék, vidék, kültelek
purloin [pɜːˈlɔɪn ‖ pər–] *tsi vál tréf* elcsen, ellop, eltulajdonít • *fn* **purloiner**
purple [ˈpɜːpl ‖ ˈpɜrpl] **I.** *mn* **a)** bíbor(színű), (bíbor)vörös; *US kat* **P~ Heart** sebesülési érem **b)** sötét lila, mályvaszínű; *biz* **get/turn ~ in the face** elvörösödik *[mérgében]* **II.** *fn* **a)** bíbor(piros szín) **b)** mályvaszín **c)** *átv* bíbor(palást); **born in the ~** bíborban született
purple-red *mn* bíborvörös
purple-wood *fn növ* paliszanderfa, bíborfa
purplish [ˈpɜːplɪʃ ‖ ˈpɜr–] *mn* bíborba/lilába játszó, (sötét)vöröses *[arc]*
purport I. *tsi* [pɜːˈpɔːt ‖ pərˈpɔrt] **1.** ~ **to be sg** jelent vmt, úgy értendő, vmre enged következtetni **2.** állítani/bizonyítani szándékozik **II.** *fn* [ˈpɜːpɔːt ‖ ˈpɜrpɔrt] **1. a)** értelem, jelentés, tartalom, tárgy **b)** lényege, magva (vmnek) **2.** cél, szándék
purpose [ˈpɜːpəs ‖ ˈpɜr–] **I.** *fn* **1. a)** cél, szándék; **the ~ of his visit** látogatásának célja; **for/with the ~ of** abból a célból, azzal a szándékkal; **on ~** szándékosan; **to the ~** célszerű, hasznos; a tárgyhoz tartozó; **speak to the ~** a tárgyhoz tartja magát; **to all intents and purposes** tulajdonképpen, valóban; **to no ~** céltalanul; hiába, haszontalanul **b)** elhatározás, szándék; **steadfastness of ~** céltudatosság, szilárd elhatározás **2.** rendeltetés, cél; **serve one's ~, answer the ~** megfelel a célnak; **for all ~s** minden célnak megfelelő **II.** *tsi* szándékozik
purpose-built *mn GB* → **purpose-made**
purposeful [ˈpɜːpəsfl ‖ ˈpɜr–] *mn* **1.** szándékos **2.** eltökélt, elhatározott **3.** tervszerű, megfontolt
purposeless [ˈpɜːpəsləs ‖ ˈpɜr–] *mn* céltalan, haszontalan
purposely [ˈpɜːpəsli ‖ ˈpɜr–] *hsz* **1.** szándékosan, készakarva **2.** kifejezetten
purpose-made *mn* különleges, speciális, rendelésre készített
purpura [ˈpɜːpjʊrə ‖ ˈpɜrpjərə] *fn* **1.** *orv* vörheny **2.** *áll* bíborcsiga
purpure [ˈpɜːpjʊə ‖ ˈpɜr–] *fn* bíbor(szín)

purr [pɜː ‖ pɜr] **I.** *tni* **a)** dorombol *[macska]* **b)** búg, zúg, berreg *[gép, motor stb.]* **II.** *fn* **a)** dorombolás *[macskáé]* **b)** búgás, berregés *[gépé]*, motorzúgás
purse [pɜːs ‖ pɜrs] **I.** *fn* erszény, pénztárca; *átv* **the public ~** az államkincstár; közpénzek; **be beyond one's ~** meghaladja az anyagi erejét/képességét, nem engedheti meg magának; *sp* **give a ~, put up a ~** pénzdíjat ajánl fel **II.** *tsi* (össze)ráncol, összehúz *[homlokot stb.]*; **~ one's lips** csücsörít *[szájat]*
purse-cutter *fn* zsebtolvaj, zsebmetsző
purser [ˈpɜːsə ‖ ˈpɜrsər] *fn hajó* pénztáros
purse seine *fn* erszényes kerítőháló
purse-snatcher *fn* zsebtolvaj
purse-strings *fn tsz* **a)** erszényzsinór **b)** *átv* pénzeszközök; **keep a tight hold on the ~** fogához veri a garast; **tighten the ~** összehúzza a nadrágszíjat
pursiness [ˈpɜːsinəs ‖ ˈpɜr–] *fn* **1.** nehéz légzés, gyors kifulladás **2.** köpcösség, testesség
pursuance [pəˈsjuːəns ‖ pərˈsuː–] *fn vál* **in the ~ of** vmnek véghezvitele során
pursuant [pəˈsjuːənt ‖ pərˈsuː–] *hsz jog* **~ to sg** vm szerint, vmnek megfelelően/értelmében • *hsz* **pursuantly**
pursue [pəˈsjuː ‖ pərˈsuː] *tsi* **1.** üldöz, űz, hajszol, nyomon követ (vkt); *biz* **be ~d by misfortune** üldözi a balszerencse **2.** törekszik (vmre); **~ happiness** fut a boldogság után **3.** folytat, űz, gyakorol; **~ an occupation** foglalkozást űz; **~ studies** tanulmányokat folytat; **~ the matter** foglalkozik az üggyel
pursuer [pəˈsjuːə ‖ pərˈsuːər] *fn* üldöző
pursuit [pəˈsjuːt ‖ pərˈsuːt] *fn* **1.** üldözés, űzés, hajszolás, kergetés, hajsza; **in ~ of sg** vmnek keresésében/követésében; **in ~ of one's aims** céljai elérésében/elérésére **2.** törekvés (*of* vmre); **~ of happiness** a boldogság keresése; **~ of knowledge** tudásvágy, tudásszomj **3.** tevékenység, működés, elfoglaltság, foglalatosság; **literary ~s** irodalmi tevékenység
pursy [ˈpɜːsi ‖ ˈpɜrsi] *mn* **1.** nehéz légzésű, rövid lélegzetű, hamar kifulladó, lihegő **2.** köpcös, kövér, testes, pocakos, potrohos **3.** felfuvalkodott
purulent [ˈpjʊərələnt ‖ ˈpjʊrə–] *mn orv* gennyes
purvey [pɜːˈveɪ ‖ pɜr–] *tsi* szállít *[élelmet]*, ellát vmvel • *fn* **purveyance**
purveyor [pɜːˈveɪə ‖ pɜrˈveɪər] *fn* (élelmiszer)szállító; **~ by appointment** udvari szállító
purview [ˈpɜːvjuː ‖ ˈpɜr–] *fn* **1.** hatáskör, működési kör **2.** (tárgy)kör, terület *[szellemi]* **3.** látókör, látóhatár
pus [pʌs] *fn orv* genny
push [pʊʃ] **I. A.** *tsi* **1.** tol, eltol **2.** megnyom; **~ the button** megnyomja a gombot **3.** (meg)lök, (meg)taszít, lökdös, taszigál; **~ a door open** betaszítja az ajtót; **don't ~ (me)!** ne lökdössön/taszigáljon! **4. ~ oneself** tolakszik; törtet, nyomul *biz*; **~ one's way through the crowd** áttolakszik/átvergődik a tömegen; **~ it, ~ one's luck** kiséri a szerencséjét **5.** sürget, siettet, nyomást gyakorol (vkre); **be ~ed for time** sürgeti az idő, időszűkében van **6. a)** szorgalmaz, erőltet; **~ one's demands** követeléseinek teljesítését szorgalmazza; ösztökél, ösztönöz *[jó teljesítményre stb.]* **b)** *biz pej* reklámoz *[árucikket]*, *US szl* kábítószert árul **B.** *tni* **1.** *kat* nyomul, hatol; **~ as far as Paris** Párizsig nyomul/hatol **2.** nyom, nyomást gyakorol; **~ for sg** követel vmt, szorgalmaz **II.** *fn* **1.** nyomás, tolás, lökés, taszítás **2.** erőfeszítés, igyekezet; **at one ~** elsőre, első próbálkozásra/kísérletre, egyből **3.** *kat* támadás, (előre)nyomulás **4.** energia, ambíció, vállalkozókedv, kezdeményezés; **have plenty of ~** rámenős, energikus; törtető **5.** protekció **6.** szorult/nyomasztó/kritikus helyzet, szükséghelyzet; **at a ~** éppenhogy, nehézkesen; **when ~ comes to shove** amikor elérkezik a döntő pillanat v. a cselekvés pillanata **7.** *biz* elbocsátás, felmondás; **get the ~** elbocsátják, kiteszik, kirúgják *[állásából]*; **give sy the ~** kirúg, elbocsát vkt, felmond vknek
push against *tni* **~ against a gate** kaput benyom

push along *tni* továbbsiet, továbbmegy
push around *tsi* erőszakoskodik (vkvel), megfélemlít vkt
push aside *tsi* félretol, félrelök
push away *tsi* eltol, eltaszít, ellök
push back A. *tsi* visszatol, visszataszít, visszanyom **B.** *tni* visszaugrik
push forward A. *tsi* **1.** előretol, előretaszít **2.** ~ **oneself forward** tolakszik; törtet, nyomul **B.** *tni* előrenyomul, előrehatol
push off A. *tsi* eltol, ellök, eltaszít *[hajót, csónakot]* **B.** *tni* eltávolodik a parttól *[csónak]*
push on A. *tsi* továbblök, továbbtaszít **B.** *tni* **1.** előrenyomul/előrehatol egy helyig **2. it's time to ~ on** ideje (már) továbbállni **3. ~ on with an affair** nem hagy annyiban *[ügyet]*
push over *tsi* feldönt, felborít, fellök
push through A. *tsi* elfogadtat, keresztülhajt *[törvényjavaslatot stb.]* **B.** *tni* utat tör magának, áttolakszik; **~ through the crowd** áttolakszik/átvergődik a tömegen
push-bike *fn GB biz* kerékpár, bicikli, bicaj, bringa
push-button I. *fn* nyomógomb **II.** *mn* nyomógombos, gombnyomásra működő
pushcart *fn US* talicska
pusher [ˈpʊʃə ‖ –ər] *fn* **1. a)** tetterős/energikus ember, vállalkozó szellemű ember **b)** törtető **2.** erőszakos, rámenős (ember) **3.** kábítószerárus, díler *biz*
pushing [ˈpʊʃɪŋ] *mn* **a)** vállalkozó szellemű, energikus **b)** *pej* törtető, rámenős
push money *fn* jutalék *[eladónak]*
pushover [ˈpʊʃouvə ‖ –ər] *fn* **1.** *biz* könnyű dolog/eset, gyerekjáték **2.** könnyű ellenfél/préda **3.** hiszékeny/naiv ember, balek
push-pin *fn US* rajzszeg
push-start *tsi* betol *[autót, motort]*
pushup [ˈpʊʃʌp] *fn* fekvőtámasz; **do ~s** fekvőtámaszt csinál
pushy [ˈpʊʃi] *mn* rámenős, tolakodó, törtető, nyomulós
pusillanimous [ˌpjuːsɪˈlænəməs] *mn* kishitű, bátortalan, félénk, pipogya • *fn* **pusillanimity**
puss [pʊs] *fn* macska, cica, cicus; **P~ in Boots** csizmás kandúr
pussy[1] [ˈpusi] *fn* **1.** macska, cica **2.** *szl durva* pina, punci
pussy[2] [ˈpʌsi] *mn orv* gennyes, gennyedő
pussycat *fn* cica(mica), cicus
pussyfoot [ˈpusifut ‖ –ər] *tni* **1.** csendesen oson, nesztelenül lopódzik **2.** óvatosan/körültekintően jár el, kertel
pustule [ˈpʌstjuːl ‖ ˈpʌstʃuːl] *fn orv* gennytüsző, gennyhólyag, gennyes pattanás • *mn* **pustular**
put[1] [pʊt] **I. A.** *tsi pt/pp* **put 1. a)** (oda)tesz, (oda)rak, (el)helyez **b)** *átv* (fel)tesz *[kérdést stb.]*, helyez *[bizalmat stb. vmbe]*, terjeszt, visz (vmt vk elé); **~ a question** kérdést tesz (fel), kérdez **c)** vmlyen állapotba helyez (vmt); **~ sy right** helyes útra terel/vezet vkt; helyreigazítja/helyesbíti vk állításait; **~ sg right** megigazít vmt, rendbe hoz vmt; **~ the matter right** eligazítja/elintézi v. rendbe hozza a dolgot; **~ paid to sg** elintéz (v. elintézettnek tekint) vmt, végez vmvel, pontot tesz vmre, végleg lezár *[kellemetlen ügyet]*; *US* **~ sy wise about/to sg** tájékoztat/felvilágosít/kiokosít vkt vmről; **you will be hard ~** nehezedre fog esni **2.** feltesz, feltételez; **~ it that you are right** tegyük fel, hogy igaza(d) van; **I wouldn't ~ anything beyond/past him** tőle minden kitelik **3.** becsül vkt/vmt vmre; **I ~ his income at Ł 50,000 a year** évi ötvenezer fontra becsülöm a jövedelmét **4.** megfogalmaz, kifejez vmt; **to ~ it bluntly** őszintén szólva, kertelés nélkül; **if I may ~ it in that way** ha szabad így kifejeznem magam; **I don't know how to ~ it** nem tudom, hogy mondjam (v. hogy fejezzem ki magam) **5. ~ sy to do sg** csináltat/végeztet vkvel vmt, ösztönöz/szorít vkt vmnek az elvégzésére **6.** *sp* lök, dob *[súlyt stb.]*, hajít *[labdát stb.]* **B.** *tni* vmlyen irányba indul, vmlyen útirányt követ, fordul *[hajó]* **II.** *fn* **1.** *sp* dobás, lökés, vetés *[súlyé]*; hajítás **2.** *pénz* **~ (option)** (tőzsdei) eladási opció **III.** *mn* **stay ~** → **stay[1]** **II.B.a.**

put about *tsi* híresztel (vmt), terjeszt *[hírt]*
put across *tsi* **1.** kifejt, előad; **~ sg across sy** elhitet vkvel vmt, bead vknek vmt **2. ~ sg across** vmt érvényesít/keresztülvisz (v. nyélbe üt), vmt sikerre visz, vmt sikeresen végrehajt, vmnek hatását biztosítja, vmvel sikert ér el; **he didn't manage to put it across** nem tudja keresztülvinni; **~ across a deal** elintéz/nyélbeüt (v. tető alá hoz) egy ügyet; **~ it across** *[érthetően]* kifejez, értésre ad, eljuttat *[mondanivalót, szöveget]*
put aside *tsi* **1.** félretesz, félrerak, eltesz (vmt); **~ aside some money** félretesz egy kis pénzt **2.** mellőz (vmt), eltekint (vmtől), felhagy (vmvel)
put away *tsi* **1. a)** eltesz, félretesz **b)** félrerak, félretesz *[pénzt]* **2. a)** *biz* lakat alá helyez, hűvösre tesz **b)** elmegyógyintézetbe juttat **c)** *biz* elfogyaszt, (mohón) befal *[ennivalót]*, elfogyaszt, felhajt *[italt]* **3. a)** *biz* eltesz láb alól (vkt) **b)** elaltat *[beteg* v. *öreg állatot]*
put back *tsi* **1.** visszatesz, visszarak, visszahelyez, helyére tesz; **~ back the book where you found it** tedd vissza a könyvet oda ahol találtad **2. a)** visszaigazít, hátraigazít *[órát]* **b)** késleltet, hátráltat, visszavet, elhalaszt, elodáz
put before *tsi* **1. ~ a case before sy** vk elé terjeszt egy ügyet **2.** többre értékel/becsül vmt
put by *tsi* félretesz, megtakarít *[pénzt]*
put down A. *tsi* **1.** letesz, lerak; **~ sg down on the ground** földre tesz vmt, letesz a földre vmt; *biz* **~ one's foot down** sarkára áll, erélyesen lép fel **2. a)** eltesz, félretesz **b)** *[pénzt]* letétbe helyez **3.** elnyom, lever, elfojt *[lázadást, felkelést stb.]* **4. a)** megaláz vkt, lealáz *biz* **b)** letorkol, letol vkt **5.** leír, feljegyez, lejegyez; **~ down in writing** írásba foglal **6. a)** gondol, vél, tart, elkönyvel (vmnek); **~ sy down as/for sg** vkt vmnek gondol/vél **b)** tulajdonít (vmnek); **~ down sg to sy/sg** vknek/vmnek tulajdonít/betud vmt, vknek a rovására/számlájára ír vmt **7.** letesz *[repülőgépet]*, landol *[repülőgéppel]* **B.** *tni rep* leszáll, landol
put forth *tsi* **1. a)** kinyújt, előre nyújt; **~ forth his arm** kinyújtja a karját **b)** *növ vál* hajt, fejleszt *[levelet, rügyet]* **2. a)** közzétesz, forgalomba hoz *[könyvet stb.]*; **~ forth a new theory** egy új elmélettel áll elő **b)** benyújt *[indítványt]*, indítványoz
put forward *tsi* **1. a)** előretesz, előretol, odatart (vmt) **b)** előreigazít *[órát]* **2. ~ oneself forward** jelentkezik; előtérbe tolja magát **3. a)** javasol, indítványoz, előterjeszt *[tervet stb.]* **b)** jelöl *[jelöltet]*
put in A. *tsi* **1.** betesz, behelyez; **~ an advertisement in the paper** betesz hirdetést az újságba **2.** *átv* behelyez, betesz, közzétesz, beiktat, bevezet, életbe léptet *[intézkedést stb.]*, bevet, alkalmaz *[módszert]*, bevet *[katonai egységet]*; **~ in action** működésbe hoz, megindít, elindít; **~ in force** életbe léptet; **~ sg in mind of sg** vkt vmre emlékeztet; **~ yourself in my place** képzeld magadat helyembe; **~ sy in his place** (alaposan) lehord, rendreutasít vkt, megmondja vknek a magáét; **~ one's feelings in words** szavakban fejezi ki érzéseit, szavakba önti érzéseit **3.** közbevet, közbeszól, beleszól, beleavatkozik (vmbe); *biz* **~ a word in** hozzászól *[beszélgetéshez]*; **~ in a word for sy** vk érdekében szól egy jó szót **4.** bead, benyújt, előterjeszt *[kérelmet, követelést, igényt]*; **~ in a claim for damages** benyújtja/bejelenti kártérítési igényét; **~ in an appearance** megjelenik, mutatkozik (vk vhol) **5.** jelöl, indít *[választáson jelöltet]*, megválaszt **6.** (el)tölt *[időt]*, kitölt, leül *[büntetést]*; **~ in two hours** két órát tölt vmvel **B.** *tni* **1.** jelentkezik, pályázik; **~ in for a post** állásra pályázik **2.** befut, beérkezik *[hajó kikötőbe]*, kiköt, rövid pihenőt tart
put into A. *tsi* **1. a)** *átv* beletesz, belerak, belehelyez; **~ into operation/service** szolgálatba/üzembe helyez; **~ the law into operation** alkalmazza a törvényt; **~ into play** működésbe hoz; **~ oneself** v. **a matter into sy's hands** rábízza magát v. egy ügyet vkre; **that'll ~ the fear of God into him** ez majd észre téríti **b)** sugalmaz, javasol, ajánl

2. a) átváltoztat (vmt vmvé); ~ **one's thoughts into words** szavakba önti gondolatait **b)** lefordít (vmlyen nyelvre) **B.** *tni* befut, beérkezik *[hajó kikötőbe]*

put off A. *tsi* **1.** elhalaszt, elnapol, későbbre tesz, halogat; ~ **off the payment** elhalasztja/halogatja a fizetést **2.** kitér (vm elől), elkerül *[kifogásokkal vmt]*, leráz, leszerel (vkt vmvel); ~ **sy off with an excuse** kifogással elutasít/leráz a nyakáról vkt **3. a)** lebeszél (vmről), eltérít, eltántorít *[szándékától stb.]* **b)** elveszi a kedvét vmtől, elkedvetlenít, kedvét szegi **B.** *tni* **a)** elhagyja a kikötőt **b)** elhajózik, elvitorlázik, elindul

put on *tsi* **1.** feltesz, felrak, rátesz; ~ **the book on the table** a könyvet az asztalra teszi; ~ **some wood on the fire** fát tesz a tűzre; **it's hard to ~ your finger on it** nehezen meghatározható **2. a)** felvesz, felölt, magára ölt *[ruhadarabot stb.]* **b)** *átv* felvesz, feltesz, felölt *[arckifejezést stb.]*, színlel, tettet *[vmlyen tulajdonságot]*; ~ **on an innocent air** (v. **air of innocence)** ártatlan arcot/képet vág; *biz* ~ **it on** henceg, felvág **3.** tulajdonít (vknek vmt); ~ **the blame on sy** vkt okol **4.** üzembe helyez, működésbe hoz (vmt), bekapcsol; ~ **on the light** felgyújtja a lámpát/villanyt; ~ **on the brake** (be)fékez **5.** színre visz, előad, bemutat *[darabot]* **6.** rászed, megcsal, becsap **7. a)** ~ **on weight** (meg)hízik, kilókat feszed **b)** kivet *[adót vmre]*, kiszab *[bírságot]* **8.** előretol, előreigazít *[órát]* **9.** pénzt tesz (vmre); ~ **money on a horse** lóra fogad

put out *tsi* **1.** *átv* kitesz, kihelyez, kirak; ~ **sy out of patience** kihoz vkt a sodrából; ~ **sy out of pain** megadja a kegyelemdöfést vknek, megszabadít kínjaitól; ~ **sy out of the way** eltesz vkt láb alól; ~ **sg out of one's head** kiver vmt a fejéből, elfelejt vmt **2.** kinyújt, előrenyújt, kidug *[kezet, fejet, nyelvet stb.]* **3.** elolt, kiolt *[lámpát, tüzet, cigarettát stb.]*; ~ **sy's eyes out** kiszúrja vknek a szemét, megvakít vkt **4.** kikölcsönöz, kihelyez, kiad *[pénzt kamatra]*, befektet *[pénzt vmbe]* **5.** idegesít (vkt), bosszant, zavar, ingerel

put over *tsi* **1.** föléje tesz/helyez/rak **2.** *US* elhalaszt, későbbre tesz, halogat **3.** *US [csalárd módon]* sikerre juttat/visz, sikert ér el (vmvel), keresztülvisz (vmt)

put through *tsi* **1.** végrehajt, megvalósít, sikeresen véghezvisz/elintéz (vmt) **2. a)** átnyom, áttol, áttaszít, keresztüljuttat **b)** alávet, kitesz (vkt vmnek); ~ **sy through college** iskoláztat **3.** ~ **sy through (to sy)** kapcsol vkt, ad vkt *[telefonon]*

put to A. *tsi* **1.** hozzáad, hozzátesz, hozzárak; ~ **to bed** lefektet; ~ **a child to school** iskolába ad/járat gyermeket; ~ **one's signature to sg** aláírásával lát el, aláír (vmt); ~ **one's name to it** támogat; nevét adja (vmhez); ~ **to rights** elintéz, elrendez; ~ **sg to use** felhasznál/hasznosít vmt; ~ **sg to a good use** jó célra használ fel vmt **2.** késztet (vkt vmre), okoz (vmt); ~ **sy to sleep** elaltat vkt; ~ **an end to sg** véget vet vmnek **3.** vmnek kitesz/alávet (vkt), utasítást ad, utasít (vmre); ~ **to shame** megszégyenít; ~ **sy/sg to the test** kipróbál vkt/vmt, próbára tesz vkt/vmt; ~ **sy to death** megöl(et), kivégez **4.** előterjeszt, vk elé terjeszt (vmt); ~ **a question to sy** kérdést intéz vkhez; ~ **sg to the vote** szavazásra bocsát vmt **5.** ~ **the door to** becsukja az ajtót **6.** párosít, fedeztet *[állatot]*; ~ **bull to the cow** meghágatja a tehenet **B.** *tni* ~ **(out) to sea** kifut a nyílt tengerre *[hajó]*; tengerre/hajóra száll, elvitorlázik

put together *tsi* **1. a)** összetesz, összeilleszt, összeállít, összerak; **they ~their heads together** összedugták a fejüket **b)** *biz* **~two and two together** kikövetkeztet, következtetésre jut **2.** *átv* összehoz, összeszed, összeállít

put up A. *tsi* **1. a)** feltart, felemel *[kezet stb.]*, felállít *[létrát stb.]*, feltesz, felakaszt *[képet, függönyt]*, letesz *[telefonkagylót]*; *biz* ~ **up one's feet** kényelembe helyezi magát, pihen; ~ **up one's hands** feltartja a kezét, megadja magát **b)** felragaszt, kiragaszt, kifüggeszt *[plakátot, hirdetményt]* **2. a)** intéz *[kérést]*, benyújt, bead, intéz *[kérvényt]* **b)** műsorra tűz, előad *[színdarabot]* **3.** ~ **up a candidate** jelöltet állít *[választásokon]* **4.** ~ **up for sale** eladásra kínál (vmt); ~ **goods up for auction** elárvereztet árukat **5.** ad *[pénzösszeget vmre]*; ~ **up the money for sg** előteremti a pénzt vmhez, viseli vmnek a költségeit **6.** *US* ~ **up** letétbe helyez *[pénzt]*, óvadékként leköt **7.** (fel)épít *[házat]*, (fel)állít *[emlékművet stb.]* **8.** visszatesz, visszahelyez, helyére tesz **9.** tanúsít, kifejt *[ellenállást stb.]*; ~ **up a good fight** jól/bátran/derekasan küzd **10.** elszállásol, elhelyez, befogad (vkt), szállást ad vknek **B.** *tni* **1.** ~ **up for sg** igényt támaszt, pályázik vmre, jelöltként fellép **2.** megszáll, tartózkodik, lakik; ~ **up at a hotel** szállodában száll meg **3.** ~ **up with sg** eltűr/elvisel vmt; **hard to ~ up with** nehéz megemészteni/lenyelni; **I cannot ~ up with his behaviour any longer** nem tudom viselkedését tovább tűrni

put upon *tsi* visszaél *[vknek a helyzetével]*

put² [pʌt] → **putt**

putative [ˈpjuːtətɪv] *mn jog* törvényesnek/valónak/igazinak vélt, vélelmezett *[házasság, apa stb.]*

putatively [ˈpjuːtətɪvli] *hsz* feltehetően, állítólag

put-on *mn* színlelt, tettetett, affektált, nem természetes *[viselkedés, arckifejezés stb.]*, felvett, magára erőltetett, kétes értékű *[tulajdonság stb.]*

put-put [ˈpʌtpʌt] **I.** *fn biz* motorberregés, pöfögés (ütemes) hangja **II.** *tni* berreg, pöfög

putrefy [ˈpjuːtrɪfaɪ] **A.** *tsi* megrohaszt, elrothaszt **B.** *tni* **1.** (meg)rothad, megromlik *[étel]*, elkorhad *[fa stb.]*, oszlásnak indul **2.** *átv* romlásnak indul, megromlik *[erkölcs]* • *fn* **putrefaction** *mn* **putrefacient**, **putrefactive**

putrescent [pjuːˈtresnt] *mn* **a)** oszlásnak/rothadásnak/bomlásnak indult, korhadó **b)** bűzös, orrfacsaró *[szag]* • *fn* **putrescence**

putrid [ˈpjuːtrɪd] *mn* **1. a)** rothadó, rothadt, korhadó, bomlásban levő **b)** bűzös, orrfacsaró, dögletes *[szag]* **2.** *biz* silány, pocsék **3.** *átv* erkölcstelen, romlott, züllött • *fn* **putridity**, **putridness**

putsch [pʊtʃ] *fn* puccs

putt [pʌt] *sp* **I.** *fn* (be)gurítás *[golflabdáé lyukba]* **II.** *tsi* lyuk felé üt/gurít *[golflabdát]*

puttee [ˈpʌti, pʌˈtiː] *fn* lábszárvédő, láb(szár)tekercs

putter¹ [ˈpʌtə ‖ –ər] *fn sp*; ‹gurító golfütő›

putter² [ˈpʌtə ‖ –ər] *tni US* babrál, tesz-vesz, pepecsel, piszmog; → **potter²**

putting green *fn sp* ‹golfpálya lyuk körüli sima része/pázsitja›

put-up *mn* **1.** *biz* előre megrendezett/kitervelt *[dolog]* **2.** ~ **price** kikiáltási ár *[árverésen]*

putty [ˈpʌti] **I.** *fn* ~ gitt, ablakragacs; *átv* **be ~ in sy's hands** könnyen befolyásolható *[vk által]* **II.** *tsi* ~ **(up) a hole** gittel betapaszt/betöm lyukat, lyukat begittel

puzzle [ˈpʌzl] **I.** *fn* **1.** talány, rejtély **2.** rejtvény, fejtörő; **crossword** ~ keresztrejtvény **3.** kirakós (játék), puzzle **II. A.** *tsi* **1.** zavarba hoz/ejt, fejtörést okoz (vknek); ~ **sy with a question** kérdéssel zavarba hoz vkt, fogas/nehéz kérdést tesz fel vknek; **be ~d** zavarban van; (teljesen) tanácstalan **2.** ~ **out** kibogoz, kiderít *[titkot stb.]*; megfejt, megold *[rejtélyt, rejtvényt]* **B.** *tni* zavarban van; ~ **about/over sg** töpreng/tépelődik vmn

puzzled [ˈpʌzld] *mn* zavart, tanácstalan

puzzlement [ˈpʌzlmənt] *fn* **1.** zavar(odottság), tanácstalanság **2.** fejtörés, töprengés

puzzler [ˈpʌzlə ‖ –ər] *fn* fogas kérdés, rejtélyes ügy

puzzling [ˈpʌzlɪŋ] *mn* fejtörést okozó, elgondolkoztató, rejtélyes; **a ~ question** fogas kérdés

PVC *röv polyvinyl chloride* PVC

pwt *röv pennyweight*

pygmy [ˈpɪgmi] *fn* **1.** pigmeus **2.** törpe, kis emberke • *mn* **pygmean**, **pygmaean**

pyjamas [pəˈdʒɑːməz ‖ –ˈdʒæ–] *fn tsz* pizsama

pylon [ˈpaɪlən ‖ –lɑn] *fn* **1.** *épít* pilon **2.** *vill* villanyoszlop, távvezetékoszlop **3.** *rep* felfüggesztő szerkezet

pylorus [paɪˈlɔːrəs] *fn tsz* **pylori** [–raɪ] *orv* gyomorvég, alsó gyomorszáj

P

pyorrhea [ˌpaɪəˈriːə] *fn orv*, **(alveolar) ~** gennyes fogínysorvadás

pyramid [ˈpɪrəmɪd] *fn* **1.** *régi* piramis **2.** *mat* gúla; **regular ~** szabályos gúla; **truncated ~** csonkított gúla • *mn* **pyramidal**

pyre [ˈpaɪə ‖ −ər] *fn* halotti máglya

Pyrenees [ˌpɪrəˈniːz] *tul/fn tsz földr* **the ~** a Pireneusok • *mn* **Pyrenean**

Pyrex [ˈpaɪreks] *tul* tűzálló/jénai edény

pyro- *mn összet* tűz-, piro-

pyromania [ˌpaɪrouˈmeɪnɪə] *fn orv* pirománia, gyújtogatási mánia • *fn* **pyromaniac**

pyrotechnics [ˌpaɪrouˈteknɪks] *fn esz* **1.** pirotechnika **2.** *vál* tűzijáték • *mn* **pyrotechnic(al)**

Pyrrhic [ˈpɪrɪk] *mn biz* **~ victory** pirruszi győzelem

Pythagorean [paɪˌθægəˈriːən ‖ pə−] *mn* pitagoraszi; *mat* **the ~ position** a Pitagorasz-tétel; **the ~ table** az egyszeregy

python [ˈpaɪθn ‖ ˈpaɪθɑn] *fn áll* piton, óriáskígyó

pyx [pɪks] *fn vall* ostyatartó, szentségtartó

Q

Q[1], **q** [kjuː] *fn tsz* **Q's** Q, q (betű); **Q for Quebec** Q mint Quebec
Q[2], **q** *röv* **1.** *quantity* **2.** *quarter* **3.** *queen('s)* **4.** *query* **5.** *question* **6.** *queue* **7.** *quintal*
Qatar [ˈkætaː ‖ ˈkɑtɑr] *tul földr* Katar
q.b., QB *röv* **1.** *quarterback* **2.** *Queen's Bench*
QED *röv* quod erat demonstrandum, *which was to be demonstrated/proved*
qr. *röv* **1.** *quarter(s)* **2.** *quarterly*
Q-ship *fn* ‹kereskedelmi hajónak álcázott hadihajó›
q.t. *röv* **1.** *quantity* **2.** *quart(s)*
qto *röv quattro*
qty *röv quantity*
qua [kweɪ, kwɑː] *hsz* mint, (vmelyen) minőségben, -ként
quack[1] [kwæk] **I.** *fn* háp(ogás) **II.** *tsi* **a)** hápog, sápog **b)** *biz* fecseg **III.** *isz* ~ ~! háp-háp!, sáp-sáp!
quack[2] [kwæk] *fn* **1. a)** ~ **(doctor)** kuruzsló, sarlatán **b)** szélhámos, sarlatán **2.** *szl [orvos]* doki • *fn* **quackery** *mn* **quackish**
quad[1] [kwɒd ‖ kwɑd] *fn okt biz* ‹angol kollégiumok négyszögű zárt udvara›
quad[2] [kwɒd ‖ kwɑd] **I.** *fn szl [börtön]* dutyi, sitt **II.** *tsi* **-dd-** *szl [bebörtönöz]* leültet, hűvösre tesz
quad[3] [kwɒd ‖ kwɑd] **I.** → **quadrat II.** *tsi* **-dd-** *nyomd* kizár *[sort]*
quad[4] [kwɒd ‖ kwɑd] *fn infor* négy tagból álló/négyes kábelköteg
quadragenarian [ckwɒdrədʒɪˈneərɪən ‖ ˈkwɑdrədʒɪˈnerɪən] *mn/fn* negyvenéves (ember), negyvenes
Quadragesima [ˌkwɒdrəˈdʒesɪmə ‖ ˌkwɑ–] *fn vall* ~ **(Sunday)** negyvened vasárnap
quadragesimal [ˌkwɒdrəˈdʒesɪml ‖ ˌkwɑ–] *mn vall* nagyböjti
quadrangle [ˈkwɒdræŋgl ‖ ˈkwɑ–] *fn* **1.** *mat* négyszög **2.** négyszögű zárt/belső udvar
quadrangular [kwɒˈdræŋgjʊlə ‖ kwɑˈdræŋgjələr] *mn* négyszögű, négyszögletes
quadrant [ˈkwɒdrənt ‖ ˈkwɑ–] *fn* **1.** *mat* körnegyed, kvadráns **2.** *csill* negyedlő, kvadráns **3.** *műsz* szakasz • *mn* **quadrantal**
quadraphonic [ˌkwɒdrəˈfɒnɪk ‖ ˌkwɑdrəˈ-fɑnɪk] *mn zene* kvadrofón *[felvétel, lejátszás]* • *fn* **quadrophonics**
quadrat [ˈkwɒdrət ‖ ˈkwɑ–] *fn nyomd* térkitöltő négyszög, quadrát
quadrate I. *mn* [ˈkwɒdrət ‖ ˈkwɑ–] *orv* négyszögletes **II.** *fn* [ˈkwɒdreɪt ‖ ˈkwɑ–] **1. a)** *orv* négyszögletes izom **b)** *áll* négyszögletes csont **2.** *ritk* négyszögletes hasáb **III.** [kwɒˈdreɪt ‖ ˈkwɑ–] **A.** *tsi mat* négyszögesít **B.** *tni* kvadrál
quadratic [kwɒˈdrætɪk ‖ kwɑˈdrætɪk] **I.** *mn* **1.** *mat* másodfokú; ~ **equation** másodfokú egyenlet **2.** négyszögű **II.** *fn* **a)** *mat* másodfokú egyenlet **b)** *esz* **quadratics** *mat* másodfokú egyenletek tana
quadrature [ˈkwɒdrətʃə ‖ ˈkwɑdrətʃər] *fn* **1.** *mat* négyszögesítés **2.** *mat* kvadratúra **3.** *csill* negyedállás, kvadratúra *[bolygóknál]* **4.** *távk* 90°-os elforgatás
quadrennial [kwɒˈdrenɪəl ‖ kwɑ–] *mn* **1.** négyéves **2.** négyévenkénti • *hsz* **quadrennially**
quadrennium [kwɒˈdrenɪəm ‖ kwɑ–] *fn* négyéves időszak
quadri- [ˈkwɒdri ‖ ˈkwɑ–] *előtag* négy-, négyes-, négyszeres
quadric [ˈkwɒdrɪk ‖ ˈkwɑ–] **I.** *mn mat* másodfokú **II.** *fn mat* másodfokú/másodrendű felület/görbre
quadriceps [ˈkwɒdrɪseps ‖ ˈkwɑ–] *fn orv* négyfejű combizom
quadrifid [ˈkwɒdrɪfɪd ‖ ˈkwɑ–] *mn növ* négyosztatú *[levél, kehely]*
quadrilateral [ˌkwɒdrɪˈlætərəl ‖ ˌkwɑ–] **I.** *mn* négyoldalú **II.** *fn mat* négyoldal(ú síkidom), négyszög
quadrille[1] [kwəˈdrɪl ‖ kwɑ–] *fn* **a)** (francia)négyes **b)** francianégyes zenéje
quadrille[2] [kwəˈdrɪl ‖ kwɑ–] *fn régi* négyes kártyajáték
quadrillion [kwɒˈdrɪlɪən ‖ kwɑ–] *fn* kvadrillió [GB 10^{24} US 10^{15}]
quadrinominal [ˌkwɒdrɪˈnɒmɪnl ‖ ˌkwɑdrɪˈnɑmɪnl] **I.** *mn mat* négytagú *[algebrai kifejezés]* **II.** *fn mat* négytagú algebrai kifejezés
quadripartite [ˌkwɒdrɪˈpɑːtaɪt ‖ ˌkwɑdrɪˈpɑrtaɪt] *mn* **I.** *tud* négykaréjos **II.** négyoldalú *[pl. szerződés]*
quadriplegia [ˌkwɒdrɪˈpliːdʒɪə ‖ ˌkwɑ–] *fn orv* négy végtag bénulása, quadriplegia
quadrivalent [ˌkwɒdrɪˈveɪlənt ‖ ˌkwɑ–] *mn régi* négyvegyértékű
quadrivium [kwɒˈdrɪvɪəm ‖ kwɑ–] *fn tsz* **quadrivia** [–vɪə] *okt régi* quadrivium
quadroon [kwɒˈdruːn ‖ kwɑ–] *fn* negyedvér *[fehér és mulatt keverék csak egy fekete nagyszülővel]*
quadrophonic [ˌkwɒdrəˈfɒnɪk ‖ ˌkwɑdrəˈfɑnɪk] → **quadraphonic**
quadrumanous [kwɒˈdruːmənəs ‖ kwɑ–] *mn áll* négykezű
quadruped [ˈkwɒdrʊped ‖ ˈkwɑdrə–] *mn áll* négylábú • *mn* **quadrupedal**
quadruple [ˈkwɒdrʊːpl ‖ kwɑˈdruːpl] **I.** *mn* **1.** négyszeres **2.** négytagú **II.** *fn* **the ~ of sg** vmnek a négyszerese **III. A.** *tsi* megnégyszerez, négyszeresére emel **B.** *tni* megnégyszereződik, négyszeresére emelkedik
quadruplet [ˈkwɒdrʊplət ‖ kwɑˈdruː–] *fn* **1.** négytagú csoport **2.** *tsz* **quadruplets** négyes ikrek **3.** *zene* quartola
quadruplicate I. *mn* [kwɒˈdruːplɪkət ‖ kwɑ–] **a)** négyszeres **b)** négy példányban gépelt/készült; ~ **copies** négy példány **II.** *tsi* [–keɪt] **1.** (meg)négyszerez **2.** négy példányban ír/készít • *fn* **quadruplication**
quadruplicity [ˌkwɒdruːˈplɪsəti ‖ ˌkwɑ–] *fn* négyszeresség
quads [kwɒdz ‖ ˈkwɑdz] *fn tsz biz* négyes ikrek
quaestor [ˈkwiːstə ‖ ˈkwestər] *fn tört* quaestor *[régi Rómában]* • *fn* **quaestorship** *mn* **quaestorial**
quaff [kwɒf ‖ kwɑf] **A.** *tsi vál* nagy kortyokban (meg)iszik **B.** *tni vál* iszik • *fn* **quaffer** *mn* **quaffable**
quag [kwæg] *fn* ingovány • *mn* **quaggy**
quagga [ˈkwægə] *fn áll* kvagga
quagmire [ˈkwægmaɪə ‖ –ər] *fn* **a)** ingovány **b)** *átv biz* **be in a ~** benne van a pácban
quahog [ˈkwɑːhɒg ‖ ˈkwɔhɔg] *fn US* ehető kagylóállat
quail[1] [kweɪl] *fn tsz* ~ v. **~s 1.** *áll* fürj **2.** *US szl [fiatal nő]* pipi
quail[2] [kweɪl] **A.** *tsi régi* meghunyászkodásra késztet **B.** *tni* meghunyászkodik
quaint [kweɪnt] *mn* **a)** különös; *biz* **isn't she ~!** furcsa egy nő! **b)** furcsa és régies
quake [kweɪk] **I.** *fn* **1.** reszketés, remegés **2.** *biz* (föld)rengés **II.** *tni* remeg, reszket, reng • *mn* **quaky**
Quaker [ˈkweɪkə ‖ –ər] *mn/fn* kvéker • *fn* **Quakerism** *mn* **Quakerish**
quaking-grass *fn növ* rezgőpázsit, rezgőfű
qualification [ˌkwɒlɪfɪˈkeɪʃn ‖ ˌkwɑ–] *fn* **1.** képesítés, alkalmasság, minősítés; **medical ~** orvosi képesítés/végzettség; **have the necessary ~s** megvan a szükséges (elő)kép-

zettsége/képesítése **2.** minősítés, kvalifikálás **3.** fenntartás, megszorítás, korlátozás; **without ~** fenntartás nélkül; feltétel nélkül **4.** *nyelv* minőségjelző • *mn* **qualificatory**

qualified [ˈkwɒlɪfaɪd ‖ ˈkwɑ–] *mn* **1. a)** képzett, képesített; **be ~ to do sg** képes/rátermett vmnek a megtételére; **~ expert** képzett szakember **b)** illetékes, jogosult **2.** fenntartásos, korlátozott, módosított; *pénz* **~ acceptance** feltételes elfogadás; **in a ~ sense** szűkebb értelemben; **give a ~ no** feltételesen beleegyezik

qualifier [ˈkwɒlɪfaɪə ‖ ˈkwɑlɪfaɪər] *fn* **1.** módosítás, megszorítás, korlátozás **2.** *nyelv* minőségjelző

qualify [ˈkwɒlɪfaɪ ‖ ˈkwɑ–] **A.** *tsi* **1. a) ~ sy for sg** vkt vmre képesít; vkt vmre alkalmassá tesz **b)** *jog* feljogosít **2. a) ~ sy/sg as sg** vkt/vmt vmnek minősít **b)** *nyelv* minősít **3. a)** módosít, szűkít **b)** mérsékel, korlátoz **4. a)** felhígít, felvizez **b)** *biz* **~ tea with rum** teába rumot önt, teát megrumoz **B.** *tni* **1. a)** megszerzi a szükséges képesítést/képzettséget **b)** felhatalmazást/jogotszerez/nyer **c)** *sp* **~** továbbjut **2.** *US* feleskĂĽszik, megeskĂĽszik • *mn* **qualifiable** *mn* **qualifying**

qualitative [ˈkwɒlɪtətɪv ‖ ˈkwɑlɪteɪtɪv] *mn* minőségi, kvalitatív

quality [ˈkwɒləti ‖ ˈkwɑləti] *fn* **1. a)** minőség; **act in the ~ of** (vmlyen) minőségben/hatáskörben cselekszik (v. jár el) **b)** (jó) minőség; *gazd* **fair average ~** *röv* f.a.q., átlagminőség, elfogadott átlag; **of good ~** jó minőségű; **of poor ~** gyenge/rossz minőségű **c)** *jelzői haszn* minőségi, márkás; **~ car** márkás kocsi, elsőrendű minőségű autó **2.** tulajdonság, képesség

quality circle *fn gazd* minőségkör

quality control *fn gazd* minőségellenőrzés

quality management *fn gazd* minőségirányítás, minőségbiztosítás

quality paper *fn média* minőségi/színvonalas újság

quality time *fn* ‹hasznosan/kellemesen a családdal/gyerekekkel töltött idő›

qualm [kwɑːm] *fn* **1. a)** lelki(ismeret)furdalás, aggály, kétely; **have no ~s about doing sg** lelkifurdalás nélkül megtesz vmt **b)** szorongás, balsejtelem **2.** émelygés, rossz közérzet • *mn* **qualmish**

quandary [ˈkwɒndəri ‖ ˈkwɑn–] *fn* nehézség, slamasztika, dilemma

quango [ˈkwæŋgoʊ] *fn tsz* **quangos** *röv quasi-autonomous non-government(al) organisation GB* félautonóm nem kormányzati szervezet

quanta [ˈkwɒntə ‖ ˈkwɑntə] → **quantum**

quantic [ˈkwɒntɪk ‖ ˈkwɑntɪk] *fn mat* homogén polinom

quantifier [ˈkwɒntɪfaɪə ‖ ˈkwɑntɪfaɪər] *fn nyelv* mennyiségjelző szó, kvantor

quantify [ˈkwɒntɪfaɪ ‖ ˈkwɑntɪfaɪ] *tsi* mennyiségileg meghatároz/kifejez • *fn* **quantification** *mn* **quantifiable**

quantitative [ˈkwɒntɪtətɪv ‖ ˈkwɑntɪteɪtɪv] *mn* mennyiségi, kvantitatív • *hsz* **quantitatively**

quantitive [ˈkwɒntɪtɪv ‖ ˈkwɑntɪtɪv] *mn* → **quantitative**

quantity [ˈkwɒntəti ‖ ˈkwɑntəti] *fn* **1.** mennyiség; **unknown ~** *mat* ismeretlen (mennyiség); *átv* ismeretlen tényező **2.** *mat* szám, mennyiségjel **3.** nagy mennyiség; **in (great) quantities** nagy mennyiségben, tömegesen **4.** *fil* terjedelem, kvantitás *[állításé]* **5.** időmérték *[szótagé versben]*

quantity surveyor *fn GB épít* építési ellenőr

quantize [ˈkwɒntaɪz ‖ ˈkwɑntaɪz] *tsi fiz* kvantál • *fn* **quantization** *fn* **quantizer**

quantum [ˈkwɒntəm ‖ ˈkwɑ–] *fn tsz* **quanta** [–tə] **1.** *fiz* kvantum **2.** rész, adag

quantum mechanics *fn esz fiz* kvantummechanika

quantum number *fn fiz* kvantumszám

quantum physics *fn esz fiz* kvantumfizika

quantum theory *fn fiz* kvantumelmélet

quarantine [ˈkwɒrəntiːn ‖ ˈkwɔ–] **I.** *fn* **a)** vesztegzár, karantén **b)** elkülönítés, elzárás *[büntetésből]* **c)** elkülönítés/elzárás ideje/időtartama **II. A.** *tsi* **a)** vesztegzár alá helyez *[hajót]* **b)** elszigetel *[nemzetet]* **B.** *tni* vesztegzár alá helyezi magát

quark [kwɑːk ‖ kwɔrk] *fn fiz* kvark

quarrel[1] [ˈkwɒrəl ‖ ˈkwɔ–] **-ll-**, *US* **-l- I.** *fn* **1. a)** veszekedés, vita, ellenségeskedés; **make/patch up a ~** nézeteltérést/vitát barátságosan elintéz/elsimít; **pick a ~ with sy** belekötvkbe; **it takes two to make a ~** mindig kettőn áll a vásár **b)** vitás ügy; **take up sy's ~** vknek pártját fogja **c)** *jog* vita, per **2. have no ~ with sy** nincs kifogása vk ellen **II.** *tni* **1.** veszekedik, veszekszik; **~ with sy over/about sg** vkvel veszekszik vmn **2. ~ with sg** kifogása van vm ellen • *fn* **quareller**

quarrel[2] [ˈkwɒrəl ‖ ˈkwɔ–] *fn régi* rövid négyszögletes fejű vas nyílvessző *[íjpuskába]*

quarrelsome [ˈkwɒrəlsəm ‖ ˈkwɔ–] *mn* veszekedő(s)

quarry[1] [ˈkwɒri ‖ ˈkwɔri] **I.** *fn* **a)** kőfejtő, kőbánya; **open ~** külszíni kőfejtő/kőbánya **b)** *átv* információforrás **II. A.** *tsi* **a)** fejt, bányász(ik) *[követ]* **b)** *biz* **~ information** adatokat/információt gyűjt **B.** *tni* követ fejt/bányász(ik)

quarry[2] [ˈkwɒri ‖ ˈkwɔri] *fn vad* **a)** zsákmány, elejtett vad **b)** *átv* üldözött vad

quarry[3] [ˈkwɒri ‖ ˈkwɔri] *fn épít régi* **1.** ólomkeretes ablakszem **2. ~ (tile)** (padló)burkolólap

quarryman [ˈkwɒrimən ‖ ˈkwɔ–] *fn tsz* **-men** kőfejtő, kőbányász

quarry-stone *fn* terméskő, bányakő, fejtett nyerskő

quart [kwɔːt ‖ kwɔrt] *fn* ‹űrmérték folyadékoknak, a gallon egynegyede, *GB* = 1,136 l, *US* = 0,946 l›

quartan [ˈkwɔːtn ‖ ˈkwɔrtn] *mn orv* negyednapos *[láz, hideglelés]*

quarter [ˈkwɔːtə ‖ ˈkwɔrtər] **I.** *fn* **1. a)** negyed(rész); *biz* **not a ~ so/as good as...** korántsem olyan jó, mint... **b)** *áll* **(hind) ~(s)** hátsó rész/fertály **c)** *cím* címernegyed **2. a)** negyedév, évnegyed **b)** negyedévi (lak)bér **c)** negyed(óra), óranegyed; **at a ~ past** negyedkor; **it's a ~ to** háromnegyed van **d)** *sp US Ausz* negyed *[baseballban]* **e)** holdnegyed **3. a)** ‹űrmérték folyadéknak = 2,909 hektoliter› **b)** ‹súlymérték *GB*= 12,7 kg, *US* = 11,34 kg› **c)** *hajó* ‹hosszmérték, hajósöl negyede = 457 mm› **d)** *zene* negyedhang **e)** *sp szl* negyedmérföld(es síkfutás) **f)** *US* negyed dollár(os) **4. a)** égtáj, világtáj; *átv* **does the wind lie in that ~?** hát innen/onnan fúj a szél? **b)** *átv* kör; **from all ~s** mindenfelől, mindenünnen; **I expect no more trouble from that ~** onnan/innen (v. arról/erről az oldalról) már nem várok több bajt; **in high ~s** felső(bb) helyen/körökben **5.** negyed *[városé]*, városrész **6.** kegyelem(adás); **give ~** kegyelmet ad; **no ~ given** nincs irgalom **7.** *tsz* **quarters a)** szállás, lakás; **living ~s** szállás; lakóhely **b)** *kat* szállás(körlet), kvártély; **confinement to ~s** szobafogság **8.** *tsz* **quarters** *kat* **a)** kijelölt hely, poszt; **all hands to ~s!** mindenki a helyére **b)** harci riadó **II. A.** *tsi* **1. a)** négy részre oszt/vág, negyedel **b)** *tört* felnégyel *[elítéltet]* **c)** *cím* négyel, négyfelé oszt **2.** *kat* elszállásol, bekvártélyoz **3.** *vad* **~ the ground** átkutat/végigszimatolja a terepet *[vadászkutya]* **B.** *tni* **1.** szálláson/kvártélyon van **2.** új negyedbe fordul *[hold]* **3. a)** keréknyomot nem követ *[kocsi]* **b)** átlósan hajt

quarterage [ˈkwɔːtərɪdʒ ‖ ˈkwɔr–] *fn* negyedévi (ki)fizetés

quarter-binding *fn nyomd* félbőrkötés

quarter day *fn GB* negyedévi bérfizetési nap

quarterdeck *fn hajó* **1.** hátsó fedélzet, tatfedélzet; *[hadihajón]* **2. the ~** a tisztikar

quarter-final *fn sp* negyeddöntő, *[vívásban]* elődöntő

quarter-hour *fn* negyedóra

quartering [ˈkwɔːtərɪŋ ‖ ˈkwɔr–] *fn* **1. a)** negyedelés **b)** felnégyelés *[gonosztevőé]* **2.** *kat* beszállásolás **3.** *cím* négyelés

quarter-light *fn GB gk* elefántfül-ablak

quarter-line *fn sp* negyedvonal *[rögbinél]*

quarterly [ˈkwɔːtəli ‖ ˈkwɔrtərli] **I.** *mn* negyedévi, negyedévenkénti **II.** *hsz* **1.** negyedévente **2.** *cím* negyedelt *[pajzs]*, negyedekben elhelyezett **III.** *fn* negyedévi folyóirat

Q

quartermaster *fn* **1.** *kat* szállásmester **2.** *kat* kormányos
Quartermaster General *fn kat* vezérlő hadbiztos
quartermaster sergeant *fn kat* számvevő tiszthelyettes, raktáros őrmester
quartern [ˈkwɔːtən ‖ ˈkwɔrtərn] *fn GB régi* negyed pint *[űrmérték, 0,14 l]*
quarter note *fn US zene* negyedhang, negyedkotta
quarter-plate *fn fényk* 8,2x10,8 cm-es lemez
quarter-pounder *fn* negyedfontos *[hamburger]*
quarter sessions *fn tsz jog tört* negyedévi/negyedévenkénti bírósági ülésszak
quarterstaff *fn* **1.** *tört* ‹fegyverként vagy botvívásban használt két méter körüli bot› **2.** botvívás
quarter system *fn US okt* negyedévrendszer
quarter timber *fn épít* keresztfa
quarter-tone *fn zene* negyed hangtávolság
quartet [kwɔːˈtet ‖ kwɔr–], **quartette** *fn zene* négyes, kvartett
quartic [ˈkwɔːtɪk ‖ ˈkwɔr–] **I.** *mn mat* negyedfokú, negyedrendű **II.** *fn mat* negyedfokú egyenlet
quartile [ˈkwɔːtaɪl ‖ ˈkwɔr–] **I.** *mn* **1.** ~ **aspect** *csill* négyszögállás *[két csillagé]* **2.** *közg* ~ **point** kvartilis **II.** *fn csill* négyszögfény, kvadratúra, négyszögállás
quarto [ˈkwɔːtoʊ ‖ ˈkwɔr–] *fn nyomd* **a)** negyedrét/kvart alak(ú könyv) **b)** kvartó
quartz [kwɔːts ‖ kwɔrts] *fn ásv* kvarc
quartz clock *fn* kvarcóra
quartz crystal *fn* kvarckristály
quartzite [ˈkwɔːtsaɪt ‖ ˈkwɔr–] *fn ásv* kvarcit
quartz lamp *fn* kvarclámpa
quartz rock *fn* kvarcit
quartz sand *fn* kvarchomok
quartz watch *fn* kvarckaróra
quasar [ˈkweɪzɑː ‖ –zɑr] *fn csill* kvazár
quash [kwɒʃ ‖ kwɑʃ] *tsi* **1.** *jog* megsemmisít, érvénytelenít, hatálytalanít **2.** elfojt, elnyom *[lázadást]*
quasi [ˈkweɪzaɪ] **I.** *hsz* mintegy, szinte, kvázi **II.** *ksz* mintegy
quasi- [ˈkweɪzaɪ] *előtag* látszólagos, ál-, *átv* fél-, félig; ~**-military** katonai jellegű
quasi-contract *fn jog* ügyleten kívüli kötelem
quatercentenary [kwætəsenˈtiːnərɪ ‖ ˌkwɑtərsenˈtenərɪ] **I.** *mn* négyszázadik/négyszázéves évfordulós **II.** *fn* négyszázéves/négyszázados évforduló
Quaternary [kwəˈtɜːnərɪ ‖ ˈkwɑtərneri] *fn földr* negyedidőszak
quaternion [kwəˈtɜːnɪən ‖ –ˈtɜr–] *fn* **1.** négy részből álló egész, négyes csoport **2.** *mat* **a)** kvaternió **b)** *tsz* **quaternions** vektorszámítás
quatorzain [kəˈtɔːzeɪn ‖ –ˈtɔr–] *fn vál* tizennégy soros vers
quatrain [ˈkwɒtreɪn ‖ ˈkwɑ–] *fn* négysoros versszak/szakasz
quatrefoil [ˈkætrəfɔɪl] *fn épít* négylevelű lóhere díszítés
quattrocento [ˌkwætroʊˈtʃentoʊ ‖ ˈkwɑ–] *fn műv* quattrocento, a XV. század *[mint az olasz irodalom és művészet egy korszaka]* • *fn* **quattrocentist**
quaver [ˈkweɪvə ‖ –ər] **I.** *fn* **1. a)** reszketés, remegés *[hangé]* **b)** *zene* trilla, tremoló **2.** *zene* nyolcadhang **II. A.** *tsi* **a)** elrebeg, kinyög **b)** *zene* trillával énekel **B.** *tni* **a)** (meg)remeg, reszket **b)** trillázik, tremolózik
quay [kiː] *fn* rakpart, rakodópart • *fn* **quayage**
quay berth *fn* hajóállás
quayside *fn* rakpart, rakpart melletti tér/terület
Que. *röv Quebec*
quean [kwiːn] *fn biz régi* nőszemély, lotyó, szajha
queasy [ˈkwiːzɪ] *mn* **a)** kényes, könnyen felkavarodó *[gyomor]*; **feel** ~ émelyeg (a gyomra), kavarog/felfordul a gyomra, hányingere van **b)** *átv* finnyás, válogatós • *fn* **queasiness**
Quebec [kwɪˈbek] *tul földr* Quebec
Quechua [ˈketʃʊə] *mn/fn* kecsua
queen [kwiːn] **I.** *fn* **1.** királynő, királyné **2.** királynő, anya *[méheké, hangyáké]* **3.** *ját* **a)** dáma **b)** királynő *[sakkban]* **4.** *szl durva [homoszexuális férfi]* buzeráns **II. A.** *tsi* **1.** királynővé koronáz **2. a)** királynőként uralkodik **b)** *biz* ~ **it** királynőként/fölényesen viselkedik **3.** vezérnek bevisz *[sakkban gyalogot]* **B.** *tni sp* átváltozik *[vezérré gyalog]*
queen ant *fn* hangyakirálynő
queen-bee *fn* **a)** méhkirálynő, anyaméh **b)** vezető(nő), társaság központja/hangadója
queen consort *fn* a király hitvese, királyné
queendom [ˈkwiːndəm] *fn* **1.** királynő uralma **2.** királynő alatt álló királyság *[királynőé]*
queen dowager *fn* özvegy királyné
queenhood [ˈkwiːnhʊd] *fn* **1.** királynői méltóság **2.** uralkodás(idő) *[királynőé]*
queenie [ˈkwiːni] *fn szl tabu [homoszexuális férfi]* buzi, homokos
queenly [ˈkwiːnli] *mn* királynői, méltóságteljes, fenséges
queen mother *fn* anyakirálynő
queen post *fn épít* császárfa
queen regent *fn* régens királynő
queen regnant *fn [saját jogon uralkodó]* királynő
Queen's Bench *fn GB jog* ‹a brit Legfelsőbb Bíróság egyik része›; → **King's Bench**
Queen's Champion *fn GB* országos bajnok
Queen's colour *fn GB* a királynő színei *[hadsereg zászlaján]*
Queen's English *fn GB* helyes angolság; → **King's English**
queen's evidence *fn GB jog* koronatanú *[bűntárs ellen]*
queen's gambit *fn sp* vezércsel *[sakkban]*
queen-size [ˈkwiːnsaɪz] *mn* átlagosnál nagyobb méretű/hosszabb *[pl. ágy]*; → **kingsize**
Queen's Messenger *fn GB* diplomáciai futár
Queen's Speech *fn GB* trónbeszéd (királynőé)
queer [kwɪə ‖ kwɪr] **I.** *mn* **1. a)** fur(cs)a, különös, bizarr; *biz* ~ **cove/fish** csodabogár, fura alak **b)** ~ **(in the head)** hibbant, süsü; **go** ~ meghibban **2.** gyanús, kétes, sötét *[ügy, jellem]*; *US* ~ **money** hamis pénz; *GB szl* **be in Q~ Street** *[bajban]* pácban van **3.** *szl [részeg]* bekávézott **4.** *szl [homoszexuális]* homokos, buzi **II.** *fn szl [homoszexuális ember]* homokos, buzi **III.** *tsi* megzavar, háborgat; *GB szl* ~ **sy's pitch** *[meghiúsítja vk tervét]* beleköp vknek a levesébe • *fn* **queerness** *mn* **queerish** *hsz* **queerly**
quell [kwel] *tsi* **a)** elnyom, elfojt *[lázadást]* **b)** lecsendesít, lecsillapít
quench [kwentʃ] *tsi* **1. a)** ~ **one's thirst** szomját oltja **b)** kiolt, elolt *[tüzet, lángot]* **2.** *műsz* hirtelen lehűt, (lehűtéssel) edz *[fémet]* **3.** elnyom, elfojt *[vágyat]* **4.** *GB szl* szavába vág (vknek), elhallgattat (vkt) • *fn* **quencher** *mn* **quenchable** *mn* **quenchless**
quenelle [kəˈnel] *fn* vagdalthús-gombóc
Quentin [ˈkwentɪn ‖ –tn] *tul* ‹férfinév›
querist [ˈkwɪərɪst ‖ ˈkwɪr–] *fn vál* örökösen kérdezősködő ember
quern [kwɜːn ‖ kwɜrn] *fn* **a)** kézimalom **b)** daráló; **pepper** ~ borsdaráló
quern-stone *fn* kézimalomkő
querulous [ˈkwerʊləs] *mn* panaszkodó, siránkozó • *fn* **querulousness** *hsz* **querulously**
query [ˈkwɪəri ‖ ˈkwɪri] **I.** *fn* **1 a)** kétes/bizonytalan kérdés **b)** tudakolózó/puhatolózó kérdés **c)** ~ **(mark)** kérdőjel **d)** *infor* lekérdezés, keresőkifejezés **II. A.** *tsi* **1. a)** kérdez (vkt), (meg)tudakol **b)** ~ **if/whether** megkérdezi, vajon **2. a)** kétségbe von **b)** megkérdőjelez (vmt) **B.** *tni* kérdez(ősködik)
query processing *fn infor* listafeldolgozás
quest [kwest] **I.** *fn* **a)** keresés, (fel)kutatás; **go in** ~ **of sy** vknek a keresésére/(fel)kutatására indul/megy **b)** keresett/kutatott dolog **II. A.** *tsi* **1.** keres, kutat **2.** kér (vmt) **B.** *tni vál* ~ **after/for sg** vm után kutat

question [ˈkwestʃn] **I.** *fn* **1. a)** kérdés; **list/set of ~s** kérdőív; **put a ~ to sy** kérdést intéz vkhez **b)** kétség; **beyond (all) ~, out of ~** (minden) kétségen/vitán felül, kétségtelenül; **there is no ~ about it** ez nem kétséges/vitás, ehhez kétség/szó nem fér; **call/bring sg in ~** vmt kétségbe von **c)** *nyelv* kérdés, kérdő mondat; **direct ~** egyenes kérdés; **indirect/oblique ~** függő kérdés **2. a)** kérdés *[vitatárgyként]*; **it is out of the ~** szó sem lehet róla **b)** kérdés, probléma; **~ of fact** ténykérdés; **take up the ~** rátér a kérdésre **c) (sg/sy) in ~** a kérdéses/szóban forgó (vm/vk) **II. A.** *tsi* **1.** (meg)kérdez, kikérdez (vkt), vizsgáztat, kérdéseket tesz fel (vknek); **~ a witness** *jog* tanút kihallgat **2.** kétségbe von, vitat (vmt); **~ a right** jogot kétségbe von (v. vitat); **it is not to be ~ed that** kétségtelen/vitathatatlan, hogy **B.** *tni* kérdez(get), kérdéseket tesz fel

questionable [ˈkwestʃənəbl] *mn* **a)** kérdéses, vitatható, bizonytalan **b)** *pej* kétes

questionary [ˈkwestʃənəri ‖ –tʃəneri] → **questionnaire**

questioning [ˈkwestʃənɪŋ] **I.** *mn* kérdő *[tekintet]* **II.** *fn* **a)** kérdez(get)és **b)** kihallgatás, kikérdezés

question mark *fn* kérdőjel

question master *GB* → **quizmaster**

questionnaire [ˌkwestʃəˈneə ‖ –ˈner] *fn* kérdőív

question time *fn GB* interpellációs idő

quetzal [ˈketsl ‖ ketˈsɑl] *fn* **1.** *áll* pávatrogon **2.** ‹guatemalai pénznem›

queue [kjuː] **I.** *fn* **1.** *GB* sor *[embereké, kocsiké]*; **form a ~** sorba áll; **stand in a ~** sorban áll **2.** copf, varkocs *[férfiaké]* **3.** *infor* várakozási sor/lista **II.** *pr.p* **queueing, queuing A.** *tsi* várakozási sorba állít **B.** *tni* **~ (up)** sort/sorban áll (vmért); beáll a sorba • *fn* **queuing**

quibble [ˈkwɪbl] **I.** *fn* **1.** köntörfalazás, szócsavarás **2.** *régi* szójáték, szóvicc **II.** *tni* köntörfalaz, kibúvót keres • *fn* **quibbler** *mn* **quibbling**

quick [kwɪk] **I.** *mn* **1. a)** gyors; **~ pulse** gyors/szapora pulzus **b)** élénk, eleven; **~ child** eszes gyermek; **~ temper** hirtelen/lobbanékony természet; **have ~ wits** vág az esze; **~ on the draw/trigger** hirtelen; heves; **~ on the uptake** gyorsan kapcsol; **be ~ to answer back** nem marad sokáig adós a válasszal **c)** *zene* élénk, gyors *[tempó]* **2.** *vál régi* **be ~ with child** terhes **3.** *régi* élő, eleven **II.** *hsz* gyorsan, sebesen; **pretty damn ~!** de gyorsan aztán!; **as ~ as possible** a lehető leggyorsabban **III.** *fn* **1. a)** eleven (hús); **bite one's nails to the ~** tövig (le)rágja a körmét **b)** *biz* **sting/touch sy to the ~** elevenére tapint vknek **2.** *régi* élőlény; **the ~ and the dead** elevenek és holtak • *fn* **quickness** *hsz* **quickly**

quick access memory *fn infor* gyors elérésű tár

quick-birth *fn* élveszülés

quicken [ˈkwɪkən] **A.** *tsi* **1.** (meg)gyorsít, élénkít *[tempót]*; **~ one's pace** lépteit meggyorsítja/megkettőzi **2. a)** serkent, megmozgat **b)** *régi* meggyújt, lángra lobbant *[tüzet]* **c)** *vál* életre kelt (vmt) **B.** *tni* **1.** (meg)gyorsul, (meg)élénkül **2.** megelevenedik, megélénkül *[természet]*, feléled *[remény]* **3. a)** megmozdul *[magzat]* **b)** magzatmozgásokat érez *[terhes nő]*

quickener [ˈkwɪkənə ‖ –ər] *fn* élénkítő szer, stimuláns

quickfence *fn* élő sövény

quick-fire *kat* **I.** *mn átv* gyorstüzelő **II.** *fn* gyorstűz

quick-freeze *tsi pt* **-froze** [–frouz] *pp* **-frozen** [–frouzn] gyorsfagyasztással (le)hűt

quick-handed *mn* fürge/gyors kezű

quickie [ˈkwɪki] *biz* **I.** *mn* hevenyészett, sebtében készült **II.** *fn* **1.** gyorsan/felületesen megcsinált dolog **2.** *biz* gyorsan lehörpintett ital **3.** *szl [gyors szexuális aktus]* gyors numera

quicklime *fn* oltatlan/égetett mész

quicksand *fn* **1.** folyós homok **2.** *átv* veszedelmesen változékony helyzet

quickset I. *mn* **~ hedge** élő sövény **II.** *fn* **1.** galagonya **2.** élő sövény

quick-setting *mn épít* gyorsan kötő *[pl. cement]*

quicksilver I. *fn* **1.** higany **2.** élénk, mozgékony ember **II.** *tsi* foncsoroz *[üveget]*

quickstep I. *fn* **1.** *kat* gyorsított lépés **2. a)** *zene* gyorsinduló **b)** foxtrott **II.** *tni* foxtrottot táncol

quick-tempered *mn* hirtelen haragú, lobbanékony

quickthorn *fn növ* galagonya

quick-witted *mn* gyors/eleven/élénk eszű/észjárású • *fn* **quick-wittedness**

quicky [ˈkwɪki] → **quickie**

quid[1] [kwɪd] *fn tsz* **quid** *szl* egy font sterling

quid[2] [kwɪd] *fn* bagó

quiddity [ˈkwɪdəti] *fn* **1.** *fil* quidditas, lényeg **2.** *biz* szőrszálhasogatás

quidnunc [ˈkwɪdnʌŋk] *fn* minden lében kanál, hírharang

quid pro quo [ˌkwɪd prou ˈkwou] *fn latin* viszontszolgáltatás, ellenszolgáltatás; **return a ~** nem marad adósa, visszafizeti a kölcsönt

quiescent [kwiˈesnt] *mn* **1.** nyugalmas, csendes **2.** *nyelv* quiescens, néma *[héber mássalhangzó]* • *fn* **quiescence, quiescency**

quiet [ˈkwaɪət] **I.** *mn* **1.** csendes, nyugodt; **be ~!** hallgass(on)!, nyughass(on) már!; **keep ~** nyugton/csendben marad; **keep sg ~** hallgat vmről, elhallgat vmt **2.** szelíd, békés **3.** egyszerű, diszkrét, tompa; **live in a ~ way** szerényen/egyszerűen él **4. a)** eseménytelen, nyugodt; *gazd* **~ market** pangó piac **b)** nyugodt, biztos *[vm felől]* **II.** *fn* nyugalom, béke(sség), csend(esség); **~ of the night** az éjszaka csendje; **on the ~** v. **on the q.t.** szép csendben, a legnagyobb titokban **III. A.** *tsi* **a)** megnyugtat, lecsendesít **b)** lecsillapít, elnémít **B.** *tni* **~ down** megnyugszik, lecsillapodik

quieten [ˈkwaɪətən] *GB biz* → **quiet III.**

quietism [ˈkwaɪətɪzm] *fn fil vall* kvietizmus • *fn/mn* **quietist** *mn* **quietistic**

quietude [ˈkwaɪətjuːd ‖ –tuːd] *fn* (lelki) nyugalom, békesség

quietus [kwaɪˈiːtəs] *fn* **1.** végső megnyugvás, halál; *biz* **give sy his ~** a másvilágra küld vkt **2.** *biz* kegyelemdöfés, végső csapás **3.** *biz* nyugtatószer

quiff [kwɪf] *fn ált GB biz* homlokfürt, huncutka

quill [kwɪl] **I.** *fn* **1. a)** tollszár *[madártollé]*, orsó *[tollé]* **b)** penna **2.** *zene* síp *[fafúvós hangszeré]* **II.** *tsi* **1.** csőszerűen vasal **2.** felcsévéz, orsóra csavar

quilling [ˈkwɪlɪŋ] *fn* fodorított szalag/csipke, rüss

quill pen *fn* lúdtoll *[íráshoz]*, penna

quilt [kwɪlt] **I.** *fn* **a)** tűzött/steppelt és vattázott ágytakaró **b)** paplan **II.** *tsi* **1.** (meg)tűzdel, (le)steppel **2.** vattával bélel **3.** *biz* összeollóz *[könyvet mások műveiből]* • *fn* **quilter, quilting**

quim [kwɪm] *fn szl tabu [vagina]* pina

quin [kwɪn] → **quins**

quinacrine [ˈkwɪnəkriːn] *fn orv* déli malária

quinary [ˈkwaɪnəri] *mn* **a)** *mat* ötös (alapú) **b)** ötrészes

quinate [ˈkwaɪneɪt] *mn növ* öt levélkéből álló *[levél]*

quince [kwɪns] *fn* **1.** birs(alma); **~ jelly** birsalmasajt **2.** birsalma(fa)

quincentenary [ˌkwɪnsenˈtiːnəri ‖ –ˈten–] **I.** *mn* ötszáz éves, ötszázados **II.** *fn* ötszáz éves évforduló • *mn* **quincentennial**

quincunx [ˈkwɪnkʌŋks] *fn* ötös kötés/ültetés *[mint az ötös a játékkockán]*; **~ planting** keresztültetés • *mn* **quincuncial**

quinine [kwɪˈniːn ‖ ˈkwaɪnaɪn] *fn vegy* kinin; **~ wine** kínabor, kínavasbor

quinol [ˈkwɪnɒl ‖ –nɔl] *fn vegy* hidrokinon

quinoline [ˈkwɪnəliːn] *fn vegy* kinolin

quinone [ˈkwɪnoun] *fn vegy* kinon

quinquagenarian [ˌkwɪŋkwədʒəˈneərɪən ‖ –ˈnerɪən] *mn/fn* 50–59 éves, *biz* ötvenes

Quinquagesima [ˌkwɪŋkwəˈdʒesɪmə] *fn vall* **~ (Sunday)** farsangvasárnap

Q

quinque- [ˈkwɪŋkwɪ] *összet* öt-
quinquennial [kwɪnˈkwenɪəl] *mn* **a)** ötévenként ismétlődő **b)** ötéves, öt évig tartó • *hsz* **quinquennially**
quinquennium [kwɪnˈkwenɪəm] *fn* ötéves időszak/időtartam
quinquereme [ˈkwɪŋkwɪriːm] *fn tört* öt evezősoros gálya
quinquivalent [ˌkwɪŋkwɪˈveɪlənt] *mn vegy* öt vegyértékű
quins [kwɪnz] *fn tsz biz* ötös ikrek
quinsy [ˈkwɪnzi] *fn orv* tüszős mandulagyulladás
quint [kwɪnt] *fn* **1.** *zene* **a)** ötöd (hangköz), kvint **b)** E-húr *[hegedűn]* **2.** *ját* kvint **3.** *US* → **quintuplet**
quintal [ˈkwɪntl] *fn* **1.** ‹súlymérték, kb. 100 font› **2.** ‹súlymérték, 112 font› **3.** métermázsa (100 kg)
quintan [ˈkwɪntən ‖ –tn] *mn orv* ötödnapos *[láz]*
quintessence [kwɪnˈtesns] *fn* **a)** tömény párlat, eszencia **b)** *átv* kvinteszencia; ~ **of sg** (leg)lényege/legjava vmnek • *mn* **quintessential** *hsz* **quintessentially**
quintet [kwɪnˈtet], **quintette** *fn zene* ötös, kvintett
quintillion [kwɪnˈtɪlɪən] *fn* **a)** *GB* kvintillió (10^{30}) **b)** *US* trillió (10^{18})
quint major *fn ját* nagykvint
quintuple [ˈkwɪntjʊpl ‖ –ˈtuːpl] **I.** *mn* **a)** ötszörös **b)** öttagú **II.** *fn* ötszöröse (vmnek) **III. A.** *tsi* (meg)ötszöröz **B.** *tni* megötszöröződik
quintuplet [ˈkwɪntjʊplət ‖ –ˈtʌplət] *fn* **1.** ötös csoport **2.** *tsz* **quintuplets** ötös ikrek
quintuplicate I. *mn* [kwɪnˈtjuːplɪkət ‖ –ˈtuː] ötszörös **II.** *tsi* [–keɪt] öt példányban (v. négy másolattal) ír le (v. készít el) • *fn* **quintuplication**
quip [kwɪp] **I.** *fn* **1.** szellemes/csípős megjegyzés, bemondás **2.** köntörfalazás, szócsavarás **II.** *tni* **-pp-** gúnyolódik, csúfolódik • *fn* **quipster**
quipu [ˈkiːpuː] *fn* (perui) csomóírás
quire [ˈkwaɪə ‖ –ər] *fn* ~ **of paper** egy konc papír; 24 v. 25 ív papír
quirk [kwɜːk ‖ kwɜrk] *fn* **1.** csípős megjegyzés **2.** köntörfalazás **3.** *épít* (keskeny) éles beszögellés **4.** kacskaringó, cikornya *[írásban, rajzban]* • *mn* **quirkish** *mn* **quirky**
quirt [kwɜːt ‖ kwɜrt] **I.** *fn* lovaglókorbács **II.** *tsi* korbácsol
quisling [ˈkwɪzlɪŋ] *fn* megszállókkal együttműködő hazaáruló (államférfi), quisling • *tni* **quisle**
quit [kwɪt] **I. -tt-**, *pt/pp* **quitted**, *US* **quit A.** *tsi* **1. a)** abbahagy, felad; ~ **one's job** otthagyja/felmondja állását, felmond; ~ **office** leköszön hivataláról **b)** *US* ~ **doing sg** abbahagy vmt, vmt nem csinál tovább **2.** kiegyenlít, letörleszt *[tartozást]* **B.** *tni* **1. a)** távozik, elmegy; **notice to** ~ (lakás)felmondás *[háztulajdonos részéről]* **b)** *US* felmond, állását otthagyja **c)** *US* munkát beszüntet/abbahagy **2.** *biz* abbahagy, leköszön **II.** *mn* mentesült, megszabadult; **be** ~ **of sy/sg** megszabadul vktől/vmtől
quitch [kwɪtʃ(–)], **quitch-grass** *fn növ* tarackbúza
quite [kwaɪt] *hsz* **1.** egész(en), teljesen; ~ **as much** ugyanannyi; ~ **enough** éppen elég **2. a)** ~ **a few** jó egy néhány; ~ **a good actor** igen/nagyon jó színész; ~ **a way from here** jó messze innen **b)** ~ **a miracle** valóságos csoda; **I** ~ **like him** igazán kedvelem őt **c)** meglehetősen, elég(gé); ~ **a bit** jócskán; ~ **a little** meglehetős, elég sok
quits [kwɪts] *mn* **be** ~ **with sy** nem tartozik/adós vknek; **let's call it** ~ tekintsük elintézettnek; **double or** ~ dupla vagy semmi; → **quit**
quittance [ˈkwɪtns] *fn* **1.** *vál régi* nyugta(tvány), elismervény **2.** *vál régi* mentesítés *[tehertől]*
quitter [ˈkwɪtə ‖ –ər] *fn szl* **1.** *[nem kitartó]* beijedős ember **2.** *[munkakerülő]* lógós
quiver¹ [ˈkwɪvə ‖ –ər] **I. A.** *tsi* ~ **its wings** szárnyaival csapkod **B.** *tni* remeg, reszket **II.** *fn* reszketés, remegés • *mn* **quivering** *hsz* **quiveringly**
quiver² [ˈkwɪvə ‖ –ər] *fn* tegez; *biz* **have an arrow/shaft left in one's** ~ még van egy ütőkártya a kezében
quiverful [ˈkwɪvəfʊl ‖ –vər–] *fn* **a)** egy tegez *[nyílvessző]* **b)** *tréf* népes család; **have a** ~ **of children** sok gyermeke van
qui vive [ˌkiː ˈviːv] *fn* **be on the** ~ résen áll, figyel
quixotic [kwɪkˈsɒtɪk ‖ –ˈsɑtɪk] *mn* **a)** ábrándokat kergető, rögeszmés *[ember]*, eleve reménytelen *[vállalkozás]* **b)** kiszámíthatatlan, szeszélyes **c)** túlzottan lovagias • *fn* **quixotism**, **quixotry** *hsz* **quixotically**
quiz [kwɪz] **I.** *fn tsz* **quizzes 1.** találós játék, rejtvény **2.** ~ **(game/programme/show)** vetélkedő **3.** *okt* teszt, röpdolgozat **II.** *tsi* **-zz- a)** fogas/nehéz kérdéseket tesz fel, vizsgáztat **b)** kérdez, faggat • *fn* **quizzer**
quizmaster *fn* játékvezető *[vetélkedőben]*
quizzical [ˈkwɪzɪkl] *mn* **1.** csúfondáros, kötekedő **2.** fura, komikus • *fn* **quizzicality**
quod [kwɒd ‖ kwɑd] *fn GB szl [börtön]* sitt
quodlibet [ˈkwɒdlɪbet ‖ ˈkwɑd–] *fn* **1.** vitapont, akadémiai kérdés **2.** *zene* vidám egyveleg
quoin [kɔɪn] **I.** *fn* **1.** *épít* falkiszögellés **2. a)** *műsz* ék **b)** *nyomd* formazáró ék **II.** *tsi műsz épít* megékel, aláékel; ~ **up** felékel
quoit [kɔɪt] **I.** *fn* **1.** *sp* lapos vaskarika **2.** *tsz* **quoits** *sp* karikadobójáték **3.** kőasztal, dolmen **II.** *tsi* (el)repít *[karikaként]*
quondam [ˈkwɒndæm ‖ ˈkwɑn–] *mn* hajdani, egykori, néhai, régi
Quonset hut [ˌkwɒnsɪt– ‖ ˌkwɑnsət–] *US kat* félhenger alakú fémbódé/fémbarakk
quorate [ˈkwɔːreɪt] *mn GB* határozatképes
quorum [ˈkwɔːrəm] *fn* határozatképességhez szükséges legkisebb létszám, quorum; **form/have a** ~ határozatképes számban vannak jelen
quot. *röv* **1.** *quotation* **2.** *quoted*
quota [ˈkwoʊtə] *fn* **a)** hányad, arányos rész, kvóta; **electoral** ~ a szükséges szavazatarány **b)** kontingens **c)** *gazd* **import** ~ behozatali/import kontingens
quotable [ˈkwoʊtəbl] *mn* **1.** idézhető **2.** *pénz* (tőzsdén) jegyezhető • *fn* **quotability**
quota system *fn* kontingentálás
quotation [kwoʊˈteɪʃn] *fn* **1. a)** idézet *[szerzőtől]* **b)** idézés **2. a)** *pénz* ár(folyam)jegyzés; **official** ~ hivatalos árfolyam **b)** árajánlat **3.** *zene* idézet *[más műből]*
quotation mark *fn* idézőjel; **in** ~**s** idézőjelben
quote [kwoʊt] **I. A.** *tsi* **1. a)** idéz *[szerzőt]* **b)** felhoz *[például]*, hivatkozik (vkre/vmre) **2. a)** *gazd [árat]* megoszt, megállapít **b)** *pénz* jegyez *[árfolyamot]*; **be** ~**d** (tőzsdén) jegyzik **3.** *nyomd* idézőjelbe tesz **B.** *tni* **1.** idéz(etekkel él) **2.** *gazd* árajánlatot tesz **II.** *fn biz* **1.** idézet **2.** *pénz* árajánlat • *mn* **quoted**
quoth [kwoʊθ] *tsi régi* mondotta, szólott; **no,** ~ **I** nem, mondottam én; **Q~ the raven, "Nevermore"** szólt a holló: „soha már"
quotidian [kwoʊˈtɪdɪən] **I.** *mn* **a)** (minden)napi **b)** minden-napos, köznapi, banális **II.** *fn* ~ **(fever)** *orv* mindennapos váltóláz
quotient [ˈkwoʊʃnt] *fn mat* hányados, kvóciens; **intelligence** ~ intelligenciahányados
Quran [kɔːˈrɑːn ‖ kə–] *fn* → **Koran**
qwerty [ˈkwɜːti ‖ ˈkwɜrti], **QWERTY keyboard** *fn* (angol kiosztású) billentyűzet *[az első hat billentyűről kapta nevét]*

R

R¹, r [ɑː ‖ ɑr] *fn tsz* **R's** r (betű/hang); **R for Romeo** R mint Róbert; *biz* **the three R's** az elemi iskolai (v. alapfokú) oktatás, a tudás (alap)elemei *[reading, (w)riting, (a)rithmetic = olvasás, írás, számolás]*
R², r *röv* **1.** *radius* **2.** *railway* **3.** *Regina* **4.** *regimen* **5.** *registered* **6.** *US Republican* **7.** *residence* **8.** *Restricted* **9.** *Rex* **10.** *Réaumur* **11.** *right* **12.** *river* **13.** *rock* **14.** *run(s)*
rabbet ['ræbɪt] **I.** *fn* **1.** *műsz* horony, vájat, falc **2.** *műsz* csapos/hornyos illeszték **II.** *tsi* **1.** hornyol **2.** *műsz* összeereszt, összeilleszt
rabbet-plane *fn* horonygyalu
rabbi ['ræbaɪ] *fn vall* rabbi
rabbinism ['ræbɪnɪzm] *fn vall tört* rabbinizmus • *fn* **rabbinist** *mn* **rabbinistic**
rabbit ['ræbɪt] **I.** *fn* **1.** házinyúl, üregi nyúl; **breed like ~s** szapora/szaporodik mint a nyúl **2.** *biz* gyáva/nyúlszívű ember **3.** *GB biz [gyenge játékos]* kutya(ütő) **II.** *tni* **1.** nyúlra vadászik **2.** *GB biz* fecseg, szövegel
rabbit-breeding *fn* házinyúltenyésztés
rabbit farm *fn* nyúltenyészet
rabbit fever *fn* **1.** *orv* tularémia **2.** *szl [gyávaság]* majré, nyúlság, pucolhatnék
rabbit punch *fn* nyakszirtütés, tarkóütés
rabbit warren *fn* **1. a)** (kiterjedt) föld alatti nyúltanya **b)** nyúltelep, nyúltenyészet **2. a)** *átv* épület bonyolult folyosórendszerrel **b)** *átv* túlzsúfolt bérház/kerület
rabbity ['ræbɪti] *mn* **1.** nyúlszerű **2.** *biz* félénk, nyúlszívű **3.** *sp biz* gyengus
rabble ['ræbl] *fn* **1.** tömeg, gyülevész had/nép **2. the ~** csőcselék, söpredék
rabble-rousing *fn pol* demagógia, uszítás • *fn* **rabble-rouser**
rabid ['ræbɪd] *mn* **1. a)** vad, dühöngő **b)** túlzó, elvakult, fanatikus **2. a)** *állatorv* veszett *[kutya]* **b)** *orv* **~ virus** a veszettség vírusa
rabies ['reɪbiːz] *fn állatorv* veszettség
raccoon [rə'kuːn ‖ ræ'kuːn] → **racoon**
race¹ [reɪs] **I.** *fn* **1. a)** verseny; *sp* **run a ~** versenyen részt vesz, versenyez **b)** *tsz* **races** *sp* lóverseny **2.** sellő, zuhatag **3.** *GB* játékosbejáró **II. A.** *tsi* **1.** versenyt fut, versenyez (vkvel) **2.** pörget, (fel)túráztat *[motort]* **3.** (nagy sebességgel) hajszol *[gépkocsit]* **B.** *tni* **1.** versenyt fut, versenyez **2.** gyorsan/sebesen fut, suhan, vágtat, száguld **3.** gyorsan ver *[szív]*
race along *tni* gyorsan/sebesen fut, rohan, vágtat, száguld
race through *tsi* keresztülhajszol, keresztülhajt; *biz* **~ a bill through** törvényjavaslatot keresztülhajszol
race² [reɪs] *fn* **1.** faj, fajta; **true to ~** fajtiszta *[kutya]* **2. a)** származás, eredet; **of noble ~** előkelő/nemesi származású **b)** nemzetség
raceabout *fn* **1.** *gk* versenykocsi formáját utánzó személygépkocsi **2.** *hajó* versenycirkáló
race car *fn US* versenyautó
race-card *fn sp* lóversenyprogram
racecourse *fn sp* (ló)versenypálya
race-glass *fn* látcső, távcső *[lóversenyen]*
racehorse *fn sp* versenyló
racer ['reɪsə ‖ –ər] *fn sp* **1.** versenyfutó, versenyző **2. a)** versenyló **b)** versenygép, versenyautó, verseny(motor)kerékpár, versenyhajó
race riot *fn* faji zavargás
racetrack *fn sp* autóversenypálya, *US* (ló)versenypálya
raceway *fn* **1.** ügető; lóversenypálya; autóversenypálya **2.** *US* malomárok
Rachel ['reɪtʃl] *tul* Ráchel
rachis ['reɪkɪs] *fn tsz* **rachises, rachides** ['reɪkɪdiːz] **1.** *orv* gerinc(oszlop) **2. a)** *növ* tengely *[kalászé]* **b)** levélszár *[összetett leveleken]*
rachitis [rə'kaɪtɪs] *fn orv* angolkór
racial ['reɪʃl] *mn* faji; **~ discrimination** faji megkülönböztetés; **~ segregation** faji elkülönítés
racialism ['reɪʃl·ɪzm] *fn pol* **1.** fajvédő politika **2.** faji előítélet/megkülönböztetés/gyűlölet, rasszizmus • *fn* **racialist**
racing ['reɪsɪŋ] **I.** *mn sp* verseny-; *sp* **~ car** versenyautó; *sp* **~ stable** (ló)versenyistálló **II.** *fn sp* (ló)versenyzés
racism ['reɪsɪzm] *fn pol* fajvédő politika, fajelmélet, rasszizmus • *fn/mn* **racist**
rack¹ [ræk] **I.** *fn* **1. a)** *összet* (-)tartó, (-)állvány, (-)keret **b)** saroglya **2.** *műsz* fogasrúd, fogasléc **3.** *mezőg* etetőrács, jászolrács, szénakas **II.** *tsi* **1.** *műsz* fogasrúddal elmozdít **2.** állványra/tartóra helyez **3.** *mezőg* **~ up a horse** lónak jászolrácsot takarmánnyal megtölt; lovat jászolrácshoz köt
rack² [ræk] *fn* romlás, pusztulás; **go to ~ and ruin** tönkremegy, romba dől, pusztul *[ház stb.]*
rack³ [ræk] **I.** *fn* gomolyfelhő **II.** *tni* (széltől kergetve) száll, úszik *[felhő]*
rack⁴ [ræk] **I.** *fn* **a)** *tört* kínpad; **put/submit sy to the ~** kínpadra von vkt, kínvallatás alá vesz/fog vkt **b)** *átv biz* **be on the ~** nagy kínban van, gyötrődik, kínlódik, a pokol kínjait állja ki **II.** *tsi* **1. a)** *tört* kínpadra von, kínvallatás alá vesz **b)** kínoz, gyötör *[vkt betegség, fájdalom stb.]* **2.** (alaposan) összeráz **3. a)** kicsikar, kizsarol *[magas bért]* **b)** kimerít, kifáraszt *[termőföldet stb.]* **4.** túlfeszít, túlerőltet; **~ one's brains** töri a fejét • *mn* **racking**
rack⁵ [ræk] → **arrack**
rack⁶ [ræk] **I.** *fn* poroszkálás, félporoszka *[ló jár ásmódja]* **II.** *tni* poroszkál *[ló]*
rack⁷ [ræk] *tsi* **~ (off) wine** bort lefejt/lehúz
racket¹ ['rækɪt] *fn sp* **1.** (tenisz)ütő **2.** *tsz* **rackets** ‹egy fajta ütős labdajáték› **3.** hótalp
racket² ['rækɪt] **I.** *fn* **1.** lárma, zsivaj; *biz* **kick up a ~, make a ~** nagy lármát/hűhót/botrányt/grimbuszt csap **2.** mulatozás, dinomdánom, tivornya **3. a)** illegális tevékenység profitszerzés céljából **b)** *US szl* mesterség, foglalkozás *stand*; *szl* **what's your ~?** *[mivel foglalkozol?]* miben utazol? **II.** *tni* **1. ~ (about)** lármázik, éktelen zsivajt csap **2.** mulat(ozik), tivornyázik • *mn* **rackety**
racketeer [ˌrækɪ'tɪə ‖ –'tɪr] **I.** *fn* ‹illegális tevékenységgel pénzt szerző bűnöző› **II.** *tni* szélhámoskodik, zsarol
rack-railway *fn* fogaskerekű vasút
rack-rent *fn* uzsorabér *[lakásért]* • *tsi* **rack-rent** *fn* **rack-renter**
rack-wheel *fn* fogaskerék, kilincskerék
racon ['reɪkɒn ‖ –kɑn] → **radar beacon**
raconteur [ˌrækɒn'tɜː ‖ ˌrækɑn'tɜr] *fn* anekdotázó, mesélő
racoon [rə'kuːn ‖ ræ–] *fn áll* mosómedve
racquet ['rækɪt] → **racket¹**
racy ['reɪsi] *mn* **1.** ízes, zamatos *[bor, gyümölcs]* **2.** eleven, élénk, lendületes **3.** pikáns, sikamlós, kétértelmű
rad¹ [ræd] *fn pol biz* radikális (politikus)
rad² [ræd] *fn fiz* rad *[az abszorbeált dózis egysége]*
rad³ [ræd] *mn US szl [kitűnő, nagyon jó]* tök jó, király
rad⁴, rad. *röv* **1.** *radian(s)* **2.** *radical*
radar ['reɪdɑː ‖ –dɑr] *fn távk rep* radar, (rádió)lokátor
radar trap *fn közl* radarcsapda, radarkontrol
raddle ['rædl] **I.** *fn* vörös (vas)okker **II.** *tsi* **1.** vörös okkerrel színez **2.** erősen kifest/kipirosít/rúzsoz *[arcot]*

raddled ['rædld] *mn* elnyűtt, lestrapált, ápolatlan
radial ['reɪdɪəl] *mn* **1.** *műsz* sugárirányú, sugaras, radiális, küllős; *gk* radiál; *műsz* ~ **engine** csillagmotor; *tud* ~ **symmetry** sugárszimmetria, sugaras szimmetria **2.** *orv* orsócsonti; ~ **artery** alkari verőér; radiális artéria
radial-ply *mn gk* ~ **tyre/tire** radiál gumiköpeny, radiálgumi, radiálköpeny
radial symmetry *fn tud* sugárszimmetria, sugaras szimmetria
radian ['reɪdɪən] *fn mat* radián
radiant ['reɪdɪənt] **I.** *mn* **1.** *átv* ragyogó, fénylő, sugárzó **2.** *fiz műsz* sugárzó, sugárzási **II.** *fn fiz csill* kisugárzási pont, radiáns • *fn* **radiance**, **radiancy**
radiate ['reɪdieɪt] **I. A.** *tsi* **1. a)** (ki)sugároz, kibocsát, áraszt *[fényt, hőt stb.]* **b)** *átv* sugároz, áraszt **2.** *távk* sugároz, lead *[műsort]* **B.** *tni* **1.** sugárzik **2.** központból sugár alakban szétágazik **II.** *mn* sugár alakú, sugaras, sugár- • *mn* **radiative**
radiation [ˌreɪdi'eɪʃn] *fn* **1.** *átv* sugárzás **2.** *fiz* **a)** (ki)sugárzás *[pl. rádiumé]*; **nuclear** ~ magsugárzás **b)** *összet* sugárzási, sugár-
radiation danger *fn fiz* (be)sugárzásveszély, sugárártalom-veszély
radiation disease/sickness *fn orv* sugárbetegség, sugármegbetegedés, radiotoxémia
radiation therapy *fn orv* sugárkezelés, radioterápia
radiator ['reɪdieɪtə ‖ –ər] *fn* **1.** fűtőtest, hősugárzó, radiátor **2.** (bordás) hűtő **3.** *távk* adóantenna
radiator grille *fn* hűtőrács
radical ['rædɪkl] **I.** *mn* **1.** alapvető, alapos, gyökeres, radikális; ~ **error** alapvető hiba; alaphiba; ~ **change** gyökeres változás **2.** *pol* radikális **3.** *növ* gyökér-; ~ **leaf** gyökérlevél **4.** *nyelv* ~ **letter** tőhangzó; ~ **word** tőszó **5.** *orv* radikális **II.** *fn* **1.** *pol* radikális (politikus) **2.** *nyelv* szótő, tőalak; gyökjel *[kínai írásjegyé]* **3.** *mat* gyök(jel); **order of a** ~ gyökkitevő **4.** *vegy* gyök • *fn* **radicalism**
radices ['reɪdɪsiːz] → **radix**
radicle ['rædɪkl] *fn* **1. a)** *növ* gyököcske, radicula *[magban]* **b)** *növ* hajszálgyökér **2.** *vegy* gyök
radii ['reɪdiaɪ] → **radius**
radio ['reɪdiou] **I.** *fn* **1. a)** *távk* rádió *[hangátvitel]* **b)** rádiótávirat, rádióüzenet, rádióhíradás **2.** ~ **(set)** rádió(vevő)készülék, rádió; (rádió)adókészülék **II.** *tsi/tni pt/pp* **~ed a)** lead, közvetít *[rádión]* **b)** sürgönyöz, üzen *[rádión]*
radio- ['reɪdiou] *előtag* radio-
radioactive [ˌreɪdiou'æktɪv] *mn fiz* radioaktív; ~ **decay/disintegration** radioaktív bomlás; ~ **dust** radioaktív por; ~ **equilibrium** radioaktív egyensúly; ~ **waste** radioaktív hulladék; ~ **dating** radioaktív kormeghatározás
radioactivity [ˌreɪdiouæk'tɪvəti] *fn fiz* radioaktivitás
radio astronomy *fn* rádiócsillagászat
radio beacon *fn* rádió-irányjeladó
radiobiology [ˌreɪdioubaɪ'ɒlədʒi ‖ –'ɑlə–] *fn* sugárzásbiológia, radiobiológia • *mn* **radiobiologic**
radio car *fn* URH-kocsi, járőrautó
radiocarbon [ˌreɪdiou'kɑːbən ‖ –'kɑr–] *fn fiz* radioaktív karbon; *fiz régész* ~ **dating** radiokarbonos kormeghatározás *[C^{14} izotóppal]*
radio-chemistry [ˌreɪdiou'kemɪstri] *fn fiz vegy* sugárzáskémia, radiokémia
radio-element *fn fiz* radioaktív/sugárzó elem
radio-frequency *fn fiz* rádiófrekvencia, nagyfrekvencia
radiogenic [ˌreɪdiou'dʒenɪk] *mn* **1.** *távk* rádióközvetítésre alkalmas **2. a)** *fiz* radioaktív, radioaktív bomlásból származó, radiogén **b)** *orv* besugárzás által okozott
radiogram ['reɪdiougræm] *fn* **1.** *távk* rádiótávirat, rádiógram **2.** *orv* röntgenfelvétel, röntgenkép, radiogram **3.** *GB [rádió és lemezjátszó együtt]* lemezjátszós rádió
radiograph ['reɪdiougrɑːf ‖ –græf] *orv* **I.** *fn* **1.** → **radiogram** 2. **2.** röntgenfelvevő készülék, radiográf **II.** *tsi* röntgenfelvételt készít (vkről) • *fn* **radiographer** *mn* **radiographic**
radiography [ˌreɪdi'ɒgrəfi ‖ –'ɑgrəfi] *fn* **1.** *orv* röntgenográfia, radiográfia **2.** *távk* rádiótávírás
radioisotope [ˌreɪdiou'aɪsətoup] *fn fiz* radioaktív izotóp
radio-knife *fn tsz* **-knives** *orv* elektromos/diatermiás kés, villany operálókés, villanykés
radio link *fn* rádió-összeköttetés; mikrohullámú relélánc
radiolocate [ˌreɪdioulou'keɪt] *tsi* rádióval/radarral bemér (v. helyet meghatároz) • *fn* **radiolocation**, **radiolocator**
radiology [ˌreɪdi'ɒlədʒi ‖ –'ɑlə–] *fn orv* radiológia, röntgenológia • *fn* **radiologist** *mn* **radiological**
radiometer [ˌreɪdi'ɒmɪtə ‖ –'ɑmətər] *fn fiz* sugárzásmérő, radiométer • *fn* **radiometry** *mn* **radiometric**
radio navigation *fn hajó rep* rádióhajózás, rádiónavigáció
radiopaque [ˌreɪdiou'peɪk] *mn fiz* (röntgen)sugárzást át nem bocsátó, sugár át nem eresztő *[pl. kontrasztanyag]* • *fn* **radioopacity**
radiophone ['reɪdɪəfoun] *fn távk* rádiótelefon • *fn* **radiophony**
radio play *fn* rádiójáték
radio relay *fn US* közvetítőállomás
radioscopy [ˌreɪdi'ɒskəpi ‖ –'ɑskəpi] *fn orv* röntgenológia, radioszkópia • *fn* **radioscope** *mn* **radioscopic**
radiosonde *fn távk* rádiószonda
radio station *fn* rádióállomás
radio-telegram *fn távk* rádiógram, rádiótávirat
radio-telephone **I.** *fn távk* rádiótelefon, mobiltelefon **II.** *tsi távk* rádiótelefonon/mobiltelefonon beszél • *fn* **radio-telephony**
radio telescope *fn* rádióteleszkóp
radiotherapy *fn orv* radioterápia, sugárterápia, röntgensugárral/rádiumsugárral való gyógyítás, besugárzásos kezelés • *mn* **radiotherapeutic**
radio wave *fn* rádióhullám
radish ['rædɪʃ] *fn növ* retek
radium ['reɪdɪəm] *fn vegy* rádium
radium emanation *fn vegy* radon, rádiumemanáció
radium irradiation *fn* rádiumbesugárzás
radium paint *fn* rádiumbevonat
radium therapy/treatment *fn orv* rádiumos gyógykezelés, radioterápia
radius ['reɪdɪəs] *fn tsz* **radii** ['reɪdiaɪ], **radiuses 1. a)** *mat* sugár, rádiusz **b)** hatósugár; ~ **of action** hatótávolság, akciórádiusz; *rep* ~ **of operation** hatósugár **2.** *orv* orsócsont
radix ['reɪdɪks] *fn tsz* **radices** ['reɪdɪsiːz], **radixes 1.** gyökér, forrás *[bajé]* **2.** *mat* alapszám, gyök, tő
radome ['reɪdoum] *fn rep* radarantenna-burkolat
radon ['reɪdɒn ‖ –dɑn] *fn vegy* radon, rádiumemanáció
radwaste ['rædweɪst] *fn US* radioaktív hulladék
RAF [ræf] *röv GB Royal Air Force*
raffia ['ræfɪə] *fn* **1.** *növ* raffiapálma, tűpálma **2.** *tex* raffia *[pálmaháncs]*
raffish ['ræfɪʃ] *mn* **1.** *biz* rossz hírű, ordenáré **2.** *biz* **a)** züllött, hanyag *[külső]* **b)** lezser, nemtörődöm, hányaveti **3.** ízléstelen, cifra, csiri-csáré
raffle[1] ['ræfl] **I.** *fn* tombola, sorsjáték **II. A.** *tsi* kisorsol *[tombolán]* **B.** *tni* tombolára benevez
raffle[2] ['ræfl] *fn* limlom, kacat, szemét
raffle ticket *fn* sorsjegy
raft[1] [rɑːft ‖ ræft] **I.** *fn* **1.** tutaj **2. (lumber)** ~ úsztatott fa **3.** *épít* **foundation** ~ párnafa **II. A.** *tsi* **1.** tutajon szállít **2.** tutajnak összeállít *[rönkfákat]* **3.** tutajon átkel *[vízen]* **B.** *tni* tutajoz, fát úsztat
raft[2] [rɑːft ‖ ræft] *fn biz* nagy tömeg, egy csomó, rengeteg, rakás
rafting ['rɑːftɪŋ ‖ 'ræftɪŋ] *fn sp* vadvízi evezés
raftsman ['rɑːftsmən ‖ 'ræfts–] *fn tsz* **-men** tutajos

raft-wood *fn* úsztatott fa
rag[1] [ræg] *fn* **1.** rongy, cafat, foszlány; *biz* **feel like a ~** úgy érzi magát, mint egy kifacsart citrom; olyan, mint a mosogatórongy; **worn to ~s** rongyos, ronggyá hordott; **it's like a red ~ to him** vörös posztó a szemében **2.** *tsz* **rags** rongyos ruha, rongyok; **from ~s to riches** a nyomorból a jólétbe; **in ~s (and tatters)** lerongyolódva **3. a)** *pej* szennylap, szennyirat **b)** *pej biz* rongy *[zsebkendő, függöny, zászló stb.]* **4.** *ip* **~(s)** rongy *[papírgyártáshoz]*; **~ pulp** rongypép
rag[2] ['ræg] **I. -gg- A.** *tsi* **1.** ugrat, felültet **2.** leszid, lehord, letol **B.** *tni* **1.** heccelődik **2.** víg zenebonát csap, zajong, lármázik, rendetlenkedik **II.** *fn* **1.** *biz* ugratás, felültetés **2.** *biz* lármás mulatozás, zajongás **3.** *GB okt* **~ week** *[pénzgyűjtéssel egybekötött]* diákkarnevál • *fn* **ragger, ragging**
rag[3] ['ræg] *fn épít* erős tetőfedőpala
ragamuffin ['rægəmʌfɪn] *fn* **1.** toprongyos/piszkos alak **2.** utcagyerek, csibész
rag-and-bone *mn* **~ man** *GB* ószeres; **~ shop** zsibárukereskedés
ragbag *fn* **a)** rongyzsák **b)** kacattár, limlomgyűjtemény
rag-bolt *fn műsz* horgos/kampós csavar, kőcsavar
rag-book *fn GB* (elszakíthatatlan) vászonra nyomott képeskönyv
ragcarpet *fn* rongyszőnyeg
rag-doll *fn* rongybaba
rage [reɪdʒ] **I.** *fn* **1.** harag, düh(roham); **get/fly into a violent ~** éktelen haragra gerjed/lobban, dühbe gurul **2.** dühöngés, tombolás *[elemé]* **3.** szeszély, hóbort, szenvedély; **have a ~ for sg** majd megvesz/meghal vmért; **it's all the ~ now** most ez a divat, megőrül érte mindenki **4.** *régi* (költői) hév **5.** *Ausz ÚjZ* kellemes társaság, élvezetes parti **II.** *tni* **~ (and fume)** dühöng, tombol
rag-fair *fn* ócskaruhapiac, zsibvásár
ragged ['rægɪd] *mn* **1. a)** rongyos, elnyűtt, szakadozott *[ruha]* **b)** rongyos, rongyokba öltözött, toprongyos *[ember]* **2. a)** durva/érdes/egyenetlen felületű, göröngyös, bütykös **b)** szakadozott/töredezett/rojtos szélű **3. a)** tökéletlen, csiszolatlan **b)** összhang/egység nélküli, egyenetlen • *fn* **raggedness**
raggle-taggle ['rægltægl] *mn* vegyes, gyülevész, szedett-vedett
raging ['reɪdʒɪŋ] *mn* tomboló, őrjöngő, dühöngő; **~ fever** tomboló láz; **~ headache** őrjítő fejfájás; **~ success** tomboló siker; **~ thirst** égető szomjúság
raglan ['ræglən] **I.** *mn* **~ overcoat** raglán *[válltömés nélküli kabát]*; **~ sleeve** raglán ujj **II.** *fn* raglán(kabát)
ragman ['rægmæn] *fn tsz* **-men a)** rongyszedő, guberáló **b)** rongykereskedő, ószeres
ragout [ræ'gu:] *gaszt* **I.** *fn* ragu **II.** *tsi* ragut készít/főz
rag-paper *fn* rongypapír
rag rug *fn* rongyszőnyeg
ragtag ['rægtæg] *fn biz pej* **the ~ (and bobtail)** szemét/alja népség, söpredék, csőcselék, csürhe
ragtime ['rægtaɪm] **I.** *fn zene* ragtime **II.** *mn szl* rendetlen, siralmas, zilált, szörnyű *stand*
rag trade *fn biz* női konfekcióipar
ragweed *fn növ* **1.** aggófű **2.** *US* parlagfű
rah [rɑ:] *isz US* hurrá!; *sp* **~-~ boys** a szurkolók kórusa
raid [reɪd] **I.** *fn* **a)** *kat* rajtaütés, hirtelen/váratlan támadás **b) (police) ~** razzia **c)** portyázó rablóhadjárat, fegyveres betörés *[fosztogatás céljából]* **II. A.** *tsi* **a)** megrohan, rajtaüt **b)** razziát tart (vhol) **c)** kifoszt, végigpusztít *[portyázó betöréssel]* **B.** *tni* **a)** rajtaütést hajt végre **b)** razziázik **c)** rablótámadást vezet, portyázik
rail[1] [reɪl] **I.** *fn* **1.** *vasút* **a)** sín(szál); **run off the ~s** kisiklik **b)** vasút; **~ disaster** vasúti szerencsétlenség; **by ~** vasúton, tengelyen **2.** *tsz* **rails** rács(ozat) **3. a)** (kerítés)léc, (kereszt)rúd **b)** korlát, karfa **c)** keresztléc *[ajtón]* **II.** *tsi* **1. ~ sg in/off** elkerít, kerítéssel/ráccsal körbevesz; **~ sg round** körülkerít vmt **2.** vasúton/tengelyen szállít **3.** (védő)korláttal/karfával lát el **4.** lerak, (le)fektet *[sínt]* • *mn* **railless**
rail[2] ['reɪl] *tni* szitkozódik; **~ against/at sy** sérteget/szidalmaz vkt; szemrehányást tesz vknek, hevesen kikel vk ellen • *fn* **railing, railer**
rail car *fn vasút* **1.** sínautó, motorkocsi **2.** hajtány
rail fence *fn* rács(os) kerítés
rail gauge, *US* **- gage** *fn vasút* nyomtáv, nyomköz
rail-head *fn vasút* **1.** sínfej **2.** végállomás, végpont *[épülő vasúti vonalé]*
railing ['reɪlɪŋ] *fn* **1.** rács(ozat), (rácsos) kerítés, léckerítés, palánk **2.** korlát, karfa, mellvéd
raillery ['reɪləri] *fn* tréfás csúfolódás/gúnyolódás, ugratás, csipkelődés
railman ['reɪlmən] *fn tsz* **-men** vasutas
railroad I. *fn* **1.** *US* vasút **2.** *GB* vasúti pályatest **II.** *tsi US* **a)** *biz* **~ a bill** keresztülerőszakol/keresztülhajt (v. erőszakkal megszavaztat) egy törvényjavaslatot **b)** *szl* ártatlanul bebörtönöztet *[hamis váddal]*
railroad car *fn US* vasúti kocsi
railway *fn* **1.** vasút; **elevated/overhead ~** magasvasút **2.** *US* villamossín, villamosvonal
railway board *fn* vasútigazgatóság
railway bridge crossing *fn* vasúti felüljáró
railway car *fn* vasúti kocsi
railway embankment *fn vasút* (vasúti) töltés(út)
railway engineer *fn* vasúti mérnök
railway guide *fn* (vasúti)menetrend
railway junction *fn* vasúti csomópont; csatlakozóállomás
railway line *fn* vasútvonal
railwayman ['reɪlweɪmən] *fn tsz* **-men** vasutas
railway shop *fn vasút* vasúti (javító) műhely
railway station *fn* vasútállomás, pályaudvar
railway system *fn* vasúti hálózat
railway terminal *fn vasút* (fej)pályaudvar
railway ticket *fn* vasúti menetjegy
railway track *fn* vasúti vágány
railway traffic *fn* vasúti forgalom
rain [reɪn] **I.** *fn* **1.** eső; **it looks like ~** esőre áll az idő, eső közeleg; **it is pouring with ~** szakad/ömlik az eső; **~ or shine** bármilyen idő is van; akár esik, akár fúj; *szl* **get out of the ~** *[elmenekül]* elillan, elszelel, meglép; *biz* **keep out of the ~** elkerüli a bajokat **2.** eső, özön, zápor; **~ of bullets** golyózápor; **~ of kisses** csókok özöne, csókzápor **3.** *meteo* **the ~s** esős évszak/időszak **II. A.** *tni* **1.** esik *[eső]*; **it ~s, it is ~ing** esik (az eső); *biz* **it is ~ing in torrents/sheets/buckets** szakad, ömlik, zuhog (az eső); *közm* **it never ~s but it pours** a baj sohasem jár egyedül, csőstül jön az áldás **2.** záporoz; **blows ~ed upon him** záporoztak rá az ütések; **tears ~ed down her cheeks** patakzottak a könnyei **B.** *tsi* **1.** *biz* **~ cats and dogs** úgy esik, mintha dézsából öntenék **2.** eláraszt; **~ compliments upon sy** bókokkal halmoz el vkt
rain down A. *tni* ömlik, árad **B.** *tsi* (*on sy*) eláraszt vkit
rain-bird *fn áll* zöld harkály
rainbow ['reɪnbou] *fn* **I.** szivárvány; **chase ~s** ábrándokat kerget **II.** *mn* sokszínű, színes
rainbow coalition *fn* ‹kisebbségi csoportok közös érdekvédelmi szerveződése›
rainbow trout *fn áll* szivárványos pisztráng
rain-cap *fn* kéményvédő
rain check *fn US* ‹eső miatt félbeszakadt mérkőzés/előadás nézőinek adott pótjegy›; *biz* **I'll take a ~ on that invitation** remélem ez a meghívás bármikor érvényesíthető
rain-cloud *fn* esőfelhő
raincoat *fn* esőkabát, esőköpeny
raindate *fn* esőnap *[szabadtéri rendezvénynél]*
raindrop *fn* esőcsepp
rainfall *fn* **1. a)** esőzés **b)** *földr* eső, csapadék(mennyiség) **2.** felhőszakadás, zápor
rainforest *fn* esőerdő, trópusi őserdő

rain gauge, *US* **- gage** *fn* esőmérő, csapadékmérő
rain-maker *fn* **1.** esőcsináló; ‹esőt előidéző varázsló› **2.** *US szl* sikeres/jól menő üzletember, sikerember *stand*
rainmaking *fn US szl* látványos üzleti siker *stand*
rainout *fn US* ‹eső miatt félbeszakadt/elhalasztott esemény›
rainproof *mn* **1.** beázásmentes, esőbiztos, vízhatlan, esőálló **2.** eső esetén is fennálló
rainstorm *fn US meteo* felhőszakadás, zivatar
raintight *mn* esőálló, vízálló, vízhatlan
rain-wash *fn* **1.** vízmosás **2.** vízmosás *[mint folyamat]*
rain-water *fn* esővíz; ~ **pipe** függőleges esőcsatorna
rainwear *fn* esős időjáráshoz való ruhadarabok *[esőköpeny, sárcipő stb.]*
rain-worm *fn áll* giliszta
rainy [ˈreɪni] *mn* esős; **a ~ day** esős nap; *átv* nehéz idők, nélkülözés; *biz* **lay/put sg by for** (v. **provide against** v. **lay up for) a ~ day** gondol/félretesz a rossz napokra (is), takarékoskodik
raise [reɪz] **I.** *tsi* **1.** felemel, feltart; ~ **one's glass to sy** poharát üríti vknek az egészségére; *átv* ~ **one's hat** kalapot emel **2.** (fel)emel *[fizetést]*, (meg)növel, fokoz; ~ **one's reputation** öregbíti hírnevét; ~ **sy's salary** felemeli vknek a fizetését; ~ **the price of sg** megemeli az árát valaminek; ~ **the temperature** fokozza a hőmérsékletet; *nyelv* ~ **a vowel** magasabb nyelvállással ejt egy magánhangzót; *mat* ~ **to the second power** második hatványra emel **3. a)** felállít *[árbocot stb.]*; ~ **a flag** zászlót kitűz **b)** épít, emel *[palotát, szobrot]* **4.** felébreszt, felkelt, felriaszt; ~ **hell** pokoli zajt csap; őrült felfordulást csinál, nagy botrányt okoz/csap; ~ **sy's hopes** (felelőtlenül) felkelti vk reményeit; ~ **sy's spirits** lelket önt vkbe; ~ **sy from** (v. **out of) his sleep** felébreszt/felkelt/felriaszt vkt *[álmából]*; ~ **sy from the dead** feltámaszt halottaiból **5. a)** felnevel **b)** tenyészt *[állatot]* **c)** termeszt *[növényt]*, termel **6.** (össze)gyűjt, összehoz; ~ **an army** sereget állít; ~ **money/funds** pénzt szerez/kerít/előteremt **7.** felszed, kiemel; ~ **an anchor** felszedi a horgonyt; ~ **camp** tábort bont **8.** okoz, kelt, támaszt; ~ **a laugh** nevetésre késztet; ~ **a smile** mosolyt fakaszt; ~ **suspicion** gyanút ébreszt; ~ **an objection** kifogást emel; ~ **one's voice** felemeli hangját; szót emel **9.** ~ **a loan** kölcsönt bocsát ki; ~ **taxes** kivet adót **10.** felhúz *[redőnyt, ablakot]* **11.** ~ **a blockade** blokádot felold; ~ **a siege** abbahagyja az ostromot **II.** *fn* **1.** *US* emelés *[fizetésé, áré]* **2. a)** *ját* ráhívás *[tétemelés pókernél]* **b)** *ját* emelés *[licit bridzsnél]*
raise up *tsi* ~ **up enemies** ellenségeket szerez magának
raisin [ˈreɪzn] *fn* **1.** mazsola(szőlő) **2.** tompa kékespiros szín
raising-force *fn* emelőerő, *hajó* felhajtó erő
raison d'etre [ˌreɪzɒn ˈdetrə ‖ –zoʊn–] *fn francia* létok, létének oka/célja, létjogosultság
raj [rɑːdʒ] *fn India* uralom, fennhatóság *[Indiában]*; **the British R~** az angol uralom (ideje Indiában)
raja [ˈrɑːdʒə], **rajah** *fn India* rádzsa, fejedelem *[Indiában]*
rajpoot [ˈrɑːdʒpʊt] *fn India* rádzsput *[harcos kaszt]*
rajput [ˈrɑːdʒpʊt] → **rajpoot**
rake[1] [reɪk] **I.** *fn* **1. a)** gereblye **b)** bontófésű **2.** kotróvas, piszkavas, kaparóvas, tűzpiszkáló **II. A.** *tsi* **1.** gereblyéz **2.** átkutat; *biz* **the police ~d the district** a rendőrség átfésülte a kerületet **3.** *kat* tűzzel végigpásztáz/végigseper; ~ **the enemy with machine-gun fire** az ellenséget gépfegyvertűz alá veszi **4.** lesimít, levakar **B.** *tni* **1.** gereblyéz **2.** kutat, fürkész
rake in 1. *ját* besöpör *[téteket kaszinóban]* **2.** *biz* gyűjt, halmoz *[pénzt]*
rake out *tsi* ~ **out the fire** szétkotorja/kioltja a tüzet
rake over *tsi* **1.** gereblyéz *[utat]* **2.** felszínesen felszánt *[földet]* **3.** átkutat, átvizsgál, átböngész, átfésül
rake up *tsi* **1.** megpiszkál *[tüzet]*, *átv* feléleszt, felszít; ~ **up an old quarrel** egy régi vitát feléleszt/felelevenít **2.** *biz* ~ **up evidence** bizonyítékokat szed össze; ~ **up sy's past** turkál vk múltjában
rake[2] [reɪk] *fn* élvhajhász, korhely, lump; **old ~** vén kujon
rake[3] [ˈreɪk] **I.** *fn* **1.** lejtés, áthajlás **2.** *szính* lejtés *[nézőtéré]* **3.** *hajó* (árboc)dőlés, (árboc)áthajlás **II. A.** *tsi* hajlít, lehajt, megdönt **B.** *tni* hajlik, dől, lejt
rakehell → **rake**[2]
rake-off *fn biz* sáp, osztalék, rész(esedés) törvénytelen üzelmekből
rakish[1] [ˈreɪkɪʃ] *mn* **1.** élvhajhászó, kicsapongó, mulatós **2.** hetyke, kackiás, karakán • *fn* **rakishness**
rakish[2] [ˈreɪkɪʃ] *mn* **1.** *hajó* karcsú, sudár **2.** *tört* kalózkodó *[hajó]*
Ralph [rælf] *tul [férfinév]*
rally[1] [ˈræli] **I. A.** *tsi* **1.** összegyűjt, összevon *[csapatokat]*, gyülekeztet *[híveket]* **2.** életre kelt, feléleszt; ~ **one's strength** összeszedi minden erejét **B.** *tni* **1.** összegyűlik, gyülekezik **2.** csatlakozik **3.** magához tér, erőre kap, feléled; ~ **from an illness** felgyógyul egy betegségből **II.** *fn* **1. a)** gyülekezés **b)** *US* nagygyűlés **2. a)** erőre kapás, feléledés **b)** *kat* ‹a kezdeményezés újólagos kézbevétele› **3.** *sp* labdamenet, gyors labdaváltás *[tenisz stb.]* **4.** *sp gk* túraverseny, rallye
rally[2] [ˈræli] *tsi* (ki)gúnyol, (ki)csúfol, ugrat, gúnyt űz (vkből)
rallycross *fn sp* terep rali *[autóverseny]*, ralikrossz
rallye [ˈræli] → **rally**[1] **II.4.**
rallying [ˈræliɪŋ] *fn* **1.** gyülekezés; ~ **cry** jelszó; csatakiáltás; ~ **point** gyülekezőhely, gyülekezési hely **2.** csatlakozás *[párthoz]* **3.** erőre kapás, felépülés, felgyógyulás
ram [ræm] **I.** *fn* **1. a)** *áll* ivarérett kos **b)** *csill* **the R~** a Kos *[csillagkép]* **2.** faltörő kos **3.** *hajó* vágósarkantyú **4.** *vízügy* búvárdugattyú *[szivattyúé]* **5. a)** *épít* cölöpverő kos/sulyok **b)** *épít* (beton)döngölő **c)** döngölő, kézikos **II.** *tsi* **-mm- 1. a)** döngöl, sulykol *[talajt]* **b)** fojtást tesz *[puskába]*, elfojt, eltöm **c)** bever *[karót]* **d)** *átv biz* ~ **an argument home** egy érvet a legteljesebben kihasznál **2. a)** *hajó* orral nekimegy *[másik hajónak]* **b)** nekiüt, belever
ram into A. *tni* ~ **into a car** (teljes erőből) belehajt egy kocsiba **B.** *tsi* **a)** bever; *biz* ~ **sg into sy** bever vmt vknek a fejébe **b)** *biz* ~ **one's clothes into one's suitcase** belegyömöszöli ruháit a bőröndjébe
ram through *tsi* keresztül erőszakol; *biz* ~ **one's way through the hedge** áthatol a sövénykerítésen
RAM [ræm] *röv* **1.** *fn infor random-access memory* közvetlen elérésű tár/memória, RAM **2.** *Royal Academy of Music*
Ramadan [ˈræmədæn ‖ –ˈdɑn] *fn* **1.** *vall* ramadán *[a mohamedán naptár kilencedik hónapja]* **2.** *vall* ramadánböjt
ramble [ˈræmbl] **I.** *tni* **1. a)** bolyong, kószál, kóborol **b)** (csoportosan) túrázik **2.** zavarosan/összefüggéstelenül beszél, eltér/elkalandozik a tárgytól, félrebeszél **II.** *fn* **1.** kószálás, bolyongás **2.** zavaros/összefüggéstelen beszéd/írás, elkalandozás • *fn* **rambler, rambling**
rambunctious [ræmˈbʌŋkʃəs] *mn US biz* **1.** féktelen, szilaj, zabolátlan **2.** lármás, zajongó, duhaj, randalírozó
ramification [ˌræmɪfɪˈkeɪʃn] *fn* **1.** szövevény, következmény, bonyodalom, fejlemény **2.** ágazat, elágasodás *[fáé]* **3.** elágazás, leágazás
ramify [ˈræmɪfaɪ] **A.** *tsi* ágakra oszt, elágaztat **B.** *tni* ágakat hajt *[fa]*, *átv* (szét)ágazik, elágazik
ramjet *fn rep* ~ **(engine)** torlósugár-hajtómű
ramose [ˈreɪmoʊs ‖ rəˈmoʊs] *mn tud* ágas, lombos, elágazó, ágas-bogas
ramp[1] [ræmp] **I.** *fn* **1.** emelkedő, kaptató, ereszkedő, lejtő; *geol* ~ **valley** lejtős/vetődéses völgy, árokvölgy **2. a)** (lejtős) rakodó **b)** *gk* **(garage) repair ~** autóemelő-híd **c)** feljáró, rámpa, felhajtó **d)** *rep* utaslépcső **e)** *GB* fekvőrendőr **II. A.** *tsi* lejtősen épít *[falat]* **B.** *tni* **1.** *biz* tombol, dühöng, őrjöng **2.** *épít* lejt
ramp[2] [ræmp] *GB biz* **I.** *fn* **1.** csalás, svindli **2.** áruzsora, zsarolás *[magas árral]* **II.** *tsi/tni* becsap (vkt), zsarol

R

rampage ['ræmpeɪdʒ, ræm'peɪdʒ] **I.** *fn biz* dühöngés, tombolás, őrjöngés; *biz* **be on the ~** (i) dühöng, őrjöng, tombol (ii) *átv* nagyban megy/dívik **II.** *tni* **~ (about)** dühöng, őrjöng, tombol • *mn* **rampageous**
rampant ['ræmpənt] *mn* **1.** heves, vad, féktelen, zabolátlan **2.** buja, dúsan tenyésző, burjánzó; **be ~** túlteng; **grow ~** óriási méreteket ölt **3.** uralkodó, domináló **4.** *cím* hátsó lábain ágaskodó *[oroszlán]* **5.** *épít* emelt vállú *[ív]* • *fn* **rampancy**
rampart ['ræmpɑːt ‖ –pɑrt] **I.** *fn* **1.** (föld)sánc, töltés, gát, *kat* erődfal, bástyafal, védmű **2.** védelem **II.** *tsi* földsánccal körülvesz
ramrod ['ræmrɒd ‖ –rɑd] *fn* **1.** puskavessző; **as stiff as a ~** olyan, mintha nyársat nyelt volna **2.** *US* szigorú főnök, nagy hajcsár
ramshackle ['ræmʃækl] *mn* düledező, omladozó, rozoga, rozzant
ran [ræn] *fn* spárgagombolyag
ranch [rɑːntʃ ‖ ræntʃ] *US* **I.** *fn* **1.** tanya, farm **2.** termesztőtelep **II. A.** *tsi mezőg* állattenyésztés céljára használ *[birtokot]* **B.** *tni* farmerkodik *[állattenyésztő farmon]*
rancher ['rɑːntʃə ‖ 'ræntʃər] *fn US mezőg* **1.** állattenyésztő, farmer **2.** (földszintes) farmház, farmépület
ranch house *fn US* tanyaház *[lapos, egyszintes épület]*
rancid ['rænsɪd] *mn* **1.** avas **2.** *átv biz* **be ~ about sg** undokul viselkedik vmvel kapcsolatban • *fn* **rancidity**
rancour ['ræŋkə ‖ –ər] *fn* gyűlölet, gyűlölködés, harag, neheztelés, rosszakarat • *mn* **rancorous**
rand[1] [rænd] *fn* **a)** karima, szegély, szél **b)** sarokráma *[cipőn]* **c)** földszegély, mezsgye
rand[2] [rænd] *fn* ‹dél-afrikai pézegység›
R and B, **R & B** *röv rhythm and blues*
R and D, **R & D** *röv research and development*
Randolph ['rændɒlf ‖ –dɑlf], **Randolf** ‹férfinév›
random ['rændəm] **I.** *mn* **1.** véletlen, találomra/vaktában történő, rendszertelen **2.** *épít* **~ work** szabálytalan terméskövekből rakott falazat **II.** *fn* **at ~** véletlenül, találomra, vaktában
random error *fn* véletlen/statisztikus hiba
randomize ['rændəmaɪz], **-ise** *tsi* véletlenszerűen (v. véletlen sorrendben) elrendez, randomizál *[statisztikában]* • *fn* **randomization**
random sample *fn* véletlen minta *[statisztikában]*, szúrópróba • *fn* **random sampling**
R and R, **, R & R** *röv rock and roll*
randy ['rændi] *mn* **1.** buja, kéjvágyó **2.** pikáns, malac
Randy ['rændi] *tul/fn US* ‹*Randolph* becéző alakja›
range [reɪndʒ] **I.** *fn* **1. a)** sor, sorozat; **~ of buildings** házsor **b) ~ of mountains, mountain ~** hegylánc **2.** irány, fekvés; **in ~ with sg** vmvel vonalban **3. a)** szabad legelő/vadászterület **b)** kószálás, barangolás **c)** *átv* szabad tér, mozgásszabadság; **give a free ~ to one's fancy** szabad teret enged képzeletének, szabadjára engedi képzeletét **4. a)** tér(ség), kiterjedés, terjedelem, hatótávolság, hatósugár; **~ of action/activity** működési terület, tevékenységi kör; **~ of vision** látókör, látótávolság **b)** távolság; **at close/short ~** közelről **c)** *infor* tartomány, értékkészlet **d)** *átv* kör, terjedelem, hatáskör, kapacitás; **~ of interest(s)** érdeklődési kör; **a wide ~ of knowledge** széleskörű tudás **5. a)** *fiz mat* tartomány, változási/kilengési határ/tartomány, *távk el* sávtartomány; **frequency ~** frekvencia tartomány, sávszélesség **b)** *fiz* **spectral ~** színképtartomány; **~ of the voice** hangterjedelem, hangtartomány, hangregiszter **c)** választék, változatossági skálája vmnek; **~ of colours** színskála; **there is a large ~ of motors** motorokban nagy a választék **6.** *tud* elterjedtségi terület *[állaté, növényé]* **7.** *kat* lőtáv(olság); **effective ~** horderő, hatótávolság *[fegyveré]*; **within ~** lőtávon belül **8.** lőtér, lövölde **9. a)** (konyhai) tűzhely **b)** *US* villanytűzhely, gáztűzhely **II. A.** *tsi* **1. a)** sorba rak/állít, sorakoztat, felállít; **they ~d themselves on each side** kétoldalt felsorakoztak **b)** (el)rendez, rendbe tesz/rak; **~ books according to size** könyveket nagyság szerint rendez **2.** (be)sorol, besoroz, osztályoz (*among* vm közé); **~ oneself with sy against sy** vknek az oldalára áll vkvel szemben, pártját fogja vknek vkvel szemben **3.** bekóborol, bebarangol, bejár **4.** (vm) mentén halad; *hajó* **~ the land/coast** part mentén halad **5. ~ one's eyes round sg** végigjártatja szemét vmn **6.** ráirányít, rászegez *[fegyvert, távcsövet]* (*on* vmre) **7.** *kat* belő *[fegyvert]* **8.** legeltet *[állatot]* **B.** *tni* **1.** fekszik, terjed, nyúlik; **our house ~s with the next building** házunk egy vonalban van a szomszédos épülettel **2. ~ with sg** megegyezik/egyenrangú vmvel; **~ with the great poets** a nagy költők közé sorolják **3. a)** kóborol, barangol, kószál; **~ over the country** bebarangolja az országot **b)** *hajó* **~ along the coast** part mentén halad **4. ~ in** lakik, tanyázik; található, előfordul **5.** *átv* (ki)terjed **6. ~ from ... to** terjed vmtől vmeddig; **prices ~d from £20 to £30** az árak 20 és 30 font közt mozogtak/váltakoztak **7.** *kat* visz, hord *[fegyver]* • *fn* **ranging**
range-finder *fn* **1.** *kat* optikai távolságmérő **2.** *fényk* táv(olság)mérő
ranger ['reɪndʒə ‖ –ər] *fn* **1. a)** *GB* királyi parkőr/mezőőr/erdőkerülő **b)** *US* erdőőr, erdőkerülő **2.** *kat* **the R~s** lovas vadászok; *US* lovas csendőrség; rohamcsapat, *US* kommandós **3.** vizsla, kopó **4.** *régi* csavargó, vándor **5.** *[legfelső korosztályú]* cserkész
rangy ['reɪndʒi] *mn* **1.** nyúlánk, karcsú **2.** hegyes, dombos, hegyes-völgyes *[vidék]*
rank[1] [ræŋk] **I.** *fn* **1. a)** rang, társadalmi állás, (társadalmi) osztály, rend; **person of (high) ~** előkelő (v. magas rangú) személy(iség), előkelőség; **person of no ~** közember; **people of all ~s** minden rendű és rangú ember; **the ~ and fashion** az előkelő társaság/világ; **rise to high ~** magas rangra emelkedik; **take ~ with sy** egy rangban van vkvel; **writer in the first ~** élvonalbeli író; **dancer of the first ~** elsőrendű táncos; **violinist of second ~, second-~ violinist** másodrangú hegedűs **b)** *kat* rang(fokozat); **all ~s** tisztek és a legénység, személyi állomány; *átv* mindenki (kivétel nélkül); **the ~ of major** őrnagyi rang; **officer of high ~** magas rangú tiszt **2.** *kat* **a)** sor; **break ~** megbontja a sort; kilép a sorból; **fall into ~** sorba áll, sorakozik **b) the ~s, the ~ and file** a legénység(i állomány), közkatonák *[tizedesig bezárólag]*; **rise from the ~s** közkatonából lesz tiszt; *átv* alacsony sorból küzdi fel magát **3. a)** taxiállomás, droszt **b)** az állomáson levő taxik **II. A.** *tsi* **1.** besorol, beoszt (*among* közé), rangsorol, osztályoz; **~ high** nagyra tart/becsül; **~ the pupil with the best** a legjobbak közé sorolja a növendéket; **be ~ed with sy/sg** egy sorba állítják vkvel/vmvel, egyenrangú vkvel/vmvel **2.** *kat* (fel)sorakoztat, sorba állít/rak, elrendez **3.** *US* rangban megelőz (vkt), magasabb rangban van (vknél), fölötte van (vknek) **B.** *tni* **1.** tartozik (*among* közé), vmlyen rangot betölt; **~ among the best** a legjobbak közé számítják/tartozik; **~ above sy** magasabb rangot tölt be vknél, magasabb rangban van vknél **2.** *kat* **~ past/off** elvonul **3.** sorban következik; **~ first** sorban az első
rank[2] [ræŋk] *mn* **1. a)** burjánzó, buja, dús *[növény]*; **grow ~** túl gyorsan/sűrűn nő **b)** dúsan termő, nagyon termékeny *[föld]* **2. a)** bűzös, áporodott szagú, avas **b)** visszataszító, undorító, gusztustalan **3.** durva, illetlen, trágár *[beszéd]* **4.** teljes, tökéletes, tiszta; **~ injustice** égbekiáltó igazságtalanság • *fn* **rankness**
rank-and-file *mn* **I.** *fn* egyszerű ember **II.** egyszerű *[ember]*; **the ~ members** a(z egyszerű) tagok, a tagság
-ranked ['ræŋkt] *utótag* -rangú
ranker ['ræŋkə ‖ –ər] *fn* **1.** közlegény, közkatona **2.** *GB* közlegényből lett tiszt
ranking ['ræŋkɪŋ] **I.** *mn* **1.** legkiválóbb **2.** *US* **~ member** korelnök; ‹rangidősség tekintetében a Ház elnöke után következő képviselő›; *US* **~ officer** rangidős tiszt **3.** *US* előkelő, magas rangú/pozíciójú **II.** *fn* rang, sorrend; *sp* **world ~ list** világranglista

R

rankle [ˈræŋkl] *tni* **1.** sajog, fáj **2. ~ in sy's mind/heart** nyomja vk szívét, nem hagy nyugton/békén vkt

ransack [ˈrænsæk] *tsi* **1.** összevissza kutat/keres/turkál *[könyvtárban, fiókban, zsebben, emlékezetben]*, átkutat, feltúr **2.** kifoszt, kirabol • *fn* **ransacker**, **ransacking**

ransom [ˈrænsəm] **I.** *fn* **1.** váltságdíj, sarc; **obtain sg at a ~ price** nagyon drágán szerez meg vmt **2. a)** kiváltás *[fogságból]*; **pay ~** váltságdíjat fizet, kivált; **hold sy to ~** váltságdíj megfizetéséig fogságban tart vkt **b)** *jog* **~ of cargo** hajórakomány megváltása **3.** *vall* megváltás **II.** *tsi* **1. a)** megsarcol, váltságdíjat vet ki (vkre) **b)** *tört* váltságdíjat fizettet *[elfogott hajóért]* **2.** kivált *[fogságból]*, váltságdíjat fizet (vkért) **3.** *vall* megvált • *fn* **ransomer**, **ransoming**

rant [rænt] **I. A.** *tsi* túlzott szónokiassággal mond el *[beszédet, szerepet]* **B.** *tni* **1.** bombasztikusan/szónokiasan beszél, szaval, deklamál; **~ and rave about sy/sg** egekig magasztal vkt/vmt **2.** üresen/zavarosan fecseg, összevissza beszél, hantáz **II.** *fn* **1.** dagályos/fellengzős/szónokias beszéd/deklamálás **2.** üres/zavaros beszéd/fecsegés, hanta • *fn* **ranter**, **ranting**

rantipole [ˈræntɪpoʊl] **I.** *mn* szilaj, féktelen, korhely, kicsapongó **II.** *fn* szilaj/féktelen fiatal **III.** *tni* féktelenkedik, kicsapong

rap¹ [ræp] **I.** *fn* **1.** kopogás, koppantás *[ajtón stb.]* **2. a)** koppintás, koppantás, megdorgálás, fenyítés; **give sy a ~** *átv* körmére koppint vknek; megint/megdorgál vkt; **take the ~** vállalja vmnek a felelősségét, elviszi a balhét **b)** *szl* vád, felelősségrevonás *stand*; **beat the ~** megússza a büntetést *stand*; **get the ~** vádolják vmvel, felelősségre vonják vmért *stand* **c)** *szl [börtönbüntetés]* sitt **3.** pofon, nyakleves **4.** *szl [leszidás]* lecseszés **5.** *zene* **~ music** rap zene **6.** *szl [beszélgetés, fecsegés]* duma(parti), szöveg(elés) **II. -pp- A.** *tsi* **1.** megüt, rákoppint (vmre), megpaskol **2.** *US* kifogásol, megdorgál, rendreutasít **3.** (rosszindulatúan) megbírál, becsmérel **B.** *tni* **1.** kopog(tat) **2. a)** durván beszél, éles hangot használ **b)** dumál, jártatja a száját, pofázik, szövegel **3.** rap zenét játszik, reppel **4.** *szl [beszélget, fecseg]* smúzol, (el)dumál(gat)

rap at *tni* **~ at the door** kopog az ajtón

rap on → **rap at**

rap out *tsi* **1.** kibök(kent), kimond; **~ out an oath** káromkodik egyet, elkáromkodja magát **2.** kikopogtat, kopogtatás útján közöl *[üzenetet]*; **~ out a tune on the piano** zongorán kikopogtat/kipötyög egy dallamot

rap² [ræp] *fn biz* **1.** fillér, batka, fitying; **I wouldn't give a ~ for it** nem adnék érte egy vasat/garast/fillért sem **2. not a ~** egyáltalán nem/semmi; **I don't care a ~** fütyülök rá!, törődöm is vele!

rap³ [ræp] *tsi* **-pp-**, *pt/pp* **rapped**, **rapt** [ræpt] **1.** megkaparint, megragad, megmarkol; **~ and rend** erőszakkal elrabol; mindenáron megszerez (v. magáévá tesz) **2.** elragad; → **rapt** 2.

rapacious [rəˈpeɪʃəs] *mn* **1.** ragadozó *[állat]*; **~ appetite** mohó/telhetetlen étvágy **2.** kapzsi, pénzéhes

rapacity [rəˈpæsəti] *fn* **1.** ragadozó természet **2.** kapzsiság, pénzéhesség **3.** mohóság, telhetetlenség

rape¹ [reɪp] **I.** *fn* **1.** *jog* nemi erőszak; **~ and murder** kéjgyilkosság **2.** *vál* elrablás, szöktetés; **the ~ of the Sabines** a szabin nők elrablása **3.** erőszak, (meg)támadás **II.** *tsi* **1.** megerőszakol, meggyaláz, erőszakot követ el *[nőn]* **2.** *vál* elrabol, megszöktet *[nőt]*

rape² [reɪp] *fn növ* **1. (summer) ~** (nyári) repce, olajrepce; **wild ~** vadrepce **2.** repcemag

rape³ [reɪp] *fn* **a)** törköly **b)** szűrő *[ecetgyártáshoz]*

rape-cake *fn mezőg* repcepogácsa, takarmánypogácsa *[repcemagból]*

rape-oil *fn* repceolaj

Raphael [ˈræfeɪəl ‖ ˈræfi:əl] *tul/fn* Rafael

Raphaelesque [ˌræfeɪəˈlesk] *mn műv* raffaellói

raphia [ˈreɪfɪə] *fn növ* rafia

R

rapid [ˈræpɪd] **I.** *mn* **1.** sebes, gyors **2.** hirtelen; **~ slope** meredek lejtő **3.** *fényk* gyors **II.** *fn tsz* **rapids** *földr* zúgó, zuhatag, sellős folyószakasz; **shoot the ~s** átkel/átevez a zúgón, *átv* kockázatos vállalkozásba fog/kezd • *fn* **rapidity**

rapid-fire *mn kat* gyorstüzelő *[ágyú]*; *sp* **~ pistol** gyorspisztoly, gyorstüzelő pisztoly

rapier [ˈreɪpɪə ‖ −ər] *fn* **I.** hosszú tőr, párbajtőr, vívótőr, rapir **II.** *mn* gyors, éles; **~ wit** éles eszű

rapist [ˈreɪpɪst] *fn* nemi erőszakot elkövető, erőszaktevő, erőszakos nemi közösülést elkövető

rappee [ræˈpi:] *fn* durván vágott dohány

rapper [ˈræpə ‖ −ər] *fn* **1.** rap-zenész **2.** kopogtató **3.** régiségeket felvásárló kereskedő, házaló régiségkereskedő

rapping [ˈræpɪŋ] **I.** *mn* **1.** kopogó **2.** *szl* őrült nagy, vastag *[hazugság]* **II.** *fn* → **rap¹** I.

rapport [ræˈpɔ: ‖ −ˈpɔr] *fn* **1.** kapcsolat, összefüggés, viszony; **be in** (v. **en**) **~ with** kapcsolatban/összefüggésben van/áll (vmvel), vkvel **2.** egyetértés, összhang

rapporteur [ˌræpɔ:ˈtɜ: ‖ −pɔrˈtɜr] *fn* **a)** előadó, referens **b)** jegyzőkönyvvezető *[konferencián]*

rapprochement [ræˈprɒʃmɒŋ ‖ ˌræproʊʃˈmɑn] *fn* újbóli közeledés, kiengesztelődés

rapscallion [ræpˈskælɪən] *fn tréf* csirkefogó, gazember, csibész, semmirekellő, gézengúz

rap sheet *fn US szl* bűnlajstrom *[rendőrségen]*, priusz

rapt [ræpt] *mn* **1.** elragadtatott, elbájolt, elbűvölt (*by* vmtől) **2.** elvitt, elragadott; **~ (away/up) into heaven** égbe vitt/ragadott **3.** (el)merült, belemélyedt *[gondolatokba stb.]*; **~ attention/interest** feszült figyelem/érdeklődés; → **rap³**

raptor [ˈræptə ‖ −ər] *fn tsz áll* ragadozó madár

raptorial [ræpˈtɔ:rɪəl] → **raptor**

rapture [ˈræptʃə ‖ −ər] *fn* **1.** elragadtatás, extázis, megrészegülés, (öröm)mámor, gyönyör; **be in ~s** el van ragadtatva (*over/with* vmtől) **2. a)** *vall* elragadtatás *[mennybe]* **b)** áthelyezés *[személyé]* • *mn* **rapturous**

rara avis [ˌrɑ:rə ˈeɪvɪs ‖ ˌrærə −] *fn latin biz* ritkaság, különlegesség, fehér holló

rare¹ [reə ‖ rer] *mn* **1.** ritka; **~ occurrence** ritka eset, ritkaság; **grow ~(r)** ritkul, ritkábbá válik **2.** ritka jó/érdekes/értékes, rendkívüli, kivételes; **have a ~ time** pompásan érzi magát **3. a)** ritka *[légréteg]* **b)** *vegy* **~ gas** nemesgáz • *fn* **rareness**

rare² [reə ‖ rer] *mn US gaszt* kevéssé/félig sült, angolosan/véresen sütött *[hús]*

rarebit [ˈreəbɪt ‖ ˈrerbɪt] *fn gaszt* **Welsh ~** Welsh rabbit *[meleg olvasztott sajtos pirítós]*

raree-show [ˈreəri ʃoʊ ‖ ˈrer−] *fn régi* ‹vásári látványosság› *[kis dobozban mutogatott érdekességek]*

rarefy [ˈreərɪfaɪ ‖ ˈrer−] **A.** *tsi* **1.** ritkít *[levegőt stb.]* **2.** kifinomít *[ízlést, gondolatot]* **B.** *tni* (meg)ritkul • *fn* **rarefaction** *mn* **rarefactive**

rarely [ˈreəli ‖ ˈrerli] *hsz* **1.** ritkán **2.** kivételesen, rendkívül jól

rareness [ˈreənəs ‖ ˈrernəs] *fn* ritkaság

rareripe [ˈreəraɪp ‖ ˈrer−] *mn/fn* korán érő (gyümölcs)

raring [ˈreərɪŋ ‖ ˈrer−] *mn biz* lelkes, készséges

rarity [ˈreərəti ‖ ˈrer−] *fn* ritkaság

rascal [ˈrɑ:skl ‖ ˈræskl] *fn tréf* csirkefogó, csibész, gézengúz • *fn* **rascality**

rascaldom [ˈrɑ:skldəm ‖ ˈræs−] *fn* **1.** gazemberek, csibészek **2. (piece of) ~** gazemberség, csibészség

rase [reɪz] → **raze**

rash¹ [ræʃ] *fn* **1.** *orv* (bőr)kiütés; **the ~ is out** kijöttek a kiütések **2.** elterjedés *[pl. gondolaté]*; **a ~ of sg** (robbanásszerű) elterjedés, (kellemetlen) sorozat *[pl sztrájké]*

rash² [ræʃ] *mn* meggondolatlan, elhamarkodott, hirtelen, szeleburdi; **~ act** meggondolatlan cselekedet; öngyilkosság(i kísérlet); **~ generalization** felelőtlen/felületes általánosítás • *fn* **rashness**

rasher [ˈræʃə ‖ −ər] *fn* **1.** *gaszt* vékony szelet (sült szalonna/sonka) **2.** *US* többlet, (pót)adag

rasp [rɑːsp ‖ ræsp] **I.** *fn* **1.** reszelő, ráspoly **2. a)** csikorgás, nyikorgás, reszelés hangja **b)** reszelős hang *[emberé]* **II. A.** *tsi* **1.** reszel, ráspolyoz **2.** vakar, dörzsöl, karcol **3. a)** sért *[fület]* **b)** ~ **sy's feelings** idegesít/izgat vkt, játszik vknek az idegeivel **B.** *tni* **1.** csikorog, nyikorog; *biz* ~ **on a violin** hegedűn cincog **2.** érdes hangon beszél, recseg a hangja • *fn* **rasping** *mn* **raspy**

raspberry [ˈrɑːzbəri ‖ ˈræzberi] *fn* **I. 1.** *növ* málna **2.** *biz* ‹gúnyt/megvetést kifejező prüszkölő hang›; **blow sy a ~, give sy the ~** kidob/kikosaraz vkt, kosarat ad vknek, kiadja az útját vknek **3.** málnaszín, málnapiros szín **II.** *mn* málnaszínű, málnapiros

rasper [ˈrɑːspə ‖ ˈræspər] *fn* **1.** reszelő, ráspolyozó *[munkás]* **2.** reszelő, ráspoly **3.** nehezen átugratható akadály *[falkavadászatnál]*

rasp-file *fn műsz* durva reszelő

raster [ˈræstə ‖ –ər] *fn média* képmező, *infor* raszter

rat [ræt] **I.** *fn* **1. a)** *áll* patkány; **black ~, old-English ~** házi patkány; **grey/brown ~** vándorpatkány; **smell a ~** gyanút fog, gyanakszik, rosszat sejt; *szl* **have ~s (in the attic)** hóbortos, bogaras, dilis; **be caught like a ~ in a trap** csapdába került; **die like a ~ in a hole** elhagyottan hal meg; **~s!** fene egye meg!; na ne mondd!, ugyan már! **b) ~'s tail** sömör *[ló lábán]*; *műsz* gömbölyű reszelő **2. a)** *pol* renegát, köpönyegforgató pártütő **b)** *pol* sztrájkhoz nem csatlakozó (v. túl olcsón dolgozó) munkás, munkásáruló, sztrájktörő **3.** *US* hajbetét *[női frizurában]* **4.** *biz [kellemetlen személy]* patkány **II.** *tni* **-tt- 1.** patkányt fog, patkányra vadászik **2. a)** *pol* elpártol, pártot üt, köpönyeget forgat, átmegy az ellenpárthoz **b)** *pol* elárulja/abbahagyja a sztrájkot, a többieknél olcsóbban vállal munkát *[munkás]*; *biz szl* ~ **on** *[cserbenhagy]* faképnél hagy; *[besúg]* beköp, bemószerol

rata [ˈreɪtə] *fn* **pro ~** fejenként(i), egyénenként; **pro ~ freight** arányos fuvardíj; → **pro[1]** I. 2.

ratability [ˌreɪtəˈbɪləti] *mn* **1.** felbecsülhetőség, értékelhetőség **2.** adóztathatóság

ratable [ˈreɪtəbl] → **rateable**

ratafia [ˌrætəˈfɪə] *fn gaszt* ‹mandulával/barackmaggal ízesített likőr›

ratan [rəˈtæn], **rattan** *fn* **1.** *növ* ~ **(palm)** rotáng(pálma), nádpálma, spanyolnád **2.** ~ **(walking-stick)** nádpálca

rataplan [ˌrætəˈplæn] *fn* **I. a)** dobszó, dobverés *[hangja]*, dobpergés **b)** lódobogás *[vágtató lovaké]* **II. A.** *tsi* dobol, dobot ver **B.** *tni* dob pereg, dobpergést hallat

rat-arsed *mn GB szl [nagyon részeg]* hulla-/merev-/tajt-/csontrészeg

rat-a-tat [ˌrætəˈtæt], **rat-a-tat-tat** *fn* **1.** kop-kop, kip-kop **2.** ‹sorozatlövés hangja› ra-ta-ta

ratbag [ˈrætbæg] *fn szl [undok, goromba fráter]* rohadék

rat-catcher *fn* patkányfogó *[személy]*

ratchet [ˈrætʃɪt] *fn* **I.** *műsz* **1.** kilincsmű, reteszelő mű, kerep, akasztókapocs **2.** zárópecek, zárókilincs; kilincskerék, akasztókerék **II.** *tsi* kilincsművel/akasztókapoccsal lát el, akasztókapocsba tesz/zár

rate[1] [reɪt] **I.** *fn* **1.** arány(szám), *közg* arány, hányad, ráta; **marriage ~** házasulási arányszám; **~ of profit** profitráta; **~ of return** (tőke-)megtérülési ráta **2. a)** mérték, fok, mérv **b)** érték; **value sg at a low ~** kevésre becsül vmt **3.** sebesség, gyorsaság; **at a ~ of fifty miles an hour** óránként ötven mérföldes sebességgel; **~ of growth** növekedés/fejlődés üteme **4.** díjtétel, tarifa, díjszabás, árszabás; *gazd* **advertising ~** hirdetési díj; **telephone ~** telefon-előfizetési díj **5. a)** ár(folyam); **~ of exchange** (valuta)árfolyam; **current ~** napi árfolyam; **settling ~** elszámolási árfolyam/kulcs **b)** kamatláb; **~ of interest** kamatláb; **at the ~ of six per cent** hat százalékos kamatra **6. a)** szint; **base/basic ~** alapbér; **~ of living** életszínvonal **b)** *biz* **at this/that ~** ennyire, ilyen mértékben; így; ha ez így megy tovább; ilyen körülmények közt; **at any ~** mindenesetre, legalább, bármi történjék **7.** (helyi) adó; **~s and taxes** községi és állami adók; *US* **as sure as ~s** holtbiztos; **come upon the ~s** községélyből él **8.** *US* osztályzat **9.** *összet* **first-~** elsőrendű, első osztályú; **second-~** másodrendű, másodosztályú **10.** *hajó* osztály, kategória *[tonnatartalom, fegyverzet stb. szerint]* **11.** *infor* gyakoriság, sebesség, ráta **II. A.** *tsi* **1.** értékel, becsül; **the car is ~ed at $15,000** az autót 15.000 dollárra becsülik **2.** tekint, tart (*as* vmnek); **~ sy among one's friends** barátai közé számít/sorol vkt **3. a)** megadóztat, adót kiró/kivet (vkre); **the house is ~d at £50 per annum** a házra évi 50 font adót vetnek ki, a ház évi adója 50 font **b) ~ sy up** magasabb biztosítási díjat számít vknek **c) ~ a coin above its real value** érmét felértékel **4.** osztályoz, besorol, minősít, *el távk* méretez *[terhelésre, igénybevételre]*; *hajó* **~ a ship** kategóriába sorol (v. osztályoz) hajót; *US okt* **~ a student** diákot leosztályoz **5.** megérdemel, kiérdemel, elnyer; **his performance ~d a good round of applause** előadását nagy tapssal jutalmazták **6.** *műsz* kalibrál *[műszert]* **B.** *tni* **a)** *US* számít (*as* vmnek), számításba jön; **when you could not dance well, you simply didn't ~** ha nem tudtál jól táncolni, akkor nem is számítottál (semminek) **b)** (vmlyen) osztályba/kategóriába tartozik; *hajó* **a ship that ~s as first** első osztályú (v. első osztályhoz tartozó) hajó

rate[2] [reɪt] *tsi biz* megszid, megdorgál, megró, lehord

rate[3] [reɪt] → **ret**

rateability [ˌreɪtəˈbɪləti] → **ratability**

rateable [ˈreɪtəbl] *mn* **1.** felbecsülhető **2.** *tört* megadóztatható, adó alá eső; **~ value** *közg* adóköteles érték, adóalap *[ingatlané]*

rate-cap(ping) [ˈreɪtkæpɪŋ] *fn GB* helyi adó maximálása a kormány részéről

rate-collector *fn* adószedő

rated [ˈreɪtɪd] *mn* megállapított, megszabott, előírt, névleges *[terhelés]*

ratel [ˈreɪtl] *fn áll* méhészborz

rate-payer *fn* **1.** *GB tört* adófizető **2.** *US* felhasználó, fogyasztó *[vmlyen szolgáltatásé]*

-rater [reɪtə ‖ –ər] *utótag* **first-~** első osztályú (személy), tárgy

ratfink [ˈrætfɪŋk] *fn szl [ellenszenves ember]* patkány, görény, mocsok, buzi, tetű

rat-gnawed *mn* patkányrágta

rather [ˈrɑːðə ‖ ˈræðər, ˌræˈðɜr] *hsz* **1.** inkább; **or ~** vagyis inkább, illetve, jobban mondva; **anything ~ than** bármit inkább mint; **I had/would ~ not** inkább nem, jobban szeretném ha nem; **I would ~ drink tea than coffee** szívesebben innék teát mint kávét; **~ than** inkább ... mint(hogy); hogysem; semmint **2.** egy kicsit/kevéssé, elég(gé), meglehetősen; **~ a lot** egy kicsit sok; **I ~ like it** eléggé tetszik nekem; **it's ~ cold** elég/egész hideg van **3.** *biz* **~!** mi az hogy!, de még mennyire!, persze hogy!, hogyne!, naná!; **I should ~ think so** meghiszem azt!; **~ not** persze hogy nem!; talán mégse(m)!

rathe-ripe *mn* korán érő, koraérő *[gyümölcs]*

rathole [ˈræthoul] *fn* koszos/zsúfolt hely, patkányfészek

raticide [ˈrætɪsaɪd] *fn* patkányirtó(szer), patkányméreg

ratification [ˌrætɪfɪˈkeɪʃn] *fn* utólagos jóváhagyás, megerősítés, ratifikálás, becikkelyezés, törvénybeiktatás, megerősítés

ratify [ˈrætɪfaɪ] *tsi jog* jóváhagy, ratifikál, becikkelyez, törvénybe iktat, megerősít; **~ a treaty** (államközi) szerződést ratifikál

rating[1] [ˈreɪtɪŋ] *fn* **1. a)** értékelés, becslés **b)** (községi) adókivetés **c)** osztályozás, besorolás **d)** minősítés, *okt* osztályzat **e)** *műsz* (be)szabályozás, beigazítás; kalibrálás *[műszeré]* **f)** nézettség(i fok) *[tévéműsoroké]*; **the ~s** népszerűségi lista/mutató, nézettség **2.** *műsz* névleges teljesítmény **3. a)** osztály, csoport, kategória **b)** *gazd pénz* hitelképesség-besorolás **4.** *hajó* rendfokozat *[tengerészé]*, beosztás *[hajósé]*; **the ~s, lower-deck ~s** matrózok, közlegények *[angol haditengerészetben]*; **upper-deck ~s** tisztikar

rating[2] [ˈreɪtɪŋ] *fn* szidás, dorgálás, feddés, megrovás

R

ratio [ˈreɪʃiəʊ ‖ ˈreɪʃoʊ] *fn mat* arány(szám), viszony(szám), hányados; **arithmetical ~** számtani arány; **geometrical ~** mértani arány; **in direct ~ to sg** egyenes arányban vmvel; **in inverse ~ to sg** fordított arányban vmvel
ratiocinate [ˌrætiˈɒsɪneɪt ‖ ˌræʃiˈɑsəneɪt] *tni vál tréf* okoskodik, érvel, következtet • *fn* **rationication** *mn* **rationicative**
ration [ˈræʃn ‖ ˈreɪʃn] **I.** *fn* **a)** (napi) adag, élelmiszeradag, tartalékadag; **short ~s** csökkentett fejadag; **put on ~s** jegyre ad *[élelmiszert]*; **off the ~** jegy nélküli, jegymentes, szabad *[áru]* **b)** élelmiszer(ek); *kat* **day's ~s** napi élelem **II.** *tsi* **1.** jegyre ad/adagol; *biz* **~ sy in food** rövid kosztra fog vkt **2.** élelmez, élelemmel ellát
rational [ˈræʃnəl] **I.** *mn* **1. a)** eszes, értelmes, gondolkodó, ész- **b)** értelmes, átgondolt, ésszerű, racionális, józan **c)** észokokon nyugvó/alapuló **2.** *mat* racionális, egész számok viszonyával kifejezhető **II.** *fn* **1.** *mat* racionális mennyiség **2.** elme, ész, ráció
rationale [ˌræʃəˈnɑːl ‖ –ˈnæl] *fn* **1.** alapok, alapvető értelem, logikai alap **2.** ésszerű magyarázat/elemzés/okfejtés
rationalism [ˈræʃnəlɪzm] *fn fil* racionalizmus • *fn/mn* **rationalist**
rationality [ˌræʃəˈnæləti] *fn* ésszerűség
rationalize [ˈræʃnəlaɪz], **-ise** *tsi* **1.** ésszerűsít, racionalizál **2.** *mat* **~ an expression** az irracionális mennyiségeket eltünteti egy kifejezésből • *fn* **rationalization**
ration-book *fn* élelmiszerjegy-könyv(ecske), vásárlási könyv *[jegyrendszerben]*
rationing [ˈræʃnˑɪŋ ‖ ˈreɪ–] *fn* adagolás, jegyre adás *[élelmiszereké]*, jegyrendszer
ratite [ˈrætaɪt] *mn áll* **~ bird** laposmellű futómadár
ratlin [ˈrætlɪn], **ratline** *fn hajó* csatlószál, hágószál *[kötélhágcsón]*
ratoon [ræˈtuːn] **I.** *fn* új sarj/hajtás *[cukornádon lenyesés után]* **II. A.** *tsi* tövig lenyes *[cukornádat]* **B.** *tni* újra hajt, új sarjakat hoz *[cukornád]*
rat-poison *fn* patkányméreg
rat race *fn biz* (mindennapi) pozícióharc, hatalmi harc; mindennapos létharc, taposómalom
rat-tail *fn* **1. a)** patkányfarok **b)** szőrtelen farok **2.** sömör *[ló lábán]* **3.** szőrtelen farkú ló **4.** hosszúfarkú hal **5. ~ file** gömbölyű reszelő
ratter [ˈrætə ‖ –ər] *fn* **1.** patkányfogó kutya **2.** patkányfogó **3.** renegát, áruló
rattle [ˈrætl] **I. A.** *tsi* **1.** csörget, zörget **2.** *biz* meglep, meghökkent, felizgat, zavarba hoz; **he never gets ~d** sohasem veszti el a fejét **3.** sebesen hajt, „zavar" *[kocsit]* **B.** *tni* **1.** csörög, zörög, recseg; **his teeth ~d** fogai vacogtak/összeverődtek **2.** zörögve halad, zötyög *[jármű]* **3.** *orv* hörög **4.** fecseg, kerepel, karattyol **II.** *fn* **1. a)** csörgő *[játékszer]* **b)** kereplő *[riasztásra]* **2.** *tsz* **rattles** *áll* csörgő *[csörgőkígyóé]* **3. a)** lárma, zaj, kopogás, zörgés **b)** *orv* hörgés; *biz* **the ~s** légcsőhurut **4.** *biz* fecsegés, szájjártatás
rattle away A. *tsi* zörögve/csörtetve elvisz **B.** *tni* **1.** zörögve elhajt *[kocsi]* **2.** kerepel, jártatja a száját, nem áll be a szája **3.** belehúz *[a munkába]*
rattle off A. *tsi* elhadar, sietve elmond/felsorol, eldarál **B.** *tni* **1.** zörögve távozik, elviharzik **2.** fecseg, locsog, nem áll be a szája, beszél és beszél
rattle on → **rattle off** B. 2.
rattle out → **rattle off**
rattle through A. *tni* zörögve/zötyögve halad (végig) *[az utcán jármű]* **B.** *tsi biz* **~ a bill through the House** sebesen keresztülhajt egy törvényt a parlamentben
rattlebrain *fn biz* szeles/hebehurgya/üresfejű ember • *mn* **rattlebrained**
rattler [ˈrætlə ‖ –ər] *fn* **1.** csörgő, kereplő **2.** *US biz* → **rattlesnake 3.** *biz* kemény/erős ütés **4. a)** *biz* rendkívüli/nagyszerű ló **b)** *GB szl* menő vki/vm
rattlesnake *fn áll* csörgőkígyó
rattletrap *fn tsz* **rattletraps I. 1.** rozoga öreg kocsi, ócska tragacs, csotrogány **2.** *szl [száj]* pofa **3.** *szl [fecsegő ember]* dumaláda **4.** limlom, kacat **II.** *mn biz* rozoga, ócska, öreg
rattling [ˈrætlɪŋ] *mn* **1.** zajos, lármás, csörgő, kopogó **2. a)** *biz* élénk, eleven, fürge eszű **b)** *biz* **at a ~ pace** sebes iramban **3.** *biz* **~ (good)** nagyon jó, elsőrendű, kiváló, remek, pompás, stramm, klassz
ratty [ˈræti] *mn* **1. a)** patkányoktól nyüzsgő, patkánnyal teli **b)** patkányszerű **2. a)** *biz* mérges, dühös, haragvó, ingerült **b)** *biz* vacak, nyamvadt, nyavalyás **3.** *US szl [elhanyagolt, ócska]* lepusztult, lerobbant, szakadt, koszlott
raucity [ˈrɔːsəti] *fn* rekedtség, érdesség *[hangé]*
raucous [ˈrɔːkəs] *mn* érdes, rekedt *[hang]*
raunchy [ˈrɔːntʃi] *mn* **a)** vulgáris, obszcén **b)** buja, érzéki **c)** *US szl [ápolatlan]* lompos
ravage [ˈrævɪdʒ] **I.** *fn* pusztítás, rombolás, dúlás **II. A.** *tsi* (el)pusztít, tönkretesz, feldúl **B.** *tni* pusztít, rombol
rave [reɪv] **I.** *tni* **1.** félrebeszél, fantáziál, delirál; *biz* **you are raving** nem vagy észnél **2. a) ~ and storm** dühöng, őrjöng; éktelen lármát csap **b)** tombol, pusztít, dühöng *[tűz, szél, tenger]* **3.** *biz* **~ about sg** határtalanul lelkesedik vmért, rajongva/rajongással beszél vmről; ömleng, extázisban van vm miatt **II.** *fn* **1.** *biz* lelkesedés; *biz* **a ~ review (of a book)** lelkendező/ömlengő könyvismertetés **2.** *biz* beleszeretés, beleesés **3.** *biz* eksztázis **4. a)** nagy/zajos buli/parti **b)** rave buli **5.** *zene* rave (zene)
ravel [ˈrævl] **-ll-**, *US* **-l- I.** *fn* **1.** összezavarodás, kuszaság, egy csomó bonyodalom **2.** kibontás, kibogozás **II. A.** *tsi* **1.** összebonyolít, összekuszál, összecsomóz **2.** kibogoz, megold **B.** *tni* összezavarodik, összegabalyodik, összekuszálódik
ravel out *tsi* szálakra bont
raven[1] [ˈreɪvn] **I.** *fn áll* holló **II.** *mn* hollófekete; **~ locks** hollófekete fürtök
raven[2] [ˈrævn] **A.** *tsi* **1.** elrabol, megragad *[zsákmányt]* **2.** felfal, megzabál **B.** *tni* **1.** rablásból él, fosztogat, pusztítást végez **2.** zsákmányra les, zsákmány után jár
ravenous [ˈrævnˑəs] *mn* **1. a)** falánk *[állat]* **b)** ragadozó **2. a) ~ appetite** farkasétvágy, mohó étvágy **b)** kiéhezett *(for* vmre)
raver [ˈreɪvə ‖ –ər] *fn* **a)** dühöngő/tomboló személy **b)** *GB* izgalmas/szabad(os) életű személy, őrült *biz* **c)** rave zene rajongója
rave-up *fn* nagy, zajos buli *[rengeteg résztvevővel, droggal]*
ravine [rəˈviːn] **I.** *fn* **1.** vízmosás, hasadék, szakadék, szurdok, hegyszoros **2.** mély behajlás *[grafikoné]* **II.** *tsi* elmos, elpusztít *[földet]*
ravioli [ˌræviˈoʊli] *fn tsz gaszt* ravioli *[olasz töltött tészta]*
ravish [ˈrævɪʃ] *tsi* **1. a)** megerőszakol, megbecstelenít, meggyaláz *[nőt]*, erőszakot követ el *[nőn]* **b)** *régi* elragad, elrabol **2.** elbűvöl, elbájol, elragadtat **3.** *régi* félreállít, eltesz láb alól • *fn* **ravisher**
ravishing [ˈrævɪʃɪŋ] **I.** *mn* elragadó, elbűvölő, bűbájos **II.** *fn* → **ravishment**
ravishment [ˈrævɪʃmənt] *fn* **1. a)** megerőszakolás, megbecstelenítés **b)** elrablás **2.** elragadtatás, transz
raw [rɔː] **I.** *mn* **1.** nyers; **~ spirit** tömény szesz **2.** tapasztalatlan, gyakorlatlan, zöldfülű; **~ recruit** újonc **3.** be nem hegedt; **~ wound** nyílt seb; *biz* **feel ~** kellemetlenül érzi magát **4.** nyirkos (hideg); **~ weather** zord idő **5.** *fényk* exponálatlan *[negatív anyag]* **6.** (túl)érzékeny **II.** *fn* **1. in the ~** természetes/nyers állapotban; meztelenül **2. touch sy on the ~** az elevenére tapint vknek, kellemetlenül/közelről érint vkt **III.** *tsi* feldörzsöl, felhorzsol, felsért • *fn* **rawness**
raw-boned *mn* kiálló csontú, sovány, girhes
raw data *fn tsz infor* nyersadatok, alapadatok
rawhide [ˈrɔːhaɪd] **I.** *fn* **1.** nyers marhabőr, nyersbőr, cserzetlen bőr **2.** korbács *[nyersbőrből]* **II.** *tsi* megkorbácsol
rawish [ˈrɔːɪʃ] *mn* kissé nyers

raw material *fn* nyersanyag
Ray [reɪ] *tul* ‹*Raymond* becéző alakja›
ray[1] [reɪ] **I.** *fn* **1. a)** *fiz* sugár, fénysugár **b) not a ~ of hope** a reménynek egy szikrája sem, egy cseppnyi remény sem **2.** küllő **II. A.** *tsi* **~ forth/off/out** kilöveli *[sugarat]* **B.** *tni* **~ forth/off/out** sugárzik, sugarakat bocsát ki • *mn* **rayless**
ray[2] [reɪ] *fn áll* rája
ray[3] [reɪ] → **re**[1]
ray-gun *fn* lézerpisztoly *[tudományos-fantasztikus műben]*
raylet [ˈreɪlɪt] *fn* keskeny/kis sugár
Raymond [ˈreɪmənd] *tul* ‹férfinév›
rayon [ˈreɪɒn ‖ –ɑn] *fn tex* műselyem
ray-proof *mn fiz* sugárbiztos, sugármentes
raze [reɪz] *tsi* **1. ~ (to the ground)** földig lerombol, a földdel egyenlővé tesz **2. ~ (out)** kitöröl *[szót]* • *fn* **razing**
razing-knife *fn tsz* **-knives** karcolóvas *[kádáré]*
razor [ˈreɪzə ‖ –ər] **I.** *fn* borotva, beretva; **an electric ~** villanyborotva; **as sharp as a ~** borotvaéles *[átvitt értelemben is]* **II.** *tsi* (meg)borotvál
razor back *fn* **1.** sovány/girhes hát *[állaté]* **2. ~ (hill)** szamárhátívű domb
razorbill [ˈreɪzəbɪl ‖ –ər] *fn áll* közönséges pingvin
razor blade *fn* borotvapenge, borotvakés
razor cut *tsi* borotvával vág(hajat)
razor-edge [ˌreɪzə ˈedʒ ‖ ˌreɪzər –] *fn* **1.** borotvaél; *biz* **be on a ~** borotvaélen táncol **2.** *földr* éles hegygerinc
razor-fish *fn* **1.** *áll* garda, sugár kardos **2.** *áll* késhüvely
razor-sharp *mn* borotvaéles *[átvitt értelemben is]*
razor-stone *fn* borotvaélesítő kő, borotvafenő kő
razor styling *fn* borotvahajvágás
razz [ræz] *US szl* **I.** *fn [goromba kritika]* kemény letolás, gúnyos elutasítás **II.** *tsi* kiröhög, kigúnyol, kifütyül, letol
razzberry [ˈræzbəri] *fn* → **raspberry I.2.**
razzia [ˈræzɪə] *fn* **1.** fegyveres betörés **2.** razzia
razzle [ˈræzl] *fn* mulat(oz)ás, tivornyázás, dáridó, dínomdánom
razzle-dazzle *fn szl* **1.** *[mulat(oz)ás]* tivornyázás, dáridó; **go on the ~** mulat, züllik egyet, görbe éjszakát csinál **2.** (hullámos mozgású) körhinta, ringlispil
razzmatazz [ˌræzməˈtæz] *fn* **1.** *biz* (nagy) felhajtás **2.** *szl* → **razzle-dazzle**
RC *röv* **1.** *Red Cross* **2.** *reinforced concrete* **3.** *Roman Catholic* római katolikus, róm.kat., r.k.
RCA *röv* **1.** *Radio Corporation of America* **2.** *GB Royal College of Art*
RCAF *röv Royal Canadian Air Force*
Rd *röv road*
RDA *röv recommended daily allowance* ajánlott napi adag
re- [riː–] *előtag* újra-, vissza-, viszont-, el-; **re-use** újból felhasznál; **remarry** újra nősül
RE [reɪ] *röv* **1.** *US real estate* **2.** *Religious Education* hittan *[óra, tantárgy]*
re[1] [riː, reɪ] *fn* **1.** vm tárgya (levélben), hivatkozás vmre; *jog* **~ Smith vs Jones** a Smith kontra Jones ügy (kapcsán); **in ~** vm ügyben **2.** *gazd* **~ your letter of June 10th** június 10-én kelt levele tárgyában
re[2] [reɪ] *fn zene* re *[a diatonikus skála második hangja]*
reabsorb [ˌriːəbˈsɔːb, –ˈzɔːb ‖ –ˈsɔrb, –ˈzɔrb] *tsi vegy* újra felszív, reabszorbeál • *fn* **reabsorption**
reaccustom [ˌriːəˈkʌstəm] *tsi* újra rászoktat/hozzászoktat (*to* vmhez/vmre)
reach[1] [riːtʃ] **I. A.** *tsi* **1. ~ (out)** (ki)nyújt; **~ out a hand** kezet nyújt **2. ~ sg to sy** átnyújt/átad vknek vmt **3.** elér (vkt, vmt); **I can just ~ the shelf** éppen elérem a polcot **4.** elér (vmt), eljut, megérkezik (vhova); **~ old age** öreg kort ér el; **your letter ~ed me today** ma kaptam meg (v. vettem) levelét, levele ma érkezett meg hozzám; **when matters ~ed this stage** mikor a dolgok idáig fejlődtek **5.** (ki)terjed, (ki)nyúlik (vhová); **~ the skies** égig ér, égbe nyúlik **6. a)** felveszi az érintkezést, érintkezésbe lép (vkvel) **b)** létrehoz *[megegyezést]*; **~ an agreement** megegyezésre jut, megállapodnak (vmben) **c)** *US* megveszteget, megvásárol (vkt), hamis vallomásra bír *[tanút]* **B.** *tni* **1. ~ out (with one's hand) for sg** kinyújtja a kezét vm után **2.** elér (vmeddig); **as far as the eye could ~** ameddig csak a szem ellát **3.** (el)terjed, elterül, (el)nyúlik; **annals that ~ back to ancient times** régi időkig visszanyúló feljegyzések **4.** megkeres, segítő kezet nyújt, felkarol; **~ out to the poor** segít a szegényeken **5.** megnyer *[közönséget]* **II.** *fn* **1.** elérés, kinyújtás *[kézé]*, *sp* karhossz *[ökölvívóé]* **2. a)** elérhetőség, megközelíthetőség; **it is beyond my ~, it is out of my ~** nem érem el; nem férek hozzá; hatásköröm nem terjed ki rá/odáig; **within one's ~** hozzáférhető, megközelíthető, elérhető (vk számára); a keze ügyében (levő); **well within** (v. **within easy**) **~ of sg** vmhez egészen közel, vhonnan könnyen elérhető **b)** felfogóképesség; ‹az emberi ész határa› **3. a)** távolság, kiterjedés, terjedelem; **~ of forest** az erdő kiterjedése **b)** hatótávolság, hatókörzet, hatósugár **c)** *kat* hordtávolság *[lőfegyveré]*; **out of ~ of the guns** lőtávolságon kívül **d)** láthatár **4.** működés, hatáskör **5.** *földr* (egyszerre átlátható) folyószakasz, folyó egyenes szakasza két kanyar között; **the upper ~es of the Thames** a Temze felső szakasza **6.** *US földr* földnyelv, hegyfok **7.** nézők száma *[adott televízó vagy rádió csatornán]* • *mn* **reachable**
reach[2] [riːtʃ] *tni* émelyeg *[a gyomra]*, hányingere van; → **retch II.**
reachless [ˈriːtʃləs] *mn* elérhetetlen
reach-me-down I. *mn biz* **a ~ suit** készen vett öltöny, készruha **II.** *fn* **1. a ~** készen vett ruha, készruha, konfekció **2.** *US* **~s** hosszú nadrág, pantalló
reacquire [ˌriːəˈkwaɪə ‖ –ər] *tsi* újra megszerez
react [riˈækt] *tni* **A. 1. a)** visszahat, visszahatást gyakorol, hatással van, reagál (*upon sg* vmre); **the eye ~s to light** a szem reagál a fényre; **~ on** hatást gyakorol (vm vkre/vmre); válaszol vmre **b) ~ against sg** ellenhatást fejt ki vmvel szemben, ellene fordul (vmnek) **2.** *pénz* esik *[részvény, emelkedés után]* **B.** *tsi vegy* reagál, reakcióba lép
re-act [ˌriːˈækt] *tsi szính* újra/újból játszik *[szerepet, darabot]*
reactant [riˈæktənt] *mn/fn* reagálóanyag, reagens
reacting [riˈæktɪŋ] *mn fiz* **~ force** ellenállás, ellenhatás; visszahatás, reakcióerő; *vegy* **~ weight** reagáló tömeg; egyenértéksúly
reaction [riˈækʃn] *fn* **1.** ellenhatás, visszahatás, reakció; *rep* **~ engine/motor** sugárhajtású motor/hajtómű; **~ test** reakciós/izzítási próba *[hegesztésnél]*; **action and ~** hatás és ellenhatás, akció és reakció; **rate of ~** reakciósebesség **2. a)** válasz, reagálás **b)** *pol* reakció; **the forces of ~** a reakció erői **3.** spontán reagálás, első benyomás **4.** reakció *[vmely ingerre]* • *fn* **reactionist**
reactionary [riˈækʃnˑəri ‖ –ʃəneri] **I.** *mn* reakciós, haladásellenes **II.** *fn* a reakció híve, reakciós, haladásellenes gondolkozású ember
reaction time *fn* reakcióidő
reactivate [riˈæktɪveɪt] *tsi* **1.** életre kelt, helyreállít, újra működésbe hoz (v. megindít) **2.** *kat* reaktivál • *fn* **reactivation**
reactive [riˈæktɪv] *mn* **1.** visszaható, reagens; **~ to sg** vmre érzékeny/reagáló **2.** *fiz vegy* reaktív, reagens; **~ paper** kémlelőpapír, reagens papír • *fn* **reactiveness**, **reactivity**
reactor [riˈæktə ‖ –ər] *fn* **1.** *fiz* atom(mag)reaktor, reaktor **2.** *távk* indukciós ellenállási tekercs, fojtótekercs **3.** reagáló/válaszoló személy **4.** (gyógyszerre) reagáló személy **5.** (kémiai) reaktor
read [riːd] **I.** *pt/pp* **read** [red] **A.** *tsi* **1. a)** (el)olvas **b)** *nyomd* **~ proofs** kefelevonatot korrigál, korrektúrát olvas/végez, korrektúráz(ik) **c) ~ law** jogi tanulmányokat folytat; jogot végez **2. ~ aloud** fennhangon/hangosan olvas; felolvas; **~ sy to sleep** álomba ringat vkt felolvasásával **3. a)** olvas *[kottát]*, visszaolvas *[gyorsírást]*; *zene* **~ (music) at sight** lapról játszik, blattol **b)** megmagyaráz, megfejt *[álmot, talányt stb.]*; **~ a dream** álmot fejt; **~ the**

R

future jövőbe lát; ~ **sy's hand** tenyérből olvas/jósol; ~ **the sky** csillagokból jósol; időt jósol *[meteorológus]*; ~ **sy's thoughts/heart** vknek a gondolatában/szívében olvas; **I can ~ him like a book** nyitott könyv előttem, úgy ismerem mint a tenyeremet **c)** értelmez, magyaráz *[szöveget]* **4. a)** leolvas; ~ **sy's lips** ajakról (le)olvas **b)** jelez, mutat *[műszer]*; **the thermometer ~s 3 degrees above freezing-point** a hőmérő plusz 3 fokot mutat **B.** *tni* **1. a)** olvas; ~ **between the lines** sorok között olvas; **learn to ~** olvasni tanul **b)** ~ **about/of sg** olvas vmről; olvasás útján értesül (v. tudomást szerez) vmről **2. a)** vmlyen benyomást/hatást kelt, vmlyen értelemmel bír; **book that ~s well** (igen) olvasmányos könyv; **the clause ~s both ways** a cikkely kétféleképpen magyarázható **b)** hangzik *[szöveg]*; **the passage quoted ~s as follows** az idézett szakasz/mondat így/következőképpen hangzik **3.** leolvas, jelez **II.** *fn biz* olvasás, olvasással (el)töltött idő; **take a quick ~** gyorsan elolvas (vmt) **III.** *mn* **1.** (fel)olvasott *[beszéd stb.]* **2. be well ~** sokat olvasott; irodalmilag művelt; **he is widely ~** olvasott ember, nagy olvasottsága van; nagy olvasóközönsége van; sokan olvassák műveit

read for *tni* tanul, készül; ~ **for an exam(ination)** vizsgára tanul/készül; ~ **for the bar** ügyvédnek (v. ügyvédi vizsgára) készül

read into *tsi* beleolvas, belemagyaráz (vmlyen értelmezést vmbe)

read off *tsi* **1. a)** egyfolytában/folyamatosan felolvas **b)** felolvas *[névsort stb.]* **c)** leolvas *[műszert]* **2.** → **read in** 2.

read on *tni* folytatja az olvasást, tovább olvas

read out *tsi* **1.** (hangosan) felolvas, fennhangon/hangosan olvas; ~ **out the will** felolvassa a végrendeletet **2.** ~ **sy out of sg** kiközösít/kizár vkt vmből; → **readout 3.** *infor* kiolvas

read over *tsi* **1.** újra/újból elolvas; ~ **sg over and over** újra meg újra elolvas vmt **2.** elolvas, átolvas, átlapoz *[könyvet stb.]*

read through *tsi* végigolvas, elolvas

read up *tsi* ~ **up on a subject** egy tárgykörből mindent elolvas; behatóan/alaposan tanulmányoz egy tárgykört

readable [ˈriːdəbl] *mn* **1.** olvasható, olvasmányos, érdekes *[könyv]* **2.** (el)olvasható; **a ~ handwriting** olvasható (kéz)írás • *fn* **readability**

readdress [ˌriːəˈdres] *tsi* **1.** újra címez, átcímez *[levelet]* **2.** újból/előad *[problémát]*

reader [ˈriːdə ‖ –ər] *fn* **1.** olvasó; **the gentle ~** a nyájas olvasó **2.** felolvasó **3.** *GB* kb. (egyetemi) docens **4.** álomfejtő, álomlátó **5.** *okt* olvasókönyv, szemelvények (v. válogatott szövegek) gyűjteménye **6.** jelző, mutató *[műszeren]* **7.** *infor* **a)** olvasóprogram **b)** olvasó(berendezés)

readership [ˈriːdəʃɪp ‖ –dər–] *fn* **1.** olvasó(k), olvasóközönség *[folyóiraté, rovaté]* **2. a)** lektorság **b)** korrektori állás/megbízatás **3.** *GB* docensi beosztás

readily [ˈredɪli] *hsz* **1. a)** azonnal, rögtön **b)** kész(séges)en, szolgálatkészen, szívesen; **he would ~ die for the cause** szívesen áldozná életét az ügyért **2.** könnyen, könnyedén; **it can ~ be understood that** könnyen megérthető, hogy; *pénz* ~ **raised** mozgósítható pénz *[befektetéshez]*

reading [ˈriːdɪŋ] **I.** *mn* **1.** olvasó; ~ **circle** olvasókör; **a ~ man** sokat olvasó ember; *okt biz* magoló/biflázó diák; ~ **public** olvasóközönség; ~ **spectacles** olvasószemüveg **2.** ~ **device** leolvasó berendezés *[műszereken]* **II.** *fn* **1.** olvasás **2. a)** felolvasás, fennhangon olvasás; **give a ~** felolvasást tart **b)** *GB pol* **first ~** első olvasás *[törvényjavaslaté]* **3.** olvasmány, olvasnivaló; ~ **list** elolvasandó könyvek jegyzéke **4.** olvasottság; **a man of wide ~** nagy/széleskörű olvasottsággal rendelkező (v. nagy olvasottságú) ember **5. a)** olvasásmód, olvasat **b)** előadásmód, interpretálás *[szerepé, darabé stb.]*; *szính* ~ **of a play** olvasópróba **c)** *nyomd* korrektúraolvasás, korrektúrázás **6.** szövegváltozat **7. a)** szövegértelmezés **b)** megfejtés, magyarázat *[talányé, álomé stb.]* **8. a)** (műszer)állás, jelzés *[műszeren]* **b)** leolvasás *[mérőműszeré]*; **take a ~** műszert leolvas

reading-book *fn* olvasókönyv

reading comprehension *fn okt* (olvasott) szövegértési feladat

reading-desk *fn* **a)** olvasóállvány **b)** énekeskönyvtartó polc, kórusi pulpitus *[templomban]*

reading-lamp *fn* olvasólámpa

reading-room *fn* **1.** olvasóterem *[könyvtárban, klubban stb.]* **2.** *nyomd* korrektorszoba

reading-stand *fn* olvasóállvány

readjourn [ˌriːəˈdʒɜːn ‖ –ˈdʒɜrn] **A.** *tsi* újból elhalaszt/elnapol **B.** *tni* újból elhalasztják/elnapolják • *fn* **readjournment**

readjust [ˌriːəˈdʒʌst] *tsi* **1.** rendbe hoz, helyrehoz **2.** helyreigazít, megigazít, kijavít, hozzáigazít (vmt vmhez) **3.** ~ **to sy/sg** alkalmazkodik vkhez/vmhez • *fn* **readjustment**

readmit [ˌriːədˈmɪt] *tsi* **-tt- a)** újra bebocsát/beenged **b)** újra felvesz *[állásba]*, állásába/jogaiba visszahelyez • *fn* **readmission**, **readmittance**

read-off *fn* leolvasás *[műszeré]*

read-only *mn infor* csak olvasható

read-only memory *fn infor* csak olvasható tár/memória, ROM

readout *fn infor* kiolvasás, (mérési) eredmény, leolvasási érték, kimenő adatok

read-write head *fn infor* író-olvasó fej

ready [ˈredi] **I.** *mn* **1.** kész, elkészített, bevégzett, befejezett; *kat* ~ **reserve** aktív tartalék; **~? set! go!** vigyázz! kész! rajt!; **make/get sg ~** el(ő)készít vmt; **make/get ~ to/for sg** felkészül vmre; ~ **for service** üzemkész; *jog* **suit ~ for hearing** tárgyalásra előkészített per **2.** közel levő, hozzáférhető, elérhető, rendelkezésre álló; ~ **capital** forgótőke; ~ **money** készpénz **3. a)** hajlamos, hajlandó, kész (vmre); **he is ~ for anything** mindenre kész/hajlandó **b)** (túlzottan) előzékeny, készséges, szolgálatkész, szívélyes; **he gave a ~ assent/consent** készségesen beleegyezett **4.** gyors, fürge, ügyes; **have a ~ pen** könnyen/könnyedén ír; **a ~ reply** gyors/prompt válasz; **have a ~ wit** gyorsan kapcsol, találékony; **be ~ with an answer** gyorsan visszavág, mindenre van válasza **II.** *hsz* **1.** készen, teljesen; **the boxes are ~ packed** (v. **packed ~**) a ládákat teljesen becsomagolták **2.** gyorsan, fürgén **III.** *fn* **1.** *kat* tüzelésre kész (puskaállás); **guns at the ~** tüzelésre készen álló ágyúk **2.** *szl [készpénz]* kápé; **plank down the ~** leadja/leszúrja a pénzt/gubát **IV.** *tsi* **1.** el(ő)készít, megcsinál, készre csinál; *US* ~ **(up)** előkészít, rendbe tesz/hoz; ~ **up a case** csalétket rak ki a tolvajnak **2.** *sp* lovat visszafog *[lóversenyen]* **3.** *kat* készültségbe helyez

ready-made **I.** *mn* **a)** készáru, nem rendelésre készült; ~ **clothes** konfekció(s ruha) **b)** másoktól átvett, nem eredeti *[gondolat, vélemény stb.]* **II.** *fn* **a ~** készruha, konfekció(s ruha)

ready-to-wear **I.** *mn* készen vett, konfekciós *[ruha]* **II.** *fn* készruha

reaffirm [ˌriːəˈfɜːm ‖ –ˈfɜrm] *tsi* újra megerősít/állít, megismétel egy állítást • *fn* **reaffirmation**

reafforest [ˌriːəˈfɒrɪst ‖ –ˈfɔ–, –ˈfɑ–] *tsi GB* újra fásít/erdősít *[vidéket]* • *fn* **reafforestation**

reagency [riˈeɪdʒənsi] *fn* ellenhatás, visszahatás, reagálás

reagent [riˈeɪdʒnt] *fn* **1.** *vegy* kém(lelő)szer, vegyszer, reagens; ~ **paper** kémlelőpapír, reagenspapír **2.** reagáló, visszaható *[anyag, erő, energia]*

real[1] [rɪəl, riːl] **I.** *mn* **1. a)** igazi, valódi; **it is the ~ thing** ez az igazi, ez hamisítatlan; *biz* ez kell (nekünk), ez az, ami nekünk kell **b)** való(ságos), tényleges, *mat* valódi, valós; *szl* **get ~!** legyen eszed!, szállj le a magas lóról!; *fiz* ~ **image** valódi/valós kép; *mat* ~ **number** valós szám; *szl* **are you for ~?** komolyan?, nem hülyéskedsz?; **for ~** igazi(ból), tényleges(en); **in ~ life** a való életben **2. a)** *jog* ~ **action** dologi/jogi igény/kereset **b)** *jog* meglevő, tárgyi, dologi; ~

R

value dologi érték **3.** *közg* reál-, tényleges; **~ wages** reálbér **4.** *US* alapos, kiadós **II.** *hsz US biz* nagyon, igazán, valóban, csakugyan; **have a ~ good time** pompásan/remekül/ kitűnően érzi magát **III.** *fn* valóság; **the ideal and the ~** eszmény és valóság

real² [reɪ'ɑːl] *fn* **1.** reál *[brazil pénzegység, 1994 óta váltópénz]* **2.** *tört* real *[spanyol aprópénz]*

real estate *fn* **1.** ingatlan; ingatlantulajdon; ingatlanvagyon **2. ~ agent** ingatlanügynök; **~ broker** ingatlanügynök, lakásközvetítő; **~ register** telekkönyv; **~ recording office** telekkönyvi hivatal

realgar [ri'ælgə ‖ –ər] *fn ásv* arzénszulfid, realgál

realign [ˌriːə'laɪn] *tsi* **1.** újra rendez, átrendez, átszervez **2.** kiigazít **3.** *pol* átszervez *[csoportosulásokat]* • *fn* **realigning, realignment**

realism ['rɪəlɪzm] *fn vál műv fil* valószerűség, realizmus • *fn/mn* **realist**

realistic [ˌrɪə'lɪstɪk] *mn* valószerű, valóságos, élethű, realista, realisztikus

reality [ri'æləti] *fn* **1.** valóság, létezés, tények, realitás; **in ~** valóban, tényleg(esen) **2.** élethűség, valószerűség, vmnek a reális volta, realitás

reality check *fn biz* valóságpróba, szembesülés a valósággal

realize ['rɪəlaɪz], **-ise** *tsi* **1.** megvalósít, keresztülvisz, végrehajt *[tervet stb.]* **2. a)** *gazd pénz* átvált *[értéket]*, értékesít, pénzzé tesz, realizál *[vagyont]*, földbirtokba fektet *[pénzt]* **b) ~ a high price** magas árat ér el **c)** nyereségre tesz szert, vagyont szerez **3.** valószerűen, realisztikusan (v. a valóságnak megfelelően) ábrázol (vmt) **4.** felfog, megért, átlát (vmt), ráébred, rájön(vmre); **he fully/quite ~s (the fact) that...** teljes mértékben tudatában van annak (a ténynek), hogy ..., tisztában van azzal (a ténnyel), hogy ... • *fn* **realizability, realization** *mn* **realizable**

realliance [ˌriːə'laɪəns] *fn* újraszövetkezés, újraegyesülés

re-allocate *tsi* újra odaítél

re-allot *tsi* **-tt-** *pénz* újból kioszt/eloszt *[részvényeket]*

realm [relm] *fn* **a)** királyság, birodalom, állam; **the ~ of Nature** a természet világa; *vál* **the ~ of the dead** a halottak birodalma; **in the ~ of fancy** a képzelet világában/ birodalmában **b)** *tud* tartomány *[matematikai és meteorológiai értelemben]* **c)** *növ áll* vidék, övezet

realo ['rɪəˌləʊ] *fn pol* nem szélsőséges környezetvédő, reális zöld, realo

realpolitik [reɪ'ɑːlpɒlɪtiːk ‖ –poʊ–] *fn német pol* reálpolitika

real-time *mn infor távk* valós idejű, időazonos

realtor ['rɪəltə, –tɔː ‖ –tər, –tɔr] *fn US* telekügynök, ingatlanügynök, ingatlanközvetítő

realty ['rɪəlti] *fn* **a)** *jog* telek, ingatlan **b)** *jog* ingatlanvagyon, ingatlantulajdon; *US gazd jog* **conversion of ~ into personalty** ingatlannak ingó vagyonná alakítása

re-ally *tsi régi* újra szövetkezik, újra szövetséget köt

really ['rɪəli, riːli] *hsz* igazán, valóban, tényleg, csakugyan; **~?** igazán?, tényleg?, komolyan?; **do you ~ mean it?** komolyan mondod/gondolod?; **not ~!** lehetetlen!, nem lehet!, csak nem!

ream¹ [riːm] *fn* **1. a)** rizsma *[480 ív papír]* **b)** *ip nyomd* rizsma *[480-500 ill. 1000 ív papír]*; **printer's ~** 516 ív (papír) **2.** *biz* **he writes ~s** egyik oldalt a másik után írja, köteteket ír

ream² [riːm] *tsi* **1.** *műsz* **~ (out)** kiváj, kitágít *[nyílást, furatot]*; (ki)dörzsöl; **~ the seam** varratot felnyit **2.** *US* kisajtol, kifacsar *[gyümölcslét]* • *fn* **reamer**

reanalysis [ˌriːə'næləsɪs] *fn nyelv* átelemzés, reanalízis *[szerkezeté]*

reanimate [riː'ænɪmeɪt] *tsi* feléleszt/feltámaszt, új életet/ erőt/kedvet önt (vkbe) • *fn* **reanimation**

reannex [ˌriːə'neks] *tsi* visszacsatol, újra bekebelez, visszahódít *[területet]* • *fn* **reannexation**

reanswer [riː'ɑːnsə ‖ riː'ænsər] *tsi* újból válaszol, viszszafelel

reap [riːp] **A.** *tsi* **1.** *mezőg* (le)kaszál, learat *[termést]*, betakarít *[terményt]*; *közm* **we ~ as we sow, ~ what we have sown** ki mint vet úgy arat **2.** *átv* nyer, arat, élvez *[dicsőséget, babérokat stb.]*; **~ laurels** babérokat arat; **~ profit from sg** hasznot húz vmből **B.** *tni* **1.** *mezőg* kaszál, arat, betakarít **2.** munkájának gyümölcsét learatja/élvezi

reaper ['riːpə ‖ –ər] *fn* **1.** *mezőg* kaszáló, arató (munkás); *vál* **the R~** a nagy Kaszás **2.** *mezőg* kaszálógép, (marokrakó) aratógép

reapparel [ˌriːə'pærəl ‖ –'per–], *US* **-ll-** *tsi* újra felöltöztet/felruház

reappear [ˌriːə'pɪə ‖ –'pɪr–] *tsi* **1.** újra megjelenik/feltűnik/előtűnik/felbukkan **2.** *szính* újból színre lép • *fn* **reappearance**

re-apply *tsi* újra/újból alkalmaz

reappoint [ˌriːə'pɔɪnt] *tsi* állásába visszahelyez, újból alkalmaz, újra kinevez • *fn* **reappointment**

reapportion [ˌriːə'pɔːʃn ‖ –'pɔr–] *tsi* újból kioszt/eloszt, újraoszt

reappraisal [ˌriːə'preɪzl] *fn* újraértékelés

reapproach [ˌriːə'proutʃ] *tsi/tni* újból közeledik

rear¹ [rɪə ‖ rɪr] **I.** *mn* hát(ul)só, hátul levő; *kat* **~ action** utóvédharc; *gk* **~ axle** hátsótengely, hátsó futómű; *gk* **~ door** hátsóajtó, ötödik ajtó; **~ elevation/view** hát(só)nézet, hátulnézet; **~ end** hátsó rész; hátsó vég, *biz* far, ülep, *gk* hátsó (tengely) híd, far *[járműé]*; **~ entrance** hátulsó bemenet, hátsó bejárat **II.** *fn* **1. a)** hátsó rész/oldal, vmnek a hátulja/vége **b)** *biz* far, ülep **c)** *szl* **the ~** árnyékszék, illemhely **2. a)** *kat* hátvéd, utócsapat, utóhad, utóvéd *[hadseregé]*, utánpótlási övezet, hadtáp; *kat* **bring/close up the ~** a menet végén halad, bezárja a sort; *kat* **in the ~** (leg)hátul **b)** *kat* hátország **III.** *tni szl* megkönnyebbül, könnyít magán *[árnyékszéken]*

rear² [rɪə ‖ rɪr] **A.** *tsi* **1. a)** felemel, felállít *[létrát stb.]*; **~ oneself up** felegyenesedik, kiegyenesedik **b)** felépít, (fel)állít, emel *[épületet, szobrot]* **2.** (fel)nevel *[gyermeket]*, tenyészt *[állatot]*, termel *[növényt]* **B.** *tni* **1.** felágaskodik *[ló]* **2.** (ki)magaslik • *fn* **rearing**

rear-admiral *fn kat* ellentengernagy

rear-drive *fn gk* hátsókerék/hátsótengely-meghajtás

rear-engined *mn* farmotoros

rearer ['rɪərə ‖ 'rɪrər] *fn* **1.** állattenyésztő **2.** ágaskodó/ megbokrosodó ló

rear-guard *fn* **1.** *kat* hátvéd, utóvéd, utóhad; **~ action** utóvédharc, védekező álláspont *[vitában, főként vesztés esetén]* **2.** *gk* hátsó lökhárító

reargue [riː'ɑːgjuː ‖ –'ɑr–] *tsi* újból megvitat/bizonyít

rearise [ˌriːə'raɪz] *tni pt* **rearose** [ˌriːə'rouz] *pp* **rearisen** [ˌriːə'rɪzn] újból felemelkedik, újból felmerül

rear-light *fn* **a)** *gk* hátsó világítás, hátsó (piros) lámpa, hátfénylámpa **b)** *vasút* (vörös) zárjelző lámpa

rearm [riː'ɑːm ‖ –'ɑrm] **A.** *tsi* újra felfegyverez **B.** *tni* újból felfegyverkezik • *fn* **rearmament**

rearmost ['rɪəmoust ‖ 'rɪr–] *mn* leghátulsó, legutolsó

re-arrange [ˌriːə'reɪndʒ] *tsi* **a)** újra (el)rendez, átrendez, átcsoportosít, visszahelyez **b)** *mat* permutál • *fn* **rearrangement**

rear-view mirror *fn gk* visszapillantó tükör

rearward ['rɪəwəd ‖ 'rɪrwərd] **I.** *mn* **a)** hát(ul)só, hátul lévő **b)** hátrafelé irányuló, hátramenő **II.** *hsz* **a)** hátra(felé) **b)** hátul **III.** *fn* hátvéd, utóvéd

rearwards ['rɪəwədz ‖ 'rɪrwərdz] *hsz* **a)** hátra(felé) **b)** hátul

rear window *fn gk* hátsó szélvédő

reason ['riːzn] **I.** *fn* **1.** indok, rugó *[cselekedeté]*, magyarázat; *jog* **~s adduced** az ítélet indoklása; **~ of state** államérdek; **the ~ why** az oka (annak, hogy)...; amely okból, amiért; **give ~s for doing sg** megokolja/megindokolja cselekedetét/tettét; **he has every ~ to suppose that...** minden oka megvan feltételezni (v. annak feltételezésére), hogy...; **all the more ~ for going** ez is amellett szól, hogy (el)menjünk; **by ~ of sg** vm miatt; **for ~ of the**

R

design szerkezeti okokból; **for one ~ or another** vmlyen (meghatározatlan) okból kifolyólag; **for that very ~** éppen/pontosan azért; **for no ~ at all** minden ok nélkül; **with good ~** (teljes) joggal; **not without (good) ~** nem minden ok nélkül **2.** (józan) ész, értelem; **it is against ~, out of all ~** ellenkezik a józan ésszel; **bring sy to ~** észre térít vkt; **hear ~, listen to ~** hallgat a józan észre; **lose one's ~** eszét veszti, megbolondul; **make sy see ~** jobb belátásra bír vkt; **in ~** mértékkel, mértékletesen; **it stands to ~** nyilvánvaló, magától értetődik, világos; **without rhyme or ~** se füle se farka; **within ~** mértékkel **3.** méltányosság **4.** *fil* premissza *[logikában]* **II. A.** *tsi* **1.** meggondol, megfontol, megindokol **2. a)** megvitat, fejteget **b)** következtet; **~ that...** arra következtet (v. arra a következtetésre jut), hogy... **3.** rábeszél, érvekkel meggyőz; **~ sy into accepting a proposal** (érvekkel) rávesz/rábeszél vkt arra, hogy egy ajánlatot elfogadjon; **~ sy out of doing sg** lebeszél vkt vmnek a megtételéről **B.** *tni* **1.** gondolkozik, okoskodik; **the ability to ~** a gondolkodás képessége **2.** ítél, következtet **3.** vitatkozik, érvel, argumentál; **~ with sy** vitatkozik vkvel; **you can't ~ with him** nem lehet észérvekkel hatni rá, nem hajlik a szóra • *fn* **reasoner**, **reasoning** *mn* **reasonless**

reasonable [ˈriːznˑəbl] *mn* **1.** gondolkodó, értelmes, észszerű; **~ being** gondolkodó lény; **do be ~** legyen/légy belátással!; gondolkodj(ék) csak!, legyen esze(d)! **2. a)** ésszerű, indokolt, elfogadható; **offer a ~ excuse** elfogadható/indokolt kifogást hoz fel **b) ~ suspicions** megalapozott gyanú **3.** mérsékelt, méltányos; **a ~ price** méltányos/elfogadható ár; **within ~ time** belátható időn belül • *fn* **reasonableness** *hsz* **reasonably**

reasoned [ˈriːznd] *mn* **1.** értelmes, átgondolt, érvekkel alátámasztott, megindokolt *[kijelentés stb.]*; **closely ~** alaposan és logikusan (meg)indokolt **2.** ésszerű, értelmes *[kormányzás, rendszer stb.]*

reassemble [ˌriːəˈsembl] **A.** *tsi* **1.** újból/újra összegyűjt/összeszed **2.** újra felszerel/összeállít **B.** *tni* újra öszszegyülekezik/összegyűlik, újra összeül *[parlament stb.]* • *fn* **reassemblage**, **reassembly**

reassert [ˌriːəˈsɜːt ‖ –ˈsɜrt] *tsi* újból/újra megerősít *[véleményt stb.]*, *[állítást/kijelentést]* megismétel; **~ oneself** újból jelentkezik *[vm igénnyel]*, ismét érvényt próbál szerezni akaratának, megint előjön *[hosszú hallgatás után]* • *fn* **reassertion**

reassess [ˌriːəˈses] *tsi* **1.** újra megbecsül, felbecsül *[károkat, ingatlant stb.]* **2.** újra megadóztat, újra kivet *[adót]* • *fn* **reassessment**

reassign [ˌriːəˈsaɪn] *tsi* **1.** újra kijelöl/átad/juttat (vmt) **2.** másnak juttat/átad (vmt) **3.** újból kioszt/feloszt *[földet stb.]* **4.** *kat* áthelyez *[más alakulathoz]*, más beosztásba helyez/vezényel

reassociate [ˌriːəˈsoʊʃieɪt] *tsi/tni* újból egyesül/társul • *fn* **reassociation**

reassume [ˌriːəˈsjuːm ‖ –ˈsuːm] *tsi* újra elvállal, újrakezd *[munkát stb.]*

reassure [ˌriːəˈʃʊə ‖ –ˈʃʊr] *tsi* **1. a)** megnyugtat (*sy about/on sg* vkt vm felől), felbátorít, bíztat; **feel ~d** megnyugszik; felbátorodik **b)** új önbizalommal/biztonságérzettel tölt el **2.** *pénz* viszontbiztosít • *fn* **reassurance**, **reassuring**

re-attach *tsi* **1.** újra összeköt/összekapcsol/hozzáfűz **2.** *jog* **a)** újból letartóztat **b)** újból/ismételten lefoglal

reattain [ˌriːəˈteɪn] *tsi* újból elér *[dicsőséget stb.]*

reattempt [ˌriːəˈtempt] *tsi* újból megkísérel

Reaumur [ˈreɪəmjʊə ‖ ˌreɪoʊˈmjʊr] *fn fiz* hőmérséklet mértékegysége *[a víz 0°-on fagy és 80°-on forr]*

reaver [ˈriːvə ‖ –vər] *fn* fosztogató, haramia, martalóc

reawaken [ˌriːəˈweɪkn] **A.** *tsi* **a)** felébreszt (vkt) **b)** újra ébreszt, újra éleszt, feléleszt (vmt) **B.** *tni* **a)** felébred **b)** újra éled, feléled

re-bale *tsi* újra bálákba rak/csomagol *[árut]*

rebaptism [ˌriːˈbæptɪzm] *fn vall* újrakeresztelés

rebaptize [riːˈbæptaɪz], **-ise** *tsi vall* újrakeresztel

rebarbative [rɪˈbɑːbətɪv ‖ –ˈbɑr–] *mn vál* visszataszító, undorító

rebate[1] **I.** *fn* [ˈriːbeɪt] **1.** *gazd* árengedmény, rabatt; *gazd* **a ~ for prompt payment** árengedmény azonnali fizetés esetén; skontó, rabatt **2.** *gazd* visszafizetés, megtérítés, risztornó **II.** *tsi* [rɪˈbeɪt] **1.** *gazd* (ár)engedményt/rabattot ad **2.** *átv* tompít *[vmnek az élét, érzést stb.]*; **~ a blow** ütés erejét csökkenti/felfogja • *fn* **rebatement**

rebate[2] [rɪˈbeɪt, rɪˈbeɪt] **I.** *fn* → **rabbet** I. **II.** *tsi* → **rabbet** II.

Rebecca [rɪˈbekə] *tul* Rebeka

rebel [ˈrebl] **I.** *mn* [ˈrebl] felkelő, lázadó **II.** *fn* [ˈrebl] lázadó, zendülő, felkelő **III.** *tni* [rɪˈbel] *GB* **-ll-** fellázad, felkel (*against* vk/vm ellen)

rebeller [rɪˈbelə ‖ –ər] → **rebel** II.

rebellion [rɪˈbelɪən] *fn* **1.** (fel)lázadás, felkelés, zendülés; **in open ~** nyílt lázadásban (álló) **2. a)** ellenszegülés, ellenállás **b)** *jog* makacsság, kontumax *[vádlott meg nem jelenése]* • *fn* **rebellionist**

rebellious [rɪˈbelɪəs] *mn* **1.** lázadó, rebellis; *jog* **~ assembly** ‹több mint 12 személy titkos összejövetele törvénybe ütköző cselekedet elkövetése céljából› **2.** ellenszegülő, ellenálló, engedetlen; **a ~ temperament** ellenszegülő/fegyelmezetlen természet **3.** *orv* makacs *[pl. láz]* • *fn* **rebelliousness**

rebid **I.** *fn* [ˈriːbɪd] *ját* színvisszavétel *[bridzsben]* **II.** *tsi* [riːˈbɪd] **1.** újból fogad **2.** színt visszavesz *[bridzsben]* • *mn* **rebiddable**

rebind [riːˈbaɪnd] *tsi pt/pp* **rebound** [rɪˈbaʊnd] **1.** újra átköt *[csomagot]* **2.** újraköt *[könyvet]* **3.** újra abroncsoz/ráfoz *[kereket]* • *fn* **rebinding**

rebirth [riːˈbɜːθ ‖ ˌriːˈbɜːrθ] *fn* újjászületés, megújhodás, újjáéledés, felelevenedés

reblock [riːˈblɒk ‖ –ˈblɑk] *tsi* átalakít *[kalapot]*

rebloom [riːˈbluːm] *tni átv* újból kivirít, újra kivirágzik

reblossom [riːˈblɒsm ‖ –ˈblɑsm] → **rebloom**

reboil [riːˈbɔɪl] **A.** *tsi* újra felforral **B.** *tni* **a)** *átv* újra felforr **b)** újra forr *[bor]*

reborn [riːˈbɔːn ‖ riːˈbɔrn] *mn* újjászületett

rebottle [riːˈbɒtl ‖ –ˈbɑtl] *tsi* új palackokba önt *[bort]*, újra palackoz

rebound **I.** *tni* [rɪˈbaʊnd] **1.** visszaugrik, hátraugrik, viszszapattan *[labda, puskagolyó stb.]* **2.** *fiz* visszaverődik, visszatükröződik **3.** újra felelevenedik/feléled **II.** *fn* [ˈriː-baʊnd] **1.** visszaugrás, hátraugrás, visszapattanás *[labdáé, puskagolyóé stb.]*, *sp* lepattanó (labda) *[kosárlabdában]*; *biz* **take sy on the ~** kihasználja vk (pillanatnyi) hangulatát/gyengeségét; *biz átv* **take the ball on the ~** azonnal megragadja az alkalmat (v. él a lehetőséggel); **take an offer at ~** ajánlatot meggondolás nélkül elfogad **2.** *fiz* visszaverődés, visszatükröződés, reflektálódás

rebound-check *fn* visszafutásgátló, ütközőbak

rebroadcast **I.** *fn* [ˈriːbrɔːdkɑːst ‖ –kæst] *[tv, rádió]* műsorismétlés; *távk* relés rádióközvetítés/tévéadás **II.** *tsi* [riːˈbrɔːdkɑːst ‖ –kæst] újra közvetít/sugároz, lead, (felvételről) megismétel *[adást]*

rebuff [rɪˈbʌf] **I.** *fn* **1. a)** (kemény/goromba) visszautasítás, elutasítás, barátságtalan fogadtatás **b)** *gazd* átvétel megtagadása **2.** kellemetlenség, balsiker, váratlan meghiúsulás *[reményeké, terveké]*; **meet with ~, suffer a ~** durván/gorombán elutasítják; bosszúság/kellemetlenség éri; felsül **II.** *tsi* **1.** (keményen/gorombán) visszautasít, elutasít **2.** kitaszít, eltaszít

rebuild [riːˈbɪld] *tsi pt/pp* **rebuilt** [riːˈbɪlt] **a)** újjáépít, újraépít, újra felépít, helyreállít **b)** átépít, átalakít • *fn* **rebuilding**

rebuke [rɪˈbjuːk] **I.** *tsi* **a)** (meg)dorgál, (meg)fedd, megró, megszid, korhol, rendreutasít (vkt); **~ sy for sg** szemrehányást tesz vknek vmért, megró vkt vmért **b)** helytelenít, rosszall, kifogásol (vmt) **II.** *fn* **a)** (meg)dorgálás, (meg)feddés, megrovás, szemrehányás; **receive a ~** megdorgálják, megfeddik, megróják, dorgálásban/megrovásban részesül; **without ~** feddhetetlen, kifogástalan **b)** helytelenítés, rosszallás, kifogásolás

rebury [riːˈberi] *tsi* újból eltemet

rebus [ˈriːbəs] *fn* **1.** rejtvény, rébusz **2.** *cím* beszélő címer

rebut [rɪˈbʌt] *tsi* **-tt- 1. a)** megcáfol *[vádat, elméletet stb.]* **b)** *jog* viszonválaszt nyújt be (vm ellen) **2.** keményen elutasít/visszautasít, visszaver; **~ an insinuation** keményen/határozottan visszautasít egy gyanúsítást • *fn* **rebuttal** *hsz* **rebuttable**

rebutter [rɪˈbʌtə ‖ –ər] *fn* **1.** *jog* viszonválasz **2.** *jog* megcáfolás, cáfolat

rebuy [ˈriːbaɪ] *fn gazd* újravásárlás; **straight ~** egyszerű/azonos kondíciójú újrarendelés/újravásárlás

rec. *röv* **1.** *receipt* **2.** *recipe* **3.** *recorded*

recalcitrance [rɪˈkælsɪtrəns] *fn* ellenszegülés, ellenkezés, nyakasság

recalcitrant [rɪˈkælsɪtrənt] **I.** *mn* **a)** ellenkező, ellenszegülő, ellenálló, akaratos *[személy]* **b)** makacs, szívós *[betegség]* **c)** nehezen kezelhető *[kutatási anyag, gép stb.]* **II.** *fn* ellenszegülő/ellenkező személy, rebellis, akaratos ember

recalcitrate [rɪˈkælsɪtreɪt] **A.** *tsi* fellázad vm ellen, ellenáll vmnek **B.** *tni* makacsul ellenáll/ellenszegül (*at/against sg* vmnek), akaratoskodik

recalculation [ˌriːkælkjəˈleɪʃn] *fn* átszámítás, újraszámítás, utókalkuláció

recalescence [ˌriːkəˈlesns] *fn fémip* átkristályosodás, hőleadás *[kritikus ponton aluli hűtéskor]*; **~ point** lehűlési kritikus pont

recalibrate [riːˈkælɪbreɪt] *tsi* újra hitelesít *[mértéket]* • *fn* **recalibration**

recall [rɪˈkɔːl ‖ ˈriːkɔl] **I.** *tsi* **1. a)** visszahív **b)** kihív, kitapsol *[színészt]* **c)** *kat* újból behív szolgálatra **2. a)** (vissza)emlékeztet (vkt vmre), emlékezetébe idéz (vknek vmt) **b) ~ sg (to mind)** (vissza)emlékezik/(vissza)emlékszik vmre; felidéz (vmt) **3.** újra felolvas *[neveket]* **4. a)** visszavon *[ígéretet, adott szót, állítást]* **b)** érvénytelenít, érvényen kívül helyez *[rendeletet]*, hatálytalanít *[ítéletet]* **II.** *fn* **1. a)** visszahívás **b)** kitapsolás *[színészé]*; *szính* **give an actor a ~** kihív/kitapsol színészt **c)** *kat* (trombita)jel újragyülekezésre **d)** *kat* lefújás **2.** *US* visszahívás *[állásból]*, elbocsátás, felmondás; **~ of an ambassador** (nagy)követ visszahívása **3.** visszavonás *[kijelentésé, állításé stb.]*; **beyond/past ~** visszavonhatatlan **4.** emlékezet, felidézés; **total ~** (apró részletekre is kiterjedő) visszaemlékező képesség, jó memória • *mn* **recallable**

recant [rɪˈkænt] **A.** *tsi* visszavon, megtagad, elvet *[pl. elméletet, véleményt]* **B.** *tni* visszavonja/megtagadja véleményét/elméletét (v. korábbi álláspontját), visszatáncol • *fn* **recantation**

recap [ˈriːkæp] **I.** *fn* ismétlés, rövid összegzés **II.** *tsi/tni* ismétel, röviden összegez

re-cap [riːˈkæp] *tsi* **-pp- 1.** újra bedugaszol *[palackot]* **2.** *gk* új futófelülettel ellát, újra futóz *[gumiabroncsot]*

recapitulate [ˌriːkəˈpɪtʃuleɪt ‖ –tʃə–] *tsi* ismétel, röviden összefoglal/összegez • *fn* **recapitulation** *mn* **recapitulatory**

recaption [riːˈkæpʃn] *fn jog* elkobozott javak visszavétele

recapture [riːˈkæptʃə ‖ –ər] **I.** *tsi* **1.** visszafoglal, újra elfoglal, visszahódít, visszavesz **2.** *átv* újra felidéz/átél **II.** *fn* **1.** visszavétel, visszafoglalás, visszahódítás **2.** visszavett/visszaszerzett tulajdon, visszafoglalt/visszahódított terület/erőd

re-case *tsi* **1.** új tokba helyez **2.** újraköt, átköt *[könyvet]* **3.** új ácsolattal lát el *[kutat]*

recast [riːˈkɑːst ‖ –ˈkæst] **I.** *tsi pt/pp* **recast 1.** viszszadob(ál), visszahajít, visszahajigál **2. a)** *műsz* újraönt **b)** átalakít, átdolgoz *[pl. irodalmi művet]* **3.** újra (ki)számít/kalkulál **4.** *szính* új szereposztásban mutat be (v. ad elő) **II.** *fn* [ˈriːkɑːst ‖ –kæst] **1.** *műsz* újraöntés, átöntés **2.** új(ólagos) (ki)számítás/kalkuláció **3.** *szính* új szereposztás • *fn* **recaster**

recce [ˈreki] *fn GB kat szl* **I. 1.** felderítés, terepszemle **2.** felderítő alakulat **II.** *tsi/tni* felderít, terepszemlét tart

reccy [ˈrekiː] *szl* → **recce**

re-cede *tsi* előző tulajdonosnak visszaad

recede [rɪˈsiːd] *tni* **1.** hátrál, hátralép, visszahúzódik, viszszavonul, eltávolodik; *kat* **~ from a position** visszavonul egy hadállásból **2. a)** csökken *[pl. ár, érték, hatalom]*, visszaesik, hanyatlik **b)** visszahúzódik *[tenger]*, apad *[folyó]* **c)** elhalványul, elhomályosul *[vm a távolban, emlék]* **3. a) ~ from sg** visszalép/eláll vmtől; visszavon vmt **b)** eltér (*from* vmtől) **4. a)** *épít* visszaugrik, lejt, mélyül **b)** hátrafelé hajlik *[homlok]* **5.** *műv* jó távlata van *[háttérnek]* **6.** ritkul *[haj]*, kopaszodik • *mn* **receding**

receipt [rɪˈsiːt] **I.** *fn* **1.** *gazd* (átvételi) elismervény, nyugta; **give a ~ for sg** nyugtáz vmt, nyugtát ad vmről **2. a)** *orv* recept, vény **b)** ételleírás, recept **3.** (át)vétel, kézhezvétel; **acknowledge ~ of a letter** elismeri/igazolja a levél átvételét; **be in ~ of** átvesz, kézhez vesz, megkap; **pay on ~** átvételkor fizet **4. a)** *tsz* **receipts** bevétel, jövedelem; **yearly ~s** évi bevétel/jövedelem **b)** adószedés, adóbehajtás **II.** *tsi gazd* nyugtáz

receipt-book *fn* **1.** receptkönyv, szakácskönyv **2.** nyugtakönyv, nyugtafüzet

receivable [rɪˈsiːvəbl] *mn* **I. 1.** átvehető, elfogadható; **goods in a ~ condition** átvehető állapotban levő áruk **2.** *gazd* kinnlevő, esedékes; **accounts ~** kinnlevőségek, követelések **II.** *fn tsz* **receivables** *gazd* követelések, kintlévőségek

receive [rɪˈsiːv] **A.** *tsi* **1. a)** (meg)kap, kézhez vesz, átvesz; **~d with thanks** köszönettel átvett(em) **b)** részesül (vmben); *vall* **~ the sacrament** felveszi a szentséget **2.** felfog, tart *[súlyt]* **3. a)** befogad (vmt), tartalmaz **b)** befogad (vkt); **~ sy into the family** befogad vkt a családba **4. a)** fogad *[vendéget]*; **~ sy with open arms** tárt karokkal fogad vkt **b)** fogad *[üdvözlést]*, fogadtatásban részesít (vkt), vmt; **~ our sympathy** fogadja együttérzésünket; **the speech was ~d coldly** a beszéd hideg fogadtatásra talált **c)** fogad (vmt vhogyan), reagál (vmre) **d)** *sp* fogad *[adogatást]* **5. a)** elfogad (vmt); **~ sy's confession** meghallgatja vknek a gyónását/vallomását **b)** eltűr, elvisel, elszenved (vmt); **~ six months** hat hónapi börtönre ítélik, hat hónapot kap **6.** *távk* vesz, fog *[adást]*; **~ a station** állomást fog **7.** *jog* orgazdaságot űz; **~ stolen goods** lopott holmit rejteget **B.** *tni* **1.** elfogad, elvesz, kap; **it is better to give than to ~** jobb adni mint kapni **2.** *vall* szentségben részesül **3.** fogad, fogadást ad/rendez, fogadónapot tart • *mn* **receiving**

received [rɪˈsiːvd] *mn* **a)** befogadott, elfogadott, bevett **b)** elismert, általános, irányadó, hiteles; **R~ Pronunciation** a helyes (angol) kiejtés

receiver [rɪˈsiːvə ‖ –ər] *fn* **1.** vmt megkapó/átvevő személy, átvevő, címzett *[levélé, csomagé]* **2. a)** adószedő, adófelügyelő; **~'s office** adóhivatal **b)** *jog* (bíróilag kirendelt) felszámoló **3.** orgazda **4. a)** telefonkagyló, (telefon)hallgató, kézibeszélő **b)** *távk* vevő(készülék), vevőberendezés **5.** gyűjtő, tartály, tároló **6.** *vegy* edény, lombik, bura

receivership [rɪˈsiːvəʃɪp ‖ –vər–] *fn* **a)** felszámolóbiztosi hivatal **b)** felszámolás (folyamata)

receiving-order *fn jog* zárolási végzés

recense [rɪˈsens] *tsi* szövegkritikai összehasonlítást végez *[kézirattal]*, átnéz és kijavít *[szöveget, kéziratot]*

recension [rɪˈsenʃn] *fn* **1. a)** szöveg átnézése/átvizsgálása **b)** kritikai összehasonlítás a kézirattal *[szövegé]* **2. a)** átnézett/átvizsgált szöveg **b)** magyarázattal ellátott szöveg, kritikai kiadás **c)** bírálat, kritikai mű **3.** *gazd* felülvizsgálat, rovancsolás, ellenőrzés

R

recent [ˈri:snt] *mn* **I. a)** új, újabb keletű, friss, nem régi, minapi; ~ **news** legújabb/(leg)utolsó/friss/mai hírek; **of ~ origin** újabb keletű, újkeletű **b)** korszerű, újszerű, modern **c)** *geol* jelenkori **II.** *fn geol* jelenkor, holocén • *fn* **recency**, **recentness** *hsz* **recently**
recentre [ri:ˈsentə ‖ –ər], *US* **recenter** *tsi* **1.** újból középre igazít **2.** összegyűjt, összetömörít
receptacle [rɪˈseptəkl] *fn* **1. a)** tartály, befogadó/gyűjtő edény, gyűjtőmedence **b)** *átv* tárház **2.** gyülekezőhely **3.** *vill* dugaszalj(zat) **4.** *növ* magbuga, gyümölcstest *[gombán]*
receptible [rɪˈseptəbl] *mn* elfogadható, befogadható • *fn* **receptibility**
reception [rɪˈsepʃn] *fn* **1.** fogadtatás; **give sy a warm ~** meleg fogadtatásban részesít vkt **2. a)** fogadás; **hold a ~** fogadást tart/rendez **b)** *vasút* fogadó mellékvágány **3. a)** szállodaporta, recepció **b)** hivatal fogadószobája, recepció **4.** felvétel *[testületbe stb.]* **5. a)** befogadás, átvétel, *kat* kirakási körlet; **~ of food** táplálékfelvétel **b)** *átv* befogadás, elfogadás, átvétel *[elméleté stb.]* **6.** *távk* vétel
reception camp *fn* gyűjtőtábor *[kitelepülőknek, menekülteknek]*
reception committee *fn* fogadó bizottság
reception desk *fn* szállodaporta, recepció
receptionist [rɪˈsepʃnˑɪst] *fn* **1.** fogadóportás *[szállodában]* **2.** asszisztensnő *[orvosi rendelőben]*, recepciós *[irodában]*
reception room *fn* fogadószoba, várószoba, rendelő
receptive [rɪˈseptɪv] *mn* **a)** felfogó, befogadó **b)** fogékony, receptív; **a ~ mind** fogékony szellem/elme • *fn* **receptiveness**, **receptivity**
receptor [rɪˈseptə ‖ –ər] *fn* **1.** *távk* **a)** vevőkészülék *[pl. rádióé]*, érzékelő *[műszeré]* **b)** hallgató *[telefoné]* **2.** *orv* receptor *[idegvégződés]*, érzékelő **3.** vízgyűjtő (mélyedés), lefolyó
recess I. *fn* [rɪˈses ‖ ˈri:ses] **1. a)** szünet *[pl. törvénykezési]*, két parlamenti ülésszak közötti idő; *jog* **~ of the jury** a zsűri visszavonulása *[tanácskozásra]* **b)** *US okt* (iskolai) szünet, szünidő, vakáció **2. a)** visszahúzódás *[jégáré, tengeré]* **b)** nyomáscsökkenés, depresszió *[légköri viszonyokban]* **3. a)** *épít* (be)mélyedés, beugrás *[falban]*, (fal)fülke, alkóv; **~ lighting** süllyesztett világítás **b)** eldugott hely, rejtekhely, zug; **in the deepest ~es of the country** az ország legtávolabbi zugaiban **4. a)** bemetszés, rovás, mélyedés, vájat **b)** *geol* üreg, barlang, teknő, medence **c)** *orv* recessus, üreg, bemélyesedés, kiöblösödés **II. A.** *tsi* **1. a)** kiváj, kifúr, fülkét képez *[falban]* **b)** mélyedésben elhelyez/elrejt, süllyeszt, mélyít **2.** *US* **~ school** bezárja a tanévet **B.** *tni* **1.** visszavonul, hátrál **2.** *US* felfüggeszti az ülést, szünetet tart (v. rendel el)
recession [rɪˈseʃn] *fn* **1.** *közg* gazdasági visszaesés/pangás **2.** visszavonulás, visszahúzódás, hátrálás; *orv* **~ of the gums** ínyzsugorodás **3.** lemondás • *mn* **recessional**, **recessionary**
recessive [rɪˈsesɪv] *mn* **1.** hátrafelé/visszafelé mozgó **2.** *biol* **~ characteristic** látens/lappangó jelleg
rechange [rɪˈtʃeɪndʒ] **I. A.** *tni* újból/ismételten változik **B.** *tsi* újból/ismételten változtat **II.** *fn hajó* tartalékvitorla
recharge [ri:ˈtʃɑ:dʒ ‖ –ˈtʃɑrdʒ] **I. A.** *tsi* **1.** feltölt *[akkumulátort]*, újra megtölt *[fegyvert]* **2.** újból támad **3.** újra bevádol (vkt) **B.** *tni* feltöltődik *[akku]* **II.** *fn* **1. a)** utántöltés, újratöltés *[pl. akkumulátoré]*, újra megtöltés *[fegyveré]* **b)** (golyóstoll)betét **2.** újbóli támadás **3.** kölcsönös vádaskodás • *mn* **rechargeable**
recharger [ri:ˈtʃɑ:dʒə ‖ –ˈtʃɑrdʒər] *fn el gk* akkutöltő
recharter [ri:ˈtʃɑ:tə ‖ –ˈtʃɑrtər] **I.** *tsi* **1.** megújít kiváltságlevelet **2.** újból bérbe vesz *[hajót, repülőt]* **II.** *fn* **1.** megújított kiváltságlevél **2.** újbóli bérbevétel *[hajóé]*
rechasten [ri:ˈtʃeɪsn] *tsi* újból megfenyít
recheck I. *fn* [ˈri:tʃek] ismételt vizsgálat, átvizsgálás **II.** *tsi* [ri:ˈtʃek] ismételten (át)vizsgál
recherché [rəˈʃeəʃeɪ ‖ rəˌʃerˈʃeɪ] *mn francia* **1.** válogatott, keresett, mesterkélt, nagyon választékos **2.** keresett, kapós, felkapott
rechock [ri:ˈtʃɒk ‖ –ˈtʃɑk] *tsi* újra megtámaszt/megerősít *[oszlopot stb.]*
rechristen [ˌri:ˈkrɪsn] *tsi* újrakeresztel, új nevet ad (vknek/vmnek)
recidivist [rɪˈsɪdɪvɪst] *fn* visszaeső beteg/bűnöző • *fn* **recidivism** *mn* **recidivous**
recipe [ˈresɪpi] *fn* **a)** (étel)recept **b)** recept, vény *[orvosságra]* **c)** *átv* előírás
recipient [rɪˈsɪpɪənt] **I.** *mn* **a)** befogadó, recipiens **b)** fogékony, receptív; **have a ~ mind** fogékony szellemű **c)** *biol* recipiens, fogadó *[sejt, baktérium]* **II.** *fn* **1. a)** átvevő, elfogadó **b)** megajándékozott, jövedelemélvező **c)** *nyelv* recipiens **2.** *vegy* edény, tartó, (gáz)tartály • *fn* **recipiency**
reciprocable [rɪˈsɪprəkəbl] *mn* viszonozható
reciprocal [rɪˈsɪprəkl] **I.** *mn* **1. a)** kölcsönös, viszonyos; **~ affection** kölcsönös szeretet; *gazd* **~ trade agreement** kölcsönös árukereskedelmi egyezmény/megállapodás **b)** *nyelv* **~ pronoun** kölcsönös névmás **2. a)** ellentett, megfordított; *vill el* **~ pole** ellentétes sarok, ellenpólus **b)** *mat* fordított, reciprok; **~ ratio** fordított arány **II.** *fn* **1.** vmnek a (meg)fordítottja **2. a)** *fil* fordított tétel, reciprok ítélet **b)** *mat* reciprok érték • *fn* **reciprocality**
reciprocate [rɪˈsɪprəkeɪt] **A.** *tsi* **1.** viszonoz *[érzelmet, szolgálatot]* **2.** ide-oda mozgat/lenget **3.** *gazd* **~ an entry** egyezően könyvel **4.** *mat* reciprok értéket meghatároz **B.** *tni* **1.** viszonoz **2. a)** *műsz* váltakozó mozgást végez, ide-oda leng **b)** *műsz* kettősen működik • *fn* **reciprocation** *mn* **reciprocating**, **reciprocative**
reciprocity [ˌresɪˈprɒsəti ‖ –ˈprɑˌ] *fn* kölcsönösség, viszonosság, *mat* reciprocitás; *fiz* **~ principle** viszonosság/reciprocitás elve
recirculation [ˌri:sɜ:kjəˈleɪʃn ‖ –sɜr–] *fn* visszatérő körforgás, recirkuláció, körfolyamatba visszavezetés
recital [rɪˈsaɪtl] *fn* **1. a)** elbeszélés, elmondás, felsorolás *[részleteké]* **b)** *jog* ismertetés *[tényeké, iraté]* **2. a)** szavalás, szavalat *[költeményé]*, előadás *[prózai szövegé]* **b)** *zene* szólóest, szólóhangverseny; **song ~** dalest
recitation [ˌresɪˈteɪʃn] *fn* **1. a)** előadás, recitálás **b)** *zene* szólórész (előadása) **2. a)** *US* **~ (period)** (tanítási) óra, tanóra; **~ room** tanterem **b)** felelés
recitative [ˌresɪtəˈti:v] **I.** *mn zene* recitativo **II.** *fn zene* recitativo, énekbeszéd
recite [rɪˈsaɪt] **A.** *tsi* **1.** elmond, elszaval *[verset]*, előad *[prózai szöveget]*, felmond *[leckét]* **2. a)** *jog* ismertet *[tényeket]* **b)** felsorol *[részleteket]* **B.** *tni* **1.** előad, szaval, recitál **2.** *okt* felel • *fn* **reciter**
reckless [ˈrekləs] *mn* **1.** vakmerő, meggondolatlan **2.** nemtörődöm, figyelmetlen, hanyag; *gk* **~ driving** gondatlan vezetés • *fn* **recklessness**
reckon [ˈrekən] **A.** *tsi* **1.** (ki)számít, számol, kalkulál; **the time is ~ed from ...** az időt ...tól számítják **2. ~ sy as, ~ sy to be ...** tekint/tart vkt vmnek **3.** *US* gondol, vél, becsül; **I ~ he is about fifty** ötven évesre becsülöm **B.** *tni* **1.** számol, számítást végez **2.** *biz* gondol, vél(ekedik)
reckon among *tsi* **~ sy/sg among** (vm) közé számít vkt/vmt
reckon off *tsi* leszámít, levon
reckon on *tni* számít vkre/vmre; **you may ~ on it** számíthatsz rá, biztosra veheted
reckon over *tsi* átszámol, átvizsgál
reckon up *tsi* **1.** összeszámol, összead; **~ one's debts** összeszámolja tartozásait **2. ~ sy u.** kinyomozza vknek a múltját
reckon upon *tni* számít vkre/vmre
reckon with *tni* **1.** számításba/figyelembe vesz (vmt), számol (vmvel); **~ sy/sg with** (vm) közé számít vkt/vmt **2.** elszámol, leszámol (vkvel)

R

reckoning [ˈrekənɪŋ] *fn* **1. a)** elszámolás, (le)számolás, (ki)számítás, számvetés, kalkuláció; **~ book** számlakönyv; **be out in one's ~s** rosszul kalkulál, elszámítja magát **b)** leszámolás, megtorlás; **day of ~** az utolsó ítélet napja **2. a)** becslés, értékelés; **(according) to my ~** számításom szerint; **to the best of my ~** legjobb becslésem szerint **b)** *hajó* hajó helyének megállapítása **c)** vélekedés, vélemény **3.** számla *[szállodai, éttermi]*

reclaim [rɪˈkleɪm] **I.** *tsi* **1.** visszakövetel, visszanyer; **~ his lost property** elveszett vagyonát/tulajdonát visszaköveteli **2.** *mezőg* termővé tesz, lecsapol *[lápot, mocsarat]*, visszahódít *[földet tengertől]* **3. a)** *ip* helyreállít, restaurál **b)** *vegy* visszanyer, regenerál **4.** kigyógyít, megjavít, jó útra térít, átnevel (vkt) **5.** *vad* megszelídít, idomít *[sólymot]* **II.** *fn* **1.** visszaigénylés, felvét; **baggage ~** poggyászkiadó, poggyászátvétel **2.** *régi* helyrehozás, kigyógyítás, visszaszerzés; **past/beyond ~** helyrehozhatatlan(ul) ● *fn* **reclaimer** *mn* **reclaimed**, **reclaimable**

reclamation [ˌrekləˈmeɪʃn] *fn* **1.** *gazd* kártalanításra/visszatérítésre irányuló igény **2. a)** jó útra térítés (vké), (ki)javítás, kiigazítás (vmé) **b)** megjavulás, jó útra térés **3. a)** *mezőg* termővé tétel, víztelenítés *[földé]*, lecsapolás *[lápé, mocsáré]* **b)** *mezőg* **land ~** talajjavítás, talajhasznosítás, földvisszahódítás *[tengertől]* **4.** *ip* helyreállítás, restaurálás, regenerálás *[pl. fáradt olajé]*, felhasználás *[melléktermékė]*

reclassification [rɪˌklæsɪfɪˈkeɪʃn] *fn* újraosztályozás, ismételt osztályozás ● *tsi* **reclassify**

reclinate [ˈreklɪneɪt] *mn növ* visszahajló, föld felé hajló ● *fn* **reclination**

recline [rɪˈklaɪn] **A.** *tsi* **1.** lehajt *[fejet]*, megtámaszt, nekitámaszt **2.** lefektet, fekvő/vízszintes helyzetbe hoz; **~ one's head on the pillow** párnára hajtja fejét **B.** *tni* **1. a)** visszahajlik, hátrahajlik, (neki)támaszkodik, nekidől, fekszik; **~ on the couch** ledől/lefekszik a díványon **b)** függőleges iránytól eltér, dől, nekifekszik **2.** támaszkodik (vkre), (meg)bízik (vkben, vmben) ● *mn* **reclined**

reclining [rɪˈklaɪnɪŋ] *mn* **a)** hátrahajló, hátradőlő, támaszkodó, ferde; **~ chair** állítható támlájú ülés/szék; *gk rep* **~ seat** hátrahajtható ülés **b)** fekvő

reclose [riːˈkloʊz] **A.** *tsi* újra/újból bezár **B.** *tni* újra bezárul

reclothe [riːˈkloʊð] *tsi* **1.** újból/újra/ismét felöltöztet; **~ oneself** újra felöltözködik **2.** új ruhákkal ellát, kiöltöztet (vkt)

recluse [rɪˈkluːs ‖ ˈrekluːs] **I.** *mn* **a)** visszavonult, félrevonult, a világtól elzárt/elzárkózott (ember); **a ~ monk** a világtól visszavonult szerzetes **b)** magányos, elhagy(at)ott, elszigetelt; **a ~ life** magányos/elhagyatott élet **II.** *fn* **a)** magányosan/félrevonultan (v. a világtól elzárkózottan) élő ember **b)** remete; *biz* **live the life of a ~** remeteéletet él; elzárkózik ● *fn* **reclusion** *mn* **reclusive**

reclusory [riːˈkluːsəri] *fn* remetecella

recoat [riːˈkoʊt] *tsi* újra bevon *[festékkel]*, átmázol

recock [riːˈkɒk ‖ –ˈkɑk] *tsi kat [fegyveren kakast]* újra/újból felhúz; **~ing lever** felhúzó emeltyű/kakas

recoction [riːˈkɒkʃn ‖ –ˈkɑk–] *fn* **1.** másodfőzet **2.** *átv* újbóli feltálalás *[híré, pletykáé]*

recognition [ˌrekəgˈnɪʃn] *fn* **1.** felismerés, megismerés; **~ mark** ismertető/megkülönböztető bélyeg; *hajó rep* **~ signal** ismertető jelzés; *nyelv* **~ vocabulary** passzív szókincs; **beyond/past ~** felismerhetetlen(ül) **2. a)** elismerés *[jogé, követelésé]* **b)** *pol* elismerés *[új kormányé, vmely állam függetlenségéé más kormányok részéről]* **3.** elismerés, megbecsülés, hála; **sign of ~** az elismerés jele; **in ~ of sg** vm elismeréséül ● *mn* **recognitory**

recognizance [rɪˈkɒgnɪzəns ‖ –ˈkɑg–], **-isance** *fn* **1.** ismertetőjegy **2. a)** *jog* kötelezettségvállalás, kötelezvény, elismervény **b)** *jog* biztosíték, óvadék, zálog; *jog* **enter into ~s** óvadékot/biztosítékot ad *[bíróság, hatóság előtt]*, kötelezettség(ek)et vállal *[bizonyos feltételek megtartására]*

recognizant [rɪˈkɒgnɪzənt ‖ –ˈkɑg–], **-isant** *fn jog* kötelezvény

recognize [ˈrekəgnaɪz], **-ise A.** *tsi* **1.** felismer, megismer (vkt/vmt) **2. a)** elismer, elfogad *[vknek a jogát, követelését]*; **~ sy as one's son and heir** fiának és örökösének ismer el vkt; **~ the claim as justified** a követelést jogosnak ismeri el **b)** *pol* elismer *[pl. más állam függetlenségét]* **c)** elismer, beismer *[tényt, hibát]* **3.** elismer, méltányol, megbecsül, értékel **4.** megadja a szót vknek *[házelnök]* **B.** *tni jog* kötelezettséget vállal, kötelezvényt aláír ● *mn* **recognizable**

recoil I. *tni* [rɪˈkɔɪl] **1.** visszaugrik, visszapattan, visszalökődik *[pl. rugó]*, visszaüt, rúg *[lőfegyver]*, hátrasiklik *[pl. lövegcső]* **2.** *kat* visszavonul, hátrál **3.** visszahat, visszaszáll (*up(on)* vkre) **4.** megtorpan, visszahőköl, visszaretten (vmtől) **II.** *fn* [ˈriːkɔɪl] **1.** visszaugrás, visszapattanás, visszalök(őd)és *[pl. rugóé]*, visszaütés, rúgás *[lőfegyveré]*, hátrasiklás *[pl. lövegcsőé]*; **~ loader** automata fegyver; **~ rod** kocsirúd, ütközőrúd *[írógépen]* **2.** következmény **3.** megtorpanás, visszahőkölés, visszarettenés, megdöbbenés

recoin [riːˈkɔɪn] *tsi* újra ver *[érmét, pénzt]*

recoinage [riːˈkɔɪnɪdʒ] *fn* újraverés *[érméé, pénzé]*

recollect [ˌrekəˈlekt] **A.** *tsi* **1.** (vissza)emlékezik, visszagondol (vmre), emlékezetébe idéz (vmt), eszébe jut (vm); **as far as I ~** amennyire (vissza)emlékszem (v. emlékezni tudok) **2. a)** újból/ismét összegyűjt/összeszed/összehív/egyesít *[csapatokat stb.]* **b) ~ one's thoughts** összeszedi/rendezi gondolatait, elmélkedik; **~ oneself** összeszedi magát **B.** *tni* (vissza)emlékszik

recollection [ˌrekəˈlekʃn] *fn* **1.** (vissza)emlékezés, emlékezet; **to the best of my ~** a legjobb emlékezetem szerint; **bring/recall sg to sy's ~** vk emlékezetébe idéz vmt, emlékeztet vkt vmre **2.** emlék; **the ~s of one's childhood** gyermekkori emlékei **3.** elmélkedés, merengés ● *mn* **recollective**

recolonize [riːˈkɒlənaɪz ‖ –ˈkɑ–], **-ise** *tsi* újból/ismét gyarmatosít

recolour [riːˈkʌlə ‖ –ər] *tsi* újból (be)fest, átfest

recombinant [riːˈkɒmbɪnənt ‖ –kɑm–] *mn biol* rekombináns *[DNS]*

recombination [riːˌkɒmbɪˈneɪʃn ‖ –ˌkɑm–] *fn* **a)** újraegyesítés, újra összekapcsolás **b)** újraegyesülés **c)** *biol* rekombináció, genetikai kicserélődés

recombine [ˌriːkəmˈbaɪn] **A.** *tsi* újra összeállít *[alkatrészeket]* **B.** *tni* újra összeáll/összeilleszkedik *[alkatrészsorozat]*

recomfort [riːˈkʌmfət ‖ –fərt] *tsi* újra felvidít/megvigasztal

recommence [ˌriːkəˈmens, ˌrekə–] **A.** *tsi* újra/újból/ismét (el)kezd **B.** *tni* újra/újból/ismét (el)kezdődik (vm) ● *fn* **recommencement**

recommend [ˌrekəˈmend] *tsi* **1.** ajánl, javasol, tanácsol **2.** ajánl, rábíz; **~ one's soul to God** Istennek ajánlja lelkét **3.** *átv* mellette szól; **she has only her youth to ~ her** csak a fiatalsága szól mellette, egyetlen előnye a fiatalsága ● *mn* **recommendable**, **recommendatory**

recommendation [ˌrekəmenˈdeɪʃn] *fn* **1.** ajánlás; **(letter of) ~** ajánlólevél **2.** javaslat, felterjesztés; **~ to mercy** kegyelemre ajánlás (v. való felterjesztés)

recommission [ˌriːkəˈmɪʃn] **I. A.** *tsi* **1.** újra felfegyverez *[hajót]* **2.** újból/újra kinevez, reaktivál *[tisztet]* **B.** *tni* újra/újból (fel)fegyverkezik *[hajó]* **II.** *fn* **1.** újrafelfegyverzés *[hajóé]* **2.** újrakinevezés, reaktiválás *[tiszté]*

recommit [ˌriːkəˈmɪt] *tsi* **-tt- 1.** újból/ismét elkövet *[bűncselekményt]* **2.** bizottsághoz visszaküld *[törvényjavaslatot]* **3.** ismét ajánl (vmt vknek), ismét rábíz (vmt vkre) **4. ~ sy to jail** ismét bebörtönöz vkt ● *fn* **recommitment**, **recommittal**

recommunicate [ˌriːkəˈmjuːnɪkeɪt] *tsi* újból közöl

R

recompense [ˈrekəmpens] **I.** *fn* **1.** viszonzás, megtorlás; *jog* **sum granted as a ~** jutalomdíj **2.** kártérítés, kártalanítás, kárpótlás, elégtétel **II.** *tsi* **1. a)** (meg)jutalmaz **b)** visszafizet, megtorol, (meg)büntet (vkt) **2. a)** megtérít *[kárt]*, kártérítést nyújt (vknek), elégtételt ad (vknek) **b)** jóvátesz, helyrehoz *[pl. igazságtalanságot]* **3.** viszonoz *[szolgálatot, érzelmeket]*

recompile [ˌriːkəmˈpaɪl] *tsi* újból összeállít

recomplete [ˌriːkəmˈpliːt] *tsi* újból teljessé tesz

recompose [ˌriːkəmˈpoʊz] *tsi* **1. a)** újra összeállít/elrendez/átrendez **b)** *vegy* (újra) egyesít **c)** *nyomd* újra (ki)szed **2. a)** újból megnyugtat/megbékít **b) ~ oneself to sleep** újból készül elaludni • *fn* **recomposition**

recompound [ˌriːkəmˈpaʊnd] *tsi vegy* vegyületben újraegyesít

recompression [ˌriːkəmˈpreʃn] *fn műsz* ismételt sűrítés

recon [riːˈkɒn ‖ –ˈkɑn] *fn US biz* felderítés

reconcentrate [riːˈkɒnsəntreɪt] *tsi* újra egyesít/központosít, összpontosít

reconcile [ˈrekənsaɪl] *tsi* **1. a)** kibékít, megbékít(vkt vkvel) **b) ~ oneself, be/become ~d** megbékél (*to* vmvel); beleegyezik/belenyugszik (vmbe) **2.** lecsillapít, elsimít *[veszekedést, viszályt]*, véget vet *[vitának]*, kiegyenlít *[véleménykülönbséget stb.]* **3.** összeegyeztet, összehangol *[különböző érdekeket, véleményeket]* **4.** *vall* újra felszentel *[templomot]* • *fn* **reconcilability, reconcilement** *mn* **reconcilable**

reconciliation [–sɪliˈeɪʃn] *fn* **1. a)** kibékítés **b)** kibékülés **2.** összeegyeztetés, összhangba hozás, összehangolás

reconciliatory [ˌrekənˈsɪlɪətəri ‖ –tɔri] *mn* békítő, egyeztető

recondite [rɪˈkɒndaɪt, ˈrekən– ‖ ˈrekən–, rɪˈkɑn–] *mn* **1. a)** rejtélyes, rejtelmes, titokzatos, homályos *[gondolat, cél]* **b)** mély(enjáró), nehezen érthető, homályos, elvont *[pl. tan, stílus]* **2.** rejtett, nem látható • *fn* **reconditeness**

recondition [ˌriːkənˈdɪʃn] *tsi* **1.** renovál, kijavít, helyreállít, helyrehoz, ismét üzembe helyez *[gépet stb.]* **2.** *átv* megújít, megváltoztat, új alapokra helyez

reconditory [rɪˈkɒndɪtəri ‖ –ˈkɑn–] *fn régi* raktár, tárház, lerakat

reconduct [ˌriːkənˈdʌkt] *tsi* visszavezet; *műsz* **~ing bar** visszavezető rúd

reconfigure [ˌriːkənˈfɪgə ‖ –ˈfɪgjər] *tsi infor* újra-/átkonfigurál

reconnaissance [rɪˈkɒnəsns ‖ rɪˈkɑ–] *fn* **a)** *kat* felderítés, kikémlelés; **~ by fire** tűzfelderítés; **~ in force** harcfelderítés **b)** előzetes terepbejárás, rekognoszkálás *[földmérésnél]*

reconnection [ˌriːkəˈnekʃn] *fn* újra összekötés, *vill* újrabekötés • *tsi* **reconnect**

reconnoitre [ˌrekəˈnɔɪtə ‖ ˌriːkəˈnɔɪtər], *US* **-noiter A.** *tsi kat* felderít, megszemlél *[pl. terepet]* **B.** *tni* felderítést/megfigyelést végez, kémlelődik

reconquer [riːˈkɒŋkə ‖ –ˈkɑŋkər] *tsi* visszahódít, visszafoglal • *fn* **reconquest**

reconsecrate [riːˈkɒnsəkreɪt ‖ –ˈkɑn–] *tsi* újból felszentel *[templomot]* • *fn* **reconsecration**

reconsider [ˌriːkənˈsɪdə ‖ –ər] *tsi* **a)** újból/ismételten megfontol/meggondol/mérlegel/elbírál *[kérdést]* **b)** ismét fontolóra vesz *[elhatározást, döntést]*, felülvizsgál, revideál *[ítéletet]* • *fn* **reconsideration**

reconsignment [ˌriːkənˈsaɪnmənt] *fn* **1. a)** *gazd* visszaküldés *[árué]* **b)** *gazd* visszáru **2.** *gazd* újraelküldés

reconsolidate [ˌriːkənˈsɒlɪdeɪt ‖ –ˈsɑ–] *tsi* újra megerősít/konszolidál • *fn* **reconsolidation**

reconstituent [ˌriːkənˈstɪtʃuənt] **I.** *mn orv* szervezetet helyreállító/gyógyító, roboráló *[szer]* **II.** *fn orv* szervezetet helyreállító/gyógyító szer, roboráns

reconstitute [riːˈkɒnstɪtjuːt ‖ riːˈkɑnstɪtuːt] *tsi* helyreállít, rendbe hoz, újraszervez, újraalkot • *fn* **reconstitution**

reconstruct [ˌriːkənˈstrʌkt] *tsi* **1. a)** újjáépít, újjáalakít, helyreállít, rekonstruál **b)** átalakít, átdolgoz *[pl. írásművet]* **2. a)** eredeti alakjában helyreállít, rekonstruál **b) ~ a crime** bűntettet a helyszínen eljátszat/rekonstruál *[rendőrség]* **c)** rekonstruál *[eseményeket]* • *fn* **reconstruction**

recontinue [ˌriːkənˈtɪnjuː] *ritk* **A.** *tsi* újból folytat **B.** *tni* újból folytatódik

recontract [ˌriːkənˈtrækt] **A.** *tsi* ismét összehúz **B.** *tni* ismét összehúzódik

reconvalescence [ˌriːkɒnvəˈlesns ‖ –kɑn–] *fn* lábadozás, felépülés

reconvene [ˌriːkənˈviːn] **A.** *tsi* újból összegyűjt/összehív **B.** *tni* újból összegyűlik/összetömörül

reconvention [ˌriːkənˈvenʃn] *fn jog* viszonvád, viszontkereset

reconvert [ˌriːkənˈvɜːt ‖ –ˈvɜrt] *tsi* **a)** visszatérít, újból megtérít *[eredeti vallására, véleményére]* **b)** visszaváltoztat **c)** visszaállít *[hadiüzemet békegazdálkodásra]* • *fn* **reconversion**

reconvey [ˌriːkənˈveɪ] *tsi* **1.** visszavisz, visszahoz, visszaszállít **2.** *jog* visszaengedményez • *fn* **reconveyance**

recook [riːˈkʊk] *tsi* újból felfőz/felmelegít/megmelegít

recopy [riːˈkɒpi ‖ –ˈkɑ–] *tsi* újra (v. még egyszer) lemásol

record I. *fn* [ˈrekɔd ‖ –kərd] **1. a)** feljegyzés, jegyzet; **make/keep a ~ of sg** feljegyez, nyilvántartásba vesz (vmt), jegyzetet készít vmről; **be on ~** fel van jegyezve; **go on ~ (as/with)** feljegyzik róla (hogy), emlékezetessé válik (az által, hogy); *US* **go on ~** nyilvános bejelentést tesz, nyilvánosan állást foglal **b)** beszámoló, jelentés **2. a)** jegyzék, lajstrom, nyilvántartás, (személyi) kartoték(lap); **~ of attendance(s)** jelenléti ív **b)** *jog* tanúsítvány, dokumentum, jegyzőkönyv; **~ of evidence** tanúvallomásokat tartalmazó jegyzőkönyv; **bear ~ to sg** bizonyít/igazol vmt; **off the ~** jegyzőkönyvön kívül; nem hivatalos(an), bizalmas(an) **c)** okirat, okmány **d)** *tsz* **records** irattár, okmánytár, levéltár; **the Public R~s** Országos Levéltár **3.** *tsz* **records** emlékiratok, emlékezések, évkönyvek, (történelmileg) hiteles adatok **4. a)** életrajz, előélet, priusz; *jog* **criminal/police ~ (of sy)** bűnügyi nyilvántartó; az előéletre vonatkozó adatok, priusz; **have/show a clean ~** büntetlen előéletű; *orv* **show a perfect physical ~** teljesen egészségesnek bizonyul **b)** (személyi), szolgálati minősítés **5.** *fiz* regisztrálás (görbéje) **6. a)** elért eredmény, teljesítmény **b)** *sp* csúcs(eredmény), csúcsteljesítmény, rekord; **world ~** világcsúcs, világrekord; **beat/break the ~** megdönti/megjavítja a csúcsot/rekordot; **hold a ~** tartja a csúcsot/rekordot **c)** *ip* (csúcs)teljesítmény, rekord; **~ output** (termelési) csúcsteljesítmény, rekordteljesítmény **7. a)** hangfelvétel; **sound-and-picture ~** hang- és képfelvétel **b)** hanglemez; **micro-groove ~** mikrobarázdás hanglemez **8.** *kat* **~ range** megállapított lőtávolság; **~ of firing** lőlap **9.** *infor* rekord, tétel, adatsor **II.** [rɪˈkɔːd ‖ –ˈkɔrd] **A.** *tsi* **1. a)** feljegyez, nyilvántartásba vesz, felvesz, jegyzőkönyvbe foglal, regisztrál **b)** írásban elbeszél/közöl (vmt) **2.** jelez, mutat, regisztrál; **the thermometer ~s 97,8** a lázmérő 36.6-ot jelez **3. a)** megörökít **b)** (hang- v. kép)felvételt csinál/készít (vmről), felvesz (vmt) **B.** *tni* **1.** énekel, trillázik **2.** elmélkedik • *mn* **recordable**

record-breaking form *sp* csúcsforma

record company *fn* lemezkiadó vállalat

recorder [rɪˈkɔːdə ‖ rɪˈkɔrdər] *fn* **1. a)** *jog* (bírósági) jegyző **b)** *GB tört* vizsgálóbíró **2. a)** feljegyző, megörökítő, írásba foglaló *[eseményeké, tényeké]*, krónikás **b)** jegyzőkönyvvezető *[földmérésnél]* **3.** irattáros, levéltáros **4. a)** felvevő(készülék) *[hang, kép]*, *távk* felvevő/rögzítő egység; **tape ~** magnó; **video casette ~**, *röv* **VCR** videómagnó **b)** önjelző/öníró/regisztráló készülék/mérőműszer **5.** *zene* egyenesfuvola, csőrfuvola, furulya

record-holder *fn sp* csúcstartó, csúcsvédő, rekorder

R

recording [rɪˈkɔːdɪŋ ‖ –ˈkɔr–] *fn* **1. a)** feljegyzés **b)** elbeszélés, elmesélés **2.** felvétel *[hang, kép]*, hangfelvétel, képrögzítés; ~ **head** felvevőfej *[magnón]*; ~ **room** hangstúdió

recording session *fn* felvétel *[stúdióban]*

recordist [rɪˈkɔːdɪst ‖ –ˈkɔr–] *fn* hangfelvevő *[személy]*, hangmérnök

record library *fn* hanglemezgyűjtemény, hanglemeztár

record office *fn* irattár, nyilvántartó hivatal, állami levéltár

record player *fn* lemezjátszó

record sleeve *fn* (hang)lemezborító

recork [riːˈkɔːk ‖ –ˈkɔrk] *tsi* újra bedugaszol *[palackot]*

recount¹ [rɪˈkaʊnt] *tsi* (részletesen) elbeszél, elmond (vmt vknek)

recount² **I.** *fn* [ˈriːkaʊnt] **a)** újraszámlálás, újrakiszámítás **b)** szavazatok újbóli megszámlálása **II.** *tsi* [riːˈkaʊnt] újra számol/számlál *[pl. szavazatokat]*

recoup [rɪˈkuːp] *tsi* **1.** levonásba hoz *[összegből]*, visszatart *[követelt összeg részét]* **2.** kipótol *[veszteséget]*, kárpótol, kártalanít • *fn* **recoupment**

recourse [rɪˈkɔːs ‖ ˈriːkɔrs] *fn* **1. a)** vkhez/vmhez fordulás/folyamodás, vknek/vmnek igénybevétele; **have ~ to force** erőszakot alkalmaz, erőszakhoz folyamodik **b)** menedék, segítőeszköz, kibúvó **c)** megmentő, kisegítő *[személy]* **2.** *gazd* visszkereseti jog

recover¹ [rɪˈkʌvə ‖ –ər] **A.** *tsi* **1.** visszaszerez, visszakap, újra megtalál/meglel *[elvesztett tárgyat stb.]* **2. a)** visszanyer, visszaszerez *[jogot, szeretetet]*, visszakap *[kintlevőséget]*, újból birtokába lép *[jognak, vagyontárgynak]*; ~ **one's losses** visszanyeri veszteségét *[üzleti életben, szerencsejátékban]*; ~ **sg from sy** visszaszerez vmt vktől **b)** visszanyer, visszaszerez *[egészséget, erőt, képességet]*; ~ **one's balance** visszanyeri egyensúlyát; ~ **consciousness** visszanyeri eszméletét/öntudatát; ~ **one's courage** visszanyeri bátorságát, újra nekibátorodik; ~ **one's health** visszanyeri egészségét, meggyógyul, talpra áll; ~ **one's senses** észre tér, újból megjön az esze **c)** *gk* elszállít, hazaszállít **3. a)** kipótol, behoz *[veszteséget stb.]*; ~ **lost time** behozza/kipótolja a mulasztottakat **b)** *jog [kárpótlást, kártérítést]* kap; ~ **damages from sy** kártérítést kap vktől **4.** kiszabadít, megsegít **5.** kijavít, helyreigazít, helyrehoz *[hibát, tévedést]* **6.** *sp* ~ **sword** ismét vívóállásba áll/helyezkedik **7.** *bány* feltár, kiválaszt, kifejt *[szenet, ércet]* **B.** *tni* **1.** magához tér, helyreáll, talpra áll, meggyógyul *[betegségből]*; ~ **from one's astonishment** ámulatából/megdöbbenéséből magához tér; ~ **from an illness** felépül, kihever betegséget **2.** *jog* kártalanítást nyer **3.** *sp* ismét vívóállásba áll/helyezkedik • *fn* **recoverability** *mn* **recoverable**

recover² [ˌriːˈkʌvə ‖ –ər] *tsi* befed, beborít, újra behúz/áthúz *[bútort]*

recovery [rɪˈkʌvəri] *fn* **1. a)** visszaszerzés, visszanyerés, megtalálás *[elveszett tárgyé stb.]*; *ip* **heat ~** hővisszanyerés **b)** *jog* **action for ~ of property** visszakövetési kereset, igényper, birtokkereset **2. a)** (fel)gyógyulás, felépülés; **be past ~** gyógyíthatatlan, reménytelen *[betegség]*; **make a rapid/full ~** teljesen felépül/rendbejön; ~ **room** akut szoba *[sebészeten]* **b)** *sp* erőrekapás **c)** helyreállítás, talpraáll(ít)ás, (fel)emelkedés, fellendülés, felvirágzás *[gazdasági/üzleti életé]*; *pol* **European R~ Program** Marshall-terv **d)** *infor* helyreállítás, helyreállás **3.** *sp* ~ **(of a sword)** újrafelállás vívóállásba **4.** felújítási munkálatok, *fémip* kihozatal *[ércé]*; ~ **of coal** széntermelés **5.** *gk* elszállítás, hazaszállítás *[karambolozott járműé]* **6.** *vegy* visszanyerés, regeneráció, kivonás **7.** *vill távk* rekuperáció, felépülés, feléledés

recovery time *fn el távk* visszaállási/feléledési idő

recovery vehicle *fn gk* autómentő gépkocsi

recreant [ˈrekrɪənt] *vál* **I.** *mn* **a)** gyáva **b)** hűtlen *[eszméhez stb.]* hitszegő, hitehagyó **II.** *fn* **a)** gyáva (ember) **b)** hitszegő, renegát, hitehagyott • *fn* **recreancy**

re-create *tsi* újrateremt, újraalkot, újra előállít, regenerál • *fn* **re-creation**

recreation [ˌrekriˈeɪʃn] *fn* **a)** (fel)üdülés, felfrissülés, pihenés; ~ **area** üdülőtelep **b)** szórakozás, változatosság, kikapcsolódás *[megszokott munkából]*; ~ **room** pihenőhelyiség, szórakozóhelyiség, társalgó • *ts/tni* **recreate** *mn* **recreational**, **recreative**

recriminate [rɪˈkrɪmɪneɪt] **A.** *tsi* viszonvádol **B.** *tni* **a)** *jog* viszonvádat emel **b)** tiltakozik *[vád stb. ellen]* • *fn* **recrimination** *mn* **recriminative**, **recriminatory**

recross [riːˈkrɒs ‖ –ˈkrɑs] *tsi* **1.** újra/újból átkel/átmegy *[pl. úton, hídon]*, ismét(elten) keresztez *[pl. folyót, határt]* **2.** keresztbe rakja (v. karba teszi) kezét

recrudescence [ˌriːkruːˈdesns] *fn* **a)** kiújulás, visszatérés *[betegségé]*, visszaesés *[betegségbe]*, kifakadás, felszakadás *[sebé]* **b)** *átv* újra visszatérés, feléledés, feltámadás *[pl. vmlyen rossz tulajdonságé]* • *tni* **recrudesce** *mn* **recrudescent**

recruit [rɪˈkruːt] **I.** *fn* **a)** *kat* újonc, regruta **b)** *átv* **(new) ~** új tag, újonc *[társaságban, szervezetben]* **c)** támogató, vknek a párthíve **II. A.** *tsi* **1.** *kat* soroz, toboroz, verbuvál, összeszed **2.** ~ **supplies** (újra) ellát, pótol felszereléssel/készlettel **3. a)** felüdít, új erőt ad (vknek) **b)** növel, fokoz, szaporít; ~ **one's numbers** növeli/szaporítja számát **B.** *tni* **1. a)** *kat* katonákat/újoncokat toboroz/besoroz/verbuvál **b)** új párthíveket/támogatókat szerez/verbuvál **2.** felerősödik, megerősödik, felépül • *fn* **recruiter**, **recruiting**, **recruitment**

recruiting-agent *fn kat* **1.** sorozó, toborzó, verbuváló **2.** állásközvetítő, tehetségkutató

recruiting-officer *fn kat* toborzó/sorozó tiszt

recrystallize [riːˈkrɪstlˌaɪz], **-ise** **A.** *tsi ásv* átkristályosít, újrakristályosít **B.** *tni ásv* átkristályosodik, újrakristályosodik • *fn* **recrystallization**

rectal [ˈrektl] *mn orv* végbélhez tartozó, végbél-, rectalis; ~ **injection** allövet, beöntés; ~ **suppository** végbélkúp

rectangle [ˈrektæŋgl] **I.** *mn mat* ~ **triangle** derékszögű háromszög **II.** *fn mat* derékszögű négyszög, téglalap

rectangular [rekˈtæŋgjulə ‖ –jələr] *mn* **a)** *mat* derékszögű, négyszögletes; ~ **graph** oszlopgrafikon, téglalapgrafikon; ~ **prism** derékszögű hasáb; ~ **solid** téglalapú test; ~ **street layout** derékszögű utcahálózat **b)** szögletes, sarkos; ~ **bath** beépíthető sarokkád • *fn* **rectangularity**

rectify [ˈrektɪfaɪ] *tsi* **1.** helyesbít, kiigazít, kijavít, helyreigazít, helyrehoz **2.** *vegy* (többszörös önműködő módon) lepárol, rektifikál **3.** *mat* síkba fejt *[görbét, görbe felületet]*, kiegyenesít **4.** *el távk* egyenirányít *[váltóáramot]* • *fn* **rectification** *mn* **rectifiable**

rectilinear [ˌrektɪˈlɪnɪə ‖ –ər] *mn* **1.** *mat* egyenesek által határolt, egyenes vonalakkal határolt *[idom]* **2.** *mat* egyenes vonalú; *mat fiz* ~ **motion** egyenes vonalú mozgás

rectitude [ˈrektɪtjuːd ‖ –tuːd] *fn* **1.** egyenesség, becsületesség, feddhetetlenség **2.** helyesség, pontosság, korrektség

recto [ˈrektoʊ] *fn nyomd* **a)** jobb oldal(i lap), páratlan oldal *[nyitott könyvben]* **b)** első/elülső oldal, rektó *[nyomtatott lapé]*

rector [ˈrektə ‖ –ər] *fn* **1.** *vall* **a)** plébános, pap, lelkész *[anglikán egyházban]* **b)** (katolikus) pap, plébános **c)** rendfőnök *[főleg jezsuita rendé]* **2. a)** *okt* rektor *[ált. egyetemé]* **b)** *okt GB* igazgató *[katolikus egyházi középiskoláé]* • *fn* **rectorship** *mn* **rectorial**

rectorate [ˈrektərət] *fn* **a)** rektorátus, rektori hivatal/méltóság **b)** plébánosi/papi hivatal/tisztség

rectory [ˈrektəri] *fn* **1.** *vall* paplak, parókia **2.** *vall GB* a rektor javadalma, plébánosi/papi javadalom

rectrix [ˈrektrɪks] *fn tsz* **rectrices** [rekˈtraɪsiːz] *áll* (hosszú szárú) kormányzótoll *[madárfarokban]*

rectum [ˈrektəm] *fn tsz* **recta** [ˈrektə] *orv* végbél

rectus [ˈrektəs] *mn orv* **1.** egyenes **2.** egyenes izom

recultivate [riːˈkʌltɪveɪt] *tsi mezőg* újból megművel, ismét művelés alá vesz *[földet]*, jó karba helyez, rendbe hoz *[pl. birtokot]*

R

recumbent [rɪˈkʌmbənt] *mn* fekvő, heverő, hátratámaszkodó; *geol* ~ **fold** fekvő redő • *fn* **recumbency**
recuperate [rɪˈkjuːpəreɪt ‖ −ˈkuː−] **A.** *tsi* **a)** visszanyer, visszaszerez *[erőt]* **b)** kihever *[anyagi kárt/veszteséget]* **B.** *tni* felépül, felgyógyul, meggyógyul, talpra áll *[beteg]*, összeszedi magát, visszanyeri erejét, megerősödik • *fn* **recuperability**, **recuperation**, **recuperator** *mn* **recuperable**, **recuperative**
recur [rɪˈkɜː ‖ rɪˈkɜr] *tni* **-rr- 1. a)** visszatér *[tárgyhoz]*; ~ **to an expedient** kisegítő megoldáshoz folyamodik **b)** felidéződik, felelevenedik *[gondolat stb.]* **2. a)** (meg)ismétlődik, újra/ismét felmerül/előfordul/megjelenik/jelentkezik *[kérdés, esemény stb.]*; **this problem is bound to** ~ ez a probléma ismét felmerülhet **b)** *mat* ismétlődik *[szám]*
recurrent [rɪˈkʌrənt ‖ −ˈkɜr−] *mn* **1.** (szabályos időközökben) visszatérő, ismétlődő, felújuló, időszaki; *orv* ~ **fever** visszatérő láz **2.** *orv* ~ **nerve** visszafutó ideg • *fn* **recurrence**
recursion [rɪˈkɜːʃn ‖ −ˈkɜrʒn] *fn* **1.** visszatérés **2.** *infor* rekurzió **3.** *nyelv* rekurzió, szerkezetismétlés
recursive [rɪˈkɜːsɪv ‖ −ˈkɜr−] *mn* rekurzív, ismétlődő, ismételhető; *infor* ~ **process** rekurzív eljárás
recurve [ˌriːˈkɜːv ‖ −ˈkɜrv] **A.** *tsi* visszahajlít, hátrahajlít, visszagörbít **B.** *tni* visszahajlik, hátrahajlik, visszagörbül • *fn* **recurvature** *mn* **recurvate**
recusant [ˈrekjuznt ‖ −kjə−] *mn/fn* törvénynek/hatalomnak ellenszegülő (v. magát alá nem vető), fennálló rendhez nem alkalmazkodó *[ember]*, (egyházzal) szembehelyezkedő, vastagnyakú • *fn* **recusance**, **recusancy**
recuse [rɪˈkjuːz] *tsi* **1.** elutasít, nem fogad/ismer el, megtagad **2.** illetékességét nem fogadja/ismeri el *[bírónak]*, kifogást emel *[bíró ellen]*
recut [riːˈkʌt] *tsi pt/pp* **recut a)** újra vág/metsz **b)** megfen, élesít *[pl. kést]*
recycle [riːˈsaɪkl] **I.** *tsi* **1.** újra feldolgoz, (más alakban) újból hasznosít/felhasznál, (anyagot körfolyamatba) ismét visszavezet **2.** *vegy* újra keringtet, visszakeringtet, recirkuláltat **II.** *fn* **1. a)** újra feldolgozás **b)** újra feldolgozandó anyag *[körfolyamatban]* **2.** *vegy* újrakeringtetés, recirkuláció • *mn* **recyclable**
recycling [riːˈsaɪklɪŋ] *fn* **1.** újra feldolgozás **2.** *vegy* visszavezetés körfolyamatba *[anyagé]*, visszakeringtetés
red [red] **I.** *mn* **-dd- 1. a)** vörös, piros; **R~ Cross** *GB tört* Szent György-kereszt; ‹Anglia nemzeti jelképének a neve›; **(International) R~ Cross** (Nemzetközi) Vöröskereszt; ~ **eyes** véraláfutásos szem; → **red-eye**; ~ **heat** vörös izzás; nagy izgalom; ~ **herring** (i) füstölt hering (ii) *átv biz* elterelő mozdulat/manőver; ~ **Indian** rézbőrű indián; ~ **light** piros/vörös fény/lámpa; veszélyjelzés, vészfény; **give ~ light to** forgalmat leállít; **see the ~ light** közelítő katasztrófától tart; ~ **man** rézbőrű indián; ~ **meat** angolosan készített hús, véres hús, félig sült hús; *földr* **the R~ Sea** a Vörös-tenger; ~ **tape** vörös/piros szalag; *átv biz* bürokrácia, aktatologatás; **blush/flush** ~ elpirul, elvörösödik; **turn/go/grow** ~ elvörösödik, fejébe száll a vér; *biz* ~ **as a peony** (v. **turkey-cock** v. **boiled lobster)** lángvörös, vörös mint a rák; **it's like a ~ rag to a bull** olyan mint a bikának a vörös posztó; **paint the town** ~ kirúg a hámból, felveri a várost **b)** vörös, rőt, bronzszínű *[haj]* **2.** *pol biz* vörös; **the R~ Army** a Vörös Hadsereg **II.** *fn* **1.** piros (szín), vörös (szín), pirosság, vörösség; **the** ~ a vörös/piros (biliárd)golyó; **see** ~ haragra lobban, dühbe gurul **2.** *pol biz* (szélső)baloldali, kommunista, bolsevik, vörös **3.** *US gazd* teherlap; **be in the** ~ tartozása/deficitje van, ráfizetéses **4.** vörös fény/lámpa
redact [rɪˈdækt] *tsi vál* **1.** szerkeszt *[hírlapot stb.]*, sajtó alá rendez *[írásművet]* **2.** megrövidít, összevon • *fn* **redaction**, **redactor**
redaub [rɪˈdɔːb] *tsi* átmázol, újrafest
red-baiting *fn biz* kommunistaüldözés • *fn* **red-baiter**
red-bearded *mn* rőt szakállú, vörös szakállú

R

redbelly *fn áll* szemling, vöröslazac
red-blindness *fn orv* vörös színtévesztés *[zölddel]*
red-blooded *mn US* energikus, rámenős
redbreast *fn áll GB biz* vörösbegy
redbrick *mn GB* újabb alapítású *[állami egyetem]*; ~ **university** állami egyetem
redcap *fn* **1.** *GB szl* tábori rendőr/csendőr **2.** *US biz* hordár
red-card *tsi sp* ~ **a player** játékost kiállít *[felmutatja a piros lapot]*
red-carpet *mn* előkelőségeknek kijáró, ünnepélyes *[fogadtatás]*; **give sy the ~ treatment** ‹fontos személyeknek kijáró szertartással/tisztelettel fogad› kigördíti a vörös szőnyeget
redcoat *fn tört* brit katona *[a régebben viselt vörös katonai atilláról elnevezve]*
redcurrant *fn* ribiszke, ribizli
red-deer *fn áll* gímszarvas, rőtvad
redden [ˈredn] **A.** *tsi* (be)vörösít, (be)pirosít **B.** *tni* elpirul, elvörösödik *[ember]*, vörössé válik *[ég]*, megvörösödik *[falevél stb.]* • *mn* **reddening**
reddish [ˈredɪʃ] *mn* pirosas, vöröses, vörhenyes, rőt
reddle [ˈredl] **I.** *fn* vörös (vas)okker, vöröskréta **II.** *tsi* vörössel megjelöl/befest/színez
redecorate [ˌriːˈdekəreɪt] *tsi* újra fest/mázol és kárpitoz/tapétáz *[lakást]* • *fn* **redecoration**
redeem [rɪˈdiːm] *tsi* **1. a)** megvált *[kötelezettséget]*, visszafizet, megad, törleszt *[tartozást]*, kivált *[zálogot]*; *pénz* ~ **a debt** adósságot törleszt; megfizeti/kiegyenlít adósságot **b)** visszaszerez *[elvesztett becsületet stb.]*; ~ **one's good name** visszaszerzi jóhírét **2.** *pénz* bevált *[csekket, bankjegyet]*, bevon *[kötvényt]* **3.** megtart, bevált, teljesít *[ígéretet]*, eleget tesz; ~ **a promise** ígéretét megtartja/teljesíti/beváltja (v. valóra váltja) **4. a)** jóvátesz, helyrehoz *[hibát]*; *biz* ~ **the time** bepótolja az elvesztegetett időt **b)** *átv* kárpótol (vmért), kiegyensúlyoz, kiegyenlít (vmt); **her good points ~ her faults** jó tulajdonságai kiegyensúlyozzák hibáit **5. a)** (pénzzel) kivált, megvált, megszabadít; ~ **a slave** rabszolgát kivált **b)** *vall* megvált *[Krisztus az emberiséget kárhozattól]* • *mn* **redeemable**
redeemer [rɪˈdiːmə ‖ −ər] *fn* **1.** *vall* **the R~** a Megváltó *[Krisztus]* **2. a)** (vissza)vásárló, kiváltó *[rabszolgát stb.]* **b)** *biz* megmentő
redefine [ˌriːdɪˈfaɪn] *tsi* újra definiál/meghatároz, újra fogalmaz, másként formuláz
redeliver [ˌriːdɪˈlɪvə ‖ −ər] *tsi* **1.** újra/újból átad/kézbesít *[levelet stb.]* **2.** (meg)ismétel *[közlést stb.]*, ismét/újra/újból elmond/megtart *[beszédet]*
redemand [ˌriːdɪˈmɑːnd ‖ −ˈmænd] *tsi* ~ **sg of sy** visszakövetel vmt vktől; vmnek a visszaadására szólít fel vkt
redemise [ˌriːdɪˈmaɪz] **I.** *fn* átengedés, visszaadás *[tulajdoné]*, *jog* továbbengedményezés **II.** *tsi jog [átengedett jogot az átengedőnek]* visszaad
redemption [rɪˈdempʃn] *fn* **1. a)** *pénz* visszafizetés, megtérítés, törlesztés, kiváltás *[zálogba helyezett tárgyé]*, megváltás *[kötelezettségé stb.]*, beváltás *[csekké stb.]*; ~ **fund** törlesztési/amortizációs alap **b)** *jog* visszavásárlás, visszaváltás; **equity of** ~ visszavásárlás/visszaváltás joga **c)** visszaszerzés *[hírnévé stb.]* **2.** megtartás, beváltás, teljesítés *[ígéreté stb.]* **3.** jóvátétel, kijavítás, helyrehozás *[hibáé stb.]*; **beyond/past** ~ helyrehozhatatlan(ul), jóvátehetetlen(ül), (ki)javíthatatlan(ul) **4. a)** megváltás, kiváltás, megszabadítás, kiszabadítás *[rabszolgáé stb.]* **b)** *vall* megváltás *[bűnből, kárhozatból]* • *mn* **redemptive**
redeploy [ˌriːdɪˈplɔɪ] *tsi* átcsoportosít, átrendez *[erőket]*, másutt vet be, másutt használ fel *[munkaerőt, katonai alakulatot]* • *fn* **redeployment**
redevelop [ˌriːdɪˈveləp] *tsi* **1.** átépít, áttervez *[beépített területet]* **2.** *fényk* újra előhív *[negatívot]* • *fn* **redevelopment**
red-eye *fn* **1.** *áll* pirosszemű kele **2.** *US szl* whisky, pálinka; → **red I. 3.** ~ **(flight)** éjszakai/„ébrenutazós" repülőjárat

red-eyed *mn* **a)** pirosszemű, vörösszemű **b)** gyulladásos/véraláfutásos szemű
red-faced *mn* piros/vöröses/rózsás arcú, pirospozsgás
redfish *fn* **1. a)** *GB* ívás ideje alatti hím lazac **b)** lazac **2.** *táj* bajuszos vörösmárna
red-gum[1] *fn orv* fogzási láz, fogzáskor jelentkező kiütés
red-gum[2] *fn* **a)** ~ **(tree)** eukaliptusz(fa) **b)** vöröses gyanta, vörös mézga/gyanta *[pl. eukaliptuszé]*
red-haired *mn* vörös hajú, rőt (hajú)
red-handed *mn* **1.** véres kezű; *biz* **be taken/caught** ~ tetten érik, rajtakapják **2.** *áll* rózsaszín kezű/tenyerű
red-hat *fn* bíborosi kalap; *kat szl* vezérkari tiszt
redhead *fn* **1.** vörös hajú **2.** *áll* csörgő réce
red-headed → **red-haired**
red-hot *mn* **1.** vörösen izzó, hőtől/melegtől vörös **2.** *átv* **a)** tüzes, lángoló, heves, szenvedélyes *[ember, érzelem stb.]* **b)** izgalmas, izgató, szexi(s) **c)** izgatott **3.** friss *[hír]*
redial [riː'daɪəl] *tsi* újratárcsáz
rediffusion [ˌriːdɪ'fjuːʒn] *fn távk* átjátszás *[rádió- v. tévéműsoré]*
redintegrate [re'dɪntɪgreɪt] *tsi* **a)** visszaállít/helyreállít (vmt) teljes épségében **b)** ~ **sy in his possessions** birtokába visszahelyez vkt
redirect [ˌriːdɪ'rekt, –daɪ–] *tsi* utánaküld, utánairányít, újracímez *[levelet]* • *fn* **redirection**
rediscount I. *fn* [riː'dɪskaʊnt] *gazd* viszontleszámítolás **II.** *tsi* [ˌriːdɪ'skaʊnt] *gazd* viszontleszámítol
rediscover [ˌriːdɪs'kʌvə] *tsi* újra felfedez/feltalál/megtalál • *fn* **rediscovery**
redissolve [ˌriːdɪ'zɒlv ‖ –'zɑlv] *tsi* újra felold
redistil [ˌriːdɪs'tɪl], *US* **redistill** *tsi vegy* újra/többszörösen lepárol *[pl. alkoholt]*
redistribute [ˌriːdɪ'strɪbjuːt] *tsi* **a)** újra szétoszt, még egyszer szétoszt **b)** *pol* újból feloszt/megállapít/(meg)alakít, átrendez *[választókerületeket]* • *fn* **redistribution**
re-division *fn* újrafelosztás
red-lead ['redled] **I.** *mn* ~ **pencil** piros ceruza *[grafitos]* **II.** *tsi* míniummal befest; → **red I.1.a.**
red-letter *mn* piros betűs; *biz* ~ **day** (piros betűs) ünnepnap; szerencsés/nevezetes/emlékezetes nap
red light *fn* **1.** *közl* piros fény *[jelzőlámpában]* **2.** vörös lámpa
red-light district *fn* vöröslámpás negyed *[bordélyházakkal, prostituáltakkal]*, éjszakai szórakozó negyed
redneck *US* **I.** *mn* konzervatív szellemű, csökönyös **II.** *fn pej [vidéki ember]* tahó, suttyó, bumburnyák
redness ['rednəs] *fn* vörösség, pirosság
redo [riː'duː] *tsi pt* **redid** [riː'dɪd] *pp* **redone** [riː'dʌn] újra kifest, átalakít, helyrehoz, rendbe hoz, *infor* visszaállít
redolent ['redələnt] *mn* **1. a)** (édesen) illatozó, édeskés/kellemes illatú, illatos **b)** erős szagú/illatú **2.** vmre emlékeztető, vmt felidéző, vmvel átitatott; **tales ~ of ancient memories** régi emlékeket felidéző történetek • *fn* **redolence**, **redolency**
redouble [riː'dʌbl] **I. A.** *tsi* **1.** újra (v. még egyszer) összehajt(ogat)/összerak, négyrét hajt(ogat) *[szövetet stb.]* **2.** megkettőztet (vmt), rádupláz (vmre), fokoz, erősít, növel, hatványoz *[erőfeszítést stb.]*, *ját* rekontráz *[lapot]* **B.** *tni* megkettőződik, fokozódik, erősödik, növekszik, gyorsabbá válik **II.** *fn* ráduplázás, *ját* rekontra
redoubt [rɪ'daʊt] *fn* **1.** *kat* különálló zárt sáncerőd, külső erődítmény **2.** *hajó* ágyú helye *[hadihajón]*
redoubtable [rɪ'daʊtəbl] *mn* **a)** félelmetes, rettentő, ijesztő **b)** impozáns, rettenthetetlen
redound [rɪ'daʊnd] *tni* **1.** hozzájárul (vmhez), elősegít (vmt); ~ **to one's honour** becsületére válik; növeli/öregbíti/emeli becsületét **2. a)** eredményez (vmt) **b)** visszahat, kihat, hatással van (vkre), vmre **c)** ~ **on/upon sy** viszszahat, visszahárul *[cselekedet vkire]*
redox ['riːdɒks ‖ –dɑks] *mn vegy összet* redox
red-pencil *tsi* **-ll-** cenzúráz

redraft I. *fn* ['riːdrɑːft ‖ –dræft] **1.** új (meg)fogalmazás/megszerkesztés/szöveg(ezés), átszövegezés *[okiraté]* **2.** *gazd* visszaváltó **II.** *tsi* [rɪ'drɑːft ‖ rɪ'dræft] újra fogalmaz/szerkeszt, átfogalmaz, átszövegez *[okiratot]*
redraw [ˌriː'drɔː] *tsi pt* **redrew** [riː'druː], *pp* **redrawn** [riː'drɔːn] **1.** *gazd* visszaintézvényez *[váltót]* **2. a)** újra (le)rajzol, kihúz *[rajzot tussal]* **b)** *nyomd* második levonatot készít, másolatot készít (vmről), lehúz (vmt) **3.** kitágít, kinyújt *[bőrt]*
redress [rɪ'dres] **I.** *tsi* **1.** helyreállít *[egyensúlyt stb.]*, előbbi állapotába visszahelyez, helyreigazít **2. a)** jóvátesz, helyrehoz *[igazságtalanságot]*, orvosol, megszüntet *[sérelmet]*; ~ **abuses** visszaéléseket megszüntet **b)** kárpótol (vmért) **II.** *fn* **a)** jóvátétel, helyrehozatal, kijavítás *[hibáké]*, elégtételadás, orvoslás *[bajoké, sérelmeké]*; *jog* **legal ~** jogorvoslat; **the ~ of grievances** a sérelmek orvoslása **b)** kárpótlás • *mn* **redressable**
re-dress *tsi* **1. a)** átöltöztet; *szính* ~ **a play** új jelmezekkel lát el egy darabot **b)** *orv* (kitisztít és) újrakötöz *[sebet]*, kötést cserél *[seben]* **2. a)** újra kikészít *[bőrt]* **b)** *épít* bevakol, bepucol *[falat]*, begipszel *[tárgyat]*
red-rimmed *mn* ~ **eyes** véraláfutásos szem
red-shank, **red-shanks** *fn áll* kis sárszalonka; cankó
red-shirt *fn pol biz* ~ anarchista
Redskin *fn* rézbőrű indián
red-streak *fn növ* piros csíkos alma
red-tapedom → **red-tapism**
red-tapery → **red-tapism**
red-tapism *fn* bürokrácia, bürokratikus szellem, paragrafusrágás, aktatologatás • *fn* **red-tapist**
reduce [rɪ'djuːs ‖ rɪ'duːs] **A.** *tsi* **1. a)** csökkent, apaszt, kisebbít, (le)rövidít *[nagyságot, méretet stb.]*; *orv* ~ **a swelling** daganatot lelohaszt; ~ **to nothing** megsemmisít **b)** mérsékel, leszállít, lenyom, redukál *[hőmérsékletet, árakat]*; ~ **expenses** csökkenti/mérsékli a kiadásokat/költségeket; ~ **pain** csökkenti/mérsékli a fájdalmat **c)** enyhít, gyengít *[ellentétet stb.]* **d)** (le)gyengít, lesoványít, letör *[betegség vkt]* **2. a)** vmilyen állapotba hoz; ~ **sg to writing** írásba foglal/lefektet; ~ **a theory to practice** elméletet átvisz a gyakorlatba (v. érvényesít/alkalmaz a gyakorlatban) **b)** aprít, porrá alakít *[őrléssel, töréssel, zúzással, dörzsöléssel, égetéssel]*, péppé dolgoz fel; ~ **sg to ashes** elhamvaszt vmt; ~ **sg to dust** porrá zúz vmt, földdel egyenlővé tesz vmt **c)** *mat [kifejezést, törtet]* egyszerűsít, közös nevezőre hoz, rendez *[egyenletet]*, átszámít; ~ **an equation** egyenletet rendez; ~ **a fraction to lower terms** törtet egyszerűsít **3. a)** alárendel, alávet (vmnek), kényszerít, szorít, késztet *[vm rosszabbra]*; ~ **sy to despair** kétségbe ejt vkt, kétségbeesésbe taszít vkt **b)** *kat* leigáz, lever *[lázadókat stb.]* **4.** lefokoz *[alacsonyabb rangba/munkakörbe]*, degradál; *kat* ~ **to the ranks** (közkatonává) lefokoz; *átv* ~ **sy to his size** vkt leszállít a magas lóról, vkt a helyére tesz **5.** *ip* visszatart *[munkamenetet]* **6.** *orv* helyére visszahelyez *[szervet, testrészt]*, összeilleszt *[törött csontvégeket]*, helyreigazít *[kificamodott tagot]* **7. a)** *vegy* redukál, oxigéntől megfoszt, dezoxidál **b)** *vegy* felbont *[vegyületet elemeire]*; *vegy* ~ **to its components** tényezőire/elemeire bont **B.** *tni* **a)** csökken, apad, kisebbedik *[méret, nagyság]*, mérséklődik, leszáll *[hőmérséklet, ár]*, enyhül, gyengül *[ellentét]* **b)** (le)fogy, (le)soványodik • *fn* **reducibility** *mn* **reducible**
reducer [rɪ'djuːsə ‖ rɪ'duːsər] *fn* **a)** *vegy* redukáló szer **b)** hígító(szer)
reduction [rɪ'dʌkʃn] *fn* **1.** kisebbítés, kicsinyítés *[képé]*, csökkentés *[fizetésé, áré, hőmérsékleté, méreteké]* **2. a)** mérséklés *[adóé]*, megnyirbálás *[igényeké]*, *jog* leszállítás, enyhítés *[büntetésé]* **b)** vékonyítás, keskenyítés, rövidítés **c)** *gazd* árengedmény, rabatt; **~s in prices**, **price ~s** árleszállítás **d)** megtakarítás **3.** csökkenés *[fizetésé, áré, hőmérsékleté, méreteké]* **4. a)** levezetés, visszavezetés **b)** *mat* átszámítás, egyszerűsítés; ~ **of fractions to a common denominator** törtek közös nevezőre hozása

R

5. *kat* **a)** leigázás, meghódítás *[városé, területé]* **b)** lefokozás, rangfosztás *[altiszté]* **6.** *tört* ‹dél-amerikai indiánoknak a jezsuiták által kormányzott települése› **7.** *vegy* redukálás, oxigénelvonás, oxigénkivonás **8.** *zene* (zongora)kivonat **9.** *nyelv* **a)** gyengülés, redukálódás, centralizáció *[hangsúlytalan magánhangzóé]* **b)** redukálódás, egyszerűsödés *[hangsoré, pl. mássalhangzótorlódás esetén]* **c)** jelentésszűkülés **d)** → **clipping**[2] 3; → **ellipsis** 1 • *fn* **reductibility** *mn* **reductive**

reductor [rɪˈdʌktə ‖ –ər] *fn* **1.** *vegy* redukáló szer, reduktor **2.** *el* áram-/feszültségcsökkentő **3.** *fényk* gyengítő (szer)

redundancy [rɪˈdʌndənsi] *fn* **1. a)** felesleg, többlet, létszámfölösleg **b)** nagy bőség/gazdagság **2.** *vál* dagályosság, szószaporítás, terjengősség **3.** *infor* redundancia, terjengősség **4.** *biol* információ-ismétlődés/többlet *[kromoszómán]*

redundancy money *fn* végkielégítés *[elbocsátáskor]*

redundant [rɪˈdʌndənt] *mn* **1. a)** bőséges, gazdag, túláradó; *zene* ~ **interval** túl hosszú intervallum **b)** felesleges, szükségtelen, létszámfölötti, nélkülözhető; **make sy** ~ elbocsát vkt **c)** *nyelv* megjósolható, fölös, redundáns; ~ **verb** múlt idejét többféleképp képző ige **2.** *vál* dagályos, bőbeszédű, terjengős, cikornyás, kacskaringós, pleonasztikus *[beszéd, írás]* **3.** *infor* redundáns

reduplicate I. *tsi* [–keɪt] **a)** (meg)kettőztet, (meg)ismétel **b)** *nyelv* kettőztet, megkettőz, hosszan ejt, reduplikál, ikerít *[összetett szót]* **II.** *mn* [rɪˈdju:plɪkət ‖ –ˈdu:–] **1.** (meg)kettőzött, kettőző, (meg)ismételt **2.** *növ* kettéágazó, villás, villásan elágazó • *fn* **reduplication** *mn* **reduplicative**

redweed *fn növ* pipacs

redwing *fn áll* szőlőrigó; sárgarigó

redwood *fn* **1. a)** *növ* vörösfenyő, cédrusfenyő **b)** *növ US* kaliforniai vörösfa, óriási szikvójafenyő **2.** *növ* börzsönyfa, vörös festőfa

re-dye *tsi* újra (be)fest/megfest *[szövetet, hajat]*, fedőréteggel átfest

reebok [ˈri:bɒk ‖ –bɑk] *fn áll* dél-afrikai antilop

re-echo I. A. *tsi* visszhangoz, visszaver, ismétel *[hangot]* **B.** *tni* visszhangzik *[üres terem, erdő]*, zeng, kong **II.** *fn* kettős visszhang

reed [ri:d] **I.** *fn* **1. a)** *növ* ~ **grass** (v. **ditch** ~) nád, fedőnád; ~ **plot** nádas **b)** *biz* tetőfedő szalma, zsúpszalma; **thatch with** ~**s** nádaz; zsúpfedelet készít **2.** *zene* **a)** pásztorsíp, tilinkó, nádsíp **b)** *biz* fuvola **c)** fúvós hangszer; **the** ~**s** a fúvós hangszerek, a fúvósok *[zenekarban]* **d)** fúvóka *[hangszeré]* **e)** nyelvsíp, rezgő nyelv *[oboáé, klarinété]* **3.** évgyűrű *[fatörzsé]* **4.** ~ **plane** botgyalu, fazongyalu, profilgyalu **II.** *tsi* **1.** náddal/zsúppal fed *[házat]* **2.** *zene* fúvókát/nyelvsípot tesz *[hangszerbe]*

reed-babbler *áll* → **reed-warbler**

reed-bed *fn* nádas

reed-bunting *fn áll* **1.** nádi sármány, nádi veréb **2.** barkóscinege

reeded [ˈri:dɪd] *mn* **1. a)** náddal fedett, nádfedelű, zsúpfödeles **b)** → **reedy** 1. **2.** *zene* fúvókával/nyelvsíppal ellátott

re-edify *tsi* újra felépít, átépít, újjáépít, helyreállít

reeding [ˈri:dɪŋ] *fn* **a)** zsúpozás *[házé]* **b)** zsúpfödél

re-edit *tsi* újra/ismét kiad, új kiadásban kiad *[régebben már megjelent művet]* • *fn* **re-edition**

reedling [ˈri:dlɪŋ] *fn* **1.** *áll* → **reed-bunting** 2. **2.** → **reed-bed**

reed-organ *fn zene* harmónium

reed-pipe *fn* fűzfasíp

re-educate [ri:ˈedʒʊkeɪt] *tsi* **1.** átnevel, átképez **2.** *orv* rehabilitál, rehabilitációs képzésben részesít • *fn* **re-education**

reed-warbler *fn áll* nádi poszáta

reedy [ˈri:di] *mn* **1. a)** nádban/nádasokban bővelkedő, nádas, náddal benőtt *[pl. tópart]* **b)** *régi* nádi, nád- *[síp stb.]* **2.** vékony, sovány, karcsú, sudár (mint a nádszál) **3.** fuvolaszerű, hajlékony *[hang]*; ~ **voice** cérnahang; recsegő/éles hang • *fn* **reediness**

reef [ri:f] *fn* **1.** zátony, szirt/sziklahát/sziklapad/kavicstaraj/homokpad a tenger szintjén; **fringing** ~ partmenti szirt **2.** *bány* arany tartalmú (tel)ér; ~ **claim** aranyfeltárási/aranykitermelési jogosítvány

reefer[1] [ˈri:fə ‖ –ər] *fn szl* **1.** füves/marihuánás cigi **2.** ‹zsebtolvajnak falazó személy›

reefer[2] [ˈri:fə ‖ –ər] *fn US biz* hűtőkocsi, hűtőhajó

reek [ri:k] *vál* **I.** *tni* **1. a)** bűzlik, rossz/émelyítő szagot áraszt; ~ **of sg** szaggal átitatódik **b)** *átv* bűzlik, gyanús; ~ **of wickedness** árad róla a gonoszság **2.** füstöl, (ki)gőzölög; ~ **of/with sg** át van itatva vmvel **II.** *fn* **a)** bűz, rossz szag, büdösség **b)** dohos/áporodott levegő • *mn* **reeky**

reel [ri:l] **I.** *fn* **1. a)** *tex* cséve, orsó *[horgászzsinegé is]*, motolla, *bány* csörlő **b)** *tex* cérnaorsó, pamutgombolyag **c)** *tex nyomd* (papír)henger, papírtekercs **d)** *film* filmtekercs(elő dob), *fényk* (film)tekercs, orsó; **film** ~ (1000 láb hosszúságú) filmtekercs, filmszalag **e)** *infor* orsó **2.** (fel)tekercselés, motringolás, gombolyítás, csévézés, orsózás **3.** *összet* (-)henger **4.** tántorgás, megingás, ingadozás, támolygás **5.** ‹skót néptánc› **II. A.** *tsi* **1.** *tex* legombolyít, felgombolyít, felcsévéz *[fonalat]* **2. make sy's senses** ~ elszédít/megszédít vkt; **it set his mind** ~**ing** egészen felkavarta lelkileg, egészen elkábult (erre a gondolatra) **B.** *tni* **1.** zümmög, mormog **2.** forog/kering a világ körülötte, imbolygást érez, szédül; **my brain/head** ~**s** forog velem a világ, szédülök **3. a)** tántorog, ingadozik, támolyog, meginog *[részeg ember]*, megrázkódik, meginog *[ház]*; ~ **to and fro like a drunken man** tántorog(va jár), mint egy részeg ember **b) the whole room** ~**ed before my eyes** forgott a világ/szoba körülöttem

reel in *tsi* feltekercsel

reel off *tsi* **1.** *tex* legombolyít **2.** *átv* ~ **off a list** névsort/adatokat elhadar; ~ **off a poem** eldarál/elhadar egy verset

re-elect [ˌri:ɪˈlekt] *tsi* újra/újból (meg)választ • *fn* **re-election**

reeler [ˈri:lə ‖ –ər] *fn tex* gombolyító, motringoló, motolláló, csévélő, feltűző *[gép, munkás]*

re-elevate *tsi* újból felemel

reelful [ˈri:lfʊl] *fn* motring(nyi fonal)

re-eligible *mn* újra (meg)választható • *fn* **re-eligibility**

re-embark A. *tsi* újból/újra hajóra szállít/rak, újra behajóz *[katonaságot]* **B.** *tni* újból/újra hajóra száll • *fn* **re-embarkation**

re-embrace *tsi* **1.** újból megölel, újból magához ölel **2.** újból magába foglal

re-emerge *tni* újból feltűnik/megjelenik/felbukkan/kiemelkedik *[a vízből stb.]*, újból előjön/előfordul *[kérdés stb.]*

re-employ [ˌri:ɪmˈplɔɪ] *tsi* **1.** újra/újból alkalmaz/felvesz *[munkára]* **2.** újra felhasznál • *fn* **re-employment**

re-enact *tsi* **1.** *jog* újra elgondol (vmt), újból életbe léptet *[jogszabályt]* **2.** rekonstruál, újból eljátszik *[jelenetet]* • *fn* **re-enactment**

re-encourage *tsi* újból felbátorít

re-endow *tsi* újból adományoz (vmnek), új alapítvánnyal lát el

re-engage A. *tsi* **1.** újból harcba vet *[csapatot]* **2.** újból alkalmaz/szerződtet, visszafogad, ismét felfogad (vkt) **3.** *műsz* újra bekapcsol *[fogaskereket stb.]* **B.** *tni* **1.** új szerződést vállal **2.** *műsz* újból bekapcsolódik • *fn* **re-engagement**

re-enlist *kat* **A.** *tsi* újból besoroz/behív **B.** *tni* **1.** továbbszolgál(atra jelentkezik) *[katonának]*, *biz* bezupál **2.** újra beáll/bevonul/berukkol *[katonának]*

re-enlistee *fn kat* továbbszolgáló

re-enter A. *tsi* **1.** visszatér, újból belép/bemegy *[helyiségbe]*; ~ **an employment** újból/ismét belép (v. visszalép) szolgálatba **2.** újból/ismét bejegyez *[tételt]* **3.** *műv* újból

R

belevés *[vonásba]* **4.** *jog* újból birtokba vesz **B.** *tni* **1.** újból/ismét belép *[szobába, színpadra stb.]* **2.** *zene* újra belép/bevág, újból rákezd *[hangszer]* **3.** ~ **for an examination** ismét jelentkezik vizsgára; újból nekivág/nekimegy egy vizsgának

re-enthrone *tsi* trónra visszahelyez

re-entrant I. *mn* újra/ismét belépő, visszatérő *[görbe]*, beugró *[szög]*, *orv* befelé hajló/beugró; ~ **angle** *mat* beugró szög; *ásv* beugró él **II.** *fn* **1.** *geol* teknő *[terepalakulat]* **2.** *kat* beékelődés (az ellenség védelmi vonalába)

re-entry *fn* **1. a)** újbóli/ismételt bemenetel/belépés *[szobába stb.]*; ~ **visa** kétszeri/többszöri beutazási engedély; *zene* ~ **of an instrument** egy hangszer újra belépése; *ját* **card of** ~ beütés, (ütés)átvevő kártya **b)** visszatérés *[rakétáé a légkörbe]* **2.** újra beírás, újra bevezetés **3.** *jog* visszavétel, visszahelyezés *[birtokba]*

re-equipment *fn* berendezés/felszerelés felújítása, újrafelszerelés

re-erect *tsi* **1.** újjáépít, újra felépít, rekonstruál **2.** újra felszerel/felállít *[árbocot stb.]*

re-establish *tsi* **1.** helyreállít *[házat]*, újjászervez *[intézményt]*, ismét megindít *[megszakadt folyamatot]*; *gazd* ~ **one's affairs** rendbeszedi/rendezi ügyeit; ~ **sy in public esteem** rehabilitál vkt, helyreállítja a tekintélyét/becsületét vknek **2.** ~ **one's health** visszanyeri/visszaszerzi az egészségét, helyreáll az egészsége • *fn* **re-establishment**

re-evaluate *tsi* újraértékel, átértékel

reeve[1] [riːv] *fn tört* **1.** várnagy, helytartó, tiszttartó **2.** ispán, felügyelő, elöljáró

reeve[2] [riːv] *tsi pp* **reeved, rove** [rouv], **roven** [ˈrouvn] *hajó* **1. a)** ~ **a rope** átdug/átfűz/keresztülhúz egy kötelet *[csigán stb.]* **b)** megkötöz, megerősít *[kötelet]* **2.** átevickél; ~ **the shoals** sekély vizű helyen elővigyázatosan átmegy *[hajó]*

re-examine *tsi* **1.** újból (meg)vizsgál/vizsgáztat **2.** *jog* újból kihallgat *[tanút a keresztkérdezés után]* • *fn* **re-examination**

re-exchange *fn* **1.** újbóli csere/átváltás **2.** *gazd pénz* **a)** visszaváltó **b)** prolongációs váltó

re-export I. *fn* [riːˈekspɔːt ‖ –pɔrt] **1.** külföldi áru újra exportálása/kiszállítása, visszavitele *[külföldre]*, reexport(álás); ~ **trade** tranzitkereskedelem **2.** reexportált áru, újra külföldre szállított (külföldi) áru **II.** *tsi* [ˌriːɪkˈspɔːt ‖ –ˈspɔrt] külföldi árut újra exportál/kiszállít, visszavisz *[külföldre]*, reexportál

re-exportation → **re-export I.**

ref [ref] **-ff- I.** *fn sp* bíró, játékvezető **II.** *tsi* vezet *[mérkőzést]*

ref., Ref. *röv* **1.** *referee* **2.** *reference* **3.** *referred* **4.** *reformation* **5.** *Reformed*

reface [riːˈfeɪs] *tsi* **a)** újból burkol/beborít/befed/bevakol *[falat]* **b)** újra bevon *[vmlyen huzattal]*, új hajtókát tesz *[szmokingra stb.]*

refashion [riːˈfæʃn] *tsi* átalakít, újjáalakít, átformál

refasten [riːˈfɑːsn ‖ –ˈfæsn] *tsi* újból megerősít/odaerősít/megköt/bekapcsol/összekapcsol

refectory [rɪˈfektəri] *fn [kolostori, internátusi]* ebédlő, refektórium, menza; ~ **table** hosszú ebédlőasztal, refektóriumasztal

refelt [riːˈfelt] *mn* újból átélt/átérzett *[pl. szenvedés]*

refer [rɪˈfɜː ‖ rɪˈfɜr] *i* **-rr- A.** *tsi* **1. a)** besorol, azonosít, utal; **be ~red to as** úgy nevezik/hívják/emlegetik **b)** tulajdonít *[tényt, történést oknak, felfedezést vmely felfedezőnek]* **c)** vonatkoztat, visszautal *[eseményt időpontra]*, összekapcsol *[eseményt időponttal]* **d)** (be)osztályoz *[növényt a családjába]* **2.** ~ **a matter to sy** egy üggyel vkhez fordul, vk elé terjeszt egy ügyet; ~ **a question to sy's judgement** vknek ítéletére bíz egy kérdést **3. a)** ~ **sy to sy** vkt vkhez utasít/utal/küld, szakorvoshoz küld; ~ **the case to another court** az ügyet más bírósághoz teszi át; **the reader is ~red to ...** lásd (még) ... alatt is **b)** *pénz* ~ **a cheque to drawer** megtagadja csekk beváltását (fedezet híján) **4. a)** *okt* (vizsga)halasztást ad *[jelöltnek]* **b)** *okt* ismétlésre utasít *[vizsgázót]* **B.** *tni* **1.** folyamodik/fordul vkhez/vmhez; ~ **to an authority** egy hatósághoz fordul; **I shall have to** ~ **to the board** ki kell kérnem az igazgatóság véleményét **2. a)** céloz/utal/hivatkozik vkre/vmre; ~ **to a document** egy okiratra hivatkozik; **~ring to your letter of ...** hivatkozással ...-i levelükre **b)** említ, felhoz vmt; ~ **to a fact** utal/hivatkozik egy tényre **3.** vonatkozik/céloz(gat) vkre/vmre; **I** ~ **to you** önről beszélek, ez önre vonatkozik; **whom are you ~ring to?** kire céloz? • *mn* **referable**

referee [ˌrefəˈriː] **I.** *fn* **1.** *sp* játékvezető, bíró **2. a)** *jog* döntőbíró, választott bíró; *jog* **board of ~s** választott bíróság; döntőbizottság **b)** *jog* előadó *[parlamentben, bírói tanácsban]* **c)** *jog* szakértő **3. a)** (vkről) referenciát adó személy, referencia **b)** *gazd* ~ **in case of need** szükségbeli utalványozott, váltókezes **II. A.** *tsi sp* vezet *[mérkőzést]*, bíráskodik *[mérkőzésen]* **B.** *tni sp* mérkőzést vezet, bíráskodik

reference [ˈrefrəns] *fn* **I. 1. a)** utalás, hivatkozás, vonatkoz(tat)ás, célzás (vmre/vkre), megemlítés (vmé/vké); **make ~ to a fact** megemlít egy tényt, említést tesz egy tényről **b)** áttétel, (át)utalás *[más bíróság/hatóság elé]* **c)** hatáskör *[pl. bíróságé]* **d) order/terms of ~ of a commission** egy bizottság hatáskörének megjelölése/meghatározása/körülírása **2.** kapcsolat, ok és okozati összefüggés; ~ **of a fact to its cause** egy tény okának megjelölése, egy tény tulajdonítása vmely oknak **3.** tájékoztatás; **work of ~** kézikönyv, segédkönyv; tájékoztató/útbaigazító mű; referencia mű/könyv, alapmű, kompendium **4. a)** összefüggés, kapcsolat, vonatkozás; **have ~ to sg** vonatkozik vmre, vonatkozásban/összefüggésben van vmvel; **in/with ~ to your letter ...** a levelére hivatkozva/vonatkozóan, ami a levelét illeti, a levelével kapcsolatban ...; **without ~ to ...** függetlenül/levonatkoztatva ...-tól, figyelmen kívül hagyva ...-t **b)** *fiz mat* ~ **frame, frame of ~** vonatkoztatási rendszer; koordináta-rendszer; *geol* ~ **point** ellenőrző/vonatkozási pont **c)** *nyelv* referencia, megnevezés, jelentés **d)** *infor* hivatkozás, referencia **5. a)** felvilágosítás, információ, vélemény(adás), referencia *[alkalmazottról]*; **give sy as a ~** ajánlóként megad, hivatkozik vkre **b)** ajánlás; **letter of ~** ajánlólevél **c)** ajánló **d)** *jog* kezes, jótálló **II.** *tsi* jegyzetekkel/utalásokkal/bibliográfiával lát el *[könyvet]*

reference book *fn* kézikönyv, segédkönyv, tájékoztató/útbaigazító mű, kompendium

reference data *fn* hivatkozási adatok

reference library *fn* **1.** kézikönyvtár **2.** szakkönyvtár

reference number *fn* hivatkozási szám, iktatószám

referendary [ˌrefəˈrendəri] *fn* **1.** döntőbíró **2.** előadó

referendum [ˌrefəˈrendəm] *fn tsz* **referendums** v. **referenda** [–də] *pol* **1.** népszavazás **2.** szavazat *[népszavazáson]*

referent [ˈrefrənt] *fn* **a)** *nyelv* a jelzett/(meg)jelölt *[dolog]* **b)** téma, tárgy *[vitáé, megbeszélésé]*

referential [ˌrefəˈrenʃl] *mn* **1.** vonatkozó, utaló **2.** tájékoztató (jellegű), megjelölő

referment [ˌriːfɜːˈment ‖ –fɜr–] *tsi* újra erjeszt

referral [rɪˈfɜːrəl] *fn* **1.** irányítás, utasítás, utalás *[személyé vkhez, vhová]*, kiközvetítés, küldés (vhová) **2.** beutalás *[szakorvosi rendelésre]* **3.** fordulás *[vhová, pl. tájékoztatásért]* **4. a)** javasolt személy **b)** vhová utasított/kiközvetített személy

referring [rɪˈfɜːrɪŋ ‖ –ˈfɜr–] *hsz* vonatkozva, vonatkozólag, utalva, hivatkozással (*to* vmre); → **refer B.2., 3.**

re-figure *tsi* újra (ki)számít vmt

refile [riːˈfaɪl] *tsi* másodszor átsimít, tisztára csiszol *[fémfelületet reszelővel]*

refill I. [riːˈfɪl] **A.** *tsi* **1.** feltölt, utánatölt, újból/újra tölt, pótol (vmt), kiegészít *[készleteket]* **2.** *gk* megtölt *[benzintartályt]*, feltölt *[olajat stb.]* **B.** *tni* **a)** újból megtelik/megtöltődik/feltöltődik **b)** *gk* tankol **II.** *fn* [ˈriːfɪl] **1.** utántöltés, utánpótlás, feltöltés *[készleteké]* **2.** tartalékalkatrész, tartalékelem *[zseblámpába]*, kicserélhető noteszlap, betét *[golyóstollba, termoszba stb.]* **3.** pótadag, repeta *[ételből, italból]*

refind [riːˈfaɪnd] *tsi pt/pp* **refound** [riːˈfaʊnd] újra megtalál/meglel

refine [rɪˈfaɪn] **A.** *tsi* **1.** (ki)finomít, (meg)tisztít, derít *[folyadékot]*, rafinál *[cukrot]*, simít, csiszol *[anyagot]* **2.** csiszol, palléroz *[nyelvet stb.]*, javít, nemesít **B.** *tni* **1.** finomodik, tisztul, derül **2.** finomodik, finomul, pallérozódik, csiszolódik *[nyelv, ízlés]*, nemesedik *[erkölcs]* **3.** finomkodik, aprólékoskodik • *fn* **refiner**

refined [rɪˈfaɪnd] *mn* **1. a)** finomított, finom *[arany]*, tisztított *[kőolaj]*, rafinált *[cukor]*; ~ **iron** frissített vas **b)** minőségi **2.** kifinomult *[ízlés, ember stb.]*, pallérozott *[ember, nyelv]*, csiszolt *[modor]*, előkelő *[viselkedés]*; ~ **discrimination** finom megkülönböztetés

refinement [rɪˈfaɪnmənt] *fn* **1. a)** (ki)finomítás **b)** tökéletesítés *[pl. eljárásé]* **2. a)** kifinomulás, kifinomultság *[ízlésé stb.]*, tisztaság *[erkölcsé]*, előkelőség *[viselkedésé]* **b)** tökéletesebb/kidolgozottabb állapot/mód *[pl. eljárásé]*, tökéletesítés **3.** mesterkéltség, finom modor

refinery [rɪˈfaɪnəri] *fn ip* finomító (gyár/üzem); **oil** ~ olajfinomító; **sugar** ~ cukorfinomító

refit [riːˈfɪt] **I.** *tsi* **-tt- 1.** rendbe hoz, helyreállít, felszerel, kijavít, összeállít, csiszol *[szelepet]*, kicserél *[pl. csapágyakat]* **2.** újra berendez/felszerel *[üzemet stb.]* **3.** *hajó* **a)** tataroz, (ki)javít, megjavít *[hajót]* **b)** újra felfegyverez *[hajót]* **II.** *fn* [ˈriːfɪt] **1.** rendbehozás, újrafelszerelés, újraberendezés *[pl. üzemé]*, kijavítás, összerakás, összeállítás *[lőfegyveré, gépalkatrészeké]* **2.** *hajó* **a)** tatarozás, javítás, átalakítás *[hajóé]* **b)** újrafelfegyverzés *[hajóé]* • *fn* **refitment**

refix [riːˈfɪks] *tsi* újra felerősít/megerősít

reflame [riːˈfleɪm] *tsi* újra fellángol

reflation [riːˈfleɪʃn] *fn közg* újbóli pénzszaporítás/infláció *[defláció után]*

reflect [rɪˈflekt] **A.** *tsi* **1.** visszatükröz *[felület fényt]*, visszaver, visszasugároz *[hőt, fényt]* **2.** *átv* **a)** tükröz, kifejez **b) action that ~s credit on sy** tett/cselekedet, amely becsületére válik vknek **B.** *tni* **1.** visszatükröződik, visszaverődik **2.** elmélkedik, töpreng, gondolkozik (vmn), vm felett, megfontol, mérlegel (vmt); ~ **that...** mérlegeli, hogy... **3.** gáncsol, kicsinyel; ~ **on sy's honour** sérti/csorbítja/károsítja/aláássa vk becsületét, rossz fényt vet vkre *[cselekedet, viselkedés stb.]*

reflectance [rɪˈflektəns] *fn fiz* visszaverődési együttható/erősség

reflection [rɪˈflekʃn] *fn* **1. a)** visszatükröződés, visszaverődés, visszavert fény/hő **b)** visszatükrözés, visszaverés **c)** tükörkép **2. a)** *orv* tükrözés **b)** *orv* kisugárzás *[fájdalomé]* **c)** *mat* **point of ~ (of a curve)** reflexiós pont *[görbéé]* **3. a)** megjegyzés, bírálat, észrevétel **b)** rosszallás, helytelenítés; **this is a ~ on his honour** ez a becsületét érinti/csorbítja/rontja, ez a becsületébe vág **4.** elmélkedés, gondolkodás; **on ~** jobban meggondolva/megfontolva a dolgot **5.** *tsz* **reflections** gondolatok, elgondolások, elmélkedések

reflective [rɪˈflektɪv] *mn* **1.** visszatükröző, visszaverő *[felület]*; *fiz* ~ **power** visszaverőképesség **2. a)** meggondolt, megfontolt, gondolkodó *[ember, elme]*, körültekintő *[ember]* **b)** gondolkodási *[képesség]* **3.** *nyelv* visszaható *[névmás, ige]*

reflectivity [ˌriːflekˈtɪvəti] *fn fiz* visszaverőképesség

reflector [rɪˈflektə ‖ –ər] *fn* **1. a)** reflektor, fényszóró, visszaverő felület/tükör, *gk* fényvisszaverő, macskaszem; **red ~** macskaszem **b)** tükrös távcső, reflektor **c)** *távk fiz* reflektor *[antennában, reaktorban]* **2. literature is a ~ of the age** az irodalom a maga korának a tükre

reflector stud *fn közl* fényvisszaverő szegecs/macskaszem *[útburkolati jel]*

reflet [rəˈfleɪ] *fn* visszfény, fénymáz *[cserépedényé]*

reflex I. *fn* [ˈriːfleks] **1.** visszfény, visszaverődés, visszatükröződés **2. a)** *orv* önkéntelen mozdulat **b)** *orv* reflex(mozgás), reflexhatás **II.** *mn* [ˈriːfleks] **1. a)** önkéntelen, reflex- *[mozgás stb.]*; ~ **action** reflextevékenység, reflexmozgás, reflexműködés **b)** közvetett *[hatás stb.]* **2.** visszavert, visszaverődött, visszavetített *[fény stb.]* **3.** *növ* visszahajló, visszahajlott **4.** *nyelv* lecsapódás, származék *[korábbi alaké, szóé]* **III.** *tsi* [rɪˈfleks] visszahajlít

reflexible [rɪˈfleksəbl] *mn* visszaverődő *[sugár stb.]*

reflexion [rɪˈflekʃn] *fn* → **reflection**; *GB fiz* **angle of ~** visszaverődési szög

reflexive [rɪˈfleksɪv] *nyelv* **I.** *mn* visszaható; ~ **pronoun** visszaható névmás; ~ **verb** visszaható ige **II.** *fn* visszaható névmás/ige • *mn* **reflexiveness**

reflexology [ˌriːflekˈsɒlədʒi ‖ –ˈsɑ–] *fn orv* reflexológia

refloat [riːˈfloʊt] *tsi* **1.** kiszabadít *[zátonyra került hajót]*, (újra) vízre emel, úszóképessé tesz *[elsüllyedt hajót]* **2.** újra kibocsát *[államkölcsönt]* **3.** *gazd* **a)** szanál *[vállalatot]* **b)** újból megindít *[vállalatot]*

reflow [ˈriːfloʊ] **I.** *fn* **1.** visszafolyás, visszaáramlás **2.** apály **II.** *tni* visszafolyik, újra folyik

refluent [ˈrefluənt] *mn* visszaáradó, visszafolyó *[víz, vér]* • *fn* **refluence**

reflux [ˈriːflʌks] *fn* **1. a)** visszafolyás, visszaáradás, visszaömlés **b)** visszafolyatás, reflux **2.** a tenger felé vonuló ár, apály

reforest [riːˈfɒrɪst ‖ –ˈfɔ–, –ˈfɑ–] *tsi* újból fásít/erdősít, ismét beültet fával, felújít (erdőt) • *fn* **reforestation**

reform [rɪˈfɔːm ‖ –ˈfɔrm] **I. A.** *tsi* **1.** megújít, átszervez, átalakít, (meg)reformál, tökéletesít, (gyökeresen) megváltoztat **2.** megjavít, jó útra visszavezet/visszatérít **B.** *tni* megújul, megjavul, jobbá válik, tökéletesedik **II.** *fn* **1.** (meg)újítás, megújulás, átszervezés, reform **2.** (erkölcsi) megjavulás; *jog* ~ **school** javítóintézet • *mn* **reformable**

re-form A. *tsi* újra (meg)alakít *[intézményt, katonai alakulatot]*, újra csatasorba állít **B.** *tni* újra egyesül/megalakul

reformation [ˌrefəˈmeɪʃn ‖ –fər–] *fn* **1. a)** újjáalakítás, (meg)javítás, (meg)reformálás **b)** megújulás, újjáalakulás **2.** megjavulás, jó útra térés **3.** *vall* **the R~** a hitújítás, a reformáció • *mn* **reformational**

re-formation *fn* **a)** újra (meg)alakítás, újra csatasorba állítás **b)** újra egyesülés/megalakulás

reformative [rɪˈfɔːmətɪv ‖ –ˈfɔr–] *mn* **1.** reform- *[törekvés, mozgalom, törvény stb.]* **2.** javító- *[intézet, nevelés stb.]*

reformatory [rɪˈfɔːmətəri ‖ rɪˈfɔrmətɔri] **I.** *mn* reform- *[intézkedés, törekvés stb.]* **II.** *fn US* javítóintézet

reformatory school *fn okt* javítóintézet

reformed [rɪˈfɔːmd ‖ –ˈfɔr–] **I.** *mn* **1.** megreformált, átalakított, átszervezett, megújított **2.** *vall* református, protestáns *[egyház, vallás]* **II.** *fn vall* **the R~ Church** a Református Egyház

reformer [rɪˈfɔːmə ‖ –ˈfɔrmər] *fn* újító, *vall* reformátor, hitújító

reformism [rɪˈfɔːmɪzm ‖ –ˈfɔr–] *fn* reformpárti álláspont/magatartás • *fn/mn* **reformist**

reformulate [riːˈfɔːmjʊleɪt ‖ –ˈfɔrmjə–] *tsi* átfogalmaz, újrafogalmaz

refortify [riːˈfɔːtɪfaɪ ‖ –ˈfɔr–] *tsi kat* újra megerősít, újból erődítésekkel lát el • *fn* **refortification**

refound[1] [riːˈfaʊnd] *tsi nyomd* újra önt

refound[2] [riːˈfaʊnd] *tsi* újra megalakít

refract [rɪˈfrækt] *tsi fiz* (meg)tör *[fényt, sugarat]*

refraction [rɪˈfrækʃn] *fn fiz* fénytörés, sugártörés, *csill* refrakció; **double ~** kettős (sugár-)törés; ~ **angle** törésszög *[fénysugáré]*; ~ **coefficient** törésmutató; **suffer ~** megtörik

refractive [rɪˈfræktɪv] *mn* **1.** *fiz* fénytörő, sugártörő; **doubly ~** kettős (sugár)törésű; ~ **index** törésmutató; ~ **power** fénytörő képesség, törőérték *[lencséé]* **2.** ellenálló, immunis

refractometer [ˌriːfræk'tɒmɪtə ‖ –'tɑmətər] *fn fiz* refraktométer, törésmutató mérő

refractor [rɪ'fræktə ‖ –ər] *fn* **1.** *csill fiz* refraktor, lencsés távcső **2.** *fiz* fénysugártörő készülék/lencse, nagyítóüveg

refractory [rɪ'fræktəri] **I.** *mn* **1.** konok, dacos, engedetlen(kedő), lázongó, ellenszegülő (*to* vmnek) **2. a)** *vegy* hőálló, tűzálló; *vegy* ~ **brick** tűzálló tégla, samott-tégla; *vegy épít* ~ **lining** tűzálló burkolat **b)** *vegy* rozsdamentes, (vmnek) ellenálló **c)** *vegy* nehezen feldolgozható (anyag) **3. a)** *orv* makacs, tartós, nehezen gyógyuló/gyógyítható/kezelhető *[betegség]* **b)** *orv* immunis, ellenálló|képes *[betegséggel, fertőzéssel szemben]* **II.** *fn* **a)** tűzálló anyag **b)** tűzálló agyagáru • *fn* **refractoriness**

refrain¹ [rɪ'freɪn] *fn* **1.** *ir.tud zene* refrén, ismétlődő sor **2.** utóíz, utóillat

refrain² [rɪ'freɪn] **A.** *tsi* fékez, elnyom, visszatart *[önmagát, szenvedélyeket]*; ~ **oneself** türtőzteti magát, uralkodik magán **B.** *tni* tartózkodik, visszatartja/visszafogja magát (*from* vmtől/vm megtételétől) • *fn* **refrainment**

reframe [riː'freɪm] *tsi* **1.** újból (be)keretez *[képet]*, új keretet csinál *[képnek]* **2.** kijavít, rendbe hoz, újból megformál/kiképez (vmt) **3.** átdolgoz, átszövegez, újraszövegez *[pl. törvényjavaslatot]*

refrangible [rɪ'frændʒəbl] *mn fiz* sugártörésre alkalmas/hajlamos, megtörhető

refreeze [riː'friːz] *tsi pt* **refroze** [riː'frouz] *pp* **refrozen** [riː'frouzn] újrafagyaszt

refresh I. [rɪ'freʃ] **A.** *tsi* **1.** (fel)frissít, felüdít *[vkt ital, étel, pihenés]*, pihentet, megnyugtat **2. a)** felfrissít, felelevenít *[emlékezetet]* **b)** *infor* (fel)frissít **3.** feléleszt, újból felszít *[tüzet stb.]* **4. a)** kijavít, kiigazít *[szerszámot]* **b)** élesre farag *[gerendát stb.]* **5.** *orv* felszaggat *[sebhely széleit stb.]* **6. a)** megtisztít, felfrissít *[eső levegőt]* **b)** *fémip* hűt **7.** *el vill* újratölt *[akkumulátort, memóriát]* **B.** *tni* **1.** kipiheni magát, felfrissül, felélénkül, felüdül **2.** jól beeszik/megebédel/megvacsorázik **3.** *hajó* friss/új készleteket vesz fel **II.** *fn* ['riːfreʃ] *infor* felfrissítés

refresher [rɪ'freʃə ‖ –ər] *fn* **1.** élénkítő, üdítő személy **2.** frissítő, hűsítő *[ital]*, erősítő *[étel]* **3.** felfrissítés *[emlékezeté]*; *okt* ~ **course** továbbképző tanfolyam; fejtágító **4.** *GB jog* ‹pót/kiegészítő ügyvédi tiszteletdíj per elhúzódása esetén›

refreshing [rɪ'freʃɪŋ] **I.** *mn* üdítő, frissítő, hűsítő, erősítő *[ital, étel]*, pihentető *[alvás]*; ~ **innocence** édes/üdítő ártatlanság **II.** *fn* felfrissülés, felüdülés, pihenés, szórakozás

refreshment [rɪ'freʃmənt] *fn* **1. a)** felfrissítés, felüdítés **b)** felfrissülés, felüdülés, pihenés, szórakozás **2.** üdítő, frissítő *[ital]*, erősítő *[étel]*; **(light)** ~**s** frissítők, üdítőitalok; büféáru *[könnyű hideg ételek]*; *[mint felirat:]* büfé; **have some** ~**s** iszik/eszik vmt, eszik vm hideget, erősíti magát étellel/itallal; ~ **table** büfé(asztal)

refresh rate *fn infor* frissítési frekvencia

refrigerant [rɪ'frɪdʒərənt] **I.** *mn orv* hűsítő *[gyógyszer]* **II.** *fn* **1.** *orv* hűsítő gyógyszer **2.** *orv ip* hűtő, hűtőfolyadék, hűtőközeg

refrigerate I. [–reɪt] **A.** *tsi ip* fagyaszt, (le)hűt, behűt; ~**d meat** fagyasztott hús **B.** *tni* lehűl, kihűl **II.** *mn* [rɪ'frɪdʒərət] (le)hűtött, behűtött • *fn* **refrigeration** *mn* **refrigerative**

refrigerator [rɪ'frɪdʒəreɪtə ‖ –ər] *fn* **1. a)** hűtőszekrény, hűtőgép, frizsider **b)** hűtő(test); ~ **pipe** hűtőcső(kígyó) **2.** hűtőkamra, fagyasztókamra, hűtőház

refrigeratory [rɪ'frɪdʒərətəri ‖ –tɔri] **I.** *mn* hűtő, fagyasztó **II.** *fn* hűtőberendezés, hűtőház

refringent [rɪ'frɪndʒənt] *mn fiz* fénytörő, sugártörő • *fn* **refringency**

refront [riː'frʌnt] *tsi* tataroz *[házat]*

refuel [riː'fjuːəl] *tsi tni* **-ll-** újratölt *[pl. gázöngyújtót]*; üzemanyagot pótol (v. vesz fel), *gk* tankol

refuge ['refjuːdʒ] *fn* **1. a)** menedék; **take** ~ menedéket keres/talál (vhol), menekül (egy helyre) **b) he is the** ~ **of the distressed** ő a bánattól sújtottak menedéke/vigasztalója **c)** mentség, végső segítség; **take** ~ **in lying** hazugsághoz folyamodik **2. a)** menhely, menedékhely, menház; **night** ~ éjjeli menedékhely **b)** járdasziget **c)** óvóhely; ~ **hole** óvófülke; rókalyuk

refugee [ˌrefju'dʒiː] **I.** *mn* menekülő, szökésben levő; ~ **capital** külföldre mentett tőke **II.** *fn* (politikai) menekült; **International R~ Organization** Nemzetközi Menekültügyi Szervezet

refugee camp *fn* menekülttábor

refulgent [rɪ'fʌldʒənt] *mn vál* fényes, fénylő, ragyogó, csillogó, tündöklő • *fn* **refulgence**

refund I. *tsi* [riː'fʌnd] **1.** *gazd* visszafizet, megtérít, viszszatérít **2.** *gazd* ~ **sy** megtéríti vknek költségeit; kártalanít vkt **3.** *gazd* hajóbiztosítást (díj ellenében) megszüntet, ristornot fizet **4.** *gazd pénz* megújít, konvertál *[adósságot]*, feltölt *[alapot]* **II.** *fn* ['riːfʌnd] **1. a)** *gazd* visszafizetés, visszatérítés **b)** visszafizetett/megtérített összeg/díj **2.** *gazd* ristorno; (üveg)betétdíj • *mn* **refundable**

refurbish [riː'fɜːbɪʃ ‖ –'fɜr–] *tsi* újratisztít, újrafényez, újra kifényesít, felfrissít, jó karba hoz, rendbe hoz

refurnish [riː'fɜːnɪʃ ‖ –'fɜr–] *tsi* újból berendez/bebútoroz, újból felszerel

refusal [rɪ'fjuːzl] *fn* **1. a)** visszautasítás, elutasítás, megtagadás; **give a flat** ~ kereken elutasít/visszautasít/megtagad vmt **b)** *jog* ~ **of justice** peres ügy érdemi tárgyalásának megtagadása **2.** elővételi jog, opció, választási jog; **have the (first)** ~ **(of sg)** opciója van (vmre) **3.** *épít* süllyedés *[cölöpé ütéssorozat alatt]* **4.** *sp* ellenszegülés *[lóé lovasversenyen]*

refuse I. [rɪ'fjuːz] **A.** *tsi* **1.** visszautasít, elutasít *[ajánlatot, jelentkezőt stb.]*, megtagad *[fizetést]* **2.** megtagad, elutasít *[kérést]*, vonakodik megtenni (vmt), kosarat ad (vknek); ~ **admittance to sy** nem enged be vkt vhová; *átv* ~ **credit** nem ad hitelt; ~ **sy sg** megtagad vmt vktől; visszautasítják; ~ **to do sg** megtagad vmt, megtagadja vm megtételét/elvégzését **3.** ~ **the fence** nem ugorja/veszi az akadályt, ellenszegül (az akadály előtt) *[ló]* **4.** *kat* ~ **combat** kitér a harc elől **B.** *tni* **1.** *műsz* felmondja a szolgálatot **2.** *bány* hányóra dob **3.** *ját* nem ad lapot, *US* nem ad színre színt *[kártyajátékban]* **II.** *mn* ['refjuːs] hulladék-, szemetes *[kocsi stb.]*, szenny- *[víz]* **III.** *fn* ['refjuːs] **1.** visszautasított dolog, át nem vett darab **2.** hulladék, törmelék, szemét, értéktelen dolog, selejt(es holmi) **3. a)** *bány* meddő **b)** *bány* meddőhányó • *fn* **refuser** *mn* **refusable**

refuse bin ['refjuːs–] *fn* szemetesláda, szemétláda, szemétvödör

refuse chute ['refjuːs–] *fn* szemétledobó

refuse collection ['refjuːs–] *fn* szemétgyűjtés

refuse dump ['refjuːs–] *fn* szemétdomb; meddőhányó

refuse incineration ['refjuːs–] *fn körny* szemétégetés

re-fusion *fn fémip* újraöntés, átöntés, átömlesztés, újraolvasztás

refute [rɪ'fjuːt] *tsi* megcáfol, megdönt, cáfol *[érvet, állítást stb.]*, ellentmond, megtagad *[érvek és magyarázatok nélkül]* • *fn* **refutal**, **refutation** *mn* **refutable**

Reg, **Reg.** *röv* **1.** *Regent* **2.** Regina

reg. *röv* **1.** *regent* **2.** *regiment* **3.** *region* **4.** *register(ed)* **5.** *regius* **6.** *registrar* **7.** *registry* **8.** *regular(ly)* **9.** *regulation* **10.** *regulator*

regain [rɪ'geɪn] *tsi* **1.** visszanyer, visszaszerez, visszakap *[értéktárgyat stb.]*; ~ **consciousness** visszanyeri öntudatát, magához tér; ~ **one's feet/footing** feláll, talpra áll *[esés után]*; ~ **health** felépül, meggyógyul (betegségből) **2. a)** visszatér, visszaér (vhova) **b)** elér, utolér, újból elér (vkt) • *mn* **regainable**

regal ['riːgl] *mn* **a)** királyi, fejedelmi, uralkodói; ~ **magnificence** királyi pompa **b)** királyhoz méltó • *fn* **regality**

regale [rɪ'geɪl] **I. A.** *tsi* bőségesen megvendégel (vkt), élvez (vmt); ~ **sy with a story** elbeszéléssel mulattat/szórakoztat vkt **B.** *tni* lakomázik, élvezetet szerez magának (vmvel) **II.** *fn* **1.** ünnepi lakoma/étkezés **2.** ínyencfalat • *fn* **regalement**

regalia[1] [rɪˈgeɪlɪə] *fn tsz* **1.** királyi jelvények; **The Coronation ~** a koronázási jelvények **2.** valamely rend *[pl. a szabadkőművesek]* jelvényei
regalia[2] [rɪˈgeɪlɪə] *fn* regália (média) szivar
regalism [ˈriːgəlɪzm] *fn vall* egyházi ügyekre kiterjedő felségjog
regard [rɪˈgɑːd ‖ rɪˈgɑrd] **I.** *tsi* **1.** vigyáz (v. figyelemmel van) vkre/vmre, szemmel tart vkt/vmt, figyelembe vesz vkt/vmt **2. ~ neither God nor man** nem fél se istentől, se embertől; nem ismer se istent, se embert **3.** vonatkozik vmre, illet vmt/vkt, tartozik vkre/vmre; **(in so far) as ~s ...** ami (vmt) illet; (vm) tekintetében **4. ~ sg as a crime** bűnnek tart/tekint vmt; **~ sg with horror** borzalommal néz/tekint vmre (v. figyel vmt) **5.** *vál* **~ sy/sg fixedly** mereven/merően néz/figyel vkt/vmt (v. tekint vmre) **II.** *fn* **1.** szempont, tekintet, vonatkozás; **in my ~** ami engem illet; **in this ~** e(bben a) tekintetben/vonatkozásban; ebből a szempontból; **in/with ~ to ...** tekintettel ...-ra/-re, ami ...-t illeti, figyelemmel ...-ra/-re **2.** figyelem(bevétel), törődés, gondoskodás; **having ~ to sg** tekintetbe véve vmt, figyelembe véve vmt, tekintettel/figyelemmel vmre; **have no ~ for ...** nincs tekintettel ...-ra/-re; **pay ~ to ...** tekintettel/figyelemmel van a ...; **pay no ~ to sg** nem törődik vmvel, nincs figyelemmel/tekintettel vmre; ügyet sem vet vmre **3. a)** tisztelet(adás), elismerés; **hold sy in great ~** nagy becsben tart vkt; **show ~ for sy** tiszteletet tanúsít vk iránt, tapintattal/tapintatosan viselkedik vkvel; **out of ~ for sy** vkre való tekintettel; vk iránti tiszteletből/nagyrabecsülésből **b)** *tsz* **regards** üdvözlet; **give my best ~s to your wife** adja át tiszteletteljes/szívélyes üdvözletemet (kedves) feleségének; **with kind ~s from** szívélyes üdvözlettel *[levél végén]* **4.** *vál* tekintet, pillantás, nézés
regardant [rɪˈgɑːdnt ‖ –ˈgɑr–] *mn* **1.** figyelmes, gondos **2.** *cím* hátratekintő *[állat]*
regardful [rɪˈgɑːdfl ‖ –ˈgɑrd–] *mn* **1.** gondos, figyelmes, gondoskodó, törődő; **be ~ of sy** tekintettel/figyelemmel van vkre, törődik vkvel **2.** tiszteletteljes, tisztelettudó
regarding [rɪˈgɑːdɪŋ ‖ –ˈgɑr–] *elölj* figyelemmel, tekintettel, illetőleg, vonatkozólag; **~ your questions** ami a kérdéseit illeti
regardless [rɪˈgɑːdləs ‖ –ˈgɑrd–] *mn* **I. 1.** gondatlan, figyelmetlen, kíméletlen; **~ of his faults ...** hibái ellenére ..., hibáit leszámítva ... **2. ~ of** tekintet nélkül vmire, függetlenül vmitől **II.** *hsz* mindennek ellenére, mégis, annak ellenére • *fn* **regardlessness**
regarnish [rɪˈgɑːnɪʃ ‖ –ˈgɑr–] *tsi* újra (fel)díszít/(fel)ékesít
regatta [rɪˈgætə] *fn sp* regatta, evezősverseny, vitorlásverseny
regd *röv registered*
regear [riːˈgɪə ‖ –ˈgɪr] *tsi* átállít, átalakít
regelate [ˈriːdʒɪleɪt] *tni* összefagy *[hó, jégdarabok]*
regency [ˈriːdʒənsi] *fn* régensség, kormányzóság *[az uralkodó kiskorúsága, távolléte idején]*; **The R~** ‹1811–1820 közötti évek, amikor György régensherceg uralkodott Nagy-Britanniában III. György helyett›
regeneracy [rɪˈdʒenərəsi] *fn* erkölcsi/szellemi/fizikai megújulás/újjászületés
regenerate I. [–reɪt] **A. 1.** *tsi* újraképez, újra kinöveszt **2.** feléleszt, felelevenít, felújít *[intézményt stb.]*, új szellemet visz vmbe, megjavít *[erkölcsöket]* **B.** *tni* **1.** újraképződik, újjászületik **2.** megújhodik, felemelkedik, újjáalakul **II.** *mn* [riːˈdʒenərət] megújított, megújhodott, újjászervezett, regenerált **III.** *fn* [riː-ˈdʒenərət] regenerátum, visszanyert anyag • *fn* **regeneration**, **regenerator** *mn* **regenerative**
re-genesis [riːˈdʒenɪsɪs] *fn* újjászületés
regent [ˈriːdʒənt] **I.** *fn* **1.** régens, kormányzó, helytartó **2.** *US* egyetem/főiskola igazgatótanácsának tagja **II.** *mn* régensként uralkodó *[pl. anyakirályné]*; **prince ~** régensherceg; uralkodónő férje; **queen ~** uralkodó királynő
regentship [ˈriːdʒəntʃɪp] *fn* kormányzói/helytartói tisztség, kormányzóság, helytartóság
regerminate [riːˈdʒɜːmɪneɪt ‖ –ˈdʒɜr–] *tni* újból (ki)csírázik • *fn* **regermination**
reget [riːˈget] *tsi pt* **regot** [riːˈgɒt ‖ riːˈgɑt], *pp* **regot** [riːˈgɒt ‖ riːˈgɑt], **regotten** [riːˈgɒtn ‖ riːˈgɑtn] újra elér/megkap
reggae [ˈregeɪ] *fn zene* ‹a Karib-szigetekről származó erőteljes ritmusú zene›
Reggie [redʒi] *tul* ‹*Reginald* férfinév becézve›
regian [ˈriːdʒɪən] *fn* királypárti (ember)
regicide [ˈredʒɪsaɪd] **I.** *mn* királygyilkos **II.** *fn* **a)** királygyilkos **b)** királygyilkosság • *mn* **regicidal**
regild [ˌriːˈgɪld] *tsi pt/pp* **regilded** v. **regilt** [riːˈgɪlt] újból aranyoz
regime [reɪˈʒiːm], **régime** *fn* **1.** kormányzati rendszer/forma, uralkodó rendszer, *pej* rezsim **2.** *épít* **~ of a watercourse** egy folyó/folyam vízjárása/hozama **3.** *orv* **a)** életmód **b)** életrend, étrend, diéta
regimen [ˈredʒɪmɪn], **règimen** *fn* **1.** *orv* étrend, diéta, életrend, életmód **2.** *régi* kormányforma, kormányrendszer, kormányzati rendszer/forma
regiment I. *fn* [ˈredʒɪmənt] **1. a)** *kat* ‹brit lovasság, páncélosok és tüzérség zászlóaljszintű egysége› **b)** tömeg **2.** *régi* kormány(zat), kormányforma, kormányrendszer, kormányzati rendszer/forma, uralom **II.** *tsi* [–ment] **1. a)** ezreddé/ezredet alakít, ezredekre oszt, ezredbe beoszt **b)** katonai fegyelmet gyakorol **2.** egységeket/csoportokat alkot/szervez
regimental [ˌredʒɪˈmentl] *kat* **I.** *mn* ezred-, ezredbeli; **~ colours** ezredlobogó; **~ headquarters** ezredhadiszállás; ezredtörzs; **~ officer** csapattiszt; **~ surgeon** ezredorvos **II.** *fn tsz* **regimentals** ezredegyenruha, mundér
Regina [rɪˈdʒaɪnə] *fn* **a)** *pol* ‹a királynő rangja hivatalos iraton› **b)** *jog* ‹az állam hatalmának kifejezése a bíróság előtt›
Reginald [ˈredʒɪnəld] *tul* ‹férfinév›
region [ˈriːdʒən] *fn* **1.** vidék, táj(ék), környék, körzet, régió **2.** terület, birodalom *[tudományé stb.]* **3.** *orv* testtájék, terület • *tsi* **regionalize** *fn* **regionalism** *mn* **regional**
register [ˈredʒɪstə ‖ –ər] **I.** *fn* **1. a)** nyilvántartás jegyzék, kimutatás, tartalomjegyzék, névjegyzék; *kat* **arms ~** fegyvernyilvántartási könyv; *gazd* **Commercial ~** cégjegyzék; *pol* **Parliamentary R~** országgyűlési/nemzetgyűlési képviselőválasztói névjegyzék; **police ~s** rendőri nyilvántartás(ok); **trade ~** cégjegyzék **b)** (polgári), állami anyakönyv **c)** *hajó* **ship's ~** hajónapló; *US* **Navy R~** hajózási/tengerészeti évkönyv **2.** *infor* regiszter **3.** iktatókönyv **4. a)** vízmennyiség *[amit a csapadékmérő jelez]* **b)** hőmérséklet *[amit a hőmérő mutat]* **5.** *zene* hangterjedelem, regiszter **6.** *US* szellőző(nyílás), szelelőlyuk **7. a)** kilométeróra **b)** számláló(gép), jelzőkészülék **c)** *távk* regiszter, kiíró szerkezet **8.** (pontos) egymásba illeszkedés, együttműködés *[alkatrészeké stb.]* **9.** *nyelv* **a)** (beszéd)hangregiszter, hangterjedelem **b)** stiláris réteg, regiszter **10.** pénztárgép **II. A.** *tsi* **1.** beiktat, bejegyez, nyilvántartásba vesz, jegyzőkönyvbe vesz/foglal, feljegyez, regisztrál, iktat; **~ a birth** anyakönyveztet egy születést; **~ a car** rendszámot vált egy autó részére; **~ a trademark** bejegyez(tet) egy védjegyet **2. ~ a letter** ajánlva ad/vesz fel levelet; **~ luggage** felad/felvesz poggyászt *[vevény ellenében]* **3.** mutat, jelez *[pl. hőmérő]* **4.** *US* mutat, kifejez *[érzelmet stb.]*; **her face ~ed surprise** arca meglepetést árult el **B.** *tni* **1.** pontosan egybevág, egybeesik, egymásba illeszkedik **2. a)** bejelenti magát *[szállodába]* **b)** *US* feliratkozik *[nyilvántartási könyvbe]* **c)** *US okt* beiratkozik **3.** *átv* **it doesn' t~ with me** nekem (ez) nem mond semmit, semmit sem jelent számomra **4.** megjelenik, kiül az arcra *[érzelem]* • *mn* **registrable**
register-book *fn* iktatókönyv

registered [ˈredʒɪstəd ‖ –tərd] *mn* bejegyzett, nyilvántartásba vett/foglalt, anyakönyvezett; ~ **mail** ajánlott küldemény; *gazd* ~ **pattern** bejegyzett/védett minta; *pénz* ~ **stock** névre szóló/bejegyzett értékpapír; *gazd* ~ **trademark** bejegyzett márkanév

registered user *fn infor* bejegyzett (fel-)használó

register ton *fn* regisztertonna *[hajóűrmérték; 100 köbláb =2,832 m³]*

registrar [ˌredʒɪˈstrɑː ‖ ˈredʒˌstrɑr] *fn* **1.** iktató; ~ **of mortgages** *jog* jelzálognyilvántartó; telekkönyvvezető **2.** anyakönyvvezető; *GB* **the R~ General** anyakönyvi irattárvezető **3.** *okt* a felvételi/beíratási/tanulmányi iroda vezetője **4.** *GB orv* szakosító tanfolyamot végző gyakorló orvos

registrary [ˈredʒɪstrəri] *fn* → **registrar** 3.

registration [ˌredʒɪˈstreɪʃn] *fn* **1. a)** bejegyzés, nyilvántartás, leltározás, regisztrálás; ~ **of marriage** házassági anyakönyvezés **b)** bejegyzések, anyakönyvek vezetése/nyilvántartása **c)** ajánlás, ajánlva (való) feladás *[levélé]* **d)** *okt* beiratkozás, beiskolázás **2.** *zene* regisztrálás, játékbeállítás *[orgonán]* **3. a)** *fényk nyomd* megjelölés; *kat* **flash** ~ fénybemérés **b)** *film* hangrögzítés

registration fee *fn* **1.** ajánlási díj *[postai küldeményé]* **2.** beíratkozási díj/illeték

registration form *fn* bejelentő űrlap

registration number *fn* törzskönyvi szám, iktatószám, ajánlási ragszám *[levélé]*, *gk* forgalmi rendszám

registration plate *fn gk* rendszámtábla

registry [ˈredʒɪstri] *fn* **1. a)** beiktatás, bejegyzés, jegyzékbevétel; ~ **slip** bejelentő lap *[szállodában]*; *hajó* **port of** ~ honi/illetőségi kikötő **b)** *US* ajánlás *[levélé stb.]* **2. a)** *jog* iktató(hivatal), nyilvántartó (iroda); *jog* ~ **court** cégbíróság **b)** *jog* jegyzék, iktató(könyv), nyilvántartás, regiszter **3.** ~ **(office)** anyakönyvi hivatal; **be married at a** ~ polgári házasságot köt

regive [riːˈgɪv] *tsi pt* **regave** [riːˈgeɪv] *pp* **regiven** [riːˈgɪvn] megad, visszaad, visszaszolgáltat

reglet [ˈreglɪt] *fn* **1.** *épít* párkány(zat) **2.** repedést borító keskeny léc, fúgaléc **3.** *nyomd* regletta

regnal [ˈregnəl] *mn* uralkodási, országlási *[idő stb.]*

regnant [ˈregnənt] *mn* uralkodó *[herceg, vélemény]*; **queen** ~ az uralkodókirálynő

regorge [rɪˈgɔːdʒ ‖ rɪˈgɔrdʒ] **A.** *tsi* **1.** kihány, kiokád **2.** újból (le)nyel **B.** *tni* visszaárad, visszafolyik *[pl. folyó]*

Reg. Prof. *röv GB Regius Professor*

regrade [riːˈgreɪd] *tsi* **1.** újraosztályoz, más kategóriába/osztályba sorol **2.** *épít* **a)** utat helyreállít/egyenget **b)** lejtést változtat **c)** szintet helyreállít

regrant [ˌriːˈgrɑːnt ‖ –ˈgrænt] **I.** *fn* újbóli adományozás **II.** *tsi* újból adományoz

regrate¹ [rɪˈgreɪt] *tsi* **1.** összevásárol, felvásárol, felhalmoz *[élelmiszert nagy nyereséggel való továbbadás végett]* **2.** kiskereskedelemben elad/árusít • *fn* **regrater**

regrate² [rɪˈgreɪt] *tsi* **1.** levakar, lekapar *[köveket]*, kőfelületet felfrissít **2.** újraszemcséz

regredience [riːˈgriːdɪəns] *fn* visszamenés, visszatérés

regress I. *fn* [ˈriːgres] **1. a)** hátrálás, hátra(felé) haladás; **egress and** ~ szabad mozgás, ki-be járás **b)** *csill* hátrafelé mozgás **2. a)** visszatérés, hazatérés **b)** *orv* visszafejlődés **3.** hanyatlás, visszaesés; **progress and** ~ haladás és visszaesés/visszafejlődés **4.** *jog* **a)** újbóli birtokbavétel *[elzálogosított birtoké]* **b)** kárpótlás **II.** *tni* [rɪˈgres] **1. a)** hátramegy, hátrál **b)** *csill* visszafelé mozog *[égitest]* **2.** hanyatlik, visszaesik, visszafejlődik

regression [rɪˈgreʃn] *fn* **1.** hátrálás, hátrafelé mozgás, visszatérés **2.** *biol orv* visszafejlődés, visszaesés, hanyatlás, regresszió; *geol* visszahúzódás *[tengeré]* **3.** *mat* irányváltoztatás, visszafordulás *[görbéé]* **4.** *összet* regressziós

regressive [rɪˈgresɪv] *mn* csökkenő, visszafelé haladó, visszamenő, regresszív; *nyelv* ~ **assimilation** hátraható hasonulás • *fn* **regressiveness**

regret [rɪˈgret] **I.** *tsi* **-tt- 1.** megbán (vmt), búsul (vmn) **2.** sajnál (vkt), vmt, sajnálkozik (vm miatt), fájlal (vmt); ~ **doing sg**, ~ **having done sg** bánja/sajnálja, hogy vmt tett **II.** *fn* **1. a)** sajnálat **b)** sajnálkozás; **(much) to my** ~ legnagyobb sajnálatomra; **hear with** ~ **of sg/that** sajnálattal hallja, hogy **2.** megbánás

regretful [rɪˈgretfl] *mn* **1.** sajnálatra/szánalomra méltó *[személy]* **2.** sajnálkozó, szánakozó **3.** sajnálatos • *hsz* **regretfully**

regrettable [rɪˈgretəbl] *mn* sajnálatos *[tévedés stb.]*

regrind [riːˈgraɪnd] *tsi pt/pp* **reground** [riːˈgraʊnd] **1.** újraőröl **2.** becsiszol, újracsiszol *[szelepet]*

regroup [riːˈgruːp] *tsi* **A.** újraosztályoz, átcsoportosít, átrendez **B.** *tni* átrendeződik, átcsoportosul

regrowth [ˈriːgroʊθ] *fn* újranövés, újranövekedés, újraképződés, regeneráció • *tni* **regrow**

regulable [ˈregjʊləbl ‖ –gjə–] *mn* szabályozható, rendezhető, beállítható

regular [ˈregjʊlə ‖ ˈregjələr] **I.** *mn* **1.** szabályos, szabatos, pontos; ~ **features** szabályos arc(vonások); *fiz* ~ **reflection** tükrös/szórásmentes visszaverődés; *mat* ~ **solid** szabályos test; *biz* **as** ~ **as clockwork** pontos, mint az óra, óraműszerűen pontos/megbízható; **keep** ~ **hours** pontos napi beosztás szerint él, nem túlórázik/éjszakázik **2. a)** szabályos, szabályszerű, rendezett, rend(szer)es; ~ **agent** állandó ügynök; **a** ~ **life** rendezett/normális/józan élet; ~ **people** rendezett/józan életet élő emberek; ~ **salary** fix fizetés; *vasút* ~ **train** menetrend szerinti vonat; **do sg as a** ~ **thing** szokásszerűen végez vmt **b)** szabályos, rendszerinti, szokásos, normális *[pl. ár]*; ~ **customer** állandó vevő, törzsvásárló; *pénz* ~ **stock** törzs/közönséges részvény; *kat* ~ **weapons** hagyományos fegyverek *[szemben a nukleáris fegyverekkel]* **3. a)** előírásos, előírásszerű, előírás szerinti *[pl. eljárás]*; **make** ~ rendszeresít *[állást, szokást]*; megerősít *[saját pozícióját]* **b)** *nyelv* rendes, nem rendhagyó *[ige]* **c)** hivatásos *[szakács, orvos]*, diplomás *[orvos]*; ~ **judge** (bírósághoz kinevezett) hivatásos bíró; ~ **staff** állandó alkalmazottak **d)** *vall* szerzetes **e)** *kat* tényleges; *US* **R~ Army** állandó hadsereg; ~ **troops** reguláris csapatok, sorkatonaság **4.** *biz* valóságos, igazi, valódi, tökéletes; *US biz* ~ **guy** rendes fickó; ~ **hero** valóságos hős **5.** *infor* reguláris; ~ **expression** reguláris kifejezés **II.** *fn* **1. a)** *kat* tényleges katona, sorkatona **b)** *kat* hivatásos katona; ~**s** sorkatonaság **2.** *vall* szerzetes, barát **3. a)** *biz* törzsvevő, rendszeres látogató, törzsvendég **b)** **temporaries and** ~**s** ideiglenes és állandó alkalmazottak • *tsi* **regularize** *fn* **regularity**, **regularization** *hsz* **regularly**

regulate [ˈregjʊleɪt ‖ –gjə–] *tsi* **1.** szabályoz, beállít *[pl. gépet]*, (be)igazít *[órát]*, rendbe hoz *[berendezést]* **2.** irányít, szabályoz, igazgat *[ügyeket, eljárást]* **3.** ~ **one's life by sy** vkhez alkalmazkodik/igazodik az életben • *fn* **regulator** *mn* **regulative**

regulation [ˌregjʊˈleɪʃn ‖ –gjə–] *fn* **1.** szabályozás, beállítás, beigazítás **2. a)** szabályzat, rendszabály, előírás, határozat; **bring under** ~ szabályoz vmt **b)** *tsz* **regulations** előírások, rendszabályok, rendelkezések, ügyrend; **customs** ~**s** vámszabályzat; **hospital** ~**s** kórházi szabályzat/házirend; **road** ~**s** közlekedési szabályzat, KRESZ; közlekedésrendészet; **safety** ~**s** biztonsági rendelkezések/előírások; **against the** ~**s**, **contrary to** ~**s** előírásellenes(en), szabályellenes(en) **3.** *jelzői haszn* szabályszerű, előírásos, szabályos, szabvány(os); *kat* ~ **revolver** szolgálati revolver; ~ **speed** megengedett/előírt sebesség

regulation size I. *fn* szabványos méret **II.** *mn* szabványos méretű

regulin [ˈregjʊlɪn] → **regulus**

regulo [ˈregjʊloʊ ‖ –gjə–] *fn GB* fokozat *[gáztűzhelyen]*

regulus [ˈregjʊləs ‖ –gjə–] *fn tsz* **reguluses** v. **reguli** [–laɪ] **1.** kis/jelentéktelen király/uralkodó **2.** *fémip* **a)** fémmaradvány *[olvasztótégelyben]* **b)** olvadt fémgolyó, fémszem

regurgitate [rɪˈgɜːdʒɪteɪt ‖ –ˈgɜr–] **A.** *tsi* **1. a)** felöklendez, visszaöklendez *[ételt]*, kérődzik **b)** visszamond, citál *[anyagot vizsgán]* **2.** visszafolyat, visszaáramoltat **B.** *tni* visszaáramlik, visszafolyik

rehab [ˈriːhæb] → **rehabilitate**→ **rehabilitation**

rehabilitate [ˌriːhəˈbɪlɪteɪt] *tsi* **1.** rehabilitál, visszahelyez jogaiba, tisztáz (vkt) *[vádak alól]* **2. a)** újra munkaképessé tesz, rehabilitál **b)** *gazd* újra fizetőképessé tesz, gazdaságilag talpra állít

rehabilitation [ˌriːhəbɪlɪˈteɪʃn] *fn* **1. a)** rehabilitáció, erkölcsi igazolás, jogokba való visszahelyezés, elégtétel szolgáltatása **b)** jó útra térés, megjavulás **2.** (pénzügyi) talpraállítás, helyreállítás, rendbehozatal, szanálás **3.** újra munkaképessé tétel, rehabilitáció, átképzés

rehabilitation centre, *US* **-center** *fn* foglalkozási átképző (intézet) *[pl. börtönviselteknek]*

rehair [riːˈheə ‖ riːˈher] *tsi* újra szőröz *[hegedűvonót]*

rehandle [riːˈhændl] *tsi* **1.** új nyélbe üt, új nyéllel ellát *[szerszámot]*, új fogantyút tesz (vmre) **2.** újból tárgyal, újra foglalkozik vmvel, újra intéz/kezel (vmt) **3. a)** átrendez (vmt) **b)** újra feldolgoz (vmt)

reharden [riːˈhɑːdn ‖ –ˈhɑrdn] *tsi fémip* újra edz *[acélt]*

reharness [riːˈhɑːnəs ‖ –ˈhɑr–] *tsi* újra befog *[lovat]*

rehash I. *tsi* [riːˈhæʃ] **a)** újból tálal, felmelegít, ismét előszed **b)** újra feldolgoz *[régi anyagot]*, *átv* leporol **II.** *fn* [ˈriːhæʃ] újbóli tálalás *[régi történeté]*, új(ra) feldolgozás/átdolgozás *[műé]*

rehear [ˌriːˈhɪə ‖ ˌriːˈhɪr] *tsi pt/pp* **reheard** [riːˈhɜːd ‖ –ˈ-rd] **1.** *jog* újból/újra tárgyal, ismét kihallgat **2.** újra hall/meghallgat *[zeneművet]*, visszahallgat *[hangfelvételt]*

rehearsal [rɪˈhɜːsl ‖ rɪˈhɜrsl] *fn* **1.** részletes elbeszélés/beszámoló *[történtekről]*, ismétlés, előadás *[történeté]*, szavalás, felmondás *[versé]* **2.** *szính* próba; **full/dress ~** főpróba

rehearse [rɪˈhɜːs ‖ rɪˈhɜrs] *tsi* **1. a)** hosszasan/kimerítően előad/elmond/elmesél (vmt), felsorol *[sérelmeket]*, szaval, felmond *[verset]*, (újra meg újra) ismétel *[szöveget]* **b)** ismételtet, elmondat (vmt) **2. a)** *szính* próbál, betanít *[színdarabot]*, próbát tart **b) ~ sg with sy** (ismételtetve) kioktat

reheat I. *fn* [ˈriːhiːt] utánégetés **II.** *tsi* [riːˈhiːt] **a)** újra felmelegít/felhevít **b)** *fémip* újra izzít/edz *[vasat]*

re-heel *tsi* (újból meg)sarkal *[cipőt, harisnyát]*

rehoboam [ˌriːəˈbouəm] *fn* ‹a szabványosnál hatszor nagyobb boros-/pezsgősüveg›

re-hoop *tsi* újból (meg)abroncsoz *[hordót]*

rehouse [riːˈhauz] *tsi* újból elhelyez, beszállásol, átköltöztet

rehydration [ˌriːhaɪˈdreɪʃn] *fn orv* rehidráció; folyadék(vissza)pótlás

Reich [raɪk] *tul német* állam, birodalom

reify [ˈriːɪfaɪ] *tsi fil* megtestesít, tárgyiasít, objektivizál • *fn* **reification**

reign [reɪn] **I.** *fn* **1.** uralkodás, uralom, országlás *[fejedelemé]*; **in the ~ of Queen Victoria** Viktória királynő uralkodása alatt/idején **2. the vegetable ~** a növények világa, a növényvilág **II.** *tni* uralkodik, hatalmon van, kormányoz *[fejedelem]*; **~ supreme** korlátlanul uralkodik

reignite [ˌriːɪgˈnaɪt] *tsi* újra (meg)gyújt

reimburse [ˌriːɪmˈbɜːs ‖ –ˈbɜrs] *tsi* **1.** visszafizet, visszatérít, megad *[pénzösszeget]* **2. ~ sy (for) his costs** megtéríti vknek a költségeit/kiadásait **3.** kártalanít, kárpótol • *fn* **reinbursement** *mn* **reinbursable**

reimmigrant [ˈriːɪmɪgrənt] *fn* újra bevándorló

reimplant [ˌriːɪmˈplɑːnt ‖ –ˈplænt] *tsi* újra beültet

reimport [riːˈɪmpɔːt ‖ –pɔrt] *fn* **a)** *gazd* közvetett import, reimport **b)** *gazd* újra behozott/reimportált árucikk • *fn* **reimportation**

reimpose [ˌriːɪmˈpouz] *tsi* **1.** újra megadóztat, újból terhel **2.** újra ráerőltet, (megkérdezés nélkül) bevezet **3.** *nyomd* átlő *[átrendezi az oldalakat az íven]*, átszed, áttördel

reimpression [ˌriːɪmˈpreʃn] *fn nyomd* újranyomás, új lenyomat

re-imprison *tsi* újból bebörtönöz, újra börtönbe vet/zár (vkt)

rein [reɪn] **I.** *fn* **1.** kantárszár, gyeplő(szár); *átv* **give ~s to** szabad folyást enged *[dühnek stb.]*, szabadjára enged *[képzeletet stb.]*; **keep a tight ~ on/over sy** szorosra fog vkt, szigorúan kezel vkt; **take the ~s** kezébe veszi a dolgot (v. a dolgok irányítását) **2.** *épít* zárókő *[boltívé]*; → **reins II.** *tsi* **1.** kantárral/gyeplővel hajt **2.** megzaboláz, kordában tart, féken tart **3.** kormányoz *[járművet]*

rein in *tsi* megállít, lépésre fog *[lovat]*; **~ sy in** megzaboláz/megfékez vkt/vmt; **~ in the expenses** visszafogja a kiadásokat

rein up *tsi* **~ up a horse** megállít lovat *[kantár meghúzásával]*

reincarnate I. A. *tsi* újból testet ölt, újra megtestesül **B.** *tni* reinkarnálódik **II.** *mn* [ˌriːɪnˈkɑːnət ‖ –ˈkɑr–] újból testet öltött, újra megtestesült, reinkarnálódott

reincarnation [ˌriːɪnkɑːˈneɪʃn ‖ –kɑr–] *fn* újra megtestesülés, reinkarnálódás

reincite [ˌriːɪnˈsaɪt] *tsi* újra felszít

reincorporate [ˌriːɪŋˈkɔːpəreɪt ‖ –ˈkɔr–] *tsi* újra/ismét bekebelez

reincur [ˌriːɪŋˈkɜː ‖ –ˈkɜr] *tsi* **-rr-** újból kiteszi *[magát pl. kellemetlenségeknek]*

reindeer [ˈreɪndɪə ‖ –dɪr] *fn áll* rénszarvas; *földr* **R~ Lake** Karibu-tó

reinduce [ˌriːɪnˈdjuːs ‖ –ˈduːs] *tsi* újra bevezet

reinfect [ˌriːɪnˈfekt] *tsi orv* újra megfertőz

reinflame [ˌriːɪnˈfleɪm] *tsi* újra fellobbant/felgyújt, újra lángra gyújt/lobbant

reinflate [ˌriːɪnˈfleɪt] *tsi* újra megtölt, újra felfúj *[léggömböt]*

reinforce [ˌriːɪnˈfɔːs ‖ –ˈfɔrs] **I.** *tsi* **1. a)** megerősít *[csapatot, helyőrséget stb.]*, emel, növel *[létszámot]* **b)** alátámaszt *[álláspontot]*, támogat *[kérelmet]* **c)** *jog* **~ a law** újból/ismét életbe léptet (v. keresztülvisz) egy törvényt **2.** (meg)erősít, alátámaszt *[falat, gátat]*, megszilárdít *[építményt]* **II.** erősítés

reinforced [ˌriːɪnˈfɔːst ‖ –ˈfɔrst] *mn* megerősített, merevített, *kat* erődített; **~ concrete** vasbeton; **~ door** vasalt ajtó

reinforcement [ˈriːɪnˈfɔːsmənt ‖ –ˈfɔrs–] *fn* **1. a)** megerősítés, fokozás **b)** megerősödés, fokozódás **2.** *épít* vasbetét; **~ iron** betonvas **3.** *tsz* **reinforcements** *kat* segédcsapat(ok), utánpótlás

reinless [ˈreɪnləs] *mn* **1.** gyeplő/kantárszár nélküli, lekantározott *[ló]* **2.** *biz* féktelen, gát nélküli, szabadjára eresztett *[szenvedély]*

reinsert [ˌriːɪnˈsɜːt ‖ –ˈsɜrt] *tsi* **1.** újból beiktat/betesz *[hirdetést stb.]* **2.** visszatesz a helyére, visszahelyez, újból beilleszt *[vmt régi helyére]*

reinsman *fn tsz* **-men** ügyes (ló)hajtó, gyakorlott zsoké

reinstall *tsi* **1.** visszahelyez *[trónra]*, újból beiktat *[tisztségbe]* **2.** *infor* újrainstallál

reinstate [ˌriːɪnˈsteɪt] *tsi* **1.** visszahelyez, újból beiktat *[állásba, tisztségbe]* **2.** visszatesz *[vmt előző helyére]*, helyretesz, helyreállít **3. a)** pótol *[természetben kárt]* **b) ~ the contents of a parcel** kártérítést fizet elveszett/megdézsmált csomagért • *fn* **reinstatement**

reinsure [ˌriːɪnˈʃuə ‖ –ˈʃur] *tsi pénz* viszontbiztosít • *fn* **reinsurance**

reintegrate [riːˈɪntɪgreɪt] *tsi* **a)** visszahelyez, megerősít *[vkt jogaiban]*, újból visszahelyez, bevon *[közösségbe, társadalomba]* **b)** helyreállít, kiegészít (vmt) • *fn* **reintegration**

reinter [ˌriːɪnˈtɜː ‖ –tɜr] *tsi* **-rr-** újra eltemet/elföldel

reinterpret [riːɪnˈtɜːprɪt ‖ –tɜr–] *tsi* újra magyaráz, új értelmezést ad (vmnek), átértékel • *fn* **reinterpretation**

reinterrogate [ˌriːɪnˈterəgeɪt] *tsi* újból kikérdez/kihallgat *[tanút]*

R

reintroduce [riːˈɪntrədjuːs ‖ –duːs] *tsi* **1.** újból bevezet/felvesz/előszed *[pl. társalgási témát]*, újból bevezet *[árut országba]* **2.** újból bemutat (vkt)
reinvent [ˌriːɪnˈvent] *tsi* újra feltalál
reinvest [ˌriːɪnˈvest] *tsi* **1.** *pénz* újból befektet *[tőkét]* **2.** újból/ismét felruház/felöltöztet (vkt) **3.** *kat* újból bekerít/körülzár *[várat, csapatot]* • *fn* **reinvestment**
reinvestigate [ˌriːɪnˈvestɪgeɪt] *tsi* újból megvizsgál *[kérdést, ügyet]*, új vizsgálatot/nyomozást tart *[bűnügyben]* • *fn* **reinvestigation**
reinvestiture [ˌriːɪnˈvestɪtʃə ‖ –ər] *fn* **1.** újbóli felruházás **2.** *pénz* újbóli befektetés *[tőkéé]*
reinvigorate [ˌriːɪnˈvɪgəreɪt] *tsi* új erőt ad, visszaadja az erejét (vknek), új életre kelt, felvillanyoz (vkt), felpezsdít • *fn* **reinvigoration**
reinvolve [ˌriːɪnˈvɒlv ‖ –ˈvɑlv] *tsi* **get ~d in sg** újra belekeveredik vmbe; újra (tevékenyen) részt vállal vmben
reissue [ˌriːˈɪʃuː] **I.** *tsi* **1.** *pénz* újból kibocsát *[részvényeket]* **2.** újból kiad **3.** újra játszik/kihoz, újra műsorra tűz, felújít *[régi filmet]* **II.** *fn* **1.** *pénz* ismételt/újra kibocsátás *[bankjegyeké]* **2.** *nyomd* újbóli kiadás *[lemezé, könyvé]* **3.** újrajátszás, felújítás *[régi filmé]*
reiterant [riːˈɪtərənt] *mn* (meg)ismétlő, ismétlődő
reiterate [riːˈɪtəreɪt] *tsi* **1.** (meg)ismétel, (újra) hajtogat (vmt) **2.** megújít, helyreállít (vmt) • *fn* **reiteration** *mn* **reiterative**
reject I. *tsi* [rɪˈdʒekt] **1.** visszautasít, elutasít *[indítványt, kérelmet, jelöltet, stb.]*, elvet *[törvényjavaslatot, indítványt, tant]*, megszüntet *[szokást]*, elhárít *[gondolatot]*, kikosaraz *[kérőt]*, visszadob *[kéziratot]* **2.** kihány, felöklendez **3.** *orv* kilök *[átültetett szervet]* **II.** *fn* [ˈriːdʒekt] **1. a)** visszautasítás **b)** visszautasított, elutasított *[pályázó, jelölt, kérő]*, kiszuperált katona **2.** selejt(es holmi), kiselejtezett dolog • *fn* **rejection**, **rejector** *mn* **rejectable**, **rejective**
rejig [riːˈdʒɪg] *tsi* rekonstruál *[gyárat, vállalatot]*, modernizál *[új gépekkel]*
rejigger [riːˈdʒɪgə ‖ –ər] *tsi biz* manipulációval átalakít
rejoice [rɪˈdʒɔɪs] **A.** *tsi* felvidít, felderít, (meg)örvendeztet **B.** *tni* örül, örvend(ezik), ujjong; **~ at/over sg** (nagyon) örvend/örül vmnek, örvendezik vm felett • *fn* **rejoicer**
rejoiceful [rɪˈdʒɔɪsful] *mn* **1.** örvendetes **2.** vidám, jókedvű
rejoin[1] [riːˈdʒɔɪn] **A.** *tsi* **1.** (újra) egyesít, összeilleszt **2.** utolér, elér (vkt), (újra/ismét) csatlakozik (vkhez/vmhez) **3. a) ~ the army** újra belép a hadseregbe **b)** továbbszolgál, bezupál **B.** *tni* ismét egyesül/csatlakozik, egymásba torkollik *[két út]*
rejoin[2] [rɪˈdʒɔɪn] *tsi/tni* **a)** válaszol, felel, visszavág **b)** *jog* viszonválaszt nyújt be
rejoinder [rɪˈdʒɔɪndə ‖ –ər] *fn* **1.** (viszon)válasz, visszavágás, replika, replikázás **2.** *jog* **defendant's ~** viszonválasz, cáfoló válasz; ellenirat
rejoint [riːˈdʒɔɪnt] *tsi* **1.** újból összeilleszt *[gerendát]* **2.** *épít* kitölt, kiken, hézagol *[fugát]*
rejudge [riːˈdʒʌdʒ] *tsi* újra elbírál/megvizsgál (vmt)
rejuvenate [rɪˈdʒuːvəneɪt] **A.** *tsi* (újból) megfiatalít, megifjít (vkt) **B.** *tni* megfiatalodik, megifjul • *fn* **rejuvenation**, **rejuvenator**
rejuvenesce [rɪˌdʒuːvəˈnes] *tni* **1.** *biol* újjáéled *[sejt]* **2.** megfiatalodik, megifjul • *fn* **rejuvenescence** *mn* **rejuvenescent**
rekindle [riːˈkɪndl] **A.** *tsi* felszít, lángra lobbant, újraéleszt *[reménységet, szenvedélyt]*, újból felajz/feltüzel (vkt), új lelkesedést önt (vkbe) **B.** *tni* újból felgyullad, újból lángra lobban, feléled *[tűz, szerelem stb.]*
relapse [rɪˈlæps, ˈriːlæps] **I.** *tni* **1.** visszaesik, hanyatlik; **~ into silence** újból hallgatásba burkolódzik, ismét elhallgat **2.** *orv* visszaesik *[betegségbe]*, rosszabbodik, súlyosbodik *[betegség]* **II.** *fn* **1.** visszaesés; **~ into sin/vice** újbóli bűnbeesés, visszaesés a bűnbe **2.** *orv* visszaesés *[betegségé]*, rosszabbodás *[betegségé]* **3.** *vall* visszaeső eretnek • *fn* **relapser**
relate [rɪˈleɪt] **A.** *tsi* **1.** elbeszél, elmond, elmesél *[történetet]*, előad *[tényállást]*, beszámol (vmről) **2. a)** *biol* besorol *[fajtát családba]*, rokonságba hoz *[két fajtát]* **b)** rokonságba/vonatkozásba/összefüggésbe hoz *[személyeket, dolgokat]*, összefüggést állapít meg *[események között]*, összekapcsol *[gondolatban vmt vmvel]*, vonatkoztat; **be ~d to sy/sg** rokonságban/kapcsolatban/összefüggésben van/áll vkvel/vmvel; → **related** 2. **c)** *mat* viszonyba állít, viszont/arányt megállapít **B.** *tni* összefügg, összefüggésben/rokonságban van, vonatkozik, viszonyul, céloz, utal
related [rɪˈleɪtɪd] *mn* **1.** rokon, rokoni, rokonságban/atyafiságban/sógorságban levő; **they are ~ by marriage** sógorsági viszonyban állanak, sógorok; **they are closely/nearly ~** vérrokonok; közeli rokonságban vannak **2. a)** összefüggő (vmvel), egymással összefüggésben levő, egymással kapcsolatban álló, rokon; *vegy* **~ elements** rokon elemek; *nyelv* **~ languages** rokon nyelvek; **chemistry and ~ sciences** vegyészet és a rokon tudományok/területek; *zene* **~ keys** rokon hangnem **b)** (vmre) vonatkozó, célzó, utaló; → **relate A.** • *fn* **relatedness**
relater [rɪˈleɪtə ‖ –ər] *fn* elbeszélő, elmesélő, beszámoló *[személy]*
relation [rɪˈleɪʃn] *fn* **1.** elbeszélés, elmesélés, tudósítás, beszámoló **2. a)** viszony, összefüggés, kapcsolat, vonatkozás; **bear a ~ to sg** összefüggésben/vonatkozásban van (v. kapcsolatban áll) vmvel; viszonylik vmhez; vonatkozik vmre; **in ~ to sg/sy** vmre/vkre vonatkozóan/vonatkozólag, vmvel/vkvel kapcsolatban, vmvel/vkvel összefüggésben, vmt/vkt illetően; vmhez viszonyítva **b) break off all ~s with sy** minden összeköttetést/érintkezést/kapcsolatot megszakít vkvel; **have (business) ~s with sy** (üzleti) összeköttetésben áll/van vkvel **c)** *közg* **~s of production** termelési viszonyok **d)** *mat infor* reláció **3.** rokon(ság), család; **a ~ by marriage** sógor, házasság útján rokon; **close/near ~** közeli/vérségi rokon **4.** viszony, arány • *mn* **relationless**
relational [rɪˈleɪʃnəl] *mn* **1.** (szoros) kapcsolatban álló/levő, összefüggő, rokon **2.** *nyelv* vonatkozó *[névmás]*
relationship [rɪˈleɪʃnʃɪp] *fn* **1. a)** összefüggés, kapcsolat, vonatkozás, viszony *[két dolog között]* **b) be in ~ with sy** összeköttetésben/kapcsolatban van/áll vkvel **2.** rokonság, rokoni kapcsolat/kötelék **3.** (szexuális) viszony, kapcsolat
relative [ˈrelətɪv] **I.** *mn* **1.** vonatkozó; *nyelv* **~ clause** vonatkozó mellékmondat; *nyelv* **~ pronoun** vonatkozó névmás **2.** viszonylagos, relatív; *fiz* **~ humidity** viszonylagos/százalékos (lég)nedvesség, relatív páratartalom; **~ velocity** viszonylagos/relatív sebesség **3.** aránylagos **II.** *hsz* vonatkozólag, illetőleg; *biz* **~ to my health** az egészségi állapotomat illetően **III.** *fn* **1. a)** rokon **b)** *biol* rokon *[az evolúció alapján]* **2.** *fil* viszonylagos/relatív dolog/fogalom • *hsz* **relatively**
relativism [ˈrelətɪvɪzm] *fn fil* relativizmus • *fn* **relativist**
relativistic [ˌrelətɪˈvɪstɪk] *mn fiz* relativisztikus; **~ particle** relativisztikus részecske *[fénysebessség közeli sebességű részecske]*
relativity [ˌreləˈtɪvəti] *fn* **a)** *fil* viszonylagosság, relativitás **b)** *fiz* **(the theory of) ~**, **~ theory** a relativitás elmélete, relativitáselmélet; **general theory of ~** általános relativitáselmélet; **special theory of ~** speciális relativitáselmélet
relator [rɪˈleɪtə ‖ –ˈleɪtər] *fn* **1.** elbeszélő, elmesélő, beszámoló *[személy]* **2. a)** *jog* feljelentő **b)** *jog* leleplező, besúgó, denunciáns
relax [rɪˈlæks] **A.** *tsi* **1.** elernyeszt, (el)lazít *[izmot]*, pihentet *[agyat]*, meglazít, megereszt *[kifeszített kötelet]*, elenged *[zsákmányt]*; **~ one's features** kisimulnak arcvonásai **2.** *orv* (feszültséget, szorongást, fájdalmat) csillapít **3.** enyhít, mérsékel *[büntetést, adót]* **4.** megenyhít *[éghajlatot]* **5.** *átv* felvidít, szórakoztat **B.** *tni* **1.** (el)ernyed, lazul *[izom]*, enyhül, gyengül *[hideg]* **2. a)** ellankad; **~ in one's**

R

efforts csökkenti erőfeszítését, alábbhagy erőfeszítéseivel **b)** felenged a feszültség (vkben), elernyed (vk) **c)** pihen, lazít, kikapcsolódik; *biz* **~!** nyugi! • *mn* **relaxed**

relaxant [rɪˈlæksnt] *mn/fn orv* feszültségoldó, görcsoldó

relaxation [ˌriːlækˈseɪʃn] *fn* **1. a)** (el)ernyedés, ernyedtség, (el)lazítás, (el)lankadás, (meg)lazulás; **~ of spasm** görcs oldódás(a) **b)** elernyesztés, ellankasztás, (meg)szakítás **c)** hanyagság **2.** enyhítés, mérséklés *[büntetésé, rendelkezésé, adóé]* **3. a)** pihenés, pihenő, szórakozás, kikapcsolódás; **as a ~** pihenésből/szórakozásból; a kikapcsolódás kedvéért **b)** kipihenés

relaxing [rɪˈlæksɪŋ] **I.** *mn* **1.** bágyasztó **2.** enyhe *[idő]* **II.** *fn* **→ relaxation**

relay I. *fn* [ˈriːleɪ] **1. a)** *tört* előfogat, váltás *[lóé]*; **~ (horses)** váltó/váltott lovak **b)** váltás, turnus *[embereké]*; **work in ~s** műszakban/turnusban dolgozik **c)** *sp* **~ (race)** váltó, staféta(futás) **2. a)** *vill* relé, jelfogó **b)** szervomotor, segédmotor, bojtármotor **3. a)** *távk* közvetített (rádió)adás **b)** *infor* közvetítő, relé **II.** *tsi pt/pp* **relayed 1.** (rádió)adást átvesz és továbbít, (közvetítőállomásokon át) továbbít *[üzenetet]* **2.** (fel)vált *[munkában, stafétában]*

re-lay [riːˈleɪ] *tsi pt/pp* **relaid** [riːˈleɪd] **a)** ismét letesz, visszatesz, visszarak (vmt), újra lerak *[kábelt, csövet]*, újra fektet *[síneket, szőnyeget]*, újra megterít *[asztalt]* **b)** átrendezve/áthelyezve újra lerak/fektet *[pl. síneket]*

release [rɪˈliːs] **I.** *tsi* **1. a)** mentesít, felment, felold *[kötelezettség alól]*; **~ sy from his promise** felment vkt az ígérete alól **b)** szabadlábra helyez, kienged, elbocsát *[foglyot]* **c)** forgalomba hoz, kihoz *[új autót stb.]* **d)** közzétesz *[hírt]*, megenged/engedélyez közzétételt/leközlést *[hírét stb.]* **e)** *film* bemutat, forgalomba hoz *[filmet]* **2. a)** *vegy* felszabadít, fejleszt, kibocsát *[gázt, gőzt, szagot]* **b)** ledob, kiold *[bombát repülőgépről]* **c)** meglazít, kienged, kiold *[rugót]*; **~ the brake** kiereszti/kiengedi a féket; **~ one's hold of sg** elereszt/elenged vmt; *fényk* **~ the shutter** kioldja/elkattintja a zárat; exponál **3. a) ~ a debt** elenged egy adósságot **b)** lemond *[jogról, követelésről]*, töröl *[jelzálogot]*, tehermentesít *[ingatlant]*; **~ sy from an obligation** elenged *[kötelezettséget]*; mentesít *[kötelezettség alól]* **c)** átruház *[vagyontárgyat]* **d)** enyhít, csökkent *[kötelezettséget]* **II.** *fn* **1. a)** kiszabadítás, megszabadulás, megváltás *[gondoktól]*, mentesítés, felmentés *[kötelezettség alól]* **b)** *jog* törlés *[jelzálogé]*, tehermentesítés *[ingatlané]*, lemondás *[jogról]*, *jog* elbocsátás, szabadonbocsátás, szabadlábra helyezés, szabadulás *[fogolyé]*; **~ on bail** óvadék ellenében történő (ideiglenes), feltételes szabadlábra helyezés **c)** *kat* leszerelés, szabadságolás **d)** *pénz* feloldás *[lefoglalt tárgyé]*, felszabadítás *[fedezeté]* **e)** kereskedelmi forgalombahozatal *[filmé, lemezé]* **f) press ~** sajtóközlemény, sajtókommüniké **2. a)** *vegy* felszabadulás, kiáradás *[gázoké]*; **~ of energy** energiafelszabadulás **b)** *kat* kioldás, ledobás *[bombáé]* **3. a)** *műsz* megindítás, mozgásba hozatal *[szerkezeté]*, kikapcsolás, kiakasztás *[rugóé]*, kiengedés *[féké]*, megszakítás, bontás **b)** *vill* kioldó (szerkezet), önműködő kikapcsoló, árammegszakító **4.** *gazd* nyugta, átvételi elismervény **5.** *jog* (tulajdon)átruházási okirat • *fn* **releaser** *hsz* **releasable**

re-lease [riːˈliːs] *tsi* **a)** újra bérbe ad **b)** albérletbe ad

releasee [rɪˌliːˈsiː] *fn jog* engedményes *[akire jogot, követelést, vagyontárgyat átruháznak]*; *jog* ‹lemondás folytán átháramlott jog élvezője›

release-valve *fn műsz* biztonsági szelep

releasor [rɪˈliːsə ‖ –ər] *fn jog* engedményező, lemondó (személy)

relegate [ˈrelɪgeɪt] *tsi* **1. a)** eltávolít, kitesz, félretesz *[lomtárba]*, áthelyez *[alkalmazottat alacsonyabb beosztásba, vidékre]*, alacsonyabb sorba süllyeszt; *sp* **the team was ~d (to a lower division)** a csapat kiesett (v. alacsonyabb osztályba került) **b)** száműz, kitilt, kiutasít, kitelepít, deportál **2. ~ a matter to sy** vk elé utal egy ügyet döntés végett; döntésre átküld; rábíz egy ügyet vkre • *fn* **relegation** *hsz* **relegable**

relent [rɪˈlent] *tni* enged *[szigorból, merevségből, elhatározásból]*, megenyhül, megengesztelődik *[szigorú, mérges ember]*, enyhül, eltűnik *[tünet]*

relentless [rɪˈlentləs] *mn* **1.** (ki)engesztelhetetlen, könyörtelen, irgalmatlan, hajthatatlan, kérlelhetetlen **2.** állandó, folytonos, heveny, visszatérő *[fájdalom]* • *fn* **relentlessness**

relet [riːˈlet] **I.** *tsi pt/pp* **relet** újra/folyamatosan kiad *[lakást stb.]* **II.** *fn* [ˈriːlet] *GB* kiadott lakás

relevant [ˈreləvənt] *mn* **1.** tárgyhoz tartozó, vonatkozó, lényeges, helytálló, találó, idevágó **2.** vonatkozó, tartozó, (vkhez), vmhez illő, időszerű, aktuális • *fn* **relevance, relevancy**

relevate [ˈreləveɪt] *tsi* megkönnyít, felélénkít, jó hangulatba hoz

reliable [rɪˈlaɪəbl] *mn* megbízható, szavahihető, komoly, hű *[barát]*, biztos *[támasz]*; *jog* **~ evidence** hitelt érdemlő bizonyíték; **~ witness** szavahihető/megbízható tanú; **from a ~ source** megbízható/beavatott/jó helyről/forrásból • *fn* **reliability**

reliance [rɪˈlaɪəns] *fn* **1.** támaszkodás *[vmre]* **2.** bizalom, bizodalom, bizakodás; **place ~ in/on/upon sy** bízik vkben, bizalmát veti vkbe **3.** a bizalom tárgya • *mn* **reliant**

relic [ˈrelɪk] *fn* **1.** ereklye **2.** *tsz* **relics a)** földi maradvány(ok), porhüvely, hamvak **b) ~s of the past** a múlt emlékei **3.** *nyelv* ‹szórványosan előforduló régi nyelvi alakzat› **4.** emlék, emléktárgy **5.** *biz* begyepesedett gondolkodású ember

relict [ˈrelɪkt] *fn* **1.** *jog* özvegy *[férfi, nő]*, hátramaradott **2.** *biz* **~ of pre-war days** a háború előtti idők csökevénye/maradványa **3.** *geol* ősmaradvány, fosszília

relief[1] [rɪˈliːf] *fn* **1. a)** enyhülés *[fájdalomé stb.]*, megkönnyebbülés, megnyugvás; **heave a sigh of ~** megkönnyebbülten felsóhajt **b) black costume without ~** dísz nélküli fekete ruha **c)** könnyítés, enyhítés, tehermentesítés; **~ from taxation** adócsökkentés, adóleszállítás, adómérséklés **d)** *műsz* nyomáscsökken(t)és **2. a)** segély, segítség, segélyezés; **on ~** segélyen élő/levő **b)** közsegély, szegényellátás, szegénygondozás; **be on the ~ roll** közsegélyben részesül(ők jegyzékében szerepel) **3. a)** *kat* felszabadítás, felmentés *[váré]* **b)** *kat* (fel)váltás *[őrségé]*, őrségváltás **4.** *jog* jogorvoslat, kártérítés, jóvátétel **5.** *épít* áteresz, szivárgó

relief[2] [rɪˈliːf] *fn* **1.** *műv* dombormű, relief; **half ~** féldombormű; *nyomd* **~ printing** dombornyomás, magasnyomás; **stand out in ~** kiemelkedik, kidomborodik, kiugrik; **bring/throw sg into ~** domborművesen dolgoz ki vmt; *átv* kidomborít/kihangsúlyoz/kiemel vmt **2.** *földr* domborzat, térszín *[földé]*

relief map *fn* domborzati térkép, terepmodell

relief road *fn közl* kitérőút, terelőút *[útépítéskor]*

relief valve *fn műsz* biztonsági/biztosító/nagynyomású/nyomáskiegyenlítő/túlnyomásos szelep

relieve [rɪˈliːv] *tsi* **1. a)** könnyít, enyhít *[vknek terhén]*, megkönnyebbülést okoz; **~ sy's mind** megnyugtat/lecsillapít vkt; **I am much ~d to hear it** nagyon megnyugtat(ó), hogy hallom **b) ~ the tedium of the journey** elűzi az utazás unalmát **c)** tehermentesít, mérsékel *[adót]* **d)** csökkent *[gőznyomást]*, kienged *[gőzt]*, kinyit *[gőzcsapot]*; *orv* **~ pain** fájdalmat csökkent **e)** *vasút* felold *[blokkot]* **2.** (meg)segít (vkt), segít (vknek/vkn) **3. ~ sy of sg** megszabadít/megkönnyít vkt vmtől, könnyít vknek a terhén; levesz vkről vmt *[terhet]*; **~ sy of his office** felment vkt állásából; **~ sy of his purse** *biz* ellopja/elcseni vknek a pénztárcáját; megszabadít vkt pénztárcájától **4. a)** *kat* felment, ostromzár alól felszabadít **b)** felvált, levált (vkt) **5.** *műv* kiemel *[domborművet, alakot festményen stb.]* **6.** *jog* jogait érvényesíti (vknek) • *fn* **reliever** *mn* **relievable, relieved**

relight [riːˈlaɪt] *i pt/pp* **relit** [riːˈlɪt] **A.** *tsi* újra meggyújt/kivilágít **B.** *tni* újra kigyullad/meggyullad/fellobban/fellángol

R

religion [rɪˈlɪdʒn] *fn* **1. a)** vallás, hit(vallás); **established ~** hagyományos/bevett felekezet; **freedom of ~** vallásszabadság; **make a ~ of doing sg, make it a ~ to do sg** lelkiismereti kérdést csinál vm megtételéből **b)** *jog* hitfelekezet **2.** vkinek a mindene/hobbija; **the computer is his ~** a számítógép a mindene/az istene • *mn* **religionless**

religionism [rɪˈlɪdʒnˌɪzm] *fn* **a)** vallásos rajongás, hitbuzgalom, vakbuzgóság, bigottság, vallási enthuziazmus **b)** látszatvallásosság • *fn* **religionist**

religiose [rɪˈlɪdʒioʊs] *mn* túlzóan vallásos, vakbuzgó • *fn* **religiosity**

religious [rɪˈlɪdʒəs] **I.** *mn* **1. a)** vallásos, ájtatos, istenfélő **b)** vallás-, vallási **c)** szerzetesi *[rend, élet]* **2.** *biz* lelkiismeretes, aggályoskodó, aprólékosan gondos, szigorú **II.** *fn vall* szerzetes, barát, apáca, szerzetesrend tagja • *fn* **religiousness**

re-line [riːˈlaɪn] *tsi* **1.** újból bélel/behúz *[kabátot]*, új vászonra ragaszt *[olajfestményt]*, megfoltoz *[ruhadarabot]* **2.** újra felszerel *[alkatrészt]*, *gk* fékbetétet pótol

relinquish [rɪˈlɪŋkwɪʃ] *tsi* **1.** abbahagy, elhagy *[szokást]*, felad *[tervet, reményt]*, lemond *[jogról, reménységről stb.]* **2.** kiejt a kezéből *[tárgyat]*, elereszt *[kötelet, korlátot, kapaszkodórudat]* • *fn* **relinquishment**

reliquary [ˈrelɪkwəri ‖ –kweri] *fn* ereklyetartó

relique [rɪˈliːk, ˈrelɪk] → **relic**

reliquiae [rɪˈlɪkwiː] *fn tsz* **1.** maradványok, emlékek **2.** *geol* ősmaradványok, kövületek, fosszíliák

relish [ˈrelɪʃ] **I.** *fn* **1. a)** íz, ízletesség, zamat *[ételé]*; *biz* **the ~ of novelty** az újdonság ingere **b)** fűszer(ezés), ételízesítő, (pikáns) mellékíz **c)** egy kevés(ke), vm kis, egy csipetnyi/csipet *[fűszer]* **d)** étvágycsináló, kis előétel **e)** mártás **2.** gusztus, étvágy; **eat sg with ~** élvezettel (v. jó étvággyal) eszik vmt **II. A.** *tsi* **1.** fűszerez, íz(let)esít *[ételt]* **2. a)** szeret (vmt), tetszik (vm) **b)** élvez *[ételt]*, élvezettel eszik/iszik/kóstol(gat) (vmt); *biz* **~ doing sg** élvezettel csinál/tesz/végez vmt **B.** *tni* **~ of sg** vmlyen íze/illata/szaga van • *mn* **relishable**

relive [riːˈlɪv] **A.** *tsi* újra átél *[életét, múltat]* **B.** *tni* feléled, újra él

reload [riːˈloʊd] **A.** *tsi* újra megrak *[teherkocsit]*, újra megtölt, újratölt *[fegyvert]* **B.** *tni* újratölt

relocate [ˌriːloʊˈkeɪt ‖ riːˈloʊkeɪt] *tsi* **A. 1.** áthelyez **2.** áttelepít **B.** *tni* áttelepszik, átköltözik • *fn* **relocation**

relodge [riːˈlɒdʒ ‖ –ˈlɑdʒ] *tsi* ismét elhelyez

reluctance [rɪˈlʌktns] *fn* **1.** vonakodás, húzódozás, idegenkedés, kelletlenség; **affect ~** kéreti magát, affektál; **do sg with ~** kelletlenül/vonakodva (v. nem szívesen v. ímmelámmal) csinál/tesz vmit; **show (some) ~ to do sg** vonakodik/húzódozik vmnek a megtételétől, nem sok hajlandóságot mutat vmnek a megtételére **2.** *el* reluktancia, mágneses ellenállás

reluctancy [rɪˈlʌktnsi] → **reluctance**

reluctant [rɪˈlʌktnt] *mn* **1. a)** vonakodó, szabadkozó, ellenkező, kelletlen *[ember]*; **he was very ~ to go** nagyon vonakodva/nehezen ment/távozott **b)** kelletlen, (ki)kényszerített *[válasz]* **2.** nehezen kezelhető, komplikált *[daganat, fog]* • *hsz* **reluctantly**

rely [rɪˈlaɪ] *tni* **1. ~ (up)on sy/sg** (meg)bízik vkben/vmben, számít/épít/támaszkodik vkre/vmre **2. ~ on sy** függ vktől

REM *fn orv rapid eye movement* ‹az alvás gyors szemmozgással járó fázisa›

remain [rɪˈmeɪn] **I.** *tni* **1.** marad; **~ a bachelor** agglegény marad; **~ behind** (ott)marad; hátramarad, nem megy el; **~ on hand** megmarad, eladatlan marad, nem kel el *[áru]*; **~ silent** hallgat, csendben marad; **~ in touch (with)** érintkezésben marad (vkvel); **the fact ~s that...** (de) továbbra is tény/áll, hogy..., az igazság továbbra is (v. még mindig) az, hogy...; **one thing ~s certain** annyi/egy biztos/bizonyos; **that ~s to be proved** ez még bizonyításra szorul, ezt még bizonyítani kell; **I ~ yours truly** maradtam őszinte tisztelettel *[levél végén]* **2.** megmarad, visszamarad, fennmarad *[egészből]* **3.** hátra van/marad *[tennivaló]*; **much yet ~s to be done** még sok tennivaló van hátra; **nothing ~s for me but to...** nincs más választásom, mint hogy..., számomra nincs (v. nem marad) más hátra, mint hogy...; **it ~s to be seen whether ...** majd elválik/meglátjuk/kiderül, hogy/vajon ...; kérdés, vajon/hogy ... **II.** *fn* **1. a Roman ~** római(kori) maradvány/emlék, a római civilizáció maradványa/emléke **2.** *tsz* **remains a)** maradvány(ok) *[épületé, szokásé]*, maradék(ok) **b)** hagyaték, hátrahagyott művek *[íróé]*; **mortal ~s** földi maradványok, hamvak

remainder [rɪˈmeɪndə ‖ –ər] **I.** *fn* **1. a)** maradék, maradvány *[egészből]*, *mat* ami marad *[kivonásnál]*, maradék *[osztásnál]*; **for the ~ of one's life** élete (még) hátralevő részére **b)** egyenleg, hátralék, fennmaradó összeg **c) the ~** a többiek **2. ~ (line)**, **~s** eladatlan/megmaradt példányok *[könyvből]*; **~ shop** megmaradt könyveket (olcsón) árusító könyvkereskedés, kiárusító bolt **3.** jogi váromány **II.** *tsi* kiárusít *[maradék készletet könyvekből]*

remaining [rɪˈmeɪnɪŋ] *mn* fennmaradt, maradék; **his only ~ hope** egyetlen/egyedüli megmaradt (v. még meglevő) reménye; **with his ~ strength** maradék (v. még megmaradt) erejével

remake [riːˈmeɪk] **I.** *fn* [ˈriːmeɪk] felújított film **II.** *tsi pt/pp* **remade** [riːˈmeɪd] **a)** újra/elölről megcsinál **b)** átalakít, átformál, átdolgoz

re-man *tsi* újból szolgálatba állít *[hadihajót]*

remand [rɪˈmɑːnd ‖ rɪˈmænd] **I.** *tsi* **1. a)** *jog* vizsgálati fogságban tart **b)** *jog* **~ a prisoner on bail** vádlottat tárgyalás előtt óvadék/biztosíték ellenében szabadlábra helyez; *jog* **~ a prisoner in custody** vádlottat tárgyalás előtt fogva tart *[nem helyez szabadlábra óvadék ellenében sem]* **2.** *jog* új tárgyalási napot tűz ki; *jog* **he was ~ed for a week** az ügy tárgyalását egy héttel elhalasztották **II.** *fn jog* vizsgálati fogságban tartás; **detention under ~** vizsgálati fogság

remandment [rɪˈmɑːndmənt ‖ rɪˈmændmənt] *fn jog* vizsgálati fogságban tartás

remanent [ˈremənənt] *mn el* visszamaradó, fennmaradó, remanens; **~ magnet** remanens/visszamaradó mágnesesség • *fn* **remanence**

remark [rɪˈmɑːk ‖ rɪˈmɑrk] **I.** *fn* **1.** észrevétel, észrevevés **2.** megjegyzés, észrevétel; **make/pass a ~** megjegyzést tesz, észrevételt tesz; **make ~s about sy** megjegyzéseket tesz vkre; *biz* **pass ~s upon sy** megjegyzéseket tesz vkre; **let sg pass without ~** megjegyzés nélkül átsiklik vmn, szó nélkül hagy vmt; **venture/hazard a ~** észrevételt/megjegyzést megkockáztat; **worthy of ~** figyelemre/megjegyzésre méltó, érdemleges **II. A.** *tsi* **1.** észrevesz, észlel, megállapít **2. ~ that** megjegyzi (v. azt az észrevételt teszi), hogy **B.** *tni* megjegyzés(eke)t tesz, megjegyzés(eke)t/észrevétel(eke)t fűz (vmhez)

remarkable [rɪˈmɑːkəbl ‖ –ˈmɑr–] *mn* figyelemre méltó, nevezetes, jelentős, jelentékeny *[tény, ember]*, meglepő, szembeszökő, feltűnő, rendkívüli *[vonás, érdem stb.]*, kiváló *[eredmény]* • *fn* **remarkableness** *hsz* **remarkably**

remarry [riːˈmæri] **A.** *tsi* újból/ismét összeházasodik *[elvált házastársával]* **B.** *tni* újból/ismét megházasodik/megnősül, újból/ismét férjhez megy, újra házasságra lép • *fn* **remarriage**

remaster [riːˈmɑːst ‖ –ˈmæst] *tsi [hangfelvételt, zenét digitálisan]* újrafelvesz, újrakever

remasticate [rɪˈmæstɪkeɪt] *tsi/tni* újra megrág, kérődzik

rematch [ˈriːmætʃ] *fn sp* visszavágó

remeasure [riːˈmeʒə ‖ –ər] *tsi* újból megmér/lemér; **~ one's steps** saját nyomain visszatér, ugyanazon az úton visszamegy

remedial [rɪˈmiːdɪəl] *mn* **a)** orvos(o)ló, gyógyító, gyógy-; **~ gymnastics** gyógytorna; **~ instruction** korrepetálás **b)** *átv* orvos(o)ló, helyrehozó, helyreigazító, javító *[eljárás]*, üdvös *[intézkedés]*; *infor* **~ maintenance** javító karbantartás

R

remediless ['remədiləs] *mn* **a)** orvosolhatatlan, gyógyíthatatlan *[betegség]* **b)** *átv* orvosolhatatlan, helyrehozhatatlan, jóvátehetetlen *[hiba]*, pótolhatatlan *[veszteség]*

remedy ['remədi] **I.** *fn* **1.** gyógyszer, ellenszer, orvosság; *biz* **old wives' ~** (bevált) háziszer **2. a)** orvos(o)lás, jóvátétel; **there is no wrong without a ~** nincs orvosolhatatlan sérelem, minden sérelemre van orvosság **b)** *jog* jogorvoslat **II.** *tsi* **a)** orvosol *[bajt]*, jóvátesz, helyrehoz *[hibát, mulasztást]* **b)** megjavít *[műszaki hibát]* **c)** orvosol, meggyógyít *[betegséget]*

remember [rɪ'membə ‖ –ər] **A.** *tsi* **1. a)** emlékszik, emlékezik (vkre/vmre), emlékezetében (meg)tart (vkt/vmt), észben tart (vmt), nem felejt el (vkt/vmt); **be it ~ed that** ne feledjük el, hogy ...; emlékezzünk arra, hogy ... **b)** eszébe jut (vk), vm, visszaemlékezik (vmre); **it will be something to ~ you by** ez rád fog emlékeztetni, erről eszembe jutsz majd; **~ oneself** észbe kap, összeszedi magát **c)** gondol (vkre/vmre vhogyan), nem felejt el (vknek vmt); **~ sg against sy** nem bocsát meg vmt vknek, nem felejt el vmt vknek, felhánytorgat vmt vknek **2.** megemlékezik *[vkről adománnyal]*; **~ sy in one's will** végrendeletében megemlékezik vkről **3. ~ me (kindly) to them** tiszteltetem őket, adja át nekik szíves üdvözletemet, köszöntse/üdvözölje őket nevemben **4.** imába foglal vkit, megemlékezik vkiről **B.** *tni* emlékszik, emlékezik; **as far as I ~** (már) amennyire én emlékszem; **if I ~ correctly** ha jól emlékszem, ha emlékezetem nem csal; **now just ~!** emlékezzék rá!, jusson eszébe!, jegyezze meg!, vésse az emlékezetébe!

remembrance [rɪ'membrəns] *fn* **1.** emlékezés; **in ~ of his visit** látogatása emlékére **2.** emlékezet; **to the best of my ~** legjobb emlékezetem szerint, amennyire csak vissza tudok emlékezni; **come to ~** eszébe jut; **keep the ~ of** megőrzi az emlékét; **put sy in ~ of sg** vmre emlékeztet vkt, vknek az emlékezetébe idéz vmt; **within my ~** emlékezetem szerint, az idő alatt, amire vissza tudok emlékezni; **never within man's ~** emberemlékezet óta soha **3.** emlék(tárgy) **4. give my kind ~s to him** adja át neki szíves üdvözletemet, tiszteltetem

Remembrance Day, Remembrance Sunday *fn* ‹az első világháborút befejező fegyverszünet évfordulója: a november 11-ét megelőző vasárnap›

remerge [rɪ'mɜːdʒ ‖ –'mɜr–] *tni* újra alámerül/elmerül

remex ['riːmeks] *fn tsz* **remiges** ['remɪdʒiːz] *áll* evezőtoll

remigrate [ˌriːmaɪ'greɪt] *tni* visszavándorol *[régi lakóhelyére]*

remind [rɪ'maɪnd] *tsi* **~ sy of sg** vkt vmre emlékeztet, vknek az eszébe juttat vmt; **he ~s me of his father** az apjára emlékeztet, az apjához hasonlít; **~ sy to do sg** emlékeztet/figyelmeztet vkt (v. eszébe juttatja vknek), hogy vmt meg kell tennie (v. hogy vmt megtegyen); **that ~s me!** erről jut eszembe!, apropó!

reminder [rɪ'maɪndə ‖ –ər] *fn* **1. a)** emlékeztető, figyelmeztető, figyelmeztetés; **as a ~** emlékeztetőül **b) letter of ~** figyelmeztető/felszólító levél, (írásbeli) felszólítás **c)** *gazd* fizetési felszólítás *[hátralék kiegyenlítésére]* **2.** emlék, emléktárgy

remindful [rɪ'maɪndful] *mn* **be ~ of** emlékeztet (vmre); emlékezik/gondol (vkre), vmre; gondol/törődik, (vkvel/vmvel); nem feledkezik meg (vkről), vmről

reminisce [ˌremɪ'nɪs] *tni* emlékeiről beszél/mesél, (vissza)emlékezik

reminiscence [ˌremɪ'nɪsns] *fn* **1.** (vissza)emlékezés, visszagondolás, múlt felidézése **2.** emlék; **faint ~ of sg** vmnek a halvány emléke **3. a)** remineszcencia, utánérzés *[írói műben]*, maradvány, nyom *[régi műé/stílusé újban]*; **~s of Shelley** Shelley-reminiszcenciák **b) there is a ~ of the Roman type in his face** van valami rómaias az arcában, van valami az arcában, ami a római típusra emlékeztet **4.** *tsz* **reminiscences** (vissza)emlékezés *[szóban v. írásban]*

reminiscent [ˌremɪ'nɪsnt] *mn* **1. a)** (vissza)emlékező, visszagondoló **b)** múltat idéz(get)ő *[hangulat, beszélgetés]* **2. ~ of sy/sg** vkre/vmre emlékeztető

remint [riː'mɪnt] *tsi* újra ver *[pénzt]*

remise[1] [rɪ'maɪz] **I.** *fn jog* követelés/jog átengedése **II.** *tsi jog* követelést/jogot átenged

remise[2] [rɪ'miːz ‖ rɪ'maɪz] *fn* **1.** bérkocsi **2.** *sp* ismétlő vágás/szúrás, ismétlés, remissza

remiss [rɪ'mɪs] *mn* **1.** hanyag, gondatlan, nemtörődöm; **be ~ in one's duties** kötelességeit elmulasztja/elhanyagolja (v. nem veszi komolyan), kötelességeit hanyagul teljesíti; **be ~ in one's payments** pontatlanul/hanyagul/rendetlenül fizet **2.** ernyedt, lankadt, lassú

remissible [rɪ'mɪsəbl] *mn* megbocsátható *[bűn stb.]*, elengedhető *[büntetés]*, *vall* bocsánatos *[bűn]* • *fn* **remissibility**

remission [rɪ'mɪʃn] *fn* **1. a)** bocsánat, megbocsátás; *vall* **~ of sins** bűnök bocsánata **b)** elengedés *[tartozásé, büntetésé]* **2. a)** csökkenés, enyhülés, mérséklődés *[hidegé]*, csillapodás *[izgalomé]*, alábbhagyás **b)** *orv* átmeneti csökkenés *[lázé]*, átmeneti enyhülés/javulás *[betegségé]* • *mn* **remissive**

remit I. *i* **-tt-** [rɪ'mɪt] **A.** *tsi* **1. a)** megbocsát *[bűnöket]* **b)** elenged *[tartozást, büntetést]* **2.** mérsékel *[erőfeszítést]* **3. a)** átad *[kérdést szaktekintélynek]*, rábíz *[kérdést illetékesre]*, (vk elé) terjeszt, (vk hatáskörébe) utal **b)** *jog* alsóbb bírósághoz áttesz *[pert]* **4.** elhalaszt, későbbre halaszt **5.** *gazd* átutal, utalványoz, (el)küld *[összeget vknek]* **B.** *tni* **1.** *gazd* fizet, fizetést eszközöl; **kindly ~** kérjük/szíveskedjék az összeget (csekken) befizetni, kérjük kiegyenlíteni (az összeget) **2.** csökken, lanyhul, mérséklődik *[buzgóság, hév]*, enyhül, csillapodik *[fájdalom]*, alábbhagy *[vihar]* **II.** *fn* ['riːmɪt] *jog* áttétel *[peré más bírósághoz]*, átutalás *[vk hatáskörébe]* • *fn* **remittal, remittee, remitter** *mn* **remittable**

remittance [rɪ'mɪtns] *fn* **1.** *gazd* átutalás, utalványozás *[pénzé]* **2.** *gazd* átutalt/utalványozott pénz/összeg, pénzküldemény

remittent [rɪ'mɪtnt] **I.** *mn orv* időközönként/átmenetileg csökkenő *[láz]* **II.** *fn orv* időközönként/átmenetileg csökkenő láz

remix [riː'mɪks] **I.** *tsi* újra elkever/megkever; újrakever *[hangfelvételt, zeneszámot]*, remixel **II.** *fn* újrakevert hangfelvétel, remix

remnant ['remnənt] *fn* **a)** maradék; **~ sale** maradékvásár, maradékok kiárusítása **b)** maradvány

remodel [riː'mɒdl ‖ –'mɑ–] *tsi* átalakít, átformál *[művet, szervezetet]*, átalakít, újjáalakít *[ruhát, házat]*, újjáalakít/formál *[szervezetet]*, újra mintáz *[szobrot]*

remodify [riː'mɒdɪfaɪ ‖ –'mɑ–] *tsi* átalakít, átformál, újjáalakít, újra megváltoztat/átdolgoz • *fn* **remodification**

remonstrance [rɪ'mɒnstrəns ‖ rɪ'mɑn–] *fn* (heves) tiltakozás, ellenkezés, kifogás(olás)

remonstrate ['remənstreɪt ‖ rɪ'mɑn–] **A.** *tsi* **~ that** nyomatékosan kijelenti, hogy, leszögezi, hogy **B.** *tni* **~ against sg** tiltakozik/protestál (v. óvást emel) vm ellen; **~ with sy upon sg** tiltakozik (v. ellenvetést tesz v. kifogást/óvást emel) vknél vm miatt; felszólal vknél vm miatt, panaszt tesz/emel vknél vm ellen • *fn* **remonstration** *mn* **remonstrant, remonstrative**

remorse [rɪ'mɔːs ‖ rɪ'mɔrs] *fn* **1.** lelki(ismeret-)furdalás, bűntudat; **feel ~** lelki(ismeret-)furdalást érez, lelki(ismeret)furdalása van **2.** könyörület, irgalom; **without ~** lelki(ismeret-)furdalás/irgalom nélkül, könyörtelenül

remorseful [rɪ'mɔːsfl ‖ –'mɔrs–] *mn* **1.** bűntudatos, lelki(ismeret-)furdalást érző **2.** szánandó, szánalmas, nyomorult

remorseless [rɪ'mɔːsləs ‖ –'mɔrs–] *mn* könyörtelen, irgalmatlan, szánalmat nem ismerő

remote [rɪ'moʊt] **I.** *mn* **1. a)** távoli, messzi, távol eső/fekvő; **~ ancestors** távoli ősök; *gazd jog* **~ claim** jogilag már nem érvényesíthető kárigény; **~ village** távoli/eldugott/félreeső falu **b)** közvetett; **~ causes** távoli/közvetett okok **c)** tartózkodó, zárkózott, nem közlékeny *[személy]* **2.** halvány *[hasonlóság, eshetőség]*, távli *[hasonlóság]*; **~ pro-**

spect halvány/csekély kilátás; **I haven't got the ~st idea** halvány fogalmam/sejtelmem sincs **3.** *műsz távk* táv-; **~ control** távirányítás, távvezérlés; **~ control (handset)** távirányító, távkapcsoló **II.** *fn távk* külső/helyszíni felvétel/közvetítés *[rádió, tv]* • *fn* **remoteness** *hsz* **remotely**

remould I. *tsi* [riː'mould] **1.** újraformáz **2.** *GB* (újból) futóz *[autógumit]* **II.** *fn* ['riːmould] futózott gumiabroncs

remount I. [riː'maunt] **A.** *tsi* **1. a)** újra felmegy *[dombra]*, újra megmászik *[hegyet]* **b)** **~ one's horse** újra felül a lovára, újra lóra ül, újra nyeregbe száll **2. a)** újból/újra felragaszt/montíroz *[festményt stb.]*, újra foglal *[drágakövet]* **b)** újból/újra felszerel *[kereket]*, újra felállít *[ágyút]* **B.** *tni* újra lóra ül, újra nyeregbe száll/ül **II.** *fn* ['riːmaunt] pótló, friss ló, lóutánpótlás

removable [rɪ'muːvəbl] *mn* **1.** elmozdítható, hordozható *[válaszfal, bútordarab]*, leszerelhető, levehető *[alkatész]*, szétszedhető *[építmény]* **2.** szállítható

removal [rɪ'muːvl] *fn* **1. a)** eltávolítás, elmozdítás, elvitel, leszerelés *[alkatrészé]*, felszedés *[útburkolaté, síneké]* **b)** *orv* **surgical ~** műtéti eltávolítás *[pl. daganaté]* **c)** *biz* eltevés láb alól **2.** (el)költöz(köd)és, (el)hurcolkodás **3.** eltávolítás, elmozdítás *[tisztviselőé]* **4.** megszüntetés *[bajoké]* **5.** *vál* felravatalozás *[a templomban]*

removal van *fn* bútorkocsi, bútorszállító kocsi

remove [rɪ'muːv] **I. A.** *tsi* **1. a)** eltávolít, elmozdít, elvisz, elszállít, elvezet *[foglyot]*, levesz, levet *[ruhadarabot]*, leszerel *[alkatrészt]*, felszed *[útburkolatot, síneket]*; **~ one's glance** elfordítja tekintetét; **~ oneself** távozik, elmegy **b)** *biz* eltesz láb alól **2.** **~ oneself and all one's belongings** mindenestől kihurcolkodik/kiköltözik/elköltöz(köd)ik *[lakásból]* **3. a)** eltávolít, elbocsát *[tisztviselőt]*; **~ sy** vkt karhatalommal/erőszakkal eltávolít (vhonnan); vkt (állásából) elmozdít **b)** kivesz *[diákot iskolából]* **4. a)** eltüntet, eltávolít, kivesz *[foltot, nyomokat]*; **~ sy's name from a list** listáról törli/kihúzza vknek a nevét **b)** eltávolít, megszüntet *[akadályt]*, eloszlat *[félelmet]*, megszüntet *[bajt, visszaélést]* **c)** **~ a sentry** őrt felvált **5.** *ját* **~ an entry** átmenetet elvesz *[bridzsben]* **B.** *tni* **1.** kiköltözik, elköltözik, kihurcolkodik, lakást/lakhelyet változtat **2.** **sg that ~s easily** könnyen levehető vm **II.** *fn* **1. a)** távolság, közbeeső fokozat; **at many ~s from ...** jó messzire, jókora távolságra (vmtől, vmhez) **b)** (rokonsági) fok; **at one ~** egy fokkal odébb, közvetve és másodfokon **2.** *okt* (közbülső) osztály

removed [rɪ'muːvd] *mn* **1. first cousin once ~** elsőfokú unokatestvér gyermeke; szülő elsőfokú unokatestvére **2.** távoli, távoli álló; **be far ~ from sg** távol áll vmtől; **he is only one step ~ from insanity** hajszál híján őrült

remover [rɪ'muːvə ‖ –ər] *fn* **1.** (bútor)szállító **2.** eltávolító; **stain ~** folttisztító szer; **varnish ~** lakklemosó

remunerate [rɪ'mjuːnəreɪt] *tsi* **a)** díjaz, (meg)jutalmaz, honorál *[vkt, szolgálatot]*; **~ sy for his services** szolgálataiért (meg)jutalmaz vkt, díjazza/jutalmazza vknek a szolgálatait **b)** jutalmul/kárpótlásul szolgál, kárpótol (vkt vmért)

remuneration [rɪˌmjuːnə'reɪʃn] *fn* **a)** díjazás, (meg)jutalmazás; **adequate ~** megfelelő jutalom; **in ~ for sg** ellenszolgáltatásul/viszonzásul vmért, vmnek a megtérítéséül/jutalmazásául **b)** díj, jutalom

remunerative [rɪ'mjuːnərətɪv ‖ –reɪtɪv] *mn* kifezetődő, jövedelmező, előnyös *[munka, befektetés]*, megtérülő *[befektetés]*

Renaissance [rɪ'neɪsns ‖ ˌrenə'sɑns] **I.** *mn* reneszánsz **II.** *fn* **1.** → **renascence** 1. **2.** *műv* reneszánsz

Renaissance man *fn* ‹nagy műveltséggel, sokféle készséggel rendelkező ember› polihisztor

renal ['riːnl] *mn orv* vese-; **~ alterative** vizelethajtó (szer); **~ calculus** vesekő; *orv* **~ gland** mellékvese; **~ insufficiency** veseelégtelenség

rename [riː'neɪm] *tsi* átkeresztel *[embert, utcát]*, új nevet ad *[embernek, utcának]*; *infor* átnevez

renascence [rɪ'næsns] *fn* újjászületés, feléledés, megújulás

renascent [rɪ'næsnt] *mn* újjászülető, újraéledő, feléledő, megújhodó, (újra)ébredő *[mozgalom, érzelem]*

rencounter [ren'kauntə ‖ –'kauntər] **A.** *tsi* váratlanul összetalálkozik (vkvel), beleszalad (vkbe) *biz* **B.** *tni* összecsap, összetűz (vkvel)

rend [rend] *i pt/pp* **rended**, *vál régi* **rent** [rent] **A.** *tsi* **1.** *vál* (szét)szaggat, elszaggat, elszakít, széttép, széthasít; **~ sg asunder/apart** széttép/szétszakít/kettéhasít vmt; **~ sg off/away** leszakít/leszaggat/letép vmt; **~ one's garments** megszaggatja ruháit *[lelki fájdalmában]*; **~ sy's heart** *átv* vknek a szívét marcangolja/szaggatja/tépi **2.** (lelki) fájdalmat okoz **B.** *tni* elhasad, elreped, széthasad, kettészakad

render ['rendə ‖ –ər] **A.** *tsi* **1. a)** (meg)ad, nyújt *[járandóságként]*; **~ help to sy** segítséget ad/nyújt vknek; **~ a service to sy** szolgálatot tesz/teljesít vknek; *bibl* **~ unto Caesar the things that are Caesar's!** adjátok meg a császárnak, ami a császáré! **b)** viszonzásul ad (vmt), fizet; **~ evil for good** *átv* jótért/jóért rosszal fizet; **~ thanks to sy** köszönetet mond vknek, hálát ad vknek **2. a)** *gazd* benyújt, bemutat *[számlát]*; **~ an account to sy** számlát benyújt/bemutat vknek, elszámol vkvel **b)** *átv* **~ an account of sg** beszámol vmről; számot ad vmről; **~ a reason for sg** okát adja vmnek, meg(ind)okol vmt **3. a)** visszaad *[jellegzetességet műben]*, tolmácsol, előad **b)** (le)fordít *[más nyelvre]*, visszaad *[más nyelven]*; **how can it be ~ed into Hungarian?** hogyan lehet ezt magyarul visszaadni (v. magyarra fordítani)? **c)** *zene* előad *[zeneművet]*, interpretál **4.** tesz (vmlyenné); **he was ~ed speechless with rage** a harag elnémította, haragjában/dühében szólni sem bírt **5. a)** kisüt *[zsírt]* **b)** (fel)olvaszt *[zsírt]*, átfőz, derít *[olajat]* **6.** *épít* vakol *[falat]*, alapvakolást ad *[falnak]* **B.** *tni* **1.** kisüt/kiolvaszt zsírt **2.** *hajó* kötelet átfűz csigán • *fn* **renderer** *mn* **rendered**

rendering ['rendərɪŋ] *fn* **1. a)** visszaadás *[arckifejezésé]*, előadás, tolmácsolás, interpretálás *[zenedarabé]* **b)** fordítás **2.** (ki)olvasztás *[zsíré]*, derítés *[olajé]* **3. a)** *épít* (alap)vakolás **b)** *épít* (alap)vakolat **4.** *vál* adás, nyújtás *[segítségé, szolgáltatásé]*; **~ of help** segélynyújtás; **~ of thanks** köszönetnyilvánítás **5.** *gazd* **~ of accounts** számlarendezés, számla benyújtása; elszámolás

rendezvous ['rɒndɪvuː, –deɪ– ‖ 'rɑn–] **I.** *fn tsz* **rendezvous** [–vuːz] **1.** (megbeszélt) találkozóhely **2. a)** (megbeszélt) találkozó, találka, randevú; **place of ~** a (megbeszélt) találkozás/találkozó/randevú helye **b)** *űr* űrhajók (előre megbeszélt) találkozója, űrrandevú **II.** *tni pt/pp* **rendezvoused** [–vuːd] **a)** megbeszélt helyen gyülekezik *[csapat, hajóraj]* **b)** megbeszélt helyen találkozik

rendition [ren'dɪʃn] *fn* **a)** visszaadás *[vonásoké képen stb.]*, tolmácsolás, interpretáció, előadás *[műé]* **b)** fordítás

renegade ['renɪgeɪd] **I.** *fn* **1.** hitehagyott, renegát **2.** (pártjához) hűtlen, áruló, rebellis **II.** *tni* renegát lesz; **~ from one's party** megtagadja/elhagyja pártját, hűtlenné válik pártjához; **~ from one's religion** megtagadja vallását, elhagyja hitét

renege [rɪ'niːg, rɪ'neɪg ‖ rɪ'nɪg] **A. a)** *tsi* megcsal, becsap, cserbenhagy **b)** megtagad, elhagy *[hitet, személyt]* **B.** *tni* **1.** hamiskodik, csal **2.** megszegi a szavát, visszatáncol, viszszakozik **3.** *ját* renonszot csinál, nem ad színre színt • *fn* **reneger**

renegotiate [ˌriːnɪ'gouʃieɪt] *tsi/tni* újra tárgyal (vmről/vmt)

renew [rɪ'njuː ‖ rɪ'nuː] **A.** *tsi* **a)** megújít; *gazd* **~ a bill** váltót megújít/prolongál; **~ one's health** egészségét helyreállítja; **~ a lease** bérletet (v. bérleti szerződést) megújít **b)** megújít, felújít, újra kezd *[beszélgetést, levelezést]*; **be ~ed** megújul; felfrissül; **~ one's acquaintance with sy** felújítja/feleleveníti az ismeretséget vkvel; **~ an attack** támadást megismétel, újra (v. újult erővel) támad; **~ an attempt** új(abb) kísérletet tesz; **~ one's attention** megkettőzi a figyelmét; **~ a promise** ígéretet megismétel/

R

megújít **c)** felújít, felfrissít *[készletet, ruhatárat]*, újjal pótol, kicserél *[alkatrészt]* **B.** *tni* megújul, felújul, felfrissül • *fn* **renewer**

renewables [rɪˈnjuːəblz ‖ –ˈnuː–] *fn tsz* alternatív/megújuló energiaforrások

renewal [rɪˈnjuːəl ‖ –ˈnuː–] *fn* **1. a)** megújítás, meghosszabbítás *[kölcsönzésé]*; *gazd* **~ of a bill** váltó megújítása/prolongálása; *jog* **~ of lease by tacit agreement** bérleti szerződés hallgatólagos meghosszabbítása **b)** kicserélés, pótlás *[alkatrészé]* **2.** *tsz* **renewals** *műsz* (felújítási) tartalékalkatrészek **3.** *vall* **R~ Sunday** húsvét utáni első vasárnap

renewed [rɪˈnjuːd ‖ rɪˈnuːd] *mn* **a)** megújított, megújult; *gazd* **~ bill** prolongált/megújított váltó **b)** felújított, felújult *[barátság stb.]*; **~ activity** megélénkült tevékenység; **~ hopes** újult remények; **~ zeal** kettőzött/újult buzgalom

rennet[1] [ˈrenɪt] *fn* tejoltó(nak használt szárított oltógyomor); **~ stomach** oltógyomor

rennet[2] [ˈrenɪt] *fn növ* ranett (alma)

renounce [rɪˈnaʊns] **I. A.** *tsi* **1.** lemond (vmről), felad *[jogot]*; **~ a legacy** hagyatékot visszautasít; **~ smoking** lemond a dohányzásról, abbahagyja a dohányzást; **~ the world** elvonul a világtól, kolostorba vonul **2.** megtagad *[hűséget, hitet]*, felad *[elveket]*, hivatalosan/ünnepélyesen megtagad, visszavon *[tant]* **3.** *ját* tagad *[színt más szín hívásával]* **B.** *tni* **a)** *ját* nem ad színre színt *[mert nem tud]* **b)** *ját* renonszot csinál, nem ad színre színt *[bár tudna]* **II.** *fn ját* renonsz • *fn* **renouncement**, **renouncer**

renovate [ˈrenəveɪt] *tsi* **1. a)** tataroz, helyrehoz, renovál *[házat]*, megjavít *[gépet]*, felújít *[festményt]* **b)** helyreállít, visszaad *[önbizalmat]*, megújít *[művészetet]*, megjavít *[erkölcsöket]* **2.** (ki)cserél, felfrissít *[levegőt, vizet]* • *fn* **renovation**, **renovator**

renown [rɪˈnaʊn] *fn* hírnév, renomé; **man of great/high ~** nagyhírű/hírneves férfi; **win ~** hírnévre tesz szert

renowned [rɪˈnaʊnd] *mn* híres, nevezetes, (hír)neves, nagyhírű

rent[1] [rent] **I.** *fn* **a)** bér(leti díj) **b)** lakbér, házbér; *US* **for ~** kiadó, bérbe adó; (ki)bérelhető; (ki)kölcsönözhető **c)** *közg* járadék; **life ~** életjáradék **II. A.** *tsi* **1. a)** bérel *[ingatlant, US bármit]* **b)** kibérel, bérbe vesz *[ingatlant, US bármit]*, kivesz *[lakást]*; **~ a car** kocsit bérel/kölcsönöz **2.** bérbe ad, kiad *[ingatlant, US bármit]* **3.** bért/bérösszeget kivet *[bérlőre]*; **~ sy high** (túlzottan) magas bért vet ki vkre **4.** *biz* megzsarol (vkt) **B.** *tni* **the house ~s at £7000 a year** a ház évi bére 7000 font

rent[2] [rent] *fn* **a)** szakadás *[ruhán]*, hasadék, repedés *[földben, sziklában]* **b)** *átv* szakadás *[közösségben]*

R

rentability [ˌrentəˈbɪləti] *fn* kibérelhetőség

rentable [ˈrentəbl] *mn* **1.** (ki)bérelhető, bérbe vehető, kivehető **2.** bérbe adható, kiadható **3.** *gazd* rentábilis

rental [ˈrentl] **I.** *mn* bérleti, bér-, kölcsönzési, kölcsön-; **~ car** bérelhető/bérelt (személy)gépkocsi, bérautó; **~ library** *US [napi kölcsönzési díjat szedő]* kölcsönkönyvtár **II.** *fn* **1. a)** bér(összeg) *[ingatlané]* **b)** bérjövedelem **c)** *US* bér(leti díj), használati/kölcsönzési díj; **fixed ~** alapdíj *[telefoné]* **2.** *US* bérlet, bérlemény *[lakás, gépkocsi]*; **car ~** gépkocsikölcsönzés

rent boy *fn* homoszexuális prostituált

renter [ˈrentə ‖ ˈrentər] *fn* **1.** bérlő *[ingatlané, US bármié]* **2. a)** bérbeadó **b)** *film* filmkölcsönző **3.** *GB szl* férfi prostituált

rent-free **I.** *mn* bérmentes, díjmentes **II.** *hsz* **live ~ in a house** lakbérmentesen/házbérmentesen lakik egy házban

rentier [ˈrɒntieɪ ‖ rɑnˈtjeɪ] *fn* járadékos, járadékélvező

rent roll *fn* **1.** bérlők jegyzéke **2.** bérhozam, haszonbér

renumber [riːˈnʌmbə ‖ –ər] *tsi* átszámoz

renunciation [rɪˌnʌnsiˈeɪʃn] *fn* **1.** lemondás, feladás; **letter of ~** lemondólevél **2.** megtagadás, elvetés, visszavonás **3.** önmegtagadás

reobtain [ˌriːəbˈteɪn] *tsi* visszaszerez, visszakap, újra megkap

reoccupy [riːˈɒkjʊpaɪ ‖ –ˈɑkjə–] *tsi* újra/ismét elfoglal

reopen [riːˈoʊpən] **A.** *tsi* **a)** újra/ismét kinyit *[könyvet]*, újra/ismét megnyit/felnyit *[sebet]*; *biz* **~ an old sore** régi (fájó) sebet tép fel **b)** újra/ismét megnyit *[intézményt]*, újra/ismét kinyit/megnyit *[színházat]* **c)** újra/ismét (meg)kezd/(el)kezd *[ellenségeskedést]*, felújít *[veszekedést]* **B.** *tni* **a)** újra kinyílik *[seb]* **b)** újra/ismét megnyílik/kinyit *[színház]*, újra megnyílik/megkezdődik *[iskola]*

reorchestrate [riːˈɔːkəstreɪt ‖ –ˈɔr–] *tsi zene* áthangszerel

reorder **I.** *fn* [ˈriːɔːdə ‖ ˈriːɔrdər] *gazd* utánrendelés **II.** *tsi* [riːˈɔːdə ‖ riːˈɔrdər] *gazd* újból/ismét (meg)rendel *[árut]*, utánrendel

reorganize [riːˈɔːgənaɪz ‖ –ˈɔr–], **-ise** **A.** *tsi* **1.** átszervez, újjászervez *[vállalatot]* **2.** szanál **B.** *tni* újjáalakul *[vállalat]* • *fn* **reorganization**, **reorganizer**

reorient [riːˈɔːrient] *tsi* **a)** új irányba terel *[gondolkozást]* **b)** tájékoztat, orientál **c)** új külsőt ad vkinek

reorientate [riːˈɔːrɪənteɪt ‖ –ˈɔr–] *tsi* átnevel, átgyúr vkt, (más szemszögből) tájékoztat

rep [rep] *fn US szl* hírnév

rep., **Rep.** *röv* **1.** *repair* **2.** *report(er)* **3.** *representative* **4.** *reprint* **5.** *republic* **6.** *Republican(Party)*

repace [riːˈpeɪs] *tsi* visszamegy, hátrafelé megy

repackage [riːˈpækɪdʒ] *tsi* újra-/átcsomagol

repaid [riːˈpeɪd] → **repay**

repaint **I.** *tsi* [riːˈpeɪnt] átfest, újrafest, újramázol, újra befest/bemázol **II.** *fn* [ˈriːpeɪnt] újrafestés, újramázolás, átfestés

repair[1] [rɪˈpeə ‖ rɪˈper] **I.** *tsi* **1. a)** (ki)javít, megjavít, helyreállít, rendbe hoz *[épületet, gépet, utat]* **b)** helyreállít, rendbe hoz *[egészséget]* **2.** helyrehoz, jóvátesz *[hibát, igazságtalanságot]*, visszanyer *[veszteséget]*, megtérít; **~ a defeat** kiköszörüli a vereséggel szenvedett csorbát **II.** *fn* **1. a)** (ki)javítás, rendbehozás *[épületé, gépé, úté]*, tatarozás, helyreállítás *[épületé]*, (meg)reparálás *[szerszámé]*; **major ~** generáljavítás; **road ~s** útjavítás(i munkálatok); **~shop** javítóműhely; autójavító; **make ~s** javításokat végez; **undergo ~s, be under ~** (ki)javítják, javítás alatt van/áll; **beyond ~** helyrehozhatatlan; helyrehozhatatlanul **b)** **~ of one's health** egészségének helyreállítása/rendbehozatala **2. be in (good) ~** jó állapotban/karban van; **be in bad ~, be out of ~** rossz állapotban/karban van **3.** *tsz* **repairs** karbantartási költségek/költség • *fn* **repairer** *mn* **repairable**

repair[2] [rɪˈpeə ‖ –ˈper] *tni* **a)** **~ to a place** (gyakran) (el)jár egy helyre, sűrűn/gyakran látogat egy helyet **b)** **~ to sy** vkhez fordul/folyamodik

repairman [rɪˈpeəmən ‖ –ˈper–] *fn tsz* **-men** szerelő, műszerész, karbantartó

repand [rɪˈpænd] *mn növ* fodros *[levélszél]*

repaper [ˌriːˈpeɪpə ‖ –ər] *tsi* újra tapétáz, papírral újra beragaszt/burkol

reparable [ˈrepərəbl] *mn* **1.** (ki)javítható, megjavítható, helyreállítható, rendbehozható *[épület]* **2.** helyrehozható, jóvátehető *[hiba]*, megtéríthető *[kár]* • *fn* **reparability**

reparation [ˌrepəˈreɪʃn] *fn* **1.** (ki)javítás, megjavítás, rendbehozás *[épületé]* **2. a)** jóvátétel *[igazságtalanságé]*; **in ~ of sg** kárpótlásul vmért, vm jóvátételére **b)** *tsz* **reparations** (anyagi) jóvátétel, jóvátételi szolgáltatások *[legyőzött államé]*

repartee [ˌrepɑːˈtiː ‖ ˌreparˈteɪ] *fn* **a)** visszavágás, elmés/szellemes válasz, talpraesett válasz, riposzt **b)** **be famous for ~** visszavágásairól (v. talpraesett válaszairól) híres

repartition [ˌriːpɑːˈtɪʃn ‖ –pɑr–] **I.** *fn* **1.** újrafelosztás, újbóli felosztás/szétosztás **2. a)** felosztás, szétosztás **b)** megoszlás, eloszlás **II.** *tsi* újból feloszt/szétoszt

repass [riːˈpɑːs ‖ riːˈpæs] **A.** *tsi* **1. a)** újra átkel/átmegy *[tengeren, folyón]* **b)** újból elmegy/elhalad (vm) előtt/mellett **2.** újból megszavaz *[törvényt]* **B.** *tni* **a)** átkel, átmegy, áthatol **b)** újra elmegy/elhalad

repast [rɪ'pɑːst ‖ –'pæst] *fn* **1.** étkezés, lakoma **2.** (elköltött) étel
repat ['riːpæt] *fn* **1.** *GB biz* hazaszállítás *[hadifoglyoké]*, hazatelepítés *[polgári személyeké]* **2.** hazaszállított/hazatelepített ember
repatriate [rɪ'pætrɪət ‖ –'peɪ– –eɪt] **I. A.** *tsi* hazatelepít, visszahonosít, repatriál *[polgári egyéneket]*, hazaszállít *[hadifoglyokat]* **B.** *tni* hazatelepül, hazaköltözik, repatriál **II.** *fn* hazatelepített egyén, repatriáló • *fn* **repatriation**
repave [riː'peɪv] *tsi* újra (ki)kövez/burkol *[úttestet, kőpadlós helyiséget]*
repay ['riːpeɪ] *pt/pp* **repaid** [riː'peɪd] **A.** *tsi* **1. a)** visszafizet, megfizet, megad *[pénzt, kölcsönt]*; **~ sy** megadja/megfizeti/visszafizeti tartozását vknek **b)** *átv* visszafizet, viszonoz *[szívességet stb.]*; **~ evil for good, ~ good with/by evil** jót/jóért rosszal fizet, jót rosszal viszonoz; **~ sy for sg** vknek vmt viszonoz **c) book that ~s reading** könyv, melyet érdemes elolvasni **2. ~ a visit** látogatást viszonoz/visszaad **B.** *tni* **a)** kölcsönt/pénzt visszafizet/megad **b)** *átv* **I will ~!** (ezért) még megfizetek/számolunk! • *fn* **repayment** *mn* **repayable**
repeal [rɪ'piːl] **I.** *tsi* hatálytalanít, megsemmisít, eltöröl *[törvényt, jogszabályt]*, visszavon *[rendeletet, parancsot]* **II.** *fn* hatályon kívül helyezés *[törvényé]*, visszavonás, eltörlés *[rendeleté]*, megsemmisítés, hatálytalanítás *[ítéleté]* • *fn* **repealer** *mn* **repealable**
repeat [rɪ'piːt] **I. A.** *tsi* **1.** (meg)ismétel, (el)ismétel *[kérdést, parancsot]*, újra (el)mond; **~ oneself** önmagát ismétli; **history ~s itself** a történelem (meg)ismétlődik **2. ~ a lesson** leckét felmond **3.** elmond, továbbmond, továbbad *[titkot]*, visszamond *[pletykát]* **B.** *tni* **1.** ismétel *[óra, puska]* **2.** *mat* ismétlődik *[tizedes tört szakasza]* **3.** *biz* feljön *[étel íze]*; **one's food ~s** böfög, felböfögi az étel ízét **4.** *US* kétszer/többször szavaz *[ugyanazon a választáson]* **II.** *fn* **1. a)** ismétlés *[dalban, szövegben]*, *zene* ismétlés, ismétlődő szakasz/rész **b)** *gazd* **~ (order)** utánrendelés, pótrendelés *[változatlan feltételekkel]* **2.** *zene* ismétlőjel • *mn* **repeatable** *hsz* **repeatedly**
repeater [rɪ'piːtə ‖ –ər] *fn* **1. a)** ismétlő **b) ~ (watch)** ismétlőóra, ütőműves zsebóra **c)** *kat* ismétlőfegyver **d)** ismétlő (berendezés) **e)** *távk* jelismétlő, ismétlő állomás **f)** *infor* ismétlő, repeater *[számítógép-hálózatokban]* **2.** *mat* szakaszos tört **3.** visszaeső bűnös **4.** *US* kétszer/többször szavazó *[ugyanazon a választáson]* **5.** *okt* (osztály)ismétlő, évfolyamismétlő **6.** *infor* helyreállító
repeating [rɪ'piːtɪŋ] *mn* **1. ~ rifle/firearm** ismétlőfegyver **2.** *mat* **~ decimal** szakaszos tizedestört
repechage ['repəʃɑːʒ ‖ –'ʃɑʒ] *fn sp* pótselejtező, reményfutam
repel [rɪ'pel] *tsi* **-ll- 1. a)** visszaszorít, visszaver *[támadást, támadót]* **b)** *átv* visszautasít, elutasít *[kezdeményezést, kérelmet]*, megcáfol *[vádat]*; **~ temptation** ellenáll a kísértésnek **2. a)** visszataszít, undorít **b)** *fiz* taszít
repellent [rɪ'pelənt] **I.** *mn* **1. a)** visszataszító, undorító **b)** *fiz* taszító **2.** vízhatlan, víztaszító, vízlepergető *[szövet]* **II.** *fn* **1.** vízhatlan szövet *[esőkabátnak]* **2.** rovarriasztó (szer), riasztószer
repent [rɪ'pent] **A.** *tsi* (meg)bán, sajnál *[hibát, meggondolatlanságot]*, (meg)bán *[bűnt]*, bűnbánatot érez (vm miatt) **B.** *tni* **~ of sg** (meg)bán/sajnál vmt, bánkódik vmn (v. vm miatt), bűnbánatot érez vm miatt • *fn* **repentance**, **repenter** *fn/mn* **repentant**
repeople [riː'piːpl] *tsi* újra benépesít
repercussion [ˌriːpə'kʌʃn ‖ –pər–] *fn* **1.** visszaverődés *[fényé, hangé]*, visszapattanás *[lövedéké]*, visszalökés *[puskáé]* **2. a)** utóhatás, (ki)hatás, következmény *[eseményé, intézkedésé]* **b)** kellemetlen/káros hatás/következmény *[eseményé, intézkedésé]* • *mn* **repercussive**
repertoire ['repətwɑː ‖ 'repərtwɑr] *fn szính* játékrend, műsor, repertoár *[színházé, színészé, zenészé]*; **~ piece** (állandó) műsordarab, repertoár darab *[színházé]*, (állandó) műsorszám *[énekesé, zenekaré stb.]*
repertory ['repətəri ‖ 'repərtɔri] *fn* **1. a)** (adat)tár, gyűjtemény, repertórium **b)** jegyzék, lajstrom, nyilvántartás **c)** *nyelv* → **repertoire 2. a)** *szính* játékrend, műsor, repertoár *[színházé, színészé, zenészé]* **b)** → **repertory company c)** repertoárszínházak **3.** *átv* tárháza vmnek
repertory company *fn szính* állandó színtársulat
repetend ['repɪtend] *fn* **1. a)** szakasz *[tizedestörté]* **b)** szakaszos tört **2.** visszatérő szó/mondat/sor, refrén
repetiteur [reˌpetɪ'tɜː ‖ ˌreɪpeɪtɪ'tɜr] *fn* korrepetitor *[operaénekesé, balettté]*
repetition [ˌrepə'tɪʃn] *fn* **1. a)** (meg)ismétlés, (el)ismétlés **b)** (meg)ismétlődés **2.** másodpéldány *[műé]*, másolat **3.** *okt* **a)** felmondás *[leckéé]* **b)** felelés **4.** *zene* sűrű ismétlés *[hangé]* • *mn* **repetitional**
repetitious [ˌrepɪ'tɪʃəs] *mn* **1.** ismételgető, ismétlésekbe bocsátkozó **2.** unalmas, fárasztó
repetitive [rɪ'petɪtɪv] *mn* ismétlő, ismétlődő
rephrase [riː'freɪz] *tsi* átír, átfogalmaz, átformál *[mondatot]*
repine [rɪ'paɪn] *tni vál* panaszkodik, zúgolódik, elégedetlenkedik, sopánkodik
repique [rɪ'piːk] **I.** *fn ját* kilencvenes *[pikében]* **II.** *tsi/tni ját* kilencvenest csinál (vk ellen)
replace [rɪ'pleɪs] *tsi* **1. a)** visszatesz, visszahelyez, viszszarak, helyretesz, helyrerak; **~ the receiver** visszateszi/leteszi/visszaakasztja a telefonkagylót **b)** visszavisz, visszaad *[pénzt]* **2. a)** helyettesít, pótol, kicserél, felvált; **be ~d by sg** kicserélik/pótolják/felváltják vmvel **b)** helyébe lép, utána következik (vknek/vmnek); **the fax-machine has ~d the telegraph** a faxgép kiszorította a távírót • *fn* **replacer** *mn* **replaceable**
replacement [rɪ'pleɪsmənt] *fn* **1.** visszahelyezés, viszszatevés **2. a)** helyettesítés, pótlás, kicserélés, csere **b)** *tsz* **replacements** *ip* tartalék alkatrészek, pótalkatrészek **3.** *orv* pótlás *[hiányzó tagé/szervé]*, protézis
replant [riː'plɑːnt ‖ –'plænt] *tsi* **1.** átültet *[növényt]* **2.** újra beültet *[területet]*
replay **I.** *fn* ['riːpleɪ] **1.** *sp* újrajátszás *[döntetlen mérkőzés után]* **2.** *média* visszajátszás, ismétlés **II.** *tsi* [riː'pleɪ] *sp* újrajátszik *[mérkőzést]*
replenish [rɪ'plenɪʃ] *tsi* újra megtölt/feltölt/teletölt, utántölt, kiegészít *[raktárat]*; **~ the fire** rátesz a tűzre • *fn* **replenishment**
replete [rɪ'pliːt] *mn* **a)** tele, teli, telt, bővelkedő (vmben) **b)** eltelt, torkig jóllakott • *fn* **repletion**
replevin [rɪ'plevɪn] *fn jog* **1.** visszaszerzés *[jogtalanul elfoglalt birtoké]* **2.** sommás visszahelyezési eljárás **3.** somma
replevy [rɪ'plevi] *jog* **I.** *fn* → **replevin II.** *tsi/tni* **1.** sommás visszahelyezési eljárást indít **2.** újból birtokba lép
replica ['replɪkə] *fn* **a)** eredeti másolata, mása (vmnek), kópia, másodlat *[okmányé]*, hasonmás **b)** *műv* másodpéldány
replicate [–keɪt] *tsi* **1.** válaszol, replikázik **2. a)** ismétel **b)** *zene* oktávban ismétel **3.** visszahajt, visszahajtogat, viszszasodor **4.** *műv* másodpéldányt készít
replication [ˌreplɪ'keɪʃn] *fn* **1.** (viszon)válasz, replika **2. a)** másodpéldány, másolat **b)** utánzat **3.** *zene* replika **4.** *biol* replikáció, másoló szintézis *[DNS]*
reply [rɪ'plaɪ] **I. A.** *tsi* felel, válaszol (vmt) **B.** *tni* válaszol, felel, választ/feleletet ad; **~ to a question** kérdésre válaszol/felel (v. választ/feleletet ad), kérdést megválaszol **II.** *fn* válasz, felelet; **make a ~ to sy** válaszol/felel vknek, választ/feleletet ad vknek; **in ~** válaszul, feleletül; **in ~ to your letter ...** levelére válaszolva ... • *fn* **replier**
repoint [riː'pɔɪnt] *tsi épít* újra kivakol/fugáz *[hézagokat]*
repopulate [riː'pɒpjuleɪt ‖ –'pɑpjə–] *tsi* újra benépesít • *fn* **repopulation**
report [rɪ'pɔːt ‖ rɪ'pɔrt] **I.** *fn* **1. a)** jelentés, beszámoló; **damage ~** kárjelentés; **sick ~** betegjelentés; **weather ~** időjárásjelentés; **~ of market** piacjelentés; **present a ~ on sg** jelentést tesz/előterjeszt vmről **b)** tudósítás, riport

[újságíróé]; *jog* döntvénytár; **newspaper ~** tudósítás, újságriport **c)** országgyűlési jegyzőkönyv/napló; **~ stage** második olvasás *[törvényjavaslaté]* **d)** *okt* **(school) ~** bizonyítvány **2.** (kósza) hír, híresztelés, újság; **by mere ~** csak hírből/szóbeszédből; **as ~ will have it, as ~ has it** a hírek szerint, úgy hírlik, az a hír járja; **spread a ~** elhíresztel vmt **3.** hír(név); **man of good ~** jó hírnévnek örvendő ember, jó hírű ember **4.** durranás, dörrenés *[puskáé]*, dördülés *[ágyúé]* **5.** *kat* **on ~** kihallgatásra **II. A.** *tsi* **1. a)** jelentést tesz, beszámol (vmről); **~ a bill to the House** törvényjavaslatot (az országgyűlés) elé terjeszt; **~ progress to sy** helyzetjelentést ad vknek, tájékoztat vkt az ügy állásáról **b)** tudósít, tudósítást/riportot ír, hírt ad *[eseményről riporter]* **c)** közvetít *[mérkőzést rádión, tévén]* **d)** elmond, hírül ad *[újságot]* **2. a)** (be)jelent; **~ an accident to the police** balesetet a rendőrségen/rendőrségnek bejelent **b)** (fel)jelent *[törvényszegőt, törvénytelenséget]*; **~ sy to the police** vkt feljelent a rendőrségen; **~ oneself** jelentkezik; feljelenti/feladja magát **B.** *tni* **1. a)** jelentést tesz, beszámol **b)** tudósít, beszámol, hírt ad *[riporter]* **2.** jelentkezik; **~ sick** beteget jelent; **~ for work** munkára jelentkezik/megjelenik; *kat* **~ to one's unit** alakulatánál jelentkezik • *mn* **reportable**

reportage [rɪˈpɔːtɪdʒ, ˌrepɔːˈtɑːʒ ‖ –ˈpɔr–, ˌrepərˈtɑʒ] *fn média* tudósítás, riport(összeállítás)

reported [rɪˈpɔːtɪd ‖ –ˈpɔrt–] *mn nyelv* **~ speech** függő beszéd; → **report II.**

reportedly [rɪˈpɔːtɪdli ‖ rɪˈpɔrtɪdli] *hsz* állítólag, ahogy mondják, jelentések szerint

reporter [rɪˈpɔːtə ‖ rɪˈpɔrtər] *fn* **1. a)** tudósító, riporter; **R~s' Gallery** sajtókarzat, újságírókarzat *[parlamentben]* **b)** parlamenti gyorsíró **2.** jelentéstevő

reportorial [ˌrepɔːˈtɔːrɪəl ‖ –pər–] *mn US* újságírói, riporteri

repose[1] [rɪˈpoʊz] *tsi* **~ one's trust/confidence in sy** megbízik vkben, bizalmát veti/helyezi vkbe; **~ one's hope in sy** reményét veti/helyezi vkbe • *fn* **reposal**

repose[2] [rɪˈpoʊz] **I.** *fn* **a)** nyugalom, pihenés, nyugvás; **seek ~** nyugalomra/pihenésre vágyik, nyugalmat keres **b)** alvás **c)** nyugalom, nyugalmi állapot; **features in ~** nyugodt/kisimult arcvonások **II. A.** *tsi* pihentet, nyugtat *[fejet vánkoson]*, lehajt, nyugovóra hajt *[fejet]*; **~ oneself** nyugovóra tér, lepihen **B.** *tni* **1.** nyugszik, pihen **2. a)** nyugszik *[alapon]* **b) my trust ~d in him** benne volt minden bizodalmam, belé vetettem a bizalmamat • *mn* **reposeful**

reposit [rɪˈpɒzɪt ‖ –ˈpɑ–] **I.** *fn* letét **II.** *tsi* letesz, betesz, berak, elhelyez *[biztos helyre]*

reposition [ˌriːpəˈzɪʃn] *tsi* visszaállít *[eredeti helyére]*, kezdeti pozícióba állít

repository [rɪˈpɒzɪtəri ‖ rɪˈpɑzɪtɔri] *fn* **1. a)** raktár, megőrző hely; **~ library** prezenciakönyvtár **b)** tár *[kiállított tárgyaké]*, gyűjtemény, múzeum **c)** tár(ház) *[adatoké, értesüléseké]* **2.** letéteményes *[titoké]* **3.** sír(bolt), nyughely *[halotté]*

repossess [ˌriːpəˈzes] *tsi* **1.** újra birtokba vesz, újra elfoglal, visszaszerez **2. ~ sy of sg** vkt újra vmnek a birtokába helyez, vkt visszahelyez vmnek a birtokába/birtoklásába • *fn* **repossession**

repost [riːˈpoʊst] → **riposte**

repot [riːˈpɒt ‖ riːˈpɑt] *tsi* **-tt-** más cserépbe átültet

repoussé [rəˈpuːseɪ ‖ rəˌpuːˈseɪ] *francia* **I.** *mn* domborított, trébelt *[fémmunka]* **II.** *fn* domborított/trébelt munka

repr. *röv* **1.** *represent(ing)* **2.** *reprint(ed)*

reprehend [ˌreprɪˈhend] *tsi* **a)** megró, (meg)fedd, (meg)pirongat, korhol (vkt) **b)** helytelenít, hibáztat, elítél, roszszall, kifogásol *[viselkedést]* • *fn* **reprehension**

reprehensible [ˌreprɪˈhensəbl] *mn* kifogásolható, hibáztatható, hibáztatandó, megrovást érdemlő, elítélendő, helytelen

represent [ˌreprɪˈzent] *tsi* **1. a)** ábrázol, bemutat, kifejez, jelent **b)** feltüntet, beállít (vmnek); **~ sy/sg as** (v. **to be ...**) vkt/vmt vmnek/vmlyennek feltüntetett/beállít **c)** feltár, megmutat, érzékeltet, lefest *[személyt]* **2. a)** képvisel *[választókerületet, céget]* **b)** jelképez, képvisel; **the flag ~s the nation** a lobogó a nemzetet jelképezi **c)** jelent *[tény vmt]*, jelöl, ábrázol *[jel vm mást]* **3.** megjelenít, megszemélyesít, alakít, játszik *[szerepet színész]* **4.** állít, mond **5.** *pszich* felidéz, alkot *[képzetet]*; **~ sg to oneself** elképzel vmt, fogalmat/képet alkot vmről • *mn* **representable**

re-present [ˌriːprɪˈzent] *tsi* **a)** újra benyújt/bemutat *[pl. számlát]* **b)** újra bemutat/előad (v. színre hoz) *[színdarabot]*

representation [ˌreprɪzenˈteɪʃn] *fn* **1. a)** ábrázolás **b)** feltüntetés, beállítás **2. a)** képviselet; *pol* **proportional ~** arányos képviseleti rendszer, számarány szerinti képviselet **b)** a képviselők, képviseleti testület **3.** előadás, ismertetés *[tényeké]*, állítás; **make false ~s to sy** megtéveszt/félrevezet vkt **4.** ellenvetés, kifogás; **joint ~s** együttes jegyzék/lépés *[diplomáciában]*; **make ~s to sy** kifogást/óvást emel vknél; előterjesztéssel fordul vkhez; diplomáciai lépéseket tesz vknél **5.** *pszich* képzet **6.** *szính* alakítás, megjelenítés

representational [ˌreprɪzenˈteɪʃnəl] *mn műv* ábrázoló; **~ art** tematikus/valóságábrázoló művészet; **~ painting** ábrázoló/tematikus/élethű festészet *[az absztrakttal szemben]*

representationalism [ˌreprɪzenˈteɪʃnəlɪzm] *fn műv* tárgyilagosság, valóságábrázoló irányzat

representative [ˌreprɪˈzentətɪv] **I.** *mn* **1. a)** ábrázoló *[művészet]* **b) illuminations ~ of mediaeval life** a középkori életet ábrázoló/bemutató miniatúrák **2.** képviselő, képviseleti; **~ government** népképviseleti kormányzat **3. a)** jellegzetes, reprezentatív, tipikus; **a ~ modern play** jellegzetesen/tipikusan modern (szín)darab; **exhibition ~ of English art** az angol művészetet (jól) bemutató kiállítás, reprezentatív angol művészeti kiállítás **b)** reprezentatív; **~ sample** reprezentatív minta *[statisztikában]*; *gazd* mintа(darab), áruminta **c)** *tud* tipikus **II.** *fn* **a)** képviselő, megbízott, *US* (országgyűlési) képviselő; *US* **House of R~s** képviselőház; alsóház; *gazd* **district ~** kerületi/vidéki képviselő/megbízott/ügynök; **government ~** kormányképviselő; *gazd* **sole ~s of a firm** cég kizárólagos képviselői/megbízottai/ügynökei **b)** példány *[fajtáé]*

repress [rɪˈpres] *tsi* **a)** elnyom, elfojt, lever *[lázadást]* **b)** elnyom, elfojt *[vágyat, szenvedélyt]*, visszafojt, visszatart *[könnyeket]* • *fn* **represser, repression** *mn* **repressible**

repressive [rɪˈpresɪv] *mn* elnyomó, elfojtó; **~ acts** megtorló intézkedések/lépések, represszáliák; **~ measures** elfojtó/megakadályozó intézkedések *[pl. járvány esetén]* • *fn* **repressiveness**

reprieve [rɪˈpriːv] **I.** *fn* **1.** *jog* **a)** halálbüntetés átváltoztatása **b)** halálbüntetés ideiglenes felfüggesztését kimondó végzés **c)** halálbüntetést átváltoztató kegyelmi okmány, államfői kegyelem **2.** haladék, halasztás, ideiglenes mentesség/nyugalom (*from* vmtől) **II.** *tsi* **1.** *jog* **~ sy** vknek a halálbüntetését ideiglenesen felfüggeszti; vknek a halálbüntetését átváltoztatja **2.** haladékot/halasztást ad *[adósnak]*, ideiglenesen megkímél (vkt), ideiglenesen/átmenetileg könnyít *[szenvedésen]*

reprimand [ˈreprɪmɑːnd ‖ –mænd] **I.** *fn* dorgálás, feddés, megrovás *[hivatalos]*; **incur a ~** *jog* dorgálásban/feddésben részesül; *biz* jól lehordják **II.** *tsi* megdorgál, megfedd, megró *[hivatalosan]*, rendreutasít

reprime [riːˈpraɪm] *tsi* újra feltölt/telít *[szivattyút indítás előtt]*, újra megtölt *[fegyvert]*, újra élesít *[gránátot]*

reprint I. *fn* [ˈriːprɪnt] **a)** változatlan új kiadás, újranyomás, utánnyomás; **~ edition** új lenyomat, változatlan új kiadás; népszerű kiadás **b) (separate) ~** különlenyomat **II.** *tsi* [riːˈprɪnt] újra kinyom(t)at/lenyomtat, változatlan kiadásban megjelentet

reprisal [rɪ'praɪzl] *fn* **a)** *tört* megtorlás, megtorló intézkedés, szankció *[idegen állammal szemben]*; **make ~(s)** megtorlással él, megtorló intézkedéseket tesz/foganatosít **b)** *tsz* **reprisals** *jog* represszáliák *[nemzetközi megtorló és jogsértő eszközök]*

reprise [rɪ'pri:z] *fn* **1.** *tsz* **reprises** *jog* évi levonások; **revenue above/beyond ~s** tiszta/nettó jövedelem **2.** *zene* visszatérés, repríz

reprivatize [ri:'praɪvətaɪz], **-ise** *tsi* magántulajdonba visszaad *[államosított vállalatot]*

repro ['ri:proʊ] *fn tsz* **repros** *biz* másolat, reprodukció

reproach [rɪ'proutʃ] **I.** *tsi* **1.** szemrehány(ást tesz) (*sy about sg* vknek vm miatt), megfedd vkt; **~ sy with sg** vmt szemére vet/lobbant vknek, felhány(torgat) vknek vmt; hibáztat vkt vmért, vádol vkt vmvel; **~ sy for/with doing sg ~ sy for having done sg** szemrehányást tesz vknek, amiért vmt megtett (v. vmnek a megtételéért) **2.** kifogásol, helytelenít, rosszall, elítél *[tettet]* **3.** szégyent/gyalázatot hoz (vkre), vmre, szégyene, gyalázata (vknek), vmnek **II.** *fn* **1.** szemrehányás; **term of ~** szemrehányó kifejezés; becsmérlő/(becsület)sértő kifejezés; **beyond/above ~** kifogástalan, feddhetetlen **2. a)** szégyen(folt); **be a ~ to sg** a szégyene/szégyenfoltja vmnek **b)** szégyen, gyalázat, becstelenség; **knight without fear and without ~** félelem és gáncs nélküli lovag; **live in ~ and ignominy** szégyenben és gyalázatban él **3.** *tsz* **reproaches** *vall* ‹Krisztus panaszéneke az ószövetségi nép hálátlanságáról› *[nagypénteki katolikus szertartásban]* • *mn* **reproachable**

reproachful [rɪ'proutʃfl] *mn* **1.** szemrehányó, rosszalló; **~ look** szemrehányó/megrovó tekintet **2.** szégyenteljes, gyalázatos *[életmód, viselkedés]*

reprobate ['reprəbeɪt] **I.** *mn* **a)** *biz* semmirekellő, haszontalan, mihaszna **b)** elvetemült, kitaszított *[szűkebb közösségből]*, *vall* (el)kárhozott **II.** *fn* **a)** *biz* semmirekellő, mihaszna, gazember **b)** elvetemült ember, *vall* (el)kárhozott ember **III.** *tsi* **a)** kárhoztat, elítél *[tettet, tervet, vkt]*, megbélyegez, helytelenít **b)** *vall* megvet, elvet, kárhozatra ítél *[bűnöst Isten]* • *fn* **reprobation**

reprocess [ri:'prouses ‖ –'prɑ–] *tsi ip* újra feldolgoz *[hulladékanyagot]*, újra megmunkál

reproduce [ˌri:prə'dju:s ‖ –'du:s] **A.** *tsi* **1. a)** újra előállít/alkot, reprodukál, (meg)ismétel, (le)másol *[művet]* **b)** visszahív, megismétel *[múltat]*, felidéz **c)** (híven) visszaad **2. a)** sokszorosít, reprodukál **b)** *áll* szaporít, nemz, létrehoz *[utódot]* **c)** újra növeszt *[szervet]* **d)** *növ* szaporít **3. a)** újra kiad/megjelentet *[könyvet]* **b)** újra előad, felújít *[színdarabot]* **4.** *távk* reprodukál, visszajátszik, újra lejátszik **B.** *tni* **1.** szaporodik **2. print that will ~ well** jól sokszorosítható/reprodukálható nyomat • *fn* **reproducer**, **reproducibility** *mn* **reproducible**

reproduction [ˌri:prə'dʌkʃn] *fn* **1. a)** újbóli előállítás, reprodukálás, *közg* újratermelés **b)** visszaadás *[vonásé, hatásé, hangé stb.]*, *távk* hangvisszaadás **2. a)** sokszorosítás **b)** *növ áll* szaporodás **c)** *fiz* **~ constant/factor** sokszorozási tényező, k-tényező

reproductive [ˌri:prə'dʌktɪv] *mn* **1.** újrateremtő, reproduktív **2. a)** sokszorosító **b)** szaporító, szaporodási; **~ organs** szaporítószervek, reproduktív szervek, nemzőszervek; **~ failure** infertilitás; **~ performance** szaporodási teljesítmény, szaporodási mutató **3.** szapora • *fn* **reproductiveness**

reprogram [ri:'prougræm] *tsi* átprogramoz

reprography [rɪ'prɒgrəfi ‖ –'prɑ–] *fn* reprográfia

reproof [rɪ'pru:f] *fn* rosszallás, korholás, feddés, gáncs

re-proof [ri:'pru:f] *tsi* újra impregnál

reproval [rɪ'pru:vl] *fn* rosszallás, korholás

reprove [rɪ'pru:v] *tsi* **a)** (meg)fedd, korhol, megró, (meg)pirongat, megdorgál **b)** elítél, helytelenít, rosszall, megró *[cselekedetet]* • *mn* **reprovable**

reprover [rɪ'pru:və ‖ –ər] *fn* erkölcsbíró

reptile ['reptaɪl ‖ 'reptl] **I.** *fn* **a)** *áll* hüllő **b)** *átv biz* csúszómászó, talpnyaló, aljas féreg **II.** *mn* **a)** *áll* csúszómászó **b)** *átv biz* csúszómászó, talpnyaló, alávaló, nemtelen; **the ~ press** a lepénzelt sajtó • *mn* **reptilian**

republic [rɪ'pʌblɪk] *fn* **a)** köztársaság **b)** *biz* **the ~ of letters** az irodalmi világ, az írók világa/társadalma

republican [rɪ'pʌblɪkən] **I.** *mn* **a)** köztársasági **b)** köztársasági érzelmű, köztársaságpárti, republikánus; *US* **R~ Party** Republikánus Párt **II.** *fn* köztársasági érzelmű (v. köztársaságpárti) személy, republikánus, a köztársaság(i eszme) híve; *US* **R~** a republikánus párt híve, republikánus

republicanism [rɪ'pʌblɪkənɪzm] *fn* **a)** köztársasági rendszer, a köztársasági kormányzás eszméi/elvei **b)** köztársasági érzület/álláspont/felfogás, republikanizmus **c)** *US* **R~** a republikánus párt eszméi/(alap)elvei, republikanizmus

repudiate [rɪ'pju:dieɪt] **A.** *tsi* megtagad *[barátot, korábbi véleményt]*, eltaszít *[személyt]*, nem vállal, nem ismer el, visszautasít, elutasít *[kötelezettséget]*, elvet *[elméletet]*, elutasít *[feltételeket]*; **~ a debt** megtagadja adósságának megfizetését *[állam]* **B.** *tni* adósságát nem ismeri el, megtagadja adósságának megfizetését *[állam]* • *fn* **repudiation**

repugnance [rɪ'pʌgnəns] *fn* **1.** undor, heves ellenérzés/ellenszenv/ellenkezés, nagyfokú idegenkedés, antipátia; **feel/have ~ for sy** ellenszenvet érez vk iránt, idegenkedik/undorodik vktől **2.** ellentmondás, ütközés *[eszmék, elméletek között]*

repugnancy [rɪ'pʌgnənsi] → **repugnance**

repugnant [rɪ'pʌgnənt] *mn* **1.** visszataszító, ellenszenves, undort/ellenszenvet keltő/kiváltó **2.** ellentmondó, ütköző, össze nem egyeztethető; **such conduct is ~ to his character** az ilyen magatartás ellentmondásban van (v. nem fér össze) jellemével **3.** taszító *[erő]*

repulse [rɪ'pʌls] **I.** *fn* **1.** visszaverés, visszaveretés, kudarc; **meet with a ~**, **suffer a ~** visszaverik, visszaszorítják, vereség éri **2.** ledorongolás, rideg visszautasítás **II.** *tsi* **1.** visszaver, visszaszorít, visszavet *[támadást, ellenséget]* **2. a)** ledorongol (vkt) **b)** ridegen visszautasít *[baráti közeledést]* **3.** undort kelt (vkben), undorít (vkt)

repulsion [rɪ'pʌlʃn] *fn* **1.** iszony(at), undor, idegenkedés, irtózás; **feel physical ~** fizikai undort érez **2. a)** visszaverés **b)** *fiz* taszítás

repulsive [rɪ'pʌlsɪv] *mn* **1.** visszataszító, ellenszenves, undorító **2.** elutasító, ledorongoló **3.** *fiz* taszító

repurchase [ri:'pɜ:tʃəs ‖ –'pɜr–] **I.** *fn* **1. a)** *gazd* visszavásárlás, visszavétel **b)** *jog* visszavásárlási jog; **with option of ~** visszavásárlási joggal/lehetőséggel, fenntartva a visszavásárlás jogát/lehetőségét **2.** visszavásárolt áru **II.** *tsi* visszavásárol

reputable ['repjʊtəbl ‖ 'repjə–] *mn* **1.** jó hírű/nevű, megbecsült, tekintélyes **2.** bevett, elismert *[szokás, gyakorlat]*

reputation [ˌrepjʊ'teɪʃn ‖ ˌrepjə–] *fn* **a)** hír(név), jó hírnév; **of bad ~** rossz hírű, rossz hírben álló; **acquire/make a ~** hírnevet szerez (magának), hírnévre tesz szert; **enjoy a high ~** jó hír(név)nek örvend, jó híre/neve van; **be held in ~** megbecsülésben/tiszteletben tartják, tiszteletben áll; **know sy only by ~** csak hírből ismer vkt **b)** jó hír; **care for one's ~** ad/vigyáz a jó hírére

repute [rɪ'pju:t] **I.** *fn* **a)** hír(név); **know sy by ~** vkt hírből ismer; **place of ill ~** rossz hírű hely; **of no ~** nem híres/kiemelkedő, szürke, átlagos, ismeretlen **b)** jó hír; **doctor of ~** híres/neves (v. jó nevű) orvos **II.** *tsi* **be ~d (to be) wealthy** gazdag ember hírében áll

reputed [rɪ'pju:tɪd] *mn* **1.** híres, neves, jónevű, jó hírű **2.** állítólagos, feltételezett, feltehető; *jog* **~ father** vélelmezett apa; **~ pint** nem hitelesített pintesüveg; **a ~ Rembrandt** állítólagos Rembrandt-kép, Rembrandtnak tulajdonított kép

reputedly [rɪ'pju:tɪdli] *hsz* állítólag, hír szerint, amint hírlik/mondják

R

request [rɪˈkwest] **I.** *tsi* **a)** kér, kíván, folyamodik; *gazd* **as ~ed** kívánság/kérés szerint; **~ sg of sy** vmt kér vktől; **an answer is ~ed** kérem szíveskedjék válaszolni, választ kérünk/várunk **b) ~ sy to do sg** megkér vkt vmre; *vál* **~ the honour of the company of sy** (v. **sy's company**) tisztelettel meghív vkt **II.** *fn* **1.** kérés, kérelem, kívánság; **make a ~** kér, kérést/kérelmet előad; **grant a ~** kérést/kívánságot teljesít; **at the ~ of sy, at sy's ~** vknek a kérésére/kérelmére; **(up)on ~** kérésre, kívánatra **2.** kereslet; **be in ~** keresett, kapós, kelendő *[áru]*; felkapott **3. a)** kívánság *[kívánságműsorba beküldött levél]* **b)** dal, zeneszám *[kívánságműsorban]*

request programme *fn* kívánságműsor

request-stop *fn GB* feltételes megállóhely

requiem [ˈrekwɪəm] *fn* **a)** *vall* **~ (mass)** gyászmise, rekviem **b)** *biz* gyászének **c)** megemlékezés

requiescat [ˌrekwiˈeskæt ‖ –ˈkɑt] *fn latin* ima az elhunyt nyugalmáért

require [rɪˈkwaɪə ‖ –ər] *tsi* **a)** (meg)kíván, (meg)követel, elvár; **~ sg of sy** vmt (meg)kíván/(meg)követel vktől; **~ (of) sy to do sg** megkívánja/megköveteli vktől, hogy vmt megtegyen **b)** igényel, (meg)kíván, (meg)követel *[körülmény, feladat, cél vmt]*, kell (vm), szüksége van (vmre), szükségessé tesz (vmt), feltételez *[mint szükségszerűt]*; **if ~d** szükség esetén, ha kell/szükséges; **when ~d** szükség esetén, (majd) ha kell, amikor kell/szükséges

required [rɪˈkwaɪəd ‖ –ərd] *mn* (meg)kívánt, szükséges, kellő, előírt, megszabott; *US okt* **~ subjects** kötelező tantárgyak; *okt* **~ reading** kötelező olvasmány(ok); **in the ~ time** a kellő időben; **he has the money ~** megvan hozzá a szükséges pénz(összeg)

requirement [rɪˈkwaɪəmənt ‖ –ər–] *fn* követelmény, kívánalom, előfeltétel, kellék; *közg* **consumption ~** fogyasztási szükséglet; **meet/suit sy's ~s** megfelel vk követelményeinek, megfelel a vk által támasztott követelményeknek

requisite [ˈrekwɪzɪt] **I.** *mn* (feltétlenül) szükséges, kellő, megkívánt, velejáró **II.** *fn* **a)** követelmény, szükséglet, velejáró **b)** kellék; **office ~s** írószerek, irodai felszerelés

requisition [ˌrekwɪˈzɪʃn] **I.** *fn* **1. a)** követelés, felszólítás, *GB jog* idézés **b)** *kat* rekvirálási parancs **c)** *jog* kikérés *[szökevényé idegen államtól]* **2. a)** igénybevétel; **be in constant ~** állandó használatban van **b)** *kat* katonai igénybevétel, rekvirálás; **put sg in ~, call sg into ~** *kat* katonai célra igénybe vesz vmt, vmt rekvirál; *biz* igénybe/használatba vesz vmt **II.** *tsi* **a)** igénybe vesz; **~ sy's services** vknek a szolgálatait igénybe veszi **b)** *kat* katonai célra igénybe vesz, rekvirál (vmt), rekvirálást hajt végre *[városban]*

requisition number *fn* hivatkozási szám

requite [rɪˈkwaɪt] *tsi* **1.** viszonoz *[szolgálatot, szívességet]*, (meg)jutalmaz; **~ sy's love** viszonozza vknek a szerelmét, viszontszeret vkt; **~ sy for a service** szolgálatáért/szívességéért megjutalmaz vkt **2.** megtorol, megbosszul *[sérelmet]*; **~ sy for his perfidy** megbüntet vkt gaztettéért/álnokságáért; **~ with ingratitude** hálátlansággal viszonoz (v. fizet vissza) • *fn* **requital**

requited [rɪˈkwaɪtɪd] *mn* **ill ~** rosszul megjutalmazott; **~ love** kölcsönös/viszonzott szerelem

rerail [riːˈreɪl] *tsi* sínekre visszahelyez/visszaállít (v. újra beemel) *[vasúti kocsit]*

re-read [riːˈriːd] **I.** *tsi pt/pp* **re-read** [riːˈred] újra (v. még egyszer) elolvas/átolvas **II.** *fn* [ˈriːriːd] újbóli átolvasás

re-record [ˌriːrɪˈkɔːd ‖ –ˈkɔrd] *tsi* **a)** *film* áttesz, átmásol *[film hangszalagját másik filmre]* **b)** (hang)felvételt készít *[hangszalagról, hanglemezről stb.]*

reredos [ˈrɪədɒs ‖ ˈrɪrdɑs] *fn* **1.** *vall* ‹oltár hátsó falát alkotó faragott dísz› **2.** nyílt tűzhely hátsó fala

re-release I. *fn* [ˈriːrɪliːs] **1.** *film* felújítás, újrajátszás, újra műsorra tűzés *[filmé]* **2.** újrajátszott/vetített film **II.** *tsi* [ˌriːrɪˈliːs] újrajátszik, újravetít *[filmet]*

re-roll *tsi* [riːˈroʊl] **a)** újra csavar/teker **b)** újra hengerel **c)** újra dob *[dobókockával]*

re-route [ˈriːruːt] *tsi* más útvonalra ráirányít/terel, átterel *[forgalmat]*, átirányít *[küldeményt]*; áttelepít

rerun I. *fn* [ˈriːrʌn] **a)** *film* (meg)ismétlés, újrajátszás *[filmé]* **b)** *film* repríz, felújítás *[filmé]* **c)** megismételt/újrajátszott film **d)** *infor* ismételt futás, újrafuttatás **II.** *tsi pt* **reran** [riːˈræn], *pp* **rerun** *nyomd* újranyom *[azonos szedést, lemezt stb.]*

res [reɪz ‖ reɪs] *fn tsz* **res** [riːz] *jog* dolog, ügy; **~ communes** mindenki közös java *[pl. levegő, víz]*, „res communis omnium" *[római jogban]*; **~ judicata** (jogerős) ítélettel eldöntött per/vita

res. *röv* **1.** *research* **2.** *reserve* **3.** *residence* **4.** *resident*

resack [riːˈsæk] *tsi* átzsákol

resaddle [riːˈsædl] *tsi* újra (fel)nyergel, átnyergel *[lovat]*

resale [ˈriːseɪl, riːˈseɪl] *fn* újra eladás, viszonteladás • *mn* **resalable**

resale price *fn* viszonteladási ár

resale price maintenance *fn GB közg* viszonteladói árkarbantartás/árrögzítés

resampling [riːˈsɑːmplɪŋ ‖ riːˈsæmplɪŋ] *fn* másodszori próbavétel, minták összehasonlítása

resaw I. *tsi* [riːˈsɔː] *pt* **resawed**, **resawn** [riːˈsɔːn] viszszavág, deszkára fűrészel **II.** *fn* [ˈriːsɔː] hosszantvágó/viszszavágó fűrész

reschedule [riːˈʃedjuːl ‖ –ˈskedʒəl] *tsi/tni* **1.** átalakítja a műsorrendet *[tv-ben, rádióban]*, átütemez *[programot]* **2.** *közg* átütemez *[hiteleket]*

rescind [rɪˈsɪnd] *tsi* érvénytelenít *[szavazatot]*, hatálytalanít, megsemmisít *[ítéletet, határozatot]*, visszavon, eltöröl, hatályon/érvényen kívül helyez *[törvényt]*, felbont, megsemmisít *[szerződést]* • *fn* **rescission** *mn* **rescindable**

rescore [riːˈskɔː ‖ –ʃkɔr] *tsi zene* áthangszerel, újra hangszerel *[pl. operát]*

rescript [ˈriːskrɪpt] *fn* **1. a)** *jog* rendelet, parancs, határozat, leirat, dekrétum; **royal ~** legfelsőbb kézirat *[királyságban]* **b)** pápai válaszirat **2.** másolat, másolás, újraírás

rescue [ˈreskjuː] **I.** *tsi* **1.** kiszabadít, megszabadít, kiment, megment, segít, segítségére siet (vknek); **~ a name from oblivion** megment nevet a feledéstől (v. attól, hogy feledés homályába kerüljön); **the ~d (men)** a megmenekült/megmentett férfiak; a megmenekültek **2.** *jog* **a)** erőszakkal megszöktet/kiszabadít, erőszakkal kiragad az igazságszolgáltatás kezei közül **b)** erőszakkal lefoglal *[javakat]* **II.** *fn* **1.** kiszabadítás, megszabadítás, (ki)mentés, megmentés *[pl. tűzből]*, segítség; **come/go to the ~ of sy** vk segítségére siet; **to the ~!** segítség! **2.** *jog* **a)** erőszakos/törvénytelen kiszabadítás/megszöktetés *[rabé]* **b)** javak erőszakos/önhatalmú lefoglalása • *fn* **rescuer** *mn* **rescuable**

rescue operation *fn* mentési művelet, mentőakció

rescue party *fn* mentőosztag, mentőkülönítmény

reseal [riːˈsiːl] *tsi* újra lepecsétel

research [rɪˈsɜːtʃ ‖ ˈriːsɜrtʃ] **I.** *fn* kutatás, vizsgálat, vizsgálódás; **desk ~** rendelkezésre álló adatok alapján végzett (v. szekunder statisztikai) vizsgálat/kutatás; **field ~** helyszíni kutatás/felvétel/kutatómunka **II.** *tni* kutat, *[tudományos, technikai stb.]* kutatásokat folytat/eszközöl, vizsgálódik, búvárkodik, kutatómunkát végez; **~ into sg** vmt alaposan/tüzetesen kivizsgál/megvizsgál, vmt alapos vizsgálatnak vet alá • *fn* **researcher**

re-search *tsi* újra/újból keres *[bizonyos helyen]*, újra átkutat *[zsebeket]*

research and development *fn közg* kutatás-fejlesztés

research centre *fn* kutatóközpont

research department *fn* kutatóosztály *[gyáré, intézményé]*

research engineer *fn* kutatómérnök

researcher [rɪˈsɜːtʃə ‖ rɪˈsɜrtʃər] *fn* **1.** tudományos kutató/munkatárs **2.** nyomozó

research institute *fn* kutatóintézet

R

research programme [ˈ– –] *fn* kutatási program
research scholarship *fn* kutatói ösztöndíj
research work *fn* kutatómunka, kutatás, vizsgálódás
research worker *fn* tudományos kutató, kutató(tudós), tudományos munkatárs *[kutatóintézetben]*
reseat [riːˈsiːt] *tsi* **1.** újra leültet (vkt) **2.** új üléssel/ülőrésszel ellát *[széket, nadrágot]* **3.** megerősít *[patkót]*
réseau [ˈrezoʊ ‖ reɪˈzoʊ, rə–] *fn* **1.** rece *[csipkéé]*, háló **2. a)** *műsz* rács **b)** *csill* hálózat *[fényképlemezen]*
resect [rɪˈsekt] *tsi orv* levág, kivág, reszekál, csonkol *[csontot]* • *fn* **resection**
reseda [ˈresɪdə ‖ rɪˈsiːdə] **I.** *mn* rezedaszínű, szürkészöld **II.** *fn* **1.** *növ* rezeda **2.** szürkészöld szín
reseize [riːˈsiːz] *tsi* **a)** újra megragad/megfog/megszerez, visszaszerez **b)** *jog* újra birtokba vesz • *fn* **reseizure**
resell [riːˈsel] *tsi pt/pp* **resold** [riːˈsoʊld] megint/újra elad, továbbad, viszontelad
resemblance [rɪˈzembləns] *fn* **a)** hasonlóság, hasonlatosság; **bear a ~ to sg** hasonlít vmhez **b)** képmás • *mn* **resemblant**
resemble [rɪˈzembl] *tsi* **1.** hasonlít (vkre, vmre), megközelít (vkt, vmt) *[kinézetre]* **2.** (össze)hasonlít, egybevet
resent [rɪˈzent] *tsi* (meg)neheztel, megorrol (vmért), zokon vesz, rossz néven vesz (vmt); **~ criticism** rosszul viseli a kritikát, rossz néven veszi a kritikákat
resentful [rɪˈzentfl] *mn* **1.** megbántott, neheztelő **2.** neheztelő, haragtartó
resentment [rɪˈzentmənt] *fn* neheztelés, megbántódás
reservation [ˌrezəˈveɪʃn ‖ –zər–] *fn* **1. a)** helyfoglalás, előre rendelés *[jegyé]*, foglalás *[szobáé]*, fenntartás *[helyé]*, helybiztosítás, félretétel, rezerválás; **make a ~** szobát foglal *[szállodában]*; helyjegyet vált *[vonatra]*; lefoglal egy helyet *[repülőgépre]* **b)** *US* fenntartott/lefoglalt hely **2.** *jog* fenntartás, kikötés, záradék; **with ~s** (bizonyos) fenntartásokkal/megszorításokkal/kikötésekkel; **accept sg without ~** vmt fenntartás/kikötés/feltétel nélkül elfogad (v. magáévá tesz) **3.** rezervátum **4. central ~** *GB* középső elválasztó sáv *[autópályán]*
reserve [rɪˈzɜːv ‖ rɪˈzɜrv] **I.** *tsi* **1. a)** fenntart, tartalékol, eltesz, félretesz, készletez, megőriz, tartogat; **~ oneself for the end** végére tartogatja az erejét; **~ the right to do sg** fenntartja magának a jogot vm megtételére; **all rights ~d** minden jog fenntartva; **~ a seat for sy** helyet/ülést fenntart vk részére **b)** fenntartással él **2.** korlátoz **II.** *fn* **1. a)** tartalék(készlet), tartalékalap, tartalékadag, rezerv(a); *pénz* **cash ~s** készpénztartalék; **gold (and silver) ~** érckészlet, arany és ezüst tartalék; **hidden ~** rejtett tartalék; *ját* **draw a card from ~** kártyát húz a talonból; **have sg in ~** készen/tartalékban/készletben tart vmt **b)** *jelzői haszn* tartalék(-), -tartalék; *közg* **~ account** tartalékszámla; **~ bank** → **federal** I.1. **2. a)** *kat* **the ~** a tartalék(állomány); **~ officer** tartalékos tiszt; **build up ~s** tartalékokat összpontosít **b)** *sp* tartalék(játékos), tartalékversenyző **c) the ~** tartalékcsapat **3.** → **reservation** 3. **4. a)** fenntartás, kikötés, megszorítás, korlátozás; **under ~** fenntartással; *gazd* **with the usual ~** szokásos fenntartással **b) be sold without ~** minimális ár (v. alsó árhatár megállapítása) nélkül adják el *[árverésen]* **5.** tartózkodás, mérséklet, diszkréció, visszafogottság **6.** alapszínű/dekoráció nélküli rész *[kerámián, textilen]*
re-serve [riːˈsɜːv ‖ –ˈzɜrv] *tsi* újra felszolgál/feltálal
reserved [rɪˈzɜːvd ‖ rɪˈzɜrvd] *mn* **1.** fenntartott *[fülke, szakasz stb.]* **2.** *kat* **~ list** pótkeret; **be on the ~ list** tartalékos **3.** tartózkodó, zárkózott, kimért, hallgatag; **be ~ with sy** tartózkodó/kimért vkvel szemben
reservoir [ˈrezəvwɑː ‖ ˈrezərvwɑr] *fn* **1.** *épít* víztároló, (víz)gyűjtő medence, tároló medence, (víz)tartály, víztorony, *földr* víztározó **2. a)** *átv* **a great ~ of facts** a tények hatalmas tárháza **b)** *orv* **~ (host)** kórokozó-hordozó, bacilusgazda **3.** *geol* **~ rocks** likacsos/olajtartó kőzetek
reset I. *tsi* **-tt-** [riːˈset], *pt/pp* **reset 1.** helyretesz (vmt), visszahelyez, visszarak (vmt), új foglalatba tesz *[drágaköveket stb.]*; **~ the table** újra megterít *[asztalt]* **2.** *műsz* beállít, utánállít *[gépet]*, visszaszerel; **~ an instrument to zero** műszert nullára/zéróra visszaigazít; **~ a watch** utánaigazít/beállít (kar)órát **3.** *infor* újraindít, reszetel **4. ~ a limb** végtagot helyretesz (v. helyére tesz) **5.** *nyomd* újra (ki)szed, átszed *[más betűtípusból]* **II.** *fn* [ˈriːset] *infor* visszaállítás, alaphelyzetbe állítás, reszet
resettle [riːˈsetl] **A.** *tsi* **1.** újra gyarmatosít/betelepít *[országot]* **2.** újra rendbe hoz/elintéz *[vitás ügyeket stb.]* **B.** *tni* **1.** újra letelepedik/megtelepül; visszatér a polgári életbe *[leszerelt katona]*; **~ to an occupation** újrakezd foglalkozást, újra munkához lát **2. a)** leülepszik *[pl. bor szállítás után]* **b)** ismét lecsillapul • *fn* **resettlement**
reshape [riːˈʃeɪp] *tsi* átalakít, átformál, újjáalakít, átdolgoz
resharpen [riːˈʃɑːpn ‖ –ˈʃɑr–] *tsi* újra (ki)élesít/(meg)köszörül *[szerszámot]*, újra megfarag/kihegyez *[ceruzát]*
reshuffle I. *tsi* [riːˈʃʌfl] **1.** újra (meg)kever *[kártyákat]* **2.** *biz* átszervez *[személyzetet stb.]*, átalakít *[kormányt]* **II.** *fn* [ˈriːʃʌfl] **1.** újra (meg)keverés *[kártyáké]* **2.** *biz* átszervezés, személyi változások; **~ of the Cabinet** kormányátalakítás
reside [rɪˈzaɪd] *tni* **1.** lakik, tartózkodik, székel; **permission to ~** lakhatási/letelepedési engedély **2.** székel, lakozik, rejlik, jelen van *[tulajdonság]*; **its weakness ~s in** gyengéje abban rejlik(, hogy) **3.** *vegy* leülepszik
residence [ˈrezɪdəns] *fn* **1.** (állandó) tartózkodás, lakás; **~ is required** a bennlakás kötelező, kötelező bennlakás *[intézményben]*; **change one's ~** megváltoztatja lakóhelyét/lakását; (el)költöz(köd)ik; **take up one's ~ somewhere** letelepszik vhol **2. a)** (állandó) lakóhely, állandó tartózkodási hely, (állandó) lakás, székhely **b)** kastély, palota, rezidencia
residence permit *fn* tartózkodási engedély
residency [ˈrezɪdənsi] *fn* **1.** rezidencia, kormányzói palota *[gyarmaton]* **2.** *tört* brit kormányzóság/ügyvivőség *[gyarmatokon]* **3.** *US orv* kórházi szakosító tanfolyam/gyakorlat *[gyakorló orvosnak]* **4.** *GB* fellépési hely *[zenészeké]* **5.** kémszervezet
resident [ˈrezɪdənt] **I.** *fn* **1. a)** (állandó) lakos, helybeli (lakos) **b)** bennlakó **c)** telepes **2.** titkosügynök, kém **3.** *tört* brit politikai ügyvivő *[gyarmaton]*, helytartó **II.** *mn* **1.** (benn)lakó, tartózkodó, székelő; *áll* **~ birds** fészekülő madarak; **~ maid** állandó/bennlakó háztartási alkalmazott; *okt* **~ master** bennlakó tanító/tanár *[felügyeleti hatáskörrel]*; **~ minister**, **minister ~** miniszterrezidens; **~ population** állandó/helybeli lakosság; **be ~ in a place** vhol lakik, vhol állandóan tartózkodik **2.** *infor* rezidens, állandóan a tárban lévő **3. difficulties ~ in the situation** a helyzetben rejlő nehézségek
residential [ˌrezɪˈdenʃl] *mn* **1. a)** lakó-, tartózkodó, tartózkodási; **~ area/district** lakónegyed *[kertes házakból]*; *okt* **~ college** (bennlakásos) felsőoktatási intézmény; **~ course** bentlakásos tanfolyam **b)** lakható, beépíthető *[terület]* **2. ~ qualification** választói cenzus *[adóalap]*; háztulajdonost/lakót megillető választói jog
residentiary [ˌrezɪˈdenʃəri ‖ –ʃieri] **I.** *mn* lakó, tartózkodó, székelő **II.** *fn vall* **(canon) ~** ‹székhelyén való állandó tartózkodásra köteles kanonok›
residual [rɪˈzɪdʒuəl] **I.** *mn* **1.** *vegy* megmaradó, visszamaradt, maradék, leülepedett, (le)ülepedő, kicsapódó; *fiz* **~ charge** maradéktöltés; **~ oil** lepárlási maradék, mazut; *fiz* **~ radiation** visszamaradó (radioaktív) sugárzás, maradéksugárzás; **~ solution** anyalúg **2.** megmaradó, fennmaradó, hátralékos, reziduális *[hiba, ellenvetés, kifogás]* **II.** *fn* **1.** *vegy* üledék, csapadék, visszamaradt anyag, maradék **2.** *mat* maradék, különbség *[kivonásnál]* **3.** számítási hiba, különbözet

residuary [rɪˈzɪdʒʊəri ‖ –dʒueri] *mn* **1.** *vegy* → **residual I.1. 2.** (meg)maradó, fennmaradó, hátralékos, reziduális; *jog* ~ **devisee/legatee** általános/egyetemes örökös; főörökös
residue [ˈrezɪdjuː ‖ –duː] *fn* **1. a)** *vegy* üledék, csapadék, visszamaradt anyag, gyök *[vegyületben]*, *fiz* bomlási maradék, maradvány, reziduum **b)** hulladék **2. a)** maradék, maradvány; *jog* ‹összes adósságok kifizetése után megmaradó örökösödési összeg› **b)** hátralék **c)** *gazd* többlet, felesleg *[leltározásnál]*
residuum [rɪˈzɪdjʊəm] *fn tsz* **residua** [–djʊə] **1.** → **residue 1.b. 2.** *mat* maradvány, maradék, *[kivonásnál]*
resign [rɪˈzaɪn] **A.** *tsi* **1. a)** lemond, leköszön *[tisztségről, állásról]*, beadja/benyújtja lemondását; **the ~ing commander** a búcsúzó/távozó parancsnok; ~ **from the cabinet** kilép a kormányból; lemond *[miniszter]* **b)** lemond *[jogról]*, letesz *[reményről]*, felad *[reményt]*; ~ **sg to sy** lemond vmről vknek a javára, átenged vmt vknek, rábíz vmt vkre; ~ **sy to the care of sy** vknek a gondjaira bíz vkt; ~ **one's soul to God** Istennek ajánlja lelkét **2. a)** ~ **oneself to sleep** álomba merül, átadja magát az alvásnak **b)** ~ **oneself to sg** belenyugszik/beletörődik vmbe; hozzászokik *[kellemetlenséghez]*; ~ **oneself to doing sg** (kelletlenül) rászánja/ráadja magát vm megtételére **B.** *tni* **1.** lemond, leköszön, beadja/benyújtja lemondását **2.** belenyugszik, beletörődik
re-sign *tsi* újra aláír (vmt)
resignation [ˌrezɪgˈneɪʃn] *fn* **1.** lemondás, leköszönés **2.** lemondólevél; **tender one's ~, hand/send in one's ~** lemond, benyújtja lemondását **3.** megnyugvás, beletörődés, rezignáció
resigned [rɪˈzaɪnd] *mn* **1. a)** beletörődő, belenyugvó, elszánt, rezignált **b)** nyugodt **2.** lemondott, leköszönt *[tiszt, képviselő]*
resile [rɪˈzaɪl] *tni* **1. a)** fürgén/élénken/gyorsan visszalép/(meg)hátrál, visszaugrik **b)** *jog* ~ **from a contract** szerződést felbont/megsemmisít, szerződéstől visszalép **2. a)** visszanyeri eredeti alakját, visszaugrik *[eredeti állapotába rugalmas test]* **b)** visszapattan *[labda]* **c)** *biz* fitogtatja erejét, tele van lendülettel *[személy]*
resilience [rɪˈzɪlɪəns] *fn* **1.** rugalmasság; **spring ~** rugó ereje **2.** lendület, rugalmasság, mozgékonyság *[személynél]*; **have ~** tele van lendülettel/eréllyel, mozgékony, rugalmas *[személy]*
resilient [rɪˈzɪlɪənt] *mn* rugalmas, visszapattanó, visszaugró; *átv biz* **be ~** tele van lendülettel/eréllyel, mozgékony, rugalmas *[személy]*
resin [ˈrezɪn] **I.** *fn* gyanta, kolofónium; *vegy* ~ **acid** gyantasav; ~ **elastic** kaucsuk **II.** *tsi* gyantával bevon, gyantáz • *mn* **resinoid, resinous**
resipiscence [ˌresɪˈpɪsns] *fn* megbánás *[a javulás ígéretével]*, hiba belátása, megokosodás
resist [rɪˈzɪst] **A.** *tsi* **1. a)** ellenáll, ellenszegül *[támadásnak, hőségnek, kísértésnek]*; **a temptation strong to be ~ed** ellenállhatatlan kísértés **b) he cannot ~ a pun** nem tudja megállni hogy szójátékot ne csináljon, nem tudja megállni, hogy kihagyjon egy ziccert **2.** ellenez *[tervet]*, szembeszáll, szembeszegül *[paranccsal]*, akadályoz (vmt); ~ **authority** tekintéllyel/hatósággal szembeszáll, tekintélynek/hatóságnak ellenszegül; ~ **the authority of the Court** tagadja a bíróság illetékességét **3.** *műsz* kibír, elbír *[rugó/gerenda súlyt/nyomatékot]*, ellenáll *[rugó nyomásnak]* **B.** *tni* ellenkezik, ellenáll; **spring that no longer ~s** rugó, amely többé nem ugrik vissza • *fn* **resistibility** *mn* **resistible**
resistance [rɪˈzɪstəns] *fn* **1. a)** ellenállás, helytállás, szembeszállás; **passive ~** passzív ellenállás; **deal with ~** leküzdi az ellenállást; *biz* **follow/take the line of least ~** a legkisebb ellenállás irányát (v. a legkönnyebb megoldást/utat) választja; a könnyebb végét fogja a dolognak; **offer (a stiff) ~, put up a (stout) ~** makacs/kemény/szívós ellenállást tanúsít, makacsul/szívósan/keményen ellenáll **b)** ellenállási szervezet *[titkos szervezet]* **2. a)** *fiz vill* elektromos/ohmos/valós ellenállás; **magnetic ~** mágneses ellenállás, reluktancia; ~ **of air** légellenállás; ~ **to heat** hőállóság, tűzálló képesség; ~ **to impact** ütőszilárdság, ütési/lökési ellenállás **b)** *vill* ellenállás(szekrény), reosztát; *vill* **adjustable/regulating variable ~** szabályoz(hat)ó/változtatható ellenállás; potenciométer
resistant [rɪˈzɪstənt] *mn/fn* ellenálló
resistor [rɪˈzɪstə ‖ –ər] *fn vill* ellenállás
resit I. *fn* [ˈriːsɪt] *GB okt* pótvizsga, utóvizsga **II.** *tsi* [riːˈsɪt] *GB okt* pótvizsgázik, utóvizsgázik
re-sole [riːˈsoʊl] *tsi* (újra) megtalpal *[cipőt]*
resoluble [rɪˈzɒljʊbl ‖ rɪˈzɑljəbl] *mn* **1. body ~ into its elements** részeire (fel)bomló/feloldódó test/anyag **2.** megoldható *[probléma]*
resolute [ˈrezəluːt] *mn* elszánt, eltökélt, határozott; **be ~ to do sg** el van tökélve/szánva (v. eltökélt) vmnek a megtételére
resolution [ˌrezəˈluːʃn] *fn* **1.** határozat, döntés, határozati javaslat; **adopt/carry/pass a ~** határozati javaslatot elfogad, határozatot hoz; **put a ~ to the meeting** határozati javaslatot terjeszt a gyűlés/értekezlet elé **2.** elhatározás, szándék; **form/make a ~** elhatároz vmt **3.** (el)határozottság, elszántság, eltökéltség, szilárdság; **lack of ~** határozatlanság; **man of ~** határozott/elszánt ember **4. a)** *vegy* feloldás, cseppfolyósítás, oldás, *vegy* oldódás, felbomlás, cseppfolyósodás **b)** *fiz el távk* (kép)felbontás, felbontóképesség *[lencséé]* **c)** felszívódás *[daganaté]* **5.** megoldás, megfejtés *[problémáé]* **6.** *zene* disszonancia feloldása **7.** *ir.tud* hosszú szótag két röviddel való helyettesítése
resolutive [rɪˈzɒljʊtɪv ‖ rɪˈzɑljətɪv] **I.** *mn* **1.** *jog* (fel)bontó, (szerződés)felbontást lehetővé tevő *[záradék]* **2.** *orv* oldó hatású *[szer]* **II.** *fn régi* → **resolvent II.**
resolve [rɪˈzɒlv ‖ rɪˈzɑlv] **I. A.** *tsi* **1. a)** felbont, felold *[vmt alkotóelemeire]*, elemez; *zene* ~ **a discord** disszonanciát felold **b) the House ~d itself into a committee** az országgyűlés bizottságá alakult át **2.** megold, megfejt, megmagyaráz *[problémát, nehézséget]*, eloszlat *[kételyt]* **3. a)** elhatároz, eldönt, határozatot hoz *[bizottság]* **b)** ~ **to do sg** elhatározza/eltökéli (v. úgy dönt), hogy megtesz vmt **4.** hosszú szótagot két röviddel helyettesít *[verstan]* **B.** *tni* **1.** (részekre) (fel)bomlik/feloldódik/elolvad **2.** elhatározza magát; ~ **upon sg, ~ (on) doing sg, ~ to do sg** elhatározza vmnek a megtételét, elhatározza, hogy vmt megtesz **II.** *fn* **1. a)** elhatározás, szándék **b)** határozat; **make a ~ to do sg** elhatározza/eltökéli, hogy vmt megcsinál/megtesz **c)** *US jog* határozat, döntés **2.** eltökéltség, elszántság, határozottság • *fn* **resolvability** *mn* **resolvable**
resolved [rɪˈzɒlvd ‖ rɪˈzɑlvd] *mn* elhatározott, eltökélt
resolvent [rɪˈzɒlvənt ‖ –ˈzɑl–] *vegy* **I.** *mn* oldó (hatású) *[szer]* **II.** *fn* oldószer, oldó hatású szer
resolving power *fn fiz fényk távk* felbontóképesség, felbontás
resonance [ˈrezənəns] *fn* **1. a)** *zene* zengés *[hangé]*, együtthangzás, rezonancia; ~ **box** hangszekrény; hangfenék, rezgőlap *[hangszeré, hangvilláé]* **b)** *el* ~ **circuit** rezonancia áramkör, rezgőkör **2. a)** *fiz* rezonancia **b)** *orv* kopogtatási/hallgatózási hang
resonant [ˈrezənənt] *mn* **1.** hangvisszaverő, rezonáns *[szoba]* **2.** zengő; ~ **voice** zengő hang **3.** *orv* teljes/éles/nem-dobos kopogtatási hang
resonate [ˈrezəneɪt] *tni* zeng, visszhangzik, rezonál
resonator [ˈrezəneɪtə ‖ –tər] *fn vill* rezonátor, *távk* üregrezonátor
resorb [rɪˈsɔːb ‖ rɪˈsɔrb] *tsi* (újra)felszív, magába szív, elnyel
resorcin [rɪˈzɔːsɪn ‖ –ˈzɔr–] *fn vegy* rezorcin
resorption [rɪˈsɔːpʃn ‖ –ˈsɔr–] *fn* **a)** (újra)felszívás, elnyelés **b)** (újra)felszívódás, rezorpció • *mn* **resorptive**
resort [rɪˈzɔːt ‖ rɪˈzɔrt] **I.** *fn* **1. a)** segédeszköz, segélyforrás, erőforrás **b)** vmhez folyamodás, vmnek az igénybevétele; **last ~** (i) *jog* legmagasabb fórum (ii) az utolsó mentsvár/remény/megoldás; **in the last ~** végül is, végső

R

esetben/megoldásként; utolsó mentsvárként; ha minden kötél szakad; **without ~ to compulsion** erőszak igénybevétele nélkül; **have ~ to sg** igénybe vesz vmt, folyamodik vmhez **c)** megoldás; **the only ~** az egyetlen megoldás/lehetőség/kiút/segítség **2.** látogatottság, látogatás, érintkezés, összejövés; **place of great ~** népszerű hely, erősen látogatott hely **3. a)** tartózkodási/találkozóhely, szórakozóhely, *US* rossz hírű mulatóhely; **all-night ~** éjszakai mulató, lokál; **a famous ~** híres étterem/szálloda/klub **b) holiday ~** üdülőhely, nyaralóhely, fürdőhely **c)** menedék(hely) **II.** *tni* **1.** felhasznál, igénybe vesz, folyamodik (vmhez); **~ to force** erőszakhoz folyamodik, erőszakot alkalmaz/használ (v. vesz igénybe); **~ to sy** vkhez folyamodik; **~ to a trick** csellel él (hogy) **2.** ellátogat, (el)megy (vhova); **~ to a place** egy helyre özönlik/tódul; egy helyet (gyakran) látogat

re-sort [ˌriːˈsɔːt ‖ ˌriːˈsɔrt] *tsi* újra osztályoz/elrendez

resorter [rɪˈzɔːtə ‖ –ˈzɔrtər] *fn* törzsvendég *[fürdőhelyen]*, gyakori/sűrű látogató (vhol)

resound [rɪˈzaʊnd] **A.** *tsi vál régi* **1.** ünnepel (vkt), dicséretét zengi (vknek) **2.** (újra) megszólaltat, zenget *[hangot]* **B.** *tni* **1.** zeng, harsog, visszhangzik **2.** visszhangzik, visszaverődik, rezonál *[hang]* **3.** elterjed *[hír]*, visszhangja van/támad *[eseménynek]*

resounding [rɪˈzaʊndɪŋ] *mn* zengő, harsogó, visszhangzó; **~ success** hangos/zajos siker

resource [rɪˈzɔːs, –ˈsɔːs ‖ rɪˈzɔrs, –ˈsɔrs] **I.** *fn* **1. a)** találékonyság, lelemény(esség); **man of ~** leleményes/ötletes/ügyes ember; **be full of ~** igen leleményes/ötletes/talpraesett/ügyes, ötletdús **b)** kiút, kibúvó, mentsvár, menedék; **last ~** utolsó menedék; **ruined without ~** menthetetlenül tönkretett **2. a)** készlet, eszköz **b)** *tsz* **resources** erőforrás, pénzeszközök, anyagi eszközök/források, vagyon; **fall back upon one's ~s** (pénz)tartalékaihoz nyúl; **leave to one's own ~s** magára hagy vkt **c)** *infor* erőforrás **3.** pihenés, időtöltés, szórakozás, kikapcsolódás **II.** *tsi* anyagi segítséget nyújt, támogat • *mn* **resourceful** *mn* **resourceless**

resource allocation *fn infor* erőforráskiosztás; erőforrás hozzárendelés

resource sharing *fn infor* erőforrások megosztása

resource-sharing network *fn infor* erőforrás-megosztó(hálózat)

resow [riːˈsoʊ] *tsi pt* **resowed** *pp* **resowed/resown** [riːˈsoʊn] (újra) bevet, elvet

resp. *röv* **1.** *respective* **2.** *respectively* illetőleg, ill.

respect [rɪˈspekt] **I.** *fn* **1.** tisztelet, tisztelés; **~ for the law** a törvények tisztelete; **out of ~ for sy** tekintettel vkre; vk iránti tiszteletből; **with all due ~ (to you)** minden tiszteletem a tiéd, de ...; az ön iránt érzett minden megbecsülés ellenére; tisztesség ne essék szólván; **have ~ for sy** tisztel vkt, tisztelettel viseltetik/van vk iránt **2.** *tsz* **respects** üdvözlet; **give him my ~s** add/adja át neki (tiszteletteljes) üdvözletemet; add/adja át neki tiszteletemet; **pay one's ~s to sy** tiszteleg (v. tiszteletét teszi) vknél **3. a)** összefüggés, kapcsolat, vonatkozás; **in one ~** egy vonatkozásban; **with ~ to sg** vmre vonatkozóan, vmt illetően; tekintettel vmre **b)** szempont, tekintet; **in certain/some ~s** bizonyos szempontból; egy bizonyos fokig; **in this ~** e(bben a) tekintetben; ebből a szempontból **4.** tekintet, figyelem(bevétel), számbavevés; **have/pay ~ to sg** figyelembe/tekintetbe vesz vmt **II.** *tsi* **1.** tisztel (vkt), respektál (vkt, vmt), méltányol (vkt, vmt); **~ the law** tiszteletben tartja a törvényt **2.** tekintettel van (vmre), tekintetbe vesz (vmt); **~ persons** tekintettel van egyes személyekre; **he's a man who ~s nothing** olyan ember, aki semmire sincs tekintettel (v. akinek semmi sem szent) **3.** vonatkozik (vmre), vonatkozásban áll (vmvel), érint (vmt); **as ~s ...** ami ...-t illeti

respectability [rɪˌspektəˈbɪləti] *fn* **1. a)** tiszteletreméltóság, tisztesség, jóhírűség **b)** társadalmi formákhoz való ragaszkodás; **maintain the respectabilities (of life)** ragaszkodik a (társadalmi) hagyományokhoz; fenntartja a látszatot/külsőséget **2.** *tréf* tiszteletre méltó személy; **the respectabilities of the town** a város előkelőségei

respectable [rɪˈspektəbl] *mn* **1.** tiszteletre méltó, tisztes, jó hírű **2. a)** tisztességes, becsületes; **~ society** jó társaság **b)** illő, elfogadható *[öltözék]*; **it isn't ~** ez nem illik **3. a)** elfogadható, tűrhető, eléggé/meglehetősen jó **b)** tekintélyes; **~ number of people** emberek szép számban; jó sokan; *biz* **she is of a ~ age** tisztes korban van **4.** (mesterkélten) hagyományos, konzervatív, konvencionális

respecter [rɪˈspektə ‖ –ər] *fn* tisztelő, figyelembe vevő (személy); **be no ~ of the law** semmibe veszi a törvényeket, fütyül a törvényekre; **a ~ of persons** ‹aki a rangbeli/tekintélybeli szempontokat másoknál nagyon figyelembe veszi›

respectful [rɪˈspektfl] *mn* tisztelettudó, tiszteletteljes, tisztes; **be ~ of tradition** tiszteli (v. tiszteletben tartja) a hagyományokat/szokásokat; alkalmazkodik a szokásokhoz; **stand at a ~ distance** tisztes távolságban áll • *fn* **respectfulness**

respecting [rɪˈspektɪŋ] *elölj* vonatkozó(lag), illető(en); **questions ~ a matter** egy ügyre vonatkozó kérdések

respective [rɪˈspektɪv] *mn* illető, megfelelő, saját, mindenkinek a magáé/sajátja; **they retired to their ~ rooms** ki-ki (v. mindegyikük) visszavonult saját szobájába

respectively [rɪˈspektɪvli] *hsz* **a)** illetőleg, illetve **b)** illetően **c)** kölcsönösen, külön(-külön)

respell [riːˈspel] *tsi pt/pp* **respelled** v. **respelt** [riːˈspelt] **1. a)** újrabetűz *[szót]* **b)** kiejtés szerint ír le, átír (fonetikus írással), fonetizál *[szót]* **2.** megváltoztatja (egy szó) helyesírását

respirable [ˈrespɪrəbl] *mn* belélegezhető, belélegzésre alkalmas

respiration [ˌrespɪˈreɪʃn] *fn biol* **1.** lélegzés, légzés; **artificial ~** mesterséges légzés; **nasal ~** orron át való légzés; **oral ~** szájon át való/történő lélegzés **2. a)** lélegzetvétel, belehelés **b)** lélegzet

respirator [ˈrespɪreɪtə ‖ –ər] *fn* **1.** *orv* légzőkészülék, respirátor **2.** gázmaszk, gázálarc

respiratory [rɪˈspɪrətəri, ˈrespə– ‖ ˈrespərətɔri] *mn orv* légző, lélegző; **~ failure/insufficiency** légzési elégtelenség; **~ tracts** légutak

respire [rɪˈspaɪə ‖ –ər] **A.** *tni* **1.** *orv* lélegzik **2.** *biz* fellélegzik, ismét lélegzethez jut **B.** *tsi* kilehel, kilélegez, belehel, belélegez

respite [ˈrespɪt, –paɪt ‖ –pɪt] **I.** *fn* **1.** pihenés, pihenő, szünet, nyugalom **2.** *jog* (idő)haladék, halasztás, határidő meghosszabbítás; **days of ~** kíméleti napok; **a three months' ~** háromhavi haladék; **grant a ~ for payment** fizetési haladékot ad **II.** *tsi* **1. a)** haladékot ad (vknek) **b)** elhalaszt *[döntést, ítéletet]* **2.** félbeszakít (vmt), egy időre megszüntet *[fájdalmat]*, nyugalmat/pihenést engedélyez *[szenvedőnek]*

resplendent [rɪˈsplendənt] *mn* csillogó, ragyogó, tündöklő, fénylő, sugárzó • *fn* **resplendence**

respond [rɪˈspɒnd ‖ rɪˈspɑnd] *tni* **1.** válaszol, felel; **~ to a letter** megválaszol levelet **2. a)** érzékeny (vmre); **~ to music** érzéke van a zenéhez; a zene hat(ással van) rá **b)** visszahat, reagál (vmre); **fail to ~ to sg** nem reagál vmre **c)** viszonoz (vmt) **d)** engedelmeskedik **3.** *US jog* felel(ős) (vmért); **~ in damages** kártérítésre kötelezik • *fn* **respondence**

respondent [rɪˈspɒndənt ‖ rɪˈspɑn–] **I.** *mn* **1.** válaszoló, felelő, válaszadó *[kérdőívre]* **2.** érzékeny, reagáló (vmre) **II.** *fn* **1.** felelő **2.** *jog* **a)** alperes *[házassági bontóperben]* **b)** első fokon pernyertes *[aki terhére fellebbezéssel éltek]*

response [rɪˈspɒns ‖ rɪˈspɑns] *fn* **1. a)** felelet, válasz **b)** felelés, válaszolás, válaszadás **2.** reagálás, reakció, viszontérzés; **in ~ to your kind invitation** eleget téve kedves meghívásának

response time *fn infor* válaszidő

R

responsibility [rɪˌspɒnsəˈbɪləti ‖ –ˌspɑn–] *fn* **1.** felelősség; **post of ~** felelős állás; **accept ~ for sg** felelősséget vállal vmért; **do sg on one's own ~** saját felelősségére tesz vmt; **take the ~ of sg** felelősséget vállal vmért; **without ~ on our part** minden felelősség nélkül **2.** kötelezettség **3.** *tsz* **responsibilities** *US biz* gyermekek

responsible [rɪˈspɒnsəbl ‖ –ˈspɑn–] *mn* **1. a)** felelős (vmért); **~ editor** felelős kiadó/szerkesztő; **be ~ for sy** felel(ős) vkért; **he is not ~ for his actions** nem felelős tetteiért, cselekedeteiért nem vonható felelősségre; **hold sy ~** felelőssé tesz vkt **b) ~ for sg** vmért okolható/felel(ős); vmnek az oka/okozója **2.** felelős, megbízható; **in ~ quarters** illetékes helyen **3.** felelősségteljes *[állás]* **4.** *gazd* fizetőképes, szolvens

responsive [rɪˈspɒnsɪv ‖ –ˈspɑn–] *mn* **1. a)** érzékeny, fogékony, befolyásolható **b)** vm behatására megfelelően visszaható (v. kedvezően reagáló), rokonszenvező, rugalmasan reagáló; **be ~ to sg** érzékenyen/hevesen reagál vmre **c)** könnyen vezethető/irányítható, készséges, alkalmas **2.** felelő, válaszoló; **~ letter** válaszlevél • *fn* **responsiveness**

responsory [rɪˈspɒnsəri ‖ –ˈspɑn–] *fn vall zene* responzórium, antifona

ress-cress [ˌresˈkres] *fn* rózsakereszt

rest[1] [rest] **I. A.** *tsi* **1. a)** pihentet, nyugtat; **God ~ his soul!** Isten nyugosztalja; **colour that ~s the eyes** szemet nyugtató szín; **~ one's men** pihenteti az embereit **b)** tesz, helyez, rak, támaszt; **~ sg against sg** nekitámaszt vmt vmnek **c) ~ one's case on equity** a méltányosságra alapítja/alapozza ügyét; **~ one's case on sg** vmnek az álláspontjára helyezkedik **d) ~ a title** jogcímet elismer **2.** *US jog* **~ the case** befejezi párbeszédét **B.** *tni* **1. a)** pihen, alszik; **let him ~ in peace** nyugodjék békében **b)** nyugszik, szünetet tart; **~ from one's labours** kipiheni fáradalmait; *US* **~ up** (jól) kipiheni magát; *mezőg* **let a piece of ground ~** parlagon hagy (v. pihentet) egy földdarabot **c)** (meg)nyugszik, nyugton/nyugalomban van, nyugton marad **2. a)** fekszik, nyugszik; **let one's glance ~ on sg** szemét pihenteti vmn, legelteti szemét vmn; **the difficulty ~s in this** a nehézség ebben rejlik **b)** támaszkodik, nyugszik, alapszik; **trade ~s upon credit** a kereskedelem alapja a hitel **c)** bízik; **I ~ upon your promise** rábízom magam az ígéretedre **II.** *fn* **1. a)** pihenés, nyugalom, nyugvás, nyugvópont; *fiz* **~ energy** nyugvó/nyugalmi energia; **~ support** fekvőtámasz; **day of ~** pihenőnap; szünnap, munkaszüneti nap; **I could get no ~** nem tudtam aludni/pihenni; nem hunytam le a szemem; **go/retire to ~** lepihen, pihenni megy/visszavonul; **laid to ~** eltemették, *átv* fátylat vetettek rá; **at ~** nyugalomban; nyugton; nyugalmi állapotban; nyugodt, mozdulatlan, pihenő (vm); **set at ~** megpihentet, lefektet; véget vet *[vitának]*; nyugtat (vkt, vmt); **set doubts at ~** eloszlatja a kétségeket; **set sy's fears/mind at ~** megnyugtat vkt; **take/have a ~** (meg)pihen, kipiheni magát **b)** nyugalmi helyzet; **come to ~** megáll, leáll **2. a)** *zene* szünet(jel), pauza; **bar's ~** egy teljes ütem hosszúságú szünet, egész szünet **b)** megállás *[beszédben]* **3.** pihenőhely, pihenőszoba *[sofőröknek]* **4.** támasztó, támaszték, állvány, *épít* pillér, támoszlop

rest[2] [rest] **I.** *fn* **1.** maradék, maradvány, a többi; **the ~ of his days** élete hátralevő része; *biz* **and all the ~ (of it)** és minden egyéb; és minden, ami aztán következik; **for the ~** különben, egyébként; ami a többit illeti **2. the ~** a többiek; **the ~ of us** mi többiek **3.** *pénz gazd* **a)** számlamaradvány, tartozásmaradvány **b)** számadás, elszámolás **II.** *tni* **1.** marad; **you may ~ assured** nyugodt lehet (afelől) **2. it ~s with you** öntől/tőled függ; önön/rajtad múlik/áll; ebben te döntesz/határozol; **the responsibility ~s with the author** a felelősség a szerzőt terheli

re-staff *tsi* személyzettel újból ellát *[házat, üzemet]*

re-stage *tsi szính* felújít, újra színpadra visz *[darabot]*

rest and relaxation *fn US kat* pihenő

rest area *fn US közl* pihenő(parkoló) *[autópálya mellett]*

restart I. [riːˈstɑːt ‖ –ˈstɑrt] **A.** *tsi* **1.** újrakezd, folytat *[munkát]* **2.** újra elindít, beindít *[gépet, motort]*, *infor* újraindít **B.** *tni* **1.** újra (meg)kezdődik, kiújul **2.** újra elindul/beindul *[gép]* **II.** *fn* [ˈriːstɑːt ‖ –stɑrt] **1.** újraindulás, újrakezdés **2.** újraindítás

restate [riːˈsteɪt] *tsi* újból kifejt *[elméletet]*, újra felvet *[problémát, kérdést]*, újra leszögez, újra szavakba önt, újra megfogalmaz *[álláspontot, véleményt]* • *fn* **restatement**

restaurant [ˈrestərɒnt ‖ ˈrestərənt, –rɑnt] *fn* étterem, vendéglő

restaurant-car *fn GB vasút* étkezőkocsi

restaurateur [ˌrestərəˈtɜː ‖ –ˈtɜr] *fn* vendéglős, fogadós

rest cure *fn* pihenőkúra, fekvőkúra

rest day *fn* pihenőnap, munkaszüneti nap

restful [ˈrestfl] *mn* **1.** nyug(od)almas, nyugodt **2.** pihentető, megnyugtató • *fn* **restfulness**

rest home *fn* szanatórium, idősek otthona

rest-house *fn* **1.** vendégfogadó **2.** menedékház

resting-place *fn* pihenőhely; **last ~** sír(bolt); temető

restitution [ˌrestɪˈtjuːʃn ‖ –ˈtuːʃn] *fn* **1. a)** visszaállítás, helyreállítás, visszaadás, visszatérítés; **make ~ of sg** visszaad vmt **b)** kártérítés, kárpótlás, kielégítés; **~ in kind** természetbeni kárpótlás; természetbeni helyreállítás **c)** *jog* rehabilitálás, visszahelyezés jogaiba; **~ of conjugal rights** házastársi jogokba való visszahelyezés **2. a)** *vall* **the ~ of all things** teljes visszaállítás, maradéktalan kártalanítás **b)** *fiz* **~ of an elastic body** rugalmas test visszaalakulása (eredeti állapotába/formájába) • *mn* **restitutive**

restive [ˈrestɪv] *mn* **1.** nyugtalan, ideges, türelmetlen; **be ~** mozgolódik, zavarog *[tömeg]* **2.** csökönyös *[ló]* **3.** irányíthatatlan, befolyásolhatatlan *[személy]* • *fn* **restiveness**

restless [ˈrestləs] *mn* **1.** nyugtalan, nyugalom nélküli; **a ~ night** nyugtalan/álmatlan éjszaka **2. a)** izgatott, nyugtalan, állandóan mozg(olód)ó/forgolódó, ideges; **grow ~** nyugtalankodik, türelmetlenkedik; **~ thoughts** nyugtalan gondolatok; **be ~ in one's sleep** egész éjjel forgolódik, nyugtalanul alszik **b)** nyugtalan, lármás, zajongó, zsivajgó, féktelen *[gyerek]* **c)** szüntelen • *fn* **restlesness**

restock [riːˈstɒk ‖ –ˈstɑk] *tsi* **1.** *gazd* újra megtölt, feltölt *[raktárakat]*, új készlettel ellát **2. a)** újranépesít, újra halasít *[tavat]* **b)** újra fásít/erdősít

restoration [ˌrestəˈreɪʃn] *fn* **1.** visszaadás; *jog* **~ of goods taken in distraint** foglalás feloldása *[ingók tekintetében]* **2.** helyreállítás, újjáépítés, restauráció, restaurálás, rekonstruálás *[régi szövegé]* **3. a)** munkába visszavétel, újbóli alkalmazás **b)** újraképzés, visszanyerés *[vagyoné]* **c)** meggyógyulás, helyreáll(ít)ás *[egészségé]* **4.** visszahelyezés a trónra, restauráció; *tört* **the R~** ‹II. Károly trónralépése 1660-ban, a Stuartok restaurációja› a Stuart restauráció *[1660–1685-ig, ill. 1702-ig]*

restorative [rɪˈstɔːrətɪv] *orv* **I.** *mn* **1.** gyógyító, helyreállító, erősítő, roboráló *[szer]* **2.** szíverősítő *[orvosság]* **II.** *fn* erősítő szer

restore [rɪˈstɔː ‖ rɪˈstɔr] *tsi* **1.** visszaad (vmt); **~ sg to sy** visszaad vmt vknek; **he got ~d to liberty** kiszabadult, szabadlábra helyezték **2. a)** helyreállít, restaurál, helyrehoz *[szobrot]*, felújít, rekonstruál *[szöveget]* **b)** visszaállít *[jogaiba]*, visszavesz *[állásába]* **3. a) ~ sg to its place** visszahelyez/visszatesz vmt, helyére tesz vmt **b) ~ sy to favour** kegyeibe visszafogad vkt; **~ the king (to the throne)** újra trónraülteti a királyt **c)** meggyógyít, felüdít; **~ sy to health** meggyógyít vkt; visszaadja vknek az egészségét; **~ sy to life** megment vkt az életnek; **~ sy's strength** helyreállítja/visszaadja vk erejét **4. a)** újra helyreállít *[békét, nyugalmat]*; **~ order** helyreállítja a rendet **b) ~ the circulation** újra megindítja a forgalmat; **~ one's fortune** visszaszerzi vagyonát

re-store *tsi* újra ellát/felszerel (vmvel)

restorer [rɪˈstɔːrə ‖ rɪˈstɔrər] *fn* **1.** restaurátor *[képé, szövegé, bútoré]* **2. health ~** erősítő szer

R

restrain [rɪˈstreɪn] *tsi* **1. a)** visszatart, megakadályoz (vkt) **b)** korlátoz **2.** fogva tart (vkt) **3.** megfékez, megzaboláz, fékentart, visszatart *[szenvedélyt, haragot]*; **~ one's mirth** elfojtja/visszafojtja (magába fojtja) a nevetést; kuncog; **~ oneself** fékezi magát

restraint [rɪˈstreɪnt] *fn* **1. a)** korlátozás, korlátok közé szorítás, megszorítás, megfékezés, kikötés *[feltételek közé szorítás]*; **~ of/upon trade** a kereskedelem korlátozása; **without ~** korlátlanul, fékezetlenül, teljesen szabadon; **put a ~ on sy** korlátoz (v. korlátok közé szorít) vkt; mérsékel/féken tart/fékez vkt **b)** korlátozottság **2. a)** tartózkodás, önuralom, józanság, mérséklet; **lack of ~** fesztelenség; féktelenség **b)** egyszerűség *[stílusé]* **3. a)** fogvatartás, bezárás *[börtönbe, elmegyógyintézetbe]*; **keep sy under ~** fogva tart vkt, lakat alatt tart vkt **b)** tilalom, zárolás

restrict [rɪˈstrɪkt] *tsi* korlátoz, megszorít, megszabott keretek közé szorít, megfékez

restricted [rɪˈstrɪktɪd] *mn* **a)** korlátolt, korlátozott, megszorított, csökkentett, szűkre szabott, (le)szűkített; **~ area** *GB* útszakasz sebességkorlátozással; *US* korlátozott gépkocsiforgalmú terület; *rep* korlátozott/tilos légtér; **~ diet** szigorú diéta; **~ horizon** szűklátókör **b)** *kat* (szigorúan) bizalmas *[irat]*; **~ matter** bizalmas ügyirat/információ

restriction [rɪˈstrɪkʃn] *fn* **a)** megszorítás, korlátozás, akadály(oztatás); **~ of expenditure** a kiadások csökkentése; **place ~s on the sale of sg** korlátozza vm eladását **b)** *kat* **~ to limits/quarters** laktanyafogság, szobafogság **c)** *biol* restrikció, kizárás, megszüntetés

restrictive [rɪˈstrɪktɪv] *mn* korlátozó, megszorító, akadályozó, körülhatároló, szűkítő *[meghatározás]*; *nyelv* **~ clause/modifier** megszorító értelmű mellékmondat/módosító; *GB* **~ practice** korlátozás, hátrányos megkülönböztetés

restring [riːˈstrɪŋ] *tsi pt/pp* **restrung** [riːˈstrʌŋ] **1.** újrafelfűz *[gyöngyöket]* **2.** újra húroz *[hegedűt, teniszütőt]*

restringe [riːˈstrɪndʒ] *tsi* körülhatárol, szűkít, korlátoz

rest room *fn* **1.** *US* nyilvános illemhely, mosdó, vécé **2.** pihenőhelyiség

restructure [riːˈstrʌktʃə ‖ –ər] *tsi* átszervez, átformál, átstrukturál

restructuring [riːˈstrʌktʃərɪŋ] *fn pol* átrendeződés, peresztrojka

restyle I. *fn* [ˈriːstaɪl] átstilizálás, új stílus **II.** *tsi* [riːˈstaɪl] átstilizál, átfésül

result [rɪˈzʌlt] **I.** *fn* **1.** eredmény, következmény, folyomány; *nyelv* **~ clause** következményes mondat; **as a ~, in ~** végül (is); **as a ~ of sg** vm eredményeképpen; **give no ~** nem vezet eredményre; **publish the ~ of the poll** nyilvánosságra hozza a választás eredményét; **yield no ~(s)** eredménytelen, nem hoz eredményt **2.** *mat* eredmény **II.** *tni* **1.** származik, ered, következik (vmből), következményekkel jár; **it ~s from this that** ebből az következik, hogy; **consequences ~ing from sg** vmnek a következményei **2. a)** végződik (vmben), eredményez, vezet; **this ~ed in the fall of the Government** ez a kormány bukását okozta/eredményezte **b)** *sp* **the match ~ed in a draw** a meccs/játszma döntetlenül végződött **3.** *jog* visszaszáll, viszszaszármazik (vkre) • *mn* **resultless**

resultant [rɪˈzʌltənt] **I.** *mn* eredő, származó; *mat* **~ curve** eredő görbe, eredménygörbe; *műsz* **~ force** eredő erő **II.** *fn műsz* eredő (erő)

resume [rɪˈzjuːm ‖ rɪˈzuːm] **A.** *tsi* **1.** folytat *[beszélgetést, utat]*, újra felvesz *[kapcsolatot]*, újrakezd *[munkát]*; **~ one's labour** újból munkába áll, újra dolgozni kezd **2.** viszszanyer, visszaszerez, visszafoglal, visszavesz; **~ one's courage** visszanyeri bátorságát; **~ one's seat** újból leül, újból elfoglalja helyét/székét **B.** *tni* **1.** folytat vmt; *pol* **the House ~d yesterday** a Ház tegnap újból összeült; a Ház folytatta a vitát • *mn* **resumable**

résumé [ˈrezjumeɪ, ˈreɪ– ‖ ˌrezəˈmeɪ] *fn* **1.** összefoglaló, összefoglalás, összegezés *[beszédé]*, áttekintés, kivonat *[könyvé]*, rezümé **2.** *US* szakmai önéletrajz

resumption [rɪˈzʌmpʃn] *fn* újrafelvétel, újrakezdés, folytatás *[tárgyalásé]*

resupinate [rɪˈsjuːpɪneɪt, –nət ‖ ˌriːˈsuː–] *mn* **1.** *növ* **a)** aljával felfelé fordított *[levél]* **b)** csak a termőréteget mutató *[gomba]* **2.** hanyatt/háton fekvő, felfordított *[bogár]*

resupply I. *fn* [ˈriːsəplaɪ] újbóli ellátás/ellátmány **II.** *tsi* [ˌriːsəˈplaɪ] újra ellát vmivel

resurface [riːˈsɜːfɪs ‖ –ˈsɜr–] *tsi* újra burkol *[utat]*, javít *[vakolatot]*

re-surface *tni* **1.** felszínre emelkedik **2.** *átv* (ismét) felbukkan *[probléma]*

resurgence [rɪˈsɜːdʒns ‖ –ˈsɜr–] *fn* feltámadás, újjászületés *[népé]*, újjáéledés

resurgent [rɪˈsɜːdʒnt ‖ –ˈsɜr–] *mn* **1.** feltámadó, újjászülető, újjáéledő **2.** felszálló, feltörő *[gáz, víz]*; **~ water** felszállóvíz; újrafakadó víz • *fn* **resurgence**

resurrect [ˌrezəˈrekt] **A.** *tsi* **1. a)** feltámaszt, új életre kelt **b)** kihantol, exhumál **2.** felújít **B.** *tni* feltámad, új életre kel

resurrection [ˌrezəˈrekʃn] *fn* **1. a)** feltámadás, feléledés **b)** feltámasztás, felélesztés **c)** *biz* újramelegítés *[ételé]* **d)** *vall* **the R~** a feltámadás, Krisztus feltámadása **2.** kihantolás, exhumálás

resuscitate [rɪˈsʌsɪteɪt] **A.** *tsi* újraéleszt, feléleszt, újjáéleszt, feltámaszt, felelevenít **B.** *tni* feltámad, felelevenedik, feléled, újjáéled, magához tér • *fn* **resuscitation** *mn* **resuscitative**

ret [ret] *i* **-tt- A.** *tsi* áztat *[lent, kendert]* **B.** *tni* **1.** ázik *[len, kender]* **2.** rothad *[széna]*

ret., retd *röv* **1.** *retained* **2.** *retired* **3.** *returned*

retable [rɪˈteɪbl] *fn vall* oltárfal, oltárpolc, polc

retail *gazd* **I.** *fn* [ˈriːteɪl] **1.** kiskereskedelem, kicsi(ny)beni árusítás/eladás; **~ price** kiskereskedelmi ár; **~ trade** kiskereskedelem; **at/by ~** kicsi(ny)ben, kiskereskedelemben; **sell goods ~** kicsi(ny)ben/darabonként árusít **2.** kiskereskedés; **~ dealer** kiskereskedő **II.** [riːˈteɪl] **A.** *tsi* kicsi(ny)ben árusít/elad/értékesít **B.** *tni* kicsiben elkel; **goods that ~ at five pounds** kiskereskedelmi áron öt fontba kerülő áruk

retailer [ˈriːteɪlə ‖ –ər] *fn* **1.** kiskereskedő **2.** *biz* **~ of news** hírek hozója/terjesztője; hírharang

retailor [riːˈteɪlə ‖ –ər] *tsi* átalakít, újjáalakít, átszab *[ruhát]*

retail price index *fn közg* fogyasztói árindex

retain [rɪˈteɪn] *tsi* **1.** visszatart, feltart, (fel)tartóztat **2. a)** megőriz, megtart, fenntart; **~ control of one's car** ura marad gépkocsijának; **~ hold of sg** kézben tart vmt, nem enged el vmt; **~ the power to do sg** fenntartja magának a jogot vm megtételére **b)** emlékezetében tart/megőriz (vmt), megőrzi emlékét (vmnek) **3.** felfogad *[alkalmazottat]*, szolgálatába fogad; **~ a barrister** ügyvédet fogad/választ; ügyvédnek megbízást ad; **~ sy's services** szolgálatába fogad vkt, igénybe veszi vk szolgálatait • *mn* **retainable**

retained [rɪˈteɪnd] *mn* visszatartott; **~ material** (rostán) visszamaradt anyag; *orv* **~ testicle** rejtett here; **~ water** duzzasztott/visszatartott/felfogott víz

retainer [rɪˈteɪnə ‖ –ər] *fn* **1.** megtartó, megőrző; **a brick is a ~ of heat** a tégla tartja a meleget **2. a)** *tört* csatlós, kísérő, követő **b)** kulcsár, alkalmazott; **old ~** *biz* házi bútor; családi bútor **c)** *tsz* **retainers** követők, kíséret, szolgahad **3. a)** *GB* foglaló, bánatpénz **b)** *jog* ügyvédi díjelőleg/tiszteletdíj/honorárium **c)** *gazd* átalánydíj; előleg **4.** *US jog* ügyvédi meghatalmazás

retake I. *tsi pt* **retook** [riːˈtʊk], *pp* **retaken** [riːˈteɪkn] **1.** visszafoglal, visszavesz, újra elfoglal/megszáll *[várat]* **2. a)** *film* újra forgat/felvesz *[jelenetet]* **b)** *geol* újra felmér **II.** *fn* [ˈriːteɪk] **1.** *film* **a)** felvétel megismétlése **b)** megismételt felvétel **2.** *geol* felmérés megismétlése, újrafelmérés **3. a)** visszavétel **b)** visszavett dolog/tárgy **4.** *US okt* utóvizsga

retaliate [rɪ'tælieɪt] **A.** *tsi* **1.** megtorol, viszonoz (vmt), visszafizet, bosszút áll (vmért) **2.** ~ **an accusation upon sy** vádat vk ellen visszafordít **B.** *tni* **1.** ~ **(on sy)** visszafizeti a kölcsönt (vknek); szemet szemért, fogat fogért fizet vknek **2.** *pol* ellenrendszabályokat alkalmaz, retorzióval él • *mn* **retaliative**

retaliation [rɪˌtæli'eɪʃn] *fn* megtorlás, visszavágás, bosszú, retorzió; **in** ~, **by way of** ~ megtorlásul; **the law of** ~ a megtorlás törvénye *[ugyanúgy büntetik meg, ahogy a bűnt elkövette]*; szemet szemért, fogat fogért; **inflict/exercise** ~ megtorol

retaliatory [rɪ'tælɪətəri ‖ –tɔri] *mn* megtorló, visszatorló; ~ **measures** megtorló intézkedések

retard [rɪ'tɑːd ‖ –'tɑrd] **I. A.** *tsi* késleltet, lassít, gátol, visszatart, feltart(óztat), akadályoz **B.** *tni* kés(leked)ik **II.** *fn* **1. a)** kés(leltet)és, visszatartás, akadályozás **b)** fék **2. in** ~ késve, elkésetten; **be in** ~ késik • *fn* **retarder**, **retardment** *mn* **retardative**

retardate [rɪ'tɑːdeɪt ‖ –'tɑr–] *mn/fn US* szellemileg visszamaradott

retardation [ˌriːtɑː'deɪʃn ‖ –tɑr–] *fn* **a)** késleltetés, lassítás, akadályoz(tat)ás, visszafogás, visszatartás, hátráltatás; *fiz* ~ **of phase** fáziselmaradás, fáziskésés **b)** fékezés, lassulás **c)** *zene* késleltetés, lassítás

retarded [rɪ'tɑːdɪd ‖ –'tɑr–] *mn* **1.** késleltetett, lassított, fékezett **2.** *orv* **mentally** ~ **child** szellemileg visszamaradt gyermek, értelmi fogyatékos

retch [retʃ] **I.** *fn* öklendezés, hányinger, émelygés **II.** *tni* öklendezik, hányingere van, émelyeg

rete ['riːtiː, 'reɪtiː] *fn tsz* **retia** ['riːʃɪə] *növ orv* rece, fonadék, háló(zat)

retell [riː'tel] *tsi pt/pp* **retold** [riː'toʊld] megismétel, újra elmond; újból elmesél

retention [rɪ'tenʃn] *fn* **1.** visszatartás, késleltetés; ~ **money** bánatpénz; biztosíték **2.** megőrzés, megtartás, fenntartás *[szokásé, tekintélyé]* **3.** *pszich* emlékezet, az emlékezés képessége **4.** *orv* **a)** dugulás, rekedés, visszatartás, retentio *[vizeleté, váladéké]* **b)** rögzítés *[csonté]*

retentive [rɪ'tentɪv] *mn* **1.** visszatartó, késleltető **2.** megőrző, megtartó, fenntartó; **be** ~ **of sg** megőriz/megtart vmt; **a body** ~ **of heat** hőt jól tartó test **3. a** ~ **memory** jó/biztos emlékezőtehetség **4. a)** *orv* dugító, rekesztő **b)** *orv* összefogó, tartó *[készülék, kötés]* • *fn* **retentiveness**, **retentivity**

rethink I. *fn* ['riːθɪŋk] újra átgondolás **II.** *i* [riː'θɪŋk] *tsi pt/pp* **rethought** [riː'θɔːt] *ritk* újra átgondol/meggondol

reticence ['retɪsns] *fn* **1.** (szándékos) elhallgatás **2.** hallgatagság, szűkszavúság, zárkózottság, tartózkodás

reticent ['retɪsnt] *mn* tartózkodó, hallgatag, szűkszavú, zárkózott; **be very** ~ **about/on an event** szűkszavúan nyilatkozik vmről; elködösít egy eseményt

reticle ['retɪkl] *fn fiz* hajszálkereszt, fonálkereszt *[lencsén]*

reticulate I. *mn* [rɪ'tɪkjʊlət] hálószerű, háló formájú **II.** [–leɪt] **A.** *tsi* hálóval/hálószerűen (hálós mintával) bevon/befed **B.** *tni* hálót képez/alkot • *fn* **reticulation**

reticule ['retɪkjuːl] *fn régi* női (kézi)táska, retikül

reticulum [rɪ'tɪkjʊləm ‖ –kjə–] *fn tsz* **reticula** [–kjələ] **1.** *biol* lépesgyomor, recésgyomor *[kérődzőké]* **2.** *orv* háló(zat) *[sejté]*

retie [riː'taɪ] *tsi pr.p* **retying** újra megköt, összeköt

retiform ['riːtɪfɔːm ‖ 'retɪfɔrm] *mn* háló alakú, hálószerű

retighten [riː'taɪtn] *tsi* újra megerősít, megszorít

retile [riː'taɪl] *tsi* **1.** újracsempéz **2.** ~ **a roof** cseréptetőt újrafed

retime [riː'taɪm] *tsi műsz* újból szabályoz, újra beállít/időzít *[pl. vezérlést]*, új időpontot tűz ki, újra ütemez

retina ['retɪnə] *fn orv* látóhártya, recehártya, retina • *mn* **retinal**

retinue ['retɪnjuː ‖ 'retnˑuː] *fn* kíséret, slepp *biz [uralkodóé, nevezetes személyé]*

retire [rɪ'taɪə ‖ –ər] **A.** *tsi* **1.** nyugállományba helyez, nyugdíjaz; **be** ~**d** nyugdíjazzák **2.** *kat* visszavon *[csapatokat]* **3.** *pénz* bevon *[bankjegyet]*, bevált *[váltót]*, visszavon (vmt) **4.** visszahúz (vmt) **B.** *tni* **1.** visszavonul, viszszahúzódik (vhova), elmegy; ~ **from the world** elvonul a világtól; ~ **to bed**, ~ **for the night** aludni megy, nyugovóra tér **2.** lemond *[állásról, tisztségről]*; ~ **(on a pension)** nyugalomba vonul/megy, nyugdíjba megy, nyugdíjaztatja magát; ~ **from business** visszavonul az üzleti élettől (üzlettől) **3. a)** *kat* visszavonul, hátrál **b)** *sp* ~ **from the field/match** visszalép a mérkőzéstől **c)** hátrál *[vívásban]*

re-tire *US* → **re-tyre**

retired [rɪ'taɪəd ‖ –ərd] *mn* **1. a)** magányos, visszavonult; **live** ~ visszavonultan él **b)** nyugalmas, félreeső, eldugott, magányos *[hely]*; **in a** ~ **spot** félreeső helyen **2.** nyugdíjas, nyugdíjazott, nyugalmazott *[tisztviselő]*; **on the** ~ **list** nyugdíjas, nyugállományban levő; ~ **pay/pension** nyugdíj

retirement [rɪ'taɪəmənt ‖ –'taɪər–] *fn* **1. a)** nyugdíjazás, nyugalomba vonulás; **compulsory** ~ hivatalból történő nyugdíjazás; **early** ~ korai nyugdíj(ba menés), idő előtti nyugdíjba vonulás; **optional** ~ önkéntes (v. kérésre történő) nyugdíjazás; ~ **on account of age** nyugdíjazás korhatár elérése miatt; **live in** ~ nyugállományban van/él, nyugdíjban van; elvonultan él **b)** visszavonultság **c)** zárkózottság **d)** magányos hely **2. a)** *kat* visszavonulás, hátrálás, viszszavonás *[csapatoké]* **b)** *sp* kiállás, pályáról való levonulás, visszalépés *[versenyből]* **3.** *pénz* beváltás *[váltóé]*, kivonás, bevonás *[forgalomból]*

retirement pension *fn* öregségi nyugdíj

retiring [rɪ'taɪərɪŋ ‖ –'taɪər–] **I.** *mn* **1.** tartózkodó, nem barátkozó, zárkózott (természetű); ~ **colour** tompa szín **2.** visszavonuló *[elnök, hivatalnok]*, nyugdíjba vonuló *[tiszt]* **3. a)** *kat* hátravonuló, visszavonuló, (meg)hátráló; **in** ~ **order** visszavonulásban levő **b)** lelépő **II.** *fn* **1.** elvonulás, visszavonulás; ~ **room** öltözőszoba, toalett; öltözőfülke **2.** *GB* nyugdíjazás, nyugdíjba vonulás; ~ **age** nyugdíjképes kor; nyugdíjkorhatár

retoe [riː'toʊ] *tsi* megfejel *[harisnyát]*

retool [riː'tuːl] *tsi* **1.** *ip* átállít *[gyárat más cikk termelésére]* **2.** *[gyártelepet]* új gépekkel szerel fel, felújít *[gyár gépparkját]*

retort[1] [rɪ'tɔːt ‖ rɪ'tɔrt] **I.** *tsi/tni* **1.** visszafizet, visszavág (vmért), megtorol (vmt); ~ **an argument against sy** vk ellen fordítja a saját érvét; ~ **a charge on sy** visszafordítja a vádat vk ellen **2.** visszafelel, visszavág, replikázik; ~ **on sy** gyors és találó választ ad **II.** *fn* viszonválasz, visszavágás, találó felelet, replika

retort[2] [rɪ'tɔːt ‖ –'tɔrt] **I.** *fn ip vegy* lombik, retorta, lepárló kazán; *ip vegy* **gas** ~ gázpalack **II.** *tsi ip vegy* lepárol, retortában desztillál

retorted [rɪ'tɔːtɪd ‖ –'tɔr–] *mn biol* **1.** hajlított, görbített, csavart **2.** kifordított, visszafordított

retortion [rɪ'tɔːʃn ‖ rɪ'tɔrʃn] *fn* **1.** behajtás, lehajtás, begörbítés, visszahajlítás **2.** *jog* megtorlás, retorzió, represszália *[nemzetközi kapcsolatokban]*

retoss [riː'tɒs ‖ –'tɑs] *tsi* visszadob, visszaüt *[labdát]*

retouch I. *tsi* [riː'tʌtʃ] **1. a)** átjavít, (ki)javít(gat) *[rajzot, képet]* **b)** *fényk* retusál **2.** szépít(get) **II.** *fn* ['riːtʌtʃ] **1. a)** javítgatás, átdolgozás **b)** *fényk* retus(álás) **2.** szépít(get)és • *fn* **retoucher**

retrace [rɪ'treɪs, 'riː–] *tsi* **1.** kinyomozza/felderíti vmnek a kezdetét (v. az eredetét) **2.** rekonstruál *[múltat]*, átgondol (vmt), elismétel *[gondolatmenetet]*; ~ **in one's memory** visszaidézi emlékezetébe **3.** ~ **one's steps/course** viszszamegy ugyanazon az (v. a már megtett) úton

retract [rɪ'trækt] **A.** *tsi* **1.** behúz, visszahúz **2.** visszavon, visszaszív *[állítást]*, megtagad *[korábbi álláspontot]*; ~ **a move** visszavesz lépést *[sakkban]* **B.** *tni* **1.** visszahúzódik, behúzódik **2.** visszalép, visszatáncol; *gazd* ~ **from an engagement** visszalép megállapodástól • *fn* **retraction** *mn* **retractable**, **retractive**

R

retractile [rɪˈtræktaɪl ‖ –tl] *mn* **1.** *biol* visszahúzódó, behúzható **2.** visszarántó *[rugó]*, behúzható *[futómű]*
retractor [rɪˈtræktə ‖ –ər] *fn* **1.** *orv* behúzó/visszahúzó izom; **eyelid ~** szempillaemelő izom **2.** *orv műsz* sebészhorog, sebkampó, sebészterpesztő
retrain [riːˈtreɪn] **A.** *tsi* átképez, továbbképez **B.** *tni* átképzésen/továbbképzésen vesz részt
retral [ˈriːtrəl] *mn* **1.** hát(ul)só **2.** hátrafelé irányuló *[mozgás]*
retransfer [riːˈtrɑːnsfə ‖ –ˈtrænsfər] *tsi* **-rr-** visszaruház, visszaszármaztat
retransform [ˌriːtrɑːnsˈfɔːm ‖ ˌriːtrænsˈfɔrm] *tsi* visszaváltoztat, újból átformál
retranslate [ˌriːtrænˈsleɪt] *tsi* **1.** ismét/újra lefordít **2.** (eredeti nyelvre) visszafordít **3.** harmadik nyelvre lefordít, továbbfordít *[harmadik nyelvre]* • *fn* **retranslation**
retransmit [ˌriːtrɑːnˈsmɪt ‖ –træn–] *tsi* **-tt-** *távk* (újra)-közvetít *[adást]*, továbbít, továbbküld *[táviratot]* • *fn* **retransmission**
retread [ˈriːtred] *tsi pt* **retrod** [riːˈtrɒd ‖ –ˈtrɑd] *pp* **retrodden** [riːˈtrɒdn ‖ –ˈtrɑdn] visszamegy *[korábban megtett úton]*
re-tread *tsi gk* **1.** új abroncsot/gumiköpenyt szerel *[kerékre]* **2.** futófelületet megújít, újrafutóz *[köpenyt]*
retreat [rɪˈtriːt] **I.** *fn* **1.** *kat* **a)** visszavonulás, hátrálás; **cut off an army's ~** elvágja az ellenség visszavonulási útját **b)** takarodó; *kat* **beat/sound the ~** takarodót fúj; visszavonulót fúj; hátrál, menekül; kivonja magát vmből, visszakozik **2. a)** magány(osság) **b)** *vall* csendes napok, lelkigyakorlat **3. a)** menedékhely **b)** tanya *[rablóké]* **II.** *tni kat* visszavonul, visszahúzódik
retreating [rɪˈtriːtɪŋ] *mn* **1. a)** visszahúzódó *[tenger]*, távolodó *[léptek]* **b)** *kat* visszavonuló **2. a)** hátranyúló *[homlok]*, csapott *[áll]* **b) ~ part of a building** épület beugró része; hátulsó épületszárny
retrench [rɪˈtrentʃ] **A.** *tsi* **1.** (le)csökkent, korlátoz *[költséget, létszámot]*, megszorít *[kiadást]* **2.** megrövidít *[szöveget]*, töröl, kihagy, elhagy, (ki)húz *[szövegrészt]* **3.** *kat* elsáncol, lövészárokba erősít **B.** *tni* takarékoskodik
retrenchment [rɪˈtrentʃmənt] *fn* **1. a)** korlátozás, megszorítás, csökkentés *[költségeké]* **b)** költségcsökkentés, takarékoskodás; **policy of ~** takarékossági politika **2.** megrövidítés, húzás *[szövegé]* **3.** *kat* sánc, védőmű
retrial [riːˈtraɪəl] *fn jog* **a)** újbóli tárgyalás **b)** perújrafelvétel
retribution [ˌretrɪˈbjuːʃn] *fn* büntetés, megtorlás; **the Day of R~** az ítélet napja; **just ~ of/for a crime** a bűn méltó büntetése • *mn* **retributive**, **retributory**
retrieval [rɪˈtriːvl] *fn* **1. a)** visszanyerés, visszaszerzés **b)** *infor* visszakeresés, visszaírás; **information ~** információ-visszakeresés, információ-visszaírás **2.** jóvátétel, helyrehozás; **beyond/past ~** jóvátehetetlen, helyrehozhatatlan
retrieval system *fn infor* kereső rendszer
retrieve [rɪˈtriːv] **A.** *tsi* **1. a)** visszanyer, újraszerez, újra megtalál; **~ one's honour** kiköszörüli a becsületén esett csorbát, visszaszerzi becsületét **b)** *infor* visszakeres, visszaír **2. ~ sy from certain death** megment vkt a biztos haláltól **3.** helyrehoz, jóvátesz, kipótol, behoz *[veszteséget]* **4.** *vad* elhoz, apportíroz *[kutya vadat]* **B.** *tni vad* apportíroz • *mn* **retrievable**
retriever [rɪˈtriːvə ‖ –ər] *fn* **1.** *áll* vizsla **2.** *el* adat/hang/képvisszanyerő (készülék) **3.** vmit visszanyerő/visszaszerző (személy)
retro [ˈretrou] *fn* **a)** → **retrogressive b)** régi korok divatját felújító irányzat
retro- [retrou ‖ retrə] *előtag* vissza-
retroact [ˌretrouˈækt] *tni* **a)** visszahat, kölcsönhatással van, visszahatást/kölcsönhatást gyakorol, reagál **b)** visszafelé hat/működik, visszirányú hatást fejt ki **c)** visszaható ereje van, visszaható erővel bír • *fn* **retroaction**
retroactive [ˌretrouˈæktɪv] *mn* visszaható (erejű/hatályú), visszamenő hatályú • *fn* **retroactivity**
retrocede [ˌretrouˈsiːd ‖ –trə–] **A.** *tni* **1.** visszahúzódik, visszavonul, visszafordul **2.** *orv* felhúzódik *[köszvény]* **B.** *tsi* visszaad, újra átenged • *fn* **retrocedence**, **retrocession** *mn* **retrocedent**, **retrocessive**
retrochoir [ˈretroukwaɪə ‖ –ər] *fn épít* főoltár mögötti kórus
retrofit [ˈretroufɪt] *fn* utólagos módosítás/modernizálás
retroflex [ˈretroufleks(t) ‖ –trə–], **retroflexed** *mn* hátrahajl(ít)ott • *fn* **retroflexion**
retrogradation [ˌretrougrəˈdeɪʃn ‖ ˌretrəgreɪ–] *fn* **1.** *csill* hátra mozgás **2.** visszapillantás **3. a)** hanyatlás, visszafejlődés **b)** *biol* elfajulás, satnyulás
retrograde [ˈretrougreɪd ‖ –trə–] **I.** *mn* **1. a)** hátrafelé/visszafelé mozgó/haladó **b)** hátrafelé/visszafelé irányuló *[mozgás]* **2.** ellenkező, ellentétes; **~ order** fordított sorrend **3.** *pol* maradi, haladásellenes, retrográd **II.** *fn* **1.** elkorcsosult/elfajzott/degenerált ember **2.** *pol* maradi/haladásellenes gondolkodású ember **III.** *tni* **1.** visszavonul, visszahúzódik **2.** *csill* visszafelé/hátrafelé halad *[bolygó]*, hátrál **3. a)** visszafejlődik, hanyatlik **b)** *biol* elfajul, elkorcsosul, degenerálódik
retrogress [ˌretrouˈgres ‖ –trə–] *tni* hanyatlik, visszafejlődik, elkorcsosul • *mn* **retrogressive**
retrogression [ˌretrouˈgreʃn ‖ –trə–] *fn* **1. a)** visszaesés, hanyatlás, visszafejlődés **b)** *biol* elsatnyulás, elkorcsosulás, degenerálódás **2.** *mat* visszafordulás *[görbéé]* **3.** *orv* visszafejlődés **4. a)** hátrafelé mozgás **b)** *csill* visszapillantás
retroject [ˌretrouˈdʒekt ‖ –trə–] *tsi* visszavet, hátravet
retro-rocket [ˈretrourɒkɪt ‖ –rɑkɪt] *fn rep űr* fékezőrakéta
retrorse [rɪˈtrɔːs ‖ rɪˈtrɔrs] *mn biol* (meg)fordított, visszafelé forduló
retrospect [ˈretrəspekt ‖ –trə–] **I.** *fn* visszapillantás, visszatekintés; **in ~** visszatekintve **II.** *tni* visszatekint, visszapillant
retrospection [ˌretrouˈspekʃn ‖ –trə–] *fn* visszatekintés, visszapillantás
retrospective [ˌretrouˈspektɪv ‖ –trə–] **I.** *mn* **1.** visszamenőleges *[vizsgálat]* **2.** *GB* visszaható erejű *[törvény]* **3.** visszapillantó, visszatekintő **II.** *fn* visszatekintés, visszapillantás
retroussé [rəˈtruːseɪ ‖ –ˈseɪ] *mn* fitos, pisze, turcsi *[orr]*
retrovert I. *fn* [ˈretrouvɜːt ‖ –vɜrt] *vall* ‹régebbi hitére visszatért ember› **II.** *tsi* [ˌretrəˈvɜːt ‖ –ˈvɜrt] visszafelé/hátrafelé hajlít • *fn* **retroversion**
retry [riːˈtraɪ] *tsi* **1.** újból megkísérel/megpróbál **2.** *jog* újból ítél/dönt *[perben]*, újból tárgyal *[ügyet]*
retsina [retˈsiːnə] *fn* ‹gyantás görög bor›
return [rɪˈtɜːn ‖ rɪˈtɜrn] **I. A.** *tsi* **1. a)** visszaküld, visszajuttat, visszaszármaztat **b)** visszaad, visszaszolgáltat **c)** visszatérít, visszafizet **2.** visszatesz, visszarak, visszahelyez **3.** viszonoz; **~ like for like** nem marad adósa, visszafizeti a kölcsönt; **~ sy's greeting** visszaköszön vknek; **~ sy's love** viszontszeret vkt; vk szerelmét viszonozza **4.** válaszol, felel, visszavág; **~ the lie to sy** meghazudtol vkt; **~ thanks to sy for sg** vknek megköszön vmt, köszönetet mond vknek vmért **5.** *gazd* **~ profit** hasznot hajt/hoz **6. a)** beszámol, jelent **b) ~ one's income** bevall jövedelmet **7.** *GB pol* megválaszt *[képviselőt]* **8.** *sp* **~ the ball/service/stroke** visszaüti a labdát **9.** *ját* **~ clubs** visszahív treffet *[bridzsben]* **B.** *tni* **1.** visszajön, visszamegy, visszatér; **~ (to one's) home** hazatér, hazamegy; **~ from the dead** halottaiból feltámad **2.** visszatér; **let us ~ to the subject** térjünk vissza a tárgyra **3. ~ to normal** ismét normális lesz, normalizálódik **4.** (meg)ismétlődik, újra/újból jelentkezik **II.** *fn* **1.** visszatérés, visszaérkezés, visszajövetel; *GB* **~ (ticket)** menettérti jegy; **~ trip** menettérti út, oda-vissza utazás; *GB* **by ~ of mail/post** postafordultával **2.** visszatérés, (meg)-ismétlődés, újrajelentkezés/előfordulás *[betegségé]*; **many happy ~s (of the day)!** Isten éltesse sokáig!, minden jót kívánok! *[születésnapi szerencsekívánat]* **3. a)** visszaküldés, visszajuttatás, visszaszállítás; *gazd* **~ of bill to drawer**

R

váltónak a kibocsátó birtokába való visszajuttatása; *gazd* **on sale or ~** bizományba adott *[áru]* **b)** visszaadás, visszaszolgáltatás **c)** visszatevés, visszahelyezés **d)** visszatérítés, visszafizetés **e) ~ card** válaszos levelezőlap, (nyomtatott) válaszlap; **~ envelope** válaszboríték; **~ receipt** (postai) tértivevény **4. a)** csere; **in ~ for sg** vmért cserébe, vmnek fejében/ellenében **b)** ellenszolgáltatás, viszonzás; **in ~** viszonzásul, ellenszolgáltatásképpen **5.** *sp* **a) ~ match** revansmérkőzés, visszavágó (mérkőzés) **b) ~ (thrust)** visszavágás, visszaszúrás, riposzt *[vívásnál]* **c)** visszaadás, visszaütés *[labdáé teniszben]* **6.** *tsz* **returns a)** *gazd* visszáru; *US gazd* **no ~s!** üres palackot/üvegeket nem veszünk/váltunk vissza! **b)** *nyomd gazd* remittenda *[eladatlan példányok]* **7.** *gazd közg* bevétel, haszon, hozam, jövedelem, nyereség, eredmény, profit, megtérülés; **gross ~** bruttó hozadék/haszon/jövedelem; **~ on capital** tőkehozadék, befektetett tőke/beruházás hozama/megtérülése; **rate of ~** megtérülési idő/ráta; **small profits and quick ~s** nagy forgalom és kis haszon **8. a)** (hivatalos) jelentés, beszámoló, jegyzék, lajstrom, statisztika; **Board of Trade ~s** kereskedelmi helyzetjelentés/statisztika **b) ~ of income** jövedelembevallás **9. a)** *GB pol* (meg)választás *[képviselőé]* **b)** *tsz* **returns** *pol* képviselő-választási eredmények **10.** válaszok, érdeklődések *[hirdetésre]* **11.** *el* **~ (current)** visszáram, ellenirányú/záróirányú áram; **~ conductor** földvezeték • *mn* **returnable, returnless**

returnee [rɪˌtɜːˈniː ‖ –ˌtɜr–] *fn US* **1.** szabadságos/leszerelő katona **2.** visszaküldő

returning [rɪˈtɜːnɪŋ ‖ –ˈtɜr–] *mn* **1. a)** visszajövő, visszatérő, hazatérő *[személy]* **b) ~ health** gyógyulás, lábadozás **2.** *pol* **~ board** szavazatszámláló bizottság; **~ borough** képviselőküldési joggal bíró község; *GB* **~ officer** választási elnök, szavazatszedő bizottság elnöke; **deputy ~ officer** szavazatszedő; **~ operations** a szavazatok összeszámlálása

retuse [rɪˈtjuːs ‖ rɪˈtuːs] *mn növ* kicsípett csúcsú, benyomott hegyű *[levél]*

re-tyre *tsi GB* **a)** újra abroncsoz/megvasal *[kereket]* **b)** új autógumit/kerékpárgumit szerel fel (vmre), gumiabroncsot cserél (vmn)

reunion [ˌriːˈjuːnɪən] *fn* **1. a)** újraegyesítés **b)** újraegyesülés **2.** kibékülés **3.** gyűlés, gyülekezet, összejövetel; **a family ~** családi összejövetel

reunite [ˌriːjuːˈnaɪt] **A.** *tsi* **1. a)** (újra)egyesít **b)** összeilleszt **2.** összegyűjt, összegyülekeztet **3.** kibékít, összebékít **B.** *tni* **1.** gyülekezik, összegyűl, összejön **2.** összebékül, kibékül **3.** összeforr, összeilleszkedik *[seb széle]*

reusable [riːˈjuːzəbl] *mn* újrahasznosítható

re-use I. *tsi* [riːˈjuːz] újból felhasznál **II.** *fn* [ˈriːjuːs] újbóli felhasználás

rev [rev] **I.** *fn gk biz* fordulat(szám); *gk* **~ counter** fordulatszámmérő **II. -vv- A.** *tsi gk biz* **~ up the engine** felgyorsítja/túráztatja/felpörgeti a motort *[a motorfordulat számát emeli]* **B.** *tni gk biz* **the engine began to ~ up** a motor felgyorsult

rev., Rev. *röv* **1.** *revenue* **2.** *reverse* **3.** *review* **4.** *revise* **5.** *revised* **6.** *revision* **7.** *Revelations* Jelenések, Jel. **8.** *Reverend*

revaccinate [rɪˈvæksɪneɪt] *tsi orv* újraolt • *fn* **revaccination**

revalue [riːˈvæljuː] *tsi* újra értékel, átértékel, felértékel, revalorizál • *fn* **revaluation**

revamp [riːˈvæmp] *tsi* **1.** *biz* átalakít, újjáépít, rendbe hoz, kitataroz, modernizál, kipofoz *biz* **2.** megfoltoz

revanchism [rɪˈvæntʃɪzm] *fn pol* revansizmus

revarnish [riːˈvɑːnɪʃ ‖ –ˈvɑr–] *tsi* átfényez, átpolitúroz; *biz* **~ sy's reputation** vknek a jó hírnevét visszaszerzi; tisztára mos vkt

reveal[1] [rɪˈviːl] *tsi* **1. a)** felfed, feltár, kimutat; **~ itself** megmutatkozik, feltárul; **~ one's identity** felfedi kilétét; **~ oneself as ...** (vmnek), vmlyennek mutatkozik **b)** mutat (vmre), tanúságot tesz (vmről) **2.** *vall* kinyilatkoztat, kijelent • *mn* **revealable**

reveal[2] [rɪˈviːl] *fn épít* falnyílás oldala *[falvastagságban]*, ajtótok, ablaktok, káva

reveille [rɪˈvæli ‖ ˈrevəli] *fn kat* ébresztő; **sound ~** ébresztőt fúj/jelez

revel [ˈrevl] **I. A.** *tsi* **~ away the time** elduhajkodja az időt **B.** *tni* **1.** szórakozik, vigad **2.** mulatozik, dáridózik, tivornyázik **3. ~ in (doing) sg** élvezetet talál vmben, kedvét leli vmben **II.** *fn* **1.** mulatság, vidámság, szórakozás, vigalom **2.** mulatozás, tivornya, dáridó, dorbézolás, orgia • *fn* **reveller**

revelation [ˌrevəˈleɪʃn] *fn* **1.** *vall* **a)** kinyilatkoztatás, kijelentés **b)** látomás; **the R~, (the Book of) R~s** Jelenések könyve **2.** (valóságos) felfedezés, reveláció **3. ~ of sg** vmnek a feltárása/felfedése • *mn* **revelational**

revelationist [ˌrevəˈleɪʃnˑɪst] *fn vall* **1. the R~** az Apokalipszis szerzője **2.** az isteni kinyilatkoztatást/kijelentést elfogadó/hívő egyén

revelry [ˈrevlri] *fn* vígság, mulatság, szórakozás

revenant [ˈrevɪnənt] *fn* **1.** hazatérő, visszatérő **2.** kísértet, jelenés, szellem, hazajáró lélek

revenge [rɪˈvendʒ] **I.** *fn* **1. a)** bosszú(állás), megbosszulás, megtorlás; **take ~ for sg on sy** vmért bosszút áll vkn; **in ~/out of ~** bosszúból **b)** bosszúvágy, bosszúszomj **2.** revans *[játékban, mérkőzésben]* **II.** *tsi* **1. ~ oneself/be ~d** megbosszulja magát, bosszút áll (*on* vkn;, *for* vmért); elégtételt vesz/szerez magának (vkn) **2.** megbosszul, megtorol *[sértést]* **3.** bosszút áll (vkért)

revengeful [rɪˈvendʒfl] *mn* **1.** bosszúvágyó, bosszúszomjas **2.** bosszúálló, megtorló • *fn* **revengefulness**

revenue [ˈrevɪnjuː ‖ –nuː] *fn pénz* **1.** jövedelem **2. a)** állami bevételek/jövedék **b)** a kincstár; **~ authorities** pénzügyi hatóságok; **~ office** adóhivatal; **the Public R~** az államkincstár

reverberate [rɪˈvɜːbəreɪt ‖ –ˈvɜr–] **A.** *tsi* visszaver *[hangot, fényt stb.]* **B.** *tni* **a)** kicsendül, utánhangzik, visszhangzik, rezonál *[hang]*; *átv* **~ing success** átütősiker **b)** visszaverődik *[fény, hő]* • *fn* **reverberation** *mn* **reverberant, reverberative, reverberatory**

revere [rɪˈvɪə ‖ rɪˈvɪr] *tsi* mélyen tisztel, nagyra becsül, imád

reverence [ˈrevərəns] **I.** *fn* **1.** tisztelet(adás), hódolat, reverencia, nagyrabecsülés; **hold sy in ~, feel ~ for sy** nagy tiszteletben tart vkt; **pay ~ to sy** tiszteletét/hódolatát nyilvánítja vknek **2. your R~** Tisztelendő Úr **II.** *tsi* mélyen tisztel, nagyra becsül

reverend [ˈrevərənd] **I.** *mn* **1.** tiszteletre méltó **2.** *vall* **the ~ gentleman** a tisztelendő/tiszteletes/nagytiszteletű úr; **my ~ father** tisztelendő atyám **II.** *fn biz* **the R~** pap, tiszteletes

reverent [ˈrevərənt] *mn* tisztelettudó, tiszteletteljes

reverential [ˌrevəˈrenʃl] *mn* **a)** tiszteletteljes **b)** áhítatos

reverie [ˈrevəri] *fn* **1.** álmodozás, ábrándozás, merengés, képzelődés, képzelgés **2.** *zene* ábránd, fantázia

revers [rɪˈvɪə ‖ rɪˈver] *fn tsz* **revers** [rɪˈvɪəz ‖ –vɪrz] kihajtás, hajtóka *[öltönyé]*

reversal [rɪˈvɜːsl ‖ rɪˈvɜrsl] *fn* **1.** *jog* megsemmisítés, érvénytelenítés, megváltoztatás *[ítéleté]* **2. a)** megfordítás, átfordítás, visszafordítás, irányváltás **b)** megfordulás, visszafordulás **3.** stornírozás *[könyvvitelben]*

reverse [rɪˈvɜːs ‖ rɪˈvɜrs] **I. A.** *tsi* **1. a)** megfordít, átforgat, kifordít, felbillent, felfordít **b)** megcserél, felcserél, megfordít *[szerepet, sorrendet]* **2.** átkapcsol, irányt vált; *gk* **~ one's car** hátramenetbe/rükvercbe kapcsol, kocsijával tolat; **~ the current** megfordítja az áramot **3. a)** *jog* visszavon, megsemmisít *[ítéletet]* **b) ~ an entry** stornóroz *[könyvelési tételt]* **B.** *tni* **1.** jobbról balfelé kering(őzik)/táncol **2.** *gk* rükvercel, tolat **II.** *mn* (meg)fordított, ellenkező, ellentétes; **~ current** ellenáramlat; *el* ellenáram; **~ entry** stornótétel *[könyvvitelben]*; **in (the) ~ order** fordított sorrendben **III.** *fn* **1.** ellenkezője, fordítottja, ellentéte (vmnek); **in ~** fordított, ellenkező irányú; fordítva, visszafelé, ellenkező irányban; **be quite the** (v. **be the very**) **~ of sy** vknek tökéletes ellentéte **2.** hátramenet, rükverc; *gk* **go into ~**

R

tolat, rükvercel **3.** hátlap, hátoldal **4.** kudarc, vereség, visszaesés, balszerencse; ~ **of fortune** sorscsapás; **have/experience** ~**s** sorscsapások érik, üldözi a sors • *fn* **reversal** *hsz* **reversely**

reversibility [rɪˌvɜːsəˈbɪləti ‖ –ˌvɜrsə–] *fn* **1.** felfordíthatóság, felboríthatóság, feldönthetőség **2.** kifordíthatóság *[ruháé]* **3.** megfordíthatóság, visszavonhatóság *[ítéleté]* **4.** megfordíthatóság, reverzibilitás *[folyamatoké stb.]*

reversible [rɪˈvɜːsəbl ‖ –ˈvɜr–] *mn* **1.** felfordítható, felborítható, feldönthető **2.** kifordítható, két oldalán viselhető *[szövet, ruhadarab]* **3.** megfordítható, reverzibilis *[eljárás, folyamat]*; *fiz vegy* ~ **process** reverzibilis/megfordítható folyamat **4.** megváltoztatható, visszavonható *[ítélet, rendelet]*

reversing [rɪˈvɜːsɪŋ ‖ –ˈvɜr–] *fn* **1.** megfordítás **2.** irányváltás; *vill* ~ **key** áramátkapcsoló billentyű; *műsz* ~ **lever** irányváltó emeltyű; *vill* ~ **switch** áramirányváltó kapcsoló **3.** ~ **(of entry)** stornírozás (könyvelési tételé) **4.** *gk* tolatás

reversion [rɪˈvɜːʃn ‖ rɪˈvɜrʒn] *fn* **1. a)** *jog* visszaszállás, visszaáramlás; *jog* **right of** ~ ajándék visszakövetelésének joga **b)** *jog* utóöröködés **c)** biztosítás összege *[életbiztosításé, halál esetén]* **d)** *jog* utódlási jog, várományi, várandóság **2.** visszatérés *[előbbi állapothoz]*, *biol* visszaalakulás, visszaváltozás *[mutáció]*; *biol* ~ **to type** eredeti típusra visszaalakulás/visszafejlődés, atavizmus • *mn* **reversionary**

revert [rɪˈvɜːt ‖ rɪˈvɜrt] **A.** *tsi* ~ **one's eyes** hátratekint, hátranéz; visszanéz; ~ **one's steps** visszafordítja lépteit, megfordul és visszajön **B.** *tni* **1.** *jog* visszaszáll, visszaháramlik **2.** visszatér (*to* vmhez, vmre); *biol* ~ **to type** primitív típusra visszaalakul/visszafejlődik; **let us** ~ **to our subject** térjünk vissza a tárgy(unk)ra

revertible [rɪˈvɜːtəbl ‖ rɪˈvɜr–] *mn jog* háramlás alá eső

revet [rɪˈvet] *tsi* **-tt-** *épít* burkol, borít, befed, bevon

revetment [rɪˈvetmənt] *fn* **1.** *épít* burkolás, burkolat, borítás **2.** földből/homokzsákokból emelt védőtorlasz/barikád

review [rɪˈvjuː] **I.** *tsi* **1. a)** áttekint, felülvizsgál, átnéz; ~ **the situation** áttekinti/mérlegeli a helyzetet **b)** visszapillant, számba vesz *[múltat]* **c)** *jog* felülvizsgál, revízió alá vesz *[pert]* **2.** *kat* ~ **the troops** szemlét tart csapatok felett, csapatszemlét tart **3.** ismertet, (meg)bírál; ~ **a book** könyvet ismertet; beszámolót/kritikát/referátumot ír a könyvről **II.** *fn* **1.** *kat* szemle; **pass troops in** ~ szemlét tart csapatok felett **2. a)** visszapillantás, számbavétel *[múlté]* **b)** *jog* újrafelvétel, felülvizsgálat, revízió *[peré]*; **court of** ~ legfelsőbb semmítőszék **3.** beszámoló, kritika, ismertetés, recenzió, referátum *[könyvről]*; ~ **copy** recenziós példány, sajtópéldány **4.** folyóirat, szemle • *fn* **reviewal** *mn* **reviewable**

reviewer [rɪˈvjuːə ‖ –ər] *fn* irodalmi kritikus, könyvbíráló, bíráló, ismertetés írója, recenzens; ~**'s copy** recenziós példány, sajtópéldány

revile [rɪˈvaɪl] **A.** *tsi* gyaláz, szidalmaz, ócsárol, becsmérel, sérteget **B.** *tni* szitkozódik • *fn* **revilement**

revise [rɪˈvaɪz] *tsi* **1. a)** átnéz, kijavít, átvizsgál, felülvizsgál **b)** átdolgoz *[könyvet]* **c)** *nyomd* korrigál **2.** revízió alá von, megváltoztat *[törvényt, alkotmányt]*, módosít, revideál; ~ **a decision** helyesbít/megváltoztat döntést/határozatot **3.** *GB* újból átolvas/átismétel *[vizsga előtt]* • *fn* **revisal**, **reviser** *mn* **revisory**, **revisable**

revised [rɪˈvaɪzd] *mn* átnézett, (ki)javított, revideált, átdolgozott; ~ **edition** javított (és átdolgozott) kiadás *[könyvé]*; **R~ Version** ‹a Biblia átnézett és javított (angol nyelvű) kiadása, 1870–85›

revision [rɪˈvɪʒn] *fn* **1.** átnézés, átvizsgálás, felülvizsgálás, helyesbítés, revízió; **for** ~ átnézendő **2.** módosított/javított/átdolgozott kiadás *[könyvé]* **3.** *okt* (át)ismétlés *[tananyagé]*

revisionary [rɪˈvɪʒnˑəri ‖ –ʒnˑeri] *mn* felülvizsgálati, revíziós

revisionism [rɪˈvɪʒnˑɪzm] *fn pol* revizionizmus • *mn* **revisionist**

revisit [riːˈvɪzɪt] *tsi* újra felkeres/meglátogat

revisor [rɪˈvaɪzə ‖ –ər] *fn* (át)vizsgáló, revizor

revitalize [rɪˈvaɪtlˑaɪz], **-ise** *tsi* újraéleszt, új életre kelt, feléleszt, feltámaszt

revival [rɪˈvaɪvl] *fn* **1. a)** felélesztés, felelevenítés, új életre keltés, megújítás, felújítás **b)** feléledés, felelevenedés, új életre kelés, újjászületés, megújulás, megújhodás **c)** eszméletre/magához térés **2.** felújítás *[színdarabé]* **3. religious** ~ vallási megújulás/megújhodás

revivalism [rɪˈvaɪvlˑɪzm] *fn vall* megújulási/ébredési szellem/láz • *fn* **revivalist**

revive [rɪˈvaɪv] **A.** *tsi* **a)** feléleszt, újjáéleszt, új életre kelt, eszméletre hoz; ~ **sy's courage** új bátorságot önt vkbe **b)** megújít, felújít, felelevenít; ~ **an old charge** újra felhoz egy régi vádat; *szính* ~ **a play** felújít egy (szín)darabot **c)** fellendít, felvirágoztat **B.** *tni* **1. a)** visszanyeri öntudatát/eszméletét, feléled, magához tér *[ájulásból]* **b)** feléled, új életre kel *[érzelem]*; **his spirits** ~**d** bátorsága feléledt **2.** újjászületik, felvirágzik *[művészet]*, újból divatba jön *[szokás]* • *mn* **revivable**

reviver [rɪˈvaɪvə ‖ –ər] *fn* **1.** felélesztő, feltámasztó, felújító **2.** *orv* erősítő/élénkítőszer, *biz* szíverősítő **3.** bútorfényesítő, padlóbeeresztő

revivify [riːˈvɪvɪfaɪ] *tsi* újraéleszt, újjáéleszt, új életre kelt, új életet önt (vkbe), feltámaszt • *fn* **revivification**

reviviscence [ˌrevɪˈvɪsns] *fn* újraéledés, újjászületés, feléledés • *mn* **reviviscent**

revoke [rɪˈvoʊk] **I. A.** *tsi* visszavon *[rendeletet, ígéretet]*, érvénytelenít, hatálytalanít, eltöröl *[intézkedést, rendeletet]*, megvon *[beleegyezést, engedélyt]* **B.** *tni* *ját* renonszot csinál **II.** *fn* *ját* renonsz *[kártyajátéknál]*

revolt [rɪˈvoʊlt] **I. A.** *tsi* felháborít, visszataszít, undorral tölt el **B.** *tni* **1.** felkel, fellázad (*against* vm ellen), lázong, forrong **2.** ~ **at/against/from sg** felháborodik/tiltakozik/lázadozik/fellázad vm miatt/ellen, undorodik/irtózik vmtől **II. 1.** *fn* felkelés, lázadás, zendülés; **rise in** ~ felkel, fellázad **2.** gyűlölködés

revolting [rɪˈvoʊltɪŋ] *mn* **1.** felháborító, undorító, visszataszító **2.** felkelő, lázadó

revolution [ˌrevəˈluːʃn] *fn* **1. a)** *pol* forradalom **b)** gyökeres változás/átalakulás, fordulat **2.** *csill* keringés *[bolygóé]* **3.** szabályos ismétlődés, váltakozás, visszatérés *[évszakoké]* **4. a)** forgás *[tengely körül]*; *mat* **axis of** ~ forgástengely **b)** (teljes) fordulat *[keréké]*; *műsz* ~ **counter** fordulatszámláló; ~**s per minute** percenkénti fordulatszám

revolutionary [ˌrevəˈluːʃnˑəri] **I.** *mn* **1.** forradalmi **2.** körben forgó/mozgó, keringő **II.** *fn* forradalmár

revolutionism [ˌrevəˈluːʃnˑɪzm] *fn* forradalmiság • *fn/mn* **revolutionist**

revolutionize [ˌrevəˈluːʃnˑaɪz], **-ise** *tsi* forradalmasít

revolve [rɪˈvɒlv ‖ rɪˈvɑlv] **A.** *tsi* **1.** forgat *[vmt a fejében]*, átgondol, megrág, kérődzik (vmn) **2.** forgat, görget, pörget *[kerekeket]* **B.** *tni* **1.** forog, pörög, gördül **2.** kering; **the earth** ~**s round the sun** a föld a nap körül kering **3.** váltakozik

revolver [rɪˈvɒlvə ‖ rɪˈvɑlvər] *fn* **1.** forgópisztoly, revolver **2.** forgó/forgatható tárgy/alkatrész

revue [rɪˈvjuː] *fn szính* revü

revulsion [rɪˈvʌlʃn] *fn* **1.** undor **2. a)** hirtelen változás/fordulat *[érzelmeké, hangulaté]* **b)** visszahatás, visszatetszés

revulsive [rɪˈvʌlsɪv] *mn/fn orv* elvezető (szer)

reward [rɪˈwɔːd ‖ –ˈwɔrd] **I.** *fn* **1.** jutalom, ellenszolgáltatás; **as a** ~ jutalmul, jutalomként; **get a fair** ~ **for/from one's labour** munkájáért megfelelő ellenértéket kap **2.** büntetés, megtorlás **II.** *tsi* megjutalmaz • *mn* **rewardless**

rewarding [rɪˈwɔːdɪŋ ‖ –ˈwɔr–] **I.** *mn* **1.** jutalmazó **2.** érdemes, kifizetődő, eredményes, kielégítő **II.** *fn* jutalmazás

re-weigh *tsi* **1.** újra megmér **2.** *átv* újra mérlegel/átgondol/megfontol, újra fontolóra vesz

rewin [riːˈwɪn] *tsi pt/pp* **rewon** [riːˈwʌn] visszanyer, újra birtokába jut (vmnek)

R

re-wind I. *tsi pt/pp* **re-wound** [riːˈwaʊnd] **1. a)** átgombolyít, átteker(csel), átcsévél *[fonalat]*, áttekercsel, újra tekercsel **b)** visszaforgat *[pl. filmet]* **2.** felhúz *[órát]* **II.** *fn* [ˈriːwaɪnd] **1.** szalagvisszatekerő **2.** visszatekerés *[szalagé, filmé]* • *fn* **rewinder**

rewire [riːˈwaɪə ‖ –ər] *tsi* **1. ~ a house** felújítja/átalakítja a ház elektromos vezetékeit **2.** visszatáviratoz

reword [riːˈwɜːd ‖ riːˈwɜrd] *tsi* **1.** átfogalmaz *[szöveget]*, átszövegez **2.** szó szerint megismétel

rework [riːˈwɜːk ‖ –ˈwɜrk] *tsi* **1.** újra megmunkál *[hulladékanyagot]*, újra megnyit *[bányát]* **2.** átdolgoz *[irodalmi művet/anyagot]*

rewrite I. *tsi pt* **rewrote** [riːˈroʊt], *pp* **rewritten** [riːˈrɪtn] átír, átfogalmaz, formába önt *[szöveget]* **II.** *fn* [ˈriːraɪt] **1.** *US* ‹szerkesztőségben feldolgozott híranyag alapján írott cikk› **2.** átdolgozás, átírás **3.** átírt anyag

rex [reks] **I.** *fn tsz* **reges** [ˈriːdʒiːz] király **II.** *tul* **R~** ‹férfinév›

Reynard [ˈrenəd, –nɑːd ‖ ˈreɪnərd, –nɑrd] *tul* **~ the Fox** róka koma

RFC *röv* **1.** *fn infor request for comments* ‹felhívás véleményezésre, észrevételek kérése› RFC-dokumentum **2.** *GB Royal Flying Corps* **3.** *Rugby Football Club*

RGB *röv infor red-green-blue*

rhabdomancy [ˈræbdəmænsi] *fn* varázsvesszős vízkutatás

Rhadamanthine [ˌrædəˈmænθaɪn, –θɪn] *mn* **~ judges** kérlelhetetlen/könyörtelen bírák

Rhaeto-Romanic [ˌriːtoʊrəˈmænɪk] *mn/fn nyelv* rétoromán (nyelv)

rhapsode [ˈræpsoʊd] *fn ir.tud tört* rapszód, ókori görög dalnok

rhapsodic, **rhapsodical** [ræpˈsɒdɪk(l) ‖ –ˈsɑ–] *mn* **1.** romantikus, költői; **~ praise** dicshimnusz **2.** csapongó, összefüggéstelen, rapszodikus, szeszélyes **3.** *vál zene* rapszódia-szerű, rapszodikus

rhapsody [ˈræpsədi] *fn* **1.** *ir.tud zene* rapszódia **2.** *biz* elragadtatás, lelkesedés, lelkesülés, rajongás

rhea [ˈrɪə] *fn áll* nandu, amerikai strucc

Rhea [ˈrɪə] *tul mit* Rhea *[Zeus anyja]*

rhebok [ˈriːbɒk ‖ –bɑk] *fn* ‹dél-afrikai antilopfajta›

Rhenish [ˈrenɪʃ] **I.** *mn földr* rajnai, Rajna-vidéki, Rajnamelléki **II.** *fn* rajnai bor

rheology [riˈɒlədʒi ‖ –ˈɑlə–] *fn* reológia, áramlástan • *mn* **rheological**

rheostat [ˈrɪəstæt] *fn el* reosztát, ellenállás-szekrény, szabályozó ellenállás

rhesus [ˈriːsəs] *fn áll* rézus-majom; *orv* **R~ factor** Rh-faktor

rhetoric [ˈretərɪk] *fn* **1.** szónoklattan, ékesszólástan, retorika **2.** *pej* fellengősség, szónokiasság, dagályosság, frázispufogtatás **3.** rábeszélőképesség **4.** szónoklat

rhetorical [rɪˈtɒrɪkl ‖ –ˈtɔ–, –ˈtɑ–] *mn* **1. a)** retorikai **b) ~ question** költői kérdés **2.** *pej* fellengzős, dagályos, bombasztikus

rhetorician [ˌretəˈrɪʃn] *fn* **1. a)** szónok **b)** *pej* fecsegő, frázispufogtató **2.** szónoklattan tanár, rétor

rheum¹ [ruːm] *fn* **1.** nyálkás/gennyes váladék **2.** *tsz* **rheums** *régi* csúz, reuma • *mn* **rheumy**

rheum² [ruːm] *fn növ* rebarbara

rheumatic [ruːˈmætɪk] *mn orv* reumás, reumatikus, csúzos *[fájdalom]* • *mn* **rheumaticky**

rheumatics [ruːˈmætɪks] *fn esz biz* reuma

rheumatism [ˈruːmətɪzm] *fn orv* reuma

rheumatology [ˌruːməˈtɒlədʒi ‖ –ˈtɑ–] *fn* reumatológia

Rh factor *röv Rhesus factor* Rh-faktor

rhinal [ˈraɪnl] *mn orv* orrbeli, rinológiai *[fájdalom]*, orr-

Rhine [raɪn] *tul földr* **the ~** a Rajna; **~ wine** rajnai bor

rhino¹ [ˈraɪnoʊ] *fn szl [pénz]* guba, dohány, lóvé

rhino² [ˈraɪnoʊ] *fn áll biz* orrszavú, rinocérosz

rhinoceros [raɪˈnɒsərəs ‖ –ˈnɑsərəs] *fn áll* orrszarvú, rinocérosz

rhinoceros *fn áll* orrszarvú bogár

rhinoplasty [ˈraɪnoʊplæsti] *fn orv* orrplasztika

Rhode Island [ˈroʊdaɪlənd ‖ roʊˈdaɪlənd] *tul* Rhode Island

rhodium¹ [ˈroʊdɪəm] *fn vegy* ródium

rhodium² [ˈroʊdɪəm] *fn növ* **~(-wood)** rózsafa

rhododendron [ˌroʊdəˈdendrən] *fn növ* havasszépe, rododendron

rhomb [rɒm ‖ rɑm] *fn* **1.** *mat* rombusz **2.** *ásv* romboéder • *mn* **rhombic**

rhombohedron [ˌrɒmboʊˈhiːdrən, –ˈhe– ‖ ˈrɑm–] *fn tsz* **rhombohedra** [–drə] *mat* romboéder

rhomboid [ˈrɒmbɔɪd ‖ ˈrɑm–] *mn/fn mat* romboid

rhombus [ˈrɒmbəs ‖ ˈrɑm–] *fn tsz* **rhombuses** v. **rhombi** [–baɪ] **1.** *mat* rombusz **2.** *áll* rombuszhal

rhubarb [ˈruːbɑːb ‖ –bɑrb] *fn* **1.** *növ* rebarbara **2.** *növ* **prickly ~** gunnera **3.** *US biz szl [izgatott szóváltás]* balhé, rikács, tam-tam **4.** *GB biz* mormolás, mormogás

rhumb [rʌm] *fn hajó* vonás *[szögmérték]*

rhyme [raɪm] **I.** *fn* **1.** rím; **~ scheme** rímképlet; *biz* **without ~ or reason** minden ok és értelem nélkül, kiszámíthatatlanul és értelmetlenül **2.** *ir.tud* vers; **in ~** versben **II. A.** *tsi* **1.** rímeltet *[szavakat, verssorokat]* **2.** rímbe/versbe szed **3. ~ a sonnet** szonettet ír **B.** *tni* **1.** versel, verset farag **2.** rímeket gyárt **3.** rímel (*to* vmre; *with* vmvel) • *fn* **rhymer** *mn* **rhymeless**

rhymester [ˈraɪmstə ‖ –ər] *fn pej* versfaragó, rímgyártó, fűzfapoéta

rhythm [ˈrɪðm] *fn* **1.** ritmus, *zene* hangarány, hangváltakozás **2.** *ir.tud* versmérték, versláb **3.** *műv* arányosság, összhang, harmónia **4.** szabályos mozgás/ütem

rhythmic, **rhythmical** [ˈrɪðmɪk(l)] *mn* ütemes, ritmikus

rhythmic gymnastics *fn sp* ritmikus sportgimnasztika

rhythmicity [rɪðˈmɪsəti] *fn* ritmikusság

rhythm method *fn* naptármódszer *[fogamzásgátlásra]*

rhythm section *fn zene* ritmusszekció

RI *röv* **1.** *King and Emperor* **2.** *Queen and Empress* **3.** *Rhode Island* **4.** *Royal Institution*

ria [rɪə] *fn földr* öböl, tengervízzel elöntött folyótorkolat, fjord; **~(s)-coast** öblökkel csipkézett tengerpart

rib [rɪb] **I.** *fn* **1.** *orv* borda; **~ of beef** csontos oldalas/kereszthátsszín; **get into sy's ~s for sg** *szl [kierőszakol]* kivasal vkből vmt; **poke sy in the ~s** oldalba bök vkt **2.** *biol* ér, erezet *[pl. falevélen]* **3.** esernyőváz **II.** *tsi* **-bb- 1.** bordáz, bordával ellát/merevít **2.** *biz* ugrat, heccel, csipked, gúnyol

ribald [ˈrɪbld] **I.** *mn* szemérmetlen, mocskos, trágár, sikamlós, obszcén *[beszéd]*; **~ joke** vaskos tréfa **II.** *fn* durva/trágár beszédű ember, mocskos szájú ember

ribaldry [ˈrɪbldri] *fn* sikamlósság, malackodás, disznólkodás *[beszédben]*; **talk ~** disznólkodik *[beszédben]*

riband [ˈrɪbənd] *fn* szalag

ribbed [ˈrɪbd] *mn* bordás, bordázott, recézett; → **rib II.**

ribbing [ˈrɪbɪŋ] *fn* **1.** bordázat, erezet **2.** *biz* ugratás, boszszantás, csipkedés

ribbon [ˈrɪbən] *fn* **1.** szalag, pántlika; *távk* **~ antenna** szalagantenna **2.** rendjelszalag **3.** *tsz* **ribbons** *biz* gyeplő, kantár; **handle/hold the ~s** hajt *[kocsit]* **4.** sáv, csík; *GB épít* **~ building/development** országútmenti telepítés, szalagépítkezés **5.** *tsz* **ribbons** foszlányok

ribbon-fish *fn áll* **1.** szalaghal **2.** kardos szíjhal, szattyinghal

rib-tickling *mn* kacagtató

rice [raɪs] **I.** *fn növ* **1.** rizs; **husked ~** hántolt rizs; **bright/polished ~** fényezett rizs; **milled/whitened ~** fehérített rizs; **rough/whole ~** hántolatlan rizs **2. (Canadian) wild ~, Indian ~** tuszkarorarizs **II.** *tsi US* átpaszíroz, áttör *[pl. főtt burgonyát]*

rice-cake *fn* rizstorta, rizslepény

rice-paper *fn* kínai papír, rizspapír

rice-pudding *fn gaszt* rizsfelfújt, tejberizs

rich [rɪtʃ] **I.** *mn* **1.** gazdag **2.** gazdag, bővelkedő (*in* vmben), termékeny *[talaj]* **3.** gazdag, bő(séges), dús; **~ assortment** dús választék; **~ food** nehéz/zsíros étel; **~ harvest** bő/gazdag termés; **~ vegetation** dús/buja növényzet **4. ~**

colour élénk/ragyogó/meleg szín; ~ **voice** telt/zengő hang **5.** pompás, díszes *[ruha, épület]* **6.** rendkívül mulatságos *[esemény]* **7.** közönséges, disznó *[humor]* **II.** *fn* **the** ~ a gazdagok; **the newly** ~ az újgazdagok; → **riches**

Richard [ˈrɪtʃəd ‖ –ərd] *tul* Richárd

riches [ˈrɪtʃɪz] *fn tsz* gazdagság, vagyon

richly [ˈrɪtʃli] *hsz* **1.** gazdagon **2.** *biz* nagyon, alaposan, teljesen, bőven, bőségesen; **he ~ deserved it** alaposan rászolgált

richness [ˈrɪtʃnəs] *fn* gazdagság, bőség

Richter scale [ˈrɪktə– ‖ –tər–] *fn geol* Richter-skála

rick [rɪk] **I.** *fn* (széna)boglya, kazal, asztag **II.** *tsi* kazalba/boglyába rak

rickets [ˈrɪkɪts] *fn esz orv* angolkór, rachitis

rickety [ˈrɪkəti] *mn biz* **1. a)** ~ **legs** ingadozó/roskatag lábak **b)** kiegyensúlyozatlan, zavaros *[szellem]* **2.** rozoga, roskadozó *[bútor, épület]*

rickshaw [ˈrɪkʃɔː] *fn* riksa, kétkerekű gyaloghintó; ~ **man** riksahúzó, kuli

ricochet [ˈrɪkəʃeɪ ‖ ˌrɪkəˈʃeɪ] **I.** *tni* visszapattan, más irányba pattan *[lövedék]*, gellert kap **II.** *fn* visszapattanás, geller, felpattanó lövés

ricotta [rɪˈkɒtə ‖ –kɑtə] *fn gaszt* ‹olasz juhsajt›

rictus [ˈrɪktəs] *fn tsz* **rictus 1.** szájtátás, fogvicsorítás *[rémülettől]* **2.** szakadék, repedés **3.** *biol* szájnyílás

rid[1] [rɪd] *tsi pt* **ridded**, **rid**, *pp* **rid** megszabadít (*of* vmtől); ~ **from moss** mohától megtisztít; **be ~ of sg** megmenekül(t) vmtől; **get ~ of sg**, ~ **oneself of sg** megszabadul/megmenekül vmtől; **get ~ of sy** leráz vkt a nyakáról; eltüntet/eltávolít/megöl vkt *[vetélytársat, ellenséget]*

rid[2] [rɪd] → **ride**[1] II.

ridable [ˈraɪdəbl] → **rideable**

riddance [ˈrɪdns] *fn* megszabadulás (*from* vmtől); **a good ~!** csakhogy megszabadultunk!, ezt olcsón megúsztuk!, hál'Istennek megszabadultam tőle!

ridden [ˈrɪdn] *mn* **1.** üldözött, vm által elnyomott/megnyomorított **2.** *összet* **bed-~** ágyhoz kötött; → **ride**[1] II.

riddle[1] [ˈrɪdl] **I.** *fn* **1.** rejtvény, találós kérdés **2.** *biz* talány, rejtély; **speak in ~s** rejtélyes kijelentéseket tesz, talányokban beszél **II. A.** *tsi* ~ **(out) a dream** álmot megfejt/megmagyaráz **B.** *tni* talányokban beszél

riddle[2] [ˈrɪdl] **I.** *tsi* **1.** (át)szitál, (át)rostál **2.** *biz* ~ **sy with bullets** szitává lő vkt; *biz* ~ **sy's arguments** darabokra szedi vk érvelését **II.** *fn* rosta, (durva) szita; **make a ~ of sy** szitává lő vkt

ride [raɪd] *pt* **rode** [roʊd], *pp* **ridden** [ˈrɪdn], *hajó* **rode**, *régi* **rid I. A.** *tsi* **1.** ~ **a bicycle** kerékpároz; ~ **a horse** lovagol; *átv* ~ **a willing horse to death** visszaél vk jóindulatával; *biz* ~ **the goat** beveszik/beavatják titkos társaságba; ~ **an idea to death** folyton ugyanazon lovagol, unalomig csépel egy témát **2. a)** ~ **a race** versenyt lovagol **b)** belovagol *[vidéket]* **3.** elnyom, leigáz, uralkodik (vmn); **ridden by fear** félelemtől eltelve; félelem hatása alatt **4.** meghág, fedez *[nőstényt]*, *durva szl [közösül]* megbasz **B.** *tni* **1.** lovagol; ~ **bareback** szőrén üli meg a lovat; ~ **hard** gyorsan lovagol/hajt; ~ **for a fall** vadul lovagol; veszélynek teszi ki magát, kihívja a sorsot, vesztébe rohan; ~ **on the cheap** potyán utazik, potyázik; *átv* **he ~s again** megint a nyeregben van **2.** autón/kocsin megy **3.** gördül, siklik; **the car ~s smoothly** a kocsi simán fut/gördül **II.** *fn* **1.** lovaglás, kocsikázás; **give sy a ~** megkocsikáztat vkt; elvisz vkt autón; **go for a ~**, **take a ~** kilovagol; autózik egyet, kikocsikázik; **steal a ~** potyázik *[járművön]*; **take sy for a ~** vkt elvisz sétalovaglásra/sétakocsizásra; *US szl [autóval elrabol és meggyilkol]* kinyír vkt; *[becsap]* palira vesz, átejt, átver **2.** út, távolság

ride down *tsi* **1.** letipor, legázol **2.** lóháton megelőz **3.** hajszol *[vadat]*

ride off A. *tsi* **1.** taszigál, lökdös *[ellenfelet pólóban]* **2.** megtéveszt **B.** *tni* **1.** ellovagol **2.** *biz* ~ **off (in an argument)** eltér a tárgytól (vitában)

ride out A. *tsi* ~ **out a gale** vihart (horgonyon) kivár *[hajó]*; *biz* átvészel *[nehéz időszakot, bajt, válságot]* **B.** *tni* kilovagol

rider [ˈraɪdə ‖ –ər] *fn* **1.** lovas, kerékpáros; **gentleman ~** úrlovas **2.** *GB* toldalék, módosító/kiegészítő záradék, kötvényfüggelék *[biztosításnál]* **3.** ráépítmény • *mn* **riderless**

ridge [rɪdʒ] **I.** *fn* **1. a)** gerinc, hát *[hegyláncé]* **b)** *épít* tetőgerinc, taréj **c)** ~ **of the back** hátgerinc; ~ **of the nose** orrnyereg **2. a)** hegygerinc, hegylánc, hegyvonulat **b)** sziklazátony, homokzátony, szirtvonulat **3. a)** *mezőg* bakhát **b)** redő éle, barázda, fodor **II. A.** *tsi* **1.** *épít* ~ **a roof** tetőgerincet borít **2.** *mezőg* barázdákat/bakhátakat csinál *[földön]* **3.** barázdál, csíkoz, hornyol *[felületet]* **B.** *tni* **1.** tarajosodik, tarajokat alkot/képez *[tenger]* **2.** barázdás lesz, barázdássá válik, fodrozódik *[homok]* • *mn* **ridgy**

ridge-pole *fn* **1.** *épít* szelemen, felső hosszgerenda, *[fedélszéké]*, gerinc-alátámasztó oszlop **2.** keresztartó rúd *[sátorponyváé]* **3.** *épít* süveggerenda

ridicule [ˈrɪdɪkjuːl] **I.** *fn* nevetség(esség) gúny/nevetség tárgya; **be open to ~**, **give cause for ~** nevetséges(sé válik); nevetség tárgya; **hold sy/sg up to ~**, **turn sy/sg into ~** nevetségessé (v. nevetség tárgyává) tesz vkt/vmt; gúnyt/csúfot űz vkből/vmből **II.** *tsi* nevetségessé tesz, kinevet, kigúnyol, kicsúfol, gúnyt/csúfot űz (vkből, vmből)

ridiculous [rɪˈdɪkjʊləs ‖ –kjə–] **I.** *mn* nevetséges, képtelen; **don't be ~!** ne nevettesd ki magad! **II.** *fn* **from the sublime to the ~** a fenségestől a nevetségesig • *fn* **ridiculousness**

riding [ˈraɪdɪŋ] **I.** *mn* **a)** lovagló, lovas(ított); ~ **costume** lovaglóruha; ~ **horse** hátasló **b)** utazó, úton levő **II.** *fn* **a)** lovaglás; **obstacle ~** gátlovaglás, akadálylovaglás **b)** utazás *[kocsin, járművön]*

rife [raɪf] **I.** *mn* **1.** nagyszámú, bőséges; **be ~ with sg** vmben bővelkedik **2. a)** gyakori, általános, mindennapos, elterjedt; **grow/wax ~** növekszik, fokozódik, erősödik **b)** elterjedt, járványos **II.** *hsz* gyakorta, általánosan, mindennap(osan), bőségesen • *fn* **rifeness**

riff [rɪf] **I.** *fn zene* ‹aláfestésként használt zenei figuráció› riff **II.** *tni* riffel, riff(ek)et játszik

riffle [ˈrɪfl] **I.** *tsi* **1.** *US* gyorsan átlapoz *[könyvet]*, a lapokat végigpörgeti **2.** *US [kártyát]*, kever *[kétfelé osztott csomagot két sarkánál egymásba lapol]* **II.** *fn* **1. a)** vályú **b)** *bány* aranymosó edény, aranyvályú **2. a)** *US* folyó zúgója **b)** *US* kis felszíni hullám, fodrozódás

riff-raff [ˈrɪfræf] *fn* csőcselék, söpredék, alja nép, gyülevész had/nép

rifle[1] [ˈraɪfl] **I.** *fn* **1.** huzagolt/vont csövű kézi lőfegyver, (vadász)puska, karabély; **automatic ~** golyószóró, automata puska **2.** huzagolás *[lőfegyveren]* **3.** *tsz* **rifles** lövészgyalogság **II.** *tsi* **1.** huzagol, von *[puskacsövet, lőfegyvert]* **2.** ~ **sy** rálő vkre; lelő/agyonlő vkt

rifle[2] [ˈraɪfl] **A.** *tsi* ~ **through** átfésül, átkutat; (felforgat/átkutat és) kifoszt, kirabol *[helyet, egyént]* **B.** *tni* fosztogat, rabol

rifleman [ˈraɪflmən] *fn tsz* **-men** *kat* lövész; *GB* közlegény *[könnyű gyalogos]*; **automatic ~** golyószórós

rifle-range *fn* **1. a)** lövölde **b)** lőállás **2.** hordtávolság, lőtávolság

rifle-shot *fn* **1.** puskalövés; **within ~** lőtávolságban, lőtávolságon belül; puskalövésnyire **2.** (jó) lövész, puskás

rifling [ˈraɪflɪŋ] *fn* huzagolás *[puskacsőé]*; ~ **rod** huzagoló rúd

rift [rɪft] **I.** *fn* rés, nyílás, repedés *[földben, sziklában]*, hasadék, szakadék; ~ **saw** hasítófűrész **II. A.** *tsi* hasít, felszakít, széthasít, szétrepeszt **B.** *tni* (szét)hasad, szétreped

rig[1] [rɪg] **I.** *tsi* **-gg- 1. a)** *hajó* felszerel, felárbocoz, felcsarnakol, kötélzettel ellát *[hajót]*, vitorlával ellát *[árbocot]* **b)** felszerel, ellát (felszereléssel/berendezéssel) **2.** *biz* ~ **(out)** felöltöztet, felcicomáz, kiöltöztet (vkt) **II.** *fn* **1. a)** *hajó* vitorlázat, árbocozat, kötélzet, csarnakzat **b)** *épít* árboc(fa) **2. a)** *biz* öltözet, öltözködés, viselet

b) *biz* külső megjelenés *[emberé]* **3. a)** *műsz* berendezés, felszerelés **b)** *műsz* (gép)szerkezet **c)** *ip* **oil ~** olajfúró torony *[tengeren]* **4.** *US Ausz* vontatós tehergépkocsi, teherautó

rig out *tsi* **1.** *hajó* orrvitorlarudat/szárnyvitorlarudat kitol/kihúz **2.** felöltöztet, kiöltöztet, felcicomáz

rig up *tsi* **1.** felállít, felszerel *[készüléket, műszert]*, létesít (vmt), *hajó* kötélzettel lát el *[hajót]* **2.** kiöltöztet **3.** feldíszít *[pl. karácsonyfát]* **4. ~ up prices** áremelkedést idéz elő, felveri az árakat

rig[2] [rɪg] **I.** *tsi* **-gg- 1.** *pénz* **~ the market** tőzsdén nyerészkedik/spekulál (v. gyanús üzleteket köt); felhajtja/leszorítja az árfolyamokat **2.** cinkel, megjelöl *[kártyákat]* **3.** meghamisít, megbundáz; **~ an election** (képviselőválasztást) tisztességtelen módon befolyásol **II.** *fn* **1.** tréfa, csíny; *biz* **run a ~** mókázik; tréfát űz **2. a)** előkészített/kitervelt gonosztett, szélhámoskodás **b)** *pénz* tőzsdei manipuláció/manőver

rigged ['rɪgd] *mn hajó összet* felszerelésű, kötélzetű, felszerelt; **well-~** jól felszerelt/felcsarnakolt *[hajó]*; → **rig**[1,2] **II.**

rigger[1] ['rɪgə ‖ –ər] *fn* **1. a)** *hajó* árbocmester, vitorlamester **b)** szerelő **2.** *műsz* tárcsa *[esztergapadé]* **3.** állványozó *[ács]*

rigger[2] ['rɪgə ‖ –ər] *fn pénz* (tőzsdei) üzér(kedő), nyerészkedő, valutázó, spekuláns

rigging ['rɪgɪŋ] *fn* **a)** *hajó* felszerelés, felcsarnakolás *[hajóé]* **b)** *hajó* vitorlázat, árbocozat, vitorlakötélzet, csarnakzat *[hajóé]*; **main ~** főárboc kötélzete; **running ~** futókötélzet **c)** *rep* teherelosztó kötélzet/huzalozás *[léggömbburkon]*

right [raɪt] **I.** *mn* **1.** jobb(oldali), jobb felőli; **on one's ~ hand** jobb kéz felől; vknek a jobb oldalán; **on the ~ side** jobbra, jobb oldalon; **the ~ side of the fabric** szövet színe v. színoldala (/jobb oldala) *[nem fonákja]*; **put one's ~ hand to the task** derekasan hozzáfog a munkához (v. nekilát egy feladatnak); *pol* **~ wing** jobboldal, jobbszárny; → **right-wing 2.** igazságos, becsületes, helyes, józan, megfelelő, kellő; **~ (and proper) conduct** helyes/jó viselkedés; **it is ~ that you should know this** helyénvaló, hogy ezt (meg)tudd; **it is only ~ (that it should be so)** (nagyon is) jogos és méltányos (, hogy így legyen); **do ~ by sy** tisztességesen bánik vkvel; tiszteletttudóan bánik vkvel; *biz* **it serves him ~** úgy kell neki; ezt megérdemelte; **take a ~ view of things** jól látja (v. helyesen bírálja el) a dolgokat; **think along the ~ lines** helyesen gondolkozik; **I thought it ~ to** helyénvalónak véltem, hogy **3.** *mat* **a)** egyenes; **~ line** egyenes vonal; → **right-line b) ~ angle** derékszög; **at ~ angles to .../with ...** derékszögben ...vel, merőlegesen vmre; → **right-angle** I. **4. a)** szabatos, pontos, helyes, korrekt; **~ to a thousandth of an inch** hajszálra pontos; **the ~ time** (a) pontos idő; **is your watch ~?** pontos-e (v. jól jár-e) az órája?; **the ~ word** találó/helyénvaló szó/kifejezés; **my figures/calculations have come ~** számításom helyesnek bizonyult; **get sg ~** tisztáz vmt; rendbe hoz vmt; pontosan megért (vmt); **put/set sg/sy ~** megigazít vmt; rendbe hoz vmt/vkt; helyrehoz, helyreigazít, kijavít vmt; kijózanít, kiábrándít, helyes útra terel/vezet vkt; útbaigazít; helyesbíti/helyreigazítja vk állításait **b) be ~** igaza van; *biz* **~!, you are ~!, ~ oh!, ~ ho!** rendben!; jól/rendben/úgy van!, igaza van!; **all ~** (minden) rendben (van); **all ~!** úgy van!, helyes!; **it's all ~!** nagyszerű!, kitűnő!; **quite ~!** (nagyon) helyes!, nagyszerű!, kitűnő; persze, úgy van, természetesen, hogyne; **you are quite ~!** tökéletesen igaza van!; **that's ~!** helyes!, úgy van! így van jól!, rendben/jól van!; **he was ~ in refusing it** igaza volt, hogy visszautasította, helyesen cselekedett, amikor visszautasította; **time proved him ~** az idő (őt) igazolta **c) is that the ~ house?** ez az a ház?; *biz* **am I ~ for London?** ez a kocsi/vonat (v. az út) visz/megy Londonba?; **set oneself ~ with sy** vk előtt igazolja magát (v. kimagyarázkodik) **d)** alkalmas, megfelelő; **the ~ man in the ~ place** a megfelelő embert a megfelelő helyre; **at the ~ moment/time** éppen jókor; a legjobbkor; **the ~ thing to do** a leghelyesebb ezt tenni (v. amit tenni) lehet; *biz* **he's one of the ~ sort** ő rendes/jóravaló ember; **be on the ~ side** jó helyzetben/állásban van; a napos oldalon van **e) be on the ~ side of forty** még nincs negyven éves; még a negyvenen innen van; **get on the ~ side of sy** vk kegyeibe férkőzik **5. a)** *biz* **as ~ as rain** (v. **a trivet)** kitűnő állapotban; **be ~ in one's mind, be in one's ~ mind** épeszű; szellemi képességeinek birtokában van; helyén van az esze; **he is not ~ in his head** kissé bolondos/hóbortos; hiányzik egy kereke; **that'll set you ~** ez majd rendbe hoz, ez majd új lelket önt beléd; **things will come ~, things will turn out ~** a dolgok majd rendbe jönnek (v. kialakulnak) **b) do you feel all ~?** jól érzi magát? jól van? **c)** *biz* **it's all ~ for you to laugh** könnyű neked nevetni; *szl* **a bit of all ~!** *[nagyon jó]* valami remek!, valami csuda klassz! **6.** igazi, eredeti; **a ~ woman** igazi nő **II.** *hsz* **1.** jobbra, jobb oldalon, jobb felől; **~ and left** jobbrólbalról; jobbra-balra; mindenfelé, mindenünnen; **eyes ~!** jobbra nézz!; *kat* **~ dress!** jobbra igazodj!; **~ turn!** jobbra át! **2. a)** helyesen, megfelelően, jól, jogosan; **do ~** helyesen cselekszik; **... if I remember ~** ha jól emlékszem **b)** szabatosan *[válaszol]*, pontosan *[megjövendöl]*; **~ in the middle** (vmnek) kellős (v. pontosan a) közepén/közepébe; **nothing goes ~ with me** nekem semmi se sikerül **3. a)** egyenesen, közvetlenül, mindjárt; **~ at the start** mindjárt az elején; **~ at the top** a legtetején; **go ~ on** egyenesen halad/megy előre; ugyanúgy/változatlanul folytatja; **~ ahead** egészen elöl; *hajó* pontosan szemben; **~ away** azonnal, rögtön, máris; *US* **~ now/off** azonnal, rögtön, máris; mindjárt, menten, tüstént; éppen most; **~ away!** előre!, indulás!, start!; *US* **~ here** éppen itt; *US* **come ~ in** fáradjon be; kerüljön beljebb **b)** *US* direkt, közvetlenül, éppen; **sink ~ to the bottom** teljesen elmerül, a fenékre süllyed **4. R~ Honourable** méltóságos, kegyelmes; **~ reverend** főtisztelendő; főtiszteletű **III.** *fn* **1. a)** jobb kéz, jobb oldal; **keep to the ~** jobbra tart(s) **b)** *pol* jobboldal; **the R~** a jobboldal **c)** *sp* jobbkezes ütés, jobbos (ütés) *[bokszban]* **2. a)** jog, jogosság, igazság(osság), illetékesség, juss, tulajdonjog; **divine ~** isteni jog; **Universal Declaration of Human R~s** Az Emberi Jogok Egyetemes Nyilatkozata; **~ of appeal** fellebbvitel jog; **~ of succession** öröklési/örökösödési jog; **~ to vote** szavazati jog; **~ of way** szolgalom; szolgalmi jog; (szolgalmi jogon alapuló) átjárási jog; *közl* (áthaladási) elsőbbség; **lack of all ~s** jogfosztottság; **might and ~** erő/hatalom és jog; **be in the ~** igaza van; jogosan cselekszik; **do sy ~** igazságot szolgáltat vknek; **by ~(s)** jogosan; szigorúan véve; voltaképpen; jog/igazság szerint; **by ~ of** vmnél fogva, vm alapján, vm jogon/jogán; **it belongs to him by ~** ez az ő jogos tulajdona; **he has ~ to ...** joga van vmhez **b)** jogosultság, jogos igény, előjog; **with better ~** több joggal, jogosabban; **in one's own ~** a saját jogán; **have the ~ to do** (v. **of doing) sg** jogában áll vmt megtenni; **have a/the ~ to sg** vmre/vmhez joga/jussa van **c)** méltányosság, helyesség; **~ and wrong** a helyes és a helytelen, a jó és a rossz; **the ~s and wrongs of sg** vmnek jó és rossz oldala **3.** *tsz* **rights** igényjogosultság, bizonyos jogok (összessége), tulajdonjog; **all ~s reserved** minden jog fenntartva; **be within one's ~s** törvényes alapon áll; joga van (vmhez); **assert one's ~s, stand on one's ~s** ragaszkodik jogaihoz **4. a) put/set sg to ~s** vmt rendbe hoz; vmt kijavít/helyreállít; **put sy in the ~** útbaigazít vkt **b) know the ~s of the case** ismeri vmnek minden csínját-bínját **c)** *szl* **she has found Mr R~** magához való férjet talált, megtalálta az igazit **IV. A.** *tsi* **1. a)** felegyenesít, felállít *[felfordult járművet]*; **~ itself** visszatér eredeti helyzetébe, kiegyenesedik; rendbe jön (magától); **~ oneself** visszanyeri egyensúlyát; felegyenesedik; visszaszerzi jó hírnevét; igazolja magát **b)** helyes irányba visszavezet **2. a)** helyrehoz, jóvátesz *[igazságtalanságot]* **b)** igazságot szolgáltat (vknek), igazol (vkt); **~ oneself in the eyes of sy** (v. **sy's opinion)** igazolja magát (vm miatt) vk előtt **3.** kijavít

R

[hibát], helyesbít *[tévedést]* **4.** jogaihoz juttat **B.** *tni* visszabillen eredeti helyzetébe, kiegyenesedik, felemelkedik *[hajó]*

right-about I. *hsz kat* **~ face/turn** hátraarc; hirtelen fordulat/hangulatváltozás/köpönyegfordítás; **~ turn!** hátra arc!; **face/turn ~** hátraarcot csinál; *átv* köpönyeget forgat, megváltoztatja nézetét **II.** *fn* hátraarc *[jobbra fordulással]*; *biz* **send sy to the ~** vknek kiteszi a szűrét; vkt elzavar/kidob; vkt a pokolba/fenébe küld

right-angle I. *mn* derékszögű **II.** *tsi* derékszögben meghajlít/elhelyez; → **right** I. 3. a.

right-angled *mn* derékszögű

righten [ˈraɪtn] *tsi* megjavít, helyrehoz

righteous [ˈraɪtʃəs] *mn* **1.** egyenes, tisztességes, erényes, becsületes, igaz **2.** igazságos, jogos, indokolt; **~ indignation** jogos felháborodás

righteousness [ˈraɪtʃəsnəs] *fn* **1.** egyenesség, becsületesség, igazságosság, *bibl* igazság **2.** igazságos cselekedet/viselkedés **3.** jogosság, indokoltság

rightful [ˈraɪtfl] *mn* **1.** jogos(ult), törvényes; **~ heir** törvényes örökös **2. a)** jogos, jogosan igényelt, megillető (vm); kijáró *[örökrész]* **b)** igazságos, méltányos • *fn* **rightfulness** *hsz* **rightfully**

right-hand *mn* **1. a)** jobb oldali, jobb kéz felőli; jobb kézre való *[kesztyű]* **b) ~ corner of a sheet** lap jobb oldali sarka; **~ glove** jobbkezes kesztyű; **~ man** *biz* (vknek) jobb keze; bizalmi/nélkülözhetetlen ember; **on the ~ side** a jobb oldalon **2.** *műsz* jobbmenetes, jobbmenetű, jobbos, jobbra forduló *[zár, fúró stb.]*; **~ screw** jobbmenetű/jobbos csavar

right-handed *mn* **1.** jobbkezes *[egyén, ütés, szerszám]* **2.** *műsz* jobbmenetű, jobbmenetes, jobbos *[csavar, zár]* **3.** ügyes • *fn* **right-handedness**

right-hander *fn* **1.** jobbkezes ember **2.** jobbkezes (boksz)ütés

rightist [ˈraɪtɪst] **I.** *mn pol* jobboldali *[beállítottságú]*; jobbszárnyhoz tartozó **II.** *fn pol* jobboldali (politikai) párt tagja; jobboldali politika követője; konzervatív

rightly [ˈraɪtli] *hsz* **1.** helyesen, jogosan, méltá(nyosa)n; **act ~** helyesen/józanul/okosan/illően cselekszik **2.** pontosan, hibátlanul; **~ speaking** helyesebben mondva

right-minded *mn* **1. a)** megbízható, derék *[ember]*; jóindulatú *[gondolkozású]* **b)** egyenes gondolkozású **2.** épeszű, józan

rightmost [ˈraɪtmoust] *mn* legjobboldalibb

right-thinking *mn* rendes/jóravaló/józan/tisztességes gondolkodású

right-to-life *mn* abortuszellenes, az élethez való jogot hirdető

rightwards [ˈraɪtwədz ‖ −wərdz] *hsz* jobbra, jobbfelé

right-wing *mn* **1.** jobboldali, jobbszárnyhoz tartozó; **~ policy** jobboldali politika; → **right** I. 1. a. **2.** *sp* jobbszélső

right-winger *fn* **1.** *pol* jobboldali/jobbpárti politikus **2.** *sp* jobbszélső *[csatár]*

rigid [ˈrɪdʒɪd] **I.** *mn* **1.** rideg, merev, szilárd **2.** szigorú, kimért *[viselkedés]* **II.** *fn* **1.** *biz* merev vázú kormányozható léghajó **2.** tehergépkocsi, teherautó *[nem csuklós]* • *fn* **rigidness** *fn* **rigidity**

rigidify [rɪˈdʒɪdɪfaɪ] *tsi/tni* **1.** merevít, merevvé tesz **2.** (meg)merevedik

rigmarole [ˈrɪgməroul] *fn* szószaporítás, (üres) fecsegés; szószátyár/zavaros beszéd; hasalás, hanta; halandzsa (beszéd) *[bűvészé]*

rigor [ˈrɪgə, ˈraɪgɔː ‖ ˈrɪgər] *fn* **1.** *orv* tüneti borzongás/remegés, hidegrázás **2.** *orv* **~ mortis** hullamerevség, halotti merevség **3.** *US* → **rigour**

rigorous [ˈrɪgərəs] *mn* **1.** (túlságosan) szigorú, rideg, kérlelhetetlen **2.** zord, kemény **3.** precíz, pedáns • *fn* **rigorousness**

rigour [ˈrɪgə ‖ −ər] *fn* **1.** szigorúság, keménység, hajthatatlanság, kérlelhetetlenség **2.** zord(on)ság, keménység *[időjárásé]*; **the ~s of prison life** a börtönélet zordságai; **~s of weather** az időjárás viszontagságai **3.** (tudományos) precizitás, pontosság *[számadásé]* **4.** merevség, szigorúság *[tané]*

rig-out *fn* **1.** *biz* **a)** *GB* öltözet, öltözködés, viselet, ruha, ruházat **b)** ember külseje **c)** *pej* felcicomázás, (nevetséges) kiöltözködés; **get a new ~** új ruhát kap (v. szerez be) **2. a)** kelengye, felszerelés **b)** teljes készlet/felszerelés *[szerszámból, műszerekből]*; → **rig out**

rile [raɪl] *tsi* **1.** *biz* izgat, idegesít, kihoz a sodrából, ingerel, (fel)bosszant, feldühít, mérgesít, ugrat, heccel (vkt) **2.** *US* felkavar, zavarossá tesz *[vizet]*

rill [rɪl] *fn* **1.** (víz)ér, erecske, patak(ocska), vízfolyás **2.** *csill* → **rille**

rille [rɪl] *fn csill* barázdák *[hold felületén]*

rim [rɪm] **I.** *fn* **1. a)** karima, peremszegély, koszorú, pánt, gyűrű, karika; **~ clinch** köpenyperem *[gumin]*; **~ of a hat** kalapkarima **b)** *sp* gyűrű *[kosárlabdában]* **c)** szitaabroncs **d)** (kerék)talp **2. a)** szél, perem(dísz), keret *[érmén]* **b)** keret *[szemüvegé]* **c)** határvonal **II.** *tsi* **-mm- 1.** abroncsoz, abroncsol *[kereket]* **2.** szegéllyel/peremmel ellát, párkányoz, szegélyez **3.** (el)határol • *mn* **rimless**

rime[1] [raɪm] **I.** *fn* zúzmara, dér **II.** *tsi* zúzmarával/dérrel borít/belep; *átv* **~ sy's hair** megüti a dér a haját/fejét

rime[2] [raɪm] *fn/i régi* → **rhyme**

rimose [ˈraɪmous] *mn biol* repedezett, hasadozott

rimous [ˈraɪməs] → **rimose**

rimy [ˈraɪmi] *mn* **1.** zúzmarás, zúzmarával borított **2.** hideg, ködös

rind [raɪnd] **I.** *fn* **1. a)** kéreg, héj, burok *[fáé, növényé]* **b)** *biz* **we must look below the ~** a dolgok mélyére kell hatolni; ne csak a külszínt/felületet nézzük **2.** héj *[sajté, gyümölcsé]*; hüvely *[babé, borsóé]*, bőr *[szalonnáé]* **II.** *tsi* lehámoz *[gyümölcsöt]*; lehánt *[fakérget]*; lehéjaz *[sajtot]*

-rinded [−raɪndɪd] *utótag* héjú, héjas, kérgű, kérges; **gold-~ fruit** aranysárga héjú gyümölcs; **hard-~ cheese** kemény héjú sajt

ring[1] [rɪŋ] **I.** *fn* **1.** karika, gyűrű; **(finger-)~** (karika)gyűrű **2. a)** gyűrű, karika, abroncs; *műsz* **~ and staple** vaskapcsos gyűrű, karabiner **b)** *műsz gk* szorítógyűrű, beállítógyűrű **3. a)** bolygó gyűrűje; karika *[fáradt szem körül]*; holdudvar, (füst)karika **b)** *sp* **the ~** játéktér határát jelző vonal *[krikettben]* **c)** *áll* gyűrű, örv *[galamb nyakán]* **4. a)** kör *[fákból, emberekből]*; **sitting in a ~** körben ülve; **make ~s** köröz *[korcsolyázásban]*; *biz* **make ~s round sy** játszva/könnyűszerrel legyőz vkt; lepipál/lefőz/lehagy/„leköröz" vkt *[versenyben]*; *biz* **put/run ~s round sg/sy** alaposan lefőz/lepipál vmt/vkt; fölényesen túltesz vmn/vkn **b)** csoport, kör, klikk, társaság **c)** *gazd* ring, érdekszövetkezet, érdekszövetség, szindikátus, kartell; *pénz* **the R~** tőzsde(piac) **5.** *sp* aréna, porond *[cirkuszé]*; szorító *[bokszban]*; *sp biz* **the ~** ökölvívás, bokszolás; ökölvívás/bokszolás hívei; *sp* **the R~** lóversenytéri mázsáló(hely); lóversenytéri fogadóiroda; bukméker; *sp US* **throw one's hat in the ~** → **hat** I. **II. A.** *tsi* **1. a)** gyűrűt húz vmre (v. vk ujjára) **b)** gyűrűz *[madarat]* **c)** karikát tesz *[bika/disznóorrába]* **2. a)** *vad* felhajt, körülfog, bekerít *[vadat]* **b) ~ cattle** marhát terel **3.** karikára vág/szeletel *[almát, hagymát]* **B.** *tni* **1.** csigavonalban emelkedik, köröz *[héja]* **2.** kört alkot/képez

ring[2] [rɪŋ] **I.** *pt* **rang** [ræŋ], *pp* **rung** [rʌŋ] **A.** *tsi* **1. a)** csenget, meghúzza/megszólaltatja a csengőt; **~ the bell** csenget; ügyesen végrehajt vmt; **doesn't it ~ a bell?** nem emlékeztet ez téged vmre?, nem juttat ez eszedbe vmt? **b)** penget *[pénzt]* **2.** (harangot) húz, harangoz; **~ the alarm** félreveri a harangokat; **~ the praises of a deed** egy tett dicséretét zengi **3.** *GB* felhív *[vkt telefonon]* **B.** *tni* **1. a)** szól, cseng, csendül, hangzik, kong; **set the bells ~ing** meghúzza/megkondítja a harangokat; **my ears are ~ing** a fülem cseng; **his words still ~ in my ear** még a fülemben csengenek a szavai **b) ~ false** hamisnak cseng *[érme]*; *átv* nem hat őszintén/meggyőzőn; **~ true** igazinak cseng *[érme]*; igaznak hangzik *[elbeszélés]* **2.** zeng, harsog, visszhangzik (*with* vmtől); **the (news)papers ~ with ...**

az újságok másról sem írnak, mint ..., az újságok tele vannak ...(-vel) **3. words ~ing with emotion** indulatos szavak **II.** *fn* **1. a)** hang, csengés, hangzás, zengés; **~ of a coin** pénzdarab/érme csengése; **it lacks an honest ~** nem hangzik őszintén **b) ~ (of a bell** v. **bells)** harangozás, harangszó, harangzúgás **c)** visszhang(zás) **2. a)** csengetés; **there is a ~ at the door** csengetnek, szól a(z ajtó)csengő **b) ~ on the telephone** telefoncsengetés, telefonhívás; **give sy a ~** felhív vkt (v. odaszól vknek) telefonon

ring back *tsi* visszahív *[vkt telefonon]*

ring down A. *tsi szính* **~ down the curtain** lebocsátja/leereszti a függönyt; (csengővel) jelt ad függöny lebocsátására; *átv* véget vet vmnek **B.** *tni* legördül *[függöny]*

ring in A. *tsi* **1.** beharangoz, harangozással ünnepli/jelzi vk jövetelét/érkezését; *biz* **~ in the news** beharangoz *[újságot, hírt]*; *biz* **~ in the New Year** szilveszterez, az újév érkeztét köszönti **2.** *GB* bejelent/közöl vmit *[telefonon]* **B.** *tni* **1.** beharangoz *[misére]* **2.** bélyegez, blokkol *[munkába érkezéskor]*

ring off A. *tsi GB* bont, leteszi a kagylót **B.** *tni* befejezi/abbahagyja a (telefon)beszélgetést; → **ring-off**

ring out A. *tsi* harangszóval búcsúztat (vkt); *biz* **~ out the old year** szilveszterez; megünnepli az óév végét **B.** *tni* **1.** szól, cseng, csendül, zeng, felhangzik, (ki)hangzik **2.** bélyegez, blokkol *[munkából távozáskor]*

ring up *tsi* **1.** *szính* **~ up the curtain** felhúz (színházi) függönyt **2.** *GB* **~ sy up** vkt telefonon felhív, telefonál vknek; → **ring-up 3.** összeget beüt *[a pénztárgépbe]*

ring-armour *fn* páncéling, gyűrűspáncél

ring-bark *tsi* gyűrű alakban kivés *[fát]*; kérgét gyűrű alakban lehántja *[fának]*

ring-binder *fn* gyűrűs iratrendező

ringbolt *fn* **a)** *műsz* füles/gyűrűs/szemes csavar **b)** *hajó* kötélhurok *[hajókikötéshez]*

ringdove *fn áll* **a)** örvösgalamb **b)** vadgalamb

ringed [rɪŋd] *mn* **1. a)** gyűrűvel körülvett *[bolygó]* **b) black-~ eyes** (sötét) karikás szemek **c)** *biol* gyűrűs, gyűrűjű; **broad-~ tree** vastag évgyűrűjű fa; **fine-~ tree** keskeny gyűrűjű fa **d)** örvös *[madár]*; orrkarikás *[állat]* **2.** elgyűrűzött, gyűrűs *[menyasszony]* **3.** karikás, gyűrűs alakú, karika alakú

ringer [ˈrɪŋə ‖ —ər] *fn* **1. a)** harangozó **b)** *műsz* csengőszerkezet, csengő **2.** *US biz* **be a dead ~ for his father** apjának szakasztott mása; kiköpött apja

ring-fence I. *fn* **1.** vmt teljesen körülvevő kerítés **2.** korlátozás, akadály, leküzdhetetlen nehézség **II.** *tsi* **1.** körülvesz, elkerít **2.** őriz, óv

ring-finger *fn* gyűrűsujj

ringing [ˈrɪŋɪŋ] **I.** *mn* **1.** kongó, zúgó, csengő *[harang]*; csengető *[készülék]*; **~ tone** csengetést jelző hang *[telefonban]* **2.** zengő, harsogó, harsány *[hang]*; **~ cheers** dörgő éljenzés; **~ frost** farkasordító hideg/fagy **II.** *fn* **1. a)** csengetés, harangszó **b)** csengés, pengés *[pénzé]* **2. a) ~(in the ear)** fülcsengés **b)** harsogás, zengés

ringleader *fn* **a)** bűnszövetkezet/banda feje/vezetője/vezére; vezér **b)** (fő)kolompos, előcsahos

ringlet [ˈrɪŋlət] *fn* **1.** kis gyűrű/karika, gyűrűcske **2. a)** (göndör) hajfürt, huncutka, lokni **b)** pajesz, fültincs • *mn* **ringleted**, **ringlety**

ring-mains *fn tsz vill* körvezeték, gyűrűs fővezeték

ring-man [ˈrɪŋmən] *fn tsz* **-men** *sp* bukméker, könyves

ring-master *fn* **1.** cirkusztulajdonos, cirkuszigazgató **2.** bokszring tulajdonosa, ökölvívó-mérkőzések rendezője

ringneck *fn áll* örvösmadár

ring-necked *mn áll* örvös

ring-pull *fn* nyitógyűrű *[italdobozon]*

ring-road *fn GB közl* (várost övező/elkerülő) körút, körgyűrű

ringside *fn sp* nézőtér első sora *[cirkuszban, ökölvívómérkőzésen]*; *átv biz* **have a ~ seat** páholyból nézi a dolgokat

ringtail *fn* **1. a)** *Ausz áll* gyűrűsfarkú oposszum **b)** *Ausz biz* gyáva ember **2.** *hajó* farvitorla

ring-tailed *mn áll* csíkozott farkú, gyűrűsfarkú; *US tréf* **~ roarer** ‹gyerekmesék képzeletbeli állata›

ringworm *fn orv* tinea, ótvar

rink [rɪŋk] *fn* **(skating) ~** korcsolyapálya; (fedett) jégpálya; görkorcsolyapálya

rinse [rɪns] **I.** *tsi* **a)** (ki)öblít, öblöget; **~ (out) a bottle** üveget kiöblít; *biz* **~ one's dinner down with a pint of ale** egy pint sörrel öblíti le az ebédjét **b)** bemos *[hajat]* **II.** *fn* **1. a)** (ki)öblítés, öblögetés; **give a bottle a ~** üveget kiöblít **b)** bemosó *[hajszínező]* **2.** *szl* **have a ~** *[iszik egyet]* leöblíti a torkát

riot [ˈraɪət] **I.** *fn* **1. a)** lázadás, lázongás, zendülés, felkelés, forrongás, lármás csődület/csoportosulás; *átv* **read the R~ Act to sy** erősen megszid/megdorgál/leckéztet vkt; lelki fröccsöt ad/tart (vknek); **~ hand grenade** könnyfakasztó gránát; **~ squad** rendőri rohamkészültség **b)** zenebona, zsivaj, csendháborítás; *biz* **kick up a ~** nagy lármát/zenebonát/murit csap;; balhézik **2.** tobzódás, orgia *[színeké, hangoké]*; **~ of colours** színpompa **3. run ~** *vad* nyomot követ *[falka]*; *átv* zabolátlanul viselkedik, kikel magából, megvadul; féktelenkedik; (el)burjánzik *[növény]*; **run ~ upon sg** nagy szenvedéllyel űz vmt **4.** *biz szl [mulattató/mókás személy/dolog]* óriási/nagy szám **II.** *tni* **1. a)** összecsődül, összeverődik, fellázad, zendül, zavargást okoz, zavarog **b)** lármát csap, zajong **2. ~ in sg** szenvedélyesen hódol vmnek; beleveti magát vmbe, tobzódik vmben • *fn* **rioter**

riotous [ˈraɪətəs] *mn* **1.** lázadó, zendülő, zavargó *[tömeg, személy]* **2.** zajongó, lármás, zsivajgó, hangos(kodó), féktelenkedő *[tömeg, személy]* **3.** dőzsölő • *fn* **riotousness**

riot police *fn* rohamrendőrség

riot shield *fn* rohampajzs *[rendőrségi plexipajzs]*

rip [rɪp] **I. -pp- A.** *tsi* **1. a)** (hosszában) hasít, (fel)tép, (fel)szakít; **~ sg open** felvág, felhasít, felszakít, feltép *[csomagot, borítékot]* **b)** *átv* felszakít, feltép **2.** repeszt **B.** *tni* **1.** elszakad, elhasad; **~ along the seams** felfeslik, felbomlik **2.** *biz* **~ (along)** őrült iramban halad; őrült sebességgel hajt; *biz* **let him/her ~!** hagyja őt kedve szerint cselekedni!, eressze neki!; *gk biz* **let her/it ~!** kapcsoljon rá!, hadd menjen!; *biz* **let ~** világra szóló dáridót/murit csap **II.** *fn* **1.** hosszú szakadás/hasadás/vágás/repedés **2.** hasítás

rip off *tsi* **a)** letép, leszakít **b)** *biz szl [elsikkaszt, elcsal, lop]* lenyúl, megfúj

rip up *tsi* **1. a)** felhasít **b)** felvágja a hasát (vknek); szétfejt, szétbont *[ruhadarabot]*; *épít* **~ up the road** útburkolatot felszakít **c) ~ up (knitting)** felfejt *[kötést]* **2.** *biz* **~ up an old sore** feltép egy régi sebet

RIP *röv may he/she rest in peace*

riparian [raɪˈpeərɪən ‖ —ˈper—] **I.** *mn* parti, part menti *[lakos, terület]*; **~ owner** parti birtokos **II.** *fn jog* part menti/parti ingatlan tulajdonosa

rip-cord *fn rep* oldózsinór *[ejtőernyőn]*

ripe [raɪp] *mn* **1. a)** érett; **grow ~** (meg)érik; érlel **b) a ~ old age** (nagyon) öreg kor **2. plan ~ for execution** kivitelre kész/megérett terv; **~ wants** égető szükségletek; **he is ~ for mischief** minden komiszságra/stiklire kapható • *fn* **ripeness**

ripen [ˈraɪpən] **A.** *tsi* (meg)érlel *[gyümölcsöt, sajtot, bort]* **B.** *tni* **1.** érik, érlelődik; **slow to ~** nehezen érik/érő **2.** *átv* **when these youths ~ into manhood** mire ezek az ifjak elérik a férfikort

riposte [rɪˈpɒst ‖ rɪˈpoust] **I.** *fn* gyors/találó visszavágás, riposzt *[vívásban, beszédben]* **II.** *tni* visszavág, visszaszúr, riposztoz; *átv* gyors/találó választ ad

ripper [ˈrɪpə ‖ —ər] *fn* **1. a)** favágó/fahasogató munkás **b) Jack the R~** Hasfelmetsző Jack **2.** *szl* **a)** *[humoros személy]* jópofa, klassz alak **b)** *[jó/remek dolog]* klassz/baró vm

ripple ['rɪpl] **I.** *fn* **1. a)** (víz)fodrosodás, fodrok *[vízen]*, fodrozódás, hullámosság; *átv* **leave ~s** nyomot hagy vmn **b)** (víz)csobogás, bugyborékolás **2.** hajfodor, hullámosság *[hajban]* **3.** halk hullámzó zaj, moraj *[beszédé]*; **~s of laughter** gyöngyöző kacagás **4.** *tsz* **ripples** *műv* bordák, ecsetnyomok, barázdák *[képen]* **II. A.** *tsi* fodroz *[vizet, homokot]* **B.** *tni* **1.** fodrozódik *[vízfelület]* **2.** hullámzik *[gabona]*; hullámokat alkot, lobog *[haj]* **3.** mormol, csobog, locsog *[patak]*; gyöngyöz *[nevetés]*

ripple effect *fn gazd* begyűrűzés

rip-roaring *mn biz* hangos, lármás, zajos, muris

rip-saw *fn* hasító (kör)fűrész, hasító szalagfűrész

ripsnorter ['rɪpsnɔːtə ‖ –snɔrtər] *fn szl [remek dolog/ember]* klassz dolog/pofa • *mn* **rip-snorting**

rise [raɪz] **I.** *tni pt* **rose** [roʊz], *pp* **risen** ['rɪzn] **1. a)** emelkedik, fokozódik; **his spirits are rising** jókedve kerekedik, emelkedik a hangulata; **~ to view** feltűnik, láthatóvá válik **b) ~ above vanity** felette áll a hiúságnak; **~ to the occasion** a helyzet/feladat magaslatára emelkedik **2.** előlép, emelkedik *[társadalmilag]*; **~ to be a colonel** ezredessé lép elő; ezredesi rangot ér el; **~ in sy's esteem** emelkedik vknek a szemében **3. a) ~ (to one's feet)** feláll, felkel, felemelkedik **b) ~ early** korán kel (fel) **c)** feltámad; **~ (again) from the dead** halottaiból feltámad **4. a) ~ (in revolt)** felkel, fellázad (vm ellen); **~ (up) in arms** fegyvert fog/ragad; fegyveresen fellázad **b) my gorge ~s at sg** elönt az undor vmtől, felfordul/felkavarodik/émelyeg a gyomrom vmtől **5. a)** felkel *[égitest]*; felemelkedik, felszáll *[léggömb, füst, köd]*; **~ off the ground** felemelkedik a földről **b) ~ to the bait** csalétket bekapja *[hal]*; *átv* **~ to it** kihívásra visszavág/riposztoz *[személy]*; hagyja magát provokálni **c) murmur rising from the crowd** a tömegből felhangzó morajlás **6.** emelkedik *[út]*; kiemelkedik, kimagaslik *[domb, halom]*, dombosodik *[vidék]*; **tears rose to my eyes** könnyek szöktek a szemembe; **the tide is ~ing** dagály van **7.** ered *[folyó]*; fakad *[forrás]*, származik (vhonnan); keletkezik (vmből) **8. a)** épül, felépül *[pl. ház]* **b)** nő *[fa]*; **it ~ s to 12 metres** 12 méter magasra nő **9.** kel, emelkedik *[tészta]* **II.** *fn* **1. a)** növekedés, nagyobbodás, szaporodás; **~ of the tide** dagály; víz áradása; **~ and fall of the sea** árapály **b)** fokozás, növelés **c)** *GB* béremelés, fizetésemelés, áremel(ked)és, drágulás; **ask for a ~** béremelést/fizetésemelést kér; *átv* **his fortunes are on the ~** kilátásai javulnak **d)** *zene* felemelés; **~ of half a tone** fél hanggal magasabbra hangolás/emelés **e)** emelkedés *[hanglejtésben]* **2.** előlépés, előmenetel, (fel)emelkedés *[rangban]*; **~ and fall of an empire** birodalom tündöklése és hanyatlása/bukása; **~ to power** hatalomra emelkedés **3. a)** felszállás, felemelkedés; *szính* **~ of the curtain** a függöny felgördülése **b)** *biz* **get/take a ~ out of sy** becsap/rászed/megtéveszt vkt; felingerel/feldühít/felbosszant vkt, kihoz a sodrából vkt; nevetség tárgyává tesz vkt **c)** (fel)emelkedés, felkelés; **~ of day** hajnal, pitymallat; **be on the ~** emelkedőben van **4. a)** emelkedés, lejtő *[úté]*; *mat* **~ of a curve** görbe meredeksége **b)** kiemelkedés, magaslat, domb **5.** forrás, eredet *[folyóé]*; **give ~ to sg** létrehoz/előidéz/okoz vmt; alkalmat ad/szolgáltat vmre; **give ~ to suspicion** gyanúra ad okot, gyanús

riser ['raɪzə ‖ –ər] *fn* **1. early ~** korán kelő (személy); *biz átv* agyafúrt/szemfüles egyén **2. a)** *épít* lépcsőhomloklap, lépcsőfellépő **b)** lépcsőfok magassága **3.** *műsz* felszállócső *[kazánban]* **4.** *fémip* szelelőlyuk, szellőzőnyílás

risible ['rɪzəbl] *mn* **1.** nevetséges, nevetnivaló, nevettető **2. the ~ faculty** a nevetőképesség **3.** nevető, nevetni szerető, nevetgélő **4.** *orv* nevető *[összetételekben]* • *fn* **risibility**

rising ['raɪzɪŋ] **I.** *mn* **1. a)** felkelő, felvirradó *[nap]*; felszálló *[pára, köd]* **b)** jövendő; **the ~ generation** az új/felnövő/feltörő nemzedék; **~ genius** kibontakozó tehetség; **~ man** a jövő embere; nagy jövőjű férfiú; **a ~ young teacher** ambiciózus fiatal tanár **2. a)** emelkedő *[út, hőmérséklet, légnyomás]*; *vasút* **~ gradient** emelkedő pályaszakasz, kaptató **b)** *műsz* **~ main** felszálló csővezeték, főnyomócső, főnyomóvezeték *[vízvezetéké]* **3. a)** kerekedő *[szél]*; növekvő *[düh, harag]* **b) ~ market** emelkedő/szilárd irányzatú (tőzsde)piac; **~ price** emelkedő *[ár]* **4.** több mint...; **be ~ forty** negyvenedik évében van/jár; túl van a negyvenen **II.** *fn* **1. a)** felhúzás, felvonás, felgördülés *[függönyé]* **b)** berekesztés, elnapolás *[ülésé]*; **upon the ~ of Parliament** az országgyűlés elnapolásakor **c) not to like early ~** nem szereti a korai (fel)kelést, nem híve a korai (fel)kelésnek **d) ~ again, ~ from the dead** feltámadás **2. a)** felkelés, lázadás **b) ~ of the stomach** émelygés, undor, csömör **3.** felkelés *[égitesté]* **4. a)** emelkedés *[barométeré, vízáré, nedvé növényben]* **b)** felemelkedés, felállás; **give one's vote by ~** felállással szavaz **5.** kelés *[tésztáé]* **6.** előlép(tet)és, előmenetel *[rangban]*

risk [rɪsk] **I.** *fn* **a)** kockázat, veszély(eztetés), rizikó; **incur a ~** kockázatot/rizikót vállal; **put in a ~** kockáztat; veszélynek kitesz; **run a ~** kockáztat, kockázatot vállal; **run/take the ~ (of)** kockázatot vállal (vmben), (meg)kockáztat (vmt); **at one's own ~** saját veszélyére/felelősségére **b) at all ~s, at whatever ~** vaktában **II.** *tsi* veszélyeztet, (meg)kockáztat, kockára tesz, megreszkíroz; **~ defeat** kiteszi magát esetleges vereségnek; **~ everything on one throw** kockáztat, mindent egy lapra tesz fel; **~ one's neck/skin** vásárra viszi a bőrét

risk capital *fn pénz* kockázati tőke

risk factor *fn orv* rizikófaktor

risky ['rɪski] *mn* **1.** kockázatos, veszélyes, veszedelmes, merész **2.** sikamlós, pikáns, illetlen *[történet]*

risotto [rɪ'zɒtoʊ ‖ rɪ'sɔtoʊ] *fn* rizottó

risqué ['rɪskeɪ ‖ rɪ'skeɪ] *mn* kissé merész *[pl. az illetlenség határát súroló tréfa]*

rissole ['rɪsoʊl] *fn gaszt* zsírban sült húsgombóc; rántott (vagdalt) halpogácsa/húspogácsa; fasírozott

rite [raɪt] *fn* szertartás(ok rendje), ceremónia, rítus, liturgia; *népr* **~s of passage** az átmenet rítusai

ritual ['rɪtʃuəl] **I.** *mn* rituális, szertartásos, szertartási, ünnepélyes; **~ dance** rituális tánc, táncszertartás **II.** *fn* **1.** rítus, szertartások, (egyházi) formaság; **the ~ of the dead** a temetési szertartások **2.** rituálé *[a szertartásokat tartalmazó könyv]*

ritualism ['rɪtʃuəlɪzm] *fn vall* **a)** szertartástan, szertartások összessége **b)** ritualizmus, egyházi formasághoz ragaszkodás • *fn* **ritualist** *mn* **ritualistic**

ritzy ['rɪtsi] *mn biz* előkelő, finom, elegáns, menő *szl*

rival ['raɪvl] **I.** *mn* vetélkedő, versengő, versenyző; **~ suitors** vetélkedő kérők, vetélytársak **II.** *fn* versenytárs, vetélytárs, rivális **III.** *tsi/tni* **-ll-** versenyez, verseng, vetekszik, vetekedik, vetélkedik (vkvel/vmvel vmért); felveszi a versenyt (vkvel)

rivalry ['raɪvlri] *fn* **1.** vetélkedés, versengés; **in ~ with ...** vetélkedve, versengve **2.** verseny **3.** a vetélkedők

rive [raɪv] *tsi* **a)** *vál* széthasít, felhasít *[fát]*, (szét)repeszt *[sziklát]* **b)** leszakít, letép, felszakít *[sebet]*

river ['rɪvə ‖ –ər] *fn* **1. a)** folyó, vízfolyás, folyam; *geol* **~ drift** folyami hordalék; *hajó kat* **~ gunboat** folyami őrhajó, monitor; **~ meadow** árterületi legelő/rét; **down the ~** folyón lefelé; *US szl* **sell/trade down the ~** *[becsap]* átejt, csőbe húz; **up the ~** folyón felfelé; *US szl* **be up the ~** börtönben ül; *biz átv* **cross the ~ (of death)** meghal, elhuny, kimúlik **b)** folyóvíz **c)** folyómeder **2.** *átv* folyam, áradat; **~s of blood** vérözön

river-bank *fn* folyópart, folyampart

river-basin *fn földr* **1.** medence **2.** folyam vízgyűjtő medencéje

river-bed *fn* folyómeder, folyammeder, folyóágy, folyamágy

river-boat *fn* folyami hajó

riverine ['rɪvəraɪn] *mn* **1.** parti, part menti **2.** folyami, folyóból származó; **~ traffic** folyami hajóforgalom/hajózás/közlekedés

riverside I. *mn* folyóparti; **~ police** folyamrendőrség **II.** *fn* folyópart, folyóvidék

rivet [ˈrɪvɪt] **I.** *fn* szegecs **II.** *tsi* **1.** (meg)szegecsel, összeszegecsel, nittel **2.** *átv biz* ~ **attention** figyelmét vmre összpontosítja; figyelmet magára vonja; ~ **one's eyes on sy** vkre függeszti/szegezi a tekintetét, fixíroz vkt; **stand ~ed to the earth** földbe gyökerezik a lába
rivière [ˌrɪviˈeə ‖ – ˈer] *fn* gyémánt nyaklánc *[több soros]*
rivulet [ˈrɪvjʊlət] *fn* folyócska, patak, ér
RL *röv GB rugby league*
rm *röv room*
RN *röv* **1.** *US registered nurse* **2.** *GB Royal Navy*
RNA *röv ribonucleic acid* ribonukleinsav, RNS
roach[1] [rəʊtʃ] *fn áll* pirosszemű kele; *biz* **be as sound as a ~** úgy érzi magát mint a hal a vízben
roach[2] [rəʊtʃ] *fn US* **1.** *biz* svábbogár, csótány **2.** *szl* csikk *[marihuánás cigarettáé]*
road [rəʊd] **I.** *fn* **1. a)** (ország)út, közút; **accommodation ~s** földutak, dűlőutak; **adopted ~** közút; község/állam által karbantartott út; **main/major ~** főútvonal (elsőbbséggel); **off ~** mellékút; **service ~** (párhuzamos) kiszolgáló út; **~ accident** közúti/közlekedési baleset; **~ maintenance** útfenntartás, útkarbantartás; **~ network** úthálózat; **~ regulations** közlekedési szabályzat, KRESZ; **~ (patrol) service** országúti segélyszolgálat, sárga angyal; **across the ~** az út/utca túlsó oldalán **b) be on the ~** úton/útban van (vhova); *átv* a javulás útján van; **hit/take the ~** *szl* útnak indul, elindul, útrakel *mind stand* **2.** kocsiút, úttest; **~ clear** szabad pálya, zöld út **3.** *US* vasúti pálya, vágány, pályatest **II.** *tsi vad* **~ (up) the game** nyomon követ vadat *[kutya]*
road atlas *fn* autóatlasz, úthálózati térkép
roadblock *fn* úttorlasz, útakadály
road-fund *fn GB* útalap *[útépítésre és karbantartásra]*
road-hog *fn biz* (közveszélyes) gyorshajtó, agresszív/erőszakos/garázda vezető, (országúti) fenegyerek
road-house *fn* út menti szálló/vendéglő/fogadó/csárda, országúti vendéglő, autó(s)csárda
road hump *fn* fekvőrendőr *[forgalomlassító akadály]*; bukkanó
roadman [ˈrəʊdmən] *fn tsz* **-men 1. a)** *GB* útkaparó (munkás), útkarbantartó munkás, útmunkás **b)** útbiztos **2.** házaló kereskedő/ügynök
road map *fn* úti/úthálózati térkép, autóstérkép, autótérkép
road-metal *fn GB* kőzúzalék, zúzott kő *[útépítéshez]*
road rage *fn* országúti dühöngés *[gépjárművezető látszólag oktalan, fékezhetetlenül agresszív magatartása]*
road-roller *fn épít* úthenger
road-runner *fn áll* amerikai futókakukk
road-show *fn* **1.** *szính* vándor színtársulat szabadtéri előadása **2.** *US átv pej* útszéli komédia
roadside I. *mn* út menti, országúti; **~ inn** országúti/útszéli fogadó; *gk* **~ repair(s)** országúti hibaelhárítás; **~ telephone** segélyhívó telefon *[út mentén]* **II.** *fn* út széle, (út)padka; **by the ~** az útszélen
road-sign *fn* (közúti) jelzőtábla, útjelzőtábla, kresztábla
roadstead *fn hajó* kikötő, védett rév, horgonyzóhely
roadster [ˈrəʊdstə ‖ – ər] *fn* **1. a)** *gk* nyitott sportautó, nyitott kétüléses gépkocsi **b)** sportkerékpár **2.** sokat utazó ember
road-test I. *fn gk* úti/közlekedésbiztonsági vizsgálat **II.** *tsi* kipróbál/letesztel közúton *[autót]*
roadway *fn* **a)** úttest, útpálya, kocsiút **b)** hídpálya
roadworks *fn tsz GB* útkarbantartás, közúton folyó munkák
roadworthy [ˈrəʊdwɜːðɪ ‖ – wɜr –] *mn* közlekedésre/útra/túrázásra alkalmas, forgalombiztos *[jármű]*
roam [rəʊm] **A.** *tsi* bebarangol *[utcákat]*; **~ the countryside** bebarangolja a határt **B.** *tni* bolyong, kóborol, kószál, kalandozik; **~ about** bejárja a vidéket; ide-oda sétál, kószál
roamer [ˈrəʊmə ‖ – ər] *fn* csavargó, vándor
roan [rəʊn] **I.** *mn* aranyderes **II.** *fn* deres ló, tarka tehén; **red ~** pejderes/vasderes ló
roar [rɔː ‖ rɔr] **I. A.** *tsi* **1. ~ oneself hoarse** rekedtre kiabálja magát **2.** ordítva/üvöltve mond/közöl vmt **3.** bőget *[motort]* **B.** *tni* **1. a)** ordít, üvölt, harsog, kiabál *[személy]*; **~ with laughter** harsogó nevetésbe tör ki; hahotázik; **~ with pain** üvölt fájdalmában **b)** bömböl *[bika]*; bőg *[oroszlán]* **2.** dörög *[ágyú, menny]*; morog, búg *[kohó]*; zúg, bömböl, harsog *[tenger]* **II.** *fn* **1. a)** ordítás, üvöltés, harsogás, kiabálás *[emberé]*; **~s of laughter** hahota; harsogó/kitörő nevetés **b)** bömbölés *[bikáé]*; bőgés *[oroszláné]* **2.** (ágyú)dörgés, mennydörgés; morajlás, búgás, zúgás *[tengeré]*; *biz* **everything went with a ~** minden úgy ment, mint a karikacsapás *[jól sikerült]* • *fn* **roarer**
roast [rəʊst] **I. A.** *tsi* **1. a)** (ki)süt, megsüt, megperzsel *[húst]* **b)** pörköl *[kávét]* **c)** éget (vmt) **2.** *biz* ugrat, megtréfál, kicsúfol, kigúnyol (vkt), tréfát űz (vkből) **B.** *tni* (át)sül, megsül *[hús]* **II.** *mn* **a)** *gaszt* sült; **~ beef** marhasült; **~ meat** sült hús, pecsenye; **~ pork** sertéssült **b)** pecsenyének való, pecsenyehús **III.** *fn* **1.** sült, egybesült hús, pecsenye, rostélyos **2. give sg a good ~** jól megsüt/átsüt/(meg)pirít/pörköl vmt **3.** pecsenyés parti, pecsenyesütés
roaster [ˈrəʊstə ‖ – ər] *fn* **1.** pecsenyesütő *[személy]* **2. a)** pecsenyesütő *[készülék]* **b)** kávépörkölő (gép) **3.** sütni való állat/szárnyas **4.** *biz* forró nap
roasting [ˈrəʊstɪŋ] **I.** *mn* perzselő, égető, izzó **II.** *fn* **1.** sütés *[húsé]* **2.** pörkölés *[kávéé]* **3. a)** *biz* gúnyolódás, csúfolódás, ugratás **b)** *biz* dorgálás, feddés, megrovás, lehordás; *biz* **give sy a ~** kegyetlenül kigúnyol vkt; megmossa a fejét vknek, letol/lehord vkt
rob [rɒb ‖ rɑb] *tsi* **-bb-** (meg)lop, (ki)rabol, kifoszt, harácsol, megfoszt *[pl. lehetőségtől]*; *biz* **~ Peter to pay Paul** régi adósságot újjal fizet; egyik lyukat a másikkal tömi be; **~ sy of sg** elcsen/ellop/elrabol vmt vktől; kicsal vktől vmt; *biz* **who's ~bing this coach?** *[semmi közöd hozzá]* ne üsd bele az orrodat!
Rob [rɒb ‖ rɑb] *tul* ‹*Robert* becéző alakja›
robber [ˈrɒbə ‖ ˈrɑbər] *fn* **a)** tolvaj, rabló **b)** *régi* útonálló, zsivány, haramia, betyár; **~ baron** *tört* rablólovag, gátlástalan pénzember, plutokrata
robber baron *fn* **1.** *tört* rablólovag **2.** *átv* gátlástalan pénzember, plutokrata
robbery [ˈrɒbəri ‖ ˈrɑ –] *fn* rablás, minősített lopás/tolvajlás; *jog* **armed ~, ~ under arms** rablás; **highway ~** útonállás; *jog* **murder and ~** rablógyilkosság
robe [rəʊb] **I.** *fn* **1.** díszruha, palást; **the long ~** bírói/papi talár; tóga; a jogászvilág **2.** hosszú/bő felsőruha, köntös; pongyola, fürdőköpeny **II. A.** *tsi* felöltöztet *[ünnepi díszruhába]*, ráad vkre *[talárt]* **B.** *tni* felölt, felvesz *[köntöst, palástot, talárt]*
Robert [ˈrɒbət ‖ ˈrɑbərt] *tul* Róbert
Roberta [rəˈbɜːtə ‖ – ˈbɜr –] *tul* ‹női név›
Robin [ˈrɒbɪn ‖ ˈrɑ –] *tul* ‹női, férfi név›; **~ Goodfellow** házimanó, kobold; vidám tündér
robin[1] [ˈrɒbɪn ‖ ˈrɑ –] *fn* **1.** *áll* **~ (redbreast)** vörösbegy; *US* ‹amerikai rigóféle› **2.** *növ* **ragged ~** kakukkszegfű
robin[2] [ˈrɒbɪn ‖ ˈrɑ –] *fn biz* **round ~ → round I.2.a.**
roborant [ˈrɒbərənt ‖ ˈrɑ –] *orv* **I.** *mn* erőt adó, erősítő, roboráló *[szer]* **II.** *fn* erősítőszer, roboráns
roborate [ˈrɒbəreɪt ‖ ˈrɑ –] *tsi* erősít, roborál
robot [ˈrəʊbɒt ‖ – bɑt] *fn* **1. a)** robot(gép), robotember, gépember; **~ (traffic lights)** *Dél-Af* közlekedési/forgalmi jelzőlámpa **b)** távvezérelt készülék **c)** *kat* távirányított lövedék; **~ plane** pilóta nélküli repülőgép **2.** *biz* lélektelen ember • *tsi* **robotize**
robot bat *fn kat* ‹önmagát a célba irányzó lövedék› denevér
robot bomb *fn kat rep* szárnyasbomba, (távirányított) repülőbomba
robotics [rəʊˈbɒtɪks ‖ – ˈbɑtɪks] *fn esz tud* robotika
robust [rəˈbʌst, rəʊˈbʌst ‖ rəʊˈbʌst] *mn* erős, erőteljes, izmos, markos, robusztus *[egyén]*; szilárd *[hit, bizalom]*; **~ appetite** hatalmas/egészséges étvágy • *fn* **robustness**
rock[1] [rɒk ‖ rɑk] *fn* **1. a)** szikla, szirt; *földr biz* **the R~** a gibraltári szirtfok/szikla; Gibraltár; *US* az alcatrazi szigetbörtön; **firm as a ~** sziklaszilárd, megingathatatlan, (meg)rendíthetetlen **b)** *geol* kőzet **c)** *US* terméskő, kő(darab),

kavics **2.** zátony; *átv* akadály; *biz* **be on the ~s** zátonyra futott; *átv* pénzzavarban/nyomorban/pácban van; *biz* **on the ~s** jéggel, jégkockákkal; **there are ~s ahead** bajok/nehézségek várnak ránk (v. fenyegetnek); viharfelhők tornyosulnak **3. ~s** *US szl [pénz]* dohány, lé **4.** *szl* drágakő, gyémánt *mind stand* **5.** *szl [kokain]* kokó **6. ~s** *durva szl [herék]* golyók, tök

rock² [rɒk ‖ rɑk] **I. A.** *tsi* **a)** ringat, renget, himbál, hintáztat, lenget; **~ the boat** *átv biz* veszélyeztet vkt/vmt; **~ a child to sleep** álomba ringat gyereket **b) the earthquake ~s the house** a földrengés megrázkódtatja/megingatja a házat **B.** *tni* **1.** ring, reng, himbáló(d)zik, hintázik, leng, billeg; **the cradle ~s** bölcső ring **2. the house was ~ing with the shock** a ház rengett a lökéstől/megrázkódtatástól **II.** *fn* ringatás, himbálás

rock³ [rɒk ‖ rɑk] → **rock-and-roll**

rockabilly [ˈrɒkəbɪli ‖ ˈrɑ–] *fn zene* ‹popzenei stílus, ötvözi a rock és a hilly-billy elemeit›

rock-a-by, rock-a-bye I. *fn* altatódal **II.** *tsi* elcsicsígat, álomba ringat **III.** *isz* **~!** csicsí!, csicsíjababája!

rock-and-roll I. *fn zene* rock-and-roll **II.** *tni* rock-and-rollozik, rock-and-rollt táncol

rock-bed *fn geol* alapkőzet, *vízügy* sziklameder, *épít* kőalap, kőágyazat *[úté]*

rock-bottom I. *fn* **1.** sziklás fenék; *bány* kemény fekükőzet, szilárd talp **2.** *biz* vmnek a legfeneke/legalja; **~ price** (leg)utolsó/legalsó/végső ár; **prices have reached ~** az árak a legmélyebb szintre süllyedtek **II.** *mn* legalsó/legvégső *[ár]*

rock-bound *mn* sziklákkal/szirtekkel övezett/körülvett

rock-climbing *fn* sziklamászás

rock-crystal *fn ásv* hegyikristály, kvarc

rock-dove *fn áll* szirti galamb

rocker [ˈrɒkə ‖ ˈrɑkər] *fn* **1. a)** saru *[hintaszék/hintaló alján görbe rész]*; *szl* **be off one's ~** *[megőrült]* meghibbant/dilis/ütődött; *US szl* **you are off your ~** te nem vagy eszednél, te hülye vagy! **b)** *US* hintaszék, hintaló **2. a)** rock rajongó, rocker **b)** rock énekes

rockery [ˈrɒkəri ‖ ˈrɑ–] *fn* **1.** sziklakert **2.** sziklák

rocket¹ [ˈrɒkɪt ‖ ˈrɑ–] **I.** *fn* **a)** *rep* rakéta; **landing ~** fékezőrakéta; **interplanetary ~** űrrakéta, bolygóközi rakéta; **~(aero)plane** rakéta hajtású repülőgép, rakétarepülőgép **b)** (tűzijáték-)röppentyű **II. A.** *tsi* rakétalövedékkel/rakétával bombáz/lő **B.** *tni* **1.** szélsebesen elvágtat *[ló, lovas]* **2. a)** gyorsan és nyílegyenesen felszáll/felrepül *[madár, repülőgép]* **b)** *átv* ugrásszerűen emelkedik *[ár]*

rocket² [ˈrɒkɪt ‖ ˈrɑkət] *fn növ* **1. (garden/Roman) ~** borsmustár **2. a) (dame's) ~** hölgyestike **b) (night-smelling) ~** estike **3. London ~** szapora zsombor, toroktisztítófű **4. blue ~** patika/katika sisakvirág; őszi kikerics; kerti szarkaláb

rocketeer [ˌrɒkəˈtɪə ‖ ˌrɑkəˈtɪr] *fn* **a)** rakétaszakértő, rakétatechnikus **b)** *kat* rakétás, rakétafegyver-kezelő, rakétaágyú kezelője

rocketry [ˈrɒkɪtri ‖ ˈrɑ–] *fn* **1.** rakétatudomány, rakétatechnika **2.** rakétázás, rakétatechnika

rock-garden *fn* sziklakert

Rockies [ˈrɒkiz ‖ ˈrɑkiz] *tul földr US biz* **the ~** a Sziklás Hegység *[Észak-Amerikában]*

rocking-chair *fn* hintaszék

rocking-horse *fn* hintaló

rock'n-roll [ˌrɒknˈroul ‖ ˌrɑ–] → **rock-and-roll**

rock-pigeon *fn áll* szirti galamb

rock-plant *fn* sziklanövény

rock-rose *fn* **1.** *növ* bodorrózsa, szuhar **2.** *növ* napvirág, tetem(t)oldó

rock-salt *fn* kősó

rockslide *fn* **1.** sziklaomlás, hegycsuszamlás, kőzetcsúszás **2.** kőomladék, kőlavina, sziklagörgeteg

rock-wool *fn* **1.** hangnyelő anyag, szálas azbeszt **2.** *fémip* salakgyapjú

rocky¹ [ˈrɒki ‖ ˈrɑki] *mn* **1.** sziklás, szirtes, meddő, köves; **~ desert** sziklás sivatag **2. a)** sziklaszerű, (szikla)szilárd, (szikla)kemény; *biz* **~ style** darabos stílus **b)** *átv* sziklaszilárd, megingathatatlan, kemény; érzéketlen, kőszívű, kérlelhetetlen

rocky² [ˈrɒki ‖ ˈrɑki] *mn biz* bizonytalan, imbolygó, ingatag, nem biztos alapokon nyugvó

Rocky Mountain maple *fn növ* törpe juhar

Rocky Mountains *tul US földr* **the ~** a Sziklás Hegység

Rocky Mountain sheep *fn áll* kanadai vadjuh

rococo [rəˈkoukou] **I.** *mn* **1.** *épít műv* rokokó *[stílus]* **2. a)** divatjamúlt, elavult, ósdi **b)** ízléstelen, cikornyás **II.** *fn épít műv* rokokó

rod [rɒd ‖ rɑd] *fn* **1. a)** vessző, pálca, virgács; **kiss the ~** alázatosan (v. zokszó nélkül) aláveti magát a büntetésnek; megalázkodik; *GB* **make/pickle a ~ for one's own back** alaposan befűt saját magának; saját fejére hozza a bajt; *közm* **spare the ~ and spoil the child** aki a vesszőt kíméli fiát nem szereti; *szl* **pay on the ~** lassan fizet **b)** kormánypálca; *biz* **rule with a ~ of iron** vaskézzel/vasszigorral (v. drákói szigorral) kormányoz **2.** horgászbot; **~ and line** horgászbot és zsinór **3.** (mérő)léc, szintezőléc **4. a)** rúd **b)** *műsz* (vonó)rúd, kar; *műsz* **driving ~** hajtókar **5.** *orv* pálcika *[retinában]* **6.** *US szl [pisztoly]* stukker

Rod [rɒd ‖ rɑd] *tul* ‹*Roderick* becéző alakja›

rodent [ˈroudnt] *fn áll* rágcsáló (állat) • *mn* **rodential**

rodenticide [rouˈdentɪsaɪd] *fn* patkányirtó(szer)

rodeo [rouˈdeɪou, ˈroudiou] *fn US* **1.** marhák összeterelése, marhaállás *[vásáron]* **2. a)** cowboy-lovasbemutató **b)** *biz* **motor cycle ~** motorkerékpáros rodeo

Roderick [ˈrɒdrɪk ‖ ˈrɑd–] *tul* ‹férfinév›

roe¹ [rou] *fn áll* **a)** őz **b)** őztehén, őzborjú, ünő

roe² [rou] *fn* **a) (hard) ~** halikra **b) soft ~** tejeshal ivarterméke/teje

roebuck *fn áll* őzbak

roe-doe *fn áll* őztehén, őzborjú, ünő

roentgen [ˈrɒntgən ‖ ˈrentgən] *fn fiz* **1.** röntgen; **~ rays** röntgensugarak **2.** röntgen *[a röntgensugárdózis régebbi mértékegysége]*

roentgenize [ˈrɒntgənaɪz ‖ ˈrentgə–], **-ise** *tsi/tni fiz* röntgenez, röntgensugárral ionoz

roger [ˈrɒdʒə ‖ ˈrɑdʒər] **I.** *isz biz* **~!** rendben van!, értem!, értettem!; vettem! *[katonai távbeszélő üzenetek átvételekor]* **II.** *GB szl durva* **A.** *tsi* megbasz **B.** *tni* baszik

Roger [ˈrɒdʒə ‖ˈrɑdʒər] *tul* ‹férfinév›

rogue [roug] **I.** *fn* **1. a)** gazember, gazfickó, csirkefogó, szélhámos, zsivány; **~'s gallery** (arcképes) bűnügyi nyilvántartó **b)** *jog régi* csavargó **2.** kópé, huncut *[gyerekről]* **3. ~ elephant** kivert/magányos elefánt **II.** *tsi növ* idegenel, kigyomlál

roguery [ˈrougəri] *fn* **1.** gazság, szédelgés, szélhámosság, csalás, zsiványság **2.** kópéság, huncutság, csintalanság

roguish [ˈrougɪʃ] *mn* **1.** gaz, csaló *[eljárás stb.]*; szélhámoskodó, betyár *[módon]* **2.** huncut, hamiskás, pajkos, csintalan **3.** elfajult, elkorcsosult *[növény]* • *fn* **roguishness**

roil [rɔɪl] *tsi* felkavar, zavarossá tesz *[vizet stb.]*

roister [ˈrɔɪstə ‖ –ər] *tni* hetvenkedik, lármázik, kérkedik • *fn* **roisterer**

Roland [ˈroulənd] *tul* Lóránt, Loránd; **give sy a ~ for an Oliver** nem marad adósa (vknek)

role [roul] *fn* **a)** *szính* szerep; **play a ~** szerepet játszik **b)** feladat, teendő, funkció, kötelesség

role play *fn* szerepjáték *[pszichoterápiában, oktatásban]*

roll [roul] **I. A.** *tsi* **1.** összegöngyölít *[zászlót, vitorlát]*; felgöngyölít, felgombolyít, feltekercsel, felteker, felcsavar; **~ cigarettes, ~ a smoke** cigarettát sodor **2. a)** hengerel *[utat]*; hengerez *[gyepet]* **b)** (ki)hengerel, lapít, hengerléssel nyújt **c) ~ paste** tésztát sodor/kinyújt **d)** *US szl* **~ a drunk** *[részeg embert kifoszt]* markecol **3. a)** gördít, görget, gurít; **~ a snowball** hólabdát/hógolyót gyúr/csinál **b) ~ one's eyes** forgatja a szemét **4. a) ~ a drum** dobot perget **b) ~ one's r's** pergeti/ropogtatja az „r" hangot **5.** *US* eldob *[kockát]* **B.** *tni* **1. a)** gurul, görög, gördül; **~ down the hill** legurul a dombról **b) his eyes were ~ing** szeme (vadul) forgott; forgatta a szemét **c)** hömpölyög **2.** forog, hempereg, hentereg, hempergődzik; *biz* **be ~ing in money** felveti a pénz, dúskál (v. nyakig úszik) a pénzben; tejbenvajban fürdik **3.** zeng, dörög *[ég, ágyú]*, pereg *[dob]* **4.** ring, jobbra-balra dől, dülöng, himbáló(d)zik; *biz* **~ in one's walk** dülöngélve/himbálódzva jár, ingó járása van **5.** *rep* orsózik, forog **II.** *fn* **1. a)** tekercs *[papír]*, göngyöleg, vég *[kelme]*; **a ~ of tobacco** dohányköteg **b)** tekercs, rolád, *[tészta]*, göngyölt hús; **~ (of bread)** zsemle **c)** *US Ausz* bankjegyköteg, bankjegycsomó **2.** lajstrom, hivatalos jegyzék (név)jegyzék, lista; **the R~s** levéltár; **the ~ of honour** hősi halottak névsora; **call the ~** névsort olvas; katalógust tart; *kat hajó* **put/enter a man on the ~s** felvesz a névjegyzékbe, lajstromba vesz **3. ~ of fat** zsírpárna, hájréteg **4.** visszahajtás, felgyűrés *[galléré]* **5. a)** henger(alak); **~ blotter** itatóspapír-henger **b)** *műsz* henger(zet), tekercs, görgő **6. a)** (tova)gördítés, gurítás, görgetés, forgatás *[szemé]* **b)** gördülés, gurulás, hempergés, bukfenc; *átv* **the ~ of his delivery/sentences** gördülékeny előadása/beszéde/mondatai; *vál* **the ~ of the ages** a múló/tovasuhanó/tovagördülő évek; az évek múlása; *US szl* **be on a ~** *[sikeres fázisban van]* jó passzban van **7.** (dob)pergés, (ágyú)dörgés, (ég)zengés; **the ~ of a drum** dobpergés; **the ~ of thunder** mennydörgés, égzengés **8.** *biz szl [nemi aktus,szeretkezés]* **a ~ in the hay** félredugás, félrekefélés, etye-petye

roll back A. *tsi* **1.** visszagurít, visszagördít, hátragurít **2.** (kormányintézkedéssel) leszorítja/letöri az árakat **3.** viszszaszorít, visszatuszkol **B.** *tni* **a)** hátragurul, visszagurul **b)** kifordul *[szem]*

roll in A. *tsi* becsavar, begöngyöl, beburkol (vmbe); **~ sg in a piece of paper** papírba göngyöl/burkol/csomagol vmt; *biz* **~ed in one** egyben, egy személyben **B.** *tni* beözönlik, befolyik *[pénz]*; tömegesen jön/érkezik *[pl. csomag]*

roll on A. *tsi* hengerrel felken/felvisz, felhengerel, ráhengerel *[festéket]* **B.** *tni* **a)** továbbgurul, továbbgördül **b)** telik, múlik *[idő]*

roll over *tsi* **a) ~ sg over** felfordít/felbillent vmt **b) ~ sy over** feldönt/felborít vkt

roll up A. *tsi* **a)** felgöngyölít, összegöngyölít, összeteker; felhajt, felgyűr *[kabátujjat]* **b)** becsavar, beburkol, öszszecsomagol; **~ oneself up in a blanket** pokrócba/takaróba burkolózik **B.** *tni biz* megérkezik, befut, beállít

rollaway *fn US* görgős, félreállítható *[pótágy stb.]*

roll bar *fn gk* bukócső *[versenyautóban]*

roll-call *fn* névsorolvasás, katalógus(olvasás); **~ vote** név szerinti szavazás; **take ~** névsort olvas

roller [ˈroulə ‖ –ər] *fn* **1. a)** henger *[simító, textilnyomó]*, hengerlőgép; **impression ~** festékezőhenger, nyomóhenger **b)** úthenger(lő), tömörítőhenger; **garden ~** gyephengerlő **c)** henger *[kintornáé, zenélődobozé]* **2.** *US* görkorcsolya **3.** hajcsavaró **4.** lokni, hullám *[hajban]* **5.** *szl [részegeket kifosztó]* markecoló

roller-bandage *fn orv* pólyatekercs

roller-bearing *fn műsz* görgőscsapágy

roller-blind *fn* (vászon)redőny, roletta

roller-coaster I. *fn US* hullámvasút **II.** *mn* hullámzó, fel-le járó, cikázó **III.** *tni* fel-le jár, cikázik

roller derby *fn US* görkorcsolyaverseny

roller-skate *tni* görkorcsolyázik • *i* **roller-skate**

roller-towel *fn* végtelen (v. hengeren mozgó) törülköző

rollick [ˈrɒlɪk ‖ ˈrɑ–] **I.** *fn* **1. a)** gondtalan/kitörő vidámság **b)** ugrabugrálás, bohó viselkedés **2.** dáridó, vigalom, mulatság **II.** *tni* **a)** bolondozik, mókázik, tréfál; emelkedett hangulatban van; örül az életnek **b)** mulat, vigad, dáridózik, kirúg a hámból

rolling [ˈroulɪŋ] *mn* **1.** guruló, gördülő, görgő **2. ~ years** tovatűnő évek, gyorsan múló évek **3.** gomolygó *[füst, pára]*, hömpölygő **4.** ringó, himbálózó, dülöngő, imbolygó; **~ gait** ringó járás **5. a) ~ sea** nyugtalan/hullámzó/háborgó/viharos tenger **b) ~ country** dimbes-dombos/hullámos vidék; **~ hills** hullámzó dombok **6.** *US közg* **~ adjustment** átmeneti gazdasági pangás

rolling-mill *fn* **1.** *fémip* hengermű, hengermalom, nyújtómű **2.** hengerlőműhely/-üzem

rolling news *fn esz GB média* 24 órás hírszolgálat

rolling-pin *fn* sodrófa, nyújtófa

rolling-stock *fn vasút* (vasúti) gördülőállomány/-anyag

rollmop *fn gaszt* ‹nyers pácolt heringtekercs›

roll-on I. *mn* **1. ~ belt** gumifűző *[női]*, gumi csípőszorító **2. ~ perfume** golyós parfüm **II.** *fn* golyós flakon

roll-over *fn* felborulás

roll-top *fn* redőny *[íróasztalon, szekrényen]*; **~ desk** amerikai (redőnyös)íróasztal

roly-poly [ˌrouliˈpouli] *fn* **1.** *gaszt* kis lekváros tekercs; **~ pudding** lekváros puding/bukta **2.** tömzsi, vaskos (v. gömbölyű kis) ember/gyerek, kis gömböc

rom [rɒm ‖ rɑm] *fn tsz* **roma** [ˈrɒmə ‖ ˈrɑmə] cigány (férfi), férj, roma *[cigány nyelven]*

ROM [rɒm ‖ rɑm] *röv fn infor read-only memory* csak olvasható tár/memória, rom

Romaic [rouˈmeɪɪk] *mn/fn nyelv* újgörög (nyelv)

romaji [ˈroumədʒiː] *fn* ‹latinbetűs japán írás›

Roman [ˈroumən] **I.** *mn* **1. a)** római; **~ alphabet** latinbetűs írás/ábécé; *épít* **~ architecture** római építészet(i stílus); *orv* **~ fever** mocsárláz, malária; **~ purple** antik bíbor(szín) **b)** *tört* **the ~ Empire** a római birodalom; *tört* **~ calendar** (a Julianus naptárt megelőző) római naptár/időszámítás; *vall* szentek napjait tartalmazó egyházi naptár; *jog* **~ law** római jog; **~ numerals** római számok **c)** *nyomd* **~ capital** antikva (típusú) nagybetű/verzális; **~ type/letters** antikva(betűtípus) **2.** *vall* **~ Catholic** római katolikus; **the ~ rite/liturgy** római (katolikus) rítus/szertartás **II.** *fn* **1.** római (férfi), nő, polgár **2.** *vall* római katolikus (hívő) **3.** *nyomd* antikva (betűtípus)

romance [rəˈmæns, ˈroumæns] **I.** *fn* **1.** *nyelv* román/újlatin nyelv **2. a)** lovagregény, vers(es)regény, románc; **the age of ~** lovagkor **b)** regényes/romantikus történet/kaland; romantikus/ábrándos dolog; idill, románc **c)** idilli szerelem **d) love of ~** ábrándosság; regényes hajlam; romantikus lelkület **e)** romantika, *átv* költészet, poézis **3.** *zene* románc **II.** *mn* **the R~ languages** a román/az újlatin nyelvek

Romanesque [ˌrouməˈnesk] **I.** *mn* **1.** román, újlatin *[nyelv]* **2.** *épít* román *[stílus]* **II.** *fn* **1.** román/újlatin nyelv **2.** *épít* román stílus

Romani [ˈrɒməni ‖ ˈrɑ–] **I.** *mn* cigány, roma *[nyelv]* **II.** *fn* roma *[nép]*

Romanian [rouˈmeɪnɪən] *mn/fn* **1.** román **2.** romániai **3.** román *[nyelv]*

Romanic [rouˈmænɪk] **I.** *mn* **a)** *nyelv* román, újlatin **b)** rómaiból származó, római eredetű **II.** *fn* román/újlatin nyelv

Romanism [ˈroumənɪzm] *fn* **1.** *nyelv* a román nyelvekkel foglalkozó tudomány/tanulmányok, romanisztika **2.** *vall* katolicizmus, római katolikus vallás/tan *[más vallásúak elnevezésében]*

Romanist [ˈroumənɪst] **I.** *fn* **1.** *vall* római katolikus (hívő) *[más vallásúak elnevezésében]* **2.** *nyelv* román nyelvekkel foglalkozó tudós, romanista **3.** *jog* római jog szakértője/tudósa **II.** *mn vall* római katolikus *[más vallásúak elnevezésében]*

romanize [ˈroumənaɪz], **-ise A.** *tsi* **1.** elrómaiasít, romanizál *[népet]* **2.** *vall* római katolikus vallásra térít, katolizál *[népet]* **B.** *tni* római katolikussá lesz, felveszi a római katolikus vallást, katolizál • *fn* **romanization**

Romano- [rouˈmɑːnou] *előtag* római

romantic [rouˈmæntɪk] *mn* **a)** romantikus, regényes; **~ poets** romantikus költők **b)** ábrándos *[lélek]*, délibábos, fellegjáró, romantikus *[képzelet]*; valószínűtlen, fantasztikus, nem gyakorlatias *[terv]*; festői, regényes *[táj]*

romanticism [oʊəˈmæntɪsɪzm] *fn* **1.** romantikus eszmék/gondolatvilág, romantika **2.** *ir.tud műv* romantika, romanticizmus
romanticize [roʊˈmæntɪsaɪz], **-ise A.** *tsi* romantikussá/regényessé tesz, romantizál **B.** *tni* regényes ábrándvilágban él; (egészen) átadja magát a romantikának
Romany [ˈrɒməni, ˈroʊ– ‖ ˈrɑ–, ˈroʊ–] **I.** *mn* cigány **II.** *fn* **1. a)** cigány, roma **b)** *biz* cigányok, cigányság **2.** cigány (nyelv)
rombus [ˈrɒmbəs ‖ ˈrɑm–] → **rhombus**
Rome [roʊm] *tul* **1.** *földr* Róma *[Olaszország fővárosa]*; *közm* **~ was not built in a day** Róma sem épült egy nap alatt; **all roads lead to ~** minden út Rómába vezet **2. (Church of) ~** római katolikus egyház
Romish [ˈroʊmɪʃ] *mn* **a)** *pej* katolikus, pápista **b)** *pej* katolikusokhoz/pápistákhoz húzó
romp [rɒmp ‖ rɑmp] *tni* **1.** szilajul játszik, vadul kergetőzik; felforgatja a házat; csintalankodik, pajkosodik, hancúroz *[gyerek]* **2.** *sp biz* **~ in/home** kényelmesen befut; könnyen/kenterben nyer *[lóversenyen]*; **~ through an exam(ination)** csekély erőfeszítéssel kitűnően levizsgázik • *mn* **rompy**
romper [ˈrɒmpə ‖ ˈrɑmpər] *fn* **suit of ~(s)** játszóruha, kezeslábas *[kisgyereké]*
Ron [rɒn ‖ rɑn] *tul* ‹*Ronald* becéző alakja›
Ronald [ˈrɒnəld ‖ ˈrɑ–] *tul* ‹férfinév›
rondeau [ˈrɒndoʊ ‖ ˈrɑn–] *fn ir.tud* rondó, rondeau *[10 v. 13 soros időmértékes versforma]*
rondel [ˈrɒndl ‖ ˈrɑndl] *ir.tud* → **rondeau**
rondo [ˈrɒndoʊ ‖ ˈrɑn–] *fn zene ir.tud* rondó
roo [ruː] *fn Ausz biz* kenguru
rood [ruːd] *fn* **a)** *régi* **the Holy R~** a (szent) kereszt(fa), a feszület, Krisztus keresztfája **b)** *vall* a keresztgaleriában levő feszület *[kórus és főhajó között]*
rood-screen *fn épít* szentélykorlát, szentélyrács, szentélyrekesztő, kórusrekesztő
roof [ruːf] **I.** *fn* **1. a)** (ház)tető, (tető)fedél **b)** lakás, hajlék; *átv* fedél, tető; **under one's ~** vknek a házában/lakásában, vknek a fedele alatt **2.** mennyezet **3.** boltozat *[alagúté]*; *orv* **~ of the mouth** szájpadlás **4.** emelet *[járművön]* **5.** *átv* teteje/betetőzése vmnek; *biz* **that would put the gilded ~ on it!** még csak ez hiányzik!; ez mindent betetőzne! **6.** *szl [kalap]* tökfedő **II.** *tsi* (be)fed, (be)tetőz *[házat]*, tetőt készít/csinál/épít *[épületnek]*, tetőt fed (vmn)
roof aerial *fn műsz távk* tetőantenna
roofage [ˈruːfɪdʒ] *fn* **a)** tetőfedél, tetőhéjazat **b)** tetőfedő anyag
roofer [ˈruːfə ‖ –ər] *fn* tetőfedő (munkás), tetőfedő mester
roof-garden *fn* tetőkert, tetőterasz
roofing [ˈruːfɪŋ] *fn* **1. a)** (tető)fedél, tetőszerkezet, fedélszerkezet; **~ bond** tetőácsolat, tetőszerkezet **b)** tetőfedő anyag **2.** tetőfedés, tetőzés, tetőfedő munka
roof-light *fn* **1.** tetőablak **2.** villogó *[megkülönböztető jelzés rendőrautón]*
roof rack *fn gk* tetőcsomagtartó
rooftop *fn* háztető
roof-tree *fn* **1. a)** tetőzet, tetőszék, tetőszerkezet **b)** tetőgerenda, gerincgerenda, gerincszelemen **2.** *vál* szülői ház, otthon, hajlék
rook¹ [rʊk] **I.** *fn* **1.** *áll* vetési/pápista varjú **2.** *biz* hamisjátékos, hamiskártyás, csaló, szélhámos **II.** *tsi biz* **a)** becsap (vkt) *[játékban]*; pénzt kicsal (vktől, vkből) **b)** alaposan megkopaszt (vkt); uzsoraárakat számít fel (vknek)
rook² [rʊk] *fn* bástya, torony *[sakkban]*
rookery [ˈrʊkəri] *fn* **1.** varjútanya **2. penguin ~** pingvintelep; **seal ~** fókatelep **3.** *átv* (túlzsúfolt) szegénynegyed, nyomortanya, rozzant bérkaszárnya
rookie [ˈrʊki] *fn* **a)** *kat szl [újonc]* regruta, kopasz **b)** *sp* újonc
room [ruːm, rʊm] **I.** *fn* **1. a)** (lakó)szoba, terem; **private ~** különszoba *[vendéglőben]* **b)** *tsz* **rooms** lakás, lakosztály; **set of ~s** lakosztály; lakás **c)** helyiség, terem, csarnok *[gyárban, üzemben]* **2.** tér, (férő)hely; **~ taken up** térszükséglet; **no ~ to swing a cat** egy gombostűt sem lehet leejteni; megmozdulni sincs hely; **make ~ for sy** helyet csinál vknek, utat enged vknek; **take up a great deal of ~** nagy helyet foglal el; terjedelmes **3.** hely, alkalom, ok; **no ~ for fear** nincs semmi ok a félelemre; **there is much ~ for improvement** sok kívánnivalót hagy maga után; **that leaves no ~ for doubt** ez minden kétséget kizár, nincs helye a kétségnek **II.** *tni US* **a)** (albérletben v. bútorozott szobában) lakik **b)** megosztja a szobáját, együtt (v. egy szobában) lakik (*with sy* vkvel)
roomer [ˈruːmə, ˈrʊmə ‖ –ər] *fn US* albérlő, lakó
roomette [ruːˈmet, rʊˈmet] *fn US* **1.** egyágyas/egy fekhelyes háló(kocsi)fülke *[vonaton]* **2.** *US* (kiadó) egyágyas szoba
roomie [ˈruːmi, ˈrʊmi] *fn US biz* szobatárs, lakótárs
rooming house *US* **1.** penzió **2.** ‹átmeneti albérleti szobákat kiadó ház› albérlők háza
room-mate *fn* szobatárs, lakótárs
room service *fn* szobapincér-szolgálat *[szállodában]*
roomy [ˈruːmi, ˈrʊmi] **I.** *mn* **a)** tágas, nagy, kényelmes *[helyiség stb.]* **b)** testes, jókora *[állat]*; jól megtermett **II.** *fn US biz* szobatárs, lakótárs • *fn* **roominess**
roost [ruːst] **I.** *fn* **1.** kakasülő, tyúkülő **2.** *átv* hálóhely, nyugvóhely, hálószoba; **rule the ~** parancsol, dirigál, uralkodik, irányt szab; úgy él mint egy kiskirály; **come home to ~** visszaszáll fejére *[vétek]* **II. A.** *tsi biz* elszállásol *[vkt éjszakára]*, (éjszakai) szállást ad (vknek) **B.** *tni* **a)** elül *[baromfi, madár]* **b)** *biz* éjszakai nyugovóra tér, lepihen, lefekszik, aludni megy, durmol *[személy]*
rooster [ˈruːstə ‖ –ər] *fn US Ausz* kakas
root¹ [ruːt] **I.** *fn* **1.** *növ* gyökér, gyökérzet, gyökértermés, gumó *[burgonyáé stb.]*; **~s, ~ crop** gumós (gazdasági) növények; *átv* **~ and branch** gyökerestül, mindenestül; szőröstül-bőröstül; **take/strike ~** *növ* gyökeret ereszt/hajt; meggyökerezik; *átv* gyökeret ver (vhol), meggyökerezik, meggyökeresedik **2.** *orv* ideggyök(ér); gyökér *[fogé, hajé]*, (köröm)ágy; **blush to the ~s of one's hair** fülig elpirult **3. a)** eredet, eredő, *átv* forrás; **~ cause** alapvető/eredendő ok, végok, ősok; *biz* **lay the axe to the ~ of an evil** gyökerében szünteti meg a bajt; **the ~ of all evil** minden bajnak oka/kútforrása, *bibl* „minden rossznak gyökere"; **its ~s go back ...** gyökerei visszanyúlnak ... **b)** alap(ja vmnek); **get to the ~ of things** a dolgok mélyére hatol **4.** *mat* gyök; **square ~** négyzetgyök; **cube ~** köbgyök **5.** *nyelv* **a)** (szó)tő, (szó)gyök; **~ inflecting languages** (gyök)hajlító/flektálónyelvek **b)** gyök(ér)szó, tőszó **6.** *zene* alaphang **7.** *szl [nő mint szexuális partner]* kefélés, numera **II. A.** *tsi* **1.** meggyökereztet *[fát]*; **terror ~ed him to the spot** földbe gyökerezett a lába (v. sóbálvánnyá meredt) a rémülettől **2.** *szl [közösül nővel]* megdug, megnyom **B. 1.** *tni* gyökeret ver/hajt, gyökerezik, gyökeresedik **2.** *szl [közösül]* dug; *Ausz szl* **~ like a rattlesnake** *[intenzíven/lelkesen közösül]* baszik, mint a nyúl • *fn* **rootage**, **rootedness** *mn* **rootless**, **rooty**
  root out *tsi* **a)** gyökerestül kitép/kiránt/kihúz/kiirt *[növényt]* **b)** *átv* gyökerestül kiirt/megsemmisít/megszüntet *[visszaélést stb.]*; egyszer és mindenkorra véget vet *[visszaélésnek]*
  root up → **root out**
root² [ruːt] **A.** *tsi* (fel)túr *[földet disznó stb.]*; **~ sg out/up** feltúr, kitúr vmt *[földből]*; kikutat, felkutat, kinyomoz, kiás vmt **B.** *tni* **a)** (orrával) túr, turkál *[disznó stb.]*; *US* **~ hog or die** *közm* kaparj kurta, neked is lesz; vagy megszokik vagy megszökik **b)** *biz* **~ about in a drawer** fiókban kotorász/keresgél/kutat/turkál; *biz* **~ among/in papers** iratok/papírok között turkál/kotorászik
root³ [ruːt] *tni* **a)** **~ for sy** drukkol vkért; **~ for a candidate** lelkesen támogat jelöltet, buzgón korteskedik a jelölt mellett *[választáskor]* **b)** *US biz* **~ for a team** szurkol/drukkol csapatnak, biztat csapatot
root beer *fn US gaszt* ‹egy fajta üdítő ital›
root directory *fn infor* gyökérkönyvtár(lista)

R

rooted [ˈruːtɪd] *mn* **1.** begyökerezett, gyökeres, gyökeret eresztett/hajtott/vert; ~ **in sg** vmhez hozzánőtt **2.** *biz átv* megrögzött, meggyökeresedett, gyökeret vert; **deeply** ~ mélyen gyökerező *[szokás stb.]*

root-mean-square *fn mat* négyzetes közép(értékek négyzetgyöke), *el* RMS/négyzetes átlagérték/valódi érték *[pl. feszültségé]*; ~ **deviation** négyzetes középhiba

root sign *fn mat* gyökjel

root-stock *fn* **1.** *növ* gyökértörzs, tőke, rizóma **2.** *biz átv* eredet

root-word *fn nyelv* gyökérszó, tőszó, alapszó

rope [roʊp] **I.** *fn* **1. a)** kötél, kötélzet; **give a fool ~ enough and he will hang himself** hagyni kell a bolondot saját vesztébe rohanni; **give sy (plenty of) ~** szabad kezet (v. bő működési teret) ad/enged biztosít vknek, tág teret biztosít vknek; **know the ~s** *hajó* ért a dolgához; tudja, miképp kell bánni a kötelekkel; *átv biz* ismeri a dörgést, érti a csíziót, ismeri minden csínját-bínját (vmnek); érti a dolgát; *biz* **learn the ~s** beletanul (vmbe); *átv* **be on the high ~** *biz* kötélen táncol; **put sy up to the ~s** beavat/bevezet vkt a teendőkbe/tennivalókba/dolgokba; kitanít/kiokosít vkt **b)** *hajó* (hajó)kötél, fogaskötél, kötélfelszerelés **c)** *tsz* **the ropes** *sp* szorító, ring, bokszring **d)** *US* lasszó **e)** → **tightrope 2. a)** *tex* fonat, fonadék **b)** füzér, koszorú *[hagymából, fügéből stb.]*; gyöngysor, gyöngyfüzér; **a ~ of hair** hajfonat, hajkoszorú **3. a)** (akasztófa)kötél **b)** kötél általi halál **II. A.** *tsi* **1. a)** összekötöz, átkötöz *[csomagot stb.]* **b)** odaköt, odaerősít (*to* vmhez), megkötöz, összeköt **2.** kötelet (ki)feszít (vmre) **3.** *US* pányvával/lasszóval fog *[lovat]*, lasszóz **4.** kötéllel biztosít *[hegymászót]* **B.** *tni* kötélcsoportot alakít *[hegymászásnál]*

rope down *tni* kötélen leereszkedik *[hegymászó]*

rope in *tsi* **1.** kötéllel bekerít/elkerít/körülkerít/körülvesz *[területet]* **2.** *biz* ~ **sy in** bevon/behúz/beránt vkt (*on sg* vmbe); beszervez (vmre); bekerít/elfog vkt

rope off *tsi* kötéllel elkerít *[teremnek egy részét stb.]*

ropeable [ˈroʊpəbl] *mn* **1.** *Ausz* vad, csökönyös *[ló, marha]* **2.** *Ausz ÚjZ* rendkívül dühös/indulatos *[személy]*

rope-ladder *fn* kötélhágcsó, kötéllétra

rope-walker *fn* kötéltáncos

rope-way *fn* (drót)kötélpálya; **aerial ~** sodronykötélpálya; ~ **car** kötélpályacsille

rope-yard *fn* kötélverő műhely/üzem, kötélszín

rope-yarn *fn* **1.** vastag fonál, zsineg, kötélfonál, kötélszál **2.** (jelentéktelen)apróság, csekélység

ropy [ˈroʊpi] *mn* **1. a)** nyálkás, nyúlós, zákányos *[ital]*; ~ **fermentation** nyálkás erjedés, nyúlósodás **b)** szálasodó **2.** *geol* ~ **lava** kötélláva, nyúlós láva **3.** *GB biz* gyenge, silány, rossz minőségű

R

Roquefort [ˈrɒkfɔː ‖ ˈroʊkfərt] *fn gaszt* **a)** rokfort, márványsajt **b)** márványsajtos salátaöntet

rorqual [ˈrɔːkwəl ‖ ˈrɔr–] *fn áll* hosszú szárnyú bálna

rort [rɔːt ‖ rɔrt] *Ausz szl* **1.** *[trükk, ravaszság, csalás]* simli **2.** (zajos) buli

rorty [ˈrɔːti ‖ ˈrɔrti] *mn GB szl* **1.** *[nagyon]* baromi jó **2.** *[közönséges]* disznó, malac

Rory [ˈrɔːri] *tul* ‹*Roderick* férfinév becézett alakja›

Rosa [ˈroʊzə] *tul* ‹női név›

rosace [ˈroʊzeɪs ‖ roʊˈzeɪs] *fn épít* rozetta(ékítmény), rózsadísz, rózsaablak

rosaceous [roʊˈzeɪʃəs] *mn növ* rózsaféle, rózsanemű, rózsaszerű, rózsához hasonló

Rosalie [ˈrɒzəli ‖ ˈrɑ–] *tul* ‹női név›

Rosalind [ˈrɒzəlɪnd ‖ ˈrɑ–] *tul* ‹női név›

rosaniline [roʊˈzænɪlɪn, –liːn] *fn* **a)** *vegy* rozanilin **b)** vörös/piros festék *[rozanilin alapú]*

rosarian [roʊˈzeərɪən ‖ –ˈzerɪən] *fn* rózsakertész

rosarium [roʊˈzeərɪəm ‖ –ˈzerɪəm] *fn* rózsakert, rózsáskert

rosary [ˈroʊzəri] *fn* **1.** *vall* rózsafüzér, olvasó; **go through the ~** végigmondja/elimádkozza a rózsafüzért **2.** rózsáskert, rózsakert, rózsaágy

rose [roʊz] **I.** *fn* **1. a)** rózsa; *tört* **Wars of the R ~s** Rózsák Háborúja *[XV. században a fehérrózsás York és pirosrózsás Lancaster családok és híveik között]*; **bed of ~s** rózsaágy; *átv* rózsás helyzet; könnyű és kellemes állás/helyzet; **life is not a bed of ~s, life is not ~s all the way** az élet nem csupa öröm/vigasság; az élet nem fenékig tejföl; *közm* **no ~ without thorn, every ~ has its thorn** nincsen rózsa tövis nélkül; **have ~s in one's cheeks** rózsás/pirospozsgás arcszíne van; *biz* **under the ~** bizalmasan, titokban, titok pecsétje alatt; sub rosa **b)** *növ* rózsa; **monthly/Indian/China ~** babarózsa, hónaposrózsa, damaszkuszi rózsa; **~ of Jerico** jerikói rózsa; **R~ of May** fehér nárcisz **2.** rózsaszín **3.** csokor, szalag(csokor), szalagrózsa *[ruhán, cipőn stb.]*; kokárda **4.** *vad* koszorú *[agancs karimáján]*, agancsrózsa **5. a)** *műv* rózsa alakú dísz, rozetta *[építészetben, csipkeverésben stb.]*; *épít* **ceiling ~** mennyezetrózsa, rozetta **b)** *épít* rózsaablak, ablakrózsa, rozetta **6.** rózsa alakú (v. rozettásan köszörült) gyémánt **7.** permetezőrózsa, zuhanyrózsa, rózsa *[öntözőkannáé]* **8.** tájolórózsa, kompasszrózsa, szélrózsa **9.** *orv biz* **the ~** orbánc **II.** *mn* rózsaszínű

rosé [ˈroʊzeɪ ‖ ˌroʊˈzeɪ] *fn* rosé, siller *[világos vörös bor]*

Rose [roʊz] *tul* Róza, Rózsa

roseate [ˈroʊzɪət, –zieɪt] *mn* rózsaszínű, rózsás, piros; **take a ~ view of things** rózsaszínben (v. rózsaszínű szemüvegen át) látja a világot

rose-bay [ˈroʊzbeɪ] *fn növ* **1.** oleánder, leánder **2.** rododendron, havasszépe

rose-bowl *fn* (vágott) virágot tartó tál/váza

rosebud *fn* **1.** rózsabimbó **2.** *GB* szép/csinos fiatal lány/hölgy

rose-bush *fn növ* rózsabokor, rózsatő, rózsafa

rose-chafer *fn áll* rózsabogár, virágbogár

rose-colour *fn* rózsaszín

rose-coloured *mn* rózsaszínű, rózsapiros; **see things through ~ glasses/spectacles** rózsaszínben (v. rózsaszínű szemüvegen keresztül) látja a világot, optimista

rose-cut *mn* rozettásan köszörült, rózsa- *[gyémánt]*

rose-diamond *fn* rózsa alakra (v. rozettásan) köszörült gyémánt, rózsagyémánt, rozetta

rose-engine *fn* csillagmotor

rose-garden *fn* rózsakert, rózsáskert

rose-hip *fn* csipkebogyó, csitkenye

rose-leaf *fn tsz* **-leaves a)** rózsalevél **b)** rózsaszirom; *biz* **a crumpled ~** bárányfelhő a boldogság derült egén

rosella [roʊˈzelə] *fn Ausz* **1.** ausztráliai papagáj **2.** gyapja egy részét levetett birka

rose mallow *fn növ* mályvarózsa

rosemary [ˈroʊzməri ‖ –meri] *fn növ* rozmaring

Rosemary [ˈroʊzməri ‖ ˈroʊzmeri] *tul* ‹női név›

rose-nail *fn* rózsafejű szög

roseola [roʊˈziːələ] *fn orv régi* **1.** rózsahimlő, rubeola **2.** kisfoltos bőrpír, roseola • *mn* **roseolous**

rose-pink I. *mn vál átv* rózsaszínű, rózsapiros **II.** *fn* **1.** rózsaszín **2. a)** vörös tinta **b)** piros/vörös kréta

rose-red I. *mn* rózsapiros, hamvaspiros, cseresznyepiros **II.** *fn* cinóbervörös (szín), rózsaszín, hamvas pirosság

rose-root *fn növ* rózsagyökér, illatosgyökerű varjúháj

rosery [ˈroʊzəri] *fn* rózsakert, rózsáskert, rózsaágy

rose-tint I. *fn* rózsaszín **II.** *tsi* rózsaszínűre fest/színez

rose-tree *fn növ* rózsatő, rózsafa

Rosetta [roʊˈzetə] *tul földr* **the ~ stone** a rosettai kő

rosette [roʊˈzet] *fn* **1.** szalagcsokor, kokárda, rozetta **2. ~ burner** gázégő rózsája; korégő **3.** *épít* rózsadísz, rózsaablak, ablakrózsa, rozetta; **ceiling ~** mennyezetrózsa, rozetta **4.** rózsa alakra/rozettásan csiszolt gyémánt

rose-water *fn* **1.** rózsavíz **2.** *biz átv* érzelgősség, limonádé

rose-window *fn épít* rózsaablak, ablakrózsa, rozetta, csipkézettel töltött kör alakú ablak *[templomé]*

rosewood *fn* **a)** *ált* rózsafa **b)** *növ* kelet-indiai rózsafa fája, paliszanderfa; **African ~** afrikai rózsafa; **Jamaica ~** jamaikai/amerikai rózsafa

Rosicrucian [ˌrouzɪˈkruːʃn] *mn/fn tört* rózsakeresztes *[titkos társaság tagja]*
Rosie [ˈrouzi] *tul* ‹*Rose, Rosemary* becéző alakja›
rosin [ˈrɒzɪn] **I.** *fn* (fenyő)gyanta, kolofónium, hegedűgyanta; **~ oil** gyantaolaj; **~ soap** gyantaszappan **II.** *tsi* gyantáz *[hegedűvonót]* • *mn* **rosiny**
roster [ˈrɒstə ‖ ˈrɑstər] **I.** *fn* **a)** *kat* **(duty) ~** szolgálati beosztás jegyzéke; *kat* **by ~** sorjában, egymás után **b)** *kat* névsor, lista, jegyzék, jelenléti ív **c)** *US sp* keret, (csapat)-névsor **II.** *tsi* névsorba felír/bejegyez vkit
rostral [ˈrɒstrəl ‖ ˈrɑ–] *mn áll* csőr-, madárorr-, csőr alakú, csőrszerű
rostrate [ˈrɒstreɪt ‖ ˈrɑ–], **rostrated** *mn biol* csőrben végződő, csőrös, ormányos
rostrum [ˈrɒstrəm ‖ ˈrɑ–] *fn* **1. a)** hajóorr *[régi római gályán]* **b)** szónoki emelvény, szószék, dobogó, karmesteri pult, rosztrum; **mount the ~** szószékre lép **2.** *biol* csőr, madárorr, csőszáj *[rovaré]*
rosy [ˈrouzi] *mn* rózsaszínű, rózsapiros, rózsás; **~ prospects** rózsás kilátások; *biz* **paint it in ~ colours** rózsás színekkel festi/ecseteli • *fn* **rosiness**
rosy-cheeked *mn* rózsás arcú
rot [rɒt ‖ rɑt] **I. -tt-**, *pt/pp* **rotted A.** *tsi* **1.** megrothaszt, (el)ro(t)haszt, elkorhaszt, (fel)bomlaszt, odvassá/szuvassá tesz **2.** *GB szl [gúnyol, ugrat]* cukkol **B.** *tni* **1. a)** megrothad, elro(t)had, (meg)romlik, (el)korhad, szuvasodik *[fog]*; odvasodik; elporlik; **~ away/off** rothadásnak/korhadásnak/pusztulásnak indul **b)** hanyatlásnak indul, pusztulni kezd *[társadalom, intézmény stb.]* **2.** *biz* **~ about** idejét fecsérli; lézeng, tekereg, kujtorog **II.** *fn* **1. a)** rothadás, korhadás, bomlás; odvasodás *[fáé]*; szuvasodás *[fogé]* **b)** korhadtság, rothadtság, szuvasság **c)** *GB* hanyatlás, romlás **2.** *biz* buta/ostoba beszéd, badarság, ostobaság, hülyeség, marhaság; **what ~!** micsoda ostobaság/hülyeség/marhaság!
rota [ˈroutə] *fn* **1.** *vall* **the R~** legfelsőbb egyházi bíróság, rota *[Rómában]* **2.** sorrendi jegyzék/lista, szolgálati beosztás jegyzéke, névsor
Rotarian [rouˈteərɪən ‖ –ˈter–] *mn/fn* a Rotary-klub tagja, rotaryánus
rotary [ˈroutəri] **I.** *mn* forgó, körforgást (v. forgó mozgást) végző **II.** *fn* **1.** *műsz* forgókészülék **2.** *US* körforgalmú tér, körforgalom **3. R~ (Club)** Rotary-klub
rotary engine *fn műsz* forgó hengerkoszorús (repülő) motor
rotary plough *fn* rotációs kapa
rotary-wing aircraft *fn rep* forgószárnyas repülőgép
rotate [rouˈteɪt ‖ ˈrouteɪt] **A.** *tsi* **1.** (körben) forgat, megforgat, pörget **2.** felvált (sorrendben) vkt; váltogat(va végez) **3.** *mezőg* felváltva művel *[földet]*, váltogat *[vetést, terményeket]*, forgóba vet, váltógazdaságot folytat **B.** *tni* (körben) forog, pörög, pördül • *mn* **rotatable**, **rotative**
rotating [rouˈteɪtɪŋ ‖ ˈrouteɪtɪŋ] *mn* **1.** (körben) forgó, körforgást (v. forgó mozgást) végző, rotációs; **~ coil** forgótekercs, lengőtekercs; **~ shifts** váltakozó műszakok; *mezőg* **~ sprinkler** forgó szórófejes öntözőberendezés **2.** *mezőg* **~ crops** váltógazdaság, vetésforgó
rotation [rouˈteɪʃn] *fn* **1. a)** tengely körüli fordulás/forgás, tengelyforgás, körforgás, körmozgás, pörgés; **clockwise ~** az óramutató járásával megegyező irányú forgás; **anticlockwise ~** az óramutató járásával ellenkező irányú forgás; **~ axis** forgástengely; *csill* **~ period** tengelyforgás időtartama, rotációs periódus *[égitesteké]* **b)** forgatás, pörgetés **c)** fordulat; *mat* rotáció, perdület, szögforgás **2. a)** felváltás *[sorrendben]*, váltakozó rendben váltás, váltakozás; **in ~** váltogatva **b) ~ (of crops)** váltógazdaság, vetésforgó; **three-course ~** hármas/háromnyomású/hároméves vetésforgó • *mn* **rotational**
rotator [rouˈteɪtə ‖ –ər] *fn* **1.** *orv* forgató izom **2.** *hajó* rotátor

rote [rout] *fn* gépies gyakorlottság, megszokás, ismétlés; **by ~** gépiesen; könyv nélkül, kívülről; **learn by ~** bemagol, bevág; könyv nélkül (v. gépiesen) betanul; **~ learning** magolás
rot-gut *fn szl* **1.** *[erős, komisz bundapálinka]* rabvallató, papramorgó **2.** lőre *[bor]* **3.** *[híg, rossz sör]* pisi
rotogravure [ˌroutougrəˈvjuə ‖ –ˈvjur] *fn nyomd* rotációs (fény)nyomat/fényképnyomás
rotor [ˈroutə ‖ –ər] *fn* **a)** *vill* forgórész, rotor **b)** *műsz* forgólapát **c)** *hajó* rotor **d)** *rep* (felhajtó erőt előidéző) forgórendszer, forgószárny; **~ plane** forgószárnyas repülőgép
rotten [ˈrɒtn ‖ ˈrɑtn] *mn* **1.** ro(t)hadt, korhadt; megromlott *[gyümölcs]*; odvas, szuvas; **~ egg** záptojás **2. a)** *biz* rothadt, romlott, erkölcstelen, züllött, feslett, korrupt, korrumpált *[társadalom stb.]*; *biz* **he is ~ to the core** velejéig/veséjéig romlott; *biz* **sg is ~ in the state of Denmark** valami bűzlik Dániában **b)** *biz* gyalázatos, csúf, pocsék *[idő stb.]*, nyomorult, vacak, nyamvadt, peches *[helyzet, alak stb.]*, hitvány, értéktelen, ellenszenves, rohadék, szemét, rossz *[könyv stb.]*; *biz* **~ weather** pocsék/gyalázatos/csúf/vacak idő(járás); *biz* **he is feeling ~** gyalázatosan/pocsékul/nyomorultan érzi magát; *biz* **I owed him a ~ five hundred forints** nyomorult ötszáz forinttal tartoztam neki **c)** *szl [nagyon részeg]* tökrészeg, hótrészeg • *fn* **rottenness**
rotter [ˈrɒtə ‖ –ər] *fn GB szl [kellemetlen ember]* tetű alak, szarházi
Rottweiler [ˈrɒtwaɪlə ‖ ˈrɑtwaɪlər] *fn áll* ‹kutyafajta›
rotund [rouˈtʌnd] *mn* **1. a)** kerek, kör alakú **b)** gömbölyű, gömbölyded, telt *[alak]* **2. a)** zengzetes, öblös *[hang]* **b)** hangzatos, nagyhangú *[beszéd]*, dagályos, felleng(z)ős, szónokias *[stílus]* • *fn* **rotundity**
rotunda [rouˈtʌndə] *fn* **1.** *épít* **a)** kör alakú kupolával fedett épület, rotunda **b)** kerek szoba/terem **2.** *nyomd* kerekded gót betű, rotunda
rouble [ˈruːbl] *fn* rubel
rouge [ruːʒ] **I.** *fn* **1.** (arc)pirosító, piros festék *[maszkírozáshoz, sminkeléshez]* **2.** finoman elosztott vashidroxid *[csiszolópor]* **3.** *ját* **~ et noir** vörös és fekete *[kártyajáték]* **II.** *tsi* (ki)pirosít, pirosra/vörösre fest, kirúzsoz *[arcot]*, kifest, kirúzsoz *[ajkat]*
rough [rʌf] **I.** *mn* **1.** durva, érdes, egyenetlen, repedékes *[felület]*, hepehupás, rögös, göröngyös *[talaj, út]*, kérges, repedezett *[bőr]*, görcsös, csomós *[fa]*; **~ road** nehéz terep; **~ to the touch** durva/érdes tapintású; **give sy a lick with the ~ side of one's tongue** jól/alaposan megmossa vk fejét; jól megmondja neki a magáét **2.** műveletlen, csiszolatlan, faragatlan, darabos, pallérozatlan *[stílus]*, érdes, durva *[hang]*, vaskos, otromba, illetlen *[tréfa, beszéd]*, nyers, vad, goromba, bárdolatlan *[viselkedés]*, rideg, érdes, kíméletlen, sértő *[modor]*, embertelen, kegyetlen, erőszakos, kíméletlen, brutális *[bánásmód]*, szigorú, drasztikus, radikális *[intézkedés]*, erős (hatású), durva, kemény *[munka]*; *biz* **~ customer** nehéz pasas; kellemetlen fráter; **~ handling** durva bánásmód, bántalmazás; **~ play** kíméletlen/erős/durva játék *[sportban]*; **~ usage** durva/kíméletlen/sértő szóhasználat/szavak; **~ work** piszkos munka, durva házimunka; **be ~ upon sy** szigorú/kemény vkvel szemben; **it was ~ on him** rá járt a rúd; **call a person ~ names** durva/goromba szavakkal illet vkt; *US* **cut up ~** dühbe/indulatba jön, goromba lesz; *US* **get ~ with sy** nekitámad vknek, lehord/lepiszkít vkt **3.** zord, kemény *[idő]*, erős, éles, metsző *[hideg]*, heves, viharos *[szél]*, nyugtalan, háborgó, viharos *[tenger]*; **~ crossing/passage** viharos átkelés *[tengeren]* **4.** durva, nyers, megmunkálatlan, durván nagyolt/ácsolt/faragott, feldolgozatlan, csiszolatlan; **~ diamond** csiszolatlan/nyers gyémánt; *átv biz* nyers de jószívű ember; **~ steel** nyersacél **5.** kezdetleges, elemi, primitív, vázlatos, hevenyészett; **~ draft** piszkozat, első fogalmazvány; **~ sketch** hevenyészett vázlat; vázlatos tervrajz; **~ translation** nyersfordítás **6.** hozzávetőleges, megközelítő; **~ calculation** nyers/hozzávetőleges számítás; **~ estimate**/

R

guess hozzávetőleges/megközelítő/durva becslés; **at a ~ guess** hozzávetőleges/durva becsléssel, nagyjából, körülbelül **7.** **~ wine** fanyar bor **II.** *hsz* nyersen, durván, gorombán, kíméletlenül, brutálisan; **treat sy ~** kemény kézzel bánik vkvel (v. fog vkt) **III.** *fn* **1.** egyenetlen/hepehupás talaj/terep **2.** **a)** nyers/kezdetleges/természetes/befejezetlen állapot; **in the ~** megmunkálatlan(ul), kidolgozatlan(ul); természetes állapotában; nyersen *[számítva]* **b)** vázlat *[képé stb.]* **3.** éles patkószeg, jégpatkó, sas *[lópatkón]*, téli vasalás **4.** megpróbáltatás, viszontagság, nehézség; *közm* **take the ~ with the smooth** úgy veszi a dolgokat, ahogy jönnek, jót és rosszat egyformán fogad **5.** huligán, vagány, útonálló, bandita **IV.** *tsi* **1.** **a)** *fémip* nagyol, előmunkál **b)** érdessé tesz, érdesít, rovátkol **c)** *épít* kinagyol, durván farag/ácsol **d)** fénytelenít *[üveget]* **2.** *biz* **~ it** szabad ég alatt éjszakázik, nomád körülmények között él/lakik; nélkülöz, nyomorog **3.** **a)** keményen bánik, nyersen beszél (vkvel) **b)** *US* alaposan összever/helybenhagy/elagyabugyál vkt

rough up *tsi* megver; *átv* **~ sy up the wrong way** felborzolja vknek az idegeit; felbosszant/felidegesít/felizgat vkt

roughage [ˈrʌfɪdʒ] *fn* **a)** *orv* detritus, a táplálék (meg)emészthetetlen része, nyersrost *[a táplálékban]* **b)** *US mezőg* szálastakarmányok, szalmafélék, vastag szálú zöldtakarmány

rough-and-ready *mn* elnagyolt, nagyjából való, gyorsan összecsapott, hevenyészett; **~ work** elnagyolt/hevenyészett munka; gyorsan összecsapott munka

rough-and-tumble **I.** *mn* **1.** **a)** vad, durva, rendetlen, összevissza, szabálytalan, szabályokat semmibe vevő *[játékmód]* **b)** vad, verekedős **2.** mozgalmas, viharos, nyugtalan **3.** hevenyészett, rögtönzött, szükség-, alkalmi **II.** *fn* általános verekedés/dulakodás, csetepaté

rough-cast **I.** *mn* **1.** *épít* nyers *[fal]*, szemcsés *[vakolat]* **2.** *fémip* nyers *[öntvény]* **3.** vázlatos, nagy vonásokban vázolt *[terv]* **II.** *fn* **1.** *épít* csapott/durva vakolat **2.** *fémip* nyers öntvény, fémöntvény **3.** első fogalmazvány, hevenyészett terv **III.** *tsi pt/pp* **rough-cast** **1.** *épít* elnagyolva/durván (be)vakol **2.** első fogalmazványt (v. nyers vázlatot) készít (vmről), kinagyol

rough-coated *mn* hosszú szőrű, durva szőrű *[ló]*, drótszőrű *[eb]*

rough-dry *tsi* vasalás nélkül szárít

roughen [ˈrʌfn] **A.** *tsi* **1.** durvává tesz, eldurvít, megkeményít **2.** recéz *[követ]*, rovátkol, érdesít *[hengert]* **B.** *tni* **1.** eldurvul, durvává lesz/válik, megkeményedik **2.** háborogni kezd, viharossá válik *[tenger]*

rough-grind *tsi pt/pp* **rough-ground** [ˌrʌfˈgraʊnd] **1.** durván/nagyolva köszörül **2.** durvára őröl/darál *[gabonát, kávét]*

rough-handle *tsi* alaposan ellátja a baját (vknek)

rough-hew *tsi pt* **-hewed** [–hjuːd], *pp* **-hewn** [–ˈhjuːn] **1.** (ki)nagyol, nagyjából megfarag *[szobrot]*, nagyjából lefarag, nagyolva/durván farag *[követ]*, nagyol *[fát]* **2.** → **rough-cast** III.2.

rough-hewn *mn* **a)** kinagyolt, nagyjából megfaragott, durván kifaragott, elkezdett *[szobor]* **b)** *biz* **~ plan** hevenyészett terv, hirtelen összeütött terv **c)** *átv* pallérozatlan, csiszolatlan, faragatlan

rough-house **I.** *fn* **a)** *biz* rajcsúrozás **b)** csetepaté; *biz* **give sy a ~** alaposan ellátja vk baját **c)** *biz* vad/durva viselkedés, durva tréfa **II.** **A.** *tsi* **1.** alaposan ellátja a baját (vknek), durván bántalmaz (vkt) **2.** (jól) meggyömöszöl, meggyúr *[kisgyereket szeretetből]* **B.** *tni* **a)** rajcsúrozik **b)** dulakodik, verekedik

roughish [ˈrʌfɪʃ] *mn* **1.** **a)** kissé/meglehetősen durva/érdes **b)** kissé nyers/pallérozatlan/faragatlan *[személy]* **2.** nyugtalan, hullámzó *[tenger]*

roughly [ˈrʌfli] *hsz* **1.** hozzávetőlegesen, megközelítőleg, nagyjából, körülbelül, durván; **~ speaking** általánosságban szólva; nagyjából, nagyjában **2.** elnagyolva, nagyjából; **~ made** elnagyolt; hirtelen odavetett **3.** **a)** durván, gorombán, nyersen, kíméletlenül; **treat sy ~** durván/kíméletlenül bánik vkvel, kemény/erős kézzel bánik vkvel **b)** élesen, metszően *[fúj a szél]*

roughneck *fn* **a)** *biz* bugris **b)** durva ember/fickó **c)** huligán, vagány, útonálló, bandita

roughness [ˈrʌfnəs] *fn* **1.** durvaság, érdesség **2.** *átv* nyerseség, durvaság **3.** **a)** ridegség, zordonság *[időjárásé]* **b)** nyugtalanság, háborgás *[tengeré]*

roughride [rʌfˈraɪd] **I.** *tni pt* **roughrode** [rʌfˈroʊd], *pp* **roughridden** [ˌrʌfˈrɪdn] **1.** betöretlen lovon lovagol **2.** hatalmaskodik, erőszakoskodik **II.** *fn* nehéz/problémás időszak

roughshod *mn* **1.** éles patkószeggel/patkósarokkal (v. jégpatkóval) patkolt **2.** kíméletlen, mással nem törődő; *biz* **ride ~ over sy** *átv* lábbal tapos/tipor, legázol, átgázol vkn

rough stuff *fn biz* **1.** féktelen/erőszakos/hangos viselkedés **2.** balhé, hirig, bunyó

roulade [ruˈlɑːd] *fn* **1.** *zene* futam *[énekben]* **2.** rolád, tekercs *[étel]*

roulette [ruˈlet] *fn* **1.** rulett(játék) **2.** **a)** szabórádli **b)** csörögemetélő, derelyemetsző, rádli **3.** perforálás *[bélyegblokkon]*

Roumania [ruˈmeɪnɪə] *tul földr* → **Romania**

Roumanian [ruˈmeɪnɪən] *mn/fn* → **Romanian**

round [raʊnd] **I.** *mn* **1.** **a)** kerek, kör alakú, kikerekített, gömbölyű, legömbölyített; **~ bracket** kerek zárójel; **~ file** gömbölyű/kerek reszelő; **~ pin** gombostű; **~ shoulders** csapott váll(ak); gömbölyű/görnyedt hát; *nyelv* **~ vowel** kerek/ajakkerekítéssel ejtett/képzett/formált magánhangzó; *tört* **the R~ Table** a Kerekasztal *[a mondabeli Artúr királynak és lovagjainak asztala]*; **eyes ~ with astonishment** csodálkozástól kerekre/tágra nyílt szemek **b)** *bány* **~ coal** darabos szén, kockaszén **2.** **a)** **~ dance** körtánc; **~ robin** kérvény sok aláírással *[melyen az aláírások kör alakban helyezkednek el]*; **~ robin letter** körlevél; **~ robin tournament** körmérkőzéses rendszerű torna/verseny *[mindenki játszik mindenkivel]*; **~ robin wire** körtávirat; **~ towel** végtelen törülköző; **~ tour** kör(ül)utazás; *US* **~ trip** oda-vissza utazás, menettérti út, körutazás, tour-retour; → **round-trip**; **~ voyage** körutazás **b)** *hajó* **~ turn** kötélhurok (a bakon); *biz* **bring/pull sy up with a ~ turn** hirtelen megállít/megakaszt/félbeszakít vkt **3.** **a)** kerek, egész, teljes; **~ dozen** kerek tizenkettő/tucat; **~ number** kerek szám; **in ~ figures** kerek számban; **it was a ~ guess** nagyjából eltalálta/ráhibázott **b)** kerekded, gördülékeny; **~ style** könnyed stílus; **~ oath** cifra/nagy káromkodás **4.** őszinte, nyílt, szókimondó; **~ dealing** egyenes/becsületes/tisztességes eljárás; *biz* **be ~ with sy** őszintén/nyíltan (v. köntörfalazás nélkül) beszél vkvel, őszinte/nyílt vkvel, kereken megmondja vknek **II.** *hsz* **1.** **a)** körbe(n); **~ and ~** körbe-körbe; **get ~ sy** megkerül/kijátszik/kicselez vkt; **turn ~** megfordul, körbefordul; **send ~** köröztet (vmt), körbeküld vmt **b)** **all the year ~** egész évben, egész éven keresztül **2.** **a)** körül, köré; **have a look ~** körülnéz; hátranéz; **right ~** körös-körül; **be 7 feet ~** hét lábnyi a kerülete; **all ~** minden tekintetben; mindent összevéve; körös-körül **b)** **all the country ~** országszerte; **for a mile ~** egy mérföldes körzetben **3.** **it's a long way ~** jókora/nagy kerülő/kitérő **4.** *biz* **ask sy ~ for the evening** meghív vkt estére **III.** *elölj* **1.** **a)** (vm) körül, körben, köré; **argue ~ (and ~) a subject** se vége, se hossza a vitának; **go ~ and ~ sg** körüljár/körbejár vmt; **go ~ the museums** végigjárja a múzeumokat; **sail ~ the world** körülhajózza a világot; **it will be somewhere ~ a 1000 Forints** körülbelül 1000 Ft lesz (az ára); **~ the corner** a sarkon túl; **go ~ the corner** befordul a sarkon *[személy]*; bekanyarodik *[jármű]*; **~ the clock** huszonnégy órán át, éjjel-nappal, szakadatlanul, egyfolytában, megállás nélkül; három műszakban; → **round-the-clock** **b)** **go ~ an obstacle** megkerüli/körülkerüli az akadályt **2.** körül táján *[időben]*, tájban; **~ (about) midday** dél tájban **IV.** *fn* **1.** kör, karika; *átv* **in the ~** minden oldalról, teljes valójában **2.** domborúság, domborulat **3.** **a)** (hengeres)

R

létrafok, hágcsó, keresztrúd *[széklábon]* **b)** *tsz* **rounds** *műsz* gömbvas, kör keresztmetszetű rúdvas **c)** kerekpecsenye; **~ of beef** marhafartő; combhús; felsálszelet; **~ of veal** borjúcomb **d)** *GB* kenyérszelet, karéj; **~ of toast** pirított kenyérszelet **e)** *tsz* **rounds** tisztított apróbél *[kolbászkészítéshez]* **4. a)** körfordulat, forgás, évkör, ciklus; **the yearly ~ of the earth** a Föld évi körforgása **b)** szabályos időközi ismétlődés; **the daily ~** a mindennapi élet megszokott/rendes kerékvágása; a napi teendők; a szokásos mindennapi taposómalom **5. a)** (kör)séta, (kör)utazás, túra *[oda-vissza]*; *sp* **the ~ of the course** versenyútvonal; **go the ~s, make the ~s** szemleútját végzi, (ellenőrző) körúton van **b)** (szolgálati) körút *[postásé, tejesé, árukihordóé]*, körjárat; **do a hospital ~** vizitet tart; kórteremlátogatást végez **c)** *kat* őrjárat **6. a)** *sp* (bajnoki) forduló, menet *[bokszban stb.]*; **stand a ~ of drinks** mindenkinek fizet egy pohárral, egy fordulót/rundot fizet *[italból]* **b)** *ját* kör, játszma **7.** *kat* lövés; *kat* **~ of ammunition** töltény; **~ of applause** dörgő tapsvihar; **fire a ~** lövést lead **8.** körtér, körforgalmú tér **9.** kördal, körének, körtánc **10.** *zene* kánon **V. A.** *tsi* **1.** kikerekít, kerekre/gömbölyűre formál/csiszol (vmt), *mat* kerekít *[számot]*, *nyelv* ajakkerekítéssel ejt *[hangot]*, lekerekít/(le)gömbölyít *[sarkot stb.]* **2. a)** körüljár, körülhajóz, megkerül, befordul, bekanyarodik *[sarkon]* **b)** kikerül, megkerül, körüljár *[akadályt]* **3.** körülvesz, övez, körülzár **B.** *tni* **1.** (ki)kerekedik, (ki)gömbölyödik **2. ~ on one's heels** megfordul, sarkon fordul, hátrafordul

round off *tsi* **a)** lekerekít, legömbölyít, letompít *[éleket]* **b)** kikerekít, befejez *[mondókát]*, kikerekít, kiegészít *[összeget]*, teljessé tesz

round on *tni* **a)** váratlanul rátámad/nekitámad/rátör/ráront (vkre) **b)** lehord, megszid (vkt)

round out A. *tsi* kikerekít, befejez **B.** *tni biz* kigömbölyödik, megpocakosodik

round up *tsi* **a)** összegyűjt, összeterel, felhajt *[állatot]* **b)** összefogdos, összeszed, nyakon csíp (razzián) *[bandát]*

roundabout [ˈraundəbaut] **I.** *mn* **a)** kerülő, nem egyenes *[út]* **b)** körülményes, hosszadalmas, terjengős, körülíró; **~ phrase** körülírás **II.** *fn* **1.** *GB* **a) ~ (traffic system)** körforgalom **b)** körtér, körforgalmú csomópont **2.** *GB* körhinta, ringlispil

rounded [ˈraundɪd] *mn* **1. a)** kerek, kikerekített, gömbölyű **b)** csücsörített, *nyelv* kerek, labializált **2.** minden szempontot figyelembe vevő *[tanulmány]*, sokoldalú *[műveltség]*, kerek egész *[alkotás]*

roundel [ˈraundl] *fn* **1. a)** karika, kis tárcsa **b)** *GB rep* körjelzés, felségjel **2.** *régi vál* körvers, rondó

round-house *fn* **1.** *US vasút* félkör alakú mozdonyszín/fűtőház **2.** *szl [pofon]* átszálló **3.** *tört* őrház, fogda **4.** *hajó* parancshídház, bástya *[felépítmény hajó farán]*

rounding [ˈraundɪŋ] *fn* **1.** (le)kerekítés, (le)gömbölyítése **2. a)** *hajó* ütközéstompító kötélpólyázás **b)** *hajó* ütközéstompító kötélpólya **3.** *hajó* pályaelkerülés **4.** könyvgerinc enyvezése, könyvhátgömbölyítés *[kötésben]* **5.** hajlat, kidomborodás, kidomborodó rész **6.** *nyelv* ajakkerekítés, labializáció

roundly [ˈraundli] *hsz* **1.** kereken, gömbölyűen, kigömbölyödve **2.** fürgén, gyorsan, határozottan; **go ~ to work** serényen/lendületesen nekifog a munkának **3.** *biz* őszintén, nyíltan, kereken, minden teketória nélkül, nem sokat kertelve/kukoricázva

roundness [ˈraundnəs] *fn* kerek(ded)ség, teltség

round-shouldered *mn* görnyedt hátú, görbe hátú, csapott vállú

roundsman [ˈraundzmən] *fn tsz* **roundsmen 1.** *GB* árukihordó; **milk ~** tejes(ember) **2.** *US* őrjáraton levő (v. körjáratot végző) rendőr

round-table conference *fn* kerekasztal-konferencia *[melynél a tárgyaló felek teljes jogegyenlőség alapján állnak]*, egyenjogú tárgyalás/megbeszélés/tanácskozás

round-the-clock *mn* éjjel-nappal tartó, szakadatlan, megállás nélküli, három műszakos

roundup *fn* **1. a)** *US* felhajtás, összeterelés *[állatoké]* **b)** összefogdosás *[tolvajoké]*, razzia, rendőrhajsza **2.** összegzés, összefoglalás

round-worm *fn áll* orsógiliszta; ‹bélben élősködő orsóféreg fajok gyűjtőneve›

rouse [rauz] **I. A.** *tsi* **1.** felver, felriaszt *[vadat]* **2. a) ~ (sy from sleep)** felébreszt, felkelt, felver, felriaszt (vkt álmából); **~ the sleeping lion** felkelti az alvó oroszlánt **b) ~ up** felráz/felébreszt (vkt) *[egykedvűségből]*; **~ sy to action** tettre serkent, cselekvésre buzdít/bír vkt; **~ oneself** összeszedi magát; erőt vesz magán **c)** (fel)kelt, ébreszt, támaszt *[érzést, indulatot]*, előidéz/kelt, *[felháborodást]*; **~ the passions** felkelti/felébreszti/felszítja a szenvedélyeket **d)** éleszt, felszít, megbolygat *[tüzet]* **3. a)** felbosszant, felingerel, felkavar, dühbe hoz, kihoz a sodrából (vkt), felkorbácsol *[haragot]*, felszít *[dühöt]* **b)** felborzol, felkorbácsol *[szél hullámokat]* **B.** *tni* **a) ~ (up)** felriad; felébred, felkel **b)** összeszedi magát, erőt vesz magán, magához tér *[fáradtságából stb.]*, felbuzdul **II.** *fn* **1. a)** ébresztés **b)** ébredés **c)** *kat* ébresztő **2.** izgalom, kavarodás • *fn* **rouser**

rouseabout *fn Ausz ÚjZ* mindenes *[farmon]*

rousing [ˈrauzɪŋ] **I.** *mn* **1.** harsány, lelkes *[éljenzés]*, buzdító, magával ragadó, felpezsdítő, lelkesítő, lelkesült *[beszéd]*, tüzes *[ékesszólás]* **2.** *biz* heves, iszonyú; **~ fire** nagy lángú (v. lobogó) tűz; tűzvész; *biz* **~ lie** szemenszedett hazugság **II.** *fn* izgalom, riadalom, kavarodás

roust [raust] **A.** *tsi US szl* felbosszant, feldühít **B.** *tni* **~ about** buzgólkodik, serénykedik

rout [raut] **I. 1.** gyülevész népség, csőcselék, siserahad **2. a)** *jog* csoportosulás *[törvényellenes tett elkövetésére]* **b)** csődület, háborgás, zavargás, tumultus **3.** *fn kat* rendetlen/fejetlen visszavonulás, megfutamodás, eszeveszett/fejvesztett menekülés, teljes vereség, összeomlás; **put troops to ~** megszalasztja/megfutamítja/tönkreveri/szétszórja az ellenséges csapatokat **II. A. 1.** *tsi kat* legyőz, lever, szétver, felmorzsol *[sereget]*, megfutamít *[csapatokat]* **2.** (ki)túr **B.** *tni régi* összesereglik, csoportosul, összecsődül

rout out *tsi* **1.** erőszakkal kiűz/kikerget/kihajt, kiráncigál *[ágyból]*, kiugraszt, kiűz *[rejtekhelyről]* **2. a)** kiváj, barázdál, hornyol **b)** *nyomd* szignatúrát vág *[betűre]*

route [ruːt ‖ raut] **I.** *fn* **1. a)** út(vonal); **bus ~** autóbuszvonal; autóbuszjárat **b)** irány(vonal), nyomvonal **c)** *vasút* vágányút **2.** útirány, útiterv, úti program **3.** *kat* **~ column** menetoszlop; **~ formation** menetalakzat **II.** *tsi* útvonalat megszab, küld, továbbít, irányít *[meghatározott útvonalon]*; **~ a car to Denver** kocsit/autót Denverbe irányít/küld

routemarch *fn kat* menetgyakorlat

router [ˈrautə ‖ –ər] *fn* **1.** ablakkeret-hornyoló gyalu **2.** *infor* útválasztó-/terelő-/csomagirányító-/kapcsológép

routine [ruːˈtiːn] **I.** *fn* **1. a)** megszokott/sablonos/napi munka/foglalkozás, szokásos munkamenet, rutin; **the daily ~** a napi teendők/munka; a mindennapi élet rendes kerékvágása, a mindennapi taposómalom; **~ maintenance** megelőző karbantartás **b)** *kat* napi gyakorlatozás; **~ board** (kifüggesztett) szolgálati munkarend/menetrend; *kat rep* **~ flight** gyakorlórepülés **2. a)** gyakorlat, jártasság, ügyesség, rutin **b)** megszokás, megszokottság **3.** *infor* rutin *[egy adott művelet visszatérő/ismétlődő elvégzése]* **4.** *sp* gyakorlat **II.** *mn* **1.** rendszeres, mindennapos, rutin *[tevékenységek]* **2.** szokásos, megszokott **III.** *tsi* megszokásból/rutinból csinál

routinism [ruːˈtiːnɪzm] *fn* **a)** gépies begyakorlottság, megszokás, rutin **b)** megszokott eljáráshoz (v. sablonos munkához) való ragaszkodás • *fn* **routinist**

roux [ruː] *fn* **1.** (konyhai) rántás **2.** (ki)pirított vaj

rove[1] [rouv] **I. A.** *tsi* bejár, bebarangol, bekalandoz *[országot, vidéket]*; **~ the streets** járja/rója az utcákat **B.** *tni* **a)** kóborol, barangol, kószál, csatangol, bolyong **b)** kalandoz, körbe jár *[pillantás]*, (szanaszét) csapong *[tekin-*

R

tet], odatéved *[gondolat, pillantás]* **II.** *fn* kószálás, kalandozás, csatangolás; *biz* **be on the ~** kóborol, barangol, kószál, csatangol, csavarog
rove[2] [roʊv] *fn fémip* alátétgyűrű, csavaralátét-lemez, csavargyűrű, tömítőkarika
rove[3] [roʊv] **I.** *fn tex* előfonat **II.** *tsi tex* **~ (the slivers)** fonalat megsodor csévézés előtt
rove[4] [roʊv] → **reeve**[3]
rove-beetle *fn áll* holyva
rover[1] [ˈroʊvə ‖ –ər] *fn* **1. a)** kóborló, csavargó, országutak vándora, ország-világjáró **b)** tengeri rabló, kalóz **2.** öregcserkész **3.** *sp* távcélpont *[íjászatban]*; **shoot at ~s** célba vesz célpontot, *biz* találomra céloz
rover[2] [ˈroʊvə ‖ –ər] *fn tex* **1.** előfonógép **2.** előfonó(munkás)
roving [ˈroʊvɪŋ] *mn* kalandozó, kószáló, vándorló; **~ commission** *GB* ‹széles körű felhatalmazás (adása) tetszés szerinti helyen történő vizsgálat folytatására›; **a ~ glance** kutató pillantás
row[1] [roʊ] **I.** *fn* **1. a)** sor; **~ space** sortávolság; **~ of trees** (egyenes) fasor; **in a ~** sorban; **all in a ~** egy sorban; *biz* libasorban **b)** *mezőg* ültető barázda, sor; **~ crops** soros/kapás növények; *US* **hard ~ to hoe** kemény/nehéz/fáradságos/hálátlan feladat/munka; *US* **it isn't worth a ~ of beans** nem sokat ér **2.** *infor* sor; relációs adatbázis rekord **3. a)** sor *[nézőtéren]* **b) ~ of houses** házsor **4.** *nyomd* utca **II.** *tsi/tni* **1. ~ (up)** felsorakoztat, sorba állít **2. a)** felfűz *[gyöngyöt]* **b)** kirak *[gyönggyel]*
row[2] [roʊ] **I. A.** *tsi* **a)** evezővel hajt *[hajót]* **b)** csónakon visz/szállít (vkt) **c)** evez, versenyt evez, evezésben versenyez (vkvel); **~ a race** versenyt evez; evezőversenyen vesz részt **d) boat that ~s six oars** hárompárevezős csónak **B.** *tni* evez, csónakázik; *átv* **~ in the same boat** ugyanabban a helyzetben van **II.** *fn* evezés, csónakázás, csónakkirándulás
row[3] [raʊ] **I.** *fn* **1.** zenebona, lárma, éktelen zsivaj; **an infernal ~** pokoli lárma/zsivaj; **what's the ~?** mi történik itt?; **make a ~, kick up a ~** lármázik; zúgolódik, nagy hűhót csap; **kick up the devil of a ~** óriási jelenetet rendez; nagy botrányt csap; *szl* **hold your ~!** *[elhallgass!]* fogd be a pofádat! **2. a)** összeszólalkozás, éles vita, heves összecsapás/összetűzés, civakodás, veszekedés, összeveszés **b)** verekedés, dulakodás; **street ~** utcai verekedés **3.** dorgálás, feddés, megrovás, *biz* fejmosás, nemulass, hadd-elhadd; **get into a ~** alaposan megjárja (v. megkapja a magáét) **II. A.** *tsi* **a)** *biz* hangosan szidalmaz, csúnyán lehord, erősen megszid (vkt) **b)** nagy jelenetet rendez (vknek) **B.** *tni* **a)** lármázik **b)** összeszólalkozik, összevész, veszekedik, hajba kap (*with sy* vkvel)
rowan [ˈroʊən, ˈraʊən] *fn növ* **1.** vörösberkenye(fa), madárberkenye(fa) **2.** berkenye (gyümölcse)
row boat *US* → **rowing-boat**
rowdy [ˈraʊdi] **I.** *mn* **1.** hangoskodó, lármázó, verekedő, duhaj, kötekedő, hepciáskodó, handabandázó **2.** *Ausz* makrancos, csökönyös, vad, fékezhetetlen *[állat]* **II.** *fn* **a)** duhajkodó/kötekedő/hangoskodó/nagyszájú/durva fickó/alak **b)** huligán, csirkefogó, betyár, vagány • *fn* **rowdiness, rowdyism**
rowdy-dowdy [ˌraʊdiˈdaʊdi] *mn biz* lármás, zsivajgó, vad, féktelenkedő, duhaj, rendetlenkedő
rowel [ˈraʊəl] **I.** *fn* taraj *[sarkantyún]* **II.** *tsi* megsarkantyúz *[lovat]*
rowen [ˈraʊən] *fn US* sarjúszéna
row house *fn US* sorház
rowing [ˈroʊɪŋ] *fn* evezés, evezőssport
rowing boat *fn hajó GB* evezőshajó, (evezős)csónak
rowing-machine *fn sp* szobaevező, evezőpad
rowlock [ˈrɒlək ‖ ˈrɑlək] *fn tsz* **rowlocks** *GB hajó* (evező)villa
Roy [rɔɪ] *tul* ‹férfinév›
royal [ˈrɔɪəl] **I.** *mn* **1.** királyi, felséges, fenséges; **~ assent** szentesítés *[parlamentben hozott törvényé]*; **~ blue** vöröseskék; *tört* **~ colony** koronagyarmat; **His/Her R~ Highness** Ő Királyi Fensége; **~ standard** királyi lobogó *[mely az uralkodó jelenlétét jelzi épületben/hajón]* **2.** *átv* pompás, ragyogó, fejedelmi; **there's no ~ road to it** azt nem lehet csak úgy könnyen (v. fáradság/vesződés nélkül) elérni/megcsinálni; nem megy az olyan simán, nincs királyi út; *biz* **have a (right) ~ time** felségesen/remekül/pompásan mulat (v. érzi magát); *biz* **be in ~ spirits** túláradó jókedvében van, elemében van **3.** *növ* **~ bracken/brake/fern** királypáfrány; *áll* **~ jelly** méhpempő; **~ metal** arany; *növ* **~ palm** királypálma; **~ paper** miniszterpapír, beadványpapír; **~ tiger** királytigris; → **academy 1**→ **commission** I.4. **II.** *fn* **1.** miniszterpapír, beadványpapír **2.** *biz* királyi család tagja
royal hunter *fn áll* hermelin
royalist [ˈrɔɪəlɪst] **I.** *mn* királypárti, királyhű, royalista **II.** *fn* **1.** királypárti, royalista **2.** *US biz* **economic ~s** iparmágnások • *fn* **royalism**
royalty [ˈrɔɪəlti] *fn* **1. a)** királyság, király(nő)i hatalom/méltóság **b)** fenség *[viselkedésben stb.]* **2. a)** fejedelmi/királyi személy, felség, fenség **b)** *tsz* **royalties** a királyi/felséges/fenséges család (tagjai) **3. a)** szerzői jogdíj/(tisztelet)díj *[kiadótól]*, honorárium **b)** szabadalmi díj **4.** regále
RP *röv Received Pronunciation*
RPI *röv retail price index*
RPM, rpm *röv* **1.** *revolution(s)per minute* percenkénti fordulatszám **2.** *resale price maintenance*
rpt *röv* **1.** *repeat* **2.** *report* **3.** *reprint*
RR *röv* **1.** *railroad* **2.** *Right Reverend* **3.** *rural route*
rub[1] [rʌb] **I. -bb- A.** *tsi* **a)** dörzsöl, dörgöl, ledörzsöl, ledörgöl *[törülközővel]*, bedörzsöl *[kenőccsel]*, megdörzsöl, megdörgöl *[szemet]*; **~ one's hands** összedörzsöli/dörzsölgeti a kezét; megelégedetten dörzsölgeti a kezét; **~ sg dry** szárazra dörgöl vmt; *átv* **~ sy the wrong way** felbosszant, felingerel, kihoz a sodrából vkt; felborzolja vknek az idegeit; *biz* **~ shoulders with (other people)** *átv* másokhoz dörgölődzik; gyakran/sűrűn összejön/összejár másokkal, sokat jár társaságba (v. emberek közé) **b)** (fel)dörzsöl, (fel)tör, (fel)horzsol *[cipő lábat, hám lovat stb.]* **c) ~ an inscription** feliratról dörzsölt másolatot készít **B.** *tni* **1.** dörzsölődik, dörgölődik, súrlódik (*against* vmhez), súrol, érint (vmt) **2.** lekopik a bolyha *[szövetnek]*, feldörzsölődik *[bőr]* **II.** *fn* **1.** dörzsölés, dörgölés; **give sg a ~ (up)** átkefél, átdörzsöl vmt; kifényesít, fényesre dörgöl *[rezet]* **2. a)** talajegyenetlenség *[füves tekepályán]* **b)** *átv* bökkenő, akadály; **there's the ~!** ez itt a bökkenő/hiba/bibi
rub against *tni* **~ sy** összeakad/összefut vkvel
rub along *tni* **1. a)** *GB biz* valahogy eltengődik/eléldegél/elboldogul **b)** *biz* valahogy csak elevickél **2.** *biz* **they ~ along very well together** nagyon jól megférnek/kijönnek egymással
rub down *tsi* **1. a)** letöröl *[bútort]*, ledörzsöl, ledörgöl, frottíroz *[törülközővel]* **b)** lecsutakol, leápol *[lovat]* **c)** *biz* végigtapogat *[motozásnál]* **2.** levakar, lecsiszol *[felületet]* **3. ~ sg down to powder** porrá (el)dörzsöl vmt; → **rubdown**
rub in *tsi* **1.** bedörzsöl, bedörgöl *[olajat, kenőcsöt]* **2. a)** besulykol, belever *[leckét vkbe]* **b)** folyton felemleget, orra alá dörgöl, felhány(torgat) *[kellemetlen emléket vknek]*; *biz* **don't ~ it in!** ne dörgöld az orrom alá!
rub off A. *tsi* ledörzsöl, lekapar, levakar *[mázt]*, lehorzsol *[bőrt]* **B.** *tni biz* **a little good manners ~bed off on him** egy kis jó modor is ráragadt
rub on *biz* → **rub along 1.**
rub out *tsi* **1. a)** kidörzsöl, kivakar, dörzsöléssel kivesz *[foltot]* **b)** kiradíroz, kigumiz, kitöröl *[radírgumival]* **2.** *US szl [eltesz láb alól, megöl]* kinyiffant, hazavág
rub up A. *tsi* **1. a)** fényesre/tisztára dörgöl, kifényesít *[fém tárgyat]* **b)** *biz* felfrissít *[emlékezetet, ismeretet]*, felújít *[ismeretséget]* **2.** eldörzsöl, elkever; **~ sg up into a**

R

paste péppé gyúr vmt **3.** *biz* **~ sy up the wrong way** vkt felbosszant/felingerel **B.** *tni* **~ up against other people** másokkal érintkezik/összejár/összejön

rub[2] [rʌb] *fn ját* robber

rubber[1] [ˈrʌbə ‖ –ər] *fn* **1. a)** gumi; **crepe ~** kreppgumi; **virgin ~** friss gumi *[nem regenerátum]* **b) ~ (eraser)** törlőgumi, radír(gumi) **c)** gumi(zás), gumitömítés **2. a)** gumicikk, gumiáru **b)** gumiruha **c)** *tsz* **rubbers** *US biz* sárcipő, kalucsni, hócipő, gumicsizma **d)** (autó)gumi **e)** *biz szl [gumi óvszer]* koton; **~ johnny/boot** *szl [óvszer]* zokni, munkaruha **3. a)** fenőkő, csiszolópapír, koptató **b) ~ (file)** durvareszelő, nagyolóreszelő **4. a)** törlőruha, fényesítőruha **b)** frottírtörülköző, dörzstörülköző **5. a)** masszőr, gyúró *[fürdőben]* **b)** köszörülő-/csiszolómunkás **6.** korong *[jéghokihoz]*

rubber[2] [ˈrʌbə ‖ –ər] *fn ját* robber; **the ~ game** döntő játszma

rubber band *fn* **a)** gumiszalag **b)** gumiheveder, hajtószíj

rubberize [ˈrʌbəraɪz], **-ise** *tsi* gumival bevon, gumiz, gumíroz, impregnál

rubberneck I. *fn* **1. a)** kíváncsiskodó (v. mindent látni akaró) ember **b)** *biz* bámészkodó/nézelődő/őgyelgő turista, városnéző (turista) **2. ~ (bus/wagon)** társasgépkocsi, városnéző autóbusz; kilátókocsi *[turistáknak]* **II.** *tni biz* **a)** kíváncsian megnéz mindent, mindent látni akar **b)** bámészkodik, nézelődik, őgyeleg *[városnéző turista, kirakatnéző]*

rubber-plant *fn* szobafikusz, gumifa, kaucsukfüge

rubber-stamp I. *fn* **1.** gumibélyegző, cégbélyegző **2. a)** *US pej* ‹ diktátor intézkedését gépiesen jóváhagyó álparlament › **b)** *US pej* konvencionális kifejezés, közhely, klisé **II.** *tsi* **1.** gumibélyegzővel lebélyegez **2.** *pej* gépiesen hozzájárulását adja (vmhez)

rubber tape *fn* **a)** gumiszalag, gumizsinór **b)** gumival impregnált szigetelőszalag

rubber tree *fn* gumifa

rubbery [ˈrʌbəri] *mn* gumiszerű

rubbing [ˈrʌbɪŋ] *fn* dörzsölt másolat

rubbish [ˈrʌbɪʃ] *GB* **I.** *fn* **1. a)** hulladék, szemét, törmelék *[építkezésből]*, *bány* meddőkőzet, tömedék; **old ~** ócska limlom, kacat; **~ chute → rubbish-shoot**; **shoot no ~** szemétlerakás tilos **b)** *átv* szemét vacak **2.** ostobaság, szamárság, butaság, bárgyúság, sületlenség, badarság, buta beszéd; **talk ~** összehord hetet-havat, se füle se farka a beszédjének, összelocsog mindenfélét, ostobaságokat beszél; **(what) ~!** szamárság!, ostoba beszéd! **II.** *tsi biz* kritizál (vkt), nekitámad (vknek)

rubble [ˈrʌbl] *fn* **1. a)** *épít* nyers bányakő, terméskő, kavics, zúzalék, kőtörmelék *[útépítéshez]* **b)** *geol* görgetegkő **2.** *épít* terméskőfalazás, terméskőfalazat, zúzottkőágyazat *[útépítésnél]*; **coursed ~** réteges terméskőfalazat

rub-down *fn* **1.** ledörzsölés, ledörgölés, lecsutakolás **2. give sy a ~** ledörzsöl vkt; alaposan megmossa vk fejét; **→ rub down**

rube [ˈru:b] *fn US pej szl [vidéki]* bugris, suttyó, sutyerák

rubella [ru:ˈbelə] *fn orv* rózsahimlő, rubeola

rubeola [ruˈbi:ələ] *fn orv* **a)** kanyaró **b)** rózsahimlő, rubeola

Rubicon [ˈru:bɪkən, –kɒn ‖ –kɑn] *tul biz* **cross/pass the ~** átlépi a Rubicont; átkel a Rubiconon; *átv* elveti a kockát

rubicund [ˈru:bɪkənd] *mn* pirospozsgás

rubiginous [ru:ˈbɪdʒənəs] *mn* **1.** rozsdás, rozsdától megtámadott **2.** rozsdavörös, rozsdabarna, rőt

rubric [ˈru:brɪk] *fn* **1. a)** pirosbetűs fejezetcím *[kódexben, könyvben]*, piros kezdőbetű/felírás/címjelzés **b)** pirosbetűs beírás *[szent nevéé egyházi naptárban]* **2.** *vall* (liturgiai) utasítás(ok), szabály(ok) *[szertartáskönyvben]* **3.** rovat, rubrika **4.** *vall* egyházi naptár, szentek naptára **5.** kacskaringó, cirkalom *[aláírás után]* **6.** magyarázat, magyarázó szavak • *mn* **rubrical**

rubricate [ˈru:brɪkeɪt] **A.** *tsi* **1.** piros színnel ír/kiemel *[kezdőbetűt, fejezetcímet]* **2.** rovatokra/rubrikákra oszt, rubrikáz **B.** *tni* keresztet ír, kézjelét odaírja *[írástudatlan]*

ruby [ˈru:bi] **I.** *mn* rubinvörös; **~ lips** rubinpiros ajak, cseresznyeajak; *biz* **~ nose** borvirágos orr **II.** *fn* **1.** *ásv* rubin **2.** *biz* bibircsók, borvirág **3.** *nyomd GB* 5 1/2 pontos betű(méret), *US* 3 1/2 pontos betű(méret) **4.** rubinvörös (szín) **5.** *sp biz* vér *[bokszolásban]* **6.** vörösbor **7.** *áll* **a)** brazíliai kolibrifaj **b)** piros paradicsommadár

ruche [ru:ʃ] **I.** *fn* kis fodor, rüs *[női ruhán]* **II.** *tsi* fodorba/rüsbe szed/rak, rüsöl

ruck[1] [rʌk] *fn* **1. a) the (common) ~** a szürke átlag/tömeg *[embereké, dolgoké]*; **be out of the ~** fölötte van a szürke átlagnak; **get out of the ~** kiválik a szürke tömegből **b)** nagy halom/csomó **c)** *sp* boly *[futóké, versenylovaké]* **2.** *US biz* hitvány limlom, szemét, vacak

ruck[2] [rʌk] **I. A.** *tsi* **1. ~ (up)** (i) összegyűr (ii) ráncol, húz, ráncba/redőkbe szed *[ruhát]* **2. ~ sy up** felbosszant/felingerel vkt **B.** *tni* **~ up** összegyűrődik, meggyűrődik; ráncol, ráncot vet **II.** *fn* **a)** (nem kívánt) gyűrődés, ránc *[ruhán]* **b)** redő, ránc

ruckle [ˈrʌkl] *GB* **I.** *fn* (szándékosan készített) ránc, redő *[ruhán]* **II. A.** *tsi* **~ (up)** ráncol, húz, ráncba/redőkbe szed *[ruhát]* **B.** *tni* **~ (up)** ráncot vet, redőkben esik/omlik *[ruha]*

rucksack [ˈrʌksæk] *fn* hátizsák

ruckus [ˈrʌkəs] *fn US* **a)** zenebona, rumli, zrí, zűr, ricsaj, hűhó **b)** kavarodás, kalamajka, perpatvar

ruction [ˈrʌkʃn] *fn biz* kalamajka, kavarodás, zenebona; **there will be ~s** ebből nagy kalamajka/hecc/zűr lesz; **raise a ~** nagy zűrt/grimbuszt/kalamajkát csinál

rudbeckia [rʌdˈbekɪə] *fn növ* kúpvirág

rudd [rʌd] *fn áll* pirosszemű kele, perlin

rudder [ˈrʌdə ‖ –ər] *fn* **1.** *hajó* kormány(lapát), *rep* oldalkormány **2.** *átv* vezéreszme, vezérelv, irányító • *mn* **rudderless**

ruddle [ˈrʌdl] **I.** *fn* vörös vasérc/okker *[juhok megjelölésére]* **II.** *tsi* vörös vasérccel/okkerrel megjelöl *[juhokat]*

ruddock [ˈrʌdək] *fn áll* vörösbegy

ruddy [ˈrʌdi] **I.** *mn* **1. a)** pirospozsgás, egészségtől majd kicsattanó; **~ complexion** pirospozsgás arc(szín), kicsattanóan piros arc(szín); **~ health** kicsattanó/viruló egészség **b)** vörös(lő) *[tűz]*, vörös, piros *[ég alja]*, vörös, rőt, vörhenyes *[szőrzet, tollazat]* **2.** *GB szl [gyenge minőségű]* vacak, nyamvadt, szaros **II. A.** *tsi* kipirosít *[mozgás, levegő]*, pirosra csíp, pirospozsgássá tesz **B.** *tni* kipirosodik, pirospozsgás/egészséges színe lesz • *fn* **ruddiness**

rude [ru:d] *mn* **1. a)** durva, goromba, kezdetleges, otromba *[szerszám]*, nyers, kidolgozatlan; **~ ore** nyersérc **b)** *átv* nyers, csiszolatlan, faragatlan, bárdolatlan, primitív *[ember]*, kezdetleges, gyakorlatlan *[stílus]*, féktelen, zabolátlan, vad *[szenvedély]*; *GB* **~ health** kicsattanó egészség, vasegészség; **~ shock** heves/hirtelen megrázkódtatás **c)** *átv* durva, körülbelüli **2.** *átv* durva, goromba, nyers, komisz, kíméletlen, tapintatlan *[ember, modor]*; **be ~ to sy** gorombáskodik/komiszkodik vkvel, goromba/komisz vkhez/vkvel **3.** *GB* életerős, élénk • *fn* **rudeness** *mn* **rudish**

ruderal [ˈru:dərəl] *mn/fn növ* **~ plant** romnövény, omladéknövény

rudiment [ˈru:dɪmənt] *fn* **1. a)** *biol* kezdetleges alak, rudimentum, csökevény **b)** *átv* csíra **2.** *tsz* **rudiments** (alap)elemek, alapfogalmak, alapismeretek, alapelvek *[tudományé stb.]*

rudimental [ˌru:dɪˈmentl] **→ rudimentary**

rudimentary [ˌru:dɪˈmentəri] *mn* **a)** *biol* fejletlen, csökevényes, csenevész, csökevény- **b)** *átv* fejletlen, kezdetleges, csírájában levő **c)** elemi, alapvető, alap-

Rudolph [ˈru:dɒlf ‖ –dɑlf] *tul* ‹ férfinév ›

Rudyard [ˈrʌdjəd ‖ –jərd] *tul* ‹ férfinév ›

R

rue¹ [ruː] **I.** *tsi* töredelmesen/keservesen megbán, szán-bán; **you shall ~ it** ezt még keservesen megbánja (v. megkeserüli) **II.** *fn régi* **1.** bánat, bánkódás, megbánás, töredelem **2.** szánakozás, szánalom, részvét, könyörület

rue² [ruː] *fn növ* ruta

rueful [ˈruːfl] *mn* **1.** bánatos, gyászos, szomorú *[arc]*; **the Knight of the R~ Countenance** a búsképű lovag *[Don Quijote]* **2.** elszomorító, sajnálatra méltó, sajnálatos, szánalmas, siralmas, szomorú *[tény]* • *fn* **ruefulness**

ruelle [ruːˈel] *fn* sikátor

ruff¹ [rʌf] *fn* **1. a)** *áll* eltérő színű nyaktollazat/nyakszőrzet **b)** *régi* (keményített) nyakfodor *[XVI. században]* **2. a)** *áll* nyakörvös galamb **b)** pajzsos cankó

ruff² [rʌf] *fn áll* vágó durbincs

ruff³ [rʌf] **I.** *fn ját* lopás *[bridzsben]* **II.** *tsi/tni ját* aduval üt, tromfol, lop

ruff⁴ [rʌf] *fn* tompa dobpergés

ruffian [ˈrʌfɪən] *fn* útonálló, haramia, bandita, gazfickó • *fn* **ruffianism**

ruffle¹ [ˈrʌfl] **I. A.** *tsi* **1. a)** (fel)borzol, összeborzol, összekócol *[hajat]*, (fel)borzol, fodroz *[vizet]* **b)** *átv* borzol, megzavar *[kedélyt]*, megzavar, nyugtalanít; **~ sy's feelings** sérti vknek az érzelmeit; **~ sy's temper** vkt kihoz a sodrából, vkt felingerel/felhúz; *biz* **~ sy's feathers** vkt kihoz a sodrából, vkt felingerel **2. ~ it** hetvenkedik **3. a)** fodroz, fodorba/rüsbe rak/szed **b)** összegyűr *[ruhát]* **B.** *tni* **1. a)** összeborzolódik, összekócolódik *[haj]*, (fel)borzolódik *[toll, víz]*, fodrozódik *[víz]* **b)** *átv* borzolódik *[kedély]* **2. a)** hetvenkedik, hepciáskodik **b)** zavarog, rendetlenkedik **II.** *fn* **1. a)** fodrozódás, borzolódás *[víz színén]* **b)** enyhe izgalom/izgatottság **2. a)** fodor *[kézelőn, inggalléron]*, mellfodor, zsabó **b)** *áll* elütő színű nyaktoll/nyakszőrzet, örv

ruffle² [ˈrʌfl] *fn* tompa dobpergés; *kat* **beat a ~** tisztelet-adáshoz dobol

rufous [ˈruːfəs] *mn tud* (róka)vörös, vörhenyes, rőt, vörösesbarna

Rufus [ˈruːfəs] *tul* ‹férfinév›

rug [rʌg] *fn* **a)** pokróc, takaró, pléd *[lábra, ágyra stb.]* **b) (floor) ~** pokróc, kis szőnyeg; *átv* **pull the ~ from under sy** kirántja a talajt vk lába alól **c)** *szl* paróka

Rugby [ˈrʌgbi] *tul/fn sp* **~ (football)** rögbi, rugby

rugged [ˈrʌgɪd] *mn* **1. a)** rögös, göröngyös *[talaj]*, csipkézett *[hegygerinc]*, szaggatott *[partvonal]*, érdes, rücskös, göcsörtös *[fakéreg]*; **~ beard** bozontos/torzonborz szakáll; **~ features** kemény/éles/érdes/marcona/markáns vonások **b)** *átv* dacos *[ember, viselkedés]*, érdes *[modor]*, kemény, szigorú *[természet]*, darabos, nehézkes *[stílus, verselés]*, zord, hányatott, viharos, küzdelmes *[élet]*; **~ individualism** ‹korlátlan/teljes individualizmus›; **~ kindness** faragatlan kedveskedés; **~ wind** viharos/zord/heves szél **2.** *US biz* **a)** erőtől/élettől duzzadó, (élet)erős, tagbaszakadt, robusztus **b)** kitartást/keménységet kívánó • *fn* **ruggedness**

ruggedize [ˈrʌgɪdaɪz], **-ise** *tsi* strapabírónak/rázkódásmentesnek épít/konstruál *[finom műszert]*

rugger [ˈrʌgə ‖ –ər] *fn GB biz* rögbi, rugby

rugose [ˈruːgous] *mn biol* egyenetlen/durva/ráncos felületű, göcsörtös, érdes, barázdás, ráncos, redős • *fn* **rugosity**

ruin [ˈruːɪn] **I.** *fn* **1.** rom, roncs, omladék; **in ~s** romokban; **lay a town in ~s** lerombol/elpusztít/megsemmisít (v. romba dönt) egy várost **2.** veszedelem, veszte (vknek); **be/prove the ~ of sy** vesztét/romlását okozza vknek, vesztére van vknek, romlásba dönt vkt **3. a)** (vég)romlás, pusztulás, tönkremenés, tönkrejutás; **~ of one's health** egészségnek megrendülése/megrokkanása; **~ of one's hopes** reményeinek veszte/összeomlása/szertefoszlása; **tumble/lie in ~** (vég)romlásra jut; összeomlik, összedől; **go to ~** tönkremegy, elpusztul, (vég)romlásra jut **b)** (anyagi) romlás, tönkremenés, tönkrejutás, bukás; **bring sy to ~** vkt tönkretesz, vkt (vég)romlásba/nyomorba dönt/taszít **II. A.** *tsi* **1. a)** tönkretesz, elront, aláás *[egészséget]*, feldúl *[boldogságot]*; **~ one's eyes** tönkreteszi/elrontja a szemét; **~ sy's reputation**, **~ sy's good name** tönkreteszi vk jóhírét, rossz hírét kelti vknek; **~ one's life** elrontja az életét **b)** (anyagilag) tönkretesz, tönkrejuttat, nyomorba dönt/juttat, anyagi romlásba dönt **c)** tönkretesz, megront *[nőt]* **2.** romba dönt, elpusztít *[várost]* **B.** *tni vál* romba dől, összeomlik, elpusztul

ruination [ˌruːɪˈneɪʃn] *fn* **1.** tönkretétel, tönkrejuttatás **2.** romlás, pusztulás; **~ work** igen költséges munka

ruinous [ˈruːɪnəs] *mn* **1.** végzetes, veszedelmes, káros, pusztulásra vezető; **prove ~ to sy** romlását/vesztét okozza vknek **2. a)** omladozó, pusztuló **b)** romba dőlt, romokban heverő, romos

rule [ruːl] **I.** *fn* **1. a)** szabály, előírás; **~s and regulations** rendszabályok/előírások, *okt* rendtartás; **~s of conduct** illemszabályok; **~s of the game** játékszabályok; **~s of the road** a közúti közlekedés szabályai, KRESZ; **~ of thumb** gyakorlati/egyszerű/tapasztalati szabály; durva/megközelítő mérés, szemmérték; saccolás; **set sg down as a ~** szabályként állít fel vmt; **against the ~s** szabályellenes **b)** rendtartás, szabályzat, *vall* regula *[szerzetesrendé]*; **do everything by ~** mindenben pontosan követi az előírásokat **c) as a (general) ~** általában (véve), általánosságban, szokás szerint, rendszerint; **serve as a ~ to sy** zsinórmérték-ül szolgál vknek; **make it a ~ to ...** rendszert csinál abból, hogy ..., elvül tekinti azt, hogy ... **d)** *jog* döntés, határozat, végzés; **~ of court** perrendi szabály; perrend; bírói döntés **2. a)** uralom, hatalom, kormányzat, rezsim; *jog* **~ of law** joguralom, a jog uralma, jogállam; **under British ~** brit uralom alatt (levő) **b)** uralkodás, kormányzás, igazgatás **3. a)** mérőléc, mérővessző; **pocket ~** zsebmérőléc **b)** vonalzó **4.** *nyomd* kötőjel, gondolatjel; **em ~** gondolatjel, mínuszjel; **en ~** kötőjel, diviz **II. A.** *tsi* **1. a)** kormányoz, irányít, igazgat *[államot]*, kormányoz, vezet *[népet]*, uralkodik *[nemzeten]* **b)** uralkodik *[érzelmein stb.]*; **~ one's passions** uralkodik szenvedélyein **2.** *jog* kimond, elrendel *[bíróság]*; **~ sg out of order** vmt szabálytalannak nyilvánít; **~ that** elrendeli, hogy, úgy dönt, hogy **3. a)** (meg)vonalaz *[papírt]* **b) ~ a line** vonalzóval vonalat húz **B.** *tni* **1.** uralkodik *[uralkodó]*; **~ over a nation** nemzeten uralkodik **2.** dönt *[bíróság]* **3.** *gazd* **prices are ruling high** az árak változatlanul magasak, az árak nem esnek **4.** *szl [nagyon jó]* szuper, csúcs, baró, tuti, dögös; **death metal ~s** a death metál tök király

rule off *tsi sp* kizár *[versenyből]*, kitilt *[pályáról]*

rule out *tsi* **1. a)** (határozatilag) kizár, kirekeszt *[válasz-tásból, versenyből]* **b)** elvet, elutasít, kirekeszt, kizár (vmt) **2.** áthúz, kihúz, kitöröl *[szót]*

ruled [ruːld] *mn* **1.** vonalas, (meg)vonalazott *[papír]* **2.** *jog* **~ case** bírói határozattal (jogerősen) eldöntött ügy; érdemben letárgyalt ügy, res judicata

rule-joint *fn* (180°-on túl nem fordítható) pántos csukló

ruler [ˈruːlə ‖ –ər] *fn* **1.** uralkodó **2. a)** vonalzó **b)** mértékes/beosztásos vonalzó **3.** vonalazó(munkás) • *fn* **rulership**

ruling [ˈruːlɪŋ] **I.** *fn jog* döntés, határozat, rendelkezés *[bírói]*; **give a ~ in favour of sy** vk javára dönt (v. hozza meg döntését) *[bíróság]* **II.** *mn* **1. a)** uralkodó, hatalmon/uralmon levő; **~ classes** uralkodó osztályok **b) ~ passion** legfőbb szenvedély **c)** szokásos, mértékadó **2.** *gazd* **~ price** piaci/napi ár(folyam), forgalmi ár

rum¹ [rʌm] *fn* **a)** rum **b)** *US pej* alkohol, (tömény) szesz(es ital), pálinka; **~ joint** pálinkamérés *[csempészett szeszes italok árusítására]*

rum² *mn* **-mm- 1.** *GB* furcsa, fura, különös; **~ affair/start** furcsa/különös eset/ügy/dolog, *stand*; **feel ~** furcsán (v. nem jól) érzi magát, ideges, nyugtalan **2.** veszedelmes, kiszámíthatatlan *[ember, állat]*, nehéz ember

Rumania [ruˈmeɪnɪə] *tul* Románia

Rumanian [ruˈmeɪnɪən] *mn/fn* román

rumba [ˈrʌmbə] *fn* rumba *[tánc]*

R

rumble [ˈrʌmbl] **I. A.** *tsi* **1. a)** morajlást/robajt idéz elő (vmn vmvel) **b)** nagy robajjal visz/görget odébb **2. ~ out/forth a remark** maga elé dörmög vmt; a bajusza alatt dünnyögve tesz egy megjegyzést **3.** *GB szl [leleplez, kifigyel]*, kiszúr *[pl. törvényellenes dolgot]* **B.** *tni* **a)** morajlik *[ágyú]*, korog *[gyomor]* **b) ~ off** eldübörög, elrobog *[jármű]* **II.** *fn* **1.** moraj *[dörgésé, ágyúké stb.]*, korgás *[gyomoré]* **2.** *US szl* ‹gengszterháború fiatalkorú bandák között›

rumbling [ˈrʌmblɪŋ] *fn* **1.** moraj, dörgés, korgás **2.** *fn tsz* **rumblings** előjel; **~ of a tragedy** egy tragédia előjelei

rumbustious [rʌmˈbʌstʃəs] *mn GB biz* lármás, rámenős, vad, duhaj, szilaj, féktelen

rumen [ˈruːmen] *fn tsz* **rumina** [–mɪnə] *áll* bendő *[kérődzőké]*

rumex [ˈruːmeks] *fn növ* sóska

ruminant [ˈruːmɪnənt] **I.** *mn* **1.** *áll* kérődző **2.** *átv* tűnődő, elmélkedő, töprengő, vmn hosszasan kérődző **II.** *fn áll* kérődző

ruminate [ˈruːmɪneɪt] **A.** *tsi átv* **~ a plan** soká tűnődik/rágódik/kérődzik egy terven, soká forgat egy tervet a fejében; jól megrág egy tervet **B.** *tni* **1.** *áll* kérődzik **2.** *biz* töpreng, elmélkedik, tűnődik, elrágódik, (el)kérődzik (vmn); **~ on/over/about a plan** soká tűnődik/(el)kérődzik egy terven • *fn* **rumination**, **ruminator** *mn* **ruminative**

rummage [ˈrʌmɪdʒ] **I. A.** *tsi* átkutat, feltúr, felforgat *[fiókot]*, turkál, kotorász, kurkász *[fiókban]*; **~ sg out/up** vmt előkotor/előás **B.** *tni* turkál, kotorász, kurkász *[fiókban]*; **~ about among** (v. **through**) **old papers** régi iratok közt turkál/kurkász; **~ for sg** kutat/kurkász vm után **II.** *fn* **1.** kurkászás, turkálás, kotorászás *[fiókban]* **2.** ócskaság, limlom, kacat

rummage sale *fn US* ‹fölösleges tárgyak kiárusítása jótékony célra›

rummer [ˈrʌmə ‖ –ər] *fn* nagy (boros)pohár

rummy[1] [ˈrʌmi] *mn GB biz* furcsa, fura, különös; **~ show** különös ügy, furcsa eset

rummy[2] [ˈrʌmi] *fn ját* römi

rumor [ˈruːmə ‖ –ər] *US* → **rumour**

rumour [ˈruːmə ‖ –ər] **I.** *fn* **a)** (kósza) hír, híresztelés, szóbeszéd, fáma; **~ has it that** az a hír járja, hogy; azt beszélik/híresztelik, hogy **b)** rémhír **II.** *tsi* (el)híresztel; **it is ~ed that** úgy hírlik, azt beszélik, hogy, az a hír járja, hogy

rumour-monger *fn* rémhírterjesztő • *fn* **rumour-mongering**

rump [rʌmp] *fn* **1. a)** far, hátsó(rész) **b)** (marha)fartő *[nyersen* v. *elkészítve]* **2.** *biz* maradék, töredék, alja, vége (vmnek); **a ~ country** csonka/megcsonkított ország

rumple [ˈrʌmpl] **A.** *tsi* összegyűr *[szövetet]*, összekócol, összeborzol *[hajat]*, összeráncol; **~ one's hair** összeborzolja/feltúrja a haját **B.** *tni* összegyűrődik, meggyűrődik *[szövet]*, ráncot vet, összekócolódik *[haj]*; **her hair ~d up** haja összeborzolódott/összekócolódott

rumpus [ˈrʌmpəs] *fn biz* **a)** zűr, zrí, lármás hűhó, zenebona, kavarodás; *US* **~ room** dühöngő, játszószoba; **kick up** (v. **make**) **a ~** nagy zajt csap; nagy zrít csinál, nagy jelenetet rendez **b)** csetepaté, összeszólalkozás; **have a ~ with sy** összerúgja a port vkvel, összekap/összerúg vkvel

rump Yugoslavia *tul földr pol* Kis-Jugoszlávia

run [rʌn] **I.** *pt* **ran** [ræn], *pp* **run** [rʌn] **A.** *tsi* **1. a)** megfut, lefut, befut, megtesz *[távolságot]*, (le)fut *[versenyt]*; **~ a race** versenyt fut; **~ the streets** az utcákat rója; utcán él *[utcagyerekként]* **b) things must ~ their course** a dolgoknak ki kell futniok magukat, szabad folyást kell engedni a dolgoknak **c) ~ a traffic signal** elnéz (v. nem vesz észre) (közúti) jelzőtáblát **2. a)** (meg)futtat, (meg)-szalaszt **b)** űz, üldöz, hajszol *[vadat]*, versenyt fut (vkvel); *átv* **~ sy close/hard** szorongat/megszorít vkt; nyomában van vknek, komoly versenytársa vknek, megközelít vkt; *átv* **be hard ~** szorongatják, szorongatott/szorult helyzetbe kerül; *biz* (anyagilag) megszorult, le van égve (anyagilag) **3.** futtat *[lovat, versenylovat]*; *biz* **~ a candidate** jelöltet futtat **4. a)** vezet, irányít, kormányoz, visz *[járművet]*; **~ a ship to London** elvezeti/elkormányozza a hajót Londonba **b) ~ sy up to town** bevisz vkt a városba *[autón]* **5.** üzemben tart, járat, működtet *[gépet]*; **~ a car** kocsit/autót tart **6.** vezet *[szállót, üzletet]*, irányít *[gazdaságot]*, kezel, vezet *[ügyeket]*, igazgat *[színházat]*, ellát, (el)vezet *[háztartást]*; **~ a business** üzletet (v. üzleti vállalkozást) irányít/vezet; *biz* **it is he who ~s the show** ő a fejes/góré **7. a)** folyat, ereszt *[folyadékot]*, (ki)önt *[formába]*; **her eyes ~ tears** szeme könnyet hullat/ont, szeméből könny patakzik **b)** kiolvaszt; **~ butter** vajat kisüt **8.** (meg)húz, megvon *[vonalat, határt]*; **~ a parallel too far** túl messzire megy az összehasonlításban **9.** *biz* csempész *[pl. kábítószert]* **10.** *biz* **~ a temperature** láza/hőemelkedése van **11.** *sp* átüt *[labdát kapun, krikettben]* **12.** *US* **~ an ad** (állandó) hirdetést ad fel (v. tesz közzé) **13.** *sp* versenyez **14.** elfuvaroz, elvisz *[vkit járművön]* **B.** *tni* **1. a)** fut, szalad, rohan; **~ home** hazaszalad; *átv* befut a célba; *biz* **~ like a hare**, **~ like blazes/hell**, **~ like the devil** fut, mint a nyúl; **also ran** futottak még; *biz* **cut and ~** elpucol, eliszkol, kereket old **b)** *biz* kifutóként/küldöncként működik **2. a)** fut, megy, halad *[jármű]* **b)** gördül *[vers]* **c) let one's ideas ~ freely** gondolatait szabadjára engedi (v. csapongani hagyja) **3. a)** jár, működik, megy, dolgozik, üzemben van *[gép, gyár]*, forog *[kerék]* **b)** jár, közlekedik, megy *[jármű menetrendszerűen]* **c) how her tongue ~s!** be nem áll a szája!, hogy pereg a nyelve! **4. a)** húzódik *[hegylánc, út vmerre]*; **~ north and south** észak-déli irányban húzódik **b) so the story ~s** így hangzik/szól a történet **5. a)** fut, (el)terjed *[futónövény, tűz]* **b) ~ high** háborog *[tenger]*; túlcsordul, túlforr *[folyadék]*; nekihevül, tűzbe jön *[beszéd közben]*; **feelings were running high** az indulatok magasra csaptak; **prices ~ high** az árak felszöknek/magasak; **~ low** kimerült, végét járja, fogyóban van, csökken *[készlet]* **6. it ~s in the family/blood** családi vonás, örökletes (a családban) **7. a)** folyik *[folyó]*, száguld *[érben vér]*; **the tide ~s strong** erős a dagály; **his blood ran cold** a vér megfagyott az ereiben **b)** folyik, csepeg *[rossz csap, lyukas edény]*; **pen that ~s** csepegő toll; **his nose was ~ning** csepegett/folyt az orra **c)** folyik, gennyed(zik), nedvezik **8. a)** olvad(ásnak indul), megfolyósodik **b)** ereszt, fog *[textilfesték]*, szétfut *[tinta papíron]* **9.** érvényben van, érvényes *[törvény]* **10. the play ran 200 nights** a darab 200 előadást ért meg, a darab 200-szor ment/futott **11.** (ívóhelyére) vonul *[lazac]* **12. ~ dry** kiapad, kiszárad; **~ short** fogyóban van, elfogy, kifogy **13.** fellép *[képviselőként]* **14.** *sp* **a)** versenyez, versenyben részt vesz **b)** fut *[vmilyen időt]*, beér *[vmilyen helyezettként]* **15.** *sp* fut *[krikettben egy pontért]* **II.** *fn* **1. a)** futás, rohanás, szaladás; **a ~ for one's money** kemény verseny/versengés; *biz* **make a ~ for it** elszelel, elillan, kereket old; **at a ~** futásban, futva; **break into a ~** futásnak ered, nekiiramodik; **be on the ~** menekül; **be always on the ~** folytonosan rohan/szalad, mindig lót-fut; *biz* **everything went with a ~** úgy ment minden mint a karikacsapás **b)** *sp* futás, futóverseny; **a mile ~** egymérföldes síkfutás **c)** *sp* egy futás *[krikettben]* **d)** nekiiramodás, nekifutás, lendület; **make a ~ at sy** nekifut vknek **e)** vándorlás *[ívó halé]*, ívás *[lazacé]*, felhúzódás, vonulás **2. a)** út, túra, kirándulás *[járművel]*; **have** (v. **go for**) **a ~ in the car** autóútra/autózni megy; **a day's ~** egynapi út *[hajóval stb.]*; → **day 1. b)** (rendszeres) (hajó)járat **c)** repülőút **3.** járás, működés *[gépé]*, munkaciklus, üzemelés; **full-power ~** teljes üzem **4. a)** (szem)-lefutás, leszaladás, futó szem *[harisnyán, hálón]*; **have a ~ in one's stocking** szalad a szem a harisnyán **b)** *geol* **~ of ground** földomlás, földcsuszamlás **5. a)** megrohanás **b)** nagy kereslet (vm iránt) **6. a)** sorozat, széria; **~ of cannons** karambolszéria *[biliárdban]*; **~ of the cards** kártyajárás, lapjárás **b) a ~ of luck** sorozatos szerencse, sikersorozat; jó passz; *film* **first ~** bemutató; **in the long ~** végül/végre/végtére is, végeredményben, mindent összevetve, végső soron/fokon **c)** *zene* futam **7. a) ~ of tide/sea** tengerjárás **b)** folyás *[eseményeké]*, alakulás *[tényezőké]*; **~ of the market** a piac árainak alakulása **c)** lejtés, esés, menet *[versé]*; *biz* **get the ~ of it** jól belejön **8.** *infor* programfut(tat)ás **9.** szabad bejárás (*of* vhova); **give free ~ of sg** rendelkezésre bocsát vmt **10. a)** legelő, állattenyésztő terület **b)** udvar, kifutó *[baromfinak]* **11.** pálya *[sí, szánkó]* **12.** *átv biz* az átlag(os), a tipikus, a szokásos, a normális (vm); **common/ordinary ~, the ~** szürke átlag; **common ~ of men** átlagember(ek) **13.** *US* **a)** csermely **b)** útszéli/utcai csatorna, beömlőnyílás **14. runs** *szl biz [hasmenés]* szapora **15.** *kat* támadás, támadó hadművelet

run about *tni* lót-fut, szaladgál, futkároz, egyik helyről a másikra rohan

run across *tni* **~ across sg** átfut/átszalad/átrohan vmn; **~ across sy** összeszalad/összefut/összeakad vkvel, beleszalad vkbe

run after *tni* **~ after sg/sy** fut/szalad vm/vk után

run against *tni* **1.** *átv* **~ against sy** beleszalad vkbe, összefut, összeszalad vkvel **2. ~ against sy's interests** sérti vknek az érdekeit **3.** versenyez, rivalizál vkvel

run along *tni* **1.** elszalad, átszalad (vkhez) **2. ~ along!** fuss!; tűnj el! siess!; szedd a lábad

run around *tni* **1.** *US* → **run about 2.** *US* nők után futkos

run at *tni átv* **~ at sy** nekirohan/nekimegy vknek

run away *tni* **1. a)** elfut, elszalad, eliramlik, elrohan, eliramodik, megvadul, elszalad *[ló]*, elragad (*with sy* ló stb. vkt); **his temper ran away with him** elragadta az indulat(a); *sp biz* **~ away with the first set** fölényesen nyeri az első játszmát *[teniszben]*; *szính* **~ away with the play** „viszi" a darabot, neki van a legnagyobb sikere a darabban **b)** elmenekül, elszökik, megszökik; **~ away with sy** megszöktet vkt; megszökik vkvel **2. ~ away with the idea that** azt képzeli (v. veszi a fejébe), hogy; **don't ~ away with the idea that** nehogy azt hidd, hogy, egy percig se hidd, hogy **3. that ~s away with a lot of money** ez jó sok pénzbe fog kerülni, ez nem lesz olcsó dolog, nem ússzuk meg olcsón; → **runaway**

run down A. *tni* **1. a)** lejár *[óra]*, leáll *[gép]*, kifutja magát *[motor]*, lefogy, elfogy, lecsévélődik *[fonal]* **b)** kimerül *[akkumulátor]* **2.** leér, lenyúlik (*into* vmbe) **3.** leromlik *[egészségi állapot]* **B.** *tsi* **1. a)** utolér, elfog, elcsíp *[menekülőt]*, elejt *[üldözött vadat]* **b) ~ down sg** vmnek végére jár, lenyomoz/kiderít vmt **2.** elgázol, elüt, legázol **3.** *biz* leszól, befeketít, lepocskondiáz, ócsárol, lehúz a sárga földig **4.** *biz* **be/feel ~ down** kimerült, fáradt, elcsigázott, elgyötört(nek érzi magát), le van nyúzva/strapálva, ki van (készülve)

run for *tni* **1.** *US* **~ for Congress** fellép a képviselőválasztáson, jelölteti magát képviselőnek; *US* **~ for office** hivatalt megpályáz **2.** fut, menekül, megfutamodik, megszalad **3. ~ for sy** kifutó/küldönc vknél

run in A. *tsi* **1.** *biz* bekísér, letartóztat *[rendőr]*, előállít, lefog **2.** behoz *[jelöltet]* **3.** bejárat *[motort]* **B.** *tni* **1. a)** beszalad, befut, berohan; **~ in to see sy** beszalad/beugrik vkhez *[látogató]* **b)** *sp* befut a célba **2. ~ in with sy** megegyezésre/megállapodásra jut vkvel; egyetért vkvel **3.** *sp* belharcba kezd *[ökölvívásban]* **4. ~ in debt/trust** eladósodik, adósságot csinál, adósságba veri magát; → **run-in**

run into *tni* **1. ~ into sg** beleszalad/belerohan vmbe, nekimegy vmnek, összeütközik vmvel; *átv* **~ into sy** összefut vkvel **2. ~ into debt** eladósodik, adósságba veri magát; **~ into a habit** szokást vesz fel **3.** (vmennyibe) kerül, (vmennyire) rúg; **his income ~s into thousands** jövedelme ezrekre rúg (v. megy fel)

run off A. *tsi* **1. a)** ledarál *[beszédet]*, gyorsan végez (vmvel) **b)** *nyomd* kinyom, lefuttat; **press that ~s off 15 000 copies an hour** óránként 15 000 példányt nyomó nyomda **2. a)** kifolyat, kienged *[folyadékot]* **b)** csapol *[olvasztókemencét]*, vizet leereszt/kiereszt *[tartályból]* **3.** *sp* **a)** lefuttat *[versenyt]* **b)** lefut *[versenyt, futamot]* **4. ~ sy clean off his legs** a végkimerülésig kerget vkt, alaposan megfuttat vkt, kidögleszt vkt **B.** *tni* **1. a)** elfut, elszalad, elrohan, eliramodik **b)** elmenekül, megszökik, elpárolog; **~ off with sg** meglóg/meglép vmvel; **~ off with sy** megszökik vkvel; megszöktet vkt **2.** elfolyik, túlfolyik, kifolyik, kicsordul, kifut **3.** mellékvágányra téved *[beszéd]*; → **run-off**

run on *tsi* **1. a)** továbbfut, továbbrohan, továbbszalad **b)** (el)szalad, (el)telik, halad *[idő]*, eliramlik, elszáll **2. a)** megszakítás nélkül beszél, csak beszél tovább, be nem áll a szája **b)** következő sorban folytatódik, következő sorba átnyúlik *[mondat versben]*, *nyomd* bekezdés nélkül tovább folytatódik *[szöveg]*; *nyomd* **~ on** bekezdés nélkül

run out A. *tni* **1.** kifut *[folyadék]*, kifolyik, túlfolyik, kiömlik, túlcsordul **2.** lejár *[idő, bérlet]* **3. a)** elfogy, kifogy, kimerül *[árukészlet]*, kimerül *[gazdagság]*; **~ out of sg** kifogy vmből, elfogy/kifogy vmje; *átv* **his sands are ~ning out** végét járja **b) ~ out on sy** elhagy vkt **4.** kiszögellik, előreáll, kinyúlik *[szikla, épület]* **B.** *tsi* **1. ~ out a race** versenyt végigfut **2. ~ oneself out** kifutja magát

run over A. *tsi* **1.** elgázol (vkt), átmegy (vkn) **2.** átfut, átlapoz, átnéz *[iratot stb.]*, átfut, átszalad *[iraton]*, futólag érint/felsorol *[főbb pontokat]*, átszalad *[főbb pontokon]* **3. ~ one's fingers over sg** ujjait végighúzza/végigfuttatja/végigsimítja vmn **4. ~ over the piano** ujjait végigfuttatja a zongora billentyűin **B.** *tni* **1.** átszalad, átfut; **~ over to a neighbour** szomszédhoz/szomszédba átszalad/átnéz/átugrik **2.** kifut, kicsordul, kicsap *[folyadék tartályból]*, túlcsordul *[edény]*

run through A. *tsi* **1.** (futólag) átnéz, átfut *[írást]*, átfut *[gondolatban vmt]*, gyorsan átnéz/átszámol/számba vesz, futólag átvizsgál **2. ~ sy through (and through)** vkt keresztülszúr/átdöf **B.** *tni* **1. ~ through sg** átfolyik vmn; **money ~s through his fingers like water through the sieve** a pénz elfolyik/kifolyik az ujjai közt, a pénz elolvad a kezében **2. ~ through a fortune** vagyonnak nyakára hág, vagyont elherdál

run to *tni* **1. a)** rúg (vmennyire); **~ to a certain amount** bizonyos összegre rúg (v. összeget kitesz) **b) the money won't ~ to a car** ez a pénz kevés egy autóra; *biz* **I can't ~ to that** erre nekem nem telik, ezt én nem bírom megfizetni **2.** *átv* vmilyen irányban fejlődik; **~ to an extreme** túlzásba esik/megy, szélsőségbe csap

run up A. *tni* **1. a)** hirtelen nő *[növény]* **b)** felszalad, felszökik, felugrik *[ár]*; **his debts ~ up alarmingly** adósságai ijesztő mértékben felgyülemlenek (v. mértéket öltenek) **2. a)** odaszalad, odafut (*to* vkhez) **b) ~ up against sy** (véletlenül) belebotlik vkbe, összeakad/összefut/összeszalad vkvel **3.** *sp* **~ up to sy** másodiknak fut be **4.** felfelé vonul *[hal ívás idején]* **B.** *tsi* **1. a)** hagy növekedni *[adósságot]*, növel *[számlát]*; **~ up bills** nagy számlát csinál **b)** felver, felhajt *[árat]* **2. a) ~ up a flag** zászlót felhúz/felvon **b)** felhúz, gyorsan felépít *[épületet]*, gyorsan összeállít, sebtiben összeüt *[pl. ruhát]* **3.** teljes sebességgel járat *[repülőgépmotort ellenőrzés/bemelegítés céljából]*

runabout *fn* **1. a)** csavargó **b)** *tsz* **runabouts** *Ausz* szabadon (v. felügyelet nélkül) legelni hagyott marha **2. a)** *gk* **~ (car)** nyitott kétüléses kiskocsi/kisautó **b)** kis motorcsónak; → **run about**

runaround *fn* ‹ide-oda küldözgetés (hivatali szobáról szobára)›

runaway [ˈrʌnəweɪ] **I.** *mn* **a)** (el)szökött, megszökött; *biz* **~ chin** csapott áll **b) ~ horse** elszabadult/megvadult ló **c) make a ~ match (with) sy** vkt megszöktet és feleségül vesz; vkvel megszökik és hozzá megy feleségül; → **run away II.** *fn* **1. a)** szökevény, szökött rab/fegyenc, szökött katona, katonaszökevény **b)** elszabadult/megvadult ló **2.** *műsz* megfutás *[motoré]*

runaway inflation *fn* elszabadult/nekilendült infláció

runaway victory *fn* könnyű/sima győzelem

runcible [ˈrʌnsəbl] *mn* **~ spoon** háromágú salátakanál

runcinate [ˈrʌnsɪnət, –neɪt] *mn növ* fűrészlevelű, fűrészfogazású *[levél]*

run-down I. *mn* **a)** megrongálódott, elkopott, elromlott, elhasználódott, lerobbant **b)** kimerült, megviselt, leromlott *[egészségi állapot]* **c)** lejárt *[óra]*, kimerült *[akkumulátor]*; → **run down II.** *fn* **1.** elhasználódás, kimerülés, elkopás, elromlás **2.** előző szintre való visszaállítás, csökkentés, redukció **3. a)** tüzetes megvizsgálás/átvizsgálás *[terhelő adatoké nyomozás során]*, elemzés *[külpolitikai eseményeké/helyzeté]* **b)** összefoglalás, rezümé

rune [ruːn] *fn* **1.** rúna, rovásírás betűje *[angolszász, skandináv és egyéb germán népeknél]* **2.** *régi* bűvös/titkos jel, varázsjel **3.** ősi költészet

rune-staff *fn* **1.** rúnákkal rótt naptár **2.** rovásírással ellátott varázsbot • *mn* **runic**

rung [rʌŋ] *fn* **1. a)** létrafok, hágcsó foka **b)** széklábösszekötő **2. a)** küllő **b)** *hajó* forgatóküllő *[kormánykeréken]*

runged [rʌŋd] *mn* lépcsős, fokos

run-in *fn* **1.** *sp* hajrá, finis **2.** *nyomd* betoldás **3.** bejáratás *[járműé]* **4.** összetűzés, veszekedés, verekedés; → **run in**

runlet [ˈrʌnlɪt] *fn* csermely, ér, patakocska

runnel [ˈrʌnl] *fn* **a)** patak, csermely, (víz)ér **b)** *mezőg* öntözőárok, vízlevezető árok, lefolyó

runner [ˈrʌnə ‖ –ər] *fn* **1. a)** futó; *GB szl* **do a ~** *[elmegy]* lelép, elpályázik **b)** versenyló **c)** futómadár **2. a)** kifutó, küldönc **b)** *GB régi* utazó ügynök **c)** felhajtó **3.** *biz szl* csempész *stand* **4. a)** él, talp *[korcsolyáé]* **b)** *műsz* csúszósín, csúszósarú, csuszka **5. a)** futógyűrű, futóhenger, zárókarika *[erszényé]* **b)** tolóka *[számolólécen stb.]* **c)** fűzőgyűrű *[lószerszámon]* **6.** *műsz* forgórész *[motoré]* **7. a)** inda **b)** indás növény, futónövény; **scarlet ~** nagy virágú paszuly, törökbab, tűzbab **8. a)** futó(szőnyeg) **b)** bútorhuzatvédő (csipke)terítő *[fejmagasságban]* **9.** *nyomd* verssor-számozás, szövegsor-sorszámozás *[szöveg szélén a sorok számozása]*

runner-up *fn* második helyezett *[versenyben]*

running [ˈrʌnɪŋ] **I.** *fn* **1.** futás, rohanás, szaladás; *biz átv* **make the ~** diktálja a(z) iramot/tempót; *biz átv* **take up the ~** az élre áll/vág/csap; **be out of the ~** nem jön szóba/számba, nincs esélye *[verseny eldöntésében, válogatásnál]*; **have the best of the ~** vezet, az élen jár/áll, a legelőnyösebb helyzetben van **2.** járás, forgás, működés *[gépé]*, futás *[járműé]*; **in ~ order** üzemképes (állapotban) **3. a)** kezelés *[gépé]*, üzembentartás *[gépi berendezésé]*; *gk* **~ in** bejáratás, *[mint felirat:]* „bejáratós" **b)** vezetés, irányítás *[szállóé, gazdaságé]*, igazgatás *[banké]* **4.** folyás *[vízé]* **5. a)** folyás, csepegés, csorgás *[rossz csapé, edényé]* **b)** folyás, gennyedés **6.** (vonulási) irány *[hegyláncé]* **7.** *tsz* **runnings** párlat; → **run II.** *mn* **1. a)** futó, szaladó, rohanó; **~ dog** futóláncra kötött kutya; *sp* **~ jump** ugrás nekifutással/nekifutásból **b)** *US pol* **~ mate** alelnökjelölt **2.** folyó *[víz]*; **~ water** folyóvíz *[csapból]* **3.** nedvező, gennyed(z)ő *[seb]*; **~ cold** folyós nátha; **~ sore** gennyedő seb; *átv* nyílt seb **4. a) ~ hand** folyóírás; *nyomd* folyó dőlt írás **b)** folyékony *[stílus]* **5. a)** folytatólagos; **~ accompaniment** állandó kíséret; **~ commentary** folyamatos szövegkommentár; ‹folyamatos beszámoló eseményről annak történte alatt› helyszíni közvetítés; **~ day** folyó naptári nap; *átv* **~ fire** pergőtűz; *nyomd* **~ title**, **~ head(-line)** élőfej **b)** *GB* **~ account** folyószámla; **~ expenses** folyó kiadások; fenntartási/üzembentartási költségek **c) five days ~** egymást követő öt nap(on), öt nap egyfolytában (v. egymás után), öt egymás utáni nap(on) **6.** *szl* **take a ~ jump** menj a francba!, dögölj meg!

running back *fn sp* futó/labdavivő hátvéd *[amerikai futballban]*

running-board *mn* **a)** *vasút* járdalemez *[mozdony oldalán]* **b)** *épít* járópalló *[háztetőn]*

running-knot *fn* mozgóhurok, csúszóhurok

run-off *fn* **1.** *vízügy* vízleeresztő, vízlevezető **2.** lefolyó esővíztöbblet, folyadéktöbblet **3.** döntő (mérkőzés/verseny/választás)

run-of-the-mill *mn* átlagos, középszerű

run-on I. *mn* pótlólagos, folytatólagos, hozzákapcsolt, *nyomd* bekezdés nélkül folytatódó *[szöveg]* **II.** *fn* → **run-on entry** → **run on**

run-out I. *mn* **~ groove** kifutóbarázda *[hanglemezen]* **II.** *fn* **1.** *sp* kifutás *[futballkapusé]* **2.** *film* kifutó *[filmmásolattekercsé utolsó kép után]*; → **run out**

runproof *mn* szembiztos, leszaladásmentes *[harisnya]*

runt [rʌnt] *fn* **1.** apró fajta szarvasmarha **2. a)** alacsony rövid nyakú kanca **b)** gebe, hitvány/rossz ló **3. a)** csenevész, vakarcs, vakarlék **b)** *biz* **the little ~ (of the family)** a legkisebb csemete **c)** *biz* kis vakarcs, tökmag **4.** nagy fajta házigalamb

run-through *fn* **1.** gyors átnézés/átfutás **2.** *szính* **a)** olvasópróba **b)** átfutás szerepen; → **run through**

run time *fn infor* (program-)futási idő, végrehajtási idő

run-up *fn* **1. a)** *sp* roham, nekifutás *[atlétikában]* **b)** rárepülés, célrarepülés **2.** felvezetés, előkészület

runway [ˈrʌnweɪ] *fn* **1. a)** *rep* kifutó(pálya), felszállópálya, leszállópálya **b)** (vad)csapás *[itatóhelyhez]* **2.** palló(híd), kis híd *[kikötőtől partig]* **3.** kifutó *[baromfié]*

runny [ˈrʌni] *mn* nyúlós *[tészta]*, folyós, híg

rupee [ruːˈpiː] *fn* rupia

Rupert [ˈruːpət ‖ –pər] *tul* ‹férfinév›

rupestral [ruːˈpestrəl] *mn* **a)** *növ* sziklán termő, kövi, szikla *[növény]* **b)** *áll* kőszáli

rupture [ˈrʌptʃə ‖ –ər] **I.** *fn* **1. a)** (meg)szakítás, (meg)repesztés **b)** megszakítás *[kapcsolatoké]* **2.** *orv* **a)** szakadás, repedés, ruptura, megpattanás *[éré stb.]*; **~ of the drum** dobhártyarepedés **b)** (lágyék)sérv **3. a)** (meg)szakadás *[kapcsolatoké]* **b)** törés, szakadás, viszály, nézeteltérés *[barátok, országok közt]* **II. A.** *tsi* **1. a)** megrepeszt *[eret]*; **~ a ligament** ínszakadást szenved **b)** megszakít *[kapcsolatot]* **2.** sérvet okoz **B.** *tni átv* megszakad, megreped *[ín, ér]*, meghasad *[hártya]*

ruptured [ˈrʌptʃəd ‖ –tʃərd] *mn* **1.** (meg)szakadt, repedt; **~ appendix** átfúródott vakbél; *US tréf* **~ duck** sas *[az USA nemzeti címerében]*; ‹leszerelt katona jelvénye› **2.** sérves

rural [ˈruərəl ‖ ˈrurəl] *mn* **1. a)** vidéki, falusi *[élet, csend stb.]*; **~ constable** mezőrendőr; *GB vall* **~ dean** esperes **b)** falusias, parasztos *[modor]* **2.** paraszti, mezei, mezőgazdasági *[munka]*; **~ development** mezőgazdasági fejlesztés, vidékfejlesztés • *i* **ruralize** *fn* **ruralism**, **rurality**

ruse [ruːz ‖ ruːs, ruz] *fn* fortély, csel, fogás

rush[1] [rʌʃ] **I.** *fn* **a)** *növ* szittyó; **flowering ~** virágkáka; **sweet ~** fenyérfű **b)** *biz* gyékény, sás, káka *[padló felhintésére, ipari célokra]* **II.** *tsi* **1.** gyékénnyel befon *[széket]* **2.** sással/gyékénnyel felhint *[padlót]*

rush[2] [rʌʃ] **I. A.** *tsi* **1. a)** hajszol, kerget; **~ sy into an undertaking** vkt vállalkozásba belevisz/beugrat; **~ sy out of the room** vkt kipenderít/kikerget/kiűz a szobából; **~ a bill through (the House)** áthajszol egy törvényjavaslatot (a Házban), törvényjavaslat megszavazását kierőszakolja; **~ up the prices** (hirtelen) felveri/felemeli az árakat **b)** rohanva/száguldva visz; **~ sy round the sights** vkvel végigrohan/végigszáguld a látnivalókon/nevezetességeken, vknek sietve/sebtében/futva megmutatja a látnivalókat/nevezetességeket; **~ up reinforcements** sürgős csapaterősítésről gondoskodik, sürgősen csapaterősítéseket küld/szállít **c)** siettet, sürget, hajszol, hajt; **I don't want to ~ you** nem akarom hajszolni/siettetni/sürgetni **2.** sietve/kapkodva végez, elsiet *[munkát]*, nagy sietve teljesít *[rendelést]*; **~!** sürgős! **3. a)** rohammal bevesz, lerohan *[ellenséges hadállást]*, megrohan *[hadállást]* **b) ~ a fence** akadályon vágtában átugrik, akadályt vágtában vesz *[ló]*; **~ one's fences** árkon-bokron keresztül rohan **4.** *GB szl* megvág; **~ sy for sg** átver vkt vmennyivel **5.** *US szl* simán letesz *[vizsgát]*, simán/játszva átmegy *[vizsgán]* **B.** *tni* **1. a)** száguld, rohan; **~ about** ide-oda szaladgál/rohangál/rohangászik; **~ at/on sy** ráveti magát vkre, rárohan/rátámad vkre, nekiront vknek; *biz* **~ through one's prayers** sietve/gyorsan ledarálja az imáit **b)** árad, tódul, özönlik *[víz, tömeg]*; **the blood ~ed to her face** arcát elöntötte a pirosság, arca

R

lángba borult **2.** ~ **in where angels fear to tread** meggondolatlanul/vigyázatlanul fog kényes ügy elintézéséhez; ~ **into an affair** ügybe/dologba meggondolatlanul beleugrik; *biz* ~ **to conclusions** elhamarkodott következtetéseket von le **II.** *fn* **1. a)** roham, iramodás; **general** ~ tülekedés, tolongás; **make a** ~ **at sy** ráront/rárohan vkre, megrohan vkt; **make a** ~ **for/towards sg** nekiiramodik vmnek, rárohan vmre; fut vm után **b)** *Ausz* vad száguldás/rohanás *[nyájé stb.]* **2.** hajsza, rohanás, lázas sietség **3.** ~ **of air** légáramlás, légroham; ~ **of blood (to the head)** vértolulás **4. a)** aranyláz **b)** (megrohant) gazdag aranylelőhely

rusher ['rʌʃə ‖ −ər] *fn* **a)** *biz* gyors munkás **b)** *biz* energikus ember, rámenős/belemenős ember

rush hours *fn tsz* csúcsforgalmi időszak *[közlekedésben, üzletben]*

rushlight *fn* **1.** ‹kákabélből és faggyúból készült gyertya/mécs› **2.** *átv* pislákoló mécs(világ) *[értelemé stb.]*

rusk [rʌsk] *fn* kétszersült, pirított piskóta

Rusky ['rʊski] *fn szl [orosz]* ruszki

Russ [rʌs] *mn/fn* orosz

Russell ['rʌsl] *tul* ‹férfinév›

russet ['rʌsɪt] **I.** *mn* **1.** sárgásbarna, vörösesbarna, rozsdabarna, rozsdaszínű; ~ **apple** bőralma, (téli piros) ranett; ~ **pear** (pirosas) nyári körte **2.** (vörösesbarna) háziszőttes **II.** *fn* sárgásbarna, vörösesbarna (szín) • *mn* **russety**

Russia ['rʌʃə] **I.** *tul* Oroszország **II.** *fn* ~ **(leather)** bagaria(bőr)

Russian ['rʌʃn] **I.** *mn* orosz; ~ **boots** bagaria csizma **II.** *fn* **1.** orosz **2.** orosz (nyelv) • *tsi* **Russianize**

Russian roulette *fn* orosz rulett

Russian wolfhound *fn áll* orosz agár

Russify ['rʌsɪfaɪ] *tsi* (el)oroszosít • *fn* **Russification**

Russo- ['rʌsoʊ] *előtag* orosz-

Russophil ['rʌsoʊfaɪl], **Russophile** *mn/fn* oroszbarát

Russophobe ['rʌsoʊfoʊb] *mn/fn* oroszgyűlölő

rust [rʌst] **I.** *fn* **1.** rozsda; **rub the** ~ **off** levakarja/letisztítja a rozsdát; *átv* lefújja a port *[régi ismeretekről stb.]*, felújít **2.** *növ* üszöggomba, rozsdagomba **II. A.** *tsi* **a)** *átv* megrozsdásít, berozsdásít **b)** rozsdaszínűre fest *[dér a levelet]* **B.** *tni* **a)** megrozsdásodik, berozsdál; ~ **in** berozsdásodik, berozsdál *[csavar stb.]*; *US biz* megreked, megfeneklik (vhol); ~ **up** berozsdásodik *[nyílás]* **b)** rozsdaszínű lesz, rőt/barnásvörös színt vesz fel, megvörösödik, megbarnul *[levél]* • *mn* **rustless**

rust-eaten *mn* rozsdamarta, rozsdaette, elrozsdásodott

rustic ['rʌstɪk] **I.** *mn* **1.** falusias, egyszerű, parasztos, paraszti *[külső]*, mezei *[munka]*, parlagi, bárdolatlan *[modor]*, népi(es) *[pl. bútor]* **2. a)** durva, elnagyolt, megmunkálatlan; ~ **lettering** primitív írás/betűk **b)** *épít* durva, nagyolt, megmunkálatlan, nyers; ~ **work** nyers kőfalazás, terméskőfalazás, rusztika **II.** *fn* **a)** paraszt, falusi **b)** *pej* bugris, paraszt, fajankó; *közm* **once a** ~ **always a** ~ kutyából nem lesz szalonna • *fn* **rusticity**

rusticate ['rʌstɪkeɪt] **A.** *tsi* **1.** elparasztosít, parasztossá/falusiassá tesz **2. a)** büntetésből falura/vidékre küld/helyez **b)** *GB okt* ideiglenesen kizár *[egyetemről, büntetésképp]* **3.** *épít* rusztikaszerűen vakol/falaz, rovátkol, rusztikáz **B.** *tni* **a)** falun/vidéken él, falusi életet él **b)** falura megy lakni, meghúzódik falun, visszavonul falura • *fn* **rustication**

rustle ['rʌsl] **I. A.** *tsi* **1.** (meg)zizzent *[lombot]*, (meg)suhogtat *[selymet]*, (meg)zörrent *[ágakat]* **2.** *US biz* **a)** összeterel *[állatokat]* **b)** elköt, lop *[pl. lovat]* **3.** *US szl [energikusan elintéz/megszerez]* felhajt, beszervál **B.** *tni* **1.** susog, zizeg, suttog *[lomb]*, suhog *[selyem]*, (meg)zizzen *[papírlap]*, ropog *[bankó]*, zörög *[haraszt]*, zörren *[száraz levél]*; ~ **along** tovasuhog *[selymekben]*; ~ **in silks** suhogó selymekben jár **2.** *US szl [rámenősen/energikusan jár el]* hajt, nyomat **II.** *fn* susogás, suttogás *[lomboké]*, suhogás *[selyemé]*, zizegés, zizzenés *[papíré]*, zörrenés *[ágaké]*, ropogás *[bankóé]*

rustler ['rʌslə ‖ −ər] *fn US* **1.** *biz* marhatolvaj **2.** *szl [rámenős/energikus ember]* hajtós, nyomulós

rust-proof *mn* rozsdamentes, rozsdaálló

rusty ['rʌsti] *fn* **1.** *átv* rozsdás, berozsdásodott; **get** ~ megrozsdásodik; berozsdásodik **2. a)** rozsdavörös, rozsdabarna, rozsdaszínű, rőt(es), vöröses(barna) **b)** ütött-kopott, színehagyott, fakó *[gúnya]* **3.** csökönyös, makrancos *[ló]*

rut[1] [rʌt] **I.** *fn* **1. a)** kerékvágás, keréknyom **b)** *átv* (meg)szokott/rendes kerékvágás, kitaposott út; **get out of the** ~ kizökken a megszokott/rendes kerékvágásból; **get/settle/sink into a** ~ rutinszerűvé válik számára *[a munka stb.]*; megszokja a sablont; belezökken a kerékvágásba **2.** *műsz* berágódás, bemaródás **II. -tt- A.** *tsi* nyomot hagy/vág *[úton kerék]* **B.** *tni műsz* beragad *[csapágy]*

rut[2] [rʌt] **I.** *fn* üzekedés *[marháé]*, szarvasbőgés, rigyetés *[szarvasé]*, dürgés *[fajdé]*, koslatás **II.** *tni* **-tt-** üzekedik *[marha]*, rigyet, bőg *[szarvas]*, dürög *[fajd]*, koslat

rutabaga [ˌruːtə'beɪgə] *fn növ* svéd/sárga karórépa

Ruth [ruːθ] *tul* ‹női név›

Ruthenia [ruː'θiːnɪə] *tul földr* Ruténföld, Kárpát-Ukrajna

Ruthenian [ruː'θiːnɪən] *mn/fn* rutén, ruszin, kárpátukrajnai

ruthenium [ruː'θiːnɪəm] *fn vegy* ruténium

ruthless ['ruːθləs] *mn* könyörtelen, kegyetlen, irgalmatlan, irgalmat/szánalmat nem ismerő, szívtelen

rutting ['rʌtɪŋ] *fn* üzekedés *[marháé]*, bőgés, rigyetés *[szarvasé]*, dürgés *[fajdé]*, koslatás; ~ **season** párzási időszak

RV *röv* **1.** *US recreational vehicle* **2.** *Revised Version*

Rwanda [rʊ'ɑːndə] *tul földr* Ruanda

Rwandan [rʊ'ɑːndən] *mn* ruandai

Rx *röv recipe*

Ry., **Rwy** *röv railway*

rye [raɪ] *fn* **1.** rozs; **spurred** ~ anyarozs **2.** *biz* rozspálinka

rye-grass *fn növ* perje; **perennial** ~ angol/útszéli perje

rye-smut *fn mezőg* anyarozs

rye-whisky *fn gaszt* rozspálinka

ryot ['raɪət] *fn India* paraszt, földműves

S

S[1], **s** [es] *fn tsz* **S's** s (betű/hang); **S for Sierra** S mint Sándor

S[2], **s** *röv* **1.** *Saturday* szombat, Sz(o). **2.** *Saxon* **3.** *school* **4.** *sea* **5.** *second* **6.** *section* **7.** *sentence* **8.** *September* szeptember, szept. **9.** *shilling* **10.** *singular* **11.** *sister* **12.** *small* **13.** *Society* **14.** *son* **15.** *soprano* **16.** *substantive* **17.** *Sunday* vasárnap, vas.

-s[1], **-es** [z, s, ɪz] *utótag* ‹főnévi többes szám jele› -k; *boys*; *girls*; *tables*; *ashes*; *choruses*

-s[2], **-es** [z, s, ɪz] *utótag* ‹igék jelen idejű egyes szám 3. személyének ragja›; *runs*; *dances*; *escapes*; *crashes*; *washes*

's[1] *utótag* ‹főnévi egyes számú birtokosjel›; *Queen's*; *King's*; *one's*; *man's* ‹főnévi többesszámú birtokosjel›; *'s, children's, men's* ‹s-re végződő főnevek többesszámú birtokosjele›; *s', the boys'*

's[2] *röv* **1.** *is*; **it's cold** hideg van **2.** *has*; **he's done it** megtette **3.** *us*; **let's go** menjünk **4.** *röv is*; *has*; **he's there** *he is there*; **she's arrived** *she has arrived* **5.** *röv us*; **let's go** *let us go* **6.** *röv does*; **where's he live?** *where does he live?*

SA *röv* **1.** *Salvation Army* **2.** *South Africa* **3.** *South America* **4.** *South Australia*

sab ['sæb] *fn szl [szándékos rongáló]* szabotőr • *tsi* **sab**

Sabaoth ['sæbeɪɒθ ‖ –ɑθ] *fn vall* **the Lord of ~** a seregek Ura

Sabbatarian [ˌsæbə'teərɪən ‖ –'ter–] *fn vall* **1. a)** a szombatot szigorúan megtartó zsidó **b)** vasárnapot szigorúan megtartó keresztény **2.** szombatos • *fn* **Sabbatarianism**

Sabbath ['sæbəθ] *fn* **1.** *vall* **a)** szombat *[zsidóknál]* **b)** vasárnap *[protestánsoknál]* **2. witches' ~** boszorkányszombat

sabbatical [sə'bætɪkl] *mn* szombati, szombat-; **~ year** szombatév *[zsidóknál]*, *US okt* kutatóév, tanulmányi év *[egyetemi tanárnak rendsz. minden hetedik év]*, (tudományos) alkotószabadság • *hsz* **sabbatically**

saber ['seɪbə ‖ –ər] *US* → **sabre**

Sabine ['sæbaɪn ‖ 'seɪbaɪn] *mn/fn* szabin; **the rape of the ~s** a szabin nők elrablása

Sabin vaccine ['seɪbɪn–] *fn orv* Sabin-cseppek

sable ['seɪbl] **I.** *mn* **1.** fekete; *áll* **~ antelope** fekete antilop **2. a)** *cím* fekete **b)** komor, gyászos, titokzatos **II.** *fn* **1.** *áll* coboly **2. ~ (fur)** cobolyprém **3.** fekete (szín) **4.** *tsz* **sables** gyász(ruha) • *mn* **sabled** *hsz* **sably**

sabot ['sæbou ‖ sə'bou] *fn* **1.** facipő **2.** *Ausz hajó* ‹rövid jacht›

sabotage ['sæbətɑ:ʒ] **I.** *fn* kártevés, szabotázs **II.** *tsi* szándékosan megrongál, szabotál

saboteur [ˌsæbə'tɜ: ‖ –'tɜr] *fn* szabotáló, szabotőr

sabre ['seɪbə ‖ –ər] **I.** *fn* **1.** kard, szablya **2. the ~** lovasság **II.** *tsi* lekaszabol, kardélre hány • *fn* **sabreur**

sabre-cut *fn* **1.** kardvágás **2.** kardvágás okozta seb

sabre-rattling *fn* kardcsörtetés

sabretache ['sæbətæʃ ‖ 'seɪbər–] *fn kat* (huszár)tarsoly, oldaltáska

sabre-toothed tiger *fn áll* kardfogú tigris

sabulous ['sæbjuləs] *mn* **1.** homokos, fövenyes, homokból való, homok- **2.** *orv* vesehomokos

sac [sæk] *fn biol* zacskó, hólyag, tömlő, zsák

saccade [sə'kɑ:d, –keɪd] *fn* gyors szemmozgás

saccate ['sækeɪt] *mn növ* zacskószerű, zacskó alakú, zacskós

saccharide ['sækəraɪd] *fn vegy* szacharid

saccharimeter [ˌsækə'rɪmɪtə ‖ –mətər] *fn vegy* cukortartalom-mérő, szachariméter

saccharin ['sækərɪn] *fn* szaharin *[cukorpótló]*

saccharine ['sækəri:n] *mn vegy* **1.** cukorszerű, cukortartalmú, cukros **2.** *átv* édeskés

saccharo- ['sækərou] *előtag* cukor-

saccharometer [ˌsækə'rɒmɪtə ‖ –'rɑmətər] *fn vegy* cukortartalom-mérő

saccharose ['sækərous] *fn vegy* szacharóz

saccule ['sækju:l] *fn biol* zsákocska, tömlőcske • *mn* **saccular**

sacerdotal [ˌsæsə'doutl ‖ ˌsæsər–] *mn* (fő)papi • *hsz* **sacerdotally**

sacerdotalism [ˌsæsə'doutəlɪzm ‖ ˌsæsər'doutlˈɪzm] *fn* **1.** *vall* papság intézménye/rendszere **2.** *pej* papi uralom • *fn* **sacerdotalist**

sachem ['seɪtʃəm] *fn* **1.** indián törzsfőnök **2.** *biz* magas állású személy; fejes, főnök

sachet ['sæʃeɪ ‖ sæ'ʃeɪ] *fn* **(scent) ~** illatosító zacskó *[fehérnemű közé]*

sack [sæk] **I.** *fn* **1.** zsák; *US biz* **hold the ~** tartja a hátát, viseli a következményeket *[más cselekedeteiért]*; megissza a levét; *biz* **sad ~** balfácán **2.** *biz* **give sy the ~** elbocsát/kirúg vkt; **get the ~** kirúgják (az állásából), felmondanak neki **3.** zsákruha **4.** *szl* ágy; *szl* **hit the ~** *[aludni megy]* ledöglik, elteszi magát holnapra **5.** kifosztás, kirablás *[városé győztes sereg által]* **6.** zsákmány **II.** *tsi* **1.** zsákol, zsákba rak **2.** *biz* elbocsát, kirúg **3. ~ in** aludni megy **4.** kirabol **5.** fosztogat • *mn* **sackable**

sackbut ['sækbʌt] *fn zene régi* harsona

sackcloth *fn* **1.** *tex* zsákvászon, zsákszövet **2.** *bibl* daróc; **in ~ and ashes** keményen vezekelve, mélyen megbántva

sackful ['sækful] *fn* zsáknyi

sacking ['sækɪŋ] *fn* zsákvászon, zsákanyag

sack race *fn sp* zsákfutás

sack time *fn kat* takarodó

sacral[1] ['seɪkrəl] *mn orv* keresztcsonti, keresztcsonttáji

sacral[2] ['seɪkrəl] *mn* vallási, valláshoz tartozó, rituális

sacrament ['sækrəmənt] *fn* **1.** *vall* szentség, szakramentum; **the last ~** az utolsó kenet; **receive (v. partake of) the S~** áldozik *[katolikus]*; úrvacsorához járul *[protestáns]* **2.** fogadalom, eskü

sacramental [ˌsækrə'mentl] **I.** *mn* **1.** szentségi **2. ~ obligation** eskü alatt tett fogadalom, szent kötelezettség **II.** *fn tsz* **sacramentals** *vall* szentelmények *[szent olaj, keresztelővíz stb.]* • *fn* **sacramentalism**, **sacramentalist** *hsz* **sacramentally**

sacrarium [sə'kreərɪəm ‖ sə'krerɪəm] *fn tsz* **sacraria** [–rɪə] **1.** házi szentély **2.** *vall* **a)** szentély *[templomban]* **b)** piscina, keresztelőmedence

sacred ['seɪkrɪd] *mn* **1.** szentelt; **~ to the memory of sy** vk emlékének szentelt **2.** szent(séges); **the ~ orders** egyházi nagyobb rendek; **~ music** egyházi zene **3.** szent (és sérthetetlen); *átv biz* **~ cow** szent tehén **4.** megszentelt, szentesített • *fn* **sacredness** *hsz* **sacredly**

sacrifice ['sækrɪfaɪs] **I.** *fn* **1. a)** áldozat(bemutatás), feláldozás; **offer (up) sg as a ~** áldozatul felajánl vmt **b)** áldozat(i állat) **2. a)** áldozat, lemondás; **at the ~ of sg** vmnek az árán; **make ~s** áldozatot hoz **b)** *gazd* **at ~ prices** áron alul **II. A.** *tsi* **1.** feláldoz, áldozatul bemutat **2. a)** feláldoz, lemond (vmről) **b)** *gazd* áron alul árul/elad **B.** *tni* áldozatot mutat be • *mn* **sacrificial** *hsz* **sacrificially**

sacrilege ['sækrɪlɪdʒ] *fn* **1.** szentségtörés **2.** templomrablás, templomgyalázás • *fn* **sacrilegist** *mn* **sacrilegious**

sacring ['seɪkrɪŋ] *fn vall* **1.** felajánlás, úrfelmutatás **2.** (fel)szentelés *[püspökké]*, felkenés *[királyé]*

sacring bell *fn vall* **1.** úrfelmutatásra szóló csengetés/harangozás **2.** misecsengő
sacristan [ˈsækrɪstən] *fn vall* sekrestyés, egyházfi
sacristy [ˈsækrɪsti] *fn vall* sekrestye
sacro- [ˈsækroʊ] *mn orv* keresztcsont-, sacro-
sacrosanct [ˈsækroʊsæŋkt] *mn* szent és sérthetetlen • *fn* **sacrosanctity**
sacrum [ˈseɪkrəm] *fn tsz* **sacra** [–krə] *orv* keresztcsont
sad [sæd] *mn* **-dd- 1. a)** szomorú, bús, levert; **make ~** elszomorít, búsít **b)** elszomorító, lesújtó, lehangoló **c)** komor, zord, gyászos **2.** siralmas, szánalmas, nyomorúságos **3. ~ colours** fakó/bágyadt/tompa/fénytelen színek • *fn* **sadness** *mn* **saddish**
sadden [ˈsædn] **A.** *tsi* **1.** elszomorít, bánatossá tesz **2.** eltompít, elmélyít *[színt]* **B.** *tni* elszomorodik • *fn/mn* **saddening**
saddle [ˈsædl] **I.** *fn* **1.** nyereg; *átv* **in the ~** nyeregben, felül **2.** *földr* hegynyereg, hágó **3.** gerinc, hátrész *[hús]*; **~ of mutton** ürügerinc **II.** *tsi* **1.** megnyergel, (fel)nyergel *[lovat]* **2.** *biz* **~ sy with sg**, **~ sg on sy** megterhel vkt vmvel; nyakába varr vknek vmt • *mn* **saddleless**
saddleback *fn* **1.** *épít* nyeregtető, szamártető **2.** *geol* (hegy)nyereg, hágó **3.** csíkos hátú fekete malac • *mn* **saddlebacked**
saddlebag *fn* nyeregtáska
saddle bow *fn* nyeregfa, nyeregfő, nyeregkápa, nyeregváz
saddle-cloth *fn* nyeregtakaró
saddle-horse *fn* hátasló
saddler [ˈsædlə ‖ –ər] *fn* **1.** nyerges(mester), szíjgyártó **2.** *US* hátasló, nyerges ló
saddle roof *fn épít* nyeregtető
saddle-room *fn* lószerszámkamra
saddlery [ˈsædləri] *fn* **1.** lószerszám, nyergesáruk **2.** szíjgyártó- és nyergesműhely **3. a)** nyergesmesterség **b)** szíj- és nyergesárubolt, lószerszámüzlet
saddlesore *mn* nyeregtől feltört
saddle-stitch I. *fn* sűrű steppelés *[ruhán]* **II.** *tni* steppel
saddletree *fn* **1. a)** nyeregfa **b)** üléstartó váz *[kerékpáron]* **2.** *US növ* tulipánfa
sadhu [ˈsɑːduː] *fn India* szent ember, aszkéta
sad-iron [ˈsædaɪən ‖ –aɪərn] *fn* (ruha)vasaló
sadism [ˈseɪdɪzm] *fn* szadizmus
sadist [ˈseɪdɪst] *fn* szadista • *mn* **sadistic** *hsz* **sadistically**
sadly [ˈsædli] *hsz* **1.** szomorúan, bánatosan, leverten **2.** siralmasan, szánalmasan **3. you are ~ mistaken** nagyon téved
sadomasochism [ˌseɪdoʊˈmæsəkɪzm] *fn* szadomazochizmus
sadomasochist [ˌseɪdoʊˈmæsəkɪst] *fn* szadomazochista • *mn* **sadomasochistic**
s.a.e. *röv self-addressed envelope*
safari [səˈfɑːri] *fn* szafari, vadászexpedíció, vadászkirándulás *[Afrika területén]*
safari park *fn* szafaripark, vadrezervátum
safari suit *fn* vadászöltözet
safe [seɪf] **I.** *mn* **1.** biztonságos, veszélytelen; **~ from sg** biztonságban vmtől; mentes vmtől; **now you can feel ~** most már biztonságban érezheted magad; **at a ~ distance** tisztes/biztos távolságból; **be on the ~ side** nem vállal kockázatot, nem kockáztat semmit, a biztonság kedvéért, biztos, ami biztos **2.** biztos, megbízható; **a ~ bet** biztos/célravezető megoldás; **a ~ seat** ‹parlamenti hely, amelyet nagy többséggel nyer meg egy párt›; **~ sex** biztonságos szex; **it is ~ to say that** méltán mondhatjuk/állíthatjuk, sahib; **it is better to be ~ than sorry** jobb félni mint megijedni; **the matter is in ~ hands** az ügy biztos kezekben van; **with a ~ conscience** tiszta/nyugodt lelkiismerettel **3.** ép, sértetlen; **~ and sound** ép és egészséges; ép bőrrel **4.** biztosító, óvó, biztonsági **5.** óvatos, előrelátó, gyászatos, mérsékelt **6.** várható, biztos *[győzelem stb.]* **II.** *fn* **1.** páncélfiók, páncélszekrény, széf **2.** ételszekrény; *US* **meat ~** húsáruszekrény **3.** *szl [(gumi)óvszer]* kapucni
safeblower *fn US* kasszafúró *[aki robbantószerrel dolgozik]*
safe-breaker *fn* kasszafúró
safe-conduct *fn* **a)** oltalomlevél, men(edék)levél **b)** szabad közlekedés
safe-cracker *fn* kasszafúró
safe-custody *fn* biztos őrizet, megőrzés
safe-deposit *fn* páncélszekrény, értékmegőrző
safe-deposit bank *fn* értékmegőrző
safeguard [ˈseɪfgɑːd ‖ –gɑrd] **I.** *fn* **1.** biztosíték, garancia **2.** biztonsági berendezés **3. a)** őrizet, védkíséret **b)** védelem, oltalom; **~s for one's interests** vk érdekeinek védelme, érdekvédelem **c)** oltalomlevél, men(edék)levél **II.** *tsi* **a)** megőriz, megvéd, oltalmaz, védelmez, biztosít; **~ industries** védi a hazai ipart **b)** érdekeit védi (vknek) • *fn* **safeguarder**, **safeguarding**
safekeeping *fn* megóvás, oltalom, biztos megőrzés/őrizet
safelight *fn* **1.** biztonsági világítás **2.** *fényk* vörös fény
safely [ˈseɪfli] *hsz* **1.** minden baj nélkül, épen, sértetlenül, biztonságban; **arrive ~** szerencsésen (v. minden baj nélkül) megérkezik **2. a)** bizt(onság)osan, kockázat nélkül; **money ~ invested** biztos helyre befektetett pénz **b)** nyugodtan, veszélytelenül; **I can ~ say that** nyugodt lélekkel mondhatom/állíthatom, hogy
safeness [ˈseɪfnəs] *fn* **1.** biztonság; **a feeling of ~** biztonságérzés, biztonságérzet **2. a)** biztosság, szilárdság *[pl. építményé]* **b)** biztonságosság, veszélytelenség, kockázatnélküliség
safety [ˈseɪfti] *fn* **1.** biztonság, veszélytelenség; **in a place of ~** biztonságos/biztos helyen; **~ first!** legfontosabb a biztonság, csak vigyázva/óvatosan!; *gk* **"~ first" signal** „óvatosan hajts!" jelzés; *közm* **~ (lies) in numbers** többség győz; **seek ~ in flight** futásban keres menekülést; **for ~'s sake** a biztonság kedvéért/okáért; **play for ~** nem kockáztat, óvatos; **swim to ~** kiúszik, partot ér, biztos révbe jut **2.** épség, sértetlenség **3.** őrizet **4.** *US sp* hátvéd
safety belt *fn* **1.** *gk rep* biztonsági öv **2.** *hajó* mentőöv
safety bolt *fn kat* biztonsági retesz, závárzat
safety brake *fn* biztonsági fék, fogókészülék *[liften]*
safety catch *fn* **1.** (biztonsági) zár *[ékszeren, táskán]* **2.** biztosító(zár) *[pisztolyon]*
safety chain *fn* biztonsági lánc
safety curtain *fn szính* vasfüggöny
safety factor *fn* biztonsági tényező
safety film *fn fényk* éghetetlen/tűzbiztos film
safety fuse *fn vill* olvadóbiztosító
safety glass *fn* biztonsági/törhetetlen üveg
safety hazard *fn* biztonsági kockázat, veszély
safety island *fn közl* járdasziget
safety lamp *fn bány* bányászlámpa
safety lock *fn* **1.** biztonsági zár **2.** biztosító *[lőfegyveren]*
safety match *fn* gyufa
safety measure *fn* biztonsági intézkedés
safety net *fn* védőháló
safety pin *fn* biztosítótű, dajkatű
safety razor *fn* zsilett
safety regulation *fn* biztonsági rendszabály
safety valve *fn* biztonsági szelep, biztosítószelep; **sit on the ~** *átv biz* elnémítja a sajtót; hallgatásra kényszeríti a közvéleményt
safety zone *fn US közl* biztonsági övezet *[gyalogosoknak]*
saffron [ˈsæfrən] *fn* **1.** sáfrány **2.** sáfrányfesték **3.** sáfrány(sárga) szín
sag [sæg] **I.** *tni* **-gg- 1. a)** megereszkedik, (be)süllyed, (be)süpped *[talaj]* **b)** meghajlik, meggörbül **c)** meglazul **2.** (le)lóg, petyhüdtté válik, lötyög **3.** *gazd* leszáll, csökken, esik *[ár]* **4.** *hajó* **~ to leeward** letér útjából szél hatására

S

II. *fn* **a)** megereszkedés **b)** belógás, lelógás **c)** *geol* (be)süllyedés **d)** *gazd* csökkenés, leszállás *[értéké]*; ~ **(of prices)** ársüllyedés • *fn/mn* **sagging**

saga ['sɑːɡə] *fn ir.tud* **a)** saga *[skandináv monda* v. *epikus ének]* **b)** monda(kör) **c)** ~ **(novel)** családregény

sagacious [sə'ɡeɪʃəs] *mn* **a)** eszes, okos *[ember]* **b)** értelmes, okos *[állat]* **c)** bölcs, okos *[cselekedet, terv, megjegyzés]* • *fn* **sagacity** *hsz* **sagaciously**

sage[1] [seɪdʒ] **I.** *mn* bölcs, megfontolt **II.** *fn* **1.** bölcs; *tört* **the Eastern ~s** a napkeleti bölcsek, a három királyok; *US* **the S~ of Monticello** Thomas Jefferson **2.** *iron* mindentudó, nagyokos • *fn* **sageness** *hsz* **sagely**

sage[2] [seɪdʒ] *fn növ* zsálya • *mn* **sagy**

sagebrush ['seɪdʒbrʌʃ] *fn US növ* zsályacserje

saggar ['sæɡə ‖ –ər] *fn* agyagégető (hengertok) *[porcelángyártásnál]*, porcelánégető tok/szelence

sagger ['sæɡə ‖ –ər] → **saggar**

Sagittarius [ˌsædʒɪ'teərɪəs ‖ –'ter–] **I.** *tul csill* Nyilas (csillagkép) **II.** *fn* Nyilas • *fn/mn* **Sagittarian**

sago ['seɪɡoʊ] *fn* szágó

sago-palm *fn növ* szágópálma

saggy ['sæɡi] *mn* petyhüdt, laza, lógó

Sahara [sə'hɑːrə] **I.** *tul földr* Szahara **II.** *fn* szahara, sivatag • *mn* **Saharan**

sahib [sɑːb ‖ 'sɑ(h)ib] *fn* **a)** szahib, kb. úr *[indiai megszólítás]* **b)** *biz* kifogástalan úr/úriember, gentleman

said [sed] *mn* mondott, *jog* nevezett, előbb említett, fent említett; → **say**[1] **I.**

sail [seɪl] **I.** *fn* **1.** *hajó* vitorla, vitorlázat; **carry all ~s, have all ~s set** dagadó vitorlákkal (halad); **hoist a ~** felvon/felhúz/kifeszít vitorlát; **lower a ~** leenged/bevon vitorlát; **make ~** vitorlát bont; **set ~ (from/to/for)** elhajózik; elindul, útnak indul; **strike ~** bevonja a vitorlákat; *átv* visszavonul, megadja magát, beadja a derekát; **take in ~** becsavar/összeteker vitorlát, *átv* alább adja; **in full ~** felvont vitorlákkal; teljes sebességgel; *átv* **take the wind out of the ~s** kifogja a szelet vk vitorláiból, megelőzi a másikat; **under ~** úton **2.** *tsz* **sails** (vitorlás)hajó, vitorlás; **a fleet of thirty ~s** harminc hajóból álló flotta **3.** *biz* **~s** vitorlamester **4. a)** vitorlázás, vitorlás hajóval tett utazás; **go for a ~** vitorlázni megy **b)** tengeri út/utazás, hajóút, átkelés *[tengeren]* **II. A.** *tsi* **1.** ~ **(on/over) the seas** bejárja/behajózza a tengereket **2.** kormányoz, irányít, vezet **B.** *tni* **1. a)** vitorlázik; ~ **near** (v. **close to**) **the wind** élesen a széllel szemben vitorlázik; *átv* súrolja a tisztesség határát **b)** hajózik, hajón megy/utazik, tengeri utat tesz *[ember, gőzhajó]* **2.** elindul, útnak indul, kifut *[hajó]* **3.** lebeg, repül, (el)száll *[madár]*

sail into *tni* **1. a)** ~ **into harbour** befut a kikötőbe **b)** *biz* **she ~ed into the room** belibegett, a szobába/terembe **2.** *biz* ~ **into sy** nekiront vknek

sail through *tsi átv* átvitorlázik vmn, könnyen vesz *[akadályt]*

sail arm *fn* szélmalomkerék karja

sailboard *fn sp* windszörf-deszka • *fn* **sailboarder**, **sailboarding**

sailboat *fn US* vitorlás (hajó)

sailcloth *fn tex* vitorlavászon, kanavász

sailer ['seɪlə ‖ –ər] *fn hajó* **1.** vitorlás (hajó) **2. a good/fast ~** gyors járású hajó; **a bad/slow ~** lassú járású hajó

sailing ['seɪlɪŋ] **I.** *mn* **1.** vitorlával ellátott/felszerelt, vitorlás **2. S~ Committee** versenyintézőség *[vitorlásversenyen]*; **~ day** hajó indulásának napja; *rep* ~ **flight** vitorlázórepülés **II.** *fn* **1. a)** vitorlázás **b)** hajózás; *átv biz* **it's (all) plain ~** tiszta sor, tiszta/egyszerű/könnyű dolog/ügy, gyerekjáték, nem okoz sok fejtörést **2.** haladás (iránya) *[hajóé]* **3.** (el)indulás, kifutás *[hajóé]*; **list of ~s from London** a londoni hajóindulások jegyzéke/rendje

sailing boat *fn* vitorlás (hajó/csónak)

sailing master *fn hajó* **1.** kapitány, parancsnok *[jachté]* **2.** *US* navigációs tiszt

sailing orders *fn tsz* indulási parancs

sailing ship *fn* (vitorlás) hajó

sailing vessel *fn* (vitorlás) hajó

sailless ['seɪlləs] *mn* vitorla nélküli

sailor ['seɪlə ‖ –ər] *fn* **a)** tengerész, matróz, hajós **b) be a good ~** jól viseli a tengeri utat, tengeri betegségre nem hajlamos; **be a bad ~** nem bírja a tengeri utazást, tengeri betegségre hajlamos

sailor hat *fn* **1.** (kerek) szalmakalap, zsirárdikalap **2.** matrózsapka

sailor suit *fn* matrózruha *[gyermekeknek]*

sailplane *fn rep* vitorlázó repülőgép, siklórepülőgép

sailsman ['seɪlzmən] *fn tsz* **-men** *hajó* **1.** jacht parancsnoka **2.** vitorlás hajón dolgozó tengerész

saint [seɪnt] **I.** *mn* szent (életű) **II.** *fn* szent; *vall* **all S~'s (Day)** mindenszentek napja; *biz* **it would try the patience of a ~** egy szent türelmét is próbára tenné, még egy szentet is kihozna a sodrából; → **St III.** *tsi* **a)** szentté avat, kanonizál, felvesz a szentek sorába **b)** szentként tisztel • *fn* **saintdom, saintship** *mn* **saintlike**

sainted ['seɪntɪd] *mn* **1.** szentté avatott, kanonizált *[személy]*, megszentelt, szent emlékű *[hely]*; *biz* **my ~ aunt!** teremtő atyám!, szent Isten! **2.** szentéletű, jámbor, szenthez illő

sainthood ['seɪnthʊd] *fn* **1.** szent mivolta, szentség **2. the ~** a szentek (összessége)

saintly ['seɪntli] *mn* szent, jámbor, szenthez illő *[életmód]*, kegyes, istennek tetsző *[cselekedet]*; **put on a ~ air** (ál)szenteskedik, ájtatos képet vág • *fn* **saintliness**

saint's day ['seɪntsdeɪ] *fn* búcsú, védőszent névnapjának ünnepe

saith [seθ] → **say**[1] **I.**

sake [seɪk] *fn* **for the ~ of sy/sg** vk/vm kedvéért/miatt; **do it for my ~** tedd meg a kedvemért, tedd meg értem; **for conscience('s) ~** lelkiismerete megnyugtatásául; **for God's/goodness'/heaven's/mercy's ~!** az isten szerelmére!, az istenért!; **for old time's ~** a múlt kedvéért, a régi idők emlékére; **talk for talking's ~** csak azért beszél, hogy jártassa a száját, élvezi a saját hangját; **art for art's ~** öncélú művészet, l'art pour l'art

saké ['sɑːki] *fn gaszt* (japán) rizspálinka, szaké

saker ['seɪkə ‖ –ər] *fn áll* vadászsólyom, kerecsen

sal [sæl] *fn vegy* só

salaam [sə'lɑːm] **I.** *fn* **a)** ‹főhajtás és jobb kézzel a homlok megérintése› hindu köszöntés, szalem, mély meghajlás **b)** *biz* hajlongás, hajbókolás **II. A.** *tsi* szalemmal (v. mély meghajlással) köszönt, üdvözöl **B.** *tni* **a)** szalemmal (v. keleti szokás szerint) köszön **b)** mélyen meghajlik

salability [ˌseɪlə'bɪləti] *US* → **saleability**

salable ['seɪləbl] *US* → **saleable**

salacious [sə'leɪʃəs] *mn* érzéki, buja *[személy]*, pikáns *[történet]* • *fn* **salaciousness, salacity** *hsz* **salaciously**

salad ['sæləd] *fn gaszt* saláta; **mixed ~** vegyes saláta, franciasaláta

salad bar *fn* salátabár

salad bowl *fn* salátástál

salad cream *fn GB gaszt* salátaöntet *[sűrű]*

salad days *fn tsz biz* tapasztalatlan ifjúkor, kamaszkor, fiatal kor; **be past one's ~** benőtt már a feje lágya

salad dressing *fn gaszt* salátaöntet

salad oil *fn gaszt* salátaolaj

salamander ['sæləmændə ‖ –ər] *fn* **1.** *áll* szalamandra, szalamander **2.** *biz* tűznyelő bűvész **3.** pirítóserpenyő, pirítólap *[tűzhelyen]*

salami [sə'lɑːmi] *fn gaszt* szalámi

sal ammoniac *fn vegy* szalmiáksó, ammóniumklorid

salariat [sə'leərɪət] *fn* rendes fizetést húzó (v. fix fizetéses) alkalmazottak, tisztviselőosztály, hivatalnoki kar

salaried ['sælərid] *mn* fizetett, fix fizetésű *[alkalmazott]*, fix fizetéssel járó *[állás]*

S

salary ['sæləri] **I.** *fn* fizetés, illetmény, járandóság; **draw one's ~** fizetést kap/húz **II.** *tsi* fizetést ad, illetményt nyújt (vknek), járandóságban részesít (vkt)

sale [seɪl] *fn* **1.** eladás, árusítás, értékesítés, áruba bocsátás; **ready ~** kelendőség; **find a good ~** kapós, kelendő; **house for ~** eladó ház; **set/put sg up for ~** áruba bocsát, eladásra kínál vmt; **on/for ~** eladó; **on/for ~ or return** megtekintésre (küldött áru); **account of ~** eladási számla; *jog* **goods under a bill of ~** zálogkölcsönbe lekötött ingók **2.** *gazd* kiárusítás, (engedményes) vásár; *gazd* **closing-down ~** végkiárusítás; **winter ~** téli vásár **3.** *gazd* **public/open ~, ~ by auction** elárverezés; árverés; aukció **4.** eladott árumennyiség; **high ~s** nagy példányszám

saleable ['seɪləblə] *mn* **a)** eladó, eladható, áruba bocsátható **b)** kelendő, gyorsan elkelő, kapós *[áru]* • *fn* **saleability**

Salem ['seɪləm] *tul* **a)** *földr* Salem **b)** *vál* Jeruzsálem

sale price *fn gazd* eladási ár

saleratus [ˌsælə'reɪtəs] *fn US* szódabikarbóna, szódabikarbonát

saleroom *fn* **1.** eladási terem, eladóhelyiség **2.** árverési csarnok/helyiség/terem

sales chat *biz* → **sales talk**

salesclerk *fn US* üzleti elárusító, segéd

sales department *fn gazd* értékesítési osztály *[áruházban]*

sales engineer *fn* eladó/üzletszerző (v. értékesítési osztályt vezető) mérnök, mérnök-közgazdász

sales-girl *fn* elárusítólány, bolti lány

saleslady *fn US* elárusítónő

salesman ['seɪlzmən] *fn tsz* **-men 1.** elárusító, eladó, segéd *[üzletben]* **2.** helyi ügynök, bizományos, üzletszerző, kereskedelmi utazó; **travelling ~** utazóügynök

sales manager *fn* üzletvezető

salesmanship ['seɪlzmənʃɪp] *fn* **1.** az eladás művészete **2.** eladás, elárusítás, értékesítés *[árué]*

salesperson *fn* eladó

sales representative *fn* üzletszerző

sales resistance *fn* vásárlók érdektelensége, fogyasztói ellenállás

salesroom → **saleroom**

sales talk *fn US biz* vásárlásra való rábeszélés; ügynöki duma

sales tax *fn gazd* forgalmi adó

saleswoman *fn tsz* **-women** elárusítónő, elárusítólány

salicin ['sælɪsɪn] *fn vegy* szalicin

salicyl ['sælɪsɪl] *fn* szalicil

salicylic [ˌsælɪ'sɪlɪk] *mn vegy* szalicil-; **~ acid** szalicilsav

salience ['seɪlɪəns] *fn* **a)** kiugrás, kiszögellés **b)** kiemelkedő/szembeszökő/szembeötlő/szembetűnő/észrevehető/feltűnő vonás

salient ['seɪlɪənt] **I.** *mn* **1.** *átv* kiemelkedő, szembeötlő, szembetűnő, feltűnő **2.** kiugró, kiszögellő **3.** *régi vál* szökellő, ficánkoló *[állat]*, felszökő, fakadó *[víz]*; *cím* **ram ~** ágaskodó kos **II.** *fn* **a)** kiugrás, kiszögellés **b)** *épít* párkány **c)** *geol* hegyoldalhát, hegynyúlvány • *hsz* **saliently**

saliferous [sə'lɪfərəs] *mn* sótartalmú, sóban bővelkedő, só-, *geol* szikes

salina [sə'laɪnə] *fn* **1.** sós/szikes mocsár/tó **2.** (konyha)sólepárló medence/berendezés

saline ['seɪlaɪn] **I.** *mn* **a)** sós **b)** *geol* szikes; **~ lake** sóstó; **~ soil** szikes talaj **c)** sótartalmú *[gyógyszer stb.]* **II.** *fn* **1.** szikes/sós mocsár/tó/forrás **2. a)** *orv* keserűsó; **physiological ~** élettani/fiziológiás sóoldat **b)** *vegy* sóoldat • *fn* **salinity, salinization**

salinometer [ˌsælɪ'nɒmɪtə ‖ –'nɑmətər] *fn* sótartalommérő, sóoldatfokoló, szalinométer

Salisbury Plains ['sɔːlzbəri ‖ –beri] *tul földr* Salisbury-fennsík

saliva [sə'laɪvə] *fn* nyál(ka)

salivary [sə'laɪvəri ‖ 'sælɪveri] *mn* nyál-, nyáltermelő; **~ glands** nyálmirigyek

salivate ['sælɪveɪt] **A.** *tsi* nyáladzást/nyálfolyást okoz (vkben) **B.** *tni* nyálaz, nyáladzik, nyálat ereszt • *fn* **salivation**

sallet ['sælɪt] *fn régi* könnyű sisak

sallow¹ ['sæloʊ] **I.** *mn* sárga, sárgás, (betegesen) sápadt, színtelen, fakó *[arcszín]* **II. A.** *tsi* (meg)sárgít, sápaszt **B.** *tni* sárgul, sápad, színtelenné/fakóvá válik *[arc]* • *fn* **sallowness** *mn* **sallowish**

sallow² ['sæloʊ] *fn növ* fűz(fa) • *mn* **sallowy**

sally ['sæli] **I.** *fn* **1.** *kat* kirohanás, kitörés *[ostromló seregre]*; **make a ~** kirohan, kitör **2.** kirándulás **3. a)** hirtelen kitörés *[érzelemé]* **b) ~ (of wit)** szellemes ötlet/bemondás/megjegyzés/visszavágás, szellemi sziporka, csipkelődés **4.** lendület, megkondulás *[harangé]* **5.** harangkötél-fogantyú **II.** *tni* **1.** *kat* **~ (out)** kirohan, kiront, kitör; kirohanást intéz *[ellenség ellen]* **2. ~ forth/out** kimegy; elindul, útnak indul; kirándul, kiruccan

Sally ['sæli] *tul* ‹női név›

sally hole *fn* ‹lyuk (a tetődeszkában) a harangkötél számára›

sally port *fn tört* (föld alatti) kitörési kapu/nyílás *[erődből]*

salmagundi [ˌsælmə'gʌndi] *fn* **1.** *gaszt* fűszeres húsvagdalék **2.** vegyes, keverék, egyveleg

salmi ['sælmi] *fn gaszt* szalmi, vadpástétom

salmon ['sæmən] *fn tsz* **salmon, salmons 1.** *áll* lazac **2.** vörösessárga/narancssárga szín, lazacszín • *mn* **salmony**

salmonella [ˌsælmə'nelə] *fn orv* szalmonella *[mérgezés]*

salmon ladder *fn* hallépcső, hallétra, lazaclépcső *[lazacok ívásának lehetővé tételére]*

salmon steak *fn gaszt* lazacfilé

salmon trout *fn áll* tavaszi pisztráng

salon ['sælɒn ‖ sə'lɑn] *fn* **1. a)** fogadószoba, díszterem, (nagy) szalon **b)** (szépség)szalon **c)** fogadás, összejövetel *[nagyvilági hölgynél]* **2. a)** bemutatóterem *[divatszalonban]* **b)** *műv* **the ~** tárlat, kiállítás

salon music *fn* szalonzene, könnyűzene

saloon [sə'luːn] *fn* **1. a)** fogadószoba, szalon, (dísz)terem **b)** *hajó* hajószalon **2. a)** *US* kocsma, ivó *[szoba]*, söntés **b)** *US* táncos mulató, bár **3. a)** *gk* luxuskocsi **b)** *vasút* szalonkocsi

saloon bar *fn GB* első osztályú italmérés, bár

saloon car *fn* **1.** *gk* csukott/zárt személygépkocsi/autó, luxusautó, luxuskocsi **2.** *vasút* **a)** szalonkocsi **b)** *US* termeskocsi

saloon deck *fn hajó* első osztályú fedélzet

saloon-keeper *fn US* kocsmáros

saloon pistol *fn* (kutyariasztó) pisztoly

saloon rifle *fn* flóbert *[puska]*

salopettes [ˌsælə'pets] *fn tsz* sínadrág

salpingitis [ˌsælpɪn'dʒaɪtɪs] *fn orv* petevezeték-gyulladás

salsa ['sælsə ‖ 'sɑl–] *fn* **1.** *zene* ‹latin-amerikai zene és tánc› **2.** *gaszt* ‹csípős szósz›

salt [sɔːlt, sɒlt] **I.** *fn* **1. a)** (konyha)só, *vegy* nátriumklorid; **common ~** konyhasó; **take the ~** beszívja/felveszi a sót; **in ~** sós; (be)sózott; *átv* **you're not made of ~** (ne félj) nem vagy cukorból (nem fogsz elolvadni az esőben) **b) the ~ of life** az élet sava-borsa; **~ of the earth** ‹a rendíthetetlenül jó és liberálisan humánus emberek› a föld sója; **eat ~ with sy** megosztja a kenyerét vkvel; **eat sy's ~** eszi vk kenyerét, élvezi vk vendégszeretetét; vkre rá van utalva; **he is not worth his ~** nem ér annyit amennyit megeszik; *átv* **take a statement with a grain/pinch of ~** (bizonyos) fenntartással (v. enyhe kétkedéssel) fogad egy kijelentést **2.** *biz* **old ~** vén tengeri róka/medve **3. conversation full of ~** borsos/pikáns történet **4.** *tsz* **salts** hashajtó sók **5.** sós mocsár **II.** *tsi* **1. a)** besóz, sóban eltesz *[húst]* **b)** *US biz* alaposan megmossa vk fejét **2. a)** megszór/fűszerez/behint sóval, megsóz **b)** *átv* fűszerez **c)** *biz* **~ the bill** borsos árat számít fel **3.** sóval felszór *[havat]* **4. a)** *gazd biz* meghamisít

S

[számlakönyvet stb.] **b)** *biz* túlzottan és csalárdul felértékel (vmt); **~ a mine** *szl* csalárdul felértékel bányát **III.** *mn* **1. a)** sós ízű; **~ tears** bánatos/keserű könnyek **b)** (be)sózott, sóban eltett/pácolt **c)** tengeri, sós vízi **2.** sótermő, sótartalmú *[talaj]* **3. ~ wit** csípős elmésség/szellem • *mn* **salted** *hsz* **saltly**

salt away *tsi* **1.** besóz, sóban eltesz *[húst]* **2.** *biz* takarékoskodik *[pénzzel]*

salt down *tsi* **1.** besóz, ecetben eltesz *[ételt]* **2.** takarékoskodik *[pénzzel]*

SALT [sɔːlt] *röv Strategic Arms Limitation Talks* ‹hadászati fegyverrendszerek korlátozására vonatkozó tárgyalások›

salt-and-pepper → **pepper-and-salt**

saltation [sælˈteɪʃn] *fn* **1.** tánc, ugrás **2.** *biol* ugrásszerű átalakulás • *mn* **saltatory**, **saltatorial**

salt box *fn* (konyhai) sótartó

saltcellar *fn* **1.** asztali sótartó, sószóró **2.** sótartó

salter [ˈsɔːltə ‖ –ər] *fn* **1. a)** sótermelő **b)** sóbányász **2.** konzerv- és festékárus **3. a)** besózó (munkás) **b)** sózódézsa

saltern [ˈsɔːltən ‖ –tərn] *fn* tengeri sótermelő telep, sótelep, sófőző/sópároló üzem, sófőzde

salt grass *fn US növ* sziki fű/füvek

salting [ˈsɔːltɪŋ] *fn* **1.** (be)sózás *[húsé]*, sóban pácolás **2.** *tsz* **saltings** sótelep, szikes talaj, sólerakódás **3.** meghamisítás *[számlakönyvé stb.]*, csalárd feljavítás *[eladásra szánt silány holmié]*

salt lake *fn földr* sóstó

saltless [ˈsɔːltləs] *mn* **a)** sót(a)lan, sómentes, só nélküli **b)** *átv* sótlan, ízetlen, unalmas, érdektelen, se íze, se bűze; se sava, se borsa

salt lick *fn* **1.** sózott kő, sós kő *[istállóban]* **2.** *US* sónyalató; **give to ~** nyalat *[állattal sót]*

salt marsh *fn* szikes/sós mocsár

salt meadow *fn* tengervíz által gyakran elöntött parti terület

salt mine *fn* sóbánya

saltpan [ˈsɔːltpæn] *fn* **1.** sós mocsár **2.** sóbepárló/sófőző üst

saltpetre [ˌsɔːltˈpiːtə ‖ –ər], **saltpeter** *fn* salétrom

saltshaker *fn* **1.** sószóró **2.** *biz* kis mikrofon

saltspoon *fn* sókanál *[sótartóé]*

saltus [ˈsæltəs] *fn vál* ugrás, kihagyás

saltwater *mn* sósvízi, tengervízi, tengeri; **~ fish** tengeri hal

saltworks *fn* **a)** sóbánya, sótelep **b)** sófinomító, sófőző üzem

salty [ˈsɔːlti] *mn* **1.** sós ízű, sózott; **~ deposit** sólerakódás; sóréteg **2.** *biz* borsos, sikamlós, pikáns *[történet]*; **~ humour** csípős humor; **~ remark** találó/szellemes/csípős megjegyzés **3.** *szl* kemény, brutális

salubrious [səˈluːbrɪəs] *mn* egészséges, higiénikus • *fn* **salubrity** *hsz* **salubriously**

salutary [ˈsæljutəri ‖ –ljəteri] *mn* hasznos, üdvös

salutation [ˌsæljuˈteɪʃn] *fn* üdvözlés, köszöntés *[levél elején is]*

salutatorian [ˌsæljutəˈtɔːrɪən] *fn US okt* ‹az évfolyam nevében búcsúbeszédet mondó végzős diák›

salutatory [səˈluːtətəri ‖ –tɔri] *mn* **a)** üdvözlő, köszöntő **b)** *US okt* **~ oration** tanévzáró beszéd

salute [səˈluːt] **I.** *fn* üdvözlés, köszön(t)és, *kat* tisztelgés, szalutálás; **give a ~** tiszteleg, szalutál; **in ~ (to sy/sg)** tisztelgésül (vknek/vmnek); **stand at (the) ~** haptákban áll, tisztelgő állásban áll; **take the ~** tisztelgést fogad; *kat* **~ with the guns** üdvlövés, sortűz, szalve; **fire a ~** üdvlövést lead **II. A.** *tsi* **1. a)** üdvözöl, köszönt **b)** *átv hiv* köszönt *[nyilvánosan]* **c)** fogad *[mosollyal, üdvlövéssel]* **d) ~ sy sg** kikiált vkt vmnek; **~ sy emperor** császárrá kikiált **2. a)** *kat* tiszteleg, szalutál (vknek); **~ (sy) with the hand** kezével szalutál vknek; **~ (sy) with the sword** kardjával tiszteleg **b)** üdvlövést lead *[vk/vm tiszteletére]* **B.** *tni kat* tiszteleg, szalutál • *fn* **saluter**

saluting [səˈluːtɪŋ] *fn* üdvözlés, köszön(t)és, *kat* tisztelgés, szalutálás; **~ of the colours** tisztelgés/tiszteletadás a zászló előtt

Salvadorean [ˌsælvəˈdɔːrɪən] *mn/fn* salvadori

salvage [ˈsælvɪdʒ] **I.** *fn* **1. a)** (meg)mentés, hajómentés; **make ~ of goods** megment tulajdont/holmit/árut **b)** mentési jutalom **2.** megmentett holmi/áru/tárgy **3. a)** megmentett holmi felhasználása **b)** hulladék/selejt felhasználása, hulladék újrahasznosítása **c)** újrakitermelt anyag **4. a)** *átv* (meg)mentés *[vké bűntől, nyomortól]* **b)** *átv* megmentett személy *[bűntől, nyomortól]* **II.** *tsi* **1. a)** kiment *[tűzből ingóságot]*, kiaknáz *[hajóroncsot]* **b)** újrakitermel *[hulladékból]* **2.** megment *[orvosilag]* • *fn* **salvager** *mn* **salvageable**

salvage boat *fn hajó* mentőhajó, mentőcsónak

salvage company *fn* hajómentő/roncskiemelő vállalat/társaság

salvage-tug *fn hajó* vontató-mentőbárka, mentőhajó

salvation [sælˈveɪʃn] *fn* **1. a)** *vall* üdvözítés, megváltás **b)** üdvözülés, (lelki) üdvösség, megváltás; **find ~** üdvözül, megváltást talál; **work out one's own ~** gondoskodik a saját boldogulásáról **c)** *vall* megtérés **2. a)** megmentés, megszabadítás **b)** (meg)menekülés, (meg)szabadulás **3. a)** *vall* üdvözítő, megváltó **b)** megmentő

Salvation Army *fn* üdvhadsereg

salvationist [sælˈveɪʃənɪst] *fn* az üdvhadsereg tagja

salve[1] [sælv ‖ sæv] **I.** *fn* **a)** (gyógy)kenőcs, (gyógy)ír, kenet **b)** *átv biz* gyógyír, balzsam, vigasztalás, enyh(ülés) **II.** *tsi* **a)** (be)ken, (gyógy)kenőccsel/(gyógy)írral kezel *[sebet]* **b)** *átv* enyhít, (le)csillapít, megnyugtat *[fájdalmat stb.]*, enyhülést/vigasztalást nyújt, balzsamként szolgál *[felkorbácsolt érzelemre stb.]* **c)** szépítget, elkendőz, menteget

salve[2] [sælv] *tsi* kiment *[pl. tűzből ingóságot]*, kiemel *[hajóroncsot]* • *mn* **salvable**

salver [ˈsælvə ‖ –ər] *fn* (ezüst) tálca

salvo[1] [ˈsælvoʊ] **I.** *fn* **1.** *kat* üdvlövés, sortűz, szalve; **fire a ~** sortüzet/üdvlövés(eke)t ad le, sorozatot lő **2.** *kat* egyszerre ledobott bombák **3.** általános taps, (dörgő) tapsvihar **II.** *tsi kat* **1.** üdvlövésekkel/sortűzzel köszönt **2.** szőnyegbombázást végez (vhol) *[repülőgép]*

salvo[2] [ˈsælvoʊ] *fn régi* **1. a)** fenntartás, kikötés, rezerváció; **with a ~ as regards certain named rights** bizonyos említett jogokra vonatkozó fenntartással **b)** *biz* ügyetlen kibúvó, gyenge kifogás **2.** *átv biz* vm megőrzésére/megnyugtatására/lecsillapítására szolgáló eszköz

sal volatile repülősó, erős illatú só *[ájulás ellen]*; ammóniumkarbonát

salvor [ˈsælvə ‖ –ər] *fn hajó* hajómentési munkában résztvevő/segítő (hajó/személy)

Sam [sæm] *tul* ‹Samuel becéző alakja›; *biz* **Uncle ~** az Egyesült Államok

Samantha [səˈmænθə] *tul* ‹női név›

Samaritan [səˈmærɪtn] *mn/fn* szamáriabeli, szamaritánus; *bibl* **the good ~** az irgalmas szamaritánus • *fn* **Samaritanism**

samarium [səˈmeərɪəm ‖ –ˈmer–] *fn vegy* szamárium, Sm

samba [ˈsæmbə] **I.** *fn* szamba *[gyors tempójú tánc/zene]* **II.** *tni* szambát táncol, szambázik

sambo [ˈsæmboʊ] *fn* **a)** néger és indián/mulatt gyermeke, zambó **b)** *biz durva* sötét bőrű, néger, szerecsen, fekete

Sam Browne (belt) *fn kat biz* angol tiszti derékszíj (antantszíjjal)

sambuca [sæmˈbjuːkə] *fn zene* háromszög alakú hárfa

same [seɪm] **I.** *mn* **1.** ugyanaz, ugyanez, ugyanilyen, egyazon, ugyanazon, ugyanezen, azonos, változatlan, nem változó; **the very ~ thing**, **one and the ~ thing** (egy és) ugyanaz, teljesen azonos (dolog); **my elder brother is not the ~ man since his illness** betegsége óta fivérem nem az (az ember), aki volt; **at the ~ time** ugyanakkor; egy időben; egyszerre; azonban, mégis, mindazonáltal, mindamellett; **in the ~ way** hasonlóan, hasonlóképpen; ugyanúgy, ugyanígy;

S

egyformán; **I am of the ~ age as you** egyidős vagyok veled, egykorúak/egyidősek vagyunk; **of the ~ kind** ugyanabból való, ugyanazon/azonos fajta **2.** egyhangú, változatosság nélküli, monoton; **the fear of being too ~** a túlzott egyhangúságtól való félelem **3.** (a már) említett, nevezett; **that ~ man has become world-famous** az említett (v. a fent nevezett) ember világhírre tett szert **II.** *hsz* ugyanúgy, ugyanígy, hasonlóan, hasonlóképpen; **(the) ~ as you** akárcsak ti/önök/maguk; mi is hozzátok/önökhöz hasonlóan; hasonlóképpen mi is; **all/just the ~** mindenek/ennek/annak ellenére, noha, ámbár, mégis, azért (mégis) **III.** *nm* **1.** ugyanaz, azonos (személy/dolog); **this/that ~** ugyanaz; **the ~** ugyanaz(t), ugyanez(t); ugyanannyi(t), ugyanennyi(t); **the ~ to you!** ugyanazt kívánom neked is!, hasonlókat kívánok én is!, viszont (kívánom!); **it is the ~ (thing) everywhere** így van (ez) mindenütt, sehol sem más; **one and the ~** ugyanúgy; ugyanaz; **it's all/just the ~** mindegy, egyre megy; **it's much the ~** nagyjából azonos, körülbelül ugyanaz; **very ~** teljesen ugyanaz; **I did the ~** én is azt tettem; *biz* **(the) ~ here** én is!, részemről is!, nekem is (egyet)!; ide is (ugyanazt)!; *Ausz* teljesen egyetértek, én is úgy vélem **2.** (fent) említett, nevezett; *gazd* **please return ~ by return of post** kérjük postafordultával visszaküldeni

sameness [ˈseɪmnəs] *fn* **1. a)** azonosság, egyformaság **b)** nagyfokú hasonlóság, egyöntetűség; **~ in taste** ízlésbeli azonosság/hasonlóság **2.** egyformaság, egyhangúság, változatosság nélküli (v. monoton) jelleg

same-sex *mn* azonos neműek közötti *[házasság stb.]*

samey [ˈseɪmi] *mn GB biz* monoton, egyhangú, egyforma

samfu [ˈsæmfuː] *fn* ‹kínai öltözet, nadrág és kabát›

samizdat [ˌsæmɪzˈdæt ‖ ˈsɑːmɪzdɑːt] szamizdat *[házi készítésű illegális kiadvány]*

Sammy [ˈsæmi] *tul* ‹Samuel becéző alakja›

Samoan [səˈmoʊən] *mn/fn* szamoai

samovar [ˈsæməvɑː ‖ –vɑr] *fn* szamovár

Samoyed [səˈmɔɪed], **Samoyede I.** *mn* szamojéd **II.** *fn* **1.** szamojéd (ember), nyelv **2.** *áll* szamojéd sarki kutya

samp [sæmp] *fn US gaszt* kukoricakása, puliszka

sampan [ˈsæmpæn] *fn hajó* szampan, kínai (lakó)csónak

sample [ˈsɑːmpl ‖ ˈsæmpl] **I.** *fn* **1. a)** a (anyag)minta, mintadarab, áruminta, próbaminta, mutató, (statisztikai) minta; **representative ~** reprezentatív minta *[statisztikában]*; *gazd* minta(darab), áruminta; **be up to ~** mintaszerű; **take a ~ of sg** mintát vesz vmből **b)** (bor)kóstoló, ízelítő **c)** *zene* hangminta **2.** *átv* **give a ~ of one's knowledge** kóstolót/ízelítőt/mutatót ad a tudományából, bizonyítékát adja tudásának **II. A.** *tsi* **1. a)** mintát vesz (vmből) **b)** (meg)kóstol, kóstolgat, iszogat *[bort]* **c)** *biz* kipróbál, megkóstol, megízlel *[új dolgot]*; **~ serious work for the first time** először kóstol bele a komoly munkába **2.** *átv* mutatóba/próbaként ad vmből **3.** felmutat *[vmely értéket, mintát]* **B.** *tni gazd* **~ out** vmlyennek bizonyul *[minta]*

sample copy *fn* próbaszám *[újságé, folyóiraté]*

sampled [ˈsɑːmpld ‖ ˈsæmpld] *mn gazd* **~ offer** (be)mintázott ajánlat

sampler [ˈsɑːmplə ‖ ˈsæmplər] *fn* **1. a)** mintavevő, válogató (személy/ember) **b)** mintavételi/próbavételi berendezés/készülék **2. a)** próbadarab, mintadarab *[kézimunkából]*, mintahímzés, mintaszalag *[hímzésfajtából]* **b)** mintázó, mintakészítő **3.** *zene* szempler **4.** *US* válogatás, gyűjtemény, példatár

sample sentence *fn* példamondat

sampling [ˈsɑːmplɪŋ ‖ ˈsæm–] *fn* **1.** mintavétel, próbavétel **2.** kóstol(gat)ás, ízlelés *[ételé]* **3.** *US gazd* mintacsomagszétosztás *[reklám céljából]* **4.** *el távk* mintavételezés

sampling tube *fn* borlopó

Samson [ˈsæmsən] *tul* Sámson; *biz* **a veritable ~** sámsoni ereje van

Samson's post *hajó* **1.** daruárboc **2.** bak alatti fedélzeti oszlop

Samuel [ˈsæmjuəl] *tul* Sámuel

samurai [ˈsæmuraɪ] *fn* szamuráj

san [sæn] *okt biz* → **sanatorium** 1.b

sanative [ˈsænətɪv] *mn* **1.** gyógyító, gyógyhatású, gyógy- **2.** *átv* üdvös, egészséges

sanatorium [ˌsænəˈtɔːrɪəm] *fn tsz* **sanatoriums**, **sanatoria** [–rɪə] **1. a)** szanatórium, gyógyszálló **b)** *GB okt* intézeti betegszoba **2.** magaslati üdülőhely

sanctification [ˌsæŋktɪfɪˈkeɪʃn] *fn vall* **1. a)** megszentelés **b)** megünneplés **2.** megszentesülés

sanctified [ˈsæŋktɪfaɪd] *mn* **1. a)** megszentelt, szent **b)** *átv* szentesített *[szokás stb.]* **2.** *pej* szenteskedő, álszent, szemforgató, kenetteljes

sanctify [ˈsæŋktɪfaɪ] *tsi* **1.** *vall* **a)** megszentel, felszentel **b)** megtisztít **2.** szentesít, igazol; **custom sanctified by time** bevett szokás; idővel szentesített szokás; **the end sanctifies the means** cél szentesíti az eszközt • *fn* **sanctifier**

sanctimonious [ˌsæŋktɪˈmoʊnɪəs] *mn* szenteskedő, álszent, szemforgató, kenetteljes • *fn* **sanctimoniousness** *hsz* **sanctimoniously**

sanctimony [ˈsæŋktɪməni ‖ –moʊni] *fn* **1.** (ál)szenteskedés, szemforgatás **2.** *régi* szentség, szentéletűség

sanction [ˈsæŋkʃn] **I.** *fn* **1.** szentesítés, jóváhagyás, megerősítés; **with the ~ of...** ... beleegyezésével/hozzájárulásával; *biz* **~ of custom** bevett szokás **2. a)** *jog* megtorlás, szankció; *jog* **vindicatory ~** büntető rendelkezés; megtorló intézkedés, megtorlás, szankció **b)** *pol* katonai/gazdasági szankció *[egy ország ellen]* **II.** *tsi* **1.** jóváhagy, megerősít, megpecsétel, érvényessé tesz; **~ed by usage** szokás által szentesített/szentesítve **2.** *jog* szentesít, megerősít *[törvényt]*, törvényesít, törvényerőre emel *[intézkedést]* • *mn* **sanctionable**

sanctity [ˈsæŋktəti] *fn* **1.** szentség, szentéletűség **2.** szentség, megszentelt/szent volta **3.** sérthetetlenség, szentség *[magánéleté]*; *US* **~ of the mails** levéltitok **4.** *tsz* **sanctities** szent kötelességek/tárgyak/rítusok

sanctuary [ˈsæŋktʃuəri ‖ –eri] *fn* **1. a)** szent hely, templom **b)** szentély; *átv* **the ~ of the heart** a szív legmélye **2.** menedék(hely); **right of ~** menedékjog; **break/violate ~** menedékjogot megszeg; **take ~** menedéket keres **3.** rezervátum, vadaspark

sanctum [ˈsæŋktəm] *fn tsz* **sanctums**, **sancta** [–tə] szentély, szent hely

sanctum sanctorum *fn vall* **1.** szentek szentje **2.** *átv biz* ‹hely, ahol nem zavarják az embert› (legbelső) szentély

sanctus [ˈsæŋktəs] *fn vall* „Szent vagy, szent vagy" kezdetű himnusz, sanctus

sand [sænd] **I.** *fn* **1. a)** homok, föveny; **scouring/welding/fine ~** finom homok; kőpor; **sharp ~** kristályos (v. éles szemcséjű) homok; *átv* **build on ~** homokra épít; **put ~ in the wheels/machine** elszabotál *[munkát]*; aláás *[együttműködést]* **b)** *vál* aréna, küzdőtér **c)** homokzátony, homokpad **d)** homokszem; *átv* **the ~s are running out** eliramlik az élet, eljár/lejár az idő **2.** *tsz* **sands a)** homokos/fövenyes (tenger)part, strand **b)** homoksivatag, homoktenger **3.** homokszín **4.** *US biz* **a)** mersz, bátorság; **man who has got plenty of ~** karakán ember/legény, keménykötésű fickó/ember; legény a talpán **b)** pénz(mag) **II. A.** *tsi* **1. a)** homokkal felszór/behint, homokoz, homokot szór (vmre) **b) ~ (up)** homokkal betemet/eltorlaszol **2.** homokkal hamisít/kever *[cukrot]* **3.** csiszolópapírral dörzsöl/csiszol, smirgliz **B.** *tni* elhomokosodik, elzátonyosodik • *mn* **sandlike**

sandal[1] [ˈsændl] *fn* **1.** szandál, saru **2.** pánt, szíj *[cipőn, szandálon]*

sandal[2] [ˈsændl] *fn* **1.** → **sandalwood 2.** → **sandal tree**

sandal tree *fn növ* szantálfa

sandalwood *fn növ* szantálfa

sandalwood oil *fn* szantál(fa)olaj

sandbag I. *fn* homokzsák **II. -gg- A.** *tsi* **1. a)** homokzsákkal körülvesz/eltorlaszol **b)** homokzsákkal tömít *[huzat ellen]* **2.** homokzsákkal leüt (vkt); *US biz* ~ **a proposal** indítványt elgáncsol **B.** *tni sp* teljesítményt visszafog, szándékosan alulteljesít
sandbank *fn* homokpad, homokzátony, homoksziget
sandbar *fn* elhomokosodás, fövenytorlódás *[folyótorkolatnál, kikötő bejáratánál]*
sandbath *fn orv vegy* homokfürdő
sand-beach *fn* homokpart, homokos/fövenyes part, strand
sandbed *fn geol* homokpad, homokzátony
sandblast I. *fn műsz* homokfúvás, homoktisztítás; ~ **(machine)** homokfúvó készülék **II.** *tsi műsz* homokkal befúj • *fn* **sandblaster**
sandbox *fn* **1.** homokláda, homokszóró láda *[gépen]*, homokszekrény *[mozdonyon]*, *vízügy* homokfogó **2.** porzótartó
sandboy *fn* **as happy as a** ~ virágos jókedvében van; örül az életnek; madarat lehetne vele fogatni
sandcastle *fn* homokvár
sand drift *fn* **1.** homokfúvás, homokbucka *[sivatagban]* **2.** futóhomok
sand dune *fn* homokdomb, homokbucka, homokdűne
sander [ˈsændə ‖ –ər] *fn* **1.** *ip* csiszológép **2.** *vasút* homokoló
sanders [ˈsændəz ‖ –dərz], **saunders** *fn növ* **red** ~ szantálfa fája, piros/vörös szantálfa
sand flea *fn áll* **1.** homoki bolha **2.** ‹apró rákfaj›
sand fly *fn* **1.** *áll* pappadácsi *[szúnyog]* **2.** *áll* bársonylégy
sandglass *fn* homokóra
sand-groper *fn Ausz* **1.** aranyásó **2.** *biz* nyugat-ausztrál
sandhi [ˈsændi] *fn nyelv* szandhi *[szóalak megváltozása a helyzetéből következően]*
sand hill *fn* homokbucka, homokdomb, dűne
sandhog *fn US szl* **1.** homokbányász **2.** keszonmunkás, víz alatti alagutat építő munkás *stand*
sand hopper *fn áll* homoki szöcskerák
San Diego [ˌsæn diˈeɪgoʊ] *tul földr* San Diego
sandiver [ˈsændɪvə ‖ –ər] *fn fémip* üvegsalak
sand-lot *fn US* grund, a város pereme, városszéli játszótérület
sandman *fn tsz* **-men** *biz* (mesebeli) álomhozó emberke
sand martin *fn áll* parti fecske
sand painting *fn* homokfestmény
sandpaper I. *fn* dörzspapír, üvegpapír, csiszolópapír, smirgli(papír) **II.** *tsi* csiszolópapírral tisztít/dörzsöl, smirgliz
sandpiper *fn áll* sárjáró libuc; kis sárszalonka
sandpit *fn GB* **1.** homokbánya, homokgödör, homokoló **2.** homokozó *[gyermekjátszótéren]*
Sandra [ˈsændrə] *tul* ‹női név›
sand-shoes *fn tsz* **1.** fürdőcipő **2.** gumitalpú vászoncipő
sandstone *fn ásv* homokkő *[kőzet]*
sandstorm *fn* számum, homokfergeteg, homokvihar
sandwich [ˈsænwɪdʒ ‖ ˈsæn(d)wɪtʃ] **I.** *fn gaszt* **1.** szendvics; **open** ~ szendvics *[a Magyarországon szokásos "egyrészes"]* **2.** *GB* piskóta *[torta]* **II.** *tsi* benyom, beszorít, beékel, közbeiktat, közbeékel
sandwich board *fn* reklámtábla, reklámhirdetés, hirdetőplakát *[amit háton és mellen visznek]*
sandwich course *fn GB* ‹elméleti és gyakorlati oktatás vegyesen›
sandwichman [–mən] *fn tsz* **-men** ‹mellén és hátán hirdetőplakátot vivő ember› szendvicsember
sandy [ˈsændi] *mn* **1.** homokos, fövenyes, homokkal felszórt/felhintett, homok- **2.** vörösesszőke, vörös hajú, hirtelenszőke • *fn* **sandiness** *mn* **sandyish**
Sandy [ˈsændi] *tul* ‹*Alexandra* és *Sandra* női, ill. *Alexander* férfinév becéző alakja›
sand yacht *fn* strandvitorlás
sandy-haired *mn biz* vörös hajú, hirtelenszőke
sane [seɪn] *mn* **1.** épelméjű *[ember]* **2.** józan, ésszerű *[javaslat, tett]* • *fn* **saneness** *hsz* **sanely**
sanforized [ˈsænfəraɪzd] *mn tex* előre beavatott, mosásban össze nem menő *[szövet]*
San Francisco [ˌsænfrənˈsɪskoʊ] *tul földr* San Francisco
sang [sæŋ] → **sing**
sangaree [ˌsæŋgəˈriː] *fn gaszt* ‹fűszeres hígított hideg bor›
sang-froid [ˌsɒŋˈfrwɑː ‖ ˌsɑŋ–] *fn* hidegvér, lélekjelenlét, higgadtság
sangrail [sæŋˈgreɪl] *fn vál* szent Grál
sangria [sæŋˈgriːə, ˈsæŋgrɪə] *fn gaszt* sangria
sanguinary [ˈsæŋgwɪnəri ‖ –neri] *mn* **a)** véres *[csata, kard]* **b)** vérszomjas, vérengző, véreskezű **c)** embertelen, kegyetlen, barbár *[törvény]* • *hsz* **sanguinarily**
sanguine [ˈsæŋgwɪn] **I.** *mn* **1.** bizakodó, reménykedő, derűlátó, optimista; **be** ~ **of success** biztos a sikerben **2.** pirospozsgás, kipirult *[arc]*, piros *[ajak]* **3.** heves (vérmérsékletű), vérmes, heveskedő, szangvinikus *[természet]* **4.** *vál cím* vérvörös, lángvörös **5.** *régi* vérszomjas **II.** *fn* **1.** vérvörös szín **2.** *műv* vörös kréta **3.** *műv* vörös krétarajz/ceruzarajz • *fn* **sanguineness** *hsz* **sanguinely**
sanguineous [sæŋˈgwɪnɪəs] *mn* **1.** véres, vérszomjas **2.** *orv* vér- **3.** vérvörös, vérszínű **4.** vérmes, bővérű
sanguinity [sæŋˈgwɪnəti] *fn* optimizmus, derűlátás
sanify [ˈsænɪfaɪ] *tsi* egészségessé tesz *[vidéket]*, egészségügyi szempontból megjavít • *fn* **sanification**
sanitarium [ˌsænɪˈteərɪəm ‖ –ˈter–] *fn US* → **sanatorium**
sanitary [ˈsænɪtəri ‖ –teri] *mn* **1.** egészség(ügy)i; **the** ~ **authorities** (köz)egészségügyi hatóság; ~ **conditions** közegészségügy, egészségügyi viszonyok; ~ **engineering** egészségügyi technika, ivóvízellátási és szennyvízkezelési technika; ~ **inspector** (köz)egészségügyi felügyelő; ~ **tampon/pad** (egészségügyi) tampon; ~ **towel** (egészségügyi) betét; *US* ~ **napkin** (egészségügyi) betét; ~ **ware** fürdőszoba és vécé berendezési tárgyak **2.** tiszta, higiénikus • *fn* **sanitariness** *mn* **sanitarian** *hsz* **sanitarily**
sanitation [ˌsænɪˈteɪʃn] *fn* **1.** közegészségügy, higiénia **2.** szemétszállítás, hulladékszállítás • *tni/tsi* **sanitate**
sanitize [ˈsænɪtaɪz], **-ise** *tsi* **1.** higiénikussá tesz, tisztán tart *[vécét stb.]* **2.** *US átv biz* megtisztít, tisztogat, cenzúráz
sanity [ˈsænəti] *fn* **1.** épelméjűség **2.** józan gondolkodás/ész, ésszerűség, józanság • *fn* **sanitization**
San Jose [sænhəʊˈzeɪ] *tul földr* San Jose *[város az USA-ban]*
San José [sanxoˈse] *tul földr* San José *[Costa Rica fővárosa]*
sank [sæŋk] → **sink**
sanka [ˈsæŋkə] *fn US gaszt* koffeinmentes instant kávé
San Marinese [ˌsæn mærɪˈniːz] *mn/fn* San Marinó-i
sans [sænz] *elölj régi* **1.** *vál* nélkül **2.** *gazd* ~ **frais** költségek (felszámítása v. felszámítási joga) nélkül; ~ **recours** óvás nélkül
San Salvador [ˌsænˈsælvədɔː ‖ –dɔr] *tul földr* San Salvador *[El Salvador fővárosa]*
Sanskrit [ˈsænskrɪt] *mn/fn* szanszkrit
Santa Claus [ˈsæntə klɔːz] *tul* Mikulás, Télapó
Santiago [ˌsæntiˈɑːgoʊ] *tul földr* Santiago *[Chile fővárosa]*
Santo Domingo [ˌsæntoʊdəˈmɪŋgoʊ] *tul földr* Santo Domingo *[a Dominikai Köztársaság fővárosa]*
sap[1] [sæp] **I.** *fn* **1. a)** nedv *[fáé, növényé]*, életnedv **b)** *átv* életerő **2.** → **sapwood 3.** *US szl [gumibot]* fütykös, husáng **4.** *szl [rászedhető ember]* madár, balek **II.** *tsi* **-pp-** **1.** fanedvet kiszív **2.** *átv* életerőt kiszív (vkből), kiszipolyoz; ~ **sy's health** aláássa vk egészségét; ~ **sy's strength** kiszívja vk erejét **3.** *US szl* megbotoz
sap[2] [sæp] **I.** *fn* **1.** futóárok; **underground** ~ föld alatti futóárok; **drive a** ~ futóárkot ás **2.** *átv* aláás *[hitet, eltökéltséget]* **II.** *tsi/tni* **-pp-** *átv* aláás, alapjaiban meggyengít, a gyökereket/alapokat kezdi ki
sap[3] [sæp] *fn szl [buta]* tökfilkó
sapid [ˈsæpɪd] *mn átv* ízes, ízletes, jóízű • *fn* **sapidity**

S

sapient [ˈseɪpɪənt] *mn* **1.** okos, bölcs, tudós *[ember]* **2.** tudálékos, álbölcs • *fn* **sapience** *hsz* **sapiently**
sapiential [ˌseɪpiˈenʃl] *mn* bölcs(ességet adó); *bibl* ~ **books** a bölcsesség könyvei
sapless [ˈsæpləs] *mn* **1.** erőtlen **2.** *átv* nedvetlen, kiaszott
sapling [ˈsæplɪŋ] *fn* **1.** fiatal fa, csemete **2.** ifjú ember
saponaceous [ˌsæpəˈneɪʃəs] *mn* **1.** szappanszerű, szappanos **2.** *tréf* hízelgő, sima, édeskés
saponify [səˈpɒnɪfaɪ ‖ –ˈpɑ–] **A.** *tsi* elszappanosít **B.** *tni* elszappanosodik • *fn* **saponification**
sapor [ˈseɪpə ‖ –ər] *fn* íztényező, ízkeltő tulajdonság
sapper [ˈsæpə ‖ –ər] *fn* árkász, utász, *GB* műszaki katona, *US* aknász
Sapphic [ˈsæfɪk] **I.** *mn* **1.** *ir.tud* szapphói *[versforma]* **2.** leszbikus; *vál* ~ **vice** leszboszi szerelem **II.** *fn tsz* **Sapphics** *ir.tud* szapphói vers
sapphire [ˈsæfaɪə ‖ –ər] **I.** *fn* **1.** zafír, kékszínű korund **2.** zafírkék *[szín]* **II.** *mn* **1.** zafír- **2.** zafírkék
sappy [ˈsæpi] *mn* **1. a)** nedvdús **b)** *átv* életerős, élettől duzzadó **2. a)** *biz* tapasztalatlan, éretlen, zöld(fülű), tejfelesszájú **b)** *US* érzelgős, szentimentális • *fn* **sappiness** *hsz* **sappily**
sapro- [ˈsæprou] *előtag biol* rothadó, szapro-
saprogenic [ˌsæprouˈdʒenɪk] *mn orv* rothadást okozó szaprogén *[baktérium]*
saprophagous [sæˈprɒfəgəs ‖ səˈprɑ–] *mn áll* rothadó anyagokkal táplálkozó, dögevő
sapwood [ˈsæpwʊd] *fn* szijács(fa), alburnum
Saracen [ˈsærəsn] *mn/fn tört* szaracén, szerecsen, mór; ~ **corn** hajdina, pohánka, tatárka
Sarah [ˈseərə ‖ ˈserə] *tul* Sára
Sarajevo [ˌsærəˈjeɪvou] *tul földr* Szarajevó *[Bosznia fővárosa]*
sarangi [sæˈræŋgi, sɑːˈrʌŋgi] *fn zene* szarangi *[indiai vonóshangszer]*
sarape [səˈrɑːpiː] → **serape**
Saratoga [ˌsærəˈtougə] *fn* **I.** *tul földr* Saratoga **II.** *fn US* **s~ (trunk)** nagy domború fedelű útiláda, hajóbőrönd, szekrénybőrönd
sarcasm [ˈsɑːkæzm ‖ ˈsɑr–] *fn* **1.** maró gúny, csípős él, szarkazmus **2. (piece of)** ~ bántó/éles/csípős megjegyzés
sarcastic [sɑːˈkæstɪk ‖ sɑr–] *mn* gúnyos, szarkasztikus, maró *[gúny]*, csípős, csúfondáros *[beszéd, megjegyzés]*
sarcocarp [ˈsɑːkəkɑːp ‖ ˈsɑrkəkɑrp] *fn növ* gyümölcshús, termés húsos része
sarcoderm [ˈsɑːkədɜːm ‖ ˈsɑrkədɜrm] *fn növ* húsos héj
sarcology [sɑːkˈɒlədʒi ‖ sɑrˈkɑ–] *fn orv* izomtan
sarcoma [sɑːˈkoumə ‖ sɑr–] *fn tsz* **sarcomata** [–mətə] *orv* támasztószövet rosszindulatú daganata, szarkóma • *mn* **sarcomatous**
sarcomatosis [ˌsɑːkouməˈtousɪs ‖ ˌsɑr–] *fn orv* szarkomatózis
sarcophagus [sɑːˈkɒfəgəs ‖ sɑrˈkɑ–] *fn tsz* **sarcophagi** [–gaɪ] díszkoporsó, szarkofág
sarcophagy [sɑːˈkɒfədʒi ‖ sɑrˈkɑ–] *fn orv* húsevés, húsdiéta
sarcoplasm [ˈsɑːkouplæzm ‖ ˈsɑrkə–] *fn orv* izomsejtplazma, izomenyv, szarkoplazma
sarcoptes [sɑːˈkɒptiːz ‖ sɑrˈkɑ–] *fn áll* rühatka
sarcous [ˈsɑːkəs ‖ ˈsɑr–] *mn* hús-, izom-
sardar → **sirdar**
sardelle [sɑːˈdel ‖ sɑrˈdelə] *fn áll* szardella
sardine [sɑːˈdiːn ‖ sɑr–] *fn áll* szardínia; **packed like ~s** mint a heringek *[annyira zsúfolva]*
Sardinian [sɑːˈdɪnɪən ‖ sɑr–] *mn/fn* szardíniai, szárd (ember/nyelv)
sardonic [sɑːˈdɒnɪk ‖ sɑrˈdɑnɪk] *mn* keserűen gúnyos, kaján, cinikus, szardonikus *[kacaj]* • *fn* **sardonicism** *hsz* **sardonically**
saree [ˈsɑːri] *fn* szári
sargassum [sɑːˈgæsəm ‖ sɑr–] *fn növ* tengeri hínár
sarge [sɑːdʒ ‖ sɑrdʒ] *fn kat szl [őrmester]* őrmi
sari [ˈsɑːri] → **saree**
sarin [ˈsɑːrɪn] *fn kat* szarin *[ideggáz]*
sark [sɑːk ‖ sɑrk] *fn skót* **1.** ing **2.** hálóing
sarky [ˈsɑːki ‖ ˈsɑr–] *mn GB biz* gúnyos, éles, csípős, szarkasztikus
sarmentose [sɑːˈmentous ‖ sɑr–], **sarmentous** *mn növ* indás, indákat dúsan hajtó
sarmentum [sɑːˈmentəm ‖ ˌsɑr–] *fn tsz* **sarmenta** [–tə] *növ* inda
sarnie [ˈsɑːni ‖ ˈsɑrni] *fn GB biz* szendvics; szendzsó
sarong [səˈrɒŋ ‖ –ˈrɑŋ] *fn* szarong *[maláji, indonéziai ruhadarab]*
sartorial [sɑːˈtɔːrɪəl ‖ sɑr–] *mn* **1.** szabászati, szabó-; *tréf* ~ **arts** szabómesterség; *tréf* ~ **artist** szabó **2.** szabászi; szalonminőségű
sartorius [sɑːˈtɔːrɪəs ‖ sɑr–] *fn orv* szabóizom
SASE *röv US self-addressed stamped envelope* megcímzett és felbélyezett válaszboríték
sash[1] [sæʃ] *fn* **1.** széles selyemöv **2.** *kat* derékszalag, vállszalag, nagykereszt szalagja • *mn* **sashed**
sash[2] [sæʃ] *fn* **1.** tolóablak(keret) **2.** ablakszárny • *mn* **sashed**
sashay [ˈsæʃeɪ] *tni US szl [megy, lépked]* dzsesszel, kavar, húz, oson
sash cord *fn* súlyzsinór *[tolóablakhoz]*
sash line → **sash cord**
sash weight *fn* tolóablak-ellensúly
sash window *fn* tolóablak *[angol rendszerű]*
Saskatchewan [sæˈskætʃəwən ‖ –wɑn] *tul földr Kan* Saskatchewan
sass [sæs] *fn US* **I.** *fn* **1.** *[arcátlanság, szemtelenség]* pofátlanság **2.** *szl [szemtelen beszéd feleselés]* szájalás, pimaszkodás **II.** *tsi szl [felesel]* szájal, pimaszkodik
Sassenach [ˈsæsənæk, –næx] *mn/fn skót Írorsz pej* angol
sassy [ˈsæsi] *mn US szl [szemtelen, feleselő]* pimasz • *fn* **sassiness** *hsz* **sassiness**
sat [sæt] → **sit**
SAT *röv* **1.** *Scholastic Aptitude Test* iskolai alkalmassági vizsga **2.** *South Australian Time*
Sat. *röv Saturday* szombat, szomb., Sz(o).
Satan [ˈseɪtn] *tul* sátán
satanic, satanical [səˈtænɪk, l] *mn* sátáni, ördögi(es), ördöngős; *tréf* **His S~ Majesty** az ördög, a sátán • *hsz* **satanically**
satanism [ˈseɪtnˑɪzm] *fn* **1.** ördögiesség, sátáni/ördögi gonoszság **2. S~** ördögimádás, sátánizmus
Satanist [ˈseɪtnˑɪst] *mn* ördögimádó, sátánista
Satanology [ˌseɪtəˈnɒlədʒi ‖ –ˈnɑ–] *fn* **a)** satanológia **b)** a sátánnal kapcsolatos anyagok gyűjteménye
satchel [ˈsætʃl] *fn* hátitáska, iskolatáska
sate [seɪt] *tsi* **1.** kielégít *[szenvedélyt]*, csillapít *[éhséget]*, olt *[szomjat]* **2.** → **satiate 1.**
sateen [səˈtiːn] *fn tex* félszatén (szövet)
sateless [ˈseɪtləs] *mn vál* kielégíthetetlen, csillapíthatatlan, olthatatlan *[szenvedély stb.]*
satellite [ˈsætlˑaɪt] *fn* **I.** *fn* **1. a)** *csill* mellékbolygó, másodrendű/csatlós bolygó, bolygó holdja **b)** *távk* műhold **2.** csatlós, darabont, szolgai követő, talpnyaló **II.** *mn* **1.** *távk* műholdas **2.** peremen lévő; ~ **town** előváros, peremváros • *mn* **satellitic**
satellite broadcasting *fn távk* műholdas műsorszórás
satellite dish *fn távk* műholdvevő antenna, parabolaantenna
satellite state *fn pol* csatlós állam, bábállam
satellite television *fn* műholdas tv(-átvitel)
satiate [ˈseɪʃieɪt] *tsi* **1.** csömörig jóllakat/megtöm, eltölt, kielégít; **become ~d with sg** megcsömörlik vmtől **2.** → **sate** 1. • *fn* **satiation** *mn* **satiable**
satiety [səˈtaɪəti] *fn* **1.** kielégültség, jóllakottság; **eat to ~** teletömi a bendőjét **2.** csömör

S

satin [ˈsætɪn ‖ ˈsætn] **I.** *fn tex* szatén, atlaszselyem **II.** *mn* szaténsima, tükörsima **III.** *tsi* fényez, atlaszfényt ad *[papírnak, selymes anyagnak]* • *mn* **satinized**, **satiny**
satinette [ˌsætɪˈnet] *fn tex* **1.** szatén(selyem) **2.** félatlasz, pamutos félselyem, sávos szaténanyag
satinflower *fn növ* holdviola, holdvirág
satin-stitch *fn tex* ferde gobelinöltés
satinwood *fn* selyemfa
satire [ˈsætaɪə ‖ –aɪər] *fn* **1.** nevetségessé tétel, ostorozás, kigúnyolás, kipellengérezés **2.** *ir.tud* szatíra, gúnyirat, gúnyvers
satiric [səˈtɪrɪk(l)], **satirical** *mn* szatirikus, csípős, csúfondáros, ironikus, gúnyos, gúny- • *hsz* **satirically**
satirist [ˈsætɪrɪst] *fn* szatíraköltő, szatíraíró, szatirikus
satirize [ˈsætɪraɪz], **-ise** *tsi* kigúnyol, ostoroz, pellengérre állít, kipellengérez, nevetségessé tesz, szatírizál (vmt), gúnyolódik, csúfolódik (vm felett) • *fn* **satirization**
satisfaction [ˌsætɪsˈfækʃn] *fn* **1. a)** kielégítés *[szükségleté, szenvedélyé]*, csillapítás *[éhségé]* **b)** kielégítés *[hitelezőé]*, elegettevés *[feltételnek, követelménynek]*, beváltás *[ígéreté]*, kiegyenlítés *[tartozásé]* **2. a)** kielégülés **b)** megelégedés, elégedettség; **express one's ~ at/with sg** kifejezi megelégedését vm fölött; **find ~ in doing sg** szívesen/örömmel tesz vmt; **give ~ to sy** kielégít vkt; örömet okoz vknek; **to sy's (entire) ~** vk teljes megelégedésére; vk kedve szerint **3. a)** megnyugvás, megnyugtató dolog; **it is a ~ to know that...** megnyugtató az a tudat, hogy... **b)** elégtétel, kárpótlás; **demand ~ for an insult** elégtételt követel a sértésért; **give sy ~** elégtételt ad vknek; **in ~ of a wrong done** kárpótlásul az elszenvedett kárért/bajért **4.** *vall* Krisztus engesztelő áldozása
satisfactory [ˌsætɪsˈfæktəri] *mn* kielégítő, elégséges, elegendő, (várakozásnak) megfelelő, megnyugtató; **~ reason** elégséges ok • *fn* **satisfactoriness** *hsz* **satisfactorily**
satisfied [ˈsætɪsfaɪd] *mn* **a)** (meg)elégedett; **rest ~ with an explanation** elfogadja (v. kielégítőnek tartja) a magyarázatot **b)** kifizetett, kiegyenlített *[tartozás]*, kielégített *[hitelező]* • *hsz* **satisfiedly**
satisfy [ˈsætɪsfaɪ] **A.** *tsi* **1. a)** teljesít *[feltételt]*, kiegyenlít, megfizet *[adósságot]*, eleget tesz *[kötelezettségének]*, kielégít *[hitelezőt]*, helyt ad *[reklamációnak]* **b)** kárpótol (vkt), kárpótlást nyújt (vknek) **2. a)** megnyugvással/megelégedéssel tölt el, megnyugtat, kielégít, megelégedést okoz, megelégedésére szolgál (vknek); **to ~ one's conscience** lelkiismerete megnyugtatásául; **be satisfied with sg** elégedett (v. meg van elégedve) vmvel; megelégedésére szolgál vm; beéri, megelégszik vmvel, kielégítőnek talál vmt **b)** kielégít *[szükségleteket, kívánalmakat]*, csillapít *[éhséget, szenvedélyt]*, olt *[szomjat]*; *gazd* **~ all requirements** minden igényt kielégít **c)** *mat* kielégít *[egyenletet]* **3. a)** meggyőz; **~ sy that...** meggyőz vkt arról, hogy..., kielégítő módon bebizonyítja vknek, hogy...; **I have satisfied myself that** megbizonyosodtam felőle, hogy...; **be satisfied that...** meg van győződve róla, hogy..., bizonyosnak tartja, hogy... **b)** eloszlat *[kétséget, aggályt]* **B.** *tni* laktat *[ételt]*; **food that satisfies** laktató étel • *mn* **satisfiable**
satisfying [ˈsætɪsfaɪɪŋ] *fn* kielégítő, megnyugtató, megelégedésül szolgáló • *hsz* **satisfyingly**
satnav [ˈsætnæv] *röv távk hajó satellite navigation* műholdas navigáció
satori [səˈtɔːri] *fn vall* felszabadító megvilágosodás *[Zen buddhizmusban]*
satrap [ˈsætrəp ‖ ˈseɪtræp] *fn* **1.** zsarnok, kényúr **2.** *tört* szatrapa, perzsa alkirály • *mn* **satrapal**, **satrapic**
satrapy [ˈsætrəpi ‖ ˈseɪtrəpi] *fn* szatrapaság, alkirályság
saturate [ˈsætʃəreɪt] *tsi* **1.** átitat, impregnál; *átv* **become ~d with sg** eltelik/átitatódik vmvel **2.** *vegy* telít, szaturál **3.** *gazd* telít, eláraszt *[piacot]* **4.** *kat* területbombázást végez, összpontosított csapást mér
saturated [ˈsætʃʊreɪtɪd ‖ –tʃə–] *mn* **1.** átitatott, impregnált **2. a)** *vegy* telített, szaturált *[oldat, gőz]*; **~ steam** telített/nedves gőz **b)** *fiz* mély, telített *[szín]*
saturation [ˌsætʃəˈreɪʃn] *fn* **1.** átitatás, impregnálás **2.** *fiz vegy* **a)** telítés **b)** telítettség
saturation bombing *fn kat* szőnyegbombázás, területbombázás
saturation point *fn tud* telítési határ/pont; *átv* **reach one's ~** befogadóképességének/türelmének végére ér
Saturday [ˈsætədeɪ, –di ‖ –ər–] **I.** *fn* szombat **II.** *hsz biz* szombaton
Saturn [ˈsætən ‖ –ərn] *tul csill* Szaturnusz
Saturnian [səˈtɜːnɪən ‖ –ˈtɜr–] *mn* **1. a)** *csill* **~ ring** Szaturnusz-gyűrű **b)** *vall* szaturnuszi; **the ~ age** az aranykor **2.** *ir.tud* **~ verse** szaturnuszi vers **3.** komor, zord, mogorva
saturnine [ˈsætənaɪn ‖ –ər–] *mn* **1.** komor, mord, mogorva, sötét **2.** *régi* **a)** ólom- **b)** ólommérgezéses; **~ poisoning** ólommérgezés • *hsz* **saturninely**
satyagraha [sʌtˈjɑːgrəhə] *fn pol* passzív rezisztencia
satyr [ˈsætə ‖ ˈseɪtər] *fn* **a)** szatír **b)** kéjenc, buja férfi
satyric [səˈtɪrɪk] *mn* szatír-; **~ drama** *ir.tud* szatírdráma
sauce [sɔːs] **I.** *fn* **1. a)** *gaszt* mártás, szósz; *közm* **(what is) ~ for the goose (is ~ for the gander)** ami az egyiknek jó, jó a másiknak is; ami nekem jó, legyen neked is jó **b)** *átv* fűszer, íz, pikantéria, kellemes izgalom; **add a ~ to sg** ízt ad vmnek, megízesít vmt **2.** *US* kompót, befőtt, párolt gyümölcs **3.** *főleg GB biz* **a)** szemtelenség, arcátlanság, pimaszság; **what ~!** (micsoda) szemtelenség/pimaszság! **b)** szemtelen/pimasz beszéd; **none of your ~!** most már elég legyen!, ne feleselj!, pofa be! **4.** *US szl [szeszes ital]* pia, tinta **II. A.** *tsi* **1. a)** *ritk* mártással tálal **b)** *átv* fűszerez, ízt ad (vmnek) **2.** *biz* szemtelenkedik, pimaszkodik, felesel (vkvel) **B.** *tni szl* **get/be ~ed** *[berúg]* bepiál, betintázik, beszív • *mn* **sauceless**
sauce-boat *fn* mártásostál/-csésze
saucedish [ˈsɔːsdɪʃ] *fn US* kompótostálka/-tányér
saucepan [ˈsɔːspən ‖ –pæn] *fn* nyeles serpenyő
saucer [ˈsɔːsə ‖ –ər] *fn* **a)** csészealj **b)** (kis) tálka, tányérka *[virág alá stb.]*, festékescsésze
saucy [ˈsɔːsi] *mn* **1.** szemtelen, arcátlan, pimasz, feleselő, kotnyeles **2.** *biz* **a)** pajkos, csintalan **b)** elegáns, tipp-topp, hetyke • *fn* **sauciness** *hsz* **saucily**
Saudi [ˈsaudi] *mn/fn* szaúdi, szaúd-arábiai
Saudi Arabia [ˌsɔːdi əˈreɪbɪə] *tul földr* Szaúd-Arábia
sauerkraut [ˈsauəkraut‖–ər–] *fn gaszt* savanyú káposzta
Saul [sɔːl] *tul bibl* Saul
sauna [ˈsɔːnə, ˈsaunə] *fn* (finn) gőzfürdő, szauna
saunders [ˈsɔːndəz ‖ –dərz] → **sanders**
saunter [ˈsɔːntə ‖ –ər] **I.** *tni* **~ (along)** őgyeleg, kószál, barangol, kódorog, lődörög, lézeng; **~ off** elballag (vhonnan) **II.** *fn* őgyelgés, kószálás, barangolás, kódorgás, lézengés; **at a ~** lassan sétafikálva/lépegetve; őgyelegve • *fn* **saunterer**
sausage [ˈsɒsɪdʒ ‖ ˈsɔ–] *fn* **1.** *gaszt* kolbász, virsli, hurka **2. not a ~** *GB biz* semmiség
sausage-dog *fn GB biz tréf* dakszli
sausage machine *fn* **1.** kolbásztöltő szerkezet **2.** *átv* könyörtelenül egyforma folyamat/eljárás
sausage-meat *fn* kolbásztöltelék
sausage roll *fn gaszt* göngyölt kolbász, zsemlében sült kolbász
sauté [ˈsouteɪ ‖ ˌsouˈteɪ] **I.** *mn* hirtelen sült *[főleg burgonya, hús]* **II.** *fn* hirtelensült **III.** *tsi pr.p* **-téing** hirtelen kisüt
savage [ˈsævɪdʒ] **I.** *mn* **1. a)** vad, barbár, kulturálatlan, műveletlen, civilizálatlan, primitív *[nép]*; **~ wilderness** vadon **b)** vad, mérges *[állat]*, kegyetlen *[hajsza, bosszú]*, rámenős, kíméletlen *[ellenfél]*, durva, brutális *[ember]*, kíméletlen *[kritika]*, vad, ádáz *[arckifejezés]*; **~ fight** ádáz harc **2.** *biz* harapós kedvű, dühös, mérges *[ember]* **II.** *fn* **1.** vadember, vad bennszülött **2.** durva/kegyetlen/brutális/nyers ember, vadóc **III.** *tsi* **1.** vadul megtámad/megmar

S

[állat másik állatot], megtapos, összerugdal *[ló]* **2.** *biz* tíz körömmel esik neki (vknek) • *fn* **savagedom, savageness** *hsz* **savagely**

savagery ['sævɪdʒri] *fn* **1.** vadság, barbárság, civilizálatlanság, primitívség *[néptörzsé, szokásé]*, barbarizmus **2.** vadság, kegyetlenség, kíméletlenség, brutalitás

savanna [sə'vænə], **savannah** *fn földr* szavanna, szubtropikus préri

Savannah [sə'vænə] *tul földr* Savannah

savant ['sævənt ‖ sæ'vɑnt] *fn* tudós

savate [sə'vɑːt ‖ –'væt] *fn sp* lábbokszolás, francia boksz

save [seɪv] **I. A.** *tsi* **1. a)** megment, megóv; **~ sy from drowning** kiment vkt a vízből; **the doctors could not ~ him** az orvosok nem tudták megmenteni az életét; **~ me from my friends!** csak a jóbarátoktól óvjon meg az ég!; **~ us** teremtő atyám!; **~ our souls** (S.O.S.) mentsetek meg bennünket!, mentsétek meg!, „mentsétek meg lelkeinket"; **God ~ the King!** Isten óvd meg a királyt!; *régi* **God ~ you!** az Isten tartsa meg!; **be ~d** megmenekül *[veszélytől]*; üdvözül **b)** megóv, megvéd, megment (vmt); **~ appearances** megőrzi a látszatot; **~ one's country** megvéd(elmez)i hazáját; **~ sy's life** megmenti vk életét; **~ one's skin/neck/bacon** megmenti a bőrét, ép bőrrel menekül; **~ the situation/day** megmenti a helyzetet **c)** *vall* megvált, üdvözít; *vall* **~ one's soul** megmenti a lelki üdvösségét **2. a)** félretesz, félrerak, eltesz, meghagy; **~ oneself for sg** vmre tartogatja magát (v. az erejét); **~ a dance for sy** elígér egy táncot vknek **b) ~ (up)** megtakarít, megspórol, összegyűjt, félretesz, félrerakosgat *[pénzt]*, takarékoskodik (vmvel); **~ labour** csökkenti a munkaigényt *[gyártásnál]*; **~ money by sg** pénzt takarít meg vmn; **~ petrol** takarékoskodik a benzinnel; **~ one's strength** beosztja az erejét, takarékoskodik az erejével; *közm* **a penny ~d is a penny gained/earned** minden megtakarítás nyereség **c)** *átv* nyer, megspórol *[utat, időt]*; **~ time** időt nyer/megtakarít **3.** megkímél *[vesződségtől stb.]*; **~ sy sg** megkímél vkt vmtől; **~ sy the expense of sg** megkímél vkt vmnek a költségétől; **~ sy the trouble/bother of doing sg** megkímél vkt attól a fáradságtól, hogy; **~ your breath!** kár a szót vesztegetni!, kár a gőzért! **4.** *infor* (el)ment **B.** *tni* **1. ~ (up)** takarékoskodik, spórol, élére rakja a garast; **~ for a holiday** a nyaralásra gyűjt **2.** *vall* üdvözít **II.** *fn* **1.** megtakarítás **2.** *sp* (ki)védés *[labdáé]* **3.** *ját* mentés, mentőlicit *[bridzsben]* **III.** *elölj régi vál* kivéve, kivételével; **all ~ him** mind rajta kívül; mindannyian, csak ő nem **IV.** *ksz régi vál* **1. ~ he be dead ...** hacsak meg nem halt ... **2. ~ that...** azon kívül, hogy..., mást se, csak hogy • *mn* **sav(e)able**

save-all *fn* **1.** takarékpersely **2.** *műsz* anyagmegtakarító berendezés **3.** ‹hegyes gyertyatartó gyertyavégek elégetésére›

saved ['seɪvd] **I.** *mn* **1.** megtakarított, megspórolt **2.** üdvözült **3.** *infor* elmentett *[dokumentum, állomány]* **II.** *ksz régi* feltéve

saveloy ['sævəlɔɪ] *fn gaszt* szafaládé

saver ['seɪvə ‖ –ər] *mn* **1.** megmentő, megszabadító **2.** anyagmegtakarító berendezés **3.** takarékos(kodó)/spórolós ember **4.** *összet* **time-~, labour-~** munkaerőt/időt kímélő gép/berendezés **5.** kedvezményes v. csúcsidőn kívüli viteldíj/út **6.** *sp biz* fogadás és ellenfogadás

savin ['sævɪn], **savine** *fn növ* **1. ~ (tree)** nehézszagú boróka **2.** virginiai boróka

saving ['seɪvɪŋ] **I.** *mn* **1. a)** (meg)mentő, oltalmazó, megvédő, mentő *[ötlet]*, üdvös *[tanács]* **b) ~ grace** megszentelő kegyelem; vmnek a jó oldala, mentő körülmény; **it has the ~ grace that...** legalább az az érdeme/előnye megvan, hogy ..., annyi előnye van, hogy ... **2. a)** takarékos(kodó), spórolós, takarékosan bánó **b)** gazdaságos *[módszer stb.]*, *összet* kímélő, megtakarító **II.** *fn* **1. a)** (meg)mentés **b)** megoltalmazás, megóvás, megőrzés **c)** üdvözítés, üdvözülés **2.** *infor* (el)mentés **3. a)** megtakarítás, megspórolás, takarékoskodás, takarékosság; **forced ~** kényszertakarékosság; **~ of labour** munka(erő)megtakarítás **b)** *tsz* **savings** megtakarított/spórolt pénz, megtakarítás **4.** *jog* fenntartás, kikötés, megszorítás; **~ clause** ‹kikötéseket tartalmazó záradék› **III.** *elölj* **1.** → **save III. 2. ~ your presence** tisztesség ne essék szólván **IV.** *ksz* → **save IV.**

savings account *fn* bankbetétkönyv, takarék(betét)számla

savings bank *fn* takarékpénztár

savings certificate *fn GB pénz* kamatozó pénztárjegy, takarékkötvény

savior ['seɪvɪə ‖ –ər] *US* → **saviour**

saviour ['seɪvɪə ‖ –ər] *fn* **1.** megmentő **2.** *vall* **the S~** a Megváltó, az Üdvözítő

savor ['seɪvə ‖ –ər] *US* → **savour**

savory[1] ['seɪvəri] *US* → **savoury**

savory[2] ['seɪvəri] *fn növ* csombord

savour ['seɪvə ‖ –ər] **I.** *fn* **1. a)** zamat, íz, aroma **b)** *régi* illat **c)** *átv* fűszer, sava borsa (vmnek) **2.** *átv* nyoma (vmnek); **there is a ~ of insolence in his manner** van valami arrogancia a modorában **II. A.** *tsi átv* ízlelget, élvez **B.** *tni* **~ of sg** vmlyen ízű, vm mellékíze van; *átv* megérződik rajta vm • *mn* **savoured**

savourless ['seɪvələs ‖ –vər–] *mn* **1.** íztelen, ízetlen; se íze, se bűze **2.** *átv* ízetlen, színtelen, unalmas; se sava, se borsa **3.** szagtalan

savoury ['seɪvəri] **I.** *mn* **1.** ízes, ízletes, jóízű, élvezetes, ínycsiklandozó, aromás **2.** sós, pikáns (ízű) **II.** *fn* ínyencfalat, pikáns étel, erősen fűszerezett nem édes utóétel • *fn* **savouriness** *hsz* **savourily**

Savoy [sə'vɔɪ] *tul növ* **~ (cabbage)** csipkés/fodros káposzta; fodorkel

Savoyard [sə'vɔɪɑːd ‖ –ɑrd] *mn/fn* szavojai

savvy ['sævi] **I.** *tsi szl* megért, felfog, tud; **savvy?** érted?; kapiskálod?, leesett?; **no ~** nem értem **II.** *fn szl* hozzáértés, intelligencia, ész, sütnivaló **III.** *mn US* mindentudó, bölcs

saw[1] [sɔː] **I.** *fn* fűrész; **alternating/reciprocating ~** ingafűrész, lengőfűrész; **grooving ~** horonyvágó (kör)fűrész **II.** *pt* **sawed**, *pp* **sawn** [sɔːn], **sawed A.** *tsi* **1.** (el)fűrészel; **~ off** lefűrészel; **~ up wood** fát felfűrészel **2.** *átv* **~ the air** levegőben hadonászik, kaszál a karjával, gesztikulál; *US biz* **~ wood** *[hortyog, horkol]* húzza a lóbőrt **B.** *tni* **1.** fűrészel **2. a)** fog, vág *[fűrész]* **b) wood that ~s well** könnyen fűrészelhető fa **3.** *zene biz* kornyikál, cincog *[hegedűn]*

saw[2] [sɔː] *fn* példabeszéd, közmondás; **wise ~** bölcs mondás

saw[3] [sɔː] → **see**[1]

sawbill ['sɔːbɪl] *fn biz* ‹búvárlúd fűrészes élű csőrrel›

sawbones ['sɔːbounz] *fn szl [sebész]* mészáros

sawbuck *fn US* **1.** fűrészbak **2.** *szl [tízdolláros bankjegy]* tízes

saw-cut I. *fn* fűrészvágás, fűrésznyom **II.** *tsi* bevág, befűrészel *[könyvkötésnél]*

sawder ['sɔːdə ‖ –ər] **I.** *fn biz* hízelgés **II.** *tsi biz* hízeleg (vknek)

sawdust I. *fn* fűrészpor; *biz* **knock the ~ out of sy** megtépázza a dicsőségét; leszállítja a magas lóról; elagyabugyál vkt; elveri vkn a port **II.** *tsi* fűrészporral behint/felszór

saw-edged *mn* recés szélű

sawed-off *mn US* → **sawn-off**

sawfish *fn áll* fűrészhal

sawfly *fn áll* levéldarázs; **turnip ~** repcedarázs

saw frame *fn* fűrészkeret

sawhorse *fn* fűrészbak

saw-log *fn US* fűrészrönk

sawmill *fn* fűrészmalom, fűrésztelep

sawn [sɔːn] → **saw**[1] **II.**

sawney ['sɔːni] *fn biz* **1. S~** skót **2.** fajankó, tökfilkó

sawn-off 1. lefűrészelt; **~ shotgun** rövidre vágott csövű puska **2.** *US biz tréf* alacsony termetű, elfűrészelt óriás

sawpit *fn* fűrészgödör

saw set *fn* **1.** fűrészélesítő szerszám **2.** fűrészfog-hajtogató gép

S

sawtooth *mn* → **saw-toothed**
saw-toothed *mn* fűrészfogú, fogazott, fűrészfogas *[tető]*
sawyer ['sɔːjə ‖ –ər] *fn* **1.** fűrészelő(munkás) **2.** *US* ‹folyóba süllyedt s a hajózást veszélyeztető farönk›
sax[1] [sæks] *fn biz* **1.** szaxofon **2.** szaxofonos, szaxofonista
sax[2] [sæks] *fn műsz* palafedő kalapács
saxatile ['sæksətaɪl] *mn biol* sziklalakó, sziklán növő
saxhorn *fn zene* szaxkürt
Saxon ['sæksn] **I.** *mn* **1. a)** szász **b)** angolszász *[ember]* **c)** óangol *[ember, nyelv]* **2. ~ blue** szászkék **II.** *fn* **1. a)** angolszász **b)** *biz* angol (ember) **c)** szász **2.** óangol (nyelv) • *fn* **Saxondom**
Saxony ['sæksəni] *tul földr* Szászország
saxophone ['sæksəfoun] *fn* **1.** *zene* szaxofon **2.** *biz* szaxofonos • *mn* **saxophonic**
saxophonist [sæk'sɒfənɪst ‖ 'sæksəfounɪst] *fn* szaxofonista
say [seɪ] **I.** *pt/pp* **said** [sed], *esz 3. szem.* **says** [sez], *régi* **sayeth** ['seɪəθ], **saith** [seθ] **A.** *tsi* **1. a)** mond, kimond, kijelent, elmond, kifejez; **~ a few words** pár/néhány szót szól, pár szavas kis beszédet mond; **~ no** nemet mond; **I wouldn't ~ no to a glass of beer** szívesen meginnék egy pohár sört; **~ yes to an invitation** elfogadja a meghívást; **~ nothing (of sg)** nem szól egy szót sem, hallgat (vmről); **you have only to ~ the word** csak egy szavadba kerül; **what did you ~?** hogy mondtad? kérem?, tessék?; mit mondtál?; **what do you ~?** mit szól(sz) hozzá?; **what I ~ is** szerintem, én azt mondom, hogy; **how ~ you?** *jog* hogy döntöttek? *[bíróságon]*; **that's just what I was about to ~** éppen ezt akartam mondani; **just ~ that again!** csak merészeld megismételni!; **you can ~ that again** *biz* szerintem is, egyetértek; **it isn't said** nem illik mondani; **shall we ~ 1000 forints?** hát akkor legyen 1000 forint **b)** elmond, közöl; **have something to ~ to sy** vm mondanivalója van vk számára; meg akar szidni vkt; **have nothing to ~ to sy** nincs semmi beszélnivalója vkvel *[haragban vannak]*; **the Bible ~s, it ~s in the Bible** a bibliában olvassuk; **the clock ~s twelve o'clock** tizenkettőt mutat az óra; **the text ~s** a szöveg szerint, a szöveg azt mondja; **be it said incidentally** mellékesen megjegyzendő; **(it's) well said** jól van, helyes; **when all is said and done** mindent összevéve; **one might as well ~** azt is lehetne mondani, azt is mondhatnánk; **I must ~** őszintén bevallva/szólva; az igazat megvallva; meg kell adni; **you don't mean to ~ that** csak nem akarod azt mondani (v. nekem bemesélni), hogy; **~ it with flowers!** ajándékozzon virágot! **c)** (előre) megmond, megjósol, megállapít, állít; **none can ~ what will happen** senki sem tudhatja előre, mi fog történni; **it is hard/difficult to ~** nehéz megállapítani/eldönteni; **I cannot (v. could not) ~** nem tudom; **I would not ~ that ...** nem állítom, hogy ...; **didn't I ~ that he would come** nem megmondtam, hogy eljön? **d)** *biz* **who shall I ~?** kit szabad bejelentenem?, kit jelenthetek be? **2. a)** beszél; **~ little** keveset beszél, zárkózott, szűkszavú; **they/people ~ that ..., it is said that ...** azt beszélik, hogy ..., az a hír járja, hogy ..., úgy hírlik, hogy ...; **he is said to paint well** azt mondják (v. állítólag) jó festő **b) ~ sg about sg** beszél, említést tesz vmről; **the less said the better** erről jobb nem beszélni (v. minél kevesebb szót ejteni); **to ~ the least** enyhén szólva, legalábbis, minden túlzás nélkül; **~ no more!** ne is mond többet erről!; **to ~ nothing of ...** nem is említve/szólva ... **c) what have you to ~ for yourself?** mit tudsz mentségedre felhozni?; mi van veled?, beszélj magadról; **he has plenty to ~ for himself** fel van vágva a nyelve; életrevaló ember; **there is much to be said for ...** sok minden szól amellett, hogy ... **3.** felmond *[leckét]*, elmond, elimádkoz *[imádságot]*; **~ grace** elmondja az asztali áldást; **~ one's lessons** felmondja a leckéjét; **~ Mass** misét mond/celebrál; **~ prayers** imádkozik **B.** *tni* **1.** szól, beszél, mond; *biz* **~ when** megmondja, hogy mikor elég, megmondja, hogy meddig kéri a poharát tölteni; **it is just as you ~** teljes mértékben igazad van, úgy, ahogy mondod; **so he ~s!** mondja ő!, azt csak úgy mondja!, hiszi a piszi!; **so you ~** mondod te; *biz* **~s you** mondod te; *biz* **you said it!** egyetértek, a számból vetted ki a szót; **as one might ~** ahogy mondani szokás; *biz* **you don't ~!** ugyan már!, ugyan ne mondja!; hát ez is lehetséges?!; **you don't ~ so!** ne mondja!; ugyan!; mit nem mond!, nahát!; **didn't I ~ so!** hát nem megmondtam?; **I should ~ not** nem hinném/valószínű/gondolom, szerintem nem **2. a) I ~** *GB* lehetetlen!; ilyet se hallottam még; ejha!, nahát!; mi a csuda!; a csudába is!; *biz* ide hallgasson!, ide figyeljen!, hé!; **I'll ~** *biz* igen, tényleg **b) let us ~, shall we/I ~** mondjuk, teszem azt, például **c) that is to ~** azaz, más szóval **d) so to ~** úgyszólván; **not to ~** sőt, hogy ne mondjam, nem is szólva arról, hogy **II.** *fn* **1. a)** mondanivaló, mondóka, mondás; **have/say one's ~** elmondja a mondókáját; **have one's ~ out** kiböki, ami a szívén fekszik **b)** beleszólás; **have no ~ in the matter** nincs beleszólása **2.** *US* utolsó szó, végső döntés joga; **who has the ~ in this matter?** ki dönt ebben az ügyben? • *mn* **sayable**
say on *tni* egyre hajtogat/ismétel
say out *tsi* nyíltan kimond
say over *tsi* **1.** újra átmegy *[szerepen]*, újra átvesz/ismétel *[szerepet]* **2. ~ a thing over and over again** elismételget vmt, egyre hajtogat vmt
SAYE *röv GB save-as-you-earn*
sayer ['seɪə ‖ –ər] *fn* **1.** mondó **2.** *régi* költő
sayeth ['seɪəθ] → **say I.**
saying ['seɪɪŋ] *fn* **1. a)** mondás; **doings and ~s** tettek és szavak **b)** közmondás, szólásmondás; **as the ~ goes** ahogy mondani szokás, ahogy a példaszó tartja **2. a)** felmondás *[leckéé]*, elmondás, elimádkozás *[imáé]*, mondás *[miséé]* **b)** kijelentés *[tényé]*; **it goes without ~** magától értődő/értődik, természetes, szó se fér hozzá **c) there is no ~** mit/nem lehet tudni
say-nothing *mn* **1.** hallgatag, szűkszavú, zárkózott **2.** semmitmondó
says [sez] → **say I.**
say-so *fn biz* **1.** (kétes) állítás **2. a)** utolsó szó, döntés joga **b)** parancs, döntés
SB *röv Bachelor of Science*
S-bend *fn* S-kanyar
S. by E. *röv South by East*
S. by W. *röv South by West*
SC *röv* **1.** *Security Council* **2.** *South Carolina* **3.** *Special Constable* **4.** *Supreme Court*
Sc. *röv* **1.** *Scotch* **2.** *Scottish*
scab [skæb] **I.** *fn* **1.** var, varasodás, heg, ótvar **2.** *biz* sztrájktörő **3. a)** rüh(össég) **b)** *biz* kosz, mocsok **c)** varasodás *[almán]*, fuzáriumos kalászbetegség **4.** *biz* piszok alak, aljas fráter **II.** *tni* **-bb- 1. ~ over** (be)varasodik, (be)heged **2.** *biz* sztrájkot tör, mint sztrájktörő működik; **~ on sy** hűtlen vkhez, cserbenhagy vkt • *mn* **scabbed, scablike**
scabbard ['skæbəd ‖ –bərd] *fn* **1.** hüvely *[kardé]* **2.** *US* pisztolytáska
scabbie ['skæbi] *fn biz* sztrájktörő
scabbiness ['skæbinəs] *fn* **1.** varasság **2.** rühösség **3.** *biz* piszkos zsugoriság
scabby ['skæbi] *mn* **1.** rühes, koszos **2.** varas, bevarasodott *[seb]* **3.** *biz* **a)** koszos, hitvány, vacak; **that was a ~ trick** ez aljas/piszkos dolog/kitolás volt **b)** piszkosan zsugori, smucig
scabies ['skeɪbiz] *fn orv* rüh
scabious ['skeɪbɪəs] **I.** *mn* → **scabby** 1., 2. **II.** *fn növ* ördögszem
scabrous ['skeɪbrəs ‖ 'skæ–] *mn* **1.** reszelős, érdes, durva, pikkelyes, ragyás, göcsörtös, csomós *[felület]* **2.** sikamlós, illetlen, pikáns *[történet]*, vaskos *[tréfa]* • *fn* **scabrousness** *hsz* **scabrously**
scads [skædz] *fn tsz* **1.** *US biz [pénz]* dohány, guba, lóvé **2.** nagy mennyiség; halom, rakás; *US biz* **there's ~ of it** annyi van belőle, mint a rohadás

scaffold ['skæfəld, –fould] **I.** *fn* **1.** vesztőhely, vérpad; **bring sy to the ~** vérpadra juttat vkt; **go to the ~**, **mount the ~** vérpadra lép **2.** *épít* → **scaffolding 1. II.** *tsi* **1.** *épít* állványt emel *[épület körül]*, (körül)állványoz *[épületet]*, beállásol, ácsol **2.** dúcol • *fn* **scaffolder**

scaffolding ['skæfəldɪŋ] *fn* **1.** *épít* **a)** (épület)állvány, építőállvány, állványzat, falazóállás; **fixed ~** rögzített állvány(zat) **b)** (épület)állványozás **c)** szerelőállvány **2.** ‹elmélet körvonalai› struktúra

scalable ['skeɪləbl] *mn* megmászható *[szikla, fal stb.]*

scalar ['skeɪlə ‖ –ər] **I.** *mn* **1.** *geol* lépcső alakú, lépcsős **2.** *mat fiz* skalár(is); **~ product** skaláris/belső szorzat **II.** *fn mat* skaláris mennyiség

scalawag ['skæləwæg] *US* → **scallywag**

scald [skɔːld] **I.** *tsi* **1. a)** leforráz *[kezet]*, (le)forráz *[disznót, főzeléket stb.]*; **like a ~ed cat** rendkívül gyorsan mozgó **b) ~ (out) a vessel** edényt kiforráz **2. a)** (fel)forral *[tejet stb.]* **b)** előfőz, blansíroz *[gyümölcsöt konzerváláshoz]* **II.** *fn* **1.** forrázás okozta seb(hely), forrázás nyoma **2.** barnulás *[gyümölcsön]*

scalding ['skɔːldɪŋ] **I.** *mn* forró, fővő, forrásban levő *[folyadék]*; *biz* **~ tears** forró/keserű könnyek **II.** *fn* **1.** (le)forrázás **2. a)** (fel)forralás *[tejé]* **b)** előfőzés, blansírozás *[konzerváláshoz]*

scale[1] [skeɪl] **I.** *fn* **1. a)** pikkely *[halon, madár lábán]* **b)** hímpor *[lepkén]* **c)** *növ* hártya, héj, pikkely **2. a)** var, pörk, hámlás **b)** korpa *[fejbőrön]* **c)** *vál* **the ~s fell from his eyes** lehullt szeméről a hályog **3. a)** vízkő **b)** fogkő **c)** *műsz* salak, pernye, fémhab, *fémip* vasreve, oxidréteg **II. A.** *tsi* **1. a)** lepikkelyez, pikkelytől megtisztít, levakar *[halat stb.]* **b)** lehántja/lehúzza/lenyúzza a héját/kérgét (vmnek) **2. a)** vízkőtől/kazánkőtől/lerakódástól megtisztít **b)** fogkőtől megtisztít *[fogat]* **B.** *tni* **~ (off)** lehámlik *[bőr stb.]*; lepattogzik *[festék]* • *fn* **scaling** *mn* **scaleless**

scale[2] [skeɪl] **I.** *fn* **a)** mérlegtányér, mérlegserpenyő, mérlegcsésze; **(pair of) ~s** mérleg **b)** *csill* **the S~s** Mérleg *[csillagkép]*; *átv* **hold the ~s even** igazságosan mér; *átv* **throw sg into the ~** vmt latba vet; **turn the ~** *átv* eldönt egy kérdést; vk javára billenti a mérleget; **turn the ~s at 12 stone** 76,2kg(-ot nyom) **II.** *tsi* (vmennyit, vmely súlyt) nyom

scale[3] [skeɪl] **I.** *fn* **1. a)** fokbeosztás, skála *[hőmérőn, műszeren]* **b)** lépték, méretarány *[térképé, tervrajzé]*; **on a large ~** nagyított léptékben/méretarányban; **on a small ~** kicsinyített léptékben/méretarányban; **a map on the ~ of ...** ...-es léptékű/méretarányú térkép; **draw sg to ~** vmt arányosan kicsinyítve rajzol/tervez **c)** arány, méret *[vállalkozásé stb.]*; **do sg on a grand/large ~** nagyban csinál/űz; **do sg on a small ~** vmt kicsiben (v. szerény keretek közt)csinál/űz **d)** fokbeosztásos számlap/mérce, beosztásos vonalzó, lépték-(vonalzó), mérőléc **2. a)** *zene* skála, hangletra, hangsor; **practise ~s** skálázik **b) ~ of colours** színskála; **~ of tones** árnyalatok sora **3. a)** skála *[fizetéseké stb.]*, díjszabás, táblázat, tarifa, rendszer, fokozat; **~ of fees** díjszabás; **~ of length** hosszlépték; **~ of wages** bérskála **b)** *mat* (szám)rendszer, (szám)sor, sorozat *[számoké]*, beosztás *[számrendszer]*; **decimal ~** tízes számrendszer **c)** *gazd* volumenszint, termelési szint; **economies of ~** növekvő volumenhozadék; **diseconomies of ~** csökkenő volumenhozadék **II. A.** *tsi* **1. a)** megmászik *[várfalat, hegyet]*, felkúszik, feljut *[várfalra]* **b)** *átv* feljut *[társadalmi létrán]* **c)** *Ausz* **~ a rattler** vonaton potyán utazik **2. ~ a building** épület tervrajzát léptékben felrajzolja/felhordja; **~ a map** térképet léptékben felrajzol **3.** arányosít, kiegyenlít; **~ down** arányosan kisebbít *[rajzon]*; arányosan csökkent *[béreket stb.]*; **~ up** arányosan felemel *[béreket stb.]* **B.** *tni* egy fokozatba tartozik, összemérhető *[több mennyiség]*

scale armour *fn tört* lemezes/pikkelyes páncél

scaleboard *fn* vékony falemez, borítólemez

scaled [skeɪld] *mn* **1.** pikkelyes **2.** pikkelyektől megtisztított, lepikkelyezett **3.** léptékes, (fok)beosztású; **~ ruler** beosztásos vonalzó; **~ tube** kalibrált cső

scale drawing *fn* (arányos) méretrajz

scale fern *fn növ* pikkelypáfrány

scale insect *fn áll* pajzstetű

scale leaf *fn növ* pikkelylevél

scale model *fn* mérethű modell

scale moss *fn növ* májmoha

scalene ['skeɪliːn] **I.** *mn* **1.** *mat* egyenlőtlen oldalú *[háromszög, gúla]* **2.** *orv* **~ muscle** bordaemelő izom **II.** *fn* **1.** *mat* egyenlőtlen oldalú háromszög/gúla **2.** *orv* bordaemelő izom

scalenus [skeɪ'liːnəs] *fn tsz* **scaleni** [skeɪ'liːnaɪ] *orv* **~ (muscle)** bordaemelő izom

scalepan *fn* mérlegcsésze, mérlegserpenyő, mérlegtányér

scale paper *fn* kockás papír, milliméterpapír

scaler[1] ['skeɪlə ‖ –ər] *fn* **1.** (hal)pikkelyező **2. a)** *műsz* vízkőkaparó, kazánkőkalapács **b)** fogkőkaparó

scaler[2] ['skeɪlə ‖ –ər] *fn* **1.** hegymászó **2.** *fiz* impulzusszámláló

scale-winged *mn áll* pikkelyes szárnyú

scale-work *fn épít* pikkelydísz, zsindelyszerű burkolat

scaling-down *fn* lekerekítés, arányos csökkentés

scaling ladder *fn* **1.** tűzoltólétra **2.** *kat tört* ostromlétra, rohamlétra

scaling-up *fn* arányos nagyítás/emelés/fokozás

scall [skɔːl] *fn orv* ótvar

scallion ['skæliən] *fn növ* mogyoróhagyma

scallop ['skɒləp ‖ 'skæ–] **I.** *fn* **1.** *áll* fésűkagyló **2. a)** kagylóhéj, (fajansz)kagyló *[csőben sütéshez és tálaláshoz]*, cocotte **b)** fésűkagyló héja *[zarándokok jelvényeként]* **3.** *tsz* **scallops a)** cakk(ozás) csipkézés, slingelés **b)** csipkézés, díszítő kivágás, hornyolás **4.** *US* vékony szelet kicsontozott (borjú)hús **II.** *tsi* **1.** kagylóhéjban/kagylóban/cocotte-ban süt *[halat, osztrigát stb.]* **2.** (ki)cakkoz, kicsipkéz, slingel *[szövetszegélyt]* • *mn* **scalloped**

scalloping ['skɒləpɪŋ ‖ 'skæ–] *fn tex* szélcsipkézés *[mintakészítésnél]*

scalp [skælp] **I.** *fn* **1.** hajas fejbőr, skalp *[indián diadalemlékként]*; *átv biz* **be out for ~s** áldozatra vadászik, bosszút igyekszik állni *[kritikus stb.]*; *átv biz* **have the ~ of sy** fejét veszi vknek; vkn bosszút áll; *átv biz* **take ~s** diadalmaskodik, győz(elmet arat) **2.** gömbölyded kopár hegytető **II.** *tsi* **1. a)** megskalpol *[ellenséget indián]* **b)** lehánt, lenyúz *[bőrt, fedőréteget stb.]* **c)** *átv biz* leránt, lehúz *[szerzőt, könyvet]* **d)** *US* megszégyenít **2.** *biz gazd* nagy/gyors haszonnal ad el *[részvényt, jegyeket]* • *mn* **scalpless**

scalpel ['skælpl] *fn orv* szike, sebészkés

scalper ['skælpə ‖ –ər] *fn* **1.** skalpvadász **2.** lapos lekerített fejű véső/sáber *[metszetekhez]* **3.** kicsiben/óvatosan (v. kis haszonra) játszó tőzsdéző, kis tőzsdés/tőzsdeügynök, *US biz* (vasúti jegyet áron alul eladó) jegyüzér

scalp lock *fn* ‹indián harcosok hajtincse, melyet egyébként simára borotvált fejükön meghagytak annak jeléül, hogy a megskalpolástól sem félnek›

scalp ticket *fn US biz* feketén (v. fekete áron) eladott/vett jegy

scaly ['skeɪli] *mn* **1. a)** pikkelyes *[hal, bőr]* **b)** (pikkelyesen) hámló *[bőr]*, korpás *[fejbőr]* **c)** lemezes, lemezelt, réteges, hibás öntésű *[fém]*, lepattogzó *[pala]* **2.** vízköves, kazánköves **3.** *biz szl* **a)** silány/szánalmas/siralmas külsejű **b)** hitvány, aljas **c)** fösvény, zsugori, fukar, szűkmarkú

scallywag ['skæliwæg] *fn biz* mihaszna, semmirekellő; **little ~** haszontalan kölyök, kis csibész/lurkó

scam [skæm] *fn szl [csalás, szélhámosság]* átverés, szívatás • *tni/tsi* **scam** *fn* **scammer**

scamble ['skæmbl] **I.** *fn régi* **1.** kapkodás, tülekedés **2.** szétszórás, eldobálás **II. A.** *tsi régi* **1.** szétdarabol **2.** összeszed, összeterel *[csapatokat]* **B.** *tni régi* **1.** kapkod, tülekedik **2.** forgolódik, ődöng, nyugtalanul tesz-vesz

scambling ['skæmblɪŋ] **I.** *mn régi* **1.** ődöngő, állhatatlan; **to lead a ~ life** kóbor/cigány életet él **2.** zavart, szétszórt, rendetlen **II.** *fn régi* **1.** kapkodás, tülekedés **2.** kapkodó/rendszertelen étkezés

S

scambling-days *fn tsz régi* böjti napok
scamp[1] [skæmp] *fn* **1.** *biz* csirkefogó, semmirekellő; **young/little ~** kis betyár/haszontalan/csibész/kópé **2.** *régi* betyár, haramia, útonálló • *mn* **scampish**
scamp[2] [skæmp] *tsi biz* **a)** összecsap, összetákol, összeüt, elfuserál, elsiet, elnagyol, kontár módra csinál (meg) *[munkát, munkadarabot]* **b)** rossz/hitvány (v. nem elegendő) anyagból csinál meg
scamper ['skæmpə ‖ –ər] **I.** *tni* iramodik, szalad; **~ about** szökdécsel; **~ away/off** eliramodik, elillan; *biz* **~ through a book** átfut egy könyvet, átszalad egy könyvön **II.** *fn* iramodás, gyors szökellés
scan [skæn] **I. -nn- A.** *tsi* **1. a)** vizsgál(gat), vizsgáló/fürkésző/kutató tekintettel néz, jól/alaposan megnéz, jól szemügyre vesz, *átv* vizsgál, tanulmányoz, kutat, boncol, elemez; **~ sy from head to foot** vkt tetőtől talpig végigmér **b)** rápillant, futó pillantást vet (vmre), átlapoz, átfut *[könyvet]* **c)** *távk* radarsugárral átkutat *[területet]* **d)** *távk* letapogat **e)** *infor* beolvas, (be)szkennel *[képet, írást]* **2.** ütemez, skandál *[verset]* **B.** *tni* skandálható, skandálódik **II.** *fn* vizsgáló/kutató/fürkésző pillantás/tekintet • *mn* **scannable**
scandal ['skændl] *fn* **1.** botrány, szégyen, skandalum; **create a ~** botrányt okoz, megütközést kelt **2. a)** rágalom, pletyka, megszólás, *jog* becsületsértő/becsületbevágó állítás; **spread about ~** pletykát terjeszt, pletykál; **talk ~** pletykál, pletykázik, embert megszól/szapul **b)** *jog* bíróság tekintélyének megsértése
scandalize ['skændl·aɪz], **-ise** *tsi* megbotránkoztat, felháborít; **be ~d at/by sg** megbotránkozik/megütközik vmn
scandalmonger ['skændlmʌŋgə ‖ –mɑŋgər] *fn* pletykafészek, hírharang, pletykázó/rágalmazó/rossznyelvű ember • *fn* **scandalmongering**
scandalous ['skændələs] *mn* **1.** botrányos, megbotránkoztató, felháborító **2.** rágalmazó, pletykás, megszóló, *jog* becsületsértő; **~ tongues** a rossz nyelvek • *fn* **scandalousness** *hsz* **scandalously**
Scandinavia [ˌskændɪ'neɪvɪə] *tul földr* Skandinávia, Skandináv-félsziget
Scandinavian [ˌskændɪ'neɪvɪən] *mn/fn* skandináv(iai)
scandium ['skændɪəm] *fn vegy* szkandium, Sc
scanner ['skænə ‖ –ər] *fn* **1.** *infor* képbeolvasó, optikai letapogató, pásztázó, szkenner **2.** *távk* letapogató, radarberendezés forgóantennája **3.** kutató, fürkésző, vizsgáló *[mások gondolatait stb.]*, vizsgaszemmel néző ember, lélekbúvár **4.** skandáló
scanning ['skænɪŋ] **I.** *mn* fürkésző, vizsgáló(dó), kutató, vizslató *[tekintet]*; **~** *fiz* **electron microscope** pásztázó elektronmikroszkóp **II.** *fn* **1.** vizsgálódás, gondos megvizsgálás **2.** *távk* letapogatás, pásztázás **3.** skandálás
scant [skænt] **I.** *mn vál* **a)** gyér, ritka, csekély, kevés; **with ~ courtesy** kimért udvariassággal; **~ half-hour** szűk félóra; **be ~ of/in sg** szűkében/híjával van vmnek; **~ of breath** kifulladt; lihegő, ziháló; **~ of speech** szűkszavú, kevés beszédű **b)** szűkmarkú, fösvény **II.** *tsi* **~ sy of sg** vtk vmben megrövidít, szűken mér vknek vmt • *fn* **scantness** *hsz* **scantly**
scanty ['skænti] *mn* elégtelen *[mennyiség, élelem]*, gyér, ritka *[haj]*, hiányos *[öltözet, tudás]*, szűkös *[jövedelem]* • *fn* **scantiness** *hsz* **scantily**
scape[1] [skeɪp] *fn* **a)** *növ* nyél, szár, tőkocsány **b)** *áll* szár, nyél *[tollé]* **c)** *áll* csáp első íze • *mn* **scapeless**
scape[2] [skeɪp] *fn összet* -táj
scapegoat ['skeɪpgoʊt] **I.** *fn* bűnbak **II.** *tsi* bűnbaknak megtesz • *fn* **scapegoater**
scapegrace ['skeɪpgreɪs] *fn* **a)** semmirekellő, csirkefogó **b)** *tréf* kópé, csibész
scar[1] [skɑː ‖ skɑr] **I.** *fn* **a)** forradás, heg(edés), sebhely **b)** *átv* hely, nyom *[szenvedésé stb.]*; **leave a ~** megmarad a helye/nyoma, nem múlik el nyom nélkül **c)** *növ* hegedés, forradás, mag köldöke **II. -rr- A.** *tsi* **a)** sebhelyet/forradást hagy *[arcon, testen]*, megvág *[arcot]*, *átv* nyomot hagy **b)** eléktelenít, elrútít, elcsúfít **B.** *tni* **~ (over)** beheged, beforr *[seb]*, heggel gyógyul • *mn* **scarless**
scar[2] [skɑː ‖ skɑr] *fn geol* kőszirt
scarab ['skærəb] *fn* **1.** *áll* s(z)karabeusz, ganajtúró (v. szent galacsinhajtó) bogár **2.** szkarabeusz *[ékszerként, amulettként]*
scaramouch ['skærəmuːtʃ] *fn régi* **1.** gyáva hetvenkedő alak *[olasz komédiában]* **2.** csavargó, züllött (v. rosszhírű alak)
Scarborough ['skɑːbərə ‖ 'skɑrbɜroʊ] *tul földr* Scarborough
scarce [skeəs ‖ skers] **I.** *mn* **1. a)** kevés, elégtelen *[pénz, élelem, termés]*, szűkös *[élelem]*; **money is ~ now** pénzszűke van; *biz* **make oneself ~** elillan, elpárolog, eltűnik, elhordja magát **b)** ritka *[példány]*; **a ~ book** ritka könyv **2.** szűk *[esztendő]*, ínséges *[időszak]* **II.** *hsz vál régi* alig • *fn* **scarceness**
scarcely ['skeəsli ‖ 'skersli] *hsz* **1.** alig; **~ ever** úgyszólván/szinte/jóformán soha; **a ~ populated area** gyéren lakott vidék **2.** aligha, bajosan; **I can ~ believe that** kötve hiszem
scarcity ['skeəsəti ‖ 'skersəti] *fn* **a)** hiány, szűkösség, ritkaság *[pl. példányé]*; **~ of labour** munkaerőhiány; **~ of money** pénzszűke **b)** szükség, ínség
scare [skeə ‖ sker] **I. A.** *tsi* **a)** megrémít, megriaszt, megijeszt; **~ away/off** elriaszt *[vadat, tolvajt stb.]*; **~ up** (i) *főleg US* felriaszt *[vadat]* (ii) *szl [előteremt]*, felhajt *[pénzt]*; *US biz* **~ wits/hell/daylight out of sy** halálra rémít vkt **b)** riadalmat/rémületet/ijedelmet/félelmet kelt (vkben), rémületben/félelemben tart (vkt) **B.** *tni* megijed, megrémül; **they don't ~ easily** nem ijedősek **II.** *fn* **a)** ijedelem, rémület, riadalom, ijedtség; **create a ~** rémületet kelt, riadalmat/ijedelmet okoz; *biz* **he gave me a ~** jól megijesztett, nagyon/alaposan rám ijesztett **b)** vakrémület, pánik • *fn* **scarer**
scarecrow ['skeəkroʊ ‖ 'sker–] *fn átv* madárijesztő
scared *mn* (meg)rémült, ijedt, riadt, begyulladt; **be ~ to death** halálra rémült, holtra vált; *biz* **be ~ stiff of sy/sg** halálra rémül, úgy fél vktől/vmtől mint a tűztől
scaredy-cat ['skeədikæt ‖ 'sker–] *fn biz* gyáva nyúl
scarehead ['skeəhed ‖ 'sker–] *fn US* nagybetűs szenzációs újságcikkcím
scare headline *fn* szenzációs főcím *[újságban]*
scaremonger ['skeəmʌŋgə ‖ 'skermɑŋgər] *fn* rémhírterjesztő • *fn* **scaremongering**
scaresome ['skeəsəm ‖ 'sker–] *mn US* ijesztő
scarf[1] [skɑːf‖skɑrf] *fn tsz* **scarfs**, **scarves** [skɑːvz‖skɑrvz] **a)** sál, kendő *[nőké]* **b)** nyakkendő *[férfiaké]*, gallérvédő • *mn* **scarfed**
scarf[2] [skɑːf ‖ skɑrf] **I.** *fn* **1.** feldarabolás *[bálnáé]* **2.** *US szl [étel]* kaja, siló, burok **II.** *tsi* **1.** feldarabol *[bálnát]*, lefejt *[bálnazsírt]*, felvág *[bálnát]* **2. ~ (down)** *US szl [mohón eszik]* kajál, burkol, zabál
scar-face *fn* sebhelyes/forradásos arcú ember
scarf pin *fn GB* nyakkendőtű
scarf ring *fn GB* nyakkendőgyűrű
scarf-skin *fn orv* felhám, epidermisz
scarifier ['skeərɪfaɪə ‖ 'skerɪfaɪər] *fn* **a) (road) ~** kövezetfeltépő/-bontó gép; útbontó munkás **b)** *mezőg* irtóborona, késesborona, réthasogató, csoroszlya, irtóeke
scarify ['skeərɪfaɪ‖'sker–] *tsi* **1. a)** *orv* bevagdal, bemetszéseket ejt *[bőrön]* **b)** *mezőg* irtóval megdolgoz, *főleg Ausz* fellazít *[talajt]* **2.** *biz* leránt, lehúz *[szerzőt]* **3.** *biz* → **scare I.**
scarlatina [ˌskɑːlə'tiːnə‖'skɑrlə–] *fn orv* vörheny, skarlát
scarlet ['skɑːlɪt ‖ 'skɑr–] **I.** *fn* **1.** skarlátvörös (szín), élénkvörös (szín) **2.** skarlátvörös szövet/anyag *[rendsz. katonai díszruháké]*; **the King's ~** katonai egyenruha **II.** *mn* skarlát-, élénkvörös; **~ hat** bíborosi kalap; *US tört* **~ letter** ‹skarlátvörös A betű házasságtörő asszony megbélyegzéseként›; **~ woman** *régi pej* bűnös asszony, parázna nőszemély, prostituált

S

scarlet fever *fn orv* vörheny, skarlát
scarlet rash *fn orv* roseola
scarp [skɑ:p ‖ skɑrp] **I.** *fn* meredek lejtő *[hegyoldalon]*, szakadék **II.** *tsi* lejtősít, meredekre vág *[árkot stb.]*, rézsűz • *mn* **scarped**
scarper [ˈskɑ:pə ‖ ˈskɑrpər] *tni GB szl [elfut]* meglóg, elhúzza a csíkot, elpucol, olajra lép
scarred [skɑ:d ‖ skɑrd] *mn* **1. a)** forradásos, sebhelyes *[pl. arc]* **b)** eléktelenített, összeszabdalt *[arc]*; **a face ~ by smallpox** himlőhelyes arc **2. ~ over** beforradt, behegedt *[seb]*
scarry [ˈskɑ:ri ‖ ˈskɑri] *mn* **1.** heges, sebhelyes **2.** barázdált, hasadékos, felszántott *[terület]*
Scart socket *fn el* Scart-csatlakozó
scarves [skɑ:vz ‖ skɑrvz] → **scarf**[1]
scary [ˈskeəri ‖ ˈskeri] *mn biz* **1.** rettenetes, rettentő, rémítő, borzalmas **2.** begyulladós, (be)ijedős, begyulladt, (be)ijedt • *fn* **scariness** *hsz* **scarily**
scat[1] [skæt] **I.** *tni* **-tt** *szl [gyorsan elmegy]* eltűnik, eltűz **II.** *isz* sicc, sipirc, mars
scat[2] [skæt] *fn áll* állati ürülék
scat[3] [skæt] **I.** *fn szl* **1.** improvizált dal/éneklés, badar szövegű dal **2. he is ~s about sy** bele van bolondulva vkbe **II.** *tni/tsi* **-tt-** *szl* improvizálva/halandzsázva énekel
scathe [skeɪð] **I.** *tsi* **1.** *vál régi* súlyosan megrongál, tönkretesz, elpusztít (vmt), árt, kárt okoz (vmnek), (súlyos) kárt tesz (vmben) **2.** *vál régi* kritizál, lejárat *[ellenfelet]* **II.** *fn* **1. a)** *vál régi* bántódás, sérelem, kár; **without ~** sértetlenül, épen, épségben **b)** *skót* ‹kár, amelyért kártérítési igényt lehet támasztani› **2.** *skót* kártérítés(i követelés) • *mn* **scatheless**
scathing [ˈskeɪðɪŋ] *mn* maró, csípős, metsző *[gúny]*, véres, kegyetlen, gyilkos *[szatíra, kritika]* • *hsz* **scathingly**
scatological [ˌskætəˈlɒdʒɪkl ‖ –ˈlɑ–] *mn* **1.** ‹az őslénytannak az ürülék-kövületekkel foglalkozó ágához tartozó› **2.** trágár, ürülékkel kapcsolatos, ürülékre célzó *[megjegyzés, vicc]*, szkatologikus
scatology [skæˈtɒlədʒi ‖ –ˈtɑ–] *fn* **1. a)** ‹az őslénytannak az ürülék-kövületekkel foglalkozó ágához tartozó› **b)** *orv* emberi ürülék/bélsár tanulmányozása **2.** trágárság, malackodás *[emberi ürülékről]*
scatter [ˈskætə ‖ –ər] **I. A.** *tsi* **1. a)** (szét)szór, széjjelszór, (el)hint *[magot]*, (szét)hint *[homokot]*, elszór, eldobál *[hulladékot, papírdarabokat]*; **~ the shot** szór *[sörétes puska]*; sörétet szétszór *[puska]* **b) ~ sg with sg** vmt vmvel meghint/beszór/megszór **2. a)** szétszór, szétoszlat *[tömeget]*, szétfoszlat *[felhőt]* **b)** *átv* szertefoszlat, meghiúsít, megsemmisít, semmivé tesz *[reményt]* **3. a)** áraszt, terjeszt, hint *[illatot]* **b)** *átv* (el)terjeszt *[híreket]*, elhint *[tanokat]* **B.** *tni* **1. a)** szétszóródik, szétoszlik, eloszlik *[tömeg]*, elszéled *[társaság]*, szétrebben *[madárraj]*, szétfoszlik *[felhő]* **b)** *átv* szertefoszlik *[remény]* **2.** szóródik *[sörét]* **3.** szór *[sörétes puska]* **II.** *fn* szóródás, szórás • *fn* **scatterer**
scatterbrain *fn biz* hebehurgya, kelekótya, hebrencs, zavaros fejű *[ember]* • *mn* **scatterbrained**
scatter cushion *fn* díszpárna
scatter diagram *fn mat* szórásdiagram
scattered [ˈskætəd ‖ –ərd] *mn* **a)** (szét)szórt, elszórt; **~ farmstead** szórványtelepülés; *fiz* **~ light** szórt fény **b)** gyér *[szakáll stb.]*, szórványos *[utalás stb.]* **c) ~ thoughts** tétova (v. rendszertelenül felötlő/felbukkanó) gondolatok
scattergun *fn US* (sörétes) vadászpuska
scattering [ˈskætərɪŋ] **I.** *mn* **1. a)** (szét)szóró **b)** (szét)szóródó, elszórt; **~ fire** szórványos tüzelés **2.** szórási; **~ coefficient** szórási együttható **II.** *fn* **1. a)** (szét)szórás, elszórás, elhintés **b)** (szét)szóródás **2.** kis/gyér/csekély szám, kis mennyiség; **~s of knowledge** tudás morzsái, itt-ott felszedett rendszertelen ismeretek
scatter plot *fn* → **scatter diagram**
scatter rug *fn* → **scatter cushion**
scattershot *mn US* **I.** *mn* véletlenszerű **II.** *fn* találomra leadott lövés
scattery [ˈskætəri] *mn US* szétszórt
scatty [ˈskæti] *fn GB biz* bolond(os) • *fn* **scattiness** *hsz* **scattily**
scaur [skɑ: ‖ skɑr] *fn skót* kőszirt
scavenge [ˈskævɪndʒ] **A.** *tsi* **1. a)** söpör, tisztán tart *[utcát]* **b)** kidobott holmit/szemetet összegyűjt/elszállít/elvisz **2.** (át)öblít, kifúj, átfúj *[motorhengert]*; **~ the burnt gases** kifúvatja az elégett gázokat, kipufogtat **B.** *tni* döggel táplálkozik, dögön/hulladékon él *[állat]*
scavenger [ˈskævɪndʒə ‖ –ər] **I.** *fn* **1. a)** ‹kidobott holmit gyűjtő ember› **b)** szemetes **c)** utcaseprő, köztisztasági alkalmazott **2.** *áll* dögevő/ganéjevő állat **II.** *tni* → **scavenge** • *fn* **scavengery**
ScD *röv Scientiae Doctor, Doctor of Science*
scena [ˈʃeɪnə] *fn zene* **a)** jelenet *[operáé]* **b)** drámai szóló
scenario [sɪˈnɑ:riəʊ ‖ –ˈner–] *fn* **1.** szövegkönyv, forgatókönyv **2.** elképzelés, forgatókönyv; eshetőség
scenarist [ˈsi:nərɪst ‖ səˈnerɪst] *fn* szövegíró, forgatókönyvíró *[filmé]*
scenarize [ˈsi:nəraɪz], **-ise** *tsi* szövegkönyvet ír *[novellából, könyvből]*
scene [si:n] *fn* **1. a) ~ (of action)** szín(hely) *[színdarabé, cselekményé]*; **the ~ is set in London** a cselekmény színhelye London, a cselekmény Londonban játszódik **b)** színhely *[eseményé]* **2. a)** jelenet, szín, kép *[színdarabé]* **b)** jelenet, kép *[vk életéből stb.]*, jelenet *[eseménysorozatból]* **c)** *átv biz* jelenet; **make a ~** jelenetet csinál/rendez **3. a)** *szính* díszlet, kulissza, színpadkép; *átv* **set the ~** felvázol/leír *[helyzetet]*, előzetes tájékoztatást ad; *átv* **behind the ~s** a színfalak/kulisszák mögött **b)** kép, látvány **4. a)** *régi* szín(pad), játékszín **b)** *átv* **appear/come on the ~** megjelenik a színen, színre/színpadra lép; *biz* **hit/make the ~** vhol megjelenik, vmben részt vesz; *átv* **quit the ~** távozik az élet színpadáról, meghal **5.** *biz* érdeklődési kör; **not my ~** nem az én asztalom **6. a)** kör(nyezet); **well known on the jazz ~** jól ismert dzsessz-körökben/a dzsessz világában **b)** *átv* **change of ~** környezetváltozás
scenecraft *fn szính* díszletkészítés
scene-dock *fn szính* díszlet(rak)tár
scene-man *fn tsz* **-men** *szính* díszletmester
scenery [ˈsi:nəri] *fn* **1. a)** *szính* díszlet(ek), színfalak, színpadkép **b)** *átv* **change of ~** környezetváltozás **2.** kép, látvány *[tájé]*; **natural ~** természeti kép, táj; **mountain ~** hegyi/hegyes táj **3.** *US szl* **~ bum** részeges csavargó *stand*
scene-shifter *fn főleg GB szính* díszlet(ező)munkás, színfaltologató, kulisszatologató • *fn* **sceneshifting**
scenic [ˈsi:nɪk] *mn* **1. a)** szín(pad)i *[előadás stb.]*; **~ effects** színpadi hatások **b)** színpadias *[hatás, viselkedés stb.]* **2.** tájképi, festői, látványos; *US* **~ dome** kilátótető *[vasúti kocsin]*; **~ railway** tündérvasút *[szép tájrészletek, látványosságok közt vezető kisvasút]*; barlangvasút; **~ route** ‹szép tájrészletek, látványosságok közt vezető út›; **~ spot** látnivaló *[turisták számára]*, szép hely/látnivaló **3.** jelenetet ábrázoló *[kép]* • *hsz* **scenically**
scenist [ˈsi:nɪst] *fn szính* **a)** díszlettervező **b)** díszletmester
scenograph [ˈsi:nəgrɑ:f ‖ –græf] *fn* távlati/perspektivikus kép/rajz
scenography [si:ˈnɒgrəfi ‖ –ˈnɑ–] *fn* **1.** távlati/perspektivikus rajzolás/ábrázolás **2.** díszletfestés • *fn* **scenographer** *mn* **scenographical**
scent [sent] **I.** *fn* **1. a)** (jó) illat, kellemes/jó szag **b)** szag **2.** *GB* illatszer, parfüm; **a bottle of ~** illatszeres üveg(cse)/flakon; **use ~s** illatszert használ, parfümözi magát **3.** *vad* szag *[vadé földön/levegőben]*, csapás, *átv* nyom; **follow up ~** követi a nyomát; *átv* **get ~ of sg** megszimatol vmt; *átv* **get on the ~, pick up the ~** szimatot kap, nyomra lel; **be on the ~ of sg** vmnek a nyomában van; *átv* **be on the right ~** jó/helyes nyomon van; *átv* **lose the ~, be thrown off the ~** elveszíti a nyomot; *átv* **put sy on a false/wrong ~, put/throw sy off the ~** vkt hamis nyomra vezet **4.** *vad átv*

szimat, szaglás; *átv* **have a good/keen ~ for sg** jó szimata/orra van vmre **II. A.** *tsi* **1. a)** *vad* megszimatol, kiszimatol, kiszaglász; **~ (out) game** vadat kiszimatol **b)** *átv* megszimatol; **~ trouble** bajt szimatol **2. a)** beillatosít, illattal tölt meg *[virág levegőt stb.]* **b)** illatszerrel/parfümmel (be)illatosít/(be)szagosít/beparmüföz; **~ sg with sg** vmt vmvel (be)illatosít/(be)szagosít **3.** szagol, érez **B.** *tni* **1.** *vad* vadat kiszimatol, nyomon van *[kutya]* **2.** *vál* szaglász, szimatol • *mn* **scentless**, **scentful**

scent-bag *fn* **1.** *biol* pézsmazacskó *[pézsmaállaté stb.]* **2.** illatszeres zacskó/tasak

scent bottle *fn* illatszeres/parfümös üveg(cse)/flakon

scented ['sentəd] *mn* **a)** illatos(ított), szagos(ított) *[szappan, cigaretta]* **b)** illatos, szagos *[virág]*

scent gland *fn biol* pézsmamirigy

scent organ *fn biol* pézsmamirigy

scent spray *fn* illat(szer)szóró, parfümszóró

scepsis ['skepsɪs] *fn* szkepszis, szkepticizmus, kételkedés

scepter ['septə ‖ –ər] *US* → **sceptre**

sceptic ['skeptɪk] **I.** *mn ritk* szkeptikus **II.** *fn* szkeptikus (gondolkodó)

sceptical ['skeptɪkl] *mn* **a)** *fil* szkeptikus **b)** szkeptikus, kételkedő • *hsz* **sceptically**

scepticism ['skeptɪsɪzm] *fn* szkepticizmus, két(el)kedés

sceptre ['septə ‖ –ər] *fn* jogar, *átv* királyi kormánypálca

sceptred ['septəd ‖ –tərd] *mn* uralmon levő, uralkodó, királyi

sch. *röv* **1.** *school* **2.** *schooner*

schadenfreude ['ʃɑːdnfrɔɪdə] *fn német* káröröm

schedule ['ʃedjuːl ‖ 'skedʒuːl] **I.** *fn* **1. a)** (részletes) jegyzék, táblázat, lista **b)** kísérőjegyzék, kiegészítő jegyzék **c)** adatgyűjtő kérdőív **2. a)** terv, program, ütemezés *[munkáé]*, ütemterv; **heavy ~** szoros/sűrű program; **on ~** határidőre, terv/ütemterv szerint; **behind ~** későn, határidőn túl, elcsúszva **b)** *okt* tanrend, tanterv, órarend **3.** (vasúti) menetrend, időbeosztás, órabeosztás; *átv biz* **according to ~** menetrend szerint; **up to ~** menetrendszerű pontossággal **4.** *GB* bevallási nyomtatvány *[adóbevalláshoz]* **II.** *tsi* **1.** jegyzékbe/táblázatba foglal, leltárba vesz **2.** *US* **a)** tervbe felvesz/(be)iktat, betervez, beütemez **b)** *közl* menetrendbe beállít *[vonatot]*; **the train is ~d to arrive at midnight** a vonat menetrend szerint éjfélkor érkezik **3.** *GB* felvesz *[műemlékvédelmi listára]* • *fn* **scheduler** *mn* **schedular**

scheduled ['ʃedjuːld ‖ 'skedʒuːld] *mn* **1.** jegyzékbe vett, táblázatban feltüntetett; *GB* **~ monument** védett műemlék; **~ prices** árjegyzék szerinti árak; **~ taxes** kereseti/jövedelmi/kivetett adók; kiszabás/táblázat szerinti illeték **2.** *US* **a)** időre beosztott, betervezett, beütemezett **b)** *közl* menetrendszerű, menetrend szerinti; **~ flight/service** *rep* menetrendszerinti járat

schema ['skiːmə] *fn tsz* **schemas** v. **schemata** [–mətə] **1. a)** váz(lat), séma **b)** *fil* szkéma **2.** szókép, szóalakzat, beszédalakzat, képlet *[retorikában]* **3.** *infor* adatelemek programozott leírása, séma

schematic [skiː'mætɪk] **I.** *mn* vázlatos, sematikus **II.** *fn* vázlatrajz, elrendezés, *el* sematikus diagram • *hsz* **schematically**

schematism ['skiːmətɪzm] *fn* tervszerű elrendezés

schematize ['skiːmətaɪz], **-ise** *tsi* **a)** sematizál, vázlatosan ábrázol, leegyszerűsít, sémába/képletbe szorít **b)** *fil* sematizál *[kategóriákat]*

scheme [skiːm] **I.** *fn* **1.** rend(szer); **the ~ of things** a dolgok rendje; **~ of colours** színek harmóniája **2.** váz(lat) *[irodalmi műé]* **3.** terv(ezet); **town-development ~** városfejlesztési terv **4.** *pej* mesterkedés, áskálódás, cselszövés, fondorlat, intrika; **lay a ~** mesterkedik, ármánykodik, tervet (ki)főz **II. A.** *tsi* **1.** tervez, kigondol, tervbe vesz; **~ to do sg** tervbe veszi, hogy vmt csinál **2. ~ (for sg/to do sg)** *pej* mesterkedik (vmn) **B.** *tni* **1.** tervez, terve(ke)t sző **2.** *pej* mesterkedik, manipulál, rosszban sántikál, rosszat forral, ármánykodik, fondorkodik, intrikál • *fn* **schemer**

scheming ['skiːmɪŋ] **I.** *mn* mesterkedő, cselszövő, rosszban sántikáló, fondorkodó, áskálódó, intrikáló **II.** *fn* **1.** cselszövés, mesterkedés, ármánykodás, intrika **2.** tervezés • *hsz* **schemingly**

schism [skɪzm, sɪzm] *fn* elszakadás, hitszakadás, egyházszakadás, skizma *[egyházban]*

schismatic [skɪz'mætɪk, sɪz–] *mn/fn* szakadár • *fn* **schismatism**

schismatical [skɪz'mætɪkl, sɪz–] *mn* szakadár

schist [ʃɪst] *fn ásv* (agyag)pala, kristályos pala

schizo *fn szl* **1.** skizofrén(iás) beteg **2.** *[skizofrén ember]* skizó

schizocarpous [ˌskɪtsoʊ'kɑːpəs ‖ –kɑr–] *mn növ* hasadó termésű

schizogenesis [ˌskɪtsoʊ'dʒenəsɪs] *fn biol* szaporodás osztódás útján

schizoid ['skɪtsɔɪd, 'skɪdzɔɪd] *mn/fn* **1.** *pszich* skizoid, tudathasadásra hajlamos (egyén/alkat) **2.** következetlen, kétértelmű, skizoid

schizophrenia [ˌskɪtsə'friːnɪə] *fn* **1.** *pszich* tudathasadás, skizofrénia **2.** *biz* következetlenség *[pl. politikai]* • *mn* **schizophrenic**

schizzy ['skɪtsi] *fn szl [őrült]* dilinyós, skizó

schlemiel [ʃlə'miːl] *fn US szl [tehetetlen, szerencsétlen ember]* töketlen/béna alak, slemíl

schlepp [ʃlep] *US biz* **I. A.** *tsi* hurcol, vonszol **B.** *tni* gürizik **II.** *fn* **1.** fárasztó út/utazás **2.** szerencsétlen hülye

schlimazel [ʃlɪ'mɑːzəl] *fn US szl [tehetetlen ember]* béna hapsi, töketlen, faszkalap

schlock [ʃlɒk ‖ ʃlɑk] *fn US biz* ócskaság, szemét, vacak

schlong [ʃlɒŋ ‖ ʃlɔŋ] *fn US szl [hímvessző]* farok, pöcs

schlump [ʃlump] *fn US szl [buta ember]* farok, pöcs(fej)

schmaltz [ʃmɔːlts ‖ ʃmɑːlts] *fn US biz* giccses/érzelgős zene/színmű; giccs, nyálasság, émelygősség *[zenében, színdarabban stb.]* • *mn* **schmaltzy**

schmaltz artist *fn US szl* ‹érzelgős dalok szerzője›

schmuck [ʃmʌk] *fn US szl [ostoba ember]* pöcs(fej)

schnapps [ʃnæps] *fn gaszt* holland borókapálinka, pálinka, snapsz

schnauzer ['ʃnautsə ‖ –ər] *fn áll* szálkásszőrű német pincsi, snaucer

schnitzel ['ʃnɪtsl] *fn gaszt* rántott/bécsi szelet

schnorkel ['ʃnɔːkl ‖ 'ʃnɔrkl] → **snorkel**

schnorr [ʃnɔː ‖ ʃnɔr] *tsi US szl [kölcsönkér, kéreget]* lejmol, tarhál

schnorrer ['ʃnɔːrə ‖ –ər] *fn biz US szl [kéregető]* tarhás, lejmos

schnozzle ['ʃnɒzl ‖ 'ʃnɑzl] *fn US szl [orr]* cserpák, hefti, csőr

scholar ['skɒlə ‖ 'skɑlər] *fn* **1. a)** tudós **b)** humanista, klasszikus nyelvek tudósa/búvára **c)** *régi* írástudó **2.** *régi* tanuló, diák *[általános iskola alsó tagozatáé]* **3.** *GB okt* ösztöndíjas

scholarly ['skɒləli ‖ 'skɑlərli] *mn* **a)** tudós, tudományosan képzett, tudományos felkészültségű *[ember]* **b)** tudományos (igényű) *[mű]*

scholarship ['skɒləʃɪp ‖ 'skɑlərʃɪp] *fn* **1.** tudományos munka/kutatás, tudomány művelése **2. a)** tudományosság, tudományos felkészültség, tudomány (vké) **b)** klasszikus/humanista műveltség **3.** *okt* (tanulmányi) ösztöndíj, alapítvány, alapítványi hely; **open ~** mindenki által megpályázható ösztöndíj; **win/gain a ~** ösztöndíjat kap/nyer

scholastic [skə'læstɪk] **I.** *mn* **1. a)** iskolai *[év, tanítás stb.]*; **~ profession** tanári/tanítói/pedagógusi pálya **b)** *pej* iskolás *[stílus]* **2. a)** *fil* skolasztikus **b)** tudós **c)** *pej* tudóskodó, tudálékos, vaskalapos **II.** *fn* **1.** *fil* skolasztikus **2.** *vall* hittudomány-hallgató jezsuita papnövendék, skolasztikus • *hsz* **scholastically**

scholasticism [skə'læstɪsɪzm] *fn fil* skolaszticizmus, skolasztika

schols [skɒlz ‖ skɑlz] *fn tsz biz scholarships* ösztöndíj(ak)

S

school[1] [sku:l] **I.** *fn* **1. a)** iskola; *biz* **keep (a) ~** magániskolája van, magániskolát tart fenn; **leave ~** leérettségizik, befejezi tanulmányait; **be at ~**, *US* **be in ~** iskolában van; iskolás; iskolába jár; **when I was at ~** iskolás/diák koromban; **go to ~** iskolába megy; iskolába jár **b)** *átv biz* **the ~ of adversity** (v. **hard knocks**) a szenvedések/balsors iskolája **c)** *átv* iskola, irány(zat) *[művészeti stb.]*; **~ of thought** gondolkodásmód; irányzat; **gentleman of the old ~** régivágású úr **2.** tanítás, iskola; **~ begins at eight** az iskola (v. a tanítás) nyolckor kezdődik; **there was no ~ yesterday** tegnap nem volt tanítás/iskola, tegnap nem voltak órák **3. a)** tanterem, iskolahelyiség *[középiskolában]* **b)** kari épület *[(középkori) egyetemen]* **c)** *GB* vizsgáztató- és előadóterem/-épület *[Oxfordban]* **4. a)** tagozat *[iskoláé]*; **the upper ~** a felső osztályok; a felsősök **b)** kar, fakultás *[egyetemen]*; **medical ~** orvosi egyetem/fakultás **c)** *átv* **the ~s** skolasztikus filozófia, skolasztika; **~ divine** skolasztikus hittudós/teológus **5.** iskola *[mint tanítási módszer, segédkönyv]* **6.** *GB* asztaltársaság, kör **II.** *tsi* **1. a)** nevel, tanít, oktat; **~ a horse** lovat iskoláz/betanít *[ugrásra]*; **~ oneself to patience** türelemre szoktatja/neveli magát; **~ sy to (do) sg** vkt ránevel/rászoktat/rákapat vmnek a megtételére **b)** *régi* iskoláztat, iskolába járat, taníttat *[gyermeket]* **2.** (meg)fegyelmez, (meg)fékez *[indulatot stb.]*; *régi* **~ oneself** türtőzteti magát; **~ one's tongue** (meg)fékezi a nyelvét

school[2] [sku:l] → **shoal**[2]

schoolable [ˈsku:ləbl] *mn* **a)** tanköteles, iskolaköteles **b)** iskolás korú *[gyermek]*

school age *fn* iskolaköteles kor

schoolbag *fn* iskolatáska

school board *fn US* iskolaszék

school-book *fn* iskolakönyv, tankönyv *[főleg általános iskolai fokú]*

schoolboy *fn* **a)** iskolásfiú, diák(fiú) **b)** éretlen gyerek/kölyök

school bus *fn* iskolabusz

school certificate *fn GB* érettségi bizonyítvány

schoolchildren *fn tsz* iskolásgyermekek, iskolások

school commissioner *fn US* tanfelügyelő

school committee *fn US* iskolaszék

school-day *fn* **1.** tanítási nap **2.** *tsz* **school-days** iskolai évek, diákévek; **in my ~s** iskolás/diák koromban, amikor (még) iskolába jártam

schooled [sku:ld] *mn* iskolázott; **~ in adversity** sorsedzett, az élet viharaiban megedződött; **well ~ in the classics** a klasszikusokban jártas

schoolgirl *fn* **a)** iskoláslány, diáklány **b)** csitri, fruska

schoolhall *fn* aula

schoolhouse *fn GB* **1.** iskolaépület *[főleg falun]* **2. a)** igazgatói lakás **b)** tanítói/tanítónői lakás

schoolie [ˈsku:li:] *fn Ausz szl [tanár]* tanerő

schooling [ˈsku:lɪŋ] *fn* **1.** iskolázottság **2.** iskoláz(tat)ás, tanítás, nevelés

school-inspector *fn GB* tanfelügyelő, szakfelügyelő

schoolkid *fn biz* iskolás

school leavers *fn tsz GB* **a)** végzett/végzős növendékek, végzősök *[középiskoláé]* **b)** iskolából kimaradók

school-ma'am *fn US biz* tanítónő, tanárnő, tanítónéni

schoolman [ˈsku:lmən] *fn tsz* **-men 1.** skolasztikus filozófus/teológus; **the Schoolmen** a skolasztikusok **2.** *US* tanár

school-marm *US biz* tanítónő, tanárnő, tanító néni

schoolmaster *fn* **a)** tanító, (középiskolai) tanár, pedagógus **b)** iskolaigazgató • *hsz* **schoolmasterly**

schoolmastering [ˈsku:lmɑ:stərɪŋ ‖ −mæs−] *fn* tanítóskodás, tanárkodás, tanárság, tanítás, nevelés

schoolmate *fn* **a)** iskolatárs **b)** diákcimbora

schoolmistress *fn* **a)** tanítónő, (középiskolai) tanárnő **b)** iskolai/intézeti igazgatónő

schoolmistressy [ˈsku:lmɪstrəsi] *mn biz* tanárnős

school report *fn* félévi/évvégi bizonyítvány

schoolroom *fn* tanterem

school-ship *fn* iskolahajó

school superintendent *fn* **1.** iskolaigazgató **2.** tanfelügyelő

schoolteacher *fn* elemi/általános iskolai tanító(nő)

school time *fn* **1. a)** tanítási idő **b)** tanítás kezdetének időpontja **2.** diákévek, iskolai évek, iskolás kor

schoolwork *fn* tananyag

school year *fn* iskolaév, tanév

schooner [ˈsku:nə ‖ −ər] *fn* **1.** *hajó* ‹kétárbocos hosszú vitorlázatú hajó› szkúner, sóner **2.** *US* **(prairie) ~** ekhós szekér **3. a)** *US Ausz* söröspohár, söröskorsó, stucni **b)** egy pint/korsó *[sör]* **4.** *GB* konyakospohár, sherryspohár

schooner-yacht *fn hajó* szkúnerjacht, sónerjacht

schuss [ʃus] **I.** *fn sp* ‹egyenes lecsúszás síléccel hegyoldalon› golyó **II.** *tni sp* golyóban lejön/lecsúszik

schwa [ʃwɑ:] *fn nyelv* svá, sorvadó hang

sciamachy [saɪˈæməki] *fn* **a)** álharc, harcjáték, hadijáték **b)** *átv* harc árnyak (v. vélt ellenfél) ellen

science [ˈsaɪəns] *fn* **1. a)** tudomány; **social ~(s)** társadalomtudomány(ok); **man of ~** tudós; **world of ~** tudományos világ **b)** tudomány(ág), tudományszak **c) (natural) ~**, **the natural ~s** természettudomány(ok) **2.** *régi* tudás, ismeret

science fiction *fn* tudományos-fantasztikus regény/irodalom, sci-fi

science park *fn* kutatótelep, kutatási központ

scienter [ˈsaɪəntə ‖ −ər] *hsz jog* tudatosan, szántszándékkal

sciential [saɪˈenʃl] *mn* **a)** tudományos **b)** tudós, nagy tudású

scientific [ˌsaɪənˈtɪfɪk] *mn* **1. a)** tudományos **b)** rendszerezett, pontos **c)** természettudományos, természettudományi **d)** szakavatott **2.** *sp* fejlett technikájú *[sport, sportoló]*, technikás *[sportoló]*; **~ tennis** ész-tenisz • *hsz* **scientifically**

scientism [ˈsaɪəntɪzm] *fn* tudományosság • *mn* **scientistic**

scientist [ˈsaɪəntɪst] *fn* **1. a)** tudós **b)** természettudós **2.** *fil vall* szcientista

scientize [ˈsaɪəntaɪz], **-ise** *tsi* tudományos módszereket alkalmaz vmben; **~ business** tudományos alapokra helyez egy üzleti vállalkozást

Scientology [ˌsaɪənˈtɒlədʒi ‖ −ˈtɑ−] *fn* **1.** szcientológia **2.** szcientológia egyház • *fn* **Scientologist**

sci-fi [ˌsaɪˈfaɪ] *röv science fiction*

scil. *röv* scilicet; *namely*

scilicet [ˈsɪlɪset] *hsz* tudniillik, ugyanis

Scilly [ˈsɪli] *tul földr* Scilly-szigetek

scimitar [ˈsɪmɪtə ‖ −ər] *fn* **1.** handzsár, görbe élű hosszú kard **2.** hosszú nyelű nyesőkés

scintilla [sɪnˈtɪlə] *fn tsz* **scintillas**, **scintillae** *átv* szikra, szemernyi; **not a ~ of truth** szemernyi igazság sem

scintillate [ˈsɪntɪleɪt] **A.** *tsi* szór, lövell *[fényt]*; **her eyes ~d anger** szeme haragtól szikrázott/villogott, szemében harag villogott **B.** *tni* **a)** szikrázik, sziporkázik, villog, villódzik, *fiz* felvillan, szcintillál **b)** *átv* sziporkázik *[elme]*; **scintillating with wit** sziporkázóan elmés/szellemes • *mn* **scintillant** *hsz* **scintillatingly**

scintillation [ˌsɪntɪˈleɪʃn] *fn csill* szcintilláció, képremegés, képreszketés

scion [ˈsaɪən] *fn* **1.** sarj(adék), leszármazott, ivadék, csemete *[főleg nemesi családé]* **2.** oltóág, bujtóág, oltóvessző, oltvány, dugvány

scirocco [ʃɪˈrɒkoʊ, sɪ−] *fn meteo* sirokkó

scissel [ˈsɪsl] *fn* fémhulladék, fémforgács

scissile [ˈsɪsaɪl ‖ ˈsɪsl] *mn* hasadó, könnyen hasítható

scission [ˈsɪʃn] *fn* **a)** hasítás, metszés, vágás **b)** *átv* hasadás, szakadás

scissor [ˈsɪzə ‖ −ər] *tsi biz* ollóval vág/kiszab/nyír/nyirbál, *átv* ollóz; **~ out** ollóval kivág; *átv* kiollóz; **~ up** ollóval felszabdal/szétvagdal; → **scissors**

scissor chair *fn* összecsukható szék
scissors ['sɪzəz ‖ –ərz] *fn tsz* **a) (pair of) ~** olló; **work with ~ and paste** ollóz, összeollózza a munkáit *[író]* **b)** *sp* olló *[birkózásban, tornában]*
scissortail *fn US áll* amerikai villásfarkú légykapó
scissor tooth *fn tsz* **-teeth** *áll* tépőfog
scissure ['sɪʒə] *fn* hasadék, rés, repedés
sciurine ['saɪəraɪn] *mn áll* mókusféle, mókus-
sclera ['sklɪərə ‖ 'sklɪrə] *fn orv* (szem)ínhártya, szemfehérje • *mn* **scleral**
scleroderma [ˌsklɪərou'dɜːmə ‖ ˌsklɪrou'dɜrmə] *fn orv* bőrkérgesedés
scleroid ['sklɪərɔɪd ‖ 'sklɪr–] *mn biol* kemény
sclerosed ['sklɪəroust ‖ 'sklɪr–] *mn orv* meszesedő, (el)meszesedett
sclerosis [sklɪ'rousɪs] *fn tsz* **scleroses** *orv* (el)meszesedés, keményedés, szklerózis
sclerotic [sklə'rɒtɪk ‖ –'rɑ–] **I.** *mn* **1.** *orv* (szem)ínhártya- **2.** *biol* szklerotikus, megkeményedett **3.** *orv* szklerózissal fertőzött, szklerotikus **II.** *fn orv* (szem)ínhártya
sclerous ['sklɪərəs ‖ 'sklɪrəs] *mn orv* **a)** (el)meszesedő, elmeszesedett *[szövet]* **b)** elmeszesedésben szenvedő, szklerózisos
scoff[1] [skɒf ‖ skɑf] **I.** *tni* gúnyolódik, csipkelődik, csúfolódik; **~ at sy** vkt kigúnyol/kicsúfol; vkt csúffá/nevetségessé tesz, vkből gúnyt/csúfot űz; **~ at dangers** (ki)neveti/megveti a veszélyt, nem fél a veszélytől **II.** *fn* **1.** gúny(olódás), csipkelődés, csúfolódás, gúnyos megvetés **2.** (köz)nevetség tárgya • *fn* **scoffer**
scoff[2] [skɒf ‖ skɑf] **I.** *fn GB szl [étel]* kaja, zaba **II.** *tsi [mohón befal]* zabál
scoffing ['skɒfɪŋ ‖ 'skɑfɪŋ] **I.** *mn* gúnyolódó, csipkelődő, csúfolódó **II.** *fn* gúnyolódás, csipkelődés, csúfolódás, kötekedés • *hsz* **scoffingly**
scold [skould] **I. A.** *tsi* (össze)szid, megszid, leszid, (meg)fedd, (meg)dorgál, korhol, lehord **B.** *tni* veszekszik **II.** *fn* perlekedő/veszekedő(s)/házsártos nő, boszorka, satrafa
scolding ['skouldɪŋ] *fn* szidás, feddés, dorgálás, korholás; **give sy a good ~** alaposan/jól összeszid/leszid/lehord vkt
scoliosis [ˌskouli'ousɪs] *fn orv* gerinc oldal irányú ferdülése, gerincferdülés, scoliosis • *mn* **scoliotic**
scollop ['skɒləp ‖ 'skɑ–] → **scallop**
scomber ['skɒmbə ‖ 'skɑmbər] *fn áll* makréla
sconce[1] [skɒns ‖ skɑns] *fn* **1.** lapos kézi gyertyatartó, gyertyatartó falikar, fali gyertyatartó **2.** gyertyatartó csepp-fogó tányérja, gyertyagallér
sconce[2] [skɒns ‖ skɑns] *fn* **a)** különálló erőd, kiserőd, kisebb erődítmény **b)** sánc, védőfal, földgát
scone [skɒn, skoun ‖ skoun, skɑn] *fn gaszt* fánk
scoop [skuːp] **I.** *fn* **1. a)** (rövid nyelű) öblös lapát, (hosszú nyelű) merítőkanál, merítővödör **b)** kanál *[fűszeresé, patikusé]*, fagylaltadagoló kanál **c)** *orv* kaparókanál **2.** *műsz* puttony, szállítóvödör, markolóvödör *[kotrógépé]* **3.** lapátolás, kanalazás, lapátoló/kanalazó mozdulat, (be)merítés **4.** lapát(nyi), kanál(nyi) **5.** mélyedés, üreg, teknő **6.** *biz szl* **a)** *[gyorsan szerzett profit]* kaszálás, merítés, fogás **b)** elsőnek leközölt szenzációs hír, friss hírlapi szenzáció; **make a ~** szerencsés fogást csinál; szenzációs híranyagot talál *[újságíró]* **7.** *zene* hangsiklás **II.** *tsi* **1. a) ~ (out)** kimer(eget), kilapátol, kikanalaz; kilapátol; **~ up** összelapátol, lapáttal felhány *[szenet stb.]*; kimer(eget) **b)** (ki)kotor *[kotrógéppel]* **2.** (ki)váj, (ki)mélyít *[üreget]*, homorú vésővel megmunkál, kivés *[fát]*, kiváj; **~ a hole in the sand** lyukat ás homokba; **~ out a line** vonalat metsz *[vésnök]* **3.** *biz* **a) ~ a large profit** nagy hasznot csinál (v. zsebel/seper be) *[mások elől]* **b) ~ some wonderful news** szenzációs hírt elsőnek közöl; **~ the other papers** szenzációs hír közlésével más lapokat megelőz, szenzációt más lapok előtt letarol/learat • *fn* **scoopful** *mn* **scooped**
scooper ['skuːpə ‖ –ər] *fn* **1.** lapátoló **2.** homorúvéső *[fához]*, háromélű véső *[vésnöké]*
scoop neck *fn* ovális (mély) nyakkivágás
scoop net *fn* **a)** merítőháló **b)** fenékkaparó/-kotró háló
scoot [skuːt] **I.** *tni biz* **a)** rohan, száguld **b) ~ (off/away)** eliszkol, elpucol, nyaka közé szedi a lábát **II.** *isz biz* rohanás!, eltűnés! **III.** *fn biz* **a)** rohanás, száguldás **b)** (el)iszkolás; **do a ~** eliszkol, elszelel, elpucol
scooter ['skuːtə ‖ 'skuːtər] **I.** *fn* **1. a)** roller, futóka **b) (motor) ~** robogó **2. a)** *US hajó* lapos fenekű vitorlás hajó *[jégvitorlázáshoz is]*, vitorlás siklócsónak *[vízre, jégre]* **b)** *hajó* motoros siklócsónak **II.** *tni* robogót vezet • *fn* **scooterist**
scopa ['skoupə] *fn tsz* **scopae** [–piː] *áll* kefe *[méh lábán]*
-scope [skoup] *előtag* -szkóp, *orv* -tükör
scope[1] [skoup] *fn* **a)** terület, tér, kör *[tudományé, kutatásé, működésé]*; **~ of activities** munkakör, munkaterület; **~ of authority** hatáskör; **mind of wide ~** átfogó/tágas elme; **that is beyond/outside my ~** ez meghaladja hatáskörömet, ez hatáskörömön kívül esik, ebben nem vagyok illetékes; ez meghaladja (értelmi) képességeimet, ezt nem tudom felfogni, ez nekem magas; **lie within the ~ of possible events** bekövetkezhető/lehetséges események közé tartozik **b)** (szabad) tér, (szabad) mozgás; **(free) ~** szabad tér/lehetőség; **give free/full ~ to sy** szabad teret/kezet ad vknek; **give free/full ~ to one's imagination** képzeletét szabadjára engedi; **have free/full ~ to act** teljes cselekvési szabadsága van; **lack ~** nincs tere/lehetősége, korlátozva van
scope[2] [skoup] *fn biz* → **telescope** → **oscilloscope** → **microscope**
scopula ['skɒpjulə ‖ 'skɑpjələ] *fn tsz* **scopulae** [–liː] *áll* kefe *[pók, méh lábán]*
scorbutic [skɔː'bjuːtɪk ‖ skɔr–] **I.** *mn orv* skorbutos, skorbut- **II.** *fn orv* skorbutos (beteg), skorbutbeteg • *hsz* **scorbutically**
scorch [skɔːtʃ ‖ skɔrtʃ] **I. A.** *tsi* **1. a)** megperzsel, megpörköl *[tűz, nap, vasaló]*, megkap *[ruhát vasaló]*, elperzsel, elszárít, elfonnyaszt, elaszal *[hőség növényt]*, kiszárít, kicserez, cserepessé tesz *[bőrt hőség/szél]*; **~ the toast** megégeti/túlpirítja a pirítóst **b)** megcsíp *[fagy rügyet]* **c)** *kat* feléget, elpusztít *[élelmiszert, területet benyomuló ellenség előtt]* **2.** *átv* lejárat, letaglóz *[gúnnyal]* **B.** *tni* **1.** megperzselődik, megpörkölődik **2.** *biz [gyorsan hajt]* száguld, tűz, tép, repeszt **II.** *fn* **1.** megperzsel(őd)és, megpörköl(ő-d)és **2.** őrült iram/száguldás *[autóval stb.]*, *biz* repesztés • *fn/mn* **scorching**
scorched [skɔːtʃt ‖ skɔrtʃt] *mn* **a)** megperzselődött, megperzselt, megpörkölődött **b)** *kat* **~ earth policy** felperzselt föld (taktikája), kiürítendő országrész felégetése *[benyomuló ellenség előtt]*
scorcher ['skɔːtʃə ‖ 'skɔrtʃər] *fn biz* **1.** kánikulai nap, forró nyári nap **2.** kemény/csípős/mellbevágó válasz, odamondás **3. a)** gyorshajtó autós/motoros/kerékpáros **b) a real ~** rámenős ember **4.** *szl* **a)** *[nagyon jó]* csuda/bombajó/klassz dolog; **it's a ~!** óriási!, ez igen, ez már döfi! **b)** csuda alak/pofa, fantasztikus alak
score [skɔː ‖ skɔr] **I.** *fn* **1. a)** *sp ját* pont, pontozás, pontállás, pontszám, ponteredmény, pontarány *[játékban, sportban]*, gólszám *[futballban]*; **~ below line** vonal alatti pontszám/poén *[bridzsben]*; **the ~ (of the game)** a játék állása; **what's the ~?** hogy áll a játék?, mi a játék állása?; hogy áll a dolog?; *biz* mennyi a cech?; **there was no ~** senki sem szerzett pontot; nem volt gól; az eredmény null-null; **keep the ~** jegyzi a pontokat/eredményt; ír *[kártyában]*; **make a good ~** sok pontot szerez, jó eredményt ér el; sok találata van *[céllövésnél]* **b)** *biz* talpraesett válasz **c)** *biz* jószerencse **2. a)** húsz (darab); **a ~ of people** vagy húsz ember; **half a ~** vagy tíz; **by the ~** tucatszámra **b)** *tsz* **scores** *biz* sok, rengeteg, temérdek (vmből); **~s of people** rengeteg ember **3. a)** (a szóban forgó) tárgy, kérdés, indíték; **have no fear on that ~** ne legyenek ilyen irányú aggályai, ne aggodalmaskodjék ezt illetően; **on more ~s than one** több okból is; **on that ~** ezen okból; **on the ~ of**

S

sg *GB* vm alapján, vm oknál fogva, vm címen; vmt illetően, vmre vonatkozólag, vmvel kapcsolatban; **on what ~?** mi okból?, milyen alapon?; **on the ~ of friendship** a barátság kedvéért; **complain on the ~ of low pay** alacsony fizetése miatt panaszkodik **b)** puszta tények, meztelen igazság, sötét valóság **4.** *zene* vezérkönyv, partitúra; **piano ~** zongoraátirat, zongorakivonat; **in ~** partitúrába írva **5.** filmzene; musical **6.** bevájás, bemetszés, horzsolás, karcolás, vágás *[bőrön stb.]*, metszés *[kikészített bőrön]*, rovátka, vésettbarázda **7. a)** rovás, rovátka *[hitelbe adott kenyér/bor kiadásáról]*, számontartás, nyilvántartás **b)** adósság, számla, elszámolás *[kocsmában, italboltban]*; **pay one's ~** kifizeti/kiegyenlíti adósságát *[kocsmában]*; **pay/settle off** (v. **wipe out**) **old ~s** *biz* leszámol régi sérelmekért, visszaadja a kölcsönt; **quit ~s with sy** elszámol vkvel; kárpótlást ad vknek; *szl [erőszakosan rendezi vitáját]* leszámol vkvel; *biz* **run a ~ at a public house** hitelbe iszik (v. adóssága van) a kocsmában/italboltban; **run up a ~** adósságot csinál **c)** *szl [részesedés törvénytelen üzelmekből]* riszt, gerezd **8. a)** jel, jelzés, jelzet; *US* **go off at a ~** kezdettől jól indul *[startnál]*; minden (további) habozás nélkül nekifog vmnek; rögtön elveszti az önuralmát **b)** *műsz* vájat, horony, hornyolat, vápa *[csigán]*, dobkötélhorony **c)** *nyomd* gondolatjel, vonalacska **9.** *szl [esély sikerre, részvételre]* sansz, ziccer **10.** *szl [prostituált kliense]* fuvar **II. A.** *tsi* **1.** *sp ját* **a)** jegyez, nyilvántart, jelez *[eredményt/pontokat/poéneket]* **b)** nyer *[játékot, játszmát, pontot]*, szerez *[pontokat]*, gólt lő *[csapat]*, ütést csinál; **~ a direct hit** telibe talál; **~ a goal** gólt rúg; **~ no tricks** nem csinál ütést, nincs ütése *[kártyában]*; *biz* **~ a success/victory** győz, diadalt/győzelmet arat, sikere van, sikert ér el; **~ at sy's expense** más kárára/hátrányára előnyt szerez; **that's where he ~s** ezzel nyer; ebből adódik az előnye; ez az ő erős oldala **2. a)** beváj, bemetsz, felhorzsol, megkarcol, megsebez *[bőrt]*, metsz *[kikészített bőrt]*, (meg)vonalaz *[papírt]*, sávoz, csíkoz *[felületet]*, barázdál *[földet]* **b)** tollvonással/aláhúzással/vonalakkal megjelöl, aláhúz *[szót]* **c)** *US biz* leszid, megró, megdorgál (vkt), megmossa a fejét (vknek), megtámad *[vkt sajtóban]* **3. a)** *zene* hangjegyekkel leír, lekottáz *[dalt]* **b)** *zene* hangszerel *[zeneművet]* **c)** zenét szerez **4. a)** felró, felír, krétával/rovással feljegyez *[hitelbe adott bort táblára]* **b)** számít **5.** *szl [megszerez vmt]* újít, megcsíp, szervál **B.** *tni* **1.** számol **2.** *sp* nyer **3.** *szl* **a)** *[közösül (nővel)]* megdug, megkefél, lezsákol, levarr **b)** *[illegálisan szerez kábítószert]* • *mn* **scored**

score off *tsi* **~ sy off** letromfol vkt; lehord/elhallgattat vkt; megtorol (vkn) vmt; visszaadja a kölcsönt

score out *tsi* kihúz/áthúz/töröl egy szót

score under *tsi* aláhúz (vmt)

score up *tsi biz* **~ up a debt** felír/feljegyez adósságot; **~ up the drinks** felírja a hitelbe adott italt

scoreboard [ˈskɔːbɔːd ‖ ˈskɔrbɔrd] *fn sp* eredményhirdető/eredményjelző tábla

scoreless [skɔːləs ‖ skɔr–] *mn sp* **there was a ~ draw/match** az eredmény null-null (v. nulla-nulla), gól nélküli döntetlen

scoreline *fn sp* eredmény

scorepad *fn sp ját* kártyablokk, eredményeket felíró lap/blokk

scorer [ˈskɔːrə ‖ ˈskɔrər] *fn sp* **1.** pontozó, markőr, jegyzőkönyvvezető **2. ~ (of the goal)** góllövő

scoria [ˈskɔːrɪə] *fn tsz* **scoriae** [–riiː] **1.** *fémip* salak, piszok, pörk, reve **2.** *geol* **volcanic ~e** vulkáni salak, likacsos láva • *mn* **scoriaceous**

scorify [ˈskɔːrɪfaɪ] **A.** *tsi fémip* (el)salakosít, lesalakol **B.** *tni fémip* salakosodik, salakká válik • *fn* **scorification**

scoring [ˈskɔːrɪŋ] *fn* **1.** *sp* **a)** pontszám, pontozás, eredmény, gólszám **b)** pontszerzés **2.** *zene* **a)** hangjegyírás, lekottázás **b)** hangszerelés *[zeneműé]* **c)** hangosítás, hangosra átdolgozás, szonorizálás **d)** *film* hang és kép egyeztetése *[hangos filmen]* **3.** (fel)horzsolás, megkarcolás *[bőré]*, metszés *[kikészített bőré stb.]* rovátkolás, csíkozás *[felületé]* **4. a)** bevésés, berovás, hornyolás **b) ~ (up) of drinks** hitelbe adott ital felírása

scorn [skɔːn ‖ skɔrn] **I.** *fn* **1. a)** megvetés, lenézés, lekicsinylés **b)** kigúnyolás, gúnyolódás; **laugh a person to ~** kinevet vkt; **pour ~ on sy** kigúnyol vkt **2.** megvetés/gúny tárgya; **he is the ~ of his friends** barátai lenézik/megvetik **II.** *tsi* **1. a)** megvet, lenéz, lekicsinyel; **~ a piece of advice** lefitymál (v. semmibe vesz) tanácsot **b)** kigúnyol **2. ~ doing** (v. **to do**) **sg** méltóságán alulinak tart vmt megtenni • *fn* **scorner**

scorn off *tni* **~ sy off** kinéz (vkt vhonnan)

scornful [ˈskɔːnfl ‖ ˈskɔrn–] *mn* megvető, lenéző, gőgös, lekicsinylő, gúnyos *[pillantás, tekintet]*; **be ~ of sg** megvet/lenéz/lekicsinyel/kigúnyol vmt • *hsz* **scornfully**

Scorpio [ˈskɔːpiou ‖ ˈskɔr–] *fn* Skorpió *[jegy(ben született személy)]*

scorpion [ˈskɔːpɪən ‖ ˈskɔr–] *fn áll* skorpió

scorpion fly *fn áll* skorpiólégy

scorpion grass *növ* (vad)nefelejcs

scot [skɒt ‖ skɑt] *fn* **1.** *jog tört* (föld)adó, bírság **2.** *GB tört* **~ and lot** községi/egyházi adó; *biz* **pay (sy off) ~ and lot** (vknek) megfizeti minden tartozását **3. a)** vendéglői közös fogyasztás egy személyre eső része **b)** számla teljes összege; cech

Scot [skɒt ‖ skɑt] *fn* skót

Scotch [skɒtʃ ‖ skɑtʃ] **I.** *mn* **1.** *pej régi* skót, skóciai; **~ terrier** skót terrier **2. a)** *növ* **~ elm** hegyi szil; **~ pine** erdei fenyő; **~ shistle** szamárbogáncs **b)** *tex* **~ fingering** gyapjúfonal kötöttárukhoz **c) ~ tape** *főleg US* cellux, cellofán ragasztószalag **II.** *fn* **1.** skót nyelv(tudás) **2. the ~** a skótok **3. a) ~ (whisky)** *biz* skót whisky; *biz* **double ~** 4,7 cl skót whisky **b)** *biz* skót szövet

scotch[1] [skɒtʃ ‖ skɑtʃ] **I.** *fn* **1. a)** vágott felületi seb, bevágás, bemetszés **b)** rovátka **2.** határvonal *[ugróiskola játéknál]* **II.** *tsi* **1. a)** bevág **b)** *Sh* megsebesít, megkarcol, gyengén sebet üt **2.** akadályoz (vkt vmben), harcképtelenné/ártalmatlanná tesz **3.** elnyom (vkt)

scotch[2] [skɒtʃ ‖ skɑtʃ] **I.** *fn* (támasztó)ék, féksaru, fékpofa, féktuskó **II.** *tsi* kereket köt/befékez, felékel, alátámaszt, feltámaszt

Scotch-Irish *mn US* **1.** Észak-Írországban letelepült skótok leszármazottja **2.** skót és ír szülőktől származó

Scotchman [ˈskɒtʃmən ‖ ˈskɑtʃ–] *fn tsz* **-men** skót (férfi)

Scotchwoman [ˈskɒtʃwumən ‖ ˈskɑtʃ–] *fn tsz* **-women** skót nő

scot-free I. *mn* sértetlen, ép **II.** *hsz* sértetlenül, épen; **come off ~** szerencsésen kikerül a bajból; **get off ~** sértetlenül/szerencsésen/épségben elmenekül, baj nélkül kilából/kievickél; büntetlenül megússzik (vmt); **this cannot go ~** ezt nem lehet büntetlenül hagyni

Scoticism [ˈskɒtɪsɪzm ‖ ˈskɑ–] → **Scotticism**

Scotland [ˈskɒtlənd ‖ ˈskɑt–] *tul földr* Skócia

Scotland Yard *tul* ‹a londoni rendőrség (központi székháza)›

scotoma [skɒˈtoumə skəˈtoumə] *fn tsz* **scotomata** [–mətə] *orv* szigetszerű látótérkiesés, szkotóma

Scots [skɒts ‖ skɑts] → **Scottish**

Scotsman [ˈskɒtsmən ‖ ˈskɑts–] *fn tsz* **-men** skót (férfi)

Scotswoman [ˈskɒtswumən ‖ ˈskɑts–] *fn tsz* **-women** skót nő

Scott [skɒt ‖ skɑt] *tul* ‹férfinév›

scottice [ˈskɒtɪsi ‖ ˈskɑ–] *hsz* skót nyelvjárásban, skótosan, skótul

Scotticism [ˈskɒtɪsɪzm ‖ ˈskɑ–] *fn nyelv* skoticizmus, skót szólás (v. nyelvi sajátosság), skót szó

Scotticize [ˈskɒtɪsaɪz ‖ ˈskɑ–], **-ise A.** *tsi* (el)skótosít **B.** *tni* (el)skótosodik

Scottie *fn biz* **1. ~ (dog)** *áll* skót terrier **2.** skót (ember)

Scottish ['skɒtɪʃ || 'skɑtɪʃ] **I.** *mn* skót; ~ **national dress** skót nemzeti viselet; ~ **terrier** *áll* skót terrier **II.** *fn* **1.** skót nép; **the** ~ a skót nép, a skótok **2.** skót nyelv, nyelvjárás • *fn* **Scottishness**

scoundrel ['skaʊndrəl] *fn* csirkefogó, gazember, gazfickó, gézengúz, semmirekellő • *fn* **scoundrelism**

scour[1] ['skaʊə || –ər] **I.** *tsi* **1. a)** (fel)súrol, sikál, tisztít, kisúrol, ledörzsöl, tisztogat, mos **b)** *átv* megtisztít *[hírnevet]*; ~**ed the slur from his name** lemosta a becsületén esett foltot **2.** *orv régi* meghajt, kitisztít *[beleket]*, hashajtót ad *[betegnek]* **II.** *fn* **1. a)** *biz* (le)súrolás, (le)dörzsölés, lemosás, letisztítás, kitisztítás, tisztogatás **b)** *biz* súrolóanyag **2.** öblítés, kiürítés *[víztartályé, vízmedencéé]* **3.** *esz* **scours** *állatorv* hasmenés *[szarvasmarháé, disznóé]* • *fn* **scourer**

scour away *tsi* kidörzsöl, kivesz *[pecsétet ruhából stb.]*

scour off A. *tsi* kidörzsöl, kivesz *[pecsétet ruhából stb.]* **B.** *tni* elmenekül, elillan, elinal, meglóg

scour[2] **A.** *tsi* átkutat, felderít *[területet, terepet]*, bejár *[tengert, terepet]*; ~ **the streets for sy** átkutatja az utcákat vk után **B.** *tni* kutat, fürkészik (vm után)

scour about *tni* (összevissza) kutat/fürkész *[terepen, erdőben stb.]*

scour after *tni* ~ **after sy** üldözőbe vesz vkt, kutat vk után

scourge [skɜːdʒ || skɜrdʒ] **I.** *fn* **1. a)** ostor, korbács **b)** *Sh* büntetés **2.** csapás, veszedelem, megpróbáltatás **II.** *tsi* **1.** megostoroz, megbüntet, megkorbácsol, *átv* ostoroz **2.** sújt, sanyargat, elnyom *[népet stb.]* • *fn* **scourger**

scouring ['skaʊrɪŋ] *fn* **1.** (ki)tisztítás, lesúrolás, ledörzsölés, sikálás **2. a)** öblítés *[csatornáé stb.]* **b)** *orv régi* meghajtás, megtisztítás *[beleké]* **3.** *tsz* **scourings** hántolási hulladék

scouring powder *fn* súrolópor

scouring rush *fn növ* zsúrló

scouse [skaʊs] *biz* → **lobscouse**

Scouse [skaʊs] **I.** *fn GB biz* **1.** liverpooli nyelvjárás **2.** liverpooli (ember) **II.** *mn* liverpooli

scout[1] [skaʊt] **I.** *fn* **1.** *kat* **a)** felderítő járőr; *rep* ~ **(plane)** felderítő repülőgép; *hajó* ~ **(ship)** őrnaszád, felderítő cirkáló **b)** felderítés; **be on the** ~ járőrben van, járőrözik; felderítésen van (v. vesz részt) **2. (boy)** ~, **(girl)** ~ cserkész(fiú/lány); **S~ Association** Cserkészszövetség **3.** *US biz régi* **good** ~ derék/rendes ember/asszony **4.** *sp* → **fielder** 2. **5.** inas *[oxfordi kollégiumokban]* **II. A.** *tsi* felderít, megfigyel (vmt) **B.** *tni kat* felderítésre megy, terepszemlét tart • *fn* **scouter**

scout[2] [skaʊt] *tsi* fitymál, megvetéssel/gúnnyal elutasít *[javaslatot stb.]*

scouting ['skaʊtɪŋ] **I.** *mn kat* kémlelő, leselkedő, felderítő; ~ **party** járőr; ~ **plane** felderítő/megfigyelő repülőgép; ~ **vessel** felderítő hajó **II.** *fn* **1.** *kat* felderítés, felderítő szolgálat; **go off** ~ járőrbe (v. felderítő útra) megy **2.** cserkészet, cserkészkedés

Scoutmaster *fn* cserkészparancsnok, cserkésztiszt, (cserkész) őrsvezető

scow [skaʊ] *fn US hajó* **a)** lapos fenekű teherhajó/dereglye **b) (ferry)** ~ lapos vitorláskomp; uszály

scowl [skaʊl] **I.** *fn* komor/mogorva/fenyegető tekintet, összeráncolt homlok/szemöldök **II.** *tni* mogorván/morcosan néz, komor arcot vág, összeráncolja a homlokát/szemöldökét; ~ **at/on sy** haragosan/mogorván/fenyegetően néz vkre • *fn* **scowler**

scrabble ['skræbl] **I.** *fn* **1.** kaparás, kaparászás **2.** keresés, kutatás, matatás, kotorászás **3.** tülekedés (vmért) **4.** irkafirka **5.** betűkirakásos keresztrejtvény *[társasjáték]* **II. A.** *tsi* **1.** ~ **(out)** irkál, firkál **2.** kapar **B.** *tni* **1.** keres, kutat (vmt); ~ **about/at** összevissza keres/kutat/matat **2.** ~ **for a living** keservesen küszködik a megélhetésért

scrag [skræg] **I.** *fn* **1. a)** sovány/lesoványodott/csenevész ember/állat **b)** *biz* (sovány) nyak; **the** ~ **of the neck** tarkó **2.** ~ **and saddle** hátrész *[birkánál]* **II.** *tsi* **-gg- 1.** *szl [fojtogat]* kitekeri a nyakát (vknek) **2.** *szl [megver, elver, ütlegel]* megtép, megruház

scraggly ['skrægli] *mn főleg US* egyenetlen, durva, bütykös

scraggy ['skrægi] *mn* **1.** érdes, egyenetlen, durva *[felület]*, bütykös *[faág]* **2.** vézna, sovány, cingár, csenevész, girhes *[ember]* • *fn* **scragginess** *hsz* **scraggily**

scram [skræm] *tni* **-mm-** *biz* elsiet, ellóg, elinal, elfut, meglép; ~! hordd el magad! tűnj(ön) el!, ki innét!, lódulj!, mars!, húzz el innét!; **(let's)** ~ spuri!, futás!

scramble ['skræmbl] **I. A.** *tsi* **1.** habar *[tojást]*, rántottát készít; ~**d eggs** habart tojás; (tojás)rántotta **2.** összekever, összezagyvál **3.** *távk* kódol *[adást]* **4.** *kat* bevetésre megy, gyorsan felszáll *[vadászrepülőgép]* **B.** *tni* **1.** nehezen/fáradságosan/négykézláb megy/mászik (v. jut előre); ~ **through sg** négykézláb mászik át vmn; ~ **to one's feet** feltápászkodik **2.** ~ **for/at sg** tülekedik/tolong/küzd vmért, küszködik, hogy megkaparintson vmt **II.** *fn* **1.** (fáradságos) négykézláb menés/mászás *[nehéz terepen]* **2.** tülekedés, tolongás, küzdelem (vmért), *átv* pozícióharc; ~ **for money** hajsza pénz után **3.** *GB sp* motokrossz verseny **4.** *kat* felszállás, bevetés *[vadászgépé]*

scrambling ['skræmblɪŋ] *mn/fn* **do sg in** ~ **fashion** rendszertelenül/kapkodva végez el vmt

scran [skræn] *fn szl [étel, ennivaló]* kaja; **bad** ~ **to you!** vigye el az ördög!, menjen a fenébe; **out on the** ~ koldul, kéreget

scrap[1] [skræp] **I.** *fn* **1.** kis darab, darabka, (dirib)darab, szelet *[papír, kenyér]*, törmelék, letört rész *[porceláné]*, kivágott rész/darab *[papír, szövet]*; **a** ~ **of** morzsányi; ~**s of knowledge** felszínes képzettség, a tudás morzsái; **a little** ~ **of a man** öklömnyi ember, kis vakarcs, „babszemjankó"; ~ **of paper** papírszelet, papírdarab, cédula; **not a** ~ **of sg** semmi; **catch** ~**s of conversation** foszlányokat hall (v. kap el) a beszélgetésből; *biz* **it doesn't matter a** ~ ez nem lényeges, ez smafu **2.** *tsz* **scraps a)** maradék, morzsa *[ételé]*, hulladék *[gyárban]* **b)** hulladékvas **c)** ócskafém **II.** *tsi* **-pp- 1.** félredob, szemétre dob, kiselejtez, kimustrál *[autót, hajót]* **2.** *biz* elvet, sutba dob *[elméletet, tervet]*

scrap[2] [skræp] **I.** *fn biz szl [verekedés, dulakodás, hajbakapás]* bunyó, bruszt **II.** *tni* **-pp-** *szl [verekszik, dulakodik, veszekedik]* bunyózik, brusztol

scrapbook *fn* ‹ album újságkivágások beragasztására ›

scrape [skreɪp] **I. A.** *tsi* **1.** megkarcol, megkarmol, megvakar *[bőrt]*, megkarcol, felsért, ledörzsöl *[bőrt]* **2. a)** levakar, lekapar, ledörzsöl, letisztít *[falat]*, lecsiszol, leétet, lemarat *[fémet]*, lekapar, tisztít *[zöldséget]* **b)** vakarással letisztogat *[szobrot]*, lesöpör *[ételt tányérról]*, kikészít *[pergament]*, simít, csiszol *[lemezt]* **3.** nyikorogtat, csikorogtat; *biz* ~ **the fiddle** nyekereg/cincog a hegedűn, nyekergeti a hegedűt **4.** bókol, meghajol *[lábhajlítással]*, pukedlizik **5.** ~ **acquaintance with sy** sikerül ismeretséget kötnie, összeismerkedik (vkvel) **6.** takarékoskodik, kuporgat *[pénzt]*; ~ **and save** keservesen kuporgatja össze (a pénzt); *US* ~ **the barrel** (nagy nehezen) összeszed pénzt, az utolsó tartalékait szedi elő **B.** *tni* **1. a)** kapar, vakar, karcol, súrlódik (vmhez) **b)** nyikorog *[kerék]*, serceg *[toll]*, nyekereg, cincog *[hegedű]* **2.** súrolja vmnek a határát; ~ **clear of prison** közel járt a börtönhöz, majdnem becsukták; ~ **home** nagynehezen eléri a célját; éppen hogy sikerül neki **II.** *fn* **1. a)** kaparás, vakarás, karcolás; *biz* **a** ~ **of the pen** egy tollvonás; néhány odafirkantott szó; aláírás, kézjegy **b)** *biz* meghajlás, bók *[lábhajlítással]* **c)** *biz* vékony réteg *[vaj, gyümölcsíz stb. kenyéren]* **d)** nyekerg(et)és *[pl. hegedűé]* **2.** kaparék **3.** *biz* **a)** kellemetlenség, kellemetlen ügy/helyzet, slamasztika, zűrzavar; **now we are in a pretty** ~ jól nézünk ki, benne vagyunk a pácban; **get into a** ~ kellemetlen/kínos helyzetbe kerül; benne van a pácban/csávában/kutyaszorítóban; **get sy into a** ~ bajba (v. kellemetlen/kínos helyzetbe) hoz vkt **b)** ballépés

scrape along *tni biz* **1.** ~ **along the wall** súrolja a falat **2.** szegényesen (el)éldegél, (el)tengődik, valahogy megél; ~ **along on an inadequate income** elnyomorog kis jövedelmen **3.** ~ **along together** jól megértik egymást, jól kijönnek egymással

scrape away *tsi* **1.** levakar, lekapar, ledörzsöl, lecsiszol, leétet, lemarat *[fémet]* **2.** vakargat, kapargat, dörzsölget

scrape back *tsi GB* hátratűz *[hajat]*, kihúz a homlokból *[tincset]*

scrape down *tsi* levakar, lekapar, ledörzsöl

scrape off *tsi* lekapar, levakar, eltávolít

scrape through *tsi* áterőlködik, átverekszi magát (vmn), nagynehezen átjut/átcsúszik *[vizsgán]*

scrape together → **scrape up**

scrape up *tsi* összekapar, összeszed (keservesen)

scraper [ˈskreɪpə ‖ –ər] *fn* kaparó(eszköz), vakaró(eszköz), kaparókés, kaparóvas, simítókés, hornyolókés, *épít* simítókés, spachtli

scraperboard *fn műv nyomd* krétalemez

scrapheap *fn* **1.** ócskavashalom **2.** szemétdomb; **on the** ~ szemétdombra való

scrapings *fn tsz* **a)** faforgács, fémforgács, reszelék *[almáé, burgonyáé]*, ételmaradék, vakarék, kaparék, hulladék **b)** összekuporgatott pénz

scrap iron *fn* vashulladék, ócskavas

scrap metal *fn* fémhulladék

scrap paper *fn* **1.** firkapapír, piszkozatpapír **2.** papírhulladék

scrapper [ˈskræpə ‖ –ər] *fn US biz* **1.** rámenős ember **2.** ökölvívó, bokszoló

scrappy [ˈskræpi] *mn* **1.** szedett-vedett, különböző/eltérő dolgokból álló, rendszertelen, rendezetlen, összefüggéstelen, széteső *[stílus, beszéd]* **2.** ~ **education** hiányos nevelés/műveltség

scratch [skrætʃ] **I. A.** *tsi* **1. a)** (meg)karmol **b)** felkarcol, felhorzsol, felsért *[bőrt]* **c)** karcol *[üveget, gyémántot]*, rovátkol, barázdál *[felületet]* **2. a)** csiszol, levakar, lekapar *[fémet]*, megvakar *[viszkető bőrt]*; ~ **oneself** megvakarja magát; felhorzsolja a bőrét, megkarcolja magát; **(you)** ~ **my back and I'll** ~ **yours** kéz kezet mos *[vm nem egészen tiszta ügyben]* **b)** ~ **the surface** *átv* nem megy a dolgok mélyére **c)** firkál *[néhány sort]*, lefirkant *[aláírást]* **3.** kapargál, kapirgál *[tyúk]*, kapar/túr földet *[állat]* **4.** *sp* ~ **(the match/race)** nevezést visszavon, lemond (mérkőzést) **B.** *tni* **1.** kapar, karcol, serceg; *biz* ~ **for oneself** kihúzza/kivágja magát *[nehéz helyzetből]* **2.** *sp* törli a nevezők/indulók közül **3.** takarékoskodik **4.** *szl* bankjegyet hamisít **II.** *fn* **1. a)** karmolás **b)** karcolás, horzsolás **2. a)** vakarás, kaparás, vakaró(d)zás; **give one's head a** ~ megvakarja a fejét **b)** sercegés, zaj, zörej **c)** firkantás **3.** *sp* **a)** startvonal, rajtvonal, kiinduló vonal *[futó-, úszó-, lóversenyen]*; *átv biz* **bring sy up to the** ~ rávisz/rávesz vkt vmre/döntésre; előkészít vkt vizsgára; bepaukol vkt; *átv* **(come) up to (the)** ~ kiállja a próbát, megüti a mértéket; a helyzet magaslatán áll; *átv* **when it comes to the** ~ amikor majd helyt kell állni; amikor döntésre kerül a sor; *átv* **keep sy up to the** ~ hóna alá nyúl vknek, megsegít/támogat vkt; *biz* **from** ~ elejétől kezdve, semmiből; *biz* **start from** ~ **again** a semmiből kezdi újra **b)** visszalépés **c)** → **scratch man** **4.** *szl [pénz]* zsozsó, steksz, pénzmag **5.** *zene* ‹ hangeffektus rap-zenében › **6.** *US film* ideiglenes cím/elnevezés *[filmé]* • *fn* **scratcher**

scratch along *tni biz* eléldegél, eltengődik

scratch around *tni biz* keresgél, nézeget

scratch off *tsi* **1.** töröl, kihúz *[nevet listából/névjegyzékből]* **2.** *biz* ~ **off a few lines** lefirkant néhány sort

scratch out *tsi* **1.** töröl, kihúz *[szót, nevet]*, kivakar *[írást]* **2.** *biz* ~ **sy's eyes out** kikaparja vknek a szemét

scratch through → **scratch out 1**

scratch together *tsi biz* összekuporgat *[pénzt stb.]*

scratch up *tsi biz* összekuporgat *[pénzt stb.]*

scratch man *fn tsz* **-men** *sp* **a)** (tér)előny nélküli versenyző/játékos **b)** jó klasszisú versenyző/játékos

scratch pad *fn* **1.** *US* jegyzettömb, jegyzetblokk **2.** *infor* gyors munkaterület

scratch paper *fn US* firkapapír, piszkozatpapír

scratch player *sp* → **scratch man**

scratch team *fn* **1.** hirtelenjében összeállított csapat **2.** *US* gyenge/másodosztályú csapat

scratch video *fn média* videóklip

scratchy [ˈskrætʃi] *mn* **1. a)** kaparó, karcoló **b)** sercegő *[toll]* **2. a)** vakaródzó *[ember]* **b)** viszkető(s), karcoló, érdes *[anyag]* **3. a)** felületes, bizonytalan, vázlatos *[rajz, tudás stb.]* **b)** ~ **writing** ákombákom írás, macskakaparás **c)** összekapkodott **d)** *zene* ~ **performance** nem jól összetanult/begyakorolt előadás **4.** *biz* izgága, kellemetlenkedő, kiállhatatlan *[nő]*

scrawl [skrɔːl] **I.** *tsi/tni* **a)** firkál, kapar, csúnyán ír **b)** lefirkál, sebtiben megír *[levelet]* **II.** *fn* firkálás, sietve megírt levél, sietve odavetett néhány szó, macskakaparás, irkafirka • *mn* **scrawly**

scrawny [ˈskrɔːni] *mn* sovány, hosszú és vékony, cingár • *fn* **scrawniness**

scream [skriːm] **I.** *fn* **1. a)** visítás, sikoly, sikoltás **b)** ~**s of laughter** harsány nevetés, hahotázás **2.** *szl [mulatságos, nevettető ember* v. *dolog]* nagy szám, óriási vm/vk; **he is a** ~ rém jópofa; be kell tojni rajta; **a perfect** ~ irtó klassz; meg kell tőle pukkadni; **it was a** ~ óriási hecc volt **II. A.** *tsi* **1.** ~ **oneself hoarse** rekedtre ordítja magát; ~ **out one's lungs** kikiabálja/kiordítja a tüdejét **2.** ordítva énekel *[dalt]* **3.** *szl [kikotyog titkot, elárul cinkosokat]* köp; beköp **B.** *tni* **1.** visít, sikít, sikolt **2.** *biz* ~ **(with laughter)** harsányan nevet, hahotázik **3.** rikolt, rikít, vijjog, rikácsol *[madár]*, fütyül, sípol *[mozdony]*, csikorog *[fék]* **4.** *átv* ordít *[olyan nyilvánvaló]* • *mn/fn* **screaming**

screamer [ˈskriːmə ‖ –ər] *fn* **1.** visító/sikító/sikoltó ember **2.** *szl* **a)** borzalmas/hajmeresztő történet **b)** roppant mulatságos (v. szörnyen nevettető) történet **c)** → **stunner** **d)** *US Kan* szenzációs újságcím **e)** *US* felkiáltó jel **3.** *áll* **a)** rikoltó/vijjogó madár **b)** sarlós fecske

screamingly [ˈskriːmɪŋli] *hsz* **1.** nagyon; eszméletlenül, őrülten **2.** *átv* üvöltően, nyilvánvalóan

screaming-meemies *fn US szl [(idegi) kimerültségből fakadó idegroham/hisztéria]* hiszti, dili, rapli, ötperc

scree [skriː] *fn* **1.** kavics **2.** *geol* omladék, görgeteg, görgeléktalaj *[hegyekben]*, moréna

screech [skriːtʃ] **I.** *fn* **1.** sikoltás, visítás, rekedt kiáltás, rikoltás, rikácsolás **2.** *Kan szl [olcsó ital]* pia **II.** *tni* sikolt, visít, rekedten kiabál, rikolt, rikácsol

screech owl *fn áll* gyöngybagoly; *biz* kuvik

screed [skriːd] *fn* **1. a)** *biz [hosszúra nyújtott panaszkodó beszéd/szónoklat]* hosszú szósz **b)** hosszú lista **c)** terjengős levél/üzenet **2.** *épít* **(floating)** ~ iránylécj; gipszprofil; lehúzódeszka, lehúzólap *[csempézésnél, betonozásnál]*; vezetőcsatorna *[öntésnél]*

screen [skriːn] **I.** *fn* **1. a)** fényellenző, lámpaernyő **b)** *épít* válaszfal, közfal, védőfal, spanyolfal, szúnyogháló *[ablakon]* **c)** redőny, zsalu, (védő)rács, függöny, fátyol; *biz* **under the** ~ **of night** az éj leple alatt; **act as a** ~ **for a criminal** bűnöst fedez, falaz a gonosztevőnek; **put on a** ~ **of indifference** közömbösnek tetteti magát **d)** *sp* vívómaszk **e)** *gk* szélvédő **f)** ~ **of fighters** *kat* vadászgépfüggöny, vadászgépvédelem **2.** *fényk* szűrő, raszter **3.** *film* vetítővászon, mozivászon; **the** ~ filmszakma, filmipar; **put a play on the** ~ színdarabot megfilmesít, filmre átdolgoz/alkalmaz; **on the** ~ filmen; **show a film on the** ~ filmet vetít/előad **4. a)** *el* (árnyékoló)ernyő, árnyékolórács **b)** *távk média* képernyő **5.** szűrés *[betegségé stb.]* **6.** *bány* rosta, szita, rostély **II.** *tsi* **1. a)** ellenzővel ellát, ernyőz, árnyékol, elfed, elfog *[kilátást]* **b)** leplez, fedez *[bűnöst]*, falaz *[bűnösnek]*, *kat* álcáz, elrejt; ~ **oneself behind sy** vk mögé bújik, elbújik vk mögé; ~ **sg from view** szem elől elfed/elrejt vmt; ~ **sy's faults** leplezi vk hibáit **c)** védelmez, oltalmaz, védelmébe vesz, védelmet/oltalmat/menedéket nyújt (vknek), óv, fedez; *biz* ~ **sy from suspicion** eltereli a gyanút vkről **2.** *film* **a)** filmre átdolgoz, megfilmesít **b)** tévében ad **c)** vetít **3.** *pol* átvilágít, (le)káderez, politikai előéletet ellenőriz (vkét) **4.** szűr *[betegséget]* **5.** rostál *[kavicsot, szenet, gabonaszemet]*, szitál *[homokot]*, osztályoz *[szenet]* • *fn* **screener**, **screening** *mn* **screenable**

screen off *tsi* **1.** ~ **off a corner of the room** szoba egy sarkát spanyolfallal eltakarja **2. a)** elbújtat **b)** elkülönít *[ragályos beteget]*

screen actor *fn film* filmszínész

screened [skri:nd] *mn* **1. a)** árnyékolt; ~ **window** rácsos/redőnyös/zsalus/zsalugáteres ablak **b)** rejtett, takart; ~ **temperature** hőmérséklet árnyékban **c)** védett, oltalmazott **2.** rostált, szitált, osztályozott *[szén]*

screenings *fn tsz* rostaalja, rostán áthullott anyag, rostalerakódás, szitalerakódás

screenplay *fn* forgatókönyv; ~ **by** a forgatókönyvet írta

screen printing *fn nyomd tex* szitanyomás, filmnyomás; keretnyomás • *tsi/fn* **screen print**

screen saver *fn infor* képernyővédő

screen test *fn film* meghallgatás, próbafelvétel

screenwriter *fn film* szövegkönyvíró • *fn* **screenwriting**

screw [skru:] **I.** *fn* **1. a)** *műsz* csavar, sróf; **perpetual** ~ végtelen csavar; **external/male** ~ csavarorsó; **interrupted** ~ megszakított menetű csavar; **milled-edge** ~ recésfejű (v. recézett szélű) csavar **b)** *biz* **have a** ~ **loose** egy kerékkel többje/kevesebbje van; valami nincs rendben; ütődött (ember) **c)** *biz* álkulcs, tolvajkulcs, sperhakni **d)** *tsz* **screws** *tört* hüvelykszorító *[kínzóeszköz]*; *átv biz* **put the ~s on** kényszerít, erőszakot alkalmaz **2. a)** *hajó* hajtócsavar, propeller **b)** *rep* légcsavar **3. a)** (be)csavarás *[csavaré]*, besrófolás; **give it another** ~ még egyet csavar/húz rajta **b)** *GB sp* nyesett/csavart labda *[teniszben]*, pörgetett/csavart/falsolt golyó *[biliárdban]*; **put (a)** ~ **on the ball** csavarja/nyesi a labdát; falsot ad a golyónak **4.** *GB* **a)** papírzacskó, papírtölcsér *[cukorkának, dohánynak]* **b)** papírba csavart cukorka **5.** *GB szl [zsugori]* krajcároskodó (ember) **6.** *GB szl [fizetés, bér, illetmény, járandóság]* fizu, gázsi **7.** *Ausz szl* **have/take a** ~ **at sg** *[alaposan, jól megnéz vmt]* stíröl, gájerol **8.** *GB biz* (rossz) gebe **9.** *szl [börtönőr]* smasszer, slissz, bakter **10.** *durva szl [közösülés]* baszás, tekerés **11.** *szl [prostituált]* kuruc, ribanc **II. A.** *tsi* **1. a)** (be)csavar, (be)srófol **b)** csavarral odaerősít/rögzít/megszorít/összenyom, csavarral odaerősít **c)** fordít *[csavart, vízvezetékcsapot stb.]* **2. a)** meghúz, megszorít **b)** grimaszol, fintort vág; ~ **one's face into a smile** mosolyt erőltet arcára **c)** ~ **sy's neck** vknek kitekeri a nyakát **d)** szorongat, sanyargat, elnyom **e)** *GB sp* pörget, falsot ad *[golyónak biliárdban]*, pörget, nyes *[labdát teniszben]* **3.** *műsz* csavarmenetet vág (vmbe) **4.** *Ausz biz* néz, figyel, szemmel tart vmt **5.** *durva szl [közösül]* baszik, megbasz; **go and** ~ **yourself!** elleffess!, baszódj meg! **B.** *tni* **1.** csavarodik, forog, fordul *[csap stb.]* **2.** *sp* pörög, viszszapattan, falsot kap *[labda]* **3.** *biz* takarékoskodik, fukarkodik, krajcároskodik • *fn* **screwer** *mn* **screwable**

screw around *tni szl* **1.** *[partnereit nem megválogatva közösül]* fűvel-fával kefél/baszik **2.** *[bolondozik]* bohóckodik, hülyéskedik, marháskodik **3.** *[piszmog, vacakol]* baszakodik, tökölődik, szarozik

screw back *tni sp* **1.** meghúz, visszahúz *[biliárdban]* **2.** visszagurul *[biliárdgolyó]*; → **screw-back**

screw off *tsi* lecsavar, kicsavar

screw on *tsi* rácsavar, becsavar, csavarral ráerősít; *biz* **his head is ~ed on the right way** helyén van a feje (v. az esze)

screw out *tsi* **1.** kicsavar *[csavart]*, kinyit *[csapot]* **2.** kiprésel, kifacsar, kicsal (vmt vktől); ~ **money out of sy** pénzt csikar ki vktől; ~ **the truth out of sy** kiveszi/kiszedi vkből az igazságot

screw up A. *tsi* **1.** csavarral felerősít/ráerősít/rögzít **2.** felcsavar, becsavar *[hajat]*, összecsavar, összesodor *[papírt]*, csavargat *[zsebkendőt idegességből]*; ~ **up one's eyes** összehúzza a szemét; ~ **up one's face/mouth** elfintorítja az arcát; ~ **up one's lips** összeszorítja az ajkát; ~ **sg up in a piece of paper** vmt becsavar egy darab papírba **3.** *biz* **a)** ~ **up one's courage** összeszedi a bátorságát **b)** ~ **up the rents** felemeli/felsrófolja a lakbéreket **c) the staff needs ~ing up** szorosabban kell fogni (v. jobban kézben kell tartani) a személyzetet **4.** *szl [elront, tönkretesz]* eltol, elcsesz, elbaszik **B.** *tni szl [hibázik]* baklövést követ el, nagy hülyeséget csinál

screw-back *fn sp* visszahúzás; → **screw back**

screwball *fn/mn* **1.** *US Kan szl [fantaszta, rögeszmés ember]* dili(s), flúg **2. a)** nevetségesen fantasztikus dolog **b)** furcsaság, excentrikus dolog **3.** *esz* **screwballs** *szl [zsugori ember]* szarevő, faszari **4.** *sp* csavart labda *[baseballban]*

screw bolt *fn műsz* menetes csap

screw cap *fn* csavaros fedél

screw compass *fn* osztókörző, csavaros körző

screwdriver *fn* **1.** *műsz* csavarhúzó **2.** *gaszt* ‹koktél vodkából és narancsléből jégkockákkal›

screwed [skru:d] *mn* **1.** csavart, csavaros, csavarmenetes **2.** *szl [részeg]* spicces, beszívott, elázott **3.** *szl* tehetetlenségre van kárhoztatva, nem tud mit csinálni *mind stand*; **we're** ~ meg vagyunk lőve

screw eye *fn műsz* gyűrűs-/fülescsavar

screw-jack *fn gk* csavaremelő

screw nail *fn műsz* (közönséges) facsavar, csavarszeg

screw nut *fn műsz* csavaranya

screw-plug *fn műsz* csavardugó, zárócsavar, *vill* menetes dugó, menetes csap *[fából]*

screw-propeller *fn* **a)** *hajó* hajócsavar, hajtócsavar, propeller **b)** *rep* légcsavar

screw ring *fn műsz* gyűrűscsavar

screwsman *fn tsz* **-men** *szl [tolvaj, betörő]* surranó, olajos

screw spanner *fn műsz* csavarkulcs

screw-stairs *fn tsz* csigalépcső

screw-tap *fn műsz* anyacsavarfúró, menetfúró

screw thread *fn műsz* csavarmenet

screw top *mn* csavaros fedél

screw wrench *fn műsz* csavarkulcs, csavarszorító

screwy ['skru:i] *mn US biz* bolond(os), félbolond, félnótás, excentrikus, fantasztikus • *fn* **screwiness**

scribble ['skrɪbl] **I.** *tsi* **1.** firkál, irkál, rendetlenül ír **2. a)** papírt telefirkál, odaken, lefirkant *[pár sort]* **b)** *pej* irkál, irogat *[irodalmi művet/újságot]* **II.** *fn* **1.** firkálás, macskakaparás **2.** *biz* levélke, pár sor • *fn* **scribbler** *mn* **scribbly**

scribble-scrabble I. *hsz tréf* firkálva **II.** *fn tréf* **1.** irkafirka, firkálás, firkálmány **2.** firkász **III.** *tsi/tni tréf átv* irkafirkál, körmöl

scribe [skraɪb] **I.** *fn* **1.** *műsz* rajz(oló)tű, irdaló(tű), karcolótű, kihúzótoll **2.** *tört* írástudó, írnok, (író)deák, író; kódexmásoló **3.** *tört vall* teológus; *bibl* írástudó **4.** *US biz* újságíró, publicista **II.** *tsi* **1.** (meg)vonalaz, berajzol, előrajzol, megjelöl *[tervrajzban]* **2.** fába vés • *mn* **scribal**

scribe-awl *fn műsz* → **scribe** I., 1.

scriber ['skraɪbə ‖ –ər] *fn* → **scribe** I., 1.

scrim [skrɪm] *fn tex* **a)** bélésvászon, béléssövet, vászonbevonat **b)** vékony/átlátszó merevítővászon

scrimmage ['skrɪmɪdʒ] **I.** *fn* **1.** összecsapás, viaskodás, dulakodás, csetepaté, kavarodás **2.** *US sp* kétkapus edzés **3.** *US sp* ‹a labda játékba hozása minden "down" után (amerikai futballban)› **II. A.** *tsi* **1.** *US sp* kétkapus edzést tart **2.** *US sp* ‹játékba hozza a labdát "down" után (amerikai futballban)› **B.** *tni* összecsap, viaskodik, dulakodik (vkvel)

scrimshank ['skrɪmʃæŋk] *tni GB kat szl* **1.** *[kihúzza magát munka* v. *szolgálat alól]* lóg, bliccel *[katona]* **2.** színlel, tettet, szimulál *[betegséget]* • *fn* **scrimshanker**

S

scrimshaw ['skrɪmʃɔː] **I.** *fn* apró fafaragvány/csontfaragvány, kagylókból/elefántcsontból készült emléktárgy *[matrózok készítik útjaik alatt]* **II.** *tsi* farag *[elefántcsontot, kagylót]*, fest *[kagylót]*

scrip [skrɪp] *fn* **1.** cédula **2.** *pénz* ~ **(certificate)** tört részvény, ideiglenes részvény; részletbefizetés-elismervény **3.** *biz* értékpapír, részvény

scripholder *fn pénz* részvényjegy/részvényutalvány (v. ideiglenes részvény) birtokosa

script [skrɪpt] **I.** *fn* **1. a)** kézirat **b)** szöveg *[rádióelőadásé]* **c)** *film* szövegkönyv, forgatókönyv **2. a)** *okt* írásbeli, vizsgadolgozat **b)** *jog* eredeti okmány/okirat **3. a)** kézírás **b)** írás(rendszer) **4.** *szl* ‹kábítószerre szóló recept› **II.** *tsi* filmre/rádióra átír/alkalmaz

scripter ['skrɪptə ‖ –ər] *fn film* szövegíró

scriptorium [ˌskrɪp'tɔːrɪəm] *fn tsz* **scriptoriums, scriptoria** [–rɪə] írószoba, másolóhelyiség *[kolostorban]*, szerkesztőségi szoba, dolgozószoba *[szerkesztőségben stb.]* • *mn* **scriptorial**

scriptural ['skrɪptʃərəl] *mn* szentírási, bibliai, szentírásra/bibliára vonatkozó • *hsz* **scripturally**

scripture ['skrɪptʃə ‖ –ər] *fn vall* szent könyv(ek); **Holy S~, the S~s** szentírás, Biblia

scriptwriter *fn* szövegkönyvíró, filmíró

scrivener ['skrɪvn·ə ‖ –ər] *fn régi* **1. a)** írnok, (író)deák, tollnok, másoló, falusi íródeák **b)** jegyző, nótárius **c)** írnok, tintanyaló **2.** pénzváltó, pénzkölcsönző, magánbankár, ügynök, alkusz

scrod [skrɒd ‖ skrɑd] *fn US* hasított tőkehal

scrofula ['skrɒfjʊlə ‖ 'skrɑfjələ] *fn orv* skrofula, (nyaki) nyirokcsomó tuberkolózis • *mn* **scrofulous**

scroll [skroʊl] **I.** *fn* **1.** kézirattekercs, papírtekercs, pergamentekercs **2. a)** *műv* feliratos szalag, feliratszalag **b)** *cím* jelmondat *[lebegő szalagon]* **3. a)** *épít* csigavonalas szalagékítmény, indadísz, voluta **b)** kacskaringó, cikornya *[kézírásban]* **II. A.** *tsi* **1.** összetekercsel, összecsavar *[papírt]* **2.** cikornyáz *[kézírást]*, csigavonalakkal ékít *[feliratot]* **3.** *infor* (fel/le) mozgat *[képet monitoron]*, görget **B.** *tni* összetekeredik, összecsavarodik *[papír]*

scroll bar *fn infor* görgetősáv

scrolled [skroʊld] *mn* **1.** tekercs alakú **2.** összetekert, összetekercselt **3.** volutákkal/csigavonalakkal díszített **4.** becsavart, begöndörített, loknis *[haj]*

scroll saw *fn műsz* kanyarító-/ívelő-/homorítófűrész, lombfűrész

scroll title *fn film* folyamatos filmfelirat

scroop [skruːp] **I.** *fn biz* nyikorgás *[ajtóé]*, csikorgás *[záré]*, suhogás *[selyemé]* **II.** *tni biz* nyikorog *[ajtó]*, csikorog, csikordul *[zár]*, suhog *[selyem]*

scrotum ['skroʊtəm] *fn tsz* **scrotums, scrota** [–tə] *orv* herezacskó • *mn* **scrotal**

scrounge [skraʊndʒ] **I. A.** *tsi* elcsen, ellop; elsikkaszt, szerez, harácsol, happol, elcsakliz *szl*, *[beszerez]* faszol *szl* **B.** *tni* **1.** ~ **around for sg** meg akar magának kaparintani vmt; összevissza kutat vm után **2.** potyázik; *US* ~ **on sy** vknek a nyakán él, élősködik vkn **II.** *fn* **be on the** ~ *GB* elcsen, összelopkod; potyázik

scrounger [skraʊndʒə ‖ –ər] *fn biz* **a)** tolvaj, sikkasztó, harácsoló **b)** élősködő, potyázó

scrub[1] [skrʌb] **I. -bb- A.** *tsi* **1.** sikál, (meg)súrol *[konyhaedényt, padlót]* **2.** *vegy* mos, (meg)tisztít *[gázt]*, kimos *[mellékterméket]* **3.** *biz* elvet, sutba dob *[elméletet, tervet]* **B.** *tni* **1.** mos, sikál **2.** *orv* bemosakszik *[műtéthez]* **3.** *gk* kopik *[autógumi]* **II.** *fn* **1.** kefélés, sikálás, súrolás; **give the table a good** ~ jól lesikálja az asztalt **2.** bőrradír; **facial** ~ arcradír

scrub off *tsi gk* radíroz *[autógumit]*

scrub[2] [skrʌb] *fn* **1. a)** cserje, alacsony növésű fa **b)** cserjés, (ős)bozót, sűrű bozótos vidék **2.** *esz* **scrubs a)** *mezőg* parlagi (v. kis növésű) *[szarvasmarha]*; *US* másodrendű vágómarha **b)** *biz* csenevész/satnya ember, kis tökmag, porbafingó alak, jelentéktelen külsejű ember **3.** *US sp biz* **a)** ‹játékos, aki nem tagja az első csapatnak› **b)** → **scrub team** • *mn* **scrubby**

scrubber ['skrʌbə ‖ –ər] *fn* **1.** súroló, sikáló **2. a)** *vegy* tisztítókészülék, tisztítóberendezés, mosópalack **b)** *ip* gáztisztító/gázmosó berendezés **3.** *GB szl pej [elhanyagolt külsejű prostituált]* ribanc, lotyó, repedtsarkú

scrubbing brush *fn* sikálókefe, súrolókefe, fényesítőkefe

scrub-brush *US* → **scrubbing brush**

scrub team *fn US sp* a második csapat, tartalék(csapat)

scruff[1] [skrʌf] *fn* tarkóbőr; **take by the** ~ **of the neck** tarkón ragad

scruff[2] *fn GB biz* ápolatlan ember

scruffy ['skrʌfi] *mn biz* **a)** ápolatlan, koszos; retkes **b)** rossz külsejű, rosszul öltözött; szakadt

scrum [skrʌm] **I. 1.** *sp* ‹labda bedobása a szembenálló játékosok közé (rögbiben)› **2.** *GB biz [tömeg]* csürhe **II.** *tni* **1.** *sp* ~ **(down)** bedobja a labdát *[rögbiben]* **2.** *biz* tolong, tolakodik

scrumcap ['skrʌmkæp] *fn sp* fejvédő *[rögbiben]*

scrummage ['skrʌmɪdʒ] *fn sp* ‹labda bedobása a szembenálló játékosok közé rögbiben›; → **scrimmage** • *fn* **scrummager**

scrumple ['skrʌmpl] *GB* → **crumple**

scrumptious ['skrʌmpʃəs] *mn biz* **1.** finom, ízletes **2.** remek, pompás, klassz • *fn* **scrumptiousness** *hsz* **scrumptiously**

scrunch ['skrʌntʃ] **I. A.** *tsi* **1.** ~ **(up)** szétmorzsol (vmt) **2.** csikorgat *[fogakat]*, ropogtat, szétrág (vmt) **3.** borzol *[hajat]* **B.** *tni* reccsen, ropog, csikorog **II.** *fn* **1.** recsegés, reccsenés **2.** ropogtatás, fogcsikorgatás

scrunchy ['skrʌntʃi] *fn* hajgumi

scruple[1] ['skruːpl] *fn régi* **1.** skrupulus *[patikamérték = 0,6 gramm]* **2.** *biz* szemernyi, parányi mennyiség (vmből)

scruple[2] ['skruːpl] **I.** *fn* kétely, kételkedés, kétség, aggály, habozás, lelkiismeretfurdalás, skrupulus; **have ~s about (doing) sg make** ~ **to do sg** (lelkiismereti) aggályai/skrupulusai vannak vm miatt, lelkiismereti kérdést csinál vmből; habozik vmt megtenni **II.** *tsi/tni* ~ **to do sg** (i) aggályai/gátlásai/lelkiismeretfurdalásai vannak vm megtételével kapcsolatban, lelkiismereti kérdést csinál vmből (ii) habozik vmt tenni

scrupulous ['skruːpjʊləs] *mn* **1.** aggályoskodó, (túlzottan/kínosan) lelkiismeretes, kötelességtudó **2.** lelkiismeretes, (kínosan) pontos, aprólékosságig menően gondos • *fn* **scrupulosity, scrupulousness**

scrupulously ['skruːpjʊləsli] *hsz* **1.** aggályoskodva **2.** lelkiismeretesen, pontosan, aprólékosan

scrutineer [ˌskruːtɪ'nɪə ‖ –tn'ɪr] *fn* **1.** *főleg GB pol* szavazatszedő **2.** kutató/fürkésző ember

scrutinize ['skruːtɪnaɪz ‖ –tn·aɪz], **-ise** *tsi* kutat, fürkész, kémlel, alaposan/tüzetesen megvizsgál • *fn* **scrutinization, scrutinizer**

scrutiny ['skruːtɪni ‖ –tn·i] *fn* **a)** kutatás, fürkészés, tüzetes/alapos megvizsgálás **b)** *pol* szavazócédulák megvizsgálása *[kifogásolt választási eredménynél]* **c)** *pol* **demand a** ~ választási eredményt kifogásol, megóv

scry [skraɪ] *tni* jósol *[kristálygömbből]*

scuba ['skjuːbə ‖ 'skuːbə] *fn* oxigénpalackos (sport)búvárfelszerelés, könnyűbúvár-felszerelés

scuba diver *fn sp* könnyűbúvár • *fn* **scuba diving**

scud [skʌd] **I.** *tni* **-dd- 1.** gyorsan/szélsebesen fut, rohan, száguld **2.** *hajó* vihar elől menekül **3.** kavarog *[felhő]* **II.** *fn* **1.** rohanás, gyors menekülés, futás **2. a)** száguldó felhő, szétszakadozó záporfelhő **b)** szélroham, széllökés **3. S~** *kat* scud-rakéta

scuff [skʌf] **I.** *fn* papucs, házicipő **II. A.** *tsi* **1.** lehorzsol, elkoptat; ~ **one's feet** csoszog **2.** ~ **up the dust** felveri a port *[lépteivel]* **3.** kefél, fényesít *[padlót/parkettát]* **B.** *tni* csoszog(va jár)

S

scuffle ['skʌfl] **I.** *tni* **1.** dulakodik, verekszik, viaskodik, tülekedik **2.** ~ **through a task** nagy nehezen elvégez egy feladatot; megbirkózik egy feladattal **3. a)** csoszog **b)** lábbal dobbant **II.** *fn* dulakodás, (tömeg)verekedés, viaskodás, tülekedés, csetepaté

sculduggery [skʌl'dʌdʒəri] → **skulduggery**

scull [skʌl] **I.** *fn* **1.** *sp* **a)** pároslapát, scull-lapát, párevező, rövid szárú evező **b)** *biz* evező(lapát) **c) single** ~ egypárevezős (hajó), egyes; **double** ~ kétpárevezős (hajó), kettes **2.** farevező, kormányevező **3.** *esz* **sculls** *sp* egypárevezős verseny **II. A.** *tsi* ~ **a boat** párevezővel evez (csónakban); farevezővel hajtja a csónakot; evez **B.** *tni* **a)** párevezővel evez **b)** farevezővel evez **c)** *biz* evez

sculler ['skʌlə ‖ –ər] *fn* **1. a)** párosevezős **b)** farevezős, kormányevezős **2.** párevezős, kétevezős (csónak) **3.** *biz* evezős, révész, csónakos

scullery ['skʌləri] *fn* mosogatófülke, mosogatókonyha

scullion ['skʌlıən] *fn régi* kis kukta, mosogatófiú

sculp [skʌlp] *biz* → **sculpture II.**

sculpt [skʌlpt] *tsi* → **sculpture II.**

sculptor ['skʌlptə ‖ –ər] *fn* szobrász

sculptress ['skʌlptrıs] *fn* szobrásznő

sculptural ['skʌlptʃərəl] *mn* **1.** szobrászi, szobrászati, plasztikus; **the** ~ **arts** szobrászat, szobrászművészet **2.** ~ **beauty** szoborszerű/plasztikus szépség • *hsz* **sculpturally**

sculpture ['skʌlptʃə ‖ –ər] **I.** *fn* **1.** szobor **2.** szobrászat **3.** domborrajzolat *[kagylón]* **II.** *tsi* **1.** farag *[szobrot, követ]*, szobrászmunkát végez **2.** szobrászmunkával díszít *[homlokzatot stb.]*

sculpturesque [ˌskʌlptʃə'resk] *mn* szobrászi, szobrász vésőjére méltó, plasztikus *[szépség]*

scum [skʌm] **I.** *fn* **1. a)** hab, tajték **b)** *fémip* salakhab, vashab **2.** *biz* szemét, söpredék; **the** ~ **of society** a társadalom salakja/alja/szemete/söpredéke, a társadalom söpredéke **3.** *szl [ondó]* geci, genyó **4.** *szl [ellenszenves ember]* geci, genyó **II. -mm- A.** *tsi* → **skim I.1. B.** *tni* tajtékzik, habzik, tajték/hab képződik • *mn* **scummy**

scumbag ['skʌmbæg] *fn durva szl [ellenszenves ember]* szemét alak; geciláda

scumble ['skʌmbl] **I.** *fn műv* **1.** lazúrfesték, áttetsző festék **2.** világos átfestés, színtompítás **II.** *tsi műv* **1.** lágyítófestékkel átfest/letompít *[hátteret, eget]* **2.** finoman árnyal, satíroz

scuncheon ['skʌntʃn] *fn épít* sarokidom

scunge [skʌndʒ] *fn Ausz ÚjZ biz* **1.** szemét, mocsok, kosz **2.** szemét/mocsok alak • *mn* **scungy**

scunner ['skʌnə ‖ –ər] **I. A.** *tsi skót* vm ellenszenvessé lesz, vm ellenszenvet kelt (vkben) **B.** *tni skót* ~ **at sg** (meg)undorodik vmtől **II.** *fn skót* ellenszenv; **take a** ~ **against/at sg** megundorodik vmtől

scupper ['skʌpə ‖ –ər] **I.** *fn hajó* fedélzeti vízlefolyó nyílás, hajófalnyílás víz leeresztésére, vízkieresztő rés, *épít* hézag, padlónyílás **II.** *tsi GB* **1. a)** *hajó szl* elsüllyeszt, megfúr, léket ejt *[hajón]* **b)** *átv* megfúr, megbuktat *[tervet stb.]* **2.** *szl* **a)** *GB kat* lemészárol **b)** elront

scurf [skɜ:f ‖ skɜrf] *fn* **1. a)** korpa, hámpikkely *[fejbőrön]* **b)** hámlás *[bőrön]* **c)** *orv* pörk, var **d)** ótvar **2.** *átv szl [koszos, közönséges ember]* alj, söpredék, szemét • *mn* **scurfy**

scurrilous ['skʌrıləs ‖ 'skɜrı–] *mn* **1.** ordenáré módon viselkedő **2.** trágár, mocskos, ocsmány, goromba, sértő *[beszéd]* • *fn* **scurrility** *hsz* **scurrilously**

scurry ['skʌri ‖ 'skɜri] **I.** *tni* siet, rohan; ~ **through one's work** gyorsan/sebtiben elvégzi a munkáját; ~ **towards** tülekedik *[vm felé]* **II.** *fn* **1.** sietség, rohanás **2. a)** forgószél, homokforgatag **b)** rövid hirtelen hóvihar **3.** kavargás *[költöző madaraké]*

scurvied ['skɜ:vid ‖ 'skɜr–] *mn* **1.** *orv* skorbutos **2.** *régi* aljas, hitvány, közönséges, vacak

scurvy ['skɜ:vi ‖ 'skɜrvi] **I.** *fn orv* skorbut **II.** *mn régi* aljas, alávaló, hitvány *[ember, viselkedés]*, cudar *[világ]*

scut [skʌt] *fn* kis farok *[nyúlé, őzé stb.]*, nyúlfarkinca

scutage ['skju:tıdʒ] *fn tört* ‹hűbérúr fizetsége katonai szolgálatért›

scutch[1] [skʌtʃ] *tsi tex* (meg)tilol *[lent, kendert]* • *fn* **scutcher**

scutch[2] [skʌtʃ] *fn növ* tarack(búza)

scutcheon ['skʌtʃn] *fn* **1.** névtábla **2.** kulcslyukpajzs; zárfedő lemez, zárcím; → **escutcheon**

scute [skju:t] *fn áll* pikkely, pajzs, kagylóhéj, teknő *[teknősbékáé]*

scutellum [skju:'teləm] *fn tsz* **scutella** [–lə] *tud* kis pikkely/pajzs, pajzsocska • *mn* **scutellate**

scutter ['skʌtə ‖ –ər] *táj* → **scamper**[1]

scuttle[1] ['skʌtl] *fn* **1.** szeneskanna, szenesvödör **2.** *gk* ‹karosszéria része›

scuttle[2] ['skʌtl] **I.** *tni* **a)** elsiet, elfut, elrohan, gyorsan elmenekül **b)** *pol biz* visszavonul, lemond *[mandátumról]*, elpártol **II.** *fn* sietség, sietés, (el)futás, (el)rohanás, gyors menekülés, futólépés; *pol biz* **policy of** ~ árulás; visszavonulás politikája

scuttle[3] ['skʌtl] **I.** *fn* **1.** *hajó* **a)** fedéllel zárható nyílás *[hajótesten]*, fedélzeti lejáró, rakodónyílás **b)** hajóablak, ökörszemablak **2.** *US* tetőablak, csapóajtó, tetőkibúvó **II. 1.** *tsi hajó* meglékel, megfúr, elsüllyeszt *[hajót]* **2.** felad *[reményt, terveket]*

scuttlebutt ['skʌtlbʌt] *fn* **1.** *hajó* ivóvíztartály **2.** *US szl [pletyka, mendemonda, ellenőrizhetetlen hír]* kacsa, zuhanyhírek

scutum ['skju:təm] *fn tsz* **scuta** [–tə] **1.** *áll* pajzs, páncél, teknő, pikkely **2.** → **scute** • *mn* **scutal**

scuzz [skʌz] *fn US szl* **1.** *[piszok, szenny]* trutyi, trutymó, getva, dzsuva **2.** *[piszkos* v. *ellenszenves alak]* szemét, mocsok, genny alak

scuzzy ['skʌzi] *mn szl [undorító]* gennyes

Scylla ['sılə] *tul* Szkülla; *átv* **between** ~ **and Charybdis** Szkülla és Kharübdisz között

scythe [saıð] **I.** *fn* kasza, sarló **II.** *tsi* kaszál

Scythia ['sıðıə ‖ 'sıθ–] *tul földr* Szkítia

Scythian ['sıðıən ‖ 'sıθ–] *mn/fn* szkíta, szittya

SCSI *röv infor small computer systems interface* ‹kis számítógéprendszerek csatlakozási szabványa› SCSI-felület

SDI *röv* **1.** *US pol Strategic Defence/Defense Initiative* stratégiai védelmi kezdeményezés **2.** *selective dissemination of information* szelektív információterjesztés, témafigyelés

SDP *röv Social Democratic Party*

SE *röv* **1.** *southeast* **2.** *southeastern* **3.** *stock exchange*

sea [si:] *fn* **1.** tenger, óceán; **enclosed/inland** ~ beltenger; **the four** ~**s** a Nagy-Britanniát körülvevő tengerek; **high** ~**(s)** nyílt tenger; **narrow** ~ tengerszoros; **open** ~ nyílt tenger; **in the open** ~ a nyílt tengeren; **the seven** ~**s** a tengerek (és óceánok), a világ minden tengere; **beyond/over the** ~ a tengeren túl; **at/by/on** ~ tengeren, tengeri úton *[hajón]*; **by/on the** ~ a tenger mellett/partján; **by/on land and** ~ szárazon és vízen; **be in British** ~**s** brit vizeken van; **go to** ~, **follow the** ~, **take to the** ~ tengerésznek megy; **go/put/stand out to** ~ tengerre kel; kifut a tengerre; **put to** ~ tengerre/hajóra száll; **serve at** ~ mint tengerész/matróz szolgál **2.** nagy hullám(ok), erős hullámzás, tengermozgás; **heavy/strong** ~ viharos tenger; **short** ~ rövid/szabálytalan hullámverés; **run before the** ~ hátszéllel fut *[hajó viharban]* **3.** *biz* **be all at** ~ zavarban van, (egészen) tanácstalan **4. a)** *biz* tenger, tengernyi vm, sokaság, végtelen sok vm; **a** ~ **of blood** vérfürdő; ~ **of difficulties** tengernyi nehézség **b)** *biz* **half-**~**s over** pityókás, becsípett

sea air *fn* tengeri levegő

sea anchor *fn hajó* viharhorgony

sea anemone *fn növ* tengeri rózsa/kökörcsin/szegfű

sea angel *áll* → **angelfish**

sea bank *fn* **1.** tengerpart **2.** móló

sea bat *fn áll* tengeri fecske, európai repülőhal

sea-bathing *fn* tengerben való fürdés, tengeri fürdő

S

sea-beaten *mn* viharedzett, tengertől megrongált *[hajó]*, tengersújtotta *[vidék stb.]*
seabed *fn* tengerfenék
sea bells *fn tsz növ* tengeri saláta
sea bent *fn növ* parti káka
sea bird *fn* tengeri madár
seaboard *fn* tengerpart, tengermellék
sea boat *fn* tengeri/tengerjáró hajó
seaborne *mn* **1.** tengeren lebonyolított *[kereskedelem]*, tengeren szállított *[áru]* **2.** *kat* ~ **aircraft** fedélzeti (v. anyahajó támaszpontú) repülőgép
sea breach *fn* tengeráradás, tenger beözönlése
sea breeze *fn meteo* tengeri szél/szellő, parti szél
sea calf *fn tsz* **sea calves** *áll* (borjú)fóka
sea captain *fn* tengerészkapitány
sea cook *fn* hajószakács
sea cow *fn áll* tengeri tehén
sea crawfish *fn áll* languszta
sea cucumber *fn áll* → **holothuria**
sea-dog *fn biz* **an old** ~ vén tengeri medve/fóka; öreg tengerész
sea eagle *fn* **1.** *áll* réti sas **2.** *áll* halászsas, halászsólyom, halászkeselyű
sea-ear *áll* → **ormer**
sea eel *fn áll* tengeri angolna
sea egg *fn* **1.** *áll* tengeri sün **2.** *áll* sünhal
sea elephant *fn áll* ormányos fóka
sea fan *fn áll* legyezőkorall
seafarer [ˈsiːfeərə ‖ –ferər] *fn* **a)** tengerész **b)** tengerjáró *[személy, hajó]*
seafaring [ˈsiːfeərɪŋ ‖ –fer–] *mn* tengerész-, hajós, tengerhez szokott, tengerjáró *[nép stb.]*
sea-fish *fn áll* tengeri hal
sea floor *fn földr* tengerfenék
sea fog *fn* parti köd
seafood *fn gaszt* tengeri halak *[ételként]*, tenger gyümölcsei *[tengeri kagyló, rák, polip stb.]*
seafowl *fn* tengeri madár/szárnyas
sea fox *fn áll* farkascápa
sea front *fn* város tengerparti része; **house on the** ~ tengerparti (v. tengerre néző) ház
sea-girt *mn vál* tengertől/tengerrel körülvett/övezett
sea god *fn régi* tengeri isten, triton
seagoing *mn* **1.** → **seafaring 2.** tenger(hajózás)i
sea green *fn/mn* tengerkék, zöldeskék
sea gull *fn áll* sirály
sea hedgehog *fn áll* tengeri sün
sea horse *fn* **1. a)** *áll* tengeri rozmár **b)** *áll* csikóhal, csikóca **2.** tengeri ló *[mitológiában]*
seajack I. *fn* hajórablás, hajóeltérítés **II.** *tsi* hajót eltérít • *fn* **seajacker**
seal[1] [siːl] **I.** *fn* **1. a)** pecsét, bélyegző; *biz* ~ **of distinction** egyéni bélyeg; megkülönböztetés; *vál tréf* ~ **of love** csók; gyermek; a szerelem záloga/bizonyítéka; **bear the** ~ magán hordja vmnek jellegét; **given under my hand and** ~ saját aláírásommal és pecsétemmel ellátva; **under the** ~ **of secrecy/silence** titoktartás terhe alatt; ~ **of confession** titoktartási fogadalom **b)** pecsét, kupak *[borosüvegé stb.]*; **leaden** ~ ólomzár, plomba *[ládáé stb.]* **2.** pecsétnyomó, bélyegző; *pol* **return the** ~**s** lemond, beadja lemondását *[miniszter]* **3.** *műsz* **a)** tömítés, szigetelőréteg, tömítőgyűrű **b)** vízzár *[csővezetékben]*, zárófolyadék **II.** *tsi* **1. a)** lepecsétel, pecséttel ellát, hitelesít, megerősít *[okmányt, levelet]*; *vál* ~ **a pact** megpecsételi szövetséget; **his fate is** ~**ed** meg van pecsételve sorsa; **set one's** ~ **to/on** hitelesít **b)** viaszol, viasszal elzár *[borospalackot stb.]*, ólomzárral/ólompecséttel lezár, leplombál *[ládát stb.]* **c)** fémjelez (vmt) **2. a)** lezár, lepecsétel **b)** *biz* ~ **sy's lips** lakatot tesz vk szájára **c)** *műsz* tömít, szigetel, vízhatlanná tesz **3.** falba erősít *[horgot stb.]*; *biz* **his eyes were** ~**ed on the door** szemeit az ajtóra szegezte • *mn* **sealable**
seal off *tsi* **1.** körülzár, elkerít **2.** biztosít *[területet]*
seal up *tsi* lezár, lepecsétel *[levelet]*; ~ **up the windows** légmentesen elzárja az ablakokat
seal[2] [siːl] **I.** *fn* **1.** *áll* fóka; **furred/eared** ~ sörényes fóka, szőrmefóka **2.** fókabőr, szilszkin **II.** *tni* fókára vadászik
sea lane *fn hajó* óceánjárók (előírt) útvonala
sealant [ˈsiːlənt] *fn* elzárószer, tömítőszer, szigetelőanyag
sealed [siːld] *mn* **1.** ~ **book** csukott/zárt könyv; ismeretlen/érthetetlen szellemi tartalom **2.** *jog* ~ **tender** zárt versenytárgyalási ajánlat; ~ **will** (titkos) magánvégrendelet
sea legs *fn tsz* matrózjárás(mód); **find/get one's** ~ megtanul egyenesen és könnyedén járni a dülöngélő hajón, megszokja a tengert/hajóséletet
sealer[1] [ˈsiːlə ‖ –ər] *fn* **1.** fókavadászhajó **2.** fókavadász
sealer[2] [ˈsiːlə ‖ –ər] *fn műsz* plombálófogó, ólomzárfogó
sealery [ˈsiːləri] *fn* **1.** fókavadászat **2.** fókatelep
sea level *fn* tengerszint *[magassági mértékalap]*; **500 m above** ~ 500 m(re) a tengerszint felett; **mean** ~ átlagos tengerszint
sea lily *fn áll* tengeri liliom, üstökös tengeri csillag
sealing wax *fn* pecsétviasz, spanyolviasz
sea lion *fn áll* oroszlánfóka, sörényes fóka
Sea Lord *fn GB* az admiralitás lordja; **first** ~ admiralitás (v. tengernagyi hivatal) első lordja
seal ring *fn* pecsétgyűrű
sealskin *fn* **1.** fókabőr **2.** fókaprém, szilszkin
seam [siːm] **I.** *fn* **1. a)** varrás, szegés, szegélyezés **b)** varrat, szegély, szegés **2.** *műsz* összeillesztés helye, eresztték, öntési/hegesztési varrat, öntvényvarrat; **soldered** ~ forrasztási varrat; **welded** ~ hegesztési varrat, hegyvarrat **3. a)** forradás, heg, sebhely *[arcon]* **b)** ránc, redő *[arcon]* **4. bursting at the** ~**s** tele, csordulásig; *átv biz* **come apart at the** ~**s** felrobban *[dühtől* v. *idegességtől]* **5.** *geol* réteg, (tel)ér **II.** *tsi* **1. a)** beszeg *[ruhát]*; ~ **up a garment** összevarr/összeállít ruhát **b)** *műsz* összeilleszt, összeereszt *[lemezeket stb.]* **2.** barázdál *[arcot stb.]*, repedést/hasadást idéz elő *[sziklán stb.]* • *fn* **seamer** *mn* **seamed**
seamaid *fn* sellő, hableány, tengeri istennő, nimfa
sea mail *fn* hajóposta
seaman [ˈsiːmən] *fn tsz* **-men 1.** tengerész, matróz **2.** hajós • *mn* **seamanlike**
seamanship [ˈsiːmənʃɪp] *fn* tengerészség, tengerészeti szaktudás, tengerészet
sea mew *fn áll* sirály, csér, halászmadár
sea mile *fn* tengeri mérföld *[= 1854,96 m]*
seamless [ˈsiːmləs] *mn* **1.** *tex* varrás nélküli, egy darabban kötött/szőtt *[harisnya, szőnyeg stb.]* **2.** *műsz* varrat nélküli, varratmentes, hegesztetlen *[cső stb.]*
sea monster *fn* tengeri szörny
sea moss *fn* **1.** *növ* korallmoszat **2.** mohaállat
seamstress [ˈsemstrəs ‖ ˈsiːmstrəs] *fn* varrónő, fehérvarrónő
Seamus [ˈʃeɪməs] *tul* ‹ír férfinév›
seamy [ˈsiːmi] *mn* varrásos, varratos, forradásos; *biz* **the** ~ **side of life** az élet árnyoldala; az érem másik oldala
Sean [ʃɔːn] *tul* ‹ír v. skót férfinév›
Seanad [ˈʃænəd] *tul pol Írorsz* felsőház, szenátus *[ír parlamentben]*
séance [ˈseɪɒns ‖ ˈseɪɑns] *fn* spiritiszta szeánsz
sea nettle *fn áll* medúza
sea nymph *fn régi* tengeri nimfa, sellő, hableány
sea onion *fn növ* tengeri csillagvirág
sea otter *fn áll* tengeri vidra
sea ox *fn áll* rozmár
sea pad *fn áll* tengeri csillag
seaplane *fn rep* vízirepülőgép, hidroplán
seaport *fn* tengeri kikötő
sea power *fn* tengeri hatalom
seaquake *fn* tengerrengés
sear [sɪə ‖ sɪr] **I.** *tsi* **1. a)** kiéget *[sebet stb.]*, pirít, barnít *[húst szárazon sütőben]*, beéget/belesüt bélyeget *[állatba]* **b)** *biz* eltompít *[lelkiismeretet]*, megkeményít *[szívet]*,

S

érzéketlenít, érzéketlenné tesz, eldurvít (vkt) **2.** kiszárít, kiéget, elhervaszt, elfonnyaszt *[növényt hőség]*, fagy ér *[növényt]* **II.** *mn* száraz, elhervadt, fonnyadt

search [sɜːtʃ ‖ sɜrtʃ] **I. A.** *tsi* **1.** átkutat, átvizsgál *[helyet]*, keres, kutat *[fiókban, könyvben stb.]*, megmotoz (vkt), átkutat *[zsebeket]*, vizsgál, fürkész *[arcot]*; *jog* ~ **a house** házkutatást tart; ~ **one's heart** lelkiismeret-vizsgálatot tart **2.** próbára tesz (vkt) **B.** *tni* **1.** keres, kutat, nyomoz; ~ **into the cause of sg** keresi/kutatja vmnek az okát **2.** *US biz* ~ **me!** halvány fogalmam sincs (róla)!, tudom is én! **II.** *fn* **1.** kutatás, keresés, puhatolás; **be in ~ of sg** kutat vm után, kutat/keres vmt **2. a)** vámvizsgálat **b)** *jog* nyomozás, vizsgálat **c)** átkutatás *[fióké, zsebeké stb.]*, motozás • *fn* **searcher** *mn* **searchable**

search engine *fn infor* keresőprogram

searching [ˈsɜːtʃɪŋ ‖ ˈsɜr–] **I.** *mn* **1.** gondos, pontos, aprólékos, szigorú *[vizsgálat]*, fürkésző, átható, kutató *[tekintet]*, metsző hideg *[szél]*, szívhez szóló *[szavak]*; **give sy a ~ look** fürkészően néz vkre, kutató pillantást vet vkre **2.** kereső, kutató, fürkésző *[személy]* **II.** *fn* keresés, kutatás, nyomozás, vámvizsgálat, motozás

searchlight *fn* **a)** fényszóró, reflektor, keresőlámpa **b)** fénysugár, fénykéve *[fényszóróé]*

search party *fn* mentőosztag, mentőexpedíció

search tree *fn infor* keresőfa

search warrant *fn* házkutatási végzés/parancs/engedély

searing [ˈsɪərɪŋ ‖ ˈsɪrɪŋ] **I.** *mn* **1.** kiszáradó **2.** égető, perzselő; **a ~ sun** perzselő nap **II.** *fn* kiszáradt/kisült/kiégett terület

sea road *fn US* tengeri/hajózási út(vonal)

sea room *fn hajó* mozgási/szabad tér hajó kormányzására; *hajó* **get ~** eléri a nyílt/szabad tengert

sea salt *fn* tengeri só

seascape *fn* **1.** kilátás a tengerre **2.** *műv* tengeri (v. tengert ábrázoló) (táj)kép

Sea Scout *fn főleg GB* tengeri cserkész, vízicserkész

sea serpent *fn* tengeri szörny, mesebeli tengeri kígyó

sea service *fn* tengerészet, tengeri szolgálat, tengerészszolgálat

sea-shanty *fn* tengerészdal

seashell *fn áll* tengeri kagyló(héj)

seashore *fn* **a)** tengerpart, tengermellék **b)** homokos/fövenyes tengerpart, strand

seasick *mn* tengeribeteg • *fn* **seasickness**

seaside I. *mn* tenger(part)i; ~ **place/resort** tenger(part)i üdülőhely/fürdő(hely) **II.** *fn* tengerpart, tengermellék

sea sleeve *fn áll* tintahal

sea snail *fn áll* tengeri nyúl

season [ˈsiːzn] **I.** *fn* **1. a)** évszak, időszak **b)** idő, idény, évad, szezon; **the four ~s** a négy évszak; **peak/high ~** főidény, főszezon; *US* **big ~** főszezon; **off ~** holt évad/szezon; uborkaszezon; **the dead/dull ~** holt évad/szezon; uborkaszezon; *US* **little ~** előidény, utóidény; **late ~** őszutó; utóidény; **rainy ~** esős időszak/évszak; **have a full ~** telt házuk (v. sok vendégük) van *[fürdőhelynek]*; **the (London) ~** a (londoni) társasági élet szezonja/idénye *[márciustól augusztusig]*; **~'s greetings** kellemes ünnepeket (kívánunk) *[karácsonyra és újévre]*; **in ~** kellő időben; annak idején; **be in ~** itt az évadja/szezonja (vmnek); most van az ideje; alkalomszerű; **very early in the ~** az idény/évad kezdetén; a szezon elején **c)** *vad* **close ~** vadászati tilalmi idő; **open ~** vadászidény, vadászévad; **in ~** vadászható **d)** *áll* **mating ~** nászidőszak; párzási időszak; **in ~** párzási időszakban **2.** időpont; **in due ~** kellő/megfelelő időben/időpontban; **out of ~** időszerűtlen, alkalmatlan (időben) **3.** *GB biz* → **season ticket II. A.** *tsi* **1.** fűszerez, ízesít, elkészít *[ételt]* **2.** (ki)szárít, kiérlel *[fát]*, (meg)érlel *[bort]* **3.** hozzászoktat, rászoktat, megedz (vkt), háborúhoz szoktat *[katonát]*, tengerhez szoktat *[matrózt]* **4.** *biz* enyhít, csökkent, mérsékel, módosít **5.** *átv* fűszerez *[humorral]*, feldob **B.** *tni* **1.** kiszárad *[fa]*, megérik *[bor stb.]* **2.** hozzászokik, akklimatizálódik, hozzáedződik • *mn* **seasoned**

seasonable [ˈsiːzn·əbl] *fn* **1.** évszaki, évszakhoz illő, idényszerű; *gazd* ~ **goods** szezoncikkek **2.** kellő/megfelelő időben történő, időszerű, helyénvaló, célszerű, alkalmas, jókor/kapóra jött/jövő • *hsz* **seasonably**

seasonal [ˈsiːzn·əl] *mn* évszaki, évszakhoz kötött/illő, időszaki, idényszerű, idényjellegű, idény-; ~ **changes of climate** az éghajlat időszaki (v. évszakhoz kötött) változásai • *fn* **seasonality** *hsz* **seasonally**

seasoner [ˈsiːzn·ə ‖ –ər] *fn* **1.** ízesítő, fűszer(ező) **2.** *US* (idényre szerződő) tengerész, halász

seasoning [ˈsiːzn·ɪŋ] *fn* **a)** fűszerezés, ízesítés *[ételé]* **b)** fűszer, ízesítő

season ticket *fn* bérletjegy, idényjegy

sea spider *fn áll* tengeri pók

sea squirt *fn áll* tengeri zsákállat/tömlő

sea swallow *fn áll* sarki halászcsér

seat [siːt] **I.** *fn* **1.** ülés, ülőhely, szék, pad; **keep one's ~** ülve/helyén marad; jól megüli a lovat; **take a ~** helyet foglal, leül **2. a)** hátlap, széklap, ülőke, ülés *[széké]*, nyereg *[kerékpáron]*, kerek nyílás *[árnyékszéké]*, tyúkülő **b)** *biz* ülep, fenék, far; *US biz* **on the anxious ~** izgatottan **c)** nadrág/szoknya hátulja/feneke **3. a)** *szính vasút* hely, ülés, ülőhely; **reserved ~** fenntartott hely; **~ in the stalls** zenekari ülés; **book a ~** jegyet vált *[színházba stb.]*; lefoglal (v. előre megvált) egy jegyet **b)** *főleg GB* országgyűlési képviselőség, mandátum **c)** *főleg GB* helyfoglalási jog *[tőzsdén stb.]* **4. a)** *épít* talapzat, aljzat, fekvés **b)** *műsz* támasz, karima, perem, felfekvési felület, fészek *[szelepé stb.]*; **~ of a valve** szelepülés, szelepfészek **5.** ülésmód, testtartás *[lóháton]*; **have a good ~** biztos a tartása *[lovon]*; **lose one's ~** leesik a lóról; *átv* kiesik a nyeregből, kibukik (vhonnan) **6.** színtér, székhely, központ; góc *[betegségé]*; **~ of war** hadszíntér **7.** székhely, lakóhely, kastély **8.** *régi* fekvés *[városé, épületé stb.]*; **this castle has a pleasant ~** ennek a kastélynak szép/kellemes a fekvése **II.** *tsi* **1.** (le)ültet; **~ oneself** helyet foglal, leül, letelepszik; **please be ~ed** tessék helyet foglalni **2. a)** üléssel/ülőhellyel/székekkel ellát; **the table ~s six** az asztalnál hat (ülő)hely van, hatszemélyes asztal; **the theatre is ~ed for about 800** a színházban körülbelül nyolcszáz hely van **b)** (el)helyez(kedik); **the public had to ~ themselves where they could** a közönségnek ott kellett elhelyezkednie ahol tudott **3.** *műsz* beágyaz, illeszt, felfekvő felületet készít; **~ a valve** szelepfészket felszerel **4. the trouble/pain is ~ed in...** a baj/fájdalom gyökere ...-ben van

seat belt *fn gk rep* biztonsági öv

seat holder *fn* bérletjegyes *[színházban stb.]*, bérlő *[templomi ülésé]*

seating [ˈsiːtɪŋ] *fn* **1.** (le)ültetés **2.** ülőhely(ek), ülés(ek), szék(ek), pad(ok) **3. a)** *tex* kárpitszövet, ülésbevonó szövet **b)** kiülés *[hátul szoknyán/nadrágon]* **4.** *műsz* **a)** vmely gépalkatrész helye, fészek, ágyazat, ülés *[szelepülés stb.]* **b)** alj(lemez), aljzat, karmantyú **5.** *épít* talapzat, alap, felfekvés, felfekvési felület, támasz

seating capacity *fn* ülőhelyek száma, befogadóképesség

SEATO [ˈsiːtou] *röv South-East Asia Treaty Organization* Délkelet-ázsiai Szerződés Szervezete

sea-to-sea missile *fn kat* hajó–hajó (osztályú) rakéta

sea trout *fn áll* tengeri pisztráng, lazacpisztráng

Seattle [siˈætl] *tul földr US* Seattle

sea urchin *fn áll* tengeri sün

seawall *fn vízügy* (tengerparti) védőgát

seaward [ˈsiːwəd ‖ –wərd] **I.** *hsz* a (nyílt) tenger felé **II.** *mn* (nyílt) tenger felé tartó v. irányuló *[áramlat stb.]* **III.** *fn* **to ~** a (nyílt) tenger felé/felől

sea water *fn* (sós) tengervíz

seaway *fn* **1.** *hajó* **a)** hajó haladása *[tengeren]* **b)** hajó helye a (nyílt) tengeren (v. tengeri úton) **c)** (hajózható) vízi út **2.** viharos tenger

S

seaweed *fn növ* hínár, tengeri alga/moszat
sea wind *fn* tengeri szél
seaworthy *mn* hajózásra alkalmas, tengerbíró, tengerálló *[hajó]*
sebaceous [sɪˈbeɪʃəs] *mn biol* faggyús, faggyú- *[mirigy stb.]*; ~ **gland/follicle/duct** faggyúmirigy
Sebastian [səˈbæstɪən ‖ –ˈbæstʃən] *tul* Sebestyén
SEbE *röv Southeast by East*
seborrhea [ˌsebəˈriːə] *US* → **seborrhoea**
seborrhoea [ˌsebəˈriːə] *fn orv* faggyútúltermelés/-képződés, seborrhoea
SEbS *röv Southeast by South*
sebum [ˈsiːbəm] *fn* faggyú
sec., **Sec.** *röv* **1.** *second* **2.** *secondary* **3.** *Secretary* **4.** *section* **5.** *sector*
sec[1] [sek] *fn biz* → **second**; **half a ~!** egy pillanat!
sec[2] [sek] *mn gaszt* száraz *[pezsgő]*
sec[3] [sek] → **secant II.**
secant [ˈsiːkənt] **I.** *mn mat* metsző, szelő; ~ **plan** metszősík **II.** *fn mat* **1.** szekáns, sec **2.** metszővonal
secateurs [ˈsekətɜːz ‖ –ˈtɜrz] *fn főleg GB* kerti olló, kertészolló, metszőolló, drótvágó olló
secco [ˈsekoʊ] *fn műv* száraz vakolatra festett freskó
secede [sɪˈsiːd] *tni* elszakad, különválik, kiválik, kilép *[testületből]* • *fn* **seceder**
secession [sɪˈseʃn] *fn* kivonulás, kiválás, kilépés, elszakadás *[államból, egyházból]*; *US tört* **the War of S~** a szecessziós háború *[az 1861–65-i amerikai polgárháború]* • *mn* **secessional**
secessionist [sɪˈseʃənɪst] *fn* **a)** kilépő, elszakadó, szeparatista **b)** *US tört* elszakadáspárti, szecesszionista • *fn* **secessionist**
seclude [sɪˈkluːd] *tsi* elkülönít, elzár, távol tart (vkt vktől/vmtől); ~ **oneself** elzárkózik; visszavonul; távolmarad; távol tartja magát *[emberektől stb.]*
secluded [sɪˈkluːdɪd] *mn* **a)** elvonult, visszavonult, elzárkózott; ~ **life** elzárkózott/magányos/visszavonult élet **b)** elhagyatott, magányos, félreeső
seclusion [sɪˈkluːʒn] *fn* elkülönítés, elkülönülés, visszavonultság, magány(osság), elzárkózás, elzárkózottság
seclusive [sɪˈkluːsɪv] *mn* zárkózott, magába forduló
second[1] [ˈsekənd] **I.** *mn* **1.** második; ~ **chamber** *pol* ‹kétkamarás parlament felsőháza›; ~ **childhood** második gyermekkor; ~ **cousin** másodunokatestvér; ~ **edition** második kiadás; *okt* ~ **form** ‹angol iskola hetedik osztálya tizenkét éves gyermekek részére›; ~ **person** *nyelv* második személy; ~ **self** közeli barát/társ; ~ **speed/gear** második sebességfokozat; *US sp* ~ **string** a második csapat *[nem a kezdő csapat]*; **a ~ string to one's bow** a kettes számú alternatíva; **the S~ World War** *tört* a második világháború; **every ~** minden második; **every ~ day** kétnaponként, minden második nap; **take ~ place** második lesz, *sp* második helyezést ér el; **in the ~ place** másodsorban, másodszor; **for the ~ time** másodszor; **on ~ thought** jobban meggondolva; ~ **floor** *GB* második emelet; *US* első emelet **2. a)** második, következő *[fontosságban, rangsorban]*; *kat* ~ **lieutenant** hadnagy; *sp* ~ **line** utánpótlás *[ifik]*; *hajó* ~ **mate** második tiszt; *hajó* ~ **officer** másodtiszt; *sp* **the ~ team** második csapat; **the ~ violins** második hegedűk; **be ~ to sy in precedence** vk után következik a rangsorban; ~ **to none** mindenki felett áll *[képességben]* **b)** másodrendű (minőségű), másodrangú; ~ **order** másodrendű; *US* ~ **class matter** nyomtatvány *[postadíjszabásnál]*; **goods of ~ grade/quality** másodrendű áru **3.** második, új, másik; **he thinks himself a ~ Napoleon** egy második/új Napóleonnak tartja magát; **custom/use is a ~ nature** az ember a szokások rabja; **stay in a form for a ~ year** osztályt ismétel **II.** *fn* **1. a)** a második *[ember, osztály stb.]*; **Edward the S~** II. Edward; **the ~ of July** július másodika; *okt* **get/obtain a ~** kettes osztályzatot kap; *sp* **come in a good ~** a győzteshez közel (másodiknak) fut be, jó második **b)** *gk* második sebesség(i fokozat) **2. a)** másodrendű dolog **b)** *tsz* **seconds** *gazd* másodrendű (v. közepes minőségű) áru, durván őrölt liszt, derce **3. a)** segítő, támogató **b)** párbajsegéd **4.** *zene* **a)** másodhangköz, szekund; **major ~** nagy szekund, nagy másod(hangköz); **minor ~** kis szekund, kis másod(hangköz) **b)** második szólam **5.** *tsz* **seconds** repeta, második fogás **III.** *tsi* **a)** segít (vknek), támogat (vkt) **b)** mellette szólal fel; ~ **a motion** javaslatot támogat; indítványhoz csatlakozik **c)** párbajban segédkezik
second[2] [ˈsekənd] *fn* **a)** másodperc; ~ **hand (of a watch)** másodpercmutató **b)** *biz* pillanat; **wait a ~ for me!** várj rám egy percig/pillanatig!; **we mustn't lose a ~** egy percet/pillanatot sem szabad veszítenünk; **in a split ~** a másodperc ezredrésze alatt, egy szempillantás alatt; **timed to a split ~** másodpercre időzítve; **to the ~** másodpercnyi pontossággal
second[3] *tsi GB kat* tisztet rendelkezési állományba helyez *[csapattesten kívül]*; **be ~ed** rendelkezési állományba helyezték • *fn* **secondee**
secondary [ˈsekəndəri ‖ –deri] **I.** *mn* **1.** másodlagos; *okt* ~ **education** középfokú oktatás; *okt* ~ **school** középiskola; *biol* ~ **sexual characteristics** másodlagos nemi jelleg/jellemvonások; *nyelv* ~ **stress** mellékhangsúly **2.** mellékes, nem fontos, alárendelt; *jog* ~ **evidence** közvetett bizonyíték **3.** másodrendű, másodosztályú *[minőség stb.]*; *közl* ~ **line** másodrangú/helyiérdekű vasútvonal, szárnyvonal; másodrendű útvonal; *csill* ~ **planet** mellékbolygó; *közl* ~ **road** másodrangú/megyei út; mellékútvonal **4.** *vill* szekunder *[tekercselés stb.]*; ~ **circuit** szekunder áramkör; ~ **coil** szekunder tekercs; ~ **current** szekunder áram **II.** *fn* **1.** helyettes, alárendelt, alacsonyabb beosztású/rangú személy **2.** *csill* mellékbolygó
second-best I. *mn/fn* második legjobb, másodosztályú minőségű, pót- **II.** *hsz biz* **come off ~** a rövidebbet húzza
second-class I. *mn/fn* **1.** másodosztályú, másodrendű; ~ **citizen** másodrendű állampolgár **2.** *US* ~ **mail matter** újság- és folyóiratposta (díjszabása); nyomtatvány (díjszabás) **3.** kettes *[érdemjegy]* **II.** *hsz* **travel ~** másodosztályon utazik
second-degree *mn* másodfokú; ~ **burn** másodfokú égés/égési sérülés
seconde [sɪˈkɒnd ‖ –ˈkɑnd] *fn sp* szekundvágás *[vívásban]*
second-floor *mn GB* második emeleti *[lakás]*; *US* első emeleti
second-generation *mn* másodgenerációs
second-guess *tsi* **1.** megtippel, megsaccol **2.** utólag kritizál
second-hand I. *mn* **1.** másodkézből vett, használt, levetett *[ruhanemű stb.]*, antikvár *[könyv]*; ~ **bookshop** antikvár könyvkereskedés, antikvárium; ~ **copy** alkalmi példány; ~ **dealer** viszontelárusító, viszonteladó, ócskás, zsibárus, ószeres; antikvárius; ~ **shop** használt áruk boltja **2.** hallomásból származó *[hír stb.]* **II.** *hsz* **1. (at) ~** másodkézből, használt állapotban, használtan; **buy sg ~** másodkézből vesz vmt, használt állapotban vesz vmt **2. (at) ~** hallomásból, hallomás útján; **have/know sg ~** hallomásból (v. hallomás útján) értesül (v. szerez tudomást) vmről
second-in-command *fn kat* parancsnokhelyettes
secondly [ˈsekəndli] *hsz* másodszor, másodsorban
second-rate *mn* másodosztályú, másodrendű, másodrangú, közepes minőségű, középszerű
second-rater *fn biz* közepes tehetségű ember
second-sight *fn pszich* múltba/jövőbe/távolba látás, víziós látás, clairvoyance • *mn* **second-sighted**
secrecy [ˈsiːkrəsi] *fn* **1.** titoktartás, diszkréció; **bind/swear sy to ~** titoktartásra kötelez vkt **2.** titkosság, titkos jelleg; *jog* ~ **of correspondence** levéltitok; **in ~** titokban
secret [ˈsiːkrɪt] **I.** *mn* **1. a)** titkos, titokban tartott, (el)rejtett; ~ **agent** titkos ügynök; vknek a bizalmasa; ~ **door** tapétaajtó, rejtekajtó; *gazd* ~ **partner** csendestárs; **the ~ parts** a nemi szervek; **the S~ Service** *GB* hírszerzés és kémszolgálat; titkos szolgálat; *US* pénzhamisítókat üldöző

amerikai pénzügyőrség; **keep sg ~** titokban tart vmt **b)** hallgatni tudó, titoktartó, diszkrét; **~ as the grave** néma mint a sír **2.** titokzatos, rejtélyes, kifürkészhetetlen; **the ~ places of the heart** a szív legmélyebb rejteke; **the ~ workings of nature** a természet titokzatos működése **3.** rejtett, magányos, félreeső, eldugott *[hely]* **II.** *fn* **1.** titok; **an open ~** nyílt titok; **the ~ of her success** sikerének titka; **tell sg as a ~** bizalmasan/titokban közöl vmt; **in ~** titokban; **be in (on) the ~** ismeri a titkot, be van avatva a titokba; **let sy into the ~** vkt beavat a titokba **2.** rejtély, rejtelem; **the ~s of nature** a természet rejtelmei **3.** rejtély/rejtelem kulcsa, rejtett értelem/jelentés • *hsz* **secretly**

secretaire [ˌsekrəˈteə ‖ –ˈter] *fn* szekreter, kis polcos íróasztal

secretarial [ˌsekrəˈteərɪəl ‖ –ˈter–] *mn* titkári; **~ duties** titkári feladatok/teendők

secretariat [ˌsekrəˈteərɪət ‖ –ˈter–] *fn* **a)** titkárság **b)** titkári hivatal

secretary [ˈsekrətri ‖ –teri] *fn* **1.** titkár; **private ~** magántitkár; **~ of embassy/legation** követségi titkár **2.** *pol* miniszter; *GB* **Foreign ~** külügyminiszter; **S~ of Defence** nemzetvédelmi miniszter; **~ of State** *GB* miniszter; *US* külügyminiszter

Secretary-General *fn* főtitkár

secretaryship [ˈsekrətriʃɪp ‖ –teri–] *fn* titkárság

secrete[1] [sɪˈkriːt] *tsi biol* kiválaszt *[váladékot]*

secrete[2] [sɪˈkriːt] *tsi* eltüntet, elrejt, eldug; **~ stolen goods** lopott holmit rejteget; **~ oneself** elrejtőzik

secretion [sɪˈkriːʃn] *fn* **1.** *biol* **a)** kiválasztás *[szervé]*, váladékképződés **b)** váladék **2.** *jog* orgazdaság, rejtegetés *[lopott holmié]*

secretive [ˈsiːkrətɪv] *mn* titkoló, titokzatoskodó, titoktartó, hallgatni tudó, zárkózott, tartózkodó • *fn* **secretiveness** *hsz* **secretively**

sect [sekt] *fn* szekta, *vall* felekezet

sect. *röv section*

sectarian [sekˈteərɪən ‖ –ˈter–] **I.** *mn vall pol* szektariánus, szektárius, szektás **II.** *fn* **1.** vallásos szekta híve, szektárius; eretnek **2.** *pol* szektás, szektariánus (személy) • *tsi* **sectarianize** *fn* **sectarianism,**

sectary [ˈsektəri] *fn* **1.** vallásos szekta híve, szektárius, eretnek **2.** *pol* szakadár

sectile [ˈsektaɪl ‖ ˈsektl] *mn* metszhető, vágható, hasítható, repeszthető

section [ˈsekʃn] **I.** *fn* **1. a)** szakasz, rész, darab, rekesz; **~ of a line** vasúti vonalszakasz; **~s of an orange** narancsszeletek, narancsgerezdek **b)** *US* (kétszemélyes) hálókocsifülke **2. a)** osztály, részleg, csoport *[üzemben, vállalatnál stb.]*, szekció *[konferencián]*; **~ of a party** pártcsoport **b)** *kat* szakasz, raj **c)** *zene* szekció, szólam **3.** *épít* terület, körzet, rész, negyed; *US* **~ of a town** városnegyed **4.** *US* négyzetmérföld *[2,59 km^2]* **5.** (el)metszés, (el)vágás; *orv* **Caesarean ~** császármetszés **6. a)** lap, lemez; **microscopic ~** mikroszkópikus metszet **b)** *mat* metszés, metszet, szelet, szegmens; **conic ~s** kúpszeletek **c)** *épít* (kereszt)metszet; **longitudinal ~** hosszmetszet **d)** *fémip épít* szelvény, profil **7.** *biol* csoport, alfaj, osztály **II.** *tsi* **1. a)** (el)vág, (el)metsz, felszel(etel), feloszt, részekre/szeletekre oszt; **~ out** feloszt, kioszt, eloszt; elkülönít, elválaszt **b)** *biol* metszetet készít **2.** *orv* kényszergyógykezelésre küld, pszichiátriai kezelésre kötelez

sectional [ˈsekʃnˑəl] *mn* **1.** osztályhoz/párthoz/csoporthoz tartozó; **~ interests** osztályérdek, pártérdekek **2.** (kereszt)metszeti, profil-; **~ drawing** keresztmetszet; metszetrajz; **~ iron** idomvas, profilvas, szelvényvas **3. a)** részekből álló/összeállítható, szétszedhető, szakaszokra osztott, szakaszokban/darabokban levő; *rep* **~ air map** légi útvonalszakasz térképe; **~ bookcase** szétszedhető/szétszerelhető könyvszekrény; *épít* **~ building** részekre bontható épület *[összerakható és szétszedhető]* **b)** kockás *[papír]* **4.** területhez tartozó, körzeti

sectionalism [ˈsekʃnˑəlɪzm] *fn US* helyi érdekek túlhajtása, túlzott lokálpatriotizmus • *fn/mn* **sectionalist**

sectionalize [ˈsekʃnˑəlaɪz], **-ise** *tsi* körzetekre oszt *[vidéket stb.]*

section mark *fn* paragrafusjel

section paper *fn nyomd* milliméterpapír

section plane *fn* metszősík, metszet síkja

sector [ˈsektə ‖ –ər] *fn* **1. a)** kerület, körzet, szektor; **the private ~ of industry** az ipar magánszektora **b)** *kat* övezet, frontszakasz; **~ of attack** támadási szektor **2.** *mat* körcikk, görbeszelet **3.** *mat* aránykörző, mérőléc • *mn* **sectoral**

secular [ˈsekjʊlə ‖ ˈsekjələr] **I.** *mn* **1. a)** *vall* **~ priest** világi pap; **~ orders** világi rendek **b)** világi, laikus; **~ arm** világi hatalom; **~ education** világi nevelés **2. a)** időszakonkint ismétlődő *[ünnep stb.]* **b)** igen régi/öreg, évszázados, szekuláris; *csill* **~ acceleration** évszázados gyorsulás *[bolygómozgásoknál]* **c)** *biz* tartós, hosszú ideig tartó, időtlen **II.** *fn vall* világi pap • *hsz* **secularly**

secularism [ˈsekjʊlərɪzm] *fn* **1.** Holyoake-féle társadalmi erkölcstan **2.** szekularizmus, a felekezeti oktatás ellenzése

secularity [ˌsekjʊˈlærəti] *fn* **1. a)** világi papság (állapota), világi jelleg *[oktatásé]* **b)** világiasság, földi jelleg *[erkölcsöké]* **2.** *csill geol* évszázados/szekuláris jelleg *[mágneses variációé]*

secularize [ˈsekjʊləraɪz], **-ise** *tsi* állami birtokba vesz, államosít *[egyházi tulajdont/iskolát]* • *fn* **secularization**

secund [sɪˈkʌnd] *mn növ* egyoldalú, féloldalú • *hsz* **secularization**

secure [sɪˈkjʊə ‖ –ˈkjʊr] **I.** *mn* **1.** biztos, nyugodt, zavartalan, bizakodó, félelem nélküli, aggódásmentes *[élet stb.]*; **a peaceful and ~ old age** békés és nyugodt/zavartalan öregség **2. a)** biztos(ított), bizonyos; **~ employment** biztos állás; **feel ~ of victory** biztos/bizonyos a győzelemben **b)** biztos, bizonyos, jól megalapozott, szilárd *[gondolat stb.]* **3.** biztonságos, biztonságban levő, veszélytelen; **~ from/against attack** támadás elől biztonságban levő **4.** (jól) megerősített, szilárd, erős, tartós, stabil; **make a plank ~** kerítést megerősít **5.** biztos helyen/őrizetben levő; **keep the prisoners ~** a foglyokat biztos helyen/őrizetben tartja **6.** megbízható *[ember]* **II.** *tsi* **1.** biztonságba helyez, megvéd, megóv (vkt, vmt); **~ sy from sg** megvéd vkt vmtől (v. vm elől); **~ a town against assault** megvédi a várost a támadás ellen (v. támadással szemben) **2. a)** biztosít, biztossá tesz (vmt); *kat* **~ a position** elfoglal egy állást **b)** *jog gazd* biztosítékot ad *[kölcsönzőnek]*; *jog gazd* **~ a debt by mortgage** hitelt jelzáloggal köt le **3. a)** megerősít, odaerősít, megszilárdít, rögzít, leköt, kiköt; **~ for sea** minden mozgatható tárgyat erősen leköt *[hajón]* **b)** lezár, bezár *[kulccsal]*; **~ the door** ajtót bereteszel/elreteszel **c)** bebörtönöz, (biztos) őrizetben tart **4. a)** megszerez, elnyer, elér (vmt); **~ one's objective/goal** eléri célját; **~ sg for sy** megszerez vknek vmt; *gazd* **~ a patent for sg** szabadalmat nyer vmre; **~ an actor for a part** színészt szerződtet egy szerepre **b)** előre biztosít, lefoglal, rezervál; **~ a room (in a hotel)** előre lefoglal szobát (szállodában) **5.** vérzést elállít *[érleszorítással]*; *orv* **~ an artery** ütőeret leköt • *mn* **securable** *hsz* **securely**

securitize [sɪˈkjʊərɪtaɪz ‖ –ˈkjʊr–], **-ise** *tsi pénz gazd* elzálogosít, jelzáloggal terhel • *fn* **securitization**

security [sɪˈkjʊərəti ‖ –ˈkjʊr–] *fn* **1. a)** biztonság; *pol* állambiztonsági szervezet; **live in ~** biztonságban él **b)** biztonságérzet, félelemnélküliség, gondtalanság, nemtörődömség; **fatal ~** végzetes gondatlanság/nemtörődömség **c)** bizakodás, bizalom **2. a)** szilárdság, állandóság, biztonság **b)** vmnek a biztos jellege/volta; **~ of judgement** biztos ítélkezés, az ítélet biztos volta **3.** védelem, oltalom **4.** *jog gazd* **a)** biztosíték, óvadék, kaució; **personal ~** névre szóló kötvény; **sufficient ~** megfelelő biztosíték; **lodge a ~** óvadékot letétbe helyez; **lend money on ~** óvadék fejében pénzt kölcsönöz **b)** kezesség, jótállás; **banker's collateral ~** bankgarancia; **go ~, become/stand ~ for sy** jótáll vkért, kezességet vállal vkért **c)** kezes, jótálló **5.** *tsz* **securities**

S

pénz **a)** értékpapírok, részvények, kötvények; **foreign securities** devizák; **public securities** állami járadékpapírok/kötvények; **registered securities** névre szóló értékpapírok; **securities department** értékpapírosztály *[banké]*; **the ~ market** értékpapírpiac, tőzsde **b)** értékpapírkészlet

security blanket *fn* **1.** *GB* biztonsági hírzárlat **2.** ‹kisgyermeknek megnyugtatásképpen adott ismerős tárgy v. takaró› **3.** ‹bárki v. bármi, ami vk megnyugtatására szolgál›

Security Council *fn pol* Biztonsági Tanács

security forces *fn tsz kat* biztonsági erők

security guard *fn* biztonsági őr

security measure *fn* biztonsági óvintézkedés

security officer *fn* elhárítótiszt

security risk *fn pol* megbízhatatlan ember/elem *[nemzetvédelmi szempontból]*

security service *fn pol* elhárítás

sedan [sɪˈdæn] *fn* **1.** → **sedan chair 2.** *US [négyajtós autó]* szedán

sedan chair *fn* **1.** hordszék, gyaloghintó **2.** *biz* **carry sy in a ~** keresztbe tett kézen visz vkt

sedate [sɪˈdeɪt] **I.** *mn* komoly, nyugodt, megfontolt, megállapodott, higgadt **II.** *tsi orv* nyugtat, csillapít, szedál • *fn* **sedateness** *hsz* **sedately**

sedation [sɪˈdeɪʃn] *fn orv* nyugtatás, csillapítás, szedálás, sedatio

sedative [ˈsedətɪv] *mn/fn orv* nyugtató(szer), csillapító, enyhítő (szer)

sedentary [ˈsedntəri ‖ –teri] *mn* **1. a)** ülő *[szobor, helyzet stb.]* **b)** ülő; **~ occupation** ülőfoglalkozás, ülőmunka **2. a)** sokáig egy helyen állomásozó *[csapat stb.]* **b)** *áll* nem vándorló *[madár]* **3.** *geol* leülepedett • *fn* **sedentariness** *hsz* **sedentarily**

Seder [ˈseɪdə ‖ –ər] *fn vall* széder

sederunt [sɪˈdɪərənt, –rʌnt ‖ sɪˈdɪrənt] *fn jog* ülés, ülésezés

sedge [sedʒ] *fn* **1.** *növ* sás **2.** *növ* nád, szittyó, káka • *mn* **sedgy**

sedge warbler *fn áll* énekes nádi poszáta

sedile [sɪˈdaɪli] *fn tsz* **sedilia** [sɪˈdɪlɪə] *vall* papi kórusülés *[templomban]*, ülőfülke

sediment [ˈsedɪmənt] *fn* **a)** üledék, lerakódás, alj, visszamaradt anyag, seprő *[boré]* **b)** *geol* leülepedés, üledékes kőzet, szedimentum • *fn* **sedimentation**

sedimentary [ˌsedɪˈmentəri] **I.** *mn geol* üledékes; **~ deposit** üledékes lerakódás; törmelékes lelőhely **II.** *fn* üledékes réteg

sedimented *mn* **1.** *geol* leülepedett, üledékes **2.** mélyen gyökerező

S

sedition [sɪˈdɪʃn] *fn* lázadás, zendülés; lázító beszéd • *fn* **seditionist**

seditious [sɪˈdɪʃəs] *mn* **a)** lázadó, zendülő **b)** lázító • *hsz* **seditiously**

seduce [sɪˈdjuːs ‖ –ˈduːs] *tsi* **1. a)** (el)csábít, megront (vkt); **~ a woman** nőt elcsábít **b)** *átv* eltérít; **~ sy from his duty** vkt eltérít a kötelességétől **2.** vonz, elvarázsol, elbájol (vkt), csábít, rávesz (vkt vmre)

seducer [sɪˈdjuːsə ‖ sɪˈduːsər] *fn* **1.** (vkt) (el)csábító/megrontó **2. a)** csábító *[nőé]* **b)** *biz* nőcsábász, szoknyavadász

seduction [sɪˈdʌkʃn] *fn* **1.** (el)csábítás, megrontás (vké) **2. a)** csábítás, ámítás, (meg)kísértés, kedveskedés, hízelgés **b)** csáberő, vonzerő, báj, varázs, vmnek megnyerő/csábító volta

seductive [sɪˈdʌktɪv] *mn* **1.** csábító, vonzó, elragadó; **~ offer** csábító ajánlat **2. a)** rábeszélő, meggyőző; **~ eloquence** meggyőző ékesszólás **b)** megtévesztő, rosszra csábító, bujtogató • *fn* **seductiveness** *hsz* **seductively**

seductress [sɪˈdʌktrɪs] *fn* csábító, végzet asszonya

sedulity [sɪˈdjuːləti ‖ –ˈduː–] *fn* szorgalom, serénység, (ügy)buzgalom, igyekezet, iparkodás

sedulous [ˈsedjʊləs ‖ ˈsedʒə–] *mn* szorgalmas, szorgos, serény, ügybuzgó, igyekvő, iparkodó; **play the ~ ape to sy** majmol/utánoz vkt • *hsz* **sedulously**

sedum [ˈsiːdəm] *fn növ* varjúháj

see[1] [siː] *pt* **saw** [sɔː], *pp* **seen** [siːn] **A.** *tsi* **1.** lát; *biz* **~ things** látomásai vannak, képzelődik, hallucinál; *átv* **~ stars** csillagokat lát; **have you ~n today's paper?** olvasta már a mai újságot?; **I saw it with my own eyes** saját szememmel láttam; **there is nothing to ~** (v. **to be ~n)** semmi látnivaló nincs; *átv* **~ the last of sy/sg** megszabadul vktől/vmtől; végez vkvel/vmvel; **I shall ~ you again soon** viszontlátásra; *biz* **~ you (soon/later)** viszontlátásra; *biz* **~ you on Tuesday** a keddi viszontlátásra; **I am very pleased to ~ you** nagyon örülök hogy találkoztunk; **nothing could be ~n of him** nem volt látható, sehol nem lehetett látni; **he is not fit to be ~n** nincs olyan állapotban hogy mutatkozzék; **I don't know what you can ~ in her** nem tudom mit látsz/eszel/ettél rajta; **this is how I ~ it** én így/úgy látom a dolgot; **we'll ~** majd (még) meglátjuk; **first saw the light of day** (meg)született; **I shall make him ~ light** majd én beszélek a fejével; *GB biz* **I'll ~ him damned/hanged first** vigye el az ördög; *biz* **it makes me ~ red** ez igazán dühítő, ettől mindjárt dühbe jövök **2. a)** megnéz, szemügyre vesz, megvizsgál, megfigyel, szemmel tart (vmt); **~ a play** (szín)darabot megnéz; **~ the sights** megtekinti a látnivalókat (v. a város nevezetességeit) *[mint turista]*; **~ page 6** lásd 6. lapot/lapon; **~ back** lásd a hátlapot/túloldalon, fordíts!; lásd fentebb; **~ under** → **under** **III.2.d.; let me ~ it!** mutasd csak!, hadd lássam csak! **b)** utánanéz (vmnek), gondoskodik (vmről); **I saw it done** gondoskodtam hogy elintézzék/megtörténjék, elintéz(tet)tem; **~ (to it) that everything is in order** gondoskodik arról hogy minden rendben legyen **3. a)** észrevesz, meglát, megért, felfog, belát; **~ the light** (i) belát vmt, rádöbben/rájön/ráébred vmre (ii) megvilágosodik (iii) megtér *[vallásilag]*; **I don't ~ the point** nem látom az értelmét; **he cannot ~ a joke** nem érti (meg) a tréfát; nincs humorérzéke; **you ~ ...** érti, (mert) látja kérem; (szóval) érted; **I ~ what you mean** értem, mit akarsz (mondani); **I ~ that he has changed his mind** úgy látom (v. veszem észre) hogy meggondolta magát (v. hogy megváltoztatta elhatározását); **I ~** értem; **refuse to ~ any good in sy** nem hajlandó észrevenni vknek a jó oldalait/tulajdonságait **b)** megfontol (meg)gondol, vél, értékel, ítél; **~ things wrong** helytelenül látja (v. ítéli meg) a dolgokat; **as I ~ it** ahogy én látom; **I don't ~ it in that light** én ezt nem így látom, én ezt másképpen látom; **if you ~ fit to** ha helyesnek tartod hogy **4. a)** meglátogat (vkt) látogatást tesz (vknél), találkozik, érintkezik (vkvel); **~ the doctor** orvoshoz megy; **go and ~ sy, call to ~ sy** meglátogat vkt, elmegy/eljön vkt meglátogatni; **I hope we shall ~ a great deal of each other** remélem gyakran fogunk találkozni **b)** eljár, jár (vkvel), udvarol (vknek); **I'm ~ing a beautiful girl** szép lánnyal járok **5.** fogad *[látogatót]*; **he ~s nobody** senkit sem fogad; **I cannot ~ him today** ma nem tudom fogadni, ma nem fogadhatom **6.** elkísér; **~ sy home** hazakísér vkt **7.** átél, tapasztal; **~ life** tapasztalatokat gyűjt, (sok) élettapasztalatra tesz szert; **~ service** katonáskodik, hadseregben szolgál, (meg)ismeri a katonaéletet; **he has ~n a good deal of the world** sok mindent látott a világban; sokat megért már; sok mindenen átment; **she has ~n better days** jobb napokat (is) látott **B.** *tni* **1.** lát; **as far as the eye can ~** ameddig a szem ellát; **~ no further than one's nose** nem lát az orránál tovább; *US* **~ here!** idefigyelj!, idesüss! **2. a)** észrevesz, felfog, megért; **I ~!** (már) értem!; aha!, ja úgy!; **as far as (v. from what) I can ~** ahogy én látom, véleményem/nézetem szerint; **the whole thing was a mistake, don't you ~?** az egész dolog tévedés volt, nem látod/érted?; *US* **and you'll keep your mouth shut, ~?** a szádat pedig befogod, érted? **b) ~ eye to ~ with each other** megegyezik a véleményük **3.** utánanéz, felderít, megtekint, megnéz, szemügyre vesz, kivizsgál, kinyomoz; **I'll go and ~** megvizsgálom, megnézem, utánanézek; **let**

me ~! hadd lássam!, mutasd csak!; nos hát; **we'll ~ to it** intézkedni fogunk, utánanézünk; **~ for yourself** nézd meg magad (is); győződj meg a saját szemeddel (is); **just wait and ~** majd elválik, majd meglátjuk; **it remains to be ~n** majd (később) elválik **4.** megfontol, meggondol, gondoskodik; **will you come to dinner tomorrow? – Well, I'll ~** eljön holnap ebédre? – majd meglátom • *mn* **seeable**

see about *tsi* vmhez lát, utánanéz (vmnek), intézkedik, lépéseket tesz *[vm ügyben]*; **~ sy about sg** vkt felkeres és vele vm ügyben beszél, vm miatt felkeres vkt; **I'll ~ about it** majd én elintézem; majd meglátom/meggondolom

see after *tsi* utánanéz (vmnek), gondoskodik (vmről), (fel)ügyel, vigyáz (vkre, vmre), gondját viseli (vknek), gondoz (vkt); **~ after one's own interests** saját érdekeivel törődik

see into *tsi* **a)** belát (vmbe); **~ into the future** jövőbe lát **b)** kifürkész, kikutat, felfed (vmt); **~ into sy's motives** kifürkészi/felfedi vknek az indítóokait **c)** kivizsgál, megvizsgál *[ügyet stb.]*

see off *tsi* **1.** kikísér *[állomásra stb.]* és elbúcsúzik tőle; **~ sy off at the station** kikísér vkt a pályaudvarra; **~ sy off the premises** kikísér vkt a kapuig; gondoskodik vknek az eltávozásáról/eltávolításáról **2. a)** *GB biz* kikerül, elhárít vmt; megúszik vmt **b)** elküld

see out *tsi* **1. a)** kikísér *[vkt a kapuig]* **b)** gondoskodik vknek a távozásáról/eltávolításáról **2.** *GB* **a)** fennmarad, végignéz *[előadást, mérkőzést stb.]*, kivárja/megvárja a végét; **whatever happens I will ~ the struggle out** bármi történjék is végignézem a küzdelmet (v. megvárom a küzdelem végét) **b)** sikeresen befejez *[vállalkozást stb.]* **3.** *GB* túlél (vkt); **he will ~ us all out** mindannyiunkat túl fog élni

see over *tsi* (alaposan) megnéz, megszemlél, megvizsgál *[épületet]*

see through A. *tsi* **~ sy through** vknek (mindvégig) segítséget/támogatást nyújt; végig kitart vk mellett; **~ sg through** végignéz/végigkísér vmt; végigcsinál (v. sikeresen befejez v. befejezéséig végigkövet/végigsegít) vmt; vmt kiáll, végig kibír **B.** *tni* **a)** átlát, keresztüllát (vmn) **b)** *átv* átlát, keresztüllát (vkn, vmn), fenekére lát (vmnek), belelát vknek a szándékaiba/vesejébe; **see through a brick wall** a kőfalon is átlát; *iron* **~ through a millstone** roppant éles elméjű; **tricks easily ~n through** átlátszó fogások/fortélyok/trükkök; → **see-through**

see to *tsi* vm után néz, gondoskodik (vmről), elintéz vmt, (fel)ügyel, vigyáz (vkre, vmre), foglalkozik, törődik (vkvel, vmvel); **~ to it that** gondoskodik arról (v. utánanéz annak) hogy; **I shall ~ to it** majd gondom lesz rá

see² [siː] *fn vall* érsekség, püspökség, egyházmegye, érseki/püspöki székhely; **The Holy/Papal/Apostolic S~** a (római) Szentszék

seed [siːd] **I.** *fn* **1. a)** mag; **drop its ~** magját szórja, kipereg a magva **b)** vetőmag; **sow/plant ~ in the ground** magot vet a földbe; **go/run to ~** magba megy/szökik, felmagzik, szemesedik; *biz* kivénül *[ember]*; elhervad, tönkremegy; *átv* ápolatlan/gondozatlan külsejű, elhanyagolja öltözködését/megjelenését; *biz* **she's beginning to run/go to ~** vénülni kezd **2.** *átv* csíra, forrás, eredet; **the ~s of disease** a betegség csírái; **the ~s of doubt** a kétely csírája **3. a)** mag *[férfié]*, ondó, sperma **b)** *bibl vál* utód(ok), ivadék, leszármazott(ak), nemzedék; **the ~ of Abraham** Ábrahám utódai/leszármazottai/ivadéka **4.** *vegy* oltókristály **5.** *sp* kiemelt játékos **II. A.** *tsi* **1.** (el)vet *[magot]*, bevet *[földet]* **2.** kimagoz *[gyümölcsöt stb.]* **3.** *vegy* beolt *[folyadékot kristállyal]*; **~ a cloud** esőt csinál, felhőt beolt **4.** *sp* kiemel *[játékost]* **B.** *tni* **a)** megérik, szemesedik, magot hoz/terem **b)** magba szökik, felmagzik *[növény]* **c)** magot hullat *[növény]*, kipereg, szétszóródik *[érett szem]*

seedbed *fn* **1.** bevetett föld **2. a)** *kert* vetőágy, magágy, palántaágy, melegágy, hidegágy **b)** *kert* csíráztató **3.** *kert* faiskola, csemetekert **4.** *átv* melegágy *[fejlődésé]*

seed cake *fn* köményes/ánizsos süteményfajta

seed-coat *fn növ* maghéj, magburok

seedcorn *fn* **1.** *mezőg* vetőmag, vetőgabona **2.** *GB* visszaforgatott tőke

seed crystal *fn fiz* kristálygóc; magkristály, csírakristály, oltókristály, anyakristály

seeded [ˈsiːdɪd] *mn* **1.** *növ* magos, érett, sokmagvú, *áll* (ivar)érett **2.** apró pettyes *[selyem]* **3.** *sp* **~ player** kiemelt játékos/versenyző

seeder [ˈsiːdə ‖ –ər] *fn* **1.** *mezőg* **a)** vetőgép **b)** magszedő/kimagozó gép, termést leszedő gép **2.** *GB áll* ívó hal, ikrát rakó hal

seed-fish *fn áll* ikrás hal

seeding [ˈsiːdɪŋ] *fn* **1.** szemképződés *[gabonaneműben]* **2.** (be)vetés, magvetés **3.** kimagozás *[gyümölcsé, lené stb.]* **4.** *vegy* beoltás *[kristállyal]*

seedless [ˈsiːdləs] *mn* **1.** *növ* magtalan, nem magtermő **2. a)** magtalan, mag nélküli *[gyümölcs]* **b) ~ raisins** mazsola; **~ orange** köldökös/magnélküli narancs

seedling [ˈsiːdlɪŋ] *fn* **1.** *kert* csíranövény, magról nőtt/nevelt fiatal növény/csemete, palánta **2.** *átv* rügy, bimbó, kezdemény

seed money *fn gazd* indítótőke, kezdőtőke

seed oysters *fn tsz áll* fiatal osztriga, osztrigaivadék

seed-pearl *fn* aprószemű gyöngy

seed-plot *fn átv* melegágy

seed potato *fn mezőg* vetőburgonya

seedsman [ˈsiːdzmən] *fn tsz* **-men 1.** magvető **2.** magkereskedő

seed-time *fn mezőg* vetési idő(szak)

seed-vessel *fn növ* magburok, magház

seedy [ˈsiːdi] *mn* **1.** *növ* **a)** magvas, maggal teli, sokmagú **b)** magba szökő, felmagzó **2.** *biz* **a)** kopott, viseltes, elnyűtt, keshedt, rongyos *[ruha stb.]* **b)** siralmas, szegényes, nyomorúságos, ágrólszakadt **c) ~(-looking)** kopottas/szegényes/elhanyagolt külsejű/öltözetű, topis **3.** *biz* **a)** beteges (külsejű), girhes; **feel ~** rosszul érzi magát; **look ~** rossz színben van **b)** rossz hangulatban levő, rosszkedvű, mísz(es), levert **c)** macskajajos, másnapos • *fn* **seediness** *hsz* **seedily**

seeing [ˈsiːɪŋ] **I.** *fn* **1.** látás; **in one ~** egy pillantásra; első látásra; **~ is believing** azt hiszem, amit látok **2.** *csill* látási viszonyok, észlelési körülmények **II.** *ksz* **~ (that)** mivelhogy, minthogy, tekintettel arra, hogy

seek [siːk] *i pt/pp* **sought** [sɔːt] **A.** *tsi* **1. a)** keres, keresgél, kutat; **~ employment** állást keres; **~ shelter** menedéket keres; vhova menekül, vhol meghúzódik; *biz* **~ one's bed** lefekszik; **~ one's fortune** szerencsét próbál; **has much to ~** hiányos; sok kívánnivalót hagy maga után **b)** felhajt, hajszol *[kutya vadat]*; *ját* **hide and ~** bújócska **2.** kér, követel (vktől vmt); **~ advice** tanácsot kér; **~ sg from/of sy** vktől vmt kér/követel; **~ satisfaction from sy** elégtételt követel vktől **3. ~ (to do sg)** megkísérel (vmt), törekszik (vmre), szándékozik, akar (vmt tenni), vm után jár; **~ sy's approval** vknek a beleegyezését/hozzájárulását akarja elnyerni/megszerezni **4.** kérdezősködik, érdeklődik, tudakozódik (vm után) **B.** *tni* **1.** keres, kutat **2.** érdeklődik, kérdezősködik, tudakozódik

seek after *tsi* keres, hajhász (vmt), törekszik (vmre); **much sought after** igen keresett/kapós

seek out *tsi* felkeres, megkeres, előkeres, kikutat, kinyomoz, megtalál, meglel

seeker [ˈsiːkə ‖ –ər] *fn* **1. a)** kereső, kutató; **an earnest ~ after truth** az igazság buzgó keresője **b)** *US vall* istenkereső **2.** *kat* célkereső fejjel ellátott rakéta

seem [siːm] *tni* **1. a)** látszik, tűnik; **he ~ed an honest man** becsületes embernek látszott; **the tale ~s incredible** a történet hihetetlennek tűnik; **how does it ~ to you?** milyennek találja?, mit gondol róla?; **do as it ~s good to you** tégy úgy, ahogy jónak látod **b) I ~ to remember that ...** mintha emlékezném arra, hogy...; *biz* **I do not ~ to like him**

S

valahogy nem kedvelem **2. it ~s, it would ~ (that)** úgy tűnik/látszik (hogy); **it ~s not** úgy látszik, hogy nem; **it ~ed as though** úgy látszott, mintha

seeming [ˈsiːmɪŋ] **I.** *mn* látszólagos, színlelt, állítólagos; **a ~ friend** állítólagos barát **II.** *fn vál* **1.** külső; **the outer ~** a külső **2.** látszat; **the ~ and the real** látszat és valóság

seemingly [ˈsiːmɪŋli] *hsz* látszólag, látszatra, láthatólag; **she was ~ happy** látszólag boldog volt

seemly [ˈsiːmli] *mn* **1.** illő, illendő, helyes, megfelelő **2.** szemrevaló, csinos • *fn* **seemliness**

seen → **see**[1]

seep [siːp] **I.** *tni* átszivárog, elszivárog, beszivárog, (ki)szivárog, átitatódik; **~ into/through** leszivárog **II.** *fn* kiszivárgás, átszivárgás, beszivárgás

seepage [ˈsiːpɪdʒ] *fn* **a)** (át)szivárgás, átszűrődés **b)** kifolyás, kiömlés, kiáramlás

seer [ˈsɪə ‖ sɪr] *fn* **1.** aki lát, látó **2.** látnok, jós, próféta

seersucker [ˈsɪəsʌkə ‖ ˈsɪrsʌkər] *fn tex* (hullám)krepp, kreton

see-saw [ˈsiːsɔː] **I.** *fn* **1.** (mérleg)hintázás, hintamozgás **2.** mérleghinta, libikóka **II.** *tni* **1. a)** (mérleg)hintázik **b)** himbálódzik, hintázik, billen **2.** ingadozik, fluktuál; *átv biz* **~ between two opinions** két vélemény között ingadozik; nem tud dönteni **III.** *mn* hintázó, himbálódzó; **go ~** ingadozik, fluktuál **IV.** *hsz* hintázva

seethe [siːð] **A.** *tsi pt* **seethed**, *pp* **seethed** *régi* (fel)forral **B.** *tni* **1.** fő, forr, pezseg, bugyog **2.** forrong, háborog, kavarog *[tömeg]*; **he is seething with anger** forr a dühtől, forr benne a méreg

see-through *mn* átlátszó, áttetsző *[ruha, anyag]*

segment I. [ˈsegmənt] **1.** *fn* rész, szelet; **a ~ of an orange** narancs gerezdje **2.** *mat* cikkely, szelet; **~ (of a circle)** körszelet; **~ (of sphere)** gömbszegmens, gömbszelet; **~ (of a line)** szakasz, távolság **3.** *nyelv* szegmentum *[minimális fonológiai egység]* **4.** *áll* szelvény, íz *[ízeltlábúé]* **II.** [segˈment] **A.** *tsi* feloszt, cikkelyekre/szeletekre/szelvényekre oszt/vág, szegmentál **B.** *tni biol* szelvényekre/cikkelyekre/ízekre oszlik, barázdálódik

segmental [segˈmentl] *mn* **1.** részekre osztott, szelvényes; **~ arch** *épít* boltív, nyomott/lapos ív, szegmensív; *mat* körszelet (alakú); körszelet íve; *épít* **~ girder** szegmenstartó, szegmensgerenda **2.** elszigetelt, eseti, szegmentális • *tsi* **segmentalize** *hsz* **segmentally**

segmentation [ˌsegmənˈteɪʃn] *fn biol* **1.** szelvényekre/ízekre osztás/oszlás, barázdálódás **2.** sejtekre oszlás/osztódás hasadás útján

segregate I. [–geɪt] **A.** *tsi* elkülönít, különválaszt, szétválaszt, izolál **B.** *tni* **1.** elkülönül, elválik, különválik, kiválik **2.** külön csoportot alkot **II.** *mn* [ˈsegrɪgət] *biol* magányos, különélő • *mn* **segregable**, **segregative**

segregation [ˌsegrɪˈgeɪʃn] *fn* **1.** kiszakítás, különválasztás, elkülönítés, elszigetelés, izolálás **2.** szegregáció, faji megkülönböztetés **3.** különválás, kiválás, szegregáció **4.** *biol* szegregáció, megoszlás • *mn* **segregational**

segregationist [ˌsegrɪˈgeɪʃənɪst] *fn* faji megkülönböztetést/szegregációt hirdető/követő

segue [ˈsegweɪ] *fn* **I.** *zene* átváltás *[egyik zenedarabból a másikba átmenet nélkül]* **II.** *tni* átvált *[szünet nélkül]*

Seidlitz powder [ˈsedlɪts–] *fn* **1.** *vegy* magnéziumszulfát, kénsavas magnézium **2.** Seidlitz-só, angol/epsomi só, keserűsó

seigneur [senˈjɜː ‖ seɪnˈjɜr] *fn tört* hűbérúr, földesúr

seigneury [ˈseɪnjəri] *fn tört* **a)** nemesi/hűbérúri földbirtok **b)** uradalom • *mn* **seigneurial**

seignior [ˈseɪnjə ‖ –jɔr] → **seigneur**

seigniorage [ˈseɪnjərɪdʒ] *fn tört* földesúri jog

seigniory [ˈseɪnjəri] *fn tört* **1. a)** uraság **b)** uradalom **2.** hűbérúri hatalom • *mn* **seigniorial**

seine [seɪn] **I.** *fn* húzóháló, kerítőháló *[halászoké]* **II.** *tsi/tni* húzó/kerítőhálóval halászik

seise [siːz] *tsi jog* **~ sy of/with an estate** birtokba helyez vkt; **be/stand ~d of a property** ingatlant (szabad) birtokban tart; → **seize A. 4.**

seisin [ˈsiːzɪn] *fn jog* ingatlan tényleges birtoklása

seismic [ˈsaɪzmɪk] *mn* **1.** földrengési, szeizmikus **2.** *átv* földindulásszerű; nagymérvű, nagyszabású • *hsz* **seismically**

seismicity [saɪzˈmɪsəti] *fn* szeizmikusság, szeizmikus aktivitás

seismograph [ˈsaɪzməgrɑːf ‖ –græf] *fn* földrengést jelző/regisztráló készülék, földrengésmérő, szeizmográf • *mn* **seismographic(al)**

seismologist [saɪzˈmɒlədʒɪst ‖ –ˈmɑ–] *fn* földrengéskutató, szeizmológus

seismology [saɪzˈmɒlədʒi ‖ –ˈmɑ–] *fn* földrengéstan, szeizmológia • *mn* **seismologic(al)**

seize [siːz] **A.** *tsi* **1. a)** megragad, megfog, megszerez, megkaparint; **~ hold of sg** megragad vmt; **~ on** megfog, megragad, hatalmába kerít **b) ~ the opportunity/occasion** megragadja az alkalmat; *közm* **opportunities are hard to ~** nehéz az alkalmat üstökön ragadni **c)** *átv* elfog, hatalmába ejt/kerít; **~ the imagination** képzeletet megragad; **be ~d by apoplexy** gutaütés éri, megüti a guta; **be ~d with a desire to do sg** elfogja a vágy, hogy csináljon vmt; **be ~d with fear** elfogja a rémület; **be ~d with a fit of coughing** köhögési roham fogja el; **be ~d with laughter** nevetés fogja el **2.** megtámad, elfoglal (vmt) **3.** felfog, megért (vmt); **~ the meaning of sg** felfogja vmnek az értelmét **4.** *jog* birtokba vesz/helyez, birtokban tart; → **seise 5.** *jog* **a)** lefoglal, elkoboz **b) ~ sy** letartóztat (v. őrizetbe vesz) vkt **6. a)** megerősít, rögzít **b)** *hajó* megköt *[kötelet]* **B. 1.** *tni műsz* összeakad, összetapad *[alkatrész]*; **~ up** besül *[géprész]* **2.** *orv* lemerevedik *[testrész]* • *mn* **seizable**

seizin [ˈsiːzɪn] *jog* → **seisin**

seizing [ˈsiːzɪŋ] *fn* **1.** megragadás, megfogás **2.** *jog* birtokbavétel **3.** *jog* **a)** elfoglalás, lefoglalás, elkobzás **b)** letartóztatás, őrizetbe vétel **4.** *hajó* kötélösszeköt(öz)és **5.** *hajó* lekötőzsineg **6.** *műsz* összeakadás, összetapadás, géprész megakadása *[olajozás híján]*

seizure [ˈsiːʒə ‖ –ər] *fn* **1.** megragadás, megfogás **2.** *jog* **a)** lefoglalás, zálogolás, elkobzás **b)** lefoglalt áru, elkobzott dolog **c)** letartóztatás, őrizetbe vétel **3.** elfoglalás, bevétel *[városé, országé]* **4.** *orv* **a)** betegségroham **b)** agyvérzés **c) (apoplectic) ~** szélütés, gutaütés; **have a ~** agyvérzést kap, gutaütés éri, megüti a guta; **cardiac ~** szívroham, szívszélhűdés **5.** *műsz* összeakadás, összetapadás *[alkatrészé]*, berágódás, bemaródás

seldom [ˈseldəm] **I.** *hsz* ritkán, nem gyakran; *közm* **~ seen soon forgotten** a távollevőket könnyű elfelejteni, mihelyt nem látja már nem is gondol rá; **~ if ever**, **~ or never** úgyszólván soha **II.** *mn* ritka

select [səˈlekt] **I.** *tsi* **1.** (ki)választ, (ki)válogat **2.** *infor* kijelöl *[szöveget szövegszerkesztőn]* **II.** *mn* **1.** válogatott, kiválasztott; *GB pol* **~ committee** vizsgálóbizottság **2.** választékos, finom, zártkörű; **the ~** válogatott/előkelő társaság, elit, a társaság színe-java/krémje; **~ circles** választékos/exkluzív körök • *mn* **selectable**

selected [səˈlektɪd] *mn* **1.** válogatott, kiválasztott; **~ bibliography** ajánlott bibliográfia/irodalom; **~ passages** szemelvények, válogatott részletek **2.** *gazd* válogatott, elsőrangú *[áru stb.]*

selectee [səˌlekˈtiː] *fn US kat* besorozott hadköteles, újonc

selection [səˈlekʃn] *fn* **1.** (ki)választás, (ki)válogatás; **make a ~** (ki)választ, (ki)válogat **2.** *biol* kiválasztódás; **natural ~** természetes kiválogatás **3. a)** kiválasztott, kiválogatott (személy) **b)** *gazd* választék **c)** *ir.tud* válogatás, szemelvény(ek); **~s from Shelley** szemelvények Shelleytől, Shelley válogatott művei • *mn* **selectional**

S

selective [sə'lektɪv] *mn* **1.** válogatós, igényes **2.** kiválasztó, szelektív; *távk* ~ **receiver** szelektív vevő; *US* ~ **service** általános hadkötelezettség, kötelező katonai szolgálat • *fn* **selectiveness** *hsz* **selectively**

selectivity [səˌlek'tɪvəti] *fn* szelektivitás, választóképesség, választékonysági tényező

selector [sə'lektə ‖ –ər] *fn* **1.** választó, válogató *[személy]* **2.** *gk* sebességváltó **3.** *távk* sávátkapcsoló

selector switch *fn el* választókapcsoló

selenite ['selɪnaɪt] *fn* **1.** *ásv* szelénsavas só **2.** *ásv* szelenit, máriaüveg • *mn* **selenitic**

selenium [sə'li:nɪəm] *fn vegy* szelén • *mn* **selenic**

selenium cell *fn el* szeléncella, fotocella

seleno- [sə'li:noʊ] *előtag csill* hold-

selenography [ˌselɪ'nɒgrəfi ‖ –'nɑ–] *fn csill* holdleírás, holdtérképezés, holdtan, szelenográfia • *mn* **selenographic**

selenology [ˌselɪ'nɒlədʒi ‖ –'nɑ–] → **selenography**

self [self] **I.** *fn tsz* **selves** [selvz] **1.** maga, saját maga, önmaga; **one's own** ~ saját maga; **my poor** ~ csekélységem; **one's better** ~ jobbik énünk; **appeal to sy's better** ~ vk jobbik énjéhez apellál, lelkére beszél vknek; **my second/other** ~ a második énem, az alteregóm; **Your Royal S~** Királyi Fenséged; **he is quite his old** ~ **again** újra a régi; **do** ~ **help** segít magán; ki mint veti ágyát, úgy alussza álmát; **all by one's very** ~ teljesen egyedül/magában **2.** *kert* egyszínű virág **II.** *nm gazd biz* (saját) maga; **pay** ~ fizessen nekem **III.** *mn* egyszínű, egyforma; ~ **carnation** egyszínű szekfű; ~ **whisky** tiszta (v. nem kevert) whisky **IV.** *tsi növ* önbeporzást végez

self-abandoned *mn* **1.** magára hagy(at)ott, egyedül hagyott/maradt **2.** hidegvérű, gátlástalan, elzüllött • *fn* **self-abandon(ment)**

self-abasement *fn* önmegalázás, megalázkodás, szégyenkezés • *mn* **self-abased**

self-abhorrence *fn* önutálat

self-abnegation *fn* lemondás, áldozatosság, áldozatkészség, önmegtagadás

self-absorption *fn* **1.** önmagába mélyedés **2.** *fiz* önabszorpció *[spektroszkópiában]* • *mn* **self-absorbed**

self-abuse [ˌselfə'bju:s] *fn* **1.** maszturbáció **2.** saját képességeinek elherdálása **3.** önbecsmérlés

self-accusation *fn* önvád • *mn* **self-accusatory**

self-acting *mn műsz* önműködő, automatikus, automata • *fn* **self-action**

self-addressed *fn* saját címre megcímzett; ~ **envelope** megcímzett válaszboríték

self-adhesive *mn* öntapadó

self-adjusting *mn műsz* önigazító, önszabályozó, önbeállító • *fn* **self-adjustment**

self-admiration *fn* öncsodálat, önimádás, önbálványozás

self-advertisement *fn* saját maga feldicsérése, önreklám(ozás) • *fn* **self-advertizer**

self-aggrandizement, **-isement** *fn* saját maga felmagasztalása, önimádat • *mn* **self-aggrandizing**

self-analysis *fn pszich* önelemzés

self-appointed *mn* önmaga által kinevezett, önjelölt

self-appreciation *fn* kedvező önértékelés, önteltség

self-approval → **self-appreciation**

self-assembly *mn* (házilag) összeállítható; ~ **unit furniture**, ~ **units** elemes bútor

self-assertion *fn* **a)** magabiztosság, öntudatos fellépés, saját egyéniségének érvényesítése **b)** tolakodás, önmaga erőszakos előtérbe tolása

self-assertive *mn* **a)** magabiztos, öntudatos határozottsággal fellépő **b)** tolakodó, erőszakos, ellentmondást nem tűrő

self-assurance *fn* magabiztosság, önbizalom, biztos fellépés • *mn* **self-assured**

self-betrayal *fn* **1.** önmaga elárulása **2.** a valódi gondolatok elárulása

self-born *mn* önmagától eredő, eredendő

self-build *fn* saját erőből/kalákában történő építkezés • *fn* **self-builder**

self-catering **I.** *mn GB* **1.** önkiszolgáló *[étterem stb.]* **2.** önellátó *[üdülés, üdülőhely]* **II.** *fn GB* önellátás *[üdülőhelyen]*

self-centered *US* → **self-centred**

self-centred *mn* **1.** önző, egocentrikus **2.** énközpontú

self-certification *fn GB* igazolás *[saját betegségről, munkáltatónak]*

self-cleaning *mn műsz* öntisztító

self-closing *mn* önműködően záró(dó)/csukódó, ön(el)záró; ~ **door** önműködő (csapó)ajtó; *műsz* ~ **valve** önzáró szelep

self-cocking *mn* ismétlő, automata (fegyver)

self-collected *mn* higgadt, magán uralkodni tudó, lélekjelenléttel rendelkező, összefogott

self-colored *US* → **self-coloured**

self-coloured *mn* **1.** egyszínű **2.** természetes színű

self-command *fn* önuralom, önmérséklés, hidegvér, higgadtság

self-communion *fn* lelkiismeretvizsgálat, magába szállás, gondolatokban elmerülés, elmélkedés

self-complacence *fn* önelégültség, elbizakodottság, önhittség • *mn* **self-complacent**

self-composed *mn* nyugodt, higgadt, önmagán uralkodó, összefogott

self-conceit *fn* önhittség, beképzeltség, elbizakodottság, önteltség; **eaten up with** ~, **full of** ~ hihetetlenül beképzelt/elbizakodott/nagyképű • *mn* **self-conceited**

self-condemnation *fn* **1.** önhibáztatás **2.** önlebuktatás, saját bűnök óvatlan felfedése/beismerése • *mn* **self-condemned**

self-confessed *mn* nyíltan magát vmnek (v. vmlyen csoportba) tartozónak valló

self-confidence *fn* **1.** önbizalom, magabiztosság; **lack of** ~ önbizalom hiánya **2.** beképzeltség, elbizakodottság, önteltség

self-confident *mn* **1.** magabízó, magabiztos **2.** beképzelt, elbizakodott, öntelt

self-conquest *fn* önmaga legyőzése, saját jellemhibák kijavítása

self-conscious *mn* **1.** öntudatos **2.** zavart, zavarban levő *[mások reá irányuló figyelme miatt]*, félénk *[személy]*, zavart, kényszeredett, feszélyezett *[magatartás stb.]* • *fn* **self-consciousness** *hsz* **self-consciously**

self-consistent *mn* következetes, logikus • *fn* **self-consistency**

self-constituted *mn* saját maga által létrehozott/alakított *[bizottság stb.]*

self-contained *mn* **1.** zárkózott, tartózkodó **2.** független, önálló, önmagában zárt *[külső tényezőktől független]*; ~ **flat** külön bejáratú (összkomfortos) lakás; ~ **house** (összkomfortos) családi ház • *fn* **self-containment**

self-contempt *fn* önmegvetés

self-content *fn* önelégültség • *fn* **self-contented**

self-contradiction *fn* önellentmondás • *fn* **self-contradictory**

self-control *fn* önuralom, hidegvér; **lose one's** ~ elveszti önuralmát/hidegvérét, nem tud magán uralkodni • *mn* **self-controlled**

self-correcting *mn* (automatikusan) önmagát korrigáló/helyesbítő

self-created *mn* magateremtette • *fn* **self-creation**

self-critical *mn* önkritikus, önbíráló • *fn* **self-criticism**

self-deceit *fn* önámítás, öncsalás, önáltatás • *fn* **self-deception**

self-defeating *mn* saját érdekei ellen dolgozó, saját munkáját tönkretevő

self-defence *fn* (törvényes) önvédelem; **in** ~ önvédelemből • *mn* **self-defensive**

self-defense *US* → **self-defence**

self-delusion *fn* önámítás, öncsalás

S

self-denial *fn* **a)** önmegtagadás, önmegtartóztatás **b)** takarékosság, mértékletesség, igénytelenség, egyszerűség • *mn* **self-denying**
self-dependence *fn* függetlenség, önállóság • *fn* **self-dependent**
self-deprecation → **self-depreciation**
self-depreciation *fn* túlzott szerénység, önlebecsülés, negatív önértékelés • *fn* **self-depricatory**
self-destruct [ˌselfdɪˈstrʌkt] *tni* önmegsemmisítést hajt végre *[pl. bomba]*
self-destruction *fn* **1.** önmegsemmisítés **2.** önpusztítás
self-destructive *mn* **1.** önmegsemmisítő **2.** önpusztító *[magatartás]*
self-determination *fn* **a)** önállóság, szabad akarat **b)** *pol* önrendelkezés; **right of peoples to ~** népek önrendelkezési joga • *mn* **self-determined**
self-devotion *fn* önfeláldozás, odaadás
self-discipline *fn* önfegyelem • *mn* **self-disciplined**
self-display *fn* fitogtatás, hencegés, önmaga előtérbe tolása
self-doubt *fn* önbizalom hiánya
self-drive *mn GB* **~ car** bérautó vezető nélkül
self-educated *mn* önmagát képzett, autodidakta • *fn* **self-education**
self-effacing *mn* félrevonuló, elhúzódó, szerény • *fn* **self-effacement** *hsz* **self-effacingly**
self-elective *mn GB* saját tagjainak megválasztására jogosult *[testület stb.]*, önmaga megválasztására/kinevezésére jogosult *[személy]*
self-employed *mn* önálló, független *[iparos, kereskedő]*, magánszektorhoz tartozó, maszek • *fn* **self-employment**
self-esteem *fn* önbecsülés, önérzet
self-evident *mn* magától értetődő, világos, nyilvánvaló, kézzelfogható • *fn* **self-evidence** *hsz* **self-evidently**
self-examination *fn* önvizsgálat, lelkiismeret-vizsgálat
self-existent *mn* függetlenül/önmagában létező
self-explanatory *fn* önmagát magyarázó/indokoló
self-expression *fn* (művészi) önkifejezés *[alkotás által]*
self-faced *mn épít* nyers, faragatlan *[terméskő]*
self-feeder *fn* **1.** *műsz* önműködő adagoló készülék **2.** *mezőg* önetető • *fn* **self-feeding**
self-fertilization, **-isation** *fn* **a)** *biol* öntermékenyítés, *növ* önbeporzás **b)** *biol* öntermékenyülés • *mn* **self-fertilized**
self-financing [–faɪˈnænsɪŋ] *mn* önfinanszírozó
self-flagellation *fn* önostorozás
self-fulfilling *mn* önbeteljesítő; **~ prophecy** önmagát valóra váltó jóslat
self-fulfilment → **self-realization**
self-generating *mn* öngerjesztő
self-glorification *fn* öndicsőítés
self-governing *mn* **1.** *pol* önkormányzatú, autonóm **2.** önmérséklő, önuralmat gyakorló
self-government *fn* **1.** önuralom **2.** *pol* önkormányzás, önkormányzat, autonómia
self-hatred *fn* önutálat
self-help *fn* önsegély, a maga erejéből boldogulás; **do ~** segít magán
selfhood [ˈselfhud] *fn* **1.** személyiség **2.** egyéni élet, egyéniség
self-humiliation *fn* önmegaláz(kod)ás
self-image *fn* énkép
self-immolation *fn* önfeláldozás, önmaga feláldozása
self-importance *fn* fontoskodás, elbizakodottság, önhittség, önteltség, beképzeltség • *mn* **self-important**
self-imposed *mn* saját maga által kijelölt, önként (magára) vállalt *[feladat]*
self-improvement *fn* önművelés
self-inductance *fn el* öngerjesztés, önindukció
self-indulgent *mn* **1. a)** elpuhult, szibarita, önmagát kényeztető **b)** önmagával szemben elnéző **2.** *műv* túlzó, pazar(ló) *[műalkotás]* • *fn* **self-indulgence**
self-inflicted *mn* önmagára mért, saját magára kiszabott; **~ wound** saját magán önkezével ejtett seb
self-interest *fn* önzés, önérdek, haszonlesés • *mn* **self-interested**
self-involved *mn* gondolataiba merült, magába forduló
selfish [ˈselfɪʃ] *mn* önző, egoista • *fn* **selfishness** *hsz* **selfishly**
self-justification *fn* önigazolás • *mn* **self-justifying**
self-knowledge *fn* önismeret
selfless [ˈselfləs] *mn* önzetlen, önfeláldozó
self-loader *fn* automata fegyver
self-loading *mn kat* automata-
self-locking *mn műsz* önelzáró, önzáró(dó)
self-love *fn* **1.** önszeretet, önzés, egoizmus **2.** *pszich* nárcisszizmus
self-made *mn* **1.** a saját maga erejéből lett, a maga szerencséjét/vagyonát megalapozó ember; **~ man** önerejéből lett ember **2.** maga készítette
self-mastery *fn* önuralom
selfmate *fn ját* önmatt *[sakkban]*
self-motion *fn* önmozgás
self-moving *mn* önműködő, magától mozgó
selfness [ˈselfnəs] *fn* egyéniség, individualitás
self-opinioned, **self-opinionated** *mn* **1.** makacs, konok, önfejű, csökönyös **2.** beképzelt
self-perpetuating *mn* önmaga létét meghosszabbító • *fn* **self-perpetuation**
self-pity *fn* önsajnálat
self-pollinated *mn növ* önbeporzó • *fn* **self-pollination**
self-pollution *fn* **1.** *növ* önbeporzás **2.** *régi* onánia, nemi önkielégítés
self-portrait *fn* önarckép
self-possessed *mn* higgadt, nyugodt, hidegvérű, magán uralkodni tudó • *fn* **self-possession**
self-praise *fn* öndicséret, önmagasztalás
self-preservation *fn* önfenntartás; **the instinct of ~** az önfenntartás ösztöne
self-propelled *mn* önműködő, önmagától mozgó, önjáró *[jármű]* • *mn* **self-propelling**
self-protection → **self-defence** • *mn* **self-protective**
self-raising *mn GB* önmagától megkelő, sütőporral kevert *[liszt]*
self-realization, **-isation** *fn* önmegvalósítás, önmaga kiteljesítése
self-recording *mn* önműködő(en) jelző/feljegyző/regisztráló, öníró *[készülék]*
self-referential *mn* önmagára utaló • *fn* **self-referentiality**
self-regard *fn* **1. a)** önbecsülés, önérzet **b)** (túlzott) magabiztosság **2. a)** saját érdekeinek szem előtt tartása **b)** önzés • *mn* **self-regarding**
self-registering *mn* önműködően jelző/feljegyző, önjelző, öníró, regisztráló *[készülék]*
self-regulating *mn* önszabályozó • *fn* **self-regulation**
self-reliance *fn* önállóság, önmagára támaszkodás, önbizalom
self-reliant *mn* önálló, önmagára támaszkodó, önmagában bízó
self-renunciation *fn* önzetlenség, önfeláldozás
self-reproach *fn* önvád, lelkiismeret-furdalás
self-repugnant *mn* következetlen, önmagának ellentmondó
self-respect *fn* önbecsülés, önérzet, hiúság; **he has no ~** nem ad magára semmit • *mn* **self-respecting**
self-restrained *mn* önmagát visszatartó, önuralommal bíró, tartózkodó, mérsékelt
self-restraint *fn* önuralom, önmérséklet, tartózkodás
self-revelation *fn* (önkéntelen) megnyilatkozás • *mn* **self-revealing**
self-righteous *mn* önelégült, képmutató, álszent • *hsz* **self-righteously**

S

self-righting *mn műsz* önigazító, önbeálló, állékony
self-rising *mn US gaszt* önkelesztő, sütőporral kevert *[liszt]*
self-rule → **self-government**
self-sacrifice *fn* önfeláldozás, önmegtagadás, önzetlenség • *mn* **self-sacrificing**
selfsame *mn* **(the) ~** (pontosan/teljesen) ugyanaz
self-satisfaction *fn* önteltség, önelégültség • *mn* **self-satisfied**
self-sealing *mn* **a)** önlezáró, öntömítő; *rep* **~ fuel tank** önzáródó (lövésbiztos) üzemanyagtartály **b)** önműködően záródó; **~ stationery/envelope** önborítékoló levélpapír
self-seeding *fn növ* szaporodás hullott magról • *tni* **self-seed**
self-seeker *fn* önző/haszonleső ember
self-seeking I. *mn* önző, haszonleső **II.** *fn* önzés, haszonlesés
self-selection *fn gazd* önkiválasztás, szabad válogatás *[boltban]* • *mn* **self-selecting**
self-service I. *mn* **1.** automatikus, önműködő **2.** önkiszolgáló *[étterem, üzlet stb.]* **II. 1.** *fn* önkiszolgálás **2.** *biz* önkiszolgáló üzlet/benzinkút
self-serving *mn* önző, haszonleső
self-sown *mn növ* kihullott magból kelt, vadon termő
self-starter *fn* **1. a)** *gk* önindító **b)** *el* automatikus indító **2.** *biz* kezdeményező(képes) ember
self-styled *mn* magát vmnek kiadó/kikiáltó/tekintő/feltüntető, állítólagos, úgynevezett
self-sufficient *mn* **1. a)** önálló, önmagában is megálló **b)** *közg* önellátó **2.** önelégült, öntelt, önhitt, beképzelt • *fn* **self-sufficiency** *hsz* **self-sufficiently**
self-suggestion *fn* önszuggesztió
self-supporting *mn* önmagát fenntartó/eltartó, önálló
self-surrender *fn* önmaga elhagyása, akarat feladása, akaratról való lemondás
self-sustaining *mn* önfenntartó, önálló • *mn* **self-sustained**
self-taught *mn* **1.** önmagában (v. segítség nélkül) tanuló, autodidakta **2.** egyedül/magában megtanult
self-torture *fn* önkínzás
self-trust *fn* önbizalom
self-willed *mn* önfejű, konok, makacs, akaratos • *fn* **self-will**
self-winding *mn* **~ watch** önműködően felhúzódó óra
self-worship *fn* önbálványozás
sell [sel] **I.** *pt/pp* **sold** [sould] **A.** *tsi* **1. a)** elad, árul, (el)árusít, elhelyez, értékesít *[árut]*; **~ one's life dear(ly)** drágán adja (v. nem adja olcsón) az életét; **~ sg at a loss** rosszul/veszteséggel (v. áron alul) ad el vmt; **~ sg for cash** készpénzért árusít (v. ad el) vmt; **~ back** megint/újból elad, viszontelad; *átv* **~ oneself** eladja magát **b)** *US* **~ sg to sy, ~ sy on sg** elfogadtat vmt vkvel; meggyőz vkt vm szükségszerűségéről; megnyer vm számára; **~ an idea** vkt rábeszél vmre, vmlyen ötletét/javaslatát elfogadtatja vkvel; *átv biz* **be sold on sg** vmbe nagyon bele van esve **2. a)** elad, elárul *[titkot stb.]*; **~ one's country** eladja/elárulja hazáját/országát; **~ one's honour** eladja a becsületét **b)** *főleg GB biz* becsap, rászed (vkt); **you have been sold!** jól becsaptak/rászedtek/bepaliztak; **~ sy a pup** becsap/rászed/bepaliz vkt; *US biz* **~ sy down the river** átejt/rászed vkt **B.** *tni* **1.** árul, áruba bocsát, kereskedik; **land to ~, land to be sold** eladó föld **2.** elkel, megy, keresett, kapós; **goods that ~ well** kelendő áruk **II.** *fn* **1.** *gazd biz* eladás, árusítás; **hard ~** ráerőltetés, agresszív eladói eszközök; **soft ~** a vásárlásra való tapintatos rábeszélés **2. a)** csalás, ámítás, becsapás **b)** csalódás, kiábrándulás • *mn* **sellable**
sell at *tni* kerül vmbe; **what are plums ~ing at?** mibe/mennyibe kerül a szilva?
sell off *tsi* felszámol, kiárusít, olcsó áron elad, *biz* elkótyavetyél
sell out A. *tsi* **1. a)** *pénz* pénzzé tesz, realizál *[részvényt stb.]* **b)** *gazd* kiárusít, mindent elad; **the edition is sold out** a kiadás elfogyott; **(all the tickets have been) sold out** minden jegy elkelt; → **sold-out 2.** felad *[pl. elveket haszonszerzés miatt]* **B.** *tni* **1.** kiárusít, elad; **he had to ~ out at a loss** veszteséggel kellett túladni (az árun) **2.** *átv* elárul, elad
sell up *tsi* elárverez, végrehajtat (vkt)
sell-by date *fn GB* ‹"minőségét megőrzi" jel/időpont›; *biz* **be past one's ~** lejárt a szavatossága, *átv* idejétmúlta, ódivatú
seller ['selə ‖ –ər] *fn* **1.** eladó(fél), árus(ító); *gazd* **~'s market** jó értékesítési lehetőség, nagy kereslet; **buyer's and ~'s market** kereslet és kínálat **2.** eladó áru; *biz* **good ~** nagy példányszámban fogyó könyv
selling point *fn* előnyös oldal/tulajdonság
selling price *fn gazd* eladási ár
selling race *fn* eladóverseny *[lovaké]*
Sellotape ['seləteɪp] **I.** *fn GB* cellux; ragasztószalag **II.** *tsi* celluxoz, celluxszal ragaszt
sell-out *fn* **1.** *szính* telt ház, „minden jegy elkelt" **2.** (el)árulás
seltzer ['seltsə ‖ –ər] *fn* **a)** szódavíz **b)** Selters-víz
seltzer water *fn* **a)** szódavíz **b)** Selters-víz
selvage ['selvɪdʒ] **I.** *fn* **1.** *tex* szegély **2.** behajlított perem **3.** *bány geol* agyagréteg **II.** *tsi* **1.** *tex* szegélyez, szeg **2.** hajlít *[peremet]*
selvedge ['selvɪdʒ] → **selvage**
semantic [sə'mæntɪk] *mn nyelv* jelentéstani, szemantikai; **~ extension** jelentéskiterjesztés • *hsz* **semantically**
semantics [sə'mæntɪks] *fn esz* jelentéstan, szemantika • *fn* **semantician**
semaphore ['seməfɔː ‖ –fɔr] **I.** *fn* fényjelző, szemafor *[vasútnál stb.]* **II.** *tsi* szemafor útján közöl, szemaforral továbbít, fényjelet ad
semasiology [səˌmeɪzi'ɒlədʒi ‖ –'ɑlədʒi] *fn nyelv* **1.** jelentéstan **2.** jelentésváltozástan • *mn* **semasiological**
semblable ['sembləbl] **I.** *mn régi* hasonló **II.** *fn régi* hasonlóság, hasonmás
semblance ['sembləns] *fn* **a)** hasonlóság, (hason)más; **bear the ~ of sy** hasonlít vkre **b)** látszat, külszín; **it gives the ~ of** azt a benyomást/látszatot kelti, hogy; **have the ~ of virtue** az erény benyomását/látszatát kelti; **in ~** látszatra
semeiology [ˌsiːmaɪ'ɒlədʒi ‖ –'ɑlə–] → **semiology**
semeiotics [ˌsiːmaɪ'ɒtɪks ‖ –'ɑtɪks] → **semiotics**
semen ['siːmən] *fn biol* ondó, ondósejt, sperma
semester [sə'mestə ‖ –ər] *fn* (tanulmányi) félév, szemeszter
semi ['semi] *fn* **1.** *GB* ikerház (egyik tagja) **2.** → **semitrailer 3.** *sp* elődöntő
semi- ['semi] *előtag* fél-, félig
semi-annual [ˌsemi'ænjuəl] *mn* félévi, félévenkénti • *hsz* **semi-annually**
semi-automatic [ˌsemiɔːtə'mætɪk] *mn* félautomatikus, félautomata
semi-autonomous [ˌsemiɔː'tɒnəməs ‖ –'tɑn–] *mn* félautonóm
semi-auxiliary [ˌsemiɔːg'zɪlɪəri] *fn nyelv* félsegédige, segédigei funkciójú ige
semibold [ˌsemi'bould] *mn nyomd* félkövér *[betű]*
semibreve ['semibriːv] *fn főleg GB zene* egész hang(jegy), semibrevis
semicircle ['semisɜːkl ‖ –sɜrkl] **I.** *fn mat* félkör **II. A.** *tsi* félkör alakban körülvesz **B.** *tni* félkört képez/alkot
semicircular [ˌsemi'sɜːkjulə ‖ –'sɜrkjələr] *mn* félkör alakú
semi-circumference [ˌsemisə'kʌmfrəns ‖ –sər–] *fn mat* félkörív
semicivilized [ˌsemi'sɪvəlaɪzd] *mn* félig civilizált
semicolon [ˌsemi'koulən ‖ 'semikoulən] *fn* pontosvessző
semiconducting [ˌsemikən'dʌktɪŋ] *mn vill* félvezető
semiconductor [ˌsemikən'dʌktə ‖ –ər] *fn vill* félvezető
semiconscious [ˌsemi'kɒnʃəs ‖ –'kɑn–] *mn* félig eszméleténél/öntudatnál levő
semi-cylindrical [ˌsemisə'lɪndrɪkl] *mn* félhengeres
semi-darkness *fn* **in the ~** szürkületben

S

semi-detached *mn GB* ikerház (egyik fele)
semidocumentary [csemidɒkju'mentəri ‖ –dɑkjə'menri] *fn* valódi környezetben játszódó filmtörténet
semi-dome ['semidoum] *fn épít* félkupola
semidry [ˌsemi'draɪ] *mn* félszáraz
semifinal [ˌsemi'faɪnl] *fn sp* középdöntő, elődöntő • *mn* **semi-finalist**
semifinished [ˌsemi'fɪnɪʃt] *mn műsz* nem egészen finoman megmunkált, félkész; ~ **products** félkészáru
semifluid [ˌsemi'flu:ɪd] **I.** *mn* félfolyós, félfolyékony; ~ **grease** félfolyékony kenőzsír **II.** *fn* félfolyós/félfolyékony anyag
semi-hard [ˌsemi'hɑ:d ‖ –'hɑrd] *mn* félkemény
semi-infinite [ˌsemi'ɪnfɪnɪt] *mn mat* egyirányban végtelen
semi-invalid [ˌsemi'ɪnvəli:d ‖ –vəlɘd] *fn* **a)** gyenge/bizonytalan egészségű, félig rokkant **b)** lábadozó
semi-liquid [ˌsemi'lɪkwɪd] *mn* félfolyós, félfolyékony
semi-literate [ˌsemi'lɪtərət] *mn* **1. a)** félig analfabéta/írástudatlan, csak olvasni tudó **b)** *pej* félművelt **2.** értéktelen, ponyva *[irodalmi mű]* • *fn* **semi-literacy**
semilunar [ˌsemi'lu:nə ‖ –ər] *mn orv* félhold alakú *[csont]*
semi-metal [ˌsemi'metl] *fn vegy* félfém
semimonthly [ˌsemi'mʌnθli] **I.** *hsz* félhavonta, havonta kétszer **II.** *mn* félhavi, félhavonkénti, havonta kétszer megjelenő *[folyóirat stb.]* **III.** *fn* félhavi/kéthetenkénti folyóirat
seminal ['semɪnəl] *mn* **1.** *biol növ* mag-, ondó-, sperma-; ~ **emission** magömlés; ~ **fluid** magfolyadék; ~ **leaf** sziklevél, csíralevél **2.** *átv* jelentékeny fejlődést elindító, nagy hatású, eredeti gondolatokban gazdag, termékenyítő
seminar ['semɪnɑ: ‖ –nɑr] *fn* **1.** *okt* (egyetemi) szeminárium **2.** szeminárium, konferencia
seminarist ['semɪnərɪst] *fn* **1.** *vall* papnövendék, szeminarista **2.** szemináriumi tag
seminary ['semɪnəri ‖ –neri] *fn vall* papnevelő intézet, papnevelde, (papi) szeminárium • *fn* **seminarian**
seminiferous [ˌsemɪ'nɪfərəs] *mn orv növ* magtermő, magvivő
semioccasionally [ˌsemiə'keɪʒnəli] *hsz US* időnként, néha, ritkán
semi-official [ˌsemiə'fɪʃl] *mn* félhivatalos
semiology [ˌsemi'ɒlədʒi ‖ –'ɑl–] *fn* **1.** jeltan **2.** jelbeszéd, jelrendszer **3.** *orv* tünettan • *fn* **semiologist**
semiopaque [ˌsemiou'peɪk] *mn* félig átlátszó
semiotics [ˌsemi'ɒtɪks ‖ –'ɑt–] *fn esz* **1.** szemiotika **2.** *orv* szimptomatológia • *mn* **semiotic(al)**
semipermanent [ˌsemi'pɜ:mənənt ‖ –'pɜr–] *mn* csak részben tartós, bizonytalan ideig tartó
semi-permeable [ˌsemi'pɜ:mɪəbl ‖ –'pɜr–] *mn* félig áteresztő
semiprecious [ˌsemi'preʃəs] *mn* ~ **stone** féldrágakő
semi-pro [semi'prou] *US biz* → **semi-professional**
semi-professional [ˌsemiprə'feʃnəl] *mn/fn* félprofi *[pl. sportoló]*
semi-quarter finals [ˌsemikwɔ:tə'faɪnlz ‖ –kwɔrtər–] *fn tsz sp* nyolcaddöntő
semiquaver ['semikweɪvə ‖ –ər] *főleg GB* **I.** *fn zene* tizenhatod (hangjegy) **II.** *tsi* tizenhatodokat játszik/énekel
semiskilled [ˌsemi'skɪld] *mn* betanított *[munkás]*
semismile ['semismaɪl] *fn* könnyed mosoly
semisolid [ˌsemi'sɒlɪd ‖ –'sɑlɪd] *mn/fn vegy geol* félig szilárd, félkemény
semi-sweet [ˌsemi'swi:t] *mn* édeskés, enyhén édes
semisynthetic [ˌsemisɪn'θetɪk] *mn vegy* félszintetikus *[anyag]*
Semite ['si:maɪt ‖ 'se–] *mn/fn népr* sémi, szemita • *fn* **Semitism, Semitist**
Semitic [sə'mɪtɪk] *mn* sémi, szemita; ~ **languages** sémi nyelvek
semitone ['semitoun] *fn zene* kisszekund, kismásod • *mn* **semitonic**
semitrailer [ˌsemi'treɪlə ‖ –ər] *fn gk* **a)** félpótkocsi **b)** nyerges vontató
semitransparent [ˌsemitræn'spærənt] *mn* félig átlátszó, áttetsző
semitropical [ˌsemi'trɒpɪkl ‖ –'trɑ–] *mn* szubtrópusi
semivowel ['semivauəl] *fn nyelv* fél(magán)hangzó, félvokális
semiweekly [ˌsemi'wi:kli] **I.** *mn* hetenként kétszer megjelenő *[lap stb.]* **II.** *hsz* hetente kétszer
semolina [ˌsemə'li:nə] *fn* búzadara, gríz
sempervivum [ˌsempə'vaɪvəm ‖ ˌsempər–] *fn növ* kövirózsa
sempiternal [ˌsempɪ'tɜ:nl ‖ –'tɜr–] *mn vál* örökkévaló, örökkétartó, örökös
sempstress ['sempstrɪs] *fn* varrónő
sen., **Sen.** *röv* **1.** *Senate* **2.** *Senator* **3.** *senior* idősebb, id.
senarius [sɪ'neərɪəs ‖ –'ner–] *fn tsz* **senarii** [–riaɪ] *ir.tud* hat lábból álló sor; jambikus trimeter
senary ['si:nəri] *mn mat* **1.** hatos alapszámú **2.** hatodik gyökű
senate ['senət] *fn* **1. a)** *US pol* felsőház, szenátus, szenátorok testülete **b)** *tört* (római) szenátus **2.** *GB* egyetemi tanács *[angol egyetemeken]*
senator ['senətə ‖ –ər] *fn* **1. a)** *US* felsőházi tag, szenátor **b)** *tört* (római) szenátor **2.** tanácsos, tanácsnok • *fn* **senatorship** *mn* **senatorial**
send [send] *pt/pp* **sent** [sent] **A.** *tsi* **1. a)** (el)küld (vkt); ~ **sy after/for sg** elküld vkt vmért; *biz* **be sent into the world** világra jön, megszületik; ~ **sy on a fool's errand** bolondot járat vkvel **b)** elküld, eljuttat (vmt), felad *[levelet stb.]*; ~ **aid/help to sy** segítséget küld vknek; ~ **word to sy** üzen vknek, tudat vmt vkvel; ~ **one's love** szerető üdvözletét küldi, szeretettel üdvözli **2. a)** dob, hajít, lök; **the blow sent him to the floor** az ütés leterítette (v. földre terítette) **b)** küld, kerget, zavar; ~ **a person mad** őrületbe kerget vkt, megőrjít vkt **3. a)** átad, átnyújt, odaad (vmt) **b)** (kegyesen) (meg)ad (vknek vmt); ~ **him victorious** tedd győztessé; **God ~ it may be so** Isten adja, hogy úgy legyen **4.** (le)ad *[rádión]*, leközöl **5.** *szl [felizgat, eksztázisba kerget, önkívületbe hoz]* beindít, begerjeszt **B.** *tni* üzen, üzenetet küld • *mn* **sendable**
send away *tsi* **1.** elküld, elbocsát (vkt) *[állásból]* **2.** elküld, felad (vmt); ~ **away for** küldet (ételért/áruért)
send down *tsi* **1.** leküld (vkt, vmt) **2.** *GB okt* egyetemről eltanácsol/eltávolít/eltilt/kizár *[diákot]* **3.** *biz* bebörtönöz, dutyiba zár
send for *tni* **a)** érte küld, hivat; ~ **for sy/sg** üzen/(el)küld vkért/vmért **b)** kér, folyamodik; ~ **for help** segítséget kér
send forth *tsi* áraszt, terjeszt *[illatot stb.]*, kibocsát *[fényt stb.]*, szór *[szikrát stb.]*
send in *tsi* **a)** beküld (vkt, vmt); ~ **in one's name** bejelenti magát **b)** benyújt *[számlát]*; ~ **in tenders** ajánlatot nyújt be; megajánl; ~ **in one's resignation** beadja/benyújtja lemondását
send off *tsi* **a)** elküld (vkt), vmt **b)** *sp* leküld *[pályáról]*, kiállít **c)** elbúcsúztat; → **send-off**
send on *tsi* **1.** továbbít, utána küld *[levelet]* **2.** átad, továbbad *[parancsot]*
send out *tsi* **1. a)** kiküld (vkt) **b)** kibocsát, szétküld; ~ **out invitations** meghívókat küld szét **2.** kibocsát *[hőt, illatot stb.]*
send up *tsi* **1.** felküld, fereszt, felhajt (vkt, vmt); ~ **up a report** jelentést felküld *[központba stb.]* **2. a)** *GB okt* igazgatóhoz küld *[tanulót büntetés kirovására]* **b)** *US* bebörtönöz **3.** *biz* parodizál; kifiguráz
sender ['sendə ‖ –ər] *fn* **1.** (el)küldő, feladó **2.** adókészülék, leadó, rádióadó-állomás, rádióadó-készülék
send-off *fn biz* **1.** (barátságos) búcsú(ztatás), búcsúztató, útnakindítás **2.** vmnek megkezdéséhez adott segítség, útravaló; → **send off**
send-up *fn GB biz* paródia, szatíra

S

Senegal [ˈsenɪgɔːl] *tul földr* Szenegál
Senegalese [ˌsenɪgəˈliːz] *mn/fn* szenegáli
senesce [sɪˈnes] *tni* megöregszik • *fn* **senescence** *mn* **senescent**
seneschal [ˈsenɪʃl] *fn tört* udvarmester, udvarnagy, országbíró
senile [ˈsiːnaɪl] **I.** *mn* **a)** öreges, elaggott, szenilis **b)** öregkori, aggkori, szenilis; ~ **decay** öregkori/aggkori gyengeség, szenilitás **II.** *fn* szenilis ember
senility [sɪˈnɪləti] *fn* **1.** elaggás, elaggottság, aggkori gyengeség, vénség, szenilitás **2.** *geol* szenilis állapot/fázis/ciklus
senior [ˈsiːnɪə ‖ –ər] **I.** *mn* **1.** idősebb, öregebb; **Black ~** az idősebb(ik)/öregebb(ik) Black; **Michael Owen ~** idős(b) Michael Owen; ~ **to sy** vknél idősebb; ~ **citizen** (idős) nyugdíjas **2.** legfelső, legelső *[rangban]*, rangidős; ~ **clerk** irodavezető, irodafőnök; *okt* ~ **master** vezető tanár; **the ~ officer** rangidős tiszt; *GB* **the S~ Service** hadiflotta; rangidős fegyvernem; *pénz* ~ **shares** elsőbbségi részvények; ~ **in rank** rangelső; ~ **staff** (állásban levő) tisztviselők, káderek **3.** *okt* **a)** *GB* felső tagozatos; ~ **common room** tanári **b)** *US* végzős; ~ **high (school)** a középiskola felső tagozatai **II.** *fn* **1. a)** vknél idősebb/öregebb ember; **I am his ~** idősebb vagyok nála **b)** a legidősebb/legöregebb ember/személy **2.** rangelső, feljebbvaló **3.** *US biz* utolsó éves egyetemi/főiskolai/középiskolai hallgató, végzős évfolyambeli diák; **the ~s** felső évesek, felsősök
seniority [ˌsiːniˈɒrəti ‖ –ˈɔrəti, –ˈɑ–] *fn* **1.** idősebb volta vknek, korbeli elsőség, korelsőség; **he is chairman by ~** kor-elnök **2.** rangidősség; **right of ~** a szolgálatban eltöltött évek alapján szerzett jog az előléptetéshez
senna [ˈsenə] *fn növ* szennacserje, szennabokor; szennalevél
Senr. *röv Senior*
sensation [senˈseɪʃn] *fn* **1. a)** érzés, benyomás **b)** érzet, érzékelés **2.** feltűnés, szenzáció; **create/make/cause ~** feltűnést/szenzációt kelt
sensational [senˈseɪʃnəl] *mn* **1.** *fil* érzékektől függő, érzéklő, érzéki **2.** feltűnést keltő, feltűnő, szenzációs, világraszóló; ~ **news/rumour** szenzációs (v. feltűnést keltő) hír/újság
sensationalism [senˈseɪʃnəlɪzm] *fn* **1.** szenzációhajhászás, (minden áron való) feltűnéskeltés **2.** *fil* szenzualista elmélet
sensationalist [senˈseɪʃnəlɪst] *fn* **a)** szenzációs hírek terjesztője **b)** szenzációkat hajhászó
sensationalize [senˈseɪʃnəlaɪz], **-ise** *tsi* **1.** eltúloz, felnagyít *[eseményt]* **2.** meghökkent, elképeszt, bámulatba ejt *[embereket]*
sense [sens] **I.** *fn* **1.** érzék, érzékelő képesség; **the five ~s** az öt érzék(szerv); *biz* **the sixth ~** a hatodik érzék; az ösztön; az intuíció, a megérzés; **have a keen ~ of hearing** finom a hallása **2.** *tsz* **senses a)** (ép/józan) ész, értelem, értelmesség; **be in one's ~s** épeszű; **bring sy to his ~s** észre térít vkt; **frighten sy out of his ~s** halálra rémít vkt; **he has taken leave of** (v. **is out of**) **his ~s** elment az esze **b)** (ön)tudat; **come to one's ~s** magához tér; *átv* észre tér; **lose one's ~s** elveszti öntudatát; elájul; *biz* meghülyül **3. a)** érzés, érzet; **inward ~** belső érzék **b)** érzék *[fogékonyság]*; ~ **of beauty** szépérzék; ~ **of duty** kötelességérzés, kötelességtudat; ~ **of honour** becsületérzés; ~ **of humour** humorérzék; ~ **of justice** jogérzet; ~ **of purpose** céltudatosság, célratörés; ~ **of responsibility** felelősségérzet; ~ **of time** időérzék; **have a high ~ of one's own importance** nagy véleménnyel van saját magáról **c)** felfogás, vélemény **d)** érzékiség; **pleasures of the ~s** érzéki örömök; érzékiség **e)** *Sh* jó érzés **4.** ítélőképesség; **common/good ~** józan ész; **practical common ~** praktikusság, gyakorlatiasság; **man/person of ~** józan eszű (v. értelmes) ember; **there is no ~ in that** ennek nincs semmi értelme; **have the (good) ~ to** van annyi esze, hogy; **talk ~** ésszerűen/okosan beszél **5.** jelentés, értelem *[szóé]*; **in a ~** egy (bizonyos) értelemben; **in the full ~ of the word** a szó legteljesebb értelmében; **in the literal ~** a szó szoros értelmében; **make ~ of sg** vmt megért; értelme van vmnek; **it does not make ~** ennek nincs (semmi) értelme **6.** *mat* előjel; ~ **of an inequality** az egyenlőtlenség értelme/iránya **II.** *tsi* **1. a)** megérez (vmt); ~ **the audience** megérzi a hallgatóság hangulatát **b)** érzéke van (vmhez) **2.** megért, felfog, ösztönösen megérez (vmt); ~ **danger** megérzi a veszélyt **3.** *tud* érzékel (vmt)
sense datum *fn tsz* **sense data** érzék(szerv)i tapasztalat
senseless [ˈsensləs] *mn* **1.** öntudatlan, eszméletlen; **fall ~** elájul, eszméletét/öntudatát veszti **2.** értelmetlen, esztelen **3.** érzéketlen, az érzékszervektől megfosztott • *fn* **senselessness** *hsz* **senselessly**
sense organ *fn* érzékszerv
sense perception *fn* érzékszervi érzékelés
sensibility [ˌsensɪˈbɪləti] *fn* **1.** érzékenység; **outrage sy's sensibilities** megsérti vknek az érzékenységét **2.** fogékonyság, reagálás **3.** érzékelő képesség, érzék (vmhez)
sensible [ˈsensəbl] *mn* **1. a)** érzékelhető, érzékek útján felfogható, észrevehető, érezhető **b)** érzékeny **c)** *Sh* érzékelő **2.** jelentékeny, tekintélyes **3. a)** értelmes, józan, okos; ~ **man/person** józan eszű (v. okos) ember/férfi; **be ~!** legyen esze! **b)** ~ **clothing** kényelmes/praktikus ruhák **4.** tudatában levő, vmt érzékelő; **be ~ of one's danger** tudja, hogy milyen veszélyben van, érz(ékel)i a veszélyt; **be ~ of the fact that** tisztában van azzal, hogy • *fn* **sensibleness** *hsz* **sensibly**
sensitive [ˈsensɪtɪv] **I.** *mn* **1.** érz(ékel)ő **2. a)** érzékeny, finom, precíziós; *pénz* ~ **market** változékony/érzékeny piac; *fényk* ~ **paper** érzékeny papír **b)** kényes; ~ **plant** *növ* mimóza; *biz* nebáncsvirág **c)** érzékeny, sértődékeny **d)** ~ **to sg** fogékony vm iránt **II.** *fn* **1.** lelki befolyásokra erősen érzékeny ember **2.** *átv* mimóza • *fn* **sensitiveness** *hsz* **sensitively**
sensitivity [ˌsensɪˈtɪvəti] *fn* **1.** érzékenység, szenzibilitás; *műsz* ~ **of reading** leolvasási érzékenység/finomság **2.** fogékonyság
sensitize [ˈsensɪtaɪz], **-ise** *tsi* (fény)érzékennyé tesz, preparál • *fn* **sensitization**, **sensitizer**
sensitometer [ˌsensɪˈtɒmɪtə ‖ –ˈtɑmətər] *fn fényk* fényérzékenységmérő *[műszer]*, szenzitométer
sensor [ˈsensə ‖ –ər] *fn műsz* érzékelő, szenzor
sensorial [senˈsɔːrɪəl] *mn biol* érzéki, érzékekre tartozó
sensori-motor [ˌsensəriˈmoutə ‖ –ər] *mn orv* érző-mozgató *[ideg]*
sensorium [senˈsɔːrɪəm] *fn tsz* **sensoria** [–rɪə], **sensoriums** *orv biol* **a)** az érzőkör centruma *[agyvelő, agy- és gerincvelő]* **b)** ideg- és érzékelőrendszer
sensory [ˈsensəri] *mn biol* érzék-, érzékelési, szenzoros
sensual [ˈsenʃuəl] *mn* **1.** érzéki, testi; ~ **pleasures** érzéki örömök **2. a)** érzéki, kéjes, kéjvágyó, buja **b)** bujálkodó, kéjenc **3.** *fil* szenzualista • *tsi* **sensualize** *fn* **sensualism**, **sensualist**
sensuality [ˌsenʃuˈæləti] *fn* érzékiség
sensum [ˈsensəm] *fn tsz* **sensa** [ˈsensə] *fil* érzékszervi tapasztalat
sensuous [ˈsenʃuəs] *mn* **1.** az érzékekből fakadó, érzékeny **2.** érzék(szerv)ekre ható • *fn* **sensuousness** *hsz* **sensuously**
sent [sent] → **send**[1]
sentence [ˈsentəns ‖ ˈsentns] **I.** *fn* **1.** *nyelv* mondat; **assertive/declarative ~** kijelentő mondat; **complex ~** alárendelő összetett mondat; **compound ~** mellérendelő összetett mondat; **exclamative ~** felkiáltó mondat; **interrogative ~** kérdő mondat; **imperative ~** felszólító mondat; **main/principal ~** főmondat; **simple ~** egyszerű mondat; **subordinate ~** alárendelt mellékmondat **2.** *jog* **a)** ítélet; ~ **of death** halálos ítélet; **pass (a) ~** (marasztaló) ítéletet hirdet/mond; **under ~ of death** halálra ítélt **b)** büntetés **3.** *régi* tétel, aranyköpés, szentencia **II.** *tsi jog* (el)ítél (vkt)
sentential [senˈtenʃl] *mn nyelv* mondathoz tartozó, mondati

S

sententious [sen'tenʃəs] *mn* **1.** nagyképűen bölcs *[személy]*, bölcs kijelentésekben bővelkedő *[mondat]*, gondolatokban gazdag *[beszéd]* **2.** velős, tömör
sentience ['senʃns] *fn* érzés, érzelem
sentient ['senʃnt] *mn* érző, érzékeny • *hsz* **sentiently**
sentiment ['sentɪmənt] *fn* **1. a)** érzés, érzelem; **noble ~s** nemes érzések; **man of ~** finom érzésű férfi **b)** érzékenység **2. a)** vélemény, nézet, felfogás **b)** megérzés, gondolat **3.** *régi* felköszöntő, pohárköszöntő **4.** érzelmesség; **(mawkish) ~** érzelgősség
sentimental [ˌsentɪ'mentl] *mn* **1.** érzelmes; **~ value** érzelmi érték *[emléktárgyé]* **2.** érzelgős, szentimentális • *fn* **sentimentalism** *hsz* **sentimentally**
sentimentality [ˌsentɪmen'tæləti] *fn* érzelgősség, érzelmesség, szentimentalizmus
sentinel ['sentɪnl ‖ 'sentn·əl] **I.** *fn* őr(szem); **stand ~ over sg** őrt áll vhol; őriz vmt **II.** *tsi* **-ll- 1.** *vál* őrködik (vk/vm felett) **2. a)** őrséget/őr(szeme)t állít **b)** őr(szem)nek állít (vkt)
sentry ['sentri] *fn kat* **1.** őr(ségen álló katona), őrszem; **double ~** megkettőzött őrség; **be on ~** őrt áll; őrségben van; **come off ~** őrségből jön; **go on ~** őrségbe megy; **keep/stand ~** őrt áll; őrségben van; **relieve a ~** őrtálló katonát felvált/levált **2.** őrség, őrállás; **relieve ~** őrséget felvált
sentry box *fn kat* őrbódé, őrház
sentry duty *fn* őrség, őrállás, strázsa; **be on ~** őrségben van, őrt áll
sentry-go *fn GB kat* őrség, őrállás, strázsa; **be on the ~** őrt áll, őrségben áll
Seoul ['soul] *tul földr* Szöul *[Dél-Korea fővárosa]*
Sep, Sep. *röv September* szeptember, szept.
sepal ['sepl] *fn növ* csészelevél
separable ['sepərəbl] *mn* leválasztható, szétválasztható, elválasztható, szétszerelhető, elkülöníthető, levehető • *fn* **separability** *hsz* **separably**
separate I. *mn* ['sepərət] **1.** elválasztott, elkülönített **2.** független, önálló, külön(álló); *gazd* **~ book** segédkönyv; *gazd* **under ~ cover** külön borítékban/levélben/csomagban; *jog* **~ estate** különvagyon *[házastársé]* **II.** *fn* [–rət] **1.** *US nyomd* különlenyomat **2.** *tsz* **separates** egyes (ruha)darabok **III.** [–reɪt] **A.** *tsi* **1. a)** elválaszt, leválaszt, különválaszt, szétválaszt, elkülönít, szeparál; **~ sg into parts** feloszt vmt, részekre oszt/bont vmt **b)** kiválaszt, szétválogat **c)** osztályoz **d)** félretesz **2.** elválaszt *[házastársakat]* **3.** elválaszt *[azáltal, hogy közötte van]* **B.** *tni* **1.** elválik, leválik, szétválik, különválik; **~ from** elválik vktől; szakít vkvel/vmvel **2.** elválik *[férj és feleség]*, *jog hiv* megszünteti a házassági közösséget • *fn* **separateness** *hsz* **separately**
separate out *tni vegy* lecsapódik, kiválik
separation [ˌsepə'reɪʃn] *fn* **1. a)** elválasztás, elkülönítés, szétválasztás, szétosztás, felosztás; **~ from sy** elválás vktől; *mezőg* **~ of the cream/milk** a tej lefölözése **b)** *jog* **judicial/legal ~, ~ from bed and board** a házassági közösség megszüntetése; ágytól-asztaltól való elválasztás **c) ~ from church** elszakadás egyháztól; kilépés egyházból **2.** távolság, köz; *fiz* **~ of the lenses** lencsetávolság
separationism [ˌsepə'raɪʃn·ɪzm] *fn pol* különválás/elkülönülés politikája, szeparatizmus
separationist [ˌsepə'raɪʃn·ɪst] *fn pol* különválni akaró, elkülönülést sürgető, a különválás híve
separation order *fn jog* bontóítélet *[váláskor]*
separatist ['sepərətɪst] *fn pol* szeparatista • *fn* **separatism**
separator ['sepəreɪtə ‖ –ər] *fn* **1.** szétválasztó, elválasztó *[készülék]*, szita, osztályozó, szeparátor **2.** *mezőg* (le)fölözőgép
Sephardi [sɪ'fɑ:di: ‖ –'fɑrdi] *fn tsz* **Sephardim** [–dɪm] szefárdi (zsidó) • *mn* **Sephardic**
sepia ['si:pɪə] *fn* **1.** *áll* szépia, tintahal **2.** *műv* **a)** szépiafesték, szépiaszín **b) ~ (drawing)** szépiarajz
sepoy ['si:pɔɪ] *fn* **1.** ‹hindu katona angol szolgálatban›; szipoj **2.** bennszülött rendőr
seppuku [se'pu:ku:] *fn* harakiri *[öngyilkosság japán módra hasfelmetszéssel]*, szeppuku
sepsis ['sepsɪs] *fn tsz* **sepses** [–si:z] *orv* vérmérgezés, szepszis; **puerperal ~** gyermekágyi láz
sept [sept] *fn* **1.** *Írorsz* klán **2.** *biz* törzs
sept- [sept] *előtag* hét-, szept-
Sept [sept], **Sept.** *röv September* szeptember, szept.
septa ['septə] → **septum**
septal ['septl] *mn* **1.** *orv* válaszfal-, sövény- **2.** *régész* válaszfal *[sírkamrában]* **3.** *Írorsz* törzshöz tartozó
September [sep'tembə ‖ –ər] *fn* szeptember
septenarius [ˌseptɪ'neərɪəs‖–'ner–] *fn tsz* **septenarii** [ˌseptɪ'neərɪaɪ] *ir.tud* hétlábú vers
septenary [sep'ti:nəri ‖ 'septɪneri] **I.** *mn* hetes, hetet tartalmazó, hét részből álló **II.** *fn* **1.** hét év **2.** *ir.tud* hétlábú vers
septennial [sep'tenɪəl] *mn* hétéves, hétévenkénti, hét évig tartó
septennium [sep'tenɪəm] *fn tsz* **septennia** hétéves időszak
septet [sep'tet], **septette** *fn* **1.** *zene* szeptett **2.** hetes (csoport)
septic ['septɪk] *mn* **1.** vérmérgezés, szeptikus; **~ (tank)** víztisztító gödör **2.** *átv* fertőző, fertőzött, rothadt • *fn* **septicity** *hsz* **septically**
septicaemia [ˌseptɪ'si:mɪə] *fn orv* vérmérgezés, szepszis
septicemia [ˌseptɪ'si:mɪə] *US* → **septicaemia**
septic infection *fn orv* vérmérgezés
septillion [sep'tɪlɪən] *fn* **1.** *GB* szeptillió *[10^{42}]* **2.** *US* kvadrillió *[10^{24}]*
septimal ['septɪml] *mn* hét-, heted-
septime ['septɪm] *fn sp* szeptim *[vívásban]*
septivalent [ˌseptɪ'veɪlənt] *mn vegy* hétvegyértékű
septuagenarian [ˌseptʃuədʒɪ'neərɪən ‖ –'nerɪən] *mn/fn* hetven(év)es *[ember]*
Septuagesima [ˌseptʃuə'dʒesɪmə] *fn vall* **~ (Sunday)** septuagesima (vasárnap); hetvenedvasárnap
Septuagint ['septʃuədʒɪnt] *fn bibl* Szeptuaginta
septum ['septəm] *fn tsz* **septa** [–tə] **1.** *orv* válaszfal, sövény, septum **2.** *növ* belső rekeszfal **3.** *biol* válaszfal, elválasztó membrán *[sejtben]*
septuple ['septjupl ‖ –tu:pl] **I.** *mn/fn* hétszeres(e) **II.** *tsi* (meg)hétszerez
septuplet [sep'tju:plɪt ‖ 'septjuplɪt] *fn* **1.** hetes ikrek **2.** *zene* szeptuplet
sepulcher ['seplkə ‖ –ər] *US* → **sepulchre**
sepulchral [sɪ'pʌlkrəl] *mn* síri, temetési; **~ vault** sírbolt; *biz* **~ voice** síri hang • *hsz* **sepulchrally**
sepulchre ['seplkə ‖ –ər] **I.** *fn* sír(emlék) **II.** *tsi* **-ring 1.** sírba tesz/helyez (vkt) **2.** sírul szolgál (vknek)
sepulture ['sepltʃə ‖ –ər] *fn vál* eltemetés, sírbatétel
sequel ['si:kwəl] *fn* **1.** folytatás, következmény, fejlemény; *GB*, **in the ~** később, utóbb, aztán **2.** folytatás *[filmé, regényé]*
sequence ['si:kwəns] **I.** *fn* **1. a)** (egymásra) következés, sor(rend), sorozat, számsor; **in ~** sorban, sorozatosan **b)** folytatás; **logical ~** logikai összefüggés; *vill* **~ control mechanism** folyamatvezérlő berendezés **2.** *nyelv* **~ of tenses** igeidő-egyeztetés, időmegfelelés **3.** *ját* egymás után következő lapok (sorozata) *[kártyajátékban]* **4.** *film* képsor **5.** *vall* szekvencia, egyházi himnusz **II.** *tsi* sorba rendez, sorba állít
sequencer ['si:kwənsə ‖ –ər] *fn* **1.** *zene el* ‹programozható szintetizátor› **2.** *infor* sorrendvezérlő
sequent ['si:kwənt] **I.** *mn* **1. a)** következő, folyó, eredő **b)** folytatólagos **2.** egymásra következő, egymást követő **II.** *fn* következmény • *hsz* **sequently**
sequential [sɪ'kwenʃl] *mn* **1.** következő, egymás utáni; *infor* **~ access** soros hozzáférés **2.** folyamatos, sorozatos • *fn* **sequentiality** *hsz* **sequentially**

sequester [sɪˈkwestə ‖ –ər] *tsi* **1.** *jog* **a)** elkoboz, lefoglal (vmt) **b)** zár(gondnokság) alá helyez **2.** elkülönít, elválaszt, eltávolít, különválaszt; **~ oneself** visszavonul *[a világtól]*; félrevonul **3.** *vegy* leköt *[fémiont]*
sequestered [sɪˈkwestəd ‖ –tərd] *mn* visszavonult, magányos, elzárkózott *[életmód]*, csendes, félreeső *[hely]*
sequestrate [sɪˈkwestreɪt, ˈsiːkwəstreɪt] *tsi jog* zár/gondnokság alá helyez/vesz, elkoboz, lefoglal • *fn* **sequestrator** *mn* **sequestrable**
sequestration [ˌsiːkwəˈstreɪʃn] *fn* **1. a)** elzárkózás, visszavonulás **b)** visszavonultság, magány **2. a)** elkobzás **b)** *jog* lefoglalás, zár alá vétel
sequoia [sɪˈkwɔɪə] *fn növ* kaliforniai óriásfenyő, mamutfenyő, szikvójá
sérac [ˈseræk ‖ səˈræk] *fn geol* jégtű, gleccseroszlop, sérac
seraglio [sɪˈrɑːljoʊ ‖ –ˈræl–] *fn* **1.** szeráj **2.** hárem
seraph [ˈserəf] *fn tsz* **seraphs**, **seraphim** [–fɪm] *vall* szeráf
seraphic [səˈræfɪk] *mn* **1.** szeráfi, angyali **2.** üdvözült • *hsz* **seraphically**
Serb [sɜːb ‖ sɜrb] **I.** *mn* szerb **II.** *fn* **1.** szerb *[ember]* **2.** szerb nyelv
Serbia [ˈsɜːbɪə ‖ ˈsɜr–] *tul földr* Szerbia
Serbian [ˈsɜːbɪən ‖ ˈsɜr–] **I.** *mn* szerb **II.** *fn* **1.** szerb *[ember]* **2.** szerb nyelv
sere[1] [sɪə ‖ sɪr] *mn vál* fonnyadt, (el)hervadt, száraz
sere[2] [sɪə ‖ sɪr] *fn biol* ökológiai fejlődéssor(ozat)
serenade [ˌserəˈneɪd] **I.** *fn* szerenád, éjjeli zene; **mock ~** macskazene **II.** *tsi* szerenádot (v. éjjeli zenét) ad (vknek) • *fn* **serenader**
serenata [ˌserəˈnɑːtə] *fn zene* szerenád *[zenekarra]*
serendipity [ˌserənˈdɪpəti] *fn* ‹képesség értékes dolgok találására ott, ahol ez kevéssé valószínű›
serene [səˈriːn] *mn* **1.** derűs, derült, nyugodt *[ég, tenger, személy]*, higgadt *[személy]*; *GB biz* **all ~!** rendben van!; nincs semmi baj! **2.** ‹herceg címe megszólításban csak a kontinensen›; **His S~ Highness** őfensége, főméltósága; **Your S~ Highness** fenséged, főméltóságod • *fn* **sereneness** *hsz* **serenely**
serenity [səˈrenəti] *fn* **1.** derű, derültség, nyugalom, higgadtság **2.** őfensége, főméltósága
serf [sɜːf ‖ sɜrf] *fn* **1.** jobbágy **2. a)** rabszolga **b)** *átv* szolga, szolgáló • *fn* **serfage**, **serfdom**, **serfhood**
sergeant [ˈsɑːdʒənt ‖ ˈsɑr–] *fn* **1. a)** *kat* őrmester, tiszthelyettes **b) ~ of police** rendőrőrmester **2. S~ at Arms** *GB* a parlament katonai parancsnoka; terembiztos • *fn* **sergeancy**, **sergeantship**
sergeant major *fn kat* törzsőrmester
Sergt. *röv Sergeant*
serial [ˈsɪərɪəl ‖ ˈsɪrɪəl] **I.** *mn* **1.** sor-, sorozat-, széria-; **~ killer** sorozatgyilkos; *műsz* **~ number** sor(ozat)szám, azonossági szám; *kat* nyilvántartási szám **2. a)** sorozatos, sorozati **b)** sorozatban megjelenő, folytatásos; **~ story** folytatásos regény **c)** időszaki, időszakos **3.** *zene* szeriális **4.** *infor* soros; **~ input** soros bemenet; **~ output** soros kimenet; **~ interface** soros interfész; **~ port** soros csatlakozás/pont **II.** *fn* **1.** folytatásos (kép)regény **2.** füzetekben megjelenő kiadvány **3.** folytatásos játékfilm/tévéfilm, tévésorozat • *fn* **seriality** *hsz* **serially**
serialist [ˈsɪərɪəlɪst ‖ ˈsɪrɪ–] *fn zene* szerialista • *fn* **serialism**
serialize [ˈsɪərɪəlaɪz ‖ ˈsɪr–], **-ise** *tsi* **1. a)** sorban elrendez **b)** sorozatban gyárt **2.** folytatásokban közöl/ad *[újságban/rádióban/tévében]*; **~ a novel** regényt folytatásokban közöl • *fn* **serialization**
serial rights *fn tsz jog* sorozati jog, sorozatban való megjelentetés joga
seriate I. *mn* [ˈsɪərɪət ‖ sɪr–] sorokban elrendezett, csoportosított **II.** *tsi* [–rieɪt] sorokba rendez • *fn* **seriation**
seriatim [ˌsɪəriˈeɪtɪm ‖ ˌsɪri–] *hsz* sorban egymás után (v. egyenként), folyamatosan, folytatólag
sericeous [sɪˈriːʃəs] *mn tud* selymes
sericulture [ˈserɪkʌltʃə ‖ –ər] *fn* selyemhernyó-tenyésztés • *fn* **sericulturist** *mn* **sericultural**
series [ˈsɪəriːz ‖ ˈsɪr–] *fn esz* **1. a)** sor(ozat), széria; *mat* **~ of numbers** számsor; **~ of observations** észleléssorozat; megfigyelések sorozata; *vegy* **~ of reactions** láncreakciók; **~ of years** az évek sora **b)** (tévé)sorozat **c)** sorrend **d)** *mat* sor; **arithmetical ~** számtani sor; **geometrical ~** mértani sor **e)** *zene* sor, széria **2. in ~** sorozatban, folytatólagosan; *vill* sorbakapcsolva; *vill* **connection in ~** sorbakapcsolás **3.** *geol* kőzetréteg
series-parallel *mn el* **~ connection** soros-párhuzamos kapcsolás
serif [ˈserɪf] *fn nyomd* (betű)talp
serigraphy [səˈrɪgrəfi] *fn nyomd műv* szitanyomás • *fn* **serigraph**
seringa [sɪˈrɪŋgə] *fn* **1.** *növ* → **syringa 2.** *növ* kaucsukfa
serio-comic [ˌsɪərioʊˈkɒmɪk ‖ ˌsɪrɪəˈkɑmɪk] *mn* félig komoly félig vidám, komolyat és mulatságosat egyesítő
serious [ˈsɪərɪəs ‖ ˈsɪr–] *mn* **1.** komoly, súlyos, fontos; **~ accident** nagy szerencsétlenség; **~ illness** súlyos betegség; **~ mistake** durva/súlyos hiba **2.** komoly, megfontolt; **I am quite ~** egészen komolyan mondom/gondolom; nem tréfálok/viccelek **3.** vallásos **4.** *átv biz* komoly, sok *[pénz, ár, érték]*
seriously [ˈsɪərɪəsli ‖ ˈsɪr–] *hsz* **1.** súlyosan; **~ ill** súlyosan beteg **2.** komolyan; **take sg (too) ~** (túlságosan) komolyan vesz vmt; **but/talking ~** félre a tréfával, komolyan mondva/szólva **3.** nagyon, igazán
seriousness [ˈsɪərɪəsnəs ‖ ˈsɪr–] *fn* **1.** súlyosság *[helyzeté]* **2.** komolyság *[magatartásé]*; **the ~ of the subject** a téma komolysága **3. in all ~** (halálos) komolyan
serjeant [ˈsɑːdʒənt ‖ ˈsɑr–] *fn* → **sergeant**
sermon [ˈsɜːmən ‖ ˈsɜr–] *fn* **1. a)** *vall* szentbeszéd, prédikáció; **funeral ~** halotti beszéd/búcsúztató **b)** *bibl* **the S~ on the Mount** a hegyi beszéd **2.** *biz* erkölcsi prédikáció, lelki fröccs
sermonize [ˈsɜːmənaɪz ‖ ˈsɜr–], **-ise A.** *tsi biz* (meg)leckéztet (vkt) **B.** *tni pej* prédikál (vknek) • *fn* **sermonizer**
serology [sɪˈrɒlədʒi ‖ –ˈrɑ–] *fn orv* szerológia • *fn* **serologist** *mn* **serologic(al)**
seronegative [ˌsɪəroʊˈnegətɪv ‖ ˌsɪr–] *mn orv* szeronegatív
seropositive [ˌsɪəroʊˈpɒzətɪv ‖ ˌsɪroʊˈpɑz–] *mn orv* szeropozitív
serotine [ˈserətaɪn] *fn áll* **~ (bat)** denevér, bőregér
serotonin [ˌsɪərəˈtoʊnɪn ‖ ˈsɪr–] *fn vegy biol* szerotonin
serous [ˈsɪərəs ‖ ˈsɪrəs] *mn orv* savós, vérnedvet tartalmazó • *fn* **serosity**
serpent [ˈsɜːpənt ‖ ˈsɜr–] *fn* **1. a)** *áll* kígyó; *bibl* **the (old) S~** a kígyó, a sátán **b)** tűzkígyó **c)** *átv* álnok kígyó *[emberről]* **2.** *zene régi* szerpent *[fúvós hangszer]*
serpent-charmer *fn* kígyóbűvölő • *fn* **serpent-charming**
serpentine [ˈsɜːpəntaɪn ‖ ˈsɜrpəntiːn] **I.** *fn ásv* szerpentin, antigonit, szálas azbeszt **II.** *mn* kígyózó, kígyószerű, kígyó alakú, kanyargó; **~ path** szerpentinút, szerpentinösvény **III.** *tni* kígyózik, kígyóvonalban/kanyargósan megy, kanyarog
serpiginous [sɜːˈpɪdʒɪnəs ‖ sɜr–] *mn* **1.** kígyózó, *növ* kúszó **2.** *orv* herpeszes, sömörös
serpigo [sɜːˈpaɪgoʊ ‖ sɜr–] *fn orv* herpesz, sömör
serrate I. *mn* [ˈserət] → **serrated II.** *tsi* [–reɪt] fogaz, csipkéz • *fn* **serration**
serrated [ˈsereɪtɪd] *mn tud* fűrészelt, csipkés, csipkézett, fogazott, cakkos szélű
serried [ˈserid] *mn vál* **1.** szoros, tömött, összezsúfolt, sűrű, zárt *[sorok]* **2.** logikusan összefüggő/felépített és tömör *[előadás]*
serrulate [ˈsɜːrulət, –leɪt] fűrészfogú, csipkés, fogazott • *fn* **serrulation**

S

serum ['sɪərəm ‖ 'sɪrəm] *fn tsz* **serums, sera** [–rə] **1.** *biol* vérsavó **2.** *orv* szérum, védőoltóanyag; **protective ~** immunizáló szérum

serum-sickness *fn orv* szérumbetegség

serval ['sɜːvl ‖ 'sɜrvl] *fn áll* szervál, bokorlakó macska

servant ['sɜːvnt ‖ 'sɜr–] *fn* **1. a) (domestic) ~** szolga; szolgáló(lány); cseléd; inas; háztartási alkalmazott; **~ of all work** mindenes; **I am my own ~** önmagamat szolgálom ki; nincs (háztartási) alkalmazottam **b)** követő, híve vknek **2.** alkalmazott; **public ~s** közalkalmazottak

serve [sɜːv ‖ sɜrv] **I. A.** *tsi* **1. a)** (ki)szolgál, felszolgál; **~ at table** tálal, felszolgál; **~ sy with a pound of coffee** egy font kávét ad el vknek *[üzletben]*; **~ an execution** (halálos) ítéletet végrehajt; *jog* **~ on the jury** az esküdtbíróság tagja(ként működik); **are you being ~d?** rendelt már?; *Sh* **I ~ you** rendelkezésére állok; **it ~s to** arra szolgál/való, hogy **b) ~ an office** ellátja hivatalát; **~ one's apprenticeship** inaséveit tölti, inaskodik; **~ the time** alkalmazkodik, opportunista; **have ~d one's time** leszolgálta az idejét; kitanulta a mesterségét; **~ one's sentence/time** börtönbüntetését tölti **c)** *kat* kezel **d) ~ notice** figyelmeztet **2.** elegendő, elég; **it will ~ (the purpose)** megfelel (a célnak); **~ the purpose of** azt a célt szolgálja, hogy; **it will ~ you nothing** ez semmire sem lesz jó; ez nem használ neked; **~ one's need(s)** elegendő **3. a)** lebonyolít, ellát *[forgalmat]* **b)** teljesít, ellát *[lelkészi teendőket]*; *vall* **~ (a priest at) mass** ministrál (papnak) **4.** tálal; **~ a dish** egy fogást ad ebédre; **~ sy with soup** tálal vknek **5.** *sp* adogat, szervál *[teniszben]* **6.** *jog* **~ a writ/summons on sy, ~ sy with a writ/summons** idézést kézbesít vknek, megidéz vkt **7.** bánik (vkvel); **~ sy a dirty trick** csúnyán viselkedik/elbánik vkvel, piszkos trükköt alkalmaz vkvel szemben; **it ~s you right!** úgy kellett!, megérdemelted!; **if my memory ~s me right** ha nem csal az emlékezetem **8.** *mezőg* fedez, (meg)hág *[kancát]* **B.** *tni* **1.** alkalmazásban áll **2. ~ as sg** szolgál vmül; **~ for sg** szolgál vmre; **that ~s as a pretext** ez (csak) kifogásul szolgál **3.** kedvez, hasznára van; **as/when occasion ~s** amikor az alkalom kedvező; adandó alkalommal, alkalomadtán **II.** *fn* **1.** *sp* adogatás, szerválás *[teniszben]*; **it's your ~!** ön adogat! **2.** *Ausz szl [dorgálás, leteremtés]* lecseszés

serve in *tsi* szolgálatot teljesít *[seregben]*

serve out *tsi GB régi biz* **~ sy out for sg** hasonlóval fizet vknek vmért; **I'll ~ him out!** majd megfizetek neki

serve up *tsi* felszolgál, tálal

server ['sɜːvə ‖ 'sɜrvər] *fn* **1. a)** felszolgáló, tálaló **b)** *sp* adogató, szerváló *[teniszben]* **c)** *vall* gyertyavivő, ministráns **2.** tál(ca) **3.** *infor* szerver

servery ['sɜːvəri ‖ 'sɜr–] *fn GB* étkező, tálaló

service[1] ['sɜːvɪs ‖ 'sɜr–] **I.** *fn* **1.** (katonai) szolgálat; **be on active ~** aktív (katonai) szolgálatban; **bring into ~** rendszeresít; **die in the King's ~** katonaként (v. a király/haza szolgálatában) hal meg, hősi halált hal; **do one's military ~** katonai szolgálatot teljesít; **fit for ~** katonai szolgálatra alkalmas; **have seen ~** aktív katonai/hadi szolgálatot teljesített **2.** *közl* (vasúti, hajó, autóbusz stb.) forgalom, közlekedés **3. civil/public ~** közszolgálat, közigazgatás **4.** (gáz-, villany-, víz-)ellátás, szolgáltatások **5.** *műsz* javítás, szerviz(elés) **6.** *pénz* kamatszolgálat *[hosszú lejáratú kölcsöné]* **7.** alkalmazás, szolgálat **8.** haderőnem, fegyvernem; **the three ~s** ‹a hadsereg, a haditengerészet és a légierő› **9. (domestic) ~** (háztartásbeli) szolgálat/alkalmazás; **be in ~** szolgál(atban van) *[mint háztartási alkalmazott]*; **go out to ~, go into ~** szolgálatba lép/áll/megy; **take ~ with sy** szolgálatba lép vknél **10. a)** szolgálat, szívesség; **~s rendered** megtett szolgálatok; szolgáltatások; **do/render sy a ~** szolgálatot tesz vknek **b) I am at your ~** rendelkezésére állok; **at your ~, sir** szolgálatára, uram **c)** hasznosság; **be of ~ to sy** hasznos vk számára; **do ~** szolgál vmre **11.** *vall* **a)** istentisztelet, mise **b)** templomi ének/zene **12.** kiszolgálás *[szállodában]*, felszolgálás *[étteremben]*; **~ included** kiszolgálással együtt **13.** (asztali) készlet, szerviz **14.** *sp* adogatás, szerválás *[teniszben]* **15.** *mezőg* meghágás, hágatás **II.** *tsi* **1.** szervizel, gépjárművet karbantart **2.** *gazd* törleszt, kamatot fizet **3.** meghág *[nőstényt]* **4.** *szl durva [közösül vkvel]* meghág, megdug

service[2] ['sɜːvɪs ‖ 'sɜr–] *fn növ* berkenye(fa)

serviceable ['sɜːvɪsəbl ‖ 'sɜr–] *mn* **a)** használható, (használatra) alkalmas, tartós **b)** hasznos, előnyös • *fn* **seviceability**

service area *fn* **1.** *távk* adókörzet, vételi körzet **2.** *gk* pihenőhely, parkolóhely *[autópályán szolgáltatásokkal]*

serviceberry *fn növ* berkenye gyümölcse

service book *fn* imakönyv, misekönyv

service charge *fn* szervizdíj, felszolgálási/kiszolgálási díj

service flat *fn GB* ‹főbérleti lakás teljes ellátással, kiszolgálással nagy bérházban›

service line *fn sp* adogatóvonal, alapvonal *[teniszben]*

serviceman ['sɜːvɪsmən ‖ 'sɜr–] *fn tsz* **-men 1.** katona **2.** karbantartó

service road *fn GB* szervizút, bekötőút, leágazás *[rendsz. a főútvonallal párhuzamosan]*

service station *fn gk* üzemanyagtöltő-állomás, benzinkút *[gyakran autószervizzel, étteremmel stb.]*

service tree *fn növ* berkenye(fa)

servicewoman *fn tsz* **-women** *kat* katonanő

serviette [ˌsɜːvi'et ‖ 'sɜr–] *fn főleg GB biz* asztalkendő, szalvéta

servile ['sɜːvaɪl ‖ 'sɜrvl] *mn* **1.** (rab)szolgai; *tört* **the S~ wars** rabszolgalázadások, rabszolgafelkelések *[ókorban]* **2.** szolgalelkű, alázatos **3.** függő, engedelmes • *fn* **servility** *hsz* **servilely**

serving ['sɜːvɪŋ ‖ 'sɜr–] **I.** *mn* (ki)szolgáló, szolgálatot teljesítő; **~ soldier** tényleges idejét szolgáló egyén; **wind and weather ~** amennyiben az idő- és széljárás kedvező lesz **II.** *fn* **1.** szolgálat, kiszolgálás **2.** kitöltés *[büntetésé]* **3. a)** felszolgálás, tálalás **b)** *sp* adogatás, szerválás *[teniszben]* **c)** adag *[étel]* **4.** *jog* kézbesítés *[idézésé]*

servitude ['sɜːvɪtjuːd ‖ 'sɜrvɪtuːd] *fn* **1. a)** (rab)szolgaság, (rab)szolgasors **b)** leigázottság *[népé]* **2.** *jog* **penal ~** kényszermunka *[mint büntetés]* **3.** *jog [személyes, telki]* szolgalom; *skót jog* **praedial ~** telekszolgalom

servo ['sɜːvəʊ ‖ 'sɜr–] *előtag* szervo; → **servo-mechanism** → **servo-motor**

servo-assisted [ˌsɜːvəʊə'sɪstɪd ‖ ˌsɜr–] *mn műsz* szervomotoros, szervo-

servo brake ['sɜːvəʊbreɪk ‖ 'sɜr–] *fn gk* szervofék, rásegítő fék

servo-mechanism ['sɜːvəʊmekənɪzm ‖ 'sɜr–] *fn műsz* szervoberendezés, szervomechanizmus

servo-motor ['sɜːvəʊməʊtə ‖ 'sɜrvəʊməʊtər] *fn* segédmotor, szervomotor, segédhajtómű

sesame ['sesəmi] *fn növ* szezámfű

sesqui- ['seskwi] *előtag* másfél-

sesquicentenary [ˌseskwi'sentənəri ‖ –neri] *fn* százötvenedik évforduló

sesquicentennial [ˌseskwɪsen'tenɪəl] **I.** *mn* másfél százados, 150 éves **II.** *fn* másfél század, 150 év

sesquipedalian [ˌseskwɪpɪ'deɪlɪən] *mn* **a)** nagyon hosszú, sokszótagos *[szó]* **b)** dagályos, cikornyás *[stílus]*

sessile ['sesaɪl ‖ 'sesl] *mn* **1.** *növ* szár nélküli, nyeletlen, ülő *[levél], [gomba]* **2.** *áll* rögzült, tapadt *[alacsonyabb rendű szervezetek]*

session ['seʃn] *fn* **1.** ülés; *biz* **have a ~ on sg** megtárgyal/megvitat vmt **2.** ülésszak; **in ~** ülésezik; **in full ~** nyílt ülésen/ülésben **3. a)** (iskolai/egyetemi) tanítás/szemeszter **b)** (egyetemi) tanítás **4.** összejövetel; *biz* ivászat, alkoholizálás **5. a)** *skót* **the Court of S~** a legfelsőbb bíróság **b)** *skót* ‹a lelkészből és a presbiterekből alakult alsófokú egyházi bíróság› • *mn* **sessional**

sestet [ses'tet] *fn* **1.** *zene* hatos, szextett **2.** *ir.tud* a szonett hat utolsó sora

sestina [se'stiːnə] *fn ir.tud* sextina *[versalak]*

S

set [set] **I.** *pt/pp* **set A.** *tsi* **1. a)** (le)ültet, elhelyez **b)** ~ **a hen** tyúkot ültet **2. a)** (le)tesz, helyez; ~ **one's hand to sg** hozzáfog vmhez; ~ **one's hand/name to a document** aláír (v. kézjeggyel lát el) egy okiratot; ~ **one's seal to a document** lepecsétel egy okiratot; ~ **a kiss upon sy's hand** kezet csókol vknek; ~ **one's lips to a glass** ajkaihoz emel egy poharat **b)** *átv* ~ **sy on his feet** lábra állít vkt **c) be** ~ van, fekszik, elhelyezkedik, elterül; **the story is ~ in the Isle of Wight** a történet a Wight-szigeten játszódik **d)** ~ **a price** (pálya)díjat tűz ki; ~ **a price on sy's head** díjat/jutalmat tűz ki vk fejére **e)** ~ **free** felszabadít, megszabadít, kiszabadít; elbocsát *[foglyot/rabszolgát]* **3. a)** ~ **chairs** székeket helyez el; ~ **right**, ~ **to rights** rendbehoz, elrendez; (helyre)igazít; ~ **the table** (meg)terít (asztalt) **b)** ~ **one's future on a throw of the dice** egy lapra teszi fel az egész jövőjét **4.** *zene* **a)** ~ **a melody half a tone lower** félhanggal letranszponál egy dallamot; ~ **a piano too high** magasra hangol egy zongorát **b)** ~ **a song**, ~ **words to music** szöveget megzenésít; ~ **a song for the piano** zongorára ír át egy dallamot/dalt **5.** gyökeret ver/ereszt; ~ **seeds**, ~ **a plant** magokat vet, növényt ültet **6. a)** beállít; ~ **the clock/watch** (be)igazítja/beállítja/megigazítja az órát; ~ **a map** betájolja a térképet **b)** összeállít, összeszerel **7. a)** díszít; *szính* ~ **a scene** felállítja egy jelenet díszletét, bedíszletez egy jelenetet **b)** erősít, foglal; ~ **a gem** drágakövet foglalatba tesz; **sword handle ~ with diamonds** gyémántokkal kirakott/ékesített kardmarkolat **c)** *hajó* ~ **sail** vitorlát bont (v. felvon) **8.** ~ **a snare/trap** csapdát állít **9.** fen, élesít; ~ **(the edge of) a razor** borotvát köszörül/kifen **10.** *nyomd* ~ **type** kiszed, betűt szed **11. a)** ~ **a date** dátumot kitűz; randevú időpontját megállapítja **b)** ~ **limits to sg** határt szab vmnek **c)** ~ **the fashion** irányítja a divatot; *hajó* ~ **the course** beállítja az útirányt **d)** ~ **a good example** jó példával jár elöl, jó példát ad/mutat; ~ **the pace** diktálja az iramot; ~ **pen to paper** papírra vet, ír; ~ **a question** feltesz/felad egy kérdést **e)** ~ **a book** könyvet bevesz a tantervbe **f)** *sp* ~ **the stroke** vezeti/irányítja az evezést **12. a)** *orv* ~ **a bone** csontot helyretesz **b)** ~ **one's jaws/teeth** összeharapja/összeszorítja a fogát; *átv* határozottan lép fel **13.** *épít* ~ **a wall** bevakol falat **14.** fordít, irányít; ~ **sy on his way** útjára enged vkt; egy kis darabon elkísér vkt; ~ **eyes on sy** megpillant vkt; néz vkre **15. a)** ~ **afloat** tengerre bocsát; ~ **sy doing sg** vknek vm tennivalót ad; vkt rávesz vmnek a megtételére; ~ **fire to sg** felgyújt vmt; ~ **sy laughing** megnevettet vkt; **that ~s me thinking** ez gondolkodóba ejt **b)** ~ **sg going** elindít, mozgásba hoz vmt; ~ **a man to work** munkába állít vkt; ~ **sy to a task** feladatot ad vknek; ~ **oneself to do sg** hozzákezd vmhez, nekilát vmnek **B.** *tni* **1. a)** lenyugszik, lemegy *[nap, hold]*, végződik *[nap]* **b)** kialszik, lenyugszik, letűnik, eltűnik, elmúlik *[hírnév]* **2. a)** megállapodik *[ember]* **b)** ~ **badly** rosszul áll *[ruha]* **3. a)** megmerevedik *[arc, szem]* **b)** összeforr *[tört láb]*; *orv* **the bone ~s** a csont összeforr **c)** kötődik, megköt **d)** megérik *[gyümölcs]* **e)** gyökeret ver *[növény]* **4. a)** megalvad, megalszik, összeáll, megszilárdul, megfagy **b)** megkeményedik, köt *[cement]* **5.** *vad* (el)állja a vadat *[kutya]* **6.** ~ **(to partners)** balancélépéseket tesz *[táncban]* **7.** ~ **southwards** dél felé halad *[áramlat]*; *biz* **the tide has ~ in his favour** a szerencse az ő oldalára állt; részvényei emelkednek **8.** ~ **to work** dolgozni kezd **9.** *biz* ül **II.** *fn* **1. a)** készlet, felszerelés, teljes sorozat *[pl. szerszámokból, alkatrészekből]*, (vasúti) szerelvény, összesség, egység *[tanoké]*; ~ **of apartments** (több szobás) lakosztály *[luxus szállóban]*; ~ **of furniture** bútorzat; szobabútor; ~ **of teeth** fogsor; *pénz* **bill drawn in a ~ of three** három példányban kiállított váltó **b)** *távk* adókészülék, vevőkészülék, *biz* gép **c)** *sp* játék, játszma, szet *[tenisz]* **d)** csoport, csapat, banda; **political ~** politikai klikk/érdekcsoport; **the smart ~** az előkelők (társasága); az elegáns világ; **I do not belong to their ~** nem tartozom közéjük; nem vagyok tagja az ő társasági/társadalmi körüknek/rétegüknek **2. a)** *vál* napnyugta, naplemente; **at ~ of day** estefelé, alkonyatkor; **at ~ of sun** napnyugtakor **b)** *vad* a vad megállítása; *biz* **make a (dead) ~ at sy** *vad* jól állja a vadat *[kutya]*; nekitámad/nekiugrik vknek; *átv* kiveti a hálóját vkre *[nő]*; nagy lendülettel veti magát vmre *[pl. munkára]*; *Ausz átv biz* **have a ~ on sy** pikkel/neheztel/utazik vkre, alig várja, hogy bosszúját/haragját kitölthesse vkn **c)** berakás, ondolálás *[hajé]* **3. a)** alkat, alak, alakzat, szerkezet, berendezés; ~ **of sy's mind** vknek az eszejárása/észalkata **b)** állás *[ruháé]*, beállítás, beigazítás **c)** irány(zat), áram(lat); *műsz* ~ **of a tool** szerszám vágásszöge **d)** *műsz* alakváltozás, deformáció **4.** *mezőg* **a)** újra átültetendő növény, dugvány, palánta **b)** érett (v. magot érlelt) termés/gyümölcs **5.** *szính* **a)** díszlet **b)** jelenetbeállítás **6.** *mat* halmaz **III.** *mn* **1. a)** szilárd, állhatatos, makacs; ~ **purpose** szilárd elhatározás; feltett szándék; **be ~ on an idea** odavan egy eszméért/ötletért; **be (dead) ~ (up)on doing sg** makacsul meg akar csinálni vmt; **be hard ~** nehéz/kínos/szorongatott helyzetben van **b)** *szl* **have sy ~** (i) fojtogat vkt *stand* (ii) *Ausz szl [haragszik vkre]* be van rágva vkre, bögyében van vk **2.** rendes, előírásos, előírt; *okt* ~ **books** kötelező olvasmányok; ~ **dinner** ültetett/formális ebéd; menü; *sp* ~ **figure** kötelező gyakorlat *[műkorcsolyázásnál]*; ~ **phrase** (i) klisé; (elcsépelt) frázis; közhely (ii) *nyelv* állandósult szókapcsolat/szószerkezet; ~ **piece** (i) állandóan meglevő/elkészített tétel/dolog; hagyományos tartalmi/formai elem *[műalkotásban]* (ii) alakzatot képező tűzijáték; ~ **price** kötött/szabott ár; ~ **speech** előre elkészített beszéd; ~ **task** kijelölt/elvégzendő feladat; ~ **time** meghatározott/pontos/megállapított idő(pont) **3. a)** megerősített; ~ **face** merev/mozdulatlan arc **b) well ~ person** erős/izmos ember **c)** *mezőg* **the fruit is ~** a gyümölcs beérik **4.** *szính* ~ **scene** különlegesen díszletezett jelenet **5.** *műsz* ~ **bolt** ászokcsavar, tőcsavar; ~ **nut** ellenanya(csavar), rögzítőanya **6.** *US sp* **a) (all) ~!** mehet!, kész!; **(get) ~!** vigyázz!; **I am all ~** készen vagyok, indulhat!, jöhet!, mehet! **b) be ~** visszanyerte a lélegzetét *[futó]*

set about *tni* **1.** ~ **about doing sg** hozzáfog vmhez; ~ **about a piece of work** munkába kezd, munkához fog **2.** *GB biz* ~ **about sy** megtámad vkt, nekimegy vknek; **be dead ~ about sy** acsarkodik (vkre)

set against *tsi* **1. a)** ~ **sy against sy** uszít/felizgat vkt vk ellen **b)** ~ **oneself** (v. **one's face**) **against sg** határozottan szembeszáll vmvel (v. ellenáll vmnek) **2.** ~ **sg against sg** összehasonlít/szembeállít vmt vmvel

set apart *tsi* félretesz, félrerak, tartalékol, eltesz

set aside *tsi* **1.** félretesz, félrerak, tartalékol, eltesz *[jobb napokra]*, előirányoz *[összeget]* **2. a)** félretesz, félredob, kiselejtez **b)** félretesz, mellőz *[javaslatot, előítéletet]*, eltöröl *[jogszabályt]*

set back *tsi* **1. a)** hátratol, hátrahúz, visszavon **b)** ~ **back sy's interests** nincs figyelemmel vknek az érdekeire **2. a)** visszaállít, visszaigazít **b)** leállít, megállít **c)** visszavet, hátráltat, megakadályoz **d)** *biz* **it ~ me back a lot of money** rengeteg pénzembe került; → **setback**

set by *tsi US régi* félretesz, félrerak *[pénzt]*

set down *tsi* **1. a)** letesz *[vmt a földre]*; ~ **down only** csak leszállóknak **b)** *biz* megaláz **c)** ~ **sy down** leültet vkt **2. a)** leír, lejegyez, bejegyez; ~ **sg down (in writing)** írásba fektet/foglal vmt **b)** elrendel; ~ **down sy for a job** munkára jelöl ki vkt; **the meeting is ~ down for March** az ülést márciusra tűzték ki **c)** vél, megállapít; ~ **sy down for an actor** színésznek vél/hisz vkt; ~ **sg down to a cause** vmnek tulajdonít vmt **d)** kiadja magát vknek; ~ **oneself down as a journalist** újságírónak mondja magát

set forth A. *tsi hiv régi* **a)** kijelent, kifejez *[érvet]*, előad *[tényeket]*, megmagyaráz, kimutat (vmt) **b)** közzétesz **B.** *tni* elindul, elutazik, útnak indul

set forward A. *tsi* **a)** ösztökél **b)** elősegít, segít az előrejutásban **B.** *tni* elindul, elutazik, útnak indul

S

set in A. *tsi* kezd **B.** *tni* **1.** kezdődik, beáll; **the cold (weather) has ~ in again** újból hideg lett (az idő); **this fashion is ~ting in** ez lesz a divat; **before winter ~s in** a tél kezdete/beállta előtt **2.** dagad *[áradat]*, part felé folyik *[tengervíz]*; **the tide is ~ting in** jön a dagály; → **set-in**

set off A. *tsi* **1.** elindít (vmt) **2. a)** *pénz* ellensúlyoz; **~ off a debt** beszámít/kompenzál adósságot; **~ off a gain against a loss** egy nyereséget állít egy veszteséggel szemben **b)** érvényre juttat, kiemel *[szépséget, színt]*, kivált *[hatást]* **c)** kiemel *[feltűnővé tesz]*; **~ off one's goods** árut mutatósan kirak *[kirakatba stb.]* **3.** *kat* elsüt *[ágyút]*, kilő *[rakétát]*, felrobbant *[aknát]*; **this answer ~ them off laughing** ez a válasz megnevettette őket **B.** *tni* **1.** elindul, útnak indul; **~ off on a journey** útnak indul, elutazik **2.** → **set-off**

set on *tsi* **1. a)** ráuszít (vkt), rátámad (vkre); **~ a dog on sy** kutyát uszít vkre; **~ sy on sy** ráuszít vkt vkre **b) ~ sy on to do sg** vkvel megtetet vmt; **~ on fire** felgyújt **c)** biztat (vkt) **d)** ingerel (vkt) **2. ~ a high value on sg** nagy értéket tulajdonít vmnek; **be ~ on sg** fáj a foga vmre; törekszik vmre; **it ~s one's teeth on edge** kellemetlen érzést kelt; idegesít

set out A. *tsi* **1. a)** kitesz, kirak **b)** felsorol, elmond **c)** közzétesz **d)** megállapít **e)** elhatároz **2. a)** elrendez, rendszerez **b)** kiemel **c)** kidolgoz **3.** kitűz, előrajzol, kijelöl **4. ~ out to do sg** nekilát **B.** *tni* elindul, útnak indul; **~ out in search of sy** vk keresésére indul; → **set-out**

set to *tni* **1.** nekilát, nekifog, hozzálát, hozzáfog *[munkához]* **2.** *biz* összekap, összevész, összeverekszik; → **set-to**

set up A. *tsi* **1. a)** feltesz, felrak, magasra rak **b)** felszerel **c)** felállít *[árbocot, üteget, gépet]*, állít, emel *[szobrot, akadályt]*, felhúz *[zászlót]*, felépít (vmt); **~ up a candidate** jelöltet állít; **~ up sy/sg as a model** mintaképnek állít oda vkt/vmt; **~ up a theory** elméletet állít fel **d)** hangot ad/emel **2.** *infor* telepít **3. a)** dicsőít, magasztal (vkt) **b)** felvidít **c)** beképzeltté tesz **4. a)** alapít, létesít, létrehoz, szervez *[intézményt, bizottságot, céget]*, felállít *[csúcsot]*, elkezd, megkezd (vmt), elindít (vmt) **b)** okoz, előidéz; **food that ~s up irritation** gyomorrontást okozó étel **c)** helyrehoz egészséget; **the thermal water will ~ her up** a gyógyvíz majd helyrehozza az egészségét **d) ~ sy up in business** elindít/elhelyez vkt az üzleti életben; **~ sy up in life** elindít vkt az életben **e) ~ sy up in/with books/clothings** ellát vkt könyvekkel/ruhákkal **f)** *jog* **~ up a claim for sg** igényt támaszt vmre **5. ~ up a clamour** nagy lármát/hűhót csinál; **~ up a shout** nagyot kiált **6.** megerősít, felsegít, megsegít (vkt), erőt ad (vknek) *[testileg]* **B.** *tni* **1. a) ~ up in business** elhelyezkedik az üzleti életben; **~ up for oneself** önállósítja magát **b)** *szl* **~ up with sy** *[szövetkezik]* összeáll vkvel **2. ~ up for a hero** tetszeleg a hős szerepében; **~ up for** (v. **~ oneself up as**) **a scholar** tudósnak adja ki magát **3.** → **setup**

set upon *tni* rátámad, nekiesik; **~ upon the enemy** rátör az ellenségre

seta ['si:tə] *fn tsz* **setae** [–ti:] *tud* serte, sörte • *mn* **setaceous**

setback *fn tsz* **setbacks 1. a)** visszaesés, csökkenés, hanyatlás **b)** visszaesés *[betegségben, üzletben]* **c)** balszerencse, csalódás, sorscsapás, kudarc; **after many ~s** sok hányattatás után **d)** visszavetés, hátráltatás, akadály **2.** → **set back**

set ball *fn sp* szetlabda

Seth [seθ] *tul* Sét *[bibliai férfi keresztnév]*

set-in I. *mn* **1.** beépített *[bútor]*, süllyesztett **2. ~ band/belt** bevarrt öv; **~ sleeve** bevarrt ujj; **~ waistband** passzé (bedolgozott derékrész) **II.** → **set in**

set-off *fn tsz* **set-offs 1. a)** ellentét, kontraszt, *műv* háttér *[kontraszthatású]* **b)** dísz, ékesség **2. a)** *gazd* ellentétel(ezés), sztornó *[könyvelésben]* **b)** *jog* ellenigény, viszontkövetelés, viszontkereset **3.** → **set off**

setose ['setous] *mn tud* sertés, sörtés, tüskés, szőrös

set-out *fn* **1. a)** kezdet, kezdés **b)** indulás **2.** kirakat, áruk kirakása, elrendezés *[áruké]* **3. a)** fogat, ekvipázs *[hintó, lovak, szolgaszemélyzet együttesen]* **b)** *biz* nevetséges öltözék **c)** teljes felszerelés **d) a great ~** nagy parádé/hűhó **4.** *vasút* lekapcsolt és félreállított kocsi; → **set out**

set point *fn sp* szetlabda *[teniszben]*

setscrew *fn műsz* beállító csavar, állítócsavar, rögzítőcsavar

setsquare *fn* (rajzoló) háromszög, háromszögű vonalzó

sett [set] *fn* **1.** *épít* kövezőkocka, kövezőkő, kőlap **2.** borzlyuk, borzüreg

settee [se'ti:] *fn* pamlag, kanapé, heverő, dívány, szófa

setter ['setə ‖ –ər] *fn* **1. a)** helyező, tevő, beállító **b)** szerelő **c)** *nyomd* (betű)szedő **2.** *áll* angol/hosszúszőrű vizsla, szetter

setting ['setɪŋ] **I.** *fn* **1. a)** (el)helyezés, tevés, rakás, tétel **b)** elrendezés **c)** beverés, bedugás *[karóé]*, elvetés *[magé]* **d)** *műsz* szabályozás; **~ to zero** zéróra visszaállítás *[számlálóberendezésé]*, nullára állítás **e)** (össze)illesztés, rögzítés **f)** kijelölés *[feladaté]* **g)** kijelölés, megállapítás *[időponté]* **2.** lenyugvás *[égitesté]* **3. a)** keret, környezet **b)** *szính* szín, díszlet **c)** *zene* letét, beosztás; **~ for piano** zongoraátirat; **~ to music** megzenésítés; **musical ~** zenei átirat/feldolgozás/változat **4.** foglalat *[drágakőé]* **5.** teríték **II.** *mn* **1.** lenyugvó **2. a) ~ screw** beállító csavar, szabályozó csavar **b)** *épít* **~ coat** fedőréteg; simítás; simító vakolás **c) ~ lotion** dauervíz *[hideg dauerhoz]*

settle[1] ['setl] **A.** *tsi* **1. a)** letelepít *[népet egy országban]*, betelepít *[népet egy országba; egy vidéket]* **b)** gyarmatosít *[országot]* **c)** helyrehoz, rendbe tesz **2. a)** elhelyez, jól helyére tesz, megszilárdít (vmt); **~ oneself in an armchair** megtelepszik egy karosszékben **b) ~ one's affairs** rendbe hozza (v. elintézi) ügyeit **3.** leülepít, hagy leülepedni *[folyadékot]* **4.** megnyugtat, lecsillapít *[idegeket, vkt]*; **~ sy's doubts/scruples** eloszlatja vknek a kétségeit/skrupulusait; **~ the stomach** rendbe hozza a gyomrot **5.** kijelöl, megszab, megállapít, elhatároz; **~ to do sg** elhatározza, hogy megtesz vmt **6. a)** megold *[kérdést]*, eldönt *[vitát]*, felszámol *[ügyet]*, rendez, elintéz *[nézeteltérést, vitát]*; **it is as good as ~d** ez elintézettnek tekinthető; **that ~s it (for sy)** ez eldönti a kérdést/dolgot; ezzel a dolog le van zárva (vk részéről); **I'll ~ him (once for all)** majd én elbánok vele; majd lerázom (egyszer s mindenkorra); *jog* **~ an affair out of court** peren kívül egyezséget köt; **~ sy('s hash)** elintéz/elpáhol vkt **b)** lezár *[ügyet]*, kiegyenlít *[számlát]*, megad, kiegyenlít *[adósságot]*, kifizet *[tartozást]*; *biz* **I'll ~ accounts with him** majd én leszámolok vele!; *biz* **now to ~ with you!** most beszéljünk a kettőnk dolgáról!, most pedig intézzük el a kettőnk dolgát!; **will you ~ for me?** elintézed/kifizeted a számlát? **7.** *jog* ráruház, átruház (vmt vkre); **~ on annuity on sy** évjáradékot/életjáradékot biztosít vknek **B.** *tni* **1. a)** letelepedik (vhol); **he cannot ~ with anything** semmi mellett nem tud megmaradni, nyughatatlan természetű **b)** megtelepszik **c)** megkeményedik, megdermed, megszilárdul; **the snow is settling** a hó megmarad **2. ~ to work** komolyan munkához lát **3. a)** (meg)tisztul, leülepszik *[folyadék]*, leszáll *[üledék]*; **let (sg) ~** lerakódni/leülepedni/lecsapódni hagy **b)** rendbejön (vm), *átv* kisimul **4.** lecsillapodik, lecsendesül, megnyugszik • *mn* **settleable**

settle down *tni* **1. a)** letelepedik, letelepszik, megtelepszik, elhelyezkedik *[karosszékben]*; **~ down to dinner** asztalhoz/vacsorához ül **b)** munkához lát/fog; **~ down to a task** nekifog egy feladat végrehajtásának **2.** megkomolyodik, megjavul, rendes életet kezd, megállapodik, lehiggad; **~ down for life** megházasodik, családot alapít

settle for *tni* megelégszik, beéri (vmvel); **~ for less** kevesebbel is beéri

settle on A. *tni* rárakódik (vmre) **B.** *tsi* elhatároz (vmt), határoz (vmről)

settle up *tsi* **1.** elintéz, kifizet *[adósságot]* **2.** véghezvisz (vmt)

settle[2] ['setl] *fn* magas támlájú pad/karosszék *[ülés alatti fiókokkal]*

settled [ˈsetld] *mn* **1. a)** változatlan, biztos, határozott, állandó; **~ weather** kiegyensúlyozott időjárás; **man of ~ convictions** kialakult/szilárd nézetekkel rendelkező ember **b)** meggondolt, megfontolt, nyugodt, higgadt **c)** rendes (életmódot folytató), házas, családos, nős *[ember]* **d)** megrögzött **2. a)** elhatározott, eldöntött, elintézett, lerendezett; **consider the affair ~** az ügyet befejezettnek tekinti **b)** kiegyenlített, kifizetett *[számla]*, „kiegyenlítve", „fizetve" *[felírás számlán]* **3. a)** megtelepedett, letelepedett, berendezkedett **b)** benépesített *[vidék]* **4.** gyarmatosított *[ország]*

settlement [ˈsetlmənt] *fn* **1. a)** letelepítés *[népé egy országban]*, berendezkedés *[családé egy házban]* **b)** gyarmatosítás, betelepítés *[országé]* **c)** letelepedés **d)** elrendezés; **the ~ of Europe after the War** a háború utáni európai rendezés **e)** elhelyezés **2. a)** rendezés, elintézés, felszámolás *[ügyé]*, megoldás *[vitás kérdésé]*, eldöntés *[kérdésé]*, kijelölés, meghatározás *[időponté]* **b)** *gazd* kiegyenlítés *[számláé]*; **in (full) ~** a számla teljes kiegyenlítéséül **c)** *gazd* elszámolás; **annual ~ of accounts, yearly ~** év végi elszámolás *[tőzsdén]*; **Bank for International S~s** Nemzetközi Fizetések Bankja **d)** megállapodás, egyezmény *[hatalmak között]*; *jog* **amicable ~** békés (peren kívüli) megegyezés; *gazd* **legal ~** kényszeregyezség **e)** *jog* alapítvány; **~ of annuity** járadék adományozása; **(deed of) ~** adományozási okirat; *GB tört* **Act of S~** trónöröklési törvény (1701) **f)** *jog* tartásdíj **3.** telep(ülés), gyarmat **4.** *US* kisközség, falu, telep

settler [ˈsetlə ‖ –ər] *fn* telepes, gyarmatos, telep/gyarmat lakosa

settling day *fn pénz* rendezési nap

settlor [ˈsetlə ‖ –ər] *fn jog* adományozó, biztosító, kötelezettséget vállaló *[életjáradéké stb.]*

set-to *fn* **1. a)** (ököl)harc, csata, verekedés, összecsapás; **have a ~** összeverekszik **b)** *biz* összeveszés, összekapás **2.** → **set to**

setup [ˈsetʌp] *fn* **1. a)** elrendezés, összeállítás, összetétel **b)** *US* rendszer, berendezés, szervezet, felépítés *[pl. társadalmi szervezeté]* **2.** *infor* telepítés **3.** *átv biz* kelepce **4.** → **set up**

seven [ˈsevn] **I.** *mn* hét; **the ~ chief virtues** a hét főerény; **the ~ deadly sins** a hét főbűn; **the ~ wonders of the world** a hét világcsoda **II.** *fn* hét, hetes

sevenfold [ˈsevnfould] **I.** *mn* hétszeres **II.** *hsz* **1.** hétszer annyi **2.** hétszeresen

seventeen [ˌsevnˈtiːn] *mn/fn* tizenhét; *biz* **sweet ~** a szép ifjúság/ifjúkor; **she is ~** (ő) tizenhét éves

seventeenth [ˌsevnˈtiːnθ] **I.** *mn* **1. a)** tizenhetedik **b)** egytizenheted **II.** *fn* tizenheted (rész)

seventh [ˈsevnθ] **I.** *mn* **a)** a hetedik; *biz* **be in the ~ heaven (of delight)** a hetedik mennyországban érzi magát; *vall* **the S~ Day** szombat; sabbath **b)** egyheted **II.** *fn* **1.** heted(rész), hetedik **2.** *zene* szeptim • *hsz* **seventhly**

seventh-day *mn* **1.** szombat **2.** *vall* **S~ Adventist** szombatos

seventieth [ˈsevntiəθ] **I.** *mn* **1.** a hetvenedik **2.** egyhetvened **II.** *fn* egyhetvened(rész)

seventy [ˈsevnti] *mn/fn* hetven; **be in his/her seventies** hetvenen túl van; jó hetvenes; **in the seventies** a hetvenes években • *mn/hsz* **seventifold**

seventy-eight *fn régi biz* 78-as (fordulatszámú) hanglemez, bakelitlemez

seven up *fn* **a)** *ját* ‹egyfajta kártyajáték› **b)** ‹egyfajta édeskés szénsavas üdítőital›

seven year itch *fn tréf* ‹házasság hetedik évében jelentkező hűtlenségi hajlam›

sever [ˈsevə ‖ –ər] **A.** *tsi* **1.** elválaszt, kettéválaszt, leválaszt, megszakít *[barátságot]* **2.** levág (vmt vmről) **B.** *tni* **1. a)** elválik, elszakad (vktől) **b)** elvág, elmetsz **2.** felbont, felmond *[munkaszerződést]* • *mn* **severable**

several [ˈsevərəl] *mn/nm* **1. a)** különböző, különféle, másmás, elkülönített **b)** kölcsönös, őt megillető **2. a)** saját, önálló; **each went his ~ way** mindegyik ment a maga útján **b)** *jog* személyi *[vagyon]*, egyéni *[felelősség]* **3. a)** több, számos; **he and ~ others** ő és többen mások **b) ~ of them** többen közülük; **~ of us** sokan közülünk; **I have ~** van belőle jó néhány; van belőle egy csomó **4.** néhány, egyes

severalty [ˈsevərəlti] *fn* **1.** *jog* egyéni/személyi tulajdon, kizárólagos tulajdon **2.** elkülönülés, elszigeteltség

severally [ˈsevərəli] *hsz* egyénileg, személyileg, egyenként, külön-külön; *jog* **~ liable** egyénileg felelős; **jointly and ~** egyetemlegesen és külön-külön

severance [ˈsevərəns] *fn* **1. a)** elválasztás, szétválasztás, különválasztás, megszakítás **b)** kettéválás **c)** elvágás, szétmetszés **2.** *jog* elkülönítés *[ügyé]*

severance pay *fn* végkielégítés

severe [sɪˈvɪə ‖ sɪˈvɪr] *mn* **1. a)** szigorú **b)** kritikus; **be ~ on sy's failings** szigorúan ítéli meg vknek a hibáit **c)** mogorva, rideg **2. a)** szigorú, kemény, zord *[tél]* **b) ~ blow** súlyos csapás; **~ pain** súlyos fájdalom; **be in ~ distress** nagy nyomorban van **3.** tartózkodó, puritán, dísztelen *[stílus]* • *hsz* **severely**

severity [sɪˈverəti] *fn* **1. a)** szigor(úság), komolyság; **use ~** szigort alkalmaz **b)** mogorvaság, ridegség **c)** kimértség *[modoré]* **d)** szigorítás **2. a)** szigorúság, keménység, zordság *[időjárásé]* **b)** súlyosság *[betegségé]*; **the ~ of the situation** a helyzet komolysága **3.** dísztelenség, puritánság, tartózkodó jelleg *[stílusé]* **4.** *tsz* **severities** megszorítások

Seville orange *fn növ* keserű narancs

sew [sou] *tsi pt* **sewed** [soud], *pp* **sewn** [soun], **sewed** (meg)varr

sew in *tsi* bevarr, felvarr

sew on *tsi* rávarr, felvarr *[gombot]*

sew over *tsi* bevarr, összevarr, (ki)stoppol, megstoppol *[lyukat]*

sew up *tsi* **1. a)** bevarr, beszeg **b)** kijavít, (meg)foltoz, (be)stoppol **2.** *szl* **a)** *[kifáraszt, kimerít vkt]* kipurcant **b)** leitat, berúgat (vkt); *szl* **be ~ed up** tökrészeg, holtrészeg **3.** *szl [sikeresen befejez (tárgyalást)]* lerendez, sínre tesz

sewage [ˈsuːɪdʒ] *fn* szennyvíz(gyűjtés), szennyvíz(levezetés), csatornavíz

sewage disposal *fn* szennyvízelvezetés

sewage farm *fn* szennyvíztisztító telep

sewage water *fn* **1.** szennyvíz, csatornavíz **2.** *mezőg* emésztőgödör/pöcegödör leve

sewer[1] [ˈsouə ‖ –ər] *fn* varrónő, szabó(nő), szabász(nő)

sewer[2] [ˈsuːə ‖ –ər] *fn* **a)** (szennyvíz)csatorna(-hálózat), kanális **b)** pöcegödör, kloáka

sewerage [ˈsuːərɪdʒ] *fn* **1.** szennycsatornarendszer, csatornahálózat **2.** *US biz* szennyvíz

sewer rat *fn áll* csatornapatkány

sewing [ˈsouɪŋ] *fn* **1.** varrás **2.** kézimunka, fehérneműhímzés **3.** fonál

sewing machine *fn* varrógép

sewn [soun] *mn* varrott; → **sew[1]**

sex [seks] **I.** *fn tsz* **sexes 1.** nem; **~ instinct** nemi ösztön **2. the ~** a női nem, a nők; **the second/fair/gentle/softer/weaker ~** a gyengébb nem; *szl* **the third ~** homoszexuálisok **3.** nemiség, szex; *biz* közösülés, szex; **have ~** közösül (with vkvel) **II.** *tsi* **1.** nemiséget megállapít, nemi hovatartozást tisztáz/megállapít **2. ~ up** felgerjeszt • *fn* **sexer**

sex act *fn* szexuális/nemi aktus, közösülés

sexagenarian [ˌseksədʒəˈneərɪən ‖ –ˈner–] *mn/fn* hatvanas, hatvanéves (személy)

Sexagesima [ˌseksəˈdʒesɪmə] *fn vall* **~ (Sunday)** sexagesima-vasárnap

sexagesimal [ˌseksəˈdʒesɪml] **I.** *mn mat* hatvanas **II.** *fn mat* hatvanas nevezőjű tört • *hsz* **sexagesimally**

sex appeal *fn* nemi vonzerő/varázs, szexepil

sex bomb *fn biz* szexbomba

sexcentenary [ˌseksenˈtiːnəri ‖ –ˈtenəri] **I.** *mn* hatévszázados **II.** *fn* hatszázadik évforduló

sex change *fn* átoperálás *[nemi jelleg megváltoztatása műtéti úton]*
sex drive *fn* libidó, szexuális késztetés
sexed [sekst] *mn* **1.** *biol* ivaros, nemiséggel bíró/rendelkező **2.** *pszich* **highly ~** élénk nemi vágyat érző, erősen szexuális beállítottságú
sex education *fn* (iskolai) szexuális felvilágosítás
sexennial [sek'senɪəl] *mn* hatévenként, hatéves
sex hormone *fn biol* nemi hormon
sexism ['seksɪzm] *fn* nemi előítéletek, szexizmus • *fn* **sexist**
sexivalent [ˌseksɪ'veɪlənt] *mn vegy* hatvegyértékű
sex job *fn szl* **1.** *[szexuálisan vonzó nő]* csinibaba **2.** nimfomán
sex kitten *fn tréf biz* cicababa, cuncimókus
sexless ['sekslәs] *mn* **1.** nem nélküli, nemi jelleg nélküli **2.** hideg *[nemi vonatkozásban]*
sex life *fn* nemi élet
sex-linked *mn tud* nemhez kötött
sex maniac *fn biz* szexőrült, szexmániás
sex object *fn* **1.** *pej* szexuális játékszer/tárgy *[emberről]* **2.** szex-szimbólum
sex offender *fn* ‹szexuális bűntettet elkövető személy›
sexology [sek'sɒlədʒi ‖ –'sɑ–] *fn* szexológia, nemi élet tana/tudománya, szexuáltudomány • *fn* **sexologist**
sexpartite [seks'pɑːtaɪt ‖ –'pɑr–] *mn* hatrészes
sexpert ['sekspɜːt ‖ –pɜrt] *fn tréf* szexológus, szexterapeuta
sexploitation [ˌsekspləɪ'teɪʃn] *fn biz* a nemiség üzletiesítése
sexploiter [sek'splɔɪtə ‖ –ər] *fn biz* szexfilm, pornófilm
sexpot *fn szl [szexis/csinos nő/lány]* szexbomba, bombázó
sex shop *fn* szexbolt
sex-starved *mn* nemileg kiéhezett
sex symbol *fn* szexszimbólum, szexuális bálvány
sext [sekst] *fn vall* sexta
sextant ['sekstənt] *fn hajó* szeksztáns, szögmérő műszer
sextet [seks'tet], **sextette** *fn zene* hatos, szextett
sex therapy *fn* szexuálterápia
sextillion [seks'tɪlɪən] *fn* **1.** *GB* szextillió *[10^{36}]* **2.** *US* ezertrillió *[10^{21}]* • *fn/mn* **sextillionth**
sextodecimo [ˌsekstə'desɪmoʊ] *fn nyomd* 1/16-od ívnagyság, tizenhatodrét formátum
sexton ['sekstən] *fn vall* **a)** sekrestyés **b)** *biz* harangozó **c)** temetőőr **d)** *biz* sírásó
sextuple ['sekstjʊpl ‖ –'tjuː–] **I.** *mn/fn* hatszoros **II.** *tsi* (meg)hatszoroz • *hsz* **sextuply**
sextuplet [sek'stjuːplət ‖ –'stʌ–] *fn* **1.** *zene* szextola, hatos **2.** *tsz* **~s** hatosikrek
sexual ['sekʃʊəl] *mn* nemi, szexuális; **~ abuse/harassment** szexuális zaklatás; **~ intercourse/contact** nemi közösülés/érintkezés; **~ cycle** nemi/ivari ciklus; *biol* **the ~ method/system** Linné rendszere
sexuality [ˌsekʃʊ'æləti] *fn* **1.** nemiség, nemi ösztön **2.** erős nemi jelleg
sexually ['sekʃʊəli] *hsz* nemileg; **~ transmitted diseases** nemi úton terjedő betegségek
sexy ['seksi] *mn* **1. a)** nemileg vonzó/(túl)fűtött **b)** erotikus, érzéki, szexi, buja **2.** *biz* érdekes, divatos, szexi
Seychelles [seɪ'ʃelz] *tul tsz földr* Seychelles-szigetek
Seychellois [ˌseɪʃel'wɑː] *mn* seychelles-szigeteki
sez-you [sez'juː] *isz US szl says you* mondod te (de én nem hiszem)
SF *röv* **1.** *San Francisco* **2.** *science fiction*
SFOR *röv Stabilization Force*
sg *röv* **1.** *singular* egyes szám/esz **2.** *something* valami, vm
SG *röv* **1.** *solicitor general* **2.** *US Surgeon General*
SGML *röv fn infor standard generalized markup language* szabványos általános jelölőnyelv, SGML
Sgt *röv Sergeant* őrmester, őrm.

shabby ['ʃæbi] *mn* **1.** kopott, rongyos, elnyűtt, viseltes *[ruha]* **2.** becstelen, aljas, gonosz; **~ excuse** gyenge/rossz (v. kevéssé meggyőző) kifogás; **~ trick** piszkos trükk; **do sy a ~ turn** csúnyán kitol vkvel • *fn* **shabbiness** *hsz* **shabbily**
shabrack ['ʃæbræk] *fn kat* rövid lótakaró, nyeregtakaró
shack[1] [ʃæk] **I.** *fn* viskó, vityilló, kunyhó, putri, kaliba **II.** *tni biz* **~ up with sy** együtt él vkvel, összeköltözik/összeáll vkvel
shack[2] [ʃæk] **I.** *fn US szl* **1.** csavargó **2.** rossz ló, gebe **3.** vasúti fékező **II.** *tni US szl* csavarog, vándorol, kóborol
shack along *tni US szl* járkál, sétál, ballag *mind stand*
shack job *fn szl* **1.** élettárs **2.** élettársi viszony
shackle ['ʃækl] **I.** *fn tsz* **schackles** béklyó, bilincs, lánc; **the ~s of convention** a hagyományok akadályai/béklyói **II.** *tsi* megbéklyóz, megbilincsel
shackle bolt *fn műsz* kengyelcsavar
shackup ['ʃækʌp] *fn biz* összeállás, együttélés
shaddock ['ʃædək] *fn növ* körte alakú citrancs
shade [ʃeɪd] **I.** *fn* **1. a)** árnyék; **keep in the ~** háttérben marad, félreáll; **put/throw in the ~** háttérbe szorít (vkt); elhomályosít *[vk érdemeit stb.]*; *átv* **not the shadow of a ~ of doubt** a kétségnek az árnyéka sem **b)** *műv* homályos rész, árnyék *[képen]* **c)** *tsz* **shades** homály; **the S~s** az alvilág, a pokol; **the ~s of evening** szürkület **2. a)** árnyalat, színezet; **different ~s of green** a zöld különböző árnyalatai; **~ of meaning** jelentésárnyalat **b)** szín(árnyalat) **c)** *biz* egy leheletnyi/csepp/árnyalatnyi; **he is a ~ better** valamivel/kissé jobban van **3.** *vál* árny, szellem **4. a)** lámpaernyő, fényellenző **b)** *US szl* napszemüveg *stand* **c)** *US* redőny, roló, roletta **II. A.** *tsi* **1. a)** beárnyékol, árnyékot vet (vmre) **b)** elsötétít *[arcot harag stb.]* **2.** megvéd *[fény stb. elől]*; **~ sg from the sun** a nap elől megvéd vmt; **~ one's eyes with one's hands** kezével eltakarja a szemét; **~ a lamp** ellenzőt/ernyőt tesz a lámpára; **~ a light** tompítja a fényt; eltakarja a fényt **3.** *műv* **a)** (be)árnyékol, árnyal **b)** (be)vonalkáz, sraffoz **4. ~ away/off colours** tompítja/árnyékolja a színeket **B.** *tni* átmegy *[egyik szín másikba]*; **~ (away/off/into)** átmegy (szín másikba); **blue that ~s (off) into green** zöldbe átmenő kék • *mn* **shadeless**
shading ['ʃeɪdɪŋ] *fn* **1.** *műv* (be)árnyékolás, tónus **2.** árnyalás, finomítás *[színeké]*
shadoof [ʃə'duːf] *fn* gémeskút
shadow ['ʃædoʊ] **I.** *fn* **1. a)** árny(ék), homály; **the ~s of evening are falling** esteledik **b)** sötét rész *[képen]*; *biz* **have (dark) ~s round/under one's eyes** karikás a szeme **c)** *átv* ború; **the ~ of death** a halál árnyéka **2. a)** árny(ék), árnykép; **be afraid/frightened of one's own ~** a saját árnyékától is fél; *átv* **cast a ~** árnyat vet; **catch at ~s, run after ~s** ábrándokat kerget **b)** egy kevés, parányi rész; **not the ~ of a doubt** a kétségnek az árnyéka sem; **beyond the ~ of doubt** minden kétségen kívül **c)** *átv* árnyék; **be a mere ~ of one's former self** csak árnyéka önmagának **3. a)** árny, szellem, kísértet **b)** állandó követő/kísérő, árnyék; **stick to sy like his ~** követi mint az árnyéka **c)** *biz* titkosrendőr **4.** szemfesték, szemhéjpúder **II.** *tsi* **1.** *átv* beárnyékol, árnyékot vet (vmre) **2.** nyomon követ, vigyázza minden lépését (vknek); **be ~ed by the police** midnen lépését követi a rendőrség **3.** betanul *[mester mellett]* • *fn* **shadower** *mn* **shadowless**
shadow-boxing *fn sp* árnyékbokszolás; *átv* ‹képzelt ellenféllel való küzdelem› szélmalomharc
shadow cabinet *fn pol* árnyékkabinet, árnyékkormány, ellenzéki kormánylista(-tervezet)
shadowgraph ['ʃædoʊgrɑːf ‖ –græf] *fn* **1.** árnyfénykép **2.** *orv* röntgenfelvétel
shadow play *fn szính* árnyjáték
shadow theatre *fn szính* árnyjáték, árnyékszínház
shadowy ['ʃædoʊi] *mn* **1.** árnyas *[út]*, homályos *[folyosó]* **2.** *átv* homályos, bizonytalan *[körvonal, terv]* • *fn* **shadowiness**

shady [ˈʃeɪdi] *mn* **1. a)** árnyas, árnyat adó **b)** árnyékos; *biz* **be on the ~ side of forty** elmúlt negyven éves, túl van a negyvenen **2.** gyanús, sötét, kétes *[alak]*, homályos *[ügy]*; **~ business** gyanús üzlet/ügy; **~ character** kétes egzisztencia *[egyén]* • *fn* **shadiness** *hsz* **shadily**

shaft [ʃɑːft ‖ ʃæft] **I.** *fn* **1. a)** nyél *[szerszámé, dárdáé, golfütőé]* **b)** nyíl(vessző); *átv* **the ~ of satire/ridicule** a gúny nyilai **c)** hajítódárda, lándzsa **d)** szár *[madártollé]* **2.** rúd, szekérrúd, kocsirúd; **(pair of) ~s** rúdpár, villásrúd **3.** fénysugár, fénynyaláb; villámcsapás **4.** *műsz* tengely **5.** *szl [hímvessző]* fütykös; árboc, rúd **6. a)** akna, tárna **b)** liftakna **7.** *US szl [igazságtalanság]* kitolás, kibaszás, szivatás **II.** *tsi* **1.** nyéllel ellát *[szerszámot, fegyvert]* **2.** *US szl [igazságtalan vkvel szemben]* átbasz, megszopat

Shaftesbury [ˈʃɑːftsbəri ‖ ˈʃæftsberi] *tul földr* Shaftesbury

shag¹ [ʃæg] *fn* **1.** bozont(os szőrzet) **2.** finomra vágott erős dohány

shag² [ʃæg] *fn áll* bóbitás kormorán

shag³ [ʃæg] **I.** *fn GB tabu [közösülés]* töcskölés, numera **II.** *tsi* **-gg- 1. ~ (out)** *[kifáraszt]* kikészít, kicsinál **2.** *GB tabu [közösül]* megbasz • *fn* **shagger**

shag off *tni [elszökik, elmegy]* lelép, lekopik

shagreen [ʃəˈgriːn] *fn* **1.** szamárbőr **2.** cápabőr

shaggy [ˈʃægi] *mn* **1.** bozontos, kusza, borzas *[szőrzet, haj]*, parlagi *[modor]*, zavaros *[gondolkodás]* **2.** *növ* szőrös, pihés • *fn* **shagginess** *hsz* **shaggily**

shaggy-dog story *fn* hosszadalmas favicc

shah [ʃɑː] *fn* sah

shaikh [ʃeɪk] *fn* → **sheik**

shake [ʃeɪk] **I.** *pt* **shook** [ʃʊk], *pp* **shaken** [ˈʃeɪkn] **A.** *tsi* **1. a)** megráz, felráz, (ki)ráz; **~ a carpet** kirázza a szőnyeget; **~ the dust from one's feet** (barátságtalan helyről végleg) eltávozik; *szl* **~ one's feet** *[táncol]* ráz; **~ one's finger at sy** ujjával megfenyeget vkt; **~ one's fist** rázza az öklét; **~ hands with sy**, **~ sy by the hand** kezet ráz/szorít vkvel, megrázza vknek a kezét; **~ hands on/over the bargain** kézfogással pecsételi meg az alkut; **~ one's head at/over sg** (tagadólag/kétkedően) rázza a fejét (vm miatt); *szl* **~ a leg** *[táncot jár, táncol]* csörög, ráz; *[siet, igyekszik]* mozog; **~ a stick at sy** bottal fenyeget vkt; **~ oneself free from sg** leráz magáról vmt **b)** *US biz* levet *[szokást]*, leráz *[ismerőst]*, megszabadul (vmtől) **2. a)** megmozgat, megrázkódtat, megremegtet; **~ oneself** rángatózik **b)** *átv* megrendít, megingat; **~ sy's faith** megingatja vk hitét; **~ sy's health** megrendíti vk egészségi állapotát **c)** *szl [megráz, kihoz a sodrából]* bead neki **d)** *zene* lebegtet *[hangot]* **3.** szétszed *[hordót]* **4.** *Ausz szl* **a)** *[lop]* megfúj **b) he is shook on Mary** bele van habarodva M.-be **B.** *tni* **1.** remeg, reszket, inog, rázkódik, megremeg *[hang]*; **~ all over** egész testében remeg; *biz* **~ in one's shoes** beijedt, begyulladt; **~ with fright** remeg félelmében; **~ with rage** reszket a dühtől; **his sides shook** oldalát fogta nevettében **2.** *zene* trillázik **3.** megreped, felhasad *[fa]* **4.** *US szl* kezet ráz/szorít; **~!** gratulálok!; kezet rá! *mind stand* **II.** *fn* **1. a)** (meg)rázás, (fel)rázás, *biz* kézszorítás; **~ of the hand** kézszorítás, kézrázás; **a ~ of the head** fejrázás; **give sg a good ~** jól megráz/felráz/kiráz vmt; *biz* **he has had a ~** az egészsége megrendült **b)** lökés, taszítás **c)** (meg)rázkódás, remegés *[kézé, fejé, hangé]*; **the ~s** malária; *biz* **be all of a ~** egész testében remeg/reszket; *biz* **have the ~s** remeg, fél **d)** *zene* trilla, tremoló, hanglebegtetés **e)** *szl* **in a ~**, **in a brace of ~s** egy pillanat alatt; **in two ~s (of a lamb's/dog's tail)** egy szempillantás alatt **f)** *biz* **be no great ~s** nem valami nagy szám/dolog, nem sokat ér **g)** *US* **give sy a fair ~** becsületesen jár el vkvel szemben **2.** *gaszt biz* turmix • *mn* **shakeable**

shake down A. *tsi US szl* **a)** kölcsönkér vktől, zsarol *mind stand*; **~ sy down for five dollars** öt dollárral megvág vkt, öt dollárra levág/letarhál vkt **b)** *[megmotoz]* hipisel, szétszed, átszitál **B.** *tni* **1. a)** ideiglenes szállást talál (vhol), ideiglenesen elhelyezkedik **b)** berendezkedik **2.** beleszokik, egyenesbe jön; **~ down into a job** beleszokik a munkába → **shakedown**

shake off A. *tsi* **1.** leráz; **~ off cold** megszabadul a náthától **2.** *biz* leráz (vkt), megszabadul (vktől) **B.** *tni* lesoványodik

shake out *tsi* **1. a)** kiráz (vmt vmből) **b) ~ sy out of his sleep** felráz vkt álmából **2.** kibont, kifeszít *[vitorlát, zászlót]*; → **shakeout**

shake up A. *tsi* **a)** összeráz, felráz, összekever *[folyadékot]* **b)** *biz* felráz, felpezsdít (vkt tompultságából) **c)** *biz* átalakít *[kormányt]*, átszervez *[intézményt tagjait áthelyezve]* **B.** *tni* **1.** összekeveredik, összerázódik **2.** felrázódik, felpezsdül; → **shake-up**

shakedown *fn* **1.** hevenyészett ágy/hálóhely/alvóhely **2.** *US szl* **a)** *[kölcsönkérés]* megvágás **b)** razzia **3.** összerázódás, összeszokás, megszokás; *US* próbaút; → **shake down**

shakeout *fn gazd* (a gazdaság v. egy ágazat gyengébb cégeit sújtó hirtelen) csődsorozat; → **shake out**

shaker [ˈʃeɪkə ‖ –ər] *fn* **1.** rázó, aki ráz **2. (cocktail) ~** keverőpalack, séker **3.** *US vall* **S~** ‹egy amerikai szekta›

Shakespeare [ˈʃeɪkspɪə ‖ –pɪr] *tul* Shakespeare

Shakespearian [ˌʃeɪkˈspɪərɪən ‖ –ˈspɪr–] **I.** *mn* shakespeare-i **II.** *fn* Shakespeare szakértő

shake-up *fn* átalakítás, átszervezés, racionalizálás; → **shake up** A. c.

shako [ˈʃækoʊ] *fn* csákó

shaky [ˈʃeɪki] *mn* **1. a)** ingatag, roskatag, roskadozó **b)** *átv* bizonytalan; nem szilárd; **be ~ on grammar** hadilábon áll a nyelvtannal; **his English is ~** az angol tudása nem nyugszik biztos alapokon; *biz* **feel ~** sehogy se érzi magát, gyengén érzi magát **c)** *biz* megbízhatatlan, vitatható; **~ argument** vitatható érvelés; **~ story** valószínűtlen történet **2.** remegő, reszkető; **~ hand** remegő kéz; kusza betűk/írás; **~ voice** reszkető/remegő hang; **be ~ on one's legs** remeg a lába, alig áll a lábán • *fn* **shakiness** *hsz* **shakily**

shale [ʃeɪl] *fn ásv* (agyag)pala, palás agyag

shale oil *fn* palaolaj

shall [ʃl, ʃæl] *si pt* **should** [ʃʊd] **1.** ‹jövő idő kifejezése› fogok/fogunk ...ni; **I ~ go** el fogok menni **2. a) these rules ~ apply** ... ezek a szabályok alkalmazandók ...; **thou shalt not kill!** ne ölj!; **you shan't have any!** nem kapsz belőle!; **you ~ do what you are told** azt fogod csinálni, amit mondanak neked **b) ~ I open the window?** kinyissam az ablakot?; **~ we play a game of chess?** (ne) játsszunk egy parti sakkot? **c)** biztos(an); **the time ~ come** biztosan eljön az idő

shallot [ʃəˈlɒt ‖ ʃəˈlɑt] *fn növ* mogyoróhagyma

shallow [ˈʃæloʊ] **I.** *mn* **1.** sekély *[víz]*, lapos *[tál]*; **~ subway** kéregvasút **2.** *átv* felszínes, sekélyes *[ember, szellem]*, felületes *[tudás]* **II.** *fn* **shallows** sekélyes hely, zátony, gázló **III. A.** *tsi* elsekélyesít *[vizet]* **B.** *tni* elsekélyesedik *[víz]*

shallow-minded *mn* sekélyes, felszínes, üresfejű *[ember]*

shalom [ʃæˈlɒm ‖ ʃɑˈloʊm] **I.** *isz* békesség!, üdv! *[héber köszöntés]* **II.** *fn* köszöntés, üdvözlés

shalt [ʃlt, ʃælt] *régi* → **shall**

sham [ʃæm] **I.** *mn* hamis, ál, tettetett, színlelt; *kat* **~ battle/fight** fegyvergyakorlat, álharc; **~ doctor** kuruzsló; **~ title** jogtalanul felvett cím **II.** *fn* **1.** színlelés, tettetés, csalás, ámítás; **that's all ~** ez csak komédia **2. a)** csaló, szélhámos **b)** szimuláns **III. -mm- A.** *tsi* színlel, tettet; **~ sleep** alvást színlel, úgy tesz mintha aludna **B.** *tni* színlel, tetteti magát; **~ dead** halottnak tetteti magát

shaman [ˈʃæmən ‖ ˈʃɑːmən] *fn vall* sámán • *fn* **shamanism** *mn* **shamanic**

shamateur [ˈʃæmətə ‖ –tʃʊr] *mn/fn sp biz* álamatőr • *fn* **shamateurism**

shamble [ˈʃæmbl] **I.** *fn* cammogás, totyogás, csoszogás **II.** *tni* **~ (along)** cammog, totyog, csoszog

S

shambles [ˈʃæmblz] *fn esz* **1.** vágóhíd, mészárszék **2.** romhalmaz, zűrzavar, rendetlenség; **the place was a ~ after the show** az előadás után a hely (teljes) romhalmaz/csatatér volt

shambolic [ʃæmˈbɒlɪk ‖ –ˈbɑlɪk] *mn GB biz* kaotikus, összevissza, kusza

shame [ʃeɪm] **I.** *fn* **1. a)** szégyenkezés; **blush for ~** (szégyenkezve) elpirul; **feel ~ at sg** szégyenkezik vm miatt; **put sy to ~** zavarba hoz vkt; megszégyenít vkt; legyőz vkt **b) (sense of) ~** szégyenérzet; **without ~** szégyentelenül **2. a)** szégyen, gyalázat; **for ~** pfuj!, szégyen-gyalázat!; **~ on you** szégyelld magad!; **you ought to think ~ of yourself!** szégyellheted magad! **b)** szégyen(teljes dolog); **what a ~!** micsoda szégyen!; milyen kár; **it's a sin and a ~!** szégyen és gyalázat!; **it would be a ~ not to go** nagy kár/butaság volna ha nem mennénk **c)** *biz* **the ~ of the family** a család szégyenfoltja (v. fekete báránya) **II.** *tsi* **1.** megszégyenít, megaláz, szégyent hoz (vkre) **2. ~ sy into doing sg** vkt a hiúságán keresztül kényszerít vmnek a megtételére; **be ~d into doing sg** sértett önérzetből tesz vmt

shamefaced *mn* **1.** szégyenlős, szégyenkező **2.** *vál* félénk, szemérmes • *fn* **shamefacedness** *hsz* **shamefacedly**

shameful [ˈʃeɪmfl] *mn* **1.** szégyenletes, szégyenteljes, gyalázatos **2.** megbotránkoztató, ocsmány • *fn* **shamefulness** *hsz* **shamefully**

shameless [ˈʃeɪmləs] *mn* **1.** szégyentelen, szemtelen, arcátlan, pimasz **2.** gyalázatos, botrányos, felháborító, szemérmetlen • *fn* **shamelessness** *hsz* **shamelessly**

shammy [ˈʃæmi] → **chamois**

shammy leather *fn* zergebőr

shampoo [ˌʃæmˈpuː] **I.** *fn* **1.** sampon **2.** hajmosás **II.** *tsi* (be)samponoz, samponnal mos; **~ one's hair** hajat mos

shamus [ˈʃɑːməs, ˈʃeɪməs] *fn US szl [detektív, rendőr]* hekus, zsaru, szimat

shandy [ˈʃændi] *gaszt* ‹sör és gyömbérsör keveréke›

shanghai [ˌʃæŋˈhaɪ] **I.** *tsi* **1.** *Ausz ÚjZ* csúzlival lő, csúzliz **2.** *hajó biz* matróznak elrabol *[leitatott embert]* **3.** *szl [becsap, kellemetlen helyzetbe hoz]* bepaliz **II.** *fn Ausz ÚjZ* csúzli

Shanghai [ˌʃæŋˈhaɪ] *tul földr* Sanghaj

Shangri-La [ˌʃæŋgri ˈlɑː] *fn* ‹földi paradicsom elrejtett helyen›; utópia

shank [ʃæŋk] **I.** *fn* **1. a)** lábszár; *biz* **go/come/ride on S~s's mare/pony** az apostolok lován megy, gyalogol, kutyagol **b)** sípcsont **c)** lábszárhús **d)** *áll* lábközép *[madáré]* **2. a)** szár *[ollóé, kulcsé]*, törzs, derék *[oszlopé]*, nyél, rúd *[horgászbotté]*, külső kar *[evezőé]*, nyak *[fúróé, pipáé]* **b)** fül *[gombé]* **c)** nyak *[cipőtalpé]* **II.** *tni* **~ off** elszárad *[növény]*; lehull *[gyümölcs]* • *mn* **shanked**

Shannon [ˈʃænən] *tul* ‹női név›

shan't [ʃɑːnt ‖ ʃænt] *röv shall not*→ **shall**

shanty[1] [ˈʃænti] *fn* **1.** kunyhó, viskó, kalyiba **2.** *Ausz* ‹italmérési engedély nélküli kocsma› zugkocsma

shanty[2] [ˈʃænti] *fn* **(sea) ~** tengerészdal, matrózdal

shantytown *fn* nyomornegyed, szegénynegyed, viskótelep

shape [ʃeɪp] **I.** *fn* **1. a)** *átv* alak, forma; **find ~ in sg** testet ölt vmben; **get out of ~, lose ~** elformátlanodik, elveszti az eredeti alakját; **get/put an article into ~** végső simítást ad a cikknek; **give ~ to a plan** körvonalazza a tervet; **take ~** alakot ölt, kialakul *[terv stb.]*; **knock/lick into ~** előkészít, hatékonnyá tesz; **in the ~ of sy/sg** vknek/vmnek az alakjában; **in no ~** sehogyan/semmiképpen sem; **out of ~** elformátlanodott; **what ~ is it** milyen formájú/alakú **b)** testalkat, idomok **c)** homályos alak, jelenség, jelenés **2.** féle, fajta; **sg in the ~ of ...** valamiféle-fajta ...; **not in any ~ or form** semmiféleképpen **3.** *biz* egészségi állapot, *sp* erőnlét, forma, kondíció; **be in bad/poor ~** rossz egészségi állapotban van, rossz bőrben van; **keep in ~** tartja kondícióját/kondiját **4. a)** forma *[szakácsé, kalaposé]*, *műsz* minta, sablon; **a cookie in the ~ of a heart** szív alakú süti **b)** formában készített étel **II. A.** *tsi* **1. a)** (meg)formál, formáz, kiképez, megmunkál; **~ to pattern** minta szerint kialakít; **~ sy's character** formálja/kialakítja vknek a jellemét **b)** kialakít, körvonalaz *[tervet]*, megfogalmaz **2. ~ one's course** veszi/irányítja a lépteit vhová; **~ the course of public opinion** a közvélemény alakulását befolyásolja/formálja **3.** *US* feljavít, formába hoz/lendít **B.** *tni* **a)** fejlődik, növekszik; **~ well** jól fejlődik/halad **b)** alakul, formát ölt; **events are shaping badly** rosszul alakulnak a dolgok • *fn* **shaper** *mn* **shap(e)able**, **shaped**

shape up *tni* **1.** vmilyen formát felvesz/ölt **2.** *US* formába jön/lendül, feljavul; **~ up well** ígéretesnek tűnik, jól halad

SHAPE [ˈʃeɪp] *röv Supreme Headquarters Allied Powers Europe(of NATO)*

shapeless [ˈʃeɪpləs] *mn* alaktalan, formátlan, idomtalan, ormótlan • *fn* **shapelessness** *hsz* **shapelessly**

shapely [ˈʃeɪpli] *mn* jó alakú/formájú, formás, arányos, jóvágású *[ember]* • *fn* **shapeliness**

shard [ʃɑːd ‖ ʃɑrd] *fn* **1.** cserépdarab, szilánk; vulkanikus kőtörmelék **2.** *áll* kemény szárnyfedő *[bogáré]*

share[1] [ʃeə ‖ ʃer] **I.** *fn* **1. a)** (osztály)rész; **the lion's ~** oroszlánrész; **come in for a ~ in sg** részesül vmben; **fall to sy's ~** vknek részéül jut; osztályrésze lesz vknek; **give sy a ~ in sg** megoszt vkvel vmt; **go ~s** társul vmre; arányos részt/részesedést vállal; **have one's fair ~** megkapja az osztályrészét/jussát, megkapja az őt megillető (v. neki járó részt); **want more than one's ~** többet akar, mint ami megilleti; **in equal ~s** egyenlő részben **b)** *gazd* részesedés; **~ in profits** nyereségrészesedés; **~ in a business** üzletrész, érdekeltség **2.** hozzájárulás, rész(vétel); **have a ~ in doing sg** érdekelt vmben, érdekelve van vmben, része/szerepe van vmben; felelős vmért; **take a ~ in sg** részt vesz vmben; **pay one's ~** fizeti a magáét; **pay ~ and ~ alike** mindenki fizeti a magáét; **he doesn't do his ~** nem veszi ki részét a munkából, nem teszi a magáét **3.** *pénz* részvény; **bearer/transferable ~** bemutatóra szóló részvény; **partnership ~** tulajdoni részesedés *[társaságban]*; *GB* **~ capital** részvénytőke, alaptőke; **hold ~s** részvényei vannak **II. A.** *tsi* **1. a)** megoszt (with vkvel), részt ad vmből vknek; **~ sy's opinion** osztja vknek a véleményét **b)** részesedik, része van (vmben), részt kap/vállal (vmből); **~ the bed of sy** együtt (egy ágyban) alszik vkvel; **~ the blame/responsibility** őt is terheli a felelősség; **~ the expenses** közösen vállalják/fedezik a költségeket; **~ an office with sy** egy irodában dolgozik vkvel; **~ all his secrets** ismeri minden titkát **2.** *GB* **~ out** feloszt, szétoszt, kioszt **B.** *tni* részesedik, részt vesz, osztozik; **~ alike** egyformán/egyenlően osztozik; **~ and ~ alike** egyenlően/igazságosan osztozik; egyenlő mértékkel mér; **~ in sg** részesedik/osztozik vmben; részt vesz vmben • *fn* **sharer** *mn* **shar(e)able**

share[2] [ʃeə ‖ ʃer] *fn* ekevas

sharecropper *fn US* részes bérlő/arató • *tsi/tni* **sharecrop**

shareholder *fn pénz* részvényes; **principal ~** főrészvényes • *fn* **shareholding**

share list *fn pénz* tőzsdei árfolyam, részvényárfolyam

share-out *fn* felosztás

shareware *fn infor* ‹ingyenes kipróbálásra terjesztett szoftver, amelyért csak később kell fizetni›

sharia [ʃəˈriːə] *fn vall* ‹a muszlim vallási törvények›

shark [ʃɑːk ‖ ʃɑrk] *fn* **1.** *áll* cápa **2.** *US szl [személy, aki kiváló vmben]* ász, profi, menő vmben **3.** *GB szl* vmlyen tantárgyban kiváló tanuló **4.** *biz* **a)** üzér, uzsorás, cápa *szl* **b)** kapzsi ember, csaló, szélhámos

Sharon [ˈʃerən] *tul* ‹női név›

sharp [ʃɑːp ‖ ʃɑrp] **I.** *mn* **1. a)** éles *[kés]*, hegyes *[tű]* **b)** hegyes *[áll, szög]*, meredek *[görbe, lejtő]*, kimagasló *[szirt, csúcs]*, éles *[kanyar]* **c)** éles, tiszta, határozott *[körvonal]*, markáns *[arcél]*; **~ contrast** éles ellentét; **stand ~ against the sky** élesen kirajzolódik az égen **2. a)** csípős, erős, pikáns *[íz]*, savanykás, borízű *[alma]*, ecetes, savanyú *[bor]* **b)** kemény, csípős *[hideg]*, éles, metsző *[szél]* **c)** erős, éles *[hang]*; *nyelv* palatalizált **d)** *zene* félhanggal felemelt *[hang]*; **C ~** cisz; **sonata in F ~** Fisz-dúr szonáta **e)** kemény, maró *[kritika]*, csípős, éles *[válasz]*, szemrehányó, haragos *[tekintet, pillantás]*, súlyos *[ítélet, szemrehányás]*, szigorú *[bíró]*; **~ tongue** éles nyelv; **in a ~ tone** éles/ingerült hangon; **be very ~ with sy** jól megmondja a magáét vknek **3. a)** éles, heves *[harc]*, heves *[vihar]*, erős *[fagy]* **b)** éles *[fájdalom]*, mardosó *[éhség]*, kínzó *[szomjúság]* **c)** gyors, élénk, eleven; **that was ~ work!** ez gyors munka volt! **4. a)** éles *[ész, fül, szem]*; **have a ~ nose for sg** jó orra van vmhez; **keep a ~ lookout for sg** éberen vigyáz vmt **b)** éles eszű *[ember]*; **a ~ mind** éles ész **c)** *pej* ravasz, agyafúrt; **~ practice** csalás, szédelgés; **be too ~ for sy** túljár az eszén vknek **d)** *US biz* szembetűnő, feltűnő, élenjáró, (rendkívül) korszerű, menő **II.** *hsz* **1.** hirtelen, gyorsan; *biz* **look ~!** gyorsan!, mozgás!; **turn ~ right** derékszögben forduljon jobbra **2.** pontosan; **at one o'clock ~** pontban/pontosan egy órakor **3.** *hajó* **brace the yards ~ (up)** vitorlarudat éles szögben fordít a szélhez **4.** *zene* **sing ~** hamisan énekel *[a kelleténél magasabban]* **III.** *fn* **1.** *zene* **a)** kereszt **b)** kereszttel/félhanggal emelt hangjegy **2.** *szl* csaló, szélhámos, hamiskártyás **IV. A.** *tsi zene* egy kereszttel/félhanggal felemel *[hangjegyet]* **B.** *tni* **1.** *régi biz* hamisan játszik, csal; **he ~s at cards** csal a kártyában, hamiskártyás **2.** *US zene* hamisan énekel *[kelleténél magasabban]* • *fn* **sharpness** *hsz* **sharply**

sharpen [ˈʃɑːpən ‖ ˈʃɑrpən] **A.** *tsi* **1. a)** megélesít, kiélesít **b)** meghegyez, kihegyez; **~ a pencil** ceruzát hegyez **c)** élesre farag *[vmnek a szélét]* **d)** kiélez, hangsúlyoz *[vonást, ellentétet]* **2.** *zene* kereszttel/félhanggal felemel *[hangjegyet]* **B.** *tni* élesebbé válik

sharpener [ˈʃɑːpənə ‖ ˈʃɑrpənər] *fn* ceruzahegyező

sharper [ˈʃɑːpə ‖ ˈʃɑrpər] *fn* **1.** csaló, szélhámos **2.** hamisjátékos, hamiskártyás

sharp-featured *mn* határozott arcélű, markáns arcú

sharp-set *mn* **1. a)** nagyétkű **b)** igen éhes/mohó **2. a)** éles/hegyes szögű **b)** élesre/hegyesre állított

sharpshooter *fn* mesterlövész • *fn/mn* **sharpshooting**

sharp-sighted *mn* **1.** éles szemű, sasszemű **2.** *átv* éles látású/szemű/eszű • *fn* **sharp-sightedness**

sharp-tongued *mn* éles nyelvű, csípős megjegyzéseket tevő

sharp-witted *mn* éles eszű, gyors/éles felfogású • *fn* **sharp-wittedness** *hsz* **sharp-wittedly**

shashlik [ˈʃæʃlɪk ‖ ˈʃɑːʃlɪk] *fn gaszt* saslik

shat [ʃæt] → **shit** I.

shatter [ˈʃætə ‖ –ər] **I. A.** *tsi* **1.** darabokra tör/zúz, összetör **2.** *átv* **a)** összetör, darabokra tör, meghiúsít, megsemmisít *[reményt]* **b)** megvisel, tönkretesz, aláás *[egészséget]*, megrázkódtat **B.** *tni* darabokra törik, összezúzódik **II.** *fn régi* szilánk, cserép • *fn* **shatterer** *fn/mn* **shattering**

shattered [ˈʃætəd ‖ –ərd] *mn* **1.** összetört, összezúzott, darabokra tört **2.** *átv* meghiúsult *[remény]*, megviselt *[egészségi állapot]*, kifáradt *[ember]*; **~ in mind and body** testileg és szellemileg megtört; **~ nerves** rossz idegek/idegállapot

shatterproof *mn* törhetetlen, szilánkmentes *[üveg]*

shave [ʃeɪv] **I.** *pt* **shaved**, *pp* **shaved**, **shaven A.** *tsi* **1.** (meg)borotvál (vkt), leborotvál (vmt); **~ oneself** (meg)borotválkozik; **~ off one's moustache** leborotválja a bajuszát **2. a)** farag, gyalul, hántol *[fát, bőrt]*, nyír *[füvet]* **b)** *átv biz* lefarag *[költségvetést]* **3.** *átv* súrol, érint, horzsol; *biz* **the tram just ~d him by an inch** éppen hogy el nem ütötte a villamos **4.** *szl [kölcsönkér]* megkopasztt, megfej, megvág **B.** *tni* **1.** borotválkozik **2.** (jól) vág, (jól) fog *[borotva]* **II.** *fn* **1. a)** borotvál(koz)ás; **give sy a ~** megborotvál vkt; **have a ~** (meg)borotválkozik **b)** *átv biz* **have a close/narrow ~** alig ússza meg; **by a ~** majdnem, kis híján **2.** dikics, *műsz* hántolókés, *ip* faragókés • *mn* **shav(e)able**

shaveling [ˈʃeɪvlɪŋ] *fn régi pej* barát, szerzetes, csuhás

shaven [ˈʃeɪvn] *mn* → **shave** I.

shaver [ˈʃeɪvə ‖ –ər] *fn* **1. a)** borotváló, borbély **b)** *biz* **young ~** kölyök, gyerek, tacskó **2. (dry-)~** villanyborotva

shaving [ˈʃeɪvɪŋ] *fn* **1.** borotvál(koz)ás **2.** *tsz* **shavings** (gyalulási) forgács, fémhulladék, faradék

shaving brush *fn* borotvapamacs, borotvaecset

shaving cream *fn* borotvakrém

shaw [ʃɔː] *GB* zöldje, szára *[burgonyának, répának]*

shawl [ʃɔːl] *fn* kendő, nagykendő, vállkendő

shawl collar *fn* sálgallér

shawm [ʃɔːm] *fn zene* pásztorsíp, nádsíp

Shawnee [ˌʃɔːˈniː] *mn/fn* sóni *[indián]*, shawnee

shchi [ʃtʃiː] *fn gaszt* orosz káposztaleves, scsí

she [ʃiː] **I.** *nm* **1.** ő *[nőnemű személyről]* **2. a)** az *[nőnemű állatokra, gépkocsikra, mozdonyokra, hajókra, országokra, egyes megszemélyesített tárgyakra]* **b)** *Ausz ÚjZ biz* ügy, dolog; **~'ll be right** rendben lesz a dolog **II.** *fn* nő, *összet* nőstény *[állatnevekben]*; *biz* **it's a ~** ez nőnemű/nő(stény)

sheading [ˈʃiːdɪŋ] *fn* kerület, járás *[Man-szigetén]*

sheaf [ʃiːf] *fn tsz* **sheaves** [ʃiːvz] **1. a)** kéve **b) ~ of flowers** bokréta **2.** köteg, nyaláb, halom *[papír]*

shear [ʃɪə ‖ ʃɪr] **I.** *pt* **sheared**, *régi* **shore**, *pp* **sheared**, **shorn** [ʃɔːn ‖ ʃɔrn] **A.** *tsi* **1. a)** (le)vág, lenyes; **~ the water** szeli a vizet *[úszó, hajó]* **b)** nyír *[bádogot, bársonyt]* **2.** (meg)nyír *[juhot]*, *átv* megfoszt, elvesz; *biz* **be shorn of sg** megfosztják vmtől, meg van fosztva vmtől **3.** *műsz* nyíró hatást gyakorol (vmre) **B.** *tni műsz* (nyíró igénybevételre) deformálódik **II.** *fn* **1. a) (pair of) ~s** olló; nagy-, nyíró-, nyesőolló **b)** *tsz* **shears** vágógép, gépolló **2. a)** nyírás *[juhé]* **b)** *műsz* nyíró igénybevétel • *fn* **shearer**

shearling [ˈʃɪəlɪŋ ‖ ˈʃɪr–] *fn* **1.** egyszer nyírt juh **2.** *tsz* **shearlings** lenyírt gyapjú

sheath [ʃiːθ] *fn* **a)** hüvely, tok *[kardé, szerszámé]* **b)** *tud* burok, hüvely, vesszőhüvely *[lóé, bikáé]* **c)** *vill* védőköpeny, szigetelés *[kábelen]* **d) ~ corset** melltartós gumifűző, princesszfűző; **~ (gown)** zsákruha **e)** *orv* → **condom** • *mn* **sheathless**

sheathe [ʃiːð] *tsi* **1.** tokjába/hüvelyébe (vissza)tesz, tokba/hüvelybe dug; *vál* **~ the sword** abbahagyja a harcot, békét köt **2. a)** beburkol, befed, betakar **b)** *vill* védőburkolattal ellát, bevon *[kábelt]*

sheathing [ˈʃiːðɪŋ] *fn* **1.** bevonat, burkolat **2.** *vill* védőburkolás, páncélozás *[kábelé]*

sheath knife *fn tsz* **- knives** tokos kés, hüvelyes tőr

sheave[1] [ʃiːv] *fn műsz* hornyos tárcsa/kerék *[csigán]*

sheave[2] [ʃiːv] *tsi* kévébe köt, kévéz

sheaves [ʃiːvz] → **sheaf**

Sheba [ˈʃiːbə] *fn* **1.** *régi földr* Sába; **the Queen of ~** Sába királynője **2.** *US szl [elbűvölő v. elbájoló nő]* csábnő, szirén

shebang [ʃɪˈbæŋ] *fn US szl* **1.** kunyhó, viskó, kalyiba **2.** ügy, dolog, eset; **the whole ~** az egész mindenség/túró/cucc

shebeen [ʃɪˈbiːn] *fn* ‹italmérési engedéllyel nem rendelkező kocsma› zugkocsma *[Írországban]*

she'd [ʃid, ʃiːd] *röv* **1.** *she had*→ **have** II. **2.** *she would*→ **will**[1] III. **3.** *she should*→ **shall**

shed[1] [ʃed] **I.** *fn* **a)** csűr, pajta, szín, *rep* repülőgépszín, hangár; *vasút* **~ allocation** honállomás *[mozdonyé]* **b)** *hajó* raktár **c)** barakk **d)** *Ausz ÚjZ* birkanyíró/gyapjúválogató/gyapjúcsomagoló pajta **II.** *tsi* garázsba/színbe állít *[buszt]*; depóba lerak

shed[2] [ʃed] *tsi pt/pp* **shed 1. a)** elveszít, kihullat *[fogat]*, lehullat *[levelet]*, elhány *[tollat]*, levedlik *[bőrt]* **b)** *biz* leráz (vkt), levetkőzik *[szokást]* **c) ~ one's clothes** levetkőzik, leveszi/leteszi ruháit **d) ~s rain** esőálló, vízhatlan **2. a)** ont *[vért]*, hullat, ejt *[könnyet]* **b)** áraszt, kibocsát *[fényt, hőt, illatot]*; **~ a good influence** kedvező befolyást gyakorol, jó hatással van; *átv* **~ light on sg** fényt vet/derít vmre **3.** leépít *[létszámot munkahelyen]*

shedder [ˈʃedə ‖ –ər] *fn* **1. ~ of tears** könnyhullató, síró **2.** *áll* ívott nősténylazac

she-devil *fn átv* boszorkány, fúria, sárkány

shedhand *fn Ausz ÚjZ* nyírósegéd

S

sheen [ʃiːn] *fn* **1.** fény(esség) *[selyemé, hajé stb.]*; **take the ~ off sg** megfoszt vmt a fényétől **2.** *vál* ragyogás, csillogás, pompás ruha **3.** *szl* hamis pénz
sheeny[1] [ˈʃiːni] *fn szl tabu [zsidó]* biboldó, bibsi
sheeny[2] [ˈʃiːni] *mn* fényes, ragyogó
sheep [ʃiːp] *fn tsz* **sheep 1.** juh, birka; **the black ~ of the family** a család szégyene (v. fekete báránya); *biz* **feel like a lost ~** nem leli helyét, idegenül érzi magát; **follow sy like ~** birkaként/vakon követ vkt; **a woolf in ~'s clothing** báránybőrbe bújtatott farkas; *régi* **cast/make ~'s eyes at sy** szerelmes pillantásokat vet vkre; **separate the ~ from the goats** szétválasztja a jókat a rosszaktól **2.** kikészített juhbőr, birkabőr, báránybőr **3. a)** ostoba/félénk ember, málészájú **b)** *vall* nyáj • *mn* **sheeplike**
sheep-dip *fn* birkaúsztató
sheepdog *fn* juhászkutya
sheepfold *fn* juhakol, juhistálló
sheepish [ˈʃiːpɪʃ] *mn* **1.** zavarban levő, szégyenlős **2.** félénk, ügyetlen
sheep run *fn* birkalegelő, juhtenyésztésre alkalmas hely
sheepskin *fn* **1.** birkabőr **2.** kikészített juhbőr, báránybőr **3. a)** pergament **b)** *US biz [oklevéldiploma]* kutyabőr
sheepwalk *fn GB* birkalegelő
sheer[1] [ʃɪə ‖ ʃɪr] **I.** *mn* **1.** teljes, merő, puszta, hamisítatlan, abszolút; **a ~ impossibility** teljes lehetetlenség; **~ nonsense** teljes képtelenség; **by ~ accident** tiszta/puszta véletlenségből; **in ~ desperation** teljes/végső kétségbeesésében; **for the ~ sake of sg** tisztára csak vm kedvéért **2.** merőleges, meredek *[szikla stb.]* **3.** *tex* áttetsző, vékony, könnyű *[anyag]* **II.** *hsz* **1.** teljesen, tisztára, egészen, merőben **2.** merőlegesen, meredeken • *fn* **sheerness** *hsz* **sheerly**
sheer[2] [ʃɪə ‖ ʃɪr] **I.** *fn* **1.** *hajó* cselengés *[mozgásban levő hajónál]*, jobbra-balra kilengés *[lehorgonyzott hajónál]* **2.** *hajó* hajófedélzet hosszirányú felhajlása, fedélzetív(elés) **II.** *tni* **1.** *hajó* cselleng, útirányból jobbra-balra kileng **2. ~ off** (i) *hajó* elfordul, elmegy (ii) *biz* elódalog, elkotródik (iii) kikerül *[kellemetlen témát]*
sheerlegs *fn esz hajó* emelőbak
sheet[1] [ʃiːt] **I.** *fn* **1. a)** lepedő, könnyű takaró; *biz* **get between the ~s** lefekszik, ágyba bújik **b)** lepel, burkolat, ponyva **2. a)** ív *[papír]* **b)** (papír)lap, finomlemez; **loose ~** különálló írt/nyomtatott lap **c)** *biz pej* újság, hírlap **d)** (bélyeg)blokk **3.** (nagy kiterjedésű) vízréteg, hótakaró, tűzszőnyeg **II. A.** *tsi* takaróval/lepedővel/ponyvával befed; **the town was ~ed over with snow** a várost hó borította **B.** *tni* rétegesen terjed/ereszkedik *[köd]*
sheet[2] [ʃiːt] *fn hajó* szarvkötél, szarvszár, (vitorla)kivonó kötél *[vitorláshajón]*; **start the ~** vitorlát kienged; *biz* **be/have a ~ in the wind** kissé pityókás; *biz* **be/have three ~s in the wind** tökrészeg
sheet anchor *fn* **1.** *hajó* nagy horgony **2.** *átv* utolsó mentsvár/segélyforrás
sheet feeder *fn* lapadagoló *[fénymásológépé stb.]*
sheeting [ˈʃiːtɪŋ] *fn* lepedővászon, lepedőanyag
sheet lightning *fn* távoli villámlás (fénye)
sheet metal *fn* fémlemez
sheet music *fn zene* kotta
Sheffield [ˈʃefiːld] *tul földr* Sheffield
sheik [ʃeɪk], **sheikh** *fn* sejk • *fn* **sheik(h)dom**
Sheila [ˈʃiːlə] *tul* **1.** ‹ír női név› **2.** *Ausz szl [fiatal nő]* csaj
shekel [ˈʃekl] *fn* **1.** *bibl* sékel **2.** *tsz* **shekels** *biz* pénz, vagyon
sheldrake [ˈʃeldreɪk] *fn* **1.** *áll* ásólúd **2.** *áll US* búvárréce
shelf [ʃelf] **I.** *fn tsz* **shelves** [ʃelvz] **1.** polc; **sliding ~** kihúzható asztallap/táblalap; **set of shelves** polcos állvány, könyvespolc; *átv* **be on the ~** nem foglalkoznak vele, elfeledkeztek róla, nem aktív *[nyugdíjasról]*; **she is on the ~** pártában maradt, vénlány; *átv* **put sy/sg on the ~** félretesz vkt/vmt **2. a)** szél, perem, párkány *[szakadéké, sziklá é]* **b)** *geol* **continental ~** kontinentális self/pad/talapzat/küszöb **c)** *földr* víz alatti sziklaszirt, homokpad **3.** *Ausz szl [rendőrségi besúgó]* tégla **II.** *tsi Ausz szl* besúg, informál *[rendőrséget]* • *mn* **shelfful**, **shelflike**
shelf life *fn gazd* szavatossági idő, megengedett tárolási idő
shelf mark *fn* jelzet (mutató) *[könyvtári]*
shelf room *fn* szabad polcfelület
shell [ʃel] **I.** *fn* **1. a)** héj *[kagylóé, osztrigáé]*, ház *[csigáé]*, teknő *[teknősbékáé]*, páncél *[ráké]*; *átv* **come out of one's ~** kibújik/előbújik a vackából; *átv* **retire into one's ~** begubózik, magába zárkózik, visszavonul **b)** héj *[tojásé, dióé, borsóé]* **c)** *átv* üres forma, látszat, külsőség **2.** kosár *[kardon, tőrön]* **3. a)** burkolat, borítás, burok, héjazat **b) ~ of a penknife** bicska zárfedője **4. a)** váz *[épületé, hajótesté]* **b)** *átv* nagy vonalak, váz **5.** kéreg *[földé]* **6.** koporsó **7.** *infor* keretprogram, shell **8.** *sp* versenycsónak **9. a)** *kat* gránát, robbanó lövedék; **live ~** fel nem robbant lövedék **b)** (töltény)hüvely **c)** tűzijátékbomba **II. A.** *tsi* **1. a)** lehámoz, fejt *[borsót]*, foszt *[kukoricát]*, hántol *[rizst]* **b)** héjából kivesz *[osztrigát stb.]* **2.** *régi vál* kagylóval/héjjal fed **3.** *kat* bombáz, ágyúz, (gránátokkal) lő **B.** *tni* **nut that ~s easily** könnyen feltörhető és meghámozható dió • *mn* **shelled**, **shell-less**, **shell-like**, **shelly**
shell out A. *tsi szl* **~ out one's money** *[pénzt odaad]* leszurkol, letejel, leperkál **B.** *tni szl [fizet]* tejel
she'll [ʃil ʃiːl] *röv* **1.** *she shall* **2.** *she will*
shellac [ʃəˈlæk] **I.** *fn* sellak **II.** *tsi pt/pp* **shellacked 1.** sellakkal bevon, sellakkoz **2.** *US szl* **a)** *[elver]* megtép, megzakóz **b) be ~ked** *[nagyon részeg]* tökrészeg
shellback *fn* öreg tengerész, tengeri medve
shell egg *fn* héjas tojás *[ellentétben a poritottal]*
shellfire *fn kat* bombázás
shellfish *fn tsz* **-fishes**, **-fish 1.** mészhéjú/páncélos állat, kagyló **2.** rákfélék
shell pink *mn/fn* halvány rózsaszín (szín)
shell shock *fn orv* gránátnyomás, harctéri idegsokk • *mn* **shell-shocked**
shellwork *fn műv* kagylóhéjdíszítés, kagylódísz
shelter [ˈʃeltə ‖ –ər] **I.** *fn* **1.** menedék, védelem; **take ~** menedéket keres/talál; **under ~** védve (vmtől); *biz* **take sy under one's ~** védelmébe vesz vkt **2. a)** menedékhely, fedett váróhely *[busz stb.]* **b)** óvóhely **c)** szükségszállás, menedékhely **II. A.** *tsi* **1.** (meg)véd *[széltől, esőtől]* **2.** menedéket nyújt (vknek); **~ sy from blame** megvéd vkt attól, hogy gáncsolják/elítéljék; **~ oneself** bebiztosítja magát; elhárítja magáról a felelősséget **3. ~ oneself under a tree from the wind** egy fa alatt keres menedéket a szél elől **B.** *tni* menedéket keres • *fn* **shelterer** *mn* **shelterless**
shelter belt *fn* **a)** mezővédő erdősáv **b)** szélfogó/széltörő fasor
sheltered [ˈʃeltəd ‖ –tərd] *mn* **1.** (meg)védett *[különböző hatásoktól, időjárástól]*; *közg* **~ industry** védett iparág; **~ life** csendes/gondtalan/nyugodt élet **2.** biztonságossá tett *[(lakó)hely, környezet idősek* v. *mozgássérültek számára]*
shelve[1] [ʃelv] *tsi* **1.** polcokkal ellát *[könyvszekrényt]* **2.** polcra rak *[könyveket stb.]* **3.** *biz* **a)** lezár *[ügyet]*, félretesz *[aktát]*; **be ~d swhere** elfekszik vhol *[irat]* **b)** elhalaszt, késleltet *[tervet]* **c)** félreállít (vkt)
shelve[2] [ʃelv] *tni* lejt, ereszkedik
shelves [ʃelvz] → **shelf**
shemozzle [ʃɪˈmɒzl ‖ ʃɪˈmɑzl] *fn biz* (lármás)veszekedés/verekedés, bunyó
shenanigan [ʃɪˈnænɪgən] *fn US biz* trükk, svindli, gyanús ügy
Sheol [ˈʃiːɒl ‖ ˈʃiːoʊl] *fn vall* pokol, alvilág
shepherd [ˈʃepəd ‖ ˈʃepərd] **I.** *fn* **1.** pásztor, juhász **2.** *vall* lelkipásztor; *vall* **the Good S~** a Jó Pásztor *[Krisztus]* **II.** *tsi* **1.** őriz, hajt, terel *[juhokat]* **2. a)** *átv* kísér, gardíroz **b)** terel, irányít, kalauzol *[embereket]*
shepherd dog *fn áll* juhászkutya
shepherdess [ˈʃepədɪs ‖ –pər–] *fn* pásztorlány

S

shepherd's pie *fn gaszt* ‹burgonyapürével egybesütött vagdalt hús›
sherbet [ˈʃɜːbət ‖ ˈʃɜr–] *fn* **1.** *gaszt* szörbet, sörbet **2.** *GB* **(English)** ~ citrompor **3.** *US* pezsgőpor **4.** *Ausz tréf* sör(öcske)
sherd [ʃɜːd ‖ ʃɜrd] → **shard**
shereef [ʃəˈriːf] → **sherif**
sherif [ʃeˈriːf ‖ ʃəˈriːf] *fn* ‹arab cím› serif
sheriff [ˈʃerɪf] *fn* **1.** *GB* kb. főispán; **High S~** főszolgabíró **2.** *US* megyei rendőrfőnök • *fn* **sheriffdom**
sheriff-depute *fn skót* járásbíró
Sherpa [ˈʃɜːpə ‖ ˈʃɜr–] *fn* serpa
sherry [ˈʃeri] *fn gaszt* xerezi bor, sherry
she's [ʃiz, ʃiːz] *röv* **1.** *she is*→ **be 2.** *she has*→ **have**
Shetland [ˈʃetlənd] *tul földr* **the ~ Islands** a Shetland-szigetek
Shetlander [ˈʃetləndə ‖ –ər] *fn* **1.** shetlandi (ember lakos) **2.** shetlandi póni
Shetland pony *fn áll* shetlandi póni
shew [ʃoʊ] *régi* → **show**
Shiah [ˈʃiːə], **Shia** *fn/mn vall* siita
shiatsu [ʃiˈɑːtsuː] *fn* ‹japán gyógymasszázs› siacu
shibboleth [ˈʃɪbəleθ] *fn biz* (idejétmúlt) jelmondat, klisé, jelszó *[párté]*
shicer [ˈʃaɪsə ‖ –ər] *fn Ausz* **1.** kimerült/értéktelen aranybánya **2. a)** *biz* csaló, svindler **b)** *[értéktelen dolog]* bóvli
shicker [ˈʃɪkə ‖ –ər] *fn Ausz szl* **a)** *[erős, részegítő ital]* pia **b)** *[ittas]* tintás; **be on the ~** *[erősen iszik]* nagy piás, tintahal
shied [ʃaɪd] → **shy¹** III.; → **shy²** I.
shield [ʃiːld] **I.** *fn* **1. a)** pajzs **b)** *cím* címerpajzs; *biz* **the other side of the ~** az érem másik oldala **c)** védelem, oltalom, védelmező, oltalmazó, pártfogó **2.** védőlemez, védőlap; védőpajzs *[nukleáris rektoré]* **3. a)** *áll* héj, teknő, páncél, pajzs **b)** *növ* terméstest *[zuzmóé]* **4.** *US* igazolójelvény *[rendőré]* **II.** *tsi* (meg)véd, megóv, védelmez, oltalmaz • *mn* **shieldless**
shield fern *fn növ* pajzsika
shift [ʃɪft] **I. A.** *tsi* **1. a)** kimozdít, elmozdít, eltol *[helyéről]*; **~ sg from one room to another** egyik szobából áttol vmt a másikba **b)** áthárít *[felelősséget stb.]*; **~ (the) responsibility on to sy** áthárítja a felelősséget vkre **c) ~ gears** *főleg US gk* sebességet vált, átkapcsol; *átv* átnyergel **2.** (meg)változtat, cserél, vált; *átv* **~ one's ground** megváltoztatja álláspontját, új alapra helyezkedik; *biz* **~ one's lodgings/quarters** lakóhelyet változtat, költöz(köd)ik; **~ one's opinion** megváltoztatja véleményét; *szính* **~ the scenes** díszleteket cserél; *tréf* **~ the scenery** átköltözik (vhová) **3.** *biz* belapátol *[ételt]*, bevedel *[italt]* **B.** *tni* **1. a)** helyet változtat, elmozdul, eltolódik **b) ~ from one foot to another** egyik lábáról a másikra áll, topog **c)** *GB biz [elmegy, siet, elrohan]* spurizik, eltávozik **2.** megváltozik; **the scene ~s** a szín megváltozik **3.** *biz* **a) ~ (for oneself)** a saját lábán áll **b)** ravaszkodik, fortélyoskodik, lavíroz **4.** *biz* túlad vmn; elsóz **5.** *US gk* kapcsol, sebességet vált **6.** *zene* fekvést vált **7.** vált, váltót használ *[írógépen, szövegszerkesztőn]* **II.** *fn* **1. a)** helyzetváltoztatás, eltolódás, elmozdulás **b)** változás, váltás, cserélés, csere; *mezőg* **~ of crops** vetésforgó; *pénz* **~ of prices** árváltozás **c)** *nyelv* **(sound) ~** hangeltolódás **d)** *csill* eltolódás *[színképvonalaké]*; **red ~** vöröseltolódás **e)** *zene* fekvés(váltás) **2. a)** műszak, váltás, turnus; **work in ~s** több műszakban dolgozik *[üzem]*; **work an eight-hour ~** nyolcórás műszakban dolgozik **b)** munkanap **3. a)** *US gk* sebességváltó **b)** *infor* váltóbillentyű **4. a)** kisegítő eszköz/út/mód, félmegoldás; **be at one's last ~** kétségbeejtő helyzetben van; már nem tudja, mit csináljon; **give sy short ~** kurtán elintéz vkt; **make (a) ~** módot talál (vmre), úgy intézi (hogy); (vhogyan) boldogul (vmvel); **make ~ with sg** (valahogyan) megvan vmvel, (jobb híján) vmt használ, kijön vmből; **live on ~s** máról holnapra él; **use one's last ~** kijátssza az utolsó adut **b)** kibúvó, ürügy, mentség, kifogás; *Ausz* **do a ~** meglép, meglóg; **use ~s** taktikázik **5. a)** *régi* női ing/alsóruha **b)** ingruha **6.** *GB szl [rohanás]* spuri • *fn* **shifter** *mn* **shiftable**
shift down *tni US gk* visszavált, kisebb sebességfokozatba kapcsol
shift off *tsi* leráz, másra hárít, elhárít magáról; **~ off a load of anxiety** egy kő esik le a szívéről
shift up *tni US gk* magasabb sebességfokozatba kapcsol/vált
shiftless [ˈʃɪftləs] *mn* **1.** lusta, erőtlen, lehetetlen, gyámoltalan, ügyefogyott **2.** élhetetlen
shifty [ˈʃɪfti] *mn* **1.** ravasz, körmönfont *[személy]*, hamis *[tekintet]* **2.** megbízhatatlan *[ember]* • *fn* **shiftiness** *hsz* **shiftily**
shiitake [ʃɪɪˈtɑːkeɪ] *fn növ* tölgyfagomba, illatos gomba
Shiite [ˈʃiːaɪt] *mn/fn vall* siita • *fn* **Shiism**
shikar [ʃɪˈkɑː ‖ ʃɪˈkɑr] **I.** *fn India* vadászat **II.** *tsi India* vadászik (vmre)
shiksa [ˈʃɪksə] *fn US szl durva [nő]* csaj, bige, siksze, kizge
shill [ʃɪl] *fn US szl* ‹csaló, szélhámos segítőtársa hazárdjátékban, vm eladásánál stb.›
shillelagh [ʃɪˈleɪli] *fn Írorsz* fütykös, bunkósbot, furkósbot
shilling [ˈʃɪlɪŋ] *fn* ‹a font sterling egyhuszad része, tizenkét penny, 1971-ig volt pénzegység› shilling; *biz* **cut sy off with a ~** kisemmiz vkt *[végrendeletében]*; *GB* **take the King's/Queen's ~** beáll katonának
shilling-mark *fn* virgula, ferde/dőlt vonal
shilly-shally [ˈʃɪliʃæli] **I.** *tni biz* habozik, tétovázik, bizonytalankodik, vacillál **II.** *mn biz* határozatlan, habozó, tétovázó **III.** *fn biz* határozatlanság, habozás, tétovázás, bizonytalankodás • *mn* **shilly-shallier**
shim [ʃɪm] **I.** *fn műsz* alátét(lemez), betétlemez **II.** *tsi* **-mm-** *műsz* alátéttel ellát
shimmer [ˈʃɪmə ‖ –ər] **I.** *fn* **1.** csillámlás, pislákolás *[fényé]* **2.** vibrálás *[fényé]* **II.** *tni* **1.** csillámlik, pislákol **2.** vibrálni látszik • *hsz* **shimmery**
shimmy [ˈʃɪmi] **I.** *fn* **a)** simi *[tánc]* **b)** *gk* szitálás, oldallengés *[első kerekeké nagy sebességnél]* **II.** *tni* **1.** *gk* szitál, kileng *[első kerék]* **2.** simit táncol/jár
shin [ʃɪn] **I.** *fn* **a)** sípcsont/lábszár elülső része, lábszár, sípcsont **b)** lábszárhús *[marháé, borjúé]* **II. -nn- A.** *tsi biz* sípcsonton rúg (vkt) **B.** *tni* **1.** *biz* **~ up a tree** felmászik a fára; *biz* **~ down** legurul, lecsúszik, lebukfencezik *[fáról, létráról]* **2.** *US* **~ it/off** elfut, elinal, meglép, meglóg
shin-bone *fn orv* sípcsont
shindig [ˈʃɪndɪg] *fn biz* **a)** táncmulatság, nagy cécó/összejövetel/muri/buli **b)** → **shindy**
shindy [ˈʃɪndi] *fn biz* **a)** lárma, ricsaj, zaj, veszekedés, verekedés, zűr, zrí; **kick up a ~** nagy lármát csap **b)** → **shindig**
shine [ʃaɪn] **I.** *pt/pp* **shone** [ʃɒn ‖ ʃoʊn] **A.** *tsi pt/pp* **~d** *biz* (ki)fényesít, (ki)tisztít, (ki)pucol *[cipőt]*, kifényesít, szidoloz *[fémtárgyat]* **B.** *tni* **1.** ragyog, csillog, fénylik; **his face shone with happiness** arca sugárzott az örömtől **2.** *átv* jeleskedik, ragyogó teljesítményt nyújt; *biz* **he does not ~ in conversation** nem valami szellemes/ragyogó társalgó **3.** *biz* henceg, hatásra vadászik, felvág **II.** *fn* **1. a)** fény(esség), ragyogás, napsütés; *biz* **rain or ~** bármilyen idő van is; akár esik, akár fúj; **it is rain and ~ together** veri az ördög a feleségét **b)** *átv* ragyogás, tündöklés **c)** *régi* dicsfény **2. a)** fény *[cipőé, szőrméé stb.]*; *szl* **take the ~ out of sg** frisseségét/hatását elrontja; elhomályosít/felülmúl/túlszárnyal vmt **b)** fényesítés *[cipőé stb.]*; **give sg a ~** kifényesít vmt **3.** *US szl [lárma, ricsaj, zaj, veszekedés, verekedés]* muri, balhé; **kick up a ~** nagy lármát csap, murizik **4.** *US szl* **take a ~ to sy** *[szeret, kedvel]* (nagyon) bír vkt **5.** *US tabu [néger]* boxos, füstölt hús, feka **6.** *tsz* **shines** *US szl* becsapás, ámítás, blöff • *hsz* **shiningly**
shine up A. *tsi pt/pp* **shined up** *biz* (ki)fényez, (ki)fényesít **B.** *tni US szl [udvarol, hízeleg]* nyal(ja a fenekét) vknek

S

shiner [ˈʃaɪnə ‖ –ər] *fn* **1.** cipőtisztító *[személy]* **2. a)** *szl* aranypénz, arany font sterling **b)** *tsz* **shiners** briliáns, *szl, [pénz]* pénzmag, *szl* lakkcipő **3.** *szl* **a)** *[szem]* pilács **b)** *[ütéstől bedagadt szem]* monokli **4.** *áll* apró aranyhal
shingle[1] [ˈʃɪŋgl] **I.** *fn* **1.** zsindely; *átv* **have/be a ~ short** nincs ki mind a négy kereke, egy kerékkel kevesebb van (neki) **2.** bubifrizura **3.** *US* (ügyvédi, orvosi, mérnöki) névtábla, cégtábla; *biz* **hang out the ~** irodát/rendelőt nyit *[ügyvéd, orvos stb.]* **II.** *tsi* **1.** zsindelyez *[tetőt]* **2.** *régi* bubisra/rövidre nyír *[női hajat]* **3.** *US szl* elpáhol, elver
shingle[2] [ˈʃɪŋgl] *fn* gömbölyű (tengerparti) kavics, murva
shingles [ˈʃɪŋglz] *fn orv* övsömör
shinguard *fn sp* lábszárvédő, sípcsontvédő
shin-pad *sp* → **shinguard**
Shinto [ˈʃɪntoʊ] *fn vall* sintó *[a japánok ősi vallása]* • *fn* **Shintoism**, **Shintoist**
shinty [ˈʃɪnti] *US skót* → **shinny**
shiny [ˈʃaɪni] *mn* **1.** ragyogó, fényes, fénylő, csillogó **2.** kifényesedett, fényes *[hordástól]*
shinny [ˈʃɪni], **shinney I.** *fn* **1.** *sp* gyephoki, gyeplabda (játék) **2.** *sp* hokibot *[gyeplabdában]* **II.** *tni* **1.** gyephokizik, gyeplabdázik **2.** *US biz* → **shin II.B.**
ship [ʃɪp] **I.** *fn* **1.** hajó; **~'s papers** hajóokmányok; **take ~** hajóra száll; **go/travel by ~** hajón megy/utazik; **on board ~** hajón, hajó fedélzetén; *biz* **when my ~ comes home/in** ha megütöm a főnyereményt **2.** *biz* **a)** léghajó **b)** *US* repülőgép **c)** űrhajó **3.** *szl* hajó *[versenycsónakról]* **II. -pp- A.** *tsi* **1.** hajóba rak, behajóz **2.** *gazd* szállít **3.** *hajó* **~ water** hullámokat hajóz/kanalaz be, orral a hullámokba merül; becsap a víz *[hajóba, csónakba]*; beengedi a vizet *[vízijármű]*; **~ a sea** behajóz/bekanalaz egy hullámot **4.** *hajó* **a)** beállít *[árbocot, evezőt, csavart]* **b) ~ oars** evezőket kivesz a vízből és a csónakba helyezi; „evezőt ki!" *[mint vezényszó]* **B.** *tni* **1.** hajóra száll **2.** tengerésznek megy; **~ on (board) a vessel** elszegődik hajóra, hajón szolgál *[tengerész]* **3.** *gazd* **~ well** jól szállítható; **~ out** (el)hajózik • *mn* **shipless**, **shippable**
-ship [ʃɪp] *utótag* ‹főnévképző› -ság/-ség
shipboard *fn hajó* fedélzet; **on ~** hajón, fedélzeten
ship-breaker *fn hajó* hajóbontó
ship broker *fn* hajózási ügynök, hajóügynök
shipbuilder *fn* hajóépítő mérnök, hajógyáros • *fn* **shipbuilding**
ship burial *fn régész* hajótemetkezés
ship canal *fn* hajózható csatorna
ship chandler *fn hajó* (élelmiszert), felszerelést beszerző, élelmiszert és hajófelszerelési cikkeket szállító kereskedő
ship fever *fn orv régi* tífusz
shiplap [ˈʃɪplæp] **I.** *fn épít* hajódeszkázás **II.** *tsi épít* deszkáz
shipload *fn* hajórakomány
shipmaster *fn* hajóskapitány
shipmate *fn* hajóstárs
shipment [ˈʃɪpmənt] *fn* **1.** hajóra rakás, behajózás **2.** szállítás *[hajón]* **3.** hajórakomány, szállítmány
ship money *fn tört* hajó építésére kivetett adó
shipowner *fn* hajótulajdonos
shipper [ˈʃɪpə ‖ –ər] *fn gazd* fuvaroztató, szállítmányozó, szállító
shipping [ˈʃɪpɪŋ] *fn* **1. a)** behajózás, hajóba rakás **b)** *gazd* szállítás *[kül. hajón]* **2.** hajóállomány, hajópark
shipping agent *fn gazd* hajóügynök
shipping-articles *fn tsz* hajószolgálati szerződés (pontjai)
shipping-bill *fn GB gazd* hajófuvarlevél, elszállítási értesítés
shipping-office *fn hajó* **1.** tengerészeti nyilvántartó iroda **2.** árufelvételi iroda **3.** tengerhajózási ügynökség
shipshape I. *mn biz* rendben/helyén levő, kifogástalan karban levő **II.** *hsz* rendben, ahogy kell
ship-to-shore I. *mn* hajóról szárazföldre történő **II.** *fn távk* rádiótelefon *[hajón]*
shipway *fn hajó* sólyapálya
shipworm *fn áll* hajóféreg
shipwreck I. *fn* **1.** hajótörés **2.** hajóroncs, roncshajó; *biz* **make ~ of one's life** tönkreteszi az életet **3.** jóvátehetetlen kár/veszteség **II. A.** *tsi* **1.** hajótörést okoz, zátonyra visz *[hajót]*; **be ~ed** hajótörést szenved **2.** *átv* tönkretesz, elpusztít, lerombol, zátonyra juttat *[reményeket, terveket stb.]* **B.** *tni átv* hajótörést szenved
shipwright [ˈʃɪpraɪt] *fn* hajóépítő munkás, hajóács
shipyard *fn* hajógyár, hajójavító műhely
shiralee [ˌʃɪrəˈliː ‖ ˈʃɪrəliː] *fn Ausz szl* csavargó batyuja
shire [ˈʃaɪə ‖ ˈʃaɪər] *fn* **1.** *GB* grófság, megye; **the S~s** a közép-angliai megyék **2.** *Ausz* település *[saját tanáccsal]*
shire county *fn GB* vidéki megye
shire-horse *fn* lincolnshire-i/cambridgeshire-i tenyésztésű igásló
shirk [ʃɜːk ‖ ʃɜrk] **I.** *fn* → **shirker II.** *tsi* kihúzza/kivonja magát, kibújik (vm alól), nincs ínyére (vm), húzódozik (vmtől)
shirker [ˈʃɜːkə ‖ ˈʃɜrkər] *fn* **1.** felelősségtől meghátráló/húzódozó ember, kötelességmulasztó **2.** munkakerülő, lógós
Shirley [ˈʃɜːli ‖ ˈʃɜrli] *tul* ‹női név›
shirr [ʃɜː ‖ ʃɜr] **I.** *fn* **1.** *US* gumiszalag *[behúzásra]*, gumizsinór *[ruhában]* **2.** *US* behúzás *[ruhán]* **II.** *tsi* **1.** behúz *[ruhát]* **2.** *US gaszt* tojást süt • *fn* **shirring**
shirt [ʃɜːt ‖ ʃɜrt] *fn* **a)** (férfi)ing; **stiff/starched ~** keményített ing, frakking; *biz* **boiled/stuffed ~** keményített ing, frakking; **~ of mail** páncéling; **bet one's ~ that** mindenben fogad hogy; **get sy's ~ out/off** dühbe hoz/gurít, felhergel; **have one's ~ out** dühbe gurul; *biz* **not to have a ~ off one's back** egy inge sincs (olyan szegény); *biz* **keep your ~ on!** nyugalom!, hidegvér!; csak semmi izgalom!; *biz* **lose one's ~** elveszti az utolsó fillérjét (v. az ingét) is; *biz* **put one's ~ on sg** minden pénzét (v. az utolsó garasát is) felteszi vmre; **in one's ~** egy szál ingben; **stripped to the ~** *átv* kifosztva, levetkőztetve **b)** ingblúz **c)** → **nightshirt** • *mn* **shirted**, **shirtless**
shirt blouse *fn* ingblúz
shirt-front *fn* ingmell, plasztron
shirtsleeve *fn* ingujj; **in (one's) ~s** ingujjban
shirt-tail *fn* (háló)ing alsó része
shirtwaist *fn US* ingblúz
shirtwaister *fn* ingruha
shirty [ˈʃɜːti ‖ ˈʃɜrti] *mn GB biz* morcos, ingerült, rosszkedvű, dühös; **get ~** megsértődik • *fn* **shirtiness** *hsz* **shirtily**
shish kebab [ˈʃɪʃkɪˈbæb ‖ ˈʃɪʃ kəˈbɑb] *fn gaszt* sishkebab
shit [ʃɪt] **I.** *pt/pp* **shat** [ʃæt] *durva szl* **A.** *tni* **1.** *[székel]* szarik **2. ~ all over sy** *[elbánik vkvel]* kibaszik/kikúr vkvel **B.** *tsi* **1.** *[hazudik vknek]* hülyít, átbasz vkt **2. ~ a brick/bricks** *[nagyon fél]* be van szarva, tele van a gatyája **3.** *szl [dühöng, bosszankodik]* balhézik, dilizik, arénázik **4. ~ it up** *[elront, tönkretesz]* elbasz, elszar, hazavág vmt **5. ~ oneself** (i) *[nadrágjába székel]* összeszarja magát (ii) *[fél, megijed]* fosik, be van fosva, beszarik (iii) *[meglepődik, megdöbben]* beszarik, összeszarja magát, maga alá szarik **II.** *fn durva szl* **1.** *[széklet, ürülék]* szar; **how are you? – up to ~** hogy vagy? – szarul!; **not give a ~** *[nem érdekli vm]* leszar vmt, le se szar vmt; **not worth a ~** *[értéktelen]* szart se ér; **up ~ creek** *[bajban van]* szarban van; **no ~** *[nem hazudok!]* frankón!, nem kamu!; **(when) the ~ hits the fan** *[amikor baj van]* (amikor) szar van; **beat/kick/knock the ~ out of sy** *[megver, összever]* kiveri a szart vkből; **get one's ~ together** *[összeszedi magát]* összekapja/összerántja magát; **the ~s** *[hasmenés]* fosás; **be in the/deep ~** *[bajban van]* szarban van **2.** *[székelés]* szarás **3.** *[ellenszenves ember]* szar alak, segg, szemét **4.** *[badarság, halandzsa]* állatság, baromság, rizsa, duma **5.** *[kábítószer]* anyag, narkó, kábszer
shitbag *fn durva szl [kellemetlen ember]* szarzsák, szarjankó
shite [ʃaɪt] *durva* → **shit**
shit house *fn durva [árnyékszék]* budi

shitless ['ʃɪtləs] *mn durva szl* **be scared ~** *[megijedt, megrémült]* a szar is megfagyott benne, (majd) összeszarta magát

shit list *fn szl* feketelista

shitty ['ʃɪti] *mn durva átv* szaros

shivaree [ˌʃɪvə'riː] *fn US* macskazene *[amit vknek adnak]*

shiver[1] ['ʃɪvə ‖ –ər] **I.** *tni* remeg, reszket, borzong; **~ with cold** reszket/didereg a hidegtől **II.** *fn* **1.** reszketés, didergés, vacogás, borzongás **2.** *tsz* **shivers** hideglelés; *biz* **get/have the ~s** rázza/kileli a hideg; **it gives me the ~s to think of it** a hideg végigfut a hátamon, ha rá gondolok • *fn* **shiverer** *mn* **shivery**

shiver[2] ['ʃɪvə ‖ –ər] **I.** *fn* szilánk, forgács, repeszdarab, üvegcserép; **broak/burst/fall into ~s** cserepekre/szilánkokra törik, összetöredezik; **smash/knock in(to) ~s** diribdarabra zúz **II. A.** *tsi* pozdorjává tör/zúz **B.** *tni* darabokra törik, összetöredezik, szétesik; *biz* **~ my timbers!** úgy éljek én!, a kutyafáját!

shivoo [ʃɪ'vuː] *fn Ausz szl [parti, összejövetel]* buli, banzáj

shoal[1] [ʃoʊl] **I.** *fn* **1.** sekély víz(ű hely), (homok)zátony, homokpad **2.** *átv biz* rejtett veszély, csapda, nem várt bökkenő **II. A.** *tsi hajó* **~ water** sekélyebb vízbe megy *[hajó]* **B.** *tni* elsekélyesedik, elzátonyosodik **III.** *mn ritk* sekély *[víz]* • *mn* **shoaly**

shoal[2] [ʃoʊl] **I.** *fn* **1.** halraj **2.** *átv biz* **a)** tömeg, sokaság **b)** csomó, halom; **in ~s** halomszámra/tömegével **II.** *tni* rajzanak, vonulnak *[halak]*

shock[1] [ʃɒk ‖ ʃɑk] **I.** *fn* **1.** összeütközés, ütődés, lökés, rázkódás **2.** *átv* **a)** megdöbbenés, megbotránkozás, megrázkódtatás, csapás, ijedtség; **give sy the ~ of his lifetime** alaposan megdöbbent vkt, rendkívül megráz vkt **b) electric ~** áramütés; **get an electric ~** megrázza az áram (v. a villany) **c)** *orv* sokk **II. A.** *tsi* **1. a)** megdöbbent, megrémít, megijeszt, megráz(kódtat), megrendít; **be ~ed to hear that...** megdöbbenéssel/megrendülten hallja, hogy... **b)** megbotránkoztat; **be ~ed at/by sg** megbotránkozik/felháborodik vm miatt; **be easily ~ed** prűd **c) ~ the ear** bántja/sérti a fület **2.** *orv* sokkot okoz **B.** *tni kat régi* **~ (together)** összecsapnak, összeütköznek *[csapatok]* • *mn* **shockable**

shock[2] [ʃɒk ‖ ʃɑk] **I.** *fn mezőg* álló (gabona)kereszt, kepe **II.** *tsi* **~ (up)** keresztbe rak *[12 kévét]*, kepél

shock[3] [ʃɒk ‖ ʃɑk] **I.** *mn* kócos, bozontos **II.** *fn* **~ of hair** kócos/bozontos haj, kócos hajfürt

shock absorber *fn gk rep* lengéscsillapító

shocker ['ʃɒkə ‖ 'ʃɑkər] *fn* **1.** megdöbbentő/megbotránkoztató dolog/látvány/ember **2.** *régi* olcsó rémregény, ponyvaregény **3.** ócskaság, nagyon vacak dolog **4.** *GB gk* lengéscsillapító

shocking ['ʃɒkɪŋ ‖ 'ʃɑ–] **I.** *mn* **1. a)** megdöbbentő, megrendítő *[hír, látvány]* **b)** megbotránkoztató, felháborító *[viselkedés, eljárás]* **2.** *GB biz* botrányos, vacak *[időjárás stb.]* **II.** *hsz biz* botrányosan, borzasztóan; **~ bad** borzasztóan pocsék • *hsz* **shockingly**

shocking pink *mn/fn* UV-rózsaszín, világító rózsaszín

shockproof *mn* **1. a)** rázkódás/ütésálló *[műszer stb.]* **b)** *vill* érintésbiztos *[vezeték]* **2.** *átv* rendíthetetlen, szilárd *[ember, jellem]*

shock tactics *fn tsz* **1.** *kat* rohamharcászat **2.** (villám)gyors cselekedet/cselekvés

shock therapy *fn orv pszich* sokkterápia

shock troops *fn tsz kat* rohamosztag, rohamcsapat(ok)

shock wave *fn fiz* lökéshullám

shod [ʃɒd ‖ʃɑd] *mn* **1.** cipős **2.** vasalt, patkolt *[ló]* **3.** → **shoe II.**

shoddy ['ʃɒdi ‖ 'ʃɑdi] **I.** *mn* **1. a)** selejtes, vásári, gyenge minőségű *[áru]* **b)** *átv* hitvány, értéktelen, hamis **c)** giccses **2.** *tex* hulladékanyagból készült *[kelme]* **II.** *fn* **1.** tucatáru, vásári áru, bóvli **2.** *tex* ógyapjú • *fn* **shoddiness** *hsz* **shoddily**

shoe [ʃuː] **I.** *fn* **1.** (fél)cipő; *US* **high ~s** magas szárú cipő; *US* **low ~s** félcipő; **walking ~s** trottőrcipő; **the ~ is on the other foot** a dolog éppen fordítva van; **die in one's ~s** erőszakos halállal (v. cipőben) hal meg; felakasztják; **know where the ~ pinches** tudja hol szorít a cipő; *átv* **put the ~ on the right foot** oda üt ahová kell, tudja ki a bűnös/felelős; **shake in one's ~s** reszket, remeg/reszket a térde *[félelmében]*; **step into sy's ~s** vknek a nyomába/örökébe lép, elfoglalja vknek a helyét; **be waiting for dead man's ~s** várja vknek a halálát (hogy örökébe lépjen); **be in sy's ~** vknek a cipőjében jár (v. helyében v. bőrében van); **that's another** (v. **a very different**) **pair of ~s** ez más lapra tartozik **2.** patkó; **cast/throw a ~** elveszít/lerúg egy patkót *[ló]* **3.** *műsz* **a)** talp, (csúszó)saru, *vill* kábelsaru **b)** fékpofa **c)** szántalp **II.** *tsi* **shoeing**, *pt/pp* **shod** [ʃɒd ‖ ʃɑd] **1.** cipővel ellát (vkt), cipőt húz (vk lábára) **2.** (meg)patkol, (meg)vasal *[lovat]* • *mn* **shoeless**

shoeblack *fn főleg GB* cipőtisztító, cipőpucoló *[ember]*

shoebox *fn* **1.** cipősdoboz **2.** szűk lakás, kis lyuk

shoe-brake *fn műsz* pofás fék

shoe-buckle *fn* cipőcsat

shoehorn I. *fn* cipőhúzó, cipőkanál **II.** *tsi US* nagy nehezen belegyömöszöl, erőlködve próbál (vmt) elérni

shoelace *fn* cipőfűző

shoe-leather *fn* cipőbőr; *biz* **you might as well save your ~** kár a fáradságért/benzinért, nem éri meg az utat

shoemaker *fn* cipész, suszter • *fn* **shoemaking**

shoe polish *fn* cipőkrém

shoeshine *fn US* cipőtisztítás, cipőfényesítés

shoestring *fn* **1.** cipőfűző **2. live on a ~** igen szerény anyagi keretek között él; bizonytalanul él; *US* **start on a ~** semmivel kezdi

shoe-tree *fn* sámfa

shofar ['ʃoʊfɑː ‖ –fər] *fn tsz* **shofroth** *bibl zene* sófár, szarukürt

shogun ['ʃoʊgən] *fn tört* ‹japán világi uralkodó› sogun • *fn* **shogunate**

shone [ʃɒn ‖ ʃoʊn] → **shine I.**

shonky ['ʃɒŋki ‖ 'ʃɑŋ–] *mn/fn Ausz szl [becstelen, hazug]* simlis

shoo [ʃuː] **I.** *isz* hess!, sicc!, mars! **II.** *tsi* **~ away/off** elhesseget

shook[1] [ʃʊk] **I.** *fn* hordódongázat **II.** *tsi Ausz ÚjZ* összeállít *[hordót, dongákat]*

shook[2] [ʃʊk] *mn* **1.** *US* **~ (up)** megrázott, megrendült *[idegileg]* **2.** *Ausz ÚjZ biz* **~ on** rajong vmért, lelkes; csíp vmt; → **shake I.**

shoot [ʃuːt] **I.** *pt/pp* **shot** [ʃɒt ‖ ʃɑt] **A.** *tsi* **1. a)** kilő *[nyilat, puskagolyót]* **b)** elsüt *[fegyvert]*, tüzel *[fegyverrel vmre]* **c)** lelő, meglő; **~ sy dead** agyonlő vkt; *GB szl* **~ the moon** lakbérfizetés elől holmijával együtt megszökik **d)** főbe lő *[halálraítéltet]*; *biz* **I'll be shot if** vigyen el az ördög, ha (nem) **e)** vadászik (vmre) **2. a)** (ki)lövell *[fénysugarat stb.]* **b)** vet, hajít, dob; *szl* **~ the breeze** *[beszélget]* dumcsizik, smúzol; *szl* **~ the bull/crap/shit** *[üresen* v. *badarságokat beszél]* löki a rizsát, nyomja a sódert; *szl* **~ the cat** *[hány, okád]* rókázik, kidobja a prémet/taccsot; **~ one's job** elhagyja a munkáját, odadobja/felrúgja az állását **c)** kiönt, kidob, kiszór, kiborít *[törmeléket, szemetet]*; **do not ~ rubbish here** a szemétlerakodás (itt) tilos **d)** kivet *[hálót]*; *GB szl* **~ a/the line** *[nagyokat mond]* henceg, felvág, hárijánoskodik, löki/nyomja a dumát/rizsát/szöveget **3. a)** *ját* pöcköl, gurít, dob *[golyót]*; **~ marbles** golyózik **b)** *sp* rúg, lő *[labdát, gólt]* **4.** *szl* **a)** *[bead, befecskendez kábítószert]* belő **b)** *[befecskendez vknek kábítószert]* belő vkt **5.** átszáguld, átsuhan; *átv* **~ the Niagara** lehetetlen vállalkozásba fog; **~ the rapids** átkel a folyó zúgóján; *gk* **~ the traffic lights** áthajt a tilos jelzésen **6.** *szl* **a)** *[sietve elküld]* elpaterol **b)** *US [elmond]* kinyög, kibök; **~!** *[halljuk!]* nyomd!, lökd!; **~ your troubles** mondd ki/el mi bánt **c) ~ the works** *US* rákapcsol; *átv [kiköltekezik]* elver, elszar *[összeget]* **7. a)** *fényk* pillanatfelvételt készít

S

(vkről, vmről), lekap (vkt, vmt) **b)** *film* forgat *[filmet]* **8.** *műsz* eresztőgyaluval gyalul **B.** *tni* **1. a)** lő, tüzel; ~ **straight** jól céloz; ~ **wide of the mark** rosszul céloz; *átv* melléfog, bakot lő; **hands up or I'll ~!** fel a kezekkel, vagy lövök! **b)** célba lő **c)** vadászik *[apró vadra]* **2. a)** suhan, száguld, rohan, repül **b)** hull *[csillag]* **c)** kilövell **3.** nyilallik, szaggat, hasogat *[fájdalom, testrész]*, (nyilallóan) fáj **4.** kihajt *[fa]*, (ki)csírázik *[növény]*, szárba szökken *[mag]* **5.** *US szl [eltakarodik]* elhordja az irháját; **~!** takarodj!, mars! **6.** *sp* lő **7.** *fényk biz* fényképez **II.** *fn* **1. a)** lövés **b)** (el)száguldás *[járműé]*, repülés *[labdáé]* **c)** nyilallás *[fájdalomé]* **2.** *GB* **a)** vadászat **b)** vadászterület, vadaskert **3.** zúgó, folyó sebes szakasza **4. a)** *növ* kihajtás, sarjadzás *[növényé]* **b)** *növ* fiatal hajtás/ág **5. a)** csúszda, surrantó, facsúsztató **b)** szemétlerakodó, szeméttelep **6.** *isz euf* → **shit** • *mn* **shootable**

shoot ahead *tni* előrerohan, előresiklik *[hajó]*, *sp* kitör, előretör, élre vág *[futó]*

shoot at *tni* rálő (vkre); ~ **a glance at sy** pillantást vet vkre; ~ **at a target** *biz* küzd vmért, rámegy vmre

shoot down *tsi* **1. a)** lelő (vkt) **b)** lelő, leszed *[repgépet]* **2.** *biz* **a)** összeszid, lehord **b)** érvekkel meggyőz **c)** *szl [elutasít]* lelő

shoot forth *tsi* hajt *[sürget]*

shoot off A. *tsi* **1. a)** ellő *[testrészt stb.]* **b)** lelő (vmt vhonnan) **2.** *US szl* ~ **off one's mouth/face/kisser/yap** *[sokat beszél]* tépi a száját, túráztatja a pofáját **3.** *szl [ejakulál, kielégül]* elélvez, ellövi a patront, elpukkan **B.** *tni* **1.** eliramodik, elpucol, elinal, elhordja az irháját **2.** *sp* holtverseny eldöntéséért lő *[versenyen]*; → **shoot-off**

shoot out A. *tsi* **1.** kilök, kilövell, kidug; ~ **out one's tongue** nyelvet ölt/nyújt **2.** hajt *[ágat fa]* **3.** *biz* ~ **it out** fegyverekkel intéz el *[vitát]* **B.** *tni* **1.** előtör (vhonnan) **2.** kimagaslik *[hegyorom, szikla]*, kiszögellik *[hegyfok, félsziget]*

shoot over *tni* ~ **over a dog** kutyával vadászik

shoot through A. *tsi* ~ **a man through the head** keresztüllövi/átlövi egy embernek a fejét **B.** *tni* **1.** átnyilall *[fájdalom]* **2.** *Ausz ÚjZ szl [eltűnik]* lelép, elpárolog

shoot up A. *tsi US szl* halomra lő, lövöldözéssel terrorizál **B.** *tni* **1. a)** szárba szökik *[növény]* **b)** hirtelen megnő *[gyerek]* **2.** *szl [kábítószert fecskendez be]* belövi magát

shooter [ˈʃuːtə ‖ —ər] *fn* **1. a)** vadász **b)** lövész, céllövő, íjász **c)** *sp* góllövő **2. a)** *összet* -lövetű *[fegyver]* **b)** *biz szl [lőfegyver, revolver]* stukker, stuki **3.** *GB biz* játékgolyó

shooting [ˈʃuːtɪŋ] *fn* **I. 1. a)** lövés, tüzelés **b)** meglövés, lelövés, főbelövés **c)** *sp* sportlövészet, céllövészet **d)** vadászat; **go** ~ vadászni megy, vadászik **e)** vadászterület **f)** *biz* vadászati jog **2. a)** (el)száguldás, suhanás **b)** nyilallás, hasogató fájdalom **3.** kikelés, kihajtás, fakadás *[növényé, ágé]*, fogzás **4. a)** átkelés *[zúgón]* **b)** zúgó folyó sebes szakasza **5.** lerakás *[szemété stb.]* **6.** kitörés *[napsugaraké felhő mögül]*, előtörés *[vízé]* **7.** *film* forgatás, (film)felvétel **8.** *műsz* gyalulás *[eresztőgyaluval]* **II.** *mn* gyorsan mozgó, átfutó; ~ **pain** nyilalló fájdalom

shooting-box *fn vad* vadászház, vadászkunyhó

shooting brake *fn* kombi

shooting coat → **shooting-jacket**

shooting-gallery *fn* fedett/vásári lövölde

shooting iron *fn US biz [lőfegyver, revolver]* stukker

shooting-jacket *fn* vadászkabát

shooting-match *fn* **1.** céllövőverseny **2.** *US szl [díszes társaság]* galéria; **the whole** ~ minden

shooting-range *fn* **a)** lőtér, (nyitott cél)lövölde **b)** vadászterület **c)** tüzérségi gyakorlótér

shooting season *fn vad* vadászidény

shooting star *fn* hullócsillag, meteor

shooting-stick *fn vad* botszék, egylábú vadászszék

shooting war *fn US* tényleges háború *[ellentétben a hidegháborúval]*

shootout *fn* **1.** *US biz* (mindent eldöntő)tűzharc *[nem katonai]* **2.** *sp* **(penalty)** ~ tizenegyesrúgások *[hosszabbításban]*

shop [ʃɒp ‖ ʃɑp] **I.** *fn* **1.** bolt, üzlet, kereskedés; **keep (a)** ~ boltja/üzlete van; **set up** ~ boltot nyit; *biz* **you have come to the right** ~ jó helyre jöttél, jó helyen kopogtatsz **2.** *biz* bevásárlás **3.** műhely; **go through the ~s** kitanulja a szakmát **4.** *biz* **a)** munkahely, iroda, hivatal, lakás; *GB* **all over the** ~ (i) mindenhol, szerteszét (ii) vadul, hevesen **b)** az üzleti dolgok, ügyes-bajos dolgok; **sink the** ~ nem beszél hivatalos/szakmai dolgokról; eltitkolja foglalkozását; **shut up** ~ abbahagy (vmt); visszavonul; elhallgat; **shut your ~!** fogd be a szád!; **talk** ~ üzleti/hivatali/szakmabeli/szakmai dolgokról beszél(get) **II. -pp- A.** *tsi főleg GB szl [elárul]* besúg; beköp, lebuktat, feldob **B.** *tni* **1.** bevásárol, járja a boltokat; **go ~ping** (be)vásárolni megy, járja a boltokat **2.** *US* ~ **around** körülnéz, szemügyre veszi a helyet • *mn* **shopless**, **shoppy**

shopaholic [ˌʃɒpəˈhɒlɪk ‖ ˌʃɑpəˈhɑlɪk] *fn biz* szenvedélyes vásárló, vásárláskényszerben szenvedő

shop assistant *fn* eladó, *GB* kereskedősegéd

shop boy *fn* boltosinas, kifutófiú

shop floor *fn* **1.** *GB* műhely, munkahely **2.** műhelymunkások

shop front *fn* portál

shopgirl *fn* elárusítónő, eladónő

shopkeeper *fn* kereskedő, boltos, üzlettulajdonos • *fn* **shopkeeping**

shoplifter *fn* üzleti/áruházi tolvaj • *tsi/tni* **shoplift** *fn* **shoplifting**

shopman [ˈʃɒpmən ‖ ˈʃɑp—] *fn tsz* **-men 1. a)** *GB* kiskereskedő, boltos **b)** kereskedősegéd, üzleti eladó **2.** műhelyi munkás/dolgozó

shopper [ˈʃɒpə ‖ ˈʃɑpər] *fn* **1.** vevő, (be)vásárló **2.** bevásárlókosár; bevásárlókocsi **3.** kosaras kerékpár **4.** *GB szl [besúgó, informátor]* spicli, spion

shopping [ˈʃɒpɪŋ ‖ ˈʃɑpɪŋ] *fn* **1.** bevásárlás; **do one's (household)** ~ bevásárol (a háztartás részére) **2.** vásárolt cikkek, bevásárlás; → **shop II. B. 1.**

shopping center *US* → **shopping centre**

shopping centre *fn* bevásárlóközpont

shopping list *fn* bevásárlólista

shopping mall *fn* bevásárlóközpont, üzletközpont

shopsoiled *mn* **1.** (kereskedésben) agyonfogdosott, elpiszkolódott *[áru]* **2.** piszkos, szurtos *[ember]* **3.** elavult, lejáratott *[eszme]*

shop steward *fn GB* üzemi megbízott, szakszervezeti bizalmi; **~'s committee** üzemi bizalmi testület

shoptalk *fn* **1.** szakmai tárgyú beszélgetés **2.** szakmai zsargon

shopwalker *fn* **1.** *GB* áruházi köszönőember **2.** áruházi felügyelő, ellenőr

shop window *fn átv* kirakat

shop-woman *fn tsz* **-women** elárusítónő

shopwork *fn* műhelymunka

shopworn → **shopsoiled**

shore[1] [ʃɔː ‖ ʃɔr] *fn* tengerpart, tópart; *hajó* **the** ~ a szárazföld; **set foot on** ~ szárazföldre lép, partra száll; **in** ~ a part közelében/mellett/mentén; partközelben, parthoz közel; *GB* **within these ~s** nálunk Angliában • *mn* **shoreless** *mn/hsz* **shoreward(s)**

shore[2] [ʃɔː ‖ ʃɔr] **I.** *fn épít* gyámfa, támoszlop **II.** *tsi* ~ **(up)** támasztással megerősít, megtámaszt, alátámaszt

shore[3] [ʃɔː ‖ ʃɔr] → **shear I.**

shore-based *mn* (tenger)partról kiinduló

shore leave *fn hajó* kikötői eltávozás

shoreline *fn* partvonal

shorn [ʃɔːn ‖ ʃɔrn] *mn* nyírott, nyírt; → **shear I.**

short [ʃɔːt ‖ ʃɔrt] **I.** *mn* **1. a)** rövid, kurta *[térben]*; *vill* ~ **circuit** rövidzárlat; → **short-circuit**; *átv* ~ **sight** rövidlátás; → **short-sighted**; **he was given the ~ end** a rövidebbet húzta; **take ~er steps** aprózza a lépést; **a ~ way**

S

off nem messze, egy ugrásra; **go by the ~est road, go the ~est way** a legrövidebb úton megy; **the shirt is ~ in the arms** az ingnek rövid az ujja **b)** alacsony *[termet, ember]*; **of ~ stature** kis termetű **c)** rövid távú; *biz* **~ train** helyiérdekű vonat **2. a)** rövid (tartamú); *kat* **~ leave** eltávozás; **~ memory** rossz emlékezőtehetség; **~ sleep** szendergés; **a ~ time ago** nemrég, rövid idővel ezelőtt; **at ~ intervals** sűrűn, sűrű időközönként; **at a ~ notice, at ~ date** rövid határidőre, rövid idő alatt; **for a ~ time** rövid ideig/időre, átmenetileg, ideiglenesen; **in the ~ run** a közeljövőben, rövidesen, hamarosan; **in a ~ time** rövid idő alatt, rövid időn belül; rövidesen; *GB* **in ~ order** rögtön, gyorsan; *biz* **make ~ work of sg** gyorsan (v. rövid úton) elvégez/elintéz vmt **b)** gyors *[érverés]*, szapora *[légzés]*; **~ breath** kifulladás **c)** tömör, rövid *[stílus]*; **~ story** novella, elbeszélés; **to cut a/the long story ~** hogy rövid legyek **d)** kimért, rövid *[válasz, beszédmodor]*, lobbanékony, türelmetlen *[természet]*; **be ~ of speech** szűkszavú; **be ~ and to the point!** röviden és csak a lényeget mondja!, röviden és velősen; **be ~ with sy, speak to sy ~** ridegen beszél vkvel, kurtán(-furcsán) elintéz vkt **e)** *pénz* rövid lejáratú *[váltó]*; **~ bills, bills at a ~ date** rövid lejáratú váltók **3. a)** lerövidített, szűkített; **~ list** szűkített névsor, az elsősorban számbajövők névsora; *zene* **~ score** kispartitúra **b) ~ (drink)** röviditai; *szl* **something ~** egy kupica (pálinka) **4. a)** kevesebb, hiányos; *gazd* **~ delivery** részszállítás; hiányos szállítás; *zene* **~ octave** rövid oktáv; **~ ton** kis angol tonna *[907,2 kg]*; **give ~ weight** mérésnél becsap *[eladó a vásárlót]*; **be in ~ supply** kevés van belőle, nincs elég belőle *[pl. áruból]*; **~ time** nem teljes/részleges munkaidő; **I am two hundred forints ~** kétszáz forinttal kevesebbet kaptam (vissza), kétszáz forintom hiányzik; **there are two books ~** két könyv hiányzik **b) little** (v. **not far**) **~ of it** kis híján, majdnem; **nothing ~ of...** csak, egyedül; semmi más, mint... **c) be ~ of sg** vmnek híján van; **be ~ of cash** pénzszűkében van **d)** kevés; *nyomd* **~ run** kis példányszám **e)** *pénz* fedezet nélküli *[ügylet]* **5. a) ~ pastry** porhanyós/omlós/vajas tészta/sütemény **b)** *fémip* rideg, törékeny, szétmálló **II.** *hsz* **1.** röviden, hirtelen, kurtán(-furcsán); **stop ~, pull/bring up ~** hirtelen megáll; **be caught/taken ~** váratlanul/készületlenül/meglepetésszerűen éri vm; *biz* rájön a hasmenés **2. dressed ~** rövid ruhás **3. a)** vmn innen; **fall ~ of the mark** nem ér a célig, a célon innen esik le; *átv biz* **fall/come ~ of sg** nem üti meg vmnek a mértékét/színvonalát; **fall/come ~ of expectations** nem felel meg (v. alatta marad) a várakozásnak; **run/go ~** kifogy, elfogy (vm); **run/go ~ of sg** kifogy, elfogy (vknek vmje); **stop ~ of crime** a bűn elkövetése elől visszariad **b) ~ of** vmn kívül, vmtől eltekintve **4.** *pénz* **a)** fedezet nélkül *[ad el]* **b)** rövid lejáratra *[kölcsönöz]* **III.** *fn* **1.** röviditai **2.** *vill* rövidzárlat **3.** rövidfilm **4. a)** *gazd* **~ in the cash** pénzszűke **b)** *pénz* fedezetlen ügylet *[tőzsdén]* **5. a) for ~** röviden, a rövidség kedvéért; **he is called Bob for ~** röviden/egyszerűen csak Bobnak hívják/becézik; **in ~** röviden, egy szóval, összefoglalva, dióhéjban **b) the long and the ~** kimenetel, eredmény, lényeg; a vége az, hogy; **the long and ~ of it is...** egy szó mint száz... **6. a)** rövid szótag *[versben]* **b)** rövid magánhangzó **7.** *tsz* **shorts** sort, *US* alsónadrág **IV. A.** *tsi vill* **~ (out)** rövidre zár *[áramkört]* **B.** *tni* rövidre záródik *[áramkör]* • *fn* **shortness** *mn* **shortish**

shortage [ˈʃɔːtɪdʒ ‖ ˈʃɔrtɪdʒ] *fn* **1.** elégtelenség, hiány; **paper ~** papírhiány; **~ of labour** munkaerőhiány; **~ of money** pénzszűke, pénzhiány **2.** *tsz* **shortages** *gazd* hiánycikkek

shortbread *fn* omlós/porhanyós tészta/sütemény

shortcake *fn gaszt* omlós torta *[gyümölccsel]*, gyümölcstorta *[linzertésztából]*

short-change *tsi US* **1.** kevesebbet ad vissza (vknek) *[pénzből]* **2.** *szl [becsap, átejt]* átver

short-circuit A. *tsi* **1. a)** rövidre zár *[áramkört]* **b)** rövidzárlatot okoz **2.** rövidre fog, egyszerűsít **B.** *tni* rövidre záródik *[áramkör]*; → **short I.1.a.**

shortcoming *fn* **1.** hiány, elégtelenség, deficit **2.** *tsz* **shortcomings** hibák, hiányosságok, *átv* gyenge pontok (vknél)

short-cut I. *fn* **shortcut 1.** rövidebb út *[vhova]*, levágás, átvágás **2.** (le)rövidítés, gyorsított eljárás **II.** *pt/pp* **short-cut** *tni* levágja/megrövidíti az utat

shortcut key *fn infor* gyorsbillentyű

short-date, short-dated *mn pénz* rövid lejáratú *[váltó]*

short-distance *mn* rövid távú; **~ railway** helyiérdekű vasút

shorten [ˈʃɔːtn ‖ ˈʃɔrtn] **A.** *tsi* **a)** megrövidít, megkurtít, felhajt *[szoknyát stb.]*; **~ one's steps** aprózza a lépést **b)** *hajó* **~ sail** a felvont vitorlákat csökkenti **B.** *tni* (meg)rövidül *[nap stb.]*

shortening [ˈʃɔːtnɪŋ ‖ ˈʃɔrt–] *fn* növényi zsiradék, főzőmargarin *[leveles* v. *omlós tésztába]*

shortfall *fn* hiány; deficit

shorthand [ˈʃɔːthænd ‖ ˈʃɔrt] *fn* gyorsírás; **typed ~** gépi gyorsírás

shorthanded [ˌʃɔːtˈhændɪd ‖ ˌʃɔrt–] *mn* **a)** kevés munkással rendelkező *[üzem, munkaadó]* **b) be ~ in sg** szűkében van vmnek

shorthand typist *fn GB* gyors- és gépírónő

short-haul *mn* rövid távú

short-head *tsi GB sp* orrhosszal legyőz/megver

shorthold *mn* rövid idejű *[bérlés]*

shorthorn *fn áll* rövid szarvú marha

short-lived *mn* rövid él(e)tű *[ember]*, rövid ideig tartó

shortly [ˈʃɔːtli ‖ ʃɔrt–] *hsz* **1. a)** röviden, szűkszavúan, kevés szóval *[elbeszél]* **b)** röviden, kurtán(-furcsán) *[válaszol]* **2.** rövidesen, hamarosan, egyhamar; **~ after(wards)** nemsokára, röviddel azután, rövid idő múlva; **~ before two o'clock** röviddel (v. pár perccel) két óra előtt **3.** kevéssel; **~ north of Budapest** Budapesttől kissé északra

short-notice *mn pénz* rövid lejáratú *[kölcsön stb.]*

short-order *mn US* azonnali, rögtöni *[pl. gyorséttermi ételek rendelése]*

short-range *mn* **1.** rövid távú **2.** *kat* rövid (lő)távú, kis hatótávolságú; *rep* **~ fighter** rövid távú vadászgép **3.** korlátolt *[elme]*

short-sighted *mn* **1.** rövidlátó **2.** *átv* rövidlátó, megfontolatlan • *fn* **short-sightedness** *hsz* **short-sightedly**

short-sleeved *mn* rövid ujjú *[ing stb.]*

short-staffed *mn* személyzethiánnyal/munkaerőhiánnyal küzdő

short-tail *fn áll* földkigyó

short-tempered *mn* heves, indulatos, mérges/dühös természetű, hirtelen haragú

short-term *mn* **1.** rövid ideig tartó, rövid; **~ memory** rövid távú memória **2. a)** *pénz* rövid lejáratú *[üzlet, váltó]*, rövid időre szóló *[befektetés]* **b)** rövid szabadságvesztés-büntetését kitöltő *[elítélt]*

short-time *mn* átmeneti, rövid ideig tartó *[hatás stb.]*, ideiglenes *[alkalmazás]*

short-wave *mn távk* rövidhullámú

short-winded *mn* hamar/gyorsan kifulladó, *biz* asztmás

shorty [ˈʃɔːti ‖ ˈʃɔrti] *fn biz* **1.** kis tökmag ember, köpcös **2.** kurta ruha

shot[1] [ʃɒt ‖ ʃɑt] *fn* **1. a)** lövés *[fegyverrel]*; *biz* **like a ~** egy pillanat alatt, mint a villám, mint a huzat; **be off like a ~** úgy elszalad mintha puskából lőtték volna ki **b)** *sp* lövés, ütés, rugás; **it's your ~** most maga lő/üt/következik (v. van soron) *[játékban]*; **a ~ in the eye** kijátszás; **that remark is a ~ at you** ezt magának mondták, ez (a megjegyzés) magának szól; **make a bad ~** elhibáz egy lövést; mellefog, nem talál el (vmt előre) **2. a)** *kat* lövedék(ek) **b)** *kat régi* (ágyú)golyó **c)** *vad* **small ~** sörét **d)** *sp* súlydobó golyó; **put the ~** súlyt dob **3.** *rep* rakétakilövés **4.** *biz* kísérlet,

S

próbálkozás; **make/have a ~** megkísérel, megpróbál, próbát tesz; **a ~ in the dark** találgatás; **be successful at the first ~** egyszerre (v. egy csapásra) sikerül neki; *GB* **~ in the locker** vastartalék, utolsó mentsvár; *GB* **as long as I have a ~ in the locker** ameddig a pénzem nem fogy el, ameddig van rá lehetőségem; **as a ~ I would say she's about forty** úgy kapásból azt gondolom, hogy körülbelül negyven éves lehet **5.** lőtávolság, hallótávolság; *US* **not by a long ~** távolról sem; **out of ear~** hallótávolságon kívül **6.** lövő, lövész, puskás, vadász **7.** *film* felvétel(sorozat), *US* fényképfelvétel; *film* **indoor ~** belső felvétel; *film* **outdoor ~** külső felvétel **8. a)** injekció (adag); *biz* **~ in the arm** felélénkítés, felpezsdítés; váratlan támogatás, ösztönző hatás **b)** *biz* egy kupica pálinka/szesz, rövidital **9.** *US szl* **big ~** *[fontos ember]* nagykutya, nagyfejű, fejes, főmufti • *mn* **shotproof**

shot² *mn* **1.** meglőtt, lelőtt, lövéssel eltalált *[állat stb.]* **2.** *tex* színét változtató, színjátszó *[selyem]*; **~ with gold** arannyal átszőtt **3.** *biz* **a)** fáradt, kimerült; hulla(fáradt) **b)** részeg; hullarészeg, tökrészeg **4.** → **shoot** I.

shot³ [ʃɒt ‖ ʃɑt] *fn* **1.** *GB* (szállodai) számla **2.** számla, költség, tartozás, rész(esedés), osztályrész; **pay one's ~** kifizeti/megfizeti tartozását (v. a költség ráeső részét)

shot-firer *fn bány* lőmester, robbantó

shotgun *fn vad* (sörétes) vadászpuska; *US szl* **ride ~** anyósülésen utazik *[autóban a vezető melletti ülésen]*

shotgun marriage *fn* **1.** *biz* gyors/előrehozott házasság(-kötés) **2.** kényszerházasság

shot-put *fn sp* súlylökés • *fn* **shot-putter**

should [ʃəd, ʃʊd] *si* **a) we said that we ~ go** azt mondtuk, hogy el fogunk menni **b)** kell; **all is as it ~ be** minden úgy van, ahogy lennie kell; **we ~ go** el kellene mennünk; *biz* **you ~ have seen him!** látnod kellett volna!, ha láttad volna!; **we ~ have arrived by this time** már meg kellett volna érkeznünk; **I ~ think so!** azt meghiszem! **c) whom ~ I meet but him!** ki mással találkoztam volna mint vele! **d) if he ~** (v. **~ he) come (you will) let me know** ha (mégis) eljönne értesíts; **~ the occasion arise** ha úgy adódik, az adott esetben **e)** → **shall**

shoulder [ˈʃoʊldə ‖ –ər] **I.** *fn* **1. a)** váll; **stand head and ~s above the rest** egy fejjel magasabb a többinél; *biz* **his ~s are broad enough** sokat/mindent elbír; **~ to ~** egymás mellett felsorakozva, fej fej mellett; vállvetve, együttes erőfeszítéssel, egyesült erővel; **have round ~s** görbe/hajlott/görnyedt háta van; **put one's ~s out** kificamítja a vállát; **rub ~s with sy** hozzádörgölődik vkhez; **shrug one's ~s** vállát vonogatja; *biz* **(give sy the) cold ~ → cold I.1.a.**; *átv biz* **put/set one's ~ to the wheel** nekigyürkőzik/nekifekszik/nekifeszül a munkának, beleadja minden erejét; **across the ~** vállon átvetve; **hit out straight from the ~** teljes erejéből üt; telibe talál *[ütéssel]*; *biz* **tell sy sg straight from the ~** egyenesen/kereken (v. kertelés nélkül) megmond vknek vmt; **he always has a good deal on his ~s** mindig sok a dolga; sokért felelős; **don't take too much on your ~s** ne vállalj magadra túl sokat; **shift/take the responsibility on sy's ~s** másra hárítja a felelősséget; **lay the blame on sy's ~s** másra keni a hibát; *biz* **have a head on one's ~s** helyén van az esze, tudja mit csinál; **bring the gun to the ~** vállhoz emeli a puskát *[lövésre]*; **a man with broad ~s** széles vállú ember **b)** lapocka *[állaté]*; **a ~ of lamb** báránylapocka **2.** hegynyúlvány, dombnyúlvány, előhegység **3.** *kat* hajlat *[puskahegyé]* **4.** *US közl* útpadka; leállósáv **5. a)** *épít* (alá)támasztás, (osztó)párkány **b)** *hajó* árbocváll **c)** *vasút* támaszpillér, támoszlop *[síndarué]*; töltéspadka **d)** *műsz* kiugró rész, felfekvési felület **e)** *kat* válltámasz **6.** vállfa, kabátakasztó, ruhaakasztó **II. A.** *tsi* **1. a)** vállára vesz/tesz/helyez (vmt); *kat* **~ arms!** vállra! *[vezényszó]* **b)** *átv* vállára vesz, (el)vállal *[felelősséget, gondot stb.]*; **~ a burden** terhet vesz a vállára; **~ the responsibility** vállalja a felelősséget (vmért) **2.** *épít* támogat, megtámaszt *[gerendát stb.]* **3.** meglök, taszít *[vállával]*; **~ one's way through the crowd** átfurakodik a tömegen, utat tör/vág magának a tömegben **B.** *tni* lökdösődik, furakodik, utat tör magának *[tömegben]*, tolakszik • *mn* **shouldered**

shoulder bag *fn* válltáska

shoulder belt *fn kat* antantszíj, vállszíj

shoulder blade *fn* **a)** *orv* lapockacsont **b)** lapocka *[állaté]*

shoulder-high I. *mn* vállmagasságú **II.** *hsz* vállmagasságban

shoulder joint *fn orv* vállízület

shoulder knot *fn kat* vállrojt

shoulder-length *mn* vállig érő *[haj]*

shoulder loop *fn kat* vállpánt *[rangjelzéssel]*

shoulder mark *fn US kat* váll-lap, vállrojt, epolett

shoulder note *fn nyomd* lapszéli jegyzet, széljegyzet *[lap tetején]*

shoulder pad *fn* válltömés

shoulder strap *fn* **1. a)** vállszíj *[hátizsáké stb.]*, nadrágtartó **b)** vállrész, vállpánt **2.** *kat* (rangjelző) vállpánt, váll-lap

shouldn't [ʃədnt, ˈʃʊdnt] *röv should not* → **should**

shout [ʃaʊt] **I. A.** *tsi* **1.** kiált, ordít, rikolt, rikkant (vmt), kikiált; **~ oneself hoarse** rekedtre kiabálja magát; **~ out** kikiált *[számot, nevet stb.]* **2. ~ sy down** túlkiabál/lehurrog vkt **3.** *US Ausz szl [fizeti vknek* v. *társaságnak az italt* v. *belépőjegyet]* fizet egy „rundot" **B.** *tni* **a)** (fel)kiált, kiáltást hallat, ordít, rikolt, üvölt; **~ for/with joy** örömében ujjong; **~ with pain** fájdalmában felkiált, ordít a fájdalomtól; **~ like mad** (úgy) üvölt mint egy őrült **b)** kiált, kiabál (vknek, vkért) **c)** felemeli a hangját, hangosan beszél, emelt hangon beszél, kiabál; **~ at the top of one's voice** torkaszakadtából kiált, kiabál; *US szl* **now you're ~ing** ez aztán beszéd, ezt nevezem beszédnek **II.** *fn* **1.** kiáltás, kiáltozás, kiabálás, ujjongás; **~ of applause** tetszésnyilvánítás, tapsolás, éljenzés **2.** *szl [forduló ivásban]* rund(ó), kör, karika; **it is my ~ (now)** *[most én következem]* az én köröm • *fn* **shouter**

shout at *tsi* kiabál vknek, rákiált vkre

shout for *tsi* kiált vkért *[pl. pincérért]*

shout out *tsi* elkiáltja/elkurjantja magát, felkiált

shouting [ˈʃaʊtɪŋ] *fn* kiabálás, kiáltozás, hangos tetszésnyilvánítás, ujjongás; *biz* **it's all over bar/but the ~** az eredmény (v. a kimenetel) már nyilvánvaló (v. nem kétséges); **within ~ distance** hallótávolságon belül, *átv* közel vmhez

shout-up *fn GB biz* hangos veszekedés

shove [ʃʌv] **I. A.** *tsi* **1. a)** lök, taszít, tol; *biz* **~ one's way through the crowd** keresztülfurakodik a tömegen, utat tör/vág magának a tömegben; *biz* **~ one's way to the front** előrefurakodik, előretülekedik **b)** *biz* tesz, rak, helyez; **~ sg into a drawer** fiókba tesz/dug/süllyeszt vmt; **~ one's clothes on** magára dobja/hányja ruháit; **he ~d the whole affair on to me** rám sózta az egész dolgot **c)** hevenyészve leír; **~ sg down on paper** papírra vet vmt, leír vmt **2.** *biz* megszabadul (vktől, vmtől), leráz (vkt), elsóz (vmt) **3.** *szl tabu* **~ it!** *[dühös elutasítás]* baszd meg!, menj a picsába/francba/túróba **B.** *tni* (meg)lök, tol, taszít, lökdösik, tolakodik, furakodik; **~ by/past sy** elmegy vk mellett meglökve őt **II.** *fn* **1.** lökés, tolás, taszítás; *átv biz* **give sg a ~** lökést ad vmnek **2.** *szl [elbocsátás]* lapát

shove along *tni* előrenyomul, utat tör/vág (magának)

shove off A. *tsi* vízre/tengerre tol/taszít/lök *[csónakot stb.]* **B.** *tni* **1. a)** parttól eltávolodik *[csónak stb.]* **b)** *Ausz biz* eltávolodik, elmegy, elballag **2.** *szl [elmegy]* lelép, lekopik

shovel [ˈʃʌvl] **I.** *fn* **1.** lapát **2.** *épít* (kotró)kanál, habarcskeverő **II. -ll-** *tsi* (fel)lapátol; **~ coal** szenet lapátol; *biz* **~ food into one's mouth** belapátolja az ételt, falánkul/mohón eszik; **~ up** fellapátol; *biz* **~ up/in money** lapátolja a pénzt, sokat keres, nagy jövedelme van • *mn* **shovelful**

shovel-board *fn GB ját* ‹ társasjáték koronggal v. golyóval ›

shovel hat *fn* széles karimájú papi kalap

shoveller [ˈʃʌvələ ‖ –ər] *fn* **1.** lapátoló (munkás), lapátos *[ember]* **2.** *áll* **~ (duck)** kanalas réce

S

show [ʃou] **I.** *pt* **showed**, *pp* **shown** [ʃoun], **showed A.** *tsi* **1. a)** (meg)mutat, elétár, látni enged, kiállít (vmt); ~ **one's ticket** felmutatja/bemutatja jegyét; ~ **goods in the window** kirakatba (ki)tesz árut; **have sg to ~ for one's money** kapott vmt a pénzéért, nem hiábavalóságra adta ki pénzét; ~ **one's cards/hand** *ját* kártyáit felfedi; *átv biz* elárulja szándékát/terveit; ~ **the colours** zászlót bont, megmutatja a színeit; ~ **sy the door** ajtót mutat vknek, kiutasít vkt; ~ **one's face somewhere** megmutatja magát valahol, mutatkozik valahol, pofavizitre megy vhová; ~ **itself** láthatóvá válik, mutatkozik, előtűnik; megnyilvánul; ~ **oneself** megmutatja magát, mutatkozik, megjelenik (vhol); ~ **a profit** hasznot mutat; ~ **signs of improvement** javulás jeleit mutatja; ~ **the time** mutatja/jelzi az időt; **time will ~ a plan** az idő majd meghozza a megoldást, majd elválik *[idővel]*; ~ **sy the way** megmutatja az utat vknek, útbaigazít vkt; **as ~n in the illustration** amint az ábra mutatja; *gazd* **what can I ~ you, madam?** mivel szolgálhatok, asszonyom?; *biz* **upon this he ~ed a clean pair of heels** erre eltűnt mint a kámfor; *közm* ~ **me a liar and I'll ~ you a thief** hazugból lesz a tolvaj **b)** vezet *[vkt megmutatva az utat]*; ~ **sy to his room** szobájába vezet vkt, megmutatja vknek a szobáját; ~ **sy to the door** az ajtóhoz/ajtóig kísér vkt; ~ **sy to her seat** hely(é)re vezet vkt; ~ **strangers round the town** megmutatja a várost idegeneknek **2. a)** felmutat *[tulajdonságot, képességet stb.]*, kimutat, kinyilvánít *[érzelmet]*, tanúsít *[részvétet stb.]*; ~ **courage** bátorságot mutat/tanúsít; ~ **oneself (to be) a coward** gyáván viselkedik, gyávának bizonyul; ~ **an interest in sy** érdeklődést tanúsít/mutat vk iránt **b)** megmutat, elárul, leleplez (vmt); **she ~s her age** meglátszik rajta a kora; ~ **one's true character** megmutatja igazi arcát/jellemét, elárulja/leleplezi magát; *US biz* ~ **drink** be van csípve/rúgva **c)** megmagyaráz, (be)bizonyít, igazol, kimutat *[tételt, állítást stb.]*; *jog* ~ **cause/reason** feltárja/megmutatja (indító)okait; *jog* ~ **one's right** igazolja vmhez való jogát; **I'll ~ you!** majd megmutatom neked!, majd megtanítalak!; **I can ~ that it is so** be tudom bizonyítani, hogy így van; **it goes to ~** ez azt mutatja (hogy); **nothing seems to ~ that he is guilty** semmi sem bizonyítja bűnösségét **B.** *tni* **1.** mutatkozik, megjelenik, mutatja/láttatja magát, előtűnik, látszik; **that stain will never ~** az a pecsét/folt nem fog (meg)látszani; ~ **to advantage** előnyösen (v. kedvező színben) mutatkozik (v. tűnik fel) **2.** *US sp* dobogós helyen végez **II.** *fn* **1.** felmutatás; **by (a) ~ of hands** kézfelemeléssel *[szavaz]* **2. a)** bemutatás, kiállítás, szemléretétel; *biz* **the ~ pupil of the class** az osztály dísze, éltanuló; **on ~** látható, megtekinthető **b)** látványosság, nyilvános előadás, mutatvány, felvonulás, hivatalos összejövetel/rendezvény, műsor, (mozi)előadás, musical; *biz* **good ~!** szép volt!, kitűnő!, bravó!; *biz* **go to a ~** színházba/moziba/cirkuszba megy **c)** hatástkeltő tárgy (v. tárgyak csoportja) **d)** *biz* mutatós/kimagasló teljesítmény/eredmény, siker; **put up a good ~** jó/kimagasló teljesítményt nyújtott; szép munkát végzett; szerencsés volt; **poor ~** gyenge dolog/teljesítmény **e)** *biz* **give sy a fair ~** (méltányos) lehetőséget ad vknek; **have/stand a ~** van esélye a sikerre, esélyes **3. a)** *biz* intézmény, vállalkozás, vállalat, üzlet; **run the ~** igazgat/vezet vmt **b)** *US* ügy, dolog **4.** hitvány/megvetendő (v. szánalomra méltó) látvány; *biz* **make a ~ of oneself** nevetségessé teszi magát **5. a)** nagy parádé/hűhó/cécó **b)** hiú pompa/fény/dísz, fitogtatás, kérkedés **6.** nyom, (ismertető)jel, tünet; **not even the ~ of affection between them** a szeretetnek még a nyoma sincs meg közöttük; *biz* **give the (whole) ~ away** elárulja vmnek a gyengéit; kifecsegi a titkot **7. a)** látszat, külszín; **for a ~** látszat kedvéért **b)** ürügy, színlelés, csalóka látszat; **make a ~ of sg** színlel/fitogtat vmt; **make a ~ of repentance** megbánást színlel/tettet; **he is putting on a ~** színészkedik; **deceive sy under a ~ of friendship** barátságot színlelve/tettetve becsap/rászed vkt **8.** *orv* **a)** véres váladék *[szülés megindulásának jeleként]* **b)** menstruáció kezdete

show forth *tsi régi* közhírré tesz, közzétesz, kinyilvánít

show in *tsi* bevezet, bekísér, beenged (vkt); ~ **him/her in!** vezesse be!

show off A. *tsi* hivalkodik, henceg, felvág (vmvel), (büszkén) mutogat, fitogtat (vmt); ~ **off one's knowledge** csillogtatja/fitogtatja tudását **B.** *tni* előnyös tulajdonságait/oldalát mutogatja/fitogtatja, hivalkodik, kérkedik, henceg, felvág (vmvel); ~ **off before sy** bámulatba akar ejteni vkt, el akar kápráztatni vkt; → **show-off**

show out *tsi* kikísér, kikalauzol *[vkt ajtóig, kapuig]*

show round *tsi* körülvezet (vkt) és (mindent) megmutogat

show through *tni átv* átlátszik, áttetszik; → **show-through**

show up A. *tsi* megismertet, bemutat, leleplez, elárul (vkt, vmt); ~ **up a swindler** csalót/szélhámost leleplez **B.** *tni* **1. a)** kirajzolódik, feltűnik, látszik, kiemelkedik *[háttérből]*, érvényesül (vm mellett) **b)** leleplezödik, kiderül *[alattomos tevékenység stb.]* **c)** *sp* ~ **up badly** rossz formát mutat, rossz formában van **2.** *biz* megjelenik, jelen van, mutatkozik, látható (vhol)

showband *fn zene* **1.** ‹látványos színpadi elemekkel fellépő dzsesszegyüttes› **2.** ‹feldolgozásokkal fellépő együttes›

showbiz [ˈʃoubɪz] *biz* → **show business**

showboat *fn US* (folyami) színházhajó

show business *fn* tömegszórakoztató ipar *[filmszakma, színházak, tévé stb.]*

show card *fn gazd* **a)** feliratos tábla **b)** kirakati (ár)jelzőlapocska

showcase I. *fn gazd* kirakatszekrény, üvegszekrény, vitrin, tárló, *átv* kirakat **II.** *tsi* szemlére kitesz, bemutat

showdown *fn* **1.** *US ját* kártyák leterítése **2.** *US biz biz* a végső harc/párbaj/erőpróba; *US* **have a ~ with sy** a mindent eldöntő ütközet

shower [ʃauə ‖ –ər] **I.** *fn* **1. a)** zápor(eső), zivatar; **heavy ~** nagy zápor(eső), felhőszakadás **b)** *biz* bőség; **a ~ of blows** ütések/ütlegek zápora; **a ~ of invitations** meghívások özöne; ~ **of insults** szitkok özöne **c)** *US biz* ~ **(party)** vendégség/parti nászajándékok átadására **2. a)** *fiz* (sok elemi részecskéből álló) „zápor" *[kozmikus sugárzásban stb.]* **b)** *csill* meteorzápor **3. a)** zuhany **b)** zuhanyozás **4.** *GB szl [kellemetlen ember]* bunkó **II. A.** *tsi* **1. a)** (le)önt, (be)zúdít *[folyadékot]* **b)** *biz* ~ **sg on/upon sy** vkt vmvel eláraszt/elhalmoz; ~ **blows (on/upon)** ütések záporát zúdítja (vkre, vmre); ~ **gifts (up)on sy** ajándékokkal halmoz el vkt; ~ **invitations on sy** meghívásokkal áraszt/halmoz el vkt; *US* ~ **sy with invitations** meghívásokkal áraszt/halmoz el vkt **2.** meghint, permetez, megnedvesít, átáztat *[esővel, vízzel]* **B.** *tni* **1.** zuhog/szakad az eső, zápor(eső) esik; *biz* **congratulations ~ed (down) on him** szerencsekívánatokkal/gratulációkkal halmozták/árasztották el **2.** zuhanyozik • *mn* **showery**

showerproof I. *mn* esőálló, vízhatlan **II.** *tsi* vízhatlanná/esőállóvá tesz

showgirl *fn szính* kóristalány, (revü)görl

show house *fn GB* bemutatóház, mintaház *[reménybeli vásárlók által megtekinthető berendezett új ház]*

showing [ˈʃouɪŋ] *fn* **1.** bemutatás, felmutatás, szemléltetés, kiállítás, (köz)szemlére tétel; *film* **first ~** filmbemutató; **on this ~** ha így nézzük/szemléljük a dolgot **2. a)** állítás, kijelentés, nyilatkozat; **on your own ~** ahogy te magad állítod **b)** igazolás, (be)bizonyítás *[tényeké stb.]* **c)** ~ **up** leleplezés, felfedés, napvilágra hozatal *[tényeké, visszaéléseké stb.]*

showjumping *fn sp* díjugratás • *fn* **show-jumper**

showman [ˈʃoumən] *fn tsz* **-men a)** vásári/cirkuszi mutatványos **b)** kiállítás/látványosság rendezője, showman; *biz* **he's a great ~** a (színházi) rendezés (nagy)mestere, *átv* (egy) nagy pozőr • *fn* **showmanship**

shown [ʃoun] → **show I.**

show-off *fn biz* hencegő/nagyképű(sködő)/kérkedő/felvágós alak/fráter; → **show off**

S

showpiece *fn* **1.** látványos/mutatós darab, látnivaló **2.** mintapéldány
showplace *fn* nevezetesség, látnivaló, látványosság
showroom *fn* mintaterem, bemutató helyiség
show-stopper *fn biz* ‹különösen hosszú tapsot kapó előadás›
show trial *fn pol* koncepciós per
show window *fn* kirakat
showy [ˈʃoui] *mn* **a)** mutatós, tetszetős **b)** feltűnő, rikító, csiricsáré *[öltözet stb.]*, hivalkodó *[pompa]* • *fn* **showiness** *hsz* **showily**
shrank [ʃræŋk] → **shrink** I.
shrapnel [ˈʃræpnəl] *fn kat* robbanólövedék, srapnel
shred [ʃred] **I.** *fn* **1.** foszlány, rongy, cafat; ~ **of cloth** szövethulladék; **a thing of ~s and patches** szegényes toldozott-foltozott ruha(darab); *átv* tákolmány; *átv* **tear sg (in)to ~s** cafatokra/rongyokra tép/szakít vmt; teljesen elutasít *[pl. érvelést]*; *biz* **tear sy's reputation to ~s** sárba rántja (v. tönkreteszi) vknek a hírnevét **2.** *átv* darabka, töredék, szemernyi; **not a ~ of** egy szemernyi sem; *biz* **there isn't a ~ of evidence** a legcsekélyebb bizonyíték sincs **II.** *tsi* **-dd-** összeszaggat, összetép, felvág, feldarabol, felaprít, (fontos) iratokat/dokumentumokat megsemmisít
shredder [ˈʃredə ‖ –ər] *fn* **1.** iratmegsemmisítő gép **2. a)** *ip* foszlatógép, tépőgép **b)** aprítógép, zúzógép **3.** zöldségszeletelő
shrew [ʃruː] *fn* **1.** házsártos/zsémbes asszony, *biz* hárpia; **The Taming of the S~** "A makrancos hölgy" *[Shakespeare vígjátéka]* **2.** *áll* cickány • *mn* **shrewish**
shrewd [ʃruːd] *mn* **1.** éles eszű/elméjű, eszes, okos, tisztán látó, jó szimatú **2. a)** ravasz, agyafúrt, fondorlatos **b)** *régi* maró, éles, metsző, csípős, kemény, erős *[hideg, szél stb.]*; **a ~ pain** éles/metsző fájdalom • *fn* **shrewdness** *hsz* **shrewdly**
shriek [ʃriːk] **I. A.** *tsi* sikolt, rikolt, visít, sikít; ~ **curses at sy** rikácsolva átkot szór vkre **B. 1.** *tni* sikolt, rikolt, rikácsol, visít, sikít; ~ **(out) with pain** üvölt a fájdalomtól; ~ **with laughter** üvöltve nevet **2.** *átv* üvölt **II.** *fn* sikoltás, visítás, sivítás, éles/átható hang/kiáltás; **give a ~** (fel)sikolt, sivít, fel(visít)
shrievalty [ˈʃriːvlti] *fn jog* **a)** sheriff hivatala/ügyköre/működése **b)** sheriff igazságszolgáltatása/bíráskodása (v. bírói hatásköre)
shrift [ʃrɪft] *fn régi* gyónás és feloldozás/bűnbocsánat; *biz* **give sy short ~** rövid úton elintéz/elzavar vkt, kurtán elbánik vkvel
shrike [ʃraɪk] *fn áll* gébics; **great grey ~** szürkegébics, őrgébics
shrill [ʃrɪl] **I.** *mn* **1.** éles, metsző, átható, sipító, fülhasogató, harsány, rikácsoló *[hang]* **2.** *átv* követelődző, tolakodó, okvetetlenkedő *[hang]* **II. A.** *tsi* visít, sikít, sivít, éles/magas/fülsiketítő hangon mond (v. ad elő) (vmt); ~ **out a song** magas hangon énekel egy dalt **B.** *tni vál* éles/magas/rikácsoló/fülsiketítő/fülhasogató hangot hallat (v. ad ki magából), visít, sikít, sipít • *fn* **shrillness** *hsz* **shrilly**
shrimp [ʃrɪmp] **I.** *fn tsz* **~(s) 1.** *áll* apró tengeri rák, garnélarák **2.** *biz* kis tökmag (ember), vakarcs **II.** *tni* garnélarákra halászik • *fn* **shrimper**
shrine [ʃraɪn] **I.** *fn* **1.** ereklyetartó **2.** (díszes) síremlék, sírhely *[szenté]*, szentről elnevezett kápolna/oltár/szentély **3.** szent, megszentelt hely, vknek emlékét megörökítő hely/kegyhely, búcsújáróhely **II.** *tsi vál* → **enshrine**
shrink [ʃrɪŋk] **I.** *pt* **shrank** [ʃræŋk], *pp* **shrunk** [ʃrʌŋk], **shrunken** [ˈʃrʌŋkn] **A.** *tsi* összehúz, összevon, csökkent, kisebbít, megszűkít *[ruhát]*, beavat *[textilt]* **B.** *tni* **1. a)** összehúzódik, összeszorul, (össze)zsugorodik, (össze)szűkül, összefonnyad *[gyümölcs stb.]*, összemegy *[textil]*; ~ **in the wash**, ~ **in washing** összemegy a mosásban; **shrunk with age** öregségtől összetöpörödve **b)** csökken, apad, fogy **2. a)** hátrál, visszahúzódik, visszavonul, meghúzódik, meglapul, lapít; ~ **away from the crowd** hátrál a tömeg elől; ~ **into oneself** magába vonul, lapít **b)** *átv* visszariad, meghátrál; ~ **from doing sg** visszariad, meghátrál vm megtételétől; ~ **from responsibility** visszariad/meghátrál a felelősség elől **II.** *fn* **1.** összehúzódás, összeszűkülés, összemenés *[textilé]* **2.** hátrálás, visszahúzódás, visszahőkölés **3.** *szl [pszichiáter]* lélekdoki • *mn* **shrinkable**, **shrink-proof**
shrinkage [ˈʃrɪŋkɪdʒ] *fn* **1.** (össze)zsugorodás, összeszűkülés, összehúzódás, térfogatcsökkenés, összeszáradás *[fáé]*, összefonnyadás *[gyümölcsé]*, összemenés, összeugrás *[textilé]* **2.** *pénz* értékcsökkenés; ráhagyás
shrinking violet *fn* visszahúzódó/szégyenlős ember; mimóza
shrink-wrap *tsi* **-pp-** zsugorfóliába csomagol
shrivel [ˈʃrɪvl] *i* **-ll-**, *US* **-l- A.** *tsi* összezsugorít, (meg)aszal *[gyümölcsöt stb.]* **B.** *tni* ~ **(up)** összezsugorodik, elszárad, kiszárad, összeszárad, összefonnyad; megráncosodik, összeaszik *[bőr stb.]*, megaszalódik *[gyümölcs stb.]*
shriven [ˈʃrɪvn] → **shrive**
shroud [ʃraud] **I.** *fn* **1.** halotti lepel/takaró, szemfedő; **wrap a corpse in a ~** szemfedővel letakar (v. halotti lepelbe burkol) holttestet **2.** lepel, takaró, burkolat, borítás; ~ **of snow** hótakaró; **under a ~ of darkness** a sötétség leple alatt; **in a ~ of mystery** rejtélyes homályba/sötétségbe burkolva **3.** *tsz* **~s** *hajó* árbocmerevítő vastag kötél, csarnak **II.** *tsi* **1.** szemfedővel letakar, halotti lepelbe burkol *[holttestet]* **2. a)** beburkol, elrejt, eltakar, elfátyoloz; **mountains ~ed in mist** ködbe burkolt hegyek **b)** *átv* burkol, takargat, rejteget, leplez; **a crime ~ed in mystery** bűn melyet rejtély fed • *mn* **shroudless**
Shrove Monday *fn vall* húshagyókedd előtti hétfő
Shrove Sunday *fn* farsangvasárnap
Shrovetide [ˈʃrouvtaɪd] *fn* farsang utója, a farsang utolsó három napja
Shrove Tuesday *fn vall* húshagyókedd
shrub[1] [ʃrʌb] *fn növ* bokor, cserje • *mn* **shrubby**
shrub[2] [ʃrʌb] *fn gaszt* rumos limonádé *[narancs, citrom* v. *más gyümölcs levéből készítve]*
shrubbery [ˈʃrʌbəri] *fn* bozót, cserjés, csalitos, bokorültetvény, élősövény
shrug [ʃrʌg] **I. -gg- A.** *tsi* **1.** ~ **one's/the shoulders** vállát vonja/vonogatja, vállat von **2.** ~ **off** vállrándítással elintéz **B.** *tni* vállat von **II.** *fn* ~ **(of the shoulders)** vállvon(oga-t)ás, vállrándítás
shrunk [ʃrʌŋk] → **shrink** I.
shrunken [ˈʃrʌŋkən] *mn* összezsugorodott *[anyag, testrész stb.]*, összement *[textil]*, összeaszott, ráncos, fonnyadt *[bőr, gyümölcs stb.]*, töpörödött *[alak]*
shtook [ˈʃtuk] *fn szl [baj]* gebasz
shtoom *mn szl [csendes, néma]* kuka
shtup [ˈʃtup] *tsi szl [közösül]* megkefél, megdönt
shubunkin [ˈʃuːbənkɪn] *fn áll* japán aranyhal
shuck [ʃʌk] **I.** *fn US* **1. a)** hüvely, héj *[zöldségé, gyümölcsé]*, háncs, (tüskés) tok *[gesztenyéé]* **b)** kagylóhéj **2.** *biz* **~s** vacak, szamárság; *szl* **it isn't worth ~s** *[keveset ér]* szart sem ér **II.** *isz US biz* **~s!** eszed tokja!, fenét!, frászt! **III.** *tsi US* (ki)fejt, (ki)hüvelyez *[babot, borsót stb.]*, külső húsos héjától (v. csonthéjától) megtisztít *[diót, mandulát]*, lehánt, meghánt *[kukoricacsövet]*; ~ **off** ledob, levesz *[ruhát]* • *fn* **shucker**
shudder [ˈʃʌdə ‖ –ər] **I.** *tni* **1.** remeg, reszket, borzong, vacog, dideregg *[hidegtől, félelemtől]*, borzad, iszonyodik, irtózik *[vmlyen cselekedettől stb.]*; ~ **with cold** reszket/borzong a hidegtől, didereg; ~ **with horror** remeg az irtózattól; **he ~s at the thought** (v. **to think**) **of it** (még) a gondolatától is borzad/irtózik/iszonyodik **2.** berezonál, vibrál, remeg *[gép]* **II.** *fn* borzongás, reszketés, remegés, borzadás, irtózás; **a ~ passed over him** megborzongott, átfutott a hideg a hátán; *biz* **it gives me the ~s** borzadok/iszonyodom tőle • *mn* **shuddery** *hsz* **shudderingly**
shuffle [ˈʃʌfl] **I. A.** *tsi* **1.** ~ **one's feet** csoszog(va jár) **2.** tol(ogat), tesz, rak **3. a)** összekever, összekuszál, összezavar, széthány *[iratokat stb.]* **b)** *ját* (meg)kever *[kár-*

tyát] **4.** ravaszul becsempész; **~ sg out of sight** (észrevétlenül) eltüntet vmt **5.** **~ the cards** taktikát változtat **B.** *tni* **1.** csoszog **2.** *ját* megkeveri a kártyát, kártyát kever; **~ and cut** kever és emel **3.** kibúvót keres, köntörfalaz, kertel, kitérően válaszol, mellébeszél **4.** szegényesen/nehezen él, gondok között él, nyomorog **II.** *fn* **1. a)** csoszogás, csoszogó mozgás/járás/léptek; **walk with a ~** csoszogva jár **b)** sasszélépés *[táncban]* **2.** *ját* keverés; **give the cards a ~** (meg)keveri a kártyát; **~ of the Government** kormányátalakítás **3.** kibúvó, ürügy, kertelés, kifogásokkal élés, csűrés-csavarás, hímezés-hámozás • *fn* **shuffler**

shuffle off *tsi* **1.** sietve ledob/levet, lehány *[ruhát magáról]*; *vál Sh* **~ off this mortal coil** porhüvelyét leveti, meghal **2.** megszabadul (vmtől), leráz magáról (vmt), (át)hárít (vkre vmt)

shuffle on *tsi* sietve magára dob/hány *[ruhát]*

shuffle board *fn US* → **shovel-board**

shufti [ˈʃʌfti, ˈʃʊfti] *fn GB szl [nézés, pillantás]* stírölés, dikázás, gájerolás

shun [ʃʌn] *tsi* **-nn-** (el)kerül, kikerül (vkt, vmt), kitér (vk/vm elől), menekül (vktől, vmtől), kibújik (vm alól); **~ danger** (el)kerüli a veszélyt; **~ evil company** kerüli a rossz társaságot; **~ sg like the plague** úgy menekül vmtől, mint a pestistől

shunt [ʃʌnt] **I. A.** *tsi* **1.** visszafordít, elfordít, eltérít, elterel **2.** *vasút* (mellékvágányra) tolat **3.** *vill* elvezet *[áramot]*, mellékáramkört létesít, „söntöl" **4.** *orv* mesterséges összeköttetést létesít, söntöl **5.** *biz* félreállít, hidegre tesz (vkt), félretol, félretesz, eldob (vmt); **~ the conversation on (to sg)** eltereli a beszélgetést; **~ sy up** elhallgattat/letorkol vkt; *Ausz* **~ sy off** kiutasít/elutasít vkt **B.** *tni* **1.** visszafordul, elfordul **2.** *vasút* mellékvágányra tolat **3.** *biz* elillan, meglóg, kivonja magát (vm alól) **II.** *fn* **1. a)** visszafordítás, elterelés **b)** visszafordulás, elfordulás, kitérés **2. a)** *vasút* kitérő(hely), mellékvágány **b)** *vasút* tolatás, más vágányra tolás **3.** *vill* párhuzamos vezeték, sönt, mellékvezeték, mellékáramkör; **put in ~** mellékáramkört létesít, söntöl **4.** *orv* összeköttetés, sönt **5.** *GB szl* (motor)baleset, belemenés • *fn* **shunter**

shush [ʃʌʃ, ʃʊʃ] **I.** *isz* csitt! **II.** *fn biz* csend **III. A.** *tsi* elhallgattat *[gyermeket stb.]* **B.** *tni* elhallgat, elcsendesedik

shut [ʃʌt] **I. -tt-**, *pt/pp* **shut A.** *tsi* **1. a)** *átv* becsuk; **~ the door against/on sy** bezárkózik vk elől/előtt, becsukja/bezárja az ajtót vk orra előtt; *átv* **~ the door against/on sg** vm előtt beteszi az ajtót, nem hajlandó vele foglalkozni; **find the door ~** zárt ajtót/ajtóra talál; **~ one's mouth** *biz* hallgat, nem szól, befogja a száját; *szl* **~ your mouth/face/head/trap!** fogd be a szád/pofádat!, hallgass!; **~ sy's mouth (for him)** elhallgattat/elnémít vkt; **~ one's purse against sy** nem ad pénzt vknek **b)** **~ one's finger in the door** becsípi az ujját az ajtóba **2.** bezár, becsuk *[tárgyat, üzletet]*, összehajt, behajt; **~ the umbrella** becsukja az esernyőt **B.** *tni* (be)csukódik, (be)záródik, bezárul; **the door won't ~** az ajtó nem záródik; **the library ~s at eight o'clock** a könyvtár nyolc órakor zár **II.** *mn szl* **be/get ~ of sy** *[megszabadul vktől]* dob, ejt

shut down A. *tsi* **1.** bezár, lezár, becsuk, lecsuk *[tárgyat, fedelet]*, leenged, leereszt *[tolóablakot stb.]* **2.** becsuk, bezár *[üzemet stb.]*, abbahagy(at)ja/beszünteti a munkát **B.** *tni* **1. a)** bezáródik, bezárul, lezáródik, lezárul, becsukódik *[tárgy, fedél stb.]*, leereszkedik *[tolóablak stb.]* **b)** leszáll, leereszkedik *[köd stb.]* **2.** bezár, becsuk *[üzem stb.]*, beszünteti/megszünteti a munkát; → **shutdown**

shut in *tsi* **1.** bezár, becsuk, elzár, lezár, lecsuk (vkt, vmt) **2.** körülzár, körülvesz, bekerít, körülkerít *[helyet]*; → **shut-in**

shut off *tsi* **1.** elzár, lezár *[vizet, gázt stb.]*, elállít, leállít, kikapcsol *[gépet stb.]* **2.** *átv* elzár, elválaszt, különválaszt, elkülönít, elszigetel *[pl. embereket egymástól]*; → **shut-off**

shut out *tsi* **1.** kizár, kirekeszt, nem ereszt/enged be (vkt, vmt), elzár (vm elől); **~ out a view** kilátást elzár/elvesz/elfog; **~ sy out of doors** nem ereszt/enged be vkt a szobába, kizár vkt a szobából; **she is ~ out from society** kirekesztették/kizárták a társaságból; elfojt *[fájdalmas emléket]* **2.** *sp* meggátol *[góllövésben]* **3.** → **shut-out**

shut to A. *tsi* **1.** betesz *[ajtót]*, bezár, becsuk *[tárgyat]*; **~ the box to** bezárja/becsukja a ládát **2.** **~ one's eyes to sg** szemet húny vm fölött; **~ one's ears/mind/heart to sg** elzárkózik vm elől; nem kíván meghallani vmt **B.** *tni* bezáródik, bezárul, becsukódik *[ajtó stb.]*; **the door ~ to behind me** az ajtó bezárult/becsukódott mögöttem

shut up A. *tsi* **1. a)** bezár, becsuk (vkt, vmt); **~ oneself up** bezárkózik, elzárkózik **b)** **~ sy up in prison** bebörtönöz vkt, börtönbe zár vkt; **~ sy up in a madhouse** bolondok házába zár/csuk vkt **c)** lezár *[házat, szobát stb.]*, bezár *[boltot, üzemet]*; **~ up shop** bezárja a boltot, feladja az üzletét, visszavonul az üzleti tevékenységtől **d)** elzár, befalaz, járhatatlanná tesz *[ajtót]*, eltorlaszol, eltöm *[nyílást]* **2.** *biz* elhallgattat (vkt), befogja a száját (vknek), beleszorítja/belefojtja a szót (vkbe) **B.** *tni biz* (el)hallgat, egy szót sem szól, befogja a száját; *durva* **~ up!** fogd be a szád!, ne pofázz!, kuss!

shutdown *fn* **a)** időleges üzembezárás/üzemszüneteltetés, zárva tartás *[üzleté]* **b)** → **shut down**

shut-eye *fn biz* (egy kis) szundítás/szunyókálás

shut-in I. *mn* **1.** szobához kötött **2.** zárkózott **II.** *fn US* szobát őrző gyengélkedő/beteg/aggastyán; → **shut in**

shut-off *fn* **a)** *vízügy* vízlebocsátó/vízleeresztő zsilip **b)** *műsz* csapószelep, kikapcsoló készülék; → **shut off**

shutout *fn* **1.** *biz* munkáskizárás, munkáselbocsátás **2.** *US sp* ‹az ellenfél megakadályozása a góllövésben›; → **shut out**

shutter [ˈʃʌtə ‖ –ər] **I.** *fn* **1.** ablakredőny, redőny, ablaktábla, spaletta, zsalu; *átv* **put up the ~s (of a shop)** lehúzza a redőnyt, becsukja a boltot **2.** *fényk* zár **3.** *zene* **(Venetian) ~s** redőny *[orgonán]* **II.** *tsi* **1.** redőnnyel/spalettával lát el **2.** bezárja/becsukja a spalettát, behúzza/lehúzza a redőnyt, bespalettáz *[ajtót, ablakot]* • *mn* **shutterless**

shuttering [ˈʃʌtərɪŋ] *fn* **1.** redőnyzet, ablaktáblák, ajtótáblák, spaletták, zsaluk **2.** *épít* zsaluzat, zsaluzás

shutter release *fn fényk* zárkioldó

shuttle [ˈʃʌtl] **I.** *fn* **1.** *US* ingajárat, ingaforgalom **2.** *tex* **a)** vetélő *[szövőszéken]*, szövőke **b)** hajó *[varrógépen]* **II. A.** *tsi US* ingajáratban közlekedtet **B.** *tni* **1.** jár-kel, egyik helyről a másikra megy/jár/közlekedik **2.** *US* ingázik, ingajáratban közlekedik; → **shuttlecock** → **space shuttle**

shuttlecock I. *fn* tollaslabda(játék) **II.** *tsi* ide-oda hajt/dob/küld

shuttle craft *fn űr* űrrepülőgép, űrsikló

shuttle service *fn* ingajárat

shy[1] [ʃaɪ] **I.** *mn* **1. a)** félős, félénk *[állat]*, ijedős *[ló]* **b)** félénk, bátortalan *[ember]*; **be ~ of people** fél az emberektől; **make sy ~** megfélemlít/megrémít vkt **c)** szégyenlős, szemérmes **d)** tartózkodó, óvatos, gyanakvó, bizalmatlan; **fight ~ of sg** óvakodik/húzódozik vmtől; **fight ~ of the job** vonakodik/húzódozik vmlyen munkától, nincs ínyére vmlyen munka **2.** *biz* **be ~ of/on money** pénz híján van, kevés a pénze **II.** *fn* megijedés, megtorpanás, hátrahőkölés, megbokrosodás **III.** *tni pt/pp* **shied a)** megijed, megriad, megtorpan, hátrahőköl, megbokrosodik *[ló]* **b)** megijed, megriad, visszaretten *[ember]*, húzódozik • *fn* **shyness** *hsz* **shyly**

shy[2] [ʃaɪ] **I.** *pt/pp* **shied A.** *tsi biz* **~ a stone at sy** megdob vkt kővel, követ dob vkre **B.** *tni* dob, hajít *[követ, labdát]* **II.** *fn* **1.** dobás, hajítás *[kővel, labdával]*; **take a ~ at sg** megdob/megcéloz (v. célba vesz) vmt *[kővel]* **2.** *biz* próba, próbálkozás, kísérlet; **have a ~ at doing sg** (meg)próbál vmt megtenni, (meg)próbálkozik vmvel

Shylock [ˈʃaɪlɒk ‖ –lɑk] **I.** *tul* ‹Shakespeare *Velencei kalmár* című darabjának főhőse› **II.** *fn biz* uzsorás, könyörtelen hitelező

shyster [ˈʃaɪstə ‖ –ər] *fn US szl [tisztességtelen ügyvéd]* cápa, zugügyvéd

S

si [siː] *fn zene* **1.** ‹a diatonikus skála hetedik hangja› si **2.** h (hang)
SI *röv (International) System of Units (of Measurement)* nemzetközi mértékegységrendszer
Siam [saɪˈæm] *tul földr* Sziám *[Thaiföld korábbi neve]*
Siamese [ˌsaɪəˈmiːz] **I.** *mn földr* sziámi **II.** *fn* **1. a)** sziámi (ember) **b)** sziámi nyelv **2.** *áll* ~ **cat** sziámi macska; ~ **twins** (i) sziámi ikrek (ii) *átv* elválaszthatatlan (jó)barátok
sib [sɪb] **I.** *mn skót* beházasodott, rokonságba/atyafiságba/sógorságba került *[személy]* **II.** *fn* **1.** rokon, atyafi, sógor **2.** egyenes ági leszármazottak csoportja **3.** *biz* testvér
Siberia [saɪˈbɪərɪə ‖ –ˈbɪr–] *tul* **1.** *földr* Szibéria **2.** *US szl [fegyintézet, fegyenctelep, kényszermunkatelep]* Szibéria
Siberian [saɪˈbɪərɪən ‖ –ˈbɪr–] **I.** *mn földr* szibériai *[tél stb.]* **II.** *fn* szibériai (ember)
sibilant [ˈsɪbɪlənt] **I.** *mn nyelv* sziszegő *[hang]* **II.** *fn nyelv* sziszegő hang(zó), szibiláns • *fn* **sibilance**
sibling [ˈsɪblɪŋ] *fn* testvér
sibship [ˈsɪbʃɪp] *fn* rokonság(i állapot); testvéri viszony
Sibyl [ˈsɪbɪl] **I.** *tul* Szibilla **II.** *fn* **s~** *régi* jósnő, szibilla
sic [sɪk] *hsz* **sic**! így! *[(gúnyos) utalás egy hibára]*
siccative [ˈsɪkətɪv] **I.** *mn* **a)** szárító, szikkatív **b)** száradóképes **II.** *fn* szárító(szer), szárítókence
sice[1] [saɪs] *fn* **1.** hat(os) (szám) *[kockajátékban]* **2.** hatos dobás *[kockajátékban]*
sice[2] [saɪs] → **syce**
Sicilian [sɪˈsɪlɪən] **I.** *mn* szicíliai **II.** *fn* szicíliai (ember)
siciliana [sɪˌsɪlɪˈɑːnə, sɪˌtʃɪlɪˈɑːnə] *zene* → **siciliano**
siciliano [sɪˌsɪlɪˈɑːnoʊ, sɪˌtʃɪlɪˈɑːnoʊ] *fn zene* siciliano
sick[1] [sɪk] **I.** *mn* **1.** beteg; **he is a ~ man** beteg ember; **fall ~** megbetegedik, megbetegszik, beteg lesz; *biz* **he has gone ~** megbetegedett; **go/report ~** beteget jelent; **he is ~ of fever** lázas beteg; *US* ~ **them!** egészségére *[tüsszentéskor mondják]* **2. a)** *főleg GB* émelygő(s), hányó, okádó, rókázó; *biz* **be** ~ hány, okád, rókázik; **feel/turn** ~ émelyeg a gyomra, hányingere van; **make a person** ~ felkavarja a gyomrát, émelygést/hányingert okoz; *biz* **it makes me ~ just to think of it** rosszul vagyok ha csak rágondolok; **he is as ~ as a cat/dog** kutyául érzi magát; *US* ~ **at/to one's stomach** hány, hányingere van **b) be ~ of sg** torkig van vmvel; **grow ~ of sg** megutál vmt; **~ of life** életunt; **I am ~ and tired of it** (v. **of the whole business**) unom az egészet, elegem volt belőle; **his manners make me ~/I am ~ of his conduct** nem bírom a modorát/viselkedését; **~ to death (of sg)** halálosan un (vmt); **~ unto death** halálos beteg; torkig van **3.** vágyódó, sóvárgó; **~ for home** honvágya van **4.** *biz* **a)** bosszús, dühös, mérges; **it makes me ~** dühbe hoz; **he was ~ with me for being late** dühös/mérges volt rám, hogy elkéstem **b) ~ (at heart)** elkeseredett, levert, lesújtott **5.** beteges, morbid *[humor]* **6.** *átv* kijavításra szoruló, beteg *[gép, jármű]* **II.** *fn* **a)** beteg **b) the ~** a betegek **c)** *GB biz* hányás **III.** *tsi GB biz* **~ sg up** (ki)hány/kiokád/kirókáz vmt, kiöklendez vmt • *mn* **sickish**
sick[2] [sɪk] *tsi biz* **a)** ráveti magát, rátámad (vkre), megtámad (vkt) *[kutya]*; **~! ~!** fogd meg!, rajta! **b) ~ the dog on sy** ráuszítja a kutyát vkre
sickbay *fn kat* gyengélkedő
sickbed *fn* betegágy
sick benefit *fn* betegségi segély/ellátás, táppénz
sick call *fn* orvos kihívása beteghez
sicken [ˈsɪkən] **A.** *tsi* **a)** émelygést/hányingert/rosszullétet okoz (vknek) **b)** undort/utálatot kelt (vkben); **~ sy of sg** elveszi az étvágyát/gusztusát/kedvét vknek vmtől **B.** *tni* **1.** megbetegedik, megbetegszik, beteg lesz; **be ~ing for an illness** betegség lappang benne, lappangó betegsége van **2. a)** émelyedik, undorodik, undort/utálatot érez, felfordul a gyomra **b)** beleun (vmbe), megun, megutál (vmt), torkig van (vmvel)
sickener [ˈsɪkənə ‖ –ər] *fn* **1.** *okt szl* kellemetlen/bosszantó/undorító alak/fráter **2.** *biz* émelyítő/undorító dolog/látvány, undort keltő élmény, kiábrándító kaland/tapasztalat
sickening [ˈsɪkənɪŋ] *mn* **1. a)** émelygést/hányingert/rosszullétet okozó **b)** undort/utálatot keltő, undorító; **a ~ sight** undorító (v. undort keltő) látvány **2.** *biz* bosszantó
sickle [ˈsɪkl] *fn* **1.** *mezőg* sarló **2.** *csill* **The S~** ‹sarló alakú csillagcsoport az Oroszlán-csillagképben›
sick leave *fn* betegszabadság
sickle cell *fn orv* sarlósejt
sickle feather *fn* kakastoll
sick list *fn kat* betegek (v. betegállományban levők) névsora/jegyzéke/listája, beteglista; **be on the ~** *kat* betegállományban van, maródi, *biz* beteg, gyengélkedik
sickly [ˈsɪkli] **I.** *mn* **1.** beteges(kedő), gyenge, csenevész *[gyermek stb.]*, (el)fonnyadt, elsorvadt, korhadt *[növény]* **2. a)** sápadt, halvány, fakó *[arcbőr, szín, fény stb.]*; **a ~ white** piszkosfehér színű; **a ~ moon** halvány/sápadt hold **b) a ~ smile** bágyadt/fáradt/halvány mosoly **3.** egészségtelen, ártalmas *[éghajlat stb.]* **4. a)** ízetlen, unalmas *[étel]*, émelyítő, émelygést/hányingert okozó, undorító *[szag stb.]* **b)** émelyítő *[érzelgősség]*, érzelgős, szentimentális *[beszéd, modor stb.]* **II.** *tsi* (el)sápaszt, beteges színűvé tesz • *fn* **sickliness**
sick-making *biz* → **sickening**
sickness [ˈsɪknəs] *fn* **1.** betegség; **bed of ~** betegágy **2.** gyengélkedés, (múló) rosszullét; **monthly ~** menstruáció, havibaj **3.** émelygés, hányinger, hányás
sickness benefit *fn GB* → **sick benefit**
sick nurse *fn* betegápoló(nő)
sicko [ˈsɪkoʊ] *fn US szl* elmebeteg, perverz
sickpay *fn* táppénz
sick room *fn* betegszoba
sick ward *fn* kórterem
side [saɪd] **I.** *fn* **1. a)** oldal *[tárgyé]*; **front ~** címoldal *[könyvé]*; **the right and wrong ~s of a piece of cloth** egy szövetdarab színe és fonákja; **wrong ~ out** visszájára *[felvett ruhadarab stb.]*, kifordított *[zsák stb.]*; **~s of spectacles** a szemüveg szárai **b)** oldal *[testrész, test egyik fele]*; **a ~ of bacon** oldalszalonna; *átv* **~ by ~** egymás mellett/oldalán; *biz* **shake/split one's ~s** hasát/oldalát fogja nevettében, majd megpukkad a nevetéstől, halálra neveti magát; *átv* **by the ~ of sy** vk mellett/oldalán; *átv* **stand by a person's ~** vk mellett áll; **stitch in the ~** szúró fájdalom az ember oldalában, oldalnyilallás **c)** oldal, szegély *[úté, folyóé stb.]*, vmnek a széle/szárnya; *US biz* **this ~** az Atlanti-óceánon innen, Amerikában; *US biz* **the other ~** az Atlanti-óceánon túl, Európában; **on the river ~** a folyó partján/szélén **d)** oldal, lejtő *[hegyé]* **e)** *mat* oldal, (oldal)lap, idom éle; **~ of an equation** egyenlet egyik oldala **f)** *épít* szegély, szárny, oldal **2.** *átv* oldal, rész; *biz* **the bright ~ of things** a dolgok jó/derűs/előnyös oldala; **the other ~ of the picture** az érem másik oldala; **hear** (v. **look at**) **both ~s (of a question)** minden oldalról megvizsgál (egy kérdést); **from all ~s** minden oldalról, mindenfelől; **to be on the safe ~** biztonság okáért; *US* **on the ~** ráadásul, a tetejében; *US* **profits on the ~** apró illetéktelen haszon/mellékkereset; **on this ~** ezen az oldalon; (vmn) innen; **on this ~ of Christmas** karácsony előtt; **be on the right ~ of thirty** harmincon innen van, még nincs harminc éves; **be on the shady/wrong ~ of thirty** túl van a harmincon, több, mint harminc éves; **put sg on one ~** félretesz/mellőz vmt; **dodge on one ~** félreugrik; **on all ~s, from every ~** mindenhol, mindenütt; minden irányból; **the weather is on the cold ~** elég/meglehetősen hideg van; **speech on the long ~** terjengős beszéd; **get on the blind/soft ~ of sy** a gyenge/sebezhető oldalán közelít meg vkt; *átv* **with a dog on either ~** két tűz között; **move to one ~** félreáll az útból, helyet csinál **3.** *biz* elbizakodottság, nagyhangúság, hencegés, felvágás; **he has no ~ (about him)** nem tartja nagyra magát, szerény(en viselkedik); *biz* **put on ~** adja a bankot, adja az előkelőt, pöffeszkedik, felvág, pózol, megjátssza magát **4. a)** párt, álláspont, állásfoglalás; *jog* **the other ~** a peres/perbeli ellenfél; **change ~s** álláspontot változtat, más álláspontra helyezkedik; átpártol; **take ~s** állást foglal *[vitás*

kérdésben stb.], vmlyen álláspontot foglal el; **take ~s with sy** csatlakozik vkhez; vk pártjára/mellé áll; **I took his ~** neki adtam igazat; **he is on our ~** velünk tart, a mi oldalunkon/pártunkon áll; **you have the law on your ~** a törvény/jog/igazság szerint magának van igaza **b)** osztály *[hivatalban, kórházban stb.]*, tagozat, részleg **c)** *sp* csapat, tábor, oldal, mezőny; **local ~** hazai csapat **5.** (leszármazási), rokonsági ág; **on his mother's ~** anyai ágon **6.** *sp* **be on ~** nincs lesen; **be off ~** lesen áll/van; **no ~** vége a mérkőzésnek; játék lefújása *[rögbiben, futballban]* **7.** *GB biz* tévécsatorna **II.** *mn* **1.** oldalsó, oldal-, mellék-; **~ blow** oldalütés; **~ entrance/entry** oldalbejárat, személyzeti bejárat; *szính* **~ lighting** oldalvilágítás; **~ path** félreeső út; gyalogjáró; *épít* oldalösvény, útszegély *[töltés mellett]*; *épít* **~ wing** oldalszárny, épületszárny; *US* **stand on the ~ line** tétlenül szemlél vmt; nincs érdekelve vmben **2.** mellékes, mellék-, másodrendű; *vill* **~ current** mellékáram; *US* **~ judge** társbíró; bírósági ülnök; *US* **~ money** mellékjövedelem **3.** oldalági, másod-; **~ cousin** másodunokatestvér **III.** *tni* **1.** vmely oldalra áll; **~ with sy** vk mellé/pártjára áll, vknek a pártját fogja, támogat vkt **2.** *biz* pöffeszkedik, nagyképűsködik, henceg, felvág

side aisle *fn épít* mellékhajó, oldalhajó

side arms *fn tsz kat* oldalfegyver(ek), szúrófegyverek

sideband *fn távk* oldalsáv

sideboard *fn* **1.** pohárszék, tálalóasztal, kredenc **2.** *tsz* **~s** *GB biz* császárszakáll, oldalszakáll, pofaszakáll

side-bone *fn orv* medencecsont

side-box *fn szính* oldalpáholy

sideburns *fn tsz US biz* császárszakáll, oldalszakáll, pofaszakáll

sidecar *fn* **1.** oldalkocsi *[motorkerékpáron]* **2.** *gaszt* ‹koktél brandyből és narancslikőrből› **3.** *régi* könnyű bricska

side chain *fn vegy* oldallánc

sidechair *fn* karfátlan (egyenes hátú) szék

side chapel *fn épít* oldalkápolna, mellékkápolna

-sided *mn összet* (-)oldalú; **many-~** sokoldalú • *hsz* **sidedly**

side dish *fn* mellékfogás *[étkezésnél]*, körítés

side door *fn* oldalajtó, mellékajtó

side drum *fn zene* (erős pergésű) dob

side effect *fn* mellékhatás

sidehill *fn US* domboldal

side issue *fn* mellékszempont, melléktéma, mellékeredmény

sidekick *fn biz* jó barát/haver

sidelamp *fn hajó gk* oldallámpa, helyzet(jelző)lámpa

sideless [ˈsaɪdləs] *mn* oldalak nélküli, perem nélküli

sidelight *fn* **1.** oldalvilágítás, oldalfény; *átv* **throw a ~ on sg** vmt mellesleg/mellékesen megvilágít **2.** → **sidelamp**

sideline I. *fn* **1.** oldalvonal **2.** *sp* oldalvonal; *átv* **on/from the ~** kívülállóként **3.** mellékfoglalkozás; melléküzemág **4.** *közl* mellékvonal, szárnyvonal **II.** *tsi US sp* lehoz, lecserél, kiállít

sidelong I. *mn* ferde, oldal- *[tekintet, pillantás]*; **cast a ~ glance on sy** sandán/ferdén/oldalvást néz vkre, a szeme sarkából néz vkre **II.** *hsz* oldalt, oldalra, ferdén *[mozog]*

side note *fn nyomd* lapszéli jegyzet, széljegyzet

side-on I. *mn* **have a ~ collision with sg** oldalt/oldalvást összeütközik vmvel (v. beleütközik vmbe) **II.** *hsz* **collide ~ with sg** oldalt/oldalvást összeütközik vmvel (v. beleütközik vmbe)

side order *US* → **side-dish**

sidereal [saɪˈdɪərɪəl] *mn csill* **1.** csillagzattal/csillagképpel kapcsolatos, csillag- **2.** csillagászati, sziderikus; **~ day** csillagászati nap; **~ time** csillagidő; **~ year** sziderikus év

siderite [ˈsaɪdəraɪt] *fn* **1.** *ásv* vaspát, sziderit **2.** *csill* vasmeteorit, vas-nikkel meteorit

side road *fn* bekötőút, mellékút

siderostat [ˈsaɪdəroustæt ‖ ˈsɪdərə–] *fn csill* égboltállító, csillagállító, sziderosztát

side-saddle I. *fn* női nyereg **II.** *fn* **ride ~** női nyeregben lovagol

side seat *fn* oldalülés, oldalpad(ka) *[járművön stb.]*

sideshow *fn* **1.** mellékkiállítás *[egy nagyobb keretében]* **2.** *biz* mellékcselekmény, mellékesemény

side-slip I. *fn* **1. a)** megcsúszás, (meg)farolás, oldalra csúszás/farolás *[autónál, kerékpárnál]* **b)** *rep* szárnybillentés **2.** *szl [törvénytelen]* zabigyerek, fattyú *mind stand* **II.** *tni* **-pp- a)** megcsúszik, (meg)farol, oldalra csúszik/farol *[autó/kerékpár kereke]* **b)** *rep* szárnyat billent

sidesman [ˈsaɪdzmən] *fn tsz* **-men** *GB vall* sekrestyéshelyettes

side-splitting *mn biz* nevettető, mulatságos, derűt keltő • *fn* **side-splitter**

sidestep I. *fn* oldallépés, sasszélépés *[táncban]* **II. -pp- A.** *tsi biz* megkerül *[kérdést]*, kikerül *[vmlyen állapot bekövetkezését]* **B.** *tni* **a)** oldalt lép, oldallépést/sasszélépést tesz *[táncban]* **b)** *sp* kitér *[ütés elől]* • *fn* **sidestepper**

side street *fn* keresztutca, mellékutca

sidestroke *fn* **1.** *sp* oldalúszás, oldalúszótempó **2.** oldalütés, oldalvágás **3.** mellékkövetkezmény

sideswipe I. 1. *fn US átv* oldalvágás, oldalba ütés **2.** ‹véletlen bántó megjegyzés› **II.** *tsi* oldalba üt/talál/kap, oldalvágást ad

side table *fn* **1.** éjjeliszekrény **2.** kis asztalka

sidetrack I. *fn* **1.** *vasút* kitérővágány, mellékvágány, iparvágány **2.** *biz* **get on to a ~** eltér a tárgytól **II.** *tsi* **1.** mellékvágányra tol(at)/kitol *[vasúti szerelvényt]* **2.** *biz* elterel (vmtől), mellékvágányra terel/juttat *[kérdést stb.]*, elhalaszt **3.** *biz* kitér *[válasz stb. elől]*, eltérít *[vkt szándékától stb.]*, átejt (vkt)

side trip *fn* (rövid) kirándulás

side valve *fn műsz* oldalszelep

side view *fn* oldalnézet, profil

sidewalk *fn US* járda, gyalogjáró

sideward[1] [ˈsaɪdwəd ‖ –wərd] *mn* oldal-, oldalirányú, oldal felőli

sideward[2], **sidewards** [ˈsaɪdwəd(z) ‖ –wərd(z)] *hsz* oldalt, oldalról, oldalvást *[néz stb.]*

sideways [ˈsaɪdweɪz] **I.** *mn* **1.** oldal- *[mozgás stb.]* **2.** nem konvencionális, nem szokványos *[szemlélet]* **II.** *hsz* oldalt, oldalra, oldalvást, oldalról

side-wheeler *fn US* lapátkerekes gőzhajó

side-whiskers *fn tsz* oldalszakáll, császárszakáll, pofaszakáll

sidewind [ˈsaɪdwɪnd] *fn* **1.** oldalszél **2.** közvetett mód/út/hatás; **I only learnt the news by a ~** csak közvetett úton (v. harmadkézből) értesültem a hírről

sidewinder [ˈsaɪdwaɪndə ‖ –ər] *fn US* **1.** csörgőkígyó **2.** *sp* ütés oldalról

siding [ˈsaɪdɪŋ] *fn* **1.** *vasút* mellékvágány, kitérővágány, tolatóvágány, iparvágány **2.** *US épít* favázas ház oldalfala, zsaluzás

sidle [ˈsaɪdl] *tni* oldalog, sompolyog, lopakodik, lopódzik, surran; **~ away** eloldalog, elsompolyog; **~ up to sy** vk mellé/közelébe lopakodik/oldalog/sompolyog

Sidney [ˈsɪdni] *tul* ‹férfi v. női név›

SIDS [sɪdz] *röv Sudden Infant Death Syndrome* bölcsőhalál

siege [siːdʒ] *fn kat* ostrom; **lay ~ to sg** megostromol vmt, ostrom alá vesz vmt; **lay ~ to a lady's heart** ostromolja egy hölgy szívét; **raise the ~** ostromot megszüntet; **stand/undergo a ~** ostromolják; **state of ~** ostromállapot, statárium

siege gun *fn kat* ostromágyú

Siegfried [ˈsiːgfriːd] *tul* Szigfrid

sienna [siˈenə] *fn* **1.** vörösbarna festék, sziénabarna festék **2.** vörösesbarna szín, sziénabarna szín

sierra [siˈerə] *fn földr* (fűrészes gerincű) hegylánc

siesta [siˈestə] *fn* déli/ebéd utáni rövid alvás/pihenő, szieszta; **take a ~** pihen, sziesztázik, ledől szunyókálni *[délben]*

sieve [sɪv] **I.** *fn* **1.** szita, rosta; *biz* **be as full of holes as a ~** lyukas mint a szita; **pass sg through a ~** (meg)rostál/(meg)szitál/(át)paszíroz vmt **2.** szűrő **3.** *biz* titkot tartani nem tudó, nem áll meg benne a szó; *átv biz* **have a head like a ~** lyukas a feje **II.** *tsi* **a)** (meg)szitál, átrostál, (meg)rostál, (át)paszíroz **b)** *átv* (át)szűr

sievert [ˈsiːvət ‖ −vərt] *fn fiz* ‹a besugárzási dózis SI-egysége› sievert, sv

siff [sɪf] *fn szl [szifilisz]* szifkó

sift [sɪft] **A.** *tsi* **1. a)** (meg)szitál, átrostál, (meg)rostál, (át)paszíroz; **~ sugar over a cake** cukrot szór süteményre/tésztára, cukorral meghint süteményt/tésztát; **~ out** kirostál; kiszűr; *átv* kiválogat, különválaszt, elkülönít; **~ out gravel from gold dust** különválasztja a kavicsot az aranyportól **b)** (át)szűr **2.** alapos/szigorú vizsgálatnak vet alá, alaposan/mélyrehatóan megvizsgál *[kérdést stb.]*; **~ through** alaposan átvizsgál; **~ evidences** alaposan megvizsgálja a bizonyítékokat; **~ a question to the bottom** alaposan/mélyrehatóan megvizsgál egy ügyet **B.** *tni* **1.** (át)szűrődik, (át)szivárog; **sand ~s into his shoes** homok szűrődik a cipőjébe **2.** eső/dara szitál • *fn* **sifter**

sigh [saɪ] **I. A.** *tsi vál* **~ (out)** sóhajtozva elmond/elbeszél/elpanaszol (vmt); **~ out one's existence** kileheli lelkét; **~ one's grief** sóhajtozva elmondja (v. elsírja) bánatát **B.** *tni* **1.** (fel)sóhajt, sóhajtozik; **~ deeply** nagyot/mélyet sóhajt; *biz* **~ from one's boots** nagyokat sóhajt; **~ with satisfaction** elégedetten sóhajt; **the wind ~s in the trees** szél sóhajt/susog a fák között **2. ~ for sg** sóhajtozik/epekedik/vágyódik vm után; bánkódik vm miatt; **~ over his mistake** szánja-bánja hibáját **II.** *fn* sóhaj(tás); **deep/heavy ~** mély/nagy sóhaj(tás); **the Bridge of S~s** a Sóhajok hídja; **breathe a ~** sóhajt egyet, felsóhajt; **draw/fetch/heave a ~** sóhajt; **heave a ~ of relief** megkönnyebbülten sóhajt

sight [saɪt] **I.** *fn* **1.** látás, látóképesség; **long ~** távollátás; **near/short ~** rövidlátás; **lose one's ~** elveszti a szemevilágát, megvakul **2. a)** látás, látvány, megtekintés; **line of ~** nézővonal; **catch ~ of sy/sg/get a ~ of sy/sg** meglát/megpillant/észrevesz vkt/vmt; *átv* **lose ~ of sy** szem elől veszít/téveszt vkt; **I can't bear the** (v. **I hate the very**) **~ of her** még látni sem bírom/szeretem; *gazd* **days after ~** lát után ... nappal; **at/on ~** látra; azonnal; kapásból; **at first ~** első látásra/pillantásra; **fall in love at first ~** első látásra beleszeret (vkbe), meglátni és megszeretni egy pillanat műve volt; **at the ~ of sg** vmnek a láttára/láttán; **know (sy) by ~** látásból ismer (vkt); **in ~ of sy** vk szeme láttára; **in ~ of sg** vmt látva **b)** vélemény, nézet, feltevés; **in my ~** nézetem szerint, ahogy én látom, az én szememben, szerintem **3.** látómező, látótávolság, kilátás; **angle of ~** látószög; **come in(to) ~ of** feltűnik (a szemhatáron); láthatóvá lesz/válik; *hajó* **land in ~!** föld! föld!; **keep him in ~** tartsa szemmel!, ne tévessze szem elől!; **it was done in my ~** szemem előtt/láttára történt; **out of ~** nem látszik/látható, *átv biz* kiváló, remek; **keep out of ~** nem mutatkozik, (el)rejtőzik (mások szeme elől); **put sg out of ~** elrejt/eldug vmt; *közm* **out of ~, out of mind** mihelyt nem látja, már nem is gondol rá; **out of my ~!** tűnjön el (v. pusztuljon) a szemem elől!, takarodjék!; **be within ~** látótávolban van, a lát(ó)határon belül van, látható **4. a)** *tsz* **sights** látnivalók, nevezetességek *[városé stb.]*; **see the ~s** megnézi/megtekinti a látnivalókat/nevezetességeket **b)** látvány, külső; *biz* **a ~ for sore eyes**, *GB* **a ~ for the Gods** kellemes/szívderítő/üdítő látvány; kellemes meglepetés; *biz* **make a ~ of oneself** nevetségessé teszi magát *[különös öltözékkel stb.]* **5.** *biz* nagy mennyiség, tömeg; **a ~ of sg** (igen) sok/rengeteg vmből **6.** irányítás, irányzás, célzás *[műszerrel]*; **take a ~ on sg** megcéloz vmt, célba vesz vmt; *biz* **take a ~ at sy** szamárfület mutat vknek, fittyet hány vkre **7. a)** nézőlyuk, nézőrés, irányzórés *[műszeren]*, szemlencse nyílása *[távcsövön]* **b)** *kat* célgömb **II. A.** *tsi* **1. a)** meglát, megpillant, észrevesz; *hajó* **~ land** szárazföldet pillant meg **b)** *gazd* **~ a bill** bemutat (látra szóló) váltót **2.** vizsgál, látcsővel néz *[égitestet]* **3.** *kat* (meg)céloz *[célzóberendezéssel]*, löveget irányít; **~ the target** megcélozza (v. célba veszi) a célpontot/céltáblát **4.** irányzékkal lát el *[lőfegyvert]*, látcsövet szerel *[műszerre stb.]* **B.** *tni kat* céloz, beirányol

sight bill *fn gazd* látra szóló váltó

sighted [ˈsaɪtɪd] *mn* **1.** látó(képes), látással bíró; **~ people** a látók *[szemben a vakokkal]* **2.** *összet* látású, -látó; **far-~** messzelátó

sighter [ˈsaɪtə ‖ −ər] *fn* **1.** *fényk* keresőléc **2.** *kat* irányzék, célgömb *[lőfegyveren]*

sightless [ˈsaɪtləs] *mn* **1.** vak, világtalan **2.** *vál* láthatatlan

sightly [ˈsaɪtli] *mn* szemrevaló, csinos, kecses, mutatós, látványos • *fn* **sightliness**

sight-read *tsi pt/pp* **-read** *zene* lapról olvas, blattol • *fn* **sight-reader**

sightsee *tni/tsi pt* **-saw**, *pp* **-seen** várost néz, megnézi a látnivalókat • *fn* **sightseer**

sightseeing *fn* a látványosságok/látnivalók/nevezetességek megtekintése, városnézés; **go ~** megnézi/megtekinti a látványosságokat/látnivalókat/nevezetességeket

sight-singing *fn zene* lapról éneklés, blattolás

sight unseen *hsz* előzetes terepfelmérés/vizsgálat nélkül

sightworthy *mn* látnivaló, megtekintésre érdemes

sigillate [ˈsɪdʒɪlət] *mn* **a)** *növ* pecsétes, pecsétszerű **b)** pecséttel díszített *[kerámia stb.]*, nyomatos

Sigismund [ˈsɪgɪsmənd] *tul* Zsigmond

siglum [ˈsɪgləm] *fn tsz* **sigla** betűjelzet *[rövidítés]*; kezdőbetű *[szó helyett]*, szigla

sigma [ˈsɪgmə] *fn* szigma *[görög betű]*

sigmate [ˈsɪgmeɪt] *mn* **a)** szigma alakú **b)** S alakú

sigmoid [ˈsɪgmɔɪd] **I.** *mn* **a)** félhold alakú **b)** S alakú **II.** *fn orv* **~ (flexure)** szigmabél

sign [saɪn] **I.** *fn* **1. a)** jel; nyom (vmé); **sure ~** biztos jel; **no ~ of sg** semmi jele/nyoma vmnek; **show no ~ of life** nem ad életjelt; **~s of the times** az idők jele **b)** *US* vadnyom **2. a)** jel(zés), figyelmeztetés; **make a ~** (v. **signs) to sy** jelt ad (v. jelez) vknek **b)** *vall* jel *[isteni]*; jelenés **c)** (forgalmi) jelzőtábla **3.** *orv* tünet, szimptóma **4. a)** jegy, jel(kép), szimbólum, ismertetőjel; **~ of recognition** elismerés jele; **make the ~ of the cross** keresztet vet **b)** cégtábla, címtábla, cégér **c)** *mat* előjel **d) ~ of summation** összeadás jele **e)** *csill* jegy, csillagkép; **S~ of the Zodiac** állatövi jegy, zodiákus jegy **f)** *nyelv* jelnyelv; **talk in ~s** jelnyelvet használ, jelel **II. A.** *tsi* **1. a)** jelöl, (meg)jelez, jellel ellát **b)** *vall* megjelöl *[kereszt jelével keresztségben]*; **~ oneself** keresztet vet **2. a)** aláír, kézjeggyel/szignóval ellát, láttamoz, szignál *[iratot stb.]*; **~ a bill** váltót elfogad; **~ a petition** kérvényt aláír **b)** jóváhagy, megerősít, hitelesít *[aláírásával vmt]*; **~ peace** békét köt **c)** *átv* aláír, megpecsétel, pecséttel megerősít **3.** jelt ad (vmre), jelez, jelek útján (v. jelbeszéddel) közöl (vmt); **~ assent** igent mond/bólint; **he ~ed for silence** csendet/csendre intett **B.** *tni* **1.** okiratot aláír/szignál; **~ for sy** aláír vk helyett; ellenjegyez **2. a)** jelek/jeladások útján jelez/kifejez/közöl, jelt ad, (kezével) int **b)** jelel *[süketnéma]*

sign away *tsi* írásban lemond (vmről)

sign in *tsi/tni* **1.** bélyegez, blokkol **2.** bejelentkezik *[pl. szállodába]* **3.** *infor* bejelentkezik

sign off *tni* **1.** bélyegez, blokkol, távozását jelzi *[munka után]* **2.** felmond, kilép *[munkahelyről]* **3.** *távk* rádióközvetítés befejezését jelzi **4.** *infor* kijelentkezik; → **sign-off**

sign on A. *tsi* szerződtet, felvesz, alkalmaz *[munkavállalót]* **B.** *tni* **1.** (le)szerződik *[munkára]*, munkát vállal, munkába/alkalmazásba lép; **~ on for a new job** új munkára szerződik/szegődik, új munkába lép **2.** feliratkozik *[munkanélküli segélyre]* **3.** bélyegez, blokkol, munkába érkezését jelzi *[aláírással stb.]* **4.** *infor* bejelentkezik

sign out *tsi/tni* kijelentkezik *[szállodából]*

sign up A. *tsi* **~ sy up** leszerződtet vkt **B.** *tni* **1.** beiratkozik **2.** jelentkezik *[katonának]*, bevonul

signal ['sɪgnl] **I.** *fn* **1. a)** jel, jelzés, jeladás; ~ **of distress** *hajó* vészjelzés **b)** *távk* jel; **incoming** ~ bejövő jel **c)** *átv* (elő)jel, jelzés, jeladás **2.** jelzőberendezés, jelzőlámpa, szemafor **II. -ll- A.** *tsi* jelez, jel(eke)t ad *[hajónak, vonatnak stb.]*, jeladással közöl (vmt); ~ **danger** veszélyt jelez **B.** *tni* jelez, jelt/jeleket ad; *gk* ~ **before stopping** megállás előtt jelez **III.** *mn* kiemelkedő, kiváló, jelentős, emlékezetes; **a ~ success** kiemelkedő siker • *fn* **signaller**
signal beacon *fn* jelzőtűz, jelzőfény
signal box *fn vasút* vasúti jelző- és váltóállító torony, jelzőbódé
signal conditioning *fn infor* jelalakítás, jelkondicionálás
signal flag *fn hajó* jelzőzászló
signalize ['sɪgnəlaɪz], **-ise** *tsi* **1.** jelt ad, jelez, emlékezetessé tesz *[eseményt stb.]*; ~ **oneself by one's courage** nagy bátorságával tűnik ki **2.** jelzőtáblákkal ellát *[utcakereszteződést]* • *fn* **signalization**
signal light *fn* jelfény
signalman ['sɪgnəlmən] *fn tsz* **-men 1. a)** *vasút* vasúti váltó- és szemaforkezelő **b)** *hajó* jelzőszolgálatos (matróz) **2.** *kat* híradós
signal rocket *fn* jelzőrakéta
signal-to-noise ratio *fn távk* jel-zaj viszony
signally ['sɪgnəli] *hsz* feltűnő módon, teljesen
signary ['sɪgnəri] *fn nyelv* szótagjelgyűjtemény/-táblázat
signatory ['sɪgnətəri ‖ –tɔri] **I.** *mn* aláíró, szerződő *[fél stb.]* **II.** *fn* aláíró/szerződő fél, szerződést kötő fél; **the signatories to a treaty** szerződést kötő felek, a szerződés aláírói
signature ['sɪgnətʃə ‖ –ər] *fn* **1.** aláírás, láttamozás, pecsét, bélyeg; **stamped ~** bélyegző névaláírással; *gazd* **the ~ of the firm** cégjegyzés; **put one's ~ to a letter** levelet aláír **2.** *átv* ismertető jegy **3.** *orv* szignatúra **4. a)** *zene* → **key signature b)** *zene* → **time signature 5.** *nyomd* **a)** nyomtatott ívet jelző szám, ívjelzés; ~ **line** ívjelző sor, norma **b)** nyomtatott ív **c)** *tsz* **signatures** oldalbeosztás
signature campaign *fn* aláírásgyűjtő akció
signature dish *fn gaszt* a konyhafőnök kedvence
signature tune *fn főleg GB* szignál *[tévében, rádióban]*
signboard *fn* **1.** cégtábla, címtábla, cégér **2.** (út)jelzőtábla
signed [saɪnd] *mn* **1.** jelzett, aláírt **2.** *mat* előjellel ellátott *[szám]*
signer ['saɪnə ‖ –ər] *fn* aláíró *[szerződésé stb.]*
signet ['sɪgnɪt] *fn* **1.** pecsét(nyomó); **put one's ~ to sg** megpecsétel vmt **2.** *skót* **writer to the ~** bírósági tisztviselő
signet ring *fn* pecsétgyűrű
significance [sɪg'nɪfɪkəns] *fn* **1.** jelentés, értelem; **the real ~ of his words** szavainak igazi értelme **2.** fontosság, jelentőség; **look of deep ~** jelentőségteljes tekintet; **event of great ~** nagy jelentőségű esemény; **a person of no ~** jelentéktelen ember/személy
significant [sɪg'nɪfɪkənt] *mn* **1.** kifejezésteljes, kifejező *[szó, mozdulat stb.]*; **a ~ glance** kifejezésteljes/jelentőségteljes pillantás **2.** *mat* ~ **figure/digit** értékes számjegy, értékszámjegy **3.** fontos, lényeges, jelentős, nevezetes, kiemelkedő *[esemény stb.]* • *hsz* **significantly**
signification [ˌsɪgnɪfɪ'keɪʃn] *fn* **1.** jelzés, közlés, tudtul adás **2. a)** jelentés, értelem; **the ~ of a sentence** mondat jelentése/értelme **b)** *nyelv* szójelentés, jelentésváltozat
significative [sɪg'nɪfɪkətɪv ‖ –keɪtɪv] *mn* **1.** kifejező, jelentést tartalmazó **2.** jelentős
signify ['sɪgnɪfaɪ] **A.** *tsi* **1.** kifejez, kifejezésre juttat *[szándékot stb.]*; ~ **one's satisfaction** kifejezi (v. kifejezésre juttatja) megelégedését **2. a)** jelez, jelent, magában foglalja vmnek a jelentését **b)** jelent *[szó, kifejezés stb.]* **B.** *tni* jelentőséggel/fontossággal/súllyal bír, számít • *fn* **signifier**
signing ['saɪnɪŋ] *mn GB sp* leigazoló, aláíró
sign language *fn* jelnyelv, jelbeszéd
sign-off *fn* **1.** *távk* befejezés *[közvetítésé]* **2.** *infor* kijelentkezés; → **sign off**
sign-on *fn infor* bejelentkezés; → **sign on**
signor ['siːnjɔː, siː'njɔː ‖ siː'njɔr] *fn tsz* **signori 1.** ‹főleg olasz ember megszólítása› úr, uraságod **2.** olasz férfi
signpost I. *fn* **1.** jelzőkaró, útjelző pózna, irányjelző tábla **2.** *átv* jelzés **II.** *tsi* **1.** útjelző táblával/táblákkal jelez/mutat (v. lát el) *[utat]* **2.** *főleg GB átv* (előre) jelez
signum ['sɪgnəm] *fn tsz* **signa** [–nə] pecsét, jel, aláírás
Sikh [siːk] *mn/fn* szikh
silage ['saɪlɪdʒ] **I.** *fn mezőg* **1.** besilózás **2.** besilózott takarmány, silótakarmány **II.** *tsi* silóz *[takarmányt]*
Silas ['saɪləs] *tul* ‹férfinév›
sild [sɪld] *fn áll* apró hering
silence ['saɪləns] **I.** *fn* **1.** csend, hallgatás; **~!** csend!, csend legyen!; **dead/blank/unbroken ~** síri/halotti/mély csend; **he was a man of ~** csendes/hallgatag ember volt; *közm* **~ is golden** hallgatni arany; **~ gives consent** a hallgatás beleegyezés; **break ~** megtöri a csendet; **call for ~** csendet kér, csendre int/utasít; **subside into ~** hallgatásba merül; **put/reduce sy to ~** elhallgattat vkt **2.** csend(esség), némaság, nyugalom; **the ~ of the grave** a sír csendje/némasága/nyugalma; **in the ~ of the night** az éjszaka csendjében **3. a)** hallgatás, titoktartás **b)** feledés, tudás hiánya **4. a)** *zene* szünet **b)** *távk* adásszünet **II.** *tsi* **1.** elhallgattat, elnémít (vkt), vmt, hallgatásra kényszerít (vkt); **~ one's opponent** elhallgattatja/elnémítja ellenfelét, belefojtja a szót ellenfelébe **2.** elfojt, letör (vkt, vmt), eltilt (vkt vmtől)
silenced ['saɪlənst] *mn* hangtompítós
silencer ['saɪlənsə ‖ –ər] *fn* **a)** *kat* hangtompító **b)** *GB gk* kipufogódob
silent ['saɪlənt] *mn* **1. a)** csendes, hallgatag, szótlan; **a ~ man** csendes/hallgatag/szótlan ember; **be ~!** hallgasson!, maradjon csendben!; **keep ~** hallgat, csendben marad, nem szól semmit **b)** hangtalan, csendes, néma; **a ~ grief** szótlan/néma bánat; **~ as the tomb** hallgat/néma, mint a sír; **the wind has become ~** a szél lecsendesedett **c)** *gazd* **a ~ partner** csendestárs **2. be ~ about/on sg** hallgat; nem tesz említést vmről, semmit sem mond vmről, elhallgat vmt **3. a)** csendes, zajtalan, hangtalan; **~ film** némafilm **b)** *nyelv* néma, nem ejtett, ki nem mondott *[hang]*
silently ['saɪləntli] *hsz* **1.** csendesen, csendben **2.** hallgatva, allattomban, csendben
silex ['saɪleks] *fn ásv* kova(kő), tűzkő
silhouette [ˌsɪluː'et] **I.** *fn* **a)** árnykép, árnyalak, sziluett **b)** *átv* (elmosódó/halvány) körvonal, alak; **in ~** körvonalban **II. A.** *tsi* (vk) árnyképét megcsinálja/kivágja, (vk) körvonalait felvázolja, árnyképet/sziluettet készít (vkről) **B.** *tni* árnyéka/körvonala kirajzolódik
silica ['sɪlɪkə] *fn* kova(kavics), kovasav, kovaföld, *vegy* szilícium-dioxid • *mn* **silic(e)ous**
silicate ['sɪlɪkət, keɪt] *fn vegy* kovasavas só, szilikát
silicic [sɪ'lɪsɪk] *mn vegy* kova-, szilícium-; **~ acid** metakovasav
silicify [sɪ'lɪsɪfaɪ] **A.** *tsi* **a)** elkovásít *[fát, követ stb.]* **b)** *ip* szilikáttal kezel *[fát stb.]* **B.** *tni* elkovásodik • *fn* **silicification**
silicon ['sɪlɪkən ‖ –kɑn] *fn vegy* szilícium
silicon chip *fn el* szilíciumchip
Silicon Valley *tul* ‹az amerikai számítógépipar egyik központja Kaliforniában›
silicosis [ˌsɪlɪ'koʊsɪs] *fn orv* ‹kvarcporlerakódás a tüdőben› szilikózis, portüdő • *mn* **silicotic**
siliqua ['sɪlɪkwə] *fn tsz* **siliquae** [–kwiː] *növ* becő(termés) • *mn* **siliquose**
silk [sɪlk] **I.** *mn* selyemből való/készült, selyem-; **~ fibre** selyemszál; **~ hat** cilinder; **~ stockings** selyemharisnya **II.** *fn* **1.** selyem(szál), selyemfonal, varróselyem, *orv* sebvarróselyem; **raw ~** nyersselyem **2. a)** selyem(szövet) **b)** *tsz* **silks** selyemáru **c)** *GB jog biz* King's/Queen's Councillor, királyi tanácsos, királyi tanácsosi rang **3.** pókfonál **4.** kukoricahaj

silken ['sɪlkən] *mn* **1. a)** *vál* selyemből való/készült, selyem- **b)** (csupa) selyembe öltözött **2.** selymes, selymes fényű; **her ~ locks** selymes fürtjei; **~ rustling** selymes suhogás **3.** *biz* behízelgő, lágy *[hang, szavak]*, édes *[álom]*, szelíd *[pillantás, tekintet]*, gyengéd *[érintés stb.]*

silk-gland *fn áll* selyemfonál-eresztő/selyemtermelő mirigy, fonószemölcs *[póké]*

silk moth *fn* **a)** *áll* selyemszövőlepke, selyem(hernyó)lepke **b)** *áll* **wild ~** éjjeli pávaszem

silk paper *fn* selyempapír

silkworm *fn áll* selyemhernyó

silky ['sɪlki] *mn* **1.** selymes, selyemszerű, selymes fényű, selyem puhaságú/tapintású **2. a)** behízelgő, lágy, bársonyos *[hang stb.]*; **~ manner** behízelgő modor **b)** *pej* mézesmázos, édeskés • *fn* **silkiness**

sill [sɪl] *fn* **1. a)** *épít* küszöb *[ajtóé]* **b)** *vasút* (hossz)talpfa **c)** *vízügy* küszöb *[zsiliphez, gáthoz]* **2.** *épít* ablakpárkány **3.** *gk* küszöb **4.** *bány* fekü *[telepé, teléré]* **5.** *geol* teleptelér

sillabub ['sɪləbʌb] *fn gaszt* ‹ tejszínes bor és cukor keveréke habbá felverve ›

silo ['saɪlou] **I.** *fn* **1.** *mezőg* gabonaraktár, siló **2.** *kat* (földalatti) rakétakilövő állás, rakétasiló **II.** *tsi mezőg* silóba rak/önt, silóz

silt [sɪlt] **I.** *fn* **a)** leülepedés, természetes hordalék, iszap *[folyómederben]* **b)** *geol* lerakódásos talaj, üledék **II. A.** *tsi* **~ (up)** eliszaposít, hordalékkal feltölt; iszapol **B.** *tni* **~ (up)** eliszaposodik; elhomokosodik, elzátonyosodik • *fn* **siltation** *mn* **silty**

siltage ['sɪltɪdʒ] *fn* hordalék

Silurian [sɪ'luərɪən ‖ –'lur–] **I.** *mn geol* szilurkori, sziluri, szilur; **~ period** szilur korszak **II.** *fn geol* szilur (kor)

silva ['sɪlvə] → **sylva**

silvan ['sɪlvn] → **sylvan**

silver ['sɪlvə ‖ –ər] **I.** *fn* **1.** ezüst *[érc, fém]*; **German/ nickel ~** alpakka; újezüst **2. a)** ezüst(pénz) **b)** *skót* pénz **3. a)** ezüst(nemű); **clean the ~** megtisztítja az ezüstöt **b)** evőeszköz *[bármilyen anyagú]* **4.** *sp* ezüstérem **5.** ezüstszürke (szín) **II.** *mn* **1.** ezüst(ből való); *vál műv* **S~ Age** ezüstkor; **~ spoon** ezüstkanál; *átv* **born with a ~ spoon in his mouth** jómódban/jólétben született, ezüstkanállal a szájában született; **~ wedding** ezüstlakodalom **2. a)** ezüstös, ezüst (színű); **~ paper** ezüstpapír, sztaniol; *biz* **the ~ streak** a La Manche csatorna; **every cloud has its ~ lining** nincsen olyan rossz, amiben ne lenne valami jó is **b)** ezüstös, csengő, zengő *[hang]* **3.** *növ* **a) ~ birch** közönséges nyírfa **b) ~ fir** ezüstfenyő **4.** *áll* **~ fox** ezüstróka **III. A.** *tsi* **a)** ezüsttel/ezüstréteggel bevon, (be)ezüstöz **b)** foncsoroz *[tükröt]* **c)** *átv* ezüstösre fest, beezüstöz **B.** *tni* őszül, ezüstfehérre változik; **her locks have ~ed** fürtjei megőszültek

silver anniversary *fn* huszonöt éves évforduló

silverfish *fn* **1.** *áll* ezüstlazac **2.** *áll* ezüstmoly

silver gilt *fn* aranyozott ezüst

silver-grey *mn/fn* ezüstszürke

silver-haired *mn* ezüsthajú, fehér hajú, ősz fejű

silver-leaf *fn tsz* **silver-leaves** *növ* ólomfényűség *[növénybetegség]*

silvern ['sɪlvən ‖ –vərn] *mn* **1.** *vál régi* **a)** ezüst(ből való) **b)** ezüstös, ezüstösen csillogó/fénylő, ezüstfehér **2.** *közm* **speech is ~ silence is golden** beszélni ezüst, hallgatni arany

silver plate *fn* (asztali) ezüstnemű, ezüst

silver screen *fn* **1.** vetítővászon **2.** *átv* filmipar, a mozi világa

silverside *fn GB gaszt* bélszín

silversmith *fn* ezüstműves, ékszerész

silver standard *fn* ezüstszabvány, ezüstérték *[mint pénzalap]*

Silver State *tul földr US biz* ‹ Nevada állam ›

silver thaw *fn* vékony jégkéreg

silver-tongued *mn biz* aranyszájú, ékesszóló

silverware ['sɪlvəweə ‖ 'sɪlvərwer] *fn* ezüstnemű, ezüst(-készlet), ezüst evőeszköz(ök)

silver wedding *fn* ezüstlakodalom

silvery ['sɪlvəri] *mn* **1. a)** ezüstözött, ezüst **b)** ezüstös, ezüstösen csillogó/fénylő, ezüstfehér **2.** ezüst csengésű, ezüstösen csilingelő

Silvia ['sɪlvɪə] *tul* Szilvia

silviculture ['sɪlvɪkʌltʃə ‖ –ər] *fn* erdészet, erdőgazdálkodás • *mn* **silviocultural**

silly ['sɪli] **I.** *mn* **1.** ostoba, buta, csacska *[személy, beszéd]*, együgyű, meggondolatlan *[megjegyzés]*, elhamarkodott, esztelen *[cselekedet]*; **~ ass!** ostoba szamár!; **~ goose** buta liba *[nőről]*; **don't be ~!** ne légy ostoba/csacsi, ne butáskodj!, légy észnél!; **go ~ over a woman** belebolondul/belehabarodik egy nőbe **2.** bódult, kábult; **knock sy ~** elbódít/elkábít/elképeszt vkt, zavarba hoz vkt; félholtra ver, agyba-főbe ver, elagyabugyál vkt **3.** gyengeelméjű, szenilis, hülye **II.** *fn biz* ostoba/kelekótya/bolondos személy, hülye (alak) • *fn* **sillyness**

silly billy *fn biz* buta/kótyagos személy, tökfilkó

silly season *fn* uborkaszezon

sima ['saɪmə] *fn geol* szima (öv)

Simeon ['sɪmɪən] *tul* Simeon

simian ['sɪmɪən] **I.** *mn* majomszerű, majomra emlékeztető, majom- **II.** *fn* emberszabású majom(fajta)

similar ['sɪmɪlə ‖ –ər] **I.** *mn* **a)** hasonlatos, hasonló, hasonlítható **b)** *mat* **~ decimals** egynemű tizedestörtek; **~ products** hasonló/egyező eredmények; **~ terms** egynemű tagok; **~ triangles** hasonló háromszögek **II.** *fn* hasonló (dolog), mása (vknek) • *hsz* **similarly**

similarity [ˌsɪmɪ'lærəti] *fn* hasonlóság, hasonlatosság, egyezés *[ízlésé]*

simile ['sɪmɪli] *fn ir.tud nyelv* hasonlat

similitude [sɪ'mɪlɪtju:d ‖ –tu:d] *fn* **a)** hasonlóság, hasonlatosság; **I see no ~ between the portrait and the original** az arckép és az eredeti közt semmi hasonlóságot/hasonlatosságot nem látok **b)** (hason)más

SIMM *röv fn infor single in-line memory module* SIMM-memóriamodul

simmer ['sɪmə ‖ –ər] **I.** *tni* **1.** lassú tűzön fő/sül, lassan (fel)forr; **~ down** lassan/fokozatosan kihűl *[étel stb.]* **2.** *biz* bujkál *[benne a nevetés]*, közel van a kitöréshez, lassan érlelődik *[harag stb.]*; **~ with anger** forr benne a harag; **~ down** lassan lecsillapodik, elpárolog a mérge, lelohad haragja **II.** *fn* lassú tűzön való főzés, párolás; **keep sg at a** (v. **on the**) **~** lassú tűzön főz/süt vmt

simnel ['sɪmnəl] *fn GB gaszt* húsvéti (marcipános) gyümölcstorta

simoleon [sɪ'moulɪən] *fn US szl* dollár

Simon ['saɪmən] *tul* Simon; *biz* **simple ~** együgyű/mulya/bárgyú/hülye ember/alak, (nagy) mamlasz; **the (real) ~ Pure** a hamisítatlan/valódi (v. az igazi) *[személy, dolog]*; → **simon-pure**

simon-pure [ˌsaɪmən 'pjuə ‖ –'pjur] *mn* igazi, valódi, hamisítatlan *[ember, intézmény]*

simony ['saɪməni] *fn vall* egyházi/lelki javakkal való üzérkedés, szentségárulás, szimónia • *fn/mn* **simoniac**

simoom [sɪ'mu:m] *fn* homokvihar, számum

simoon [sɪ'mu:n] → **simoom**

simp [sɪmp] *fn US biz* **a)** együgyű/csacsi személy, tökfilkó, balek **b)** hülye, barom, szamár

simpatico [sɪm'pætɪkou ‖ –'pɑ–] *mn biz* szeretetreméltó, kedves, szimpatikus

simper ['sɪmpə ‖ –ər] **I.** *fn* vigyorgás, affektált mosoly **II.** *tni* vigyorog, kényeskedve/affektáltan tetszeleg/mosolyog, negédeskedik, szenveleg, teszi magát

simple ['sɪmpl] **I.** *mn* **1.** egyszerű, világos, könnyű, könnyen érthető, nem bonyolult *[feladat, megállapítás, tétel stb.]*; *jog* **~ contract** szóbeli/egyszerű megállapodás; *mat* **~ equation** elsőfokú egyenlet egy ismeretlennel; *mat* **~ fraction** közönséges tört; **~ interest** egyszerű kamat; **a ~ statement** egyszerű állítás/megállapítás; **his ~ word is**

enough egyetlen szava elegendő; *biz* **as ~ as ABC**, **as ~ as shelling peas** világos, mint az egyszeregy; egyszerű, mint egy pofon **2. a)** egyszerű, szerény, díszítetlen *[tárgy]* **b)** egyszerű, cikornyátlan *[stílus]*; **a ~ style (of writing)** egyszerű/dísztelen stílus **c)** egyszerű, szerény, nem feltűnő/hivalkodó *[öltözék, életmód stb.]*; **~ meal** egyszerű étkezés; **a ~ mode/way of life** nem hivalkodó életmód **3. a)** egyszerű, természetes, mesterkéletlen, nyílt *[természet]* **b)** hiszékeny, naiv, könnyen becsapható/rászedhető, bamba, buta, együgyű *[ember]*; **as ~ as a child** ártatlan/naiv mint egy gyermek **4.** egyszerű (származású), alacsony sorból való **5.** *biz* valóságos, (leg)teljes(ebb), kimondott, nem más mint *[csalás stb.]*; **it's ~ robbery** tiszta rablás **6.** *műsz* egyszerű, egyes, egy darabból/(alkat)részből álló **7.** *nyelv* **~ object** egyszerű/névszói tárgy; *nyelv* **~ present** egyszerű jelen(idő); **~ sentence** egyszerű mondat **II.** *fn* **1.** *növ orv* **a)** gyógynövény, gyógyfű **b)** gyógynövényből készült gyógyszer **2.** *régi* együgyű/ostoba/hiszékeny ember/viselkedés • *fn* **simpleness**

simple-minded *mn* **a)** nyílt, egyenes **b)** hiszékeny, naiv

simpleton [ˈsɪmpltən] *fn* hiszékeny/együgyű/ostoba ember/alak/fickó, mamlasz, tökfilkó, fajankó, balek

simplex [ˈsɪmpleks] **I.** *mn* **1.** egyszerű *[nem összetett]*, közönséges **2.** *távk infor* szimplex **II.** *fn nyelv* tőszó, alapszó

simplicity [sɪmˈplɪsəti] *fn* **1.** egyszerűség, könnyűség, kézzelfoghatóság *[példáé, tételé stb.]*; *biz* **it is ~ itself** egyszerűbb már nem is lehetne **2.** egyszerűség, keresetlenség, dísztelenség *[öltözéké, életmódé stb.]* **3. a)** egyszerűség, őszinteség, nyíltság, egyenesség **b)** hiszékenység, naivitás, együgyűség, bambaság

simplify [ˈsɪmplɪfaɪ] *tsi* (le)egyszerűsít, egyszerűbbé tesz, megkönnyít, könnyen érthetővé tesz; **become simplified** (le)egyszerűsödik • *fn* **simplification**

simplism [ˈsɪmplɪzm] *fn* **1.** mesterkélt/tettetett egyszerűség, primitivizmus **2.** túlzott leegyszerűsítés *[problémáé]*

simplistic [sɪmˈplɪstɪk] *mn* túlságosan egyszerű, primitivizált, a végletekig leegyszerűsített

simply [ˈsɪmpli] *hsz* **1.** egyszerűen, könnyen, világosan, könnyen érthetően **2.** egyszerűen, szerényen, feltűnés/hivalkodás nélkül; **dressed ~** egyszerűen/szerényen öltözött **3.** egyszerűen, éppenséggel, feltétlenül, tökéletesen, teljesen; **I ~ won't** egyszerűen nem vagyok hajlandó; **purely and ~**, **~ and solely** egész egyszerűen; csupán; nem más/egyéb mint

simulacrum [ˌsɪmjʊˈleɪkrəm‖ –mjə–] *fn tsz* **simulacra** **1.** bálványkép **2.** csalóka látszat, árny

simulate [ˈsɪmjʊleɪt] *tsi* **1. a)** színlel, mutat, megjátszik, utánoz **b)** színlel, úgy tesz, mintha, szimulál; **~ illness** betegséget szimulál; **~ madness** őrültséget színlel **2.** *tud* szimulál • *fn* **simulation**

simulated [ˈsɪmjʊleɪtɪd] *mn* **1.** ál, hamis, megtévesztő; **~ pearl** hamisgyöngy **2.** *nyelv* tévesen levezetett *[szóalak]*

simulator [ˈsɪmjʊleɪtə ‖ –mjəleɪtər] *fn* **1.** alakoskodó, színlelő, tettető, szimuláns **2.** *távk tud* szimulátor *[készülék]*

simulcast [ˈsɪmlkɑːst ‖ ˈsaɪmlkæst] **I.** *fn távk* egyidejű rádió- és tévéadás; egyidejű adás több csatornán **II.** *tsi/tni* rádión és televízión v. több csatornán egyszerre lead/közvetít

simultaneous [ˌsɪmlˈteɪnɪəs ‖ ˌsaɪ–] *mn* egyidejű, együttes, szimultán; *távk* **~ broadcast(ing)** egyidejű műsoradás; *mat* **~ equations** szimultán egyenletrendszer; **~ events** egyidejű események, azonos időben történt események; **~ with sg** egyidejűleg, egyszerre, egy időben vmvel • *fn* **simultaneity** *hsz* **simultaneously**

sin[1] [sɪn] **I.** *fn* **1.** bűn, vétek; *vall* **the deadly/mortal ~s** a halálos bűnök, a főbűnök; *vall* **original ~** eredendő bűn; *vall* **the forgiveness of ~s** bűnbocsánat; *biz* **as ugly as ~** bűn ronda; **commit a ~** bűnt követ el, vétkezik; *főleg GB tréf biz* **for one's ~s** büntetésből; *biz* **live in ~** bűnben él; vadházasságban él; **fall into ~** bűnbe esik, vétkezik; *biz* **like ~** erősen, hevesen, szörnyen; **it is raining like ~** úgy zuhog, mintha dézsából öntenék (a vizet) **2. a)** (meg)sértés *[jóízlésé, illendőségé stb.]*, vétek, lábbal tiprása (vmnek); **a ~ against good manners** a jó modor megsértése **b)** esztelenség, oktalanság, bűn; **it is a ~ to be indoors on such a fine day** esztelenség/bűn a szobában lenni ilyen szép napon **II. -nn- A.** *tsi régi* **~ a great ~** nagy bűnt követ el, nagyot vétkezik **B.** *tni* **1.** bűnt követ el, vétkezik; **liable to ~** esendő, bűnre/rosszra hajló **2.** sértést követ el, vétkezik; **~ against propriety** megsérti az illemet

sin[2] *röv* sine

sin[3] *röv sine* szinusz, sin

Sinai [ˈsaɪnaɪ] *tul földr bibl* **the ~ peninsula** Sínai-félsziget

sinanthropus [sɪˈnænθrəpəs] *fn népr* pekingi ember

sin bin *fn sp biz* büntetőpad *[jégkorongban]*

since [sɪns] **I.** *elölj* (vmlyen időpont)-tól, -től, attól fogva/kezdve, óta; **~ when?** mióta?, mettől fogva?; **~ that time**, **~ then** azóta, attól fogva, attól az időtől kezdve **II.** *ksz* **1.** amióta, azóta (v. attól fogva), hogy, mióta csak; **ever ~** mióta csak **2.** mivel, minthogy, miután, mert; **~ that is so** mivel ez így van, mivel ez a helyzet; **~ there is no help** mivel ezen nem lehet segíteni **III.** *hsz* azóta; **many years ~** sok-sok évvel ezelőtt; sok év óta; **long ~** annak már jó ideje; régóta; **how long is it ~?** mennyi ideje?; mennyi idő telt (is) el azóta?; **how long is it ~ I have not seen you?** mióta (v. mennyi ideje) nem láttalak?

sincere [sɪnˈsɪə ‖ –ˈsɪr] *mn* **a)** őszinte, nyílt, egyenes *[ember]*, igaz, hűséges *[barát]* **b)** őszinte, komoly *[érzelem, szándék stb.]*, szívből jövő *[öröm]*, lélekből fakadó *[áhítat]*; **~ intentions** komoly szándékok; **~ regret** őszinte sajnálat/sajnálkozás • *fn* **sincereness**

sincerely [sɪnˈsɪəli ‖ –ˈsɪrli] *hsz* őszintén, szívből, komolyan; **yours ~** ‹levélbefejezés› szívélyes üdvözlettel; őszinte híve/tisztelettel; **~ yours** ‹levélbefejezés› szívélyes/barátságos/baráti üdvözlettel

sincerity [sɪnˈserəti] *fn* őszinteség, nyíltság, egyenesség, jóhiszeműség; **doubt a person's ~** kételkedik vknek az őszinteségében, kétségbevonja vknek az őszinteségét; **in all ~** egészen nyíltan/őszintén; halálos komolyan

sinciput [ˈsɪnsɪpʌt] *fn orv* koponyatető

sine[1] [saɪni, sɪni] *hsz* nélkül; → **sine qua non**→ **sine die**

sine[2] [saɪn] *fn mat* szinusz; **~ curve/wave** szinuszgörbe; **~ function** szinuszfüggvény

sinecure [ˈsaɪnɪkjʊə ‖ –kjʊr] *fn* jól fizető állás munka nélkül, gondtalan állás • *fn* **sinecurist**

sine die [ˌsaɪni ˈdaɪː] **adjourn ~ die** bizonytalan időre elnapol/elhalaszt

sine qua non [ˌsaɪni kwɑː ˈnɒn ‖ –ˈnɑn] elengedhetetlen feltétel, sine qua non

sinew [ˈsɪnjuː] **I.** *fn* **1. a)** *orv* ín **b)** porcogó, mócsing *[húsban]* **2. a)** (izom)erő; *biz* **a man of mighty ~s** hatalmas izomzatú/erejű ember **b)** *tsz* **sinews** *biz átv* mozgatóerő, hajtóerő *[vállalkozásé]*, lelke (vmnek) **II.** *tsi vál* mozgat, hajt; összetart • *mn* **sinewless**, **sinewy**

sinfonia [ˌsɪnfəˈnɪə] *fn zene* **1.** szimfónia **2.** nyitány

sinfonietta [ˌsɪnfouniˈetə] *fn zene* kisszimfónia

sinful [ˈsɪnfʊl, –fəl] *mn* **1.** bűnös, vétkes, bűnben élő; **~ thoughts** bűnös/vétkes gondolatok **2.** *biz* elítélendő • *hsz* **sinfully**

sing [sɪŋ] **I.** *pt* **sang** [sæŋ], *pp* **sung** [sʌŋ] **A.** *tsi* **1.** (el)énekel, (el)dalol, előad *[dalt]*, fellép *[operaszerepben]*, (el)fúj *[nótát]*; *vall* **~ mass** misét énekel; *biz* **she always ~s the same song** mindig ugyanazt (a nótát) fújja; *biz* **~ another tune** más hangon kezd beszélni **2. a)** megénekel; **~ a person's praises** vknek a dicséretét zengi **b)** dallal/énekkel kísér/köszönt vkt/vmt **3.** kikiált, kihirdet **B.** *tni* **1. a)** énekel, dalol, nótázik; **learn to ~** énekelni tanul; *biz* **~ small** alább adja; (szó nélkül) engedelmeskedik, meghunyászkodik **b)** énekel, dalol, fütyül, trillázik, csattog *[madár]*, ciripel *[tücsök]*, csacsog *[patak]* **c) it ~s well** jól énekelhető **2.** fütyül, zúg *[szél]*, búg, zümmög

[rádió], zúg, cseng *[fül]*; **the mosquitoes ~ round one's head** szúnyogok zümmögnek az ember feje körül **3.** *szl* beárul **II.** *fn US biz* **a)** dalárda, dalkör **b)** együttdalolás *[társaságé]* • *mn* **singable**
sing along *tni* énekkel kísér
sing in *tsi* **~ in the New Year** énekszóval/énekkel/dallal köszönti az új esztendőt
sing out A. *tsi* **~ out the Old Year** énekszóval/énekkel/dallal búcsúzik az óesztendőtől **B.** *tni* (fel)kiált
sing up *tni biz* hangosan (v. teli torokkal) énekel, teljes erővel zeng; **~ up boys!** rajta fiúk! fújjátok (teli torokkal)!
sing. *röv singular* egyes szám
singalong *fn* közös éneklés *[pl. tábortűz mellett]*
Singapore [ˌsɪŋəˈpɔː ‖ ˈsɪŋgəpɔr] *tul földr* Szingapúr
singe [sɪndʒ] **I. A.** *tsi* **a)** megperzsel, lepörköl, megpörköl, leéget, megéget; *biz* **~ one's wings** megégeti magát, megperzseli szárnyait, vesztébe rohan **b)** perzsel *[szárnyast, disznót]* **c)** haj(szálak) végét megperzseli/süti *[vágás után]* **B.** *tni* megperzselődik, megpörkölődik, leég, megég **II.** *fn* **a)** (meg)pörkölés, (meg)perzselés **b)** megperzselődés
singer [ˈsɪŋə ‖ –ər] *fn* **1. a)** énekes(nő), (templomi) karénekes, kántor **b)** énekelni tudó (v. énekhez értő) ember **2.** *vál* dalnok, dalos, énekes, költő **3.** énekesmadár, dalos madár
singing-bird *fn* énekesmadár
singing hinny *fn gaszt* mazsolás sütemény
single [ˈsɪŋgl] **I.** *mn* **1. a)** egyetlen, egyedüli, szimpla; **~ bed** egyszemélyes ágy; **~ bedroom** egyágyas (háló)szoba; *gazd* **~ entry (book-keeping)** egyszeres könyvvitel; → **bookkeeping**; *növ* **~ flower** egyszerű virág **b) ~ ticket** egy(szeri) utazásra szóló jegy; **~ way** egy nyomszélességű út; **in ~ file/rank** egyes sorban; egysoros oszlopban; libasorban; → **single-file**; **with a ~ eye** egyetlen dolgot tartva szem előtt; **not a ~ (one)** egyetlenegy sem **c)** egyes, külön; **every ~ day** minden egyes/istenáldott(a) nap(on); **~ door** egyszárnyú ajtó; **~ eyeglass** monokli **2. a)** egyedülálló, magában/egyedül élő, magában álló; **~ house** egylakásos ház; **lead a ~ life** nőtlen; hajadon; egyedül él **b)** egységes; *közg* **~ currency** egységes valuta; *gazd* **the ~ world market** egységes világpiac **3.** *régi* egyszerű, becsületes, őszinte; **a ~ heart** őszinte/nyílt (v. kétszínűséget nem ismerő) szív/lélek **4.** magában álló, egyedülálló, páratlan *[teljesítmény]* **5.** egyedül/segítség nélkül elvégezhető *[munka]* **II.** *fn* **1.** *sp* egyes/szóló játék, egyes; **~s title** egyéni bajnoki cím; **men's ~** férfi egyes **2. in ~s** egyesével; darabonként **3.** *GB* egy(szeri) utazásra szóló jegy; **~ or return, please?** csak oda (kéri)? **4.** *zene* kislemez **5.** nőtlen, hajadon **6.** *US biz* egydolláros bankjegy **III.** *tsi* **~ out** kiválogat; különválaszt; **~ out (at random)** kiszúr (vkt); **~ out sy/sg** kiszemel/kijelöl/kiválaszt vkt/vmt (vmre); vkt/vmt észrevesz *[tömegben]* • *fn* **singleness**
single-acting *mn műsz* egyoldalú, egyszeres működésű
single-breasted *mn* egysoros *[zakó]*
single-cut *mn műsz* egyvágatú, egymenetű *[szerszám]*
single-engine *mn* egymotoros
single-file *tsi* libasorban megy/vonul; → **single I.1.b.**
single-handed I. *mn* **1.** félkezű **2. a)** segítség nélküli; **~ battle** magányos küzdelem **b)** egyedül (v. egy félkézzel, v. segítség nélkül) elvégezhető **II.** *hsz* egyedül, segítség nélkül, egy kézzel, fél kézzel
single-jack *fn szl* féllábú/félkarú/félszemű ember
single-minded *mn* egyetlen célt szem előtt tartó, céltudatos, egyetlen célra törő
single-parent family *fn* csonka család *[ahol az egyik szülő hiányzik]*
singles bar *fn* társkereső klub, magányosok bárja
single-seater *fn* együléses (repülőgép, gépkocsi)
single-sex *mn GB okt* nem koedukált
single-shot *mn* egylövetű
single-space *tsi* egyes sorközzel gépel
single-span *mn* egynyílású *[híd]*
single stick *fn sp* **1.** vívóbot **2.** vívóbotozás

singlet [ˈsɪŋglɪt] *fn* **1.** (ing alatti) trikó, alsóing **2.** *sp* atlétaing, sporting, trikó **3.** *fiz* spektrumvonal
singleton [ˈsɪŋgltən] *fn* **1.** egyetlen gyermek/dolog, egyke **2.** *ját* szingli, egyetlen lap egy színből *[kártyában]*
single-tree *fn* hámfa, kisafa
singly [ˈsɪŋgli] *hsz* **1.** egyesével, egyenként, külön-külön **2.** egyedül, magában, magányosan
Sing-Sing [ˈsɪŋsɪŋ] *tul* ‹börtön New York közelében›
sing-song I. *mn* kántáló *[ének]*, monoton *[hanghordozás]* **II.** *fn* **1. a)** kántálás **b)** egyhangú ének **c)** monoton hanghordozás; **in a ~ voice** éneklő hangon; monotonul **2.** *biz* rögtönzött éneklés *[baráti körben]* **III.** *tsi* monoton hangon recitál/elmond/énekel vmt
singular [ˈsɪŋgjʊlə ‖ –gjələr] **I.** *mn* **1. a)** egyetlen, egyes **b)** *nyelv* egyes számú **c)** *mat* **~ point** szinguláris pont **2. a)** ritka, rendkívüli, kiváló, egyedülálló, páratlan *[teljesítmény]* **b)** különös, furcsa, szokatlan, feltűnő, meglepő; **a ~ man** furcsa ember, különc **II.** *fn nyelv* egyes szám; **in the ~** egyes számban
singularity [ˌsɪŋgjʊˈlærəti] *fn* **1. a)** egyedülállóság, páratlanság **b)** példátlanság, ritkaság **2. a)** rendkívüliség, szokatlanság **b)** furcsaság, különösség, bizarrság **3.** *fiz csill* szingularitás
singularize [ˈsɪŋgjʊləraɪz], **-ise** *tsi* különössé tesz (vmt); **~ oneself by one's dress** feltűnik az öltözködésével/ruházatával
Sinhalese [ˌsɪnhəˈliːz], **Singhalese I.** *mn* szingaléz **II.** *fn* **1.** szingaléz ember **2.** szingaléz (nyelv)
sinister [ˈsɪnɪstə ‖ –ər] *mn* vészjósló, baljóslatú, rosszat sejtető *[jel, pillantás]*, sötét, fenyegető *[tekintet]*, sötétlelkű, gonosz *[ember]*, sötét, gyászos *[hely]*, sötét, aljas *[szándék]*
sinistral [ˈsɪnɪstrəl] *mn* **1. a)** *tud* (spirálisan) balra kanyarodó/csavarodó **b)** *orv* bal oldali **c)** *műsz* balmenetű **2.** balkezes
sinistrality [ˌsɪnɪˈstræləti] *fn* **1.** balkezesség **2.** balsodratúság, balmenet
sinistrorse [ˌsɪnɪˈstrɔːs ‖ –strɔrs] → **sinistral 1**
sink [sɪŋk] **I.** *pt* **sank** [sæŋk], *pp* **sunk** [sʌŋk], *régi* **sunken A.** *tsi* **1. a)** elsüllyeszt *[hajót]* **b)** (aknát) rak **2. a)** leereszti *[hangját]*, lehorgasztja, lehajtja *[fejét]*, lesüti *[szemét]* **b)** süllyeszt, csökkent *[színvonalat]* **3. a)** kiváj, ás *[kutat]*, bever *[póznát]*, süllyeszt *[követ földbe]*, mélyít (vmt); **~ one's tooth into sg** vmbe mélyeszti/vágja a fogát **b) ~ a die** homorúan kivés bélyegzőt/mintát **4.** kudarcra ítél *[tervet]*; megtorpedóz **5.** elhallgat, felad *[ellenérzést]*, (átmenetileg) nem használ, elhagy *[címet, rangot]*; **they sank their differences** fátyolt borítottak a múltra/nézeteltéréseikre **6.** *pénz* törleszt *[adósságot]*, amortizál *[hosszú lejáratú kölcsönt]* **7.** befektet *[pénzt a visszatérülés reménye nélkül]*; **~ money in sg** pénzt vmbe befektet/beleöl; **~ money in an unfortunate undertaking** sikertelen/szerencsétlen vállalkozásba öli/fekteti a pénzét **B.** *tni* **1.** (el)süllyed, lemerül, elmerül, alámerül *[hajó]*; *biz* **~ or swim** vagy boldogul vagy elpusztul; vagy megszokik vagy megszökik **2. a) ~ into sg** belesüpped/belemerül/elmerül vmbe(n); **~ (down) into an armchair** belerogy/belezuhan egy karosszékbe **b) ~ into the memory** bevésődik az emlékezet(é)be; **let it ~ in (to) sg** hagyja be(le)ivódni vmbe **c)** *átv* merül *[álomba]*, mélyre süllyed *[bűnbe]*; **~ into oblivion** feledésbe merül **3. a) ~ in** süllyed, (le)süpped, rogy(adozik), roskad(ozik) *[fal]*; összeroskad; hanyatlik; **~ on one's knees** térdre esik/rogy/hull; **~ in oneself** magába mélyed/merül/roskad **b) his spirits sank** inába szállt a bátorsága; elbátortalanodott; elvesztette a bátorságát **4.** leszáll, lemegy, aláhanyatlik, lebukik *[nap, hold]*, leereszkedik, esik *[talaj]*; **~ out of sight** eltűnik szem elől **5.** csökken, veszít *[értékében]*, hanyatlik *[egészség]*, apad *[folyó]*, süllyed, alászáll *[színvonal]*; **the fire is ~ing** a tűz csendesebben ég; **he has sunk in my estimation** nagyot esett a szememben; **the patient is ~ing rapidly** a beteg állapota rohamosan hanyatlik; **prices are ~ing** az árak

esnek; **his voice sank to a whisper** suttogássá halkult a szava **II.** *fn* **1. a)** konyhai (szennyvíz)kiöntő/lefolyólyuk, leöntő **b) (kitchen) ~** konyhai mosogató, mosogatómedence **c)** *biz* **~ of iniquity** erkölcsi fertő/mocsár **2.** *geol* → **sinkhole 3.** *szính* süllyesztő **4. a)** süllyedés, merülés **b)** csökkenés, apadás • *fn* **sinkage** *mn* **sinkable**

sinker [ˈsɪŋkə ‖ –ər] *fn* **1. a)** ólomnehezék, süllyesztőón **b)** *hajó* mélységmérő ólomsúly, mérőón **2.** *US* fánk, talkedli **3.** *sp* (hirtelen) ereszkedő labda *[baseballban]*

sinkhole *fn geol* dolina, víznyelő, karsztos süllyedés

sinking [ˈsɪŋkɪŋ] **I.** *mn* **1.** süllyedő, merülő, alászálló **2.** omladozó **3.** roskadozó, rogyadozó, összecsukló *[láb]* **4.** hanyatló, fogyó *[egészség]*, apadó, egyre fogyó *[szám]*, fogyatkozó *[erő]*; *biz* **that ~ feeling** hirtelen elgyengülés **II.** *fn* **1. a)** (el)süllyedés, (el)merülés, lemerülés, alámerülés **b)** (el)süllyesztés, (le)süllyesztés, alámerítés **2. a)** süppedés, (alá)ereszkedés **b)** alászállás, alábukás, alámerülés *[égitesté]* **3.** (árok)ásás, mélyítés *[aknáé, fúrólyuké]* **4. a)** hanyatlás, gyöngülés, leeresztés **b)** elszorulás *[szívé]*, ellankadás *[kedélyé]*, alábbhagyás *[bátorságé]* **5.** törlesztés *[adósságé]*, amortizáció *[kölcsöné]*

sinking fund *fn pénz* amortizációs/törlesztési alap

sinner [ˈsɪnə ‖ –ər] *fn* **a)** bűnös, vétkező **b)** *biz* gazfickó

Sinn Fein [ˌʃɪn ˈfeɪn] *tul pol* ‹szeparatista nacionalista mozgalom Írországban› Sinn Fein

Sino- [ˈsaɪnou] *előtag* kínai, sino-

Sino-American [ˌsaɪnouəˈmerɪkən] *mn* kínai-amerikai

Sinologist [saɪˈnɒlədʒɪst ‖ –ˈnɑ–] *fn* sinológus

Sinologue [ˈsaɪnəlɒg ‖ –lɔg] → **sinologist**

Sinology [saɪˈnɒlədʒi ‖ –ˈnɑ–] *fn* sinológia, Kínával (v. kínai nyelvvel) foglalkozó tudomány

sinter [ˈsɪntə ‖ –ər] **I.** *fn* **1. a)** *geol* szürkés mészkő(üledék), mésztufa **b)** lyukacsos/cseppköves opál **2.** *fémip* zsugorított érc/fém **II. A.** *tsi fémip* összesüt, zsugorít, pörköl **B.** *tni* **1.** *fémip* összesül **2.** *geol* lerakódik

sinuate I. *mn* [ˈsɪnjuət] *növ* öblös karéjú, öblöt képező **II.** *tni* [–njueɪt] kanyarog, kígyózik

sinuosity [ˌsɪnjuˈɒsəti ‖ –ˈɑ–] *fn* ív, kanyar(ulat), elkanyarodás, görbület *[úté]*

sinuous [ˈsɪnjuəs] *mn* **1. a)** (girbe-)görbe *[utca]*, kanyargó(s), kígyózó, szerpentin *[út]*, tekergő, tekervényes **b)** hullámos; **~ movement** hullámzó/kígyózó mozgás **2.** hajlékony, rugalmas *[végtag]*

sinus [ˈsaɪnəs] *fn tsz* **sinus, sinuses** *orv* üreg; **the frontal ~es** a homlok- és orrmelléküregek

sinus cavity *fn orv* arcüreg

sinusitis [ˌsaɪnəˈsaɪtɪs] *fn orv* orrmelléküreg-gyulladás; **frontal ~** homloküreg-gyulladás

sinusoid [ˈsaɪnəsɔɪd] *fn mat el távk* szinuszoid, szinuszvonal • *mn* **sinusoidal**

-sion [ʃn, ʒn] → **-ation**

Sion [ˈsaɪən] → **Zion**

Sioux [suː] *mn/fn tsz* **Sioux** [suːz] sziú (indián) • *fn/mn* **Siouan**

Sioux State *tul földr US biz* ‹Észak-Dakota állam›

sip [sɪp] **I.** *fn* korty(intás), hörpintés; **take a ~ of sg** kortyint vmiből **II.** *tsi* **-pp-** kortyint, kortyol(gat), hörpint(get); **~ (up) one's coffee** kortyolgatja kávéját • *fn* **sipper** *mn* **sipping**

siphon [ˈsaɪfn] **I.** *fn* **1. a)** szifon, szívócső; **plunging ~** hébér, lopó **b)** bűzelzáró, szagzáró **c)** *vasút* ‹mozdony menet közbeni vízmerítő csöve› **2.** *áll* szifó, lélegzőcső *[kagylóknál]* **II. A.** *tsi* szifoncsövön átvezet; **~ off** szívócsővel elvezet; *biz* elvon, elterel, elszív **B.** *tni* szifoncsövön átmegy • *fn* **siphonage** *mn* **siphonal**

siphon bottle *fn* szódavizes üveg, szifon

siphonophore [saɪˈfɒnəfɔː ‖ saɪˈfɑnəfɔr] *fn áll* telepes/hólyagos medúza

sir [sɜː, sə ‖ sɜr] *fn* **1.** (tisztelt) úr, uram *[megszólításban]*, *okt* tanár úr *[megszólításként]*; **yes ~** igen(is) uram; parancsára; **biz my (dear) ~** (kedves) uram/uracskám; **~s!** uraim!; *gazd* **Dear S~s** Tisztelt Uraim! *[megszólításban]* **2.** *GB* ‹lovag címe, amelyet mindig a keresztnévvel együtt használnak›

Sirdar [ˈsɜːdɑː ‖ ˈsɜrdɑr] *fn* **1.** szerdár *[török parancsnok]*, parancsnok *[Indiában]* **2.** *tört kat* ‹egyiptomi hadsereg angol főparancsnoka› **3.** szikh

sire [ˈsaɪə ‖ –ər] **I.** *fn* **1. a)** apamén, apaállat **b)** *vál régi* apa, nemző, ős **2.** felséges úr/uram **II.** *tsi* nemz *[állat, főleg mén]*

siren [ˈsaɪrən] *fn* **1. a)** szirén, hableány, vízitündér **b)** *biz* csábító, szirén **2. a)** sziréna, vészkürt **b)** szirénajelzés, szirénahang; **blow/sound the ~** megszólaltatja a szirénát/vészkürtöt; szirénajelzést ad **c)** *US* autóduda, autókürt **3.** *áll* sziréngőte

siren song *fn* szirének éneke/dala, szirénhangok

siren suit *fn kat* légós ruha

sirloin [ˈsɜːlɔɪn ‖ ˈsɜr–] *fn gaszt* vesepecsenye, hátszín

sirocco [sɪˈrɒkou ‖ –ˈrɑ–] *fn meteo* sirokkó, forró szél

sirup [ˈsɪrəp ‖ ˈsɜrəp] *US* → **syrup**

sis [sɪs] *fn US biz* → **sister**

sisal [ˈsaɪsl] *fn* **1.** *növ* **~ (plant)** szizálkender **2.** szizálrost

siskin [ˈsɪskɪn] *fn áll* csíz

sissy [ˈsɪsi] **I.** *mn biz* lányos, nőies, effeminált **II.** *fn US biz* **1. a)** nőies férfi/fiú, pipogya alak/fráter **b)** anyámasszony katonája **2.** *pej* strici, kitartott férfi

sister [ˈsɪstə ‖ –ər] *fn* **1.** (nő)testvér, leánytestvér, húg, nővér; **full/own ~** édestestvér; **the Nine S~s** a kilenc múzsa; *ir.tud* **the S~s Three, the Dire/Fatal S~s** a három párka **2.** (apáca)nővér; **grey ~** ferences apáca, klarissza; **S~ of Mercy** irgalmas nővér **3.** (fő)nővér, (ápoló)nővér, ápolónő **4.** *átv* testvér, nőtárs *[közösségben]*, rendtárs *[apácáknál]*

sister city *fn* testvérváros

sister german *fn* elsőfokú unokanővér

sisterhood [ˈsɪstəhud ‖ –tər–] *fn* **a)** apácarend, női rend **b)** testvér(i)ség **c)** *biz pej* **the whole ~ of** az egész tisztelt társaság *[nőkről]*

sister-in-law *fn tsz* **sisters-in-law** sógornő, sógorné

sister nodes *fn tsz nyelv* testvércsomópontok *[mondattani fa-szerkezetben]*

sister uterine *fn* édesnővér, testvérhúg

Sistine [ˈsɪstiːn] *mn* **the ~ Chapel** a sixtusi kápolna *[Rómában]*

sistrum [ˈsɪstrəm] *fn tsz* **sistra** [–trə] *zene tört* (egyiptomi) sistrum

Sisyphean [ˌsɪsɪˈfiːən] *mn* sziszifuszi *[munka]*

sit [sɪt] **I.** *pt/pp* **sat** [sæt] **A.** *tni* **1.** ül; **~ still** csendben/csendesen ül; *átv biz* **~ tight** biztosan ül (a nyeregben); lapít, lapul, nem mozdul/mocorog; hajthatatlan, nem változtatja véleményét; fenekén marad, meg se mozdul; *biz* **~ tight!** ne moccanj!; **~ at home** otthon ül; nem csinál semmit; **~ at table** étkezik; asztalnál ül **2. a)** ülésezik, ülést tart, összeül *[bizottság]*; **Parliament was ~ting** a Ház ülésezett, a képviselőház ülést tartott **b)** ítél(kezik) *[bíróságon]*; **the judge ~s** a bíró tárgyal **3. a)** ül, gubbaszt *[madár]* **b) ~ (on eggs)** tojáson ül, kotlik **c) find a hare ~ting** vackán találja a nyulat **4.** áll *[vkn jól/rosszul a ruha]*; **skirt that ~s well** jól álló/szabott szoknya **5. how ~s the wind?** honnan fúj a szél?; *átv biz* hogy állunk? **6.** nehezedik **7.** gyermekre vigyáz/felügyel, babysitterkedik **B.** *tsi* **1.** megül; **~ a horse well** jól megüli a lovat **2. a)** ültet; **~ oneself** leül; helyet foglal, letelepszik, letelepedik **b)** ültet *[tyúkot]* **II.** *fn* **1.** *biz* ülés, megbeszélés, szeánsz **2.** állás *[ruháé stb.]*

sit back *tni* **a)** hátradől *[székben]*, kényelmes helyzetet foglal el **b)** *átv* ölbe tett kezekkel figyel **c)** várja a sült galambot **d)** *US* kényelembe teszi magát; malmozik

sit down *tni* **1. a)** leül, helyet foglal, letelepedik, letelepszik; **~ down to breakfast** reggelizik, leül a reggelihez **b)** pihen **2.** *US biz* **~ down (good and) hard on sg** igen határozottan ellenez vmt, erősen kifogásol vmt; leszedi róla a keresztvizet **3.** → **sit-down**

S

sit for *tni* **1.** ~ **for a constituency** egy választókerület képviselője **2.** ~ **for an exam(ination)** vizsgázik, vizsgára megy; ~ **for a portrait** modellt ül

sit in *tni* **1.** ~ **in Parliament** országgyűlés tagja **2.** ~ **in judgement** ítél(kezik) *[bíróság]* **3.** *US* ~ **in on sg** részt vesz *[gyűlésen stb.]* **4.** *US* tüntet

sit on *tni* **1.** ~ **on sg** (i) ül vmn (ii) vmt megvizsgál *[mint bizottsági tag]*; ~ **on one's hands** (i) *átv* a világért sem nyilvánítana tetszést (ii) tétlenkedik **2.** ránehezedik, megül; **this food ~s heavy on the stomach** ez az étel megfekszi a gyomrot **3.** ~ **on the committee** tagja a bizottságnak; bizottsági tag; ~ **on the jury** tagja az esküdtszéknek; zsűritag **4. joy sat on every countenance** öröm/mosoly ült az arcokon **5.** *biz* ~ **on sy** lekap/lehord/összeszid vkt; elhallgattat, letorkol vkt

sit out A. *tsi* **1.** végig ül, kivárja/megvárja a végét; ~ **a lecture out** végigül előadást, megvárja az előadás végét **2.** ~ **sy out** megvárja míg a másik elmegy/távozik **3.** nem vesz részt *[játékban]*, kiáll, kimarad *[játékból]*; ~ **out a dance with sy** kihagy egy táncot **B.** *tni* **1.** kiül a szabadba **2.** nem vesz részt (vmben)

sit over *tni* ~ **over the port** csendben eliszogat/eliddogál; ~ **over a book** elmerül egy könyv olvasásába

sit up *tni* **1. a)** felül, felegyenesedik *[ültében]*, egyenesen ül; *biz* **be ~ting up and taking nourishment** a gyógyulás útján van **b)** pitizik *[kutya]* **2.** ~ **up (late)** sokáig fennmarad, virraszt; ~ **up for sy** virraszt (v. sokáig fennmarad) vk miatt; ~ **up with a dead body** halott mellett virraszt **3.** ~ **up to the table** asztalhoz húzza a széket, odaül az asztalhoz **4. a)** megijed **b)** *biz* **make sy ~ up** meglep/elképeszt vkt, bámulatba ejt vkt

sitar [ˈsɪtɑː ‖ sɪˈtɑr] *fn zene* szitár • *fn* **sitarist**

sitcom [ˈsɪtkɒm ‖ –kɑm] *fn média* ‹helyzetkomikumra építő sorozat› tévékomédia

sit-down I. *mn* **1.** *US* ülő; ~ **strike** ülősztrájk **2.** asztalnál fogyasztott **II.** *fn US* ülősztrájk; → **sit down**

site [saɪt] **I.** *fn* **1. a)** telek, házhely, hely *[táborozáshoz]* **b)** *geol* lelőhely, telephely **c)** helyszín; ~ **of work** munkahely, munkaterület; **on** ~ az építkezés színhelyén/területén; a helyszínen **2.** fekvés, helyzet **II.** *tsi* **1. a)** elhelyez **b)** telepít **2.** kijelöl, kitűz, ás *[alapárkot stb.]*, helyszínel

sit-in *fn* **1.** ülősztrájk **2.** ülőtüntetés

sitrep [ˈsɪtrep] *fn röv kat biz situation report* helyzetjelentés

sitter [ˈsɪtə ‖ –ər] *fn* **1. a)** ülő *[személy]*, ülő utas **b)** ‹kisgyerekre szülők távollétében felügyelő személy› babysitter **2. a)** (hivatásos) modell *[festőé, szobrászé]* **b)** modellt ülő (személy) **3.** kotlós(tyúk) **4. a)** *biz* **it was a ~ for me** könnyű dolog (v. gyerekjáték) volt az egész számomra **b)** *biz sp* **miss a ~** biztos gólt kihagy **c)** *biz* **it was a ~** a megjegyzés ült

sitting [ˈsɪtɪŋ] **I.** *fn* **1. a)** ülés, modellként ülés **b)** egy ülésnyi idő; **paint a portrait in four ~s** négy ülésre megfest egy arcképet **2. a)** ülés(ezés), összejövetel, értekezlet **b)** *tsz* **sittings** *jog* ülésszak *[bíróságé]* **3. a)** kotlás, költés **b)** fészekalja (tojás) **II.** *mn* **1.** ülő; ~ **and standing room** ülő- és állóhely; férőhely; ~ **bath** ülőfürdő(kád); ~ **posture** ülő helyzet/testtartás; ~ **shot** ülő helyzetben leadott lövés/dobás; ~ **tenant** birtokon belüli bérlő **2.** ülésező, tanácskozó, tanács- *[tag]*; **our ~ member** képviselőnk **3. a)** nyugvó *[vad]* **b)** ~ **hen** kotló (tyúk) **c)** *átv* ~ **duck/target** könnyű célpont

sitting room *fn* **1.** *GB* nappali (szoba), fogadószoba, szalon **2.** ülőhely

situate [ˈsɪtʃueɪt] **I.** *mn jog* fekvő, elterülő *[ingatlan]* **II.** *tsi* **1.** (el)helyez **2.** kijelöl, kitűz *[helyet]* • *mn* **situated**

situation [ˌsɪtʃuˈeɪʃn] *fn* **1.** fekvés, elhelyezés *[házé, lakásé]* **2.** *[politikai]* helyzet, *[anyagi]* körülmények, viszonyok, *[vagyoni]* állapot, szituáció **3.** *szính* drámai helyzet **4.** elhelyezkedés, állás, hely; *főleg GB* **~s vacant** betöltendő állások *[hirdetésben]*; *főleg GB* ~ **wanted** állást keres *[hirdetésben]*; **be in a ~** alkalmazásban áll/van; **get a ~** elhelyezkedik; **be out of ~** nincs állása

situational [ˌsɪtʃuˈeɪʃnəl] *mn* helyzeti, helyzetet illető • *hsz* **situationally**

situation comedy *fn* **1.** helyzetkomikum **2.** helyzetkomikumra építő jelenet/tévéjáték

situation report *fn* helyzetjelentés

sit-up *fn sp* felülés *[basizomgyakorlat]*

sitz-bath [ˈsɪts bɑːθ, ˈzɪts– ‖ –bæθ] *fn* ülőfürdő

Sivaism [ˈʃiːvəɪzm] *fn vall* Siva-hit, Siva-kultusz, sivaizmus • *fn/mn* **Sivaite**

six [sɪks] **I.** *mn* hat **II.** *fn* **1.** hat(os), *sp* hatos ütés *[krikettben]*; *átv biz* **hit for ~** könnyen elintéz **2.** *átv szl* **big ~** nagy állat *[személyről]* **3.** *pénz* **~es** hatszázalékos kamatozású járadékok/kötvények **4.** *biz* **we are all** (v. **everything is) at ~es and sevens** minden szerteszéjjel/szanaszét van

sixain [ˈsɪkseɪn ‖ sɪkˈseɪn] *fn ir.tud* hatsoros vers

six-cylinder *mn* ~ **car** hathengeres kocsi

sixer [ˈsɪksə ‖ –ər] *fn* **1.** hat darabból álló sorozat **2.** *szl* ‹hathónapi börtönbüntetés› **3.** *sp* hatos ütés *[krikettben]* **4.** cserkészvezető *[hat csapaté]*

sixfold [ˈsɪksfould] **I.** *mn* hatszoros **II.** *hsz* hatszorosan, hatszorosára

six-gun *fn US biz* hatlövetű revolver/pisztoly

six-pack *fn* hat doboz/palack sör *[egy rekeszben]*

sixpence [ˈsɪkspəns] *fn GB* **1.** hat penny *[érték]* **2.** hatpennys (érme); *biz* **I haven't a ~** egy vasam sincs; **on a ~** kis helyen; könnyen és gyorsan

sixpenny [ˈsɪkspəni] *mn GB* hat pennybe kerülő, hat pennyt érő; ~ **bit/piece** hatpennys *[érme]*; → **sixpence 2.**

six-shooter *fn* hatlövetű revolver/pisztoly

sixte [sɪkst] *fn sp* szext *[vívásban]*

sixteen [ˌsɪksˈtiːn] **I.** *mn* tizenhat **II.** *fn* tizenhat(os) • *fn/mn* **sixteenth**

sixteenmo [ˌsɪksˈtiːnmou] *mn/fn nyomd* tizenhatod rét (ív)

sixteenth-note *fn zene* tizenhatod (hangjegy)

sixth [sɪksθ] **I.** *mn* **1.** hatodik; *GB okt* ~ **form** ‹angol középiskola legfelső osztálya kb. tizenhét-tizennyolc éves korú ifjak számára›; ~ **sense** hatodik érzék **2.** hatod **II.** *fn* **1.** hatod(rész) **2.** *zene* szext • *hsz* **sixthly**

sixth-former *fn GB okt* legfelső osztályos, végzős *[angol középiskolában]*

Sixtine [ˈsɪkstiːn] *mn* **a)** *vall* sixtusi **b)** *vall* V. Sixtus pápától való/eredő/származó

sixty [ˈsɪksti] **I.** *mn* hatvan **II.** *fn* hatvan(as); **the sixties** a hatvanas évek; **he is in his sixties** jó hatvanas, hatvanon felüli, hatvan és hetven között van/jár • *fn/mn* **sixtieth** *mn* **sixtyfold**

sixty-four-dollar question *fn US biz* döntő kérdés

sixty-fourth-note *fn zene főleg US* hatvannegyed (hangjegy)

sizable [ˈsaɪzəbl] *mn* **a)** jókora, jócska, meglehetős, terjedelmes **b)** arányos, jó formájú • *fn* **sizableness** *hsz* **sizably**

sizar [ˈsaɪzə ‖ –ər] *fn okt* ösztöndíjas diák *[Cambridge-ben]* • *fn* **sizarship**

size[1] [saɪz] **I.** *fn* **1.** méret, nagyság, szám, mérték *[cipőben stb.]*; **standard ~** szokványméret, szabványméret; **all of a ~** azonos/egyforma méretű/nagyságú; egyméretű; **be the ~ of sg** vmlyen méretű; **of some ~** meglehetősen nagy; **cut a piece to ~** méretre szab; **take the ~ of sg** méretet vesz vmről; **what ~ do you take?, what is your ~?** milyen méretű ruhát/cipőt hord?; *biz* **of all sorts of ~s** minden méretben/nagyságban/számban; **try on for ~** felpróbálja, hogy a nagyság/méret jó-e **2. a)** nagyság, terjedelem, kiterjedés, térfogat; **full/life/natural/real ~** életnagyság, természetes nagyság; **drawn full ~** életnagyságúra tervezett **b)** *biz* **that's about the ~ of it** nagyjából így áll a helyzet/

dolog **II.** *tsi* **1.** méret/nagyság szerint osztályoz **2. a)** kalibrál, szabályoz, beállít *[gépet]* **b)** méretre készít/kidolgoz • *fn* **sizer**

size up A. *tsi* felmér, felbecsül, kiértékel, mérlegel; ~ **up the facts** mérlegeli a tényeket/helyzetet; *US* ~ **up sg/sy** jól megnéz és véleményt formál vmről/vkről, felbecsül/felmér vmt/vkt; **sizing it up roughly** nagyjából, körülbelül (felbecsülve) **B.** *tni* nő, eléri a teljes nagyságot; ~ **up well** megüti a mértéket, állja az összehasonlítást

size² [saɪz] **I.** *fn* enyv, ragasztó(anyag), csiriz **II.** *tsi* **1.** enyvez, csirizel **2.** enyvvel fényesít, kezel *[papírt]*

sizeable [ˈsaɪzəbl] → **sizable**

size chart *fn* mérettáblázat *[ruhaneműek]*

sized [saɪzd] *mn összet* **fair/good-**~ kellő nagyságú/méretű, jókora; terjedelmes; **large-**~ nagyméretű; **medium/ middle-**~ közepes nagyságú, középméretű

size-stick *fn* lábmérce *[cipészé]*

size-up *fn* felmérés, felbecsülés

sizzle [ˈsɪzl] **I.** *fn* **1.** sistergés, sustorgás, sercegés **2.** izgalom, izgalmas helyzet **II. A.** *tni* **1.** sistereg, sustorog, serceg **2.** *biz* nagyon melege van; megsül **3.** *biz* fortyog, füstölög *[pl. dühében]* **B.** *tsi* megsüt, éget • *mn/hsz* **sizzling**

sizzler [ˈsɪzlˑə ‖ –ər] *fn szl* **1.** ‹kánikulai nap› **2.** ‹versenyautó› **3.** ‹merész bemondás›

sjambok [ˈʃæmbɒk ‖ –ˈbɑk] **I.** *fn Dél-Af* (rinocéroszbőrből készült) korbács **II.** *tsi Dél-Af* megkorbácsol

skate¹ [skeɪt] **I.** *fn* **1.** *sp* **a)** korcsolya; *GB biz* **get one's ~s on** siet, kapkod **b)** *biz* görkorcsolya; görkori **2.** *műsz* szán, csúszótalp *[gépen]* **II.** *tni* **1. a)** korcsolyázik; *biz* ~ **on thin ice** veszélyes helyzetben van, kockáztat **b)** *biz* görkorcsolyázik **2.** ~ **over sg** elsiklik vm felett, felületesen érint • *fn* **skater**, **skating**

skate² [skeɪt] *fn áll* rája

skate³ [skeɪt] *fn szl [ellenszenves* v. *becstelen ember]* szemét, mocsok

skateboard *fn sp* gördeszka • *fn* **skateboarder**, **skateboarding**

skate guard *fn* élvédő *[korcsolyán]*

skatepark *fn sp* görkorcsolyapálya

skating rink *fn* **1.** korcsolyapálya, műjégpálya **2.** görkorcsolyapálya

sked [sked] *US biz* → **schedule**

skedaddle [skɪˈdædl] **I.** *tni* **1.** *biz* nyakába szedi a lábát, elfut, meglép, meglóg, olajra lép; *biz* ~! nem mész innen!, tűnjön el! **2.** *biz* ész nélkül menekül **II.** *fn biz* **1.** gyors megfutamodás, hirtelen meglógás **2.** általános fejvesztettség/bomlás, ész nélküli futás

skeet [skiːt] *fn* **1.** *sp* agyaggalamb-lövészet **2.** *US* szúnyog

skeeter [skiːtə ‖ –ər] *fn US biz táj* szúnyog

skeg [skeg] *fn hajó* sarkantyú, *sp* szkeg *[szörfdeszkán]*

skein [skeɪn] *fn* **1. a)** gombolyag, fonalköteg **b)** *biz* **(tangled)** ~ zűrzavar, kavarodás; felfordulás, (politikai) bonyodalom **2.** csapat, raj

skeletal [ˈskelɪtl] *mn* **1.** csontvázszerű, csontváz-; ~ **growth** csontozat fejlődése; ~ **muscle** vázizomzat **2.** minimális, alapvető • *hsz* **skeletally**

skeleton [ˈskelɪtn] *fn* **1.** csontváz; *biz* **he is a living ~** csupa csont és bőr, valóságos csontváz; *átv biz* **the ~ at the feast** ünneprontó; *átv biz GB* **the ~ in the cupboard**, *US* **the ~ in the closet** rejtegetett/titkolt családi szégyenfolt **2.** *átv* váz, keret, tartószerkezet **3.** váz(lat) *[regényé, beszédé]* **4.** (csökkentett létszámú) keret • *tsi/tni* **skeletonize**

skeleton key *fn* álkulcs, tolvajkulcs

skeleton service *fn* alapszolgáltatás, minimális szolgáltatás

skeleton staff *fn* erősen lecsökkentett (számú) személyzet

skelf [skelf] *fn skót* **1.** szilánk **2.** *biz* kellemetlen ember

skelter [ˈskeltə ‖ –ər] *tni* siet, rohan, viharosan fúj *[szél]*

skep [skep] *fn* **a)** (fonott) kosár **b)** fonott méhkas

skepsis [ˈskepsɪs] → **scepsis**

skeptic [ˈskeptɪk] → **sceptic**

skepticism [ˈskeptɪsɪzm] → **scepticism**

skerry [ˈskeri] *fn skót* szirt, kőszál, magában álló szikla

sketch [sketʃ] **I.** *fn* **1. a)** vázlat, skicc *[festőé]* **b)** áttekintés, irodalmi vázlat, karcolat, kroki **c)** *kat* terepfelvétel, vázlatos térkép **d)** *műsz* tervvázlat, tervrajz **e)** *átv* körvonalazás, vázlat **2.** *szính* színpadi jelenet, szkeccs **3.** *biz* **he is a ~** micsoda figura! **II.** *tsi* **1. a)** (fel)vázol, leskiccel (vmt), vázlatot készít (vmről) **b)** tervvázlatot/tervrajzot/tervezetet készít (vmről) **2.** nagy vonásokban leír/elmond, vázlatosan ismertet, körvonalaz, áttekintést nyújt (vmről) • *fn* **sketcher**

sketch in *tsi* nagy vonásokban (fel)vázol/berajzol

sketch out *tsi* vázlatokat készít *[regényhez]*, (terv)vázlatot készít, vázlatosan ismertet *[tervet]*

sketchblock *fn* vázlattömb

sketchbook *fn* vázlatkönyv, vázlatfüzet, rajzfüzet

sketch map *fn* térképvázlat; vaktérkép

sketchy [ˈsketʃi] *mn* **1.** *biz* vázlatos, nagy körvonalakban vázolt, nagy vonalakban/vonásokban ecsetelt **2.** *biz* felületes, hevenyészett; ~ **knowledge** hézagos ismeret; ~ **notions** halvány fogalmak, bizonytalan elképzelés • *fn* **sketchiness** *hsz* **sketchily**

skew [skjuː] **I.** *mn* **1.** ferde, rézsútos; *épít* ~ **arch** ferde boltozat/(bolt)ív/boltozás; ~ **running** ferdeség, lejtősség; ~ **teeth** ferde fogazású **2.** *mat* kitérő; ~ **lines** kitérő (egyenesek) **3.** sanda, bandzsa **II.** *hsz* ferdén, rézsútosan **III.** *fn* **1.** ferdeség, rézsútosság, aszimmetria; **on the ~** ferdén, rézsútosan **2.** *mat* görbe felület **3.** *okt biz* buktató, fogas/nehéz kérdés *[vizsgán]* **IV. A.** *tsi* **1.** *épít* ferdít **2.** *átv* elferdít, torzít *[pl. eredményt]* **B.** *tni* **1.** ferdül, ferde irányba tart **2.** ~ **at sy/sg** görbe szemmel néz vkre/vmre **3.** *okt biz* megbukik, elvágódik • *fn* **skewness**

skewbald *mn* fehér-tarka *[ló]*

skewer [ˈskjuːə ‖ –ər] **I.** *fn* **1. a)** kis/rövid nyárs **b)** fémtű, hajtű **2.** *biz* kard, szurony **II.** *tsi* **1.** nyársra tűz/húz **2.** *főleg US* bírál; kipellengérez

skew-eyed *mn biz* kancsal, kancsi, bandzsa

skew-nail *tsi* ~ **sg to sg** ferdén odaszegez vmt vmhez

skew-whiff *hsz biz GB* ferdén, rézsútosan

ski [skiː] **I.** *fn tsz* **ski**, **skis** *sp* sí(léc), sítalp; **bind on the ~s** síléceket felcsatol **II.** *tni pt/pp* **skied** [skiːd] sízik, síel; **go ~ing** síelni/sízni megy

ski bag *fn gk* sízsák

ski-bindings *fn tsz* síkötés

ski-bob *fn sp* síbob • *fn* **ski-bobber**

ski boot *fn* síbakancs, sícipő

skid [skɪd] **I. -dd- A.** *tsi* **1.** megakaszt, megköt *[kereket]* **2.** csúsztat **3.** megperdít, kifaroltat *[kocsit]* **B.** *tni* **1. a)** *gk* megcsúszik, farol *[kocsi]*, egyhelyben forog *[kerék]*; ~ **across the road** megperdül az úttesten, kifarol **b)** *rep* farokcsúszóval farol **2.** *biz* téved, hibázik; nem sikerül neki **II.** *fn* **1.** *épít* ászokgerenda **2. a)** kerékkötő (lánc) *[járművön]*, dörzsfa, fékearu **b)** *rep* farokcsúszó **c)** *hajó* csúsztatósaru **3.** *gk* megcsúszás, farolás

skid-chain *fn gk* hólánc

skiddoo [skɪˈduː] *US* → **skedaddle**

skid-lid *fn GB szl* bukósisak

skidproof *mn gk* csúszásmentes

skid road *fn* **1.** *US* csúszda, rönkszállító út **2.** *főleg US Kan biz* ‹rönkszállítók és alkalmi munkások törzshelye›

skid row *fn US biz* rosszhírű (kül)városi utca

skier [ˈskiːə ‖ –ər] *fn* síelő, sízó, sífutó

skies [skaɪz] → **sky I.**

skiff [skɪf] *fn hajó* **a)** könnyű egyevezős versenycsónak, szkiff **b)** együléses kis csónak

skiffle [skɪfl] *fn zene* ‹egyfajta blues v. jazz elemekkel vegyített folkzene›

ski flying *fn sp* sírepülés

ski glasses *fn tsz* sízszemüveg

skiing [ˈskiːɪŋ] *fn* síelés, sízés

skiing goggles *fn tsz* sízszemüveg

ski instructor *fn* síoktató

ski-joring [ˈskiːdʒɔːrɪŋ] *fn sp* síjőring • *fn* **ski-jorer**

ski-jump *fn sp* **1.** síugrás **2.** síugrósánc • *fn* **ski-jumper, ski-jumping**

skilful ['skɪlfl] *mn* ügyes, gyakorlott, szakképzett, ötletes *[szerkezet, játékszer]*; **be ~ with one's hand** ügyeskezű • *fn* **skilfulness** *hsz* **skilfully**

ski lift *fn sp* sífelvonó, sílift

skill [skɪl] *fn* **1.** ügyesség, jártasság, hozzáértés, szakértelem, készség; **want/lack of ~** ügyetlenség, járatlanság, gyakorlatlanság **2.** szakismeret, szakképzettség, szakmai rutin • *mn* **skill-less**

skilled [skɪld] *mn* ügyes, jártas, gyakorlott, szakképzett, szakismerettel rendelkező; **~ help** begyakorlott segédmunkás; **~ labour** szakmunka; szakmunkás; **~ labourer/worker/workman** szakmunkás; **~ personnel** betanult/szakértő személyzet; **be ~ in doing sg** ügyes, jártas/gyakorlott vmben, jól ért vmhez

skillet ['skɪlɪt] *fn* **a)** nyeles serpenyő/lábos **b)** *US* tepsi

skillful ['skɪlfl] *US* → **skilful**

ski lodge *fn* síház

skilly ['skɪli] *fn GB* híg/vékony/zsírtalan leves, zupa, lötty

skim [skɪm] **I. -mm- A.** *tsi* **1.** lefölöz *[tejet]*, lehaboz *[levest]*; *átv biz* **~ the cream from sg** lefölöz vmt, leszedi vm javát/krémjét **2.** (könnyedén) érint, súrol *[felületet]* **3. a)** **~ a book** felületesen/gyorsan végiglapoz egy könyvet **b)** *biz* **~ a question** felületesen érint egy kérdést **4.** *US szl [eltitkol bevételt adóhatóság elől]* elsumákol **B.** *tni* **1. a)** elsuhan, tovasiklik **b)** gyorsan/felületesen átszalad/átlapoz, szemmel keresztülfut *[olvasmányon]*; **read carefully, don't ~** olvass gondosan, ne felületesen **2.** megfölösödik **II.** *fn* **1. a)** vmnek a föle, felszíni hártya **b)** lefölözött tej **2. take/have a ~ through a book** gyorsan átlapoz egy könyvet

skim along *tsi/tni* tovasiklik; **he ~s along the ice** tovasiklik a jégen

skim off *tsi* **1.** lefölöz *[tejet]*, lezsíroz *[levest]* **2.** *átv* lefölöz vmt, leszedi vmnek a javát

skim over A. *tsi átv* **~ over sg** átsiklik vm felett; **~ over the water** közvetlenül a víz színe fölött repül; **~ over a novel** felületesen/gyorsan átolvas/átfut egy regényt **B.** *tni* megfölösödik

skim through *tsi* felületesen/gyorsan átlapoz/átolvas *[olvasmányt]*

skimmer ['skɪmə ‖ –ər] *fn* **1.** szűrő/lefölöző/habszedő kanál, *épít* merítőkanál **2.** *biz* olvasmányt gyorsan átlapozó **3.** *áll* ollócsőrű (madár) **4.** *sp* földet érintő/súroló labda *[krikettben]* **5.** szalmakalap *[lapos nagy karimájú]* **6.** *közl* (vízen) sikló jármű **7.** *US* testhezálló ruha

skim milk *fn* lefölözött/szeparált/sovány tej

skimming ['skɪmɪŋ] *fn* **1.** lefölözés *[tejé]*, leszedés *[habé]* **2.** hab, tajték *[folyadék felszínén]*, salakréteg *[olvasztott fémen]* **3.** felületes átolvasás

skimming dish *fn* **1.** szűrő/lefölöző/habszedő kanál **2.** *szl* **a)** ‹lapos fenekű versenyjacht› **b)** ‹könnyű gyors motorcsónak›

skimmings ['skɪmɪŋz] *fn tsz* **1.** tejszín, föl, hab **2.** *gazd* (illegálisan) lefölözött nyereség

skimp [skɪmp] **I. A.** *tsi* **1.** fukarkodik, lefarag *[kiadásból, költségből]*, elspórol *[anyagot]*, szűk marokkal mér (vmt) **2.** *biz* **~ one's work** összecsapja a munkáját; szabotál **B.** *tni* fogához veri a garast, szűkösen él; **~ and scrape** nagy nehezen összekuporgat (vmlyen célra) **II.** *mn* hiányos; gyér; csekély **III.** *fn biz* hiányos öltözet

skimpy ['skɪmpi] *mn* **a)** fukar, szűkmarkú, spórolós **b)** szegényes, szűken mért, szűk(re szabott), hiányos, kicsi; **~ skirt** szűkre szabott szoknya; **~ meal** sovány koszt • *fn* **skimpiness** *hsz* **skimpily**

skin [skɪn] **I.** *fn* **1. a)** bőr; *orv* **outer ~** felbőr, felhám; **true ~** irha; *biz* **be mere** (v. **nothing but) ~ and bone** csont és bőr; *biz* **have a thick ~** vastag bőre van, érzéketlen; *biz* **have a thin ~** érzékeny, sértődékeny; **fear one's ~** félti a bőrét; **save one's ~** ép bőrrel megmenekül; *biz* **he cannot change his ~** nem bújhat ki a bőréből; **I shouldn't like to be in his ~** nem szeretnék a bőrében lenni; **jump out of one's ~ (for joy)** majd kiugrik a bőréből, alig fér a bőrébe *[örömében]*; **strip to the ~** anyaszült meztelenre vetkőzik/(le)vetkőztet; **get under sy's ~** vknek az idegeire megy, bőszít vkt; **with a whole ~** ép bőrrel, sértetlenül **b)** nyers/kikészített bőr *[kisebb állaté]*; **throw/cast its ~** levedlik, leveti a bőrét **c)** külső felület **d)** héj, kéreg **2.** bőrtömlő *[bornak]* **3.** *növ* tok *[magé stb.]*, héj *[gyümölcsé]*, burok, hártya, membrán **4. a)** *hajó rep* héj(azat) **b)** *rep* héjazat **5.** pille, hártya, bőr *[tejen]* **6.** pergamen *[kötés]* **7.** *vál* várt/remélt haszon **8.** *US szl [hamisjátékos]* svindler, szédelgő **9.** *US biz* zsugori, fösvény **10.** *szl [férfi]* fazon, főszer, fej, mócsing **11.** *szl [óvszer]* koton **12.** *US szl [tenyér, kéz]* jatt **13.** *szl* → **skinhead II. -nn- A.** *tsi* **1. a)** nyúz, lenyúz, megnyúz *[állatot]* **b)** *átv biz* **~ sy** kifoszt; megkopaszt, megnyúz **2.** (meg)hámoz, lehámoz *[gyümölcsöt]*, lehúz, eltávolít *[héjat]* **3.** *szl [legyőz, felülmúl]* lemos, leradíroz, lehengerel **4.** *szl [szorosan hátrafésül* v. *lesimít hajat]* lenyal **B.** *tni* **1. a)** leveti bőrét, vedlik **b)** *biz* testhez álló ruhadarabot levet/ledob magáról **2.** *orv* **~ over** bőr benövi; behegеd, beforr *[seb]* **3.** *US biz* meglép, meglóg, elinal **4.** *US biz* puskázik, csal • *mn* **skinless, skinlike**

skincare *fn* bőrápolás

skin-deep I. *mn átv* felületes, nem mély, felszínes, sekély *[tudás]* **II.** *hsz* felületesen, felszínesen

skin disease *fn orv* bőrbaj, bőrbetegség

skin diver *fn* könnyűbúvár, békaember • *tni* **skin dive** *fn* **skin diving**

skin flick *fn US szl* pornófilm *stand*

skinflint *fn biz* zsugori, fösvény, garasos/szűkmarkú/fukar ember

skin-food *fn* bőrtápláló (arc)krém

skin friction *fn rep* felületi súrlódás

skinful ['skɪnful] *fn GB biz* **a)** egy tele tömlő, tömlőnyi *[bor]* **b)** *biz* **he's got a good ~** ivott amennyi belefért

skin game *fn US szl ját átv [hamis fogás* v. *trükk]* megkopasztás, megnyúzás

skin graft I. *fn* **1.** *orv* kis bőrdarab *[átültetéshez]* **2.** bőrátültetés **II.** *tsi orv* átültet *[bőrt]*

skinhead *fn* **1.** *szl [bőrfejű, szkinhed]* kopasz **2.** *US* újonc *[haditengerészetnél]*

skin lotion *fn* arcvíz, arctisztító víz

skin magazine *fn szl* pornóújság *stand*

skinned [skɪnd] *mn* **1.** bőrrel fedett, bőrös **2. a)** (meg)nyúzott, lenyúzott; *biz* **have one's opponent ~** alaposan megkopasztja az ellenfelét *[játékban]* **b)** lehámozott, meghámozott *[gyümölcs]*; *US* **keep one's eyes ~** nyitva tartja a szemét, ébren/feszülten figyel; → **skin** II.

skinner ['skɪnə ‖ –ər] *fn* **1. a)** állatnyúzó, sintér **b)** *átv biz* csaló, embernyúzó **2. a)** szűcs, szőrmekereskedő **b)** tímár **3.** *vill* csupaszoló, kábelkés

skint [skɪnt] *mn GB szl [pénztelen]* leégett, szakadt, csóró

skin test *fn orv* bőrpróba, bőrreakció

skin tight *mn* testhezálló, feszülő, testhez tapadó *[ruha]*

skinny ['skɪni] *mn* **1.** csontos, sovány, szikár, vézna **2.** hártyás, bőrszerű **3.** szűkmarkú, fukar, fösvény, zsugori **4.** szűk, testhezálló *[ruha]*

skinny-dip *tni biz* meztelenül fürdőzik *[szabadban]*, nudizik • *fn* **skinny-dipper**

skip[1] [skɪp] **I. -pp- A.** *tsi* **1. a)** **~ (over/across)** átugrik, átugrál; **~ the rope** ugrókötelezik **b)** kihagy, elhagy, mellőz; **~ the dull parts of the book** átugorja a könyv unalmas részeit; *okt* **~ a form** ugrik egy osztályt **2.** *biz* hirtelen otthagy, faképnél hagy *[helyet]*, titokban meglép (vhonnan); **~ bail** kivonja magát az igazságszolgáltatás alól; *szl* **~ it** *[elmegy]* meglép, titokban otthagy; elhagy, vált *[témát]* **3.** *biz* kacsáztat követ *[vízen]* **B.** *tni* **1. a)** **~ (about)** ugrándozik, szökdécsel, fickándozik, ugrabugrál **b)** ugrókötelezik **c)** *távk* ugrik *[más frekvenciára]* **2. a)** **~ from one subject to another/~ from subject to subject** gyorsan váltogatja a témákat **b)** egyes részeken átugrik *[olvasás közben]* **3.** *okt* osztályt ugrik **II.** *fn* **1.** szökdécselés, fickándozás, ugrándozás; *sp* **hop, ~, and jump** hármasugrás **2. a)** *infor* kihagyás, átugrás *[szövegben]* **b)** kihagyott/kihagyható rész *[szövegből]* **c)** *zene* ugrás **3.** *távk* néma zóna, holtzóna

skip off *tni US biz* elpárolog, meglóg, megszökik

skip[2] [skɪp] *fn* billenőkocsi, csille, szkip, felvonóveder, *épít* szállító vödör/serleg

skip[3] [skɪp] *fn* **1.** *sp* csapatkapitány *[játékban]* **2.** → **skipper**[2]

skipjack *fn* **1.** *áll* pattanóbogár **2.** *US biz* kis vitorlás

ski-plane *fn* sítalpas repülőgép

ski pole *fn* síbot

skipper [ˈskɪpə ‖ −ər] **I.** *fn* **1.** *hajó* **a)** (hajós)kapitány *[kereskedelmi hajón]* **b)** *biz* **the ~** a kapitány *[csatahajón stb.]* **c)** jacht/vitorláshajó parancsnoka **d)** *rep* kapitány **2.** *sp biz* csapatkapitány **II.** *tni sp* csapatkapitányként tevékenykedik

skippet [ˈskɪpɪt] *fn tört* pecséttartó (doboz) *[okmányokra függesztve]*

skipping-rope *fn* ugrókötél

skip-rope *US* → **skipping-rope**

skip-stop *mn* nem minden állomáson megálló *[jármű]*

skip zone *fn távk* holtzóna

skirl [skɜːl ‖ skɜrl] **I.** *fn* **a)** sikolt(oz)ás, sivítás, visítás, rikoltó/sivító hang **b)** duda hangja, dudaszó **II.** *tni* **a)** sikoltoz, sivít, visít **b)** sikoltoz, szól, rikolt(oz), sivít, visít *[bőrduda]*

skirmish [ˈskɜːmɪʃ ‖ ˈskɜrmɪʃ] **I.** *fn átv* csatározás, csetepaté, összetűzés; **~ of wit** szellemi torna/párviadal **II.** *tni* **a)** *átv* összetűz, csatározik, csetepatézik **b)** *biz* **~ round** folyton jön-megy • *fn* **skirmisher**

skirr [skɜː ‖ skɜr] *tni* **1.** felrebben *[madár]* **2.** suhan, gyorsan fut

skirt [skɜːt ‖ skɜrt] **I.** *fn* **1. a)** szoknya, alj; **divided ~** szoknyanadrág; **full ~** bő/széles szoknya; *átv biz* **be always hanging on to sy's ~** el nem mozdul vknek a szoknyája mellől **b)** szárny *[kabáté]* **2.** *US szl [nő]* csaj; *pej* **bit of ~** csaj **3.** *tsz* **skirts** perem, szél *[városé]*, szegély *[felhőé]* **II. A.** *tsi* **1. a)** szegélyez, szélén halad/megy/fut *[vmnek]* **b) ~ the coast** part mentén halad *[hajó]* **2.** kerülget *[témát]* **B.** *tni* **the road ~s along/round the wood** az út az erdő szélén/körül vezet/visz • *mn* **skirted, skirtless**

skirt-chaser *fn* szoknyavadász

skirting [ˈskɜːtɪŋ ‖ ˈskɜrtɪŋ] *fn* **1.** szoknyaszövet, szoknyaanyag **2.** *épít* szegőléc, szegélyléc

skirting board [ˈskɜːtɪŋ bɔːd ‖ ˈskɜrtɪŋ bɔrd] *fn GB* → **skirting** 2.

ski run *fn sp* síterep, sípálya

ski-runner *fn* síelő, sífutó

ski stick *fn* síbot

ski suit *fn* síruha, sióltöny

skit [skɪt] **I.** *fn* **a)** rövid tréfás jelenet/írás, kabaréjelenet **b)** paródia **II. -tt- A.** *tsi* parodizál **B.** *tni* **~ at/on sy** kifiguráz/megcsipked vkt

skite [skaɪt] **I.** *fn* **1.** *Ausz ÚjZ biz* hencegő/nagyzoló ember **2.** *Ausz ÚjZ biz* hencegés, felvágás **3.** *skót* ivászat **II.** *tni Ausz ÚjZ szl [dicsekszik]* henceg, nagyzol, felvág

ski tow *fn* sífelvonó, sílift

ski train *fn* sílift

skits [skɪt] *fn tsz biz* egy halom/sereg/csomó; **~ of money** egy halom (v. nagy csomó) pénz; **there were ~ of them** nem volt se szeri, se száma

skitter [ˈskɪtə ‖ −ər] *tni* **1.** *biz* szedi a lábát, szalad, siet **2.** ‹horgász a víz felszínén cikcakkosan húzza a csalit›

skittish [ˈskɪtɪʃ] *mn* **a)** ijedős, nyugtalan, ideges, könnyen bokrosodó *[ló]* **b)** élénk, szökdécselő **c)** megbízhatatlan, szeszélyes, állhatatlan

skittle [ˈskɪtl] **I.** *fn sp* **1.** tekebábu, kuglibábu **2. (game of) ~s** teke(játék), kugli; **play at ~s** tekézik, kuglizik **II.** *tsi sp* **~ the pins** leüti a bábokat *[kugliban]*

skittle alley *fn sp* tekepálya, kuglipálya

skittle ball *fn sp* tekegolyó, kugligolyó

skittle pin *fn sp* tekebábu, kuglibábu

skive [skaɪv] **I. A.** *tsi* farag, gyalul, hasít **B.** *tni GB biz* **~ (off)** kihúzza magát *[kötelesség alól]*, lóg **II.** *fn* **a)** kötelesség kerülése; lógás **b)** könnyebb megoldás • *fn* **skiver**

skivvies [ˈskɪviz] *fn tsz US* atlétatrikó és alsónadrág

skivvy [ˈskɪvi] **I.** *fn* **1.** *US Ausz* garbó **2.** *GB pej* szolgálólány, szolgáló **II.** *tni biz* szolgáló(lány)ként dolgozik

ski wear *fn* síruha, síöltözet

skua [ˈskjuːə] *fn áll* rablósirály, halfarkas

skulduggery [skʌlˈdʌgəri] *fn biz* gyanús/piszkos/sötét ügy, suskus

skulk [skʌlk] **I.** *tni* **1. a)** lapul, lapít, összehúzza/meghúzza magát **b)** *biz* kihúzza magát *[veszélyes/kényelmetlen kötelesség alól]*, lóg *[veszély/kötelesség elől]* **2. a)** ólálkodik, settenkedik **b)** elsompolyog, eloldalog **II.** *fn* **1.** lapító **2.** lógós • *fn* **skulker**

skull [skʌl] *fn átv* koponya; **~ and cross-bones** halálfej *[kalózlobogón, orvosságosüvegen]*; *átv biz* **have a thick ~** kemény feje van; *szl* **out of one's ~** *[őrült]* dilis, *[részeg]* tintás • *mn* **skulled**

skullbanker *fn Ausz biz* csavargó

skullcap *fn* **1.** ‹kis kerek sapka› **2.** koponyatető

skull session *fn US szl* megbeszélés, értekezlet, konferencia

skunk [skʌŋk] **I.** *fn* **1.** *áll* bűzös borz **2.** szkunksz (szőrme) **3. a)** *biz* hitvány/aláváló fráter, piszkos csirkefogó **b)** *biz* **mean ~** zsugori alak/fráter **II.** *tsi* **1.** *US szl [legyőz, alaposan megver]* lemos, agyoncsap *[ellenfelet mérkőzésen, versenyen]* **2.** nem egyenlít ki *[számlát]*

sky [skaɪ] **I.** *fn* **a)** ég(bolt), mennybolt(ozat); **praise/laud sy/sg to the skies** vkt/vmt (az) egekig magasztal; **under the open ~** a szabad ég alatt; **the ~ is the limit** nincs korlátozás/plafon **b)** menny(ország), ég **II.** *tsi* **1.** *sp* magasra üt, felüt *[labdát teniszben, krikettben stb.]* **2.** (túlságosan) magasra akaszt *[képet]* • *mn* **skyey, skyless**

sky blue *mn/fn* égszínkék

skycap *fn szl* repülőtéri hordár

sky-clad *fn* anyaszült meztelen, ruhátlan

skydiving *fn* zuhanás csukott ejtőernyővel • *tni* **skydive** *fn* **skydiver**

Skye [skaɪ] *tul földr* Skye; **~ (terrier)** Skye terrier *[a skót terrier változata]*

skyer [ˈskaɪə ‖ −ər] *fn biz sp* pacsirta, felütött labda *[teniszben]*, felütés *[krikettben]*

sky-high I. *mn* égig érő, égbenyúló **II.** *hsz* (fel) az égig; **the bridge was blown ~** a hidat a levegőbe röpítették

skyjack I. *fn szl* (repülő)gépeltérítés, géprablás **II.** *tsi szl* repülőgépet eltérít/elrabol • *fn* **skyjacker**

skylab *fn* kozmikus laboratórium, űrlaboratórium

skylark I. *fn áll* mezei pacsirta **II.** *tni* mókázik, stiklit/heccet csinál

skylight *fn* mennyezetvilágítás, felülvilágító/rézsútos ablak, tetőablak

skyline *fn* **a)** látóhatár, szemhatár, az ég alja **b)** városszilуett, kontúr(vonal) *[városképé, épületé]*, az égre kirajzolódó körvonalak

skyrobatics [ˌskaɪrouˈbætɪks] *fn rep biz* műrepülés

skyrocket I. *fn* világítórakéta, jelzőrakéta **II.** *tni* (hirtelen) igen magasra felszökik, ugrásszerűen emelkedik *[ár]*

skyscraper *fn* felhőkarcoló

sky ship *fn rep* léghajó

sky-sign *fn* magasra szerelt fényreklám

skyward [ˈskaɪwəd(z) ‖ −wərd(z)], **skywards** *hsz* az ég felé, fel a magasba, fel az égbe

skyway *fn* **1.** *rep* légi út(vonal) **2.** *épít* (fedett) átjáró, összekötő folyosó *[épületek között]*

skywriting *fn* (repülőgéppel írt) füstírás, füstreklám • *tni* **skywrite** *fn* **skywriter**

slab [slæb] **I.** *fn* **1. a)** lap, tábla *[kőből, fémből]* **b) ~ of bread** szelet/karéj kenyér; **~ of cake** szelet sütemény; **~ of chocolate** tábla csokoládé; **~ of gingerbread** darab

mézeskalács **2.** kérges széldeszka **3.** *GB* ravatal **II.** *tsi* **-bb- 1. a)** ~ **timber** rönköt felfűrészel *[száldeszkákra]* **b)** ~ **marble** márványból lapot vág **2.** lapokkal burkol/fed
slab-sided *mn biz* nyurga, cingár, hórihorgas
slack[1] [slæk] **I.** *mn* **1. a)** laza, megereszkedett *[kötél]*, puha, petyhüdt, ernyedt *[izom]*, lazára/puhára engedett, tág *[öv]*; ~ **suit** női nadrágkosztüm; férfi sportzakó és nadrág; *nyelv* ~ **vowel** széles ejtésű magánhangzó; *biz* **get to look very** ~ elformátlanodik, kimegy a formájából *[nő]* **b)** gyenge, erőtlen, bágyadt, *átv* puha *[kéz]*, kókadt, lankadt, ernyedt; ~ **oven** gyenge/lassú tűz *[sütéshez]*; ~ **weather** lagymatag idő(járás); **keep a ~ hand on sg** gyenge kézzel kormányoz/igazgat vmt; **feel** ~ ernyedt, kókadt, nyomott **2.** hanyag, lanyha, gondatlan; **be ~ at one's work** hanyagul/lélektelenül végzi a dolgát; **be ~ in/about doing sg** nem erőlteti meg magát vmvel **3. a)** lassú, vontatott *[tempó]*, lomha, tunya; ~ **sea** mozdulatlan tenger *[apály és dagály között]*; ~ **water** lassú/pangó víz **b)** lanyha, pangó *[piac, forgalom]*; ~ **hours** csökkent forgalmú órák; ~ **season** holtszezon; ~ **time** pangás; **spend a ~ morning** dologtalanul tölt el egy délelőttöt **4. a)** ~ **bread** ragacsos/szalonnás/csirizes kenyér **b)** ~ **lime** oltott mész **II.** *fn* **1.** laza/megereszkedett/lógó/lötyögő rész *[kötélé]*; *átv* **seize sy by the ~ of his trousers** elkapja vknek a frakkját **2.** megereszkedés, lazulás, lazaság, belógás *[kötélé]*, *műsz* (holt)játék, kotyogás; *műsz* **take up the** ~ (holt)játékot megszüntet/kiküszöböl **3.** mozdulatlan tenger **4. a)** pangás; **dead** ~ holtidény **b)** *biz* lazsálás, tétlenség, pihenés, lustálkodás, semmittevés **5.** *tsz* **slacks** *biz* (bő) pantalló **III. A.** *tsi* **1.** mérsékel, csökkent *[tevékenységet]*, lassít *[iramot]*; *biz* ~ **it** (el)lazsál **2.** meglazít, megereszt, kienged *[kötelet]* **3.** ~ **lime** meszet olt **B.** *tni* **1. a)** (meg)lazul, enged, (ki)tágul *[kötél]* **b)** lazán lóg, belóg *[kötél]* **2.** *biz* ~ **(about)** lazsál, lustálkodik, pihen, nem csinál semmit **IV.** *hsz* lassan, lomhán; **hang** ~ nem feszül meg, nincs megfeszítve/meghúzva *[kötél]*; lóg, belóg; **row** ~ kényelmesen evez • *fn* **slackness** *hsz* **slackly**
slack off *tni* csökkenti az iramot *[munka befejezése előtt stb.]*, lanyhul, lankad *[érzelmekben]*
slack up *tni* (le)lassít *[vonat]*
slack[2] *fn* **a)** hulladékszén, aprószén, széntörmelék **b)** szénpor; **compressed** ~ brikett
slacken [ˈslækən] **A.** *tsi* **1. a)** lassít *[tempót, lépteket]*, csökkent *[sebességet]* **b)** gyöngít *[ellenállást]*, enyhít *[szigort]*, mérsékel *[buzgalmat]* **2.** meglazít, kiereszt, kienged *[kötelet]*, elernyeszt *[izmokat]*, *műsz* játékot enged (vmnek) **B.** *tni* **1. a)** gyengül, csökken, lankad, lanyhul, lassul *[iram]* **b)** lanyhul, lankad *[buzgalom]*, pang *[üzlet]* **c)** ~ **off/up** lazsálni kezd, lanyhul az igyekezete **2.** meglazul, megereszkedik *[kötél]*, elernyed *[izom]* **3.** oldódik *[mész]*
slacker [ˈslækə ‖ −ər] *fn* munkakerülő, lógós
slack-rope *fn* (lazán kifeszített) kötél *[kötéltáncosnak]*; **perform on the** ~ kötélen táncol, kötéltáncos-mutatványokat végez
slag [slæg] **I.** *fn* **1.** *fémip* (szálas) salak *[fémes ércé]* **2.** *GB szl [prostituált]* ribanc; riherongy, lotyó, kurva **3.** *GB szl [semmirekellő, haszontalan alak]* szemét, tetű, görény **II. -gg- A.** *tsi GB szl* ~ **(off)** *[kritizál]* lepocskondiáz; lehúz, (le)fikáz **B.** *tni fémip* salakosodik, salakossá válik • *mn* **slaggy**
slag wool *fn* salakgyapot
slain [sleɪn] → **slay**[1]
slake [sleɪk] **A.** *tsi* **1.** (el)olt *[tüzet, szomjat]*, kielégít, csillapít *[bosszúszomjat stb.]*; ~ **one's thirst** szomját (el)oltja/csillapítja **2.** olt *[meszet]* **B.** *tni* oldódik *[mész]* • *mn* **slak(e)able**, **slakeless**
slaked lime *fn* oltott mész
slalom [ˈslɑːləm] *fn sp* műlesiklás, szlalom; **giant** ~ óriás-műlesiklás
slam [slæm] **I. -mm- A.** *tsi* **1. a)** bevág, becsap *[ajtót]*, lecsap *[fedelet]*; ~ **a door (to)**, ~ **(to) a door** ajtót becsap/bevág; ~ **the door in sy's face** bevágja/becsapja vk orra előtt az ajtót; ~ **one's hand on the table** az asztalra csap/vág; ~ **a book (down) on the table** könyvet asztalra vág **b)** *szl [megüt]* bever vknek **c)** *szl [könnyen legyőz]* kiüt **2.** *szl [élesen megbírál]* leszól, leránt **B.** *tni* **1.** ~ **(to)** becsapódik, nagy zajjal bevágódik *[ajtó]*; lecsapódik *[fedél]* **2.** *ját* szlemmet csinál **3.** (ki/be)viharzik *[szobába]* **II.** *fn* **1.** (be)csapódás *[ajtóé, fedélé]* **2.** *szl [éles, kegyetlen bírálat]* lerántás **3.** *ját* szlemm; *sp* **grand** ~ nagy szlemm *[bridzsben, teniszben]* **4.** *US szl [börtön]* sitt
slambang I. *mn biz* **1.** lenyűgöző, izgalmas **2.** energikus **II.** *hsz* nagy zajjal (becsapva/becsapódva)
slammer [ˈslæmə ‖ −ər] *fn szl* **(the)** ~ *[börtön]* sitt
slander [ˈslɑːndə ‖ ˈslændər] **I.** *fn* rágalmazás, becsületsértés *[szóban]*, rágalom **II.** *tsi* (meg)rágalmaz, gyaláz, hírbe kever • *fn* **slanderer**
slander-monger *fn* rágalmazó (v. másokat megszóló) ember
slanderous [ˈslɑːndərəs ‖ ˈslæn−] *mn* rágalmazó, becsületsértő; ~ **tongues** rossz nyelvek • *hsz* **slanderously**
slang [slæŋ] **I.** *fn* **a)** szleng, argó, tolvajnyelv, jassznyelv; **doctor's** ~ orvosi (szakmai) zsargon/tolvajnyelv **b)** ~ **(word/expression)** tolvajnyelvi/jassz(nyelvi) szó/kifejezés **II.** *tsi biz* mindennek elmond, lehord, leteremt (vkt), szidalmaz, becsmérel, pocskondiáz (vkt); *GB biz* **~ing match** kölcsönös szidalmazás
slangster [ˈslæŋstə ‖ −ər] *fn biz* tolvajnyelvet/jassznyelvet használó/kedvelő egyén
slanguage [ˈslæŋgwɪdʒ] *fn szl biz tréf* jasszos beszéd
slangy [ˈslæŋi] *mn* **a)** szlenget beszélő, jasszkifejezéseket használó **b)** szleng kifejezésekkel teletűzdelt *[stílus]*, jassz *[szó]*, zsargon *[kifejezés]* • *fn* **slanginess** *hsz* **slangily**
slant [slɑːnt ‖ slænt] **I. A.** *tsi* **1.** megdönt, elferdít, ferdére állít, lejtőssé tesz **2.** vmlyen beállítást/célzatot ad (vmnek), vmlyen cél érdekébe állít (vmt) **B.** *tni* dől, ferdén/rézsútosan áll, lejt **II.** *fn* **1. a)** dőlés, lejtősség, ferdeség, lejtés, ereszkedés; **on a/the** ~ ferdén, rézsútosan; oldalvást **b)** lejtő, ereszkedő **2.** szempont, szemszög, álláspont; ~ **of life** életfelfogás, beállítottság; **get sy's ~ on a question** megtudja/megismeri vknek az álláspontját egy kérdéssel kapcsolatban **III.** *mn* ferde dőlt, rézsútos • *mn* **slanted**, **slanting**
slant-eye *fn szl tabu* ázsiai ember; ferdeszemű
slant-eyed *mn* ferde szemű
slantways [ˈslɑːntweɪz ‖ ˈslænt−] *hsz* ferdén, rézsútosan, dőlten
slantwise [ˈslɑːntwaɪz ‖ ˈslænt−] → **slantways**
slap [slæp] **I. -pp- A.** *tsi* **a)** megüt, megcsap *[tenyérrel]*; ~ **sy's face** vkt pofon üt/vág; **he ~ped his forehead** a homlokára csapott; *átv* ~ **sy on the back** megveregeti vknek a vállát, gratulál; ~ **together** összecsap, összetákol **b)** ~ **sg down** (i) lecsap/levág vmt (ii) leszid, lehord; ~ **one's hat on(to) one's head** kalapját fejébe csapja **B.** *tni* üt, (oda)csap **II.** *fn* **1.** ütés, csapás *[tenyérrel]*; *átv* **a ~ in the face** pofon, arculcsapás; *biz* **have a ~ at sy** megcsap/meglegyint vkt; **a ~ on the back** gratuláció **2.** *műsz* kopogás, kotyogás *[motorhengerben]* **3.** *GB biz szl* ~ **and tickle** könnyed csókolódzás, ölelkezés **III.** *hsz* egyenest, hirtelen, egyszerre; **run ~ into sy/sg** egyenest beleszalad vkbe/vmbe; **hit sy ~ in the eye** pontosan/épp a szeme közé vág vknek; **tell sy ~ out that** (kerek-perec) megmondja vknek, hogy
slap bang *hsz biz* **1.** nagy dérrel-durral, hangosan; *biz* ~ **shop** kifőzde, étkezde **2.** pontos(an); ~ **in the middle** pont(osan) a közepébe/közepén
slap-dash I. *mn* **a)** *biz* hirtelen, elsietett, összevissza, gondatlan *[munka, eljárás]*; *biz* ~ **work** felületes/összecsapott munka; *biz* **do sg in a ~ manner** sebtiben/elsietve csinál vmt **b)** *biz* kapkodó, szeles, könnyelmű; *biz* ~ **worker** kontár **II.** *hsz biz* hirtelen(ül), kapkodva, sebtiben **III.** *fn biz* elsietett/rendetlen munka

slap-happy *mn biz* **1.** *US* kapott ütésektől kábult *[bokszoló]*; roggyant **2. a)** nemtörődöm, gondatlan **b)** viharosan/féktelenül jókedvű
slaphead *fn szl pej [ritka v. rövid hajú ember, kopasz]* seggig érő homlok
slapjack *fn US* palacsinta
slapper ['slæpə ‖ –ər] *fn GB szl [erkölcstelen nő]* lotyó, ribanc
slapping ['slæpɪŋ] **I.** *mn biz* nagyon nagy/jó/gyors **II.** *fn* **1.** ütés, verés **2.** csattanás
slapstick *fn* **1.** bohóc/báb fakardja, bot **2.** börleszk, helyzetvígjáték
slap-up *mn* **1.** *GB biz* pazar, remek, nagyszerű, klassz **2.** *biz* (ultra)modern
slash [slæʃ] **I. A.** *tsi* **1. a)** (be)hasít, felhasít, felmetsz, bevág, megvág, összeszabdal **b)** hasít, vág *[nyílást, lyukat]* **2. a)** végigvág, végighúz (vkn, vmn), rásuhint (vkre, vmre) **b)** suhogtat, pattogtat, durrogtat *[ostort]* **3.** *biz* kritizál; leránt, levág, lehúz **4.** *biz* megnyirbál, cenzúráz *[beszédet]* **5.** megnyirbál, csökkent, leszállít *[fizetést]*, levág (vmből); **~ prices** árakat mélyen leszállít **B.** *tni* **1.** vagdalkozik, (összevissza) csapkod; **~ at sy** csapkod vk felé, vagdalkozik vk ellen **2.** *GB szl [vizel]* pisál, hugyozik, brunzol **II.** *fn* **1.** (oda)vágás, (oda)csapás, (végig)vágás, suhintás *[ostorral]*; **~ with a scythe** kaszavágás; **give a horse a ~** lóra rávág/rácsap **2. a)** vágás, (vágott) seb, sebhely, forradás *[arcon]* **b)** hasíték, bevágás *[ruhán]* **3.** *tsz* **slashes** *US* fahulladék, hulladékfa **4.** *GB szl [vizelés]* hugyozás, brunyálás, brunzolás
slashed [slæʃt] *mn* **1.** összekaszabolt, forradásos *[arc]* **2.** hasított *[ruhaujj, szoknya]*
slasher ['slæʃə ‖ –ər] *fn* **1.** *biz* kard, kés **2.** *biz* vagdalkozó ember **3.** *biz* kritika; levágás, lerántás
slasher movie *fn szl* ‹véres gyilkosságokról szóló film›
slashing ['slæʃɪŋ] *mn* **1.** éles, kemény, könyörtelen *[kritika]* **2.** *biz* pompás, remek, nagyszerű, klassz
slat [slæt] *fn* **1. a)** zsindely, keskeny fémlap/fémlemez **b)** zsalugáterléc **2.** *szl* **the ~s** a bordák *stand*
slate[1] [sleɪt] **I.** *fn* **1. a)** *geol* pala **b)** *épít* (tetőfedő)pala, palalemez **2.** *GB Írorsz átv biz* **have a ~ loose/off** hiányzik egy kereke; kicsit dilis **3.** palatábla; *átv biz* **clean ~** tiszta lap; jó hírnév, tiszta előélet; *átv biz* **clean the ~** fátyolt borít a múltra; *GB biz* **on the ~** hitelbe **4.** palaszürke (szín) **5.** *US* (választási) jelöllőlista **II.** *tsi* **1.** palával fed/borít **2.** *US* jelöl, megválasztásra javasol, kiszemel **3.** *US* megszervez, tető alá hoz • *fn* **slating** *mn* **slaty**
slate[2] [sleɪt] *tsi főleg GB biz* leránt, lehúz, csepül *[művet kritikus]*
slate blue *mn/fn* palakék, palaszürke
slate grey *mn/fn* palaszürke
slater ['sleɪtə ‖ –ər] *fn* palafedő munkás
slather ['slæðəz ‖ 'slæðərz] *fn* **1.** *Ausz ÚjZ szl* **open ~** ‹amikor mindent meg szabad tenni› **2.** *tsz* **~s** *US biz* rengeteg, tömérdek, nagy csomó
slating[1] ['sleɪtɪŋ] *fn* **a)** palafedés, palaburkolás *[folyamata]* **b)** palafedél
slating[2] ['sleɪtɪŋ] *fn biz* **a)** éles/könyörtelen bírálat **b) get a severe ~** jó alaposan lehordják
slatted ['slætɪd] *mn* bedeszkázott, deszkával burkolt, lécezett
slattern ['slætən ‖ –ərn] *fn* ápolatlan nő, elhanyagolt külsejű nő • *mn* **slatternly**
slaughter ['slɔːtə ‖ –ər] **I.** *fn* **a)** (le)vágás, leölés *[vágóhídon]* **b)** mészárlás, öldöklés, (tömeg)pusztítás *[emberek stb. között]* **II.** *tsi* **a)** (le)vág, leöl, letaglóz, leüt *[állatot vágóhídon]* **b)** *átv biz* **~ an opponent** ellenfelet tönkrever **c)** (le)mészárol, leöldös, tömegesen pusztít *[embereket, vadat]*; *átv biz* **~ candidates wholesale** vizsgázók között nagy mészárlást rendez *[tanár]*
slaughterer ['slɔːtərə ‖ –ər] *fn* **a)** mészáros, vágólegény, böllér **b)** vérengző, tömeggyilkos, mészárló
slaughterhouse *fn* **a)** vágóhíd **b)** *átv* vágóhíd, mészárszék
Slav [slɑːv] *mn/fn* szláv
slave [sleɪv] **I.** *fn* **1.** rabszolga; **white ~** leánykereskedelem áldozata **2.** *átv* **be sy's ~** rabszolgája vknek; **be the ~ of sg, be a ~ to sg** rab(szolgá)ja vmnek; **be a ~ to duty** a kötelesség rabja; **be a ~ of fashion** rabja/hódol a divatnak; **be the ~ of/to a passion** rabja/hódol egy szenvedélynek **II.** *tni* robotol, gürcöl, agyondolgozza magát; **~ away at sg** robotol vmn, agyondolgozza magát vmvel
slave-bangle *fn* karperec *[felkaron]*
slave-born *mn* rabszolgasorban született, rabszolgáktól származó
Slave Coast *tul földr tört* **the ~** a Rabszolga-part
slave driver *fn* rabszolga-felügyelő, rabszolgahajcsár • *tsi* **slave-drive**
slave-holder *fn* rabszolgatartó
slave labour *fn* **1.** rabszolgamunka **2.** kényszermunka
slave machine *fn infor* szolgagép
slave market *fn* rabszolgapiac
slave mode *fn infor* kiszolgáló üzemmód
slaver[1] ['slævə ‖ –ər] *fn tört* **1.** rabszolga-kereskedő **2.** rabszolga(szállító) hajó
slaver[2] ['sleɪvə ‖ –ər] **I.** *fn* **1.** nyál **2.** *biz* talpnyalás, otromba hízelgés **3.** badarság, zagyva beszéd **II. A.** *tsi* **1.** benyálaz, összenyálaz (vmt), nyálat csorgat (vmre) **2.** *biz* nyalja a talpát (vknek) **B.** *tni* nyáladzik, folyik a nyála; *átv* **~ over sg** nyálát csorgatja vmre
slavery ['sleɪvəri] *fn* **1. a)** rabszolgaság; **sell sy into ~** vkt rabszolgának elad **b)** *átv* rabszolgaság, rabság, hódolás *[pl. szenvedélynek]* **2. a)** rabszolgatartás **b)** rabszolgarend(szer) **3.** *biz* robot(olás), lélekölő/kimerítő munka, gürcölés, strapa
slave ship *fn tört* rabszolga-kereskedő/rabszolgaszállító hajó
Slave State *fn US tört* rabszolgatartó állam *[1865 előtt]*
slave trade *fn tört* rabszolga-kereskedelem • *fn* **slave-trader**
slavey ['sleɪvi] *fn GB biz* fiatal mindenes(lány)
Slavic ['slɑːvɪk, 'slæ–] *mn/fn* szláv
slavish ['sleɪvɪʃ] *mn* **1.** (rab)szolgai *[alázat]*; **~ imitation** szolgai utánzás **2.** kimerítő, fárasztó *[feladat]* • *fn* **slavishness** *hsz* **slavishly**
Slavonic [slə'vɒnɪk ‖ –'vɑ–] **I.** *mn* **1.** szláv **2.** szlavón(iai) **II.** *fn* szláv (nyelv)
slavophil ['slævəfɪl] *mn/fn* szlávbarát, szlavofil
slavophile ['slævəʊfɪl, –faɪl] → **slavophil**
slavophobe ['slævəfəʊb] *mn/fn* szlávgyűlölő, szlávfaló
slaw [slɔː] *fn US Kan* káposztasaláta, gyalult/vagdalt káposzta
slay [sleɪ] *pt* **slew** [sluː], *pp* **slain** [sleɪn] **A.** *tsi* **1. a)** *vál* elpusztít, megsemmisít *[embert]*; **the slain** a holtak, az elesettek **b)** *US* meggyilkol, megöl **2.** *szl* ‹elkápráztat, elcsábít férfit v. nőt› **B.** *tni* öl, pusztít
SLBM *röv* **1.** *sea-launched ballistic missile* **2.** *submarine-launched ballistic missile*
sleazeball ['sliːzbɔːl] *fn szl [ellenszenves v. visszataszító ember]* mocsok, szemét, tetű
sleazy ['sliːzi] *mn* **1.** *tex* laza, foszlós, gyenge tartású **2.** *átv* felületes, gyenge, olcsó **3.** *szl [piszkos]* mocskos, retkes, dzsuvás • *fn* **sleaziness** *hsz* **sleazily**
sled [sled] **I.** *fn US* szán(kó), ródli **II.** *tni* **-dd-** *US* szánkózik, szánon utazik
sledding ['sledɪŋ] *fn US* **a)** szánkózás **b)** szánkázás; *biz* **hard ~** *[nehéz, kemény munka]* favágás, gürcölés; *biz* **smooth ~** könnyedén végezhető munka
sled dog *fn* szánhúzó kutya
sled-dog race *fn sp* szánhúzóverseny
sledge[1] [sledʒ] **I.** *fn* **a)** *GB* szán **b)** szánkó **II. A.** *tsi* **a)** *GB* szánon visz/szállít **b)** szánkón húz/visz **B.** *tni GB* szánon utazik/megy, szánkázik, szánkózik
sledge[2] [sledʒ] *fn* → **sledgehammer**
sledgehammer *fn* kőtörő kalapács, nehéz kovácskalapács, pöröly

S

sleek [sli:k] **I.** *mn* **1. a)** sima, fényes *[haj]*; ~ **horse** fényes/csillogó szőrű ló **b)** jólfésült, kicsípett *[ember]* **c)** *átv pej* sima, simulékony, mézesmázos *[modor]* **2.** jó erőben/színben levő *[ember]*, jól táplált, jól tartott, kigömbölyödött *[állat]* **3.** *biz* elsőrendű **II.** *tsi* lesimít, lekefél, *[hajat]*, ragyogóra/simára kefél *[szőrt]* • *fn* **sleekness** *mn* **sleeky** *hsz* **sleekly**

sleep [sli:p] **I. 1.** *fn* alvás, álom *[mint állapot]*; *vál* **the last ~, the ~ that knows no waking, the ~ of death** örök álom; **broken ~** zaklatott álom; **dead/heavy ~** nagyon mély álom; **sound ~** egészséges/mély álom; **short ~** szunyókálás, szundítás; **winter ~** téli álom; **get some ~** szunyókál/szundít egyet; **have a good ~** nagyot/jót alszik; **have one's ~ out** kialussza magát; **I didn't have a wink of ~ all night** egész éjjel le sem hunytam a szemem; **we lose ~ over it** nem tudunk tőle/miatta aludni; **rouse sy from his ~** vkt álmából felébreszt/felver; **talk in one's ~** álmában beszél; **walk in one's ~** alva jár, holdkóros; **fall into a deep/sound ~** egészséges/mély álomba merül; **come out of one's ~** (álmából) felébred; **drop off to ~** elalszik; **get to ~** elalszik; **go to ~** elalszik; elzsibbad *[végtag]*; **go to ~ over sg** elalszik vmn; piszmog vmvel; **put sy to ~** (i) vkt lefektet és elaltat, *orv* elaltat (ii) *szl [megöl]* vkt örökre elaltat, vkt a másvilágra küld (iii) *szl [kiüt, leüt]* kifektet, lecsap; **put sy's suspicions to ~** elaltatja vknek a gyanúját; **be overcome with ~** elnyomja a(z) álom **2.** csipa **II.** *pt/pp* **slept** [slept] **A.** *tni* **1. a)** (el)alszik; **~ soundly** mélyen alszik; **~ tight/well!** szép álmokat!; **~ like a log** alszik mint a bunda/tej; **~ over/** (up)on it alszik rá egyet; **~ with one eye open** éberen alszik **b)** alszik, nyugszik, pihen *[sírban]*; **~ with one's fathers** megtért atyáihoz **c)** pihen, nyugszik *[kard hüvelyében]* **d)** *növ* sziromlevelei becsukódnak **2. a)** hál, megszáll (vhol); **~ at an hotel** az éjszakát szállodában tölti; **~ rough** a szabad ég alatt alszik **b)** → **sleep with B.** *tsi* **1. a)** alszik *[vmennyit, vhol]*; **~ the ~ of the just** az igazak álmát alussza **b) ~ oneself sober** kialussza a mámorát/részegségét **2.** *biz* éjszakára szállást ad (vknek); **hotel that can ~ 400 people** 400 ágyas szálloda; **we can dine them and ~ them** nálunk vacsorázhatnak és alhatnak

sleep around *tni biz* mindenkivel lefekszik, (sűrűn) váltogatja nemi partnereit

sleep away *tsi* **~ the hours away** átalussza az időt; folyton alszik; **~ one's life away** átalussza az életét

sleep in *tni* **1.** bennalszik *[munkahelyén]* **2.** elalszik, nem ébred fel *[kellő időben]* **3. ~ in the Lord** pihen az Úrban

sleep off *tsi* kialszik *[fejfájást, részegséget]*; *biz* **~ it off** kialussza a mámorát/részegségét

sleep on A. *tsi* **~ on sg** alszik rá egyet **B.** *tni* tovább alszik

sleep out *tni* **a)** házon kívül alszik, nem alszik otthon **b)** nem alszik bent/ott *[munkahelyén]*

sleep through *tsi biz* tovább alszik *[zaj stb. közepette]*

sleep up *tni US* alvást (ki)pótol; → **sleep-up**

sleep with *tni* **~ with sy** lefekszik vkvel, vkvel hál

sleep disorder *fn orv* alvászavar

sleeper [ˈsli:pə ‖ –ər] *fn* **1.** alvó; **be a heavy ~** mélyen alszik; **be a light ~** éber alvó **2. a)** *gazd biz* csendestárs **b)** *biz* (nem aktív) kém **3.** *biz* **a)** (vasúti) hálókocsi **b)** ágy, hálóhely, fekhely *[hálókocsiban]*; **book a ~** hálókocsijegyet vált **4. a)** *épít* ászokfa, küszöbfa **b)** *GB vasút* talpfa **5. a)** kezeslábas hálóruha **b)** bébihálózsák **6.** *biz* ‹az észrevétlenségből sikeressé váló dolog/vállalkozás/könyv/film›; (eddig) szunnyadó tehetség **7.** *GB* próbafülbevaló, ideiglenes fülbevaló **8.** *tsz* **sleepers** *gyerm* csipa

sleep-in *mn* bennalvó, ott lakó *[alkalmazott]*

sleep-inducing *mn* álomhozó, (el)álmosító, altató

sleeping [ˈsli:pɪŋ] **I.** *mn* **1.** alvó; **S~ Beauty** Csipkerózsika; **~ doll** alvóbaba; *közm* **let ~ dogs lie** ne bántsd az alvó oroszlánt! **2.** *gazd* **~ account** alvó/holtszámla, (hosszú ideje) forgalom nélküli számla **II.** *fn* alvás

sleeping bag *fn* hálózsák

sleeping car *fn vasút* **1.** hálókocsi **2.** fekvőkocsi, couchette

sleeping carriage *fn GB* → **sleeping car**

sleeping draught *fn* álomital, altató(szer)

sleeping partner *fn GB* csendestárs

sleeping pill *fn* altató (tabletta)

sleeping policeman *fn GB közl* fekvőrendőr

sleeping quarters *fn tsz* hálóterem, hálószobák, hálóhelyek, hálóhelyiségek

sleeping sickness *fn orv* afrikai álomkór

sleeping suit *fn GB* ‹kezeslábas főleg gyermeknek› pizsama

sleep-learning *fn* alvatanulás

sleepless [ˈsli:pləs] *mn* **1. a)** álmatlan(ul töltött), átvirrasztott *[éjszaka]* **b)** álmatlanságban szenvedő **2. a)** sosem lankadó *[elme]*, fáradhatatlan *[gondoskodás]*, olthatatlan *[gyűlölet]*, kifogyhatatlan *[energia]*, éber *[őrködés]*, lankadatlan *[buzgalom]* **b)** *vál* örökké háborgó, nyugtalan *[tenger]* • *fn* **sleeplessness** *hsz* **sleeplessly**

sleep-out *fn* **1.** kirándulás szabadban való alvással **2.** *Ausz ÚjZ* külső hálóhelység, veranda

sleep-talker *fn* álmában beszélő *[ember]*

sleep-up *fn US* **have a ~** kialussza magát; → **sleep up**

sleepwalk *tni* álmában jár

sleepwalker *fn* alvajáró, holdkóros

sleepy [ˈsli:pi] *mn* **1.** *átv* álmos; **~ look** álmos tekintet/arckifejezés; **a ~ little town** csendes/álmos/unalmas kis város; **grow ~** elálmosodik, rájön az álmosság; **make sy ~** vkt elálmosít **2.** (el)álmosító *[szónoklat stb.]* • *fn* **sleepiness** *hsz* **sleepily**

sleepyhead *fn biz* álmos/aluszékony ember/gyermek, álomszuszék, hétalvó

sleepy sickness *fn GB orv* járványos vírusos agyvelőgyulladás

sleet [sli:t] **I.** *fn* **1.** havas eső, dara, *US* ólmos eső **2.** *US* vékony jégréteg *[úton]* **II.** *tni* **it ~s** *GB* dara (v. havas eső) esik, *US* ólmos eső esik • *mn* **sleety**

sleeve [sli:v] *fn* **1.** (ruha)ujj, kabátujj, inguijj; **action-swing ~** bő/kényelmes ujj *[sportöltözéken]*; **roll/turn up one's ~s** felgyűri az inge ujját, nekigyürkőzik; **laugh up one's ~** a markába nevet; **have sg up one's ~** van még vm a tarsolyában **2.** *műsz* (vezető)hüvely, persely; **~ of the cylinder** hengerbetét, hengerpersely **3.** *rep* szélzsák **4. a)** hanglemezborító **b)** könyvborító • *mn* **sleeved, sleeveless**

sleeve board *fn* ujjafa, ujjavasaló (fa)

sleeve button *fn* kézelőgomb

sleeve coupling *fn műsz* hüvelyes/karmantyús (tengely)-kapcsoló

sleeve-dog *fn* öleb

sleeve link *fn GB* kézelőgomb, mandzsettagomb

sleeve note *fn GB* borítószöveg *[hanglemezen]*

sleeving [ˈsli:vɪŋ] *fn vill távk* hüvelyezés, szigetelőcső

sleigh [sleɪ] **I.** *fn* **a)** szán **b)** *US* szánkó **II.** *tni* szánon megy/utazik

sleigh-bell *fn* száncsengő

sleigh ride *fn* szánkázás

sleight [slaɪt] *fn régi* ügyesség, fortély, trükk; **~ of hand** bűvészmutatvány; bűvészkedés

slender [ˈslendə ‖ –ər] *mn* **1.** karcsú, sudár *[termet, derék, oszlop]*, nyúlánk *[termet]*; **make sy look ~** karcsúsít *[ruha]* **2.** gyenge közepes, középszerű *[intelligencia]*, csekély *[tudás]*, szűkös, szerény *[jövedelem]*; **~ acquaintance with sy** felületes ismeretség vkvel; **~ diet** gyenge koszt; **~ hope** halvány remény; **~ majority** csekély/jelentéktelen többség; **~ means** szűkös anyagi helyzet, szerény anyagi viszonyok; **~ voice** gyenge/vékony hang • *fn* **slenderness** *hsz* **slenderly**

slenderize [ˈslendəraɪz], **-ise** *tsi* **A. a)** karcsúsít *[ruha]* **b)** soványít *[étrend]* **B.** *tni* lefogy, karcsúsodik

slept [slept] → **sleep II.**

S

sleuth [slu:θ] **I.** *fn* **a)** véreb, kopó **b)** *átv biz* (rendőr)kopó, detektív, nyomozó **II.** *tsi* **a)** nyomon követ *[vadat]* **b)** *átv biz* nyomoz, nyomon követ (vkt), sarkában van (vknek), szimatol (vk után)

sleuthhound *fn* **1.** véreb, kopó **2.** *átv biz* nyomozó, kopó, detektív

slew[1] [slu:] **I. A.** *tsi* **1.** (el)fordít, (el)forgat, kiteker; ~ **round** megfordít, (tengelye körül) elforgat, megforgat, megperdít **2.** himbál, ringat **B.** *tni* **1.** (el)fordul, csavarodik; ~ **round** elfordul, átfordul; (tengelye körül) megperdül *[autó]* **2.** himbálódzik, ring **II.** *fn* **1.** csavarodás, (el)fordulás, tekeredés **2.** himbál(ódz)ás, ring(at)ás **3.** himbálódzás, ringás • *mn* **slewable**

slew[2] [slu:] → **slay[1]**

slice [slaɪs] **I.** *fn* **1. a)** szelet, darab *[kenyér]*, cikk *[dinnye]*, gerezd *[narancs]*; **round** ~ karika *[szalámi, citrom]*; **thick** ~ vastag szelet, karéj; **thin** ~ vékony szelet, szeletke; **cut sg in** ~**s** vmt felszel(etel); **cut off a** ~ **of/from sg** szel/vág vmből **b)** *átv biz* darab, rész(esedés); ~ **of (good) luck** egy kis jó szerencse; **take a large** ~ **of the credit for sg** nagyrészt saját érdemének tulajdonít vmt; **a** ~ **of the profits** a nyereség egy hányada; **a** ~ **of the territory** a terület egy része/sávja **2.** lapát *[szeleteléshez, forgatáshoz]* **3.** *sp* nyesés, csavarás, nyesett/csavart labda **II.** *tsi* **1. a)** ~ **(up)** felszeletel, szeletekre vág, felvág; ~ **into/through** (késsel) vág **b)** ~ **off** (le)szel, (le)vág *[darabot]* **c)** *vál* szel, hasít *[levegőt]* **2. a)** *sp* szel *[vizet, levegőt]*; *sp* ~ **the water with an oar** szeli a vizet *[evezős]* **b)** *sp* nyes, csavar • *fn* **slicer** *mn* **sliceable**

slick [slɪk] **I.** *mn* **1. a)** ügyes, gyors, sima *[elintézés]* **b)** *US biz* ravasz, minden hájjal megkent, dörzsölt **2.** takaros, tiptop, *US* elegáns **3.** (olajosan) sima, fényes, síkos, csúszós **4.** *US* **you'd better look** ~ **about it** egy-kettő fogj(atok) hozzá!, csak gyorsan!, ne sokat teketóriázz(atok)! **II.** *fn* **1.** *US* elegáns folyóirat/divatlap **2.** olajréteg *[tengeren]* **3.** *sp* tükörgumi *[versenyautóé]* **4.** *szl [ravasz ember]* sunyi **III.** *tsi* **1.** ~ **back/down** lesimít, simán feszesen hátrafésül *[hajat]* **2.** *US* rendbe tesz/rak *[szobát]*; *biz* ~ **oneself up** kiöltözik, kicsípi/kicsinosítja magát • *fn* **slickness** *hsz* **slickly**

slicker [ˈslɪkə ‖ —ər] *fn* **1.** *US* esőköpeny **2.** *US biz* ügyes/ravasz szélhámos/csaló, dörzsölt fickó

slide [slaɪd] **I.** *pt/pp* **slid** [slɪd] **A.** *tsi* csúsztat; ~ **a drawer back into its place** fiókot helyretol; ~ **sg into sy's hand** vk kezébe/markába csúsztat vmt **B.** *tni* **1. a)** csúszik, siklik **b)** csúszkál *[jégen]* **c)** megcsúszik, elcsúszik **2.** *átv* **a)** ~ **over a delicate question** átsiklik egy kényes kérdésen **b)** *biz* **let sg** ~ nem törődik vmvel, békén hagy vmt; **let everything/things** ~ mindent a sorsára hagy **3.** *átv* **a)** lejtőre jut/kerül **b)** ~ **into bad habits** észrevétlenül rossz szokásokat vesz fel **4.** *átv US biz* meglép, meglóg **II.** *fn* **1. a)** csúszás, siklás; **have a** ~ megcsúszik, elcsúszik **b)** (föld)csuszamlás, omlás **c)** *zene* (hosszú) előke; hangcsúsztatás **2. a)** csúszda, csúsztató **b)** szállítócsúszda **3. a)** *műsz* csúsz(tathat)ó alkatrész, csúszka, tolattyú, tolóka *[műszeren]*, závár, retesz **b)** *zene* tolócső *[fúvós hangszeren]*, regiszter *[orgonán]* **c)** guruló ülés *[csónakban]* **4. a)** lemez *[mikroszkópon]* **b)** dia(pozitív) **5.** lapos sapka, *GB* hajlekötő, hajpánt • *fn* **slider** *mn* **slidable** *hsz* **slidably**

slide away elillan, elrepül, tovaszáll *[idő]*

slide by → **slide away**

slide off *átv biz* meglép, meglóg, elillan, eloson

slide out kicsusszan, kioson, észrevétlenül meglóg

slide fastener *fn US* húzózár, zipzár

slide guitar *fn zene* slide-gitár

slide projector *fn* diavetítő

slide rule *fn mat* logarléc, számolóléc

slide tackle *fn sp* becsúszó szerelés

sliding [ˈslaɪdɪŋ] **I.** *mn* csúszó, sikló; ~ **door** tolóajtó; ~ **friction** csúszósúrlódás; *gk* ~ **roof** nyitható tető, napfénytető, tolótető; ~ **seat** guruló ülés *[csónakban]* **II.** *fn* **a)** csúszás, siklás **b)** csúszkálás *[jégen]*; **go** ~ csúszkálni megy **c)** *műsz* csúszás, gördülés

sliding scale *fn közg* mozgó skála *[béreké, áraké]*; **wages on a** ~ mozgó skála szerinti bérek

slight [slaɪt] **I.** *mn* **1.** csekély; ~ **cold** könnyű meghűlés; ~ **hope** vajmi kevés remény; ~ **injury** könnyű/kis sebesülés/sérülés; ~ **meal** könnyű étkezés; ~ **wound** könnyű seb; **not the** ~**est doubt** a legcsekélyebb/legkisebb kétség sem; **take offence at the** ~**est thing** minden apróságon/csekélységen megsértődik; **not in the** ~**est (degree)** a legkevésbé sem, cseppet sem; **without the** ~**est exaggeration** minden túlzás nélkül **2. a)** kicsi, apró *[termet]*, vékony, törékeny *[testalkat]* **b)** gyenge, nem eléggé teherbíró/szilárd *[építmény]* **II.** *fn* (méltatlan) mellőzés, semmibevevés, fitymálás, megbántás, megalázás; **put/pass a** ~ **on sy** semmibe vesz vkt **III.** *tsi* **a)** semmibe (se) vesz, (sértően) mellőz, megaláz, megbánt (vkt), méltatlanul bánik (vkvel) **b)** semmibe (se) vesz *[parancsot]*, elhanyagol *[kötelességet]* • *fn* **slightness** *mn* **slightish**

slighting [ˈslaɪtɪŋ] *mn* megvető, megalázó, sértő

slightingly [ˈslaɪtɪŋli] *hsz* megvetően, megalázóan, sértően; **speak** ~ **of sy** lekicsinylően/megvetően/sértően beszél vkről; **treat sy** ~ vkt bántóan lekezel, semmibe se vesz vkt

slightly [ˈslaɪtli] *hsz* **1.** ~ **built** törékeny, vékony, karcsú; apró termetű **2.** kissé, némiképp(en), egy kevéssé; ~ **better** kicsit/valamivel jobban; **know sy** ~ alig/felületesen (v. épp csak hogy) ismer vkt

slily [ˈslaɪli] → **slyly**

slim [slɪm] **I.** *mn* **-mm- 1. a)** karcsú, sudár, vékony, nyúlánk *[alak]* **b)** vézna **c)** *biz* ~ **health** törékeny egészség **2.** csekély, kevés, nem sok *[lehetőség]*; ~ **chance of sg** halvány esélység vmre; ~ **excuse** gyenge kifogás/mentség; ~ **hope** halvány remény; ~ **income** szerény jövedelem **3.** *biz* **a)** ravasz, fortélyos, minden hájjal megkent **b)** hitvány **II. -mm- A.** *tsi* **a)** fogyaszt, soványít *[étrend, orvosság]* **b)** karcsúsít *[ruha]* **B.** *tni* fogyasztja magát, fogyókúrát tart **III. S**~ **disease** ‹AIDS Afrikában használt neve› • *fn* **slimness** *fn/mn* **slimming** *hsz* **slimly**

slime [slaɪm] **I.** *fn* **1.** híg iszap **2.** nyál(ka), váladék *[csigáé stb.]* **3.** folyékony szurok **4.** *átv* sár, mocsok **II. A.** *tsi* benyálkáz **B.** *tni biz* ~ **out of a difficulty** kievickél/kimászik a bajból

slimpsy [ˈslɪmpsi] *mn US* (lehelet)vékony, laza, gyenge, törékeny

slimy [ˈslaɪmi] *mn* **1. a)** iszapos, iszap- **b)** ragacsos, nyúlós *[tészta]* **2. a)** nyálkás, nyálas *[pl. csiga]* **b)** síkos, csúszós **3.** *biz* csúszó-mászó, talpnyaló

sling[1] [slɪŋ] **I.** *fn* **1. a)** parittya **b)** dobás *[parittyából]* **2. a)** karfelkötő kendő; **have/carry one's arm in a** ~ fel van kötve a karja **b)** vállszíj *[fegyvernek, hangszernek]* **c)** hurok, heveder *[emeléshez]* **d)** kenguru *[gyermek hordozására]* **3.** *Ausz szl* **a)** *[vesztegetés]* csúszópénz, kenőpénz **b)** *[borravaló]* jatt **II.** *pt/pp* **slung** [slʌŋ] **A.** *tsi* **1.** parittyából (ki)lő **2.** (el)hajít, elvet; ~ **sy out of the room** vkt kipenderít a szobából **3. a)** hevederrel/hurokkal felakaszt/felfüggeszt/felemel; *kat* ~ **arms!** fegyvert vállra!; ~ **(sg) over one's shoulder** vmt a vállára vet; ~ **up a load with a crane** terhet emelődaruval (a magasba) emel **b)** felköt *[beteg kart]* **c)** átköt, megfog *[kötéllel felhúzandó tárgyat]* **4.** *Ausz biz* mellőz, nem csinál/tesz meg (vmt) **5.** *szl [elmegy vhonnan]* elhúzza a csíkot, elüget, elporol **B.** *tni* **1.** *Ausz szl* ~ **off at sy** *[vkt kigúnyol]* cukkol, cikiz **2.** *Ausz biz* ~ **off** meglép, meglóg

sling[2] [slɪŋ] *fn US gaszt* ‹ginből és limonádéból készült hűsítő ital›

sling-bag *fn GB* válltáska

slinger [ˈslɪŋə ‖ —ər] *fn* **1.** parittyázó **2.** hevederkezelő *[teher emelésénél]*

slingshot *fn US* csúzli, gumipuska

S

slink[1] [slɪŋk] *tni pt/pp* **slunk** [slʌŋk] ólálkodik, settenkedik, lopakodik; ~ **away/off/by** elsomfordál, eloldalog; ~ **in** beoson, belopakodik, belopódzik, besomfordál

slink[2] [slɪŋk] **I.** *fn* **a)** elvetélt állat **b)** elvetélt borjú **II. A.** *tsi pt/pp* **slunk** [slʌŋk]~ **its young** elvetéli a kölykeit *[állat]* **B.** *tni* elvetél

slinky ['slɪŋki] *mn biz* testhezálló, feszes, idomokat kidomborító *[ruhadarab]* • *fn* **slinkiness** *hsz* **slinkily**

slip[1] [slɪp] **I. -pp- A.** *tsi* **1.** (be)csúsztat *[zsebbe stb.]*, (rá)húz *[gyűrűt ujjra]* **2. a)** pórázról elold, elenged *[kutyát]* **b)** *hajó* elold, elköt *[horgonyról]* **c)** *vasút* menet közben lekapcsol *[kocsit]* **d)** *gk* ~ **the clutch** sebességváltót megcsúsztatja **e)** (le)emel *[szemet kötésnél]* **f)** *szl* ~ **sy a length** *[közösül vkvel]* ad neki, odatesz neki, beveri neki (a lompost) **3. a)** kibújik, kicsúszik (vmből); ~ **its slough/skin** leveti/levedli a bőrét *[kígyó]* **b)** ~ **sy's notice** elkerüli vk figyelmét; *biz* **his name has ~ped my memory** elfelejtettem a nevét **4. ~ped his shoulders** megrántotta a vállát **5.** ~ **its young** kölykeit elvetéli **6.** céduláz *[tudós]* **B.** *tni* **1. a)** (ki)csúszik, siklik; ~ **from sy's hands** kicsúszik a kezéből; ~ **home** helyére csúszik *[retesz]* **b)** megcsúszik, elcsúszik **2.** *biz* csúszik, surran, oson **3.** *átv* botlik, megtéved, félrelép *[lány]* **4. a) let** ~ elereszt, elenged; pórázról elold *[kutyát]*; elszalaszt *[alkalmat]*; elkottyant *[titkot]*; **let sg** ~ **from one's fingers** kiejt vmt a kezéből; elszalasztja az alkalmat **b) all this has entirely ~ped from my mind** minderről teljesen megfeledkeztem **5.** *biz* észrevétlenül esik, csökken *[ár]*, hanyatlik *[testi-lelki erőben]*; **he is ~ping** már nem a régi, már nem ura a helyzetnek **II.** *fn* **1. a)** elcsúszás, (meg)csúszás; **give sy the** ~ megszökik vktől, meglóg vk elől, faképnél hagy vkt **b)** *geol* (föld)csuszamlás **c)** *műsz* csúszás **d)** *hajó* **(propeller)** ~ hajtómű csúszása *[keréklapáté, hajócsavaré]*; *rep* légcsavar megcsúszása **2.** *átv* botlás, kisiklás, megtévedés; ~ **of the pen** elírás; ~ **of the tongue** nyelvbotlás; **make a** ~ hibát ejt *[figyelmetlenségből]*; ballépést/botlást követ el; félrelép *[leány]* **3. a)** női ing, kombiné **b)** *GB* **(bathing) ~s** ‹férfi úszónadrág› fecske **4.** (párna)huzat **5. a)** póráz **b)** *hajó* csúsztatókötél **6.** *hajó* **a)** kompkikötő **b)** dokk belső tere, *US* hajóállás **7.** *biz* ~ **of a garden** tenyérnyi/keskeny kis kert; *biz* ~ **of a room** keskeny kis szoba **8.** agyagpép, színes agyagkeverék

slip away *tni* **1.** gyorsan telik/múlik, elszalad, elszáll *[idő]* **2.** *biz* meglép, elillan, angolosan távozik

slip down A. *tsi* lecsúsztat **B.** *tni* lecsúszik, lesiklik

slip in A. *tsi* becsúsztat **B.** *tni biz* becsúszik *[társaságba]*; → **slip-in**

slip into A. *tsi* ~ **sg into sg** vmt vmbe becsúsztat/bedug **B.** *tni* **1.** ~ **into bed** (gyorsan) ágyba bújik; ~ **into one's shirt** magára kapja az ingét; ~ **into another suit/dress** másik ruhát kap magára **2.** ~ **into bad habits** észrevétlenül rossz szokásokat vesz föl **3.** *szl* **a)** ~ **into sy** *[hevesen nekimegy vknek]* nekiesik **b)** ~ **into sg** mohón nekiesik vmnek *[ételnek]*

slip off A. *tsi* (hirtelen) ledob *[ruhát]* **B.** *tni biz* kereket old, elszelel, meglép

slip on *tsi* **1.** ~ **sg on sg** vmt vmre rácsúsztat/ráhúz/rátol; ~ **a ring on sy's finger** gyűrűt húz vknek az ujjára **2.** magára ölt/kap/ránt *[ruhát]*, bebújik *[ruhájába]*; → **slip-on**

slip out A. *tsi* kicsúsztat, kihúz, kitol; ~ **one's hand out of one's pocket** kezét kihúzza a zsebéből **B.** *tni* **1. a)** kicsúszik **b)** *átv* kicsúszik, kiszalad (a száján) *[káromkodás]*, kiderül, napvilágra jut *[titok]* **c) it has ~ped out of my memory** elfelejtettem, kiesett az emlékezetemből **2.** *biz* kioson, kisurran

slip over *tsi* **1.** ~ **sg over sg** vmt vm fölé húz, vmt ráhúz vmre; ~ **a dress over one's head** a fején át húzza magára a ruhát **2.** *biz* ~ **it over on sy** rászed/elbolondít/becsap vkt; lóvá tesz vkt; → **slipover**

slip through *tni* **1.** ~ **through one's fingers** kicsúszik a kezéből **2.** *biz* ~ **through the crowd** átcsúszik/átsurran a tömegen

slip up *tni* **1.** elcsúszik, megcsúszik *[jégen]* **2.** *US* baklövést követ el **3.** *US átv* elcsúszik, megbukik, kútba esik, kudarcot vall, zátonyra fut *[terv]*; → **slip-up**

slip[2] **1. a)** darabka, szelet; ~ **of paper** papírdarab, cédula **b)** *biz* számolócédula **c)** *nyomd* hasáb(levonat) **d)** vakhát *[könyvkötésnél]* **2. a)** dugvány, bujtás, oltóág **b)** *biz* **mere** ~ **of a boy** kölyök, srác; *biz* ~ **of a girl** csitri lány

slip-away *fn sp* kitérés *[vívásban stb.]*; → **slip away**

slipback *fn* visszaesés

slip bolt *fn* tolózár, retesz

slip buoy *fn hajó* horgonybója

slip-carriage *fn GB vasút* menet közben lekapcsolt/lekapcsolható kocsi

slip case *fn* könyvtok

slip coach → **slip-carriage**

slip cover *fn* **1.** védőhuzat *[bútoron]* **2.** könyvtok

sliphook *fn* kioldóhorog

slip-in *mn* becsúsztatós *[fényképalbum]*; → **slip in**

slipknot *fn* csúszócsomó *[kötélen]*

slip-on I. *mn* ~ **blouse** bebújós blúz **II.** *fn* papucscipő, mokaszin; → **slip on**

slipover I. *mn* bebújós *[ruha]* **II.** *fn* ujjatlan bebújós pulóver; → **slip over**

slippage ['slɪpɪdʒ] *fn* **1.** (meg)csúszás **2.** lecsúszás, csökkenés *[népszerűségé, értéké]* **3.** elcsúszás *[határidővel]*

slipped [slɪpt] *mn* elcsúszott, lecsúszott; *orv* ~ **disc/disk** porc(korong)sérv

slipper ['slɪpə ‖ –ər] **I.** *fn* **a)** papucs, házicipő **b)** könnyű tánccipő, báli cipő **II.** *tsi biz* papuccsal megver • *mn* **slippered**

slippery ['slɪpəri] *mn* **1. a)** síkos, csúszós; *átv* **be on** ~ **ground** veszélyes talajon/területen jár **b)** *átv* sikamlós *[történet]*, kényes, pikáns *[téma]* **2.** megbízhatatlan, bizonytalan; ~ **hopes** bizonytalan/megalapozatlan remények; ~ **memory** megbízhatatlan emlékezet; ~ **witness** ingadozó/bizonytalankodó tanú • *fn* **slipperiness** *hsz* **slipperiness**

slip-pocket *fn* zseb *[köpenyen, autóajtón]*

slippy ['slɪpi] *mn biz* **1.** síkos, csúszós **2.** fürge, friss, mozgékony; *GB* **be/look ~!** mozogj!, mozgás!, siess!, szedd a lábad! • *fn* **slippiness**

slip road *fn GB közl* gyorsítósáv *[autópályán]*, le- és felhajtósáv

slipshod ['slɪpʃɒd ‖ –ʃɑd] *mn* **a)** rendetlen, letaposott sarkú cipőben járó **b)** *átv* hanyag, gondatlan, felületes, trehány *[munka]*, pontatlan, pongyola *[meghatározás, stílus]*

slipstream I. *fn gk* légáram, légörvény **II.** *tsi gk* **1.** szorosan követ **2.** kikerül *[elöl haladó gépkocsi légörvényéből]*, megelőz

slip-up *fn* **1.** *biz* baklövés, melléfogás **2. a)** *biz* váratlan akadály/baj **b)** *US biz* balsiker, elcsúszás, vmnek az eltolása; → **slip up**

slipway ['slɪpweɪ] *fn* **a)** *hajó* sólya(pálya), csúszda **b)** *rep* kifutópálya

slit [slɪt] **I.** *fn* **1.** hasíték, bevágás; hasadás, repedés; nyílás, rés; *orv* bemetszés **2.** *szl [vagina]* vágás, rés, pina **II. -tt-** *pt/pp,* **slit A.** *tsi* **a)** (fel)hasít, bemetsz, bevág; ~ **sy's throat** elmetszi/elvágja vknek a torkát; ~ **open an envelope** borítékot felvág **b)** felhasogat; ~ **a hide into thongs** bőrt szíjakká felhasogat **B.** *tni* hasad, reped **III.** *mn* hasított, sliccelt; ~ **skirt** hasított/felvágott szoknya • *fn* **slitter** *mn* **slitted**

slit-eyed *mn* **a)** mandulavágású szemű, ferde szemű **b) be** ~ keskeny vágású szeme van

S

slither ['slɪðə ‖ –ər] **I.** *fn biz* csúszkálás *[síkos úton]*, elcsúszás, megcsúszás **II. A.** *tsi biz* csúsztat; *biz* ~ **one's feet** csoszog **B.** *tni biz* **1. a)** csúszkál, meg-megcsúszik **b)** csúszik, siklik **2.** *Ausz* ellóg, gyorsan meglép, menti az irháját • *mn* **slithery**

slit pocket *fn* bevágott zseb

slit trench *fn kat* keskeny lövészárok

sliver ['slɪvə ‖ –ər] **I.** *fn* **1.** forgács, szilánk **2.** *tex* fátyolszalag **II. A.** *tsi* **a)** forgácsot/szilánkot (le)hasít/(le)repeszt (vmről) **b)** elforgácsol, szétforgácsol **B.** *tni* elforgácsolódik, szétforgácsolódik, szilánkokra hasad

slivovitz ['slɪvəvɪts, 'sli: –] *fn gaszt* szilvapálinka, slivovica

Sloane Ranger [ˌsloun 'reɪndʒə ‖ –ər] *fn GB szl* ‹fiatal felső-középosztálybeli (nő)› • *mn* **Sloaney**

slob [slɒb ‖ slɑb] *fn* **1.** sár, iszap, latyak **2.** iszapos árterület **3.** *biz* trehány/kétbalkezes alak **4.** *biz* nagydarab ember, böhöm • *mn* **slobbish**

slobber ['slɒbə ‖ 'slɑbər] **I.** *fn* **1. a)** csorgó nyál **b)** nyálazás, nyálfolyás **2.** *biz* csöpögő/túláradó érzelgősség, nyálkás érzelgés **II. A.** *tsi* **1.** összenyálaz, benyálaz **2.** trehányan összecsap/végez *[munkát]* **B.** *tni* **1.** nyáladzik, csorog/folyik a nyála **2.** érzeleg, ömleng; *biz* ~ **over sy** nyal-fal vkt; túláradó érzelmességgel szól/beszél vkről/vkhez • *mn* **slobbery**

sloe [slou] *fn növ* **1.** kökény **2.** kökény(bokor)

sloe-eyed *mn* **1.** kökényszemű, sötétkék szemű **2.** mandulaszemű

slog [slɒg ‖ slɑg] **I. -gg- A.** *tsi biz* **a)** (vadul) püföl, elagyabugyál (vkt), behúz egyet (vknek); ~ **sy over the head** fejbe vág vkt; püföli vknek a fejét **b)** megvág *[labdát]* **B.** *tni* **1.** *biz* vadul/összevissza csapkod **2.** *biz* gürcöl, erőlködik, megfeszített erővel dolgozik, töri magát; *biz* ~ **away at sg** elvesződik/elkínlódik/küszködik vmvel, töri magát vmvel **II.** *fn* **1.** *biz* erős/kemény ütés, behúzás **2.** *biz* gürcölés, robot, strapa • *fn* **slogger**

slogan ['slougən] *fn* **1.** jelszó, jelmondat; szlogen **2.** *skót* csatakiáltás

slo-mo [ˌslou'mou] *fn biz* lassított felvétel; → **slow-motion**

sloop [slu:p] *fn hajó* **1.** szlúp *[egyárbocos hajó]* **2. a)** *GB* lapos fenekű bárka/segédhajó *[haditengerészetben]* **b)** *US* őrhajó **c)** ágyúnaszád

sloosh [slu:ʃ] *GB biz* **I.** *fn* **1.** vízcsobogás *[öntéskor]* **2.** (ki)öntés *[vízés]* **II.** *tsi* csobog

slop[1] [slɒp ‖ slɑp] **I. -pp- A.** *tsi* kilöttyint, kiönt *[folyadékot abroszra stb.]*; ~ **out** (ki)ürít, kiönt **B.** *tni* **1.** ~ **over** kilöttyen, kiloccsan *[folyadék]*; érzeleg, ömleng, áradozik; nyal-fal (vkt) **2.** ~ **about in the mud** tocsog a sárban **II.** *fn* **1.** tócsa **2.** *tsz* **slops** szennyvíz, mosogatólé **3.** *tsz* **slops a)** *pej* pempő, pépes/híg étel, folyadék, lé *[betegnek]*; **be/live on ~s** folyadékon él **b)** *átv* moslék, lötty, lé *[állatnak]* **c)** alkoholmentes italok **4.** *tsz* **slops** *biz* érzelgés, szentimentális ömlengés

slop[2] [slɒp ‖ slɑp] *fn* **1.** *régi* vászonzubbony **2.** *tsz* **slops** *főleg GB* konfekciós ruha **3.** *tsz* **slops** kincstári holmi/ruhanemű/ágynemű *[tengerészé]*

slop[3] [slɒp ‖ slɑp] *fn szl [rendőr]* zsaru, hekus

slop bucket *fn* moslékosvödör

slope [sloup] **I.** *fn* **1. a)** lejtő, ereszkedő, árokleјtő; ~ **down** ereszkedő; **road on the** ~ lejtős út **b)** emelkedő, meredek, kapaszkodó, kaptató; ~ **up** emelkedő út; kaptató **c)** *geol* lejtős terület, természetes rézsű, dőlés **2. a)** lejtés, ereszkedés, esés *[lejtőé]* **b)** dőlés, elhajlás *[falé]* **3.** lejtősík; **angle of** ~ lejtőszög **4.** *mat* differenciálhányados, derivált **5.** *US biz* **do a** ~ elmegy, kereket old, meglóg **II. A.** *tsi* **1.** lejtősen/lejtősre épít *[töltést]*, lejtős/dőlt helyzetbe állít, lejtőssé tesz, rézsűz **2.** ferdén/ferdére metsz/vág **B.** *tni* **1. a)** lejt(ősödik), ereszkedik, dől, esik; **the garden ~s down the river** a kert a folyó felé/irányában lejt; ~ **forward** előre dől *[fal]*; jobbra dől *[írás]*; ~ **backward** hátra(felé) dől *[fal]*; balra dől *[írás]* **b)** elhajlik *[sík]* **2. a)** *biz* ~ **(off)** elmegy, kereket old, meglóg **b)** *biz* ~ **about/round** flangál, mászkál, csavarog

sloppy ['slɒpi ‖ 'slɑpi] *mn* **1. a)** nedves, sáros, iszapos, latyakos, csúszós *[út]* **b)** nedves, foltos *[asztal stb.]* **2. a)** felületes, hanyag, gondatlan, nem alapos *[munka]*, rendetlen, piszkos *[helyiség]*, pongyola, hanyag *[stílus]* **b)** puha, lötyögő, ernyedt, petyhüdt *[ember]*, lottyadt *[ember]* **c)** nem az alakjára való, túl nagy/bő *[ruha stb.]* **3.** érzelgő, ömlengő, szentimentális; ~ **sentimentality** érzelgősség • *fn* **sloppiness** *hsz* **sloppily**

slosh [slɒʃ ‖ slɑʃ] **I. A.** *tsi* **1.** *biz* lötyögtet **2.** *biz* löttyent, ráönt **3.** *GB szl [megüt]* bepancsol, benyom egyet, ad egy mákost vknek **B.** *tni* **1.** lötyög **2.** ~ **(about)** caplat *[sárban]* **II.** *fn* **1.** → **slush** I. **2.** *GB szl [ütés]* füles, mákos

sloshed *mn főleg GB szl [részeg]* piás, tintás

sloshy ['slɒʃi ‖ 'slɑʃi] → **slushy**; érzelgő, ömlengő, szentimentális

slot[1] [slɒt ‖ slɑt] **I.** *fn* **1. a)** *műsz* horony, vájat **b)** bedobónyílás/rés *[automatán, levélszekrényen]*; **put a sixpence in the** ~ hatpennys pénzdarabot dob be a persely nyílásán **c)** *infor el* rés, kártyatartóhely **2.** meghatározott hely/időpont *[munkakörök között* v. *rádióműsorban]* **3.** *szl [cella, zárka]* bála, kaszni, kalitka **II.** *tsi* **-tt- 1.** kivág, kivágj, hornyol, nyílást csinál/vág (vmbe) **2.** nyílásba bedob • *fn* **slotter**

slot[2] [slɒt ‖ slɑt] **I.** *fn vad* nyom, csapa, csapás **II.** *tsi* **-tt-** *vad* nyomot követ

sloth [slouθ ‖ slɔθ] *fn* **1. a)** lustaság, tunyaság, restség **b)** henyélés, munkakerülés, tespedés; **become sunk in** ~ eltespeд, elpuhul **c)** nemtörődömség, lomhaság **2. a)** *áll* lajhár; **two-toed** ~ kétujjú lajhár **b)** *biz* tunyán járó (v. lusta) ember, nehézkes/lomha ember

sloth bear *fn áll* lajhármedve

slothful ['slouθfl ‖ 'slɔθ–] *mn* **a)** lusta, rest, tunya **b)** nemtörődöm, hanyag **c)** lomha, nehézkes • *fn* **slothfulness** *hsz* **slothfully**

slot-hole *fn* bedobónyílás *[postaládán, perselyen]*

slot machine *fn* **a)** pénzbedobós automata **b)** *US* szerencsejáték-automata

slouch [slautʃ] **I. A.** *tsi* lehajt *[kalapkarimát]* **B.** *tni* lomhán/esetlenül jár/megy/ül/áll (v. tartja magát); **don't** ~ húzd ki magad, tartsd egyenesen magad!; ~ **about** ide-oda őgyeleg; ~ **away** lomhán elkullog/eloldalog/elcsoszog; fejét lógatva elkullog/eloldalog **II.** *fn* **1.** nehézkes mozgás/járás, görnyedt testtartás **2.** lehajtott karima *[kalapé]*; **the** ~ **of his hat** a mód ahogyan szemébe húzza a kalapját **3.** *biz* **a)** esetlen/lomha fickó, nagy darab/melák ember; *US* **he's no** ~ nem esett a feje lágyára; érti a dolgát **b)** naplopó, semmittevő

slouch hat *fn* széles karimájú puhakalap

slough[1] [slau ‖ slu:] *fn* **1. a)** mocsár, ingovány **b)** lápos/mocsaras/ingoványos terület/talaj **2. a)** *átv* (erkölcsi) fertő, posvány **b)** elcsüggedés, kétségbeesés • *mn* **sloughly**

slough[2] [slʌf] *fn US földr* mellékfolyó, öböl

slough[3] [slʌf] **I.** *fn* **1.** levedlett/elhányt bőr/szőr/agancs, elhullatott szőr; **cast its** ~ leveti a bőrét *[kígyó]*; vedlik *[hüllő]* **2.** *orv* hámló bőr, pörk **3.** elhagyott szokás **II. A.** *tsi* **a)** ~ **its skin** elveti/elhányja/levedli a bőrét; vedlik *[kígyó]* **b)** ~ **one's prejudices** levetkőzi az előítéleteit **B.** *tni* **1.** (meg)vedlik *[kígyó, hüllő]*, hullatja a szőrét *[állat]* **2. a)** hámlik; ~ **off/away** leesik, lehámlik, leválik *[var]* **b)** pörkösödik *[seb]* **3.** mállik *[kőzet]* • *mn* **sloughy**

Slovak ['slouvæk] **I.** *mn* szlovák **II.** *fn* **1.** szlovák (ember) **2.** szlovák nyelv

Slovakia [slou'vækɪə] *tul földr* Szlovákia

sloven ['slʌvn] *fn* **1.** ápolatlan/rendetlen férfi/nő **2.** hanyag/felületes/gondatlan ember; → **slovenly**

Slovene ['slouvi:n] *mn/fn* szlovén *[nép és nyelv]*

Slovenia [slouvi:nɪə] *tul földr* Szlovénia

Slovenian [slou'vi:nɪən] **I.** *mn* szlovén **II.** *fn* szlovén nyelv

S

slovenly ['slʌvnli] **I.** *mn* **1.** ápolatlan, gondozatlan, slampos **2. a)** hanyag, rendetlen, gondatlan, nemtörődöm *[ember]* **b)** felületes, összecsapott, gondatlan(ul végzett), trehány *[munka]*, pongyola, hanyag *[stílus]* **II.** *hsz* hanyagul, felületesen

slow [slou] **I.** *mn* **1.** lassú, lassú lefolyású/menetű/ütemű; ~ **heart** lassú szívverés; **a ~ poison** lassan ölő méreg; ~ **train** személyvonat; ~ **and/but sure!** lassan de biztosan!; **cook in ~ oven** lassú tűzön süt *[ételt]*; ~ **to ripen** nehezen érik **2. a)** lassú *[működésű]*; ~ **clock** késéssel járó óra; ~ **flame** gyenge láng **b)** pontatlan; **be ~ in keeping an appointment** találkozóról elkésik **3. a)** habozó, lassú, kényelmes *[ember]*; ~ **to start sg**, ~ **in starting sg** nehezen szánja magát vmre; **he was not ~ to do sg** nem késett vmt megtenni **b)** ~ **(of wit)** lassú eszű/észjárású; ~ **child** nehéz felfogású gyerek; *biz* ~ **in the uptake** lassan kapcsol **4. a)** vontatott, unalmas, hosszadalmas, piszmogó *[munka]*, álmos, csendes *[városka]*; **a ~ book** unalmas/vontatott könyv **b)** pangó, nehezen induló *[üzleti élet]*; **goods of ~ sale** nehezen eladható áru **5.** *sp* lassú *[futópálya, biliárdasztal]* **II.** *hsz* **a)** lassan, sietség nélkül, kényelmesen; **how ~ the time passes!** milyen lassan telik/múlik az idő!; **go ~** lassan megy/jár/hajt; vigyázva/óvatosan/megfontoltan cselekszik; **go ~ with one's money** takarékosan bánik a pénzével, gondosan beosztja pénzét **b) the clock goes ~** az óra késik **III. A.** *tsi* (meg)lassít, késleltet; ~ **sg down/up** (le)lassít vmt; csökkent *[sebességet]*; mérsékel *[buzgalmat]*; késleltet vmt; ~ **up an attack** támadást feltartóztat **B.** *tni átv* (le)lassul; ~ **down** lassít, (le)lassul; ~ **down!** (i) lassíts! *[közlekedési utasítás]* (ii) *biz* nyugi, csigavér!; ~ **up (to a stop)** lelassít (megálláshoz), megáll *[jármű]* • *fn* **slowness** *mn* **slowish**

slow-acting *mn* lassan működő, lassan ható

slow-burning *mn* **1.** lassan égő **2.** nem gyúlékony, nem könnyen gyulladó; *épít* ~ **construction** mérsékelten tűzbiztos, építmény

slowcoach *fn* **1. a)** lassú észjárású ember **b)** lassú mozgású ember **2.** begyepesedett/konzervatív ember

slowdown *fn* **1.** *US* munkalassítás **2.** lazítás, lazulás, lassítás

slow-foot *mn* lassú járású/mozgású

slowly ['slouli] *hsz* **1.** lassan, hossza(sa)n; **drive ~!** lassan hajts! *[közlekedési utasítás]* **2.** lassan, nehézkesen, habozva, meggondoltan, megfontoltan

slow-motion *fn film* lassított filmfelvétel

slowpoke *US biz* → **slowcoach**

slow-tempered *mn* nyugodt természetű/kedélyű, nehezen indulatba jövő

slow-up *fn* **1.** *biz* lelassulás **2.** *biz* lelassítás

slow-witted *mn* lassú észjárású, nehéz felfogású

slub [slʌb] **I.** *fn tex* előfonat, vastagodás (v. laza csomó) a fonálban, csomó **II.** *tsi* **-bb-** *tex* fonalat/gyapjút megsodor

sludge [slʌdʒ] *fn* **1. a)** (híg, nyúlós) sár, iszap **b)** csatornaiszap **2.** üledék, salak, lerakódás, olajüledék **3.** úszó jégdarab *[tengeren]* • *mn* **sludgy**

slue [slu:] → **slew**[1]

slug[1] [slʌg] **I.** *fn* **1. a)** henger alakú puskagolyó/revolvergolyó, légpuskagolyó **b)** *kat* lövedék *[próbalövésnél]* **2.** *nyomd* **a)** sorköztag, ritkító **b)** linotype sor *[öntvénye]* **3.** *fémip* tömb, (fém)darab **4.** nagy adag **5.** *US biz* kis pohár pálinka **6.** *US* tantusz **7.** ‹tömeg mértékegysége› **II.** *tsi* **-gg- 1.** henger alakú golyóval megtölt *[fegyvert]* **2.** meghúz *[italt]*; benyakal

slug[2] [slʌg] **I.** *fn szl* → **slog II.** *tsi/tni* **-gg-** *szl* **1.** erősen üt, öklöllel püföl; ~ **it out** (le/ki)harcol, kibír **2.** *Ausz* **get ~ged** borsos árat számítanak neki • *fn* **slugger**

slugabed ['slʌgəbed] *mn/fn biz* álomszuszék, hétalvó

sluggard ['slʌgəd ‖ –ərd] *mn/fn* lusta, rest, tunya, semmittevő • *fn* **sluggardliness** *mn* **sluggardly**

sluggish ['slʌgɪʃ] *mn* **1. a)** rest, lusta, tunya **b)** lassú, lomha, nehézkes, tehetetlen **2. a)** lassú folyású *[víz stb.]*, gyengén/renyhén működő *[szerv]*; ~ **digestion** gyenge/rossz emésztés; ~ **liver** renyhe működésű máj; **a ~ stream** lassú folyású folyó **b)** lanyha, pangó *[piac]* • *fn* **sluggishness** *hsz* **sluggishly**

sluice [slu:s] **I.** *fn* **1. a)** *vízügy* zsilip; *átv* **open/free** (v. **let loose) the ~s** megnyitja a zsilipeket **b)** leeresztő csatorna, kifolyócsatorna **c)** *bány* ércmosó csatorna **2.** → **sluice-gate 3.** *biz* alapos (meg)mosás/lemosás/kiöblítés; **give (sg) a ~ down** (alaposan) kiöblít; bő vízben lemos **4.** ‹a zsilipen keresztülfolyó víz› **II. A.** *tsi* **1. a)** zsilippel/zsilipekkel ellát/elzár **b)** ~ **out the water in a reservoir** vizet leereszt/lebocsát *[zsilipeken]* **c)** vízzel eláraszt *[zsilipek megnyitásával]* **2.** mos *[aranyat]* **3.** *biz* alaposan megmos/lemos/leöblít **B.** *tni* ~ **out/away** kiárad, kizúdul *[folyadék]*

sluice-gate *fn vízügy* zsilipgát, zsilipkapu, zsiliptábla; *biz* **the ~s of heaven have opened** az ég csatornái megnyíltak

slum [slʌm] **I.** *fn* **a)** nyomorúságos városrész/lakótelep; **the ~s** szegénynegyed, nyomornegyed **b)** piszkos utca/köz/sikátor **c)** egészségtelen bűzös odú, nyomortanya **II.** *tni* **-mm- 1. go ~ming** meglátogatja a nagyvárosi nyomortanyákat/szegénynegyedeket **2.** nyomornegyedben/rossz körülmények között él **3.** ~ **it** kevesebbel beéri, alábbadja *[igényeit]* • *fn* **slumminess** *mn* **slummy**

slumber ['slʌmbə ‖ –ər] **I.** *tni vál* csendesen alszik, szendereg, szunyókál, szundikál, szundít; **he ~ed long and deeply** hossz(as)an és mélyen szundikált; **one's conscience may ~ on occasions** az ember lelkiismerete is elszunnyadhat időnként **II.** *fn vál* **1.** alvás, könnyű álom, szendergés, szunyókálás, szundítás; **fall into a ~** elalszik, elszenderedik, elnyomja az álom, könnyű álomba merül **2.** álmos tétlenség, dermedt nyugalom • *fn* **slumberer**

slumber away *tsi* átalussza, alvással/szendergéssel tölti *[az időt stb.]*; ~ **away the golden hours** átalussza az értékes órákat (v. a drága időt)

slumberous ['slʌmbərəs] *mn vál* **a)** alvó, szendergő, álomtól elnehezedett, álomba merült; ~ **eyelids** álomtól elnehezült szemhéjak **b)** álmosító, altató, álomba merítő; **a ~ silence** álmosító csend

slumberwear *fn* hálóruha

slum clearance *fn* nyomortanyák lebontása

slumgullion [ˌslʌm'gʌlɪən] *fn US szl* **1. a)** *[gyenge ízetlen ital]* lötty, lőre **b)** bográcsos **2.** *biz* piszokfészek, mocskos alak, gézengúz

slump [slʌmp] **I.** *fn* **1.** hirtelen esés/zuhanás *[sárba, mocsárba, pocsolyába]* **2. a)** lanyhulás, alábbhagyás **b)** *gazd* hirtelen áresés, keresletcsökkenés, pangás/visszaesés az üzleti életben, tőzsdei zuhanás; ~ **in trade** az üzleti élet pangása **II.** *tni* **1. a)** hirtelen aláhull/lepottyan **b)** besüllyed, elmerül, beleesik *[vízbe, mocsárba]*; **he ~ed into a chair** belerogyott egy székbe **c)** *épít* beomlik, roskadozik **2.** *gazd* hirtelen nagyot esik/zuhan *[ár, árfolyam]*

slung [slʌŋ] → **sling**[1] **II.**

slunk [slʌŋk] → **slink**[1] → **slink**[2] **II.**

slur [slɜ: ‖ slɜr] **I. -rr- A.** *tsi* **1. a)** összevon hangokat/betűket *[kiejtésben, írásban]* **b)** ~ **one's words** hibásan/érthetetlenül beszél, elnyeli (v. hadarva ejti ki) a szavakat **c)** *zene* összeköt, kötőívvel lát el, legato-ívvel lát el *[hangokat]* **2.** ~ **a fact** átsiklik vm (v. egy tény) felett **3.** *régi US* megbélyegez, rágalmaz, befeketít, becsmérel vkt **B.** *tni* **1. a)** hibásan/érthetetlenül beszél, rossz kiejtéssel beszél, hadar; ~ **over a word** elnyel egy szót **b)** ~ **over a fact** átsiklik egy tény felett; ~ **over a person's faults** átsiklik vknek a hibái felett, elhallgatja vknek a hibáit **2.** *zene* kötötten/legato játszik/énekel **II.** *fn* **1.** gyalázat, szégyenfolt, sértés; ~ **on one's character** csorba a becsületén; **cast/put a ~ on sy** megbélyegez vkt, gyalázattal illet vkt, szégyenfoltot ejt vk nevén **2.** *zene* **a)** kötés (jele), kötőív, legato-ív **b)** legato-rész **3.** nem tiszta ejtés, hibás kiejtés

slurp [slɜ:p ‖ slɜrp] **I.** *fn* szürcsölés, szörcsögés **II.** *tsi/tni* szürcsöl(ve eszik/iszik)

slurred [slɜ:d ‖ slɜrd] *mn* elmosódott, összefolyó, egybefolyó *[beszéd, ének, írás]*

S

slurry ['slɜːri] *fn* **1.** *bány* híg/folyékony iszap, híg cementhabarcs **2.** *épít* folyékony cement

slush [slʌʃ] **I.** *fn* **1. a)** hólé, latyakos hó, piszkos olvadt hó, kásás jég **b)** locspocs, latyak, lucsok **2.** *biz* érzelgősség, ömlengés, ostoba szentimentalizmus **3.** *US* ponyvairodalom **II. A.** *tsi* besároz (vkt, vmt), sarat fröcsköl (vkre, vmre) **B.** *tni* **1. ~ about** pocsolyában/hólében/sárban tocsog **2.** cuppog

slush fund *fn szl pol* ‹megvesztegetése használt titkos pénzalap›

slushy ['slʌʃi] **I.** *mn* **a)** hólétől latyakos, sáros, kásás *[jég]* **b)** *biz* **~ sentimentality** émelyítő érzelgősség **c) ~ voice** zsíros hang **II.** *fn* **1.** *szl* hajószakács *stand* **2.** *Ausz* szakácssegéd, kukta • *fn* **slushiness**

slut [slʌt] *fn pej* **1.** szutykos nőszemély/némber, piszkofészek **2.** ringyó, szajha, kurva, lotyó • *fn* **sluttishness** *mn* **sluttish**

sly [slaɪ] *mn* **1. a)** ravasz, agyafúrt, csalafinta **b)** alattomos, ravaszkodó, sunyi, titkolódzó *[ember]*, titokban szőtt *[terv]*; *biz* **do sg on the ~** titokban/alattomban/lopva/stikában csinál vmt **2. a)** csúfondáros, gúnyos **b)** huncut, csintalan *[tréfa stb.]* **3.** *Ausz ÚjZ* illegális, fekete *[főleg szeszes italról]* • *fn* **slyness** *hsz* **slyly**

slyboots *fn esz biz* **1.** titokzatoskodó/titkolódzó/sunyi alak **2.** kis hamis/huncut, ravasz kópé; **you little ~** te kis gazember!

sly-groggery *fn Ausz* tiltott alkoholmérés • *fn* **sly-grog**

slype [slaɪp] *fn* összekötő folyosó *[templom és esperesi hivatal között]*

smack[1] [smæk] **I.** *fn* **1. a)** csattanás, pattintás, csettintés, cuppan(t)ás; **a ~ of the whip** ostorcsattanás; **the ~ of a kiss** csók cuppanása **b)** cuppanós/csattanós csók; **he gave her a good ~ on the lips** csattanós/cuppanós csókot nyomott a lány ajkára **2.** pofon, ütés *[tenyérrel]*; **~ in the eye/face** pofon; *átv* (váratlan) pofon, arculcsapás, (sértő) visszautasítás; *biz* **have a ~ at sy** (kézével) rácsap vkre **3.** *szl* heroin **4.** *biz* **have a ~ at sg** megpróbálkozik vmvel **II. A.** *tsi* **1. a)** csettint *[nyelvével]*, cuppant **b)** csattant, pattint; **~ a whip** ostorral csattant/pattint **2.** ráver, rácsap *[tenyérrel vkre/vmre]*, megcsapdos (vkt, vmt), pofon üt, pofont ad; **~ sy's face** pofon üt, arcul üt vkt **3.** *Ausz* **~ up sy** megtámad vkt, nekitámad vknek **B.** *tni* csattan *[ostor]*, cuppan *[csók]*; **a kiss ~ed** elcsattant egy csók, csók csattant **III.** *hsz* **1.** *biz* **a)** hirtelen, egyszerre csak, püff neki, zsupsz; **he fell ~ on to his back** zsupsz hátravágódott/hátraesett **b) ~ (in the middle)** egyenesen (bele), pont(osan) (bele); a kellős közepébe **2. go ~** csattan, pattan

smack[2] [smæk] **I.** *tni átv* **~ of sg** vmlyen (mellék)íze/zamata/látszata van, vm érzik/érezhető rajta, emlékeztet vmre **II.** *fn* **a)** íz, mellékíz, zamat **b)** egy kevés(ke)/csipetnyi/leheletnyi/korty (vmből); **add a ~ of pepper to it** adj/tégy csipetnyi borsot hozzá **c)** *átv* (egy) árnyalatnyi, valami, némileg emlékeztető (vmre); **there is a ~ of insincerity in his character** egy árnyalatnyi hamisság van a jellemében

smack[3] [smæk] *fn hajó* halászbárka

smack-bottom *fn* verés *[gyerek fenekére]*, megfenekelés, elnadrágolás

smack-dab *hsz főleg US* → **smack**[1] **III., 1.b**

smacker ['smækə ‖ –ər] *fn biz* **1. a)** cuppanós/csattanós csók **b)** csattanó pofon **2.** rendkívüli/szenzációs **3.** *US* egy dollár **4.** *GB* egy font

smackhead *fn szl* ‹kábítószerélvező, heroinista›

smack-up *fn Ausz* verekedés, összetűzés

small [smɔːl] **I.** *mn* **1. a)** kis, kicsi(ny), kis méretű, apró; **~ ad** apróhirdetés; *kat* **~ arm(s)** kézifegyver(ek); **~ boy** kisfiú; *nyomd* **~ caps** kis nagybetű; **~ fry** kicsinye *[vmilyen élőlénynek]*; jelentéktelen ember; apróságok *[gyerekek]*; *vad* **~ game** apróvad; **~ hours** az éjfél utáni első órák; *orv* **~ intestine** vékonybél; *nyomd* **~ letter** kisbetű; **~ man** alacsony ember; **~ part** kis szerep; **~ people** egyszerű emberek, kisemberek; **~ waist** keskeny derék; **~ wood** aprófa, alágyújtós; **make onself ~** (i) kicsire összehúzód(z-kod)ik (ii) behúzza fülét-farkát **b)** kicsi, nem elég nagy, szűk *[méret]*; keskeny, szűk *[helyiség]*; **on the ~ side** nem elég nagy, meglehetősen kicsi **2. a)** csekély, kevés számú, kisszámú; **in ~ numbers** csekély számban, kevesen **b)** kis, kevés, csekély, jelentéktelen/kisebb összegű *[pénz, jövedelem]*, sovány, gyenge, kevés fogásból álló *[ebéd]*, csekély, gyenge *[vigasz]*, nem nagyon, alig *[tartós]*; **~ eater** keveset evő, kis étvágyú; **~ income** csekély/szerény jövedelem; **in a ~ way** szerényen, szerény keretek között, egyszerűen, luxus nélkül; **a child of ~ abilities** csekély/gyenge képességű gyermek; **it is ~ wonder that** nem csoda/meglepő ha; **to his no ~ surprise** legnagyobb meglepetésére **3.** gyenge, erőtlen, kis, halk *[hang]*, könnyű, gyenge *[ital]*; **~ wine** könnyű bor, vinkó, lőre; **~ voice** alig hallható hang; gyenge (v. nem erős, nem nagy terjedelmű) (ének)hang; *biz* alázatos hang **4.** rövid (ideig tartó), nem hosszú *[idő]*; **a ~ time/while** (egy) rövid/kis idő; **~ years** a gyermekkor évei **5.** csekély (v. nem nagy) jelentőségű, jelentéktelen *[dolog]*, megbocsátható, kis *[bűnök]*, mellőzhető, nem fontos *[részletek]*, apró-cseprő, mindennapi *[gondok]*, megszokott, mindennapi *[témák]*; *ját* **~ cards** értéktelen lapok; **~ change** aprópénz; triviális megjegyzések; **~ matter** apróság, semmiség, jelentéktelen dolog/ügy; **~ potatoes** jelentéktelen ember/dolog; **~ shopkeeper** kiskereskedő; **~ talk** (könnyed) társalgás; **~ trade** kiskereskedelem; **~ works** kisüzem **6.** kicsinyes, szűkkeblű, silány; **look ~** megszégyenültnek látszik; hangját se lehet hallani **II.** *fn* **1.** vmnek az apraja, vmnek a kis része; **~ of the back** vékonya, vesetája **2. in ~** kicsiben, miniatűr(ben); **by ~ and ~** lassanként, fokozatosan **3.** *tsz* **smalls** *GB biz* kisebb mosnivaló *[fehérnemű]* **III.** *hsz* **1.** kis betűkkel *[ír]* **2.** apróra, kis darabokra *[vagdalva stb.]* • *fn* **smallness** *mn* **smallish**

small-bore *mn sp* **~ rifle** kisöbű (sport)puska

small-gauge *mn vasút* keskeny nyomtávú

smallholder *fn GB mezőg* kisgazda, kisbirtokos, telkes gazda, kisbérlő

smallholding *fn GB* kisbirtok, törpebirtok

small-minded *mn* kicsinyes(kedő), alantas gondolkodású, szűk látókörű, szűkkeblű

smallpox *fn orv* himlő

small-scale *mn* **1.** kisipari, kiskereskedelmi; **~ industry** kisipar, kézműipar; **~ manufacture/production** gyártás kis mennyiségben, kisüzemi termelés **2.** *átv* kis méretű, kicsiben folytatott

small-sword *fn* párbajtőr, szúrókard

small-time *mn biz* kisszerű, jelentéktelen, másodrendű, piti, szerény arányú/méretű; **a ~ collector** kisgyűjtő • *fn* **small-timer**

small-townish *mn biz* kisvárosias, vidéki(es) *[ízlés, szokás]*

smallware *fn tsz* **1.** rövidáru, rőfösáru **2. a)** vasedényáru **b)** *biz* csecsebecse, mütyürke

smalt [smɔːlt] *fn* **a)** smalte, kobaltüveg **b)** kobaltkék, királykék, császárkék, újkék (szín)

smarm [smɑːm ‖ smɑrm] **I.** *fn GB biz* túlzott alázatosság, hajbókolás **II. A.** *tsi* lesimít, lenyal, leken (hajat); **~ his hair down** lesimítja/lenyalja a haját **B.** *tni GB biz* **~ over (sy)** hízeleg, áradozik, ömleng (vknek)

smarmy ['smɑːmi ‖ 'smɑrmi] *mn GB biz* hízelgő, mézesmázos, ömlengő, talpnyaló, csúszó-mászó • *fn* **smarminess** *hsz* **smarmily**

smart [smɑːt ‖ smɑrt] **I.** *mn* **1. a)** ügyes, ötletes *[találmány]*, ügyes, jó *[társalgó]*, szellemes, talpraesett *[mondás]*, gyors és találó *[válasz* v. *visszavágás]* **b)** ügyes, eszes, gyors felfogású, értelmes, intelligens; **say ~ things** szellemes dolgokat mond, szellemeskedik **c)** agyafúrt, körmönfont, furfangos; **~ practice** fondorlat; szélhámosság; *biz* **he's a ~ one** nem esett a feje lágyára; **be too ~ for sy** túljár a másik eszén **d)** *infor* intelligens; **~ building** intelligens épület; **~ card** intelligens/okos kártya, aktív memóriakártya **2.** divatos, elegáns *[öltözet, külső]*; **of ~ appearance** jó

S

megjelenésű **3.** gyors, fürge, szapora *[lépték]*, élénk *[tempó]*, erős, heves *[támadás, zápor]*, gyorsan és jól végzett *[munka]*; *biz* **that's ~ work!** ez már teszi!; **look ~!** mozgás!, szedd a lábad!, siess! **4. a)** szúró, sajgó, hasogató, éles *[fájdalom]* **b)** szigorú, erős *[büntetés]*; **a ~ punishment** szigorú/hathatós büntetés **II.** *tni* **1.** fáj, sajog, ég *[seb]*, hasogat, szúr *[oldal]*, csíp *[füst szemet]*; **her eyes ~ with tears** szeme könnytől ég **2. a)** megbántódik, neheztel, zokon vesz; **he ~s with neglect** neheztel a mellőzésért **b)** szenved, (meg)bűnhődik, lakol; **~ under an injustice** igazságtalanság miatt szenved; **you shall ~ for this** ezt még megkeserülöd!, ezért még fizetni/lakolni fogsz **III.** *fn* **a)** éles/szúró/csípős fájdalom, szúrás, sajgás, hasogatás **b)** *átv* fájdalom, szenvedés, seb **IV.** *hsz* gyorsan, fürgén, szaporán • *fn* **smartness** *mn/hsz* **smartish** *hsz* **smartly**

smart-aleck ['sma:tælɪk ‖ 'smɑrt–] *fn biz* okoskodó/beképzelt fráter, kisokos • *mn* **smart-alecky**

smart-arse *GB szl* → **smart-aleck**

smarten ['sma:tn ‖ 'smɑrtn] **A.** *tsi* **1. a)** **~ sg (up)** felélénkít, elevenséget visz (v. életet önt) vmbe **b)** **~ sy up** kiokosít/kioktat/kitanít vkt, felnyitja vk szemét **2.** feldíszít, kicsinosít (vmt); **~ oneself up** kicsinosítja/kicsípi magát, díszbe vágja magát, kiöltözik **B.** *tni* **~ up** felélénkül; felnyílik a szeme, megokosodik; kicsinosodik

smarting ['sma:tɪŋ ‖ 'smɑrtɪŋ] **I.** *mn* fájó, sajgó, hasogató, szúró *[fájdalom]*, égő *[szem]* **II.** *fn* sajgó/hasogató/szúró fájdalom/seb • *hsz* **smartingly**

smart money *fn* **1.** fájdalomdíj **2.** nagyon jól informáltan (v. nagy szakértelemmel) befektetett pénz **3.** tájékozott befektető/spekuláns

smarty ['sma:ti ‖ 'smɑrti] **I.** *mn* **1.** → **smart** I. **2.** okoskodó, beképzelt **II.** *fn biz* okosnak látszani akaró ember

smarty-pants → **smarty** II.

smash [smæʃ] **I. A.** *tsi* **1. a)** teljesen összezúz, összetör, (egyetlen ütéssel) szétzúz, szétlapít, bezúz, betör; **~ the window** betöri az ablakot; **~ sg to pieces** darabokra/szilánkokra/ripityára tör/zúz vmt; összemorzsol/szétmorzsol vmt; **~ a man on the nose** betöri/összezúzza vknek az orrát **b)** nekiüt, nekicsap, nekivág (vmt vmnek); **~ sg on/against sg** (teljes erővel) nekivág/nekicsap vmt vmnek **2. a)** tönkretesz (vkt, vmt), tönkrever, szétver, megsemmisít; **~ an attack** tönkrever/megsemmisít egy támadást **b)** *sp* **~ a record** megdönt/megjavít egy csúcsot/rekordot **c)** tönkretesz, megbuktat *[tervet]* **3.** *sp* lecsapja (a labdát) *[(asztali)teniszben]* **4.** *biz* forgalomba hoz *[hamis pénzt]* **B.** *tni* **1. a)** összetörik, összemorzsolódik, darabokra/szilánkokra törik/zúzódik **b)** nekicsapódik, nekivágódik, nekiütődik, nekiütközik, nekiszalad, nekirohan **2. a)** tönkremegy, csődbe jut/kerül, fizetésképtelenné lesz *[személy]*, megbukik, összeomlik, csődbe megy *[cég, bank]* **b)** megbukik, kudarcot vall *[terv]* **II.** *fn* **1.** darabokra törés; *biz* **come/go to ~** darabokra/ripityára törik; kudarcot vall, megbukik, csődöt mond *[terv]*; tönkremegy, csődbe jut *[személy]* **2.** (heves) összeütközés, karambol *[járműveké]*, szerencsétlenség **3. a)** (anyagi) összeomlás, bukás, csőd, fizetésképtelenség, krach **b)** teljes vereség/kudarc **4. a)** *biz* erős ütés/csapás, összezúzás; **knock sg to ~** ripityára tör vmt **b)** *sp* leütés, lecsapás *[teniszben]*; **overhead ~** magasról való leütés/lecsapás **5.** *biz* óriási/átütő siker, bombasiker **6.** *biz* hamis pénz **III.** *hsz* **1. go ~** tönkremegy, csődbe kerül/jut/megy, fizetésképtelen lesz **2. run ~ into sg** teljes erőből beleszalad/beleütközik vmbe • *mn* **smashable**

smash in *tsi* bezúz, betör; **~ in a door** ajtót betör; *biz* **~ sy's face in** összeveri vk képét/pofáját

smash into *tni* belezuhan és összetörik *[repülőgép tengerbe]*, teljes erővel beleszalad/beleütközik és szétzúzódik *[jármű falba, sziklába]*

smash up A. *tsi* összetör, összezúz, szétzúz, darabokra tör/zúz; **~ up one's health utterly** tönkreteszi a szervezetét/egészségét **B.** *tni* tönkremegy, megbukik, csődbe jut; **the firm ~ed up** a cég tönkrement (v. csődbe jutott)

smash-and-grab *fn/mn* kirakatrablás

smasher ['smæʃə ‖ –ər] *fn főleg GB biz* **1.** törő/zúzó személy **2. a)** hatalmas ütés/csapás **b)** gyilkos kritika, lélegzetelállító válasz, döntő/megsemmisítő érv **c)** *biz* **come a ~** hasra esik, felbukik, elvágódik **3.** *biz* remek személy/dolog

smash hit *fn* óriási siker, bombasiker

smashing ['smæʃɪŋ] *mn főleg GB biz* **1.** hatalmas, óriási, átütő erejű *[csapás, ütés, siker, győzelem]*, megsemmisítő *[bírálat]* **2.** *biz* remek, oltári, klassz, haláli • *hsz* **smashingly**

smash-up *fn biz* **a)** szerencsétlenség, baleset, összeütközés, karambol *[járműé]*, lezuhanás *[repülőgépé]* **b)** összezúzás, összetörés **c)** teljes összeroncsolódás/pusztulás *[összeütközés/lezuhanás következtében]*

smatter ['smætə ‖ –ər] *tni* **I.** *fn* felszínes ismeret, hézagos tudás **II.** *tni* **1.** (csekély) ismeretét/tudását fitogtatja **2.** felületesen foglalkozik (vmvel), felszínesen ismer (vmt), konyít (vmhez) • *fn* **smatterer**

smattering ['smætərɪŋ] *fn* felszínes képzettség, felületes/halvány tudás/ismeret; **have a ~ of sg** ért/sejt/konyít hozzá egy keveset, belekóstolt/beleszagolt vmbe

smear [smɪə ‖ smɪr] **I. A.** *tsi* **1. a)** bemocskol, bemaszatol, beszennyez, bepiszkít, összeken, összezsíroz, elmázol, szétken **b)** összepiszkít, elken *[írást, rajzot]*; **get ~ed** elkenődik, elmosódik *[körvonal stb.]* **2.** beken, bedörzsöl, ráken, felken *[festéket, rúzst]*; **~ bread over with butter** kenyérre vajat ken; **cheeks ~ed with rouge** rúzzsal bemázolt/kikent arc **3.** tudatosan rágalmaz, megrágalmaz, meggyaláz, bemocskol, befeketít *[vk nevét]* **B.** *tni* **a)** foltot/pecsétet hagy **b)** összepiszkolódik, bemaszatolódik, elkenődik, elmosódik *[írás, rajz]* **II.** *fn* **1.** maszat(os folt), zsírfolt, szennyfolt, elkenődés; **a ~ of greasy fingers on the glass** zsíros ujjak nyoma a poháron **2. a)** felkent anyag, kence, kenőanyag **b)** *orv* kenet; **vaginal ~** hüvelykenet • *fn* **smearer** *mn* **smeary**

smear campaign *fn* rágalomhadjárat

smearcase ['smɪəkeɪs ‖ 'smɪr–] *fn US gaszt* érett túró, gomolya

smear-word *fn* **a)** csúfnév **b)** rágalom

smegma ['smegmə] *fn orv* fitymafaggyú; *állatorv* tasakváladék • *mn* **smegmatic**

smell [smel] **I.** *fn* **1. a)** szag, illat; **sweet ~** édes illat **b)** rossz szag, bűz **2. (sense of) ~** szaglás, szag(ló)érzék; szimat *[állaté]*; **take a ~ at sg** megszagol, megszaglász vmt, beleszagol vmbe **II. A.** *tsi pt/pp* **smelt** [smelt], **smelled** **1. a)** (meg)szagol, (meg)szaglász (vmt), beleheli/beszívja (vmnek) az illatát; **just ~ this rose!** szagold meg ezt a rózsát! **b)** érzi (vmnek) szagát/illatát, szagot/illatot észlel; **do you ~ sg burning?** érzed, hogy valami ég? **2.** *biz* megérez, megszimatol *[veszélyt]*, (meg)sejt, gyanít (vmt); **~ sg, ~ (a) rat** gyanakszik, rosszat sejt; **~ treason** árulást gyanít **B.** *tni* **1. a)** szaglása/szaglóérzéke van, szagot érez, szagol **b)** szimatol, szaglászik **2. a)** szaga/illata van, szagot/illatot áraszt, szaglik; **~ good** jó szagú, kellemes illatú; **~ nasty** kellemetlen/rossz szagú, bűzös, büdös; **~ strong** erős/átható szaga/illata van (v. szagot, v. illatot áraszt) **b)** **~ of sg** érzik rajta vm, magán viseli vmnek nyomát/bélyegét **3.** rossz szaga van, bűzlik, bűzös, büdös; **his breath ~s** bűzös a lehelete, büdös a szája • *fn* **smeller** *mn* **smellable**, **smell-less**

smell out *tsi biz* kifürkész, kinyomoz *[állat szimatával]*, *átv* kinyomoz, kiszagol, felfedez

smell-feast *fn biz* élősködő, ingyenélő, tányérnyaló

smellful ['smelfl] *mn Ausz* szagos, illatos, illatdús

smelling bottle *fn* repülősós üvegecske/üvegcse

smelling salts *fn tsz* illatos só, *biz* repülősó

smelt[1] [smelt] → **smell**

smelt[2] [smelt] *tsi* **1.** megolvaszt, felolvaszt; **~ down** beolvaszt **2.** kivon *[fémet olvasztás útján]*

smelly ['smeli] *mn biz* kellemetlen/rossz szagú, bűzös, büdös • *fn* **smelliness**

smew [smju:] *fn áll* bukó(madár)
smidgen ['smɪdʒən] *fn főleg US biz* csipetnyi, kevéske (vmből)
smile [smaɪl] **I.** *fn* **1.** mosoly, mosolygás; **a ~ of contempt** megvető mosoly; **be all ~s** csupa mosoly; **force a ~** mosolyt erőltet magára; **give sy a ~** rámosolyog vkre; **raise a ~** megmosolyogtat; **break into a ~** elmosolyodik; **with a ~** mosolyogva **2.** szívderítő/derűs/vidám látvány/kép **3.** **~(s)** kegy, kedvezés, jóindulat **II. A.** *tsi* **a)** **~ a bitter ~** keserűen mosolyog **b)** **~ away his grief** mosolyával eloszlatja bánatát; **~ sy into doing sg** mosolyával/hízelgéssel rávesz vkt vmre **c)** **~ a welcome to sy** mosollyal/mosolyogva köszönt vkt; **~ forgiveness** megbocsátóan mosolyog **B.** *tni* **1.** mosolyog, elmosolyodik; *biz* **keep smiling!** légy mindig derűs; **what are you smiling at?** mit/min mosolyogsz?; **~ at sy** rámosolyog vkre; mosolyog vkn, megmosolyog vkt; **~ through one's tears** könnyein keresztül mosolyog; **she ~d up at me** rámmosolygott, mosolyogva felnézett rám **2.** kellemes/vidám/derűs/szívderítő látványt nyújt, vidámnak/derűsnek látszik/tűnik **3.** kedvez (vknek, vmnek), jóindulattal van/viseltetik (vk/vm iránt), helyesel (vmt); *átv* **~ (up) on sy** kedvez vknek, kegyeibe fogat vkt; megmosolyog vkt; **fortune has ~d upon him** a szerencse rámosolygott • *fn* **smiler** *mn* **smileless**
smiley ['smaɪli] *fn* **a)** ‹sárga alapon mosolygós arcot ábrázoló kör alakú jelvény› **b)** *infor* mosolyábra
smiling ['smaɪlɪŋ] *mn* **1.** mosolygó(s) **2.** kellemes, vidám, derűs, szívderítő *[látvány stb.]*; **a ~ landscape** derűs/vidám/mosolygó táj(ék)
smirch [smɜ:tʃ ‖ smɜrtʃ] **I.** *tsi átv* beszennyez, bemocskol (vmt), foltot ejt (vmn), megrágalmaz (vkt); **~ sy's fair name** megrágalmazza/bemocskolja vknek a jó hírét **II.** *fn átv* szenny(folt), folt; **it has left a ~ on his reputation** foltot hagyott/ejtett a hírnevén
smirk [smɜ:k ‖ smɜrk] **I.** *fn* affektált és önelégült mosoly/vigyorgás, hülye/idétlen vigyor; **~s and smiles** színlelt udvariasság, udvariasság álarca **II.** *tni* önelégülten/negédesen/affektálva mosolyog
smit [smɪt] → **smite** I.
smite [smaɪt] **I. A.** *tsi pt* **smote**, *pp* **smitten** ['smɪtn] *régi* **1. a)** megüt, rácsap, lecsap; **~ one's hands together** összecsapja a kezét; **~ the lyre** lantot penget **b)** legyőz, lever, tönkrever **c)** leöl, legyilkol, agyonüt; **~ a person's head off** levágja vknek a fejét **2. a)** *átv* (le)sújt, csapást mér (vkre); **the idea smote him** az a gondolata támadt **b)** lelkiismeretfurdalást okoz; **my conscience ~s me** furdal a lelkiismeretem, lelkiismeret-furdalásom van **3.** hatalmába kerít, sújt *[érzékszervet stb.]*; **smitten with/by** megszállva *[nagyravágyástól]*; eltelve *[vágytól]*; lenyűgözve, megigézve, elbűvölve *[szépségtől]*; **smitten with palsy** szélütéstől/gutaütéstől sújtva; *biz* **be smitten with sy** fülig szerelmes vkbe, belehabarodott vkbe **B.** *tni régi* **1.** hatalmas ütést/csapást mér, (le)sújt **2.** *átv* **a sound smote on my ear** egy hang hasított a fülembe **II.** *fn* **1.** *vál régi* ütés, csapás **2.** *biz* **have a ~ at it** próbálkozz meg vele! • *fn* **smiter**
  smite upon *tni* ráver, rácsap, rásújt (vmre)
smith [smɪθ] **I.** *fn* kovács; **shoeing ~** patkolókovács; **~'s hammer** kovácskalapács, pöröly; *US* **~('s) shop** kovácsműhely **II.** *tsi* kovácsol
smithcraft *fn* kovácsipar, kovácsmesterség
smithereens [ˌsmɪðə'ri:nz] *fn tsz biz* apró darabok, szilánkok, (cserép)törmelék; **blow/knock/smash sg into ~** ripityára tör/zúz vmt
smithery ['smɪθəri] *fn* **1.** kovácsmesterség **2.** kovácsműhely **3.** kovácsolt áruk
smithy ['smɪði] *fn* **1.** kovácsműhely **2.** kovács(mester)
smitten → **smite** I.
smock [smɒk ‖ smɑk] **I.** *fn* **a)** bő ingszerű ujjas munkaruha, munkaköpeny **b)** tréningruha *[gyerekeknek]* **c)** orvosi köpeny **II.** *tsi* ráncol, redőz *[varrásnál]*
smock-frock → **smock** I. a.
smocking ['smɒkɪŋ ‖ 'smɑ–] *fn* darázshúzás *[ruhán]*

smog [smɒg ‖ smɔg, smɑg] *fn* füstköd • *mn* **smoggy**
smoke [smoʊk] **I.** *fn* **1. a)** füst; **that's all ~** mesebeszéd, se füle, se farka; **emit ~** füstöt bocsát ki, füstöl(ög); **end in ~** füstbe megy; *biz* **go up in ~** elemészti a tűz, füstbe megy *[terv]* **b)** porfelhő, köd(felhő), pára; *GB Ausz biz* **the S~** nagyváros *[főleg London]* **2. a)** dohányzás, cigarettázás, szivarozás, pipázás **b)** cigaretta, szivar; *biz* **a box of ~s** egy doboz cigaretta/szivar; **will you have a ~?** rágyújt?; *biz* **how's for a ~?** adj egy cigit! **c)** cigarettaszünet **3.** *szl [fekete bőrű ember]* füstös, füsti **II. A.** *tsi* **1. a)** (fel)füstöl, megfüstöl, füstön szárít *[húst, halat]* **b)** befüstöl, kormoz, (füsttel) befeketít *[falat]* **2.** kifüstöl *[férget]*; **~ rats out of a barn** patkányokat csűrből kifüstöl **3.** dohányzik, cigarettázik, füstöl; **~ a pipe** pipát szív, pipázik; **~ opium** ópiumot szív **4.** *biz régi* incselkedik (vkvel), megtréfál/ugrat (vkt) **B.** *tni* **1.** füstöl(ög), gőzöl(ög), füstöt/gőzt bocsát ki **2.** dohányzik, füstöl, rágyújt **3.** *Ausz szl [meglóg]* ellép, kereket old • *mn* **smok(e)able**
  smoke out kifüstöl, füsttel kihajt, végigszív *[szivart stb.]*; **~ out a sick-room** betegszobát kifüstöl (v. füsttel fertőtlenít)
smoke-bomb *fn kat* füstgránát, füstbomba
smoke-brown *fn* füstszínű
smoke-bush *fn növ* cserszömörce
smoke-curing *fn* füstölés *[húsé]*
smoked [smoʊkt] *mn* **1.** kormos, füstös (falú), füsttől elfeketedett **2. a)** füstölt, füstön szárított; **~ meat** füstölt hús **b)** füstölt ízű
smoke detector *fn* füstérzékelő, füstjelző berendezés
smoke-dried *mn* füstölt, füstön szárított *[hús stb.]*
smoke-free *mn* **1.** füstmentes **2.** nemdohányzó *[helyiség]*
smoke-ho *fn Ausz ÚjZ biz* **1.** cigarettaszünet, tíz perc pihenő **2.** frissítő, uzsonna
smokeless ['smoʊkləs] *mn* füst nélküli, füstmentes; **~ combustion** füstmentes elégés/tüzelés; *GB* **~ zone** füstmentes övezet
smoke plant *növ* → **smoke tree**
smoker ['smoʊkə ‖ –ər] *fn* **1.** dohányzó, dohányos; **heavy ~** erős dohányos **2.** *biz* dohányzó *[helyiség]*
smoke ring *fn* füstkarika *[cigarettafüstből]*
smoke-room *fn* dohányzó(szoba), dohányzóhelyiség
smoke-screen *fn kat* álcázó füst, füstfüggöny, mesterséges köd, *átv* ködösítés
smoke-shell *fn* füstgránát
smokestack *fn* gyárkémény, mozdonykémény, hajókémény
smokestack industry *fn US* nehézipar
smoke-test *fn* füstpróba
smoke tree *fn növ* cserszömörce
smoking ['smoʊkɪŋ] **I.** *mn* füstölő, füstölgő, gőzölgő; *átv* **~ gun** egyértelmű bizonyíték **II.** *fn* **1.** füstkibocsátás, füstölgés, kormozás **2.** füstölés, füstön szárítás *[húsé, halé]* **3.** dohányzás; **passive ~** passzív dohányzás; **no ~ (allowed)** tilos a dohányzás
smoking carriage *fn vasút* dohányzókocsi
smoking compartment *fn vasút* dohányzószakasz
smoking jacket *fn* házikabát
smoking room *fn* dohányzó(szoba)
smoking-room story *fn biz* borsos/vaskos történet
smoking-stand *fn* álló hamutartó
smoko ['smoʊkoʊ] → **smoke-ho** 1.
smoky ['smoʊki] *mn* **1. a)** (dohány)füstös, telefüstölt *[helyiség]*, kormos, füstös *[levegő, város]* **b)** befüstölt, bekormozott; *US* **S~ City** Pittsburgh **2.** *US* párás *[láthatár stb.]*, ködbe burkolt *[hegycsúcs]* **3.** füstöl(g)ő, kormozó *[kémény stb.]* **4.** füstölt ízű
smolder ['smoʊldə ‖ –ər] *US* → **smoulder**
smolt [smoʊlt] *fn áll* fiatal lazac
smooch [smu:tʃ] **I.** *fn biz* **1.** csók; smaci **2.** *GB* lassú tánc **II.** *tni biz* **1.** csókolózik; smacizik, smárol **2.** ölelkezik; nyalják-falják egymást, eszik egymást • *fn* **smoocher** *mn* **smoochy**

S

smoodge [smu:dʒ] *tsi/tni Ausz ÚjZ* **1.** kedveskedik, kedvében jár (vknek), hízeleg, vk kegyét keresi; **~ round** (v. **up to) sy** vk kedvében jár, kedveskedik vknek **2.** cirógat, simogat, ölelget, csókolgat

smooth [smu:ð] **I.** *mn* **1. a)** sima, egyenletes, sík *[felület]* **b)** csupasz, szőrtelen, sima *[arc]*, puha, selymes, bársonyos *[bőr]*, nyugodt, csendes *[vízfelület, időjárás]*, sima, ránctalan *[homlok]*; **~ landing** sima leszállás *[űrhajóé]* **2. a)** sima, egyenletes, folyamatos, szabályos; **~ gallop** egyenletes ügetés; *orv* **~ muscle** simaizom; **~ running/working** egyenletes/szabályos (gép)működés; *rep* **~ take-off** sima felszállás **b)** sima, akadály nélküli, zökkenésmentes *[lebonyolítás]*; *biz* **it was ~ sailing** simán ment a dolog; **make things ~ for sy** vknek útját egyengeti **3. ~ wine** sima/kellemes bor **4. a)** sima, udvarias *[modor]*, gördülékeny *[stílus]* **b)** mézes-mázos, (be)hízelgő; **~ words and fair promises** szépen hangzó ígéretek; **he has a ~ tongue** sima szavú **5.** *US biz* kitűnő, elegáns **II. A.** *tsi* **1. a)** (el)simít, lesimít, simává tesz, (el)egyenget **b)** legyalul, (le)csiszol, (le)simít **2. a)** lecsillapít *[haragot]*, elsimít *[nézeteltérést stb.]* **b)** *biz* **~ the way for sy, ~ sy's path** egyengeti vk útját; elgördíti vk útjából az akadályokat **B.** *tni* **1.** elsimul, simává lesz **2.** csillapodik **III.** *fn* **1.** simítás; **give one's hair a ~** lesimítja a haját **2.** simaság; **take the rough with the ~** úgy veszi a dolgokat, ahogy jönnek **IV.** *hsz* → **smoothly** • *fn* **smoothness**

smooth down A. *tsi* **a)** lesimít, kisimít, elsimít **b)** *biz* **~ things down for sy** megkönnyíti vk dolgát **c)** lecsillapít, lecsitít; **~ down the quarrel** elsimítja/elcsitítja a veszekedést **B.** *tni* lecsillapodik, elcsitul; **the sea gradually ~ed down** a tenger fokozatosan lecsillapodott

smooth out *tsi* **a)** kisimít, elsimít *[ráncot]* **b)** simává tesz, csiszol *[modort]*, lefarag *[rossz tulajdonságot]*; **~ out one's style** stílusát csiszolja

smooth over *tsi* **1. a)** elsimít, elhárít *[nehézséget]* **b) ~ things over** elintézi/elrendezi a dolgokat **2.** palástol, takargat, leplez *[rossz tulajdonságot]*, kimagyaráz, menteget *[hibát]*

smooth-bore *mn kat* sima furatú, huzagolatlan *[cső]*

smoothe [smu:ð] → **smooth II.**

smoothen ['smu:ðn] → **smooth II.**

smooth-faced *mn* **1.** simára borotvált **2.** tejfölösszájú **3.** sima modorú, mézesmázos

smoothie ['smu:ði] *fn biz* **1.** udvarias ember; hízelgő **2.** *US Ausz gaszt* gyümölcsturmix

smoothing iron *fn* (ruha)vasaló

smoothly ['smu:ðli] *hsz* **1.** simán, szabályosan, akadály nélkül; **go/work ~** egyenletesen/szabályosan működik *[gép]*; *biz* **everything is going on ~** simán megy minden **2.** hízelgően, mézesmázosan

smorgasbord ['smɔ:gəsbɔ:d ‖ 'smɔrgəsbɔrd] *fn* **1.** *gaszt* svédasztal **2.** *átv* nagy választék, széles kínálat

smote [smout] → **smite I.**

smother ['smʌðə ‖ –ər] **I. A.** *tsi* **1. a)** megfojt, megfullaszt (vkt), kiszorít levegőt *[vkből fojtogatással]*; *sp* **~ an opponent** ellenfelet földhöz vág (v. két vállra fektet) **b)** elolt, kiolt *[tüzet]*, elfojt, elnyom *[tüzet, érzelmet]*, visszatart, elnyom *[ásítást]*, elfojt, eltompít *[hangot]*, legyűr *[haragot]*, legyőz *[büszkeséget]*; **~ a curse** elfojt/elnyom káromkodást **2. a)** (teljesen) elborít, beborít, *átv* megfüröszt (vmben) **b)** eláraszt/elhalmoz; *biz* **~ sy with caresses** elhalmoz vkt kedveskedéssel **c) ~ (up)** elkendőz, elrejt *[nyilvánosság elől]* **d)** gyenge tűzön fedő alatt párol **3.** *US* legyőz, megsemmisít; *biz* lemos, leradíroz **B.** *tni* **a)** megfullad, fulladozik **b)** parázslik **II.** *fn* **1.** üszkös hamu, pislákoló parázs **2. a)** sűrű/fojtó füst, füstgomolyag **b)** sűrű köd **c)** porfelhő

smothery ['smʌðəri] *mn* **a)** fojtogató, fojtó, fullasztó **b)** hamvadó

smoulder ['smouldə ‖ –ər] **I.** *tni* **a)** parázslik, hamvad, lappangva/fojtva ég, füstöl(ög) **b)** *átv* lappang, lassan készülődik *[pl. forradalom]*; **hatred ~ed in his heart** gyűlölet forrt szívében **II.** *fn* hamvadozó/lappangó tűz

smouldering ['smouldərɪŋ] **I.** *mn* parázsló, hamvadozó, izzó, lappangó *[tűz]* **II.** *fn* füstölgés • *hsz* **smoulderingly**

smudge [smʌdʒ] **I.** *fn* **1. a)** folt, szenny(folt), piszok(folt), maszat, paca **b)** *átv* szennyfolt **2.** halvány/elmosódott körvonal/folt **3. a)** *US* fojtogató/sűrű füst **b)** *US* legyeket/szúnyogokat elűző erős füst **c)** *US* fagy elleni tűz *[gyümölcsösben]* **II. A.** *tsi* **1. a)** bepiszkít, bepiszkol, bemocskol, beszennyez, összeken *[kezet, ruhát stb.]*, elken, elmaszatol *[írást]*, pacát ejt (vmre); *biz* **~ sy's honour** beszennyezi vknek a becsületét, foltot ejt vknek a becsületén **b)** füstöléssel véd *[talajmenti fagytól]* **2.** *US* füsttel elűz, kifüstöl *[élősdiket]* **B.** *tni* bepiszkolódik, mocskolódik, beszennyeződik, maszatos/piszkos/mocskos lesz • *mn* **smudgeless**

smudgy ['smʌdʒi] *mn* **1. a)** foltos, piszkos, mocskos, szennyes, maszatos, telepacázott **b)** elmosódott *[körvonal]* **2.** *US* füstös, füstölgő

smug [smʌg] *mn* önelégült, elégedett, magabízó *[arckifejezés, hang]* • *fn* **smugness** *hsz* **smugly**

smuggle ['smʌgl] **A.** *tsi* **a)** csempész(ik); **~ a letter into the prison** levelet csempész be a börtönbe **b) ~ sg away** eltüntet/elrejt vmt **B.** *tni* csempészéssel foglalkozik • *fn* **smuggling**

smuggler ['smʌglə ‖ –ər] *fn* **a)** csempész **b)** csempészhajó

smut [smʌt] **I.** *fn* **1. a)** korom(szem) **b)** koromfolt, piszokfolt, maszat *[arcon]* **2.** trágár/mocskos beszéd/történet(ek)/kifejezés/vicc, trágárság; **talk ~** ocsmányságokat/trágárságokat/disznóságokat beszél **3.** *mezőg* (gabona)üszög **II. -tt- A.** *tsi* **1. a)** (be)kormoz, beszennyez, bemocskol **b)** *átv* beszennyez, befeketít *[becsületet]*; **~ a person's reputation** bemocskolja/befeketíti vknek a jóhírét **2.** *mezőg* üszkössé tesz **B.** *tni mezőg* megüszkösödik *[gabona]* • *mn* **smutty** *hsz* **smuttily**

snack [snæk] **I.** *fn* **1.** gyors (rövid) étkezés, falatozás, néhány falat, tízórai, uzsonna, könnyű hideg vacsora; **let's have a ~** (gyorsan) együnk valamit **2.** *Ausz szl [biztos ügy/dolog/kilátás]* kis falat, tuti ügy, könnyű játszma **II.** *tni* falatozik, bekap egy falatot

snack bar *fn* (gyors)büfé, falatozó, bisztró

snaffle ['snæfl] **I.** *fn* zabla **II.** *tsi* **1.** (fel)zabláz *[lovat]* **2.** *biz* elcsen, elcsór, elcsakliz, megkaparint **3.** *biz* elfog, elcsíp, nyakon csíp *[tolvajt]*

snafu [snæ'fu:, 'snæfu:] **I.** *mn szl [zűrzavaros]* zűrös **II.** *fn szl [összevisszaság, zűrzavar]* zűr, káosz

snag [snæg] **I.** *fn* **1. a)** kiugrás, kidudorodás **b)** földből kiálló fatönk/tuskó, folyó medrébe temetett nagy (kiálló) fatönk/szikla **c)** kiálló fog, csonk **2.** *biz* nem várt (v. rejtett) akadály, váratlan bökkenő, nehézség, hátrány; *biz* **there's the ~** itt a bökkenő; *biz* **strike a ~, come on a ~** akadályba/nehézségbe ütközik; pórul jár **3.** *tsz* **snags** *Ausz* kolbász, virsli **II.** *tsi* **-gg- 1. be ~ged** megfeneklik elsüllyedt fatönkön **2.** folyómedret elsüllyedt akadályoktól megtisztít • *mn* **snagged, snaggy**

snaggletooth ['snægltu:θ] *fn tsz* **-teeth** kiálló fog, csorba fog • *mn* **snaggletoothed**

snail [sneɪl] **I.** *fn* **a)** csiga; **edible ~** ehető csiga, éticsiga; **~ horn/shell** csigaház; *biz* **go at a ~'s pace** csigalassúsággal megy/halad **b)** *biz* lassú ember **II.** *tni* csigalassúsággal mozog/jár/megy/halad • *mn* **snail-like**

snail mail *fn infor biz* hagyományos/postai levélküldés/küldemény; csigaposta

snail's pace *fn* csigalassúság

snake [sneɪk] **I.** *fn* **1. a)** kígyó; **common ~** vízisikló; **hooded ~** pápaszemes kígyó, kobra(kígyó); **raise/wake ~s** zavart kelt; veszekedésbe kezd; *US biz* **see ~s** fehér egereket lát, delirium tremense van **b)** *átv* kétszínű/álnok/hálátlan/csúszó-mászó személy; **he proved to be a ~ in the grass**

kiderült (róla), hogy kígyót melengettem a keblemen; *biz* **cherish/nourish a ~ in one's bosom** kígyót melenget a keblén **2.** *pénz* ‹valuták közötti átváltási rendszer› valutakígyó **II.** *tni* **a)** kanyarog, kígyózik *[út]*, csavarodik, tekeredik *[kötél]* **b) ~ along** lopakodik, lopódzik, kúszik • *mn* **snakelike**

snakebite *fn* kígyómarás, kígyóharapás

snake charmer *fn* kígyóbűvölő • *fn* **snake charming**

snake-juice *fn Ausz* rossz pálinka

snake-oil *fn* gyanús gyógyszer *[kuruzslóé]*

snakepit *fn átv* kígyófészek

snakeroot *fn növ* kígyógyökér, szerpentáriagyökér

snakeskin *fn/mn* kígyóbőr

snaky [ˈsneɪki] *mn* **1. a)** kígyószerű, kígyó alakú **b)** kígyózó, tekergő, kanyargó **2.** álnok, csúszómászó **3.** kígyóktól hemzsegő/nyüzsgő **4.** *Ausz biz* dühös, ingerült, zabos, mogorva • *fn* **snakiness** *hsz* **snakily**

snap [snæp] **I. -pp- A.** *tsi* **1. a)** vm után kap, elkap *[szájával]*, bekap, hirtelen leharap **b)** hirtelen elkap, felkap, elcsen, elemel **2.** élesen/ingerülten mond vmt **3. a)** csettint, pattint, (be)kattint; **~ the teeth** fogát/fogait csattogtatja; **~ one's fingers** pattint az ujjával; *biz* **~ one's fingers at a threat** fittyet hány a fenyegetésnek; **~ a pistol at sy** rásüti a pisztolyát vkre **b)** elroppant, kettétör, eltör **4.** *fényk* **~ sy/sg** pillanatfelvételt készít vkről/vmről, lekap vkt/vmt **5.** röviden félbeszakít; **~ words** röviden/kurtán odamond **6.** sietve/gyorsan csinál/tesz/összeüt (vmt) **7.** indít *[amerikai futballban]* **B.** *tni* **1. ~ (at)** vm után kap, harap *[állat]* **2.** élesen/ingerülten odaszól/rászól, ráförmed, rárivall **3.** (be)csattan, (be)kattan *[zár]*, csattan *[fogak]*, elcsattan *[pisztoly]* **4. ~ (asunder)** reccsenve kettétörik, kettéroppan, elpattan, szétszakad **II.** *fn* **1. a)** csattanás; **in a ~** egy szempillantás/pillanat alatt **b)** pattintás *[ostorral]*, csettintés *[ujjal]*, csattogtatás *[foggal]*; **a ~ of a whip** ostorcsattanás, ostorpattintás; **make a ~ at sy/sg** vk/vm után kap *[állat]*; *biz* **don't care a ~** kisebb gondja is nagyobb annál **c)** bekattanás, visszaugrás, visszapattanás, csattogás *[ollóé]* **d)** patent(gomb), patentkapocs, zár, csat **e)** (el)törés, (el)pattanás, roppanás **2.** éles válasz/vita, ráförmedés; **speak with a ~** éles hangon beszél **3. cold ~** hirtelen beálló hideghullám; rövid ideig tartó hideg idő **4. a)** élénkség, elevenség, lendület, tűz, frisseség; **put some ~ into it!** kicsit élénkebben! **b)** *US* energia, erély, rámenősség **5.** *fényk* → **snapshot 6. a)** ropogós gyömbérsütemény **b)** *GB* ebédcsomag **7.** *ját* snapszli **8.** *US biz* **soft ~** könnyű/potya dolog/munka; **~ course** potya tantárgy **9.** *tsz* **snaps** *szl* bilincs *stand* **III.** *hsz* **go ~** csattan; (el)pattan, (ketté)roppan **IV.** *mn* **a)** meglepetésszerű, hirtelen, váratlan, nem várt **b)** *US* rögtönzött, gyors • *mn* **snappable**

snap at *tni* **1. a)** vmi után kap *[szájával]*, (ki)harap *[állat]*; **a fish ~s at the bait** a hal ráharap a csalétekre **b)** *átv* két kézzel kap rajta; **~ at an offer** kapva kap az ajánlaton **2. ~ (out) at sy** ingerülten/élesen rászól vkre; ráförmed vkre

snap off A. *tsi* **a)** leharap, levág/lecsap egy nyisszantással **b)** *biz* **~ sy's head/nose off** majd' leharapja a fejét; **don't ~ my head off!** azért ne egyél meg! **B.** *tni* reccsenéssel/recscsenve letörik/lepattan

snap out A. *tsi* **~ out an order** parancsot ad gyorsan és pattogó hangon; **~ out words** röviden/kurtán odavág/odamond **B.** *tni US biz* **~ out of sg** vmt abbahagy; kiszáll/kilép/kiáll (v. kivágja magát) vmből, vmt leráz (magáról); → **snap I.A.1.a.**

snap up *tsi* **1. a)** felkap, felcsíp, felcsippent *[magot madár]* **b) ~ up a bargain** két kézzel kap az ajánlaton **c)** gyorsan megszerez/elkapkod/felvásárol (vmt) **2.** *biz* nyersen félbeszakít, elhallgat, letorkol (vkt)

snap bean *fn növ US* zöldbab

snap beetle *fn áll* pattanóbogár

snap-bolt *fn* rugós retesz; *műsz* csapózár

snapdragon *fn* **1.** *növ* oroszlánszáj, tátika **2.** *GB* ‹egyfajta karácsonyi játék: mazsolát kikapni égő konyakos tálból›

snap fastener *fn* **a)** patentkapocs *[ruhán]* **b)** kapocs, zár, csat *[könyvön, táskán, karkötőn]*

snap-hook *fn* ékszercsatocska

snap lock *fn* **a)** rugós csat/kapocs **b)** csapózár

snapper [ˈsnæpə ‖ –ər] *fn* **1. a)** harapós kutya **b)** harapós/mogorva/zsémbes ember **2.** *tsz* **snappers** *szl [fogak, műfogsor]* protkó **3.** pillanatfelvételt készítő fényképész **4.** *áll* aligátorteknős

snapping [ˈsnæpɪŋ] **I.** *mn* **a)** harapós *[kutya]* **b)** mogorva, zsémbes, harapós *[természet]* **c)** *US* **~ cold** metsző hideg **II.** *fn* **1.** csattog(tat)ás *[foggal]*, pattintás, csettintés *[ostorral, ujjal]*, bekattintás, kikattintás *[rugóé]*; **~ out** gyors kikapcsolás *[gépé]* **2.** kettétörés, elpattanás • *hsz* **snappingly**

snapping turtle *fn áll* aligátorteknős

snappish [ˈsnæpɪʃ] *mn* **a)** harapós *[kutya]* **b)** ingerült, harapós, zsémbes *[kedv]*, csípős *[megjegyzés]*

snappy [ˈsnæpi] *mn biz* **1.** → **snappish**; **~ person** ingerült/harapós ember; **~ sound** pattogó/csattanó hang **2. a)** lendületes, eleven, ízes *[stílus]*, szellemes, találó *[megjegyzés]* **b)** energikus, eleven, mozgékony, rámenős; **make it ~** élénken/gyorsan csinálja; *biz* **make it ~!** siess!, gyerünk!, mozgás!, szedd a lábad!, kapcsolj rá! **3.** *biz* finom, divatos, elegáns • *fn* **snappiness** *hsz* **snappily**

snapshot *fn fényk* pillanatfelvétel, (amatőr)fénykép; **take a ~ of (sy)** lefényképez/lekap vkt

snap-switch *fn el* pillanatkapcsoló

snare [sneə ‖ sner] **I.** *fn* **1. a)** (hurkos) csapda, tőr, kelepce; **lay/set a ~** csapdát/kelepcét állít; *átv* tőrt/hurkot vet **b)** *átv* csapda, tőr, kelepce **2. ~s of a drum** dob kereszthúrja **3.** → **snare drum II.** *tsi* **a)** csapdát állít, hálóval/csapdával fog, tőrbe ejt **b)** *átv* kelepcébe csal/ejt, behálóz (vkt) • *fn* **snarer**

snare drum *fn zene* erős pergésű (v. magas hangú) dob

snarky [ˈsnɑːki ‖ ˈsnɑrki] *mn szl [elegáns, sikkes]* puccos

snarl[1] [snɑːl ‖ snɑrl] **I.** *fn* vicsorgás, vicsorítás **II. A.** *tsi* **~ out an answer (to sy)** odavág választ (vknek) **B.** *tni* **1. a)** vicsorog, mérgében fogát vicsorgatja, fogvicsorgatva dühösen morog **b)** acsarog, acsarkodik (vk/vm ellen) **2. ~ at sy** rámordul vkre • *fn* **snarler** *mn* **snarly**

snarl[2] [snɑːl ‖ snɑrl] **I.** *fn tex* **1.** összekuszálódás *[szálaké]*, kóc, gubanc **2.** (össze)gabalyodás, zűrzavar, bonyodalom **II. A.** *tsi* **1. a)** összegubancol, összekuszál *[fonalat]*; **~ed hair** összekuszált/összegubancolódott haj **b)** *átv* összekuszál, összezavar, zavart okoz **2.** *műv* trébel **B.** *tni* **a)** *tex* hurkolódik, összegubancolódik, összekuszálódik, összegabalyodik **b)** összebonyolódik, összezavarodik

snarling iron *fn fémip* domborítókalapács

snatch [snætʃ] **I. A.** *tsi* **1. a)** vm után kap, hirtelen elkap, megkaparint; **~ sg from a person's hand** kitép/kiragad vmt vknek a kezéből; **~ a kiss** csókot rabol **b) ~ the opportunity** megragadja az alkalmat, kapva kap az alkalmon **2. a)** felkap, bekap *[állat ételt]* **b) ~ a meal** gyorsan/hamarjában bekapja az ételt **3. ~ a few hour's sleep** néhány órai alvást szakít magának **B.** *tni* kap(kod) (vm után), utánakap, utánanyúl (vmnek) **II.** *fn* **1.** hirtelen (oda)kapás (vm után); **make a ~ at sg** vm után kap; **he was ~ed from the jaws of death** a halál torkából ragadták ki **2. a)** kis időköz, rövid ideig tartó cselekvés; **~ of sleep** rövid szundikálás; **by/in ~es** meg-megszakítva, darabonként **b)** elragadott/kiragadott darabka/töredék, kis rész, foszlány *[zenéé]*; **a ~ of melody** dallamtöredék, dallamfoszlány **3.** hamarjában bekapott néhány falat, gyors falatozás **4.** *sp* szakítás *[súlyemelésben]* **5.** *US biz* emberrablás **6.** *GB szl* ékszerrablás **7.** *szl tabu [vagina]* luk, rés

snatch at *tni* **a) ~ at sg** kap(kod) vm után, hirtelen utánakap/utánanyúl vmnek **b) ~ at the chance** megragadja az alkalmat/lehetőséget

snatch away *tsi* **~ sg away from sy** elragad vktől vmt, kikap vk kezéből vmt

snatcher [ˈsnætʃə ‖ –ər] *fn* **a)** zsebtolvaj **b)** (ember)rabló

S

snatchy ['snætʃi] *mn* megszakított, megszakításos, töredékes, részletekben való • *hsz* **snatchily**

snavel ['snævl] *tsi Ausz szl [ellop]* elcsór, meglovasít

snazzy ['snæzi] *mn biz [jól öltözött]* nett, tipp-topp, elegántos • *fn* **snazziness** *hsz* **snazzily**

sneak [sni:k] **I. A.** *tsi* **1.** *szl [ellop]* elcsen, elcsór, elemel; **~ a meal** fizetés nélkül étkezik/fogyaszt *[vendéglőben]*; bliccel **2. ~ sg in** belop/becsempész vmt **B.** *tni* **1. a)** settenkedik, sompolyog, lopakodik, oson; **~ about the house** a ház körül ólálkodik/settenkedik; **~ away/off** eloson, elsomfordál; **~ in** belopódzik, beoson; **~ out** kilopódzik, kioson **b)** *átv* **~ out of sg** kimászik/kievickél vmből *[pl. bajból]*; **~ out of responsibility** kihúzza magát a felelősség alól **2.** *GB okt biz* árulkodik, spicliskedik; **~ on sy** árulkodik vkre, beárul vkt **II.** *fn* **1. a)** alattomos gyáva ember, sunyi/alamuszi fráter **b)** szenteskedő/álszent ember **2.** *GB okt biz* árulkodó, besúgó, spicli

sneaker ['sni:kə ‖ –ər] *fn tsz* **sneakers** *US* tornacipő, edzőcipő

sneaking ['sni:kɪŋ] *mn* **1.** alattomos, alamuszi, sunyi **2.** titkos, titkolt, be nem vallott *[vonzalom, rokonszenv]*; **a ~ suspicion** titkos gyanú **3.** szolgai, meghunyászkodó **4.** nyomorúságos, hitvány, szegényes • *hsz* **sneakingly**

sneak preview *fn film* előzetes bemutató, filmelőzetes

sneak thief *fn tsz* **- thieves** besurranó tolvaj

sneaky ['sni:ki] *mn* csúszó-mászó, szolgai, meghunyászkodó • *fn* **sneakiness** *hsz* **sneakily**

sneck [snek] **I.** *fn skót* (csapó)zár, tolózár, retesz *[kapun]*, (ablak)kitámasztó **II.** *tsi skót* bereteszel *[kaput]*, kitámaszt *[ablakot]*

sneer [snɪə ‖ snɪr] **I.** *fn* **1.** megvető/csúfondáros/gúnyos mosoly **2.** gúnyos/gunyoros/csúfondáros megjegyzés, megvető gúny **3.** lekicsinylő/fitymáló kijelentés/megjegyzés **II.** *tni* **~ at sy** gúnyos/csúfondáros megjegyzéseket tesz vkre; gúnyosan/csúfondárosan kinevet vkt • *fn* **sneerer** *mn* **sneering** *hsz* **sneeringly**

sneeze [sni:z] **I.** *fn* tüsszentés, prüszkölés, tüsszögés **II.** *tni* tüsszent, prüszköl, tüsszög; *biz* **~ one's head off** szünet/megállás nélkül tüsszög; *biz* **that's not to be ~d at** nem megvetendő, érdemes rajta gondolkodni, érdemes vele foglalkozni • *fn* **sneezer**

sneezing powder *fn* tüsszentőpor

sneezy ['sni:zi] *mn* náthás

snell [snel] *fn US* horogelőke

snib [snɪb] → **sneck**

snick [snɪk] **I.** *tsi* **1.** berovátkol, bemetsz (vmt), kis bevágást/bemetszést csinál/ejt (vmn) **2.** *sp* gyengén üt *[labdát krikettben]* **II.** *fn* **1.** rovátka, bemetszés **2.** *sp* gyenge érintő ütés *[krikettben]*

snicker ['snɪkə ‖ –ər] **I.** *fn* **1.** kuncogás, vihogás **2.** nyihogás, röhögés *[lóé]* **II.** *tni* **1.** kuncog, vihog **2.** nyihog, röhög *[ló]* • *hsz* **snickeringly**

snide [snaɪd] **I.** *mn szl* **1.** *[hamis* v. *hamisított]* nem frankó, gagyi **2.** csaló, becstelen *[ember, játék]*, csalafinta, nem tisztességes *[eljárás] mind stand* **3.** rosszindulatú *stand* **II.** *fn szl* **1. a)** hamis pénz *stand* **b)** hamis ékszer *stand* **2.** csaló *stand* **3.** csalás, aljas/becstelen fogás *stand* • *fn* **snideness** *hsz* **snidely**

sniff [snɪf] **I. A.** *tsi* **1.** szippant, (be)szív *[levegőt, illatot]*; **~ up** felszippant, felszív; **~ in** beszippant, beszív **2. a)** (meg)szagol, szaglász **b)** *átv* **~ (out)** megszimatol (vmt), megérzi a szagát (vmnek) **3.** *szl [kábítószert orron keresztül beszippant]* szipuzik **B.** *tni* **1.** szaglászik, szimatol; **~ about** körülszaglászik, kémkedik; **~ at sg** fitymál vmt, fintorog vm miatt; **~ at an idea** fanyalog/húzódozik/idegenkedik egy gondolattól; **the offer is not to be ~ed at** nem megvetendő/utolsó ajánlat **2. a)** szipákol **b)** *átv* fintorog **II.** *fn* **1. a)** szippantás; **get a ~ of fresh air** szippant egyet a friss levegőből; **give a ~** szipog egyet **b)** szimatolás, szaglászás; **take a ~ at sg** beleszagol vmbe **c)** szipogás, szipákolás **2.** *szl [orr]* csőr, hefti **3.** *szl* kokain *stand* • *hsz* **sniffingly**

sniffer dog *fn* keresőkutya *[kábítószer, robbanóanyag megtalálására betanítva]*

sniffle ['snɪfl] *tni* **I.** *fn* **1.** szaglászás **2. sniffles** meghűlés, megfázás; nátha **II.** *tni biz* szipog, szörtyögve/szortyogva lélegzik *[náthás ember]*, el van dugulva az orra • *fn* **sniffler** *hsz* **sniffly**

sniffy ['snɪfi] *mn biz* **1.** megvető, lenéző, fanyalgó **2.** kicsit büdös, egy kis szaga van *[egyébként szagtalan dolognak]* **3.** *US* kényes(kedő), raplis, csökönyös

snifter ['snɪftə ‖ –ər] *fn* **1. a)** *főleg US szl* (kis pohár) ital, pálinka *mind stand* **b)** *tsz* **snifters** *US szl* száraz nátha *stand* **2.** *US szl* kokainista *stand*

snig [snɪg] *tsi Ausz ÚjZ* rángat, ráncigál

snigger ['snɪgə ‖ –ər] **I.** *fn* kuncogás, vihogás, kacarászás **II.** *tni* kuncog, vihog, kacarászik *[malacságon]* • *fn* **sniggerer** *hsz* **sniggeringly**

snip [snɪp] **I.** *fn* **1.** nyisszantás **2.** lenyisszantott, levágott darabka **3.** *GB biz* **a)** (holt)biztos dolog **b)** biztos tipp **4.** *biz* előnyös dolog, kedvező alkalom **5.** *biz* könnyű ügy/dolog **6.** *tsz* **snips a)** *műsz* fémvágó/lemezvágó olló **b)** *US* **(pair of) ~s** olló **c)** *US szl* bilincs *stand* **II. -pp-** *tsi* nyisszant *[ollóval]*, csippent *[körömmel]*; **~ off** lenyisszant; lecsíp • *fn* **snipping**

snipe [snaɪp] **I.** *fn tsz* **snipe**, **snipes 1.** *áll* szalonka **2.** *biz* kis görcs/vakarcs, mitugrász **3.** orvlövész **II. A.** *tsi* (lesből) lelövöldöz, sorra/egyenként lelövöldöz **B.** *tni* **1.** szalonkára vadászik **2. a) ~ at sy** lesből lövöldöz vkre **b)** bírál *[rosszindulatúan]*, megjegyzést tesz **c)** orvlövészkedik

sniper ['snaɪpə ‖ –ər] *fn kat* orvlövész

snippet ['snɪpɪt] *fn* **a)** levágott/kis darabka **b)** darabka, töredék, diribdarab; **~s of information** hézagos/töredékes értesülés; **~s of news** hírfoszlányok • *mn* **snippety**

snippy ['snɪpi] *mn* **1.** kurta-furcsa **2.** élesen kritizáló

snip-snap I. *mn biz* csattanós *[válasz]*; **~ conversation** eleven/fordulatos társalgás **II.** *fn biz* szópárbaj **III.** *tni* **-pp-** *biz* talpraesetten/találóan odamond/visszavág, szópárbajt vív

snitch [snɪtʃ] **I.** *fn szl* **1.** *[orr]* hefti **2. turn ~** *[elárul, besúg bűntársat]* beköp, feldob **II. A.** *tsi szl [ellop, elcsen]* megfúj, elcsór **B.** *tni szl* eljár a szája; **~ on sy** *[beárul* v. *besúg vkt]* beköp, bemárt

snivel [snɪvl] **I.** *fn* **1. a)** nyöszörgés, nyavalygás **b)** szipogás, picsogás **c)** (képmutató) siránkozás **2. have the ~s** náthás, folyik az orra **II.** *tni* **-ll-**, *US* **-l- 1. a)** siránkozik, nyavalyog, sír-rí **b)** szipog, picsog **c)** képmutatóan siránkozik, fájdalmat mutat **2.** *ritk* náthás/taknyos, folyik az orra • *fn* **sniveller** *mn* **snivelling**

snob [snɒb ‖ snɑb] *fn* sznob • *mn* **snobbish**, **snobby**

snob appeal *fn* sznoboknak tetsző dolog/tulajdonság

snobbery ['snɒbəri ‖ 'snɑ–] *fn* sznobság, sznobizmus

snobbism ['snɒbɪzm ‖ 'snɑ–] *fn* sznobság, sznobizmus

snog [snɒg ‖ snɑg] *GB szl* **I.** *fn [csókolózás, szerelmes összebújás]* nyali-fali, etye-petye **II. A.** *tsi* csókolgat, simogat, becézget *mind stand* **B.** *tni* csókolózik, összebújik *mind stand*

snood [snu:d] *fn* **a)** hajszalag, hajpánt, homlokkötő **b)** női hajháló

snook[1] [snu:k ‖ snʊk] *fn áll* **1.** csőrös csuka **2.** barrakuda

snook[2] [snu:k ‖ snʊk] *fn biz* szamárfül(mutatás); **cock/cut a ~ at sy** szamárfület/orrot mutat vknek

snooker ['snu:kə ‖ 'snʊkər] **I.** *fn sp* **~ (pool)** ‹biliárdjáték 22 golyóval› sznúker **II.** *tsi* **be ~ed** maszkot hagytak neki *[biliárdban]*; *átv biz* nem tud mozdulni, szorult helyzetben van; *átv biz* **~ sy** kellemetlen helyzetbe hoz vkt • *mn* **snookered**

snoop [snu:p] **I.** *tni* **a) ~ (about/around)** mindenbe beleüti az orrát; szaglász(ik), szimatol, fürkész **b)** spicliskedik **II.** *fn* **1.** szimatolás, fürkészés **2.** *biz [rendőr]* szimat, hekus • *fn* **snooper** *mn* **snoopy**

snoot ['snu:t] *fn szl* **1.** *US [orr]* csőr, cserpák **2.** *US [arc]* pofa **3.** *Ausz* kellemetlen fráter, undok alak *mind stand*

snooty ['snu:ti] *mn biz* felvágós, beképzelt, sznob

S

snooze [snu:z] **I.** *fn biz* szundikálás, szundítás, szunyókálás; **have/take a ~** szundít egyet **II.** *tni* szundít, szundikál, szunyókál • *fn* **snoozer** *mn* **snoozy**

snore [snɔ: ‖ snɔr] **I.** *fn* horkolás, hortyogás **II. A.** *tni ritk* horkol, hortyog **B.** *tsi* **a) ~ out/away the morning** átaluszsza a délelőttöt, a hasára süt a nap **b) ~ oneself awake** felébred/felriad a saját horkolására • *fn* **snorer**

snorkel [ˈsnɔ:kl ‖ ˈsnɔrkl] **I.** *fn* **1.** légzőcső, pipa *[könnyűbúváré]* **2.** emelőkosár *[tűzoltóknál]* **II.** *tni* **-ll-** *US* **-l-** *sp* könnyűbúvárkodik *[légzőcsővel]* • *fn* **snorkeller**

snort [snɔ:t ‖ snɔrt] **I.** *fn* **1.** horkantás, (fel)horkanás, prüszkölés **2.** *szl* (egy korty) szeszes ital **3.** *szl* (egy szippantásnyi) kábítószer **II. A.** *tsi* **1.** haragosan/bosszúsan kijelent; **~ defiance at sy** kihívóan rávakkant vkre **2.** *szl* ‹orron keresztül felszippant kokaint› **B.** *tni* **a)** horkan(t), felhorkan **b)** fújtat

snorter [ˈsnɔ:tə ‖ ˈsnɔrtər] *fn GB szl* **1.** rendkívüli/óriási/szenzációs dolog/ember **2. a)** kirívó/kiabáló dolog **b)** közönséges/nagyhangú/lármás ember **3.** *átv* ledorongolás, letorkolás, nyers elutasítás **4.** *Ausz* kánikulai nap

snot [snɒt ‖ snɑt] *fn szl* **1.** takony **2.** *pej [mocskos* v. *rongy alak]* piszkos fráter, takonypóc

snot-rag *fn szl [zsebkendő]* takonykendő

snotty [ˈsnɒti ‖ ˈsnɑti] *mn szl* **1. a)** taknyos **b)** maszatos, szurtos **2.** beképzelt, nagyképű **3.** *[kisstílű]* nyamvadt, piti • *fn* **snottiness** *hsz* **snottily**

snout [snaut] *fn* **1. a)** orr, ormány *[disznóé]*, orr, pofa *[kutyáé]* **b)** *szl [orr]* cserpák, *[arc]*, pofa *[emberé]* **2. a)** (cső)száj, toldat, kifolyónyílás **b)** *régi* orr *[hajóé]*, fok *[szirté]* **3.** *Ausz szl* **have a ~ on sy** haragszik/neheztel/pikkel/mérges vkre **4.** *GB szl* dohány, cigi *mind stand* **5.** *szl [informátor]* besúgó • *mn* **snouted**, **snouty**

snow [snou] **I.** *fn* **1. a)** hó; **there has been a fall of ~** havazott, hó esett; *US* **many ~s ago** sok évvel ezelőtt **b)** havazás, hó(esés); **heavy ~** erős havazás **c)** *átv* **as driven ~** hófehér **2.** *szl [kokain]* hó, kokó **3.** *gaszt* tojáshab **4.** havazás *[tévéképernyőn]* **II. A.** *tsi* **1. a)** behavaz; **be ~ed in/up** betemette a hó **b)** *átv biz* **be ~ed under** súlyos vereséget szenved *[választáson jelölt]*; **be ~ed under by letters** elárasztják a levelek; **be ~ed under with work** rengeteg munka zúdult/szakadt a nyakába **2. a)** hóval behint/beszór/meghint; *vál* **the years had ~ed her hair** az évek fehérre festették a haját **b)** hint, hullat; **it ~ed petitions** özönlöttek/záporoztak a kérelmek **3.** *US szl [szédít, ámít]* kábít, etet, fűz(i az agyát) **B.** *tni* **a) it ~s** havazik, hull/esik a hó **b)** *átv* **invitations came ~ing in** özönlöttek/záporoztak a meghívások • *mn* **snowless**, **snowlike**

snowball I. *fn* **1. a)** hógolyó **b)** hólabda *[amiből a hóember készül]* **c)** *átv* hólabda(rendszer) *[levelezésé stb.]* **2.** hógolyózás **3.** tojáshabgombóc *[madártejen]* **II. A.** *tsi* **1.** hógolyóval megdob(ál) **2.** (lavina módra) megnövel, megsokszoroz **B.** *tni* **1.** hógolyózik, hógolyócsatát vív **2.** egyre/folytonosan/rohamosan nő/növekszik/szaporodik/gyarapodik *[pl. tömeg, adósság]*

snow-blind *mn* hóvak • *fn* **snow-blindness**

snowblower *fn* hófúvó berendezés, hómaró gép *[úttisztításra]*

snowboard *fn sp* hódeszka, snowboard • *fn* **snowboarder**, **snowboarding**

snowboots *fn tsz GB* hócipő, hócsizma

snowbound *mn* behavazott, hó által eltorlaszolt, hóakadályos *[út]*, hóban megrekedt/elakadt *[jármű, utas]*

snow-broth *fn* **a)** vizes hó, hólé **b)** *átv* (jég)hideg folyadék/ital

snowcap *fn* **1.** (hó)korona *[hegycsúcson]* **2.** *áll* kolibrifaj

snowcapped *mn* hólepte, hóborította, hófedte, havas *[csúcs]*

snow chain *fn gk* hólánc

snowdrift *fn* **a)** hótorlasz **b)** hófúvás

snowdrop *fn növ* hóvirág

snowfall *fn* **1.** hóesés, havazás **2.** *meteo* hómennyiség, lehullott hó (mennyisége) *[egyszeri havazáskor]*

snow fence *fn* hófogó (rács)

snowfield *fn* hómező

snow-flake *fn* hópehely, hópihe

snow flood *fn* hóolvadás okozta árvíz/áradás

snow flurry *fn US meteo* hóförgeteg

snow goggles *fn tsz* hószemüveg

snow goose *fn tsz* **- geese** *áll* sarki lúd

snow grouse *fn áll* hófajd

snow-ice *fn* eljegesedett hó

snow-leopard *fn áll* hópárduc

snow line *fn* hóhatár, az örök hó határa

snowmaker *fn* műhókészítő berendezés • *fn/mn* **snowmaking**

snowman *fn tsz* **-men** hóember

snowmobile *fn* motoros szán, hósikló

snow-owl *fn áll* hóbagoly, sarki bagoly

snowplough *fn* **1.** (nagy teljesítményű) hóeltakarító, hókotró (gép) **2.** *sp* hóeke

snowplow *US* → **snowplough**

snow report *fn meteo* hójelentés

snowshoe I. *fn* hótalp **II.** *tni* hótalpon megy • *fn* **snowshoer**

snow-shovel *fn* hólapát

snow-slide *fn* hógörgeteg, lavina, hósuvadás

snow-slip *GB* → **snow-slide**

snow-squall *fn* (rövid) hóvihar

snowstorm *fn* hóvihar, hóförgeteg

snow tyre *fn gk* téli gumi

snowwhite I. *mn* hófehér **II.** *tul* **S~** Hófehérke

snowy [ˈsnoui] *mn* **1.** havas, hóborított, behavazott **2.** havas *[időjárás]* **3.** hófehér • *fn* **snowiness** *hsz* **snowily**

snozzle [ˈsnɒzl ‖ ˈsnɑzl] *fn US* orr, ormány

Snr, **snr** *röv GB senior*

snub [snʌb] **I.** *tsi* **-bb- 1. a)** elhallgattat, rendreutasít, letorkol, visszautasít **b)** lekezel, semmibe vesz (vkt), félvállról vesz **2.** *hajó* **a)** megakaszt, hirtelen lefékez *[kötelet, láncot]* **b) ~ a ship** hajó iramát fékezi **II.** *fn* **1.** nyers visszautasítás/rendreutasítás, letorkolás; **take a ~** rendreutasítást lenyel **2.** *hajó* hirtelen lefékezés *[kötélé, láncé]* **III.** *mn* pisze, fitos *[orr]* • *hsz* **snubbingly**

snubber [ˈsnʌbə ‖ –ər] *fn US gk* lengéscsillapító

snubbish [ˈsnʌbɪʃ] *mn biz* visszautasító, elutasító *[modor]*

snubby [ˈsnʌbi] *mn* fitos, pisze *[orr]*

snub-nosed *mn* pisze/fitos orrú

snuff[1] [snʌf] **I.** *fn* **1.** tubák, burnót; **take ~** tubákol, burnótot szív **2.** tubákolás **3.** *GB biz* **be up to ~** szemfüles; nem esett a feje lágyára; **not up to ~** gyenge minőségű **4.** *biz* **give sy ~** megmossa a fejét vknek **II. A.** *tsi* (fel)szippant, (orron át) felszív; **~ tobacco** tubákol **B.** *tni* **1.** tubákol, burnótozik **2.** szipog, szipákol, szuszog

snuff[2] [snʌf] **I.** *fn* gyertya hamva **II. A.** *tsi* **1. a)** elkoppant *[gyertyát]* **b) ~ out** (i) elolt *[gyertyát]* (ii) *biz* kiolt *[reményt]*; meghiúsít *[tervet]*; elfojt *[felkelést]* (iii) *szl [megöl]* kinyiffant, kicsinál **2.** *GB szl* **~ it** *[meghal]* elpatkol, beadja a kulcsot **B.** *tni szl* **~ out** *[meghal]* kinyiffan, beadja a kulcsot

snuffbox *fn* tubákos/burnótos szelence

snuff-coloured *mn* tubákszínű, dohányszínű

snuffer [ˈsnʌfə ‖ –ər] *fn tsz* **snuffers (pair of) ~s** (gyertya)koppantó

snuffle [ˈsnʌfl] **I. 1.** *tni* **a)** szipákol, szipog; **~ at sg** megszaglász vmt **b)** náthásan szuszog/lélegzik **2. a)** orrhangon beszél **b)** kenet(telj)es/ájtatoskodó hangon beszél **II.** *fn* **1. a)** szörtyögés, szuszogás *[dugult orron át]* **b)** *tsz* **snuffles** krónikus nátha, orrdugulás **2.** *szl* **a)** orrhang **b) sanctimonious ~** szenteskedés • *fn* **snuffler** *hsz* **snuffly**

snuffy [ˈsnʌfi] *mn* **1.** tubákszerű, tubák-, burnót- **2.** *biz* bosszús, haragos, ingerült **3.** *biz* beképzelt, nagyképű

S

snug [snʌg] **I.** *mn* **-gg- 1. a)** meghitt, barátságos, kényelmes *[kis otthon]*, otthonos, kedves *[kis lakás]*, védett, kellemes *[zug]*, puha, meleg *[ruhadarab]* **b) lie ~ in bed** jó melegen betakarózva fekszik az ágyban; **make oneself ~** kényelembe helyezi/teszi magát; *szl* **be as ~ as a bug in a rug** jól befészkelte magát **2. lie ~** észrevétlenül meglapul/meghúzódik **3.** rendes, tisztességes *[jövedelem]*, csinos kis *[vagyon]*, rendes/tisztességes megélhetést biztosító *[munka]* **II.** *fn* **1.** *GB biz* meghitt/kellemes/barátságos/otthonos/kényelmes (kis) szoba, barátságos zug, meleg/puha (kis) fészek, kuckó **2.** *GB* boksz *[pubban]* **III.** *i* **-gg- A.** *tsi* **1. ~ oneself** kényelembe helyezi/teszi (v. befészkeli) magát **2. ~ everything up/down** szép rendet csinál **B.** *tni* kényelembe teszi/helyezi magát • *fn* **snugness** *hsz* **snugly**

snuggery [ˈsnʌgəri] *fn* → **snug II.1.**

snuggle [ˈsnʌgl] **A.** *tsi* szorosan magához ölel, magához szorít **B.** *tni* **~ down in bed** bebújik a jó meleg ágyba; **~ up to sy, ~ into sy's arms** odabújik/odahúzódik/odasimul vkhez

so [soʊ] **I.** *hsz* **1. a)** olyan, ilyen, annyira, ennyire; **~ distant a country** ilyen/olyan távoli ország; **a child ~ high** ilyen magas (v. ekkora) gyermek *[kézzel mutatva]*; **he is not ~ stupid as he looks** nem olyan/annyira buta, mint amilyennek látszik; **he is not ~ much angry as disappointed** nem annyira mérges (mint) inkább csalódott **b) I am ~ tired!** olyan/milyen fáradt vagyok!; *biz* **he is ever ~ angry!** de dühös!; *biz* **give me ever ~ little** adj ha csak egy picit is; **~ kind of you** (igazán) nagyon kedves tőled/öntől; **would you be ~ kind as to** legyen olyan szíves és; **~ greatly/much** annyira, ennyire, oly/ily nagyon; **~ much ~ that** olyannyira, hogy **c) ~ much of sg** olyan/ilyen sok vm; ennyi vm; ennyi meg/és ennyi van; **~ much for that** erről ennyit; **~ many** olyan/ilyen sok; ennyi; *közm* **~ many men ~ many minds** ahány fej, annyi vélemény **d) ~ far** eddig (még), idáig, ez ideig; **~ far ~ good** (ez) eddig jó (v. rendben van/volna); **(in) ~ far as** már amennyire; eladdig, hogy; → **insofar**; **~ long as** feltéve, hogy; olyan sokáig; **~ long!** viszontlátásra **2. a)** úgy, így; **~ and ~ only** csakis így; **~ and in no other way** így és nem másképp; **and ~ on/forth** és így tovább, és a többi; **and ~ on and ~ on/forth** és a többi, és a többi; **you must not behave ~** nem szabad így viselkednie **b)** (ugyan)úgy, (ugyan)így; **so... as...** úgy... (mint) ahogy; **~ help me God!** Isten engem úgy segéljen **c) it is ~, ~ it is, that's ~** ez az igazság, ez biztos, így áll a dolog, így van ez; **if ~** ebben az esetben, ha ez a helyzet; **perhaps ~** talán (igen) *[kérdésre felelve]*; **~ it seems** úgy látszik (igen) *[kérdésre felelve]*; **~?** valóban?, csakugyan?; **is that ~?** igazán?, valóban?, csakugyan?, ne mondd!; **how ~!** hogyhogy?; **quite/just ~!** nagyon helyes!, úgy van!, jól mondod!/mondtad!; **~ be it!** úgy legyen!; (hát) legyen! **3. a) I think/believe ~** azt hiszem, úgy hiszem (igen) *[kérdésre felelve]*; **I hope ~** remélem (igen) *[kérdésre felelve]*; **I suppose/expect ~** azt hiszem, úgy vélem (igen), feltételezhetően; **why ~?** miért?; **how ~?** hogy (is) van az, hogy...?; **you don't say ~?** ne mondd/beszélj!, még mit nem mondasz?!, igazán?!, tán csak nem?!; **I told you ~!** nem megmondtam?; **~ to say/speak** hogy úgy mondjam, mondhatni **b) (and) ~ am I** én is, hasonlóképpen, nemkülönben, én szintén **c) he is ill and has been ~ for a long time** beteg és már hosszabb ideje az; **had he been less ~** ha kevésbé lett volna az; **much more ~** sokkal inkább (az); **or ~** úgy/vagy/körülbelül; **in a minute or ~('s time)** úgy/vagy/körülbelül egy perc múlva **4. ~ long as** feltéve, hogy, mindaddig amíg **II.** *ksz* tehát, így (hát), úgyhogy **III.** *isz* **1.** lám-lám, no csak, nos hát; **~ that's that** hát ennyiben volnánk; **~ there!** nesze neked!, nna!, hát ez a helyzet!; **~ there you are!** szóval itt vagy; *US biz* **~ what?** hát aztán?!, na és (aztán)? **2. ~!** jó!, elég!; → **so-and-so** → **so-so**

So. *röv South(ern)* dél, D

soak [soʊk] **I. A.** *tsi* **1. a)** (be)áztat *[folyadékba]*; **~ a sponge** szivacsot megszívat **b)** pácol, kiáztat *[húst]* **2.** átáztat, átitat, átjár *[folyadék]*; *biz* **the rain had ~ed me to the skin** bőrig áztam az esőben **3. a) ~ (in/up)** feliszik, felszív, beszív *[folyadékot szivacs]* **b)** felitat *[itatóssal]*, felszívat *[szivaccsal]* **4.** *szl* **a)** *[sokat iszik]* vedel **b)** sárga földig leitat; beszívat, eláztat **5.** *szl* zaciba/zálogba csap/(be)vág **6.** *US szl [vmt alaposan megfizettet vkvel]* megvág; *US szl* **~ the rich!** fizessenek a gazdagok **B.** *tni* **1.** ázik **2.** beszívódik, beivódik, átitatódik, átázik **3.** *szl [vedel]* leszopja magát, elázik **II.** *fn* **1. a)** (be)áztatás **b)** ázás **2.** áztatólé; **put sg in ~** vmt beáztat *[szennyes ruhát]*; vmt páclébe berak; vmt kiáztat *[húst, halat]*; *US szl* vmt zaciba bevág/csap **3.** *szl* ivás(zat), korhelykedés **4.** *szl [iszákos, részeges alak, nagyivó]* nagy piás, szivacs, tintahal • *fn* **soakage**, **soaker**

soak in *tsi* **a) ~ sg in sg** vmt vmben áztat; vmt vmbe beáztat **b)** *átv biz* **~ oneself in an author** belemerül/beletemetkezik egy szerző műveibe

soakaway [ˈsoʊkəweɪ] *fn GB* emésztő

soaked [ˈsoʊkt] *mn* berúgott, elázott

soaking [ˈsoʊkɪŋ] **I.** *mn* **1.** átázott, átitatódott **2. ~ downpour** felhőszakadás, zuhé; **~ wet** bőrig ázott, csuromvizes **II.** *fn* **1.** (be)áztatás **2.** *biz* **get a ~** bőrig ázik, csuromvizes lesz **3.** *biz* **a good ~** nagy ivászat **4.** *tsz* **soakings** beszivárgó víz *[talajban]*

so-and-so [ˈsoʊənsoʊ] *fn biz* **a)** ez és ez, ez meg ez; *US* **S~** X. Y. **b) do ~** ezt meg ezt csinálja/teszi

soap [soʊp] **I.** *fn* **1.** szappan; **liquid ~** folyékony szappan; **bar/cake of ~** egy darab szappan; **wash sg with ~** vmt szappannal (meg)mos, vmt szappanoz **2.** *US szl [vesztegetési pénz]*, kenés *[parlamentben]* **3.** *US szl* **no ~!** nem!; kár a benzinért!, egy frászt! **4.** *biz* → **soap opera II.** *tsi* **1. a)** (be)szappanoz **b)** szappannal megken *[akadozó tárgyat]* **2.** *biz* talpat nyal (vknek) • *mn* **soapless**

soapberry *fn* **1.** *növ* szappanbogyó **2.** *növ* közönséges szappanfa

soapbox *fn* **1.** szappanosláda **2.** hordó *[szónoknak]*

soap bubble *fn* szappanbuborék

soap-flakes *fn tsz* szappanpehely

soap opera *fn média* ‹tv-sorozat› szappanopera

soap powder *fn* szappanpor

soapstone *fn ásv* szappankő, zsírkő

soapsuds *fn tsz* szappanhab, szappanos víz habja

soapy [ˈsoʊpi] *mn* **1.** szappanos, szappanhabos **2.** szappanízű, szappanszagú **3.** *biz* mézesmázos, hízelgő • *fn* **soapinesss** *hsz* **soapily**

soar [sɔː ‖ sɔr] *tni* **a)** (fel)szárnyal, magasba száll *[madár]* **b)** (fenn) lebeg, úszik *[madár a magasban]*, *rep* vitorlázik **c)** *átv* felszökik, magasra szökik *[ár]*, szárnyal *[dallam]*, (fel)szárnyal *[vágy]*, magasra tör *[becsvágy]*, csapong *[képzelet]*, magasra/egekig csap *[lelkesedés]* • *fn* **soarer**

soaring [ˈsɔːrɪŋ] **I.** *mn* **a)** felszárnyaló, magasba röppenő *[madár]* **b)** magasban lebegő **II.** *fn* **a)** felszárnyalás **b)** *átv* szárnyalás

sob [sɒb ‖ sɑb] **I. -bb- A.** *tsi* **a) ~ out sg** vmt elzokog, zokogva mond vmt **b) ~ one's heart out** görcsösen/szívszaggatóan zokog **c) ~ oneself to sleep** álomba sírja magát **B.** *tni* zokog, hangosan sír **II.** *fn* **1.** zokogás **2.** *biz* bőgőmasina • *hsz* **sobbingly**

SOB *röv son of a bitch*

sober [ˈsoʊbə ‖ –ər] **I.** *mn* **1. a)** józan; **cold ~** színjózan; **sleep oneself ~** kialussza a mámorát **b)** józan (életű), mértékletes, szolid; **lead a ~ life** szolid életet él **c)** *átv* józan, higgadt, megfontolt, komoly *[ember, gondolkodás]*; **~ fact** rideg valóság/tény; **in ~ fact** a rideg valóságban; **in ~ earnest** halálos komolyan, tréfán kívül; **become ~** megkomolyodik, lehiggad **2.** tompa, diszkrét *[színek]* **II. A.** *tsi átv* **~ down** kijózanít **B.** *tni átv* **~ (down)** kijózanodik, észre tér; lehiggad • *hsz* **soberly**

sober-minded *mn* józan ítéletű/gondolkodású, megfontolt

sobriety [sə'braɪəti] *fn átv* józanság
sobriquet ['soubrɪkeɪ || –ket] *fn* gúnynév, csúfnév, becenév, álnév
sob story *fn biz* érzelgős történet
sob stuff *fn US szl* szirupos/szentimentális mű; limonádé
sob talk *fn szl [nyafogás, panaszkodás]* sírás, rinyálás
soc., **Soc.** *röv* **1.** *socialist* **2.** *society*
so-called [ˌsou'kɔːld] *mn* **a)** úgynevezett **b)** *pej* állítólagos; **a ~ lawyer** úgynevezett/állítólagos ügyvéd, magát ügyvédnek mondó/nevező egyén
soccer ['sɒkə || 'sɑkər] *fn sp* labdarúgás, futball, foci
sociability [ˌsouʃə'bɪləti] *fn* **1.** társaságkedvelés, barátkozó természet **2.** barátságosság, közvetlenség
sociable ['souʃəbl] *mn* **1. a)** társaságkedvelő **b)** *áll* csoportosan élő, társas (életet élő) **2.** barátkozó, barátságos, közvetlen **3.** baráti (hangulatú) • *hsz* **sociably**
social ['souʃl] **I.** *mn* **1. a)** társadalmi, szociális; **~ action** társadalmi megmozdulás; **~ aid** szociális segély; **~ anthropology** szociálantropológia; **~ benefits** szociális juttatások; **~ class** társadalmi osztály; *pej* **~ climber** törtető; **~ contract** társadalmi szerződés; **~ disease** nemi betegség; **~ engineering** a társadalom átalakítása; **~ evolution** társadalmi fejlődés; **the ~ good** a köz/társadalom java; **~ history** társadalomtörténet; **~ insurance** társadalombiztosítás; **~ justice** társadalmi igazságosság; *US* **~ medicine** társadalmi/szociális bajok megszüntetése/orvoslása; **~ order** a társadalmi rend; **~ problems** társadalmi/szociális kérdések/problémák; **~ realism** szocialista realizmus; **~ reality** társadalmi valóság; **~ science** társadalomtudomány; **~ security** társadalombiztosítás; **~ services** szociális intézmények; közjót elősegítő intézmények; **~ system** a társadalmi rendszer; **~ studies** társadalomtudományok; *közg* **~ welfare function** társadalmi jólét függvény; **~ work** emberbaráti munka; **~ worker** szociális gondozó(nő) **b)** társadalmi élettel kapcsolatos, társas(ági); **~ duties/obligations** társadalmi kötelezettségek; **~ events** társadalmi események; **~ ladder** társadalmi ranglétra **2.** társas(ági); **~ evening** baráti esti összejövetel, (műsoros) est *[egyleté]*; **~ gathering** társas összejövetel; estély; fogadás; **~ register** előkelőségek névjegyzéke **3.** *tud* társas, csoportosan élő *[lények]*; **man is a ~ animal** az ember társas lény; **~ being** társas lény; **~ birds** csoportosan fészkelő madarak **4.** barátságos, közvetlen, nyájas **5.** *pol* **a)** szocialista **b)** szociál-; **~ democracy** szociáldemokrácia; **~ democrat** szociáldemokrata (ember); **~ democratic** szociáldemokrata *[világnézetű]* **II.** *fn biz* (esti) társas összejövetel • *hsz* **socially**
socialism ['souʃl·ɪzm] *fn* szocializmus
socialist ['souʃl·ɪst] *mn/fn* szocialista
socialite ['souʃl·aɪt] *fn US* társaságbeli ember
sociality [ˌsouʃi'æləti] *fn* **1.** *tud* társas/társulási ösztön/hajlam **2.** társas élet kedvelése, társaságba járás **3.** *tsz* **socialities** társadalmi kötelezettségek
socialize ['souʃl·aɪz], **-ise A.** *tsi* **a)** szocializál, nevel **b)** társadalmasít, társadalmi tulajdonba/kezelésbe vesz **c)** államosít **B.** *tni US* **~ with sy** érintkezik/összejár vkvel
societal [sə'saɪətl] *mn* társadalmi • *hsz* **societally**
society [sə'saɪəti] *fn* **1.** társadalom; **human ~** az emberi társadalom; **form of ~** társadalmi forma; **duties towards ~** társadalmi kötelezettségek **2.** társaság; **fashionable ~** divatos társaság/világ; **high ~** előkelő társaság, felső tízezer; **go into ~**, **move in ~** társaságba jár, társadalmi életet él **3.** társaság, társulat, egyesület, egylet; **charitable ~** jótékonysági egyesület, segélyegylet; **learned ~** tudós társaság; *GB* **Royal S~** Királyi Természettudományos Akadémia; *vall* **S~ of Jesus** Jézus-társaság, a jezsuiták **4.** társaság(i együttlét), bizonyos (társadalmi) kör; **enjoy sy's ~** élvezi vknek a társaságát; **be fond of ~** társaságkedvelő **5.** *biol* társulás, közösség
socio- [ˌsouʃiou || ˌsousiou] *előtag* szocio-, szociál-, társadalom-
sociobiology [ˌsouʃioubaɪ'ɒlədʒi || ˌsousioubaɪ'ɑlədʒi] *fn* szociobiológia
sociocultural [ˌsouʃiou'kʌltʃərəl || ˌsousiou–] *mn* szociokulturális • *hsz* **socioculturally**
socio-economic [ˌsouʃioui:kə'nɒmɪk||ˌsousiouekə'nɑmɪk] *mn* társadalmi-gazdasági; **~ development** gazdasági-társadalmi fejlődés/fejlesztés; **~ structure** társadalmi-gazdasági szerkezet • *hsz* **socioeconomically**
sociography [ˌsouʃi'ɒgrəfi || ˌsousi'ɑgrəfi] *fn* szociográfia
sociolect ['souʃioulekt || 'sousiou–] *fn nyelv* szociolektus, társadalmi (nyelv)változat
sociolinguistics [ˌsouʃioulɪŋ'gwɪstɪks || ˌsousiou–] *fn esz nyelv* szociolingvisztika, társadalomnyelvészet
sociology [ˌsouʃi'ɒlədʒi || ˌsousi'ɑlədʒi] *fn* társadalomkutatás, szociológia • *fn* **sociologist** *mn* **sociological**
sociometry [ˌsouʃi'ɒmɪtri || ˌsousi'ɑmətri] *fn* szociometria • *mn* **sociometric**
socio-political *mn* szociopolitikai
sock¹ [sɒk || sɑk] *fn* **1.** zokni, rövid harisnya, félharisnya; **ankle ~s** bokafix (zokni), rövid zokni; **pull your ~s up** kösd fel a gatyád!; **put a ~ in it** *szl* csendesebben!; most már aztán elég volt/legyen (a szamárságból)!, állítsd magad takarékra! **2.** meleg talpbélés **3.** *szính* **put on the ~** komédiázik **4. knock/blow one's ~s off** elkápráztat
sock² [sɒk || sɑk] **I.** *tsi szl* **a)** *[megdob]* jól eltrafál (vkt) **b)** dob, hajít (vmt) *mind stand*; **~ a stone at sy** kővel megdob vkt **II.** *fn szl* ütés, ökölcsapás; *szl* **give sy ~s** *[megver]* elagyabugyál vkt
socket ['sɒkɪt || 'sɑ–] **I.** *fn* **a)** foglalat, tok *[lámpáé, csőé]*, üreg, lyuk *[vmnek a beillesztésére]* **b)** *orv* üreg, gödör *[szemé]*; **his eyes protruded from their ~s** szemei kidülledtek **II.** *tsi* befog(lal), foglalatba/tokba helyez
socle ['sɒkl, 'soukl || 'sɑkl, 'soukl] *fn épít* lábazat, talapzat
Socratic [sə'krætɪk] *mn* szókratészi, szókratikus
sod¹ [sɒd || sɑd] **I.** *fn* **a)** gyep; *biz* **under the ~** a sírban, a föld alatt **b) ~ (of grass/turf)** gyeptégla **II.** *tsi* **-dd-** gyeptéglával kirak; **~ over/up** gyeptéglával befüvesít/begyepesít
sod² [sɒd || sɑd] *fn* **I.** *fn GB szl tabu* **1.** *[homoszexuális férfi]* buzi **2.** *[ellenszenves ember]* segg(fej) **3.** *[férfi]* krapek, hapsi **II.** *tni* **~ off** *[elmegy vhonnan]* elhúzza a belét/szennyest
soda ['soudə] *fn* **1.** szóda; **common ~** mosószóda **2.** szóda(víz), szikvíz **3.** *US* üdítő(ital)
soda fountain *fn főleg US* **1.** nagy szódavizes tartály **2.** italgép *[alkoholmentes üdítőket adagoló berendezés]*
sodality [sou'dæləti] *fn vall* társulat, testvéri egylet
soda pop *fn* szénsavas üdítőital
soda syphon *fn* szódásszifon
soda water *fn* szóda(víz), szikvíz
sodden ['sɒdn || 'sɑdn] **I.** *mn* **1. a)** átázott, felázott *[talaj]*, átitatódott, átnedvesedett; **~ with sg** vmvel átitatott **b)** sületlen, ragacsos *[kenyér]*, túlfőtt, elázott, lucskos *[főzelék]* **2. ~ (with drink)** elázott, borgőzös; elitta az eszét; **~ face** mértéktelen ivástól püffedt/kifejezéstelen arc **II. A.** *tsi* **1.** feláztat, átáztat *[talajt]*, átitat, átnedvesít **2.** eliszik *[képességeket]* **B.** *tni* felázik, átázik *[talaj]*, átitatódik, átnedvesedik • *fn* **soddenness** *hsz* **soddenly**
sodium ['soudɪəm] *fn vegy* nátrium
sodium bicarbonate *fn vegy* szódabikarbona
sodium carbonate *fn vegy* nátrium-karbonát, szóda
sodium chloride *fn vegy* nátrium-klorid, konyhasó, kősó
sodium hydroxide *fn vegy* nátrium-hidroxid, marónátron, nátronlúg, lúgkő
sodium-vapour lamp *fn* nátriumgőzlámpa
Sodom ['sɒdəm || 'sɑ–] *tul bibl átv* Szodoma
sodomite ['sɒdəmaɪt||'sɑ–] *fn* szodomita, homoszexuális
sodomy ['sɒdəmi || 'sɑ–] *fn* szodómia, anális közösülés • *tsi* **sodomize**
Sod's Law *fn* Murphy törvénye
soever [sou'evə || –ər] *hsz vál* bárhogyan, bármennyire, bármi; **in any way ~** bárhogyan, bármennyire is, bárhogy(an)/akárhogy(an) is; **how great ~ it may be** bármilyen/akármilyen nagy (legyen) is

S

sofa ['soʊfə] *fn* dívány, kanapé, pamlag
sofa bed, **sofa bedstead** *fn* ‹kétszemélyes fekvőhellyé átalakítható kanapé›
soft [sɒft ‖ sɔft] **I.** *mn* **1.** puha, lágy; ~ **dough** lágy tészta; *GB* ~ **furnishings** bútorszövet, lakástextil; *GB* ~ **goods** textiláru; ~ **ground** puha talaj; ~ **hand** puha/sima kéz; ~ **iron** lágyvas; *orv* ~ **palate** lágy/hátsó szájpadlás; *zene* ~ **pedal** bal pedál, tompítópedál; ~ **pillow** puha párna; *fiz* ~ **radiation** lágy sugárzás, kevéssé átható sugárzás; ~ **rock** lágy kőzet; ~ **steel** lágyacél; *GB* ~ **sugar** porcukor; ~ **tyre** puha kerék/gumi; *gk* ~ **top** vászontető; **as** ~ **as butter** vajpuha; ~ **to the touch** kellemes/finom/lágy/selymes/bársonyos tapintású **2. a)** ~ **water** lágyvíz **b)** ~ **wine** sima bor **c)** *biz* ~ **drink** alkoholmentes/alkoholszegény üdítő ital; ~**(-core) pornography** erotikus film/regény, enyhe pornográfia; ~ **drug** enyhe kábítószer, könnyű drog **3. a)** halk, lágy, finom *[hang, zene]*; ~ **consonant** lágy mássalhangzó; réshang; ~ **voice** lágy/szelíd/édes hang **b)** lágy, puha, tompa, meleg *[szín]*; ~ **brown eyes** meleg barna szem **c)** lágy, puha, elmosódó *[körvonal]*; *fényk* ~ **focus** életlenség; lágy rajzolat **4.** enyhe *[időjárás]*, enyhe, szelíd *[égöv]*; ~ **breeze** lágy/enyhe/gyenge szellő; ~ **day** enyhe/langyos nap; *GB* párás/esős nap; ~ **rain** csendes(en szitáló) eső **5.** szelíd, jámbor *[természet]*; ~ **words** szelíd/gyöngéd/nyájas/nyugtatgató szavak; **have a** ~ **tongue** nyájas szavú, szelíd szavú **6. a)** puha, elpuhult, férfiatlan **b)** puha, gyenge kezű *[ember]*, enyhe *[bánásmód]*; *átv* ~ **heart** lágy szív; ~ **spot** sebezhető/gyenge pont; **have a** ~ **spot for sy** elfogult vk javára **7.** *biz* könnyű, kellemes, kényelmes *[munka]*; ~ **job** jó kis állás; ~ **option** a könnyebbik megoldás; *biz* **have a** ~ **thing on** könnyen keresi a pénzt, könnyű keresete van **8.** *pénz* **a)** ~ **money** papírpénz **b)** ~ **currency** (i) puha (/nem kemény) valuta (ii) bankjegy, papírvaluta **c)** *gazd* **oils are** ~ az olajrészvények gyengén állnak *[tőzsdén]* **9.** *távk* ~ **rays** lágy sugarak **10.** *infor* **a)** ~ **copy** nem megmaradó másolat; ~ **error** nem állandó hiba **b)** ~ **font** letölthető betűtípus **c)** ~ **keyboard** változtatható billentyűzet **11.** *biz* **a)** gügye, mamlasz **b)** ütődött, agyalágyult, hibbant; **a bit** ~ **in the head** kissé ütődött **c) be** ~ **on sy** bele van habarodva/bolondulva vkbe **II.** *hsz* halkan, csendesen **III.** *fn biz* **a)** tökfilkó, balek **b)** ütődött/agyalágyult alak • *fn* **softness** *mn* **softish**
softball *fn US sp* ‹baseballszerű labdajáték›
soft-boiled *mn gaszt* puhára főtt; ~ **egg** lágytojás
soft-centred *mn* **1.** (krémmel) töltött *[édesség]* **2.** érzelmes, szentimentális *[ember]*
soften ['sɒfn ‖ 'sɔfn] **A.** *tsi* **1.** (meg)puhít, (meg)lágyít **2.** *kat* ~ **up** (állandó bombázással) ellenálló képességét gyengíti *[ellenségnek]*; puhít *[ellenséget]* **3. a)** (le)halkít, (le)tompít *[hangot]*; ~ **one's tone** szelídebb hangra vált **b)** finomít *[színt]*, lágyít *[körvonalat]* **c)** enyhít, tompít *[fájdalmat]* **4.** meglágyít, megindít *[szigorú embert, szívet]*; **be ~ed at the sight of sg** ellágyul vmnek a láttán **B.** *tni* **1.** (meg)puhul, (meg)lágyul **2.** (meg)enyhül *[időjárás]* **3. a)** megengesztelődik, megenyhül; **his features ~ed** vonásai megenyhültek/megszelídültek **b)** ellágyul *[vm láttán]*
softener ['sɒfn·ə ‖ 'sɔfn·ər] *fn* **1.** lágyító szer/anyag, vízlágyító (szer); textilöblítő **2.** vízlágyító berendezés
softening ['sɒfn·ɪŋ ‖ 'sɔfn·ɪŋ] **I.** *mn* **1.** puhító, lágyító **2.** puhuló, lágyuló **3.** megenyhülő *[szigor]*, ellágyuló *[hang]* **II.** *fn* **1.** lágyulás; ~ **of the brains** agylágyulás **2.** puhítás; *átv biz* ~ **(up)** előkészítés, puhítás **3.** szelídülés, enyhülés *[szigoré]*
soft-headed *mn biz* **a)** tökkelütött **b)** ütődött, agyalágyult • *fn* **soft-headedness**
soft-hearted *mn* lágyszívű, gyenge/érző szívű • *fn* **soft-heartedness**
softie ['sɒfti ‖ 'sɔfti] *biz* → **softy**
softly ['sɒftli ‖ 'sɔftli] → **soft** II.
softly-softly *mn* óvatos, szőrmentén való
soft-pedal *tsi* **-ll-**, *US* **-l-** *biz* enyhít, letompít, mérsékel *[hatást, eljárást, módszert]*
soft-sawder I. *fn biz* talpnyalás, hízelgés, tömjénezés **II.** *tsi biz* talpát nyalja, hízeleg
soft-shelled *mn* **a)** lágy héjú; ~ **egg** hártyatojás **b)** puha páncélú, lágy héjú *[rák]*
soft-soap I. *fn* **1.** kenőszappan, lágy szappan **2.** *biz* talpnyalás, hízelgés **II.** *tsi biz* **1.** talpát nyalja, hízeleg (vknek), szája íze szerint beszél **2.** rávesz vmre; megpuhít, befűz *[hízelgéssel]*
soft-solder *tsi műsz* lágyforrasszal forraszt
soft-spoken *mn* **a)** halk szavú, *átv* nyájas szavú **b)** szelíd, nyájas, barátságos *[szavak]*
soft tack *fn GB szl* fehér kenyér *[matrózoké]*
soft-term *mn* kedvező feltételű, hosszú lejáratú *[kölcsön]*
software ['sɒftweə ‖ 'sɔftwer] *fn infor* szoftver, program
software compatible *mn infor* szoftverkompatibilis
software engineering *fn* szoftvertechnológia
software house *fn* szoftverház
software library *fn* szoftverkönyvtár, programkönyvtár
software package *fn infor* szoftvercsomag
software piracy *fn* szoftverkalózkodás
software tool *fn infor* szoftver(fejlesztő)-eszköz
softwood *mn/fn* puhafa
softy ['sɒfti ‖ 'sɔfti] *fn biz* **1.** tökfilkó, agyalágyult/ütődött alak **2.** elpuhult/nőies férfi, puhány
soggy ['sɒgi ‖ 'sɑgi] *mn* **1.** átázott, felázott, vizenyős *[talaj]* **2.** nyirkos *[levegő]* **3.** nyúlós, ragacsos, csirizes, sületlen *[tészta]*
Soho ['soʊhoʊ] *tul* Soho
soi-disant [ˌswɑː'diːzɒn ‖ –diː'zɑn] *mn francia* **a)** úgynevezett **b)** állítólagos
soigné ['swɑːnjeɪ ‖ swɑn'jeɪ] *mn francia [szépen elrendezett]* nett, pedáns, tüchtig
soil[1] [sɔɪl] *fn* **1.** talaj, termőtalaj, termőföld; **arable** ~ megművelhető föld, termőföld; **artificial** ~ feltöltött talaj; **light/loose** ~ könnyű/laza talaj; *vál* **one's native** ~ szülőföld, hon, haza; *vál* **son of the** ~ a föld gyermeke; *vál* **smack** (v. **be redolent) of the** ~ földszaga van; *vál* **bound to the** ~ röghöz kötött **2.** *átv* talaj, táptalaj • *mn* **soil-less, soily**
soil[2] [sɔɪl] **I.** *tsi* **a)** (be)szennyez, (össze)piszkol, bepiszkol **b)** *átv* beszennyez, bemocskol, meggyaláz; ~ **one's hands with sg** vmvel beszennyezi a kezét **II.** *fn* **1. a)** szennyfolt, piszokfolt **b)** szenny, mocsok, piszok **2.** ürülék, trágya
soil[3] [sɔɪl] *tsi* zöld takarmányon nevel/tart *[istállózott állatot]*
soil-binder *fn mezőg* talajkötő növény
soil conservation *fn* talajvédelem
soilure ['sɔɪljə ‖ –jər] *fn átv* beszennyezés, bepiszkítás
soirée ['swɑːreɪ ‖ swɑ'reɪ] *fn francia* estély
soixante-neuf [ˌswæsɒnt 'nɜːf ‖ ˌswɑsɑnt 'nɜrf] *fn szl [kölcsönös orális stimuláció]* hatvankilencezés, franciázás
sojourn ['sɒdʒɜːn ‖ 'soʊdʒɜrn] **I.** *fn vál* **1.** (átmeneti) tartózkodás, időzés (vhol) **2.** tartózkodási hely **II.** *tni* (átmenetileg) tartózkodik, időzik (vhol)
sojourner ['sɒdʒɜːnə ‖ 'soʊdʒɜrnər] *fn* vendég, jövevény
soke [soʊk] *fn GB tört* **1.** *jog* bíráskodási jog **2.** törvényhatósági körzet/kerület
Sol [sɒl ‖ sɑl] *tul vál* a Nap; a napisten
sol[1] [sɒl ‖ sɑl] *fn zene* **a)** ‹a diatonikus skála ötödik hangja› sol **b)** g-hang
sol[2] [sɒl ‖ sɑl] *fn vegy* kolloid oldat
sola ['soʊlə] *mn/hsz szính* egyedül, magában *[női szereplő]*
solace ['sɒlɪs ‖ 'sɑlɪs] **I.** *fn vál* vigasz(talás), enyhülés; **find** ~ **in sg** vigaszt/enyhülést talál vmben **II.** *tsi vál* **1.** (meg)vigasztal; ~ **oneself with sg** vigasztalódik vmvel **2.** enyhít *[szenvedést]*
solanaceae [ˌsɒlə'neɪsiiː ‖ 'sɑ–] *fn tsz növ* burgonyafélék • *mn* **solanaceous**
solan goose *fn tsz* **- geese** *áll* szula

solar [ˈsoulə ‖ –ər] *mn* **1.** *csill* nap-, szoláris; ~ **array/battery/cell** napelem; *csill* ~ **day** nap-nap, szoláris nap; ~ **eclipse** napfogyatkozás; ~ **energy/power** napenergia; *csill* ~ **flare** napkitörés; ~ **heat** a nap melege; *csill* ~ **motion** napmozgás; ~ **myth** napmítosz; ~ **radiation** napsugárzás, szoláris sugárzás; ~ **rays** a nap sugarai; ~ **spot** napfolt; ~ **system** naprendszer; *csill* ~ **time** napidő; *csill* ~ **wind** napszél; ~ **year** napév **2.** *orv* ~ **plexus** *US* gyomorszáj

solarium [souˈleərɪəm ‖ –ˈler–] *fn tsz* **solariums** v. **solaria** [–rɪə] **1.** napozó (terasz) **2.** szolárium

solarize [ˈsouləraɪz], **-ise A.** *tsi fényk* eléget, szolarizál **B.** *tni* elég, pozitívvá válik, szolarizálódik *[túlzottan megvilágított negatív]*

solar-powered *mn műsz* napenergiával működő/meghajtott

solatium [souˈleɪʃɪəm] *fn tsz* **solatia** [–ʃə] **a)** fájdalomdíj **b)** *jog* erkölcsi kártérítés

sold [sould] → **sell**

solder [ˈsɒldə, ˈsouldə ‖ ˈsɑdər] **I.** *fn műsz* **1.** forrasz(tófém), forrasztóanyag, forrasztódrót **2.** *átv* kötőanyag **II.** *tsi* (meg)forraszt; ~ **up** beforraszt *[repedést]*; megfoltoz *[üstöt]*, *átv biz* összefoltoz *[szövetséget]* • *fn* **solderer** *mn* **solderable**

soldering [ˈsɒldərɪŋ, ˈsouldə ‖ ˈsɑdərɪŋ] **I.** *mn műsz* forrasztó **II.** *fn műsz* forrasztás

soldier [ˈsouldʒə ‖ –ər] **I.** *fn* **a)** katona; **old** ~ *átv* öreg harcos; **private** ~ közlegény, közkatona; ~ **of Christ** aktív keresztény; ~ **of fortune** zsoldos, szerencselovag **b)** közkatona, közlegény **c)** *áll* harcos, katona *[hangya, termesz]* **II.** *tni* katonáskodik; *biz* ~ **on** tovább szolgál; rendíthetetlenül tovább dolgozik/szolgál • *fn* **soldiership** *hsz* **soldierly**

soldier ant *fn áll* katona, harcos *[termesz, hangya]*

soldier crab *fn áll* remeterák

soldiery [ˈsouldʒəri] *fn* **1. a)** katonaság, katonák **b)** katonacsapat **2.** katonáskodás, katonai szolgálat

sold-out *mn* telt ház előtt játszott/előadott; ~ **house** telt/táblás ház; → **sell out A.**

sole[1] [soul] *mn* **1.** egyetlen, egyedüli; *gazd* ~ **agent** kizárólagos képviselő; *jog* ~ **heir** általános örökös **2.** *jog* **femme** ~ hajadon **3.** *régi* egyedül álló, társtalan, magányos

sole[2] [soul] **I.** *fn* **1. a)** talp **b)** cipőtalp **2. a)** *mezőg* eketalp **b)** *épít* ablakpárkány, küszöb **c)** *bány* fekü **d)** *geol* völgyfenék **e)** *vasút* alátétlemez **II.** *tsi* (meg)talpal *[cipőt]*, talpat varr/ver *[cipőre]*

sole[3] [soul] *fn áll* nyelvhal, szól

solecism [ˈsɒlɪsɪzm ‖ ˈsɑ–] *fn* **1.** *nyelv* nyelvtani hiba, stílushiba, beszédhiba **2.** neveletlenség, társadalmi botlás/hiba • *fn* **solecist** *mn* **solecistic**

solely [ˈsoulli] *hsz* (egyes)egyedül, kizárólag, csupán (csak), pusztán; ~ **responsible** teljes mértékben felelős

solemn [ˈsɒləm ‖ ˈsɑ–] *mn* **1. a)** ünnepélyes; *jog* ~ **agreement** szabályszerű/jogszerű szerződés/megegyezés; ~ **ceremony** ünnepélyes szertartás **b)** ~ **duty** szent kötelesség; ~ **fact** tagadhatatlan tény, rideg valóság; ~ **question** komoly/súlyos kérdés; **it is he** ~ **truth** ez a teljes/színtiszta igazság **2.** ünnepélyes, komoly, fennkölt, *tréf* komolykodó; **put a** ~ **face on it** ünnepélyes/fennkölt arcot vág • *fn* **solemn(n)ess** *hsz* **solemnly**

solemnity [səˈlemnəti] *fn* **1. a)** ünnepélyesség **b)** komolyság **2.** ünnepély, ünnep(ség)

solemnize [ˈsɒləmnaɪz ‖ ˈsɑ–], **-ise** *tsi* **1.** megünnepel, megül *[ünnepet]*, ünnepélyes formák között megköt, megáld *[házasságot]* **2.** ünnepélyességet kölcsönöz *[helynek]*, ünnepivé tesz *[alkalmat]* • *fn* **solemnization**

solenoid [ˈsɒlənɔɪd ‖ ˈsou–] *fn vill* szolenoid, mágnestekercs

sol-fa [ˌsɒlˈfɑː ‖ ˌsoulˈfɑ] **I.** *fn zene* **1. a)** szolmizálás **b)** szolfézs **2. tonic** ~ alaphangszolfézs **II. A.** *tsi zene* szolmizál, szolmizálva elénekel **B.** *tni zene* szolmizál

solfatara [ˌsɒlfəˈtɑːrə ‖ ˌsoulfəˈtɑrə] *fn geol* kéngőzös hőforrás, szolfatára

solfeggio [sɒlˈfedʒiou ‖ sɑlˈfedʒou] *fn tsz* **solfeggios**, **solfeggi** [–dʒiː] *zene* **a)** szolfézs **b)** szolmizálás

solicit [səˈlɪsɪt] **A.** *tsi* **1.** nyomatékosan kér (vmt, vkt), folyamodik, esdekel; ~ **sy for sg**, ~ **sg from sy** nyomatékosan kér vmt vktől, vkhez kéréssel fordul vmért; ~ **a favour of sy** szívességet kér vktől; ~ **sy's attention** nyomatékosan felhívja vknek a figyelmét; *US* ~ **business** ügynököl; üzletet hajt fel; ~ **votes** korteskedik **2.** leszólít, megszólít, csalogat *[prostituált]* **B.** *tni* strichel • *fn* **solicitation**

solicitor [səˈlɪsɪtə ‖ –ər] *fn* **1.** *jog* **a)** *GB* angol ügyvéd (magasabb bíróság előtti felszólalási jog nélkül); ~**'s fee** ügyvédi tiszteletdíj **b)** ügyész, jogtanácsos *[vállalaté]* **2.** *US gazd* üzletszerző, ügynök **3.** adománygyűjtő

solicitous [səˈlɪsɪtəs] *mn* aggályosan/féltően gondos; **be** ~ **about/concerning/for/of sg** vmt nagyon a szívén visel, vmvel nagyon törődik; **be** ~ **of sg** nagyon óhajt vmt; ~ **to do sg** töri magát, hogy vmt megtehessen, nagyon akar/igyekszik tenni vmt

solicitude [səˈlɪsɪtjuːd ‖ –tuːd] *fn* szerető/féltő gondosság/gondoskodás, (figyelmes) törődés, segíteni akarás; ~ **to do sg** buzgó törekvés/igyekezet vmnek a megtételére

solid [ˈsɒlɪd ‖ ˈsɑ–] **I.** *mn* **1. a)** szilárd; ~ **food** szilárd táplálék; **become** ~ megszilárdul **b)** ellenálló, nagyfokú immunitással rendelkező **2. a)** tömör, térbeli; ~ **geometry** térmértan; *mat* ~ **measures** térfogatmérték; **pond frozen** ~ fenékig befagyott tavacska **b) man of a** ~ **build** erős testalkatú ember **c)** egyszínű (nem tarka); ~ **colour** minta nélküli színezés **d)** ~ **vote** egyhangú szavazás **e)** *biz* **sleep for ten** ~ **hours** tíz órát alszik egyhuzamban **3. a)** megbonthatatlanul összetartozó, szoros egységet alkotó *[darabok]* **b)** *nyelv* ~ **compound** egybeírt összetétel; **be written** ~ egybeírják *[két szót]*, egybe van írva **c)** *US biz* **be (in)** ~ **with sy** teljes egyetértésben van vkvel, jóban van vkvel **4. a)** megbízható, komoly, szolid *[épület, cég stb.]*; ~ **common sense** józan ész **b)** *jog* ~ **consideration** megalapozott határozat; ~ **defence** megalapozott védelem **5.** *Ausz ÚjZ biz* igazságtalan, ésszerűtlen; **you're a bit** ~ **asking so much** ennyit mégsem illenék kérni **6.** középszerű, (jó) közepes, nem kiemelkedő **II.** *fn* **1.** *fiz* szilárd test **2.** *mat* téridom, (háromdimenziójú) test **3.** *tsz* **solids** szilárd halmazállapotú anyagok/ételek/táplálék **III.** *hsz* szilárdan; **go/vote** ~ **for sg** egyhangúan megszavaz vmt • *fn* **solidness** *hsz* **solidly**

solidarity [ˌsɒlɪˈdærəti ‖ ˌsɑ–] *fn* **1.** összetartás, kölcsönös együttérzés, szolidaritás **2.** *jog* egyetemleges jogosultság/kötelezettség

solid-fuel *mn rep* szilárd tüzelőanyagú *[rakéta]*

solidify [səˈlɪdɪfaɪ] **A.** *tsi* megszilárdít, megalvaszt *[vért]*, besűrít *[oldatot]* **B.** *tni* megszilárdul, szilárd halmazállapotot vesz fel, megkeményedik, összeáll, megalvad, besűrűsödik • *fn* **solidification**, **solidifier**

solidity [səˈlɪdəti] *fn* **1.** szilárdság **2.** tömörség **3. a)** megbízhatóság, szolidság *[épületé, érvelésé]* **b)** valóság, valódiság, alaposság

solid-state *mn fiz* szilárdtest-; ~ **physics** szilárdtestfizika; *el* ~ **memory** integrált áramkörökből felépített memória

solidus [ˈsɒlɪdəs ‖ ˈsɑ–] *fn tsz* **solidi** [–daɪ] **1.** *tört* ‹egyfajta régi római aranypénz› **2.** *főleg GB nyomd* virgula

solidus curve *fn mat vegy* szoliduszvonal, szoliduszgörbe

solifluction [ˈsoulɪflʌkʃn, ˈsɒ– ‖ ˈsou–, ˈsɑ–] *fn geol* talajfolyás

solifluxion [ˈsoulɪflʌkʃn, ˈsɒ– ‖ ˈsou–, ˈsɑ–] *US* → **solifluction**

soliloquize [səˈlɪləkwaɪz], **-ise** *tni* magában beszél/mormol, monologizál

soliloquy [səˈlɪləkwi] *fn* magánbeszéd, monológ • *fn* **soliloquist**

solipsism [ˈsɒlɪpsɪzm ‖ ˈsɑ–, ˈsou–] *fn fil* szolipszizmus • *fn* **solipsist** *mn* **solipsistic**

solitaire [ˌsɒlɪˈteə ‖ ˈsɑlɪter] *fn* **1. a)** egyedül befoglalt nagy drágakő, szoliter **b)** egyköves gyűrű **2.** *ját* pasziánsz

S

solitary ['sɒlɪtəri ‖ 'sɑlɪteri] **I.** *mn* **1. a)** magányos, magában/egyedül élő, társtalan, visszavonult; ~ **confinement** magánzárka **b)** elhagyatott, félreeső *[hely]* **2.** egyedüli, egyetlen, egyszeri; *biz* **not a ~ one** egy árva/teremtett lélek sem **II.** *fn* **1.** remete **2.** *biz* magánzárka

solitude ['sɒlɪtju:d ‖ 'sɑlɪtu:d] *fn* **1.** magány(osság), egyedüllét **2. a)** magányos/félreeső/eldugott hely **b)** pusztaság, elhagyatott/lakatlan/elnéptelenedett hely

solmization [ˌsɒlmɪ'zeɪʃn ‖ 'sɑl–], **-isation** *fn zene* szolmizálás • *tsi/tni* **solmizate**

solo ['soʊloʊ] **I.** *fn tsz* **solos, soli** [–li:] *zene* szóló, énekszóló, szólójáték **II.** *tni pt/pp* **soloed a)** egyedül csinál vmt **b)** *zene* szólózik, szólót játszik/énekel **III.** *mn* egyes, szóló **IV.** *hsz* egyedül, magában, szóló(ban)

soloist ['soʊloʊɪst] *fn* **a)** *zene* szólista, szólóénekes, magánénekes **b)** *zene* szólista, szólójátékos **c)** *zene* szólótáncos

Solomon ['sɒləmən‖'sɑ–] *tul* Salamon • *mn* **Solomonic**

solstice ['sɒlstɪs ‖ 'sɑl–] *fn csill* napforduló • *mn* **solstitial**

solubilize ['sɒljʊbəlaɪz ‖ 'sɑljə–], **-ise** *tsi* (meg/fel)oldhatóvá tesz • *fn* **solubilization**

soluble ['sɒljʊbl ‖ 'sɑljəbl] *mn* **1.** *vegy* (fel)oldható, oldódó; **make ~** oldhatóvá tesz **2.** megoldható *[probléma]*

solute ['sɒlju:t ‖ 'sɑ–] *fn vegy* (fel)oldott anyag

solution [sə'lu:ʃn] *fn* **1.** megoldás, válasz *[problémáé, rejtvényé]* **2.** *vegy* (fel)oldás, megbontás **3.** *vegy* **a)** feloldott állapot **b)** oldat; **standard ~** normál oldat **4. ~ of continuity** folytonosság megszakítása/megszakadása **5.** megszűnés *[hatalomé]*

solvate [sɒl'veɪt ‖ 'sɑlveɪt] *tsi/tni vegy* old, oldószerrel vegyít • *fn* **solvation**

solve [sɒlv ‖ sɑlv] *tsi* **1. a)** megold, megfejt; **~ a riddle** rejtvényt megfejt; **his doubts were ~d** kétségei megoldódtak **b)** *mat* megold, kiszámít; **~ an equation** egyenletet megold **2. a)** *régi* kibont, kiold, megold *[csomót stb.]* **b)** *régi* felszámol, kifizet *[adósságot]* • *fn* **solver** *mn* **solvable**

solvency ['sɒlvənsi ‖ 'sɑl–] *fn gazd* fizetőképesség, bonitás, hitelképesség

solvent ['sɒlvnt ‖ 'sɑl–] **I.** *mn* **1.** *jog gazd* fizetőképes, hitelképes; **a ~ company** hitelképes/fizetőképes cég **2. a)** *vegy* oldható, oldóképes; **~ power** old(ód)ási képesség **b)** *átv* feloldó, enyhítő, csillapító, mérséklő *[hatás]*; **the ~ power of laughter** a nevetés feloldó/csillapító/enyhítő hatalma **II.** *fn* **1.** *vegy* oldószer; *átv* **~ of power** hatalmat gyengítő/bomlasztó elem **2. a)** megoldás **b)** megszüntetés

solvent abuse *fn [oldószerek kábítószerként való felhasználása]* ragasztózás, szipuzás *biz*

Som. *röv Somerset*

Somali [soʊ'mɑ:li] *mn/fn* szomáli (ember), nyelv

Somalia [soʊ'mɑ:lɪə] *tul földr* Szomália • *fn/mn* **Somalian**

somatic [soʊ'mætɪk], **somatical** *mn orv* testi, szomatikus

somatologic [ˌsoʊmətə'lɒdʒɪk(əl) ‖ –'lɑ–], **somatological** *mn orv* szomatikus

somber ['sɒmbə ‖ 'sɑmbər] *US* → **sombre**

sombre ['sɒmbə ‖ 'sɑmbər] *mn* **a)** sötét, komor, kietlen; **a ~ shade of colour** sötét színárnyalat **b)** komor, mogorva *[személy, hangulat]* • *fn* **sombreness** *hsz* **sombrely**

sombrero [sɒm'breəroʊ ‖ sɑm'breroʊ] *fn* széles karimájú (mexikói) kalap, sombrero

some [sʌm] **I.** *mn* **1. a)** valamilyen, valamiféle, valamelyik, valami, bizonyos; **~ person (or other)** valaki; **~ day** egy szép napon; nemsokára, a közeljövőben; **~ day this week** e hét valamelyik napján; **make ~ sort of reply** valamilyen/valamiféle választ ad; **in ~ form/way or (an)other** valahogyan, valamilyen módon, így vagy úgy **b)** bármely, bármilyen; **do ask ~ experienced person** kérdezz meg egy tapasztalt/járatos embert **2. a)** (egy) bizonyos, némely, egyes; **~ people say** egyesek azt mondják; **there are ~ others** vannak (ott) mások is **b)** egy bizonyos (mennyiségű), valamelyes, valamennyi, némi, egy kis, néhány; **I have ~ money** van egy kis pénzem; **~ days ago** néhány/pár napja; **~ water** egy kis víz; **~ more** még egy keveset; **have ~ pity!** legyen benned némi irgalom!; **town of ~ importance** meglehetősen/eléggé jelentékeny város; **after ~ time** rövid/kis/bizonyos idő után/múltán; **for ~ time** egy rövid/kis/bizonyos ideig; **at ~ length** elég(gé) hosszasan; **in ~ measure** egy bizonyos mértékig/mértékben; **to ~ extent** egy bizonyos mértékben/fokig **3.** *US biz* nagy, nagyszabású, feltűnő; **~ scholar** nagy/kiváló tudós, tudós a javából; **it was ~ dinner** ez aztán ebéd volt! **II.** *hsz* **1.** körülbelül, mintegy, valami; **there were ~ twenty persons present** körülbelül/mintegy huszan jelentek meg **2.** *US szl* némileg, némiképp, meglehetősen; **he was ~ tired** meglehetősen fáradt volt **III.** *nm* **1.** egy bizonyos mennyiség/rész, vmnek egy része; **~ of the afternoon** a délután egy része **2. a)** néhány, némi, valamennyi; **take ~!** vegyen belőle (valamennyit)!; *US biz* **and then ~** és még egy jó csomó **b)** egyesek, néhányan, némelyek; **~ of them** néhányan (közülük), némelyikük; **~ or all** néhányan vagy mindanynyian

-some [–səm] *utótag* ‹melléknévképző›; -ó/-ő, -s/-as/-es/-ős, -szerű; **tiresome** fárasztó; **troublesome** fáradságos; zavaró

somebody ['sʌmbədi ‖ –bɑdi] **I.** *mn/nm* valaki; **~ else** valaki más **II.** *fn* fontos/jelentékeny/számottevő/tekintélyes személyiség, *átv* valaki; **he's (a) ~** ez/ő valaki; **he thinks himself ~** fontos személyiségnek tartja magát

someday ['sʌmdeɪ] *hsz* egy napon, valamikor

somehow ['sʌmhaʊ] *hsz* **a)** valahogy(an), valami módon; **I shall manage it ~ or other** valahogy majd (csak) elintézem **b) ~ I don't trust him** valahogy nem bízom benne

someone ['sʌmwʌn] → **somebody I.**

someplace ['sʌmpleɪs] *hsz US* valahol

somersault ['sʌməsɔ:lt ‖ –mər–] **I.** *fn* **1.** bukfenc, *gk rep* előrebukfencezés, felfordulás; **turn a (complete) ~** bukfencet hány/vet; *gk rep* felfordul, felbukfencezik **2.** *sp* előreszaltó **3.** ‹vélemény teljes megváltozása› **II.** *tni* **1.** bukfencezik, bukfencet vet, előrebukfencezik **2.** *sp* előreszaltót végez

something ['sʌmθɪŋ] **I.** *fn/nm* **1. a)** valami; **an indefinable ~** egy meghatározhatatlan valami; **~ inexplicable** valami megmagyarázhatatlan (dolog); **there is ~ about it in the papers** van valami erről az újságokban; **say ~** mondj valamit!; **I have ~ else to do** más dolgom van; *biz* **let's have a little ~** együnk valamit; *biz* **will you take ~?** eszel/iszol valamit?; **you can't get ~ for nothing** ingyen a Krisztus koporsóját sem őrizték; semmiből nem lesz semmi; **he has ~ to do with it** van valami köze hozzá; **~ to live for** életcél; amiért érdemes élni; **~ or other** valami, ez vagy az; **or ~** vagy valami hasonló **b) ~ of** egy kis/kevés/csekély, némi; **he is ~ of a liar** kicsit hazudós **2. there's ~ to it** van benne valami; **well that's ~!** ez már valami!; **know ~** jó tippje/értesülése van **II.** *hsz* **1.** egy kissé/kicsit, némileg, valamivel; **she is ~ under forty** valamivel negyven év alatt van **2. a) ~ like** körülbelül, megközelítőleg, mintegy **b)** *szl* **that's ~ like** ezt nevezem! **3.** *biz* szörnyen, borzasztóan; **he treated her ~ shocking** egyenesen felháborítóan bánt vele **4.** *US szl biz* **~ else** *[nagyon jó, nagyszerű vm]* tökjó, óriási vm

sometime ['sʌmtaɪm] **I.** *mn* egykori, régebbi, hajdani, volt; **my ~ teacher** egykori/hajdani tanárom **II.** *hsz* **a)** egykor, valaha, máskor; **he was ~ president** valaha/egykor elnök volt **b) ~ (or other)** valamikor, egyszer valamikor; **~ last week** valamikor a múlt héten; **~ soon** nemsokára

sometimes ['sʌmtaɪmz] *hsz* néha, némelykor, olykor; **~ he seemed depressed** időnként/néha levertnek látszott; **~ the one, ~ the other** egyszer az egyik, egyszer a másik

someway ['sʌmweɪ] *hsz biz* valahogy(an), valamiképpen, valami módon, így vagy úgy; **~ or other** valahogyan, nem is tudom hogyan

somewhat ['sʌmwɒt ‖ –hwɑt, –hwʌt] **I.** *hsz* némileg, némiképp(en), meglehetősen, egy kissé/kicsit; **arrive ~ late** egy kicsit (v. meglehetősen) késik (v. későn érkezik); **more than ~** nagyon, eléggé **II.** *fn régi* **it is ~ of a difficulty** (ez bizony) némileg/meglehetősen (v. egy kissé) nehéz dolog

somewhen ['sʌmwen ‖ –(h)wen] *hsz biz* valamikor, egyszer, néha

somewhere ['sʌmweə ‖ –hwer] *hsz* **a)** valahol; **~ in the world** valahol a világon; **~ else** (valahol) máshol, másutt, másfelé **b) he is ~ about sixty** hatvan körül jár **c)** valahová **d)** *biz* **get ~** elér vmt, sikeres

sommelier [sɒ'melɪə ‖ ˌsʌml'jeɪ] *fn* **a)** borszakértő pincér **b)** italos (pincér)

somnambulism [sɒm'næmbjʊlɪzm ‖ sɑm–] *fn orv* alvajárás, holdkórosság • *fn* **somnambulist** *mn* **somnambulant** *hsz* **somnambulantly**

somniferous [sɒm'nɪfərəs ‖ sɑm–] *mn* **1.** (el)altató (hatású) *[szer]*, álmosító **2.** álmos

somniloquize [sɒm'nɪləkwaɪz ‖ sɑm–], **-ise** *tsi* álmában beszél • *fn* **somniloquist**

somnolent ['sɒmnələnt ‖ 'sɑm–] *mn* **a)** (kórosan) álmos, (kórosan) aluszékony **b)** szundikáló, szunyókáló • *fn* **somnolence** *hsz* **somnolently**

son [sʌn] *fn* **a)** fiú, vknek a fia; **my ~** fiam; *szl* **~ of a bitch** (i) ebadta, kurafi, ördögfajzat (ii) *[ellenszenves ember]* szemétláda, tetű; *vál* **~ of the soil** gazdaember, falusi **b)** *átv* vknek/vmnek a fia/gyermeke; **a faithful ~ of his country** hazájának hű fia **c)** *vall* Fiú *[Szentháromságban]*

sonant ['soʊnənt] **I.** *mn nyelv* zöngés *[hang]* **II.** *fn nyelv* **1.** zöngés hang **2.** szótagképző/szótagértékű mássalhangzó

sonar ['soʊnɑː ‖ –ɑr] *fn el* hanglokátor, szonár

sonata [sə'nɑːtə] *fn zene* szonáta; **~ form** szonátaforma

sonatina [ˌsɒnə'tiːnə ‖ ˌsɑnə–] *fn zene* szonatina

song [sɒŋ ‖ sɔŋ] *fn* **1.** ének(lés); **famous in ~** megénekelt; **burst into ~** dalolni/énekelni kezd **2. a)** dal; **~ without words** dal szöveg nélkül; *biz* **make a ~ about sg** nagy ügyet csinál vmből, nagy hűhót csap vmből; nagyra van vmvel; *átv* **sing another ~** más húrokat penget; más hangon kezd beszélni; *biz* **for a (mere) ~, for an old ~** potom pénzen/pénzért; **sell for a ~** jóval áron alul ad el, potom pénzért ad el (vmt), elvesztéget vmt; *GB biz* **be on ~** remekül teljesít **b)** *vál* dal, ének, költemény **c)** *vall* egyházi ének, dicséret; **the S~ of S~s Solomon** Énekek Éneke • *mn* **songless**

song and dance *fn biz* felhajtás, cirkusz

songbird *fn* **a)** *áll* énekesmadár **b)** *biz* nótás ember

songbook *fn* daloskönyv, dalgyűjtemény, énekeskönyv

song contest *fn* (tánc)dalfesztivál

song cycle *fn zene ir.tud* dalciklus

songsmith *fn* dalszerző

song-sparrow *fn áll* erdei szürkebegy

songster ['sɒŋstə ‖ 'sɔŋstər] *fn* **1. a)** énekes, dalnok **b)** énekesmadár **2.** költő **3.** *US* → **songbook**

songstress ['sɒŋstrɪs ‖ 'sɔŋ–] *fn* **1.** énekesnő **2.** költőnő

song thrush *fn áll* énekesrigó

songwriter *fn* dalköltő, dalszerző • *fn* **songwriting**

Sonia ['sɒnɪə ‖ 'soʊnjə] *tul* ‹női név›

sonic ['sɒnɪk ‖ 'sɑnɪk] *mn fiz* hanghatáson alapuló, hangsebességű, szonikus, hang-; *rep* **~ bang/boom** hangrobbanás; **~ barrier** hangsebességi határ, hanghatár; *kat* **~ mine** akusztikus akna; **~ speed** hangsebesség; **~ wave** hanghullám • *hsz* **sonically**

sonics ['sɒnɪks ‖ 'sɑnɪks] *fn* szonika

son-in-law *fn tsz* **sons-in-law** vő, vknek a veje

sonnet ['sɒnɪt ‖ 'sɑ–] **I.** *fn ir.tud* szonett **II. A.** *tsi* szonettet címez vknek **B.** *tni* szonettet ír

sonneteer [ˌsɒnɪ'tɪə ‖ ˌsɑnɪ'tɪr] *fn pej* szonettköltő(cske)

sonnet sequence *fn ir.tud* szonettsorozat

sonobuoy ['soʊnəbɔɪ] *fn hajó kat* hangbója

sonograph ['soʊnəgrɑːf ‖ –græf] *fn fiz* szonográf, hangjelíró

sonometer [sə'nɒmɪtə ‖ –'nɑmətər] *fn fiz* hangmérő(készülék), szonométer

sonorant ['sɒnərənt ‖ 'soʊnərənt] *fn nyelv* zengőhang, szonoráns

sonorous ['sɒnərəs ‖ sə'nɔrəs] *mn* **1.** hangzó, rezonáló **2.** hangzatos, zengzetes; *biz* **~ titles** hangzatos címek • *fn* **sonority** *hsz* **sonorously**

sonsy ['sɒnsi ‖ 'sɑn–] *mn* **1.** *skót táj* szerencsét hozó, szerencsés **2. a)** *skót táj* csinos, kedves **b)** *skót táj* molett, telt *[nő]*

sonny ['sʌni] *fn biz* fiacskám, kisfiam

sool [suːl] *tsi Ausz ÚjZ* **1. ~ a dog on sy** kutyát rászít vkre **2.** megtámad, nekimegy *[kutya]* • *fn* **sooler**

soon [suːn] *hsz* **1.** nemsokára, rövidesen, csakhamar; **~ after(wards)** nemsokára *[múltban]*; **see you (again) ~** a mielőbbi viszontlátásra **2. a)** korán, jókor, hamar; **so ~?** ilyen hamar/korán?, máris?; **too ~** túl hamar/korán; **none too ~** éppen jókor **b) ~er** hamarabb, előbb, korábban; **~er or later** előbb-utóbb; **the ~er the better** minél előbb, annál jobb; **no ~er than** amint, alighogy, mihelyt; **no ~er said than done** alighogy kimondta, már meg is tette **3.** rövid idő alatt, gyorsan, késedelem/erőfeszítés nélkül, könnyedén; **you will ~ get the better of him** gyorsan/könnyen fölébe fog kerekedni **4. as/so ~ as** amint (hogy), mihelyt, rögtön amint, amikor; **as ~ as possible** amint lehet **5. ~er, as ~** inkább; **I would/had ~er** (v. **as ~**) **die as...** inkább meghalnék semhogy... • *mn* **soonish**

Sooner State *tul földr US biz* ‹Oklahoma állam›

soot [sʊt] **I.** *fn* korom, pernye **II.** *tsi* (be)kormoz, korommal (be)fed

soothe [suːð] *tsi* **1. a)** csillapít, enyhít *[fájdalmat]*, megnyugtat *[idegeket]* **b)** elcsendesít, lecsendesít *[csecsemőt]*, megengesztel *[gyereket]* **2.** hízeleg (vknek); **~ a person's injured vanity** vk sértett hiúságának hízeleg

soothing ['suːðɪŋ] *mn* enyhítő, csillapító, (meg)nyugtató; *orv* **~ draught** csillapító/nyugtató szer

soothsayer ['suːθseɪə ‖ –ər] *fn vál* igazmondó, jövendőmondó, jós

sooty ['sʊti] *mn* **1. a)** kormos, koromtartalmú **b)** kormos, koromtól fekete **2.** (korom)fekete *[élőlény]* • *fn* **sootiness** *hsz* **sootily**

sop [sɒp ‖ sɑp] **I.** *fn* **1.** megvesztegetés, borravaló **2. a)** levesbe áztatott/mártott kenyérdarab **b) sops** tejleves **c)** vízzel/esővel átitatott/átáztatott anyag; **the ground is a ~** a föld csupa sár/latyak **3.** *biz* erőtlen/pipogya alak, anyámasszony katonája **II.** *i* **-pp- A.** *tsi* **a)** mártogat, (be)márt, beáztat *[kenyeret levesbe/mártásba]*; **~ up a liquid** mártogat **b)** (át)áztat, átitat *[vízzel, esővel]*, felszív; **~ped to the skin** bőrig ázva/ázott **B.** *tni* bőrig ázik

Sophia [soʊ'faɪə ‖ soʊ'fiːə] *tul* Zsófia

Sophie ['soʊfi] *tul* ‹*Sophia* becéző alakja›

sophism ['sɒfɪzm ‖ 'sɑ–] *fn* **1.** *fil* szofizma **2.** álokoskodás

sophist ['sɒfɪst ‖ 'sɑ–] *fn* **1.** *fil* szofista **2.** álokoskodó • *mn* **sophistic(al)**

sophisticate [sə'fɪstɪkeɪt] **I. A.** *tsi* **1.** kiművel, kitanít(tat) **2.** fejleszt, tökéletesít *[technikát]* **3.** szofizmákban fejez ki *[gondolatot]*, álokoskodó/szofista érveket fejt ki, hamis érveléssel félrevezet **4. a)** hamisít *[bort, tejet]* **b)** meghamisít *[okmányt]*, elferdít *[szöveget]* **5.** mesterkéltté tesz **B.** *tni* álokoskodást folytat, hamisan érvel **II.** *fn* mesterkélt ember • *fn* **sophistication**

sophisticated [sə'fɪstɪkeɪtɪd] *mn* **1. a)** mesterkélt, nem természetes, affektált; **~ style** keresett/mesterkélt stílus **b)** bonyolultan kifinomult (ízlésű), finnyás **c)** (világfiasan) okos, tapasztalt, kitanult **2.** fejlett, kifinomult, bonyolult *[dolog, gondolat]* • *hsz* **sophisticatedly**

sophistry ['sɒfɪstri ‖ 'sɑ–] *fn fil* **1.** szofista bölcselet, szofisztika **2.** álokoskodás, szofizma

sophomore ['sɒfəmɔː ‖ 'sɑfəmɔr] **I.** *mn US okt* **a)** másodéves *[egyetemi/főiskolai hallgató]* **b)** másodikos *[középiskolás]* **II.** *fn* **a)** *US okt* másodéves **b)** *US okt* másodikos

soporific [ˌsɒpəˈrɪfɪk ‖ ˌsɑ–] **I.** *mn* altató; **~ draught** altatószer **II.** *fn* altató(szer)
sopping [ˈsɒpɪŋ ‖ ˈsɑ–] **I.** *mn* (alaposan) átázott, nedvességgel (teljesen) átitatott **II.** *hsz* **~ wet** (teljesen) átázott, bőrig ázott
soppy [ˈsɒpi ‖ ˈsɑpi] *mn GB biz* **1.** átázott, nedves *[talaj]* **2. a)** pipogya, teddide-teddoda *[ember]* **b)** érzelgős; *GB szl* **be ~ on sy** *[szerelmes]* belebolondult vkbe, bele van esve vkbe **c)** *biz* könnyes, könnyektől nedves/maszatos *[arc]* • *fn* **soppiness** *hsz* **soppily**
soprano [səˈprɑːnoʊ ‖ –ˈpræ–] **I.** *mn zene* szoprán **II.** *fn tsz* **sopranos, soprani** [–niː] *zene* **a)** szoprán hang **b)** szoprán (énekes)
sorb [sɔːb ‖ sɔrb] *fn* **1.** *növ* berkenye(fa) **2.** berkenye *[gyümölcs]*
sorb-apple → **sorb** 2.
sorbet [ˈsɔːbɪt, ˈsɔːbeɪ ‖ ˈsɔrbət] *fn gaszt* sörbet, gyümölcsös jégkása
sorcerer [ˈsɔːsərə ‖ ˈsɔrsərər] *fn* varázsló, bűvész, mágus
sorceress [ˈsɔːsərɪs ‖ ˈsɔr–] *fn* boszorkány, varázslónő
sorcery [ˈsɔːsəri ‖ ˈsɔr–] *fn* boszorkányság, varázslat • *mn* **sorcerous**
sordid [ˈsɔːdɪd ‖ ˈsɔr–] *mn* **1.** piszkos, szennyes, mocskos **2.** aljas, hitvány, gonosz, rút, közönséges; **~ desire** aljas vágyak **3.** anyagias, kapzsi, zsugori **4.** tompa/fakó színű • *fn* **sordidness** *hsz* **sordidly**
sordino [sɔːˈdiːnoʊ ‖ sɔr–] *fn zene* hangfogó, szordínó
sore [sɔː ‖ sɔr] **I.** *mn* **1. a)** fájdalmas, fájó, érzékeny; **~ when touched** nyomásra/tapintásra érzékeny; *biz* **that's his ~ spot** ez az érzékeny pontja; *átv biz* **touch a ~ point, put one's finger on the ~ place** elevenére tapint; **a sight for ~ eyes** üdítő/kellemes/szívderítő látvány; kellemes meglepetés **b)** gyulladt, gyulladásos, heveny; **a ~ throat** torokfájás, torokgyulladás **c)** fekélyes, keléses, sebes; **~ mouth** pállott száj **2. a)** rosszkedvű, bánkódó **b)** *US biz* bosszús, haragos, mérges, ideges; **be ~ at/on sy** haragszik/neheztel vkre; **get ~ at sy** megharagszik/megneheztel vkre **3. in ~ distress** nagy bajban; **be in ~ need of sg** égető szüksége van vmre **II.** *fn* **1.** *orv* seb(hely), sérülés *[bőrön]*, fekély; **cold ~** ajaksömör, szájherpesz **2.** baj, bánat, fájdalom; **time does not always heal old ~s** az idő nem mindig gyógyítja be a régi sebeket; *biz* **(re)open an old ~** régi sebet tép fel **III.** *hsz vál régi* súlyosan, komolyan, nagyon; **~ wounded** súlyosan megsebesülve • *fn* **soreness**
sorehead *fn US Kan biz* elégedetlen, mérges ember
sorely [ˈsɔːli ‖ ˈsɔrli] *hsz* súlyosan, alaposan, nagyon; **~ tried** súlyos megpróbáltatásokat átélt, sokat szenvedett; **she wept ~** keservesen sírt
sorghum [ˈsɔːgəm ‖ ˈsɔr–] *fn növ* cirok
soricidae [sɒˈrɪsɪdiː ‖ sɔ–] *fn tsz áll* cickányfélék
sorority [səˈrɒrəti ‖ –ˈrɔ–, –ˈrɑ–] *fn főleg US* egyetemi/főiskolai leányszövetség/diákegyesület
sorption [ˈsɔːpʃn ‖ ˈsɔrpʃn] *fn* szorpció, elnyelés
sorrel[1] [ˈsɒrəl ‖ ˈsɔ–] *fn növ* sóska
sorrel[2] [ˈsɒrəl ‖ ˈsɔrəl] **I.** *mn* vörössárga **II.** *fn* (vörös)sárga ló
sorrow [ˈsɒroʊ ‖ ˈsɔ–] **I.** *fn* **1.** szomorúság, bánat, bú, fájdalom **2. a)** sajnálkozás, sajnálat; **feel ~ for sy** sajnál/szán vkt; **to my ~** (nagy) sajnálatomra **b)** siránkozás, jajveszékelés **3.** szerencsétlenség, csapás **II.** *tni* búsul, szomorkodik, bánkódik; **~ for/after sy/sg** sajnál vkt/vmt • *fn* **sorrower** *mn* **sorrowing**
sorrowful [ˈsɒroʊfl ‖ ˈsɔ–] *mn* **a)** szomorú, szomorkodó, búsuló, bánatos *[személy]* **b)** szomorú, gyászos, fájdalmas *[hír]*, sajnálatos *[esemény]*; **a ~ sight** szomorú/siralmas látvány
sorry [ˈsɒri ‖ ˈsɔri] *mn* **1. a)** bánatos, szomorú, bús; **be ~ about sg** bánatos/szomorú vm miatt; bánkódik vm miatt; *biz* **you will be ~ for it** majd még megbánod **b)** sajnálkozó, sajnálatát kifejező; **~!** bocsánat!; elnézést (kérek)!; sajnálom (de); **~ to have kept you waiting** elnézését kérem, hogy megvárakoztattam; **awfully ~!** ezer bocsánat!; **I'm ~!** nagyon sajnálom!; **I am ~ to say that** sajnálom, de meg kell mondanom, hogy **c) be/feel ~ for sy** sajnál vkt; **I am ~ for him** sajnálom (őt); *biz* **look ~ for oneself** bánatos/szomorú képet vág **2.** *régi* **a)** gyenge minőségű, hitvány, silány; **a ~ excuse** gyenge kifogás **b)** nyomorúságos, szánalmas, siralmas; **a ~ sight** siralmas látvány • *fn* **sorriness** *hsz* **sorrily**
sort [sɔːt ‖ sɔrt] **I.** *fn* **1. a)** faj, fajta, féle(ség), nem, minőség; *biz* **a decent ~ of person** rendes ember; *biz* **he's a real good ~** igen rendes/derék ember; *biz* **a bad ~** nem rendes/jó ember; **all ~s of men** mindenféle ember; **and all that ~ of thing** és más egyéb hasonló; **some ~ of excuse** vmlyen kifogás; **what ~ of?** miféle?, milyen fajta?; **a ~ of** afféle; **another ~ of** másféle, másfajta; **he's not my ~** nem magamfajta; **he is not the ~ of man** nem olyan (v. nem az a fajta) ember; **that's my ~ of girl** ez a lány az esetem; *biz* **that's the ~ of thing I mean** körülbelül így gondolom; **of all ~s, all ~s of** mindenféle, mindenfajta; **nothing of the ~** szó sincs róla, egyáltalán nem; **sg of ~s, sg of a ~** egy többé-kevésbé vmnek nevezhető dolog, egy vmféle; **some coffee of ~s, coffee of a ~** vm kávénak nevezhető dolog/izé **b)** *biz* **~ of** valahogy; **I feel/think ~ of that...** valahogy az az érzésem hogy, úgy érzem/gondolom hogy **c)** osztály, rend, csoport; **all ~s and conditions of men** minden rendű és rangú ember **2.** mód(szer); **in some ~** valamilyen módon; egy bizonyos fokig **II.** *tsi* **a)** kiválaszt, különválaszt, kiválogat **b)** csoportosít, osztályoz, rendez, szortíroz; *ját* **~ one's cards** lapjait színek szerint rendezi; **~ the letters** leveleket csoportosít *[útirány szerint]*; **~ the wool** gyapjút osztályoz; **~ into classes** osztályoz • *fn* **sorter, sorting** *mn* **sortable**
sort out *tsi* **1. a)** kiválaszt **b)** *biz* elrendez; **be/get ~ed out** elrendeződik, kialakul; **things will ~ out themselves** a dolgok majd egyenesbe/rendbe jönnek **2.** *biz* **~ sy out** letol/lehord/összeszid/rendreutasít vkt
sortie [ˈsɔːti ‖ ˈsɔrti] *fn* **1.** *kat* kitörés, kirohanás *[ostromlott várból stb.]*; **make a ~** kitör, kirohan **2.** *rep* támadórepülés, bevetés *[repülőgépé]*; **fly a ~** bevetést hajt végre
sortilege [ˈsɔːtɪlɪdʒ ‖ ˈsɔrtl–] *fn régi* **1. a)** sorsvetés **b)** sorshúzás **2.** megbabonázás, rontás, varázslat
sortition [sɔːˈtɪʃn ‖ sɔr–] *fn* sorshúzás
sorus [ˈsɔːrəs] *fn tsz* **sori** [–raɪ] *növ* spóracsoport *[páfrányé]*
SOS *fn röv* **1.** *save our souls távk hajó* S. O. S., S. O. S. jel, segélykérő rádiójel **2.** segélykiáltás, vészkiáltás
so-so **I.** *mn biz* nem valami jó, közepes, tűrhető, elviselhető; **be ~ (in health)** éppen csak hogy megvan, lehetne jobban is *[egészségileg]* **II.** *hsz* nem valami jól, közepesen, tűrhetően, elviselhetően, úgy-ahogy; **how do you feel? – just ~** hogy érzed magad? – úgy ahogy/vagyogatok
sot [sɒt ‖ sɑt] **I.** *fn* iszákos, részeges **II.** *tni* **-tt- 1.** részegeskedik, korhelykedik **2.** iszákosságtól elbutul • *mn* **sottish**
sotto-voce [ˌsɒtoʊ ˈvoʊtʃi ‖ ˌsɑ–] *hsz* **1.** (egész) halkan *[beszél]* **2.** *zene* sotto voce
sou [suː] *fn tört* **1.** ‹régi francia váltópénz› **2.** csekély/jelentéktelen összeg; **I haven't got a ~** egy (árva) vasam sincs
souchong [ˌsuːˈtʃɒŋ ‖ –ˈtʃɔŋ] *fn gaszt* indiai/ceyloni fekete tea
soufflé [ˈsuːfleɪ ‖ suːˈfleɪ] **I.** *mn* **1.** felfújt **2.** apró pöttyös *[kerámia]* **II.** *fn gaszt* felfújt, puding, szuflé
sough [saʊ] **I.** *fn* susogás, sóhajtás, morajlás, zúgás, fütyülés *[szélé]* **II.** *tni* susog, sóhajt, morajlik, zúg, fütyül *[szél]*
sought [sɔːt] → **seek**
sought-after *mn* (igen) keresett
souk [suːk] *fn* arab piac, bazár
soul [soʊl] *fn* **1.** lélek; **the immortality of the ~** a lélek halhatatlansága; **the transmigration of ~s** lélekvándorlás; **with all my ~** szívvel-lélekkel **2. he has a ~ above money** nem sokat törődik a pénzzel; *biz* **have a ~ for music** jó

S

zenei érzéke van **3. a) the life and ~ of the company** a társaság lelke **b)** *biz* **the ~ of kindness** maga a megtestesült jóság; **the ~ of honour** maga a becsületesség **4. departed ~s** a holtak lelkei, az elhunyt lelkek **5.** lélek, emberi lény, lakos; **population of five hundred ~s** ötszáz lélekből/emberből álló lakosság; **she's a good ~** jólelkű nő, jó lélek; **poor ~!** szegény ördög! **6.** → **soul music**

soul brother *fn biz* fekete, afroamerikai (férfi)

soul-destroying *mn* lélekölő, unalmas *[munka]*

soul food *fn US gaszt biz* tradicionális afroamerikai étel

soulful ['soulfl] *fn* **a)** lelkes, kifejezésteljes, kifejező; **~ eyes** kifejező/kifejezésteljes szemek **b)** megindító, megható, érzelmes *[hang]* **c)** érzelgős, szentimentális

soul-killing *mn* lélekölő *[munka]*

soulless ['soulləs] *mn* **a)** lélek nélküli, lelketlen, érzéketlen *[ember]* **b)** lélektelen, lélekölő *[munka]*

soul music *fn zene* soul(zene)

soul-searching *fn/mn* önvizsgálat, lelkiismeret-vizsgálat

soul-stirring *mn* **a)** lelkesítő, felrázó *[esemény stb.]* **b)** megindító, megható, megkapó, megrázó, szívhez szóló *[jelenet stb.]*

sound[1] [saund] **I.** *fn* **1.** hangzás, hangzat; *biz* **I don't like the ~ of it** ez nekem nem tetszik; **~ of bell** harangszó **2.** hang; **the ~s of speech** a beszédhangok; **not a ~ was heard** egy hangot sem lehetett hallani; *biz* **much ~ but little sense** sok beszédnek sok az alja **3.** zaj, zörej; **the ~ of the waterfall** a vízesés hangja/moraja; **what made that ~?** mi okozta ezt a zajt? **4.** *fiz* hang; **the science of ~** hangtan, akusztika **II. A.** *tsi* **1. a)** megszólaltat *[hangszert, harangot]*; *gk* **~ the horn/signal** dudál, hangjelzést ad **b)** kimond, kihirdet, kijelent, kinyilatkoztat; **~ the praises of sy** vknek a dicséretét zengi **2.** kiejt *[hangot]* **3.** *orv* (meg)hallgat *[tüdőt, szívet]* **B.** *tni* **1.** hangzik, hangot ad, csendül, zeng; **~ false** hamisan cseng; **~ hollow** kong **2.** hangzik, hallatszik, tűnik, látszik, vm benyomását kelti; **the statement ~s improbable** az állítás valószínűtlenül hangzik

sound off *tni US biz* hangosan szól, nyíltan beszél, őszintén panaszkodik, szabadon hangoztatja véleményét, vknek/saját nevét/adatait bemondja

sound[2] [saund] **I.** *mn* **1. a)** egészséges, ép; **a ~ mind in a ~ body** ép testben ép lélek; **of ~ mind, ~ of mind** épelméjű, beszámítható; *jog* **of ~ disposing mind** szellemi képességeinek teljes birtokában; **~ as a bell** makkegészséges **b)** jó állapotban levő, ép, sértetlen, hibátlan; **~ fruit** egészséges gyümölcs **2. a)** erős, szilárd, tartós *[építmény, szerkezet]*, szilárd, egészséges, stabil *[gazdasági élet/helyzet]* **b)** megbízható, becsületes, józan (gondolkodású) *[ember]*, fizetőképes *[vállalat]*; **a ~ friend** megbízható/igaz/hű barát **c)** igaz, való *[állítás]*, helyes, helytálló, megcáfolhatatlan *[érv]*, épkézláb *[elgondolás]*; **~ doctrines** helyes/helytálló/megcáfolhatatlan tanok; ortodox tanok; **a ~ opinion** helyes/helytálló vélemény; *jog* **~ title** törvényes/érvényes jogcím **3. a)** alapos; **~ beating/thrashing** alapos verés **b)** teljes, mély; **~ sleep** mély álom; **he is a ~ sleeper** jó alvó **II.** *hsz* mélyen, jól *[alszik]* • *fn* **soundness** *hsz* **soundly**

sound[3] [saund] *fn* **1.** *földr* tengerszoros, tengerág, vízi út **2.** *áll* úszóhólyag *[halé]*

sound[4] [saund] **I.** *fn* kémlelőeszköz, *orv* szonda, kutasz **II. A.** *tsi* **1. a)** kémlel, kutat **b)** mér *[mélységet]* **c)** *meteo* mér, rögzít *[időjárási adatokat]* **2.** *orv* szondáz **3.** *biz* **~ sy about sg** tapogatódzik/puhatolódzik vknél vm iránt **B.** *tni* **1.** *hajó* vízmélységet mér, szondáz **2.** lemerül, lebukik *[bálna]*

sound-absorbing *mn* hangtompító, hangelnyelő

sound absorption *fn* hangelnyelés

sound amplification *fn* hangerősítés

sound archives *fn tsz* hangfelvételtár, hangarchívum

sound barrier *fn rep* hanghatár; **break the ~** átlépi a hanghatárt, hangsebesség felett repül

sound bite *fn* hangklip; (rövid) részlet *[pl. interjúból]*

sound-board → **sounding board** 2

sound box *fn zene* rezonanciadoboz *[hangszeren]*

sound card *fn infor* hangkártya

sound check *fn zene* hangolás, beállás *biz*

sound-damping *mn* hangtompító, hangfogó; **~ device** hangtompító berendezés

sound driver *fn infor* hangkezelő program

sound effects *fn tsz* hanghatások, hangeffektek

sound engineer *fn* hangmérnök

sound-film *fn film* hangosfilm

soundhole *fn zene* hanglyuk, F-lyuk *[vonós hangszereken]*, hanglyuk *[fúvós hangszereken]*

sounding[1] ['saundıŋ] *mn* **1.** (vissz)hangzó, zengő **2.** hangzatos, fellengős, dagályos *[stílus]*

sounding[2] ['saundıŋ] *fn* **1.** *hajó* **a)** mélységmérés; **take ~s** mélységet mér **b) ~s** mért mélység(ek) **2.** puhatolózás, tapogatózás; **take the ~s** kipuhatolja a helyzetet, tapogatózik

sounding-balloon *fn* meteorológiai kutató/szondázó készülék

sounding board *fn* **1.** hangterelő mennyezet/lemez *[szószéken]* **2.** *zene* ‹hangszer rezonanciáját fokozó lap› (hang)fenék, hanggerenda *[zongorán]*, sípdeszka *[orgonán]* **3.** *átv* szócső **4.** próbaközönség

sounding line *fn hajó* mérőón

sound law *fn nyelv* hangtörvény

soundless[1] ['saundləs] *mn* hangtalan, zajtalan, csendes, néma

soundless[2] ['saundləs] *mn* feneketlen(ül mély)

sound-locator *fn kat rep* hanglokátor

soundly ['saundli] *hsz* **1.** alaposan, józanul **2.** mélyen; **sleep ~** mélyen/egészségesen alszik **3.** épen, egészségesen, sértetlenül

sound mixer *fn el zene* hangkeverő, keverőpult

sound pollution *fn* zajszennyezés, zajártalom

sound-proof I. *fn* hangelnyelő, zörejmentes, zajmentes, hangszigetelt **II.** *tsi* hangszigetel, zajmentesít

sound-record *fn* rögzített hang *[hanglemezen, filmen]*

sound stage *fn film* színtér *[filmstúdióban]*

sound-supervisor *fn* hangmérnök

sound system *fn* hangberendezés, hifiberendezés

soundtrack *fn film* **1.** hangsáv *[hangosfilmen]* **2.** filmzene

sound truck *fn* **1.** *film* hangfelvevő kocsi **2.** *US* hangszórós kocsi

sound wave *fn fiz* hanghullám

soup [su:p] **I.** *fn* **1.** leves; **clear ~** erőleves, húsleves; **thick ~** krémleves; *biz* **be in the ~** benne van a szószban/pácban; *biz* **leave sy in the ~** vkt benne hagy a slamasztikában **2.** *US szl* nitroglicerin *[páncélszekrény robbantására]* **3.** *biz* ködfelhő **4.** *rep szl* lóerő *[motoré]* **5.** *fényk szl* előhívóoldat **II.** *tsi US szl* **~ up** (i) *[motorteljesítményt fokoz]* feltuningol, felpiszkál (ii) hatás(osság)át fokozza, hatásosabbá tesz *mind: stand*

soup kitchen *fn* népkonyha

soup plate *fn* levesestányér, mélytányér

soup spoon *fn* leveseskanál

soup-stock *fn* húsleves, erőleves-kivonat

soup-strainer *fn* levesszűrő

soupy ['su:pi] *mn* **1.** *biz* leveses, híg **2. ~ weather** borús idő **3.** *biz* ömlengő, érzelgős • *fn* **soupiness** *hsz* **soupily**

sour ['sauə ‖ –ər] **I.** *mn* **1. a)** savanyú, fanyar, éretlen, zöld *[gyümölcs]*; *növ* **~ cherry** meggy(fa); *növ* **~ orange** keserű narancs **b)** savanyú *[tej, kenyér]*, megecetesedett *[bor]*; *gaszt* **~ cream** (i) tejföl (ii) savanyított tejszín; **go ~** (i) megsavanyodik (ii) *szl* kihagy *[motor]*; **turn ~** (i) megsavanyodik; megecetesedik; megalszik *[tej]* (ii) rosszul sül el, rosszra fordul (iii) elveszti a lelkesedését (vm iránt), kedvét szegi (vknek); **turn sg ~** megsavanyít vmt **2.** *átv* savanyú, barátságtalan, mogorva, kedvetlen *[ember]* **3.** *mezőg* **~ soil** savanyú (v. nedves és hideg) talaj **II.** *fn* **1.** *vegy* híg sav **2.** *átv* kellemetlen/keserű dolog; **the sweet and ~ go together** nincsen rózsa tövis nélkül **3.** *US gaszt* citromos

S

szeszes ital **III. A.** *tsi* **1.** besavanyít, megsavanyít *[ételt]*, savanyít, altat *[tejet]* **2.** elkeserít(vkt), kedvét szegi (vknek); **~ sy's life** megkeseríti vk életét **B.** *tni* **1.** megsavanyodik, megecetesedik **2.** *átv* besavanyodik, elkeseredik, kedvét veszti; **her temper has ~ed** kedélye besavanyodott • *fn* **sourness** *hsz* **sourly**

sourball *fn biz* pesszimista, savanyújános

source [sɔːs ‖ sɔrs] **I.** *fn* **1.** forrás, eredet *[folyóé stb.]*; **~ of energy/power** energiaforrás; **~ of light** fényforrás; **~ of sound** hangforrás **2.** *átv* forrás, eredet, kiindulópont; **at ~** (vmnek) az eredeténél; **~ of errors** hibaforrás; *biz* **the ~ of all our troubles** minden bajunk eredete/forrása; **I know it from a good ~** megbízható forrásból tudom; **trace sg back to its ~** eredetére vezet vissza vmt **3.** adatforrás, kútfő, forrás, forrásmunka; **historical ~s** történelmi források/kútfők **II.** *tsi* hozzájut vmhez, megszerez *[bizonyos forrásból]*

sourcebook *fn* forrásmunka, forrásgyűjtemény

source code *fn infor* forráskód, forrásprogram

source-criticism *fn ir.tud* forráskritika

source directory *fn infor* forráskönyvtár

sourdough [ˈsaʊədoʊ ‖ ˈsaʊərdoʊ] *fn US* **1.** kovász **2.** *biz* aranykereső, úttörő telepes

sour-faced *mn* savanyú arcú, mogorva/barátságtalan képű

sourish [ˈsaʊərɪʃ] *mn* savanykás, kesernyés

sourpuss [ˈsaʊəpʊs ‖ ˈsaʊərpʊs] → **sourball**

sour-sweet *mn* keserédes, savanykás-édes, savanykás, kesernyés *[gyümölcs stb.]*

souse [saʊs] **I. A.** *tsi* **1.** besóz, (be)pácol, sóban pácol, mariníroz *[halat stb.]* **2. a)** megnedvesít, megvizez, meglocsol, bespriccel; **~ water over sg** vizet önt vmre, vízzel áraszt el vmt; **we were ~d to the skin** bőrig áztunk **b)** megmerít, alámerít, beáztat, vízbe márt/merít **3.** *szl [leitat vkt]* beszívat **B.** *tni* **1.** sóban/pácban áll, pácolódik **2.** vízbe ugrik, alábukik, alámerül *[vízbe]* **3.** *szl [lerészegedik, berúg]* beszív, bepiál, elázik **II.** *fn* **1. a)** sós pác/lé, páclé **b)** ecetes pác(lé) *[étel tartósításához]* **2.** pácolt/(be)sózott hús **3. a)** megmártás, bemártás *[vízbe]*, átázás; **get a ~** beesik a vízbe; bőrig ázik; jeges vízzel nyakon önt **b)** alámerülés, alábukás *[vízbe]* **4.** *szl* **a)** *[berúgás, lerészegedés]* beszívás, elázás **b)** *[részeges, iszákos alak]* piás, szivacs

soused [saʊst] *mn* **1.** pácolt, sózott; **~ herrings** pácolt hering **2.** (át)ázott, átnedvesedett **3.** *szl [ittas, részeg]* elázott, piás

soutache [suːˈtæʃ] *fn* sujtás, paszomány *[ruhadísz]*

soutane [suːˈtɑːn] *fn vall* reverenda

souterrain [ˈsuːtəreɪn ‖ –ˈreɪn] *fn régész* földalatti kamra/átjáró

south [saʊθ] **I.** *fn* **1.** dél *[világtáj]*; **true ~** földrajzi dél; **on the ~ of sg, to the ~ of sg** vmtől délre, vmnek a déli részén **2. a)** déli félteke **b)** déli rész, dél *[országé, városé]*; **the ~ (of England)** Anglia déli része **c)** *US tört* **the S~** a déli államok *[az Egyesült Államokban]* **3.** déli szél **II.** *mn* **a)** déli, délen fekvő; **S~ Africa** Dél-Afrika; **S~ America** Dél-Amerika; **S~ Australia** Dél-Ausztrália, Ausztrália déli része; **S~ Britain** Nagy-Britannia déli része *[Anglia és Wales]*; **the S~ Downs** Anglia déli dombsora/dombvidéke *[Sussex és Hampshire tartományokban]*; **the S~ Pole** a Déli-sark; **the S~ Sea** a Csendes-óceán déli része **b)** délre néző, déli fekvésű; **~ side** déli oldal **c)** délvidéki, délszaki, délről jövő, déli; **a ~ wind** déli szél **III.** *hsz* **a)** délre, dél felé, déli irányba(n) **b)** délről, dél felől, déli irányból; **the wind blows ~** déli szél fúj **IV.** *tni* **1.** *csill* délkörön/meridiánon áthalad **2.** *hajó* dél felé halad, (egyenesen) délnek tart

South-African *mn* dél-afrikai

Southampton [saʊθˈhæmptən] *tul földr* Southampton

southbound [ˈsaʊθbaʊnd] *mn* dél felé haladó/tartó, délnek tartó *[vonat stb.]*

Southdown [ˈsaʊθdaʊn] *mn/fn GB* **~ (sheep)** Anglia déli dombvidékén tenyésztett (juh)

south-east I. *mn* **a)** délkeleti, délkeletre eső/néző; **~ aspect** délkeleti oldal *[pl. épületé]* **b)** délkeleti, délkeletről (v. délkeleti irányból) jövő/érkező; **a ~ wind** délkeleti szél **II.** *hsz* délkelet felé, délkeleti irányba(n), délkeletre; *hajó* **sail ~** délkelet felé hajózik; délkeletnek tart **III.** *fn* délkelet; **the ~ of London** London délkeleti része

south-easter *fn* délkeleti szél

south-easterly I. *mn* **a)** délkeleti *[irány]*, délkeletre néző, délkeleti fekvésű *[lakás stb.]* **b)** délkeleti, délkelet felől jövő/érkező *[szél]* **II.** *hsz* délkelet felé, délkeleti irányba(n)

south-eastern *mn* délkeleti *[táj, vidék]*

south-eastward I. *mn* **a)** délkelet felé (v. délkeleti irányba) menő/tartó **b)** délkeleti irányból jövő/érkező **II.** *hsz* délkelet felé, délkeleti irányba(n)

south-eastwards → **south-eastward** II.

souther [ˈsaʊðə ‖ –ər] *fn* déli szél

southerly [ˈsʌðəli ‖ –ðər–] **I.** *mn* **a)** dél felé, déli irányba tartó *[áramlat]* **b)** déli, dél felől jövő *[szél]*; **a ~ breeze** déli szellő **c) ~ point** déli (v. délre eső v. délen fekvő) pont/hely **II.** *hsz* **a)** déli irányba(n), dél felé **b)** déli irányból, dél felől, délről; **the wind blows ~** a szél délről fúj **III.** déli szél

southern [ˈsʌðən ‖ ˈsʌðərn] *mn* déli, délvidéki; **the ~ countries of Europe** Európa déli országai; **the S~ Cross** *csill* Déli Kereszt, Dél Keresztje; *US tört* a rabszolgatartó déli államok lobogója; *nyelv* **S~ English** délangol (nyelv); *csill* **~ lights** déli fény; **S~ States of the USA** az Egyesült Államok déli államai • *mn* **souther(n)most**

southerner [ˈsʌðənə ‖ ˈsʌðərnər] *fn* **1.** déli/délvidéki lakos *[főleg USA déli államaiban]* **2.** *US tört* a déli konföderáció híve *[észak-amerikai polgárháborúban]*

southing [ˈsaʊðɪŋ, –θɪŋ] *fn* **1.** *csill* délkörön/meridiánon (való) áthaladás, delelés **2.** *hajó* dél felé haladás

southpaw *fn sp biz* balkezes játékos *[labdajátékban, ökölvívásban]*

south-south-east *fn* dél-délkelet

south-south-west *fn* dél-délnyugat

southward [ˈsaʊθwəd ‖ –wərd] **I.** *mn* délen (v. déli oldalon) levő/fekvő, dél felé levő/eső/fekvő, déli; **take a ~ direction** déli irányt vesz *[hajó stb.]* **II.** *hsz* dél felé, déli irányba(n); **sailing ~** déli irányban hajózva **III.** *fn* dél, délvidék; **to the ~** dél felé, délre

southwards [ˈsaʊθwədz ‖ –wərdz] *hsz* dél felé, déli irányba(n), dél felé hajózva

south-west I. *mn* **a)** délnyugati, délnyugatra (v. délnyugat felé) eső/néző **b)** délnyugati, délnyugatról (v. délnyugati irányból) jövő/érkező **II.** *hsz* délnyugat felé, délnyugati irányba(n), délnyugatra **III.** *fn* **1.** délnyugat **2.** *US* ‹Arizona, Arkansas, Louisiana, Missouri, New Mexico, Oklahoma és Texas› a délnyugati államok

south-wester [ˌsaʊθˈwestə ‖ –ər] *fn hajó* délnyugati szél

south-westerly I. *mn* **a)** délnyugati *[irány]*, délnyugatra néző, délnyugati fekvésű *[lakás stb.]* **b)** délnyugati, délnyugat felől jövő/érkező *[szél]* **II.** *hsz* délnyugat felé, délnyugati irányba(n)

south-western *mn* délnyugati

south-westward I. *mn* **a)** délnyugat felé menő/tartó **b)** délnyugati irányból jövő/érkező **II.** *hsz* délnyugat felé

south-westwards → **south-westward** II.

souvenir [ˌsuːvəˈnɪə ‖ –ˈnɪr] **I.** *fn* emlék(tárgy), ajándék(-tárgy) **II.** *tsi GB szl [ellop]* eltesz emlékbe, lenyúl, megfúj

sov. *röv sovereign*

sovereign [ˈsɒvrɪn ‖ ˈsɑv–] **I.** *fn* **1.** uralkodó, fejedelem, király **2.** *régi* ‹egy font sterlinges angol aranypénz› **II.** *mn* **1. a)** legfőbb, legfelső, legmagasabb **b)** legteljesebb, teljes; **~ contempt** legteljesebb/legnagyobb megvetés **c)** független, szuverén, uralkodói, felséges; **~ rights** felségjog; **a ~ state** független/szuverén állam **2.** hathatós, hatásos, eredményes, kitűnő; *biz* **~ remedy** biztos hatású gyógyszer/orvosság • *hsz* **sovereignly**

sovereignty [ˈsɒvrənti ‖ ˈsɑv–] *fn* **1.** felségjog, korlátlan uralom, szuverenitás **2.** felségjog alá tartozó terület, államterület

soviet ['souviət, 'sɒ– ‖ 'souviet] **I.** *mn pol* **S~** szovjet-; **the S~ Union** (a) Szovjetunió **II.** *fn pol* szovjet, (munkás)tanács; **local ~s** helyi/területi szovjetek • *tsi* **Sovietize**
sovietology [ˌsouviet'ɒlədʒi ‖ –'ɑlə–] *fn* szovjetológia
sow[1] [sou] *i pt* **sowed** *pp* **sown** [soun], **sowed A.** *tsi* **a)** bevet *[földet]*, (el)vet, elhint, elszór *[magot stb.]*; **~ oat** zabot vet; **~ a field with wheat** beveti a földet búzával; **a sky sown with stars** csillagokkal telehintett/tarkázott égbolt; *biz* **~ on stony ground** terméketlen talajba vet **b)** *átv* **~ the seeds of sg** elhinti vmnek a magvát **B.** *tni* (magot) vet; *közm* **as a man ~s so he shall reap** ki mint vet, úgy arat • *fn* **sower**, **sowing**
sow[2] [sau] *fn* **1. a)** koca, anyadisznó, emse; *biz* **get the wrong ~ by the ear** elhibázza a dolgot, eltéveszti a fogást; *közm* **you cannot make a silk purse out of a ~'s ear** kutyából nem lesz szalonna **b)** *vad* emse *[vaddisznóé]* **c)** nőstény tengerimalac **2.** *fémip* öntőminta **3.** *áll* ászka, fatetű
sowback ['saubæk] *fn* lapos domb/dűne
sowbread ['saubred] *fn növ* ciklámen
sow bug ['sau bʌg] *fn áll* ászka, fatetű
Sowetan [sə'wetn] *mn/fn Dél-Af* sowetói
sown [soun] *mn* → **sow[1]**
sox [sɒks ‖ sɑks] → **sock[1]** 1.
soy [sɔɪ] *fn* **1.** → **soy sauce 2.** *növ* szójabab
soya ['sɔɪə] *fn növ* szójabab
soya-bean, **soy bean** → **soya**
soy sauce *fn gaszt* szójaszósz
sozzled ['sɒzld ‖ 'sɑ–] *mn biz* (tök)részeg, elázott
spa [spɑː] *fn* **1.** ásványvízforrás **2.** gyógyfürdő(hely)
space [speɪs] **I.** *fn* **1. a)** hely, tér, térköz; **~ between** közbeeső tér, köz; **conditions of time and ~** időbeli és térbeli feltételek/viszonyok; **take up ~** helyet vesz igénybe **b)** kiterjedés, terjedelem, terület **c) (outer) ~** világűr, az űr, a végtelen űr, a semmi **d)** *mat fiz* tér; *mat* **n ~** n-dimenziós tér; **~ axes** térbeli koordinátatengelyek; **~ coordinates** térbeli koordináták **2.** időszak, időköz; *biz* **breathing ~** időhaladék, lélegzetvételnyi idő; **after a short ~** rövid idő múltán; **for a ~** egy ideig, egy időn át; **in the ~ of a year** egy év leforgása alatt **3.** szabad terület/tér, távolság, táv; **open ~** térség; **~ saving** takarékoskodás hellyel, helymegtakarítás; **~ between two things** két tárgy közötti távolság; **leave ~ for sg** helyet hagy vmnek **4. a)** *nyomd* betűköz, *infor* szóköz, space **b)** → **space bar 5.** *zene* vonalköz **6.** *média* reklámidő **II.** *tsi* **1. ~ (out)** elhelyez, elrendez; eloszt, feloszt, kioszt, szétoszt; **~ out payments over two years** kifizetéseket két évre oszt el **2.** *nyomd* ritkít *[szedést]*; **~ (out) the lines/type** sorközöket/betűközöket hagy • *fn* **spacer**, **spacing**
space age *fn* az űrhajózás kora, űrkorszak
space-age *mn* modern, futurisztikus
space bar *fn* szóközbillentyű *[írógépen, szövegszerkesztőn]*
space capsule *fn űr* űrkabin
spacecraft *fn űr* űrhajó
spaced [speɪst] *mn* elosztott, nagy(obb) közökben elhelyezett, vmlyen térközű; *nyomd* **~ composition** ritkított szedés; *nyelv* **~ compound** két szóba írott összetétel
spaced-out *mn szl* **1.** *[kábítószertől euforikus]* elszállt **2.** excentrikus, különc *mind stand*
spaceman *fn tsz* **-men** *űr* űrhajós, űrrepülő
space opera *fn US biz* űropera, sci-fi sorozat *[tv-ben]*
space program *US* → **space programme**
space programme *fn űr* űrprogram, űrkutatási program
space rocket *fn űr* űrrakéta
space-saving *mn* helytakarékos
spaceship ['speɪsʃɪp] *fn űr* űrhajó
space shuttle *fn űr* űrrepülőgép
space station *fn űr* űrállomás
spacesuit *fn űr* űrruha
space-time *fn fiz* téridő
space-time continuum *fn fiz* téridő-kontinuum
space travel *fn űr* űrrepülés, űrutazás
space vehicle *fn űr* űrhajó
spacewalk *fn űr* űrséta
spacey ['speɪsi] *mn* **1.** tágas, téres **2.** *US* → **spaced-out**
spacial ['speɪʃl] → **spatial**
spacing ['speɪsɪŋ] *fn* **1. a)** ritkítás, térközhagyás **b)** beosztás, felosztás *[fizetési részleteké]* **2.** távolság, térköz **3. a)** *nyomd* (szó)köz, kizárás **b) double ~** kettős sorköz *[gépírásnál]*
spacious ['speɪʃəs] *mn* **1. a)** tágas, téres, kiterjedt, nagy kiterjedésű, terjedelmes **b)** bő, kényelmes *[ruha]* **2.** széles látókörű, nagy képességű; **a ~ mind** széles látókörű gondolkodásmód **3.** nagyszabású, hatalmas koncepciójú • *fn* **spaciousness** *hsz* **spaciously**
spade[1] [speɪd] **I.** *fn* **a)** ásó; *biz* **call a ~ a ~** nevén nevezi a gyermeket/dolgot; *biz* **he takes ~s from no one** senki nem tud neki újat mondani/mutatni **b)** bálnadaraboló véső **II.** *tsi* ás *[földet]*
spade[2] *fn* **1.** *ját* pikk, zöld; **~s are trumps** pikk az adu **2.** *szl* **in ~s** nyíltan, kereken; nagyon, végtelenül **3.** *US szl tabu [nagyon fekete bőrű néger]* feka, bokszos(bence)
spade foot *fn áll* ásóbéka
spadework *fn biz* fárasztó aprólékos előkészítő munka *[tárgyaláshoz, tudományos kutatáshoz stb.]*
spadger ['spædʒə ‖ –ər] *fn biz* veréb
spadgick ['spædʒɪk] *fn* **1.** *biz* veréb **2.** *biz* kis srác
spaghetti [spə'geti] *fn gaszt* spagetti
spaghetti western *fn film* olasz westernfilm
spahi ['spɑːhiː] *fn kat tört* **1.** szpáhi, török lovas katona **2.** algíri/francia lovas katona, szpáhi
Spain [speɪn] *tul földr* Spanyolország; **build castles in ~** légvárakat épít, ábrándokat kerget
spake [speɪk] *régi* → **speak**
spall [spɔːl] **I.** *fn* (kő)forgács, szilánk **II. A.** *tsi* **a)** *bány* (össze)zúz, aprít *[ércet]* **b)** szétdarabol, hasít *[követ]* **B.** *tni épít* hasad, leválik, lepattogzik *[kő stb.]*
spalpeen [spæl'piːn] *fn Írorsz* **a)** gazember, csirkefogó **b)** csavargó **c)** suhanc, utcagyerek
spam [spæm] **I.** *fn* **1.** húskonzerv, löncshús **2.** *infor* (elektronikus) reklámposta/körlevél **II.** *tsi* **-mm-** (elektronikus) reklámpostával/körlevéllel eláraszt
span[1] [spæn] **I.** *fn* **1.** arasz *[22,86 cm]* **2.** *épít* **a)** fesztáv(olság) **b)** ív, térköz *[pilléreké]* **c)** ívtávolság **d)** áthidalás **3.** *rep* szárnytávolság, fesztáv(olság) **4.** *hajó* feszítőkötél(zet) *[kirakodási csigasoré]* **5.** rövid távolság, kis terület **6.** rövid idő(tartam); **our mortal ~** földi létünk/pályafutásunk **II. -nn- A.** *tsi* **1. a)** arasszal mér, araszol **b)** (arasszal) átfog *[csuklót]* **2. a)** áthidal, átível *[híd folyót]*, átlép, keresztülmegy *[vízen]* **b)** *átv* **imagination will ~ the gap in our knowledge** a képzelet át fogja hidalni tudásunk hiányosságait; *biz* **his life ~s nearly the whole century** élete majdnem az egész századot felölelte **B.** *tni US* araszol, szakaszosan/meg-meg állva mozog
span[2] [spæn] **I.** *fn* **a)** *US* egy pár *[ló, ökör]* **b)** *Dél-Af* (ökör)fogat **II.** *Dél-Af* **~ (in)** befog *[lovat, ökröt]*; **~ out** kifog *[lovat, ökröt]*
span[3] [spæn] → **spin** I.
span-clean *mn* patyolat(fehér)
spandrel ['spændrəl] *fn épít* ‹boltívek öblének kitöltése› csegely; ‹lépcsőszárny alatti háromszög alakú térség› timpanon
spandrel wall *fn épít* ívbolthomlokfal, oromfal
spang [spæŋ] *hsz US biz* hajszál- v. halálpontosan
spangle ['spæŋgl] **I.** *fn* **1. a)** flitter **b)** *átv* csillogó (értéktelen) apróság **2.** *növ* **(oak) ~** tölgyfagubacs **II.** *tsi* csillogó díszekkel (v. flitterrel) díszít/ékesít, flitterez; **the heavens ~d with stars** csillagokkal borított égbolt • *mn* **spangled**, **spangly**
Spanglish ['spæŋglɪʃ] *mn/fn biz* spangol *[spanyol szavakkal kevert angol]*
Spaniard ['spænjəd ‖ –jərd] *fn* spanyol (ember)

S

spaniel ['spænjəl] *fn* **1.** *áll* spániel **2.** *biz* **(a tame) ~** hízelgő, talpnyaló, csúszómászó

Spanish ['spænɪʃ] **I.** *mn* spanyol; **~ influenza** spanyol nátha; **the ~ Main** ‹Dél-Amerika északkeleti része Panama és az Orinoco folyó között›; ‹a Karib-tenger Dél-Amerika északkeleti partját szegélyező része›; *US növ* **~ moss** spanyol moha, fátyolmoha, szakállvirág; *gaszt* **S~ omelette** zöldséges omlett; **~ white** kréta *[finom, porított]* **II.** *fn* **1. the ~** a spanyolok, a spanyol nép **2.** spanyol (nyelv) • *fn* **Spanishness**

Spanish-American *mn/fn* spanyol-amerikai

spank [spæŋk] **I.** *fn* ütés (tenyérrel), ütés/odasózás fenékre **II. A.** *tsi* **a)** tenyérrel (meg)üt **b)** elfenekel, elpáhol, megrak *[gyereket]*, fenekére ver/sóz *[gyereknek]* **B.** *tni* **~ along** gyorsan megy/halad; gyorsan üget *[ló]*

spanker ['spæŋkə ‖ –ər] *fn* **1.** gyors léptű ló **2.** *biz* **a)** remek/nagyszerű/pompás ember, klassz pali **b)** klassz/pompás/remek dolog

spanking ['spæŋkɪŋ] **I.** *mn* **1.** gyors, sebes *[ügetés]*; **go at a ~ pace** gyorsan/sebesen halad, száguld **2.** *biz* klassz, pompás, világi, haláli, oltári **II.** *hsz biz* nagyon, rendkívül **III.** *fn* elfenekelés, verés

spanner ['spænə ‖ –ər] *fn* **1.** *műsz* csavarkulcs, villáskulcs **2.** *épít* keresztmerevítés **3.** *GB biz* **throw a ~ into the works** szabotázscselekményt hajt végre, zűrzavart okoz

span roof *fn épít* nyeregtető

span wire *fn* légvezeték, távvezeték

spanworm *fn áll US* araszoló hernyó

spar[1] [spɑː ‖ spɑr] *fn* **a)** *hajó* árboc(fa), pózna; **the ~s** árbocozat **b)** rúd, pózna

spar[2] [spɑː ‖ spɑr] *fn ásv* pát; **brown ~** barnapát, ankerit • *mn* **sparry**

spar[3] [spɑː ‖ spɑr] **I.** *tni* **-rr- a)** öklöz, bokszol; **~ at sy** ököllel (meg)fenyeget vkt, öklét rázza vkre; **~ with sy** bokszol/öklöz vkvel **b)** küzd, viaskodik, összeverekedik *[kakas]* **c)** *átv* szócsatába száll vkvel, szóváltásba keveredik vkvel **II.** *fn* **a)** ökölvívó-mérkőzés, öklözés *[edzőjellegű* v. *barátságos]* **b)** kakasviadal **c)** *átv* szócsata, szópárbaj, összeszólalkozás

spar buoy *fn hajó* lehorgonyzott póznajelzés/rúdjelzés

spar deck *fn hajó* ‹főfedélzet feletti könnyebb szerkezetű fedélzet›

spare [speə ‖ sper] **I.** *mn* **1. a)** tartalék; **~ bedroom** vendégháló, vendégszoba; **~ parts** tartalék alkatrészek, (pót)alkatrészek; **~ room** vendégszoba; *US* szalon; **~ tyre** (i) *gk* pótkerék (ii) *szl [felesleges zsírréteg derékon]* úszógumi **b)** felesleges; **have some ~ cash** van egy kis felesleges pénze; **~ time** szabad idő, üres óra; → **spare-time 2.** szűkös, szerény *[megélhetés]*, sovány, zsírtalan *[koszt]* **3.** szikár, cingár, inas **4.** *GB biz* **go ~** bedühödik **II.** *fn* **1.** *biz* **a)** *sp* tartalék **b)** *US* pótkerék *[autóé]* **c)** *tsz* **spares** tartalék alkatrészek, (pót)alkatrészek **2.** *sp* tarolás *[tekében]* **III. A.** *tsi* **1.** sajnál, kímél *[erőt stb.]*, takarékosan bánik, takarékoskodik *[erővel]*; **~ no pains** nem sajnálja/kíméli a fáradságot; **~ neither trouble nor expense** nem sajnálja/kíméli a fáradságot és költséget **2. a)** nélkülözni tud (vmt, vkt), megvan (vm, vk nélkül); **we can't ~ them** nem tudjuk nélkülözni őket, feltétlenül szükségünk van rájuk; **I cannot ~ the time to finish it** nincs időm rá (v. nem tudok időt szakítani arra), hogy befejezzem; **have no time to ~** nincs szabad ideje; nincs vesztegetni való ideje; **we have not a minute to ~** egy perc vesztegetni való időnk sincs; **enough and to ~** bőven/bőségesen elég; **have nothing to ~** nincs semmi fölöslege, a legszükségesebben kívül semmije sincs **b) ~ sy sg** vmt vknek juttat/ad; **could you ~ me a few minutes?** tudna pár percet szakítani nekem?, volna számomra néhány perce?; **out of my income I ~ one tenth for charity** jövedelmem tíz százalékát jótékony célra fordítom **3. a)** (meg)kímél (vkt), (meg)kegyelmez (vknek); **~ sy's life** megkíméli vknek az életét; *biz* **he ~s nobody** senkit sem kímél, senkivel sem törődik; **~ sy's feelings** kíméli vknek az érzéseit/érzelmeit, tekintettel van vknek az érzelmeire; **if we are ~d** ha (még) élünk; **~ her blushes** ne pirítson rá **b)** kímél, óv *[lovat]*; **~ oneself** kíméli magát, tartogatja az erejét **c) ~ sy sg** megkímél vkt attól (a fáradságtól/tehertől), hogy vmt elvégezzen **B.** *tni* **1.** takarékoskodik, spórol **2.** kíméletesen viselkedik, kíméletes • *fn* **sparer, spareness** *hsz* **sparely**

spare-part surgery *fn orv biz* szervátültetés

spare-rib *fn gaszt* ‹kevés húsú csontos sertésborda›

spare-time *mn* szabadidőbeli, munka utáni; **~ activities/occupation** mellékfoglalkozás, munkaidőn kívüli (v. szabadidőben űzött) elfoglaltság/foglalatosság, kedvenc időtöltés; → **spare I.1.b.**

sparge [spɑːdʒ ‖ spɑrdʒ] *tsi* bekever *[sörcefrét forró vízzel]* • *fn* **sparger**

sparing ['speərɪŋ ‖ 'sperɪŋ] **I.** *mn* takarékos, mértékletes, korlátolt; **~ use of sg** takarékos/mértékletes/korlátolt használata vmnek; **~ of words** szófukar, szűkszavú; **be ~ of** (v. **in one's) praise** fukarkodik a dicsérettel **II.** *fn* **a)** takarékosság, spórolás **b)** *tsz* **sparings** megtakarítás, megtakarított pénz/összeg/anyag • *hsz* **sparingly**

spark [spɑːk ‖ spɑrk] **I.** *fn* **1. a)** *átv* szikra, sziporka; **vital ~** éltető szikra; **~ of life** az élet tüze; **~ of wit** szellemi sziporka; **he did not show a ~ of interest** egy szikrányi érdeklődést sem mutatott **b)** *gk vill* szikra(kisülés), gyújtószikra; **advance the ~** előgyújtást ad; **retard the ~** késlelteti a gyújtást **2. (diamond) ~** aprógyémánt **3. sparks** *biz* műszerész, rádiós(tiszt) *[hajón, repülőgépen]* **4.** *biz régi* aranyifjú, piperkőc, divatbáb; *GB iron* **a bright ~** okostojás **II. A.** *tsi US* **a)** felgyújt *[képzeletet]* **b)** sugalmaz, elindít *[művészi irányzatot]*; **~ off sg** kirobbant *[forradalmat stb.]* **B.** *tni* **1. a)** szikrát hány, szikrázik **b)** *vill* szikrázik **c)** *gk* gyújt **2.** *régi biz* adja/játssza az aranyifjút • *mn* **sparkless, sparky**

spark control *fn gk* gyújtásszabályozás

spark gap *fn gk vill* szikraköz

sparking plug *fn GB gk* (gyújtó)gyertya

sparkle ['spɑːkl ‖ 'spɑrkl] **I.** *tni* **1.** szikrázik, *átv* sziporkázik **2.** gyöngyözik, pezseg, habzik *[ital]* **II.** *fn* **1. a)** szikra, *átv* sziporka; *átv biz* **not a ~ of sg** nyoma/szikrája sem vmnek **b)** szikrázás *[fényé, szemé]*, villódzás *[fényé]*, tűz *[gyémánté]*, *átv* sziporkázás **2.** gyöngyözés, pezsgés *[italé]*

sparkler ['spɑːklə ‖ 'spɑrklər] *fn* **1.** fényes/csillogó úr/dáma **2. a)** csillagszóró *[karácsonyfán]* **b)** *biz* gyémánt, csillogó drágakő

sparkling ['spɑːklɪŋ ‖ 'spɑr–] *mn* **1. a)** szikrázó, villódzó, *átv* sziporkázó; **~ wit** sziporkázó szellem(esség) **b)** pattogó *[tűz]* **2.** gyöngyöző, habzó, pezsgő *[ital]*; *vál* **~ cup** gyöngyöző/habzó serleg; **~ wine** habzóbor

spark plug *fn US* **1.** *gk* (gyújtó)gyertya **2.** *átv biz* éltető, mozgató, lelke (vmnek)

sparring match ['spɑːrɪŋ mætʃ] *fn sp* barátságos ökölvívó mérkőzés

sparring partner *fn* **1.** *sp* (állandó) edzőtárs, gyakorlótárs *[ökölvívó-versenyzőé]* **2.** vitapartner

sparrow ['spærou] *fn* veréb; *biz* **like a frightened ~** mint egy riadt veréb

sparrowgrass *fn növ biz* spárga

sparrow hawk *fn áll* karvaly

sparse [spɑːs ‖ spɑrs] *mn* gyér, ritka, ritkás, szórványos; **~ trees** gyéren/elszórtan nőtt fák • *fn* **sparseness, sparsity**

sparsely ['spɑːsli ‖ 'spɑr–] *hsz* gyéren, ritkán, ritkásan; **~ populated** gyér népességű, ritkán lakott

Sparta ['spɑːtə ‖ 'spɑrtə] *tul tört* Spárta

Spartan ['spɑːtn ‖ 'spɑrtn] *mn/fn átv* spártai

spasm ['spæzm] *fn* **a)** *orv* görcs(ös összehúzódás); **~ of the chest** szívgörcs, angina pectoris **b)** roham *[féltékenység stb.]*; **~ of fear** görcsös félelem; **~ of pain** hirtelen/rohamszerűen jelentkező fájdalom; **in a ~ of temper** dührohamban; *biz* **work in/by ~s** neki-nekilendül a munkának, időnként megfeszített erővel dolgozik

S

spasmodic [spæz'mɒdɪk ‖ –'mɑ–] *mn* **a)** *orv* görcsös; ~ **coughing** köhögési roham; ~ **jerk** görcsös megrándulás/rángás **b)** lökésszerű, hirtelen, szaggatott; ~ **attempts**/**efforts** görcsös (v. megújuló) erőfeszítések/próbálkozások; ~ **style** szaggatott/görcsös/egyenetlen stílus • *hsz* **spasmodically**

spastic ['spæstɪk] **I.** *mn* **1.** *orv* görcsös, bénulásos **2.** *durva szl [ügyetlen, tehetetlen]* béna, balfék, balfasz **II.** *fn* **1.** *orv* görcsökben szenvedő beteg, béna, bénult, szélhűdéses, spasticus **2.** *szl pej [hülye]* balfasz • *fn* **spasticity** *hsz* **spastically**

spat[1] [spæt] **I.** *fn* **1.** (osztriga)ikra **2.** fiatal osztriga **II.** **-tt-** **A.** *tsi* lerak *[ikrát osztriga]* **B.** *tni* ikrát rak, ívik *[osztriga]*

spat[2] [spæt] *fn* (rövid) kamásni, kamásli, bokavédő

spat[3] [spæt] **I.** *fn US biz* **1.** *ritk* (meg)legyintés, (csattanós) ütés tenyérrel **2.** civakodás, szóváltás, csetepaté **II.** **-tt-** **A.** *tni US biz* **1.** *ritk* csattan **2.** ~ **up** civakodik **B.** *tsi US biz* meglegyint, megüt

spat[4] [spæt] → **spit**

spatchcock ['spætʃkɒk ‖ –kɑk] **I.** *fn* hirtelen/sebtében levágott és gyorsan elkészített szárnyas **II.** *tsi* **1.** hirtelen/sebtében levág és elkészít *[szárnyast]* **2.** *biz* utólag beszúr *[szót/módosítást stb. szövegbe, főleg helytelenül]*

spate [speɪt] *fn* **1.** *GB* áradás, árvíz *[nagy eső után]*; **the river is in** ~ a folyó árad **2.** *biz* ~ **of new books** valóságos özöne/áradata az új könyveknek; ~ **of work** rengeteg/temérdek/tengernyi munka

spathe ['speɪð] *fn növ* virághüvelylevél, buroklevél • *mn* **spathaceous**

spathic ['spæθɪk] *mn ásv* páttartalmú, pátszerű, pát-; ~ **iron (ore)** vaspát, pátvasérc, sziderit

spatial ['speɪʃl] *mn* térbeli, tér-; ~ **effect** térszerűség, térhatás • *tsi* **spatialize** *fn* **spatiality** *hsz* **spatially**

spatio-temporal [ˌspeɪʃiou'tempərəl] *mn tud* ~ **coordinates** tér- és időbeli koordináták • *hsz* **spatio-temporally**

spatter ['spætə ‖ –ər] **I.** **A.** *tsi* **1.** befröcsköl (vkt, vmt), fröcsköl, (rá)fröccsent (vkre/vmre vmt); ~ **sy with mud**, ~ **mud over sy** sarat fröcsköl vkre **2.** *átv* **a)** (be)mocskol, gyaláz, (le)pocskondiáz (vkt) **b)** gyalázkodva mond **B.** *tni* **1.** fröccsen, fröcsköl, spriccel **2.** köpköd *[beszéd közben]* **II.** *fn* **1.** fröcskölés *[vízzel, sárral stb.]*, csapkodás *[esőé]* **2.** fröccsenés; ~ **of mud** felcsapott sár; sárfolt

spatterdash ['spætədæʃ ‖ 'spætər–] *fn* **1.** lábszárvédő, magas kamásni **2.** → **rough-cast**

spatula ['spætjʊlə ‖ –tʃələ] *fn* spatula, spachtli, simítólapát

spatulate ['spætjʊlət ‖ –tʃə–] *mn biol* lapát/spatula alakú

spawn [spɔːn] **I.** **A.** *tsi* **1.** lerak *[ikrákat hal, petéket béka]* **2.** *pej* világra hoz *[gyermeket]* **B.** *tni* **1.** **a)** ívik *[hal]*, petéket rak *[béka]* **b)** *pej* porontyokat/utódokat hoz világra **2.** **a)** *pej* tömegesen szaporodik, sokasodik *[állat, ember]* **b)** *pej* ~ **from sg** vmből származik/keletkezik **II.** *fn* **1.** (hal)ikra *[főleg tömegesen]* **2.** *pej* poronty, ivadék, sarj(adék) **3.** **(mushroom)** ~ gombacsíra **4.** *átv* melegágya (vmnek) **5.** *pej* eredmény, termék, szülemény • *fn* **spawner**

spawning-ground *fn áll* ívóhely

spawning-season *fn áll* ívási idő(szak)

spay [speɪ] *tsi* ivartalanít *[nőstény állatot]*

spaz [spæz] *fn szl [ügyetlen/tehetetlen ember]* balfék

speak [spiːk] *i pt* **spoke** [spouk], *régi* **spake** [speɪk], *pp* **spoken** ['spoukn], *régi* **spoke** **A.** *tni* **1.** **a)** beszél; ~ **by signs** jelekkel beszél, jelel *[pl. süketnéma]*; ~ **with sy** beszél(get) vkvel; **they do not** ~ nem beszélnek, nincsenek beszélő viszonyban *[haragosok]*; **so to** ~ úgyszólván, mondhatnám, mondhatni, hogy úgy mondjam; **Ford ~ing** itt Ford beszél *[telefonon]*; **honestly/frankly ~ing** őszintén szólva, az igazat megvallva, igazság szerint; **legally ~ing** jogi nyelven/szempontból (szólva), jogilag; **properly ~ing** tulajdonképpen, a szó szoros értelmében; **roughly ~ing** megközelítőleg, nagyjából, általánosságban szólva **b)** beszédet mond/tart, beszél, felszólal; **have the right to** ~ felszólalási joga van; **refuse to** ~ nem hajlandó beszélni/szólni; **Jones rose to** ~ Jones emelkedett szólásra **2.** megszólal, szól *[fegyver, hangszer]* **3.** *vad* csahol, ugat *[kutya, főként parancsszóra]* **B.** *tsi* **1.** **a)** (ki)mond, beszél *[szót, szöveget]*, szól *[szót]*; **not to** ~ **a word** egy szót sem szól; *közm* **much spoken little said** sok beszédnek sok az alja **b)** ~ **one's mind** megmondja a véleményét, kimondja amit gondol, őszintén beszél; ~ **sy's praises** vk dicséretét zengi, dicsérőleg beszél/szól vkről; ~ **the truth** megmondja/kimondja az igazat/igazságot **c)** *US* ~ **a piece** szónokol **2.** beszél, tud *[nyelvet, nyelven]*; **do you** ~ **Spanish?** tud/beszél spanyolul? **3.** *régi* tanúskodik (vmről), mutat, vall (vmre); **his conduct ~s him generous** viselkedése nagylelkűségre vall **4.** **a)** *régi* megszólít (vkt), szól (vkhez) **b)** *hajó* ~ **a ship** másik hajóval jelzéseket vált • *mn* **speakable**

speak down *tni* lenézően/kicsinylően/nagyképűen beszél

speak for *tni* ~ **for sy** vk nevében/helyett beszél; vk/vm érdekében beszél; mellette szól *[tény]*; ~ **for oneself** a maga nevében beszél; **~ing for myself...** részemről, a magam részéről, ami engem illet; *biz* ~ **for yourself** csak a maga nevében beszéljen; ~ **volumes/well for sy** vknek becsületére válik, vkt jó színben tüntet fel *[tett]*; **it ~s for itself** magáért beszél; **the facts ~ for themselves** a tények önmagukért beszélnek

speak of *tni* **1.** ~ **of sy/sg** beszél vkről/vmről, említést tesz vkről/vmről, említ vkt/vmt; ~ **ill of sy** csúnyát/rosszat mond vkről; ~ **well/highly of sy/sg** szépen/elismerően beszél vkről/vmről; **he is well spoken of** csak jót hallani róla, jó híre van; **it is nothing to ~ of** kár szót vesztegetni rá, szóra sem érdemes; **speaking of it** ha már erről beszélünk, ha már erről van szó; erről jut eszembe **2.** ~ **of sg** vmről szól/beszél, vmre enged következtetni, vmre vall/mutat/utal *[körülmény]*

speak out **A.** *tsi* ~ **out one's thoughts** kimondja, amit gondol **B.** *tni* hangos(abb)an beszél, felemeli a hangját, tagolt(abb)an/érthető(bb)en beszél; ~ **out!** hangosabban!, nem értjük!

speak to *tni* **1.** ~ **to sy** beszél/szól vkhez; megszólít vkt, vkhez fordul; beszél vkvel; *biz* vkt megfedd/megdorgál; beszél a fejével vknek; ~ **to oneself** magában beszél; **I know him to ~ to** beszélő viszonyban vagyunk; köszönő viszonyban vagyunk **2.** **a)** ~ **to a point** beszél egy kérdésről **b)** ~ **to the motion** támogatja a javaslatot/indítványt **3.** ~ **to the truth of a statement** egy állítás/kijelentés/vallomás hitelességét tanúsítja/megerősíti

speak up *tni* **1.** hangos(abb)an beszél, felemeli a hangját, tagolt(abb)an/érthető(bb)en beszél **2.** ~ **up for sy/sg** szót emel (v. kiáll) vk/vm mellett

speakeasy *fn US szl tört* tiltott italmérés, engedély nélkül működő kocsma *[szesztilalom idején]*

speaker ['spiːkə ‖ –ər] *fn* **1.** **a)** beszél(get)ő; **the last** ~ az utoljára/előttem szóló **b)** **an excellent** ~ **of French** kitűnően beszéli a franciát **c)** **plain** ~ szókimondó ember **2.** **a)** szónok, szószóló *[küldöttségé]* **b)** *film* a beszélő **3.** **the S~** a képviselőház elnöke **4.** *távk el* hangszóró, hangfal

speaking ['spiːkɪŋ] **I.** *fn* **1.** **a)** beszéd, beszélés; ~ **voice** beszédhang **b)** **be on** ~ **terms with sy** beszélő viszonyban van vkvel **2.** **public** ~ szónoklás; ékesszólás; *US* ~ **trip** kortesút **3.** **have a** ~ **knowledge of a language** beszél egy nyelven **II.** *mn* **1.** beszélő; *GB távk* ~ **clock** telefonos pontosidő-szolgálat **2.** beszédes, kifejező *[szem stb.]*; *biz* **a** ~ **likeness** a megszólalásig hű kép/ábrázolás **3.** *összet* beszédű, nyelvű; **English-~ nations** angol nyelvű (v. angolul beszélő) nemzetek; **evil-~** rossznyelvű; **slow-~** lassú beszédű

speaking acquaintance beszélő viszony, köszönő viszony, felületes ismeretség; távoli ismerős

S

speaking trumpet *fn régi* **1.** (hordozható) szócső **2.** hallócső

speaking tube *fn* (beépített) szócső *[két helyiség közt]*

spear [spɪə ‖ spɪr] **I.** *fn* **1. a)** (hajító)dárda, lándzsa **b)** szigony *[halászé]* **2. a)** (fű)szál, szár, hajtás *[fűféléké]* **b)** fiatal sudár fa **3.** *régi* dárdás, lándzsás **II.** *tsi* dárdával/lándzsával átdöf/megöl, felnyársal

speargun *fn* szigonypuska

spearhead I. *fn* **1.** dárdahegy, lándzsahegy **2.** *kat* támadó él, előrevetett egység **II.** *tsi* támadó élként szolgál (vmnek), vezet, (vmnek) az élén jár

spearman [ˈspɪəmən ‖ ˈspɪr–] *fn tsz* **-men** *régi* dárdás, lándzsás

spearmint *fn növ* fodormenta

spear side *fn* férfiág

spear-thistle *fn növ* bogáncs

spear-thrust *fn* dárdadöfés, lándzsadöfés

spearwort [ˈspɪəwɜːt ‖ -wɜrt] *fn növ* boglárka

spec [spek] **I.** *fn* **1.** *biz* **on ~** spekulációra, próbaképp **2.** *biz* → **spectacle II.** *tsi* részletes leírást készít, specifikációt ír

special [ˈspeʃl] **I.** *mn* **a)** különleges, speciális; *GB* **~ constable** felesküdött polgárőr; *GB média* **~ correspondent** különtudósító; **~ delivery** expressz kézbesítés; expressz küldemény; *US* **"by ~ delivery"** „expressz"; *média* **~ edition** különkiadás, rendkívüli kiadás; *okt* **~ education** gyógypedagógia; *film* **~ effects** különleges effektusok, filmtrükkök; **as a ~ favour** különös kegyként; **~ friend** bizalmas barát, belső barát; **~ honour** különös/különleges/kivételes megtiszteltetés; **~ hospital** szakkórház; *gazd* **~ price** kedvezményes ár; **~ school** *kb* kisegítő iskola; **in a ~ sense** különleges/speciális/sajátos értelemben; **~ subject** szaktárgy; speciális érdeklődési kör/terület; **~ train** különvonat; **take ~ care over sg** különös/különleges gondot fordít vmre; **I have nothing ~ to tell** nincs semmi különös mondanivalóm **b)** különös, saját(ság)os, jellegzetes, sajátosan jellemző; **her ~ charm** sajátos bája/varázsa; **~ peculiarities** különös ismertetőjelek **II.** *fn* **1.** különvonat **2.** különkiadás, rendkívüli kiadás *[újságé]* **3.** *US* expresszlevél **4.** *gaszt* különlegesség, (napi) ajánlat • *fn* **specialness** *hsz* **specially**

specialist [ˈspeʃəlɪst] *fn* **a)** szakember, specialista **b)** szakorvos, specialista • *fn* **specialism** *mn* **specialistic**

speciality [ˌspeʃiˈæləti] *fn* **1.** sajátosság, jellegzetesség, különlegesség *[jelenségé]*, különös jellemzője (vmnek) **2.** szakterület; *biz* **that's my ~** ez az erősségem, ez a specialitásom **3.** különlegesség, specialitás *[cégé]*

specialize [ˈspeʃəlaɪz], **-ise A.** *tsi* **1.** közelebbről/pontosabban meghatároz/elhatárol *[fogalmat]*, részletez **2.** szakosít *[intézményt]* **B.** *tni* **1.** elkülönül, elhatárolódik, specializálódik **2. ~ in sg** szakképzettségre tesz szert vmben, vmre specializálja magát **3.** *biol* differenciálódik, elkülönül • *fn* **specialization**

special-order *mn gazd* **~ work** egyéni kívánság szerint készített munka, rendelésre végzett munka

specialty [ˈspeʃlti] **1.** *főleg US* → **speciality 2.** *jog* pecséttel ellátott írásbeli szerződés/megállapodás/kötelezvény

specie [ˈspiːʃi] *fn* fémpénz, váltópénz, pénzérme; **in ~** váltópénzben; *jog* természetben

species [ˈspiːʃiːz, –siːz] *fn tsz* **species 1. a)** *biol fil* faj; **the human ~** az emberi nem **b)** fajta, féle(ség); **vehicles of various ~** különféle járművek; **he has a ~ of cunning** van benne bizonyos/valamiféle ravaszság **2.** *mat* **the four ~** a négy alapművelet **3.** *vall* **(eucharistic) ~** szín *[ami alatt áldoznak]*

specific [spəˈsɪfɪk] **I.** *mn* **1. a)** különleges, saját(ság)os, specifikus, jellegzetes, típusos; **~ difference** sajátos/jellegzetes különbség; *gazd* **~ duty** súlyvám **b)** *fiz* fajlagos, faj-; **~ gravity/weight** fajsúly **c)** *tud* fajlagos, specifikus, speciális; *infor* **~ address** abszolút cím; *biol* **~ name** rendszertani név; **be ~ for sg** különlegesen jó/javallott/hatékony vm ellen **2.** (meg)határozott, pontosan/közelebbről meghatározott/megjelölt; **~ aim** határozott/pontos/közelebbi cél; **~ meaning** szűkebb/speciális értelem/jelentés *[szóé]* **II.** *fn* **1.** jellemző/sajátos dolog/tulajdonság **2.** *orv régi* (specifikus/speciális) gyógyszer **3.** *tsz* **specifics** (pontos) részletek, részletes adatok, feltételek • *fn* **specificity, specificness** *hsz* **specifically**

specification [ˌspesɪfɪˈkeɪʃn] *fn* **a)** felsorolás, részletezés, pontos/részletes leírás, *gazd* darabjegyzék; **~s of a patent** szabadalomleírás; *gazd* **~s for delivery** szállítási feltételek/előírások; *jog* **~ of charge** vádpontok részletezése; **~s of a contract** szerződés (pontokba foglalt) kikötései; *gazd* **~ (of goods)** árujegyzék, specifikáció; **~s of quality** minőségi meghatározás/részletezés; **~s of work to be done** a kivitelezendő munkálat műszaki előírásai/részletleírása; *ip* **to ~** szabvány/előírás szerint **b)** *tsz* **specifications** pályázati feltételek, versenytárgyalási hirdetmény/kiírás

specify [ˈspesɪfaɪ] *tsi* közelebbről/pontosan meghatároz, megszab, megad *[adatokat, tulajdonságokat, jellemzőket]*, megnevez, körülír, részletez, előír; **unless otherwise specified** más kikötés hiányában • *fn* **specifier**

specimen [ˈspesɪmən] *fn* **a)** példány **b)** (múzeumi) példány *[növényé, állaté]* **c)** minta(darab), mintapéldány; *orv* **take a ~ of sy's blood** vért/vérmintát vesz vktől vizsgálatra **d)** *biz* **a queer ~ (of humanity)** csodabogár

specious [ˈspiːʃəs] *mn* tetszetős (de nem valódi), mutatós, megtévesztő *[megjelenés, érv stb.]*; **a ~ tale** szépen/jól hangzó történet • *fn* **speciosity** *hsz* **speciously**

speck [spek] **I.** *fn* **1. a)** folt, petty, csepp *[tinta stb.]* **b)** (barna) folt, hiba *[romló gyümölcsön]* **c)** *átv* folt, szenny *[becsületen]* **2. a)** (por)szem, szemcse, részecske, darabka; **~ of dust** porszem **b)** *átv* szem, szikra, csepp *[irgalom stb.]*; **there is not a ~ of truth in what he says** egy szó/betű sem igaz abból, amit mond **II.** *tsi* bepettyez, pettyessé/foltossá tesz • *mn* **specked**

speckle [ˈspekl] **I.** *fn* pont(ocska), folt(ocska), petty(ecske) **II.** *tsi* bepettyez, pontokkal/pettyekkel tarkít/tarkáz

speckled [ˈspekld] *mn* pettyes, foltos; **~ cow** tarka tehén; *US* **~ hen** kendermagos tyúk

spectacle [ˈspektəkl] *fn* **1.** látvány, látnivaló, látványosság; **present a dismal ~** sivár látványt nyújt *[elpusztult város stb.]*; *biz* **make a ~ of oneself** feltűnést keltően viselkedik, kínos feltűnést kelt **2.** *tsz* **spectacles a) (pair of) ~s** szemüveg; **frameless ~s** keret nélküli szemüveg; **snow ~s** hószemüveg **b)** *US tréf* pápaszem

spectacle case *fn* szemüvegtok

spectacled [ˈspektəkld] *mn* **a)** szemüveges **b)** *áll* pápaszemes *[kígyó stb.]*

spectacular [spekˈtækjʊlə ‖ –jələr] **I.** *mn* látványos, mutatós **II.** *fn* **1.** látványosság, látnivaló **2.** szuperprodukció • *hsz* **spectacularly**

spectate [spekˈteɪt] *tni* jelen van *[nézőként]*, nézője vmnek *[főleg sportmérkőzésnek]*

spectator [spekˈteɪtə ‖ ˈspekteɪtər] *fn* szemlélő, néző, szemtanú; **~s** nézők, nézőközönség; **unconcerned ~** kívülálló/elfogulatlan szemlélő • *mn* **spectatorial**

spectator sport *fn* közönségsport, látványos/néznivaló sportág

specter [ˈspektə ‖ –ər] *US* → **spectre**

spectra [ˈspektrə] → **spectrum**

spectral [ˈspektrəl] *mn* **1.** kísértetszerű, jelenésszerű, fantomszerű, kísérteties **2.** *fiz* spektrál(is) színkép-; **~ analysis** színképelemzés, spektrálanalízis; **~ colour** spektrumszín • *hsz* **spectrally**

spectral range *fn fiz* színképtartomány

spectre [ˈspektə ‖ –ər] *fn átv* kísértet, szellem, jelenés, fantom

spectre-insect *fn áll* botsáska

spectre-lemur *fn áll* pápaszemes maki

spectrogram [ˈspektrəgræm] *fn fiz* spektrogram, színkép

spectrograph [ˈspektrəgrɑːf ‖ –græf] *fn fiz* színképfényképező berendezés; spektrográf

spectroheliograph [ˌspektroʊˈhiːlɪəɡrɑːf ‖ –ɡræf] *fn csill* spektroheliográf

spectrometer [spekˈtrɒmɪtə ‖ –ˈtrɑmətər] *fn fiz* színképmérő (műszer), spektrométer • *fn* **spectrometry** *mn* **spectrometric**

spectrophotometer [ˌspektroʊfəˈtɒmɪtə ‖ –ˈtɑmətər] *fn fiz* spektrofotométer, színképfénymérő • *fn* **spectrophotometry**

spectroscope [ˈspektrəskoʊp] *fn fiz* spektroszkóp, színképelemző készülék • *fn* **spectroscopy**

spectrum [ˈspektrəm] *fn tsz* **spectra** [–trə] **1.** *fiz* színkép, spektrum; **solar ~** napszínkép **2. (ocular) ~** utókép *[a szem recehártyáján]* **3.** *el távk* spektrum *[adott frekvenciájú jel]* **4.** *átv* széles skála, választék, bőség

spectrum analysis *fn fiz* színképelemzés

spectrum band *fn fiz* színképsáv, spektrumsáv

specular [ˈspekjʊlə ‖ –kjələr] *mn* **1.** *ásv* tükörszerű, tükröző; **~ stone** csillámkő **2.** *fiz* **~ density** visszavert fényerősség

speculate [ˈspekjʊleɪt] *tni* **1. ~ on/upon/about sg** elmélkedik/töpreng/tűnődik/meditál vmn; találgat vmt **2.** spekulál, kockázatos üzleti vállalkozásba bocsátkozik; **~ for a fall** az áresés lehetőségére spekulál; **~ in oil shares** olajrészvényekben spekulál; **~ on the Stock Exchange** a tőzsdén játszik, tőzsdézik

speculation [ˌspekjʊˈleɪʃn] *fn* **1.** elmélkedés, töprengés, tűnődés **2.** elmélet, feltevés **3.** spekuláció, kockázatos üzleti vállalkozás; **buy sg on ~, buy sg as a ~** spekulációra vesz vmt; **do sg on ~** spekulál vmvel/vmben

speculative [ˈspekjʊlətɪv ‖ –kjəleɪtɪv] *mn* **1. a)** elmélkedő, töprengő, spekulatív; **~ philosophy** spekulatív bölcselet **b)** elméleti, feltételezett **2. a)** spekulációs; **~ purchases** spekulációs vásárlások **b)** kockázatos, bizonytalan • *hsz* **speculatively**

speculator [ˈspekjʊleɪtə ‖ –kjəleɪtər] *fn* **1.** elmélkedő **2. a)** spekuláns **b)** tőzsdés, tőzsdejátékos

speculum [ˈspekjʊləm] *fn tsz* **speculums, specula** [–lə] **1. a)** *orv* (vizsgáló)tükör; **uterine ~** méhtükör **b)** teleszkóptükör **2.** szem, folt *[madár/lepke szárnyán]*

speculum metal *fn fémip* tükörfém

specs [speks] *fn tsz biz* **1.** szemüveg, pápaszem **2.** specifikáció, részletes leírás/meghatározás

sped [sped] → **speed II.**

speech [spiːtʃ] *fn* **1. a)** beszéd; **(faculty of) ~** beszédképesség, beszéd(készség); **~ failed him** elállt a szava; **lose the faculty/power of ~** eláll a szava; megnémul; **find one's ~** újra megjön a szava; **fear deprived her of ~** a félelemtől elállt a szava **b) (manner of) ~** beszéd(mód), beszédmodor; **ready flow of ~** jó beszédkészség/beszélőke; **be slow of ~** lassan beszél **c) fair ~es** szép szavak; **have ~ with/of sy** beszél vkvel, beszéde van vkvel **d)** *nyelv* beszéd; **direct ~** egyenes beszéd; **indirect/reported ~** függő beszéd; **figure of ~** beszédfordulat; **parts of ~** szófajok **2.** *nyelv* nyelv *[népé]*, nyelvjárás *[vidéké, társadalmi osztályé]* **3. a)** beszéd, szónoklat; **after-dinner ~** pohárköszöntő; *GB* **King's/Queen's S~, S~ from the Throne** trónbeszéd *[parlamenti ülésszak megnyitásakor]*; **make/deliver a ~** beszédet tart/mond, beszél, szónokol **b)** *tsz* **speeches** *okt biz* → **speech-day**

speech act *fn nyelv* beszédaktus

speech area *fn nyelv* beszédterület, nyelvjárási terület

speech basis *fn nyelv* artikulációs bázis

speech community *fn nyelv* beszédközösség

speech correction *fn* helyes kiejtésre tanítás, logopédia

speechcraft *fn* **1.** beszédkészség, szónoki tehetség/képesség **2.** retorika

speech day *fn GB okt* tanévzáró ünnepély, évvégi bizonyítvány- és jutalomosztás, évzáró

speech defect *fn* beszédhiba

speech form *fn nyelv* nyelvi alakzat/forma

speechful [ˈspiːtʃfl] *mn* beszédes, bőbeszédű

speechify [ˈspiːtʃɪfaɪ] *tni pej tréf* szónokol, szpícset tart • *fn* **speechifier**

speech island *fn nyelv* nyelvjárási sziget

speechless [ˈspiːtʃləs] *mn* **1.** szótlan, hangtalan, néma *[fájdalom stb.]* **2. a)** néma **b)** elnémult, megnémult *[meglepetéstől]*; **he was ~ with indignation** a felháborodástól elállt/elakadt a szava; **he remained ~ the whole evening** egész este nem szólt egy szót sem **3.** *szl [nagyon részeg]* tökrészeg, holtrészeg • *fn* **speechlessness** *hsz* **speechlessly**

speechmaker *fn* szónok

speech organ *fn orv* beszélőszerv, hangképzőszerv

speech-reading *fn* szájról olvasás, ajakról való leolvasás *[süketek által]*

speech recognition *fn infor* beszédfelismerés

speech therapy *fn orv* beszédterápia, logopédia • *fn* **speech therapist**

speed [spiːd] **I.** *fn* **1. a)** sebesség, gyorsaság; *fiz mat* **angular ~** szögsebesség; **cruising ~** utazósebesség, *hajó* cirkáló sebesség; *gk* **forward ~** előremenet *[sebességváltónál]*; **full ~** teljes sebesség; *rep* **getaway ~** felszállási sebesség; *műsz* **normal running ~** üzemi sebesség; **top ~** legnagyobb sebesség/gyorsaság, csúcssebesség; **at full/top ~** legnagyobb/teljes/maximális sebességgel; **at the top of one's ~** a tőle telhető legnagyobb sebességgel/gyorsasággal; *fiz* **~ of light** fénysebesség; *műsz* **range of ~** sebességtartomány, sebességi fokozatok/skála; **gather/gain ~, pick up ~** felgyorsul *[motor, jármű]*; gyorsít *[motort, járművet]*; **make (all) ~** siet; **reduce ~** csökkenti a sebességet, lassít; **at a ~ of 60 miles per hour** óránként 60 mérföldes sebességgel; **do sg with all ~** gyorsan/sietve csinál vmt **b)** *gk* sebesség(fokozat) **2.** *fényk* **a)** (fény)érzékenység *[negatívé]* **b)** fényerő *[lencséé]* **3.** *szl [izgató hatású kábítószer]* szpíd **II. A.** *tsi* **1.** *pt/pp* **speeded a) ~ (up)** gyorsít; **~ up a car** autót/kocsit felgyorsít; (régi) autót/kocsit felújít **b)** támogat, segít, előrevisz; **~ (up) the work** (meg)gyorsítja/sietteti a munkát, fokozza a munkatempót **c) ~ an engine** motor sebességét beállítja/szabályozza **2.** *pt/pp* **sped** [sped] **a)** *régi* gyorsan/sebesen (el)indít/(el)küld, sietve/gyorsan útnak indít; **~ an arrow from the bow** nyílvesszőt elröpít/kilő az íjból **b)** *régi* **God ~ you!** menj/járj Isten hírével, Isten/ég veled!; **may fortune ~ you!** járj szerencsével! **B.** *tni* **a)** *pt/pp* **sped** siet, gyorsan megy; **~ down the street** végigrohan/végigszáguld az utcán; *biz* **~ from the mark** jól indul/startol; **~ off** gyorsan/sietve eltávozik **b)** *pt/pp* **speeded** gyorsan hajt *[sebességkorlátozást figyelmen kívül hagyva]* • *fn* **speeder**

speedball *fn* **1.** *US sp* ‹futballhoz hasonlító játék› **2.** *szl* ‹heroin és kokain keveréke›

speedbird *fn biz* repülőgép, röpcsi

speedboat *fn sp* gyorsasági versenycsónak, versenymotorcsónak

speed-bug *fn US szl [gyorshajtó]* sebességmániás

speed bump *fn közl* sebességfékező, fekvőrendőr

speedcop *fn* motoros rendőr, fejvadász

speed-counter *fn műsz* **a)** sebességmérő (műszer) **b)** fordulatszám-számláló (műszer)

speed-gear *fn műsz* sebességváltó

speed indicator *fn műsz* sebességmérő, sebességmutató, fordulatszám-számláló

speeding [ˈspiːdɪŋ] *fn* gyorshajtás

speedless [ˈspiːdləs] *mn* **a)** sebesség nélküli, lassú **b)** sikertelen, szerencsétlen

speed limit *fn közl* megengedett (legnagyobb) sebesség, *[jelzőtábla neve:]* sebességkorlátozás

speedo [ˈspiːdoʊ] *fn GB biz* sebességmérő

speedometer [spɪˈdɒmɪtə, spiː– ‖ –ˈdɑmətər] *fn gk műsz* **1. a)** sebességmérő **b)** fordulatszám-számláló (műszer) **2.** kilométeróra

speed-reading *fn* gyorsolvasás(i módszer)

speedskating *fn sp* gyorskorcsolyázás

speedster [ˈspiːdstə ‖ –ər] *fn szl [gyorshajtó]* kilométerfaló

speed trap *fn gk* radarcsapda, gyorshajtási veszélyzóna
speed-up *fn* **a)** (meg)gyorsítás *[munkáé]*, gyorsabbá tétel *[közlekedésé stb.]*, tempófokozás **b)** (fel)gyorsulás
speedwalk *fn US* mozgójárda
speedway *fn gk* **a)** versenypálya *[autó/motor számára]*, autodróm **b)** autópálya, gyorsforgalmi út
speedy [ˈspiːdi] *mn* **a)** gyors, sebes *[ló, futó stb.]* **b)** gyors, rohamos *[változás]*, azonnali, haladéktalan *[elintézés]*; **~ recovery** rohamos javulás/gyógyulás; **to hope for sy's ~ return** vknek a gyors/mielőbbi visszatérését reméli
speleology [ˌspiːliˈɒlədʒi ‖ –ˈɑlə–] *fn* barlangkutatás • *fn* **speleologist** *mn* **speleological**
spell[1] [spel] *pt/pp* **spelt** [spelt], **spelled A.** *tsi* **1.** (le)betűz, helyesen (le)ír; **~ out** (nagy nehezen) kisilabizál *[szót]*; világosan megmond/megmagyaráz; határozottan körülír/kifejt; pontosan meghatároz; **~ over a word** (nagy nehezen) kisilabizál egy szót; **how is it spelt?** hogy írják?; **spelt in full** (teljesen) kiírva, teljes alakban **2. what do these letters ~?** mit (v. milyen szót) alkotnak (v. mit jelentenek) ezek a betűk? **3.** jelent, hoz, maga után von *[következményt]*; **that would ~ disaster for me** rám nézve ez szerencsétlenséget jelentene **B.** *tni* **1.** helyesen ír; **he cannot ~** nem tud helyesen írni, rossz a helyesírása **2.** íródik; **how does this word ~?** hogy írják ezt a szót? • *mn* **spellable**
spell[2] [spel] *fn* **1.** varázs(lat), bűbáj; **under a ~** varázslat/bűvölet alatt, elbűvölve, megbabonázva, lenyűgözve; **under the ~ of beauty** a szépség bűvöletében/igézetében; **break the ~** megtöri a varázst/varázslatot; **cast/put a ~ over sy, lay sy under a ~** vkt megbabonáz/megigéz; **remove the ~ from sy** felold vkt a varázslat alól **2.** varázsige
spell[3] [spel] **I.** *fn* **1.** (munka)szakasz, forduló, turnus, váltás; **take a ~ at sg** rákerül a sor vmben; **four hours at a ~** egyhuzamban/egyfolytában négy óra hosszat, négyórás fordulóban/váltással; **work by ~s** váltásban dolgoznak, váltják egymást a munkában **2. a)** rövid idő(szak); **rest for a (short) ~** pihen egyet, rövid pihenőt tart **b)** idő(szak); **a long ~ of cold weather** hosszan tartó hideg idő; **the hot ~** a kánikula **II. A.** *tsi* **1.** (egy időre) felvált *[vkt munkában]* **2.** (rövid ideig) pihentet **B.** *tni Ausz* pihenőt tart
spellbind [ˈspelbaɪnd] *tsi pt/pp* **spellbound** elbűvöl, megbabonáz, lenyűgöz
spellbinder *fn US biz* lenyűgöző hatású szónok
spellbinding *mn US* lenyűgöző hatású • *hsz* **spellbindingly**
spellbound *mn* **a)** elbűvölt, megbabonázott, megigézett, lenyűgözött; **be ~** igézet alatt áll; **hold one's audience ~** hallgatóságát lenyűgözi/elbűvöli/megigézi **b)** álmélkodó, elámult
spell-check *infor* **I.** *fn* helyesírás-ellenőrzés **II.** *tsi* helyesírást ellenőriz *[dokumentumban program segítségével]*
spell check *fn infor* helyesírás-ellenőrző program
speller [ˈspelə ‖ –ər] *fn* **1. be a good ~** jó helyesírással ír, jól tudja a helyesírást **2.** → **spelling book**
spelling [ˈspelɪŋ] *fn* **1.** (le)betűzés *[szóé]* **2.** helyesírás, írásszokás; **grammatical ~** helyesírás; etimológiai írás(mód); **literal ~** hangzás szerinti írás(mód)
spelling-bee *fn* ‹élőszóban zajló helyesírási/betűzési verseny›
spelling book *fn* helyesírási tankönyv, ábécéskönyv
spell-word *fn* varázsszó, bűvszó
spelt[1] [spelt] *fn növ* tönköly(búza)
spelt[2] [spelt] → **spell**[1]
spelter [ˈspeltə ‖ –ər] *fn* (ipari) horgany, cink
spelunker [spɪˈlʌŋkə ‖ –ər] *fn US biz* amatőr geológus/barlangkutató
spencer [ˈspensə ‖ –ər] *fn* rövid felöltő, gyapjúzubbony, zeke, spencer
spend [spend] *i pt/pp* **spent** [spent] **A.** *tsi* **1.** (el)költ, kiad *[pénzt]*, elkölt *[vagyont]*; **~ money on sg/sy** pénzt költ vmre/vkre; **without ~ing a penny** egy fillér kiadás/költség nélkül; **be spent** elfogy *[pénz]* **2.** (el)használ, (el)fogyaszt; **~ breath on sy/sg** szót veszteget vkre/vmre; **it has spent its force** kiadta erejét, kimerült; **~ one's strength to no purpose** hiába/céltalanul fecsérli az erejét; **~ sy's strength** kiszívja/felemészti vknek az erejét *[vállalkozás]*; **~ oneself in a vain endeavour** kimerül a hiábavaló fáradozásban; **~ its fury** kitombolja magát, kiadja a mérgét *[vihar]*; **I am spent** kimerültem, egészen kivagyok; **the storm is spent** a vihar kifáradt/megcsendesedett; **his anger has spent itself** haragja elcsitult/lecsillapodott **3.** (el)tölt *[időt]*; **~ time on sg** időt fordít/áldoz/szentel vmre; **~ a sleepless night** álmatlanul tölti az éjszakát; **he spent his life in a little village** egy kis faluban élte le életét **B.** *tni* költ; **~ recklessly** eszeveszetten költekezik • *fn* **spender** *mn* **spendable**
spending [ˈspendɪŋ] *fn* (el)költés
spending cut *fn közg* kiadási megszorítás, költségcsökkentés
spending money *fn* költőpénz, zsebpénz
spending power *fn közg* vásárlóerő
spendthrift [ˈspendθrɪft] *mn/fn* pazarló, tékozló, pocsékoló, költekező
spent [spent] *mn* **a)** kimerült, fáradt, ernyedt, elcsigázott; *műsz* **~ oil** fáradt olaj; **~ storm** kifáradt/csituló vihar; **~ volcano** kialudt tűzhányó/vulkán **b)** elhasznált; **~ bulb** kiégett villanykörte; **~ cartridge** üres/kilőtt töltény **c)** *átv* kimerült, elfáradt, elhasznált, kiégett *[ember, szervezet]*
sperm[1] [spɜːm ‖ spɜrm] *fn biol* ondó, mag, sperma
sperm[2] [spɜːm ‖ spɜrm] *fn* **1.** *áll* → **sperm whale** **2.** cetvelő, spermacet
spermaceti [ˌspɜːməˈseti ‖ ˌspɜr–] *fn* cetvelő, spermacet
spermatic [spɜːˈmætɪk ‖ spɜr–] *mn biol* ondó-, mag-, sperma-; *orv* **~ cord** ondózsinór; **~ duct** ondóvezeték
spermatid [ˈspɜːmətɪd ‖ ˈspɜr–] *fn biol* spermatid
spermatism [ˈspɜːmətɪzm ‖ ˈspɜr–] *fn biol* **1.** magömlés, sperma(ki)ürülés **2.** ondóképződés, spermaképződés
spermatogenesis [ˌspɜːmətəˈdʒenɪsɪs ‖ ˌspɜr–] *fn biol* ondóképződés, spermaképződés • *mn* **spermatogenetic**
spermatogonium [ˌspɜːmətəˈgoʊnɪəm ‖ spɜrˌmætə–] *fn tsz* **spermatogonia** [–nɪə] *biol* ősondósejt, spermatogonium
spermatorrhaea [ˌspɜːmətəˈrɪːə ‖ ˌspɜr–] *fn orv* ondófolyás, magömlés; **nocturnal ~** éjjeli magömlés, pollúció
spermatozoon [ˌspɜːmətəˈzoʊən ‖ spɜrˌmætə–] *fn tsz* **spermatozoa** [–zoʊə] *biol* ondósejt, ondószál, spermium • *mn* **spermatozooal**
sperm bank *fn* spermabank
sperm-cell *fn biol* ondószál
sperm count *fn orv* spermiumszám
spermicide [ˈspɜːmɪsaɪd ‖ ˈspɜr–] *fn orv* spermicid, spermaölő szer
sperm-oil *fn* spermacetolaj, cetvelő
sperm whale *fn áll* ámbráscet
spew [spjuː] **I. A.** *tsi* **~ (up/out)** (ki)hány, (ki)okád, undorral kiköp; **~ forth/out** undorral kiköp, szájából kivet **B.** *tni* **~ (up)** hány, okád **II.** *fn* hányás, hányadék, okádék • *fn* **spewer**
sp. gr. *specific gravitiy*
sphagnum [ˈsfægnəm] *fn növ* tőzegmoha
sphenoid [ˈsfiːnɔɪd] **I.** *mn* ék alakú *[kristályforma]* **II.** *fn orv* ékcsont • *mn* **sphenoidal**
sphere [sfɪə ‖ sfɪr] *fn* **1. a)** gömb; **(celestial) ~** *csill* éggömb; *vál* ég, egek; *mat* **doctrine of the ~** gömbmértan, gömbháromszögtan **b)** golyó **c)** *csill régi* szféra; **music/harmony of the ~s** a szférák zenéje **2.** *átv* kör, terület; **~ of action** működési kör, hatáskör; *pol* **~ of influence** befolyási körzet/övezet; **~ of interest** érdeklődési kör; érdekszféra; **in the mental ~** a szellemi élet terén, a szellem világában; **that does not come within my ~** ez nem tartozik az én területemre/hatáskörömbe • *mn* **spheral**

S

spheric ['sferɪk] *mn* **1.** gömbölyű, gömb alakú **2.** *vál* égi • *fn* **sphericity**

spherical ['sferɪkl] *mn* **a)** gömbölyű, gömb alakú, gömb-; *műsz* ~ **housing** gömbház **b)** *mat* gömbi, szferikus, gömb-; ~ **cone** gömbcikk, gömbkúp; ~ **coordinates** gömbi koordináták; ~ **geometry** gömbmértan; ~ **mirror** gömbtükör; ~ **pyramid** gömbi gúla/piramis; ~ **segment** gömbszelet; ~ **triangle** gömbháromszög; ~ **trigonometry** gömbháromszögtan • *hsz* **spherically**

spherics ['sferɪks] *fn* **1.** *esz mat* gömbháromszögtan, gömbi/szferikus geometria **2.** *tsz távk* légköri (eredetű vételi) zavarok

spheroid ['sfɪərɔɪd ‖ 'sfɪrɔɪd] *fn mat* csaknem gömb alakú test, szferoid • *fn* **spheroidicity** *mn* **spheroidal**

spherometer [sfɪə'rɒmɪtə ‖ sfɪ'rɑmətər] *fn fiz* szferométer, gömbfelület rádiuszmérője

spherule ['sferju:l ‖ 'sfɪru:l] *fn* gömböcske, golyóbis • *mn* **spherular**

sphincter ['sfɪŋktə ‖ –ər] *fn orv* záróizom • *mn* **sphincter(i)al**

sphinx [sfɪŋks] *fn tsz* **sphinxes 1.** szfinx **2.** titokzatos/rejtélyes ember

sphinxlike ['sfɪŋkslaɪk] *mn* szfinxszerű, rejtélyes

sphygmogram ['sfɪgməgræm] *fn orv* érverésgörbe, pulzusgörbe

sphygmograph ['sfɪgməgrɑ:f ‖ –græf] *fn orv* érverésíró (műszer), pulzusgörbe-regisztráló (műszer) • *fn* **sphygmography** *mn* **sphygmographic**

sphygmomanometer [ˌsfɪgmoʊmə'nɒmɪtə‖–'nɑmətər] *fn orv* vérnyomásmérő (készülék)

sphygmometer [sfɪg'mɒmɪtə ‖ –'mɑmətər] *fn orv* pulzusmérő (műszer)

sphygmus ['sfɪgməs] *fn orv* érverés, pulzus

spic [spɪk] *fn US pej szl* latin-amerikai *stand*

spica ['spaɪkə] *fn tsz* **spicae** ['spaɪsi:] **1.** *növ* füzér(virágzat) **2.** *orv* nyolcaskötés, rézsútos keresztkötés • *mn* **spicate**

spica-bandage *fn orv* nyolcaskötés, halászkötés

spiccato [spɪ'kɑ:toʊ] *mn/hsz zene* spiccato

spice ['spaɪs] **I.** *fn* **1. a)** fűszer; **mixed ~(s)** fűszerkeverék **b)** fűszeráru, fűszerfélék; **dealer in ~** fűszeres, fűszerkereskedő **2.** *átv* **a)** fűszer, zamat, pikáns íz; **give ~ to a story** történetet színesen/ízesen mond el; **~ of adventure** a kaland íze/ingere **b) a ~ of sg** egy csepp/csipetnyi vm(ből); **a ~ of ambition** egy kis/csepp nagyravágyás; **a ~ of malice** egy csipetnyi rosszmájúság **II.** *tsi* **1.** (meg)fűszerez, ízesít *[ételt]* **2.** *átv* fűszerez, ízesen/zamatosan ad elő *[történetet]*

spick-and-span *mn* **a)** tipp-topp; **he looked very ~** olyan volt, mintha skatulyából húzták volna ki **b)** újszerű; **be ~** mintha új lenne; **~ (new)** vadonatúj

spicknel ['spɪknl] → **spignel**

spicy ['spaɪsi] *mn* **1.** fűszeres, ízes, pikáns **2.** *átv* **a)** jóízű, zamatos, ízes *[történet, beszélgetés]* **b)** *átv* borsos, pikáns *[történet]*

spider ['spaɪdə ‖ –ər] **I.** *fn* **1.** pók; **~'s web** pókháló **2.** *műsz* küllős kerékagy, dugattyúagy, *gk* kardánkereszt **3.** (gumi)pók *[rögzítéshez]* **4. a)** háromlábú állvány *[lábasnak]* **b)** (háromlábú) serpenyő **5.** kétkerekű homokfutó kocsi **II.** *tni* pókszerűen mozog, pók módjára fut • *mn* **spiderish**

spider crab *fn áll* tengeri pók

spiderman *fn tsz* **-men 1.** *GB biz* állványozó munkás, épületváz-szerelő **2.** *film* Pókember

spider monkey *fn áll* pókmajom

spider-net *fn* pók *[kézimunkán]*

spider-web *fn* **1.** pókháló **2.** *átv* sűrű hálózat

spidery ['spaɪdəri] *mn* **1.** pókszerű; **~ handwriting** szarkalábas írás **2.** pókos, pókokkal teli

spiel [ʃpi:l, spi:l] **I.** *fn szl [halandzsa, üres beszéd]* duma, hanta, rizsa, púder; csalafintaság, ravasz trükk **II. A.** *tsi US szl [elbeszélget]* eldumál; **~ off an address** beszédet/dumát lead/levág **B.** *tni szl* **1. a)** *[elbeszélget]* fecseg, eldumál **b)** *US [hátsó szándékkal ügyesen beszél]* szédít, kábít **2.** *Ausz* szerencsejátékot játszik

spieler ['ʃpi:lə, 'spi:lə ‖ –ər] *fn US szl* **1. a)** *[jó beszédkészségű ember]* dumás alak, nagy/jó dumájú pasas, szövegláda **b)** jó dumájú eladó/kikiáltó **2.** *Ausz [hamiskártyás]* svindler, csaló

spiff [spɪf] *tni biz US* **~ (up)** rendbe szedi/teszi magát, kinyalja magát

spiffing ['spɪfɪŋ] *mn GB régi szl* kiváló; elegáns, jól öltözött, finom

spiffy ['spɪfi] → **spiffing**

spiflicate ['ʃpɪflɪkeɪt], **spifflicate** *tsi US szl* **1.** összever, jól helyben hagy *[ellenfelet]* **2.** megfojt **3. a)** *[megzavar, megkavar]* elképeszt, paffá tesz **b)** végképp elcsüggeszt

spiflicated ['ʃpɪflɪkeɪtɪd] *mn szl [enyhén részeg]* spicces

spignel ['spɪgnəl] *fn növ* tömjénillat

spigot ['spɪgət] *fn* **1. a)** kifolyócsap **b)** záródugó *[kifolyócsapé]* **c)** *műsz* pecek, csap, ék **2.** *műsz* **(pipe) ~** sima csővég

spike [spaɪk] **I.** *fn* **1. a)** (rövid) cövek, tüske, vashegy *[turista botján]*, kerítéstüske, szeg **b)** hosszú szeg, nagy fejű szeg, szegecs, bakancsszeg *[turista cipőjén]* **c)** *tsz* **spikes** szegecses túrabakancs **2.** *GB szl* éjjeli menedékhely *stand* **3.** *US* kevéske rum/pálinka *[frissítő italban]* **4.** *US szl* injekciós tű *[kábítószer beadásához]* **II.** *tsi* **1.** szögekkel kiver *[cipőtalpat]*, szöggel/vasheggyel lát el *[botot]* **2.** kampós/nagy szeggel megszegez/odaszegez **3. a)** *kat* bedugaszol *[ágyúcsövet]* **b)** *átv biz* **~ sy's guns** lehetetlenné tesz vkt; meghiúsítja/keresztülhúzza vknek a terveit/számításait **4.** alkoholt önt *[alkoholmentes italba]* **5.** *szl [rejtett mikrofont felszerel vhol]* poloskát rak vhova

spiked [spaɪkt] *mn* **a)** hegyes, szeges, tüskés; **~ head** kerítéstüske; **~ shoes** szeges bakancs **b)** *ásv* tűszerű, csúcsos

spike heel *fn* tűsarok *[cipőn]*

spikelet ['spaɪklɪt] *fn növ* kalászka

spiky ['spaɪki] *mn* **a)** hegyes, szúrós **b)** tüskés, szeges **c)** *átv* tüskés, szúrós, harapós *[ember]* • *fn* **spikiness** *hsz* **spikily**

spile [spaɪl] **I.** *fn* **1.** (fa)dugasz *[hordóé]* **2.** cövek, karó, cölöp **II.** *tsi* (csappal) bedugaszol, csapot ver *[hordóba]*

spill[1] [spɪl] **I.** *pt/pp* **spilt** [spɪlt], **spilled A.** *tsi* **1. a)** kilöttyent, kiönt *[folyadékot]*, felborít, kiborít *[sót]*; *közm* **no use crying over spilt milk** késő bánat ebgondolat **b)** *szl* **~ money** pénzt veszít *[pl. fogadáson]* **2.** *biz* levet, ledob *[ló]*, kifordít, kiborít *[kocsiból]* **3.** *szl [titkot elárul]* kifecseg, kibeszél, kikotyog; **~ it!** nyögje már ki!, ki vele!; *biz* **~ the beans** kikotyogja a dolgot **4.** *régi* (el)pusztít, (meg)öl; **~ blood** vérontásban bűnös; **~ the blood of sy** megöl, megsebesít vkt **B.** *tni* **1.** kilöttyen, kiloccsan, kiömlik, kifolyik *[folyadék]*, kiömlik, kiborul, kiszóródik *[só]* **2.** leesik *[lóról]*, kiesik *[járműből]* **3.** kiárad *[tömeg]*, kiözönlik, kitódul **II.** *fn* **1.** *biz* esés, bukás *[főleg lóról, kerékpárról]*, felbukás; **have a ~** bukik *[lóval]*; felborul *[autóval]*; felbukik; kirepül, kiborul *[autóból]* **2.** kiöntés, kilöttyintés **3.** *Ausz pol* állás/poszt kiürülése újjászervezésnél • *fn* **spillage**

spill over *tni* **1.** túlcsordul **2.** kiáramlik, elvándorol *[néptömeg sűrűn lakott területről]*

spill[2] [spɪl] *fn* kis forgács, darabka

spillover *fn* **1.** túlcsordulás, túlfolyás **2.** utóhatás, következmény, melléktermék

spill-way *fn vízügy* **a)** túlfolyó, árapasztó csatorna; **~ water** túlfolyó víz **b)** bukógát

spilt [spɪlt] → **spill**[1] I.

spilth [spɪlθ] *fn* **1.** *régi* **~ of blood** vérontás **2. a)** kifolyt/túlfolyó folyadék **b)** felesleg(es többlet) **c)** hulladék, szemét

spin [spɪn] **I. -nn-**, *pt* **span** [spæn], *pp* **spun** [spʌn] **A.** *tsi* **1. a)** fon, sodor *[szálat]*, sző *[pók hálót stb.]* **b)** sző *[mese fonalát]*, kitalál *[történetet]*; **~ a yarn** mesét mond, mesél **2. a)** *[meg]* pörget, (erősen) megforgat, (meg)perdít; **~ sy**

round vkt megforgat/megpörget; ~ **a coin** pénzt földob, fej vagy írást játszik; ~ **a top** csigát hajt/pörget **b)** (ki)centrifugáz *[kimosott ruhát]* **3.** villantóval horgászik **4.** *GB okt szl [megbuktat vizsgázót]* elvág, elhúz **5.** *GB szl [megmotoz, házkutatást végez]* hipisel, ciánoz *[helyet]* **B.** *tni* **1.** fon **2. a)** pörög, (gyorsan) forog *[felfüggesztett tárgy]*, dugóhúzózik *[repülőgép]*; ~ **round** pörög, sebesen forog; hirtelen megfordul/hátrafordul; ~ **round and round** körbe-körbe forog; *biz* ~ **like a top/teetotum** pörög, mint a csiga/pörgettyű; **my head is ~ning** forog velem a világ **b)** egyhelyben forog, csúszik *[jármű kereke]* **c)** száguld *[jármű]* **3.** ~ **for fish** villantóval horgászik **4.** *GB okt szl [megbukik]* elhasal, elvágják, elhúzzák **II.** *fn* **1. a)** pörgés, forgás *[labdáé, táncosé]*, piruett; **put a ~ on a ball** labdát pörgetve üt **b)** *rep* dugóhúzó; **get into a ~** csigavonalban száll/zuhan le, pörögni kezd; bajba jut **c)** *fiz* elektronperdület, s(z)pin **2.** rövid/gyors kiruccanás; **go for a ~ in a car** autózik egyet; **go for a ~ on a horse** kilovagol, lovagol/fordul egyet **3.** *Ausz* élmény, sors; **fair** ~ jó esély/sansz, tűrhető szerencse; **rough** ~ balszerencse, balsors **4.** *US pol* ferdítés, csúsztatás, kozmetikázás *[információé]*

spin out A. *tsi* **a)** elhúz, elnyújt *[beszélgetést, tárgyalást]*, hosszú lére ereszt *[beszédet]*, húz *[időt]* **b)** ~ **out one's money** úgy osztja be a pénzét , hogy sokáig tartson **B.** *tni US gk* megpördül, kisodródik

spina ['spaɪnə] *fn tsz* **spinae** [–niː] *orv* gerinc(oszlop)

spina bifida *fn orv* nyílt/nyitott gerinc

spinach ['spɪnɪdʒ ‖ –nɪtʃ] *fn növ* paraj, spenót • *mn* **spinachy**

spinach beet *fn növ* fehérrépa, mangold

spinal ['spaɪnl] **I.** *mn orv* gerinc-; ~ **canal** gerinccsatorna; ~ **column** gerincoszlop; ~ **complaint** gerincbántalom; ~ **cord** *orv* gerincvelő, gerincagy; ~ **curvature** gerincgörbület; ~ **injury** gerincsérülés; ~ **marrow** gerincvelő; ~ **nerve(s)** gerincvelői idegek; ~ **puncture** gerinccsapolás, lumbálpunkció **II.** *fn* **1.** *orv* gerincagyi érzéstelenítés **2.** *orv* gerincagyi érzéstelenítő(szer)

spin bowler *fn* pörgetett labdákat adó játékos *[teniszben stb.]*

spindle ['spɪndl] **I.** *fn* **1. a)** (cséve)orsó **b)** *műsz* (csavar)orsó; **valve** ~ szeleporsó **c)** *biol* **nuclear** ~ sejtorsó **2.** *biz* nyurga/nyakigláb ember **II.** *tni* magasra nő, felnyurgul, felnyúlik *[növény]*

spindlelegs *fn tsz* **1.** pipaszárlábak **2.** pipaszárlábú ember, hosszú lábú ember

spindle side *fn* nőág *[családé]*

spindly ['spɪndli] *mn* **a)** nyurga *[fa, kamasz]*, nyakigláb *[kamasz]* **b)** sovány, erőtlen

spin doctor *fn biz* ‹események/intézkedések szépítő magyarázatára alkalmazott szóvivő›

spindrift ['spɪndrɪft] *fn* **1.** (hullám)tajték *[szélben]*, hullámtaréj **2.** ~ **(cloud)** fodros felhő

spin-dryer *fn* (háztartási) centrifuga *[mosáshoz]* • *tsi/tni* **spin-dry**

spine [spaɪn] *fn* **1. a)** (hát)gerinc, gerincoszlop; **cleft** ~ nyitott gerinc, gerinchasadék; *orv* **poker** ~ megmerevedett gerincoszlop; **it sends a chill down one's** ~ az embernek borsódzik tőle a háta, hátborzongató **b)** *földr* gerinc, nyereg, él **c)** *átv* gerinc **d)** (könyv)gerinc, könyvhát **2.** *tud* tüske, tövis • *mn* **spined**

spine-chiller *fn* hátborzongató történet, rémregény/film, horror • *mn* **spine-chilling**

spineless ['spaɪnləs] *mn* **1.** *biol* gerinctelen **2.** tövis nélküli, tüskétlen **3.** *átv* jellemgyenge, gerinctelen

spinet [spɪ'net ‖ 'spɪnɪt] *fn zene* spinét

spinnaker ['spɪnəkə ‖ –ər] *fn hajó* pillangóvitorla, spinakker

spinner ['spɪnə ‖ –ər] *fn* **1. a)** fonó(munkás) **b)** *biz* ~ **of yarns** meseszövő, mesélő **c)** *régi* (szövő)pók **2.** fonógép **3.** villantó *[horgon]* **4.** centrifuga **5.** *Ausz* ‹fej vagy írás játékban a pénzfeldobó› **6.** *sp* pörgetett (baseball) labda **7.** játékcsiga **8.** → **spinneret**

spinneret ['spɪnəret] *fn* **1.** *tud* fonómirigy, fonószemölcs **2.** *tex* fonórózsa

spinney ['spɪni] *fn GB* bozót, cserjés, csalit(os)

spinning ['spɪnɪŋ] *fn* **1.** fonás **2. a)** pörgés, gyors forgás **b)** *rep* dugóhúzó **c)** csúszás *[egyhelyben forgó kocsikeréké]* **3.** *műsz* (ki)pergetés, centrifugálás **4.** pergetés, horgászás villantóval

spinning jenny *fn tex* mozgókocsis fonógép, Jenny

spinning reel *fn* horgászorsó

spinning top *fn* búgócsiga

spinning wheel *fn* rokka

spin-off *fn átv* mellékkövetkezmény, mellékes haszon, hasznos melléktermék *[nagyobb vállalkozásé]*

spinose ['spaɪnous] *mn tud* tüskés, tövises

Spinozism [spɪ'nouzɪzm] *fn fil* Spinoza bölcselete/tanai, spinozizmus • *fn* **Spinozist** *mn* **Spinozistic**

spinster ['spɪnstə ‖ –ər] *fn* **1. a)** leány, hajadon **b)** *biz* vénlány, vénkisasszony, aggszűz **2.** *tex* kézifonónő • *fn* **spinsterhood** *mn* **spinsterish**

spinule ['spaɪnjuːl] *fn tud* apró tüske/tövis • *mn* **spinulose**, **spinulous**

spiny ['spaɪni] *mn* **a)** tüskés, tövises, szúrós **b)** *átv* tüskés, szúrós *[modor]*

spiracle ['spaɪrəkl ‖ 'spɪ–] *fn áll* (ki)légzőnyílás *[ceteké]*, légnyílás, stigma *[lepkéké]* • *mn* **spiracular**

spiral ['spaɪrəl] **I.** *mn* csigavonalú, csavarmenetű, spirális; ~ **line** csigavonal; *csill* ~ **galaxy/nebula** spirálköd, spirálgalaxis; *műsz* ~ **spring** tekercsrugó, spirálrugó; ~ **stairs** csigalépcső; ~ **wheel** csavarkerék, ferde fogazatú kerék **II.** *fn* **1. a)** csavarvonal, csigavonal, spirál(is) **b)** csavarmenet **2. a)** *rep* csavarvonalban való leszállás/felszállás **b)** hirtelen emelkedés/csökkenés *[áraké, béreké]* **III.** *tni* **-ll- 1.** csigavonalban/csavarvonalban mozog/emelkedik, kacskaringózik, tekeredik, kígyózik *[füst]* **2.** *rep* ~ **up** csavarvonalban száll fel **3.** *közg* hirtelen emelkedik/csökken *[ár, bér]* • *fn* **spirality** *hsz* **spirally**

spiral-bound *mn* ~ **notebook** spirálfüzet

spirant ['spaɪrənt] *mn/fn nyelv* réshang, spiráns

spire[1] ['spaɪə ‖ –ər] **I.** *fn* **1.** csúcsos templomtorony, templomtorony csúcsa **2.** fa sudara, szár *[fűé]* **II. A.** *tsi* hegyesít, csúcsosít **B.** *tni* csúcsosodik, hegyesedik, felfelé tör/szökken

spire[2] ['spaɪə‖ –ər] *fn* spirál, tekercs, csavarulat, csigavonal

spirillum [spɪ'rɪləm ‖ spaɪ–] *fn tsz* **spirilla** [–lə] *biol orv* spirillum

spirit ['spɪrɪt] **I.** *fn* **1. a)** lélek, szellem; **evil** ~ gonosz lélek/szellem; *vall* **Holy** ~ Szentlélek; **leading ~ of sg** vmnek a lelke *[vállalkozásé]*; vmnek a vezetője/irányítója *[felkelésé]*; **master** ~ vezérszellem; **be vexed in** ~ háborog/nyugtalan a lelke; **I shall be with you in (the)** ~ lélekben veled/veletek leszek; **peace to his** ~ nyugodjék békében **b)** szellem, kísértet; **raise a** ~ szellemet (fel)idéz/megidéz **2.** szellem *[törvényé stb.]*; ~ **of the age** korszellem; **according to the ~ of the law** a törvény szellemében/értelmében; **take sg in a/the wrong** ~ vmt helytelenül/tévesen értelmez; **enter into the ~ of sg** átveszi vmnek a szellemét; jól/helyesen fogja fel a(z) lényegét/értelmét vmnek *[munkának]*; belemegy vmbe *[tréfába/játékba]*; beleéli magát vmbe **3. a)** kedv, hangulat, kedély; **fighting** ~ harci szellem; **high ~s** jókedv, jó/vidám hangulat; **poor/low ~s** rosszkedv, rossz hangulat, levertség; **damp sy's ~s** elkedvetlenít vkt, lehűti vk kedvét; **when the ~ moves him** amikor kedve/hangulata van hozzá, amikor kedve tartja; **keep up one's ~s** nem csügged/lankad, kedélyét/bátorságát megtartja/megőrzi; **put sy in ~s** vkt felderít, vkt jókedvre hangol/derít; **be full of ~s** élénk, eleven; **he is full of animal ~s** csupa életerő, duzzad az élettől **b)** lelkierő, bátorság, erős lélek; **man of** ~ bátor ember; **catch sy's** ~ fellelkesedik vk bátorságán; **his ~s sank** inába szállt a bátorsága, elszontyolodott; *biz* **that's the** ~! ez az!, így is kell!, ez már döfi! **4. a)** *vegy* szesz, alkohol **b)** *tsz* **spirits** szesz(es ital), alkohol, pálinka, rövid italok; **ardent**

S

~s tömény alkohol/pálinka/szesz; **raw ~s** kifinomítatlan alkohol **II.** *tsi* **1.** ~ **sy away** egy-kettőre eltüntet vkt; ~ **sg away/off** elsinkófál/elemel vmt **2.** ~ **sy on** buzdít/ösztökél/serkent vkt; ~ **sy (up)** fellelkesít/feltüzel/bátorít vkt

spirited ['spɪrɪtɪd] *mn* **1.** tüzes, bátor *[ember]* **2.** élénk, eleven, talpraesett, találó, szellemes *[válasz stb.]*, heves *[támadás]*, lendületes, színes, átélt *[művészi előadás]* **3.** *összet* **low-~** lehangolt

spiritism ['spɪrɪtɪzm] *fn* spiritizmus • *fn/mn* **spiritist**

spirit lamp *fn* spirituszlámpa, borszeszlámpa, borszeszégő, spirituszfőző

spiritless ['spɪrɪtləs] *mn* **1. a)** ~ **body** élettelen test **b)** erőtelen, lankadt, bágyadt **c)** lélektelen, élettelen, bágyadt, unalmas, egyhangú *[stílus, összejövetel]*, lélektelen, színtelen *[művészi teljesítmény]* **2.** levert, kedvetlen, nyomott hangulatú **3.** bátortalan • *fn* **spiritlessness** *hsz* **spiritlessly**

spirit level *fn* alkoholos vízszintező, csöves libella

spirit rapping *fn* **1. a)** érintkezés kopogó szellemekkel **b)** szellemek kopogása **2.** szellemeknek tulajdonított fizikai jelenségek; → **table rapping** • *fn* **spirit rapper**

spiritual ['spɪrɪtʃuəl] **I.** *mn* **1. a)** lelki, szellemi; ~ **being** szellemi lény; *vall* ~ **director/father** gyóntató, lelki atya; ~ **growth** lelki/szellemi/értelmi fejlődés; ~ **life** lelki élet **b)** szellemi/lelki beállítottságú; ~ **face** szellemtől/értelemtől sugárzó arc **2.** egyházi; ~ **court** egyházi bíróság; ~ **living** egyházi javadalom; *GB* ~ **peers, lords** ~ egyházi főrendek, a lordok házának főpaptagjai; ~ **song** egyházi/vallásos/szent ének **II.** *fn* **1.** *tsz* **spirituals** egyházi dolgok/ügyek *[kérdések, tisztségek, javadalmak]* **2. (Negro)** ~ (néger) spirituálé, néger vallásos ének • *fn* **spirituality** *hsz* **spiritually**

spiritualism ['spɪrɪtʃuəlɪzm] *fn* **1.** spiritizmus **2.** *fil* spiritualizmus • *fn* **spiritualist** *mn* **spiritualistic**

spiritualize ['spɪrɪtʃulaɪz], **-ise** *tsi* **1.** átszellemít, (meg)tisztít, felmagasztosít **2.** élővé/elevenné tesz **3.** szelleme szerint fog fel *[törvényt stb.]*

spirituelle [ˌspɪrɪtʃu'el] *mn* **1.** légies, anyagtalan **2.** szellemdús, finoman szellemes *[nő]*

spirituous ['spɪrɪtʃuəs] *mn* alkoholos, szeszes, magas szesztartalmú; ~ **liquors** szeszes italok

spirogram ['spaɪrəgræm] *fn orv* légzésgörbe, spirogram

spirograph ['spaɪrəgrɑːf ‖ –græf] *fn orv* légzésíró (készülék)

spirometer [spaɪ'rɒmɪtə ‖ –'rɑmətər] *fn orv* lé(le)gzésmérő, tüdőkapacitás-mérő • *fn* **spirometry**

spirt [spɜːt ‖ spɜrt] → **spurt I., II.**

spiry¹ ['spaɪəri] *mn* **1.** karcsú, magasba szökkenő, csúcsos **2.** soktornyú *[város]*

spiry² ['spaɪəri] *mn* csavart, csigavonalú, spirális

spit¹ [spɪt] **I. -tt-**, *pt/pp* **spat** [spæt], **spit A.** *tsi* **1.** köp; ~ **blood** (i) vért köp (ii) *biz [mérges, dühös]* felmegy a pumpa; ~ **sg out** vmt kiköp; *szl* ~ **it out!** *[mondd meg!]* ki vele, köpd ki!, nyögd már ki!; *Ausz szl* ~ **chips** *[nagyon szomjas]* vattát köp; ~ **up** hány, büfizik *[kisgyerek]* **2. he spat his words** csak úgy fröcsköltek szájából a szavak **B.** *tni* **1. a)** köp, köpköd, köpdös; ~ **in sy's face** szembeköp vkt; *átv* ~ **at/on/upon sy/sg** leköp vkt/vmt, köp vkre/vmre **b)** *átv* folyik, csepeg *[toll]* **2. a)** fúj, prüszköl, köpköd *[macska]*, prüszköl, fúj, szitkozódik *[mérges ember]* **b)** ~ **back** visszaköp, köpköd *[motor]* **c)** köpköd, serceg *[olvadó zsír]* **3.** szemerkél, szitál *[eső]*, szállingózik *[hó]*; **it is ~ting (with rain)** szemerkél/szitál (az eső) **II.** *fn* **1. a)** köpés, köpet; *biz* **he's the very/dead ~ of his father** kiköpött apja, megszólalásig hasonlít apjához; *kat biz* ~ **and polish** túlzásba vitt tisztogatás/fényesítés/pucolás **b)** nyál *[rovaroké]* **2.** köp(köd)és

spit² [spɪt] **I.** *fn* **1.** nyárs **2.** *földr* földnyelv, víz alatti földpad **II.** *tsi* **-tt- 1. a)** nyársra húz/szúr **b)** *biz* felnyársal **2.** megszúr *[vámolandó árut]* • *mn* **spitty**

spit³ [spɪt] *fn* **1.** ásónyom; **dig the ground two ~(s) deep** felássa a földet két ásónyom mélyen (v. ásónyomnyira) **2.** ásó **3.** (egy)ásó(nyi) *[föld]*

spitball I. *fn US* **1.** összerágott papírgalacsin **2.** *sp* nedves baseball-labda **II.** *tni* (vitaindító) ötletekkel/javaslatokkal áll elő • *fn* **spitballer**

spitcurl *fn US szl* ‹homlokra/halántékra tapadó kis hajtincs›

spite [spaɪt] **I.** *fn* **1.** rosszakarat, rosszindulat, kicsinyes gyűlölet/bosszú; **from ~, out of ~** rosszindulatból, rosszakaratból; haragból, méregből; **have a ~ against sy** rosszindulattal viseltetik vk iránt; utazik/pikkel vkre **2. in ~ of sg** vm ellenére/dacára; **in ~ of sy** vk ellenére, vkvel dacolva; **in ~ of that** noha, jóllehet, annak ellenére, hogy **II.** *tsi* bosszant, mérgesít, ingerel (vkt), ellenkezik (vkvel)

spiteful ['spaɪtfl] *mn* rosszindulatú, rosszakaratú, rosszhiszemű; ~ **remark** rosszhiszemű/gonosz(kodó) megjegyzés • *fn* **spitefulness** *hsz* **spitefully**

spitfire *fn biz* méregzsák, könnyen felfortyanó/odamondogató ember

spitting ['spɪtɪŋ] **I.** *mn* **1.** köp(köd)ő **2.** *biz* **be the ~ image of sy** vknek kiköpött mása, megszólalásig hasonló vkhez **3.** *biz* ~ **distance** rövid/kis távolság, egy köpés(re) **II.** *fn* köp(köd)és

spittle ['spɪtl] *fn* köpet, köpés, a kiköpött nyál • *mn* **spittly**

spittoon [spɪ'tuːn] *fn* köpőcsésze

spitz [spɪts] *fn áll* spicc, pomerániai kutya

spiv [spɪv] *fn szl* **1.** jampec **2. a)** *[munka nélkül jól élő ember]* konjunktúralovag, úri vagány **b)** feketéző, üzér **c)** lógós, lazsáló • *mn* **spivvish, spivvy**

splanchnic ['splæŋknɪk] *mn orv* zsiger-, zsigeri

splash [splæʃ] **I. A.** *tsi* **1. a)** lefröcsköl, összefröcsköl, összespriccel *[folyadék, folyadékkal]*, fröcsköl, fröccsent *[folyadékot]*, ráfröccsen, ráspriccel (vmre), bever *[sárral]* **b)** *biz* ~ **one's money about/out** szórja a pénzét **2.** ~ **one's way through the mud** áttocsog a sáron **3. a)** elszórt foltokkal díszít/tarkáz **b)** ~ **a piece of news** hírt feltűnő helyen közöl *[újságban]* **B.** *tni* **1.** (fel)fröccsen, fröcsköl, spriccel; **the mud ~ed up at every step** minden lépésnél felcsapott a sár **2. a)** pacskol *[vízben]*; ~ **about in the water** pancsol/lubickol a vízben **b)** tocsog; ~ **through the mud** áttocsog a sáron **3.** vízre száll le; **the spaceship ~ed down in the Pacific** az űrhajó a Csendes-óceánon szállt le; → **splash down II.** *fn* **1. a)** loccsanás, csobbanás **b)** lubickolás **2.** hűhó; ~ **headline** szenzációs főcím *[újságban]*; *biz* **make a ~** közfeltűnést/szenzációt kelt **3.** *biz* **whisky and ~** whisky szódával **4. a)** paca, folt, freccsenés, tócsa **b)** folt, paca *[szintől, fénytől]* **5.** *biz* fehér púder, rizspor; **put on the ~** kimeszeli a képét **6.** *biz* nagy költekezés, pénzszórás • *mn* **splashy**

splashboard *fn* **a)** sárhányó, sárvédő *[járművön]* **b)** védőpalánk *[fröccsenő víz ellen]*

splashdown *fn űr rep* vízreszállás *[űrhajóé]*; → **splash I.B.3.**

splat [splæt] **I.** *hsz* csapódva, csattanva **II.** *fn* csapódás, csattanás **III.** *tsi* csapódik, csattan

splatter ['splætə ‖ –ər] **I. A.** *tsi* lefröcsköl, (le)locsol **B.** *tni* **1.** loccsan, fröccsen **2.** pancsol, pacskol **II.** *fn* (le)locsolás, pancsolás

splatter movie *fn biz* véres horrorfilm

splay [spleɪ] **I. A.** *tsi* **a)** *épít* kiékel, kifelé szélesedően képez ki, rézsűz *[falat]* **b)** ferdén/rézsútosan vág le *[élet]* **B.** *tni* **1.** ~ **out** kiszélesedik, kiöblösödik, kifelé hajlik/görbül **2.** kificamodik, kibicsaklik **II.** *fn épít* **a)** hajlás, kiékelés, ferdülés, dőlés **b)** kifelé szélesedő kiképzés **III.** *mn* **a)** ferde, rézsűs, kihajló **b)** ellapult, széles, szétment; ~ **mouth** kifordult/lapos/széles száj

splayfoot *fn* lúdtalp *[erősen kifelé fordult lábfejjel]* • *mn* **splayfooted**

S

spleen [spli:n] *fn* **1.** *orv* lép; **wandering ~** vándorlép **2. a)** levertség, kedvetlenség, méla undor, életunt hangulat, mísz, világfájdalom **b)** csípős rosszkedv, epésség, morcosság; **vent one's ~ (up)on sy** kitölti vkn a mérgét • *mn* **spleenful**, **spleeny**

splendent ['splendənt] *mn* fémes fényű, fénylő, csillogó, ragyogó; **~ lustre** fémes fény/ragyogás

splendid ['splendɪd] *mn* ragyogó, pompás, nagyszerű, remek; **~ opportunity** ragyogó/remek/pompás alkalom; *biz* **that's ~** ragyogó!, óriási!; *biz* **she was just/simply ~** egyszerűen elragadó/csodálatos volt; *biz* **have a ~ time** pompásan/remekül/kitűnően mulat (v. érzi magát) • *fn* **splendidness** *hsz* **splendidly**

splendiferous [splen'dɪfərəs] *mn biz tréf* mesés, remek, nagyszerű, óriási, klassz

splendor ['splendə ‖ –ər] *US* → **splendour**

splendour ['splendə ‖ –ər] *fn* **a)** ragyogó/tündöklő fény, tündöklő ragyogás **b)** *átv* ragyogás, fény, pompa; **live in great ~** nagy pompában/fényben él **c)** kiválóság, nagyszerűség *[teljesítményé]*

splenetic [splɪ'netɪk] **I.** *mn* **1.** *orv* lép- **2.** ingerlékeny, rosszkedvű, morcos **II.** *fn* rosszkedvű/ingerlékeny ember

splenic ['spli:nɪk, 'splenɪk] *mn orv* lép-; *állatorv* **~ fever/apoplexy** lépfene *[marhánál]*

splenitis [splɪ'naɪtɪs] *fn orv* lépgyulladás

splenius ['spli:nɪəs] *fn tsz* **splenii** [–niaɪ] *orv* szíjizom • *mn* **splenial**

splenomegaly [ˌspli:noʊ'megəli] *fn orv* lépmegnagyobbodás

splenotomy [splɪ'nɒtəmi ‖ –'nɑ–] *fn orv* lépbemetszés

splice [splaɪs] **I.** *tsi* **1.** összesodor, összekapcsol *[kötélvégeket]* **2. a)** *épít* horonyba illeszt **b)** összeilleszt, öszszeragaszt *[elszakadt filmet]* **3.** *biz* összead, megesket *[házasulandókat]*; **get ~d** megházasodik **4.** *biz* **~ the main brace** (i) iszik egyet (ii) *hajó régi* kiadja a szeszadagot **II.** *fn* **1. a)** összefonás *[kötélvégeké]*, kötéltoldás **b)** *műsz* összeillesztés, (gerenda)csatlakozás **2.** *biz* **sit on the ~** óvatosan játszik, nem kockáztat **3.** *biz* házasság • *fn* **splicer**

spliff [splɪf] *fn szl [marihuánás cigaretta]* füves cigi/spangli

spline [splaɪn] **I.** *fn műsz* **1.** csap, pecek, ék **2.** barázda, ékhorony **II.** *tsi műsz* **1.** ékel, csapoz **2.** barázdál, hornyoz

splint [splɪnt] **I.** *fn* **1.** *orv* sín, rögzítő kötés **2.** *orv* szárkapocscsont **3.** *állatorv* szárcsont *[lóé]* **4.** hasított vessző, faháncs *[kosárfonáshoz]* **5.** szilánk **II.** *tsi* sínbe/sínpólyába tesz/rak *[törött tagot]*

splint-bone *fn* **1.** *orv* szárkapocscsont **2.** → **splint** I.3.

splinter ['splɪntə ‖ –ər] **I. A.** *tsi* szilánkokra tör/hasít/repeszt, szétforgácsol **B.** *tni* **1.** szilánkokra törik/hasad; **~ off** lepattan, lehasad **2.** *átv* frakciókra bomlik **II.** *fn* **a)** szilánk *[fáé, törött csonté]*, szálka, forgács *[fáé]*, repesz, szilánk *[lövedéké]* **b)** *átv* töredék *[testületé, párté stb.]* • *mn* **splintery**

splinter group *fn pol* töredékcsoport, párttöredék, frakció

splinter-proof *mn* **1.** biztonsági, szilánkmentesen törő *[üveg]* **2.** repeszbiztos, szilánkbiztos *[fedezék]*

split [splɪt] **I.** *i pt/pp* **split A.** *tsi* **a)** hasít, hasogat, repeszt; **~ hairs** szőrszálat hasogat; **~ wood** fát hasogat/aprít **b)** *fiz* **~ the atom** atomot hasít/bont **c)** feloszt, szétoszt, részekre oszt; **~ the profits** megfelezi a hasznot, osztozik a hasznon; *biz* **~ a tenner** egy tízest kettévált/felvált **d)** *átv* megoszt, megbont; *GB* **~ the vote** megosztja a szavazatokat/véleményt; *US* **~ one's vote** megosztja szavazatát több jelölt között; *US* **~ theticket** megosztja szavazatát több jelölt között **B.** *tni* **1. a)** hasad, reped; *biz* **my head is ~ting** majd szétreped/szétmegy a fejem; **he is ~ting with laughter** majd megpukkad nevettében **b)** oszlik, tagolódik *[kisebb egységekre]*; **the crowd is ~ting into small groups** a tömeg kis csoportokra oszlik/bomlik **c)** kettészakad, megoszlik, megbomlik *[egységes testület]*; **the Government ~ on the Irish question** az ír kérdés szakadást/törést okozott a kormányban **d)** *biz* **~ with sy** veszekedik, kapcsolatot megszakít vkvel **2.** *szl [elmegy vhonnan]* lelép, elhúz, eltűz **II.** *fn* **1. a)** hasadás, hasadék, rés, repedés **b)** *átv* szakadás *[pártban]* **2.** hasítás, repesztés **3.** hasíték(-bőr) **4.** hasított vessző, kéreg **5.** *szl* **a)** *[fél pohár ital]* vágás **b)** kis/fél üveg szódavíz **6.** *tsz* **splits** *sp biz* spárga *[tornában]*; **do the ~s** spárgát csinál **7.** *szl* rész *[zsákmányból]* **III.** *mn* **a)** hasított, *műsz* osztott; **~ key** franciakulcs; **~ peas** felesborsó; *orv pszich* **~ mind/personality** tudathasadás; tudathasadásos személyiség, skizofrén (személy); **~ spin** sasszeg; **~ shift** osztott műszak **b)** megosztott **c) a ~ second** a másodperc törtrésze/ezredrésze/töredéke • *fn* **splitter**

split off A. *tsi* lehasít, lerepeszt **B.** *tni* lehasad, lereped

split on *tsi GB szl* **~ on sy** *[följelent/beárul/elárul vkt]* spicliskedik, beköp vkt

split up A. *tsi* **a)** felhasogat, széthasogat, szétdarabol **b)** *átv* felbomlaszt **B.** *tni* **a)** darabokra/részekre hasad **b)** *átv* felbomlik, széthull **c)** *átv* elválik, szétmegy *[házasság, kapcsolat]*

split-level *mn épít* osztott szintű, kétszintű *[lakás]*

split-up *fn* felbomlás, széthullás

splodge [splɒdʒ ‖ splɑdʒ] **I.** *fn biz* paca, folt, maszat **II. A.** *tsi biz* összepacáz, bemaszatol, bemázol (vmt), pacát/foltot ejt (vmn) **B.** *tni biz* **~ through the mud** átgázol/átlábal/áttocsog a sáron • *mn* **splodgy**

splotch [splɒtʃ‖splɑtʃ] **I.** *fn US biz* **1.** paca, folt, maszat **2.** fröccsenés **II.** *tsi US biz* összepacáz, összeken, bemaszatol, bemázol (vmt), pacát/foltot ejt (vmn) • *mn* **splotchy**

splurge [splɜ:dʒ ‖ splɜrdʒ] **I.** *fn biz* **1.** tüntető/feltűnő viselkedés, feltűnéskeltés, felvágás **2.** befröcskölés **II. A.** *tni* **1.** *biz* felvág, feltűnően/tüntetően viselkedik **2.** *biz* fröcsköl, spriccel **B.** *tsi biz* szór *[pénzt]*

splutter ['splʌtə ‖ –ər] **I. A.** *tsi* **1.** köpköd **2.** zagyvál, hadar; **~ curses** (érthetetlen) szitkokat szór **B.** *tni* **1.** köpköd *[beszéd közben]* **2.** hadar, érthetetlenül/zagyvaságokat beszél **II.** *fn* **1.** köpködés, fröcskölés **2.** hadarás • *fn* **splutterer** *hsz* **splutteringly**

spoil [spɔɪl] **I.** *pt/pp* **spoilt** [spɔɪlt], **spoiled A.** *tsi* **1.** elront, tönkretesz; **get ~ed/~t** elromlik, megromlik, tönkremegy; **~ one's appetite** elrontja/elveszi az étvágyát; **~ the beauty of sy/sg** árt vk/vm szépségének; **~ one's dinner** ebéd/vacsora előtt elrontja az étvágyát; **~ the effect of sg** elrontja/tönkreteszi vmnek a hatását; **don't ~ the fun** ne légy ünneprontó, ne rontsd el a tréfát; **~ sy's joy/pleasure** elrontja/megrontja vknek az örömét **2.** elront, (el)kényeztet, rosszul nevel, félrenevel *[gyermeket]* **3.** *régi vál* kifoszt, kirabol *[ellenséget]* **B.** *tni* **1.** megromlik, tönkremegy **2.** *sp* időhúzó/védekező taktikát folytat **II.** *fn* **1. a)** *tsz* **spoils** *átv* zsákmány, préda; **~s of war** hadizsákmány; **make ~ of sg** vmt megdézsmál; **claim one's share of the ~s** részt kér a zsákmányból **b)** *tsz* **spoils** *US* ‹ a képviselő-választáson győztes párt által a vezető párttagok között szétosztott jövedelmező közhivatali állások › **2.** kiásott/kitermelt föld • *mn* **spoilable**

spoilage ['spɔɪlɪdʒ] *fn* **1. a)** hulladék, selejt, káló **b)** *nyomd* nyomdai selejt(papír) **2.** romlás *[élelmiszereké]*

spoiler ['spɔɪlə ‖ –ər] *fn* **1.** *gk rep* légterelő, spoiler **2. a)** elrontó **b)** kontár, fuser **3.** zsákmányoló, fosztogató **4.** piacot/versenyt zavaró esélytelen vetélytárs

spoilsman ['spɔɪlzmən] *fn tsz* **-men** *US* (politikai) konjunktúralovag; ‹ anyagi haszon céljából politizáló ember ›

spoil sport *fn biz* ünneprontó

spoils system *fn US pol* ‹ győztes párt tagjai közt a jövedelmező közhivatalok szétosztásának rendszere ›

spoilt [spɔɪlt] *mn* **1. a)** elrontott **b)** elromlott, (meg)romlott **2.** elkényeztetett, rosszul nevelt; → **spoil** I.

spoil-trade *fn biz* üzletrontó, túl olcsón dolgozó versenytárs, olcsójános

spoke[1] [spoʊk] **I.** *fn* **1. a)** (kerék)küllő **b)** *hajó* kormánykerék-fogantyú **2.** (létra)fok **3.** kerékkötő rúd; *biz* **put a ~ in sy's wheel** keresztezi/áthúzza vknek a számítását **II.** *tsi*

1. küllőkkel lát el *[kereket]* **2.** (meg)akaszt, küllők közé dugott rúddal megköt *[kereket]* • *mn* **spoked** *hsz* **spokewise**

spoke² [spoʊk] → **speak**

spoke-bone *fn orv* orsócsont

spoken ['spoʊkən] *mn* **1.** (ki)mondott, beszélt; **~ language** beszélt nyelv; **the ~ word** a beszéd, a kimondott szó **2. the speaker and the ~ to** aki beszél és akikhez szól(nak) **3.** *összet* -szavú, -beszédű; **fair-~** szépbeszédű; **loud-~** nagyhangú; **well-~** nyájas/sima szavú; jó beszédű; **be well ~ of** jó híre van, nagyra tartják, elismeréssel szólnak róla; **~ for** foglalt *[szék]*; → **speak**

spokeshave *fn* hántológyalu, vonókés

spokesman ['spoʊksmən] *fn tsz* **-men** szóvivő, szószóló; **act as ~ for sy** vknek a szószólója(ként lép fel), vknek az érdekében (v. a nevében) beszél

spokesperson ['spoʊkspɜːsn ‖ –pɜr–] *fn tsz* **-persons**, **-people** szóvivő

spokeswoman ['spoʊkswʊmən] *fn tsz* **-women** szóvivőnő, női szószóló

spoliate ['spoʊlieɪt] **A.** *tsi* kifoszt **B.** *tni* fosztogat, prédál

spoliation [ˌspoʊli'eɪʃn] *fn* **1. a)** fosztogatás, harácsolás, prédálás **b)** ‹semleges állam kereskedelmi hajójának kifosztása hadviselő fél által› **c)** megfosztás *[hivataltól, joggyakorlástól]* **2.** *jog* ‹bizonyítékul szolgáló okmány megsemmisítése/megcsonkítása› okmányrongálás • *fn* **spoliator** *mn* **spoliatory**

spondaic [spɒn'deɪɪk ‖ spɑn–] *mn ir.tud* hosszú szótagokból álló, spondeusi, spondeusos

spondee ['spɒndiː ‖ 'spɑndiː] *fn ir.tud* ‹versláb két hosszú szótagból› spondeus

spondulicks [spɒn'djuːlɪks ‖ spɑn'duː–] *fn tsz szl [pénz]* guba, dohány

spondyl ['spɒndɪl ‖ 'spɑn–] *fn orv* csigolya

sponge [spʌndʒ] **I.** *fn* **1. a)** szivacs, spongya; *biz* **hold the ~ for sy** vknek kibicel; **pass the ~ over sg** *átv biz* fátyolt borít vmre; *biz* **throw up/in the ~** *sp* bedobja a törülközőt; *átv* feladja a harcot, megadja magát **b)** *orv* törlő, tampon **2.** *áll* szivacs(állat) **3.** → **sponge-cake 4.** *biz* élősködő, élősdi, potyázó, ingyenélő **5.** lemosás/letörlés szivaccsal; **give sg a ~** vmt szivaccsal lemos/letöröl **6.** *biz [nagyivó]* szivacs, tintahal **II. A.** *tsi* **1. a)** szivaccsal letöröl/lemos, szivaccsal felitat/felszívat **b)** *orv* törlővel/tamponnal lemos/kimos *[sebet]* **2.** *biz* kihízeleg, kikunyerál; **~ sy for sg** vkt megpumpol vmnek az erejéig **3.** szivaccsal felvisz *[festéket]* **B.** *tni* **1.** szivacsot halászik/gyűjt **2.** *biz* potyázik, tarhál; **~ on sy** élősködik vkn, pumpol/fej vkt • *mn* **spongeable**, **spongelike**

sponge down *tsi* szivaccsal lemos/letöröl *[testet, tárgyat]*

sponge off *tsi* szivaccsal letöröl/lemos *[foltot]*

sponge out *tsi* **1.** szivaccsal kivesz *[foltot]* **2.** *kat* kitisztít *[ágyúcsövet]* **3.** *átv* kitöröl *[fájdalmas emléket]*

sponge up *tsi* felitat, felszív

sponge-bag *fn GB* piperetáska, neszesszer

sponge-bath *fn US* **1.** szobakád, nagy mosdótál *[egész test lemosására]* **2.** lemosás/letörlés szivaccsal *[egész testet]*

sponge-biscuit *fn gaszt* piskótatésztából készült teasütemény

sponge-cake *fn* **a)** piskóta(tészta) **b)** → **sponge-biscuit**

sponge-cloth *fn tex* porózus szövet, törlőruha, tisztítóruha

sponge-finger *fn* babapiskóta

sponger ['spʌndʒə ‖ –ər] *fn biz* élősködő, élősdi, potyázó, parazita, ingyenélő, tányérnyaló

sponge-tree *fn növ* kasszia-akácia, kassziafa

spongilla [spʌn'dʒɪlə] *fn áll* édesvízi szivacs

spongy ['spʌndʒi] *mn* szivacsos, likacsos; *fémip* **~ iron** likacsos öntöttvas • *fn* **sponginess** *hsz* **spongily**

sponsion ['spɒnʃn ‖ 'spɑnʃn] *fn jog* **1.** személyes jótállás/kezeskedés **2.** kezesség

sponsor ['spɒnsə ‖ 'spɑnsər] **I.** *fn* **1. a)** jótálló, kezes, védnök **b)** tagajánló *[egyesületben, klubban]* **2.** *vall* keresztapa, keresztanya; **stand ~ to a child** gyermeket keresztvíz alá tart **3. a)** *ált* szponzor, támogató **b)** *főleg US* ‹rádió- v. tévéreklámműsor megrendelője/finanszírozója› **II.** *tsi* **1.** felel, jótáll, kezeskedik (vkért) **2. a)** támogat, szponzorál (vkt, vmt) **b)** támogat, fenntart, patronál *[intézményt]* **c)** *főleg US* **~ a program** tévé/rádióműsort megrendel/fizet *[reklámozó cég]* • *fn* **sponsorship** *mn* **sponsorial**

spontaneity [ˌspɒntə'neɪəti ‖ ˌspɑntə'niː–] *fn* **1.** önkéntelenség, spontaneitás, spontán jelleg *[cselekvésé]* **2.** szabad elhatározásból fakadó önkéntes cselekvés

spontaneous [spɒn'teɪnɪəs ‖ spɑn–] *mn* **1. a)** önkéntes, önként való, kényszer nélküli, spontán **b)** önkéntelen, spontán, akaratlan *[mozgás]*; *orv* **~ activity** ingermentes működés; **~ combustion** öngyulladás; *biol pszich* **~ reaction** spontán reakció **2.** természetes, keresetlen, erőltetettségtől mentes *[művészi játék stb.]* **3.** *növ* vadon termő • *fn* **spontaneousness** *hsz* **spontaneously**

spoof [spuːf] **I.** *fn biz* **1.** rászedés; svindli, átejtés **2.** paródia **II.** *tsi* **1.** becsap; bepaliz, átejt **2.** *biz* parodizál, utánoz • *fn* **spoofer**

spook [spuːk] **I.** *fn* **1.** *biz* kísértet, szellem, hazajáró lélek **2.** *biz* fur(cs)a alak, különc **3.** *szl [besúgó]* tégla, spion **II. A.** *tsi* **1.** *biz* látogat, jár *[helyet kísértet]* **2.** *US szl [megrémiszt, megijeszt]* frászt hoz vkre **B.** *tni US szl [megijed]* kitöri a frász

spooky ['spuːki] *mn* **1.** *biz* **a)** kísérteties **b)** kísértet *[történet stb.]* **2.** *biz* kísértetjárta *[ház]* **3.** *US szl [ideggyenge, félős]* majrés, idegroncs **4.** *US szl [kémkedő]* spionkodó

spool [spuːl] **I.** *fn* **a)** orsó, cséve **b)** *US* (egy) orsó(nyi) *[fonal]*; **~ of thread** (egy) orsó cérna **II.** *tsi* felcsévél, felgombolyít, (fel)tekercsel; **~ off** legombolyít, leteker

spoon [spuːn] **I.** *fn* **1.** kanál; **scoop sg out with a ~** vmt kikanalaz; *átv* **be born with a silver ~ in one's mouth** ezüstkanállal a szájában született **2.** *sp* **a)** homorú evezőlapát **b)** kanálvillantó *[horgászé]* **3.** *biz* **a)** fajankó, gügye/együgyű fráter **b)** mamlasz/málé szerelmes; **be ~s on sy** fülig szerelmes vkbe, belehabarodott vkbe, bele van esve vkbe **II.** *tsi* **1.** kanalaz; **~ off the cream** leszedi a tejszínt; **~ out** kikanalaz (vmt vmből); **~ (up) one's soup** levesét (ki)kanalazza **2.** *sp* kanalaz • *fn* **spooner**

spoon-bait *fn* kanálvillantó *[horgászé]*

spoonbill *fn áll* **1.** kanál alakú csőr, lapátcsőr **2. a)** kanalas csőrű madár; **~ duck** kanalas réce **b)** kanalas gém

spoon-bread *fn US gaszt* lágy kukoricakenyér

spoondrift *fn* (szélfútta) tajték, hab *[tengeren]*

spoonerism ['spuːnərɪzm] *fn biz* ‹két szó kezdőbetűinek komikus hatású felcserélése›

spoon-feed *tsi pt/pp* **spoon-fed** [–fed] **1. a)** kanállal etet *[gyermeket, beteget]* **b)** *biz* belediktál, sulykol (vkbe vmt), (meg)etet/töm *[vkt propagandával]* **2.** *pej biz* kényeztet, óv a nehézségektől • *mn* **spoon-fed**

spoon-food *fn* pépes/folyékony/kanalas eledel

spoonful ['spuːnfʊl] *fn* (egy) kanál(nyi)

spoon-meat *fn biz* pépes/folyékony eledel

spoony ['spuːni] **I.** *mn biz* **a)** szerelmes (természetű), szerelmeskedő; **be ~ on sy** → **spoon** I.3.b. **b)** együgyű, ostoba **II.** *fn* fajankó, együgyű fráter

spoor [spʊə, spɔː ‖ spʊr, spɔr] **I.** *fn vad* **a)** (láb)nyom *[vadé]* **b)** szag, csapa *[vadé]* **II.** *tsi vad* csapáz, nyomon követ *[vadat]*

sporadic [spə'rædɪk] *mn* szórványos(an) előforduló, helyenkénti, időnkénti • *hsz* **sporadically**

sporangium [spə'rændʒɪəm] *fn tsz* **sporangia** [–dʒɪə] *növ* spóratok • *mn* **sporangial**

spore [spɔː ‖ spɔr] **I.** *fn* **a)** *növ* spóra **b)** csíra **II.** *tni* spórát terem *[gomba]*

sporophore ['spɔːrəfɔː ‖ spɔrəfɔr] *fn növ* termőtest *[kalapos gombáké]*

S

sporophyte ['spɔːrəfaɪt] *fn növ* spóratermő növény • *mn* **sporophytic**

sporran ['spɒrən ‖ 'spɔrən, 'spɑ–] *fn skót* ‹skót felföldiek övről elöl lelógó szőrös bőr erszénye› tüsző

sport [spɔːt ‖ spɔrt] **I.** *fn* **1. a)** sport, testgyakorlás **b)** *tsz* **sports** *GB* sport(verseny); **aquatic ~s** vízi sportok; **athletic ~s** atlétika; **go in for ~s** sportol **c)** sportág **d)** *GB* **have good ~** jó zsákmányt ejt *[vadász]*; jó fogást csinál *[horgász]* **2. a)** mulatság, szórakozás, időtöltés; **spoil the ~** elrontja a tréfát; **make ~ of sy/sg** szórakozik/mulat vkn/vmn, tréfát űz vkből/vmből **b)** játék, tréfa; **say sg in ~** játékból/tréfából mond vmt **3.** játékszer *[pl. sorsé]*; *átv* **become the ~ of the waves** a hullámok játékává/játékszerévé válik **4. a)** (ellenfelével is) lojális ember, fair ember **b)** jó pajtás/cimbora; *biz* **he's a real ~** igazi jó pofa/cimbora, benne van mindenben **c)** *US Ausz* haver *[megszólításként]* **5.** rendellenes alakzat/példány **II. A.** *tsi* feltűnően/tüntetően visel vmt, feltűnést keres, felvág vmvel, fitogtat **B.** *tni* **1. a)** sportol **b)** játszik, szórakozik **2.** tréfál, gúnyolódik • *fn* **sporter**

sportfish *fn* sporthal, horgászhal

sportfisherman *fn* (tengeri) sporthorgász-motorcsónak

sportfishing *fn* sporthorgászat

sporting ['spɔːtɪŋ ‖ 'spɔr–] *mn* **1.** *sp* sportoló, sport- **2.** tisztességes, sportszerű; **~ conduct** sportszerű viselkedés; *biz* **~ offer** kedvező ajánlat; **in a ~ spirit** sportszellemben; **you have a ~ chance** érdemes megkockáztatni; *biz* **it is very ~ of him** ez nagyon rendes/derék tőle **3.** vadászatot/horgászatot kedvelő • *hsz* **sportingly**

sporting goods *fn tsz* sportszerek, sportcikkek

sporting results *fn tsz* **1.** lóversenyeredmények **2.** sporteredmények

sportive ['spɔːtɪv ‖ 'spɔr–] *mn* játékos, bohó, tréfás • *fn* **sportiveness** *hsz* **sportively**

sports [spɔːts ‖ spɔrts] *mn* sport-; **~ car** sportkocsi; **~ coat** (rövid) sportkabát, sportzakó; **~ court** sportcsarnok; **~ editor** sportrovatvezető; **~ equipment** sportfelszerelés; **~ field/ground** sportpálya; **~ jacket** sportzakó; **~ section** sportrovat; **~ suit** sportruha, sportöltöny; → **sport**

sportscast *fn* sportközvetítés *[rádión, tévén]*

sportsman ['spɔːtsmən ‖ 'spɔrts–] *fn tsz* **-men a)** sportember, sportoló **b) he's a real ~** rendes/tisztességes/fair/korrekt ember, sportszerűen játszó/eljáró ember • *mn* **sportsmanlike**, **sportsmanly**

sports person *fn* sportember, sportoló

sportswear ['spɔːtsweə ‖ 'spɔrtswer] *fn* sportruha, sportöltözet, sportöltözék

sportswoman *fn tsz* **-women** sportolónő, női sportoló

sports writer *fn* sportújságíró

sporty ['spɔːti ‖ 'spɔrti] *mn biz* **1.** sportkedvelő **2.** sportszerű **3.** sportolásra alkalmas *[pl. ruha]* **4.** (szerencse)játékkedvelő **5.** feltűnő, mutatós *[ruha]*, sportos • *fn* **sportiness** *hsz* **sportily**

sporule ['spɒruːl ‖ 'spɔrjuːl] *fn biol növ* (kis) spóra • *mn* **sporular**

spot [spɒt ‖ spɑt] **I.** *fn* **1. a)** hely, pont; *átv* **tender ~** kényes pont; **touch the ~** rátapint a baj gyökerére; **weak ~ of sy** vknek a gyengéje; **find sy's weak ~** megtalálja vknek a gyenge pontját; **put one's finger on a weak ~** gyenge/érzékeny pontra rátapint **b)** helyszín; **on the ~** (i) ott helyben, azonnal, azon melegében/nyomban (ii) *szl* meggyilkolásra kiszemelve (iii) *szl* bajban, veszélyben; **on the ~!** jelen!; *GB* **running on the ~** helybenfutás; *US biz* **a young man very much on the ~** nagyon szemfüles fiatalember; *US szl* **put sy on the ~** kényszerít *[döntéshozatalra, válaszadásra]* *stand*, *[megöl vkt, meggyilkol]* kinyír, rövid úton végez vkvel **c)** *US média* **~ (announcement)** (műsort megszakító) rövid reklám **d)** rövid hirdetés/beszámoló *[hírműsorban]* **e)** (elfoglalt) hely *[szervezeten/hierarchián belül]* **2.** *tsz* **spots** *gazd* fizetés ellenében azonnal szállított áru **3. a)** folt **b)** folt, pecsét, *átv* szenny, folt *[jellemen]*; **character without ~ or stain** makulátlan/szeplőtlen jellem; *biz* **knock ~s off sy** alaposan megver/elpáhol vkt **c)** kiütés, bőrhiba, kis folt *[bőrön]* **4.** petty, pont **5. a)** *biz* egy csepp *[étel, ital]*, egy falat/harapás *[étel]*; **just a ~ of whisky** csak egy csepp whisky; **in ~s** darabonként; megszakításokkal **b) ~ of trouble** egy kis baj; *szl* **in a ~** bajban, pácban; **do a ~ of work** dolgozik egy kicsikét **6.** → **spotlight** I.2. **7.** *tsz* **spots** *vad biz* leopárd **II. -tt- A.** *tsi* **1.** *biz* **a)** meglát, észrevesz, felismer *[tömegben, távolból]*, kiszúr (vkt) **b) ~ the winner** megjósolja a győztest **2. a)** beszennyez (vmt), foltot/pecsétet ejt (vmn) **b)** *átv* beszennyez **B.** *tni* csöpög, szemerkél *[eső]*

spot ball *fn sp* pettyes golyó *[biliárdban]*

spot cash *fn gazd* készpénzfizetés

spot-check I. *tsi* villámellenőrzést tart (vhol), váratlan/meglepetésszerű ellenőrzést tart (vhol) **II.** *fn* villámellenőrzés, szúrópróba

spot deal *fn gazd* készáruügylet

spot delivery *fn gazd* azonnali/prompt szállítás

spot jumping *fn sp* ejtőernyős célbaugrás

spot kick *fn sp* pontrúgás, helyből rúgás *[labdarúgásban]*

spotlamp *fn fényk* spotlámpa, csúcsfénylámpa

spotless ['spɒtləs ‖ 'spɑt–] *mn* **a)** ragyogóan/makulátlanul tiszta **b)** *átv* makulátlan, szeplőtelen, hótiszta • *fn* **spotlessness** *hsz* **spotlessly**

spotlight I. *fn* **1.** *szính film* reflektorfény; **hold the ~** teljes reflektorfényben a szín közepén áll; *átv biz* az érdeklődés középpontjában áll **2. a)** fényszóró, spotlámpa **b)** *gk* keresőlámpa **II.** *tsi átv* fényszórót ráirányít (vkre)

spot market *fn gazd* készárupiac

spot on *GB biz* **I.** *mn* pontos, telitalálat **II.** *hsz* pontosan

spotted ['spɒtɪd ‖ 'spɑtɪd] *mn* **1.** foltos, pettyes *[állat]*, pettyes *[ruhaanyag]*; *orv* **~ fever** kiütéses tífusz **2. a)** (szenny)foltos **b)** *átv* beszennyezett, bemocskolt *[név stb.]*; → **spot** II. • *fn* **spottedness**

spotter ['spɒtə ‖ 'spɑtər] *fn* **1.** *kat* tüzérségi megfigyelő repülőgép **2.** légoltalmi figyelő *[háztetőn]* **3.** civil ruhás jegyvizsgáló/ellenőr *[villamoson, buszon]* **4.** *US biz* magándetektív, titkosrendőr **5.** folttisztító *[személy, vegyszer]* **6.** autótolvaj

spot-weld I. *fn* ponthegesztő varrat **II.** *tsi* ponthegesztéssel összekapcsol • *fn* **spot-welder**, **spot-welding**

spotty ['spɒti ‖ 'spɑti] *mn* **1.** foltos, pettyes **2.** pattanásos *[arc]* **3.** *biz* egyenetlen, nem egyenletes *[munka, kivitelezés]* **4.** piszkos, mocskos, bemocskolt • *fn* **spottiness** *hsz* **spottily**

spousal ['spaʊzl] *mn főleg US jog* házastársi

spouse [spaʊs] *fn* házastárs, házasfél

spout [spaʊt] **I.** *fn* **1. a)** lefolyó(cső), csatornacső, vízköpő **b)** kifolyó(cső), csőr *[kannáé]* **2. a)** *régi* csúszda **b)** *szl* **up the ~** (i) *[vége van]* befellegzett vknek/vmnek; kész van, kampec, lőttek neki (ii) *[terhes]* bekapta a legyet **3.** *meteo* légtölcsér **4. a)** vízsugár **b)** → **spout-hole** 2. **c)** (gőz)oszlop, (füst)kitörés, (por)tölcsér **II. A.** *tsi* **a)** (ki)lövell *[vizet]*, ont, okád *[füstöt stb.]* **b)** *biz* ont, áraszt *[gorombaságokat]*, megállás/szünet nélkül mond **B.** *tni* **1.** felszökik, feltör, előtör, kitör, kilövell **2.** vizet fecskendez *[bálna]* **3.** *biz* megállás nélkül beszél/szónokol; **keep (on) ~ing** ömlik/árad belőle a szó, be nem áll a szája • *fn* **spouter** *mn* **spoutless**

spout-hole *fn* **1.** kifolyócső, kifolyónyílás **2.** *áll* fecskendőnyílás *[bálnáé]*

spouty ['spaʊti] *mn US biz* tocsogós, átázott *[talaj]*

sprag [spræg] *fn* **1. a)** *bány* fékfa, rövid támfa **b)** *épít* gyámfa, hosszirányú merevítő **2.** *gk* rögzítőék, támasztó tuskó

sprain [spreɪn] **I.** *tsi* megrándít, kificamít; **~ one's ankle** kificamítja a bokáját, megrándul a bokája **II.** *fn* **a)** rándulás, ficam **b)** megrándult tag gyulladása

sprang [spræŋ] → **spring** II.

sprat [spræt] *fn* **1.** *áll* spratt; *biz* **throw (out) a ~ to catch a whale/mackerel** kis befektetéssel nagy hasznot kíván elérni **2.** vékonydongájú gyerek, jelentéktelen alak

S

sprawl [sprɔ:l] **I. A.** *tsi* (szét)terpeszt **B.** *tni* **a)** (el)terpeszkedik; **go ~ing** elterül/elnyúlik a földön *[ütéstől]*; **send sy ~ing** leterít vkt **b)** ki van terpesztve *[láb]* **c)** (hosszan) elnyúlik *[írás]* **II.** *fn* **1.** (el)terpeszkedés *[földön, ágyon]* **2.** kiterjedés *[városé]*

spray[1] [spreɪ] **I.** *fn* **1. a)** permet, permetfelhő, tajték, porzó víz **b)** permetező eső **2.** permet(lé) **3. a)** permetező, szóró(üveg) *[illatszernek]*, aeroszolos doboz/flakon/üveg **b)** → **spray-gun** **II.** *tsi* **1.** permetez, szór *[folyadékot]* **2. a)** (be)permetez *[növényt]*, befúj, beszór *[illatszerrel]* **b)** befúj, dukkóz *[festékkel]* **3.** *biol* megjelöl *[illatanyaggal]* • *fn* **sprayer** *mn* **sprayable**

spray[2] [spreɪ] *fn* **1.** (virágos), rügyes ágacska; **~ of flowers** virágos/virágzó ág **2.** virágdísz, díszcsokor **3. ~ of diamonds** gyémántdiadém, gyémántboglár

spray can *fn* festékszóró doboz/tartály; permetezőtartály

spray-gun *fn* porlasztó/dukkózó pisztoly, (festék)szórópisztoly

spray-nozzle *fn* öntözőrózsa *[kannán]*, permetezőfej, szórófej

spray-paint *tsi* festékszóróval fest

spread [spred] **I.** *pt/pp* **spread A.** *tsi* **1. a)** kitár, széttár, szétterjeszt *[szárnyat]*, kifeszít *[vitorlát]*; **the trees ~ (out) their branches** a fák kinyújtják/kiterjesztik ágaikat; *biz* **~ oneself** *átv* felfújja magát, henceg, pöffeszkedik; megerőlteti/felülmúlja magát *[vmnek a végrehajtásában]*; tolakodóan/fárasztóan barátságos; terjengősen locsog; **~ out goods for sale** eladásra szánt árut kirak **b) ~ one's lips** szélesre húzott ajaknyílással ejt **2.** (el)terjeszt *[betegséget, hírt]*; **~ (abroad) sy's fame** terjeszti vknek a hírét **3. a)** terít; **~ out a carpet** szőnyeget kiterít **b)** elterít, egyenletesen eloszt, elegyenget; **~ butter on a slice of bread** vajat ken egy darab kenyérre **c)** eloszt *[összeget hosszabb időre]*; **instalment ~ over several months** több hónapra elosztott részletek **d)** *US* **~ sg on the records** vmt jegyzőkönyvbe vesz **4. a)** leterít, leborít, betakar, letakar *[felületet]*; **~ the table** megteríti/leteríti az asztalt, megterít **b)** tálal, felszolgál *[ételt]* **c) ~ bread with butter** kenyeret megvajaz **B.** *tni* **1. a)** (ki)terjed, elterül, húzódik, nyúlik *[vidék]* **b) the course of study ~s over two years** a tanfolyam két évre terjed **2.** (el)terjed *[hír, betegség, divat]*; **a sudden flush ~ over her face** arcát hirtelen elöntötte a pír; **the rumour was ~ing** terjedt a hír **3.** eloszlik, szétszéled *[csoport]*; **the birds rise and ~** a madarak felrepülnek és elszélednek **II.** *fn* **1. a)** (el)terjesztés *[műveltségé, nézeté, betegségé]*, kiterjesztés **b)** (el)terjedés, terjeszkedés **c)** *kat* szórás **2. a)** terjedelem, kiterjedés, szélesség; *rep* **~ of the wings** szárnyszélesség; *biz* **develop a middle-age ~** elterebélyesedik, pocakot ereszt **b)** *US* nyílt (v. nagy kiterjedésű) terület; **wide ~ of prairie** nagy kiterjedésű préri **3.** terítő, takaró *[ágyra, asztalra]* **4.** *biz* lakoma, nagy evészet, eszemiszom; **make a great ~** lakmározik, nagy lakomát csap **5. a)** többhasábos újságcikk **b)** többhasábos/egész lapos hirdetés *[újságban]*; **double-page ~** kétoldalas hirdetés **6.** kenyérre kenhető dolog/krém **7.** *pénz* **a)** kettős opciós ügylet **b)** árrés, árfolyam-különbözet, értékkülönbözet **III.** *mn* **1.** szétterjesztett, kiterjesztett, kitárt; **~ fan** (ki)nyitott legyező; **~ fingers** széttárt ujjak; **~ wings** szétterjesztett szárnyak **2. ~ table** terített asztal • *fn* **spreader** *mn* **spreadable**

spread-eagle I. *mn* **1.** bombasztikus **2.** *US* soviniszta; **~ oratory** hazafias, frázisoktól pufogó szónoklat **II.** *fn* **1.** *cím* kiterjesztett szárnyú sas **2.** *sp* hold *[korcsolyázásban]* **3.** *régi* megkorbácsoláshoz kikötött ember **III.** *tsi* **1.** kinyújt, szétfeszít; **lie ~d** kezét-lábát szétvetve fekszik **2.** legyőz; tönkrever

spreadsheet *fn* **1.** táblázat **2.** *infor* táblázatkezelő program

spree [spri:] *fn* **I.** *fn biz* **1.** buli, muri, dáridó; **have a ~, go on the ~** görbe éjszakát csinál, lumpolni megy; **be on the ~** kirúg a hámból, dáridót csap, lumpol, züllik **2.** tréfa, stikli **II.** *tni* mulat, lumpol, züllik

sprig [sprɪg] **I.** *fn* **1. a)** (fa)ág, ágacska, gallyacska **b)** ágas-bogas minta *[falfestésé, kézimunkáé]* **2. ~ (nail)** faszeg, csapszeg **3.** *biz pej* sarj(adék), gallyacska *[előkelő családé]* **II.** *tsi* **-gg- 1.** ágas-bogas mintákat hímez (vmre) **2.** csapszeget ver be (vmbe) • *mn* **spriggy**

sprightly ['spraɪtli] *mn* fürge, eleven, élénk, mozgékony, vidám

spring [sprɪŋ] **I.** *pt* **sprang** [spræŋ], *pp* **sprung** [sprʌŋ] **A.** *tsi* **1.** *biz* **~ a new proposition on sy** új javaslattal lep meg vkt; *biz* **~ a surprise on sy** meglep vkt **2.** felver *[foglyot, nyulat]* **3.** rugóz, rugóval ellát *[kocsit]* **4. a)** felrobbant *[aknát]* **b) ~ a trap** csapdát lecsappant **5.** elhasít, megrepeszt **6.** *szl [megszöktet börtönből/fogságból]* kihoz **7.** *biz* (pénzt) költ, költekezik **B.** *tni* **1. a)** ugrik, szökken, szökik *[ember stb.]*, pattan *[rugó]* **b) the door sprang open** az ajtó felpattant/kivágódott/kicsapódott **c)** *szl* **if you could ~ to five hundred pounds** ha el tudna menni 500 fontig; **you'll have to ~ a bit** többet kell ajánlania **d)** *US Ausz szl [meghív]* fizet egy kört/rundot **2. a)** fakad, (fel)szökik, (fel)tör *[víz]*; **perspiration sprang from his brow** homlokát kiverte a verejték; **tears sprang to her eyes** könny szökött a szemébe; **the words sprang to his lips** ajkára tolultak/tódultak a szavak **b) hope ~s eternal** a remény örökké él **c)** ered, fakad, származik *[okból stb.]* **d)** sarjad, fakad, bújik, kinő *[növény]* **e)** (hirtelen) támad *[divat, nehézség]* **3. a)** megvetemedik, meggörbül *[fa]* **b)** megreped, megpattan *[fa]* **II.** *fn* **1.** ugrás; **make a ~ at sy** ráveti magát vkre, nekiugrik vknek; **take a ~** ugrik (egyet) **2.** tavasz; **backward ~** későn beköszöntő tavasz; **early ~** kora tavasz, tavasz eleje/kezdete; **forward ~** korán beköszöntő tavasz; **late ~** tavasz vége/utója; **in (the) ~** tavasszal; **~ is in the air** tavaszi szaga van a levegőnek **3. a)** forrás; **hot ~** meleg forrás; **living ~** folyó vizű forrás; **medicinal ~** gyógyforrás; **mineral ~** ásványvízforrás; **thermal ~(s)** meleg vizű (gyógy)forrás, meleg forrás, hévíz(feltörés), termálvízforrás **b)** *átv* forrás, eredet **4. a)** rugó, rugózás, elasztikus tulajdonság; *gk* **full elliptic ~** teljes elliptikus rugó; **flat ~** lapos rugó; *átv* **~s of action** tett rugói/indítékai **b)** *tsz* **springs** rugózás **5.** *átv* rugalmasság, ruganyosság; **the ~ of a bow** az íj rugékonysága/feszítése **6. ~ of curve** ív/görbe kezdőpontja **7.** *szl* ‹kiengedés/szökés börtönből› • *mn* **springless, springlike**

spring at *tni* ráugrik; **~ at sy** ráveti magát vkre, nekiugrik vknek

spring from *tni* **1.** *biz* **where did you ~ from?** hogy kerülsz ide?, mi szél hoz(ott) erre? **2.** származik, ered (vmből); **~ from seed** magról nő; **what will ~ from these events?** hova vezetnek ezek az események?

spring to *tni/tsi* **1. a) ~ to sy/sg** vkhez/vmhez odaugrik; nekiugrik vknek/vmnek; nekilát vmnek **b) ~ to one's feet** talpra ugrik **c) ~ to arms** fegyvert ragad/fog; **~ to the attack** támadásba lendül **2.** becsapódik, bevágódik *[ajtó]*, lecsapódik *[fedél]*

spring up *tni* **1.** felugrik, felpattan **2. a)** (ki)nő, (ki)bújik, nőni kezd *[növény]* **b)** támad, kerekedik *[szél]*, keletkezik

spring-bed *fn* **a)** sodronyos ágy **b)** rugós matracos ágy

springboard *fn* **1.** *sp* **a)** ugródeszka, dobbantó **b)** ugródeszka, trambulin **c)** ugrósánc *[síugráshoz]* **2.** *átv* kiindulási pont, ugródeszka **3.** *US Ausz* állvány, dobogó

springboard diving *fn sp* műugrás

springbok ['sprɪŋbɒk ‖ –bɑk] *fn* **1.** *áll* dél-afrikai gazella **2. the S~s** ‹dél-afrikai›; *sp* dél-afrikai csapat

spring bolt *fn* **1.** rugós zár/retesz **2.** rugós csapszeg

spring-butt *fn szl* izgága alak

spring chicken *fn* **1.** rántani való csirke **2.** *biz* fiatal; **she's no ~** (már) nem mai csirke

spring-clean I. *fn GB* tavaszi nagytakarítás **II.** *tsi* tavaszi nagytakarítást csinál

springe [sprɪndʒ] **I.** *fn* hurok, háló *[madárfogásra]* **II.** *tsi* hurokkal/hálóval fog *[madarat]*

S

spring equinox *fn csill* tavaszi napéjegyenlőség
springer ['sprɪŋə ‖ –ər] *fn* **1.** ugró *[személy]* **2. the ~ of the mine** az akna felrobbantója **3. ~ (spaniel)** ‹vad felverésére betanított spániel› **4.** *épít* ívgyám, boltváll, vállkő **5.** *áll* dél-afrikai gazella
spring fever *fn* tavaszi fáradtság
spring flood *fn* zöldár
spring fork *fn* rugózott villa *[kerékpáré]*
spring-grip *fn* rugós erőmérő
spring-hook *fn* rugós horog, karabiner
springing ['sprɪŋɪŋ] *fn* **1.** ugr(ál)ás **2.** rugózás **3.** fakadás *[növényeké stb.]* **4. a)** ív/görbe kezdőpontja **b)** *épít* boltváll (vonal)
springless ['sprɪŋləs] *mn* **a)** rugózatlan **b)** rugalmatlan
springlike ['sprɪŋlaɪk] *mn* **1.** tavaszi(as) **2.** forrásszerű **3.** rugószerű
spring lock *fn* rugós zár/lakat
spring mattress *fn* rugós/ruganyos matrac, ágybetét
spring onion *fn növ* újhagyma
spring roll *fn gaszt* tavaszi tekercs *[kínai étel]*
springtide *fn* tavasz(idő), kikelet
spring tide *fn* szökőár, szökődagály *[újhold/telihold után]*
springtime *fn* tavasz(idő), kikelet
spring water *fn* forrásvíz
springy ['sprɪŋi] *mn* **1.** rugós, rugózott **2.** ruganyos, rugalmas; **with ~ steps** ruganyos léptekkel • *fn* **springiness** *hsz* **springily**
sprinkle ['sprɪŋkl] **I. A.** *tsi* **1. a)** szór, hint *[kavicsot, sót]*, önt, locsol *[vizet]*; **~ salt on sg** vmt sóval meghint **b)** meghint, megszór *[liszttel]*, meglocsol, megöntöz **2.** szétoszt *[kis adagokat]* **B.** *tni* csepeg, szemerkél, permetez *[eső]*, szitál *[eső, hó]* **II.** *fn* **a) ~ of rain** néhány csepp eső, szitáló eső; **~ of snow** hószitálás, szitáló hó **b)** kis mennyiség; **a ~ of salt** egy csipetnyi só
sprinkler ['sprɪŋklə‖–ər] *fn* **a)** locsoló **b)** öntözőgép, öntözőberendezés **c)** önműködő tűzoltó készülék, sprinkler
sprinkling ['sprɪŋklɪŋ] *fn* **1.** megöntözés, megszórás, meghintés **2.** *biz* kis mennyiség; **a ~ of knowledge** csekélyke tudás; **have a ~ of sg** konyít vmhez
sprinkling can *fn US* öntözőkanna, locsoló(kanna)
sprinkling cart *fn US* öntözőkocsi
sprint [sprɪnt] **I.** *fn* **a)** vágta, gyors futás **b)** *sp* rövidtávfutás, vágta, sprint(elés), rövid táv *[úszásban, motorversenyben]* **II. A.** *tsi sp* vágtában tesz meg, sprintel *[rövid távot]* **B.** *tni* **a)** vágtat, rohan, száguld **b)** *sp* vágtázik, sprintel
sprinter ['sprɪntə ‖ –ər] *fn* **1.** *sp* rövidtávfutó, vágtázó, sprinter **2.** *közl* gyorsított járat
sprite [spraɪt] *fn* **1.** manó, kobold **2.** ‹egyfajta szénsavas üdítőital›
spritz [sprɪts] **I.** *tsi US* permetez, spriccel **II.** *fn US* spriccelés
spritzer ['sprɪtsə ‖ –ər] *fn gaszt* fröccs
sprocket ['sprɒkɪt ‖ 'sprɑ–] *fn műsz* **1.** fog *[lánckeréken]* **2.** lánckerék, *fényk* filmtovábbító fogashenger
sprocket wheel *fn műsz* lánckerék
sprog [sprɒg ‖ sprɑg] *fn GB szl [(kis)gyermek]* (kis)kölök
sprout [spraʊt] **I. A.** *tni* **a)** kicsírázik, kihajt, sarjadzik **b)** bimbózik, rügyezik **B.** *tsi* **1.** csíráztat, előhajtat **2.** ki/megnöveszt; *biz* **~ a moustache** bajuszt növeszt **II.** *fn* **a)** csíra, fiatal hajtás **b)** bimbó, rügy
spruce[1] [spru:s] **I.** *mn* **1.** takaros, csinos **2.** élénk, eleven, friss **II.** *tsi* **~ oneself up** kicsípi/kicsinosítja magát, takarosan felöltözik; **all ~d up** takarosan kiöltözve, kicsípve • *fn* **spruceness** *hsz* **sprucely**
spruce[2] [spru:s] *fn növ* lucfenyő; **blank ~** fekete fenyő; **Douglas ~** Douglas-fenyő
spruce[3] **A.** *tsi GB szl* **~ (up a yarn to) sy** *[elhitet]* bead egy történetet (v. vmt bemesél) vknek, vkt bepaliz, lóvá tesz, falhoz állít **B.** *tni szl* kibújik vm alól; ellóg, elbliccel • *fn* **sprucer**
spruce beer *fn* fenyőrügyből készült sör
spruce-fir *fn növ* lucfenyő
spruik [spru:ɪk] *tni* **a)** *Ausz ÚjZ szl* szónokol, áruját dicséri *[árus] mind stand*; löki a sódert **b)** *Ausz szl [beszél, szónokol, beszédet mond]* levág egy dumát • *fn* **spruiker**
sprung [sprʌŋ] *mn* **1.** rugós, rugózott; **~ carriage** rugós kocsi, hintó **2. a)** megvetemedett, elhajlott **b)** megpattant, megrepedt **3.** *ir.tud* **~ rhythm** tört ritmus **4.** *szl [ittas]* becsípett, beszeszelt, spicces; → **spring II.**
spry [spraɪ] *mn* **a)** fürge, gyors, élénk, virgonc **b)** eszes, talpraesett
spud [spʌd] **I.** *fn* **1.** kis ásó, (gyom)irtó kapa **2.** *biz* **~(s)** krumpli **II.** *tsi* **-dd- 1.** gyomirtó ásóval/kapával kigyomlál *[virágágyat]* **2.** próbafúrást végez
spud-bashing *fn GB szl* krumplipucolás
spue [spju:] → **spew**
spume [spju:m] **I.** *fn* tajték, hab *[tengeren, folyadékon]* **II.** *tni* tajtékzik • *mn* **spumous**, **spumy**
spumescence [spju:'mesns] *fn* habzás, tajtékzás
spumescent [spju:'mesnt] *mn* tajtékos, habos
spun [spʌn] *mn* **1.** fonott, *tex* sodrott; **~ glass** üvegfonal; **~ gold** aranyszál, aranyzsinór; **~ silver** ezüstszál, ezüstzsinór **2.** pergetett, centrifugált; **~ candy** vattacukor; **~ sugar** vattacukor; → **spin I.**
spunk [spʌŋk] *fn* **1.** tapló **2.** *biz* bátorság, mersz; **have plenty of ~** bátor/mokány ember; **put fresh ~ into sy** új bátorságot önt vkbe **3.** *US biz* ingerültség, méreg; **get one's ~ up** méregbe/dühbe jön **4.** *GB szl tabu [ondó]* geci, genyó **5.** *Ausz szl [szexuálisan vonzó nő]* szexbomba, bombázó
spunky ['spʌŋki] *mn* **1.** *biz* bátor, merész, mokány **2.** *Ausz szl [szexuálisan vonzó]* dögös, bombázó • *hsz* **spunkily**
spur [spɜ: ‖ spɜr] **I.** *fn* **1. a)** sarkantyú; **win one's ~s** kitűnik, kiválik, dicsőséget ér el; **dig one's ~s into one's horse** lova oldalába vágja a sarkantyúját; **put/set/clap ~s to one's horse** lovát megsarkantyúzza, *átv* ösztönöz **b)** sarkantyú *[kakasé]*, fémsarkantyú *[kakasviadalon]* **c) climbing ~s** mászóvas, kúszóvas **2.** *átv* sarkantyúzás, sarkallás, ösztökélés, ösztönzés; **on the ~ of the moment** a pillanat (ösztönző) hatása alatt *[gyorsan cselekszik]*; **give a ~ to sy's efforts** vkt ösztökél/sarkall **3. a)** hegynyúlvány **b)** *növ* sarkantyú; **fruit ~** termőrügy, termőágacska **c)** *orv* csontnyúlvány, csontsarkantyú **4.** *vasút* csonkavágány, leágazó vágány **II. -rr- A.** *tsi* **1.** (meg)sarkantyúz, sarkantyúba kap *[lovat]* **2.** *átv* ösztönöz, sarkall; **~ sy on** sarkall/ösztökél vkt; **~red on by desire** vágytól űzve/hajtva **3.** sarkantyúval ellát **B.** *tni* **~ on/forward** lóhalálában vágtat • *mn* **spurless**, **spurred**
spurge [spɜ:dʒ ‖ spɜrdʒ] *fn növ* kutyatej; **cypress ~** farkas kutyatej
spur-gear *fn műsz* homlokfogaskerék
spur-heeled *mn* sarkantyús
spurious ['spjʊərɪəs ‖ 'spjʊr–] *mn* **1. a)** hamis(ított), utánzott, ál; **~ bank-note** hamis(ított) bankjegy; **~ edition** nem eredeti kiadás; **~ imitation** hamisítvány; **~ letter** levélhamisítvány; **~ sentiment** hamis/hazug érzelem, műérzelem **b)** *ritk* hibás, helytelen *[következtetés]* **c)** *biol* ál **2.** törvénytelen, fattyú, házasságon kívül született • *fn* **spurriousness** *hsz* **spurriously**
spurn [spɜ:n ‖ spɜrn] **I.** *tsi* **1.** elzavar, elkerget, durván/gorombán elutasít (vkt/vmt) **2.** elrúg, lábbal eltaszít; **~ the ground** elrugaszkodik, elugrik, eldobbant **II.** *fn* **1.** goromba visszautasítás/elutasítás *[ajánlaté]* **2.** (el)rúgás, taszítás lábbal
spurt [spɜ:t ‖ spɜrt] **I. A.** *tsi* **~ (out)** kilövell, fecskend(ez) *[folyadékot]* **B.** *tni* **1. ~ (out)** (ki)lövell, sugárban kitör/ömlik, spriccel *[folyadék]*; **~ up** (sugárban) felszökik, feltör **2.** minden erejét hirtelen beveti, *sp* hajrázik, finisel **II.** *fn* **1.** (kilövellő) sugár *[folyadéké]* **2.** kilövellés *[folyadéké]*, spriccelés **3.** hirtelen kitörés *[indulaté]* **4.** hajrá(zás), hirtelen erőfeszítés, végső erőbedobás; **put on a ~** nagy erővel hajrázik
spur-wheel → **spur-gear**
sputnik ['spʊtnɪk] *fn űr* szputnyik, (szovjet/orosz) műhold

S

sputter ['spʌtə || -ər] **I. A.** *tsi* gyorsan/köpködve elhadar **B.** *tni* **1. a)** köpködve beszél, fröcsög a nyála **b)** hadar(va beszél) **2.** serceg **3.** fröcsköl **II.** *fn* **1. a)** köpködő beszéd, hadarás **b)** locsogás **2.** sercegés • *fn* **sputterer**

sputum ['spju:təm] *fn tsz* **sputa** [-tə] *orv* köpet

spy [spaɪ] **I.** *fn* kém; **lay the ~ on sy** kémkedik vk után **II.** *pt/pp* **spied A.** *tsi* **1.** meglát, észrevesz, felfedez **2.** (ki)kémlel, fürkész; **~ out the ground** kikémleli a terepet **B.** *tni* **1.** kémkedik; **~ upon sy** kémkedik vk után **2.** vizsgálódik; **~ around** körülkémlel; **~ into a secret** kikémlel egy titkot

spyglass *fn* kis messzelátó/távcső

spyhole *fn GB* **a)** kémlelőlyuk, kémablak **b)** kémlelőnyílás *[ajtón]*, lesőlyuk *[színházi függönyön]*

spying ['spaɪɪŋ] *fn* kémkedés

spymaster *fn biz* kémszervezet vezetője; kémfőnök

sq. *röv* **1.** sequens; *the following one* köv. **2.** *sequence* **3.** *squadron* **4.** *square*

sqq. *röv the following(ones)* következők, kk.

squab [skwɒb || skwɑb] **I.** *mn* köpcös, tömzsi, vaskos **II.** *fn* **1.** tollatlan galambfióka/varjúfióka **2.** köpcös/tömzsi/vaskos kis ember **3. a)** *gk* üléstámla (párnázata) **b)** dívány, kanapé

squabble ['skwɒbl || 'skwɑbl] **I.** *fn* perpatvar, civakodás, civódás, szóváltás; **family ~s** családi perpatvar **II.** *tni* civakodik, civódik, perlekedik • *fn* **squabbler**

squabby ['skwɒbi || 'skwɑbi] *mn* köpcös, tömzsi, vaskos

squab pie *fn* **1.** *GB gaszt* galambpástétom **2.** ‹ürühúsból, hagymából és almából készült töltelékkel töltött tészta›

squad [skwɒd || skwɑd] *fn* **a)** *kat* osztag, *US* raj **b)** (rendőr)osztag **c)** brigád, csapat *[munkásoké]* **d)** *sp* csapat, egység, keret

squad car *fn* rendőrautó, járőrkocsi, URH-kocsi

squaddie ['skwɒdi || 'skwɑdi] *fn GB szl [újonc, kiskatona]* kopasz

squadron ['skwɒdrən || 'skwɑ-] *fn* **1.** *kat* **a)** lovas század **b)** *rep* repülőszázad **c)** *hajó* hajóraj **2.** osztag, csoport *[embereké]*

squalid ['skwɒlɪd || 'skwɑ-] *mn* **1.** mocskos, szurtos, nyomorúságos **2.** hitvány, aljas, becstelen; ocsmány • *fn* **squalidity, squalidness** *hsz* **squalidly**

squall [skwɔ:l] **I.** *fn* **1.** széllökés, heves léglökés, szélroham, szélvihar; **sudden ~** hirtelen szélroham/széllökés; **thick ~** vihar felhőszakadással **2.** (éles/fülsértő) kiáltás/sikítás/visítás **3.** *tsz* **squalls** baj, nehézség; *biz* **look out for ~s!** vigyázz, baj lesz, lesz nemulass! **II. A.** *tsi* **~ (out) sg** kiált/üvölt/sikít/visít vmt **B.** *tni* (fültépően) sikít, visít, üvölt

squall line *fn meteo* széllökésvonal, záporfront

squalor ['skwɒlə || 'skwɑlər] *fn* **1. a)** mocsok, szenny **b)** mocskosság, szennyesség **2.** (erkölcsi) hitványság, aljasság, becstelenség

squama ['skweɪmə] *fn tsz* **squamae** [-mi:] **a)** *áll orv* pikkely **b)** *növ* pikkely(levél) • *mn* **squamate, squamous**

squamule ['skweɪmju:l] *fn tud* apró pikkely *[lepkeszárnyon]*

squander ['skwɒndə || 'skwɑndər] *tsi* (el)herdál, (el)tékozol, (el)pazarol, (el)fecsérel, elver *[vagyont, pénzt, időt]*, szór *[pénzt]* • *fn* **squanderer**

squandermania [ˌskwɒndə'meɪnɪə || ˌskwɑndər-] *fn biz* eszeveszett költekezés/pazarlás, költekezési mánia

square [skweə || skwer] **I.** *fn* **1. a)** *mat* négyzet, négyszög **b)** derékszög **c)** kocka *[szöveten, papíron, sakktáblán]*; **framework of ~s** rács, hálózat *[rajzhoz]* **d) (reference) ~** alapnégyzet *[földmérésnél]* **e)** *kat* négyszög(alakzat); *biz* **back to ~ one** vissza a kezdetekhez (/az elejére) **2. a)** négyszög(letes lap), kvadrát; **~ of glass** üvegtábla **b) silk ~** négyszögletű selyemkendő **c)** játékmező, négyzet, kocka *[sakktáblán]* **3. a)** (négyszögletes) tér **b)** *US* háztömb, blokk **c)** laktanyaudvar, gyakorlótér **4.** derékszögű vonalzó, szögmérő; **L ~** ácsszögmérő, vinkli; **set ~** háromszögű vonalzó; (rajzoló)háromszög; **T/tee ~** fejes vonalzó; **on the ~** derékszögben; *átv biz* egyenesen, becsületesen; *biz* **be on the ~** szabadkőműves; *biz* **act on the ~** egyenesen/becsületesen jár el **5.** *mat* négyzet *[számé]*; **bring to a ~** négyzetre emel **6.** száz négyzetláb terület, egy kvadrát **7.** *el távk* négyszögjel **8.** *US biz* étkezés **9.** *biz szl [régimódi/vaskalapos ember]* kockafejű, nyárspolgár **II.** *mn* **1. a)** négyzet alakú, négyzetes, négyszögletes, négyszögű; **~ peg (in a round hole)** különc, csodabogár **b)** *mat* négyzet-; **~ foot** négyzetláb *[területmérték = 0,093 m^2]*; **~ inch** négyzethüvelyk *[= 6,451 cm^2]*; **~ yard** négyzetyard *[= 0,836 m^2]*; **~ measure** területmérték; **~ number** négyzet *[számé]*; **~ root** négyzetgyök **2. a)** derékszögű; **~ rule** derékszögű vonalzó; **line ~ with another** egy másikra merőleges vonal **b)** szögletes; **~ brackets** szögletes zárójel; **~ neck** szögletes kivágás *[ruháé]*; **~ shoulders** szögletes váll **c)** lapos; *épít* **~ joint** egyenes illesztés **d)** széles vállú és tagbaszakadt *[ember]* **3.** kiegyenlített *[elszámolás]*; **be ~** kijön, helyes, vág *[számítás]*; rendben van *[elszámolás]*; **we are now ~** most már kvittek vagyunk; **get ~ with sy** elszámol vkvel; *átv* (le)számol vkvel; **get one's accounts ~** elszámol, végelszámolást csinál; **get things ~** mindent elrendez **4.** *átv* egyenes; **give sy a ~ deal** korrektül jár el vkvel; *Ausz* **~ dinkum** rendes(en), tisztességes(en), becsületes(en); **~ hit** telitalálat; *US* **~ shooter** korrekt ember **5.** *sp* döntetlen *[állás]* **6. ~ refusal** kerek visszautasítás **7.** *biz* **~ meal** kiadós/bőséges étkezés **8.** *átv* **a)** kockafejű **b)** nem beavatott **III.** *hsz* **1. a)** derékszögben, merőlegesen **b) hit sy ~ in the chest** vkt egyenesen/éppen/pontosan mellbe talál **2.** *átv* egyenesen, becsületesen *[cselekszik]* **IV. A.** *tsi* **1. a)** négyszögletesre formál, kockára vág; *átv* **~ the circle** a kört négyszögesíti **b)** derékszögben megmunkál; **~ timber** gerendát ácsol **2. a)** derékszögbe/merőlegesre állít **b) ~ one's elbows** verekedő állásba helyezkedik, verekedni készül; **~ one's shoulders** kihúzza magát **3.** *mat* négyzetre emel; **x ~d** x^2, x a négyzeten **4. a)** kiegyenlít, (el)rendez *[számlát]*; **~ matters** rendezi az ügyeket; **~ accounts with sy** kiegyenlíti a számlát **b)** kielégít, kifizet *[hitelezőt]* **5.** (össze)egyeztet, összhangba hoz (vmvel), hozzáigazít, hozzáhangol; **~ sg with one's conscience** vmt lelkiismeretével összeegyeztet, összebékít **6. a)** *biz* megfizet, megveszteget, megken (vkt) **b)** *átv* elintéz (vmt) *[borravalóval, kenéssel]* **7.** kockásan megvonalaz **8.** *sp* kiegyenlít **B.** *tni* **1.** derékszöget alkot, merőleges(en áll) (vmre) **2.** (meg)egyezik, összhangban van, stimmel, összeillik; **the statement does not ~ with the facts** az állítás nem fedi a tényeket **3.** elszámol, rendezi a számlát, fizet • *fn* **squareness** *mn* **squarish** *hsz* **squarely**

square away A. *tni biz* megteszi az előkészületeket, el(ő)készül **B.** *tni biz* elintéz, elrendez (vmt)

square up *tni* **1. ~ up with sy/sg** elszámol vkvel **2. ~ up to sy** (i) harciasan közeledik vkhez; verekedni készül vkvel (ii) szembeszáll *[nehézséggel]*, határozottan közelít meg

square-bashing *fn GB kat szl* menetgyakorlat, alakizás

square-built *mn* **1.** szögletesen épített **2.** széles vállú és tagbaszakadt **3.** zömök, köpcös, tömzsi

squared [skweəd || skwerd] *mn* **1.** négyszögletes(re megmunkált); *épít* **~ stone** faragott kő **2.** *mat* négyzetre emelt; **x ~** x^2, x a négyzeten **3.** kockás *[papír, szövet]*; **~ map** négyzethálózatos térkép; **~ paper** kockás papír; milliméterpapír

square dance *fn* négyes tánc, quadrille

square-eyed *mn tréf [sokat televízióző]* kockaszemű, képernyőmániás

squarehead *fn szl [hülye]* tökfej(ű), tökkelütött, tökfilkó

square-headed *mn* négylapfejű, négyszögfejű *[csavar]*

square-jawed *mn* szögletes/előreugró állú

square measure *fn* területmérték

square root *fn mat* négyzetgyök

square sail *fn hajó* keresztvitorla

square-shouldered *mn* széles és egyenes vállú

squaresville ['skweəzvɪl || 'skwerz-] **I.** *mn szl* kispolgári, nyárspolgári **II.** *fn szl* a középosztály, nyárspolgárok

square-toed [ˌskweəˈtoʊd ‖ ˌskwer –] *mn* **1.** (négy)szögletes orrú *[cipő]* **2.** *biz* vaskalapos, régimódi, begyöpösödött

squaring [ˈskweərɪŋ ‖ ˈskwerɪŋ] *fn* **1.** négyszögletesítés, négyszögletesre formálás **2.** derékszögbe/merőlegesre állítás **3.** kiegyenlítés, (el)rendezés *[számláé]* **4.** *mat* négyzetre emelés **5.** (meg)egyezés, összeillés, kvadrálás

squarish [ˈskweərɪʃ ‖ ˈskwerɪʃ] *mn* **1.** *biz* nagyjából négyzetes, majdnem négyszögletes **2.** *biz* testes, kövér, tömzsi, vaskos

squash¹ [skwɒʃ ‖ skwɑʃ] **I. A.** *tsi* **1. a)** kásává/péppé zúz, kiprésel, kifacsar *[gyümölcsöt]* **b)** szétlapít **2.** összenyom, összeprésel, összezsúfol, bezsúfol **3.** *biz* letorkol, elhallgattat (vkt), belefojtja a szót (vkbe); elutasít, lesöpör *[indítványt]* **B.** *tni* **1. a)** péppé/kásává zúzódik/nyomódik/préselődik **b)** szétlapul, szétmegy *[lehullt gyümölcs]* **2.** tolong, tolakodik, lökdösődik; ~ **into** bepréseli magát, bepréselődik; ~ **through the door** átpréseli magát az ajtón **3.** lottyan, (meg)ütődik *[lehulló gyümölcs]* **II.** *fn* **1.** összezúzás, összepréselés, összenyomás, szétlapítás **2. a)** tömeg **b)** tolakodás, tolongás, lökdösődés **c)** *biz* előkelő fogadás (ahol nagy a tolongás) **3.** pép, kása **4.** (gyümölcs)lé, szörp **5.** lottyanás *[lehulló gyümölcsé stb.]*; **fall with a** ~ pottyan, huppan; **fall** ~ **on sg** rápottyan vmre; vmt szétlapít **6.** *sp* fallabda, squash • *mn* **squashy**

squash² [skwɒʃ ‖ skwɑʃ] *fn növ* tök; *US* **winter** ~ úritök, sütőtök

squash rackets *fn esz sp* fallabda, squash

squat [skwɒt ‖ skwɑt] **I. -tt- A.** *tni* **1. a)** (le)guggol, kuporog, kucorog; ~ **down** leguggol; ~ **on one's haunches** guggol, kuporog; *szl* ~! ülj le! **b)** (meg)lapul, (meg)bújik *[vad]* **2. a)** *US* jogtalanul letelepedik/megtelepszik; ~ **upon a piece of land** földön engedély nélkül megtelepszik **b)** *Ausz* állami földön letelepszik *[bérlőként]* **B.** *tsi* ~ **oneself (down)** leguggol **II.** *fn* **1.** guggolás, *sp* zsugor, tojáspozíció **2.** zömök/tömzsi/köpcös/vaskos ember **3.** *US szl [semmi]* fityisz, nagy túró **4.** jogtalanul elfoglalt föld **5.** földfoglaló *[ember]* **III.** *mn* **1.** guggoló; **sit** ~ guggol **2.** zömök, tömzsi, köpcös *[ember]* • *fn* **squatness** *hsz* **squatly**

squatter [ˈskwɒtə ‖ ˈskwɑtər] *fn* **a)** *US* erőszakos jogtalan letelepülő, földfoglaló **b)** *Ausz* ‹állami földön letelepülő gazdálkodó› nagybérlő, nagybirtokos

squat thrust *fn sp* guggolásból hátsó láblendítés *[mint tornagyakorlat]*

squaw [skwɔː] *fn US pej* indián asszony/nő

squawk [skwɔːk] **I.** *fn* **1.** vijjogás, rikoltás *[madáré]* **2.** panaszkodás, lamentálás **II. A.** *tni* **1.** vijjog, rikolt *[madár]* **2.** *US* hangosan panaszkodik, lamentál, protestál, lármásan tiltakozik **B.** *tsi* **1.** rikolt *[madár]* **2.** elpanaszol, lármásan tiltakozik (vm ellen)

squawk box *fn biz* hangosbeszélő

squaw man *fn tsz* **- men** *US pej* ‹indián nő nem indián férje/szeretője›

squaw winter *fn US* ‹rövid hideg időszak az indián nyár előtt›

squeak [skwiːk] **I.** *fn* **1.** nyikkanás, vinnyogás, nyüszítés, cincogás *[egéré]*, sírás *[nyúlé]*, csikorgás, nyikorgás *[keréké]* **2.** *biz* **he had a narrow** ~ hajszálon múlt (hogy megmenekült); *biz* **that was a near** ~ éppen, hogy csak megúszta **II. A.** *tni* **1.** nyikkan, vinnyog, nyüszít, cincog *[egér]*, nyikorog, csikorog *[ajtó, cipő]*, nyikordul, csikordul *[ajtó]*, visít, vinnyog **2.** *szl [árulkodik]* spicliskedik; ~ **on sy** *[vkt beárul bűntárs]* beköp, pofázik, énekel **3.** *biz* ~ **by/through sg** átkínlódik vmn, átvészel vmt **B.** *tsi* ~ **(out) sg** vmt elvinnyog

squeaker [ˈskwiːkə ‖ –ər] *fn* **1. a)** vinnyogó/nyüszítő ember/állat **b)** madárfióka, galambfióka **2.** *szl [besúgó, áruló]*, spicli *[bűntársak közt]*, kanári **3.** *US* szoros küzdelem, csekély fölénnyel elért győzelem

squeaky [ˈskwiːki] *mn* vinnyogó, nyüszítő *[hang]*; ~ **boots** csikorgó/nyikorgó cipő

squeaky-clean *mn* **1.** teljesen tiszta, kristálytiszta **2.** *átv* makulátlan *[jellem]*

squeal [skwiːl] **I.** *fn* visítás, rikoltás, rikítás **II. A.** *tni* **1.** visít, sikít; *biz* ~ **like a pig** visít mint a disznó (mikor vágják), úgy visít mint, akit nyúznak **2.** *biz* nyafog, nyávog, siránkozik, panaszkodik **3.** *szl [árulkodik]* spicliskedik; ~ **on sy** *[vkt beárul bűntárs]* beköp, pofázik, énekel **4.** *szl* **make sy** ~ megzsarol vkt **B.** *tsi* ~ **out sg** (el)visít/sikolt vmt • *fn* **squealer**

squeamish [ˈskwiːmɪʃ] *mn* **a)** émelygős, kényes gyomrú; **feel** ~ hányingere van, émelyeg **b)** *átv* finnyás, kényes • *fn* **squeamishness** *hsz* **squeamishly**

squeeze [skwiːz] **I. A.** *tsi* **1. a)** (össze)nyom, (össze)szorít, (össze)présel **b)** *biz* megszorongat, megölel (vkt), megszorít *[kezet]* **2.** (ki)csavar *[gyümölcsöt, levet]*, (ki)sajtol, (ki)présel, (ki)nyom *[levet]*; *szl* ~ **the lemon** *[vizel, pisil]* kitekeri a kígyót; *biz* ~ **out a tear** könnyet kiprésel **3.** gyömöszöl/zsúfol; ~ **oneself into a room** szobába befurakszik/bepréselődik; ~ **oneself through a narrow opening** szűk nyíláson átpréselődik; ~ **one's way through a crowd** tömegen átfurakszik **4.** *átv* **a)** szorongat (vkt), nyomást gyakorol (vkre) **b)** *ját* dobáskényszerbe hoz **5. a)** pumpol, fej, megvág (vkt), adókkal sanyargat *[népet]* **b)** kiszorít, kiprésel (vmt vkből), kicsikar (vmt vktől); ~ **a confession from sy** vallomást csikar ki vktől **B.** *tni* **1.** furakodik, préselődik, tolong; ~ **through** átpréselődik; vizsgán túlesik **2.** ~ **up (together)** összébb szorul *[utazóközönség stb.]* **II.** *fn* **1. a)** összenyomás, összeszorítás, összepréselés; *biz* **put the** ~ **on sy** zsarol, nyomást gyakorol vkre **b)** (meg)szorongatás (vké), szorítás, ölelés; **give sy a** ~ **of the hand** megszorítja vknek a kezét **c)** *ját* beszorítás *[bridzsben]* **d)** *gazd biz* fedezetlen eladók beszorítása **2.** szorosság, zsúfoltság; *biz* **tight** ~ szorult helyzet **3.** kifacsart/kicsavart/kinyomott/kipréselt lé, gyümölcslé; ~ **of lemon** néhány csepp citromlé **4.** *régi* lenyomat **5.** *biz* baksis, borravaló **6.** *US szl* vizsga **7.** *szl* barát(nő); **main** ~ nője/csaja; krapekja, hapsija • *fn* **squeezer** *mn* **squeezable**

squeeze bottle *fn* nyomótubus

squeeze-box *fn biz* tangóharmonika

squeeze tube *fn* tubus

squeezy [ˈskwiːzi] *mn* **1.** nyomó- *[tubus, palack]* **2.** szoros, megszorított, behatárolt

squelch [skweltʃ] **I. A.** *tsi* **1.** *átv* eltapos, eltipor **2.** *biz* letromfol, ledorongol, letorkol (vkt), belefojtja a szót (vkbe) **B.** *tni* cuppog *[sárban]*, szortyog *[víz cipőben]*; ~ **in the mud** cuppog/tocsog/caplat a sárban **II.** *fn* **1.** cuppogás *[sárban]*, szortyogás *[vízé cipőben]* **2.** puffanás *[vm lágyra/puhára]* **3.** eltaposás, kiirtás **4.** *biz* tromf, ledorongolás • *fn* **squelcher** *mn* **squelchy**

squib [skwɪb] **I.** *fn* **1.** petárda, rakéta; *biz* **damp** ~ elhibázott dolog, elrontott/félresikerült ügy **2.** gúnyirat, szatíra **3.** *Ausz* kudarc, csőd **II. -bb- A.** *tsi* **1.** szatírát ír (vkről), gúnyiratban kipellengérez (vkt) **2.** *Ausz* ~ **it** vkt cserbenhagy **3.** *US sp* rúg *[labdát közelre]* **B.** *tni Ausz* fél, húzódozik, vonakodik

squid [skwɪd] *fn áll* tintahal

squiff [skwɪf] *fn Ausz szl* részeg ember

squiffy [ˈskwɪfi] *mn biz* **1.** *főleg GB* becsípett, mámoros, spicces, kissé részeg **2.** *Ausz* ostoba, ütődött, dilis

squiggle [ˈskwɪgl] **I.** *fn biz* **1.** tekergés, vonaglás, kígyózás **2.** ékítés, cifrázat *[betűn]*, kacskaringó *[aláírás után]* **II.** *tsi biz* kanyarog, tekereg, kígyózik • *mn* **squiggly**

squinch¹ [skwɪntʃ] *fn épít* sarokboltozat, átmeneti boltozat *[négy- és nyolcszögű toronyrész közt]*

squinch² [skwɪntʃ] **A.** *tsi US* **1.** ~ **(up)** összehúz *[szemet]*, hunyorít; (be)bandzsít **2.** ~ **(up/down)** összeprésel, összenyom **B.** *tni US* kancsalít, bandzsul *[szem]*

squint [skwɪnt] **I. A.** *tni* **1.** kancsalít, bandzsít **2.** ~ **at sy/sg** rásandít vkre/vmre; *biz* rápillant/ránéz vkre/vmre **3. a)** hunyorít, hunyorog(va néz) **b)** pislant **4.** *biz* hajlik (vm felé) *[vélemény]* **B.** *tsi* **1.** ~ **the eyes** hunyorít, szemét hunyorítja; hunyorog(va néz); pislant **2.** kancsallá tesz **II.** *fn*

S

1. kancsalság, kancs(al)ítás, bandzsítás; **have a ~** kancsalít, bandzsít, bandzsi **2. a)** sanda/ferde pillantás, sandítás **b)** *biz* futó pillantás/tekintet; **have a ~ at it** futólag rápillant **3.** hajlás, hajlandóság **III.** *mn* **1.** kancsal, bandzsi **2.** sanda *[tekintet]* • *fn* **squinter** *mn* **squinty**

squint-eyed *mn* **1.** kancsal, bandzsi, bandzsító **2.** *biz* **a)** sanda (tekintetű) **b)** gonosz, rosszindulatú

squire [ˈskwaɪə ‖ –ər] **I.** *fn* **1. a)** földbirtokos **b)** földesúr, uraság *[falué, környéké]* **2.** *US* békebíró *[vidéken, kisvárosban]* **3.** *régi* **a)** pajzshordó, fegyvernök **b)** *tréf* **~ of dames/ladies** lovag, gavallér, udvarló, hölgyek állandó kísérője **4.** *GB biz tréf* ‹férfi megszólítása› **II.** *tsi* kísér *[nőt]*, lovagi szolgálatokat tesz *[nőnek]* • *fn* **squiredom**, **squirehood** *hsz* **squirely**

squirearch [ˈskwaɪərɑːk ‖ –ɑrk] *fn* földbirtokos, hatalmas/befolyásos földesúr • *mn* **squirearch(ic)al**

squirearchy [ˈskwaɪərɑːki ‖ –ɑrki] *fn* **1.** birtokos nemesség, földbirtokos osztály **2.** földbirtokos osztály uralma

squireen [ˌskwaɪəˈriːn] *fn biz* ír bocskoros nemes, ír kisbirtokos, hétszilvafás (nemes)

squirelet [ˈskwaɪəlɪt ‖ ˈskwaɪərlɪt] *fn* kisbirtokos nemes

squirk [skwɜːk ‖ skwɜrk] *fn* **1.** csiripelés, csicsergés, cirpelés **2.** csiripelő/csicsergő/ciripelő hang

squirm [skwɜːm ‖ skwɜrm] **I.** *fn* vonaglás **II.** *tni* **a)** vonaglik *[fájdalomtól]*, vergődik; **~ out of an obligation** kötelezettség alól kibújik **b)** *biz* fészkelődik, feszeng, tűkön ül **c)** nehezen tűr vmt, *átv* nem szívesen nyel le vmt

squirrel [ˈskwɪrəl ‖ ˈskwɜrəl] **I.** *fn* **1.** *áll* mókus; **grey ~** szürke mókus **2. ~ (fur)** mókusprém **3.** *biz* gyűjtögető/spájzoló ember **II.** *i* **-ll-**, *US* **-l- A.** *tsi* **~ (away)** gyűjtöget, felhalmoz, tartalékol **B.** *tni* **~ (around)** sürgölődik, nyüzsög, tesz-vesz

squirrel cage *fn* **1.** mókuskalitka, mókuskerék **2.** monoton élet(vitel)

squirrel monkey *fn áll* selyemmajom

squirrelly [ˈskwɪrəli ‖ ˈskwɜr–] *mn* **1.** mókusszerű **2. a)** izgága, ideges **b)** kiszámíthatatlan

squirt [skwɜːt ‖ skwɜrt] **I.** *fn* **1.** fecskendezés **2.** kilövellő folyadék, sugár *[vízé stb.]* **3.** fecskendő **4.** *kat* géppuskasorozat **5.** *biz* arcátlan senki, szemtelen fráter **6.** *US* fiú, fickó, kamasz **II. A.** *tsi* fecskendez, (ki)lövell, spriccel *[folyadékot]* **B.** *tni* (ki)lövell, (ki)fröccsen *[folyadék]* • *fn* **squirter**

squirt gun *fn* vízipuska, vízipisztoly *[gyerekjáték]*

squish [skwɪʃ] **I.** *fn* **1.** kilövellés, kibuggyanás *[folyadéké]* **2.** *biz* narancslekvár **3.** *szl* limonádé (irodalom), giccs **II. A.** *tsi biz* facsar, összeszorít **B.** *tni* fecskendez, kilövell, spriccel *[folyadék]* • *mn* **squishy**

squit [skwɪt] *fn GB* **1.** *szl* **little ~ of a man** *[idétlen kis alak]* szarjankó **2.** képtelenség **3. squits** *biz* hasmenés

squiz [skwɪz] *fn Ausz ÚjZ szl* (oda)sandítás, sanda pillantás

SRAM *röv fn infor static RAM* statikus RAM-tároló

SSE *röv south-southeast* dél-délkelet, DDK

SSW *röv south-southwest*

St *röv* **1.** *Saint* Szent, Szt. **2.** *Street* utca, u.

stab [stæb] **I. -bb- A.** *tsi* **a)** megdöf, ledöf, megkésel; **~ sy in the back** hátba szúr/döf vkt; *átv* hátba döf/támad vkt; *átv biz* **~ sy to the heart** tőrt döf vknek a szívébe; **~ sy to death** agyonszúr vkt **b)** döf, szúr *[kést]*; **~ a knife into sg** kést szúr vmbe **B.** *tni* **a)** döf, szúr; **~ at sy** vk felé bök/szúr **b)** hasogat, szúr, nyilallik *[fájdalom]* **II.** *fn* **1. a)** döfés, szúrás; **~ in the back** hátbaszúrás; *átv* hátbatámadás, orvtámadás **b)** nyilallás, szúrás **c)** *átv biz* kísérlet; **make/have a ~ at sg** megkísérel vmt, próbát tesz vmvel **2.** szúrt seb, szúrás • *fn* **stabber**

stabbing [ˈstæbɪŋ] **I.** *mn* **a)** döfő, szúró **b) ~ pain** szúró/hasogató/nyilalló fájdalom **II.** *fn* **1.** döf(köd)és, szurkálás **2.** drótfűzés *[könyvé]*

stabile [ˈsteɪbaɪl ‖ –biːl] *mn* → **stable¹**

stability [stəˈbɪləti] *fn* **a)** szilárdság **b)** *fiz* állandóság, stabilitás; *rep* **directional ~** iránystabilitás; **range of ~** *fiz* szilárdsági határ **c)** *átv* szilárdság, rendíthetetlenség, megingathatatlanság, állhatatosság; **man of no ~** ingatag/állhatatlan ember

stabilization [ˌsteɪbɪlaɪˈzeɪʃn ‖ –ləˈzeɪʃn], **-isation** *fn* **a)** rögzítés, *pénz* stabilizáció **b)** *rep* vízszintes vezérlés

stabilize [ˈsteɪbɪlaɪz], **-ise** *tsi* **a)** megszilárdít, rögzít, stabilizál; *kat* **~d warfare** állóháború **b)** *rep* vízszintesen vezérel, stabilizál *[szárnnyal* v. *síkkal]*

stabilizer [ˈsteɪbɪlaɪzə ‖ –ər], **-iser** *fn* **1. a)** stabilizátor, stabilizáló berendezés **b)** *rep* vízszintes vezérsík **2.** *vegy* (oldat)állandósító szer **3.** *tsz* **stabilizers** *GB* oldalkerék *[gyermekkerékpáron]*

stable¹ [steɪbl] *mn* **a)** szilárd, tartós, állandó, stabil; *vegy* **~ body** stabilis/állékony anyag; *fiz* **~ equilibrium** stabil egyensúly; **~ ground** szilárd/állékony/teherbíró talaj; *műsz* **~ running** egyenletes járás/ütem **b)** *átv* szilárd, állhatatos **c)** egészséges, stabilizált *[állapot]* • *hsz* **stably**

stable² [steɪbl] **I.** *fn* **1. a)** istálló *[főleg lovaknak]*; *közm* **shut/lock the ~ door after the horse is stolen** késő bánat eb gondolat, eső után köpönyeg **b)** szín *[járműveknek]*, pajta **2. a)** istálló (lovai), lóállomány **b)** versenyistálló (lovai) **3.** *biz* **a)** gárda *[egy intézményen/vállalaton belül]* **b)** újságkonszern, érdekcsoport **II.** *tsi* istállóz, istállóban elhelyez • *mn* **stableful**

stable boy *fn* istállófiú, lovászgyerek, lovászinas

stable-companion *fn* **1.** istállótárs **2.** *biz* kolléga, társ *[hivatalban, vállalkozásban, iskolában stb.]*

stable door *fn* (istálló)kapu *[vízszintesen két részre osztott]*

stableman [ˈsteɪblmən] *fn tsz* **-men** lovász, istállószolga

stablemate *fn* **1.** istállótárs **2.** *sp biz* ‹aki többedmagával egy edző alatt bokszol›

stable-yard *fn* istállóudvar

stabling [ˈsteɪblɪŋ] *fn* **1.** istállózás **2.** istállók **3.** férőhely (istállóban)

staccato [stəˈkɑːtoʊ] **I.** *mn* **a)** *zene* staccato, szaggatott; **~ mark** staccato jelzés; **~ note** staccato hang(jegy) **b)** *biz* **~ style** szaggatott/egyenetlen stílus; *biz* **in a ~ voice** szaggatott hangon, pattogó hangon **II.** *hsz zene* staccato, szaggatottan **III.** *fn zene* staccato

stack [stæk] **I.** *fn* **1. a)** kazal, boglya, asztag **b)** máglya *[fa]* **c)** *kat* gúla *[puskából]* **d)** rakás, halom; **~ of books** könyhalom, csomó/sok/rengeteg könyv; *biz* **~s of learning** rengeteg/óriási tudás; *biz* **have ~s of work** rengeteg dolga van **2. a)** kürtő, kémény **b)** kéménysor *[tetőn]* **3.** magas magányos szikla **4.** *infor* verem(tároló) **5.** hifitorony **II. A.** *tsi* **1. a)** kazalba/boglyába/asztagba rak **b)** felmáglyáz, felölez **c)** *kat* gúlába rak *[puskákat]* **d) ~ (up)** halomba rak; halmoz **2. ~ the cards** nem becsületesen keveri meg a kártyát; **the cards were ~ed against me** minden összeesküdött ellenem **3.** saját előnyére formál/alakít, manipulál **4.** *rep* várakoztat *[leszállni készülő repülőgépet]* **B.** *tni* **~ up against sg/sy** felér vmvel/vkvel • *fn* **stacker** *mn* **stackable**

stack-pipe *fn* lefolyócső, lefolyócsatorna

stack room *fn* raktárhelyiség

stackyard *fn* szérűs(kert)

stad [stæd] *fn Dél-Af* **a)** város **b)** bennszülött falu

staddle [ˈstædl] *fn* támasz(ték), tartó

stadholder [ˈstæthoʊldə ‖ –ər] *fn tört* (németalföldi) helytartó • *fn* **stadholdership**

stadium [ˈsteɪdɪəm] *fn tsz* **stadia** [–dɪə] **1.** *tsz* **stadiums** stadion **2.** fok, szakasz, stádium

stadtholder [ˈstæthoʊldə ‖ –ər] → **stadholder**

staff¹ [stɑːf ‖ stæf] *tsz* **staffs**, **staves** [steɪvz] **I.** *fn* **1. a)** bot, pálca *[hivatali jelvényként]*, *régi* sétapálca, rúd *[zászlóé]*, nyél *[lándzsáé]*, *átv* támasz; *vall* **pastoral ~** pásztorbot *[püspöké]*; *biz* **the ~ of life** kenyér; *biz* **have the better end of the ~** előnyösebb helyzetben van **b)** mérőcövek, mérőléc **2.** személyzet *[intézményé]*, alkalmazotti

S

állomány; **editorial ~** szerkesztőség, belső/állandó munkatársak *[sajtóban]*; **medical ~** orvosi kar *[kórházé]*; orvosszemélyzet; **teaching ~** oktatószemélyzet; tanári kar; **be on the ~ of sg** vmnek a személyzetéhez tartozik, állományban/alkalmazva van vhol, állománybeli **3.** *kat* vezérkar, törzskar; **General S~** vezérkar; **~ work** legfelső vezetés; **chief of ~** vezérkari főnök; **be on the ~** a vezérkarnál van **4.** *tsz* **staves** [steɪvz] *zene* hangjegyvonalak, vonalrendszer, ötvonalas rendszer **II.** *tsi* alkalmaz(ásba állít); **~ an office with women** nőket (v. csupa nőt) alkalmaz egy irodában • *mn* **staffed**

staff² [stɑːf ‖ stæf] *fn épít* staff *[műanyag]*

staffage [stəˈfɑːʒ] *fn műv* mellékalakok

Staff College *fn GB kat* vezérkari tisztképző főiskola, katonai akadémia

staffer [ˈstɑːfə ‖ ˈstæfər] *fn* szerkesztőségi tag, belső munkatárs *[sajtóban]*

staff management *fn kat* törzsvezetés

staff nurse *fn GB* segédápolónő

staff officer *fn kat* törzstiszt

staffroom *fn* **a)** *okt* tanári (szoba) **b)** tanári kar

Staffs. *röv Staffordshire*

staff sergeant *fn kat* törzsőrmester

staff writer *fn film* állandó szövegíró, *[média]* belső munkatárs

stag [stæg] **I.** *fn* **1.** szarvas(bika) **2.** *biz* tőzsdei hiéna, tőzsdespekuláns **3.** *US biz* facér férfi, nő nélkül érkező férfi *[buliban]* **II.** *tni* **-gg- 1.** *biz* facéran (v. nő nélkül) érkezik/megy *[mulatságra stb.]* **2.** *GB* spekulál *[tőzsdén]*

stag beetle *fn áll* szarvasbogár

stage [steɪdʒ] **I.** *fn* **1.** szakasz, fok, pont, stádium *[fejlődésben, hanyatlásban]*; **initial ~** kezdeti szakasz, kezdetleges állapot; **larval ~** bábállapot, lárvaállapot; **at this ~** ezen a ponton; **at an early ~ of its history** történetének egy korai/rég(ebb)i szakaszában; **taxation by ~s** progresszív adóztatás; **rise by successive ~s** fokról fokra emelkedik **2. a)** emelvény, állvány(zat), dobogó; **hanging ~** *épít* függőállvány **b)** tárgyasztal *[mikroszkópé]* **3. a)** színpad, színház *[mint színművészet]*; **Elizabethan ~** Erzsébet-kori színpad; Erzsébet-kori dráma/színházművészet; **revolving ~** forgószínpad; **front of the ~** előszín, rivalda; **keep the ~** színen marad; uralkodik a színpadon; **come on the ~** (a) színre/színpadra lép; **go on the ~, take to the ~** színésznek megy, színpadra lép; **put a play on the ~** darabot színre visz; **quit the ~, retire from the ~** visszavonul a színpadtól; **set the ~** díszletez; *átv* **the ~ was all set** megtörtént minden előkészület **b)** *átv* színpad, színtér *[eseményeké, működésé]*; **hold the ~** viszi a beszélgetést **4. a)** (út)szakasz; **travel by short ~s** rövid szakaszokat megtéve utazik; **travel by/in easy ~s** kényelmes tempóban (v. megszakításokkal) utazik; *biz* **dress by/in easy ~s** lassan/kényelmes/ráérősen öltözködik **b)** állomás *[utazás közben]*, *régi* postaállomás **5. a)** *épít* lépcső, fok **b)** *távk el* fokozat; *rep kat űr* (rakéta)fokozat **II.** *tsi* **1.** színre hoz, előad *[színművet]* **2.** színpadra alkalmaz, dramatizál **3.** (meg)rendez, (meg)szervez *[tüntetést]* • *fn* **stageability** *mn* **stageable**

stagecoach *fn* postakocsi *[utazásra]*, gyorskocsi, gyorsposta

stagecraft *fn szính* színpadi mesterségbeli tudás *[drámaíróé]*, drámaírói/rendezői képesség/gyakorlat

stage direction *fn szính* színpadi/színi/rendezői utasítás

stage director *fn szính* **1.** rendező **2.** ügyelő

stage-dive *tni szl* ‹színpadról a tömegbe veti magát koncerten›

stage door *fn szính* színészbejáró

stage effect *fn* **1.** *szính* színpadi hatás **2.** *átv* mesterkéltség, színpadiasság

stage fright *fn* lámpaláz

stagehand *fn szính* díszletező munkás

stage left *hsz szính* a színpadi bal oldalon

stage lights *fn tsz szính* rivaldafény, színpadi világítás

stageman [ˈsteɪdʒmən] *fn tsz* **-men** *szính* kulisszatologató, díszletmunkás

stage-manage *tsi* **1.** *átv* megrendez **2.** *átv* a háttérből (v. a kulisszák mögül) irányít **3.** *szính* ügyel *[ügyelőként működik]*

stage manager *fn szính* ügyelő • *fn* **stage management**

stage name *fn szính* színpadi név *[színészé]*, színészi álnév

stage play *fn szính* színdarab

stage properties *fn tsz szính* színpadi/színházi kellékek

stage right *hsz szính* a színpadi jobb oldalon

stage rights *fn tsz* előadási jog

stage setter *fn szính* fődíszletmester

stage setting *fn* **a)** *szính* díszletezés **b)** *szính* díszletek, színpadkép

stage-struck *mn* **a)** színházrajongó **b)** színészi pálya után vágyódó

stagger [ˈstægə ‖ –ər] **I. A.** *tni* **1.** tántorog, támolyog, ingadozik, imbolyog, dülöngél; **~ along** tántorogva megy; **~ in** betámolyog, betántorog; **~ to one's feet** feltápászkodik **2.** ingadozik, habozik, tétovázik **B.** *tsi* **1.** megtántorít, megingat **2.** megdöbbent, meghökkent, megrendít; **be ~ed** meghökken, megdöbben, megrendül **3. a)** *műsz* lépcsősen eloszt, cikkcakkosan helyez el **b)** lépcsőz *[munkaidő kezdetét/végét]*, időben egyenletesen eloszt, szakaszosan széthúz **II.** *fn* **1.** tántorgás, támolygás, dülöngélés, tántorgó járás; **walk with a ~** tántorogva jár **2.** *műsz* eltolt elrendezés, váltott osztás, *rep* lépcsőzés *[szárnyaké]* **3.** *tsz* **staggers a) (blind) ~s** kergekór, kergeség *[juhé]*; *[állatorv]* **get the ~s** megkergül *[állat]* **b)** *biz* szédülés, kóválygás • *fn* **staggerer**

staggered start *fn* külön indítás *[pl. kajak-kenu versenyen]*

staggering [ˈstægərɪŋ] **I.** *mn* **1.** tántorgó, támolygó **2.** *biz* **a) ~ blow** iszonyú nagy csapás/ütés, elsöprő erejű ütés **b)** elképesztő, meghökkentő *[ötlet]*, megdöbbentő, fejbe verő *[hír]* **II.** *fn* **1.** tántorgás, támolygás **2.** *műsz* lépcsőzetes elhelyezés, *rep* lépcsőzés

staghorn *fn* szarvasagancskorál

staghound *fn* vadászkutya *[rőtvadra]*

staging [ˈsteɪdʒɪŋ] *fn* **1.** állvány(zat) **2.** színrehozatal, színrevitel

staging area *fn kat* összpontosítási körlet

stagnant [ˈstægnənt] *mn* **a)** pangó, álló, mozdulatlan, posványos, megrekedt *[víz]*; **~ water** állóvíz **b)** áporodott *[levegő]* **c)** *átv* pangó, tespedt, ernyedt; **~ brain** tunya/begyepesedett ész • *fn* **stagnancy** *hsz* **stagnantly**

stagnate [stægˈneɪt ‖ ˈstægneɪt] *tni* **a)** pang, áll, megreked, poshad, posványosodik *[víz]* **b)** *átv* áll, stagnál *[üzlet]*, megreked *[vállalkozás]*, eltunyul, begyöpösödik *[ész]* • *fn* **stagnation**

stag night → **stag party**

stag party *fn biz* kanmuri; legénybúcsú

stagy [ˈsteɪdʒi] *mn pej* színpadias, megrendezett, nem őszintén ható, affektált • *fn* **staginess** *hsz* **stagily**

staid [steɪd] *mn* higgadt, megfontolt, komoly • *fn* **staidness** *hsz* **staidly**

stain [steɪn] **I. A.** *tsi* **1. a)** foltot ejt, bepiszkít; **~ one's fingers with ink** tintával bepiszkítja az ujját; **hands ~ed with blood** véres kezek **b)** foltot ejt *[hírnéven, becsületen]*, meggyalázza *[vk becsületét]* **2. a)** (meg)fest, (be)színez **b)** *orv* fest, színez *[mikrobát]* **c)** *nyomd* színnel kitölt *[rajzot stb.]*, színt felrak (vmre) **d)** pácol **B.** *tni* **1.** (be)piszkolódik, (be)mocskolódik, (be)szennyeződik **2.** megfestődik, beszíneződik **II.** *fn* **1. a)** (szenny)folt, pecsét **b)** *átv* szenny, folt, bélyeg; **the ~ of sin** a bűn bélyege; **cast a ~ on sy's honour** foltot ejt vknek a becsületén **2. a)** festőanyag, színezőanyag, pác(anyag) **b)** *orv biol* festőanyag, festék • *fn* **stainer** *mn* **stainable**

S

stained [steɪnd] *mn* **1.** foltos, pecsétes, piszkos **2. a)** festett, színezett; **~ glass** színes/festett üveg *[ablaké]*; *műv* üvegfestmény; **~ wood** pácolt fa **b)** *orv* megfestett *[mikroba]*

stained-glass *mn* színes üvegű; **~ window** színes/festett üvegablak

stainless [ˈsteɪnləs] *mn* **1.** folt/pecsét nélküli, mocsoktalan, tiszta, szeplőtlen, makulátlan **2. ~ steel** rozsdamentes acél

stain remover *fn* folttisztító (szer)

stain-repellent *mn tex* folttaszító, nem piszkolódó

stair [steə ‖ ster] *fn* **1.** lépcső(fok) **2.** *tsz* **stairs** lépcső; **winding ~s** csigalépcső; **a flight of ~s** egy lépcsőkar/lépcsősor; **go down the ~s** lépcsőn lemegy

stair carpet *fn* futószőnyeg

staircase *fn* **1.** *GB* lépcsőház **2.** lépcső(szerkezet)

stair landing *fn épít* lépcsőpihenő

stairlift *fn* lépcsőjáró lift *[mozgássérülteknek]*

stair rod *fn* szőnyegrögzítő rúd *[lépcsőn]*

stairway *fn* **1.** lépcsőház **2.** lépcső

stairwell *fn épít* lépcsőfödémnyílás

stake[1] [steɪk] **I.** *fn* **1. a)** pózna, cölöp, dúc, (szőlő)karó; **tether an animal to a ~** állatot karóhoz/cölöphöz kipányváz/(ki)köt; *US biz* **drive ~s** letelepedik; *US biz* **pull (up) ~s** elköltözik, elhurcolkodik, szedi a sátorfáját **b)** kitűzőkaró, jelzőoszlop **2. a)** máglya *[tűzhalálra ítéltek kivégzésére]*; **burnt at the ~** máglyahalált szenvedett **b)** máglyahalál, tűzhalál **3.** → **grubstake II.** *tsi* **1. a) ~ off/out** kicövekel, cöveket lever **b)** a határait kijelöli *[vmnek cövekkel, póznával]* **2. a)** megtámaszt, karóz *[növényt]* **b)** karóhoz (ki)köt **3.** felnyársal, karóba húz; **be ~d through the body** karóba húzták

stake[2] **I. 1.** tét *[hazárdjátékban, fogadásban]*; **hold the ~s** tartja a tétet; **lay the ~s** tesz *[rulettben]*; **play one's last ~** az utolsó fillérjével játszik; **be at ~** kockán forog; **her life is at ~** élete forog kockán; **there is a great deal at ~** nem babra megy a játék **2. a)** lóversenydíj; **consolation ~s** vígaszdíj **b) ~ (race)** lóverseny **3.** érdekeltség; **have a ~ in sg** érdekelve/érdekeltsége van vmben **II. 1.** tesz *[tétet hazárdjátékban, fogadásban]*, kockára tesz *[összeget]*; **~ one's all** mindenét felteszi, mindenét kockára teszi; **~ everything on one chance** mindent egy kártyára/lapra/kockára tesz fel; **I will ~ my life** a fejemet teszem rá, életemmel felelek **2.** *US* anyagilag/pénzzel támogat

stake boat *fn sp* a rajtot jelző csónak, rögzített rajthely *[evezősverseny]*

stakeholder *fn* **1.** aki a tétet tartja *[hazárdjátékban, fogadásban]* **2.** érdekelt személy *[pl. üzletben]*

stake horse *fn sp* kitűnő versenyló

stake money *fn* tét *[hazárdjátékban, fogadásban]*

stakeout *fn* rendőri őrizet/megfigyelés

Stakhanovite [stəˈkænəvaɪt ‖ –ˈkɑn–] *mn/fn tört* sztahanovista • *fn* **Stakhanovism**

stalactite [ˈstæləktaɪt ‖ stəˈlæktaɪt] *fn geol* sztalaktit *[függő cseppkő]* • *mn* **stalactitic**

stalagmite [ˈstæləgmaɪt ‖ stəˈlægmaɪt] *fn geol* sztalagmit *[álló cseppkő]* • *mn* **stalagmitic**

stale[1] [steɪl] **I.** *mn* **1. a)** száraz *[kenyér]*, nem friss, állott, poshadt *[étel, víz]* **b)** áporodott, romlott, elhasznált *[levegő]*; **smell ~** dohos szaga van **2. a)** *átv* öreg, régi, idejétmúlt, nem friss; **~ news** már nem friss/új hír **b)** *átv* elcsépelt, megkopott, lapos, ízetlen, banális; **~ joke** elcsépelt/régi/szakállas vicc **c)** *gazd* **~ market** lanyha piac **d)** *jog* elévült, hatályát vesztett, lejárt; **become ~** elévül, hatályát veszti, lejár **3. go ~** túledzi magát *[sportoló]*; túl sokat gyakorol *[zongorista]* **II. A.** *tsi* elveszi vmnek az érdekességét, elcsépeltté/ízetlenné/unalmassá/banálissá tesz (vmt) **B.** *tni* **1.** megposhad, ízetlen lesz *[étel, ital]*, megáporodik, megdohosodik *[levegő]* **2.** elveszti érdekességét *[hír]*, megkopik, laposssá/ízetlenné/banálissá válik *[történet stb.]*, varázsa megkopik *[hírnek stb.]* • *fn* **staleness** *hsz* **stalely**

stale[2] **I.** *fn* húgy, vizelet *[lóé, szarvasmarháé]* **II.** *tni* húgyoz *[ló, szarvasmarha]*

stalemate [ˈsteɪlmeɪt] **I.** *fn* **a)** patt *[sakkjátékban]* **b)** patthelyzet **c)** holtpont *[tárgyalások megakadása]* **II.** *tsi* **a)** pattba hoz *[sakkjátékban]* **b)** holtpontra juttat *[tárgyalást]*

Stalinism [ˈstɑːlɪnɪzm] *fn tört pol* sztálinizmus

stalk[1] [stɔːk] **I. A.** *tsi* **1.** *vad* titokban követ *[vadat]*, lesből/cserkészve vadászik (vmre) **2.** *biz* **~ sy** titokban követ vkt, lopakodik/lopódzik vk után **B.** *tni* **1. ~ (along)** kimért/peckes lépésekkel jár/elvonul; nagy léptekkel/lépésekkel jár/halad **2.** pusztít, (végig)söpör *[járvány]*; **famine ~ed through the land** éhínség söpört végig az országon **3.** lopódzik, lopakodik, titokban odasompolyog **II.** *fn* **1. a)** kimért lépés, peckes lépkedés, méltóságteljes járás **b)** nagy/hosszú lépés **2.** *vad* ‹a vad követése leshelyről leshelyre› lesvadászat, cserkészés

stalk[2] [stɔːk] *fn* **1.** *növ* szár *[fűé, virágé, gabonáé]*, nyél *[levélé]*, kocsány, csutka, torzsa *[káposztáé]*, inda; **~ of anther** porzószál **2.** szár, hosszú nyél/fogantyú **3.** hosszú és magas kémény • *mn* **stalked**, **stalkless**, **stalky**

stalker [ˈstɔːkə ‖ –ər] *fn* **1.** *vad* cserkésző vadász **2.** fanatikus rajongó

stalk-eyed *mn áll* kocsányszemű

stalking-horse *fn* **1.** *vad* fedezésül szolgáló ló *[amely mögé a vadász a vad üldözése közben elbújik]* **2.** *biz* ürügy, kifogás **3.** *pol* gyenge jelölt

stall[1] [stɔːl] **I.** *fn* **1.** állás, rögzített helyzet, sorozatos álláshely **2. a)** állás, rekesz, boksz *[istállóban]*; *sp* **~ board** bordásfal *[tornateremben]*; fülke *[pl. zuhanyé]* **b)** istálló **3.** árusító bódé/fülke, utcai kirakat, stand **4. a)** kórusülés *[templomban]* **b)** *tsz* **stalls** *GB szính* zsöllye **c)** trónszék **5. a)** *gk* leállás *[motoré]* **b)** *rep* sebességvesztés *[kormányozhatóság elvesztésével]*, átesés; **~ dive** átesés, zuhanórepülés **6.** *US szl* időhúzás, kifogás, ürügy **II. A.** *tsi* **1.** istállóban tart/hizlal/elhelyez **2. a)** *gk* lelassít, leállít *[motort]* **b)** *rep* túlhúz *[repülőgépet]* **B.** *tni* **1.** elakad, megreked, megfeneklik *[sárban, hóban stb. ló, kocsi]* **2. a)** *gk* (le)lassul, leáll, megáll, felmondja a szolgálatot *[motor]* **b)** *rep* sebességet veszít, átesik, túlhúzódik

stall[2] [stɔːl] **I. A.** *tsi biz* **~ (sy)** falaz (vknek); fedez *[munkában levő zsebtolvajt]* **B.** *tni* **a)** *US szl* húzza az időt, nem köti le magát, igyekszik kisiklani kötelezettség elől, halogat(ó politikát folytat), kitérő válaszokat ad; *US szl* **~ for time** húzza az időt **b)** *US szl sp [szándékosan formáján alul játszik]* lefekszik **II.** *fn biz* bűntárs, bűnsegéd

stall off *tsi biz* **~ sy off** megtéveszt/rászed vkt; távol tart (magától) vkt; *biz* **~ off creditors** kivédi a hitelezők ostromát; *biz* **~ off a request** kitér kérés elől

stallage [ˈstɔːlɪdʒ] *fn GB* **1. a)** árusítóbódé helye *[piacon]* **b)** (piaci) helypénz **2.** kirakodási jog *[piacon]*

stall-bar *fn sp* bordásfal

stall-feed *tsi pt/pp* **-fed** [–fed] istállóban etet/hizlal *[állatot]* • *mn* **stall-fed**

stalling point *fn* **1.** *rep* átesési/leválási pont **2.** *vill* billenéspont, maximális terhelés határa

stalling speed *fn rep* átesési sebesség

stallion [ˈstæliən] *fn* csődör, (apa)mén, fedezőmén

stalwart [ˈstɔːlwət ‖ –wərt] **I.** *mn* **1.** erős, derék, markos, jól megtermett *[alak]* **2.** bátor, elszánt, határozott, rendíthetetlen **II.** *fn* **1.** markos legény, jól megtermett alak **2.** *pol* elszánt/kitartó/rendíthetetlen harcos, oszlopos tag *[szervezeté]* • *fn* **stalwartness** *hsz* **stalwartly**

stamen [ˈsteɪmən] *fn tsz* **stamens**, **stamina** [ˈstæmɪnə] *növ* porzószál • *mn* **stamniferous**

stamina [ˈstæmɪnə] *fn* erély, kitartás, életerő, ellenállóerő, ellenállás, *sp* állóképesség; **lose one's ~** elernyed, erőtlenedik; **lacking in ~** nem eléggé ellenálló/állóképes

staminate [ˈstæmɪnət] *mn növ* porzós; **~ plant** hímivarú/porzós növény

S

stammer ['stæmə ‖ –ər] **I. A.** *tsi* ~ **(out/through) sg** eldadog/elhebeg/kinyög vmt; ~ **(out) a few words** kinyög egy pár szót **B.** *tni* **a)** dadog **b)** hebeg, makog **II.** *fn* **a)** dadogás **b)** hebegés, makogás • *fn* **stammerer** *hsz* **stammeringly**

stamp [stæmp] **I. A.** *tsi* **1. a)** ~ **one's foot** dobbant, toppant; ~ **one's feet** dobog, topog, toporzékol; topog *[hidegben]* **b)** ~ **flat** letapos, eltapos, eltipor; ~ **the grass flat** letapossa/lelapítja a füvet **2. a)** bélyeggel/bélyegzővel ellát, (le)bélyegez, bélyeget ragaszt (vmre), bérmentesít **b)** ráüt, bevés *[jelet]*, megjelöl, jellel ellát, (rá)nyom, belenyom *[mintát anyagba]* **c)** fémjelzéssel ellát, fémjelez *[aranyat, ezüstöt]* **3. a)** sajtol, ver, nyom *[pénzt, érmét]* **b)** *fémip* sajtol, présel *[fémet]* **c)** *bány* zúz, apróra tör *[ércet]* **4.** *átv* bélyegez, jellemez *[vmlyen tulajdonság vkt/vmt]*; ~ **sy/sg as** vkt/vmt vmnek bélyegez **5.** bevés, agyába vés (vmt); **the scene is ~ed in my memory** a jelenet belevésődött emlékezetembe; **cruelty was ~ed on his face** a kegyetlenség rá volt írva az arcára **B.** *tni* dobbant, topog, toporzékol; ~ **with rage** toporzékol dühében **II.** *fn* **1.** bélyegző, pecsét; **embossed/impressed** ~ szárazbélyegző **2. a)** *fémip* (nyomó)prés, sajtó **b)** *bány* érczúzó, őrlőgép **3. a)** bélyeg; **book of ~s** bélyegfüzet *[különféle címletű levélbélyegekből]* **b)** *átv* jegy, jel(zés), bélyeg, márka, védjegy; *biz* **bear the** ~ **of nobility** az előkelőség bélyegét viseli magán **4.** dobbantás *[lábbal]*, (láb)dobogás, topogás **5.** érték, jelleg, jellem, magatartás, egyéniség, gondolkodás; **people of the same** ~ hasonló/hasonszőrű (v. egyforma gondolkodású) emberek; **he is not a man of this** ~ nem olyan fából faragták • *fn* **stamper**

stamp on *tsi* **1.** rátapos (vmre), eltapos, eltipor (vmt), lábbal tapos (vmt) **2. a)** rábélyegez **b)** *átv* beleéget, bevés *[emlékezetbe]*

stamp out *tsi* **1. a)** széttapos, eltipor; ~ **out the fire** eltiporja a tüzet **b)** *átv* elpusztít, eltöröl, megsemmisít; ~ **out a rebellion** lázadást elfojt **2.** kilyukaszt, kivág *[fémet]*

Stamp Act *fn tört* bélyegilletéki törvény *[1765]*

stamp album *fn* bélyegalbum

stamp book *fn* → **stamp album**

stamp collector *fn* bélyeggyűjtő • *fn* **stamp-collecting**

stamp duty *fn* bélyegilleték

stampede [stæm'pi:d] **I.** *fn* **a)** fejvesztett menekülés, pánik; **in a** ~ hanyatt-homlok menekülve **b)** rendetlen felbomlás/rohanás, szétszóródás *[ménesé, csapatoké]* **c)** tolongás, tülekedés **II. A.** *tsi* szétugraszt, menekülésre késztet; ~ **sy into sg** belehajszol vkt vmbe; **we are not easily ~d** nem könnyen veszítjük el a fejünket **B.** *tni* **1. a)** fejvesztetten rohan/menekül, rendetlenül szétszóródik *[csapat]* **b)** tolong, lökdösődik, tülekedik **2.** meggondolatlanul cselekszik • *fn* **stampeder**

stamping ['stæmpɪŋ] *fn* **1. a)** dobbantás, topogás **b)** döngölés *[talajé]* **2. a)** lebélyegzés, felülbélyegzés **b)** bevésés *[jelé]*, megjelölés **c)** fémjelzés *[aranyé]* **d)** dombornyomás *[pénzé, éremé]*, éremverés

stamping ground *fn US biz* kedvenc tartózkodási hely *[emberé, állaté]*, törzshely

stamping machine *fn* pénzverő gép, sajtolóprés

stamp mill *fn bány* zúzómalom, érczúzda

stamp office *fn GB* állami bélyegzőhivatal

stamp paper *fn* **1.** *GB* bélyeges okiratpapír **2.** bélyegív enyvezett széle

stance [stæns] *fn* **a)** *skót* állás, hely(zet) *[piacon, taxiállomáson]* **b)** póz, pozitúra **c)** *átv* beállítottság, hozzáállás vmhez **d)** *sp* ütőállás *[golf, krikett]*, alapállás; **take up one's** ~ a játéknak megfelelő állásba helyezkedik

stanch[1] [stɑ:ntʃ] *US* → **staunch II.**

stanch[2] [stɑ:ntʃ] *tsi* megállít *[vérzést]*, tömít; ~ **a wound** seb vérzését elállítja

stanchion ['stɑ:ntʃən ‖ 'stæn–] **I.** *fn épít bány* oszlop, gyám, támasz(ték), alátámasztás, tartó, pillér **II.** *tsi* **1. a)** megtámaszt, alátámaszt, dúcol **b)** támasztékkal ellát **2.** rúdhoz kiköt *[háziállatot]*

stand [stænd] **I.** *pt/pp* **stood** [stʊd] **A.** *tsi* **1.** (oda)tesz, helyez, rak, állít; ~ **the ladder against the wall** a falhoz támasztja a létrát; ~ **sg on end**, ~ **sg upright** élére állít vmt, felállít vmt **2.** *épít* (alá)támaszt, támogat; *átv* ~ **one's ground** megállja a helyét, állja a sarat; *átv* ~ **all demands** minden követelménynek megfelel **3.** tűr, kibír, kiáll, elszenved, elvisel (vmt); *kat* ~ **fire** állja a tüzet; **I can't** ~ **drink** nem bírom a szeszes italt; *biz* **I can't** ~ **him** ki nem állhatom; **he stood the test** kiállta a próbát **4.** *biz* fizet, vállal *[költséget]*; ~ **sy a drink** vknek fizet egy pohárral; ~ **treat** vállalja a (szórakozás) költségeit; *US biz* ~ **the gaff** megissza vmnek a levét **B.** *tni* **1. a)** áll; ~ **straight!** állj egyenesen!; *sp biz* **leave a competitor ~ing** versenytársat állva hagy; *US* ~ **fast** moccanás nélkül áll **b)** vmlyen nagyságú/magas; ~ **six feet high** hat láb magas **c)** feláll; *okt* ~**!** álljatok/álljanak fel! **2.** van, áll, fekszik, található, tartózkodik; **tears stood in her eyes** könnyes volt a szeme; **he bought the house as it stood** megvette a házat, ahogy volt **3.** megáll; ~ **and deliver!** állj! ide a pénzzel!, pénzt vagy életet! **4.** fennmarad, megmarad, (fenn)áll, érvényben marad, érvényes; **the bet ~s** a fogadás érvényes/áll **5. a)** van; **he ~s in danger of death** halálveszélyben van; ~ **to lose nothing** nincs vesztenivalója; ~ **in need of sg** vmre rászorul, vmre szüksége van; **it will** ~ **in good stead** ez majd jól jön **b)** *átv* áll, van; ~ **or fall** áll vagy bukik; **the shop ~s in my name** az üzlet az én nevemen van; **he ~s first on the list** első helyen áll a listán; **my brother stood godfather** bátyám volt a keresztapa; **the exception ~s beside the rule** kivétel erősíti a szabályt; ~ **alone** egyedülálló, páratlan, kiváló; egyedül áll, minden támasz nélkül áll; **as matters** ~, **as it ~s** a dolgok jelenlegi állásánál, ahogy a dolgok jelenleg állnak; ~ **to win** nyerésre áll; **I don't know where I** ~ nem tudom hogyan is állok; ~ **ready for anything** mindenre készen áll **c)** vállal (vmt), jótáll, kezeskedik (vmért); ~ **as security for a debt** adósságért kezeskedik/jótáll; ~ **as candidate** jelöltséget vállal, jelölteti magát **d)** *US* vmre kilátása van; **we** ~ **to make money** pénzre van kilátásunk **6.** vmnek tartják, vmlyen véleménnyel vannak róla **II.** *fn* **1. a)** állás; **take a firm** ~ szilárdan megáll **b)** megállás; **come to a** ~ megáll; **put/bring sy to a** ~ sarokba/zsákutcába szorít vkt; *régi* **be at a** ~ áll; vesztegel **c)** megállás, leállás, vesztegelés *[járműé]* **d)** *gazd* megállás, leállás, szünet *[üzleti életben]* **2.** ellenállás; **make a** ~ **against the enemy** ellenáll az ellenségnek **3. a)** hely, helyzet; **he took his** ~ **near the window** az ablak közelében állt meg **b)** megállapodás, álláspont, állásfoglalás; **make a** ~ **for sg** kiáll vm mellett; **take a** ~ **on sg** állást foglal vm ügyben; ellenáll **4. a)** *kat* álláshely, őrhely **b)** állomás *[taxié]* **5.** (el)árusítóhely, bódé, stand *[piacon, kiállításon]* **6. a)** emelvény, dobogó, pódium; **take the** ~ szót emel; szószékre lép; tanúvallomást tesz *[bíróság előtt]* **b)** *sp* lelátó, tribün **7.** *mezőg* állomány **8.** *US* korlát *[bírósági tárgyalóteremben, amely előtt a tanú áll]*, tanúk padja; **be called to the** ~ tanúként kihallgatják • *fn* **stander**

stand about *tni* áll(dogál), ácsorog, őgyeleg

stand against *tsi* **1.** ellenez (vmt), ellenáll (vmnek) **2.** (neki)támaszkodik (vmnek)

stand back *tni* **a)** hátramarad, visszavonul, hátravonul **b)** hátrább/hátul áll, a háttérben marad (v. tartja magát)

stand by *tni* **1.** készen(létben) áll **2. a)** jelen van, szemlél **b)** áll, nem működik *[gép]* **3. a)** mellette/közelében áll (vknek) **b)** támogat, véd, segít (vkt), mellette áll/van (vknek), kitart vk mellett, hű (vkhez) **c)** hű marad *[ígéretéhez]*, megtartja *[a szavát]*, fenntartja *[amit mondott]* **4.** vigyáz; *hajó* ~ **by the sheets!** készenlét a szarvköteleknél/szárköteleknél!; → **standby**

stand down *tni* **1.** elhagyja a tanúk padját (v. az emelvényt) *[tanú, szónok]* **2. a)** *sp* visszalép *[versenytől stb.]*, kilép *[csapatból]* **b)** visszalép *[jelölt]* **3.** *kat* leteszi a szolgálatot

stand for *tni* **1.** véd, támogat (vkt/vmt), síkraszáll vmért **2. a)** helyettesít (vkt/vmt) **b)** *jog gazd pol* képvisel (vkt, vmit); **who will ~ for your father?** ki fogja apádat képviselni? **3. a)** jelent (vmt), bizonyos jelentése van; **~ for nothing** semmit nem jelent **b)** jelképez (vmt), jelképpel bír; **the olive branch ~s for peace** az olajág a béke jelképe **4. a)** *hajó* irányt vesz, indul (vhova) **b)** törekszik (vmre) **5.** eltűr, elvisel, elszenved

stand in *tni* **1. a)** vmbe kerül *[pénzbe]* **b) ~ one in good stead** vknél jól beválik, vknek jól/kapóra jön, hasznára válik **2.** részt vesz (vmben), csatlakozik (vkhez/vmhez), támogat (vkt, vmt) **3.** behajóz(ik), vmlyen irányba hajózik; **~ in to land**, **~ in for (the) land** part felé hajózik **4.** *film* **~** helyettesít színészt *[próbák alatt]*; → **stand-in**

stand off A. *tsi* **1.** *GB* nem foglalkoztat, munkanélküliségre kényszerít *[munkáltató]* **2. a)** távol tart magától **b)** elhalaszt, kitér előle **B.** *tni* **1. a)** kitér, félreáll, távolságot tart **b)** távol tartja magát, tartózkodik (vktől/vmtől), viszszalép (vmtől) **2.** eltávolodik, nyílt tengerre kifut *[hajó]*; **~ off and on** lavíroz *[hajóval]*; *GB biz* nem dolgozik, munka nélkül van *[munkás]*; szünetel *[munka]*; → **standoff**

stand on *tni* **1.** vmn áll; *átv biz* **~ on one's (two) feet** megáll a saját lábán; *szl* **~ on me** bízz bennem!, higgy nekem! **2.** halad az útján *[hajó]* **3. ~ on ceremony** → **ceremony** 2.

stand out A. *tni* **1. a)** előtérbe lép, kiáll, kiugrik, szembeötlik, (háttér előtt) élesen kirajzolódik; **~ out against sg** ellentétben áll vmvel, kontrasztot alkot vmvel **b)** *átv* kitűnik, kimagaslik; **among his works this masterpiece ~s out** ez a mestermű tűnik ki művei közül **2.** félreáll, hátraáll **3.** (makacsul) ellenáll, nem enged; **~ out for one's claims** nem enged követeléseiből **4. ~ out to sea** kifut a tengerre *[hajó]* **B.** *tsi* kiáll (vmt), átvészel; → **standout**

stand over A. *tni* **1.** függőben/elintézetlenül marad; **let a question ~ over**, **allow a question to ~ over** kérdést függőben hagy; **let an account ~ over** számlát kifizetetlenül hagy **2. a)** ellenőriz (vkt), felügyel (vkre); **~ over sy while he does sg** felügyel vkre míg az csinál vmt, ellenőrzi vk munkáját **b)** őriz (vmt), vigyáz (vmre) **3.** fenyeget **B.** *tsi* elhalaszt

stand to *tni/tsi* **1. ~ to the south** délre (v. déli irányba) fordul/tart *[hajó]* **2.** kitart (vk/vm mellett), tartja magát (vmhez), megtart *[ígéretet]*; **~ to sy** támogat vkt; **~ to one's word** megtartja a szavát; **~ to one's guns** ragaszkodik az álláspontjához; **it ~s to reason** magától értetődik **3.** készenlétben van/áll

stand together *tni* megegyezik, összetartozik, összefügg *[főleg logikai szempontból]*

stand up *tni* **1. a)** feláll, felemelkedik **b)** egyenesen áll, felmered *[haj]* **2. a) ~ up against sg** szembeszáll vmvel, ellenáll vmnek **b) ~ up for sy** vkt támogat/oltalmaz, vknek a pártjára áll; **~ up for sg** kiáll vm mellett **c) ~ up to** szembenéz *[veszéllyel]*; (lelkiismeretesen/híven) teljesít (vmt); **~ up to sy** bátran szembeszáll vkvel; → **stand-up**

stand upon *tni* **a)** ragaszkodik (vmhez) **b)** megbízik (vkben, vmben), becsül (vmt)

stand with *tni* vmvel megegyezik; **how do things ~ with you?** hogy állnak a dolgaid?; **how do you ~ with him?** milyen viszonyban vagy vele?

stand-alone *mn infor* (hálózattól) függetlenül működő *[számítógép]*; önálló(an létező)

standard ['stændəd ‖ –dərd] **I.** *fn* **1. a)** irányadó/hiteles mérték, alapmérték, szabványminta **b)** minta, szabvány, típus, modell **2. a)** minőség, mérték, fok, színvonal, kívánalom; **~ of knowledge** a tudás foka/mértéke; **~ of living/life** életszínvonal; **living ~** életszínvonal; **of high ~** igényes, színvonalas; **of low ~** alacsony színvonalú, színvonaltalan; **judged by that ~** ilyen mércével/mértékkel mérve; *gazd* **up to ~** megkívánt minőségű; **not to come up to the ~** nem üti meg a mértéket **b)** finomság, törvényes súly *[nemesfémé]*; **~ (of purity) of gold** arany finomsági foka; **~ of coinage** nemesfémpénz törvényes súlya és finomsága; **~ of money** pénzérmefinomság; *vegy* **~ of a solution** oldat keverési aránya; **~ of value** általános egyenérték; *pénz* **the gold ~** aranyfedezet **3.** *okt régi* általános/elemi iskolai osztály; **he has gone through the ~s** általános iskolai tanulmányait befejezte **4.** lobogó, zászló; **march under the ~ of sy/sg** vknek/vmnek a zászlaja alatt menetel, vknek/vmnek a párthíve/követője **5. a)** *műsz* álló alátámasztás, oszlop, támasz, láb **b)** *épít* alátámasztás, tartópillér **c)** vezetékoszlop, utcai villanylámpa **6.** *zene* örökzöld, gyakran játszott zenedarab **II.** *mn* **1. a)** mértékadó, mérvadó, irányadó, alapvető; *ir.tud* **~ book/work** standard könyv/mű, alapmű; klasszikus könyv/mű; *mat* **~ deviation** standard/mérvadó eltérés, szórás; **~ measure** mintául szolgáló mérték, alapmérték **b)** hiteles(ített) **2. a)** szabványos, szabványszerű, szabvány(-), standard, típus(-), minta(-), *kat* hagyományos, rendszeresített; *GB okt* **~ assessment task** előmeneteli vizsga; **~ gold** szabványarany *[900-as finomságú]*; **~ gauge** *vasút* szabványos nyomtáv/nyomköz *[1435 mm]*; **~ money** hivatalos pénznem, törvényes fizetési eszköz; **~ time** szabványos idő, zónaidő; **car of ~ model/design** szériában gyártott kocsi **b)** szabályos, szabályszerű, normális; *film* **~ film** normálfilm *[35 mm-es film]*; *rep* **~ flight path** előírt repülőútvonal **3.** példás, páratlan, finom; **the ~ authors** a klasszikus szerzők, a klasszikusok **4.** *nyelv* **~ language** köznyelv; **S~ English** helyes/köznyelvi angolság **5.** állandó, standard; **one of his ~ jokes** egyik állandó(an ismétlődő) v. jól ismert tréfája

standard-bearer *fn* **1.** *kat* zászlótartó, zászlóvivő **2.** mozgalom vezetője, *átv* zászlóvivő, fáklyavivő

standardize ['stændədaɪz ‖ –dər–], **-ise** *tsi* **1.** *fiz* hitelesít *[mértéket]*, alapmértékkel összehasonlít **2. a)** *ip* szabványosít, szabványossá tesz, standardizál **b)** normalizál *[viszonyt]* • *fn* **standardization**, **standardizer** *mn* **standardizable**

standard lamp *fn GB* állólámpa

standby I. *fn* **1.** személy, akire lehet számítani, támasz, segítség **2.** tartalék, segélyforrás **3.** *el távk* készenléti állapot, energiatakarékos üzemmód; **be on ~** készenléti állapotban van; → **stand by II.** *mn* **1. a)** tartalék, kisegítő; *rep* **~ passenger** várólistás utas, esetleg felszabaduló helyre váró utas **b)** *kat* tartalék **2. a)** *kat* harckészültségben levő **b)** *távk* készenléti

stand camera *fn fényk* állványos fényképezőgép

stand-easy *fn kat* **1.** pihenő **2.** pihenj! *[mint vezényszó]*

standee [stæn'diː] *fn US biz* állóhelyes *[színházban]*, álló utas *[buszon]*

stander-by *fn tsz* **standers-by** szemlélő, tanú

stand-in *fn* **a)** helyettes **b)** *film* helyettes színész, dublőr, dublőz **c)** → **stand in**

standing ['stændɪŋ] **I.** *mn* **1. a)** álló; *sp* **~ jump** helyből ugrás; *szính vasút* **~ place/room** állóhely; **be in a ~ posture** álló helyzetben van; **give sy a ~ ovation** (helyéről) felállva ünnepel/tapsol; **leave sy ~** leelőz, le/elhagy vkt; **be left ~** meghagyják (a helyén) **b)** álló (helyzetben levő), felállított, rögzített *[gép, alkatrész]*; *műsz* **~ block/pulley** állócsiga **c)** álló, nem működő, működésben nem levő **d) ~ water** állóvíz; *fiz* **~ wave** állóhullám **2.** állandó, tartós, maradandó; *kat* **~ army** állandó (zsoldos) hadsereg; **~ committee** állandó bizottság; **~ expenses** állandó kiadások; **~ rule** állandó/megváltozhatatlan szabály; *kat* **~ order** (i) állandó érvényű parancs (ii) *GB gazd* állandó rendelés *[sorozatos kiadványra]*; **~ orders** (i) *pol* képviselőházi házszabályok (ii) *orv biz* rutin vizsgálatok; **~ price** rögzített ár; **have a ~ invitation** állandó meghívása van, egyszer s mindenkorra meg van híva **II.** *fn* **1. a)** állás, álló helyzet; **I was tired of ~ so long** belefáradtam a sok állásba **b)** állóhely **c)** állomásozás, parkolás *[kocsié]* **2.** (idő)tartam,

S

tartósság, állandóság; **of long ~** régi, bevált; **a friendship of long ~** régi/tartós barátság; **debt of old ~** régi keletű adósság; **of two months' ~** két hónapja fennálló **3.** helyzet, állapot **4.** rang, pozíció, állás, tekintély, befolyás, megbecsülés; **social ~** társadalmi rang/pozíció/állás; **person of ~** tekintélyes (v. magas rangú) személy; **of good ~** jóhírű; tekintélyes, köztiszteletben álló *[ember]*; hitelképes *[cég]*; **man of high ~** magas állású/rangú ember; **keep one's ~** tartja a pozícióját; **be in good ~ (with sy)** jó viszonyban van vkvel **5. ~ down** visszalépés *[jelöltségtől]*

standing-ground *fn* tám(asz)pont, talaj *[amin vk megvetheti a lábát]*

standing room *fn* állóhely

standoff I. *mn* **1.** tartózkodó, kimért, zárkózott **2.** *sp* **~ half** nyitófedezet *[futballban]* **II.** *fn* **1.** tartózkodás (vmtől), távolmaradás **2.** *US* **a)** döntetlen mérkőzés/eredmény **b)** zsákutca, holtvágány **3.** kiegyenlítés, ellensúly; → **stand off**

standoffish [ˌstænd'ɒfɪʃ ‖ –'ɔf–] *mn biz* tartózkodó, kimért, zárkózott • *fn* **standoffishness** *hsz* **standoffishly**

standout *fn US biz* **1.** kimagasló/kiváló/nagyszerű dolog **2.** → **stand out**

stand-pat [ˌstænd'pæt] **I.** *mn US* **a)** *pol* maradi, haladásellenes **b)** rendíthetetlen, hajthatatlan **II.** *fn US* **a)** *pol* maradi/haladásellenes ember **b)** rendíthetetlen/hajthatatlan ember; → **pat**[2]

standpipe *fn* **1.** *műsz* **a)** felszállócső **b)** függőleges nyomóvezeték **2.** vízcsapos kút

standpoint ['stændpɔɪnt] *fn* álláspont, szempont; **from the ~ of sg** vmnek a szempontjából/szemszögéből

St Andreas Fault *tul földr* Szent András-törésvonal

stand-rest *fn* támaszkodó *[álló személy számára]*

St Andrew's cross *fn* Szent András keresztje, andráskereszt *[X alakú]*

standstill ['stændstɪl] *fn* megállás, leállás, mozdulatlanság; *orv* **cardiac ~** szívleállás; **come to a ~** teljesen leáll/megáll; **matters have come to a (dead) ~** az ügyek holtpontra jutottak; **be brought to a ~** holtpontra jut, (teljesen) leáll; megfeneklik

stand-to *fn kat* vigyázzban állás, vigyázzállás, harckészültség; → **stand to**

stand-up *mn* **1. ~ collar** szimpla (kemény) gallér, állógallér **2.** állva fogyasztott *[ebéd stb.]*; **~ lunch** állva fogyasztott ebéd **3. in ~ fight** nyílt harcban **4. ~ comedian** színpadi humorista **5.** → **stand up**

stanhope ['stænəp] *fn* kétkerekű/négykerekű könnyű nyitott kocsi

stanine ['stænaɪn] *fn okt* készségfelmérés, képességvizsgálat

stank [stæŋk] → **stink I.**

Stanley ['stænli] *tul* **1.** ‹férfinév› **2.** *GB* **~ knife** ‹cserélhető pengéjű kés›

stannary ['stænəri] *fn* **a)** ónbánya, cinbánya **b) the Stannaries** ‹ónbányavidék Cornwallban és Devonban›

stannic ['stænɪk] *mn vegy* ón-; **~ acid/hydroxide** ónsav

stannous ['stænəs] *mn vegy* ónos, ón-; **~ hydroxyde** sztannohidroxid

St Anthony's cross *fn* Szent Antal keresztje, egyiptomi kereszt *[T alakú]*

St Anthony's fire *fn orv* orbánc

stanza[1] ['stænzə] *fn tsz* **stanzas** *ir.tud* stanza, strófa, versszak szakasz • *mn* **stanzaed, stanzaic**

stanza[2] ['stæntsə] *fn tsz* **stanze** ['stæntseɪ] **1.** *épít* loggia, stanza, boltíves folyosó, oszlopcsarnok **2.** *épít* szoba, helyiség

stapelia [stə'pi:lɪə] *fn növ* dögvirág

stapes ['steɪpi:z] *fn orv* kengyel(csont) *[a fülben]*

staphylococcus [ˌstæfɪloʊ'kɒkəs ‖ –'kɑ–] *fn tsz* **staphylococci** [–kɒksaɪ ‖ –kɑk–] *orv* staphylococcus *[szőlőfürt alakban elhelyezkedő gömb alakú kórokozók]* • *mn* **staphylococcal**

staple[1] ['steɪpl] **I.** *mn* **a)** állandó, tartós **b)** legfontosabb, legfőbb; **~ commodities** a legfontosabb árucikkek; **~ crop** főtermény; **~ exports** fő exportcikkek; **~ industry** a legfontosabb ipar(ág); **~ town** kereskedelmi gócpont **II.** *fn* **1. a)** főtermény, legfontosabb áru(cikk); *biz* **form the ~ of conversation** a beszélgetés központi témája **b)** nyersanyag **2.** *tex* elemi szálak kötege, gyapjúszál/gyapotszál *[minőségmeghatározás szempontjából]*; **wool of long ~** hosszú szálú gyapjú **III.** *tsi tex* osztályoz, szortíroz *[gyapjút* v. *gyapotot szálhosszúság szerint]*

staple[2] ['steɪpl] **I.** *fn* **1.** fémkapocs, vaskapocs, kéthegyű szeg; **(wire) ~** U-kapocs; fűző(gép)kapocs, papírfűző/könyvfűző drótkapocs, kapocs **2.** ütköző, csappanó, akaszték *[zárban]* **II.** *tsi* összekapcsol *[könyvíveket, papírokat]*, fémszállal/drótkapoccsal összefűz *[lapokat]*

staple gun *fn műsz* szögbelövő

stapler ['steɪplə ‖ –ər] *fn* fűzőgép, kapocsfűző gép

stapling machine *fn nyomd* kapocsfűző gép

star [stɑ: ‖ stɑr] **I.** *fn* **1. a)** csillag; **fixed ~** állócsillag; **the morning ~** hajnalcsillag; **the North ~** sarkcsillag; *átv* **see ~s** csillagokat lát, szikrát hány a szeme *[pofontól]*; **sleep under the ~s** a szabad ég alatt alszik **b)** *átv* csillag(zat) *[sors]*; **the ~s in their courses** a végzet; **his ~ is rising** pályája felfelé ível; **born under a lucky ~** szerencsés csillagzat alatt született **2. a)** csillagalak(zat), csillag formájú alak/tárgy; *kat* csillag *[rangjelzés]* **b)** *cím* csillag; **blazing ~** üstökös; *US* **S~s and Stripes** ‹az amerikai nemzeti lobogó› a csillagos-sávos lobogó; *US* **S~s and Bars** ‹az 1860-ban elszakadt déli államok szövetségének zászlója› **c)** csillag *[ló homlokán]* **d)** *nyomd* aszteriszk **3. a five-~ hotel** ötcsillagos hotel **4.** *műsz* csillagkerék **5.** *vill* csillagkapcsolás **6.** *film szính* színpadi csillag, mozicsillag, filmcsillag, sztár **7.** kiválóság, csillag; **~ pupil** a legjobb tanuló **8.** *sp* **~ (yacht)** csillaghajó **II. -rr- A.** *tsi* **1. a)** *film szính* főszerepet/sztárszerepet játszik; **~ it** főszerepben lép fel, főszerepet/sztárszerepet játszik/alakít **b)** kitűnő alakítást nyújt, remekel **2.** csillagokkal díszít/kirak/tarkít **3.** *nyomd* csillaggal megjelöl **B.** *tni film szính* sztárszerepet/főszerepet játszik, sztárként szerepel; **~ring** ... ... a főszerepben • *fn* **stardom** *mn* **starless, starlike**

starboard ['stɑ:bəd ‖ 'stɑrbərd] **I.** *fn hajó rep* jobb oldal *[menetirányban]* **II. A.** *tsi* jobbra kormányoz *[hajót]* **B.** *tni* jobbra fordul/tart

starbright *mn* ragyogó/fényes mint a csillag

starburst *fn* **1.** haló *[erős fényforrás körül]* **2.** *csill* csillagrobbanás

starch [stɑ:tʃ ‖ stɑrtʃ] **I.** *fn* **1. a)** keményítő **b)** keményítőcsiríz, keményítőenyv **2.** *biz* feszesség, merevség, szertartásosság; *biz* **take the ~ out of sy** leszállít a magas lóról vkt **II.** *tsi* **1.** (ki)keményít *[fehérneműt]* **2.** feszessé/merevvé/szertartássá tesz

star chart *fn* csillagtérkép

starch blue *fn* kékítő

starched [stɑ:tʃt ‖ stɑrtʃt] *mn* **1.** (ki)keményített; **~ shirt** (ki)keményített/kemény ingmell **2.** *biz* feszes, merev, kimért, szertartásos, mesterkélt; **affect a ~ manner** mereven/kimérten/szertartásosan viselkedik, feszes/mesterkélt modort vesz fel • *mn* **starchedness**

starch sugar *fn* keményítőcukor

starchy ['stɑ:tʃi ‖ 'stɑrtʃi] *mn* **1. a)** *vegy* keményítő tartalmú **b)** (ki)keményített **2.** *biz* feszes, merev, kimért, mesterkélt

star cluster *fn csill* csillaghalmaz

star-crossed *mn/hsz régi* rossz csillag(zat) alatt született, szerencsétlen

star drift *fn csill* a csillagok mozgása, csillagmozgás

stardust *fn* **1.** sűrű csillagcsoport **2.** *US biz* naiv romantika; **have ~ in one's eyes** álmodozó, romantikus

stare [steə ‖ ster] **I. A.** *tsi* szemét mereszti, bámul (vkre, vmre), megbámul (vkt, vmt); **~ sy in the face** rábámul vkre, mereven néz vkt; *biz* **it's staring you in the face** szembeötlő, nyilvánvaló, majd kiszúrja a szemedet; **~ sy**

S

into silence addig nézte, amíg az elhallgatott; ~ **sy up and down** tetőtől talpig végigmér vkt **B.** *tni* **1. a)** mereven néz/tekint, bámul; ~ **at the moon** a holdat bámulja; ~ **at sy** mereven néz vkt, rábámul/rábámészkodik vkre **b)** nagy szemeket mereszt, bámul; **everybody ~d with astonishment** mindenki megdöbbenve bámult **2.** feltűnik, kirí *[élénk szín]* **II.** *fn* merev tekintet, bámulás, bámészkodás; **glassy** ~ üveges tekintet; **give sy a** ~ megbámul vkt; *átv* **with a ~ of astonishment** nagy szemeket meresztve • *fn* **starer**

starfish *fn áll* tengeri csillag

star fruit → carambola

stargaze *tni* **1.** *biz tréf* csillagászattal foglalkozik **2.** elbámészkodik, levegőbe bámul, ábrándozik • *fn* **stargazer, stargazing**

staring ['steərɪŋ ‖ 'sterɪŋ] **I.** *mn* **1. a)** meredt szemű, bámész(kodó) *[pillantás stb.]*; ~ **eyes** merev pillantás; bámész/elképedt pillantás/tekintet **b) stark**/~ **mad** teljesen őrült, sült bolond **2.** feltűnő, élénk, rikító *[szín stb.]* **II.** *fn* merev/bámész pillantás/tekintet, (rá)bámulás, bámészkodás

stark [stɑːk ‖ stɑrk] **I.** *mn* **1.** kopár, kietlen **2.** teljes, tökéletes, tiszta; ~ **madness** tiszta őrültség/őrület **3. a)** *vál régi* erős, erőteljes **b)** *vál régi* elszánt, kérlelhetetlen **4.** merev; ~ **and cold** hideg és merev *[holttest]* **II.** *hsz* teljesen, egészen; ~ **mad** tiszta bolond; ~ **(naked)** teljesen/anyaszült meztelen • *fn* **starkness** *hsz* **starkly**

starkers ['stɑːkəz ‖ 'stɑrkərz] *mn/hsz GB biz* (anyaszült) meztelen(ül), pucér(an)

starlet ['stɑːlət ‖ 'stɑr–] *fn* **1.** kis csillag, csillagocska **2.** *film* sztárjelölt, ifjú/fiatal filmcsillag/sztár *[főleg nő]*

starlight I. *mn* csillagfényes, csillagos; **a ~ night** csillagos/csillagfényes éj(szaka) **II.** *fn* csillagfény; **in the ~, by ~** csillagfénynél, csillagfényben

starling[1] ['stɑːlɪŋ ‖ 'stɑr–] *fn áll* seregély; **crested/rose** ~ tarka seregély

starling[2] ['stɑːlɪŋ ‖ 'stɑr–] *fn vízügy* jégtörő/pillérvédő cölöpfal

starlit *mn* csillagos, csillagfényes, csillagoktól megvilágított

starmonger *fn régi* csillagjós

starry ['stɑːri] *mn* **1.** csillagos *[ég]*; **the ~ sky** a csillagos égbolt **2.** *vál* csillogó, ragyogó, szikrázó; ~ **eyes** csillogó/ragyogó szemek **3.** *növ* csillag alakú **4.** sztárokat felvonultató *[műsor]*

starry-eyed *mn biz* **1.** csillagszemű, idealista, ábrándkergető, nagyra törő **2.** eufórikus

star shell *fn kat* világító lövedék

starship *fn* csillagközi űrhajó *[főleg sci-fi művekben]*

star-spangled ['stɑːspæŋgld ‖ 'stɑr–] *mn* csillagos, csillagokkal teleszórt, csillagdíszes; *US* **the S~ Banner** (i) ‹az USA nemzeti lobogója› (ii) ‹az USA nemzeti himnusza›

star stream *fn csill* csillagáramlás

star-struck *mn* sztárok/hírességek által lenyűgözött

star-studded *mn* sztárokban bővelkedő *[műsor]*

star system *fn* sztárkultusz

start [stɑːt ‖ stɑrt] **I. A.** *tsi* **1.** elkezd, megkezd (vmt), belekezd, belefog (vmbe); ~ **a conversation with sy** beszélgetésbe kezd vkvel, szóba elegyedik vkvel; ~ **negotiations** tárgyalásokba kezd/bocsátkozik; ~ **life afresh** új életet kezd; ~ **doing sg** hozzáfog vmhez, belekezd vmbe **2.** beindít, üzembe helyez *[gépet]*, beindít, begyújt *[motort]*, felhúz *[órát]* **3.** *sp* indít, indulásra jelt ad *[versenyben]*; ~ **runners (in a race)** futókat (el)indít **4. a)** *átv* elindít, megindít *[vállalkozást, ügyet]*, alapít *[vállalatot, lapot]*, forgalomba hoz, kibocsát *[gyártmányt, kiadványt]* **b)** *átv* útnak indít, elindít *[vkt életpályán]* **5. a)** megijeszt (vkt) **b)** felriaszt, felver, felhajt *[vadat]* **6. a)** okoz, létrehoz; ~ **a fire** tüzet gyújt; tűzvészt okoz **b)** felvet *[kérdést]*, támaszt *[kételyt]*; ~ **a discussion** vitát megindít/kezdeményez; ~ **an idea** gondolatot felvet **7.** panaszkodik, kritizál **8.** megszül *[gyereket]* **9.** megcsapol, csapra ver, meglékel *[hordót stb.]* **B.** *tni* **1.** összerezzen, megrezzen, összerázkódik, megriad, felriad **2.** hirtelen megmozdul/elmozdul, elugrik; ~ **from one's chair** felpattan székéből; **tears ~ed to her eyes** könnyek szöktek a szemébe; ~ **to one's feet** talpra ugrik **3. a)** (el)indul; **we must ~ early** korán kell (el)indulnunk **b)** megindul, elindul *[jármű]*, beindul, begyullad *[motor]* **c)** *sp* (el)indul, részt vesz *[versenyen]* **4.** (el)kezd, (el)kezdődik; ~ **to do sg** hozzáfog vmhez, belekezd vmbe; ~ **at the beginning** az elején kezdi; **he ~ed with nothing** semmiből kezdte (v. emelkedett fel); ~ **afresh/again** elölről kezdi, újrakezdi; megjavul **5.** létrejön, keletkezik, támad **II.** *fn* **1. a)** (el)indulás, megindulás, *rep* felszállás; **we shall make a ~ in the morning** reggel indulunk; **give sy a ~** megindít vkt pályáján; *biz* **he got a good ~ in life** jól indult az életben **b)** *sp* kezdés, indulás, rajt, start; **he's off to a good ~ now** jól indult/rajtolt/startolt/kezdett **2. a)** kezdés, kezdet, indítás; **make a fresh ~ (in life)** új életet kezd; **at the ~** kezdetén, kezdetben; **at the very ~** mindjárt (a) kezdetben, a kezdet kezdetén; **by fits and ~s** meg-megszakítva, rendszertelenül; **from ~ to finish** kezdettől végig **b)** *sp* indítás **3. a)** kezdőpont, kiindulópont **b)** *sp* rajthely, rajtvonal, startvonal **4.** előnyös helyzet, *sp* előny; **give sy a ~** *sp* előnyt ad vknek; *átv* kedvezően/előnnyel indít el vkt *[életpályáján]*; **get the ~ of sy** megelőz vkt, elébe vág vknek **5. a)** összerezzenés, megrezzenés, megriadás, felriadás, összerándulás; **give sy a ~** megijeszt/megriaszt vkt; **give a ~** összerezzen; **wake with a ~** felriad álmából **b)** (fel)ugrás, felpattanás, hirtelen mozdulat/lökés

start for *tni* **1.** elindul, (el)kezd; ~ **for the continent** Európába indul *[Nagy-Britanniából]* **2.** jelölteti magát (vmre), jelöltként fellép

start in *tni* **1.** *biz* megkezd, nekikezd vmnek, hozzálát vmhez; ~ **in life** kilép az életbe, megindul a pályáján **2.** megkezdődik, megindul

start off *tni* **a)** elindul, útnak indul; ~ **off on a journey** útnak indul, útrakel; **the play ~s off with a prologue** a darab előjátékkal kezdődik **b)** elindul, megindul *[jármű]*

start on *tni* **1.** megkezd (vmt), hozzákezd, hozzáfog; ~ **on a task** munkába kezd, munkához lát **2.** ~ **on one's way** elindul, útnak indul **3.** *biz* megfélemlít vkt

start out *tni* **1.** elindul, útnak indul (vhová) **2.** ~ **out to** az a szándéka/terve, hogy, elhatároz (vmt)

start up A. *tsi* megindít, beindít, mozgásba hoz *[gépet]* **B.** *tni* **1.** mozgásba jön, megindul, beindul *[gép]*; **the engine won't ~ up** a motor nem indul **2.** felpattan, (hirtelen) felugrik; ~ **up from one's sleep** felriad álmából **3. a)** *átv* születik, keletkezik, létrejön, támad **b)** gyorsan (v. gomba módjára) nő/terjed

start with *tni* **to ~ with** először, eleinte, kezdetben; először is, kezdjük azzal, hogy; **a capital to ~ with** kezdőtőke; **to ~ with you should not be here** kezdjük azzal, hogy nem kellene itt lenned

START [stɑːt ‖ stɑrt] *röv Strategic Arms Reduction Talks/Treaty*

starter ['stɑːtə ‖ 'stɑrtər] *fn* **1. a)** induló, aki indul; **he is an early ~** korán indul (el) **b)** *sp* induló *[versenyben]*, rajthoz álló **c)** *sp* induló versenyló; **under ~'s order** startjelzésre várva, *átv* készen állva, felkészülve **2. a)** *sp* indító (bíró) **b)** elindító, megindító *[vállalkozásé, ügyleté]*, alapító *[vállalaté, lapé]*, forgalomba hozó, kibocsátó *[gyártmányé, kiadványé]* **3.** *gk* önindító **4.** *vegy* folyamatot megindító szer/anyag **5.** indulótőke; *biz* **lend sy a large sum as/for ~s** nagy összeget kölcsönöz vknek az induláshoz *[üzletben]* **6.** *gaszt* előétel, első fogás

starting block *fn sp* rajtgép

starting current *fn* **1.** *vill* indítási áram **2.** *távk* induló-áram

starting dive *fn sp* rajtfejes *[úszásban]*

starting gate *fn sp* indítókorlát *[lóversenyen]*

starting gun *fn sp* startpisztoly

starting point *fn* kiindulópont; *sp* rajtkő

starting position *fn sp* alapállás

starting post *fn sp* rajtpózna

starting price *fn* **1.** *gazd pénz* nyitó/kezdő ár **2.** *sp* utolsó fogadás *[versenyben indulás előtt]*
startle [ˈstɑːtl ‖ ˈstɑrtl] *tsi* **1. a)** felriaszt, megriaszt, megijeszt, megrémít; **~ sy out of his sleep** felriaszt vkt álmából **b)** meglep, meghökkent, megdöbbent, elképeszt; **I was ~d by the news of his death** halálhíre megdöbbentett **2.** serkent, buzdít, sarkall, ösztökél • *fn* **startler**
startling [ˈstɑːtlɪŋ ‖ ˈstɑrtlɪŋ] *mn* **a)** ijesztő, riasztó, rémítő **b)** meglepő, megdöbbentő, elképesztő, lesújtó; **a ~ news** meglepő/megdöbbentő hír; **~ resemblance** meglepő/megdöbbentő hasonlatosság
star-tracking *mn kat* **~ guidance** csillagászati irányítás
start time *fn* kezdési idő
start-up period *fn* felfutási időszak *[pl. üzleté]*
star turn *fn GB* **1.** főműsorszám **2.** a műsor sztárja
starvation [stɑːˈveɪʃn ‖ stɑr–] *fn* éhezés, éhínség, koplalás, kiéhezettség; **die of ~** éhen hal
starvation wages *fn tsz* éhbér, nyomorúságos bér
starve [stɑːv ‖ stɑrv] **A.** *tsi* **a)** kiéheztet, agyonéheztet, halálra éheztet; **~ sy out** kiéheztet vkt; **~ an army into surrender** éheztetéssel megadásra kényszerít egy hadsereget **b)** éheztet, koplaltat **B.** *tni* **1. a)** **~ (to death)** éhen hal **b)** éhezik, koplal; *biz* **I am starving** majd éhen halok **2. ~ for** vágyódik, sóvárog (vm után), áhítozik (vmre) **3.** *régi* megfagy, halálra fagy/dermed; *biz* **be starving with cold** nagyon fázik, (majd) megfagy
starved [stɑːvd ‖ stɑrvd] *mn* **1.** éhen halt/pusztult **2. a)** éhes, kiéhezett **b)** **~ of sg** vmre vágyódó/sóvárgó; **~ of affection** szeretetre vágyó/sóvárgó, szeretetet nélkülöző
starveling [ˈstɑːvlɪŋ ‖ ˈstɑr–] **I.** *mn* **1.** éhes, koplaló, kiéhezett, éhenkórász *[személy]* **2.** éhínséges, éhínséggel fenyegető *[állapot]*, elégtelen, nem megfelelő/kielégítő *[táplálkozás]* **II.** *fn* éhes/kiéhezett (v. rosszul táplált) ember/állat
Star Wars *fn pol biz* ‹amerikai stratégiai védelmi kezdeményezés, a "Csillagok háborúja" c. filmről elnevezve› csillagháború
star witness *fn US* koronatanú
starwort [ˈstɑːwɜːt ‖ ˈstɑrwɜrt] *fn növ* tyúkhúr, csillaghúr
stash [stæʃ] **I.** *fn* **1.** búvóhely, rejtekhely **2.** elrejtett készlet **II.** *tni biz* **~ (away)** biztos helyre eltesz/elrejt/elrak/félretesz
stasis [ˈsteɪsɪs] *fn* **1.** mozdulatlanság, nyugalmi állapot **2.** *orv* megrekedés, pangás; **venous ~** vénás pangás
state [steɪt] **I.** *fn* **1. a)** *pol* **~** (v. **the S~**) (az) állam; **affairs of ~** államügyek; **Secretary of S~** *GB* miniszter; *US* külügyminiszter; **bring sg under ~ control** államosít (v. állami kezelésbe vesz) vmt **b)** *pol* állam, ország; **the United S~s of America**, *biz* **the S~s** az Amerikai Egyesült Államok, az USA **2. a)** állapot; **~ of health** egészségi állapot; **~ of mind** lelkiállapot; **in a good ~** jó állapotban/karban; **in a ~ of nature** természetes állapotban **b)** helyzet, állapot, körülmény(ek); **~ of affairs** tényállás, helyzet; **~ of siege** ostromállapot; **~ of war** hadiállapot; **here's a nice/pretty ~ of things** szépen nézünk ki!; **whatever the ~ of the case may be** minden körülmények között, akárhogy áll is a helyzet **c)** nyugtalanság, izgalom, izgalmi állapot, aggodalom; *biz* **be in a great ~** rendkívül izgatott **3. a)** állás, rang, méltóság; **befitting his ~** rangjának megfelelő(en), rangjához méltó(an) **b)** dísz, pompa, fény; **chair of ~** díszszék; trón; **robes of ~** (hivatali) díszruha; **the ~ with which he is surrounded** a pompa/fény, amely körülveszi; **keep great ~**, **live in ~** nagy lábon él, nagy házat visz; **in ~** teljes díszben, nagy pompával **c)** **lying in ~** felravatalozás **4.** rend, státus, osztály; *tört* **the ~s** a rendek **5.** *biol* szervezett közösség *[rovaroké]* **6.** *fiz* állapot **II.** *tsi* **a)** kijelent, állít, megállapít, kifejez, kimond, bejelent; **I ~ positively that...** határozottan állítom, hogy...; **as ~d above** mint már (fentebb) említettük; *gazd* **~ an account** számlakivonatot ad; folyószámlaegyenleget közöl **b)** kifejt, előad, ismertet; **~ the reasons for one's conduct** viselkedésének okait kifejti/megmagyarázza; *jog* **~ the case** kifejti/ismerteti az ügyet **c)** kijelöl, megállapít *[időpontot]*; **~ sg precisely** pontosan/pontosabban meghatároz, közelebbről megjelöl • *mn* **stat(e)able**
state aid *fn közg* állami segély, szubvenció • *mn* **state-aided**
state call *fn* udvariassági látogatás
state capitalism *fn pol* államkapitalizmus
state college *fn US* szövetségi állami főiskola
statecraft *fn* **a)** államvezetés, kormányzás *[művészete]*, államférfiúi tehetség/tulajdonságok **b)** *pej* politikai/diplomáciai ravaszság/ügyeskedés
stated [ˈsteɪtɪd] *mn* **1.** megállapított, meghatározott, kijelölt; **at ~ intervals** meghatározott időközökben; **~ salary** fix fizetés **2.** *jog* előadott, ismertetett *[ügy]*
State Department *fn US* külügyminisztérium
state dinner *fn* díszebéd
state evidence *fn US* koronatanú
state examination *fn* államvizsga
state funeral *fn* állami temetés, dísztemetés
statehood [ˈsteɪthʊd] *fn US pol* **1.** államiság **2.** tagállami állapot; **to grant ~** az Egyesült Államok tagállamaként elismer
state house *fn* **1.** *US* a szövetségi állam parlamentje *[mint épület]* **2.** *ÚjZ* állami költségen épült magánépület
State Legislature *fn US* állami törvényhozás, szövetségi államok parlamentje
stateless [ˈsteɪtləs] *mn* **1.** hontalan; *jog* **~ person** hontalan személy **2.** megszűnt állam állampolgárságával bíró • *fn* **statelessness**
stately [ˈsteɪtli] *mn* **a)** felséges, fenséges, tekintélyes, impozáns *[látvány]*; **the ~ homes of England** az angliai (főúri) kastélyok **b)** méltóságteljes, előkelő *[viselkedés]*, emelkedett, fennkölt *[beszéd, gondolat]*, díszes, pompás *[tárgy]*; *ir.tud* **~ style** emelkedett/fennkölt stílus • *fn* **stateliness**
state-managed *mn* állami kezelésben levő *[intézmény]*
statement [ˈsteɪtmənt] *fn* **1. a)** bejelentés, nyilatkozat, közlemény, ismertetés, beszámoló; **official ~** hivatalos közlés/nyilatkozat, kommünikė; *kat* **~ of service** minősítési lap; **make/publish a ~** nyilatkozik, nyilatkozatot tesz/kiad/közzétesz **b)** kijelentés, állítás, megállapítás; *jog* **~ of claim** kereset; **~ of facts** tényállás; *jog* **official ~ of facts** hatósági ténymegállapítás **c)** vallomás, nyilatkozat; **the ~s made by the witnesses** tanúvallomások **d)** *nyelv* kijelentés *[mint mondatfunkció]* **2.** *gazd* számadás, kimutatás, jegyzék; **monthly ~** havi eredmény/mérleg; **~ of account** számlakivonat; **~ of affairs** felszámolási mérleg; *jog* **~ of costs/expenses** költségkimutatás **3.** *infor* (forrásnyelvi) programutasítás
state of the art *fn* a tudomány/technika jelenlegi állása (v. jelenlegi legfejlettebb foka)
state-of-the-art *mn* legkorszerűbb *[technika]*
state-owned *mn* állami (tulajdonban levő); **~ enterprise/factory** állami üzem/vállalat
stateroom *fn* **1.** díszterem **2.** luxuskabin *[óceánjárón]*, luxusfülke *[vonaton]*
state-run *mn* államilag kezelt, állami vezetés alatt álló
state secret *fn* államtitok
stateside *mn US* amerikai, egyesült államokbeli, Amerikába való/irányuló, az Egyesült Államok területén való *[külföldről nézve]*
statesman [ˈsteɪtsmən] *fn tsz* **-men** **1.** államférfi **2.** politikus • *fn* **statesmanship** *mn* **statesmanlike, statesmanly**
statesperson *fn* államférfi
stateswoman *fn tsz* **-women** államvezetői tehetség/tulajdonság(ok)/adottságok
state visit *fn pol* állami látogatás
statewide *mn* országos, *US* tagállami

static ['stætɪk] **I.** *mn* **1.** *fiz* nyugvó, szilárdsági, statikai, statikus; **~ calculation** statikai számítás; *rep* **~ line** ejtőernyő-bekötő zsinór; *infor* **~ memory/storage/RAM** statikus memória **2.** *fiz* elektrosztatikus; **~ charge** statikus/elektrosztatikus töltés/feltöltődés **3.** nyugodt, passzív, változatlan **II.** *fn* **1.** *távk vill* elektrosztatikus töltés **2.** *tsz* **statics** *távk* légköri zavarok/kisülések • *hsz* **statically**

statics ['stætɪks] *fn esz* szilárdságtan, statika; **mechanical ~** erőműtani szilárdság; → **static II.**

station ['steɪʃn] **I.** *fn* **1.** hely(zet), állás **2. a)** állomás; *US* **operate a ~** benzinkútja van **b)** *kat* őrhely, állomás; **military ~** helyőrség; **naval ~** hadikikötő **3.** *távk* rádióállomás; **broadcasting ~** rádióállomás, adóállomás **4.** *vasút* megálló, állomás, pályaudvar, vasúti csomópont; **reach the ~** befut az állomásra *[vonat]* **5.** *vall* stáció; **the ~s of the Cross** kálvária stációi, keresztút **6.** *tud* településhely, lakóhely, lelőhely *[állaté, növényé]* **7.** *Ausz* **(sheep) ~** juhtenyésztő telep/farm **8. a)** hivatal, foglalkozás, állás; **take up a ~** állást elfoglal, elhelyezkedik **b) ~ (in life)** társadalmi állás/helyzet, rang; **marry below one's ~** rangján alul házasodik **II.** *tsi* **1.** odaállít, (el)helyez; **~ troops** csapatokat elhelyez/felállít; **~ a guard at the gate** őrt állít a kapuba; **~ oneself** elhelyezkedik **2.** *kat* állomásoztat *[csapatokat]*; **be ~ed at** állomásozik (vhol)

stationary ['steɪʃənəri ‖ –neri] *mn* **1.** mozdulatlan, változatlan, (egy helyben) álló; **remain ~** mozdulatlan marad, egy helyben marad, nem mozdul **2.** állandó, szilárd, rögzített, álló; **~ bicycle** szobakerékpár; *fiz* **~ orbit** stacionárius pálya; *kat* **~ troops** egy helyben állomásozó csapatok; *fiz* **~ wave** állóhullám

station-bill *fn hajó* személyzeti lajstrom

station break *fn US távk* ‹rövid műsorszünet, amelyben elhangzik a rádióállomás neve›

station camp *fn* szakasztábor *[expedíción]*

stationer ['steɪʃənə ‖ –ər] *fn* **1.** papírkereskedő; **~'s shop** papírkereskedés **2. a)** könyvárus, könyvkereskedő **b)** kiadó (és könyvkereskedő)

stationery ['steɪʃənəri ‖ –neri] *fn* írószer és papíráru, irodaszer(ek), levélpapír; *infor* nyomtatópapír

station house *fn* **a)** zárka, fogda *[rendőrőrszobán]* **b)** *US* rendőrőrszoba

stationmaster *fn vasút* állomásfőnök

station office *fn* forgalmi iroda *[pályaudvaron]*

station wagon *fn gk* kombi

statism ['steɪtɪzm] *fn* állami irányítás *[széles körű állami beavatkozás a gazdasági és társadalmi életbe]* • *fn* **statist**

statistic [stə'tɪstɪk(l)], **statistical** *mn* statisztikai; **~ tables** statisztikai táblázatok • *hsz* **statistically**

statistician [ˌstætɪ'stɪʃn] *fn* statisztikus

statistics [stə'tɪstɪks] *fn* **1.** *esz* statisztika **2.** *tsz* statisztikai adatok

stator ['steɪtə ‖ –ər] *fn műsz vill* állórész, sztátor *[motorban]*

statoscope ['stætəskoʊp] *fn* légnyomásváltozás-jelző, barométer

stats [stæts] *biz* → **statistics**

statuary ['stætʃuəri ‖ –tʃueri] **I.** *mn* szobornak való, szobrász-, szobor-; **~ marble** szobrászmárvány **II.** *fn* **1.** szobrász **2. a)** szobrászat, szobrászművészet **b)** szobrok; **Greek ~** görög szobrok/szoborművek

statue ['stætʃu:] *fn* szobor

statued ['stætʃu:d] *mn* **1.** szobrokkal díszített **2.** szoborban ábrázolt/kifejezett/megörökített

statuesque [ˌstætʃu'esk] *mn* szoborszerű, plasztikus; **a lady of ~ beauty** szoborszépségű nő • *fn* **statuesqueness** *hsz* **statuesquely**

statuette [ˌstætʃu'et] *fn* kis szobor, szobrocska

stature ['stætʃə ‖ –ər] *fn* **1.** termet, alak, növés; **be short of ~** kis termetű, alacsony növésű **2. a)** szellemi képesség/kaliber, formátum **b)** társadalmi helyzet • *mn* **statured**

status ['steɪtəs] *fn* **1.** állapot, helyzet, státus; **(property) ~** vagyoni állapot, anyagi/pénzügyi helyzet **2. a)** *jog* **civil ~** polgári állás, foglalkozás **b) (social) ~** társadalmi helyzet/állás/rang **3.** *orv* betegség állapota

status inquiry *fn pénz* információkérés *[pénzügyi helyzetről]*

status quo [– 'kwoʊ] *fn* a fennálló állapot, status quo

status quo ante [– kwoʊ 'ænti] *fn* a korábbi állapot, status quo ante

status report *fn* helyzetjelentés

status symbol *fn* státusszimbólum

statutable ['stætʃu:təbl] *mn* a törvény által megengedett/szabályozott/meghatározott, törvényen alapuló, törvényszerű • *hsz* **statutably**

statute ['stætʃu:t] *fn* **a)** *jog* törvény, rendelet; **declaratory ~** magyarázó/értelmező jogszabály; **personal/real ~** személyi állapotot meghatározó jogszabály **b)** *tsz* **statutes** alapszabály, szabályzat, statutum

statute-barred *mn jog* elévült

statute book *fn* törvénykönyv, Corpus Juris

statute law *fn jog* írott jog

statute mile *fn* angol mérföld *[1609,33 méter]*

statutory ['stætʃutəri ‖ –tʃətɔri] *mn* **a)** *jog* a törvény által szabályozott/meghatározott, törvényen alapuló, törvényszerű, törvényes; **~ guardian** törvényes gyám; **~ holiday** hivatalos ünnepnap, törvényes munkaszüneti nap; *jog* **~ rape** kiskorú sérelmére elkövetett erőszakos nemi közösülés; **~ rule** törvényerejű rendelet **b)** alapszabályszerű; **~ meeting** részvénytársaság alakuló közgyűlése

staunch [stɔ:ntʃ] **I.** *mn* **1.** hűséges, megbízható, önzetlen *[barát]*, (meg)rendíthetetlen, szilárd, kitartó *[híve vmnek]*, elvhű **2. a)** vízálló, vízhatlan, vízzáró **b)** légszigetelt, légmentesen záró(dó) **II.** *tsi* **a)** elállít *[vérzést]* **b)** eltömít *[folyást]*; → **stanch[2]** • *fn* **staunchness** *hsz* **staunchly**

stave [steɪv] **I.** *fn* **1.** léc, gyámfa, donga, rúd; **barrel ~s** hordódonga, hordófa **2.** versszak, strófa **3. a)** *zene* hangjegyvonal, a kotta öt vonala; → **staff[1]** I. 4. **b)** *zene* ütem, taktus **II.** *pt/pp* **staved, stove** [stoʊv] **A.** *tsi* **1.** dongával/dongákkal ellát *[hordót]* **2.** beüt, bever *[hordót]*, kilyukaszt *[hajót]* **B.** *tni* **1.** rést/léket kap, kilyukad *[hajó, hordó]* **2.** *biz* siet, rohan, szedi a lábát

stave in A. *tsi* beüt, bever *[hordót]*, kiüti a fenekét *[hordónak]*, kilyukaszt *[hajót]*, beszakít *[vitorlát]* **B.** *tni* behorpad

stave off *tsi* távol tart, elhárít *[kellemetlenséget, szerencsétlenséget]*, elejét veszi *[bajnak]*, megelőz *[betegséget, veszélyt]*; **~ off hunger** elveri az éhségét

stave rhyme *fn ir.tud* alliteráció

staves [steɪvz] → **staff[1]** I.4.

stay[1] [steɪ] **I. A.** *tsi* **1.** megállít, leállít (vmt), véget vet (vmnek), feltart(óztat), visszatart, késleltet (vmt); **~ the blow** ütést feltart; **~ one's hand** türtőzteti magát; *biz* **~ one's appetite/stomach** elveri éhségét **2. ~ the course** kitart a végéig; **~ the night** éjszakára/másnapig ott marad **3.** *jog* elhalaszt, felfüggeszt; **~ (legal) proceedings** bírói eljárást beszüntet **4.** *régi* (meg)vár (vkt) **B.** *tni* **1. a)** marad, helyben/helyén marad, ott marad; **~ in bed** ágyban marad; **~ at home** otthon marad; **~ for/to dinner** ottmarad ebédre; **he has come to ~** hosszabb időre eljött látogatóba, hosszabb időre itt/nálunk marad *[vendég]*; *biz* **come to ~** állandósul, meghonosodik, meggyökerezik; **~ put** (a) helyén (meg)marad, nem mozdul el/meg, marad ott, ahol van; ragaszkodik álláspontjához, rendíthetetlen; **~ put!** ne moccanj! **b)** tartózkodik, lakik; **~ at a hotel** szállodában megszáll/lakik **2.** *sp* **he was not able to ~** nem bírta az iramot **II.** *fn* **1.** tartózkodás, otlét, időzés, látogatás; **make a ~** tartózkodik; marad; **make a long ~** hosszú ideig tartózkodik, sokáig marad **2. a)** *vál régi* akadály(oztatás), korlát(ozás), feltartás, (fel)tartóztatás; **put a ~ upon passion** fékez/korlátoz szenvedélyt **b)** *jog* elhalasztás, felfüggesztés; **~ of execution** halálbüntetés végrehajtásának felfüggesztése **3.** kitartás, állhatatosság • *fn* **stayer**

S

stay away *tni* távol marad, nem megy el vhová
stay by *tni* mellette marad és támogatja
stay down *tni okt* ismétel *[osztályt]*
stay in *tni* **1.** benn marad *[a házban]*, otthon marad **2.** *okt* bezárják *[diákot iskolában]*
stay on *tni* **1.** rajta marad, megmarad (vmn) **2.** tovább marad *[mint szándékozott]*
stay out *tni* **1.** kinn marad, nem jön be *[a házba]* **2.** nem tér haza/vissza; ~ **out all night** nem alszik otthon; kimarad *[éjszakára]* **3.** végig ott marad/kitart *[előadáson]*, végigül (vmt)
stay up *tni* **1.** fennmarad, nem fekszik le, ébren marad **2.** állva marad
stay with *tni* meglátogat (vkt), látogatóban van (vknél)

stay² [steɪ] **I.** *fn* **1. a)** *átv* támaszték, tartó **b)** *átv* támasz; *biz* **the ~ of her old age** öreg korának támasza **c)** *épít műsz* támasz(ték), tartó(szerkezet), oszloptámasztó rúd **2.** *műsz* **a)** támcsavar **b)** feszítő/merevítő kötél, vonórúd *[hidépítésnél]* **3. be/hang in ~s** szembe kapja a szelet *[hajó]* **4.** *tsz* **stays a)** (női) fűző **b)** fűzőmerevítő **c)** gallérmerevítő **II.** *tsi* **1. a)** *épít* ~ **(up) sg** feltámaszt, megtámaszt, dúcol (vmt) **b)** *átv* támogat, fenntart **2. a)** *hajó* kiköt, rögzít *[árbocot]* **b)** orral átfordít a szélen *[hajót]*

stay-at-home *mn/fn* otthonülő

stay-bar *fn* (ablakkitámasztó) pecek

staying power *fn* ellenálló erő, kitartás, állóképessség

stay-in strike *fn GB* ülősztrájk

stay-lace *fn* fűzőzsinór, fűzőszalag *[női fűzőhöz]*

stay-rod *fn műsz* **1.** távtartó rúd **2.** horgony, támcsavar

staysail [ˈsteɪsl] *fn hajó* tarcsvitorla, előkötél-vitorla

St Bartholomew *tul tört* **~'s Day Massacre** (Szent) Bertalan-éj

St Bernard *fn áll* bernáthegyi (kutya)

STD *röv* **1.** *sexually transmitted disease(s)* **2.** *subscriber trunk dialling*

stead [sted] **I.** *fn* **1.** hely; *ritk* **in sy's ~, in the ~ of sy** vk helyén/helyére/helyett; **in my ~** helyettem; **I am come in his ~** helyére/helyette jöttem **2.** haszon, előny; **stand sy in good ~** vknek kapóra/jól jön, hasznára válik **II.** *tsi régi* szolgálatot tesz, szolgál, segítségére van, segít (vknek)

steadfast [ˈstedfɑːst ‖ –fæst] *mn* állhatatos, rendíthetetlen, megingathatatlan, kitartó, következetes • *fn* **steadfastness** *hsz* **steadfastly**

steading [ˈstedɪŋ] *fn skót* tanya/major és a hozzátartozó melléképületek

steady [ˈstedi] **I.** *mn* **1.** szilárd, biztos, merev; **keep ~** helyén marad, nem mozdul; **have a ~ hand** biztos keze van; **be ~ on one's legs/pins** biztosan/szilárdan áll a lábán; **have a ~ seat** szilárdan/biztosan ül a nyeregben *[lovas]* **2.** egyöntetű, egyenletes, állandó, folyamatos, rendszeres, tartós; *rep* **~ flight** egyenes vonalú (v. állandó sebességű) repülés; **~ load** állandó terhelés; **~ motion** állandó/egyenletes mozgás; **~ pace** egyenletes tempó; **~ pulse** egyenletes érverés; *fiz* **~ state** állandósult/nyugalmi állapot, *távk* berezgett állapot; *gazd* **a ~ demand for sg** állandó kereslet vmben; **a ~ girlfriend** állandó barátnő; *US biz* **go ~ (with)** együtt jár(nak) *[fiú lánnyal, lány fiúval]*, jár (vkvel); *gazd* **grow ~** stabilizálódik *[piac]* **3. a)** állhatatos, szilárd jellemű, kitartó, következetes *[személy]*; **~ worker** szorgalmas/kitartó munkás **b)** komoly, rendes, józan, kiegyensúlyozott *[ember]*; **become ~** megkomolyodik **II.** *hsz* **~!** ne mozdulj!; *kat* vigyázz!; *GB biz* **~ (on)!** lassan (és óvatosan)!, nyugalom!, lassan a testtel! **III.** *fn biz* állandó barát(nő)/partner **IV. A.** *tsi* **1.** megszilárdít, (meg)erősít, megtámaszt, egyensúlyba hoz; **~ oneself against sg** vmnek nekitámaszkodik; *hajó* **~ the ship against the sea** hajót a hullámjárással szemben tartja **2.** állhatatossá/kitartóvá/következetessé tesz; **discipline steadies the character** a fegyelem szilárddá teszi a jellemet **B.** *tni* megszilárdul, megkeményedik, megerősödik; **prices are ~ing** az árak megszilárdulnak • *fn* **steadiness** *hsz* **steadily**

steady down A. *tsi* megnyugtat, megszelídít, lecsendesít (vkt) **B.** *tni* lehiggad, lecsendesedik, megnyugszik, visszanyeri egyensúlyát

steady-going *mn* **1.** szabályosan/egyenletesen járó *[gép]* **2.** meggondolt, megfontolt, módszeres *[ember]*

steak [steɪk] *fn gaszt* **1. a)** (sütni való) szelet *[hús, hal]*; **fillet of ~** vesepecsenye-szelet **b)** marhapecsenye, rostélyos, bifsztek **2.** vagdalthússzelet *[sütve]*, vagdalt bélszín

steakburger *fn US gaszt* hamburger marhahússzelettel

steak hammer *fn* húsklopfoló

steakhouse *fn* étterem *[főleg sülthúsokra specializált]*

steak-pudding *fn gaszt* hússal töltött puding

steak tartare *fn gaszt* tatárbifsztek

steal [stiːl] **I.** *pt* **stole** [stoul], *pp* **stolen** [ˈstouln] **A.** *tsi* **1. a)** (el)lop; **~ sy's thunder** ellopja más ötletét, más tollával ékeskedik, háttérbe szorítja a másikat; **~ a ride** potyán utazik; **~ a march on sy** (hirtelen) eléje vág vknek, ügyesen megelőz vkt **b)** megszerez, *átv* lop; **~ a kiss** csókot lop; **~ a glance at sy** lopva vkre pillant; **~ a person's heart** rabul ejti vknek a szívét; **~ the show** elhomályosít mindenki mást; ő arat le minden babért **2.** *sp* elnyer *[adogatást]*, megszerez *[labdát]* **B.** *tni* **1.** lop; *bibl* **'thou shalt not ~'** ne lopj! **2. a)** lopakodik, lopódzik, lopva/titokban/titkon jár/közeledik; **~ along** lopva (tovább)megy; **he stole away** nesztelen léptekkel elment/eltávozott; elillant, elosont, elpárolgott; **~ on** (észrevétlenül) tovasuhan; **~ out** kilopódzik **b)** fokozatosan elborít/eláraszt, erőt vesz (vkn) **II.** *fn US biz* **1. a)** lopás **b)** sötét ügylet, csalás **2.** lopott tárgy/holmi **3.** könnyű feladat; *biz* pite • *fn* **stealer**

stealing [ˈstiːlɪŋ] *fn* **1.** lopás, tolvajlás **2.** *tsz* **stealings** lopott holmi/tárgy

stealth [stelθ] *fn* **1.** lopakodás **2.** álcázás; titkosítás **3. by ~** lopva, titokban

stealth bomber *fn kat rep* lopakodó bombázó

stealthy [ˈstelθi] *mn* titkos, lopva végrehajtott, rejtett, óvatos; **~ glance** rejtett/titkos pillantás • *fn* **stealthiness** *hsz* **stealthily**

steam [stiːm] **I.** *fn* **1.** (víz)gőz; **dry ~** szárazgőz; **wet ~** nedves gőz; **put ~ on** gőzt ad; **work by ~** gőzzel működik; **travel by ~** gőzhajóval megy/utazik **2.** (víz)pára **3.** kigőzölgés, kipárolgás; **the ~ from a horse's body** a ló testének kigőzölgése **4. a)** gőzerő; *hajó* **full ~ ahead!** teljes gőzzel előre!; **at full ~, with all ~ on** teljes gőzzel **b)** *biz* erő, energia; **get up ~** gőzt/hajtóerőt termel; *biz* összeszedi erejét *[nagy munkára]*; **keep up ~** fenntartja a nyomást; *biz* nem áll le, tovább dolgozik; **let/blow off ~** csökkenti a nyomást; *biz* fölösleges energiáját levezeti; *biz* szabad folyást enged érzelmeinek; haragját kitölti; **raise ~** fokozza a nyomást; *biz* összeszedi minden erejét; **run out of ~** kimerül **II. A.** *tsi* **1.** gőzzel hajt/kezel/telít **2.** gőzöl, párol (vmt), átgőzöl, kigőzöl *[ruhanemű, ágynemű]* **3.** párol *[húst]* **4.** *szl* feldúl, vandalizál *[banda közterületet]* **B.** *tni* **1.** gőzölög, párolog **2.** halad, fut *[gőzhajtással]*
steam ahead *tni* **1.** gőzerővel halad **2.** *biz* nagy (előre)haladást tesz meg, gőzerővel dolgozik
steam in *tni szl* verekedni kezd
steam up *tni* **1.** gőzt ad **2.** *biz* nagy energiával v. gőzerővel fog vmhez **3.** *biz* felbosszant, feldühít, felizgat; **get ~ed up** dühbe/izgalomba jön, felmegy benne a pumpa

steam age *fn* a gőzvasutak kora, gőzkorszak

steam bath *fn* gőzfürdő

steamboat *fn* gőzhajó, gőzös

steamboatman *fn tsz* **-men** gőzhajós

steam boiler *fn műsz* (gőz)kazán

steam-driven *mn műsz* gőzüzemű, gőzhajtású, gőzzel hajtott, gőz-

steam engine *fn* **1.** *műsz* gőzgép; **condensing ~** kondenzációs gőzgép **2.** gőzmozdony

steamer [ˈstiːmə ‖ –ər] *fn* **1.** *biz* gőzhajó, gőzös **2.** *vegy* gőzölő készülék, bepárlókazán **3.** pároló *[edény, rács]* **4.** *biz* szörfruha *[gumiból]* **5.** *biz* vandál, garázda

steam gauge *fn műsz* gőznyomásmérő, feszültségmérő

S

steam-heat *fn* gőztartalom *[lecsapódás előtt]*
steaming ['sti:mɪŋ] **I.** *mn* gőzölgő, párolgó; **~ hot** forró, gőzölgő *[ital]* **II.** *fn* **1.** párolgás, gőzöl(g)és; **~ out** kigőzöl(g)és **2.** párolás, gőzölés **3.** gőzhajóút; **an hour's ~** egyórás út gőzhajóval/gőzössel
steam laundry *fn* gőzmosoda
steam locomotive *fn vasút* gőzmozdony
steam power *fn* gőzenergia, gőzerő
steamroller I. *fn* **1.** *épít* gőzhenger, úthenger **2.** *átv* mindent elsöprő erő/érv **II.** *tsi* **1.** *épít* hengerel *[utat]* **2.** *biz* **~ all opposition** minden ellenkezést lehengerel
steamship *fn* gőzhajó, gőzös
steamtight *mn* gőzálló(an tömített), gőzbiztos
steam turbine *fn műsz* gőzturbina
steam valve *fn műsz* gőzszelep
steam whistle *fn műsz* gőzsíp, gőzkürt *[gőzkazánon]*
steamy ['sti:mi] *mn* **1. a)** gőzös, gőzölgő, párás **b)** nedves, ködös *[levegő stb.]* **2.** *biz* erotikus, pikáns, szexuálisan túlfűtött
steed [sti:d] *fn vál régi* csataló, csatamén, *tréf* paripa, táltos
steel [sti:l] **I.** *fn* **1.** *fémip műsz* acél; **blued ~** kékacél; **hard ~** keményacél; **mild ~** lágy acél; *biz* **grip of ~** vasmarok; **clad in ~** páncélba öltözve; **European Coal and S~ Community** Európai Szén- és Acélközösség **2.** kard, penge; **cold ~** szúró- és vágófegyver(ek) **3.** acélos jellem; **nerves of ~** vasidegek **4. a)** fenőacél, fenőkő **b)** tűzcsiholó acél **5.** halcsont(lemez), acéllemez *[fűzőben]* **II.** *tsi* **1.** *fémip* acéllal borít/bevon (vmt) **2.** *fémip* (meg)acéloz, (meg)edz *[vasat]* **3.** *biz* **~ oneself, ~ one's heart** megkeményíti/megerősíti magát, megacélozza szívét
steel band *fn zene* ‹főleg calypsót játszó dobegyüttes›
steel-blue *mn/fn* acélkék
steel-clad *mn* vasba/páncélba öltözött, páncélos, felvértezett *[lovag]*
steel engraving *fn* **a)** acélmetszés, acélmetszet **b)** dombornyomás acélon
steel foundry *fn fémip* acélöntöde
steel-framed *mn* acélvázas; **~ spectacles** acélkeretes szemüveg
steel grey I. *mn* acélszürke (színű) **II.** *fn* acélszürke szín
steel-hearted *mn* acélszívű, keményszívű, megingathatatlan, hajthatatlan
steel industry *fn* acélipar
steel plant *fn* acélhengermű
steel town *fn* acélipari város
steelwork *fn* **1. a)** acéláru **b)** *gk* acél alkatrészek **2.** épületvas **3.** acélváz, acélszerkezet
steelworker *fn* vas(beton)szerelő (munkás)
steelworks *fn esz* acélmű(vek), acélgyár
steely ['sti:li] *mn* **1.** acél-, acélból való, acélozott **2.** *biz* acélos, kemény, hideg, hajthatatlan, könyörtelen; **a ~ glance** kemény/könyörtelen pillantás/tekintet • *fn* **steeliness**
steelyard *fn* **a)** *műsz* egyenlőtlen kétkarú emelő **b)** tolósúlyos kézimérleg
steep¹ [sti:p] **I.** *mn* **1.** meredek, lejtős; **~ gradient** meredek lejtő; **~ stairs** meredek lépcső; **~ curve** éles kanyar; *rep* **~ start** meredek felszállás; *rep* **~ dive** zuhanórepülés **2.** *biz* **a)** túlzott; **that's a bit ~!** ez egy kissé erős!, ez (már) több a soknál! **b)** igen magas, fantasztikus *[ár]* **c)** túlzó, hihetetlen, meredek, fantasztikus *[kijelentés, állítás]*; **~ story** hihetetlen/valószínűtlen/képtelen/fantasztikus történet **II.** *fn* meredek lejtő/emelkedő, meredek, meredély • *fn* **steepness** *mn* **steepish** *hsz* **steeply**
steep² [sti:p] **I. A.** *tsi* **1.** (be)áztat, bemárt, (be)nedvesít, beavat *[ruhaneműt]* **2.** átáztat, átitat; *biz* **~ oneself in drink** teleissza magát; **~ed in prejudice** előítélettel telve/átitatva **B.** *tni* **1.** ázik *[pl. fehérnemű, borsó, len]* **2.** átázik, átitatódik **3.** *átv* belemerül (vmbe) **II.** *fn* **1.** áztatás, benedvesítés, (be)avatás *[ruhaneműé]*; **put sg in ~** beáztat vmt **2.** áztatófürdő, áztatófolyadék
steepen ['sti:pən] **A.** *tsi biz* (fel)emel, drágít *[árat]*, növel *[adót]* **B.** *tni* **1.** meredek lesz, emelkedik *[út]* **2.** emelkedik *[ár]*
steeple ['sti:pl] *fn* **1.** templomtorony, épülettorony **2.** templomtorony csúcsa, toronysisak • *mn* **steepled**
steeplechase ['sti:pltʃeɪs] **I.** *fn sp* **a)** akadályfutás, akadályverseny, akadálylovaglás **b)** terepfutás **II.** *tni sp* akadályversenyen/terepfutáson vesz részt • *fn* **steeplechaser** *mn* **steeplechasing**
steeple hat *fn* csúcsos sapka, bohócsapka
steeplejack ['sti:pldʒæk] *fn* ipari alpinista
steer¹ [stɪə ‖ stɪr] **I.** *fn US* irányítás, vezetés, útmutatás, segítség **II. A.** *tsi* **a)** kormányoz, irányít *[hajót]*, vezet *[autót]*; **~ the course** irányt tart; **~ a course** vmlyen úton halad **b)** *átv* kormányoz, irányít, igazgat; **~ a country** országot kormányoz; *átv* **~ a middle course** középúton halad **B.** *tni* kormányoz, irányít *[beszélgetést]*; **~ clear of sg** (nagy ívben) elkerül vmt; **~ clear of sy** kitér vk útjából, elkerüli a vele való találkozást **III.** *fn US* irányítás, vezetés, útmutatás, segítség • *fn/mn* **steering** *mn* **steerable**
steer² [stɪə ‖ stɪr] *fn áll* **a)** fiatal marha/ökör, tinó, tulok **b)** *US* bika
steerage ['stɪərɪdʒ ‖ 'stɪrɪdʒ] *fn hajó* **1. a)** *régi* kormányzás **b)** kormányszerkezet **2. a)** *régi* **~ (part of a ship)** fedél(zet)köz; harmadik osztály *[hajón]* **b)** fiatal tisztek szállása *[hadihajón]*
steerageway *fn* kormányzáshoz szükséges előrehaladás/gyorsaság
steering committee *fn* politikai/irányító/operatív bizottság
steering compass *fn hajó* kormánytájoló, iránytű
steering engine *fn hajó* kormánygép, szervomotor
steering feeling *fn gk* kormányozhatóság
steering gear *fn gk hajó* kormányszerkezet, kormánymű
steering lock *fn gk* kormányzár
steering oar *fn hajó* kormánylapát
steering-rod *fn gk* kormányrúd
steering wheel *fn* **a)** *hajó* kormánykerék **b)** *gk* kormány(kerék), volán
steersman ['stɪəzmən ‖ 'stɪrz–] *fn tsz* **-men** *hajó* kormányos
stein [staɪn] *fn* **1.** söröskorsó **2.** egy korsó sör
steinbock ['steɪnbɒk ‖ –bɑk] *fn áll* kőszáli kecske, vadkecske
stela ['sti:lə] *fn tsz* **stelae** [–li:] *régész* domborműves sírkő, sztélé
stele [sti:l] *fn tsz* **stelae** [–li:] **1.** *növ* központi szövetoszlop **2.** → **stela** • *mn* **stelar**
Stella ['stelə] *tul* Stella
stellar ['stelə ‖ –ər] *mn* **1.** csillaggal kapcsolatos, csillagra vonatkozó, csillagos, csillag-; **~ time** csillagidő **2.** *főleg GB szính film biz* sztár-, vezető • *mn* **stelliform**
stellate ['steleɪt] → **stellated**
stellated ['steleɪtɪd] *mn tud* csillagos, csillag alakú
stellion ['stelɪən] *fn áll* gekkó
stellular ['steljulə ‖ –jələr] *mn tud* kis csillag alakú, kis csillagokkal kirakott
stem¹ [stem] **I.** *fn* **1.** *növ* törzs *[fáé]*, szár *[virágé, levélé, gyümölcsé]*, hajtás *[fáé, virágé, gyümölcsé]*, fürt *[banáné]* **2.** talp *[poharé]* **3.** *műsz* szerszámnyél; **~ of the needle** tű szára **4.** *zene* hangjegy szára **5. a)** törzs, nemzetség, család **b)** *nyelv* (szó)tő, igető **6.** *hajó* hajó orra, orrtőke; **from ~ to stern** hajó orrától faráig; *átv* elejétől végig **7.** pipaszár **8.** *tsz* **stems** *szl [láb]* pipa, virgács, futómű **II. -mm- A.** *tsi* szárától megfoszt *[növényt]*, bogyóz *[szőlőt]* **B.** *tni US* **~ from** vhonnan ered/származik • *mn* **stemless**, **stemlike**, **stemmed**
stem² [stem] **I.** *fn sp* fékezés, hóeke *[síeléskor]* **II. -mm- A.** *tsi* **1.** leállít, visszatart, megakaszt, (meg)gátol, gátak közé szorít; **~ the flow of blood** vérzést elállít; **~ an epidemic**

S

járványt megfékez **2.** harcol (vm ellen), ellenáll, visszaver *[támadást]*, szembeszáll *[akadállyal]* **B.** *tni sp* fékez *[hóekeállásban]*

stemma ['stemə] *fn tsz* **stemmata** [–mətə] **1.** *áll* egyszerű szem *[egyes rovaroknál]* **2.** családfa **3.** *ir.tud* eredeti szövegváltozat

stemware *fn* talpas poháráru

stem-winder ['stemwaɪndə ‖ –ər] *fn* gombfelhúzós óra *[kulcs nélküli]*

stench [stentʃ] *fn* rossz szag, bűz; **what a ~!** mekkora bűz (van itt)! • *mn* **stenchy**

stench trap *fn* bűzelzáró, szagfogó

stencil ['stensl] **I.** *fn* **1. a)** (festő)patron, (festő)sablon **b)** kivágott rajzú mintalemez, betűrajzoló minta **2.** sokszorosító sablon, stencil **3.** előrajzolt minta **4.** előrajzoló tinta **II.** *tsi* **-ll- 1. a)** patronnal/sablonnal fest/átrajzol/megjelöl **b)** **~ (pattern for embroidery)** előnyom (mintát hímzéshez) **2.** stencillel sokszorosít, stencilez

Sten gun *fn kat* könnyű géppuska

steno ['stenoʊ] *fn US biz* gyorsíró

stenography [stə'nɒgrəfi ‖ –'nɑ–] *fn* gyorsírás • *fn* **stenographer** *mn* **stenographic(al)**

stenosis [ste'noʊsɪs] *fn orv* szűkület; **aortic ~** érszűkület

stenotype ['stenətaɪp] *fn* **1.** gyorsírógép **2.** gyorsírási szimbólum/jel • *fn* **stenotypist**

stentor ['stentɔː ‖ –tɔr] *fn* erős/öblös hangú személy, sztentor • *mn* **stentorian**

step [step] **I.** *fn* **1. a)** lépés; **false ~** ballépés; *sp* **hop, ~, and jump** hármasugrás; **~ by ~** lépésről lépésre, fokozatosan; **it is a long/good ~** ez még egy jó darab út *[odáig]*; **~s were heard approaching** közeledő lépteket lehetett hallani; **take a ~** lép (egyet); **take ~s** lépéseket tesz, intézkedik *[vm érdekében]*; **I shall take no ~s until** egy lépést sem teszek amíg; **bend/turn one's ~s towards sg** vhova megy, vhova irányítja lépéseit; **unable to walk a ~** egy lépést sem tud tenni; **keep in ~ with sy** lépést tart vkvel; **walk in ~** egyszerre lép; **mind/watch your ~!** nézz a lábad elé; **at every ~** lépten-nyomon **b)** lábnyom, nyomdok; *biz* **tread in the ~s of sy** vknek nyomába/nyomdokába lép **2. a)** (ütemes) lépés, járásmód; **waltz ~** keringőlépés; **break ~** megbontja a lépést; **change ~** lépést vált; **fall into ~ with sy** vknek a lépéséhez igazodik, vk mellé szegődik *[séta közben]*; **keep (in) ~, be in ~** lépést tart (vkvel, vmvel); **out of ~** nem tartva lépést **b)** *vill* **in ~** fázisban, szinkronban **3. a)** lépés, eljárás, rendszabály, intézkedés; **take the necessary ~s** megteszi a szükséges lépéseket **b)** *biz* előlép(tet)és; **get one's ~** előléptetik **4. a)** lépcsőfok, létrafok, hágcsó; *GB* **pair/set of ~s** lépcsős/kettős létra; **top ~ (of a stair)** kilépőfok, a lépcső legfelső foka **b)** *tsz* **steps** lépcsősor, lépcsőzet; **(flight of) ~s** lépcsősor; *rep* utaslépcső **c)** *hajó* járó *[szárazdokkon]* **5.** bevágás, rovás, fok; **~s of a key** kulcs fogazata **II. -pp- A.** *tsi* **1. a) ~ a distance** távolságot lelép/kilép, távolságot lépéssel kimér **b) ~ it** táncol **2. a)** lépcsőzetesen helyez el **b)** lépcsőfokokkal ellát **3.** *hajó* fészkébe állít *[árbocot]* **B.** *tni* lép(del), lépést tesz, megy, jár, halad; **~ high/well** gyorsan/elevenen üget *[ló]*; *US biz* **~ lively!** szedd a lábad!, igyekezz!; *szl* **~ outside!** rendezzük el odakint!, gyere ki egy szóra!; **~ short** rövidet lép; megrövidíti a lépést; **~ this way** erre tessék • *mn* **steplike, stepped**

step aside *tni* **1. a)** félrelép, félreáll **b)** *átv* visszavonul, visszahúzódik **2. a)** letér az útról **b)** eltér/elkalandozik a tárgytól

step back *tni* visszalép, hátralép

step down A. *tsi* csökkent, lefokoz, redukál; *vill* **~ down the current/voltage** csökkenti a feszültséget, letranszformál; *műsz* **~ down the gear** sebességet csökkent **B.** *tni* **1.** lelép, lemegy, lejön *[létrán stb.]* **2.** lelép, leköszön, távozik *[hivatalából]*

step forward *tni* előáll, előlép, előre lép

step in *tni* **1.** belép, beszáll, felszáll *[kocsira stb.]* **2.** *biz* beavatkozik, közbelép; → **step-in**

step off A. *tsi* **~ off a distance** távolságot lelép/kilép, távolságot lépéssel kimér **B.** *tni* **1. a)** lelép (vhonnan), leszáll, kiszáll *[járműből]* **b)** *szl [bakot lő, melléfog]* eltol, elszúr; *US* **I'll soon tell him where he ~s off** majd megtanítom kesztyűbe dudálni! **2.** vmlyen lábbal elsőnek lép

step on *tni* **a)** rálép (vmre); *biz* **~ on the gas, ~ on it** (i) *gk* gázt ad, belelép a gázba, rákapcsol; *biz* siet, iparkodik, rákapcsol (ii) *sp* felgyorsítja a tempót **b)** *hajó* **~ on board** hajóra száll

step out *tni* **1.** kilép, távozik *[házból]*, kiszáll *[járműből]* **2.** (meg)gyorsítja lépteit, jól kilép; **~ it out** jól kilép **3. ~ out of line** önállóskodik, a saját feje után megy

step up A. *tsi* **a)** fokoz, növel, emel; **~ up productivity** emeli a termelékenységet; *US* **~ up the standard of education** fokozatosan emeli az oktatás színvonalát **b)** feltranszformál **B.** *tni* **1.** felmegy *[lépcsőn]*, felmászik, fellép **2.** odamegy, közeledik; **~ up to sy** odalép vkhez **3.** fokozódik, növekedik, emelkedik *[termelékenység, áramerősség]*

step aerobics *fn esz sp* sztep-aerobik

stepbrother *fn* mostohafivér, mostohatestvér, féltestvér

step-by-step *mn* fokozatos, fokról fokra (v. lépésről lépésre) történő

stepchild *fn tsz* **-children** mostohagyermek

stepdance *fn* sztepp(elés), sztepptánc • *fn* **stepdancer**

stepdaughter *fn* mostohalány(a vknek)

stepfather *fn* mostohaapa

step function *fn mat fiz* lépésfüggvény

Stephanie ['stefəni] *tul* Stefánia

Stephen ['stiːvn] *tul* István

step-in I. *mn* bebújós *[cipő, ruha]* **II.** *fn* ingnadrág; → **step in**

stepladder *fn* kis állólétra, fokos létra

stepmother *fn* mostohaanya

stepmum *fn biz* → **stepmother**

stepney ['stepni] *fn* tartalékkerék, pótkerék

step-parent *fn* mostohaszülő

steppe [step] *fn földr* füves puszta(ság), sztyeppe

stepped-up *mn* fokozott, gyorsított, növelt, megemelt

stepper ['stepə ‖ –ər] *fn* **1.** lépő, (az) aki lép **2.** gyors járású ló; → **high-stepper**; **be a good ~** gyorsan/elevenen üget **3.** *szl* láb(fej) **4.** *szl* táncos, táncoló **5.** *műsz* léptető(motor)

stepping stone *fn* **1.** *átv* lépcsőfok, hágcsó; **take a post as a ~** ezt az állást csak ugródeszkának tekinti **2.** átgázló kövek *[patakban]*

stepsister *fn* mostohanővér, mostohatestvér

stepson *fn* mostohafiú, mostohafia vknek

stepway *fn* lépcső(sor)

-ster [stə ‖ stər] *utótag* ‹főnévképző›; **youngster** fiatal, ifjonc; **trickster** szélhámos; **gamester** kártyás; **roadster** kétüléses sportkocsi

steradian [stə'reɪdɪən] *fn mat* szteradián, térszög

stercorary ['stɜːkərəri ‖ 'stɜrkəreri] *mn áll* ganajtúró, galacsinhajtó

stercoration [ˌstɜːkə'reɪʃn ‖ ˌstɜr–] *fn mezőg* trágyázás

stere [stɪə ‖ stɪr] *fn* köbméter *[tűzifamérték]*

stereo ['sterioʊ] **I.** *mn* **1.** térhatású *[film]*, sztereó *[lemezjátszó]*, sztereo-; *fényk* **~ camera** térhatású fényképezőgép/filmfelvevőgép **2.** *szl [biszexuális]* biszex, sztereó **II.** *fn* **1.** *távk el* (sztereó) magnó, hifi-berendezés; **~ (system)** sztereó berendezés; **broadcast in ~** sztereóban sugároz/közvetít **2.** *távk* sztereofónia

stereobate ['sterioubeɪt] *fn épít tört* alapfal, oszlopláb

stereochemistry [ˌsteriou'kemɪstri] *fn vegy* sztereokémia

stereography [ˌsteri'ɒgrəfi ‖ –'ɑg–] *fn mat* **a)** sztereográfia **b)** távlatos rajz

stereoisomer [ˌsteriou'aɪsəmə ‖ –mər] *fn vegy* sztereoizomer, térizomer

stereometry [ˌsteri'ɒmətri ‖ –'ɑm–] *fn* **a)** *mat* térmértan, testmértan, sztereometria **b)** *földr* térbeli felmérés

stereophonic [ˌsterɪəˈfɒnɪk ‖ –ˈfɑ–] *mn fiz* térhatású, sztereofonikus, sztereo-; ~ **effect** térhanghatás; ~ **sound** térhatású hang, sztereohang; ~ **sound reproduction** sztereohanglejátszás; ~ **sound system** sztereofonikus hangerősítő rendszer, sztereofon rendszer • *fn* **stereophony**

stereophotography [ˌsterioʊfəˈtɒgrəfi ‖ –ˈtɑ–] *fn fényk* térhatású fényképezés, sztereofényképezés

stereopsis [ˌsteriˈɒpsɪs ‖ –ˈɑp–] *fn orv* térlátás • *mn* **stereoptic**

stereoscope [ˈsterɪəskoʊp] *fn fiz* sztereoszkóp • *fn* **stereoscopy** *mn* **stereoscopic(al)**

stereotype [ˈsterioʊtaɪp] **I.** *fn* **1.** *nyomd* klisé, sztereotípia **2.** *átv* sablon, konvenció, sztereotípia, klisé **II.** *tsi átv* megmerevít, megrögzít, állandósít, sablonossá tesz • *mn* **stereotypical**

stereotyped [ˈsterioʊtaɪpt] *mn átv* megmerevedett, változatlan, egyforma, sztereotip, sablonos; ~ **phrase** sztereotip kifejezés, klisé

sterile [ˈsteraɪl ‖ –rəl] *mn* **1. a)** terméketlen *[föld]*, csíramentes, csírátlanított *[növény]*, meddő *[virág, talaj, kőzet]*, magtalan, meddő *[nő, férfi]*; ~ **ground** terméketlen talaj; *bány* ~ **mass (of ore)** meddőkőzet **b)** szellem nélküli *[elme]*, meddő *[vita]*, hiábavaló, haszontalan, eredménytelen *[erőfeszítés stb.]* **2.** *orv* fertőtlenített, steril, mikroorganizmus-mentes; ~ **water** fertőtlenített víz

sterility [stəˈrɪləti] *fn* terméketlenség, meddőség, csíramentesség, csírátlanság, magtalanság, sterilitás

sterilize [ˈsterəlaɪz], **-ise** *tsi* **1. a)** terméketlenné tesz, termőerőt kimerít/kizsarol *[földét]* **b)** *orv* sterilizál *[férfit, nőt]*, ivartalanít *[állatot]* **2.** *orv* csírátlanít, csíramentesít, fertőtlenít, sterilez; ~ **surgical instruments** sebészeti műszereket fertőtlenít • *fn* **sterilization**

sterilized [ˈsterəlaɪzd], **-ised** *mn* ~ **cotton** steril vatta; ~ **milk** steril tej

sterlet [ˈstɜːlɪt ‖ ˈstɜr–] *fn áll* kecsege

sterling [ˈstɜːlɪŋ ‖ ˈstɜr–] **I.** *mn* **1. a)** törvényes finomságú *[aranyötvözet, ezüstötvözet, pénz]*; ~ **silver** törvényes finomságú ezüstötvözet *[925 rész ezüst, 75 rész réz]* **b)** teljes értékű, elismert érvényű **2.** *biz* kitűnő, kiváló, valódi, igazi; ~ **qualities** kitűnő/kiváló tulajdonságok **II.** *fn* sterling, angol ezüst pénzérme • *fn* **sterlingness**

sterling area *fn pénz pol* sterlingövezet

stern[1] [stɜːn ‖ stɜrn] *mn* komoly, szigorú, zord, kemény, könyörtelen, hajlíthatatlan; ~ **discipline** kemény/szigorú fegyelem; **a** ~ **look** szigorú/rideg/könyörtelen pillantás/tekintet; **the ~er sex** az erősebb nem • *fn* **sternness** *hsz* **sternly**

stern[2] [stɜːn ‖ stɜrn] *fn* **1.** *hajó* hajó hátsó része, hajófar, tat; ~ **foremost** hátrálva, farolva; **by the** ~ farával **2. a)** *biz tréf* fenék, ülep, hátsó rész (vké) **b)** *vad* farok *[kopóé, farkasé]* • *mn* **sterned, sternmost** *hsz* **sternward(s)**

sternal [ˈstɜːnl ‖ ˈstɜrnl] *mn orv* mellcsonti, szegycsonti

sternal rib *fn orv* valódi borda

stern-oar *fn hajó* farevező

stern-post *fn* **1.** *hajó* fartőke(gerenda) **2.** *rep* figyelőhely a repülő farán

stern-sheet, stern-sheets *fn hajó* leghátsó rész/ülés(ek) *[csónakon, kis hajón]*, csónak fara

sternum [ˈstɜːnəm ‖ stɜr–] *fn tsz* **sternums, sterna** [–nə] *orv* szegycsont

sternutation [ˌstɜːnjʊˈteɪʃn ‖ ˈstɜrnjə–] *fn* tüsszentés, tüsszentőroham

sternutator [ˈstɜːnjʊteɪtə ‖ ˈstɜrnjəteɪtər] *fn kat* tüsszentő/köhögtető gáz

sternutatory [ˌstɜːnjʊˈteɪtəri ‖ stɜrˈnuːtətɔri] *mn* tüsszögtető, tüsszentő; ~ **gas** tüsszentőgáz

sternway [ˈstɜːnweɪ ‖ ˈstɜrn–] *fn hajó* hátrafelé haladás, hátramenet, hátrálás, farolás

stern-wheeler *fn hajó* hátulkerekes/farlapátkerekes hajó; *US* farhengerkerekű gőzhajó

steroid [ˈstɪərɔɪd ‖ ˈstɪr–] *fn vegy* szteroid

sterol [ˈstɪərɒl ‖ ˈstɪrɔl] *fn vegy* szterin

stertor [ˈstɜːtə ‖ ˈstɜrtər] *fn* hortyogás, horkolás

stertorous [ˈstɜːtərəs ‖ ˈstɜr–] *mn* hortyogó, horkoló • *hsz* **stertorously**

stet [stet] **I.** *fn nyomd* „maradhat", „nem törlendő", „áll" *[jelzés nyomdai korrektúrában]* **II.** *tsi* **-tt-** *nyomd* meghagy *[szót]* nyomdai korrektúrában

stethoscope [ˈsteθəskoʊp] *fn orv* szívhallgató, hallgatócső, sztetoszkóp • *fn* **stethoscopy** *mn* **stethoscopic**

stetson [ˈstetsn] *fn US biz* széles karimájú kalap

Steve [stiːv] *tul* ‹*Stephen* ill. *Steven* becéző alakja›

stevedore [ˈstiːvədɔː ‖ –dɔr] **I.** *fn* **1.** *hajó* rakodómunkás *[kikötőben]* **2.** *gazd* rakodási vállalkozó **II.** *tsi hajó* berak, kirak *[hajórakományt kikötőben]*

steven [ˈstiːvn] *fn* zaj, hang

Steven [ˈstiːvn] *tul* István

stew[1] [stjuː ‖ stuː] **I. A.** *tsi* párol, gőzöl, (lassú tűzön) főz *[ételt]*, pörköltnek/ragunak elkészít *[húst]*; ~ **fruit** gyümölcsöt párol *[kompótnak]*; ~ **sy in his own juice** kellemetlen helyzetben hagyja **B.** *tni* **1.** (lassú tűzön) fő, párolódik; *biz* **let sy** ~ **in his own juice** saját levében főni hagy vkt **2. a)** *biz* fulladozik, levegő után kapkod **b)** *biz* ~ **(over)** izgul **3.** *biz* keményen tanul; magol, bifláz **II.** *fn* **1. a)** párolt étel/hús, becsinált, pörkölt, ragu; **Irish** ~ ürügulyás **b)** *biz* zűrzavar, izgalom, forrongás, zűr; *biz* **be in a** ~ benne van a pácban; kínos/nyugtalanító helyzetben van **c)** *film távk* zavaró zörej, recsegés **2. a)** *régi* (gőz)fürdő **b)** *tsz* **stews** *régi* rosszhírű mulató, bordély(ház) **3.** *biz* magoló, biflázó **4.** *Ausz szl* ‹előre megbeszélt végeredményű mérkőzés/verseny› bunda

stew[2] [stjuː ‖ stuː] *fn* **1.** haltartó medence, élőhaltartály, halastó **2.** osztriga-tenyésztelep

steward [ˈstjuːəd ‖ ˈstuːərd] *fn* **I. 1. a)** *hajó* hajópincér, hajóinas, steward; **chief** ~ főkomornyik *[szállóban, étteremben]*; főpincér, maitre d'hotel **b)** *rep* légikísérő **c)** intéző *[kollégiumban]*, gondnok **d)** *hajó* eleségtáros; **~'s room** hajóéléskamra **2.** (fő)rendező *[ünnepségé, bálé]* **3.** → **shop steward 4.** tiszttartó, gazdasági intéző; ~ **of estate** jószágigazgató **II.** *tsi* eligazít, elrendez, megszervez • *fn* **stewardship**

stewardess [ˌstjuːəˈdes ‖ ˈstuːərdəs] *fn* (légi) utaskísérő(nő), légikisasszony, stewardess; pincérnő, szobalány, kiszolgálónő, felszolgálónő *[hajón]*

Stewart [ˈstjuːət ‖ ˈstuːərt] *tul* ‹férfinév›

stewed [stjuːd ‖ stuːd] *mn* **1.** *gaszt* (lassú tűzön) főtt, párolt *[étel]*, becsináltnak/pörköltnek/ragunak elkészített *[hús]*; ~ **beef** párolt/főtt marhahús; ~ **fruit** párolt gyümölcs/kompót; ~ **prunes** szilvakompót **2.** *US biz* ittas, részeg, beszívott

stewpot *fn* **1.** (fedett) serpenyő, párolófazék, füles/fedeles nagy fémlábas **2.** *átv* keverék *[pl. etnikai]*

sthenic [ˈsθenɪk] *mn orv* erőteljes, *pszich* agresszív

stibium [ˈstɪbɪəm] *fn vegy* antimon

stichomythia [ˌstɪkəˈmɪθɪə] *fn ir.tud* (egysoros mondanivalókból álló) verses párbeszéd

stick [stɪk] **I.** *fn* **1. a)** bot, husáng, furkósbot, fütykös, vessző, pálca, karó; *pol biz* **(the) big** ~ erőszak (alkalmazása), erőszakos fellépés; rámenős politika; **the law of the big** ~ ököljog; **give one the** ~ megbotoz (vkt); *biz* **cut one's** ~ meglép, meglóg, elinal, felszedi a sátorfáját; **be in a cleft** ~ nehéz/szorult helyzetben van; *biz* **get/have hold of the wrong end of the** ~ félreérti a helyzetet, rossz a hozzáállása a dologhoz; *biz* **have the right end of the** ~ jól áll a dolga **b)** nyél *[seprőé, esernyőé]*; *rep* **direction** ~ botkormány; kormányrúd **c)** *sp* ütő *[gyeplabdáé]* **d)** *zene* dobverő **e)** *zene* (karmesteri) pálca **2. a)** gally, ág, rőzse, vessző, kis fadarab; **gather ~s** rőzsét szed/gyűjt **b)** *biz* **not a ~ was saved** semmit (v. egy gyufaszálat) sem mentettek meg; *biz* **have one's own ~s** saját bútora/berendezése van; *biz* **beat sy all to ~s** alaposan megver vkt, tönkrever vkt **c)** *szl* **the ~s** *hajó* árbocozat; *sp* krikettrács, krikettkapu, wicket, *Ausz szl* kapu *[fociban]*; *US* isten háta mögötti

S

hely(ek); *szl* **in the ~s** *[vidéken]* Mucsán, isten háta mögött **3. a)** rúd, rudacska *[pl. csokoládéból]*, stift *[kozmetikai rudacska]* **b)** *gyerm* láb(fej) **4.** *növ* szár; **a ~ of asparagus** spárgaszár, egy szál spárga **5.** *biz* **a)** lélektelen ember, érzés nélküli ember **b)** tehetségtelen/ügyetlen ember, fajankó **c) poor ~** szegény ördög; **old ~** ósdi/maradi alak **6.** *kat* (légi)bombasorozat **7.** *GB biz* ellenséges kritika, rosszallás **8.** *szl* marihuánás cigaretta **9.** *gaszt* **~s** rudacska, ropi **II. A.** *tsi* **1. a)** szúr, beszúr, leszúr, (bele)döf; **~ a stake in the ground** karót szúr a földbe; *szl* **~ sy** leszúr/ledöf vkt; **~ a pig** disznót öl/leszúr **b)** (rá)húz *[karóra stb.]* **2.** *biz* (ki)tűz, tesz, rak, dug; **~ it in one's pocket** zsebébe dug, zsebrevág **3.** megerősít, hozzáerősít, hozzáköt, (be)ragaszt, tapaszt; **~ no bills!** hirdetések felragasztása tilos! **4.** *biz* elvisel, kibír, elszenved; **~ it** állja a sarat, tartja magát; kibírja; **I can't ~ him** (ki) nem állhatom **5.** *US szl [becsap]* rászed, megcsal (vkt) **6. the problem ~s me** a probléma zavarba ejt **7.** *Ausz* **~it in** mindent belead **8.** *szl* **~ it to sy** *[közösül vkvel]* ad neki, beveri a karót **9.** *durva szl* **~ it up** elefes, kapd be **B.** *tni* **1.** beszúródik **2. a)** (rá)ragad, (rá)tapad; **~ fast** jól ragad/megtapad **b)** helytállónak/igaznak bizonyul *[pl. vád]* **3.** *biz* marad, nem mozdul; **~ indoors** ki se teszi a lábát a házból **4. a) be/become/get stuck** elakad, bennragad, megreked **b)** megakad, fennakad, összeakad *[géprész]* **5. be stuck** belezavarodik, belesül *[beszédbe stb.]* • *mn* **stickless**, **sticklike**

stick around *tni* **1.** *biz* helyén marad, ittmarad, ittragad **2.** őgyeleg

stick at *tni* **1.** kitartóan/állhatatosan végez (vmt), nem hagyja magát eltántorítani **2.** odatapad, megáll, megtorpan, meghátrál (vm előtt), habozik, aggályai vannak (vmvel kapcsolatban); **~ at (doing) sg** meghátrál vmnek a megtétele elől; **~ at nothing** semmitől sem riad vissza

stick by *tni* nem hagy cserben, híven támogat; **he ~s by his friend** kitart barátja mellett

stick in A. *tsi* **1.** be(le)szúr, beletűz, beledöf, belerúg; **~ sg in one's pocket** begyűr/begyömöszöl vmt a zsebébe; **~ a few commas in** beszúr néhány vesszőt **2.** beragaszt **B.** *tni átv* elakad, megakad, bennragad, bennemarad, megreked (vmben); *átv* **~ in the mud** megreked/benneragad a sárban; *okt* **(s)he got stuck in mathematics** megbukott/elhúzták matekból; **a fish-bone got stuck in my throat** (hal)szálka akadt (meg) a torkomon; **the words stuck in his throat** bennrekedt a szó, elállt a szava; **~ in sy's throat** nem tetszik neki, nem tudja lenyelni/elfogadni

stick on A. *tsi* **1.** rátűz, odatűz, kitűz, feltűz **2.** ráragaszt, felragaszt *[bélyeget]*; **~ a notice on the wall** hirdetést ragaszt a falra **3.** *biz* **~ it on** nagyképűsködik, felvág, fontoskodik, túloz; drágán megfizetett (vmt); vastagon megszámítja **4.** *biz* hibáztat, okol, áthárítja a felelősséget vkre **B.** *tni* ráragad, hozzátapad, ottmarad; **be (dead) stuck on sy** bele van esve vkbe, nagyon szeret vkt; → **stick-on**

stick out A. *tsi* **1.** kidug, kiölt *[nyelvet stb.]*, kifeszít *[mellkast]*; **~ out one's chest/figure** kidülleszti mellkasát, feszít **2.** *biz* kitart (vm mellett), hajthatatlanul viselkedik; **~ it out** végig kibírja, végigszenved vmt **B.** *tni* **1.** kiugrik, kiáll, előrenyúlik, feltűnik, szembeszökik; **his ears ~ out** elállnak a fülei, elálló fülei vannak; **it ~s out a mile** (v. **like a sore thumb)** már messziről látszik, majd kiszúrja a szemét **2.** *biz* nem enged (vmből), kitart (vm mellett); **~ out for sg** ragaszkodik vm elnyeréséhez, kitartóan/makacsul követel vmt; **~ one's neck out for sy** kockázatot vállal vkért

stick to A. *tni* **1.** (hozzá)ragad, odaragad, ráragad, (hozzá)tapad, odatapad, rátapad (vmhez); **money ~s to his fingers** enyves keze van; **the nickname stuck to him** a csúfnév/becenév ráragadt **2.** ragaszkodik (vkhez), vmhez, kitart (vk/vm mellett); **~ to one's post** a helyén marad; **~ to sg/sy** betart vmt, támogat vkt, kiáll/kitart vk mellett, követ vkt; **he ~s to his friend through thick and thin** kitart a barátja mellett jóban-rosszban; **~ to (the) facts** ragaszkodik a tényekhez, nem tér el a tényektől; **~ to one's purpose** kitart a szándéka mellett; *biz* **~ to one's guns/opinions** kitart a véleménye mellett, nem enged a negyvennyolcból; **I ~ to what I said** állom, amit mondtam **B.** *tsi* ráragaszt, odaragaszt

stick together A. *tsi* **a)** összetart, összeragaszt **b) ~ heads together** összedugják fejüket *[egymással tanácskozva]* **B.** *tni* **a)** együttmarad, összetart *[több személy]*, egységes marad **b)** összeragad

stick up A. *tsi* **1. a)** *biz* felállít *[pl. céltáblát]*; **~ up your hands!**, *szl* **~'em up** fel a kezekkel! **b)** feltűz, felragaszt; **~ up a bill/notice** hirdetményt/plakátot felragaszt **2.** *szl* leszúr (vkt) **3.** *biz* feltartóztat és kirabol, kifoszt; *US* **~ up a bank** bankot kirabol **4.** *biz* **~ sy up** zavarba hoz vkt, sarokba szorít vkt **B.** *tni* **1.** feláll, kiáll, égnek áll/mered **2. a)** *biz* **~ up for sy** vknek a pártját fogja, kiáll vk mellett; **~ up for one's rights** megvédi/fenntartja jogait **b) ~ up to** szembeszáll (vkvel, vmvel), ellenáll (vknek, vmnek); → **stick-up**

stick with A. *tsi szl* **~ sy with sg** ‹elad értéktelen dolgot vknek›; rásóz vmt vkre; **~ with it!** ne add fel!, tarts ki! **B.** *tni* **be stuck with sg** *átv* kátyúba kerül vmvel; nem tud szabadulni vmtől, nyakán marad vm

stickability [ˌstɪkəˈbɪləti] *fn biz* kitartás, állhatatosság

sticker [ˈstɪkə ‖ −ər] *fn* **1. a)** felragasztható jegy/címke, ragasztócímke, matrica, öntapadó árcédula **b)** *US biz* (választási) plakát **c)** hotelcímke **2.** lerázhatatlan ember/vendég, kullancs **3.** plakátragasztó **4.** böllér, hentes, vágólegény **5.** *biz* híve (vknek, vmnek), hívő, követő **6. a)** henteskés **b)** vadászkés **c)** *szl [kés]* bökő

sticker price *fn US* listaár

sticking-plaster *fn orv* ragtapasz, leukoplaszt

sticking-point *fn* ‹az a pont, ahol vm megakad és nem tud továbbmenni›; *biz* **screw one's courage to the ~** összeszedi minden bátorságát

stick-insect *fn áll* botsáska

stick-in-the-mud *mn biz* maradi/ódivatú/konzervatív *[ember, hely]*

stickler [ˈstɪklə ‖ −ər] *fn* **1.** vm mellett fontoskodva makacsul kitartó (v. vmhez nagyon ragaszkodó) ember, kukacos/szőrözö alak; **~ for accuracy** roppant pedáns/pontos ember; **be a ~ for sg** (állandóan) fennakad/megütközik vmn **2.** nehéz probléma, fogas kérdés

stick-on *mn* **~ label** felragasztható/ráragasztható címke; → **stick on**

stick-out *mn* kiugró, előre álló, szembetűnő; → **stick out**

stickpin *fn US* nyakkendőtű, dísztű, melltű

stick-up *fn* **1.** *biz* fegyveres rablótámadás; **it's a ~!** fel a kezekkel ! **2.** *Ausz* késés, fennakadás, zűr; → **stick up**

sticky [ˈstɪki] *mn* **1.** ragadós, nyúlós *[anyag]*; *átv biz* **have ~ fingers** ragadós/enyves a keze; *biz* **~ wicket** kényes és nehéz helyzet **2.** *szl* **a)** nehézkes, aprólékoskodó, szőrszálhasogató, kukacos, szőrözö *[ember, alak]* **b)** (rendkívül) kellemetlen/kényes, kínos, nehezen megoldható *[helyzet, ügy]*; *GB* **come to a ~ end** rossz/gyászos/szomorú véget ért **3.** párás, nyúlós *[időjárás]* **4.** izzadt, izzadtságtól nedves • *fn* **stickiness** *hsz* **stickily**

stickybeak I. *fn Ausz ÚjZ szl* kíváncsi/kotnyeles (v. orrát mindenbe beleütő) ember **II.** *tni Ausz szl [kíváncsiskodik]* beleüti az orrát vmbe

sticky-fingered *mn* enyveskezű

stiff [stɪf] **I.** *mn* **1. a)** merev, feszes, kemény, nem rugalmas; **~ collar** keménygallér; **stand ~ as a post** áll mint a cövek **b)** merev, megmerevedett, meredt, nehezen hajló, dermedt *[testrész]*; **~ handwriting** szögletes/merev írás; **~ joint** megmerevedett (v. nehezen hajló) ízület; **a ~ neck** (reumás) nyakfájás; nyakmerevedés; *átv* **~ in the back** hajthatatlan; **grow ~** megmerevedik *[ízület]*; **be/feel** (v. **be feeling) rather ~** (egy kis) izomláza van; **be quite ~** egészen elzsibbadt *[üléstől]*; minden csontja/tagja fáj; izomláza van; *biz* **bore sy ~** halálra untat vkt; **keep a stiff face/lip** megőrzi komolyságát, komoly marad; **keep a ~ upper lip** arcizma se rezdül/rándul **c)** *biz* **be ~** alig áll a lábán, jól beszívott **2. a)** merev, kimért, hűvös, feszélyezett, erőltetett, mesterkélt, affektált, szertartásos *[köszöntés, viselkedés]*; **~ bow** kimért/merev meghajlás; **~ manners** hűvös/kimért/mesterkélt modor; *vál* **~ style** feszes/erőltetett/merev/kimért stílus **b)** merev, makacs, konok, hajthatatlan; **offer a ~ resistance** makacsul ellenáll **3.** nehéz, kemény, fárasztó, fáradságos munka stb.; **~ examination** nehéz vizsga; **~ piece of work** nehéz munka **4. a)** tömény; *biz* **a ~ drink** alig hígított szeszes ital; *biz* **pour me out a ~ one** töltsön valami erőset **b)** *biz* **~ price** borsos/busás ár **5.** *szl [nagyon részeg]* merevrészeg, csontrészeg, hullarészeg **II.** *fn szl* **1.** hulla *[boncoláson]*; **carve a ~** hullát boncol **2.** javíthatatlan/reménytelen alak/ember; **big ~** nagy mamlasz/fajankó/tökfilkó **3.** *szl [részeg ember]* piás **III.** *tsi [becsap, megrövidít]* bepaliz, átver, megcucliztat, megszívat • *fn* **stiffness** *mn* **stiffish** *hsz* **stiffly**

stiffen [ˈstɪfn] **A.** *tsi* **1.** (meg)merevít, merevvé/szilárddá tesz, (ki)keményít *[fehérneműt]* **2.** megkeményít, ellenállóvá/makaccsá tesz (vkt) **3. a)** megvastagít, (be)sűrít, behabar, beránt **b) ~ a drink** erőssé/tartalmassá tesz italt **4.** megnehezít, nehézzé tesz *[vizsgát]* **B.** *tni* **1.** megmerevedik, megkeményedik, merevvé/keménnyé válik **2. a)** hűvös/kimért/merev/kényszeredett lesz **b)** megmerevedik *[ellenállás stb.]*, konok/makacs/rendíthetetlen/hajthatatlan lesz **3.** megsűrűsödik, összeáll *[krém, mártás]* **4.** nehezebb lesz *[vizsga]*

stiff-necked *mn* nyakas, makacs, konok, önfejű, vastagnyakú

stifle [ˈstaɪfl] **A.** *tsi* **1.** fojtogat, megfojt (vkt) **2. a)** eloit, kiolt *[tüzet]* **b)** *átv* elnyom, elfojt, lecsillapít *[panaszt, zendülést]*; **~ a scandal** botrányt eltussol **3. a)** visszafojt, elfojt, elnyom *[érzelmet]* **b)** elfojt, visszafojt *[kiáltást, nevetést]*, (le)tompít *[hangot]* **B.** *tni* megfullad, fuldoklik • *fn* **stifler** *mn/hsz* **stifling**

stigma [ˈstɪgmə] *fn tsz* **stigmas**, **stigmata** [–mətə] **1.** *átv* szégyenbélyeg, szégyenfolt *[erkölcsi]*; **the ~ of illegitimacy** a törvénytelenség bélyege **2. a)** *tsz* **stigmata** *vall* stigma, sebhely *[egyes szentek testén Krisztus sebhelyeinek megfelelő helyeken]* **b)** *orv* jel, tünet, ismertetőjel **3. a)** *tud* légnyílás, stigma *[rovaré]* **b)** *növ* bibeszáj, termő, porfogó

stigmatic [stɪgˈmætɪk] **I.** *mn* **1.** *fiz* anasztigmatikus *[fénynyaláb]* **2.** *növ* bibés **3.** stigmás **4.** becstelen, megbélyegzett **II.** *fn vall* stigmás • *hsz* **stigmatically**

stigmatist [ˈstɪgmətɪst] *fn vall* stigmás

stigmatize [ˈstɪgmətaɪz], **-ise** *tsi* **1.** *átv* megbélyegez; **~ a person as a rogue** vkt gonosztevőnek bélyegez **2.** *vall* stigmatizál • *fn* **stigmatization**

stile[1] [staɪl] *fn* lépcsős kerítésáthágó, kerítésátjáró; **help a lame dog over a ~** vkt nehézségeken átsegít; hóna alá nyúl vknek

stile[2] [staɪl] *fn* **a)** ajtófélfa **b)** ablakkeret oldallécе

stiletto [stɪˈletoʊ] *fn* kis vékony tőr, gyilok

stilettoheel *fn* tűsarok *[női cipőn]*

still[1] [stɪl] **I.** *mn* **1.** nyugodt, mozdulatlan; **~ water** állóvíz; **keep ~** nyugodtan marad; **sit ~** mozdulatlanul ül; **stand ~** nem mozog, nyugodtan marad; megáll, nem halad; *közm* **~ waters run deep** lassú víz partot mos **2. a)** csendes, hallgatag *[ember]*, halk, lágy *[hang]*; **keep a ~ tongue in one's head** hallgat, befogja a száját; **as ~ as death, as ~ as the grave** csendes/néma mint a sír **b)** csendes, nyugodt **3.** szénsavas, buborékmentes *[ásványvíz]* **II.** *hsz* **1.** még (mindig); **he is ~ asleep** még mindig alszik **2. a) ~ (more)** még inkább; **~ less** még kevésbé; **he is tall enough but his brother is ~ taller** (v. **taller ~**) ő (is) elég magas, de a bátyja még magasabb **b)** (még) távolabb, messzebb **3.** csendesen, nyugodtan, mozdulatlanul **III.** *ksz* mégis, mindazonáltal, vmnek/ennek ellenére/dacára; *biz* **~ and all** mindazonáltal **IV.** *fn* **1.** nyugalom, csend; **in the ~ of the night** az éjszaka csendjében **2.** *US fényk* állókép, állófénykép, egy kép **V.** *tsi* **1.** megnyugtat, lecsendesít **2.** enyhít, csillapít; **~ the pain** csillapítja/enyhíti a fájdalmat • *fn* **stillness**

still[2] [stɪl] *fn* **1.** lepárló/szeszfőző készülék, szeszfinomító **2.** lepárló/szeszfőző üzem

stillage [ˈstɪlɪdʒ] *fn* alacsony pad/szék, kis állvány

stillbirth *fn orv* **1. a)** halvaszülés, abortusz **b)** halvaszületés **c)** halva született magzat **2.** tetszhalál *[újszülötté]*

stillborn *mn* **1.** *orv* halva született **2.** kudarcot vallott, sikertelen, halva született; **a ~ plan** kudarcra ítélt (v. halva született) terv

still life [ˌstɪl ˈlaɪf] *fn tsz* **lifes** [–ˈlaɪfz] *műv* csendélet

still room *fn GB* desztilláló laboratórium, pálinkafőző (helyiség)

stilt [stɪlt] *fn* **1.** gólyaláb, gázlóláb; **be on ~s** gólyalábakon jár; hosszú lába van; *biz* fontoskodik, nagyképűsködik **2.** *épít* cölöp, dúc **3.** vasállvány *[edényáruk kiégetéséhez]* **4.** *áll* **the ~ birds** gázlómadarak, gázlók

stilted [ˈstɪltɪd] *mn* **1.** *épít* emelt, magasított **2.** mesterkélt, dagályos, modoros, cicomás *[stílus stb.]* • *hsz* **stiltedness**, **stiltedly**

Stilton [ˈstɪltn] *fn gaszt* Stilton-sajt *[angol sajtfajta]*

stilt-walker *fn áll* gázlómadár

stilly [ˈstɪli] **I.** *mn vál* csendes, csöndes, nyugodt **II.** *hsz* csendesen, csöndesen, nyugodtan

stimulant [ˈstɪmjʊlənt] **I.** *mn orv* izgató, élénkítő, serkentő *[szer]* **II.** *fn* **a)** (erős) izgatószer, élénkítő szer, stimuláns **b)** szeszes ital

stimulate [ˈstɪmjʊleɪt] **A.** *tsi* **1. a)** serkent, sarkall, hajt, ösztökél, stimulál; **~ sy to do sg** vkt vmnek a megtételére sarkall/buzdít **b) ~ sy's curiosity** felkelti vknek a kíváncsiságát **c)** *orv* ingerel *[szervet, ideget]* **2.** *US biz* **be slightly ~d** pityókás, spicces, beszeszelt **B.** *tni* serkentőleg/élénkítőleg/stimulálólag hat • *fn* **stimulator** *mn* **stimulative**

stimulating [ˈstɪmjʊleɪtɪŋ] *mn* **a)** serkentő, ösztönző, stimuláló **b)** *orv* ingerlő, izgató • *hsz* **stimulatingly**

stimulation [ˌstɪmjʊˈleɪʃn] *fn* **a)** serkentés, ösztönzés, stimulálás **b)** *orv* ingerlés, ingerkeltés, stimulálás

stimulus [ˈstɪmjʊləs] *fn tsz* **stimuli** [–laɪ] **1. a)** ösztönzés, indíték, stimulus; **give ~ to sg, prove a ~ to sg** ösztönzőleg/serkentőleg hat vmre **b)** *orv* inger; **external ~** külső inger **2.** izgatószer, ingerlőszer, serkentő, stimuláns

stimulus-threshold *fn pszich* ingerküszöb

stimy [ˈstaɪmi] **I.** *fn sp* holtpontra jutott nehéz helyzet **II. A.** *tsi sp* megakaszt, megakadályoz **B.** *tni sp* megfeneklik, elakad

sting [stɪŋ] **I.** *fn* **1. a)** *áll* fullánk **b)** *áll* méregfog *[kígyóé]* **2. a)** csípés, szúrás *[méhé, darázsé]* **b)** *átv* csípés *[ostorcsapásé]*, szúrás, égetés, égető fájdalom *[sebé]*, fullánk, él, csípősség *[megjegyzésé]*; **~s of hunger** mardosó éhség; **~ of remorse** kínzó/mardosó/éles lelkifurdalás; *biz* **give a ~ to an epigram** epigrammát kiélez **c)** lendület, hevesség, erő(sség) *[támadásé]* **3.** *szl* csel, trükk, csapda **II.** *pt/pp* **stung** [stʌŋ] **A.** *tsi* **1. a)** (meg)csíp, (meg)szúr **b)** *átv* mar(dos), éget; **his conscience ~s him** mardossa/furdalja/kínozza a lelkiismerete; **that remark stung him (to the quick)** ez a megjegyzés elevenébe talált; **he was stung into action** (vm) cselekvésre ösztökélte **2.** *szl [kiadásba ver]* megvág; **~ sy for sg** borsos/iszonyú árat fizettet vkvel vmért; levág *[vmely összeg erejéig]*, lenyúl **B.** *tni* ég, szúr, csíp *[fájdalom]*, sajog *[seb, ütés helye]* • *mn* **stingless** *hsz* **stingingly**

stingaree [ˈstɪŋəriː] *fn US Ausz* → **stingray**

stinger [ˈstɪŋə ‖ –ər] *fn* **1. a)** *biz* csípő/égető/fájdalmas ütés **b)** *biz* marós/csípős/fullánkos megjegyzés **2. a)** *GB biz* whisky szódával **b)** *US biz* koktél pálinkából és likőrből **3.** szúró, csípő *[rovar]*

stinging [ˈstɪŋɪŋ] *mn* **a)** szúrós *[növény]* **b)** égető, csípős *[fájdalom]*, fullánkos, maró, csípős, sajgó, éles *[megjegyzés]*; **a ~ blow** fájdalmas ütés

sting-nettle *fn növ* apró csalán

stingray [ˈstɪŋreɪ] *fn áll* közönséges mérges rája

stingy[1] [ˈstɪndʒi] *fn* fösvény, zsugori, fukar, sóher

stingy[2] [ˈstɪndʒi] *mn biz* csípős *[szél]*, szúrós, fullánkos *[megjegyzés]*

S

stink [stɪŋk] **I.** *pt* **stank** [stæŋk], **stunk** [stʌŋk], *pp* **stunk** [stʌŋk] **A.** *tni* **1.** *átv* bűzlik, büdös, szaglik, (rossz) szaga van; ~ **of garlic** fokhagymaszaga van; *biz* ~ **of/with money** felveti a pénz, tele van pénzzel, vastag vk **2.** *biz pej* semmit sem ér, vacak, pocsék, csapnivaló(an rossz); **the joke ~s** szakálla van a viccnek **3.** *szl [ellenszenves/utált vk/vm]* szemét, rohadt, szar vk/vm **4.** *szl [gyenge vmben, gyengén szerepel]* szar vmben, katasztrófa **B.** *tsi* **1.** ~ **sy out** bűzzel kiüldöz; vkt kifüstöl **2.** *biz* megszimatol, megszagol *[vmt már messziről]*, megérzi a szagát (vmnek) **II.** *fn* **1.** bűz, rossz szag **2.** *szl* **kick up/make/raise a** ~ botrányt/balhét/patáliát/arénát csap; *biz* **like** ~ rendkívül, nagyon rettentő *[gyors, nehéz]* **3.** *tsz* **stinks** *okt szl* kémia(óra), fizika(óra)

stink-bomb *fn* **a)** bűzbomba **b)** *kat szl* gázbomba

stinker ['stɪŋkə ‖ –ər] *fn* **1.** büdös ember, görény **2.** *szl [ellenszenves/utált ember]* szemét, görény, tetű **3.** *biz* vacak dolog, rossz munka; **write sy a** ~ rosszalló/elutasító/helytelenítő/sértegető levelet ír vknek **4.** *szl [probléma, nehéz helyzet/feladat]* szar ügy, ciki **5.** büdös szivar, bűzrúd

stinking ['stɪŋkɪŋ] **I.** *mn* **1.** büdös, bűzlő **2.** *szl [nagyon részeg]* hullarészeg, merevrészeg **3.** *szl [rossz, ellenszenves, utált]* szar, rohadt, tetves, szemét **II.** *hsz* **1.** *szl [nagyon, rohadtul]* piszkosul **2.** *biz* ~ **(rich)** nagyon gazdag, rengeteg pénze van, felveti a pénz • *hsz* **stinkingly**

stinko ['stɪŋkou] *mn szl* **1.** *[részeg]* mátó, mák, tintás **2.** gazdag, pénzes

stink-pot *fn* **1.** *átv* bűzbomba **2.** *biz* utálatos dolog/ember; ronda fráter

stinky ['stɪŋki] *mn biz* → **stinking I.**

stint [stɪnt] **I.** *fn* **1.** megszorítás, korlát(ozás); **without** ~ korlátlanul, bőségesen; **set no** ~ **upon sg** nem szab határt vmnek **2.** előírt munkaadag, meghatározott munkafeladat; **do one's (daily)** ~ melózik **II. A.** *tsi* **a)** szűken mér, szűkre szab, megszorít, korlátoz *[adagot]*, sajnál *[fáradságot, pénzt]*, takarékoskodik, fukarkodik (vmvel); **he does not ~ his praise** nem fukarkodik a dicsérettel **b)** ~ **sy of sg** sajnál/megtagad/megvon vmt vktől; ~ **oneself** fukar önmagához; ~ **oneself of sg** sajnál/megvon/megtagad vmt magától **B.** *tni* fukarkodik; ~ **on sg** sajnál vmt, fukarkodik vmvel • *mn* **stintless**

stipe [staɪp] *fn* **1.** *növ* tönk **2.** *áll* lábszár • *mn* **stipiform, stipitate**

stipel ['staɪpl] *fn növ* melléklevélke

stipend ['staɪpend ‖ –pənd] *fn* illetmény, járadóság, javadalmazás, fizetés, ösztöndíj

stipendiary [staɪ'pendɪəri ‖ –dieri] **I.** *mn* **1.** fizetéses **2.** ösztöndíjas **II.** *fn* ~ **(magistrate)** rendőrbíró

stipple ['stɪpl] **I.** *tsi* **1.** *műv* pontozó technikával fest/rajzol/metsz, árnyal **2.** érdesít *[felszínt]* **II.** *fn műv* rajzolás/festés/metszés pontozó technikával, pontozófestés • *fn* **stippler, stippling**

S

stipulate[1] ['stɪpjʊleɪt] *tsi* (szerződésben) kiköt, megállapodik, meghatároz; ~ **that** kiköti, hogy • *fn* **stipulation, stipulator**

stipulate[2] ['stɪpjʊlət] *mn növ* melléklevelesʼ pálhás

stipulated ['stɪpjʊleɪtɪd] *mn* (szerződésben) kikötött, szerződésszerűen megállapított

stipule ['stɪpjuːl] *fn növ* pálha, melléklevél • *mn* **stipular**

stir [stɜː ‖ stɜr] **I.** *i* **-rr- A.** *tsi* **1.** (meg)kever, (meg)kavar, keverget, kavargat; ~ **one's soup** levesét (meg)kavarja/kavargatja; ~ **the fire** megpiszkálja a tüzet **2.** (meg)mozgat, (meg)mozdít, (meg)moccant; *biz* ~ **one's stumps** szedi a lábát, iszkol; **he does not ~ an eyelid** arcizma sem rándul; **I will not ~ a foot** egy tapodtat sem moccanok **3.** *átv* felkavar; ~ **the blood** felpezsdíti a vért; ~ **sy's wrath** vkt haragra gerjeszt; ~ **sy to pity** szánalomra indít vkt; szánalmat ébreszt/kelt vkben **B.** *tni* **1. a)** mozog; **he is not ~ring yet** még nem kelt fel; **there is not a breath of air ~ring** a levegő meg sem rezdül **b)** el/kimegy, (meg)mozdul, (meg)moccan; **don't ~ from here** el nem mozdulj innen **2.** *biz* kavar *[barátok viszonyát elrontja pletykákkal]* **3.** megrázza magát, magához tér *[pl. depresszióból]* **II.** *fn* **1.** (fel)kavarás, (meg)keverés; **give one's coffee a** ~ megkavarja a kávéját **2.** (meg)mozdulás, moccanás; **there was not a ~ in the air** szellő se lebbent **3. a)** mozgás, sürgölődés, élénkség; **town full of ~ and movement** élénk város **b)** kavarodás, izgalom, ribillió; **make a** ~ nagy feltűnést/szenzációt kelt, nagy port ver fel **4.** *szl [börtön]* dutyi, siti, börtön • *mn* **stirless**

stir up *tsi* **1.** felkever, felkavar *[folyadékot, üledéket]*, megpiszkál, feléleszt, felszít *[tüzet]* **2.** *átv* felkavar, (fel)izgat, felkelt *[érdeklődést, csodálatot]*, (fel)szít, támaszt *[nyugtalanságot]*, felpezsdít *[vért, jókedvet]*; ~ **up strife** bajt kever, viszályt kelt/szít; ~ **up sy to do sg** vkt vmnek a megtételére felpiszkál; → **stir-up**

stir-crazy *mn szl [hosszú bezártság miatt megőrült]* kiakadt, bekattant, begolyózott

stir-fry I. *fn gaszt* keverve sütött étel **II.** *tsi* keverve süt

stirk [stɜːk] *fn GB táj* **a)** tinó **b)** egyéves üszőborjú

stirps ['stɜːps ‖ 'stɜrps] *fn tsz* **stirpes** [–piːz] **1.** törzs *[családé]*, *jog* felmenő; **descent per stirpes** ági leszármazás **2.** *növ áll* változat, fajta

stirrer ['stɜːrə ‖ –ər] *fn* **1.** keverőkanál **2.** *GB biz* felszító *[viszályé]*, izgató, agitátor **3. be an early** ~ koránkelő

stirring ['stɜːrɪŋ] **I.** *mn* **1.** izgató, nyugtalanító, felpezsdítő, vérpezsdítő **2.** sürgölődő, tevékeny, nyughatatlan **3.** mozgalmas; ~ **times** mozgalmas idők **II.** *fn tsz* **stirrings** kezdeti lépések/érzések, mocorgás, ébredezés • *hsz* **stirringly**

stirrup ['stɪrəp ‖ 'stɜrəp] *fn* **a)** kengyel(vas) **b)** *műsz* kengyel **c)** kúszóvas **d)** *orv* kengyel(csont) *[fülben]*

stirrup-bone *fn orv* kengyel(csont) *[fülben]*

stirrup-cup *fn* búcsúpohár

stirrup leather *fn* kengyelszíj

stitch [stɪtʃ] **I.** *fn* **1. a)** öltés, tűzés; **darning** ~ javító/stoppoló öltés; **Holbein/Italian** ~ gobelinöltés, kelimöltés; **knot** ~ csomózóöltés; **pin** ~ öltés, tűszúrás; **whipping** ~ hurkolóöltés; **put ~es in a wound** sebet összevarr; *orv* **take out the ~es** kiszedi a varratokat *[sebész]*; *biz* **he has not a dry ~ on him** bőrig ázott, csuromvizes; *biz* **without a ~ of clothing, not a ~ on** anyaszült meztelenül; *közm* **a ~ in time saves nine** amit ma megtehetsz, ne halaszd holnapra, a rest kétszer fárad **b)** szem *[kötésben, horgolásban]*; **drop a** ~ szemet leejt; **take up a** ~ szemet felvesz **c)** fűzés *[könyvé]* **2.** ~ **(in the side)** szúrás, nyilallás *[az oldalban]*; *US biz* **we were kept in ~es** hasunkat fogtuk a nevetéstől **II.** *tsi* **a)** összevar, összeölt, (le)tűz, megtűz **b)** *orv* (be)varr, összevarr *[sebet]* **c)** fűz *[könyvet]* • *fn* **stitcher** *mn* **stitchless**

stitch up *tsi* **1.** összeölt, összevarr *[szakadást]*, összevarr, bevarr *[sebet]* **2.** *GB szl [besúgás által börtönbe juttat]* felad, feldob, lebuktat **3.** *szl [elintéz, megold]* lerendez, sínre tesz

stitchwork *fn* hímzés

stiver ['staɪvə ‖ –ər] *fn biz* garas, fillér, fabatka; **it is not worth a** ~ egy vasat/fabatkát sem ér

stoa ['stouə] *fn tsz* **stoae** ['stouiː], **stoas** *épít* **1.** árkád, fedett oszlopcsarnok **2.** *fil* **the S~** a Sztoa, a sztoikus iskola

stoat [stout] *fn áll* hermelin, hölgymenyét

stock [stɒk ‖ stɑk] **I.** *fn* **1. a)** készlet; **lay in a ~ of sg** készletet gyűjt (v. halmoz fel) vmből **b)** *gazd* árukészlet, raktár(i készlet); **old** ~ eladhatatlan árukészlet; **surplus** ~ maradék; ~ **in/on hand** raktári készlet; **take** ~ leltároz; *biz* **take ~ of sg** vmt felbecsül/áttekint; *biz* **take ~ of sy** vkt szemügyre vesz; vkt felmér; **have sg in** ~ raktáron van vmje; **keep sg in** ~ raktáron tart vmt; **be out of** ~ nincs raktáron, kifogyott *[áru]* **c)** *ját* talon **d)** állomány **e)** állatállomány; **fat** ~ vágóállat; **grazing** ~ élőállat-állomány *[gazdaságban]*; ~ **of game** vadállomány **f)** faállomány **g)** *ip* állag, állomány **2.** *pénz* **a)** értékpapír, részvény, államadósság, államadóssági kötvény; **~s and shares** részvények, értékpapírok **b)** *biz* **one's ~ is going up** emelkedik az ázsiója, kezdik többre értékelni; **one's ~ is going down** kevesebbre becsülik, háttérbe szorul; **take no ~ in sy/sg** nem érdekli vk/vm **c)** részvénytőke, (alap)tőke *[részvénytársaságé]*; *US* **controlling ~** ellenőrző részvénytöbbség; **fully paid ~** teljesen befizetett alaptőke; **take delivery of ~** átvesz részvényeket **3. a)** törzs, fajta; **come of good ~** jó családból származik; **be true to ~** fajtiszta **b)** *biol* törzs **4.** *gaszt* sűrített húsleves/csontleves/csontlé **5.** *növ* viola **6.** *növ* alany *[oltásnál]* **7. a)** törzs *[fáé, növényé]* **b)** tuskó, rönk, tönk; *biz* **stand like ~** áll, mint a cövek **8. a)** tus(a), agy, ágy *[puskáé]* **b)** *műsz* nyél, szár, tok **c)** *hajó* **~ of an anchor** horgonyrúd **9. a)** *ip* alapanyag, nyersanyag, félkésztermék **b)** *film* nyersfilm **10.** *tsz* **stocks** kaloda; **put sy in the ~s** vkt kalodába zár **11.** *tsz* **stocks** *hajó* sólya, hajóépítő állvány; *biz* **have sg on the ~s** dolgozik vmn, munkában van vmje **II.** *tsi* **1. a) ~ (up)** felszerel, áruval ellát *[raktárt]*; **shop well ~ed (up)with sg** vmből nagy készlettel rendelkező üzlet **b)** állatokkal ellát/benépesít **2.** raktáron tart *[árut]* **3. a)** aggyal ellát *[puskát]* **b)** *hajó* (normál) horgonyba rudat behúz **4.** kalodába zár **III.** *mn* **a)** megszokott, szokványos, szabvány(os) *[méret]*, raktáron levő, raktári; **~ size** raktári méret, szabványméret **b)** állandó; *US szính* **~ company** állandó társulat; **~ joke** alapvicc; *nyelv* **~ phrase** megszokott kifejezés, klisé; **~ play** állandó műsordarab, repertoárdarab • *fn* **stocker** *mn* **stockless**

stockade [stɒ'keɪd ‖ stɑ–] **I.** *fn* **1.** cölöpkerítés, karókerítés **2.** *US* börtön, dutyi, siti **II.** *tsi* cölöpkerítéssel elkerít, *kat* karósánccal erődít

stock-book *fn gazd* raktárkönyv

stockbreeder *fn* állattenyésztő, törzstenyésztő, fajállattenyésztő • *fn* **stockbreeding**

stockbroker *fn pénz* tőzsdés, bróker, részvényügynök, tőzsdeügynök • *fn* **stockbrokerage, stockbroking**

stockbrokerbelt *fn GB biz* gazdagok lakta városnegyed/kerület *[üzleti élet központja mellett]*

stock car *fn* **1.** *US vasút* marhaszállító vagon, marhavagon, marhakocsi **2.** *gk sp* szériakocsi *[roncsderbin]*

stock-car race *fn* roncsderby

stock cattle *fn* **1.** tenyészmarha **2.** hízómarha

stock cube *fn gaszt* leveskocka

stock exchange *fn pénz* érték(papír)tőzsde, tőzsde(i) árak

stockfish *fn* szárított tőkehal

stockholder *fn* **1.** részvényes, részvénytulajdonos **2.** *Ausz* állattenyésztő, marhatenyésztő • *fn* **stockholding**

stock-horse *fn Ausz* cowboy-ló, lovasgulyás lova

stockinet [ˌstɒkɪ'net ‖ 'stɑ–] *fn tex* trikó(szövet) *[fehérneműnek]*

stocking ['stɒkɪŋ ‖ 'stɑ–] *fn* **1.** harisnya, térdzokni; **blue ~** kékharisnya, tudós nő; **in one's ~(ed) feet** harisnyában, cipő nélkül; *biz* **he stands six feet in his ~s** mezítláb hat láb magas **2.** testhezálló ruhadarab, feszes öltözék **3. (white) ~** kamásli, keselyláb *[lóé]* • *mn* **stockinged, stockingless**

stocking filler *fn GB* apró ajándék *[karácsonykor zokniba rejthető]*

stocking-stitch *fn* patentkötés

stocking stuffer *fn US* → **stocking filler**

stock-in-trade I. *mn* mindennapos, rutin- *[intézkedés]* **II.** *fn* **a)** raktári készlet **b)** munkához szükséges kellékek, munkaeszközök **c)** *biz* készlet, repertoár

stockist ['stɒkɪst ‖ 'stɑ–] *fn gazd* árulerakat/alkatrészlerakat vezetője/tulajdonosa

stockjobber *fn pénz* **a)** *GB* közvetítő alkusz *[bankcégek között]* **b)** *US* saját számlára dolgozó bróker • *fn* **stockjobbing**

stockless ['stɒkləs ‖ 'stɑk–] *mn hajó* rúd nélküli *[horgony]*

stocklist *fn* **1.** *gazd* leltár **2.** *GB pénz* árfolyamjegyzék *[tőzsdén]*

stockman ['stɒkmən ‖ 'stɑk–] *fn tsz* **-men 1.** *US Ausz* gulyás, csordás, tehenész, csikós, juhász **2.** marhatenyésztő, állattenyésztő **3.** *US* raktáros

stock market *fn* értékpapírpiac, értéktőzsde

stockpile I. *fn gazd* **a)** tartalékkészlet *[nyersanyagé]* **b)** árukészlet, raktár **II.** *tsi gazd* tárol, tartalékol, készletez, (fel)halmoz • *fn* **stockpiler**

stockpot *fn* (hús)levesfazék, levesesfazék

stock-register *fn pénz* részvénykönyv *[névre szóló részvények nyilvántartására]*

stockroom *fn* raktár

stock-still *hsz* **stand ~** áll, mint a cövek, mozdulatlanul áll

stock-taking *fn gazd* leltár(ozás), leltárfelvétel, készletfelvétel • *fn* **stocktaker**

stock ticker *fn* árfolyamjelző gép/szalag

stocky ['stɒki ‖ 'stɑki] *mn* zömök, köpcös, tömzsi *[személy]*

stockyard *fn* karám, marhaállás, marhakorlát, istállók; *US* vágóhídi/pályaudvari/vásári istállótelep

stodge [stɒdʒ ‖ stɑdʒ] **I.** *fn* **1.** *GB biz* nehéz/tömős/kiadós étel **2.** (be)zabálás, nagy eszem-iszom; **have a good ~** bezabál, jól belakik **3.** *átv* nehéz/emészthetetlen szellemi táplálék **4.** földhözragadt, fantáziátlan személy/dolog **II. A.** *tni biz* (be)zabál, tömi a fejét **B.** *tsi biz* megtöm *[étellel]*, bevág *[ételt]*

stodgy ['stɒdʒi ‖ 'stɑdʒi] *mn* **1. a)** nehéz *[étel]*, keletlen *[kenyér]* **b)** vaskos, nehézkes **c)** *átv* nehéz, megemészthetetlen *[olvasmány]* **2.** köpcös, zömök, unalmas *[alak]*

stoep [stuːp] *fn Dél-Af* veranda

stogy ['stougi] *fn* **1.** munkásbakancs **2.** olcsó erős szivar

stoic ['stouɪk] **I.** *mn* sztoikus, szenvedélymentes; *fil* **the S~ body** a Sztoa **II.** *fn* sztoikus ember (filozófus)

stoicism ['stouɪsɪzm] *fn* sztoicizmus, szenvedélymentesség

stoke [stouk] **A.** *tsi* tüzel *[kazánban]*, (kazánt) fűt *[pl. mozdonyon]*, betölt, táplál *[kazánt]* **B.** *tni* **1.** fűt; **~ (up)** felszítja a tüzet **2. ~ (up)** *szl [eszik]* zabál, kajál, tömi a fejét, belakik

stokehold *fn hajó* kazántér, tüzelőtér

stokehole *fn* tüzelőlyuk, tüzelőnyílás

stoker ['stoukə ‖ –ər] *fn* **1.** (kazán)fűtő *[hajón, mozdonyon]* **2.** *régi* piszkavas

stole[1] [stoul] *fn* stóla *[római nőké, papoké stb.]*

stole[2] [stoul] → **steal II.**

stolen ['stoulən] *mn* **~ goods** lopott holmi; → **steal II.**

stolid ['stɒlɪd ‖ 'stɑ–] *mn* egykedvű, közönyös, flegmatikus

stolon ['stoulɒn ‖ –lən] *fn növ* inda, gyökerező fekvőhajtás • *mn* **stolonate, stoloniferous**

stoma ['stoumə] *fn tsz* **stomata** [–mətə] **a)** *növ* légrés, levélrés **b)** *áll* légzőnyílás **c)** *orv* szájadék • *mn* **stoma(ta)l**

stomach ['stʌmək] **I.** *fn* **1.** gyomor, *biz* has; **sour ~** gyomorsavtúltengés; **pain in the ~** gyomorfájás; *biz* hasfájás; **coat of the ~** gyomorfalrétegek; **pit of the ~** gyomorszáj; **turn sy's ~** felkavarja/felkeveri vknek a gyomrát; **it makes my ~ rise/turn** felkavarodik tőle a gyomrom, mindjárt hányok tőle; **on a full (v. an empty) ~** tele (v. üres) gyomorra(l), étkezés után (v. előtt) **2. a)** étvágy **b)** vágy, kedv, hajlam, hajlandóság; **have no ~ for sg** semmi kedve/hajlandósága (sincs) vmhez; **it will put some ~ into him** ettől majd megjön a kedve/bátorsága **II.** *tsi* **a)** meg bír/tud enni/emészteni, megemészt *[ételt]* **b)** *átv* megemészt, lenyel, zsebre vág (vmt), elvisel, (ki)bír; **I cannot ~ him/it** nem szenvedhetem/szívlelhetem • *fn* **stomachful** *mn* **stomachless**

stomach-ache *fn* gyomorfájás, *biz* hasfájás; **have the ~** fáj a gyomra, *biz* fáj a hasa

stomach-bleeding *fn orv* gyomorvérzés

stomach complaint *fn orv* gyomorbaj, gyomorbántalom

stomacher ['stʌməkə ‖ –ər] *fn* mellkendő, mellrevaló kendő, pruszlikbetét

stomachic [stə'mækɪk] **I.** *mn* **1.** gyomorerősítő *[szer]* **2.** gyomor-; *orv* **~ ulcer** gyomorfekély **3.** étvágygerjesztő, emésztést serkentő *[szer]* **II.** *fn* **a)** gyomorerősítő szer **b)** *biz* étvágygerjesztő, gyomorkeserű

stomach pump *fn orv* gyomormosó készülék

S

stomach tooth *fn tsz* **-teeth** alsó tejszemfog
stomach tube *fn orv* gyomorszonda
stomach upset *fn orv* enyhe gyomorrontás
stomata [ˈstoʊmətə] → **stoma**
stomatitis [ˌstoʊməˈtaɪtɪs] *fn orv* szájgyulladás
stomatology [ˌstoʊməˈtɒlədʒi ‖ –ˈtɑ–] *fn orv* fog- és szájbetegségek tana, sztomatológia • *fn* **stomatologist** *mn* **stomatological**
stomp [stɒmp ‖ stɑmp] *tni/tsi* **1.** *US* tapod, *[lábbal]* tipor **2.** *US* dobog *[lábbal]*, toporzékol, padlót veri *[lábbal]* • *fn* **stomper**
stone [stoʊn] **I.** *fn* **1. a)** kő; **artificial ~** műkő; **broken ~** kőtörmelék; zúzalék; *csill* **meteoric ~** meteorkő; *biz* **a ~'s throw away** kőhajításnyi (távolság), kőhajítás; **shower of ~s** kőzápor; **have a heart of ~** kőszívű, kegyetlen, rideg; **as cold as a ~** jéghideg; **as hard as a ~** kőkemény; **leave no ~ unturned** minden követ megmozgat; *átv* **throw/cast ~s at sy** vkt megkövez; követ dob vkre, vkt elítél/(meg)vádol; **throw/cast the first ~** az első követ veti, megtámad/kritizál vkt; **he did not leave a ~ standing** kő kövön nem maradt utána; **harden into ~** megkövül, megkövesedik; *átv* megkövül, kővé dermed **b)** (kocka)kő **c)** (drága)kő; **precious ~** drágakő; **semi-precious ~** féldrágakő **d)** *orv* epekő, vesekő **2. a)** (csonthéjas) mag *[cseresznyéé, szőlőé]* **b)** *szl [here]* tök, tojás, golyó **3.** *esz/tsz* **stone** ‹brit súlyegység = 14 font = 6,35 kg› **4.** barnásszürke szín **II.** *mn* **1.** kő-, kőből készült **2.** kőszínű, barnásszürke **III.** *tsi* **1.** megkövez, kővel megdobál (vkt); **~ sy to death** halálra kövez vkt; *GB szl* **~ the crows** *[meglepődik]* padlót fog **2.** kikövez *[utat]*, kővel kirak/burkol **3.** kimagoz *[cseresznyét]* **4. ~ (down) a tool** szerszámot megfen/kifen • *fn* **stoner** *mn* **stoned**, **stoneless**
Stone Age *fn tört* kőkorszak
stone-axe *fn* **1.** kőfejtő kalapács **2.** kőbalta
stone-blind *mn* teljesen vak
stonebreak *fn növ* kőrontó(fű), kőtörőfű
stone-broke *mn biz* pénztelen, (teljesen) leégett
stone-cast *fn* kőhajításnyi (távolság), kőhajítás
stone circle *fn régész* nagy kőoszlopokból álló körépítmény a történelem előtti időkből megalitkör
stone coal *fn* **a)** kőszén **b)** antracit, feketeszén
stone-cold *mn* jéghideg; *szl* **have sy ~** vk teljesen ki van neki szolgáltatva
stone crop *fn növ* varjúháj
stone cutter *fn* kőfaragó *[kőfejtőben]*
stoned [stoʊnd] *mn* **1.** (ki)kövezett, kővel burkolt **2.** kimagozott *[gyümölcs]* **3.** *szl [nagyon részeg]* csontrészeg, totálkáros **4.** *szl [teljes mértékben kábítószer hatása alatt van]* lebeg, elszállt
stone-dead *mn* **he was ~** halott volt, nem volt már benne semmi élet
stone-deaf *mn* teljesen süket, földsüket
stone fruit *fn* csonthéjas gyümölcs
stoneground *mn* malomkövön őrölt *[liszt]*
stone-hammer *fn* kőtörő kalapács
stone-hard *mn átv* kőkemény
stone-hawk *fn áll* kis sólyom, verebészsólyom, törpesólyom
Stonehenge [ˌstoʊnˈhendʒ ‖ ˈstoʊnhendʒ] *tul* ‹a legnagyobb megalitkör Angliában a Salisbury-síkon›
stonemason *fn* kőfaragó, kőműves; **~'s disease** szilikózis • *fn* **stonemasonry**
stone-pine *fn növ* mandulafenyő
stone-shower *fn csill* meteoritzápor
stone-slide *fn* **1.** kőomladék, kőhordalék **2.** kőomlás
stonewall *tni* **1. a)** *átv* húzza az időt, köntörfalaz **b)** *sp* „fal mellett" játszik, biztonsági játékot folytat **2.** *biz* obstruál *[parlamentben]* • *fn* **stonewaller**, **stonewalling**
stoneware *fn* kőedény
stonewashed *mn* kőmosott *[farmernadrág]*
stonework *fn* **a)** kőművesmunka, falazás **b)** kőfaragás **c)** kőépítmény, kőépület
stonk [stɒŋk ‖ stɑŋk] *tsi* **1.** erősen bombáz *[tüzérség]* **2.** *Ausz* **a)** megöl, elpusztít, kiirt, lerombol **b)** akadályoz
stonkered [ˈstɒŋkəd ‖ ˈstɑŋkərd] *mn Ausz ÚjZ szl* **1.** *[kimerült]* ki van purcanva, totálkáros, kész van **2.** *[részeg]* totálkáros
stony [ˈstoʊni] *mn* **1.** köves; **~ path** köve(cse)s út; **~ pear** kövecses körte **2. a)** kőkemény **b)** *átv* kő(kemény), jéghideg; **~ heart** kőszív, (kő)kemény/jéghideg szív; **~ stare** merev tekintet; **~ welcome** jeges/hideg/hűvös fogadtatás **3.** *szl [pénztelen]* leégett, sóher
stony-broke *mn GB szl [pénztelen]* leégett
stony-hearted *mn* kőszívű, szívtelen
stood [stʊd] → **stand**
stooge [stu:dʒ] **I.** *fn* **1. a)** (komikus) színész partnere *[aki alájátszik]* **b)** titkos munkatárs, strómàn **c)** fejbólintó János **2.** *US biz [rendőrségi]* besúgó, beépített ember **II.** *tni* **1.** *GB* **~ about** ide-oda utazik, mászkál, teng-leng, ődöng **2. ~ for** hajbókol vk előtt, behódol vknek **3.** *biz* besúgóként működik
stool [stu:l] **I.** *fn* **1. a)** támlátlan szék, zsámoly; **folding ~** tábori szék; *biz* **fall between two ~s** két szék közt a pad alá esik **b)** (láb)zsámoly, térdzsámoly **2. (close) ~** szobaklozet; **go to ~** székel **3. a)** székelés **b)** szék(let), ürülék **4. a)** *növ* tuskó *[melyről új hajtás sarjad]*, tő *[fáé]* **b)** tőhajtás **5.** csalimadár **II.** *tni mezőg* sarjadzik, (tőről) hajt
stool-ball *fn GB sp* ‹a krikettihez hasonló régi labdajáték›
stoolie [ˈstu:li] *fn US szl [besúgó]* tégla, pacsirta
stoolpigeon *fn* **1.** *vad átv* csalimadár **2.** *biz* **a)** cinkostárs *[csalóé]*; **act as a ~** falaz **b)** hamis/beugrató hír *[sajtóban]* **c)** *US* szerencsejátékos felhajtója **d)** besúgó, rendőrspicli, beugrató rendőrkém
stoop[1] [stu:p] **I. A.** *tni* **1. a)** előrehajol, előregörnyed, lehajol, meghajol **b)** görnyed, görnyedten/görbén tartja magát; **~ over one's books** könyvei fölött görnyed **2.** (le)alacsonyodik, megalázza magát, méltóságán aluli dologra adja magát; **he would ~ to anything** bármilyen alantas dologra képes (volna), bármire képes **3.** *átv* lecsap *[zsákmányra]* **B.** *tsi* (meg)görbít, görnyeszt *[hátat]*, meghajt, lehajt *[fejet]* **II.** *fn* **1. a)** görnyedés, előrehajlás **b)** görnyedtség, görbe hát; **walk with a ~** görnyedten/meggörbedve jár **2.** zuhanórepülés, lecsapás *[ragadozó madáré]*
stoop[2] [stu:p] *fn US* (magas bejárati) tornác/veranda
stoop[3] [stu:p] *fn* **1.** kehely, serleg, korsó, kancsó **2.** *vall* szenteltvíztartó
stop [stɒp ‖ stɑp] **I. -pp- A.** *tsi* **1.** megállít, leállít, elállít *[vérzést]*; **~ sy short** hirtelen megállít vkt; félbeszakít vkt; *sp* **~ the ball** lekezeli/leállítja a labdát, stoppol *[labdarúgó]*; **~ sy's breath** elállítja vknek a lélegzetét; *kat szl* **~ a bullet/packet** megsebesül, golyót/lövést kap; *sp* **~ an opponent** megállítja az ellenfelet; **~ the traffic** leállítja/megbénítja a forgalmat **2. a)** (meg)akadályoz, feltartóztat; **~ sy from (v. sy's) doing sg** megakadályoz vkt vmnek a megtételében, visszatart vkt vmnek a megtételétől; **nothing will ~ him from going** semmi sem akadályozhatja meg, hogy elmenjen **b)** felfog *[ütést]* **c)** *ját* fog *[színt]* **3. a)** véget vet (vmnek) **b)** megszüntet, beszüntet; *jog* **~ a case** pert beszüntet; *gazd* **~ (payment of/on) a cheque** csekket letilt; **~ sy's supply of electricity** kikapcsolja vknek a villanyát; **~ sy's wages** letiltja vknek a bérét; *kat* **all leave is ~ped** minden szabadságolás szünetel **c)** abbahagy (vmt), felhagy (vmvel); **~ work** munkát befejez/abbahagy; munkát beszüntet; **~ it!** elég (volt)!, hagyd abba!; **~ doing sg** vmt abbahagy **4. a)** bedug(aszol), eldugaszol, betöm *[nyílást, fogat]*; *átv* **~ one's ears** befogja a fülét; *biz* **~ one's ears against entreaties** nem hallgat a könyörgésre; **~ a gap** *átv* hézagot betölt, hiányt pótol; *biz* **~ sy's mouth** betömi/befogja vknek a száját; **get ~ped** eldugul *[cső]* **b)** elzár *[utat]*; *átv* **~ the way** elállja az utat, útban van **5.** *zene* **a) ~ a flute** fuvola nyílását befogja *[ujjal]* **b) ~ down a string** húrt lefog/leszorít **6.** *fényk* szűkít, blendéz *[lencsét]* **7.** *GB nyelv* központoz, írásjelekkel ellát *[szöveget]* **8.** *hajó* **a)** kötelet/

S

láncot lefékez **b)** gépet leállít **9.** *sp* kiüt, leüt (vkt) **B.** *tni* **1. a)** megáll *[ember, gép]*, leáll *[motor]*; ~ **short/dead** hirtelen megáll, megtorpan; **he will ~ at nothing** nincsenek gátlásai; ~ **for sy** (megáll és) megvár/bevár vkt; ~ **to talk to sy** megáll vkvel beszélgetni; ~! (meg)állj!, stop!, hó!; ~ **there!** megállj!, ne mozdulj!; hagyd abba!, elég! **b)** megáll *[beszéd közben]*, megáll, leáll *[munkában]*; ~ **short in one's speech** hirtelen elhallgat **c)** eláll, megszűnik *[eső]*, elhallgat *[pl. zene]*, elül *[lárma]* **2.** *biz* (ott) marad, tartózkodik, (egy darabig) időzik (vhol); **how long do we ~ here?** mennyi ideig állunk itt? *[állomáson]*; ~ **at a hotel** szállodában száll (meg); ~ **in bed** ágyban marad; ~ **with friends** barátainál lakik/száll *[vendégként]* **II.** *fn* **1. a)** megállás, leállás, szünet; **short ~** rövid megállás/szünet; **ten minutes' ~** tíz perc szünet; **make a ~** megáll, leáll; **put a ~ to sg** véget vet vmnek, vmt megszüntet; **be at a ~** áll, szünetel *[munka stb.]*; elakadt, megakadt *[folyamat stb.]*; **bring sg to a ~** vmt megállít/leállít; **come to a ~** hirtelen megáll/leáll *[futó, munka stb.]*; hirtelen meg(sz)akad/elakad *[folyamat]*; **without a ~** megállás/szünet nélkül; szakadatlanul, egyhuzamban; **pull out all the ~s** minden tőle telhetőt megtesz **b)** rövid időzés/tartózkodás **2. a)** megálló(hely) *[autóbuszé, villamosé]*; **regular ~** állandó megálló(hely); **request ~** feltételes megálló(hely) **b)** *rep* közbenső leszállás **3. a)** akadály, gát **b)** *műsz* ütköző, határoló, zár(ó pecek) **4.** *GB* írásjel; **full ~** pont *[mondat végén]*; *átv* **come to a full ~** végképp megakad **5.** *zene* **a)** regiszter *[orgonán]* **b)** lyuk *[fuvolán]* **c)** billentyű *[klarinéton]* **d)** hangmérce *[gitáron]* **6.** *zene* lefogás *[húré hangszeren]* **7.** *fényk* fényrekesz **8.** *nyelv* ~ **(consonant)** felpattanó zárhang, explozíva **9.** *ját* fogás, fogó lap **10.** *sp* egyenes ütés állra *[ökölvívásban]* **11.** *hajó* kötélfék, láncfék **12.** ‹mélyedés kutya fején az orr és a homlok között› • *mn* **stopless**, **stoppable**

stop by *tni biz* **1.** beugrik, benéz (vhova, vkhez); **he ~ped by at my house** útközben benézett hozzám **2.** mellette marad

stop down *tsi fényk* ~ **down a lens** objektívet leszűkít/leblendéz

stop off *tni* útját megszakítja (vhol)

stop out A. *tsi* betöm (rést), kitölt, eltömít **B.** *tni biz* kimarad *[éjszakára]*

stop up A. *tsi* betöm, eltöm, bedugaszol *[lyukat]*; **get ~ped up** eldugul *[cső]* **B.** *tni* fennmarad *[este]*

stopbank *fn Ausz ÚjZ vízügy* védőgát

stop-bath *fn fényk* utófürdő, fixáló fürdő

stopcock *fn* (el)záró csap

stope [stoʊp] **I.** *fn bány* lépcsőzetes vájat **II.** *tsi bány* lépcsőzetesen fejt *[ércet]*

stopgap *mn/fn* hézagpótló; ~ **arrangement** kisegítő megoldás, szükségmegoldás

stop-gear *fn* leállító szerkezet/berendezés, zárómechanizmus

stop-go *fn* **1.** *US biz* közlekedési lámpa **2.** meg-megtorpanó folyamat/fejlődés

stoplamp *fn GB gk* féklámpa

stoplight *fn gk* **1.** stoplámpa, féklámpa **2.** *közl* megállást jelző forgalmi lámpa, piros lámpa

stop-loss order → **stop order**

stopoff → **stopover**

stop order *fn pénz* limitáras megbízás *[tőzsdeügylet]*

stopover *fn* útmegszakítás, rövid tartózkodás

stoppage [ˈstɒpɪdʒ ‖ ˈstɑ–] *fn* **1.** megakasztás *[mozgásé]*, elállítás *[vérzésé]* **2.** megállás, megakadás, fennakadás, szünet *[mozgásban]*, leállás *[munkában]*; ~ **of the traffic** a forgalom leállása/megbénulása **3. a)** megszüntetés, szüneteltetés **b)** ~ **of pay** fizetésletiltás

stopper [ˈstɒpə ‖ ˈstɑpər] **I.** *fn* **1. a)** dugasz **b)** üvegdugó **c)** elzáró, elreteszelő **d)** tömítés **2. a)** *műsz* fék, elzáró elem; *biz* **put a ~ on sy's activities** vkt tevékenységében gátol/akadályoz **b)** *hajó* kötélrögzítő, fékcsat **3.** *ját* fogás, fogólap **4.** stopperóra **II.** *tsi* **1.** bedugaszol **2.** *hajó* kötélboggal/fékcsattal rögzít

stopping [ˈstɒpɪŋ ‖ ˈstɑ–] *fn* **1. a)** megállítás **b)** leállítás, beszüntetés; ~ **of a cheque** csekk letiltása **2.** megállás **3. a)** ~ **(up)** betömés, eldugaszolás; ~ **of a tooth** fog betömése **b)** elzárás *[úté]* **4. a)** dugó, dugasz, tömítés **b)** *GB biz* tömés *[fogban]* **5.** *zene* fogás *[húros és fúvós hangszeren]* **6.** központozás, interpunkció

stopping place *fn* **a)** megállóhely, útmegszakítási hely, átmeneti tartózkodási hely **b)** *rep* közbenső leszállóhely

stopping train *fn közl* személyvonat

stopple [ˈstɒpl ‖ ˈstɑpl] **I.** *fn* dugó, dugasz, *US* füldugó (vatta), viasz **II.** *tsi* eldugaszol, bedugaszol

stop press *fn GB* ~ **(news)** lapzárta utáni hír(ek)

stop sign *fn gk* stoptábla

stop signal *fn vasút* megállító jelzés, „megállj" jelzés

stop valve *fn műsz* zárószelep

stop-volley *fn sp* ejtett röpte *[teniszben]*

stopwatch *fn* stopper(óra), időmérő óra

storage [ˈstɔːrɪdʒ] *fn* **1.** (el)raktározás, tárolás **2.** felhalmozódás, készlet *[energiáé]* **3.** raktárhelyiség, raktártér; **in cold ~** hűtőházban; *átv* hidegre téve **4.** raktározási díj/költség, raktárdíj **5.** *infor* tár, tárolóeszköz, memória

storage battery *fn vill* akkumulátor (telep)

storage capacity *fn* tárolóképesség, űrtartalom

storage cell *fn* **1.** *vill* akkumulátor(cella) **2.** *infor* tároló(elem)

storage heater *fn műsz* hőtárolós villanykályha

storage life *fn* tárolási (határ)idő *[élelmiszeré]*

storage room *fn* raktár(helyiség), tárolóhelyiség

store [stɔː ‖ stɔr] **I.** *fn* **1. a)** készlet, tartalék, raktár (vmből); ~ **of energy** energiakészlet; ~ **of learning** ismeret(anyag); ~ **of money** pénztartalék; pénzmag; ~ **of wisdom** (nagy) bölcsesség; **have (a) good ~** (v. **have ~s) of wine** nagy borkészlete van; **lay in a ~ of sg** készletet gyűjt vmből, jól ellátja magát vmvel; **set/lay/put (great) ~ by/on sg** nagy súlyt helyez vmre, vmt nagyra/becsben tart; **set/lay/put little ~ by sg**, **set/lay/put no (great) ~ by sg** vmt kevésre tart, nem (sokra) becsül vmt; **hold/keep sg in ~** tartalékol vmt; tartogat vmt; **who knows what the future may hold in ~?** ki tudja mit hoz/tartogat/rejteget a jövő?; **have a surprise in ~ for sy** meglepetést tartogat vk számára **b)** *tsz* **stores** állomány, ellátmány *[lőszerből, ruhából]*, élelmiszer, készlet, élelem; **war ~s** hadifelszerelés, hadianyag **2.** raktár; **contractor's ~** anyagraktár *[építkezési vállalkozóé]* **3. a) (department) ~** áruház **b)** *US* bolt, üzlet, kereskedés; **keep ~** üzlete van, kereskedő **4.** *GB infor* memória **II. A.** *tsi* **1.** jól felszerel (vmvel), készlettel lát el (vmből); ~ **one's mind with facts** agyában sok adatot halmoz fel **2.** tárol, elraktároz *[későbbre]*, beraktároz *[bútort]*; ~ **sg (up)** vmt elraktároz/tárol/felhalmoz; vmt készletben tart; eltesz, elrak; ~ **up a fact in one's mind** egy tényt észben tart; **harvest has been ~d** a termést betakarították **3.** befogad *[raktár]* **B.** *tni* tárol(ódik), állja a tárolást

store card *fn gazd* vevőkártya *[áruház által kibocsátott hitelkártya]*

storefront *fn US* kirakat, üzlethelyiség (földszinti) utcai része

storehouse *fn* **a)** raktár(épület), élelemraktár **b)** *átv* tárház; **he is a ~ of information** élő lexikon, az ismeretek tárháza

storekeeper *fn* **1.** *főleg GB* raktáros, raktárnok, raktárkezelő **2.** *US* kereskedő, boltos

storeman [ˈstɔːmən ‖ stɔr–] *fn tsz* **-men 1.** *GB* raktáros **2.** *US* boltos

storeroom *fn* **a)** raktár(helyiség) **b)** éléskamra, éléstár

storey [ˈstɔːri] *fn* emelet(sor), szint; → **story 5**

storeyed [ˈstɔːrid] → **storied**[2]

storiated [ˈstɔːrieɪtɪd] *mn nyomd* ékítményes, cifrázott

S

storied[1] ['stɔ:rid] *mn* **1.** történelmi/mesebeli jeleneteket ábrázoló, illuminált **2.** *vál* történelmi (nevezetességű), legendás (hírű)

storied[2] ['stɔ:rid] *mn* emeletes; **three-~** kétemeletes

stork [stɔ:k ‖ stɔrk] **I.** *fn áll* gólya; **common/white/migratory ~** fehér gólya; *átv biz* **visit from the ~** a gólya érkezése **II.** *tsi US biz szl [teherbe ejt]* felcsinál

storm [stɔ:m ‖ stɔrm] **I.** *fn* **1.** vihar; **cyclonic ~** forgószél, ciklon; **magnetic ~** földmágneses vihar; *GB biz* **a ~ in a tea-cup** (v. **puddle)** vihar egy pohár vízben, sok hűhó semmiért; *átv* **stir up a ~** (nagy) kavarodást idéz elő; **~ of abuse** a szidalmak/szitkok özöne/áradata; **~ of applause** tapsvihar, viharos/fergeteges taps; **~ of arrows** nyílzápor **2.** *kat* roham; **take a stronghold by ~** erődöt rohammal vesz be; *biz* **take sy by ~** vkt egy csapásra megnyer/meghódít **3.** *orv* roham, krízis **II. A.** *tsi kat* **a)** megrohamoz **b)** rohammal bevesz **B.** *tni* **a)** tombol, dühöng *[vihar]*, viharosan/fergetegesen esik *[eső]* **b)** *átv* tombol, dühöng, tajtékzik, lármázik *[mérgében]*; **~ at sy** kirohan vk ellen, pocskondiáz vkt **c)** kiviharzik • *mn* **stormless**, **stormproof**

storm-boat *fn kat* rohamcsónak

stormbound ['stɔ:mbaʊnd ‖ 'stɔrm–] *mn* vihar által visszatartott/akadályozott, viharba keveredett

storm centre *fn* **a)** ciklonmag, viharközpont **b)** *átv* viharsarok, tűzfészek

stormcloud *fn* viharfelhő; *átv* rossz előjel, viharfelhő

storm-cock *fn áll* fenyőrigó, fenyves madár

storm-collar *fn* magas/felhajtható gallér *[kabáton]*

storm cone *fn hajó* viharjelző kúp/készülék *[tengerparton]*

stormdoor *fn* huzatfogó ajtó *[a rendes ajtó előtt]*

storming party *fn kat* rohamosztag

storm jib *fn hajó* viharorrvitorla

storm lantern *fn* viharlámpa

stormpetrel *fn* **1.** *áll* kis hojsza, viharfecske **2.** *átv* bajkeverő

storm sail *fn hajó* viharvitorla

storm signal *fn* **1.** viharjelzés, viharjelző **2.** *átv* baljóslatú/figyelmeztető jel

storm troops *fn tsz kat* rohamcsapat(ok)

storm-trysail *fn hajó* vihar-csonkavitorla

storm window *fn* **a)** külső ablak(szárny) **b)** tetőablak

stormy ['stɔ:mi ‖ 'stɔr–] *mn átv* viharos; **~ sunset** vihart jósló naplemente; **~ wind** viharos (erejű) szél, heves/tomboló szél; **it is ~**, **the weather is ~** viharos az idő; **a ~ meeting** viharos megbeszélés

story ['stɔ:ri] *fn* **1.** történet, história; **tell a ~** történetet elmond/elbeszél/előad; mesét mond, mesél; **tell one's ~** elbeszéli élete történetét (v. a vele történteket); **according to his own ~** az ő előadása szerint; **as the ~ goes** ahogy beszélik; **it's the same (old) ~** ez megint a régi nóta; **it's a long ~** hosszú sora van annak; **to make/cut a long ~ short** hogy szavamat rövidre fogjam; **this is quite another ~** egészen másról van szó **2. a) (short) ~** elbeszélés, novella; **long short ~** nagy novella, elbeszélés, kisregény; **film ~** filmnovella **b)** mese *[gyermekeknek]* **c)** anekdota, vicc, tréfás történet, tréfa **d)** *biz* (újság)cikk, tudósítás **3.** mese, bonyodalom, történés *[regényé, színműé]* **4.** *átv biz* mese, füllentés, hazugság; **tell stories** mesél, füllent, lódít **5.** emelet, szint; **fifth ~** *GB* ötödik emelet; *US* negyedik emelet; **lower ~** alsó emelet *[házban]*; **upper ~** felső emelet *[házban]*; *szl [agy, fej]* felső emelet; **add a ~ to a house** (még egy) emeletet húz egy házra, padlásteret/tetőteret beépít

story book *fn* mesekönyv, meséskönyv

storyline *fn ir.tud* cselekmény

storyteller *fn* **1.** mesélő, mesemondó **2.** *biz* hazug, hazudozó • *fn* **storytelling**

stoup [stu:p] *fn* **1.** *régi* kancsó, korsó, kupa **2. (holy-water) ~** szenteltvíztartó

stoush [staʊʃ] **I.** *fn Ausz ÚjZ szl [verekedés]* bunyó **II.** *tsi [megüt, megver]* ellátja a baját, ad neki

stout [staʊt] **I.** *mn* **1.** vaskos, tömzsi, testes, keménykötésű **2. a)** erős, szilárd, tartós, ellenálló *[anyag, tárgy]*, tartalmas, nehéz *[étel, ital]* **b)** kemény, szívós *[ember, küzdelem]*; **~ arguments** nyomós érvek; **~ fellow** kemény legény; **~ heart** bátor/erős szív; **~ opponent** kitartó/makacs ellenfél; **~ resistance** szívós/makacs/kemény ellenállás; **he made a ~ defence** derekasan védekezett **II.** *fn gaszt* erős barna sör • *fn* **stoutness** *mn* **stoutish** *hsz* **stoutly**

stout-hearted *mn* bátor (szívű), elszánt, rettenthetetlen • *fn* **stout-heartedness** *hsz* **stout-heartedly**

stove[1] [stoʊv] **I.** *fn* **1. a)** kályha **b) (cooking) ~** tűzhely **2.** kemence, szárítókamra *[lőporgyártásnál]* **3.** *GB* melegház *[kertészetben]* **II.** *tsi* melegházban nevel *[növényt]*

stove[2] [stoʊv] → **stave** II.

stove-enamel I. *fn GB* zománc **II.** *tsi* **-ll-** *GB* zománcoz • *mn* **stove-enamelled**

stove-pipe *fn* **1.** kályhacső **2. a) ~ (hat)** kürtőkalap, cilinder **b)** *US* csöves nadrág

stow [stoʊ] **A.** *tsi* **1. a) ~ (away)** elrak, eltesz, elcsomagol, elhelyez **b)** *GB szl* **~ it!** fogd be a szád!, hallgass!; kuss!, pofa be! **c)** berak; **~ clothes into a box** ruhákat ládába becsomagol/berak **d)** megrak *[rakománnyal]*; **~ sg full of sg** vmt vmvel telerak **2.** elrejt **B.** *tsi* **~ away** potyautasként utazik *[hajón, stb.]*

stowage ['stoʊɪdʒ] *fn* **1.** (el)rakodás, berakodás **2.** *hajó* rakodótér, rakfelület

stowaway ['stoʊəweɪ] *fn* potyautas *[hajón, repülőn]*

strabismus [strə'bɪzməs] *fn orv* kancsalítás, kancsalság • *mn* **strabismal**, **strabismic(al)**

Strad [stræd] *fn biz* Stradivari (hegedű)

straddle ['strædl] **I. A.** *tsi* **1.** lovaglóülésben ül, lovagol (vmn), megül vmt **2. ~ (out) one's legs** lábát szétterpeszti, terpeszállásba(n) áll **3.** *ját* vakon emel *[tétet]* **4.** várakozó álláspontot foglal el vmben **5.** közrefog (vmt) **B.** *tni* **1.** terpeszállásba(n) áll, lábát (szét)terpeszti, lovaglóülésben ül, szétterpesztett lábbal jár **2.** *US* mindkét szembenálló féllel igyekszik jóban maradni, várakozó állásponton van **II.** *fn* **1. a)** lábak szétvetése/szétterpesztése **b)** terpeszállás, lovaglóülés, szétterpesztett lábbal ülés/állás **2. a)** *pénz* különbözeti ügylet, kettős opció **b)** *US pol* kétértelmű viselkedés, állást foglalni nem akarás **3.** *ját* vak emelés *[pókerban]* • *fn* **straddler**

Stradivarius [ˌstrædɪ'veərɪəs ‖ –'ver–] *fn zene* Stradivari (hegedű)

strafe [strɑ:f ‖ streɪf] **I.** *fn* **1.** *kat* erős ágyútűz, bombázás **2. a)** megbüntetés, megtorlás, (meg)verés **b)** szidás, szitokáradat **II.** *tsi* **1.** *kat* erős/heves ágyútűz alá vesz, bombáz **2. a)** elpáhol, megbotoz **b)** megszid, (meg)dorgál, lehord

straggle ['strægl] *tni* **1.** cselleng, elmaradozik *[sor végén]*, csatangol, kószál *[céltalanul]*, szállingózik *[csapat]*; **~ along** rendetlen/felbomlott sorokban vonul *[tömeg]* **2. a)** rendetlenül elnyúlik *[falu]* **b)** rendeletlenül/összevissza/gazosan nő *[növény]* • *fn* **straggler** *hsz* **straggly**

straight [streɪt] **I.** *mn* **1.** egyenes irányú; *mat* **~ angle** egyenesszög (180°); *épít* **~ arch** vízszintes boltív, áthidalás; **~ hair** egyenes szálú haj; sima haj; *sp* **~ left** balegyenes *[ökölvívásban]*; **~ line** egyenes (vonal); **~ as a die** egyenes mint a karó; teljesen nyílt/becsületes; **~ as a ram-rod** egyenes, mintha nyársat nyelt volna; **~ up and down** végig/teljesen egyenes; **have a ~ eye** jó a szemmértéke; **with a ~ knee** merev térddel; **put sg ~** kiegyenesít vmt, vmt egyenesre állít **2.** *átv* **a)** egyenes, nyílt, tiszta, egyszerű; **~ answer** egyenes válasz; **~ look** nyílt tekintet; *gazd* **~ rebuy** egyszerű újrarendelés; **~ question** egyenes/őszinte kérdés **b)** egyenes, tiszta; **~ dealings** egyenes/becsületes/tiszta eljárás; *biz* **~ girl** rendes/tisztességes lány; **play a ~ game** becsületesen játszik/viselkedik; *biz* **not the ~ bat** nem

S

korrekt eljárás; ~ **shooter** egyenes/becsületes ember **3.** **put the room** ~ rendet csinál a szobában; **put things/matters** ~ egyenesbe/rendbe hozza a dolgokat/ügyeket **4.** **a)** tiszta, világos *[érvelés, meghatározás]*; ~ **fight** két jelölt választási harca; *US* ~ **ticket** egy párt jelöltjeit felvonultató szavazócédula; *US* **vote the** ~ **ticket** a párt jelöltjeire szavaz **b)** folytonos, megszakítatlan, zavartalan; **three** ~ **wins** zsinórban három győzelem **c)** *US biz* tiszta, tömény, hígítatlan; ~ **whiskey** whisky tisztán **5.** ~ **play** prózai darab **6.** megbízható, hiteles *[értesülés]*; ~ **tip** jól értesült helyről származó tipp; *Ausz szl* ~ **oil/wire** pontos/megbízható információ **7.** *US szl* szabott árú **8.** *szl [konvencionális, konzervatív]* kockafejű **9.** *szl [nem homoszexuális, heteroszexuális]* hetero **II.** *fn* **1.** **a)** egyenesség, egyenes vonal/irány; *US* **on the** ~ sorban egymás után; **be out of the** ~ ferde; görbe; nem merőleges **b)** *biz* **act/be on the** ~ egyenes úton jár, lojálisan jár el **2.** egyenes szakasz *[folyóé, versenypályáé]* **3.** *ját* sorozat *[pókerban]* **4.** *szl [konzervatív ember, kispolgár]* kockafejű **5.** *szl [nem homoszexuális személy]* hetero **6.** *szl* ‹dohányból készült cigaretta marihuánással szemben› **III.** *hsz* **1.** egyenesen; **go** ~ egyenesen megy; *átv* egyenes úton jár, tisztességesen él; **go** ~ **on** mindig csak egyenesen megy tovább/előre; **keep** ~ **on** egyenesen megy tovább; **run** ~ egyenes irányban szalad; *átv* egyenes úton jár; **shoot** ~ pontosan lő (v. célba talál); **three weeks** ~ három héten át folyton; **I have it** ~ **now** már értem; **it is** ~ **across the road** éppen szemben van (az út másik oldalán); ~ **above sg** éppen/közvetlenül vm felett; **look sy** ~ **in the face** egyenesen szemébe néz vknek **2.** egyenesen, közvetlenül; ~ **from London** egyenesen/egyenest/közvetlenül Londonból; **drink** ~ **from the bottle** az üvegből iszik; **walk** ~ **in** kopogás nélkül belép, egyenesen besétál; **come/go** ~ **to the point** azonnal a lényegre/tárgyra tér; **read a book** ~ **through** egyvégtében elolvas egy könyvet; **I'll come** ~ **back** azonnal/rögtön/nyomban visszajövök; ~ **away** azonnal, tüstént, rögtön, nyomban; ~ **off** azonnal, tüstént, rögtön, nyomban; kapásból *[válaszol]*; *ját* **five tricks** ~ **off** öt ütés zsinórban **3.** *átv* egyenesen, nyíltan; ~! tréfa nélkül!, igazán!, komolyan; *biz* **let sy have it** ~ nyíltan megmondja vknek a véleményét; ~ **out** őszintén, egyenesen, nyíltan, becsületesen; **say sg** ~ **out** kereken/nyíltan kimond vmt; *US* **get this** ~ értsen meg jól, figyeljen jól ide **4.** *US* **a)** tisztán, vegyítetlenül, víz/hígítás nélkül; **whiskey** ~ whisky tisztán *[szódavíz nélkül]* **b)** tisztán, levonás nélkül; **five dollars** ~ teljes/kerek öt dollár (az utolsó centig) • *fn* **straightness** *hsz* **straightly**

straight-A *mn okt* (szín)tiszta ötös

straightaway [ˌstreɪtəˈweɪ] **I.** *mn* **1.** egyenes irányú **2.** *átv* nyílt **3.** közvetlen, egyenes **II.** *hsz* azonnal, rögtön, nyomban **III.** *fn US* egyenes pályaszakasz

straightbred *mn biol* nem keresztezett, nem hibrid

straight-cut *mn* hosszában vágott *[dohánylevél]*, egyenes szabású *[ruha]*, szálirányban szabott *[szövet]*

straight-edge *fn* (szintező)vonalzó

straight-eight *fn gk biz* soros nyolchengeres motor

straighten [ˈstreɪtn] **A.** *tsi* **1.** kiegyenesít, egyenesre állít; ~ **one's back** kiegyenesedik, kihúzza magát; ~ **one's tie** nyakkendőjét megigazítja **2.** ~ **(up)** rendbe rak, helyrehoz; ~ **(out) one's affairs** ügyeit (el)rendezi, ügyeit egyenesbe hozza **B.** *tni* **1.** kiegyenesedik, egyenessé válik; *rep* ~ **out/up** egyenesbe hoz; ~ **up** kihúzza magát **2.** **things will** ~ **out** a dolgok majd rendbe jönnek

straightface *fn biz* pléhpofa

straightforward *mn* **1.** egyenes, nyílt, őszinte, becsületes *[ember, válasz]* **2.** egyszerű, egyértelmű; szájbarágós • *fn* **straightforwardness** *hsz* **straightforwardly**

straight-out *mn US biz* **1.** őszinte, nyílt, keresetlen **2.** százszázalékos, vonalas, igazi; ~ **Republican** meggyőződéses republikánuspárti

straightway [ˈstreɪtweɪ] *hsz régi* nyomban, azonnal, tüstént, mindjárt, rögtön

strain [streɪn] **I.** **A.** *tsi* **1.** **a)** megfeszít, feszesre húz, meghúz *[kötelet]* **b)** (meg)erőltet, túlerőltet, próbára tesz, túlfeszít; ~ **every nerve** minden erejét megfeszíti; ~ **one's ears** feszülten fülel; ~ **one's eyes** szemét erőlteti; ~ **one's voice** erőlteti a hangját; ~ **oneself** megerőlteti magát, erőlködik **c)** ~ **sy's friendship** próbára teszi vknek a barátságát; ~ **the law** csűri/csavarja a törvényt, kiforgatja a törvényt valódi értelméből; ~ **one's powers** visszaél a hatalmával; ~ **relations** feszültté teszi a viszonyt; ~ **the meaning of a word** szót eredeti értelméből kiforgat; ~ **a point** egy mozzanatot túlhangsúlyozva elferdít vmt **2.** **a)** eltorzít, deformál **b)** meghúz, megrán(dí)t *[végtagot]* **3.** magához ölel, magához szorít, megszorít; ~ **sy to one's bosom** keblére szorít vkt **4.** **a)** átszűr, megszűr, leszűr; ~ **(off) the vegetables** zöldséget leszűr *[levesből]* **b)** ~ **(out)** kiszűr; ~ **off** kiszűr **B.** *tni* **1.** erőlködik; ~ **after sg** nagy erőfeszítést tesz vmnek az elérésére; ~ **at sg** teljes/nagy erővel rángat/húz vmt; ~ **to do sg** erejét megfeszítve csinál vmt **2.** feszül *[kötél]*, erősen igénybe van véve **3.** *műsz* eltorzul, deformálódik **4.** átszivárog, lecsöpög *[szűrőn]*, letisztul **5.** *átv* ~ **at (doing) sg** fennakad vmn **II.** *fn* **1.** **a)** (túl)feszítés, (túlzott) megterhelés; **parts under** ~ igénybe vett alkatrész; **keep a** ~ **on a rope** kötelet erősen megfeszítve/kifeszítve tart **b)** erőfeszítés, megerőltetés; **mental** ~ (túlzott) szellemi megerőltetés; **the** ~ **of modern life** a modern élet hajszája; **it was a great** ~ **on my attention** figyelmemet túlságosan igénybe vette; **he is suffering from** ~ agyon van hajszolva **2.** **a)** *műsz* igénybevétel, eltorzulás, deformáció **b)** *orv* húzódás, rándulás **3.** *biol* származás, törzs, család, fajta *[állaté]* **4.** **a)** öröklött (v. vele született) tulajdonság/vonás, hajlam, beütés; ~ **of madness** öröklött őrültség **b)** színezet, jelleg; **stories with a** ~ **of satire** szatirikus színezetű/ízű történetek **5.** hang(nem), hangulat *[beszélgetésé]*; **he went on in another** ~ más hangon/hangnemben folytatta **6.** *vál* **a)** ének, zengzet; **sweet** ~**s** édes hangzatok/dallamok **b)** *vál* ének, költemény • *mn* **strainable**

strained [streɪnd] *mn* **1.** *átv* feszült; ~ **nerves** (meg)feszült idegek; ~ **relations** feszült viszony **2.** ~ **ankle** meghúzódott/megrándult boka; ~ **heart** megerőltetett/túlterhelt szív **3.** erőltetett, mesterkélt *[viselkedés, tréfa]*; ~ **laugh** erőltetett/kényszeredett nevetés; túlzásba vitt **4.** (át)szűrt

strainer [ˈstreɪnə ‖ –ər] *fn* szűrő, szita

strain gauge, -gage *fn műsz* nyúlásmérő

strait [streɪt] **I.** *mn régi* **1.** keskeny, szűk, szoros **2.** szigorú, pontos **II.** *fn* **1.** **a)** (tenger)szoros; **the S~s of Dover** a Calais-i szoros **b)** (hegy)szoros, hágó **2.** szorultság, nehéz helyzet, baj • *fn* **straitness** *hsz* **straitly**

straiten [ˈstreɪtn] *tsi* **1.** szorult helyzetbe hoz, szorongat; **be** ~**ed for sg** megszorul vmben **2.** *régi* megszűkít, összeszűkít, megkeskenyít **3.** *régi* megszorít

straitjacket *fn* **1.** kényszerzubbony **2.** megszorító intézkedés

strait-laced *mn* (túlságosan) szigorú erkölcsű, prűd, vaskalapos

strand[1] [strænd] **I.** *fn vál* part **II.** **A.** *tsi* **1.** partra vet, zátonyra juttat **2.** **be** ~**ed** pénzszűkében van; kátyúba jutott, benne van a pácban; **be** ~**ed in a foreign country** idegen országban vesztegel; **leave sy** ~**ed** kátyúban/pácban hagy vkt **B.** *tni* **1.** partra verődik, zátonyra fut, megfeneklik **2.** kátyúba/(pénz)zavarba kerül, bajba jut, lemarad

strand[2] [strænd] **I.** *fn* **1.** **a)** (kötél)pászma, kötélsodrat, kötélág, szál, fonál *[kábelé]* **b)** fonal, zsineg, szál **2.** füzér *[gyöngysorból]*, fonat *[hajból]* **3.** alkotóelem, (jellem)vonás **II.** *tsi* **1.** ver *[kötelet]*, megsodor **2.** szálaira bont *[huzalt]* **3.** ~ **a rope** kötél egyik szálát elszakítja

stranded [ˈstrændɪd] *mn* **1.** partra vetett, zátonyra futott, megfeneklett, hajótörött *[legénység]* **2.** *biz* nehéz/szorult helyzetben hagyott

S

strange [streɪndʒ] **I.** *mn* **1.** különös, furcsa; **~ to say** furcsa módon, különös de (azt kell mondani); **~st of all** az a legkülönösebb/legfurcsább, hogy **2.** ismeretlen, idegen(szerű) **3. I am ~ to the work** még új vagyok ebben a munkában; **feel ~** (i) furcsán érzi magát, nincs jól (ii) nem érzi magát otthon, idegenül érzi magát; **it feels ~** még furcsa/szokatlan nekem **II.** *hsz biz* fur(cs)án • *fn* **strangeness**

strange-looking *fn* furcsa/különös kinézésű

strangely [ˈstreɪndʒli] *hsz* különösképpen, furcsán, furcsa/különös módon, furcsamód; **~ enough** bármily különös/furcsa (is)

stranger [ˈstreɪndʒə ‖ –ər] *fn* **1. a)** idegen (ember); *biz* **the little ~** az újszülött, a kis jövevény; **perfect ~** vadidegen; **I am a ~ here** nem vagyok idevalósi; **he is a ~ to fear** nem ismeri a félelmet; **become a ~ to sy/sg** elidegenedik vktől/vmtől; *pol* **spy/see ~s** zárt ülést követel *[parlamentben]*; **make a ~ of sy** idegenként bánik vkvel **b)** idegen *[külföldi]* **2.** *jog* harmadik személy

strangle [ˈstræŋgl] *tsi* **a)** fojtogat, szorít *[szűk gallér]* **b)** *átv* elfojt; **~ a laugh** visszafojtja a nevetést; *biz* **~ the press** elnyomja a sajtószabadságot; **~d voice** fojtott hang • *fn* **strangler**

stranglehold *fn* **a)** *sp* ‹szabálytalan fojtogató fogás birkózásban› **b)** *átv* szorongatás; **have a ~ on sy** markában tart vkt, a karmai közt tart vkt

strangulate [ˈstræŋgjʊleɪt] *tsi orv* **1.** elköt, leszorít *[eret]*, elzár *[belet]* **2.** elfojt, megfojt • *fn* **strangulation**

strangulated [ˈstræŋgjʊleɪtɪd] *mn* **1.** *orv* elzárt, lezárt **2.** fojtott *[hang]*

strangury [ˈstræŋgjʊri ‖ –gjəri] *fn orv* vizelési nehézség; fájdalmas vizelés

strap [stræp] **I.** *fn* **1. a)** szíj; **the ~** testi fenyítés *[korbácsolás]* **b)** heveder, szíj; **driving ~** hajtószíj, gépszíj **c)** pánt *[pl. vászonból]*, fül *[cipő felhúzására]*; **standing passengers' ~** fogantyú, kapaszkodófül *[álló utasoknak]* **2.** *műsz* pánt, szorítólemez **3.** *US Ausz szl* **be on the ~** *[pénztelen]* nincs egy vasa sem, le van égve **II.** *tsi* **-pp- 1. ~ (up/down)** összeszíjaz, szíjjal átköt **2.** szíjjal elver **3.** *orv* ragtapasszal beragaszt *[sebet]* • *mn* **strappy**

strap-bolt *fn műsz* füles csavar

straphanger *fn biz* **1.** álló(helyes) utas *[közúti járműn]*, szíjfogantyúba kapaszkodva utazó **2.** ingázó/bejáró ember • *tni* **straphang**

strapless [ˈstræpləs] *mn* váll(pánt) nélküli

strap-oil *fn biz* verés, ütlegelés

strapped [stræpt] *mn* **1. a)** összeszíjazott **b)** pántos, talpallós **2.** *szl* **be ~** *[részeg, berúgott]* piás, *[pénztelen]* leégett

strapper [ˈstræpə ‖ –ər] *fn főleg Ausz* **1.** lovász **2.** *biz* erős tagbaszakadt (v. nagy darab) ember

strapping [ˈstræpɪŋ] *mn biz* keménykötésű, tagbaszakadt, öles termetű, jó alakú; **~ fellow** nagy darab ember, szép szál legény

strapwork *fn épít* szalagdíszítmény

strass [stræs] *fn* strassz, drágakőutánzat

strata [ˈstrɑːtə ‖ ˈstreɪtə] → **stratum**

stratagem [ˈstrætədʒəm] *fn* **a)** *kat* hadicsel **b)** furfang, fortély, csel(fogás), ravasz terv

stratal [ˈstreɪtl] *mn geol* réteges, réteg-

strategic [strəˈtiːdʒɪk] **I.** *mn* stratégiai fontosságú; *kat* had(ászat)i, stratégiai (fontosságú); *kat* **~ arms limitation** stratégiai fegyverek korlátozása; *kat* **~ materials** hadi fontosságú (nyers)anyagok; *kat* **~ point** hadászati/stratégiai pont **II.** *fn* **strategics** hadászat, stratégia, hadművészet • *hsz* **strategically**

strategical [strəˈtiːdʒɪkl] → **strategic I.**

strategist [ˈstrætədʒɪst] *fn* stratéga, hadvezér

strategy [ˈstrætədʒi] *fn* **a)** hadászat, stratégia **b)** *mat* játékterv, stratégia

strath [stræθ] *fn skót* széles folyóvölgy

stratify [ˈstrætɪfaɪ] **A.** *tsi* rétegez, rétegekbe rak **B.** *tni átv* rétegződik, tagozódik • *fn* **stratification** *mn* **stratified**

stratigraphy [strəˈtɪgrəfi] *fn geol* rétegtan, sztratigráfia • *mn* **stratigraphic**

stratochamber [ˌstrætəˈtʃeɪmbə ‖ –ər] *fn* magassági vizsgálókamra *[repülőorvosi vizsgálathoz]*

stratocirrus [ˌstrætoʊˈsɪrəs] *fn meteo* fátyolfelhő, cirrostratus

stratocracy [strəˈtɒkrəsi ‖ –ˈtɑ–] *fn* katonai uralom/kormányzás

stratocumulus [ˌstrætoʊˈkjuːmjʊləs] *fn meteo* gomolyos rétegfelhő, stratocumulus

stratoplane [ˈstrætəpleɪn] *fn rep* sztratoszféra-repülőgép

stratosphere [ˈstrætəsfɪə ‖ –sfɪr] *fn* sztratoszféra; *csill* **solar ~** napsztratoszféra • *mn* **stratospheric**

stratum [ˈstrɑːtəm ‖ ˈstreɪtəm, ˈstræ–] *fn tsz* **strata** [–tə] **a)** *átv* réteg **b)** *geol* réteg, formáció **c)** *geol* (kőzet)réteg, sztrátum • *mn* **stratal**

stratus [ˈstreɪtəs] *fn tsz* **strati** [ˈstreɪtaɪ] *meteo* réteges felhő, sztratusz

straw [strɔː] **I.** *fn* **1.** szalma; **bundle of ~** szalmakéve; szalmacsóva; *biz* **man of ~** (i) megbízhatatlan ember; képzeletbeli ellenfél *[vitában]* (ii) link alak (iii) pénztelen/kispénzű ember **2.** szalmaszál, szívószál; *átv* **~ in the wind** (elő)jelek amikből következtetni lehet, honnan fú a szél; **drink lemonade through a ~** szívószállal/szalmaszálon szívja a limonádét; **chipping ~s** szőrszálhasogatás; *biz* **grasp/clutch at a ~** szalmaszálba kapaszkodik; *biz* **grasp/clutch at every ~** minden szalmaszálba belekapaszkodik; *átv* **draw the short ~** a rövidebbet húzza; *biz* **it is not worth a ~** fabatkát sem ér; **I do not care a ~** fütyülök rá!; **it's the last ~!** ez a teteje mindennek!, még ez hiányzott!; *közm* **it's the last ~ that breaks the camel's back** az utolsó csepp a pohárban **3.** szalmasárga **4.** szalmakalap **II.** *mn* szalmából készült, szalma-, szalmasárga • *mn* **strawy**

strawberry [ˈstrɔːbəri ‖ ˈstrɒberi] **I.** *fn* **a)** *növ* földieper, kerti eper, szamóca; **wild/wood ~** erdei szamóca; *US* **field ~** erdei szamóca **b) crushed ~** eperszín **II.** *mn* eperszín(ű)

strawberry-blonde I. *mn* vörösesszőke **II.** *fn* vörösesszőke hajú nő

strawberry field *fn* epreskert, eperföld

strawberry leaf *fn tsz* **-leaves** eperlevél, szamócalevél

strawberry mark *fn* vöröses anyajegy

strawberry roan *mn/fn* élénk vörösesbarna

strawboard *fn* szalmából készült vastag/durva papír

strawboss *fn US biz* ideiglenes/helyettes főnök

straw colour *fn* szalmasárga szín

straw hat *fn* szalmakalap

straw poll *fn US* próbaszavazás

straw wisp *fn* szalmacsutak

stray [streɪ] **I.** *tni* **a)** eltéved, (el)tévelyeg, (el)kóborol, elbitangol *[a többitől]*, elkalandozik; **~ away from swhere** elbitangol vhonnét **b)** elkalandozik *[a tárgytól]*, letér *[az útról]*; **~ from the point** eltér a tárgytól **c)** *átv* letér a jó útról **II.** *fn* **1. a)** kóbor/elkóborolt jószág **b)** elhagyott/kóborló gyerek **c)** kóbor(ló) férfi/nő **2. a)** *vill* szóródás **b)** *távk* vételzavar, légköri zavar, szóródás **III.** *mn* **1. a)** elkóborolt, elbitangolt, kóbor, eltévedt *[jószág]*; **~ dog** kóbor kutya **b)** eltévedt, magányos; **~ passenger** eltévedt/magányos utas; **~ lamb** eltévedt bárányka; **~ bullet** eltévedt golyó **c)** elszigetelt **2. a)** szórványos; **~ thoughts** gondolatfoszlányok **b)** alkalmi, véletlen; *gazd biz* **~ customer** alkalmi vevő **3.** *vill* **~ current** kóboráram; *fiz* **~ light** szórt/diffúz fény; *távk* **~ waves** kóbor/szétszórt hullámok • *fn* **strayer** *mn* **strayed**

streak [striːk] **I.** *fn* **1. a)** sáv, csík, sugár, vonás, vonal; **~ of light** fénysáv; **the first ~ of dawn** a hajnal első sugara; *biz* **the silver ~** a La Manche csatorna; **a ~ of lightning** villámcsapás, villámlás; **like a ~ of lightning** mint a villám; villámsebesen **b)** *US* **make a ~ for the house** a ház felé siet; **be off like a ~** villámgyorsan/villámsebesen elrohan/

nekikezd **2. a)** csík, ér, erezet *[tárgyban]* **b)** *geol* réteg, ér **c)** *US* **~ of luck** szerencsesorozat; jó kártyajárás; **~ of bad luck** pechszéria; *biz* **I've had a ~ of luck** szerencsém/mázlim volt **3.** nyom (vmé), egy kevés vmből; **a ~ of irony** egy kis gúny, a gúny árnyéka; **there is a ~ of excentricity in him** van benne egy adag különcség; **there is a ~ of Irish blood in him** van benne egy kis ír vér **II. A.** *tsi* sávoz, csíkoz, tarkáz; **be ~ed** besávozódik, becsíkozódik **B.** *tni* **1.** *biz* elrohan, (villámgyorsan) elszalad, meglép, meglóg **2.** *US szl [heccből utcán meztelenül rohangál]* zríkol • *fn* **streaker**, **streaking**

streaked [stri:kt] *mn* **1. a)** csíkos, sávos, csíkozott, sávozott **b)** rétegezett **2.** *gaszt* szalonnával megspékelt *[hús]* **3.** *US* **feel ~** nem jól (v. kényelmetlenül) érzi magát

streaky ['stri:ki] *mn* **1.** csíkos, sávos, csíkozott, sávozott, erezett, rétegzett; *gaszt* **~ bacon** szeletelt császárszalonna **2.** sávban/csíkban előforduló **3.** szalonnával megtűzdelt *[hús]* **4.** *biz* egyenetlen, nem nagyon megbízható

stream [stri:m] **I.** *fn* **1. a)** vízfolyás, folyó(víz), folyam **b)** ér, patak, csermely **c)** sugár *[vízé, folyadéké]* **2. a)** ár(adat), áram(lás), özön(lés), ömlés; **~ of cars** autók vég nélküli sora; *ir.tud* **~ of consciousness** tudatfolyam; **in one continuous ~** szakadatlan/végeláthatatlan folyamban **b)** csurgás, csörgedezés, patakzás **c)** *biz* **be/go on ~** üzemképes, folyamatosan termelő **3. a)** ár, áramlat; **against the ~** ár ellen; **go with the ~** úszik az árral **b)** irányzat *[eseményeké]*; *biz* **in the main ~ of English tradition** az angol hagyomány fő sodrában **II. A.** *tsi* **a)** önt, zúdít, folyat **b)** *okt* **~ children** szintez tanulókat *[tudásszínvonal/képesség szerint]* **B.** *tni* **1. a)** folyik, ömlik, özönlik, zuhog, szakad *[eső]*, potyog *[könny]*; **eyes that ~ed with tears** könnyekben úszó szemek; **be ~ing with perspiration** patakzik/folyik róla az izzadság/veríték **b)** kilövell **2.** leng, libeg, lobog *[szélben]* • *mn* **streamless**

stream down *tni* **tears ~ed down her cheeks** könnyek patakzottak az arcán

stream-anchor *fn hajó* folyami horgony

stream-channel *fn* sodorvonal, sodrásvonal *[folyammederben]*

stream-drive *tsi pt* **-drove** *pp* **-driven** folyón úsztat *[szálfákat]*

streamer ['stri:mə ‖ –ər] *fn* **1.** lobogó, zászló(cska); **(paper) ~s** szerpentin(szalag) **2.** ‹teljes újságszélességet betöltő főcím› szalagcím **3.** *tsz* **streamers** *csill* északi fény, fénysugárnyaláb *[sarki jelenségeknél]* **4.** *infor* ‹mágnesszalagos adatmentő› streamer

streaming ['stri:mɪŋ] **I.** *mn* **1.** folyó, patakzó, csurgó, csörgedező, áramló, özönlő; *biz* **have a ~ cold** erősen náthás, folyik az orra **2.** szélben lobogó **II.** *fn* **1.** folyás, ömlés, özönlés, áramlás **2.** *okt* szintezés *[tanulóké tudásszínvonal/képesség szerint]* **3.** *infor* folytonosítás

streamlet ['stri:mlət] *fn* ér, csermely, patakocska, kis patak

streamline I. *fn* **1. a)** folyásirány, sodrás *[vízé]* **b)** ár(amlat) **2.** *gk* áramvonal **II.** *tsi* **1.** áramvonalassá tesz *[autót]* **2. a)** korszerűsít, modernizál **b)** egyszerűsít, racionalizál *[pl. rendszert]* • *mn* **streamlined**

streamliner *mn* áramvonalas jármű

street [stri:t] *fn* **1. a)** utca, út; **in the ~** az utcán/utcában; *biz* **the S~** *GB* az újságírók világa, Fleet Street; *US* a pénzvilág, a Wall Street; **the man in the ~** a kisember, az átlagember; a nagyközönség; *biz* **take to the ~s** elzüllik; **walk the ~s** sétál; strichel *[prostituált]*; **be on the ~s** prostituált, hajléktalan **b)** *GB biz* **~s ahead (of)** messze fölötte áll, klasszisokkal különb; *GB biz* **not to be in the same ~ with sy** nem ér fel vkvel, nem lehet egy napon említeni vkvel **c)** *biz* **in queer ~** szorult helyzetben **d)** *kat szl* **in civvy ~** a polgári életben; *szl* **the ~** a szabad élet *[szemben a börtönnel]* **2.** úttest, kocsiút • *mn* **streeted** *mn/hsz* **streetward**

street arab *fn* utcagyerek, utcakölyök, kis csibész/srác

streetcar *fn US* villamos(kocsi)

street cred *fn biz* → **street credibility**

street credibility *fn* ‹városi fiatalság körében való elfogadottság/elfogadhatóság (mértéke)›

street door *fn* kapu, utcára nyíló ajtó, főbejárat

street furniture *fn* közterületi objektumok *[padok, hirdetőoszlopok, bódék]*

street girl *fn* utcalány, prostituált

street guide *fn* utcamutató, utcák névjegyzéke

street-island *fn* járdasziget

street lamp *fn* utcai lámpa

street level *fn* földszint, utcaszint

street lighting *fn* közvilágítás

streetline *fn épít* beépítési vonal, utcavonal

street people *fn tsz US* **1.** hajléktalanok **2.** utcagyerekek

street-plan *fn* **1.** utcatérkép *[városé]* **2.** utcarendszer

street refuge *fn* járdasziget

streetsweeper *fn* **1.** utcaseprő **2.** utcaseprő gép, seprőgép

street urchin → **street arab**

street value *fn gazd* kereskedelmi/forgalmi érték *[főleg illegálisan forgalmazott áruké, pl. kábítószeré]*

street vendor *fn* utcai árus

streetwalker *fn* prostituált, utcalány • *fn* **streetwalking**

streetway *fn* kocsiút, úttest

streetwise ['stri:twaɪz] *mn* nagyvárosi életben jártas, dörzsölt

strength [streŋθ] *fn* **1. a)** erő, erősség; **~ of mind** határozottság; **~ of will** akaraterő; *átv* **tower of ~** támasz; **by ~ of arm** kézi erővel; **by sheer ~** puszta erővel; **on the ~ of sg** vmnek alapján; vmre támaszkodva; **build up one's ~ again** újból megerősödik; **gather ~** erőt gyűjt; **go from ~ to ~** egyre erősebb/számosabb/sikeresebb lesz; **recover/regain ~** új erőre kap, megerősödik újból, rendbe jön *[egészségileg]*; **the ~ of sg** a lényeg, a főbb jellemzők **b)** ellenállóerő, ellenállás, tartósság, *műsz* szilárdság; *műsz* **~ of materials** anyagellenállás **c) alcoholic ~** szesztartalom, szeszfok **2. be present in great ~** nagy számban/létszámmal van jelen **3.** *kat* állomány, létszám *[ezredé]*; **be taken on the ~** állományba veszik; **be under ~** létszám alatt van; **bring up to ~** feltölt **4.** erély, kitartás **5.** érvényesség • *mn* **strengthless**

strengthen ['streŋθən] **A.** *tsi* megerősít, biztosít, alátámaszt **B.** *tni* **1.** megerősödik, megerősíti magát **2.** erőre kap, erőt gyűjt; **~ sy's hand(s)** bátorít (vmnek a megtételére)

strenuous ['strenjuəs] *mn* **1.** tevékeny, buzgó, fáradhatatlan, aktív, energikus; **~ life** intenzív életmód **2.** fárasztó, kimerítő, igen nehéz *[munka]* **3.** ádáz, bősz, szenvedélyes *[harc]* • *fn* **strenuousness** *hsz* **strenuously**

streptococcus [ˌstreptə'kɒkəs ‖ –'kɑkəs] *fn tsz* **streptococci** [–'kɒksaɪ ‖ –'kɑk–] *orv* streptococcus • *mn* **streptococcal**

stress [stres] **I.** *fn* **1.** erő, nyomás, kényszer; **~ of weather** viharos idő(járás) **2.** *műsz* erő, igénybevétel, feszítés, feszültség **3.** nehézség, megpróbáltatás, stressz(-állapot); **in the days of ~** nehéz napokban; **be in ~** szorult helyzetben van **4.** nyomaték, súly, fontosság; **lay ~ on sg** hangsúlyoz vmt, (ki)hangsúlyozza/kiemeli vmnek a fontosságát; súlyt helyez vmre **5.** *nyelv* hangsúly **II.** *tsi* **1.** szorít, nyom, erőltet, feszít **2.** igénybe vesz, megterhel, nagy terhet rak rá **3.** hangsúlyoz *[szótagot]*, kiemel, hangoztat • *mn* **stressed**, **stressless**

stress disease *fn orv* stresszbetegség, menedzserbetegség

stressful ['stresfl] *mn* nehéz, megterhelő, stresszes

stress limit *fn műsz* terhelési/fáradási határ

stretch [stretʃ] **I. A.** *tsi* **1.** (ki)nyújt, kihúz, (ki)feszít, (ki)tágít, kiterít; **~ a rope** kifeszít egy kötelet; **~ed to the breaking point** pattanásig feszült **2. ~ (oneself)** kinyújtózik, nyújtózkodik; **~ one's legs** kinyújtja a lábát; sétálni megy, jár egyet **3.** erőltet, túloz **4. ~ the law** kiforgatja a törvényt; *biz* **~ a point** kivételt tesz (vkvel); egy szabályt igen liberálisan/kiterjesztőleg értelmez; **~ the truth too far**

S

elferdíti/kiforgatja az igazságot **B.** *tni* **1.** kifeszül, megfeszül, kinyúlik, kitágul **2.** nyújtható, feszíthető **3. a)** (ki)terjed; **~ (out)** (el)nyúlik **b) ~ (out)** terpeszkedik, nyújtóz(kod)ik **c)** *biz* **my means will not ~ to that** az anyagi lehetőségeim ezt nem engedik meg **II.** *fn* **1. a)** (ki)nyújtás, kiterjesztés, (ki)feszítés, erőltetés; *zene* **~ of the fingers** ujjtávolság *[zongorán]*; *biz* **by a ~ of the imagination** a képzelőerő megfeszítésével **b)** nyújtózkodás **c)** rugalmasság, nyúlás, feszülés **2. a)** tér, terjedelem, terület, kiterjedés; *sp* **the home ~** a célegyenes; **a great ~ of water** nagy víztükör **b)** (idő)tartam; *biz* **at a/one ~** megszakítás nélkül, egyhuzamban; nagy erőfeszítéssel; **at full ~** teljes erőbedobással; **for a long ~ of time** jó/hosszú ideig; *szl* **he is doing his ~** *[börtönbüntetését tölti]* ül, sitten van **3. a)** táv **b)** egyenes szakasz *[útvonalé, pályáé, vezetéké, folyóé]* • *mn* **stretchable**, **stretched**, **stretchy**

stretcher [ˈstretʃə ‖ –ər] **I.** *fn* **1. a)** hordágy, saroglya *[betegszállításhoz]* **b)** tábori ágy **2.** *műv* vakkeret, vakráma **3. a)** feszítőrúd **b)** keresztrúd *[szék lábán]* **4.** lábtámasz *[csónakban]* **5.** *épít* futósorba rakott tégla **6.** *régi biz* nehezen elhihető történet **II.** *tsi* hordágyon szállít/visz

stretcher-bearer *fn biz* hordágyvivő, mentő, *kat* egészségügyi katona, szanitéc

stretcher-pulley *fn műsz* szíjfeszítő

stretcher-rod *fn műsz* feszítőrúd

stretch pants *fn tsz* lasztexnadrág

strew [struː] *tsi pp* **strewed**, **strewn** [struːn] **a)** hint, szór **b)** behint, meghint, megszór • *fn* **strewer**

stria [ˈstraɪə] *fn tsz* **striae** [ˈstraɪiː] **1.** *épít* oszlopborda **2.** *orv növ geol* barázda, rovátka, vonal

striate I. *mn* [ˈstraɪət] → **striated II.** *tsi* [ˈstraɪeɪt] barázdál, csíkol, hornyol, rovátkáz

striated [straɪˈeɪtɪd] *mn tud* barázdált, csíkos, rovátkolt; *orv* **~ muscle** harántcsíkolt izom

striations [straɪˈeɪʃnz] *fn tsz* **1.** barázdáltság, csíkoltság **2.** csík, borda, barázda; **~ of pregnancy** terhességi csík(ok)

stricken [ˈstrɪkən] *mn vál régi* **1.** megsebzett *[vad]* **2.** vm által meglepett/sújtott; **~ with grief** bánattól sújtott; **terror-~** megrémült, megrettent **3. (well) ~ in age/years** (igen) öreg, előrehaladott/élemedett korú; → **strike** I.

strict [strɪkt] *mn* **1. a)** pontos(an meghatározott), szoros, szabatos; *gazd* **~ cost price** azoros önköltségi ár; **in the ~est sense of the word** a szó legszorosabb értelmében **b)** feszes **2.** szigorú; **~ discipline** szigorú fegyelem; **~ morals** szigorú erkölcsök; **~ time-limit** meg nem hosszabbítható határidő; **in ~est confidence** abszolút/szigorúan bizalmasan; a legnagyobb titokban; **be ~ with sy** szigorú vkvel szemben; **keep a ~ hand over sy** erős/szigorú kézzel fog vkt • *fn* **strictness**

strictly [ˈstrɪktli] *hsz* pontosan, szabatosan, szigorúan, keményen *[bánik vkvel]*, *US* határozottan; **~ prohibited** szigorúan tilos; **~ speaking/taken** az igazat megvallva, igazából, tulajdonképpen, szigorúan véve

stricture [ˈstrɪktʃə ‖ –ər] *fn* **1. a)** *orv* szűkület, szűkülés **b)** *nyelv* zörej, akadály *[hangképzésben]* **2.** szigorú bírálat, gáncs, (bíráló) kifogás(olás); **pass ~s (up)on sy/sg** kifogásol/megbírál/kritizál vkt/vmt • *mn* **strictured**

stride [straɪd] **I.** *pt* **strode** [stroʊd], *pp* **stridden** [strɪdn] **A.** *tsi* **1.** nagy léptekkel ró *[utcát]* **2. ~ (across)** átlép *[árkot]* **3. a)** lóra kap **b)** lovaglóülésben ül (vmn) **B.** *tni* nagyokat/hosszúkat lép, lépked, lépdel **II.** *fn* **1.** nagy/hosszú lépés; *sp* **giant's ~** körbefutás *[tornában]*; **with rapid ~s** gyors léptekkel; **hit one's ~**, **get into one's ~** lendületbe jön, újra belendül (vmbe); *sp* **lengthen the ~** megnyújtja a lépést; *sp* **shorten the ~** megrövidíti a lépést; **make great ~s** nagyokat lép; *átv* nagy léptekkel halad előre, nagy (elő)haladást tesz; **take long ~s** hosszú léptekkel halad; *biz* **take sg in one's ~** könnyedén elvégez vmt; különösebb megerőltetés nélkül tesz vmt; természetesnek talál vmt; egy füst alatt végez el vmt **2. a)** terpeszállás **b)** terpesztávolság **3.** *tsz* **strides** *GB Ausz szl [nadrág]* gatyó, gatyesz • *fn* **strider**

strident [ˈstraɪdnt] *mn* **a)** csikorgó, éles, fülsiketítő, nyikorgó, sivító, harsány, harsogó **b)** *nyelv* súrlódó *[hang]* • *fn* **stridency** *hsz* **stridently**

strideways *hsz US* lovaglóülésben, haránt

stridulate [ˈstrɪdjuleɪt ‖ –dʒəleɪt] *tni* cirpel • *fn* **stridulation** *mn* **stridulant**

strife [straɪf] *fn* **1.** küzdelem, harc, viadal, viszály; **~ for life** létért való/folyó küzdelem; élethalálharc; **be at ~** küzd, harcol; versenyez; **cease from ~** abbahagyja a küzdelmet **2.** törekvés, verseny **3.** *Ausz biz* gond, kellemetlenség, baj

strike [straɪk] **I.** *pt* **struck** [strʌk], *pp* **struck**, **stricken** [ˈstrɪkn] **A.** *tsi* **1. a)** (meg)üt, csap, ver (vkt), odavág (vknek), kezet emel (vkre); **~ sy a blow**, **~ a blow at sy** ráüt/rácsap vkre; ütést mér vkre; *átv* **~ a blow for sy** vk mellett száll síkra; **without striking a blow** kardcsapás nélkül; **~ sy dead** agyonüt/agyoncsap vkt; **she was struck by a car** elütötte/elgázolta egy autó **b)** ver *[pénzt, érmét]* **c)** *zene* leüt *[billentyűt]*; **~ a chord** megszólaltat/leüt egy akkordot; **~ a note** leüt egy hangot *[zongorán]*; *átv* megüt vmlyen hangot **d) ~ hands with sy** kezet fog vkvel, kézfogással megerősít vmt, belecsap vk kezébe; parolázva megegyeznek **e) ~ a bargain** jó vásárt csinál; alkut köt **f) well stricken in years** koros **g)** megbüntet **2. ~ a light** tüzet csihol; gyufát gyújt; meggyújtja az öngyújtót, *GB biz* meglepődik; **~ a match** gyufát gyújt **3. a)** beledöf, beleszúr **b)** rácsap *[kígyó]* **c) ~ root** gyökeret ereszt/ver *[növény]*; *átv* meggyökeresedik **d)** bevág *[horgot horgász]* **4. a) ~ sy blind** megvakít vkt *[villám]*; **tree struck by lightning** villám sújtotta fa **b) he was struck dumb** megnémult (v. elállt a szava) a meglepetéstől; *biz* **~ me blind/dead/pink if** dögöljek meg ha; *biz* **~ me pink!** a kutyafáját!, no de ilyet! **5.** áthatol, behatol **6. a)** nekiütődik, nekiütközik (vmnek); **~ the bottom** feneket ér *[hajó]*, megfeneklik (vhol); **the sound struck my ear** a hang megütötte a fülemet; **the thought ~s me that** az jutott eszembe, hogy; az a gondolatom támadt, hogy **b)** meglep (vkt), benyomást tesz (vkre); **how did it ~ you?** mi volt a benyomása; **how does she ~ you?** milyennek találja?, mi a véleménye róla?, hogy tetszik önnek?; **as it ~s me** szerintem, nekem úgy tűnik; **what struck me was** nekem az tűnt fel, hogy **7.** rábukkan, rátalál (vmre); **~ gold** aranyra bukkan; *Ausz* **~ the lead** sikere van, boldogul; **~ oil** olajat talál; *átv biz* szerencséje van; szerencsés fogást csinál; jól beüt neki a dolog, *US* hirtelen meggazdagszik; **~ rich** jól beüt neki **8.** *hajó* bevon, leenged *[vitorlát]*; **~ one's flag/colours** bevonja a zászlót; *átv* beadja a derekát; behódol, meghódol **9. ~ (work)** sztrájkol; beszünteti a munkát, sztrájkba lép **10. ~ an attitude** pózol, pózt vesz fel **11. a) ~ an average** egy átlagot vesz **b) ~ a committee** bizottságot alakít **c)** *jog* **~ a jury** esküdtszéket állít össze **12.** *gazd* **~ a balance** számlát kiegyenlít; egyenleget megállapít **B.** *tni* **1. a)** üt *[óra]*; **the clock ~s five** az óra ötöt üt; **his hour has struck** ütött az órája; *közm* **~ while the iron is hot** addig üsd a vasat,amíg meleg **b)** *átv* lecsap, lesújt **c)** (neki)ütődik (vmnek); **~ home** (célba) talál *[az ütés]* **d)** megfeneklik **2.** elindul egy irányban **3.** behatol *[gyökér]* **4. a)** sztrájkol **b)** engedelmességet megtagad **5.** megadja magát, enged, meghunyászkodik *[ellenfél]* **II.** *fn* **1.** ütés, csapás; **the ~ of the clock** az óra ütése; **make a ~ at sy** meg akar marni vkt *[kígyó]* **2.** sztrájk, munkabeszüntetés; **be on ~** sztrájkol; **go on ~**, **come out on ~** sztrájkba lép **3.** *bány* lelet, rábukkanás *[olajra]* **4.** *bány* csapás/(tel)ér iránya **5.** *kat* légi csapás **6.** *tsz* **strikes** *szl* hisztéria **7.** nem várt siker, nagy lelet, szerencsés húzás • *mn* **strikeable**

strike at *tsi* **1.** ráüt, rácsap (vkre, vmre), nekiüt (vmnek) **2.** céloz (vmre)

strike back A. *tsi* visszaüt, visszavág (vknek) **B.** *tni* kicsap a láng *[gázégőben]*

strike down *tsi* leüt, lever, lesújt, lábáról ledönt *[betegség]*

strike in A. *tsi* **1.** bever *[szöget]* **2.** közbevet *[megjegyzést]* **B.** *tni* **1.** *orv* befelé húzódik *[betegség]* **2.** közbeszól, beavatkozik *[vitába]* **3.** ~ **in with sg** megegyezik/összeillik vmvel; ~ **in with sy** csatlakozik vkhez, megegyezik vkvel

strike into A. *tsi* **1.** beledöf, beleszúr, beleüt **2.** ~ **terror into sy** vkt megrémít, vkt rémülettel tölt el **B.** *tni* hirtelen vmbe kezd

strike off *tsi* **1.** leüt, lever **2. a)** ~ **off a name from a list** egy nevet kitöröl a listáról **b)** *gazd* ~ **off five per cent** öt százalékot levon

strike on *tsi* **get struck on sy** belehabarodik/belebolondul vkbe

strike out A. *tsi* **1.** kitöröl, kihúz *[szót]* **2.** kitalál (vmt), rájön (vmre); ~ **out a new line** új módszert talál ki **B.** *tni* **1.** teljes erővel üt; ~ **out at sy** ráüt/rácsap vkre **2.** ~ **out with one's arms** nagy csapást tesz karjával *[úszó]* **3.** hirtelen elindul; ~ **out for home** hirtelen elindul hazafelé **4.** *biz* ~ **out for oneself** megáll a maga lábán; önállósítja magát

strike through *tsi* **1.** kitöröl, áthúz *[szót]* **2.** átüt, áthatol (vmn)

strike up A. *tsi* **1.** belekezd *[dalba]*, rázendít *[dalra]* **2.** kezd (vmbe) **B.** *tni* rázendít

strike upon *tni* ~ **upon sg** (vmre) akad, rábukkan; **I struck upon an idea** jó ötletem támadt, eszembe jutott vm

strike with *tni* ~ **with horror** rémülettel tölt el; ~ **with wonder** csodálkozással tölt el

strikebound *mn* sztrájk következtében nem működő/dolgozó, sztrájktól megbénított

strikebreaker *fn* sztrájktörő • *tni* **strike-break** *fn* **strike-breaking**

strikecall *fn* sztrájkfelhívás

strikemonger *fn pej* sztrájkszervező, sztrájkot támogató/pénzelő

strikepay *fn* sztrájksegély *[szakszervezet részéről]*

striker [ˈstraɪkə ‖ –ər] *fn* **1. a)** *sp* fogadó *[adogató ellenfele teniszben]* **b)** *sp* támadójátékos; befejező középcsatár *[labdarúgásban]* **2.** sztrájkoló (munkás)

striker-out *fn sp* fogadó *[adogató ellenfele teniszben]*

striking [ˈstraɪkɪŋ] **I.** *mn* **1.** ~ **clock** az órákat ütő óra **2.** meglepő, szembeszökő, feltűnő; **be in** ~ **contrast to sg** éles ellentétben áll vmvel; **a** ~ **example of folly** az ostobaságnak egy kirívó példája **II.** *fn* ütés, csapás • *fn* **strikingness** *hsz* **strikingly**

striking distance *fn* ütőtávolság, hatótávolság; **within** ~ kéztávolságban, keze ügyében

Strine [straɪn] *fn biz* **1.** ‹az ausztráliai angol kifigurázása komikus átírással› **2.** ausztrál angol (nyelvváltozat) *[főleg az iskolázatlanabb beszélőké]*

string [strɪŋ] **I.** *fn* **1. a)** madzag, zsineg, spárga, zsinór, kötél, póráz; *biz* **have sy on a** ~ hatalmában tart vkt; drótón rángat vkt; *US* **have a** ~ **on sy** hatalma van vk felett, befolyása van vkre; **keep sy on a** ~ hiú ígéretekkel áltat vkt; **pull the** ~**s** a háttérből mozgatja a szálakat; **pull** ~**s** protekciót/összeköttetéseket vesz igénybe; **pull every** ~ minden követ megmozgat *[vmnek az érdekében]* **b)** *biz* korlátozás, feltétel, kikötés *[szerződésben, megállapodásban]*; *US* **with** ~**s attached** feltételekhez kötve; **a proposal with no** ~**s attached** ajánlat mindenféle kikötés nélkül **2.** rost *[növényben, húsban]* **3. a)** *zene* húr *[hangszeré]*; ~**s of a violin** hegedű húrozata; **touch the** ~**s** lanton játszik, hárfázik; *biz* **add a** ~ **to one's lute** melléklehetőséget/mellékjövedelmet biztosít (magának); **be always harping on the same** ~ mindig ugyanazon lovagol; **touch a** ~ **in sy's heart** a szívére hat vknek **b) the** ~**s** a vonósok, a vonós hangszerek **c)** húrozás *[teniszütőn]* **d)** íjhúr **e)** *sp* **first** ~ kiváló sportoló; legjobb ló *[versenyistállóé]* **4.** (gyöngy)sor; ~ **of beads** nyaklánc; *vall* rózsafüzér; ~ **of onions** hagymakoszorú **5.** *infor* jelsorozat, karakterlánc **II.** *pt/pp* **strung** [strʌŋ] **A.** *tsi* **1. a)** madzaggal/zsineggel átköt/megköt (vmt) **b)** felhúroz, húrral ellát **c)** felhangol *[hangszert, vkt]* **2.** felakaszt (vmt) **3.** kifejt *[babot]*, rostot eltávolít *[zöldbabból]* **4.** *US szl* **a)** *[kigúnyol]* ugrat (vkt) *mind stand* **b)** *[becsap, rászed]* (át)ejt **B.** *tni* **1.** nyúlóssá válik **2.** kezdő lökést végez *[biliárdjátékban]* • *mn* **stringless**, **stringlike**

string along *tsi biz* ~ **sy/one along** becsap, bedönt, bepaliz vkt

string out A. *tsi* sorban elhelyez (vmt) **B.** *tni* megnyúlik/ritkul a sor

string up *tsi* **1.** felakaszt (vkt); ~ **him up!** lógassuk fel! **2.** *biz* ~ **up one's resolution to do sg** megfeszíti magát vm megtételére

stringbean *fn* **1.** *növ* hosszú szálkás zöldbab **2.** *biz* magas sovány ember, langaléta, égimeszelő

stringboard *fn épít* lépcsőpofa, lépcsőoldal

stringcourse *fn* **1.** *épít* övpárkány, szalagpárkány, szalagtag **2.** *épít* erősítő kötősor

stringed [strɪŋd] *mn* húros; *zene* ~ **instruments** vonós hangszerek; húros hangszerek; ~ **music** vonószene

stringent [ˈstrɪndʒənt] *mn* **1. a)** szigorú, kemény *[szabály]* **b)** kimért, szoros **2.** meggyőző *[érv]* **3.** *pénz* pénzhiányban/pénzszűkében/pénztelenségben szenvedő, nyomott *[piac]* • *fn* **stringency** *hsz* **stringently**

stringer [ˈstrɪŋə ‖ –ər] *fn* **1.** *épít* tartógerenda, hosszgerenda **2.** *tsz* **stringers** *biz* bilincs **3.** *biz* külső munkatárs *[szerkesztőségben]*, külsős újságíró

string-moulding *fn épít* szalagdísz

string orchestra *fn zene* vonószenekar

string pea *fn US mezőg* cukorborsó, zöldborsó

string quartet *fn zene* vonósnégyes

string search *fn infor* soros keresés, keresés karakterlánc szerint

stringy [ˈstrɪŋi] *mn* **1.** rostos, szálas, szálkás, inas, rágós **2. a)** tapadós, nyúlós, ragadós **b)** viszkózus **3.** szikár, inas *[személy]* • *fn* **stringiness** *hsz* **stringily**

stringybark *fn Ausz* **1.** *növ* eukaliptuszfa **2.** rossz whisky/sör

strip[1] [strɪp] *fn* **1.** szalag, csík, sáv, keskeny hosszú darab, darabka, keskeny mező; **tear sy off a** ~ leszid, leteremt **2.** *rep* kifutópálya, leszállópálya **3.** → **strip cartoon**

strip[2] [strɪp] **I. -pp- A.** *tsi* **1.** levetkőztet (vkt); ~ **sy to the skin** meztelenre vetkőztet vkt; ~**ped to the waist** derékig meztelenül **2.** megkopaszt (vmt), lehámoz, lehúz, lenyúz (vmt), leszerel *[hajót]*; ~ **sy/sg of sg** megfoszt vkt/vmt vmtől; ~ **feathers** tollat foszt; ~ **a tree** fa leveleit letépi; leszedi a gyümölcsöt fáról; fa kérgét lehántja; fa ágait/gallyait levagdossa **3.** ~ **sg from sg** levesz/leszed vmt vmről **4.** *gk* ~ **the gears** fogaskerék fogait leszakítja *[túlerőltetéssel]* **B.** *tni* **1.** levetkőzik; ~ **to the skin** meztelenre vetkőzik, teljesen levetkőzik **2.** elkopik a menet *[csavaron]* **II.** *fn* **1.** vetkőzés, sztriptíz **2.** *GB sp* mez

strip off *tsi* levesz, letakarít, lehúz

stripagram [ˈstrɪpəɡræm] *fn* ‹távirat, amelynek átadója vetkőzőszámot mutat be a címzettnek›

strip artist *fn* sztriptíztáncos

strip cartoon *fn* karikatúrasorozat, (rövid vidám) képregény *[újságban]*

strip club *fn* sztriptízbár

stripe [straɪp] **I.** *fn* **1. a)** csík, sáv, szalag, paszomány, zsinór; *US biz* **wear the** ~**s** börtönben ül **b)** vonal **c)** *kat biz* (rangjelző) sáv; **officer's** ~**s** tiszti karcsík/karsáv; **get one's** ~**s** előlép *[rangban]*; **lose one's** ~**s** lefokozzák **2.** *US biz* **of the same political** ~ ugyanolyan politikai árnyalatú; **a man of that** ~ olyanfajta/hasonszőrű ember **3.** *tsz* **stripes a)** *biz* tigris **b)** *régi* korbácsütések **c)** *régi* korbácsütés nyoma **II.** *tsi* csíkoz, csíkkal/sávval ellát

striped [straɪpt] *mn* **a)** csíkos, csíkozott, sávos **b)** tarka

striplight *fn vill* fénycső

stripling [ˈstrɪplɪŋ] *fn* fiatal fickó/ember, ifjú, ifjonc, legény, suhanc, gyerkőc, tejfölösszájú

strip mine *fn bány* külszíni fejtésű bánya

stripped-down *mn* leegyszerűsített, minden különleges vonástól/felszereléstől megfosztott

S

stripper ['strɪpə ‖ –ər] *fn* **1.** *biz* sztriptíztáncos **2.** *bány* (fejtő) vájár
strip poker *fn* vetkőzős póker
stripshow → **striptease** I.
striptease ['strɪpti:z] **I.** *fn* sztriptíz, vetkőzőszám **II.** *tni* vetkőzik, sztriptízt ad elő • *fn* **stripteaser**
stripy ['straɪpi] *mn biz* csíkos, csíkozott, sávos, sávozott, tarka
strive [straɪv] *tni pt* **strove** [stroʊv], *pp* **striven** ['strɪvn] **1.** ~ **for sg**, ~ **to do sg**, ~ **after sg** iparkodik/erőlködik vmnek a megtételén, igyekszik/törekszik vmt megtenni **2. a)** ~ **against/with sy/sg** küzd vk/vm ellen **b)** ~ **(with one another) for sg** verseng vmért (vkvel) • *fn* **striver**
strobe [stroʊb] **I.** *fn* **1.** → **stroboscope 2.** *fényk* villanófény **3.** *infor* kiválasztójel, kapujel, mintavételi jel **II.** *tsi* villanó fényt ad, villog
strobe light *fn* **1.** *fényk* villanófény, vaku **2.** villogófény *[mentőautón, munkagépeken]*
strobilus ['stroʊbɪləs ‖ 'strɑ–] *fn tsz* **strobili** [–laɪ] **1.** *növ* toboz **2.** *áll* strobila *[medúzaalak]*
strobing *fn* **1.** csík(osság) *[tévéképernyőn]* **2.** *film* szaggatottság
stroboscope ['stroʊbəskoʊp] *fn fiz* stroboszkóp • *mn* **stroboscopic(al)**
strode [stroʊd] → **stride** I.
Stroganoff ['strɒgənɒf ‖ 'stroʊgənɔf] *fn gaszt* tejfölösen készített hús; **beef** ~ Sztroganoff-marhaszelet
stroke [stroʊk] **I.** *fn* **1. a)** ütés, csapás; ~ **of fate** sorscsapás; ~ **of grace** kegyelemdöfés; ~ **of the sun** napszúrás; **come under the** ~ **of justice** az igazságszolgáltatás kezébe jut; *átv* **have a great** ~ sokra képes; **work done at one** ~ egy ütemben elvégzett munka; **receive twenty** ~**s** húsz ütést mérnek rá *[pálcával]* **b)** ~ **of lightning** villámcsapás **c)** erőkifejtés, erőfeszítés **2. a)** csapás *[szárnyé, evezőé]*; *zene* ~ **of the bow** vonás, húzás *[vonóval]*; ~ **off the cushion** fallökés *[biliárdban]*; *sp* **one** ~ **ahead** egy evezőcsapással előbbre; *sp* **lengthen the** ~ gyorsabban evez; *sp* **row a long** ~ nagyot húz *[az evezőn]*; **be off one's** ~ *sp* hibásan evez; *átv* zavarba jön **b)** *sp* (kar)tempó, karcsapás *[úszásban]*; ~**'s length** egy karcsapással megtett út **c)** *biz* **not to do a** ~ **of work** semmit sem tesz/dolgozik **d)** **bold** ~ merész lépés/fogás; **a good** ~ **of business** jó üzlet; ~ **of genius/wit** zseniális ötlet/tett; ~ **of good luck** váratlan nagy szerencse **3.** ütés *[óráé]*; **on the** ~ **of five** amikor ötöt ütött (az óra), pontosan öt órakor; **arrive on the** ~ **(of time)** pontosan érkezik **4.** simítás, simogatás, cirógatás **5.** *orv* roham, sztrók; ~ **of apoplexy/paralysis** gutaütés, szélütés; **have a** ~ **(of apoplexy)** megüti a guta, szélütés éri **6.** vonás *[tollal, ceruzával]*; **finishing** ~ utolsó simítás, befejező ecsetvonás; *átv* kegyelemdöfés; **with a** ~ **of the pen** egy tollvonással **7.** *sp* vezérevezős; **pull/row** ~ vezérevezősként evez **II.** *tsi* **1.** *sp* ~ **a boat** egy csónak vezérevezőseként evez **2.** végigsimít (vmt), cirógat (vkt); *biz* ~ **sy('s hair) the wrong way** izgat/idegesít, bosszant vkt **3.** *US szl [maszturbál]* veri a farkát, rejszol
stroke down *tsi biz* lecsillapít/megnyugtat vkt, hízeleg vknek
strokehouse *fn US szl* peep show
strokeplay *fn sp* ütések számára menő játék *[golfban]*
stroll [stroʊl] **I. A.** *tsi* ~ **the streets** járja az utcákat, kóborol **B.** *tni* ~ **(about)** fel és alá sétál/járkál; ténfereg, kószál **II.** *fn* **1.** (lassú és rövid) séta, kószálás; **take a** ~, **go for a** ~ sétál (egyet), sétálni megy **2.** könnyű győzelem/játszma
stroller ['stroʊlə ‖ –ər] *fn* **1. a)** sétáló, ténfergő, kóborló **b)** csavargó **2.** *US* gyerekkocsi
strolling ['stroʊlɪŋ] **I.** *mn* sétáló, ténfergő, kóborló; ~ **company** vándorszíntársulat; ~ **player** vándorszínész **II.** *fn* sétálás, ténfergés, kószálás, csatangolás
stroma ['stroʊmə] *fn tsz* **stromata** [–mətə] **1.** *biol* váz, alapanyag, sztróma **2.** *biol* támasztószövet
strong [strɒŋ‖strɔŋ] **I.** *mn kfok* **stronger** ['strɒŋgə ‖ 'strɔŋər], *ffok* **strongest** ['strɒŋgɪst ‖ 'strɔŋgəst] **1. a)** erős, izmos, hatalmas, szilárd; **the** ~ **arm of the law** a törvény hatalma; **by the** ~ **arm/hand** erővel, erőszakkal; ~ **constitution** erős alkat/szervezet; ~ **drink** erős szeszes ital; ~ **features** markáns vonások; ~ **fellow** erős fickó; ~ **mind** erős/határozott/szilárd jellem; **sy's** ~ **point** vknek erős/jó oldala; ~ **as a horse** bivalyerejű; **with a** ~ **hand** erélyesen; **be** ~ **in the arm** izmos a karja; **prices are** ~ az árak szilárdak; **have recourse to** ~ **action** erőszakhoz folyamodik **b)** *átv* határozott; ~ **character** erős jellem; ~ **conviction** erős meggyőződés; **write in** ~ **terms** határozott hangú levelet ír (vknek); ~ **candidate** esélyes jelölt; ~ **team** erős/jó csapat **c)** *nyelv* erős *[ige]*; *nyelv* hangsúlyosan ejtett *[viszonyszó]*; ellenálló *[nyelvi változásnak]* **2.** heves, gyors; *zene* ~ **beat** gyors tempó **3.** ~ **breath** bűzös lehelet; ~ **butter** avas vaj; ~ **cheese** erős/csípős sajt; ~ **evidence** döntő/meggyőző bizonyíték; ~ **language** durva szavak; káromkodás; ~ **measures** erélyes/drasztikus lépések/intézkedések; ~ **reason** alapos ok; ~ **solution** sűrű/erős oldat; ~ **style** erőteljes stílus; *US* **sy's** ~ **suit** vknek az erős oldala; ~ **in numbers** sokan, nagy számban; **have a** ~ **smell** kellemetlen szaga van **4. five hundred persons** ~ ötszáz főből álló *[társaság, csoport]*; ötszáz főnyi **II.** *hsz* **1.** erősen, erőteljesen; **he is** ~ **against sg** nagyon ellenez vmt; **be** ~ **for sg** erősen vm mellett van, vmt nyomatékosan támogat/javasol; *GB biz* **come it (too)** ~ túloz; **going** ~**?** megy a dolog?, halad?; **things are going** ~ minden nagyszerűen megy; **that is coming it rather** ~**!** ez kissé sok a jóból!, ez kissé erős!, ez több a soknál!; **come on** ~ agresszíven viselkedik; **he is going** ~ egészséges, jó egészségben van **2. come/go it** ~ túllépi a határokat; túlzásba esik, túl nagyot mond; *szl* **pitch it** ~ *[dicsekszik]* nagyzol, felvág *mind stand* • *mn* **strongish**
strong-arm *mn* erőszakos, erőszakot (is) igénybe vevő *[eljárás]*; ~ **men** gengszterek *[politikus szolgálatában]*; ~ **policy** kemény kéz politikája
strongbox *fn* páncélszekrény, pénzszekrény
strong-headed *mn* **1.** keményfejű, makacs **2.** megbízható, komoly
stronghold *fn átv* erőd, erődítmény, menedék
strong-limbed *mn* erős lábú/kezű, izmos, tagbaszakadt
strongly ['strɒŋli ‖ 'strɔŋli] *hsz* **1.** erősen, hevesen **2.** nyomatékosan; **feel** ~ **about sg** nagy fontosságot tulajdonít vmnek; érzékenyen érint vm
strongman, -men *fn* **1.** erős ember; erőművész, díjbirkózó **2.** *pol* diktátor, teljhatalmú úr
strong-minded *mn* határozott, erélyes
strongroom *fn* páncélterem, páncélszoba
strong-willed *mn* erős akaratú, határozott
strontium ['strɒntɪəm ‖ 'strɑnʃəm] *fn vegy* stroncium
strop [strɒp ‖ strɑp] **I.** *fn* borotvaszíj, fenőszíj; borotvaélesítő, borotvafenő (szerkezet) **II.** *tsi* **-pp-** fen, élesít *[borotvát szíjon]*
strophe ['stroʊfi] *fn tsz* **strophes** [–fi:z] strófa, versszak • *mn* **strophic**
stroppy ['strɒpi ‖ 'strɑpi] *mn GB biz* nehezen kezelhető *[ember]* • *fn* **stroppiness** *hsz* **stroppily**
strove [stroʊv] → **strive**
struck [strʌk] → **strike** I.
structural ['strʌktʃərəl] *mn* **1.** szerkesztési, építési; ~ **engineer** tervezőmérnök; statikus (mérnök); ~ **engineering** mély- és magasépítési (tervezés) **2. a)** szerkezeti, strukturális; *vegy* ~ **formula** szerkezeti képlet; *nyelv* ~ **linguistics** strukturalista nyelvtudomány/nyelvészet, strukturalizmus; ~ **shapes** szerkezeti idomok/idomrudak **b)** szervezeti • *hsz* **structurally**
structuralism ['strʌktʃərəlɪzm] *fn* strukturalizmus • *mn* **structuralist**
structure ['strʌktʃə ‖ –ər] **I.** *fn* **1. a)** szerkezet, (fel)építés, alkat, struktúra **b)** szervezet; **social** ~ társadalmi szervezet/rendszer, a társadalom felépítése **2.** épület, épít-

mény; **temporary ~** ideiglenes építmény **3.** szerkesztés, építés **II.** *tsi* struktúrál, szervez, rendszerez, szerkeszt • *mn* **structured**, **structureless**

strudel [stru:dl] *fn gaszt* rétes

struggle ['strʌgl] **I.** *tni* **1.** küzd, harcol, viaskodik; **be struggling with adversity** küzd a balszerencse ellen **2.** erőlködik, igyekszik, erejét megfeszíti; **~ for utterance** nem talál szavakat; **he ~d to his feet** nagy nehezen lábra állt, feltápászkodott **II.** *fn* **1.** harc, küzdelem; **give in without a ~** ellenállás nélkül megadja magát **2.** küzdelem, erőfeszítés, erőlködés, igyekezet, kínlódás; **~ for existente/life** a létért folyó küzdelem; létharc • *fn* **struggler**

struggle against *tni* küzd/harcol/viaskodik vkvel

struggle along *tni* nehezen megy/halad

struggle with → **struggle against**

struggling ['strʌgl·ɪŋ] **I.** *mn* **1.** küzdő, harcoló **2.** nyomorgó, küszködő, nehezen megélő **II.** *fn* küzdés, küszködés, erőlködés, igyekvés

strum [strʌm] **I.** *fn* kalimpálás *[zongorán]* **II. -mm- A.** *tsi* ver *[zongorát]*, nyekerget *[hegedűt]*, megpendít *[hangszert, húrt]*; **~ a tune** elkalimpál egy dallamot **B.** *tni* kalimpál *[zongorán]*, nyekereg, cincog *[hegedűn]* • *fn* **strummer**

struma ['stru:mə] *fn tsz* **strumae** [–mi:] **1.** *orv* **a)** golyva, strúma **b)** skrofula, görvélykór **2.** *növ* golyva • *mn* **strumose**, **strumous**

strumpet ['strʌmpɪt] *fn régi vál* utcanő, utcalány, prostituált, szajha

strung [strʌŋ] *mn* (ki)feszített, (ki)feszült; **highly ~** ideges; túlfeszített; érzékeny (idegrendszerű); → **string II.**

strung-up *fn biz* izgatott; felspannolt

strut[1] [strʌt] **I.** *fn* **1.** peckes/kevély járás(mód) **2.** felvágás, páváskodás **3.** feszelgés, feszítés **II.** *tni* **-tt- 1.** peckesen/büszkén lép(del), feszít *[hencegve]*, fenn hordja az orrát (v. a fejét) **2.** felvág, parádézik

strut[2] [strʌt] **I.** *fn épít* támasztógerenda, dúc **II.** *tsi* **-tt-** *épít* alátámaszt, dúcol

struthious ['stru:θɪəs] *mn* struccszerű, struccal kapcsolatos

strychnine ['strɪkni:n] **I.** *fn növ vegy* sztrichnin **II.** *tsi* sztrichninnel megmérgez/kezel • *mn* **strychnic**

Stuart ['stju:ət ‖ 'stu:ərt] *tul* ‹férfinév›

stub [stʌb] **I.** *fn* **1. a)** fatönk, rönk, tuskó, csonk, tompa vég **b)** szivarvég, csikk *[cigarettáé]* **c)** ellenőrzőszelvény *[csekkfüzeté]* **2.** gyökérirtás **II.** *tsi* **-bb- 1.** kigyomlál, fagyökértől megtisztít **2. ~ one's foot/toe against sg** belebotlik vmbe, lába ujját beleüti (vmbe) **3.** elnyom *[cigarettát]*

stub out *tsi* **~ out one's cigarette** elnyomja a cigarettáját

stub up *tsi* gyökérirtással tuskót kiszed, döntésnél gyökérnél körülfejszéz *[fát]*

stub axle *fn műsz* féltengely

stubble ['stʌbl] *fn* **1. a)** gabona szára/szalmája *[a tarlón]* **b)** tarló **2. a)** *biz* háromnapos szakáll, borostás áll **b)** *biz* rövidre nyírt haj **c)** *biz szl [a szeméremrés szőrzete]* bozót, muff; **take a turn in the ~** *[közösül]* dug; **shoot over the ~** *[a hímvessző behelyezése előtt van magömlése]* szárazon elélvez • *mn* **stubbled**, **stubbly**

stub book *fn US biz* csekkfüzet, szelvénykönyv

stubborn ['stʌbən ‖ –bərn] *mn* **1.** makacs, konok, önfejű, akaratos, csökönyös, nyakas; **~ facts** rideg valóság; **~ fever** makacs láz; *biz* **as ~ as a mule/donkey** csökönyös mint egy szamár **2.** ellenálló, merev, nem hajlítható • *fn* **stubbornness** *hsz* **stubbornly**

stubby ['stʌbi] **I.** *mn* zömök, köpcös, vállas *[ember]*, rövid és vastag **II.** *fn Ausz biz* kis üveges sör

stucco ['stʌkou] **I.** *fn tsz* **stuccoes** *épít* stukkó(dísz), díszvakolat, gipszvakolat **II.** *tsi* stukkóval díszít • *mn* **stuccoed**

stucco-work *fn* stukkódíszítés

stuck [stʌk] *mn* **1.** megragadt, megakadt **2.** leszúrt *[disznó]*; → **stick II.**

stuck-up *mn biz* gőgös, beképzelt, nagyképű, öntelt, felfuvalkodott, elbizakodott; **be ~** fenn hordja az orrát

stud[1] [stʌd] **I.** *fn* **1. a)** nagyfejű/gombfejű szeg/szög **b)** jancsiszeg, bakancsszeg *[hegymászó cipőn]* **2.** (kettős) gomb, díszgomb **3.** fülbevaló, orrbavaló *[kis kő]* **4.** *műsz* csap, pecek **5. a)** *épít* középgerenda *[válaszfalé]* **b)** *épít* szobamagasság **II.** *tsi* **-dd- 1. a)** szegekkel kiver, veretez **b)** díszít *[szegekkel]* **2.** *átv* teleszór, telehint *[feltűnő tárgyakkal, vidéket házakkal stb.]*

stud[2] [stʌd] *fn* **1. a)** (tenyész)ménes **b)** mén **2. a)** versenyistálló **b)** *US* versenyló **3.** *szl [szexuálisan sikeres férfi]* csődör, nagy kan, bika

stud bolt *fn* ászokcsavar, tőcsavar

stud-book *fn* ménestörzskönyv, származási könyv *[telivéreké, ménesé]*

studded ['stʌdɪd] *mn* **1.** szegekkel kivert/ellátott; **~ leather** szegekkel kivert/díszített bőr **2.** teliszórt, telehintett

studding ['stʌdɪŋ] *fn épít* lécezet

student ['stju:dnt ‖ 'stu:dnt] *fn* **1.** *okt* egyetemi/főiskolai hallgató, egyetemista, főiskolás, *US* diák; **medical ~** orvostanhallgató(nő); medikus, medika; **fellow ~** tanulótárs **2.** tudós, vmt tanulmányozó; **~ of nature** természettudós; **he is a great/hard ~** sokat tanul • *fn* **studentship**

student government *fn US* hallgatói (ön)kormányzat

student grant *fn* tanulmányi ösztöndíj

student loan *fn* tandíjkölcsön

students' union *fn GB* hallgatói önkormányzat

student teacher *fn okt* gyakorló tanárjelölt

student uprising *fn* diáklázadás, diákfelkelés

studfarm *fn mezőg* méntelep, ménes

studied ['stʌdid] *mn* **1.** keresett, kiszámított, tettetett, mesterkélt; **~ carelessness** szándékolt hanyagság **2. a)** sokat tanult, járatos (vmben), olvasott **b)** tudós • *fn* **studiedness** *hsz* **studiedly**

studio ['stju:diou ‖ 'stu:–] *fn* műterem, stúdió

studio flat *fn GB* műteremlakás

studious ['stju:dɪəs ‖ 'stu:–] *mn* **1. a)** szorgalmas(an tanuló), tanulmányokat folytató; **live a ~ life** a tanulásnak/tudományoknak szenteli életét/magát **b)** tanuláshoz szokott, tanulni szerető **c)** igyekvő; **~ to do sg**, **~ of doing sg** gondoskodik vmnek a megtételéről **2.** kiszámított; **with ~ politeness** tettetett udvariassággal **3.** megfontolt • *fn* **studiousness**

studiously ['stju:dɪəsli ‖ 'stu:–] *hsz* **1.** szorgalmasan, buzgón **2.** hangsúlyozottan, gondosan, szándékosan

study ['stʌdi] **I.** *fn* **1. a)** tanulás, tanulmányozás, stúdium; *szính* **be a good ~** gyorsan tanulja meg szerepét; **make a ~ of sg** tanulmányoz vmt **b)** tudományszak, tudományág, stúdium **c)** *tsz* **studies** tanulmányok; **finish one's studies** befejezi tanulmányait **d)** tanulási idő **2. a)** *műv* tanulmány **b)** *zene* etűd, gyakorlat **3. a)** dolgozószoba **b)** *okt* tanulószoba, tanulóterem **4.** *régi* **a)** tűnődés **b)** figyelem, gond(oskodás) **II. A.** *tsi* **1. a)** tanul (vmt) **b)** *szính* betanul szerepet **2.** tanulmányoz, vizsgál (vmt); **~ one's own interests** a maga ügyeivel foglalkozik **3.** *régi* tűnődik (vmn), kispekulál (vmt) **B.** *tni* **1.** tanulmányokat folytat; **~ for an examination** vizsgára készül **2.** foglalkozik (vmvel), gondoskodik (vmről) **3.** igyekszik, törekszik

study-aid *fn* tansegédlet *[könyv]*

study group *fn* **1.** *okt* tanulócsoport, tanulókör **2.** kutatócsoport

stuff [stʌf] **I.** *fn* **1. a)** anyag, nyersanyag, *átv* anyag, dolog; *biz* **doctor's ~** orvosság; **~ to laugh** nevetni való dolog; *biz* **be short of ~** pénzszűkében szenved; *US* **do one's ~** megteszi a maga dolgát; **know one's ~** tudja mit kell csinálni, ért a dolgához; *US* **the real ~!** ez az igazi!; **that's the ~!** ez az!, helyes!, úgy van! **b)** *GB szl* **a bit of ~** *[fiatal lány]* kis tyúk, bőr, áru **2.** *biz* limlom, kacat; **~!** menj már!, hülyeség!; **what ~!** mit mesél!, micsoda szamárság! **3.** *tex* anyag, szövet(anyag) **4.** *szl* **a)** *[kábítószer]* anyag, narkó **b)** *[pénz]* dohány **II. A.** *tsi* **1. a)** megtöm, betöm, teletöm, kitöm *[madarat]*; **~ a fowl** szárnyast megtölt; *biz* **~**

(oneself) tömi magát, fal, zabál; *biz* **~ sy** töm vkt *[étellel]*; **~ (up) one's ears with cotton-wool** vattával betömi a fülét **b)** töm **2.** *biz* **~ sy (up)** telebeszéli vknek a fejét, bemesél vknek vmt; **he's only ~ing** csak dumál, nem beszél komolyan **3. a) ~ sg into sg** beletöm vmt vmbe; *biz* **~ one's fingers in one's ears** bedugja/befogja a fülét **b)** bedugaszol *[üveget]* **4.** *szl* **go and ~ it** csinálj vele amit akarsz!, tartsd meg magadnak! **5.** *GB durva szl [közösül vkvel]* megtöm **B.** *tni* zabál, mohón fal, tömi magát • *fn* **stuffer**

stuffed [stʌft] *mn* **1.** *biz* **~ up** náthás **2.** tele, megtömött **3.** *szl* **get ~!** *[durva elutasítás]* baszódj meg!, menj/eridj a picsába!

stuffing [ˈstʌfɪŋ] *fn* **1. a)** betömés, kitömés **b)** tömés *[libáé]* **c)** *biz* falás, zabálás **d)** megtöltés *[sült szárnyasé]* **2. a)** tömés, tömőanyag **b)** kipárnázás **c)** töltelék *[sült baromfié]* **d)** *szính* ingyenpublikum, vatta **3.** *biz* **beat/knock the ~ out of sy** jól elpáhol/elnadrágol vkt; **take the ~ out of sy** lecsillapít vkt; vkt leszállít a lóról

stuffing box *fn műsz* tömszelence

stuffy [ˈstʌfi] *mn* **1.** levegőtlen, fojtott, dohos, fülledt, áporodott *[levegő]* **2.** *GB* sértődött, rosszkedvű **3.** *skót* bátor **4. a)** *biz* elzárkózó, nagyképű, előítéletekkel teli **b)** unalmas, érdektelen **5. feel ~** náthás, eldugult az orra **6.** *biz* telezabált • *fn* **stuffiness** *hsz* **stuffily**

stultify [ˈstʌltɪfaɪ] *tsi* **1.** gyengít *[érvet, vallomást]*, feleslegessé tesz *[lépést]*, megzavar, meghiúsít *[tervet]* **2.** bolonddá/nevetségessé tesz (vkt, vmt) **3.** érvénytelenné/értéktelenné tesz *[intézkedést, kijelentést]* • *fn* **stultification**, **stultifier**

stum [stʌm] **I.** *fn mezőg* must, murci, szőlőlé **II.** *tsi* **-mm-** *mezőg* **1.** kénez *[bort, hordót]* **2.** lefojt *[mustot]*

stumble [ˈstʌmbl] **I.** *tni* **1. a)** megbotlik, botladozik, csetlik-botlik; **~ against sg** belebotlik vmbe; **~ into sy** belebotlik vkbe; **~ over a difficulty** nehézségbe ütközik **b) ~ along** botorkál (vmerre) **2. ~ in one's speech** akadozva beszél; elakad a beszédben; megbotlik a nyelve **3.** véletlenül rábukkan; **~ across/upon sy/sg** véletlenül találkozik vkvel/vmvel (v. rábukkan vkre/vmre) **II.** *fn* **1.** (meg)botlás, botladozás **2.** félrelépés **3.** baklövés • *fn* **stumbler** *hsz* **stumblingly**

stumblebum [ˈstʌmblbʌm] *fn US biz [ügyetlen ember]* szerencsétlen, béna

stumbling block *fn* **1.** akadály, nehézség, buktató, gát **2.** *átv* botránykő

stumer [ˈstjuːmə ‖ ˈstuːmər] *fn GB szl* **1. a)** hamis (v. fedezet nélküli) csekk **b)** hamis pénz/bankjegy **2.** értéktelen ember/dolog **3.** kudarc, bukás, krach; **come a ~** veszít *[lóversenyfogadáson]*

stump [stʌmp] **I.** *fn* **1. a)** (fa)tönk, rönk, tuskó **b)** csonk *[végtagé, fogé]* **c)** csutka *[szivaré, ceruzáé]*, csikk **d)** faláb, tuskóláb, dongaláb **e)** törzs **f)** *US szl* **be on/up a ~** a sarokba van szorítva **2.** *tsz* **stumps** *biz* lábak; **stir your ~s!** szedd a lábad!, mozgás!, siess! **3.** *biz* hordó *[mint szónoki emelvény]*; **go on the ~, take the ~** kortesútra megy **II. A.** *tsi* **1. a)** kivág, ledönt, tönkre vág *[fát]*, lenyes *[gallyakat]* **b)** lecsonkol, csonkít **2.** *biz* fogas kérdést tesz fel (vknek), sarokba szorít, zavarba ejt/hoz (vkt); **be ~ed** felsül, nem tud felelni; *okt* egyest/karót kap **3.** *sp* játékból kiüt **4.** *műsz* rajzot elken/eldörzsöl viserrel **B.** *tni* **1.** nehézkesen lépked **2.** *US* korteskörutat tesz • *mn* **stumped**

stump along *tni* falábakon jár, sántikál, biceg

stump up A. *tsi GB biz* pénzt ad, kifizet *[nem szívesen]*; *biz* **~ up two thousand forints** leszúr kétezer forintot **B.** *tni biz* **1.** zsebébe nyúl, fizet **2.** *Ausz* **~ed up** nincs egy vasa sem

stump campaign *fn US* vidéki korteskörút

stumper [ˈstʌmpə ‖ –ər] *fn* **1.** *biz* nehéz/buktató kérdés **2.** hordószónok **3.** *sp* kapus *[krikettben]*

stump-foot *fn* dongaláb, tuskóláb, faláb

stump orator *fn* hordószónok, demagóg

stump-wood *fn* rönkfa

stumpy [ˈstʌmpi] *mn* zömök, köpcös; **~ umbrella** rövid nyelű női ernyő • *fn* **stumpiness** *hsz* **stumpily**

stun [stʌn] *tsi* **-nn- 1.** elkábít, elbódít, megszédít; **I was ~ned by the news** a hír megdöbbentett **2.** *biz* meglep, elképeszt, megdöbbent **3.** megsüketít *[zaj]*

stung [stʌŋ] → **sting II.**

stun gun *fn* ‹ elektromos v. ultrahangos önvédelmi fegyver ›

stunk [stʌŋk] → **stink I.**

stunner [ˈstʌnə ‖ –ər] *fn* **1.** meglepő/elképesztő ember **2. a)** megdöbbentő/lesújtó/elképesztő dolog **b)** nagyszerű/remek/klassz dolog

stunning [ˈstʌnɪŋ] *mn biz* **a)** meglepő, elképesztő, megdöbbentő, megzavaró; **~ sight** dermesztő látvány **b)** meglepő, pompás, nagyszerű, klassz

stunt[1] [stʌnt] *tsi* elsatnyít, satnyává/csenevésszé tesz, akadályoz növekedést/fejlődést • *fn* **stuntedness**

stunt[2] [stʌnt] **I.** *fn biz* **1.** bámulatos/elképesztő dolog **2. a)** merész/meglepő mutatvány, nagy teljesítmény, kaszkadőrmutatvány; **acrobatic ~** akrobatamutatvány **b) perform ~s** meglepő/nyaktörő dolgokkal produkálja magát; kaszkadőrködik; műrepülést végez **c) that's not my ~** ez nem az én dolgom **II.** *tni rep* légimutatványokat/műrepülést végez

stunter [ˈstʌntə ‖ –ər] *fn rep* légi mutatványokat végző pilóta

stuntman *fn tsz* **-men** *film* kaszkadőr

stunt woman *fn film* kaszkadőrnő

stupa [ˈstuːpə] *fn épít vall India* sztúpa, félgömb alakú Buddha-emlékhalom

stupe[1] [stjuːp ‖ stuːp] **I.** *fn orv* melegvizes borogatás **II.** *tsi orv* meleg borogatást rak (vmre)

stupe[2] [stjuːp ‖ stuːp] *fn szl [buta/ostoba ember]* hülye, idióta

stupefacient [ˌstjuːpɪˈfeɪʃnt ‖ ˈstuː–] **I.** *mn orv* kábító, bódító **II.** *fn orv* kábítószer

stupefaction [ˌstjuːpɪˈfækʃn ‖ ˈstuː–] *fn* **1.** elképedés, elkábulás, megdermedés **2. a)** elkábítás, elbódítás **b)** kábultság, bódultság **3.** érzéketlenség, eltompultság **4.** hülyeség, butaság

stupefy [ˈstjuːpɪfaɪ ‖ ˈstuː–] *tsi* **1. a)** *orv* elkábít, elbódít **b)** bárgyúvá/butává tesz **2.** *biz* elképeszt, megdöbbent, elkábít • *fn* **stupefier** *mn* **stupefying**

stupendous [stjuːˈpendəs ‖ stuː–] *mn* rendkívüli, döbbenetes, fantasztikus, óriási, elképesztő(en nagyméretű) • *fn* **stupendousness** *hsz* **stupendously**

stupid [ˈstjuːpɪd ‖ ˈstuː–] *mn* **I. 1. a)** ostoba, buta, hülye; **how ~ of me!** milyen hülye (is) vagyok!; *biz* **you are a ~ thing!** te kis buta!; hülye vagy!; **don't be ~!** ne ostobáskodj/hülyéskedj!, legyen eszed!; **I did a ~ thing** butaságot követtem el; **get/grow ~** megbutul, meghülyül; **as ~ as a goose/donkey/owl** buta, mint a liba **b)** átkozott, vacak, hülye *[dolog]* **2. a)** kábult, érzéketlen, unalmas; **a ~ seaside resort** unalmas tengeri fürdőhely **b)** *vál régi* elképedt, megdermedt **II.** *fn biz* hülye • *fn* **stupidity** *hsz* **stupidly**

stupor [ˈstjuːpə ‖ ˈstuːpər] *fn* **1.** kábulat, bódulat, eszméletlenség **2.** elképedés, megdöbbenés, szellemi/lelki dermedtség/tehetetlenség • *mn* **stuporous**

sturdy [ˈstɜːdi ‖ ˈstɜr–] **I.** *mn* **1.** (élet)erős, erőteljes, izmos, robusztus **2.** kemény, erős, határozott, szilárd *[magatartás]* **II.** *fn állatorv* kergeség, kergekór *[birkáé]*; **get the ~** megkergül *[állat]* • *fn* **sturdiness** *mn* **sturdied** *hsz* **sturdily**

sturgeon [ˈstɜːdʒən ‖ ˈstɜr–] *fn áll* tok(hal)

stutter [ˈstʌtə ‖ ˈstʌtər] **I.** *fn* dadogás, hebegés **II. A.** *tsi* **~ (out) sg** eldadog vmt **B.** *tni* dadog, hebeg • *fn* **stutterer** *hsz* **stutteringly**

St Vitus' dance [sənt ˌvaɪtəsɪz ˈdɑːns ‖ seɪnt ˌvaɪtəsəz ˈdæns] *fn orv* vitustánc

sty[1] [staɪ] **I.** *fn* **1.** (disznó)ól **2.** *biz* piszkos szoba; disznóól, kupleráj **II.** *tsi* ólba zár *[disznót]*

sty[2] [staɪ], **stye** *fn tsz* **sty(e)s** *orv* árpa *[szemen]*, jégárpa

Stygian [ˈstɪdʒɪən] *mn* **1.** styxi; *vál* **visit the ~ shores** átköltözik a másvilágra **2.** *vál* sötét, homályos

style [staɪl] **I.** *fn* **1.** stílus, írásmód, írásmodor; **he has ~** jó stílusa van, jól ír; **writer who lacks ~** író akinek nincs jó stílusa **2. a)** stílus, mód; **~ of living** életmód; **in good ~** jó ízléssel, finoman; ahogy illik; **in grand ~** nagystílűen; **that's not my ~** ez nem az én stílusom; **do things in ~** stílusosan/nagyvonalúan csinálja a dolgokat; **live in grand/great ~** nagylábon él, nagy házat visz; **win in fine ~** szépen/elegánsan győz **b)** *műv* **in the ~ of Rubens** Rubens modorában **c)** fajta, típus, modell *[autóé stb.]* **d) aristocrat of the old ~** régi vágású arisztokrata; **that ~ of thing** ilyenféle dolog; **something in that ~** valami ilyesféle **3. a)** ízlés, divat; **be/come back in ~** divatos, népszerű, menő **b)** elegancia, sikk, fellépés, jó modor **4. a)** *műv* karcolótű **b)** napóra mutatója **c)** *régi* író-vessző, stílus **5.** *növ* bibeszár, bibeszál **6.** *tört* **New S~** új (Gergely-naptár szerinti) időszámítás; Gergely-naptár; **Old S~** régi (Julianus-naptár szerinti) időszámítás; Julianus-naptár **7. a)** név, cím, elnevezés, cégnév **b)** megszólítás *[mint cím]* **II. 1.** *tsi* címez, nevez (vkt vmnek); **~ oneself Doctor** doktornak nevezi/hívja magát **2.** stílusossá tesz, stilizál • *fn* **styler** *mn* **styleless**

stylesheet *fn* **1.** szerkesztési/szedési utasítások *[szerkesztőségben]* **2.** fogalmazási szabályok és rövidítések jegyzéke **3.** *infor* stíluslap

stylet [ˈstaɪlɪt] *fn* **1.** (vékony pengéjű) tőr **2.** *orv* vékony szonda, sebtisztító pálcika **3.** *áll* hegyes nyúlvány *[szerven]*

stylish [ˈstaɪlɪʃ] *mn* divatos, ízléses, elegáns • *fn* **stylishness** *hsz* **stylishly**

stylist [ˈstaɪlɪst] *fn* **1.** *ir.tud* stiliszta, íróművész **2.** divattervező **3.** fodrász **4.** stílusos előadó/versenyző

stylistic [staɪˈlɪstɪk] *mn* fogalmazási, stílus-, stílusos, stílusra vonatkozó, stilisztikai • *hsz* **stylistically**

stylistics [staɪˈlɪstɪks] *fn esz ir.tud* stilisztika

stylite [ˈstaɪlaɪt] *mn/fn vall tört* sztilita, oszlopszent

stylize [ˈstaɪlaɪz], **-ise** *tsi műv* stilizál • *fn* **stylization** *mn* **stylized**

stylo [ˈstaɪloʊ] *fn biz* töltőtoll

stylobate [ˈstaɪləbeɪt] *fn épít* oszloplábazat, oszlop(sor)talapzat

stylograph [ˈstaɪlougrɑːf ‖ –græf] *fn* **~ (pen)** töltőtoll • *mn* **stylographic**

stylus [ˈstaɪləs] *fn tsz* **styli** [–laɪ], **styluses a)** *műv* karcolótű **b)** lemezjátszótű **c)** vágótű *[hanglemezgyártásban]* **d)** mutató *[napóráé]* **e)** *régi* íróvessző, stílus

stype [staɪp] *fn orv* tampon

styptic [ˈstɪptɪk] **I.** *mn orv* összehúzó, vérzéscsillapító-, vérzést elállító **II.** *fn orv* vérzéscsillapító szer

styrene [ˈstaɪriːn] *fn vegy* vinilbenzol, sztirol

styrofoam [ˈstaɪrəfoum] *fn US* polisztirénhab

Styx [stɪks] *tul vál* Styx *[alvilági folyó]*

suable [ˈsjuːəbl ‖ ˈsuːəbl] *mn jog* perelhető • *fn* **suability**

suasion [ˈsweɪʒn] *fn hiv* meggyőzés, rábeszélés; **subject sy to moral ~** a lelkiismeretére hat vknek • *mn* **suasive**

suave [swɑːv] *mn* **1.** kellemes, lágy *[zene, illat]*, sima, jól csúszó *[bor]* **2. a)** nyájas, barátságos *[fogadtatás]* **b)** behízelgő; *pej* **~ manners** mézesmázos modor **3.** kifinomult, udvarias, kellemes modorú • *fn* **suaveness, suavity** *hsz* **suavely**

sub- [sʌb] *előtag* alá-, alsó, al-, alatti, alárendelt; **subscriber** aláíró; **subconscious** tudatalatti; **subway** *GB* aluljáró; *US* metró

sub[1] [sʌb] **I.** *fn biz* **1.** alárendelt **2.** alhadnagy **3.** adakozás, jegyzés, előfizetés **4.** *GB* előleg *[fizetésre]* **5.** helyettes **II. -bb- A.** *tsi biz* **1.** *GB* előleget ad *[fizetésre]* **2.** kijavít, átnéz *[cikket]* **B.** *tni biz* **~ for sy** helyettesít vkt

sub[2] [sʌb] **I.** *fn* → **submarine II.** *tni* **-bb-** alábukik, lemerül *[tengeralattjáró]*

subacid [sʌbˈæsɪd] *mn* **1.** savanykás **2.** kesernyés **3.** csípős *[hang]* • *fn* **subacidity**

subagency [sʌbˈeɪdʒənsi] *fn gazd* fiókügynökség, alügynökség • *fn* **subagent**

subalpine [ˌsʌbˈælpaɪn] *mn* szubalpin, szubalpesi

subaltern [ˈsʌbltən ‖ səˈbɔltərn] **I.** *mn* alsóbb fokú, alárendelt **II.** *fn GB kat* alárendelt, beosztott, százados alatti rangban levő tiszt

subantarctic [ˌsʌbænˈtɑːktɪk ‖ –ænˈtɑr–] *mn* déli sarkvidék és a mérsékelt égöv közötti, szubantarktikus

sub-aqua [sʌbˈækwə] *mn* víz alatti • *mn* **subaquatic**

subaqueous [sʌbˈeɪkwɪəs] *mn* **1.** víz alatti **2.** jellegtelen, közepes

subarctic [sʌbˈɑːktɪk ‖ –ˈɑr–] *mn földr* hideg mérsékelt övi, szubarktikus

subassembly [ˌsʌbəˈsembli] *fn* részegység, alegység

subastral [sʌbˈæstrəl] *mn* földi

subatomic [ˌsʌbəˈtɒmɪk ‖ –əˈtɑ–] *mn fiz* szubatomos, atomméret alatti

subaudition [ˌsʌbɔːˈdɪʃn] *fn* **1.** rejtett/burkolt célzás (megértése), sorok között való olvasás **2.** kiegészítés, pótlás *[hiányzó szóé]*

subaverage [sʌbˈævərɪdʒ] *mn* átlag alatti

sub-basement [sʌbˈbeɪsmənt] *fn épít* alagsor, pincesor

subbranch [ˈsʌbbrɑːntʃ ‖ –bræntʃ] **I.** *fn* alág(azat) **II.** *tni* alágazatokra oszlik

subcategory [sʌbˈkætəgri ‖ –ˈkætəgɔri] *fn* alcsoport • *tsi* **subcategorize** *fn* **subcategorization**

subcentre [sʌbˈsentə ‖ –ər] *fn* alközpont

subclass [ˈsʌbklɑːs ‖ –klæs] *fn* **1.** *biol* alosztály **2.** *mat* részhalmaz

subclavian [sʌbˈkleɪvɪən] *mn orv* kulcscsont alatti; **~ artery** kulcscsont alatti osztóér

subclinical [sʌbˈklɪnɪkl] *mn orv* ‹rendellenes tüneteket nem mutató v. csekély mértékben rendellenes *[pl. vitaminhiány]*›

subcoastal [sʌbˈkoustl] *mn geol* **~ plain** tengerszint alatti síkság, self

sub-commission [ˌsʌbkəˈmɪʃn] *fn* albizottság

subcommittee [ˌsʌbkəˈmɪti] *fn* albizottság

subcompact [sʌbˈkɒmpækt ‖ –ˈkampækt] *fn gk* kisautó

subconscious [sʌbˈkɒnʃəs ‖ –ˈkɑn–] **I.** *mn* tudat alatti, tudattalan **II.** *fn pszich* a tudatalatti • *fn* **subconsciousness** *hsz* **subconsciously**

subcontinent [sʌbˈkɒntɪnənt ‖ –ˈkantnˑənt] *fn* szubkontinens • *mn* **subcontinental**

subcontract I. *fn* [sʌbˈkɒntrækt ‖ –ˈkɑn–] alvállalkozási szerződés, mellékszerződés **II.** *tsi* [ˌsʌbkənˈtrækt] alvállalkozásba ad/vesz

subcontractor [ˌsʌbkənˈtræktə ‖ –ˈkantræktər] *fn* alvállalkozó

subcontrary [sʌbˈkɒntrəri ‖ –ˈkɑntreri] **I.** *mn fil* ellentétes; ‹két közös alannyal és állítmánnyal bíró (mondat), melyek közül az egyik állító, a másik tagadó értelmű› **II.** *fn fil* ellentétes állítás

subculture [sʌbˈkʌltʃə ‖ –ər] *fn* **1.** *biol* másodlagos kultúra, szubkultúra **2.** kisebb kulturális egység *[nagyobbon belül]*, szubkultúra • *fn* **subcultural**

subcutaneous [ˌsʌbkjuːˈteɪnɪəs] *mn orv* bőr alatti

subdeacon [sʌbˈdiːkən] *fn vall* alesperes, alszerpap • *fn* **subdeaconate**

sub-director [ˌsʌbdɪˈrektə ‖ –ər] *fn* aligazgató, helyettes igazgató

subdirectory [ˌsʌbdɪˈrektəri] *fn infor* alkönyvtár

subdivide [ˌsʌbdɪˈvaɪd] **A.** *tsi* tovább feloszt, alosztályokra oszt **B.** *tni* tovább osztódik, alosztályokra feloszlik

subdivision [ˌsʌbdɪˈvɪʒn] *fn* **1. a)** elaprózódás *[földbirtoké]* **b)** részekre osztás, felosztás, parcellázás **2. a)** alosztály **b)** *kat* flottarészleg **3.** fülke, rekesz, kamra

subdominant [sʌbˈdɒmɪnənt ‖ –ˈdɑ–] *mn/fn zene* szubdomináns

subdue [səb'dju: ‖ –'du:] *tsi* **1.** leigáz, lever, legyőz, megfékez *[népet]*, elfojt, megfékez *[tüzet, szenvedélyt]* **2.** enyhít, csökkent, mérsékel *[hőséget, fényt]*, (le)tompít *[fényt, hangot, színt]* • *fn* **subdual** *mn* **subduable**

subdued [səb'dju:d ‖ –'du:d] *mn* **1.** legyőzött, levert, leigázott *[nép]* **2.** lesújtott, levert *[hangulat]* **3. a)** letompított, csökkentett, enyhített; **~ light** tompa fény, félhomály; hangulatvilágítás **b)** halk, szelíd; **in a ~ tone/voice** szelíd hangon **c)** *US* tompított/diszkrét mintájú/színezetű

sub-edit [sʌb'edɪt] *tsi* **a)** kijavít, korrigál *[cikket]* **b)** előszerkeszt

sub-editor [sʌb'edɪtə ‖ –'edɪtər] *fn média* **a)** segédszerkesztő, szerkesztőségi titkár **b)** *US* újságíró • *mn* **subeditorial**

sub-equatorial [ˌsʌbekwə'tɔ:rɪəl] *mn földr* majdnem egyenlítői, egyenlítő közelében levő

suber ['sju:bə ‖ 'su:bər] *fn* **1.** parafa **2.** *növ* paratölgy

subfamily ['sʌbfæməli] *fn biol* mellékág, alcsoport, alcsalád

subfusc ['sʌbfʌsk] **I.** *mn vál* sötét, komor **II.** *fn GB* egyetemi öltözet, formaruha

subgenus [sʌb'dʒi:nəs] *fn tsz* **subgenera** [–'dʒenərə] *biol* alfaj • *mn* **subgeneric**

sub-group ['sʌbgru:p] **I.** *fn biol mat* alcsoport, részcsoport **II.** *tsi* alcsoportokra oszt

sub-head ['sʌbhed], **subheading** *fn nyomd* alcím

sub-human [sʌb'hju:mən] *mn* az emberi színvonalat el nem érő, nem egészen emberi, félállati

sub-index [sʌb'ɪndeks] *fn tsz* **sub-indices** [–dɪsi:z] *mat* alsó index

subj. *röv* **1.** *subject* **2.** *subjective* **3.** *subjunctive*

subjacent [sʌb'dʒeɪsnt] **I.** *mn* közvetlenül alatta fekvő **II.** *fn mat* index • *fn* **subjacency** *hsz* **subjacently**

subject I. *fn* ['sʌbdʒekt] **1. a)** tárgy, téma; **on the ~ of sg** vmnek a tárgyában; **change the ~** más tárgyra tér át; **come to one's ~** rátér a tárgyra; **return to one's ~** visszatér a tárgyra; **wander from the ~** eltér a tárgytól **b)** *zene* (zenei) téma; **secondary ~** melléktéma; **~ of a fugue** egy fúga témája **c)** *okt* tantárgy; **compulsory ~s** kötelező tantárgyak/vizsgatárgyak **d)** ok, alap, indíték **2.** dolog, anyag; **~ of an experiment** egy kísérlet alanya; **~ for dissection** hulla **3.** *orv* (kezelés alatt álló) beteg **4.** *nyelv* alany **5.** alattvaló, állampolgár **II.** *mn* ['sʌbdʒekt] **1. a)** alávetett, behódolt, függő *[ország]*; **~ provinces** behódolt tartományok **b)** alárendelt; **be ~ to a different treatment** más elbánás alá esik; **be ~ to the laws of nature** alá van vetve a természet törvényeinek **2. ~ to (the payment of) charges/dues/fees** díjköteles; **~ to stamp duty** bélyegköteles; **be ~ to taxation** adó alá esik **3. ~ to** azzal a kikötéssel/fenntartással, hogy; **~ to alteration/revision** a(z esetleges) módosítás/változtatás jogának fenntartásával; **~ to your approval** hozzájárulástól függően **III.** *tsi* [səb'dʒekt] **1.** legyőz, leigáz, alávet *[országot]* **2.** vmnek alávet/kitesz (vkt); **~ sy/sg to an examination** vizsgálatnak vet alá vkt/vmt **3.** előterjeszt, feltár, bemutat

subject catalogue *fn* szakkatalógus

subjection [səb'dʒekʃn] *fn* **1. a)** alávetés, leigázás, elnyomás **b)** alávetettség, elnyomatás; **bring into ~** leigáz, elnyom; **in a state of ~** elnyomatásban **2. a)** alárendelés **b)** alárendeltség **3.** meghódítás **4.** függés vmtől; **hold/keep sy in ~** függőségben tart vkt; rabságban tart vkt

subjective [səb'dʒektɪv] **I.** *mn* **1.** alanyi, egyéni, szubjektív **2.** *nyelv* **the ~ case** alanyeset **II.** *fn* alany • *fn* **subjectivity**, **subjectiveness** *hsz* **subjectively**

subjectivism [səb'dʒektɪvɪzm] *fn fil* szubjektivizmus

subjectless ['sʌbdʒɪktləs] *mn nyelv* alany nélküli

subject matter *fn* anyag, tárgy, tartalom, téma *[írásműé, előadásé]*

subjoin [ˌsʌb'dʒɔɪn] *tsi* mellékel, hozzáfűz, hozzátesz, kiegészít

subjudice [ˌsʌb 'dʒu:dɪsi ‖ –'ju:dɪkeɪ] *jog* **the case is ~** az ügy a bíróság előtt van

subjugate ['sʌbdʒugeɪt ‖ –dʒə–] *tsi* **a)** leigáz, legyőz, meghódít, alávet, szolgaságba dönt *[népet]* **b)** megszelídít *[állatot]* • *fn* **subjugation** *mn* **subjugable**

subjunctive [səb'dʒʌŋktɪv] **I.** *mn* **1.** hozzákapcsolt, hozzákötött, mellékelt **2.** *nyelv* kötőmódbeli **II.** *fn nyelv* kötőmód • *hsz* **subjunctively**

subkingdom ['sʌbkɪŋdəm] *fn biol* elágazás

sub-lease I. *fn* ['sʌbli:s] albérlet **II.** *tsi* [ˌsʌb'li:s] **1.** albérletbe (ki)ad **2.** al bérletbe (ki)vesz

sub-lessee [ˌsʌble'si:] *fn* **1.** albérlő **2.** alvállalkozó

sub-lessor [ˌsʌble'sɔ: ‖ –le'sɔr] *fn* albérletbe adó

sub-let [sʌb'let] **I.** *fn* albérlet **II.** *tsi* **-tt- 1. a)** albérletbe ad **b)** albérletbe vesz **2. a)** alvállalkozásba ad **b)** alvállalkozásba vesz

sub-lieutenant [ˌsʌblef'tenənt ‖ ˌsʌblu:–] *fn* **1.** *GB kat* alhadnagy **2.** *kat* tengerészzászlós

sublimate I. *tsi* ['sʌblɪmeɪt] **1.** *vegy* szublimál **2.** *pszich* kifinomít, megtisztít, nemesít, szublimál **II.** *fn* ['sʌblɪmət] **1.** *vegy* szublimát **2.** szublimátum *[szublimált anyag]* • *fn* **sublimation**

sublime [sə'blaɪm] **I.** *mn* **1.** fenséges, fennkölt, magasztos, nagyszerű **2.** fölényes; **~ indifference** teljes közömbösség **II.** *fn* **the ~** a fenséges **III. A.** *tsi* **1.** *vegy* szublimál **2.** *pszich* megtisztít, felemel, szublimál **B.** *tni* szublimálódik • *fn* **sublimity** *hsz* **sublimely**

subliminal [ˌsʌb'lɪmɪnəl] *mn pszich* tudatküszöb alatti, tudatalatti; *US gazd* **~ advertising/commercials** ‹tudat alatt befolyásoló reklám›

sublingual [ˌsʌb'lɪŋgwəl] *mn orv* nyelv alatti

Sub-Lt, **Sub-Lieut.** *röv GB Sub-Lieutenant* alhadnagy

sublunary [ˌsʌb'lu:nəri] *mn* a hold alatti, földi, evilági

submachine-gun [ˌsʌbmə'ʃi:n gʌn] *fn* könnyű géppisztoly

subman ['sʌbmæn] *fn tsz* **-men** *pej* félállati ember, nagyon csekély értékű ember

submanager [sʌb'mænɪdʒə ‖ –ər] *fn* aligazgató, helyettes igazgató, igazgatóhelyettes

submarginal [sʌb'mɑ:dʒɪnəl] *mn* **1.** alsó színvonal alatti **2.** nem kifizetődő

submarine ['sʌbməri:n, ˌsʌbmə'ri:n] **I.** *mn* **1.** tenger alatti, tengerfenéki; **~ earthquake** tenger alatti földrengés, tengerrengés **2.** *geol* tengerszint alatti **II.** *fn hajó* tengeralattjáró, búvárhajó **III.** *tni gk* biztonsági öv/légzsák alá csúszik *[balesetkor]* • *fn* **submariner**

submarine sandwich *fn US gaszt* óriásszendvics *[bagettből]*

submaxillary [ˌsʌbmæk'sɪləri ‖ sʌb'mæksɪleri] *mn orv* állkapocs alatti

submediant [sʌb'mi:dɪənt] *fn zene* alsó mediáns

sub-mental [sʌb'mentl] *mn orv* áll alatti

submerge [səb'mɜ:dʒ ‖ –'mɜrdʒ] **A.** *tsi* **1.** alámerít, elmerít, elsüllyeszt, lenyom *[víz alá]* **2.** *átv* elönt, eláraszt *[vízzel, problémákkal, munkával]* **B.** *tni* elmerül, lemerül, víz alá merül, elsüllyed, lebukik *[víz alá]* • *fn* **submergence** *mn* **submergible**

submerged [səb'mɜ:dʒd ‖ –'mɜrdʒd] *mn* **1. a)** elárasztott, elöntött, elsüllyesztett, lemerült, alámerült **b) ~ reef** tenger/víz alatti szirt/szikla/zátony; **~ submarine** alámerült tengeralattjáró **2.** *biz* **the ~ (tenth)** a nyomorgók, a szükséget szenvedők; a társadalom nyomorban élő rétege, az alacsonysorúak, az „alsó tízezer"

submersible [səb'mɜ:səbl ‖ –'mɜr–] **I.** *mn* **1.** eláraszthatő *[terület]* **2.** víz alá süllyeszthető; **~ combat vehicle** úszó harcjármű **II.** *fn* tengeralattjáró *[rövid merülésekre]*

subminiature [sʌb'mɪnətʃə ‖ –nɪətʃər] *mn el* (szub)miniatűr, igen kisméretű; *fényk* **~ camera** kisméretű fényképezőgép *[16 mm-es filmmel]*

submissible [səb'mɪsəbl] *mn* alávethető

submission [səb'mɪʃn] *fn* **1. a)** meghódolás, behódolás, alávetés **b)** alázatosság, megalázkodás **2. a)** engedelmeskedés **b)** engedelmesség **3.** bemutatás *[bizonyítéké, aláí-*

S

rásé] **4.** *jog* **a)** perbeszéd; **in my ~** (jogi) okoskodásom/feltevésem szerint **b) ~ to an award** önkéntes alávetés *[döntőbíróság ítéletének]*

submissive [səb'mɪsɪv] *mn* alázatos, engedelmes, engedékeny *[hang, magatartás]* • *fn* **submissiveness** *hsz* **submissively**

submit [səb'mɪt] *i* **-tt- A.** *tsi* **1. a)** előterjeszt *[ügyet]*, bemutat (vmt), benyújt *[pl. dolgozatot]*; **~ sg to sy** bemutat vmt vknek; **~ sg for sy's inspection** felülvizsgálás végett előterjeszt vknek vmt **b)** javasol (vmt) **c)** közread **2.** állít (vmt), kijelent; **~ that ...** úgy véli/gondolja, hogy; *jog* **I ~ that there is no case against my client** azt állítom, hogy védencem ártatlan **B.** *tni* **1.** meghódol; **~ oneself to sg** aláveti magát vmnek **2.** engedelmeskedik, enged • *fn* **submitter**

submultiple [ˌsʌb'mʌltɪpl] *fn mat [maradék nélküli]* osztó

subnormal [sʌb'nɔːml ‖ –'nɔrml] *mn* a normálisnál alacsonyabb *[hőmérséklet]*, a(z) normálisnál/átlagosnál csekélyebb/kisebb *[pl. intelligencia]*

suboceanic [ˌsʌbouʃi'ænɪk] *mn* tenger alatti, tengerfenéki

sub-office ['sʌbɒfɪs ‖ –ɑf–] *fn* **1.** *gazd* fiók, kirendeltség **2.** alállomás, alközpont *[telefoné]*

suborbital [sʌb'ɔːbɪtl ‖ –'ɔrbɪtl] *mn* **1.** *orv* szemüreg alatti **2.** *űr* szuborbitális

suborder [sʌb'ɔːdə ‖ –'ɔrdər] *fn biol* alosztály • *mn* **subordinal**

subordinate I. *mn* [sə'bɔːdɪnət ‖ –'bɔr–] **1.** alsó, alantas, alsóbbrendű **2.** (vmnek) alárendelt; *nyelv* **~ clause** alárendelt (mellék)mondat **II.** *fn* [–nət] alárendelt, beosztott **III.** *tsi* [–neɪt] **1.** alárendel **2.** kisebb értékűnek minősít • *mn* **subordinative** *hsz* **subordinately**

subordination [səˌbɔːdɪ'neɪʃn ‖ səˌbɔrdn'eɪʃn] *fn* **1.** alárendelés, alárendeltség, függés **2.** engedelmesség **3.** *nyelv* alárendelés

suborn [sə'bɔːn ‖ –'bɔrn] *tsi jog* megveszteget, hamis vallomásra/tanúzásra bír/csábít *[tanút]*, bűncselekményre (eredményesen) felbujt • *fn* **subornation**, **suborner**

subplot ['sʌbplɒt ‖ –plɑt] *fn ir.tud* mellékcselekmény

subpoena [sə'piːnə] **I.** *fn jog* megidézés *[tanúé, bírság terhe alatt]* **II.** *tsi jog* **~ sy to appear** megidéz vkt, megjelenésre kötelez vkt *[bírság terhe alatt]*

subregion ['sʌbriːdʒən] *fn* ‹nagyobb körzet meghatározott kisebb része› részkörzet, részterület • *mn* **subregional**

subrogate ['sʌbrəgeɪt] *tsi jog* vk helyébe/jogaiba kirendel • *fn* **subrogation**

subrosa [ˌsʌb 'rouzə] *mn/hsz* titokban, bizalmasan, rejtve

subroutine ['sʌbruːtiːn] *fn infor* szubrutin, alprogram

sub-Saharan [ˌsʌbsə'hɑːrən ‖ –'hær–] *mn földr* a Szaharától délre fekvő/elterülő

sub-sale ['sʌbseɪl] *fn gazd* továbbeladás, viszonteladás

subscribe [səb'skraɪb] *tsi* **1. a)** aláír *[nevet]*; *gazd* **~d risk** átvállalt kockázat **b) ~ to an opinion** helyesel/oszt egy véleményt; csatlakozik vk véleményéhez; **I do not ~ to it** nem azonosítom magam vele, ezt nem írom alá, nem osztom *[véleményt]* **2. a)** jegyez *[összeget, részvényt]*, adakozik; **~ for a monument** adakozik egy emlékmű céljaira; **~ ten pounds** tíz fontot jegyez *[gyűjtőívre]*; *pénz* **~ shares** részvényeket jegyez *[új kibocsátáskor]*; **~d capital** jegyzett tőke **b)** előfizet; **~ a book** előjegyez egy könyvet *[kiadónál]*; **~ to a newspaper** újságra előfizet; **~ ten pounds to a club** tíz font tagdíjat fizet egy klubban

subscriber [səb'skraɪbə ‖ –ər] *fn* **1.** aláíró; **~ of/to a document** egy okmány aláírója; **the ~** az aláíró; a szerződő fél **2. ~ for shares** részvényjegyző **3. ~ to a charity** jótékony célra adakozó; **~ to a new book** egy új könyvet előjegyző/megrendelő **4. a)** előfizető **b)** *GB* telefonelőfizető; *GB* **~ trunk dialling** kezelő nélküli hívás

subscript ['sʌbskrɪpt] *fn* alsó jelzőszám, index

subscription [səb'skrɪpʃn] *fn* **1. a)** aláírás *[névé]* **b)** csatlakozás, hozzájárulás (vmhez), helyeslés, vm elv elfogadása **2.** adakozás; **get up a ~** gyűjtőívet bocsát ki; költséget közösen visel; **~ to a charity** adakozás jótékony célra **3.** *pénz* jegyzés; **~ to a loan** kölcsönjegyzés **4. a)** előfizetés *[újságra]* **b)** előfizetési/tagsági díj **5.** *infor* feliratkozás *[internetlistára]* • *mn* **subscriptive**

subscription dance *fn* jótékonysági bál

subscription rate *fn* előfizetési díj

subsection ['sʌbsekʃn] *fn* **1. a)** alosztály **b)** alosztályozás **2.** alfejezet *[könyvben]*

subsequence ['sʌbsɪkwəns] *fn* **1.** utólagosság **2.** bekövetkező esemény, következmény

subsequent ['sʌbsɪkwənt] *mn* következő, rákövetkező, azutáni, későbbi; *jog* **~ clause** kiegészítő kikötés/pont *[szerződésben]*; **~ to sg** vm után (következő); **~ events** az ezt követő események; **~ upon sg** vm következményeként; **make a ~ payment** pótlólagos/utólagos fizetést teljesít

subsequently ['sʌbsɪkwəntli] *hsz* **a)** azután, később, azt követően **b)** következésképpen

subserve [səb'sɜːv ‖ –'sɜrv] *tsi* elősegít, támogat (vmt), kedvez (vmnek)

subservient [səb'sɜːvɪənt ‖ –'sɜr–] *mn* **1.** (vmt) elősegítő, támogató, (vmnek) kedvező, hasznos, használható **2.** alázatos, megalázkodó, szolgalelkű, szolgai, behódoló, engedelmes **3.** függő, alárendelt (vmnek) • *fn* **subservience** *hsz* **subserviently**

subset ['sʌbset] *fn* **1.** *mat* alhalmaz, részhalmaz **2.** alegység, részegység

subshrub ['sʌbʃrʌb] *fn növ* félcserje

subside [səb'saɪd] *tni* **1. a)** (le)ülepedik, lerakódik **b)** lecsapódik *[folyadék]* **c)** süllyed, süpped *[talaj]*, megereszkedik *[fal]* **d)** beszakad, beroskad **e)** *tréf* leroskad, összeroskad; *biz* **~ into an armchair** karosszékbe omlik/roskad **2. a)** lelohad *[kelés]* **b)** leapad *[víz]* **3. a)** megnyugszik, lecsöndesedik, lecsillapodik, alábbhagy, elül, eláll *[szél]*, leszáll *[láz]*, visszafejlődik *[tünet]*; **the fever is subsiding** a láz csökkenőben/szűnőfélben van **b)** *biz* **~ into silence** elhallgat, elnémul, befogja a száját **4. ~ into sg** vmvé válik/átalakul • *fn* **subsidence**

subsidiary [səb'sɪdɪəri ‖ –eri] **I.** *mn* **1.** (ki)segítő, kiegészítő, tartalék-, segéd-, pót-; *el* **~ battery** póttelep, segédtelep; *vill* **~ circuit** segédáramkör; *pénz* **~ coin** váltópénz, aprópénz; *kat* **~ troops** segédcsapatok **2.** mellékes, járulékos, mellék-, másodlagos; **~ company** fiókvállalat, fiócüzem; leányvállalat; **~ road** mellékútvonal, bekötőút; **~ stream** mellékfolyó **II.** *fn* **1.** leányvállalat **2.** segéd, megsegítő, támasz **3.** *tsz* **subsidiaries** *kat* segédcsapatok • *hsz* **subsidiarily**

subsidize ['sʌbsɪdaɪz], **-ise** *tsi* (pénzzel) támogat, segélyez, szubvencionál; *kat* **~d troops** segédcsapatok; zsoldoscsapatok • *fn* **subsidization**, **subsidizer**

subsidy ['sʌbsɪdi] *fn* **1.** (anyagi) támogatás, segély, szubvenció **2.** *tört* pénzbeli/fegyveres segítség *[uralkodónak, idegen államnak]*

subsist [səb'sɪst] **A.** *tsi* ellát *[hadsereget]*, fenntart (vmt) **B.** *tni* **1.** fennmarad, van, (tovább) él, létezik **2.** megél, eltartja/fenntartja magát; **~ entirely on begging** kizárólag koldulásból tartja el magát; **~ on vegetables** főzelékfélékkel táplálkozik **3.** *átv* **~ in** vmből táplálkozik/ered • *mn* **subsistent**

subsistence [səb'sɪstəns] *fn* **1.** létezés, élés; **have ~** létezik, van **2.** fennmaradás, létfenntartás, megélhetés, eltartás; **gain one's ~** megkeresi/előteremti a szükségleteire valót; **labour for bare ~** a puszta megélhetésért dolgozik **3.** lényeg

subsistence allowance *fn GB* fizetéselőleg *[az első rendes fizetés előtt]*

subsistence farming *fn mezőg* termelés házi fogyasztásra

subsistence level *fn közg* létminimum

subsoil ['sʌbsɔɪl] *fn geol* altalaj, fenékréteg *[talajé]*

subsolar [sʌb'soulə ‖ –ər] *mn csill* Nap alatti; **~ point** a Föld felszínének pontosan Nap alatti pontja

subsonic [sʌb'sɒnɪk ‖ –'sɑnɪk] *mn rep* szubszonikus, hangsebesség alatti • *hsz* **subsonically**

S

subspecies [ˈsʌbspiːʃiːz, ˈ–spiːsiːz] *fn biol* alfaj, alosztály • *mn* **subspecific**
subst. *röv* **1.** *substantive* **2.** *substitute*
substance [ˈsʌbstəns] *fn* **1.** *vegy fil* **a)** szubsztancia, anyag, tartalom; *biz* **cast/drop/throw away the ~ for the shadow** elhagyja a biztosat a bizonytalanért **b)** alkotórész **2.** lényeg, fő dolog, vmnek a veleje/magva; **in ~** a lényeget illetően **3. a)** állomány **b)** szilárdság *[pl. jellemé]*, keménység; **argument of little ~** gyenge érv **4.** vagyon, birtok; **man of ~** vagyonos/jómódú ember **5.** kábítószer, narkotikum, drog
substandard [sʌbˈstændəd ‖ –dərd] *mn* **1.** szabványosnál/normálisnál kisebb **2.** gyenge minőségű, selejtes, kifogásolható; **~ goods** hibás/selejtes (v. gyenge minőségű) áru **3.** *nyelv* köznyelvi normától eltérő *[nyelvhasználat]*
substantial [səbˈstænʃl] **I.** *mn* **1. a)** szubsztanciális, létre vonatkozó, való(di) **b)** anyagi **2. a)** lényeges, fontos, alapvető, alapos; **~ proof** meggyőző bizonyíték **b)** értékes **3. a)** kiadós, tápláló *[étel]* **b)** szilárd, tartós **4.** gazdag, tehetős, jómódú, vagyonos, fizetőképes; **the ~ middle class** felső középosztály, a nagypolgárság **II.** *fn* **the ~s** a lényeges dolgok; a kiadós/tápláló ételek • *fn* **substantiality** *hsz* **substantially**
substantiate [səbˈstænʃieɪt] *tsi* **1.** létrehoz **2.** bebizonyít, igazol, megokol; **~ a charge** megalapoz egy vádat • *fn* **substantiation**
substantive [ˈsʌbstəntɪv] **I.** *mn* **1. a)** létezést kifejező, tényleges **b)** lényeges, lényegi **c)** egyéni **2.** *nyelv* **~ expression** alany helyett álló szó/kifejezés; **~ noun** főnév; **~ verb** létige **3.** független, önálló **4. ~ law** anyagi/dologi jog **5.** szilárd, tartós, valós **II.** *fn* főnév
substation [ˈsʌbsteɪʃn] *fn műsz távk* alállomás, mellékállomás, előfizetői távbeszélő-állomás
substituent [sʌbˈstɪtjʊənt] **I.** *mn vegy* (be)helyettesítő, szubsztituens *[anyag, csoport]* **II.** *fn vegy* helyettesítő csoport/anyag
substitute [ˈsʌbstɪtjuːt ‖ –tuːt] **I.** *fn* **1. a)** helyettes; **as a ~ for sy** vknek a helyettesítésére; vk helyetteseként **b)** megbízott, meghatalmazott, képviselő **c)** *sp* cserejátékos **2. a)** pótszer, pótlék, pótanyag **b)** utánzat **3.** *nyelv* helyettesítő szó **II. A.** *tsi* **1. a)** (be)helyettesít; **~ margarine for butter** vajat margarinnal helyettesít/pótol **b)** helyettesít *[tanárt iskolában]* **2.** pótol **3.** *jog* megújít *[hitelt]* **B.** *tni* **~ for sy** helyettesít vkt **III.** *mn* (be)helyettesítő, pótló, pót- • *mn* **substitutable**, **substitutive**
substitution [ˌsʌbstɪˈtjuːʃn ‖ –ˈtuː–] *fn* **1. a)** (be)helyettesítés; *mat* **method of successive ~s** fokozatos behelyettesítési módszer **b)** pótlás; *jog* **~ of debt** hitelmegújítás **c)** csere, kicserélés **2.** *jog* jogátruházás; **act of ~** gyámkirendelés; gondnok kirendelése • *mn* **substitutional**
substratum [ˈsʌbstrɑːtəm‖–streɪtəm] *fn tsz* **substrata** [–tə], **substratums 1.** *geol* alsó (talaj)réteg **2. a)** anyag *[cikké]*; **there is a ~ of truth in it** nagyjából/némileg igaza van **b)** szubsztrátum, alap **3.** *fil* szubsztancia, lényeg
substruction [sʌbˈstrʌkʃn] *fn* **a)** *épít* alépítmény, alapozás **b)** *átv* alap; **the social ~** társadalmi alap/alépítmény; a társadalom alapjai • *mn* **substructural**
substructure [sʌbˈstrʌktʃə ‖ –ər] → **substruction**
subsume [səbˈsjuːm ‖ –ˈsuːm] *tsi* **1.** magába foglal *[mint alája tartozót]*, szubszummál, rendszerbe foglal, beoszt **2.** összefoglal • *fn* **subsumption** *mn* **subsumable**
subsurface [sʌbˈsɜːfɪs ‖ –ˈsɜr–] **I.** *mn geol* talaj alatti, *bány* föld alatti, felszín alatti **II.** *fn geol* altalaj
subteener [sʌbˈtiːnə ‖ –ər] *fn biz* kiskamasz, tizenkét éven aluli lány/fiú
subtenant [ˌsʌbˈtenənt] *fn* albérlő • *fn* **subtenancy**
subtend [səbˈtend] *tsi* **1. a)** elnyúlik vm alatt **b)** szemben áll vmvel **2. a)** kiterjeszt, kibővít (vmt) **b)** *mat* bezár *[ívet, szöget]*
subterfuge [ˈsʌbtəfjuːdʒ ‖ –tər–] *fn* (ravasz) kibúvó, fortély, ürügy, kifogás
subterranean [ˌsʌbtəˈreɪnɪən] *mn* **1.** föld alatti **2.** *átv* titkos, illegalitásban levő • *hsz* **subterraneously**
subtilize [ˈsʌtɪlaɪz], **-ise A.** *tsi* **1. a)** kifinomít, elvékonyít **b)** hígít **c)** elpárologtat, elgőzöltet **2.** kieszel **B.** *tni* **1.** aprólékoskodik, okoskodik, akadékoskodik **2.** ravaszkodik • *fn* **subtilization**
subtitle [ˈsʌbtaɪtl] **I.** *fn* **1.** alcím **2.** *film* felirat **II.** *tsi* feliratoz *[filmet]*
subtle [ˈsʌtl] *mn* **1.** apró, finom (összetételű), hajszálnyi *[pontos]* **2. a)** átható *[illat]*, éles *[ész]* **b)** titokzatos, megmagyarázhatatlan, nehezen megfogható **c)** szövevényes **3. a)** finom, kifinomult; **~ distinction** finom megkülönböztetés; **~ irony** finom gúny **b)** kényes • *fn* **subtleness** *hsz* **subtly**
subtlety [ˈsʌtlti] *fn* **1. a)** finomság, éleselméjűség, elmésség **b)** finom megkülönböztetés **c)** bonyolultság **2.** finomság, törékenység, gyengeség
subtonic [ˌsʌbˈtɒnɪk ‖ –ˈtɑnɪk] *fn zene* vezérhang, vezető hang
subtopia [ˌsʌbˈtoupɪə] *fn GB pej* ‹otromba külvárosi lakóbarakk› • *mn* **subtopian**
subtotal [ˈsʌbtoutl] **I.** *fn* részösszeg *[összeadás-sorozatban]* **II.** *tsi/tni* **-ll-** részösszegeket alkot/kitesz
subtract [səbˈtrækt] *tsi* **1.** *mat* kivon, levon, elvesz, leszámít **2.** *biz* **~ sg from sy** ellop vktől vmt • *fn* **subtracter**, **subtraction** *mn* **subtractive**
subtrahend [ˌsʌbtrəˈhend] *fn mat* a kivonandó
subtropics [ˌsʌbˈtrɒpɪks ‖ –ˈtrɑ–] *fn tsz földr* a szubtrópusok, szubtrópusi területek • *mn* **subtropical**
subunit [sʌbˈjuːnɪt] *fn* alegység
suburb [ˈsʌbɜːb ‖ –ɜrb] *fn* peremváros, előváros, város környéke, kertváros, szuburbia
suburban [səˈbɜːbən ‖ səˈbɜrbən] *mn* **1. a)** peremvárosi, városon kívüli; **~ railway** helyiérdekű vasút **b)** *US* kertvárosi, elővárosi **2.** *átv pej* szűk látókörű • *tsi* **suburbanize**
suburbanite [səˈbɜːbənaɪt ‖ –ˈbɜr–] *fn biz* külváros lakója, külvárosi ember
suburbia [səˈbɜːbɪə ‖ –ˈbɜr–] *fn* **1.** elővárosi övezet *[nagyvárosé]* **2.** *biz* **S~** London külvárosai és elővárosai
subvention [səbˈvenʃn] *fn* állami/anyagi támogatás, szubvenció
subversive [səbˈvɜːsɪv ‖ –ˈvɜr–] **I.** *mn* felforgató, romboló, aláaknázó; **~ act(ivitie)s** (a fennálló rend ellen irányuló) felforgató tevékenység/cselekmény **II.** *fn* az államrendet felforgatni igyekvő (v. az államra veszélyes) egyén • *fn* **subversion**, **subversiveness** *hsz* **subversively**
subvert [səbˈvɜːt ‖ –ˈvɜrt] *tsi* felforgat, felbomlaszt, aláaknáz • *fn* **subverter**
subway [ˈsʌbweɪ] *fn* **1.** *GB* aluljáró **2.** *US* földalatti, metró
subwoofer [sʌbˈwuːfə ‖ –ər] *fn távk el* mélysugárzó (hangszóró)
subworker [sʌbˈwɜːkə ‖ –wɜrkər] *fn* segédmunkás
subzero [ˌsʌbˈzɪərou ‖ –ˈzɪrou] *mn* nulla fok alatti *[hőmérséklet]*
succade [səˈkeɪd] *fn* **1.** cukrozott gyümölcs **2.** *tsz* **succades** édességek
succedaneum [ˌsʌksɪˈdeɪnɪəm] *fn tsz* **succedanea** [–nɪə] pótszer, pótló, pótlék, helyettesítő • *mn* **succedaneous**
succeed [səkˈsiːd] **A.** *tsi* **1. a)** következik (vk/vm után), követ, felvált (vkt); *US* **~ oneself** újra megválasztják *[képviselőnek]* **b)** örököl (vmt); **his son ~ed on the throne** a fia követte a trónon **2. day ~s day** egyik nap követi a másikat **B.** *tni* **1. a)** örököl; **~ to an estate** birtokot örököl **b)** örökébe lép (vknek); *jog* **right to ~** örökösödési/öröklési jog **2.** sikerül (vknek vm), célt ér, boldogul; **~ in doing sg** sikerült vmt (meg)tennie; **~ with sy** megfér/kijön vkvel; keresztülvisz vmt vknél; **nothing ~s with him** semmi sem sikerül neki; *közm* **nothing ~s like success** a siker mindent igazol • *fn* **succeeder**

S

succeeding [sək'si:dɪŋ] *mn* **1.** (utána) következő **2.** jövő, eljövendő **3.** egymást követő, egymásra következő; **each ~ year** minden (egymásra) következő év

success [sək'ses] *fn* **1. a)** siker; **~ of arms** hadiszerencse; **achieve ~, meet with ~** sikert ér el, sikert arat; **meet with bad ~** nincs szerencséje, pechje van; **he is a social ~** nagy társadalmi sikerei vannak; **we wish you ~!** sok szerencsét (kívánunk)!; **without ~** sikertelen(ül), eredménytelen(ül) **b)** tetszés, siker; **be a ~** sikere van; *biz* **it was a huge ~** nagy sikert aratott; igen jól sikerült; **turn out a ~** sikeresnek bizonyul, jól sikerül **c) make a ~ of sg** sikeresen hajt végre vmt, sikerre visz vmt **2.** *régi* eredmény, kimenetel

successful [sək'sesfl] *mn* sikeres, (jól) sikerült, szerencsés, eredményes; **~ candidates** megválasztott jelöltek; *okt* a vizsgán megfeleltek, felvett jelöltek • *fn* **successfulness** *hsz* **successfully**

succession [sək'seʃn] *fn* **1. a)** (egymásra) következés, vmnek egymásutánja, sorrend, követés; *mezőg* **the ~ of crops** a vetésforgó; **in ~** egymás után; **in quick ~** gyors egymásutánban **b)** sor(ozat), hosszú sor **c)** váltakozás **2. a)** öröklés, örökösödés; *tört* **the Wars of S~** az örökösödési háborúk **b)** örökség, hagyaték; **by right of ~** az öröklés jogán **c)** utódok **d)** utódlás; **~ to the throne** trónöröklés, trónutódlás; **in ~ to sy** vk után/utódaként; **settle the ~** utódot kijelöl • *mn* **successional**

succession duty *fn jog* örökösödési adó/illeték

succession state *fn pol* utódállam

successive [sək'sesɪv] *mn* **1.** egymásra következő, egymást követő, folytonos, szakadatlan **2.** öröklésre jogosult, legitim • *fn* **successiveness** *hsz* **successively**

successor [sək'sesə ‖ –ər] *fn* (trón)örökös, (jog)utód

success story *fn* sikertörténet

succinct [sək'sɪŋkt] *mn* rövid, tömör, velős, szűkszavú, szabatos • *fn* **succintness** *hsz* **succintly**

succinic [sək'sɪnɪk] *mn vegy* borostyánkő-

succor *US* → **succour**

succotash ['sʌkətæʃ] *fn US gaszt* ‹egybefőtt kukoricaszemek és szemesbab›

succour ['sʌkə ‖ –ər] **I.** *fn* **1.** *vál* segítség, segítő, támasz; **place of ~** menedékhely **2.** *régi kat* megerősítés, utánpótlás; **~s** felmentő seregek **II.** *tsi* **1.** *vál* (meg)segít, segítségül siet, támogat **2.** *régi kat* felment, felszabadít

succubus ['sʌkjubəs] *fn tsz* **succubi** [–baɪ] parázna (női) lidérc/démon

succulent ['sʌkjulənt] **I.** *mn* **1. a)** leveses, nedvdús, lédús, zamatos **b)** *növ* pozsgás; **~ leaf** húsos levél **2.** tápláló **3.** *biz* kívánatos **II.** *fn növ* pozsgás növény, kaktusz(féle) • *fn* **succulence** *hsz* **succulently**

succumb [sə'kʌm] *tni* enged, nem tud ellenállni, megadja magát (vmnek); **~ to force** enged a túlerőnek; **~ to one's injuries** belehal sebeibe

succursal [sə'kɜ:sl ‖ –'kɜrsl] **I.** *mn vall* **~ church** leányegyházközség, filia **II.** *fn gazd* fiókvállalat, fióküzem

such [sʌtʃ] **I.** *mn* **1.** ilyen, olyan, ilyenfajta, olyanfajta, hasonló; **~ a clever man** egy ilyen okos ember; **~ a one (as)** egy ilyen ember/alak; **did you ever see ~ a thing?** látott már ehhez foghatót?; **no ~ thing!** szó se róla!, egyáltalán nem!; **there is no ~ thing, no ~ thing exists** ilyesmi (v. ilyen dolog) nem létezik; *biz* **~ is life!, ~ is the world!** ilyen az élet! **2.** egy bizonyos; **on ~ (and ~) a day** ezen és ezen a napon **3. in ~ a way that** úgy/oly módon, hogy; **until ~ time as** (mind)addig amíg **4. you gave me ~ a fright!** úgy megijesztett! **II.** *nm* **1. I haven't heard of any ~** semmi ilyesmiről nem hallottam **2. ~ only who** csak azok akik; **that's not for ~ as you** ez nem a hozzád hasonlóknak való **3. ~ as** úgymint; **all ~ as** mindazok akik; **~ as to/that** olyan fokú, hogy; **sg as ~** vm mint olyan; **some ~** vm ilyenféle; **thiefs and all ~** tolvajok és hasonszőrűek

such-and-such *mn* ez és ez, ilyen és ilyen

suchlike ['sʌtʃlaɪk] **I.** *mn biz* ilyen, olyan, ilyesféle, ilyenfajta, hasonló **II.** *nm* **beggars, tramps and ~** koldusok, csavargók és egyéb szegények

suck [sʌk] **I. A.** *tsi* **1.** (ki)szív, beszív, felszív, elnyel (vmt), magába szív *[tudást]*; *átv* **~ sy's brains** kihasználja vknek a tudását; **~ a raw egg** nyers tojást kiszív; **~ sy dry** (teljesen) kiszipolyoz vkt; *orv* **~ a wound** kiszív egy sebet **2.** szopik, szopogat *[cukrot]* **3.** *szl [fellációt végez]* szopik, (le)szív **B.** *tni* **1.** szív *[szivattyú]* **2.** *US szl* **it ~s!** *[rossz]* ócska, gyenge, tré, lepra, ciki **II.** *fn* **1. a)** szopás, szopogatás, (ki)szívás; **have/take a ~ at one's pipe** szív egyet a pipáján **b)** *műsz* (be)szívás, felszívás, szívóhatás **2. child at ~** szopós gyermek; **give a child ~** megszoptat egy gyereket **3.** *biz* kis korty **4.** *szl [fellláció]* szopás, furulya **5.** *tsz* **sucks** *szl* cukorka **6.** *szl* **~s!** *[úgy kellett!]* megszoptad!

suck at *tsi* **1.** (vmt) szopogat **2.** szív, húz egyet *[pipából, cigarettából]*

suck down *tsi* elnyel, víz fenekére húz

suck in *tsi* **1. a)** beszív, elnyel; **~ in sg with one's mother's milk** az anyatejjel szív magába vmt **b)** elnyel *[örvény]* **2.** *szl [becsap, rászed]* behúz a csőbe; → **suck-in**

suck up A. *tsi* felszív, szivattyúz, pumpál *[levegőt, folyadékot]*, felszív *[vizet]* **B.** *tni okt szl* **~ up to sy** *[behízelgi magát vknél]* nyal vknek, stréberkedik

sucker ['sʌkə ‖ –ər] **I.** *fn* **1.** szívó, szopó, szopogató **2.** *biz* nyalóka **3.** *biz* szopós állat, szopós malac **4. a)** *US* éretlen fiatalember, tejfelesszájú **b)** *biz* élősdi, élősködő, potyázó, tányérnyaló **c)** *US szl [balek]* pali, madár; **be a ~ on sg** megveszik vmért **5. a)** *áll* szívóka, szívókorong **b)** *műsz* tapadókorong, dugattyú *[szívó szivattyúé]* **6.** *mezőg* (gyökér)hajtás, bujtvány; **throw out ~s** gyökér(tő)sarjakat hajt **7.** *áll* → **suckfish 8.** *szl [idegesítő/bosszantó dolog/tárgy]* vacak, izé, franc, biszbasz **II. A.** *tsi* **1.** gyökérhajtásoktól/gyökérsarjaktól megtisztít **2.** *US szl [becsap, rászed]* átejt, megszívat **B.** *tni* sarjadzik, gyökérsarjakat hajt *[fa]*

suck-in *fn szl [becsapás, rászedés]* átverés; → **suck in** 2.

sucking disc *fn áll* szívókorong; → **sucker** I. 5. a

suckle ['sʌkl] **A.** *tsi* **1.** (meg)szoptat *[csecsemőt, fiatal állatot]* **2.** *átv* táplál, éltet **B.** *tni* szopik • *fn* **suckler**

suckling ['sʌklɪŋ] *fn* **1.** szoptatás **2. a)** csecsemő, csecsszopó **b)** szopós állat

sucrose ['su:krous] *fn vegy* répacukor, nádcukor, szacharóz

suction ['sʌkʃn] *fn* **1.** (fel)szívás, szivattyúzás; **adhere by ~** szívás által tapad **2.** szívóhatás, szívóerő

suction fan *fn műsz* szívóventilátor

suction head *fn műsz* szívófej

suction pipe *fn műsz* szívócső

suction valve *fn műsz* szívószelep

suctorial [sʌk'tɔ:rɪəl] *mn biol* szívó, szivornyás • *fn* **suctorian**

Sudan [su:'dɑ:n ‖ –'dæn] *tul földr* **the ~** Szudán

Sudanese [ˌsu:də'ni:z] *mn/fn földr* szudáni

sudarium [sju:'deərɪəm ‖ su:'der–] *fn tsz* **sudaria** [–rɪə] **1.** arctörlő, törlőkendő **2.** *vall tört* Veronika kendője

sudatorium [ˌsju:də'tɔ:rɪəm ‖ ˌsu:–] *fn tsz* **sudatoria** [–rɪə] *régi* izzasztókamra *[gőzfürdőben]*

sudatory ['sju:dətəri ‖ 'su:dətɔri] **I.** *mn* izzadást okozó, izzasztó **II.** *fn* **1.** *régi* izzasztókamra **2.** *orv* izzasztószer

sudden ['sʌdn] **I.** *mn* **1.** hirtelen, váratlan, rögtön, azonnali, gyors *[fordulat]* **2.** hirtelen haragú **II.** *fn* **(all) of a ~** hirtelen(ül), váratlanul; *régi* **on a/the ~** hirtelen(ül) • *fn* **suddenness**

sudden death *fn sp* hirtelen halál *[hosszabbítás az első gólig v. nyert pontig]*

suddenly ['sʌdnli] *hsz* hirtelen, egyszerre csak

sudor ['sju:dɔ: ‖ 'su:dɔr] *fn biol* veríték

sudoriferous [ˌsju:də'rɪfərəs ‖ 'su:–] *mn biol* verítékkiválasztó, izzadság-kiválasztó

sudorific [ˌsju:də'rɪfɪk ‖ 'su:–] **I.** *mn orv* izzadást okozó, izzasztó *[gyógyszer]* **II.** *fn orv* izzasztószer

S

suds [sʌdz] **I.** *fn* **1.** szappanhab **2.** szappanos víz, szappanlé; *biz* **in the ~** a slamasztikában/bajban/szószban/szarban **3.** *US szl [sör]* sörövics **II. A.** *tsi* (be)szappanoz, behaboz **B.** *tni* habzik • *mn* **sudsy**

sue [sjuː ‖ suː] **A.** *tsi jog* **1. ~ (sy at law)** (be)perel vkt, perbe fog vkt; keresetet indít (v. ad be) vk ellen; **~ sy for damages** kártérítési pert indít vk ellen, kártérítésért beperel vkt; **~ for separation/~ for a divorce** válópert indít (v. ad be) **2. ~ for a writ** bírósági végzés kibocsátását kéri; **~ out a pardon for sy** kegyelmet eszközöl ki vk számára *[beadvány útján]* **B.** *tni* **1.** perel, pereskedik **2. ~ for sy's hand** megkéri vk kezét; udvarol vknek; **~ for peace** békét kér; **~ to sy for sg** kérve kér vktől vmt • *fn* **suer**

Sue [suː] *tul* ‹*Susan* becéző alakja›

suede [sweɪd] *fn* szarvasbőr, kecskebőr, antilopbőr (v. utánzata)

suet [ˈsuːɪt] *fn* (marha)faggyú, juhfaggyú, birkafaggyú

suet pudding *fn GB gaszt* ‹marhafaggyúból és lisztből készült vízben főtt puding›

Suez [ˈsuːɪz] *tul földr* Szuez; **the ~ Canal** a Szuezi-csatorna

suffer [ˈsʌfə ‖ –ər] **A.** *tsi* **1. a)** (el)szenved; **~ change** megváltozik, átalakul; **~ defeat** vereséget szenved; **~ losses** veszteségek érik; **he ~ed severe internal injuries** súlyos belső sérüléseket szenvedett **b)** *vál régi* **~ death** meghal; kínhalált szenved **2.** elvisel, eltűr, elszenved; **how can you ~ him?** hogy bírod ki őt?; **~ fools gladly** (könnyen) elviseli mások hülyeségét **B.** *tni* **1. a)** szenved; **~ from a severe headache** nagyon fáj a feje **b)** lakol, bűnhődik; **you will ~ for it** ezért bűnhődni/lakolni fog **2. ~ from neglect** bántja, hogy elhanyagolják; **his good name has ~ed** jóhírneve sínylette meg **3.** kárt/veszteséget szenved, kárt vall • *fn* **sufferer** *mn* **sufferable**

sufferance [ˈsʌfərəns] *fn* **1. a)** (el)tűrés, megtűrés, türelem, hallgatólagos beleegyezés; **at/on ~** csak eltűrten (v. eltűrt módon); **I am here on ~** éppen csak megtűrnek **b)** *gazd* vámkedvezmény **2.** (halál)büntetés elszenvedése **3.** *régi* fájdalom, szenvedés

suffering [ˈsʌfərɪŋ] **I.** *mn* **1. a)** türelmes, kitartó **b)** béketűrő, engedékeny, elnéző **2.** szenvedő, tűrő **3.** fájó **II.** *fn* **1. a)** türelem, kitartás **b)** béketűrés, engedékenység, elnézés **2.** szenvedés, tűrés **3.** *tsz* **sufferings** fájdalom

suffice [səˈfaɪs, fɪz] **A.** *tsi* elég (vknek vm) **B.** *tni* **1.** elég, elegendő (*for* vmre); **~ it to say that ...** elég annyi, hogy ..., elég az hozzá, hogy...; **your word will ~** elég (biztosíték) a szavad is **2.** kielégít; **~ for a purpose** megfelel a célnak

sufficiency [səˈfɪʃnsi] *fn* **a)** elegendő mennyiség **b)** elegendő jövedelem, jólét, jómód; **have a ~** jólétben él **c)** kielégítőség

sufficient [səˈfɪʃnt] *mn/fn* **1.** elég(séges), elegendő; **~ condition** elégséges feltétel; *fil* **~ reason** elégséges ok; *biz* **have you had ~?** elég volt?, jóllakott? **2.** *jog* **~ in law** jogérvényes • *hsz* **sufficiently**

suffix [ˈsʌfɪks] **I.** *fn* **1.** toldalék **2.** *nyelv* képző, rag, szuffikszum **3.** *mat* → **subscript II.** *tsi nyelv* ragot/képzőt hozzáilleszt • *fn* **suffixation**

sufflate [səˈfleɪt] *tsi* felfúj

suffocate [ˈsʌfəkeɪt] **A.** *tsi* megfojt, megfullaszt; **in a ~d voice** fojtott hangon **B.** *tni* megfullad, elfullad, fuldoklik, elfojtódik; **~ with rage** haragtól fuldokolva • *fn* **suffocation** *mn* **suffocating**

Suffolk [ˈsʌfək] *tul földr* Suffolk

suffragan [ˈsʌfrəgən] *fn vall* segédpüspök, felszentelt püspök • *fn* **suffraganship**

suffrage [ˈsʌfrɪdʒ] *fn* **1.** *jog* **a)** szavazat **b)** szavazójog, szavazati jog, választójog **c) universal ~** általános választójog **2.** *vall* rövid könyörgés a szentekhez **3.** *biz* tetszés, helyeslés, elismerés

suffragette [ˌsʌfrəˈdʒet] *fn tört* szüfrazsett, a nők választójogáért harcoló nő

suffragist [ˈsʌfrədʒɪst] *fn pol* ‹a választójognak a nőkre történő kiterjesztéséért harcoló› • *fn* **suffragism**

suffuse [səˈfjuːz] *tsi* **1.** bevon, befuttat **2. a)** elborít **b)** elönt (vmt), elömlik vmn *[fény, könny]*; **eyes ~d with tears** könnyes szemek **c)** telít • *fn* **suffusion**

Sufi [ˈsuːfi] *fn vall* szufi *[muszlim aszkéta és misztikus]* • *fn* **Sufism** *mn* **Sufic**

sugar [ˈʃugə ‖ –ər] **I.** *fn* **1.** cukor; **brown ~** finomítatlan/barna cukor; **burnt ~** égetett cukor, karamell; **castor/powdered ~** porcukor; **crude ~** nyerscukor; **granulated ~** kristálycukor; **refined ~** finomított cukor; **sweeten with ~** megcukroz; *biz* **I'm neither ~ nor salt** nem vagyok cukorból, nem olvadok el *[esőben]* **2.** *vegy* **a) ~ of lead** ólomcukor, ólomacetát **b) ~ of milk** tejcukor, laktóz **3.** *biz* **a)** mézesmázosság, édeskés beszéd, hízelgés, kedveskedés, nyájas szavak **b)** az édes, a kedves **c)** *szl [pénz]* guba, steksz **d)** *szl [heroin]* hernyó, *[LSD]* lecsó **II.** *tsi* **a)** megcukroz, becukroz, meghint cukorral, (meg)édesít; *biz* **~ the pill** megédesíti a keserű pirulát **b)** hízeleg • *mn* **sugarless**

sugar-almond *fn gaszt* cukrozott mandula, grillázs

sugar-beet *fn növ* cukorrépa

sugar bowl *fn US* cukortartó

sugar candy *fn* kandiscukor

sugar-cane *fn* cukornád

sugar-coat *tsi* **1.** cukorbevonattal bevon **2.** *átv* megédesíti a keserű pirulát • *mn* **sugar-coated**

sugar daddy *fn US szl* ‹fiatal nőt kitartó idősebb férfi›

sugarhouse *fn US* kisebb cukorgyár

sugar-loaf *fn tsz* **-loaves** süvegcukor

sugar maple *fn növ* (amerikai édeslevelű) juharfa

sugar mill *fn* cukornádőrlő malom

sugarpea *fn mezőg* cukorborsó, zöldborsó

sugar plantation *fn* cukornádültetvény • *fn* **sugarplanter**

sugar plum *fn* cukorka, bonbon, édesség

sugar refinery *fn* cukorfinomító

sugar tongs *fn tsz* **(pair of) ~** cukorfogó

sugary [ˈʃugəri] *mn* **1. a)** cukrozott, cukros, édes **b)** túlcukrozott, túl édes **c) go ~** megkeményedik, besűrűsödik *[lekvár]*, kikristályosodik *[befőttlé]* **2.** édeskés *[hang, mosoly]*, mézesmázos *[beszéd]* • *fn* **sugariness**

suggest [səˈdʒest ‖ səgˈdʒest] *tsi* **1.** tanácsol, ajánl, indítványoz, javasol; **it has been ~ed** felmerült az az elgondolás, felvetették azt (hogy); **I shall do as you ~** megfogadom a tanácsát **2.** sugalmaz, sugall, elfogadtat **3. a)** (vm) látszatot kelt, emlékeztet (vmre), hasonlít (vmre), felidéz *[látszatot, gondolatot]*; **~ sg** vm érzik vmn; **do you ~ that I am lying?** azt akarja mondani , hogy hazudok? **b)** érzékeltet *[művész vmt]* **4.** inszinuál, sejtet, elhitet • *fn* **suggester**

suggestible [səˈdʒestəbl ‖ səg–] *mn* **1.** javasolható, ajánlható **2.** szuggerálható **3.** befolyásolható • *fn* **suggestibility**

suggestion [səˈdʒestʃn ‖ səg–] *fn* **1.** javaslat, tanács, indítvány, ajánlat; **practical ~** gyakorlati tanács; **be full of ~s** tele van ötletekkel/javaslatokkal; **make/offer a ~** javaslatot/indítványt tesz; **at the ~ of** javaslatára **2.** sugallás, sugalmazás, sugallat, elhitetés, ösztönzés **3.** *pszich* szuggesztió; **hypnotic ~** hipnotikus szuggesztió **4.** ötlet, gondolat **5.** vmre emlékeztető dolog, árnyalat, nyom

suggestive [səˈdʒestɪv ‖ səg–] *mn* **1.** sugalló, a képzeletre ható, ösztönző, stimuláló, szuggesztív **2.** eszméltető, emlékeztető **3.** sokatmondó, kétértelmű • *fn* **suggestiveness** *hsz* **suggestively**

suicidal [ˌsuːɪˈsaɪdl] *mn* **1.** öngyilkos; **~ mania** öngyilkossági mánia/őrület **2.** *átv* végzetes • *hsz* **suicidally**

suicide [ˈsuːɪsaɪd] *fn* **1.** öngyilkos **2.** öngyilkosság; **attempted ~** öngyilkossági kísérlet; **commit ~** öngyilkos lesz, öngyilkosságot követ el; *biz* **commit social ~** eljátssza társadalmi jóhírnevét

suicide attempt *fn* öngyilkossági kísérlet

suicide pact *fn* megegyezés öngyilkosság társas elkövetésére

suicide pilot *fn rep* öngyilkos pilóta, kamikaze

suicide squad *fn* öngyilkos kommandó

sui generis [ˌsuːaɪ ˈdʒenərɪs] *mn* egyedülálló, sajátságos, különös, különleges
suint [swɪnt] *fn* gyapjúzsír
suit [suːt] **I.** *fn* **1. a)** (komplett) öltöny; **~ (of clothes)** (rend) ruha, öltöny; **~ of armour** páncélruha, páncélzat **b)** kosztüm; **threepiece ~** háromrészes kosztüm, komplé **c)** sor, sorozat, széria, garnitúra; *hajó* **~ of sails** vitorlázat **2.** *ját* (kártya)szín; **long/strong ~** hosszú szín; **~ call** szín kérése *[partnertől]*; **follow ~** a kért színt hívja; *biz* utánozza, hasonlóan cselekszik; követ (vkt); vk után igazodik **3.** *jog* **a)** per; **criminal ~** büntetőper; **divorce ~** házasság felbontása iránti kereset; **be a party in a ~** peres fél; **bring/institute a ~ against sy** beperel vkt; **conduct the ~** pert visz, perben képvisel *[ügyvéd]* **b)** tanúk **4. a)** kérés, kérelem, követelés; **at the ~ of sy** vknek a kérelmére/kérésére; **press one's ~** követel vmt; sürgeti kérését **b)** *jog* kereset **5.** leánykérés **6. in ~ with sg** vmvel egyetértésben; **of a ~ with sg** vmnek megfelelő, vmhez illő **7.** *szl [üzletember]* nyakkendős pávián **II.** *tsi* **1.** illeszt, alkalmaz (vmt vmhez), alkalmazkodik (vmvel vmhez); **~ the action to the word** megtartja a szavát, beváltja a fenyegetését; **they are ~ed to each other** illenek egymáshoz **2.** alkalmas, megfelel (vknek), vmre, kielégít (vkt), kedvére van (vknek); **~ yourself** tegyen amit akar, cselekedjék saját feje/belátása szerint; **that just ~s me** ez éppen megfelel, kedvemre van/való; **that ~s my purpose exactly** ez pontosan megfelel a célomnak; **be ~ed for/to sg** alkalmas/rátermett vmre; **it ~s me fine** nekem nagyon megfelel; **it does not ~ me** nem felel meg nekem; nincs kedvemre/ínyemre **3. ~ oneself with sg** ellátja magát vmvel, kedvére van vm; **be ~ed with a situation** van állása • *mn* **suited**
suitable [ˈsuːtəbl] *mn* **1.** megfelelő, helyes; **~ expression** a megfelelő kifejezés/válasz **2.** alkalmas, hozzáillő (vmhez); **~ to the occasion** a(z) alkalomhoz/helyzethez illő; **make sg ~ for sg** alkalmassá tesz vmt vkre **3.** rátermett • *fn* **suitability**, **suitableness** *hsz* **suitably**
suitcase *fn* bőrönd, utazótáska
suite [swiːt] *fn* **1.** (dísz)kíséret, slepp *[előkelőségé]* **2.** sorozat, széria, készlet, garnitúra; **~ of furniture** bútorgarnitúra; **~ of rooms** lakosztály, apartman **3.** *zene* szvit **4.** *infor* programcsomag
suiting [ˈsuːtɪŋ] *fn* **1.** alkalmazás, illesztés **2.** *tsz* **suitings a)** ruhaszövet **b)** öltöny, ruha
suitor [ˈsuːtə ‖ ˈsuːtər] *fn* **1.** *jog* felperes, magánvádló **2. a)** kérő, komoly udvarló; *szính* **the (rejected) ~** hősszerelmes **b)** *gazd* ajánlattevő, potenciális vevő
sukiyaki [ˌsukiˈjɑːki] *fn gaszt* ‹japán zöldséges húsétel›
sulcate [ˈsʌlkeɪt] *mn tud* barázdált
sulcus [ˈsʌlkəs] *fn tsz* **sulci** [ˈsʌlsaɪ] *tud* barázda, *orv* agybarázda
sulf- [sʌlf] *US* → **sulph-**
sulfur [ˈsʌlfə ‖ –ər] *fn US* → **sulphur**
sulk [sʌlk] **I.** *fn* **1.** mogorvaság, barátságtalanság **2.** duzzogás; **be in the ~s, have/get the ~s** duzzog **II.** *tni* **1.** mogorva, morog **2. a)** duzzog, durcáskodik; *biz* **~ in one's tent** duzzogva/haragjában elvonul **b)** *átv* haragszomrádot játszik • *fn* **sulker**
sulky [ˈsʌlki] **I.** *mn* **1.** duzzogó, (sértődötten) dacos, neheztelő, rosszkedvű, mogorva, barátságtalan; **be ~ with sy** dacol vkvel; mogorva vkhez **2.** lomha, nehézkes **II.** *fn* ügetőkocsi, hajtókocsi • *fn* **sulkiness** *hsz* **sulkily**
sullage [ˈsʌlɪdʒ] *fn* **a)** szennyvíz **b)** sár, iszap, szennyvízlerakódás
sullen [ˈsʌlən] **I.** *mn* **1.** mogorva, morcos, barátságtalan, morózus *[személy]* **2.** dacos, sértődött **3.** bús, komor, sivár *[dolog]* **4.** nehézkes, lomha *[folyó]* **II.** *fn tsz* **sullens** *régi* mogorvaság, morcosság, rosszkedvűség; **have the ~s** mogorva (kedvében van), rosszkedvű • *fn* **sullenness** *hsz* **sullenly**
sulphamic [sʌlˈfæmɪk] *mn vegy* **~ acid** szulfamidsav
sulphate [ˈsʌlfeɪt] *fn fn vegy* **1.** szulfát, kénsavas só **2.** nátrium-szulfát, kénsavas nátrium; **~ of magnesia** magnézium-szulfát, keserűsó; **~ of sodium** nátrium-szulfát, glaubersó
sulphide [ˈsʌlfaɪd] *fn vegy* szulfid, (fémes v. nem fémes) kéntartalmú vegyület
sulphite [ˈsʌlfaɪt] *fn vegy* kénessavas só, szulfit
sulphur [ˈsʌlfə ‖ –ər] **I.** *fn* **1.** kén; **crude ~** nyers/tisztátalan kén; **native ~** természetes kén; **plastic ~** amorf kén, lágykén; **raw ~** nyers/tisztátalan kén; **flowers of ~** kénvirágok; **treat with ~** kénez **2.** kénkő, tűz *[pokolban]* **3.** kénsárga/zöldessárga szín **II.** *tsi* kénez • *mn* **sulphury**
sulphurate [ˈsʌlfjʊəreɪt ‖ –fjʊr–] *tsi* kénnel vegyít *[fémet]*, kénez *[gyapjút]* • *fn* **sulphuration**, **sulphurator**
sulphureous [sʌlˈfjʊərɪəs ‖ –ˈfjʊr–] *mn* **1. a)** kénes, kéntartalmú **b)** kénsárga **2. a)** kénszagú, kénes **b)** kékes *[égő kén színű]* **3.** nyomasztó, fullasztó *[meleg]*
sulphuric [sʌlˈfjʊərɪk ‖ –ˈfjʊr–] *mn vegy* kén-, kénes; **~ acid** kénsav
sulphurize [ˈsʌlfjʊəraɪz ‖ –fjʊr–], **-ise** *tsi* kénnel vegyít *[fémet]*, kénez *[gyapjút]*, vulkanizál *[gumit]* • *fn* **sulphurization**
sulphur-match *fn* kénes gyufa
sulphurous [ˈsʌlfərəs] *mn* **1.** kénes, kénszagú, kénszínű, kénköves; *vegy* **~ acid** kénessav **2.** kénköves, tüzes, pokoli **3.** *átv* izgatott, paprikás *[hangulat]*
sulphurspring *fn geol* kénes vízű forrás
sulphurwater *fn* kénes víz
sultan [ˈsʌltən] *fn* **a)** szultán, uralkodó **b)** török császár • *fn* **sultanate**
sultana [sʌlˈtɑːnə ‖ –ˈtænə] *fn* **1. a)** szultán első felesége **b)** szultán női hozzátartozója *[anyja, nővére, leánya]* **2.** *tsz* **sultanas** *gaszt* malagaszőlő/magtalan mazsola
sultry [ˈsʌltri] *mn* **1.** tikkasztó, rekkenő, perzselő, izzó **2.** fülledt, fojt(ogat)ó, fullasztó *[meleg]* **3.** *biz* **a)** heves, forró *[szenvedély]* **b)** borsos, sikamlós, pikáns *[történet]* • *fn* **sultriness** *hsz* **sultrily**
sully [ˈsʌli] *tsi* beszennyez, bepiszkít, bemocskol *[hírnevet]*, meggyaláz (vkt)
sum [sʌm] **I.** *fn* **1. a)** összeg **b)** összegezés, összeadás; **~ total** teljes összeg, végösszeg **c)** számtanpélda; **~s** számtani művelet; **the four ~s** a négy (számtani) alapművelet; **be bad at ~s** rossz számoló; **be good at ~s** jó számoló; **do a ~ in his head** fejben számol, fejszámolást végez; **set a ~** felad számtanfeladatot **2. ~ (of money)** (pénz)összeg **3.** *biz* lényeg, tartalom, összefoglalás, vmnek netovábbja; **the ~ of all my whishes** minden kívánságom; kívánságaim netovábbja; **the ~ and substance of the matter** az ügy lényege; **in ~** mindent összevetve/összefoglalva **II.** *tsi* **-mm-** összead, összegez • *mn* **summable**
sum up *tsi* **1.** összead, összegez; **~ up ten numbers** tíz számot összead **2. a)** összefoglal, summáz; **to ~ up (the matter), I will say** összefoglalásul azt mondom; **~ up all** mindent egybevetve, egyszóval **b)** *jog* **~ up (the case)** összefoglalva ismerteti az ügyet *[bíró az esküdtek számára döntésük előtt]*; **it can be ~med up in two words** ezt két szóval is meg lehet mondani **c) ~ up the situation at a glance** egy pillantással felméri a helyzetet **d)** *biz* **~ sy up** vkről véleményt alkot; megítél/elbírál vkt
sumac [ˈsuːmæk, ˈʃuː–], **sumach** *fn növ* szömörce(fa); **tanner's ~** ecetfa
Sumatra [suːˈmɑːtrə] *tul földr* Szumátra
Sumatran [suːˈmɑːtrən] *mn/fn földr* szumátrai
Sumerian [suːˈmɪərɪən ‖ –ˈmerɪən] *mn/fn földr* sumér
sumless [ˈsʌmləs] *mn* **1.** (meg)számolatlan **2.** végtelen(ül sok)
summa cum laude [ˌsʌmə kʌm ˈlɔːdi ‖ ˌsumə kum ˈlaudi] *hsz okt* kitüntetéssel, summa cum laude
summarily [ˈsʌmərɪli ‖ səˈmer–] *hsz* sommásan, röviden, kurtán; **dismiss sy ~** fegyelmi/rövid úton eltávolít vkt; **treat sy ~** kurtán elbánik vkvel

S

summarize ['sʌməraɪz], **-ise** *tsi* (röviden) összefoglal, összegez • *fn* **summarization**, **summarizer** *mn* **summarizable**
summary ['sʌməri] **I.** *fn* összefoglalás, (rövid) kivonat, foglalat, tartalmi ismertetés, áttekintés **II.** *mn* **a)** összefoglalt, rövid(re fogott), sommás; **~ account** rövid beszámoló; összefoglalás **b)** *jog* **~ court** rögtönítélő bíróság; *jog* **~ procedure/proceedings** gyorsított eljárás • *fn* **summariness**
summation [sə'meɪʃn] *fn* összegezés, összeadás • *mn* **summational**, **summative**
summation sign *fn mat* összegzési jel
summed [sʌmd] → **sum II.**
summer[1] ['sʌmə ‖ –ər] **I.** *fn* nyár; **St Austin's/Augustine's ~** nyárutó, vénasszonyok nyara *[szeptemberben]*; **Indian ~** nyárutó, vénasszonyok nyara; **St Luke's ~** nyárutó, vénasszonyok nyara *[októberben]*; **St Martin's ~** nyárutó, vénasszonyok nyara *[novemberben]*; *vál* **maiden of twenty ~s** húszéves leány; **winter and ~ alike** télen-nyáron egyaránt; **in ~** nyáron; *közm* **one swallow does not make ~** egy fecske nem csinál nyarat **II. A.** *tsi* nyáron hegyen legeltet *[állatot]* **B.** *tni* nyaral, a nyarat tölti (vhol) • *mn* **summerless**, **summery** *mn/hsz* **summerly**
summer[2] ['sʌmə ‖ –ər] *fn épít* födémgerenda, mestergerenda, tartógerenda
summerer ['sʌmərə ‖ –ər] *fn US* nyaraló(vendég)
summer house *fn* **1.** nyaraló, nyári lak **2.** lugas
summerite ['sʌmeraɪt] *fn US* nyaraló(vendég)
summer lightning *fn* távoli villámlás
Summer Olympics *fn tsz sp* nyári olimpia(i játékok)
summer pudding *fn GB gaszt* gyümölcstorta
summersault ['sʌməsɔːlt ‖ 'sʌmərsɔlt] → **somersault**
summer school *fn okt* nyári egyetem
summer solstice *fn csill* nyári napéjegyenlőség
summer time *fn* nyári időszámítás; **double ~** két órával előretolt (nyári) időszámítás
summertime *fn* nyár, nyáridő, a nyári hónapok
summertree *fn épít* födémgerenda, tartógerenda, mestergerenda
summer-weight *mn* nyári, könnyű *[ruha, ruházat]*
summing-up *fn tsz* **summings-up 1.** összegezés **2.** *jog* bizonyítás eredményeinek összefoglalása *[bíró által esküdtek részére]* **3.** felmérés, megítélés *[helyzeté]*
summit ['sʌmɪt] *fn* **1.** hegycsúcs, hegytető, orom **2.** tetőpont, tetőfok, csúcspont, maximum • *mn* **summitless**
summit meeting *fn pol* csúcstalálkozó
summon ['sʌmən] *tsi* **1. a)** behív, becitál, odahív, összehív, visszahív, odarendel **b)** *jog* beidéz, megidéz (vkt) **2. a)** felszólít, figyelmeztet; **~ sy** kéret vkt; *jog* **~ sy for debt** fizetésre szólít fel vkt **b)** *kat* megadásra szólít fel **3. ~ (up) all one's strength** összeszedi minden erejét; **~ up all one's eloquence to/for** minden ékesszólását elővesi, hogy • *fn* **summoner** *mn* **summonable**
summons ['sʌmənz] **I.** *fn tsz* **-es 1.** hívás, felszólítás; **public ~** hirdetmény, felhívás **2.** *jog* **a)** idézés *[mint okmány]*; **writ of ~** perbeidézés, perindító irat; **serve a ~ on sy** idézést kézbesít vknek; **take out a ~ against sy** megidéztet vkt **b)** megidézés **3.** *kat* **~ to surrender** felszólítás a megadásra **II.** *tsi jog* megidéz, beidéz, törvény elé idéz, beperel (vkt)
summum bonum [ˌsʌməm 'bounəm, 'sumәm –] *fn fil* a legfőbb jó
sumo ['suːmou] *fn sp* szumó(birkózás)
sump [sʌmp] *fn* **1.** *bány* aknafenék, vizes üreg, kút, tócsa *[bánya fenekén]* **2. a)** pocsolya **b)** mocsár **3.** *épít* **a)** vízgyűjtő gödör **b)** padlóösszefolyó
sumpit ['sʌmpɪt] *fn* maláj mérgezett nyíl
sumpitan ['sʌmpɪtæn] *fn* maláj fúvócső *[mérgezett nyilak számára]*
sumpter ['sʌmptə ‖ –ər] *fn régi* **1.** teherhordó állat **2.** hajcsár
sumptuary ['sʌmptʃuəri ‖ –tʃueri] *mn* fényűzést/költekezést szabályozó/korlátozó *[törvény]*
sumptuous ['sʌmptʃuəs] *mn* **1.** fényes, gazdag, fényűző, pazar, pompás **2.** költséges, drága • *fn* **sumptuosity**, **sumptuosness**
sumtotal *fn* (fő)összeg, végösszeg, végeredmény, összesen
sum-totalize, **-ise** *tsi US* röviden/sommásan összefoglal/összegez
sun [sʌn] **I.** *fn* **1. a)** nap; **the ~ is high** a nap magasan áll; **the ~ sets**, **the ~ goes down** a nap lemegy; **against the ~** jobbról balra, óramutató forgásával ellenkező irányban; **with the ~** az óramutató járásával egy irányban; *közm* **there is no new thing under the ~** nincs új a nap alatt; **an empire on which the ~ never sets** világbirodalom **b)** napfény; **from ~ to ~** napkeltétől napnyugtáig; **in the ~** a napon; **get a touch of the ~** napszúrást kap; **take the ~** napozik; **catch the ~** megkapja a nap, kissé leég; **come rain come ~** akár esik akár fúj **c)** napsugár **2.** *átv* dicsőség; *biz* **his ~ is set** neki már bealkonyult; **have one's place in the ~** helye van a nap alatt, rangja van a világban **II. -nn- A.** *tsi* kitesz a napra/napfényre; **~ oneself** napozik **B.** *tni* napozik, sütkérezik • *mn* **sunless**, **sunlike** *mn/hsz* **sunward(s)**
Sun., **Sund.** *röv Sunday* vasárnap, vas., V
sun-and-planet gear *fn gk* bolygókerék-áttétel
sun-baked *mn* **a)** napsütötte, napégette **b)** nap által kiszárított (és megrepedezett)
sun-bath *fn* napfürdő; **take a ~** napfürdőzik, napozik
sunbathe *fn* **A.** *tsi* napoztat *[gyereket]* **B.** *tni* **a)** napozik, napfürdőzik **b)** sütkérezik • *fn* **sunbather**
sunbeam *fn* napsugár; *biz* **the ~s of his countenance** arcának/tekintetének sugarai/ragyogása
sunbed *fn GB* napozó(ágy), nyugágy
sunbelt *fn földr* napsütéses terület(ek), napfényövezet *[pl. az USA déli államai]*
sun-blaze *fn* nap melege/heve
sunblind *fn GB* (nap ellen védő) vászonroló, napellenző; **outside ~** üzlet utcai vászonernyője; napellenző; előtető
sunblock *fn* fényvédő krém, napolaj, naptej
sun-bonnet *fn* ‹nap ellen védő széles karimájú vászon fejkötő›
sunbow ['sʌnbou] *fn* szivárványív *[vízesés felett]*
sunburn I. *fn orv* leégés *[bőré]* **II.** *tni* leég *[a napon]*, megperzselődik, megbarnul *[naptól]*
sunburned *mn* lesült, napégette, napbarnított
sunburnt → **sunburned**
sunburst *fn* **1.** futó napfény, rövid napsütés, felhőkön áttörő napsugár **2.** ragyogó nap alakú ékszer **3.** tűzijáték
sun-care product *fn* napozáshoz szükséges kozmetikum, fényvédő krém
sundae ['sʌndeɪ ‖ –di] *fn US gaszt* ‹fagylalt tejszínhabbal, cukrozott gyümölccsel és szirupppal›
Sunday ['sʌndeɪ, –di] **I.** *fn* **1.** vasárnap; **on ~** vasárnap; *biz* **when two ~s come in one week** sohanapján; holnapután kiskedden **2.** vasárnapi újság **II.** *hsz* **a)** vasárnap **b)** *biz* **~s** vasárnaponként
Sunday best *fn tréf* vasárnapi öltözet; **in one's ~** ünneplőben, legjobb ruhájában
Sunday driver *fn* hétvégi autós, kocavezető, mazsola
Sunday-out *fn biz* vasárnapi kimenőnap v. szabad nap *[háztartási alkalmazottté]*
Sunday painter *fn* műkedvelő festő
Sunday school *fn vall* vasárnapi iskola
sun deck *fn* **1.** sétafedélzet *[hajón]* **2.** *US* napozóterasz, napozófedélzet
sunder ['sʌndə ‖ –ər] **I.** *fn vál régi* **in ~** külön, egymástól el **II. A.** *tsi* **1.** *vál* **~ sg from sg** elválaszt/elkülönít vmt vmtől **2.** kettévág, kettétép, kettétör **B.** *tni vál* **1.** elválik *[egymástól]* **2.** eltörik, kettétörik **3.** széjjelmegy
sundew *fn növ* harmatfű
sundial *fn* napóra
sun disc *fn* napkorong; napszimbólum

sun dog *fn csill* melléknap, parhelion
sundown *fn* **a)** napnyugta, naplemente, este **b)** *US* nyugat
sundowner [ˈsʌndaʊnə ‖ –ər] *fn* **1.** *Ausz ÚjZ biz* **a)** ‹napnyugtakor lakott helyre érkező csavargó› **b)** lusta csavargó **2.** *Dél-Af* estebéd **3.** *GB szl biz [este fogyasztott ital]* altató, esti itóka
sundress *fn* nyári ujjatlan pántos ruha
sun-dried *mn* **1.** napszárította **2.** napon szárított/aszalt *[gyümölcs]*
sundry [ˈsʌndri] **I.** *mn* különböző, különféle, többfajta; ~ **expenses** különféle/vegyes kiadások **II.** *fn* **1. all and ~** kivétel nélkül mind; mindenki **2.** *tsz* **sundries a)** különböző holmik/cikkek **b)** vegyes költségek/tételek; **dealer in sundries** rövidáru-kereskedő
sunfast *mn* napálló, színtartó, nem fakuló *[szövet]*
sunfish *fn tsz* **sunfish** *áll* közönséges naphal/holdhal
sun-flooded *mn* napsugaras, napsütötte; ~ **flat** napfényes lakás
sunflower *fn növ* napraforgó
sunflower seed *fn* napraforgómag, szotyola
Sunflower State *tul földr US biz* ‹Kansas állam›
sung [sʌŋ] → **sing I.**
sunglasses *fn tsz* napszemüveg
sun-glow *fn csill* korona *[napfogyatkozáskor]*
sun-god *fn vall* napisten
sun hat *fn* **a)** széles karimájú kalap **b)** panamakalap *[férfiaké]*
sun helmet *fn* trópusi sisak
sunk [sʌŋk] *mn* **1.** elsüllyedt, elmerült, megfeneklett, besüppedt *[sír]*, mélyített *[árok]*; ~ **fence** mélyített kerítés, árok fenekén elhelyezett kerítés *[pl. állatkertekben]*; *műsz* ~ **mount** süllyesztett foglalat; ~ **road** mély út; ~ **screw** süllyesztett csavar; ~ **story** alagsor, pince(sor) **2.** *átv* elsüllyedt, elmerült; ~ **cheeks** beesett arc; ~ **eyes** besüppedt (v. mélyen ülő) szemek; ~ **in debt** tele adóssággal, fülig eladósodva; ~ **in thoughts** gondolatokba merült/mélyedt/merülve/merülten/mélyedten; *US* **he's ~** lecsúszott, tönkrement *[ember]*; → **sink I.**
sunken [ˈsʌŋkən] *mn* **1. a)** víz alatti, elmerült, elsüllyedt, alámerült **b)** besüllyedt, besüppedt, beesett; ~ **cheeks** beesett arc **2.** mélyen fekvő; ~ **road** szűk út *[sziklák/hegyek között]*; → **sink I.**
sun-kissed *mn* napos, a napban fürdő *[táj]*
sun lamp *fn* **1.** *szính film* nagy reflektor **2.** kvarclámpa, UV-lámpa
sunlight *fn* napfény, napvilág; ~ **treatment** napfénykezelés, helioterápia • *mn* **sunlit**
sun lounge *fn GB* napfényszalon *[déli fekvésű szoba nagy ablakokkal]*
sun myth *fn ir.tud* napmítosz
Sunna [ˈsʊnə, ˈsʌnə] *fn vall* a szunna *[Mohamed tettei]*
Sunni [ˈsʊni] **I.** *mn* szunnita **II.** *fn* **1.** a szunnita szekta **2.** *tsz* **Sunni**, **Sunnis** a szunna híve, szunnita
sun parlor *US* → **sun lounge**
sun porch *fn US* napozóterasz, erkély
sunproof *mn tex* színtartó, nem fakuló *[szövet]*
sunray *fn* napsugár
sunray treatment *fn orv* napfénykezelés, helioterápia
sunrise *fn* nap(fel)kelte
sunrise industry *fn* modern iparág *[pl. telekommunikáció]*
sunroof *fn gk* napfénytető
sunscreen *fn* fényvédő krém
sunseeker *fn* napimádó *[télen napos tájakra utazó]*
sunset *fn* napnyugta, naplemente, alkony; *biz* **the ~ of an empire** egy birodalom hanyatlása
sunshade *fn* **1.** napernyő **2.** *fényk* napfényellenző **3.** *gk* napellenző
sunshield *fn gk* napellenző *[lehajtható]*
sunshine *fn* **1.** napfény, napsütés, napvilág; **in the (bright/brillant) ~** (teljes) napfényben; napsütésben **2.** boldogság, vidámság, ragyogás, vidám életerő; **take a ~ view of everything** mindent rózsaszínben lát **3.** *GB biz* napsugaram!, kedvesem! *[megszólításként]* • *mn* **sunshiny**
sunshine law *fn US jog* nyilvánossági törvény
sunshine roof *fn gk* napfénytető
sunspot *fn* **1.** *csill* napfolt **2.** szeplő **3.** *biz* napsütötte üdülőhely **4.** *Ausz* napkiütés
sunstroke *fn orv* napszúrás, hőguta; **get a (touch) of ~** napszúrást kap • *mn* **sunstruck**
sunsuit *fn* napozó(ruha)
suntan I. *fn* **1.** lesülés *[naptól]*; **he has a good ~** jól le van sülve **2.** barna arcszín **II. -nn-** *tni* napozik, napfürdőzik; barnul • *mn* **suntanned**
suntan lotion → **sunscreen**
suntrap *fn GB* szélvédett napos hely
sunup *fn US* nap(fel)kelte
sun visor *fn* napellenző
sun worship *fn* napimádás • *fn* **sun-worshipper**
sunny [ˈsʌni] *mn* **1.** napos, napsütéses, napfényes; *biz* **the ~ side of the picture** a dolog jó/előnyös/kellemes oldala; **the ~ side of a valley** a völgy napos oldala; *US biz* **egg ~ side up** tükörtojás; **it is ~** süt a nap, napos az idő; **be on the ~ side of forty** közel (v. még nincs) negyven éves, még innen van a negyvenedik évén **2.** derűs, jókedvű, vidám, boldog *[természet]*, sugárzó, ragyogó *[arc]* • *fn* **sunniness** *hsz* **sunnily**
sup [sʌp] **I.** *fn* kis korty, egy csepp *[folyadék]* **II. -pp- A.** *tsi* **1. a)** hörpint, kortyolgat, kis kortyokban iszik (vmt) **b)** szürcsöl, szív, szopogat *[italt]*; ~ **sorrow** nagy szomorúság éri **c)** *skót biz* iszik *[alkoholt]* **2.** vacsorát ad (vknek), megvacsoráztat (vkt) **B.** *tni régi* vacsorázik, falatozik
sup. *röv* **1.** *superior* **2.** *superlative* **3.** *supplement*
super [ˈsuːpə ‖ –ər] **I.** *mn* **a)** legfinomabb, extra finom, extra méretű, óriási, nagyszerű, klassz **b)** túlzó; **extra ~** a lehető legjobb **II.** *fn* **1.** *biz* létszám feletti (v. felesleges) személy **2.** *biz* **a)** kisegítő alkalmazott **b)** *szính* statiszta, néma szereplő, mellékszereplő, segédszínész **3.** *biz* (kerületi) megyei rendőrfőnök **4.** *film* (nagy költséggel előállított játék)film
superable [ˈsuːpərəbl] *mn* legyőzhető, áthidalható *[nehézség]*
superabound [ˌsuːpərəˈbaʊnd] *tni* bővében van (vmnek), bővelkedik (vmben)
superabundant [ˌsuːpərəˈbʌndənt] *mn* bőséges, dús, busás, fölös, fölösleges, túláradó • *fn* **superabundance** *hsz* **superabundantly**
superadd [ˌsuːpərˈæd] *tsi* **1.** (újra) még hozzáad/hozzátesz **2.** (tetejébe feleslegesen) még ráad • *fn* **superaddition**
superannuate [ˌsuːpərˈænjueɪt] **A.** *tsi* **1.** nyugdíjaz, nyugdíjba/nyugállományba küld (vkt) **2.** *okt* elküld az iskolából **3.** *biz* kidob, kiselejtez *[használt holmit]* **B.** *tni* **1.** *jog* elévül, lejár *[megbízás]* **2. a)** eléri a nyugdíjkorhatárt **b)** kiöregszik, kiérdemesül, megvénül
superannuated [ˌsuːpərˈænjueɪtɪd] *mn* kiöregedett, kivénhedt, nyugalmazott, elévült, kiselejtezett; ~ **soldier** rokkant (katona); ~ **spinster** aggszűz
superannuation [ˌsuːpərænjʊˈeɪʃn] *fn* **a)** nyugalomba helyezés, nyugalomba vonulás **b)** kiöregedés **c)** nyugdíj **d)** nyugdíjhozzájárulás
superannuation allowance *fn* nyugdíj
superannuation fund *fn* nyugdíjalap
superannuation scheme *fn* nyugdíjrendszer
super-audible [ˌsuːpərˈɔːdəbl] *mn fiz* ultrahang-frekvenciás
superb [suːˈpɜːb ‖ –ˈpɜrb] *mn* nagyszerű, remek, fényes, pompás, felséges, fenséges • *fn* **superbness** *hsz* **superbly**
supercalender [ˌsuːpəˈkæləndə ‖ ˌsuːpərˈkæləndər] *tsi* fényesít, simít; **~ed paper** erősen simított/szatinált papír

supercargo [ˈsuːpəkɑːgoʊ ‖ –pərkɑr–] *fn hajó* teherrakomány-felügyelő hajóstiszt
supercharge [ˈsuːpətʃɑːdʒ ‖ –pərtʃɑrdʒ] *tsi* **1.** *műsz* kompresszorral feltölt **2.** *rep* nyomást szabályoz, normális nyomás alatt tart *[fülkét stb.]* **3.** *átv* túlterhel, túltölt, túltelít, túlfeszít
supercharger [ˈsuːpətʃɑːdʒə ‖ –pərtʃɑrdʒər] *fn műsz* sűrítő, kompresszor *[motoré]*
superciliary [ˌsuːpəˈsɪlɪəri ‖ ˌsuːpərˈsɪlieri] *mn orv* szemöldök-
supercilious [ˌsuːpəˈsɪlɪəs ‖ ˌsuːpər–] *mn* büszke, dölyfös, gőgös, kevély, fölényes, önhitt • *fn* **superciliousness** *hsz* **superciliously**
supercomputer [ˌsuːpəkəmˈpjuːtə ‖ ˌsuːpərkəmˈpjuːtər] *fn infor* szuperszámítógép • *fn* **supercomputing**
superconductivity [ˌsuːpəkɒndʌkˈtɪvəti ‖ –pərkɑn–] *fn el fiz* rendkívül nagy vezetőképesség, szupravezetés • *fn* **superconducting** *mn* **superconductive**
superconductor [ˌsuːpəkənˈdʌktə ‖ ˌsuːpərkənˈdʌktər] *fn el fiz* szupravezető
supercontinent [ˌsuːpəˈkɒntɪnənt ‖ –pərˈkɑn–] *fn geol* szuperkontinens, őskontinens
supercool [ˌsuːpəˈkuːl ‖ –pər–] **I.** *mn szl [nagyon jó]* tökjó, király, baró, csúcs **II. A.** *tsi fiz* túlhűt **B.** *tni fiz* túlhűl
super-duper [ˌsuːpəˈduːpə ‖ ˌsuːpərˈduːpər] *mn* **1.** *US biz* pompás, nagystílű, fenomenális, csodás, remek, nagyszerű, klassz, világi **2.** *US biz [óriási]* baromi/állati/marha nagy
superelevation [ˌsuːpərelɪˈveɪʃn] *fn* túlemelés, felmagasítás *[úton, kanyarodóban]*
supereminent [ˌsuːpərˈemɪnənt] *mn* kiemelkedő, kimagasló, egészen kiváló • *fn* **supereminence** *hsz* **supereminently**
supererogation [ˌsuːpərerəˈgeɪʃn] *fn* kötelezettség túlteljesítése, túlbuzgóság • *mn* **supererogatory**
superexcellent [ˌsuːpərˈeksl·ənt] *mn* legeslegkiválóbb, legfinomabb • *fn* **superexcellence**
superfetation [ˌsuːpəfiːˈteɪʃn ‖ –pər–] *fn* **1.** *biol* túlmegtermékenyülés **2.** *biz* fölösleges/túlságos bőség
superficial [ˌsuːpəˈfɪʃl ‖ –pər–] *mn* **1.** felületi, felszíni, felszín-; ~ **foot** négyzetláb; *GB gazd* ~ **measures** területi mértékegységek; terület(i kiterjedés); ~ **resemblance** felszínes hasonlóság; ~ **wound** felületi seb **2.** felületes, felszínes, sekélyes *[tudás]*; **have a ~ knowledge of sg** felületesen tud vmt • *fn* **superficiality** *hsz* **superficially**
superficies [ˌsuːpəˈfɪsiːz ‖ –pər–] *fn tsz* **superficies** felszín, felület
superfine [ˈsuːpəfaɪn ‖ –pər–] *mn* **1.** *gazd* legfinomabb, különlegesen/rendkívül/extra finom; ~ **distinctions** hajszálfinom megkülönböztetések **2.** kifinomultságot mímelő
superfluidity [ˌsuːpəfluːˈɪdəti ‖ –pər–] *fn fiz* szuprafolyékonyság
superfluity [ˌsuːpəˈfluːɪti ‖ ˌsuːpər–] *fn* **1.** feleslegesség, vm felesleges volta **2.** felesleges dolog/vagyon; **give of one's ~** feleslegéből ad • *fn/mn* **superfluid**
superfluous [suːˈpɜːfluəs ‖ –ˈpɜr–] *mn* fölösleges, felesleges, nélkülözhető, haszontalan, hiábavaló • *fn* **superfluousness** *hsz* **superfluously**
superglue [ˈsuːpəgluː ‖ –pər–] *fn* pillanatragasztó
supergrass [ˈsuːpəgrɑːs ‖ –pərgræs] *fn GB biz [rendőrségi informátor]* besúgó
supergroup [ˈsuːpəgruːp ‖ –pər–] *fn biz* szupercsapat *[rendkívül népszerű popzenekar]*
superheat [ˈsuːpəhiːt ‖ –pər–] **I.** *fn műsz* túlhevítés **II.** *tsi műsz* túlhevít *[gőzt]* • *fn* **superheater**
superhero [ˈsuːpəhɪəroʊ ‖ –pər–] *fn* szuperhős *[képregényben, filmen]*
superhighway [ˈsuːpəhaɪweɪ ‖ –pər–] *fn* **1.** *US* autópálya **2.** *infor* **(information)** ~ (információs) adatút
superhuman [ˌsuːpəˈhjuːmən ‖ –pər–] *mn* emberfölötti • *hsz* **superhumanly**
superimpose [ˌsuːpərɪmˈpoʊz] *tsi* **1.** egymásra helyez/illeszt, rárak, ráhelyez, tetejébe helyez; ~ **sg on sg** vmt vmre helyez **2.** *film* ráfilmez, egymásra filmez • *fn* **superimposition**
superinduce [ˌsuːpərɪnˈdjuːs ‖ –ˈduːs] *tsi* **1.** még hozzáad, ráad **2.** kifejleszt, hoz *[betegséget]*, kelt *[érzést]* **3.** föléilleszt, ráhelyez • *fn* **superinduction**
superintend [ˌsuːpərɪnˈtend] *tsi/tni* **1.** felügyel, ellenőriz **2.** irányít, intéz, igazgat • *fn* **superintendence**
superintendent [ˌsuːpərɪnˈtendənt] *fn* **1.** *GB* (fő)ellenőr, igazgató, (fő)felügyelő **2. a) naval ~** altengernagy **b)** *US* **police ~** (kerületi), megyei rendőrfőnök **c)** *US* házfelügyelő **3.** *tört* kincstárnok
superior [suːˈpɪərɪə ‖ –ˈpɪrɪər] **I.** *mn* **1.** felső(bb), felettes, magasabb (rangú), nagyobb, (leg)kiválóbb, különb (vknél); *gazd* ~ **article** elsőrendű/kiváló minőségű áru; *jog* ~ **court** fellebbviteli bíróság; ~ **officer** elöljáró parancsnok; ~ **in numbers** számbeli fölényben levő, túlerőben levő; ~ **to** magasabb/jobb *[minőségileg]*; előbbrevaló (vmnél) **2.** gőgös, dölyfös, büszke, magát nagyra tartó, fölényes **3. a)** *csill* **the ~ planets** külső bolygók **b)** *nyomd* ~ **letter** apró szemű betű **c)** *földr* **Lake S~** Felső tó *[Észak-Amerikában]* **II.** *fn* **1.** fölöttes, elöljáró, főnök; **they are our ~s** felettünk állnak; **be sy's ~ in courage** vknél nagyobb bátorsága van **2.** *vall* rendfőnök, házfőnök • *hsz* **superiorly**
superiority [suːˌpɪəriˈɒrəti ‖ səˌpɪriˈɔrəti] *fn* fölény, felsőbb(rendű)ség, felsőbbség, nagyobb/magasabbrendű/kiváló volta vmnek
superiority complex *fn* **1.** *pszich* felsőbbrendűségi komplexus **2.** *biz* arrogancia, gőg
superlative [suːˈpɜːlətɪv ‖ –ˈpɜr–] **I.** *mn* **1.** legfelső, legnagyobb, nagyszerű, felülmúlhatatlan, páratlan **2.** *nyelv* felsőfokú **II. 1.** *fn nyelv* felsőfok; **adjective in the ~** felsőfokú melléknév **2.** maga a tökély; *biz* **speak in ~s** a legnagyobb elismerés hangján beszél (vkről); túlzó kifejezéseket használ • *fn* **superlativeness** *hsz* **superlatively**
superliner [ˈsuːpəlaɪnə ‖ ˈsuːpərlaɪnər–] *fn hajó* nagy személyszállító óceánjáró
superlunary [ˌsuːpəˈluːnəri ‖ –pər–] *mn* a földön túli, nem e világból való
superman [ˈsuːpəmæn ‖ –pər–] *fn tsz* **-men 1.** *fil* felsőbbrendű ember, übermensch **2.** *biz* kivételes képességű férfi; szuperférfi, szupermen
supermarket [ˈsuːpəmɑːkɪt ‖ ˈsuːpərmɑrkɪt] *fn* **a)** ABC-áruház **b)** élelmiszer-áruház
supermodel [ˈsuːpəmɒdl ‖ ˈsuːpərmɑdl] *fn* szupermodell *[manöken]*
supermundane [ˌsuːpəmʌnˈdeɪn ‖ –pər–] *mn* földi dolgokon felül álló, földöntúli
supernaculum [suːpəˈnækjuləm ‖ ˌsuːpərˈnækjələm] **I.** *hsz* **drink ~** körömpróbáig/fenékig kiissza *[poharát]* **II.** *fn* **1.** elsőrendű/kiváló bor **2.** színültig töltött pohár
supernal [suːˈpɜːnl ‖ –ˈpɜrnl] *mn* **1.** égi, mennyei **2.** felséges, pompás, mennyei • *hsz* **supernally**
supernatant [ˌsuːpəˈneɪtənt ‖ –pər–] *mn/fn vegy* a felszínén úszó, a víz színén fennmaradó
supernatural [ˌsuːpəˈnætʃərəl ‖ –pər–] **I.** *mn* természetfölötti **II.** *fn* **the ~** a természetfölötti • *fn* **supernaturalism**, **supernaturalist**
supernormal [ˌsuːpəˈnɔːml ‖ ˌsuːpərˈnɔrml] *mn* rendkívüli, normálisnál nagyobb, normálisat meghaladó nagyságú • *fn* **supernormality**
supernova [ˌsuːpəˈnoʊvə ‖ –pər–] *fn csill* szupernova
supernumerary [ˌsuːpəˈnjuːmərəri ‖ ˌsuːpərˈnuːməreri] **I.** *mn* **1.** (lét)szám fölötti **2.** különleges, rendkívüli, átlagos mértéken felüli **II.** *fn* **1.** létszám fölötti tisztviselő **2.** *szính* statiszta, mellékszereplő, néma szereplő, segédszínész **3.** segéd, kisegítő

superordinate [ˌsu:pər'o:dɪnət] *mn* **I.** *mn* felsőbbrendű, feljebbvaló **II.** *fn* **1.** feljebbvaló **2.** ‹egy másik szó jelentését magában foglaló szó›

superphosphate [ˌsu:pə'fɒsfeɪt ‖ ˌsu:pər'fɑsfeɪt] *fn vegy* szuperfoszfát

superpose [ˌsu:pə'pouz ‖ –pər–] *tsi* egymásra rak/illeszt/halmoz, ráilleszt, ráhelyez, fölé rak • *fn* **superposition**

superpower ['su:pəpaʊə ‖ 'su:pərpaʊər] *fn pol* nagyhatalom, szuperhatalom

supersaturate [ˌsu:pə'sætʃʊreɪt ‖ ˌsu:pər'sætʃəreɪt] *tsi* túltelít

superscribe [ˌsu:pə'skraɪb ‖ –pər–] *tsi* **1. a)** felirattal/felírással ellát, ír vmre **b)** föléje ír, ráír **2. a)** felírja a nevét *[okmány elejére]* **b)** megcímez *[levelet]* • *fn* **superscription**

superscript ['su:pəskrɪpt ‖ –pər–] *fn mat* mutatószám, indexszám

supersede [ˌsu:pə'si:d ‖ –pər–] *tsi* **1. a)** helyettesít, pótol, feleslegessé tesz, kiszorít; ~ **an offical** hivatalnokot levált **b)** hatálytalanít, hatálytalanná/tárgytalanná tesz, felvált *[törvényt]* **c)** túlhalad **2.** elfoglalja vk helyét, vk helyére lép/kerül • *fn* **supersedence**, **supersession**

supersonic [ˌsu:pə'sɒnɪk ‖ ˌsu:pər'sɑnɪk] *mn fiz* hangsebesség feletti, hangsebességnél/hangénál nagyobb sebességű, szuperszonikus; *rep* ~ **aircraft** szuperszonikus (v. a hangsebességnél gyorsabb) repülőgép; ~ **speed** hangénál nagyobb sebesség; ~ **wave** ultrahang

supersonics [ˌsu:pə'sɒnɪks‖ˌsu:pər'sɑnɪks] → **ultrasonics**

superstar ['su:pəstɑ: ‖ 'su:pərstɑr] *fn* szupersztár, híresség • *fn* **superstardom**

superstate *fn pol* nagyhatalom

superstition [ˌsu:pə'stɪʃn ‖ –pər–] *fn* babona

superstitious [ˌsu:pə'stɪʃəs ‖ –pər–] *mn* **1.** babonás, bálványimádó **2.** *régi* aprólékos (pontosságú) • *fn* **superstitiousness** *hsz* **superstitiously**

superstore ['su:pəstɔ: ‖ 'su:pərstɔr] *fn* nagy szupermarket

superstratum ['su:pəstrɑ:təm ‖ 'su:pərstreɪtəm] *fn tsz* **superstrata** [–strɑ:tə ‖ –streɪtə] **1.** *geol* felső réteg **2.** *nyelv* (nyelvi) felréteg, szupersztrátum

superstructure ['su:pəstrʌktʃə ‖ 'su:pərstrʌktʃər] *fn* **1.** *épít* **a)** felépítmény, felső szerkezet **b)** hídpálya, hídmező **2.** *hajó* hajó vízszint feletti része • *mn* **superstructural**

supersubtle [ˌsu:pə'sʌtl ‖ –pər–] *mn* rendkívül finom/kifinomult/éles, túlfinomult • *fn* **supersubtlety**

supertax ['su:pətæks ‖ –pər–] *fn pénz* különadó, adópótlék, többletadó

superterrestrial [ˌsu:pətə'restrɪəl ‖ –pər–] *mn* **1.** égi, mennyei, földöntúli **2.** föld feletti, felszíni

supertonic [ˌsu:pə'tɒnɪk ‖ ˌsu:pər'tɑnɪk] *fn zene* felső tonika

super-user *fn infor* szuperfelhasználó *[jól képzett nem profi]*

supervene [ˌsu:pə'vi:n ‖ –pər–] *tni* bekövetkezik, rákövetkezik, beáll, történik, rögtön utána következik, közbejön • *fn* **supervention** *mn* **supervenient**

supervise ['su:pəvaɪz ‖ –pər–] *tsi* **1.** felügyel, szemmel tart, ellenőriz, felülvizsgál **2.** irányít, igazgat, vezet

supervision [ˌsu:pə'vɪʒn ‖ –pər–] *fn* **1.** felügyelet, ellenőrzés; **be under police** ~ rendőri felügyelet alatt áll; **keep sy under strict** ~ szigorú felügyelet alatt tart vkt **2.** irányítás, igazgatás, vezetés

supervisor ['su:pəvaɪzə ‖ 'su:pərvaɪzər] *fn* **1.** felügyelő, igazgató, ellenőr **2.** *US* (városi, járási) közigazgatási tanács tagja; **chief** ~ (városi, járási) közigazgatás elnöke **3.** *infor* felügyelőprogram • *mn* **supervisory**

superwoman ['su:pəwʊmən ‖ –pər–] *fn tsz* **-women** [–wɪmɪn] **a)** *biz* nagy darab nő **b)** rendkívüli képességű nő

supinate ['su:pɪneɪt] *tsi* kifelé fordít *[tenyeret]*, előre nyújt *[lábat]* • *fn* **supination**

supine ['su:paɪn] **I.** *mn* **1. a)** hanyatt/hátán fekvő **b)** felfordított, kifelé fordított *[tenyér]* **2.** *biz* gyenge, erőtlen, petyhüdt, közönyös, hanyag **II.** *hsz vál* hanyatt fekve **III.** *fn nyelv* szupinum *[latin nyelvben]* • *fn* **supineness** *hsz* **supinely**

supper ['sʌpə ‖ –ər] *fn* vacsora; *vall* **the Last S~** az Utolsó Vacsora; **have** ~ vacsorázik • *mn* **supperless**

supplant [sə'plɑ:nt ‖ sə'plænt] *tsi* helyéről kiszorít/kitúr, elfoglalja (vknek a) helyét, helyettesít, pótol • *fn* **supplanter**

supple ['sʌpl] **I.** *mn* **1.** hajlékony, rugalmas, elasztikus; **become** ~ hajlékonnyá/rugalmassá válik; **make sg** ~ hajlékonnyá tesz vmt **2. a)** udvarias, alkalmazkodó, tanulékony **b)** gerinctelen **II. A.** *tsi* hajlékonnyá/rugalmassá/alkalmazkodóvá tesz **B.** *tni* hajlékonnyá/rugalmassá/alkalmazkodóvá válik • *fn* **suppleness**

supplely ['sʌpl·i] → **supply²**

supplement I. *fn* ['sʌplɪmənt] **1. a)** pótlás, pótlék, kiegészítés, toldalék, toldás; *skót jog* **oath in** ~ póteskü **b)** *mat* 180°-ra kiegészítő szög **2. a)** *média* (újság)melléklet; **literary** ~ irodalmi melléklet **b)** pótkötet **c)** függelék *[könyvé]* **II.** *tsi* [–ment] pótol, kiegészít; ~ **one's income** mellékkeresetre tesz szert • *mn* **supplemental**

supplementary [ˌsʌplɪ'mentəri] *mn* **1.** kiegészítő, pótló(lagos), toldat-, pót-, mellék-, komplementer **2.** ~ **agreement** pótegyezmény; ~ **cost** utólagos költség; *film* ~ **film** kísérőfilm; ~ **income** mellékjövedelem; ~ **order** pótrendelés • *hsz* **supplementarily**

supplementation [ˌsʌplɪmen'teɪʃn] *fn* kiegészítés, (utólagos) pótlás

supple-minded *mn* simulékony, engedékeny

suppletion [sə'pli:ʃn] *fn nyelv* tőcserélés, tőváltás • *mn* **suppletive**

suppliant ['sʌplɪənt] *mn/fn* **1.** esdeklő, könyörgő **2.** folyamodó, kérvényező • *hsz* **suppliantly**

supplicate ['sʌplɪkeɪt] **A.** *tsi hiv* **1.** kér (vmt); ~ **sy for sg** kérve kér vkt vmre **2.** kérvényez (vmt) **B.** *tni* **1.** kér, könyörög, esedezik, esdekel (vkhez, vmért) **2.** folyamodik, kérvényt nyújt be • *fn* **supplication** *fn/mn* **supplicant**

supplier [sə'plaɪə ‖ –ər] *fn* **a)** szállító, ellátó, beszerző, felszerelő **b)** szállítmányozó (vállalkozó)

supply¹ [sə'plaɪ] **I. A.** *tsi* **1. a)** ~ **sy with sg** ellát/felszerel vkt vmvel **b)** ~ **sg** szállít/szolgáltat vmt **c)** adagol **d)** *biol* táplál **2. a)** helyrehoz, jóvátesz *[mulasztást]* **b)** betölt *[üres helyet]*, (ki)pótol *[hiányt]*; **~ing a deficiency/want** hézagpótló (vm); ~ **a long felt need/want** régóta érzett hiányt pótol **B.** *tni* ~ **for sy** helyettesít vkt *[állásban]* **II.** *fn* **1. a)** ellátás, beszerzés, felszerelés, szállítás **b)** szállítmány **c)** adagolás **d)** pótlás **2. a)** készlet, ellátmány, felszerelés(i cikkek); **fresh** ~ utánpótlás; **war supplies** hadianyagok; **lay/take in a** ~ **of sg** készletet halmoz fel vmből **b)** *közg* kínálat; ~ **and demand** kereslet és kínálat; **in short** ~ nehezen beszerezhető/pótolható, nem kapható *[árucikk]* **3.** *tsz* **supplies** *főleg GB jog* (parlamenti) hitel, (pénz)-ellátmány; **Bill of S~** pótköltségvetés-törvényjavaslat; **Committee of S~** költségvetési bizottság *[törvényhozó testületé]*; **cut off supplies** megszünteti a járadékot/zsebpénzt, nem gondoskodik az ellátmányról **4.** hivatal ideiglenes ellátása; **hold a post on** ~ hivatalt ideiglenesen ellát • *mn* **suppliable**

supply² [sʌ'pli] rugalmasan, hajlékonyan, engedékenyen; → **supplely**

supply cabel *fn vill* tápkábel

supply-ship *fn kat* üzemanyagszállító hajó

supply-side *mn közg* keresletoldali; ~ **economics** keresletoldali közgazdaságelmélet

support [sə'pɔ:t ‖ sə'pɔrt] **I.** *tsi* **1. a)** támogat, (alá)támaszt, megtámaszt, fenntart, (meg)tart **b)** *műsz* kibír, elbír *[terhet]* **2. a)** támogat, alátámaszt *[kérést]*, táplál *[nézetet]*, fenntart, igazol *[elméletet]*, segít, pártfogol, támogat (vkt); ~ **the motion** támogatja az indítványt *[ülésen]*; *szính film* ~ **the leading actor** alájátszik a főszereplőnek **b)** *zene* kísér

S

c) lehetővé tesz **d)** *sp* szurkol *[csapatnak]* **3.** eltart; **~ a family** családot tart el/fenn **4.** kibír, kiáll, elszenved, elvisel, eltűr **5.** fenntart *[hírnevet]* **II.** *fn* **1. a)** támogatás, segély, segítség, védelem, pártfogás; **moral ~** erkölcsi támogatás; **in ~ of** annak alátámasztására/bizonyítására/megalapozására; **speak in ~ of sy** vknek érdekében szól(al fel); **get no ~** nem támogatják; **give ~ to the proposal** támogatja a javaslatot **b)** eltartás, fenntartás; **be without means of ~** nincsenek meg az élet fenntartásához szükséges eszközei **c)** *kat* (anyagi-technikai) biztosítás; **~ line** hadtápvonal **d)** *zene* aláfestés, zenekíséret **2. a)** *átv* támasz **b)** *műsz* alátámasztás, oszlop, talp; **point of ~** alátámasztási/megtámasztási pont **3.** *zene* előzenekar, kísérőzenekar • *mn* **supportable**, **supportless** *hsz* **supportably**

support act *fn zene* **1.** mellékműsorszám **2.** előzenekar

supporter [sə'pɔːtə ‖ –'pɔrtər] *fn* **1.** *műsz* (alá)támasz(tás), tartó(szerkezet), oszlop **2.** támogató, segítő, védő, követő (vmé), vk párthíve; *sp* szurkoló **3.** *cím* pajzstartó (állat)

supporting [sə'pɔːtɪŋ ‖ –'pɔr–] *mn* **1.** támogató, alátámasztó, tám-, támasz-, gyám- *[fal]*; **~ beam** tartógerenda; **~ pillar** tartóoszlop, támasztópillér; **~ power** teherbíró képesség; **~ wall** támfal **2.** *szính film* támogató, segítő; **the ~ cast** a mellékszereplők *[sztár mellett]*, sztárral együtt játszó színészek; *film* **~ film** kísérőfilm; **~ programme** kísérőműsor; *kat* **~ weapon** támogató fegyver • *hsz* **supportingly**

support program *fn infor* segédprogram

suppose [sə'poʊz] *tsi* **1.** feltesz, feltételez, megenged; **~ yourself in my place** képzeld magad a helyembe; **I ~ so** azt hiszem, úgy vélem; **(let us) ~ that you are right** tegyük fel, hogy igazad van; **as you may ~** ahogy gondolhatod/sejtheted; *biz* **~ we change the subject** beszéljünk másról; **where he is ~d to live/stay** ahol állítólag lakik **2.** feltételez, előfeltétel gyanánt megkíván, posztulál **3.** képzel, hisz, sejt, gyanít; **will you go?** – **I ~ so** elmész? – valószínűleg; **he is ~d to be wealthy** gazdagnak hiszik, állítólag gazdag **4. he is ~d to do it** az ő feladata/dolga/kötelessége elvégezni/megtenni, neki kellene megtennie; **he is not ~d to do it** nem feladata/dolga elvégezni/megtenni; nem szabadna megtennie de; **he is ~d to be** feltételezik/mondják róla, hogy; állítólag ő ...; (vmnek) tartják; elvárják tőle, hogy; **I am not ~d to do it** ezt nem szabadna/kellene tennem; ezt nem vagyok köteles (meg)tenni/(el)végezni; **I am not ~d to know** nem volna szabad tudnom; nem vagyok köteles tudni; **supposing that** tegyük fel, hogy; feltéve, hogy; feltételezésünk szerint legyen • *mn* **supposable**

supposed [sə'poʊzd] *mn* feltételezett, állítólagos, látszólagos

supposedly [sə'poʊzɪdli] *hsz* állítólag, feltételezhetően, feltételezhetőleg, feltehetően

supposition [ˌsʌpə'zɪʃn] *fn* feltevés, feltételezés, sejtés; **on ~** abban a feltevésben, feltételezve; **on the ~ that** feltéve hogy • *mn* **suppositional**

supposititious [səˌpɒzɪ'tɪʃəs ‖ –'pɑ–] *mn* hamis, ál- • *fn* **supposititiousness** *hsz* **supposititiously**

suppositive [sə'pɒzətɪv ‖ –'pɑzətɪv] *mn* **1.** feltételezett, megengedett, (el)képzelt **2.** *nyelv* feltételes *[mondat]*

suppository [sə'pɒzɪtəri ‖ –'pɑzɪtɔri] *fn* **1.** *orv* végbélkúp **2.** *orv* (fogamzásgátló) hüvelykúp/labdacs

suppress [sə'pres] *tsi* **1. a)** lever, elnyom, elfojt *[lázadást]* **b)** betilt, kitilt, elkoboz *[újságot]*, megtilt *[közlést, közzétételt]* **c)** eltitkol, elhallgat (vmt) **2.** elfojt, elnyom *[tüsszentést, ásítást]*, elkendőz, eltussol *[visszaélést]*, megállít *[vérfolyást]*, elnyom, visszafojt *[érzést]*, elhallgattat *[lelkiismeretet]* **3.** elrejt (vmt) • *fn* **suppressor** *mn* **suppressible**, **suppressive**

suppression [sə'preʃn] *fn* **1.** elnyomás, elfojtás *[lázadásé]*, betiltás, elkobzás *[könyvé]* **2. a)** elkenés, eltussolás *[botrányé]*, visszafojtás *[érzelmeké]* **b)** *orv* megszüntetés *[izzadásé]*, visszatartás *[vizeleté]* **3.** elhallgatás, eltitkolás *[tényé, körülményé]* **4.** *távk* elnyomás, kiszűrés

suppurate ['sʌpjʊreɪt] *tni orv* gennyesedik, gennyed • *fn* **suppuration** *mn* **suppurative**

supra- ['suːprə] *előtag* fölötti, felfelé, fel-

supraliminal [ˌsuːprə'lɪmɪnəl] *mn pszich* tudatküszöb fölötti • *hsz* **supraliminally**

supramolecular [ˌsuːprəmə'lekjʊlə ‖ –jələr] *mn vegy* molekuláris szinten felüli

supramundane [ˌsuːprəmʌn'deɪn] *mn fil* túlvilági, földöntúli

supranational [ˌsuːprə'næʃnəl] *mn* nemzetek feletti, nemzetek fölött álló • *fn* **supranationalism**

suprarenal [ˌsuːprə'riːnl] **I.** *mn orv* **~ gland** mellékvese **II.** *fn tsz* **suprarenals** mellékvesék

suprasegmental [ˌsuːprəseg'mentl] *mn nyelv* szupraszegmentális

suprasensible [ˌsuːprə'sensɪbl] *mn fil* érzékfölötti, érzékeket meghaladó

supremacist [sə'preməsɪst] **I.** *mn* felsőbbrendűséget hirdető **II.** *fn* rasszista; **white ~** neonáci; szexista; **male ~** hímsoviniszta • *fn* **supremacism**

supremacy [sə'preməsi] *fn* felsőbbség, főhatalom, fölény; *GB vall* **regal/royal ~** ‹angol uralkodó főhatalma anglikán egyházi ügyekben›

supreme [sʊ'priːm] *mn* **1.** legfelső(bb), legfőbb, legfontosabb; *jog* **~ court (of judicature)** legfelsőbb bíróság **2.** páratlan, végső, döntő; **~ sacrifice** az élet feláldozása; *vál* **the ~ hour** az utolsó óra, a halál órája; *biz* **hold sy in ~ contempt** nagyon/mélységesen megvet vkt, le se köp vkt *biz* **3.** mindenek fölött való, *átv* legmagasabb; **~ folly** a lehető legnagyobb bolondság; **~ among poets** a legkiválóbb költő • *fn* **supremeness** *hsz* **supremely**

supremo [sʊ'priːməʊ] *fn GB* vezér, főnök

Supt *röv Superintendent*

sur- [sɜː ‖ sɜr] *előtag* fölötti, felül, túl; **surcharge** pótdíj; túlterhelés; **surplus** többlet; fölösleg; túlkínálat

sura ['sʊərə ‖ 'sʊrə] → **surah**[1]

surah[1] ['sʊərə ‖ 'sʊrə] *fn vall* szura *[fejezet a Koránban]*

surah[2] ['sʊərə ‖ 'sʊrə] *fn tex* ‹finom indiai selyemanyag›

sural ['sjʊərəl ‖ 'sʊrəl] *mn orv* lábikra-

surbase ['sɜːbeɪs ‖ 'sɜr–] *fn* **1.** párkány(zat) **2.** talapzat

surcease [sɜː'siːs ‖ sɜr–] **I.** *fn vál* **1.** enyhülés **2.** vég(eltérés), befejezés; **his ~** életének kioltása **II. A.** *tsi régi* véget vet, befejez (vmt) **B.** *tni régi* véget ér, befejez

surcharge ['sɜːtʃɑːdʒ ‖ 'sɜrtʃɑrdʒ] **I.** *fn* **1.** túlterhelés **2. a)** különadó, pótadó **b)** pótdíj, pótilleték **c)** *gazd* túlzott ár **3.** felülnyomás *[postabélyegen]* **II.** *tsi* **1. a)** túlterhel **b)** túltölt **2. a)** pótadóval/pótilletékkel sújt, pótdíjat szed/fizettet **b)** túlfizettet **3.** *jog* **a)** hiányt (v. meg nem engedett kiadást) alkalmazottra hárít **b)** nem hagy jóvá *[kiadást]* **4.** felülnyom *[bélyeget]*

surcingle ['sɜːsɪŋgl ‖ 'sɜr–] *fn* felső heveder *[ló derekán]*

surcoat ['sɜːkoʊt ‖ 'sɜr–] *fn* **a)** *régi* rövid felsőkabát **b)** *tört* páncél fölött viselt köpeny

surculose ['sɜːkjʊloʊs ‖ 'sɜrkjə–] *mn növ* sarjadzó

surd [sɜːd ‖ sɜrd] **I.** *mn* **1.** *mat* irracionális **2.** *nyelv* zöngétlen **II.** *fn* **1.** *mat* irracionális szám **2.** *nyelv* zöngétlen mássalhangzó

sure [ʃɔː ‖ ʃʊr] **I.** *mn* **1.** bizonyos, biztos; **be ~ of sg** bizonyos vm felől, biztos vmben; **be dead ~ of sg** holtbiztos, halálbiztos vmben; **I am ~ of it** meg vagyok róla győződve; **I am not so ~ of that** ebben nem vagyok annyira biztos; **be ~ of oneself** magabiztos; **be ~ of one's income** biztos jövedelme van; **be ~ to** bizonyosan/feltétlenül megtesz vmt; **I'm ~ I don't know** igazán nem tudom; **make sy ~ of sg** biztosít vkt vmről; **don't be too ~!** ne légy túl biztos a dologban! **2.** biztos, csalhatatlan, megbízható; *biz* **~ card** biztos sikerrel járó terv/elgondolás; **a ~ shot** biztos kezű lövész/céllövő **3.** kétségtelen, bizonyos; *biz* **~ thing** *US* persze!, biztosan!, holtbiztosan!, hogyne!; **tomorrow for ~** holnap egészen biztosan; **so much is ~** de annyi bizonyos; **to be ~** meg kell hagyni; **for ~** egész biztos(an), kétségtelenül; **I don't know for ~** nem tudom biztosan; **that's (one thing) for ~** az egyszer bizonyos (hogy) **4. it is ~ to be fine** egészen biztosan jó idő lesz; **be ~ to come early** feltétlenül korán jöjjön; **be ~ not to loose it** vigyázzon nehogy elveszítse; **yes, to be ~!** biztosan!, persze!, de igen!, bizony!, hogyne!, természetesen!, minden bizonnyal!, kétségtelenül! **II.** *hsz* **1.** *US* igazán, tényleg, biztosan, feltétlenül, minden bizonnyal, hogyne, persze, magától értetődően; **~ enough** egészen biztosan, bizonyára; *US* **~ enough?** igazán? biztosan?; *US* **~ enough!** hogyne!; **~ enough he was there** (és) persze ott is volt **2. as ~ as death/fate** (v. **a gun**), **as ~ as eggs is eggs** holtbiztosan, méreget vehetsz rá

sure-fire *mn US biz* biztos hatású/sikerű, holtbiztos, csalhatatlan

sure-footed *mn* **1.** biztos lépésű/járású, nem botló; **be ~** nem botlik **2.** megbízható, céltudatosan haladó • *fn* **sure-footedness** *hsz* **sure-footedly**

surely ['ʃɔːli || 'ʃʊrli] *hsz* **1.** biztosan, bizonyára, hogyne; **slowly but ~** lassan de biztosan **2. a)** bizonyosan, valóban, igazán **b)** *biz* **~ you don't believe that!** csak nem hiszi ezt el!?; **~ to goodness!** igazán!, isten bizony!; **~ we have met before** ugye már találkoztunk (v. ismerjük egymást)?; **I know something about it ~!** én azután tudok erről valamit! **3.** kétségtelenül, minden kétségen kívül/felül

sure-sighted *mn* éles látású, éles szemű, jó szemű, biztos látású/szemű

surety ['ʃɔːrəti || 'ʃʊrəti] *fn* **1. a)** *jog* kezes, jótálló; **~ for a ~** másodkezes; **go/stand ~ for sy** kezeskedik/jótáll vkért, kezességet vállal vkért **b)** biztosíték, kezesség, jótállás, garancia **2.** *régi* bizonyosság, biztonság, biztosság; **of a ~** biztosan

surf [sɜːf || sɜrf] *fn* **I. a)** (tengeri) hullámtörés **b)** ‹parton megtörő hullám tajtékja› **II.** *tni* **1.** szörfözik, hullámlovagol **2.** *szl* vonat tetején utazik • *fn* **surfer**, **surfing** *mn* **surfy**

surface ['sɜːfɪs || 'sɜr–] **I.** *fn* **1. a)** felszín, felület, *bány* külszín; **break ~** felszínre kerül; felbukkan víz alól *[tengeralattjáró]*; **~ of the earth** a föld felszíne **b)** vízfelület, víz tükre **c)** *mat* **~ of revolution** forgási felület/sík **2.** *biz* a külső, külszín, felület, látszat; **on the ~** látszatra, látszólag; külsőre; **come to the ~** felbukkan; **come and go on ~** felszínen mozgó **II. A.** *tsi* (le)simít, csiszol (vmt) **B.** *tni* **1.** *hajó* felszínre emelkedik/jön, felbukkan, felmerül *[tengeralattjáró]* **2.** *átv* felbukkan, ismertté/láthatóvá válik **3.** *biz* magához tér, felébred • *mn* **surfaced**

surface-active *mn vegy* felületaktív, kapilláraktív

surface friction *fn fiz* felületi súrlódás

surface mail *fn* vonattal/hajóval szállított posta

surface resistance *fn vill* felületi ellenállás

surface tension *fn fiz* felületi feszültség

surface-to-air *mn kat* **~ missile** „föld-levegő" rakéta(lövedék) *[földről légi cél ellen]*

surface-to-surface *mn kat* **~ missile** „föld-föld" rakéta

surf-beaten *mn* hullámverte

surfboard *fn sp* szörfdeszka

surfboat *fn* könnyű (hawaii) csónak

surfbreaker *fn* hullámtörő *[gát, kő]*

surfeit ['sɜːfɪt || 'sɜr–] **I.** *fn* **1. a)** túlságos bőség/gazdagság **b)** túlterhelés **c)** jóllakás, jóllakottság **2. a)** csömör, undor(odás), megundorodás; **eat sg to (a) ~** megcsömörlik vmtől; **have a ~ of sg** megcsömörlik/undorodik vmtől *[annyit evett belőle]* **b)** émelygés **II. A.** *tsi* töm, jóllakat (vkt), elhalmoz (vmvel); **~ oneself with sg** telezabálja/tömi magát vmvel **B.** *tni* megcsömörlik (vmtől)

surfie ['sɜːfi || 'sɜrfi] *fn Ausz* szenvedélyes szörfös, szörfrajongó, szörfmániás

surf-riding *fn sp* hullámlovaglás, szörfözés

surg. *röv* **1.** *surgeon* **2.** *surgery*

surge [sɜːdʒ || sɜrdʒ] **I.** *fn* **1. a)** erős hullámzás *[tengeré, tömegé]* **b)** *tsz* **surges** hullámtörés, hullámverés **2.** *el* impulzustúllövés, tranziens **3.** *átv* roham, fellobbanás, feltámadás, megerősödés **II. A.** *tsi hajó* utána enged, megereszt, kienged *[kötelet]* **B.** *tni* **1.** felemelkedik a hullámon *[hajó]* **2. a)** hullámzik, hullámossá válik, (hevesen) árad *[tenger]* **b)** (ki)özönlik, kiáramlik *[tömeg]*; **the crowd ~d back** a tömeg visszaözönlött **c)** nekilódul **3.** *műsz* **the engine ~s** a motor szabálytalanul fut

surge chamber *fn műsz* kiegyenlítőkamra

surgeon ['sɜːdʒən || 'sɜr–] *fn* **1.** *orv* sebész; *US* **aural ~** fülész; **dental ~** szájsebész; **orthopedic ~** ortopéd (szak)orvos; **~'s gloves** műtőkesztyű **2.** *kat* **a)** katonaorvos, törzsorvos; **assistant ~** segédorvos, alorvos **b)** hajóorvos

surgeon-dentist *fn* szájsebész

surgeon-fish *fn tsz* **-fish**, **-fishes** *áll* tengeri felcser(hal)

Surgeon General *fn* **1.** *US* ‹az amerikai hadsereg egészségügyi alakulatainak főparancsnoka› **2.** ‹szövetségi közegészségügyi szolgálat vezetője›

surgery ['sɜːdʒəri || 'sɜr–] *fn orv* **1. a)** sebészet; **optical ~** szemsebészet; **orthopedic ~** ortopédia **b)** műtéti beavatkozás, operáció **c)** műtő **2. a) (doctor's) ~** orvosi rendelő **b)** rendelés **c)** *GB* iroda, fogadóhelyiség *[ügyvédé, képviselőé]* **d)** ügyfélfogadás

surgical ['sɜːdʒɪkl || 'sɜr–] *mn* **1.** sebész(et)i, műtéti; **~ action** műtéti beavatkozás; **~ boot** ortopéd cipő; **~ bag** elsősegély-doboz, mentőláda; **~ case** műtéti eset; sebészi műszertáska; **~ department/division** sebészeti osztály, sebészet; **~ instruments** orvosi műszerek; **~ intervention** műtéti beavatkozás; **~ needle** sebvarrótű; **~ removal** műtéti eltávolítás **2.** *kat* gyors, pontos *[hadművelet, beavatkozás]* • *hsz* **surgically**

suricate ['sʊərɪkeɪt || 'sʊr–] *fn áll* négyujjú manguszta

Suriname [ˌsʊərɪ'næm || ˌsʊrə'nɑm] *tul földr* Suriname

Surinamese [ˌsʊərɪnə'miːz || ˌsʊr–] *mn* suriname-i

surly ['sɜːli || 'sɜrli] *mn* **1.** udvariatlan, goromba, nyers, bárdolatlan **2.** mogorva, barátságtalan, komor, veszekedős • *fn* **surliness** *hsz* **surlily**

surmise [sə'maɪz, 'sɜːmaɪz || sər–, 'sɜr–] **I.** *fn* **a)** feltevés, feltételezés, vélemény, gondolkodás **b)** gyanú **II.** *tsi* feltesz, feltételez, vél(ekedik), gyanít, sejt; **I ~d as much** így sejtettem, ezt gyanítottam

surmount [sə'maʊnt || sər–] *tsi* **1. a)** vm felett van/emelkedik, tetőz, koronáz **b)** *átv* uralkodik vmn, ural (vmt) **c)** vm fölé odaerősít **2.** felülkerekedik, erőt vesz (vmn), legyőz, leküzd *[nehézséget]*, felülmúl (vmt) • *mn* **surmountable**

surname ['sɜːneɪm || 'sɜr–] **I.** *fn* **1.** vezetéknév, családnév **2.** *régi* (második) keresztnév, ragadványnév **II.** *tsi* **1.** vezetéknevet ad (vknek) **2.** becenevet/ragadványnevet ad (vknek) **3.** *biz* vezetéknevén szólít (vkt) • *mn* **surnamed**

surpass [sə'pɑːs || sər'pæs] *tsi* **1.** felülmúl, meghalad, megelőz (vkt), túltesz, túlszárnyal; **~ oneself** felülmúlja önmagát **2.** meghalad, túlhalad (vmt) • *mn* **surpassable**

surpassing [sə'pɑːsɪŋ || sər'pæsɪŋ] *mn* **1.** vmt felülmúló/meghaladó **2.** kimagasló, kiváló, páratlan, összehasonlíthatatlan, párját ritkító • *hsz* **surpassingly**

surplice ['sɜːplɪs || 'sɜr–] *fn vall* karing, miseing • *mn* **surpliced**

surplus ['sɜːpləs || 'sɜrplʌs] **I.** *fn* **a)** többlet, fölösleg; **budget ~** költségvetési felesleg; *közg* **consumer's ~** fogyasztói többlet **b)** maradvány **II.** *mn* **1.** létszám fölötti, felesleges; **~ copies** tartalékpéldányok *[könyvből]*; *pénz* **~ dividend** többletosztalék, rendkívüli osztalék; *közg* **~ goods** termékek túlkínálata; **~ population** születési többlet **2. ~ product** többlettermék; **~ time** többletmunkaidő; **~ value** értéktöbblet

surplus-fund *fn pénz* tartalékalap

surprise [sə'praɪz || sər–] **I.** *fn* **1. a)** meglepetés, meglepődés, váratlan dolog; **what a ~!** micsoda meglepetés! **b)** meglepetés, rajtaütés, tettenérés; **have a ~ up one's sleeve** meglepetést tartogat (vk számára); **take by ~** rajtaütéssel elfog (vkt); rajtaütéssel elfoglal (vmt); meglep (vkt); **take sy by ~** meglep vkt, rajtaüt vkn **2. give sy a ~** meglep vkt (vmvel); **~ packet** zsákbamacska *[ajándékcsomag]* **3.** elképedés, megdöbbenés, ámulat, zavar; **in ~** meglepődve, meglepve; **much to my ~**, **to my great ~**

legnagyobb ámulatomra, nagy meglepetésemre **II.** *tsi* **1. a)** meglep (vkt) **b) be ~d at sg** csodálkozik vmn, meglepi/megdöbbenti vm; **I am ~d to see you** meglep hogy látom; **I shouldn't be ~d if** nem lepne meg ha **c)** meghökkent; **I am ~d at you!** csodálkozom rajtad!; megdöbbentesz! **2. a)** rajtaüt *[ellenségen]* **b) ~ sy in the act** rajtakap vkt, tetten ér vkt • *fn* **surpriser**

surprise attack *fn* meglepetésszerű támadás

surprise party *fn* **1.** *kat* rajtaütést végrehajtó csapat **2.** meglepetésparti

surprising [sə'praɪzɪŋ ‖ sər–] *mn* **1. a)** meglepő **b)** bámulatos **2.** váratlan • *fn* **surprisingness** *hsz* **surprisingly**

surreal [sə'rɪəl] *mn* **1.** szürreális; szürrealista **2.** különös, bizarr, furcsa • *fn* **surreality** *hsz* **surreally**

surrealism [sə'rɪəlɪzm] *fn műv* szürrealizmus • *fn/mn* **surrealist** *mn* **surrealistic**

surrender [sə'rendə ‖ –ər] **I. A.** *tsi* **1. a)** megad, felad *[erődöt]*; *kat* **~ unconditionally** feltétel nélkül megadja magát **b)** átad, kiad (vmt); **~ sg (to sy)** (kényszerből) kiszolgáltat (vknek vmt); *biz* **~ the breath** kileheli lelkét, meghal **c) ~ oneself** megadja magát; **~ oneself to** átadja magát vmnek, vmnek a hatása alá kerül **2.** *jog* **a)** lemond *[jogról, vagyonról]*, elhagy *[vagyontárgyat]*; *biz* **~ all hope of sg** lemond minden reményről **b)** ‹fizetésképtelenséget/csődöt jelent be és átadja vagyontárgyait és követeléseit› **B.** *tni* megadja magát; **~ at discretion** kénye-kedvére megadja magát; **~ on terms** bizonyos feltételek mellett megadja magát; **~ (oneself) to justice** az igazságszolgáltatás kezébe adja magát **II.** *fn* **1. a)** *kat* feladás, megadás *[erődítményé]* **b)** átadás, kiadás *[foglyoké]*, kiszolgáltatás, kiadás *[menekülteké]* **c)** önmaga megadása, maga átadása *[vmlyen létformának]*; **no ~!** nem adjuk meg magunkat! **d)** abbahagyás **2.** elhagyás *[javaké]*, lemondás *[javakról, trónról]*, teljes elhagyás/átengedés; *jog* **compulsory ~** kisajátítás *[birtoké]*; *biz* **make a ~ of principles** lemond elveiről, feladja elveit

surrender value *fn pénz* visszavásárlási érték *[biztosításé]*

surreptitious [ˌsʌrəp'tɪʃəs ‖ ˌsɜrəp–] *mn* **a)** meg nem engedett, titkos, rejtett, lopva tett **b)** hamis, ál, kalózkiadású *[könyv]*; **~ edition** kalózkiadás *[könyvé]* • *fn* **surreptitiousness** *hsz* **surreptitiously**

Surrey ['sʌri ‖ 'sɜri] **I.** *tul földr* Surrey **II.** *fn tsz* **s~** *US* fedeles bricska, nyitott oldalú fedett tetejű hintó/kocsi

surrogate I. *fn* ['sʌrəgət] **1. a)** helyettes **b)** *US* hagyatéki bíró; **~ court** hagyatéki bírósági **2.** pótanyag, pótszer, pótló, pótlék **II.** *tsi* [–geɪt] helyettesként alkalmaz, utódként megjelöl • *fn* **surrogacy, surrogateship**

surrogate mother *fn* **1.** pótanya **2.** béranya *[más gyermekét kihordó]*

surround [sə'raund] **I.** *tsi* **1.** körülvesz, körülfog; **~ed by/with friends** barátaitól körülvéve, barátai környezetében **2.** *kat* bekerít, körülzár **II.** *fn* (be)kerítés, bekeretezés, *GB* szegély, szél, perem, szőnyegkeretezés

surrounding [sə'raundɪŋ] *mn* körülvevő, körülfogó, körülzáró

surroundings [sə'raundɪŋz] *fn tsz* **1.** környezet **2.** környék, vidék

surroundsound *fn távk* térbeli hangzás, kvadrofónia

surtax ['sɜ:tæks ‖ 'sɜr–] *fn* különadó, pótadó, pótilleték, pótdíj

surtitle [sɜ:'taɪtl ‖ sɜr–] *fn* felirat *[operában a színpad fölött]*

surtout ['sɜ:tu: ‖ sɜr'tu:] *fn régi* köpeny, felöltő

surveillance [sɜ:'veɪləns ‖ sər–] *fn jog* felügyelet, (rendőri) őrizet; **be under ~** (rendőri) felügyelet alatt áll

surveillance satellite *fn kat* felderítő műhold, kémműhold

survey I. *tsi* [sə'veɪ ‖ sər–] **1. a)** megnéz, megtekint (vmt), áttekint, szemrevételez (vmt) **b)** megvizsgál, (át)tanulmányoz **2.** tervrajzot készít *[városról]*, felmér, felvesz (vmt) *[mérnök]* **3.** megszemlél, (helyszíni) szemlét tart, ellenőriz **II.** *fn* ['sɜ:veɪ ‖ 'sɜr–] **1. a)** áttekintés, megtekintés, átnézés **b)** (át)tanulmányozás, megvizsgálás, vizsgálat; **make/take a ~ of sg** végignéz vmt, végigpillant vmn; szemrevételez vmt; áttekint/áttanulmányoz vmt; felveszi/megállapítja vmnek az adatait; feltérképez vmt **2. a)** *épít* terv *[területé, épületé]*; **effect/make a ~** tervrajzot készít **b)** földmérés; **national ~** országos földmérés; **~ of area** terepfelvétel; **~ of fall** szintezés, lejtmérés **3.** *kat* térképezés; (helyszíni) szemle, (meg)látogatás **4.** kikérdezés, közvéleménykutatás

survey course *fn okt* áttekintő/összefoglaló (egyetemi) kurzus/előadássorozat

surveying [sə'veɪɪŋ ‖ sər–] *fn* **1.** *épít* tervrajzfelvétel, felmérés, földmérés, terepfelvétel, geodézia; **naval ~** hidrográfia **2.** szemle, látogatás, ellenőrzés, felügyelet

surveyor [sə'veɪə ‖ sər'veɪər] *fn* **1.** földmérő, térképész, geodéta; **~'s rod** kitűzőrúd; **~'s table** mérőasztal **2. a)** ellenőr, felügyelő, ellenőrző mérnök; **~ of taxes** adóellenőr; *gazd* **~'s report** minőségi igazolás **b)** *US* vámtisztviselő **3.** közvéleménykutató

survival [sə'vaɪvl ‖ sər–] *fn* **1.** továbbélés, túlélés, életben maradás; *biol* **the ~ of the fittest** a legerősebbek/legalkalmasabbak fennmaradása **2.** csökevény, maradvány

survival kit *fn* túlélőcsomag, túlélési felszerelés

survive [sə'vaɪv ‖ sər–] **A.** *tsi* **1.** túlél (vkt) **2.** kihever (vmt); **~ an injury** életben marad egy sebesülés után **B.** *tni* életben marad, tovább él, megmarad, fennmarad • *mn* **survivable**

survivor [sə'vaɪvə ‖ sər'vaɪvər] *fn* túlélő, életben maradó/maradt, hátramaradt *[birtok hozzátartozó halála után]*

Susan ['su:zn] *tul* Zsuzsanna, Zsuzsa

Susanna [su:'zænə], **Susannah** *tul* Zsuzsanna

Susanne [su:'zæn] → **Susanna**

susceptibility [səˌseptə'bɪləti] *fn* **1. a)** fogékonyság vmre, érzékenység, hajlamosság, hajlam; **~ to a disease** hajlam egy betegségre **b) ~ to hypnotic influences** szuggerálhatóság **2.** *tsz* **susceptibilities** érzékenység, sértődékenység; **to avoid wounding any susceptibilities** minden sértődés elkerülése végett

susceptible [sə'septəbl] *mn* **1. a)** fogékony, érzékeny, hajlama van *[betegségre]*; **~ to a disease** hajlamos valamilyen betegségre **b)** érzékeny, sértődékeny **2.** képes, alkalmas, vmt lehetővé tevő; **~ of proof** bizonyítható • *hsz* **susceptibly**

susceptive [sə'septɪv] *mn* **1.** felfogó *[képesség]* **2.** hajlamos *[betegségre]* **3.** érzékeny, fogékony

sushi ['su:ʃi] *fn gaszt* ‹japán halétel›

Susie ['su:zi] *tul* ‹*Susan* és *Susanna*(h) becéző alakja›

suspect I. *tsi* [sə'spekt] **1. a)** gyanúsít; **~ sy of a crime** bűncselekmény elkövetésével gyanúsít vkt; **begin to ~ sy** gyanút fog vk ellen; **be ~ed (of sg)** gyanúsítják (vmvel) **b) ~ the authenticity of a work** kétségbe vonja egy mű eredetiségét **2.** gyanít, képzel, sejt, gyanakszik; **I ~ed as much** ezt sejtettem is; **I never ~ed it for a moment** egy pillanatig sem gondoltam azt **II.** *fn* ['sʌspekt] **1.** gyanúsított **2.** gyanús személy **III.** *mn* ['sʌspekt] gyanús

suspend [sə'spend] **A.** *tsi* **1.** felakaszt **2.** felfüggeszt *[tisztviselőt]*; *gk* **~ a licence** bevon gépjárművezetői jogosítványt/engedélyt **3.** félbeszakít, felfüggeszt, elhalaszt *[ülést, tárgyalást]*; *jog* **~ judgment** elhalasztja az ítélethozatalt; felfüggeszti az ítélet végrehajtását; *gazd* **~ payment** fizetést beszüntet; **~ proceedings** felfüggeszti az eljárást; **~ the traffic** leállítja a forgalmat **B.** *tni* **1.** *gazd* beszünteti fizetéseit, fizetésképtelenséget jelent be **2.** átmenetileg felad/beszüntet tevékenységet • *mn* **suspensible**

suspended [sə'spendɪd] *mn* **1.** függő, lógó, felaggatott, lebegő; *vasút* **~ car** függőkocsi *[függővasúté]* **2.** elakadt, szünetelő, felfüggesztett; **~ animation** öntudatlanság; tetszhalál; **in a state of ~ animation** tetszhalott; ájult

suspender [sə'spendə ‖ –ər] *fn* **1.** *műsz* függesztővas, függesztőszerkezet **2.** *tsz* **suspenders a)** *GB* **(stocking) ~s** harisnyatartó, harisnyakötő; zoknitartó **b)** *US* **(pair of) ~s** nadrágtartó

suspense [sə'spens] *fn* **1. a)** bizonytalanság, kétség, izgatott várakozás; **anxious ~** aggodalmas várakozás; feszült lelkiállapot; **hold/keep sy in ~** bizonytalanságban tart vkt **b)** felfüggesztés; *gazd* **bills in ~** bajba jutott váltók; **the question remains in ~** a kérdés függőben marad **2.** *jog* halasztás *[ítélethozatalé]* **3.** félbeszakítás, megszakítás • *mn* **suspenseful**

suspense account *fn gazd* függő számla

suspension [sə'spenʃn] *fn* **1. a)** felakasztás, felfüggesztés, függesztőszerkezet, *gk* felfüggesztés(i mód/rendszer) **b)** lógás, függés; *vasút* **~ rail** függősín **2. a)** leállítás *[forgalomé]*; **~ of arms/hostilities** fegyverszünet, tűzszünet, ellenségeskedések beszüntetése; **to the ~ of all other business** minden mást abbahagyva/félretéve **b)** *gazd* a fizetések beszüntetése **c)** *zene* késleltetés **3.** felfüggesztés *[tisztviselőé]*, betiltás *[újságé]*; **~ of licence** engedély ideiglenes bevonása

suspension bridge *fn* függőhíd, lánchíd

suspension railway *fn* függővasút

suspensive [sə'spensɪv] *mn* **1.** bizonytalan, habozó **2. a)** bizonytalanságban tartó **b)** felfüggesztő, halasztó *[hatály]* • *fn* **suspensiveness** *hsz* **suspensively**

suspensory [sə'spensəri] *mn* **1.** *orv* **a)** (fel)függesztő **b) ~ bandage** függesztőkötés **2.** felfüggesztő/halasztó hatályú

suspicion [sə'spɪʃn] *fn* **1.** gyanú; **my ~ is that** az a gyanúm hogy; **not the ghost/shadow of a ~** a gyanúnak (még) az árnyéka sem; **liable to ~** gyanús; **arouse ~** gyanút kelt/ébreszt; *jog* **arrest/detain sy on ~** (alapos) gyanú alapján letartóztat vkt; **be above ~** minden gyanún felül áll, nem fér gyanú hozzá; **on ~** gyanusítottként; **be under ~** gyanúsítják; **cast ~ on sy** meggyanúsít vkt; **have ~s about sy** gyanúsít vkt; **lay oneself open to ~** kiteszi magát a gyanú(sítás)nak; **lull ~** a gyanút elaltatja **2.** *biz* sejtés, sejtelem, gyanítás **3.** egy kevés/kicsi, vm csöpp, vm parányi nyoma

suspicious [sə'spɪʃəs] *mn* **1.** gyanús, gyanúsítható, kétes; **~ character** gyanús személy; **~ person** gyanakvó személy; gyanús személy **2.** gyanakvó, gyanakodó, bizalmatlan; **be ~** gyanakszik • *fn* **suspiciousness** *hsz* **suspiciously**

suss [sʌs] *GB szl* **I.** *tsi* **1. ~ (out)** kinyomoz, megvizsgál, feltár **2.** kiismer, megért **II.** *fn* **1.** gyanúsított **2.** gyanú, gyanakvás **III.** *mn* gyanús • *mn* **sussed**

Sussex ['sʌsɪks] *tul földr* Sussex

sustain [sə'steɪn] *tsi* **1. a)** (életben) tart, fenntart; **~ the body** él, táplálkozik, fenntartja testét; **enough to ~ life** az élet fenntartásához elegendő **b)** kibír, kiáll **c)** *jog* helyt ad *[panasznak stb.]* **d)** *jog* igazol, alátámaszt; **~ a ruling** érvényben tart egy határozatot **2.** elszenved, eltűr, elvisel; **~ an injury** megsebesül, sérülést szenved; **~ a loss** veszteséget szenved; kárt vall **3.** *szính* eljátszik; **~ a part** egy szerepet játszik/alakít **4.** *zene* **~ a note** kitart egy hangot • *fn* **sustainer**, **sustainment**

sustainable [sə'steɪnəbl] *mn* **1.** fenntartható, alátámasztható; *körny* **~ development** fenntartható fejlődés **2.** elviselhető, kibírható; **not ~** elviselhetetlen, tűrhetetlen **3.** élelmezhető

sustained [sə'steɪnd] *mn* **1. a)** kitartó, hosszan tartó, lankadatlan, szüntelen **b)** *zene* **~ note** kitartott hang **2.** támogatott, fenntartott **3.** eltartott, táplált **4.** összefüggő *[érvelés]* • *hsz* **sustainedly**

sustaining [sə'steɪnɪŋ] *mn* **1.** fenntartó, élelmező; **~ food** tápláló étel; *zene* **~ pedal** jobb *[hangkitartó]*, pedál *[zongorán]*; **~ power** ellenálló erő; *US* **~ program** ‹rádióműsorszám, amit a rádiótársaság rendez/finanszíroz és nem a hirdetők› **2.** *műsz* tartó, hordozó *[erő]*; **~ force** horderő; *épít* **~ wall** tám(asz)fal, gyámfal

sustenance ['sʌstənəns] *fn* **1. a)** fenntartás, életben tartás; **means of ~** létfenntartás eszközei; **earn a scanty ~** (csak) a legszükségesebbet keresi meg **b)** eltartás **2.** táplálék, élelem

sustentation [ˌsʌstən'teɪʃn] *fn hiv* **1.** fenntartás, megőrzés *[pl. békéé]* **2. a)** *biol* életben tartás **b)** élelmezés **3.** támasz

susurration [ˌsju:sə'reɪʃn ‖ 'su:] *fn vál* susogás, suttogás, zúgás *[lombé, szélé]*, duruzsolás *[tűzé, emberé]* • *tsi* **susurrate** *mn* **susurrant**

susurrus [sju:'sʌrəs ‖ sə'sʌrəs] → **susurration**

sutler ['sʌtlə ‖ –ər] *fn* **1.** *kat* kantinos **2.** *kat* markotányos(nő)

sutra ['su:trə] *fn ir.tud* ‹szanszkrit tudományos szabály(ok gyűjteménye)› szutra

suttee ['sʌti:] *fn* **1.** ‹hindu özvegy (önkéntes) máglyahalála férje máglyán való hamvasztásán› **2.** ‹férje hamvasztásán máglyahalált haló hindu özvegy›

suture ['su:tʃə ‖ –ər] **I.** *fn orv* varrás, varrat **II.** *tsi orv* (be)varr, összeölt • *mn* **sutural**, **sutured**

suzerain ['su:zəreɪn ‖ –rɪn] *fn* **1.** *tört* (fő)hűbérúr, fejedelem, főhatalom **2.** *jog ritk* **~ (state)** ‹más állam fölött politikai felügyeletet gyakorló állam› védnökállam • *fn* **suzerainty**

Suzie ['su:zi] → **Susie**

svelte [svelt] *mn* karcsú, kecses

SW *röv South-West(ern)* délnyugat(i), DNy(-i)

swab [swɒb ‖ swɑb] **I.** *fn* **1. a)** törlőruha, padlórongy, feltörlőrongy, felmosórongy **b)** üvegmosó kefe, kis drótkefe **c)** *orv* **~ of cotton-wool** vattacsomó, tampon **2.** *szl [mamlasz]* mafla/esetlen fickó **II.** *tsi* **-bb- 1.** letöröl *[táblát]*, felmos *[fedélzetet]*, sikál *[padlót]* **2.** *orv* tamponoz **3. ~ (down)** sok vízzel felmos *[udvart]* **4. ~ (out)** tisztogat, kitisztít *[ágyúcsövet, üveget]* **5. ~ up** feltöröl *[tócsát]* • *fn* **swabber**

Swabia ['sweɪbɪə] *tul földr* Svábföld

Swabian ['sweɪbɪən] **I.** *mn* sváb; *földr* **the ~ Sea** a Bodentó **II.** *fn* **1.** sváb (férfi), nő **2.** sváb nyelv(járás)

swack-up *fn szl [durva hazugság]* átbaszás

swad [swɒd ‖ swɑd] *fn US szl* **1.** (ember)tömeg **2.** csomó, tömeg

swaddle ['swɒdl ‖ 'swɑdl] **I.** *fn* pólya **II.** *tsi* bepólyáz

swaddling bands *fn tsz* **1.** pólya **2.** gátló befolyás

swaddling clothes → **swaddling bands**

swaddy ['swɒdi ‖ 'swɑdi] *fn GB biz régi* kiskatona

swag [swæg] **I.** *fn* **1.** ing(adoz)ás, himbálózás, lengés **2.** *épít* virágfüzérdísz **3.** drapéria, redőzet **4.** *szl* **a)** *[zsákmány, lopott holmi]* szajré, cumó **b)** *Ausz* csavargó/bányász batyuja/cucca **II. -gg- A.** *tsi* redőz *[függönyt]* **B.** *tni* **1.** lelóg, belóg **2.** ingadozik, imbolyog, himbálódzik, leng, fityeg

swag-bellied *mn* pocakos, hasas, potrohos

swage [sweɪdʒ] **I.** *fn* **1.** *műsz* hajlító-/homorítókalapács **2.** *műsz* odor, (kovács)süllyeszték **3.** *műsz* kovácsoló/sajtoló/nyújtó szerszám **II.** *tsi műsz* sajtol, hegyesre/kúposra kovácsol

swagger ['swægə ‖ –ər] **I.** *tni* **1.** hetvenkedik, parádézik, tetszeleg, páváskodik, büszkélkedik **2.** dicsekszik, nagyzol, henceg, felvág **3.** fesztelenül jön-megy **II.** *fn* **1. a)** fontoskodó arckifejezés/magatartás; **walk with a ~** tetszeleg, páváskodik; fontoskodva/nagyképűen jár-kel **b)** fesztelen/könnyed magatartás/modor **2.** hencegés, kérkedés, hetvenkedés, felvágás **3.** *GB* eszesség, ravaszság, rafináltság **III.** *mn biz* (feltűnően) elegáns, jól öltözött • *fn* **swaggerer** *hsz* **swaggeringly**

swagger cane *fn* **1.** *GB kat* lovaglópálca **2.** *GB kat* sétapálca *[közlegény kimenőruhájához]*

swagger-stick *GB kat* → **swagger cane**

swaggle ['swægl] *fn Ausz biz* csavargó

swagman ['swægmən] *fn tsz* **swagmen** *Ausz ÚjZ* **a)** csavargó **b)** vándorló munkás *[aki minden holmiját magával viszi]*

Swahili [swəˈhiːli] *mn/fn* szuahéli
swain [sweɪn] *fn* **1.** *vál tréf* (romantikus) udvarló, lovag, szerelmese vknek *[férfi]* **2.** *régi* **a)** pásztorfiú, parasztfiú **b)** szerelmes pásztor
swale [sweɪl] *fn* **1.** *geol* völgy mélyedés, teknő, gödör **2.** *US* mocsaras mélyföld
swallow[1] [ˈswɒloʊ ‖ ˈswɑ–] **I. A.** *tsi* **1. a)** lenyel vmt **b)** *átv* ~ **an affront** lenyel egy sértést; ~ **the bait** bekapja a horgot; ~ **one's pride** zsebrevágja/lenyeli büszkeségét; ~ **a story** elhisz/bevesz egy történetet; **a story hard to** ~ valószínűtlen (v. alig hihető) történet; ~ **one's words** elnyeli szavait; visszavonja/visszaszívja szavát **2.** nyel (egyet) **B.** *tni* nyel **II.** *fn* **a)** korty, (le)nyelés; **drink sg at one** ~ egy hajtásra megiszik vmt **b)** falat • *mn* **swallowable**
swallow down *tsi* lenyel, elnyel (vmt)
swallow up *tsi* **1.** lenyel, elnyel (vmt) **2.** felszív (vmt)
swallow[2] [ˈswɒloʊ ‖ ˈswɑ–] *fn* **1.** *áll* fecske; **common** ~ villás fecske, füsti fecske; *közm* **one** ~ **does not make a summer** egy fecske nem csinál nyarat **2. black** ~ sarlós fecske
swallow dive *fn GB sp* fecskeugrás *[műugrásban]*
swallow hole *fn geol GB* víznyelő, bújtató *[búvópatakė]*
swallow tail *fn* **1.** fecskefarok **2.** *kat* kétcsúcsú jelzőzászló **3.** *biz* frakk
swallow-tailed *mn* **1.** fecskefarkú **2.** kétcsúcsú *[zászló]*; ~ **coat** frakk
swam [swæm] → **swim** I.
swami [ˈswɑːmi] *fn* **1.** hindu bálvány **2.** hindu vallásoktató, pandit **3.** hindu úr, brahmin
swamp [swɒmp ‖ swɑmp] **I.** *fn* mocsár, ingovány, posvány **II. A.** *tsi* **1.** *átv* eláraszt, elönt *[rétet]*, elhalmoz (vmt) **2.** vízzel tölt meg *[csónakot]* **B.** *tsi* elmocsarasodik, ingoványossá válik • *mn* **swampy**
swamp fever *fn US* mocsárláz, malária
swampland *fn földr* mocsárvidék
swan [swɒn ‖ swɑn] **I.** *fn áll* hattyú; **black** ~ fekete hattyú; *átv biz* nagy ritkaság, fehér holló; **domestic/mute/tame** ~ bütykös/néma hattyú; **whistling/wild** ~ énekes hattyú **II.** *tni* **-nn-** *GB biz* ~ **about/off** nagyképűen jár fel-alá, parádézik • *mn* **swanlike**
swan dive *US* → **swallow dive**
swank [swæŋk] **I.** *tni biz* henceg, felvág, nagyzol, pózol, nagyra van **II.** *fn biz* **1.** felvágás, beképzeltség, pózolás **2. a)** hencegő, felvágó, nagyzoló **b)** jampec **III.** *mn US biz* elegáns, finom, drága; → **swanky**
swanky [ˈswæŋki] *mn* **1.** *biz* felvágó(s), hencegő(s), hetvenkedő, nagyképű, nyegle, sznob **2.** *biz* elegáns; *biz* ~ **dinner** nagyszabású ebéd • *fn* **swankiness** *hsz* **swankily**
swan neck *fn* **1.** *műsz* hattyúnyak(hajlás), *épít* lépcsőkorlát S alakú szakasza **2.** *hajó* hajókormány fogazata
swannery [ˈswɒnəri ‖ ˈswɑnəri] *fn* hattyútenyésztő telep
swan's-down [ˈswɒnzdaʊn ‖ ˈswɑnz–] *fn* **1.** hattyúpehely, hattyúpihe, hattyútoll **2.** *tex* bolyhozott barchent, pikébarchent
swansong *fn átv* hattyúdal
swan-upping *fn GB* ‹a Temze királyi hattyúinak évenkénti megjelölése csőrükön›
swap [swɒp ‖ swɑp] **I.** *tsi/tni* **-pp- a)** *gazd* barterez, csereügyletet hajt végre **b)** *biz* ~ **sg for sg** elcserél vmt vmért, csereberél, csencsel; ~ **bad for worse** rossz cserét csinál; ~ **places with sy** helyet cserél vkvel; *szl* ~ **spit** *[csókolódzik]* smárol, nyal-fal; ~ **stories** vicceket mesélnek *[egymásnak]*, *US* trécselnek, diskurálnak **II.** *fn* **1. a)** csere(bere); **do a** ~ cserél **b)** *gazd* csereügylet, barter **2.** cseretárgy • *fn* **swapper**
swap meet *fn US* **1.** gyűjtők találkozója/börzéje *[csere céljából]* **2.** bolhapiac
sward [swɔːd ‖ swɔrd] **I.** *fn vál* gyep, pázsit **II.** *tsi vál* gyepesít • *mn* **swarded**
swarf [swɔːf ‖ swɔrf] *fn* fémreszelék, fémforgács
swarm[1] [swɔːm ‖ swɔrm] **I.** *fn* **1. a)** (méh)raj; *biz* ~**s of children** gyerekraj **b)** rajzás *[méheké]*; **send out a** ~ rajzik **2. a)** mozgó csoport/tömeg **b)** ~ **(of sg)** sokaság, horda **II. A.** *tsi* eláraszt, elözönöl **B.** *tni* **1.** rajzik; ~ **out** kirajzik **2. a)** nagy tömegben özönlik vhova **b)** *biz* hemzseg, nyüzsög; ~ **with sg** nyüzsög/hemzseg vmtől
swarm[2] [swɔːm ‖ swɔrm] *tsi/tni* **1.** ~ **(up) a tree** felkúszik/felmászik a fára **2.** megmászik *[sziklát]*
swarm-spore *fn biol* rajzóspóra
swarthy [ˈswɔːði ‖ ˈswɔrði] *mn* barna (bőrű), napbarnított, sötét *[arcbőr]*; ~ **complexion** kreol arcbőr *[férfinál]* • *fn* **swartiness** *hsz* **swartily**
swash[1] [swɒʃ ‖ swɑʃ] **I. A.** *tsi* **1.** önt, loccsant, csobbant, fröcsköl *[vizet]* **2.** ~ **the rocks** a sziklákat csapdossa *[hullám]* **B.** *tni* **1.** loccsan, locsog, csobog, csobban, csapódik *[víz]* **2.** *régi* kérkedik, hetvenkedik **II.** *fn* locscsanás, csobbanás, csobogás *[vízé]*, csapkodás *[hullámé]*, hullámverés
swash[2] [swɒʃ ‖ swɑʃ] *mn* **1.** dőlt, ferde **2.** cikornyás *[betű]*
swashbuckler [ˈswɒʃbʌklə ‖ ˈswɑʃbʌklər] *fn* **1.** hencegő, hetvenkedő, szájhős **2.** *film* kalandfilm • *tni* **swashbuckle** *fn/mn* **swashbuckling**
swastika [ˈswɒstɪkə ‖ ˈswɑ–] *fn* horogkereszt, szvasztika
swat [swɒt ‖ swɑt] **-tt- I.** *tsi* agyonüt, agyoncsap *[legyet]* **II.** erős ütés, csapás
swatch [swɒtʃ ‖ swɑtʃ] *fn tex* szövetdarab, mintadarab
swath [swɒθ ‖ swɑθ] *fn mezőg* **1.** rend *[kaszálásnál]*, marok *[gabonamennyiség]* **2.** *US* **cut a wide** ~ feltűnést kelt
swathe[1] [sweɪð] **I.** *fn* **1.** kötés, bekötés, beburkolás **2.** *orv* pólya **II.** *tsi* **1.** beköt, beburkol **2.** körülteker, bebugyolál, bepólyáz
swathe[2] [sweɪð] → **swath**
swatter [ˈswɒtə ‖ ˈswɑtər] *fn* légycsapó
sway [sweɪ] **I. A.** *tsi* **1.** ingat, lenget, himbál, billent **2.** forgat *[botot]*, lóbál, lendít **3.** irányít, vezet, befolyásol; ~ **the public in favour of sg** hangulatot csinál vm mellett **4.** hajlít; ~ **sy from his course** eltérít vkt terveitől/útjától **B.** *tni* **1.** lebeg, inog, ingadozik, leng, himbálózik, hajladozik, hintázik **2.** bizonytalanodik, nem tudja magát elhatározni **3.** uralkodik, hatalmat gyakorol **II.** *fn* **1.** lengés, ingás, himbálózás, hintázás **2.** uralom, hatalom; **under his** ~ uralma alatt; **bear/have/hold** ~ **over a people** uralma alatt tart egy népet; **bring a people under one's** ~ uralma alá hajt egy népet; *vál* **she holds** ~ **over my heart** uralkodik a szívem fölött
swaybacked *mn* csapott hátú *[ló]*
Swazi [ˈswɑːzi] *mn* szvázi(földi)
Swaziland [ˈswɑːzilænd] *tul földr* Szváziföld
SWbS *röv southwest by south*
SWbW *röv southwest by west*
swear [sweə ‖ swer] **I.** *pt* **swore** [swɔː ‖ swɔr], *régi* **sware** [sweə ‖ swer], *pp* **sworn** [swɔːn ‖ swɔrn] **A.** *tsi* **1.** (meg)esküszik, esküt tesz (*by/on* vmre), esküvel fogad (vmt); ~ **revenge** bosszút esküszik **2.** megesket (vkt), esküt tétet (vkvel); ~ **a witness** tanút felesket **3.** eskü alatt vall (vmt) **B.** *tni* káromkodik, átkozódik, szitkozódik; *GB biz* ~ **blind** (vakon) esküszik (vmre); ~ **like a trooper** káromkodik mint egy kocsis; → **sworn II.** *fn* **1.** káromkodás, szitkozódás **2.** durvaság, szitok • *fn* **swearer**
swear against *tsi* ~ **against sy** eskü alatt vádol vkt
swear at *tsi* **1.** *biz* **colours that** ~ **at each other** egymást ütő (v. egymáshoz nem illő) színek **2.** káromkodik, átkozódik (vkre), szid, átkoz (vkt)
swear by *tni* **1.** vmre esküszik; ~ **by one's honour** becsületére esküszik **2.** vmben vakon (meg)bízik, esküszik (vkre), nagyra tart (vkt) **3.** esküszik (vmre), dicsér, magasztal, javasol (vmt)
swear for *tsi* kezeskedik (vkért)
swear in A. *tsi* ~ **in a witness** felesket tanút **B.** *tni* **be sworn in** *[bíróság előtt]* esküt letesz

swear off *tni* esküszik, hogy lemond (vmről), fogadalmat tesz vm abbahagyására; **he swore off gambling** megesküdött, hogy a kártyázást abbahagyja

swear on *tsi* ~ **on sg** vmre esküszik/fogadja *[pl. bibliára]*

swear out *tsi US* (elfogatóparancs kiadását) eskü alatt tett feljelentéssel kieszközöl

swear to *tsi* eskü alatt vall/tanúsít (vmt); ~ **to the truth of it** vmnek az igaz voltára esküszik

swearword *fn* szitok, átok, káromkodás

sweat [swet] **I.** *fn* **1.** izzadás, verejték, veríték; **bloody ~** véres verejték; **cold ~** hideg verejték/veríték; **a cold ~ came over him** kiverte a hideg veríték; **be in a ~** izzad, kiveri a veríték; *biz* izgatott, nyugtalan, türelmetlen, zaklatott; **by the ~ of one's brow** orcája verejtékével, verejtékes munkával **2. a)** izzadás, verejtékezés **b)** izzadás, nyirkosság *[falon]*, *növ* kiizzadás, átszivárgás **3.** *szl [munka]* robot, meló, strapa **4.** *szl* **old ~** (i) *[kiszolgált katona, veterán]* öreg harcos, vén csataló (ii) *[tapasztalt ember]* régi motoros **5.** izzasztó, fülleszto **6.** *szl* **no ~!** nem/nincs probléma!, gond egy szál se!, nyugi!, nem nagy ügy! **7.** *tsz* **sweats** *US biz* → **sweat suit** → **sweat pants** → **sweatshirt II. A.** *tsi* **1.** izzad, verejtékez (vmt); **~ blood** vért izzad/verejtékezik, agyondolgozza magát; *biz* **~ blood and water to do sg** vért izzadva csinál vmt; *US szl* **~ bullets** *[nagyon izzad]* folyik róla a víz **2. a)** (meg)izzaszt **b)** *átv* kiszipolyoz, nyúz, kizsigerel (vkt) **c)** *US biz* megizzaszt, megdolgoz *[vkt]* **3.** ónnal forraszt **4.** fülleszt *[dohánylevelet]* **5.** *szl* **~ it** *[dühös]* pipás, zabos, felkapja a vizet **B.** *tni* **1. a)** izzad, verejtékezik **b)** izzad, nyirkos lesz *[fal]*, megizzad *[pohár]*, nedvez *[seb]* **2. a)** robotol, gürcöl *[munkás]*, kulizik, melózik; **~ away at one's job** gürcöl **b)** *biz* **~ up a hill** kínlódva (v. keserves fáradsággal) mászik fel egy hegyre

sweat down *tsi US biz* összezsugorít, csökkent *[méretben]*

sweat out *tsi* **1. a)** izzasztással gyógyít/elmulaszt *[hűlést]* **b)** *biz* izzasztással lefogyaszt **2. ~ out the moisture from a wall** falat kiszárít **3.** *biz* **~ it out** kiüli, türelmesen kivárja a végét, keservesen átrágja magát vmn, végigizzad, végigkínlódik vmt

sweat on *tsi szl* aggódik vmért, izgul, drukkol

sweatband *fn* bélésszalag, bőrszegély *[kalapbélésé]*, izzasztó; csuklópánt

sweatbox *fn átv* izzasztókamra

sweated ['swetɪd] *mn* **a)** kiszipolyozott, kizsigerelt, kizsákmányolt *[munkás]* **b)** rosszul fizetett, nyomorúságos, verejtékes, éhbérért végzett *[munka]*

sweater ['swetə ‖ –ər] *fn* **1. a)** vastag hosszú ujjú gyapjúpulóver **b)** kötött kabát/mellény, szvetter **2.** *pej* munkásnyúzó, kizsákmányoló

sweat gland *fn orv* izzadságmirigy, verejtékmirigy

sweating bath *fn* izzasztófürdő

sweat pants *fn tsz* tréningnadrág

sweatshirt *fn* (sport)pulóver

sweatshop *fn* kiszipolyozó/munkásnyúzó (egészségtelen berendezésű) üzem

sweat sock *fn US* tornazokni

sweatsuit *fn* tréningruha, melegítő

sweaty ['sweti] *mn* **1. a)** izzadó, izzadt, verejtékező **b)** átizzadt *[ruha]* **2. ~ afternoon** fülledt délután; fárasztó/strapás délután • *fn* **sweatiness** *hsz* **sweatily**

Swede [swi:d] *fn* **1.** svéd (ember) **2.** *GB mezőg* **~s** karórépa

Sweden ['swi:dn] *tul földr* Svédország

Swedish ['swi:dɪʃ] **I.** *mn* svéd; **~ gymnastics/exercises/movements** svéd torna **II.** *fn* **1.** svéd (nyelv) **2. the ~** a svédek

sweep [swi:p] **I.** *pt/pp* **swept** [swept] **A.** *tsi* **1. a)** söpör, seper, elsöpör, felsöpör, kisöpör; **~ the board** minden ütést elvisz *[szerencsejátékban]*; nagy/átütő/elsöprő sikert arat, nagy sikere van; **~ sg under the carpet** eltussol, eltitkol vmt **b)** *átv* elsöpör, elsodor, elragad, magával ragad, elsöprő győzelmet arat **2. a)** végigsöpör, végigszáguld, átcsap (vmn); **a storm swept the village** vihar száguldott át a falun **b)** pásztáz; **~ the horizon with a telescope** távcsővel pásztázza a látóhatárt; **~ the room with a glance** tekintetét végigjártatta a szobán **c) ~ the notes of a piano** végigszáguld egy zongora billentyűin **3.** nagy ívben leír, ívelten húz *[görbe vonalat]* **B.** *tni* **1.** söpör, seper, söpröget **2. a)** száguld, iramlik, suhan **b)** nagy erővel áramlik **c)** *átv* végigsöpör, végigcsap **3.** (fél)körben húzódik, körös-körül elterül *[földsáv]*, kanyarodik, elnyúlik *[földdarab, part, hegylánc]* **II.** *fn* **1.** (ki)söprés, sepregetés; **give a room a good ~** szobát jól kisöpör; **make a clean ~** alapos tisztogatást végez/rendez; mindent besöpör, elnyer partnereitől *[kártyás]*; **make a clean ~ of sg** túlad vmn, megszabadul vmtől **2. a)** gyors folyás, áradás, áradat *[folyóé]* **b)** *átv* előretörés, lendületes haladás, terjedés *[műveltségé stb.]* **3. a)** suhintás *[kaszával]*; **at one ~** egy csapásra **b)** lendítés *[karé]*; **~ of the eye** körülpillantás; **~ of the leg** lábkörzés *[táncban]* **c)** pásztázás, végigseprés *[távcsővel, fényszóróval]*, átfésülés **d)** *el távk* időbeni letapogatás **4. a)** (nagy) kanyar, (nagy) ív *[folyóé stb.]*, görbület, ívelés; **take/make a ~** nagyot fordul/kanyarodik, nagy kanyart ír le *[folyó, út stb.]*; **~ of a hill** homorú hegyoldal vonala **b)** íves felhajtó *[ház előtt]* **5. a)** hatótávolság **b)** *kat* lőtávolság **c)** szárnyszélesség **d)** *átv* átfogóképesség *[elméé]*, horderő *[okoskodásé]* **6. a)** hosszú nyelű evező/kormánylapát **b)** vitorla *[malomé]* **c)** kútgém, gémeskút **7. a)** kéményseprő **b)** maszatos/szurtos alak **8.** összesöpörtt hulladék

sweep along A. *tsi* **1.** *átv* magával sodor/ragad **2. ~ one's eyes a. the horizon** végighordozza/végigjártatja tekintetét a látóhatáron **B.** *tni* (végig)száguld, iramlik

sweep aside *tsi* **a)** (lendületesen) félrehúz *[függönyt]* **b)** félretol, halomba dönt *[tervet]*

sweep away *tsi* **a)** elsöpör *[havat]* **b)** *átv* elsodor, elsöpör, félresöpör

sweep by *tni* elszáguld; **~ by sy** elviharzik vk mellett; méltóságteljesen elvonul vk mellett

sweep down A. *tsi* lesodor, magával sodor *[ár]* **B.** *tni* lecsap, ráveti magát

sweep off *tsi* **1.** *átv* elsöpör, elsodor, lesöpör; **~ sy off his feet** vkt elsodor a lábairól *[hullám]*; *biz* vkt elragad/elkap/elsodor *[lelkesedés]*; *biz* **be swept off one's feet by sy** lelkesedik/rajong vkért, odáig van vkért, el van ragadtatva vktől **2.** elpusztít

sweep over A. *tsi* végigseper, könnyedén érint; **~ one's hand over sg** hirtelen végigsimít vmt/vmn **B.** *tni* **1.** *átv* végigsöpör; **a deadly fear swept over him** halálos félelem fogta el **2.** átfut *[szemével vmn]*

sweep through *tsi/tni* végigsöpör, végigcsap

sweep up A. *tsi* felsöpör, összesöpör **B.** *tni* **1.** odaszáguld, végigszáguld **2.** sebesen felszáll *[madár]*, hirtelen/meredeken emelkedik

sweeper ['swi:pə ‖ –ər] *fn* **1. a)** utcaseprő(gép) **b)** kéményseprő, kéménykotró **c)** szőnyegseprű **2.** *sp* söprögető *[labdarúgásban]*

sweeping ['swi:pɪŋ] **I.** *mn* **1. a)** sodró, sebes, rohanó *[ár]*, száguldó *[vihar]* **b) ~ gesture** széles/heves mozdulat; **~ line** lendületes vonal *[festményen]* **2. a)** seprő **b) ~ glance** mindent átfogó pillantás **3. ~ changes** gyökeres/mélyreható változások; **~ generalization** merész általánosítás; **~ reform** gyökeres/alapos reform; **~ statement** túlzóan általánosító kijelentés; túlságosan sommás állítás; **~ victory** elsöprő győzelem/diadal **4. ~ plain** hatalmas/nagy kiterjedésű (v. messze elnyúló) síkság **II.** *fn* **1.** söprés **2.** *tsz* **sweepings a)** összesepert szemét/hulladék **b)** *átv* söpredék, szemét; *biz* **the ~s of society** a társadalom söpredéke

sweep second hand *fn* középső másodpercmutató

sweepstakes ['swi:pˌsteɪks] *fn tsz* **1.** *ált* verseny, vetélkedő **2.** mindent a győztesnek adó (lóverseny)fogadás **3.** sorsjáték

sweet [swi:t] **I.** *mn* **1. a)** édes; *növ* ~ **pea** szagosbükköny; *növ* ~ **potato** édesburgonya, batáta; *növ* ~ **root** édesgyökér; ~ **stuff** édesség; **as** ~ **as honey** mézédes; **have a** ~ **tooth** édesszájú, szereti az édességet; **taste** ~ édes (íze van), édes ízű **b)** *átv* édes, kellemes; ~ **delight** édes öröm/gyönyörűség; ~ **dreams!** szép álmokat!; *iron* **at one's own** ~ **will** kénye-kedve szerint **c)** *átv biz* édes, aranyos, kedves, bájos; ~ **little dog** édes/aranyos kis kutya; **say** ~ **nothings to sy** kedves csacsiságokat mond vknek; **my ~est!**, ~ **one!** édesem!, aranyom!; **how** ~ **of you!** milyen kedves magától!; *Ausz szl* **she's** ~ minden rendben **2.** édes *[illat]*, illatos, jószagú, jóillatú, szagos; ~ **air** kellemes/enyhe/simogató levegő; ~ **breath** üde lehelet; ~ **smell** édes/jó/finom illat; **smell** ~ jó szaga/illata van, illatos; illatozik **3.** jóízű, friss; ~ **corn** csemegekukorica; ~ **water** édesvíz; ivóvíz; → **sweetwater**; ~ **wine** édes bor **4.** édes *[hang, dallam]*, dallamos, kellemes, behízelgő, andalító; ~ **singer** kellemes hangú énekes **5.** nyájas, kellemes, kedves, szelíd; ~ **face** kedves/bájos/szelíd arc; ~ **temper** nyájas természet **6.** *biz* **be** ~ **on sy** szerelmes vkbe **II.** *fn* **1. a)** édesség, bonbon **b)** édesség, csemege, desszert *[étkezés végén]* **c)** *átv* édesség, édes öröm; **the ~s of life** az élet örömei **2. a)** házilag készített likőr **b)** édes bor **3. my** ~ édesem, kedvesem • *mn* **sweetish** *hsz* **sweetly**

sweet-and-sour *mn gaszt* édes-savanyú

sweeten [ˈswi:tn] **A.** *tsi* **1. a)** (meg)édesít **b)** *átv* megédesít, kellemesebbé tesz *[életet]* **2.** megtisztít *[vizet, levegőt]*, felfrissít *[levegőt]* **3.** (meg)lágyít, kedvessé tesz *[pl. vonásokat, jellemet]*; ~ **the pill** megédesíti a keserű pirulát **B.** *tni* (meg)édesedik, édes lesz • *fn* **sweetening**

sweetener [ˈswi:tn·ə ‖ –ər] *fn* **1.** édesítő(szer) **2.** *szl [borravaló]* kenőpénz, csúszópénz

sweetheart *fn* szerelmes, szerető, kedves, vknek a szerelme; **(my)** ~**!** kedvesem!, édes szívem!; **his** ~ kedvese, szerelmese, szeretője

sweetheart agreement *fn biz* ‹munkaadók és szakszervezetek nem hivatalos megállapodása› magánegyezmény, különegyezmény

sweetie [ˈswi:ti] *fn* **1.** *GB biz* édesség, cukorka, bonbon **2.** *biz* szerelmes, szerető, kedves *[megszólításként is]*

sweeting [ˈswi:tɪŋ] *fn* **1.** édes alma **2.** *régi* szerető, kedves

sweetmeat *fn* édesség, cukorka, bonbon, nyalánkság

sweetness [ˈswi:tnəs] *fn* **1.** édesség (vmé) **2.** frissesség, üdeség **3.** *biz* kedvesség, báj(osság), kellemesség

sweet-scented *mn* jószagú, jóillatú, illatos

sweet-shop *fn GB* édességbolt, cukorkabolt

sweet-sop *fn* **1.** *növ* édes anóna **2.** az édes anóna termése

sweet-spoken *mn* **a)** nyájas szavú **b)** *pej* mézesmázos

sweet-tempered *mn* szelíd, jámbor, jóindulatú, kezes, nyájas

sweet-toothed *mn* édesszájú

sweet-voiced *mn* lágy/behízelgő hangú

sweet-william *fn növ* török szegfű

swell [swel] **I.** *pt* **swelled**, *pp* **swelled**, *ritk* **swollen** [ˈswoʊln] **A.** *tsi* **1. a)** (meg)duzzaszt, dagaszt, (fel)puffaszt; **the rains** ~ **the river** a folyó megárad az esőzésektől **b)** ~ **the population** szaporítja/növeli a lakosság számát, felduzzasztja a népességet **c)** *biz* **~ed/swollen head** beképzeltség, önteltség, felfuvalkodottság; *biz* **suffer from ~ed head** iszonyúan felfuvalkodott; **be ~ed/swollen with pride** majd szétveti a gőg **2.** *zene* fokozza/növeli az erejét *[hangnak]* **3.** *szl* ~ **it** *[dicsekszik]* adja a nagyot, nagyképűsködik, henceg **B.** *tni* **1. a)** (meg)duzzad, (meg)dagad; ~ **out** kidagad, (meg)dagad *[vitorla]*; öblösödik, kihasasodik *[váza]* **b)** árad *[víz]*, emelkedik *[talaj]*, szétterjed **c)** ~ **with importance** pöffeszkedik; ~ **with pride** dagad a büszkeségtől **2.** öblösödik, erősödik *[hang]* **3.** ~ **about** adja a nagyot, nagyképűsködik, henceg **II.** *fn* **1. a)** hömpölygő tengerár *[vihar után]* **b)** duzzadás, dagadás; ~ **of ground** talaj domborulata **2.** *zene* **a)** növekedés *[hangerőé]*, öblösödés *[hangé]* **b)** ‹crescendo és diminuendo/decrescendo jele› **3.** *régi biz* nagyon elegáns ember **4.** *szl* **a) be a** ~ **at sg** *[kiválóság vmben, vmnek kiváló művelője]* menő, májer **b)** nagykutya, nagyfejű **III.** *mn* **1. a)** *régi biz* nagyon elegáns **b)** *biz* előkelő **2.** *US biz* jó, klassz, príma; ~ **guy** nagyszerű/remek pofa/alak • *mn* **swellish**

swelled [sweld] *mn* (meg)dagadt, felpuffadt; *biz* ~ **head** beképzeltség, önteltség

swell-headed *mn biz* beképzelt, öntelt, felfuvalkodott, pöffeszkedő

swelling [ˈswelɪŋ] **I.** *fn* **1. a)** daganat, duzzanat, püffedés; *orv* **dropsical** ~ vizenyős duzzanat; *orv* **white** ~ gümős izületi gyulladás **b)** dudor, kidudorodás *[talajé stb.]*, has *[hordóé]* **c)** kitüremlés *[autógumié stb.]* **2.** (meg)duzzadás, (meg)dagadás, (meg)püffedés, felpüffedés **II.** *mn* **a)** duzzadó, dagadó **b)** kiöblösödő, kihasasodó

swelter [ˈsweltə ‖ –ər] **I.** *tni* **a)** (el)tikkad, fulladozik *[hőségtől]*; *biz* ~ **in the heat** strapál/dolgozik a hőségben, szenved a hőségtől **b)** izzad, verejtékezik, fő **II.** *fn* **1.** tikkasztó/fullasztó hőség/forróság **2. a)** tikkadtság, kókadozás *[hőségtől]* **b)** bőséges/állandó verejtékezés/izzadás; **be in a** ~ csurog róla a verejték, fő; fuldoklik a hőségtől **3.** *biz* robot, strapa, meló

sweltering [ˈsweltərɪŋ] *mn* **1.** tikkasztó, fullasztó, nyomasztó *[hőség]* **2.** verejtékező, izzadt, verejtéktől lucskos/csatakos • *hsz* **swelteringly**

swept [swept] → **sweep I.**

swept-back *mn rep* hátranyilazott *[szárny]*, csapott szárnyú *[gép]*

swept-forward *mn rep* előrenyilazott *[szárny]*

swept-wing *mn rep* csapott/nyilazott szárnyú, deltaszárnyas

swerve [swɜ:v ‖ swɜrv] **I. A.** *tni* **a)** elkanyarodik, eltér; *átv* ~ **from the straight path** letér az egyenes útról **b)** (meg)farol *[autó]* **c)** (el)csavarodik *[teniszlabda stb.]* **B.** *tsi* **a)** eltérít *[útjáról]* **b)** faroltat *[autót, lovat]* **c)** megcsavar *[teniszlabdát]* **II.** *fn* **a)** kanyarodás, elfordulás, fordulat **b)** farolás *[autóé]* **c)** csavarodás *[labdáé teniszben]* • *hsz* **swelteringly**

swift [swɪft] **I.** *mn* **a)** gyors, sebes; ~ **years** gyorsan múló/szálló évek; **as** ~ **as an arrow**, **as** ~ **as thought** nyílsebes; villámgyors, szélsebesen, nyílsebesen **b)** hirtelen, fürge, serény; ~ **of wit** gyors/fürge/eleven észjárású; ~ **to action** tettre kész, gyorsan cselekvő; ~ **to anger** hirtelen haragú; ~ **to take offence** sértődékeny, sértődős **II.** *hsz* gyorsan, sebesen **III.** *fn áll* sarlósfecske • *fn* **swiftness** *hsz* **swiftly**

swift-footed *mn* gyors lábú

swift-handed *mn* **1.** gyors kezű, fürge kezű, ügyes kezű **2.** *átv* gyorsan lesújtó *[bosszú, igazság]*

swiftie [ˈswɪfti] *fn Ausz szl* **1.** *[trükk, becsapás]* átejtés **2.** *[fürge észjárású ember]* beretvaagyú

swig [swɪg] **I. -gg- A.** *tsi szl [nagy kortyokban iszik]* vedel, nyakal; ~ **off a glass** *[felhajt egy pohárral]* legurít/ledönt egy pohárral **B.** *tni szl [iszik]* vedel, hörpint **II.** *fn szl [nagy húzás/korty italból]* slukk; **a** ~ **of brandy** egy pofa pálinka; **take a** ~ **at sg** nagyot húz/kortyint/hörpint vmből • *fn* **swigger**

swill [swɪl] **I. A.** *tsi* **1.** *GB* (ki)öblít, kimos *[edényt]* **2.** *szl [iszik]* vedel, szlopál *[italt]*; ~ **beer** dönti magába a sört **B.** *tni szl [iszik]* vedel, nyakal, dönti magába az italt **II.** *fn* **1.** *GB* (ki)öblítés **2. a)** moslék, mosogatólé **b)** *átv szl [rossz minőségű ital]* lötty, lőre **3.** *szl* vedelés, ivászat • *fn* **swiller**

swim [swɪm] **I.** *pt* **swam** [swæm], *pp* **swum** [swʌm] **A.** *tsi* **1.** úszik *[versenyt]*, leúszik *[távot]*, átúszik *[folyót]* **2.** ~ **sy** versenyt úszik vkvel **3.** úsztat *[lovat]* **B.** *tni* **1. a)** úszik, úszkál; *biz* ~ **like a fish** úgy úszik, mint a csík/hal; *biz* ~ **like a (mill) stone**, ~ **like a brick** úgy úszik mint a nyeletlen balta; **he can't** ~ **a stroke** nem tud úszni; ~ **about** úszkál; ~ **across/over a river** folyón/folyót átúszik; *átv* ~ **against the tide/stream** ár ellen úszik; *biz* ~ **for it** úszással menti az életét; *átv* ~ **with the tide** úszik az árral **b)** úszik, fennmarad *[víz felszínén]*, lebeg *[levegőben]* **c)** úszik, fürdik *[könnyben, vérben]*; **eyes that** ~ **with tears** könnyben úszó szemek **2. a)** szédül, forog, kóvályog

S

[fej], káprázik *[szem]*; **it makes my head ~** kóvályog a fejem tőle **b) everything swam before my eyes** forgott velem a világ, elhomályosult szemem előtt a világ **II.** *fn* **1.** úszás; **have a ~** úszik egyet, fürdik *[tóban, folyóban]*; **go for a ~** úszni megy, elmegy úszni egyet **2. a)** *biz* **be in the ~** ismeri a dörgést **b)** *biz* események sodra/folyása; *biz pej* **be in the ~ with sy** egy húron pendül vkvel; be van avatva, tud mindenről **3.** folyó halban gazdag része **4.** *biz* szédülés, kábulat; **my head is all of a ~** szédülök, forog velem a világ • *mn* **swimmable**

swim bladder *fn áll* úszóhólyag

swim-cap *fn* fürdősapka

swimmer [ˈswɪmə ‖ –ər] *fn* **1.** úszó **2.** (parafa) úszó *[horgászáshoz]* **3.** úszóhólyag

swimmeret [ˈswɪməret ‖ ˌswɪməˈret] *fn áll* úszóláb

swimming [ˈswɪmɪŋ] **I.** *mn* **1.** úszó; **~ stroke** úszótempó **2. ~ head** kóválygó/szédülő fej **II.** *fn* **1.** úszás; **synchronized ~** szinkronúszás **2.** szédülés; **~ of the head** szédülés, kóválygás

swimming bath *fn GB* (fedett) uszoda

swimming belt *fn* úszóöv

swimming costume *fn GB* fürdőruha

swimming foot *fn tsz* **-feet** *áll* úszóláb

swimming jacket *fn* úszómellény

swimmingly [ˈswɪmɪŋli] *hsz biz* simán, zökkenő/nehézség nélkül, könnye(dé)n, játszva, játszi könnyedséggel; **everything went ~** minden úgy ment mint a karikacsapás

swimming pool *fn* (nyitott) uszoda, úszómedence

swimming school *fn* úszóiskola, uszoda

swimsuit *fn* **1.** (egyrészes) fürdőruha, úszódressz **2.** *US* úszónadrág • *mn* **swimsuited**

swindle [ˈswɪndl] **I.** *fn* **a)** csalás, svindli, szélhámosság **b)** *biz* szemfényvesztő dolog **II. A.** *tsi* **a)** rászed, megcsal, becsap (vkt) **b) ~ sy out of sg** csalással kijátszik vkt, vkt csalárdul megkárosít/megrövidít; **~ sg out of sy** kicsal vktől vmt **B.** *tni* csal • *fn* **swindler**

swine [swaɪn] *fn* **1.** *tsz* **swine** sertés, disznó **2.** *tsz* **swines** *átv biz szl* **dirty ~!** *[becstelen alak]* piszok/ronda disznó!, disznó gazember/fráter! • *mn* **swinish**

swine-bread *fn* **1.** *növ* szarvasgomba **2.** *növ* földimogyoró

swine fever *fn állatorv* sertéspestis, sertésvész

swineherd *fn* sertéspásztor, disznópásztor, kondás, kanász

swine plague *fn állatorv* sertéspestis, sertésvész

swinery [ˈswaɪnəri] *fn* sertésól, disznóól

swing [swɪŋ] **I.** *pt* **swung** [swʌŋ], *ritk* **swang** [swæŋ], *pp* **swung** [swʌŋ] **A.** *tsi* **1. a)** lenget, himbál; **~ one's arms** karját lóbálja *[menet közben]*; **~ a pendulum** ingát lengésbe hoz **b)** lendít, (meg)lódít; **~ a child on to one's shoulder** gyereket vállára kap/fellódít; **~ oneself into the saddle** nyeregbe pattan **c)** hintáztat **2.** (fel)akaszt, lógat **3.** hirtelen elforgat/elfordít; *gk* **~ the front wheels** az első kereket hirtelen elfordítja; bevágja az első kereket **4.** *szl* **~ it on sy** *[rászed vkt]* behúz (a csőbe), bepaliz **5.** *US biz* eredményesen/sikeresen/jól vezet/irányít *[vállalkozást, üzletet]*, sikeresen/eredményesen (el)intéz *[ügyet]* **6.** *US* befolyásol, irányít, vmlyen irányba terel **B.** *tni* **1. a)** leng, himbálózik; **~ to and fro** ide-oda leng, hintázik, himbálózik **b)** hintázik *[hintán]* **c)** lóg, csüng; **~ by one hand from a branch** félkézzel kapaszkodva csüng/függeszkedik az ágon; **let one's legs ~** lógatja/lóbálja a lábát **d)** *biz szl* lóg *[akasztófán]*; **~ for a crime** lóg/felkötik/felhúzzák egy bűntett elkövetéséért; **~ for sy** lóg/felkötik vknek a meggyilkolásáért **e)** lendül, lódul; **~ into the saddle** nyeregbe pattan **2.** (el)fordul, (el)forog; *kat* **~ inwards** hirtelen frontot/irányt változtatva oldalba támadja az ellenséget; **~ on an axis** tengely körül forog; **~ open** kicsapódik, kivágódik, kinyílik *[ajtó]*; **~ to the left** balra (el)kanyarodik/fordul; *pol* balra (el)tolódik **3.** ruganyos léptekkel megy, peckesen masírozik **4. a)** *szl [szexuális partnereit sűrűn váltogatja]* fűvel-fával lefekszik **b)** *szl* **~ both ways** biszexuális; biszex, langyos **5.** *biz* **a)** jól érzi magát, pörög **b)** jól sikerül *[pl. parti]* **6.** *zene* ritmusos zenét játszik **II.** *fn* **1. a)** (ki)lengés, himbál(óz)ás; **~ of the pendulum** az inga lengése; *átv* kilengés mindkét irányba, váltakozás *[gazdasági életben]*; *biz* **give full ~ to sg** teljes lendületbe hoz vmt; szabadjára enged vmt; *biz* **take/have one's ~** kimulatja/kitombolja magát, kiélvez vmt, éli világát; *biz* **be in full ~** javában áll *[vásár, bál stb.]*; gőzerővel dolgozik **b)** hinta **c)** hintázás; **give a child a ~** gyereket meghintáztat, gyereket meglök *[hintán]* **d)** *sp* lendület(vétel) *[teniszben, golfban]*, lengőütés *[bokszban]* **e)** *US* **make a ~ round the circle** körutat tesz választókerületben **2. a)** elfordulás **b)** (szabad)forgás, elfordíthatóság **c)** *átv* (el)fordulás, eltolódás; *biz* **sudden ~ of public opinion** a közvélemény hirtelen megváltozása/megfordulása; **~ to the left** balratolódás **3. a)** ritmus, ritmikus lejtés *[versé]*; *biz* **get into the ~ of the work** belelendül a munkába; *biz* **get into the ~ of things** belezökken a rendes kerékvágásba; **walk with a ~** ruganyos/könnyű/ringó léptekkel jár **b)** *zene* **~ (music)** szving **c)** szving *[tánc]* **4.** kilengés (nagysága), lengéstágasság, amplitúdó

swingbin *fn* lengő tetejű szemetesedény

swingboat *fn* hajóhinta

swingbridge *fn* forgóhíd

swing-cot *fn* függőbölcső

swing-door *fn* lengőajtó

swinge [swɪndʒ] *tsi régi* erős ütést mér (vkre, vmre), végighúz, végigvág

swingeing [ˈswɪndʒɪŋ] *mn főleg GB biz* **1.** erős, igen nagy; **~ blow** erős csapás/ütés **2.** hatalmas, óriási

swinger [ˈswɪŋə ‖ –ər] *fn szl* intenzív (szexuális) életet élő személy

swinging [ˈswɪŋɪŋ] **I.** *mn biz* **a)** lendületes, erőteljes, meglehetős, tekintélyes; **~ majority** jelentős/hatalmas szótöbbség **b)** modern, kiváló, klassz **II.** *fn* **1. a)** lengés **b)** hintázás **2.** (el)fordulás, (el)forgás

swingle [ˈswɪŋgl] **I.** *fn* **a)** *tex* tiló, tilolófa **b)** *mezőg* cséphadaró **c)** kéziszivattyú-kar **II.** *tsi tex* (meg)tilol

swingletree *fn* hámfa

swing-mirror *fn* billen(thet)ő tükör

swing shift *fn US* délutáni műszak *[16 órától éjfélig]*

swing sign *fn* lógó céltábla

swing-wing *mn rep* változtatható szárnyfelületű

swingy [ˈswɪŋi] *mn* **1.** *zene* szvinges **2.** lobogó, lebegő *[ruha]*

swipe [swaɪp] **I.** *tsi* **1. a) ~ (at) the ball** teljes erőből megüti/megvágja a labdát **b)** tenyérrel nagyot üt a fejére (vknek) **2.** *US szl [ellop]* elcsór, elemel, megfúj **II.** *fn* **1. a)** erős ütés *[teljes karlendítéssel]* **b)** *biz* nagy csapás a fejre *[tenyérrel]* **c)** *Ausz* verés *[bottal/szíjjal gyereknek]* **2.** ütés (helye) **3.** leolvas/lehúz hitelkártyát • *fn* **swiper**

swipe card *fn* mágneses kódolású (hitel)kártya, mágneskártya

swipple [ˈswɪpl] *fn* cséphadaró, lengőkar *[cséphadaróé]*

swirl [swɜːl ‖ swɜrl] **I. A.** *tsi ritk* örvénylésbe/kavargásba hoz, felkavar **B.** *tni* kavarog, örvénylik, forog; **~ up** felverődik, kavarogva száll fel *[por]*; *biz* **my head ~s** szédülök, forog velem a világ **II.** *fn* **1. a)** kavargás, örvénylés **b)** örvény, forgatag **2.** *átv* kavarodás, összevisszaság **3. a)** fej köré csavart hajfonat **b)** gyászszalag/gyászfátyol kalapon • *mn* **swirly**

swish[1] [swɪʃ] **I.** *fn* **1.** suhogás *[ostoré]*, zizegés *[ruháé]*, sziszegés **2.** suhintás **II. A.** *tsi* **1.** suhogtat; **~ its tail** farkával csapkod *[állat]* **2. a)** kiver, kiporol *[bútort]* **b)** *szl [elver]* kiporol, megcsap **c) ~ off** egy suhintással levág **B.** *tni* suhog; **~ in** nagy ruhasuhogással belép; **~ past** elsurran, elsuhan *[autó]*

swish[2] [swɪʃ] *mn* **1.** *GB biz* elegáns, sikkes **2.** *szl [nőies/homoszexuális férfi]* buzi, buzeráns, köcsög

swish-broom *fn* poroló

swish-swash [ˈswɪʃ swɒʃ ‖ –swɑʃ] *fn biz* gyenge ital, lőre

S

Swiss [swɪs] **I.** *mn* svájci; **the ~** a svájciak; **~ guards** svájci gárda/testőrök/testőrség *[a Vatikánban]*; *GB gaszt* **~ roll** lekváros tekercs, piskótarolád **II.** *fn* **1.** svájci **2.** svájci nyelvjárás **3.** svájci gárdista/testőr *[pápáé]*

switch [swɪtʃ] **I.** *fn* **1. a)** *vill* (villany)kapcsoló; **change-over ~** átváltó kapcsoló; *gk* **charging ~** töltéskapcsoló; *távk* **push-pull ~** ellenütemű kapcsoló; *gk* **starting ~** önindító-kapcsoló; **three-way ~** háromállású kapcsoló; **tumbler ~** billenőkapcsoló; **two-way ~** kétutas átkapcsoló; **to throw the ~** a kapcsolót állítja (vmre), bekapcsol **b)** *átv* hirtelen fordulat **2.** *vasút* **a)** váltó **b)** váltóállító berendezés **3. a)** hajlós vessző/pálca **b)** lovaglópálca, *US* nádpálca *[tanítóé]* **4.** hamis hajtincs/copf **5.** *ját biz* színváltoztatás *[licitben]* **6.** *gazd* áttérés, átállás; **~ (deal)** switch-ügylet **II. A.** *tsi* **1.** kapcsol *[áramot]* **2.** *US vasút* váltót állít **3. a)** gyorsan elmozdít/elfordít/elhúz/elkap/elránt; *kat* **~ fire** áthelyezi a tüzet; **~ one's head round** gyorsan elfordítja a fejét, hirtelen elkapja a fejét; **~ places** helyet cserél(nek) **b) ~ its tail** farkával csapkod/csapdos *[állat]* **4. a)** megcsap *[pálcával]* **b)** megvesszőz, (pálcával) elver (vkt) **B.** *tni* **1.** *vill* kapcsol **2.** *US vasút* váltót állít • *fn* **switcher** *mn* **switchable**

switch off A. *tsi* **1. a)** kikapcsol *[áramot]*, elolt, leolt *[lámpát]*, elzár *[rádiót]* **b) ~ sy off** vkt szétkapcsol *[telefonközpont]*; műsor közben kikapcsolja a rádiót **c)** *átv [nem figyel]* kikapcsol **2.** *vasút* átvált, más vágányra irányít/terel **B.** *tni* kikapcsol, eloltja a lámpát/villanyt, elzárja a rádiót; **~ off!** oltsd el a lámpát!, *biz* hallgasson!, hagyja abba!, szűnjön meg!

switch on A. *tsi* **1. a)** bekapcsol *[áramot]*, meggyújt, felgyújt *[lámpát]*; *gk* **~ on the engine** beindítja a motort **b) ~ sy on** (össze)kapcsol vkt *[telefonon]*; bekapcsolja a rádiót **c)** *szl* **be ~ed on** (i) *[felvillanyozott]* fel van dobva (ii) *[kábítószer hatása alatt van]* lebeg, elszállt **2.** *biz* **~ the conversation on to a new subject** másra tereli a beszélgetést, más témát vet fel **B.** *tni* bekapcsol, meggyújtja a lámpát/villanyt, bekapcsolja a rádiót/tévét

switch over A. *tsi* **a)** átkapcsol *[áramot]* **b)** *műsz* átvált, átfordít **B.** *tni* **a)** *távk* átvált *[más hullámhosszra]* **b)** *átv* **~ over to sg** átnyergel/átvált/áttér/átáll vmre; *biz* **~ over to the offensive** támadásba megy át (v. lendül) **c) ~ over to a fresh subject/topic** más tárgyra tereli a beszélgetést; → **switch-over**

switchback *fn GB* hullámvasút

switchblade *fn* rugós kés

switchboard *fn* **a)** *vill* kapcsolótábla, kapcsolóasztal **b)** (házi) telefonközpont **c) ~ operator** telefonközpontos, diszpécser

switch-gear *fn vill* kapcsolóberendezés/-készülék, áramelosztó szerkezet

switching engine *fn US vasút* rendezőmozdony, tolatómozdony

switchman [ˈswɪtʃmən] *fn tsz* **-men** *US vasút* váltóőr, váltókezelő

switch-over *fn* **1.** *vill* átkapcsolás **2.** áttérés, váltás *[más tárgyra]*

switch panel *fn vill* kapcsolótábla

switch yard *fn US vasút* rendezőpályaudvar

Swithin [ˈswɪðɪn] *tul* ‹férfinév›

Switzerland [ˈswɪtsələnd ‖ –sər–] *tul földr* Svájc

swivel [ˈswɪvl] **I.** *fn* **a)** *műsz* forgógyűrű, forgótengelycsap, forgócsukló **b)** *műsz* forgórész, *kat* forgó lövegtalp **II. -ll- A.** *tsi műsz* **1.** forgat *[tengely körül]* **2. ~ sg to sg** forgócsappal hozzáilleszt vmt vmhez **B.** *tni műsz* **a)** elfordul **b)** forog *[tengely körül]*

swivel chair *fn* forgószék

swivet [ˈswɪvɪt] *fn főleg US* **in a ~** nagy izgalomban; pánikban

swizz [swɪz] *fn GB biz* csalás, svindli

swizzle [ˈswɪzl] *fn* **I. 1.** *GB biz* csalás, svindli **2.** ‹egy fajta erős kevert alkoholos ital› **II.** *tsi* **A.** pálcával kever *[italt]* **B.** *tni GB biz* csal(ást követ el)

swizzle stick *fn* keverőpálca *[italnak]*

swob [swɒb ‖ swɑb] → **swab**

swollen [ˈswoulən] *mn* **1.** feldagadt, megdagadt, (meg)duzzadt; *biz* **~ budget** felduzzasztott költségvetés; **have a ~ face** (meg)dagadt/feldagadt az arca; **~ leg** dagadt/püffedt láb **2.** *biz* **suffer from ~ head** felfuvalkodott, öntelt, beképzelt; → **swell I.**

swollen-headed *mn biz* felfuvalkodott, öntelt, beképzelt, gőgös

swoon [swuːn] **I.** *fn vál* (el)ájulás; **go off in a ~, fall into a ~** elájul, elalél, eszméletlenül összeesik; **in a state of ~** ájult állapotban **II.** *tni vál* **1.** elájul, elalél **2.** elhal *[hang]*

swoop [swuːp] **I. A.** *tsi* felragad, elragad (vmt) **B.** *tni* lecsap *[madár]*; **~ down upon sg** lecsap vmre *[madár, repülőgép]*, hirtelen megrohan vmt, rajtaüt vmn *[ellenség]* **II.** *fn* **a)** lecsapás *[ragadozó madáré, repülőgépé]*; *biz* **at one (fell) ~** egyetlen (végzetes) csapással **b)** hirtelen/váratlan megrohanás *[ellenségé]*; **make a ~ upon sg** vmt hirtelen megrohan

swoosh [swuːʃ] *tni US* csobban, loccsan

swop [swɒp ‖ swɑp] → **swap**[1]

sword [sɔːd ‖ sɔrd] *fn* **a)** kard, pallos; **duelling ~** párbajozókard; **fencing ~** vívókard; **~ of Damocles** Damoklesz kardja; **at the point of the ~** karddal kényszerítve, kegyetlen kényszernek engedve; **carry/wear a ~** kardot visel; **draw one's ~** kardot ránt/húz; **the ~** háború, haderő; **measure/cross ~s with sy** összeméri erejét vkvel; **sheathe the ~, put up the ~** a kardot hüvelyébe visszadugja; **with drawn ~** kivont karddal **b)** *kat szl* szurony, oldalfegyver, bajonett • *mn* **swordlike**

sword belt *fn* kardöv, kardkötő

sword blade *fn* kardpenge

sword cut *fn* kardvágás

sword dance *fn* kardtánc

swordfish *fn tsz* **-fish**, v. **-fishes** *áll* kardhal, kardorrú hal

sword flag *fn növ* sárga nőszirom

sword guard *fn* kardkosár

sword hilt *fn* kardmarkolat

swordknot *fn* kardbojt

sword law *fn* katonai uralom

sword lily *fn növ* kardvirág

swordplay *fn* **a)** kardforgatás, kardvívás **b)** *biz* **(verbal) ~** szócsata, szóharc, vagdalkozás szavakkal

swordsman [ˈsɔːdzmən ‖ ˈsɔr–] *fn tsz* **-men a)** kardforgató, karddal jól/ügyesen bánó ember; **he is a fine ~** jól bánik a karddal, jól forgatja a kardot **b)** vívó, vívómester • *fn* **swordsmanship**

swordstick *fn* tőrösbot, sétabotba rejtett tőr, stilét

sword stroke *fn* kardvágás, kardcsapás

sword swallower *fn* kardnyelő

sword thrust *fn* kardszúrás

swore [swɔː ‖ swɔr] → **swear I.**

sworn [swɔːn ‖ swɔrn] *mn* **a)** esküdt, hites; **~ brothers** hűséges fegyvertársak; jó barátok; **~ enemies** esküdt ellenségek; **~ friends** testi-lelki jóbarátok; **~ jury** esküdtbíróság **b)** megesketett *[tanú]*; **~ statement** eskü alatt tett vallomás; **~ witness** megesketett tanú; → **swear I.**

swot [swɒt ‖ swɑt] **I. -tt- A.** *tsi GB szl okt [magol]* biflázik; **~ up one's mathematics** magolja/biflázza a matematikát **B.** *tni biz* **a)** *okt [magol]* biflázik; **~ at mathematics** magolja/biflázza a matematikát **b)** keményen dolgozik *[szellemi munkás]* **II.** *fn GB szl* **1. a)** *okt [magolás]* biflázás **b)** *[megfeszített munka]* robot, kulizás **2.** magoló/biflázó diák

swum [swʌm] → **swim I.**

swung [swʌŋ] *mn* **~ dash** tilde; → **swing I.**

sy *röv somebody* valaki, vki

sybarite [ˈsɪbəraɪt] **I.** *mn* szibarita, elpuhult, élvezetahajhászó **II.** *fn* szibarita, élvezetahajhász • *fn* **sybaritism** *mn* **sybaritic**

sybil [ˈsɪbl] **I.** *fn* szibilla **II.** *tul* **S~** ‹női név› Sybil

sycamine [ˈsɪkəmaɪn] *fn növ régi* fekete eper(fa)

sycamore [ˈsɪkəmɔː ‖ –mɔr] *fn* **1.** *US* nyugati platán **2.** → **sycamore fig 3.** → **sycamore maple**
sycamore fig *fn növ* szikomorfa, fáradt fügefa
sycamore maple *fn növ* hegyi/szemes jávor
sycamore-tree *fn növ* szikomorfa, fáradt fügefa
syce [saɪs] *fn India* inas, szolga
syconium [saɪˈkounɪəm] *fn tsz* **syconia** [–nɪə] *növ* fügetermés
sycophant [ˈsɪkəfənt] *fn biz* talpnyaló, hízelgő • *fn* **sycophancy** *mn* **sycophantic**
sycosis [saɪˈkousɪs] *fn tsz* **sycoses** [–siːz] *orv* szőrtüszőgyulladás, szakállsömör
Sydenham's chorea [ˌsɪdnˈəmz kɔːˈrɪə] → **St Vitus's dance**
Sydney [ˈsɪdni] *tul* **1.** ‹férfi/női név› **2.** *földr* Sydney
Sydneysider *fn Ausz* Sydney lakója
syllabary [ˈsɪləbəri ‖ –beri] *fn nyelv* szótagábécé
syllabic [sɪˈlæbɪk] *mn* **1.** szótag-; *nyelv* ~ **accent** szótaghangsúly **2.** szótagszámoló, szótagoló **3.** szótagalkotó • *fn* **syllabicity** *hsz* **syllabically**
syllabify [sɪˈlæbɪfaɪ] *tsi* szótagol *[szót]* • *fn* **syllabification**
syllabize [ˈsɪləbaɪz], **-ise** *tsi* szótagol *[szót]*, szótaggá/szótagokká formál *[betűket]*
syllable [ˈsɪləbl] **I.** *fn nyelv* szótag; **he never uttered a ~** egy szót/hangot/kukkot sem szólt; **in words of one ~** egyszóval **II.** *tsi* szótagol(va olvas/mond) • *mn* **syllabled**
syllabus [ˈsɪləbəs] *fn tsz* **syllabuses**, **syllabi** [–baɪ] **1. a)** sillabusz, összefoglaló tanterv, tanmenet *[tanfolyamé]* **b)** *jog* rövid összefoglalás *[ügyvédi meghatalmazás elején]* **2.** *vall* syllabus
syllepsis [sɪˈlepsɪs] *fn tsz* **syllepses** [–siːz] *nyelv* értelem szerinti egyeztetés • *mn* **sylleptic**
syllogism [ˈsɪlədʒɪzm] *fn fil* szillogizmus • *mn* **syllogistic**
syllogize [ˈsɪlədʒaɪz], **-ise A.** *tsi* szillogisztikus formában fejt ki **B.** *tni* szillogizmusokban okoskodik
sylph [sɪlf] *fn* **1.** légi szellem, szilf **2.** *biz* kecses/karcsú/szilfid nő **3.** *áll* kolibrifaj • *mn* **sylphid**, **sylphlike**
sylva [ˈsɪlvə] *fn tsz* **sylvas**, **sylvae** [–viː] erdei növényzet/fák *[egy vidéké]*
sylvan [ˈsɪlvn] *mn* **1. a)** erdei, erdő- **b)** erdős, fás **2. a)** *áll* erdőlakó, erdei **b)** *növ* erdei
Sylvester [sɪlˈvestə ‖ –ər] *tul* Szilveszter
Sylvester Eve [sɪlˌvestər ˈiːv] *fn* szilveszteréj
Sylvia [ˈsɪlvɪə] *tul* Szilvia
sylviculture [ˈsɪlvɪkʌltʃə ‖ –ər] *fn* erdőművelés, erdőgazdálkodás
Sylvie [ˈsɪlvi] *tul* ‹*Sylvia* becéző alakja›
symbiont [ˈsɪmbaɪɒnt ‖ –ɑnt] *fn biol* szimbiózisban élő (v. együttélő) szervezet
symbiosis [ˌsɪmbaɪˈousɪs] *fn biol* együttélés, életközösség, szimbiózis • *mn* **symbiotic**
symbol [ˈsɪmbl] **I.** *fn* **a)** jelkép, szimbólum **b)** jel; **chemical ~** vegyjel; **phonetic ~** hangjel; fonetikus átírási jel; **system of ~s** jelrendszer; **~ of value** értékjel **II.** *fn* → **symbolize**
symbolic [sɪmˈbɒlɪk ‖ –ˈbɑ–], **symbolical** *mn* jelképes, szimbolikus • *hsz* **symbolically**
symbolics [sɪmˈbɒlɪks ‖ –ˈbɑ–] *fn esz* szimbolika
symbolism [ˈsɪmbəlɪzm] *fn* **1. a)** jelképes/szimbolikus ábrázolás **b)** *ir.tud* szimbolizmus **2.** jelképrendszer, szimbolika • *fn* **symbolist** *mn* **symbolistic**
symbolize [ˈsɪmbəlaɪz], **-ise** *tsi* **1.** jelképez, szimbolizál **2.** jelképesen/jelképpel/jelképben ábrázol • *fn* **symbolization**
symmetric [sɪˈmetrɪk(l)], **symmetrical** *mn* szimmetrikus, részarányos
symmetry [ˈsɪmətri] *fn* részarányosság, szimmetria
sympathetic [ˌsɪmpəˈθetɪk] **I.** *mn* **1. a)** rokonszenvező, megértő, rokonszenvet kifejező; **~ demonstration/strike** rokonszenvtüntetés, szimpátiatüntetés; **~ look** megértő pillantás **b)** rokonlelkű, fogékony, jóindulatú *[közönség]*, barátságos *[környezet]*, hálás *[közönség]* **c)** részvétteljes, részvevő; **~ words** részvétet kifejező szavak, részvétnyilvánítás **2.** *ritk* rokonszenves, megnyerő, szimpatikus **3. a)** *fiz zene* **~ string** együttrezgő húr **b)** *orv* szimpatikus; **~ nerve** szimpatikus ideg; **~ nervous system** szimpatikus idegrendszer; *pszich* **~ sensation** szimpatikus érzet **4.** láthatatlan; **~ ink** láthatatlan írású vegytinta **II.** *fn orv* szimpatikus ideg • *hsz* **sympathetically**
sympathize [ˈsɪmpəθaɪz], **-ise** *tni* **1. a) ~ with sy** rokonszenvez/szimpatizál vkvel, vonzódik vkhez; együtt érez vkvel *[bajban]*; részvétet/szánalmaz érez vk iránt **b) ~ with sy's** (v. **~ with sy in his) point of view** megérti vknek az álláspontját **2.** részvétét fejezi ki, kondoleál
sympathizer [ˈsɪmpəθaɪzə ‖ –ər], **-iser** *fn* **1.** rokonszenvező, szimpatizáns *[mozgalommal]* **2.** megértő ember
sympathy [ˈsɪmpəθi] *fn* **1. a)** rokonszenv, vonzalom, szimpátia; **feel a ~ for sy** méltányolja vk álláspontját; **be in ~ with sy's ideas** osztja vknek a nézeteit; rokon nézeteket vall vkvel; **be out of ~ with sy's ideas** nem rokonszenvez vknek a nézeteivel **b)** megértés, egyetértés, összhang *[két fél között]* **2.** részvét, együttérzés; **letter of ~** részvétnyilvánító levél; **excite ~ in sy** részvétet/szánalmat kelt/ébreszt vkben **3.** *fiz* rezonancia
symphonic [sɪmˈfɒnɪk ‖ –ˈfɑ–] *mn zene* **a)** szimfonikus; **~ music** szimfonikus zene; **~ poem** szimfonikus költemény **b)** szimfónia-
symphony [ˈsɪmfəni] *fn* **1.** *zene* szimfónia **2.** összhang, harmónia *[színeké]* **3.** → **symphony orchestra**
symphony orchestra *fn zene* szimfonikus zenekar
symphysis [ˈsɪmfɪsɪs] *fn tsz* **symphyses** [–siːz] *orv* szimfizis, összenövés, ízesülés • *mn* **symphyseal**
sympodium [sɪmˈpoudɪəm] *fn tsz* **sympodia** [–dɪə] *növ* áltengely • *mn* **sympodial**
symposium [sɪmˈpouzɪəm] *fn tsz* **symposiums**, **symposia** [–zɪə] **1.** ‹szűkebb körű tudományos tanácskozás› szimpózium **2. a)** ivóest, szümposzion *[régi görögöknél]* **b)** *biz* dáridó, ivászat
symptom [ˈsɪmptəm] *fn* **1.** *átv* tünet, szimptóma, (elő)jel **2.** *orv* kórtünet, kórjel
symptomatic [ˌsɪmptəˈmætɪk] *mn* **1.** előre jelző, jellemző, jellegzetes, szimptomatikus; **~ of sg** vmre jellemző **2.** *orv* tüneti • *hsz* **symptomatically**
symptomatology [ˌsɪmptəməˈtɒlədʒi ‖ –ˈtɑ–] *fn orv* tünettan, kórjeltan
syn. *röv* **1.** *synonym* **2.** *synthetic*
synaeresis [sɪˈnɪərəsɪs ‖ –ˈner–, –ˈnɪr–] *fn tsz* **synaereses** [–siːz] *nyelv* ‹két szótag összevonása eggyé›
synaesthesia [ˌsɪniːsˈθiːzɪə ‖ ˌsɪnɪsˈθiːʒə] *fn tsz* **synaesthesiae** [–ziiː] **1.** *orv pszich* két érzéki benyomás együttes érzékelése, szinesztézia **2.** *ir.tud* szinesztézia • *mn* **synaesthetic**
synagogue [ˈsɪnəgɒg ‖ –gɑg], **synagog** *fn* **1.** zsinagóga **2.** zsidó hitközség • *mn* **synagog(ic)al**
synallagmatic [ˌsɪnəlægˈmætɪk] *mn jog* kölcsönös, kétoldalú *[szerződés]*
synapse [ˈsaɪnæps ‖ ˈsɪnæps] *fn orv* szinapszis • *mn* **synaptic**
synarthrosis [ˌsɪnɑːˈθrousɪs ‖ –nɑr–] *fn tsz* **synarthroses** [–siːz] **1.** *orv* mozdulatlan csontízület, merev ízület, szinartrózis **2.** feszes egybekötés
sync [sɪŋk] *US biz* → **synch**
syncarp [ˈsɪŋkɑːp ‖ –kɑrp] *fn növ* csoportgyümölcs • *mn* **syncarpous**
synch [ˈsɪŋk] **I.** *fn biz film* szinkronizálás; **out of ~ with sy/sg** nincs szinkronban vmvel/vkvel; **in ~ with sy/sg** szinkronban vmvel **II.** *tsi biz film* szinkronizál
synchondrosis [ˌsɪŋkɒnˈdrousɪs ‖ –kɑn–] *fn tsz* **synchondroses** [–siːz] *orv* csontok porcösszekötése
synchro [ˈsɪŋkrou] *fn távk* szinkró
synchrodrive *fn gk* szinkronhajtás

S

synchronic [sɪŋ'krɒnɪk(l) ‖ –'krɑ–], **synchronical** *mn* **a)** egyidejű, szinkronikus; *nyelv* ~ **linguistics** szinkronikus/szinkrón nyelvészet **b)** együttjáró, szinkrón, egyidejű
synchronicity [ˌsɪŋkrə'nɪsəti] *fn* **1.** egybeesés *[véletlen]*, egyidejű előfordulás **2.** → **synchrony**
synchronism ['sɪŋkrənɪzm] *fn* egyidejűség, időbeli egybeesés, szinkronizmus • *mn* **synchronistic**
synchronize ['sɪŋkrənaɪz], **-ise A.** *tsi* összehangol *[órákat]*, szinkronizál *[órákat, filmet]* **B.** *tni* **1.** időben összevág, egyidejűleg történik **2.** egyidejű; **clocks that** ~ összeigazított órák, szinkronba állított órák • *fn* **synchronization**, **synchronizer**
synchronous ['sɪŋkrənəs] *mn* egyidejű, szinkronikus, szinkron(-); *gk* ~ **motor** szinkronmotor; *infor* ~ **transmission** szinkronátvitel • *hsz* **synchronously**
synchrony ['sɪŋkrəni] *fn* **1.** egyidejűség, összevágás időben, szinkrónia, szinkronizmus **2.** *nyelv* szinkrónia
synchrotron ['sɪŋkrətrɒn ‖ –trɑn] *fn fiz* szinkrotron
synchrotron radiation *fn fiz* szinkrotron-sugárzás
syncline ['sɪŋklaɪn ‖ 'sɪn–] *fn geol* szinklinális hajlás, teknő *[a redő hullámvölgye]* • *mn* **synclinal**
syncopate ['sɪŋkəpeɪt] *tsi* **1.** *zene* szinkopál **2.** *nyelv* megugrat, hang(ok) kihagyásával megrövidít *[szót]*, (betűt), szótagot elhagy, szinkopál • *fn* **syncopation**
syncope ['sɪŋkəpi] *fn* **1.** *zene* **a)** szinkópa **b)** késleltetés **2.** *nyelv* ‹szó megrövidítése hang(ok) kihagyásával› hangugratás, szinkópa **3.** *orv* hirtelen ájulás, szívkihagyás
syncretism ['sɪŋkrətɪzm] *fn* **1.** *fil* szinkretizmus, egyeztetés, kiegyenlítés **2.** *nyelv* egybeesés, kiegyenlítődés *[eredetileg különböző ragoké]* • *fn* **syncretist** *mn* **syncretic**
syncretize ['sɪŋkrətaɪz], **-ise A.** *tsi fil* egyeztet, igyekszik összhangba hozni, összebékít *[különböző tanokat]* **B.** *tni fil* összhangba jut *[többféle tan]*
syncromesh ['sɪŋkrəmeʃ] *US* → **synchromesh**
syndesmosis [ˌsɪndes'moʊsɪs] *fn tsz* **syndesmoses** [–si:z] *orv* feszes ízület, syndesmosis
syndetic [sɪn'detɪk] *mn nyelv* mellérendelő
syndic ['sɪndɪk] *fn* **1.** közigazgatási főtisztviselő *[Európában]*, polgármester *[Olaszországban]* **2.** vagyonkezelő, szindikus **3.** tanácstag, törvényhozó testület tagja **4.** szenátus különbizottságának tagja *[cambridge-i egyetemen]* • *mn* **syndical**
syndicalism ['sɪndɪkəlɪzm] *fn* szakszervezeti uralom, szindikalizmus • *fn* **syndicalist**
syndicate I. *fn* ['sɪndɪkət] **1. a)** testület(i tanács), intézőbizottság **b)** *gazd* szindikátus, konszern, tőkecsoport, konzorcium **2.** hírügynökség, hírszolgálati iroda **II.** *i* [–keɪt] **A.** *tsi* **1.** szindikátusba tömörít **2.** több újságban egyszerre közöl(tet) *[cikket]* **B.** *tni* szindikátusba tömörül
syndrome ['sɪndroʊm] *fn orv* tünetcsoport, *átv* szindróma
syne [saɪn] *hsz skót* azóta, régen, hajdan; → **auld**
synecdoche [sɪ'nekdəki] *fn* szinekdoché
synedrium [sɪ'nedrɪəm] *fn tsz* **synedria** [–drɪə] **a)** tanács, testület *[bíráké stb.]* **b)** sanhedrin, bírák legfőbb tanácsa *[ókori zsidóknál]*
syneresis [sɪ'nɪərəsɪs ‖ –'ner–] *US* → **synaeresis**
synergy ['sɪnədʒi ‖ –nər–] *fn* **a)** *orv* együttműködés *[szerveké]*, szinergia **b)** *gazd* szervezetek/tevékenységek egymást kiegészítő együtthatása • *mn* **synerg(et)ic**
synesis ['sɪnɪsɪs] *fn nyelv* értelem szerinti egyeztetés/mondatfűzés
synod ['sɪnəd] *fn* **1.** *vall* zsinat, szinódus **2.** tanácskozás, vitakör
synodic [sɪ'nɒdɪk ‖ –'nɑ], **synodical** *mn csill* szinodikus, együttállási
synonym ['sɪnənɪm] *fn nyelv* rokon értelmű szó, szinonima • *fn* **synonymity** *mn* **synonymic**
synonymous [sɪ'nɒnɪməs ‖ –'nɑ–] *mn* **1.** rokon értelmű, szinonim, vmvel azonos jelentésű, vmvel egyenértékű **2.** vmre jellemző, vmvel társítható
synonymy [sɪ'nɒnɪmi ‖ –'nɑ–] *fn* **1.** *nyelv* rokonértelműség, szinonimia **2.** szinonimika
synopsis [sɪ'nɒpsɪs ‖ –'nɑ–] *fn tsz* **synopses** [–si:z] összegezés, áttekintés, foglalat, vázlat, szinopszis • *tsi* **synopsize**
synoptic [sɪ'nɒptɪk ‖ –'nɑp–] **I.** *mn* egyszerre áttekinthető, szinoptikus; **S~ Gospels** szinoptikus evangéliumok *[Máté, Márk, Lukács evangéliuma]*; ~ **table** áttekintő/szinoptikus táblázat **II.** *fn* **a)** szinoptikus **b)** szinoptikus evangéliumok • *mn* **synoptical** *hsz* **synoptically**
synostosis [ˌsɪnɒs'toʊsɪs ‖ –nɑs–] *fn tsz* **synostoses** [–si:z] *orv* összecsontosodás, csontos összenövés, synostosis
synovia [saɪ'noʊvɪə ‖ sɪ–] *fn orv* ízületnedv • *mn* **synovial**
synovitis [ˌsaɪnoʊ'vaɪtɪs ‖ ˌsɪnə–] *fn orv* ízületihártya-gyulladás
syntactic [sɪn'tæktɪk] **I.** *mn nyelv* mondattani, szintaktikai, szintaktikus; ~ **unit** szintagma **II.** *fn* **syntactics** kapcsolástan, kombinatorika • *mn* **syntactical** *hsz* **syntactically**
syntagma [sɪn'tægmə] *fn tsz* **syntagmas**, **syntagmata** [–mətə] *nyelv* szintagma, szószerkezet • *mn* **syntagmatic**
syntax ['sɪntæks] *fn nyelv* mondattan, szintaxis
synthesis ['sɪnθəsɪs] *fn tsz* **syntheses** [–si:z] **1. a)** összetevés, összefoglalás, összegezés, egyeztetés, *fil* magasabb egységbe foglalás, szintézis **b)** magasabb egység, szintézis **2. a)** *vegy* vegyítés, elegyítés **b)** *vegy* szintetikus eljárás, szintetizálás, felépítés **3. a)** *orv* összeillesztés *[törésé stb.]* **b)** *orv* visszatevés *[sérvé stb.]* • *fn* **synthesist**
synthesize ['sɪnθəsaɪz], **-ise A.** *tsi* **1.** összefoglal, (magasabb) egységbe foglal, összegez, szintetizál **2.** *vegy* szintetikus úton előállít **B.** *tni* szintézist készít • *fn* **synthetization**
synthesizer ['sɪnθəsaɪzə ‖ –ər], **-iser** *fn* **1.** szintetizáló **2.** *zene* szintetizátor
synthetic [sɪn'θetɪk] **I.** *mn* **1.** összefoglaló, egységbe foglaló, összegező, szintetikus, szintetizáló; ~ **geometry** szintetikus geometria; ~ **language** (i) szintetikus/agglutináló/ragozó nyelv (ii) mesterséges nyelv **2. a)** *vegy* szintetikus, mű-, *tex* műszálas; ~ **fuel** mesterséges üzemanyag; ~ **silk** műselyem **b)** *biz* hamis, nem igazi, mű-, ál- *[pl. érzelem, logika]* **3.** *nyelv* szintetikus, elemezhetetlen **4.** *infor* ~ **address** generált cím **II.** *fn tsz* **synthetics** műanyagok • *mn* **synthetical** *hsz* **synthetically**
synthetize ['sɪnθətaɪz] → **synthesize**
syntony ['sɪntəni] *fn* **a)** összehangoltság, összhang **b)** *távk* (be)hangolás, összehangolás, rezonancia
syph [sɪf] *fn szl [szifilisz]* szifkó
syphilis ['sɪfəlɪs] *fn orv* szifilisz • *tsi* **syphilize** *mn* **syphilitic**
syphon ['saɪfn] *fn* **I.** *fn* → **siphon II.** *tsi szl* ~ **the python** *[vizel]* kiteкeri a kígyót, locsol
Syracuse[1] ['saɪrəkju:z] *tul földr* **1.** *tört* Szirakuza **2.** Siracusa *[szicíliai város]*
Syracuse[2] ['sɪrəkju:s] *tul földr US* Syracuse
syren ['saɪrən] → **siren**
Syria ['sɪrɪə] *tul földr* Szíria
Syriac ['sɪriæk] *mn/fn nyelv* szír (nyelv)
Syrian ['sɪrɪən] *mn/fn* szír(iai)
syringe [sɪ'rɪndʒ] **I.** *fn* **a)** fecskendő **b)** *orv* fecskendő, öblítő, irrigátor **c)** tűzfecskendő; **fire** ~ tűzoltó fecskendő/készülék **II.** *tsi* **a)** fecskendez, fecskendővel megöntöz **b)** fecskendővel kimos/kiöblít **c)** (be)fecskendez *[folyadékot]*
syrinx ['sɪrɪŋks] *fn tsz* **syrinxes**, **syringes** [sɪ'rɪndʒi:z] **1.** hétágú síp, pánsíp **2.** *áll* hangképző szerv, alsó gégefő *[madáré]* • *mn* **syringeal**
syrtis ['sɜ:tɪs ‖ 'sɜr–] *fn tsz* **syrtes** [–ti:z] *földr* futóhomok, vándor homokpad *[tengerben]*
syrup ['sɪrəp] **I.** *fn* **1.** szirup, szörp **2.** melasz, cukorlé **3.** *biz* szentimentalizmus, csöpögés **II.** *tsi* **1.** sziruppal önt le **2.** szörpöt csinál (vmből), besűrít (vmt) • *mn* **syrupy**

sysop [ˈsɪsɒp ‖ –ɑp] *fn biz* → **system operator**
systaltic [sɪˈstæltɪk, –ˈstɔːl–] *mn orv* váltakozva összehúzódó és kitáguló
system [ˈsɪstəm] *fn* **1. a)** rendszer; **legal ~** jogrendszer; **metric ~** méterrendszer **b)** rendszer, hálózat; *orv* **digestive ~** emésztőrendszer; *orv* **nervous ~** idegrendszer; *csill* **solar ~** naprendszer **2.** módszer, szisztéma; **without ~** módszer/rendszer nélkül, rendszertelenül *[dolgozik]* **3.** szervezet *[emberé]*; **it is bad for the ~** káros/ártalmas a szervezetre
systematic [ˌsɪstəˈmætɪk] *mn* rendszeres, módszeres, szisztematikus; *pej* **~ opposition** módszeres ellenállás; *nyelv* **~ phoneme** rendszerfonéma; *nyelv* **~ phonetics** rendszerfonetika • *mn* **systematical** *hsz* **systematically**
systematics [ˌsɪstəˈmætɪks] *fn esz* **1.** rendszerezéstan **2.** taxonómia **3.** rendszer, struktúra
systematize [ˈsɪstəmətaɪz], **-ise** *tsi* rendszerez, rendszerbe foglal • *tsi* **systematizer** *fn* **systematization**
system crash *fn infor* rendszerösszeomlás
system design *fn infor* rendszertervezés
system disk *fn infor* rendszerlemez
system flowchart *fn infor* rendszer-folyamatábra
systemic [sɪˈstiːmɪk ‖ –ˈste–] *mn* **1.** rendszeres, rendszerszerű, rendszer- **2.** *orv* szervi, szervezeti; **~ circulation** nagyvérkör; **~ disease** szervezeti/általános megbetegedés; **~ poison** vérméreg, *kat* általános mérgező hatású harcigáz
systemize [ˈsɪstəmaɪz], **-ise** → **systematize**
system operator *fn infor* rendszergazda
system programming *fn infor* rendszerprogramozás
systems analysis *fn infor* rendszerelemzés, folyamatelemzés • *fn* **systems analyst**
system software *fn infor* rendszerszoftver
systems programmer *fn* rendszerprogramozó
system time *fn infor* belső idő, rendszeridő
systole [ˈsɪstəli] *fn orv* periodikus szívösszehúzódás, szisztolé • *mn* **systolic**
syzygy [ˈsɪzədʒi] *fn* **1.** *csill* szizigium, együttállás **2.** *orv* összekapcsolódás *[protozonoké]* **3.** *biol* párba állás *[kromoszómáké]*

S

T

T[1], **t** [tiː] *fn* T, t (betű/hang); **cross one's t's** áthúzza a T betűt; *átv biz* aprólékos(an dolgozik), igen akkurátus/pedáns; **to a T** pontosan, pontról pontra, tökéletesen, hajszálnyi pontossággal; **that suit fits you to a ~** az öltöny tökéletesen illik rád, mintha rád öntötték volna az öltönyt; **that's you to a T** ez rád vall, ez vagy te

T[2], **t** *röv* **1.** *temperature* **2.** *tempo* **3.** *tenor* **4.** *terminal* **5.** *territory* **6.** *Tesla* **7.** *time* **8.** *ton(ne)* **9.** *town(ship)* **10.** *tritium* **11.** *Tuesday* kedd, K

TA *röv* **1.** *Territorial Army* **2.** *telegraphic address* **3.** *US teaching assistant*

ta [tɑː] *fn/isz GB biz gyerm* kösz(i)!

Taal [tɑːl] *fn nyelv* **the ~** dél-afrikai holland nyelv, afrikaans

TAB [tæb] *röv* **1.** *tabulator* **2.** *Totalizator Agency Board*

tab[1] [tæb] **I.** *fn* **1. a)** (visszahajtható) pánt, fül *[ruhán, zseben, cipőn stb.]* **b)** *kat* hajtóka, paroli *[vezérkari tiszté]*; *kat biz* **a red ~** vezérkari tiszt **c) shoe-lace ~** cipőfűzősinór fém vége/fűzőhegye **2.** függőcímke *[poggyászon]*, (poggyász)címke; **keep a ~ on sy/sg, keep ~s on sy/sg** figyel vkt/vmt, figyelemmel kísér vkt/vmt, szemmel tart vkt/vmt **3.** (lapszélbe vágott v. abból kiálló) betűmutató **4.** *Ausz szl* a nője vknek **5.** tabulátor *[írógépen, számítógépen]*; → **tabulator 6.** *US biz* számla *[ételé, italé]* **7.** *szl* tabletta; **ecstasy ~s** *[ecstasy tabletták]* ex **II.** *tsi* **-bb- 1.** füllel/nyelvvel ellát **2.** → **tabulate** II. 1. • *mn* **tabbed**

tab[2] [tæb] *röv* **1.** *table* **2.** *tablet* **3.** *tabulation* **4.** *tabulator*

Tabasco sauce [təˈbæskoʊ] *fn gaszt [márkanév]* ‹csípős mexikói szósz/mártás›

tabbouleh [təˈbuːlə] *fn gaszt* tabúli *[arab zöldséges étel]*

tabby [ˈtæbi] **I.** *fn* **1.** *tex* színjátszó mintás selyem, moaré, sanzsan **2.** → **tabby cat 3.** *biz* pletykás vénasszony, pletykafészek, rosszmájú vénlány **II.** *tsi tex* kalanderez *[selymet stb.]*

tabby cat *fn áll* **a)** cirmos (cica) **b)** *biz* nőstény macska

tabernacle [ˈtæbənækl ‖ ˈtæbər–] *fn* **1.** *vall* sátor *[régi zsidóknál]*, tabernákulum; *vall* **the feast of T~s** sátoros ünnep *[zsidóknál]* **2.** *US vall* szentségház, imaház, templom • *mn* **tabernacular**

tabes [ˈteɪbiːz] *fn orv* gerincvelő-sorvadásos bénulás, tábesz

tablature [ˈtæblətʃə ‖ –lətʃʊr] *fn* **1.** *zene régi* régi hangjegyírás, tabulatúra **2.** *műv* táblafestészet

table [ˈteɪbl] **I.** *fn* **1. a)** asztal; **collapsible/folding ~** összecsukható (tábori) asztal(ka); **draw/extension ~** kihúzható asztal; **telescope ~** állítható magasságú asztal; **~ on pillar and claw** kerek egylábú asztal; **straddle-legged ~, ~ with braced legs** kecskelábú/ikszlábú asztal; **three-legged ~** háromlábú asztal; *vál tört* **The Round T~** a Kerekasztal *[Arthur király lovagjainak asztala]*; **round ~ conference** kerekasztal-konferencia; *átv* **turn the ~s on sy** vki ellen fordítja az illető érveit; *átv* **have the ~s turned on her/him** fordult a kocka, most ő maradt alul, most visszakapta **b)** terített asztal, étellel megrakott asztal; **drink sy under the ~** asztal alá iszik vkt **c)** asztal(társaság), vendégek; **she kept the whole ~ amused** az egész asztaltársaságot szórakoztatta **2.** triktrak *[játék]*; → **tricktrack 3.** tábla, lemez, táblácska *[márványból, elefántcsontból]* **4.** *geol* tábla, fennsík, plató **5.** táblázat, tábla, jegyzék, mutató, összefogó áttekintés, összkép **6. chart ~** térképasztal, navigációs asztal **II.** *tsi* **1. a)** asztalra tesz/helyez/rak **b)** előterjeszt, javasol, javaslatot/előterjesztést tesz; *jog* **~ a bill** *GB* törvényjavaslatot benyújt/előterjeszt; *US* törvényjavaslatot hosszú időre elnapol **c)** *ját* **~ a card** kijátszik egy kártyát; *biz* **~ one's cards** nyílt kártyákkal/lapokkal játszik **2.** táblázatba foglal; lajstromba vesz **3.** egymásba illeszt *[gerendákat]*

tableau [ˈtæbloʊ] *fn tsz* **tableaux** [–loʊz] **1.** csoportkép **2.** drámai helyzet/jelenet

tablecloth *fn* asztalterítő, abrosz

table-d'hôte [ˌtɑːbl ˈdoʊt] *fn* **1.** közös (ebédlő)asztal *[vendéglőben, hajón]* **2.** menü

table knife *fn tsz* **-knives** nagy (evő)kés, asztali kés

tableland *fn földr* táblavidék, hátság, fennsík, plató

table licence *fn GB* alkoholkimérési engedély, szeszesitalárusítási engedély *[étteremé]*

table linen *fn* asztalnemű

table manners *fn tsz* étkezési/asztali etikett

table mat *fn* tálalátét, szet

table napkin *fn* szalvéta

table of contents *fn* tartalomjegyzék

table salt *fn* asztali/étkezési só

Tables of the Law *tul vall* a mózesi törvénytáblák/kőtáblák

tablespoon *fn* leveseskanál, evőkanál • *mn* **tablespoonful**

tablet [ˈtæblɪt] *fn* **1. a)** *régi* írótábla *[elefántcsontból, fából stb.]* **b)** emléktábla **2.** tabletta

table talk *fn* meghitt/bizalmas beszélgetés

table tennis *fn sp* asztalitenisz

tabletop *fn* asztallap

table-top *mn* asztalra/asztaltetőre szerelhető/tehető/állítható; **~ sale** ‹megunt v. fölösleges holmik asztalról való kiárusítása›

tableware [ˈteɪblweə ‖ –wer] *fn* asztali/étkezési edények, evőeszközök, teríték

tabloid [ˈtæblɔɪd] *fn* **1.** bulvárlap **2. in ~ form** röviden, tömören, néhány sorban, dióhéjban; **~ tales** lerövidített (v. rövidebbre fogott) történetek

tabloid journalism *fn* bulvársajtó, bulvárzsurnalisztika

taboo [təˈbuː] *tsz* **-s**, **tabus** [–ˈbuːz] **I.** *mn* **1.** tabunak/szentnek/sérthetetlennek nyilvánított, szent és sérthetetlen, tabu *[személy, dolog]* **2.** *biz* (meg)tiltott, kerülendő **3.** *nyelv* tabu *[szó]* **II.** *fn* **1.** szentség, sérthetetlenség, tabu **2.** tilalom, tiltott dolog, tabu **3.** kiközösítés **III.** *tsi pt/pp* **tabooed 1.** tabunak/szentnek/sérthetetlennek nyilvánít/minősít **2.** *biz* megtilt, eltilt (vknek vmt), kiközösít (vkt vhonnan)

tabouret [ˈtæbərɪt ‖ ˌtæbəˈret], *US* **taboret** *fn* kis támlátlan szék, zsámoly

tabular [ˈtæbjʊlə ‖ –bjələr] *mn* **1.** táblázati, táblázatos *[kimutatás stb.]* **2.** lemezkés, lemezes lapocskából/levelekből álló *[szerkezet stb.]* **3.** *mat* lapos/sík felületű **4.** *geol* táblás *[vidék/stb.]* **5.** lapos *[kő]*

tabula rasa [ˌtæbjʊlə ˈrɑːzə] **1.** ‹az érintetlen emberi elme mielőtt benyomásokat befogad› **2.** ‹teljes megszüntetése vmnek és új helyzet teremtése› tabula rasa

tabulate I. *mn* [ˈtæbjʊlət] **1.** lapos/sík felületű **2.** lemezes, réteges **II.** *tsi* [–leɪt] **1.** táblázatba foglal/rendez, táblázatos kimutatást készít (vmről), tabellál, csoportosít, osztályoz **2.** lapos felületet ad (vmnek), laposra csiszol *[drágakövet]* • *fn* **tabulation**

tabulator [ˈtæbjʊleɪtə ‖ ˈtæbjəleɪtər] *fn* **1.** táblázatkészítő (ember) **2.** tabulátor *[írógépen, számítógépen stb.]*

tacamahac [ˈtækəməhæk] *fn növ* balzsamfa

tache [tæʃ] *fn biz röv moustache* bajusz

tacho [ˈtækoʊ] *fn GB röv tachometer*; *tachograph*

tachograph [ˈtækəgrɑːf ‖ –græf] *fn műsz* regisztráló sebességmérő/fordulatszámmérő, tachográf

tachometer [tæˈkɒmɪtə ‖ tæˈkɑmətər] *fn* **a)** *műsz* fordulatszámmérő, sebességmérő, tachométer **b)** *fiz* szögsebességmérő • *fn* **tachometry**

T

tachygraphy [tæˈkɪgrəfi] *fn tört* gyorsírás *[főleg a régi Görögországban és Rómában]* • *fn* **tachygrapher, tachygraphist**

tachylite [ˈtækɪlaɪt], **tachylyte** *fn ásv* bazaltüveg, tachilit

tachymeter [tæˈkɪmɪtə ‖ –mətər] *fn* **1.** *geod* tachiméter; ~ **method** (fel)mérés tachiméterrel; *kat* optikai távolságmérés lőelemek megállapítására **2.** fordulatszámjelző, sebességmérő

tacit [ˈtæsɪt] *mn* **1.** hallgatólagos *[beleegyezés, vallomás stb.]* **2.** néma, szótlan, passzív *[szemlélő stb.]* • *hsz* **tacitly**

taciturn [ˈtæsɪtɜːn ‖ –tɜrn] *mn* hallgatag, kevés beszédű, szűkszavú, szófukar, szótlan • *fn* **taciturnity**

tack[1] [tæk] **I.** *fn* **1.** lapos fejű, hegyes kis szög **2.** *US röv* → **thumbtack 3.** férc(öltés) *[varráson]* **4.** taktika, megközelítés(i mód), irány; **be on the right ~** jó úton jár/halad **5. a)** *hajó* vitorlaállással meghatározott menetirány, irányhelyzet; **on the port ~** bal oldalról/balról fújó szél *[hajón]* **b)** *hajó* irányváltozás, átfordulás vitorlával hátszéllel **c)** cikkcakkban haladás *[szárazföldön]* **6.** ragadósság, tapadóképesség *[olajfestéké, ragasztóé stb.]* **7.** *biz* étel, táplálék, ellátás **8.** *tsz* **tacks** lószerszámok **9.** *esz* **tacks** bóvli, giccs **II. A.** *tsi* **1. ~ up sg (on/to sg)** kiszögel, kitűz, hozzászegez (vmt vmhez) **2.** (össze)fércel, megfércel, (oda)tűz, összetűz, (össze)fűz **3.** *átv biz* **~ sg (on) to sg** hozzátesz **4.** kitold, hozzáépít **5. ~ a ship about** hajót megfordít, hajó irányát megváltoztatja **B.** *tni* **1.** *hajó* **~ (about)** irányt változtat, (meg)fordul, széloldalt/csapást vált, (szélen vitorlával) átfordul *[hajó]* **2.** változtat módszerén/taktikáján, új módszert/taktikát kísérel meg, taktikát változtat, megváltoztatja magatartását **3. ~ (on to sy)** szorosan a nyomában van (vknek) • *fn* **tacking**

tack[2] [tæk] *fn skót* halfogás, sikeres halászat, szerencsés fogás

tackiness [ˈtækinəs] *fn* **1.** ragadósság, tapadósság, vmnek ragadós/tapadós volta **2.** *US biz [modortalanság]* bunkóság, tahóság

tackle [ˈtækl] **I.** *fn* **1. a)** felszerelés, kellék(ek), hozzávaló, berendezés, műszer(készlet), készlet **b)** lószerszám **2.** *hajó* hajókötélzet **3.** megbirkózás, megküzdés *[nehéz kérdéssel stb.]* **4. a)** megragadás, megállítás, feltartóztatás *[ellenfélé]* **b)** *US sp* védő(játékos) *[amerikai futballban]* **II. A.** *tsi* **1. a)** megragad, megmarkol, derékon kap (vkt) **b)** *sp* szerel *[futballban, rögbiben]* **2.** megbeszél, megvitat (vkvel vmt), vitába száll (vkvel) **3. a)** vállal *[feladatot stb.]*, hozzáfog, nekifog, nekilát **b)** megküzd, megbirkózik *[nehéz kérdéssel stb.]*, elintéz, megold *[feladatot]* **4.** rögzít, megerősít, *épít* alátámaszt, megtámaszt **5.** befog, felszerszámoz *[lovat]* **B.** *tni sp* szerel • *fn* **tackler, tackling**

tacky [ˈtæki] *mn* **1.** ragadós, nem száraz **2.** *biz* **a)** bazári, giccses **b)** snassz

taco [ˈtækou ‖ ˈtɑkou] *fn tsz* **tacos** taco *[hússal, babbal, zöldséggel töltött, háromszögletűre hajtogatott mexikói kukoricalepény]*

tact [tækt] *fn* **1.** tapintat, viselkedni tudás; **without ~** tapintatlan, indiszkrét **2.** *zene* ütem, taktus

tactful [ˈtæktfl] *mn* tapintatos, diszkrét, diplomatikus • *hsz* **tactfully**

tactical [ˈtæktɪkl] *mn* **1.** *kat* harcászati, taktikai **2. a)** taktikus, ügyesen manőverező *[személy, viselkedés]* **b)** taktikai

tactician [tækˈtɪʃn] *fn* **a)** taktikus, *biz* ügyesen mesterkedő/manőverező ember **b)** *kat* harcász *[katonai műveletek tervezője]*

tactics [ˈtæktɪks] *fn esz* **1.** taktika, eljárásmód, (ügyes) mesterkedés; → **tactical 2.** *kat* harcászat, taktika; harcművészet

tactile [ˈtæktaɪl ‖ ˈtæktl] *mn* **1.** tapintható, kézzelfogható **2.** tapintási, tapintóérzékhez tartozó **3.** háromdimenziós *[hatást kiváltó]*

tactless [ˈtæktləs] *mn* tapintatlan, viselkedni nem tudó *[ember]*, tapintatlan, indiszkrét *[viselkedés, modor stb.]* • *fn* **tactlessness**

tad [tæd] *fn US biz* kis kölyök, srác, poronty

tadpole [ˈtædpoul] *fn áll* ebihal, békaporonty

taenia [ˈtiːnɪə] *fn tsz* **taeniae** [–niiː] *áll* galandféreg, bélgiliszta

taffeta [ˈtæfɪtə] **I.** *mn tex* taftból való, taft- **II.** *fn tex* tafota, taft

Taffy [ˈtæfi] *fn biz* walesi ember

taffy [ˈtæfi] *fn* **1.** *skót US* karamella cukorka **2.** *US biz* hízelgés, (talp)nyalás

tag [tæg] **I.** *fn* **1. a)** vmnek elálló/lelógó vége/csúcsa, toldalék *[tárgyon]*; **the ~ end of the rope** a kötél szabadon lógó vége **b)** fűzőhegy, fémvég *[cipőfűzőn]* **c)** cipő(fel)húzó fül **d)** állati farok vége **2. a)** cédula; **identification ~** azonosító címke/kártya; **price ~** árcédula **b)** *infor* címke, tag, jelölő elem, jel; jelzőbit **c)** *US* rendszámtábla **3.** ismétlődő sor, refrén *[versé, dalé]* **4.** *szính* utószó, epilógus *[színdarabé]* **5. a)** elcsépelt/elkoptatott szólás/idézet, közhely **b)** *nyelv* **question ~, ~ (question)** utókérdés, (mondatvégi) kérdőszócska **6. a)** fogócska **b)** fogó *[fogócskában]* **7.** *szl* tag *[falfirka aláírása]* **II. -gg- A.** *tsi* **1.** hozzáfűz, hozzátold, odabiggyeszt (*sg on to sg* vmt vmhez) **2.** megcéduláz, megcímkéz *[csomagot, bőröndöt stb.]* **3.** *infor* (meg)címkéz, (meg)jelöl **4.** *biz* szorosan a nyomában van (vknek), nyomon követ, üldöz, űz (vkt) **5.** megfog *[fogócskában]* **6.** rímeltet, rímeket farag/gyárt **B.** *tni* **1. ~ at sy's heels** mindig nyomában van vknek, sarkában jár vknek **2. words that don't ~** egymással nem rímelő szavak

tag along *tni* lóg a nyakán (vkinek), nem száll le (vkiről);

tag end *fn* **1.** *US* vége, utolja; ami még maradt (vmiből) **2.** → **fag-end** 1.

tagetes [tæˈdʒiːtiːz] *fn növ* bársonyvirág, büdöske

tagger [ˈtægə ‖ –ər] *fn* **a)** fogó *[fogócskajátékban]* **b) ~ after women** szoknyapecér

tagging [ˈtægɪŋ] *fn el infor* megjelölés, kijelölés, cimkézés *[számítógép-programban]*

tag line *fn US* **1.** csattanó, mondanivaló *[viccé, színdarabé]* **2.** jelmondat, jellemző mondat/sor

tag-rag *fn biz* **the ~ (and bob-tail)** szemét/alja/jöttment népség, söpredék, csőcselék, csürhe

tag team *fn* birkózópár(os) *[mérkőzéskor egymást váltók]*

taguan [ˈtægwæn] *fn áll* taguán, repülő mókus

Tahiti [təˈhiːti] *tul földr* Tahiti • *mn* **Tahitian**

Taig [teɪg] *fn GB szl* ‹katolikus protestáns gúnyneve Észak-Írországban›

taiga [ˈtaɪgə] *fn* tajga

taihoa [ˌtaɪˈhouɑː] *isz Ausz* lassan a testtel!, ne olyan gyorsan!, várj(unk) egy kicsit!

tail [teɪl] **I.** *fn* **1.** farok, fark *[állaté]*, faroktoll *[madáré]*; **we can't have the ~ wagging the dog** nehogy a farok csóválja a kutyát; **turn ~** sarkon fordul, elinal, megfutamodik; **twist the ~ of sy** bosszant vkt; *biz* **I'd warm his little ~** a legszívesebben seggbe rúgnám; **with his ~ between his legs** behúzott farokkal; *átv biz* megszégyenítve, leforrázva, megfélemlítve; **one cannot make head or ~ of it** (nincs) se füle, se farka **2. a)** végződés, vég, csücsök *[tárgyaké]*, far *[járműveké]*, farokfelület, farok(rész) *[repülőgépé]*; **~ of comet** üstökös csóvája/farka; *biz* **the ~ of the team** a csapat gyenge játékosai; **we only caught the ~ of the storm** a viharnak csak a szele ért bennünket **b)** uszály *[ruháé]*, szárny *[kabáté]* **c)** *biz* frakk **3.** *biz* írás(os oldal) *[érméé, pénzé]*; **heads or ~s** fej vagy írás **4.** *szl* **a)** *[far]* fenék **b)** *[női nemi szerv]* buksza, muff **c)** ‹nő mint szexuális vágy tárgya› **II. A.** *tsi* **1. a)** farokkal ellát *[sárkányt stb.]* **b) ~ sg on to sg** vmt vm mögé/végére/hátához erősít/kapcsol; **~ one folly to another** egyik ostobaságot a másikra halmoz **2.** *US biz* nyomon követ, sarkában van (vknek), (rendőrileg) megfigyel, szemmel tart (vkt) **3. a)** levágja a farkát *[állatnak]* **b)** lecsutkáz, szárától megtisztít *[gyümölcsöt]* **B.** *tni* **1.** *hajó* (széltől) átfordul, (el)fordul **2.** folyik, ömlik • *mn* **tailed, tailless**

tail after *tni* **a)** nyomon követ (vkt), sarkában van (vknek) **b)** libasorban (v. egy sorban) követnek (vkt, vmt)

T

tail away *tni* **1.** lemarad, hátramarad *[versenyző]* **2. a)** (meg)ritkul, távolba nyúlik/vész *[menetelők sora stb.]* **b)** elhalkul, elhal *[hang]*
tail back *tni* feltorlódik *[forgalom]*, hosszú kocsisor alakul/kígyózik
tail down *tsi* letompít, mérsékel, csökkent
tail off *tni* **1.** → **tail away 2.** elsiet, megszökik, elinal
tail on *tsi* hozzácsatol/hozzáilleszt végén *[függelékként, kiegészítésként]*
tail up *tni* **1. a)** meredeken (v. zuhanó repüléssel) száll le *[repülőgép, madár]* **b)** mélybe bukik *[bálna]* **2.** sorba áll, beáll a sorba *[várakozó]*

tailback *fn közl* forgalmi torlódás/dugó, hosszú (feltorlódott) kocsisor/autósor

tailcoat *fn biz* frakk

tail-coverts *fn tsz áll* fedőtollak *[madárfarkon]*

tail-drag *fn rep* farnehezék

tail-end *fn* vmnek a legvége *[felvonulásé, csapaté stb.]*; **come in at the ~** utolsónak ér/jön be *[versenyen]*, sereghajtó • *fn* **tail-ender**

tail-feather *fn áll* kormánytoll

tail-fin *fn* **1.** *áll*, farkúszó *[halé]* **2.** *hajó* ‹gerinc hátsó kiegészítéseül szolgáló, vízáramlást irányító felület› **3.** *rep* függőleges vezérsík

tailgate I. *fn* **1.** lenyitható hátsó ajtó *[teherautóé]*, felnyitható hátsó ajtó, ötödik ajtó *[személygépkocsié]*, saroglya *[szekéré]* **2.** *vízügy* alsó zsilipkapu **II. A.** *tsi US gk* nyakán van, túl közel megy *[egyik gépkocsi a másikhoz]* **B.** *tni* nem tartja be a követési távolságot; **No tailgating** Tartsa be a követési távolságot!

tail-light *fn* hátsó lámpa, tatlámpa, farvégi helyzetlámpa

tailor [ˈteɪlə ‖ —ər] **I.** *fn* szabó **II. A.** *tsi* **1. a)** szab, varr, elkészít *[öltönyt, kosztümöt stb.]* **b)** „öltöztet", varr (vknek) **2. a)** egyenes/angolos/férfias szabásúra készít **b)** sima egyenes szegéssel el lát **3.** előállít, átalakít, hozzáigazít *[vmnek megfelelően]* **B.** *tni* szabóskodik, szabómesterséget űz/folytat • *fn* **tailoring**

tailor-made *mn* **1.** rendelésre készült/készített *[ruha]* **2.** testreszabott

tailor's chair *fn* szabószék, szabózsámoly *[lábatlan, háttámlás szék főként szabóknak próbáláshoz]*

tailor seat *fn GB* törökülés

tailpiece *fn* **1. a)** vmnek a vége/toldata/hegye/„farka", toldalék **b)** *rep* repülőgép egyensúlyozó farokrésze **2.** *zene* húrtartó *[hegedűn stb.]*

tailpipe *fn* **a)** végcső, lefolyócsonk **b)** *gk* kipufogócső

tailspin *fn* **1.** *rep* szabályos dugóhúzó; *átv* **go into ~** zuhanórepülésbe kezd *[repülőgép, gazdaság]* **2.** *rep* örvényvonal

taint [teɪnt] **I.** *fn* **1. a)** beszennyezés, bemocskolás, megfertőzés **b)** *átv* romlás, fertőzés **2. a)** romlottság, fertőzés nyoma **b)** *átv* (szenny)folt, romlottság **3.** öröklött baj/fogyatékosság/terheltség, hajlam betegségre/rosszra **II. A.** *tsi* **1.** beszennyez, megfertőz, elront **2.** *átv* megfertőz, megront, bemocskol, lealjasít *[erkölcsöt, szellemet stb.]* **B.** *tni* megfertőződik, elromlik, megromlik • *mn* **taintable**, **tainted**, **taintless**

T

Taiwanese [ˌtaɪwəˈniːz] *mn/fn* tajvani

Tajik [tɑːˈdʒiːk] *mn/fn* tadzsik

take [teɪk] **I.** *pt* **took** [tʊk], *pp* **taken** [ˈteɪkn] **A.** *tsi* **1. a)** vesz, fog *[kézbe stb.]*; **~ my hand** vedd (v. fogd meg) a kezemet; **~ one's life in one's own hands** kezébe veszi saját sorsa irányítását **b)** elvesz, elszed, levesz **c)** *átv* megfog, megmarkol, megragad; **~ (hold of) sy/sg** megragad/megkaparint vkt/vmt, hatalmába kerít vkt/vmt, ráteszi a kezét vkre/vmre; **~ the opportunity** megragadja az alkalmat; **~ advantage of sg/sy** kihasznál vkt/vmt; **~ sy at his word** szaván fog vkt; **~ sy by surprise** meglep vkit **d)** elfog, (vkt, vmt), elfoglal, bevesz *[ellenséges várost stb.]* **2. a)** megragad, hatalmába kerít, elfogja *[benyomás, inger, érzelem stb.]*, érez, táplál *[érzelmet]*; **~ a dislike to sy** megutál vkt; **~ notice of sg/sy** felfigyel vmre/vkre, észrevesz vmt/vkt; **~ no notice of sg/sy** figyelmen kívül hagyja, a füle botját sem mozdítja; **~ offence** megsértődik; **~ pity on sy** megsajnál vkt; **~ pride in sg/sy** büszke vmre/vkre; **what has ~n him?** mi ütött belé?, mi lelte? **b)** megtámad *[betegség vkt]*, elkap *[betegséget]*; **she was ~n ill** megbetegedett, beteg lett **3. a)** (meg)kap, megszerez (vmt), hozzájut (vmhez); **~ legal advice** jogi tanácsot kér, ügyvédhez fordul; **~ possession of sg** birtokba vesz vmt, megszerez vmt **b)** lefoglal, leköt (vmt); **~ a seat!** foglaljon helyet!; **"taken"** foglalt *[asztal, ülőhely]*; **~ place** helyet foglal, leül; megtörténik, lejátszódik; **~ the chair** elfoglalja az elnöki/szónoki széket **c)** rendszeresen megvesz (vmt) **d)** (ki)bérel, bérbe vesz **e)** (fel)fogad, alkalmaz, szerződtet (vkt); **~ a secretary** titkárt fogad; **~ a wife** megnősül **4. a)** magához vesz *[élelmet]*, vesz *[ételből, italból]*, bevesz *[gyógyszert stb.]*; **~ a helping** vesz a tálból; **~ medicine** orvosságot bevesz/(be)szed; **~ some!** végy/vegyen belőle!, parancsolj(on)!; **do you ~ sugar?** kér/parancsol/vesz cukrot?; **not to be ~n!** külsőleg *[felirat orvosságos üvegeken]*; **I can't ~ more** (i) többet már nem bírok enni (ii) többet már nem bírok elviselni **b)** *átv* vesz, kivesz, felvesz, merít, visel, megtesz *[intézkedést, lépéseket stb.]*; **~ action** cselekszik; beperel; *kat* **~ aim** célba vesz, céloz; **~ airs** adja az előkelőt; **~ a bath** fürdőt vesz, megfürdik *[kádban]*; **~ a breath** lélegzetet/levegőt vesz; **~ care of sy/sg** gondot visel vkre/vmre, gondoskodik vkről/vmről; **~ a chance** kockáztat, kockázatot/rizikót vállal; **~ courage/heart** bátorságot merít, felbátorodik; **~ lessons in German** németórákat vesz; **~ the floor** szólásra emelkedik, felszólal; porondra lép; **~ a day off** kivesz egy szabadnapot; **~ leave** búcsút vesz, eltávozik, elmegy; **~ a look at sy/sg** szemügyre vesz vkt/vmt; **~ the minutes** felveszi/vezeti a jegyzőkönyvet; **~ a nap** alszik/szundít egyet; **~ oath** esküt tesz, megesküszik; **~ part** részt vesz (*in* vhol), vmben; **~ a photo(graph)/picture/shot of sy/sg** (le)fényképez vkt/vmt; **~ a rest** megpihen; *átv* **~ root** gyökeret ereszt; **~ a few steps** egy pár lépést tesz; *átv* **~ steps** lépéseket tesz; **take the necessary measures** megteszi a szükséges intézkedéseket; **~ revenge** bosszút áll; **~ a walk** sétálni megy **c)** *sp* vesz, csinál *[fordulót, kanyart stb.]*, átugrik, legyőz *[akadályt]*; **~ the bend** veszi a kanyart; **~ the hurdle** veszi a gátat **5.** igénybe vesz *[közlekedési eszközt]* **6.** választ; **~ the wrong road** eltéveszti az utat; **~ a turn for the better** jobbra fordul, javul; **~ sy as an example** példát vesz vkről; *átv* **that ~s you nowhere** ez (az út) sehová sem vezet **7.** vállal (vmt), vállalkozik (vmre); **~ a bet** állja/tartja a fogadást; **~ an exam(ination)** vizsgázik; **~ all responsibility** vállalja a teljes felelősséget; **~ the trouble to** veszi a fáradságot vmihez **8.** megszerez, elnyer *[díjat, tudományos fokozatot stb.]*; **~ one's degree** egyetemi diplomát szerez **9. a)** elfogad *[ajándékot, pénzt stb.]*, megfogad, követ *[tanácsot stb.]*, befogad, védelembe vesz (vkt); **~ orders** (i) parancsra vár (ii) felveszi a rendelést *[pincér]*; **~ it or leave it** kell vagy nem kell?, ha nem kéri/kell, ne babrálja! **b)** eltűr, elszenved, elvisel, elbír; *szl* **~ it** elvisel/tűr vmt; **does not ~ no for an answer** nem fogad el visszautasítást, nem tűr tagadó választ; **~ the rough with the smooth** úgy veszi a dolgokat, ahogy jönnek egymás után *[jót rosszat vegyest]*; **~ things calmly/coolly** nyugodtan/hidegvérrel/könnyen fogadja a dolgokat; *biz* **~ sg well** bátran elvisel **10.** felfog, megért (vkt/vmt); **he can't ~ a joke** nem érti a tréfát; **~ a hint** magára veszi a célzást; megfogadja/követi a tanácsot **11.** feltételez, feltesz (vmt), tart, tekint (vkt/vmt vmnek); **I ~ it that ...** feltételezem, hogy..., úgy gondolom, hogy ... **12. ~ the case of your brother for instance** vegyük például a bátyád esetét; **~ sy/sg seriously** komolyan vesz vkt/vmt; **~ into account** vmt figyelembe/tekintetbe vesz; **~ note of sg** tudomásul vesz vmt; **this should not be ~n to mean (that)** ezt nem kell/szabad úgy felfogni (hogy) **13.** megállapít, meghatároz *[nagyságot]*, (meg)mér *[területet stb.]*; **~ a reading** leolvas *[műszert]*; **~ sy's temperature** megméri vknek a hőmérsékletét/lázát;

gazd ~ **stock** leltárt készít, leltároz; ~ **a common stand** közös állásponton vannak **14. a)** (el)használ, fogyaszt, visel (vmt), szüksége van (vmre); *biz* **what(ever) it ~s** ami szükséges/szükségeltetik, szükséges összeg/mennyiség **b)** igényel, igénybe vesz, (meg)kíván, (meg)követel (vmt), szüksége van (vmre); **that ~s a man** ehhez igazi férfi kell; **it ~s two** (i) kettőn áll a vásár (ii) ketten kellenek hozzá; *közm* **it ~s two to dance** kettőn áll a vásár; **it ~s all kinds to make a world** így kerek a világ; **that will ~ a long time** ez hosszú időbe fog telni; **it won't ~ long** nem tart sokáig; ~ **your time** ne siesd el, ráérsz; **that will ~ some explaining** ez némi magyarázatot kíván **15.** (magával) visz, vezet; ~ **sy swhere** (el)visz/elvezet vkt vhova; ~ **sy to see sg** megmutat vknek vmt; **he was ~n to hospital** kórházba szállították; ~ **home** hazavisz; hazakísér **16.** *nyelv* áll vmvel, vonz vmt; **this noun ~s a singular verb** ez a főnév egyes számú állítmányt vonz **17.** ért vmhez, megvan vmhez a tehetsége **18.** *szl [becsap]* átver, levesz vmivel, átdob, átvág **B.** *tni* **1. a)** sikere van, sikert ér el, kelendő; **this play won't ~** ennek a darabnak nem lesz sikere **b)** hatása van, hatást ér el, eredményes, megered *[oltás]* **2.** befogja a szelet *[vitorla]* **3.** köt *[cement]* **II.** *fn* **1. a)** vevés, vétel **b)** *film* felvétel, beállítás **2.** (meg)fogás *[vadé, halé]* **3.** *biz* bevétel, nyereség, kassza *[színházi előadásé]* **4.** *szl* **on the ~** *[megvesztegethető]* meg van véve, megvehető, megkenhető

take aback *tsi* zavarba ejt/hoz, meghökkent, megdöbbent

take about *tsi* megmutatja a várost *[idegeneknek stb.]*, körülvisz *[idegeneket a városban stb.]*

take after *tni* ~ **after sy** hasonlít vkhez, vkre üt; vk nyomába lép

take against *tni* ellene van/fordul (vknek)

take along *tsi* magával visz (vkt), vmt

take apart *tsi* **1.** (darabjaira) szétszed **2.** *átv* szétszed, ízekre szed *[pl. kritikus]*; → **take-apart**

take away *tsi* **1. a)** elvesz, elvisz vmt, eltüntet, elsikkaszt *[okmányt, írásbeli bizonyítékot]*; ~ **away sy's breath** lélegzetét elállítja; meghökkent vkt **b)** elvisz, magával visz, elvezet (vkt), kivesz (vkt vhonnan) **2.** levon, kivon *[számot]* **3.** elmozdít, eltávolít (vkt), megdönt (vmt); → **takeaway**

take back *tsi* **1. a)** visszavisz (vmt), visszavezet *[embert, állatot]* **b)** *átv* (gondolatban) visszavisz (a múltba vhova) **2.** visszavesz *[alkalmazottat, ajándékot, el nem adott árut]* **3.** visszaszív, visszavon *[sértést, ígéretet stb.]*

take down *tsi* **1.** levesz, leszed, letesz, lehelyez (vmt vhonnan) **2.** leszerel, lebont, elbont; ~ **down a machine** gépet leszerel/szétszed; ~ **down the hair** haját kibontja *[nő]*; szívét kiönti **3.** (nagy nehezen) lenyel *[ételt stb.]* **4.** megaláz (vkt), letöri a gőgöt/büszkeséget (vkben) **5. a)** leír, lejegyez, feljegyez; ~ **down sy's name and address** felírja vknek a nevét és címét; ~ **down a few notes** jegyzetel, csinál egy pár jegyzetet **b)** diktálás után (gyorsírással/gépírással) leír **c)** felvesz, rögzít *[hangszalagra stb.]* **6. a)** *Ausz* becsap, rászed, átejt **b)** *Ausz* ügyességi játékban legyőz; → **take-down**

take for *tsi* **1. a)** vmnek hisz/tart/néz; *biz* **what do you ~ me for?** kinek néz maga engem?, mit gondol, ki vagyok én?; ~ **sg for granted** természetesnek (v. magától értetődőnek) vesz/tekint vmt **b)** vkvel/vmvel összetéveszt; **take sy for sy else** összetéveszt vkt vkvel; vkt vk másnak néz **2.** kér, megkövetel *[árat stb.]*; **you can ~ my word for it** mérget vehetsz rá **3.** *szl [kicsal vktől vmit]* levesz, lenyúl, megvág vkt vmvel

take in A. *tsi* **1. a)** bevesz, betesz, bevisz, behord; **these boots ~ in water** ez a cipő beázik **b)** bevezet (vkt) **2.** beereszt, befogad, magához vesz (vkt); ~ **in a refugee** menekültet befogad **3.** szállást ad; ~ **in lodgers** szobát kiad **4.** vállal, elfogad *[munkát otthoni elvégzésre]* **5.** magába foglal, egybefoglal; **inventory that ~s in everything** mindent magába foglaló leltár **6.** felfog, megért (vkt), tisztába jön (vmvel); ~ **in the meaning of sg** felfogja vmnek az értelmét; ~ **in the situation** tisztában van a helyzettel **7.** beszűkít *[ruhát stb.]*, bevesz *[ruha bőségből]* **8.** *biz* rászed, becsap, behálóz (vkt); **be ~n in** lépre megy, becsapják, bedől, megtévesztik **9.** előfizet *[újságra]*, járat *[újságot]* **10.** *US* megtekint, megnéz, meglátogat (vmt) **11.** rajtaüt *[bűnözőn bűncselekmény elkövetése közben]* **B.** *tni* **1.** *US* elkezdődik *[iskola, tanév]* **2.** *US* körülnéz, körültekint (vhol) **3.** *US* ~ **in with sy** vknek a pártjára áll; → **take-in**

take off A. *tsi* **1.** levesz, letesz, leszed, lehúz; ~ **off one's clothes** leveti a ruháját, levetkőzik; **he cannot ~ his eyes off sg** nem tudja levenni a szemét vmről **2.** elvisz, elvon, elvezet, eltávolít; ~ **sy's attention/mind off sg** elvonja/eltereli vknek a figyelmét vmről **3.** szabadságot vesz ki; **he took two days off** kivett két nap szabadságot **4.** megszüntet *[közlekedési járatot]* **5.** leszámít, levon, enged *[árból]* **6.** elnyel, lenyel (vmt), felhajt *[italt]* **7.** *biz* utánoz, majmol, utánzással kifiguráz (v. nevetségessé tesz) **8.** *szl [kirabol]* kirámol, megszabadít vmtől **B.** *tni* **1.** lejön **2. a)** elugrik, elmegy, (el)indul **b)** nekirugaszkodik, elrugaszkodik, nekilendül (vhonnan), felrepül **c)** *gk* elmegy, elindul; *biz* **they took off in a Ferrari** elhúztak egy Ferrarival **d)** *rep* felemelkedik, felszáll; **be about to ~ off** indulóban van *[repülőgép]*

take on A. *tsi* **1.** magára vesz/vállal, (el)vállal *[munkát, felelősséget stb.]* **2. a)** kihívást elfogad; ~ **on a bet** elfogad/áll fogadást **b)** *Ausz* ~ **on sy** összetűz vkvel; harcra kihív vkt, megverekedik vkvel; legyőz *[ügyességi játékban, sportban]* **3.** felvesz, felfogad, szegődtet *[munkást]* **4.** felvesz, magára ölt, színlel *[vmnek a látszatát, tulajdonságot stb.]* **5.** felvesz *[jármű utasokat, szállítmányt]* **6. a)** továbbvisz, rendeltetési helyén túlvisz *[jármű]* **b) I'll ~ you on a bit** elkísérlek (még) egy kicsit/darabig **B.** *tni* **1.** *biz* bánkódik, búslakodik, felizgatja magát **2.** *biz* sikere van, felkapják, „befut"; → **take-on**

take out *tsi* **1. a)** ~ **sg out of sg** kivesz/kitesz/kiszed/kihúz vmt vmből **b)** ~ **sg out of sg** vmt vmből/vhonnan merít; *biz* ~ **it out of/on sy** kimerít/elcsigáz vkt, halálra fáraszt vkt; kitölti bosszúját (v. bosszút áll) vkn, kibabrál/kitol vkvel **2.** elvisz, kivisz; ~ **sy out** elvisz vkt vacsorázni **3.** megszerez, kieszközöl, elnyer *[engedélyt stb.]*, kivált *[szabadalmat stb.]*, hozzájut (vmhez); ~ **out an insurance policy** biztosítást köt; ~ **out a loan** kölcsönt vesz fel **4. ~s the dog out** leviszi/sétálni viszi a kutyát **5.** *szl [megöl]* kinyír, hazavág, kinyiffant; → **takeout**

take over A. *tsi* **1. a)** átvesz, átvállal, magára vállal *[ügyek intézését, költséget stb.]*, saját kezelésbe vesz **b)** *közg* átvesz, beolvaszt, felvásárol **2.** átvesz *[szállított árut]* **3.** kapcsol *[távbeszélővonalat]* **4. a)** végigvisz, átvisz (vkt vhol), átvisz, átszállít *[vízen hajó stb.]* **b)** elvisz, elszállít *[árut stb.]*, átszállít, átrak *[árut egyik járműből a másikba]* **5.** átvisz *[a következő oldalra]* **B.** *tni* **1.** ~ **over from sy** felvált/helyettesít vkt *[tisztében]*, vknek a szolgálatát átveszi **2.** felkapottá/uralkodóvá válik, előtérbe lép, átveszi a hatalmat; → **takeover**

take round *tsi* körülhordoz, körülvisz (vmt)

take through *tsi* átvisz, keresztülvisz (vkt/vmt vmn)

take to A. *tsi* **1.** ~ **to heart** szívére vesz **2.** ~ **to task** felelősségre von, szemrehányást tesz **B.** *tni* **1.** vmre rászokik/rákap; ~ **to writing/literature** író lesz, írásra adja magát; ~ **to drink(ing)** ivásra adja magát, inni kezd **2.** megkedvel, kedvét leli vmben; ~ **a dislike to sy** elfogja (v. feltámad benne) az ellenszenv vk iránt **3. a)** vmhez folyamodik, vhová menekül; ~ **to flight** futásnak ered **b) the disease took to his heart** a betegség a szívére ment **4.** vhová indul, emelkedik, felszáll; ~ **to the air** levegőbe emelkedik/felszáll; ~ **to the open sea** kifut a nyílt tengerre

take up A. *tsi* **1.** felvesz, felszed, felemel, felvisz, felvezet; ~ **up arms** fegyvert fog **2.** összeköt *[két tárgyat]*, elköt(öz) *[eret]*, felszed *[kötésnél leejtett szemet]* **3. a)** rövidebbre vesz, megrövidít (vmt), bevesz *[ruhaujjból stb.]* **b)** összegöngyöl, felteker; ~ **up the film** felcséveli a filmszalagot

4. felvesz, befogad *[jármű utasokat]* **5. a)** felfog, semlegesít, kiegyenlít (vmt); ~ **up the slack** közbelép (segítségképpen); magára vállal (vmt) **b)** felszív, magába szív *[anyag vizet stb.]* **6. a)** elfogad, átvesz (vmt); ~ **up a bet** állja/tartja a fogadást; ~ **up a challenge** elfogad kihívást **b)** elfogad, magáévá tesz *[gondolatot stb.]*, követ *[tanácsot]* **7. a)** hozzáfog (vmhez), belefog (vmbe), elkezd (vmt), foglalkozni kezd vmvel; ~ **up gardening** kertészkedni kezd, kertészkedéssel foglalkozik **b)** folytat *[félbeszakított dolgot]* **8.** pártfogol, pártfogásába/védelmébe vesz (vkt) **9.** rászól (vkre), megdorgál, összeszid **10. a)** elfoglal *[helyet]*; ~ **up too much room** túlságosan sok helyet foglal el; ~ **up a position** elfoglal/elfogad egy állást **b)** elfoglal, lefoglal, leköt *[időt, vknek a gondolatait stb.]*; **it ~s up a lot of time** sok időt vesz el/igénybe **11.** *US* **I'll ~ you up on that** szavadon foglak **B.** *tni* **1.** időjárás megjavul, kiderül **2. a)** ~ **up with sg** vmre adja a fejét **b)** ~ **up with sy** megbarátkozik/összebarátkozik vkvel, barátságot köt vkvel **3.** *US skót* **school ~s up next week** a tanítás jövő héten kezdődik; → **take-up**

take-apart *mn* szétszedhető; → **take apart**

takeaway I. *mn* elvihető, elvitelre *[készített étel]*; ~ **lunch/food/meal** ebéd/étel elvitelre **II.** *fn* **1.** kifőzés **2.** ebéd/vacsora stb. elvitelre

take-home pay *fn* nettó bér; kézhez kapott fizetés

take-in *fn* **a)** becsapás, rászedés, lóvátétel **b)** beugrató (ember); → **take in**

take-leave *fn* búcsúzás, búcsú(szó), istenhozzád

take-off *fn* **1. a)** *rep* felemelkedés *[a földről]*, felszállás; ~ **clearance** felszállási engedély **b)** lendület, elugrás, elrugaszkodás; *sp* **jump with a double** ~ összetett lábakkal ugrik **c)** (el)indulás **d)** kiindulási/kiinduló pont; elrugaszkodási pont; felemelkedési hely **e)** elmozdulás, elindulás *[a gazdasági fellendülés útján]* **2.** *sp* ugródeszka, trambulin **3. a)** utánzás, karikírozás; kifigurázás **b)** gúnykép, torzkép, karikatúra **4.** → **take off**

take-on *fn Ausz* verseny, küzdelem; → **take on**

take-out *US* → **takeaway**

takeover *fn* **1.** (hatalom)átvétel; kezelésbe vétel, átvállalás **2.** *GB közg pol* állami tulajdonba vétel **3.** *gazd* felvásárlás *[vállalaté]*; → **take over**

taker ['teɪkə ‖ –ər] *fn* **1.** vevő *[haszonbérletbe stb.]*, elfogó *[ellenséges hajóé stb.]* **2.** vmre fogadó; ~ **of a bet** az, aki elfogad/áll fogadást **3.** tolvaj **4.** jegyszedő

take-up *fn* (felajánlás) elfogadása; → **take up**

taking ['teɪkɪŋ] **I.** *mn* **1.** megnyerő, vonzó, rokonszenves *[viselkedés stb.]*, elbájoló, elbűvölő *[modor, arc stb.]* **2.** *biz* ragályos, ragadós *[betegség]* **II.** *fn* **1. a)** bevétel, elfoglalás *[váré stb.]*, letartóztatás *[tolvajé]* **b)** *jog* sikkasztás **c)** *orv* vétel *[véré stb.]* **2.** *tsz* **takings a)** *gazd* bevétel; **the day's ~s** a napi bevétel **b)** zsákmány • *hsz* **takingly**

taky ['teɪki] *mn biz* megkapó, elbűvölő

talapoin ['tæləpɔɪn] *fn* **1.** kolduló/prédikáló buddhista szerzetes **2.** *áll* talapoin, koronás majom

T

talaric [tə'lærɪk] *mn* taláros, talárszerű *[tóga/tunika az ókori görögöknél és rómaiaknál]*

talbot ['tɔːlbət ‖ 'tæl–] *fn* vizsla, kopó

talc [tælk] *pt/pp* **talcked**, *pr.p* **talcking I.** *fn* **1.** *ásv* zsírkő; síkpor, magnéziumpor, talkum **2.** → **talcum powder II.** *tsi* síkporral/magnéziumporral/talkummal beszór/bedörzsöl

talcite ['tælkaɪt] *fn ásv* talkit

talcum ['tælkəm] *fn* **1.** → **talc 2.** → **talcum powder**

talcum powder *fn* hintőpor

tale [teɪl] *fn* **1. a)** mese, elbeszélés, történet; **tall** ~ túlzó/hamis történet, lódítás; ~ **of a tub** dajkamese, zagyva beszéd; **old wives'** ~ mesebeszéd, fantasztikus történet; **thereby hangs a** ~ ennek hosszú története van, erről hosszasan/sokat lehet mesélni; *biz* **his ~ is told** kész van, kikészült, odavan, kivan; **tell sy the** ~ becsap vkt, bolonddá tesz vkt, bemesél vmt vknek; **I've heard that ~ before** ezt a mesét már ismerem **b)** *vál* novella, elbeszélés, (rövid) történet **2. a)** fecsegés, szóbeszéd, mendemonda, pletyka, *biz* kibeszélés; **idle** ~ mesebeszéd, szóbeszéd, mese **b)** árulkodás, beárulás, spicliskedés; **tell ~s** (i) eljár a szája, titkot elárul/kifecseg (ii) lódít

talebearer *fn* **a)** árulkodó, besúgó, spicli **b)** fecsegő/rossznyelvű/pletykás személy, pletykahordó, pletykafészek, hírharang

talemonger → **talebearer**

talent ['tælənt] *fn* **1.** adottság, érzék, hajlam, (különleges) képesség, tehetség, talentum; **a man of great** ~ kiváló képességekkel/tehetséggel megáldott ember; **have a talent for sg/doing sg** tehetsége van vmihez **2.** tehetséges ember, tehetség **3.** *GB biz szl [férfiak/nők mint potenciális szexuális tárgyak]* a felhozatal, az áru, a felhajtás, az anyag **4.** talentum *[ókori súlyegység, pénzegység]* • *mn* **talented**, **talentless**

talent contest *fn* tehetségkutató verseny

talent scout *fn* tehetségkutató

talent spotter *GB* → **talent scout**

tales ['teɪliːz] *fn* **1.** *jog GB* ‹eskküdtszéki tagok listája különleges eljárásban› **2.** *jog US* ‹esküdtszéki tagok listája›

taleteller *fn* **1.** mesemondó, mesélő **2.** pletykálkodó/pletykahordó személy, „hírharang"

talion ['tælɪən] *fn jog tört* **the law of** ~, ~ **law** megtorlás joga, a „szemet szemért fogat fogért" elv, talió(jog)

talipes ['tælɪpiːz] *fn orv* dongaláb

talipot ['tælɪpɒt ‖ –pɑt] *fn növ* ernyőpálma

talisman ['tælɪzmən] *fn* bűvös ereklye, talizmán • *mn* **talismanic**

talk [tɔːk] **I. A.** *tsi* **1.** beszél (vmt/vmről/vhogyan); ~ **business** (i) üzletről beszél (ii) belefog, hozzálát (iii) komolyra fordítja a szót; ~ **shop** szakmai dolgokról beszél; **do not ~ nonsense/rubbish** ne beszélj ostobaságokat **2.** beszél(get), cseveg, társalog **B.** *tni* **1. a)** beszél; ~ **by looks** a tekintetével beszél; **money ~s** a pénz beszél **b)** beszél(get), társalog, cseveg, diskurál; ~ **in riddles** rejtvényekben/rejtélyesen/sejtelmesen beszél; *biz* **that's no way to ~!** micsoda hang(nem)!, így (velem) nem lehet beszélni! **2. a)** fecseg, csacsog; ~ **big** felvág, henceg, nagyzol, nagyokat mond **b)** pletykál, pletykázik **3.** vmlyen értelme/jelentősége van, vhogyan „beszél" **II.** *fn* **1. a)** beszélgetés, társalgás (*with* vkvel;, *about* vmről); **idle** ~ üres/haszontalan beszéd; **small talk** ‹beszélgetés hétköznapi témákról› csevegés, társalgás; *US biz* **that's the ~!** ez a beszéd!, helyes!, jól van!; ezt jól megmondta!, megadta neki! **b) have plenty of small** ~ könnyed társalgó; **he is all** ~ csak a szája jár, fecsegő/szószátyár alak; *US* **all ~ and no cider** csak duma az egész s nincs komoly eredménye/alapja **c)** könnyed (v. csevegő stílusú) előadás/beszámoló **2.** beszéd; **give a ~ on sg** előadást tart vmiről **3.** megbeszélés, tárgyalás; **business** ~ üzleti tárgyalás **4.** hír, (szó)beszéd, mendemonda; **it's all** ~ ez csak (amolyan) szóbeszéd/mendemonda; **it is the ~ of the town** közbeszéd tárgya, közszájon forog; **risk** ~ szóbeszédnek/pletykának teszi ki magát **5.** *pol* tárgyalás(ok), beszélgetés(ek); **peace ~s** béketárgyalások **6. just** ~, **only** ~ mesebeszéd • *fn* **talker**

talk about *tni* vmről beszél; **what are you ~ing about?** miről beszél(sz)?; *biz* mit akar(sz) nekem bemesélni (v. velem elhitetni)?; **he knows what he is ~ ing about** tudja, mit beszél

talk away A. *tsi* beszélgetéssel tölt/üt el időt, végigbeszél *[éjszakát stb.]* **B.** *tni* sokat (v. megállás nélkül) beszél/fecseg

talk back *tni US* felesel, szemtelenül válaszol, viszszabeszél

talk down A. *tsi* **1.** túlbeszél, túlkiabál, nem enged/hagy szóhoz jutni (vkt) **2.** rádión utasít/irányít leszállásra, távirányítással lehív *[repülőgépet]* **B.** *tni* ~ **down to sy** lenézően beszél vkvel

talk of *tni* ~ **of sg** vmről beszél/cseveg; elmond vmt; *közm* ~ **of the devil and he is sure to appear** ne fesd az ördögöt a falra!

talk on *tni* tovább beszél/cseveg, folytatja beszédjét/beszélgetését

talk out *tsi* **1. a) ~ sg out** alaposan megbeszél/megvitat *[kérdést, ügyet stb.]*; **~ sy out of doing sg** lebeszél vkt vmről **b)** *biz* **he ~ed himself out of it** kimagyarázta magát, kimagyarázkodott *[mellébeszéléssel]* **c) ~ it out** kiönti a szívét **2. ~ a bill out** törvényjavaslat vitáját elnapolásig elhúzza *[hogy ne kelljen megszavazni]*

talk over *tsi* **1.** megbeszél, megvitat *[kérdést stb.]*, tanácskozik (vmről) **2.** meggyőz (vkt vmről), megnyer *[rábeszéléssel]*, rábeszél (vkt vmre)

talk round A. *tsi* rábeszél (vkt vmre), meggyőz (vkt vmről) **B.** *tni* bőbeszédűen kerülgeti a témát, kertel

talk through *tni biz* **~ through one's hat, ~ through the back of one's neck** levegőbe/összevissza/hasból beszél; túloz, lódít

talk to *tni* **1.** vkhez beszél, vkvel beszélget/társalog **2.** megleckéztet, megdorgál, korhol, megszid (vkt); *biz* **I'll ~ to him!** majd én beszélek a fejével!

talk up A. *tsi biz* magasztal, agyba-főbe dicsér (vmt) **B.** *tni* **a)** hangosan/világosan/érthetően szól/beszél **b)** *biz* **~ up to sy** megfelel/visszavág vknek

talkathon [ˈtɔːkəθɒn ‖ –θɑn] *fn* vég nélküli v. maratoni megbeszélés/vita

talkative [ˈtɔːkətɪv] *mn* beszédes, bőbeszédű

talkie [ˈtɔːki] *fn US film régi biz* hangosfilm

talking [ˈtɔːkɪŋ] **I.** *mn* **1.** beszélő, beszélni tudó **2.** beszélő, kifejező, kifejezésteljes **3.** beszédes, bőbeszédű, fecsegő **II.** *fn* **1.** beszéd, beszélés **2.** társalgás, beszélgetés

talking book *fn* beszélő könyv *[magnószalagra rögzített felolvasott irodalmi művek]*

talking head *fn biz* ‹tévében közelképben mutatott, általában hírbeolvasó v. riporter feje›

talking point *fn* **1.** közbeszéd tárgya, beszédtéma **2.** vitatéma, vita tárgya

talking-to *fn biz* megleckéztetés, dorgálás, feddés, szidás, fejmosás

talk mode *fn infor* beszélő üzemmód *[modemé]*

talk show *fn US* telefere, beszélgetés *[tévében, rádióban]*

talky [ˈtɔːki] *mn* beszédes, fecsegő

talky-talk *fn* üres fecsegés, *biz* süket duma, locsogás

tall [tɔːl] **I.** *mn* **1. a)** magas (termetű); **he is six feet ~** hat láb magas **b)** magas(ba nyúló) *[dolog]*; **~ drink** ital hosszú pohárban *[azaz sok innivalóval]*; **~ hat** cilinder **2.** *biz* hihetetlen, lehetetlen *[történet, mese]*; **~ talk** nagyzolás, nagyotmondás; hencegés, dicsekvés, felvágás **3.** *biz* nagyszerű, remek; **we had a ~ time** remekül szórakoztunk **II.** *hsz* **talk ~** nagyzol, henceg, túloz, felvág • *fn* **tallness**

tallboy [ˈtɔːlbɔɪ] *fn* **a)** magas fiókos szekrény **b)** (fiókos szekrénybe épített) íróasztal, szekreter

tallith [ˈtælɪθ] *fn vall* tálit, talesz, imakendő *[zsidóké]*

tallow [ˈtæloʊ] **I.** *fn* **1.** faggyú **2. vegetable ~** növényzsír **II. A.** *tsi* **1. a)** (meg)faggyúz, befaggyúz, faggyúval beken **b)** zsírral átitat/telít/impregnál **2.** hizlal *[jószágot legelő stb.]* **B.** *tni* **a)** hízik *[szarvasmarha]* **b)** faggyút/zsírt ereszt/fejleszt • *mn* **tallowy**

tallow chandler *fn* **a)** gyertyakészítő, gyertyamártó, gyertyaöntő **b)** gyertyakereskedő

tallow faced *mn* sápadt/viaszsárga arcú

tallow tree *fn növ* **Chinese ~** faggyúfa

tallowwood *fn növ* **a)** moafa **b)** faggyúfa

Talmud [ˈtælmʊd] *fn vall* a Talmud • *fn* **Talmudist** *mn* **Talmudic(al)**

talon [ˈtælən] *fn* **1. a)** karom *[ragadozó madáré]*, köröm *[oroszláné stb.]* **b)** zárnyelv **2. a)** *gazd* vásárlási szelvény **b)** *pénz* talon, szelvényutalvány **3.** talon *[kártyában, dominóban]* **4.** kardmarkolat

talpa [ˈtælpə] *fn áll* vakond(ok)

talus [ˈteɪləs] *fn tsz* **-luses 1.** *épít* támfal **2. a)** *geol* lejtőtörmelék, rézsű(zés) **b)** *geol* törmelékkúp, hordalékkúp

tally [ˈtæli] **I.** *fn* **1.** rovás *[falapon, pálcán]*, vonás **2.** megjelölés, kipipálás **3.** *sp* (mérkőzés)állás, eredmény **4. a)** (fa), fém, papír névcédula, címke *[növényen, csomagon]* **b)** fedőnév **5.** párdarab, pandant, valaminek ellenpárja/megfelelője, másolat, másodpéldány, duplikátum *[okiraté]* **6.** *hajó* árulista, rakománylista **II. A.** *tsi* **1.** felró, rovással bejegyez/feljegyez, berovátkol, jegyzékbe vesz *[rováspálcára]* **2.** egyeztet, ellenőriz, lepontoz, megpipál *[árut, árulistát]* **3.** címkével/névcédulával/névtáblával ellát, megcímkéz *[csomagot stb.]* **4.** *US* számol, kiszámít **B.** *tni* megfelel, (meg)egyezik, egybeesik, egybevág, egybehangzik *[tanúság]* (*with* vmvel)

tally clerk → tallykeeper

tally-ho [ˌtæliˈhoʊ] **I.** *fn vad* talihó kiáltás *[róka láttára]* **II. A.** *tsi* talihó/hajrá kiáltással uszít *[vadászkutyát]* **B.** *tni* talihózik, hajrázik **III.** *isz* talihó!, hajrá!

tallykeeper *fn hajó* rakománylista-ellenőr *[árurakodásnál]*

tallyman [ˈtælimən] *fn tsz* **-men 1.** *GB* részletre árusító kereskedő *[boltos* v. *kereskedelmi utazó]* **2.** ellenőr

tally sheet *fn* **1.** ellenőrző lajstrom *[árué stb.]* **2.** *US* szavazatszámoló lap/ív

tam [tæm] → **tam-o'-shanter**

tamable [ˈteɪməbl] → **tameable**

tamale [təˈmɑːli] *fn US* töltött kukoricalevél *[mexikói étel: a töltelék fűszeres hús]*

tamandua [ˌtæmənˈduːə ‖ təˈmænduə] *fn áll* erdei hangyász

tamarack [ˈtæməræk] *fn* vörösfenyő

tamarind [ˈtæmərɪnd] *fn* **1.** *növ* tamarindusfa gyümölcse **2.** *növ* indiai tamarindusfa

tamarisk [ˈtæmərɪsk] *fn növ* tamariszkusz, tamariska

tambour [ˈtæmbuə ‖ –bʊr] **I.** *fn* **1.** *zene* dob **2. a)** kerek hímzőkeret/hímzőráma, hímződob **b)** csipkeverőpárna **3.** *épít* **a)** kupoladob **b)** bejárat/kapu előtti zárt előtér *[váré, templomé]* **II.** *tsi* tamburíroz, kerek rámán hímez *[anyagot]*, rámán hímez

tambourin [ˈtæmbərɪn] *fn zene* **1.** tamburin *[hosszúkás provence-i dob]* **2.** ‹tamburinkíséretre járt provence-i tánc›

tambourine [ˌtæmbəˈriːn] *fn zene* csörgődob, baszk dob

tame [teɪm] **I.** *mn* **1. a)** szelíd, megszelídített *[vadállat]* **b)** házi *[állat]* **2.** *biz* **a)** szelíd, félénk, bátortalan *[ember]* **b)** egyhangú *[stílus]*, ártatlan *[történet]*, unalmas *[vicc]* **3.** *mezőg* **a)** termesztett *[növény]* **b)** megművelt *[föld]* **II. A.** *tsi* **1.** megszelídít *[állatot]* **2.** megfékez, megzaboláz, elfojt *[pl. szenvedélyt]*, letör *[bátorságot, buzgóságot]* **B.** *tni* **1.** megszelídül **2.** érdektelenné/unalmassá válik **3.** gyengít *[színeket]* • *fn* **tameness**, **tamer** *hsz* **tamely**

tameable [ˈteɪməbl] *mn* megszelídíthető *[állat]* • *fn* **tameability**, **tameableness**

tameless [ˈteɪmləs] *mn* **1.** megszelídítetlen, vad **2.** megszelídíthetetlen

Tamil [ˈtæmɪl] **I.** *mn* tamil *[nép, nyelv]* **II.** *fn* **1.** tamil (férfi/nő) **2.** tamil (nyelv)

Tammany [ˈtæməni] *tul US* **1. ~ (Hall)** ‹az amerikai Demokrata Párt New York-i központi szervezetének neve› **2.** *biz* politikai megvesztegethetőség/korrupció

tammy [ˈtæmi] *biz* → **tam-o'-shanter**

tam-o'-shanter [ˌtæməˈʃæntə ‖ –ər] *fn* **~ (bonnet/cap)** kerek skót sapka, barett

tamp [tæmp] *tsi épít* (le)döngöl, keményre döngöl, csömöszöl, sulykol *[földet, zúzalékot]* • *mn* **tamped**

Tampax [ˈtæmpæks] *tul* tampon *[a gyártó cég neve után]*

tamper [ˈtæmpə ‖ –ər] **I.** *tni* **1. ~ with sg** babrál vmvel és elrontja; megbolygat *[szerkezetet]*; meghamisít, megmásít, megváltoztat *[okmányt, táviratot, számadást stb.]*; hamisít *[pénzt]* **2. ~ with a witness** megdolgoz/befolyásol/megveszteget tanút, hamis vallomásra bír tanút **3.** *gazd pénz* **~ with the market** (tőzsdeügynök) manipulálja a piacot **II.** *fn bány* **1.** bányamester **2.** *épít* sulyok, döngölő(vas), aláverő; **pneumatic ~** sűrített levegős döngölő **3.** *műsz* tömítődugó

tamper-proof *mn* biztonságosan csomagolt, záróvédjeggyel ellátott

tampon [ˈtæmpɒn ‖ –pɑn] *fn* tampon

tamponade [ˌtæmpəˈneɪd] *fn orv* tamponkezelés, tamponálás *[orré, hüvelyé stb.]*

tamponage [ˈtæmpənɪdʒ] *orv* → **tamponade**

tam-tam [ˈtæmtæm] **I.** *fn* tam-tam *[dob]* **II.** *tni* dobol, veri a tam-tam dobot

tan[1] *röv tangent*

tan[2] [tæn] **I. -nn- A.** *tsi* **1.** kicserez, csáváz *[bőrt]* **2.** lebarnít, lesüt *[arcbőrt nap]*; **get/become ~ned** lebarnul/lesül *[ember]* **3.** *biz* **~ sy, ~ sy's hide** jól elver/elnadrágol/elfenekel **B.** *tni* lebarnul, lesül *[ember bőre]* **II.** *fn* **1.** cserhéj, cser(kéreg), cserzésre használt fakéreg **2.** cserszín, sárgásbarna/vörösesbarna/rozsdabarna szín **3.** napbarnítottság, lesülés **4.** *biz* **the ~** cirkusz, porond, aréna; lovaspálya **III.** *mn* cserszínű, sárgásbarna, vörösesbarna, rozsdabarna

tandem [ˈtændəm] **I. 1.** együtt, párban, vállvetve **2.** *hsz* egymás után, egymás utáni elhelyezésben **II.** *fn* **1.** (egymást jól kiegészítő) páros **2.** kocsi egymás elé fogott két lóval, tandem **3. ~ (bicycle)** kétüléses kerékpár, tandem

tandoori chicken [tænˌduəri – ‖ –ˌduri–] *fn GB* tandoori csirke *[tandoori kemencében sütött, fűszeres indiai csirke(darabok)]*

tang[1] [tæŋ] **I.** *fn* **1.** csap, szár, nyél, nyak *[pengéé, reszelőé]*, szerszámnyél, szerszámfogantyú **2.** *kat* puskaagy vége **3.** erős/csípős íz/szag *[ételé, fűszeré]* **4.** *biz* utóíz **II.** *tsi* csapot/szárat/nyelet/fogantyút/nyakat készít *[szerszámnak stb.]*

tang[2] [tæŋ] **I.** *fn* **1.** éles/csattanó hang, csengés, kondulás *[harangé]* **2. a ~ of displeasure in her voice** hangjából kicsendülő elégedetlenség **II. A.** *tsi* kongat, (meg)csendít *[harangot]*, megszólaltat *[csengőt stb.]* **B.** *tni* cseng, éles/csengő hangot ad, megszólal *[harang stb.]*

tang[3] [tæŋ] *táj* → **tangle[1]** 1. a.

tanga [ˈtæŋgə] *fn* tanga

Tanganyika [ˌtæŋgənˈjiːkə] *tul tört* Tanganyika

tangelo [ˈtændʒəlou] *fn tsz* **tangelos** *[citrusfajta a mandarin és a grapefruit keresztezéséből]*

tangent [ˈtændʒənt] **I.** *mn* tangens (irányú), érintő *[sík, pont stb.]* **II.** *fn* **1.** *mat* tangens, érintővonal; *mat* **~ of an angle** egy szög tangense **2.** *biz* **fly/go off at/on a ~** hirtelen más tárgyra tér át; váratlanul szokatlan dologra szánja rá magát • *fn* **tangency**

tangential [tænˈdʒenʃl] *mn* **1.** *mat* tangens (irányú), érintési, érintői, érintő menti; **~ acceleration** érintő menti gyorsulás; **~ point** tangens-/érintőpont *[görbéé]* **2.** *átv* érintőleges

tangerine [ˌtændʒəˈriːn] **I.** *mn* mandarinhéjszínű, sötét narancsvörös **II.** *fn növ* mandarin

tanghin [ˈtæŋgɪn] *fn* **1.** *növ* tangvifa, ítéletfa **2.** tangvifa/ítéletfa magjából nyert méreg

tangible [ˈtændʒəbl] *mn* **1.** (meg)tapintható, megfogható, érinthető, érezhető, érzékelhető; **the ~ world** a fizikai világ, az anyagi/érzékelhető világ **2.** *átv* kézzelfogható, nyilvánvaló, igazi • *fn* **tangibility** *hsz* **tangibly**

tangibles [ˈtændʒəblz] *fn tsz közg* **1.** → **tangible** 3. **2.** reáliák, anyagi javak, értékek

tangle[1] [tæŋgl] *fn* **1.** *növ* **a)** fatörzsmoszat **b)** hínár **2.** *skót* **a)** égimeszelő, nyakigláb ember **b)** jégcsap **c)** hajfürt • *mn* **tangly**

tangle[2] [ˈtæŋgl] **I. A.** *tsi* **~ (up) sg** összegabalyít, összegubancol *[fonalat]*; összekuszál, összegubancol *[hajat]*; *átv* összezavar, összekuszál *[ügyeket]*; **get ~d (up)** összekuszálódik, belebonyolódik, összegubancolódik; zavarba jön, bajba jut/kerül, kutyaszorítóba kerül (vk) **B.** *tni* **1.** összekuszálódik, összebonyolódik, összegubancolódik **2.** *átv* összekavarodik, belezavarodik (vmbe) **II.** *fn* **1.** összegubancolódás *[fonálé, hajé]*; fonadék, gubanc **2.** bonyolultság, kuszaság, zavarosság, összevisszaság *[ügyé]*, bonyodalom; **get in(to) a ~** bajba jut, benne van a pácban; belebonyolódik vmbe • *mn* **tangled**

tanglefoot *fn US* **a)** whisky **b)** gyenge/rossz alkoholos ital

tanglesome [ˈtæŋglsəm] *mn* bonyolult, kusza

tango[1] [ˈtæŋgou] *mn* élénk narancsvörös

tango[2] [ˈtæŋgou] **I.** *fn* tangó *[tánc]* **II.** *tni pt/pp* **tangoed** tangózik, tangót táncol

tangy [ˈtæŋi] *mn* **1.** vmre emlékeztető ízű **2.** csípős/jellegzetes szagú

tank [tæŋk] **I.** *fn* **1.** tartály; tank; **fish ~** akvárium **2.** *US* mesterséges víztározó; ciszterna *[ivóvíznek* v. *locsolásra]* **3.** *kat* harckocsi, páncélos, tank **4.** *szl* ‹zárka a rendőrségen a frissen behozottak számára› **II. A.** *tsi* **a) ~ (up)** megtankol; feltankol *[gépjárművet]* **b)** *tsi szl* **got ~ed up** *[részeg, berúgott]* jól bepiált **B.** *tni szl [részeg]* alaposan felönt a garatra, betankol • *mn* **tanked**

tankage [ˈtæŋkɪdʒ] *fn* **1. a)** tartálymegtöltés, tankolás **b)** tartálymegtöltési/tankolási díj/költség **2.** tartályűrtartalom

tankard [ˈtæŋkəd ‖ –kərd] *fn* **1.** kupa, söröskorsó *[nagyméretű, ónból* v. *ezüstből]* **2.** egy kupányi/söröskorsónyi folyadék

tankard turnip *fn növ* tarlórépa

tank cap *fn* **1.** tartálykupak **2.** *gk* tanksapka

tank engine *fn vasút* szerkocsis mozdony

tanker [ˈtæŋkə ‖ –ər] **I.** *fn* **1. a)** *hajó* tartályhajó, tankhajó, olajszállító hajó **b)** *gk* tartálykocsi **c)** *vasút* tartályvagon **d)** *rep* üzemanyag-utántöltő repülőgép **2.** *gk* tanksapka **3.** *US kat* harckocsizó, páncélos *[katona]* **4.** *szl [iszákos ember]* piás, szivacs, tintahal **II.** *tsi* tartályban/tartálykocsiban szállít

tank farming *fn* vízkultúrás növénytermesztés

tank suit *fn US* egyrészes női fürdőruha, úszódressz

tank town *fn US* jelentéktelen kisváros, porfészek

tank trap *fn kat* tankcsapda

tanner [ˈtænə ‖ –ər] *fn* tímár, cserzőmunkás, bőrmunkás

tannery [ˈtænəri] *fn* cserzőműhely, tímárüzem, bőrkikészítő üzem, bőrgyár

tannin [ˈtænɪn] *fn vegy* tannin, csersav; **~ hardened** tanninnal cserzett

tannoy [ˈtænɔɪ] *tul GB* hangosbemondó

tantalize [ˈtæntəlaɪz], **-ise** *tsi* **1.** fájdítja a szívét (vknek) *[elérhetetlen dologgal]* **2.** tantaluszi kínokat okoz (vknek) • *fn* **tantalization** *mn* **tantalizing** *hsz* **tantalizingly**

tantalum [ˈtæntələm] *fn vegy* tantál

tantalus [ˈtæntələs] *fn biz* zárt italtartó szekrényke

tantamount [ˈtæntəmaunt] *mn* egyenértékű, azonos értékű, egyenlő (erősségű), annyi, mint, ekvivalens

tantara [ˌtæntəˈrɑː] *fn* **a)** tratatata *[trombitálás]* **b)** *régi* harsonaszó, kürtszó

tantivy [tænˈtɪvi] **I.** *mn* gyors, sebes **II.** *hsz* vágtában, galoppban, sebesen, gyorsan **III.** *fn* **1.** vágta(tás), galopp **2.** vadászkiáltás **IV.** *isz vad* halihó!, hajrá!

tantra [ˈtæntrə] *fn* tantra *[misztikus-mágikus buddhista* v. *hinduista szöveg/írás]*

tantrum [ˈtæntrəm] *fn biz* szeszély, ideges/hisztériás/haragos kitörés, hisztéria; **be in a ~** ideges; dúl-fúl, hisztizik; **throw a ~** hisztit csap, toporzékol *[kisgyerek]*

Tanzania [ˌtænzəˈniːə] *tul földr* Tanzánia • *mn/fn* **Tanzanian**

Taoism [ˈtauɪzm] *fn vall* taoizmus *[kínai vallás]* • *mn* **Taoist**

tap[1] [tæp] **I.** *fn* **1.** dugó, dugasz *[hordóé]*, hordóék, kúpos pecek **2.** (víz)csap; gázcsap, csapolónyílás, fejtőcsap *[tartályé stb.]*, hordócsap; **turn off the ~** elzárja a csapot; **cask in ~** csapra vert hordó; **on ~** csapolt *[ital]*; csapra vert *[hordó]* **3.** *biz* **on ~** kéznél van, rendelkezésre áll **4.** söntés, ivó **5.** *el* elágazás, leágaz(tat)ás, leágazó/bekötési pont **II.** *tsi* **-pp- 1. a)** fejtőcsapot helyez *[hordóra]*, csapra ver, meglékel *[hordót]*, *orv* lecsapol **b) ~ wine** bort fejt **c)** *szl* **~ sy for sg** *[kér vmt vktől]* levág, megvág, levesz (vkt vmre),

lenyúl, lelejmol (vkből vmt) **d)** *US* megdézsmál, „kifacsar" **e)** *infor* betör/belopakodik *[számítógépes rendszerbe]* **f)** ~ **sy's telephone** lehallgatja vk telefonbeszélgetését **2.** csavarmenetet (ki)fúr, (anya-)menetet vág; → **tapped**[1]
tap[2] [tæp] **I.** *tsi* **-pp- 1.** enyhén/gyengén megüt, meglegyint, megvereget, megkoppint, megérint; ~ **at the door** kopogtat az ajtón; ~ **sy's shoulder** megfogja vk vállát *[figyelemfelkeltés céljából]* **2.** *US táj* megfoltoz, megtalpal, megsarkal *[cipőt]*, foltot rak *[cipőre]*; → **tapped**[2] **II.** *fn* **1.** könnyű/enyhe ütés, kopogás **2.** *kat* vacsorajel, *kat US* takarodó, gyászkürtszó
tap-dance I. *fn* sztepptánc, szteppelés **II.** *tni* sztepptáncol, szteppel • *fn* **tap-dancer**
tape [teɪp] **I.** *fn* **1.** szalag *[hang-, ragasztó- stb.]*; **adhesive** ~ ragasztószalag; **audio/sound** ~ hangszalag; *US biz* **duck** ~ ragasztószalag; **on** ~ szalagon; *vill* **insulating** ~ szigetelőszalag; **magnetic** ~ mágnesszalag; *US biz* **medical** ~ leukoplaszt; *GB* **cello/sello** ~ cellux; *US* **Scotch** ~ cellux; **video** ~ videoszalag **2.** szalagra felvett üzenet/műsor; (magnó/videó)felvétel **3.** *tex* (csengő)szalag, pamutzsinór, csomagkötöző szalag **4.** *sp* célszalag *[futóversenyen]*; **break/breast the** ~ elszakítja a célszalagot, elsőnek/győztesen érkezik a célba **5.** távírószalag **6.** *biz* **red** ~ bürokrácia **II.** *tsi* **1.** kötözőszalaggal átköt *[csomagot]*, ragasztó-szalaggal megerősít *[csomagot]* **2.** (magnó/videó)-szalagra (fel)vesz **3.** megmér, felmér *[mérőszalaggal]*; *biz* **it's all ~d** minden készen van; *biz* **get ~d** vkről véleményt alkotnak, vk megméretik és vmlyennek találtatik
tape deck *fn* magnódeck
tape machine *fn* távírógép
tape-measure *fn* mérőszalag, centiméterszalag
taper ['teɪpə ‖ –ər] **I.** *mn vál* elvékonyodó, elkeskenyedő; ~ **finger** hosszú, vékony ujjak **II.** *fn* **1. a)** vékony viaszgyertya **b)** kanóc, bél *[gyertyáé, olajlámpáé]* **2.** *műsz* kúp, kúposság, kúpalakúság, csúcsosodás **III.** *tsi műsz* kúposan kialakít *[tengelycsap végét stb.]*, *épít* sudarasít *[oszlopot, oszloptörzset]*
tape record *tsi* magnetofonfelvételt készít (vmről), magnóra felvesz (vmt), (szalagra) fölvesz (vmt)
tape recorder *fn* magnetofon, magnó
tape recording *fn* magnetofonfelvétel, magnófelvétel
tapered ['teɪpəd ‖ –ərd] *mn műsz* kúpos, kúp alakú, elkeskenyedő, elvékonyodó *[csőmenet stb.]*, kúpos *[kaliber]*; *GB* ~ **slacks** csőnadrág
taper-hearse *fn* gyertyadíszes ravatal, ünnepi gyászemelvény
tapering ['teɪpərɪŋ] **I.** *mn* hegyes, kihegyezett, elvékonyodó, hegyes végű *[ujj]*, hegyes csúcsban végződő, fokozatosan szűkülő átmérőjű *[kábel, huzal]* **II.** *fn* kihegyezés, elvékonyítás, elkeskenyítés
tapering-off *fn orv* ~ **cure** elvonókúra
tapescript *fn* szövegkönyv, szövegátirat *[filmé, magnófelvételé]*
tapestry ['tæpɪstri] *fn* falikárpit, szövettapéta, hímzett faliszőnyeg, gobelin
tape unit → **tape drive**
tapeworm *fn áll orv* galandféreg, szalagféreg
tap house *fn* söntés, kocsma, italbolt, italmérés
tapioca [ˌtæpi'oʊkə] *fn* tápióka
tapir ['teɪpə ‖ –ər] *fn áll* tapír
tapotement [tə'poutmənt] *fn orv* ütögetés, ütögető masszázs
tappet ['tæpɪt] *fn műsz* hajtókar, (vezetett) közvetítőrúd
tapping ['tæpɪŋ] *fn* **1.** *orv* punkció, megcsapolás **2.** meglékelés **3.** *műsz* csavarfúrás **4.** *szl [kéregetés, kunyerálás]* pumpolás, megvágás
taproom *fn* söntés, ivó
tap root I. *fn növ* főgyökér, karógyökér **II.** *tni növ* karógyökeret ereszt *[növény]*
tapster ['tæpstə ‖ –ər] *fn* **1.** csapos(legény), borfiú **2.** kocsmáros
tapstress ['tæpstrɪs] *fn* női csapos/italmérő, csaposnő
tap water *fn* csapvíz, vízvezetéki víz
tar [tɑː ‖ tɑr] **I.** *fn* **a)** kátrány, szurok **b)** *biz* aszfalt, kőszénkátrány-szurok, bitumen; *szl* **beat/knock the** ~ **out of sy** *[megver, összever]* kiveri a szart vkből, hülyére ver **c)** *szl [ópium, heroin]* hernyó **II.** *tsi* **-rr-** (be)kátrányoz *[utat]*, bekátrányoz, kátránnyal átitat *[kötelet, fát]*, aszfaltoz, bitumenez *[járdát]*
taradiddle ['tærədɪdl] **I.** *fn* **1.** *biz* füllentés, lódítás **2.** *biz* zagyvaság **II.** *tni biz* füllent, lódít • *fn* **taradiddler**
taramasalata [ˌtærəməsə'lɑːtə ‖ 'tɑrəməsəlɑtə] *fn* halikrapástétom
tarantula [tə'ræntjʊlə ‖ –tʃələ] *fn áll* tarantellapók
taraxacum [tə'ræksəkəm] *fn növ* pitypang, gyermekláncfű
tar camphor *fn* naftalin
tardigrade ['tɑːdɪgreɪd ‖ 'tɑr–] **I.** *mn* lassú (járású), lomha, lassan mozgó, lajhár **II.** *fn* **1.** *tsz áll* medveállatkák **2.** *átv* lajhár
tardive ['tɑːdɪv ‖ 'tɑr–] *mn orv* késői, késleltetett
tardy ['tɑːdi ‖ 'tɑrdi] *mn* **1. a)** lassú, lusta, nehézkes **b)** nem siető **2. a)** késői, késő, késlekedő **b)** *US* elkésve érkezett, elkésett, késedelmes • *fn* **tardiness** *hsz* **tardily**
tare[1] [teə ‖ ter] *fn* **1.** *növ* (takarmány)bükköny **2.** *mezőg* gyomnövény **3.** *bibl* konkoly
tare[2] [teə ‖ ter] **I.** *fn* önsúly, holtsúly *[gépjárműveknél]* **II.** *tsi* burkolatsúlyt/göngyölegsúlyt megállapít, tárál
targe [tɑːdʒ ‖ tɑrdʒ] *fn régi* kis kerek pajzs
target ['tɑːgɪt ‖ 'tɑrgət] **I.** *fn* **1. a)** cél(tábla), célpont, céltárgy, *kat* cél **b)** *közg* tervfeladat, termelési terv, előirányzat *[teljesítményben]*, elérendő cél; **beat/exceed/outstrip/smash the** ~ tervet túlteljesít, túltesz a célon; **hit the** ~ teljesíti a tervet, eléri a célt; **realize the** ~ tervet teljesít; **set a** ~ célt kitűz **2.** *régi* kis kerek pajzs **3.** *vasút* jelzőtárcsa **II.** *tsi* tervbe vesz
target cross *fn* célkereszt
target figure *fn közg* tervszám
target language *fn nyelv* célnyelv
target practice *fn* lőgyakorlat, céllövészet
target seeker *fn kat* célkereső (fejjel ellátott) rakéta
target tracking *fn kat* célkövetés
tariff ['tærɪf] **I.** *fn* **1.** díjszabás, tarifa *[vasúté, vámtételeké]*; **customs** ~ vámtarifa, vám(illeték-)díjszabás; *közg* ~ **protection** védővámok alkalmazása **2.** árszabás, ártáblázat, árlista **3.** *tsz* **tariffs** vám(tarifa)rendszer **II.** *tsi* illetéket/vámtarifát megállapít/kiszab/kiró (vmre)
tariff barrier *fn közg* vámkorlát, vámjellegű importkorlátozás
tariff rate *fn közg* **1.** adókulcs **2.** **~s** (vám)díjszabás
tarlatan ['tɑːlətən ‖ 'tɑr–] *fn tex* ‹világos, ritka szövésű muszlin› tarlatán
tarmac ['tɑːmæk ‖ 'tɑr–] *pt/pp* **tarmacked**, *pr.p.* **tarmacking I.** *fn* **1.** *rep* aszfaltozott kifutópálya/gurulópálya/felszállópálya **2.** *épít* kátrányos makadám(út), tarmakburkolat **II.** *tsi* kátránymakadámmal burkol, leaszfaltoz
tarmacadam [ˌtɑːmə'kædəm ‖ ˌtɑr–] → **tarmac** I.1.
tarn [tɑːn ‖ tɑrn] *fn* tengerszem, kis hegyi tó, gleccsertó
tarnish ['tɑːnɪʃ ‖ 'tɑr–] **I. A.** *tsi* **1.** elhomályosít, befuttat *[tükröt, fémfelületet]* **2.** *átv* elfakít, elhomályosít, beszennyez *[hírnevet]*, elhomályosít *[dicsőséget]* **B.** *tni* **1.** elhomályosul, fényét veszti, megfakul, elveszti aranyozását **2. a)** *átv* szertefoszlik *[remény]* **b)** *átv* megfakul *[hírnév]* **II.** *fn* **1.** elhomályosultság, homályosság, elhomályosodás, megfakultság *[tüköré]* **2.** patina, bevonat
tarot ['tæroʊ] *fn ját* **1.** tarokk **2.** tarot *[gnosztikus önmegismerési út, ill. a hozzá való kártya]*
tarpan ['tɑːpæn ‖ tɑr'pæn] *fn áll* tarpán, európai vadló
tarpaulin [tɑː'pɔːlɪn ‖ tɑr'pɔlən] *fn hajó* **1. a)** vitorlavászon, vízhatlan (juta)vászon **b)** kátrányos/vízhatlan (borító)ponyva **2.** *biz régi* tengerész, tengeri medve/fóka
tarradiddle ['tærədɪdl] → **taradiddle**
tarragon ['tærəgən] *fn növ* tárkony

T

tarry [ˈtɑːri] *mn* **1.** kátrányos, kátrányozott, kátránytartalmú, kátrányszerű, szurkozott, szurkos **2.** kátránnyal/szurokkal borított/szennyezett

tarsal [ˈtɑːsl ‖ ˈtɑrsl] **I.** *mn orv* lábtői, lábtő- **II.** *fn* → **tarsus**

tarsia [ˈtɑːsɪə ‖ ˈtɑr–] *fn* intarzia

tarsier [ˈtɑːsɪə ‖ ˈtɑrsɪər] *fn áll* pápaszemes maki

tarsus [ˈtɑːsəs ‖ ˈtɑr–] *fn tsz* **tarsi** [–saɪ] **1. a)** *orv* lábtő, boka **b)** *áll* láb *[rovarok végtagjának végső eleme]* **2.** *áll* csüd

tart[1] [tɑːt ‖ tɑrt] **I.** *fn* **1.** gyümölcslepény, gyümölcstorta **2. a)** *szl* **nice little ~** csinos kis nő(cske) **b)** *szl [prostituált]* ribi, ringyó **II.** *tsi* **~ up** *GB biz* (i) *tsi* kidíszít, felcicomáz vmit (ii) ízléstelenül/harsányan kiöltözik; kiritytyenti/kicsípi magát • *mn* **tarty**

tart[2] [tɑːt ‖ tɑrt] *mn* **a)** fanyar/savanykás; **~ wine** karcos *[bor]* **b)** *biz* szarkasztikus *[stílus, hang]*, maró *[stílus]* **c) ~ character** éles eszű ember/valaki • *fn* **tartness**

tartan [ˈtɑːtn ‖ ˈtɑrtn] *fn* **1.** *tex* **a)** tartán, skót kockás gyapjúszövet **b)** skót kockás minta **c)** skót kockás mintájú ruha **2.** *biz* skót ember/katona *[highlandi]*

Tartar [ˈtɑːtə ‖ ˈtɑrtər] **I.** *mn* tatár **II.** *fn* **1.** tatár **2. t~** goromba fráter, vadállat *[emberre]*

tartar [ˈtɑːtə ‖ ˈtɑrtər] *fn* **1.** *vegy* borkő **2.** *orv* fogkő

tartar sauce *fn* tartármártás

tartar steak *fn gaszt* tatárbifsztek

Tartary [ˈtɑːtəri ‖ ˈtɑr] *tul földr régi* Tatárország

Tas *röv földr Tasmania* Tasmania

task [tɑːsk ‖ tæsk] **I.** *fn* **1. a)** feladat; **complete a ~** feladatot teljesít **b)** munka, elvégzendő munkamennyiség, foglalkozás, feladat, teendő, vállalkozás; **be up to his ~** megfelel feladatának; **set sy a ~** feladatot ró vkre **c)** *bány* műszak **2.** *okt* házi feladat, lecke **3. take sy to ~ for (doing) sg** vkt megszid (v. vknek szemrehányást tesz) vm (megtétele) miatt; vknek a fejére olvas vmt **II.** *tsi* **1.** kiró feladatot/munkát (vkre), megterhel *[munkával vkt]* **2.** *átv* megterhel, próbára tesz

task force *fn* **1.** *kat* alakulat; harci különítmény **2.** munkacsoport, munkacsapat *[bizonyos feladat elvégzésére]*

taskmaster *fn* **a)** (vknek nehéz) munkát kiadó/kiszabó személy **b)** gazda, munkafelügyelő, *épít* felvigyázó • *fn* **taskmistress**

Tasmania [tæzˈmeɪnɪə] *tul földr* Tasmania • *mn* **Tasmanian**

tass [tæs] *fn skót* kupica, stampedli, likőröspohár

tassel [ˈtæsl] **-ll-**, *US* **-l- I.** *fn* **1.** bojt, rojt *[ruhán, függönyön]*, pompon *[sapkán]* **2.** *növ* címer *[kukoricáé]* **3. a)** ecset **b)** pamacs **c)** *szl [kisfiú heréje]* mogyoró **II. A.** *tsi* bojttal/rojttal/pomponnal díszít **B.** *tni* címerét hányja, virágzik *[kukorica]* • *mn* **tasselled**

tassie [ˈtæsi] *fn* csészécske, kupica; → **tass**

taste [teɪst] **I.** *fn* **1.** íz **2. (the sense of) ~** ízlelés *[mint érzékelés]*, ízérzés; **add sugar to ~** tégy hozzá cukrot ízlés szerint *[receptben]* **3.** *átv* ízelítő, egy nyelet/nyalat, egy korty, egy csöpp/cseppnyi; **a ~ of happiness** egy parányi boldogság; **give (a) ~ of** ízelítőt/kóstolót ad (vmből) **4.** érzék, hajlam, előszeretet *(for sg* vmre/vmhez/vm iránt); **acquire/develop a ~ for sg** megkedvel vmt, kedve jön/kerekedik vmhez; **everyone to his ~** ki-ki a saját kedvére, ki-ki a(z) ízlése/tetszése szerint **5.** *átv* ízlés; **people of ~** jó ízlésű emberek; **it's not my ~** nem az én ízlésem szerint való; **acquired ~** kialakított/kialakult ízlés(világ); **in bad ~** ízléstelen; **joke in bad ~** ízetlen/otromba tréfa; **it is a matter of ~** ez ízlés dolga; *közm* **~s differ, there is no accounting for ~s** az ízlések (és pofonok) különbözők, az ízlésekről nem lehet vitatkozni **II. A.** *tsi* **1.** ízét érzi (vmnek) **2. a)** (meg)ízlel, (meg)kóstol *[ételt]* **b)** kóstol(gat) *[bort stb.]* **3.** kóstolgat, csipeget vmből, keveset eszik vmből **4.** *régi* élvez *[viccet, jó históriát stb.]* **B.** *tni* **1. ~ (of sg)** vmlyen ízű, vmlyen íze van; **it ~s bitter** keserű **2. ~ of ill fortune** megismeri a sorscsapásokat/balszerencsét • *mn* **tast(e)able**

tastebud *fn orv* ízlelőszemölcs *[nyelven]*

tasteful [ˈteɪstfl] *mn* **1. a)** jóízű, ízletes **b)** ízléses, ízléssel készült **2.** jó ízlésű (ember)

tasteless [ˈteɪstləs] *mn* **1. a)** ízetlen *[étel]* **b)** ízléstelen *[ruha, bútor]* **2.** ízetlen *[tréfa, beszéd]*, ízléstelen, tapintatlan *[viselkedés]* • *fn* **tastelessness**

taster [ˈteɪstə ‖ –ər] *fn* **1.** kóstoló *[személy]*; *biz* **publisher's ~** kiadói kéziratolvasó, olvasólektor **2.** *régi* ételkóstoló, főpohárnok

tasting [ˈteɪstɪŋ] *fn* kóstoló; **wine ~** borkóstoló

-tasting [ˈteɪstɪŋ] *összet* ízű; **bitter~** keserű (ízű)

tasty [ˈteɪsti] *mn* **1.** ízes, ízletes, jóízű *[étel]* **2. a)** *biz* ízléses, elegáns; **~ lady** divathölgy **b)** *régi* → **tasteful** • *fn* **tastiness** *hsz* **tastily**

tat[1] [tæt] *fn GB biz* **1.** limlom, ócskaság **2.** ócska ruha/rongy/gönc **3.** toprongyos ember

tat[2] [tæt] *fn* **1.** apuci, apuka, tata **2. the ~s** a kisgyerekek

ta-ta [tæˈtɑː] **I.** *fn gyerm* **go (for a) ~** pápá megy **II.** *isz gyerm* pá-pá!, szia!

tatami [təˈtɑːmi] *fn* tatami *[hagyományos japán gyékényszőnyeg]*

Tatar [ˈtɑːtə ‖ ˈər] **I.** *tul* tatár **II.** *fn* → **Tartar**

tater [ˈteɪtə ‖ –ər] *fn táj* krumpli

Tatras [ˈtɑːtrɑːz] *tul tsz földr* Tátra; **High ~** Magas-Tátra

tattered [ˈtætəd ‖ ˈtætərd] *mn* **1.** rongyos, cafatos, foszlányokban lógó *[ruha]*, toprongyos, topis *[ember]* **2.** düledező, omladozó *[ház]*

tatters [ˈtætəz ‖ –ərz] *fn rendsz tsz* rongy, foszlány, cafat *[papír* v. *ruha]*; **in ~s** rongyokban, cafatokban

tattie [ˈtæti] *fn biz* krumpli

tatting [ˈtætɪŋ] *fn* finom női kézimunka

tattle [ˈtætl] **I.** *fn* **1.** terefere, locsi-fecsi, csacsogás **2.** pletykálkodás **II.** *tni* **1.** tereferél, locsog-fecseg, csacsog **2.** fecseg, pletykál(kodik)

tattoo[1] [tæˈtuː] *pt/pp* **tatooed**, *pr.p.* **tattooing I.** *fn* tetoválás **II.** *tsi* tetovál • *fn* **tattooer, tattooist**

tattoo[2] [tæˈtuː] *pt/pp* **tatooed**, *pr.p.* **tattooing I.** *fn* **1.** *kat régi* (esti) takarodó *[dobszóval, zenével]*; takarodójel **2.** kopogás, dobolás, dörömbölés; *biz* **beat the devil's ~** ujjaival (idegesen) dobol az asztalon; (lábával) dobog **II.** *tni* **1.** *kat régi biz* takarodót dobol **2.** ujjaival dobol *[asztalon/ablaküvegen]*

tattooing needle *fn* tetoválótű

tatu [tæˈtuː] *fn áll* tatu, öves állat

tatty[1] [ˈtæti] *mn* **1.** *GB biz* **a)** elnyűtt, szakadt, rongyos **b)** vacak, ócska **c)** csiricsáré **2.** *Ausz* gyenge minőségű, másodosztályú *[áru]*

tatty[2] [ˈtæti] *mn skót* **1.** összekuszálódott, gubancos **2.** *átv* zűrös

taunt [tɔːnt] **I.** *fn* **1.** gúnyos/kötekedő megjegyzés **2.** barátságtalan csipkelődés **II.** *tsi* kigúnyol, kicsúfol (vkt), gúnyolódik, kötekedik (vkvel) • *fn* **taunter** *mn* **taunting** *hsz* **tauntingly**

taupe [toʊp] **I.** *mn* szürkésbarna **II.** *fn* szürkésbarna szín

taurine [ˈtɔːraɪn] *mn* bikaszerű, bikára emlékeztető, bika-

tauromachy [tɔːˈrɒməki ‖ tɔˈrɑ–] *fn* bikaviadal

Taurus [ˈtɔːrəs] *tul tsz* **Tauri** [ˈtɔːraɪ] *csill* Bika (csillagkép)

taut [tɔːt] *mn* **1.** feszes, szoros *[kötél]*, feszes *[bőr]*, kifeszített *[vitorla]* **2.** megfeszített, feszes *[izom]*, feszült *[idegek]*; *átv* **a ~ hand** keménykezű/szigorú főnök **3.** feszült *[cselekmény]* **4.** (jól) ápolt, gondozott *[ember]* **5.** *tex* **~ fabric** sűrű szövésű anyag • *tsi* **tauten** *fn* **tautness**

tauto- [ˈtɔːtoʊ] *utótag* azonos, ugyanaz (a...)

tautology [tɔːˈtɒlədʒi ‖ –ˈtɑ–] *fn* **1.** *fil* tautológia; (felesleges) szószaporítás, szóismétlés **2.** *nyelv* tautológia • *tsi* **tautologize** *mn* **tautologic, tautologous**

tautophony [tɔːˈtɒfəni ‖ –ˈtɑ–] *fn nyelv* tautofonia *[ugyanazon hang(sor)nak bántó ismétlődése]*

tavern [ˈtævən ‖ –vərn] *fn* **1.** *GB régi vál* kocsma, (bor)pince, borkimérés **2.** *US* (kis)vendéglő, taverna *[italmérési engedéllyel]*

taw [tɔ:] *fn* **1.** nagy (üveg)golyó; **play at ~** golyózik **2.** golyózás, golyójáték *[gyermekjáték]*

tawdry [ˈtɔ:dri] **I.** *mn* **1.** olcsó, de mutatós **2.** cifra, csiricsáré *[ruha, díszítés]* **II.** *fn* csiricsáré ruha • *fn* **tawdriness** *hsz* **tawdrily**

tawny [ˈtɔ:ni] *mn* **a)** homokszínű, (világos) sárgásbarna, vörösesbarna, rőt, sötétsárga **b)** napbarnított, (barnára) lesült, cserzett arcbőrű

taws [tɔ:z], **tawse** *fn skót* korbács; *okt* körmös

tax [tæks] **I.** *fn* **1. a)** *gazd* adó; **~es and dues** adók és illetékek; **income ~** jövedelemadó; *US* **sales ~** forgalmi adó; **value added ~ (VAT)** általános forgalmi adó, ÁFA; *US* **social security ~** társadalombiztosítási járulék; **free of ~** adómentes; **~ in kind** természetbeni adó; terményadó; **collect a ~** adót behajt; **lay/levy a ~ on sg** adót vet ki vmre, megadóztat vmt **b)** *jog* díj(szabás) **2.** teher *[anyagi, lelki]*, kötelezettség, igénybevétel; **be a ~ on sy** terhére van vknek **II.** *tsi* **1. a)** megadóztat, adót kivet/kiró (vmre) **b)** kiszab, kiró *[illetéket]*, megállapít *[perköltséget]* **c)** *átv* taksál, megbecsül, felbecsül (vkt), hozzávetőleg(esen) számít (vmt) **2.** próbára tesz, igénybe vesz *[vk türelmét stb.]*; **~ sy's patience** próbára teszi vk türelmét **3. ~ sy with (doing) sg** vkt megvádol vmvel (v. vm megtételével); szemére vet vmt vknek; szemrehányást tesz vknek vm (megtétele) miatt • *fn* **taxability**, **taxer** *mn* **taxable**, **taxless**, **taxing**

taxation [tækˈseɪʃn] *fn* **1. a)** adózás, megadóztatás, adókivetés **b)** adórendszer **2.** felbecsülés • *mn* **taxational**

tax avoidance *fn gazd* adófizetés elkerülése *[törvényes eszközökkel]*

tax break *fn gazd* adókedvezmény

tax collector *fn jog tört* adószedő, adófelügyelő, adóbérlő

tax-deductible *mn gazd* adóból levonható

tax disc *fn GB gk* gépjárműadó-matrica *[az autó szélvédőjére erősítendő matrica, mely igazolja, hogy a gk adója be lett fizetve]*; *US* → **sticker**

tax dodger *fn jog* adócsaló

tax evasion *fn* **a)** *jog* adócsalás **b)** *gazd* adóelhárítás, adókikerülés

tax free I. *mn* adómentes **II.** *hsz* adómentesen

tax-free shop *fn* vámmentes bolt

tax haven *fn gazd* adóparadicsom

taxi [ˈtæksi] **I.** *fn* taxi **II.** *tni* **1.** taxival megy, taxizik **2.** *rep* gurul *[repülőgép a földön felszállás előtt* v. *leszállás után]* • *fn* **taxiing**

taxicab *fn* (autó)taxi

taxi dancer *fn* parkett-táncos (férfi/nő) *[vendégekkel bárban* v. *lokálban]*, bértáncos(nő)

taxidermy [ˈtæksɪdɜ:mi ‖ –dɜr–] *fn* állatkitömés, taxidermia • *fn* **taxidermist**

taxi driver *fn* taxisofőr, taxis

taximeter [ˈtæksimi:tə ‖ –mi:tər] *fn* viteldíjmérő, taxaméter, taxióra

tax inspector *fn GB gazd* adóellenőr

taxi rank *fn GB* taxiállomás

taxis [ˈtæksɪs] *fn* **1.** *orv* (kézzel való) helyretevés/helyretétel *[sérvé, csonté]*; repositio **2.** *nyelv* → **tactics**

taxi stand *fn US* taxiállomás

taxiway *fn rep* gurulóút

taxman *fn tsz* **-men** *gazd* **1.** adóbehajtó **2.** *GB biz* **the ~** az adóhivatal; **cheat the ~** becsapja az adóhivatalt

tax office *fn gazd* adóhivatal

taxonomy [tækˈsɒnəmi ‖ –ˈsɑ–] *fn* **a)** *tud* osztályozástan, rendszertan, taxonómia **b)** *tud* osztályozás • *fn* **taxonomist** *mn* **taxonomic(al)**

taxpayer *fn* adófizető, adózó

tax people *fn tsz US biz* az adóhivatal (emberei)

tax rate *fn gazd* adókulcs

tax relief *fn gazd* adókedvezmény *[pl. jelzálog visszafizetése esetén]*

tax return *fn gazd* adóbevallás

tax shelter *fn gazd* adózás elleni (legális) védekezés, adózás (legális) elkerülése

tazza [ˈtɑ:tsə] *fn* gyümölcstál, gyümölcsállvány

t.b., **tb**, **TB** *röv tuberculosis* tuberkulózis, tbc

T-bar *fn* **1.** *műsz* T-acél, T-vas **2.** *sp* **~ lift** csákányos sífelvonó

T-bone steak *fn* (marha)rostélyos

tbs(p). *röv tablespoon*

tchick [tʃɪk] **I.** *fn* csettintés *[nyelvvel]* **II.** *tni* nyelvvel csettint *[lovat biztatva]*

te [ti:] *zene* → **ti**

tea [ti:] **I.** *fn* **1.** *növ* **~ (plant)** tea(cserje) **2.** tea(levél) **3.** tea *[ital]*; **a cup of ~** egy csésze tea; **white ~** tejes tea; **draw ~** teát leforráz (és állni hagy pár percig) **4.** teázás, uzsonnázás **5.** *kif* **it's not his cup of ~** nem fűlik a foga hozzá, ez nem az ő esete **6. herb ~** herbatea, gyógytea; **mint ~** mentatea **7.** *szl [marihuána]* fű, mariska **II.** *pt/pp* **teaed**, **tea'd** **A.** *tsi* teával megkínál, teára meghív, egy csésze teát ad (vknek) **B.** *tni* teázik, teát iszik

tea bag *fn* teazacskó

tea-ball *fn US* teafőző tojás/tüllzacskó, teatojás

tea biscuit *fn* teasütemény

tea blending *fn* **1.** teakeverék **2.** teakeverés

tea break *fn GB* tízóraiszünet, teaszünet, teázás

tea caddy *fn* teásdoboz

teacake *fn* ‹lapos édes pirított vajassütemény›

tea ceremony *fn* teaszertartás

teach [ti:tʃ] *tsi pt/pp* **taught** [tɔ:t] tanít, megtanít, oktat; *biz* **~ sy a lesson** jól megleckéztet vkt, móresre tanít vkt; **that will ~ him!** ebből tanulni fog! ezt nem fogja egyhamar elfelejteni!

teachable [ˈti:tʃəbl] *mn* **1.** (könnyen) tanítható, tanulékony *[személy]* **2.** (könnyen) tanítható *[tantárgy]* • *fn* **teachability**, **teachableness**

teacher [ˈti:tʃə ‖ –ər] *fn* óvónő; tanító(nő) *[általános iskolában]*, tanár(nő) *[GB középiskolában és egyetemen; US középiskolában]*, tanár, tanító, oktató, mester *[tágabb értelemben]*

teacher's pet *fn* tanár kedvence, kis kedvenc *[tanuló iskolában]*

teacher('s) training college *fn* **a)** tanítóképző **b)** tanárképző (főiskola)

teacher trainee *fn* tanárjelölt

tea chest *fn* (fémbélésű fa) teaśláda *[tengeren túli szállításhoz]*

teaching [ˈti:tʃɪŋ] **I.** *mn* tanítói, tan- **II.** *fn* **1.** tanítás, oktatás, pedagógia; **go in for ~**, **take up ~** tanítói/pedagógiai pályára megy/lép **2.** tanulság **3. a)** tan, tantételek (összessége), doktrína, elmélet **b)** *tsz* **teachings** vknek a tanításai

teaching assistant *fn US* ‹a tanárnak hivatalosan segítő diák›; demonstrátor

teaching load *fn* tanári terhelés, óraszám

teaching staff *fn* tanítói/tanári kar, tantestület

tea-cloth *fn* **1.** *GB* **a)** (kis alakú) szalvéta **b)** teásabrosz **2.** → **tea-towel**

teacup *fn* teáscsésze • *mn* **teacupful**

tea dance *fn* öt órai tea, táncos teadélután

tea garden *fn* **1.** kávéház/uzsonnázóhely kerthelyisége **2.** teaültetvény

tea grower *fn* teaültetvényes

tea house *fn* teaház

tea infuser *fn* teafőző fémtojás, teatojás

teak [ti:k] *fn* **1.** tíkfa, *növ* indiai tölgy **2. ~ (wood)** tíkfa (fája)

tea kettle *fn* teáskanna *[víz forralására]*

teal [ti:l] *fn áll* csörgő réce; **~ blue** pávakék

tea leaf *fn tsz* **tea leaves** tealevél, teaszál(ak)

team [ti:m] **I.** *fn* **1. a)** csapat, csoport, team, munkaközösség, brigád, alakulat, legénység; *sp* csapat, boly; *US* **the all-American ~** az amerikai válogatott (csapat); *US* **drive too much ~** túl sokat vállal **b)** (művész)gárda **2.** *áll* csapat *[vadkacsáké]* **3.** (ló- vagy ökör)fogat **II.** *tsi* **1.** befog *[állatokat]*; ~ **in pairs** párba fog *[lovakat stb.]* **2.** *US* lófogattal szállít *[árut]*

team up *tni biz* **a)** ~ **up with sy in order to do sg** összeáll vkvel vm (munka) elvégzésére, vkvel együtt nekilát egy munkának **b)** szövetkezik (*with* vkvel) **c)** összeadja magát vkvel

team game → **team play 1.,2.**

team-mate *fn* csapattárs, munkatárs, játékostárs

team play *fn sp átv* **1.** csapatjáték **2.** összjáték

team player *fn* csapatjátékos

team spirit *fn* csapatszellem

teamster [ˈtiːmstə ‖ —ər] *fn* **1.** tehergépjármű-vezető, teherautó-sofőr, teherfuvaros **2.** (teher)kocsis, fuvaros, szekeres(gazda), kocsihajtó *[szekéré]*

team-teaching *fn* közös (teamben való) tanítás

team-work *fn* **a)** csoportmunka, csapatmunka **b)** *sp* összjáték, csapatmunka **c)** együttműködés, összmunka

tea party *fn* tea *[délutáni/esti meghívás/összejövetel]*, uzsonnavendégség, zsúr; *tört* **the Boston Tea Party** a bostoni teadélután *[teavám elleni tüntetés 1773-ban]*

tea plant *fn növ* teacserje

tea plantation *fn* teaültetvény

teapot *fn* teáskancsó *[melyben a teát leforrázzák/felszolgálják]*; **a tempest in a** ~ vihar egy pohár vízben; *biz* **stand** ~ **fashion** csípőre tett kézzel áll

teapoy [ˈtiːpɔɪ] *fn India* **1.** kis háromlábú/négylábú asztal **2.** zsúrasztal

tear[1] [tɪə ‖ tɪr] **I.** *fn* **1. a)** könny(csepp); **crocodile ~s** krokodilkönnyek; **be close to ~s, be on the verge of ~s** majd elsírja magát; **bore sy to ~s** halálra untat vkit; **burst into ~s** könnyekre/sírva fakad; **fight back ~s** könnyeivel küszködik; **move sy to ~s** könnyekig meghat/megindít vkt; **shed ~s** könnyeket ont **b)** *GB kif* **it'll (all) end in ~s** kb. (ennek) sírás lesz a vége **2.** egy csepp *[bor stb.]* **II.** *tni* könnyezik

tear[2] [teə ‖ ter] **I.** *pt* **tore** [tɔː ‖ tɔr], *pp* **torn** [tɔːn ‖ tɔrn] **A.** *tni* **1. a)** (el)szakít, szétszakít, elszaggat, megszaggat, eltép *[szövetet, ruhát]*; ~ **(sg) open** felszakít, feltép *[borítékot stb.]*; *orv* **torn tendon** ínszakadás **b)** szétrombol (vmt); *szl* **that's torn it** ez betett neki;; már csak ez hiányzott; ez aztán mindennek a teteje **2.** *átv* ~ **sg apart** darabokra szaggat **3.** ~ **sg into pieces** apró darabokra tép szét vmit **4.** kitép, kiszakít, kihasít; ~ **one's hair** haját tépi **5.** elnyű (vmt) **6.** *szl tabu* ~ **sy's ass** *[leszid]* lebasz, lehord a sárga földig **B.** *tni* **1.** szakad, hasad **2.** kopik, elhasználódik **3.** *szl [rohan]* nyargal, száguld, repeszt, tép, dönget *[járművel]* **II.** *fn* **1. a)** elszakadás, beszakadás **b)** elszakítás, beszakítás, eltépés **2.** szakadás, repedés, hasadás, tépés *[ruhán stb.]* **3.** *tex* kopás, elhasználódás; *ip* **wear and** ~ elhasználódás **4.** *biz* **go full** ~ teljes sebességgel/gőzzel halad/megy; *biz* repeszt, tép *[járművel]*; rohan, száguld **5.** düh, erős felindultság **6.** *szl* **on a** ~ *[iszik]* elhajol, piálni megy • *fn* **tearer** *mn* **tearable**

tear about *tni* fel-alá szaladgál, összevissza rohangál

tear across *tsi* **1.** kettészakít (vmt) **2.** átrohan (vmn)

tear down *tsi* **1.** letép, leszakít **2. a)** lebont, lerombol *[épületet]* **b)** szétszerel, szétszed *[gépet]*

tear in, tear into *tni* **1.** *biz* ~ **in the room** beront/berohan/berobban a szobába **2.** *biz* ~ **into sy** alaposan lehord vkt, rámászik vkre

tear off A. *tsi* letép, leszakít **B.** *tni biz* elsiet, elrohan, elszáguld; → **tear-off**

tear out A. *tsi* kitép, kiszakít; ~ **out one's hair** kitépi a haját **B.** *tni biz* ~ **out (of the room)** kirohan a szobából

tearaway [ˈteərəweɪ] *fn biz* **a)** zabolátlan/vandál/rendbontó (ember) **b)** link (ember)

tear bomb [ˈtɪə bɒm ‖ ˈtɪr bɑm] *fn* könnygázbomba

teardown [ˈteədaʊn ‖] *fn* szétszerelés, leszerelés *[gépé, motoré]*; bontás *[épületé]*

teardrop [ˈtɪədrɒp ‖ ˈtɪrdrɑp] **I.** *fn* könnycsepp **II.** *mn* könnycsepp alakú/formájú, könnycsepphez hasonló

tear duct *fn orv* könnycsatorna

tearful [ˈtɪəfl ‖ ˈtɪr—] *mn* könnyes, könnyező, könnybe lábadt, síró

tear gas [ˈtɪə gæs ‖ ˈtɪr—] **I.** *fn* **1.** könnygáz **2.** *kat* könnygázbomba **II.** *tsi* **-ss-** könnygázzal eláraszt

tear-gland [ˈtɪəglænd ‖ ˈtɪr—] *fn orv* könnymirigy

tearing [ˈteərɪŋ ‖ ˈterɪŋ] **I.** *mn* **1. a)** kínzó, gyötrő *[fájdalom, köhögés]*, hasogató *[fejfájás]* **b)** *átv* kínzó, gyötrő *[aggodalom]*, szívszaggató **2.** szakító, tépő **3.** rohanó, siető; *biz* **at a** ~ **rate** őrült iramban; **be in a** ~ **hurry** borzasztóan siet **4. a)** őrjöngő, heves, lármás; *biz* ~ **rage** őrjöngő düh; ~ **voice** rikácsoló hang **b)** *biz* **she goes** ~ **fine** rendkívül elegánsan öltözködik **5.** kimerítő *[munka]* **II.** *fn* szakítás, tépés

tear-jerker [ˈtɪə dʒɜːkə ‖ ˈtɪr dʒɜrkər] *fn* szentimentális könnyfakasztó (v. könnyzacskóra ható/pályázó) történet/darab/dráma/beszéd/film stb. • *mn* **tear-jerking**

tearless [ˈtɪələs ‖ ˈtɪr—] *mn* könnytelen

tear-off [ˈteərɒf ‖ ˈterɔf] *mn* letéphető, perforált; → **tear off**

tearoom *fn* **1.** teázó(helyiség) **2.** ‹kisebb étterem, ahol teát is felszolgálnak›; → **tea-shop**

tea rose *fn növ* tearózsa

tear sheet [ˈteəʃiːt ‖ ˈter—] *fn nyomd* támpéldány, bizonylat *[hirdetés közzétételéről]*

tear-stained [ˈtɪəsteɪnd ‖ ˈtɪr—] *mn* könnyáztatta

tear-worn [ˈtɪərwɔːn ‖ ˈtɪrwɔrn] *mn* kisírt *[arc]*

tease [tiːz] **I.** *tsi* **1.** bosszant, ingerel, ugrat (vkt), kötekedik(vkvel); **sorry, I was just teasing you** bocs, de csak ugrattalak **2. a)** *átv* ~ **out** kibont, kibogoz, kifésül **b)** ~ **sg out of sy** kikényszerít vkből vmt **3.** *[szexuálisan]* izgat, cukkol **II.** *fn* **1.** *biz* kötekedő/ingerkedő/incselkedő személy **2.** kötekedés, ingerkedés, incselkedés

teasel [ˈtiːzl] *tsi* **-ll-** *tex* bolyhoz, bolyhosít *[szövetet]*

teaser [ˈtiːzə ‖ —ər] *fn* **1.** *film* előzetes **2.** kötekedő/incselkedő/ugrató ember **3.** *biz* fejtörő, fogós kérdés, nehéz feladat

tea shop *fn GB* teázó, kávézó, (kisebb) étterem

teaspoon *fn* kávéskanál, kiskanál

teaspoonful *fn* kávéskanálnyi (vmből)

tea-strainer *fn* teaszűrő

teat [tiːt] *fn* **1.** csecs, csöcs *[állaté]* **2.** *US szl [női mell]* csöcs, duda **3.** cumi

teatime *fn* uzsonnaidő

tea towel *fn GB* konyharuha

tea tray *fn* teástálca, teáskészlet tálcája, uzsonnatálca

tea-tree → **tea plant**

teazel [ˈtiːzl] → **teasel**

teazle [ˈtiːzl] → **teasel**

tec [tek] *fn biz* detektív; zsaru

tech [tek] *fn GB biz technical college* műszaki főiskola

techie [ˈteki] *fn US biz* technikus

technic [ˈteknɪk] **I.** *mn* műszaki, technikai **II.** *fn* → **technics**

technical [ˈteknɪkl] *mn* **1.** műszaki, technikai, technológiai, ipari; ~ **education/training** műszaki oktatás, szakoktatás; ~ **university** műszaki egyetem **2. a)** szakmai, szak-, szakmabeli; ~ **book** szakkönyv; ~ **dictionary** szakszótár; *GB* ~ **hitch** műszaki hiba; technikai/műszaki szünet/leállás; ~ **term/word** szakkifejezés, szakszó **b)** kezelési, gyakorlati; ~ **manual** műszaki leírás/kézikönyv **3.** *jog* **a)** alaki **b)** ~ **assault** tettleges bántalmazás **4.** *sp* technikai; ~ **foul** technikai hiba *[kosárlabdában]*

technicality [ˌteknɪˈkæləti] *fn* **1.** szakszerűség *[kifejezésé]* **2. a)** szakmai sajátosság/vonatkozás/szempont **b)** *jog* alakiság **3.** műkifejezés, szakkifejezés, műszó • *hsz* **technically**

technical knockout *fn sp* technikai leléptetés, technikai K.O. *[bokszban]*

technical university *fn* műszaki egyetem

technician [tekˈnɪʃn] *fn* **a)** technikus, műszerész **b)** szakember, szakértő

Technicolor [ˈteknɪkʌlə ‖ –ər] *fn* **1.** technikolor *[egy bizonyos technikával készült színes film]* **2. a)** *biz* élénk színű, rikító **b)** színpompás, látványos; **and all this in ~** és mindez őrült látványosan, és mindez hatalmas színpompával

technics [ˈteknɪks] *fn* **1.** *esz* technika, műszaki tudományok, technológia **2.** *tsz* szaknyelv, szakszókincs, szakterminológia **3.** (műszaki) eljárás, módszer, technológia, technika

technique [tekˈniːk] *fn* **1. a)** technika *[művészé stb.]* **b)** *tud* eljárás, módszer, technika **c)** (műszaki) eljárás, mesterségbeli fogás **2. a)** képesség, készség, gyakorlat, szakmai jártasság/készség **b)** *sp* technika

techno [ˈteknoʊ] *fn* techno(zene)

technocracy [tekˈnɒkrəsi ‖ –ˈnɑ–] *fn* technokrácia, szakemberek/mérnökök uralma

technocrat [ˈteknəkræt] *fn* **1.** technokrata, vezető műszaki és szervezési szakember **2.** *pol* technokrata, a szakemberek politikai vezető szerepét szorgalmazó ember

technological [ˌteknəˈlɒdʒɪkl ‖ –ˈlɑ–] *mn* technológiai, műszaki, technikai, üzemi, gyártási • *hsz* **technologically**

technology [tekˈnɒlədʒi ‖ –ˈnɑ–] *fn* **a)** technika, műszaki tudományok **b)** technológia, műszaki/technológiai eljárás • *fn* **technologist**

technophile [ˈteknəfɪl] *fn* technofil ember *[technikai újdonságokat túlértékelő/imádó ember]* • *fn* **technophilia**

technophobe [ˈteknəfoʊb] *fn* technofób (ember) *[technikai újdonságoktól betegesen irtózó ember]* • *fn* **technophobia**

techy [ˈteki] *mn* ingerlékeny, érzékeny, sértődékeny

tectonic [tekˈtɒnɪk ‖ –ˈtɑnɪk] **I.** *mn geol* tektonikus, tektonikai **II.** *fn esz* **tectonics a)** építéstan, építéstudomány **b)** (épület)szerkezettan, tektonika

tectrix [ˈtektrɪks] *fn tsz* **tectrices** [–rɪsiːz] *áll* fedőtoll *[madarakon]*

tête-à-tête [ˌteɪt ə ˈteɪt] *francia* **I.** *mn* **~ talk** négyszemközti/bizalmas beszélgetés **II.** *hsz* kettesben, négyszemközt, kettecskén **III.** *fn* négyszemközti beszélgetés, két személy együttléte

ted [ted] *tsi* **-dd-** *mezőg* (meg)forgat, kiterít *[szénát]*

teddy-bear *fn* játékmackó, maci

tedious [ˈtiːdɪəs] *mn* unalmas

tedium [ˈtiːdɪəm] *fn* unalom, unalmasság; **~ vitae** életuntság

tee[1] [tiː] *fn* **1.** T-betű, té **2.** *műsz* T-alakú cső/elágazó/idom, T-(cső)idom

tee[2] [tiː] *fn sp* **1.** kis facövek, tí *[golflabda elütéséhez]* **2.** elütőhely *[golfban]*

teel [tiːl] *fn növ* szezám

teem [tiːm] **A.** *tsi átv* szül **B.** *tni* bővelkedik, hemzseg (*with* vmtől), nyüzsög • *mn* **teeming**

teen [tiːn] *fn* **1.** *tsz* **teens** *biz*; → **teenager 2. ~ age, (one's) ~s** tizenéves kor, serdülőkor, kamaszkor

teenage [ˈtiːneɪdʒ] *mn biz* tizenéves, serdülőkorú, kamaszkorú, fiatalkorú, húszon aluli

teenager [ˈtiːneɪdʒə ‖ –ər] *fn* tizenéves, serdülő

teeny [ˈtiːni] → **teeny-weeny**

teeny-bopper [ˈtiːnibɒpə ‖ –bɑpər] *fn* **1.** *US biz [tizenéves lány]* bakfis **2.** *US biz* ‹divatos szélsőségeket kultiváló fiatal nő›

teeny-tiny [ˌtiːniˈtaɪni] → **teeny-weeny**

teeny-weeny [ˌtiːniˈwiːni] *mn biz* icipici, parányi, pöttöm(nyi), incifinci

teepee [ˈtiːpiː] *fn US* indián sátor/kunyhó, vigvam

tee shirt → **T-shirt**

teeter [ˈtiːtə ‖ tiːtər] **I.** *fn* **1.** *US* mérleghinta, libikóka **2.** billegés, dülöngélés; ingadozás, bizonytalankodás, vacillálás **II.** *tni* **1.** *US* mérleghintázik, libikókázik **2. a)** tipeg, billeg, egyensúlyozik *[testével]* **b)** *átv* ingadozik, bizonytalankodik, vacillál

teeth [tiːθ] **1.** *fn tsz* fogazat, fogazás **2.** → **tooth** I.

teethe [tiːð] *tni* **teething** fogzik; **the child is teething** fogzik a gyermek, foga jön a gyermeknek • *fn* **teething**

teething ring [ˈtiːðɪŋ rɪŋ] *fn* fogzást segítő karika, rágóka *[kisgyermeknek]*

teething troubles *fn tsz* **1.** fogzás(i betegség/nyűgösség) **2.** *átv* gyermekbetegség

teetotal [ˌtiːˈtoʊtl] *mn* **1.** szeszes italoktól (állandóan) tartózkodó, antialkoholista **2.** *biz* teljes, totális, abszolút • *fn* **teetotalism** *hsz* **teetotally**

teetotaler [ˌtiːˈtoʊtl·ə ‖ –ər] *US* → **teetotaller**

teetotaller [ˌtiːˈtoʊtl·ə ‖ ər] *fn* antialkoholista, bornemissza, vízivó

TEFL *röv (the) teaching (of) English as a foreign language*

teflon [ˈteflɒn ‖ –lɑn] *fn* **1.** teflon(bevonat) **2.** teflonedény, teflonbevonatú edény

tegument [ˈtegjʊmənt] *fn tud* burok, hártya, (test)takaró • *mn* **tegumental, tegumentary**

teil [tiːl] *fn növ* hársfa

tektite [ˈtektaɪt] *fn* meteorüveg

tel, tel., Tel, Tel. *röv Telephone* telefon

telaesthesia [ˌtelɪsˈθiːzɪə ‖ ˌteles–] *fn* telepátia, megérzés távolból, távmegérzés • *mn* **teleaesthetic**

tele(-) [ˈteli] **I.** *előtag/mn* **1.** *távk* táv- **2.** televíziós, tv-, tévé- **II.** *fn* **1.** *biz* tévé **2.** *fényk biz* teleobjektív

tele-ad [ˈteliæd] *fn GB* telefonon feladott újsághirdetés

telebanking [ˈtelɪbæŋkɪŋ] *fn infor* hálózati bankszolgáltatás, telefonos bankszolgálat

telecamera [ˈtelɪkæmərə] *fn* **a)** nagy távolságú fényképezőgép, telekamera **b)** tv-kamera, tévékamera

telecast [ˈtelɪkɑːst ‖ –kæst] **I.** *fn* televíziós adás, tévéadás, tévéközvetítés **II.** *tsi* televízión/tévén ad/közvetít; **the concert was ~** a koncertet közvetítette a tévé • *fn* **telecaster**

telecommunications [ˌtelɪkɒmjʊnɪˈkeɪʃnz ‖ –kɑmjə–] *fn esz* telekommunikáció, távközlés *[tudomány, tantárgy, szakma]*

telecommunications network *fn infor* távközlési hálózat

telecommunications satellite *fn távk* távközlési műhold

telecommute [ˌtelɪkəˈmjuːt] *tni infor* hálózatról dolgozik *[számítógéppel és telekommunicációs eszközökkel otthon dolgozik]*

telecoms [ˈtelɪkɒmz ‖ –kɑmz] → **telecommunications**

teleconference [ˌtelɪˈkɒnfərəns ‖ –ˈkɑn–], **-conferencing** *fn infor* hálózati konferencia

telefax [ˈtelɪfæks] → **fax**

telefilm [ˈtelɪfɪlm] *fn* tévéfilm

telegenic [ˌtelɪˈdʒenɪk] *mn távk* televízióra alkalmas

telegram [ˈtelɪgræm] *fn* távirat; **cipher ~** rejtjeles távirat; **letter ~** levéltávirat

telegraph [ˈtelɪgrɑːf ‖ –græf] **I.** *fn* **1.** távíró(készülék); **recording/writing ~** szalagos távírókészülék **2.** távirat **II. A.** *tsi* (meg)táviratoz, (meg)sürgönyöz *[hírt]*, táviratot küld (vknek) **B.** *tni* táviratozik • *fn* **telegrapher**

telegraphese [ˌtelɪgrəˈfiːz] *fn* távirati stílus/rövidség

telegraphic [ˌtelɪˈgræfɪk] *mn* távirati, távirat-, sürgöny-; **~ address** sürgönycím

telegraphically [ˌtelɪˈgræfɪkli] *hsz* **1.** táviratilag, távirati úton **2.** távirati stílusban/rövidséggel

telegraph pole *fn* távíróoszlop, sürgönypózna

telegraphy [tɪˈlegrəfi] *fn* távírás, táviratozás

telemark [ˈtelɪmɑːk ‖ –mɑrk] *fn sp* telemark *[sielésben]*

telemarketing [ˈtelɪmɑːkətɪŋ ‖ –mɑrkətɪŋ] *fn gazd* telefonos értékesítés

telemessage [ˈtelɪmesɪdʒ] *fn* távirat *[telefonon továbbított]*

telemeter [tɪˈlemɪtə ‖ ˈtelɪmiːtər] **I.** *fn* **1.** távolságmérő, telemeter **2.** *távk* távmérő *[műszer, berendezés]* **II.** *tsi/tni* távmér • *mn* **telemetric, telemetrical**

telemetering [tɪ'lemɪtərɪŋ ‖ 'telɪmiːtərɪŋ] **I.** *mn* **~ device** távmérő berendezés/műszer **II.** *fn* távmérés
telemetry [tɪ'lemɪtri] *fn fiz* távolságmérés, telemetria
telemonitoring [ˌtelɪ'mɒnɪtərɪŋ ‖ –'mɑ–] *fn infor* távadatgyűjtés
teleobjective [ˌteləəb'dʒektɪv] *fn fénykp* teleobjektív
teleology [ˌtiːli'ɒlədʒi ‖ –'ɑlədʒi] *fn fil* teleológia • *mn* **teleological**
teleost ['teliɒst ‖ –ɑst] **I.** *mn áll* csontos *[hal]* **II.** *fn áll* csontos hal
telepathy [tɪ'lepəθi] *fn* telepátia, távolbaérzés • *fn* **telepathist** *mn* **telepathic**
telephone ['telɪfoʊn] **I.** *fn* telefon, távbeszélő; **answer the ~** felveszi a telefont; **bug sy's ~** lehallgatja vk telefonját; **by ~** telefonon; **disconnect sy's ~** kikapcsolják vk telefonját; **the ~ is dead** süket a telefon; **John is on the ~** John keres/hív/van a vonalban **II. A.** *tsi* **a)** telefonon közöl (vmt) **b) ~ sy** telefonál vknek, telefonon felhív vkt **B.** *tni* telefonál • *mn* **telephonic** *hsz* **telephonically**
telephone answering machine *fn* telefonüzenet-rögzítő készülék, üzenetrögzítő
telephone bill *fn* telefonszámla
telephone book *fn* telefonkönyv
telephone booth *fn* telefonfülke
telephone box *fn GB* telefonfülke
telephone call *fn* telefonhívás
telephone card *fn* telefonkártya
telephone connection *fn* telefon-összeköttetés
telephone conversation *fn* telefonbeszélgetés
telephone cord *fn* telefonzsinór
telephone directory → **telephone book**
telephone exchange *fn* távbeszélőközpont, telefonközpont
telephone line *fn* távbeszélővonal, telefonvonal
telephone message *fn* telefonüzenet
telephone number *fn* **1.** telefonszám **2.** *átv* sokjegyű szám *[pénzzel kapcsolatban]*
telephone operator *fn* telefonközpontos, telefonkezelő *[távbeszélőközpontban]*
telephone receiver *fn* telefonkagyló
telephone set *fn* telefonkészülék
telephonist [tɪ'lefənɪst] *fn GB* telefonközpontos, telefonkezelő
telephony [tɪ'lefəni] *fn* telefonálás, távbeszélés
telephoto [ˌtelɪ'foʊtoʊ] *fn fénykp* távfénykép, telefotó
telephotography [ˌtelɪfə'tɒgrəfi ‖ –'tɑ–] *fn* **1.** *fénykp* távfényképezés, telefotográfia **2.** *távk* képtávírás
teleplay ['telɪpleɪ] *fn* tévéjáték
teleprinter ['telɪprɪntə ‖ –ər] *fn* telex(gép), távgépíró
teleprocessing [ˌtelɪ'proʊsesɪŋ ‖ –'prɑ–] *fn infor* távadatfeldolgozás
teleprompter ['telɪprɒmptə ‖ –prɑmptər] *fn média* súgógép
telerecord [ˌtelɪrɪ'kɔːd ‖ –'kɔrd] *tsi* felvesz *[tévéműsort]*
telerecording [ˌtelɪrɪ'kɔːdɪŋ ‖ –'kɔr–] *fn távk* tévéfelvétel
telesales ['telɪseɪlz] → **teleselling**
telescope ['telɪskoʊp] **I.** *fn* távcső, látcső, messzelátó, teleszkóp; **reflecting ~** tükrös távcső; **refracting ~** lencsés távcső **II. A.** *tsi* összetol, egymásba tol **B.** *tni* (teleszkópszerűen) összetolódik
telescopic [ˌtelɪ'skɒpɪk ‖ –'skɑ–] *fn* **1. a)** távcsöves, messzelátós, teleszkópos, teleszkóp- **b)** teleszkopikus, csak távcsövön látható *[csillag]* **c)** messze látni képes **2. a)** kihúzható, összetolható *[állvány]*, egymásba tolható *[állványtagok]* **b)** *műsz* teleszkópos, teleszkóprendszerű; *gk* **~ shock-absorber** lengéscsillapító
telescript ['telɪskrɪpt] *fn* szövegkönyv, forgatókönyv *[tv-műsoré]*
teleset ['telɪset] *fn GB biz* tévé(készülék)
teleshopping ['telɪʃɒpɪŋ ‖ –ʃɑpɪŋ] *fn* távrendelés, távvásárlás *[telekommunikációs eszközök útján]*
teleswitch ['telɪswɪtʃ] *fn* távkapcsoló
teletext ['telɪtekst] *fn* teletext *[írásbeli tájékoztatás a televízió képernyőjén]*, képújság
telethermometer [ˌtelɪθɜː'mɒmɪtə ‖ –θɜr'mɑmətər] *fn fiz* távhőmérő
telethon ['telɪθɒn ‖ –θɑn] *fn* maratoni tévéközvetítés/tévéműsor
teletype ['telɪtaɪp] **I.** *fn* távgépíró, telex **II.** *tsi* telexezik
teletypewriter [ˌtelɪ'taɪpraɪtə ‖ –raɪtər] *US* → **teleprinter**
televangelist [ˌtelɪ'vændʒɪlɪst] *fn US* televíziós hittérítő/evangelista *[prédikátor]*
televiewer ['telɪvjuːə ‖ –ər] *fn* tv-néző, tévénéző
televise ['telɪvaɪz] *tsi távk* televízión közvetít/(le)ad, televíziós közvetítést ad
television ['telɪvɪʒn] *fn* **1.** televízió; **watch ~** tévét néz, tévézik; **on (the) ~** a televízióban **2.** televízió(készülék), tévé(készülék)
television ad(vertisement) *fn GB* televíziós hirdetés, tévé-reklám
television audience *fn* a televízió/tévé közönsége, tévénézők
television audience measurement *fn* televíziós nézettségi index, a televízió nézettségi indexe
television broadcasting *fn* televíziós adás/közvetítés, tv-közvetítés, tévéadás
television camera *fn* televíziós kamera, tévékamera
television commercial *fn US* televíziós hirdetés, tévéreklám
television crew *fn* televíziós stáb, tévéstáb
television engineering *fn* televíziótechnika
television film *fn* televíziós film, tévéfilm
television interview *fn* televíziós beszélgetés/interjú
television network *fn* televíziós műsorhálózat
television program(me) *fn* televízióműsor, tévéműsor
television projector *fn* televíziós vetítőkészülék, tv-vetítő
television screen *fn* televízió-képernyő, tévéképernyő
television set *fn* televíziókészülék, tévékészülék, tv-készülék, tévé
television studio *fn* televízióstúdió, tévéstúdió
television transmitter *fn* televíziós adó(torony), tévéadó
television tube *fn* képcső
television viewer *fn* televíziónéző, tévénéző
teleworker ['telɪwɜːkə ‖ –wɜːrkər] *fn* távmunkás *[számítógépen bedolgozó]*
telex ['teleks] **I.** *fn* **a)** telex **b)** telex(gép) **c) ~ message** telexüzenet **II.** *tni* telexezik
tell [tel] *i pt* **told** [toʊld] **A.** *tsi* **1. a)** mond, elmond, megmond, kijelent; **~ a lie** hazudik; **~ a secret** titkot elmond/kibeszél; **~ the truth** igazat mond/beszél, megmondja az igazat; **~ sy sg** elmond/megmond vmt vknek, közöl vmt vkvel; **~ fortunes by cards** kártyából jósol, kártyából jövendőt mond, kártyát vet; **~ sy the way** megmutatja/megmondja vknek az utat, vkt útbaigazít **b)** elbeszél, elmond, elmesél *[történetet stb.]*; **~ a story** történetet elmond/elmesél **2.** utasít; **~ sy to do sg** megmondja vknek, hogy vmt tegyen meg **3. a)** megkülönböztet; **it is difficult to ~ them apart** nehéz megkülönböztetni őket **b)** megismer, felismer; **one can ~ him by his voice** meg lehet ismerni a hangjáról **c)** tud, kitalál, megfejt; **how can I ~?** honnan/hogyan tudjam/tudhatnám?; **you never can ~** sohasem lehet tudni **4. ~ one's beads** rózsafüzért mond **5.** *biz* **~ it like it is!** ne beszélj mellé **B.** *tni* **1.** beszél, mond, szól; **words that ~** találó/sokatmondó szavak; **every word ~s** minden szónak súlya van, minden szó fontos **2.** hat, hatása/hatással van; **blood/breed will ~** vér nem válik vízzé; **every little ~s** a legkisebb (dolog) is számít • *mn* **tellable**
teller ['telə ‖ –ər] *fn* **1.** elmondó, elbeszélő *[történeté]* **2.** *pénz* bankpénztáros; **automatic bank ~** bankautomata **3.** *pol* szavazatszedő, szavazatszámláló

telling [ˈtelɪŋ] **I.** *mn* **1.** sokatmondó; ~ **look** sokatmondó/beszédes pillantás/tekintet; ~ **name** beszélő név **2. a)** hatásos; ~ **argument** nyomós érv; ~ **effect** jelentős/nagy hatás **b)** ~ **blow** jól célzott ütés **II.** *fn* **1. a)** elmondás, elbeszélés, elmesélés *[történeté]* **b)** kibeszélés, elhíresztelés *[titoké]* **2. there is no** ~ nem lehet tudni/megmondani; ki tudja?
telling-off *fn tsz* **tellings-off** *GB biz* leszidás, (meg)feddés
tell-tale I. *mn* árulkodó, áruló *[jel]*; ~ **blush** árul(kod)ó pirulás; **the** ~ **signs of happiness** a boldogság árulkodó jelei **II.** *fn* **1. a)** árulkodó, besúgó **b)** hírharang, pletykafészek **c)** (áruló) jel, mutató, bizonyság **2.** *műsz* jelzőberendezés, jelzőkészülék, mutató
tellurian [teˈlʊərɪən ‖ –ˈlʊr–] *mn* földi
telluric [teˈlʊərɪk ‖ –ˈlʊr–] *mn* **1.** tellúrtartalmú, tellúr- **2.** földi, föld-
tellurium [teˈlʊərɪəm ‖ –ˈlʊr–] *fn vegy* tellúr • *fn* **tellurite**
telnet [ˈtelnet] *fn infor* távkapcsolat, távoli számítógép-kapcsolat, távoli terminálkapcsolat
telpher [ˈtelfə ‖ –ər] **I.** *mn* függőpályás, drótkötélpályás, futómacska-rendszerű **II.** *fn* drótkötélpálya **III.** *tsi* **-rr-** függőpályán szállít
telson [ˈtelsn] *fn áll* farkvég, telson *[ráké]*
telly [ˈteli] *fn GB biz* tévé
temblor [ˈtemblə ‖ –ər] *fn US* földrengés, földlökés
temerarious [ˌteməˈreərɪəs ‖ –ˈrerɪəs] *mn vál* vakmerő
temerity [tɪˈmerəti] *fn* vakmerőség
temp[1] [temp] *röv* **1.** *temperature* **2.** *temporary* **3.** *temporary employee* **4.** *infor temporary files* ideiglenes (al)könyvtár
temp[2] [temp] *tni biz* ideiglenesen alkalmazásban áll
temper [ˈtempə ‖ –ər] **I.** *fn* **1. a)** *[lelki, szellemi]* alkat, beállítottság, vérmérséklet, természet, temperamentum; **fiery** ~ heves természet; **have a bad** ~ nehéz természetű, ingerlékeny; **have a short** ~ hirtelen haragú **b)** kedély(állapot), kedv, hangulat; **show ill** ~ rosszkedvében van, rosszkedvűnek látszik; **be in a rotten/vile** ~ gyilkos kedvében/hangulatban van **2. a)** harag, düh, méreg, felindulás, ingerültség; **outburst of** ~ dühroham, dühkitörés; **get sy's** ~ **up, put sy in a** ~ vkt felmérgesít/felboszszant/feldühít **b)** rosszkedv, ingerlékenység; **show** ~ rosszkedvűnek látszik **3.** hidegvér, nyugalom; **keep one's** ~ megőrzi a hidegvérét/nyugalmát; **lose one's** ~ kijön a sodrából/béketűrésből, dühbe gurul; **try sy's** ~ vknek próbára teszi a béketűrését, idegeire megy vknek; **be out of** ~ mogorva, rosszkedvű **4. a)** *fémip* keménységi fok, keménység, edzettség; **lose its** ~ meglágyul, kilágyul *[acél]* **b)** összetétel, keverék, kellő elegy *[agyagé, habarcsé]* **II. A.** *tsi* **1.** *fémip* edz, nemesít, kívánt keménységi fokra hoz **2.** kever *[habarcsot, betont]*, gyúr *[agyagot]* **3. a)** mérsékel, enyhít, szelídít *[hatást]* **b)** türtőztet *[szenvedélyt]*, erőt vesz *[indulaton]* **4.** *zene* temperál, hangol **B.** *tni* **1.** megfelelő (halmaz)állapotot ér el **2.** ~ **with** babrál vmt *[és elrontja]*, babrál vmvel • *mn* **tempered**
tempera [ˈtempərə] *fn* **1.** *műv* tempera(festék) **2.** *műv* temperafestés
temperament [ˈtempərəmənt] *fn* **a)** vérmérséklet, alkat, kedély, temperamentum **b)** szenvedélyes/heves/élénk vérmérséklet, temperamentum
temperamental [ˌtempərəˈmentl] *mn* **1.** vérmérsékleti, alkati **2. a)** heves, temperamentumos **b)** szeszélyes, változékony/ingatag kedélyű, szélsőségekre hajlamos • *mn* **temperamentally**
temperance [ˈtempərəns] *fn* **a)** mértékletesség, mértéktartás, mérséklet *[főként alkoholfogyasztásban]* **b)** antialkoholizmus
temperate [ˈtempərət] *mn* **1. a)** mértékletes, mértéktartó *[élvezetekben]* **b)** meggondolt, józan, higgadt *[beszéd, modor]* **c)** alkoholt nem fogyasztó **2.** *meteo* **a)** mérsékelt *[éghajlat]* **b)** mérsékelt övi
temperate zone *fn földr* mérsékelt égöv
temperative [ˈtempərətɪv] *mn* mérséklő
temperature [ˈtemprətʃə ‖ –ər] *fn* **a)** hőmérséklet, hőfok, temperatúra; **drop/fall in** ~ hőmérsékletesés, hőmérséklet-zuhanás; **sub zero** ~ fagypont alatti hőmérséklet **b)** *orv* (test)hőmérséklet; **have/run a** ~ láza/hőemelkedése van; belázasodik; **high** ~ magas láz; **take sy's** ~ megméri vknek a lázát **c)** *fiz* hőmérséklet
tempest [ˈtempɪst] **I.** *fn* **1.** vihar, fergeteg, szélvész, szélvihar **2.** *átv* vihar, kavarodás, kitörés *[érzelemé]* **II. A.** *tsi* felkavar **B.** *tni* viharzik, tombol; ~ **through the room** átviharzik a szobán
tempestuous [temˈpestʃʊəs] *mn* **1.** viharos, fergeteges *[időjárás]* **2.** viharos *[gyűlés stb.]*, háborgó, szilaj *[természet]* • *fn* **tempestuousness** *hsz* **tempestuously**
Templar [ˈtemplə ‖ –ər] *fn* **1. (Knight)** ~ templomos lovag **2.** *GB* londoni jogász
template [ˈtempleɪt] *fn infor* sablon, minta, űrlap
temple[1] [ˈtempl] *fn* templom; *bibl* **the T~** a jeruzsálemi szentély
temple[2] [ˈtempl] *fn* **~s** halánték
tempo [ˈtempoʊ] *fn tsz* **-s**, **tempi** [–piː] iram, ütem, tempó, *zene* tempó
temporal[1] [ˈtempərəl] *mn* **1. a)** időbeli **b)** *nyelv* idő-; ~ **clause** időhatározói mellékmondat **2.** időleges, földi, múló, mulandó **3.** *jog* világi; ~ **power** világi hatalom *[egyházi személyé]* • *mn* **temporally**
temporal[2] [ˈtempərəl] *mn orv* halánték-
temporalism [ˈtempərəlɪzm] *fn* világiasság
temporality [ˌtempəˈræləti] *fn* **1.** *tsz* **temporalities** *vall* világi javak és jogok **2.** ideiglenes jelleg, ideiglenesség
temporary [ˈtempərəri ‖ –pəreri] *mn* **a)** ideiglenes, átmeneti; ~ **employee** nem véglegesített alkalmazott; ~ **job** ideiglenes munka/állás **b)** pillanatnyi, múló; ~ **pleasures** múló örömök • *hsz* **temporarily**
temporize [ˈtempəraɪz], **-ise** *tni* **1.** húzza az időt, igyekszik időt nyerni **2.** alkalmazkodik a pillanatnyi helyzethez, megalkuszik • *fn* **temporization**, **temporizer**
tempt [tempt] *tsi* **1. a)** (rosszra) csábít, megkísért **b)** rábeszél, rávesz, rábír; ~ **sy to do sg** vkt vm megtételére csábít, vkt rá akar venni vmnek a megtételére **2.** ~ **fate** kihívja a sorsot maga ellen **3.** *vál* megkísérel, megpróbál
temptation [tempˈteɪʃn] *fn* kísértés, csábítás; **resist** ~ kísértésnek ellenáll; **throw** ~ **in sy's way** kísértésbe visz vkt; **yield to** ~ enged a kísértésnek/csábításnak
tempter [ˈtemptə ‖ –ər] *fn* kísértő, csábító; **The T~** a Kísértő, a Gonosz
tempting [ˈtemptɪŋ] *mn* **a)** csábító **b)** kísértő • *hsz* **temptingly**
ten [ten] **I.** *mn* tíz; ~ **times as much as** tízszer annyi, (mint) **II.** *fn* **1.** tíz, tízes (szám); **the upper** ~ a felső tízezer **2.** tízes *[bankjegy]* **3.** tíz perc szünet, tízperc **4.** *ját* tízes (lap) **5.** *tsz* **tens count by the ~s, count in ~s** tízesével számol **6.** *tsz* **tens** *mat* tízes *[helyi érték]*
tenable [ˈtenəbl] *mn* **1. a)** tartható, (meg)védhető **b)** fenntartható, védhető *[álláspont]* **2. post** ~ **for four years** négy évre szóló állás/kinevezés • *fn* **tenability**
tenacious [tɪˈneɪʃəs] *mn* **1. a)** állhatatos, kitartó, szívós, rendületlen; **be** ~ **of one's opinion** szilárdan kitart véleménye mellett **b)** makacs, konok **2. a)** szorító, szoros, kemény fogású **b)** ~ **memory** megbízható/jó emlékezőtehetség **3. a)** szívós, tartós, ellenálló; ~ **rock** ellenálló kőzet **b)** ragadós, tapadós • *fn* **tenacity**
tenancy [ˈtenənsi] *fn* **1.** bérleti viszony **2.** bérleti időtartam, bérlés ideje **3.** bérlemény, birtok **4.** *[állás]* betöltése
tenant [ˈtenənt] **I.** *fn* bérlő, lakó *[bérházban]*, *jog* haszonbérlő, haszonélvező *[ingatlané]*; **~'s risks** bérlői felelősség **II. A.** *tsi* bérel, bérlőként használ (vmt), bérlőként lakik (vmben, vmt) **B.** *tni* bérlő(ként lakik) • *mn* **tenantable**, **tenantless**
tenant farmer *fn* urasági földbérlő, bérlőgazda
tenantry [ˈtenəntri] *fn* **1.** bérlők (összessége), lakók *[bérházban]* **2.** (kis)bérlők (összessége) *[nagybirtokon]*
tench [tentʃ] *fn áll* compó, cigányhal

T

tend[1] [tend] *tsi* ellát *[beteget, állatot]*, ápol, gondoz *[beteget, kertet]*, gondoz, őriz *[állatot]*, felügyel *[gépre]*; ~ **the fire** táplálja a tüzet, vigyáz a tűzre

tend[2] [tend] *tni* **1. a)** tart, halad, megy **b)** *átv* irányul, tart (vmerre), hajlik (vmre), tendál vmerre; ~ **towards an agreement** a megegyezés felé közelít; **blue ~ing to green** zöldbe hajló/játszó kék **2.** ~ **to do sg** hajlandó/hajlamos vm megtételére

tendency ['tendənsi] *fn* **a)** hajlam(osság); ~ **to corpulence** hízékonyság **b)** irányzat, tendencia *[folyamaté]*; **show a ~ to improve** javuló tendenciát mutat **c)** célzat, irányzat, tendencia *[műben]*; ~ **writings** irányzatos/célzatos művek/írások

tendentious [ten'denʃəs] *mn* célzatos, irányzatos, tendenciózus, irány-, elfogult, részrehajló

tender[1] ['tendə ‖ –ər] **I.** *mn* **1.** lágy *[bőr]*, puha, porhanyós *[hús]* **2.** *átv* fájó, kényes, érzékeny, gyenge; ~ **heart** lágy/érző szív; *átv* ~ **spot** kényes/fájó/érzékeny pont; *átv* **touch sy on a ~ spot** elevenére tapint vknek **3.** *átv* fiatal, éretlen, zsenge; ~ **shoot** zsenge/fiatal hajtás **4.** gyöngéd, finom; ~ **care** gyöngéd figyelem/gondoskodás; ~ **farewell** bensőséges/érzelmes búcsú; ~ **love** gyöngéd szeretet/szerelem **5.** tapintatos, óvatos, elővigyázatos **6.** finom, lágy, puha, elomló *[szín]*, kellemes *[világítás]* **II. A.** *tsi* meglágyít **B.** *tni* (meg)puhul, porhanyóssá válik

tender[2] ['tendə ‖ –ər] *fn* **1.** ápoló, gondozó, őr(ző) *[pl. állatoké]*, kezelő, gépész *[gépé]*, felügyelő, őr **2.** segédhajó, üzemanyag-ellátó hajó **3.** *vasút* szerkocsi, szeneskocsi **4.** → **bartender**

tender[3] ['tendə ‖ –ər] **I.** *fn* **1. a)** *gazd* ajánlattétel, versenytárgyalás, tender; ~ **conditions** pályázati/kiírási feltételek; **invite ~s for sg** árajánlatokat kér vmre vmre, versenytárgyalást hirdet; **by** ~ versenytárgyalás útján **b)** ajánlat, felajánlás **2.** *jog* fizetési eszköz; **legal/lawful/common** ~ törvényes fizetési eszköz **II. A.** *tsi* **a)** (fel)ajánl, (fel)kínál, benyújt; ~ **one's resignation** benyújtja lemondását **b)** ~ **one's apologies** (ünnepélyesen) bocsánatot kér **B.** *tni gazd* (üzleti) ajánlatot tesz, pályázik, megpályáz; ~ **for sg** árajánlatot tesz vmre • *fn* **tenderer**

tender-eyed *mn* **1.** lágy tekintetű **2.** gyenge látású/szemű

tenderfoot *fn tsz* **s, tenderfeet** *US szl* **a)** újonnan érkezett bevándorló **b)** *[kezdő]* újonc, zöldfülű

tender-hearted *mn* lágyszívű

tenderize ['tendəraɪz], **-ise** *tsi* puhít, klopfol *[húst]*

tenderizer ['tendəraɪzə ‖ –ər], **-iser** *fn* **1. meat** ~ húsklopfoló **2.** húspuhító (fűszerkeverék)

tenderloin ['tendəlɔɪn ‖ –dər–] *fn* **1.** *US* vesepecsenye(-szelet), bélszínjava **2.** *US szl* ‹rosszhírű városnegyed›

tenderly ['tendəli ‖ –dər–] *hsz* **a)** gyöngéden, finoman *[érint]* **b)** gyöngéden, szeretettel

tenderness ['tendənəs ‖ –dər–] *fn* **1. a)** *átv* érzékenység **b)** *orv* nyomásérzékenység **2.** zsengeség, puhaság, lágyság, finomság **3. a)** gyöngédség, finomság **b)** gyöngéd érzelem, féltő gond, szerető gondoskodás

tendinous ['tendɪnəs] *mn* inas, ín-

tendon ['tendən] *fn orv* ín

tendril ['tendrɪl] *fn növ* kacs, inda

tenebrous ['tenɪbrəs] *mn régi* sötét, homályos, komor

tenement ['tenɪmənt] *fn* **1. a)** *jog* ingatlan **b)** *jog* bérlet, bérlemény **2.** *GB* (bérelt) lakás **3.** *GB* ~ **house** bérház, *pej* bérkaszárnya • *mn* **tenemental, tenementary**

tenet ['tenɪt] *fn* **a)** tan, tantétel **b)** *biz* elv, nézet, vélemény, felfogás

tenfold ['tenfoʊld] **I.** *mn* tízszeres **II.** *hsz* tízszeresen, tízszerte

Tenn. *röv US Tennessee*

tenner ['tenə ‖ –ər] *fn biz* tízes, *GB* tízfontos (bankjegy), *US* tízdolláros (bankjegy)

Tennessee [ˌtenə'siː] *tul földr* Tennessee *[állam]* • *mn* **Tennesseean**

tennis ['tenɪs] *fn sp* tenisz; **play** ~ teniszezik

tennis ball *fn* teniszlabda

tennis court *fn* teniszpálya

tennis elbow *fn orv* teniszkönyök

tennis player *fn* teniszező, teniszjátékos

tennis racket *fn* teniszütő

tennis shoes *fn tsz* teniszcipő

tennis tournament *fn sp* teniszbajnokság, teniszverseny

tenon ['tenən] *fn* **1.** ereszték, csap, fakötés **2.** vezetőborda *[szelepé]*

tenor[1] ['tenə ‖ –ər] **I.** *mn zene* tenor; *zene* ~ **violin** brácsa, mélyhegedű, viola **II.** *fn zene* **1. a)** tenor (hang) **b)** tenor (szólam) **2.** tenor(ista) **3.** tenor(hangszer)

tenor[2] ['tenə ‖ –ər] *fn* **1. a)** menet, (egyenletes) folyás *[ügyeké, életé]* **b)** irány, irányzat, törekvés, szándék, tendencia **2. a)** jelleg, lényeg **b)** hang(nem), tónus *[levélé]* **3.** *gazd* lejárat(i idő) *[váltóé]*

tenor clef *fn zene* tenorkulcs

tenorist ['tenərɪst] *fn zene* tenor(ista)

tenpin ['tenpɪn] *fn* **1.** *US* tekebábu, kuglibábu **2.** *tsz* **tenpins** *US* teke(játék), kugli *[tíz bábbal]*

tenpin alley *fn* tekepálya, kuglipálya

tenpin bowling *fn GB* teke(játék), kugli *[tíz bábuval]*

tense[1] [tens] **I.** *mn* **1. a)** feszes, megfeszített, feszülő *[kötél]* **b)** *átv* feszült, megfeszített, görcsös *[figyelem]*, feszült, kiélezett *[viszony]*, feszült *[idegek]*; **the crowd was ~ with expectancy** a tömeg feszülten várakozott **c)** feszes, merev *[viselkedés]* **2.** *nyelv* ~ **vowel** feszített/szűk ejtésű *[magánhangzó]* **II. A.** *tsi ritk* megfeszít *[izmot]*, kifeszít **B.** *tni ritk* (meg)feszül, kifeszül • *fn* **tenseness, tensity** *hsz* **tensely**

tense[2] [tens] *fn nyelv* igeidő; ~ **auxiliary** időbeli segédige

tensile ['tensaɪl ‖ 'tensl] *mn* **1.** *fiz* nyújtható, húzható **2. a)** *fiz* nyújtó, húzó, nyújtási, húzási; *fiz* ~ **force** húzóerő **b)** *zene* vonós *[hangszer]* • *fn* **tensibility**

tension ['tenʃn] *fn* **1. a)** feszesség, feszülés *[kötélé]*, feszültség, feszítés **b)** *fiz* nyomás, feszültség, feszítés *[gázé]*; *vill* feszültség **2. a)** *átv* feszültség; **political** ~ politikai feszültség **b)** *átv* feszesség *[pl. társalgásé]* **3. a)** *fiz* húzóerő, húzófeszültség **b)** *orv* feszülés, feszültség **4.** (meg)feszítés, meghúzás *[kötélé]* • *mn* **tensional**

tension screw *fn* feszítőcsavar

tensor ['tensə ‖ –ər] **I.** *mn orv* feszítő **II.** *fn orv* feszítőizom

tent[1] [tent] **I.** *fn* sátor; **pitch one's ~** felüti a sátorfáját; **oxygen** ~ oxigénsátor **II. A.** *tsi* sátor/ponyvatető alá helyez (vmt) **B.** *tni* sátorozik, sátorban lakik/táborozik • *mn* **tented**

tent[2] [tent] **I.** *fn orv* tampon **II.** *tsi* **1.** *orv* tamponál **2.** mélyrehatóan vizsgál (vmt), mélyére hatol (vmnek)

tentacle ['tentəkl] *fn* **a)** *áll* tapogató, csáp *[puhatestűeké]*, kar *[polipé]*, bajusz *[halé]* **b)** *növ* érző mirigyszőr • *mn* **tentacular, tentaculate**

tentaculum [ten'tækjuləm] *tsz* **tentacula** [–lə] → **tentacle**

tentative ['tentətɪv] **I.** *mn* kísérleti, próbaképpeni, puhatolód(z)ó, próba- **II.** *fn* kísérlet, próba, próbálkozás, puhatolód(z)ás, tapogatód(z)ás • *hsz* **tentatively**

tent-bed *fn* **1.** mennyezetes ágy **2.** *orv* inhalálósátor

tent cloth *fn* sátorponyva

tenter[1] ['teņtə ‖ –ər] *fn biz* sátorlakó, sátorozó

tenter[2] ['tentə ‖ –ər] *fn* **a)** felügyelő **b)** *ip* gépkezelő, gépész

tenterhook *fn* **1.** *tex* feszítőhorog, feszítőkampó **2.** *biz* **be on ~s** tűkön ül, kínban van

tenth [tenθ] **I.** *mn* **1.** tizedik **2.** (egy)tized **II.** *fn* **1.** tizedik **2. a)** tized(rész), egytized **b)** *tört* tized, dézsma **3.** *zene* tized hangköz, decima • *hsz* **tenthly**

tenth-rate *mn* tizedrangú, ócska, vacak, silány

tent peg *fn GB* sátorcövek

tenuity [tɪ'njuːəti ‖ –'nuː–] *fn* **1.** vékonyság, finomság *[fonálé]* **2. a)** ritkaság *[levegőé, gázé]* **b)** gyengeség, erőtlenség, vékonyság *[hangé]*

tenuous ['tenjuəs] *mn* **1. a)** vékony, finom *[fonál, réteg]* **b)** *átv* vékony, erőtlen **2.** ritka *[gáz]* **3. a)** *átv* lényegtelen; *átv* ~ **style** vértelen/vérszegény stílus **b)** *átv* bizonytalan, homályos, ködös • *fn* **tenuousness** *hsz* **tenuously**

tenure ['tenjə ‖ –ər] *fn* **1. a)** *jog tört* (hűbéri) birtok **b)** használat *[címé]* **c) system of land** ~ (föld)birtoklási rendszer **2.** *jog* birtoklás (módja) **3.** hivatal, tisztség, pozíció birtoklása **4.** *US* véglegesítés *[egyetemi oktatóé]*

tenurial [tɪ'njuərɪəl ‖ –'nʊrɪəl] *mn* birtoklási

teocalli [ˌtɪə'kæli] *fn épít* lépcsős piramis, piramistemplom

tepee ['ti:pi:] *fn US* indián sátor/kunyhótipi

tepefy ['tepɪfaɪ] **A.** *tsi* (meg)langyosít **B.** *tni* (meg)langyosodik

tepid ['tepɪd] *mn* **a)** langyos, langymeleg **b)** *átv* lagymatag; ~ **assent** ímmel-ámmal való beleegyezés • *fn* **tepidity**, **tepidness**

tequila [tɪ'ki:lə] *fn* tequila *[mexikói agávépálinka]*

teratogen [tə'rætədʒen] *mn orv* embriót károsító

terbium ['tɜ:bɪəm ‖ 'tɜr–] *fn vegy* terbium

tercel ['tɜ:sl ‖ 'tɜrsl] *fn* hím sólyom/héja

tercet ['tɜ:sɪt ‖ 'tɜr–] *fn ir.tud* háromsoros versszak, tercina

terebrant ['terəbrənt ‖ tə'ri:–] *mn* **1. a)** fúró **b)** *átv* szúró **2.** *áll* ~ **hymenoptera** hártyásszárnyúak

Terence ['terəns] *tul* ‹férfinév›

Teresa [tə'ri:zə, –'reɪzə ‖ tə'ri:sə, –'reɪsə] *tul* Teréz

terete [tə'ri:t] *mn* sima és gömbölyded, henger alakú

tergal ['tɜ:gl ‖ 'tɜrgl] *mn tud* háti, hát-

tergiversate ['tɜ:dʒɪvəseɪt ‖ tɜr'dʒɪvər–] *tni* **a)** kertel, köntörfalaz, hímez-hámoz **b)** köpönyeget forgat • *fn* **tergiversation**, **tergiversator**

term [tɜ:m ‖ tɜrm] **I.** *fn* **1. a)** határidő, végső időpont; **set/put a ~ to sg** megszabja a határát vmnek; határidőt tűz ki vmre **b)** *gazd* határidő, lejárat **c)** lakbérfizetési (határ)nap **d)** havi vérzés, menstruáció (ideje) **2. a)** *mat* határpont, végpont, határvonal, határfelület **b)** határkő *[régi rómaiaknál]* **3. a)** meghatározott időtartam, *pol* ciklus; ~ **of copyright** szerzői jog védelmének időtartama; ~ **of a lease** bérlet (idő)tartama/ideje, bérleti idő; ~ **of notice** felmondási idő; **during his ~ of office** hivatali ideje alatt; *jog* **for the ~ of one's natural life** életfogytiglan **b)** *okt* szorgalmi idő, félév, szemeszter; ~ **paper** félévi írásbeli dolgozat; **keep one's ~s** beiratkozik *[egyetemre]*; befizeti a tandíjat *[joghallgató]* **c)** *jog* ülésszak *[bíróságé]* **d)** büntetés időtartama **e)** biztosítási időszak **4. a)** szó, terminus, (pontos) kifejezés; **familiar** ~ közhasználatú kifejezés **b)** szakszó, szakkifejezés **c)** *tsz* **terms** kifejezésmód, nyelv; **in ~s of sg** vmnek szempontjából, vmben kifejezve/megadva, vmnek az értelmében; **in express ~s** kifejezetten; **in these ~s** a következő szöveggel **5. a)** *fil* tétel; **major** ~ főtétel; **middle** ~ átvezető tétel; **minor** ~ altétel **b)** *mat* tag, kifejezés *[egyenleté]*; **constant** ~ állandó (v. változót nem tartalmazó) tag; **in ~s of c.g.s. units** CGS-rendszerben kifejezve; **arrange ~s** rendez egy kifejezést **c) think in ~s of sg** vmnek a jegyében/kategóriáiban gondolkodik **6.** *tsz* **terms a)** feltétel, kikötés *[szerződésé stb.]*; **~s of capitulation** megadás feltételei; *gazd* **~s of delivery** (áru)szállítási feltételek; *pénz* **~s of an issue** kibocsátási feltételek; **bring sy to ~s** vmnek az elfogadására kényszerít vkt, diktálja a feltételeket vknek; **come to ~s with sy** megállapodik/megegyezik vkvel, kiegyezik vkvel **b)** fizetési feltétel, díjszabás, ár, tarifa; **~s of payment** fizetési feltételek **7.** *tsz* **terms a)** (társadalmi), személyi viszony, kapcsolat; **be on bad ~s with sy** vkvel rossz viszonyban (v. rosszban) van **b)** jó viszony, egyetértés; **they are not on ~s** nincsenek jó viszonyban **II.** *tsi* nevez, mond (vmnek) • *mn* **termless**

termagant ['tɜ:məgənt ‖ 'tɜr–] **I.** *mn* házsártos **II.** *fn* házsártos nő, sárkány, hárpia, satrafa • *fn* **termagancy**

terminable ['tɜ:mɪnəbl ‖ 'tɜr–] *mn* **a)** befejezhető, bevégezhető, korlátozható, megszüntethető *[járadék]*, felmondható *[szerződés]* **b)** befejeződő, bevégződő, véget érő *[folyamat]*, lejáró *[szerződés]*

terminal ['tɜ:mɪnl ‖ 'tɜr–] **I.** *mn* **1. a)** határoló, szélső, záró, határ-, vég-; ~ **letter** szóvégi betű; *orv* ~ **illness** halálos betegség; *orv* ~ **phase/state** terminális/végső fázis/állapot *[a halál előtti idő]*; ~ **point** végállomás *[villamos-, autóbusz- stb. vonalé]*; *mat* ~ **side of an angle** szög mozgó szára **b)** *műsz vill* záró, vég-; ~ **velocity** végsebesség; ~ **voltage** kapocsfeszültség **c)** *nyelv* terminális, végső **2. a)** időszaki **b)** *okt* félévi, negyedévi; ~ **examinations** félévi/negyedévi vizsgák **3.** határidő- **II.** *fn* **1. a)** végállomás; **bus** ~ buszvégállomás, buszpályaudvar **b)** *vasút* végállomás, pályudvar **c)** *rep* terminál; → **air terminal 2.** *infor* (számítógép-)terminál **3.** végződés, vég, vmt befejező dolog **4.** *el* huzalvégződés, csatlakozás, csatlakozóvég; ~ **box** elosztószekrény **5.** záróvizsga • *hsz* **terminally**

terminary ['tɜ:mɪnəri ‖ 'tɜrmɪneri] *fn áll* termeszboly

terminate I. [–neɪt] **A.** *tsi* **1. a)** elhatárol, elkerít *[vonal, határ]* **b)** határol, kerít, lezár *[vonal stb.]* **c)** végén áll (vmnek) **2.** megszüntet (vmt), véget vet (vmnek), befejez; ~ **a contract** szerződést felbont **B.** *tni* **a)** végződik; **words terminating in r** r-re végződő szavak **b)** bevégződik, elvégződik, vége lesz *[térben]* **c)** befejeződik, lezárul *[időben]*, véget ér **II.** *mn* ['tɜ:mɪnət ‖ tɜr–] *mat* véges *[tizedes tört]*

termination [ˌtɜ:mɪ'neɪʃn ‖ ˌtɜr–] *fn* **1.** végződés *[térben]* **2. a)** bevégződés, befejeződés, bezárulás, végetvetés **b)** bevégzés, befejezés, bezárás **c)** megszűnés, *jog* elévülés **3.** vég(pont) *[úté stb.]*, határ • *mn* **terminational**

terminator ['tɜ:mɪneɪtə ‖ 'tɜrmɪneɪtər] *fn* **a)** ‹aki végleg befejezi v. elrendezi a dolgokat› terminátor, befejező **b)** posztumusz munka befejezője

terminism ['tɜ:mɪnɪzm ‖ 'tɜr–] *fn* **1.** *vall* terminizmus **2.** *fil* nominalizmus • *fn* **terminist**

terminology [ˌtɜ:mɪ'nɒlədʒi ‖ ˌtɜrmɪ'nɑ–] *fn* **1.** szaknyelv, szakmai nyelv, szakszókincs, terminológia **2.** fogalommeghatározások *[fejezetcímben]* • *mn* **terminological**

terminus ['tɜ:mɪnəs ‖ 'tɜr–] *fn tsz* **-es**, **termini** [–naɪ] **1.** végállomás, végpont; végső cél **2.** határoszlop

termitary ['tɜ:mɪtəri ‖ 'tɜrmɪteri] *fn áll* termeszvár, termeszboly

termite ['tɜ:maɪt ‖ 'tɜr–] *fn áll* termesz

terms of trade *fn közg* külkereskedelmi cserearány

term-time *fn okt* tanítási időszak, szorgalmi idő

tern [tɜ:n ‖ tɜrn] *fn áll* csér; **common** ~ küszvágó csér

ternal ['tɜ:nl ‖ 'tɜrnl] *mn* **a)** hármas **b)** háromtagú

ternary ['tɜ:nəri ‖ 'tɜr–] **I.** *mn mat vegy* hármas, három egységből álló, hármas számrendszerbeli **II.** *fn* **a)** három, a hármas szám **b)** hármas csoport, triád

Terpsichorean [ˌtɜ:psɪkə'ri:ən ‖ ˌtɜrpsɪ'kɔrɪən] *mn* tánc-

terr. *röv* **1.** *terrace* **2.** *territorial* **3.** *territory*

terra ['terə] *fn* föld; ~ **alba** *geol* fehér agyag; *épít* gipsz; ~ **firma** szárazföld; kontinens, földrész; *geol* ~ **rossa** vörös föld

terrace ['terəs] **I.** *fn* **a)** *épít* terasz **b)** *geol* terasz, völgyterasz **II.** *tsi* teraszosan/lépcsősen kiképez

terraced ['terəst] *mn* teraszos, lépcsőzetes; ~ **garden** függőkert; → **terraced house**

terraced house, **terrace house** *fn GB* sorház *[nagyjából egyforma házakból álló házsor egy háza]*

terracotta [ˌterə 'kɒtə ‖ –'kɑtə] *fn* terrakotta, égetett agyag

terrain [tə'reɪn] *fn* **1. a)** *kat* terep; ~ **mask** természetes álca **b)** terület **2.** *geol* terep

terranean [tə'reɪnɪən] *mn* **a)** föld-, (szára)földi **b)** földből való **c)** földünkhöz tartozó

terrapin ['terəpɪn] *fn áll* **a)** dobozpáncélú teknős **b)** *biz* ehető amerikai teknősbéka

terraqueous [tə'reɪkwɪəs] *mn* földből és vízből álló; ~ **globe** földgolyó

terrarium [tə'reərɪəm ‖ tə'rerɪəm] *fn* terrárium

terrazzo [tə'rætsoʊ ‖ –'ræzoʊ] *fn épít* terrazzo, mozaik padló-burkolat

terrene [ˈteriːn] *mn* **1.** földes, földdel kevert **2.** (száraz)földi *[állat stb.]*
terrestrial [tɪˈrestrɪəl] *mn* **a)** földi, föld-, földünkhöz tartozó; **extra ~** földön kívüli **b)** földi, evilági *[javak, élet]* **c)** (száraz)földi, kontinentális, terresztrikus
terrible [ˈterəbl] *mn* **1.** rettenetes, irtózatos, iszonyatos, iszonyú, szörnyű, borzasztó, borzalmas; **a ~ lot** rettenetes nagy tömeg **2.** félelmetes, rémületet keltő, ijesztő
terribly [ˈterəbli] *hsz* **1.** iszonyatosan, szörnyen, borzasztóan, borzalmasan **2. ~ rich** rettentő/rém gazdag; *biz* **that's ~ kind of you** ez valóban hallatlanul/rendkívül kedves öntől
terricolous [təˈrɪkələs] *mn tud* földlakó
terrier[1] [ˈterɪə ‖ –ər] *fn* terrier *[kutya]*
terrier[2] [ˈterɪə ‖ –ər] *fn* **1.** *jog* telekkönyv **2.** *tört* úrbéri kimutatás, urbarium
terrific [təˈrɪfɪk] *mn* **1.** félelmetes, rémítő, iszonyatos, rémületet keltő **2.** *biz* rettenetes, iszonyú, szörnyű, borzasztó, óriási **3.** *biz* fantasztikus, csuda klassz, irtó, halálos
terrify [ˈterɪfaɪ] *tsi* megrémít, halálra rémít, elborzaszt, rémületet kelt (vkben), elrettent; **~ sy out of his wits** halálra rémít vkt • *mn* **terrified**, **terrifying**
terrine [təˈriːn] *fn* **1.** tűzálló cseréptál (amiben az ételt felszolgálják) **2.** ‹apróra vagdalt hozzávalókból tálban készült étel›
territorial [ˌterɪˈtɔːrɪəl] *mn* **1. a)** területi, territoriális *[javak, adó, hadsereg]*; **~ waters** felségvizek **b)** országos **2.** földi, föld-, mezőgazdasági, föld utáni • *tsi* **territorialize** *fn* **territoriality**
territory [ˈterɪtəri ‖ –tɔri] *fn* **1.** terület, vidék, körzet, kerület **2. a)** *földr US* tartomány, territórium **b)** *földr Ausz* **the Northern T~** Északi terület
terror [ˈterə ‖ –ər] *fn* **1.** rémület, rettegés; **go in ~ of sy** rettenetesen fél vktől; **have a holy ~ of sy** rettenetesen fél vktől **2. a)** rém(kép) **b)** *biz* nehezen kezelhető személy/gyermek **3.** terror; **reign of ~** rémuralom
terrorism [ˈterərɪzm] *fn* terrorizmus; **an act of ~** terrorcselekmény
terrorist [ˈterərɪst] *fn* terrorista • *mn* **terroristic**
terrorize [ˈterəraɪz], **-ise** *tsi* rettegésben tart, terrorizál, elnyom, megfélemlít (vkt), zsarnokoskodik (vkn) • *fn* **terrorization**, **-isation**
terror-smitten I. *mn* (meg)rémült, rémülettől dermedt **II.** *hsz* (meg)rémülten, rémülettől dermedten
terror-stricken → **terror-smitten**
terror-struck → **terror-smitten**
Terry [ˈteri] *tul* ‹*Terence* becézett alakja›
terry [ˈteri] **I.** *mn tex* bolyhos, hurkolt, bársonyos *[bolyhozás]*; **~ towel** frottírtörölköző **II.** *fn tex* **1. a)** felvágatlan/hurkolt bársony **b)** bársonyos bolyhozás **2.** plüss-szőnyeg
terrycloth *fn* frottír(szövet)
terse [tɜːs ‖ tɜrs] *mn* tömör, velős, magvas • *fn* **terseness** *hsz* **tersely**
tertian [ˈtɜːʃn ‖ ˈtɜrʃn] *mn* háromnaponkénti, háromnaponként ismétlődő
tertiary [ˈtɜːʃəri ‖ ˈtɜrʃieri] **I.** *mn* **1.** harmadik **2.** harmadfokú **3.** harmadkori; *geol* **the ~ period** a harmadkor **4.** *vegy* harmadrendű, tercier **II.** *fn* **1.** *geol* harmadkorbeli formáció **2.** *vall* harmadrend tagja, terciárius
tervalent [tɜːˈveɪlənt ‖ tɜr–] *mn vegy* három vegyértékű
terza rima [ˌteətsə ˈriːmə ‖ ˌter–] *fn ir.tud* tercina
terzetto [teətˈsetoʊ ‖ tert–] *fn zene* tercett, hármas
TESL [ˈtesl] *röv teaching English as a second language*
tesla [ˈteslə] *fn fiz vill* tesla *[a mágneses indukció SI egysége, 1T=10 gauss]*
TESOL [ˈtiːsɒl ‖ –sɑl] *röv teaching of English to speakers of other languages*
tessellar [ˈtesələ ‖ –ər] *mn* kis kockákból összeállított, kockás; mozaikköves, mozaik-
tessellate [ˈtesɪleɪt] *tsi* **1.** kis kockákkal kirak (vmt), mozaikot készít/rak (le) **2.** tarkává tesz (vmt)
tessellated [ˈtesɪleɪtɪd] *mn* **1.** *épít* mozaikkal kirakott, mozaik(ozott), (apró) kockás (mintájú), kockázott *[padló]*; **~ pavement** mozaikpadló **2.** *tud* sakktáblaszerű mintájú
tessellation [ˌtesɪˈleɪʃn] *fn* mozaik(ozás), mozaikkal kirakás, mozaikművészet
tessitura [ˌtesɪˈtʊərə ‖ –ˈtʊrə] *fn* **1.** *zene* hangfekvés **2.** *nyelv* átlagos beszédhangmagasság
test[1] [test] **I.** *fn* **1. a)** próba, próbatétel; **the acid ~** a döntő próba; **pass/stand the ~** kiállja a próbát; **put sy/sg to the ~** (v. **through a ~**) próbára tesz (v. kipróbál) vkt/vmt; **undergo a ~** próbának veti alá magát **b)** (anyag)-vizsgálat, próba; **animal ~** állatkísérlet; **blood ~** vérvizsgálat **c)** *vegy* kísérlet, analízis **2. a)** *okt* írásbeli vizsga, teszt, feladatlapos vizsga; **fail a ~** megbukik az írásbeli vizsgán, elégtelen tesztet ír; **pass a ~** átmegy az írásbeli vizsgán **b)** *pszich* vizsgálat, teszt; **multiple choice ~** többválasztásos teszt **II.** *tsi* **1. a)** (ki)próbál, megpróbál, próbára tesz (vmt, vkt), tesztel **b)** megvizsgál, ellenőriz *[súlyokat, vérnyomást]* **c)** *okt* feladatlappal vizsgáztat **2.** *vegy* analizál, (meg)vizsgál, vmlyen anyag kimutatására próbát végez • *fn* **testability**
test[2] [test] *fn* **1.** *áll* **a)** teknőspáncél **b)** mészhéj *[csigáé]* **2.** *növ* maghéj
testa [ˈtestə] → **test**[2]
testaceous [teˈsteɪʃəs] *mn* **1.** *áll* mészhéjú, páncélos, teknős **2.** *növ* téglaszínű, téglavörös
testament [ˈtestəmənt] *fn* **1.** végrendelet, testamentum; **last will and ~** végrendelet **2.** *bibl* **the New T~** az Újszövetség, az Újtestamentum; **the Old T~** az Ószövetség, az Ótestamentum • *hsz* **testamentally**
testamentary [ˌtestəˈmentəri] *mn* végrendeleti; **~ capacity** végrendelkezési (jog)képesség • *hsz* **testamentarily**
testate [ˈtesteɪt] *fn* érvényes végrendeletet hátrahagyott személy
testator [teˈsteɪtə ‖ ˈtesteɪtər] *fn* **a)** *jog* végrendelkező **b)** *jog* örökhagyó *[férfi]*
test card → **test pattern**
test case *fn jog* próbaper *[amelynek ítélete precedensül szolgál]*, precedens
test certificate *fn GB gk* műszaki vizsga papírja, műszaki vizsgát igazoló hivatalos dokumentum
test-drive *tsi pt* **-drove** [–droʊv], *pp* **-driven** [–drɪvn] próbautat tesz *[autóval]*
test drive *fn gk* próbaút
tested [ˈtestɪd] *mn* **1. a)** *ált* kipróbált **b)** *műsz* megvizsgált, ellenőrzött, kalibrált **2.** *jog* hitelesített *[okirat]*
testee [teˈstiː] *fn* vizsgált/tesztelt személy
tester [ˈtestə ‖ –ər] *fn* **1.** *ip* anyagvizsgáló, anyagellenőr **2.** ellenőrző készülék, (anyag)vizsgáló készülék, indikátor, detektor **3.** *orv* (fogászati) szonda
test flight *fn* **a)** próbarepülés, repülőpróba **b)** pilótavizsga
test glass *fn vegy* kémcső, próbacső
testicle [ˈtestɪkl] *fn orv* here
testicular [teˈstɪkjʊlə ‖ –kjələr] *mn orv* here-
testiculate [teˈstɪkjʊlət] *mn orv* herével rendelkező
testification [ˌtestɪfɪˈkeɪʃn] *fn* tanúskodás, igazolás, tanúvallomás-tevés
testify [ˈtestɪfaɪ] **A.** *tsi* **1. a)** bizonyít, tanúsít, bizonyságot tesz (vmről) **b)** kifejez, mutat, jelez, elárul (vmt) **2.** *jog* tanúvallomást tesz, tanúskodik (vmről), vall (vmt) **B.** *tni* **~ concerning/of sg** tanúskodik vmről, tanúvallomást tesz vmről • *fn* **testifier**
testimonial [ˌtestɪˈmoʊnɪəl] *fn* **1. a)** igazolás, ajánlólevél **b)** ajándéklevél; **~ letter** írásbeli meghatalmazás **c)** iskolai bizonyítvány **d)** *gazd* elismerő levél **2.** ajándék, jutalom, prémium
testimony [ˈtestɪməni ‖ –moʊni] *fn* **1. a)** tanúság, bizonyság, bizonyíték **b)** *jog* (tanú)vallomás, tanúságtétel; **bear ~ to sg** tanúskodik vmről, tanúsít/igazol vmt; **written ~** írásbeli vallomás **2.** *bibl* **the tables of the T~** a törvénytáblák, a tízparancsolat

testing ground *fn* **1.** próbapálya, próbaterep **2.** színtér, terep *[új ötletek kipróbálására]*
testis ['testɪs] *fn tsz* **testes** [–ti:z] *orv* here
testosterone [te'stɒstəroun ‖ –'stɑ–] *fn* férfi nemi hormon, tesztoszteron
test paper *fn* **1.** *vegy* indikátorpapír **2.** *okt* (írásbeli iskolai) dolgozat, teszt, vizsgadolgozat
test pattern *fn távk* beállítóábra, vizsgálóábra, tesztkép
test pilot *fn rep* berepülő pilóta
test routine *fn infor* ellenőrző program
test series *fn* kísérletsotozat
test shot *fn film* próbafelvétel
test tube *fn vegy* kémcső
test-tube baby *fn* lombikbébi *[mesterséges megtermékenyítésből született gyermek]*
testudinal [te'stju:dn·əl ‖ –'stu:d–] *mn áll* teknősbékaszerű, teknőcszerű
testudo [te'stju:doʊ ‖ –'stu:–] *fn* **1.** *áll* teknősbéka, teknőc **2.** *tört* **a)** pajzsfedezék **b)** ‹harcászati állás harcolók feje fölé tartott pajzsfedezékkel› testudo
testy ['testi] *fn* **1. a)** ingerlékeny, lobbanékony **b)** kötekedő, haragos, morc **2. a)** gyanakvó **b)** érzékeny(kedő), sértődékeny, kényes • *fn* **testiness** *hsz* **testily**
tetanus ['tetənəs] *fn* **1.** *orv* tetanusz, merevgörcs **2.** *orv* görcsös izomösszehúzódás
tether ['teðə ‖ –ər] **I.** *fn* **1.** pányva, kötőfék *[lóé stb.]*; *biz* **the matrimonial ~** a házassági kötöttség, a házasság igája; **be at the end of one's ~** kimerült, nem bírja tovább **2.** *átv* hatáskör, jogkör; **go to the end of one's ~** elmegy a megengedett végső határig **II.** *tsi* **1.** kipányváz, kiköt *[lovat]*, láncra köt *[kutyát]* **2.** *átv* **~ sy by a short rope** rövid pórázon tart vkt
tetra ['tetrə] *fn* **1.** *vegy* szén-tetraklorid **2.** *áll* **neon ~** neonhal
tetrabrach ['tetrəbræk] *fn* négyszótagú szó, négytagú versláb
tetrad ['tetræd] *fn* **a)** a négy(es szám) **b)** négy tagból álló vm, négyes sorozat
tetradactyl [ˌtetrə'dæktɪl] *mn/fn áll* négyujjú *[állat]* • *mn* **tetradactylous**
tetragon ['tetrəgən ‖ –gɑn] *fn mat* négyszög
tetragonal [te'trægənl] *mn* négyszögű, négyszögletes, négyzetes
tetragram ['tetrəgræm] *fn* négybetűs szó
tetrahedron [ˌtetrə'hi:drən] *fn* **1.** *mat* tetraéder, négylapú test **2.** *kat* ‹gúla alakú partvédelmi v. tankakadály› • *mn* **tetrahedral**
tetralogy [te'trælədʒi] *fn* ‹négy színműből álló drámai mű› tetralógia
tetramerous [te'træmərəs] *mn növ áll* négyízű
tetrameter [te'træmɪtə ‖ –mətər] *fn* négyütemű verssor
tetrapetalous [ˌtetrə'petələs] *mn növ* négyszirmú
tetrapod ['tetrəpɒd ‖ –pɑd] *mn/fn áll* négylábú
tetrapterous [te'træptərəs] *mn áll* négyszárnyú *[bogár]*
tetrastich ['tetrəstɪk] *fn ir.tud* négysoros vers
tetrasyllable [ˌtetrə'sɪləbl] *fn* négyszótagú szó • *mn* **tetrasyllabic**
tetratomic [ˌtetrə'tɒmɪk ‖ –'tɑ–] *mn vegy* négyatomú
tetravalent [ˌtetrə'veɪlənt] *mn vegy* négy vegyértékű
tetter ['tetə ‖ –ər] *fn orv* sömör, herpesz
tetterwort ['tetəwɜ:t ‖ 'tetərwɜrt] *fn növ* vérehulló fecskefű, vérfű
tettix ['tetɪks] *fn áll* **1.** énekes kabóca, cikáda **2.** tövishátú sáska
Teuton ['tju:tn ‖ 'tu:tn] *mn/fn* teuton, germán, német • *mn* **Teutonic**
Tex. *röv US Texas*
Texas ['teksəs] **I.** *tul földr* Texas **II.** *fn US hajó* **t~** tiszti étkezde és kabinok *[folyami gőzhajón]* • *mn* **Texan**
Tex-Mex [ˌteks'meks] *mn* texasi-mexikói *[étel, zene, tánc]*

text [tekst] *fn* **1.** szöveg *[kéziraté, könyvé, beszédé]*; **the full ~ of sg** vmnek a teljes szövege; **a set ~** kötelező olvasmány; **stick to one's ~** ragaszkodik a szöveghez; *átv* nem tér el a tárgytól **2.** idézet, textus **3.** téma, tárgy
textbook *fn* **1.** *okt* tankönyv; **~ edition** iskolai (használatra szánt) kiadás **2.** *zene* szövegkönyv *[operáé]* **3.** bibliai szöveggyűjtemény • *mn* **textbookish**
text box *fn infor* **1.** beviteli mező **2.** szövegpanel
text critical *mn ir.tud* szövegkritikai
text editing *fn infor* szövegszerkesztés
text editor *fn infor* szövegszerkesztő
text file *fn infor* szöveges állomány, szövegállomány
textile ['tekstaɪl] **I.** *mn* textil-, textil(ipari-) **II.** *fn* **1.** szövet **2.** textil, textilipari termék
textmarker *fn* szövegkiemelő *[toll]*
text mode *fn infor* szöveges üzemmód
text retrieval *fn infor* szöveg-visszakeresés
textual ['tekstʃʊəl] *mn* **1.** szöveg szerinti, szövegi, szöveghez tartozó, szövegbeli, szövegre vonatkozó, szöveg-; **~ criticism** szövegkritika; *nyomd* **~ matter** szövegszedés, sima szedés **2.** *nyelv* textuális, szövegszintű, -szöveg
textualism ['tekstʃʊəlɪzm] *fn vall* ‹merev ragaszkodás a biblia szövegéhez› fundamentalizmus
textualist ['tekstʃʊəlɪst] *fn* **1.** betűrágó **2.** bibliatudós
texture ['tekstʃə ‖ –ər] *fn* szövetösszetétel, szövetszerkezet, textúra
-textured ['tekstʃəd ‖ –tʃərd] *utótag* -szövetű, -textúrájú, szerkezetű; **coarse~** durva szerkezetű
-th [θ] *utótag* **1.** ‹sorszámnevek képzésére négytől fölfelé› -adik, -edik; **fourth** negyedik **2.** ‹közönséges törtek képzésére négytől fölfelé› -od, -ed, -öd, -ad; **one tenth** egy tized
Thaddeus ['θædɪəs] *tul bibl* Tádé
Thai [taɪ] **I.** *mn* thai(földi) **II.** *fn* **1.** thaiföldi ember **2.** thai nyelv
Thai-boxing *fn sp* thai boksz
Thailand ['taɪlənd] *tul földr* Thaiföld
thalassian [θə'læsɪən] *fn áll* tengeri teknőc
thalassic [θə'læsɪk] *mn* tengeri
thalassotherapy [θəˌlæsoʊ'θerəpi] *fn orv* tengervíz-terápia, tengeri fürdőkúra
thaler ['tɑ:lə ‖ –ər] *fn tört* tallér *[régi német ezüstpénz]*
thallium ['θælɪəm] *fn vegy* tallium
thallophytes ['θæləfaɪts] *fn növ* telepes növények
thallus ['θæləs] *fn tsz* **thalluses**, **thalli** [–laɪ] *növ* telep *[moszatoké, zuzmóké, gombáké]*
Thames [temz] *tul földr* Temze *[folyó]*
than [ðən, ðæn] **I.** *ksz* mint, -nál, -nél; **more ~ once** többször; **I know you better ~ he** jobban ismerlek nála; **I know you better ~ him** jobban ismerlek, mint őt; **rather ~** hogysem, semmint; **no sooner had we entered ~ the music began** alighogy beléptünk, megszólalt/megkezdődött a zene **II.** *elölj* **~ whom** akinél jobban/inkább
thane [θeɪn] *fn* **a)** *tört* főúr, lovag **b)** *skót* tán, törzsfő
thank [θæŋk] **I.** *tsi* **1. a)** megköszön, köszönetet mond/ nyilvánít (vknek), hálát ad; **~ sy for sg** megköszön vmt vknek **b) ~ you!** köszönöm! **2.** *biz* **you have only yourself to ~ for it** ezt csak magadnak köszönheted **II.** *fn tsz* **thanks a)** *biz* **~s** kösz(i); **~s be to God!** hála Isten!; **give ~s to sy for sg** megköszön vmt vknek **b) managed but no/ small ~s to you** sikerült, de igazán nem neked köszönhetem (v. a te érdemed); **much/small ~s I got for it!** ezt aztán szépen meghálálták!; *biz* **that's all the ~s I get!** és ez a köszönet/hála!
thankee ['θæŋki:] *thank you*
thankful ['θæŋkfl] *mn* hálás; **be ~ to sy for sg** hálás vknek vmért • *fn* **thankfulness** *hsz* **thankfully**
thankless ['θæŋkləs] *mn* **1.** hálátlan **2. a ~ task** hálátlan feladat • *fn* **thanklessness** *hsz* **thanklessly**
thank-offering *fn* hálaajándék, *bibl* hálaáldozat, hálaadó áldozat
thanks [θæŋks] *isz* **1.** köszi **2.** → **thank II.**

thanksgiving [ˈθæŋksgɪvɪŋ ‖ θæŋksˈgɪvɪŋ] *fn* hálaadás; **~ service** hálaadó istentisztelet; *US* **T~ (Day)** a Hálaadás Napja

thankworthy [ˈθæŋkwɜːði ‖ –wɜrði] *mn* köszönetre érdemes

thank-you *fn* köszönet; **~ letter** köszönőlevél

that [ðət, ðæt] **I.** *nm tsz* **those** [ðoʊz] **1. a)** az, amaz, ez, emez; **~ is** azaz, vagyis; **is ~ you?** te vagy az?; *biz* **come out of ~!** gyerünk innen!, hagyjuk ezt! **b) ~'s right/it!** ez az!, úgy van!, helyes!, így van jól!; **and/so ~'s ~!** (ez így van) és kész!, ez az egész és nincs mit hozzátenni!, ez a helyzet (nem lehet rajta változtatni), ez van!; **and ~ was ~** eddig volt és nem tovább, így állt a dolog és ennél is maradt **c) for all ~** mindazonáltal, mégis; **~'s it (for now)** ennyit mára; *film* **~'s it!** ennyi! **2.** az ott; **those were the days!** milyen szép idők voltak azok! **3. a)** aki, akit, ami, amit; *közm* **he ~ sows iniquity shall reap sorrow** aki szelet vet, vihart arat **b)** *[elöljáróval]* amely, amelyet; **no one has come ~ I know of** tudtommal senki se jött **II.** *hsz biz* ilyen, olyan; *biz* **~ high** ilyen/olyan magas **III.** *ksz* **1. a)** hogy; **I know ~ he will come** tudom, hogy eljön; **but ~** nem mintha; **in ~** abban (hogy), amennyiben ...; **not ~** nem mintha; **now ~** most hogy; **it was for this ~ they fought** ezért küzdöttek **b)** avégből/azért hogy; **I am telling you (so) ~ you may/should know** közlöm veled, hogy tudjad **2. a) ~ he should behave like this!** *[bánatot, méltatlankodást kifejező]* hát hogy így viselkedjék valaki! **b) oh ~ it were possible!** bár lehetséges volna!; **would ~** bárcsak

thatch [θætʃ] **I.** *fn* **1.** zsúp(szalma) **2. a)** zsúptető, zsúpfedél, szalmatető **b)** nádfedél, nádtető **3.** szalmakunyhó, kalyiba **II.** *tsi* zsúptetőt készít, szalmával/náddal/gyékénnyel fed • *fn* **thatcher**

thatched [θætʃt] *mn* zsúpfedelű, szalmatetős; **~ cottage** nádtetős ház

Thatcherism [ˈθætʃərɪzm] *fn* thatcherizmus *[a Margaret Thatcher nevével fémjelzett politikai irányzat]*

thaumaturge [ˈθɔːmətɜːdʒ ‖ –tɜrdʒ] *fn* csodatevő, varázsló • *fn* **thaumaturgist**, **thaumaturgy** *mn* **thaumaturgical**

thaw [θɔː] **I. A.** *tsi* **a)** felolvaszt, megolvaszt **b) ~ out (frozen food)** kiolvaszt (fagyasztott élelmiszert) **B.** *tni* (meg)olvad *[hó, jég]*, felenged, kiolvad **II.** *fn* **1.** olvadás *[hóé, jégé]*; enyhülés, felengedés *[időé]*; **~ point** olvadáspont; **the ~ is setting in** (i) megindult az olvadás (ii) megenyhült az idő **2.** *pol* enyhülés *[országok között]*

thawy [ˈθɔːi] *a biz* olvadásos, nedves *[idő]*

ThD *röv Doctor of Theology* ‹a teológia doktora›

the [ðə, ði, ðiː] **I.** *htt ne* **1.** a, az **2.** *skót* → **this**; **~ day** ma; **~ year** idén; **at ~ moment** ebben a percben, jelen pillanatban **II.** *hsz* **1. so much ~ less** annál kevésbé; **so much ~ more** annál (is) inkább; **it will be ~ easier for you as you are young** annyival könnyebb lesz a számodra, mert (még) fiatal vagy **2.** (két középfok előtt:) minél ... annál; **~ more ~ better** minél több, annál jobb(an); **~ sooner ~ better** minél előbb, annál jobb

theandric [θiˈændrɪk] *mn vall* isteni és emberi egyszemélyben

theanthropism [θiˈænθrəpɪzm] *fn* istenemberség

thearchy [ˈθiːɑki ‖ ˈθiːɑrki] *fn* **1.** teokrácia **2.** istenek uralma

theater [ˈθɪətə ‖ ˈθiːətər] *US* → **theatre**

theatre [ˈθɪətə ‖ ˈθiːətər] *fn* **1.** színház *[épület, intézmény]* **2.** filmszínház, mozi **3. a)** *GB* **lecture ~**, *US* **~ hall** előadóterem *[egyetemen]* **b)** *GB orv* **operating ~** műtő **c)** *US* **movie ~** filmszínház, mozi **4.** *biz* fontos események színtere; **the ~ of war** a hadszíntér

theatre goer *fn* színházjáró, színházlátogató, színházkedvelő, színházi habitué

theatre-going *mn* színházlátogató

theatre-in-the-round *fn* körszínház

theatrical [θiˈætrɪkl] **I.** *mn* **1.** szín(ház)i *[előadás stb.]*; **~ company** színtársulat **2.** színpadi, színészi(es), tettetett, megjátszott, komédiázó, affektáló *[magatartás]* **II.** *fn* **1.** színész **2.** *tsz* **theatricals a)** színjátszás, színházi élet **b)** (színpadi) kellékek **c)** színházi hírek **d)** *biz* színészies taglejtések/gesztusok/pózok, pózolás • *tsi* **theatricalize** *fn* **theatricalism**, **theatricality** *hsz* **theatrically**

theatrics [θiˈætrɪks] → **theatrical** II.2.a.

theca [ˈθiːkə] *fn tsz* **thecae** [ˈθiːsiː] *növ* spóratok *[gombáé stb.]*

thee [ðiː] *nm vál régi* téged, neked *[thou tárgyesete]*, hozzád; **of ~** rólad; **to ~** hozzád

theft [θeft] *fn* lopás, tolvajlás

theft insurance *fn gk* lopás(kár) elleni biztosítás

thegn [θeɪn] *fn* lovag, főúr

theine [ˈθiːiːn, ˈθiːɪn] *fn vegy* tein

their [ðə, ðeə ‖ ðər, ðer] *nm* **1.** (az ő ...) -ok, -ök, -uk, -ük, -jok, -jök, -juk, -jük, -aik, -eik, -jaik, -jeik; **~ house** házuk; **~ houses** házaik **2.** *biz* → **his**; **nobody in ~ senses...** senki józan ésszel...

theirs [ðeəz ‖ ðerz] *nm* övék(é), övéik; **he is a friend of ~** egyike barátjaiknak, barátjaik egyike; *pej* **that pride of ~** az az átkozott büszkeségük

theirselves [ðeəˈselvz ‖ ðer–] *nm biz* → **themselves**

theism [ˈθiːɪzm] *fn fil* teizmus • *fn* **theist** *mn* **theistic**

Thelma [ˈθelmə] *tul* ‹női név›

them [ðəm, ðem] *nm* **1.** őket, azokat, nekik, azoknak; **~ I do not admire** őket (aztán igazán) nem bámulom/becsülöm **2. of ~** rájuk, tőlük, róluk; **both of ~** mindketten; **every one of ~** mindegyikük; **none of ~** egyikük sem; egyik(et) sem közülük; **to ~** nekik, azoknak, hozzájuk **3.** *biz* **it's ~!** ők azok!

thematic [θɪˈmætɪk] *mn* **1. a)** tételes, tételeket tartalmazó **b)** téma/tárgykör szerint rendezett/csoportosított; tematikus; egy tárgykört felölelő/feldolgozó *[publikáció]*; **~ issue** tematikus szám **2.** *zene* tematikus, (zenei) témákkal kapcsolatos **3.** *nyelv* tővégi, tőképző; kötőhangzós, szótővel kapcsolatos; **~ vowel** tővéghangzó, kötőhangzó; **~ role** thematikus szerep

theme [θiːm] *fn* **1.** tárgy, anyag, téma *[beszélgetésé stb.]*, vázlat *[regényé]*; **research ~** kutatási téma/feladat **2.** *zene* téma, motívum; **~ and variations** téma és variációk **3.** *okt* tétel, (iskolai) dolgozat *[fogalmazás]*

theme park *fn* ‹tematikus szórakoztatópark v. interaktív ismeretterjesztő kiállítás›

theme song *fn* **a)** szignál **b)** (híres) filmdal *[a film bevezető/jellegzetes dala]*, filmsláger

themselves [ðəmˈselvz] *nm* **1. a)** (ők) maguk, saját maguk; **they did it ~** ők maguk csinálták **b)** (ön)magukat, őket magukat, saját magukat; **they saw ~ on television** látták magukat a tévében **2.** egymásnak, kölcsönösen; **they whispered among ~** suttogtak egymás között

then [ðen] **I.** *mn* akkori; **the ~ existing system** az akkori (v. akkor fennállt) rendszer **II.** *hsz* **1. a)** akkor(iban), abban az időben, annak idején; **there and ~, ~ and there** akkor nyomban, azon nyomban, ott azonnal, azon melegében **b) now good ~ bad** hol/egyszer jó hol/egyszer rossz **2.** az(után), akkor, majd; **what ~?** és azután (mi lesz/legyen)? **3.** azonkívül, aztán még **III.** *ksz* **but ~** (hát) akkor; **~ again** viszont, ellenben **IV.** *fn* **before ~** azelőtt (hogy); **between now and ~** időközben, azóta (is); **by ~** akkorra, akkorára; **every now and ~** időnként, egyszer-egyszer, mikor hogy; *nyelv* **~-clause** feltételes mellékmondatra következő főmondat; **from ~ on, ever since ~** azóta is, akkortól fogva; **till ~** addig is; eddig, idáig, mind ez ideig; **now and ~** néha, hébe-hóba

thence [ðens] *hsz vál* **1.** innen, innét, onnan, onnét; **we went to Vienna and (from) ~ to Berlin** Bécsbe mentünk és onnét (tovább) Berlinbe **2.** ezért, azért, emiatt, amiatt, ennélfogva, annálfogva, ennek/annak következtében, ebből kifolyólag, következésképpen; **it wouldn't ~ follow that** ebből még nem következik/következnék hogy **3. (from) ~** azóta

thenceforth [ˌðensˈfɔːθ ‖ –ˈfɔrθ] → **thenceforward**

thenceforward [ðensˈfɔːwəd ‖ ðensˈfɔrwərd] *hsz* attól/ettől (az időtől) kezdve/fogva, ezután már

Theobald [ˈθiːəbɔːld] *tul* Tibold

theobroma [ˌθiːoʊˈbroʊmə] *fn növ* kakaócserje

theocentric [ˌθiːoʊˈsentrɪk] *mn* teocentrikus, istenközpontú

theocracy [θiˈɒkrəsi ‖ θiˈɑ–] *fn vall* papi uralom, teokrácia • *fn* **theocrat** *mn* **theocratical**

theodolite [θiˈɒdəlaɪt ‖ θiˈɑdl–] *fn épít* szögmérő (műszer), szögelő, teodolit

Theodora [ˌθiːəˈdɔːrə] *tul* Teodóra

Theodore [ˈθiːədɔː ‖ –dɔr] *tul* Tivadar, Tódor

theogony [θiˈɒgəni ‖ θiˈɑ–] *fn vall* az istenek származására vonatkozó tan, teogónia • *fn* **theogonist** *mn* **theogonic**

theologian [ˌθɪəˈloʊdʒɪən] *mn vall* hittudós, teológus

theological [ˌθɪəˈlɒdʒɪkl ‖ –ˈlɑ–] *mn vall* hittudományi, teológiai; **~ college** *[katolikus]* papnevelő intézet, papi szeminárium; *[protestáns]* hittudományi/teológiai főiskola/akadémia • *hsz* **theologically**

theology [θiˈɒlədʒi ‖ θiˈɑ–] *fn vall* hittudomány, teológia • *ts/tni* **theologize**

theomachy [θiˈɒməki ‖ θiˈɑ–] *fn régi* istenek háborúja

theophany [θiˈɒfəni ‖ θiˈɑ–] *fn vall* istenség anyagiasulása (v. láthatóvá válása), theophania, teofánia

theorem [ˈθɪərəm] *fn* **1.** *fil* elv, szabály, sarkigazság **2.** *fil* (tan)tétel, elméleti tétel **3.** *mat* állítás, tétel; **~ of Thales** Thalész tétele

theoretic [ˌθɪəˈretɪk], **theoretical** *mn* elméleti, teoretikus, ideális, elvont, képzelt • *hsz* **theoretically**

theoretician [ˌθɪərəˈtɪʃn] *fn* elméleti szakember, teoretikus, teoréta

theorize [ˈθɪəraɪz], **-ise A.** *tsi* elméletbe foglal, elméleti keretet/hátteret ad (vmnek) **B.** *tni* elméleteket farag/gyárt/konstruál, teoretizál • *fn* **theorizer**

theory [ˈθɪəri ‖ ˈθiːəri] *fn* **1.** elmélet, teória, elméleti rész, tudományos magyarázat/tan(ítás); *mat* **~ of equations** egyenletek elmélete; *fiz* **~ of relativity** relativitáselmélet; **in ~** elméletben, papíron **2.** *biz* nézet, elmélet

theosophy [θiˈɒsəfi ‖ θiˈɑ–] *fn fil* teozófia

therapeutic, **therapeutical** [ˌθerəˈpjuːtɪk(l)] *mn orv* terápiai, terápiára vonatkozó, gyógyászati • *fn* **therapeutist** *hsz* **therapeutically**

therapeutics [ˌθerəˈpjuːtɪks] *fn* terapeutika, gyógykezelés, a gyógyászat tudománya

therapy [ˈθerəpi] *fn orv* terápia, gyógymód

Theravada [ˌθerəˈvɑːdə] *tul vall* ‹a buddhizmus Sri Lankán, Thaiföldön és Myanmarban gyakorolt konzervatív irányzata›

there [ðə, ðeə ‖ ðər, ðer] **I.** *hsz* **1. a)** ott, itt, amott, emitt; *US* **right ~** éppen ott; **we are ~** helyben vagyunk, megérkeztünk; **who is ~?** ki van itt/ott?, ki az?; ki beszél ott? *[telefonáláskor]*; **are you ~?** halló? *[telefonáláskor]*; **he is all ~** agyafúrt/ravasz ember, kiismeri magát; feszülten figyel; **here and ~** itt és ott, mindenütt, mindenfelé; **~ and then**, **then and ~** azon melegében/nyomban, tüstént, rögtön, azonnal; **put it ~** tedd oda!; *biz* itt a kezem!, rendben van! **b)** oda; **get ~** odaér; eléri a célját; **it's a hundred miles ~ and back** oda-vissza száz mérföld **c) ~ you are!** na tessék!, na lám!, na ugye!, nem megmondtam?!, íme!; **~ you go!** (i) látod ilyen vagy te!, ez jellemző rád! (ii) tessék (itt van), *biz* nesze; **~ she comes** ott jön!; **~ he goes grumbling again!** na már megint zsörtölődik! **2. ~ is, ~ are** van, vannak stb., létezik, található (vhol); **~ is only one** csak egy van; **~ is no knowing how** nem lehet tudni, hogy miként/miképp; **that was all ~ was to it** ez volt a helyzet (nem lehetett rajta változtatni); **~ comes a time when** eljön (még) egyszer az idő amikor; **once upon a time ~ was** hol volt, hol nem volt **3. a)** azt illetően, ebben (a tárgyban); **~ you are mistaken** ebben téved **b)** azon a ponton; *biz* **~ you've got me**, **~ you get/have me** ezzel most megfogtál!; **~ we differ** ebben a kérdésben eltér véleményünk **II.** *isz* na!, tessék!, íme!, lám!; **~! ~!** ugyanugyan! *[megnyugtatásképpen]*; **~ now!** íme!, lám!, nos hát!, na látod/tessék/ugye!; na gyerünk! **III.** *[főnévként]* **we go to Paris and from ~ to Rome** Párizsba megyünk és onnan Rómába; **in ~** (ott) benn; **up ~** odafenn, ott fenn

thereabout [ˌðeərəˈbaʊt(s) ‖ ˌðer–], **thereabouts** *hsz* **1.** közel, közelben, a környéken, arrafelé **2.** körül(belül), nagyjából, annyi, ilyen

thereafter [ˌðeərˈɑːftə ‖ ˌðerˈæftər] *hsz vál* azután, ezután, az ezt követő időben, ezentúl, azontúl, ettől/attól kezdve

thereby [ˌðeəˈbaɪ ‖ ˌðer–] *hsz* **a)** ezáltal, azáltal, ily módon, ennek következtében **b)** attól, ettől

therefore [ˈðeəfɔː ‖ ˈðerfɔr] *hsz* azért, ezért, következésképpen, amiatt, emiatt, így hát, tehát, ez az amiért, avégből, avégett; **I think ~ I am** gondolkozom, tehát vagyok

therefrom [ˌðeəˈfrʌm ‖ ˌðer–] *hsz vál* abból, ebből, attól, ettől, onnét

therein [ˌðeərˈɪn ‖ ˌðer–] *hsz* **1.** abban, ebben, abban/ebben a dologban, ezt illetően **2.** benne, bele, abba(n)

thereinafter [ˌðeərɪnˈɑːftə ‖ ˌðerɪnˈæftər] *hsz jog* a következőkben, alant

thereinbefore [ˌðeərɪnbɪˈfɔː ‖ ˌðerɪnbɪˈfɔr] *hsz jog* az előbbiekben, fent

thereof [ˌðeərˈɒv ‖ ˌðerˈʌv] *hsz vál* abból, ebből, belőle, ennek a..., annak a..., arról, erről

thereon [ˌðeərˈɒn ‖ ˌðerˈɑn] *hsz vál* rajta, azon, ezen, attól (függ), ettől (függ)

thereout [ˌðeərˈaʊt ‖ ˌðer–] *hsz* abból, ebből

there's [ðəz, ðeəz ‖ ðərz, ðerz] *röv* **1.** *there has* **2.** *there is*

Theresa [təˈriːzə] *tul* Teréz

therethrough [ˌdeəˈθruː ‖ ˌðer–] *hsz* azáltal, ezáltal, annak/ennek révén

thereto [ˌðeəˈtʊ ‖ ˌðer–] *hsz vál* **1.** ahhoz, ehhez, hozzá **2.** azonfelül, ezenfelül, azonkívül, ezenkívül, ráadásul

theretofore [ˌðeətʊˈfɔː] *hsz vál* (mind)addig, azelőtt, annak előtte

thereunder [ˌðeərˈʌndə ‖ ˌðerˈʌndər] *hsz vál* azalatt, ezalatt, azok/ezek között

thereunto [ˌðeərˈʌntʊ ‖ ˌðer–] *hsz* ahhoz, ehhez

thereupon [ˌðeərəˈpɒn ‖ ˌðerəˈpɑn] *hsz* **1. a)** arra, erre, mire **b)** azután, ezután; azzal **2.** ezért, azért, ennek/annak következtében, erre/arra föl *[válaszként]* **3.** azonnal, rögvest, rögtön

therewith [ˌðeəˈwɪð ‖ ˌðer–] *hsz vál* **1.** azzal, ezzel **2.** azonnal, tüstént, rögvest, rögtön **3.** azonkívül, ezenkívül, emellett, amellett

therewithal [ˈðeəwɪðɔːl ‖ ˈðer–] *hsz vál* ráadásul

theriomorphic [ˌθɪəriouˈmɔːfɪk ‖ ˌθɪrɪəˈmɔrfɪk] *mn* vadállat alakú/külsejű

therm [θɜːm ‖ θɜrm] *fn GB* ‹100 000 "British thermal unit"› therm

thermal [ˈθɜːml ‖ ˈθɜrml] *mn* **1.** meleg, termál, hő-, hév-; **~ baths** gyógyfürdő **2.** *fiz* hőtermikus, kalorikus; *fiz* **~ conductivity** hővezető képesség; hővezetési tényező; *fiz* **~ energy** hőenergia; **~ insulation** hőszigetelés; **~ radiation** hősugárzás; **~ resistance** hőellenállás; **~ unit** hőegység; **British ~ unit (BTU)** brit hőenergia-egység *[= 1055.06 J]* **3.** *rep* termik-, hőlég

thermal printer *fn infor* hőnyomtató

thermic [ˈθɜːmɪk ‖ ˈθɜr–] *mn fiz* hő-, termikus; termál

thermo- [ˈθɜːmoʊ ‖ ˈθɜr–] *előtag* hő-, hővel kapcsolatos, termo-

thermodynamics *fn esz fiz* termodinamika, hőtan; **laws of ~** a hőtan/termodinamika törvényei • *mn* **thermodynamic**

thermoelectricity *fn fiz* hőelektromosság, termoelektromosság

T

thermogenesis *fn tud* hőfejlesztés, hőkeletkezés
thermometer [θəˈmɒmɪtə ‖ θərˈmɑmətər] *fn* hőmérő; **alarm ~** tűzjelző készülék • *fn* **thermometry** *mn* **thermometric**, **thermometrical**
thermonuclear *mn fiz* termonukleáris, fúziós; **~ energy** fúziós energia; **~ reactor** termonukleáris/fúziós reaktor; **~ weapon** *kat* termonukleáris fegyver
thermophore [ˈθɜːməfɔː ‖ ˈθɜrməfɔr] *fn orv* termofor, hőtároló palack/edény
thermopile [ˈθɜːməpaɪl ‖ ˈθɜrmə–] *fn vill* termooszlop, hőelemoszlop
thermoplastic I. *mn* hőre lágyuló, termoplasztikus *[műanyag]* **II.** *fn* hőre lágyuló (v. termoplasztikus) műanyag
thermosensitive *mn biol* hőérzékeny
thermosetting *mn* hőre keményedő *[műanyag]*
thermos (flask) [ˈθɜːməs ‖ ˈθɜr–] *fn* hőpalack, termosz
thermostat [ˈθɜːməstæt ‖ ˈθɜrmə–] *fn fiz* hő(fok)szabályozó, termosztát
thermotherapy *fn orv* termoterápia, hőterápia
thermotolerant *mn fiz* hőálló
thesaurus [θɪˈsɔːrəs] *fn tsz* **thesauri** [–raɪ], **es 1. a)** szinonimaszótár **b)** fogalomköri szótár **c)** *nyelv* nagyszótár **d)** lexikális gyűjtemény, tárház, kincstár *[ismereteké, mondásoké]* **2.** kincstár
these [ðiːz] → **this**
thesis [ˈθiːsɪs] *fn tsz* **theses** [–siːz] **1. a)** állítás, (tan)tétel, tézis **b)** *okt* dolgozat, tétel **c)** *okt* (doktori) értekezés, disszertáció, tézis **d) ~ novel** irányregény; **~ play** iránydráma, tézisdráma **2. a)** *nyelv* tézis *[versláb hangsúlytalan része hangsúlyos, ill. hangsúlyos része időmértékes verselésben]* **b)** *zene* hangsúlyos ütemrész
thespian [ˈθespɪən] **I.** *mn* színészi, drámai, színpadi **II.** *fn* biz színész
Thessaly [ˈθesəli] *tul földr* Tesszália
theta [ˈθiːtə ‖ ˈθeɪtə] *fn* théta *[görög betű]*
theurgy [ˈθiːɜːdʒi ‖ –ɜr–] *fn* jó szellemek felidézése, csodatevés jó szellemek segítségével • *mn* **theurgic**
they [ðeɪ] **I.** *nm* ők, azok **II.** *nm* **1.** az emberek **2.** *biz* a hatóságok, felsőbbség
they'd [ðeɪd] *röv* **1.** *they had*→ **have** I. **2.** *they would* **3.** *they should*→ **shall**
they'll [ðeɪl] *röv* **1.** *they shall*→ **shall 2.** *they will*→ **will**[1] III.
they're [ðeə ‖ ðer] *röv they are*→ **be**
they've [ðeɪv] *röv they have*→ **have** I.
thiamine [ˈθaɪəmiːn], **thiamin** *fn vegy* tiamin, B-vitamin
thick [θɪk] **I.** *mn* **1. a)** vastag *[fal, anyag stb.]* **b)** *bány* hatalmas **2.** sűrű, tömött *[erdő, gabona stb.]*; **~ hair** dús/sűrű haj **3. a)** sűrű, tömény, erős, szennyezett *[folyadék]*, zavaros *[bor]*, mély, sűrű *[sötétség]*, borús *[idő]*; **~ fog** sűrű köd; **~ mud** mély/ragacsos sár; **~ sauce** sűrű mártás; **~ soup** krémleves; *skót* (sűrű) zöldségleves **b)** kásás *[beszéd]*; *zene* **~ regiszter** legmélyebb hangfekvés; **~ voice** borízű hang, zsíros mély hang; **~ of hearing** nagyothalló; **be ~ of sight** rosszul lát, rossz a szeme; **~ of speech** nehézkesen/dadogva beszélő, nehéznyelvű; **have a ~ utterance** nehezen (érthetően) beszél, nem tisztán beszél; a kiejtése nem tiszta **c)** *táj* ostoba, tompa agyú, nehéz felfogású; *biz* **have a ~ head** nehéz a feje/felfogása **4. ~ with** tömött, tele, vmtől nyüzsgő **5.** számos, sűrűn egymás után következő **6.** *biz* bizalmas, intim, nagyon jó/szoros *[viszony]*; **be very ~ with sy** nagyon jóban van vkvel; puszipajtások **7. a)** *biz* **that's a bit (too) ~** ez már mégis csak sok, ez több a soknál, ez már sok a jóból; *biz* **lay it on ~** (otrombán) hízeleg (vknek); erősen túloz **b)** *biz* ocsmány, trágár *[beszéd]* **II.** *hsz* **1.** vastagon, vastag rétegben **2. a)** sűrűn, tömötten **b) ~ and fast** csőstül; **fall as ~ as hail** sűrűn hullik, mint a jégeső **III.** *fn* **1. a)** húsos rész *[hüvelykujjé stb.]* **b)** vmnek a legvastagabb része, vmnek a közepe; **in the ~ of things** ahol az élet zajlik; **in the ~ of the forest** az erdő sűrűjében **c) the ~ of sg** vmnek a nagyja/java **2. through ~ and thin** jóban-rosszban, tűzön-vízen át; **follow** (v. **stick to) sy through ~ and thin** hű marad vkhez minden bajban/viszontagságban; → **thick-and-thin**
thick-and-thin I. *mn* kipróbált *[barát, harcos stb.]* **II.** *fn* → **thick** III.2.
thicken [ˈθɪkən] **A.** *tsi* **1.** vastagít *[falat stb.]* **2.** (be)sűrít, beránt, behabar *[mártást stb.]* **3.** tömörít **4.** bonyolulttá tesz **5.** *régi* (meg)erősít, támogat **B.** *tni* **1. a)** vastagszik *[fatörzs, alak]* **b)** borul, ködössé válik *[idő]* **c)** sűrűsödik, alvad **d)** zavarosodik *[folyadék]* **2.** szorosabbra szövődik *[összeesküvés]*, hevül *[csata]*, sűrűsödik *[levegő]*, bonyolódik *[helyzet]*
thicket [ˈθɪkɪt] *fn* bozót, sűrű *[erdőé]*, cserjés, erdőcske
thick-faced *mn* van bőr a képén, vastag a bőr a képén
thickhead *fn biz* lassú/tompa eszű, nehéz felfogású *[ember]*, fajankó • *mn* **thickheaded**
thickness [ˈθɪknəs] *fn* **1. a)** vastagság **b)** sűrűség **2.** *bány* réteg
thickset [ˈθɪkset] **I.** *mn* **1.** sűrűn nőtt/ültetett **2. (short and) ~** zömök, köpcös, vállas *[ember]* **II. 1.** *fn* csíkos pamutbársony, kordbársony **2.** → **ticket**
thick-skinned *mn átv* vastag bőrű, érzéketlen
thick-skulled *mn* **1.** kemény koponyájú **2.** *biz* → **thickhead**
thick-witted → **thickhead**
thief [θiːf] *fn tsz* **thieves** [θiːvz] **1. a)** tolvaj; *közm* **set a ~ to catch a ~** betyárból lesz a legjobb pandúr; → **thick** I.6. **b)** gazember; **foul/ill ~** ördög **2.** gyertya hamva
thieve [θiːv] **A.** *tsi* (el)lop **B.** *tni* tolvajkodik, lopásra adta magát, lop
thievery [ˈθiːvəri] *fn* (rendszeres) lopás, tolvajlás
thievish [ˈθiːvɪʃ] *mn* **1.** lopó(s), tolvaj(kodó); **as ~ as a magpie** lop(ós) mint a szarka **2.** titkon, titokban • *fn* **thievishness** *hsz* **thievishly**
thigh [θaɪ] *fn* comb
thighbone *fn* combcsont
thigh boots *fn tsz* combcsizma *[térden felül érő]*
-thighed [θaɪd] *mn* combú
thigh joint *fn orv* csípőízület
thill [θɪl] *fn* villásrúd, (kétágú) kocsirúd, (villás) szekérrúd
thimble [ˈθɪmbl] *fn* **1.** gyűszű **2.** *növ* gyűszűvirág
thimbleful [ˈθɪmblful] *fn* gyűszűnyi
thimblerig [ˈθɪmblrɪg] **I.** *fn* **1.** bűvészmutatvány poharakkal **2.** *átv* szemfényvesztés **II. -gg- A.** *tsi biz* becsap, kijátszik (vkt), kicsal (vmt vkből), csalárd ügyet előkészít/kitervel **B.** *tni* **1.** bűvészkedik *[poharakkal]*, szemfényvesztést űz **2.** *biz* **a)** csal, szélhámoskodik **b)** fogad a bűvészmutatvány kimenetelére *[néző]* • *fn* **thimblerigger**
thin [θɪn] **I.** *mn* **-nn- 1. a)** vékony *[papír, érem, lemez, szár, szál]*, vékony, könnyű *[szövet]*; *átv* **have a ~ skin** érzékeny, sértődékeny; *átv* **skate on ~ ice** veszélyes/kényes helyzetben van, veszélyes területen mozog **b)** sovány, vékony, szikár, vézna *[alak]*; **~ diet** sovány koszt; *biz* **as ~ as a lath/rake** lapos, mint a deszka; sovány, mint egy gebe **2.** ritka, gyér *[gabona, haj, népesség]*, gyenge *[látogatottság]* **3. a)** híg *[folyadék]*, silány *[bor stb.]*, ritka *[levegő]*; *átv* **out of ~ air** puszta levegőből; **dissolve/melt/vanish into ~ air** nyomtalanul eltűnik; **~ beer** híg/gyenge sör **b) ~ voice** vékony(ka) hang **4.** *biz* **~ argument** gyenge érv; **~ excuse** gyenge/olcsó/átlátszó kifogás; **have a ~ time (of it)** unatkozik; nélkülöz, éhezik, nyomorog **5. it wears ~** elvékonyodik, elkopik **II.** *hsz* → **thinly III. -nn- A. 1.** *tsi* vékonyít (vmt) **2.** hígít; **~ a sauce** felhígít/felereszt mártást **3.** (ki)ritkít *[növényt, talajt]*, megtizedel *[lakosságot]*, pusztít, irt *[erdőt]* **B.** *tni* **1.** soványodik **2.** vékonyodik, keskenyedik, elnyúlik **3.** ritkul, gyérül *[erdő, tömeg, haj]*, szétszóródik, szétoszlik *[tömeg]*, világosodik, hígul *[szirup stb.]* • *fn* **thinness** *mn* **thinnish**
thin away *tni* **1.** elvékonyodik **2.** meggyérül, megritkul
thin down A. *tsi* **1.** elvékonyít, (meg)vékonyít *[deszkát]* **2.** felhígít **B.** *tni* **1.** (el)vékonyodik *[deszka, fa]* **2.** felhígul

thin out A. *tsi* **~ out a sauce** mártást felereszt **B.** *tni* ritkul

thine [ðaɪn] **I.** *nm vál régi* tied, tietek, tiéid, tieitek; **for thee and ~** neked és hozzátartozóidnak (v. a tieidnek); **what is mine is ~** ami az enyém a tied is **II.** *mn vál* → **thy**

thing [θɪŋ] *fn* **1.** dolog, tárgy **2. a)** cikk, darab; **go the way of all ~s** meghal; minden földi dolog sorsára jut **b)** *biz* **what's that ~?** mi ez?, mi a csuda ez? **c)** szerszám, holmi, felszerelés **d)** ruhanemű; **take off all one's ~s** levetkőzik (meztelenre) **e)** dolgok, holmi, cucc, motyó **f)** *jog* **~s personal** ingó javak; **~s real** ingatlan javak **3.** *biz* teremtés, lény; *biz* **the dear old ~** a drága kis öreg/anyukám *[nem szülőhöz intézve]*; *biz* **poor (little) ~!** szegényke! **4. a)** dolog, ügy; **an understood ~** amire már előzetes megegyezés történt, megállapított/(köz)tudott/közismert/feltételezett (v. magától értetődő) dolog; **the ~ is this** a legfontosabb szempont az, hogy; **the ~ is ...** arról van szó ...; *biz* **the play is the ~** a játék/színjáték a fontos; **too much of a good ~** túl sok a jóból; **he makes a good ~ out of it** szépen hoz neki (a dolog); **just/quite the ~, the real ~** ez az igazi, ez az, amire szükségünk van, erről van szó; **it doesn't mean a ~** mit sem tesz; nincs semmi értelme, értelmetlen; **and of all ~s!** és éppen ennek kellett megtörténnie!; **do the proper/right ~ by sy** korrektül jár el vkvel szemben; **it is (just) one of those ~s** ahogy ez már lenni szokott, vannak az életben ilyen dolgok, hogy; *biz* **know a ~ or two** tud egyet és mást (vkről, vmről); *pej* minden hájjal megkent, kitanult; **now you are going to see ~s!** most fogsz látni valamit!; **for one ~** elsősorban, először is; **for another ~** másrészt, egyébként **b) as ~s are** az ügy (v. a dolgok) jelen állása szerint; *biz* **how are ~s?** hogy megy a sorod?; hogy van? **5. the latest/last ~ in ties** a legújabb/legutolsó nyakkendődivat

thingamajig ['θɪŋəmədʒɪg] → **thingamy**

thingamy ['θɪŋəmi] *fn* izé, hogyishívják; **Mr. T~** Izé/Hogyishívják úr

thingness ['θɪŋnəs] *fn* objektív valóság

thingumajig ['θɪŋəmədʒɪg] *biz* → **thingamy**

thingumbob ['θɪŋəmbɒb ‖ –bɑb], **thingumabob** *biz* → **thingamy**

thingummy ['θɪŋəmi] → **thingamy**

think [θɪŋk] **I.** *pt/pp* **thought** [θɔːt] **A.** *tsi* **1. a)** gondol (vmt) **b)** meggondol, megfontol (vmt) **2. a)** vél, gondol, képzel; **~ fit** helyesnek/célszerűnek/jónak tart; **only ~!** gondolja/képzelje csak!; **I should ~ so!** meghiszem azt!; **you can't ~ how glad I am** el se tudja képzelni (azt), milyen boldog vagyok **b) did you ~ to bring any money?** gondolt arra, hogy pénzt hozzon? **3.** szándékozik, merészel **4.** vm(ilyen)nek gondol/hisz/ítél/tekint/tart **B.** *tni* **1. a)** gondolkodik, gondolkozik (vmn); **he ~s for himself** saját fejével gondolkodik **b)** töpreng **c)** gondol (vmre); **to ~** ha arra gondolunk **2. a)** vélekedik, képzelődik; **I ~ with you** egy véleményen vagyunk, egyetértek, nekem is az a véleményem; **I (really) can't ~ why/what/where** fogalmam sincs róla, miért/mit/hol **b) let me ~** lássuk csak **3.** (vmre) számít, el van készülve vmre **II.** *fn* gondolkodás, megfontolás; **have another ~** alszik rá egyet, (még egyszer) meggondolja, meggondolja magát, gondolkozik rajta; **have a quiet ~** (el)gondolkozik (egyet)

think about → **think of**

think back *tsi* **~ back to sg** visszagondol vmre

think of *tni* **1.** (vmre/vkre), gondol, nem feledkezik meg (vmről); **one can't ~ (v. one never ~s) of everything** az ember nem gondolhat mindenre; **when you come to ~ of it** ha meggondoljuk, ha jól meggondolom **2.** (el)gondol, képzel; *biz* **~ of that!** gondold csak!, no de ilyet!, nahát **3. a)** tekintetbe vesz, vmt, gondol (v. tekintettel van) vkre/vmre **b) I couldn't ~ of it!** erre gondolni sem merek!, ezt el sem tudom képzelni!, ez lehetetlen

think on *tni* vmre/vkre gondol

think out *tsi* **1.** kigondol, elképzel, kitervel, kieszel **2.** megoldást talál (vmre)

think over *tsi* átgondol, latolgat, megfontol

think through *tsi* alaposan átgondol

think up *tsi US* kigondol/kisüt/kiagyal/kieszel/kifundál vmt

thinkable ['θɪŋkəbl] *mn* elképzelhető, elgondolható

thinker ['θɪŋkə ‖ –ər] *fn* gondolkodó

thinking ['θɪŋkɪŋ] **I.** *mn* gondolkodó, gondolkodásra képes; *szính* **~ part** néma szerep; *biz* **put on one's ~ cap** sokat tanakodik vmn, megfontol/meggondol vmt **II.** *fn* **1.** gondolkodás, elmélkedés; *gk* **~ distance** az észleléstől a cselekvésig megtett út *[féktávolság megállapításakor]* **2.** vélemény, gondolkodásmód; **to my ~** véleményem szerint, ahogy én látom, szerintem

thinkingly ['θɪŋkɪŋli] *hsz* fontolgatva, tűnődve, elmélkedve

think-so *fn biz* agyrém, alaptalan nézet/vélemény

think-tank *fn biz* tanácsadó testület, kutatócsoport; *US biz* **~ tank** komplex kutatásokat szervező központ

thin-lipped *mn* keskeny/vékony szájú

thinly ['θɪnli] *hsz* **1.** gyéren, ritkán; **~ clad** hiányosan öltözve/öltözött; **~ veiled allusion** alig burkolt célzás **2.** soványan, vékonyan

thinner ['θɪnə ‖ –ər] *fn* hígító(szer), oldószer *[festék, lakk számára]*

thinning ['θɪnɪŋ] **I.** *fn* **1. ~ (down)** elvékonyodás, keskenyedés, elfogyás; elvékonyítás, keskenyítés; hegyesre csiszolás *[pl. szögé]* **2. a)** (fel)hígítás, feleresztés *[festéké]* **b)** hígulás **3.** *mezőg* **a)** ritkítás, gyérítés **b)** ritkulás **c)** *tsz* **thinnings** hulladékfa; → **thin IV. II.** *mn* **~ shears** ritkító olló

thin-skinned *mn* **1.** vékony bőrű, érzékeny bőrű **2.** *átv* túlérzékeny, sértődékeny, mimóza **3.** vékony humuszrétegű *[föld]*

third [θɜːd ‖ θɜrd] *tsz* **thirds I.** *mn* **1.** harmadik; **~ programme** ‹az angol rádió kulturális műsora› harmadik program; *átv* magas (szellemi) színvonalú dolog; **~ story** *GB* harmadik emelet, *US* második emelet; **every ~ day** harmadnaponta, minden harmadik nap; *pol* **~ way** harmadik út; **Edward the T~** Harmadik Eduárd **2.** harmad **3.** *GB okt* kb. elégséges *[a leggyengébb minősítésű egyetemi/főiskolai diploma]* **II.** *fn* **1.** harmad(rész) **2.** *zene* terc **3. a)** *gazd* harmadrendű áru **b) make a ~ in a game** beáll harmadiknak a játékba

third age *fn* aktív nyugdíjas életkor

third class, **third-class I.** *mn* **a)** *régi* harmadosztályú *[utas, kocsi]* **b)** harmadrangú, harmadrendű *[áru, szálloda]* **c)** *US* **~ mail/matter** (postai) nyomtatvány(díjszabás) *[újságfélék kivételével]* **II.** *hsz régi* **travel ~** harmadikon (v. harmad osztályon) utazik

third degree, **third-degree I.** *fn US* rendőri vallatás; *biz* **give sy the ~** kifaggat **II.** *tsi US* rendőri vallatásnak (v. harmadfokú vallatásnak) vet alá, kipofoz *[gyanúsítottól adatokat]*

thirdhand *mn* harmadkézből való *[értesülés]*

thirdly ['θɜːdli ‖ 'θɜrdli] *hsz* harmadszor, harmadsorban

third party *mn jog* harmadik/kívülálló személy; **~ insurance** felelősségbiztosítás; **~ liability** (gépjármű-)felelősségbiztosítás, kötelező (gépjármű-)biztosítás; **~ risk** szavatossági kockázat

third person *fn* **1.** → **third party 2.** *nyelv* **~ singular** egyes szám harmadik személy; **~ plural** többes szám harmadik személy

third-rate *mn* harmadrendű, silány, nívótlan

Third Reich *tul* a Harmadik Birodalom *[a fasiszta Németország elnevezése 1933–1945 között]*

third wheel *fn* **1.** segédkerék, közkerék *[óraműben]* **2.** *átv* fölösleges harmadik személy

Third World *fn* a harmadik világ; **~ countries** a harmadik világ országai

T

thirst [θɜ:st ‖ θɜrst] **I.** *fn* **1.** szomj, szomjúság **2.** vágy; **the ~ after/for knowledge** tudásszomj, tudásvágy **II. A.** *tni* **1.** *vál* szomjazik, szomjúságtól szenved **2. ~ after/for sg** szomjazik/vágyakozik vmre (v. vm után) **B.** *tsi* **~ out** elapaszt, szomjaztat • *mn/fn* **thirsting**

thirstless [ˈθɜ:stləs ‖ θɜrst–] *mn* **1.** nem szomjas **2.** szenvedély nélküli

thirsty [ˈθɜ:sti ‖ ˈθɜrsti] *mn* **1.** szomjas; *biz* **he's a ~ customer/fish** iszákos, részeges, mindig szomjas **2.** sóvárgó, vágyakozó, epe(ke)dő **3.** kiszáradt, szikkadt *[föld stb.]* • *fn* **thirstiness** *hsz* **thirstily**

thirteen [ˌθɜ:ˈti:n ‖ ˌθɜr–] **I.** *mn* tizenhárom; *US* **T~ States** ‹az USA-t 1776-ban megalakító 13 szövetségi állam› **II.** *fn* tizenhármas számjegy

thirteenth [ˌθɜ:ˈti:nθ ‖ˌθɜr–] **I.** *mn* **a)** tizenharmadik **b)** tizenharmad **II.** *fn* tizenharmad(rész)

thirtieth [ˈθɜ:tiəθ ‖ ˈθɜrtiəθ] **I.** *mn* **a)** a harmincadik **b)** harmincad **II.** *fn* **1.** harmincad(rész) **2.** a harmincadik

thirty [ˈθɜ:ti ‖ ˈθɜrti] *mn/fn* harminc; **the thirties** a harmincas évek; **she is in her thirties** harmincas éveiben jár

this [ðɪs] *tsz* **these** [ði:z] **I.** *nm* **1.** ez, emez; **for ~** ezért; **like ~** ilyen(fajta); ilyen módon; így; **it was like ~** ez így történt (ahogy most elmondom); **upon ~** erre (aztán) ...; amint; **(only) ~ once** csak most az egyszer; **the thing is ~** az a helyzet, arról van szó (hogy), a következőkről van szó **2.** *biz* **put ~ and that together** meglátja az összefüggést, egybeveti a tényeket; **speaking of ~ and that** beszélgetve erről-arról **II.** *mn* **1. a)** ez a(z), emez, ezen, ma *[időbelileg]*; **one of these days** az elkövetkező napok egyikén, a napokban; **run ~ way and that** ide-oda futkos **b)** *tud* jelen; *jog* **~ Convention** jelen egyezmény **2. I've been watching you these/~ ten minutes** immár tíz perce figyellek **III.** *hsz [mennyiségi: mn/hsz előtt]* ilyen ... mint; **~ much** ennyi (se több, se kevesebb)

thisness [ˈðɪsnəs] *fn fil* ilyenség, konkrét egyediség, jelenvalóság

thistle [ˈθɪsl] *fn növ* bogáncs; *biz* **land of the ~** Bogáncsország *[Skócia neve]*, Skócia; *közm* **gather ~s, expect prickles** aki korpa közé keveredik, megeszik a disznók

thistly [ˈθɪslˑi] *mn* **1.** bogáncsos, bogánccsal benőtt *[terület]* **2.** tüskés, szúrós

thither [ˈðɪðə ‖ ˈθɪðər] **I.** *mn vál régi* túlsó, távolabbi, *földr* hátsó; **on the ~ side of fifty** ötvenen túl **II.** *hsz régi vál* oda, addig; **run hither and ~** ide-oda rohangászik/futkározik

tho' [ðoʊ], **tho** *US* → **though**

thole[1] [θoʊl] *fn* **1. a)** *hajó* evezőszeg, evezővilla(-csap) **b)** *hajó* gúzsbak **2.** csapszeg *[kocsirúdé]* **3.** *épít* kerek (v. kör alapú) épület

thole[2] [θoʊl] *tsi skót* **1.** elszenved, kiáll *[fájdalmat, bajt]* **2.** eltűr, megenged *[visszaélést stb.]*

thole-pin → **thole**[1] 1, 2

Thomas [ˈtɒməs ‖ ˈtɑ–] *tul* Tamás; **doubting ~** hitetlen Tamás

Thomism [ˈtoʊmɪzm] *fn fil* tomizmus

thong [θɒŋ ‖ θɔŋ] **I.** *fn* **1. a)** szíj, hosszú keskeny bőrcsík **b)** ostorszíj **2.** tartószíj *[harangnyelvé]* **3.** ágyékkötő, ágyékkötőszerű bikininadrág **4.** bőrszandál, strandpapucs **II.** *tsi* **1. a)** szíjjal lát el *[pl. ostort]* **b)** szíjjal odaerősít, leszíjaz, odaszíjaz (vmt) **2.** megkorbácsol, szíjjal elver (vkt)

thorax [ˈθɔ:ræks] *fn tsz* **-es thoraces** [ˈθɔ:rəsi:z] **1. a)** *orv* mellkas **b)** *áll* tor *[rovaré]* **2.** *geol* törzs **3.** mellvért, páncél • *mn* **thoracic**

thorium [ˈθɔ:rɪəm] *fn vegy* tórium; **~ (di)oxide** tórium-(di)oxid

thorn [θɔ:n ‖ θɔrn] *fn* **1.** *növ* tüske, tövis; *biz* **be/sit on ~s** tűkön ül **2. a) be a ~ in sy's flesh/side** szálka vk szemében; bosszantó körülmény; **put a ~ in sy's pillow** bajba kever vkt, elrabolja vknek a lelki nyugalmát **b)** *növ* tövises cserje, csipkebokor, galagonyabokor

thornback *fn áll* **1.** sima/csatos rája **2.** nagy tengeri pók

thornbill *fn áll* dél-amerikai kolibrifajta

thornbush *fn növ* **1.** csipkebokor **2.** galagonyabokor

thorny [ˈθɔ:ni ‖ ˈθɔrni] *mn* **1.** tövises, tüskés **2.** *átv* bonyolult, nehéz, kényes *[kérdés]*; **~ question** fogas kérdés

thorough [ˈθʌrə ‖ ˈθɜroʊ] **I.** *mn* **1.** alapos, mély *[tudás]*, alapos, részletes, mélyreható *[vizsgálat]*, lelkiismeretes *[munka]*; **~ conviction** mélységes meggyőződés; **~ distaste** mély undor **2.** teljes, tökéletes; **a ~ scoundrel** vérbeli/született csirkefogó **II.** *hsz* → **thoroughly** • *fn* **thoroughness**

thoroughbred [ˈθʌrəbred ‖ ˈθɜroʊ–] **I.** *mn* **1.** telivér *[ló]*, fajtatiszta, tiszta vérű, igazi **2.** *átv* arisztokratikus, jólnevelt, alaposan képezett, kulturált **3.** kiváló minőségű, első osztályú **II.** *fn* **1. T~** telivér (ló) **2.** fajtiszta állat

thoroughfare [ˈθʌrəfeə ‖ ˈθɜroʊfer] *fn* főközlekedési út, főútvonal

thoroughgoing *mn* **1.** kész, képzett *[lovas]*, befejezett, lezárt, lezárult *[ügy]*, kitanult, minden hájjal megkent *[csirkefogó]*, elszánt, dühödt *[politikus]* **2.** alapos, lelkiismeretes *[munkás stb.]*

thoroughly [ˈθʌrəli ‖ ˈθɜroʊli] *hsz* teljesen, alaposan, kíméletlenül

thorough-paced *mn* **a)** *régi* tökéletesen idomított *[ló]* **b)** → **thoroughgoing** 1.

thorp [θɔ:p ‖ θɔrp], **thorpe** *fn* (kis) falu(cska)

those [ðoʊz] → **that** I., II.

thou[1] [ðaʊ] *nm régi* **a)** te **b)** te magad

thou[2] [θaʊ] *fn szl* **a ~** *[ezres bankjegy]* rongy

though [ðoʊ] **I.** *ksz* **1.** (ám)bár, habár, noha; jóllehet **2. a)** *vál* **strange ~ it may appear** bármily különösnek is tűnik/tűnjék **b)** *vál* **what ~ the way be long** mit számít az, hogy hosszú az út **3. as ~** mintha **II.** *hsz* **1.** mégis, mindamellett, mindazonáltal **2. did he ~!** tényleg/nahát ezt mondta/tette?

thought [θɔ:t] *fn* **1.** gondolkodás; *pol* **~ control** teljes szellemi irányítás **2. a)** gondolat, eszme, idea; **stray ~s** elkalandozó gondolatok; **give food for ~** gondolkodásra késztet **b) the mere ~ of it ...** még elgondolni is ..., már maga a puszta gondolat, ha csak rágondolok is ...; **have you ever given it one ~?** gondoltál-e már (valaha is) erre?, jutott ez már valaha eszébe? **c)** vknek a gondolatai, vknek az esze; **engross ~s** lefoglalja/betölti vknek a gondolatait/lelkét **3. a)** meggondolás, megfontolás; **on second ~** jól meggondolva; ha jól meggondolom; **want of ~** megfontolatlanság, meggondolatlanság; **take ~** megfontolja/meggondolja (v. fontolóra veszi) a dolgokat; *közm* **second ~s are best** ajánlatos mindent kétszer is meggondolni **b)** gondoskodás, törődés **c)** (el)gondolkozás, elmélázás, elmélyedés **4.** szándék, gondolat; **I had no ~ of offending you** nem volt szándékomban megbántani önt **5.** *biz* valami kevés, egy gondolatnyi; **a ~ better** valamicskével jobb **6.** felfogás, szemléletmód; **naturalist ~** naturalista felfogás

thoughtful [ˈθɔ:tfl] *mn* **1. a)** (el)gondolkozó, elmélkedő **b)** meggondolt, óvatos, kötelességtudó, körültekintő **c)** gondolatokkal teli, mély *[könyv, beszéd, író]* **2. a)** figyelmes, előzékeny **b)** aggódó • *fn* **thoughtfulness** *hsz* **thoughtfully**

thoughtless [ˈθɔ:tləs] *mn* **1.** meggondolatlan, elhamarkodott, következetlen, szeleburdi *[személy, cselekedet stb.]*, figyelmetlen, vigyázatlan **2.** tapintatlan, figyelmetlen

thought-out *mn* átgondolt, körültekintéssel kimunkált

thought-provoking *mn* elgondolkoztató, gondolatébresztő

thought-read *tsi pt/pp* **thought-read** [–red] gondolatait olvassa (vknek), arcáról leolvas (vmt)

thought-reader *fn* gondolatolvasó • *fn* **thought-reading**

thought-transference *fn pszich* gondolatátvitel, telepátia

thought-wave *fn pszich* telepatikus (gondolat)hullám

thousand [ˈθaʊznd] **I.** *mn* ezer **II.** *fn* az ezres szám/számjegy; **~s upon ~s** ezrével, ezrei, ezer és ezer

thousandfold [ˈθaʊzndfoʊld] **I.** *mn* ezerszeres **II.** *hsz* ezerszeresen, ezerszer annyi

thousandth ['θaʊzndθ] **I.** *mn* **a)** ezredik **b)** ezred (rész) **II.** *fn* ezredrész
Thrace [θreɪs] *tul földr tört* Trákia
thraldom ['θrɔ:ldəm], *US* **thralldom** *fn* **a)** (rab)szolgaság **b)** hódoltság, leigázottság; **keep sy in ~** szolgaságban tart vkt
thrall [θrɔ:l] *fn* **1.** (rab)szolga **2.** → **thraldom 3. ~ of/to** rabja vmnek/vkinek **4.** *átv* **in sy's ~** rabul ejt, lenyűgöz
thrash [θræʃ] **I. A.** *tsi* **1. a)** üt, csapkod, csapdos **b)** *biz* elver, elpáhol, elfenekel, elagyabugyál, eltángál, megkorbácsol **c)** legyőz, tönkrever *[ellenfelet]*, túltesz *[ellenfélen]* **2.** *mezőg* csépel **B.** *tni* **1.** csépel **2.** *átv* fáradozik **3.** dobálja magát, hánykolódik, csapkod, ütődik **II.** *fn* **1.** csapkodás, verés *[esőé, hullámé stb.]* **2. a)** *mezőg* cséplés **b)** *átv biz* elcsépelt dolog
 thrash about *tni* dobálja magát, dobálódzik, hányódik
 thrash out *tni* **1.** *mezőg* (ki)csépel **2.** *átv* alaposan/részletesen megvitat/megtárgyal, kitárgyal, minden oldalról megvizsgál *[kérdést]*, mélyére hatol *[kérdésnek]*
thrasher ['θræʃə ‖ –ər] *fn* **1.** *mezőg* csép(lő), cséphadaró, cséplőfa **2.** rongytépő gép, rongyporoló **3.** *áll* farkascápa **4.** vkt elverő/megkorbácsoló személy
thrashing ['θræʃɪŋ] *fn* **1.** verés, elverés, elpáholás, elfenekelés, ütlegelés, csihipuhi; **give sy a ~** elver/elfenekel vkt; *biz* **he's asking for a ~** hiányzik neki a verés **2. a)** *sp* vereség **b)** győzelem **3. a)** *mezőg* cséplés; **~ machine** cséplőgép **b)** csapkodás, verés *[esőé, hullámé]*
thraw [θrɔ:] *skót* **I.** *fn* **1.** hirtelen fájdalom **2.** (halál)félelem **3.** csavarás, rántás **II. A.** *tsi* **1.** (ki)forgat, kicsavar **2.** keresztez *[szándékot]*, megakadályoz *[tervet]* **B.** *tni* **1.** elgörbül **2. a)** forog **b)** haláltusát vív **3.** önfejűen cselekszik (v. jár el)
thrawn [θrɔ:n ‖ θrɑn] *mn skót* **1. a)** alaktalan, formátlan, görbe, nem egyenes, nem rendes **b)** perverz **2.** rossz, pocsék *[időjárás]*
thread [θred] **I.** *fn* **1.** fonál, szál; *biz* **hang by/on a ~** egy cérnaszálon függ/lóg; egy hajszálon függ/múlik **2. a)** cérna **b)** *tex* (szövő)fonal, vetülékfonal, láncfonal, szál **c)** *átv biz* **the ~ of life** az élet fonala; **gather up the ~s of a story** összeszedi az elbeszélés szálait **3.** *műsz* csavarmenet **4.** egy kevés *[vízből, ecetből stb.]* **5.** *infor* üzenetlista, levelezési témakör **6.** *szl [ruha, viselet]* göncök, szerkó, cucc, szerelés **II.** *tsi* **1. a)** befűz, beölt *[tűbe fonalat, zsineget lyukba, filmet stb.]* **b)** (fel)fűz *[gyöngyöt]* **c) black hair ~ed with silver** fekete haj, amelyben ezüst szálak megcsillannak **2. ~ one's way through a crowd** átfurakszik/keresztülnyomul tömegen **3. a)** *műsz* csavarmenetet vág *[csavaron]*, menetet vág *[anyacsavarba]* **b)** *műsz* **~ into sg** belefúródik/belecsavarodik/belecsavarható vmbe
threadbare ['θredbeə ‖ –ber] *mn* **1.** viseltes, (ki)kopott, elkopott, szegényes *[ruha, bútor stb.]*, foszlott *[anyag]* **2.** *átv biz* elcsépelt, elkop(tat)ott, banális, sokszor elmondott/hallott *[téma, érv]*
thread cutter *fn ip* menetvágó
thread gloves *fn tsz* cérnakesztyű
threading ['θredɪŋ] *fn* **1. a)** befűzés *[tűé stb.]* **b)** *film* **~(-up)** filmbefűzés **2. a)** *műsz* csavarmenet *[csavaré, anyáé]* **b)** *műsz* csavarmenetvágás
thread-like ['θredlaɪk] *mn* fonalszerű, fonalas
thread mark *fn* azonosító jel *[bankjegyen]*
thread vein *fn orv* hajszálér
thread worm *fn* fonalféreg
thready ['θredi] *mn* **1.** rostos, szálas, fonalszerű *[anyag, gyökér stb.]* **2.** *orv* fonalas, gyengén tapintható *[érverés]* **3.** vékony, cérnaszál *[hang]*
threat [θret] *fn* **a)** fenyegetés; **idle ~** hiú/hiábavaló fenyegetés **b)** fenyegető veszedelem
threaten ['θretn] *tsi* **1.** (meg)fenyeget (vkt), megfélemlít (vkt) **2.** (rosszat) jósol • *fn* **threatener** *mn* **threatening**
three [θri:] **I.** *mn* három, hármas; *biz* **~ and belay!** hórukk! **II. 1.** *fn* hármas szám/számjegy; *vall* **the T~ in One** a Szentháromság **2.** *ját* hármas lap **3.** hármas *[dominón, dobókockán]*
three-card *mn ját* **~ set/trick** ‹egy fajta kártyatrükk›
three-cornered *mn* **1.** *biz* **~ discussion** három személy között folyó vita **2.** három fő/csapat közötti *[verseny]*
three-course *mn* **1.** háromfogásos *[ebéd stb.]* **2.** *mezőg* **~ rotation** hármas vetésforgó
three-D, **3-D** → **three-dimensional**
three-decker *fn* **1.** *hajó* háromfedélzetű hadihajó **2. a)** háromréteges (vm) **b)** *biz* háromkötetes regény **c)** háromemeletes/tripla szendvics
three-dimensional *mn* háromkiterjedésű, háromdimenziójú; térhatású, háromdimenziós; *kat* **~ war** földi, légi és tengeri háború
threefold ['θri:foʊld] **I.** *mn* háromszoros **II.** *hsz* háromszorosan, háromszor annyi
three-handed *mn* háromkezű; **~ game** háromszemélyes (kártya stb.) játszma/játék
three-legged *mn* háromlábú *[asztalka stb.]*; *szl* **~ mare/stool** akasztófa
three-master *fn hajó* háromárbocos vitorláshajó
three-minute glass *fn* (háromperces) homokóra *[tojásfőzéshez]*
three-mover *fn* három lépésben megoldandó feladvány *[sakkban]*
three-parted *mn* háromrészes, hármas
three-party *mn* **~ conversation** hármas megbeszélés
threepenny ['θrepəni] *mn GB tört* **1.** hárompennys *[cikk stb.]* **2.** *biz* csöpp(nyi), parányi, igen kevés
three-phase *mn vill* háromfázisú
three-piece I. *mn* háromrészes **II.** *fn* **1.** → **three-piece suit 2.** három részes garnitúra *[bútor]*
three-piece suit *fn* háromrészes öltöny/ruha
three-pin *mn vill* **~ plug** háromágú dugasz
three-ply *mn* **1.** hármas rétegezésű, háromrét(eg)ű **2.** háromszálú *[gyapjúfonal, kötél stb.]*
three-point *mn* háromhegyű; hárompont-
three-pointed *mn* háromhegyű, háromcsúcsú
three-pointer *fn sp* hárompontos *[kosárlabdában]*
three-point landing *fn rep* hárompontleszállás
three-point turn *fn gk* Y-forduló
three-pole *mn vill* hárompólusú
three-power *mn pol* **~ pact** háromhatalmi szerződés
three-quarter I. *mn* háromnegyed(es); **a ~ (length) coat** háromnegyedes kabát; *zene* **~ time** háromnegyedes ütem **II.** *fn sp* elülső hátvéd *[rögbiben]*
three-ring circus 1. *US* ‹olyan cirkusz, amelynek egymás melletti három porondján egyszerre folyik több mutatvány› **2.** *US átv* ‹zűrzavarosan mozgalmas eseménysor›
three R's *fn tsz GB* ‹a három (R betűs) alaptantárgy az angolszász általános iskolákban (*R*eading, W*r*iting, A*r*ithmetics)›
threescore *mn vál* hatvan
three-shift system *fn* három-műszakos rendszer
threesome ['θri:sm] *fn* hármas/háromszemélyes játszma/tánc, háromlabdás (golf)mérkőzés, háromszemélyes együttes, trió
three-way *mn* háromfelé ágazó *[csap, tű, szelep stb.]*, háromállású, háromirányú, hárompályás; **~ intersection** hármas útkereszteződés
three-wheeler *fn* háromkerekű jármű, tricikli, oldalkocsis motorkerékpár
threnetic [θrɪ'netɪk], **threnetical** *mn* gyászoló, szomorú, bánatos
thresh [θreʃ] *tsi mezőg* (ki)csépel *[gabonát]*; **~ out** alaposan/részletesen megvitat/megtárgyal, kitárgyal
thresher ['θreʃə ‖ –ər] *fn* **1.** *mezőg* **a)** cséplő (munkás) **b)** cséplőgép **2.** *áll* farkascápa
thresher whale *fn áll* kardszárnyú delfin

T

threshold ['θreʃhoʊld] *fn* küszöb, vmnek kezdete; *fiz* ~ **of audibility** hallásküszöb; hallhatósági küszöb; *pszich* ~ **of consciousness** tudatküszöb; *pszich* ~ **of response** ingerküszöb; **lay one's offences/sins at another person's** ~ bűneit/vétkeit másnak tulajdonítja

thrice [θraɪs] *hsz vál* **1.** háromszor **2.** ~**-blest** háromszorosan áldott; ~**-told tale** elcsépelt történet

thrift [θrɪft] *fn* **1.** takarékosság, okos/megfontolt gazdálkodás *[egy személyé]*; *US* ~ **shop** használtruha-bolt **2.** *US* takarékpénztárak *[gyűjtőneve]*

thriftless ['θrɪftləs] *mn* **1.** pazarló, költekező, tékozló, rosszul gazdálkodó **2.** nem előrelátó/megfontolt, nemtörődöm

thrifty ['θrɪfti] *mn* **1.** takarékos, nem pazarló, jól gazdálkodó, beosztani tudó, gazdaságos **2.** *US* virágzó, viruló • *fn* **thriftiness** *hsz* **thriftily**

thrill[1] [θrɪl] *fn* **1.** *zene* trilla **2.** vibrálás

thrill[2] [θrɪl] **I.** *fn* **1. a)** érzelemhullám, remegés **b)** izgalom, felindulás, borzongás **2.** dobbanás **3.** *orv* zörej *[tüdőé]* **II. A.** *tsi* **1.** (vmlyen érzéssel) erősen áthat/megremegtet/megborzongat (vkt) **2.** megörvendeztet, fellelkesít, felvillanyoz *[közönséget]* **B.** *tni* megremeg, megborzong, reszket, izgalmat érez

thriller ['θrɪlə ‖ –ər] *fn* thriller *[izgalmas olvasmány/regény/film]*, krimi

thrilling ['θrɪlɪŋ] *mn* izgató, izgalmas, mozgalmas, érdekfeszítő, szenzációs *[látvány, előadás]*, felzaklató, megható, szívre ható, a lelket mélyen átjáró, borzongató, felpezsdítő

thrive [θraɪv] *tni pt* **throve** [θroʊv], **thrived**, *pp* **thriven** ['θrɪvn], **thrived** **1.** jól fejlődik, növekszik, gyarapszik *[gyermek, növény, állat]*, hízik, erősödik *[gyermek]*, jól megvan *[felnőtt]*, tenyészik *[állat, növény]*, virágzik, prosperál, jól megy *[üzlet]* **2.** boldogul, gazdagszik, gyarapítja vagyonát, prosperál, szép hasznot húz (vmből)

thriving ['θraɪvɪŋ] **I.** *mn* viruló, gyarapodó, jól fejlődő/menő, sikeresen haladó **II.** *fn* virulás

thro [θruː] → **through**

throat [θroʊt] **I.** *fn* **1. a)** torok; **a sore** ~ torokfájás, torokgyulladás; **clear one's** ~ köszörüli a torkát, krákog; **a lump in the** ~ gombóc van a torkában; **jump down one's** ~ nekiugrik vkinek; *biz* **moisten one's** ~ öntözgeti/locsolgatja a torkát, iszik; **stick in one's** ~ torkán akad vm; *átv* nem szívesen mond/tesz vmt; *átv* **thrust down sg sy's** ~ vkre ráerőszakol/rátukmál vmt **b)** nyak elülső része, torok; *biz* **he is cutting his own** ~ tönkreteszi önmagát **c)** *átv* **you will not cream that down my** ~ ezt nem fogja/tudja nekem bebeszélni/beadni; **give sy the lie in the** ~ nyíltan meghazudtol vkt, durva hazugsággal vádol vkt; *vál* **he lies in his** ~ durván/szemtelenül hazudik, összehazudozik mindenfélét **2.** *földr* összeszűkülés, áteresz *[vízfolyásé]* **3.** *geol* kürtő, torok, kráter *[tűzhányóé]* **4.** *műsz* torok, garat **5.** homorulat, homorú horony **6.** madárhang, trilla **II.** *tsi* **1.** morog, motyog (vmt) **2.** torokhangon énekel

throat wash *fn* **1.** toroköblögetés, gargarizálás **2.** szájvíz

throatwort ['θroʊtwɜːt ‖ –wɜrt] *fn növ* **1.** harangvirág **2.** gyűszűvirág

throaty ['θroʊti] *mn* **1. a)** torokhangú **b)** öblös hangú, mélyről jövő **c)** rekedt **2.** nagy étvágyú, nagy étkű • *fn* **throatiness**

throb [θrɒb ‖ θrɑb] **I.** *fn* dobogás, dobbantás, verés *[szívé]*, ütés, lüktetés *[pulzusé]*, búgás, berregés *[gépé stb.]* **II.** *tni* **-bb-** dobog, ver *[szív]*, ver, lüktet *[pulzus]*, búg, berreg, zakatol *[gép]*

throbbing ['θrɒbɪŋ ‖ 'θrɑbɪŋ] **I.** *mn* dobogó, lüktető; ~ **city** lüktető (forgalmú) város; ~ **pain** lüktető fájdalom **II.** *fn* lüktetés, dobogás

throe [θroʊ] *fn* **1.** (heves) fájdalom **2.** *tsz* **throes** **a)** vajúdás **b)** agónia **c)** *átv* izgatottság, izgalom, nyugtalanság **d)** **in the** ~**s of** küszködés vmlyen feladattal, nyakig benne *[pl. válságban]*

thrombocyte ['θrɒmbəsaɪt ‖ 'θrɑm–] *fn biol* vérlemezke, thrombocyta

thrombosis [θrɒm'boʊsɪs ‖ θrɑm–] *fn orv* trombózis

throne [θroʊn] **I.** *fn* **1. a)** *[királyi, püspöki]* trón, trónus **b)** királyi hatalom **2.** *biz* vécé; trón **II. A.** *tsi* → **enthrone** **B.** *tni biz* trónol

throned [θroʊnd] *mn* trónuson ülő

throng [θrɒŋ ‖ θrɔŋ] **I.** *fn* **a)** tömeg, sokaság, (nép)csődület **b)** tolongás, szorongás **II.** *mn skót* **a)** nagyon elfoglalt *[személy]* **b)** **the** ~ **hours** a csúcsforgalmi időszak **III.** *skót* **A.** *tsi* megtölt, eláraszt *[utcát stb.]* **B.** *tni* (össze)csődül, (össze)gyülekezik, összesereglik, odatódul, zsúfolódik, tolong, szorong *[tömegben]*

throstle ['θrɒsl ‖ 'θrɑsl] *mn áll* énekes rigó

throttle ['θrɒtl ‖ θrɑtl] **I.** *fn* **1.** *biz* gége, torok, légcső, nyelőcső **2.** *műsz* szabályozó/elzáró szelep, *gk* fojtószelep; **at full** ~ a legnagyobb sebességgel; teljes gőzzel; **open out the** ~ gázt ad; rákapcsol **II.** *tsi* **1. a)** megfojt, fojtogat vkt **b)** elfojt, elnyom, gátol *[kereskedelmet, véleménynyilvánítást]* **2.** *műsz* elfojt *[gőzt, motort]*; ~ **back/down** *gk* lelassít; visszaveszi a gázt

throttle control *fn rep* gázkar

throttle valve *fn gk* fojtószelep, pillangószelep

through [θruː] **I.** *elölj/hsz* **1. a)** keresztül, át, egyik végtől/oldaltól a másikig; *US* **right** ~ teljesen keresztül/készen; *biz* **be** ~ **with sg** befejez (vmt), elkészül (vmvel), végére jut (vmnek); elege van vmből; *US* **I am** ~ **with it/him** elegem volt belőle, torkig vagyok vele; *US* **I've been** ~ **a lot** sokat éltem át (kellemetlent), sok mindenen kellett átesnem; *biz* **go** ~ **sy's pockets** megmotoz vkt, átkutatja/kikutatja vk zsebeit; **let sy** ~ átenged vkt; **speak** ~ **one's nose** orrhangon (v. az orrán át) beszél **b)** *[időjelöléssel]* alatt, folyamán, át; **all** ~ mindvégig, egész idő alatt; *US* **Monday** ~ **Thursday** hétfőtől csütörtökig **c)** ~ **(and** ~**)** keresztülkasul; **be wet** ~ **(and** ~**)** teljesen átnedvesedett; **run sy** ~ átdöf vkt; összevissza szurkál vkt **d)** elejétől végéig, végig **2. a)** egyenesen, közvetlenül, átszállás nélkül **b)** ~ **sy** vk által/révén/útján/közvetítésével **3. a)** következtében, miatt, -ból/-ből kifolyólag; **absent** ~ **illness** betegség miatt van távol **b)** vm/vk miatt, vk hibájából, vk cselekedete következtében **II.** *mn* **1.** átmenő, közvetlen *[vonat, út]* **2.** *műsz* átmenő, végigérő; *épít* ~ **vault** dongaboltozat

throughout [θruː'aʊt] **I.** *elölj* **1.** ~ **the country** országszerte, mindenütt az országban **2.** ~ **the year** egész évben, egész éven át **II.** *hsz* **1.** egészen, mindenütt, minden részében/zugában, kívül-belül, minden ponton/tekintetben, teljesen **2.** egész idő alatt, végesvégig, mindvégig

throughput *fn* **1.** átmenő teljesítmény, átbocsátó képesség *[pl. számítógépé]*, eredmény **2.** *infor* munkateljesítmény

through road *fn* összekötő/átmenő út; **no** ~ zsákutca

through street *fn* főútvonal *[elsőbbséggel rendelkező út]*

through traffic *fn* átmenő forgalom

throughway *fn US* **1.** főútvonal **2.** autópálya

throw [θroʊ] **I. A.** *tsi pt* **threw** [θruː], *pp* **thrown** [θroʊn] **1. a)** dob, vet, hajít; *biz* ~ **a good line** ügyesen horgászik/halászik **b)** **six hundred men were** ~**n idle** hatszáz embert tettek munkanélkülivé **c)** ~ **a bridge** hidat ver **2.** dobál, hajigál, behány **3. a)** odavet, odafröcsköl *[vizet, olajat, sarat]* **b)** önt **c)** hány *[földet, rudat, töltést]* **d)** odavet *[kérdést stb.]* **4.** *biz* összeüt *[ételt, rendezvényt]*, rögtönöz; *biz* ~ **a fit** idegrohamot kap; jelenetet rendez; *US* ~ **a party** bulit csap, partit ad **5. a)** földhöz csap/vág **b)** **the horse** ~**s its rider** a ló ledobja lovasát **c)** *biz* **it** ~**s me** elképeszt, meghökkent **d)** dönt *[fatörzset]* **6.** hullat **7.** ellik, kölykezik **8.** formáz *[korongon fazekat]* **9.** *film* vetít **10.** *US biz* szándékosan elveszít *[küzdelmet, versenyt]*, elad *[mérkőzést]* **11.** *Ausz* kiherél, miskárol *[állatot]* **B.** *tni* kockát vet, kockázik **II.** *fn* **1. a)** dobás, hajítás, vetés (vmé) **b)** dobás távolsága; **within a stone's** ~ egy kőhajításnyira **c)** *sp* dobás **d)** *átv* erőfeszítés **e)** ~ **(of dice)** kockadobás **f)** *átv* kockázatvállalás **g)** *sp* dobás *[pl. birkózásban]* **2.** *geol* törés, vetődés *[rétegeződésben]*, kimozdulás, csuszamlás *[geológiai rétegé]* **3.** *épít* ívelés, fesztávolság *[hídé]*

throw about *tsi* **1.** ide-oda dobál, szétdobál, széthány, elszór; ~ **oneself about** csapkod maga körül **2.** ~ **one's arm about** kézzel-lábbal hadonászik/gesztikulál **3.** ~ **one's weight about** → **weight** I.3.

throw across *tsi* átdob, áthajít, átvet (vmn)

throw aside *tsi* félredob, félretesz

throw away *tsi* **1.** eldob, kidob (vmt); **my advice is ~n away on her** mintha a falnak beszélnék **2.** (el)pocsékol, (el)kótyavetyél (vmt), eltékozol *[pénzt]*; **she threw herself away (at him)** odaadta magát (vknek), hozzáment hozzá nem méltó férfihoz; férjhez ment vkhez, aki nem tudja megbecsülni **3.** elszalaszt *[alkalmat, szerencsét]* **4.** *szính* rögtönöz

throw back *tsi* **1. a)** visszadob, visszahajít *[labdát, halat vízbe stb.]*; ~ **one's head back** hátraszegi a fejét **b)** félretol *[függönyt]* **c)** visszaver *[fényt, hőt]*, tükröz *[képet]* **2.** visszautasít (vmt) **3.** késleltet, visszavet *[munkát]* **4. be ~n back upon sy/sg** vkvel/vmvel kénytelen beérni

throw by *tsi* félretesz, eldob *[értéktelent, fölöslegeset]*

throw down *tsi* **1. a)** ledob (vmt fentről) **b)** földhöz vág, lecsap **c)** *ip* ~ **down one's tools** sztrájkba lép, sztrájkolni kezd **d)** lerombol *[város falát stb.]*, kidönt *[fát]* **e)** *biz* ~ **down the drain** elherdál **2.** *US biz* visszautasít *[pl. tervet]*, meghiúsít *[szándékot]*, megfúr (vkt)

throw in *tsi* **1. a)** beledob **b)** *sp* bedob *[labdarúgásban]* **2. a)** hozzátesz (vmt), ráadásul ad **b)** beiktat, közbeszól, közbeszúr *[szót, megjegyzést]* **c)** *biz* hozzájárul (vmhez) **3.** ~ **in one's cards/hand** → **card**[1] I.2.a.→ **hand** 1.a.; ~ **one's hat in the ring** → **hat**

throw off *tsi* **1. a)** levet, ledob(ál) (vmt) **b)** levet *[rossz szokást]*, megszabadul, megszabadítja magát (vmtől), vktől **c)** félretesz *[haragot]* **2. a)** kivet, kicsap *[gőzt stb.]* **b)** ráereszt, ráuszít *[kutyát vadra]*, megkezd *[vadászatot]* **c)** odavet, rögtönöz **3.** fölényesen viselkedik

throw open *tsi* **1.** kitár; ~ **open the door** kitárja az ajtót **2.** rendelkezésre bocsát **3.** vitára bocsát

throw out *tsi* **1.** kidob, kitesz (vkt), vmt, kiutasít (vkt), kiszór (vmt) **2.** kibocsát/kivet magából, sugároz *[hőt stb.]*, terjeszt *[szagot]*; ~ **out light** fényt bocsát ki **3.** elvet, leszavaz, elutasít, visszadob, leszavaz *[kormányt, törvényjavaslatot]*, kiselejtez *[árut]* **4. a)** ~ **out one's chest** kifeszíti/kidülleszti mellét; feszít, kihúzza magát **b)** kiemel, érvényesülni enged **5.** közzétesz, hallat *[rágalmat stb.]*, megkockáztat *[megjegyzést]*, megjegyzést/célzást elejt/odavet; ~ **out a challenge** kihív *[párbajra]*

throw over *tsi* elhagy, cserbenhagy, faképnél hagy, otthagy *[szerelmet]*, elvet *[tervet]*; ~ **over a friend** barátot elhagy/cserbenhagy

throw together *tsi* **1.** (gyorsan) összetákol, sebtiben összerak, *átv* összetákol, összecsap **2.** összehív, egybegyűjt *[embereket]*

throw up *tsi* **1.** feldob (vmt) **2.** hány *[rosszullétkor]* **3.** felemel a magasba *[kezet stb.]* **4.** feltol *[ablakot]* **5.** gyorsan/sebtiben felhúz/megépít *[épületet]* **6.** kiemel, érvényre juttat *[szint stb.]* **7.** felad (vmt), lemond (vmről)

throwaway I. *mn* **1.** odavetett *[megjegyzés stb]* **2.** eldobható; **the ~ society** a pazarló társadalom **II.** *fn* **1.** eldobható/ócska/vacak árucikk/holmi, egyszer használható árucikk/holmi **2.** reklámcédula

thrower ['θrouə ‖ −ər] *fn* **a)** dobó; **bomb ~** bombamerénylő; *kat* **grenade ~** gránátvető **b)** *sp* dobó, gerelyvető **c)** kockajátékos

throw-in *fn* **1.** *sp* partdobás, bedobás *[labdarúgásban]* **2.** hozzájárulás, adomány *[pénzgyűjtéskor]*; → **throw in**

throwing ['θrouɪŋ] *fn* **1.** hajítás, dobás **2.** agyagformálás fazekaskorongon

throwing events *fn tsz sp* dobószámok

throw-off *fn* **1. a)** vadászat megkezdése, kutyák vadra uszítása/eresztése **b)** *biz* kezdés, beindítás **c)** *sp* kidobás (kapuból) *[kézilabdában]* **d)** *US* félrevezetés, becsapás, figyelemelterelés **2.** *mezőg* sarj, hajtás **3.** → **throw off**

throw rug *fn US* összekötő(szőnyeg), ágyelő(szőnyeg)

thru [θruː] *US* → **through**

thrum[1] [θrʌm] **I.** *fn tex* **a)** szegély **b)** rojt **c)** fonalcsomó **d)** durva fonal **e)** fonalhulladék **f)** besodrás helye a láncon **II.** *tsi* **-mm-** *tex* rojtoz

thrum[2] [θrʌm] **I.** *fn* **1.** monoton hang *[gitáré, zongoráé]*, pötyögtetés, klimpírozás *[zongorán]* **2.** dobolás ujjakkal *[asztalon]* **II. -mm- A.** *tsi [gitárt]* **B.** *tni* **1.** hangszeren kalimpál/pöcögtet **2.** ujjaival dobol

thrush [θrʌʃ] *fn áll* rigó

thrust [θrʌst] **I.** *pt/pp* **thrust A.** *tsi* **1.** lök, taszít (vkt), vmt; ~ **oneself past sy** ellök vkt az útból, lökdösődve elhalad vk mellett, áttolakszik/átfurakodik vk mellett **2.** döf **3.** hajt *[vkt cél felé]* **B.** *tni* **1. a)** tolakszik, előrenyomul, előrehatol **b)** szorong **2. a)** ~ **and parry** *sp* szúr és véd *[vívásban]*; *biz* szellemi tornát űz **b)** *kat* csapást mér, előnyomul **II.** *fn* **1. a)** lökés **b)** döfés, szúrás, *sp* kirohanás, támadás *[vívásban]*; *sp* ~ **and parry** szúrás és védés *[vívásban]*; *biz* **a shrewd ~** találó megjegyzés/kritika; **make a ~ at sy** kirohan vk ellen, odavág vknek **c)** *kat* csapás, előnyomulás **d)** csípős megjegyzés **2.** *műsz* lökés, lökőerő, nyomás, *rep* vonóerő *[légcsavaré]*, tolóerő *[sugárhajtóműé]* **3. a ~ of sg** vmnek a veleje/magva/lényege

thrust aside *tsi* félrelök, ellök, félredob, elvet *[vmt, vkt]*, visszautasít, eltaszít magától, elutasít

thrust away → **thrust aside**

thrust back *tsi* belök, becsap; ~ **back the door** belöki az ajtót

thrust down *tsi* lenyom *[székbe vkt]*, lelök, földre lök *[vkt, vmt]*

thrust off *tsi* ellök, félrelök, eltol, félretol

thrust on *tsi* előrehajt

thrust out *tsi* **1.** kidug, kilök *[vkt, vmt]*; ~ **out one's tongue** kiölti/kinyújtja a nyelvét **2.** ~ **out one's chest** kidülleszti a mellét, kihúzza magát

thruster ['θrʌstə ‖ −ər] *fn* **1.** *sp* jó/gyakorlott vívó **2.** *biz* törtető, akarnok, karrierista

thrustful ['θrʌstfl] *mn* erőszakos, tolakodó, agresszív, törtető

thruway ['θruːweɪ] *US* → **throughway**

thud [θʌd] **I.** *fn* tompa hang/puffanás, dobbanás, zuhanás tompa hangja **II.** *tni* **-dd-** tompa hangot ad, tompán verődik vmhez, puffan, huppan

thug [θʌg] *fn* **1.** *tört* ‹orgyilkos indiai szekta tagja›; thug **2.** *US biz* orgyilkos, gonosztevő, bandita, gengszter

thuggee ['θʌgi] *fn* **1.** *tört* a thug-szekta módszerei, thuggizmus **2.** *biz* orgyilkosság *[megfojtással]* • *fn* **thuggery**

thuja ['θjuːdʒə ‖ 'θuːdʒə] → **thuya**

thumb [θʌm] **I.** *fn* **a)** hüvelykujj *[kézen]*; **rule of ~** szemmérték; hozzávetőleges számítás, saccolás; gyakorlati életből vett (és nem tudományos hitelességű) szabály/elv; *biz* **his fingers are all ~s, all his fingers are ~s** kétbalkezes; **~s up** helyeslés; **~s down** elítélés, helytelenítés; **twirl one's ~s** malmozik; **under the ~ of sy** vknek az (elnyomó) uralma alatt **b)** első lábujj *[állaté]* **c)** hüvelykujjrész *[kesztyűé]* **II.** *tsi* **1. a)** lapozgat *[könyvben]* **b)** (újra meg) újra (el)olvas **c)** sok használattal megvisel/bepiszkít *[könyvet]* **2.** ügyetlenül kezel (vmt), ügyetlenül játszik *[hangszeren]* **3. a)** ~ **a lift** (v. *US* **ride**), ~ **it** (autó)stoppol **b)** (autó)stoppal megy/utazik

thumb through *tsi* átlapoz, átfut, végiglapoz *[könyvet, folyóiratot]*

thumber ['θʌmə ‖ −ər] *fn US* autóstoppal utazó, autóstopos

thumb index I. *fn* élregiszter, lépcsős ábécéregiszter *[szótárak stb. oldalába bevágva]* **II.** *tsi* **thumb-index** élregiszterrel lát el *[könyvet]* • *mn* **thumb-indexed**

thumbless ['θʌmləs] *fn* **1.** hüvelykujj nélküli **2.** esetlen, ügyetlen, kétbalkezes

thumbnail *fn* hüvelykujj körme; ~ **groove** körömrovátka *[zsebkésen]*

thumbnail representation *fn infor* kicsinyített kép/ábrázolás

thumbnail sketch *fn* **1.** kis rögtönzött vázlatrajz **2.** tömör/rövid leírás/jellemzés
thumbprint *fn* **1.** hüvelykujj nyoma *[könyvön stb.]*, ujjnyom **2.** hüvelykujj-lenyomat *[daktiloszkópiai]*
thumb pusher *fn US* autóstopos
thumb register → **thumb index**
thumb screw *fn* **1.** hüvelykszorító *[kínzóeszköz]* **2.** *műsz* szárnyas/füles csavar, pillangócsavar
thumbtack I. *fn US* rajzszeg **II.** *tsi* kirajzszögez
thump [θʌmp] **I. A.** *tsi* **1.** ütlegel, ököllel üt, öklöz (vkt), kalapál (vmt) **2. ~ at/on** ököllel ver vmit **B.** *tni* **1.** puffan, zuhan, tompán ütődik, dörömböl, dobog, kattog **2.** cammog(va jár) **II.** *fn* **1. a)** puffanás, huppanás **b)** (jókora) ütés, hátbavágás/oldalbavágás *[ököllel]* **2.** az ütés tompa hangja; puffanás, huppanás
thump out *tsi* kipötyögtet, lepötyög; **~ out a tune** kipötyögtet/lepötyög egy dallamot *[zongorán]*
thumper ['θʌmpə ‖ –ər] *fn* **1.** (ököllel) ütő/ütlegelő/csapkodó/vagdalózó személy **2.** *szl* fantasztikus/elképesztő/óriási dolog; *US* bődületes hazugság
thumping ['θʌmpɪŋ] **I.** *mn* **1.** (ököllel) ütő, öklöző, ütlegelő, csapkodó *[személy]*, dobogó, csapódó, ütődő *[hang, szerkezet stb.]* **2.** *biz* óriási, elképesztő, fantasztikus **II.** *fn* **1.** → **thump** II.1. **2.** *szl [verés]* zamek, hirig, agyabugya
thunder ['θʌndə ‖ –ər] **I.** *fn* **1. a)** mennydörgés, égzengés; **peal of ~** mennykőcsapás **b)** dörgő/harsogó hang/zaj, dördülés, robaj **c)** *US biz* **blood and ~** piff-puff regény **2. a)** *régi vál* villám **b)** *vál* villám(csapás); *biz* **steal sy's ~** megelőz vkt (ötlet megvalósításában stb.), ellopja vknek az ötletét **3.** *biz* **why in the name of ~ did you do it?** mi az ördögnek csináltad? **II. A.** *tsi* dörgedelmes hangon szól; *átv* mennydörög **B.** *tni* **1.** (menny)dörög **2.** dübörög **3.** dörög, dördül, bömböl, dörömböl • *mn* **thundery**
thunderball *fn* gömbvillám
thunderbolt *fn* **1.** villámcsapás, mennykőcsapás, *biz* tüzes istennyila **2.** *biz* megdöbbentő/lesújtó hír
thundercap *fn US* viharfelhő
thunder clap *fn* **1.** villámcsapás, mennykőcsapás, mennydörgés **2.** *biz* váratlan csapás, villámcsapás
thundercloud *fn* viharfelhő, zivatarfelhő
thunderhead *fn* viharfelhő
thundering ['θʌndərɪŋ] *mn* **1.** (menny)dörgő, dörgedelmes **2.** *biz* igen nagy, óriási, elképesztő, fantasztikus
thunderous ['θʌndərəs] *mn* **1.** viharos, fenyegető *[időjárás]* **2.** (menny)dörgő, dörgedelmes, harsogó *[hang]*, dörgő, viharos, falrengető *[taps]*
thunder rod *fn* villámhárító
thunder shower *fn* zivatar, égzengés, égiháború, felhőszakadás
thunderstorm *fn* égiháború, égzengés, zivatar
thunderstroke *fn* villámcsapás, villámsújtás
thunderstruck *mn biz* meghökkent, megdöbbent, elképedt, elámult, elhűlt
Thur. *röv Thursday* csütörtök, csüt.
thurible ['θjuərəbl ‖ 'θʊr–] *fn vall* tömjénfüstölő
thurifer ['θjuərɪfə ‖ 'θʊrɪfər] *fn vall* füstölőt tartó pap, tömjénező
Thuringia [θju:'rɪndʒɪə ‖ θu: –] *tul földr* Türingia
thurl [θɜ:l ‖ θɜrl] **A.** *tsi* átszúr, lyukaszt **B.** *tni* rezgést kelt, rezeg
Thurs. *röv Thursday* csütörtök, csüt.
Thursday ['θɜ:zdeɪ, –di ‖ 'θɜrz–] **I.** *fn* csütörtök; **Maundy ~, ~ in Holy Week, ~ before Easter** nagycsütörtök; **Holy ~** (i) áldozócsütörtök (ii) nagycsütörtök **II.** *hsz* **~(s)** csütörtökön, csütörtökönként; **on ~** csütörtökön; **on ~s** csütörtökönként, minden csütörtökön
thus [ðʌs] *hsz vál* **1.** így, ekképpen, ily módon, imigyen **2.** ennélfogva, így (te)hát, ennek következtében, ilyenformán, tehát **3. a) ~ far** eddig, addig; mindeddig, mindaddig **b) ~ much** annyi (és nem több)
thuya ['θju:jə ‖ 'θu: –] *fn növ* **a)** tuja(cserje), tujafa **b)** életfa, arbor vitae
thwaite [θweɪt] *fn* ‹művelhetővé tett vadon› erdőirtás
thwart [θwɔ:t ‖ θwɔrt] **I.** *tsi* keresztez, eláll *[utat]*, akadályoz, meghiúsít, halomra dönt *[tervet stb.]*, elgáncsol, kijátszik (vkt) **II.** *fn hajó* ülés *[evezőshajón]*, evezőspad, középső csónakülés **III.** *hsz/elölj* rézsút(osan), ferdén, keresztben
thwarting ['θwɔ:tɪŋ ‖ 'θwɔrtɪŋ] **I.** *mn* visszás, ellentmondó **II.** *fn* **1.** hajlítottság, csavarodás **2.** visszásság
thy [ðaɪ] *nm vál régi* -d, -od, -ad, -ed, -öd, -aid, -jaid, -eid, -jeid; **~ father and mother** atyád és anyád, atyátok és anyátok
thyme [taɪm] *fn növ* kakukkfű
thymus ['θaɪməs] *fn tsz* **-es**, **thymi** [–maɪ] *orv* **~ (gland)** csecsemőmirigy
thyroid ['θaɪrɔɪd] **I.** *mn orv* pajzsmirigy-; *orv* **~ gland** pajzsmirigy **II.** *fn orv* pajzsmirigy
thyself [ðaɪ'self] *nm vál régi* (te)magad, temagad(at)
ti [ti:] *fn zene* ti *[szolmizálásban]*
tiara [ti'ɑ:rə ‖ ti'ærə] *fn* **1. a)** perzsa/méd stb. föveg **b)** fejdísz *[ázsiai fejedelmeké]* **2. a)** pápai tiara/fejdísz **b)** pápai hatalom/méltóság **3.** ékszeres fejdísz *[női]*, diadém
Tiber ['taɪbə ‖ –ər] *tul földr* **the ~** Tiberis, Tevere
Tibet [tɪ'bet] *tul földr* Tibet • *mn/fn* **Tibetan**
tibia ['tɪbɪə] *fn tsz* **tibiae** [–bii:] *orv* sípcsont
tic [tɪk] *fn orv* arcrángás, arcizomvonaglás, arcrángatódzás; önkéntelen izomrángás, myoclonus
tick[1] [tɪk] **I.** *fn* **1. a)** tiktak, tiktakolás, ketyegés; *biz* **on the ~** óraütésre, percre pontosan, hajszálpontosan **b)** *biz* pillanat, szempillantás; **half a ~!** egy (fél)pillanatra! **2. a)** megjelölés *[jegyzékben tétel mellett]*, kipipálás, pipa; **put a ~ against/to a name** megjelöl/kipipál nevet **b)** pont, kis jel *[i betűn stb.]*, vonás, gondolatjel **3.** mintázat *[madár tollazatán]*, pettyesség, foltosság *[állat szőrén, prémen, kelmén stb.]* **II. A.** *tsi* megjelöl, kipipál **B.** *tni* ketyeg, tiktakol *[óra]*, kattog; **what makes him ~?** mi mozgatja/motiválja?
tick off *tsi* **1.** megjelöl, kipipál *[pl. nevet névsorban]* **2.** *biz* rendreutasít, összeszid (vkt), megmondja a magáét (vknek), megszid, lehord **3.** dühít, felmérgesít, felbosszant
tick over *tni* üresen jár *[gép stb.]*
tick[2] [tɪk] *fn tex* matrachuzat, párnahuzat, ciha
tick[3] [tɪk] *fn áll* kullancs; *áll US* **as full as a ~, as thick as ~s** tele, telistele, zsúfolva, tömve
tick[4] [tɪk] **I.** *fn biz* hitel; **buy sg on ~** hitelbe vesz vmt; hozomra vesz vmt **II. A.** *tsi biz* **~ a sum** felirat egy összeget *[saját* v. *vk számlájára]* **B.** *tni biz* **~ with sy** hitelt kap vknél, hitelben vásárol/vesz; ad/nyújt vknek, hitelben ad el
ticked [tɪkt] *mn* pettyes *[tollazat]*, foltos *[állat stb.]*
ticker ['tɪkə ‖ –ər] *fn* **1. a)** ketyegő, pötyögő, billegő *[szabályozó szerkezet órában]* **b)** *szl [óra]* ketyegő **c)** *szl [szív]* ketyegő, verő, ütő **2. a)** *biz* távírógép, távírókészülék **b)** szaggató (készülék) **c)** *US* árfolyamjelző készülék
ticker tape *fn US* **1.** távírógép/árfolyamjelzőgép papírszalagja **2.** szerpentin *[papírcsík mulatságon]*
ticker-tape parade *fn US* ‹hírességek szerpentindobálásos fogadtatása az amerikai nagyvárosokban›
ticket ['tɪkɪt] **I.** *fn* **1.** jegy *[színház-, villamos-, vasúti stb.]*; **cloakroom ~** ruhatári cédula/szám; **complimentary ~** tiszteletjegy; **excess ~** pótjegy; *GB* **single ~**, *US* **one way ~** odaútra érvényes jegy, egyszeri utazásra szóló jegy; *GB* **return ~**, *US* **round-trip ~** retúrjegy, oda-vissza jegy **2. a)** (ár)cédula, címke **b)** *pénz* leszámolójegy, szállítójegy *[értékpapíroké tőzsdén]* **c)** *US* helyszíni közlekedési bírság cédulája/csekkje, büntetőcédula; **get a ~** megbírságolják **3.** *kat hajó*; *biz* **get one's ~** véglegesen leszerelik **4. a)** *US pol* ‹egy párt képviselőjelöltjeinek névsora/listája› **b)** pártprogram; **write one's own ~** kedve szerint rendezkedik be (v. szervezi meg a dolgokat) **5.** *biz* **that's the ~!** helyes!, jól van!, megfelel!, ez már igen! **II.** *tsi*

a) címkét felragaszt, címkével/jelzőtáblával ellát, (meg)címkéz **b)** árcédulával ellát **c)** helyszínen megbírságol *[rendőr közlekedési vétségért]*
ticket agency *fn* jegyiroda *[színházi, közlekedési]*
ticket collector *fn* jegyszedő, kalauz *[vasúton, villamoson stb.]*
ticket-holder *fn* jegytulajdonos, akinek van jegye *[járművön, színházban stb.]*
ticket office *fn US* (vasúti) jegypénztár, menetjegyiroda
ticket-of-leave *fn GB jog tört* feltételes szabadlábra helyezés, szabadlábra helyezési határozat/okmány; **~ man** feltételesen szabadlábra helyezett elítélt
ticket-of-leaver *fn Ausz* feltételesen szabadlábra helyezett fegyenc
ticket punch *fn* jegylyukasztó *[eszköz]*
ticket scalper *fn US* jegyüzér
ticket stamping *mn vasút* **~ machine** jegybélyegző berendezés
ticket tout *fn GB* jegyüzér
tickety-boo [ˌtɪkəti'buː] *fn GB biz* oké, rendben, rendicsek
ticking ['tɪkɪŋ] *fn* **1.** tiktak, ketyegés **2.** megjelölés, ellenőrzés kipipálással, kipipálás **3.** *biz* dorgálás, feddés, megrovás
ticking-off *fn* kipipálás *[névsorban, jegyzéken]*; → **tick off**
tickle ['tɪkl] **I. A.** *tsi* **1.** (meg)csiklandoz, megbizserget, kellemesen izgat; **tickled pink** odavan *[a boldogságtól]* **2. a)** tetszik, örömet szerez (vknek), megörvendeztet (vkt); **~ one's palate** ínyét csiklandozza *[étel stb.]*; **~ the palm of sy** *biz* borravalót ad vknek, megken vkt **b)** *biz* nevetésre ingerel, megnevettet, mulattat, szórakoztat **c)** *szl* **~ one's pickle** *[maszturbál]* magához nyúl **B.** *tni* **a)** viszket, csiklandoz, bizsereg **b)** ingerel **II.** *fn* csiklandozás
tickle up *tsi biz* felizgat, izgalomba hoz (vkt), felkelt, feléleszt *[érdeklődést stb.]*
tickler ['tɪkl·ə ‖ –ər] *fn* **a)** nehéz/nagy kérdés/probléma **b)** kényes ügy/téma, csiklandós dolog
ticklish ['tɪkl·ɪʃ] *mn* **1.** csiklandós **2. a)** érzékeny, ingerlékeny, könnyen sértődő *[személy]* **b)** kényes, nehéz, bizonytalan (kimenetelű), csiklandós *[ügy stb.]*
tickmark *tsi* megjelöl, kipipál
tick-tack ['tɪktæk] **I.** *fn* tiktak, ketyegés *[óráé]* **II.** *tni* tiktakol, ketyeg *[óra]*
tick-tack-toe [ˌtɪktæk'toʊ] *fn US* amőba *[játék kockás papíron]*
tick-tock ['tɪktɒk ‖ –tɑk] → **tick-tack**
tic-tac → **tick-tack**
tidal ['taɪdl] *mn* apályra-dagályra vonatkozó, árapályos, apály-, dagály-; *közl* **~ flow** lökésszerű forgalom(növekedés); **~ fluctuation** árapállyal összefüggő vízszintingadozás; **~ power plant** árapályerőmű
tidal river *fn* tölcsértorkolatú folyó *[melyben a dagály és apály érezhető]*
tidal wave *fn* **1.** szökőár **2.** *átv* nagy érzelmi hullám/megnyilvánulás, mindent elsöprő érzelmi áradat/érzelemnyilvánítás
tid-bit *US* → **tit-bit**
tiddler ['tɪdl·ə ‖ –ər] *fn* **1.** *GB áll biz* tüskés pikó **2.** picinyke jószág, aprócska termet *[ember]* **3.** *biz* félpennys (érme) *[1/2 p]*
tiddly[1] ['tɪdl·i] *mn biz* pici(ke), ici-pici, aprócska
tiddly[2] ['tɪdl·i] *mn biz* pityókás, becsípett, becsiccsentett
tide [taɪd] **I.** *fn* **1.** árapály; **high/rising ~** dagály; ár; **low ~** apály; mélypont; **the ~ comes in** kezdődik a dagály, árad; **the ~ is out** apály van, beállt az apály; *átv* **turn of the ~** a szerencse megfordulása; *átv* **take the ~ at the flood** üstökön ragadja a szerencsét; *átv* **go against the ~** ár ellen úszik; *átv* **go with the ~** úszik az árral; *átv* **the ~ has set in our favour** kedvező szelek fújnak, eljött a mi időnk **2.** folyás, folyamat, áradat, irány(zat), menet *[eseményeké, ügyeké stb.]*; **the ~ of battle turned** a csata sorsa megfordult; **turn the ~** megfordítja a dolgok menetét/az események folyását **II. A.** *tsi* visz *[vmt az ár]* **B.** *tni hajó* az árral úszik • *mn* **tideless**
tide over *tsi* legyőz, leküzd, elhárít *[nehézséget]*, átvészel *[megpróbáltatást]*, átvergődik *[akadályon stb.]*
tideland *fn US* dagály által elöntött terület
tidemark *fn* **1.** a dagály határvonala/nyoma **2.** dagálymérő *[műszer]* **3.** *GB biz* koszcsík *[fürdőkád belsejében]*
tide-rips *fn tsz* ‹hullámok összecsapásából eredő hullámtarajok›
tide table *fn hajó* árapály-táblázat *[mely az apály és a dagály előjelzésére szolgál]*
tidewaiter *fn* **1.** *régi* kikötői vámtiszt **2.** *biz* az árral úszó, megalkuvó, opportunista
tidewater *fn* **1.** dagály(víz), dagálykor a partra kerülő víz **2.** *US* árapálynak kitett vízterület
tideway *fn* **1.** ‹vízi út, amelynek apálya-dagálya van› **2.** ‹dagály vízének áramlása csatornában› **3.** vízvezető csatorna
tidings ['taɪdɪŋz] *fn tsz régi* hír, újság, tudósítás
tidy ['taɪdi] **I.** *mn* **1. a)** rendes, rendbe hozott *[szoba stb.]*, rendben tartott, rendes, csinos, takaros *[öltözet]* **b)** rendes, rendszerető, csinos, takaros, gondos *[személy]* **2. a)** *biz* elég jó, elfogadható, tűrhető **b)** *biz* tekintélyes, tetemes, csinos *[összeg, vagyon]*; *biz* **a ~ sum** csinos/szép kis összeg **II.** *fn* **1.** kosárka *[a zsebbeli holmik kirakására]* **2.** *US* díszes védőhuzat/szőnyegecske *[szék támláján]*, bútorvédő **3. street ~** utcai szemétláda **4.** lefolyószűrő **III. A.** *tsi* **~ (up)** elrendez, rendbe hoz/rak/tesz, rendet csinál; (ki)takarít **B.** *tni* **~ up** rendet csinál, takarít • *fn* **tidiness** *hsz* **tidily**
tie [taɪ] **I.** *fn* **1.** kötelék, kötél, (kötöző)zsineg, kötözőszalag **2. a)** kötés, csomó, csokor **b)** nyakkendő; **fur ~** boa, szőrmegallér **c)** cipőfűző **d)** *US* fűzős félcipő **3.** *US vasút* talpfa, talpgerenda **4.** *zene* kötés, kötőjel, ív *[kottán]* **5.** *átv* kötelék, kapcsolat; **his family ~s** családi kötelékei/kapcsolatai **6.** lekötöttség, megkötöttség, függő helyzet, (erkölcsi) kötelezettség **7. a)** *sp* döntetlen, holtverseny; **end in a ~** döntetlenre végződik; **play off a ~** újrajátszik egy döntetlen mérkőzést **b)** *pol* **the election ended in a ~** a választás holtversenyben végződött **8.** *sp GB* bajnoki mérkőzés, kupamérkőzés **II. tying A.** *tsi* **1. a)** (meg)köt, odaköt, összeköt(öz), beköt, átköt *[zsineggel, kötéllel stb.]* **b)** (össze)köt, megköt *[csomót, nyakkendőt stb.]*, befűz *[cipőt]*, csomót/csomóba köt **2.** megerősít, odaerősít, rögzít **3.** *átv* leköt, lefoglal *[időt, figyelmet stb.]*, megköt, akadályoz *[vkt cselekvési szabadságában stb.]*; **be ~d and bound** meg van kötve keze-lába; *átv biz* meg van kötve a keze *[nincs cselekvési szabadsága]* **4.** *átv* összeköt, összefűz, összekapcsol (vkvel) **B.** *tni* **1.** megkötődik, odakötődik, csomóba/csokorba kötődik, befűződik *[szalag stb.]* **2.** *sp* döntetlent ér el, holtversenyben végez; **~ for first place** holtversenyben első
tie down *tsi* **1.** leköt(öz), leszorít, rögzít **2.** megköt, feltételekhez köt, korlátok közé szorít
tie in *tsi* **1.** *vill* beköt *[vezetékbe stb.]* **2.** *átv* beilleszt, beágyaz, beszúr
tie on *tsi* **1.** ráköt(öz), odaköt, odaerősít **2.** *US szl* **~ one on** *[berúg]* bepiál, piás/mátó/mák lesz; → **tie-on**
tie up A. *tsi* **1. a)** felköt, beköt, összekötöz, átköt, becsomagol **b)** beburkol, bepólyáz **c) ~ oneself up in(to) knots** lehetetlen helyzetbe hozza magát; **get ~d up** összezavarodik **2.** kiköt *[állatot stb.]* **3.** *kert* kötöz *[venyigét]* **4.** összefűz *[könyvet]* **5.** *biz* összeházasít, összead; **get ~d up** összeházasodik; *tréf* bekötik a fejét **6.** *gazd* befektet *[pénzt vmbe]*, leköt **7. a)** korlátoz (vkt cselekvési szabadságában stb.), korlátok közé szorít (vkt), feltételeket szab (vknek) **b) I'm ~d up next week** a jövő héten el vagyok foglalva **8.** *US biz* megakaszt, megakadályoz *[forgalmat stb.]*, megbénít *[közlekedést]* **B.** *tni US* **~ up with sy** szoros kapcsolatban/összeköttetésben van vkvel; társul vkvel; → **tie-up**

tie-back *fn* függönytartó kötél/zsinór
tie-beam *fn épít* kötőgerenda, hidalógerenda, főtartó
tie-break(er) *fn* **1.** döntő kérdés *[vetélkedőn]* **2.** *sp* rövidített játék *[teniszben]*
tie-clip *fn* nyakkendőcsiptető
tied [taɪd] *mn* **1. a)** (meg)kötött, odakötött, összekötözött, átkötött, csomóba/hurokba/csokorba kötött **b)** *zene* ~ **notes** kötött hangok/hangjegyek **c)** *átv* összekötött, összefűzött, összekapcsolt (vkvel) **2.** megerősített, odaerősített, rögzített **3.** *átv* lekötött, lefoglalt *[idő, figyelem stb.]*, megkötött, akadályozott *[tevékenységében stb.]*
tie-in *fn* **1.** *gazd* kapcsolódó reklám/hirdetés **2.** *US gazd* kapcsolt áru; ~ **(sale)** árukapcsolás, kapcsolt eladás **3.** *biz* rejtett összefüggés/szálak, titkos kapcsolat
tie line *távk* közvetlen vonal
tiepin *fn* nyakkendőtű
tier [ˈtaɪə ‖ –ər] *fn* **1.** sor *[elrendezett tárgyaké]*, üléssor, polcsor; *szính* **first** ~ **box** első emeleti páholy **2.** réteg **3.** kategória, osztály
tierce [tɪəs ‖ tɪrs] *fn* **a)** *ját* terc **b)** *sp* tercvágás *[vívásban]*
tierced [tɪəst ‖ tɪrst] *mn cím* harmadolt
tiered [tɪəd ‖ tɪrd] *mn* emeletes, lépcsőzetes
tie-rod *fn* **1.** *épít* falkötővas **2.** *gk* kormányösszekötő (rúd)
tie shoes *fn tsz* fűzős cipő
tie strap *fn* kötőfék
tie-up *fn* **1.** szalag, zsinór, kötél **2. a)** *US* megakadályozás, leállítás *[munkáé, közlekedésé stb.]* **b)** holtpont, megszakadás *[tárgyalásoké]* **c)** forgalomzavar, forgalmi dugó, fennakadás **d)** zsákutca, megoldhatatlan kérdés/probléma **3.** *sp biz* kiütés *[ökölvívásban]* **4.** *gazd* társulás, egyesülés
tiff [tɪf] **I.** *fn* összezördülés, összetűzés, perpatvar *[szerelmesek között]* **II.** *tni* rossz kedve van, duzzog, neheztel, haragban van (vkvel)
tiffany [ˈtɪfəni] *fn* **a)** *tex* fátyolszövet, selyemgézszövet, muszlin **b)** selyemszita
tiffle [ˈtɪfl] *tni* **a)** pepecsel, piszmog **b)** lebzsel, haszontalanságokkal tölti idejét
tig [tɪg] **I.** *fn* fogócskajáték; **play** ~ fogócskát játszik **II.** *tsi* **-gg- 1.** fogócskában megérint/megfog (vkt) **2.** *Ausz szl* megvág *[vkt pénzkölcsönnel]* **3.** *skót* ~ **with sg** babrál vmvel, piszkál vmt
tiger [ˈtaɪgə ‖ –ər] *fn* **1.** tigris; **American** ~ jaguár; **red** ~ puma **2. a)** vérszomjas ember **b)** erős/veszedelmes ellenfél *[játékban, sportban]* **c)** rendkívül energikus személy **3.** *szl* **be a** ~ **for sg** lelkesedik, megőrül vmért **4.** *GB* kisinas, lovászfiú • *mn* **tigerish**
tiger-cat *fn áll* párducmacska, ocelot
tiger lily *fn* tigrisliliom, tűzliliom
tiger shark *fn* tigriscápa
tight [taɪt] **I.** *mn* **1.** szoros *[pl. csomó]*, tömör, szilárd **2. a)** átjárhatatlan *[víz, levegő stb. számára]*, vízálló, vízhatlan, légmentes **b)** **her throat was** ~ **with fear** félelmében elszorult a torka **3.** csinos, takaros, rendes, helyes **4.** feszes, kifeszített, erősen meghúzott; *tex* ~ **stitch** sűrű/feszes kötés; *rep* ~ **turn** éles forduló; *biz* **keep a** ~ **hand/hold over sy** kurta/rövid pórázon tart vkt **5. a)** feszes, feszülő, tapadó, testhez álló, szoros, szűk **b)** nehezen kezelhető/megoldható *[kérdés]*, terhes *[feladat]*, szorult, súlyos, nyomasztó *[helyzet stb.]*; ~ **bargain** kemény alku; ~ **control** szigorú ellenőrzés **c)** *sp* szoros *[küzdelem]* **d)** *biz* **be in a** ~ **corner** kutyaszorítóban van **6. a)** nehezen megszerezhető *[pénzösszeg]*, nehezen beszerezhető/kapható *[áru]*, szűkös *[anyagi helyzet]*, pénzszűkében levő *[ember]*; **money is** ~ pénzszűke van **b)** *US biz* szűkmarkú, fukar, fösvény, zsugori **7.** *szl [ittas]* kapatos, spicces; *szl* **get** ~ *[sokat iszik]* becsíp, leissza magát; **as** ~ **as a fiddler** felöntött a garatra, tökrészeg **8.** *műv* kicsinyes *[művészi felfogás stb.]* **II.** *hsz* **1.** szorosan, légmentesen, hermetikusan *[zár stb.]* **2. a)** erősen, szorosan; **hold sg** ~ erősen/szorosan fog vmt; **sit** ~ → **sit** II.B.1. **b)** szorosan, feszesen, szűken • *fn* **tightness** *hsz* **tightly**
tight-assed *mn [szorongó, gátlásos]* beszari
tighten [ˈtaɪtn] **A.** *tsi* megszűkít, megszorít, összeszorít, szorosabbá tesz, meghúz, megfeszít; *biz* ~ **one's belt another hole** egy lyukkal beljebb húzza a nadrágszíjat, összébb húzódzkodik, (még) szerényebben él **B.** *tni* összeszorul, összeszűkül, összehúzódik, (ki)feszül, feszesebbé/szorosabbá válik
tightener [ˈtaɪtn·ə] *fn szl [nagy evészet]* zabálás
tight-fisted *mn biz* szűkmarkú, garasos, fukar, zsugori, fösvény
tight-fitting *mn* **1.** feszes, szűk, testhez álló *[ruha]* **2. a)** szilárdan álló **b)** szorosan záródó
tight-knit *mn* **1.** szorosan összetartozó/összefüggő **2.** feszes, testhezálló *[ruha]*
tight-lipped *mn* **1.** összeszorított ajkú **2.** szófukar, szűkszavú, hallgatag
tightrope *fn* kifeszített kötél
tightrope act kötéltáncos-mutatvány
tightrope walker *fn* kötéltáncos
tights [taɪts] *fn tsz* **1.** *GB* harisnyanadrág **2.** *szính* harisnyanadrág, trikó *[táncosoké]* **3.** *régi* feszes nadrág
tightwad *fn US szl [zsugori, fösvény ember]* skót, sóher
tigon [ˈtaɪgən] *fn áll* ‹tigris apa és oroszlán anya kölyke/ivadéka›
tigress [ˈtaɪgrɪs] *fn* nősténytigris
tigrine [ˈtaɪgriːn] *mn* **1.** tigrishez hasonló, tigrisszerű, csíkos, sávos *[bőr stb.]* **2.** vad, vérengző, kegyetlen
tiki [ˈtiːki] *fn tsz* **tikis** tiki *[új-zélandi faragott figura]*
til [tɪl] *fn növ* szézámfű
tilbury [ˈtɪlbəri ‖ –beri] *fn* ‹kétkerekű könnyű magas fedetlen hajtókocsi› tilburi(kocsi)
Tilda [ˈtɪldə] *tul* **1.** Matild **2.** *Ausz szl* csavargó cucca
tilde [ˈtɪldə] *fn* **1.** tilde *[spanyolban és portugálban némely betű felett és szótárakban címszavak helyett álló jel]* **2.** *nyelv* ‹fonetikai átírásban az orrhangúság jele›
tile [taɪl] **I.** *fn* **1.** csempe, burkolólap, padlólap, mozaiklap **2.** zsindely, (tető)cserép; *szl* **have a** ~ **loose** *[őrült]* hibbant, nincs ki a négy kereke; *GB biz* **on the** ~**s** ivászat, kocsmázás, kicsapongás, görbe este **3.** agyagcső **4.** *biz* kalap, cilinder **5.** (játék)zseton *[gyermek-társasjátékban]* **6.** *infor* mozaik-elrendezés **II.** *tsi* **1.** kőlapokkal/csempével burkol/fed/kirak, csempéz *[padlót, falat stb.]* **2.** cseréppel fed *[tetőt]* • *mn* **tiled**
tile lining *fn* csempeburkolat
tiler [ˈtaɪlə ‖ –ər] *fn* **1.** tetőfedő, cserepező, cserepes **2.** cserépégető kemence **3.** csempéző/csemperakó/padlórakó munkás **4.** szabadkőműves-páholy portása
tile roofing *fn* **a)** cserépfedés **b)** cseréptető
tiling [ˈtaɪlɪŋ] *fn* **1.** cseréppel fedés, cserepezés, zsindelyezés **2.** tetőcserép, cserépfedél, zsindelyfedél **3.** burkolás/kirakás csempével/kőlapokkal, (padló)burkolás (csempelapokkal/kőlapokkal), csempézés **4. a)** csempe, kőlap **b)** csempeburkolat
till[1] [tɪl] *fn geol* (agyagból), homokból, kavicsból és kövekből álló rétegezetlen glaciális hordalék, agyaggörgeteg
till[2] [tɪl] *fn* bolti pénztár(fiók), kassza(fiók)
till[3] [tɪl] **I.** *elölj* -ig (időben) **II.** *ksz* (a)míg, ameddig
till[4] [tɪl] *tsi* (fel)szánt, (meg)művel, megmunkál *[földet]* • *mn* **tillable**
tillage [ˈtɪlɪdʒ] *fn* **1.** (meg)művelés, megmunkálás, (fel)szántás *[földé]*, földművelés **2.** megmunkált/művelt/felszántott föld, szántóföld
tiller[1] [ˈtɪlə ‖ –ər] *fn mezőg* földművelő, földműves, szántóvető
tiller[2] [ˈtɪlə ‖ –ər] *fn* **1.** *hajó* kormánykar, kormányrúd, kormányjárom **2.** (ásó)nyél, markolatos rúd, markolatrúd, emelőkar
tiller[3] [ˈtɪlə ‖ –ər] **I.** *fn növ* oldalszár, tőhajtás, fattyúhajtás, gyökérsarj **II.** *tni növ* tőhajtást ereszt, tőből/gyökérből hajt, bokrosodik *[gabonaféle stb.]*
tilling [ˈtɪlɪŋ] *fn* **1.** megművelés *[földé]*, talajművelés, szántás; ~ **machines** talajmegmunkáló gépek **2.** felszántott föld

tilt[1] [tɪlt] **I. A.** *tsi* **1. a)** (meg)billent, dönt, megdönt **b)** felbillent, felborít, kiborít, kidönt **2. a)** nekiszegez *[lándzsát]* **b)** nekiront (vknek), odamond(ogat) (vknek) **B.** *tni* **1.** billen, billeg, inog, himbálódzik **2.** hajlik, lejt, dől **3.** lándzsával vív, viaskodik, megküzd (vkvel) **II.** *fn* **1. a)** billenés, dőlés, hajlás, lejtés, lejtősség, lejtő, rézsű **b)** billentés, döntés **2. a)** harcjáték *[lándzsával]*, bajvívás **b)** döfés, szúrás *[lándzsával]*; *biz* **have a ~ at sy** odamond(ogat) vknek **c) (at) full ~** teljes sebességgel, vágtában, lóhalálában • *fn* **tilter**

tilt over *tni* **~ over** átbillen, áthajlik, átdől; feldől, felborul

tilt[2] [tɪlt] **I.** *fn* ponyvafedél, ponyvatető *[járművön]*, kocsiernyő, kocsiponyva, kirakatponyva, kapuernyő **II.** *tsi* ernyővel/ponyvával befed/beborít/betakar, ponyvatetővel ellát *[járművet]*

tilted [ˈtɪltɪd] *mn* hajlított, döntött, ferde, lejtős; **~ iron** kovácsolt vas

tilth [tɪlθ] *fn mezőg* **1.** földművelés, talajművelés, szántás **2. a)** művelt föld/terület, szántott talajréteg **b)** termőföld, termőréteg, magágy

tilt-hammer *fn fémip* gőzkalapács

tilting [ˈtɪltɪŋ] **I.** *mn* **1.** hajlított, billentett, döntött, ferde, lejtős; *geol* **~ strata** ferde réteg **2. a)** hajlítható, lehajtható, (meg)dönthető, billenthető; **~ device** billentőszerkezet; **~ seat** felhajtható ülés **b)** ingó, billegő, billenő, lengő *[mozgás stb.]* **II.** *fn* **1.** (meg)hajlás, dőlés, ferdén állás, lejtés, lejtő(sség), buktatás, kiborítás **2.** billenés, billegés, lengés, ingás, himbálás, himbálódzás **3.** lándzsás lovagi torna, harcjáték, bajvívás

tilt-yard *fn* bajvívótér, küzdőtér

Tim [tɪm] *tul* **1.** *biz* ‹*Timothy* férfinév becéző formája› **2.** *biz GB* időjelzés *[telefonon]*

timbal [ˈtɪmbl] *fn zene* üstdob

timber [ˈtɪmbə ‖ –ər] **I.** *fn* **1.** fa, faanyag, épületfa, szerfa, hasított fa, fűrészáru; **building ~** épületfa **2. a)** fa *[élő]*; **standing ~** lábon álló fa; **cut down ~, fell ~** fát kivág **b)** *US* erdő *[mint faanyag]* **3.** szálfa, gerenda **4.** *tsz* **timbers** *szl* faláb *[művégtag]* **5.** *US biz* jó fából faragott ember ‹vmlyen magas állásra alkalmas személy›; **presidential ~** lehetséges elnök(jelölt) **II. A.** *tsi épít* fával burkol/bélel/erősít, dúcol, (kereszt)gerendát rak (vhová), (össze)ácsol **B.** *tni* fát kivág/szed • *fn* **timbering**

timbered [ˈtɪmbəd ‖ –ərd] *mn* **1.** fából levő/készült, fa-, gerendával épített, dúcolt **2. a)** befásított, fás *[terület]* **b)** *US* erdős

timberland *fn US* erdővidék *[mely épületfának való kitermelésre alkalmas]*

timberline *fn US* (felső) erdőhatár *[hegyen]*

timberman *fn tsz* **-men 1. a)** *épít* épületács **b)** *bány* bányaácс, ácsolóvájár **2.** farakodó munkás

timber raft *fn* úsztatott fa, tutaj

timber tree *fn* **1.** szálfa **2.** haszonfa *[élő]*

timberwork *fn* **1.** faépítmény, faszerkezet; **~ bridge** fahíd **2.** ácsmunka, ácsozat; fedélgerendázat

timber-yard *fn* épületfa-telep, faraktár, ácstelep

timbre [ˈtæmbə ‖ –ər] *fn* **1.** csengés, hangzás, árnyalat *[hangé]*, hangszín **2.** *nyelv* hangtörzs

timbrel [ˈtɪmbrəl] *fn* tamburin, kézi dob *[régi héber hangszer]*

time [taɪm] *tsz* **times I.** *fn* **1.** idő; **~ goes by** múlik az idő; **~ will show/tell** majd meglátjuk, majd elválik; **~ is money** az idő pénz; **kill the ~** elüti/agyoncsapja az időt; **race against ~** versenyfutás az idővel **2.** idő *[időtartam]*; **work of ~** hosszú ideig tartó (v. hosszú lélegzetű) munka; **there is no ~ to lose** nincs veszteni való idő(nk); **it takes ~** időt vesz igénybe, időbe kerül, ehhez idő kell; **take one's ~ over sg** lassan/kényelmesen csinál vmt, nem siet vmvel; **take your ~!** nem kell elsietni/sietni; **serve one's ~** leszolgálja/kiszolgálja az idejét *[katona]*; inaséveit tölti, inaskodik; *biz* **do one's ~** kitölti/leüli büntetését, büntetését tölti; **play for ~** húzza az időt, időt akar nyerni; **run out of ~** kifut az időből; **in no ~** igen rövid idő alatt, pillanatok alatt **3.** idő *[időpont]*; *vasút* **~ schedule** menetrend; **~'s up!** lejárt az idő!; **~, gentlemen, please!** uraim, záróra/zárunk!; **it is ~ to go home, it is ~ we went** ideje már hazamenni, itt az ideje, hogy hazamenjünk; **it is high ~** legfőbb ideje; **it is more than ~ to start, it is high ~ to start** legfőbb ideje, hogy induljunk; **some ~ or other** egyszer/valamikor majd; **some other ~** (valamikor) máskor; **some ~ next month** a jövő hónap folyamán; **this ~ next year** jövő ilyenkor; **next ~** legközelebb; **another ~** máskor, más alkalommal; **~ and again, ~ after ~** újra meg újra, ismételten, nem is egyszer, minduntalan; **choose one's ~** akkor (tesz vmt), amikor akar; **she is near her ~** rövidesen szülni fog; *biz* **and about ~ too!** legfőbb ideje!; **at ~s** néha, időnként, olykor; **at all ~s** mindenkor, bármikor; **at no ~** soha, semmikor; **one at a ~** egyszerre csak egy(et); **do two things at a ~** egyszerre két dolgot csinál; **at the same ~ you must not forget** ugyanakkor azonban nem szabad elfelejtened; **at other ~s** máskor, más esetekben; **by that ~** addigra; **for the first ~** először; **for the ~ being** ez idő szerint, jelenleg, egyelőre; **from that ~** attól (az időtől) kezdve/fogva; **from ~ to ~** időről időre, időnként; **in due ~** kellő időben, jókor; **come ~ enough** idejében/jókor jön, elég korán jön **4.** megfelelő idő, alkalom; **every ~** minden alkalommal; **this ~** ezúttal, most; **be before (one's) ~** korán érkezik; **be behind (one's) ~** (el)késik; **in ~** jókor, időben, idejében; idővel; **just in ~** éppen jókor; **on ~** pontosan; **(be) out of ~** időszerűtlen, nem időszerű/aktuális; késő(n), elkésett; kiesett a ritmusból, nincs ritmusban **5.** szabad idő; **find ~ for sg, make ~ to do sg** időt talál (v. ráér) vm elvégzésére **6.** időtöltés, időzés; **have a good ~!** érezd jól magad!, jó mulatást!; **have the ~ of one's life** ragyogóan érzi magát, még soha ilyen jól nem érezte magát **7. a)** időszámítás, időmérés; **Greenwich Mean T~** greenwichi középidő; **Central European T~** közép-európai időszámítás; **Daylight Saving T~** nyári időszámítás; **local ~** helyi idő; **official ~** hivatalos idő, mért idő; **sidereal ~** csillagászati idő; *sp* **keep the ~** időt mér *[versenyórával]* **b) what is the ~?, what ~ is it?** hány óra van?, mennyi az idő?; *GB* **what ~ do you make it?**, *US* **what ~ do you have?** önnél/nálad mennyi az idő?; *GB* **have you got the ~?**, *US* **do you have the ~?** meg tudná mondani, mennyi az idő? **c)** *GB* **tell the ~**, *US* **tell ~** ismeri az órát *[gyerek]* **d) ~ of day** nappal; *biz* **know the ~ of day** tájékozott, ravasz, agyafúrt; tudja hány óra **8. ~ (of the year)** évszak, idény **9. a)** idő, kor, korszak; *GB* **hard ~s**, *US* **tough ~s** nehéz idők; **the ~s we live in** a kor, amelyben élünk; **as ~s go** amilyen időket élünk, a mai korban; **~ out of mind** időtlen idők óta; **from ~ immemorial** emberemlékezet óta; *közm* **other ~s other manners** más idők, más erkölcsök; **at the ~** akkor; **at one ~** hajdan, valamikor; **at my ~ of life/day** az én koromban; mikor az ember ennyi idős; **behind the ~s** elmaradt, korszerűtlen; **in my ~** az én időmben; **in ~s to come** a jövőben, az eljövendő időkben; **be ahead of one's ~(s)** megelőzi korát; **once upon a ~** egyszer volt, hol nem volt **b)** *geol* **~ (range)** kor, korszak; időszak **10. a) times** *[kettőtől fölfelé]* -szor, -szer, -ször; **three ~s** háromszor **b) run upstairs three at a ~** hármasával veszi a lépcsőket felfelé; **many a ~, many ~s, a lot of ~s** sokszor, gyakran; **many ~s as large** sokszor/sokkalta nagyobb **c)** *US* **one more ~** még egyszer **11.** munkaidő; **full ~** teljes (v. egész napos) munkaidő; **be paid by ~** órabérben fizetik **12.** *zene* **a)** időmérték, tempó **b)** ütem, taktus; **beat ~** taktust üt, ütemez; **be/fall out of ~** elvéti az ütemet **13. leisure ~, free ~,** *GB* **spare ~** szabadidő; **leisure ~ activities** szabadidős tevékenységek **II. A.** *tsi* **1.** időt kiszámít, idejét méri vmnek **2. a)** időt megállapít/meghatároz/jelez (vmre), időzít, vmt időre kitűz **b)** beállít *[órát stb.]* **3.** időt beoszt, ütemez **4.** *film* szinkronizál **B.** *tni* **1.** megegyezik vmvel (időben) **2.** időt jelez **3.** taktust üt, ütemez

time bomb *fn átv* időzített bomba

T

time capsule ‹a jövő számára félretett, korunk jellegzetességeit megőrző lezárt konténer›
time chart, **time-chart** *fn* **1.** világóra **2.** időrendi tábla/táblázat
time check *fn* időellenőrzés
time-clause *fn nyelv* időhatározói mellékmondat
time clock *fn ip* bélyegzőóra, blokkolóóra
timecode *fn infor* időkód, időkódolás
time-consuming *mn* időigényes
time curve *fn* időgrafikon
timed [taɪmd] *mn* ütemezett, időzített
time delay *fn el* késleltetés;
time deposit *fn pénz* lekötött betét, meghatározott időre szóló betét
time exposure *fn fényk* időfelvétel
time factor *fn* időtényező
time frame *fn* időkeret, megadott idő;; **within a ~** bizonyos időn belül
time fuse *fn* **a)** *bány* időzített gyújtózsinór **b)** *vill* késleltetett/lomha biztosíték
time-honoured *mn* hagyományos, patinás, jóhírű *[iskola, intézmény]*
time immemorial *fn* emberemlékezet előtti idő
timekeeper *fn* **1. a)** időmérő, kronométer, metronóm, óra **b)** pontos ember **2.** munkaidő-ellenőr **3.** *sp* időmérő *[személy]*
time killer *fn* **1.** puszta időtöltés *[olvasmány, film, szórakozás, amivel el lehet ütni az időt]* **2.** időmilliomos
time lag *fn* időkülönbség, időeltolódás *[két egymást követő esemény között]*, fáziskésés, fáziseltolódás
time-lapse *mn fényk film* gyorsított *[felvétel]*
timeless [ˈtaɪmləs] *mn* **1.** időtlen, végtelen **2.** *régi* időszerűtlen, korszerűtlen **3.** kortalan, örökifjú
time limit *fn* **1.** határidő, időhatár **2.** időtartam, érvény *[kívánságé stb.]*
time lock *fn* időzített zár
timely [ˈtaɪmli] **I.** *mn* időszerű, alkalmas/kellő időben történő, jól időzített, aktuális; **~ help** kellő időben érkező segítség; **~ remark** jókor jött megjegyzés **II.** *hsz* időszerűen, alkalomszerűen, alkalmas/kellő időben, jókor • *fn* **timeliness**
time money *fn pénz* határidős kölcsön
time off *fn rep* szabadság
time-out *fn* **1.** *biz* munkaszünet, szabadság, kikapcsolódás **2.** *sp US* **a)** szünet *[mérkőzésben]* **b)** időkérés, holtidő
time payment *fn* részletfizetés
timepiece *fn* **1.** *hiv* időmérő(készülék) *[azaz óra]* **2.** kronométer
time policy *fn pénz* határidős biztosítási kötvény
time pressure *fn* időzavar *[sakkban]*
timer [ˈtaɪmə ‖ –ər] *fn* **1.** időmérő *[ember* v. *készülék]* **2.** *gk* gyújtásszabályozó **3.** *műsz* időkapcsoló **4.** stopper(óra) **5.** *el* **~ circuit** időzítő áramkör **6.** *ip* ellenőrzőóra
time race *fn sp* időfutam
timesaving *mn* időt megtakarító, időkímélő
timescale *fn* időbeosztás, időskála
time-server *fn* minden rendszerhez alkalmazkodó, köpönyegforgató, megalkuvó, helyezkedő, opportunista • *fn* **time-serving**
timeshare *fn fn* közös tulajdonú üdülő *[melyet a tulajdonosok időarányosan használnak]*
time-sharing *fn* **1.** ‹közös tulajdonú üdülő időarányos használata› **2.** *infor* időosztás *[egy központi számítógép több terminál által való egyidejű használata]*
time sheet *fn ip* munkaidő-kimutatás
time signal *fn* pontos időjelzés *[rádióban]*
time signature *fn zene* ütemjelzés *[ütemet jelző tört]*
time span *fn* időköz
time switch *fn vill* időkapcsoló
timetable **I.** *fn* **1.** *vasút* menetrend **2.** *GB* **a)** napi időbeosztás **b)** *okt* órarend **II.** *tsi GB* **1.** órára beosztja/megtervezi a napot **2.** *okt* órarendet készít
time-tested *mn* kipróbált, jól bevált
time travel *fn* időutazás, utazás az időben
time-wasting *mn* időpocsékolás
time-worn *mn* **1.** időmarta, ócska, régi, elnyűtt, elhasznált **2.** tiszteletre méltó régiségű
time zone *fn földr* időzóna
timid [ˈtɪmɪd] *mn* félénk, bátortalan, gyáva, szégyenlős *[ember]*, félénk, elfutó *[állat]*; **as ~ as a rabbit/hare** gyáva, mint a nyúl • *fn* **timidity**, **timidness**
timing [ˈtaɪmɪŋ] *fn* **1. a)** időmegállapítás, ütemezés, időzítés **b)** *sp* (pontos) időmérés, mérés versenyórával/stoperrel **2.** *műsz* szerkezet működésének összehangolása **3.** *film* szinkronizálás
timocracy [taɪˈmɒkrəsi ‖ –ˈmɑ–] *fn* vagyonosok uralma, timokrácia • *mn* **timocratic**
timorous [ˈtɪmərəs] *mn* félénk, ijedős, bátortalan, gyáva • *fn* **timorousness**
Timothy [ˈtɪməθi] *tul* ‹férfinév›
timpani [ˈtɪmpəni] *tsz* **timpani** *zene* üstdob(ok) • *fn* **timpanist**
tin [tɪn] **I.** *fn* **1.** ón, cin; **bar ~** rúdón, tömbón **2.** bádog **3.** *GB* konzerv (doboz) **4.** *GB* **baking ~** tepsi *[sütemény sütéséhez]*; *GB* **roasting ~** tepsi *[hús sütéséhez]* **5.** *tex* fonalszárító henger **6.** *szl [pénz]* guba, dohány **II.** *tsi* **-nn-** **1.** ónoz, bádoggal bevon **2.** konzervdobozba tesz/rak, konzervál *[élelmet]*
tin can *fn* bádogedény, bádogkanna, konzervdoboz
tinctorial [ˌtɪŋkˈtɔːrɪəl] *mn* festő, festési, színező
tincture [ˈtɪŋktʃə ‖ –ər] **I.** *fn* **1.** *vegy* oldat, tinktúra **2. a)** színezés, színeződés **b)** színezet, (szín)árnyalat **3.** felszínes tudás, máz **II.** *tsi* színez, fest, árnyal
tinder [ˈtɪndə ‖ –ər] *fn* könnyen meggyújtható anyag, (alá)gyújtós, *bány* kanóc, gyújtózsinór; tapló • *mn* **tindery**
tinderbox *fn* **1.** gyúlékony/tűzveszélyes tárgy **2.** taplódoboz **3.** *átv* lobbanékony személy
tinder fungus *fn növ* taplógomba
tin drum *fn* bádogdob
tine [taɪn] *fn* **1.** villa ága/foga, boronafog **2.** *vad* ág *[szarvasagancson]*, agancsél
tinea [ˈtɪnɪə] *fn áll* moly
tinfoil *fn* **1.** ónlemez, ónlevél **2.** sztaniol, ezüstpapír, alufólia
ting [tɪŋ] **I.** *fn* harangszó, (harang)csengés **II.** *tsi* harangszóval jelez, cseng(et), kong(at), bong(at)
ting-a-ling [ˌtɪŋəˈlɪŋ] *fn* csingilingi
tinge [tɪndʒ] **I.** *fn* **a)** gyenge színezés, színárnyalat, (halvány) árnyalat **b)** mellékíz, egy árnyalat/csepp; **a ~ of irony** egy kevés/leheletnyi gúny **II. ting(e)ing A.** *tsi* **a)** színez, fest, árnyal **b)** *átv* árnyal, színez, eltölt (vmvel), kissé befolyásol/érint **B.** *tni* színeződik, festődik, színt/árnyalatot kap/nyer
tingle [ˈtɪŋgl] **I.** *fn* **1.** csípés, szúrás *[érzése bőrön]*, bizsergés **2.** csengés, csöngés, csengetés, csilingelés; **~ in the ears** fülcsengés, fülzúgás **II. A.** *tni* **1. a)** csípő/szúró fájdalmat érez *[bőrön]*, bizsereg, viszket **b)** cseng, zúg *[fül]* **2.** felvillanyozódik, izgalmat érez, megborzong **3.** reszket, remeg, rezeg, vibrál **B.** *tsi* **it ~s my ears** cseng tőle a fülem
tin hat *fn kat biz* rohamsisak
tinhorn *US szl* **I.** *mn [rossz minőségű]* vacak, ócska, csiricsáré **II.** *fn* **a)** nagyszájú szerencsejátékos, beképzelt hólyag **b)** kisszerű csaló
tinker [ˈtɪŋkə ‖ –ər] **I.** *fn* **1. a)** (vándorló) üstfoltozó, bádogos **b)** *skót* cigány **2. a)** rossz munkás, kontár, fuser **b)** kontárkodás, kontármunka **II. A.** *tsi* **a)** megfoltoz, kijavít *[pl. edényt]* **b)** felületesen rendbehoz/kijavít, összetoldoz, összeeszkábál, helyrepofoz (vmt) **B.** *tni* **a)** üstfoltozó munkát végez **b) ~ away at sg** babrál/javítgat/piszmog/szöszmötöl vmn; **~ with sg** belekontárkodik vmbe; elront vmt **c)** bütyköl, barkácsol
tinkle [ˈtɪŋkl] **I.** *fn* csengés, csilingelés, csengettyűszó **II. A.** *tsi* megcsendít **B. 1.** *tni* csilingel, megcsendül, cseng(-bong) **2.** *gyerm* pipil

T

tinkler [ˈtɪŋklə ‖ –ər] *fn biz* csengő, csengettyű, kis harang
tin Lizzie *fn US biz* régi, ócska autó, öreg pléhláda; tragacs *[régi típusú Ford autó]*
tinner [ˈtɪnə ‖ –ər] *fn* **1. a)** ónozó (munkás) **b)** bádogos **2.** ónbányász
tin-opener *fn GB* konzervnyitó
Tin Pan Alley 1. *US szl* ‹New York zenés színházainak és zeneműkiadóinak városnegyede› **2.** *US szl* slágerszerzők (világa)
tin plate I. *fn* ónozott lemez, fehérbádog **II. tin-plate** *tsi* beónoz, ónnal bevon, bádoggal borít
tinpot *mn biz* jelentéktelen, hitvány, silány, vacak, nyomorúságos, rossz minőségű
tinsel [ˈtɪnsl] *US* **-ll-**, **-l- I.** *mn* **1.** hamis (fényű), talmi **2.** *tört* arannyal/ezüsttel átszőtt *[kelme]*, aranybrokátból/ezüstbrokátból készült *[ruha]* **II.** *fn* **1.** *tex* aranybrokát, ezüstbrokát **2. a)** aranyfüst **b)** hamis ragyogás, csillogó látszat, értéktelen dísz; *biz* **the ~ of his style** stílusának hamis ragyogása **III.** *tsi* **1. a)** laméval/ezüstlaméval/aranylaméval díszít *[ruhát]* **b)** aranyfüsttel díszít **2.** hamisan csillogtatja *[stílusát]*
tinsmith *fn* bádogos
tin solder *fn* ónforrasz, lágyforrasz
tin soldier *fn* ólomkatona
tin stone *fn ásv* ónkő, kassziterit
tint [tɪnt] **I.** *fn* **1.** szín(árnyalat), színezet, halvány szín; **~ card** színkártya *[festésnél stb.]*; **~ retention** színtartósság **2.** árnyalás finom vonalkázással **II.** *tsi* **1.** fest, színez **2.** árnyal, árnyékol, vonalkáz • *fn* **tinter**
tint [tɪnt] *mn skót* elvesztett, megsemmisült
tin-tack *fn* **a)** rajzszeg **b)** (apró) kárpitosszeg
tinted [ˈtɪntɪd] *mn* színezett; **~ glass** füstszínű/színezett üveg; napvédő üveg
tintinnabulation [ˌtɪntɪnæbjuˈleɪʃn] *fn* **1. a)** harangzúgás, kongás **b)** kongatás **2.** csilingelés, csengés
tinware *fn* (fehér) bádogedények, bádog(os)áru, ónedények
tiny [ˈtaɪni] *mn* nagyon kicsi, pici(ny), apró, parányi, csöppnyi, pöttöm
tinny [ˈtɪni] *mn* **1.** óntartalmú, ónos, ón- **2.** ónízű, bádogízű *[konzervált élelmiszer]* **3.** bádoghangú, repedt hangú
-tion [ʃn] → **-ation**
tip¹ [tɪp] **I.** *fn* csúcs, hegy, vég(ződés), vmnek a vége; **from ~ to toe** tetőtől talpig; **on the ~s of the toes** lábujjhegyen; *átv biz* **I have it on the ~ of my tongue** a nyelvemen van; **to the finger's ~s** teljesen, ízig-vérig; *átv biz* **have sg at the ~ of one's fingers** nagyon jól ért vmhez, a kisujjában van; **the ~ of the iceberg** a jéghegy csúcsa **II.** *tsi* **-pp-** véget tesz/húz (vmre)
tip² [tɪp] **I. -pp- A.** *tsi* **1. a)** elbuktat, feldönt, felbillent, felborít **b)** kidönt, kibillent **c)** kiürít; **~ one's passengers into the ditch** árokba fordítja az utasait **d)** lehajlít, meghajlít; **~ one's hat** megbillenti a kalapját **2. a)** megérint, meglegyint, megbillent **b)** borravalót ad (vknek); **~ the waiter** borravalót ad a pincérnek **3.** figyelmeztet (vkt) **4.** *sp* tipped ad **5.** *szl* **~ one's hand(s)** *[elárul]* elkotyogja/elszólja magát **B.** *tni* **1.** felbukik, felborul, felbillen **2.** oldalra dől/hajlik **3.** lábujjhegyen megy, tipeg **II.** *fn* **1.** döntés, hajlítás, billentés **2.** kiütés, lökés, gyenge/könnyű érintés, legyintés **3. a)** borravaló **b)** *biz* zsebpénz **4. a)** bizalmas hír/értesülés/tanács, ötlet, figyelmeztetés, *sp* tipp **b)** *biz* **miss one's ~** elrontja az ügyét, nem sikerül az ügye **5.** szemétdomb, törmelék-lerakodóhely, törmelékkúp, halom, rakás *[szemét]*
tip down *tsi biz* ledönt (vmt)
tip off *tsi* **1. a)** kiönt (vmt) **b)** lehajt, felhajt *[italt]* **2.** borravalót ad (vknek) **3. a)** bizalmasan értesít/figyelmeztet (vkt), tippet ad (vknek) **b)** sejtet vkvel vmt **4.** eltesz láb alól (vkt); → **tip-off**
tip over A. *tsi* elbuktat, felborít **B.** *tni* felbukik, felborul
tip up A. *tsi* kidönt, kibillent, felborít, felcsap *[támlát]* **B.** *tni* felbillen, felborul; → **tip-up**
tip-and-run *fn* **1.** *sp* ‹a krikett egy fajtája› **2.** *GB* **~ attack** rajtaütés *[gyors támadás és azonnali visszavonulás]*
tip-off *fn* **1.** figyelmeztetés, figyelmeztető jel **2.** tipp; → **tip off**
-tipped [tɪpt] *mn* (vmlyen) végű, hegyű; **felt-~ pen** filctoll; **filter-~ cigarettes** füstszűrős cigaretta; → **tip¹ II.** → **tip² II.**
tippet [ˈtɪpɪt] *fn* **1. a)** körgallér, pelerin **b)** prémes körgallér *[birkáé]* **2.** szőrmegallér, prémgallér
Tipp-Ex [ˈtɪpeks], **Tippex** *GB márkanév* **I.** *fn* hibajavító festék *[gépíráshoz]* **II.** *tsi* kifest *[hibajavítóval]*
tipple [ˈtɪpl] **I. A.** *tni* rendszeresen/sokat iszik, vedel *[tömény szeszt]*, ürítgeti/emelgeti a (pálinkás)poharakat **B.** *tsi* kiborít *[kocsiból]* **II.** *fn biz* szeszes ital • *fn* **tippler**
tippy [ˈtɪpi] *mn* **a)** dühöngő **b)** állhatatlan
tipstaff *fn jog* törvényszéki szolga, porkoláb
tipster [ˈtɪpstə ‖ –ər] *fn sp* lóversenytippeket adó/áruló (személy), tippadó *[lóversenyen]*
tipsy [ˈtɪpsi] *mn* **1.** (kissé) becsípett, spicces **2.** ferde, bizonytalan • *fn* **tipsiness** *hsz* **tipsily**
tipsy-cake *fn* borral öntözött piskótatészta
tiptoe [ˈtɪptoʊ] **I.** *fn* lábujjhegy; **on ~** lábujjhegyen; *biz* **be upon the ~ of expectation** lázas izgalomban vár vmt **II.** *tni* lábujjhegyen jár/oson, settenkedik
tip-top I. *mn biz* elsőrangú, elsőrendű, legjobb, nagyszerű, rendkívüli, pompás **II.** *fn biz* csúcs, a legmagasabb pont, vmnek teteje/legjava
tip-up *mn* felcsapható; **~ seat** felcsapható ülés; → **tip up**
TIR *röv francia Transport International Routier* Nemzetközi Áruszállítás
tirade [taɪˈreɪd ‖ ˈtaɪreɪd] *fn* **1.** tiráda, nagyobb lélegzetű beszéd, szóáradat, szóözön **2.** *zene* futam
tirailleur [ˌtɪrəˈlɜː ‖ –ˈlɜr] *fn kat* lövész
tire¹ [ˈtaɪə ‖ –ər] **I.** *fn* **1.** elfáradás, fáradtság **2.** kimerültség, kimerülés **II. A.** *tsi* elfáraszt, (ki)fáraszt (vkt) **B.** *tni* **1.** kifárad, elfárad **2.** elun (vmt), beleun (vmbe); **~ of sg/sy** elun vmt/vkt; beleun vmbe/vkbe, megun vkt/vmt, belefárad vmbe; → **tired**
tire² [ˈtaɪə ‖ –ər] **1.** kerékabroncs, vasalás *[szekéren]* **2.** *gk US* → **tyre¹ I.b., II.2.**
tired [ˈtaɪəd ‖ ˈtaɪərd] *mn* **1.** fáradt; **~ face** fáradt/megviselt/elnyűtt arc; **~ oil** fáradt olaj; **be ~** fáradt; **be ~ of sg** un vmt, vmbe beleunt; elege van vmből; **get ~** kifárad; **get/grow ~ of doing sg** elfárad vmtől, kifárad vmben; elun vmt, beleun vmbe; **(be) ~ to death** halálosan ki van merülve/fáradva; **feel ~** fáradt(nak érzi magát); **dance oneself ~** fáradtra táncolja magát **2. ~ of arguing** elunva a vitatkozást, beleunva/belefáradva a vitatkozásba; **be sick and ~ of sg** halálosan un vmt, torkig van vmivel; **make sy ~** kifáraszt/kimerít vkt; untat vkt; **I'm ~ of you!, you make me ~!** unlak!, elegem van belőled! • *fn* **tiredness**
tiresome [ˈtaɪəsəm ‖ ˈtaɪər–] *mn* **1.** lehangoló, unalmas **2.** *GB biz* bosszantó
tiring [ˈtaɪərɪŋ] *mn* **1.** fárasztó **2.** kimerítő
tiro [ˈtaɪroʊ] *fn tsz* **tiros**, **tiroes** újonc, kezdő, tapasztalatlan
'tis [tɪz] *röv it is*; → **it¹**
tisane [tɪˈzæn] *fn* gyógyital, gyógytea, főzet
tish-ho [ˈtɪʃoʊ] *isz* hapci! *[tüsszentéskor]*
tissue [ˈtɪʃuː, –sjuː] **I.** *fn* **1. a)** szövöttáru **b)** (finom vékony selyem)szövet **c)** fátyol **2.** selyempapír **3.** papírzsebkendő; **face/facial ~** arctörlő (kendő) *[papírból]* **4.** *biol orv* szövet **5.** szövedék, szövevény; **~ of lies** hazugságok sorozata/szövevénye **II.** *tsi* átsző (vmt)
tissue paper *fn* **1.** selyempapír **2. a)** hártyapapír **b)** cigarettapapír
tit¹ [tɪt] *fn* **1. a)** *áll* (szén)cinke, cinege **b)** *áll* kis madár **2.** *szl* pipi *[kislányról]*, nőcske
tit² [tɪt] *fn* **1.** *szl [mell]* cici, didi, didkó, csöcs **2.** *GB szl* **get on one's ~** *[irritál, bosszant]* fáraszt valakit, tele van a hócipője vknek vmitől **3.** *GB szl tabu [tehetetlen, buta ember]* balfék

T

tit[3] [tɪt] *fn* ~ **for tat** szemet szemért, fogat fogért
Titan [ˈtaɪtn] *fn* Titán; ~ **strength** óriási/titáni erő
titanic [taɪˈtænɪk] *mn* titáni, hatalmas, óriás, emberfeletti
titanium [taɪˈteɪnɪəm] *fn vegy* titán
titbit [ˈtɪtbɪt] *fn* **1. a)** nyalánkság, ínyencfalat **b)** kóstoló **2.** érdekes/pikáns részlet *[beszédben, cikkben]*
titer [ˈti:tə ‖ ˈtaɪtər] *US* → **titre**
tithe [taɪð] **I.** *fn* **1.** (egyházi) tized, (papi) dézsma; **levy a ~** dézsmát szed **2. a)** tized(rész) **b)** darabka; **not a ~** semmi, egy szemernyi sem; **not a ~!** egy tapodtat sem! **II.** *tsi* **a)** dézsmát fizet **b)** dézsmát/tizedet kivet/kiró *[parasztra]* • *mn* **tithable**
tithing [ˈtaɪðɪŋ] *fn* **1. a)** dézsmafizetés, dézsmaszolgáltatás **b)** dézsmaszedés, dézsmakivetés **2.** *GB jog régi* ‹tíz családból álló régi közigazgatási területi egység›
Titian [ˈtɪʃn] *mn* tiziánvörös
Titian-haired *mn* tizián-vörös hajú
titillate [ˈtɪtɪleɪt] *tsi* **1.** csiklandoz *[ínyt is]* **2.** megbizserget, ingerel, kellemesen izgat • *fn* **titillation**
titivate [ˈtɪtɪveɪt] **A.** *tsi biz* csinosít, kicicomáz, (meg)szépít, díszít, ékesít, kicicomáz, felpiperéz, kipiperéz **B.** *tni biz* kicicomázza/kicsinosítja/kicsípi magát, kiöltözködik • *fn* **titivation**
title [taɪtl] **I.** *fn* **1. a)** (társadalmi) cím **b)** rang, nemesi cím **c)** *sp* bajnoki cím; ~ **bout** rangadó; **be back on ~ strength** ismét bajnoki formában van **2.** cím *[könyvé stb.]*, név, elnevezés *[újságé]* **3.** *film* címfelirat, feliratozás *[film elején]* **4. a)** jog(cím), jogosultság **b)** birtoklevél, okirat **5.** finomság *[nemesfémé]* **II.** *tsi* **1. a)** elnevez (vmt), címet ad *[könyvnek]* **b)** címfelirattal lát el *[könyvet könyvkötő]* **2.** feliratokkal ellát *[filmet]* **3.** címez (vkt vmnek), címet ad *[vknek mint rangot]*
title bar *fn infor* címsáv
titled [ˈtaɪtld] *mn* címet viselő, nemes(i ranggal bíró)
title deed *fn* **1.** *jog* tulajdoni lap, birtoklevél, ingatlan tulajdonjogát igazoló okirat **2.** jogcím
title-holder *fn* jelenlegi bajnok, a bajnoki cím védője
title page *fn* címlap
title role *fn szính* címszerep
title song *fn* címzene, címdal *[filmé]*
titling[1] [ˈtɪtlɪŋ] *fn áll* → **titmouse**
titling[2] [ˈtaɪtl·ɪŋ] *fn* címfelirattal ellátás *[könyvkötészetben]*
titmouse [ˈtɪtmaʊs] *fn tsz* **-mice** [–maɪs] *áll* cinke, cinege; **blue ~** kék cinege; **coal ~** fenyvescinege; **great ~** széncinege; **marsh ~** közép-európai fényesfejű barátcinege
titre [ˈti:tə ‖ ˈtaɪtər] *fn* **1.** keverési arány, finomság *[nemesfémé]* **2.** *vegy* szeszfok, savfok, keverési arány, titer **3.** *orv* titer
tits-and-ass *mn/fn szl* ‹női mellek és fenekek mutogatása (különösen újságokban, filmen)›
tits-and-bums → **tits-and-ass**
titter [ˈtɪtə ‖ –ər] **I.** *fn* **1.** visszafojtott nevetés, kuncogás, vihogás **2.** nevetés, kacagás, kacaj **II.** *tni* **1.** visszafojtottan nevet, kuncog, vihog **2.** nevet, vihog, kacag
tittle [ˈtɪtl] *fn* kis/apró rész, parány
tittle-tattle [ˈtɪtltætl] **I.** *fn* **1. a)** locsogás, fecsegés, terefere, traccs **b)** pletyka, hírhordás **2.** locsogós/pletykálkodó (vén)asszony **II.** *tni* **-tattling a)** locsog, fecseg, tereferél, traccsol **b)** pletykál
tittup [ˈtɪtəp] **-pp-**, *US* **-p- I.** *fn biz* ugrándozás, szökdécselés **II.** *tni* ugrándozik, szökdel, ficánkol *[ló]*
titubation [ˌtɪtʃʊˈbeɪʃn] *fn* **1.** bukdácsolás **2.** *orv* tántorgás, dülöngélés
titular [ˈtɪtʃʊlə ‖ –tʃələr] *mn* **1.** címzetes **2.** névleges **3.** ~ **possessions** nemesi címmel járó földbirtok
titty [ˈtɪti] *fn gyerm* cici
tizzy [ˈtɪzi] *fn régi* izgalom, nyugtalanság, csekélységen való túlzott felindulás, kalamajka
T-junction *fn közl* T csatlakozás/elágazás, derékszögű csatlakozás
T-lymphocyte *fn orv* T-lymphocyta, T-limfocita
TM *röv* **1.** *trademark* **2.** *transcendental meditation*
tn *röv* **1.** *US ton(s)* **2.** *train*
TN *röv US Tennessee*
TNT *röv trinitrotoluene* trinitro-toluol *[robbanóanyag]*
to [tʊ, tə, tu:] **I.** *elölj* **1.** -ba, -be, -hoz, -hez, -höz; ~ **his face** szemébe; **face ~ face** szemtől szembe **2.** felé, irányában **3. elbow ~ elbow** szorosan egymás mellett; **fight man ~ man** ember ember ellen harcol **4. a)** -ig *[időben]*; ~ **this day** a mai napig **b) from day ~ day** napról napra **5. a)** -ig *[kiterjedésben]*; **wet ~ the skin** bőrig ázott **b) accurate ~ a millimeter** milliméter pontosságú **6. a)** -ra, -re; ~ **horse!** lóra! **b)** ~ **my despair** legnagyobb bánatomra/kétségbeesésemre **7. take sy ~ wife** feleségül vesz vkt **8. ambassador ~ the Court of St. James** nagykövet az angol királyi udvarnál; **heir ~ sy** vknek az örököse **9. a) superior ~ sg** felsőbbrendű vmnél; **compared ~ sg** összehasonlítva vmvel; **that's nothing ~ what I have seen** ez semmi ahhoz képest, amit én láttam; **as ~ myself** ami engem illet, magam részéről **b) three (goals) ~ nil** három-null(a) **10.** ~ **my knowledge** tudomásom szerint, tudtommal **11. drink ~ sy** vknek az egészségére iszik; vkt felköszönt *[itallal]*; **(here is) ~ us** egészségünkre! **12.** *US* **that's all there is ~ it** ez minden, amit erről el lehet mondani; **there's nothing ~ it** ez nem ér semmit, ennek nincs értelme **13.** -nak, -nek; ~ **whom?** kinek?; ~ **my taste** ízlésem szerint; ízlésemnek megfelelően; **what is it ~ you?** mi az neked?; mit számít az neked? **14. be unjust ~ sy** igazságtalan vkvel szemben; **favourable ~ sy** kedvező vk számára/szempontjából, kedvező vkre nézve **II.** ‹a főnévi igenév jele› -ni; **so ~ speak** úgyszólván; **good ~ eat** ehető, jó enni, jóízű; **good ~ look at** jó nézni, üdítő a szemnek; **too hot ~ handle** *átv* kezelhetetlen (dolog); forró (ügy); **we must eat (in order) ~ live** ennünk kell, hogy éljünk; ~ **be found** található; **he is not a man ~ be trusted** nem megbízható; nem olyan ember, akiben meg lehet bízni; ~ **be or not ~ be** lenni vagy nem lenni; **what ~ do?** mi a teendő **III.** *hsz* **1. come ~** magához tér **2.** ~ **and fro** ide-oda, fel-alá; → **to-and-fro**
toad [toʊd] *fn* **a)** varangy(osbéka) **b)** ellenszenves/undorító alak, varangy
toadfish *fn áll* ördöghal, békafark, tengeri béka
toad-flax *fn növ* gyújtoványfű
toad-in-the-hole *fn GB* ‹palacsintatésztába sütött virsli/kolbász/hússzeletkék›
toadstool *fn növ* mérges (kalapos)gomba
toady [ˈtoʊdi] **I.** *fn* **1.** talpnyaló, hízelgő **2.** lakájtermészet **II.** *tsi/tni* **1.** ~ **(to) sy** nyal/hízeleg (v. talpát nyalja) vknek **2.** stréberkedik *[hízelegve]* • *fn* **toadyism**
to-and-fro [ˌtu:ənˈfroʊ] **I.** *mn* ~ **motion** ide-oda mozgás, lengőmozgás, alternáló mozgás **II.** *hsz* **to and fro** ide-oda, fel-alá, előre-hátra **III.** *fn tsz* **tos-and-fros** ide-oda mozgás, lengőmozgás, lengés
toast [toʊst] **I.** *fn* **1.** pirítós (kenyér), pirított kenyér; *biz* **have sy on ~** becsap/rászed vkt; kezében/hatalmában tart vkt **2. a)** pohárköszöntő, felköszöntő, tószt; **give/propose a ~** pohárköszöntőt mond **b)** felköszöntött személy/ügy **II. A.** *tsi* **1. a)** pirít *[kenyeret]* **b)** átmelegít (vmt); *biz* ~ **one's feet before the fire** lábát melegíti a tűznél **2.** ~ **sy** felköszönt vkt *[itallal]* **B.** *tni* **1.** (meg)pirul *[kenyér]* **2.** átmelegszik
toaster [ˈtoʊstə ‖ –ər] *fn* kenyérpirító (készülék)
toasting-fork *fn* **1.** kenyérpirító villa **2.** *szl tréf [kard]* szablya, nyárs, káposztaleső
toastmaster *fn* áldomásmester, a pohárköszöntők bejelentője
toastrack *fn GB* pirítóskenyér-tartó (rács) *[asztalon]*
tobacco [təˈbækoʊ] *fn* **1.** *növ* dohány **2. a)** dohány(nemű), dohányáru **b) chewing ~** bagó
tobacco fiend *fn biz* erős/szenvedélyes dohányos
tobacco pipe *fn* pipa
tobacco plant *fn növ* dohány
tobacco-stopper *fn* pipatömő
tobacco worker *fn* dohánygyári munkás(nő)
to-be *mn* jövendő(beli), leendő

toboggan [tə'bɒgən || –'bɑ–] **I.** *fn sp* bob **II.** *tni sp* szánkózik *[bobbal]*
toboggan run *fn sp* bobpálya
toboggan shoot *sp* → **toboggan run**
toboggan slide *sp* → **toboggan run**
TOC *röv fn infor table of contents* tartalomjegyzék
tocology [toʊ'kɒlədʒi || –'kɑ–] *fn orv* szülészet
to-come [tə'kʌm] *mn* eljövendő, jövőbeli
tocsin ['tɒksɪn || 'tɑk–] *fn* **a)** vészcsengő, vészharang **b)** vészjel
tod[1] [tɒd || tɑd] *fn GB szl [egyedül]* tökegyedül
tod[2] [tɒd || tɑd] *fn* **1.** *skót* róka **2.** *skót biz* vén/ravasz róka
today [tə'deɪ] **I.** *hsz* **1.** ma; ~ **me, tomorrow thee** ma nekem, holnap neked; *közm* ~ **a man, tomorrow a mouse** ma gazdag, holnap szegény; ma fent, holnap lent **2.** manapság, mostanában, mostanság **II.** *fn* a ma, a jelen; *közm* ~ **is ours, tomorrow is yours** ma nekem, holnap neked
toddle ['tɒdl || 'tɑdl] **I.** *fn* **1. a)** totyogás *[kisgyermeké]* **b)** tipegés **2.** *biz* rövid séta **II.** *tni* **1. a)** totyog, tipeg *[kisgyerek]* **b)** szaporán/aprókat lép(eget) **c)** csoszog **2.** *biz* **a)** kényelmesen sétál **b)** elballag *[elindul]*
toddle about *tni* tipeg-topog
toddle off *tni biz* meglóg, meglép, eliszkol
toddler ['tɒdl·ə || 'tɑdl·ər] *fn* totyogó/tipegő (v. járni tanuló) kisgyerek
toddy ['tɒdi || 'tɑdi] *fn* **1.** pálma nedve, pálmabor **2.** puncs
to-do [tə'du:] *fn biz* **1.** lárma, zaj, felfordulás, zűrzavar, kavarodás, rendetlenség, hűhó, hajcihő **2.** sürgés-forgás, foglalatoskodás **3.** szóbeszéd
toe [toʊ] **I.** *fn* **1. a)** lábujj; **be on one's ~s** ugrásra készen áll; *biz szl* **turn up one's ~s** *[meghal]* feldobja a talpát **b)** láb(fej); **from top to ~** tetőtől talpig; **tread on sy's ~s** vk lábára lép **2.** orr *[cipőé, harisnyáé]* **II. toeing A.** *tsi* **1.** ~ **the line/mark** sorakozik, igazodik, beáll a sorba; *sp* rajthoz áll **2. a)** *sp* csőrrel rúg *[labdát]* **b)** *biz* megrúg (vkt) **B.** *tni* → **tiptoe** • *mn* **toed**
toe in *tni* befelé fordítja a lábfejét járás közben; → **toe-in**
toe out A. *tsi* ~ **a person out of the room** kirúg vkt a szobából **B.** *tni* ‹kifelé fordítja a lábfejét járás közben›
toe up *tsi szl [fenéken rúg]* fenéken billent (vkt); → **toe-up**
toecap *fn* cipőorr, kapli *[sportcipőn]*
toe clip *fn* lábfejtartó *[kerékpárpedálon]*
TOEFL ['toʊfl] *röv test(ing) of English as a foreign language*
toehold *fn* **a)** cipőorrnyi/lábhegynyi hely *[sziklafalon mászáskor]* **b)** *átv* talpalatnyi hely, megkapaszkodási lehetőség
toenail *fn* lábujjköröm
toe-rag *fn* **1.** kapca (rongy) **2.** lábra csavart rongy **3.** *GB szl [kellemetlen ember]* tetű, szemét, mocsok, kapcarongy
toestrap *fn* lábakasztó (heveder) *[sportszeren]*
toe-up *fn szl* **give sy a ~** fenéken billent vkt, farba rúg vkt; → **toe up**
toff [tɒf || tɑf] *GB szl* **I.** *fn* **a)** *[divatfi]* piperkőc, ficsúr, finom úr/fickó; **act the ~** játssza az előkelőt/a csekonicsot; **he's quite the ~** nagyon elegáns **b)** *[férfi]* pasas, muki **II.** *tsi* **~ oneself out/up** kiöltözködik, kicsípi magát
toffee ['tɒfi || 'tɑfi] *fn* tejkaramella; *biz* **he can't sing for ~** semmi hangja/tehetsége nincs
toffee apple *fn* forró karamellába mártott alma
toffee-nosed *mn GB* fenn hordja az orrát, beképzelt
tog [tɒg || tɑg] *i* **-gg- A.** *tsi biz* felöltöztet, kiöltöztet (vkt) **B.** *tni biz* felöltözik, kiöltözik, kicsípi magát; → **togs**
toga ['toʊgə] *fn* tóga • *mn* **toga'd, togaed**
together [tə'geðə || –ər] *hsz* **1.** együtt, közösen **2.** egyidejűleg, egyszerre **3.** egymás után, szakadatlanul, szüntelenül, megszakítás nélkül **4.** összesen **5. strike two things ~** összeüt (v. egymáshoz üt) két tárgyat
togetherness [tə'geðənəs || –ðər–] *fn* **1.** összetartozás **2. a)** összetartás, egymáshoz/közösséghez ragaszkodás **b)** együttlét, közösségben élés/lét
toggery ['tɒgəri || 'tɑ–] *fn* ruhák, holmik, cókmók
toggle ['tɒgl || 'tɑgl] *fn* **1.** *műsz* pecek **2.** kampósszeg **3.** *infor* kétállású kapcsoló, billenőkapcsoló
toggle switch *fn vill* billenőkapcsoló
Togo ['toʊgoʊ] *tul földr* Togo • *mn/fn* **Togolese**
togs ['tɒgz || tɑgz] *fn tsz biz* **1.** ruha, öltözék, holmi, cókmók **2.** *Ausz* fürdőruha; → **tog**
toil[1] [tɔɪl] **I.** *tni* **1.** keményen dolgozik, küszködik, kínlódik, fáradozik, erőlködik, vesződik, bajlódik **2.** (fáradtan) vánszorog **II.** *fn* nehéz/fárasztó munka, fáradozás, gürcölés, erőfeszítés • *fn* **toiler**
toil[2] [tɔɪl] *fn* **a)** halászháló **b)** madárháló, csapda, kelepce **c) ~s of a spider** pókháló
toilet ['tɔɪlɪt] *fn* **1. a)** *GB* vécé, toalett, illemhely, mosdó(helyiség) **b)** *tsz* **toilets** mosdó(k), illemhely, WC *[nyilvános helyen]* **2.** vécé(kagyló) **3.** öltözködés, toalett **4.** öltözet, öltözék, ruha
toilet bag *fn* neszeszer(táska), piperetáska
toilet paper *fn* toalettpapír, egészségügyi papír, vécépapír
toiletries ['tɔɪlətriz] *fn tsz* piperecikkek, tisztasági/tisztálkodási szerek
toilet roll *fn* vécépapírtekercs
toilet set *fn* piperekészlet, öltözködőkészlet
toilet soap *fn* pipereszappan
toilet table *fn* öltözőasztal, pipereasztal
toilette [tɔɪ'let, twɑ:'let] → **toilet**
toilet tissue → **toilet paper**
toilet-training *fn* szobatisztaságra/bilire szoktatás *[kisgyereké]* • *tsi* **toilet-train**
toilet water *fn* kölnivíz
toils [tɔɪlz] → **toil**[2]
toilsome ['tɔɪlsəm] *mn* fárasztó, fáradságos, kimerítő, vesződséges • *fn* **toilsomeness** *hsz* **toilsomely**
toil-worn *mn* elhasznált, (munkában) elnyűtt, kifáradt, kimerült
toing and froing *fn* ide-oda futkosás/szaladgálás
Tokay [toʊ'keɪ] *fn* tokaji (bor)
toke [toʊk] *fn szl* **1.** *[kenyér]* falnivaló, táp, kaja **2.** *US [marihuánás/hasisos cigaretta]* lokátor, dzsó, lant **3.** *US [szippantás marihuánás/hasisos cigarettából]* slukk
token ['toʊkən] **I.** *mn* jelképes, színleges, szimbolikus, a forma kedvéért való, tessék-lássék *[ellenállás]*, kisebbnagyobb *[támadás]*; **~ strike** figyelmeztető sztrájk **II.** *fn* **1.** jel(zés), jelölés; **by the same ~** sőt, azonkívül még, azonfelül, továbbá, tetejébe; ugyanilyen okból, ugyanezen az alapon, hasonlóképpen; **in ~ of sg, as a ~ of sg** vm jeléül/zálogául **2. a)** emléktárgy **b)** jelkép, szimbólum **3.** vásárlási utalvány **4.** zseton, tantusz, érme *[automatákhoz]* **5.** játékpénz
token money *fn* **1.** fémpénz, bankjegy **2.** tantusz, zseton **3.** játékpénz
Tokyo ['toʊkioʊ] *tul földr* Tokió *[Japán fővárosa]*
Toledo [tɒ'leɪdoʊ || tə'li:doʊ] **I.** *tul földr* Toledo **II.** *fn* **a)** toledói acél **b)** toledói kard/penge
tolerability [ˌtɒlərə'bɪləti || ˌtɑ–] *fn* **1.** tűrhetőség, elviselhetőség **2.** közepesség, középszerűség
tolerable ['tɒlərəbl || 'tɑ–] *mn* **1.** tűrhető, elviselhető **2.** elég jó, meglehetősen jó • *fn* **tolerability** *hsz* **tolerably**
tolerance ['tɒlərəns || 'tɑ–] *fn* **1. a)** eltűrés, elviselés, kibírás **b)** *orv* tűrés, tolerancia; **acquired ~** gyógyszer-/kábítószermegszokás **2. a)** türelem, elnézés, kímélet **b)** *[vallási, politikai]* türelmesség, türelem, tolerancia
tolerant ['tɒlərənt || 'tɑ–] *mn* **a)** toleráns; türelmes, elnéző **b)** kíméletes **c)** béketűrő
tolerate ['tɒləreɪt || 'tɑ–] *tsi* eltűr, (meg)tűr, elvisel, kibír, megenged, tolerál
toleration [ˌtɒlə'reɪʃn || ˌtɑ–] *fn* türelem, türelmesség, tűrés
toll[1] [toʊl] *fn* **1. a)** vám; *közm* **thoughts pay no ~** a gondolatok vámmentesek **b)** hídvám, hídpénz **c)** *US* úthasználati díj, autópályadíj **d)** helypénz *[piacon]* **e)** távol-

sági (telefon)beszélgetés díja **2.** forgókereszt *[bejáratnál]* **3. a)** őrlési díj/vám **b)** dézsma **4. the ~** az áldozatok száma; **take its ~** áldozatokat követel

toll² [toul] **I.** *fn* harangszó, harangzúgás **II. A.** *tsi* **1.** harangoz, megkongat *[harangot]* **2.** (el)üt *[órát]* **3. ~ the people in** beharangozza a hívőket a templomba **B.** *tni* szól, zúg, kong, bong, megkondul *[harang]*

toll booth *fn* **a)** *skót régi* vámház, vámbódé, vámhivatal **b)** díjbeszedő bódéja *[fizető autópályán]*

toll bridge *fn* fizetős/díjköteles híd, vámhíd

toll-free *mn* **1.** vámmentes **2.** *US* ingyenes *[telefonszám]*; → **toll-free number 3.** ingyenes (használatú) *[autópálya]*

toll-free number *fn US* ingyenesen hívható telefonszám, zöld szám

toll gate *fn* **1.** vámsorompó **2.** fizetőhely *[fizetős autópályán]*, fizetőkapu

toll-house *fn* vámház, vámbódé, vámhivatal

toll-road *fn* fizető autópálya

Toltec [ˈtɒltek ‖ ˈtɑl–] *mn/fn* tolték *[indián kultúra és nép a mai Mexikó területén]* • *mn* **Toltecan**

Tom [tɒm ‖ tɑm] *tul fn* **1.** Tomi, Tamás; *biz* **any ~** bárki, az első jöttment **2.** *biz* **t~** kandúr; hím állat **3.** *szl* **Old ~** erős gin **4.** *szl [prostituált]* prosti, striches, luvnya

tomahawk [ˈtɒməhɔːk ‖ ˈtɑməhɔk] **I.** *fn* indián csatabárd/harcibárd/szekerce, tomahawk; **dig up the ~** kiássa a csatabárdot; *átv* **bury the ~** eltemeti a csatabárdot, megbékél **II.** *tsi* **1.** tomahawkkal agyonüt (vkt) **2.** *biz* lehúz, ledorongol *[kritikus művet]* **3.** *Ausz* durván nyír, nyíráskor megvágja a birkát

tomato [təˈmɑːtou ‖ –ˈmeɪ–] *fn tsz* **tomatoes** *növ* paradicsom

tomb [tuːm] *fn* **1. a)** sír(emlék), sírkő, sírbolt, sírhalom **b)** *vál* halál; **life beyond the ~** túlvilági élet, síron túli élet **2.** *US* **the T~s** ‹New York-i fogház neve›

tombola [tɒmˈboulə ‖ tɑm–] *fn* tombola

tomboy [ˈtɒmbɔɪ ‖ ˈtɑm–] *fn* fiúsan viselkedő lány, fiús lány

tombstone [ˈtuːmstoun] *fn* sírkő

tom-cat *fn* **I.** *fn biz* kandúr(macska) **II.** *tsi szl* **~ (around)** *[szexuális partnert keres]* csajozik, hajtja a csajokat

Tom Collins *fn* ‹gin cukrozott limonádéval és jégbe hűtött szódavízzel›

Tom, Dick and Harry *fn biz* boldog-boldogtalan, akárki, mindenki, szedett-vedett népség

tome [toum] *fn* (vastag) kötet

tomfool [ˈtɒmfuːl ‖ ˈtɑm–] *fn* tökfilkó, fajankó, mamlasz, bamba, hülye; **~'s colours** vörös és sárga *[az udvari bolondok színei]*

tomfoolery [ˈtɒmfuːləri ‖ ˈtɑm–] *fn* ostobaság, bárgyúság, sületlenség, rossz vicc, bolond dolog

Tommy [ˈtɒmi ‖ ˈtɑmi] **I.** *tul* **1.** Tomi **2.** *GB kat biz* **~ Atkins** baka *[az angol közkatona tréfás neve]* **II.** *fn* **t~** *GB biz* közlegény, baka **III.** *tni Ausz szl [elmenekül]* meglóg, meglép

tommy bar *fn* **1.** facsap, faszeg, cövek **2.** *műsz* (lapos végű vas) emelőrúd **3.** csiptető, szorító **4.** csavarkulcs

tommy-gun *fn* géppisztoly

tommyrot *fn biz* ostobaság, sületlenség, hülyeség, badarság, szamárság, marhaság

tomogram [ˈtouməgræm] *fn orv* rétegfelvétel, rétegkép, tomogram

tomography [touˈmɒgrəfi ‖ –ˈmɑ–] *fn orv* rétegfelvétel, tomográfia

tomorrow [təˈmɒrou ‖ –ˈmɔ–] *hsz/fn* holnap; **the day after tomorrow** holnapután

tomorrower [təˈmɒrouə ‖ təˈmɔrouər] *fn biz* halogató

tomorrowing [təˈmɒrouɪŋ ‖ təˈmɔrouɪŋ] *fn biz* halogatás

Tom Thumb [ˌtɒm ˈθʌm ‖ ˌtɑm –] *tul* **a)** Hüvelyk Matyi **b)** *tréf* törpe, öklömnyi emberke

tomtit *fn áll* kék cinege/cinke

tom-tom [ˈtɒmtɒm ‖ ˈtɑmtɑm] *fn India* tam-tam *[dob]*

ton¹ [tʌn] *fn* **1. a)** tonna *[mértékegység = 1000 kg]* **b)** nagy mennyiség; **he has ~s of money** rengeteg/tömérdek pénze van; *biz* **I have asked him ~s of times** számtalanszor megkérdeztem tőle **2.** *GB szl [száz]* kiló; *szl* **do a/the ~** *[százmérföldes sebességgel hajt]* kilóval nyomatja/megy

ton² [tɒn ‖ tɔn] *fn* **1.** jó ízlés **2.** finom/előkelő hang **3.** divat

tonal [tounl] *mn* **1.** *zene* hang-, hangszínezeti, tonális **2.** *műv* tónusos

tonality [touˈnæləti] *fn* **1.** *zene* hangnem, hangrendszer, hangszínezet, tonalitás **2.** *műv* tónusosság

tondo [ˈtɒndou ‖ ˈtɑn–] *fn tsz* **tondi** [–diː] *műv* kerek festmény/dombormű

tone [toun] **I.** *fn* **1.** hang(szín), hangszínezet, tónus **2.** *zene* **a)** hang; **fundamental ~** alaphang **b)** nagy hangköz/szekund **c)** hangnem **d)** hangszín, hang fénye, tónus **3. a)** hanghordozás, hangsúly, hang(nem), stílus; *biz* **alter one's ~** más húrokat penget; **lower the ~ (of the conversation)** eldurvul a (beszélgetés) stílusa **b) give a serious ~** komoly hangot üt meg **4.** hangulat, kedély **5.** *műv fényk* (szín)árnyalat, árnyalat, tónus **6.** *nyelv* **a)** tónusintonáció, hanglejtés **b)** szóhangsúly **II. A.** *tsi* **1.** hangol *[hangszert]* **2.** árnyal *[színeket/tónust képen]*, hangsúlyt/hangszínt ad (vmnek) **3.** *fényk* színez *[másolatot]* **B.** *tni* **1.** hangot ad **2. ~ with sg** összhangban áll/van vmvel **3. a)** *fényk* színeződik, színárnyalatot kap **b)** hangsúlyt/hangszínt kap • *mn* **toneless**

tone down A. *tsi* **1.** (le)tompít, elveszi az élét *[írásnak, beszédnek stb.]* **2.** tompít, csökkent *[fényt, színt, hangot stb.]* **B.** *tni* **a)** csökken, enyhül, halványabb/gyengébb lesz **b)** letompul, mérséklődik

tone in *i* **A.** *tsi* összeegyeztet **B.** *tni* harmonizál, összhangban áll/van, összeillik

tone up A. *tsi* **1.** felfrissít, felélénkít, felhangol, megerősít *[idegrendszert]* **2.** erősebb színárnyalatot ad (vmnek) **B.** *tni* felfrissül, megerősödik, erőre kap

tone arm *fn* lemezjátszókar

tone control *fn* hangszínszabályozó

toned [tound] *mn* **1.** vmlyen hangú/hangszínezetű **2.** erős, megerősödött, felfrissült *[szervezet]* **3.** színes, színezett

tone-deaf *mn* botfülű

tone poem *fn zene* szimfonikus költemény

toner [ˈtounə ‖ –ər] *fn* **1.** *fényk* színezőfürdő **2.** *infor* festékkazetta, festékpatron *[nyomtatóhoz, fénymásolóhoz]*

tone-row [ˈtounrou] → **tone series**

tone series *fn zene* hangsor

tong [tɒŋ ‖ tɑŋ] *fn* kínai titkos társaság

Tonga [ˈtɒŋə] *fn földr* **the ~ Islands** Tonga-szigetek • *mn/fn* **Tongan**

tonga [ˈtɒŋgə ‖ ˈtɑŋgə] *fn* könnyű kétkerekű indiai kocsi

tongs [tɒŋz ‖ tɑŋz] *fn tsz* **1. a)** szénfogó **b)** cukorfogó **2.** *ip* fogó, csíptető, csipesz; *átv* **I would not touch it with a pair of ~** hozzá nem nyúlnék semmi pénzért

tongue [tʌŋ] **I.** *fn* **1. a)** nyelv *[testrész]*; *szl* **~ oil** *[szeszesital]* nyakolaj, pia, tütü; *US szl* **~ sushi** *[nyelves csók]* nyelves; **long ~** fecsegő ember; **put out one's ~** kiölti a nyelvét; *orv* **put out your ~!** mutassa a nyelvét!; **his ~ tripped** elszólta magát; **with one's ~ in one's cheek** leplezett gúnnyal/kajánsággal; **find one's ~ (again)** megoldódik a nyelve, (ismét) megered a nyelve; **give ~** hangosan szól; kiabál, ordít; *biz* **have one's ~ well hung** jól pereg a nyelve; **have a glib/ready ~** (jól) fel van vágva a nyelve; **hold your ~!** fogd be a szád!, tartsd a szád; *biz* **keep a civil ~ in one's head** udvarias marad; tisztességes hangon beszél; **keep a watch on one's ~** vigyáz a nyelvére/szavára; megrágja a szót; **wag one's ~** jártatja a száját, locsog **b)** beszéd, beszédmód, beszédmodor **2.** nyelv *[mint kifejezési eszköz]*; **mother ~** anyanyelv **3.** *földr* **a)** földnyelv **b)** keskeny öböl **4.** nyelv *[lángé, cipőé, harangé, mérlegé]* **II. tongue A.** *tsi* **1.** *biz* leszid, lehord (vkt) **2.** hangot/kifejezést ad (vmnek) **3.** nyelvével megérint, megnyal (vmt) **B.** *tni* **1.** *biz* **~ (it)** beszél, fecseg, jártatja a száját, pergeti a nyelvét **2.** ugat, csahol

tongued [tʌŋd] *mn* **1.** nyelves, nyelvvel rendelkező, nyelvű **2.** szavú, hangú, beszédes
tongue-in-cheek *mn/hsz* vicces, gúnyos, gunyoros, viccből
tongue-lashing *fn US biz* lepocskondiázás, leszidás, letolás, legorombítás
tongueless [ˈtʌŋləs] *mn* **1.** nyelv nélküli **2.** *biz* néma, szótalan
tongue-tie *fn orv* lenőtt nyelv, nyelvhiba
tongue-tied *mn* **1.** nehezen beszélő, beszédhibás **2.** szótlan, néma, elnémult, kuka, szólni képtelen, hallgatag **3.** elhallgattatott, hallgatásra kötelezett
tongue-twister *fn biz* nyelvtörő, nehezen kiejthető szó
tonic [ˈtɒnɪk ‖ ˈtɑ–] **I.** *mn* **1.** *orv* **a)** erősítő, frissítő, üdítő, felpezsdítő *[szer]* **b)** ~ **spasm** görcsös összerándulás **2.** *nyelv* hangsúlyos **3.** **a)** *zene* alap- *[hang]* **b)** hangszínezetű **II.** *fn* **1.** **a)** tonik *[arcszesz]* **b)** tonik *[üdítőital]* **2.** hangsúly **3.** *zene* alaphang, tonika
tonically [ˈtɒnɪkli] *hsz* **1.** hangszín/hangnem/hangsúly szempontjából/tekintetében **2.** erősítőként, frissítőként
tonicity [təˈnɪsəti ‖ toʊ–] *fn orv* rendes feszültségi állapot, tónus *[idegeké, izmoké]*
tonic sol-fa *fn* relatív szolmizáció
tonic water *fn* tonik *[üdítőital]*
tonight [təˈnaɪt] *hsz/fn* ma éjjel/este
tonite [təˈnaɪt] *fn US biz [reklámnyelvi]* → **tonight**
tonk [tɒŋk ‖ tɑŋk] **I.** *fn szl* **1.** *Ausz* balek, pali **2.** *Ausz* bolond, szamár **3.** *[nőies* v. *homoszexuális férfi]* buzi, buzeráns, hímringyó **II.** *tsi* **1.** elver, elpáhol, erősen megüt (vkt) **2.** lever, leüt, legyőz (vkt)
tonka bean [ˈtɒŋkə biːn ‖ ˈtɑŋkə –] *növ* tonkabab
tonnage [ˈtʌnɪdʒ] *fn* **1.** *hajó* **a)** *hajó* űrtartalom, tonnatartalom **b)** raksúly **c)** fuvardíj **d)** szállítókapacitás **2.** **a)** kikötői szállítókapacitás, kikötői tonnaforgalom **b)** egy ország teljes szállítókapacitása/hajótere
tonner [ˈtʌnə ‖ –ər] *fn hajó biz* tonnás
tonsil [ˈtɒnsl ‖ ˈtɑnsl] *fn orv* mandula • *mn* **tonsillar**
tonsillectomy [ˌtɒnsɪˈlektəmi ‖ ˌtɑn–] *fn orv* mandulaműtét, mandulaeltávolítás
tonsure [ˈtɒnʃə ‖ ˈtɑnʃər] **I.** *fn* hajkorona, tonzúra, pilis **II.** *tsi* feladja a tonzúrát, tonzúrát vág
Tony [ˈtoʊni] *tul* **1.** ‹*Anthony* ill. *Antonia* becéző alakja› **2.** *szính biz* Tony-díj *[színházi teljesítményért]*
tony [ˈtoʊni] *mn biz* csinos, elegáns, sikkes, divatos
too [tuː] *hsz* **1.** túl(ságosan), nagyon (is); **all ~ well** nagyon is jól; **that's ~ bad** ez nagyon kellemetlen/sajnálatos; de kár!, de sajnálom!; **~ good to be true** olyan jó/szép, hogy nem is lehet igaz; **I know him all ~ well** túlontúl jól ismerem; **~ much of a good thing** sok a jóból **2.** is, szintén; *Ausz* **~ right!** hogyne!, de még mennyire!, teljesen egyetértek **3.** azonkívül, amellett, ráadásul
toodle-oo [ˌtuːdlˈuː] *isz GB biz* viszontlátásra, viszlát, agyő, pá
tool [tuːl] **I.** *fn* **1.** szerszám, eszköz **2.** **a)** *biz* eszköz, (szalma)báb; *biz* **make a ~ of sy** vkt (vak) eszközül használ fel **b)** *biz* betörők kisfiú segédje **3.** *szl [hímvessző]* szerszám, műszer **II.** *tsi* **1.** alakít, megcsinál (vmt szerszámmal) **2.** megaranyoz, présel *[könyvkötést]* **3.** *biz* kényelmes tempóban hajt *[kocsit]*, vezet *[autót]*
 tool about *tni US szl* → **tool around**
 tool around *tni US szl* ~ **around in a car** *[autón utazik]* furikázik
 tool up *tsitni* **1.** felszerel tömeggyártáshoz *[gyárat]* **2.** fegyvert visel, fegyvert vesz magához
tool bag *fn* szerszámtáska, szerszámoszsák
tool-box *fn* szerszámosláda/doboz
tooler [ˈtuːlə ‖ –ər] *fn* **1.** cizelláló munkás *[bőriparban]*, aranyozó munkás *[könyvkötészetben]* **2.** kőművesvéső, lapos kőfaragóvéső
tooling [ˈtuːlɪŋ] *fn* **1.** megmunkálás szerszámmal **2.** **a)** munkapad felszerelése **b)** szerszámozás **3.** **a)** cizellálás *[bőré]* **b)** aranyozás *[könyvkötésé]*
tool kit *fn* szerszámkészlet
toolmaker *fn* szerszámkészítő
tool rack *fn* szerszámtartó állvány
tool shed *fn* szerszámkamra
toot [tuːt] **I.** **A.** **1.** *tsi biz* ~ **a horn** kürtöl, kürtöt fúj; *gk* ~ **the horn** dudál; *átv* ~ **one's (own) horn** saját dicséretét zengi **2.** *szl [kokaint felszippant]* becsíkol **B.** *tni* **1.** **a)** hangot ad *[fúvós hangszer]*, kürt/duda/trombita szól, tutul, kürtöl, dudál **b)** *szl [szellent]* fingik **2.** furikázik **II.** *fn* **1.** harsány hang, harsogás, trombitaszó, kürtszó **2.** *hajó* sziréna hangja **3.** *gk* tülkölés, dudálás **4.** *régi US szl [ivászat]* piálás **5.** *US szl [kokain]* kokó, hó, kóla **6.** *Ausz szl [vécé]* budi, klotyó
tooter [ˈtuːtə ‖ ˈtuːtər] *fn* **1.** *zene biz* **a)** fúvós, kürtös **b)** fúvós hangszer, kürt **2.** *biz* kikiáltó
tooth [tuːθ] **I.** *fn tsz* **teeth** [tiːθ] **1.** **a)** fog *[szájban]*; **a set of teeth** fogsor; **temporary teeth** tejfogak; **permanent/second teeth** maradó/második fogak; **cutting of teeth** fogzás; **brush one's teeth**, *GB* **clean one's teeth** fogat mos; **drill a ~** fogat fúr; **fill a ~** fogat betöm; **have a ~ extracted/pulled (out)/taken out** fogat húzat; **with set teeth** összeszorított fogakkal; **be long in the ~** már nem fiatal, elhullatta már a csikófogait; **~ and nail** foggalkörömmel, elkeseredetten *[védekezik, harcol]*; **by the skin of one's teeth** nagy keservesen, üggyel-bajjal; **put teeth into it** szigorú szankciókat fűz hozzá; **show one's teeth** fogát vicsorítja vkre; fenyeget vkt; *hajó* **have the wind in one's teeth** szembe fúj a szél; **shut the door in sy's teeth** vk orra előtt becsukja az ajtót; **armed to the teeth** állig felfegyverkezve **b)** ízlelés; **pleasing to the ~** kellemes ízű; **have a sweet ~** édesszájú **2.** **a)** *műsz* fog(azat) *[keréké, csapágyé, stb.]* **b)** cakk(ozás) *[késé]*; → **toothed** **3.** *tsz* **teeth** erő, hatás, hatékonyság *[törvényé]*; **have teeth** hatékony, van ereje **II.** **A.** *tsi* **1.** fogaz, fogakkal ellát **2.** csipkéz, fogaz *[követ]*, fogakat vág *[kőbe]*, cakkoz **B.** *tni* egymásba kapaszkodnak/illeszkednek *[fogaskerekek]* • *mn* **toothed**, **toothless**
toothache [ˈtuːθeɪk] *fn* fogfájás
toothache tree *fn növ* amerikai selyemfa
toothbrush *fn* fogkefe; ~ **moustache** hitlerbajusz
toothcomb **I.** *fn* sűrűfésű, tetvezőfésű, tetűfésű; *átv* **go over with a ~** aprólékosan átvizsgál **II.** *tsi* sűrűfésűvel fésül
toothed whale *fn áll* fogas cet
toothful [ˈtuːθfʊl] **I.** *mn biz* jóízű *[étel]* **II.** *fn biz* egy korty/csepp *[ital]*
tooth-glass *fn* fogmosópohár
toothing [ˈtuːθɪŋ ‖ –ðɪŋ] *fn* **1.** fogazat, fogazás **2.** *épít* csipkéző **3.** csorbázat, csipkézés, sávozás **4.** *épít* futó- és kötőtéglás kötés
toothpaste *fn* fogkrém, fogpaszta, fogpép
toothpick *fn* fogpiszkáló, fogvájó
tooth powder *fn* fogpor
toothsome [ˈtuːθsəm] *mn* **1.** jóízű, finom; foghegyre való **2.** gusztusos, kívánatos
toothy [ˈtuːθi] *mn* **1.** nagyfogú, lófogú **2.** jóízű, ízletes
tootle[1] [ˈtuːtl] **A.** *tsi* **1.** fúj *[hangszeren]* **2.** ~ **up** összedobol **B.** *tni* dudál; ~ **on the flute** fuvolázik
tootle[2] [ˈtuːtl] *tni gk biz* ~ **along** autózgat, furikázik, lassan mászik *[autó]*
too-too[1] [ˈtuːtuː] *fn* dudálás, tütü
too-too[2] [ˈtuːtuː] *mn* **a)** túlzó, túlságos **b)** nagyon is választékos/elegáns/okos stb.
tootsie [ˈtutsi] *fn szl* **1.** *[lábfej]* tipegő, piskóta, tappancs **2.** *[megszólítás, különösen nőnek]* szivi, picinyem
tootsy [ˌtutsiˈwutsi], **tootsy-wootsy** → **tootsie**
top[1] [tɒp ‖ tɑp] **I.** *mn* **1.** (leg)felső, legmagasabb; **not from the ~ drawer** nem a legjavából való; → **top drawer**; ~ **line** főcím; → **top-line** **2.** (leg)első, legjobb, legkülönb, *biz* csúcs(-); *okt* **the ~ boy** osztályelső; *okt biz* **~ marks** jeles osztályzat; → **top-mark**; ~ **priority** különleges elsőbbség *[anyagellátás stb. terén]*; **at ~ speed** maximális/legnagyobb sebességgel, csúcssebességgel **3.** legmaga-

T

sabb mértékű/fokú, maximális **II.** *fn* **1. a)** tető, csúcs, orom, hegy, legmagasabb pont; **from ~ to bottom** felülről egészen le; **from ~ to toe** tetőtől talpig; **on ~ of it all** mindennek tetejébe, ráadásul; *sp* **be on ~** vezet; **come out on ~** megnyer vmt, győz(tesként kerül ki); **come to the ~** befut, karriert csinál; **go over the ~** *biz* megteszi a döntő lépést; *biz* megnősül; **off one's ~** magánkívül **b)** korona *[fáé]* **2.** tető, felszín *[vízé, földé]*, tető *[asztalé, járműé]* **3.** felső rész *[cipőé]*, felhajtás, visszahajtás, hajtóka, fedő, tető *[dobozé]*, (leemelhető) autótető; **~ hat** cilinder, kürtőkalap; *biz* **~ of the milk** a krémje vmnek; *szl* **blow the ~** (i) kirúg a hámból, kitombolja magát (ii) *[dühös lesz, jelenetet csinál]* eldurran az agya, felforr az agyvize, felmegy a pumpája (iii) *[megőrül]* bedilizik, bezsong **4.** (írott/nyomtatott) lap teteje **5.** asztal felső vége; **the ~ of the street** az utca (felső) vége **6. a)** vezér, vezető személyiség, legmagasabb rang/hely; **people on ~** a fejesek, a nagyok **b)** *tsz* **tops** a legkiválóbbak/legelsők közé tartozók **c)** *okt* **be at the ~ of the form** osztályelső **d)** *sp* **be at the ~ of one's form** a legjobb formában van **7. at the ~ of his voice** torkaszakadtából **8.** növény felső része (v. zöldje/szára) **III.** *tsi* **-pp- 1.** *mezőg* csúcsát/koronáját levágja *[fának]* **2. a)** betetőz, megkoronáz (vmt) **b) and to ~ it all** s mindennek tetejébe, s ráadásul **3. a)** meghalad, túlhalad, túltesz (vmn), megelőz, felülmúl, túlszárnyal (vmt) **b)** kitűnően végez (vmt) **4.** befed (vmt) **5. ~ a hill** felér egy domb tetejére **6.** uralkodik, élen jár **7.** *szl [felakaszt]* fellógat; **~ oneself** *[öngyilkos lesz]* kinyírja/hazavágja magát

top off *tsi* megkoronáz, betetőz (vmt), felteszi a koronát (vmre)

top out *tni* tetőzik *[vminek az ára]*

top up *tsi* **1.** megkoronáz, betetőz **2.** teljesen megtölt, teletölt; feltölt, utántölt; **can I ~ you up?** tölthetek még?

top² [tɒp ‖ tɑp] *fn* **a)** játékcsiga, pörgettyű; **humming/spinning ~** búgócsiga; **sleep like a ~** alszik mint a bunda **b)** *szl* **old ~** öreg fiú

topaz [ˈtoʊpæz] *fn ásv* topáz

top banana *fn* **1.** mókamester, vezető komikus **2.** *szl* góré, főmufti, fejes *[csoporté, célfeladaté]*

top brass *fn* **1.** *US kat szl* tábornokok, magasrangú törzstisztek *stand* **2.** *szl [vezetőség]* nagyokos(ok), nagykutyák

topcoat *fn* felöltő, felsőkabát, köpeny

top copy *fn* legfelső/eredeti példány

top dog *fn biz* **1.** a győztes **2.** főember, vezető helyen levő (ember), „nagykutya", fejes

top-down *mn/hsz* **1.** felülről lefelé *[haladó]*, az általánostól a különös felé haladó **2.** hierarchikus

top drawer *mn US biz* **1.** legjobb minőségű, első osztályú, elsőrangú, elsőrendű, príma, szuper **2.** jó családból való; → **top¹** I.1.

top dressing *fn* **1.** *mezőg* talajfelszíni trágyázás, fejtrágyázás **2.** útburkolat **3.** fedőréteg, borítás

tope¹ [toʊp] **A.** *tni* sokat iszik, iszákoskodik **B.** *tsi biz* vedel *[alkoholos italt]*

tope² [toʊp] *fn India* liget, erdőcske, facsoport, mangós kert

tope³ [toʊp] *fn áll* közönséges kutyacápa

topee [ˈtoʊpiː] → **topi**

top-flight *mn US* **1. a)** legelső osztályú, első klasszisú, legjobb **b)** nagy tehetségű, a művészete tetőpontján levő, beérkezett, legelsők közé tartozó, igen kiváló **2.** magas rangú, igen befolyásos, nagy befolyással rendelkező

top-hamper *fn* **1.** *épít* felső szerkezet, felépítmény *[hídé]* **2.** élőfa legfelső harmada **3.** *hajó* felső árbocozat

top hat *fn* cilinder, kéménykalap

top-heavy *mn* **1.** fejnehéz, felül túlságosan nehéz, rossz egyensúlyú **2.** *hajó* felülterhes **3.** *szl [részeg]* pityókás

top-hole *mn szl [nagyszerű, elsőrendű]* tuti, klassz, szuperklasszis

topi [ˈtoʊpiː ‖ toʊˈpiː] *fn tsz* **~s** *India* trópusi sisak/kalap

topiary [ˈtoʊpɪəri ‖ –pieri] *kert* **I.** *mn* műkertészi, nyesett fájú/bokrú **II.** *fn* formára nyeső műkertészet

topic [ˈtɒpɪk ‖ ˈtɑpɪk] *fn* **1.** tárgy, téma *[beszédé, írásé]* **2.** közhely, általános érv **3.** *nyelv* topik

topical [ˈtɒpɪkl ‖ ˈtɑpɪkl] **I.** *mn* **1.** helyi **2.** alkalmi, időszerű, aktuális, tárgyhoz tartozó **II.** *fn* **1.** *film* híradó **2.** alkalmi bélyeg • *hsz* **topically**

topicality [ˌtɒpɪˈkæləti ‖ ˌtɑ–] *fn* **1.** alkalmi jelleg, időszerűség, aktualitás **2.** *tsz* **topicalities a)** *film* híradó **b)** aktuális hírek

topknot *fn* **a)** bóbita, búb *[madáré]* **b)** kis konty *[homlokon]* **c)** *US* indián hajcsomó, skalp

topless [ˈtɒpləs ‖ ˈtɑp–] *mn* **1.** tető nélküli **2. a)** derékig meztelen, felsőrész nélküli, „topless" *[női ruha]* **b)** félmeztelen személyzettel működő *[étterem stb.]*

top-level *mn US* legfelső/magas szintű; **~ talks** legfelsőbb szinten folytatott tárgyalások, legmagasabb szintű megbeszélés

top-line *mn* főcímben/főhelyen szereplő, nagybetűkkel/címoldalon közölt *[újságban]*; **~ news** nagybetűs hírek

toplofty *mn* fellegekben járó, fellengzős

topman [ˈtɒpmən ‖ ˈtɑp–] *fn tsz* **-men** vezér, főnök

top management *fn gazd* felső vezetés

topmast *fn hajó* árbocsudár

topmost [ˈtɒpmoʊst ‖ ˈtɑp–] *mn* **1.** legmagasabb, legfelsőbb **2.** legfontosabb, legfőbb, fő-

top-notch *mn biz* **1.** első osztályú, szuper, csúcs, remek, pompás **2.** *US* magas rangú, a ranglétra legtetején álló

topography [təˈpɒgrəfi ‖ –ˈpɑ–] *fn* **1.** *épít* helyrajz, tereprajz, helyleírás, topográfia **2.** *orv* tájleírás **3.** *földr* domborzat • *fn* **topographer** *mn* **topographic** *hsz* **topographically**

toponymy [təˈpɒnɪmi ‖ təˈpɑ–] *fn* helynévkutatás • *fn* **toponym**

topos [ˈtɒpɒs ‖ ˈtoʊpɑs] *fn tsz* **topi** *ir.tud* toposz

topper [ˈtɒpə ‖ ˈtɑpər] *fn biz* **1. a)** fedő **b)** cilinder *[kürtőkalap]* **2.** feltűnő/remek/kitűnő/nagyszerű ember/dolog, rendes fickó **3.** *US* rövid női kabát

topping [ˈtɒpɪŋ ‖ ˈtɑ–] **I.** *mn* **1. a)** *biz* magasabb (vmnél) **b)** *biz* égbenyúló *[hegyek]* **2.** *biz* kiváló, nagyszerű, remek, pompás, pazar, elsőrangú, kiemelkedő, klassz; *biz* **that's ~!** ez remek! **3.** *biz* előkelő **II.** *fn* **1.** *biz* betetőző/koronázó vm **2.** *tsz* **toppings** *biz* levágott darabkák **3.** díszítés *[torta tetején]*

topple [ˈtɒpl ‖ ˈtɑpl] **A.** *tsi* **1. ~ sg down/over** feldönt/felborít/feltaszít vmt **2.** megdönt, romba dönt, ledönt *[épületet]* **B.** *tni* **1. ~ (down/over)** elesik, előreesik, feldől, felborul, (f)elbukik **2.** inog, billeg

topsail [ˈtɒpsl ‖ ˈtɑpsl] *fn hajó* csúcsvitorla, derékvitorla

top-sawyer *fn biz* magas rangú/állású személyiség, (nagy)főnök

top scorer *fn* **1.** a legtöbb pontszámot elérő *[versenyen]* **2.** *sp* a legjobb góllövő

top secret *mn US biz* szigorúan bizalmas, titkos

top-shell *fn áll* kúpcsiga

topside *fn* **1.** felső rész **2.** lágyhús

topsoil *fn* humuszréteg, termőtalajréteg, talajtakaró, fedő/felső földréteg; **~ road** homokos/agyagos út

top stitches *fn tsz* díszöltés

topsy-turvy [ˌtɒpsiˈtɜːvi ‖ ˌtɑpsiˈtɜrvi] **I.** *mn* feje tetejére állított, felfordított **II.** *hsz* feje tetejére állítva, hegyén-hátán, összevissza **III.** *fn* összevisszaság, zűrzavar, felfordulás • *hsz* **topsy-turvily**

top-up *fn* **1.** (egy kis) utántöltés *[italból]* **2.** *pénz* feltöltés *[kölcsöné]*

tor [tɔː ‖ tɔr] *fn* **1.** sziklás csúcs/domb, (hegyes) sziklacsúcs, sziklabérc **2.** *skót* sírhalom

Torah [ˈtɔːrə] *fn vall* **a)** a Törvény **b)** Mózes öt könyve, tóra

torch [tɔːtʃ ‖ tɔrtʃ] *fn* **I. 1.** fáklya **2.** *GB* **electric ~** (rúdalakú) elemlámpa **3.** *US műsz* hegesztőpisztoly **4.** *szl* **carry a/the ~ for sy** *[viszonzatlanul szerelmes vkbe]* rágja vk lábtörlőjét, ácsingózik/döglik vkért **II.** *tsi* felgyújt vmit

torch-bearer *fn* fáklyavivő
torchlight *fn* fáklyafény
torchlight parade *fn* fáklyásmenet, fáklyás felvonulás
torchon [ˈtɔːʃɒn ‖ ˈtɔrʃɑn] *fn* ~ **lace** népművészeti csipke *[mértani rajzzal]*; ~ **paper** akvarellpapír; érdes rajzpapír
torch race *fn tört* fáklyás versenyfutás *[ókori Görögországban]*
torch song *fn* érzelmes/szentimentális dal
torch-thistle *fn növ* óriás oszlopkaktusz
tore [tɔː ‖ tɔr] → **torus**
toreador [ˈtɒrɪədɔː ‖ ˈtɔ–, ˈtɑ–] *fn* torreádor, bikaviador
torero [təˈreərou ‖ –ˈrerou] → **toreador**
toric [ˈtɒrɪk ‖ ˈtɔrɪk] *mn* bikaszerű, bika alakú
Tories [ˈtɔːriz] *fn tsz GB* **the** ~ a toryk, a konzervatív párt, a konzervatívok; → **Tory**
torment I. *fn* [ˈtɔːment ‖ ˈtɔr–] **1. a)** kín(zás), kínszenvedés, gyötrelem, gyötrődés, fájdalom **b)** kín/gyötrelem forrása **2.** kínvallatás, tortúra **II.** *tsi* [tɔːˈment ‖ tɔr–] **1.** (meg)kínoz, gyötör, zaklat **2.** kínpadra von, kínvallatásnak vet alá
tormenter [tɔːˈmentə ‖ tɔrˈmentər] → **tormentor**
tormentor [tɔːˈmentə ‖ tɔrˈmentər] *fn* **a)** kínvallató, pribék, hóhér **b)** kínzó, gyötrő (személy/dolog)
tornado [tɔːˈneɪdou ‖ tɔr–] *fn tsz* **~es 1.** forgószél, szélvihar, szélvész, tornádó **2.** *átv* kitörés, végigsöprés *[érzelemé, éljenzésé stb.]*; **a ~ of protest** kirobbanó ellenkezés • *mn* **tornadic**
toroid [ˈtɔːrɔɪd] *fn csill* gyűrű *[bolygóé]*
torpedo [tɔːˈpiːdou ‖ tɔr–] **I.** *fn tsz* **~es 1.** *kat* torpedó, tengeri akna **2.** *szl* ‹ gyilkosságra v. verésre felbérelt bűnöző › **II.** *tsi* **1.** megtorpedóz **2.** *átv* megfúr, elfűrészel, megtorpedóz *[tárgyalást, tervet]*
torpedo boat *fn kat* torpedónaszád
torpedo tube *fn kat* torpedókilövő cső
torpefy [ˈtɔːpɪfaɪ ‖ ˈtɔr–] *tsi* elernyeszt, elzsibbaszt, kábaságot/zsibbadtságot okoz
torpid [ˈtɔːpɪd ‖ ˈtɔr–] *mn* **1.** zsibbadt, tompult, elernyedt, *orv* renyhe **2.** *biz* lomha, nemtörődöm, lusta, tunya, tétlen, nehézkes elméjű • *fn* **torpidity**, **torpidness**
torpor [ˈtɔːpə ‖ ˈtɔrpər] *fn* **1.** ernyedtség, kábultság, kábulat, tompaság, zsibbadtság, érzéketlenség **2.** *orv* **a)** szunnyadozás, szendergés **b)** aléltság, ájulás, kábultság, renyheség • *mn* **torporific**
torque [tɔːk ‖ tɔrk] *fn fiz* csavaró/torziós nyomaték, forgatónyomaték
torque wrench *fn gk* nyomatékkulcs
torrefy [ˈtɒrɪfaɪ ‖ ˈtɔrɪ–] *tsi* pörköl, perzsel, (ki)éget, kalcinál, aszal, szárít • *fn* **torrefaction**
torrent [ˈtɒrənt ‖ ˈtɔ–] *fn* **1.** özön, ár(adat), zuhatag **2. a)** hegyi patak **b)** sebes folyó; **~ of lava** lávafolyam • *mn* **torrential**
torrid [ˈtɒrɪd ‖ ˈtɔ–] *mn* forró, perzselő *[meleg]*; **~ zone** forró égöv • *fn* **torridity**
torrify [ˈtɒrɪfaɪ ‖ ˈtɔrɪfaɪ] → **torrefy**
torsion [ˈtɔːʃn ‖ ˈtɔrʃn] *fn* **1.** csavarás, sodrás, tekerés **2.** *fiz* torzió **3.** csavarodás, sodrat, tekeredés, tekervény • *mn* **torsional**
torsion balance *fn fiz* torziós mérleg
torsion pendulum *fn fiz* torziós inga
torso [ˈtɔːsou ‖ ˈtɔr–] *fn tsz* **s**, **torsi** [–siː] **1.** *műv* **a)** torzó *[fej és végtagok nélküli szobor]* **b)** befejezetlen/csonka műalkotás **2.** törzs *[emberé]*
tort [tɔːt ‖ tɔrt] *fn jog* **a)** vknek okozott kár, sérelem, megrövidülés **b)** magánjogi vétkes cselekmény
torte [ˈtɔːtə ‖ ˈtɔrtə] *fn* torta
tortilla [tɔːˈtiːə ‖ tɔr–] *fn* tortilla *[mexikói kukoricalepény]*
tortious [ˈtɔːʃəs ‖ ˈtɔr–] *mn* **1.** *jog* káros, sérelmes, hátrányos **2.** *jog* tiltott, jogellenes, vétkes, büntetendő
tortoise [ˈtɔːtəs ‖ ˈtɔrtəs] *fn* szárazföldi teknősbéka; *biz* **at his ~ gait** (a tőle megszokott) csigalépésben

tortoiseshell I. *mn* **1.** teknősbéka teknőjéből való, teknőc; **~ spectacles** teknőckeretes szemüveg **2.** *áll* **~ butterfly** nappali pávaszem; **~ cat** cirmos macska **II.** *fn* teknősbéka teknője, teknősbékapáncél
tortuous [ˈtɔːtʃuəs ‖ ˈtɔr–] *mn* kanyargós, görbe, csavaros, tekervényes, tekergős, kígyózó, kerülő, *átv* nem egyenes; **~ style** nyakatekert/tekervényes stílus • *fn* **tortuosity**, **tortuousness**
torture [ˈtɔːtʃə ‖ ˈtɔrtʃər] **I.** *tsi* **1. a)** kínoz, gyötör, sanyargat (vkt); **~d by remorse** lelkiismeretfurdalástól gyötörve **b)** *tört* kínpadra von vkt, kínvallatás alá vesz vkt, vallat **2.** félremagyaráz, kiforgat értelméből *[szöveget, szót]* **II.** *fn* **1.** kínvallatás, kínzás, tortúra; **instrument of ~** kínzószerszám **2. a)** kínzás, gyötrés, sanyargatás **b)** kín(lódás), (kín)szenvedés, gyötrődés, gyötrelem, tortúra • *fn* **torturer** *mn* **torturable**, **torturous**
torus [ˈtɔːrəs] *fn tsz* **tori** [–raɪ] **1.** *épít* oszlopláb párnája **2.** *orv* duzzanat, kitüremkedés **3.** *növ* magház
Tory [ˈtɔːri] *mn/fn GB* tory, konzervatív (párti)
Toryism [ˈtɔːrɪɪzm] *fn GB* tory politika/elvek, (politikai) konzervativizmus
tosh [tɒʃ ‖ tɑʃ] *fn biz* ostobaság, butaság, haszontalanság, ostoba beszéd, marhaság, szamárság
toss [tɒs ‖ tɔs] *pt/pp* **tossed**, **tost** [tɒst ‖ tɑst] *vál* **I. A.** *tsi* **1. a)** (fel)dob, hajít, vet, lök, taszít (vmt) **b) ~ a coin** pénzt feldob, fej vagy írást játszik, pénzfeldobással sorsot húz **2. ~ its head** fejét rázza/csóválja *[ló]* **3. a)** (ide-oda) ráz, mozgat, ingat, táncoltat, dobál **b)** izgat, zaklat (vkt) **4.** felöklel *[bika]* **B.** *tni* **1. ~ (and tumble/turn) in bed** hánykolódik/forgolódik az ágyában **2.** hányódik, inog *[hajó]*; **pitch and ~** bukdácsol *[hajó]* **3.** csobog *[hullám]*, háborog *[tenger]* **II.** *fn* **1. a)** (fel)dobás, hajítás; *biz* **not worth a ~** fabatkát sem ér **b)** pénzfeldobás, fej vagy írás, sorshúzás; *US* **~ and catch** fej vagy írás **2. ~ of the head** megvető/türelmetlen fejmozdulat **3. a)** lökés, taszítás **b)** *GB* leesés *[lóról]* **c)** öklelés *[bikáé]* **4. a)** hánykolódás *[emberé elalvás előtt]* **b)** (hajó) imbolygás
toss about A. *tsi* összevissza dobál **B.** *tni* **~ about in bed** hánykolódik/forgolódik az ágyban
toss aside *tsi* félredob, félrelök
toss away *tsi* eldob, félrelök
toss in *tsi biz* **~ in the towel** feladja a küzdelmet
toss off A. *tsi* **1.** ledob *[ló lovast]* **2.** egy húzásra lehajt/felhajt/lenyel *[italt]* **3.** gyorsan elintéz *[feladatot]*, összecsap *[cikket]* **4. ~ a pancake off** feldob palacsintát **5.** *US szl [átkutat, megmotoz]* hipisel, szétszed vkt **B.** *tni GB szl [önkielégít]* kiveri a farkát, rejszol; → **toss-off**
toss up A. *tsi* feldob *[pénzt]* **B.** *tni* pénzt feldob, pénzfeldobással eldönt; → **toss-up**
tosser [ˈtɒsə ‖ ˈtɔsər] *fn* **1.** dobó, vető **2.** gúnyolódó, csúfolódó, ugrató, rászedő
toss-up *fn* **1.** fej vagy írás *[pénzfeldobás]* **2.** kétes kimenetelű ügy, vakszerencse, egyenlő esély; → **toss up**
tot[1] [tɒt ‖ tɑt] *fn* **1.** tipegő/piciny gyerek, egészen kis gyerek **2. a)** *GB* kupica, stampedli **b)** kupicányi, gyűszűnyi, kevéske **3.** *US* egy kicsi, egy kevés vmiből
tot[2] [tɒt ‖ tɑt] **I.** *fn* **1.** összeadandó számok (oszlopa) **2.** hosszú számoszlop összege **II. -tt- A.** *tsi* **~ up a column of figures** összead/összesít/összegez egy számoszlopot **B.** *tni* kitesz vmennyit, rúg vmennyire
tot[3] [tɒt ‖ tɑt] **1.** *fn GB szl [szemét között turkáló]* guberáló, kukázó **2.** *tni* **-tt-** *GB szl [szemét között turkál]* guberál, kukázik
total [ˈtoutl] **I.** *mn* **1.** összes, teljes, egész; *csill* **~ eclipse** teljes (nap)fogyatkozás **2.** teljes, tökéletes, abszolút, totális **II.** *fn* (vég)összeg; **grand ~** végösszeg, teljes összeg **III. -ll-**, *US* **-l- A. 1.** *tsi* összead, összegez (vmt) **2.** *US szl [összever vkt]* hülyére/bucira/laposra ver, szétveri a/vk pofáját **3.** *US szl [összetöri a kocsiját]* totálkárosra töri a kocsiját **4.** *szl [megöl]* kikészít, kicsinál, kinyír **B.** *tni* **~ up to ...** kitesz vmennyit, rúg vmennyire

T

totalitarian [toʊˌtælɪˈteərɪən ‖ –ˈter–] *mn pol* totális, totalitárius, parancsuralmi, diktatórikus • *fn* **totalitarianism**

totality [toʊˈtæləti] *fn* **1.** teljesség, összesség, az egész, a teljes egész, minden együtt **2.** az egész összeg/mennyiség **3.** *csill* teljes elsötétedés *[fogyatkozáskor]*

totalize [ˈtoʊtl·aɪz], **-ise** *tsi* összegez, összead, összesít • *fn* **totalization**

totally [ˈtoʊtl·i] *hsz* **1.** teljesen, egészen **2.** *US szl [teljesen]* totál, tök(totál), hulla

tote [toʊt] **I.** *fn* **1.** *US* vitel, szállítás, cipelés **2.** *US* teher **II.** *tsi US* szállít, visz, hurcol, cipel, hord *[terhet karján/hátán]*

tote bag *fn US* bevásárlótáska, bevásárlószatyor

tote box *fn US* kis láda *[szállításhoz]*

totem [ˈtoʊtəm] *fn* totem, családjelvény/törzsjelvény indiánoknál • *fn* **totemism** *mn* **totemic**

totem pole *fn* totemoszlop

t'other [ˈtʌðə ‖ –ər], **tother** *mn/nm biz the other*; a másik

totter [ˈtɒtə ‖ ˈtɑtər] **I.** *fn* tántorgás, támolygás, ingadozás **II.** *tni* **1. a)** támolyog, ingadozva jár, csetlik-botlik **b)** tántorog *[részeg ember]*, dülöngél **2.** összedőléssel fenyeget *[épület]*, ingadozik, inog *[kormány]* • *fn* **totterer** *mn* **tottery**

toucan [ˈtu:kən ‖ –kæn] *fn áll* tukán

touch [tʌtʃ] **I.** *fn* **1. a)** érintés **b)** ~ **last** fogócska **2. a)** tapintóérzék **b)** tapintás, érzés **c)** *orv* kitapogatás, kitapintás **d)** fogás *[szövet tapintása]* **3. a)** könnyed/kis ütés **b)** *átv* enyhe rábeszélés, lökés **c) write with a light ~** könnyed/világos stílusban ír **4. a)** *műv* ecsetkezelés, ecsetkezelési technika, ecsetvonás **b)** (egyéni) jelleg(zetesség), jellemző vonás, eljárásmód, jellegzetes viselkedés; **personal ~** egyéni vonás/jellemző; **~ of nature** természetes jellemvonás; *biz* a tömeg szimpátiáját felkeltő tett **5.** egy szem/szikra, egy csöppp(nyi), egy kevés/kis (mennyiség vmből) **6.** kapcsolat, érintkezés; **be in ~ with the situation** jól ismeri a helyzetet, kapcsolatban van a dologgal/üggyel; **keep in ~ with him!** ne veszítse őt szem elől!; tartsa vele a kapcsolatot! **7.** *sp* partvonal *[labdarúgásban]*; **kick into ~** partvonalon túlra/kívülre rúgja a labdát **8. it was ~ and go with him** egy hajszálon függött (hogy megmenekült stb.); **it was a near ~** épp hogy megúszta; **have a near ~** szerencsésen megmenekül/megússza **9.** *szl [kölcsönkérő, potyaleső ember]* lejmos, rodás, tarhás; **be an easy ~** könnyű megvágni, lenyúlni vkt **II. A.** *tsi* **1. a)** (meg)érint, (meg)tapint (vmt), hozzányúl (vmhez); **~ bottom** leér, feneket ér, fenekére süllyed; *átv* mélypontot ér el, mélypontra ér; **~ glasses** koccint; **he ~ed his hat to me** üdvözölt, köszöntött; **~ land** partot/partra ér; kiköt; *szl* **~ penny/pot** csak készpénz ellenében; *sp* **~ the wall** beüt *[úszó]*; *GB biz* **~ wood!** hogy lekopogjam, nem szabad elkiabálni a dolgot; **I would not ~ it with a pair of tongs** a világért hozzá nem nyúlnék **b)** érintkezik (vmvel) **c)** megérint, megpenget *[húrt]* **d)** elér; *biz* **~ four figures** elér négy számjegyet; **nobody can ~ him in sg** utolérhetetlen vmben **e) not to ~ sg** nem nyúl vmhez; tartózkodik vmtől **f)** felvázol, előrajzol (vmt), könnyedén befest (vmt) **2. a)** hatást gyakorol, hatással van (vmre); **~ the spot** a baj gyökerét keresi meg **b) I could not ~ the history paper** hozzá sem tudtam kezdeni a történelemdolgozathoz **3.** meghat, megindít **4.** érint, érdekel (vkt), vonatkozik (vkre) **5.** *biz szl* **~ sy for a fiver** levág/megvág/megpumpol vkt öt fontra/dollárra **6.** játszik (vmn) **B.** *tni* **1. a)** érintkezik (vmvel), érintik egymást **b)** felveszi az érintkezést (vkvel) **2.** *kat* felzárkózik

touch at *tni hajó* **~ at a port** érint egy kikötőt, kiköt (átmenetileg) egy kikötőben

touch down A. *tsi* **1.** rávetődik a labdára (az ellenfél zónájában) *[rögbiben]* **2.** gólt ér el *[amerikai futballban]* **B.** *tni rep* földet ér, leszáll *[repülőgép, űrhajó]*; → **touchdown**

touch off *tsi* **1. a)** (gyorsan) lerajzol, leskiccel (vkt), vmt **b)** nagyjából megcsinál/elkészít **2.** elindít, megkezd **3. a)** elsüt *[ágyút]*, felrobbant *[aknát]* **b)** *átv* kirobbant (vmt)

touch on *tn/tsi* érint(vmt), felületesen tárgyal (vmről); **~ sy on a raw/tender spot** érzékeny pontján érint vkt

touch up A. *tsi* **1.** (ki)javít, retusál *[rajzot, képet]*, felfrissít *[színeket]*, kiszínez, szépít *[elbeszélést]*, csiszol, átdolgoz *[művet]* **2.** felbosszant **3. a)** felfokoz, felizgat **b)** sarkall, ösztönöz **c)** *szl [szexuális célból tapogat]* taperol, tapizik **B.** *tni szl [önkielégít]* rejszol; → **touch-up**

touch upon *tni* **1.** vonatkozik (vmre) **2.** (felületesen) érint, felületesen tárgyal, kitér (vmre)

touchable [ˈtʌtʃəbl] *mn* megfogható, megtapintható, érinthető, kézzelfogható • *fn* **touchableness**

touch-and-go *mn* **1.** *biz* bizonytalan/határozatlan kimenetelű, kockázatos *[ügy, helyzet]* **2.** elsietett, felszínes, átmeneti

touchdown *tsi* **1.** *rep* földetérés, leszállás **2.** *sp* **a)** *[rögbi]* ‹a labda érintése/megfogása a földön az ellenfél zónájában› **b)** gól *[amerikai futballban]*

touched [tʌtʃt] *mn* **1.** érintett **2.** meghatott, megindult **3.** *biz* meghibbant, ütődött, kissé bolondos, dilis

toucher [ˈtʌtʃə ‖ –ər] *fn* **1. a)** érintő, tapintó (ember) **b)** *sp* a célgolyót elérő golyó **2.** hajszálon múlt megmenekülés, szerencsés megmenekülés **3.** *szl [kölcsönkérő, ajándékot leső ember]* lejmos, rodás, tarhás

touch-football *fn sp* ‹az amerikai futball „családi" változata, amelyben a játékosok csak megérintik egymást›

touching [ˈtʌtʃɪŋ] **I.** *mn* **1.** megható, megindító **2.** vmre vonatkozó **II.** *elölj* vmre vonatkozólag, vmt illetőleg • *fn* **touchingness** *hsz* **touchingly**

touch judge *fn sp* partjelző, taccsbíró *[rögbiben]*

touch line *fn sp* partvonal *[pl. labdarúgásban]*

touch-me-not *fn növ* nebáncsvirág, nenyúljhozzám

touchpad *fn infor* (érintéssel) pozicionáló lemez

touchpaper *fn* gyújtópapír

touch screen *fn* érintésérzékeny képernyő

touch-sensitive screen *fn* érintésérzékeny képernyő

touchstone *fn* **1.** *ásv régi* próbakő *[arany és ezüst eredetiségének megállapítására]* **2.** *átv* próbakő, ismérv, kritérium

touchtone dialling, *US* **- dialing** *fn távk* nyomógombos tárcsázás

touchtone telephone *fn távk* nyomógombos telefon

touch-type *tni* vakon gépel *[írógépen, számítógépen]* • *fn* **touch-typing**

touch-up *fn* kijavítás, retus(álás); → **touch up**

touchwood *fn* tapló, gyújtófa, gyújtós

touchy [ˈtʌtʃi] *mn* **a)** érzékeny, sértődékeny, ingerlékeny *[ember]* **b)** kényes *[ügy]* • *fn* **touchiness** *hsz* **touchily**

tough [tʌf] **I.** *mn* **1. a)** kemény, erős, szívós, kitartó, tartós, ellenálló **b)** kemény, rágós *[hús]* **c)** nyúlós **2.** erős, ellenálló, edzett *[szervezet]* **3.** makacs, csökönyös, hajthatatlan, merev; **~ cookie** *US biz* vagány lány/nő; *biz* **he's a ~ customer** nehéz/kellemetlen pasas; **~ luck** pech, balszerencse **4. a)** kemény, nehéz, fáradságos *[feladat]*; **~ nut to crack** kemény dió **b)** *biz* **that's ~!** milyen kellemetlen!, ez pech! **5. a)** *biz* durva, brutális, vad *[ember]* **b)** *biz* fenyegető, erőszakos, erős kezű, erőszakot alkalmazó, erőszaktól vissza nem riadó, erőszakhoz nem nyúló **6.** *szl* **~ shit/titty!** ‹együttérzés kifejezése ironikusan›; szar ügy!, ciki!, hogy oda ne rohanjak!, mindjárt elsírom magam! **II.** *fn US biz* gengszter, bandita, útonálló, vagány, jassz, bicskás, huligán **III.** *tsi* **~ it (out)** átvészel, valahogy kibír • *fn* **toughness** *mn* **toughish**

toughen [ˈtʌfn] **A.** *tsi* **1. a)** keményít, szilárdít, edz (vmt) **b)** szívósít, tömörít, szívóssá/edzetté/kitartóvá/erőssé tesz **2.** megkeményít, rideggé tesz (vkt) **B.** *tni* **1.** megkeményedik, megedződik *[tárgy]* **2.** megkeményedik, megkeményíti magát, rideggé válik (vk)

T

toughie [ˈtʌfi] *fn* **1.** *biz* → **tough** II. **2.** *biz* nehéz kérdés/eset

tough-minded *mn* tisztafejű, nem szentimentális, gyakorlatias észjárású, realista

toupee [ˈtu:peɪ ‖ tu:ˈpeɪ] *fn* **1.** kis paróka *[fejtetőre]* **2.** hajcsomó, üstök

tour [tuə ‖ tʊr] **I.** *fn* **1. a)** utazás, (külföldi) út, túra, körutazás, körút, társasutazás **b)** kirándulás, túra *[gyalog]* **2.** ~ **of inspection** ellenőrző (kör)út, szemleút **3.** *szính* előadókörút, vidéki/külföldi körút/vendégszereplés/vendégjáték, turné; **go on** ~ vidéki/külföldi vendégszereplésre/vendégjátékra/turnéra megy **II. A.** *tsi* **1.** beutaz, körülutaz, bejár *[országot stb.]* **2.** *szính* turnézik **B.** *tni* körutat/körutazást tesz egy országban, keresztül-kasul bejár egy országot

tour de force [ˈtuədə– ‖ ˈtʊrdə–] *fn tsz* **tours de force 1.** bűvészmutatvány **2.** nagyszerű/ügyes teljesítmény

tourer [ˈtuərə ‖ ˈtʊrə] *fn gk biz* túrakocsi, túraautó

tour guide *fn* idegenvezető

touring car [ˈtuərə ‖ ˈtʊrər] *fn* túrakocsi, túraautó

tourism [ˈtuərɪzm ‖ ˈtʊr–] *fn* **1.** turisztika, turistáskodás, országjárás, természetjárás **2.** idegenforgalom, turizmus, külföldjárás

tourist [ˈtuərɪst ‖ ˈtʊr–] *fn* **a)** *sp* természetjáró, turista, országjáró **b)** *ált* turista *[külföldre utazó]*, külföldi utas/vendég • *mn* **touristic**

tourist class *fn* turistaosztály *[hajón, repülőgépen]*

tourist rate *fn pénz* turistaárfolyam

tourist ticket *fn* (kedvezményes) turistajegy

tourist trade *fn* idegenforgalom *[mint iparág]*

tourist traffic *fn* turistaforgalom

tourist trap *fn* turistacsapda *[ahol mindent drágán, csak turisták számára árusítanak]*

tourist visa *fn* turistavízum

tour leader → **tour guide**

tournament [ˈtuənəmənt, ˈtɔ:– ‖ ˈtɜr–, ˈtʊr–] *fn* **1.** *sp* viadal, torna, verseny, mérkőzés **2. a)** *tört* lovagi torna, harcjáték **b)** *tört* lovasjáték, karusszel

tourney [ˈtuəni ‖ ˈtʊr–] **I.** *fn tört* lovagi torna **II.** *tni* lovagi tornán részt vesz

tour operator *fn* utazásszervező

tousle [ˈtaʊzl] *tsi* **1.** ráncigál, rángat, cibál **2.** összekócol, összeborzol *[hajat]*, szétzilál *[ruhát]*

tousled [ˈtaʊzld] *mn* zilált, kuszált *[haj]*

tout [taʊt] **I.** *fn* **1.** *GB* felhajtó *[aki vevőket/klienseket hajt fel]* **2.** utcai árus, zugárus **3.** *sp* **(racing)** ~ lóversenytippek közvetítője **II. A.** *tsi* **1.** *sp* kikémleli a lovak edzését/állapotát *[verseny előtt]* **2.** ~ **sy for his custom** rá akarja tukmálni a szolgálatait vkre **B.** *tni US* ~ **for votes** szavazatokra vadászik, szavazatokat toboroz

touter [ˈtaʊtə ‖ ˈtaʊtər] → **tout** I.

tow [toʊ] **I.** *fn* **1.** vontatókötél **2.** *hajó* vontatmány, uszály, vontatott hajó/kocsi; *US* ~ **truck** autómentő, segélykocsi; **have in** ~ vontat (vmt); *átv* felügyelete alatt tart (vkt), vmt; *átv* kíséretében van (vk) **II.** *tsi* vontat, von, húz *[hajót, kocsit, csónakot, dereglyét]* • *fn* **towage**

towards [təˈwɔ:dz ‖ ˈtɔrdz] *elölj* **1.** felé, irányába(n) **2.** iránt; **his attitude** ~ **sg** állásfoglalása vmvel szemben (v. vm tekintetében) **3.** -ért, érdekében, céljából, céljára **4.** felé, tájában, tájt *[időben]*

tow-away zone *US gk* ‹tiltott parkolóterület, ahonnan a várakozó járművet elvontatják›

tow boat *fn* vontatóhajó, révkalauzhajó

tow-coloured, *US* **-colored** *mn* világos *[hajszín]*

towel [ˈtaʊəl] **I.** *fn* törülköző; **throw in the** ~ *sp biz* bedobja a törülközőt *[ökölvívó-mérkőzés feladására]*; *átv* feladja a küzdelmet **II. -ll-**, *US* **-l- A.** *tsi* **1.** törülközővel megtöröl (vkt) **2.** *szl* elpáhol, (jól) elver, elagyabugyál (vkt) **B.** *tni* törülközővel dörzsöl (*at* vmt)

towel-horse *fn* törülközőtartó

towelling [ˈtaʊəlɪŋ] *fn* **1.** *tex* törülközőanyag, törlőruhaanyag **2.** *szl* elpáholás, verés

towel rail *fn* törülközőtartó, törülközőszárító (rúd)

tower [ˈtaʊə ‖ –ər] **I.** *fn* **a)** torony, bástya, őrtorony **b) clock** ~ toronyóra, óratorony **c)** *távk* antenna, toronyantenna **d)** vár, citadella; **the T~ of London** a londoni Tower **e)** *biz* **he is a** ~ **of strength** megbízható/nagy támasz/segítség; komoly/számottevő erőforrás **II.** *tni* **1.** tornyosul, kiemelkedik, kimagaslik, meredez, égnek mered, ural (vmt), uralkodik (vm fölött) **2. a)** magasba száll, felszáll **b)** lebeg, libeg *[a magasban]* **3.** ~ **above sg** magasabb vmnél, *átv* vm fölé emelkedik, túlszárnyal vmt • *mn* **towered**, **towery**

tower block *fn GB* toronyház

towered [ˈtaʊəd ‖ –ərd] *mn* tornyos, tornyú

towering [ˈtaʊərɪŋ] *mn* **1.** torony magasságú, nagyon magas; **a** ~ **height** igen nagy magasság **2.** *biz* heves, rendkívüli, erős, féktelen, hatalmas; ~ **ambition** mértéktelen becsvágy

tow-headed *mn biz* **a)** hirtelenszőke, lenszőke, kenderhajú **b)** kócos szőke hajú *[gyerek, ember]*

town [taʊn] *fn* **1. a)** város; **the talk of the** ~ amiről az egész város beszél; **woman of the** ~ prostituált **b)** *US* község *[New Englandben]* **2. a)** *GB* **a man about** ~ nagyvilági/társaságbeli ember/férfi; **woman about** ~ divatos, nagyvilági nő **b) go into** ~, **go up to** ~ felmegy/felutazik a városba, a városba megy **3.** *szl* **go to** ~ sikerül vknek vm; bejön vknek vmi **4.** *szl* ~ **clown** a (városi, falusi) helyi rendőr • *mn* **townish**

town clerk *fn US* ‹a városi jegyző és anyakönyvvezető szerepét betöltő hivatalnok›

town council *fn GB* városi tanács/képviselőtestület, községtanács • *fn* **town councillor**

town crier *fn* kisbíró, városi kikiáltó

townee [taʊˈni: ‖ ˈtaʊni] *fn biz* polgár, városlakó, cívis *[szemben az ugyanazon településen tanuló egyetemi hallgatókkal]*

tow net *fn* húzóháló, vonóháló

town hall *fn* városháza

town house *fn* **1.** *GB* belvárosi ház, ház a belvárosban **2.** városi (lakó)ház *[szemben a vidéki házzal]* **3.** *US* sorház

townie [ˈtaʊni] *fn Ausz biz* városi (ember), városlakó

townlet [ˈtaʊnlɪt] *fn* városka, kisváros

town-major *fn* a város polgármestere

town-mayor *fn kat* városparancsnok

town meeting *fn US* városi közgyűlés; közmeghallgatás *[lakossági]*

town planning *fn* várostervezés, városrendezés, városszabályozás, városfejlesztés

townscape [ˈtaʊnskeɪp] *fn* városkép

townsfolk [ˈtaʊnzfoʊk] *fn tsz* városiak, a városi nép/lakosság

township [ˈtaʊnʃɪp] *fn* **1.** község *[mint közigazgatási egység]* **2.** városi közigazgatási terület **3.** *US* vidéki (járási) kerület **4. a)** *Ausz* kis település **b)** *Ausz* üzleti negyed (városban) **5.** *Dél-Af* feketenegyed

townsman [ˈtaʊnzmən] *fn tsz* **-men** városlakó, városi polgár/ember

townspeople [ˈtaʊnzpi:pl] *fn tsz* városiak, városi lakosság, városlakók, egy város polgárai/lakossága

townswoman [ˈtaʊnzwʊmən] *fn tsz* **-women** városlakó-(nő/asszony), városi polgár(nő/asszony)

tow path *fn* vontatóút *[a folyó mellett haladó hajóvontatók számára]*

tow rope *fn* vontatókötél

tow truck *fn US* autómentő, autóvontató *[gépkocsi]*

towy [ˈtoʊi] *mn* **1.** kóc-, csepű- **2.** lenszőke

toxic [ˈtɒksɪk ‖ ˈtɑk–] *orv* **I.** *mn* mérges, mérgező (hatású), toxikus **II.** *fn* méreg • *fn* **toxicity**

toxicology [ˌtɒksɪˈkɒlədʒi ‖ ˌtɑksɪˈkɑ–] *fn orv* méregtan, toxikológia • *mn* **toxicological**

toxicomania [ˌtɒksɪkəˈmeɪnɪə ‖ ˈtɑ–] *fn orv* kábítószerekkel élés, kábítószermánia, toxikománia

T

toxin ['tɒksɪn || 'tɑk–] *fn orv* méreganyag, toxin; → **toxic** II.
toxophilite [tɒk'sɒfɪlaɪt || tɑk'sɑ–] *fn* íjász • *fn* **toxophily**
toy [tɔɪ] **I.** *fn* **a)** játék(szer) **b) he was a mere ~ in her hands** báb volt a kezében; csak játszott vele (a nő) **II.** *mn* **1.** gyermek-, játék-; **~ theatre** bábszínház **2.** apró, pici, picurka, pöttöm **3. a ~ army** nevetséges kis hadsereg **III.** *tni* **1. ~ with sg** játszik vmvel; **~ with one's food** csak piszkálja az ételt; **~ with an idea** foglalkozik/játszik/eljátszadozik egy gondolattal **2. ~ with sy** tréfál/év(el)ődik/enyeleg vkvel
toy box *fn* játékdoboz
toy-boy *fn GB biz* fiatal szerető *[idősebb nőé]*
toylike *mn* játékszerű, játék-
toyman ['tɔɪmən] *fn tsz* **-men** játékkészítő
toyshop *fn* játékbolt, játéküzlet, játékkereskedés
toy soldier *fn* játékkatona
trabant [trɑː'bɑːnt] *fn* testőr
trace[1] [treɪs] **I.** *tsi* **1.** kinyomoz, kiszimatol, megtalál, meglel; **~ a crime to sy** bűntényt vkre rábizonyít *[nyomozás során]*; **~ the evil to its source** megtalálja a baj gyökerét; **~ sg** kiszimatol vmt; megtalál vmt, nyomát találja vmnek; **~ sy** kinyomoz vkt; követi vknek a nyomát; nyomoz vk után **2.** megrajzol, felvázol *[tervet]*; **~ a line of conduct** kijelöli a követendő magatartást **3. a)** (át)másol, átrajzol, tussal kihúz, kirajzol **b)** (le)ír, kirajzol *[betűket]* **4. a)** vmnek vonásait kiveszi/megállapítja **b)** megtalálja nyomait *[épületnek, befolyásnak, stílusnak]* **5.** követ, végigjár *[utat]* **II.** *fn* **1. a)** nyom, nyomdok, nyomvonal **b)** (tánc)lépés **2. a)** pálya **b)** kerékcsapás **3. a)** nyom, emlék, maradvány, jel **b)** *pszich* emléknyom, emlékkép • *fn* **traceability** *mn* **traceable**
 trace down *tsi* kiderít, nyomára jön
 trace off *tsi* lemásol *[rajzot]*
trace[2] [treɪs] *fn* istráng, hám; **in the ~s** befogva *[ló]*; *biz* **kick over the ~s** kirúg a hámból; fellázad; ellenszegül
trace element *fn vegy* nyomelem
traceless ['treɪsləs] *mn* nyomtalan, nyom nélküli
tracer ['treɪsə || –ər] *fn* **1. a)** nyomozó, felfedező, kikutató *[elveszett tárgyaké]* **b)** terv megrajzolója, előrajzoló, pontozó **c)** másoló *[személy]* **2. a)** irdaló, előrajzoló **b)** másolóüveglap **3.** *fiz* **(radioactive) ~** radioaktív nyomjelző/indikátor, nyomjelző izotóp
tracery ['treɪsəri] *fn* **1.** *épít* áttört (gótikus) csipkézet, mérmű, körfonadék *[rozettában]* **2.** erezet *[levélen, rovar szárnyán]*
trachea [trə'kiːə || 'treɪkɪə] *fn tsz* **tracheae** [trə'kiːiː || 'treɪkiiː] **1.** *orv* légcső **2.** *növ* edény • *mn* **tracheal**
tracing ['treɪsɪŋ] *fn* **1.** *infor* nyomkövetés **2. a)** rajzolás, felvázolás, meghúzás *[vonalé]* **b)** (át)másolás, átrajzolás, pauzálás **3. a)** másolat, kópia **b)** feljegyzés *[regisztráló készüléké]* **4. a)** nyomozás (vm után) **b)** rábukkanás, felfedezés, kinyomozás **c)** (út)nyom **d)** *sp* rajz *[korcsolyázásban]*
track [træk] **I.** *fn* **1. a)** nyom **b)** lábnyom, nyomdok; **be on sy's ~** vk nyomában van, vk mögött halad; **cover up one's ~s** tévútra vezeti a rendőrséget; eltávolítja maga után az áruló nyomokat; **fall dead in one's ~s** holtan esik össze; **follow in sy's ~** követ vkt, vk nyomdokában halad; vk nyomdokaiba lép; **keep ~ of sy** szem előtt tart vkt, nyomot követ vkt, nem veszít szem elől vkt; **lose ~ of sy** nyomát veszti vknek, vk eltűnik a szeme elől; *biz* **make ~s** megszökik, meglép, meglóg, elillan; *biz szl* **take the back ~** visszajön; visszavonul, meghátrál, meglép; **put sy on the right ~** helyes nyomra vezet vkt; **stop in one's ~s** hirtelen megáll; megtorpan *[rémülettől]*; **throw sy off the ~** letérít vkt a nyomról **c)** hajónyom, hajóbarázda **d)** *rep* nyomvonal **2.** ösvény, csapás, kerékvágás; **the beaten ~** a járt út; *Ausz* **on the ~** csavarogva, kutyagolva; *biz* **be on the inside ~** előnyös helyzetben van; **come from the wrong side of the ~s** a szegénynegyedből jön **3.** útvonal, útirány; **be off the ~** letért az útról; eltévedt; *biz* eltér a tárgytól **4.** *sp* (verseny)pálya **5. a)** *vasút* sínpár, vágány; **main ~** fővonal; **railway** v. **railroad ~s** *US* vasúti vágány/sínpár; **jump the ~s** kisiklik *[vonat]* **b)** *vasút* nyomtáv **6. a)** hernyótalp *[traktoré]* **b)** futófelület *[gumiabroncsé]* **c)** barázda *[hanglemezen]* **II. A.** *tsi* **1. a)** (nyomon) követ *[tolvajt, vadat]* **b)** kinyomoz **2.** követ *[utat]* **3.** *US* nyomokat hagy (vmn) **B.** *tni* **1.** nyomában halad *[hátsó kerék az elsőnek]* **2.** *Ausz* **~ square with sy** becsületesen bánik vkvel, korrekt
 track down *tsi* **1. a)** kinyomoz (vkt), nyomára bukkan *[tolvajnak]* **b)** lenyomoz (vkt) **2.** felhajt, fellel *[vadat]*
 track out *tsi* kinyomoz (vmt), felleli (vmnek a) nyomait
 track up *tsi* **1.** kinyomoz (vkt), nyomára bukkan (vknek) **2.** felhajt, fellel *[vadat]*
trackball *fn infor* (kurzor-)pozicionáló golyó
tracked [trækt] *mn* hernyótalpas, lánctalpas *[jármű]*
tracker ['trækə || –ər] *fn* nyomozó, nyomon követő, *kat* célkövető rádiólokátor; *Ausz* **black ~** bennszülött nyomozó *[elveszett/körözött ember után nehéz terepen]*
tracker dog *fn* nyomkereső/nyomozó kutya
track events *fn tsz sp* futószámok *[atlétikában]*
tracking ['trækɪŋ] *fn film* felvevőgép közelítése/távolodása tárgyától; **~ shot** követőfelvétel
tracklayer *fn vasút* sínrakó munkás/gép
trackless ['trækləs] *mn* **1.** nyomtalan, nyomot nem hagyó **2.** úttalan, út nélküli; **~ forest** őserdő **3.** pálya/sín nélküli *[jármű]*, vágánytalan; **~ trolley** trolibusz
trackman ['trækmən] *fn tsz* **-men** *vasút* pályaőr, pályafelvigyázó
track shoes *fn tsz sp* szöges (futó)cipő
tracksuit *fn* tréningruha
tract[1] [trækt] *fn* **1. a)** időtartam, időszak **b)** lefolyás, kimenetel **2. a)** kiterjedés **b)** terület, tér(ség) **3. a)** tájék, vidék **b)** pászta, földsáv **4.** *orv* **a)** (ideg)pálya, (izom)köteg **b) the digestive ~** az emésztőszervek; **respiratory ~** légzőszervek, légzőutak
tract[2] [trækt] *fn* **1.** (vallási), politikai röpirat, traktátus **2.** (rövid) értekezés, traktátus
tractable ['træktəbl] *mn* **1. a)** engedékeny, hajlékony **b)** tanulékony, alakítható, megszelídíthető *[jellem]* **2. a)** jól megmunkálható **b)** könnyen kezelhető *[szerkezet, jellem]* • *fn* **tractability**, **tractableness**
tractate ['trækteɪt] → **tract**[2]
tractator ['trækteɪtə] *fn* (rövid vallási) röpirat/értekezés szerzője
traction ['trækʃn] *fn* **a)** húzás, vontatás **b)** nyúlás **c)** feszítés • *mn* **tractional**, **tractive**
tractor ['træktə || –ər] *fn* traktor, vontató
tractorist ['træktərɪst] *fn* traktoros
trad [træd] **I.** *mn röv* *traditional* **II.** *fn GB* tradicionális/hagyományos jazz
trade [treɪd] **I. A.** *tsi* **1.** elad, áruba bocsát **2. ~ sg for sg** elcserél/becserél vmt vmért; **~ sg in** becserél **3. ~ off** felváltva használ **4.** *US biz* **~ sy down the river** átejt/rászed vkt **B.** *tni* **1. a)** kereskedik, üzletet köt **b)** alkuszik **c)** vásárol *[rendszeresen egy bizonyos boltban]*, bevásárol **2.** érintkezik (vkvel) **3. ~ in one's political influence** kihasználja politikai befolyását; **~ off** helyet cserél (vkvel), vmvel; **~ on** tisztességtelen módon kihasznál/felhasznál/kiaknáz; **~ up(on) sy's ignorance** kihasználja vknek a tudatlanságát **II.** *fn* **1. a)** mesterség, szakma, foglalkozás, ipar; *kif* **everyone to his ~** a suszter maradjon a kaptafánál **b)** ipar; **put sy to a ~** vmlyen mesterségre/szakmára/iparra kitanít vkt **2. a)** kereskedelem, kereskedés; **foreign ~** külkereskedelem; **free ~ zone** szabadkereskedelmi zóna/övezet; **home/internal ~** belkereskedelem; **balance of ~** kereskedelmi mérleg; *nyelv* **~ language** kereskedőnyelv *[pidzsin]* **b)** üzlet **3.** a szakma, szakmai testület, kereskedők; **the book ~** könyvszakma; **be in the ~** szakmabeli **4.** *tsz* **trades** passzátszelek **III.** *mn* **1.** kereskedelmi **2.** szakmai, hivatásbeli, üzleti, ipari • *mn* **tradeable**
trade agreement *fn gazd* kereskedelmi szerződés/egyezmény

T

trade allowance *fn gazd* kereskedelmi árengedmény; rabatt
trade barriers *fn tsz gazd* kereskedelmi korlátozások
trade cycle *fn gazd* konjunktúraciklus
traded [ˈtreɪdɪd] *fn* ügyes
trade deficit *fn gazd* a kereskedelmi mérleg hiánya
trade embargo *fn gazd* gazdasági embargó/blokád
trade fair *fn gazd* kereskedelmi vásár
trade gap *fn gazd* kereskedelmi rés *[egyik ország importjának a másik ország exportjával szemben]*
trade-in *fn* **I.** *US* régi árucikk/autó/stb. becserélése, csereakció **II.** *tsi* beszámít *[régi árucikk értékét]*
trade in arms *fn* fegyverkereskedelem
trade journal *fn gazd* szakközlöny, szaklap
trade-last *fn US biz* dicséret/elismerés/bók visszamondása
trade mark I. *fn* **1.** *gazd* védjegy, gyári jel, márkajelzés **2.** megkülönböztető vonás **II.** *tsi gazd* védjegyez
trade name *fn gazd* **1.** márkanév, kereskedelmi név/elnevezés *[árué]* **2.** cégszöveg
trade-off *fn gazd* **1.** átváltás, helyettesítés; ~ **curve** átváltási görbe; ~ **possibility** átváltási/helyettesítési lehetőség **2.** kompromisszum
trade paper *fn* szakmai folyóirat, szaklap
trade plate *fn gk* próbarendszám
trade premiere *fn film* **1.** sajtóbemutató **2.** szakmai bemutató
trade press *fn* szaksajtó
trade price *fn gazd* nagykereskedői/nagykereskedelmi/nagybani ár
trader [ˈtreɪdə ‖ −ər] *fn* kereskedő
trade relations *fn tsz* kereskedelmi kapcsolatok
trade restrictions → **trade barriers**
trade route *fn* kereskedelmi útvonal
trade school *fn* szakiskola, szakközépiskola, technikum; **advanced** ~ felsőfokú technikum
trade secret *fn gazd* üzleti titok
tradesman [ˈtreɪdzmən] *fn tsz* **-men 1.** kereskedő, boltos; **tradesmen's entrance** személyzeti/hátsó bejárat; szállítók bejárata **2.** (kis)iparos
tradespeople *fn tsz* kereskedők, boltosok, kereskedőtársadalom
Trades Union Congress *TUC GB* szakszervezeti szövetség
tradeswoman *fn tsz* **-women** kereskedőnő, kereskedőasszony, üzletasszony
trade term *fn gazd* kereskedelmi szakkifejezés
trade ties *fn tsz gazd* kereskedelmi kapcsolatok
trade union, *GB* **trades union** *fn* szakszervezet
trade-unionism, **trades-unionism** *fn* szakszervezeti mozgalom/rendszer • *fn* **trade-unionist**, **trades-unionist**
trade war *fn* kereskedelmi háború
trade-weighted *mn* súlyozott *[átlagérték, belföldi pénzé]*
trade wind *fn* passzátszél
trading [treɪdɪŋ] **I.** *mn* **1.** kereskedelmi **2.** cserekereskedelmi, csere- **II.** *fn* **1.** kereskedés **2.** *US* ~ **in** → **trade-in**
trading company *fn* kereskedelemi cég/vállalat
trading estate *fn gazd* kereskedelmi/üzleti telek
trading post *fn régi* kereskedelmi állomás
trading year *fn gazd* üzleti év
tradition [trəˈdɪʃn] *fn* **1.** hagyomány, tradíció, régi szokás **2.** monda, rege **3.** *jog* átadás, átruházás • *mn* **traditionary**
traditional [trəˈdɪʃnəl] *mn* **1.** hagyományos, tradicionális **2.** monda szerinti, mesébe illő
traditionalism [trəˈdɪʃnəlɪzm] *fn* hagyománytisztelet, tradicionalizmus • *fn* **traditionalist** *mn* **traditionalistic**
traditionally [trəˈdɪʃnəli] *hsz* hagyományosan, a hagyománynak megfelelően
traduce [trəˈdjuːs ‖ −ˈduːs] *tsi* (meg)rágalmaz, befeketít (vkt), rosszat mond (vkre), megszól, becsmérel, szapul (vkt) • *fn* **traducement**, **traducer**
traduction [trəˈdʌkʃn] *fn* **1.** rágalmazás, becsmérlés, befeketítés **2.** (szó)ismétlés *[szónoki hatáskeltés céljából]*
traffic [ˈtræfɪk] **I.** *fn* **1.** forgalom, közlekedés; **goods** ~ teheráruforgalom, áruszállítás; **passanger** ~ utasforgalom, utasszállítás; **road** ~ közúti közlekedés/forgalom; ~ **census/count** forgalomszámlálás; *US* ~ **(control) signal** közlekedési lámpa, forgalmi jelzőlámpa; ~ **regulations** a közúti közlekedés szabályai, KRESZ; ~ **violator** közlekedési szabálysértő **2. a)** kereskedés, kereskedelem, adásvétel **b)** titkos kereskedés, üzérkedés, csempészet; **the drug** ~ kábítószer-kereskedelem **II.** *pt/pp* **trafficked A.** *tsi pej* elad, áruba bocsát (vmt), üzérkedik (vmvel) **B.** *tni* **1.** kereskedik, üzletel **2.** csereberél
traffic accident *fn közl* közlekedési/közúti baleset
trafficator [ˈtræfɪkeɪtə ‖ −keɪtər] *fn gk* irányjelző, index
traffic calming *fn* forgalomcsillapítás *[különösen lakóövezetekben]*
traffic circle *fn US közl* körforgalom
traffic cone *fn közl* terelőkúp, terelőbója
traffic cop *US közl biz* → **traffic policeman**
traffic diversion *fn közl* forgalom-elterelés
traffic indicator *fn gk* irányjelző, index
traffic injury *fn* (közlekedési) baleseti sérülés
traffic island *fn közl* járdasziget *[villamosmegállóban, stb.]*
traffic jam *fn* forgalmi dugó
trafficker [ˈtræfɪkə ‖ −ər] *fn* **1. a)** kereskedő **b)** *pej* üzér(kedő) **2.** kábítószerkereskedő
trafficking [ˈtræfɪkɪŋ] *fn* **1.** üzérkedés; ~ **in votes** szavazatok megvásárlása **2.** kábítószerkereskedelem; → **traffic II.**
traffic lane *fn közl* forgalmi sáv
traffic light *US* → **traffic lights**
traffic lights *fn tsz GB közl* közlekedési (jelző)lámpa, villanyrendőr
traffic policeman *fn tsz* **-men** *GB közl* közlekedési rendőr
traffic sign *fn US közl* közlekedési jelzőtábla
traffic ticket *fn US közl* büntetőcédula *[közlekedési szabálysértésért]*
traffic warden *fn* közterület-felügyelő, parkolóellenőr
tragedy [ˈtrædʒɪdi] *fn* **1.** tragédia, dráma **2. a)** tragikus esemény/eset, tragédia **b)** gyászeset
tragic [ˈtrædʒɪk] *mn* **1.** *szính* tragédiával/szomorújátékkal kapcsolatos, tragikus **2.** végzetes, szomorú végű, gyászos/szomorú kimenetelű, siralmas, megrázó, tragikus
tragical [ˈtrædʒɪkl] → **tragic** I.
tragically [ˈtrædʒɪkli] *hsz* tragikusan, végzetesen, szomorúan, gyászosan, siralmasan, megrázóan
tragicomedy [ˌtrædʒiˈkɒmɪdi ‖ −ˈkɑ−] *fn* tragikomédia • *mn* **tragicomical** *hsz* **tragicomically**
trail [treɪl] **I.** *fn* **1. a)** nyom, csík **b)** *növ* kúszó/függő inda **2.** nyom *[állaté, keréké]*, lábnyom; **in** ~ egyesével, libasorban; *biz* **be on the** ~ **of sg** a sarkában/nyomában van vmnek; **pick up the** ~ újra megtalálja a nyomot **3.** vágás, csapás, ösvény, ki nem épített út, gyalogút; **blaze a** ~ úttörő munkát végez **4.** uszály **II. A.** *tsi* **1. a)** ~ **sg (along)** maga után húz/vonszol/hurcol/vontat vmt; ~ **one's limb after one** húzza a lábát **b)** *kat* ~ **arms** a fegyvert kézben viszi **2.** nyomon követ *[vadat, bűnözőt]* **B.** *tni* **1. a)** a földre ér, lelóg és a földet sepri (miközben viszik), a földön húzódik **b)** vonul vm után, nyomot hagy maga után **2. a)** nehézkesen/fáradtan jár/cammog; ~ **along** vonszolja magát, nehezen halad; ~ **away/off** a lábát húzva elmegy, elsántikál **b)** *sp* vesztésre/kiesésre áll **3.** hosszúra nyúlik, kúszik *[növény a földön]*
trail bike *fn sp* (kis) terepmotor *[terepversenyhez]*
trailblazer *fn* úttörő vmben

trailer [ˈtreɪlə ‖ –ər] *fn* **1. a)** pótkocsi, vontatott kocsi, utánfutó, tréler **b)** *US* lakókocsi **2. a)** kúszónövény **b)** hosszú/kapaszkodó inda/kacs/futó **3. a)** hajtó **b)** halogató/nehézkes ember **4.** *film* előzetes *[a következő műsorból részletek]*

trailer camp, *US* **trailer park** *fn* lakókocsitelep

trailer park *fn US* → **trailer camp**

trailing [ˈtreɪlɪŋ] *mn* **1. a)** földet seprő, földön húzódó *[szoknya]* **b)** utána követő **2.** kúszó *[növény]*; ~ **vine** lugasos művelésű szőlő

trail-net *fn* **1.** húzóháló *[halászathoz]* **2.** fenékvonóháló

train[1] [treɪn] **I.** *fn* **1.** *vasút* vonat, szerelvény; **commuters'** ~ ingázók vonata; **corresponding** ~ csatlakozó vonat; *GB* **railway** ~, *US* **railroad** ~ vasúti szerelvény; **slow/stopping** ~ személyvonat; **through** ~ közvetlen (gyors)vonat; **go by** ~ vonattal megy, vonaton utazik; **miss one's** ~ lekési a vonatot **2. a)** uszály *[ruháé]* **b)** farok *[pávaé]* **3. a)** kíséret *[fejedelemé]* **b)** *átv* **in the** ~ **of sg** vmnek a nyomában, vm után; **bring in its** ~ magával hoz, maga után von **4. a)** sor(ozat), láncolat; ~ **of thought** gondolatmenet, gondolatsor **b)** karaván **II.** *tni biz* vonaton utazik

train[2] [treɪn] **I. A.** *tsi* **1. a)** nevel, (ki)képez, betanít, oktat **b)** gyakoroltat, idomít **2. a)** *sp* edz, treníroz **b)** *kat* gyakorlatoztat, kiképez **3.** irányít, szegez *[fegyvert vkre]* **B.** *tni* **a)** gyakorol, gyakorlatozik **b)** *sp* edzést folytat, edz, treníroz; ~ **down** fogyasztja magát *[erős edzéssel]* **II.** *fn orv* szoktatás, nevelés, tréning • *mn* **trainable**

train-bearer *fn* uszályhordozó, uszályvivő

trained [treɪnd] *mn* **a)** szakképzett *[ember]*, kiképzett *[katona]*, betanított *[állat]*, gyakorlott *[szem]* **b)** *sp* edzett

trainee [ˌtreɪˈniː] *fn* **1.** *kat* **a)** kiképzés alatt álló személy **b)** *US* újonc **2. a)** az edző sportoló **b)** gyakornok **c)** (ipari,kereskedelmi) tanuló, tanonc

trainer [ˈtreɪnə ‖ –ər] *fn* **1. a)** idomító **b)** *sp* edző, tréner, oktató **2.** *tsz* **trainers** *GB* edzőcipő

train ferry *fn* vasúti komp

training [ˈtreɪnɪŋ] *fn* **1. a)** nevelés, oktatás, képzés; **physical** ~ testnevelés, testgyakorlás; torna; ~ **aids** oktatási segédeszközök **b)** *kat* **military** ~ katonai kiképzés **c)** gyakorlat, *sp* edzés, tréning; **be in** ~ képzés alatt áll; *sp* edzésben van, edz **d)** idomítás *[állaté]* **2.** *sp* edzés, tréning

training college *fn* **a)** tanítóképző, tanárképző **b)** gyakorlóiskola

training shoes *fn tsz GB* sportcipő, edzőcipő

trainload *fn* vonatrakomány

trainman [ˈtreɪnmən] *fn tsz* **-men** *US* **1.** vasutas **2.** *vasút* (vasúti) fékező

train-oil *fn* bálnaolaj, cetzsír

train-sickness *fn* hányinger, rosszullét *[vonat rázásától]*

train-spotter *fn* ‹aki a train-spotting-ot kedveli/műveli›

train-spotting *fn* mozdonyok számának gyűjtése/figyelése *[mint szórakozás]*

train ticket *fn vasút* vonatjegy

T

traipse [treɪps] *tsi/tni* bolyong, kóválygog, kószál, járkál, csellelng, csavarog, jön-megy

trait [treɪt] *fn* **a)** jellemvonás, jellemző vonás, jelleg(zetesség), egyéni sajátosság **b)** magaviselet, magatartás **c)** arcvonás

traitor [ˈtreɪtə ‖ –ər] *fn* áruló, hitszegő; **turn** ~ árulóvá lesz • *mn* **traitorous** *hsz* **traitorously**

trajectory [trəˈdʒektəri] *fn* röppálya, pályagörbe

tra-la [trəˈlɑː] *isz* tralala

tram [træm] *fn* **1.** villamos **2.** *bány* csille

tramcar *fn GB* villamos(kocsi), villamosvasúti kocsi

tramline *fn GB* **1.** villamosvonal, villamosviszonylat **2.** villamossín

trammel [ˈtræml] **-ll-**, *US* **-l- I.** *fn* **a)** akadály, gát **b)** nyűg, kötőfék *[lóra]* **II.** *tsi* **1.** akadályoz, korlátoz, megnehezít, hátráltat **2.** béklyóba ver

trammie [ˈtræmi] *fn Ausz biz* **1.** villamoskalauz **2.** villamosvezető

tramontana [ˌtræmɒnˈtɑːnə ‖ –moun–] *fn* északi szél, tramontána

tramontane [trəˈmɒnteɪn ‖ –ˈmɑn–] **I.** *mn* a hegyeken túli *[ország]*, északi *[szél]* **II.** *fn régi* északi szél, tramontána

tramp [træmp] **I.** *fn* **1.** lépések zaja, lábdübörgés, lábdobogás *[kövezeten]* **2. a)** (fárasztó) járkálás, gyaloglás; **be on the** ~ nagy gyalogtúrán van; *biz* csavarog **b)** csavargó **3.** vasalás *[cipőtalpon]* **4.** *US szl [prostituált]* kurva, ribanc **II. A.** *tsi* **a)** ~ **it** talpal; ~ **the streets** járja az utcákat *[munkát keres]* **b)** eltipor, eltapos (vmt), lábbal tipor (vmn) **B.** *tni* **1.** erősen lép **2. a)** sétál, járkál, gyalogol **b)** csavarog, kószál, kóborol, bolyong • *fn* **tramper**

trample [ˈtræmpl] **I. A.** *tsi* **1.** ~ **sg down** eltapos/elnyom vmt; ~ **to death** agyontapos; *biz* ~ **sy's reputation underfoot** sárba tapossa vknek a hírnevét **2.** ~ **(down)** simára tapos, letapos **B.** *tni* ~ **on sg** eltipor vmt, rátapos vmre **II.** *fn* lábdobogás, lépték zaja/dübörgése

trampoline [ˈtræmpəliːn ‖ ˌtræmpəˈliːn] *fn* ugróasztal *[pl. akrobatáké]*

tram road *fn bány* bányavasút, csillepálya

tram station *fn* villamosmegálló

tram track *fn* villamosvágány

tramway *fn* villamos(vasút), villamosvonal

trance [trɑːns ‖ træns] *fn* **1. a)** révület, eksztázis **b)** elragadtatás **2. a)** **hypnotic** ~ transz, hipnózis; delejes álom **b)** önkívület(i állapot), eszméletlenség **3.** vallási eksztázis/önkívület

tranquil [ˈtræŋkwɪl] *mn* nyugodt, békés, csöndes, zavartalan

tranquillity [træŋˈkwɪləti] *fn* nyugalom, nyugodtság, békesség, csöndesség

tranquillization [ˌtræŋkwɪlaɪˈzeɪʃn ‖ –lə–], **-isation** *fn* megnyugtatás, lecsöndesítés, lecsillapítás

tranquillize [ˈtræŋkwɪlaɪz], **-ise** *tsi vál* megnyugtat, lecsöndesít, lecsillapít

tranquillizer [ˈtræŋkwɪlaɪzə ‖ –ər], **-iser** *fn orv* nyugtató, idegcsillapító (gyógyszer)

trans- [trænz, træns] *előtag* transz-, át-, túli

trans. *röv* **1.** *transitive* **2.** *translated* **3.** *translation*

transact [trænˈzækt] **A.** *tsi* lebonyolít, megköt *[üzletet]*, végrehajt, tárgyal **B.** *tni* üzletet köt

transaction [trænˈzækʃn] *fn* **1.** lebonyolítás, elintézés, megkötés *[üzleté]* **2.** *gazd* **a)** ügylet, üzlet(kötés), tranzakció; **cash** ~ készpénzügylet; **stock-exchange** ~**s** tőzsdeügyletek; ~ **costs** ügyletkötési költségek, tranzakciós költségek **b)** *pej* **shameful** ~**s** szégyenletes üzelmek **3. a)** *jog* kiegyezés, egyezség **b)** *jog* ügylet, jogátruházás **4.** *tsz* **transactions** akták, feljegyzések, jegyzőkönyvek, beszámoló • *mn* **transactional**

transalpine [trænzˈælpaɪn] *mn* **1.** havasokon/Alpokon túli, transzalpin *[Olaszországból nézve]* **2.** az Alpokat átszelő, az Alpokon áthaladó

trans-American *mn* Amerikát átszelő, Amerikán áthaladó

transanimation [ˌtrænzænɪˈmeɪʃn] *fn* lélekvándorlás (tana)

transatlantic [ˌtrænzətˈlæntɪk] **I.** *mn* **a)** az Atlanti-óceánon túli **b)** az Atlanti-óceánt átszelő *[kábel]*, az Atlanti-óceánon át közlekedő, óceánjáró *[hajó]*; ~ **flight** tengerentúli légijárat **II.** *fn* óceánjáró

transceiver [trænˈsiːvə ‖ –ər] *távk* (hordozható) (rádió)adó-vevő (készülék)

transcend [trænˈsend] *tsi* **a)** meghalad (vmt), meghaladja a határait (vmnek) **b)** felülmúl (vmt/vkt)

transcendent [trænˈsendənt] *mn* **1.** magasabbrendű, felsőbbrendű, kiváló, mást felülmúló, mindent meghaladó, páratlan **2. a)** *fil* tapasztalattól független, érzékelésen/tapasztalaton felüli, transzcendentális **b)** *fil* anyagtól független, szellemi, transzcendens • *fn* **transcendence**, **transcendency**

transcendental [ˌtrænsenˈdentl] *mn* **1.** *fil* **a)** tapasztalattól független, érzékelésen/tapasztalaton felüli, transzcendentális **b)** a priori (létező) **2.** *biz* bizonytalan, határozatlan, homályos, ködös, fantasztikus *[elképzelés, stílus]*

transcendentalism [ˌtrænsenˈdentlˑɪzm] *fn fil* transzcendentalizmus • *tsi* **transcendentalize** *fn* **transcendentalist**

transcontinental [ˌtrænskɒntɪˈnentl ‖ –kɑntnˈentl] *mn* a földrészt átszelő, a kontinensen áthaladó, transzkontinentális

transcribe [trænˈskraɪb] *tsi* **1.** leír, átír, lemásol, átmásol *[szöveget eredetiről]* **2. a)** átír *[más jelrendszerbe]*, kiejtés szerint átír **b)** áttesz *[gyorsírásos szöveget]* **c)** *zene* átír *[más hangszerre]* **3. a)** (hangszalagra) felvesz (vmt), rögzít, (hang)felvételt készít (vmről) **b)** *távk* felvételről közvetít/sugároz • *fn* **transcriber**

transcript [ˈtrænskrɪpt] *fn* **1.** másolat **2.** *okt* bizonyítvány *[félév végi]*; abszolutórium *[szakzáró]* **3.** átírás, áttétel *[gyorsírási feljegyzéseké]* **4.** *biol* átírt hírvivő RNS

transcription [trænˈskrɪpʃn] *fn* **1.** átmásolás **2. a)** átírás *[más jelrendszerbe]*, *nyelv* (kiejtés szerinti) átírás **b)** áttétel *[gyorsírásé]* **c)** *zene* átírás *[más hangszerre]* **3. a)** (hang)felvétel **b)** rádióközvetítés hangfelvételről/magnetofonról **4.** *biol orv* gén/DNS átírás

transdermal patch [trænzˈdɜːməl ˈpætʃ, træns– ‖ –ˈdɜːrməl] *fn orv* (gyógy)tapasz *[a hatóanyagot a bőrön át a szervezetbe juttató tapasz]*

transect [trænˈsekt] *tsi* keresztben elvág, átvág

transection [trænˈsekʃn] *fn* **1.** átvágás, harántvágás **2.** keresztmetszet

transept [ˈtrænsept] *fn épít* kereszthajó *[templomé]*

transfer I. -rr- [trænsˈfɜː ‖ –ˈfɜr] **A.** *tsi* **1. a)** átvisz, áttesz, átszállít, *átv* átvisz *[értelmet, értéket vmre]* **b)** áthelyez *[alkalmazottat]*, *sp* átigazol, *kat* (el)vezényel **c)** *jog* átruház *[jogot, tulajdont]*, engedményez **d)** *pénz* átutal, utalványoz **2.** átvisz, átnyom, átmásol *[képet, rajzot]* **B.** *tni* **a)** átköltözik **b)** átmegy *[más munkahelyre]* **c)** átszáll *[másik vonatra stb.]* **II.** *fn* [ˈtrænsfɜː ‖ –fɜr] **1. a)** átvitel, áttevés, átszállítás, átrakás; *vasút* ~ **station** rendező pályaudvar, átrakodóállomás; *bány* ~ **conveyor** átrakószalag **b)** szállítás *[pl. repülőtér és szálláshely között]* **c)** áthelyezés *[tisztviselőé stb.]*, *kat* vezénylés *[más alakulathoz]*; *sp* ~ **fee** átigazolási díj **d)** *jog* ~ **of a case to another court** ügy áthelyezése más bírósághoz **e)** *jog* átruházás *[jogé, tulajdoné]*, engedményezés; ~ **of property** vagyonátruházás, tulajdonátruházás; ~ **of rights** jogátruházás; ~ **of shares** részvényátruházás **f)** *pénz* átutalás; *pénz* ~ **of funds** átutalás **g)** *gazd* stornírozás *[könyvelési tételé]*, átvitel *[egyik számláról a másikra]* **2.** átvitel, átnyomás, átmásolás *[rajzé stb.]*, előnyomás *[kézimunkamintáé]* **3. a)** átszállás *[másik villamosra, buszra stb.]* **b)** átszálló(jegy) **4.** *infor* **data** ~ adatátvitel

transferable [trænsˈfɜːrəbl] *mn* **a)** átvihető **b)** átruházható *[jegy, jog stb.]*, engedményezhető, átengedhető **c)** áthelyezhető • *fn* **transferability**

transference [ˈtrænsfərəns ‖ trænsˈfɜr–] *fn* **1. a)** átvitel, átszállítás **b)** átköltözés, átmenés **2.** *jog* átruházás, átengedés **3.** *pszich* érzelemátvitel

transfer list *fn GB* átigazolható játékosok listája *[futballban]*

transfer-paper *fn* másolópapír, átírópapír, *nyomd* rajzátvitelre szolgáló papír, átnyomópapír *[litográfiában]*

transferrer [trænsˈfɜːrə ‖ –ˈfɜrər] *fn jog* átruházó, engedményező

transfiguration [ˌtrænsfɪgjʊˈreɪʃn ‖ –gjə–] *fn* átváltozás, átalakulás, megdicsőülés

transfigure [trænsˈfɪgə ‖ –ˈfɪgjər] *tsi* **a)** átalakít, átváltoztat **b)** átszellemít

transfix [trænsˈfɪks] *tsi* **1.** átszúr, átdöf **2.** *átv* teljesen átjár; **he stood ~ed with horror** kővé dermedt a rémülettől, a rémülettől mozdulni sem bírt, félelem járta át • *fn* **transfixion**

transform [trænsˈfɔːm ‖ –ˈfɔrm] **A.** *tsi* **a)** átalakít **b)** *vill* átalakít, transzformál **B.** *tni* átalakul, átváltozik • *mn* **transformable**, **transformative**

transformation [ˌtrænsfəˈmeɪʃn ‖ –fər–] *fn* **1. a)** átalakítás **b)** *vill* (áram)átalakítás, transzformálás **c)** *gazd* termelő átalakítás, termékek egymásba való átváltása **d)** *biol* transzformáció, genetikai változtatás *[DNS-sel]* **2.** *mat* transzformáció **3.** *nyelv* transzformáció, átalakítás

transformer [trænsˈfɔːmə ‖ –ˈfɔrmər] *fn* **1.** átalakító **2.** *vill* transzformátor, trafó

transfuse [trænsˈfjuːz] *tsi* **1. a)** átönt, áttölt **b)** *átv* átönt, átvisz *[érzést stb. másba]* **2.** *orv* **a)** átömleszt *[vért]* **b)** vérátömlesztést alkalmaz (vkn) • *fn* **transfusion**

transgress [trænzˈgres] **A.** *tsi* áthág, megszeg, megsért *[törvényt]*, áthág, átlép, túllép *[hatáskört stb.]*; ~ **the bounds of decency** átlépi/túllépi/áthágja az illendőség határait; ~ **one's competence** hatáskörét túllépi **B.** *tni* vétkezik, vétséget/bűnt követ el • *fn* **transgressor** *mn* **transgressible**

transgression [trænzˈgreʃn] *fn* **1. a)** áthágás, megszegés, megsértés *[törvényé]*, áthágás, átlépés, túllépés *[hatáskörön stb.]* **b)** vétek, vétség, törvényszegés, kihágás **c)** *bibl* bűn, vétek, törvénytelenség **2.** *geol* **a)** transzgresszió, rétegáttörés, rétegátbukkanás **b)** *US* tenger-előrenyomulás, transzgresszió

transgressive [trænzˈgresɪv] *mn* **1.** vétkes, könnyen vétkező **2.** *geol* **a)** egyenlőtlen **b)** *US* előnyomuló, transzgrediáló

tranship [trænˈʃɪp] *i* **-pp- A.** *tsi* (másik hajóra) átszállít *[utasokat]*, egyik hajóról/járműről a másikra átrak *[árut]* **B.** *tni* egyik hajóról átszáll egy másikra

transhipment [trænˈʃɪpmənt] *fn* átszállítás/átrakás másik járműre

transhuman [trænsˈhjuːmən] *mn* emberfeletti

transient [ˈtrænzɪənt] **I.** *mn* **a)** múló, mulandó, múlékony, tűnő, tűnékeny **b)** futó *[tekintet stb.]* **c)** *zene* ~ **note** átmenő hang **d)** *US* átmeneti **e)** *el* tranziens *[be- vagy kikapcsoláskor jelentkező áramlökés]* **II.** *fn US biz* átmenő vendég, futóvendég *[szállodában]* • *fn* **transience**, **transiency**

transilluminate [ˌtrænsɪˈluːmɪneɪt] *tsi* átvilágít *[röntgennel]* • *fn* **transillumination**

transire [trænˈsaɪəri] *fn* vámkísérőjegy

transistor [trænˈzɪstə, –ˈsɪ– ‖ –ər] *el távk fn* tranzisztor; ~ **radio** tranzisztoros rádió

transit [ˈtrænsɪt, –zɪt] **I.** *fn* **1.** áthaladás, átutazás, tranzit(-) **2. a)** *gazd* (áru)szállítás **b)** vámmentes szállítás határtól határig, átmenő forgalom; **goods in** ~ átmenő áruk, tranzitáruk **c)** személyszállítás *[közforgalmi szállítóeszközön]* **II.** *tsi* szállít, továbbít, átenged

transit camp *fn kat* átvonulótábor, átmeneti tábor

transit-duty *fn gazd* tranzitvám

transition [trænˈzɪʃn] *fn* átmenet *[egyik állapotból a másikba]*

transitional [trænˈzɪʃnˑəl] *mn* átmeneti

transitional economy *fn gazd* átmeneti gazdasági rendszer

transitionary [trænˈzɪʃnˑəri ‖ –ʃnˑeri] → **transitional**

transition period *fn* átmeneti időszak

transition state *fn* átmeneti állapot

transitive [ˈtrænsɪtɪv, –zɪtɪv] *mn* **1.** *nyelv* tárgyas, tranzitív *[ige]* **2.** átható, átmenő **3.** átmeneti • *fn* **transitivity** *hsz* **transitively**

transit lounge *fn* tranzitváróterem

transitory [ˈtrænsɪtəri, –zɪ– ‖ –tɔri] *mn* múló, mulandó, múlékony, tűnő, ideiglenes • *hsz* **transitorily**

transit passanger *fn* átutazó utas, tranzitutas

transit permit *fn* tranzitengedély

T

transit trade *fn gazd* átmenőkereskedelem
transit visa *fn* átutazó vízum
translate [træns'leɪt] **A.** *tsi* **a)** (le)fordít *[másik nyelvre]* **b)** megfejt *[táviratot]* **c)** átültet *[gondolatot]*; ~ **promises into actions** az ígéreteket tettekre váltja **d)** értelmez **B.** *tni* fordít • *mn* **translatable**
translation [træns'leɪʃn] *fn* **1.** fordítás *[folyamata]* **2.** fordítás, fordított mű **3.** *bibl* mennybemenetel, égberagadás **4.** *fiz* **(movement of)** ~ haladó mozgás • *mn* **translational**
translator [træns'leɪtə ‖ –ər] *fn* **1.** fordító **2. a)** *távk* transzduktor, átalakító, konverter **b)** átszámító (kapcsolóberendezés) *[telefonközpontban]*
translight [træns'laɪt] *fn* transzparens reklám
transliterate [træns'lɪtəreɪt] *tsi* (idegen ábécé betűivel) átír, transzliterál • *fn* **transliteration**
translocation [ˌtrænsloʊ'keɪʃn] *fn* áthelyezés, áttelepítés
translucent [træns'lu:snt] *mn* **a)** áttetsző **b)** *régi* átlátszó • *fn* **translucence**, **translucency**
transmarine [ˌtrænzmə'ri:n] *mn* tengeren túli
transmigrant [ˌtrænz'maɪgrənt] **I.** *mn* átköltöző, áttelepülő, átváltó **II.** *fn* **1.** úton levő kivándorló, átutazó kivándorló **2.** más testbe vándorolt lélek *[lélekvándorlás tana szerint]*
transmigrate [ˌtrænzmaɪ'greɪt ‖ –'maɪgreɪt] *tsi* **1.** kivándorol, elvándorol **2.** (más testbe) vándorol *[lélek a lélekvándorlás tana szerint]* • *fn* **transmigration**, **transmigrator** *mn* **transmigratory**
transmission [trænz'mɪʃn] *fn* **1. a)** továbbadás, továbbítás, átadás **b)** *műsz* erőátvitel, áttétel, transzmisszió **2.** *gk* sebességváltó **3. a)** *fiz* terjedés *[hangé stb.]* **b)** *távk vill* átvitel **c)** *távk* adás; **beam** ~ irányított adás **4. a)** átöröklés **b)** átörökítés
transmission channel *fn infor* (adat-)átviteli csatorna
transmission tower *fn* tévétorony
transmissive [trænz'mɪsɪv] *mn* **1.** átadó, átvivő **2.** átadható, átvihető, átadott; ~ **light** átadott/közvetett fény
transmit [trænz'mɪt] *i tsi* **-tt- 1. a)** átad, közöl *[parancsot]*, közvetít *[betegséget]*, közöl *[hírt]* **b)** tovább ad *[hírt]*, átad, tovább ad *[hagyományt]*, örökbe/örökül hagy *[vagyont, címet]*, átvisz, átörökít **c)** *fiz* átvisz, közöl *[erőt]*, átbocsát *[fényt, áramot]* **2.** *távk* ad, sugároz, továbbít *[adást]* • *fn* **transmittal** *mn* **transmissible**, **transmittable**
transmittance [trænz'mɪtəns] *fn* **1.** átadás, átvitel, áttétel **2.** átörökítés **3.** átöröklés
transmitter [trænz'mɪtə ‖ –ər] *fn* **1. a)** átadó, közvetítő, terjesztő *[betegségé]* **b)** parancstovábbító *[hajón]* **2.** *távk* **a)** beszélő, mikrofon, (telefon)kagyló **b)** adó(készülék)
transmogrify [trænz'mɒgrɪfaɪ ‖ –'mɑ–] *tsi tréf* (meglepően v. teljes mértékben) átalakít, átváltoztat, átformál • *fn* **transmogrifier**, **transmogrification**
transmontane [ˌtrænzmɒn'teɪn ‖ træns'mɑn–] *mn* hegyeken túl, a hegyeket/hegységet átszelő/keresztező
transmutation [ˌtrænzmju:'teɪʃn] *fn* **1.** átalakítás, átváltoztatás **2. a)** átalakulás, átváltozás **b)** átváltozás arannyá *[más fémmé alkimista kezében]* **3.** *biol* mutáció **4.** sorozatos változás, váltakozás **5.** *jog* ~ **of possession** tulajdonátruházás
transmutationist [ˌtrænzmju:'teɪʃnɪst] *fn biol* a mutációs elmélet híve
transmute [trænz'mju:t] *tsi* **1.** átalakít, átváltoztat **2.** arannyá változtat *[más fémet]*, aranyat csinál *[más fémből alkimista]* • *fn* **transmutability**, **transmuter** *mn* **transmutable**
transnational [trænz'næʃnəl] *mn* nemzetek/országok közötti, nemzetközi
transoceanic [ˌtrænzoʊʃi'ænɪk] *mn* tengeren túli, transzóceáni
transom ['trænsəm] *fn* **1. a)** *épít* keresztfa, keresztgerenda, szemöldökfa *[ajtón, ablakon]*, osztófa **b)** merevítő borda **2.** *épít* felülvilágítós/szellőztető ablak *[ajtó fölött]*
transom window *fn épít* **a)** keresztes/osztásos ablak **b)** felülvilágító/szellőztető ablak *[ajtó fölött]*
transonic [ˌtræn'sɒnɪk ‖ –'sɑnɪk] *mn rep* hangsebességet meghaladó, hangsebességen felüli, hanghatárt meghaladó, hanghatáron túli
transpacific [ˌtrænzpə'sɪfɪk] *mn* Csendes-óceánon túli/átmenő
transparence [træn'spærəns] *fn* átlátszóság *[üvegé]*
transparency [træn'spærənsi] *fn* **1.** átlátszóság, áttetszőség, fényáteresztő képesség **2.** nyíltság, tisztaság *[emberé]* **3.** átlátszó/átnézeti kép, transzparens
transparent [træn'spærənt] *mn* **1. a)** átlátszó, tiszta *[víz, üveg]* **b)** *átv* világos; ~ **allusion** átlátszó/világos/félreérthetetlen célzás **2.** őszinte, nyílt, egyenes *[jellem]*
transpierce [træns'pɪəs ‖ –'pɪrs] *tsi* **1.** átszúr, átdöf, átfúr **2.** áthat
transpiration [ˌtrænspɪ'reɪʃn] *fn* **1. a)** kipárolgás, kigőzölgés **b)** *növ* kilehelés, (nedv)párolgás **2.** kipárolgó/kigőzölgő nedvesség, kipárolgás **3.** párologtatás *[élő szervezeté]* **4.** kiszivárgás *[titoké]*
transpire [træns'paɪə ‖ –ər] **A.** *tsi* kipárolog(tat) *[nedvességet]* **B.** *tni* **1. a)** párolog, gőzölög *[izzadó bőr stb.]* **b)** kipárolog, kigőzölög *[nedvesség]* **2.** kiszivárog, kitudódik *[titok, hír]* **3.** *biz* történik, megesik, előfordul • *mn* **transpirable**
transplant I. [træns-'plɑ:nt ‖ –plænt] **A.** *tsi* **a)** átültet *[növényt]* **b)** áttelepít, átköltöztet *[lakosságot, üzemet]* **c)** *orv* átültet *[szervet, szövetet]* **B.** *tni* bírja az átültetést, átültethető *[növény]* **II.** *fn* ['trænsplɑ:nt ‖ –plænt] **1.** átültetett növény **2.** *orv* ~ **(operation)**, **organ** ~, ~ **surgery** szervátültetés • *mn* **transplantable**
transplantation [ˌtrænsplɑ:n'teɪʃn ‖ –plæn–] *fn* **a)** átültetés **b)** áttelepítés, átköltöztetés **c)** *orv* (szerv)átültetés; **heart** ~ szívátültetés
transport I. *tsi* [træns'pɔ:t ‖ –'pɔrt] **1. a)** szállít, fuvaroz, *gazd* szállítmányoz **b)** **faith** ~**s mountains** a hit hegyeket mozgat meg **2.** elragad, hatalmába kerít *[érzelem]* **II.** *fn* ['trænspɔ:t ‖ –pɔrt] **1.** szállítás, fuvarozás, szállítmányozás, utasszállítás; **door to door** ~ háztól házig szállítás; **water-borne** ~ vízi úton való szállítás **2.** *GB* szállítóeszköz **3.** elragadtatás, felindulás, extázis; **be in** ~**s** magánkívül van örömében
transportable [træn'spɔ:təbl ‖ –'spɔrtəbl] *mn* szállítható, *gazd* szállítást (jól) tűrő
transport agent *fn gazd* szállítmányozó
transportation [ˌtrænspɔ:'teɪʃn ‖ –spər–] *fn* **1.** *US* szállítás, fuvarozás **2.** *jog* deportálás, kényszermunka büntetőgyarmaton/fegyenctelepen **3.** *US* szállítóeszközök **4.** *US* fuvardíj
transport café *fn GB* autósbüfé *[autópályák mellett]*
transport charges *fn tsz gazd* szállítási díj/költségek, fuvardíj, fuvarköltség
transporter [træn'spɔ:tə ‖ –'spɔrtər] *fn* **1.** szállítmányozó, fuvarozó, szállítási/fuvarozási vállalkozó **2.** szállítóberendezés, szállítószalag, páternoszter, darupálya **3.** **(car)** ~ autószállító kocsi
transport plane *fn* teherszállító repülőgép
transpose [træn'spoʊz] *tsi* **1. a)** áttesz, áthelyez **b)** felcserél *[szavakat mondatban stb.]* **c)** *mat* ~ **a term** átvisz tagot *[az egyenlet egyik oldaláról a másikra]* **2.** *zene* más hangnembe tesz át *[zeneművet]*, transzponál • *fn* **transposal** *mn* **transposable**
transposer [træn'spoʊzə ‖ –ər] *fn zene* **be a good** ~ gyorsan/könnyen transzponál, nagy gyakorlata van a transzponálásban
transposition [ˌtrænspə'zɪʃn] *fn* **1.** *zene* átírás más hangnembe, transzponálás **2.** *mat* átvitel, felcserélés
transsexual [træn'sekʃuəl] *mn/fn* **1.** transzszexuális *[nemi szerepet cserélő]* **2.** ellenkező neműre átoperált egyén • *fn* **transsexualism**

trans-ship [træns'ʃɪp] *i* **-pp- A.** *tsi* egyik hajóról a másikra átrak *[árut]*, egyik hajóról a másikra átszállít *[utasokat]* **B.** *tni* egyik hajóról átszáll egy másikra • *fn* **transshipment**

Trans-Siberian [ˌtrænsaɪ'bɪərɪən ‖ –'bɪr–] *mn* transzszibériai, Szibériát átszelő

transubstantiation [ˌtrænsəbstænʃi'eɪʃn] *vall* **1.** átváltozás, átlényegülés *[oltáriszentségé]* **2.** átváltoztatás *[kenyéré, boré]* • *tsi* **transubstantiate**

transuranic [ˌtrænsju'rænɪk] *mn vegy* transzurán; **~ elements** transzurán elemek, transzuránok

Transvaal ['trænzvɑːl] *tul földr* Transzvál

Transvaal daisy *fn növ* dél-afrikai gerbera

transvaluate [trænz'væljueɪt] *tsi* átértékel

transversal [trænz'vɜːsl ‖ –'vɜrsl] **I.** *mn* átlós, rézsútos, keresztirányú, harántirányú, keresztbemenő, keresztben húzódó **II.** *fn orv* harántizom • *hsz* **transversally**

transverse [trænz'vɜːz ‖ –'vɜrz] *mn* átlós, rézsútos, haránt húzódó • *hsz* **transversely**

transvestism [trænz'vestɪzm] → **transvestitism**

transvestite [trænz'vestaɪt] *fn* transzvesztita

transvestitism [trænz'vestɪtɪzm] *fn* a másik nem ruhájának (állandó) viselése *[beteges okokból]*, transzvesztizmus

Transylvania [ˌtrænsɪl'veɪnɪə] *tul földr* Erdély • *mn* **Transylvanian**

tranny ['træni] *fn* **1.** *GB biz* tranzisztoros rádió **2.** *US biz* → **transmission** 2.

trap[1] [træp] **I.** *fn* **1.** *átv* csapda, kelepce, tőr; **set/lay a ~ for sg/sy** csapdát/kelepcét állít fel vmnek/vknek; **he was caught in his own ~** a saját vermébe esett bele **2. a)** csapóajtó **b)** *szính* süllyesztő **3.** *műsz* fogó, gyűjtő **4.** *sp* agyaggalambdobó gép **5.** kétkerekű könnyű kocsi, kordé **6.** kutyaketrec *[agárversenypálya startjánál]* **7.** *Ausz szl [rendőr]* hekus, túró rudi **8.** *szl [száj]* kereplő, pofa; **close your ~** fogd be a pofádat! **9.** *szl* rejtekhely *[bűnözőé]* **II. -pp- A.** *tsi* **a)** *átv* kelepcébe/csapdába ejt, kelepcébe/tőrbe csal **b)** csapdákkal rak tele *[erdőt]* **B.** *tni* csapdával vadászik • *mn* **trapped**

trap[2] [træp] **I.** *fn* **1.** *régi* díszes lószerszám, csótár **2.** *tsz* **traps** *biz* holmi, cókmók **II.** *tsi* **-pp- 1.** felszerszámoz *[lovat]* **2.** kidíszít, kicicomáz

trapdoor *fn* **1. a)** csapóajtó **b)** *bány* szellőztető ajtó **c)** *épít* kimászóablak *[tetőn]* **2.** *szính* süllyesztő

trapeze [trə'piːz ‖ 'træ–] *fn* **1.** *mat* trapéz **2.** trapéz *[tornaszer]*, kötélhinta

trapeze-artist *fn* artista, trapézművész

trapezium [trə'piːzɪəm] *fn tsz* **~s** v. **trapezia** [–zɪə] *GB mat* trapéz

trapezoid ['træpɪzɔɪd] *fn mat* trapéz • *mn* **trapezoidal**

trapper ['træpə ‖ –ər] *fn vad* **a)** csapdával/kelepcével vadászó vadász **b)** észak-amerikai (csapdaállító) prémvadász, trapper

Trappist ['træpɪst] *fn* **1.** *vall* trappista szerzetes **2. ~ cheese** trappista sajt

trap-shooting *fn sp* agyaggalamb-lövészet • *fn* **trapshooter**

trash [træʃ] **I.** *fn* **1.** hitvány, limlom, vacak **2.** *US* szemét, hulladék **3.** ostobaság, butaság, értelmetlenség; **talk a lot of ~** ostobaságokat beszél, mindenféle butaságot locsog összevissza **4. a)** fércmű, ponyva **b)** ponyvairodalom, szennyirodalom **c)** giccs **5.** hitvány/szemét ember, söpredék, aljanép **6.** rőzse, ágfa, levágott/lehullott fagallyak, hulladék **II.** *tsi* **1.** kidob, szemétbe dob **2. a)** *US szl* vandalizál, vandál módon megrongál *stand [autót, épületet]* **b)** szétver *[berendezést]*, bever *stand [ablakot]* **3.** *US szl [kíméletlenül szid]* lehord a sárga földig, lecsesz

trash can *fn US* szemétláda, szemétvödör

trashy ['træʃi] *mn* **1.** *átv* hitvány, szemét, vacak, értéktelen, selejtes, bóvli **2.** *US* szegényes, lecsúszott, kopott • *fn* **trashiness**

trass ['træs] *fn ásv* trassz, habköves tufa

trattoria [ˌtrætə'rɪə ‖ ˌtrɑ–] *fn* olasz vendéglő/étterem

trauma ['trɔːmə ‖ 'traʊmə] *fn tsz* **s**, **traumata** [–mətə] **a)** *orv* sérülés, trauma **b)** *pszich* sérülés, törés, trauma

traumatic [trɔː'mætɪk ‖ trə'mætɪk] *mn* **a)** *orv* sérüléses, traumás **b)** *pszich* sérüléses, sérült, traumás

traumatology [ˌtrɔːmə'tɒlədʒi ‖ ˌtraʊmə'tɑ–] *fn orv* sérülések tana, baleseti sebészet, traumatológia

travail ['træveɪl ‖ trə'veɪl] *vál régi* **I.** *fn* **1.** vajúdás, szülési fájdalmak/fájások **2.** nehéz munka, robot **II.** *tni* **1.** vajúdik **2.** nehéz munkát végez, robotol

travel ['trævl] **I.** *GB* **-ll-**, *US* **-l- A.** *tsi* **1.** beutazik *[területet]* **2.** megtesz *[távolságot]* **3.** hajt *[nyájat]* **B.** *tni* **1. a)** utazik, utazás(oka)t tesz; **~ by air** repülőgéppel/repülővel utazik/megy, repül; **~ first class** első osztályon utazik; **wine that won't ~** nem szállítható bor **b)** *gazd* házal, utazik; **~ in soap** szappanban utazik, szappant árul *[kereskedelmi utazó]* **2. a)** megy, jár, halad **b)** terjed *[hír, hang, fény]*; **light ~s faster than sound** a fény a hangnál gyorsabban terjed **3.** *műsz* mozog, jár *[alkatrész]* **II.** *fn* **1.** utazás **2.** forgalom *[főútvonalon]*

travel agency *fn* utazási iroda

travel agent *fn* utazási ügynök

travel bureau → **travel agency**

travel document *fn* útiokmány

travelled ['trævəld], *US* **traveled** *mn* **well-~** sokat utazott, világlátott

traveller ['trævlˑə ‖ –ər], *US* **traveler** *fn* **1. a)** utas, utazó, utas(ember); *átv pol* **fellow ~** útitárs, szimpatizáns; *közm* **~s tell fine tales** messziről jött ember azt mond, amit akar **b)** *gazd* **(commercial) ~** kereskedelmi utazó/ügynök **c)** *Ausz biz* csavargó **2.** *műsz* **a)** mozgó szerkezet, futómű, futómacska **b)** mozgódaru, futódaru

traveller's cheque, *US* **traveler's** *fn* utazási csekk

travelling ['trævlˑɪŋ], *US* **traveling I.** *mn* **1. a)** utazó; **~ salesman** kereskedelmi utazó, utazó ügynök **b)** mozgó(-), vándor- **2.** *műsz* mozgó, görgő, futó **II.** *fn* **1.** utaz(gat)ás **2.** haladás **3.** *sp* lépéshiba *[kosárlabdában]*

travelling companion *fn* útitárs

travelling expenses *fn tsz* **1.** utazási költségek, útiköltség **2.** úti átalány

travelling library *fn* mozgókönyvtár, vándorkönyvtár

travelling speed *fn rep* utazó sebesség

travelling wave *fn távk* haladóhullám

travelogue ['trævəlɒg ‖ –lɔg, –lɑg], **travelog** *fn* **a)** *US* úti beszámoló/előadás, vetítettképes előadás/beszámoló *[úti élményekről]* **b)** *US* útirajz

travel-sick *mn* **he is ~** belebetegedett az utazásba, elege van az utazásból • *fn* **travel-sickness**

travel writer *fn* útikönyvíró

traverse I. [trə'vɜːs ‖ –'vɜrs] **A.** *tsi* **1. a)** keresztez (vmt), keresztülmegy, áthalad, átkel (vmn), beutazik *[területet]* **b)** áttekint, felmér, szemügyre vesz *[tárgykört stb.]* **2.** keresztben gyalul, *műsz* keresztben megmunkál **3. a)** keresztez, gátol, akadályoz *[tervet]* **b)** ellenez, kifogásol **c)** *jog* elutasít, cáfol, tagad *[állítást]* **B.** *tni* **1.** elfordul, forog *[tengelyen]*, kileng *[iránytű]* **2.** keresztben megy, oldaloz *[ló]* **3.** cikcakkban halad *[meredek hegyoldalon]* **II.** *fn* ['trævɜːs ‖ –vɜrs] **1. a)** átlós vonal, *mat* transzverzális **b)** átvágás, rövidítő út **c)** *műsz* keresztartó rúd, traverz, *épít* keresztgerenda, létrafok, sorompó **d)** elválasztó lap/lemez/fal, tolóajtó **2.** fülke, boksz **3.** szerpentin(út), cikcakkos út **4.** áthaladás, átkelés **5. a)** *műsz* oldalmozgás, *kat* oldalirányzás **b)** oldalozás, oldalgás *[lóé]* **6.** *jog* tagadás, visszautasítás *[ellenfél állításaié]* • *mn* **traversable**

travertine ['trævətɪn ‖ –vərtiːn] *fn geol* travertino, szürkés/forrásvízi mészkő

travesty ['trævəsti] **I.** *fn* **a)** travesztia, paródia **b)** szánalmas/siralmas teljesítmény **II.** *tsi* **a)** kifiguráz, travesztál, parodizál **b)** eredeti jellegéből kiforgat, szánalmasan játszik (v. tölt be) *[szerepet]*, szándéka ellenére karikíroz

travolator ['trævəleɪtə ‖ –ər] *fn GB* mozgójárda *[pl. repülőtéren]*

T

trawl [trɔ:l] **I.** *fn* **1.** fenék(vonó)háló, vonóháló, húzóháló, zsákháló **2.** *US* (akna)kereső berendezés **II. A.** *tsi* **1.** hajóhoz kötve húz, maga után vontat *[hajó]* **2.** vonóhálóval fog *[halat]* **B.** *tni* vonóhálóval/fenékhálóval halászik

trawler [ˈtrɔ:lə ‖ ˈtrɔlər] *fn* **1.** vonóhálóval halászó halász **2.** vonóhálós/fenékhálós halászhajó

tray [treɪ] *fn* **1.** tálca, tál(ka); *GB* **in-~**, *US* **in-box** irattálca *[bejövő posta számára irodában]* **2.** alacsony szélű kosár, rekesz; **hawker's ~** utcai árus nyakban viselt tálcája

treacherous [ˈtretʃərəs] *mn* **a)** áruló, hűtlen, alattomos, hamis, álnok **b)** csalóka

treachery [ˈtretʃəri] *fn* árulás, hűtlenség

treacle [ˈtri:kl] **I.** *fn* **1.** melasz, szirup **2.** *átv* émelyítően/ édeskésen szentimális dolog **II.** *tsi* **1.** melasszal bevon (vmt), sziruppal leönt **2.** melasszal fog *[lepkét]* • *mn* **treacly**

tread [tred] **I.** *pt* **trod** [trɒd ‖ trɑd], *pp* **trodden** [ˈtrɒdn ‖ ˈtrɑdn] **A.** *tsi* **1. a)** tapos **b)** jár, ró *[utat]* **c) ~ a pace** lép egyet **2.** megbúbol, cicerél *[kakas tyúkot]* **B.** *tni* lép, lépked, lépdel, jár; **~ on thin ice** veszélyes úton jár **II.** *fn* **1. a)** lépés (zaja), járás *[ahogyan vk jár]* **b)** lábnyom **2. a) ~ (of a stair)** lépcsőfok; lépcsőfok belépője/ mélysége/szélessége; *US* lépcsőfok védőburkolata **b)** (létra)fok, taposómalom foka **c)** járófelület *[cipőtalpé]*, futófelület *[gumiabroncsé]*, talp *[keréké]* **3. a)** köztávolság *[kerékpárpedáloké]* **b)** keréktáv(olság) *[autóé stb.]* **4.** párzás *[hímmadár aktusa]*, búbolás, cicerélés **5.** csírafolt, kakashágás *[tojásban]*

tread down *tsi* **1.** letapos *[földet]* **2.** eltapos, *átv* eltipor, elnyom

tread out *tsi* **1. a)** eltapos *[parazsat, keletkező tüzet]* **b)** eltipor, elfojt *[lázadást]* **2.** tapos *[szőlőt]*

treadle [ˈtredl] **I.** *fn* **1.** pedál, taposó **2.** jégzsinór *[tojásban]* **II. A.** *tsi* pedállal hajt **B.** *tni* pedáloz, pedált hajt, (orgonát) fújtat

treadmill *fn* **a)** *átv* taposómalom **b)** taposókerék **c)** *sp* szobabicikli **d)** *orv* futószalag *[terheléses szívvizsgálatokhoz]*

tread-wheel *fn* taposókerék, taposómalom

treason [ˈtri:zn] *fn* **a)** árulás, hitszegés **b)** (haza)árulás, felségárulás, állampolgári hűtlenség; **high ~** felségárulás; felségsértés

treasonable [ˈtri:znˈəbl] *mn* **a)** áruló, hitszegő, árulási **b)** (haza)áruló, felségáruló, felségsértő

treasure [ˈtreʒə ‖ −ər] **I.** *fn* kincs **II.** *tsi* **1. ~ sg (up)** (i) gondosan megőriz vmt, kincsként őriz vmt, nagy becsben tart (ii) felhalmoz vmt; **~ up wealth** nagy vagyont halmoz fel **2.** nagyon megbecsül, nagyra/sokra becsül/tart

treasure hunt *fn* kincsvadászat

treasurer [ˈtreʒərə ‖ −ər] *fn* **a)** kincstáros, kincstárnok **b)** pénztáros *[egyesületé]*, gazdasági vezető

treasure trove *fn jog* (az államkincstárt illető gazdátlan) kincslelet, talált kincs *[földben]*

treasury [ˈtreʒəri] *fn* **1. a)** kincstár, kincsesház **b) the T~** (i) *GB* államkincstár, állampénztár (ii) pénzügyminisztérum; *GB* **First Lord of the T~** a kincstár első lordja, az államkincstár feje *[rendszerint a miniszterelnök]*; *US* **Secretary of the T~** pénzügyminiszter **2. a)** *átv* tárház, kincsesház *[ismereteké stb.]* **b)** *átv* antológia

Treasury bench *fn GB* kormánypad *[parlamentben, a főbb miniszterek padsora]*

treasury bill *fn pénz* kincstári jegy/váltó, kincstárjegy

treasury note *fn pénz* **a)** kincstárjegy **b)** *US* középlejáratú államkötvény

treat [tri:t] **I. A.** *tsi* **1. a)** bánik (vkvel, vmvel); **how's life (v. the world) ~ing you?** hogy megy a sorod? **b)** kezel, felfog, tekint *[tényt stb. valahogy]* **2. a)** kezel *[beteget]* **b)** *vegy* **~ a metal with acid** fémet savval kezel **3.** feldolgoz *[tárgyat, dallamot]*, foglalkozik *[egy tárggyal]*, értekezik (vmről), tárgyal *[témát]* **4. a)** megvendégel (vkt), (be)fizet (vknek); **~ sy to the theatre** vkt színházba visz/meghív **b)** etet-itat, jól tart *[választókat]* **5. trick or ~** → **trick** II.B. **B.** *tni* **1. ~ of sg** szól vmről *[mű]*; foglalkozik vmvel, tárgyal vmt *[szóban, írásban]*, értekezik vmről **2.** tárgyal **3.** *biz* **I'm ~ing** én fizetek, az én vendégeim vagytok **II.** *fn* **1.** ritka élvezet, nem mindennapi élvezet **2. a)** vendégség, szórakozás, mulatság **b)** *biz* megvendégelés; **this is my ~** (most) én fizetek, az én vendégeim vagytok **3.** *GB biz* **he's getting on a ~** nagyszerűen halad; nagyszerűen/ragyogóan/ pompásan mennek a dolgai

treatable [ˈtri:təbl] *mn* **a)** kezelhető *[gyerek]* **b)** kezelhető *[betegség]*

treater [ˈtri:tə ‖ −ər] *fn* **1.** tárgyaló **2.** italt/számlát fizető *[vendéglőben]*

treatise [ˈtri:tɪz ‖ −təs] *fn* értekezés, tanulmány

treatment [ˈtri:tmənt] *fn* **1.** bánásmód, elbánás **2. a)** *orv* kezelés, gyógykezelés, gyógymód, kúra **b)** kezelés, megmunkálás, feldolgozás *[nyersanyagé]* **3.** feldolgozás, tárgyalás *[témáé]*

treaty [ˈtri:ti] *fn* **1. a)** (államközi) szerződés, (nemzetközi) egyezmény; **enter into a ~ with sy** szerződésre lép vkvel **b)** szerződés, megállapodás **2.** tárgyalás, egyezkedés

treaty port *fn* szabadkikötő

treble [ˈtrebl] **I.** *mn* **1.** hármas, háromszoros, tripla **2. a)** *zene* szoprán **b)** magas, éles *[hang]* **II.** *fn* **1.** háromszorosa (vmnek), háromszor annyi (vmből) **2. a)** *zene* szoprán szólam, legmagasabb/felső szólam **b)** szoprán (hang), szoprán énekes fiú **III. A.** *tsi* (meg)háromszoroz **B.** *tni* (meg)háromszorozódik • *hsz* **trebly**

treble clef *fn* violinkulcs, G-kulcs

trebuchet [ˈtrebjuʃet ‖ −bjə−] *fn* **1.** kőhajító ostromgép **2.** csapda, tőr, billenő csapda **3.** érzékeny kis mérleg, aranymérleg

tree [tri:] **I.** *fn* **1. a)** (élő) fa; **~ line** (felső) erdőhatár; *biz* **in the dry ~** ha baj van, amikor minden rosszul megy, rossz időkben; *biz* **in the green ~** amikor minden jól megy, jó időkben; *biz* **be at the top of the ~** legfelül van *[szakmájában]*; *biz* **be up a ~** benne van a csávában/ pácban, szorult helyzetben van; *GB* **~ in blossom**, *US* **~ in bloom** virágzó/virágba borult fa; *közm* **the ~ is known by its fruit** a gyümölcséről ismered meg a fát **b) genealogical ~** családfa **2. a)** *épít* gerenda, tartó **b)** munkapad, bak **3. a)** bitó(fa), akasztófa **b)** *bibl* kereszt(fa) **c)** (karácsony)fa **4.** *nyelv mat* fa-diagram, ágrajz **II.** *tsi* **a)** *vad* fára felzavar/ kerget *[vadat]* **b)** *átv biz* sarokba szorít, kínos/nehéz helyzetbe hoz

tree fern *fn növ* páfrányfa

tree frog *fn áll* leveli béka

tree gum *fn* facsipa, mézga

tree line *fn* lombkorona magassága

tree louse *fn tsz* **- lice** *áll* levéltetű

treeman [ˈtri:mən] *fn tsz* **-men** **1.** fán lakó ember, erdőlakó **2.** erdész, sérült/elöregedett élő fák gondozója

treen [ˈtri:n] *fn* fafaragvány, fafaragás

treenail [ˈtri:neɪl, ˈtrenl] **I.** *fn* faszeg, (fa)pecek, *vasút* talpfacsavar **II.** *tsi* faszeggel megszegez/megerősít

tree of heaven *fn* kínai bálványfa

tree of life *fn növ* keleti életfa; *orv* arbor vitae, élet fája; *bibl átv* az élet fája

tree ring *fn* évgyűrű *[fáé]*

tree sparrow *fn GB áll* mezei veréb

tree squirrel *fn áll* (fákon lakó) mókus

tree structure *fn infor* fastruktúra

tree surgeon *fn növ* fadoktor *[sérült/elöregedett élő fák gondozója]*

tree toad *fn áll* leveli béka

treetop *fn* fatető

tree trunk *fn* fatörzs

tref [treɪf] *fn* nem kóser *[étel]*, tréfli

trefoil [ˈtri:fɔɪl, ˈtre−] *fn növ* (ló)here • *mn* **trefoiled**

trek [trek] *Dél-Af* **I.** *tni* **-kk- 1.** ökrösszekéren utazik **2. a)** vándorol, költözik *[új letelepedési helyre]* **b)** *biz* felszedi a sátorfáját, meglép, meglóg, elillan **II.** *fn* **1.** vándorlás, hosszú utazás, költözés *[új letelepedési helyre]* **2.** ökrösszekéren megtett útszakasz **3.** utazás ökrösszekéren • *fn* **trekker**

trellis [ˈtrelɪs] **I.** *fn* **1.** rács(ozat), lécezés *[ajtónak]*, rostélyzat **2.** *épít* lugas **3.** sisakrostély **II.** *tsi* **1. a)** ráccsal ellát, berácsoz *[ablakot]* **b)** ráccsal/léckerítéssel elkerít **2.** rácsra/lugasra felfuttat, lugasoz *[növényt]*

trematode [ˈtremətoʊd] *fn* bélgiliszta, szívóféreg

tremble [ˈtrembl] **I.** *tni* **1.** (meg)remeg, reszket; **~ like a(n aspen) leaf** remeg, mint a nyárfalevél; **~ in every limb** minden ízében reszket/remeg **2.** (nagyon) fél **II.** *fn* **1.** remegés, reszketés; *biz* **be all of/in a ~** egész testében (v. minden ízében) reszket/remeg, citerázik **2.** *tsz* **trembles a)** *orv* ideges remegés, reszketegség, tremor *[pl. alkoholistáké]* **b)** ellési láz *[állaté]*, tejláz *[emberé]* • *hsz* **tremblingly**

trembler [ˈtremblə ‖ –ər] *fn* remegő/reszkető ember, örök rettegő

trembling poplar *fn növ* rezgő nyár(fa)

trembly [ˈtrembli] *mn* remegő, reszkető, félénk, ijedős

tremendous [trɪˈmendəs] *mn* **1.** szörnyű, rettenetes, borzasztó, iszonyú **2.** *biz* hatalmas, óriási, irtó(zatos) nagy • *hsz* **tremendously**

tremolo [ˈtreməloʊ] *fn zene* tremoló

tremor [ˈtremə ‖ –ər] **I.** *fn* **a)** reszketés, remegés **b)** *orv* remegés, tremor **c)** remegés, rázkódás, lökés *[földé]* **II.** *tsi* (meg)remeg, reszket *[hang]*, rezeg, remeg *[gép]*

tremulous [ˈtremjuləs ‖ –mjələs] *mn* **a)** remegő, reszkető, reszketeg **b)** félénk, félős • *fn* **tremulousness**

trenail *fn* faszeg; → **treenail I.**

trench [trentʃ] **I.** *fn* **1. a)** árok, *vízügy* folyóka, lecsapoló árok **b)** *kat* lövészárok, futóárok **2.** *földr* mélytengeri árok **II.** *tsi* **1. a)** árkol *[földet]*, árkot ás, kiárkol **b)** *kat* lövészárko(ka)t ás *[földbe]*, lövészárkokkal véd *[területet]* **2.** *mezőg* művel, felás *[földet]* **3.** árokba vezet *[vizet]*

trenchant [ˈtrentʃənt] *mn* **a)** éles, metsző, csípős *[válasz, szellemesség stb.]* **b)** határozott, erős, erőteljes *[stílus, hangnem]* **c)** éles, metsző *[kard]* • *fn* **trenchancy**

trench coat *fn* **1.** *kat* (hosszú) viharkabát, trencskó **2.** (vízhatlan, bélelt) ballon (kabát) *[övvel]*

trencher[1] [ˈtrentʃə ‖ –ər] *fn* **1.** szeletelő/trancsírozó deszka *[húsnak, kenyérnek]*, fatányér **2. a)** fatányéros *[fatányéron felszolgált étel]* **b)** evés, evészet

trencher[2] [ˈtrentʃə ‖ –ər] *fn* **a)** árokásó **b)** *mezőg* árokásó/árokkészítő gép

trencherman [ˈtrentʃəmən ‖ –tʃər–] *fn tsz* **-men** **1.** (jó) evő **2.** asztaltárs

trench warfare *fn* lövészárok-háború, állóháború

trend [trend] **I.** *fn* **a)** irány(zat), irányvonal, áramlat, trend, tendencia; **upward ~** fellendülés; **set the ~** meghatározza/irányítja a divatot; irányzatot elindít *[fejlődésben stb.]* **b)** *[statisztikában]* irányzat, fejlődési irányvonal, trend; **~ line** trendvonal, tendenciavonal **II.** *tni* **1.** tart, halad, húzódik *[part stb.]*, *geol* (el)terül, lejt, vonul *[hegylánc]* **2.** *átv* irányul, tart, halad

trendsetter *fn* irányzatot/fejlődésvonalat elindító/meghatározó *[személy stb.]*

trendy [ˈtrendi] *mn* irányzattá váló, divatba jövő

trepan [trɪˈpæn] *orv* **I.** *fn* (koponya)lékelő fűrész/eszköz **II.** *tsi* **-nn-** (meg)lékel, trepanál *[koponyát]* • *fn* **trepanation**

trepang [trɪˈpæŋ] *fn áll* tengeri uborka

trephine [trɪˈfiːn] *orv* **I.** *fn* koponyalékelő szerszám, koponyafúró **II.** *tsi* (meg)lékel, trepanál *[koponyát]*

trepidation [ˌtrepɪˈdeɪʃn] *fn* **1.** felindulás, zaklatottság, izgalom, felbolydulás, megbolydulás **2. a)** remegés, reszketés, rázkódás **b)** *orv* végtagok reszketése, rángás, rángatózás

trespass [ˈtrespəs] **I.** *tni* **a)** *jog* **~ (upon/on sy's property)** vkt birtokában háborít, vk ellen birtokháborítást követ el **b)** tilosba téved; **no ~ing!** tilos az átjárás! **c)** *átv* **~ (up)on sy's kindness** visszaél vknek a jóságával **II.** *fn* **1.** törvénysértés, törvényszegés, kihágás, túlkapás, vétség, vétek, bűn **2. a)** *jog* jogsértés, törvényszegés **b)** birtokháborítás **c)** *biz* **~ upon sy's patience** visszaélés vknek a türelmével • *fn* **trespasser**

tress [tres] **I.** *fn* **a)** (haj)fürt, hajfonat **b)** *tsz* **tresses** fürtök, hajzat *[nőé]* **II.** *tsi* fürtökbe rendez *[hajat]*, felköt, átköt *[hajat]* • *mn* **tressy**

tressed [trest] *mn* **a)** fürtös *[haj]*, fürtös hajú *[nő]* **b)** felcsavart, felkötött *[haj]*

tressure [ˈtreʃə ‖ –ər] *fn* hajpánt

trestle [ˈtresl] *fn* **1.** kecskeláb, x-láb *[asztallaphoz stb.]*; **sawyer's ~** fűrészbak **2.** hídállványzat, állványhíd

trestle-table *mn* kecskelábú asztal, x-lábú asztal

trews [truːz] *fn tsz skót* ‹skótkockás gyapjúszövetből készült nadrág/pantalló›

trey [treɪ] *fn* hármas *[kártyában, kockán]*

tri- [traɪ] *előtag* három-, tri-

triable [ˈtraɪəbl] *mn* **1. a)** megkísérelhető, megpróbálható **b)** kipróbálható, próbára tehető, megvizsgálható **2.** *jog* **a)** bíróság elé állítható *[személy]*, perelhető, perbe vonható **b)** ítélettel eldönthető *[ügy]*, perre vihető

triad [ˈtraɪæd] *fn* **1.** hármas *[személyeké]*, triász **2. a)** három lapból álló csoport *[dolgoké]* **b)** *zene* hármashangzat **3. a)** kínai maffia (neve) **b)** kínai maffia tagja

triage [ˈtriːɑːʒ ‖ triːˈɑːʒ] *fn* **1.** osztályozás, kategorizálás *[minőség szerint]* **2.** fontossági sorrend megállapítása, rangsorolás *[műtétek, baleseti ellátások esetében]*

trial [ˈtraɪəl] *fn* **1. a)** próba, kísérlet, vizsgálat **b)** kipróbálás, megpróbálás; **as a ~ measure** próbaképpen; **~ and error** *mat* fokozatos megközelítés (módszere); próba és tévedés módszere **c)** *sp* motoros ügyességi verseny **d)** verseny **2.** megpróbáltatás **3.** *jog* **a)** bírósági tárgyalás; **~ by jury** esküdtbíráskodás, esküdtszéki tárgyalás **b)** per, bírói eljárás

trial balance *fn gazd* nyersmérleg

trial run *fn* próbamenet *[új járműé stb.]*; → **trial trip**

triandrous [traɪˈændrəs] *mn növ* háromporzós

triangle [ˈtraɪæŋgl] *fn* **1. a)** háromszög; **eternal ~** szerelmi/családi háromszög; *gk* **warning ~** elakadásjelző háromszög **b)** *US* háromszögű vonalzó **2.** *zene* triangulum

triangular [traɪˈæŋgjulə ‖ –gjələr] *mn* **a)** háromszög(let)ű, háromszög alakú **b)** **~ agreement** háromoldalú megállapodás **c)** a szerelmi háromszögre vonatkozó

triangulate **I.** *mn tud* [traɪˈæŋgjulət] **1.** háromszögmintás *[háromszögekből álló]* **2.** háromszögletű **II.** *tsi* [–leɪt] *földr* háromszögel(éssel felmér) *[területet]* • *fn* **triangulation**

Triassic [traɪˈæsɪk] *mn geol* triászkori, triász-

tribade [ˈtrɪbəd] *fn* homoszexuális nő

tribadism [ˈtrɪbədɪzm] *fn* leszboszi szerelem

tribal [ˈtraɪbl] *mn* **a)** törzsi **b)** törzsi szervezetben élő

tribalism [ˈtraɪbəlɪzm] *fn* **1.** törzsi szervezet/rendszer **2.** törzsi ragaszkodás

tribe [traɪb] *fn* **1.** törzs **2. a)** *biol* faj(ta), nem **b)** *pej* társaság, banda, bagázs, pereputty

tribesman [ˈtraɪbzmən] *fn tsz* **-men** **1.** törzs tagja **2.** családtag, rokon

tribespeople *fn tsz* törzsi szervezetben élő emebrek

tribulation [ˌtrɪbjuˈleɪʃn] *fn* **a)** gyötrelem, szenvedés, lelki kín, szomorúság, bánat **b)** csapás, megpróbáltatás, baj

tribunal [traɪˈbjuːnl] *fn* **1.** törvényszék, bíróság **2.** bírói szék **3.** *GB* vizsgálóbizottság

tribune [ˈtrɪbjuːn] *fn* **1.** tribunus, néptribun *[az ókori Rómában]* **2.** népbarát **3. a)** szónoki emelvény **b)** karzat, tribün

tributary [ˈtrɪbjutəri] **I.** *mn* **1.** adózó, adófizető; **~ state** hűbérállam **2.** adóként fizetett **3.** *földr* **~ stream** mellékfolyó **II.** *fn* **1.** adófizető, alárendelt **2.** *földr* mellékfolyó

tribute [ˈtrɪbjuːt] *fn* **1.** sarc *[idegen uralkodónak]*, adó *[uralkodónak stb.]*, hűbér, fizetség; **lay a nation under ~** nemzetet megsarcol **2.** *átv* kijáró tisztelet; **pay a ~ of recognition to sy** elismeréssel adózik vknek, meghajtja vk előtt az elismerés zászlaját; **pay a last ~ of respect to sy** megadja vknek a végtisztességet; a kegyelet adóját lerója **3.** eredmény, gyümölcs *[fáradozásé]*

tricar [ˈtraɪkɑː ‖ –kɑr] *fn* **a)** háromkerekű kisautó **b)** tricikli *[árukihordásra]*

trice [traɪs] *fn* pillanat; **in a ~** egy szempillantás/szemvillanás alatt, egy-kettőre

tricentenary [traɪˈsentənəri ‖ –neri] *fn* háromszáz éves évforduló

triceps [ˈtraɪseps] *fn orv* **~ (muscle)** háromfejű karizom, triceps

trichology [trɪˈkɒlədʒi ‖ –ˈkɑ–] *fn biol orv* szőrtan, trichológia

trichome [ˈtrɪkoʊm, ˈtraɪ–] *fn növ* szőr

trichotomy [ˌtraɪˈkɒtəmi ‖ –ˈkɑ–] *fn fil* hármas felosztás/tagolás

trick [trɪk] **I.** *fn* **1. a)** fogás, fortély **b)** csel(fogás), ravasz/ügyes fogás; *biz* **he knows a ~ or two, he is up to every ~** tudja, mitől döglik a légy; **serve sy a ~** vkt becsap/rászed; kipróbál vkn egy fogást/trükköt **2. a)** csíny, tréfa **b) ~s of the imagination** a képzelet csalóka játékai; **~ of the senses** érzékcsalódás **3.** mutatvány, trükk; **conjuring ~** bűvészmutatvány; *biz* **bag of ~s** bűvésztáska; **box of ~s** bűvészdoboz *[játék]*; *biz* **the whole bag/box of ~s** az egész mindenség; **the ~ has come off** bevált/sikerült a trükk/fogás **4.** egyéni sajátosság, jellegzetes szokás **5.** *ját* **a)** ütés **b)** eldobott lapok *[egy kör alatt]* **6.** szolgálat *[váltásban soron következőé]* **7.** *szl Ausz* **can't take a ~** *[nincs szerencséje, nem sikerülnek a dolgai]* rossz passzban van, gödörben van, nem jön össze semmi **8.** *szl* **how's ~s?** *[mi újság?]* mizújs?, mi a dörgés?, hogy ityeg a fityeg? **9.** *szl [prostituált vendége]* fuvar; **turn a ~** vendéget szerez *[prostituált]* **10.** *US szl [bűntett]* buli, balhé, móka **II. A.** *tsi* **1.** becsap, rászed, beugrat **2.** *biz* **~ sy out/up in/with sg** kicsinosít/felcicomáz vkt vmvel **3.** *cím* rajzol, fest *[címert]* **B.** *tni* ravasz fogásokat használ, fortéllyal/trükkökkel él, csal; **~ or treat** *US* ‹amerikai szokás Halloween napján›

trick cyclist *fn* **1.** *GB* cirkuszi kerékpáros, trükkös kerékpáros **2.** *szl [pszichiáter]* dilidoktor, agybubó

tricker [ˈtrɪkə ‖ –ər] *fn* csaló, szélhámos

trickery [ˈtrɪkəri] *fn* **1.** csalás, becsapás **2.** trükk

trickish [ˈtrɪkɪʃ] *mn* **1.** fortélyos, furfangos, ravasz(kodó) **2.** *biz* furfangos, fortélyos, ravasz, cseles, bonyolult, kényes *[dolog, szerkezet]*

trickle [ˈtrɪkl] **I. A.** *tni* **a)** csörgedez, szivárog, serked *[vér]* **b)** *biz* **refugees trickling over the frontier** a határon átszivárgó menekültek **B.** *tsi* **1.** csepegtet, vékony sugárban önt/enged, vékony érben ereszt/folyat **2. ~ the ball into the hole** a labdát lassan begurítja a lyukba *[gyenge ütéssel/lökéssel]* **II.** *fn* **1.** szivárgás, csörgedezés **2.** csörgedező víz, vékony erecske

trickle charger *fn vill* akkumulátor töltő, csepptöltő

trickster [ˈtrɪkstə ‖ –ər] *fn* csaló, szélhámos

tricksy [ˈtrɪksi] *mn* **1. a)** pajkos, huncut, játékos **b)** szeszélyes **2.** fortélyos, csaló, trükkös

tricky [ˈtrɪki] *mn* **1.** *biz* fortélyos, furfangos, ravasz; cseles, bonyolult, kényes, elmés *[dolog, szerkezet]* **2.** leleményes *[személy]*

tricolour [ˈtrɪkələ, ˈtraɪkʌlə ‖ –ər], *US* **tricolor I.** *mn* háromszínű **II.** *fn* háromszínű zászló/lobogó, trikolór; **the T~** a háromszínű (francia) zászló, a (francia) trikolór • *mn* **tricoloured**

tricorn(e) [ˈtraɪkɔːn ‖ –kɔrn] **I.** *mn* **1.** háromszögletű, háromsarkú **2.** háromszarvú *[állat]* **II.** *fn* **1.** háromszögletű kalap **2.** háromszarvú *[állat]*

tricot [ˈtrɪkoʊ ‖ ˈtriː–] *fn tex* trikó(szövet), láncburkolt anyag

tricycle [ˈtraɪsɪkl] *fn* háromkerekű kerékpár, tricikli • *fn* **tricyclist**

trident [ˈtraɪdnt] *fn* háromágú szigony

Tridentine [trɪˈdentaɪn] **I.** *mn* trentói, tri(d)enti; **~ Council** tridenti zsinat **II.** *fn* **1.** *vall* római katolikus **2.** trentói ember

tried [traɪd] *mn* **1.** kipróbált **2.** → **try** I.

triennial [traɪˈenɪəl] **I.** *mn* **1.** háromévenként ismétlődő, háromévenkénti **2.** hároméves, három évig tartó **II.** *fn* **1.** háromévenként ismétlődő/előforduló esemény/jelenség **2.** három évig tartó esemény/dolog

triennium [traɪˈenɪəm] *fn* három évi idő

trier [ˈtraɪə ‖ –ər] *fn* **1.** *biz* próbálkozó, kísérletező **2. a)** vizsgáló (szakértő), kipróbáló **b)** mintavevő, próbavevő (szonda)

trifle [traɪfl] **I. A.** *tsi* elfecsérel, elpazarol, elapróz **B.** *tni* **1.** tréfál, játszik **2. a) ~ with sg** játszik/babrál vmvel *[bottal, szemüveggel]* **b) ~ over/with one's meal** piszkál az ételében, piszmogva eszik **3.** elfecsérelì az idejét, jelentéktelen apróságokra pazarolja idejét/erejét, haszontalanul/értelmetlenül tölti/pazarolja az idejét **II.** *fn* (jelentéktelen) apróság, csekélység, semmiség

trifler [ˈtraɪflə ‖ –ər] *fn* **1.** haszontalanságokkal foglalkozó ember **2.** piszmogó, pepecselő; **~ at one's work** munkáját piszmogva/pepecselve végző ember

trifling [ˈtraɪflɪŋ] *mn* **1.** jelentéktelen, csekély(ke) **2.** léha, komolytalan, haszontalan *[ember]*

trifolium [traɪˈfoʊlɪəm] *fn növ* (ló)here

triform [traɪˈfɔːm ‖ –ˈfɔrm] *mn* **1.** háromrészes **2.** háromalakú **3.** háromféle, hármas

trifurcate I. *mn* [traɪˈfɜːkɪt ‖ –ˈfɜr–] *tud* háromágú, háromfelé ágazó **II.** *tni* [–keɪt] három ágra oszlik

trig [trɪg] *fn röv okt* trigonometria, mértan

trigamous [ˈtrɪgəməs] *mn* **1.** *jog* háromnejű, háromférjű, trigámiában élő **2.** *jog* háromszor házasodott, harmadik házasságában élő **3.** *növ* háromhímes, háromporzós • *fn* **trigamist, trigamy**

trigeminal [traɪˈdʒemɪnl] *mn* hármas, háromosztású, háromosztatú

trigeminous [traɪˈdʒemɪnəs] *mn* hármas ikrek közül való, hármasiker-

trigger [ˈtrɪgə ‖ –ər] **I.** *fn* **1. a)** elsütő billentyű *[puskáé]*, ravasz, elsütő szerkezet; *US* **easy on the ~** ingerlékeny, hevesen reagáló, azonnal támadó; *US* **quick on the ~** azonnal támad; meggondolatlan **b)** *fiz* indító jel, trigger **2.** indíték, kiváltó *[ok]* **3.** *infor* trigger, indítóimpulzus **4.** kerékfék **II.** *tsi biz* **~ (off)** (i) megindít, előidéz; kivált *[hatást]* (ii) elsüt *[fegyvert]* (iii) *nyelv* kivált *[változást]*

trigger finger *fn* a jobbkéz mutatóujja

trigger-happy *mn US biz* lövöldözést szerető, egykettőre revolvert rántó, mániákus lövöldöző

trigger impulse *fn távk* kioldó/indító impulzus/jel

trigon [ˈtraɪgɒn ‖ –gɑn] *fn mat* háromszög, alapháromszög *[a háromdimenziós koordinátarendszerben]*

trigonal [ˈtrɪgənl] *mn* háromszögű keresztmetszetű

trigonometry [ˌtrɪgəˈnɒmətri ‖ –ˈnɑ–] *fn mat* trigonometria, háromszögtan • *mn* **trigonometrical**

trihedral [traɪˈhiːdrəl] *mn mat* háromoldalú *[testszöglet]*

trihedron [traɪˈhiːdrən] *fn tsz* **trihedra** [–ə], **s** *mat* háromoldalú testszöglet, háromél, triéder

trike [traɪk] *fn* háromkerekű kerékpár, tricikli

trilateral [ˌtraɪˈlætərəl] *fn* háromlapú, háromoldalú

trilby [ˈtrɪlbi] *fn* **1. ~ (hat)** puhakalap **2.** *tsz* **trilbies** *szl* láb(ak)

trilingual [ˌtraɪˈlɪŋgwəl] *mn* **a)** háromnyelvű **b)** három nyelven beszélő

triliteral [ˌtraɪˈlɪtərəl] *mn nyelv* **1.** három betűs **2.** három mássalhangzós *[szó, szótő]*

trill [trɪl] **I.** *fn* **1. a)** *zene* trilla **b)** gyöngyöző/trillázó ének, trilla *[madáré]* **2.** *nyelv* pergetett mássalhangzó **II. A.** *tsi* **1.** *zene* trilláz(ik) **2.** *nyelv* perget *[hangot]* **B.** *tni* **1.** *zene* trillázik **2.** gyöngyözik *[ének]* **3.** trillázik *[madár]*

trillion [ˈtrɪlɪən] *fn régi* **1.** *GB* trillió *[10^{18}]* **2.** *US* billió *[10^{12}]*

trilobite [ˈtraɪləbaɪt] *fn* háromkaréjú rák, trilobita

T

trilogy [ˈtrɪlədʒi] *fn* trilógia

trim [trɪm] **I. -mm- A.** *tsi* **1. a)** elrendez, rendbe hoz/rak/tesz **b)** *épít* tataroz **c)** éleszt *[tüzet]* **2. a)** levág, lenyes, lenyír *[sövényt, fát stb.]*, rövidre vág, kiigazít *[hajat stb.]* **b)** trimmel, megnyír *[kutyát]* **c)** körülvág *[könyvet]* **3.** *épít* farag *[követ]*, gyalul, bárdol, ácsol, illeszt *[deszkát stb.]* **4. a)** (fel)díszít, ékesít, szeg **b)** *biz* **~ sy's jacket** jól elver/elpáhol/elagyabugyál vkt **5. a)** *hajó* egyensúlyba hoz, kiegyensúlyoz, trimmel *[hajót, vitorlást, repülőgépet]*, elrendez *[rakományt]*; *hajó* **~ the cargo** arányosan elosztja/elrendezi a rakományt **b)** *hajó* vitorlát előkészít, vitorlarudat beállít *[szél szerint]* **c)** *hajó átv* **~ one's sails** alkalmazkodik az adott helyzethez/viszonyokhoz/körülményekhez **6.** *szl [kártyajátékkal kifoszt]* megkopaszt, megfej **7. a)** ráncba szed, megreguláz **b)** elnadrágol, elnáspágol **c)** győztesen kerül ki valamiből **B.** *tni* alkalmazkodik *[politikai helyzethez]*, úszik az árral, köpönyeget forgat **II.** *fn* **1.** rend, állapot **2.** ruházat, öltözet **3.** *épít* borítás, szegélyezés **4.** *tex* sújtás, szegély **5.** *ip* levágott szél, hulladék **III.** *mn* rendes, takaros, csinos, gondozott, jól ápolt, karban/rendben tartott, jó állapotban/karban levő • *fn* **trimness**

trim up *tsi* **1. a)** rendbe hoz/tesz/rak **b)** kicsinosít, feldíszít, felékesít **c)** átalakít *[női kalapot]* **2.** simít, gyalul *[gerendát stb.]*

trimaran [ˈtraɪməræn] *fn hajó* háromgerincű csónak/hajótest, trimarán

trimerous [ˈtrɪmərəs] *mn áll* háromrészes

trimester [traɪˈmestə ‖ –ər] *fn* **1.** háromhónapos időszak, negyedév **2.** *orv* a terhesség három hónapos egysége, trimeszter **3.** *okt* harmadév, trimeszter *[tanulmányi időszak]*

trimestrial [traɪˈmestrɪəl] *mn* negyedévi, negyedéves, negyedévenként megjelenő *[folyóirat]*

trimeter [ˈtrɪmɪtə ‖ –mətər] *fn* háromlábú vers(sor), triméter • *mn* **trimetrical**

trimmer [ˈtrɪmə ‖ –ər] *fn* **1.** *ip* szerelő, kikészítő (munkás) **2.** nyesó, egyengető (olló) **3.** *biz* opportunista (politikus), köpönyegforgató

trimming [ˈtrɪmɪŋ] *fn* **1. a)** elrendezés, rendbehozás, rendberakás, *hajó* rakomány arányos elrendezése **b)** *hajó* vitorlák beállítása *[szélnek megfelelően]* **c)** *épít* összeillesztés *[gerendáké]* **d)** *távk* utánhangolás, beállítás, kiegyenlítés **2. a)** díszítés *[kalapé, ételé stb.]* **b)** dísz, szegély *[ruhán, kalapon stb.]* **3. a)** nyesés, vágás, nyírás *[növényé stb.]* **b)** trimmelés, megnyírás *[kutyáé]* **4.** *tsz* **trimmings a)** levágott darabok, (lenyírt) hulladék, faradék, forgács *[papír, fa, fém stb.]* **b)** *tex* szegély(dísz), bordür, paszomány, sújtás, csipkézés **c)** körítés, garnírung **5.** *biz* politikai opportunizmus/lavírozás, köpönyegforgatás

trine [traɪn] *mn* hármas, háromszoros

tringle [ˈtrɪŋgl] *fn* **1.** (fedő)léc, rúd, függöny(tartó)rúd **2.** *épít* koszorúléc *[dór oszlopé]*

Trinidad and Tobago [ˌtrɪnɪdæd ən təˈbeɪgoʊ] *tul földr* Trinidad és Tobago

Trinitarian [ˌtrɪnəˈteərɪən ‖ –ˈter–] *vall* **I.** *mn* **1.** Szentháromságban hívő, Szentháromságot valló, trinitárius **2.** Szentháromság tanával kapcsolatos, trinitárius **II.** *fn* **1.** Szentháromságban hívő személy **2.** trinitárius szerzetes/apáca, keresztes barát • *fn* **Trinitarianism**

trinity [ˈtrɪnəti] *fn* **1.** háromság, három személy/tárgy **2.** *vall* **the (Holy) T~** a Szentháromság

trinket [ˈtrɪŋkɪt] *fn* **1.** apró dísztárgy, csecsebecse, bizsu, mütyürke **2.** apró felszerelési tárgy, bigyó **3.** (csekély értékű) apróság

trinomial [traɪˈnoʊmɪəl] *mat* **I.** *mn* háromtagú, trinomiális *[algebrai kifejezés]* **II.** *fn* háromtagú algebrai kifejezés

trio [ˈtri:oʊ] *fn* **1.** *zene* trió, hármas **2.** hármas, háromtagú társaság

triole [ˈtri:oʊl] *fn zene* triola

Triones [traɪˈoʊni:z] *fn tsz csill* Nagymedve

trip [trɪp] **I.** *fn* **1.** kirándulás, kiruccanás, (rövid/kisebb) utazás, út, túra **2. a)** könnyed lépés, szökellés **b)** *szl [kábítószer okozta kábulat, kábítószeres élmény]* utazás, repülés, lebegés **c)** *szl [LSD bélyeg]* trinyó, lecsó, papír **3. a)** mellélépés, (meg)botlás *[lóé]* **b)** *biz* hiba, tévedés, mellefogás, ballépés, baklövés, baki **c)** gáncs(vetés), gáncsolás **4.** *el* kikapcsolás *[áramnál]* **5.** *szl* ‹bármilyen izgalmas élmény› **6.** *GB szl [börtönbüntetés]* üdülés, nyaralás, sitt **II. -pp- A.** *tsi* **1. a)** elgáncsol, elbuktat, felbuktat (vkt), gáncsot vet (vknek) **b)** *biz* rajtakap vkt *[hibán, tévedésen]* **2.** megakaszt, megdönt, meghiúsít *[vmnek a kivitelét stb.]*, túljár vk eszén **3.** könnyedén/fürgén ad elő *[táncot]*; **~ the light fantastic** *tréf* táncol **4.** *műsz* kikapcsol *[kapcsolót]*, kicsatol, kiold *[zárat]* **5.** *hajó* **~ the anchor** felszedi/felvonja a horgonyt **6.** *növ* beporoz *[rovar növényt]* **7.** *szl [elkábul]* elszáll, utazik, lebeg *[kábítószertől]* **B.** *tni* **1. ~ (along)** tipeg-topog, könnyedén aprókat lépked **2. a)** megbotlik, elbotlik **b)** gáncsot vet, gáncsol **3. a)** *biz* (meg)téved, félrelép, hibát követ el **b)** *biz* megbotlik a nyelve, nyelvbotlást követ el **4.** *műsz* felnyílik, kikapcsolódik, kioldódik *[zár stb.]* **5.** *régi* utazást tesz, utazik

tripartite [traɪˈpɑ:taɪt ‖ –ˈpɑr–] *mn* **1.** három részből álló, három részre osztott, háromrészes, háromrészű, háromoldalú **2.** hármas, háromszoros, tripla • *fn* **tripartition**

tripe [traɪp] *fn* **1.** pacal **2.** *tsz* **tripes a)** belek **b)** bendő, gyomor **3.** *biz* **a)** *[értéktelen]* limlom, kacat, vacak/értéktelen holmi; **that's all ~** ez tiszta sületlenség! **b)** szennyirodalom

triphibious [traɪˈfɪbɪəs] *mn kat* földi, légi és tengeri harcban egyaránt használható (v. közlekedni tudó)

triphthong [ˈtrɪfθɒŋ ‖ –θɔŋ] *fn nyelv* hármashangzó, triftongus

triplane [ˈtraɪpleɪn] *fn rep* háromfedelű repülőgép

triple [trɪpl] **I.** *mn* hármas, háromszoros, megháromszorozódott, tripla **II.** *fn* **1.** háromszoros mennyiség, háromszorosa (vmnek) **2.** hármas (csoport), elrendezés **III. A.** *tsi* (meg)háromszoroz **B.** *tni* (meg)háromszorozódik

triple crown *fn vall* pápai tiara

triple play *fn sp* hármas játék *[baseballban]*

triplet [ˈtrɪplət] *fn tsz* **triplets 1.** három személy/dolog, három egységből álló együttes, hármas **2.** hármas ikrek

triple time *fn zene* háromnegyedes (ütem)

triplex [ˈtrɪpleks] **I.** *mn* **1.** háromszoros, háromfokozatú, háromrétegű **2.** háromszintes lakás **II.** *fn* **1.** hármas egység/csoport **2.** *zene* hármas ütem

triplicate I. *mn* [ˈtrɪplɪkət] **1.** hármas, háromszoros, megháromszorozott, háromszori **2. a)** három példányban készült **b)** harmadik *[példány]* **II.** *fn* [–kət] harmadpéldány **III.** [–keɪt] **1.** *tsi* (meg)háromszoroz **2.** három példányban (v. két másolattal) készít (el) *[okmányt stb.]*

triplicity [trɪˈplɪsəti] *fn* háromszorosság, hármasság

triply [ˈtrɪpli] *hsz* háromszorosan, (meg)háromszorozva, triplán

tripod [ˈtraɪpɒd ‖ –pɑd] **I.** *mn* háromlábú **II.** *fn* **a)** háromlábú állvány, Bunsen-állány **b)** *fényk* fotoállvány

Tripoli [ˈtrɪpəli] **I.** *tul földr* Tripoli *[Líbia fővárosa]* **II.** *fn* **t~ (powder)** (sárgás/vöröses) csiszolópor, kőpor, tripoliföld

tripolite [ˈtrɪpɒlaɪt ‖ –pɑl–] → **Tripoli** II.

tripper [ˈtrɪpə ‖ –ər] *fn* **1.** kiránduló, turista **2.** *GB szl [kábítószeres élmény hatása alatt álló]* úton levő, repülő

triptyque [trɪpˈti:k] *fn* gépkocsiútlevél, gépkocsi-vámigazolvány, triptik

trisect [traɪˈsekt] *tsi mat* három (egyenlő) részre oszt/bont/szel • *fn* **trisection, trisector** *mn* **trisected**

triste [tri:st] *mn vál* szomorkás, mélabús

trisyllable [traɪˈsɪləbl] *fn nyelv* háromszótagú szó

trite [traɪt] *mn* **a)** elcsépelt, banális, közhelyszerű, sablonos, „lapos" **b)** elkoptatott, kopott **c)** unalomig ismert • *fn* **triteness**

triton [ˈtraɪtɒn ‖ –ɑn] *fn* **1.** triton *[haltestű tengeri félisten a görög mitológiában]* **2.** *áll* gőte **3.** *áll* triton csiga, trombitacsiga

triturate [ˈtrɪtjureɪt ‖ –tʃə–] *tsi* **1.** porrá tör/őröl, apróra/péppé zúz, szétdörzsöl, szétmorzsol **2.** alaposan megrág/szétrág • *fn* **trituration**, **triturator** *mn* **triturable**

triumph [ˈtraɪʌmf] **I.** *fn* **a)** győzelem, siker, diadal **b)** (öröm)ujjongás, örvendezés, örömmámor **II.** *tni* **1.** ~ **(over sy/sg)** győz(edelmeskedik), győzelmet arat, dialmaskodik, diadalt ül (vkn), vmn; ~ **over death** győzedelmeskedik a halálon, legyőzi a halált, ujjong vm miatt **2.** *tört* diadalmenetet tart, diadalmenetben hazaérkezik *[győztes római hadvezér]*

triumphal [traɪˈʌmfl] *mn* diadalmas, diadalmi, diadal-; ~ **arch** diadalív

triumphant [traɪˈʌmfənt] *mn* **1.** győzelmes, diadalmas(kodó), győző, győztes **2.** diadalittas, ujjongó, örömmámorban úszó • *hsz* **triumphantly**

triumvir [traɪˈʌmvə ‖ –ər] *fn tsz* **-s**, **triumviri** [–vɪraɪ] *tört* hármas kormány tagja, triumvír *[ókori Rómában]*

triumvirate [traɪˈʌmvərət] *fn* **a)** *tört* triumvirátus *[ókori Rómában]* **b)** *biz* triumvirátus; ‹három ember szövetkezése›

triune [ˈtraɪjuːn] *mn* háromsági, háromságot/hármasságot alkotó

triunity [traɪˈjuːnəti] *fn vall* hármasság, (Szent)háromság

trivalent [traɪˈveɪlənt] *mn vegy* háromértékű, háromvegyértékű

trivet [ˈtrɪvɪt] *fn* alacsony háromlábú állvány

trivia [ˈtrɪvɪə] *fn tsz* apróságok, jelentéktelen dolgok

trivial [ˈtrɪvɪəl] *mn* **1. a)** jelentéktelen, lényegtelen, csekély, apró, csipcsup, triviális **b)** könnyed, felületes, léha *[ember]* **2.** hétköznapias, köznapi, mindennapi, elcsépelt, közhelyszerű, sablonos, banális, közönséges, triviális; **the ~ round** a mindennapi élet megszokott/rendes kerékvágása, a szokásos mindennapi taposómalom **3. a)** népszerű, köznyelvi, nem tudományos *[elnevezés]* **b)** megkülönböztető, sajátos, specifikus *[név]* • *fn* **trivialness** *hsz* **trivially**

triviality [ˌtrɪviˈæləti] *fn* **1.** jelentéktelenség, lényegtelenség, csekélység, apróság **2.** köznapiság, megszokottság, vmnek a közönséges/mindennapi/sablonos volta, közhely, banalitás

trivialize [ˈtrɪvɪəlaɪz], **-ise** *tsi* elcsépel, közhelyszerűvé/köznapivá/banálissá tesz

tri-weekly [traɪˈwiːkli] *mn* **1.** hetenként háromszor (meg)ismétlődő/megjelenő, hetenként háromszor **2.** háromhetenkénti, háromhetenként (meg)ismétlődő/megjelenő

t-RNA *röv orv transfer ribonucleic acid* transzfer RNS

trochaic [troʊˈkeɪɪk] *mn ir.tud* trochaikus *[lejtés]*

troche [ˈtroʊki] *fn orv* (gyógyszer)tabletta, pirula, pasztilla

trochee [ˈtroʊkiː] *fn ir.tud* trocheus

trochilus [ˈtrɒkɪləs ‖ ˈtrɑ–] *fn áll* kolibri

trodden [ˈtrɒdn ‖ ˈtrɑdn] *mn* kitaposott *[út]*; → **tread** I.

troglodyte [ˈtrɒglədaɪt ‖ ˈtrɑ–] *fn* **1.** barlanglakó, troglodita **2.** remete **3.** *átv* vaskalapos, ósdi felfogású (ember) **4.** barlangi állat • *mn* **troglodytical**

troika [ˈtrɔɪkə] *fn* trojka, hármas (lovas)fogat

Trojan [ˈtroʊdʒən] **I.** *mn* trójai; **the ~ horse** a trójai faló **II.** *fn* trójai (ember); **he's a ~** kemény/elszánt ember; derék jó fiú/gyerek; **work like a ~** serényen/keményen dolgozik

troll[1] [trɒl, troʊl ‖ troʊl] **I.** *fn* **1.** ismétlődő sorokból álló dal, kánon **2. a)** forgatás, forgás **b)** *átv* ismétlődés **3.** horgászás, halászás **II. A.** *tsi* **1.** dúdol, dudorász(ik) **2.** mozgó csónakról horgászik/halászik (vmre) **B.** *tni* **1.** *GB szl [utcán járkálva árulja magát homoszexuális férfi]* strichel **2.** *GB* sétál, kószál **3.** ~ **for** keres, kutat

troll[2] [trɒl, troʊl ‖ troʊl] *fn* törpe, manó, kobold, óriás *[skandináv mitológiában]*

trolley [ˈtrɒli ‖ ˈtrɑli] *fn* **1.** targonca, tolókocsi *[utcai árusé]*, betegszállító targonca *[kórházban]* **2.** *GB* **(dinner) ~** zsúrkocsi **3.** *vasút* pályakocsi, kézihajtány **4.** csigasor; *US biz* **be off one's ~** elment az esze, megbomlott, megbolondult **5.** *US* villamos, troli(busz)

trolleybus *fn* trolibusz

trolley-car *fn US* villamos, villamoskocsi

trollop [ˈtrɒləp ‖ ˈtrɑ–] *fn* **1.** mocskos/szutykos/piszkos/rendetlen/lompos nő(személy) **2.** lotyó, szajha, ringyó, cafka

trombone [trɒmˈboʊn ‖ trɑm–] *fn zene* harsona, pozan, puzón • *fn* **trombonist**

-tron [trɒn ‖ trɑn] *utótag* ‹a fizikában használt szavak főnévképzője›; **elec~** elektron; **neu~** neutron

troop [truːp] **I.** *fn* **1.** csoport, csapat, sereg, banda, falka, raj **2.** *kat* **a)** csapat; **call out the ~s** kivezényli(k) a katonaságot; **raise ~s** sereget/csapatokat állít **b)** katona **3.** *szính* színtársulat, trupp **II. A.** *tsi kat* ~ **the colour(s)** zászlós díszszemlét tart **B.** *tni* **1.** csoportosul, gyülekezik, sereglik, csődül, tódul **2.** csapatban/csapatosan menetel/vonul

troop carrier *fn kat* csapatszállító *[hajó, repülőgép]*

trooper [ˈtruːpə ‖ –ər] *fn* **1.** *kat* közlegény *[lovas, páncélos]*; *kat* **swear like a ~** káromkodik, mint egy kocsis **2.** csapatszállító hajó **3. a)** lovas rendőr **b)** motoros rendőr **4.** *szính* színtársulat tagja

troop leader *fn kat* szakaszparancsnok

troopship *fn* csapatszállító hajó

tropaeolum [troʊˈpiːələm] *fn növ* sarkantyúvirág, sarkantyúka

trope [troʊp] *fn nyelv* **a)** szókép, trópus, alakzat **b)** képes beszéd, átvitt értelem

trophy [ˈtroʊfi] *fn* **1. a)** győzelmi emlék, diadalemlék, hadizsákmány **b)** vadászemlék, trófea **2.** fegyverekből összeállított diadalemlék, fegyverdísz **3.** *sp* kupa

tropic [ˈtrɒpɪk ‖ ˈtrɑ–] **I.** *mn földr* forró égöv alatti, forró égövi, délszaki, tropikus, trópusi; ~ **bird** *áll* trópusi madár; ~ **fruits** déligyümölcs(ök); → **tropical** I. **II.** *fn* **1.** *csill földr* térítő **2.** *tsz* **tropics, the** a trópusok, a forró égöv

tropical [ˈtrɒpɪkl ‖ ˈtrɑ–] *mn* **1. a)** forró égövi, délszaki, trópusi, tropikus; ~ **fruits** déligyümölcs(ök) **b)** *átv biz* forró, perzselő, égő, lángoló, izzó, heves *[szenvedély stb.]* **2.** *csill* tropikus *[év]*

Tropic of Cancer *fn* Ráktérítő

Tropic of Capricorn *fn* Baktérítő

tropology [trɒˈpɒlədʒi ‖ troʊˈpɑ–] *fn* **1.** *ir.tud* képes beszéd **2.** szimbolikus értelmezés *[főleg a Bibliáé]* • *mn* **tropological**

troposphere [ˈtrɒpəsfɪə ‖ ˈtroʊpəsfɪr] *fn tud* troposzféra, felhőöv

trot [trɒt ‖ trɑt] **I. -tt- A.** *tsi* **1.** ügetésre fog *[lovat]* **2.** kocog **3.** megszaladtat, megfuttat (vkt) **4.** *US okt szl* puska segítségével tanul/fordít *[leckét]* **B.** *tni* **1.** üget *[ló, lovas]* **2.** sietősen/gyorsan megy/jár/lép **3.** *US okt szl* puskázik **II.** *fn* **1.** ügetés *[lóé, lovasé]* **2.** *biz* sietős/gyors járás; **on the ~** egyfolytában; *szl* **be on the ~** *[elmenekül]* lelécel, meglóg **3.** *biz* járni tanuló kisgyerek **4.** *US okt szl [vizsgán használt „segédanyag"]* puska **5.** *szl [hasmenés]* fosás, hasmars

trot out A. *tsi* **1.** megfuttat, ügetésre fog *[lovat]* **2. a)** *átv biz* előhoz, megmutogat (vmt), parádézik, büszkélkedik (vkvel), vmvel, fitogtat (vmt) **b)** *biz* előhoz, előhúz **B.** *tni* meggyorsítja lépteit, sebes ügetésbe kezd

Trotskyism [ˈtrɒtskiɪzm ‖ ˈtrɑt–] *fn pol* trockizmus

trotter [ˈtrɒtə ‖ ˈtrɑtər] *fn* **1. a)** ügető ló, ügetőló *[ügetőversenyen]* **b)** futkosó/szaladgáló ember **2.** *tréf biz* láb(acska), lábikó, pracli *[gyereké]*

trotting [ˈtrɒtɪŋ ‖ ˈtrɑ–] *fn* **a)** ügetés **b)** ügetőverseny

trottoir [ˈtrɒtwɑː ‖ trɑˈtwɑr] *fn* gyalogjáró, járda

troubadour [ˈtruːbəduə ‖ –dɔr] *fn* középkori dalos/dalnok, trubadúr

trouble ['trʌbl] **I.** *fn* **1.** baj, szomorúság, bánat, (lelki)fájdalom, szenvedés, gond, aggodalom; *közm* **~s never come singly** a baj nem jár egyedül; **meet ~ half-way** megelőzi a bajt; **be in ~** bajban van; *biz* terhes lett, úgy maradt; **get into ~** bajba jut/kerül/keveredik; **get sy into ~**, **make ~ for sy** bajba juttat vkt **2. a)** zavar, nehézség, akadály **b)** fáradozás, fáradság, vesződség, megerőltetés; **it is no ~** szóra sem érdemes, semmiség; **take the ~ to do sg**, **go to** (v. **be at**) **the ~ of doing sg** veszi a fáradságot, hogy megtegyen vmt **3.** zavar, baj, kellemetlenség, bosszúság; **he's in for ~** kellemetlenség/baj vár rá, kellemetlensége/baja lesz belőle **4.** politikai zavar(gás)/nyugtalanság/háborgás/viszály **5. a)** betegség, baj, gyengélkedés, rossz (egészségi) állapot **b)** *orv* szülési fájdalmak, vajúdás **c)** *műsz* motorhiba, üzemzavar, defekt **II. A.** *tsi* **1.** bajt/szomorúságot/bánatot/fájdalmat/szenvedést okoz, aggaszt, nyugtalanít, bánt, (meg)szomorít, gyötör, kínoz **2. a)** zavar, zavart/nehézséget okoz, akadályoz **b)** zavar, zaklat, háborgat, molesztál, nyaggat, fáradságot okoz, fáraszt; **don't ~ your head about this problem** ne törd a fejedet ezen a problémán!, ebből a kérdésből ne csinálj gondot magadnak! **3.** zavart/bajt/kellemetlenséget/bosszúságot csinál/okoz (vknek), bosszant **4.** (testi) fájdalmat/kényelmetlenséget okoz (vknek), gyötör, kínoz *[betegség vkt]* **5.** felkavar, felzavar *[vizet]* **B.** *tni* **1.** nyugtalankodik, aggódik, bánkódik, szomorkodik (*about sg* vm miatt) **2.** zavartatja magát, veszi a fáradságot, fárad, vesződik

troubled ['trʌbld] *mn* **1.** zavaros, felkavart *[folyadék]*; *átv* **~ waters** zavaros helyzet, nyugtalan állapot **2.** nyugtalan, felkavart, aggódó, bánkódó, szomorkodó

troublemaker ['trʌblmeɪkə ‖ –ər] *fn* bajkeverő, zavarkeltő, felforgató (személy)

troublemonger *fn* zavarkeltő, felforgató, *átv* méregkeverő

troubler ['trʌblə ‖ –ər] *fn* zavaró, zaklató, zavarkeltő (személy)

troubleshooter *fn US* **1. a)** hibakereső (szerelő), (motor)hibajavító (szerelő) **b)** nehéz ügyek elintézője/megoldója, problémamegoldó **2.** *pol* közbenjáró, közvetítő • *fn* **troubleshooting**

troublesome ['trʌblsəm] *mn* **1.** nyugtalanító, aggasztó, elszomorító **2. a)** fárasztó, fáradságos, nehéz, terhes, kellemetlen, kényelmetlen **b)** zavaró, bosszantó, molesztáló **3.** engedetlen, rakoncátlan, lármás, fegyelmezetlen *[gyerek stb.]*

trouble spot *fn* kényes hely *[ahol zavargások leginkább előfordulhatnak]*, neuralgikus pont

trough [trɒf ‖ trɔf] *fn* **1.** vályú **2.** (sütő)teknő, fatál, serpenyő **3.** vízlevezető csatorna, esővízcsatorna **4.** bemélyedés, teknőszerűség, öböl, völgy *[hullámé stb.]* **5.** mélypont *[vkinek az életében]* **6.** *biz* iszákos ember

trounce [trauns] *tsi* **1. a)** elver, megver, megkorbácsol, elnáspángol, eldönget, elagyabugyál (vkt) **b)** megver, legyőz, megsemmisít *[ellenfelet]* **2.** erősen kifogásol, megbírál, megszid, lehord (vkt) • *fn* **trouncer**

troupe [tru:p] *fn* színtársulat, trupp

trouper ['tru:pə ‖ –ər] *fn* **1.** színtársulat tagja **2.** megbízható munkatárs

trouser(-) ['trauzə ‖ –ər] *mn* nadrág-

trousers ['trauzəz ‖ –zərz] *fn tsz* (hosszú)nadrág; **a pair of ~** egy (hosszú)nadrág • *mn* **trousered**

trouser suit *fn GB* nadrágkosztüm

trousseau ['tru:sou ‖ tru:'sou] *fn tsz* **s**, **trousseaux** [–souz ‖ –'souz] kelengye, stafírung

trout [traut] *fn* **1.** *áll* pisztráng **2.** *pej* vén szatyor

trout fishing *fn* pisztránghorgászat, pisztrángozás

trout fly *fn áll* kérész, tiszavirág

trover ['trouvə ‖ –ər] *fn jog* lelet (v. elveszett tárgy) jogtalan eltulajdonítása

trowel ['trauəl] **-ll-**, *US* **-l-** **I.** *fn* **1.** vakolókanál, malteroskanál, simítókanál, kőművеskanál; *biz átv* **lay it on with a ~** otrombán hízeleg (vknek) **2.** kerti lapát, palántaásó lapátka, ültetőkanál **II.** *tsi* **1.** vakolókanállal felken *[gipszhabarcsot]* **2.** bevakol *[falat]*

Troy [trɔɪ] *fn földr* Trója

troy [trɔɪ] *fn fiz* mérték nemesfémek mérésére; **1 ~ pound** = 12 uncia, = 373,24 gramm

truant ['tru:ənt] *mn/fn* **a)** munkakerülő, kötelességmulasztó, lógós **b)** *okt* iskolakerülő; **play ~** kerüli az iskolát, lóg (az iskolából), bliccel • *fn* **truancy**

truce [tru:s] *fn* **1.** fegyverszünet **2. ~ to jesting!** elég volt a tréfából! **3.** *átv* tűzszünet • *mn* **truceless**

truce-bearer *fn kat* parlamenter, békekövet

truce-breaker *fn* a fegyverszünet megszegője, békebontó, hitszegő

truck[1] [trʌk] **I.** *fn* **1.** *US* tehergépkocsi, teherautó **2.** taliga, targonca **3.** fuvaroskocsi, stráfkocsi, (lapos) teherkocsi **4.** *GB vasút* (nyitott) teherkocsi, tehervagon **5.** *bány* csille, bányakocsi **6. by the ~** kocsiszámra *[sokat]* **II.** *tsi* **a)** szekérre/teherautóra/vagonba rak *[árut]* **b)** szekéren/teherautón/vagonban szállít/fuvaroz *[árut]*

truck[2] [trʌk] **I.** *fn* **1.** csere(kereskedelem), csereüzlet, árucsere **2.** áruban fizetés *[alkalmazottaknak]* **3.** *biz* érintkezés, kapcsolat, viszony **4. a)** különböző apró árucikkek, vegyes holmi **b)** értéktelen holmi, limlom, kacat **5.** *US gazd* (piacra termelt) főzelékféle, zöldségféle, zöldségáru, konyhakerti növény **II. A.** *tsi* **1.** elcserél, becserél, kicserél **2.** áruban/természetben fizet **3.** *régi* kereskedik vmvel **B.** *tni* **1.** cserél, csereberél, cserekereskedéssel foglalkozik **2.** *US szl [sétál]* üget **3.** *US szl* **keep on ~ing** ne add fel!, csak így tovább!

truckage ['trʌkɪdʒ] *fn* **1.** szállítási díj, fuvardíj **2.** teherszállítás **3.** teherkocsik, teherautók, tehervagonok

trucker ['trʌkə ‖ –ər] *fn US* **a)** → **truckdriver** **b)** fuvarozó *[teherautóval]*, tehergépkocsi-fuvarozó

trucking ['trʌkɪŋ] *fn* teherszállítás, fuvarozás *[tehergépkocsival, társzekérrel, vagonnal]*

truckle ['trʌkl] **I.** *fn* **1.** *műsz* csiga, görgő *[teher továbbítására]* **2.** kis henger alakú sajt **II.** *tni* alázatoskodik, megalázkodik, földön csúszik (*to sy* vk előtt) • *fn* **truckler**

truckload *fn* **a)** *GB* egy tehervagonnyi, egy vagon vmiből **b)** *US* egy teherautónyi, egy teherautóra való vmből

truck stop *fn US* autósbüfé *[autópálya mellett]*

truculent ['trʌkjulənt] *mn* garázda, vad, kegyetlen, erőszakos, durva • *fn* **truculence**, **truculency**

trudge [trʌdʒ] **I.** *tni* vánszorog, nehezen jár, cammog, kutyagol, vonszolja magát **II.** *fn* vánszorgás, hosszú és fárasztó gyaloglás, fáradságos járás/gyaloglás, cammogás • *fn* **trudger**

trudgen ['trʌdʒən] *fn sp* **~ stroke** ollózva úszás

true [tru:] **I.** *mn* **1.** igaz, való, igazságnak/valóságnak megfelelő; **come ~** valóra válik, megvalósul, bekövetkezik **2. a)** hű, hűséges, megbízható, lojális, kitartó, rendületlen **b)** igazmondó, őszinte, megbízható, becsületes; **~ as steel** megbízható, mint az acél **3.** igazi, valódi, valóságos, tényleges; **his ~ nature** az igazi természete **4. a)** helyes, pontos, hiteles, az eredetivel megegyező *[másolat stb.]* **b)** *műsz* pontos, szabályos, szabályszerű *[mintadarab, műszer stb.]*; *sp* **~ ground/pitch** egyenletes talaj/pálya; **~ to type** szabályos **II.** *hsz* **1.** igazán, valóban **2.** igazul, igazmondóan, őszintén **3.** helyesen, szabályosan, pontosan **III.** *tsi műsz* **tru(e)ing~ (up)** helyrehoz, megigazít, kiigazít, hozzáigazít, hozzáilleszt, beállít, beszabályoz, hitelesít • *fn* **trueness**

true-blue *mn* **1.** színtartó kék színű **2.** *átv* tántoríthatatlan, hűséges, lojális, vm mellett kitartó a végsőkig

true-born *mn* született, igazi, valódi, eredeti

true-hearted *mn* **a)** hű, hűséges, lojális, vm mellett kitartó **b)** nyíltszívű, őszinte, becsületes

true love *fn* **1. a)** igaz szerelme vknek **b)** igaz/hű szerető **2.** *növ* farkasszőlő

T

truffle [ˈtrʌfl] *fn növ* szarvasgomba
trug [trʌg] *fn* **1.** fából készült lapos kerti kosár, háncskosár **2.** (fonott) tejtartó
truism [ˈtruːɪzm] *fn* elcsépelt/közhelyszerű igazság/tétel, közhely • *mn* **truistic**
trull [trʌl] *fn régi* utcanő, szajha, ringyó, ribanc
truly [ˈtruːli] *hsz* **1.** igazán, valóban, tényleg **2. a)** hűségesen, lojálisan, kitartóan, megbízhatóan, rendületlenül **b)** őszintén, tisztességesen **3.** helyesen, pontosan, szabályszerűen, szabályosan
trump [trʌmp] **I.** *fn* **1.** *ját* ütőkártya, adu, tromf; **hold the odd ~** az ő kezében van az utolsó adu; *biz* **turn up ~s** várakozáson felül sikerül **2.** *átv* váratlan előny, ütőkártya **3.** *biz* jó fiú, rendes gyerek, derék/pompás fickó, remek alak/pofa **II.** *tsi* **1.** aduval üt, adut játszik/hív **2. ~ up (sg)** kohol *[vádat]*; kieszel, kiagyal *[csalást]*
trump card *fn ját* ütőkártya, adu, tromf; *átv* **play one's ~** kijátssza az ütőkártyáját, legerősebb érvével hozakodik elő
trumpery [ˈtrʌmpəri] **I.** *mn* **1.** gyenge minőségű, vacak, ócska, bóvli **2.** megtévesztő, csalfa **II.** *fn* **1.** limlom, ócskaság, kacat, bóvli **2.** ostobaság, butaság, születlenség **3.** megtévesztés, ámítás, csalárdság
trumpet [ˈtrʌmpɪt ‖ –ət] **I.** *fn* **1.** *zene* trombita; **blow one's own ~** a maga dicséretét zengi **2.** *zene* trombitás **3.** *fémip* tölcsér; kürtő **4.** *növ* kürt, tölcsér *[növényé]* **5.** *áll* **sea ~** kürtcsiga **6.** trombitaszó, trombitálás, harsonázás **II. A.** *tsi* **a)** trombitaszóval kihirdet, közhírré tesz **b)** *átv* (ki)kürtöl, szétkürtöl, elhíresztel, dobra ver; **~ sg abroad** világgá kürtöl vmt, nagydobra ver vmt **B.** *tni* **1.** trombitál, trombitán játszik, trombitát fúj, harsonáz **2.** bőg, harsog *[elefánt]*
trumpet call *fn* **a)** trombitaszó, trombitajel, kürtjel **b)** jeladás/felszólítás cselekvésre
trumpeter [ˈtrʌmpɪtə ‖ –ətər] *fn* **a)** trombitás, kürtös **b)** trombitajátékos
trumpet-major *fn kat* ezredtrombitás, ezredkürtös
truncate [trʌŋˈkeɪt ‖ ˈtrʌŋkeɪt] **I.** *mn* csonka, megcsonkított **II.** *tsi* **1.** megcsonkít, levág, lenyes *[fát]* **2.** körülfejt, körül lebont, köröskörül letör(del)/levág/lemetsz/leélez **3.** megcsonkít, megrövidít, elront, kiforgat *[szöveget]* • *fn* **truncation**
truncated [trʌŋˈkeɪtɪd ‖ ˈtrʌŋkeɪtɪd] *mn* **1.** megcsonkított, csonka, levágott, letört *[fa stb.]*; *mat* **~ cone** csonka kúp **2.** megcsonkított, megrövidített, hiányos *[szöveg]*
truncheon [ˈtrʌntʃn] *fn* **1.** *GB* bunkó, dorong, gumibot, ólmosbot *[rendőré]* **2.** marshallbot
trundle [ˈtrʌndl] **A.** *tsi* **1.** görget, gördít, gurít, hengerget, hengerít **2.** tol *[taligát, kézikocsit stb.]*; **~ sy along** tol vkt *[talicskában stb.]*, kocsin szállít vkt **B.** *tni* gördül, gurul
trunk [trʌŋk] *fn* **1.** (fa)törzs, rönk, tuskó, tönk **2. a)** törzs *[testrész]*; *sp* **~ exercise** törzshajlítás **b)** *műv* torzó **3.** *orv* törzs *[testé, éré, idegé]* **4.** *épít* oszloptörzs, pillértörzs **5. a)** *vasút* fővonal; → **trunk line b)** *távk* központi fővonal **6. a)** bőrönd, utazóláda **b)** *US* csomagtartó, csomagtér *[gépkocsiban]* **7.** ormány *[elefánté]* **8. a)** *régi* combközépig érő nadrág *[XVI–XVII. században]* **b)** *US* alsónadrág **c) (swimming) ~s** fürdőnadrág, úszónadrág; sportnadrág • *mn* **trunkless**
trunk call *fn GB* távolsági/interurbán (telefon)hívás/(telefon)beszélgetés
trunking [ˈtrʌŋkɪŋ] *fn távk GB* helyi kapcsolás *[központok között]*
trunk line *fn* **a)** *vasút* fővonal **b)** főútvonal *[földi és légi]* **c)** *távk* fővonal, távolsági vonal, távolsági távbeszélővezeték, központok közötti vonal **d)** főág, főcső
trunk road *fn GB* országos főút(vonal), elsőrendű (főközlekedési) út
truss [trʌs] **I.** *fn* **1.** köteg, csomó, nyaláb, bála *[széna, szalma]* **2.** *növ* buga, összetett fürtvirágzat (thyrsus) **3.** *épít* váz(szerkezet), rácsos tartó/szerkezet **II.** *tsi* **1.** csomóba/nyalábba köt, báláz *[szénát, szalmát]* **2.** *épít* bordákkal feszít, kitámaszt, kidúcol **3. a)** (szárnyast) sütéshez összekötöz **b)** összekötöz, megkötöz *[embert akasztás előtt]*; *biz* **~ sy (up) like a fowl** (alaposan) megkötöz vkt **c)** *hajó* **~ a sail** vitorlát összegöngyöl • *fn* **trusser**
trust [trʌst] **I.** *fn* **1.** bizalom; **breach of ~** hitszegés; **position of ~** bizalmi állás **2.** remény(ség) **3.** *gazd* hitel **4.** felelősség, erkölcsi kötelezettség/feladat **5. a)** őrizet, megőrzés, letét **b)** gondjaira/megőrzésére bízott tárgy/dolog **6.** *jog* bizalmi tulajdon-/vagyonátruházás **7.** *közg* bizalmi vagyonkezelői alapítvány, vagyonmegőrzés, letét, tröszt, kartell *[üzleti részvénytársaságok monopolisztikus kombinációja]* **II. A.** *tsi* **1.** (meg)bízik (vkben), vmben, bizalommal viseltetik, bizalmat érez (vk iránt), hisz (vknek); *biz* **she won't ~ him out of her sight** nem engedi szem elől **2. a)** megbíz (vkt vmvel), rábíz (vmt vkre) **b)** vknek a gondjaira/őrizetére bíz (vmt), megőrzésre és kezelésre átad, letétbe helyez (vmt) **3.** *gazd* hitelt ad *[vevőnek]* **4. a)** remél, reményét fejezi ki **b)** erősen hisz, biztosra vesz (vmt), meg van győződve (vmről) **B.** *tni* **1. a) ~ in/on sy** (meg)bízik vkben, bizalommal viseltetik vk iránt **b) ~ to sy** hisz vknek **2. ~ to sg** rábíz (vmre); reményét helyezi (vmbe), reménykedik (vmben); **~ to chance/luck** a szerencsére bízza **3.** *gazd* hitelben árusít • *fn* **truster** *mn* **trustable**
trust busting *fn US biz* nagy trösztök felbontása/felrobbantása *[törvény adta keretek között* v. *kormányintézkedésként]*
trust company *fn GB pénz* befektetési társaság; *US* vagyonkezelő társaság
trusted [ˈtrʌstɪd] *mn* **1.** megbízható, bizalomra méltó/érdemes **2.** bizalmas
trustee [ˌtrʌˈstiː] *fn* **1.** *jog* **a)** meghatalmazott, megbízott (személy) **b)** vagyonkezelő, célvagyon kezelője, letéteményes **2.** gondnok, felügyelő, kurátor *[múzeumé]*, igazgatósági tag *[alapítványé]*; **board of ~s** kuratórium *[alapítványé stb.]* **3.** → **trusty II.** • *fn* **trusteeship**
trustful [ˈtrʌstfl] *mn* vkben (meg)bízó, bizodalmas, bizalomteljes • *fn* **trustfulness** *hsz* **trustfully**
trust fund *fn jog* alapítványi vagyon, vagyonkezelői megbízás vagyona
trusting [ˈtrʌstɪŋ] *mn* bízó, bizakodó, hívő, reménykedő • *hsz* **trustingly**
trust territory *fn pol* gyámsági terület, mandátumterület
trustworthy [ˈtrʌstwɜːði ‖ –wɜr–] *mn* **1.** megbízható, bizalomra méltó, becsületes, tisztességes, hűséges **2.** megbízható, elhihető, hitelt érdemlő, hiteles, biztos *[értesülés, állítás stb.]* • *fn* **trustworthiness** *hsz* **trustworthily**
trusty [ˈtrʌsti] **I.** *mn* megbízható, becsületes, tisztességes, hűséges *[személy]* **II.** *fn US* megbízható személy, megbízhatónak ítélt rab • *fn* **trustiness** *hsz* **trustily**
truth [truːθ] *fn* **1.** igazság, valóság, (az) igaz; **the real/plain/naked/honest ~** a (szín)tiszta/való/meztelen/leplezetlen igazság; **in ~** valójában, igazán, igazából; **~ will out** az igazság előbb-utóbb kiderül **2. a)** (eszmei) igazság, igaz dolog; *közm* **not all ~s are proper to be told** nem lehet mindent elmondani **b)** tudományos igazság, tudományosan (be)bizonyított/igazolt tény/tétel **c)** erkölcsi (alap)igazság/(alap)törvény
truthful [ˈtruːθfl] *mn* **a)** igaz(mondó), szavahihető, megbízható, őszinte *[személy]* **b)** igaz, igazsághoz hű, hitelt érdemlő, hiteles *[tanúvallomás stb.]* • *fn* **truthfulness**
truth table *fn infor* igazságtáblázat
try [traɪ] **I. A.** *tsi* **1.** kipróbál, megpróbál, megtapasztal (vmt) **2.** kipróbál, megvizsgál, átvizsgál, felülvizsgál, ellenőriz *[gépet, műszert stb.]* **3.** megkísérel, (meg)próbál **4. a)** kipróbál, próbára tesz (vkt) **b)** megpróbáltatásnak vet alá (vkt) **c)** erőfeszítésnek tesz ki, megerőltet, kifáraszt (vkt), vmt **5. a)** *jog* bíróság elé állít, kihallgat *[vádlottat]*, bűntetőeljárást lefolytat (vk ellen) **b)** *jog US* véd *[vádlottat]*, védőbeszédet tart, védelmet felépít *[ügyvéd]* **6.** *fémip* finomít *[fémet]* **B.** *tni* **a)** (meg)próbál, próbálkozik, megkísérel (vmt tenni), kísérletet tesz **b)** igyekszik, törekszik, erőlködik, erőfeszítést tesz **II.** *fn* kísérlet, próba

T

try on *tsi* **1.** felpróbál *[ruhadarabot]* **2.** *biz* **~ it on with sy** *biz* megpróbál becsapni/beugratni (v. behúzni a csőbe) vkt; → **try-on**

try out *tsi* kipróbál *[gépet stb.]*; → **try-out**

trying [ˈtraɪɪŋ] **I.** *mn* **1. a)** próbára tevő, megerőltető, nehéz, fárasztó **b)** fárasztó, hosszadalmas, unalmas **2. a)** bosszantó, kellemetlen, alkalmatlan, terhes; **he's ~** idegeire megy az embernek, nehezen lehet vele kijönni **b)** keserves, lehangoló, gyötrő, fájdalmas **II.** *fn* kipróbálás, megpróbálás, próbálkozás, megkísérlése vmnek

try-on *fn* **1.** próba *[ruháé]* **2.** *biz* becsapási/beugratási kísérlet; → **try on**

try-out *fn* próba, kipróbálás; → **try out**

trysail [ˈtraɪsl] *fn hajó* viharvitorla

tryst [trɪst] **I.** *fn vál* találkozó, találka, légyott, randevú **II.** *tsi* találkát/légyottot ad (vknek), randevúzik (vkvel)

tsar [zɑː ‖ zɑr] *fn* **1.** cár **2.** *biz* nagy tekintély, fejes • *fn* **tsardom, tsarism** *mn* **tsarist**

tsarevich [ˈzɑːrəvɪtʃ], **tsarevitch** *fn tört* **1.** cárevics, orosz trónörökös **2.** cárevics, a cár fia

tsarina [zɑːˈriːnə] *fn* cárnő *[orosz uralkodónő]*

tsetse [ˈtetsi] *fn áll* cecelégy

T-shirt [ˈtiːʃɜːt ‖ –ɜrt] *fn* (rövid ujjú) trikó

tsk *isz* ‹a lekicsinylést vagy megjátszott csodálkozást kifejező cöcögés csettintő hangja› cö cö!

tsp(s). *röv teaspoon(ful)(s)*

tsunami [tsuˈnɑːmi] *fn tsz* **tsunamis** szökőár; → **tidal wave**

Tswana [ˈtswɑːnə] *fn tsz* **Tswana, s** csvana v. cvana (ember v. nyelv)

TU *röv Trade Union*

Tu. *röv Tuesday* kedd, K.

tub [tʌb] **I.** *fn* **1. a)** kád, teknő, dézsa, csöbör, veder; **tale of a ~** unalmas/együgyű történet, dajkamese; zagyva beszéd **b)** mosóteknő, mosódézsa **c)** *US* fürdőkád **2.** fürdés *[kádban]* **3.** kis hordó **4.** *hajó biz* **old ~ (of a boat)** öreg bárka/csónak, rozoga vén hajó **5.** *szl [alacsony termetű kövér emberről]* hurkagyurka, hájpacni, hájtömeg **II. -bb- A.** *tsi* **1.** dézsába/ládába ültet *[növényt]* **2.** (meg)fürdet *[kádban]* **B.** *tni* **1.** kádban fürdik **2.** *sp* edzőcsónakban evez • *mn* **tubful**

tuba [ˈtjuːbə ‖ ˈtuːbə] *fn tsz* **s, e** [–biː] *zene* **a)** tuba, bombardon **b)** tubajátékos, tubás

tubbing [ˈtʌbɪŋ] *fn* **1.** dézsába/ládába ültetés *[növényé]* **2.** kádban fürdés, kádfürdő **3.** kádármunka, bodnármunka **4.** *bány* **a)** ácsolat **b)** béléscsövezés, aknabélelés, vízhatlan gyűrű, tübbing

tubby [ˈtʌbi] *mn* **1. a)** *biz* köpcös, gömbölyű, gömbölyded, pocakos, nagyhasú, pókhasú *[ember]* **b)** *biz* teknő alakú, öblös, hasas *[csónak]* **2.** tompahangú *[hangszer]*

tube [tjuːb ‖ tuːb] **I.** *fn* **1. a)** cső **b)** (gumi)-tömlő *[autóé, kerékpáré]*; **inner ~** gumibelső *[autóé, kerékpáré]*, tömlő **c)** *vegy* kémcső **2.** tubus *[festéké, fogkrémé, gyógyszeré stb.]* **3.** *orv* cső, vezeték **4.** csővezeték, csőrendszer, csatorna **5.** *GB biz* **the ~** földalatti (vasút), metró *[Londonban]* **6.** *US biz* **the ~** tévé, doboz **7.** *Ausz szl* egy üveg sör **II. A.** *tsi* **1.** *épít műsz* csővel/csövekkel ellát, csövez, csővel bélel **2.** *orv* csövet bevezet *[légcsőbe]* **3.** *US szl* **~ it** (i) *[megbukik]* meghúzzák (ii) *biz* tévét néz, tévézik **B.** *tni biz* földalattival megy, földalattin utazik, metrózik

tube fed *mn orv* csövön keresztül táplált

tubeless [ˈtjuːbləs ‖ ˈtuːb–] *mn gk* tömlő nélküli

tubelike [ˈtjuːblaɪk ‖ ˈtuː–] *mn orv geol* cső alakú

tuber [ˈtjuːbə ‖ ˈtuː–] *fn* **1.** *növ* **a)** gumó (alakú megvastagodás), gumós gyökér **b)** *biz* krumpli **c)** szarvasgomba **2.** *orv* **a)** csontkinövés, dudor, daganat, bütyök **b)** tüdőgumó, gümő

tubercle [ˈtjuːbəkl ‖ ˈtuːbərkl] *fn orv* **1.** *növ* gyökérgumó, bütyök, (beteges) kinövés, szemölcs **2. a)** daganat, dudor, bütyök, csontkinövés **b)** tüdőgumó, gümő, tuberculum

tubercular [tjuːˈbɜːkjulə ‖ tuːˈbɜrkjələr] *mn* **1.** *növ* gumós, göbös, gümős **2.** *orv* tüdőbeteg, gümőkóros, tüdővészes

tuberculosis [tjuːˌbɜːkjuˈloʊsɪs ‖ tuːˌbɜrkjəˈloʊsəs] *fn orv* gümőkór, tüdővész, tuberkulózis

tuberose¹ [ˈtjuːbəroʊs ‖ ˈtuː–] *mn* **1.** *növ* gumós **2.** göcsörtös, bütykös, dudoros • *fn* **tuberosity**

tuberose² [ˈtjuːbəroʊz ‖ ˈtuː–] *fn növ* tubarózsa; **~ oil** tubarózsa-olaj

tuberous [ˈtjuːbərəs ‖ ˈtuː–] *mn* **1.** *növ* gumós **2.** *orv* gumós, csontkinövéses, csomós, bütykös

tube trousers *fn tsz* csőnadrág

tube worm *fn áll* csöves féreg

tube-wrench *fn műsz* csőfogó, csőkulcs

tubing [ˈtjuːbɪŋ ‖ ˈtuː–] *fn* **1. a)** a cső(darab) **b)** *tex* tömlő alakú áru **2.** ‹gumibelsőben ülve folyón/havas lejtőn való leereszkedés›

tub-thumper *fn biz* utcasarki szónok, demagóg • *fn* **tub-thumping**

tubular [ˈtjuːbjulə ‖ ˈtuːbjələr] *mn* **1.** cső alakú, csöves, csőszerű, cső- **2.** csővel/csövekkel ellátott/felszerelt, csöves *[kazán stb.]* **3.** *orv* **~ breathing** hörgi légzés **4.** tubusolt **5.** *US szl [nagyon jó, remek]* tökjó, baró, szuper

tubule [ˈtjuːbjuːl ‖ ˈtuː–] *fn tud* kis cső/csatorna

tubuliflorous [ˌtjuːbjulɪˈflɔːrəs ‖ ˌtuːbjəlɪˈflɔrəs] *mn növ* csövesvirágú

tubulous [ˈtjuːbjuləs ‖ ˈtuːbjələs] *mn* **1.** csöves **2.** csővel/csövekkel ellátott/felszerelt, csöves *[kazán stb.]*

TUC *röv GB Trades Union Congress* szakszervezeti szövetség

tuck [tʌk] **I. A.** *tsi* **1. a)** *tex* berak, ráncol, pliszíroz *[ruhát]* **b)** *tex* felhajt, rövidebbre vesz *[ruhát]* **2.** betakar, beburkol **3.** *biz [megeszik]* benyel, bepakol, megkajál, bepofáz (vmt) **B.** *tni* **1.** *tex* ráncol, redőz **2.** *biz* mohón eszik, tömi magát, zabál **3.** betűr *[inget nadrágba]* **II.** *fn* **1.** *tex* (be)rakás, hajtás, ránc, redő, szegély *[ruhán]* **2.** *sp* felhúzott térdek/térdhelyzet **3.** burkolat *[könyvön stb.]* **4.** *szl* (fincsi) kaja *[főleg édesség]* **5.** *US biz* életerő

tuck away *tsi* **1.** bedug, betesz, berak **2.** elrak, eldug, elrejt **3.** → **tuck¹** I. A. 3.

tuck in A. *tsi* **1. a)** behajt, betesz **b)** bedug, begyömöszöl, begyűr **2. ~ sy in** vkt betakar/bebugyolál *[ágyban]* **3.** eltesz, elrak, eldug, elrejt **4.** → **tuck¹** I. A. 3. **B.** *tni biz [mohón eszik]* (be)zabál, tömi magát, beeszik, bepakol; **~ in mightily** két pofára eszik/zabál; → **tuck-in**

tuck into *tsi/tni* **1.** betesz, berak, bedug, begyömöszöl **2.** eltesz, elrak, elrejt **3. ~ into a pie** nekiesik egy pástétomnak

tucker [ˈtʌkə ‖ –ər] **I.** *fn* **1.** pliszírozó *[varrógépen]* **2.** *régi* (váll)kendő, mellkendő, női blúz *[XVII–XVIII. században]* **3.** *Ausz szl [étel]* kaja **II.** *tsi US biz* kifáraszt, kimerít, elcsigáz, kifullaszt

tucker-bag *fn Ausz* élelmiszeres tarisznya

tuck-in *fn biz* nagy evészet, lakmározás, lakoma, zabálás; → **tuck in**

tuck shop *fn biz* édességbolt, cukrászda

Tudor [ˈtjuːdə ‖ ˈtuːdər] *tul tört* **I.** Tudor; **the ~s** a Tudorok *[angol uralkodók 1485–1603]* **II.** *mn műv* **~ style** Tudor-stílus

Tue(s). *röv Tuesday* kedd, K

Tuesday [ˈtjuːzdi, –deɪ ‖ ˈtuːz–] *fn* kedd

tufa [ˈtjuːfə ‖ ˈtuː–] *fn geol* **1.** mésztufa, édesvízi mészkő, travertino **2.** (vulkáni) tufa • *mn* **tufaceous**

tuff [tʌf] *fn geol* **a)** vulkáni tufa, lávakő **b)** mésztufa • *mn* **tuffaceous**

tuffet [ˈtʌfɪt] *fn* alacsony kerek párnázott szék, puff

tuft [tʌft] **I.** *fn* **1. a)** csomó, köteg, nyaláb, fűcsomó, cserjés **b)** hajcsomó, hajtincs, csimbók, üstök **c)** kis szakáll **2. a)** bojt, rojt, pamacs **b)** *biz régi* főnemesi származású diák *[Oxfordban és Cambridge-ben, aki aranybojtos sapkát visel]* **II. A.** *tsi* **1.** csomókba/kötegekbe különít/szétválaszt, csomó(ka)t/kötege(ke)t alkot/képez/készít

2. bojttal/rojttal/bokrétával/bóbitával díszít 3. levarr, steppel 4. *vad* felver, kihajt, kiver *[szarvast stb. sűrűből, rejtekéből]* **B.** *tni* csomóban/nyalábosan nő

tufted [ˈtʌftɪd] *mn* **1. a)** rojttal/bojttal díszített **b)** rojtos, bojtos, pamacsos **2.** *áll* bóbitás; **~ duck** fekete réce; **~ heron** nemes kócsag **3.** *növ* csomósan növő

tufty [ˈtʌfti] *mn* sűrű, tömött, bozontos, kusza

tug [tʌg] **I. -gg- A.** *tsi* **a)** (erősen) húz, húzgál, vonszol, vontat *[hajót]* **b)** (meg)ránt, rángat, ráncigál **B.** *tni* **1. a)** húz, húzgál, vonszol, vontat **b)** (meg)ránt, rángat, ráncigál, (meg)cibál **2.** küszködik, erőlködik **II.** *fn* **1. a)** (meg)rántás, meghúzás, feszítés **b)** *biz* **feel a ~ at one's heart-strings** összeszorul a szíve **2. a)** vontatás **b)** vontató(hajó), vontató-repülőgép

tugboat *fn* vontató(hajó), vontatógőzös

tug of love *fn GB biz* ‹gyerekelhelyezési huzavona/hercehurca›

tug-of-war *fn* **a)** *sp* kötélhúzás **b)** *átv* huzakodás, huzavona, veszekedés

tuition [tjuːˈɪʃn ‖ tuː–] *fn* **1.** oktatás, tanítás, nevelés **2.** *GB* **~ fee(s)**, *US* **~** tandíj • *mn* **tuitional**

tulip [ˈtjuːlɪp ‖ ˈtuːləp] *fn* **1.** *növ* tulipán **2. ~ ear** hegyes felálló fül *[kutyáé]*

tulip tree *fn növ* tulipánfa

tulipwood *fn* tulipánfa

tum [tʌm] *GB biz* → **tummy**

tumble [ˈtʌmbl] **I. A.** *tsi* **1.** gurul **2.** zuhan, esik **3.** felfordít, felforgat, zűrzavarba dönt, összekuszál, összezilál **4.** röptében (v. futás közben) lelő *[állatot]* **5.** centrifugáz *[gépi mosásban]* **6.** *áll* alábukik *[galamb]* **B.** *tni* **1. a)** elesik, elvágódik, leborul, legurul, elbukik, felbukik, felborul, eldől **b)** bukdácsol, botorkál, botladozik **2.** hánykolódik, forgolódik, fészkelődik, izeg-mozog; **toss and ~ in bed** hánykolódik/forgolódik az ágyban **3.** hanyatt-homlok/hevesen (be)rohan/(be)ront (vhova) **4.** bukfencezik, cigánykereket hány *[akrobata]* **II.** *fn* **1.** (le)esés, (fel)bukás, zuhanás; **take a ~** elesik; *átv* hirtelen megért/felfog, kapiskál **2.** *sp* bukfenc(ezés) **3.** rendetlenség, összevisszaság, felfordulás, zűrzavar

tumble down A. *tsi* **a)** feldönt, felborít, felbuktat, elbuktat (vkt), vmt **b)** röptében (v. futás közben) lelő *[állatot]* **B.** *tni* elesik, elvágódik, elbukik, felbukik, felborul, leesik, ledől, eldől, legurul; → **tumbledown**

tumbledown *mn biz* düledező, rozoga, roskadozó, roskatag, omladozó, ütött-kopott *[fal, épület stb.]*; → **tumble down**

tumble-dry *tsi* (szárítógéppel) szárít

tumble-dryer, **-drier** *fn* (háztartási) szárítógép

tumbler [ˈtʌmblə ‖ –ər] *fn* **1.** ivópohár, öblös üvegpohár **2.** → **tumble dryer 3.** *régi* zsonglőr, erőművész, akrobata; *vál* **Our Lady's T~** Miasszonyunk bohóca **4.** keljfeljancsi *[játékszer]* **5.** *áll* **~ (pigeon)** keringőgalamb, bukógalamb

tumblerful [ˈtʌmbləful ‖ –ər–] *fn* tele pohár(nyi)

tumbling-bay *fn* **1.** kifolyó, kifolyás, levezetés *[folyóé, tóé]* **2.** vízgyűjtőmedence

tumbly [ˈtʌmbli] *mn* göröngyös, durva *[felület]*

tumbrel [ˈtʌmbrəl] *fn* **1.** kétkerekű (trágyahordó) kordé, taliga **2.** *kat* lőszerkocsi **3.** *tört* vesztőhelyre vivő szekér *[francia forradalomban]*

tumbril [ˈtʌmbrɪl] → **tumbrel**

tumefy [ˈtjuːmɪfaɪ ‖ ˈtuː–] *orv* **A.** *tsi* megduzzaszt, felduzzaszt, daganatot okoz **B.** *tni* megdagad, megduzzad

tumescent [tjuːˈmesnt ‖ tuː–] *mn orv* duzzadó, dagadó, püffedő • *fn* **tumescence**

tumid [ˈtjuːmɪd ‖ ˈtuː–] *mn* **1.** dagadt, duzzadt, puffadt **2.** *tud* kidudorodó **3.** dagályos *[stílus]* • *fn* **tumidity**

tummy [ˈtʌmi] *fn biz* **a)** gyomor, has **b)** *gyerm* haskó, poci

tummy dancer *fn biz* hastáncosnő

tumor [ˈtjuːmə ‖ ˈtuːmər] *US* → **tumour**

tumour [ˈtjuːmə ‖ ˈtuːmər] *fn* **1.** *orv* daganat, tumor **2. a)** *átv* felfuvalkodottság **b)** *átv* dagályosság • *mn* **tumorous**

tumult [ˈtjuːmʌlt ‖ ˈtuː–] *fn* **1.** kavarodás, felfordulás, csődület, tumultus **2.** izgalom, zűrzavar, vihar *[érzéseké]*

tumultuous [tjuːˈmʌltʃuəs ‖ tuː–] *mn* lármás, rendetlen, zavargó, zajongó, kavargó, viharos, izgatott; **~ applause** tomboló taps, tapsvihar; **~ welcome** viharos fogadtatás • *fn* **tumultuousness**

tumulus [ˈtjuːmjʊləs ‖ ˈtuːmjə–] *fn tsz* **tumuli** [–laɪ] *régi* (őskori) sírhalom, sírdomb • *mn* **tumular**

tun [tʌn] **I.** *fn* **1.** hordó **2.** erjesztőkád *[sörfőzésben]* **3.** *tréf* pocakos ember **II.** *tsi* **-nn- 1.** hordóba tesz/rak **2.** vedel *[alkoholos italt]*

tuna [ˈtjuːnə ‖ ˈtuːnə] *fn* **1.** *áll* tonhal **2.** *US szl [nő, lány]* csaj, bige, gádzsi

tunable [ˈtjuːnəbl ‖ ˈtuː–] *mn* **1.** dallamos, harmonikus **2.** *zene távk* hangolható

tuna salad *fn* tonhalsaláta

tuna sandwich *fn* tonhalas szendvics

tundra [ˈtʌndrə] *fn földr* tundra

tune [tjuːn ‖ tuːn] **I.** *fn* **1. a)** *zene* dallam, melódia; *biz* **the ~ the old cow died of** elcsépelt dal **b)** *nyelv* (beszéd)dallam, hanglejtés **c)** *átv* hang, hangnem; **call the ~** megadja a hangot; **lower one's ~** leszáll a hangjával; csendesebben kezd beszélni **2. a)** összhangzat, (fel)hangolás; **be in ~** (i) tisztán énekel/játszik/zenél (ii) (jól) fel van hangolva *[hangszer]* (iii) jól be van állítva *[rádió-, tévékészülék]*; **be out of ~** (i) hamisan énekel/játszik/zenél (ii) lehangolódott, elhangolódott, el van hangolva *[zongora]* (iii) *átv* rosszkedvű, kedvetlen *[ember]* **b)** *műsz* **engine in perfect ~** simán futó motor **3.** egyetértés, összhang, harmónia; **be in ~ with sg** (i) összhangban van vmvel (ii) teljes egyetértésben van/él vkvel; **be out of ~ with sg/sy** nincs összhangban vmvel/vkvel **4.** *biz* **to the ~ of ...** ... nagyságrendben, ... erejéig, ... összegben **II. A.** *tsi* **1.** *zene* **a)** (fel)hangol **b)** dalol, megénekel, zenével kifejez/ünnepel **2. a)** összhangba hoz **b)** *távk el* (be)hangol, beszabályoz, beállít, egy adott frekvenciára állít **3.** *műsz* beállít *[motort, gépet]* **B.** *tni* összhangban van *[vmvel]* • *mn* **tun(e)able**

tune in *tsi/tni* **1.** beállít, behangol *[állomást rádión]* **2.** *átv* rá van hangolva vmire **3.** *szl* (ki)hallgat vmt, odafigyel vmre, megtud vmt, megismerkedik vmvel *mind stand*

tune off *tsi* elhangol, széthangol *[rádiót]*

tune out *tsi/tni távk* **1.** kihangol *[zavart]*, elhangol; **~ out a station** kikapcsol egy állomást **2.** *biz szl* nem figyel oda *stand* **3.** *átv* nincs ráhangolva vmire

tune up A. *tni* **1.** hangol *[zenekar]* **2. a)** *biz* énekelni kezd, rázendít **b)** *biz tréf* sírni/bőgni kezd *[gyerek]* **B.** *tsi* **1.** *távk* **a)** behangol (maximális teljesítményre) **b)** beállít, beszabályoz *[rádiót]* **2.** *gk rep* helyreigazít, rendbe hoz, kifogástalan üzemkész/menetkész állapotba hoz, beállít; → **tune-up**

tuneful [ˈtjuːnfl ‖ ˈtuːnfl] *mn* dallamos, melodikus, jó hangzású, összhangzatos, harmonikus, csengő • *fn* **tunefulness** *hsz* **tunefully**

tuneless [ˈtjuːnləs ‖ ˈtuːn–] *mn* **1. a)** dallamtalan **b)** nem harmonikus/összhangzó, hamisan hangzó, diszharmonikus **2.** hangtalan, néma • *fn* **tunelessness** *hsz* **tunelessly**

tuner [ˈtjuːnə ‖ ˈtuːnər] *fn* **1. a)** (hangszer)hangoló *[ember]* **b)** rádióvevő, tuner, hangoló berendezés **2.** *zene* → **tuning fork**

tune-up *fn gk* átvizsgálás és beállítás *[motoré]*, karbantartó munkák (elvégzése) *[a motor optimális teljesítményének biztosítására]*

tung oil [ˈtʌŋɔɪl] *fn* tungolaj *[kínai faolaj]*

tungsten [ˈtʌŋstən] *fn vegy* volfrám; **~ lamp** izzólámpa • *mn* **tungstic**, **tungstuous**

tunic [ˈtjuːnɪk ‖ ˈtuː–] *fn* **1. a)** *[római]* tunika **b)** *vall* tunika, szerzetesing **c)** *GB kat* zubbony **d)** (női) tornadressz **2.** *tud* burok, lepel, hártya, hüvely

tunica [ˈtjuːnɪkə ‖ ˈtuː–] *fn orv* bőr, hártya

tunicate [ˈtjuːnɪkət ‖ ˈtuː–] **I.** *mn tud* hártyás, hártyával bevont **II.** *fn áll* vízi zsákállat
tunicle [ˈtjuːnɪkl ‖ ˈtuː–] *fn vall* tunika, szerzetesing, apácaing
tuning [ˈtjuːnɪŋ ‖ ˈtuː–] *fn* **1. a)** *zene* hangolás **b)** *el távk* (be)hangolás, beszabályzás, adott frekvenciára állítás **c)** beállítás, beszabályozás **2.** összhang
tuning fork *fn zene* hangvilla
Tunis [ˈtjuːnɪs ‖ ˈtuːnəs] *tul földr* Tunisz *[Tunézia fővárosa]*
Tunisia [tjuːˈnɪzɪə ‖ tuːˈniːʒə] *tul földr* Tunézia • *mn* **Tunisian**
tunnel [ˈtʌnl] **-ll-**, *US* **-l- I.** *fn* **a)** alagút **b)** aluljáró **c)** *épít* füstcsatorna, füstjárat, kürtő **d)** szellőzőcsatorna **e)** *áll* járat *[vakondoké]* **II. A.** *tsi* ~ **a mountain** alagutat fúr egy hegyen át **B.** *tni* ~ **into a mountain** alagutat fúr egy hegybe; ~ **through a mountain** alagutat fúr egy hegyen át • *fn* **tunneller**, **tunnel(l)ing**
tunnel disease *fn orv* keszonbetegség
tunnel gauge, *US* **-gage** *fn vasút* rakszelvény
tunnel vision *fn orv* csőlátás
tunny [ˈtʌni] → **tuna 1.**
tup [tʌp] **I.** *fn áll* kos **II. -pp- A.** *tsi* **1.** meghág, fedez *[kos]* **2.** döfköd **B.** *tni* párosodik *[juh stb.]*
Tupi [ˈtuːpi] *fn tsz* **Tupi** v. **Tupis 1.** tupi *[indián az Amazonasnál]* **2.** tupi *[nyelv]*
tuppence [ˈtʌpns] *fn GB biz* két penny; **she doesn't care ~ for him** egy fikarcnyit sem törődik vele
tuppenny [ˈtʌpni] *mn GB biz* kétpennys
tuque [tjuːk ‖ tuːk] *fn* (téli) meleg sapka
turban [ˈtɜːbən ‖ ˈtɜr–] *fn* turbán • *mn* **turbaned**
turbary [ˈtɜːbəri ‖ ˈtɜr–] *fn* tőzegláp, tőzegmező, tőzegfejtő hely, tőzegtelep
turbid [ˈtɜːbɪd ‖ ˈtɜr–] *mn* **1.** zavaros, szennyes, iszapos *[folyadék]*, füstös, ködös *[levegő]* **2.** *átv* zavaros, homályos *[szellem]* • *fn* **turbidity**, **turbidness**
turbinal [ˈtɜːbɪnl ‖ ˈtɜr–] *mn* **a)** *tud* csiga alakú **b)** forgó
turbinate I. *mn* [ˈtɜːbɪnət ‖ ˈtɜr–] → **turbinal II.** [–neɪt] **A.** *tsi* csiga alakúvá tesz **B.** *tni* forog, pörög • *fn* **turbination**
turbine [ˈtɜːbaɪn ‖ ˈtɜr–] *fn műsz* (gőz)turbina, lapátos kerék
turbo [ˈtɜːbou ‖ ˈtɜr–] *fn tsz* **turbos 1.** → **turbocharger 2.** turbómotoros gép
turbocharger *fn gk* turbófeltöltő, turbó
turbojet *fn* **1.** *rep* ~ **(engine)** gázturbinás sugárhajtómű, turbó-sugárhajtómű **2.** *rep* turbó-sugárhajtású repülőgép
turboprop *fn* **1.** *rep* turbólégcsavaros v. légcsavaros-gázturbinás hajtómű **2.** ~ **(aircraft)** turbólégcsavaros repülőgép
turbosupercharger → **turbocharger**
turbot [ˈtɜːbət ‖ ˈtɜrbət] *fn áll* nagy rombuszhal
turbulence [ˈtɜːbjʊləns ‖ ˈtɜrbjə–] *fn* **1. a)** zajongás, féktelenkedés, garázdálkodás, duhajkodás, duhajság **b)** rendetlenség, zűrzavar, zavargás, felfordulás **2.** *fiz* turbulencia **3.** *meteo rep* légörvény
turbulent [ˈtɜːbjʊlənt ‖ ˈtɜrbjə–] *mn* **1. a)** lármás, zajongó, zsivajgó, féktelenkedő, garázda, garázdálkodó, duhaj(kodó), turbulens **b)** rendetlen, engedetlen, nyugtalan, fegyelmezetlen, szilaj, vad **c)** *átv* viharzó, viharos *[tenger]* **2.** *műsz* ~ **cylinder-head** keverő hengerfej **3.** *rep* változó, örvénylő, turbulens *[szél]*
Turco- [ˈtɜːkou ‖ ˈtɜr–] *előtag* török-
Turcoman [ˈtɜːkəmən ‖ ˈtɜr–] → **Turkoman**
turd [tɜːd ‖ tɜrd] *fn* **1. a)** *szl durva [széklet]* szar **b)** *régi* ürülék, ganaj **2.** *durva* **a)** senkiházi **b)** piszkos/szemét alak, szarházi, szarjankó
turdoid [ˈtɜːdɔɪd ‖ ˈtɜr–] *mn áll* rigóféle, rigószerű
turdus [ˈtɜːdəs ‖ ˈtɜr–] *fn áll* rigó
tureen [tjʊəˈriːn ‖ tə–] *fn* levesestál
turf [tɜːf ‖ tɜrf] *tsz* **-s**, **turves** [tɜːvz ‖ tɜrvz] **I.** *fn* **1. a)** gyep, pázsit **b)** gyeptégla **2.** tőzeg, tufa **3.** *sp* **the ~** lóversenypálya, lóverseny(zés) **4.** vki területe *[bandáé]* **II.** *tsi* **1.** (be)gyepesít, pázsitoz, füvesít, fűvel bevet *[területet]* **2.** *GB biz* ~ **sy out** kidob/kirúg/kivág vkt
turf accountant *fn GB* könyves, bukméker
turf cutter *fn* **1.** hantvágó *[szerszám]* **2.** tőzegszúró lapát
turfman [ˈtɜːfmən ‖ ˈtɜrf–] *fn tsz* **-men** *biz* lóversenylátogató, lóversenyjáró, lóverseny-szakember
turf war *fn [területért vívott]* bandaháború
turfy [ˈtɜːfi ‖ ˈtɜrfi] *mn* **1.** gyepes, füves, pázsitos **2.** tőzeges **3.** *sp biz* **a)** lóversenyes **b)** lóversenyrajongó
turgescent [tɜːˈdʒesnt ‖ tɜr–] *fn* **1.** duzzadt, puffadt, dagadt **2.** dagályos, fellengzős *[stílus]* • *fn* **turgescence**
turgid [ˈtɜːdʒɪd ‖ ˈtɜr–] *mn* **1.** duzzadt, dagadt **2.** fellengzős, dagályos, bombasztikus, nagyhangú *[stílus]* • *fn* **turgidity** *hsz* **turgidly**
turion [ˈtjuərɪən ‖ ˈturɪən] *fn növ* tősarj, sarjhajtás
Turk [tɜːk ‖ tɜrk] *fn* **1.** török, türk *[ember, nyelv]* **2.** *tört* **the Grand ~** a szultán
Turkey [ˈtɜːki ‖ ˈtɜr–] *tul földr* Törökország
turkey [ˈtɜːki ‖ ˈtɜr–] *fn* **1.** *áll* pulyka **2.** *US szl [kudarc, bukás]* bukta, betli **3.** *US szl [buta, ügyetlen ember]* balfácán, balfék, pancser, aladár **4.** *US biz szl* **talk ~** *[szókimondóan beszél, rátér a tárgyra]* nem dumál/szövegel mellé **5.** *szính biz* bukás
turkey buzzard *fn US áll* hollókeselyű, urubu
Turkey carpet → **Turkish rug**
turkeycock *fn* **1.** pulykakakas **2.** *biz* nagyképű/beképzelt ember
Turki [ˈtɜːki ‖ˈtɜr–] **I.** *mn* türk *[nyelvcsalád]* **II.** *fn* **1.** türk nyelv **2.** türk nép, a türkök
Turkic [ˈtɜːkɪk ‖ˈtɜr–] *mn/fn* türk *[nyelvcsalád]*
Turkish [ˈtɜːkɪʃ ‖ ˈtɜr–] **I.** *mn* török *[nyelv, ember stb.]* **II.** *fn* török nyelv
Turkish bath *fn* törökfürdő, gőzfürdő
Turkish coffee *fn* törökkávé, törökös kávé
Turkish delight *fn* törökméz
Turkish rug *fn* keleti szőnyeg, perzsaszőnyeg
Turkish towel *fn* frottírtörülköző, dörzstörülköző
Turkmen [ˈtɜːkmen ‖ ˈtɜr–] *mn/fn tsz* **Turkmen**, **Turkmens** turkomán/türkmén *[ember, nyelv]*
Turko- [ˈtɜːkou ‖ ˈtɜr–] *előtag* török-
Turkoman [ˈtɜːkəmən ‖ tɜr–] *tsz* **~s** → **Turkmen**
Turkoman carpet → **Turkish rug**
Turk's cap [ˈtɜːkskæp ‖ ˈtɜrks–] *fn* **1.** *növ* **~ (lily)** turbánliliom **2.** *növ* **~ (cactus)** dinnyekaktusz
Turk's head [ˈtɜːkshed ‖ ˈtɜrks–] *fn biz* **~ (knot)** turbán alakú csomó
turmeric [ˈtɜːmərɪk ‖ ˈtɜr–] *fn növ* kurkuma *[növény, fűszer]*, sárga gyömbérgyökér
turmoil [ˈtɜːmɔɪl ‖ ˈtɜr–] *fn* **1.** kavarodás, felfordulás, (zűr-)zavar, nyugtalanság, izgalom **2.** örvény(lés)
turn [tɜːn ‖ tɜrn] **I. A.** *tsi* **1. a)** (meg)forgat, (meg)fordít; **~ one's coat** köpenyeget forgat, elpártol; renegáttá lesz; **~ a somersault** bukfencet vet **b) he never ~ed a beggar from the door** soha nem küldött el koldust üres kézzel **2. a)** kifordít, felfordít; **~ sy adrift** vkt állásából/otthonából elkerget; elhagy vkt, sorsára bíz vkt; **it ~s one's stomach** fölfordul tőle az ember gyomra, émelyeg tőle az ember **b) ~ a page** lapoz **c)** meghajlít **d) he didn't ~ a hair** szeme se rebbent, arcizma se rándult/rezdült **3. ~ a blow** ütést elhárít; **~ the conversation** másra tereli a szót **4.** fordít, irányít; **~ the hand to sg** nekifog vmnek, foglalkozni kezd vmvel **5. a) ~ the corner** befordul a sarkon; túljut a krízisen; **~ a difficulty** kikerül/megkerül/áthidal egy nehézséget **b) he has ~ed fifty** betöltötte az ötvenedik életévét, átlépte az ötvenet; **it has ~d seven o'clock** hét óra elmúlt **6.** tesz (vmt vmvé), alkalmaz (vmt vmre); **success has ~ed his head** fejébe szállt a siker **7. a)** esztergál, esztergályoz **b)** alakít, megformál, kimunkál, kivitelez **8.** kificamít *[bokát]* **9.** enged; **~ sy loose** szabadjára

enged/ereszt vkit **B.** *tni* **1.** forog, (meg)fordul, elfordul **2. a)** forgolódik **b)** *biz* **when Father says ~ we all ~** mindenről ő dönt, ő az úr **3. a)** fordul, kanyarodik **b)** fordul (vm felé), irányul (vmre); **I don't know where to ~, I don't know which way to ~** nem tudom mihez kezdjek (v. hova forduljak) **4. a)** szédül **b)** émelyeg; **my head ~s** szédülök; émelygek **5.** változik, alakul (vmlyenné), válik, lesz (vmvé) **II.** *fn* **1. a)** fordulat, forgás, keringés; **without a hand's ~** munka nélkül **b) meat done to a ~** tökéletesen elkészített/megsütött hús **2. a)** fordulat, (meg)fordulás, elfordulás, irány, irányváltoztatás, változás, *sp* fordulat *[atlétika, műkorcsolya]*, ív *[sízés]*, kanyarodás *[autóé]*; *épít* **~ tread** forduló lépcsőfok; *orv* **the ~ of life** az öregedés, az öregség kezdete; **~ of a scale** mérleg kilengése/játéka; **the ~ of the balance is with him** felé hajlik a mérleg nyelve **b)** forduló, kanyar **c)** csavarodás *[kötélé]* **d)** *biz* **at every ~** minduntalan, minden percben/alkalommal; *US* **all of a ~** hirtelen **e)** *kat* **right ~!** jobbra át! **3.** megfordítás, elfordítás **4. a)** ijedtség, sokk; *biz* **you gave me such a ~** nagyon megijesztett; igen felidegesített **b) she had one of her ~s yesterday** tegnap rájött a bolondóra **5. a)** rövid séta, (egy) kis testmozgás; **take a ~ in the garden** sétál/jár egyet a kertben **b)** (séta)kocsikázás **6. a)** (fel)váltás, turnus; **it is your ~** rajtad a sor, te vagy a soron, te következel; **have a ~!** próbáld meg!; **~ and ~ about** mindenki sorjában; **by ~s** felváltva, váltakozva; **in ~** felváltva, váltakozva, sorjában; pedig, viszont, másfelől; **take ~s**, *GB* **take it in ~** felváltva, egymás után; **out of ~** soron kívül; nem várva be a sorát; pimaszul, szemtelenül **b)** műszak **c)** *szính* szám *[mutatványé, műsoré]* **7. a)** eljárás, bánásmód, tett, cselekedet; *biz* **owe sy a good ~** le van vknek kötelezve **b)** szándék, cél; *US* **call the ~** leleplez vkt; **serve its ~** megfelel a célnak **8.** kedv, irány, hajlam, tehetség; **~ of mind** beállítottság, felfogás, álláspont; észjárás; szellem **9. a)** alak, forma **b)** fordulat *[nyelvi]* **10. turns** *pl* menstruáció

turn about A. *tsi* **1.** más irányba fordít, megfordít, másik oldalára fordít **2.** félfordulatot tesz *[lóval]* **B.** *tni* **1.** megfordul, hátrafordul, visszafordul, sarkon fordul, hátraarcot csinál **2.** forgolódik, fészkelődik; → **turnabout**

turn around *tni* megfordul, hátrafordul; → **turn round**→ **turnaround**

turn aside A. *tsi* **1.** félrefordít, elfordít **2.** elhárít **B.** *tni* **1.** félrefordul, elfordul **2.** félremegy

turn away A. *tsi* **1.** elfordít **2.** elhárít, megakadályoz **3.** elküld, elbocsát (vkt) **4.** elutasít, visszautasít **B.** *tni* **1.** elfordul **2.** elmegy **3.** *hajó* kitér (*from* elől); → **turnaway**

turn back A. *tsi* **1.** visszafordít (vkt), visszaküld (vmt), *US* visszaad *[kölcsön vett könyvet stb.]* **2.** félfordulatot/hátraarcot csináltat **3.** megfordít (vmt) **4.** felhajt, visszahajt *[ingujjat, gallért]* **5.** feltartóztat, visszatart **B.** *tni* **1.** visszafordul, visszamegy, visszatér **2.** hátrafordul

turn down *tsi* **1. a)** lehajt *[gallért]*; **~ down the bed** megágyaz **b)** kihajt *[gallért]* **c)** behajt *[papírlapot]* **2.** lapjával lefelé fordít *[kártyát]* **3.** lejjebb vesz/kapcsol *[fényt, hőt, gépet]*; lehalkít **4.** *biz* visszautasít, elutasít; *biz* **~ down an offer** ajánlatot visszautasít **5.** kikosaraz (vkt), kosarat ad (vknek); → **turndown**

turn forth *tsi* elkerget (vkt)

turn in A. *tsi* **1. a)** behajt (vmt) **b)** begörbít (vmt) **c) ~ one's toes in** befelé fordítja a lábfejét **2.** átad, bead, benyújt **3.** *biz* **~ one's job in** otthagyja a munkáját/állását **4.** feljelent, beség (vkt) **B.** *tni* **1.** *biz* lefekszik *[aludni]*, nyugovóra tér **2.** betér (vhová)

turn into A. *tsi* **1.** átváltoztat (vmvé) **2.** lefordít *[más nyelvre]* **B.** *tni* **1.** vmvé válik **2.** betér (vhová)

turn off A. *tsi* **1.** elolt, elzár *[vizet, gázt]*, kikapcsol *[gyújtást]* **2.** elbocsát *[alkalmazottat]*, *biz* elküld, kidob, elkerget (vkt) **3.** elriaszt **4.** lesimít, lefarag, legyalul, leesztergál **B.** *tni* **1.** befordul, bekanyarodik **2.** letér, eltér **3. a)** megromlik *[étel]* **b)** elromlik *[hangulat]* **4.** *szl [elveszti a kedvét]* lehervad *[szexuálisan]*; → **turnoff**

turn on A. *tsi* **1.** bekapcsol *[rádiót, tévét]*, felgyújt, felcsavar *[villanyt]*, kinyit, megereszt *[csapot]* **2.** *biz* **~ sy on to do sg** vkvel elvégeztet vmt **3.** *szl [nemileg felizgat]* begerjeszt, bepörget, bezsongat **B.** *tni* **1. ~s on one's heel** sarkon fordul **2. ~ on sy** nekitámad vknek; ráförmed vkre **3.** függ (vmtől)

turn out A. *tsi* **1. a)** kidob, kikerget (vkt) **b)** legelőre csap, kicsap, legeltet *[marhát]* **c)** kidobál, kiszór (vmt) **d) ~ out a boat** hajót vízre bocsát **e)** világgá bocsát, napfényre hoz **2.** kiürít, kitisztít, kitakarít *[szobát, fiókot]*, kiforgat, kifordít *[zsebet]*; **~ the room out** kitakarítja a szobát **3. a)** előállít, termel, gyárt **b)** felszerel **c)** esztergályoz **d) ~ out a compliment** kanyarít/kivág egy bókot **4.** kikapcsol, elolt *[gázt, villanyt]* **B.** *tni* **1. a)** megjelenik **b)** kimegy **c)** *biz* felkel **d)** sztrájkba kezd/lép **2. a)** végződik, válik, lesz (vmvé), sikerül (vhogyan) **b)** kiderül (vm), bizonyul (vmnek) **3. his toes ~ out** kifelé csámpás

turn over A. *tsi* **1.** átfordít, forgat; **~ sg over and over** összevissza forgat vmt, alaposan megforgat vmt; minden oldaláról megnéz vmt; **~ an idea** (v. **a question**) **over in one's mind** megfontol egy kérdést; *átv* **~ over a new leaf** új életet kezd **2.** forgalmaz, lebonyolít *[forgalmat]* **3. a) ~ sg over to sy** vmt átad vknek, átpasszol, odapasszol **b) ~ over to the police** besúg/feljelent (vkit) a rendőrségnek **4.** felborít, kifordít (vmt) **5.** működésbe hoz, beindít *[gépet]* **6.** *szl [betör, kirabol]* lerántmeghúz egy helyet **B.** *tni* **1. a)** felfordul, hátára fordul **b)** megfordul **2.** átpártol **3.** elindul, beindul *[gép]*; → **turnover**

turn round A. *tsi* megfordít, visszafordít **B.** *tni* **1.** fordul, forog; **~ round and round** forog, pörög; *biz* **my head is ~ing round** szédülök **2.** hátrafordul, visszafordul, megfordul; *biz* **I haven't got time to ~ round** semmi/lélegzetvételnyi időm nincs, annyi időm sincs, hogy meghaljak, semmire sincs időm, semmire nem érek rá **3.** *biz* **~ round on sy** vk ellen fordul, ráhárít felelősséget vkre; → **turnround**

turn to A. *tsi* **~ one's hand to sg** vmhez fog, vmt kezd, vmre adja magát, vmely ügyet kézbe vesz **B.** *tni* nekifog, nekilát, hozzákezd *[dolgozni]*, foglalkozni kezd *[témával]*

turn up A. *tsi* **1. a)** felhajt, feltűr *[gallért, ingujjat]*; *biz* **~ up one's nose at sg** lefitymál vmt, orrát fintorgatja vmn (v. vm miatt); **~ up one's eyes** forgatja/mereszti a szemét; szemeit az ég felé fordítja; *biz szl* **~ up one's toes** *[meghal]* felfordul, elpatkol **b)** felfordít, felfelé fordít **c)** felfed, felmutat *[kártyát]* **d)** kikeres, megtalál *[szót, idézetet]*, utánanéz *[vmnek könyvben]* **e)** felás *[földet]* **f)** *biz* felfordítja a gyomrát (vknek), undorít, émelyít **2.** felgyújt *[lámpát]*, felcsavar *[lámpabelet]* **B.** *tni* **1.** felhajlik, felfordul, visszahajlik **2. a)** kijön *[kártya]* **b)** betoppan, beállít, (váratlanul) megjelenik, mutatkozik (vk vhol) **c)** előkerül (vm), (vm) adódik, akad; → **turn-up**

turnabout *fn* **1. a)** megfordulás **b)** (rendszeres) váltakozás **2.** pálfordulás **3.** *US* körhinta **4.** *biz* változás híve, radikális (politikus); → **turn about**

turnaround *fn* **1.** körülforgás **2.** megfordulási terület *[pl. gépkocsié]* **3.** *biz* álláspont-változtatás, pálfordulás **4.** oda-vissza út (időtartama), teljes menetidő **5.** karbantartás, főjavítás *[járműé]*; → **turn around**

turnback *fn biz* gyáva, megfutamodó (ember); → **turn back**

turn-bench *fn* **a)** esztergapad **b)** csiszolópad

turncoat *fn biz* **a)** köpönyegforgató **b)** kétkulacsos

turn-cock *fn* **1.** elzárócsap **2.** *biz* szerelő *[a vízművektől]*

turndown I. *mn* lehajtott, visszahajtott **II.** *fn* **1.** visszahajtás *[lepedőn]* **2.** elutasítás, visszautasítás, kikosarazás; → **turn down**

turner [ˈtɜːnə ‖ ˈtɜrnər] *fn* **1.** *ip* (vas)esztergályos **2.** lapozó *[kottáé, könyvé]*

turnery [ˈtɜːnəri ‖ ˈtɜr–] *fn* **1.** esztergályozás **2.** esztergályos mesterség **3.** esztergált cikkek **4.** esztergályozó műhely

turn-in *fn* **1. a)** fekhely **b)** éjjeli nyugalom/pihenés **2.** ‹könyvborító behajtott része›; → **turn in**

T

turning [ˈtɜːnɪŋ ‖ ˈtɜr–] *fn* **1. a)** (meg)fordítás **b)** (meg)fordulás, forgás **c)** fordulat **d)** kifordítás *[ruháé]*, felásás *[földé]* **e) ~ back** visszafordítás, megfordítás; visszafordulás, megfordulás; *kat* **~ movement** átkaroló hadmozdulat; **~ out** kifordítás; előállítás; teljesítmény; **~ over** felborítás, felfordítás; felborulás, felfordulás; megfordulás; lapoz(gat)ás *[könyvben]*; **~ round (and round)** forgás, pörgés **2.** kanyar(odás), forduló; **~s and twistings** kanyarulatok és fordulatok, útvesztő **3.** lekanyarodás, leágazás *[útról]* **4.** átváltozás, átalakulás (*into sg* vmvé) **5.** esztergályozás, esztergálás

turning circle *fn gk* fordulókör

turning point *fn* **1.** *átv* fordulópont **2.** *mat* fordulópont, maximumpont, minimumpont

turnip [ˈtɜːnɪp ‖ ˈtɜrnəp] *fn* **1.** *mezőg* tarlórépa, paszternák; **Swedish ~** karórépa **2.** *szl [ócska zsebóra]* krumpli • *mn* **turnipy**

turnip cabbage *fn* **1.** kalarábé **2.** karórépa

turnip-tops *fn tsz* karórépa zöldje, répalevél, répalevelek

turnkey I. *mn* **~ job** kulcsrakész (állapotban átadott) munka; **~ supplier** kulcsrakész beruházó; **~ system** kulcsrakész rendszer **II.** *fn régi* börtönőr, porkoláb

turnoff *fn* **1. a)** mellékútvonal, *vasút* mellékvágány **b)** leágazás; → **turn off 2.** *GB biz* visszatetsző, viszszatetszést keltő vmi; érdektelenné váló vmi

turn-of-the-century *fn* századforduló; **at the ~** a századfordulón

turnout *fn esz* **1. a)** a megjelentek száma, részvétel *[rendezvényen stb.]* **b)** szavazók száma/számaránya *[választáskor]* **2.** jelentkezés *[szolgálattételre]*; **there was quite a good ~** nagy volt az érdeklődés, jó sokan voltak **3. a)** viselet, egyenruha **b)** felszerelés **4.** *ip* termelés, kihozatal **5. a)** (út)elágazás, leágazás, kitérőút **b)** *US* leállósáv, parkolósáv **6.** takarítás; → **turn out**

turnover *fn* **1. a)** felfordulás, feldőlés, felborulás **b)** felfordítás, felborítás **2. a)** *gazd* forgalom **b)** körfolyamat, ciklus *[üzemben]* **3. a)** másik oldalra átmenő cikk *[újságban]* **b)** cikk vége *[másik oldalon újságban]* **4.** *sp* eladott labda **5.** *gaszt* (ízes/almás stb.) lepény/pite; → **turn over**

turnover tax *fn gazd* forgalmi adó

turnpike *fn* **1.** útelzáró forgókorlát **2.** (fizetős/díjköteles) autópálya

turnround *fn* fordulás, fordulat, forduló; → **turn round**

turnsole [ˈtɜːnsoʊl ‖ ˈtɜrn–] *fn* **1.** *növ* napraforgó **2.** *vegy* lakmusz

turnspit *fn* nyársforgató

turntable *fn* **a)** forgókorong, lemeztányér *[lemezjátszóé]* **b)** *US* lemezjátszó **c)** forgóállvány *[szobrászé]*

turn-up *fn* **1.** felhajtás, hajtóka *[nadrágon]* **2.** felütött kártya/adu; *biz* **it's a mere ~** ez tiszta véletlen **3.** *biz* verekedés **4.** *GB biz* **a ~ for the books** váratlan/kellemes meglepetés; → **turn up**

turpentine [ˈtɜːpəntaɪn ‖ ˈtɜr–] *fn* terpentin

turpid [ˈtɜːpɪd ‖ ˈtɜr–] *mn* aljas, gyalázatos

turpitude [ˈtɜːpɪtjuːd ‖ ˈtɜrpɪtuːd] *fn* aljasság, gyalázatosság

turquoise [ˈtɜːkwɔɪz ‖ ˈtɜr–] **I.** *mn* türkizkék *[színű]* **II.** *fn* **1.** *ásv* türkiz **2.** türkizkék *[szín]*

turret [ˈtʌrɪt ‖ ˈtɜrət] *fn* **1.** *épít* fiatorony, kis torony, tornyocska **2.** *kat* lőtorony, lövegtorony, (forgatható) páncéltorony *[tankon, hadihajón, repülőgépen]*

turreted [ˈtʌrɪtɪd ‖ ˈtɜrətəd] *mn* **a)** *épít* tornyos *[vár]* **b)** csipkézett, lőréssel ellátott *[fal, torony]*

turtle[1] [ˈtɜːtl ‖ ˈtɜrtl] *fn* **1.** *áll* tengeri teknőc; *biz* **turn ~** felborul, felfordul *[hajó, autó]*; bukfencezik; leesik, lebukik *[lóról]* **2.** *Ausz szl* **a)** *[kívánatos nő]* jó nő/bőr **b)** *[prostituált]* kuruc

turtle[2] [ˈtɜːtl ‖ ˈtɜrtl] *áll* → **turtle-dove**

turtle-dove *fn áll* gerle, gerlice, vadgalamb; *biz* **a pair of ~s** szerelmespár, turbékoló pár

turtleneck *fn GB* **1.** garbónyak *[pulóveren]* **2.** garbó *[pulóver]*; *US* → **polo neck**

turtle shell *fn* teknőcpáncél

Tuscany [ˈtʌskəni] *tul földr* Toszkána • *mn/fn* **Tuscan**

tush[1] [tʌʃ] *régi* **I.** *isz* á!, ugyan!, dehogy! **II.** *tni* (sértődötten) tiltakozik, tagad, „ugyan”-t mond

tush[2] [tʌʃ] *fn* szemfog *[lóé]*, kis agyar *[elefánté]*

tushy [ˈtʊʃi], **tushie** *fn gyerm* popsi

tusk [tʌsk] **I.** *fn* **a)** agyar *[vaddisznóé, elefánté]* **b)** szemfog *[lóé]* **II.** *tsi* agyarral átfúr/fellök (v. félrelök) • *mn* **tusked, tusky**

tusker [ˈtʌskə ‖ –ər] *fn* nagy agyarú elefánt/vaddisznó

tussle [ˈtʌsl] **I.** *fn* verekedés, viaskodás, birkózás; *biz* **verbal ~** szóharc, szópárbaj, szócsata; nagy vita; **have a ~** öszszeverekszenek; hajba kapnak *[nők]*; nagy szóharcot vívnak **II.** *tni* **~ with sy** verekszik/tusakodik/viaskodik/birkózik vkvel (*for* vmért)

tussock [ˈtʌsək] *fn* **a)** fűcsomó **b)** hajcsomó • *mn* **tussocky**

tussore [ˈtʌsɔː ‖ ˈtʌsɔr] *fn* **1.** *áll* kínai/indiai vadselyemhernyó **2.** (kínai) tusszaselyem, vadselyem

tut [ts] *isz* **1.** ugyan már!, dehogy!, ne beszélj!, menj már!, semmi! **2.** bánom is én!

tutelage [ˈtjuːtəlɪdʒ ‖ ˈtuːtl–ˈ] *fn* **1. a)** gyámság **b)** a gyámság ideje **2.** kiskorúság **3.** gyámkodás

tutelar(y) [ˈtjuːtələri ‖ ˈtuːtlˌeri] *mn* **1.** gyám-, gyámi **2.** oltalmazó, gyámkodó, gondviselő; **~ angel** védangyal, őrangyal

tutor [ˈtjuːtə ‖ ˈtuːtər] **I.** *fn* **1. a)** *okt* tutor; konzultáló tanár, konzulens *[egyes egyetemeken]* **b)** oktató **2. family/private ~** házitanító, nevelő, magántanító **II. A.** *tsi* **1. a)** tanít, oktat; korrepetál **b)** instruál **2.** magánórákat ad (vknek) **B.** *tni* **1.** magánórákat ad, instruál, intstruktorkodik **2.** *biz* magánórákat vesz, instruálják, instruktorral tanul/készül • *fn* **tutorage, tutorship**

tutorial [tjuːˈtɔːrɪəl ‖ tuːˈtɔr–] **I.** *mn* **1. a)** tanítási, nevelési, oktatási, konzultációs; *okt* **~ system** ‹egy fajta egyetemi oktatási rendszer, amelyben minden növendék rendszeresen konzultáló tanulmányvezető egyéni felügyelete és irányítása alatt tanul› **b)** (házi)tanítói, oktatói, nevelői **2.** egyetemi jegyzet **3.** *jog* gyám-, gyámi **II.** *fn okt* különóra, (egyéni) konzultációs óra

tutorly [ˈtjuːtəli ‖ ˈtuːtərli] *mn* **a)** nevelői, tanítói, tanulmányvezetői, konzultálói, tanári **b)** nevelőhöz/tanítóhoz/tanárhoz méltó

tutsan [ˈtʌtsn] *fn növ* orbáncfű

Tutsi [ˈtʊtsi] *mn/fn tsz* **Tutsi, -s** tutszi *[kisebbség Ruandában]*

tutti [ˈtʊti] **I.** *mn/hsz zene* tutti, mind, együtt **II.** *fn tsz* **-s** tutti *[rész]*

tutti-frutti [ˌtuːti ˈfruːti] *fn* tutti-frutti *[fagylalt cukrozott gyümölccsel]*

tut-tut[1] [tsts] *isz* na-na!, no-no-!, ugyan már! *[nem-tetszésként, ellenkezésként]*

tut-tut[2] [ˌtʌtˈtʌt] **1.** *fn* cöcögés, ciccegés **2.** *tni* cöcög, cicceg

tutu [ˈtuːtuː] *fn* rövid tüllszoknya *[balerináé]*, balettszoknya, tütü

tu-whit tu-whoo [təˌwɪt təˈwuː ‖ təˌhwɪt təˈhwuː] *fn* huhogás

tux(edo) [tʌks(ˈiːdoʊ)] *fn US* szmoking

TV [ˌtiːˈviː] *fn* **1.** *röv television* televízió, tévé, tv, TV **2.** tv-készülék, tévékészülék

TV ad *GB* → **television ad(vertisement)**

TV dinner *fn* készétel, gyorsétel *[amelyet csak meg kell melegíteni]*

TV guide *fn US* tévé-műsor *[heti programfüzet]*

TV screen *fn* tévé-képernyő

TV set *fn* tv-készülék, tévékészülék

TV tube *fn* **1.** tévé-képcső **2.** *US biz* tévé(-készülék)

twa [twɑː] *skót* → **two**

twaddle [ˈtwɒdl ‖ ˈtwɑdl] **I. A.** *tsi* ~ **out platitudes** közhelyeket mond **B.** *tni* fecseg, locsog, traccsol, butaságokat/sületlenségeket beszél/mond **II.** *fn* **1. a)** fecsegés, locsogás, traccs **b)** ökörség, ostobaság, sületlenség, hanta **2.** fecsegő (ember) • *fn* **twaddler**

twain [tweɪn] **I.** *mn vál* kettő; *vál US* **mark** ~ két öl (mélységű) **II.** *fn vál* kettő, (házas)pár

twang [twæŋ] **I.** *fn* **1.** pengés, pengő/pattanó hang *[húré]* **2. (nasal)** ~ orrhang(ú beszéd) **II. A.** *tsi* megpendít *[kifeszített húrt]* **B.** *tni* **1. a)** peng, dong **b)** vibrál **c)** rezonál **2.** orrhangon beszél • *mn* **twangy**

'twas [twəz, twɒz ‖ twəz, twʌz] *röv it was*→ **it**[1]

twat [twɒt ‖ twɑt] *fn szl tabu* **1.** *[női nemi szerv]* pina, buksza **2.** *[nő mint szexuális vágy tárgya]* pina, anyag, áru, darab

tweak [twiːk] **I.** *fn* **1.** csípés, megcsavarás *[fülé]* **2.** beállítás *[gépé]* **3.** *szl [csel, fogás]* trükk **4.** zavar **II.** *tsi* **1.** megcsíp, megcsavar *[fület]*, csíp és csavar; *biz* ~ **sy's nose** megcsípi/megcsavarja vk orrát; megleckéztet vkt **2.** beállít *[gépet]*

twee [twiː] *mn GB* kényeskedő, finnyás, finomkodó

tweed [twiːd] *fn* **1.** *tex* skót gyapjúszövet, tweed **2.** *tsz* **tweeds** tweedöltöny

Tweedledum and Tweedledee [twiːdlˌdʌməntwiːdlˈdiː] *fn [két megkülönböztethetetlen dologról]* kb. az egyik kutya, a másik eb

tweedy [ˈtwiːdi] *mn biz* **1.** *biz* tweedes, tweedszerű **2.** közvetlen, minden póztól mentes, józan (gondolkodású), gyakorlati(as)

'tween [twiːn] → **between**

tweet [twiːt] **I.** *fn* csipogás, csiripelés **II.** *tni* csipog, csiripel *[madár]*

tweeter [ˈtwiːtə ‖ –ər] *fn távk* magashang-kiemelő hangsugárzó

tweezers [ˈtwiːzəz ‖ –zərz] *fn tsz* (kis) csipesz, kis csíptető

twelfth [twelfθ] **I.** *mn* **1.** tizenkettedik **2.** tizenketted **II.** *fn* tizenketted(rész), a tizenkettedik • *hsz* **twelfthly**

Twelfth Day *fn* vízkereszt, háromkirályok napja (január 6.)

twelve [twelv] **I.** *mn* tizenkettő, tizenkét; *gazd* ~ **dozen** nagytucat (= 144 darab) **II.** *fn* tizenkettő; **the T~** a tizenkét apostol

twelvemonth *fn* (kerek egy) év

twelve-note → **twelve-tone**

twelve-tone *mn zene* tizenkétfokú *[hangrendszer]*, dodekafón; ~ **row** tizenkétfokú hangsor

twentieth [ˈtwentiəθ] **I.** *mn* **1.** huszadik **2.** huszad **II.** *fn* huszad(rész)

twenty [ˈtwenti] **I.** *mn* **1.** húsz **2.** *átv* számtalan, sok **II.** *fn* **1.** húsz **2. a)** *biz GB* húszfontos bankjegy **b)** *biz US* húszdolláros bankjegy

twentyfold [ˈtwentifoʊld] **I.** *mn* hússzoros **II.** *hsz* hússzorosan, hússzorosára

twenty-twenty *mn orv* **1.** ~ **(vision)** a normális látásélesség **2.** kiváló látás

'twere [twɜː, twə ‖ twɜr, twər] *it were*

twerp [twɜːp ‖ twɜrp] *fn szl [undok fráter]* hitvány/hülye alak

twi- [twaɪ] *előtag* két-, kétszeres, kettős

twibill [ˈtwaɪbɪl ‖ –bl] *fn* **1.** kétélű bárd, alabárd **2.** *mezőg* sarló

twice [twaɪs] *hsz* **1.** kétszer, kétszeresen; **think** ~ **before** kétszer is meggondolja magát mielőtt **2.** kétszer, két alkalommal

twiddle [ˈtwɪdl] **A.** *tsi* ujjaival forgat/pödör; ~ **one's fingers/thumbs** malmozik; ölbe tett kézzel vár **B.** *tni* **1.** ujjait forgatja **2.** *biz* játszik (vmvel) **3.** remeg, vibrál *[fény]* **4.** megcsappan *[bevétel]*

twiddling [ˈtwɪdlɪŋ] *fn* pödrés, sodrás

twig[1] [twɪg] *fn* **1. a)** ág(acska), gally, vessző **b)** *szl* **hop the** ~ *[meghal]* beadja a kulcsot **2.** *orv* erecske, kapilláris, idegrost **3.** *szl* nagyon hatásos/feltűnő mód *[ruházkodásé]*

twig[2] [twɪg] *tsi* **-gg-** *GB biz* **1.** *[meglát, megfigyel]* megkuksiz **2.** megért, felfog

twiggy [ˈtwɪgi] *mn* **a)** sokágú, gallyas, ágas-bogas **b)** ágszerű, ághoz/gallyhoz hasonló **c)** vékony, sovány

twilight [ˈtwaɪlaɪt] *fn* **a)** (hajnali/alkonyi) szürkület; *vál* **Celtic** ~ kelta/össziáni félhomály **b)** hajnal, virradat, pirkadás **c)** alkony(at)

twilight sleep *fn* **1.** *orv* könnyű altatás/narkózis **2.** *biz* kábszeres bódulat

twilight zone *fn* szürkületi zóna

twilit [ˈtwaɪlɪt] *mn* alkony(at)i, szürkületi, homályos, borongós

'twill [twɪl] *it will*

twin [twɪn] **I.** *mn* **1.** iker-; *US* **T~ Cities** Minneapolis és St. Paul **2.** *növ* kettős, páros **II.** *fn tsz* **twins** ikrek; *csill* **the T~s** az Ikrek; **Siamese ~s** sziámi ikrek; *átv biz* elválaszthatatlan barátok; **identical ~s** egypetéjű ikrek **III.** *tni* **-nn-** **1.** ikreket szül **2. a)** ~ **with sy** az ikertestvére vknek **b)** ~ **with sg** párosul vmvel • *fn* **twinning**

twin bed *fn US* kétszemélyes ágy, franciaágy • *mn* **twin-bedded**

twine [twaɪn] **I.** *fn* **1. a)** madzag, zsineg, zsinór, spárga, fonál, cérna **b)** fonadék **2.** egymásba fonódás, összecsavarodás, tekergőzés **3. a)** kanyargás **b)** kanyarulat **c)** ölelés, ölelkezés **II. A.** *tsi* **1.** összecsavar, összesodor, összefon, (össze)teker (vmt) **2.** átölel, átkarol; ~ **with sg** megkoszorúz **B.** *tni* **1.** csavarodik, fonódik **2.** kanyarog, kígyózik, tekergőzik *[út]* • *fn* **twiner**

twinge [twɪndʒ] **I.** *fn* **1. a)** nyilallás, szúrás, kínzó/szúró fájdalom **b)** csípés **2.** ~ **of conscience** lelkiismeret-furdalás **II. A.** *tsi* csíp, csipdes, csipked (vkt) **B.** *tni* (bele)nyilall, szúr, lüktetve fáj *[fájdalom]*

twinkle [ˈtwɪŋkl] **I.** *fn* **1.** csillogás, csillanás, csillámlás, pislogás *[csillagé, tűzé]* **2. a)** tűnő fény **b)** pislogás, hunyorgás, pillantás; **in a** ~ egy másodperc/szempillantás alatt **II.** *tni* **1.** csillog, csillan, ragyog, pislog *[csillag]* **2.** pislog, hunyorít, hunyorog

twinkling [ˈtwɪŋklɪŋ] *fn* csillogás, csillanás, ragyogás, pillantás, pislogás; **in the** ~ **of an eye** egy másodperc/szempillantás alatt

twinset *fn GB tex* (női) pulóver-kardigán együttes/szet

twirl [twɜːl ‖ twɜrl] **I.** *fn* **1. a)** forgás, pergés **b)** forgatás, pergetés, pörgetés, pödrés **c)** gyors fordulat, piruett *[táncban]* **d)** tekervény **2.** gomolygás **3.** forgószél, fergeteg **4.** cifrázás, cikornya **II. A.** *tsi* **1. a)** forgat, perget, pörget **b)** pödör *[bajuszt]* **2.** ~ **one's thumbs** malmozik **B.** *tni* forog, pereg, pörög

twist [twɪst] **I. A.** *tsi* **1. a)** kicsavar, megcsavar, összecsavar, összefon; *biz* **you can ~ him round your finger** az ujjad köré csavarhatod; ~ **sy's arm** kényszerít/gyötör vkt (vmre); ~ **(the meaning of) sy's words** kicsavarja a szavak eredeti értelmét; **get ~ed** belegabalyodik, belekavarodik **b)** sodor, pödör *[szálakat egybe]* **c)** (ki)facsar, szétteker **d)** ~ **one's face/mouth** elhúzza a száját; grimaszt vág **e)** ~ **one's way through the crowd** utat tör magának a tömegben **2. a)** kificamít *[bokát]* **b)** elfordít **3.** *GB szl* ~ **sy out of sg** *[kicsal pénzt vktől]* kicsiklandoz vkből vmt **4.** twistel/tvisztel **B.** *tni* **1. a)** csavarodik, csavaralakot vesz fel **b)** forog **2.** vonaglik **3.** kanyarog, kígyózik *[út]*, gyűrűzik **II.** *fn* **1. a)** cérna, (sodrott) fonal, kötél **b)** ~ **of hair** hajfonat **c)** sodrott/fonott dohány **d)** sodrat *[kötélé]* **e)** *biz* kevert ital **2. a)** *fiz* csavarás, csavaró feszültség/nyomaték/erő **b)** sodrás **c)** *sp* pörgetés, csavarás *[labdáé]*; *biz* **learn the ~ of the wrist** megtanulja a fogást **d)** *sp* csavar(ugrás) *[műugrásban]* **e)** *kat* huzagolás *[lőfegyveré]* **f)** kifli, perec **g)** egy csepp(nyi) **h)** csavart gyümölcshéj *[koktélok díszítéséhez]* **3. a)** elferdülés, fordulat **b)** elferdítés *[értelemé, jelentésé]*, kicsavarás, kiforgatás, kifordítás; *biz* **give the truth a** ~ kicsavarja az igazságot **c)** *átv* váratlan fordulat/fejlemény *[eseményeké]* **4. a)** csavarmenet, csavarodás **b)** kanyar(ulat), kanyarodás, forduló **5. a)** ferdeség,

T

görbeség, elferdülés, elgörbülés **b)** hajlam *[bűnözésre]* **6.** *biz* étvágy, farkaséhség **7.** *szl [nő]* tyúk, csaj **8.** tviszt, twist *[tánc]*
twisted [ˈtwɪstɪd] *mn* **1.** csavart, sodrott **2.** elgörbült **3.** eltorzult *[arc fájdalomtól]*
twisted pair *fn el* sodrott huzalpár, csavart érpár *[kábel]*
twister [ˈtwɪstə ‖ –ər] *fn* **1. a)** csavaró (gép), sodró (gép), cérnázó gép **b)** fonómunkás, cérnázó munkás **c)** kötélverő állvány **2.** *sp* pörgetett/csavart labda **3.** *szl [ravasz/fortélyos/megbízhatatlan ember]* ravasz róka, nagy egér **4. a)** *biz* fogas/nehéz/zavaró kérdés; **that's a ~ for you!** erre felelj, ha tudsz! **b)** nehezen kiejthető szó, nyelvtörő **5.** *US* forgószél, tornádó **6.** kifli
twisty [ˈtwɪsti] *mn* **1.** tekeredő, kígyózó, csavarodó, csavaros **2.** tisztességtelen, megbízhatatlan **3. a)** veszekedős **b)** rosszkedvű, mogorva
twitch [twɪtʃ] **I.** *fn* **1.** kis ütés, érintés, rántás **2.** nyilallás, szúrás **3.** rándulás, rángás, vonaglás **4.** *növ* tarlóbúza **II. A.** *tsi* **1.** megránt, rángat, megérint (vkt) **2.** (görcsösen) összehúz (vmt), összeráncol *[arcot]* **B.** *tni* vonaglik, megrándul, rángatózik
twitter [ˈtwɪtə ‖ –ər] **I.** *fn* **1.** csicsergés, csiripelés **2. a)** izgalom, izgatottság **b)** *biz* reszketés *[vágytól]* **II.** *tni* **1.** csicsereg, csiripel **2.** *biz* reszket *[vágytól]* • *mn* **twittery**
two [tuː] **I.** *mn* kettő, két **II.** *fn* **1.** kettő, kettes; **it takes ~ to tango** kettőn áll a vásár; **~ abreast** kettős sorban; párosával; **by ~, in ~s** kettesével; *biz* **in (two) ~s** egy szempillantás alatt; *biz* **put ~ and ~ together** levonja a (kézenfekvő) következtetéseket **2.** *ját* kettes (lap) **3.** kettes *[dominóban]* **4.** *gyerm* **do number ~** nagydologra megy
two-bit *mn US szl [filléres]* ócska, vacak
two-by-four *mn/fn* 2x4 hüvelykes *[léc stb.]*
two-dimensional *mn* kétdimenziós, kétdimenziójú, kétkiterjedésű, sík
two-em dash *nyomd* mínuszjel, nagykötőjel
two-faced *mn* **a)** kétarcú **b)** kétszínű, hamis
twofold [ˈtuːfould] **I.** *mn* kétszeres, dupla, kettős **II.** *hsz* kétszeresen, duplán, kétszeresére
two-handed *mn* **1. a)** kétkezű, kétkezes **b)** mindkét kezét egyformán jól használó **2. a)** kétmarkolatú, kétfogantyús **b)** két kézzel használandó/mozgatható **3.** *átv* nagy és erős
two-income family *fn* két keresetből élő család
twoness [ˈtuːnəs] *fn* kettősség
twopence [ˈtʌpəns] *fn GB régi* két penny; **it isn't worth ~** egy fabatkát sem ér
twopenny [ˈtʌpnˈi] *mn átv* értéktelen, szegényes; *szl* **~ hop** olcsó táncmulatság
twopenny-halfpenny [ˌtʌpnˈiˈheɪpnˈi] *mn GB régi biz* jelentéktelen, értéktelen, két garast sem érő, vacak
two-piece *mn* **1.** kétrészes, két részből álló **2. ~ dress** kétrészes ruha
two-ply *mn/fn* **1.** duplaszálas *[fonal, cérna, kötél]* **2.** kétrétegű *[acél, gumiabroncs]*
twoscore *mn* negyven (40)
two-seater *fn* **1.** kétüléses gépkocsi/repülőgép **2.** *GB* kétszemélyes kanapé/ülés
two-sided *mn* **1.** kétoldalú **2. a)** két szempontot figyelembe vevő **b)** kétértelmű *[politika]*
twosome [ˈtuːsəm] *fn* **1.** kétszemélyes (kártya stb.) játék, páros tánc, kettős **2.** *US* szerelmespár **3.** kétrészes ruha
two-stroke *mn* kétütemű *[motor]*
two-time[1] *tsi* **a)** megcsal (vkt vkvel) **b)** becsap, átejt
two-time[2] *mn* kétszeres *[bajnok stb.]*
two-tone *mn* **1.** kéttónusú, kétárnyalatú **2.** kéthangú, kétszólamú
two-up *fn Ausz* **1.** ‹fej- vagy írás rendszerű tiltott szerencsejáték› **2. in ~s** igen rövid idő alatt, egy pillanat alatt
two-way *mn* **1. a)** kétvezetékes *[csap]* **b)** kétirányú **2. ~ classification** két szempontból való osztályozás **3.** kétféle módon használható
two-way radio *fn távk* URH rádió, rádió adó-vevő készülék
two-way street *fn* kétirányú utca
two-way traffic *fn* kétirányú közlekedés
TX *röv US Texas*
tzar [zɑː ‖ zɑr] *fn* cár
tycoon [taɪˈkuːn] *fn* iparmágnás
tympan [ˈtɪmpən] *fn* **1. a)** kifeszített membrán/hártya *[dobon]* **b)** tábla alakú lap **2.** *orv* dobhártya **3.** *épít* háromszögű oromfal/orommező, oromzat, timpanon
typal [ˈtaɪpl] *mn* **1.** sajátos, jellegzetes, jellemző, tipikus **2.** nyomdai, sajtó-
type [taɪp] **I.** *fn* **1. a)** jelleg, fajta, rendszer, típus, alapforma **b)** példakép, mintakép **c)** jellegzetes alak/példány **2.** *nyomd* (nyomda)betű, betűtest, betűminta, betűfajta, (betű)típus; **font ~** betűtípus **3.** típus; **he is not my ~** nem az esetem **II. A.** *tsi* **1.** *biz* (író)gépel, írógépen ír, legépel **2.** tipizál **3.** *orv* vércsoportot megállapít *[vérvételnél]* **4.** *biol* osztályba sorol **B.** *tni* (író)gépel • *mn* **typed**
-type [taɪp] *utótag* -típusú *[főnévből főnév képzésére]*
typecast *tsi* **1.** *szính* típusszerepet ad színésznek **2.** testreszabott munkát adni vkinek
typeface *fn* **1.** *nyomd* betűkép **2.** *infor* betűforma
typescript *fn* gépelt kézirat/szöveg, gépírás
typesetter *fn* **1.** *nyomd* (betű)szedő **2.** *nyomd* (betű)szedőgép • *tsi* **typeset** *fn* **typesetting**
type site *fn régész* tipikus/fő/elsődleges lelőhely
typewrite *tsi pt* **-wrote** *pp* **-written** írógéppel/írógépen (le)ír, (író)gépel, gépír, legépel, (le)kopog
typewriter *fn* **1.** írógép **2.** gépíró(nő)
typewriting *fn* **1.** (író)gépelés, gépírás **2.** gépelt szöveg, gépelés
typewritten *mn* gépelt, gépírt *[kézirat]*; → **typewrite**
typhoid [ˈtaɪfɔɪd] **I.** *mn orv* tífuszos, tífusz- **II.** *fn orv* (has)tífusz • *mn* **typhoidal**
typhoon [taɪˈfuːn] *fn* tájfun, forgószél *[keleti tengereken]*
typhus [ˈtaɪfəs] *fn orv* (has)tífusz
typical [ˈtɪpɪkl] *mn* **1.** tipikus, jellemző, jellegzetes **2. T~** Jellemző! *[felkiáltás]* **3.** típusos • *hsz* **typically**
typify [ˈtɪpɪfaɪ] *tsi* **1.** ábrázol, jelképez, jellemez, szimbolizál (vmt) **2.** jellemző/jellegzetes vmre **3.** típusa, jellegzetes alakja (vmnek) • *fn* **typification**
typing [ˈtaɪpɪŋ] *fn* → **typewriting**
typist [ˈtaɪpɪst] *fn* gépíró(nő)
typo [ˈtaɪpou] *fn* **1.** *biz* → **typographer 2.** *biz* sajtóhiba, gépelési hiba
typographer [taɪˈpɒgrəfə ‖ –ˈpɑgrəfər] *fn* **1.** (könyv)nyomdász, betűszedő, magasnyomó **2.** *áll* betűző szú
typography [taɪˈpɒgrəfi ‖ –ˈpɑ–] *fn* (könyv)nyomdászati, könyvnyomtatás, tipográfia • *mn* **typographic(al)** *hsz* **typographically**
typology [taɪˈpɒlədʒi ‖ –ˈpɑ–] *fn* tipológia
tyrannical [tɪˈrænɪkl] *mn* **a)** zsarnoki **b)** kegyetlen • *hsz* **tyrannically**
tyrannicide [tɪˈrænɪsaɪd] *fn* **1.** zsarnokgyilkos, zsarnokölő **2.** zsarnokgyilkosság, zsarnokölés • *mn* **tyrannicidal**
tyrannize [ˈtɪrənaɪz], **-ise A.** *tsi* kegyetlenül elnyom, zsarnoki módon elnyom (vkt) **B.** *tni* zsarnokoskodik, hatalmaskodik (*over* vk felett)
tyrannosaur [tɪˈrænəsɔː ‖ –sɔr] *fn US* tirannoszaurusz *[óriás dinoszaurusz]*
tyrant [ˈtaɪrənt] *fn* zsarnok, kényúr, tirannus; **play the ~** zsarnokoskodik, önkényeskedik
tyrant-flycatcher *fn áll* királymadár
tyranny [ˈtɪrəni] *fn* **1.** zsarnokság, zsarnoki uralom/hatalom/elnyomás, önkényuralom **2. a)** erőszak **b)** basáskodás • *mn* **tyrannous** *hsz* **tyrannously**
tyre [ˈtaɪə ‖ –ər] *fn* **a)** kerékabroncs, kerékpánt **b)** *gk* gumiabroncs, autógumi, kerékgumi, köpeny, gumi; **flat ~** gumidefekt **c)** kerékpárgumi
tyre-gauge, *US* **-gage** *fn gk* légnyomásmérő
tyro [ˈtaɪrou] → **tiro**
Tyrol [tɪˈroul] *tul földr* Tirol • *mn/fn* **Tyrolese**

U

U¹, **u** [juː] *fn tsz* **U's** u (betű/hang); **U for Uniform** U mint Ubul

U², **u** *röv* **1.** *uncle* **2.** *unit* **3.** *GB universal* korhatár nélkül *[film]* **4.** *university* **5.** *union* **6.** *unit* **7.** *united* **8.** *upper* **9.** *upper class* **10.** *utility*

U³ *fn* burmai cím *[a megszólított neve előtt]*

UAE *röv United Arab Emirates*

UB-40 *röv GB* **1.** munkanélküli-igazolvány **2.** *fn biz* munkanélküli

ubiety [juːˈbaɪəti] *fn* jelenlét/létezés vhol, hollét, jelenvalóság

-ubility [jʊˈbɪləti] *utótag* -ság/ség *[főnévképző]*

ubiquitarian [juːˌbɪkwɪˈteərɪən ‖ –ˈter–] *vall* **I.** *mn* ubiquista *[lutheránus]* **II.** *fn* ubiquista (lutheránus) • *fn* **ubiquitarianism**

ubiquitous [juːˈbɪkwɪtəs] *mn* **1.** mindenütt jelen levő/előforduló/megélő/található **2.** *vall* mindenütt jelen való **3.** gyakran megtalálható/előforduló • *fn* **ubiquity**, **ubiquitousness** *hsz* **ubiquitously**

-uble [jʊbl ‖ jəbl] *utótag* -ható/hető *[melléknévképző]*

-ubly [jʊbli] *utótag* -hatóan/hetően *[határozóképző]*

U-boat *fn tört* (német) tengeralattjáró

UCLA *röv University of California at Los Angeles*

UDA *röv Ulster Defence Association*

udal [ˈjuːdl] *fn jog* szabad birtok *[az Orkney-* v. *Shetland-szigeteken]*

udder [ˈʌdə ‖ –ər] *fn* tőgy *[pl. tehéné]* • *mn* **uddered**

udometer [juːˈdɒmɪtə ‖ juːˈdɑmətər] *fn meteo* esőmérő, csapadékmérő, nedvességmérő

UEFA [juːˈɪfə, ˈjuːfə, jʊˈeɪfə] *röv Union of European Football Associations*

ufo [ˈjuːfoʊ, ˌjuːefˈoʊ], **UFO** *röv unidentified flying object* azonosítatlan repülő tárgy, *biz* repülő csészealj, ufó

ufology [ˌjuːˈfɒlədʒi ‖ –ˈfɑ–] *fn* ufológia, ufókutatás • *fn* **ufologist** *mn* **ufological**

Uganda [juːˈgændə] *tul földr* Uganda

Ugandan [juːˈgændən] *mn* ugandai

ugh [ʊx, ʌg] *isz* **1.** pfuj! **2.** ó!, au, brr; **~, it's cold** brr/juj de hideg van!

ugli fruit [ˈʌgli] *fn növ* ‹grapefruit és mandarin keresztezésével előállított gyümölcsfajta›

uglify [ˈʌglɪfaɪ] *tsi* elcsúfít, elcsúnyít • *fn* **uglification**

ugly [ˈʌgli] *mn* **1. a)** csúnya, csúf, rút *[személy]*; *biz* **as ~ as sin** csúnya, mint az éjszaka **b)** mogorva **c)** rosszindulatú, komisz; **~ customer** kellemetlen fráter; **~ duckling** csúf/rút kiskacsa *[csúnya/jelentéktelen kisgyerek, akiből felnőttkorára híresség lesz]*; **has an ~ temper** kellemetlen természete van **2. a)** csúnya, rossz, ronda, kellemetlen *[dolog]* **b)** fenyegető, veszélyes *[időjárás]*; **the sky has an ~ look** csúnyán/fenyegetően néz ki az ég(bolt) • *fn* **ugliness** *hsz* **uglily**

Ugrian [ˈuːgrɪən] *mn/fn* ugor

Ugric [ˈuːgrɪk] *mn/fn* ugor (nyelv)

uh [ɜː, ɑː] *isz* aha, ühüm

uhf, **UHF** *röv ultrahigh frequency* ultranagy frekvencia, mikrohullám

uh-huh *isz US biz* igen!, hát bizony!, aha!

uhlan [ˈuːlɑːn, ˈjuːlən] *fn kat tört* ulánus, dzsidás

UK *röv United Kingdom* Egyesült Királyság

ukase [juːˈkeɪz ‖ –ˈkeɪs] *fn tört* ukáz, utasítás, parancs, rendelet *[a cári Oroszországban]*

Ukraine [juːˈkreɪn] *tul földr* **the ~** Ukrajna

Ukrainian [juːˈkreɪnɪən] **I.** *mn földr* ukrajnai, ukrán **II.** *fn* **1.** ukrán **2.** ukrán nyelv

ukulele [ˌjuːkəˈleɪli] *fn zene* négyhúros (hawaii) gitár, ukulele

Ulan Bator [ˌuːlæn ˈbætɔː ‖ –tɔr], **Ulan Batar** *tul földr* Ulánbátor *[Mongólia fővárosa]*

-ular [jʊlə ‖ –ər] *utótag* -os/as/es/ös *[melléknévképző]*

ulcer [ˈʌlsə ‖ –ər] *fn* **1.** *orv* fekély, ulcus; **gastric ~** gyomorfekély **2.** *átv* sajgó seb, erkölcsi métely/fekély • *mn* **ulcered**, **ulcerous**

ulcerate [ˈʌlsəreɪt] **A.** *tsi* **1.** fekélyt okoz **2.** gennyesedést okoz **B.** *tni* **1.** elfekélyesedik **2.** (el)gennyed, meggyűlik • *fn* **ulceration** *mn* **ulcerative**

-ule [juːl] *utótag* -ka/ke *[kicsinyítőképző]*

-ulent [jʊlənt ‖ jələnt] *utótag* -teli *[melléknévképző]*

uliginose [juːˈlɪdʒɪnoʊs] *mn* mocsári, mocsaras

uliginous [juːˈlɪdʒɪnəs] *mn* → **uliginose**

ullage [ˈʌlɪdʒ] *fn* **1. (dry) ~** levegő, üres tér *[hordóban, edényben]* **2.** apadás, elszivárgás, elfolyás *[hordóból]* **3. (wet) ~** (hordóban) fennmaradó (v. le nem fejthető) ital

ulna [ˈʌlnə] *fn tsz* **ulnae** [ˈʌlniː] *orv* singcsont • *mn* **ulnar**

ulotrichan [juːˈlɒtrɪkən ‖ –ˈlɑ–] *mn/fn* göndör/gyapjas hajú *[személy]*

-ulous [jʊləs ‖ jələs] *utótag* -os/as/es/ös *[melléknévképző]*

Ulric [ˈʌlrɪk] *tul* Ulrik

Ulrica [ˈʌlrɪkə] *tul* Ulrika

Ulster [ˈʌlstə ‖ –ər] *tul földr* Ulster

ulster [ˈʌlstə ‖ –ər] *fn* hosszú, bő felöltő *[övvel]*, ulszter

Ulsterman [ˈʌlstəmən ‖ –stər–] *fn tsz* **-men** ulsteri születésű férfi

Ulsterwoman *fn tsz* **-women** ulsteri születésű nő

ulterior [ʌlˈtɪərɪə ‖ ʌlˈtɪrɪər] *mn* **1.** be nem vallott, titkos, rejtett *[pl. terv]*; **~ motive** hátsó gondolat **2. a)** későbbi, utóbbi, utólagos, később történő/követező; **~ end** végső cél **b)** túlsó, túloldali • *hsz* **ulteriorly**

ultimata [ˌʌltɪˈmeɪtə] → **ultimatum**

ultimate [ˈʌltɪmət] **I.** *mn* **1. a)** végső, végleges, befejező, utolsó; **~ purpose** végső cél **b)** alap-, alapvető **c)** *nyelv* (leg)utolsó *[pl. szótag]* **2. a)** *műsz* **~ (breaking) load** törő/törési terhelés; **~ tensile strength** szakítószilárdság **b)** *kat* **~ weapon** abszolút fegyver *[nagy hatótávolságú irányított lövedék]* **II.** *fn* **1.** az elképzelhető/elérhető legjobb dolog **2.** végső/alapvető tény/törvényszerűség/elv • *fn* **ultimacy**, **ultimateness** *hsz* **ultimately**

ultima Thule [ˌʌltɪmə ˈθjuːli ‖ –ˈθuːli] *fn latin* távoli, ismeretlen terület, *átv* a világ vége

ultimatum [ˌʌltɪˈmeɪtəm] *fn* **1.** ultimátum, végső felszólítás/határidő **2. a)** alapelv **b)** végső következtetés, alapvető cél

ultimo [ˈʌltɪmoʊ] *mn* múlt havi, múlt hónapban kelt; **the tenth ~** múlt hó tizedikén

ultimogeniture [ˌʌltɪmoʊˈdʒenɪtʃə ‖ –ər] *fn jog* ‹öröklési rend, amely szerint a birtok a legfiatalabb fiúgyermekre száll›

ultra [ˈʌltrə] **I.** *mn* szélső(séges), túlzó **II.** *fn pol* szélsőséges, túlzó, ultra, radikális

ultra- [ˈʌltrə] *előtag* ultra-

ultracentrifuge [ˌʌltrəˈsentrɪfjuːdʒ] *fn vegy* ultracentrifuga

ultra-conservative [ˌʌltrəkənˈsɜːvətɪv ‖ –ˈsɜr–] *mn/fn pol* ultrakonzervatív, radikális konzervatív

ultra-high [ˌʌltrəˈhaɪ] *mn el távk* **~ frequency** igen nagy frekvencia, URH; *kat* **~ striking velocity** igen nagy becsapódási sebesség *[célban]*

ultraist [ˈʌltrəɪst] *fn pol* szélsőséges, radikális, túlzó • *fn* **ultraism**

ultraleft [ˌʌltrəˈleft] *fn/mn pol* szélsőbal(oldal), ultrabal • *fn* **ultraleftist**

ultramarine [ˌʌltrəmə'riːn] **I.** *mn* **1. ~ (blue)** ultramarinkék **2.** *régi* tengeren túli **II.** *fn* ultramarin (kék)
ultramicroscope [ˌʌltrə'maɪkrəskoʊp] *fn fiz* ultramikroszkóp
ultramicroscopic [ˌʌltrəmaɪkrə'skɒpɪk ‖ –'skɑ–] *mn fiz* ultramikroszkopikus *[optikai mikroszkóppal nem látható]*
ultramodern [ˌʌltrə'mɒdn ‖ –'mɑdərn] *mn* ultramodern, hipermodern • *fn* **ultramodernism**, **ultramodernist** *mn* **ultramodernistic**
ultramontane [ˌʌltrə'mɒnteɪn ‖ –'mɑn–] **I.** *mn* **1.** hegyeken/Alpokon túli **2.** *pol* ultramontán, pápapárti, Rómához húzó **II.** *fn* **1.** hegyeken/Alpokon túl lakó ember **2.** *pol* ultramontán, pápapárti (v. túlzó klerikális) politikus
ultramundane [ˌʌltrə'mʌndeɪn] *mn* **a)** naprendszeren kívül eső **b)** túlvilági, más világra való
ultraright *fn pol* szélsőjobb(oldal), ultrajobb • *fn* **ultrarightist**
ultrashort [ˌʌltrə'ʃɔːt ‖ –'ʃɔrt] *mn* ultrarövid; **~ wave** ultrarövid hullám
ultra smart *mn* szuperintelligens, hiperokos
ultrasonic [ˌʌltrə'sɒnɪk ‖ –'sɑnɪk] *mn fiz* **1.** ultraszonikus, ultrahang-, nagyon magas rezgésszámú *[hang, amit emberi füllel már nem lehet meghallani]* **2.** hangsebességen túli, ultraszonikus • *hsz* **ultrasonically**
ultrasonics [ˌʌltrə'sɒnɪks ‖ –'sɑnɪks] *fn esz* ultrahangtan, ultrahangtechnika
ultrasound ['ʌltrəsaʊnd] *fn fiz* ultrahang
ultrasound cardiography *fn orv* ultrahangos kardiográfia
ultrastructure ['ʌltrəstrʌktʃə ‖ –ər] *fn biol* ‹optikai mikroszkóppal nem látható szerkezet/felépítés›
ultraviolet [ˌʌltrə'vaɪəlɪt] *mn fiz* ibolyántúli, ultraibolya; **~ radiation** ultraibolya/ibolyántúli sugárzás
ultra vires [ˌʌltrə'vaɪriːz] *hsz jog* hatáskörön kívül eső; **action ~** szabályellenes cselekedet, hatalmi túlkapás
ululate ['juːljʊleɪt ‖ –ljə–] *tni* **1.** huhog *[bagoly]* **2.** üvölt *[pl. sakál]* **3.** *biz* jajgat, jajveszékel • *fn* **ululation** *mn* **ululant**
Ulyssean [juː'lɪsɪən] *mn* ulyssesi, odüsszeuszi
Ulysses [juː'lɪsiːz] *tul* Ulysses, Odüsszeusz
um [ʌm, mmm] **I.** *isz* hmm! *[hümmögés hangja]*, ööö *[habozás hangja]* **II.** *tni* hümmög, őzik *[beszéd közben habozva]*
-um *utótag [főnévképző]*
umbel ['ʌmbl] *fn növ* ernyő(virágzat); **compound ~** összetett ernyős virágzat; **simple ~** egyszerű ernyős virágzat • *mn* **umbellar**, **umbellate**, **umbellule**
umbellifer [ʌm'belɪfə ‖ –ər] *növ* ernyős virágú növény • *mn* **umbelliferous**
umber ['ʌmbə ‖ –ər] **I.** *mn* **a)** umbrabarna *[szín, festék]* **b)** sötét, feketés **II.** *fn* **1.** umbra(föld) **2.** *műv* umbra(festék); **burnt ~** égetett umbra(festék) **3.** umbrabarna (szín) **4. a)** színárnyalat **b)** árnyék
umbilical [ʌm'bɪlɪkl] **I.** *mn* **1. a)** *orv* köldök-, köldöki **b)** *biz* anyai (ágú) *[ős, rokon]* **2.** összekötő, összekapcsoló **3.** elválaszthatatlanul összekötött, összenőtt **II.** *fn* tápvezeték, *átv* köldökzsinór • *hsz* **umbilically**
umbilical cord *fn orv* köldökzsinór
umbilicate [ʌm'bɪlɪkət] *mn* köldökszerű, köldökös *[gomba]*
umbilicus [ʌm'bɪlɪkəs] *fn tsz* **umbilici** [ʌm'bɪlɪsaɪ] **1.** *orv* köldök **2. a)** *növ* gyümölcs bemélyedése szárnál/csúcson **b)** *növ* gomba kalapjának középső kiemelkedő pontja **3.** *mat* köldökpont, köröspont
umbo ['ʌmboʊ] *fn* **1.** *régi* umbo, pajzsdudor **2.** *tud* dudor, kidudorodás, *tud* púp • *mn* **umbonal** *mn* **umbonate**
umbra ['ʌmbrə] *fn tsz* **umbrae** ['ʌmbriː] *csill* **a)** (teljes) árnyék *[égitestek fogyatkozásánál]* **b)** árnyékmag, árnyékkúp **c)** napfoltmag • *mn* **umbral**
umbrella [ʌm'brelə] *fn* **1.** ernyő, esernyő; **fold up** (v. **take down) one's ~** becsukja az ernyőjét; **put up one's ~** kinyitja az ernyőjét **2.** *átv*; ‹védelmet nyújtó v. egységet biztosító szervezet/dolog›; **under the ~ of the UNO** az ENSZ oltalma/védelme alatt **3.** *kat* légvédelem *[vm terület felett]* **4.** *áll* korong *[pl. medúzáé]* • *mn* **umbrellaed** *mn* **umbrella-like**
umbrella bird *fn áll* ernyős/sisakos madár
umbrella pine *fn növ* mandulafenyő
umbrella stand *fn* (es)ernyőtartó
Umbrian ['ʌmbrɪən] *fn/mn földr* umbriai *[ember/nyelv]*
umbriferous [ʌm'brɪfərəs] *mn* árnyékot vető
umiak ['uːmiæk] *fn* umiak *[hosszú eszkimó csónak]*
umlaut ['ʊmlaʊt] **I.** *fn* **1.** *nyelv* umlaut, regresszív/hátraható részleges hasonulás **2.** *nyelv*; ‹az umlaut két pontja› **II.** *tsi* umlaut által megváltoztat *[magánhangzót]*
ump [ʌmp] *fn US sp biz* játékvezető *[pl. baseballban]*
umpire ['ʌmpaɪə ‖ –ər] **I.** *fn* **1.** *sp* bíró, játékvezető **2.** döntőbíró, választott bíró **II. A.** *tsi* **1.** kimondja a döntőbírósági ítéletet *[viszály ügyében]* **2.** bíráskodik *[sportversenyen]*, vezet *[mérkőzést]* **B.** *tni* **1. ~ between two parties** döntőbíróként szerepel két fél között **2.** *sp* bíráskodik • *fn* **umpirage** *fn* **umpireship**
umpteen [ˌʌmp'tiːn] *mn biz* sok, iksz; nem tudom, hány; **have ~ reasons for doing sg** száz és egy oka van vm megtételére • *mn* **umpteenth** *mn* **umpty**
UN [ʌn] *röv United Nations* Egyesült Nemzetek (Szervezete), ENSZ
un-[1] *előtag* **1.** ‹melléknévi fosztóképző› nem, -talan/-telen **2.** ‹igei fosztóképző› -talanít/-telenít
un-[2] *előtag vegy* egy-
unabashed [ˌʌnə'bæʃt] *mn* **1.** zavarba nem jövő, nem elfogódott **2.** szégyentelen, szégyent nem ismerő/érző • *hsz* **unabashedly**
unabated [ˌʌnə'beɪtɪd] *mn* nem csökkent, változatlan • *hsz* **unabatedly**
unable [ʌn'eɪbl] *mn* **1.** képtelen, nem képes; **~ to attend** nem tud megjelenni (vhol) (más irányú elfoglaltsága miatt) *[pl. tárgyaláson]*; **~ to do sg** képtelen (v. nem tud) vmt megtenni; *gazd* **~ to pay** fizetésképtelen **2.** alkalmatlan, nem megfelelő *[személy]*
unabridged [ˌʌnə'brɪdʒd] *mn* **a)** nem rövidített/kivonatos, csonkítatlan, teljes/eredeti terjedelmű *[kiadású könyv]* **b)** nagy *[szótár]*
unabsorbed [ˌʌnəb'zɔːbd ‖ –'zɔrbd] *mn* el nem nyelt, fel nem szívott, nem abszorbeált
unacademic [ˌʌnækə'demɪk] *mn* nem elméleti/tudományos, gyakorlati
unaccented [ˌʌnək'sentɪd] *mn* szóhangsúly nélküli, hangsúlytalan, nem hangsúlyos
unacceptable [ˌʌnək'septəbl] *mn* elfogadhatatlan, el nem fogadható *[pl. elmélet, védekezés]* • *fn* **unacceptability** *hsz* **unacceptably**
unaccommodating [ˌʌnə'kɒmədeɪtɪŋ ‖ –'kɑ–] *mn* alkalmazkodni nem tudó, barátságtalan, nem szívélyes/készséges *[ember]*
unaccompanied [ˌʌnə'kʌmpənid] *mn* **1.** kíséret/kísérő nélküli, egyedül lévő/jövő **2.** *zene* kíséret/kísérőzene nélkül
unaccomplished [ˌʌnə'kʌmplɪʃt ‖ –'kɑm–] *mn* **1. a)** meg nem valósult *[pl. terv]* **b)** teljesítetlen, befejezetlen, el nem végzett *[pl. munka]* **2.** kezdő, nem befutott *[jelentős eredményt még fel nem mutató]*
unaccountable [ˌʌnə'kaʊntəbl] *mn* **1. a)** megmagyarázhatatlan, indokolhatatlan **b)** érthetetlen, különös, rejtélyes **2.** felelőtlen, felelősségre nem vonható (*for* vmért), beszámíthatatlan *[egyén]* • *fn* **unaccountability** *hsz* **unaccountably**
unaccounted [ˌʌnə'kaʊntɪd] *mn* **1.** megmagyarázatlan **2.** hiányzó; **three of the passangers are ~ for** az utasok közül háromról nincs hír

U

unaccustomed [ˌʌnəˈkʌstəmd] *mn* **1.** szokatlan, rendkívüli *[pl. esemény]* **2. ~ to sg** vmt meg nem szokott, vmhez nem szokott *[személy]*; vmben gyakorlatlan/járatlan/ügyetlen *[személy]* • *hsz* **unaccoustomedly**

unacknowledged [ˌʌnəkˈnɒlɪdʒd ‖ –ˈnɑ–] *mn* **1. a)** (magáénak) el nem ismert *[gyermek]* **b)** be nem ismert/vallott *[bűn(tett)]* **c) ~ quotation** idézet forrásmegjelölés nélkül **2.** nem igazolt/viszonzott, meg nem hálált, vissza nem igazolt

unacquainted [ˌʌnəˈkweɪntɪd] *mn* **be ~ with sg** nem ismer vmt *[tényt, szokást, stb.]*, nem ismer (vmt)

unadaptable [ˌʌnəˈdæptəbl] *mn* **1.** alkalmazkodni/beilleszkedni/alkalmazkodásra képtelen *[egyén]* **2.** át nem alakítható, hozzá nem igazítható *[dolog]*

unadapted [ˌʌnəˈdæptɪd] *mn* alkalmatlan, nem megfelelő (*to* vmre)

unaddressed [ˌʌnəˈdrest] *mn* (meg)címezetlen *[levél, csomag]*

unadjacent [ˌʌnəˈdʒeɪsnt] *mn* nem szomszédos, nem egymás mellett fekvő/levő

unadjusted [ˌʌnəˈdʒʌstɪd] *mn* **1.** még elintézetlen *[pl. vita, ügy]* **2. ~ to the circumstances** a körülményeknek nem megfelelő **3.** pontosítatlan, nyers, kidolgozatlan; **~ figures** nyers/durva számok

unadopted [ˌʌnəˈdɒptɪd ‖ –ˈdɑp–] *mn* **1.** el nem fogadott, magáévá nem tett *[pl. nézet, vélemény]*, örökbe nem fogadott *[gyermek]* **2.** *GB* **~ road** nem törzskönyvezett (v. hatóságilag nem fenntartott) út

unadorned [ˌʌnəˈdɔːnd ‖ –ˈdɔrnd] *mn* díszítetlen, mesterkéletlen, egyszerű; **~ truth** szépítés nélküli valóság

unadulterated [ˌʌnəˈdʌltəreɪtɪd] *mn* hamisítatlan, természetes, tiszta *[pl. bor]*; *biz* **~ joy** zavartalan öröm

unadventurous [ˌʌnədˈventʃərəs] *mn* nem kalandos/kalandvágyó, kaland nélküli, eseménytelen • *hsz* **unadventurously**

unadvertised [ʌnˈædvətaɪzd ‖ –vər–] *mn* nem hirdetett/reklámozott, beharangozatlan, reklámozatlan

unadvisable [ˌʌnədˈvaɪzəbl] *mn* **1.** tanácsot el nem fogadó, önfejű, makacs *[személy]* **2.** nem tanácsos/ajánlatos *[cselekedet]*

unadvised [ˌʌnədˈvaɪzd] *mn* **1.** meggondolatlan, elővigyázatlan **2.** tanácsban/útmutatásban nem részesült • *hsz* **unadvisedly**

unaffected [ˌʌnəˈfektɪd] *mn* **1. a)** nem színlelt/tettetett, tettetés nélküli, őszinte *[pl. öröm]* **b)** természetes (modorú), keresetlen **2.** érzéketlen *[ember]* **3.** *orv [betegség által]* meg nem támadott *[szerv]* • *fn* **unaffectedness** *hsz* **unaffectedly**

unaffiliated [ˌʌnəˈfɪlieɪtɪd] *mn* tagként vhova nem tartozó (v. nem befogadott v. fel nem vett)

unaffordable [ˌʌnəˈfɔːdəbl ‖ –ˈfɔr–] *mn* anyagilag nem megengedhető

unafraid [ˌʌnəˈfreɪd] *mn* nem félő (*of sg* vmtől)

unaggressive [ˌʌnəˈgresɪv] *mn* nem kihívó/támadó természetű, békés

unaided [ʌnˈeɪdɪd] *mn* **1.** segítség nélkül, saját erejére utalt(an) **2.** nem segélyezett, támogatás/segítség nélkül

unalienable [ʌnˈeɪlɪənəbl] → **inalienable**

unaligned [ˌʌnəˈlaɪnd] *mn pol* el nem kötelezett

unalike [ˌʌnəˈlaɪk] *mn* különböző, más (jellegű)

unalive [ˌʌnəˈlaɪv] *mn* érzéketlen, lassan reagáló

unalleviated [ˌʌnəˈliːvieɪtɪd] *mn* nem csillapított/enyhített

unallied [ˌʌnəˈlaɪd] *mn* **1.** kapcsolatokkal/szövetségesekkel nem rendelkező, egyedülálló **2.** független, másokkal nem szövetkező

unallowable [ˌʌnəˈlaʊəbl] *mn* megengedhetetlen, tűrhetetlen

unalloyed [ˌʌnəˈlɔɪd] *mn* vegyítetlen, ötvözetlen, tiszta *[fém]*

unalterable [ʌnˈɔːltərəbl] *mn* (meg)változtathatatlan • *fn* **unalterableness** *hsz* **unalterably**

unamazed [ˌʌnəˈmeɪzd] *mn* nem túlságosan lenyűgözött (*by* vmtől)

unambiguous [ˌʌnæmˈbɪgjuəs] *mn* egyértelmű, félreérthetetlen • *fn* **unambiguity** *hsz* **unambigously**

unambitious [ˌʌnæmˈbɪʃəs] *mn* **1.** igénytelen, kisigényű **2.** nem nagyra törő, szerény, egyszerű

unambivalent [ˌʌnæmˈbɪvələnt] *mn* nem ambivalens, egyértékű, egyértelmű

un-American *mn* **1.** amerikai szokásokkal/felfogással/szellemmel ellentétes **2.** *US* Amerika-ellenes • *fn* **un-Americanism**

unamiable [ʌnˈeɪmɪəbl] *mn* nem kedves, barátságtalan • *fn* **unamiability**

unamused [ˌʌnəˈmjuːzd] *mn* unott, szórakozás/mulatság nélküli

unanalysable [ʌnˈænəlaɪzəbl], *US* **unanalyzable** *mn* (ki)elemezhetetlen

unanalysed [ʌnˈænəlaɪzd], *US* **unanalyzed** *mn* ki nem elemezett

unaneled [ˌʌnəˈniːld] *mn vall régi* utolsó kenet nélküli

unanimated [ʌnˈænɪmeɪtɪd] *mn* **a)** élettelen, lélektelen **b)** nem élénk/lelkes *[ember, természet]*

unanimity [ˌjuːnəˈnɪməti] *fn* vélemények/érzések egyezése, (teljes) egyetértés, nézetazonosság; **with ~** egyhangúan, egyetértőleg

unanimous [juːˈnænɪməs] *mn* **a)** azonos nézetű/felfogású/érzelmű **b)** egyhangú **c)** osztatlan *[tetszésnyilvánítás]* • *fn* **unanimity**, **unanimuosness** *hsz* **unanimously**

unannounced [ˌʌnəˈnaʊnst] *mn* bejelentetlen, bejelentés nélküli, váratlan

unanswerable [ʌnˈɑːnsrəbl ‖ –ˈæn–] *mn* **1.** megválaszolhatatlan, választ nem igénylő **2.** kétségtelen, tagadhatatlan, elvitathatatlan **3. ~ to sy** nem tartozik vk fennhatósága alá **4. ~ for sg** nem felelős vmért • *fn* **unanswerableness** *hsz* **unanswerably**

unanswered [ʌnˈɑːnsəd ‖ –ˈænsərd] *mn* **1.** megválaszolatlan, meg nem válaszolt **2.** megcáfolatlan, el nem vitatott **3.** viszonzatlan

unanticipated [ˌʌnænˈtɪsɪpeɪtɪd] *mn* váratlan, előre nem látott/várt

unapologetic [ˌʌnəpɒləˈdʒetɪk ‖ –pɑ–] *mn* elnézést nem kérő, nem mentegetőző, nem védekező • *hsz* **unapologetically**

unapparent [ˌʌnəˈpeərənt ‖ –ˈper–] *mn* **a)** nem szembeszökő/nyilvánvaló **b)** sötét, láthatatlan

unappealable [ˌʌnəˈpiːləbl] *mn jog* nem fellebbezhető *[ítélet]*, megfellebbezhetetlen

unappealing [ˌʌnəˈpiːlɪŋ] *mn* nem rokonszenves, nem vonzó • *hsz* **unappealingly**

unappeasable [ˌʌnəˈpiːzəbl] *mn* csillapíthatatlan, olthatatlan, engesztelhetetlen, kielégíthetetlen

unappeased [ˌʌnəˈpiːzd] *mn* csillapítatatlan, kielégítetlen

unappetizing [ʌnˈæpətaɪzɪŋ], **-ising** *mn* nem étvágygerjesztő, gusztustalan • *hsz* **unappetizingly**

unapplied [ˌʌnəˈplaɪd] *mn* nem alkalmazott

unappreciated [ˌʌnəˈpriːʃieɪtɪd] *mn* nem értékelt/méltányolt, meg nem becsült

unappreciative [ˌʌnəˈpriːʃɪətɪv] *mn* érzéketlen, (vmt) kellőképpen nem méltányoló/értékelő/becsülő

unapprehended [ˌʌnæprɪˈhendɪd] *mn* **1.** meg nem értett, fel nem fogott **2.** még szabadlábon levő

unapproachable [ˌʌnəˈprəʊtʃəbl] *mn* **1.** megközelíthetetlen *[hegycsúcs, part, ember]* **2.** barátságtalan, mogorva *[ember]* • *fn* **unapproachability** *hsz* **unapproachably**

unappropriated [ˌʌnəˈprəʊprieɪtɪd] *mn* **1.** felhasználatlan, vm célra nem fordított, fel nem használt **2.** szabad, nem foglalt/fenntartott, gazdátlan, ki nem sajátított *[föld]*

unapproved [ˌʌnəˈpruːvd] *mn* jóvá nem hagyott, nem engedélyezett, helytelenített

unapt [ʌnˈæpt] *mn* **1.** nem megfelelő, helytelen, rosszul alkalmazott **2.** nem alkalmas, alkalmatlan (vmre) • *fn* **unaptness** *hsz* **unaptly**

U

unarguable [ʌn'ɑːgjʊəbl ‖ –'ɑr–] *mn* vitathatatlan • *hsz* **unarguably**
unarm [ʌn'ɑːm ‖ –'ɑrm] *tsi* lefegyverez, leszerel *[hadsereget]*
unarmed [ʌn'ɑːmd ‖ –'ɑrmd] *mn* fegyvertelen *[ember]*, lefegyverzett, leszerelt
unarresting [ˌʌnə'restɪŋ] *mn* unalmas, figyelmet nem lekötő • *hsz* **unarrestingly**
unarticulated [ˌʌnɑː'tɪkjʊleɪtɪd ‖ –ɑr–] *mn* **1.** artikulálatlan **2.** nem tagolt, tagolatlan
unartistic [ˌʌnɑː'tɪstɪk ‖ –ɑr–] → **inartistic**
unascertainable [ˌʌnə'sɜːtn·əbl ‖ –sɜr–] *mn* megállapíthatatlan, meghatározhatatlan, ellenőrizhetetlen
unascertained [ˌʌnə'sɜːtnd ‖ –'sɜr–] *mn* (még) meg nem állapított, ellenőrizetlen, nem tisztázott
unashamed [ˌʌnə'ʃeɪmd] *mn* **a)** nem szégyenlős **b)** arcátlan, pofátlan, szemérmetlen • *fn* **unashamedness** *hsz* **unashamedly**
unasked [ʌn'ɑːskt ‖ –'æskt] *mn* **a) do sg ~** kéretlenül/magától megtesz vmt **b)** kéretlen, hívatlan
unasked-for *mn* **1.** önkéntes, a maga jószántából való, kényszer nélküli, spontán **2.** nem kívánt, szükségtelen, bántó *[megjegyzés]*
unaspiring [ˌʌnə'spaɪərɪŋ] *mn* nem nagyra törő/nagyravágyó/becsvágyó
unassailable [ˌʌnə'seɪləbl] *mn* megtámadhatatlan, vitathatatlan, megcáfolhatatlan • *fn* **unassailability** *hsz* **unassaibly**
unassertive [ˌʌnə'sɜːtɪv ‖ –'sɜr–] *mn* **a)** szerény (modorú), visszahúzódó **b)** erélytelen • *fn* **unassertiveness** *hsz* **unassertively**
unassignable [ˌʌnə'saɪnəbl] *mn* **1.** kijelölhetetlen, kitűzhetetlen **2.** *jog* elidegeníthetetlen, átruházhatatlan
unassigned [ˌʌnə'saɪnd] *mn* **1.** nem kijelölt, nem kitűzött, nem megbízott *[munkával]* **2.** rendelkezési állományban levő, szabad kapacitású
unassimilated [ˌʌnə'sɪmɪleɪtɪd] *mn* **1.** asszimilálatlan, be nem illeszkedett **2.** megemésztetlen *[táplálék]*
unassisted [ˌʌnə'sɪstɪd] → **unaided**
unassociated [ˌʌnə'soʊʃieɪtɪd, –'soʊsi–] *mn* kapcsolat nélküli, nem társult
unassuaged [ˌʌnə'sweɪdʒd] *mn* nem csillapított/enyhített, csillapítatlan
unassuming [ˌʌnə'sjuːmɪŋ ‖ –'suː–] *mn* igénytelen, szerény • *hsz* **unassumingly**
unatoned [ˌʌnə'toʊnd] *mn* **~ (for)** jóvá nem tett, le nem vezekelt
unattached [ˌʌnə'tætʃt] *mn* **1.** szabad, független, nem tartozó/kötött/csatolt (*to* vkhez/vmhez/vhová) **2.** nem szerződtetett, szabadúszó **3.** meg nem erősített **4.** rendelkezési állományban levő
unattackable [ˌʌnə'tækəbl] *mn* megtámadhatatlan
unattainable [ˌʌnə'teɪnəbl] *mn* elérhetetlen (*by sy* vk számára), megközelíthetetlen (*by sy* vk által) • *hsz* **unattainably**
unattempted [ˌʌnə'temptɪd] *mn* (még) meg nem próbált/kísérelt
unattended [ˌʌnə'tendɪd] *mn* **1. a)** kíséret nélküli, őrizetlenül hagyott **b)** nem kezelt/ápolt, elhanyagolt **2. ~ to** elhanyagolt, figyelmen kívül hagyott
unattractive [ˌʌnə'træktɪv] *mn* nem vonzó, báj nélküli, nem szép • *hsz* **unattractively**
unattributable [ˌʌnə'trɪbjutəbl] *mn* senkinek nem tulajdonítható, ismeretlen forrású *[információ]* • *hsz* **unattributably**
unattributed [ˌʌnə'trɪbjutɪd] *mn* senkinek nem tulajdonított, ismeretlen szerzőjű
unaudited [ʌn'ɔːdɪtɪd] *mn pénz gazd* átvizsgálatlan, könyvvizsgálat/rovancsolás előtt álló
unauthentic [ˌʌnɔː'θentɪk] *mn* nem hiteles/valódi/eredeti, apokrif • *hsz* **unauthentically**
unauthenticated [ˌʌnɔː'θentɪkeɪtɪd] *mn* **1. a)** okmányokkal nem igazolt/bizonyított **b)** *jog* nem hitelesített *[pl. okmány]* **2.** ismeretlen szerzőtől származó *[irodalmi mű]*
unauthorized [ʌn'ɔːθəraɪzd], **-ised** *mn* **1.** feljogosítatlan, jogtalan, illetéktelen, engedély nélküli **2.** nem meghatalmazott/felhatalmazott *[pl. tisztviselő]*
unavailable [ˌʌnə'veɪləbl] *mn* **1.** rendelkezésre nem álló; hozzáférhetetlen **2.** *jog* hatálytalan, érvénytelen **3.** nem kapható/beszerezhető **4.** → **unavailing** • *fn* **unavailability**
unavailing [ˌʌnə'veɪlɪŋ] *mn* haszontalan, hasztalan, hiábavaló, eredménytelen • *hsz* **unavailingly**
unavoidable [ˌʌnə'vɔɪdəbl] *mn* elkerülhetetlen, kikerülhetetlen, feltartóztathatatlan; *jog* **~ accident** véletlen baleset • *fn* **unavoidability** *hsz* **unavoidably**
unavowed [ˌʌnə'vaʊd] *mn* be nem vallott, el nem ismert
unawakened [ˌʌnə'weɪknd] *mn* **1. a)** fel nem keltett **b)** fel nem ébredt, még alvó **2.** *átv* tudatára nem ébredt
unaware [ˌʌnə'weə ‖ –'wer] **I.** *mn* **1. be ~ of sg** nem tud vmről; nincs tudatában vmnek **2.** naiv **II.** *hsz* → **unawares** • *fn* **unawareness**
unawares [ˌʌnə'weəz ‖ –'werz] *hsz* **1.** önkéntelenül, véletlenül, akaratlanul **2.** váratlanul
unawed [ʌn'ɔːd] *mn* **1.** tekintélyt nem tisztelő, tekintélyt el nem ismerő **2.** nincs elkápráztatva
unbacked [ʌn'bækt] *mn* **1.** nem támogatott, támogatás nélküli *[pl. jelölt]* **2.** nem belovagolt *[ló]* **3.** támla nélküli
unbalance [ʌn'bæləns] **I.** *tsi* **1.** egyensúlyból kimozdít **2.** lelki egyensúlyát megbontja (vknek) **II.** *fn* egyensúly hiánya, kiegyensúlyozatlanság • *mn* **unbalanced**
unban [ʌn'bæn] *tsi* tiltást/tilalmat megszüntet *[vmre vonatkozólag]*
unbar [ʌn'bɑː ‖ ʌn'bɑr] *tsi* **-rr- 1.** akadályt elgördít, kireteszel, kinyit; *biz* **~ the way** utat nyit, szabaddá teszi az utat **2.** megszüntet *[kizárást]*, felold *[korlátokat]*
unbearable [ʌn'beərəbl ‖ –'ber–] *mn* kibírhatatlan, elviselhetetlen, tűrhetetlen • *hsz* **unbearably**
unbearded [ʌn'bɪədɪd ‖ –'bɪr–] *mn* csupasz állú, borotvált képű
unbeatable [ʌn'biːtəbl] *mn* (meg)verhetetlen, legyőzhetetlen
unbeaten [ʌn'biːtn] *mn* **1. a)** felveretlen *[tojás]*, töretlen *[pl. bors]* **b) ~ path** kitaposatlan/járatlan ösvény **2. a)** veretlen, legyőzetlen **b)** *sp* játékban levő *[játékos krikettben]*
unbeautiful [ʌn'bjuːtɪfl] *mn* nem szép, csúnya, rút • *hsz* **unbeautifully**
unbecoming [ˌʌnbɪ'kʌmɪŋ] *mn* **1.** nem illő/való (*to* vkhez/vmhez), helytelen, nem helyénvaló/odavaló **2.** nem jól álló, előnytelen *[ruha]* • *hsz* **unbecomingly**
unbefitting [ˌʌnbɪ'fɪtɪŋ] *mn* nem helyénvaló/odavaló/összeegyeztethető, alkalmatlan • *hsz* **unbefittingly**
unbefriended [ˌʌnbɪ'frendɪd] *mn* barátok nélküli, elhagyatott, társtalan
unbegotten [ˌʌnbɪ'gɒtn ‖ –'gɑtn] *mn vall* örökkévaló, nem nemzett
unbeholden [ˌʌnbɪ'hoʊldn] *mn* elkötelezettség nélküli, el nem kötelezett
unbeknown [ˌʌnbɪ'noʊn] *mn vál* nem ismeretes/tudott, ismeretlen (to sy vk előtt) • *hsz* **unbeknowst**
unbelief [ˌʌnbɪ'liːf] *fn* **a)** hitetlenség **b)** hitetlenkedés, kételkedés • *fn* **unbeliever** *mn* **unbelieving** *hsz* **unbelievingly**
unbelievable [ˌʌnbɪ'liːvəbl] *mn* hihetetlen, alig hihető, valószínűtlen • *fn* **unbelievability** *hsz* **unbelievably**
unbeloved [ˌʌnbɪ'lʌvd] *mn* nem szeretett/kedvelt *[vk]*
unbelt [ʌn'belt] *tsi* kioldja/megoldja az övet
unbend [ʌn'bend] *i pt/pp* **unbent** [ʌn'bent] **A.** *tsi* **1.** kiegyenesít **2.** *biz* pihentet *[agyat]*, szellőztet *[fejet]* **3. a)** *hajó* elereszt, kiakaszt *[hajókötelet]* **b)** kiold *[rugót]* **B.** *tni* **a)** kipiheni/kifújja magát **b)** enged tartózkodásából **c)** kisimul *[homlok]*, felragyog *[arc]*

U

unbending [ʌnˈbendɪŋ] *mn* **1. a)** *átv* hajlíthatatlan, merev, hajthatatlan *[jellem]*, makacs **b)** tartózkodó, zárkózott **2.** felengedő, magát elengedő, lazító ● *fn* **unbendingness** *hsz* **unbendingly**

unbiased [ʌnˈbaɪəst], **unbiassed** *mn* elfogulatlan, nem részrehajló, előítéletektől mentes, tárgyilagos, pártatlan

unbiblical [ʌnˈbɪblɪkl] *mn* **a)** nem bibliai/biblikus **b)** a Bibliának ellentmondó

unbiddable [ʌnˈbɪdəbl] *mn GB* engedetlen, szófogadatlan, dacos

unbidden [ʌnˈbɪdn] *mn* **1.** hívatlan *[vendég]* **2.** önkéntes, kényszer nélküli, spontán *[cselekedet]* **3.** bántó *[pl. megjegyzés]*

unbind [ʌnˈbaɪnd] *tsi pt/pp* **unbound** [ʌnˈbaʊnd] **1. a)** kötélékeit megoldja *[fogolynak]* **b)** kötést levesz *[sebről]* **2.** kibont *[hajat]*, kioldoz *[csomót]*

unbirthday [ʌnˈbɜːθdeɪ ‖ –ˈbɜrθ–] *fn biz tréf* születésnap kivételével bármely nap; *biz* **an ~ party** egyszerű/hétköznapi buli

unbleached [ʌnˈbliːtʃt] *mn* fehérítetlen, ekrü

unblemished [ʌnˈblemɪʃt] *mn* hibátlan, makulátlan, szeplőtlen

unblended [ʌnˈblendɪd] *mn* nem kevert *[pl. bor]*; **~ with** vmtől mentes

unblessed [ʌnˈblest] *mn* **1.** nem megáldott/megszentelt **2.** szerencsétlen, nyomorult **3.** *biz* áldatlan *[állapot, stb.]*

unblest [ʌnˈblest] → **unblessed**

unblinking [ʌnˈblɪŋkɪŋ] *mn* **1.** rezzenéstelen tekintetű **2.** állhatatos, rendületlen, megingathatatlan **3.** egykedvű, közönyös, flegmatikus ● *hsz* **unblinkingly**

unblock [ʌnˈblɒk ‖ –ˈblɑk] *tsi* **1. a)** szabaddá tesz *[utat, átjárót]*, eltávolít *[akadályt]* **b)** *pénz* felszabadít *[zárolt számlát]* **2.** kienged *[féket]*

unblown [ʌnˈbloun] *mn* **1.** fel nem fújt *[gömb]*, nem megfújt *[hangszer]* **2.** *régi* még ki nem feslett *[bimbó]*

unblushing [ʌnˈblʌʃɪŋ] *mn* **1.** nem elpirult/elpiruló **2.** szemtelen, arcátlan, pofátlan ● *hsz* **unblushingly**

unbolt [ʌnˈboult] *tsi* kireteszel *[ajtót]*, kinyit *[reteszt]*

unbookish [ʌnˈbʊkɪʃ] *mn* **1.** tanulni nem szerető, könyveket nem bújó **2.** nem tudálékos, nem könyvízű

unboot [ʌnˈbuːt] **A.** *tsi* (vknek) csizmáját/cipőjét lehúzza **B.** *tni* lehúzza/leveti a (saját) csizmáját/cipőjét

unborn [ʌnˈbɔːn ‖ –ˈbɔrn] *mn* **1.** (még) meg nem született; **child ~** születendő gyermek; **generations yet ~** eljövendő nemzedékek **2.** megvalósulatlan, valóra nem vált

unbosom [ʌnˈbʊzəm] *tsi* felfed, feltár, elárul, bizalmasan közöl *[pl. érzelmet]*; **~ oneself to sy** szívét kiönti/kitárja vknek

unbothered [ʌnˈbɒðəd ‖ ʌnˈbɑðərd] *mn* nem aggódó, gondtalan, nemtörődöm

unbound [ʌnˈbaʊnd] *mn* **1.** eloldott, kioldott, eloldozott, kioldozott **2.** kötetlen, fűzött *[könyv]* **3. a)** akadálytalan, szabad, nem kötött *[eskü/ígéret által]* **b)** helyhez nem kötött; → **unbind**

unbounded [ʌnˈbaʊndɪd] *mn* határtalan, korlátlan, mérhetetlen, féktelen ● *fn* **unboundedness** *hsz* **unboundedly**

unbowed [ʌnˈbaʊd] *mn átv* legyőzhetetlen, meg nem hunyászkodó/tört, fejet nem hajtó

unbrace [ʌnˈbreɪs] *tsi* **1. a)** letompít *[dobot]* **b)** meglazít, enged **2.** *régi* kicsatol, megereszt *[pl. páncélt]*

unbranded [ʌnˈbrændɪd] *mn* **1.** márkajelzés nélküli, nem márkás *[termék]* **2.** billog/bélyeg nélküli *[jószág]*

unbreachable [ʌnˈbriːtʃəbl] *mn* **1.** megszeghetetlen, áthághatatlan **2.** szóba nem hozható, megemlíthetetlen

unbreakable [ʌnˈbreɪkəbl] *mn* törhetetlen

unbreathable [ʌnˈbriːðəbl] *mn* belélegezhetetlen, beszívhatatlan

unbribable [ʌnˈbraɪbəbl] *mn* megvesztegethetetlen

unbridgeable [ʌnˈbrɪdʒəbl] *mn* áthidalhatatlan

unbridle [ʌnˈbraɪdl] **1.** lekantároz, kifog *[lovat]* **2.** szabad folyást enged *[pl. szenvedélynek]* ● *mn* **unbridled**

unbroken [ʌnˈbroukən] *mn* **1. a)** el/össze nem tört/törött, töretlen **b)** sértetlen, ép **c)** át nem hágott *[pl. szabály]* **d)** megszakítatlan, folytonos, zavartalan **2. a)** betöretlen, belovagolatlan *[ló]* **b) ~ spirit** fegyelmezetlen természet **3.** *mezőg* **~ ground** felszántatlan/megműveletlen föld; szűzföld ● *fn* **unbrokenness**

unbruised [ʌnˈbruːzd] *mn* **a)** zúzódás nélküli, ép, sértetlen **b)** zúzatlan, töretlen

unbuckle [ʌnˈbʌkl] *tsi* lecsatol, kicsatol *[pl. cipőt, övet]*

unbuild [ʌnˈbɪld] *pt/pp* **unbuilt** [ʌnˈbɪlt] *tsi* lebont, lerombol *[épületet]*

unbundle [ʌnˈbʌndl] *tsi* **1.** kicsomagol **2.** külön értékesít *[árut a többitől]* **3.** feloszt, szétbont *[vállalatot részekre]* ● *fn* **unbundler**

unburden [ʌnˈbɜːdn ‖ –ˈbɜr–] *tsi* **1.** terhet lerak/kirak (vhonnan), tehertől/terhétől megszabadít (vkt) **2. ~ the mind, ~ oneself** könnyít a szívén/lelkén ● *mn* **unburdened**

unburied [ʌnˈberɪd] *mn* temetetlen, sírba nem helyezett

unburnt [ʌnˈbɜːnt ‖ –ˈbɜrnt] *mn* **1.** el nem égett **2.** ki nem égett, nem kiégetett, kiégetetlen *[tégla]*

unbury [ʌnˈberi] *tsi* **1.** kiás, exhumál *[hullát]* **2.** kiderít, napvilágra hoz *[rejtélyt]*

unbusinesslike [ʌnˈbɪznɪslaɪk] *mn* **1. a)** üzleti érzékkel nem rendelkező *[ember]* **b)** nem üzletszerű *[eljárás]* **2.** nem élelmes **3.** rendszertelen

unbutton [ʌnˈbʌtn] **A.** *tsi* kigombol **B.** *tni biz* felenged, lazít, lazábbá válik *[ember]* ● *mn* **unbuttoned**

uncage [ʌnˈkeɪdʒ] *tsi* **1.** kalitkából/ketrecből kienged/kiszabadít **2.** felszabadít

uncalled [ʌnˈkɔːld] *mn* **a)** hivatlan, kéretlen **b)** *pénz* le/be nem hívott

uncalled-for *mn* szükségtelen, felesleges; nem helyénvaló; indokolatlan

uncandid [ʌnˈkændɪd] *mn* **a)** nem őszinte/nyílt, őszintétlen **b)** tisztességtelen

uncanonical [ˌʌnkəˈnɒnɪkl ‖ –ˈnɑ–] *mn* **1.** nem kánoni, apokrif *[könyv]* **2. a)** kanonoki/papi méltósághoz nem illő **b)** világi *[öltözet]* ● *hsz* **uncanonically**

uncanny [ʌnˈkæni] *mn* titokzatos, rejtélyes ● *fn* **uncanniness** *hsz* **uncannily**

uncap [ʌnˈkæp] **-pp-** *tsi* **a)** sapkát/kalapot levesz *[vk fejéről]* **b)** felfed, felnyit (vmt), kinyit *[pl. üveget]*

uncared-for *mn* gondozatlan, elhanyagolt, elhagyott *[gyermek]*

uncaring [ʌnˈkeərɪŋ ‖ –ˈkerɪŋ] *mn* **1.** hanyag, nemtörődöm **2.** szenvedélytelen, érdektelen

uncarpeted [ʌnˈkɑːpɪtɪd ‖ –ˈkɑr–] *mn* szőnyegtelen, nem szőnyeges/szőnyegezett

uncase [ʌnˈkeɪs] *tsi* dobozából kivesz, ládából kicsomagol *[árut]*

uncaught [ʌnˈkɔːt ‖ –ˈkɑt] *mn* el nem fogott, szabad(on levő)

unceasing [ʌnˈsiːsɪŋ] *mn* **a)** szüntelen, szakadatlan, állandó **b)** szorgalmas *[munka]*, kitartó *[igyekezet]* ● *hsz* **unceasingly**

uncelebrated [ʌnˈseləbreɪtɪd] *mn* nem ünnepelt/magasztalt/híres

uncensored [ʌnˈsensəd ‖ –ərd] *mn* **1.** cenzurálatlan *[cikk, távirat]* **2.** cenzúra által nem törölt *[rész]*

uncensured [ʌnˈsenʃəd ‖ –ərd] *mn* nem elítélt/bírált, bírálattal nem illetett *[ember]*

unceremonious [ˌʌnserɪˈmouniəs] *mn* **a)** nem szertartásos/ceremóniás **b)** fesztelen modorú *[ember]*; udvariatlan, illetlen

uncertain [ʌnˈsɜːtn ‖ –ˈsɜr–] *mn* **1.** bizonytalan; **in no ~ terms** félreérthetetlen formában/módon/fogalmazással **2. a)** meghatározatlan, meg nem határozott *[időpont, összeg]* **b)** két(ség)es, vitás *[eredmény]* **c)** gyenge *[világítás]*, bizonytalan/homályos *[körvonal]* **3. a)** változékony *[időjárás]* **b)** habozó, bizonytalankodó ● *hsz* **uncertainly**

uncertainty [ʌn'sɜːtnti ‖ –'sɜr–] *fn* **a)** bizonytalanság, változékonyság **b)** kétség, kétséges/bizonytalan/meghatározatlan jelleg (*of* vmé)

uncertainty principle *fn fiz* bizonytalansági/határozatlansági elv *[Heisenberg-féle]*

uncertified [ʌn'sɜːtɪfaɪd ‖ –'sɜr–] *mn* **1.** nem igazolt/tanúsított/hiteles(ített) **2.** *jog* beszámítható

unchain [ʌn'tʃeɪn] *tsi* láncról leold/eloldoz, bilincseitől megszabadít; *biz* ~ **one's passions** szabadjára engedi szenvedélyeit

unchallenged [ʌn'tʃælɪndʒd] *mn* **1. a)** kérdőre nem vont **b)** akinek nem mondanak ellent *[pl. szónok]* **2. a)** elvitathatatlan, nem vitatott *[jog]* **b)** *jog* nem kifogásolt *[tanú, bíró]* • *mn* **unchallengeable**

unchallenging [ʌn'tʃælɪndʒɪŋ] *mn* kihívást nem jelentő, nem provokáló

unchangeable [ʌn'tʃeɪndʒəbl] *mn* **a)** változatlan, nem változó **b)** (meg)változtathatatlan • *fn* **unchangeability**, **unchangeableness** *hsz* **unchageably**

unchanged [ʌn'tʃeɪndʒd] *mn* változatlan, ugyanolyan

unchanging [ʌn'tʃeɪndʒɪŋ] *mn* változatlan, nem változó, ugyanolyan • *hsz* **unchangingly**

unchaperoned [ʌn'ʃæpəroʊnd] *mn* kísérő/gardedám nélküli

uncharacteristic [ˌʌnkærɪktə'rɪstɪk] *mn* nem jellemző • *hsz* **uncharacteristically**

uncharged [ʌn'tʃɑːdʒd ‖ –'tʃɑrdʒd] *mn* **1.** nem megtöltött, töltetlen *[fegyver]* **2.** nem vádolt/terhelt/gyanúsított **3.** *gazd* meg nem terhelt *[pl. költséggel]*

uncharitable [ʌn'tʃærɪtəbl] *mn* **a)** szívtelen, nem elnéző, kíméletlen, könyörtelen **b)** nem jótékony/adakozó • *fn* **uncharitableness** *hsz* **uncharitably**

uncharted [ʌn'tʃɑːtɪd ‖ –'tʃɑr–] *mn* **1.** nem feltérképezett, feltérképezetlen **2.** fel nem kutatott, felderítetlen

unchartered [ʌn'tʃɑːtəd ‖ –'tʃɑrtərd] *mn jog* **1.** engedélyokirat/bejegyzés nélküli *[vállalat]*, jogtalan **2.** nem (előre) bérelt/lefoglalt *[pl. repülőgép]*

unchaste [ʌn'tʃeɪst] *mn* szemérmetlen, buja • *fn* **unchastity** *hsz* **unchastely**

unchastened [ʌn'tʃeɪsnd] *mn* nem megalázott, magabiztos

unchecked [ʌn'tʃekt] *mn* **1. a)** akadálytalan, akadályozatlan **b)** mérsékeletlen **2.** ellenőrizetlen, nem ellenőrzött/egyeztetett

unchivalrous [ʌn'ʃɪvlrəs] *mn* lovagiatlan, durva • *hsz* **unchivalrously**

unchosen [ʌn'tʃoʊzn] *mn* ki nem választott

unchristian [ʌn'krɪstʃən] *mn* **1.** hitetlen, pogány **2.** nem keresztényi, keresztényhez nem illő **3.** *biz* felháborító • *hsz* **unchristianly**

uncial ['ʌnsɪəl ‖ 'ʌnʃl] **I. 1.** *mn* unciális *[betű]* **2.** hüvelykben/unciában mért **II.** *fn* **a)** unciális írás **b)** unciális betű

uncinate ['ʌnsɪnət] *mn tud* kampós, horgas, horog alakú

uncircumcised [ʌn'sɜːkəmsaɪzd ‖ –'sɜr–] *mn* **1.** körülmetéletlen **2.** *régi* pogány • *fn* **uncircumcision**

uncivil [ʌn'sɪvl] *mn* **a)** udvariatlan, modortalan, neveletlen **b)** nem közösségi *[ember]* • *hsz* **uncivilly**

uncivilized [ʌn'sɪvɪlaɪzd], **-ised** *mn* műveletlen, civilizálatlan, barbár

unclaimed [ʌn'kleɪmd] *mn* nem kért/követelt/igényelt/reklamált

unclasp [ʌn'klɑːsp ‖ –'klæsp] *tsi* **1.** kikapcsol *[pl. karkötőt]* **2.** kinyit *[ökölbe szorított kezet]*

unclassifiable [ʌn'klæsɪfaɪəbl] *mn* osztályozhatatlan, besorolhatatlan

unclassified [ʌn'klæsɪfaɪd] *mn* **1.** osztályozatlan, besorolatlan **2.** nem titkos/bizalmas, nyílt **3.** titkosított kezelés alól feloldott

uncle ['ʌŋkl] *fn* **1.** nagybátya, nagybácsi, bácsi; *biz* ~ **John** János bácsi; *biz* **a rich** ~ gazdag/amerikai nagybácsi; *biz* **say** ~ beadja a derekát **2.** *szl* zálogházas

unclean [ʌn'kliːn] *mn* **1. a)** tisztát(a)lan, szemérmetlen, obszcén **b)** *vall* tisztátalan *[étel, állat]* **2.** nem tiszta, piszkos, szennyes, mocskos • *fn* **uncleanness**, **uncleanliness** *mn/hsz* **uncleanly**

uncleanliness [ʌn'klenlinəs] *fn* tisztátalanság

unclear [ʌn'klɪə ‖ ʌn'klɪr] *mn* **a)** nem világos/átlátszó, homályos **b)** *átv* nem világos/érthető, zavaros

uncleared [ʌn'klɪəd ‖ –'klɪrd] *mn* **1.** nem szabad/mentes/megtisztított **2.** még fel nem mentett *[vádlott]*, tisztázatlan *[vád]* **3. a)** rendezetlen, lerovatlan *[adósság]* **b)** beváltatlan *[csekk]*

unclench [ʌn'klentʃ] **A.** *tsi* **1.** kinyit *[pl. összeszorított öklöt]*, szétfeszít **2.** → **unclinch** A. **B.** *tni* kinyílik, kienged *[pl. összeszorított ököl]*

Uncle Sam *tul US biz* ‹az Amerikai Egyesült Államok népe/kormánya› állam bácsi

Uncle Tom *fn tabu* ‹megalázkodó/talpnyaló/szervilis fekete/néger› Tamás bátya

unclimbed [ʌn'klaɪmd] *mn* meg nem mászott, megmászatlan *[hegycsúcs]* • *hsz* **unclimbable**

unclinch [ʌn'klɪntʃ] **A.** *tsi* kivesz, kihúz *[szeget]* **B.** *tni* szeg/szegecs alól kiszabadul

uncloak [ʌn'kloʊk] *tsi* **1.** kabátot levesz/lesegít (vkről) **2.** felfed *[szándékot]*, leleplez *[pl. csalást]*

unclog [ʌn'klɒg ‖ –'klɑg] *tsi* **-gg-** kiold *[kereket]*, megindít *[gépet]*, kinyit, kitisztít *[dugulást]*, szabaddá tesz *[pl. csövet, forgalmi dugót]*, *átv* elhárít *[akadályt]*

unclose [ʌn'kloʊz] **-closing A.** *tsi* **1.** felnyit, kinyit **2.** felfed *[titkot]* **B.** *tni* kinyílik, felnyílik

unclothe [ʌn'kloʊð] *tsi* **1.** ruhát lehúz (vkről), levetkőztet (vkt) **2.** lombjától megfoszt *[fát]* **3.** felfed *[titkot]* • *mn* **unclothed**

unclouded [ʌn'klaʊdɪd] *mn* **1.** felhőtlen, derült *[égbolt]*, gondtalan *[pl. jövő]* **2.** tiszta, nem zavaros *[folyadék]*

unco ['ʌŋkoʊ] **I.** *mn skót* **a)** ismeretlen, szokatlan, rendkívüli **b)** csodálatos **II.** *hsz* nagyon, feltűnően, kiválóan, rendkívül **III.** *fn* **1. a)** szokatlan/ritka dolog **b)** *tsz* **uncos** újság, hír(ek) **2.** idegen/különös ember

uncoil [ʌn'kɔɪl] **A.** *tsi* legombolyít, leteker(csel) **B.** *tni* széttekeredik *[pl. kígyó]*, letekeredik

uncollected [ˌʌnkə'lektɪd] *mn* **1. a)** összegyűjtetlen, össze nem gyűjtött **b)** *vál* gyűjteményes kiadásban közzé nem tett, kötetbe nem foglalt *[elszórt vers/cikk]* **2.** zilált, szétszórt, dekoncentrált

uncoloured [ʌn'kʌləd ‖ –lərd] *mn* **1. a)** nem színes/(ki)festett, színezetlen **b)** színtelen **c)** *átv* szürke, egyszerű **2.** pártatlan **3.** nem eltúlzott

uncombed [ʌn'koʊmd] *mn* fésületlen

uncome-at-able [ˌʌnkʌm'ætəbl] *mn biz* **1.** megközelíthetetlen **2.** megszerezhetetlen

uncomely [ʌn'kʌmli] *mn* **1.** báj nélküli, csúnya **2.** nem illő/való, helytelen

uncomfortable [ʌn'kʌmftəbl] *mn* **1.** kényelmetlen **2. a)** kellemetlen **b)** nyugtalanító **3.** nyugtalan; **be/feel** ~ kényelmetlenül érzi magát; nyugtalankodik • *fn* **uncomfortableness** *hsz* **uncomfortably**

uncommercial [ˌʌnkə'mɜːʃl ‖ –'mɜr–] *mn* **a)** nem üzletszerű, nem kereskedelmi **b)** (kereskedelmi szempontból) nem hasznot hajtó

uncommitted [ˌʌnkə'mɪtɪd] *mn* **1.** el nem követett/határozott *[pl. bűn]* **2.** el nem kötelezett, állást nem foglaló, független

uncommon [ʌn'kɒmən ‖ –'kɑ–] **I.** *mn* **1.** ritka, nem gyakori **2. a)** nem közönséges, szokatlan, különös **b)** kivételes, páratlan, rendkívüli **II.** *hsz régi biz* → **uncommonly**

uncommonly [ʌn'kɒmənli ‖ –'kɑ–] *hsz régi* különösen, különlegesen, rendkívülien, rendkívüli módon

uncommunicative [ˌʌnkə'mjuːnɪkətɪv ‖ –keɪtɪv] *mn* nem közlékeny, zárkózott, hallgatag, szófukar • *fn* **uncommunicativeness** *hsz* **uncommunicatively**

U

uncompanionable [ˌʌnkəmˈpænjənəbl] *mn* nem barátkozó (természetű), emberkerülő

uncompensated [ʌnˈkɒmpənseɪtɪd ‖ –ˈkɑm–] *mn* **a)** kompenzálatlan, kiegyenlítetlen **b)** nem kárpótolt/kártalanított *[személy]* (*for sg* vmért)

uncompetitive [ˌʌnkəmˈpetɪtɪv] *mn* versenyképtelen, nem versenyképes *[pl. termék, áru]*

uncomplaining [ˌʌnkəmˈpleɪnɪŋ] *mn* nem panaszkodó, türelmes, belenyugvó • *hsz* **uncomplainingly**

uncompleted *mn* nem teljes/tökéletes, befejezetlen

uncomplicated [ʌnˈkɒmplɪkeɪtɪd ‖ –ˈkɑm–] *mn* **1.** nem bonyolult, egyszerű **2.** *orv* komplikációmentes, normális

uncomplimentary [ˌʌnkɒmplɪˈmentri ‖ ˌʌnkɑm–] *mn* nem jóleső/hízelgő, udvariatlan, goromba

uncompounded [ˌʌnkəmˈpaʊndɪd] *mn* nem összetett, egyszerű

uncomprehending [ˌʌnkɒmprɪˈhendɪŋ ‖ –kɑm–] *mn* értetlen • *hsz* **uncomprehendingly**

uncompromising [ʌnˈkɒmprəmaɪzɪŋ ‖ –ˈkɑm–] *mn* meg nem alkuvó, rendíthetetlen, hajthatatlan

unconcealed [ˌʌnkənˈsiːld] *mn* nem titkolt/leplezett, leplezetlen, nyílt

unconcerned [ˌʌnkənˈsɜːnd ‖ –ˈsɜrnd] *mn* **1. a)** gondatlan, semmivel nem törődő, közönyös **b)** ~ **regarding sg** vm miatt nem aggódó/nyugtalankodó, vm iránt közömbös **2. a)** semleges, pártatlan **b)** ~ **in/with a business** nincs érdekelve egy üzletben/ügyben • *fn* **unconcern** *hsz* **unconcernedly**

unconcluded [ˌʌnkənˈkluːdɪd] *mn* befejezetlen, eldöntetlen

unconditional [ˌʌnkənˈdɪʃnəl] *mn* feltétlen, abszolút, teljes, feltétel/fenntartás nélküli; *kat* ~ **surrender** feltétel nélküli megadás • *fn* **unconditionality** *hsz* **unconditionally**

unconditioned [ˌʌnkənˈdɪʃnd] *mn* **1.** feltétel(ek)hez nem kötött **2.** *biol* feltétlen, vele született

unconditioned reflex *fn biol* feltétlen reflex

unconfident [ʌnˈkɒnfɪdənt ‖ –ˈkɑn–] *mn* nem magabiztos, szerény

unconfined [ˌʌnkənˈfaɪnd] *mn* **1.** ~ **to sg** vmre nem korlátozott/korlátozódó **2.** korlátlan, határtalan

unconfirmed [ˌʌnkənˈfɜːmd ‖ –ˈfɜrmd] *mn* **1.** meg nem erősített, megerősítetlen *[pl. hír]*, vissza nem igazolt *[megrendelés]* **2.** határozatlan, ingadozó *[magatartás]* **3.** *vall* nem megbérmált/konfirmált

unconformable [ˌʌnkənˈfɔːməbl ‖ –ˈfɔr–] *mn* **1.** ~ **to sg** vmvel nem egyező, vmvel össze nem egyeztethető **2. a)** független, önálló, vmnek ellenszegülő **b)** *vall* nonkonformista • *fn* **unconformableness** *hsz* **unconformably**

unconformity [ˌʌnkənˈfɔːməti ‖ –ˈfɔr–] *fn geol* egyenlőtlenség, diszkordancia *[rétegződésben, fekvésben]*

uncongenial [ˌʌnkənˈdʒiːnɪəl] *mn* **1.** nem rokonszenves/szimpatikus **2. a)** kedvezőtlen *[éghajlat]* (*to* vmre) **b)** nem kellemes, kellemetlen (*to* vmre)

unconnected [ˌʌnkəˈnektɪd] *mn* **a)** kapcsolatban/összefüggésben nem levő (*with* vmvel) **b)** összefüggéstelen *[pl. mondatok]* **c)** ~ **with sy** vkvel családi kapcsolatban nem levő • *fn* **unconnectedness** *hsz* **unconnectedly**

unconquerable [ʌnˈkɒŋkərəbl ‖ –ˈkɑŋ–] *mn* legyőzhetetlen, meghódíthatatlan, leküzdhetetlen • *fn* **unconquerableness** *hsz* **unconquerably**

unconquered [ʌnˈkɒŋkəd ‖ –ˈkɑŋkərd] *mn* **a)** le nem győzött, megfékezetlen, leküzdetlen **b)** meghódítatlan, be nem vett *[terület]*

unconscionable [ʌnˈkɒnʃnəbl ‖ –ˈkɑn–] *mn* **1.** lelkiismeretlen, lelkifurdalás nélküli **2. a)** oktalan, esztelen **b)** túlságos, túlzott **3.** helytelen, elfogadhatatlan

unconscious [ʌnˈkɒnʃəs ‖ –ˈkɑn–] **I.** *mn* **1. a)** tudattalan, öntudatlan **b)** akaratlan, nem tudatos **2.** öntudatlan (állapotban levő), ájult, eszméletlen **3.** tudat alatti **II.** *fn pszich* **the** ~ a tudattalan, a tudatalatti • *fn* **unconsciousness** *hsz* **unconsciously**

unconscious cerebration *fn pszich orv* tudattalan/öntudatlan agytevékenység

unconsecrated [ʌnˈkɒnsəkreɪtɪd ‖ –ˈkɑn–] *mn* nem felszentelt/beszentelt

unconsenting [ˌʌnkənˈsentɪŋ] *mn* nem beleegyező/egyetértő

unconsidered [ˌʌnkənˈsɪdəd ‖ –dərd] *mn* **1.** értéktelen, jelentéktelen, említésre sem méltó **2.** meggondolatlan, megfontolatlan

unconsolable [ˌʌnkənˈsoʊləbl] *mn* vigasztalhatatlan • *hsz* **unconsolably**

unconstitutional [ˌʌnkɒnstɪˈtjuːʃnəl ‖ –kɑnstɪˈtuː–] *mn* alkotmányellenes, alkotmányba ütköző • *fn* **unconstitutionality** *hsz* **unconstitutionally**

unconstrained [ˌʌnkənˈstreɪnd] *mn* **1.** nem kényszerített/erőltetett, keresetlen, mesterkéletlen **2.** nem korlátozott, szabadjára engedett • *fn* **unconstraint** *hsz* **unconstrainedly**

unconstricted [ˌʌnkənˈstrɪktɪd] *mn* szabad, korlátlan, nem korlátozott

unconsulted [ˌʌnkənˈsʌltɪd] *mn* meg nem kérdezett *[személy véleményről, információról]*

unconsumed [ˌʌnkənˈsjuːmd ‖ –ˈsuːmd] *mn* **1.** *[tűz által]* el nem pusztított **2.** el nem fogyasztott *[étel]*

unconsummated [ʌnˈkɒnsəmeɪtɪd ‖ –ˈkɑn–] *mn* **a)** nem teljesített **b)** el nem hált, nem konszummált *[házasság]*

uncontainable [ˌʌnkənˈteɪnəbl] *mn* **1.** visszafojthatatlan, elfojthatatlan *[pl. nevetés]* **2.** vissza nem tartható, nem fegyelmezhető; **the fans became** ~ nem lehetett a szurkolókat kordában/féken tartani

uncontaminated [ˌʌnkənˈtæmɪneɪtɪd] *mn* **a)** fertőzetlen, nem fertőzött (*by* által) **b)** *átv* romlatlan **c)** folt nélküli, szennyezetlen

uncontested [ˌʌnkənˈtestɪd] *mn* **1.** kétségtelen, nem vitás/vitatott, (el)vitathatatlan *[pl. jog]* **2.** *pol* egyhangú, ellenjelölt nélküli *[választás]* • *hsz* **uncontestedly**

uncontradicted [ˌʌnkɒntrəˈdɪktɪd ‖ –kɑn–] *mn* ellentmondás nélküli, nem vitás/vitatott, meg nem cáfolt

uncontrived [ˌʌnkənˈtraɪvd] *mn* nem mesterséges/mesterkélt, természetes

uncontrollable [ˌʌnkənˈtroʊləbl] *mn* **1.** abszolút *[hatalom, jog]* **2. a)** kormányozhatatlan, fegyelmezhetetlen, szabályozhatatlan, fékezhetetlen, elfojthatatlan *[pl. szenvedély]* **b)** ellenőrizhetetlen • *fn* **uncontrollableness** *hsz* **uncontrollably**

uncontrolled [ˌʌnkənˈtroʊld] *mn* **1.** független, felelősségre nem vonható, abszolút *[pl. uralkodó]* **2.** korlátlan; ~ **liberty** teljes szabadság • *hsz* **uncontrolledly**

uncontroversial [ˌʌnkɒntrəˈvɜːʃl ‖ –kɑntrəˈvɜrʃl] *mn* vita tárgyát nem képező, vitathatatlan, kétségbevonhatatlan • *hsz* **uncontroversially**

uncontroverted [ʌnˌkɒntrəˈvɜːtɪd ‖ –ˈkɑntrəvɜrtɪd] *mn* nem vitás/vitatott, vitán felül álló • *mn* **uncontrovertible**

unconventional [ˌʌnkənˈvenʃnəl] *mn* **a)** konvenciókhoz/formákhoz nem ragaszkodó, mesterkéletlen, eredeti **b)** társadalmi/irodalmi/művészeti szabályoktól eltérő, nem konvencionális **c)** *kat* ~ **warfare** atom-, biológiai és vegyi hadviselés, ABC-hadviselés • *fn* **unconventionalism, unconventionality** *hsz* **unconventionally**

unconverted [ˌʌnkənˈvɜːtɪd ‖ –ˈvɜr–] *mn* **1.** átalakítatlan (*into* vmre/vmvé) **2.** *vall* ki/át nem tért **3.** *pénz* átváltatlan, nem konvertált *[pénznem]*

unconvinced [ˌʌnkənˈvɪnst] *mn* meg nem győzött/győződött, szkeptikus (*of* vmvel szemben), kétkedő

unconvincing [ˌʌnkənˈvɪnsɪŋ] *mn* nem meggyőző *[érv, okoskodás]*, nehezen elfogadható *[pl. kifogás]* • *hsz* **unconvincingly**

U

uncooked [ʌnˈkʊkt] *mn* **1.** nyers *[étel]* **2.** *biz* nem meghamisított, pontos
uncool [ʌnˈkuːl] *mn szl [nem jó]* nem frankó/kóser
uncooperative [ˌʌnkoʊˈɒpərətɪv ‖ –ˈɑ–] *mn* együttműködni nem hajlandó, nem segítőkész
uncoordinated [ˌʌnkoʊˈɔːdɪneɪtɪd ‖ –ˈɔr–] *mn* nem koordinált, nem rendezett, összefüggéstelen; koordinálatlan
uncopiable [ʌnˈkɒpɪəbl ‖ –ˈkɑ–] *mn* (le)másolhatatlan, sokszorosíthatatlan
uncork [ʌnˈkɔːk ‖ ʌnˈkɔrk] *tsi* dugót kihúz *[palackból]*; *biz* ~ **one's feelings** szabad folyást enged érzelmeinek
uncorrected [ˌʌnkəˈrektɪd] *mn* **1.** kijavítatlan **2.** nem helyesbített/helyreigazított **3.** nem közömbösített/semlegesített/kiegyenlített *[pl. hatás]*
uncorroborated [ˌʌnkəˈrɒbəreɪtɪd ‖ –ˈrɑ–] *mn jog* meg nem erősített *[tanúvallomás]*, alá nem támasztott *[vád]*
uncorrupted [ˌʌnkəˈrʌptɪd] *mn átv* romlatlan, feddhetetlen, tisztességes
uncountable [ʌnˈkaʊntəbl] *mn* megszámlálhatatlan, megszámolhatatlan, számtalan • *fn* **uncountability** *hsz* **uncountably**
uncountable noun *fn nyelv* nem megszámlálható főnév
uncounted [ʌnˈkaʊntɪd] *mn* **1.** megszámolatlan, megszámlálatlan **2.** megszámolhatatlan, megszámlálhatatlan
uncount noun → **uncountable noun**
uncouple [ʌnˈkʌpl] *tsi* **1.** elenged, eloldoz, elereszt *[pl. kutyát pórázról]* **2.** *műsz* kikapcsol *[gépet]*, kiakaszt *[gépрészt]*, *vasút* szétkapcsol, lekapcsol *[vagonokat, mozdonyt]*
uncourtly [ʌnˈkɔːtli ‖ –ˈkɔr–] *mn* **1.** udvariatlan **2.** ügyetlen, esetlen
uncouth [ʌnˈkuːθ] *mn* **1.** bárdolatlan, faragatlan *[ember]*, durva, barbár *[szokás, stb.]*, kietlen, vad *[vidék, táj]* **2.** esetlen, ügyetlen • *uncouthness/hsz* **uncouthly**
uncovenanted [ʌnˈkʌvnˑəntɪd] *mn* **1.** szerződésben/szerződésileg nem kikötött/előírt, előre nem tisztázott **2. a)** *bibl* szövetségen kívüli **b)** *GB tört*; ‹a Covenant által nem jóváhagyott/aláírt›
uncover [ʌnˈkʌvə ‖ –ər] *tsi* **a)** felfed, szabadon hagy *[arcot]*, fedetlenül hagy *[fejet]*, kitakar **b)** leleplez *[pl. botrányt]*, elárul *[érzelmet]* • *mn* **uncovered**
uncreate [ˌʌnkriˈeɪt] *tsi vál* léttől megfoszt, megsemmisít
uncreated [ˌʌnkriˈeɪtɪd] *mn* **1.** nem teremtés által létező, magától létező **2.** meg nem teremtett
uncreative [ˌʌnkriˈeɪtɪv] *mn* nem kreatív, ötlettelen
uncredited [ʌnˈkredɪtɪd] *mn* **1.** fel nem tüntetett *[pl. szerző, színész]* **2.** hitelt nem érdemlő, nem hiteles (forrásból származó)
uncritical [ʌnˈkrɪtɪkl] *mn* **1.** ítélőképességgel (v. kritikai érzékkel) nem rendelkező, kritikátlan **2.** kritikai szabályokkal ellenkező • *hsz* **uncritically**
uncropped [ʌnˈkrɒpt ‖ –ˈkrɑpt] *mn* **1. a)** nyíratlan *[haj]* **b)** kurtítatlan fülű *[kutya]* **2.** levágatlan **3.** parlagon heverő *[föld]*
uncross [ʌnˈkrɒs ‖ ʌnˈkrɔs] *tsi* szétnyit *[összefont karokat]*, egyenesre állít *[keresztbe rakott dolgot]* • *mn* **uncrossed**
uncrowded [ʌnˈkraʊdɪd] *mn* nem (össze)zsúfolt
uncrown [ʌnˈkraʊn] *tsi* **a)** koronájától/trónjától megfoszt, detronizál *[királyt]* **b)** pozíciójától/beosztásától megfoszt • *mn* **uncrowned**
uncrushable [ʌnˈkrʌʃəbl] *mn tex* gyűrhetetlen *[kelme]*; összetörhetetlen
uncrushed [ʌnˈkrʌʃt] *mn* össze nem tört; gyűretlen, ránctalan *[ruha]*
unction [ˈʌŋkʃən] *fn* **1.** kenőcs **2. a)** *vall* kenet **b)** megkenés, olajjal bedörzsölés; felkenés *[szertartás]* **3. a)** balzsam, ír **b)** lelki vigasz/ír
unctuous [ˈʌŋktʃʊəs] *mn* **1.** zsíros, olajos **2. a)** kenetes, kenetteljes *[szónok, beszéd]* **b)** *pej* behízelgő, édeskés *[modor, ember]* • *fn* **unctuousness** *hsz* **unctuously**
unculled [ʌnˈkʌld] *mn* **1.** nem szedett **2.** nem kiválogatott/kikeresett
uncultivated [ʌnˈkʌltɪveɪtɪd] *mn* **a)** műveletlen *[ember]*, megműveletlen, parlagon hagyott *[föld]* **b)** vadon tenyésző *[növény]*
uncultured [ʌnˈkʌltʃəd ‖ –tʃərd] *mn* **1.** iskolázatlan, műveletlen *[ember, elme]* **2.** mezei, vadon tenyésző *[növény]*
uncurb [ʌnˈkɜːb ‖ –ˈkɜrb] *tsi* **1.** zablát levesz *[lóról]* **2.** szabadjára enged, elszabadít *[indulatot]* • *mn* **uncurbed**
uncured [ʌnˈkjʊəd ‖ –ˈkjʊrd] *mn* **1.** nem gyógyult, gyógyítatlan, gyógyulatlan **2.** nem füstölt, friss *[hering]*
uncurl [ʌnˈkɜːl ‖ ʌnˈkɜrl] **A.** *tsi* kibont, lebont, leenged *[hajat]* **B.** *tni* letekeredik, lebomlik *[haj]*, kinyújtózik *[macska]*
uncurtailed [ˌʌnkɜːˈteɪld ‖ –kɜr–] *mn* **1.** nem lerövidített, nem kivonatos *[pl. regény]*, teljes *[előadás]* **2.** korlátlan *[tekintély, költekezés]*
uncurtained [ʌnˈkɜːtnd ‖ –ˈkɜr–] *mn* lefüggönyözetlen, függöny nélküli
uncut [ʌnˈkʌt] *mn* **1. a)** nem megvágott/sebzett, ép **b)** megszegetlen *[kenyér]* **c)** csiszolatlan *[drágakő]* **2. a)** ~ **book** felvágatlan könyv **b)** *film szính* teljes, megvágatlan
undamaged [ʌnˈdæmɪdʒd] *mn* megrongálatlan, sértetlen, ép
undated [ʌnˈdeɪtɪd] *mn* keltezetlen, kelet/dátum nélküli
undaunted [ʌnˈdɔːntɪd] *mn* elszánt, rettenthetetlen, tántoríthatatlan • *fn* **undauntedness** *hsz* **undauntedly**
undead [ʌnˈded] *mn/fn* élőhalott *[pl. vámpír, zombi]*
undecagon [ʌnˈdekəgɒn ‖ –gɑn] *fn mat* tizenegyszög
undeceive [ˌʌndɪˈsiːv] *tsi* kijózanít, kiábrándít (*of* vmből), jobb belátásra bír (vkt)
undecidable [ˌʌndɪˈsaɪdəbl] *mn* eldönthetetlen
undecided [ˌʌndɪˈsaɪdɪd] *mn* **a)** eldöntetlen, megoldatlan *[pl. probléma]*, függő *[jogvita]* **b)** bizonytalan, elmosódott *[szín, árnyalat, stb.]* **c)** határozatlan *[ember, jellem]* • *hsz* **undecidedly**
undecipherable [ˌʌndɪˈsaɪfərəbl] *mn* **a)** kibetűzhetetlen, elolvashatatlan **b)** megmagyarázhatatlan, megfejthetetlen
undeclared [ˌʌndɪˈkleəd ‖ –ˈklerd] *mn* **1.** be/ki nem jelentett; ~ **war** hadüzenet nélküli háború **2.** be nem vallott, rejtett
undecorated [ʌnˈdekəreɪtɪd] *mn* **1.** díszítetlen, dísztelen **2.** kitüntetés nélküli
undefeated [ˌʌndɪˈfiːtɪd] *mn* **1.** legyőzetlen, veretlen **2.** *pol* megszavazott *[pl. törvény]*
undefended [ˌʌndɪˈfendɪd] *mn* **1.** védtelen, védelem/oltalom nélküli, nyílt *[város]* **2.** *jog* védő nélküli *[vádlott]*
undefiled [ˌʌndɪˈfaɪld] *mn* tiszta, szennyezetlen, szeplőt(e)len, makulátlan
undefined [ˌʌndɪˈfaɪnd] *mn* **1.** meghatározatlan **2.** megállapítatlan, eldöntetlen • *mn* **undefinable** *hsz* **undefinably**
undelete [ˌʌndɪˈliːt] *tsi infor* lemezről törölt/még visszaállítható adatot visszaállít, mégse töröld *[parancs programban]*
undelivered [ˌʌndɪˈlɪvəd ‖ –vərd] *mn* **1. a)** nem kiszabadult/megszabadult (*from* vhonnan) **b)** meg nem szabadított, fel nem oldozott *[lelki teher alól]* **c)** még szülés előtt álló *[asszony]*, aki még nem szült **d)** világra nem hozott, még meg nem született *[gyermek]* **2.** kézbesítetlen **3.** el nem mondott *[beszéd]*, meg nem hozott *[ítélet]*
undemanding [ˌʌndɪˈmɑːndɪŋ ‖ –ˈmændɪŋ] *mn* nem igényes, igénytelen
undemocratic [ˌʌndeməˈkrætɪk] *mn* antidemokratikus, demokráciaellenes • *hsz* **undemocratically**
undemonstrated [ʌnˈdemənstreɪtɪd] *mn* (be)bizonyítatlan, nem kimutatott/igazolt
undemonstrative [ˌʌndɪˈmɒnstrətɪv ‖ –ˈmɑn–] *mn* **1.** nem bizonyító/igazoló **2.** nem nyíltszívű, zárkózott, tartózkodó, kimért • *fn* **undemonstrativeness** *hsz* **undemonstratively**

undeniable [ˌʌndɪˈnaɪəbl] *mn* tagadhatatlan, kétségbevonhatatlan, cáfolhatatlan • *hsz* **undeniably**

undented [ʌnˈdentɪd] *mn* **1.** be nem horpadt, sima *[felület]* **2.** nem befolyásolt *(by sg* vm által)

undependable [ˌʌndɪˈpendəbl] *mn* megbízhatatlan, nem megbízható (v. hitelt érdemlő)

under [ˈʌndə ‖ –ər] **I.** *elölj* **1. a)** (vm) alatt, alatta, alul, alól, alá; ~ **arms** tényleges katonai szolgálatban; ~ **cover of sg** vmnek leple alatt; ~ **the name of...** ...neve alatt; ~ **water** víz alatt; víz alá; **trample sg** ~ **one's feet** lábaival tapos vmn/vmt **b) in** ~ **ten minutes** tíz percen belül, nem egész(en) tíz perc alatt; **he is** ~ **thirty** még nincs harminc éves; **sold (at)** ~ **its value** áron alul eladott; **speak** ~ **one's breath** félhangon/halkan/suttogva beszél **2. a)** ~ **sy's advice** vk tanácsára; ~ **the circumstances** az adott (v. a jelen) körülmények között; **statement** ~ **oath** eskü alatti kijelentés; ~ **review** kérdéses, tárgyalt **b)** ~ **government control** állami ellenőrzés alatt; ~ **Louis XIV** XIV. Lajos (uralkodása) alatt; **be** ~ **sy** alacsonyabb rangú/beosztású vknél; vknek alá van rendelve **c)** *[hivatkozásokban, utalásokban]* szerint, értelmében, alatt; ~ **this act** eme/ezen rendelkezés/törvény szerint; ~ **the terms of the treaty** a szerződés (rendelkezései) értelmében **3.** -ban/-ben, alatt; **be** ~ **age** kiskorú; ~ **construction** építés alatt; *kat* ~ **fire** tűz alatt, (ágyú)tűzben; ~ **a favourable light** kedvező megvilágításban; **be** ~ **way** úton van; útközben van; keletkezőben van **II.** *hsz* **1.** alatta, lenn, lent, alul; **as** ~ amint alább következik/olvasható; **from** ~ alól; alulról; **go** ~ alámerül; **six feet** ~ hat láb mélyen, eltemetve **2.** hódoltság alatt, vmnek alávetve/alárendelve; **keep sy** ~ elnyomva tart vkt **3.** elégtelenül, nem eléggé **III.** *mn* **1.** alsó, alul levő, alulsó **2. a)** alsóbbfokú, alárendelt, al- **b)** alsóbbrendű, harmadrangú **3.** elégtelen, hiányos, túl kicsi/kevés **IV.** *fn GB* **down** ~ a Föld másik oldala, *biz* Ausztrália

under- [ˈʌndə ‖ ˈʌndər] *előtag* **1.** alá, alul, alatti **2.** másod-, helyettes **3.** alul-, nem a kívánt mértékben

underachieve [ˌʌndərəˈtʃiːv ‖ –dər–] *tni* alulteljesít, az elvárások alatt teljesít • *fn* **underachievement** *fn* **underachiever**

underact [ˌʌndəˈrækt] *szính* **A.** *tsi* túlzott egyszerűséggel játszik (meg)(vmt) **B.** *tni* nem eléggé játszik meg/aluljátszik egy szerepet

under age [ˌʌndərˈeɪdʒ] *mn* kiskorú

underarm [ˈʌndərɑːm ‖ –ɑrm] **I.** *mn* **1.** *sp* alulról ütött/adott *[labda]* **2.** hónalji **II.** *hsz sp* alulról *[üt]* **III.** *fn* hónalj

underbelly [ˈʌndəbeli ‖ –dər–] *fn* **1.** hastáj, hasalj **2.** *biz* érzékeny/sebezhető pont

underbid I. *tsi* **-dd-**, *pt* **-bid 1. a)** *gazd* alákínál *[árban]* **b)** *gazd* kevesebbet kínál **2.** *ját* ~ **one's hand** lapjának erején alul licitál **II.** *fn* [ˈʌndəbɪd ‖ –dər–] alákínálás, *ját* alullicitálás

underbidder [ˌʌndəˈbɪdə ‖ ˌʌndərˈbɪdər] *fn* alullicitáló/alákínáló személy

underbody [ˈʌndəbɒdi ‖ ˈʌndərbɑdi] *fn* **1.** *rep* repülőgépalváz, futómű **2.** *gk* alváz **3.** *áll* hastáj(ék) *[állaté]*

underbred [ˌʌndəˈbred ‖ –dər–] *mn* **1.** rosszul nevelt, neveletlen, modortalan **2.** nem telivér *[ló]*, korcs *[kutya]*

underbrush [ˈʌndəbrʌʃ ‖ –dər–] *fn US Kan* bozót, cserje, aljnövényzet

undercapitalize [ˌʌndəˈkæpɪtlˑaɪz ‖ –dər–], **-ise** *tsi* alulfinanszíroz *[forgótőkével]*, nincs elég forgótőkéje (vmhez) • *fn* **undercapitalization**

undercarriage [ˈʌndəkærɪdʒ ‖ –dər–] *fn* **1.** futómű *[repülőgépé]* **2.** jármű alváza

undercart [ˈʌndəkɑːt ‖ ˈʌndərkɑrt] *fn GB rep biz* futómű, futószerkezet

undercharge [ˌʌndəˈtʃɑːdʒ] *tsi* **1. a)** elégtelenül tölt meg *[ágyút]* **b)** elégtelenül tölt fel *[akkumulátort]* **2.** (túl) keveset fizettet vkvel

underclass [ˈʌndəklɑːs ‖ ˈʌndərklæs] *fn* alsó népréteg(ekből való)

underclay [ˈʌndəkleɪ ‖ –dər–] *fn geol* szén alatti agyagréteg

undercliff [ˈʌndəklɪf ‖ –dər–] *fn geol* ‹földcsuszamlással létrejött perem szikla alatt›

underclothes [ˈʌndəklouðz ‖ –dər–] → **underwear**

undercoat [ˈʌndəkout ‖ –dər–] *fn* **1.** *műv is* alapozás, alapfestés **2.** alsó szőrzet *[kutyáé]* **3.** alsókabát • *fn* **undercoating**

undercook [ˌʌndəˈkuk ‖ –dər–] *tsi* nem főz/süt meg eléggé

undercover [ˌʌndəˈkʌvə ‖ ˌʌndərˈkʌvər] *mn* titkos, titkolt, rejtett; ~ **agent** titkos/beépített ügynök

undercroft [ˈʌndəkrɒft ‖ ˈʌndərkrɔft] *fn épít* kripta, altemplom *[kriptákkal]*

undercrossing [ˈʌndəkrɒsɪŋ ‖ ˈʌndərkrɑsɪŋ] *fn vasút* aluljáró

undercurrent [ˈʌndəkʌrənt ‖ ˈʌndərkɜrənt] *fn* **1.** vízszint alatti áramlás, rejtett áramlás *[tengeré]* **2.** *átv* felszín alatti (v. mélyben húzódó) irányzat/áramlat

undercut I. *tsi pt/pp* **-cut 1.** *gazd* **a)** olcsóbb árajánlatot tesz (vknél) **b)** olcsóbb áron ad másnál **2. a)** alámos *[pl. sziklát víz]* **b)** *bány* aláás, alávájj **c)** kivés, kimetsz **3.** *sp* alulról üt *[labdát]*; magasra nyes/üt *[labdát golfban]* **II.** *fn* [ˈʌndəkʌt ‖ –dər–] **1.** *GB gaszt* pecsenyeszelet alja **2.** *US* aláásás, alávágás *[kidöntendő fánál]* **3.** *műsz* alámetszés, alávágás

underdeck [ˈʌndədek ‖ –dər–] *fn hajó* alsó fedélzet; ~ **cargo** raktérben/hajóűrben szállított rakomány

underdeveloped [ˌʌndədɪˈveləpt ‖ –dər–] *mn* **1.** fejletlen, fejlődésben elmaradt; ~ **country** (gazdaságilag) elmaradt/fejletlen ország **2.** *fényk* alulhívott *[negatív]* • *fn* **underdevelopment**

underdog [ˈʌndədɒg ‖ ˈʌndərdɔg] *fn* **a)** gyengébb/esélytelenebb fél **b)** kizsákmányolt/elnyomott fél/egyén

underdone [ˌʌndəˈdʌn ‖ –dər–] *mn* **1.** elégtelenül elvégzett *[munka]* **2.** félig nyers, angolos, nem eléggé átsütött *[hús]*

underdrawing [ˈʌndədrɔːɪŋ ‖ –dər–] *fn* vázlat(os rajz)

underdress [ˌʌndə-ˈdres ‖ –dər–] **A. 1.** alulöltöztet, nem alkalomnak megfelelően öltöztet **2.** túl könnyen/lengén öltöztet **B.** *tni* **1.** alulöltözik *[alkalomhoz képest]* **2.** túl könnyen öltözködik

undereducated [ˌʌndəˈredjukeɪtɪd ‖ ˈredʒə–] *mn* nem eléggé képzett, hiányos műveltségű

underemphasis [ˌʌndəˈremfəsɪs] *fn* nem megfelelő/túlságosan kis hangsúly/nyomaték • *tsi* **underemphasize, -ise**

underemployed [ˌʌndərɪmˈplɔɪd] *mn* nem kielégítően foglalkoztatott *[dolgozó]* • *fn* **underemployment**

underestimate I. *tsi* [–meɪt] alábecsül, lebecsül, nem méltányol **II.** *fn* [ˌʌndəˈrestɪmət] alábecslés • *fn* **underestimation**

underexpose [ˌʌndərɪkˈspouz] *tsi fényk* elégtelenül világít meg, alulexponál • *fn* **underexposure**

underfed [ˌʌndəˈfed ‖ –dər–] *mn* alultáplált

underfelt [ˈʌndəfelt ‖ –dər–] *fn* filcalátét, nemezalátét *[szőnyeg alá]*

under-fives *fn tsz* öt éven aluliak

underfloor [ˌʌndəˈflɔː ‖ ˌʌndərˈflɔr] *mn* padló alatti, rejtett

underflow [ˈʌndəflou ‖ –dər–] *fn* felszín alatti/víz alatti áramlás

underfoot [ˌʌndəˈfut ‖ –dər–] *hsz* **1.** lent, alul **2.** láb/talp alatt **3.** elnyomva, uralkodva rajta; → **trample II.A.1 4.** *biz* lábatlankodva, láb alatt

underframe [ˈʌndəfreɪm ‖ –dər–] *fn* **1.** *vasút* alváz, kocsikeret **2.** váz, keret *[asztalé, széké]*

underfur [ˈʌndəfɜː ‖ ˈʌndərfɜr] *fn* aljszőrzet *[állaté]*

undergarment [ˈʌndəgɑːmənt ‖ ˈʌndərgɑr–] *fn* alsóruha, alsónemű, fehérnemű

undergird [ˌʌndəˈgɜːd ‖ ˌʌndərˈgɜrd] *tsi* **a)** alul megerősít/odaerősít **b)** megerősít, megtámogat

underglaze I. *mn* máz/zománc alatti **II.** *fn* máz/zománc alatti festés

undergo [ˌʌndəˈgoʊ ‖ –dər–] *tsi pt* **-went** [–ˈwent], *pp* **-gone** [–gɒn ‖ –gɑn] **1. a)** keresztülmegy, átmegy *[pl. változáson]* **b)** aláveti magát (vmnek); **~ an operation** műtétnek veti magát alá **2.** eltűr, elvisel *[szenvedést]*, elszenved *[veszteséget]*, átmegy *[megpróbáltatáson]*

undergrad [ˈʌndəgræd ‖ –dər–] *biz* → **undergraduate**

undergraduate [ˌʌndəˈgrædʒuət ‖ –dər–] *fn [első fokozatát, diplomáját még meg nem szerzett]* (egyetemi) hallgató

underground I. *mn* [ˌʌndəˈgraʊnd ‖ –dər–] **1. a)** altalaji, föld alatti; **~ railway** földalatti (vasút); *kat* **~ shelter** (föld alatti) légvédelmi óvóhely **b)** *épít* alagsori **2.** *pol* földalatti, titkos, illegális; **~ movement** földalatti/illegális mozgalom; ellenállási mozgalom **3.** *műv* újhullámos, kísérleti, underground(os) **4.** *növ* földbeli, föld alatti, hipogén *[pl. hajtás]* **II.** *hsz* [ˌʌndəˈgraʊnd ‖ –dər–] **1.** az altalajban, a föld alatt; **work ~** föld alatt dolgozik **2.** titokban, suba alatt; **go ~** illegalitásba megy/vonul **III.** *fn* [ˈʌndəgraʊnd ‖ –dər–] **1. a)** altalaj, föld belseje/mélye **b)** *épít* alagsor, pince **c)** *GB* metró, földalatti (vasút) **2.** (földalatti) ellenállási mozgalom, illegalitás **3.** *műv* underground mozgalom/szubkultúra **IV.** *tsi* [ˌʌndəˈgraʊnd ‖ –dər–] *épít* föld alá fektet *[kábelt]*

undergrowth [ˈʌndəgroʊθ ‖ –dər–] *fn* **1. a)** bozót, cserje, aljnövényzet **b)** *tud* pehely, pihe **2.** *orv* elsatnyulás, elcsenevészesedés

underhand [ˌʌndəˈhænd ‖ –dər–] **I.** *mn* **1. a)** titkos, rejtett **b)** alattomos, alamuszi *[ember]* **2.** *sp* alulról ütött/adott/adogatott *[labda]* **II.** *hsz* **1.** *sp* alulról *[üt, adogat]* **2.** titokban, alattomban *[tesz vmt]*

underhanded [ˌʌndəˈhændɪd ‖ –dər–] → **underhand** I.

underhung [ˌʌndəˈhʌŋ ‖ –dər–] *mn* előreálló *[állkapocs]*; előreálló alsó állkapcsú, előreálló arcszögű, prognát *[ember]*

underlay I. *fn* [ˈʌndəleɪ ‖ –dər–] **1.** süppedés **2.** aljzat, alátét **II.** *tsi* **~ sg with sg** vm alá tesz/helyez vmt

underlease I. *fn* [ˈʌndəliːs ‖ –dər–] albérlet, albérletbe adás *[ingatlané]* **II.** *tsi* [ˌʌndəˈliːs ‖ –dər–] albérletbe (ki)ad *[ingatlant]*

underlet [ˌʌndəˈlet ‖ –dər–] *tsi pt/pp* **-let 1.** albérletbe ad *[lakást, hajót]* **2.** veszteséggel bérbe ad, értéken alul kiad

underlie [ˌʌndəˈlaɪ ‖ –dər–] *pt* **-lay** [–leɪ], *pp* **-lain** [–leɪn] **1.** *tsi* van/fekszik/elterül vm alatt **2.** alapul szolgál (vmnek), vmnek a mélyén van **3.** mögöttesen/a háttérben/a felszín alatt létezik

underline I. *tsi* [ˌʌndəˈlaɪn ‖ –dər–] **1.** aláhúz **2.** *biz* kiemel, kihangsúlyoz *[vmt beszédben]* **II.** *fn* [ˈʌndəlaɪn ‖ –dər–] **1.** aláhúzás *[pl. szövegben]* **2. a)** magyarázó felirat, képszöveg **b)** utóirat *[könyv végén]*

underlinen [ˈʌndəlɪnɪn ‖ –dər–] *fn* alsónemű

underling [ˈʌndəlɪŋ ‖ –dər–] *fn pej* alárendelt, beosztott

underlip [ˈʌndəlɪp ‖ –dər–] *fn* alsó ajak

underlying [ˌʌndəˈlaɪɪŋ ‖ –dər–] *mn* → **underlie**

undermanned [ˌʌndəˈmænd ‖ –dər–] *mn* **a)** elegendő személyzettel/munkaerővel nem rendelkező **b)** *hajó* létszámon aluli (v. nem teljes) legénységű

undermentioned [ˌʌndəˈmenʃnd ‖ –dər–] *mn GB* alant említett/felsorolt, alábbi

undermine [ˌʌndəˈmaɪn ‖ –dər–] *tsi* aláás, aláaknáz, alámos *[víz folyópartot]*, *átv* tönkretesz, megront • *fn* **underminer** *hsz* **underminingly**

underneath [ˌʌndəˈniːθ ‖ –dər–] **I.** *mn* alsó, alul lévő **II.** *hsz* alul, alatt(a), alá, lenn, belül **III.** *elölj* alá, alatt; **from ~** alulról, vm alól **IV.** *fn* vmnek az alja, vmnek alsó része

undernourished [ˌʌndəˈnʌrɪʃt ‖ ˌʌndərˈnɜrɪʃt] *mn* hiányosan/rosszul táplált • *fn* **undernourishment**

underpaid [ˌʌndəˈpeɪd ‖ –dər–] → **underpay**

underpainting [ˈʌndəpeɪntɪŋ ‖ –dər–] *fn* *műv* alapozás, (művészeti) aláfestés

underpants [ˈʌndəpænts ‖ –dər–] *fn tsz* alsó(nadrág)

underpart [ˈʌndəpɑːt ‖ ˈʌndərpɑrt] *fn* **1.** vmnek az alsó része **2.** *szính* **a)** mellékszerep **b)** mellékcselekmény

underpass [ˈʌndəpɑːs ‖ ˈʌndərpæs] *fn* aluljáró

underpay [ˌʌndəˈpeɪ ‖ –dər–] *tsi* rosszul/elégtelenül fizet (vkt vmért) • *fn* **underpayment**

underperform [ˌʌndəpəˈfɔːm ‖ ˌʌndərpərˈfɔrm] *tni* **1.** a vártnál rosszabbul hajt végre/ad elő **2.** a vártnál kevésbé nyereséges • *fn* **underperformance**

underpin [ˌʌndəˈpɪn ‖ –dər–] *tsi* **-nn- 1.** megerősít, aládúcol, alátámaszt, megtámaszt *[pl. falat, érvelést]* **2.** *épít* aláfalaz, alapoz

underplant [ˌʌndəˈplɑːnt ‖ ˌʌndərˈplænt] *tsi mezőg* aljzatnövényzetet telepít *[szálfaerdőben]*

underplot [ˈʌndəplɒt ‖ ˈʌndərplɑt] *fn* **1.** mellékcselekmény *[regényé, színdarabé]* **2.** titkos (mellékes) megállapodás

underpopulated [ˌʌndəˈpɒpjʊleɪtɪd ‖ ˌʌndərˈpɑpjə–] *mn* igen ritkán/gyéren lakott

underpowered [ˌʌndəˈpaʊəd ‖ ˌʌndərˈpaʊərd] *mn* **1.** nem teljes/csökkentett teljesítményt leadó **2.** elégtelen/nem elégséges hatalmú

under-prepared *mn* nem eléggé felkészült

underprice [ˌʌndəˈpraɪs ‖ –dər–] *gazd tsi* igen alacsony/veszteséges árat állapít meg *[termékre]*, aluláraz

underprivileged [ˌʌndəˈprɪvɪlɪdʒd ‖ –dər–] **I.** *mn* gazdaságilag/társadalmilag hátrányos helyzetben levő, elnyomott, kizsákmányolt **II.** *fn tsz* **the ~** a(z) szegények/elnyomottak/kizsákmányoltak

underproduction [ˌʌndəprəˈdʌkʃn ‖ –dər–] *fn ip* **a)** elégtelen termelés **b)** termelőkapacitás nem teljes kihasználása

underproof [ˌʌndəˈpruːf ‖ –dər–] *mn* előírtnál alacsonyabb szeszfokú *[alkohol]*

underprop [ˌʌndəˈprɒp ‖ ˌʌndərˈprɑp] *tsi* **-pp-** kitámaszt, alátámaszt, aládúcol

underquote [ˌʌndəˈkwoʊt ‖ –dər–] *tsi gazd* (vknél) olcsóbb árajánlatot tesz (v. árakat ad meg)

underrate [ˌʌndəˈreɪt ‖ –dər–] *tsi* lebecsül, alábecsül, lekicsinyel

under-read [ˌʌndəˈriːd ‖ –dər–] **A.** *tsi* kevesebbet olvas *[egy írót, mint a többit]* **B.** *tni* kevesebbet mutat a valós értéknél *[mérőóra]*

under-rehearsed *mn* nem eleget próbált *[darab, előadás]*

under-report [ˌʌndərɪˈpɔːt ‖ ˌʌndərrɪˈpɔrt] *tsi* nem a valós nagyságban tesz jelentést/jelent *[vmről]* • *mn* **underreported**

under-represent *tsi* nem a létszámának/arányának megfelelően képvisel *[pl. társadalmi csoportot, fajt]* • *mn* **under-represented**

underripe [ˌʌndəˈraɪp ‖ –dər–] *mn* nem elég érett, éretlen

underscore I. *fn* [ˈʌndəskɔː ‖ ˈʌndərskɔr] aláhúzás **II.** *tsi* [ˌʌndəˈskɔː ‖ ˈʌndərskɔr] **a)** aláhúz **b)** *átv* aláhúz, kihangsúlyoz *[vmnek a fontosságát]*

undersea [ˌʌndəˈsiː ‖ –dər–] *mn* tenger alatti

underseal *GB gk* **I.** *fn* [ˈʌndəsiːl ‖ –dər–] alvázvédő anyag/borítás **II.** *tsi* [ˌʌndəˈsiːl ‖ –dər–] alvázvédővel bevon

under-secretary [ˌʌndəˈsekrətəri ‖ ˌʌndərˈsekrəteri] *fn* **a)** segédtitkár, másodtitkár **b)** *US* **~ (of State)** államtitkár **c)** *GB* **assistant ~** főosztályvezető *[minisztériumban]*

undersell [ˌʌndəˈsel ‖ –dər–] *tsi pt/pp* **-sold** [–ˈsoʊld] **1.** vknél olcsóbban ad el (vmt) **2.** áron/értéken alul ad el (vmt)

underset I. *tsi* **-tt-** [ˌʌndəˈset ‖ –dər–], *pt/pp* **underset a)** aláhelyez, alárak, alátesz **b)** megtámaszt, alátámaszt **II.** *fn* [ˈʌndəset ‖ –dər–] **1.** felszín/víz alatti áramlat **2.** → **undertow 3.** *bány* mély telep/réteg *[érc stb.]*

undersexed [ˌʌndəˈsekst ‖ –dər–] *mn pszich [nemileg]* hideg, frigid, *biz* halvérű

under-sheriff *fn* **1.** *GB* főispán **2.** *US* (megyei) rendőrfőnök-helyettes

undershirt [ˈʌndəʃɜːt ‖ ˈʌndərʃɜrt] *fn US Kan* alsóing, atlétatrikó

undershoot I. *tsi* [ˌʌndəˈʃuːt ‖ –dər–] **1.** *rep* rövidre jön be leszálláskor **2.** *kat* cél alá/mellé lő **II.** *fn* [ˈʌndəʃuːt ‖ –dər–] **1.** *rep* rövid leszállás **2.** alálövés, mellélövés

undershorts [ˈʌndəʃɔːts ‖ ˈʌndərʃɔrts] *fn tsz US* alsónadrág

undershot [ˌʌndəˈʃɒt ‖ ˌʌndərˈʃɑt] *mn* **1.** *műsz* alsó meghajtású **2.** → **underhung** 1.

undershrub [ˈʌndəʃrʌb ‖ –dər–] *fn növ* félcserje, vesszős

underside [ˈʌndəsaɪd ‖ –dər–] *fn* **1.** alsó rész/felület **2.** *épít* alapzat

undersigned [ˌʌndəˈsaɪnd ‖ –dər–] *mn/fn* alulírott(ak)

undersized [ˌʌndəˈsaɪzd ‖ –dər–] *mn* méreten/mértéken aluli, előírtnál kisebb

underskirt [ˈʌndəskɜːt ‖ ˈʌndərskɜrt] *fn* alsószoknya

undersold [ˌʌndəˈsoʊld ‖ –dər–] → **undersell**

underspend I. *pt/pp* **-spent** [–ˈspent] **A.** *tsi* kevesebbet költ *[egy összegnél]* **B.** *tni* (túl) keveset költ **II.** [ˈʌndəspend ‖ –dər–] *fn* alulköltekezés/alulköltés mértéke

understaffed [ˌʌndəˈstɑːft ‖ ˌʌndərˈstæft] *mn* kevés (v. nem megfelelő/elegendő) személyzettel rendelkező • *fn* **understaffing**

understairs [ˌʌndəˈsteəz ‖ ˌʌndərˈsterz] *mn* lépcső alatti

understand [ˌʌndəˈstænd ‖ –dər–] *i pt/pp* **-stood** [ˈstʊd] **A.** *tsi* **a)** ért, felfog (vmt), megért (vkt/vmt), ért(vmhez); **~ one's business** érti a dolgát; **now I ~!** most már értem! **b)** értesül (vmről); **make sy ~** értésére ad vknek (vmt), megértet vkvel (vmt); **~ each other** (jól) megértik egymást **c)** feltételez **B.** *tni* **~ about an affair** tudja, hogyan kell hozzáfogni egy ügyhöz/dologhoz • *fn* **understander** *mn* **understandable** *hsz* **understandably**

understanding [ˌʌndəˈstændɪŋ ‖ –dər–] **I.** *fn* **1. a)** értelem, értelmi képesség, felfogás; **man of ~** értelmes/okos ember **b)** nézet, vélemény **2. a)** egyetértés, összhang, megértés **b)** megállapodás, megegyezés; **come to an ~ with sy** megegyezik/megállapodik (v. megállapodásra jut) vkvel **3.** együttérzés **II.** *mn* **1.** értelmes **2.** megértő, együttérző • *hsz* **understandingly**

understate [ˌʌndəˈsteɪt ‖ –dər–] *tsi* csökkent *[tények jelentőségét]*; (el)bagatellizál • *fn* **understater**

understatement [ˌʌndəˈsteɪtmənt ‖ –dər–] *fn* **1.** csökkentés *[tények jelentőségéé]* **2. a) that's an ~!** enyhén szólva! **b)** szépítő körülírás, eufemizmus

understeer *gk* **I.** *fn* [ˈʌndəstɪə ‖ ˈʌndərstɪr] alulkormányzottság **II.** *tni* [ˌʌndəˈstɪə ‖ ˌʌndərˈstɪr] alulkormányzottságra hajlamos

understood [ˌʌndəˈstʊd ‖ –dər–] → **understand**

understorey [ˈʌndəstɔːri ‖ –dər–], **-story** *fn növ* a lombkorona szintje alatti vegetáció

understrength [ˌʌndəˈstreŋθ ‖ –dər–] *mn* legyengült, megfogyatkozott *[hadsereg, sportcsapat]*

understudy [ˈʌndəstʌdi ‖ –dər–] *szính* **I.** *fn* beugró színész(nő) **II.** *tsi* beugrásra betanul szerepet, helyettesít

undersubscribed [ˌʌndəsəbˈskraɪbd ‖ –dər–] *mn* a vártnál kevesebb előfizetővel/jelentkezővel rendelkező; *pénz* aluljegyzett *[kölcsön, részvénykibocsátás]*

undersurface [ˈʌndəsɜːfɪs ‖ ˌʌndərˈsɜrfɪs] *fn* alsó felület

undertake [ˌʌndəˈteɪk ‖ –dər–] *tsi pt* **-took** [–ˈtʊk], *pp* **-taken** [–ˈteɪkn] **1.** belekezd, belefog (vmbe), nekilát (vmnek) **2.** (magára) vállal *[feladatot, felelősséget, stb.]*, vállalkozik (vmre); **~ a guarantee** jótállást/kezességet/garanciát vállal

undertaker [ˈʌndəteɪkə ‖ ˈʌndərteɪkər] *fn* **1.** temetkezési vállalkozó **2.** kezes

undertaking [ˌʌndəˈteɪkɪŋ ‖ –dər–] *fn* **1. a)** vállalkozás (vmre) **b)** *[pl. üzleti]* vállalat, vállalkozás **c)** *jog* kötelezettségvállalás **2.** temetkezési vállalat

undertenant [ˈʌndətenənt ‖ –dər–] *fn* albérlő • *fn* **undertenancy**

under-the-counter *mn* pult alól adott, nem hivatalos *[áru]*

underthings [ˈʌndəθɪŋz ‖ –dər–] *fn tsz biz* alsónemű

undertint [ˈʌndətɪnt ‖ –dər–] *fn műv* tompa szín

undertone [ˈʌndətoʊn ‖ –dər–] *fn* **1.** halk (v. alig hallható) hang, suttogás **2.** tompa szín **3.** rejtett/mélyben megbúvó érzelem

undertook [ˌʌndəˈtʊk ‖ –dər–] → **undertake**

undertow [ˈʌndətoʊ ‖ –dər–] *fn földr* ‹felületi áramlástól eltérő irányú vízfelszín alatti áramlás›

undertrick [ˈʌndətrɪk ‖ –dər–] *fn ját* hiányzó ütés, bukás *[kártyában]*

underuse I. *fn* [ˈʌndəjuːs ‖ –dər–] nem megfelelő/kielégítő/elegendő használat/felhasználás **II.** *tsi* [ˌʌndəˈjuːz ‖ –dər–] nem használ eleget, keveset használ

underutilize [ˌʌndəˈjuːtɪlaɪz ‖ –dər–], **-ise** *tsi* nem használ/aknáz ki kellően, részlegesen használ ki • *fn* **underutilization**

undervalue [ˌʌndəˈvæljuː ‖ –dər–] *tsi* **1.** aláértékel, alábecsül *[pl. ingatlant]* **2.** lebecsül, nem eléggé méltányol (vmt/vkt) • *fn* **undervaluation**

undervest [ˈʌndəvest ‖ –dər–] *GB* → **undershirt**

underwater [ˌʌndəˈwɔːtə ‖ ˌʌndərˈwɔtər] **I.** *mn* víz alatti **II.** *hsz* víz alatt

underway [ˌʌndəˈweɪ ‖ –dər–] *hsz* úton, útközben, menet közben; **get ~** megindul

underwear [ˈʌndəweə ‖ ˈʌndərwer] *fn* alsóruházat, alsónemű

underweight [ˌʌndəˈweɪt ‖ –dər–] **I.** *mn* a normálisnál (v. korához képest) kevesebb/kisebb súlyú **II.** *fn* normálisnál csekélyebb/kisebb súly

underwent [ˌʌndəˈwent ‖ –dər–] → **undergo**

underwhelm [ˌʌndəˈwelm ‖ ˌʌndərˈhwelm] *tsi tréf* nem nyűgöz le, nem kápráztat el *[vkt vm]*

underwing [ˈʌndəwɪŋ ‖ –dər–] *fn* alsó szárny

underwired [ˌʌndəˈwaɪəd ‖ ˌʌndərˈwaɪərd] *mn* fémmerevítős, fémmerevítővel ellátott *[melltartó]*

underwood [ˈʌndəwʊd ‖ –dər–] *fn* bozót, erdőalj, aljnövényzet

underwork [ˌʌndəˈwɜːk ‖ ˌʌndərˈwɜrk] **A.** *tsi* **1.** nem dolgoztat meg (v. nem foglalkoztat) eléggé (vkt) **2.** nem fordít elég/kellő munkát vmre **B.** *tni* nem dolgozik eleget, keveset/kevesebbet dolgozik

underworld [ˈʌndəwɜːld ‖ ˈʌndərwɜrld] *fn* **1. a)** az alvilág *[nagyvárosé]* **b)** társadalom alja (v. legalsó rétegei) **2.** túlvilág, pokol **3.** antipódus, ellenlábasok vidéke

underwrite [ˌʌndəˈraɪt ‖ –dər–] *tsi pt* **-wrote** [–ˈroʊt], *pp* **-written** [–ˈrɪtn] **1.** aláír *[nevet]* **2.** *pénz* **a)** jegyez *[kölcsönt, új kibocsátású részvényt]* **b)** jótállást vállal • *fn* **underwriter**

undescended [ˌʌndɪˈsendɪd] *mn orv* le nem szállt *[here]*

undescribable [ˌʌndɪˈskraɪbəbl] *mn* leírhatatlan

undeserved [ˌʌndɪˈzɜːvd ‖ –ˈzɜrvd] *mn* ki/meg nem érdemelt, érdemtelen *[pl. dicséret]*, szemrehányás • *hsz* **undeservedly**

undeserving [ˌʌndɪˈzɜːvɪŋ ‖ –ˈzɜr–] *mn* **a)** érdemtelen, méltatlan, vmre nem méltó *[személy]* **b)** érdektelen *[eset]* • *hsz* **undeservingly**

undesigned [ˌʌndɪˈzaɪnd] *mn* **a)** akaratlan, önkéntelen, véletlen *[pl. cselekedet]* **b)** váratlan, előre nem látott/várt *[eredmény, stb.]* • *hsz* **undesignedly**

undesirable [ˌʌndɪˈzaɪərəbl] **I.** *mn* nem kívánatos **II.** *fn* nemkívánatos elem/idegen • *fn* **undesirability**, **undesirableness** *hsz* **undesirably**

undesired [ˌʌndɪˈzaɪəd ‖ –ˈzaɪərd] *mn* nem kívánt/óhajtott

undesirous [ˌʌndɪˈzaɪərəs] *mn* **be ~ of sg** nem kíván/óhajt vmt, közömbös vm iránt

undetectable [ˌʌndɪˈtektəbl] *mn* felderíthetetlen, kinyomozhatatlan • *fn* **undetectability** *hsz* **undetectably**

undetected [ˌʌndɪˈtektɪd] *mn* észre nem vett, fel nem fedezett, észrevétlen

undetermined [ˌʌndɪ'tɜːmɪnd ‖ –'tɜr–] *mn* **1.** meghatározatlan, bizonytalan *[pl. mennyiség, időpont]* **2.** eldöntetlen *[kérdés]* **3.** határozatlan *[ember]*
undeterred [ˌʌndɪ'tɜːd ‖ –'tɜrd] *mn* el nem tántorított/rettentett (*by sg* vm által), tántoríthatatlan, rendíthetetlen
undeveloped [ˌʌndɪ'veləpt] *mn* **1. a)** ki nem fejlődött, fejletlen **b)** ~ **land** kitermeletlen/kiaknázatlan terület **2.** *fényk* előhívatlan
undeviating [ʌn'diːvieɪtɪŋ] *mn* **1.** egyenes, el nem térő *[út, pálya]* **2.** állhatatos, tántoríthatatlan • *hsz* **undeviatingly**
undiagnosed [ʌn'daɪəgnoʊzd] *mn* diagnosztizálatlan, nem diagnosztizált; fel nem ismert
undid [ʌn'dɪd] → **undo**
undies ['ʌndiz] *fn tsz biz* **a)** női fehérnemű/alsónemű **b)** *biz* bugyi
undifferentiated [ˌʌndɪfə'renʃieɪtɪd] *mn* nem differenciált
undigested [ˌʌndaɪ'dʒestɪd, ˌʌndɪ–] *mn* **1. a)** (meg)emésztetlen, nem teljesen megemésztett *[étel]* **b)** *átv* megemésztetlen, zavaros **2.** nem kivonatolt
undignified [ʌn'dɪgnɪfaɪd] *mn* nem méltó, méltóságon aluli, nevetséges
undiluted [ˌʌndaɪ'luːtɪd] *mn* hígítatlan, nem vizezett *[bor]*, koncentrált, tömény *[sav]*; *biz* **talk ~ nonsense** összevissza beszél
undiminished [ˌʌndɪ'mɪnɪʃt] *mn* nem csökkent(ett)/kisebbített, töretlen, teljes
undine ['ʌndiːn] *fn* sellő, vízitündér
undiplomatic [ˌʌndɪplə'mætɪk] *mn* nem diplomatikus/tapintatos, tapintatlan • *hsz* **undiplomatically**
undirected [ˌʌndɪ'rektɪd, ˌʌndaɪ–] *mn* **1.** (meg)címzetlen *[levél]* **2.** irányítás/utasítás nélkül *[cselekszik]*
undiscerning [ˌʌndɪ'sɜːnɪŋ ‖ –'sɜr–] *mn* megkülönböztetni nem tudó, ítélőképességgel nem bíró/rendelkező, nem éles eszű, kritikátlan *[elme, ember]*
undischarged [ˌʌndɪs'tʃɑːdʒd ‖ –'tʃɑrdʒd] *mn* **1.** ki nem rakott/ürített *[pl. hajó]*, el nem sült/sütött *[puska]* **2.** *jog* **~ bankrupt** nem rehabilitált vagyonbukott **3. ~ debt** kiegyenlítetlen/rendezetlen adósság **4.** nem teljesített *[feladat]*
undisciplined [ʌn'dɪsɪplɪnd] *mn* fegyelmezetlen • *fn* **undiscipline**
undisclosed [ˌʌndɪ'skloʊzd] *mn* felfedezetlen, rejtett, nyilvánosságra nem hozott, meg nem adott
undiscoverable [ˌʌndɪ'skʌvərəbl] *mn* felfedezhetetlen, megtalálhatatlan
undiscovered [ˌʌndɪ'skʌvəd ‖ –vərd] *mn* **a)** felfedezetlen, fel nem fedezett, rejtett **b)** nem tisztázott
undiscriminating [ˌʌndɪ'skrɪmɪneɪtɪŋ] *mn* ítélőképességgel nem bíró *[személy]*, válogatás nélküli
undiscussed [ˌʌndɪ'skʌst] *mn* meg nem vitatott
undisguised [ˌʌndɪs'gaɪzd] *mn* **1.** nem álruhás **2.** nyílt, őszinte, leplezetlen • *hsz* **undisguisedly**
undismayed [ˌʌndɪ'smeɪd] *mn* csüggedetlen, csüggedést nem ismerő, rettenthetetlen, bátor
undisputed [ˌʌndɪ'spjuːtɪd] *mn* nem vitatott/vitás, (el)vitathatatlan, kétségbevonhatatlan
undissolved [ˌʌndɪ'zɒlvd ‖ –'zɑlvd] *mn* **1. a)** feloldatlan **b)** el nem olvadt *[pl. jég]* **2.** fel nem bontott *[szerződés, házasság]*
undistinguishable [ˌʌndɪ'stɪŋgwɪʃəbl] *mn* **1.** megkülönböztethetetlen (*from* vmtől/vktől) **2.** észrevehetetlen, kivehetetlen
undistinguished [ˌʌndɪ'stɪŋgwɪʃt] *mn* **1. a)** nem megkülönböztetett (*from* vmtől/vktől) **b)** észre nem vett **2. a)** nem választékos/előkelő, középszerű **b)** jellegtelen
undistorted [ˌʌndɪ'stɔːtɪd ‖ –'stɔr–] *mn* (el)torzítatlan, (el)torzulatlan, torzításmentes *[hullám, stb.]*
undistributed [ˌʌndɪ'strɪbjʊtɪd] *mn* el/ki/szét nem osztott
undistributed middle *fn fil* álokoskodás, paralogizmus *[egy formája]*

undisturbed [ˌʌndɪ'stɜːbd ‖ –'stɜrbd] *mn* **1.** nyugodt, csendes, zavartalan **2.** érintetlen, meg nem zavart
undivided [ˌʌndɪ'vaɪdɪd] *mn* **1.** osztatlan, teljes, egész, *jog* osztatlan (közös tulajdonban levő); **~ attention** teljes figyelem **2. a)** el/le nem választott (*from* vmről/vmtől) **b) ~ opinion** egyhangú vélemény
undo [ʌn'duː] *tsi pt* **undid** [ʌn'dɪd], *pp* **undone** [ʌn'dʌn] **1. a)** kibont *[csomót, hajat]*, felbont, kigombol, kifűz *[cipőt]* **b)** kinyit, kikapcsol, kicsavar, meglazít, kireteszel, kicsomagol **2. a)** lerombol, tönkretesz, megsemmisít, érvénytelenít, *infor* visszavon *[parancsot]*; *közm* **what is done cannot be undone** ami történt, az megtörtént **b)** tönkretesz (vkt), vesztét okozza (vknek)
undock [ʌn'dɒk ‖ –'dɑk] **A.** *tsi* **1.** *űr* szétkapcsol *[űrhajókat]* **2.** *hajó* dokkból kivezet **B.** *tni* **a)** *űr* szétkapcsolódik *[két űrhajó]* **b)** *hajó* dokkból kimegy/kifut
undoing [ʌn'duːɪŋ] *fn* **1. a)** lerombolás, megsemmisítés **b)** felbontás, kigombolás, kikapcsolás **2.** tönkretétel, pusztulás, romlás (vké), veszte vknek
undomesticated [ˌʌndə'mestɪkeɪtɪd] *mn* **1.** nem házias *[nő]* **2.** (meg)szelídítetlen, *[állat]*
undone [ʌn'dʌn] *mn* **1. a) come ~** kibomlik *[haj, csomó]*; felbomlik *[varrás]*; kinyílik, kigombolódik **b)** *régi* tönkrement, tönkretett **2.** teljesítetlen, végre nem hajtott, el nem végzett, meg nem történt
undoubtable [ʌn'daʊtəbl] *mn* kétségtelen, vitathatatlan, vitán felüli • *hsz* **undoubtably**
undoubted [ʌn'daʊtɪd] *mn* **1.** kétségtelen, tagadhatatlan, vitathatatlan **2.** valódi • *hsz* **undoubtedly**
undrained [ʌn'dreɪnd] *mn* lecsapolatlan
undramatic [ˌʌndrə'mætɪk] *mn* **1.** nem drámai *[mű, stílus]* **2.** jelentéktelen
undraped [ʌn'dreɪpt] *mn* **a)** drapéria nélküli **b)** ruhátlan, meztelen *[emberi alak]* **c)** burkolatlan
undreamed [ʌn'driːmd] *mn* **~ of** soha nem álmodott; minden képzeletet felülmúló
undreamt [ʌn'dremt] → **undreamed**
undress [ʌn'dres] **I. A.** *tsi* **1.** levetkőztet **2. ~ a wound** kötést levesz sebről **B.** *tni* levetkőzik **II.** *fn* **1.** utcai ruha **2.** (fél)meztelenség **3.** *kat [szolgálati]* egyenruha
undressed [ʌn'drest] *mn* **1. a)** levetkőzött, levetkőztetett, (fel)öltözetlen **b)** közönséges/utcai ruhát viselő **2. a)** előkészítetlen, megmunkálatlan **b)** dísztelen, díszítetlen **c) ~ wound** bekötözetlen seb
undrinkable [ʌn'drɪŋkəbl] *mn* ihatatlan
undubbed [ʌn'dʌbd] *mn film* nem szinkronizált, szinkronizálatlan
undue [ʌn'djuː ‖ –'duː] *mn* **1. a)** jogtalan, indokolatlan, illetéktelen **b)** indokolatlan, túlságos, túlzott **2. a)** alkalmatlan, nem időszerű **b)** nem megfelelő/kívánatos/szabványos méretű **3. a)** nem követelhető, vkt meg nem illető **b)** nem esedékes *[váltó]*
undue influence *fn jog* jogtalan/illetéktelen befolyásolás, megfélemlítés
undulant ['ʌndjʊlənt ‖ –dʒə–] *mn* ingadozó, változó, hullámzó
undulant fever ['ʌndjʊlənt] *fn orv* Bang-kór, brucellózis
undulate ['ʌndjʊlət] **I.** *mn tud* hullámos *[pl. gomba]* **II. A.** *tsi* hullámosít, hullámossá tesz **B.** *tni* **1.** hullámzik **2.** változik • *hsz* **undulately**
undulation [ˌʌndjʊ'leɪʃn ‖ –dʒə–] *fn* **1. a)** hullámzás, hullámmozgás **b)** rengés, rezgés **2.** hullámosság **3.** *zene* vibrálás
undulatory ['ʌndjʊlətəri ‖ 'ʌndʒələtɔri] *mn* **a)** hullámos, hullám-; **~ motion** hullámmozgás **b)** *fiz* **the ~ theory of light** a fény hullámelmélete
unduteous [ʌn'djuːtɪəs ‖ –'duːtɪəs] *mn* nem kötelességtudó, kötelességét nem teljesítő *[gyermek, házastárs]*, hálátlan *[ember]*
undutiful [ʌn'djuːtɪfʊl] → **unduteous**
undyed [ʌn'daɪd] *mn* festetlen, nem festett *[haj, ruha]*

U

undying [ʌnˈdaɪɪŋ] *mn* halhatatlan, (el)múlhatatlan, maradandó • *hsz* **undyingly**
unearned income *fn* befektetésekből *[nem pedig munkából]* származó jövedelem
unearned increment *fn* spekulációs (telek)értékemelkedés
unearth [ʌnˈɜːθ ‖ –ˈɜrθ] *tsi* **1. a)** földből kiás/kiemel, exhumál **b)** felfedez, felkutat, kinyomoz **2.** odúból/kotorékból kihajt *[pl. nyulat]*
unearthly [ʌnˈɜːθli ‖ –ˈɜrθ–] *mn* **1.** mennyei, égi, fenséges, fennkölt; ~ **beauty** földöntúli szépség **2. a)** túlvilági, természetfölötti **b)** *biz* **at an ~ hour** lehetetlen órában/időben • *fn* **unearthliness**
unease [ʌnˈiːz] *fn* kínos/kényelmetlen/szorongó érzés, rossz közérzet, nyugtalanság
uneasy [ʌnˈiːzi] *mn* **1. a)** kényelmetlen, kellemetlen, szorongó **b)** magát kényelmetlenül/kellemetlenül/rosszul érző, nyugtalan(kodó) **2.** nehézkes, esetlen, ügyetlen • *fn* **uneasiness** *hsz* **uneasily**
uneatable [ʌnˈiːtəbl] *mn* nem ehető, ehetetlen
uneaten [ʌnˈiːtn] *mn* meg nem evett, otthagyott, maradék *[étel]*
uneconomic [ˌʌniːkəˈnɒmɪk, ˈʌnekə– ‖ –ˈnɑmɪk] *mn* **1.** közgazdasági törvényekkel ellenkező **2. a)** nem gazdaságos/takarékos **b)** nem jövedelmező *[munka]*, ráfizetéses
uneconomical [ˌʌniːkəˈnɒmɪkl ‖ –ˈnɑ–] *mn* **a)** nem takarékos *[ember]* **b)** nem gazdaságos *[pl. eljárás, készülék]*, ráfizetéses, pazarló • *hsz* **uneconomically**
unedifying [ʌnˈedɪfaɪɪŋ] *mn* nem épületes
unedited [ʌnˈedɪtɪd] *mn* **1.** kommentárok/jegyzetek nélküli *[irodalmi mű]* **2.** kiadatlan *[irodalmi mű, cikk]*, nem publikált **3.** megszerkesztetlen
uneducated [ʌnˈedʒukeɪtɪd ‖ –dʒə–] *mn* **1.** tanulatlan, tudatlan, műveletlen **2.** kulturálatlan, közönséges *[pl. kiejtés]* • *mn* **uneducable**
UNEF *röv United Nations Emergency Force*
unelected [ˌʌnɪˈlektɪd] *mn* **1.** meg nem választott *[jelölt]* **2.** kinevezett (v. nem választott)
unembarrassed [ˌʌnɪmˈbærəst] *mn* **1.** zavarba nem jött/hozott, könnyed, fesztelen **2.** → **unencumbered** 2.
unembellished [ˌʌnɪmˈbelɪʃt] *mn* dísztelen, ékítetlen, szépítés/kiszínezés nélküli *[történet]*
unemotional [ˌʌnɪˈmoʊʃnəl] *mn* **1.** nem izgulékony/izguló, szenvedélymentes, nem érzelgős **2.** nem könnyen befolyásolható *[ember, természet]* • *hsz* **unemotionally**
unemphatic [ˌʌnɪmˈfætɪk] *mn* **1.** nem határozott/energikus *[hang, modor]*, nem nyomatékos *[hang]* **2.** *nyelv* hangsúlytalan • *hsz* **unemphatically**
unemployable [ˌʌnɪmˈplɔɪəbl] **I.** *mn* **1.** (fel) nem használható, alkalmatlan (vmre) **2.** munkaképtelen **II.** *fn* **the ~s** a munkára alkalmatlanok • *fn* **unemployability**
unemployed [ˌʌnɪmˈplɔɪd] **I.** *mn* **1. a)** munkanélküli **b)** dologtalan, tétlen **c)** *kat* rendelkezési állományban levő **2.** kihasználatlan, fel/ki nem használt *[idő, tőke]* **II.** *fn tsz* **the ~** a munkanélküliek
unemployment [ˌʌnɪmˈplɔɪmənt] *fn* munkanélküliség
unemployment benefit *fn* munkanélküli segély
unenclosed [ˌʌnɪŋˈkloʊzd] *mn* **1.** körülkerítetlen *[terület]* **2.** *vall* nem kolostorban élő *[szerzetes(nő)]*
unencumbered [ˌʌnɪŋˈkʌmbəd ‖ –bərd] *mn* **1.** nem akadályozott (*by/with* által) **2.** adósságmentes, tehermentes (*by/with* vmvel), mentes (*by* vmtől)
unending [ʌnˈendɪŋ] *mn* **1. a)** véget nem érő **b)** szüntelen, örökös, vég nélküli **2.** örök, örökkévaló, végtelen • *fn* **unendingness** *hsz* **unendingly**
unendorsed [ˌʌnɪnˈdɔːst ‖ –ˈdɔrst] *mn* **1.** *pénz* nem érvényesített, alá nem írott/írt *[csekk]* **2.** jóvá nem hagyott, meg nem erősített *[hír]*
unendowed [ˌʌnɪnˈdaʊd] *mn* **1.** fel nem ruházott *[képességgel, tehetséggel]*, tehetségtelen **2.** nem javadalmazott/dotált *[kórház, közintézmény]*
unendurable [ˌʌnɪnˈdjuərəbl ‖ –ˈdʊrəbl] *mn* kiállhatatlan, elviselhetetlen • *hsz* **unendurably**
unenforceable [ˌʌnɪnˈfɔːsəbl ‖ –ˈfɔr–] *mn* ki nem kényszeríthető *[rendelkezés]*, végrehajthatatlan *[ítélet]*, nem perelhető *[szerződés]*
unengaged [ˌʌnɪŋˈgeɪdʒd] *mn* **1. a)** eskü/fogadalom által nem kötött **b)** el nem zálogosított **2. a)** idejével szabadon rendelkező **b)** alkalmazásban nem álló **3.** szabad, nem foglalt *[pl. taxi]*
un-English [ʌnˈɪŋglɪʃ] *mn* **a)** angolhoz nem méltó/illő *[viselkedés]* **b)** angoltalan, nem jó angolságú *[pl. kifejezés]*
unenjoyable [ˌʌnɪnˈdʒɔɪəbl] *mn* élvezhetetlen
unenlightened [ˌʌnɪnˈlaɪtnd] *mn* felvilágosulatlan, felvilágosítatlan, maradi, konzervatív *[ember, kor, stb.]* • *fn* **unenlightenment**
unenterprising [ʌnˈentəpraɪzɪŋ ‖ –tər–] *mn* nem vállalkozó szellemű
unenthusiastic [ˌʌnɪnθjuːziˈæstɪk ‖ –θuː–] *mn* nem lelkesedő, lelkesedés nélküli • *hsz* **unenthusiastically**
unenviable [ʌnˈenvɪəbl] *mn* nem irigylendő, nem irigylésre méltó • *hsz* **unenviably**
unenvied [ʌnˈenvɪd] *mn* nem irigyelt
unequal [ʌnˈiːkwəl] *mn* **1. a)** nem egyenlő, egyenlőtlen **b)** aránytalan, alkalmatlan (*to* vmre) **2.** egyenetlen **3. a)** nem összeillő/hozzáillő **b)** igazságtalan, méltánytalan, elfogult • *hsz* **unequally**
unequalize [ʌnˈiːkwəlaɪz], **-ise** *tsi* kiegyenlítetlenné/egyenlőtlenné/aránytalanná tesz
unequalled [ʌnˈiːkwəld] *mn* utolérhetetlen, mindent felülmúló, páratlan
unequipped [ˌʌnɪˈkwɪpt] *mn* hiányosan/rosszul felszerelt/berendezett
unequivocal [ˌʌnɪˈkwɪvəkl] *mn* egyértelmű, kétségtelen, világos, pontosan körülírt • *fn* **unequivocalness** *hsz* **unequivocally**
unerring [ʌnˈɜːrɪŋ] *mn* csalhatatlan, biztos, tévedhetetlen • *fn* **unerringness** *hsz* **unerringly**
unescapable [ˌʌnɪˈskeɪpəbl] *mn* kikerülhetetlen, elkerülhetetlen
UNESCO [juːˈneskoʊ] *röv United Nations Educational, Scientific, and Cultural Organization* az ENSZ Nevelésügyi, Tudományos és Kulturális Szervezete
unescorted [ˌʌnɪsˈkɔːtɪd ‖ –ˈkɔr–] *mn/hsz* kíséret/kísérő nélkül(i)
unessential [ˌʌnɪˈsenʃl] **I.** *mn* lényegtelen, nem lényegbevágó/alapvető, mellőzhető **II.** *fn* lényegtelen/mellékes dolog
unestablished [ˌʌnɪˈstæblɪʃt] *mn* **1.** megalapozatlan, ingadozó *[hatalom, stb.]* **2.** meg nem állapított *[pl. tények]* **3.** *vall* nem bevett *[vallásfelekezet]* **4.** kisegítő *[személyzet, alkalmazott]*
unethical [ʌnˈeθɪkl] *mn* etikátlan, nem etikus • *hsz* **unethically**
unevangelical [ˌʌnevənˈdʒelɪkl] *mn* nem evangéliumi; nem evangélikus/protestáns
uneven [ʌnˈiːvn] *mn* **1. a)** egyenlőtlen **b)** rosszul összeillesztett **2. a)** egyenetlen, göröngyös, hepehupás *[út]* **b)** érdes, durva *[pl. papír]* **c)** szabálytalan, változó, rendszertelen • *fn* **unevenness** *hsz* **unevenly**
uneventful [ˌʌnɪˈventfl] *mn* eseménytelen, csendes *[pl. élet]*
unexamined [ˌʌnɪgˈzæmɪnd] *mn* **1.** át/meg nem vizsgált, át nem nézett, nem ellenőrzött **2. a)** *okt* (még) nem vizsgázott **b)** *jog* (még) ki nem hallgatott *[tanú]*
unexampled [ˌʌnɪgˈzɑːmpld ‖ –ˈzæm–] *mn* példátlan, egyedülálló, páratlan
unexceptionable [ˌʌnɪkˈsepʃnˈəbl] *mn* kifogástalan, feddhetetlen, gáncs nélküli, hiteles, megcáfolhatatlan • *fn* **unexceptionableness** *hsz* **unexceptionably**
unexceptional [ˌʌnɪkˈsepʃnəl] *mn* **1.** átlagos, normális, hétköznapi **2. a)** kivétel nélküli *[szabály]* **b)** tiszta, világos • *hsz* **unexceptionally**

unexcitable [ˌʌnɪkˈsaɪtəbl] *mn* **1.** sodrából nehezen kihozható *[személy]* **2.** *orv* izgathatatlan, ingerelhetetlen *[pl. ideg]* • *fn* **unexcitability**
unexciting [ˌʌnɪkˈsaɪtɪŋ] *mn* unalmas; ~ **day** csendes nap
unexecuted [ʌnˈeksɪkjuːtɪd] *mn* **1.** végre nem hajtott, nem teljesített *[terv]* **2.** még ki nem végzett *[halálraítélt]*
unexhausted [ˌʌnɪgˈzɔːstɪd ‖ –ˈzɑs–] *mn* **a)** kimeríthetetlen **b)** ki nem merült *[személy]* **c)** ki nem merített *[forrás, stb.]* **d)** kiürítetlen
unexpected [ˌʌnɪkˈspektɪd] *mn* váratlan, nem várt, meglepetésszerű • *fn* **unexpectedness** *hsz* **unexpectedly**
unexpired [ˌʌnɪkˈspaɪəd ‖ –ərd] *mn* le nem járt, még érvényes
unexplainable [ˌʌnɪkˈspleɪnəbl] *mn* megmagyarázhatatlan, tisztázhatatlan, rejtélyes • *hsz* **unexplainably**
unexplained [ˌʌnɪkˈspleɪnd] *mn* meg nem magyarázott, felderítetlen, tisztázatlan
unexploded [ˌʌnɪkˈsploʊdɪd] *mn* fel nem robbant
unexploited [ˌʌnɪkˈsplɔɪtɪd] *mn* ki nem aknázott, kiaknázatlan, kihasználatlan
unexplored [ˌʌnɪkˈsplɔːd ‖ –ˈsplɔrd] *mn* (még) ismeretlen, fel nem derített *[pl. vidék]*, *kat* felderítetlen *[terep]*; **leave no avenue ~** minden utat-módot megpróbál
unexposed [ˌʌnɪkˈspoʊzd] *mn* **1. a) ~ to sg** vm ellen védett; meg nem ismert/tapasztalt vmt **b)** *fényk* exponálatlan, megvilágítatlan *[film]* **2.** fel nem fedett, leleplezetlen *[pl. titok, csalás]*
unexpressed [ˌʌnɪkˈsprest] *mn* **1.** ki nem mondott/fejezett *[vágy, érzelem]* **2.** *nyelv* ki nem fejezett, beleértett, hozzágondolt *[szó]*
unexpurgated [ʌnˈekspɜːgeɪtɪd ‖ –pər–] *mn* nem cenzúrázott, teljes (terjedelmű), eredeti, csonkítatlan *[szöveg]*
unextended [ˌʌnɪkˈstendɪd] *mn* nem kinyúlt/kinyújtott
unfaceable [ʌnˈfeɪsəbl] *mn* szembenézhetetlen
unfading [ʌnˈfeɪdɪŋ] *mn* **a)** hervadhatatlan **b)** nem fakuló, színtartó • *hsz* **unfadingly**
unfailing [ʌnˈfeɪlɪŋ] *mn* **1.** csalhatatlan, biztos, hűséges *[barát]*, megbízható **2.** kiapadhatatlan, kimeríthetetlen • *fn* **unfailingness** *hsz* **unfailingly**
unfair [ʌnˈfeə ‖ –ˈfer] *mn* **1.** igazságtalan, méltánytalan, nem fair, részrehajló **2.** tisztességtelen, nem korrekt; *gazd* **~ competition** tisztességtelen verseny • *fn* **unfairness** *hsz* **unfairly**
unfaithful [ʌnˈfeɪθfl] *mn* **1. a)** hűtlen **b)** nem (élet)hű *[ábrázolás]* **2. a)** nem pontos, megbízhatatlan **b)** szószegő, áruló **3.** hitetlen **4.** illojális (*to* vkvel szemben) • *fn* **unfaithfulness** *hsz* **unfaithfully**
unfaltering [ʌnˈfɔːltərɪŋ] *mn* határozott, biztos; **~ courage** rendíthetetlen bátorság
unfamiliar [ˌʌnfəˈmɪljə ‖ –ər] *mn* **1.** ismeretlen, kevéssé/alig ismert, idegen, szokatlan; **~ face** idegen/ismeretlen/új arc **2. be ~ with sy/sg** nem/kevéssé ismer vkt/vmt • *fn* **unfamiliarity**
unfashionable [ʌnˈfæʃn·əbl] *mn* **a)** divatjamúlt, nem divatos **b)** idejétmúlt • *hsz* **unfashionably**
unfashioned [ʌnˈfæʃnd] *mn* **1.** faragatlan, megmunkálatlan **2.** nyers, műveletlen
unfasten [ʌnˈfɑːsn ‖ ʌnˈfæsn] **A.** *tsi* **1.** kinyit, kigombol, kikapcsol, kiold(oz) **2.** elold, elköt (vmt vmtől), meglazít, lecsavar **B.** *tni* kinyílik, kikapcsolódik, szétnyílik; kioldódik
unfastened [ʌnˈfɑːsnd ‖ –ˈfæsnd] *mn* be nem reteszelt/zárt *[ajtó]*, nem rögzített, kigombolt, kikapcsolt
unfathered [ʌnˈfɑːðəd ‖ –ðərd] *mn* **1. a)** apátlan **b)** házasságon kívüli *[gyermek]* **2.** alaptalan, légből kapott *[hír]* **3. a)** ismeretlen szerzőtől eredő **b)** szerző által el nem ismert
unfatherly [ʌnˈfɑːðəli ‖ –ðərli] *mn* apához nem méltó • *fn* **unfatherliness**
unfathomable [ʌnˈfæðəməbl] *mn* **1.** mérhetetlenül mély, feneketlen *[mélység]* **2.** kifürkészhetetlen *[pl. titok, arckifejezés]* • *hsz* **unfathomably**
unfavourable [ʌnˈfeɪvərəbl] *mn* **a)** kedvezőtlen *[feltételek, stb.]*, ellenséges, előnytelen *[feltételek]* **b)** → **ill-favoured** 1. • *hsz* **unfavourably**
unfazed [ʌnˈfeɪzd] *mn biz* nyugis, halvérű
unfeasible [ʌnˈfiːzɪbl] *mn* **1. a)** kivihetetlen, keresztülvihetetlen **b)** teljesíthetetlen **2.** alkalmatlan, célszerűtlen, nem kifizetődő • *fn* **unfeasibility** *hsz* **unfeasibly**
unfed [ʌnˈfed] *mn* rosszul táplált, éhező
unfeeling [ʌnˈfiːlɪŋ] *mn* **1.** érzéketlen, érzéstelen *[testrész, ember]* **2.** kegyetlen, könyörtelen, szívtelen • *fn* **unfeelingness** *hsz* **unfeelingly**
unfeigned [ʌnˈfeɪnd] *mn* őszinte, nyílt, álcázatlan, palástolatlan • *hsz* **unfeignedly**
unfelt [ʌnˈfelt] *mn* **1.** nem érzett/tapasztalt **2.** nem érzékelhető/érezhető (hatású)
unfeminine [ʌnˈfemɪnɪn] *mn* nőietlen, nem nőies, nőhöz nem illő
unfenced [ʌnˈfenst] *mn* **1.** bekerítetlen, körülkerítetlen *[terület]* **2.** védtelen, megerősítetlen
unfermented [ˌʌnfəˈmentɪd ‖ –fər–] *mn* **1.** erjesztetlen **2.** kovásztalan *[kenyér]*, keletlen *[tészta]*
unfertilized [ʌnˈfɜːtɪlaɪzd ‖ –ˈfɜr–], **-ised** *mn* **1.** meg nem termékenyített **2.** *mezőg* **a)** trágyázatlan *[föld]* **b)** nem fias *[tojás]*
unfetter [ʌnˈfetə ‖ –ər] *tsi* **a)** leold láncairól (vkt), megszabadít béklyójától **b)** *átv* felszabadít *[pl. művészetet]*
unfettered [ʌnˈfetəd ‖ –tərd] *mn* **1.** bilincsektől/láncoktól/béklyó(k)tól szabad **2.** zabolázatlan
unfilial [ʌnˈfɪlɪəl] *mn* hálátlanul viselkedő *[szülővel szemben]* • *hsz* **unfilially**
unfilled [ʌnˈfɪld] *mn* meg nem töltött, betöltetlen *[pl. állás]*, üres(en hagyott)
unfiltered [ʌnˈfɪltəd ‖ –tərd] *mn* **1.** szűretlen **2.** (füst)szűrőtlen **3.** előzetesen nem ellenőrzött; **~ passage** szabad belépés *[pl. sportlétesítménybe, kormányhivatalba]*
unfinished [ʌnˈfɪnɪʃt] *mn* **1.** bevégzetlen, befejezetlen **2.** *ip* **a)** nyers, meg nem munkált **b)** kidolgozatlan, simítatlan
unfit [ʌnˈfɪt] **I.** *mn* **1.** nem alkalmas, alkalmatlan, nem megfelelő/használható; *kat* **~ for military service** katonai szolgálatra alkalmatlan; **~ for publication** közlésre alkalmatlan, nem közölhető *[könyv]* **2. a)** *sp* **be ~** nincs jó formában; rossz bőrben van **b)** gyenge szervezetű **II.** *tsi* **-tt-** alkalmatlanná/képtelenné tesz (vkt vmre) *[pl. betegség]* • *fn* **unfitness** *hsz* **unfitly**
unfitted [ʌnˈfɪtɪd] *mn* **1. be ~ for sg, be ~ to do sg** alkalmatlan vmre, nem alkalmas vmre (v. vm elvégzésére) **2.** felszereletlen **3.** próba nélkül eladott *[ruha]* **4.** alkatrészek/szerelvények/tartozékok nélküli
unfitting [ʌnˈfɪtɪŋ] *mn* nem megfelelő/illő/illendő/odavaló *[pl. megjegyzés]* • *hsz* **unfittingly**
unfix [ʌnˈfɪks] *tsi* **1.** leszerel, levesz, leold, lekapcsol **2.** *átv* megingat (vmt)
unfixed [ʌnˈfɪkst] *mn* **1. a)** rögzítetlen, különálló **b)** változó, határozatlan **2.** *fényk* fixálatlan
unflagging [ʌnˈflægɪŋ] *mn* **a)** fáradhatatlan, lankadatlan *[szorgalom, stb.]* **b)** feszült, állandó *[figyelem]* • *hsz* **unflaggingly**
unflappable [ʌnˈflæpəbl] *mn biz* rendíthetetlen, hidegvérű • *fn* **unflappability** *hsz* **unflappably**
unflattering [ʌnˈflætərɪŋ] *mn* nem hízelgő; **~ weather** kedvezőtlen idő(járás) • *hsz* **unflatteringly**
unflavoured [ʌnˈfleɪvəd ‖ –vərd] *mn* nem ízesített
unfledged [ʌnˈfledʒd] *mn* **1.** *biz* éretlen, tapasztalatlan, kezdő **2.** tollatlan *[madár]*, frissen kelt *[csibe]*
unfleshed [ʌnˈfleʃt] *mn* **1.** hústalan, hústól lecsupaszított *[csont]* **2.** *vad* fel nem bőszített *[kutya]*
unflinching [ʌnˈflɪntʃɪŋ] *mn* **1.** megingathatatlan, szilárd, rendületlen, rendíthetetlen **2.** sztoikus, érzéketlen • *hsz* **unflichingly**
unfocused [ʌnˈfoʊkəst] *mn* **1.** *fényk* nem fókuszolt, életlen **2.** nem összpontosított, nem a tárgyra figyelő

U

unfold [ʌnˈfould] **A.** *tsi* **1. a)** szétbont, szétnyit, széthajtogat, kinyit **b)** leteker, legombolyít **2.** kifejt, megmagyaráz, leleplez, felfed(ez) *[titkot]*, elmesél, előad *[hosszú históriát]* **B.** *tni* **1.** kifejlődik, kinyílik, kibontakozik, kitárul **2.** lelepleződik, kitudódik *[pl. titok, terv]* • *fn* **unfoldment**

unforced [ʌnˈfɔːst ‖ –ˈfɔrst] *mn* **1.** kényszer nélküli, önkéntes **2.** természetes, mesterkéletlen, magától jövő **3.** nem hajtatott *[növény]* • *hsz* **unforcedly**

unfordable [ʌnˈfɔːdəbl ‖ –ˈfɔr–] *mn* (át)gázolhatatlan, átkelésre nem alkalmas *[folyó]*

unforeseeable [ˌʌnfɔːˈsiːəbl ‖ –fɔr–] *mn* előre nem látható, előreláthatatlan

unforeseen [ˌʌnfɔːˈsiːn ‖ –fɔr–] *mn* előre nem látott/látható, váratlan

unforetold [ˌʌnfɔːˈtould ‖ –fɔr–] *mn* nem megjósolt/előrelátott

unforgettable [ˌʌnfəˈgetəbl ‖ –fər–] *mn* feledhetetlen, felejthetetlen, emlékezetes • *hsz* **unforgettably**

unforgivable [ˌʌnfəˈgɪvəbl ‖ –fər–] *mn* megbocsáthatatlan • *hsz* **unforgivably**

unforgiven [ˌʌnfəˈgɪvn ‖ –fər–] *mn* meg nem bocsátott

unforgiving [ˌʌnfəˈgɪvɪŋ ‖ –fər–] *mn* engesztelhetetlen, meg nem bocsátó, könyörtelen, kérlelhetetlen, bosszúálló • *fn* **unforgivingness** *hsz* **unforgivingly**

unforgotten [ˌʌnfəˈgɒtn ‖ –fərˈgɑtn] *mn* emlékezetes

unformed [ʌnˈfɔːmd ‖ –ˈfɔrmd] *mn* **1.** (még) meg nem formált *[anyag]* **2.** alaktalan, amorf *[massza]* **3. a)** nem kialakult **b)** műveletlen, tanulatlan *[ember]* **4.** *pol* (még) meg nem alakított/alakult *[kormány]*

unformulated [ʌnˈfɔːmjuleɪtɪd ‖ –ˈfɔr–] *mn* ki nem alakult/alakított, szavakba nem öntött *[gondolat]*

unforthcoming [ˌʌnfɔːθˈkʌmɪŋ ‖ –fɔrθ–] *mn* nem közelgő, nem következő

unfortified [ʌnˈfɔːtɪfaɪd ‖ –ˈfɔr–] *mn* **1.** megerősítetlen, meg nem erősített, nyílt *[város]* **2.** *átv* gyenge, védtelen

unfortunate [ʌnˈfɔːtʃn·ət ‖ ʌnˈfɔrtʃənət] **I.** *mn* **1.** szerencsétlen, peches **2.** alkalmatlan, rosszul választott, nem megfelelő; **it is ~ that** sajnálatos/kár hogy **II.** *fn* szerencsétlen *[teremtés stb.]*

unfortunately [ʌnˈfɔːtʃənətli ‖ –ˈfɔr–] *hsz* **a)** szerencsétlenül, sajnálatra méltóan **b)** sajnos, sajnálatosan

unfounded [ʌnˈfaundɪd] *mn* alaptalan, megalapozatlan *[pl. vád, pletyka]*

unframed [ʌnˈfreɪmd] *mn* **1.** bekeretezetlen, keret nélküli **2.** *átv* műveletlen, faragatlan

unfree [ʌnˈfriː] *mn* nem szabad; kényszeredett

unfreeze [ʌnˈfriːz] *pt* **unfroze** [ʌnˈfrouz], *pp* **unfrozen** [ʌn-ˈfrouzn] **A.** *tsi* **1.** megolvaszt, felolvaszt **2.** *pénz* befagyasztást/zárolást megszüntet/felold *[pénzkövetelés tekintetében]* **B.** *tni* megolvad, felolvad

unfrequented [ˌʌnfrɪˈkwentɪd] *mn* nem/kevéssé/ritkán látogatott *[pl. vendéglő]*, kis forgalmú, ritkán használt

unfriended [ʌnˈfrendɪd] *mn vál* barát(ok) nélküli

unfriendly [ʌnˈfrendli] *mn* **1.** barátságtalan, ellenséges; **be ~ towards sy** rosszakaratú/ellenséges vkvel szemben **2.** kedvezőtlen, alkalmatlan *[pl. körülmények]*, ellen- *[szél]* • *fn* **unfriendliness**

unfrock [ʌnˈfrɒk ‖ –ˈfrɑk] *tsi* **a)** egyházi rendből kitaszít (vkt) **b)** kizár *[egyesületből]*

unfroze [ʌnˈfrouz] → **unfreeze**

unfrozen [ʌnˈfrouzn] → **unfreeze**

unfruitful [ʌnˈfruːtfl] *mn* **1.** nem gyümölcsöző/jövedelmező *[munka]* **2.** terméketlen, meddő *[föld, fa, elme]* • *fn* **unfruitfulness** *hsz* **unfruitfully**

unfulfilled [ˌʌnfulˈfɪld] *mn* **a)** beteljesítetlen, beteljesületlen **b)** kielégítetlen, meg nem valósult *[vágy]* **c)** nem teljesített, el nem végzett • *mn* **unfulfillable**, **unfulfilling**

unfunded [ʌnˈfʌndɪd] *mn pénz* anyagilag nem támogatott, anyagiak híján lévő; **~ debt** függő államadósság

unfurl [ʌnˈfɜːl ‖ –ˈfɜrl] **A.** *tsi* **a)** *hajó* kibont *[vitorlát, lobogót]* **b)** kinyit, kigöngyöl, szétnyit, kiterít **B.** *tni* kibomlik, szétnyílik

unfurnished [ʌnˈfɜːnɪʃt ‖ –ˈfɜr–] *mn* **a)** bútorozatlan **b)** vmt nélkülöző, vmnek híjával levő, felszereletlen

unfussy [ʌnˈfʌsi] *mn* nem akadékoskodó/nyűgös

ungainly [ʌnˈgeɪnli] *mn* **a)** suta, félszeg, esetlen, idétlen **b)** idomtalan, ormótlan **c)** nem megnyerő *[jelenség]* • *fn* **ungainliness**

ungallant [ʌnˈgælnt] *mn* **1.** lovagiatlan, udvariatlan **2.** zsugori, fukar *[ember]* • *hsz* **ungallantly**

ungarnished [ʌnˈgɑːnɪʃt ‖ –ˈgɑr–] *mn* díszítetlen, dísz nélküli, egyszerű; *biz* **the plain ~ truth** a tiszta/szépítetlen igazság

ungenerous [ʌnˈdʒenərəs] *mn* **a)** zsugori, fukar, szűkmarkú, kicsinyes **b)** igazságtalan **c)** terméketlen *[pl. talaj]*

ungenial [ʌnˈdʒiːnɪəl] *mn* **1.** (termékenység szempontjából) kedvezőtlen **2. ~ to sy** barátságtalan vkvel szemben

ungentle [ʌnˈdʒentl] *mn* udvariatlan, nyers, durva, faragatlan *[ember]* • *fn* **ungentleness** *hsz* **ungently**

ungentlemanly [ʌnˈdʒentlmənli] *mn* úriemberhez nem méltó/méltatlan *[viselkedés]*, udvariatlan • *fn* **ungentlemanliness**

unget-at-able [ˌʌngeˈtætəbl] *mn biz* megközelíthetetlen, hozzáférhetetlen

ungifted [ʌnˈgɪftɪd] *mn* tehetségtelen

ungird [ʌnˈgɜːd ‖ ˌʌnˈgɜrd] *tsi pt/pp* **ungirded** v. **ungirt** [ʌn-ˈgɜːt ‖ ʌnˈgɜrt] **1.** *vál* megoldja/leveszi az övét (vknek) **2.** *vál* lecsatolja *[kardját]*, leteszi *[fegyverzetét]*

unglazed [ʌnˈgleɪzd] *mn* **1.** (be)üvegezetlen *[ablak]* **2. a)** fénytelen, matt *[pl. papír]* **b)** mázatlan

ungloved [ʌnˈglʌvd] *mn* kesztyűtlen, kesztyű nélküli

unglue [ʌnˈgluː] **A.** *tsi* **a)** elválaszt, szétválaszt *[ragasztott tárgyat]* **b)** leáztat *[pl. bélyeget borítékról]* **B.** *tni* leválik *[ragasztott rész]*

ungodly [ʌnˈgɒdli ‖ –ˈgɑd–] *mn* **1.** istentelen, bűnös, gonosz **2.** *biz* szörnyű, borzasztó • *fn* **ungodliness**

ungovernable [ʌnˈgʌvn·əbl ‖ –vərnəbl] *mn* fegyelmezhetetlen, féktelen, kormányozhatatlan • *fn* **ungovernability** *hsz* **ungovernably**

ungraceful [ʌnˈgreɪsfl] *mn* **a)** félszeg, esetlen, suta **b)** kelletlen • *fn* **ungracefulness** *hsz* **ungracefully**

ungracious [ʌnˈgreɪʃəs] *mn* **1.** kellemetlen, hálátlan *[ember, feladat]* **2.** barátságtalan, udvariatlan **3.** esetlen, suta • *fn* **ungraciousness** *hsz* **ungraciously**

ungraded [ʌnˈgreɪdɪd] *mn* **1.** *gazd* osztályozatlan **2.** fokozatok/átmenetek nélküli **3.** nem egyenletes emelkedésű *[út]*

ungrammatical [ˌʌngrəˈmætɪkl] *mn nyelv* agrammatikus, nyelvtanilag hibás/helytelen • *hsz* **ungramatically**

ungraspable [ʌnˈgrɑːspəbl ‖ –ˈgræs–] *mn* megfoghatatlan, felfoghatatlan, érthetetlen

ungrateful [ʌnˈgreɪtfl] *mn* **1. a)** hálátlan **b) ~ soil** terméketlen talaj/föld **2.** kellemetlen, ellenszenves, visszataszító • *fn* **ungratefulness** *hsz* **ungratefully**

ungreen [ʌnˈgriːn] *mn* **1.** nem környezetvédő **2.** környezetszennyező, környezetre káros

ungrounded [ʌnˈgraundɪd] *mn* **1.** alaptalan *[pl. vád]* **2. be ~ in a subject** egy tárgyra vonatkozó alapismeretek híján való **3. a)** *épít* alapozás nélküli **b)** *vill* földeletlen **4.** nem a talajon/(száraz)földön levő *[hajó, repülőgép]*

ungrudging [ʌnˈgrʌdʒɪŋ] *mn* **1.** őszinte, szívből jövő *[dicséret, elismerés]* **2.** bőkezű • *hsz* **ungrudgingly**

ungual [ˈʌŋgwəl] *mn orv* **a)** körömre/karomra/patára vonatkozó, köröm- **b)** körömmel/karommal/patával bíró

unguard [ʌnˈgɑːd ‖ –ˈgɑrd] *tsi ját* védelem nélkül hagy *[alacsony értékű lap eldobásával magas értékű lapot]*

unguarded [ʌnˈgɑːdɪd ‖ –ˈgɑr–] *mn* **1.** őrizetlen, védtelen **2.** gondatlan, könnyelmű, meggondolatlan

unguent [ˈʌŋgwənt] *fn* **a)** kenőcs, ír, balzsam **b)** *műsz* kenőanyag

unguessable [ʌnˈgesəbl] *mn* kitalálhatatlan, elképzelhetetlen
unguiculate [ʌŋˈgwɪkjulət ‖ –kjə–] *mn áll* körmös, karmos
unguided [ʌnˈgaɪdɪd] *mn* **1.** vezető/kísérő/kíséret nélküli **2.** *biz* **in an ~ moment** egy óvatlan pillanatban
unguis [ˈʌŋgwɪs] *fn tsz* **ungues** [ˈʌŋgwi:z] **1.** *orv* köröm **2.** *áll* karom, pata **3.** *növ* sarkantyú *[virágé]*
ungula [ˈʌŋgjulə] *fn tsz* **ungulae** [–li:] **1.** *mat* csonka kúp, csonka henger **2.** *áll* köröm, karom, pata
ungulate [ˈʌŋgjuleɪt, –lət ‖ –gjə–] **I.** *mn* **a)** *áll* patás **b)** pata alakú *[gomba]* **II.** *fn* patás (állat)
unhallowed [ʌnˈhæloud] *mn* **1.** profán, fel/meg nem szentelt **2.** istentelen, elvetemült, kegyetlen *[ember]*
unhampered [ʌnˈhæmpəd ‖ –pərd] *mn* akadálytalan, akadályozatlan
unhand [ʌnˈhænd] *tsi vál tréf* elereszt, elbocsát, szabadon bocsát, szabadon enged
unhandsome [ʌnˈhænsəm] *mn* **1.** csúnya, rossz (v. nem jó) megjelenésű **2.** illetlen, helytelen *[viselkedés]*, udvariatlan *[modor]*
unhandy [ʌnˈhændi] *mn* **1.** ügyetlen, suta *[ember]* **2.** nehezen/alig kezelhető, esetlen, nehézkes *[pl. szerszám]* • *fn* **unhandiness** *hsz* **unhandily**
unhang [ʌnˈhæŋ] *tsi pt/pp* **unhung** [ʌnˈhʌŋ] **1.** leakaszt, levesz, leszed *[pl. függönyt]* **2. a)** sarkából/sarkaiból kiemel, leszerel **b)** kiakaszt **3.** leold *[akasztott embert]*
unhappy [ʌnˈhæpi] *mn* **1.** boldogtalan, szerencsétlen, gondterhelt **2.** nem szerencsés *[pl. ötlet, időpont]* **3.** sajnálatos • *fn* **unhappiness** *hsz* **unhappily**
unharbour [ʌnˈhɑ:bə ‖ ʌnˈhɑrbər] *tsi GB* **1.** *vad* felver *[vadat kutya]* **2.** *átv* felkutat (vmt)
unharmed [ʌnˈhɑ:md ‖ –hɑrmd] *mn* **1.** bántatlan, érintetlen, sértetlen **2.** nem megsértett/megbántott *[ember]*
unharmful [ʌnˈhɑ:mfl ‖ –ˈhɑrmfl] *mn* ártalmatlan
unharmonious [ˌʌnhɑ:ˈmounɪəs ‖ –hɑr–] *mn* **1.** összhang nélküli, diszharmonikus **2. a)** egyenetlen **b)** aránytalan
unharness [ʌnˈhɑ:nɪs ‖ –ˈhɑr–] *tsi* **a)** leveszi a hámot *[lóról]* **b)** kifog *[lovat]*
unhasp [ʌnˈhɑ:sp ‖ –ˈhæsp] *tsi* **a)** kinyit lakatot (vmn) **b)** levesz lakatot/hevederpántot (vmről)
unhatched [ʌnˈhætʃt] *mn* **1.** kiköltetlen *[tojás]*, ki nem kelt *[csirke]* **2.** *átv* titkon, titokban
unhealed [ʌnˈhi:ld] *mn* **1.** gyógyulatlan *[beteg]* **2.** (be) nem gyógyult/hegedt *[seb]*
unhealthy [ʌnˈhelθi] *mn* **1.** egészségtelen, egészségre ártalmas/káros **2. a)** beteg, beteges(kedő), gyenge egészségű **b) ~ state of mind** zavart elmeállapot/lelkiállapot **3.** *szl [életveszélyes pl. környék]* egészségtelen • *fn* **unhealthiness** *mn* **unhealthful** *hsz* **unhealthily**
unheard [ʌnˈhɜ:d ‖ ʌnˈhɜrd] *mn* **a)** nem hallott, meghallgatás/kihallgatás nélküli **b) prayer ~** meg nem hallgatott imádság
unheard-of *mn* soha nem hallott, hallatlan
unheated [ʌnˈhi:tɪd] *mn* **1.** fűtetlen **2. a)** nem felmelegített/felhevített **b)** nem felhevült
unhedged [ʌnˈhedʒd] *mn* **1.** bekerítetlen, nem bekerített **2.** kertelés nélküli
unheeded [ʌnˈhi:dɪd] *mn* észre/figyelembe nem vett, meg nem szívlelt, mellőzött; **leave ~** elereszti a füle mellett • *mn* **unheedful** *hsz* **unheedily**
unheeding [ʌnˈhi:dɪŋ] *mn* **1.** gondatlan, hanyag, közönyös, nemtörődöm **2.** figyelmetlen • *hsz* **unheedingly**
unhelpful [ʌnˈhelpfl] *mn* **1.** haszontalan, értéktelen *[pl. tanács]*, keveset mondó **2.** gyámoltalan, ügyefogyott **3.** nem segítő/támogató/készséges • *fn* **unhelpfulness** *hsz* **unhelpfully**
unheralded [ʌnˈherəldɪd] *mn* **a)** ki nem hirdetett, közzé nem tett **b)** előre nem jelzett
unheroic [ˌʌnhɪˈrouɪk] *mn* nem hősies, nyúlszívű • *hsz* **unheroically**
unhesitating [ʌnˈhezɪteɪtɪŋ] *mn* habozás nélküli, határozott, elszánt
unhindered [ʌnˈhɪndəd ‖ –ərd] *mn* akadályozatlan, akadálytalan
unhinge [ʌnˈhɪndʒ] *tsi* **1.** kiakaszt, kiemel *[ajtót/ablakot sarkából]* **2.** megháborít, megzavar *[elmét]* • *mn* **unhinged**
unhistoric [ˌʌnhɪsˈtɒrɪk ‖ –ˈtɔr–] *mn* **1.** nem történelmi *[tény]*, a történelemmel nem egyező (v. ellentétes) **2.** minden történelmi alapot nélkülöző • *hsz* **unhistorically**
unhitch [ʌnˈhɪtʃ] *tsi* **1.** *műsz* elold(oz), lekapcsol, szétkapcsol **2.** kifog *[lovat]*
unholy [ʌnˈhouli] *mn* **1.** istentelen *[ember]* **2.** profán, világi, nem egyházi, szentségtelen **3. a)** gonosz **b)** szörnyű
unhonoured [ʌnˈɒnəd ‖ –ˈɑnərd] *mn* **1.** (meg) nem tisztelt, lenézett, megvetett **2.** *pénz* beváltatlan *[csekk]*
unhood [ʌnˈhud] *tsi vad* leveszi a sapkát/süveget/csuklyát/kapucnit
unhook [ʌnˈhuk] **A.** *tsi* **a)** kiakaszt, leakaszt, szétkapcsol **b)** kampóról/horogról levesz **B.** *tni* kikapcsolódik, szétkapcsolódik, kinyílik *[pl. ruha]*
unhoped-for [ʌnˈhouptfɔ: ‖ –fɔr] *mn* nem remélt, váratlan
unhorse [ʌnˈhɔ:s ‖ –ˈhɔrs] *tsi* **1.** lóról letaszít/leszállít vkt, leveti/ledobja lovasát *[ló]* **2.** kifogja a lova(ka)t
unhouse [ʌnˈhauz] *tsi* **1.** kitesz az utcára, kilakoltat **2.** kisemmiz
unhuman [ʌnˈhju:mən ‖ –ˈhju:–] *mn* **1.** embertelen, kegyetlen **2.** emberfeletti *[erő, bátorság]* **3.** nem emberi, nem embertől származó/való
unhung [ʌnˈhʌŋ] *mn* **1.** ki nem állított *[kép]* **2.** → **unhang**
unhurried [ʌnˈhʌrid ‖ –ˈhɜrid] *mn* nem sürgetett/hajszolt • *hsz* **unhurriedly**
unhurt [ʌnˈhɜ:t ‖ –ˈhɜrt] *mn* sértetlen; **escape ~** baj nélkül megmenekül
unhusk [ʌnˈhʌsk] *tsi* lehámoz, meghámoz *[gyümölcsöt]*, lehánt
unhygienic [ˌʌnhaɪˈdʒi:nɪk] *mn* nem higiénikus, egészségtelen
unhyphenated [ʌnˈhaɪfəneɪtɪd] *mn* kötőjel nélküli, kötőjel nélkül írt
uni- [ˈju:ni] *előtag* egy-
Uniate [ˈju:nɪət] *mn/fn vall* görög szertartású katolikus
uniaxial [ˌju:niˈæksɪəl] *mn* **1.** egytengelyű *[kristály]* **2.** *növ* egykocsányú
unicameral [ˌju:nɪˈkæmərəl] *mn pol* egykamarás *[törvényhozási rendszer]*
UNICEF [ˈju:nɪsef] **United Nations Children's Emergency Fund** az ENSZ Gyermeksegélyezési/-védelmi Alapja
unicellular [ˌju:nɪˈseljulə ‖ –ˈseljələr] *mn biol* egysejtű
unicolour [ˌju:nɪˈkʌlə ‖ –ər] *mn* egyszínű
unicorn [ˈju:nɪkɔ:n ‖ –kɔrn] *fn* **a)** egyszarvú, unikornis **b)** *csill* **the U~** *[csillagkép]* Az Egyszarvú
unicuspid [ˌju:nɪˈkʌspɪd] **I.** *mn* egycsúcsú **II.** *fn* egycsúcsú/egyhegyű fog
unicycle [ˈju:nɪsaɪkl] *fn* egykerekű bicikli • *fn* **unicyclist**
unidea'd [ˌʌnaɪˈdɪəd] *mn* gondolatok/ötletek nélküli, ötlettelen, fantáziátlan
unideal [ˌʌnaɪˈdɪəl] *mn* **1.** realisztikus, durva **2.** eszmények nélküli
unidentifiable [ˌʌnaɪˈdentɪfaɪəbl] *mn* nem azonosítható
unidentified [ˌʌnaɪˈdentɪfaɪd] *mn* fel/közelebbről nem ismert, ismeretlen *[személy]*, nem azonosított *[dolog]*
unidimensional [ˌju:nɪdaɪˈmenʃnəl, –dɪ–] *mn* egydimenziójú, egykiterjedésű
unidirectional [ˌju:nɪdɪˈrekʃnəl, –daɪ–] *mn* egyirányú • *fn* **undirectionality** *hsz* **undirectionally**
unification [ˌju:nɪfɪˈkeɪʃn] *fn* **1.** egyesítés **2.** egyesülés, unió
uniform [ˈju:nɪfɔ:m ‖ –fɔrm] **I.** *mn* **1.** egyforma, egyenletes, egységes, változatlan; *fiz mat* **~ acceleration** egyenletes gyorsulás; **make ~** egyformává tesz, uniformizál

U

2. egyező **3.** egyöntetű, egységes **II.** *fn* **a)** *kat* egyenruha, uniformis; **full(-dress)** ~ díszegyenruha; **out of** ~ civilben **b)** egyenruha *[pl. diákoké, ápolónőké]*, formaruha **III.** *tsi* **1.** egyenruhába öltöztet **2.** egyöntetűvé tesz, uniformizál • *tsi* **uniformize, -ise** *mn* **uniformed** *hsz* **uniformly**

uniformity [ˌjuːnɪˈfɔːməti ‖ –ˈfɔrməti] *fn* **1. a)** egyöntetűség, egységesség **b)** megegyezés, egyformaság, azonosság **2.** egyenletesség, szabályszerűség **3.** *vall* konformizmus

unify [ˈjuːnɪfaɪ] *tsi* **1.** egyesít, egybefoglal **2.** egységessé/ egyöntetűvé tesz, egyneműsít • *fn* **unifier**

unilateral [ˌjuːnɪˈlætərəl] *mn* **a)** egyoldalú **b)** féloldali *[parkolás utcán autóval]*; *jog* ~ **contract** egyoldalú szerződés • *hsz* **unilaterally**

unilateralism [ˌjuːnɪˈlætərəlɪzm] *fn* **1.** egyoldalú fegyverzetcsökkentés/leszerelés **2.** *US* ‹szövetségesek nélküliséget hirdető politikai irányzat› • *fn/mn* **unilateralist**

unilingual [ˌjuːnɪˈlɪŋgwəl] *mn* egynyelvű *[pl. szótár]* • *hsz* **unilingually**

unilluminated [ʌnɪˈluːmɪneɪtɪd] *mn* **1.** nem megvilágított, sötét, homályos **2. a)** *átv* ihlet nélküli **b)** felvilágosulatlan, tudatlan

unillustrated [ʌnˈɪləstreɪtɪd] *mn* **1.** kép/ábra/illusztráció nélküli *[könyv]* **2.** példákkal meg nem világított

unilocular [ˌjuːnɪˈlɒkjʊlə ‖ –ˈlɑkjələr] *mn* **1.** *növ* egylegyezős *[pl. magház]* **2.** *műsz* egykamrás, egycellás

unimaginable [ˌʌnɪˈmædʒɪnəbl] *mn* elképzelhetetlen, felfoghatatlan • *hsz* **unimaginably**

unimaginative [ˌʌnɪˈmædʒɪnətɪv ‖ –neɪtɪv] *mn* fantáziátlan, képzelőtehetség/fantázia nélküli • *fn* **unimaginativeness** *hsz* **unimaginatively**

unimpaired [ˌʌnɪmˈpeəd ‖ –ˈperd] *mn* **1.** sértetlen, romlatlan *[képesség]*, nem gyengült *[pl. látás, elme]* **2.** korlátlan; ~ **passage** szabad átjárás

unimpassioned [ˌʌnɪmˈpæʃnd] *mn* szenvtelen, nyugodt, hideg

unimpeachable [ˌʌnɪmˈpiːtʃəbl] *mn* **1.** megtámadhatatlan, elvitathatatlan *[pl. igazság, jog]* **2.** hiteles, megcáfolhatatlan *[tanúvallomás]*, kifogástalan **3.** felfüggeszthetetlen *[tisztségből]* • *hsz* **unimpeachably**

unimpeded [ˌʌnɪmˈpiːdɪd] *mn* akadálytalan, szabad, korlátozatlan • *hsz* **unimpededly**

unimportant [ˌʌnɪmˈpɔːtnt ‖ –ˈpɔrtnt] *mn* jelentéktelen, nem fontos, elhanyagolható • *fn* **unimportance**

unimposing [ˌʌnɪmˈpoʊzɪŋ] *mn* **1.** jelentéktelen, nem feltűnő/imponáló *[pl. külső]* **2.** nem kényszerítő

unimpressed [ˌʌnɪmˈprest] *mn* **1. a)** hatás/benyomás nélkül maradt **b)** nem meghatott **2.** veretlen *[arany]*, fémjelzetlen *[tárgy]*

unimpressionable [ˌʌnɪmˈpreʃnˑəbl] *mn* befolyásolhatatlan, nem befolyásolható

unimpressive [ˌʌnɪmˈpresɪv] *mn* **1.** hatástalan, nem megkapó/lebilincselő, érdektelen **2.** nem befolyásolható • *fn* **unimpressiveness** *hsz* **unimpressively**

unimprovable [ˌʌnɪmˈpruːvəbl] *mn* javíthatatlan

unimproved [ˌʌnɪmˈpruːvd] *mn* **1. a)** nem javult/tökéletesedett, javulás nélküli **b)** nem javított/tökéletesített; *US* ~ **land** szűzföld, parlag **2.** nem hasznosított, fel nem használt *[előny]*

unimpugned [ˌʌnɪmˈpjuːnd] *mn* meg nem támadott, kétségbe nem vont *[jog stb.]* • *mn* **unimpugnable**

unincorporated [ˌʌnɪnˈkɔːpəreɪtɪd ‖ –ˈkɔːr–] *mn* *gazd* **1.** egyesítetlen, nem egyesült/bekebelezett *[cég, vállalat]* **2.** be nem jegyzett, bejegyzetlen *[cég, vállalat]*

uninfected [ˌʌnɪnˈfektɪd] *mn* (meg) nem fertőzött, romlatlan

uninflamed [ˌʌnɪnˈfleɪmd] *mn* meg nem gyulladt; be nem gyulladt *[seb]*

uninflammable [ˌʌnɪnˈflæməbl] *mn* nem gyúlékony, gyúlhatatlan, (el)éghetetlen

uninflected [ˌʌnɪnˈflektɪd] *mn* **1.** *nyelv* ragozás nélküli, nem ragozó/flektáló *[nyelv]*, ragozatlan *[szó]* **2.** hajlítatlan, töretlen *[fénysugár]*

uninfluenced [ʌnˈɪnfluənst] *mn* **1.** befolyásolatlan, befolyástól mentes **2. remain** ~ **by sy/sg** nem hagyja magát befolyásolni

uninfluential [ˌʌnɪnfluːˈenʃl] *mn* befolyás nélküli *[ember]*

uninformative [ˌʌnɪnˈfɔːmətɪv ‖ –ˈfɔr–] *mn* nem informatív, kevés információt tartalmazó/közlő

uninformed [ˌʌnɪnˈfɔːmd ‖ –ˈfɔrmd] *mn* **1.** tudatlan, tájékozatlan *[ember]*, műveletlen *[elme]* **2.** nincs tájékoztatva

uninhabitable [ˌʌnɪnˈhæbɪtəbl] *mn* lakhatatlan • *fn* **uninhabitableness**

uninhabited [ˌʌnɪnˈhæbɪtɪd] *mn* lakatlan, elhagyott

uninhibited [ˌʌnɪnˈhɪbɪtɪd] *mn* **a)** *pszich* gátlásoktól mentes **b)** *átv* minden kötöttségtől/formalitástól mentes, nem feszélyezett, gátlástalan • *fn* **uninhibitedness** *hsz* **uninhibitedly**

uninitiated [ˌʌnɪˈnɪʃieɪtɪd] *mn* be nem avatott, avatatlan, tapasztalatlan

uninjured [ʌnˈɪndʒəd ‖ –ərd] *mn* **a)** sértetlen, ép **b)** (jog)sérelmet nem szenvedett, jogaiban nem sérült

uninspired [ˌʌnɪnˈspaɪəd ‖ –spaɪərd] *mn* ihlet/inspiráció nélküli *[író]*, köznapi, lapos *[stílus]*

uninspiring [ˌʌnɪnˈspaɪərɪŋ] *mn* nem (meg)ihlető/inspiráló/lelkesítő • *hsz* **uninspiringly**

uninstall [ˌʌnɪnˈstɔːl] *tsi* *infor* eltávolít *[programot számítógépről]*

uninstructed [ˌʌnɪnˈstrʌktɪd] *mn* **1.** tanulatlan, tudatlan, képzetlen, járatlan (vmben) **2.** utasítással el nem látott

uninsulated [ʌnˈɪnsjʊleɪtɪd] *mn* szigetelés nélküli, szigeteletlen

uninsurable [ˌʌnɪnˈʃʊərəbl ‖ –ˈʃʊr–] *mn* (be) nem biztosítható

uninsured [ˌʌnɪnˈʃʊəd ‖ –ˈʃʊrd] *mn* (be) nem biztosított, biztosítatlan

unintelligent [ˌʌnɪnˈtelɪdʒənt] *mn* **1.** unintelligens, korlátolt **2.** tudatlan • *hsz* **unintelligently**

unintelligible [ˌʌnɪnˈtelɪdʒəbl] *mn* **a)** értelmetlen **b)** nem érthető, érthetetlen • *fn* **unintelligibility**

unintended [ˌʌnɪnˈtendɪd] *mn* **a)** nem szándékos/szándékolt, szándékolatlan, (előre) meg nem fontolt **b)** → **unintentional**

unintentional [ˌʌnɪnˈtenʃnəl] *mn* önkéntelen, nem szándékolt/tervezett, akaratlan • *hsz* **unintentionally**

uninterested [ʌnˈɪntrɪstɪd ‖ –ˈɪntərestɪd] *mn* **1. a)** közönyös, érdeklődést nem tanúsító/mutató **b)** nem érdekelt/ részes, érdektelen **2.** önzetlen

uninteresting [ʌnˈɪntrɪstɪŋ ‖ –ˈɪntərestɪŋ] *mn* minden érdekesség nélküli (v. nélkül való), nem érdekes, érdektelen, sivár, unalmas, semmitmondó, lényegtelen • *fn* **uninterestingness** *hsz* **uninterestingly**

uninterpretable [ˌʌnɪnˈtɜːprɪtəbl ‖ –ˈtɜr–] *mn* (meg)magyarázhatatlan, tolmácsolhatatlan, értelmezhetetlen

uninterrupted [ˌʌnɪntəˈrʌptɪd] *mn* **a)** megszakítatlan, megszakítás nélküli **b)** folytonos, folyamatos, zavartalan

uninterruptible [ˌʌnɪntəˈrʌptɪbl] *mn* megszakíthatatlan, félbeszakíthatatlan

uninucleate [ˌjuːnɪˈnjuːklɪət ‖ –ˈnuː–] *mn* *biol* egymagvú *[sejt]*

uninvited [ˌʌnɪnˈvaɪtɪd] *mn* (meg)hívatlan, kéretlen • *hsz* **uninvitedly**

uninviting [ˌʌnɪnˈvaɪtɪŋ] *mn* kevéssé/nem vonzó/bizalomgerjesztő *[személy, egyéniség]*, gusztustalan *[étel]*

uninvoked [ˌʌnɪnˈvoʊkt] *mn* felidézetlen, megidézetlen *[szellem]*

uninvolved [ˌʌnɪnˈvɒlvd ‖ –ˈvɑlvd] *mn* nincs belekeveredve, nincs köze hozzá; ~ **in sg** nincs belekeveredve vmbe

union [ˈjuːnɪən] *fn* **1. a)** egyesítés, egybeolvasztás **b)** egyesülés, egybeolvadás **c)** *pol* szövetség, unió; **the U~** az Egyesült Királyság; **customs** ~ vámközösség **2.** egybekelés, házasság **3.** egyetértés, egység, összhang **4.** szakszervezet **5.** *orv* összeforradás, összenövés *[csontoké stb.]*, összehegedés *[sebszéleké]* **6. a)** *műsz* kapcsoló(idom),

U

csőkötés **b)** *műsz* összekapcsolás, összeillesztés **7. a)** *mat* ~ **of sets** halmazok összege **b)** *vegy* (vegyi) egyesülés, kötés **8.** *GB* **U~** egyetemi klub/vitakör

union baron *fn pej* **1.** szakszervezeti vezető **2.** kiskirály

union-bashing *fn GB biz* szakszervezet-ellenesség

union card *fn* szakszervezeti igazolvány/tag(sági) könyv

union catalogue *fn* központi címjegyzék/katalógus *[könyvtárban]*

union down *hsz* félárbocra eresztett lobogóval

Union flag *fn* → **Union Jack**

unionist [ˈjuːnɪənɪst] *fn* **1.** szakszervezeti tag **2.** *pol* a(z) szövetkezés/egyesülés híve, egységesítő *[pl. államoké, felekezeteké]*, unionista (politikus) • *fn* **unionism** *mn* **unionistic**

unionize [ˈjuːnɪənaɪz], **-ise A.** *tsi* **1.** szakmailag megszervez, szakszervezetbe tömörít **2.** szakszervezeti irányítás alá helyez **B.** *tni* szakszervezetté alakul/egyesül

un-ionized [ʌnˈaɪənaɪzd] *mn fiz* ionizálatlan

Union Jack *fn* Nagy-Britannia zászlaja/lobogója

union leader *fn* szakszervezeti vezető

union shop *fn* ‹üzem, melyben csak szervezett/szakszervezeti munkások dolgoznak›

union suit *fn US Kan* kezeslábas alsóruha

uniparous [juːˈnɪpərəs] *mn orv* egyszerre egyet szülő/ellő *[nőstény]*

uniped [ˈjuːnɪped] *mn/fn* egylábú

unipersonal [ˌjuːnɪˈpɜːsnˈəl ‖ –ˈpɜrs–] *mn* **1.** egyszemélyes, csak egy személyben használatos *[ige]* **2.** *vall* egy személyben létező/jelenvaló *[isten]*

uniplanar [ˌjuːnɪˈpleɪnə ‖ –ər] *mn* egysíkú, egy síkban fekvő/levő

unipod [ˈjuːnɪpɒd ‖ –pɑd] *fn* egylábú állvány

unipolar [ˌjuːnɪˈpoʊlə ‖ –ər] *mn* **1.** *vill* egysarkú, egypólusú, unipoláris **2.** *orv* egynyúlványú *[idegsejt]* • *fn* **unipolarity**

unique [juːˈniːk] **I.** *mn* **1. a)** egyedülálló, páratlan, kivételes **b)** egyetlen *[példányban készült/gyártott/létező]* **2.** *mat* egyértékű *[mennyiség]*, egyféleképpen végezhető *[számítás]* **II.** *fn* egyetlen példány/darab, egyedülálló/kivételes/páratlan személyiség • *fn* **uniqueness** *hsz* **uniquely**

unironed [ʌnˈaɪənd ‖ ʌnˈaɪərnd] *mn* vasalatlan

uniserial [ˌjuːnɪˈsɪərɪəl ‖ –ˈsɪr–] *mn növ* egycsoportú, egysorú

unisex [ˈjuːnɪseks] *mn* **1.** egynemű **2.** uniszex, mindkét nem által hordott/viselhető *[ruhaféle]*

unisexual [ˌjuːnɪˈsekʃuəl] *növ* egynemű *[csak porzós v. csak termős]* • *fn* **unisexuality** *hsz* **unisexually**

unison [ˈjuːnɪsn, –zn] **I.** *mn zene* egyszólamú, unisono **II.** *fn* **1.** *zene* összhang(zás), együtthangzás **2.** *zene* egyszólamú éneklés, unisono **3.** *átv* összhang, egyetértés; **act in ~ with sy** vkvel egyetértésben/összehangoltan cselekszik • *mn* **unisonant, unisonous**

unison string *fn zene* összehangzó (hangolású) húr

unissued [ʌnˈɪʃuːd] *mn pénz* ki nem bocsátott, kibocsátatlan, kiadatlan

unit [ˈjuːnɪt] *fn* **1.** egység **2. a)** egység, mértékegység **b)** *mat* az egyes szám **3.** *kat* egység **4.** *műsz* elem, szerelvény, gépegység **5.** (bútor)elem **6.** *GB pénz* egységrészvény *[befektetési társaságban]* **7.** épület, tömb *[kórházban]*

Unita [juˈniːtə], **UNITA** *röv National Union for the Total Independence of Angola*

Unitarian [ˌjuːnɪˈteərɪən ‖ –ˈter–] **I.** *mn vall* unitárius *[ember, egyház]* **II.** *fn* unitárius (férfi/nő) • *fn* **Unitarianism**

unitary [ˈjuːnɪtəri ‖ ˈjuːnɪteri] *mn* **1.** egységes, központosított *[pl. kormányzat]* **2.** (mérték)egységre vonatkozó, egységes • *fn* **unitarity** *hsz* **unitarily**

unit cell *fn fiz* elemi cella, egységcella

unit cost *fn közg* egységre eső költség, egységköltség

unite [juːˈnaɪt] **A.** *tsi* **1.** egyesít, összekapcsol, összecsatol, összeilleszt (vmt vmvel) **2.** összeházasít **3.** összeegyeztet, összehangol *[pl. embereket, álláspontokat]* **B.** *tni* **1. a)** egyesül (vkvel), csatlakozik (vkhez) **b)** egyesül, egybeolvad, összeolvad, fuzionál *[párt, cég]*, egyesül, államszövetségbe lép, összeforr *[pl. anyagrészecske, csont]*, egybeömlik *[két folyó]* **2.** egybekel, összeházasodik **3.** összehangolódik, (meg)egyezik *[pl. vélemény]* • *mn* **unitive**

united [juːˈnaɪtɪd] *mn* **1. a)** egyesült, egyesített, tömörült; **present a ~ front** egységes frontot képez; **~ we stand divided we fall** egységben az erő **b)** *pol* egyesült, szövetségre lépett, (állam)szövetséget alkotó **2.** *növ* **~ flowers** kétivarú/hímnős virágok **3.** azonos gondolkodású/véleményű *[emberek]*

United Brethren *fn tsz vall* a morva testvérek

United Kingdom *tul földr* Egyesült Királyság *[Nagy-Britannia és Észak-Írország]*

United Nations *fn tsz* Egyesült Nemzetek (Szervezete), ENSZ

United Provinces *tul tsz tört* az *[utrechti unióban 1579-ben]* egyesült tartományok

United Reformed Church *tul* Egyesült Református Egyház *[1472-ben az Angol Presbiteriánus és Kongregácionális egyházak egyesülésével létrejött]*

United States (of America) *tul földr* **the ~** Amerikai Egyesült Államok, USA

unitholder *fn GB pénz* befektetésiegység-tulajdonos

unit-linked *mn pénz* egységrészvénytől/egységrészvény árfolyamától függő

unit price *fn gazd* egységár

unit trust *fn GB pénz* befektetési társaság

unity [ˈjuːnəti] *fn* **1.** egység(esség) **2.** (meg)egyezés, egyetértés, összhang **3.** *mat* **a)** egység **b)** az egyes szám **4.** *jog* közös birtoklás

Univ. *röv university* egyetem

univalent [ˌjuːnɪˈveɪlənt] **I.** *mn* **1.** *vegy* egy(vegy)értékű **2.** *biol* páratlan **II.** *fn biol* meiózis során pár nélkül maradó kromoszóma

univalve [ˈjuːnɪvælv] **I.** *mn* **1.** *áll* egyhéjú *[kagyló]* **2.** *növ* egyrekeszű **II.** *fn áll* egyhéjú (kagyló)

universal [ˌjuːnɪˈvɜːsl ‖ –ˈvɜrsl] **I.** *mn* **1.** egyetemes, univerzális **2.** egyetemes/általános érvényű, általános **3. a)** mindenre/mindenkire kiterjedő/vonatkozó, általános (érvényű); *kat* **~ military service** általános hadkötelezettség **b)** mindenre alkalmazható/használható, univerzális **4.** *jog* általános **II.** *fn fil* **a)** általános tétel **b)** az egyetemes/általános • *fn* **universality** *hsz* **universally**

universal agent *fn jog gazd* általános meghatalmazott/megbízott

universal donor *fn orv* általános véradó/donor *[nullás vércsoportú]*

universalist [ˌjuːnɪˈvɜːsəlɪst ‖ –ˈvɜr–] *mn/fn vall* univerzalista • *fn* **universalism** *mn* **universalistic**

universalize [ˌjuːnɪˈvɜːsəlaɪz ‖ –ˈvɜr–], **-ise** *tsi* egyetemesít, általánosít, elterjeszt • *fn* **universalizability, universalization**

universal joint *fn gk* kardáncsukló

universal language *fn* nemzetközi segédnyelv; világnyelv

universal recipient *fn orv* általános kapó *[AB vércsoportú, aki bármilyen csoportú vért kaphat]*

universal suffrage *fn* általános választójog/szavazati jog

Universal Time *fn* nemzetközi világidő *[greenwichi középidő]*

universe [ˈjuːnɪvɜːs ‖ –vɜrs] *fn* **a)** *csill* világegyetem, világmindenség **b)** világ **c) (major) ~** statisztikai tömeg/sokaság

university [ˌjuːnɪˈvɜːsəti ‖ –ˈvɜrsəti] *fn* **1.** (tudomány)egyetem; **~ education** felsőfokú/egyetemi oktatás; *GB* **open ~** ‹levelező rendszerű egyetem› **2.** egyetemi hallgatók és dolgozók **3.** *GB sp biz* összegyetemi csapat *[szemben a kollégiumi csapattal]*

univocal [ˌjuːnɪˈvoʊkl] **I.** *mn* **a)** egyjelentésű, egyértelmű **b)** egyöntetű **II.** *fn* egyjelentésű/egyértelmű szó

unjoin [ʌnˈdʒɔɪn] *tsi* elválaszt, szétválaszt • *mn* **unjoined**

U

unjoint [ʌn'dʒɔɪnt] *tsi* szétszerel, leszerel, szétszed, szétválaszt
unjust [ʌn'dʒʌst] *mn* **1. a)** igazságtalan, méltánytalan (vkvel szemben) **b)** igaztalan, jogtalan; **an ~ sentence** igazságtalan ítélet **2.** hamis, hibás; **~ scales** hamis/hibás mérleg • *fn* **unjustness** *hsz* **unjustly**
unjustifiable [ʌn'dʒʌstɪfaɪəbl] *mn* **a)** nem igazolható, meg nem okolható **b)** megbocsáthatatlan • *hsz* **unjustifiably**
unjustified [ʌn'dʒʌstɪfaɪd] *mn* igazolatlan, indokolatlan, nem indokolt
unkempt [ʌn'kempt] *mn* **a)** fésületlen, borzas, torzonborz *[haj, szakáll]* **b)** ápolatlan, gondozatlan, rendetlen *[pl. külső]* • *fn* **unkemptness** *hsz* **unkemptly**
unkept [ʌn'kept] *mn* be nem tartott, betartatlan *[szabály, ígéret]*
unkillable [ʌn'kɪləbl] *mn* megölhetetlen, elpusztíthatatlan
unkind [ʌn'kaɪnd] *mn* **a)** nem szíves/kedves, barátságtalan, nyers **b)** rosszindulatú, kegyetlen • *fn* **unkindness** *hsz* **unkindly**
unkink [ʌn'kɪŋk] **A.** *tsi* kibogoz, kicsomóz, kiegyenesít **B.** *tni* kibogozódik, kiegyenesedik
unknit [ʌn'nɪt] *tsi pt/pp* **unknitted** v. **unknit a)** kiold, kioldoz, kibogoz **b) ~ one's brow** kisimul homloka
unknot [ʌn'nɒt ‖ –'nɑt] *tsi* **-tt-** kiold(oz), kibont, kibogoz *[pl. csomót]*
unknowable [ʌn'noʊəbl] *mn* megismerhetetlen • *fn* **unknowability**
unknowing [ʌn'noʊɪŋ] **I.** *mn* vmt nem ismerő, tudatlan, tudattalan *[vm tekintetben]* **II.** *fn* tudat(ta)lanság • *hsz* **unknowingly**
unknown [ʌn'noʊn] **I.** *mn* nem ismert, ismeretlen *[pl. hely, ember, körülmény]*; **~ writer** ismeretlen/névtelen író; **for reasons ~** ismeretlen okokból **II.** *fn* **a)** ismeretlen (személy/dolog) **b)** *mat* ismeretlen *[egyenleté]* • *fn* **unknownness**
unknown country *fn átv* ismeretlen terület/(gondolat)kör/szakma
unknown quantity *fn* ismeretlen tényező *[személy/dolog]*; *mat* ismeretlen *[egyenletben]*
Unknown Soldier *fn* az ismeretlen katona
unlabelled [ʌn'leɪbld] *mn* címke nélküli, címkézetlen
unlaboured [ʌn'leɪbəd ‖ –bərd] *mn* **1.** megmunkálatlan, megműveletlen **2.** könnyen (v. fáradság nélkül) végzett *[munka]* **3.** mesterkéletlen, keresetlen, könnyed *[stílus]*
unlace [ʌn'leɪs] *tsi* kifűz *[pl. cipőt]*
unlade [ʌn'leɪd] *tsi pt* **unladed** *pp* **unladen** [ʌn'leɪdn] → **unload**
unladen [ʌn'leɪdn] *mn* **a)** kirakott, rakomány nélküli *[pl. hajó]* **b)** *gk* **~ weight** önsúly **c)** meg nem rakva/terhelve
unladylike [ʌn'leɪdilaɪk] *mn* úrinőhöz nem illő/méltó, közönséges *[viselkedés]*
unlaid [ʌn'leɪd] *mn* **1.** kibontott, kicsavart, szétsodort *[pl. kötél]* **2.** ki/fel nem terített/teregetett, megterítetlen *[asztal]* **3.** bordázatlan *[papír]* **4.** le nem csendesített/csillapított
unlamented [ˌʌnlə'mentɪd] *mn* meg nem siratott/gyászolt
unlash [ʌn'læʃ] *tsi* elold, megold, kiakaszt *[hajókötelet, stb.]*
unlatch [ʌn'lætʃ] *tsi* kinyit *[záróreteszt, ajtót kilinccsel]*
unlawful [ʌn'lɔːfl] *mn* **a)** törvénytelen, törvényellenes **b)** tiltott **c)** törvénytelen, házasságon kívül született *[gyermek]* • *fn* **unlawfulness** *hsz* **unlawfully**
unlay [ʌn'leɪ] *tsi pt/pp* **unlaid** [ʌn'leɪd] *hajó* szétsodor, szétbont, kiold *[kötelet]*
unleaded [ʌn'ledɪd] *mn* **1.** *gk* ólommentes, ólmozatlan *[benzin]* **2.** *nyomd* **a)** sűrített *[sorok]* **b)** sorközök nélküli *[szedés]*
unlearn [ʌn'lɜːn ‖ –'lɜrn] *tsi pt/pp* **unlearned**, **unlearnt** [ʌn'lɜːnt ‖ ʌn'lɜrnt] **1.** (el)felejt *[megtanult dolgot, mesterséget stb.]*, kijön *[gyakorlatból]* **2.** leszokik (vmről), elszokik (vmtől)
unlearned [ʌn'lɜːnɪd ‖ –'lɜr–] *mn* **1. a)** tanulatlan, tudatlan **b)** járatlan, tapasztalatlan **2.** meg nem tanult *[pl. lecke]*; → **unlearn**
unleash [ʌn'liːʃ] *tsi* **1.** pórázról elenged, szabadon/szabadjára enged *[kutyát]* **2. a)** felszabadít *[szenvedélyt]* **b) ~ a war** háborút kirobbant
unleavened [ʌn'levnd] *mn* élesztő/kovász nélküli, kovásztalan *[kenyér]*
unless [ən'les, ˌʌn'les] **I.** *ksz* ha(csak) nem, kivéve hogyha **II.** *elölj* kivéve
unlettered [ʌn'letəd ‖ –'letərd] *mn* **a)** tanulatlan, iskolázatlan, nem olvasott *[ember]* **b)** írástudatlan, analfabéta
unliberated [ʌn'lɪbəreɪtɪd] *mn* nem felszabadított, raboskodó
unlicensed [ʌn'laɪsnst] *mn* **a)** *GB* nem engedélyezett, engedély nélküli *[főként alkohol árusítására]* **b)** szabadalom nélküli, szabadalmazatlan
unlighted [ʌn'laɪtɪd] *mn* **1.** meg nem gyújtott *[pl. tűz, szivar]* **2.** (ki/meg) nem világított, világítatlan, sötét *[helyiség]*
unlike [ʌn'laɪk] **I.** *mn* nem hasonló/hasonlatos, különböző, eltérő, más; **such behaviour is ~ him** ez a viselkedés nem rá vall, ez nem rá jellemző viselkedés **II.** *elölj* más/nem mint..., eltérően (...tól), ...től; **be ~(to) sy/sg** nem hasonló/hasonlatos vkhez/vmhez, más mint vk/vm • *fn* **unlikeness**
unlikeable [ʌn'laɪkəbl] *mn* nem tetsző, ellenszenves, antipatikus
unlikely [ʌn'laɪkli] *mn* **a)** valószínűtlen, nem valószínű, alig hihető; **most ~** felettébb kétséges, egyáltalán nem valószínű; **not ~!** valószínűleg! **b)** nem sokat igérő, eredménytelennek/sikertelennek mutatkozó; **be ~ to** nem sok esélye van • *fn* **unlikelihood, unlikeliness**
unlimber [ʌn'lɪmbə ‖ –ər] *tsi* **1.** *US* kicsomagol, kiold(oz) *[vmit használat előtt]* **2.** *kat* felállít *[ágyút]*
unlimited [ʌn'lɪmɪtɪd] *mn* **1. a)** határtalan **b)** korlátlan; **~ liability** korlátlan felelősség **2.** igen nagy, határtalan, túlzott (mértékű) • *fn* **unlimitedness** *hsz* **unlimitedly**
unlined [ʌn'laɪnd] *mn* **1.** béleletlen **2.** ránctalan *[arc, homlok]* **3.** vonalazás nélküli *[füzet, lap]*
unlink [ʌn'lɪŋk] *tsi* megold, kiold *[pl. láncot, köteléket]*, szétkapcsol *[pl. vasúti kocsikat]*
unliquidated [ʌn'lɪkwɪdeɪtɪd] *mn* **1.** kiegyenlítetlen *[adósság]*, nem folyósított *[pénzösszeg]* **2.** határozatlan
unlisted [ʌn'lɪstɪd] *mn* **1.** *pénz* (hivatalosan) nem jegyzett *[értékpapír]* **2. ~ telephone number** titkos telefonszám **3.** nem besorolt
unlit [ʌn'lɪt] *mn* világítás nélküli, (ki/meg) nem világított, világítatlan, sötét
unliveable [ʌn'lɪvəbl] *mn* **1.** elviselhetetlen *[élet]* **2. ~ (in)** lakhatatlan *[ház, vidék]*
unlived-in *mn* **a)** lakatlannak tűnő **b)** használaton kívüli *[szoba]*
unload [ʌn'loʊd] **A.** *tsi* **1. a)** kirak, lerak *[terhet, rakományt]*, kiszállít *[csapatot szerelvényből, hajóból]* **b) ~ one's heart** kiönti szívét **c)** *biz* kifecseg, elkotyog **2.** ürít *[fegyvert]* **3. a)** *biz* megszabadul *[vmtől]* **b)** *ját* eldob *[rossz lapot]* **B.** *tni* kirakodik, lerakodik *[járműből]* • *fn* **unloader**
unlock [ʌn'lɒk ‖ –'lɑk] **A.** *tsi* **1.** kinyit *[ajtót stb. kulccsal]* **2. a)** *műsz* kiold, kiakaszt, kikapcsol, kicsatol **b)** *átv* kiszabadít, megold **3.** *pénz* felszabadít *[zárolt betétet]* **4.** felfed, leleplez, elárul *[titkot]* **B.** *tni* kikapcsolódik, kiszabadul, meglazul, kinyílik
unlocked [ʌn'lɒkt ‖ –'lɑkt] *mn* kulccsal be nem zárt
unlooked-for *mn* váratlan, nem várt/remélt, előre nem látott *[esemény]*
unloose [ʌn'luːs] *tsi* **1. a)** kibont, elold(oz), meglazít; **~ one's tongue** megoldódik a nyelve **b)** kifűz *[cipőt]* **2.** szabaddá tesz
unloosen [ʌn'luːsn] → **unloose**
unloveable [ʌn'lʌvəbl] *mn* nem rokonszenves
unloved [ʌn'lʌvd] *mn* nem kedvelt/szeretett

U

unloving [ʌn'lʌvɪŋ] *mn* szeretet/gyöngédség nélküli, érzéketlen, hideg *[természet, ember]* • *fn* **unlovingness** *hsz* **unlovingly**

unlucky [ʌn'lʌki] *mn* **a)** szerencsétlen, peches **b)** bajt/vészt hozó, baljóslatú, végzetes **c)** szerencsétlenül választott, rosszkor történő, időszerűtlen • *fn* **unluckiness** *hsz* **unluckily**

unmake [ʌn'meɪk] *tsi pt/pp* **unmade** [ʌn'meɪd] **a)** elront, megsemmisít, tönkretesz **b)** visszacsinál, megszüntet **c)** romlásba dönt, elveszejt (vkt) • *mn* **unmade**

unmalleable [ʌn'mælɪəbl] *mn* **a)** nem/nehezen/alig nyújtható/formálható/kalapálható/kovácsolható, rideg *[fém]* **b)** nehezen/alig hajlítható/formálható *[jellem, természet]*

unman [ʌn'mæn] *tsi* **-nn- 1. a)** férfiatlanná tesz, elerőtlenít, elpuhít **b)** meghat, ellágyít, elérzékenyít **c)** elveszi a kedvét/bátorságát (vknek), elbátortalanít **d)** kiherél **2.** lefegyverez, legénységétől megfoszt *[hajót]*, személyzetet visszavon

unmanageable [ʌn'mænɪdʒəbl] *mn* **1.** nehezen kezelhető/fegyelmezhető/irányítható, kezelhetetlen **2.** nehezen igazgatható/vezethető *[intézmény]* **3.** nehezen kormányozható *[hajó]* • *fn* **unmanageableness** *hsz* **unmanageably**

unmanaged [ʌn'mænɪdʒd] *mn* nem kezelt/irányított/fegyelmezett, fegyelmezetlen, féktelen

unmanly [ʌn'mænli] *mn* **1.** férfiatlan, férfihoz nem méltó, gyáva **2.** férfiatlan, nőies, elpuhult • *fn* **unmanliness**

unmanned [ʌn'mænd] *mn* **1.** ember/személyzet nélküli, távirányítású, automatikus, pilóta nélküli; ~ **flight** műszeres repülés **2.** elérzékenyült, meghatódott

unmannered [ʌn'mænəd ‖ −nərd] *mn* nem affektáló, nyílt, egyenes

unmannerly [ʌn'mænəli ‖ −nər−] *mn* rossz modorú, modortalan, udvariatlan, faragatlan • *fn* **unmannerliness**

unmapped [ʌn'mæpt] *mn* **a)** térképen nem ábrázolt, feltérképezetlen **b)** felfedezetlen, bejáratlan

unmarked [ʌn'mɑːkt ‖ −'mɑrkt] *mn* **1.** *nyelv* jelöletlen, jel(zés) nélküli **2.** észre/tudomásul nem vett, figyelmen kívül hagyott

unmarketable [ʌn'mɑːkɪtəbl ‖ −'mɑrkɪtəbl] *mn* nem kelendő/értékesíthető, eladhatatlan *[áru]*

unmarried [ʌn'mærid] *mn* nőtlen *[férfi]*, hajadon *[nő]*; **remain** ~ nem nősül/házasodik meg

unmask [ʌn'mɑːsk ‖ −'mæsk] **A.** *tsi* **a)** leveszi az álarcot (vkről/vmről) **b)** leleplez, felfed (vkt/vmt) **B.** *tni* **a)** leveti álarcát **b)** elárulja/leleplezi magát, lelepleződik • *fn* **unmasker**

unmatchable [ʌn'mætʃəbl] *mn* összehasonlíthatatlan, páratlan, egyedülálló *[minőség, tulajdonság, stb.]* • *hsz* **unmatchably**

unmatched [ʌn'mætʃt] *mn* **1.** páratlan, párját ritkító, egyedülálló **2. a)** nem csoportosított, ki nem válogatott **b)** nem összeillő, felemás *[darabok]*

unmatured [ˌʌnmə'tʃʊəd ‖ −'tʃʊrd] *mn* még éretlen, kiforratlan

unmeaning [ʌn'miːnɪŋ] *mn* **a)** értelmetlen, értelem/jelentés nélküli *[pl. beszéd, hangok]* **b)** kifejezés nélküli, üres *[tekintet]* • *fn* **unmeaningness** *hsz* **unmeaningly**

unmeant [ʌn'ment] *mn* nem szándékos, akaratlan

unmeasurable [ʌn'meʒərəbl] *mn* **1.** megmérhetetlen, meg/le nem mérhető, meghatározhatatlan **2.** mérhetetlen, határtalan • *hsz* **unmeasurably**

unmeasured [ʌn'meʒəd ‖ −ʒərd] *mn* **1.** (meg) nem mért, meg nem határozott, meghatározatlan, bizonytalan *[időtartam stb.]* **2. a)** határtalan, végtelen, mérhetetlen **b)** korlátlan, bőséges, kiadós **3.** mértéktelen, túlságos, túlzó

unmediated [ʌn'miːdɪeɪtɪd] *mn* közvetlen, nem közvetett/közvetített

unmeditated [ʌn'medɪteɪtɪd] *mn* spontán, nem (előre) elhatározott

unmelodious [ˌʌnmɪ'loudɪəs] *mn* dallamtalan, hamisan hangzó, diszharmonikus • *hsz* **unmelodiously**

unmelted [ʌn'meltɪd] *mn* meg nem olvadt

unmemorable [ʌn'memərəbl] *mn* nem nevezetes/emlékezetes, emlékezésre méltatlan • *hsz* **unmemorably**

unmentionable [ʌn'menʃn·əbl] **I.** *mn* elmondhatatlan, kimondhatatlan, kiejthetetlen *[pl. szó]*, megnevezhetetlen *[pl. dolog, bűn]* **II.** *fn* **1.** megnevezhetetlen személyek/dolgok **2.** *tsz* **unmentionables** *biz tréf* alsónemű, intim ruhadarabok • *fn* **unmentionability**, **unmentionableness** *hsz* **unmentionably**

unmentioned [ʌn'menʃnd] *mn* (meg v. fel) nem említett

unmerchantable [ʌn'mɜːtʃntəbl] *fn* eladhatatlan, nem eladható/kelendő *[portéka]*

unmerciful [ʌn'mɜːsɪfl ‖ −'mɜr−] *mn* könyörtelen, kíméletlen, irgalmatlan • *fn* **unmercifulness** *hsz* **unmercifully**

unmerited [ʌn'merɪtɪd] *mn* meg nem érdemelt, érdemtelen

unmet [ʌn'met] *mn* beteljesületlen, beteljesítetlen, el nem ért *[cél, vágy]*

unmetalled [ʌn'metld] *mn GB* burkolat nélküli, kövezetlen *[út]*; ~ **road** földút

unmethodical [ˌʌnmɪ'θɒdɪkl ‖ −'θɑ−] *mn* **a)** nem rendszeres/módszeres/tervszerű, rendszertelen, tervszerűtlen *[pl. munka]* **b)** hebehurgya, zavaros fejű *[ember]* • *hsz* **unmethodically**

unmetrical [ʌn'metrɪkl] *mn* nem metrikus *[mértékegység]*

unmilitary [ʌn'mɪlɪtəri ‖ −teri] *mn* nem katonai/hadi/harcias, polgári

unmindful [ʌn'maɪndfl] *mn* **1.** megfeledkező (*of sg* vmről), figyelmetlen, feledékeny **2.** hanyag, felületes, nemtörődöm **3.** kíméletlen

unmissable [ʌn'mɪsəbl] *mn* ami nem hiányozhat, amit nem szabad elmulasztani/kihagyni

unmissed [ʌn'mɪst] *mn* ami nem hiányzik, nélkülözhető; **he will be** ~ senkinek sem fog hiányozni

unmistakable [ˌʌnmɪ'steɪkəbl] *mn* **a)** félre nem érthető, félreérthetetlen, nyilvánvaló, kétségtelen **b)** könnyen felismerhető, félreismerhetetlen • *fn* **unmistakability** *hsz* **unmistakably**

unmistaken [ˌʌnmɪ'steɪkn] *mn* nem tévedő; helyes, valós, igaz

unmitigated [ʌn'mɪtɪgeɪtɪd] *mn* **1.** nem enyhített/mérsékelt, enyhítés nélküli *[pl. fájdalom]* **2.** *biz pej* teljes, legteljesebb, hamisítatlan, abszolút; **an** ~ **rascal/scoundrel** megrögzött/hétpróbás gazember; **an** ~ **lie** szemenszedett hazugság • *hsz* **unmitigatedly**

unmixed [ʌn'mɪkst] *mn* **a)** nem kevert/vegyített/elegyített, vegyítetlen, elegyítetlen **b)** zavartalan, tiszta, tökéletes *[pl. öröm]*

unmixed blessing *fn* dolog, aminek csak előnye van, *átv* főnyeremény

unmodernized [ʌn'mɒdn·aɪzd ‖ −'mɑdərnaɪzd], **-ised** *mn* felújítatlan, modernizálatlan, eredeti

unmodified [ʌn'mɒdɪfaɪd ‖ −'mɑ−] *mn* változatlan, meg nem változtatott

unmodulated [ʌn'mɒdjʊleɪtɪd ‖ −'mɑdʒə−] *mn film távk* modulálatlan *[vivőhullám]*; ~ **groove** néma vájat *[hanglemezen]*; *film* ~ **track** modulálatlan hangsáv

unmolested [ˌʌnmə'lestɪd] *mn* zavartalan, zaklatásmentes

unmoor [ʌn'mʊə ‖ −'mʊr] *tsi hajó* **a)** kötelet elold/elereszt *[kikötőben]* **b)** *hajó* horgonyát felveszi/felszedi

unmoral [ʌn'mɒrəl ‖ −'mɔ−, −'mɑ−] *mn* erkölcstelen, amorális • *fn* **unmorality**

unmotherly [ʌn'mʌðəli ‖ −ðərli] *mn* nem anyához méltó/illő/való

unmotivated [ʌn'moutɪveɪtɪd] *mn* indokolatlan, motiválatlan

unmounted [ʌn'maʊntɪd] *mn* **1. a)** szereletlen *[gép]* **b)** foglalatlan *[drágakő]* **c)** keretezetlen, montírozatlan *[kép]* **2.** *kat* gyalogos *[katona]*

U

unmourned [ʌn'mɔ:nd || –'mɔrnd] *mn* nem gyászolt, (meg) nem siratott *[halott]*
unmoved [ʌn'mu:vd] *mn* **1.** el nem mozdított, mozdulatlan, helyén álló/lévő **2.** érzéketlen, szenvtelen **3.** eltökélt, határozott • *mn* **unmovable**
unmoving [ʌn'mu:vɪŋ] *mn* **1.** nem mozgó, álló **2.** nem megható/megindító, közönyös
unmown [ʌn'moʊn] *mn* lenyíratlan, lekaszálatlan *[fű]*
unmuffle [ʌn'mʌfl] *tsi* **a)** kivesz/kibugyolál meleg takaróból/kendőből **b)** *zene* hangtompítót levesz *[hangszerről]*
unmurmuring [ʌn'mɜ:mərɪŋ || –'mɜr–] *mn vál* morgás/panasz/zúgolódás nélküli *[pl. engedelmesség]* • *hsz* **unmurmuringly**
unmusical [ʌn'mju:zɪkl] *mn* **1.** nem dallamos, hamis(an hangzó) *[hang]* **2. a)** zenei hallással nem rendelkező, botfülű **b)** nem zenekedvelő/zeneértő • *fn* **unmusicality** *hsz* **unmusically**
unmutilated [ʌn'mju:tɪleɪtɪd] *mn* (meg) nem csonkított
unmuzzle [ʌn'mʌzl] *tsi* **a)** szájkosarat levesz *[kutyáról]* **b)** *biz* szólásszabadságot engedélyez (vknek), sajtócenzúrát megszüntet (vhol), szabaddá tesz *[sajtót]*
unnail [ʌn'neɪl] *tsi* szög(ek)et kihúz/kivesz/kiszed (vmből)
unnameable [ʌn'neɪməbl] *mn* megnevezhetetlen, leírhatatlan
unnamed [ʌn'neɪmd] *mn* **a)** meg nem nevezett, ismeretlen (nevű) **b)** név nélküli, névtelen
unnatural [ʌn'nætʃərəl] *mn* **1.** természetellenes, nem természetes, rendellenes, szabálytalan, abnormális **2. a)** természetes érzéseknek/érzelmeknek hiányában levő, embertelen, kegyetlen **b)** erkölcstelen, elfajzott *[jellem]*, szörnyű(séges), borzalmas *[cselekedet, bűn]* **c)** mesterkélt, erőltetett, kényszeredett *[viselkedés, stílus]* **3.** nem természetes eredetű, mesterséges • *fn* **unnaturalness** *hsz* **unnaturally**
unnavigable [ʌn'nævɪgəbl] *mn* **a)** hajózhatatlan, hajózásra nem alkalmas *[folyó]* **b)** nem használható *[hajó]* • *fn* **unnavigability**
unnecessary [ʌn'nesəsəri || –seri] *mn* felesleges, nem szükséges, szükségtelen • *hsz* **unnecessarily**
unneeded [ʌn'ni:dɪd] *mn* szükségtelen, fölösleges, nélkülözhető
unneighbourly [ʌn'neɪbəli || –bər–] *mn* nem jó szomszédhoz való/méltó/illő, rossz szomszédi
unnerve [ʌn'nɜ:v || –'nɜrv] *tsi* **1.** elbátortalanít (vkt), elveszi a kedvét/bátorságát **2.** elgyengít, elernyeszt • *mn* **unnerving** *hsz* **unnervingly**
unnil- [ʌ'nɪl] *előtag vegy* egy-nulla, száz *[a 104-109 atomszámú elemek nevében]*
unnoticeable [ʌn'noʊtɪsəbl] *mn* észrevehetetlen, nem észlelhető/látható • *hsz* **unnoticeably**
unnoticed [ʌn'noʊtɪst] *mn* észrevétlen, mellőzött; **pass ~** észrevétlen marad; észrevétlenül elmegy/elhalad (vk/vm mellett)
unnumbered [ʌn'nʌmbəd || –bərd] *mn* **1. a)** számolatlan, (meg)számlálatlan **b)** számtalan, megszámlálhatatlan *[sok]* **2.** számozatlan, számmal el nem látott
UNO ['ju:noʊ] *röv United Nations Organisation* Egyesült Nemzetek Szervezete, ENSZ
unobjectionable [ˌʌnəb'dʒekʃnəbl] *mn* kifogástalan *[pl. munka, ember]*, nem kifogásolható/támadható
unobliging [ˌʌnə'blaɪdʒɪŋ] *mn* nem szolgálatkész/szívélyes/előzékeny, udvariatlan
unobscured [ˌʌnəb'skjʊəd || –'skjʊrd] *mn* el nem sötétített/homályosított/ködösített, tiszta *[pl. kilátás]*
unobservable [ˌʌnəb'zɜ:vəbl || –'zɜr–] *mn* nem észlelhető, megfigyelhetetlen, észlelhetetlen
unobservant [ˌʌnəb'zɜ:vənt || –'zɜr–] *mn* nem jó megfigyelő, figyelmetlen • *hsz* **unobservantly**
unobserved [ˌʌnəb'zɜ:vd || –'zɜrvd] *mn* nem észlelt, észrevétlen • *hsz* **unobservedly**
unobstructed [ˌʌnəb'strʌktɪd] *mn* **a)** el nem zárt/torlaszolt/rekesztett *[pl. utca]*, szabad *[kilátás, stb.]*; *gk* **~ turning** (jól) belátható kanyar/forduló **b)** akadálymentes, akadálytalan, korlátozatlan *[cselekvés]*
unobtainable [ˌʌnəb'teɪnəbl] *mn* beszerezhetetlen, megszerezhetetlen, elnyerhetetlen, elérhetetlen
unobtrusive [ˌʌnəb'tru:sɪv] *mn* szerény, nem tolakodó, feltűnésmentes, visszahúzódó, tartózkodó
unoccupied [ʌn'ɒkjʊpaɪd || –'ɑkjə–] *mn* **1. a)** el nem foglalt, szabad *[hely, helyiség]* **b)** foglalkozás/munka/elfoglaltság nélküli, tétlen *[személy]*, szabad *[idő]*, üres *[óra]* **2. a)** be nem töltött, üres *[állás, hely]* **b)** szabadon álló, lakatlan, üres *[ház, lakás]*, rendelkezésre álló, üres *[ülőhely, asztal]* **3.** *kat* meg nem szállott
unoffending [ˌʌnə'fendɪŋ] *mn* ártatlan, ártalmatlan, nem bántó • *mn* **unoffended**
unofficial [ˌʌnə'fɪʃl] *mn* **1.** nem hivatalos, magán **2.** félhivatalos *[pl. közlés]*, meg nem erősített **3.** hivatalos személyre nem jellemző • *hsz* **unofficially**
unofficial strike *fn GB* ‹szakszervezet által el nem ismert/nem hivatalos sztrájk›
unopened [ʌn'oʊpənd] *mn* (be)zárt, ki nem nyitott *[ajtó, szoba]*, meg nem nyitott *[kiállítás, gyűlés]*, felbontatlan *[levél]*
unopposed [ˌʌnə'poʊzd] *mn* nem ellenzett, ellenállás nélkül; *pol* **be returned ~** (ellenjelölt nélkül) egyhangúlag megválasztják képviselőnek
unordained [ˌʌnɔ:'deɪnd || –ɔr–] *mn* **1.** *vall* (még) fel nem szentelt *[pap]* **2.** el nem rendelt
unordinary [ʌn'ɔ:dɪnəri || –'ɔrdɪneri] *mn* rendestől/szokásostól eltérő, szokatlan, rendkívüli
unorganized [ʌn'ɔ:gənaɪzd || –'ɔr–], **-ised** *mn* **1.** szervezetlen **2.** szétszórt
unoriginal [ˌʌnə'rɪdʒənl] *mn* **1.** eredetiség nélküli, nem eredeti, utánzó **2.** eredet nélküli • *fn* **unoriginality** *hsz* **unoriginally**
unornamental [ˌʌnɔ:nə'mentl || –ɔr–] *mn* nem/kevéssé díszítő/mutatós/dekoratív, egyszerű, köznapi
unornamented [ʌn'ɔ:nəmentɪd || –'ɔr–] *mn* dísz(ítés)/ékítmény/ékesség nélküli, dísztelen, egyszerű
unorthodox [ʌn'ɔ:θədɒks || –'ɔrθədɑks] *mn* **a)** *vall* nem hithű, heterodox *[igazhitűséggel/ortodoxiával szemben álló]* **b)** liberális szellemű/gondolkodású, szokatlan, újszerű, az általánosan elfogadott rendszertől eltérő *[attitűd, gondolkodásmód]* • *fn* **unorthodoxy**
unostentatious [ˌʌnɒsten'teɪʃəs || –ɑstən–] *mn* nem kérkedő/hivalkodó, egyszerű, igénytelen, szerény • *fn* **unostentatiousness** *hsz* **unostentatiously**
unowned [ʌn'oʊnd] *mn* **1.** gazdátlan **2.** magáénak nem vallott (v. el nem ismert)
unpack [ʌn'pæk] *tsi/tni* kicsomagol • *fn* **unpacker**
unpaged [ʌn'peɪdʒd] *mn* lapszámozatlan, lapszámozás nélküli
unpaid [ʌn'peɪd] *mn* **1. a)** nem fizetett/díjazott, fizetés/díjazás nélküli **b)** fizetését/zsoldját nem élvező **2. a)** kifizetetlen *[pénzösszeg]*, kiegyenlítetlen *[számla, tartozás]* **b)** bérmentesítetlen
unpainted [ʌn'peɪntɪd] *mn* **a)** (be)festetlen **b)** (ki)festetlen, kendőzetlen *[arc]*
unpaired [ʌn'peəd || –'perd] *mn* **1.** nem párosított, párját vesztett, páratlan **2.** *orv* nem páros *[szerv]*
unpalatable [ʌn'pælətəbl] *mn* **1.** rossz ízű, élvezhetetlen *[pl. étel]* **2.** *biz* kellemetlen, érzékenységet sértő *[szavak, vélemény]* • *fn* **unpalatability**
unparalleled [ʌn'pærəleld] *mn* páratlan, párját ritkító, példátlan
unpardonable [ʌn'pɑ:dn·əbl || –'pɑr–] *mn* megbocsáthatatlan • *fn* **unpardonableness** *hsz* **unpardonably**
unparliamentary [ˌʌnpɑ:lə'mentəri || –pɑr–] *mn* **a)** nem parlamentáris **b)** *biz* durva, közönséges *[nyelvezetű]*; **~ language** káromkodás, szitkozódás

unpasteurized [ʌn'pæstʃəraɪzd], **-ised** *mn* pasztörizálatlan

unpatented [ʌn'peɪtntɪd] *mn* nem szabadalmazott *[találmány]*

unpatriotic [ˌʌnpætri'ɒtɪk ‖ –'ɑtɪk] *mn* nem hazafihoz illő/méltó, hazafiatlan *[ember, érzelem, tett]* • *hsz* **unpatriotically**

unpatronizing [ʌn'pætrənaɪzɪŋ], **-ising** *mn* nem leereszkedő *[modor, stílus]*

unpaved [ʌn'peɪvd] *mn* **a)** kőburkolat nélküli, kövezetlen *[út]* **b)** felszedett kövezetű/kőburkolatú *[út]*

unpeeled [ʌn'pi:ld] *mn* **1.** hámozatlan, hántolatlan *[pl. gyümölcs]* **2.** *átv* kifosztott, kirabolt

unpeg [ʌn'peg] *tsi* **-gg- 1.** faszeget/cöveket/karót/éket kihúz/eltávolít **2.** felszabadít, nem stabilizál tovább *[árakat]*

unpeople [ʌn'pi:pl] **I.** *tsi* elnéptelenít, lakatlanná tesz **II.** *fn tsz* nemlétezőnek tekintett személyek; → **unperson**

unperceived [ˌʌnpə'si:vd ‖ –pər–] *mn* nem észlelt/látott, észrevétlen

unperfected [ˌʌnpɜ:'fektɪd ‖ –pɜr–] *mn* befejezetlen, elvégzetlen

unperforated [ʌn'pɜ:fəreɪtɪd ‖ –pɜr–] *mn* kilyukasztatlan, perforálatlan

unperformed [ˌʌnpə'fɔ:md ‖ ˌʌnpər'fɔrmd] *mn* **a)** meg nem tartott, teljesítetlen *[ígéret, stb.]*, végrehajtatlan *[pl. terv]*, elvégezetlen *[munka]* **b)** előadatlan *[színdarab, zenemű]*

unperfumed [ˌʌnpə'fju:md ‖ –pər–] *mn* nem illatosított, illatosítatlan

unperson [ʌn'pɜ:sn ‖ –'pɜrsn] *fn* nem létezőnek tekintett személy

unpersuadable [ˌʌnpə'sweɪdəbl ‖ –pər–] *mn* rábeszélhetetlen, meggyőzhetetlen, makacs

unpersuaded [ˌʌnpə'sweɪdɪd ‖ –pər–] *mn* meg nem győzött, rá nem beszélt

unpersuasive [ˌʌnpə'sweɪsɪv ‖ –pər–] *mn* nem/kevéssé meggyőző *[pl. érv]* • *hsz* **unpersuasively**

unperturbed [ˌʌnpə'tɜ:bd ‖ –pər'tɜrbd] *mn* higgadt, nyugodt, zavartalan • *hsz* **unpertubedly**

unphilosophic(al) [ˌʌnfɪlə'sɒfɪk(l) ‖ –'sɑ–] *mn* nem filozofikus/filozófiai • *hsz* **unphilosophically**

unphysiological [ˌʌnfɪzɪə'lɒdʒɪkl ‖ –'lɑ–] *mn* a normális élettani működéstől eltérő, kóros • *hsz* **unphysiologically**

unpick [ʌn'pɪk] *tsi* felfejt, felbont *[varrást]*, szétbont *[ruhát]*

unpicked [ʌn'pɪkt] *mn* **1.** ki nem válogatott *[pl. áru, gyümölcs]* **2.** le nem szedett, szedetlen *[gyümölcs]*

unpicturesque [ˌʌnpɪktʃə'resk] *mn* unalmas, sivár, kietlen

unpin [ʌn'pɪn] *tsi* **-nn- 1.** (gombos)tűket kiveszi/kiszedi *[pl. ruhából]* **2.** facsapokat/csavarokat kiszed/kihúz **3.** felszabadít *[lekötött figurát sakkban]*

unpitied [ʌn'pɪtɪd] *mn* nem sajnált/szánt *[személy]*

unpitying [ʌn'pɪtiɪŋ] *mn* könyörtelen, irgalmatlan, szánalmat nem ismerő • *hsz* **unpityingly**

unplaceable [ʌn'pleɪsəbl] *mn* elhelyezhetetlen, meghatározhatatlan, behatárolhatatlan *[dialektus, akcentus]*

unplaced [ʌn'pleɪst] *mn* **1.** helyezetlen *[pl. versenyző]*, helyezést nem nyert *[pályázó]* **2.** nem a helyén levő *[tárgy]* **3.** el nem helyezett

unplanned [ʌn'plænd] *mn* (be/meg) nem tervezett

unplanted [ʌn'plɑ:ntɪd ‖ –'plæntɪd] *mn* **1.** magától/vadon nőtt/növő **2.** (még) be nem telepített *[terület]* **3.** bevetetlen *[terület]* **4.** *kat* állásba nem helyezett *[löveg]*

unplausible [ʌn'plɔ:zɪbl] *mn* nem valószínű/meggyőző/elfogadható, valószínűtlen *[érv, stb.]*

unplayable [ʌn'pleɪəbl] *mn* **a)** (le) nem játszható, előadhatatlan *[zenedarab]* **b)** visszaadhatatlan *[labda pl. teniszben]*, meg nem játszható *[játszma]* • *hsz* **unplayably**

unpleasant [ʌn'pleznt] *mn* **a)** kellemetlen, csúf **b)** visszatetsző, bántó • *fn* **unpleasantness** *hsz* **unpleasantly**

unpleasantry [ʌn'plezntri] **1.** vm kellemetlen volta/jellege **2.** *tsz* **unpleasantries a)** kellemetlen megjegyzések **b)** kellemetlenség, bosszúság

unpleasing [ʌn'pli:zɪŋ] *mn* **1.** nem tetsző **2.** visszatetsző, kellemetlen • *hsz* **unpleasingly**

unploughed [ʌn'plaʊd] *mn* **1.** felszántatlan *[föld]* **2.** körülvágatlan *[könyv]*

unplucked [ʌn'plʌkt] *mn* **1.** (le)szedetlen *[virág]* **2.** meg nem kopasztott *[baromfi]*

unplug [ʌn'plʌg] *tsi* **-gg- 1.** kidugaszol, dugót kivesz/kihúz (vmből) **2.** *vill* kihúzza a (konnektor) dugóját, árammentesít *[készüléket]*

unplugged [ʌn'plʌgd] *mn/hsz zene* akusztikus(an), elektromos hangszerek nélkül(i) *[koncert]*

unplumbed [ʌn'plʌmd] *mn átv* megmérhetetlen, feneketlen, kikutathatatlan *[mélység]* • *mn* **unplumbable**

unpoetic(al) [ˌʌnpoʊ'etɪk(l)] *mn* költőietlen, prózai, száraz

unpointed [ʌn'pɔɪntɪd] *mn* **1.** *nyelv* **a)** pontozatlan *[betű]* **b)** (magánhangzót jelölő) diakritikus jel nélküli *[sémi nyelvekben]* **2.** hegyezetlen, életlen, tompa **3.** *épít* nem csúcsos/csúcsíves *[épület]*

unpolished [ʌn'pɒlɪʃt ‖ –'pɑlɪʃt] *mn* **1. a)** csiszolatlan, fényezetlen, matt *[felület]* **b)** lakkozatlan, politúrozatlan *[bútor]* **2. a)** csiszolatlan *[elme]* **b)** durva, bárdolatlan, faragatlan *[ember, modor]*

unpolitical [ˌʌnpə'lɪtɪkl] *mn* **1.** politikailag helytelen/célszerűtlen **2. a)** apolitikus, politikamentes **b)** politikailag közömbös • *hsz* **unpolitically**

unpolled [ʌn'poʊld] *mn* **a)** (le) nem szavazott *[szavazó]*, számba nem vett *[szavazat]* **b)** közvélemény-kutatás során meg nem kérdezett *[személy]*

unpolluted [ˌʌnpə'lu:tɪd] *mn* szennyezetlen, tiszta *[pl. víz, levegő]*

unpopular [ʌn'pɒpjʊlə ‖ –'pɑpjələr] *mn* népszerűtlen • *fn* **unpopularity** *hsz* **unpopularly**

unpopulated [ʌn'pɒpjʊleɪtɪd ‖ –'pɑpjə–] *mn* néptelen, lakatlan *[terület stb.]*

unposed [ʌn'poʊzd] *mn* nem beállított *[fénykép]*

unpossessed [ˌʌnpə'zest] *mn* **a)** (senki által) nem birtokolt/bírt, gazdátlan *[föld, ingóság]* **b) be ~ of sg** nincs birtokában vmnek, nem birtokol vmt

unpowered [ʌn'paʊəd ‖ –ərd] *mn* motor nélküli, nem géperejű *[hajó, jármű]*

unpractical [ʌn'præktɪkl] *mn* **1.** nem gyakorlatias/praktikus, gyakorlatiatlan *[ember]* **2.** végre nem hajtható, kivihetetlen *[pl. terv]* • *fn* **unpracticality** *hsz* **unpractically**

unpractised [ʌn'præktɪst] *mn* **1.** gyakorlatlan, tapasztalatlan, járatlan, kezdő **2.** nem alkalmazott/használt/gyakorolt *[tulajdonság, eszköz]*

unprecedented [ʌn'presɪdentɪd] *mn* előzmény/példa nélkül álló, példátlan, új • *hsz* **unprecedentedly**

unpredictable [ˌʌnprɪ'dɪktəbl] *mn* előre nem látható, kiszámíthatatlan *[időjárás, esemény]* • *fn* **unpredictability** *hsz* **unpredictably**

unpredicted [ˌʌnprɪ'dɪktɪd] *mn* meg nem jósolt, előre nem látott

unprejudiced [ʌn'predʒədɪst] *mn* előítélet-mentes, elfogulatlan, pártatlan

unpremeditated [ˌʌnpri:'medɪteɪtɪd] *mn* nem szándékos, rögtöznött, spontán, *jog* előre meg nem fontolt • *hsz* **unpremeditatedly**

unprepared [ˌʌnprɪ'peəd ‖ –'perd] *mn* **1.** elkészítetlen **2.** előkészület nélküli, rögtönzött **3.** fel nem készült, (fel)készületlen • *fn* **unpreparedness** *hsz* **unpreparedly**

unprepossessing [ˌʌnpri:pə'zesɪŋ] *mn* ellenszenves, visszataszító

unprescribed [ˌʌnprɪ'skraɪbd] *mn* **1.** recept nélküli *[gyógyszer]* **2.** nem előírt *[pl. mód]*

unpresentable [ˌʌnprɪ'zentəbl] *mn* **a)** nem bemutatható/szalonképes *[ember]* **b)** rossz modorú, neveletlen **c)** rossz külsejű *[ember]*

unpressed [ʌn'prest] *mn* **a)** vasalatlan *[ruha]* **b)** *ip* sajtolatlan *[fém]*
unpressurized [ʌn'preʃəraɪzd] *mn rep* nem túlnyomásos (v. túlnyomás alatt álló) *[fülke, kabin repülőgépen]*
unpresuming [ˌʌnprɪ'zju:mɪŋ ‖ –'zu:–] *mn* elbizakodottság/önteltség nélküli, szerény
unpresumptuous [ˌʌnprɪ'zʌmptʃuəs] → **unpresuming**
unpretending [ˌʌnprɪ'tendɪŋ] *mn* igénytelen, szerény, nem fennhéjázó • *fn* **unpretendingness** *hsz* **unpretendingly**
unpretentious [ˌʌnprɪ'tenʃəs] → **unpretending**
unpriced [ʌn'praɪst] *mn* beárazatlan *[áru]*
unprimed [ʌn'praɪmd] *mn* **1.** begyújtatlan *[motor]*; feltöltetlen *[tartály]* **2. a)** nem tájékoztatott *[személy]* **b)** betanítatlan *[személy]*
unprincipled [ʌn'prɪnsɪpld] *mn* **a)** erkölcsi elvet/alapot nélkülöző, elvtelen **b)** erkölcstelen, tisztességtelen, becstelen, aljas • *fn* **unprincipledness**
unprintable [ʌn'prɪntəbl] *mn* nyomdafestéket nem tűrő, kinyomtathatatlan • *hsz* **unprintably**
unprinted [ʌn'prɪntɪd] *mn* **1.** ki nem nyomtatott, kinyomatlan, kiadatlan *[pl. szöveg, könyv]* **2.** *tex* nem nyomott, sima *[anyag]*
unprivileged [ʌn'prɪvɪlɪdʒd] *mn* előjoggal/kiváltsággal nem rendelkező
unprized [ʌn'praɪzd] *mn* nem/kevéssé értékelt/becsült/méltányolt
unproblematic [ˌʌnprɒblə'mætɪk ‖ –prɑ–] *mn* problémamentes, kétségtelen • *hsz* **unproblematically**
unprocessed [ʌn'prousest] *mn* **1.** feldolgozatlan, nyers *[nyersanyag, élelmiszer]* **2.** nem iktatott
unproclaimed [ˌʌnprə'kleɪmd] *mn* ki nem hirdetett/nyilvánított, bejelentetlen *[közlemény, stb.]*
unprocurable [ˌʌnprə'kjuərəbl ‖ –'kjur–] *mn* beszerezhetetlen, megszerezhetetlen
unproductive [ˌʌnprə'dʌktɪv] *mn* **a)** terméketlen, meddő, hasznot/jövedelmet nem hajtó/hozó *[pl. föld]* **b)** nem termelő/jövedelmező, eredménytelen, improduktív *[pl. munka, erőfeszítés]* • *fn* **unproductiveness** *hsz* **unproductively**
unprofessional [ˌʌnprə'feʃnəl] *mn* **1. a)** nem szakszerű, szakszerűtlen **b)** nem hivatásos/diplomás, szakképzettség nélküli, laikus **2.** *sp* műkedvelő, amatőr *[versenyző, játékos]* • *hsz* **unprofessionally**
unprofitable [ʌn'prɒfɪtəbl ‖ –'prɑfɪtəbl] *mn* **a)** nem jövedelmező/gyümölcsöző, előnytelen *[pl. üzlet]*, parlagon heverő, nem termő, terméketlen *[pl. föld]*; **an ~ transaction** nem jövedelmező (v. hasznot nem hajtó) ügylet **b)** haszontalan, eredménytelen, hiábavaló *[pl. munka]* • *fn* **unprofitableness** *hsz* **unprofitably**
unprogressive [ˌʌnprə'gresɪv] *mn* nem haladó (szellemű), haladásellenes
unpromising [ʌn'prɒmɪsɪŋ ‖ –'prɑ–] *mn* nem sokat ígérő, nem biztató • *hsz* **unpromisingly**
unprompted [ʌn'prɒmptɪd ‖ –'prɑmp–] *mn* rögtönzött, spontán, öntevékeny, felszólítás nélküli
unpronounceable [ˌʌnprə'naʊnsəbl] *mn* kiejthetetlen, kimondhatatlan • *hsz* **unpronounceably**
unpropitious [ˌʌnprə'pɪʃəs] *mn* kedvezőtlen, alkalmatlan *[pl. időpont]* • *hsz* **unpropitiously**
unprotected [ˌʌnprə'tektɪd] *mn* **1. a)** védelem nélküli *[pl. hely]* **b)** védtelen, támasz/pártfogó/pártfogás nélkül álló *[személy]* **2.** védekezés nélküli *[szex]* **3.** *műsz* védtelen, burkolatlan *[alkatrész]* • *fn* **unprotectedness**
unprotesting [ˌʌnprə'testɪŋ] *mn* nem tiltakozó/kifogásoló • *hsz* **unprotestingly**
unprovable [ʌn'pru:vəbl] *mn* **1.** (be)bizonyíthatatlan *[pl. vád]* **2.** ki nem próbálható, kipróbálhatatlan
unproved [ʌn'pru:vd] *mn* **1.** (be) nem bizonyított, (be)bizonyítatlan **2.** (ki)próbálatlan
unproven [ʌn'pru:vn] → **unproved**
unprovided [ˌʌnprə'vaɪdɪd] *mn* **1. ~ with sg** vmvel el nem látott, ellátatlan *[anyagiakkal]* **2.** vmre fel nem készült, felkészületlen
unprovoked [ˌʌnprə'voʊkt] *mn* **1.** kihívás nélküli, ki nem provokált *[pl. sértés]* **2.** ok nélküli, indokolatlan
unpublicized [ʌn'pʌblɪsaɪzd], **-ised** *mn* nem reklámozott/hirdetett, nyilvánosságra nem hozott
unpublished [ʌn'pʌblɪʃt] *mn* **a)** kiadatlan *[írói mű]* **b)** nem közölt/publikált • *mn* **unpublishable**
unpunctual [ʌn'pʌŋktʃuəl] *mn* nem pontos, pontatlan, későn jövő • *fn* **unpunctuality**
unpunctuated [ʌn'pʌŋktʃueɪtɪd] *mn* írásjelek nélküli, központozatlan
unpunishable [ʌn'pʌnɪʃəbl] *mn* nem büntethető
unpunished [ʌn'pʌnɪʃt] *mn* büntetlen; **go ~** büntetlenül (v. büntetés nélkül) megússza
unpurified [ʌn'pjuərɪfaɪd ‖ –'pjur–] *mn* tisztítatlan, finomítatlan, nyers *[anyag]*
unputdownable [ˌʌnput'daʊnəbl] *mn biz* letehetetlen *[lebilincselő könyv]*
unqualified [ʌn'kwɒlɪfaɪd ‖ –'kwɑ–] *mn* **1.** (szak)képzettség/képesítés nélküli, képesítetlen; **be ~ for sg** nincs meg a képzettsége/képesítése vmre **2.** feltétlen, korlátlan, fenntartás nélküli
unquantifiable [ʌn'kwɒntɪfaɪəbl ‖ –'kwɑn–] *mn* mennyiségileg nem meghatározható/kifejezhető
unquenchable [ʌn'kwentʃəbl] *mn* elolthatatlan *[tűz]*, olthatatlan, csillapíthatatlan *[pl. szomjúság]*, kielégíthetetlen *[pl. vágy]* • *hsz* **unquenchably**
unquenched [ʌn'kwentʃt] *mn* oltatlan, csillapítatlan *[pl. szomjúság]*, ki nem elégített *[vágy]*
unquestionable [ʌn'kwestʃənəbl] *mn* kétségbevonhatatlan, kétségtelen, (el)vitathatatlan, tagadhatatlan *[tény]* • *fn* **unquestionability**, **unquestionableness** *hsz* **unquestionably**
unquestioned [ʌn'kwestʃənd] *mn* **1.** nem vitatott, vitathatatlan, kétségtelen *[tény]* **2.** (meg) nem kérdezett/vizsgált/válaszolt
unquestioning [ʌn'kwestʃənɪŋ] *mn* kérdés/habozás/feltétel nélküli, feltétlen *[engedelmesség]* • *hsz* **unquestioningly**
unquiet [ʌn'kwaɪət] *mn* **1.** nyugtalan, háborgó, zavaros **2.** nyugtalanító, nyugtalanságot/zavart keltő • *fn* **unquietness** *hsz* **unquietly**
unquotable [ʌn'kwoʊtəbl] *mn* **a)** nem idézhető, idézhetetlen **b)** megismételhetetlen, reprodukálhatatlan
unquote [ʌn'kwoʊt] *tsi* idézetet bezár/befejez, idézőjel bezárva *[diktáláskor]*
unquoted [ʌn'kwoʊtɪd] *mn* **1.** nem idézett **2.** *pénz* **~ securities** nem jegyzett értékpapírok *[tőzsdén]*
unravel [ʌn'rævl] **A.** *tsi* **1. a)** szálakra bont, foszlat *[textíliát]* **b)** kibont, kibogoz, kigöngyölít *[fonalat]*, felfejt *[kötést]* **2.** kibogoz, megold, tisztáz *[rejtélyt]* **B.** *tni* **1. a)** szálakra bomlik, felbomlik, felfeslik **b)** kibomlik, kibogozódik **2.** megoldódik, tisztázódik, kiderül *[tényállás]*
unreachable [ʌn'ri:tʃəbl] *mn* elérhetetlen, el nem érhető • *fn* **unreachableness** *hsz* **unreachably**
unreached [ʌn'ri:tʃt] *mn* el nem ért *[cél]*
unread [ʌn'red] *mn* **1.** (el)olvasatlan **2.** nem olvasott *[ember]*
unreadable [ʌn'ri:dəbl] *mn* olvashatatlan • *fn* **unreadability** *hsz* **unreadably**
unready [ʌn'redi] *mn* **1.** (elő)készületlen, felkészületlen **2.** lassú, határozatlan, habozó • *fn* **unreadiness** *hsz* **unreadily**
unreal [ʌn'rɪəl ‖ –'ri:l] *mn* **1.** nem valódi/valószerű/reális, valószerűtlen, irreális **2.** *US Ausz Kan szl [hihetetlen, elképesztő]* állati
unrealism [ʌn'rɪəlɪzm] *fn* irrealitás
unrealistic [ˌʌnrɪə'lɪstɪk] *mn* a valóságtól távol eső, irreális, valószerűtlen, valószínűtlen • *hsz* **unrealistically**

U

unrealizable [ʌn'rɪəlaɪzəbl], **-isable** *mn* **1.** megvalósíthatatlan, végrehajthatatlan, kivihetetlen *[terv]* **2.** érthetetlen, elképzelhetetlen
unrealized [ʌn'rɪəlaɪzd], **-ised** *mn* **1.** meg nem valósított/valósult *[terv]*, beteljesületlen *[remény]* **2.** figyelmen kívül hagyott, nem értékelt *[tulajdonság]*
unreason [ʌn'ri:zn] *fn* esztelenség, ésszerűtlenség, ostobaság
unreasonable [ʌn'ri:znəbl] *mn* **1.** ésszerűtlen, esztelen, oktalan *[ember, gondolat]* **2.** mértéktelen, túlságos, túlzott • *fn* **unreasonableness** *hsz* **unreasonably**
unreasoned [ʌn'ri:znd] *mn* ésszerűtlen, értelmetlen
unreasoning [ʌn'ri:zn·ɪŋ] *mn* ésszerűtlen, értelmetlen • *hsz* **unreasoningly**
unreceptive [ˌʌnrɪ'septɪv] *mn* nem fogékony/befogadó, korlátolt *[elme, szellem, felfogás]*
unreciprocated [ˌʌnrɪ'sɪprəkeɪtɪd] *mn* viszonzatlan
unreckoned [ʌn'reknd] *mn* kiszámítatlan, kikalkulálatlan
unreclaimed [ˌʌnrɪ'kleɪmd] *fn* **1. a)** meg nem javított/javult *[bűnöző]* **b)** jó útra nem tért *[ember]* **2. a)** parlagon levő/hagyott *[föld]* **b)** lecsapolatlan *[láp, mocsár]*
unrecognizable [ʌn'rekəgnaɪzəbl], **-isable** *mn* felismerhetetlen, megismerhetetlen • *fn* **unrecognizableness** *hsz* **unrecognizably**
unrecognized [ʌn'rekəgnaɪzd], **-ised** *mn* **1.** el/fel nem ismert, félreismert **2.** el nem ismert *[trónkövetelő, kormány]*
unrecompensed [ʌn'rekəmpenst] *mn* nem kárpótolt, meg nem térített *[kár]*, viszonzatlan *[szívesség]*
unreconciled [ʌn'rekənsaɪld] *mn* kiengeszteletlen, kibékítetlen
unreconstructed [ˌʌnri:kən'strʌktɪd] *mn* helyreállítatlan
unrecorded [ˌʌnrɪ'kɔ:dɪd ‖ –'kɔr–] *mn* **1.** fel nem jegyzett, nyilvántartásba/jegyzékbe nem vett, feljegyzetlen **2.** nem rögzített, fel nem vett *[pl. hang, zene]* • *mn* **unrecordable**
unrectified [ʌn'rektɪfaɪd] *mn* helyre nem hozott, ki nem igazított
unredeemable [ˌʌnrɪ'di:məbl] *mn* **1.** beválthatatlan, kiválthatatlan *[pl. zálogtárgy]* **2.** jóvátehetetlen, helyrehozhatatlan *[hiba]* **3.** *pénz* behajthatatlan *[kinnlevőség]*, törleszthetetlen *[összeg]*
unredeemed [ˌʌnrɪ'di:md] *mn* **1.** be/ki nem váltott *[zálogtárgy]* **2.** meg nem tartott *[szó]* **3.** jóvá nem tett **4.** *pénz* be nem hajtott *[kinnlevőségek]*, törlesztetlen *[kölcsön stb.]*
unredressed [ˌʌnrɪ'drest] *mn* jóvá nem tett, helyre nem hozott, nem orvosolt *[hiba, tévedés]*
unreel [ʌn'ri:l] **A.** *tsi* leteker, letekercsel, legombolyít **B.** *tni* letekeredik, legombolyodik, lecsavarodik
unreeve [ʌn'ri:v] *tsi pt* **unrove** [ʌn'roʊv] *hajó* kiemel, kihúz *[kötelet]*
unrefined [ˌʌnrɪ'faɪnd] *mn* **1.** *vegy* finomítatlan, tisztítatlan, nyers *[pl. alkohol]* **2.** faragatlan, bárdolatlan, közönséges *[ember]*
unreflecting [ˌʌnrɪ'flektɪŋ] *mn* **1.** fényt nem sugárzó (v. vissza nem verő) *[tárgy]* **2.** meggondolatlan, megfontolatlan *[ember]* • *mn* **unreflective**
unreformed [ˌʌnrɪ'fɔ:md ‖ –'fɔrmd] *mn* (meg)javítatlan, (meg)reformálatlan
unregarded [ˌʌnrɪ'gɑ:dɪd ‖ –'gɑr–] *mn* figyelembe nem vett, figyelemre nem méltatott, észrevétlen, elhanyagolt
unregenerate [ˌʌnrɪ'dʒenərət] *mn* meg nem javult/változott, át nem alakult
unregistered [ʌn'redʒɪstəd ‖ –ərd] *mn* **a)** írásba nem foglalt, bejegyzetlen, anyakönyvezetlen, törzskönyvezetlen, regisztrálatlan **b)** nem ajánlott *[levél]*
unregulated [ʌn'regjuleɪtɪd ‖ –gjə–] *mn* szabályozatlan, (be) nem szabályozott
unrehearsed [ˌʌnrɪ'hɜ:st ‖ –'hɜrst] *mn* **1. a)** *szính* próba nélkül előadott **b)** keresetlen *[szavak]*, rögtönzött *[beszéd]* **2.** el nem mondott
unrelated [ˌʌnrɪ'leɪtɪd] *mn* **a)** össze nem függő, kapcsolatban/vonatkozásban nem levő **b)** rokonságban nem levő • *fn* **unrelatedness**
unrelaxed [ˌʌnrɪ'lækst] *mn* feszült, el nem lazult
unreleased [ˌʌnrɪ'li:st] *mn* kiadatlan, meg nem jelentetett *[lemez, film, könyv]*
unrelenting [ˌʌnrɪ'lentɪŋ] *mn* **a)** hajthatatlan, engesztelhetetlen, kérlelhetetlen **b)** elszánt, ádáz *[küzdelem]* **c)** lankadatlan • *hsz* **unrelentingly**
unreliable [ˌʌnrɪ'laɪəbl] *mn* megbízhatatlan, állhatatlan • *fn* **unreliability**, **unreliableness**
unrelieved [ˌʌnrɪ'li:vd] *mn* **1.** meg nem szabadított, segítség nélkül hagyott, fel nem váltott *[őr]* **2.** nem enyhített *[fájdalom]* **3.** egyhangú, változatlan • *hsz* **unrelievedly**
unreligious [ˌʌnrɪ'lɪdʒəs] *mn* **1.** világi **2.** vallástalan
unremarkable [ˌʌnrɪ'mɑ:kəbl ‖ –'mɑr–] *mn* érdektelen, nem érdemleges, unalmas • *hsz* **unremarkably**
unremarked [ˌʌnrɪ'mɑ:kt ‖ –'mɑrkt] *mn* észrevétlen
unremembered [ˌʌnrɪ'membəd ‖ –bərd] *mn* elfelejtett, feledésbe merült
unremitting [ˌʌnrɪ'mɪtɪŋ] *mn* szüntelen, lankadatlan • *hsz* **unremittingly**
unremorseful [ˌʌnrɪ'mɔ:sfl ‖ –'mɔrs–] *mn* lelkiismeretfurdalást nem érző • *hsz* **unremorsefully**
unremovable [ˌʌnrɪ'mu:vəbl] *mn* elmozdíthatatlan, eltávolíthatatlan
unremunerative [ˌʌnrɪ'mju:nərətɪv] *mn* anyagi hasznot nem hajtó, nem kifizetődő
unrenewable [ˌʌnrɪ'nju:əbl] *mn* megújíthatatlan, meghosszabbíthatatlan *[tagság]*
unrepealed [ˌʌnrɪ'pi:ld] *mn* vissza nem vont *[rendelkezés]*, hatályos, (még) hatályban/érvényben levő *[jogszabály]*
unrepeatable [ˌʌnrɪ'pi:təbl] *mn* **1.** megismételhetetlen **2.** elmondhatatlan, reprodukálhatatlan *[történet]* • *fn* **unrepeatability**
unrepentant [ˌʌnrɪ'pentənt] *mn* bűnbánatot nem érző, megátalkodott *[bűnös]* • *hsz* **unrepentantly**
unreported [ˌʌnrɪ'pɔ:tɪd ‖ –'pɔr–] *mn* nem jelentett *[pl. kihágás]*
unrepresented [ˌʌnreprɪ'zentɪd] *mn* **1.** nem képviselt, képviseletlen **2.** (példával) nem szemléltetett/illusztrált
unrequested [ˌʌnrɪ'kwestɪd] *mn* kéretlen; **he did it ~** kéretlenül tette
unrequited [ˌʌnrɪ'kwaɪtɪd] *mn* **1. a)** viszonzatlan **b)** meg nem torolt *[gonoszság]* **2.** díjazatlan, fizetetlen *[szolgálat]*
unreserve [ˌʌnrɪ'zɜ:v ‖ –'zɜrv] *fn* fesztelenség *[viselkedésé, stílusé]*, gátlástalanság
unreserved [ˌʌnrɪ'zɜ:vd ‖ –'zɜrvd] *mn* **1.** fesztelen, nyílt, őszinte *[bizalom]* **2.** fenntartás nélküli *[ragaszkodás, stb.]* **3. ~ seats** fenn nem tartott (v. számozatlan) helyek • *hsz* **unreservedly**
unresisted [ˌʌnrɪ'zɪstɪd] *mn* ellenállás nélkül fogadott • *hsz* **unresistedly**
unresisting [ˌʌnrɪ'zɪstɪŋ] *mn* ellenállást ki nem fejtő, engedékeny • *hsz* **unresistingly**
unresolvable [ˌʌnrɪ'zɒlvəbl ‖ –'zɑl–] *mn* megoldhatatlan, eldönthetetlen
unresolved [ˌʌnrɪ'zɒlvd ‖ –'zɑlvd] *mn* **1.** határozatlan, habozó **2.** eldöntetlen *[kérdés]*, megoldatlan *[probléma]* **3.** fel nem old(ód)ott *[anyag folyadékban]* • *hsz* **unresolvedly**
unresponsive [ˌʌnrɪ'spɒnsɪv ‖ –'spɑn–] *mn* **1.** hűvös, tartózkodó **2.** nem reagáló/fogékony (vmely behatásra) **3.** *műsz* **~ engine** nehezen/lassan gyorsuló motor • *hsz* **unresponsively**
unrest [ʌn'rest] *fn* nyugtalanság, békétlenség, izgalom; **civil/social ~** a társadalmi elégedetlenség/feszültség/nyugtalanság
unrested [ʌn'restɪd] *mn* nem kipihent, felfrissületlen
unrestful [ʌn'restful] *mn* **1.** nyugtalanító **2.** nyugtalan, zaklatott, izgatott • *hsz* **unrestfully**

U

unresting [ʌn'restɪŋ] *mn* nem nyugvó, nyughatatlan • *hsz* **unrestingly**

unrestored [ˌʌnrɪ'stɔːd ‖ –'stɔrd] *mn* **1.** vissza nem adott/szolgáltatott *[pl. lopott holmi]* **2.** restaurálatlan *[műemlék]* **3.** vissza nem helyezett *[pl. helyére, állásába]*

unrestrained [ˌʌnrɪ'streɪnd] *mn* **a)** korlátozatlan, szabad, féktelen **b)** ~ **by my presence** jelenlétemtől nem zavartatva • *hsz* **unrestrainedly**

unrestricted [ˌʌnrɪ'strɪktɪd] *mn* korlátlan, korlátozatlan, abszolút *[pl. hatalom]* • *hsz* **unrestrictedly**

unreturned [ˌʌnrɪ'tɜːnd ‖ –'tɜrnd] *mn* **a)** vissza nem adott/szolgáltatott, vissza nem tért **b)** viszonzatlan

unrevealed [ˌʌnrɪ'viːld] *mn* fel nem fedett, nyilvánosságra nem hozott, közzé nem tett • *mn* **unrevealing**

unreversed [ˌʌnrɪ'vɜːst ‖ –'vɜrst] *mn* az ellenkezőjére nem változtatott *[döntés]*

unrevised [ˌʌnrɪ'vaɪzd] *mn* változatlan *[kiadás]*, át nem nézett *[kézirat]*

unrevoked [ˌʌnrɪ'voʊkt] *mn* vissza nem vont *[pl. rendelkezés]*

unrewarded [ˌʌnrɪ'wɔːdɪd ‖ –'wɔr–] *mn* **a)** jutalmazatlan, díjazatlan **b)** elismerésben nem részesült

unrewarding [ˌʌnrɪ'wɔːdɪŋ ‖ –'wɔr–] *mn* nem kielégítő, eredménytelen, nem kifizetődő

unrhymed [ʌn'raɪmd] *mn* rímtelen

unrhythmical [ʌn'rɪðmɪkl] *mn* ritmustalan • *hsz* **unrhythmically**

unridden [ʌn'rɪdn] *mn* ~ **horse** betöretlen ló

unriddle [ʌn'rɪdl] *tsi* megold *[rejtélyt]*, megfejt *[álmot]* • *fn* **unriddler**

unrig [ʌn'rɪg] *tsi* **-gg- 1.** *hajó* leszerel *[hajót]* **2.** *táj* levetkőztet

unrighteous [ʌn'raɪtʃəs] *mn* **1.** becstelen, gonosz, bűnös **2.** igazságtalan, méltánytalan • *fn* **unrighteousness** *hsz* **unrighteously**

unrip [ʌn'rɪp] *tsi* **-pp-** feltép, felszakít *[pl. varrást, burkolatot]*

unripe [ʌn'raɪp] *mn min* éretlen; **the time is** ~ még nincs itt az ideje • *fn* **unripeness**

unrisen [ʌn'rɪzn] *mn* fel/el nem riasztott *[vad]*

unrivalled [ʌn'raɪvld], **-led** *mn* páratlan, egyedülálló, utolérhetetlen

unroadworthy [ʌn'roʊdwɜːði ‖ –wɜrði] *mn* közlekedésre alkalmatlan, nem üzembiztos *[jármű]*

unrobe [ʌn'roʊb] **A.** *tsi* **a)** levetkőztet **b)** hivatalos öltözéktől megfoszt **B.** *tni* **a)** levetkőzik **b)** kivetkőzik *[pap]*, hivatalos öltözetét leteszi *[bíró, ügyvéd]*

unroll [ʌn'roʊl] **A.** *tsi* legöngyöl *[szövetet]*, kibont *[zászlót]*, legombolyít *[fonalat]* **B.** *tni* **a)** letekeredik, legombolyodik **b)** kibontakozik, kiterül

unromantic [ˌʌnrə'mæntɪk] *mn* sivár, hétköznapi, földönjáró, prózai

unroof [ʌn'ruːf] *tsi* ~ **a house** ház tetejét lebontja *[ács]*, a háztetőt lekapja *[szélvész]*

unroofed [ʌn'ruːft] *mn* tető nélküli, tetőtlen

unroot [ʌn'ruːt] *tsi* gyökerestől kitép/kiirt; → **uproot**

unrope [ʌn'roʊp] **A.** *tsi* kikötöz, elold **B.** *tni sp* leválasztja magát a kötélről *[hegymászó]*

unrounded [ʌn'raʊndɪd] *mn* **1. a)** le nem kerekített, szögletes **b)** *átv* kikerekítetlen, csiszolatlan *[mondat]* **2.** *nyelv* kerekítetlen, delabializált, illabiális *[magánhangzó]*

unrove [ʌn'roʊv] → **unreeve**

unruffled [ʌn'rʌfld] *mn* **a)** csendes, nyugodt *[pl. tenger]*, össze nem borzolt *[haj, toll]* **b)** *átv* nyugodt, csendes, higgadt

unruled [ʌn'ruːld] *mn* **1.** *átv* féktelen *[szenvedély]* **2.** vonalazatlan

unruly [ʌn'ruːli] *mn* **a)** engedetlen, rakoncátlan, szilaj, makrancos **b)** féktelen, zabolátlan *[szenvedély]* • *fn* **unruliness**

unsaddle [ʌn'sædl] *tsi* **1.** lenyergel *[lovat]* **2.** hátáról levet *[ló lovast]*

unsaddled [ʌn'sædld] *mn* **1. a)** nyergeletlen **b)** lenyergelt **2.** nyeregből kivetett *[lovas]*

unsafe [ʌn'seɪf] *mn* **a)** veszélyes, nem biztonságos, kockázatos **b)** veszélyeztetett, veszélyben levő/forgó **c)** *jog* bizonytalan, gyenge lábakon álló *[ítélet]* • *hsz* **unsafely**

unsaid [ʌn'sed] *mn* **a)** kimondatlan, ki/el nem mondott **b)** visszavont, visszaszívott *[kijelentés]*

unsalaried [ʌn'sælərid] *mn* fizetéstelen, díjazatlan, fix fizetés nélküli

unsaleable [ʌn'seɪləbl] *mn* eladhatatlan • *fn* **unsaleability**

unsalted [ʌn'sɔːltɪd] *mn* besózatlan, sótlan, megsózatlan

unsanctified [ʌn'sæŋktɪfaɪd] *mn vall* megszenteletlen *[nap]*, beszenteletlen *[föld]*

unsanctioned [ʌn'sæŋkʃnd] *mn* jóvá nem hagyott, nem szentesített

unsanitary [ʌn'sænɪtəri] *mn* egészségtelen, egészségügyi követelményeknek nem megfelelő

unsatisfactory [ˌʌnsætɪs'fæktri] *mn* **a)** ki nem elégítő, elégtelen *[érv]* **b)** *okt* elégtelen **c)** *jog* bizonytalan, gyenge lábakon álló *[ítélet]* • *fn* **unsatisfactoriness** *hsz* **unsatisfactorily**

unsatisfied [ʌn'sætɪsfaɪd] *mn* **1.** kielégítetlen, elégedetlen **2.** meg nem győződött/bizonyosodott **3.** kielégítetlen **4.** ki nem elégített, rendezetlen *[adósság]* • *fn* **unsatisfactedness**

unsatisfying [ʌn'sætɪsfaɪɪŋ] *mn* nem kielégítő/megnyugtató • *hsz* **unsatisfyingly**

unsaturated [ʌn'sætʃəreɪtɪd] *mn* **1.** impregnálatlan, nem szigetelt *[sátorlap]* **2.** *vegy* telítetlen • *fn* **unsaturation**

unsaved [ʌn'seɪvd] *mn* **1.** felhasználatlan *[melléktermék]*, megtakarítatlan *[összeg]* **2.** *vall* nem üdvözült *[lélek]*

unsavoury [ʌn'seɪvri] *mn* **1. a)** rossz, kellemetlen *[íz]*, rossz ízű *[étel]* **b)** ~ **smell** rossz/kellemetlen/émelyítő szag **2.** *átv* undorító, visszataszító • *fn* **unsavouriness** *hsz* **unsavourily**

unsay [ʌn'seɪ] *tsi pt/pp* **unsaid** [ʌn'sed] visszavon, visszaszív *[előző állítást]*; → **unsaid**

unsayable [ʌn'seɪəbl] *mn* kimondhatatlan, leírhatatlan

unscalable [ʌn'skeɪləbl] *mn* megmászhatatlan

unscarred [ʌn'skɑːd ‖ –'skɑrd] *mn* sértetlen, ép, karcolás sincs rajta

unscathed [ʌn'skeɪðd] *mn átv* sértetlen, ép; **escape** ~, **come/get off** ~ ép bőrrel ússza meg a dolgot

unscented [ʌn'sentɪd] *mn* **a)** nem illatosított, természetes szagú **b)** szagtalan, illattalan

unscheduled [ʌn'ʃedjuːld ‖ ʌn'skedʒuːld] *mn* **1.** nem tervezett **2.** menetrendben nem szereplő

unscholarly [ʌn'skɒləli ‖ –'skɑlər–] *mn* **a)** tudóshoz méltatlan, tudománytalan **b)** tudatlan, tanulatlan • *fn* **unscholarliness**

unschooled [ʌn'skuːld] *mn* **1.** iskolázatlan, tanulatlan, képzetlen **2.** természetes, magától jövő *[pl. érzés]* **3.** gyakorlatlan **4.** iskolába nem járó

unscientific [ˌʌnsaɪən'tɪfɪk] *mn* **a)** tudománytalan **b)** tudományt nem ismerő, képzetlen • *hsz* **unscientifically**

unscramble [ʌn'skræmbl] *tsi* **1.** alkotó elemeire bont *[összekeveredett dolgok együttesét]* **2.** megfejt *[titkos írást]* • *fn* **unscrambler**

unscreened [ʌn'skriːnd] *mn* **1. a)** nyílt, nyitott *[hely]* **b)** *távk* árnyékolatlan **2.** (át)rostálatlan **3.** meg/ki nem vizsgált, (orvosi/biztonsági) vizsgálatnak alá nem vetett **4.** képernyőre nem került

unscrew [ʌn'skruː] **A.** *tsi* kicsavar, lecsavar, szétcsavar **B.** *tni* meglazul, kicsavarodik *[csavar]*

unscripted [ʌn'skrɪptɪd] *mn* spontán *[beszélgetés]*; előre le nem írt *[beszéd]*

unscriptural [ʌn'skrɪptʃərəl] *mn* a bibliával/szentírással ellentétes • *hsz* **unscripturally**

unscrupulous [ʌn'skruːpjuləs] *mn* lelkiismeretlen, gátlástalan
unseal [ʌn'siːl] *tsi* **a)** felbont, felnyit *[levelet]*, feltöri a pecsétet **b)** *átv* felnyit; ~ **sy's eyes** felnyitja vk szemét, felvilágosít vkt
unsealed [ʌn'siːld] *mn* **a)** felbontott, feltört pecsétű *[levél]* **b)** (le)pecsételetlen *[okmány]* **c)** nem légmentes(en záródó)
unsearchable [ʌn'sɜːtʃəbl ‖ –'sɜr–] *mn* kifürkészhetetlen
unsearched [ʌn'sɜːtʃt ‖ –'sɜr–] *mn* át nem kutatott *[poggyász]*, meg nem motozott *[ember]*
unseasonable [ʌn'siːzn·əbl] *mn* **1.** nem az évszakhoz illő, nem az évszaknak megfelelő **2.** időszerűtlen, nem helyénvaló • *hsz* **unseasonably**
unseasonal [ʌn'siːzn·əl] *mn* nem az évszaknak/időszaknak megfelelő
unseasoned [ʌn'siːznd] *mn* **1.** fűszerezetlen *[étel]* **2. a)** nyers *[fa]*, kiforratlan *[bor]* **b)** *átv* tapasztalatlan *[ember]*, nem harcedzett *[katona]*
unseat [ʌn'siːt] *tsi* **1. a)** nyeregből kivet *[lovast]* **b)** székéről lelök *[ülő embert]* **2.** mandátumától megfoszt *[képviselőt]*, hivatalától/tisztségétől megfoszt *[tisztviselőt]*, megbuktat *[kormányt]*
unseaworthy [ʌn'siːwɜːði ‖ –wɜrði] *mn hajó* nem tengerbíró, hajózásra alkalmatlan
unsecured [ˌʌnsɪ'kjuəd ‖ –'kjurd] *mn* **1.** rosszul rögzített *[tárgy]*, rosszul bezárt *[ajtó]* **2.** fedezetlen *[kölcsön]*
unseeable [ʌn'siːəbl] *mn* láthatatlan
unseeded [ʌn'siːdɪd] *mn sp* nem kiemelt *[játékos, versenyző, csapat]*
unseeing [ʌn'siːɪŋ] *mn* **a)** nem figyelő/néző; **look at sy/sg with ~ eyes** vkt/vmt néz, de nem lát **b)** *átv* vak • *hsz* **unseeingly**
unseemly [ʌn'siːmli] *mn* **a)** illetlen, helytelen *[viselkedés]* **b)** előnytelen *[ruha]* • *fn* **unseemliness**
unseen [ʌn'siːn] *mn* **1.** látatlan, észrevétlen **2.** *GB* ~ **translation** fordítás kapásból
unsegregated [ʌn'segrəgeɪtɪd] *mn* faji megkülönböztetést nem alkalmazó, nem szegregált
unselect [ˌʌnsɪ'lekt] *tsi* nem választ/válogat ki; *infor* kiválasztást töröl
unselective [ˌʌnsɪ'lektɪv] *mn* nem válogatós; nem szelektív
unselfconscious [ˌʌnself'kɒnʃəs ‖ –'kɑn–] *mn* **1.** vmnek tudatában nem lévő, nem tudatosan tett **2.** fesztelen, természetes *[pl. fellépés]*
unselfish [ʌn'selfɪʃ] *mn* önzetlen, nagylelkű, altruista • *fn* **unselfishness** *hsz* **unselfishly**
unsensational [ˌʌnsen'seɪʃn·əl] *mn* szenzációmentes, semmi szenzációt nem jelentő/tartogató
unsent [ʌn'sent] *mn* elküldetlen, el nem küldött *[levél stb.]*
unsentimental [ˌʌnsentɪ'mentl] *mn* **a)** nem érzelgős/szentimentális **b)** józan
unseparated [ʌn'sepəreɪtɪd] *mn* elválasztatlan, el/le nem választott, nem szeparált
unserious [ʌn'sɪərɪəs ‖ –'sɪr–] *mn* komolytalan, viccelődő
unserviceable [ʌn'sɜːvɪsəbl ‖ –'sɜr–] *mn* **1. a)** hasznavehetetlen, használhatatlan, nem praktikus **b)** *kat* használaton kívüli, (már) nem használt, használhatatlan *[pl. fegyverek]* **c)** hibás, működésképtelen **2.** *kat* szolgálatképtelen • *fn* **unserviceability**
unset [ʌn'set] *mn* **1.** foglalatlan, foglalat nélküli *[drágakő]* **2.** *orv* helyre nem tett *[csonttörés, ficam stb.]* **3.** fel nem állított *[csapda]*
unsettle [ʌn'setl] **A.** *tsi* **a)** nyugalmi helyzetéből/állapotából kizökkent **b)** *átv* megzavar *[vkt, nyugalmat]* **B.** *tni* nyugalmi állapotából kibillen/kizökken • *fn* **unsettlement**
unsettled [ʌn'setld] *mn* **1. a)** bizonytalan, ingatag, kialakulatlan, változékony **b)** (meg)zavart, nyugtalan, zaklatott *[lelkiállapot]* **c)** bizonytalan, habozó, ingadozó **2. a)** eldöntetlen *[kérdés]* **b)** rendezetlen *[tartozás, számla]* **c)** *jog* nem örökített/testált *[vagyon]*, nem biztosított *[járadék]* **3. a)** állandó lakóhellyel nem rendelkező **b)** lakatlan *[vidék]* **4.** le nem ülepedett *[folyadék]* • *fn* **unsettledness**
unsewn [ʌn'soʊn] *mn* varratlan, (meg) nem varrott
unsex [ʌn'seks] *tsi* **a)** ivartalanít, nemi jellegétől megfoszt **b)** női jellegétől megfoszt
unsexed [ʌn'sekst] *mn* nemi jelleg nélküli, nemi jellegétől megfosztott
unsexy [ʌn'seksi] *mn* nem szexis, (szexuálisan) nem vonzó *[személy]*
unshackle [ʌn'ʃækl] *tsi* **a)** béklyóból/nyűgből kiszabadít **b)** bilincset levesz *[emberről]*
unshaded [ʌn'ʃeɪdɪd] *mn* **1. a)** árnyéktalan *[hely]* **b)** árnyalás nélküli *[rajz]* **2.** ernyő nélküli *[lámpa]*, függöny/zsalu nélküli *[ablak]*
unshakeable [ʌn'ʃeɪkəbl] *mn* rendíthetetlen • *fn* **unshakeability** *hsz* **unshakeably**
unshaken [ʌn'ʃeɪkn] *mn* rendületlen • *hsz* **unshakenly**
unshapely [ʌn'ʃeɪpli] *mn* **1.** alaktalan, formátlan, idomtalan **2.** rossz alakú/formájú, deformált • *fn* **unshapeliness**
unshared [ʌn'ʃeəd ‖ –'ʃerd] *mn* (mással) meg nem osztott *[pl. öröm]*
unshaved [ʌn'ʃeɪvd] → **unshaven**
unshaven [ʌn'ʃeɪvn] *mn* **a)** borotválatlan **b)** szakállas
unsheathe [ʌn'ʃiːð] *tsi* hüvelyéből kihúz/kiránt *[kardot]*
unshed [ʌn'ʃed] *mn* ~ **tears** el nem sírt (v. visszafojtott) könnyek
unshell [ʌn'ʃel] *tsi* tisztít *[hüvelyest]*, szemel *[babot, borsót]*
unsheltered [ʌn'ʃeltəd ‖ –ərd] *mn* **a)** védtelen **b)** ~ **industries** nem védett iparágak
unshielded [ʌn'ʃiːldɪd] *mn* **a)** védtelen **b)** *távk* nem árnyékolt, árnyékolatlan
unship [ʌn'ʃɪp] *tsi* **-pp-** *hajó* **1.** (hajóból) kirak *[rakományt]*, partra tesz/szállít *[utasokat]* **2.** leszerel *[pl. árbocot, kormányt]*
unshockable [ʌn'ʃɒkəbl ‖ –'ʃɑk–] *mn* megrendíthetetlen, zavarba nem hozható • *fn* **unshockability** *hsz* **unshockably**
unshod [ʌn'ʃɒd ‖ ˌʌn'ʃɑd] *mn* **a)** mezítlábas **b)** patkolatlan *[ló]* **c)** vasalatlan, abroncsolatlan *[pl. kerék]*
unshorn [ʌn'ʃɔːn ‖ ˌʌn'ʃɔrn] *mn* **a)** nyíratlan *[pl. juh]* **b)** torzonborz
unshrinkable [ʌn'ʃrɪŋkəbl] *mn tex* zsugorodásmentes
unshrinking [ʌn'ʃrɪŋkɪŋ] *mn* vissza nem hőkölő/riadó, rendíthetetlen, sziklaszilárd • *hsz* **unshrinkingly**
unsighted [ʌn'saɪtɪd] *mn* **1.** láthatatlan, nem látható; kitakart, eltakart **2. a)** irányzék nélküli *[lőfegyver]* **b)** irányzék nélkül célzott *[lövés]*
unsightly [ʌn'saɪtli] *mn* csúnya, idétlen, visszatetsző • *fn* **unsightliness**
unsigned [ʌn'saɪnd] *mn* aláíratlan, aláírás nélküli
unsinkable [ʌn'sɪŋkəbl] *mn* elsüllyeszthetetlen • *fn* **unsinkability**
unskilful [ʌn'skɪlfl] *mn* ügyetlen • *fn* **unskilfulness** *hsz* **unskilfully**
unskilled [ʌn'skɪld] *mn* **a)** tapasztalatlan, járatlan (*in* vmben) **b)** szakképzetlen; ~ **labour** szakképzettséget nem igénylő munka; szakképzetlen munkaerő; segédmunkás
unskimmed [ʌn'skɪmd] *mn* lefölözetlen *[tej]*
unslakeable [ʌn'sleɪkəbl] *mn* eloltхatatlan, csillapíthatatlan *[szomjúság]*
unsleeping [ʌn'sliːpɪŋ] *mn* éber, virrasztó
unsliced [ʌn'slaɪst] *mn* felszeleteletlen, felvágatlan
unsling [ʌn'slɪŋ] *tsi pt/pp* **unslung** [ʌn'slʌŋ] leakaszt, lecsatol

U

unsmiling [ʌn'smaɪlɪŋ] *mn* mosolytalan, komoly • *fn* **unsmilingness** *hsz* **unsmilingly**

unsmoked [ʌn'smoukt] *mn* **1.** füstöletlen *[pl. hús]* **2.** el/végig nem szívott *[pl. szivar]*

unsnap [ʌn'snæp] *i* **-pp- A.** *tsi* kinyit, kicsattint *[zárat, kapcsot]* **B.** *tni* kipattan *[zár, kapocs]*

unsnarl [ʌn'snɑːl ‖ –'snɑrl] *tsi* kibogoz, kigabalyít

unsociable [ʌn'souʃəbl] *mn* emberkerülő, barátságtalan, zárkózott *[ember]*, összeférhetetlen *[természet]*

unsocial [ʌn'souʃl] *mn* **1.** társadalomellenes, antiszociális **2.** túl késői *[időpont]* **3.** → **unsociable** • *hsz* **unsocially**

unsoiled [ʌn'sɔɪld] *mn átv* tiszta, be nem piszkolt

unsold [ʌn'sould] *mn* eladatlan, el nem adott

unsolder [ʌn'sɒldə, –'soul– ‖ –'sɑdər] *tsi műsz* **a)** szétforraszt **b)** leolvaszt (vmről)

unsoldierly [ʌn'souldʒəli ‖ –dʒər–] *mn* katonához nem való/illő, katonához méltatlan

unsolicited [ˌʌnsə'lɪsɪtɪd] *mn* kéretlen, önként adott, felszólítás nélküli; **do sg ~** önként(v. saját elhatározásából/jószántából) tesz vmt • *hsz* **unsolicitedly**

unsolvable [ʌn'sɒlvəbl ‖ –'sɑl–] *mn* **a)** megoldhatatlan *[kérdés]*, megfejthetetlen *[rejtély]* **b)** *vegy* nem oldható *[anyag]* • *fn* **unsolvability**, **unsolvableness**

unsolved [ʌn'sɒlvd ‖ –'sɑlvd] *mn* megoldatlan *[kérdés]*, megfejtetlen *[rejtély]*

unsophisticated [ˌʌnsə'fɪstɪkeɪtɪd] *mn* **1.** mesterkéletlen, egyszerű, természetes *[ember]*, keresetlen *[szavak, magatartás]* **2.** hamisítatlan, tiszta, hígítatlan *[bor]* • *hsz* **unsophisticatedly**

unsorted [ʌn'sɔːtɪd ‖ –'sɔr–] *mn* osztályozatlan, szortírozatlan

unsought [ʌn'sɔːt] *mn* **a)** nem keresett/kutatott **b)** nem kívánt *[következmény]*

unsound [ʌn'saund] *mn* **1. a)** nem egészséges *[ember]*; **of ~ mind** hibbant, elmebeteg **b)** romlott, hibás *[áru]* **c)** beteg(es), hibás, téves *[eszmék]* **2.** bizonytalan, ingatag **3.** gonosz, rosszindulatú • *fn* **unsoundness** *hsz* **unsoundly**

unsoured [ʌn'sauəd ‖ –ərd] *mn* meg-/besavanyítatlan

unsown [ʌn'soun] *mn* **a)** elvetetlen *[mag]* **b)** bevetetlen *[szántóföld]*

unsparing [ʌn'speərɪŋ ‖ –'sper–] *mn* **1.** pazarló, bőkezű **2.** könyörtelen, szigorú • *fn* **unsparingness** *hsz* **unsparingly**

unspeakable [ʌn'spiːkəbl] *mn* **a)** kimondhatatlan *[pl. öröm, bánat]* **b)** *pej* elmondhatatlan, hallatlan • *hsz* **unspeakably**

unspeaking [ʌn'spiːkɪŋ] *mn vál* nem beszélő, hallgatag, csendes

unspecialized [ʌn'speʃəlaɪzd], **-ised** *mn* szakosítatlan, nem szakosított/specializált

unspecific [ˌʌnpsə'sɪfɪk] *mn* nem specifikus, általános; pontatlan

unspecified [ʌn'spesɪfaɪd] *mn* közelebbről/pontosabban meg nem jelölt/nevezett/határozott

unspectacular [ˌʌnspek'tækjulə ‖ –kjələr] *mn* **1.** látványosságot/feltűnést nem keltő **2.** dísztelen, egyszerű • *hsz* **unspectacularly**

unspent [ʌn'spent] *mn* **a)** el nem költött *[pénz]* **b)** fel nem használt *[készlet]* **c)** ki nem merített *[erő]*

unspilled [ʌn'spɪld] *mn* nem kilöttyentett/kiöntött/kiborított

unspiritual [ʌn'spɪrɪtʃuəl] *mn* **1.** anyagias, földhözragadt **2.** világi(as)

unspoiled [ʌn'spɔɪld] *mn* **1.** el nem kényeztetett/rontott *[gyermek]* **2.** romlatlan *[élelmiszer]* **3.** el nem rontott/csúfított *[táj]*

unspoilt [ʌn'spɔɪlt] → **unspoiled**

unspoken [ʌn'spoukən] *mn* ki nem mondott *[szó]*, hallgatólagos *[megegyezés]*

unsponsored [ʌn'spɒnsəd ‖ –'spɑnsərd] *mn* szponzorálatlan, szponzorok által nem támogatott

unspool [ʌn'spuːl] **A.** *tsi* **1.** leteker, lecsévél, letekercsel **2.** (le)vetít **B.** *tni* **1.** letekeredik, lecsévélődik *[orsóról]* **2.** filmet levetít

unsporting [ʌn'spɔːtɪŋ ‖ ʌn'spɔrtɪŋ] → **unsportsmanlike**

unsportsmanlike [ʌn'spɔːtsmənlaɪk ‖ –'spɔrts–] *mn* sportszerűtlen, sportemberhez méltatlan

unspotted [ʌn'spɒtɪd ‖ ʌn'spɑtɪd] *mn* **1. a)** folttalan, *tud* pettyezetlen **b)** *átv* folttalan, szeplőtlen, makulátlan **2.** fel nem fedezett

unsprayed [ʌn'spreɪd] *mn mezőg* permetezetlen *[növény]*

unsprung [ʌn'sprʌŋ] *mn* **1.** rugó(za)tlan; **~ weight** rugózatlan súly **2.** fel nem függesztett *[súly]*

unstable [ʌn'steɪbl] *mn* **a)** ingatag, ingadozó, labilis **b)** *átv* ingatag, labilis, megbízhatatlan *[pl. jellem]* • *fn* **unstableness** *hsz* **unstably**

unstable equilibrium *fn fiz* bizonytalan/labilis egyensúly

unstained [ʌn'steɪnd] *mn* **1. a)** folttalan, beszennyezetlen **b)** *átv* folttalan, makulátlan **2.** festetlen, színezetlen, pácolatlan *[pl. fa]*

unstamped [ʌn'stæmpt] *mn* **a)** felbélyegzetlen *[levél]* **b)** lepecsételetlen *[okirat]* **c)** fémjelzéssel el nem látott

unstarched [ʌn'stɑːtʃt ‖ –'stɑrtʃt] *mn* **1.** keményítetlen *[vászon]*, puha *[gallér]* **2.** *biz* fesztelen, könnyed *[modor]*

unstated [ʌn'steɪtɪd] *mn* megnevezetlen, elhallgatott

unstatesmanlike [ʌn'steɪtsmənlaɪk] *mn* államférfihoz nem illő/méltó

unstatutable [ʌn'stætjutəbl ‖ –tʃətəbl] *mn jog* jogszabályellenes • *hsz* **unstatutably**

unsteadfast [ʌn'stedfɑːst ‖ –fæst] *mn* ingadozó, tétovázó, következetlen *[pl. politika]*, állhatatlan *[barát, jellem]*

unsteady [ʌn'stedi] *mn* **1.** bizonytalan, ingadozó, tántorgó, billegő **2. a)** változékony *[szél]*, vált(ak)ozó erejű, egyenetlen **b)** határozatlan, ingadozó *[pl. elme]* **3.** erkölcsileg laza, elvtelen • *fn* **unsteadiness** *hsz* **unsteadily**

unsterile [ʌn'steraɪl ‖ –'sterl] *mn* **a)** sterilizálatlan, nem steril **b)** nem meddő, termékeny

unstick ['ʌnstɪk] **I.** *fn GB rep biz* felszállás **II.** *pt/pp* **unstuck** [ʌn'stʌk] **A.** *tsi* **1.** szétválaszt, leválaszt, leold *[ragasztott dolgot]*; **come unstuck** *biz* dugába dől *[terv]* **2.** *GB rep biz* felemel *[repülőgépet a földről]* **B.** *tni GB rep biz* felemelkedik, felszáll *[repülőgép]*

unstinted [ʌn'stɪntɪd] *mn* **a)** bőséges, korlátlan *[mennyiség]* **b)** szívesen adott, bőkezű • *hsz* **unstintedly**

unstinting [ʌn'stɪntɪŋ] *mn* nagylelkű, bőkezű • *hsz* **unstintingly**

unstirred [ʌn'stɜːd ‖ –'stɜrd] *mn* **1.** nyugodt; **~ by the events** nem zavartatva magát az események által **2.** mozdulatlan, rendületlen nyugalommal álló

unstitch [ʌn'stɪtʃ] *tsi* szétfejt, szétbont, elbont *[ruhát]*, felfejt *[varrást]*

unstop [ʌn'stɒp ‖ –'stɑp] *tsi* **-pp- a)** felnyit, felbont *[palackot]*, kidugaszol **b)** dugulást megszüntet *[csőben]* **c)** tömést eltávolít *[fogból]*

unstoppable [ʌn'stɒpəbl ‖ –'stɑp–] *mn* megállíthatatlan

unstopper [ʌn'stɒpə ‖ –'stɑpər] *tsi* **1.** kidugaszol, felbont *[palackot]* **2.** *hajó* kötélféket levesz

unstrained [ʌn'streɪnd] *mn* **1. a)** meg nem feszített, laza *[kötél]* **b)** *átv* fesztelen, nem erőltetett, könnyed **2.** meg nem húzódott/erőltetett *[izom]* **3.** szűretlen *[folyadék]*

unstrap [ʌn'stræp] *tsi* **-pp-** lecsatol *[pl. karórát, hátizsákot]*, leveszi/lecsatolja a szíj(ak)at (vmről)

unstressed [ʌn'strest] *mn* **1.** *nyelv* hangsúlytalan *[szótag]* **2.** hangsúlyozatlan *[dolog]*

U

unstring [ʌn'strɪŋ] *tsi pt/pp* **unstrung** [ʌn'strʌŋ] **1.** leveszi a zsineget/spárgát (vmről) **2. a)** meglazítja a madzagot/zsineget (vmn), megoldoz (vmt) **b)** meglazít húrt *[hegedűn]*, megereszti az ideget *[ijon]*

unstructured [ʌn'strʌktʃəd ‖ –tʃərd] *mn* **a)** szervezetlen **b)** laza, bizalmas

unstuck [ʌn'stʌk] → **unstick**

unstudied [ʌn'stʌdid] *mn* **1.** mesterkéletlen, keresetlen, természetes, közvetlen *[stílus]*, rögtönzött *[beszéd]* **2. ~ in sg** vmben járatlan, vmt nem ismerő/tudó **3.** nem tanult *[tantárgy]* • *hsz* **unstudiedly**

unstuffed [ʌn'stʌft] *mn* kitömetlen, töltetlen

unstuffy [ʌn'stʌfi] *mn* **1.** bizalmas, laza, kötetlen **2.** nem áporodott/fülledt/dohos, friss *[levegő]*

unstylish [ʌn'staɪlɪʃ] *mn* **1.** stílustalan **2.** nem divatos

unsubdued [ˌʌnsʌb'djuːd ‖ –'duːd] *mn* **a)** le nem igázott *[nép]* **b)** be nem tört *[ló]* **c)** fékezetlen *[szenvedély]*

unsubjugated [ʌn'sʌbdʒəgeɪtɪd] *mn* leigázatlan, meghódítatlan *[nép, ország]*

unsubstantial [ˌʌnsəb'stænʃl] *mn* **1. a)** anyagtalan **b)** tartalmatlan, súlytalan **2. a)** megalapozatlan, alaptalan *[remény]*, súlytalan *[érv]* **b)** lényegtelen, üres • *fn* **unsubstantiality** *hsz* **unsubstantially**

unsubstantiated [ˌʌnsəb'stænʃieɪtɪd] *mn* be nem bizonyított *[vád]*, meg nem erősített *[hír]*, megalapozatlan, alaptalan

unsubtle [ʌn'sʌtl] *mn* nem kifinomult, nyilvánvaló, kézenfekvő • *hsz* **unsubtly**

unsuccess [ˌʌnsək'ses] *fn* balsiker, sikertelenség, kudarc

unsuccessful [ˌʌnsək'sesfl] *mn* **a)** sikertelen, balsikerű **b)** eredménytelen, hasztalan *[igyekezet]* • *fn* **unsuccessfulness** *hsz* **unsuccessfully**

unsugared [ʌn'ʃʊgəd ‖ –ərd] *mn* cukortalan, (meg)cukrozatlan

unsuggestive [ˌʌnsə'dʒestɪv] *mn* nem ösztönző/szuggesztív

unsuitable [ʌn'suːtəbl] *mn* **a)** alkalmatlan, nem alkalmas/megfelelő (*to/for* vmre) **b)** célszerűtlen, nem helyénvaló *[megjegyzés]*, össze nem illő *[pár]* • *fn* **unsuitability**, **unsuitableness** *hsz* **unsuitably**

unsuited [ʌn'suːtɪd] *mn* **~ to/for sg** alkalmatlan vmre

unsullied [ʌn'sʌlid] *mn átv* makulátlan

unsummoned [ʌn'sʌmənd] *mn* meg nem idézett, hívatlan

unsung [ʌn'sʌŋ] *mn* **1.** el nem énekelt *[dal]* **2.** meg nem énekelt *[dicsőség]*

unsupervised [ʌn'suːpəvaɪzd ‖ –pər–] *mn* ellenőrizetlen, felülvizsgálatlan, irányítatlan

unsupportable [ˌʌnsə'pɔːtəbl ‖ –'pɔr–] *mn* **1.** elviselhetetlen, kibírhatatlan **2.** tarthatatlan *[álláspont]*

unsupported [ˌʌnsə'pɔːtɪd ‖ –'pɔrtɪd] *mn* **1. a)** alá nem támasztott *[állítás]*, meg nem erősített *[hír]* **b)** nem támogatott *[törvényjavaslat]* **2.** támogatásban nem részesülő **3.** *épít* meg/alá nem támasztott *[épületrész]*

unsupportive [ˌʌnsə'pɔːtɪv ‖ –'pɔr–] *mn* nem támogató/segítő

unsure [ʌn'ʃʊə ‖ ʌn'ʃʊr] *mn* **1. a)** bizonytalan **b)** határozatlan *[ember]* **2.** nem biztonságos *[pl. építmény]* • *fn* **unsureness** *hsz* **unsurely**

unsurfaced [ʌn'sɜːfɪst ‖ –'sɜr–] *mn* (állandó) burkolattal el nem látott *[út]*

unsurpassable [ˌʌnsə'pɑːsəbl ‖ ˌʌnsər'pæsəbl] *mn* felülmúlhatatlan, utolérhetetlen • *hsz* **unsurpassably**

unsurpassed [ˌʌnsə'pɑːst ‖ ˌʌnsər'pæst] *mn* felül nem múlt, páratlan

unsurprised [ˌʌnsə'praɪzd ‖ –sər–] *mn* nem meglepett

unsurprising [ˌʌnsə'praɪzɪn ‖ –sər–] *mn* nem meglepő/váratlan • *hsz* **unsurprisingly**

unsusceptible [ˌʌnsə'septɪbl] *mn* **a) be ~ to sg** nem fogékony vm iránt **b) be ~ of sg** vmt (át)érezni képtelen • *fn* **unsusceptibility**

unsuspected [ˌʌnsə'spektɪd] *mn* **1.** gyanún felül álló, nem gyanúsított **2.** nem is gyanított • *hsz* **unsuspectedly**

unsuspecting [ˌʌnsə'spektɪŋ] *mn* gyanútlan • *hsz* **unsuspectingly**

unsuspicious [ˌʌnsə'spɪʃəs] *mn* **1.** gyanún felül álló, gyanúra okot nem adó **2.** gyanútlan, nem gyanakvó; **be ~ of sy/sg** nem gyanakszik vkre/vmre • *hsz* **unsuspiciously**

unsustainable [ˌʌnsə'steɪnəbl] *mn* tarthatatlan *[álláspont]* • *hsz* **unsustainably**

unsustained [ˌʌnsə'steɪnd] *mn* lankadó, nem tartós *[buzgalom, érdeklődés]*

unswathe [ʌn'sweɪð] *tsi* kötést levesz *[sebről]*, kigöngyöl *[múmiát]*

unswayed [ʌn'sweɪd] *mn* **a) be ~ by sg** nem vezeti/befolyásolja vm **b)** elfogulatlan

unsweetened [ʌn'swiːtnd] *mn* édesítetlen

unswept [ʌn'swept] *mn* ki nem söpört

unswerving [ʌn'swɜːvɪŋ ‖ –'swɜr–] *mn* **1.** tántoríthatatlan, megingathatatlan, rendíthetetlen **2.** nyílegyenes

unsworn [ʌn'swɔːn ‖ ˌʌn'swɔrn] *mn* **1.** fel/meg nem esketett, fel nem esküdött **2.** nem eskü alatt tett *[tanúvallomás]*

unsymmetrical [ˌʌnsɪ'metrɪkl] *mn* aszimmetrikus, aszimmetriás • *hsz* **unsymmetrically**

unsympathetic [ˌʌnsɪmpə'θetɪk] *mn* részvétlen, közönyös • *hsz* **unsympathetically**

unsystematic [ˌʌnsɪstə'mætɪk] *mn* rendszertelen, nem szisztematikus • *hsz* **unsystematically**

untack [ʌn'tæk] *tsi* **1.** szegeket kivesz (vmből) **2.** férce(lés)t kihúz/kifejt *[ruhából]*

untainted [ʌn'teɪntɪd] *mn* **a)** romlatlan *[étel]*, tiszta *[levegő]* **b)** *átv* tiszta, folttalan

untalented [ʌn'tæləntɪd] *mn* tehetségtelen

untameable [ʌn'teɪməbl] *mn* **1.** megszelídíthetetlen *[állat]* **2.** *átv* fékezhetetlen, legyőzhetetlen *[szenvedély]*

untamed [ʌn'teɪmd] *mn* **1.** meg nem szelídített, vad *[állat]* **2.** *átv* zabolátlan, vad *[szenvedély]*

untangle [ʌn'tæŋgl] *tsi* **1.** kiszabadít, kibogoz **2.** *átv* kibogoz, felfed

untanned [ʌn'tænd] *mn* **1.** nem napbarnított, le nem sült *[arc]* **2.** cserzetlen, nyers *[bőr]*

untapped [ʌn'tæpt] *mn* **a)** kiaknázatlan, kihasználatlan **b)** meg nem csapolt

untarnished [ʌn'tɑːnɪʃt ‖ –'tɑr–] *mn* **a)** el nem homályosult, fényét megtartó *[fém]* **b)** *átv* meg nem fakult *[pl. dicsőség]* **c)** *átv* szeplőtelen

untasted [ʌn'teɪstɪd] *mn* **a)** megkóstolatlan, meg nem kóstolt/ízlelt *[étel]* **b)** *átv* még nem ízlelt *[öröm]*

untaught [ʌn'tɔːt] *mn* **1.** tanulatlan, tudatlan *[ember]* **2.** vele született, természetes **3.** nem tanított *[lecke]*; → **unteach**

untaxed [ʌn'tækst] *mn* adómentes, adóval nem terhelt

unteach [ʌn'tiːtʃ] *tsi pt/pp* **untaught** [ʌn'tɔːt] **~ sy sg** elfelejtet vkvel vmt, emlékezetéből kitöröl *[másként való tanítással]*

unteachable [ʌn'tiːtʃəbl] *mn* **1.** taníthatatlan, tanításra alkalmatlan **2.** megtaníthatatlan

untearable [ʌn'teərəbl ‖ –'ter–] *mn* elszakíthatatlan, eltéphetetlen

untechnical [ʌn'teknɪkl] *mn* szakszerűtlen

untempered [ʌn'tempəd ‖ –pərd] *mn* **1.** hőkezeletlen **2.** kilágyított *[acél]* **3. a)** keveretlen *[cement]* **b)** *átv* mérsékeletlen

untenable [ʌn'tenəbl] *mn* tarthatatlan *[hadállás, vélemény]* • *hsz* **untenably**

untended [ʌn'tendɪd] *mn* **a)** őrizetlen, felügyelet nélkül hagyott **b)** ápolást/gondozást nélkülöző *[beteg]*

untenured [ʌn'tenjəd ‖ –ərd] *mn* nem állandó jellegű, ideiglenes

untested [ʌn'testɪd] *mn* **1. a)** kipróbálatlan **b)** meg nem vizsgált, ellenőrizetlen **2.** fel nem kutatott *[pl. arany]*

untether [ʌnˈteðə ‖ –ər] *tsi* elköt *[lovat]*

untethered [ʌnˈteðəd ‖ –ðərd] *mn* **a)** pányváról eloldott *[ló]* **b)** ki nem pányvázott/kötött *[ló]*

unthanked [ʌnˈθæŋkt] *mn* meg nem/sem köszönt, meghálálatlan

unthankful [ʌnˈθæŋkfl] *mn* hálátlan, háládatlan • *fn* **unthankfulness** *hsz* **unthankfully**

untheorized [ʌnˈθɪəraɪzd], **-ised** *mn* elméleti alap nélküli

unthinkable [ʌnˈθɪŋkəbl] *mn* **a)** elképzelhetetlen **b)** *biz* hihetetlen, hallatlan

unthinking [ʌnˈθɪŋkɪŋ] *mn* **1.** nem gondolkodó, meggondolatlan **2.** át nem gondolt, nem szándékos, véletlen • *hsz* **unthinkingly**

unthought [ʌnˈθɔːt] *mn* nem várt/gondolt/sejtett; **~ of** el sem képzelt, nem is sejtett

unthread [ʌnˈθred] *tsi* **1.** kifűz *[tűt]*, *[cérnát/szálat kihúzva vmből]* szétbont **2.** keresztülfurakodva kijut (vmből) **3.** megold, kibogoz *[rejtélyt]*

unthreatening [ʌnˈθretnˑɪŋ] *mn* nem fenyegető, biztonságos

unthrifty [ʌnˈθrɪfti] *mn* **1.** pazarló, tékozló **2.** rosszul/gyengén növő, visszamaradt, satnya *[fa, növény]*

unthrone [ʌnˈθroʊn] *tsi* trónjától megfoszt, detronizál

untidy [ʌnˈtaɪdi] *mn* rendetlen, ápolatlan, gondozatlan • *fn* **untidiness** *hsz* **untidily**

untie [ʌnˈtaɪ] *i* **-tying A.** *tsi* **a)** kibont, megoldoz, elenged *[kutyát]* **b)** *átv* felold *[vkt vm alól]*, megszabadít **B.** *tni* kibomlik *[csomó]*; → **untied**

untied [ʌnˈtaɪd] *mn* **1.** kibontott, kioldott, kibomlott **2. a)** meg nem kötött **b)** meg nem kötözött *[kéz]*

until [ənˈtɪl, ʌnˈtɪl] **I.** *elölj* -ig **II.** *ksz* (a)míg... (nem); → **till**[3]

untilled [ʌnˈtɪld] *mn* (meg)műveletlen, megmunkálatlan, parlagon heverő, felszántatlan *[föld]*

untimely [ʌnˈtaɪmli] *mn* **1. a)** idő előtti, (túlságosan) korai **b)** korai, korán érő **2. a)** időszerűtlen *[kérdés, cselekedet]*; **not ~** alkalomszerű, aktuális **b) at an ~ hour** alkalmatlan/késői órában • *fn* **untimeliness**

untinged [ʌnˈtɪndʒd] *mn* mentes (*with* vmtől)

untiring [ʌnˈtaɪərɪŋ] *mn* **1.** fáradhatatlan, lankadatlan **2.** nem fárasztó • *hsz* **untiringly**

untitled [ʌnˈtaɪtld] *mn* címmel nem rendelkező *[pl. nemes, könyv, film]*

unto [ˈʌntʊ] *elölj régi* **1.** -hoz, -hez, -höz **2.** -nak, -nek **3.** -ra, -re **4.** felé **5.** -ig

untold [ʌnˈtoʊld] *mn* **1.** el nem mondott **2. a)** megszámlálhatatlan, tömérdek, mérhetetlen **b)** (ki)mondhatatlan, elmondhatatlan

untouchable [ʌnˈtʌtʃəbl] *mn/fn* érinthetetlen, kaszton kívüli, pária *[Indiában]* • *fn* **untouchability** *hsz* **untouchably**

untouched [ʌnˈtʌtʃt] *mn* **1. a)** érintetlen **b)** vmi által nem érintett/befolyásolt **2. a)** (makk)egészséges **b)** feddhetetlen, makulátlan *[hírnév]* **3. be ~ by sg** vm hidegen hagyja

untoward [ˌʌntəˈwɔːd ‖ ʌnˈtɔrd] *mn* **1. a)** kellemetlen, bosszantó, kínos, visszás **b)** alkalmatlan, szerencsétlen *[időpont]* **2. a)** megátalkodott, makacs, önfejű **b)** nehezen megmunkálható/kezelhető *[anyag]* **3.** esetlen, idétlen • *hsz* **untowardly**

untraceable [ʌnˈtreɪsəbl] *mn* kinyomozhatatlan; **~ person** eltűnt személy • *hsz* **untraceably**

untraced [ʌnˈtreɪst] *mn* nyomavesztett, nem követett

untracked [ʌnˈtrækt] *mn* **1.** úttalan, ember nem járta *[terület]*, szűz *[hó]* **2. a)** nem követett, nem üldözött *[vad, bűnös]* **b)** fel nem lelt *[vad, bűnös]*

untraditional [ˌʌntrəˈdɪʃnˑəl] *mn* nem hagyományos, a hagyományokkal ellenkező, újszerű

untrained [ʌnˈtreɪnd] *mn* **1.** képzetlen, gyakorlatlan, betanítatlan *[munkás]*, iskolázatlan *[hang]*, *kat* kiképzetlen **2.** idomítatlan *[állat]* • *mn* **untrainable**

untrammelled [ʌnˈtræmld], **-led** *mn* akadálytalan, korlátlan; **~ by sg** vm által nem gátolt

untransferable [ˌʌntrænsˈfɜːrəbl ‖ –ˈfɜr–] *mn* **a)** át nem ruházható **b)** *pénz* át nem utalható

untransformed [ˌʌntrænsˈfɔːmd ‖ –fɔrmd] *mn* (még) átalakítatlan

untranslatable [ˌʌntrænˈsleɪtəbl] *mn* lefordíthatatlan • *hsz* **untranslatably**

untransportable [ˌʌntrænˈspɔːtəbl ‖ –ˈspɔrtəbl] *mn* (el)szállíthatatlan, nem szállítható

untravelled [ʌnˈtrævld], **-led** *mn* **1. a)** keveset utazott, világot nem látott *[ember]* **b)** falusi, szűk látókörű **2.** ember nem járta *[terület]*

untreatable [ʌnˈtriːtəbl] *mn* kezelhetetlen, gyógyíthatatlan

untreated [ʌnˈtriːtɪd] *mn* kezeletlen, meggyógyítatlan

untrendy [ʌnˈtrendi] *mn biz* nem divatos/menő

untried [ʌnˈtraɪd] *mn* **1.** kipróbálatlan; **~ on** fel nem próbált **2.** tapasztalatlan *[ember]* **3.** *jog* **a)** még (le) nem tárgyalt *[per]*, kivizsgálatlan *[ügy]* **b)** még ki nem hallgatott

untrimmed [ʌnˈtrɪmd] *mn* **1.** nyesetlen *[sövény]*, nyíratlan *[haj]* **2.** díszítetlen *[pl. kalap]*

untrodden [ʌnˈtrɒdn ‖ –ˈtrɑdn] *mn* kitaposatlan, járatlan *[út]*, le/agyon nem taposott

untroubled [ʌnˈtrʌbld] *mn* **a)** zavartalan, háborítatlan **b)** fel nem kavart, nem zavaros *[víz]*

untrue [ʌnˈtruː] *mn* **1.** valótlan, hamis, hazug **2.** hűtlen (*to* vkhez) **3.** pontatlan • *hsz* **untruly**

untruss [ʌnˈtrʌs] *tsi* kötelékétől megszabadít

untrusting [ʌnˈtrʌstɪŋ] *mn* nem bízó, gyanakvó

untrustworthy [ʌnˈtrʌstwɜːði ‖ –wɜrði] *mn* **a)** megbízhatatlan, nem szavahihető *[ember]* **b)** megbízhatatlan, hitelt nem érdemlő *[hír, értesülés]* • *fn* **untrustworthiness**

untruth [ʌnˈtruːθ] *fn* valótlanság, hazugság

untruthful [ʌnˈtruːθfl] *mn* **a)** hazug, nem szavahihető *[ember]* **b)** valótlan, hamis, hitelt nem érdemlő *[pl. hír]* • *fn* **untruthfulness** *hsz* **untruthfully**

untuck [ʌnˈtʌk] *tsi* ‹a matrac alá tűrt lepedőt és pokrócot kihúzza›

untunable [ʌnˈtjuːnəbl ‖ –ˈtuː] *mn* fel nem hangolható *[hangszer]*

untuned [ʌnˈtjuːnd ‖ –ˈtuːnd] *mn* **1.** elhangolódott, elhangolt **2.** *távk* állomásra/csatornára be nem hangolt *[rádió, videó]*

untuneful [ʌnˈtjuːnfl ‖ –ˈtuːnfl] *mn* dallamtalan, rossz hangzású

unturned [ʌnˈtɜːnd ‖ –ˈtɜrnd] *mn* **1.** fel/el/meg nem fordított/forgatott/fordult **2. ~ leaf** még ki nem feslett levél **3.** esztergályozatlan

untutored [ʌnˈtjuːtəd ‖ –ˈtuːtərd] *mn* **1. a)** tanulatlan, tudatlan *[ember]* **b)** mesterkéletlen, természetes, naiv **2.** vele született *[pl. tehetség]*

untwine [ʌnˈtwaɪn] **A.** *tsi* szétsodor, szétbont *[fonalat]* **B.** *tni* szétsodródik, szétbomlik

untwist [ʌnˈtwɪst] **A.** *tsi* szétsodor, szétcsavar, szétbont *[pl. kötelet]* **B.** *tni* szétcsavarodik, szétbomlik

untying [ʌnˈtaɪɪŋ] *mn* → **untie**

untypical [ʌnˈtɪpɪkl] *mn* atipikus, nem jellemző, szokatlan • *hsz* **untypically**

unusable [ʌnˈjuːzəbl] *mn* használhatatlan

unused [ʌnˈjuːzd] *mn* **1. a)** (fel)használatlan **b)** üres(en álló), nem lakott **c)** nem használatos *[szó]* **2. be ~ to sg** nincs hozzászokva vmhez

unusual [ʌnˈjuːʒʊəl] *mn* szokatlan, rendkívüli; **nothing ~** semmi különös • *fn* **unusualness** *hsz* **unusually**

unutterable [ʌnˈʌtərəbl] *mn* **1.** kimondhatatlan, leírhatatlan, kifejezhetetlen *[zűrzavar]* **2. a)** kimondhatatlan, kiejthetetlen *[szó]* **b)** kimondhatatlan *[illetlen szó]* • *hsz* **unutterably**

unuttered [ʌn'ʌtəd ‖ –ərd] *mn* kimondatlan, ki nem ejtett/mondott

unvaccinated [ʌn'væksɪneɪtɪd] *mn* beoltatlan *[védőoltással]*

unvalued [ʌn'vælju:d] *mn* **1.** kevésre értékelt/becsült **2.** fel nem értékelt/becsült *[pl. vagyon]*

unvanquished [ʌn'væŋkwɪʃt] *mn* legyőzetlen, veretlen

unvaried [ʌn'veərid ‖ –'ver–] *mn* változatlan, egyforma, egyhangú

unvarnished [ʌn'vɑ:nɪʃt ‖ –'vɑr–] *mn* **1.** fényezetlen, matt **2.** *biz* leplezetlen, kendőzetlen, ki nem színezett *[történet]*

unvarying [ʌn'veəriɪŋ ‖ –'ver–] *mn* változatlan, egyforma, állandó • *hsz* **unvaryingly**

unveil [ʌn'veɪl] **A.** *tsi átv is* leleplez, felfed **B.** *tni* **a)** arcát/önmagát felfedi **b)** *átv* lelepleződik

unveiled [ʌn'veɪld] *mn* **a)** lefátyolozatlan **b)** *átv* leplezetlen

unventilated [ʌn'ventɪleɪtɪd] *mn* **1.** szellőzetlen **2.** *átv* meg nem szellőztetett *[pl. hír]*

unverifiable [ʌn'verɪfaɪəbl] *mn* (be) nem bizonyítható/igazolható, ellenőrizhetetlen

unverified [ʌn'verɪfaɪd] *mn* nem bizonyított/igazolt

unversed [ʌn'vɜ:st ‖ –'vɜrst] *mn* járatlan, tapasztalatlan (*in* vmben)

unviable [ʌn'vaɪəbl] *mn* életképtelen • *fn* **unviability**

unviolated [ʌn'vaɪəleɪtɪd] *mn átv* meg nem sértett, át nem hágott *[szabály, törvény]*

unvisited [ʌn'vɪzɪtɪd] *mn* (meg) nem látogatott

unvitiated [ʌn'vɪʃieɪtɪd] *mn* romlatlan, szennyezetlen, meg nem fertőzött

unvoiced [ʌn'vɔɪst] *mn* **1.** *nyelv* zöngétlen **2.** kimondatlan, kifejezetlen

unwaged [ʌn'weɪdʒd] *mn* kereset nélküli, nem kereső, állástalan

unwaked [ʌn'weɪkt] *mn* fel nem ébresztett

unwalled [ʌn'wɔ:ld] *mn* fallal körül nem vett *[város]*

unwanted [ʌn'wɒntɪd ‖ –'wɑntɪd] *mn* **1.** nem kívánt/kívánatos/akart **2.** felesleges

unwarily [ʌn'weərɪli ‖ –'wer–] *hsz* elővigyázatlanul, meggondolatlanul, gondatlanul

unwariness [ʌn'weərinəs ‖ –'wer–] *fn* elővigyázatlanság, meggondolatlanság, gondatlanság

unwarlike [ʌn'wɔ:laɪk ‖ –'wɔr–] *mn* nem harcias, békés

unwarmed [ʌn'wɔ:md ‖ –'wɔrmd] *mn* be/meg nem melegített, fűtetlen

unwarned [ʌn'wɔ:nd ‖ –'wɔrnd] *mn* (előre) nem figyelmeztetett (*of* vmre)

unwarrantable [ʌn'wɒrəntəbl ‖ –'wɔrəntəbl] *mn* **1.** helytelen, jogtalan *[ténykedés]* **2.** menthetetlen *[hiba]*, tarthatatlan *[állítás]*

unwarranted [ʌn'wɒrəntɪd ‖ –'wɔrəntɪd] *mn* **1.** szavatolatlan, jótállás/garancia nélküli **2.** jogtalan, indokolatlan *[lépés]*, illetéktelen *[beavatkozás]*, alaptalan *[rosszindulat]*

unwary [ʌn'weəri ‖ –'weri] *mn* elővigyázatlan, meggondolatlan

unwashed [ʌn'wɒʃt ‖ –'wɑʃt] *mn* **a)** mosdatlan, piszkos *[ember]* **b)** *ip* mosatlan

unwatchable [ʌn'wɒtʃəbl ‖ –'wɑ–] *mn* nézhetetlen, élvezhetetlen *[pl. film]*

unwatched [ʌn'wɒtʃt ‖ ʌn'wɑtʃt] *mn* őrizetlen, ellenőrzés/felügyelet nélküli

unwatchful [ʌn'wɒtʃfl ‖ –'wɑtʃ–] *mn* elővigyázatlan

unwatered [ʌn'wɔ:təd ‖ –'wɔtərd] *mn* **1. a)** öntözetlen **b)** víztelen, vízszegény *[terület]* **2.** fel nem vizezett/hígított

unwavering [ʌn'weɪvrɪŋ] *mn* megingathatatlan, állhatatos, rendíthetetlen • *hsz* **unwaveringly**

unweaned [ʌn'wi:nd] *mn* szopós, el nem választott *[gyermek]*

unwearable [ʌn'weərəbl ‖ –'wer–] *mn* viselhetetlen, hordhatatlan *[ruha]*

unwearied [ʌn'wɪərid ‖ –'wɪr–] *mn* **1.** friss, nem kimerült; ~ **of sg** vmt nem unó **2.** fáradhatatlan, lankadatlan

unweary [ʌn'wɪəri ‖ –'wɪri] *mn* nem fáradt/kimerült, elcsigázatlan

unwearying [ʌn'wɪəriɪŋ ‖ –'wɪr–] *mn* **a)** fáradhatatlan, lankadatlan **b)** nem fárasztó • *hsz* **unwearyingly**

unwed [ʌn'wed] *mn* nőtlen, hajadon

unwedded [ʌn'wedɪd] *mn* nőtlen, hajadon • *fn* **unweddedness**

unweeded [ʌn'wi:dɪd] *mn* gyomlálatlan, gyomos, gazos

unweighed [ʌn'weɪd] *mn* **1.** meg nem mért *[súlyra]* **2. a)** kellően meg nem fontolt **b)** meggondolatlan, megfontolatlan

unwelcome [ʌn'welkəm] *mn* nem szívesen látott; ~ **news** kellemetlen hír

unwell [ʌn'wel] *mn* **be ~** nincs jól, gyengélkedik

unwept [ʌn'wept] *mn* **1.** meg/el nem siratott **2.** el nem sírt *[könny]*

unwetted [ʌn'wetɪd] *mn* be/meg nem nedvesített

unwhipped [ʌn'wɪpt ‖ –'hwɪpt] *mn* **1.** megkorbácsolatlan **2.** *GB* egységes parlamenti szavazásra fel nem szólított *[képviselő]*

unwholesome [ʌn'houlsəm] *mn* **1. a)** egészségtelen, egészségre káros/ártalmas **b)** *átv* veszedelmes, káros, ártalmas *[tan]* **2.** rossz egészségű, beteges *[ember]* • *fn* **unwholesomeness** *hsz* **unwholesomely**

unwieldy [ʌn'wi:ldi] *mn* esetlen, lomha, ormótlan, idomtalan

unwilling [ʌn'wɪlɪŋ] *mn* vonakodó, húzódozó *[ember]*, kelletlen *[szolgálat]* • *fn* **unwillingness** *hsz* **unwillingly**

unwind [ʌn'waɪnd] *i pt/pp* **unwound** [ʌn'waʊnd] **A.** *tsi* **1.** lecsavar, legöngyölít, legombolyít **2.** *átv* (feszültséget) felold **B.** *tni* **1.** lecsavarodik, legombolyodik, letekeredik **2.** *átv* **a)** feloldódik *[hangulat]* **b)** lazít

unwinking [ʌn'wɪŋkɪŋ] *mn* **a)** meg nem rebbenő *[szem]*, merev *[tekintet]* **b)** *GB átv* feszült, lankadatlan, éber *[figyelem]* • *fn* **unwinkingly**

unwinnable [ʌn'wɪnəbl] *mn* megnyerhetetlen, elnyerhetetlen

unwisdom [ʌn'wɪzdəm] *fn* oktalanság, esztelenség, ostobaság

unwise [ʌn'waɪz] *mn* oktalan, esztelen, ostoba • *hsz* **unwisely**

unwished [ʌn'wɪʃt ‖ –fɔr] *mn* ~ **(for)** nem kívánt/óhajtott/kívánatos; alkalmatlan, rosszkor jövő

unwithered [ʌn'wɪðəd ‖ –ðərd] *mn* (el) nem hervadt, még friss

unwitnessed [ʌn'wɪtnɪst] *mn* **1.** nem látott/észlelt **2. a)** tanú által meg nem erősített **b)** tanúk által nem hitelesített *[aláírás]*

unwitting [ʌn'wɪtɪŋ] *mn* **a)** **be ~ of sg** nem tud vmről, nincs tudomása vmről **b)** öntudatlan, akaratlan *[cselekedet]* • *fn* **unwittingness** *hsz* **unwittingly**

unwomanly [ʌn'wʊmənli] *mn* nőietlen, nőhöz nem illő/méltó • *fn* **unwomanliness**

unwonted [ʌn'woʊntɪd ‖ –'wɔn–] *mn* **1.** szokatlan, ritka, rendkívüli **2.** nem szokott (*to* vmhez) • *fn* **unwontedness** *hsz* **unwontedly**

unwooded [ʌn'wʊdɪd] *mn* fátlan, erdőtlen, nem fásított

unworkable [ʌn'wɜ:kəbl ‖ –'wɜrk–] *mn* **1. a)** kezelhetetlen *[gép]*, kormányozhatatlan *[hajó]* **b)** gyakorlatilag megvalósíthatatlan, kivihetetlen *[terv]* **2.** meg nem munkálható *[anyag]* • *fn* **unworkability** *hsz* **unworkably**

unworked [ʌn'wɜ:kt ‖ –'wɜrkt] *mn* **a)** megmunkálatlan, kidolgozatlan *[pl. fém]* **b)** kiaknázatlan

unworkmanlike [ʌn'wɜ:kmənlaɪk ‖ –'wɜrk–] *mn* szakszerűtlen, kontár, elfuserált *[munka]*

unworldly [ʌn'wɜ:ldli ‖ –'wɜrldli] *mn* **1.** nem világias/evilági, szellemi, átszellemült **2.** mennyei, túlvilági • *fn* **unwordliness**

unworn [ʌn'wɔ:n ‖ –'wɔrn] *mn* **a)** használatlan, új **b)** nem hordott/viselt *[ruha]* **c)** meg nem viselt
unworthy [ʌn'wɜ:ði ‖ –'wɜrði] *mn* **1.** méltatlan; **be ~ of sg** méltatlan vmre **2.** gyarló, hitvány *[ember, viselkedés]* • *fn* **unworthiness** *hsz* **unworthily**
unwound [ʌn'waʊnd] **1.** legöngyölítetlen, le nem tekeredett **2.** feloldatlan *[feszültség]*; → **unwind**
unwounded [ʌn'wu:ndɪd] *mn* sérülést nem szenvedett, sértetlen, ép
unwove [ʌn'woʊv] → **unweave**
unwoven [ʌn'woʊvn] → **unweave**
unwrap [ʌn'ræp] *i* **-pp- A.** *tsi* kibont, kicsomagol **B.** *tni* kibomlik, kijön a csomagolásból/burkolatából
unwrinkled [ʌn'rɪŋkld] *mn* ránctalan, redőtlen, sima
unwritten [ʌn'rɪtn] *mn* **1.** íratlan, le nem írott; **~ tradition** szájhagyomány; **~ law** szokásjog **2.** tele nem írott, tiszta *[papír]*
unwrought [ʌn'rɔ:t] *mn* nyers, megmunkálatlan, kidolgozatlan
unzip [ʌn'zɪp] *tsi/tni* **-pp- 1.** cipzárat kinyit **2.** *infor* kicsomagol *[tömörített adatállományt, fájlt]*
unyielding [ʌn'ji:ldɪŋ] *mn* **a)** ellenszegülő, hajthatatlan, makacs *[ember]*, szilárd *[elhatározás]* **b)** erőhatásnak ellenálló *[anyag]*, merev, szilárd, mozdíthatatlan *[tárgy]*
unyoke [ʌn'joʊk] **A.** *tsi* járomból/igából kifog *[ökröt]* **B.** *tni átv biz* abbahagyja a munkát
UP *röv* **1.** *United Press* **2.** *Uttar Pradesh*
up [ʌp] **I.** *hsz* **1.** fel, felfelé; **face ~** arccal felfelé; **~ and down** le-fel, fel és le; **get ~** felkel *[ágyból]*; feláll *[ülő helyzetből]*; **go ~ to town** bemegy a városba; **look ~** felnéz, feltekint, felpillant; **wind ~** felhúz *[rugót]*; **burn ~** teljesen eléget, feléget; **eat ~** felfal; **speak ~** hangosan beszél **2.** fent, fenn; **be ~ and about** fenn van, felkelt; *US* **are you ~?** készen vagy (a munkáddal)?; **be/sit/stay/wait ~** virraszt/fennmarad *[éjjel]*; **be (well) ~ in a subject** alaposan ismeri a tárgyat; **be one game ~** egy játszma előnye van; **one ~ to sy** 1:0 vk javára; **it is ~ for sg** műsoron van vm célból; *infor* **the network is ~** a hálózat üzemel/elérhető **3. a)** oda, közel(ébe); **follow sy ~** nyomon követ vkt, a sarkában van vknek; **be ~ with sy/sg** egy szinten/színvonalon van vkvel/vmvel; **go ~ to sy** vkhez odamegy **b)** -ig *[időben, értékben]*; **~ to this day** (mind) a mai napig; **~ to now** (mind)eddig, mostan(á)ig, ez ideig **4. be ~ against sg** vmvel szemközt találja magát; szemben áll/szembehelyezkedik vmvel; *biz* **be ~ against it** üldözi a balszerencse, pechje van **5.** *biz* **there is sg ~** itt vm készül, itt vm (baj) van; *biz* **what's ~?** na mi (baj) van?, mi történt?; *biz* **what's ~ with him?** mi van vele?, mi (baj) történt vele?; **time is ~** az idő lejárt; záróra!; **it's all ~ with him** végét járja *[beteg]*; tönkrement *[anyagilag]* **6. be ~ to sg** felér vmvel; képes vmre; *pej* valamiben sántikál/mesterkedik, vmt forral; **be ~ to sy('s tricks)** megfelel vknek **7.** *biz* **it is ~ to him to** tőle függ, hogy, rajta múlik/áll, hogy **II.** *elölj* **1. a)** fenn vmn, fel vmre; **go ~ hill** felmegy a hegyre; **~ a tree** fenn a fán; sarokba szorítva; *szl durva* **~ yours!** ‹elutasítás kifejezése›; kapd be! **b)** vmvel szemben; **~ the river** a folyón felfelé, vízfolyás ellenében **c) ~ and down the land** (keresztül-kasul) az egész országban **2.** *kat* **~ front** az arcvonalban, kint a fronton **III. 1.** *mn* felfelé menő/haladó/irányuló; **on the ~ grade** emelkedő/javuló irányzat(ú) **2.** *GB* habzó *[sör]*
up- [ʌp] *előtag* **1.** fel, felfelé **2.** távol, messze
up-anchor *tni hajó* felhúzza a horgonyt
up-and-coming *mn biz* energikus, vállalkozó szellemű, nagy jövőjű • *fn* **up-and-comer**
up-and-down *mn* fel-le, fel s alá, oda-vissza
up-and-over *mn* felbillenő *[ajtó, pl. garázsé]*
up and running *mn/hsz* működő(en), működőképes(en)
up-and-under *fn sp* előreívelt rúgás/labda *[rögbiben]*
upas ['ju:pəs] *fn* **1. a)** *növ* upászfa, méregfa **b)** *átv* gyilkos/mérgező hatás **2.** méreg, mérgező nedv/gyanta *[fáé]*
upbeat ['ʌpbi:t] **I.** *mn biz* vidám, jókedvű **II.** *fn zene* **a)** hangsúlytalan ritmusrész **b)** ütemelőző, felütés
upbraid [ʌp'breɪd] *tsi* megszid(vkt), szemrehányást tesz (vknek) • *fn* **upbraiding**
upbringing ['ʌpbrɪŋɪŋ] *fn* (fel)nevelés *[gyermeké]*
UPC *röv US Universal Product Code*
upcast I. *mn* [ʌp'kɑ:st ‖ –'kæst] **1.** felfelé fordított, égre emelt *[szemek, tekintet]* **2.** feldobott **II.** *fn* ['ʌpkɑ:st ‖ –kæst] *geol bány* feltolódás, vetődés **III.** *tsi* → **cast up**
upchuck ['ʌptʃʌk] *US Kan szl* **I.** *fn [hányás]* rókázás **II.** *tsi/tni [(ki)hány]* (ki)okád, (ki)rókáz
upcoming ['ʌpkʌmɪŋ] *mn US Kan* közeledő, közelgő; megjelenés előtt álló *[könyv]*
up-country [ʌp'kʌntri] **I.** *mn* **1.** az ország közepén/belsejében levő **2.** *US* egyszerű, falusias **II.** *hsz* az ország belseje felé, a tengerparttól befelé
update I. *fn* ['ʌpdeɪt] **1.** korszerűsítés, modernizálás **2.** korszerűsített/modernizált változat *[szoftveré]* **II.** *tsi* [ʌp'deɪt] **1.** korszerűsít, modernizál **2. a)** naprakész állapotba hoz **b)** tájékoztat a legújabb/legfrissebb fejleményekről
updraft ['ʌpdrɑ:ft ‖ –dræft] *fn US* felfelé irányuló léghuzat
updraught ['ʌpdrɑ:ft ‖ –dræft] *GB* → **updraft**
upend A. *tsi* **1.** felállít, egyenesre/fenekére állít **2.** árbocoz *[csónakot]* **B.** *tni* feláll, felegyenesedik
upfield ['ʌpfi:ld] *hsz sp* az ellenfél térfelén/térfelére
upfold ['ʌpfoʊld] *fn geol* antiklinális, széthajló redő
upfront [ʌp'frʌnt] *biz* **I.** *mn* **1.** nyílt, becsületes, őszinte **2.** előlegben, előre be-/lefizetett *[pénzösszeg]* **3.** legelső, legelöl álló, legfeltűnőbb **II.** *hsz* **1.** elöl, vm előtt **2.** előre, előlegben *[befizetett pénz]*
upgrade I. *tsi* [ʌp'greɪd] **1.** felminősít, felsőbb kategóriába sorol **2.** feljavít *[pl. árucikk minőségét]* **II.** *fn* ['ʌpgreɪd] **1.** *átv is* emelkedő, kaptató, kapaszkodó; *biz* **be on the ~** fellendülőben van **2.** felújítás, feljavítás *[számítógépé]* **3.** felújított/feljavított változat *[számítógépé]* • *mn* **upgradeable**
upgrowth ['ʌpgroʊθ] *fn* **1.** (fel)növekedés, növés, felcseperedés **2.** sarj, csemete
upheaval [ʌp'hi:vl] *fn* **1. a)** felemelkedés (vm belső felfelé nyomó erő hatására) **b)** *geol* (talaj)emelkedés **2.** *átv* felfordulás, kavarodás
upheave [ʌp'hi:v] **A.** *tsi* **1.** felemel, felnyom *[nagy erővel]* **2.** feldob, felfordít **B.** *tni* felemelkedik *[nagy erő hatására]*, felduzzad
upheld [ʌp'held] → **uphold**
uphill [ʌp'hɪl] **I.** *mn* **1.** (hegynek) felfelé haladó, emelkedő *[pl. út]* **2.** fárasztó, fáradságos, nehéz **II.** *hsz* hegynek/emelkedőn fel, felfelé, hegymenetben **III.** *fn* emelkedő, kapaszkodó, kaptató
uphold [ʌp'hoʊld] *tsi pt/pp* **upheld** [ʌp'held] **1. a)** tart, támogat *[oszlop]* **b)** *átv* támogat (vmt/vkt), (meg)véd *[elveket]* **c)** *átv* (fenn)tart *[kapcsolatot stb.]* **2.** jóváhagy, helybenhagy *[alsóbíróság döntését]*, helyesel *[pl. magatartást]* • *fn* **upholder**
upholster [ʌp'hoʊlstə ‖ –ər] *tsi* **a)** kárpitoz, párnáz **b)** behúz, bevon (*with/in* vmvel) *[bútort]*
upholsterer [ʌp'hoʊlstərə ‖ –ər] *fn* kárpitos
upholstery [ʌp'hoʊlstəri] *fn* **1. a)** kárpitozás, *gk* kárpit, üléshuzat **b)** kárpitosmunka *[bútoré]* **2.** bútorszövet, bútorhuzat **3.** kárpitosmesterség
UPI *röv United Press International*
upkeep ['ʌpki:p] *fn* **1.** fenntartás, üzemben tartás *[intézményé]*, karbantartás *[épületé]* **2.** fenntartási/karbantartási költségek
upland ['ʌplənd] **I.** *mn* hegyi, hegyvidéki, felföldi, felvidéki **II.** *fn* **1. a)** magasan fekvő terület **b)** *tsz* **uplands** felföld, felvidék **2.** tengerparttól távol eső vidék/terület

uplift I. *tsi* [ʌpˈlɪft] **1.** *GB* felemel (vmt), felhúz, felvon *[szemöldököt, vállat]* **2.** *biz* (fel)lelkesít (vkt), felvidít, felderít, javít *[hangulatot]* **II.** *fn* [ˈʌplɪft] **1. a)** felemelkedés, felhúzódás **b)** *geol* földkéreg emelkedése **2.** *biz* fellendülés; *biz* **business ~** üzleti fellendülés **3.** *US biz* emelkedettség, hév *[szónoké]* **4.** mellemelő, melltartó • *fn* **uplifter** *mn* **uplifting**

uplifted [ʌpˈlɪftɪd] *mn* **1.** felemelt *[fej]*; **with ~ eyes** szemét felvetve **2.** emelkedett, magasztos

uplighter [ˈʌplaɪtə ‖ –ər] *fn* felfelé világító lámpa

uplink *távk* **I.** *fn* [ˈʌplɪŋk] műholdas kapcsolat, sugárnyalábfellövés *[műholdra]* **II.** *tsi* [ʌpˈlɪŋk] műholdas kapcsolattal összeköt, műholddal összeköt

upload *infor* **I.** *fn* [ˈʌploud] adatáttöltés nagyobb számítógéptárba/szerverre/hálózatra **II.** *tsi* [ʌpˈloud] áttölt nagyobb számítógéptárba/szerverre/hálózatra *[adatot]*

upmarket I. *mn* magasabb árfekvésű/igényeket kielégítő/jövedelműeket kiszolgáló *[üzlet]* **II.** *hsz* magasabb árfekvésűvé/igényeket kielégítővé *[váló üzlet]*

upmost [ˈʌpmoust] → **uppermost**

upon [əˈpɒn ‖ əˈpɑn] → **on** I.

upper[1] [ˈʌpə ‖ –ər] **I.** *mn* **1.** *átv* felső, felülső, felsőbb; **~ air** felső légrétegek; **~ classes** felsőbb/magasabb osztályok *[társadalomban]*; *hajó* **~ deck** felső fedélzet; **get the ~ hand of sy** fölébe kerekedik vknek, legyőz/legyűr vkt **2.** túlsó, felső *[vége folyosónak, asztalnak]*; **U~ Egypt** Felső-Egyiptom; **U~ California** Észak-Kalifornia **II.** *fn* **1.** *tsz* **uppers a)** (cipő)felsőrész; *biz* **be on one's ~** *átv* nyomorog, nélkülöz **b)** *US* lábszárvédő **2.** felső fogsor

upper[2] [ˈʌpə ‖ –ər] *fn szl* ‹stimuláló hatású kábítószer, főleg amfetamin›

upper case *fn* nagybetű, verzál (betű)

upper class I. *fn* felsőbb osztály, arisztokrácia; → **upper** I. 1. **II.** *mn* **upper-class** *US* felső(bb) osztályos

upper crust *mn biz* a felső tízezerbe tartozó, sznob

uppercut I. *fn sp* felütés *[bokszban]* **II.** *tsi pt/pp* **uppercut** *sp* felüt (vkt)

upper hand *fn* dominancia, irányítás, ellenőrzés

Upper House *fn* felsőház *[parlamentben]*, főrendiház

uppermost [ˈʌpəmoust ‖ ˈʌpər–] **I.** *mn* **1.** legfelső, legmagasabb **2.** legelső, legfontosabb **II.** *hsz* (leg)felül

upper regions *fn tsz* **a)** az ég(bolt) **b)** a menny, mennyország

uppish [ˈʌpɪʃ] *mn GB biz* beképzelt, elbizakodott, öntelt; nagyképű • *fn* **uppishness** *hsz* **uppishly**

uppity [ˈʌpəti] *US biz* → **uppish**

upraise [ʌpˈreɪz] *tsi* felemel

uprate [ʌpˈreɪt] *tsi* **1.** fel-/megemel *[nyugdíjat, juttatást]* **2.** feljavít

upright [ˈʌpraɪt] **I.** *mn* **1.** függőleges, egyenes(en álló); **take an ~ position** felegyenesedik; **put/set sg ~** vmt felegyenesít, vmt függőlegesre állít **2.** *átv* egyenes, becsületes **3.** álló *[kép]* **II.** *fn* **1.** függőleges *[irány]* **2.** *épít* álló tag/oszlop, támasztóoszlop, pillér **3.** pianínó

uprightly [ˈʌpraɪtli] *hsz* egyenesen, függőlegesen, álló/függőleges helyzetben

uprightness [ˈʌpraɪtnəs] *fn* egyenesség, becsületesség

uprise [ʌpˈraɪz] *tni pt* **uprose** [ʌpˈrouz], *pp* **uprisen** [ʌpˈrɪzn] felemelkedik, felkel *[pl. ágyból]*

uprisen [ʌpˈrɪzn] → **uprise**

uprising [ˈʌpraɪzɪŋ] *fn* felkelés, (fel)lázadás

upriver [ʌpˈrɪvə ‖ –ər] **I.** *mn* **1.** folyón felfelé (v. ár ellen) haladó **2.** a folyó felső folyásánál fekvő/levő **II.** *hsz* folyón felfelé, ár ellen

uproar [ˈʌprɔː ‖ –rɔr] *fn* **a)** zajongás, nagy zsivaj/lárma **b)** kavarodás, felfordulás, zűrzavar

uproarious [ʌpˈrɔːrɪəs] *mn* **1.** zajos, lármás, zajongó **2.** rendkívül mulatságos *[vígjáték]* • *hsz* **uproariously**

uproot [ʌpˈruːt] **A.** *tsi* **1. a)** gyökerestől kitép *[növényt]* **b)** *átv* kitép, kiszakít *[eredeti környezetből]* **2.** *átv* gyökerestől kiirt **B.** *tni átv* gyökértelenné válik, elszakad otthonától • *fn* **uprooter**

uprush [ˈʌprʌʃ] *fn* feltörés, felfakadás *[forrásé]*, *pszich* előtörés *[tudatalattié]*

UPS *fn röv infor Uninterrupted Power Supply* szünetmentes áramforrás/tápegység

ups and downs *fn tsz* **1.** hepehupás/göröngyös/hullámos felszín **2.** hányattatások

upscale [ˈʌpskeɪl] *US Kan* → **upmarket**

upset I. *pt/pp* **upset A.** *tsi* **1. a)** felfordít, felborít, feldönt **b)** *átv* felborít, meghiúsít *[pl. tervet]*, keresztülhúz *[számítást]* **2.** (nagyon) felizgat, felzaklat, feldúl **B.** *tni* felfordul, felborul **II.** *fn* [ˈʌpset] **1.** *átv* felfordulás, zűrzavar **2.** izgalom, izgatottság, zaklatottság **3.** rendetlen gyomorműködés **4.** *sp* váratlan eredmény/győzelem **III.** *mn* [ʌpˈset] **1.** izgatott, (fel)zaklatott, feldúlt; **be ~ about sg** vm nagyon izgatja/nyugtalanítja **2.** rendetlenül működő *[gyomor]* • *fn* **upsetter**

upset price *fn gazd* kikiáltási ár

upsetting [ʌpˈsetɪŋ] **I.** *mn* izgató, nyugtalanító, zaklató *[hír]* **II.** *fn* **a)** felfordítás **b)** *átv* felborítás *[terveké, egyensúlyé]* **c)** felborulás • *hsz* **upsettingly**

upshift [ʌpˈʃɪft] **I.** *fn gk* feljebb/magasabb sebességfokozatba kapcsolás **II. A.** *tsi US* felemel, növel *[büntetést bíróságon]* **B.** *tni* magasabb sebességfokozatba/sebességbe kapcsol/vált

upshot [ˈʌpʃɒt ‖ –ʃɑt] *fn* (vég)eredmény, következmény, kimenetel *[vitáé]*

upside [ˈʌpsaɪd] *fn* **1.** pozitív/előnyös oldala vmnek **2.** értéknövekedés *[részvényeké]*

upside down I. *mn* feje tetején álló, feje tetejére állított **II.** *hsz átv* (meg)fordítva, felfordítva, fejjel lefelé; **turn everything ~** mindent felforgat (v. a feje tetejére állít)

upside-down cake *fn* gyümölcstorta

upsides [ʌpˈsaɪdz] *hsz GB biz* **get ~ with sy** nem marad adósa vknek

upsilon [juːpˈsaɪlən ‖ ˈjuːpsɪlɑn] *fn* üpszilon

upstage [ʌpˈsteɪdʒ] **I.** *mn* **1.** *szính* a színpad hátterében levő/történő **2.** *biz* fölényes, lekezelő **II.** *hsz* **1.** *szính* a színpad mélyén, hátul (a színpadon) **2.** *biz* fölényesen, lekezelően **III.** *tsi* háttérbe szorít

upstairs [ʌpˈsteəz ‖ –ˈsterz] **I.** *mn* emeleti, felső, fenti **II.** *hsz* **1.** (emeletre) fel, fel a lépcsőn **2.** fent, (az) emeleten **III.** *fn esz* (az) emelet

upstanding [ʌpˈstændɪŋ] *mn* **1.** álló *[ember, oszlop]*, felálló, égnek álló *[haj]* **2.** *biz* derék, becsületes *[ember]*

upstart [ˈʌpstɑːt ‖ –stɑrt] **I.** *mn gazd* feltörekvő *[vállalkozás]* **II.** *fn* **a)** újgazdag, felkapaszkodott *[ember]* **b)** induló/kezdő vállalkozás

upstate [ˈʌpsteɪt] *US* **I.** *mn* az állam északi/távoli részén levő, nagyvárosoktól távol eső **II.** *hsz* az állam északi/legészakibb/távoli részébe(n) **III.** *fn* az állam északi/legészakibb/távoli része • *fn* **upstater**

upstream [ʌpˈstriːm] **I.** *mn* ár ellen haladó **II.** *hsz* ár/folyásirány ellen, folyón felfelé

upstroke [ˈʌpstrouk] *fn* **1.** felfelé húzott (toll)vonás **2.** *zene* vonóhúzás felfelé *[vonós hangszernél]*

upsurge [ˈʌpsɜːdʒ ‖ ˈʌpsɜrdʒ] *fn* nekilendülés, nekilódulás, feltörés

upswept [ʌpˈswept] *mn* fejtetőre fésült *[haj]*

upswing [ˈʌpswɪŋ] *fn* javulás, fellendülés

upsy-daisy [ˌʌpsi ˈdeɪzi] *isz gyerm* hoppá!, zsupsz!

uptake [ˈʌpteɪk] *fn* **1.** *biz* felfogás, értelem; **be quick on the ~** jól fog/vált az esze, gyorsan kapcsol **2.** felszálló légoszlop **3.** *biol* felvétel *[oxigéné, táplálékė stb. élő szervezetbe]*

up-tempo *mn/hsz* felgyorsított(an), gyors tempójú(an)

upthrow [ˈʌpθroʊ] *fn* **1.** feldobás **2.** *geol* felvetődés, feltörés
upthrust [ˈʌpθrʌst] *fn* **1.** *fiz* felhajtóerő/nyomás *[folyadéké]* **2.** *geol* vetődéses kiemelkedés
uptick [ˈʌptɪk] *fn US* emelkedés *[kicsi]*
uptight [ʌpˈtaɪt] *mn* **1.** ideges, feszült; **be ~ about sg** vm miatt izgul **2.** ókonzervatív
up-to-date *mn* **a)** *biz* modern (gondolkodású) **b)** jól tájékozott/értesült *[ember]*, modern, korszerű *[pl. szótár]* **c)** divatos *[ruha, stb.]*
up-to-the-minute *mn* a jelen pillanatban legújabb, legfrissebb, ultramodern, hipermodern; **~ song** legújabb sláger
uptown [ʌpˈtaʊn] *US Kan* **I.** *mn* **1.** felsővárosi; **~ society** a város polgári (negyedének) társasága **2.** lakónegyedbeli **II.** *hsz* kint, a lakónegyedekben **III.** *fn* a központtól távolabb eső városrész, lakónegyedek • *fn* **uptowner**
uptrend [ˈʌptrend] *fn közg* emelkedő trend, fellendülés
upturn I. *fn* [ˈʌptɜːn ‖ ˈʌptɜrn] **1.** *biz* zűrzavar, összevisszaság **2.** emelkedés, fellendülés **II.** *tsi* [ʌpˈtɜːn ‖ ʌpˈtɜrn] **1.** felfelé fordít, felemel *[tekintetet]* **2.** felfordít, fejre állít
upvaluation [ˌʌpvæljuˈeɪʃn] *fn* felértékelés *[árfolyamé]*
upvalue [ʌpˈvæljuː] *tsi* felértékel *[árfolyamot]*
upward [ˈʌpwəd ‖ –wərd] **I.** *mn átv* emelkedő, felfelé haladó/irányuló *[pl. út]* **II.** *hsz* → **upwards**
upwardly [ˈʌpwədli ‖ –wərd–] *hsz* felfelé
upwardly mobile *mn [társadalmi, szakmai]* előrelépésre képes
upwards [ˈʌpwədz ‖ –wɜrdz] *hsz* **1.** felfelé **2.** felül, túl; **£ 1000 and ~** ezer font és azon felül(i összeg)
upwell [ʌpˈwel] *tni* felbuggyan, felfakad, előtör *[folyadék]*
upwhirl [ʌpˈwɜːl ‖ –ˈwɜrl] **A.** *tsi* felkavar **B.** *tni* felkavarodik, kavarog, örvénylik
upwind [ˈʌpwɪnd] *mn/hsz* széllel szemben(i)
ur- *előtag* elő-, ős-, eredeti
uraemia [juˈriːmɪə] *fn orv* húgyvérűség, urémia • *mn* **uraemic**
Ural [ˈjuərəl ‖ ˈjurəl] *tul földr* **~ (Mountains)** Urál
Ural-Altaic [ˌjuərəl ælˈteɪɪk ‖ ˈjurəl–] *mn nyelv* urál-altáji
Uralian [juˈreɪlɪən] *mn* uráli
Uralic [juˈrælɪk] *mn* uráli; **~ languages** uráli nyelvek
uranium [juˈreɪnɪəm] *fn vegy* urán(ium) • *mn* **uranic**
urano-[1] [ˌjuərənə– ‖ ˌjurənə–] *előtag* menny-, mennyei
urano-[2] [ˌjuərənə– ‖ ˌjurənə–] *előtag vegy* urán-
uranography [ˌjuərəˈnɒgrəfi ‖ ˌjurəˈnɑ–] *fn csill régi* uranográfia, csillagtérképezés, csillagatlasztan • *fn* **uranographer** *mn* **uranographic**
Uranus [juˈreɪnəs ‖ ˈjurənəs] *tul* **1.** *mit* Uránusz *[római isten]* **2.** *csill* Uránusz (bolygó)
urban [ˈɜːbən ‖ ˈɜr–] *mn* városi
urban district *fn GB* városi közigazgatási terület
urbane [ɜːˈbeɪn ‖ ɜr–] *mn* sima/finom modorú, udvarias, előzékeny • *hsz* **urbanely**
urban guerrilla *fn* városi gerilla
urbanism [ˈɜːbənɪzm ‖ ˈɜr–] *fn* **1.** városi jelleg **2.** városrendezés, várostervezés • *fn* **urbanist**
urbanite [ˈɜːbənaɪt ‖ ˈɜr–] *fn vegy* urbanit
urbanity [ɜːˈbænəti ‖ ɜrˈbænəti] *fn* **1.** sima/finom modor, udvariasság, előzékenység **2.** városi élet
urbanization [ˌɜːbənaɪˈzeɪʃn ‖ ˈɜrbənə–] *fn* **1.** városiasítás **2.** városiasodás, urbanizáció
urbanize [ˈɜːbənaɪz ‖ ˈɜr–], **-ise** *tsi* **a)** városiassá tesz, urbanizál **b)** falusi jellegét megszünteti
urban myth *fn* modern mese
urban renewal *fn* nyomornegyedek megszüntetése, város újrarendezése
urban sprawl *fn* túlvárosiasodás, a városok túlzott mértékű növekedése
urceolate [ˈɜːsɪələt ‖ ˈɜr–] *mn tud* tömlő alakú
urchin [ˈɜːtʃɪn ‖ ˈɜr–] *fn* **1.** *biz* lurkó, csibész **2. a)** *áll* tengeri sün **b)** *áll régi* sündisznó **3.** *régi* manó

Urdu [ˈɜːduː, ˈʊəduː ‖ ˈʊrduː] *mn/fn* urdu
-ure *utótag* -úra *[főnévképző]*
urea [ˈjuərɪə ‖ jəˈriːə] *fn vegy* karbamid
ureter [ˈjuərɪtə, juˈriːtə ‖ ˈjurətər] *fn orv* húgyvezeték, uréter • *mn* **ureteral**, **ureteric**
urethane [ˈjuərəθeɪn ‖ ˈjur–] *fn vegy* uretán, etil-karbamát
urethra [juˈriːθrə] *fn orv* húgycső • *hsz* **urethral**
urethritis [ˌjuərɪˈθraɪtɪs ‖ ˌjurɪ–] *fn* (orv) húgycsőgyulladás
urge [ɜːdʒ ‖ ɜrdʒ] **I.** *tsi* **1. a)** ösztökél, ösztönöz, serkent; **~ sy to do sg** vkt vmnek a megtételére ösztönöz/buzdít **b)** sürget, siettet (vkt), szorgalmaz **2.** nyomatékosan hangoztat, hangsúlyoz *[fontosságot]*, sürget *[lépést]* **II.** *fn US* (belső) ösztönzés/kényszer, heves/ellenállhatatlan vágy *[vmt tenni]*
urgency [ˈɜːdʒnsi ‖ ˈɜr–] *fn* **1.** sürgősség; **call for a vote of ~** sürgősségi indítványt tesz **2.** nyomás, szorítás, szorongatás *[kellemetlen helyzeté]* **3.** unszolás, sürgetés
urgent [ˈɜːdʒnt ‖ ˈɜr–] *mn* **1.** sürgős **2.** erőteljesen sürgető, unszoló *[személy]* • *hsz* **urgently**
-uria [ˈjuərɪə ‖ ˈjurɪə] *utótag orv* vizeletben (túlzott mértékben) jelen levő
uric [ˈjuərɪk ‖ ˈjurɪk] *mn* húgy-
uric acid *fn vegy* húgysav
urinal [ˈjuərɪnl, jəˈraɪnl ‖ ˈjur–] *fn* **1.** vizelőedény, vizeletpohár **2.** vizelde
urinalysis [ˌjuərɪˈnælɪsɪs ‖ ˌjur–] *fn* vizeletvizsgálat
urinary [ˈjuərɪnəri ‖ ˈjurəneri] *mn orv* húgy-; **~ bladder** húgyhólyag
urinate [ˈjuərɪneɪt ‖ ˈjur–] *tsi/tni* vizel, hugyozik • *fn* **urination**
urine [ˈjuərɪn ‖ ˈjurɪn] *fn* vizelet, húgy • *mn* **urinous**
URL *fn röv infor uniform resource locator* URL, egységes (információ-)forráshatározó, „URL"-cím
urn [ɜːn ‖ ɜrn] **I.** *fn* **1. a) (cinerary) ~** hamvveder, urna **b)** választási/szavazó urna **c)** *vál* sír **2.** szamovár **II.** *tsi* urnába tesz/helyez • *fn* **urnful**
uro-[1] [ˈjuəroʊ ‖ ˈjuroʊ] *előtag orv* vizelet-, húgy-
uro-[2] [ˈjuəroʊ ‖ ˈjuroʊ] *előtag* farok-, fark-
urodele [ˈjuərədiːl ‖ ˈjurə–] *fn áll* farkos kétéltű
urogenital [ˌjuəroʊˈdʒenɪtl ‖ ˌjurə–] *mn orv* húgyivarszervi, urogenitális
urology [juəˈrɒlədʒi ‖ jəˈrɑ–] *fn orv* urológia • *fn* **urologist** *mn* **urologic(al)**
uropygium [ˌjuəroʊˈpɪdʒɪəm ‖ ˈjurə–] *fn áll* farkcsík, fartő *[madaraké]*
Ursa Major [ˈɜːsə ˈmeɪdʒə ‖ ˈɜrsə meɪdʒər] *tul csill* Nagymedve (csillagkép), Nagygöncöl
Ursa Minor [ˈɜːsə maɪnə ‖ ˈɜrsə maɪnər] *tul csill* Kismedve (csillagkép), Kisgöncöl
ursine [ˈɜːsaɪn ‖ ˈɜr–] *mn áll* medveféle, medveszerű
Ursula [ˈɜːsjələ ‖ ˈɜr–] *tul* ‹női név› Orsolya
Ursuline [ˈɜːsjʊlaɪn ‖ ˈɜrsələn] *fn/mn vall* Orsolya-rendi (apáca)
urticaria [ˌɜːtɪˈkeərɪə ‖ ˌɜrtɪˈkerɪə] *fn orv* csalánkiütés
urticate [ˈɜːtɪkeɪt ‖ ˈɜr–] *tsi* **1.** (meg)csíp *[növény]* **2.** csalánkiütést okoz (vknek) • *fn* **urtication**
Uruguay [ˈjuərəgwaɪ ‖ ˈjur–] *tul földr* Uruguay
Uruguayan [ˌjuərəˈgwaɪən ‖ jur–] *mn/fn* uruguayi
urus [ˈjuərəs ‖ ˈjurəs] *fn áll* európai bölény
us [əs, ʌs] *nm* **1.** minket, bennünket; **let ~ go** menjünk, gyerünk, induljunk; **three of ~** közülünk három/hárman **2.** nekünk **3.** *biz* mi
US *röv* **1.** *United States (of America)* (Amerikai) Egyesült Államok **2.** *Uncle Sam*
USA *röv United States of America* Amerikai Egyesült Államok, USA
usable [ˈjuːzəbl] *mn* (fel)használható, hasznosítható • *fn* **usability**
USAF *röv United States Air Force*

usage [ˈjuːsɪdʒ] *fn* **1. a)** bánásmód, kezelés **b)** *pej* elbánás **2.** szokás, gyakorlat **3.** *nyelv* (szó)használat, nyelvhasználat **4.** *jog* szolgalmi jog, szolgalom

usance [ˈjuːzns] *fn gazd* **1.** szokásos fizetési határidő *[váltóra]* **2.** kereskedelmi/üzleti szokás/gyakorlat, szokvány

use I. A. *tsi* [juːz] **1. a)** használ; **~ sg as/for sg** vmt vm helyett/gyanánt (v. vmnek) használ **b)** (fel)használ, alkalmaz **2. a) ~ (up)** elhasznál, felhasznál, elfogyaszt *[pl. nyersanyagot, készletet]* **b) ~ (up)** agyonhajszol *[embert, lovat]*; kimerít **3.** kihasznál(vkt/vmt) **4.** bánik (vkvel, vmvel); **~ sy well** jól bánik vkvel, jó vkhez **B.** *tni* **~d to** [juːst] azelőtt **II.** *fn* [juːs] **1.** használat, (fel)használás, alkalmazás; **make ~ of sg, put sg to ~** vmt (fel)használ, hasznát veszi vmnek; hasznosít vmt *[pl. adottságot, képességet]*; **make good ~ of sg, put sg to good ~** jó hasznát veszi vmnek; **ready for ~** használatra kész; **not in ~** nem használatos, használatban nem levő **2. have the full ~ of one's faculties** képességeinek teljes birtokában van **3.** *jog* **a)** használat **b)** haszonélvezet; *jog* **full right of ~ of sg** nem korlátozott haszonélvezeti jog vmre **4. a)** haszon, hasznosság; **it's no ~** céltalan, értelmetlen; hasztalan; *biz* **it is not much ~** nem sokat ér; **be of ~ for sg** hasznos/előnyös/jó vmre nézve, vknek haszna van belőle; **be of ~ to sy** hasznos/előnyös/jó vk számára *[dolog]*; segítségére van vknek *[ember]* **b)** használhatóság; **have no ~ for sg** nem tudja mit tegyen/kezdjen vmvel, semmire sem megy vmvel; *biz* **have no ~ for sy** vkt nem szível; vkt nem becsül/tart sokra/nagyra **5. a)** szokás, gyakorlat; **~s and customs of a country** egy ország közszokásai; **according to ~ and wont** szokás szerint **b)** *vall régi* szertartásrend, rítus

use-by date *fn gazd* szavatossági idő, lejárati idő

used [juːzd] *mn* **1.** használt *[pl. ruha]*; **hardly ~** alig használt **2.** használatos, használatban levő *[szó stb.]* **3. ~ up** felhasznált, elfogyasztott *[nyersanyag, készlet]*; kimerült, elcsigázott, agyonhajszolt *[ember]*; **feel ~ up** nagyon kimerült, holtfáradt **4.** hozzászokott; **be ~ to sg** már megszokott vmt; hozzászokott vmhez; **get ~d to sg** hozzászokik vmhez, megszokik vmt; → **use I.**

useful [juːsfl] *mn* **1.** hasznos, (jól) használható, hasznavehető; **~ life** élettartam, használhatósági időtartam; **make oneself ~** hasznossá teszi magát, hasznosítja magát **2.** *biz* **be pretty ~** kifogástalan, hibátlan *[teljesítmény]*; nagyon ügyes *[ember]* • *fn* **usefulness** *hsz* **usefully**

useful load *fn* hasznos teher

useless [ˈjuːsləs] *mn* **1. a)** haszontalan, hasznavehetetlen, használhatatlan; *biz* **~ person** hasznavehetetlen/semmirekellő ember **b)** hasztalan, hiábavaló *[igyekezet]* **2.** gyenge, rossz • *fn* **uselessness** *hsz* **uselessly**

Usenet [ˈjuːznet] *fn röv infor* levelezőcsoportok hírszolgálata

user [ˈjuːzə ‖ –ər] *fn* **1.** *infor* felhasználó *[számítógépé, programé]* **2.** *jog* haszonélvező **3.** *jog* haszonélvezet(i jog) **4.** *kat* **~ personnel** kezelőszemélyzet **5.** *szl [kábítószerélvező]* drogos, narkós

user-friendly *mn infor* felhasználóbarát, könnyen kezelhető *[számítógép, szoftver]* • *fn* **user-friendliness**

user-hostile *mn infor* nem felhasználóbarát, nehezen/nehézkesen használható

username *fn infor* felhasználói név/azonosító

use-value *fn közg* használati érték

usher [ˈʌʃə ‖ –ər] **I.** *fn* **1. a)** jegyszedő *[színházban, moziban]* **b) court ~** bírósági/törvényszéki altiszt/teremszolga **2.** vőfély **3.** *régi* segédtanár, internátusi felügyelő *[fiúiskolában]* **II.** *tsi* **1.** (szertartásosan) bejelent és bevezet, betessékel *[érkező vendéget]* **2.** *átv* **~ in** megnyit, beharangoz *[pl. új korszakot]* • *fn* **ushership**

usherette [ˌʌʃəˈret] *fn* jegyszedőnő *[moziban]*

USIA *röv United States Information Agency*

US Navy *röv United States Navy*

usquebaugh [ˈʌskwɪbɔː] *fn ír skót* whisky

USS *röv* **1.** *United States Ship* ‹az USA hadihajója› **2.** *United States Senate*

USSR *röv tört Union of Soviet Socialist Republics*; Szovjet Szocialista Köztársaságok Szövetsége, SZSZKSZ

usu. *röv usually* rendszerint, rendsz.

usual [ˈjuːʒʊəl, ˈjuːʒl] *mn* (meg)szokott, szokásos, rendes; **as ~** mint rendesen/máskor/mindig/általában • *fn* **usualness**

usually [ˈjuːʒʊəli] *hsz* rendszerint, rendesen, általában, többnyire

usucapion [ˌjuːzjʊˈkeɪpɪən ‖ ˌjuːzəˈkeɪpiɑn] *fn jog* elbirtoklás

usufruct [ˈjuːsjʊfrʌkt ‖ ˈjuːsə–] *jog* **I.** *fn* haszonélvezet(i jog) **II.** *tsi* haszonélvezeti jogot gyakorol (vmn) • *fn/mn* **usufructuary**

usurer [ˈjuːʒərə ‖ –ər] *fn* uzsorás

usurious [juːˈzjʊərɪəs ‖ –ˈʒʊr–] *mn* uzsora-; **~ rate of interest** uzsorakamat • *hsz* **usuriously**

usurp [juːˈzɜːp ‖ –ˈsɜrp] **A.** *tsi* (el)bitorol **B.** *tni ritk* **~ (up) on sg** bitorol vmt • *fn* **usurpation**, **usurper**

usury [ˈjuːʒəri] *fn* **1.** uzsora, kiuzsorázás **2. a)** uzsorakamat **b)** *biz* **repay a service with ~** szolgálatot/szívességet busásan/kamatostul visszafizet

USW *röv ultra short wave* ultrarövid hullám, URH

UT, **Ut.** *röv Universal Time*; *US Utah*

Utah [ˈjuːtɑː] *tul földr* Utah (állam)

Utahan [ˈjuːtɑːn] *fn* utahi, Utah állambeli

ute [juːt] *fn Ausz ÚjZ szl* áruszállító kisautó, furgon

utensil [juːˈtensl] *fn* **1.** eszköz, szerszám **2. a)** (konyha)edény **b) chamber ~** éjjeliedény

uterine [ˈjuːtərɪn, –raɪn] *mn* **1.** *orv* (anya)méhi, (anya)méh- **2. ~ descent** közös anyától származás

uterus [ˈjuːtərəs] *fn tsz* **uteri** [–raɪ] *orv* (anya)méh, uterus • *fn* **uteritis**

utile [ˈjuːtaɪl ‖ ˈjuːtl] *mn* hasznos, használható

utilitarian [juːˌtɪlɪˈteərɪən ‖ –ˈter–] **I.** *mn* **a)** praktikus, hasznos, célszerű *[szerszám, eszköz]* **b)** *pej* anyagias, haszonleső **c)** *fil* haszonelvű, utilitarista **II.** *fn fil* utilitarista

utilitarianism [juːˌtɪlɪˈteərɪənɪzm ‖ –ˈter–] *fn fil* hasznossági elv, haszonelvűség, utilitarizmus

utility [juːˈtɪləti] **I.** *fn* **1. a)** hasznosság, haszon, haszna (vmnek) **b)** használhatóság **2. public ~** közmű; közüzem; **public utilities** közművek; kommunális létesítmények **3.** (sok) mindenre használható dolog **4.** *fil* haszonelvűség, utilitarizmus **II.** *mn* **1.** típus- *[áru]* **2.** másodrendű, rossz minőségű, silány

utility program *fn infor* kezelőprogram, kiszolgálóprogram, segédprogram

utility room *fn* mosókonyha

utility truck *fn* áruszállító kisautó, furgon

utility vehicle → **utility truck**

utilization [ˌjuːtɪlaɪˈzeɪʃn ‖ ˈjuːtlˑə–], **-isation** *fn* kihasználás, felhasználás, kiaknázás, hasznosítás; *közg* **rate of ~** kihasználtsági fok

utilize [ˈjuːtɪlaɪz ‖ ˈjuːtlˑaɪz], **-ise** *tsi* (fel)használ, kihasznál, kiaknáz, hasznosít, értékesít • *fn* **utilizer** *mn* **utilizable**

-ution [uːʃn] *utótag* -ás/és, -mány/mény *[főnévképző]*

utmost [ˈʌtmoust] **I.** *mn* **1.** legvégső, legtávolabbi; **~ limits** legvégső határok **2.** (lehető) legnagyobb **II.** *fn* a lehető legtöbb, a legvégső; **do one's ~ to** minden tőle telhetőt megtesz/elkövet, hogy

Utopia [juːˈtoupɪə] *fn* utópia

Utopian [juːˈtoupɪən] **I.** *mn* **a)** utópisztikus *[terv]* **b)** utópista *[tervezgető]* **II.** *fn* **1.** utópista **2.** *ritk* utópiákban élő (lény/ember) • *fn* **Utopianism**

utricle [ˈjuːtrɪkl] *fn tud orv* kis tömlő, hólyagocska, utriculus *[prosztatában, labirintusban]* • *mn* **urticular**

utter[1] [ˈʌtə ‖ –ər] *mn* teljes, legteljesebb, tökéletes, abszolút, végleges • *fn* **utterness** *hsz* **utterly**

utter[2] [ˈʌtə ‖ –ər] *tsi* **1. a)** kiejt, kimond *[szót]*, hallat *[pl. kiáltást]* **b)** hangot ad *[gondolatnak]*, hangoztat *[nézetet]* **2.** kibocsát, forgalomba hoz *[hamis pénzt/okmányt]* • *fn* **utterer** *mn* **utterable**

utterance [ˈʌtərəns] *fn* **1.** kifejezés *[érzelmeké]* **2.** *nyelv* kiejtés, hangképzés, artikuláció **3.** kijelentés *[pl. szónoké]*

uttermost [ˈʌtəmoust ‖ –ər] → **utmost**

U turn *fn* visszakanyarodás *[járművel]*; *átv* teljes (v. száznyolcvan fokos)fordulat, *átv* hátraarc

uva [ˈjuːvə] *fn tsz* **uvae** [ˈjuːviː] *növ* bogyó, bogyótermés

uvea [ˈjuːvɪə] *fn orv* uvea

uvula [ˈjuːvjʊlə] *fn tsz* **uvulae** [–liː] *orv nyelv* nyelvcsap, uvula

uvular [ˈjuːvjʊlə ‖ –vjələr] **I.** *mn* **a)** *orv* nyelvcsapi **b)** uvuláris **II.** *fn nyelv* uvuláris mássalhangzó

uxorial [ʌkˈsɔːrɪəl] *mn* **1.** feleséggel kapcsolatos **2.** → **uxorious**

uxoricide [ʌkˈsɔːrɪsaɪd] *fn* **a)** feleséggyilkosság **b)** feleséggyilkos • *mn* **uxoricidal**

uxorious [ʌkˈsɔːrɪəs] *mn* **a)** feleségimádó **b)** papucs *[férj]* • *fn* **uxoriousness** *hsz* **uxoriously**

Uzbek [ˈuzbek, ˈʌz–] *mn/fn* üzbég

Uzbekistan [ˌuzbekɪˈstɑːn, –ʌz– ‖ uzˈbekəstæn] *tul földr* Üzbegisztán

Uzi [ˈuːzi] *fn* Uzi géppisztoly

U

V[1], **v** [viː] *fn tsz* **V's 1.** v (betű/hang); **V for Victor** V mint Viktor **2.** öt *[mint római szám]*
V[2], **v** *röv* **1.** *valve* **2.** *verb* **3.** *verse* **4.** ‹versus›; **Liverpool v Ferencváros** Liverpool–Ferencváros *[labdarúgó-mérkőzés]* **5.** vide lásd!, l. **6.** *volume* **7.** *velocity* **8.** *verso* **9.** *very* **10.** *Vice* **11.** *victory* **12.** *volt(s)*
V8 *fn röv gk* nyolchengeres V-motor
Va., **VA** *röv US Virginia*
vac [væk] *fn biz* **1.** *GB* szünidő, vakáció **2.** → **vacuum cleaner**
vacancy [ˈveɪkənsi] *fn* **1.** üresség; **gaze/stare into ~** a semmibe bámul **2.** szellemi üresség/sivárság **3. a)** (meg)üresedés, betöltendő állás **b)** kiadó szoba/szobák
vacant [ˈveɪkənt] *mn* **1.** üres, megüresedett, szabad *[szoba, hely, idő stb.]*, lakatlan *[ház]*; *US* **~ lot** üres/beépítetlen telek **2.** kifejezéstelen, üres, sivár *[tekintet]*, gondolatszegény; **~ eyes** kifejezéstelen szemek ● *hsz* **vacantly**
vacant possession *fn GB* azonnal beköltözhető/kibérelhető ingatlan
vacate [vəˈkeɪt ‖ ˈveɪ–] *tsi* **1. a)** kiürít, szabaddá tesz *[helyet, lakást stb.]*, kiköltözik *[szállodai szobából]*; *jog* **~ the premises** helyiségeket kiürít **b)** lemond *[állásról]*; **~ office** önként lemond állásáról/tisztségéről **2.** *jog* érvénytelenít, semmisnek nyilvánít *[szerződést, ítéletet]* ● *fn* **vacating** *mn* **vacatable**
vacation [vəˈkeɪʃn ‖ veɪ–] **I.** *fn* **1.** szünidő, szabadság, vakáció, *jog* törvényhozási szünet; **~ with pay** fizetett szabadság; **take a ~** szabadságra megy **2. a)** megüresedés, betöltetlenség *[állásé]* **b)** kiürítés *[házé stb.]* **3.** *jog* érvénytelenítés, megsemmisítés **II.** *tni* szabadságra megy, nyaral (*at* vhol)
vacationer [vəˈkeɪʃənə ‖ veɪˈkeɪʃənər] *fn* nyaraló *[személy]*, üdülő, vakációzó
vacationist [vəˈkeɪʃənɪst ‖ veɪ–] *fn* → **vacationer**
vacationland *fn US* üdülőterület
vaccinate [ˈvæksɪneɪt] *tsi orv* beolt ● *fn* **vaccinator**
vaccination [ˌvæksɪˈneɪʃn] *fn orv* (be)oltás (*for* vm ellen)
vaccine [ˈvæksiːn ‖ vækˈsiːn] *fn* **1.** *orv* oltóanyag, vakcina **2.** *infor* víruskereső/vírusölő program ● *mn* **vaccinal**
vaccinee [ˌvæksɪˈniː] *fn [védőoltással]* beoltott személy
vaccinia [vækˈsɪnɪə] *fn áll orv* tehénhimlő
vacillate [ˈvæsɪleɪt] *tni* **1.** habozik, tétovázik **2.** inog, rezeg, imbolyog *[fény]* ● *fn* **vacillation** *mn* **vacillating**
vacua [ˈvækjuə] → **vacuum**
vacuous [ˈvækjuəs] *mn* **1. a)** gondolatszegény, ostoba **b)** üres, kifejezéstelen *[tekintet]* **2.** idétlen, bárgyú ● *fn* **vacuity**, **vacuousness**
vacuum [ˈvækjuəm] **I.** *fn* **1. a)** űr, üresség, légűr, légüres tér, vákuum **b)** *átv* üresség, vmnek a hiánya **2.** *tsz* **vacuums** *biz* porszívó **II.** *tsi/tni* (ki)porszívóz
vacuum brake *fn gk vasút* vákuumfék, légfék
vacuum cleaner *fn* porszívó ● *tsi/tni* **vacuum-clean**
vacuum flask *fn GB* termosz, hőpalack
vacuum-packed *mn* vákuumcsomagolású
vacuum pump *fn* légszivattyú, vákuumszivattyú
vacuum tube *fn távk* elektroncső
vacuum valve *fn* **1.** *műsz* légszelep, vákuumszabályozó szelep **2.** *távk* → **vacuum tube**
vademecum [ˌvɑːdiˈmeɪkəm] *fn* vademecum, ismertető (v. állandóan hordott) zsebkönyv, tájékoztató, *okt* kézikönyv, segédlet, rövid összefoglalás *[vm tantárgyból]*
vagabond [ˈvægəbɒnd ‖ –bɑnd] **I.** *fn* **1.** csavargó, kóborló, vándor **2.** *biz* semmirekellő, semmirevaló **II.** *mn* **1.** csavargó, kóborló, vándorló, vándor-; *vill* **~ current** kóboráram **2.** *átv* céltalan
vagabondage [ˈvægəbɒndɪdʒ ‖ –bɑn–] *fn* csavargás, vándorlás, kóborlás
vagal [veɪgl] *mn orv* bolygóidegi
vagary [ˈveɪgəri] *fn* szeszély, hóbort ● *mn* **vagarious**, **vagarish**
vagina [vəˈdʒaɪnə] *fn* **1.** *orv* hüvely, vagina **2.** *tud* hüvely, burok, levélhüvely ● *mn* **vaginal**
vaginismus [ˌvædʒɪˈnɪzməs] *fn orv* hüvelygörcs
vagrant [ˈveɪgrənt] **I.** *fn* csavargó **II.** *mn* kóborló, csavargó *[ember]*, csapongó *[képzelet stb.]*; *vill* **~ current** kóboráram ● *fn* **vagrancy**
vague [veɪg] *mn* **a)** homályos, ködös **b)** bizonytalan, határozatlan; **I haven't got the vaguest idea** halvány sejtelmem/fogalmam sincs **c)** pontatlan, nem szabatos *[nyelvezet, megfogalmazás]* ● *fn* **vagueness** *mn* **vaguish**
vaguely [ˈveɪgli] *hsz* **a)** homályosan **b)** bizonytalanul
vagus [ˈveɪgəs] *fn tsz* **vagi** [ˈveɪdʒaɪ] *orv* **~ (nerve)** bolygóideg
vail [veɪl] **A.** *tsi régi* elejt, leejt, süllyeszt; **~ one's hat** kalapot emel **B.** *tni régi* fejet hajt, meghajol (*to sy* vk előtt), enged (*to sy* vknek)
vain [veɪn] *mn* **1.** hiú, beképzelt, büszke **2.** hiú, csalóka *[remény, ábránd]* **3.** hiábavaló, felesleges *[igyekezet stb.]* **4. in ~** hiába(valóan), haszontalanul, szükségtelenül; **everything was in ~** minden hiábavaló volt; **take God's name in ~** Istent káromolja
vainglorious [veɪnˈglɔːrɪəs] *mn vál* hencegő, dicsekvő, kérkedő ● *fn* **vaingloriousness**, **vainglory**
vainly [ˈveɪnli] *hsz* **1.** hiún **2.** hiába(valóan)
vainness [ˈveɪnnəs] *fn* **1.** hiábavalóság **2.** hiúság, beképzeltség
Val [væl] *tul* **1.** ‹ *Valentine* becéző alakja› **2.** ‹*Valerie* becéző alakja›
valance [ˈvæləns] *fn* **1.** *tex* selyemdamaszt, kárpitszövet **2. a)** rojtos fodor *[ágyterítőn, kárpitozott ágyon]* **b)** *régi* ágykárpit, ágyfüggöny *[mennyezetes ágyon]* ● *mn* **valanced**
vale[1] [veɪl] *fn vál régi* völgy; *vál régi* **~ of tears** (földi) siralomvölgy
vale[2] [ˈvɑːleɪ] *fn/isz régi* isten vele(d)!
valediction [ˌvælɪˈdɪkʃn] *fn* **1.** búcsúzás, búcsúzó, istenhozzád **2.** *US* búcsúbeszéd *[iskolában]*
valedictorian [ˌvælɪdɪkˈtɔːrɪən] *mn US* ‹tanévzáráskor búcsúbeszédet mondó végzős diák›
valedictory [ˌvælɪˈdɪktəri] **I.** *mn* búcsú-, búcsúztató *[beszéd, vacsora stb.]*; *US* **~ address** búcsúbeszéd *[a végzős évfolyam részéről tanévzáráskor]* **II.** *fn US* búcsúbeszéd *[iskolában]*
valence[1] [ˈveɪləns] *fn US* → **valency**
valence[2] [ˈvæləns] → **valance**
valence electron *fn vegy* vegyértékelektron
Valenciennes [ˌvælənsiˈen] *fn* **~ (lace)** valenciennes-csipke
valency [ˈveɪlənsi] *fn* **1.** *nyelv* valencia *[az ige vonzatfelvevő képessége]* **2.** *GB vegy* vegyérték
Valentine [ˈvæləntaɪn] *tul* Bálint
valentine [ˈvæləntaɪn] **1. a)** ‹Bálint-napkor képeslapon küldött nyomtatott tréfás vagy kedveskedő szerelmi üzenet› **b)** ‹akinek Bálint-napkor üdvözlőlapot küldenek› **2.** *[Bálint-napkor választott]* szerető, kedves
Valentine's day *fn* Bálint-nap *[február 14-e]*
valerian [vəˈlɪərɪən ‖ –ˈlɪr–] *fn* **a)** *növ* macskagyökér **b)** *[macskagyökérből készült]* idegnyugtató, valeriána
Valerie [vəˈlɪəri] *tul* Valéria

V

valet ['vælɪt] **I.** *fn* **1.** inas, komornyik **2.** *US* kocsirendező *[szálloda, étterem előtt, aki leparkolja a vendégek kocsijait]* **II.** *tsi* kiszolgál *[vkt inas]*, inasa vknek • *fn* **valeting**

valet parking *fn US* ‹parkolószolgálat étteremben, szállodában, ahol a kocsirendező parkolja le a kocsit›

valet service *fn* ruhatisztítás, ruhatisztítási szolgáltatás *[szállodában]*

valetudinarian [ˌvælɪtjuːdɪ'neərɪən ‖ –tuːdn'erɪən] **I.** *mn* beteges(kedő), gyenge egészségű **II.** *fn* **a)** beteges(kedő) ember **b)** hipochonder

valetudinary [ˌvælɪ'tjuːdɪnəri ‖ –'tuːdnˌeri] → **valetudinarian** I.

valgus ['vælgəs] *mn orv* kifelé hajló/forduló, valgus

valiant ['vælɪənt] *mn* bátor, vitéz, hősies • *hsz* **valiantly**

valid ['vælɪd] *mn* **1. a)** *[jogilag]* érvényes, felhasználható, elfogadható; ~ **for two months** két hónapig érvényes; ~ **until recalled** visszavonásig érvényes **b)** jogos, törvényes **2.** alapos, megalapozott, indokolt; **raise ~ objections against sg** indokoltan kifogásol vmt

validate ['vælɪdeɪt] *tsi* **1. a)** érvényesít **b)** *[érvényességet]* megerősít, jóváhagy **2.** indokol, megalapoz *[érvet stb.]* • *fn* **validation**

validity [və'lɪdəti] *fn* érvényesség; **dispute the ~ of sg** vm érvényességét kétségbe vonja

validly ['vælɪdli] *hsz* **1.** érvényesen **2.** igazoltan

valise [və'liːz ‖ və'liːs] *fn* **1.** *US [kis bőr]* útitáska, kézitáska **2.** *US kat* málhazsák

Valium ['vælɪəm] *tul márkanév* válium *[nyugtatószer]*

valley ['væli] *fn* völgy; ~ **of tears** siralomvölgy

vallum ['væləm] *fn tsz* **~s** v. **valla** ['vælə] *régi* földsánc, erődgát

valor ['vælə ‖ –ər] *US* → **valour**

valorize ['væləraɪz], **-ise** *tsi pénz* **a)** igazi/régi értékre emel, felértékel **b)** árat megállapít/stabilizál *[kormányintézkedéssel]*

valorous ['vælərəs] *mn* bátor, hősies, vitéz

valour ['vælə ‖ –ər] *fn vál* bátorság, hősiesség, vitézség

valuable ['væljubl] **I.** *mn* **1.** értékes, nagyértékű, drága **2.** értékes, hasznos, fontos; **give ~ advice** hasznos tanácscsal szolgál; **waste ~ time** értékes időt elpazarol **II.** *fn tsz* **valuables** értéktárgyak, értékek • *hsz* **valuably**

valuate ['væljuˌeɪt] *tsi US* felértékel, felbecsül • *fn* **valuator**

valuation [ˌvælju'eɪʃn] *fn* **1.** értékelés, becslés, felbecsülés; **conservative ~** óvatos becslés **2. a)** becslési érték, becsérték; **set a high ~ on sg** túl sokra becsül vmt; **set too high a ~ on a building** az épületet túl magasra értékeli **b) accept/take sy at his own ~** ‹vk önértékelését elfogadja›

value ['væljuː] **I.** *fn* **1.** érték; **actual ~** tényleges érték; **commercial/market ~** kereskedelmi/forgalmi érték; **nominal ~** névérték; **be of ~** értékes; **of great ~** nagyértékű, nagyon értékes/drága; **of little ~** csekély értékű; **of no ~** értéktelen; **attach ~ to sg** értéket/jelentőséget tulajdonít vmnek; **drop/decline/fall in ~** esik/csökken az értéke; **gain** v. **go up in ~** nő az értéke; **loss of ~** értékcsökkenés; **lose ~** elértéktelenedik; **set a ~ on sg** megbecsül/felbecsül vmt; megállapítja az értékét/árát vmnek; **get good ~ for one's money** jó vásárt csinál **2. a)** *mat* érték; **absolute ~** abszolút érték **b)** *zene* érték *[hangé]*, időérték **c)** *műv* tónusérték **3.** jelentőség, fontosság, érték, hasznosság; **news ~** hírérték; **set a high ~ on sg** nagyra értékel vmt, nagy jelentőséget/fontosságot tulajdonít vmnek **4.** *tsz* **values** érték(rend), *[viselkedési stb.]* norma; **democratic ~** demokratikus értékek; **scale of ~s** értékrend; **set of ~** értékek **II. A.** *tsi* **1.** (fel)becsül, megbecsül vmt, felértékel vmt **2.** (nagyra) becsül, tisztel; **~ sy's opinion** ad vknek a véleményére **B.** *tni gazd* **~ upon sy** váltót intézvényez vkre

value added tax *fn közg* hozzáadottérték-adó, általános forgalmi adó, ÁFA

valued ['væljuːd] *mn* **1.** (fel)becsült, megbecsült **2.** becses, becsült, nagyra tartott; **my ~ friend Mr Smith** nagyra becsült barátom Smith úr; **a ~ customer** fontos ügyfél

value-for-money *mn* jutányos, megéri az árát *[áru, termék]*

value judgement *fn* értékítélet

valueless ['væljuːləs] *mn* értéktelen

valuer ['væljuə ‖ –ər] *fn* becsüs

valve [vælv] **I.** *fn* **1.** szelep, tolattyú, billentyű **2.** *orv* (szív)billentyű **3.** *vill* elektroncső, (rádió)cső **4. a)** *növ* kopács, maghártya **b)** *áll* héj *[kagylóé stb.]* **II.** *tsi* **a)** szeleppel ellát, szelepez **b)** szeleppel vezérel

valvular ['vælvjulə ‖ –ər] *mn* **1.** *orv* billentyűs, billentyű- **2.** *növ* hüvelyszerű, tokszerű

valvule ['vælvjuːl] *fn* **a)** *orv* billentyű **b)** *növ* tok, hüvely

vamoose [və'muːs] *tni US biz* elszelel, kereket old, meglóg

vamp[1] [væmp] *biz* **I.** *fn* **a)** démon, csábító nő, vamp **b)** flörtölő nő **II. A.** *tsi* elcsábít, behálóz *[férfit]* **B.** *tni* flörtöl

vamp[2] [væmp] **I.** *fn* **1. a)** cipőfej, csizmafej **b)** felsőrész *[cipőé]* **2. a)** *biz* különféle részek/darabok összeállítása **b)** *biz* különféle összetoldott részek/darabok **3. a)** *biz* rögtönzött kíséret *[zongorán]* **b)** *zene [ismétlendő]* bevezetés, bevezető rész **II. A.** *tsi* **1. a)** (meg)fejel *[cipőt, csizmát]* **b)** megfoltoz, megjavít *[cipőt stb.]* **2.** *biz* kíséretet rögtönöz *[zongorán]* **B.** *tni zene* bevezető részt játszik

vamp up *tsi biz* **1.** kifoltoz, összetoldoz (vmt) **2.** összetákol *[újságcikket stb.]* **3.** *US szl [elver]* megagyal

vampire ['væmpaɪə ‖ –ər] *fn* **1.** vámpír, vérszopó kísértet **2.** vérszívó denevér, vámpír **3.** *szính* süllyesztő • *mn* **vampiric**

vampire bat *fn* vérszívó denevér, vámpír

van[1] [væn] *fn* **1. a)** (zárt) (kis)teherautó/furgon **b) gipsy ~** karavánkocsi, sátoros kocsi **c)** rabszállító autó, rabomobil **2.** *vasút* fedett teherkocsi/tehervagon

van[2] [væn] *fn* **1. a)** *kat* előőrs, előcsapat **b)** arcvonal, front **2.** *átv* élcsapat; **be in the ~** legelöl halad

vanadium [və'neɪdɪəm] *fn vegy* vanádium

vandal ['vændl] *mn/fn biz* vandál, romboló, pusztító

vandalism ['vændəlɪzm] *fn* vandalizmus, rombolás, értelmetlen pusztítás; **an act of ~** vandál pusztítás/tett • *mn* **vandalistic**

vandalize ['vændəlaɪz], **-ise** *tsi* vandál/barbár módra bánik (vmvel), vandál pusztítást végez (vhol/vmben) • *fn* **vandalization**

Van Diemen's Land [væn'diːmənz lænd] *tul földr* ‹Tasmánia régi neve›

Vandyke beard *fn* rövid hegyes szakáll, Petőfi-szakáll

vane [veɪn] *fn* **1.** szélkakas **2.** szárny *[szélmalomé, légcsavaré]*, lapát *[lapátkeréké]* • *mn* **vaned**

Vanessa [və'nesə] *tul* Vanessza

vanguard ['vængɑːd ‖ –gɑrd] *fn* **1.** előőrs, előcsapat, előhad **2.** élcsapat, élgárda; *biz* **be in the ~** legelöl halad, élen jár, az elsők közt van

vanilla [və'nɪlə] **I.** *mn* vaníliaízű/-illatú **II.** *fn növ* vanília; **~ ice-cream** vaníliafagylalt; *[természetes/szintetikus]* vanília ízesítőszer

vanish ['vænɪʃ] *tni* **1.** *[hirtelen]* eltűnik (szem elől), láthatatlanná válik; **~ from sight** eltűnik a szem elől; **~ into thin air** elpárolog **2.** elveszik, elenyészik, szertefoszlik *[remény]*, elhárul *[nehézség stb.]*

vanishing ['vænɪʃɪŋ] **I.** *mn* eltűnő, elenyésző, eltűnőfélben levő, láthatatlanná váló **II.** *fn* eltűnés, elenyészés, láthatatlanná válás

vanishing act *fn biz* eltűnés, hirtelen távozás; *biz* **do the ~** angolosan távozik

vanishing cream *fn* alapozókrém

vanishing point *fn* **1.** távlatpont, távolpont **2.** teljes eltűnés; **his income dwindled to the~** jövedelme nullára zsugorodott

vanitory ['vænətəri ‖ –tɔri] → **vanity unit**

vanity ['vænəti] *fn* **1. a)** hiúság, önteltség **b)** *US* toalettasztal, pipereasztal **2.** hiábavalóság, haszontalanság, haszontalan/hiábavaló dolog
vanity bag *fn* neszesszer, piperetáska
vanity case *fn* → **vanity bag**
vanity plate *fn US* személyre szóló rendszámtábla *[a vezető monogramjával vagy más, kívánság szerinti felirattal]*
vanity press *fn* ‹kiadó, mely az író költségén adja ki annak művét›
vanity publisher → **vanity press**
vanity table *fn US* pipereasztal, toalettasztal
vanity unit *fn* mosdópult
vanquish ['væŋkwɪʃ] *tsi vál* **a)** legyőz (vkt) **b)** győz(edelmeskedik) győzelmet arat (vk/vm felett) • *fn* **vanquisher** *mn* **vanquishable**
vantage ['vɑ:ntɪdʒ ‖ 'væntɪdʒ] *fn* **1. a)** előnyös/kedvező helyzet, helyzeti előny **b)** → **vantage ground 2.** *sp* előny *[teniszben]*
vantage point jó kilátást/rálátást nyújtó hely
vapid ['væpɪd] *mn* **1.** ízetlen, áporodott **2.** lapos, sekélyes, unalmas *[társalgás, stílus]* • *fn* **vapidity**, **vapidness**
vapor ['veɪpə ‖ –ər] *US* → **vapour**
vaporize ['veɪpəraɪz], **-ise A.** *tsi* **1.** (el)párologtat, elgőzölögtet **2.** porlaszt *[folyadékot]* **B.** *tni* **1.** (el)párolog, elgőzölög **2.** elporlik, permetté válik *[folyadék]* • *fn* **vaporization**
vaporizer ['veɪpəraɪzə ‖ –ər], **-iser** *fn* **a)** párologtató *[készülék, edény]* **b)** porlasztó, permetező
vapour ['veɪpə ‖ –ər] **I.** *fn* **1.** gőz, pára, kigőzölgés **2.** *tsz* **vapours** *régi orv* levertség **II.** *tni* **1.** gőzölög, párolog, elgőzölög, elpárolog *[folyadék]* **2.** henceg, hetvenkedik, kérkedik, felvág • *mn* **vaporous**, **vapourish**, **vapoury**
vapour trail *fn rep* kondenzcsík, kondenzsáv
var. *röv* **1.** *variant* **2.** *variety*
variable ['veərɪəbl ‖ 'ver–] **I.** *mn* **1. a)** változó, változékony, váltakozó **b)** változtatható, állítható, variálható, módosítható **2.** *biol* fajtól eltérő, variációra hajlamos **II.** *fn* **1.** *mat* változó *[mennyiség]*; **dependent ~** függő változó, eredményváltozó; **independent ~** független változó, magyarázó változó **2. a)** *hajó* változó irányú/erejű szél **b)** *tsz* **variables** *hajó* változó széljárású övezet • *fn* **variability**
variably ['veərɪəbli ‖ 'ver–] *hsz* **a)** változóan, változékonyan, váltakozva **b)** változtathatóan
variance ['veərɪəns ‖ 'ver–] *fn* **a)** egyenetlenség, ellentét, viszály(kodás), diszharmónia, nézeteltérés, ellenkezés; **be at ~ (with sy)** nézeteltérése van vkvel, nem ért egyet vkvel, eltérő véleményen van; **be at ~ with sg** ellentétben áll vmvel, ellentmond *[tényeknek stb.]*, összeütközésben van vmvel **b)** *jog* eltérés, ellentmondás *[tanúvallomásban stb.]*
variant ['veərɪənt ‖ 'ver–] **I.** *mn* eltérő, különböző *(from* vmtől), alternatív; **~ spelling** írásváltozat *[szóé]* **II.** *fn* **a)** változat, variáns **b)** *nyelv* alakváltozat
variation [ˌveəri'eɪʃn ‖ ˌveri–] *fn* **1.** változás, módosulás *[mértéke]* **2. a)** eltérés, különbség **b)** *mat* változás; **direct ~** egyenes arányban való változás; **indirect ~** fordított arányban való változás; **joint ~** konjugált változás; **calculus of ~s** variációszámítás **3.** *biol* variáció, változat **4.** *zene* változat, variáció *(on* vmre) • *mn* **variational**
varicella [ˌværɪ'selə] *fn orv* bárányhimlő
varicose ['værɪkous] *mn orv* visszeres, ércsomós, visszértágulásos • *fn* **varicosity**
varicose vein *fn orv* visszér(tágulás)
varied ['veərid ‖ 'verid] *mn* változó, változatos, tarka, különféle, különböző, sokféle
variegate ['veərɪəgeɪt ‖ 'ver–] *tsi* tarkít, változatossá tesz • *fn* **variegation**
variegated ['veərɪəgeɪtɪd ‖ 'ver–] *mn* tarka, sokszínű, többszínű
variety [və'raɪəti] *fn* **1. a)** változatosság, különféleség; **lack ~** nem eléggé változatos; **lend ~ to sg** változatossá tesz vmt; *közm* **~ is the spice of life** a változatosság az élet sója **b)** választék; **for a ~ of reasons** több okból kifolyólag (is) **2.** változat *[állat, növény is]*, fajta, válfaj **3.** varieté *[műsor]*
variety show *fn* revü, varieté(műsor)
variety store *fn US* vegyeskereskedés
varifocal ['veərɪfoukl ‖ 'ver–] *mn fényk* **~ lens** gumiobjektív, változtatható gyújtótávolságú objektív, zoom
variform ['veərɪfɔ:m ‖ 'verɪfɔrm] *mn* változó/különböző formájú
variole ['veərioul ‖ 'ver–] *fn* himlőhely, *biz* ragya
various ['veərɪəs ‖ 'ver–] *mn* **1.** változó, változatos **2. a)** egymástól eltérő, különféle; **of ~ kinds** különféle fajta/fajtájú **b)** több, többféle; **for ~ reasons** sok/többféle okból kifolyólag • *hsz* **variously**
varix ['veərɪks ‖ 'ver–] *fn tsz* **varices** ['værɪsi:z] *orv* visszértágulás, ércsomó
varmint ['vɑ:mɪnt ‖ 'vɑr–] *fn* **young ~** csibész, lurkó, gézengúz, haszontalan/csintalan gyerek
varnish ['vɑ:nɪʃ ‖ 'vɑr–] **I.** *fn* politúr, fénymáz, lakk **II.** *tsi* **1.** fényez, fényesít, lakkoz, politúroz, lakkal bevon **2.** *biz* **~ (over)** szépítget, takargat *[tényeket, hibát]*; kedvező színben tüntet fel • *fn* **varnisher**, **varnishing**
varsity ['vɑ:səti ‖ 'vɑr–] *fn* **a)** *biz* egyetem *[különösen sporttal kapcsolatban]* **b)** *US biz sp* egyetemi csapat
Varsovian [vɑ:'souvɪən ‖ vɑr–] *mn földr* varsói
vary ['veəri ‖ 'veri] **A.** *tsi* változtat, váltogat, módosít, változatossá tesz, tarkít, változatosan alakít *[stílust]*, *zene* variál **B.** *tni* **1.** (meg)változik, váltakozik, változatos(sá lesz) **2. ~ from sg** eltér/elüt/különbözik vmtől; **~ in colour** színben különbözik *(from* vmtől)
varying ['veəriɪŋ ‖ 'ver–] *mn* **a)** változó, változékony **b)** eltérő; **to ~ degrees** eltérő mértékben
vascular ['væskjulə ‖ –kjələr] *mn orv* (vér)edény-, ér-; **~ system** érhálózat, érrendszer
vase [vɑ:z ‖ veɪs] *fn* váza; **flower ~** virágváza
vasectomy [və'sektəmi] *fn orv* vasectomia *[ondózsinór egy részének eltávolítása* v. *műtéti lekötése]*
Vaseline ['væsəli:n] *tul* vazelin
vassal ['væsl] *fn tört* **a)** hűbéres, vazallus **b)** *átv* csatlós • *fn* **vassalage**
vassal state *fn tört* hűbéri állam, csatlósállam
vast [vɑ:st ‖ væst] *mn* óriási, hatalmas, roppant, határtalan, mérhetetlen (sok), terjedelmes, rengeteg; **a ~ number of** rengeteg • *fn* **vastness**
vastly ['vɑ:stli ‖ 'væstli] *hsz* mérhetetlenül, nagyon
VAT *röv value-added tax* hozzáadottérték-adó, általános forgalmi adó, ÁFA
vat [væt] *fn* kád *[erjesztéshez, cserzéshez, festéshez]*, dézsa, tartály, medence • *fn* **vatful**
Vatican ['vætɪkən] *tul/mn* Vatikán(i)
Vatican City ['vætɪkən–] *tul földr* Vatikán(város)
Vatican Council *fn vall* a vatikáni zsinat
vaudeville ['vɔ:dəvɪl] *fn* **1.** énekes-zenés vígjáték, bohózat **2.** *US* varieté, kabaré, revü • *mn* **vaudevillian**
vault[1] [vɔ:lt] *fn* **1. a)** *épít* boltozat, boltív, bolthajtás **b)** *átv* **the ~ of heaven** az égbolt **2.** (boltozatos) pince, (boltozatos) alagsor; **(safety) ~** páncélterem *[bank pincéjében]*
vault[2] [vɔ:lt] **I.** *fn sp* ugrás, rúdugrás **II.** *tsi* átugrik *[kerítést, akadályt]*
vaulted ['vɔ:ltɪd] *mn* boltozatos, boltíves, bolthajtásos, ívelt
vaulter ['vɔ:ltə ‖ –ər] *fn* ugró, (ugró) akrobata; → **pole-vaulter**
vaulting[1] ['vɔ:ltɪŋ] *fn* **a)** beboltozás, boltozat **b)** ívelés
vaulting[2] ['vɔ:ltɪŋ] *fn sp* ugrógyakorlat, ugrás *[tornában]*
vaulting horse *fn* ló *[tornaszer]*
vaunt [vɔ:nt] **I.** *tni vál* kérkedik, henceg, dicsekszik **II.** *fn vál* hencegés, kérkedés, hetvenkedés, dicsekvés • *fn* **vaunter**

V

Vauxhall [ˈvɒksɔːl ‖ ˈvɑksɔl] *tul* ‹brit autómárka, az Opel brit neve›
VC *röv* **1.** *Vice-Chairman* **2.** *Vice-Chancellor* **3.** *Vice-Consul* **4.** *Victoria Cross*
VCR *röv* **1.** *video cassette recorder* **2.** *visual control room*
VD *röv venereal disease*
VDU *röv fn infor visual display unit* kijelzőegység
veal [viːl] *fn* borjúhús
vector [ˈvektə ‖ –ər] **I.** *fn* **1.** *mat* vektor; ~ **diagram** vektorábra, vektordiagram **2.** értéknyíl **3.** *orv* **a)** betegséghordozó, vírushordozó **b)** bacilusgazda **II.** *tsi* földről irányít *[repülőgépet]* • *nm* **vectorial**
VE Day *fn tört Victory in Europe Day* ‹a német kapituláció napja, 1945. május 8.›
vee [viː] *fn* V(-alakú)
veep [viːp] *fn US biz vice president* alelnök, elnökhelyettes
veer [vɪə ‖ vɪr] **I.** *tni* ~ **(about)** megfordul, irányt változtat *[szél, hajó]* **II.** *fn* **1.** irányváltozás *[szélé]* **2.** fordulat, irányváltoztatás *[hajóé]*
veg [vedʒ] *fn tsz* **veg** *GB biz* zöldség, zöldségféle
vegan [ˈviːgən] *mn/fn* vegetáriánus
vegeburger [ˈvədʒibɜːgə ‖ –bɜrgər] *fn* vegetáriánus hamburger
vegetable [ˈvedʒtəbl] **I.** *fn* **1.** zöldség **2.** unalmas alak; halvérű **3.** *tabu* agysérült, csak vegetáló személy; gyagya **II.** *mn* **a)** növényi (eredetű); ~ **fibres** növényi rostok **b)** zöldség-, zöldségből készült
vegetable butter *fn* növényi vaj/zsiradék, margarin
vegetable garden *fn* konyhakert, zöldségeskert, veteményeskert
vegetable oil *fn* növényi olaj
vegetal [ˈvedʒɪtl] *mn* **1.** növényi, növényi eredetű **2.** vegetatív
vegetarian [ˌvedʒɪˈteərɪən ‖ –ˈter–] *mn/fn* vegetáriánus • *fn* **vegetarianism**
vegetate [ˈvedʒɪteɪt] *tni* **a)** tenyészik, nő, növekszik *[növény]* **b)** *biz* vegetál, tengődik
vegetation [ˌvedʒɪˈteɪʃn] *fn* **1.** *földr* növényzet, vegetáció, növényi élet **2.** *biz* vegetálás, tengődés • *mn* **vegetational**
vegetative [ˈvedʒɪtətɪv ‖ –teɪtɪv] *mn* **1. a)** növelő, éltető **b)** növényi **2. a)** *orv* vegetatív, nem akaratlagos; ~ **function** vegetatív működés; ~ **nervous system** vegetatív idegrendszer **b)** *orv* táplálkozási, vegetatív **3.** vegetáló, vegetatív, tengődő • *fn* **vegetativeness**
veggie burger [ˈvedʒibɜːgə ‖ –bɜrgər] *fn* → **vegeburger**
vegie [ˈvedʒi], **veggie** *mn/fn* vegetáriánus
vehement [ˈviːəmənt] *mn* heves, erős *[szél]*, szenvedélyes, indulatos *[ember, természet]*, vehemens • *fn* **vehemence**
vehicle [ˈviːɪkl] *fn* **1.** jármű, közlekedési eszköz, szállítóeszköz **2.** *átv* közvetítő/továbbító közeg/médium • *mn* **vehicular**
veil [veɪl] **I.** *fn* **1. a)** fátyol, gyászfátyol, menyasszonyi fátyol, apácafátyol; *vall* **take the** ~ apáca lesz, fátyolt ölt **b)** *tex* fátyolszövet, tüllszövet **2.** *átv* lepel, fátyol, függöny; **cast/draw/throw a~ over sg** fátyolt borít vmre; leplez vmt **II.** *tsi* **1.** lefátyoloz, elfátyoloz, fátyollal/lepellel eltakar **2.** leplez, palástol, elrejt, eltitkol *[érzelmet, szándékot stb.]* • *mn* **veiled**
veiling [ˈveɪlɪŋ] *fn* fátyolszövet
vein [veɪn] *fn* **1.** *orv* **a)** véna, vivőér **b)** ér, véredény **2.** erezet, erezés *[levélen, fában, márványban]* **3.** *bány* ér, telér **4.** tehetség, hajlam, véna; **poetic** ~ költői tehetség/véna **5. in the same** ~ ugyanígy, hasonlóképp; **be in the giving** ~ adakozó kedvében van • *mn* **veinless**
vela [ˈviːlə] → **velum**
velar [ˈviːlə ‖ –ər] **I.** *mn nyelv* veláris, a szájpadlás hátulsó részén képzett, hátul képzett *[hang]* **II.** *fn nyelv* veláris (hang) • *tsi* **velarize**
Velcro [ˈvelkroʊ] *tul márkanév* tépőzár • *mn* **Velcroed**
veld [veld], **veldt** *fn* dél-afrikai bozótos síkság

velleity [veˈliːəti] *fn vál* gyenge vágy, (erőtlen) akarat/szándék
vellum [ˈveləm] *fn* **a)** pergamen *[borjúbőrből]* **b)** *műv* bőrpausz, pauszpapír
velocimeter [ˌveləˈsɪmɪtə ‖ –ər] *fn* sebességmérő
velocipede [vɪˈlɒsɪpiːd ‖ vɪˈlɑ–] *fn* **1.** *US* háromkerekű (gyermek)bicikli; ~ **car** teherszállító/áruszállító kerékpár, tricikli **2.** *régi* velocipéd, (régimódi) kerékpár
velocity [vɪˈlɒsəti ‖ –ˈlɑ–] *fn fiz mat* gyorsaság, sebesség
velodrome [ˈvelədroum] *fn sp* kerékpár-versenypálya
velour [vəˈlʊə ‖ vəˈlʊr], **velours** *fn tex* velúr
velvet [ˈvelvət] **I.** *fn* bársony **II.** *mn* **1.** bársony, bársonyból készült/való, bársonyos (puhaságú/fényű/tapintású) **2.** gyengéd, puha • *mn* **velveted**, **velvety**
velveteen [ˌvelvɪˈtiːn] *fn* **1.** *tex* pamutbársony, félbársony **2.** *tsz* **velveteens** bársony vadásznadrág
Ven. *röv* **1.** *Venerable* **2.** *Venus*
venal [ˈviːnl] *mn* korrupt, megvesztegethető • *fn* **venality**
vend [vend] *tsi* **1.** *jog* elad, vételre kínál **2.** kereskedik, árusít, (utcán) árul
vendee [ˌvenˈdiː] *fn jog* vevő
vender [ˈvendə ‖ –ər] *fn* → **vendor**
vendetta [venˈdetə] *fn* **1.** vendetta, vérbosszú **2.** ősi vita/gyűlölködés
vending machine *fn* (árusító) automata
vendor [ˈvendə ‖ –ər] *fn* **1.** (utcai) árus, elárusító, eladó **2.** *jog* eladó fél **3.** → **vending machine**
vendue [ˈvendjuː ‖ venˈduː] *fn US* árverés, aukció
veneer [vəˈnɪə ‖ vəˈnɪr] **I.** *fn* **1. a)** furnír(lemez) **b)** furnírozás **2.** *biz* látszat, külszín, felszín, társadalmi máz **II.** *tsi* **1.** furníroz, lemezel, lemezzel borít **2.** *biz* elfed, eltakar, takargat, leplez • *nm* **veneered**
veneering [vɪˈnɪərɪŋ ‖ –ˈnɪr–] *fn* furnér, furnérozás
venerable [ˈvenərəbl] **I.** *mn* **1.** tiszteletre méltó, tiszteletendő **2.** *vall* nagytiszteletű *[anglikán főesperesek címe]* **II.** *fn* *[szabadkőműves]* főmester • *hsz* **venerably**
venerate [ˈvenəreɪt] *tsi* tisztel, szentként tisztel; ~ **the memory of sy** vk emlékét tiszteli • *fn* **veneration**
venereal [vɪˈnɪərɪəl ‖ –ˈnɪr–] *mn* **1.** *orv* nemi, (nemi) közösüléssel terjedő, venereás **2.** érzéki *[vágy, öröm]*
venereal disease *fn orv* nemi úton terjedő betegség, nemi baj/betegség
Venetian [vəˈniːʃn] *mn földr* velencei
venetian blind *fn* redőny, reluxa
Venetian window *fn* hármas ablak *[két keskenyebb között egy széles szárny]*
Venezuela [ˌveneˈzweɪlə] *tul földr* Venezuela • *mn* **Venezuelan**
vengeance [ˈvendʒəns] *fn* bosszú; *biz* **with a** ~ dühösen, hevesen; nagyon is, alaposan; a vártnál/kelleténél jobban v. nagyobb mértékben; **swear** ~ **against sy** bosszút esküszik vk ellen; **take** ~ **on sy** bosszút áll vkn
vengeful [ˈvendʒfl] *mn* bosszúálló, bosszúvágyó, bosszúszomjas • *fn* **vengefulness**
venial [ˈviːnɪəl] *mn* megbocsátható, elnézhető, jelentéktelen *[bűn, hiba]* • *fn* **veniality** *hsz* **venially**
Venice [ˈvenɪs] *tul földr* Velence
venison [ˈvenɪsn, ˈvenɪzn] *fn* vad(hús), szarvas/őz húsa
venom [ˈvenəm] *fn* **1.** méreg *[kígyóé, skorpióé]* **2.** rosszindulat, gyűlölködés, gonoszság • *mn* **venomous**
venous [ˈviːnəs] *mn orv* eres, vénás, ér- • *mn* **venosity**
vent [vent] **I.** *fn* **1. a)** lyuk, nyílás, szellőzőnyílás, szerelőlyuk **b)** kürtő, kémény **2.** kifolyó, kiömlési nyílás **3.** hasíték *[kabát hátán]* **4.** *áll* végbélnyílás *[madáré, halé]* **5.** szabad menet/pálya/folyás; **give (free/full)** ~ **to sg** szabad folyást enged vmnek; **give** ~ **to one's anger** szabadjára engedi haragját **II.** *tsi* **1.** szellőztet *[kis nyíláson át]*, kiereszt *[levegőt]* **2.** *biz* kiönti/kitölti mérgét; *biz* ~ **one's rage on sy** kitölti bosszúját vkn
ventilate [ˈventɪleɪt] *tsi* **1.** szellőztet **2.** *átv biz* kitereget, megszellőztet *[ügyet]*

V

ventilation [ˌventɪˈleɪʃn] *fn* **1. a)** szellőzés **b)** szellőztetés **2.** *orv* **a)** légcsere, szellőzés **b)** oxigénnel ellátás *[véré]*
ventilator [ˈventɪleɪtə ‖ –ər] *fn* **1.** szellőztetőkészülék, ventilátor **2.** szellőzőnyílás, szellőztetőablak *[ajtón]*
ventral [ˈventrəl] *mn* hasi, has-; *orv* ~ **hernia** hasi sérv • *hsz* **ventrally**
ventral fin *áll* hasúszó *[halaknál]*
ventricle [ˈventrɪkl] *fn orv* kamra *[agyban, szívben]*
ventriloquist [venˈtrɪləkwɪst] *fn* hasbeszélő • *fn* **ventriloquist**
venture [ˈventʃə ‖ –ər] **I.** *fn* **1.** kockázatos vállalkozás; **embark on a risky ~** kockázatos vállalkozásba kezd **2.** *gazd* vállalkozás, üzlet, ügylet; **business ~** üzleti vállalkozás **3. at a ~** véletlenül, találomra **II. A.** *tsi* **1. ~ to do sg** bátorkodik/mer/merészel tenni vmt; **nothing ~ nothing gain/win** aki mer, az nyer; a bátraké a szerencse **2. ~ an opinion** megkockáztat egy véleményt **3.** kockáztat, kockára tesz *[életet, pénzt]* **B.** *tni* **1.** kimerészkedik; **~ into unknown territory** ismeretlen terepre merészkedik; **~ too far** túl bátor, túl sokat mer **2.** kockáztat, reszkíroz
venture capital *fn gazd* **1.** kockázati tőke **2.** üzleti vállalkozás saját tőkéje
venturesome [ˈventʃəsəm ‖ –tʃər–] *mn* **1.** vállalkozó szellemű, merész, vakmerő **2.** merész, kockázatos, veszélyes
venue [ˈvenjuː] *fn* **1.** helyszín **2.** találkozóhely **3.** *jog* illetékes törvényszék/bíróság; *jog* **change the ~** más bíróság elé utalja az ügyet
Venus [ˈviːnəs] *tul* **1.** *csill* Vénusz **2. a)** *mit* Vénusz *[a szerelem istennője]* **b)** gyönyörű nő, ragyogó(an szép) nő **3.** *orv* **Mount of ~** vénuszdomb
Venus's flytrap *fn növ* vénuszlégycsapó
Vera [ˈvɪərə ‖ ˈvɪrə] *tul* Vera
veracious [vəˈreɪʃəs] *mn* **a)** igazmondó, őszinte, szavahihető *[ember]* **b)** igaz *[állítás]* • *fn* **veracity** *hsz* **veraciously**
veranda [vəˈrændə], **verandah** *fn* veranda, tornác • *mn* **verandaed**
verb [vɜːb ‖ vɜrb] *fn nyelv* ige; **auxiliary ~** segédige; **reflexive ~** visszaható ige
verbal [ˈvɜːbl ‖ ˈvɜrbl] **I.** *mn* **1.** szóbeli, szó-; **~ agreement** szóbeli megállapodás; **~ communication** szóbeli közlés; *szl* **~ diarrhea** *[sok, felesleges beszéd]* szófosás; **~ note** szóbeli (diplomáciai) jegyzék **2.** szó szerinti **3.** *nyelv* igei, ige-; **~ adjective** melléknévi igenév; **~ inflections** igei (személy)ragok **4.** beszédes, közlékeny **II.** *fn* **1. a)** → **verbal noun b)** igenév **2.** *GB szl* (személyes) bejelentés *[rendőrségen]*, szóbeli közlés **3.** *GB szl* ócsárlás, zaklatás **III.** *tsi GB szl* tulajdonít *[sérelmes kijelentést vknek]* • *fn* **verbality**
verbalism [ˈvɜːbəlɪzm ‖ ˈvɜr–] *fn* **1.** szavakhoz ragaszkodás, szavakon való lovaglás **2.** szóbeliség • *fn* **verbalist**
verbalistic [ˌvɜːbəˈlɪstɪk ‖ ˌvɜr–] *mn* jó beszédű
verbalize [ˈvɜːbəlaɪz ‖ ˈvɜr–], **-ise A.** *tsi* **1.** szavakba foglal/önt **2.** *nyelv* igésít, igévé alakít; **verbalizing suffix** igeképző **B.** *tni* fecseg, locsog • *fn* **verbalization**
verbal noun *fn nyelv* igei főnév, igei névszó
verbally [ˈvɜːbəli ‖ ˈvɜr–] *hsz* **1.** élőszóban **2.** → **verbatim II.**
verbatim [vɜːˈbeɪtɪm ‖ vɜr–] **I.** *mn* szó szerinti **II.** *hsz* szó szerint, szóról szóra
verbena [vɜːˈbiːnə ‖ vɜr–] *fn növ* vasfű, verbéna
verbiage [ˈvɜːbiɪdʒ ‖ ˈvɜr–] *fn* **1.** bőbeszédűség, szószátyárkodás **2.** nyelvezet, szóhasználat
verbose [vɜːˈboʊs ‖ vɜr–] *mn* bőbeszédű, szószátyár • *fn* **verbosity**
verb phrase *fn nyelv* igei csoport, igei frázis
verdant [ˈvɜːdnt ‖ ˈvɜr–] *fn vál [üdén, frissen]* zöldellő • *fn* **verdancy**
verdict [ˈvɜːdɪkt ‖ ˈvɜr–] *fn* **1.** *jog* ítélet, döntés, verdikt *[esküdteké]*; **~ of acquittal** felmentő ítélet; **bring in a ~ of guilty** a vádlottat bűnösnek mondja ki; **return a ~** ítéletet hirdet/hoz **2.** határozat, vélemény; **the doctor has not yet given his ~** az orvos még nem döntött
verdigris [ˈvɜːdɪgriː ‖ ˈvɜrdəgrɪs] *fn* (réz)patina, rézrozsda
verge [vɜːdʒ ‖ vɜrdʒ] **I.** *fn* **a)** széle (vmnek), szegély, perem (vmé) **b)** *átv* **be on the ~ of sg** vmnek a szélén/határán van; **be on the ~ of forty** negyven felé jár; **be on the ~ of crying** a sírás határán van **II.** *tni* **a) ~ on sg** hajlik (vm felé), majdnem vmlyen; **courage verging on foolhardiness** a vakmerőséggel határos bátorság **b)** színbe átmegy; **colour verging on red** vöröses szín
verger [ˈvɜːdʒə ‖ ˈvɜrdʒər] *fn GB vall* templomszolga, sekrestyés
Vergilian [vɜːˈdʒɪlɪən ‖ vɜr–] *mn ir.tud* vergiliusi
veriest [ˈverɪəst] *mn régi* **the ~ devil** a megtestesült ördög; **the ~ fool knows that** ezt még egy hülye is tudja
verifiable [ˈverɪfaɪəbl] *mn* ellenőrizhető, igazolható • *fn* **verifiability**
verification [ˌverɪfɪˈkeɪʃn] *fn* **1.** ellenőrzés, felülvizsgálat, megvizsgálás, (be)bizonyítás, hitelesítés **2.** beigazolódás, igaznak bizonyulás, bizonyosodás
verify [ˈverɪfaɪ] *tsi* **1.** igazol, megerősít *[állítást, gyanút]*, (vissza)igazol **2.** ellenőriz, megvizsgál, utánanéz
verily [ˈverɪli] *hsz régi* valóban, bizony
verisimilitude [ˌverɪsɪˈmɪlɪtjuːd ‖ –tuːd] *fn vál* **a)** valószínűség, valószerűség, élethűség **b)** valószínű(nek tűnő) állítás • *mn* **verisimilar**
veritable [ˈverɪtəbl] *mn* igazi, valódi, valóságos
veritably [ˈverɪtəbli] *hsz* igazán, valóban, csakugyan
verity [ˈverəti] *fn* **1.** igazság, vmnek az igaz volta, igaz állítás **2.** *tsz* **verities** alapigazságok, örök igazságok **3.** való dolog
vermicelli [ˌvɜːmɪˈtʃeli ‖ ˌvɜr–] *fn* **1.** (olasz) metélt tészta *[levesbe való]*, cérnametélt **2.** *GB* csokoládéreszelék, tortadara *[sütemény díszítéséhez]*
vermicide [ˈvɜːmɪsaɪd ‖ ˈvɜr–] *fn* féregirtó szer
vermiform [ˈvɜːmɪfɔːm ‖ ˈvɜrmɪfɔrm] *mn orv* féreg alakú
vermiform appendix *fn orv* féregnyúlvány
vermilion [vəˈmɪlɪən ‖ vər–] **I.** *mn* cinóbervörös, karmazsinvörös, élénkpiros; *US* **the V~ Sea** a Kaliforniai-öböl **II.** *fn* **1.** cinóberfesték **2.** cinóbervörös (szín)
vermin [ˈvɜːmɪn ‖ ˈvɜr–] *fn* **1. a)** férgek, élősdiek **b)** *átv* élősdi/parazita személyek, a társadalom parazitái **2.** kártékony állat • *mn* **verminous**
Vermont [vəˈmɒnt ‖ vərˈmɑnt] *tul földr* Vermont • *fn* **Vermonter** *mn* **Vermontese**
vermouth [ˈvɜːməθ ‖ vərˈmuːθ] *fn* vermut
vernacular [vəˈnækjʊlə ‖ vərˈnækjələr] **I.** *fn* **1. a)** nemzeti nyelv; **our own ~** anyanyelvünk **b)** *nyelv* vernakuláris **c)** (élő) nyelv, köznyelv **2.** népies kifejezés **II.** *mn* **a)** hazai, bennszülött, nemzeti *[nyelv, kultúra stb.]*; **~ Hungarian** köznépi/köznapi magyar nyelv **b)** tájnyelvi, népnyelvi • *tsi* **vernacularize** *hsz* **vernacularly**
vernacularism [vəˈnækjʊlərɪzm ‖ vər–] *fn* **1.** helyi kifejezés, tájszó **2.** sajátos kifejezés, idiomatizmus
vernacularity [vəˌnækjʊˈlærəti ‖ vər–] → **vernacularism**
vernal [ˈvɜːnl ‖ ˈvɜrnl] *mn régi vál* tavaszi
vernal equinox *fn* tavaszi napéjegyenlőség
veronal [ˈverənl] *fn* veronál *[altatószer]*
Veronese [ˌverəˈniːz] *mn/fn földr* veronai
Veronica [vəˈrɒnɪkə ‖ vəˈrɑ–] *tul* **1.** Veronika **2.** *növ* veronika **3.** *vall* Veronika kendője
verruca [vəˈruːkə] *fn tsz* **verrucae** [–siː] *orv* szemölcs • *mn* **verrucose, verrucous**
versatile [ˈvɜːsətaɪl ‖ ˈvɜrsətl] *mn* **1.** sokoldalú, általános érdeklődésű, sokirányú tehetséggel rendelkező **2.** többcélú, sokfunkciós *[szerszám]* • *fn* **versatility**
verse [vɜːs ‖ vɜrs] *fn* **1.** vers, költemény **2. a)** versszak, strófa **b)** verssor **3.** költészet **4.** *bibl* vers; **give chapter and ~** ‹pontosan megnevezi az idézett részt›
versed [vɜːst ‖ vɜrst] *mn* jártas, járatos (*in sg* vmben), tapasztalt
versemonger [ˈvɜːsmʌŋgə ‖ ˈvɜrsmɑŋgər] *fn biz* versfaragó, rímgyártó, fűzfapoéta

V

versification [ˌvɜːsɪfɪˈkeɪʃn ‖ ˌvɜr–] *fn* **1.** verselés(i technika) **2.** versmérték
versifier [ˈvɜːsɪfaɪə ‖ ˈvɜrsɪfaɪər] *fn pej* versíró, költő
versify [ˈvɜːsɪfaɪ ‖ ˈvɜr–] **A.** *tsi* (meg)versel, versbe szed, versekbe foglal *[prózát]* **B.** *tni* versel, költ, verset farag/ír
version [ˈvɜːʃn ‖ ˈvɜrʒn] *fn* **1. a)** változat, modell *[terméké]*; **final ~** végső/elfogadott változat **b)** átváltoztatás, modifikáció **c)** kiadás, fordítás; **the English ~ of sg** az angol fordítása vmnek **2.** változat, magyarázat, verzió *[eseményeké]*
verso [ˈvɜːsoʊ ‖ ˈvɜr–] *fn* **1. a)** hátoldal, hátlap **b)** *nyomd* bal/páros oldal *[könyvé]* **2.** írás *[pénzérme hátoldala]*
versus [ˈvɜːsəs ‖ ˈvɜr–] *elölj* **1.** *jog* ellen, kontra **2.** szemben, ellentétben
vertebra [ˈvɜːtɪbrə ‖ ˈvɜr–] *fn tsz* **vertebrae** [–briː] *orv* csigolya; **the vertebrae** gerincoszlop
vertebral [ˈvɜːtɪbrəl ‖ ˈvɜr–] *mn orv* gerinc-, csigolya-; *áll* **~ animals** gerincesek; *orv* **~ column** gerincoszlop
vertebrate [ˈvɜːtɪbrət ‖ ˈvɜr–] **I.** *fn áll* gerinces **II.** *mn áll* gerinces
vertex [ˈvɜːteks ‖ ˈvɜr–] *fn tsz* **vertices** [ˈvɜːtɪsiːz ‖ ˈ-r–] **1.** csúcs *[szögé, görbéé]*, *átv* tetőpont, orom **2.** *orv* fejtető, koponyatető
vertical [ˈvɜːtɪkl ‖ ˈvɜr–] **I.** *mn* **1.** függőleges **2.** a zeniten levő, a legmagasabb ponton levő, csúcsponti **II.** *fn* függőleges vonal/sík • *fn* **verticality** *hsz* **vertically**
vertices [ˈvɜːtɪsiːz ‖ˈvɜr–] → **vertex**
vertiginous [vɜːˈtɪdʒɪnəs ‖ vɜr–] *mn* **1.** örvénylő, kavaró, körbe mozgó **2.** szédítő
vertigo [ˈvɜːtɪgoʊ ‖ ˈvɜr–] *fn tsz* **~es** v. **vertigines** [vɜːˈtɪdʒɪniːz ‖ vɜr–] *orv* **a)** szédülés **b)** tériszony
verve [vɜːv ‖ vɜrv] *fn* hév, lelkesedés, tűz
very [ˈveri] **I.** *hsz* **1. a)** nagyon, igen; **~ likely** nagyon valószínű; **~ much** igen sok/sokat; nagyon; **I was ~ (much) surprised** nagyon csodálkoztam **b) so ~ little** olyan keveset **2. the ~ best** a legeslegjobb; **the ~ first** a legelső; **at the ~ latest** legkésőbb; **at the ~ most** legföljebb; **you may keep it for your ~ own** megtarthatod (egyedül) magadnak **3.** pontosan, éppen; **the ~ same** (pontosan) ugyanaz **II.** *mn* **a)** (pontosan) ugyanaz, ugyanez; **he is the ~ man** pont(osan)/éppen ő az (az ember); **the ~ next day** mindjárt másnap; **the ~ devil** a megtestesült ördög; **at that ~ moment** ugyanabban (v. éppen abban) a pillanatban; **from this ~ day** a mai naptól kezdve; **come here this ~ minute!** gyere ide, de azonnal! **b) at the ~ beginning** a kezdet kezdetén, a legelején; **he lives at the ~ end of the town** a város legvégén lakik **c) the ~ centre** a kellős közepe; **the ~ thought frightens me** már a gondolata is megrémít, már maga a gondolat is megrémít
Very light [ˈvɪəri laɪt ‖ ˈveri–] *fn* világító rakéta, jelzőrakéta
vesicle [ˈvesɪkl] *fn orv* hólyag(ocska), vízhólyag, ciszta; **seminal~** ondóhólyag • *mn* **vesicular**
vesper [ˈvespə ‖ –ər] **I.** *tul csill* **V~** esthajnalcsillag, Vénusz **II.** *fn* **1.** az est(e); *régi* v. *vál* **the ~ ball** az est(el)i harangszó **2.** *vall* vecsernye, esti istentisztelet/áhítat, zenés (esti) áhítat
vespiary [ˈvespɪəri ‖ ˈvespieri] *fn* darázsfészek
vessel [ˈvesl] *fn* **1. a)** edény, tál, csésze, palack, üst **b)** *orv* véredény **c)** *növ* edény **2.** hajó, vízi jármű, nagy csónak
vest [vest] **I.** *fn* **1.** *GB* (atléta)trikó **2.** *US Ausz* mellény **II.** *tsi* **1.** *jog* felruház (vkt vmvel), ráruház, rábíz (vmt vkre), átruház (vmt); **~ sy with authority** hatalommal ruház fel vkt **2. a)** *régi* felöltöztet (vkt) **b)** *vall* beöltöztet *[papot]*, díszít *[oltárt]*
vestal [ˈvestl] *mn vál* szűzi(es)
vestal virgin *fn régi* Vesta-szűz
vested interest *fn* **a)** *jog* szerzett érdekeltségek/jogok **b)** *közg* hagyományos érdekek, egy ország gazdasági/pénzügyi életét irányító érdekszövetségek **c)** egyéni érdek(eltség)

V

vestibule [ˈvestɪbjuːl] *fn* **1. a)** előszoba **b)** előcsarnok, hall **c)** *US* zárt peron *[vasúti kocsin]* **2.** *orv* (fül)tornác, vestibulum • *mn* **vestibular**
vestige [ˈvestɪdʒ] *fn* **1.** nyom, maradvány, emlék; *biz*, **there's not a ~ of sg** nyoma sincs vmnek **2.** *biol* csökevény, szervmaradvány • *nm* **vestigial**
vestment [ˈvestmənt] *fn vál* **1. a)** hivatali/ünnepi ruha, díszruha **b)** *tsz* **vestments** ornátus **2. a)** *vall* oltárterítő **b)** *vall* miseruha
vest-pocket *fn* **1.** mellényzseb **2.** *jelzői haszn* kicsi, a mellényzsebben elférő, miniatűr (méretű)
vestry [ˈvestri] *fn* **a)** *[templomi]* sekrestye **b)** gyülekezeti szoba/terem *[protestáns templomban]*
Vesuvian [vəˈsuːvɪən] *mn* **1.** vezúvi **2.** *átv* vulkanikus
Vesuvius [vəˈsuːvɪəs] *tul földr* Vezúv
vet., veter. *röv* **1.** *veteran* **2.** *veterinarian* **3.** *veterinary*
vet[1] [vet] **I.** *fn biz* állatorvos **II.** *tsi* **-tt-** *biz* **a)** megvizsgál, kezel *[állatot]* **b)** *átv* megvizsgál, *[alaposan]* szemügyre vesz **c)** *pol* átvilágít (vkt)
vet[2] [vet] *fn US biz* veterán katona
vetch [vetʃ] *fn növ* takarmánybükköny
veteran [ˈvetərən] **I.** *fn* **1.** kiszolgált/volt katona, veterán, obsitos **2. a)** *átv pol* veterán, régi harcos *[mozgalomé stb.]* **b)** ‹nagy politikai tapasztalatú személy› **II.** *mn* **1.** öreg, régi, gyakorlott, kipróbált **2.** kiszolgált
Veterans Day *fn US* ‹november 11., a világháborúk befejezésének ünnepe›
veterinarian [ˌvetərɪˈneərɪən ‖ –ˈner–] *US* → **veterinary** II.
veterinary [ˈvetərɪnəri ‖ –neri] **I.** *mn* állatorvosi, állatgyógyászati; **~ medicine** állatorvostan, állatorvos-tudomány; **~ school** állatorvosi főiskola **II.** *fn* állatorvos
veterinary surgeon *fn GB* állatorvos
veto [ˈviːtoʊ] **I.** *fn* **1. a)** vétó, tiltakozás; **place/put/set a ~ on sg** vétót emel vm ellen **b)** vétójog **2.** megtiltás **II.** *tsi* **1. a)** vétót emel (vm ellen), megvétóz **b)** vétójogával él **2.** megtilt • *fn* **vetoer**
vex [veks] *tsi* **1.** bosszant, (fel)ingerel **2.** *vál* bánatot okoz (vknek), (el)szomorít (vkt)
vexation [vekˈseɪʃn] *fn* **1.** bosszantás, ingerlés **2.** bosszúság
vexatious [vekˈseɪʃəs] *mn* **1.** mérgesítő, bosszantó, terhes **2.** *jog* bosszúságot/kellemetlenséget okozó *[eljárás, intézkedés]*
vexed [vekst] *mn* **1.** bosszús, mérgelődő, ideges **2.** vitás *[kérdés]*, kérdéses *[ügy]*; **~ question** eldönthetetlen/nyílt kérdés; gyakran vitatott kérdés
vexing [ˈveksɪŋ] *mn* bosszantó, nyugtalanító
V-formation *fn* ék alak(zat) *[repülési alakzat madaraknál]*
VHF *röv very high frequency* ultrarövidhullám, URH
VHS *röv video home system*
via [ˈvaɪə] **I.** *hsz* **a)** keresztül, át vmn, vm érintésével; **~ Dover** Doveron át **b)** útján **II.** *fn tsz* **viae** v. **vias** [ˈvaɪiː] közbülső állomások, érintett városok
viability [ˌvaɪəˈbɪləti] *fn* **1.** *orv* életképesség *[csecsemőé, magé]* **2.** *átv* járhatóság *[úté]*, megvalósíthatóság *[javaslaté]*, életképesség *[vállalkozásé stb.]*
viable [ˈvaɪəbl] *mn* **1. a)** járható *[út]* **b)** megvalósítható *[terv stb.]* **2. a)** *orv* életképes *[magzat]* **b)** *biol* csíraképes
viaduct [ˈvaɪədʌkt] *fn* viadukt, völgyhíd
vial [ˈvaɪəl] *fn* fiola, üvegcse, ampulla
via media [ˌvaɪə ˈmiːdɪə] *fn vál* arany középút
vibes [vaɪbz] *fn tsz biz* **1. a)** hangulat; **the house had bad ~** a ház rossz hangulatot árasztott **b)** (meg)érzés **2.** *zene* vibrafon
vibrant [ˈvaɪbrənt] *mn* **1.** rezgő, vibráló, rezonáló **2.** remegő, reszkető; **~ with emotion** érzelemtől remegő *[hang]* **3.** élénk, rikító *[szín]* • *fn* **vibrancy**
vibraphone [ˈvaɪbrəfoʊn] *fn zene* vibrafon • *fn* **vibraphonist**

vibrate [vaɪˈbreɪt ‖ ˈvaɪbreɪt] **A.** *tsi* rezegtet, remegtet **B.** *tni* **1.** remeg, rezeg, vibrál; ~ **with passion** remeg a szenvedélytől **2.** *fiz* rezeg, leng, ingadozik

vibrating [vaɪˈbreɪtɪŋ ‖ ˈvaɪbreɪtɪŋ] *mn* rezgő, remegő, vibráló

vibration [vaɪˈbreɪʃn] *fn* **1.** *fiz* rezgés, vibráció **2.** hely hangulata • *mn* **vibrational**

vibrato [vɪˈbrɑːtoʊ] *fn zene* vibrato

vibrator [vaɪˈbreɪtə ‖ ˈvaɪbreɪtər] *fn* **1. a)** vibrátor *[szexuális segédeszköz]* **b)** *távk vill* rezgéskeltő, rezgéstovábbító, oszcillátor, vibrátor **2.** *zene* nyelvsíp, fúvóka (harmóniumon)

Vic [vɪk] *tul bec* → **Victor**

vicar [ˈvɪkə ‖ –ər] *fn vall* **1.** *[anglikán]* lelkész, plébános, vikárius **2.** helynök, helyettes

vicarage [ˈvɪkərɪdʒ] *fn vall* **1.** plébánia, egyházközség **2.** parókia, paplak, lelkészlakás

vicar apostolic *fn vall* apostoli vikárius

vicariate [vɪˈkeərɪət ‖ –ˈker–] *fn vall* plébánosi tisztség/hivatal

vicarious [vɪˈkeərɪəs ‖ –ˈker–] *mn* **a)** más által/helyett végzett *[munka]* **b)** helyettes(ítő), helyettesítési • *fn* **vicariousness** *hsz* **vicariously**

Vicar of Christ *fn vall* Krisztus földi helytartója, a pápa

vice- [ˈvaɪs–] *előtag összet* helyettes, al-

vice[1] [vaɪs] *fn* **1. a)** bűn, vétek **b)** erkölcstelenség, kicsapongás, bujaság; **live in** ~ bűnben él, bűnös életet él **2.** (jellem)hiba, fogyatékosság

vice[2] [ˈvaɪs] **I.** *fn* satu **II.** *tsi műsz* beszorít *[satuba]*, satuba fog

vice[3] [vaɪsi] **I.** *elölj* helyett, helyére **II.** *fn biz* alelnök; altengernagy

vice-chancellor *fn* alkancellár

vice-president *fn* alelnök • *fn* **vice-presidency** *mn* **vice-presidential**

viceroy [ˈvaɪsrɔɪ] *fn* **a)** alkirály **b)** helytartó, tartományi kormányzó

vice squad *fn* erkölcsrendészet(i járőr)

vice versa [ˌvaɪsi ˈvɜːsə ‖ –ˈvɜr–] *hsz* és viszont, fordítva, kölcsönösen

vicinity [vəˈsɪnəti] *fn* környék; **in the ~ of sg** vmnek a környékén/táján/vidékén, *átv* körülbelül *[mennyiségről]*, körül, vm táján • *mn* **vicinal**

vicious [ˈvɪʃəs] *mn* **1. a)** romlott, erkölcstelen, parázna **b)** bűnös **2.** gonosz, rossz, rosszindulatú, elvetemült **3.** *biz* heves, erős; **a ~ wind** erős szél • *fn* **viciousness** *hsz* **viciously**

vicious circle *fn* ördögi kör

vicissitude [vaɪˈsɪsətjuːd ‖ vəˈsɪsətuːd] *fn vál* **1.** változékonyság, forgandóság *[szerencséé]* **2.** viszontagság, hányattatás

Vicky [ˈvɪki], **Vicki**, **Vickie** *tul bec* → **Victoria**

vicount [ˈvaɪkaunt] *régi* → **viscount**

victim [ˈvɪktɪm] *fn* **1.** áldozat; ~ **of circumstances** a körülmények áldozata; **die a ~ to smallpox** himlőben hal meg; **fall ~ to sg** vm áldozatul esik (v. áldozatává válik) **2.** áldozati állat/ember

victimize [ˈvɪktɪmaɪz], **-ise** *tsi* **1.** *[indokolatlanul]* okol, büntet (*for* vmért) **2.** bánt, gyötör, kínoz • *fn* **victimization**

Victor [ˈvɪktə ‖ –ər] *tul* Viktor, Győző

victor [ˈvɪktə ‖ –ər] *mn/fn* győztes, győző

Victoria [vɪkˈtɔːrɪə] *tul* ‹női név› Viktória

Victoria Cross *fn GB* Viktória-kereszt *[a legmagasabb brit katonai kitüntetés]*

Victorian [vɪkˈtɔːrɪən] *mn/fn* viktoriánus, Viktória korabeli

victorious [vɪkˈtɔːrɪəs] *mn* győztes, győz(ed)elmes, diadalmas; **be ~ over sy** győzedelmeskedik vk felett • *hsz* **victoriously**

victory [ˈvɪktəri] *fn* győzelem, diadal; **election** ~ választási győzelem; **lead to** ~ győzelemre vezet

victory lap *fn sp* tiszteletkör *[atlétikában, autósportban]*

victory platform *fn sp* dobogó *[eredményhirdetésnél]*

victual [ˈvɪtl] **I.** *fn tsz* **~s** élelmiszer, élelem, eleség **II. A.** *tsi* **1.** élelemmel ellát/felszerel, élelmez **2.** élelmiszerrel feltölt **B.** *tni* felszereli/ellátja magát élelemmel

victualler [ˈvɪtl·ə ‖ –ər] *fn* **a)** élelmiszer-szállító **b)** *GB* **licensed** ~ italkimérésre jogosított vendéglős

vide [ˈvaɪdi] *isz* lásd

videlicet [vɪˈdiːlɪset] *hsz* tudniillik, azaz *[rövidítve viz. amit namely-nek olvasunk]*

video [ˈvɪdioʊ] **I.** *fn* **1. a)** videofilm; videokazetta **b)** videomagnó, képmagnó, videó **2.** *US biz* televízió, tévé **II.** *tsi* videóra rögzít/felvesz

video arcade *fn US* játékterem *[ahol videojátékokkal lehet játszani]*

video camera *fn* videokamera

video cassette *fn* videokazetta

video cassette recorder *fn* videó, videomagnó, képmagnó

videoclip *fn* videoklip

videofilm *fn* videofilm, videó

video game *fn* videojáték

videogenic [ˌvɪdioʊˈdʒenɪk] → **telegenic**

video-record *tsi GB* videón rögzít, videóra/videóval felvesz

videoshop *fn* videotéka, videokölcsönző

video store *fn US* videotéka

videotape **I.** *fn* videokazetta, videoszalag **II.** *tsi* videóra/videokazettára felvesz/rögzít

vide post [ˌvaɪdiː ˈpoʊst] *isz* lásd alább

vide supra [ˌvaɪdiː ˈsuːprə] *isz* lásd fentebb

vie [vaɪ] *pr.p* **vying** *tni* verseng, versenyez (*with* vkvel)

Vienna [viˈenə] *tul földr* Bécs • *mn* **Viennese**

Viet [vjet ‖ viˈet] *mn/fn US* vietnami

Vietnam [ˌviːetˈnæm ‖ –nɑm] *tul földr* Vietnam; **Socialist Republic of ~** Vietnami Szocialista Köztársaság • *mn* **Vietnamese**

view [vjuː] **I.** *fn* **1. a)** (meg)látás, (meg)nézés, tekintet; **at first** ~ első látásra/ránézésre; **be on** ~ látható, megtekinthető, ki van állítva; **upon closer** ~ jobban megnézve, közelebbi megtekintésre **b)** *jog* helyszíni kiszállás/szemle **2. a)** kilátás (vhonnan), látvány, (lát)kép **b)** felvétel, kép *[épületről, tájról]*, látkép; **~s of London** képek Londonról **3.** látómező, láthatóság; **be in** ~ látható, szem előtt van; kilátásban van, remélhető; **be/stand in full** ~ jól látható, teljes egészében/terjedelmében látható; **come into** ~ láthatóvá lesz/válik, feltűnik, előtűnik; **exposed to** ~ látható; **hidden from** ~ nem látható; el van takarva **4.** megtekintés, megvizsgálás, szemle **5. a)** nézet, vélemény; **point of** ~ szempont; **in my** ~ véleményem szerint; **hold extreme ~s** szélsőséges elveket/nézeteket vall; **share sy's ~s** osztja vknek a nézeteit; **take a dim/poor ~ of sg** szkeptikusan tekint/szemlél vmt, nem sok jót vár vmtől **b) in ~ of sg** tekintve, hogy, mivel, vmre tekintettel **6.** szándék, terv, cél; **on a long ~**, **taking the longer ~** hosszabb időre/távra számítva; **with a ~ to (doing) sg**, **with the ~ of sg** vm végett azon célból/szándékkal, azzal a céllal, hogy; **have sg in ~** tervez/szándékozik vmt, megvalósítani kíván vmt **II. A.** *tsi* **1.** (meg)néz, megtekint, megszemlél, szemügyre vesz **2.** vmlyennek vesz/tekint, hozzááll, megközelít **B.** *tni biz* tévét néz

viewer [ˈvjuːə ‖ –ər] *fn* **1. a)** szemlélő **b)** (tévé)néző **c)** kiállításlátogató **2.** dianéző

view finder *fn fényk* kereső *[fényképezőgépen]*, képkereső *[tv-kamerán]*

viewiness [ˈvjuːinəs] *fn* rögeszmésség

viewing [ˈvjuːɪŋ] *fn* **a)** megtekintés, megnézés, szemrevétel **b)** tévénézés

viewpoint *fn* **1.** kilátóhely/-pont **2.** *átv* nézőpont, szempont

vigil [ˈvɪdʒɪl] *fn* **1.** virrasztás, ébrenlét; **keep** ~ virraszt, őrködik **2.** *vall* ünnep előestje, az ünnep előtti nap, vigília

vigilance [ˈvɪdʒələns] *fn* éberség, elővigyázat, óvatosság

vigilant [ˈvɪdʒələnt] *mn* **a)** éber, szemfüles, vigyázó, őrködő **b)** elővigyázatos, óvatos • *hsz* **vigilantly**
vigilante [ˌvɪdʒɪˈlænti] *fn* **1.** önkéntes rendfenntartó **2.** *US* polgárőrség • *fn* **vigilantism**
vignette [vɪnˈjet] *fn* **1.** karcolat, kroki **2.** *nyomd* címrajz **3.** arckép, fénykép
vignettist [vɪnˈjetɪst] *fn műv* címkekészítő, fejlécrajzoló, záródíszrajzoló
vigor [ˈvɪgə ‖ –ər] *US* → **vigour**
vigorous [ˈvɪgərəs] *mn* **1. a)** (élet)erős, erőteljes **b)** élénk **2.** nyomatékos • *fn* **vigorousness** *hsz* **vigorously**
vigour [ˈvɪgə ‖ –ər] **1. a)** (élet)erő, energia; **generative ~** nemzőképesség; **die in the full ~ of youth** fiatalsága teljében hal meg **b)** *zene* lendület, élénkség **2.** nyomaték, erőteljesség, erély
Viking [ˈvaɪkɪŋ] *mn/fn tört* viking
vile [vaɪl] *mn* **1.** undorító, gusztustalan, visszataszító **2.** aljas, hitvány, gaz, gonosz **3.** *biz* rossz, vacak, ócska, rút • *fn* **vileness** *hsz* **vilely**
vilify [ˈvɪlɪfaɪ] *tsi* gyaláz, bemocskol, rágalmaz • *fn* **vilification**
villa [ˈvɪlə] *fn* **1.** villa, nyaraló **2.** *GB [kertvárosi]* családi ház **3.** (vidéki) rezidencia
village [ˈvɪlɪdʒ] *fn* **1.** község, falu; **~ community** faluközösség **2.** *US* kisközség **3.** *GB [faluszerű városi]* kerület
village green *fn* ‹a falu közös központi zöldterülete› kb. faluközpont
village idiot *fn durva* falu bolondja
villager [ˈvɪlɪdʒə ‖ –ər] *fn* falusi (ember/asszony)
villain [ˈvɪlən] *fn* **a)** gonosztevő, gazember **b)** *biz* semmirekellő, gazfickó **c)** negatív hős *[színdarabban, regényben]*, cselszövő, intrikus
villainous [ˈvɪlənəs] *mn* gaz, gonosz, hitvány, aljas
villainy [ˈvɪləni] *fn* **1.** gonoszság, gazság, aljasság **2.** gaztett
-ville [vɪl] *előtag* -falva *[helységnévképző, főleg képzelt falvak nevében]*
villein [ˈvɪleɪn] *fn tört* jobbágy
villeinage [ˈvɪlənɪdʒ] *fn tört* jobbágyság, jobbágysor
vim [vɪm] *fn biz* életerő, életkedv, tetterő, energia; **put some ~ into it!** nagyobb kedvvel!
vinaigrette [ˌvɪneɪˈgret] *fn* **1.** salátaöntet **2.** szagoltató üvegecske
Vince [vɪns] *tul bec* → **Vincent**
Vincent [ˈvɪnsənt] *tul* Vince
vincible [ˈvɪnsəbl] *mn vál* legyőzhető • *mn* **vincibility**
vindicate [ˈvɪndɪkeɪt] *tsi* **1.** tisztáz *[vád, gyanú alól]*, felment *[utólag]* **2.** igazol, alapot ad (vmre) **3.** kitart (vm mellett), fenntart, igényt tart vmre • *fn* **vindication**, **vindicator**
vindictive [vɪnˈdɪktɪv] *mn* **1.** bosszúálló *[természetű]*, bosszúvágyó, bosszúszomjas **2.** haragtartó, gyűlölködő, rosszindulatú • *fn* **vindictiveness**
vindictive damages *fn tsz GB jog* büntetésként kirótt kártérítés
vine [vaɪn] *fn* **1.** szőlő(tő); **die/wither on the ~** halva születik *[terv]*, már a kezdeti szakaszban meghiúsul **2. a)** inda **b)** kúszónövény (ágai)
vinedresser *fn* szőlősgazda, vincellér
vinegar [ˈvɪnɪgə ‖ –ər] *fn* **1.** ecet **2.** unalmas/savanyú viselkedés/személy • *mn* **vinegarish**, **vinegary**
vinery [ˈvaɪnəri] *fn* **1.** melegházi szőlőskert, üvegház szőlőtermelésre **2.** *régi* szőlő, szőlőskert
vineyard [ˈvɪnjəd ‖ –jərd] *fn* szőlő, szőlőskert, szőlőhegy
vingt-et-un [ˌvænteɪˈɜːn ‖ –ˈʊn] *fn* huszonegyes
viniculture [ˈvɪnɪkʌltʃə ‖ –ər] *fn* szőlőművelés, bortermelés • *fn* **viniculturist** *mn* **vinicultural**
vino [ˈviːnoʊ] *fn GB szl* pancsolt bor
vinous [ˈvaɪnəs] *mn* **1.** bor-, boros *[íz, szín stb.]* **2.** borgőzös, ittas

vintage [ˈvɪntɪdʒ] **I.** *mn* **1.** jó évjáratú/minőségű **2.** előző évi, tavalyi (évjáratú) **3.** klasszikus *[film, autó stb.]* **II.** *fn* **1. a)** szüret **b)** szüreti időszak **2.** évi szőlőtermés/bortermés; **of the ~ of 1996** 1996-os évjáratú bor; **~ year** jó évjárat **3.** évjárat
vintage car *fn GB [1917-1930 között gyártott]* veterán autó
vintner [ˈvɪntnə ‖ –ər] *fn* **1.** borkereskedő **2.** *US* bortermelő
vinyl [ˈvaɪnl] *fn* **1.** *vegy* vinil(gyök) **2.** *vegy* PVC, poli(vinilklorid) **3.** (hosszanjátszó) hanglemez, LP
Viola [ˌvaɪələ ‖ vaɪˈoʊlə)] *tul* Viola
viola[1] [viˈoʊlə] *fn zene* brácsa, mélyhegedű • *fn* **violist**
viola[2] [ˈvaɪələ ‖ vaɪˈoʊlə] *fn növ* háromszínű ibolya/árvácska
violate [ˈvaɪəleɪt] *tsi* **1. a)** megszeg *[esküt, szerződést]* **b)** megsért, áthág *[szabályt]*; **~ the law** megszegi a törvényt **c)** megszentségtelenít *[szentélyt]* **2.** megerőszakol *[nőt]* • *fn* **violator**
violation [ˌvaɪəˈleɪʃn] *fn* **1.** megszegés, megsértés, áthágás, megszentségtelenítés **2.** nemi erőszak
violence [ˈvaɪələns] *fn* **1. a)** erőszak; **die by ~** erőszakos halált hal; **do ~ to sy/sg** erőszakot alkalmaz vkvel/vmvel szemben; **resort to ~** erőszakhoz folyamodik **b)** erőszakos cselekmény; *jog* **commit acts of ~** erőszakos cselekményeket követ el **c)** bántalmazás **2.** hevesség, erősség *[tűzé, szélé, szenvedélyé]*, tűz, hév
violent [ˈvaɪələnt] *mn* **1.** erőszakos, erőszakra hajlamos; **become ~** erőszakoskodni kezd; **fly into a ~ rage** éktelen haragra gerjed; **~ death** erőszakos halál **2. a)** erős, erőteljes, heves; **a ~ gush/wind** heves szél(lökés) **b) ~ colours** rikító színek **3.** erősen felindult • *hsz* **violently**
violet [ˈvaɪələt] **I.** *mn* ibolyaszínű, lila színű **II.** *fn* **1.** ibolya **2.** ibolya(szín)
Violet [ˈvaɪələt] *tul* Violetta
violin [ˌvaɪəˈlɪn] *fn* hegedű; **~ clef** violinkulcs, G-kulcs; **~ concerto** hegedűverseny • *fn* **violinist**
VIP [ˌviːaɪˈpiː] *röv very important person* fontos, magas beosztású (közéleti) személy(iség), *biz* fejes
viper [ˈvaɪpə ‖ –ər] *fn* **a)** vipera **b)** *biz* rosszindulatú/gonosz személy • *mn* **viperish**, **viperous**
viperidae [vaɪˈperɪdiː] *fn tsz áll* viperafélék
VIP lounge *fn* kormányváró, törzsutasváró *[repülőtéren]*
virago [vəˈrɑːgoʊ] *fn* **1.** *átv* boszorkány, sárkány, házsártos asszony, asszonysárkány **2. a)** amazon **b)** *régi* nagy/erős/férfias nő
viral [ˈvaɪrəl] *mn orv* vírus-, vírusos
Virgil [ˈvɜːdʒɪl ‖ ˈvɜrdʒl] *tul* Vergilius • *mn* **Virgilian**
virgin [ˈvɜːdʒɪn ‖ ˈvɜrdʒn] **I.** *fn* **1. a)** szűz; *vall* **the Blessed V~** a Szent Szűz, Szűz Mária **b)** Szűz Mária-ábrázolás/-kép **2.** romlatlan, ártatlan, naiv; **a political ~** politikában járatlan *[személy]* **3. the V ~** a Szűz *[csillagkép, égöv]* **II.** *mn* **1.** szűz-, szűzi(es), érintetlen **2.** nem művelt, eredeti, tiszta; **~ soil** töretlen föld, szűztalaj; **~ wool** szűzgyapjú • *fn* **virginhood**
virginal [ˈvɜːdʒɪnl ‖ ˈvɜr–] **I.** *mn* szűz(ies), szűz-, tiszta; **~ membrane** szűzhártya **II.** *fn zene régi* virginál
virginia [vəˈdʒɪnɪə ‖ vər–] *fn* virginiadohány
Virginia [vəˈdʒɪnɪə ‖ vər–] *tul* **a)** *földr* Virginia *[állam az USA-ban]* **b)** ‹női név› • *mn* **Virginian**
Virgin Islands *tul tsz földr* Virgin-szigetek
virginity [vɜːˈdʒɪnəti ‖ vɜr–] *fn* szüzesség, szűziesség
Virgo [ˈvɜːgəʊ ‖ ˈvɜr–] **I.** *tul birt* **Virginis** [ˈvɜːdʒɪnɪs ‖ ˈ-r–] a Szűz *[csillagkép, égöv]* **II.** *fn* Szűz *[a Szűz jegyében született személy]*
virgule [ˈvɜːgjuːl ‖ ˈvɜr–] *fn* ferde vonás, virgula *[egyenértékűség/felcserélhetőség jele]*
virile [ˈvɪraɪl ‖ ˈvɪrəl] *mn* **1.** férfi-, férfias **2.** nemzőképes *[férfi]* **3.** erőteljes *[stílus stb.]*, erőtől duzzadó
virility [vɪˈrɪləti] *fn* férfiasság
virology [vaɪˈrɒlədʒi ‖ –ˈrɑ–] *fn orv* víruskutatás, virológia

V

virtual [ˈvɜːtʃuəl ‖ ˈvɜr–] *mn* **1.** tényleges, valódi, igazi, tulajdonképpeni **2.** *infor* látszólagos, virtuális; **~ image** virtuális kép • *fn* **virtuality**
virtual reality *fn infor* virtuális valóság
virtually [ˈvɜːtʃuəli ‖ ˈvɜr–] *hsz* **a)** gyakorlatilag, jóformán, tulajdonképpen **b)** majdnem
virtue [ˈvɜːtʃuː ‖ ˈvɜr–] *fn* **1.** erkölcsi tisztaság, erkölcsösség, jóság; **a woman of ~** erényes nő; **woman of easy ~** könnyű erkölcsű nő; **make a ~ of necessity** szükségből erényt csinál; *közm* **~ is its own reward** az erény önmagában hordja jutalmát **2.** erény, előny, jó tulajdonság, érték **3. by/in ~ of sg** vmnek az alapján, vmnél fogva, vm erejénél fogva, vm következtében • *mn* **virtueless**
virtuoso [ˌvɜːtʃuˈoʊsoʊ ‖ ˌvɜr–] *fn tsz* **~s** v. **virtuosi** [–ziː] *zene* virtuóz, mester • *fn* **virtuosity**
virtuous [ˈvɜːtʃuəs ‖ ˈvɜr–] *mn* erényes, erkölcsös
virulent [ˈvɪrulənt ‖ ˈvɪrə–] *mn* **1.** *orv* fertőző(képes), virulens **2.** heveny, heves *[kór]* **3.** ellenséges, támadó • *fn* **virulence**
virus [ˈvaɪrəs] *fn* **a)** *orv* vírus **b)** *infor* (számítógépes/szoftver) vírus
Vis. *röv* **1.** *Viscount* **2.** *Viscountess*
visa [ˈviːzə] **I.** *fn* vízum; **customs ~** vámbehozatali engedély **II.** *tsi pt/pp* **~ed** vízummal ellát, vízumot beüt *[útlevélbe]*
visage [ˈvɪzɪdʒ] *fn vál* arc, ábrázat
vis-à-vis [ˌviːzəˈviː] **I.** *mn* szemben (álló), szemközti **II.** *hsz/elölj* **1.** szemben, átellenben (*to/with sg/sy* vmvel/vkvel) **2.** vkvel/vmvel kapcsolatban, vkre/vmre vonatkozólag, vkt/vmt illetően **III.** *fn [hasonló rangú]* kolléga; **my French ~** francia kollégám
viscera [ˈvɪsərə] *fn tsz orv* belső részek, zsigerek; → **viscus**
visceral [ˈvɪsərəl] *mn* **1.** *orv* zsigeri, zsiger- **2.** *átv* ösztönösen érzett
visceral nerve *fn orv* szimpatikus ideg
viscose [ˈvɪskoʊs] *tex* **I.** *fn* viszkóza **II.** *mn* viszkóz
viscount [ˈvaɪkaʊnt] *fn* vicomte, vikomt *[a báró és a gróf közötti rang]* • *fn* **viscountcy**
viscountess [ˌvaɪkaʊnˈtes ‖ ˈvaɪkaʊntəs] *fn* vikomtessz, vicomte felesége
viscous [ˈvɪskəs] *mn* **a)** ragadós, nyúlós, tapadós **b)** *vegy* viszkózus, sűrűn folyó • *fn* **viscosity**
viscus [ˈvɪskəs] *fn tsz* **viscera** [ˈvɪsərə] *orv* zsiger; → **viscera**
vise [vaɪs] *US* → **vice**[2]
visibility [ˌvɪzəˈbɪləti] *fn* **1.** láthatóság, vmnek a látható volta **2. a)** látási viszonyok *[meteorológiában, közlekedésben]*; **low ~** korlátozott látási viszonyok; **~ distance** látástávolság **b)** látókör, látómező, kilátás
visible [ˈvɪzəbl] *mn* **1.** látható **2.** szemmel látható, szembetűnő, feltűnő, nyilvánvaló; **with ~ satisfaction** látható elégedettséggel, szemmel láthatóan megelégedve
visible horizon *fn* látszólagos látóhatár/horizont
visibly [ˈvɪzəbli] *hsz* **a)** láthatóan **b)** szemmel láthatóan, szemlátomást, feltűnően, nyilvánvalóan; **he was ~ moved** láthatóan meg volt hatva
vision [ˈvɪʒn] *fn* **1.** látás; **field of ~** látómező, látókör **2. a)** látomás, vízió **b)** előrelátás, jövőbelátás, éleslátás; **man of ~** látnok **c)** elképzelés, álom(kép) **d)** rémlátás, káprázat, vízió • *mn* **visional**
visionary [ˈvɪʒənəri ‖ –neri] **I.** *mn* **1. a)** látomásos, látnoki *[személy]* **b)** jövőbelátó *[személy]* **c)** képzelődő, képzelgő, álmodó *[ember]* **2.** (el)képzelt, képzeletbeli, megvalósíthatatlan, fantasztikus *[terv stb.]* **II.** *fn* **a)** látnok, vizionárius **b)** ábrándokat kergető ember, képzelgő
visionless [ˈvɪʒənləs] *mn* **1.** világtalan, vak *[szem]* **2.** fantáziátlan
vision mixer *fn GB média* képvágó *[személy]* • *tni* **vision-mix**
visit [ˈvɪzɪt ‖ –ət] **I. A.** *tsi* **1. a)** meglátogat (vkt), ellátogat (vkhez), látogatást tesz, vizitel (vknél) **b)** ellátogat, elmegy (vhova), megtekint, megnéz (vmt) **c)** rendszeresen látogat (vmt), eljár (vhova) **2.** látogatóban van *[vknél]* **3.** megtámad (vkt), lesújt (vkre) *[betegség stb.]* **B.** *tni* látogatóban van, vendégeskedik, vizitel (vknél/vhol); *US* **~ with sy** meglátogat (vkt), látogatást tesz (vknél) **II.** *fn* **1. a)** látogatás, látogató, vizit; **pay sy a ~** látogatást tesz vknél, meglátogat vkt; **return a ~** látogatást/vizitet viszonoz **b)** beteglátogatás, vizit **c)** megtekintés, részvétel; **~ to a museum** múzeumlátogatás **2.** tartózkodás, vendégeskedés; **he prolonged his ~ to Budapest** meghosszabbította budapesti tartózkodását **3.** *US* beszélgetés, pletykálkodás, traccsolás
visitation [ˌvɪzɪˈteɪʃn] *fn* **1. a)** (meg)látogatás **b)** beteglátogatás **c)** felülvizsgálat, hivatalos látogatás, szemle, ellenőrzés **d)** *vall* vizitáció **2.** *biz tréf* hosszúra nyúló látogatás **3.** *US Kan* (gyermek)láthatás **4. a)** *[isteni]* büntetés, megpróbáltatás **b)** csapás, nagy szerencsétlenség
visiting [ˈvɪzɪtɪŋ ‖ –ətɪŋ] **I.** *mn* látogató(ban levő); *US* **~ professor** vendégtanár, vendégprofesszor, vendégelőadó *[egyetemen]*; *sp* **~ team** vendégcsapat **II.** *fn* látogatás
visiting card *fn GB* névjegy
visiting fireman *fn tsz* **-men** *US szl* ‹fontos látogató›
visiting hours *fn tsz* látogatási idő *[kórházban]*
visitor [ˈvɪzɪtə ‖ –ətər] *fn* **1. a)** látogató, vendég **b)** turista, *[külföldi]* vendég, látogató **c)** *biz* földönkívüli (lény) **2. a)** *jog* felügyelő, ellenőr **b)** *GB okt* tanfelügyelő **3.** *GB áll* kóborló *[költöző madár]*
visitor's book *fn GB* vendégkönyv *[múzeumban stb.]*
visor [ˈvaɪzə ‖ –ər] *fn* **1.** sisakrostély **2.** *US* (szem)ellenző *[sapkán]*, *biz* simléder **3.** *gk* napellenző
vista [ˈvɪstə] *fn* **a)** látkép, kilátás **b)** *átv* távlat, kilátás, perspektíva; *biz* **open up new ~s** új távlatokat nyit • *mn* **vistaed**
visual [ˈvɪʒuəl] **I.** *mn* **a)** látási, látó-, látás-, vizuális; *orv* **~ nerve** látóideg; **~ plane** látósík; *távk* **~ range** látótávolság **b)** képi, vizuális **II.** *fn tsz* **~s** kép, képi/vizuális megjelenítés • *hsz* **visually**
visual aid *fn* szemléltetőeszköz
visual angle *fn* látószög
visual display unit *fn infor* képernyő, monitor
visual field *fn* látómező, látótér
visualize [ˈvɪʒuəlaɪz], **-ise** *tsi* **1.** elképzel (vkt/vmt), felidézi a képét (vknek/vmnek) **2.** megjelenít, láthatóvá tesz • *fn* **visualization**
vital [ˈvaɪtl] *mn* **1.** éltető, életadó, élet-, vitális; **~ force** életerő **2.** élettel teli, élénk, eleven **3.** létfontosságú, életbevágó, (igen) lényeges; **of ~ importance** létfontosságú, életbevágóan fontos **4.** *régi* halálos, visszavonhatatlan, fatális; **~ error** végzetes/fatális tévedés/hiba
vital capacity *fn* vitálkapacitás, tüdőtérfogat *[a belélegzett levegő maximális mennyisége]*
vitality [vaɪˈtæləti] *fn* **1.** életerő, vitalitás **2.** erő, élénkség, elevenség **3.** tartósság, időtállóság
vitalize [ˈvaɪtl·aɪz], **-ise** *tsi* **a)** (fel)pezsdít, életerőssé tesz, éltet **b)** élénkít, életre kelt, erősít • *mn* **vitalizing**
vital power *fn* életerő
vitals [ˈvaɪtlz] *fn tsz* nemes szervek, a legfontosabb szervek
vital statistics *fn tsz* **1.** népesedési statisztika, születési/halálozási/házassági statisztika **2.** *szl* a fő méretek/paraméterek; ‹nő mell-, csípő- és derékbősége›
vitamin [ˈvɪtəmɪn ‖ ˈvaɪ–] *fn* vitamin; **~ C** C-vitamin; *orv* **~ deficiency** vitaminhiány
vitaminize [ˈvɪtəmɪnaɪz ‖ ˈvaɪ–], **-ise** *tsi* vitaminoz, vitaminnal dúsít/gazdagít
vitiate [ˈvɪʃieɪt] *tsi* **1.** elront, megront, (be)szennyez, megfertőz *[levegőt stb.]* **2.** elront, leront *[értéket stb.]* **3.** *jog* érvénytelenít, hatályon kívül helyez • *fn* **vitiation** *mn* **vitiated**
viticulture [ˈvɪtɪkʌltʃə ‖ –ər] *fn* szőlőművelés, szőlőtermelés, szőlészet • *fn* **viticulturist** *mn* **viticultural**

V

vitreous [ˈvɪtrɪəs] *mn* **1.** üvegszerű, üveges **2.** üvegből való/készült
vitreous body *fn orv* üvegtest *[a szemben]*
vitrify [ˈvɪtrɪfaɪ] **A.** *tsi* üveggé olvaszt, megüvegesít **B.** *tni* üveggé olvad, megüvegesedik • *fn* **vitrification** *mn* **vitrified**
vitriol [ˈvɪtrɪəl] *fn* **1.** *vegy* szulfát, gálic; **blue ~** réz-szulfát; **green ~** vas(II)-szulfát, zöldgálic, vasgálic; **~ salt** cinkgálic, fehérgálic, cink-szulfát **2.** *átv* kíméletlen/maró stílus/gúny
vitriolic [ˌvɪtriˈɒlɪk ‖ –ˈɑlɪk] *mn* **1.** *vegy* kénsavas, vitriolos, vitriol-; **~ acid** kénsav **2.** *átv* maró, kíméletlen *[gúny stb.]*
vituperate [vaɪˈtjuːpəreɪt ‖ –ˈtuː–] **A.** *tsi* összeszid, szidalmaz, lehord, sérteget, megsért (vkt) **B.** *tni* dühöng (*against sy* vkre) • *fn* **vituperation** *mn* **vituperative**
Viv [vɪv] *tul bec* **a)** → **Vivian b)** → **Vivien**
viva [ˈvaɪvə] **I.** *isz* éljen! **II.** *fn* **1.** éljenzés **2.** → **viva voce** III.
vivace [viˈvɑːtʃi] *hsz zene* vivace, élénken
vivacious [vɪˈveɪʃəs] *mn* **1.** élénk, eleven, vidám, mozgalmas **2.** *növ* évelő
vivaciousness [vɪˈveɪʃəsnəs] → **vivacity**
vivacity [vɪˈvæsəti] *fn* élénkség, elevenség, lendületesség, mozgalmasság
viva voce [ˌvaɪvə ˈvoʊtʃi] **I.** *mn* szóbeli, élőszóval való; **~ examination** szóbeli vizsga **II.** *hsz* **a)** szóbelileg, szóban, élőszóval **b)** hangosan, fennhangon **III.** *fn GB okt biz* szóbeli vizsga
Vivian [ˈvɪvɪən] *tul* ‹férfinév›
vivid [ˈvɪvɪd] *mn* **1.** élénk, ragyogó *[szín]* **2. a)** (élet)erős, élénk, eleven *[ember, személyiség stb.]* **b)** életszerű, eleven, élénk, színes *[stílus, beszámoló stb.]*; **~ imagination** eleven/élénk képzelet • *fn* **vividness** *hsz* **vividly**
Vivien [ˈvɪvɪən], **Vivienne** *tul* Vivien
viviparous [vɪˈvɪpərəs] *mn biol áll* elevenszülő • *fn* **viviparity**
vivisection [ˌvɪvɪˈsekʃn] *fn* **a)** élveboncolás **b)** *átv* részletekbe menő, kíméletlen kritika, *biz* kivesézés • *tsi* **vivisect** *fn* **vivisector**
vixen [ˈvɪksn] *fn* **1.** *áll* nőstény róka **2.** *biz* boszorkány, (házi)sárkány • *mn* **vixenish** *mn/hsz* **vixenly**
viz. *röv* videlicet; *namely* úgymint, úm., tudniillik, ti., ugyanis, ui., mégpedig
vizier [vɪˈzɪə ‖ –ˈzɪr] *fn* török miniszter, vezír; *tört* **the Grand V~** nagyvezír • *mn* **vizierial**
vizor [ˈvaɪzə ‖ –ər] → **visor**
VJ day *röv victory over Japan day [GB: 1945. augusztus 15., US: szeptember 2.]*
VOA *röv Voice of America*
vocab [ˈvoʊkæb] *biz* → **vocabulary**
vocabulary [voʊˈkæbjʊləri ‖ –bjəleri] *fn* **1.** szókészlet, szókincs, szóanyag; **scientific ~** tudományos szavak **2.** *okt* **a)** szószedet **b)** szójegyzék, (kis) szótár; **~ entry** (szótári) címszó **3.** *[egyéni]* szókincs; **a limited ~** szegényes szókincs **4.** *műv* kifejezéseszköz-készlet *[balettben stb.]*
vocal [voʊkl] **I.** *mn* **1. a)** hanggal bíró/kapcsolatos, hang-; *orv* **~ cavity** hangképző (száj)üreg; *nyelv* **~ organs** hangképző (beszéd)szervek **b)** vokális, beszélt, énekelt, énekhangra írt; **~ group** vokálegyüttes; **~ music** vokális zene **c)** szóban való/történő, szóbeli; **~ communication** szóbeli közlés **2.** *nyelv* magánhangzóval kapcsolatos **3.** hangos, lármás, zajos; **~ minority** ‹érdekeit jól képviselő kisebbség›; **become ~** felemeli a hangját **II.** *fn* vokál
vocal cords *fn tsz* hangszalagok
vocalist [ˈvoʊkəlɪst] *fn* énekes(nő)
vocality [voʊˈkæləti] *fn nyelv* zöngésség
vocalize [ˈvoʊkəlaɪz], **-ise A.** *tsi* **1.** megszólaltat, kifejez, kiejt, artikulál *[szót]* **2.** *nyelv* magánhangzósít, vokalizál *[mássalhangzót]* **B.** *tni zene* vokalizál • *fn* **vocalization**
vocation [voʊˈkeɪʃn] *fn* **1.** hivatás, pálya, foglalkozás, mesterség, szakma **2.** *vall* elhivatás, elhivatottság *[egyházi pályára stb.]*
vocational [voʊˈkeɪʃnəl] *mn* **1.** hivatási, hivatásszerű; **~ guidance** pályaválasztási tanácsadás **2.** szakmai, szak-; **~ education** szakképzés; **~ school** szakiskola; **~ training** szakmai képzés, szakképzés, szakoktatás
vocative [ˈvɒkətɪv ‖ ˈvɑ–] *nyelv fn* megszólító eset, vocativus
vociferate [voʊˈsɪfəreɪt] *tsi/tni* kiabál, ordít, üvölt, bömböl • *fn* **vociferation**, **vociferator**
vociferous [voʊˈsɪfərəs] *mn* **a)** lármázó, lármás, kiabáló, ordító, üvöltő **b)** hangos, zajos, lármás
vodka [ˈvɒdkə ‖ ˈvɑdkə] *fn* vodka
vogue [voʊg] *fn* **a)** divat; **it's all the ~** ez most a menő v. nagy szám; **come into ~** divatba jön **b)** népszerűség, felkapottság, divat; **be in ~** divatos, felkapott • *mn* **vogueish**
vogue word *fn* divatszó
voice [vɔɪs] **I.** *fn* **1.** hang; **~ change** hangváltozás, mutáció; **raise one's ~** felemeli hangját; **in a low ~** halkan; **in a gentle ~** szelíd/lágy hangon **2.** *zene* **~ (part)** szólam **3.** *nyelv* zöngés hang, zönge **4.** *átv* hang, szó; **raise one's ~ against sg** felemeli szavát vm ellen; **give ~ to sg** kifejezést ad vmnek **5. a)** vélemény, beleszólás; **have no ~ in sg** nincs beleszólása vmbe; **with one ~** egyhangúlag **b)** szavazat; **give one's ~ for sg** vmre szavaz **6.** *nyelv* igenem; **active ~** cselekvő igenem; **passive ~** szenvedő igenem **II.** *tsi* **1.** kifejez, kimond (vmt), hangot ad (vmnek); **~ one's concerns** aggodalmának ad hangot **2.** *zene* hangol *[orgonát]* **3.** *nyelv* zöngésít, zöngésen ejt *[mássalhangzót]*
voice box *fn nyelv* gégefő
-voiced [vɔɪst] *előtag* -hangú; **soft~** lágyhangú
voiced [vɔɪst] *mn nyelv* zöngés; **~ consonant** zöngés mássalhangzó
voiceless [ˈvɔɪsləs] *mn* **1. a)** hangtalan, néma **b)** (időlegesen) hangját vesztett, hangtalan **2.** *nyelv* zöngétlen • *fn* **voicelessness** *hsz* **voicelessly**
voicemail *fn* hangposta
voice-over *fn* (hang)rámondás, kommentár
void [vɔɪd] **I.** *mn* **1.** üres; **~ space** üres tér **2.** megüresedett, el nem foglalt *[állás, lakás stb.]*; **fall ~** megürül **3.** mentes (*of* vmtől), nélküli, nélkülöző (vmt); **be ~ of sg** nélkülöz (vmt), nincs/hiányzik vmje; **~ of sense** értelmetlen, esztelen **4.** *jog* érvénytelen, semmis; **null and ~** semmis; **become ~** érvénytelenné válik **5.** hiábavaló, haszontalan, értéktelen **II.** *fn* **a)** űr, üresség, (lég)üres tér, vákuum, hézag; **fill the ~** betölti/kitölti az űrt **b)** *átv* üresség (érzete), űr; **his death has left a ~ in our lives** halála űrt hagyott életünkben **III.** *tsi jog* érvénytelenít, megsemmisít *[szerződést stb.]*
voidable [ˈvɔɪdəbl] *mn jog* megtámadható, megsemmisíthető, érvényteleníthető *[szerződés stb.]*
voidance [ˈvɔɪdns] *fn* **1.** üresedés, megürülés, betöltetlenség *[állásé, hivatalé]* **2.** *jog* érvénytelenítés, megsemmisítés
voidness [ˈvɔɪdnəs] *fn* **1.** üresség **2.** érvénytelenség, semmisség
voile [vɔɪl] *fn tex* fátyol(szövet), voál
voivode [ˈvɔɪvoʊd] *fn tört* vajda
vol. *röv volume* kötet, köt., k., évfolyam, évf.
volatile [ˈvɒlətaɪl ‖ ˈvɑlətl] *mn* **1.** *vegy* illékony, illanó, illó, *[gyorsan]* párolgó **2.** változékony, szeszélyes • *fn* **volatility**
volatile oil *fn* illóolaj
volcanic [vɒlˈkænɪk ‖ vɑl–] *mn* **1.** vulkáni, vulkanikus; **~ ash** vulkáni hamu; **~ cone** vulkáni kúp; **~ eruption** vulkánkitörés; **~ rock** vulkáni kőzet **2.** *biz* lobbanékony, heves *[természet]* • *fn* **volcanicity**
volcano [vɒlˈkeɪnoʊ ‖ vɑl–] *fn* tűzhányó, vulkán; **active ~** működő tűzhányó; **extinct ~** kialudt tűzhányó/vulkán; kiélt/kiégett ember
vole [voʊl] *fn* **1.** pocok **2.** → **water vole**
volition [voʊˈlɪʃn] *fn* akarás, akarat • *mn* **volitional**, **volitive**

volley ['vɒli ‖ 'vɑli] **I.** *fn* **1. a)** *kat* sortűz **b)** zápor *[ütéseké, köveké stb.]*; **a ~ of arrows** nyílzápor **2.** *átv biz* (szó)áradat, özön **3.** *sp* **a)** röpte *[teniszben]* **b) ~ shot** kapáslövés *[futballban]* **II. A.** *tsi* **1.** megdobál (vkt) **2.** *kat* sortüzet zúdít (vmre) **3.** *biz* áraszt, zúdít *[sértéseket stb. vkre]* **4.** *sp* röptézik *[teniszben]*, kapásból lő *[futballban]* **B.** *tni* **1.** *kat* egy időben lő, sortüzet ad/lő **2.** *biz* eldördül *[sortűz]* **3.** *sp* röptézik *[teniszben]* • *fn* **volleyer**, **volleying**

volplane ['vɒpleɪn ‖ 'vɑl–] **I.** *tni* vitorlázik *[repülőgéppel]* **II.** *fn* vitorlázórepülés, siklórepülés

vols. *röv volumes*

volt [voʊlt] *fn fiz vill* volt; ‹az elektromos feszültség SI egysége›

voltage ['voʊltɪdʒ] *fn vill* (elektromos) feszültség; **high ~** magasfeszültség

voltameter ['voʊltmiːtə ‖ –ər] *fn fiz vill* voltmérő, feszültségmérő

volte-face [ˌvɒlt'fɑːs ‖ ˌvɔlt'fɑs] *fn* **a)** hirtelen fordulat, megfordulás, szembefordulás **b)** *átv* pálfordulás, hirtelen fordulat

voluble ['vɒljʊbl ‖ 'vɑljə–] *mn* **1.** (gyorsan) pergő, gyors, szapora, gördülékeny *[beszéd]* **2.** bőbeszédű, szószátyár, beszédes *[ember]* • *fn* **volubility**

volume ['vɒljuːm ‖ 'vɑljəm] *fn* **1. a)** kötet, könyv; **~ one** első kötet; *átv* **speaks ~s** sokatmondó, beszédes (*for* vmvel kapcsolatban) **b)** évfolyam *[újságé, folyóiraté]* **2.** (nagy) mennyiség, tömeg; **the ~ of exports** exportvolumen **3. a)** *fiz* térfogat, űrtartalom, volumen, befogadóképesség; **~ contraction** térfogatcsökkenés, térfogat-összehúzódás **b)** *fiz távk* hangerő, hangerősség

volume control *fn* hangerő-szabályozó

volumetric [ˌvɒljʊ'metrɪk ‖ ˌvɑljə–] *mn fiz vegy* térfogatmérési, térfogat-; **~ analysis** térfogatos elemzés, titrimetria

voluminous [və'luːmɪnəs] *mn* **1.** terjedelmes, nagyméretű, nagy/sok helyet elfoglaló *[tárgy]*, terjengős *[előadás]* **2.** többkötetes, sokkötetes **3.** termékeny *[író]* • *fn* **voluminosity**, **voluminousness**

voluntarily ['vɒləntərəli ‖ ˌvɑlən'terəli] *hsz* önként(esen), saját akaratából

voluntary ['vɒləntəri ‖ 'vɑlənteri] **I.** *mn* **1.** önkéntes, szabad/saját elhatározásból történő; **~ exile** önkéntes száműzetés, emigráció **2.** akaratlagos, szándékos; **~ homicide** szándékos emberölés **3.** spontán *[nevetés stb.]* **4.** *orv* **~ muscles** harántcsíkolt izom **II.** *fn zene* orgonaszóló *[istentisztelet előtt vagy után]* • *fn* **voluntariness**

volunteer [ˌvɒlən'tɪə ‖ ˌvɑlən'tɪr] **I.** *fn* **1.** önkéntes, önként jelentkező **2.** *növ* **~ plants** vadon termő növények **II. A.** *tsi* önként jelentkezik, önként felajánl *[szolgálatokat]*, ajánlkozik (vmre); **~ one's help** önként felajánlja segítségét **B.** *tni* **a)** önként jelentkezik, ajánlkozik, szolgálatait felajánlja **b)** *kat* önkéntesnek jelentkezik

volunteer army *fn* önkéntes hadsereg, önkéntesekből álló hadsereg

voluptuary [və'lʌptʃʊəri ‖ –tʃueri] *fn/mn* kéjenc, élvhajhász

voluptuous [və'lʌptʃʊəs] *mn* kéjes, érzéki, kéjvágyó, kéjsóvár, buja; **a ~ glance** kéjes pillantás; **a ~ lip** érzéki ajak • *fn* **voluptuousness**

volute [və'luːt] *fn* **1.** *épít* csiga(dísz), voluta *[jón oszlopfőn]* **2.** csigavonal *[csigák héján]* **3.** *áll* redőscsiga • *mn* **voluted**

vomit ['vɒmɪt ‖ 'vɑ–] **I. A.** *tsi* **1. ~ (up)** (ki)hány, (ki)okád; **~ blood** vért hány **2. a) ~ (out/forth)** ont, okád, zúdít **b)** *átv* szór, zúdít, (el)áraszt; **~ insults** sértéseket zúdít, szitkokat szór **B.** *tni* **1.** hány, okád **2.** kitör, tüzet okád *[tűzhányó]* **II.** *fn* hányás, hányadék

voodoo ['vuːduː] **I.** *fn* **1.** vudu, mágia, varázslat *[az Antillákon]* **2.** vudu varázsló; **~ (doctor/priest)** varázsló/mágus **II.** *tsi* vudu varázslattal/mágiával megbabonáz/megront, elvarázsol • *fn* **voodooism**

voracious [və'reɪʃəs] *mn* falánk, telhetetlen; **~ appetite** farkasétvágy; *átv* **~ reader** mohó olvasó, könyvfaló • *fn* **voracity** *hsz* **voraciously**

vortex ['vɔːteks ‖ 'vɔr–] *fn tsz* **~es** v. **vortices** ['vɔːtɪsiːz ‖ 'vɔr–] **a)** örvény(lés) **b)** *átv* kavargás, örvénylés, *[mindent elnyelő]* forgatag; **the ~ of war** a háború forgataga • *mn* **vortical**

votary ['voʊtəri] *fn* **a)** vknek/vmnek a híve/tisztelője/rajongója/megszállottja, követő, pártfogó; **~ of art** a művészet rajongója (/pártfogója) **b)** *[fogadalmat tett]* szerzetes

vote [voʊt] **I.** *fn* **1. a)** szavazás; **open ~** nyílt szavazás; **popular ~** népszavazás; **secret ~** titkos szavazás; **~ of no confidence** bizalmatlansági szavazás; **take a ~ (on sg)** szavazást tart vmről; **put sg to the ~** szavazásra bocsát vmt **b)** szavazat; **cast a ~** szavaz; **give one's ~ to/for sy** vkre szavaz; leadja a szavazatát vkre **2. the vote** szavazati jog, szavazójog, választójog; **have the ~** szavazójoggal rendelkezik **3. a)** indítvány, határozati javaslat, határozat; **carry a ~** elfogad egy határozatot (v. határozati javaslatot) **b)** *jog* hitel; **the Army ~** katonai hitelek **II. A.** *tsi* **1. a)** szavaz (*for* vkre/vmre); **~ Democrat** a demokratákra/demokratákkal szavaz **b)** megszavaz **2.** nyilvánít, minősít (vmnek); **the public voted the new play a success** a közönség sikeresnek tartotta az új darabot **3.** *biz* javasol, indítványoz **B.** *tni* szavaz, leadja a szavazatát, voksol, részt vesz a szavazásban; **~ by (a) show of hands** kézfelemeléssel szavaz; **~ in the affirmative** igennel szavaz; *biz* **~ with one's feet** távolmaradásával/jelenlétével tüntet

vote down *tsi* leszavaz, elutasít (vmt)

vote for *tsi* **~ for sy/sg** vkre/vmre szavaz

vote in, **vote into** *tsi* beválaszt (vkt vhova), (meg)választ (vkt vmnek)

vote out *tsi* szavazással kizár/eltávolít

voter ['voʊtə ‖ –ər] *fn* **1.** szavazó **2.** választó

voting ['voʊtɪŋ] **I.** *fn* szavazás, választás **II.** *mn* szavazó, szavazati joggal rendelkező; **members present and ~** a jelenlevő és szavazati jogukkal élő tagok

voting age *fn* választójogi korhatár

voting machine *fn* szavazógép, szavazatszámláló berendezés

voting right *fn* választójog, szavazati jog

votive ['voʊtɪv] *mn* fogadalmi; **~ offering** fogadalmi felajánlás

vouch [vaʊtʃ] *tni* **~ for** biztosít (vmről); jótáll, kezeskedik, felel (vkért, vmért)

voucher ['vaʊtʃə ‖ –ər] *fn* **1.** utalvány, kupon; **lunch ~** ebédjegy **2.** *gazd* elismervény, térítvény, bon; **~ for receipt** nyugta **3.** jótálló, kezes

vouchsafe [vaʊtʃ'seɪf] *tsi* **1.** kegyeskedik, méltóztatik *[vmt tenni]*, méltat (vkt vmre); **~ to do sg** nagy kegyesen megcsinál vmt **2.** megenged, engedélyez (*sy sg* vknek vmt), teljesít *[kérést]*

vow [vaʊ] **I.** *fn* fogadalom, *[ünnepélyes]* ígéret, (hűség)eskü; **a ~ of celibacy** nőtlenségi fogadalom; **make/take a ~ to do sg** megfogadja/megesküszik, hogy megtesz vmt; **take ~s** szerzetesi fogadalmat tesz, szerzetesnek megy; **keep a ~** esküt/fogadalmat megtart; **break a ~** megszegi esküjét/fogadalmát; **be under a ~ to do sg** köti a fogadalom **II.** *tsi* **1. a)** (ünnepélyesen) megfogad (vmt), fogadalmat tesz (vmre); **~ obedience** engedelmességet fogad **b)** fogadkozik, szentül ígér **2.** *régi* (ünnepélyesen) kijelent, állít, bizonygat (vmt); **he vowed he would never return** kijelentette, hogy többé nem jön vissza • *fn* **vower**

vowel ['vaʊəl] *fn* magánhangzó; **~ system** magánhangzórendszer • *mn* **vowelled**, **vowelless**, **vowel-like**

vowel gradation *fn nyelv* apofónia, (tő)hangzóváltás, ablaut

vowel harmony *fn nyelv* magánhangzó-harmónia, hangrendi illeszkedés

vowelize ['vaʊəlaɪz], **-ise** *tsi nyelv* pontoz *[héber/arab szöveget]*

vowel mutation *fn nyelv* ‹magánhangzó palatálissá válása› magánhangzó-változás, umlaut
vowel point *fn nyelv* magánhangzót jelölő pont, diakritikus jel *[sémi nyelvekben]*
vox pop [ˌvɒks ˈpɒp ‖ ˌvɑks ˈpɑp] *fn GB biz* utcai interjú; ‹interjú az utca emberével›
vox populi [ˌvɒks ˈpɒpjʊlaɪ ‖ ˌvɑks ˈpɑpjə–] *fn* a közvélemény, a nép hangja
voyage [ˈvɔɪɪdʒ] **I.** *fn* **a)** tengeri/űrbéli utazás, hajóút, űrutazás, átkelés; **maiden ~** első út *[hajóé]* **b)** *átv* utazás, út **II. A.** *tsi* átkel (vmn), átszel (vmt) **B.** *tni* utazik *[hajón, űrhajón]*, hajózik, tengeri/űrbéli utazást tesz
voyager [ˈvɔɪɪdʒə ‖ –ər] *fn* utas *[hajóé, űrhajóé]*
voyeur [vwɑːˈjɜː ‖ –ˈjɜr] *fn* **a)** kukkoló, voyeur **b)** néző, passzív szemlélő • *fn* **voyeurism** *mn* **voyeuristic**
VR *röv* **1.** Victoria Regina, *Queen Victoria* **2.** *virtual reality* virtuális valóság, látszatvalóság
vroom [vruːm] **I.** *fn* berregés, zakatolás *[motoré, járműé]* **II.** brrr **III. A.** *tsi* felpörget, túráztat *[motort]* **B.** *tni* **1.** berreg, zakatol *[motor]* **2.** gyorsan (el)halad, elszáguld, elhúz
vs. *röv* versus; *against*
V-sign *fn* **1.** *(= victory sign) [kifelé fordított tenyérrel]* győzelem jele **2.** *GB durva [befelé fordított tenyérrel]* le vagy szarva
VSOP, **V.S.O.P.** *röv very special old pale* (hosszú ideig érlelt brandy)
Vt., **VT** *röv US Vermont*
VTOL [ˈviːtɒl ‖ ˈviːtɔl] *röv rep vertical take-off and landing* függőleges fel- és leszállás
vulcanite [ˈvʌlkənaɪt] *fn* vulkanizált kaucsuk, ebonit, keménygumi; **~ pavement** kátrányos aszfalt útburkolat
vulcanize [ˈvʌlkənaɪz], **-ise** *tsi ip* vulkanizál • *fn* **vulcanization** *mn* **vulcanized**
vulgar [ˈvʌlgə ‖ –ər] *mn* **1.** közönséges, trágár, vulgáris **2.** közkeletű, általánosan használt/elfogadott, mindennapi • *hsz* **vulgarly**
vulgar fraction *fn mat* közönséges tört
vulgarian [vʌlˈgeərɪən ‖ –ˈger–] *fn* **1.** közönséges ember, átlagember **2.** műveletlen ember, felkapaszkodott, újgazdag
vulgarism [ˈvʌlgərɪzm] *fn* **a)** közönséges/otromba viselkedés, közönségesség **b)** közönséges/durva kifejezés/beszéd, vulgarizmus
vulgarity [vʌlˈgærəti] *fn* **1.** közönségesség, közönséges/otromba viselkedés **2.** útszéli/durva megjegyzés/kifejezés
vulgarize [ˈvʌlgəraɪz], **-ise** *tsi* **1.** közönségessé tesz **2.** eldurvít, vulgarizál *[stílust stb.]* **3.** népszerűsít *[tudományt, eljárást stb.]* • *fn* **vulgarization**
Vulgar Latin *fn* köznépi/vulgáris latin (nyelv)
vulgar tongue *fn* köznyelv, a nép nyelve
vulgate [ˈvʌlgeɪt] *fn* **1.** *ir.tud* vulgataszöveg, hagyományos szöveg **2. a)** *vall* **the V~** a Vulgata; ‹a Szentírás IV. századból való latin fordítása melyet a római katolikus egyház hitelesnek ismer el› **b)** ‹római katolikus latin szöveg 1592-es átirata›
vulnerability [ˌvʌlnərəˈbɪləti] *fn* **a)** sebezhetőség **b)** *átv* vknek/vmnek gyenge/sebezhető pontja
vulnerable [ˈvʌlnərəbl] *mn* **a)** sebezhető, megsebesíthető **b)** *átv* gyenge, (meg)támadható, sebezhető *[pont]*
vulpine [ˈvʌlpaɪn] *mn* **1.** rókaszerű **2.** ravasz, agyafúrt
vulture [ˈvʌltʃə ‖ –ər] *fn* **1.** *áll* keselyű **2.** *átv* hiéna *[ember]* • *mn* **vulturish**, **vulturous**
vulturidae [vʌlˈtjʊərɪdiː ‖ –ˈtʊr–] *fn tsz áll* keselyűfélék
vulturine [ˈvʌltʃəraɪn] *mn áll* keselyűszerű
vulva [ˈvʌlvə] *fn orv* női nemi szerv • *mn* **vulval**, **vulvar**
vv., **v.v.** *röv* **1.** *verses* **2.** *vice versa* **3.** *(first and second)violins* **4.** *volumes*
vying [ˈvaɪɪŋ] **I.** *mn* versengő, versenyző **II.** *fn* versengés, versenyzés; → **vie**

W[1], w [ˈdʌbljuː] *fn tsz* **W's** W, w, dupla vé (betű); **W for Whisky** W mint William

W[2], w *röv* **1.** *Wales* **2.** *Washington* **3.** *Watt(s)* **4.** *Wednesday* **5.** *week* **6.** *Welsh* **7.** *West(ern)* **8.** *wicket(s)* **9.** *width* **10.** *wife* **11.** *with*

W3 *röv fn infor* → **WWW**

WA *röv* **1.** *Washington* **2.** *Western Australia* **3.** *West Africa*

wabble [wɔbl] → **wobble**

wacko [ˈwækou] *fn/mn US szl [bolond/őrült ember]* gyagya, gyogyós

wacky [ˈwæki] *mn szl [bolond/különc]* félnótás, dilis, lökött, buggyant

wad [wɒd ‖ wɑd] **I.** *fn* **1.** vatta(csomó), (rongy)csomó **2.** *kat* fojtás, tömítőanyag *[lőfegyverbe]* **3.** kis puha dugó/golyó **4. a)** *US biz* bankjegyköteg **b)** *szl [sok pénz]* egy kalap/rahedli zsozsó/zseton **5.** *GB szl [szendvics]* szenya **II.** *tsi* **-dd- 1. a)** vattával/kóccal tömít, betöm; **~ one's ears** vattát tesz a fülébe, bedugaszolja a fülét **b)** vattával bélel, vattáz, kipárnáz *[ruhát stb.]* **c)** összegyúr, galacsinná gyúr, csomóba présel **2.** *kat* fojtással ellát/tömít, (el)fojt *[lőfegyvert]*, fojtást tesz *[puskába]* • *mn* **wadded**

wadable [ˈweɪdəbl] *mn* átgázolható *[folyó stb.]*

wadding [ˈwɒdɪŋ ‖ ˈwɑ–] *fn* **1. a)** vattabélés, vatelin **b)** vattacsomó **2.** *kat* fojtás *[puskába]*

waddle [ˈwɒdl ‖ ˈwɑdl] **I.** *tni* totyog, kacsázik, döcög, tipeg **II.** *fn* totyogás, kacsázás tipegés, döcögés • *fn* **waddler**

waddy [ˈwɒdi ‖ ˈwɑdi] **I.** *fn Ausz* (ólmos)bot, fütykös **II.** *tsi* megüt, leüt (vkt)

wade [weɪd] **I. A.** *tsi* **a)** átgázol *[folyón, patakon]* **b)** átgázoltat *[lovat folyón]* **B.** *tni* gázol *[vízben]*; *átv* vergődik, botladozik, csetlik-botlik; **~ across a stream** átgázol egy folyón; **~ in the pool** pocskol/tocsog pocsolyában *[gyerek]*; **~ in** nekimegy (vkinek), megtámad (vkt); hozzákezd/nekikezd (vmnek); részt vesz vmben; *US biz* **~ into sy** megtámad vkt/vmt; **~ through** átgázol, átvergődik *[nehéz munkán]*; **~ through a book** átrágja magát egy könyvön **II.** *fn* átgázolás, gázlón áthaladás • *fn/mn* **wading** *mn* **wadable**

wader [ˈweɪdə ‖ –ər] *fn* **1.** gázlómadár **2.** vízben gázoló/járó ember **3.** *tsz* **waders** derékig érő gumicsizma

wadi [ˈwɒdi ‖ ˈwɑdi] *fn tsz* **wadis, wadies** *földr* ‹csak eső után nedves folyómeder› vádi, aszó *[Szaharában]*

wading bird *fn áll* gázlómadár

wady [ˈwɒdɪ ‖ ˈwɑdɪ] → **wadi**

w.a.f. *röv GB with all faults*

wafer [ˈweɪfə ‖ –ər] **I.** *fn* **1.** (göngyölt) ostya, vafli *[fagylalthoz]* **2.** *vall* (szent) ostya **3.** *orv* ostya *[gyógyszergyártásban]* **4. a)** *régi* levélzáró ostya **b)** (piros) papírpecsét *[okmányon/levélen]* **II.** *tsi* ostyával leragaszt/lepecsétel/lezár *[levelet]* • *mn* **wafery**

wafer-thin *mn* nagyon vékony, hártyavékony

waffle[1] [ˈwɒfl ‖ ˈwɑfl] *fn gaszt* gofri

waffle[2] [ˈwɒfl ‖ ˈwɑfl] *biz* **I.** *fn [mellébeszélés]* duma **II.** *tni* **1.** *[mellébeszél]* süketel **2.** habozik, bizonytalankodik, vacillál • *fn* **waffler**

waffle iron *fn* ostyasütő (vas), gofrisütő

waft [wɑːft ‖ wæft] **I. A.** *tsi* fúj, lebegtet, (el)sodor *[víz, szél]*; **the leaves were ~ed along by the breeze** a szellő tovább sodorta a faleveleket; **a distant song was ~ed to our ears** egy távoli dalt hozott felénk a szél **B.** *tni* sodródik, lebeg **II.** *fn* **1. a)** fuvallat, szélfúvás, széllökés, szellő **b)** foszlány *[illaté, zenéé]* **2.** *hajó* zászlójelzés

wag[1] [wæg] **I. -gg- A.** *tsi* mozgat *[végtagot]*, lenget, lendít *[kart]*, csóvál *[fejet, farkot]*, billent, biccent, ráz *[fejet]*, ide-oda mozgat; **~ its tail** farkát csóválja; **the tail ~s the dog** a farok csóválja a kutyát, kis/jelentéktelen emberek irányítanak; **~ one's tongue/chin** jártatja a száját, fecseg, locsog; **~ one's finger at sy** ujjával megfenyeget vkt; **~ one's head** fejét csóválja/rázza; fejét ingatja *[öregesen]* **B.** *tni* mozog, jár, leng, lendül *[végtag]*, rezeg, remeg *[fej]* **II.** *fn* mozgatás *[végtagé]*, lengetés, lendítés *[karé stb.]*, csóválás *[fejé, faroké]*, billentés, biccentés, rázás *[fejé]*; **with a ~ of its tail** farkcsóválva

wag[2] [wæg] *fn* **1.** kópé, tréfamester, bohóc, komédiás **2.** *[iskolakerülő]* lógós; *GB biz* **play the ~** lóg a suliból

wage [weɪdʒ] **I.** *fn* **1. a)** (munka)bér, munkadíj; **minimum ~** minimálbér **b)** *tsz* **wages** *közg* munkabér, díjazás, fizetség, kereset; **earn good ~s** jól keres **2.** *régi* jutalom, kárpótlás, viszonzás; *bibl* **the ~s of sin is death** a bűn jutalma/zsoldja a halál **II.** *tsi átv* **~ war on sy** háborút indít/folytat/visel vk ellen, háborúskodik vkvel; *US* **~ the peace** megőrzi a békét

wage bill *fn közg* (vállalati) munkabérösszeg

wage bracket *fn* bérkategória

wage claim *fn* bérkövetelés

wage-cut *fn* bércsökkentés

wage-differential *fn közg* munkabérkülönbségek, munkabér-különbözetek

wage earner *fn* **1.** *közg* munkavállaló, bérmunkás, bérből/fizetésből élő **2.** kenyérkereső, családfenntartó • *mn* **wage-earning**

wage freeze *fn közg* bérbefagyasztás, bérrögzítés

wager [ˈweɪdʒə ‖ –ər] **I.** *fn* **1. a)** fogadás; **lay/make a ~** fogad(ást köt); **take up a ~** tartja a fogadást **b)** fogadás tétje **2.** *tört* **~ of battle** istenítélet bajvívással **II.** *tsi* **1.** fogad, megtesz, kockáztat *[pénzt]* **2.** fogad (vmbe); **I ~ the fault is yours** fogadok, hogy te vagy a hibás

wages council *fn GB* béregyeztető bizottság

wage settlement *fn közg* bérmegállapodás

wages floor *fn közg* minimálbér

wage slave *fn* bérrabszolga

waggery [ˈwægəri] *fn* **a)** tréfa, bohóság, móka **b)** tréfálkozás, bolondozás, mókázás

waggish [ˈwægɪʃ] *mn* huncut, tréfás, tréfálkozó, viccelő, bohókás, bolondozó • *fn* **waggishness** *hsz* **waggishly**

waggle [ˈwægl] **I. A.** *tsi* **a)** *biz* mozgat, lenget, lendít *[végtagot]*, csóvál, billeget *[fejet, farkot]*, billent, biccent, ráz *[fejet]* **b)** *sp* meglendít, lenget *[golfütőt ütés előtt]* **B.** *tni* **a)** *biz* mozog, jár *[fej, farok]*, lendül *[végtag]* **b)** lötyög, billeg, kacsázik, inog **II.** *fn* **a)** *biz* mozgatás, lengetés, lendítés *[karé]*, csóválás, billegetés *[fejé, faroké]*, billentés, biccentés, rázás *[fejé]* **b)** *sp* lendítés, lengetés *[golfütőé ütés előtt]*

waggly [ˈwægli] *mn* **1.** kanyargó *[ösvény stb.]* **2.** bizonytalanul álló *[bútordarab]*

waggon [ˈwægən] *GB* → **wagon**

Wagnerian [vɑːgˈnɪərɪən ‖ vɑgˈnɪrɪən] **I.** *mn zene* wagneri **II.** *fn* wagneriánus, Wagner-rajongó

wagon [ˈwægən] *fn* **1. a)** (teher)kocsi, (tár)szekér; **covered ~** ekhós szekér; *US biz* **be on the (water-)~** nem iszik szeszes italt, antialkoholista **b)** kis (teher)autó/kocsi **c)** *gk biz* kombi **2.** *vasút* teherkocsi, tehervagon; **flat ~** pőrekocsi; **insulated/refrigerator ~** hűtőkocsi **3.** szervírozó kocsi; **fix sy's ~** ellátja a baját vknek, elintéz vkt

wagoner [ˈwægənə ‖ –ər] *fn* **1.** fuvaros, fuvarozó, szállítmányozó, szekeres, kocsis **2.** *csill* **the W~** Auriga, Szekeres

wagonette [ˌwægəˈnet] *fn* négykerekű kis kocsi/hintó, négykerekű társaskocsi

wagon-lit [ˌvægɒ'liː ‖ ˌvɑgə–] **wagons-lits** *vasút fn* hálókocsi
wagonload *fn* egy szekérnyi
wagon roof *fn épít* dongaboltozat(os tető)
wagon train *fn kat* szekérkaraván *[telepeseké]*
wagon vault *fn épít* dongaboltozat
wagtail *fn áll* barázdabillegető
wahine [wɑː'hiːni ‖ –neɪ] *fn ÚjZ* **a)** nő **b)** feleség
wah-wah ['wɑːwɑː] *fn zene* ‹trombitán hangfogóval, elektromos gitáron pedállal elért hangeffektus›
waif [weɪf] *fn* **1. a)** elhagyott gyerek, lelenc; **~s and strays** (i) elhagyott gyerekek, lelencek (ii) *átv* kacatok **b)** hajléktalan/elhagyott ember **2.** *jog* bitang jószág, gazdátlan/talált tárgy • *mn* **waifish**
wail [weɪl] **I. A.** *tsi* **a)** (meg)sirat, gyászol (vkt) **b)** panaszkodik, kesereg, jajveszékel (vm miatt); **~ one's sorrows** elsírja bánatát **B.** *tni* **1.** jajgat, jajveszékel, siránkozik, sír; **~ over sg** sír/kesereg vm miatt **2.** sikolt, visít, ordít, üvölt, bömböl **II.** *fn* **a)** jajgatás, jajveszékelés, nyöszörgés, siránkozás *[élőlényé]*, jajgatás, zúgás, üvöltés *[szélé]* **b)** sírás *[újszülötté]* • *fn* **wailer** *fn/mn* **wailing**
wailful ['weɪlfl] *mn* jajveszékelő *[hang]*, panaszos *[kiáltás]*
Wailing Wall *fn vall* Siratófal *[Jeruzsálemben]*
wain [weɪn] *fn* **1.** (négykerekű fedett hosszú) szekér, társzekér, áruszállító kocsi **2.** *csill* **Charles's W~, the W~** Göncölszekér, Nagymedve
wainscot ['weɪnskət] **I.** *fn* faburkolat, falborítás, lambéria **II.** *tsi* burkol, borít, tábláz *[szobafalat]*; **~ed room** faburkolatú/márványborítású szoba • *fn* **wainscot(t)ing**
wainwright ['weɪnraɪt] *fn* kocsigyártó, bognár
waist [weɪst] *fn* **1. a)** derék *[emberé]*; *biz* **have no ~** nincs dereka, derékban széles **b)** derékbőség **2.** összeszűkülő/elkeskenyedő középrész *[hegedűé, homokóráé stb.]* szűkület *[csőé]* **3.** *hajó* tornác, hajóközép, középső fedélzet **4. a)** derék *[ruháé]*; **darted ~** sveifolt derék; **dress with a long ~** hosszított derekú ruha **b)** *US* blúz, ingváll, ruhaderék • *mn* **waisted, waistless**
waistband *fn* övszalag *[szoknyáé]*, övrész *[nadrágé]*
waistcloth *fn* ágyékkötő
waistcoat ['weɪskout ‖ 'weskət] *fn* mellény; **double-breasted ~** kétsoros mellény; **sleeved ~** ujjas mellény
waist-deep I. *mn* derékig érő **II.** *hsz* derékig
waist-high → **waist-deep**
waistline *fn* derékvonal, derékbőség; *biz* **his ~ is expanding** pocakosodik
wait [weɪt] **I. A.** *tsi* **1. a)** vár(akozik)/les (vkre/vmre); **~ one's chance** alkalomra vár **b)** megvár/bevár vkt **2. ~ a meal for sy** vk megérkezéséig vár egy étkezéssel **3. ~ (at) table** (asztalnál) felszolgál **B.** *tni* **1.** vár, várakozik; **~ a moment** várjon egy pillanatig/kicsit; **~ a minute!** várj(on) egy percet!, állj(on) meg!, várjunk csak!; **this cannot ~** ez nem várhat, sürgős; **~ and see** majd meglátod, várd ki a végét; **keep sy ~ing** megvár(akozt)at vkt; **he did not ~ to be told twice** nem hagyta magának (v. nem kellett neki) kétszer mondani; *biz* **~ till the cows come home** majd ha fagy, holnapután kiskedden; **repairs while you ~** javítások megvárhatók; *közm* **everything comes to him who ~s** türelem rózsát terem; **you (just) ~!** csak vigyázz!, majd meglátod! *[fenyegetésként]*; **I can't ~** (i) alig várom (ii) *iron* ez minden vágyam; **~ and see!** majd meglátjuk/elválik!, várjuk ki a végét! **2.** *gk* várakozik, parkol **3.** felszolgál *[asztalnál]*; **~ on a table** (asztalnál) felszolgál **II.** *fn* **1. a)** várás, várakozás, várakozási idő **b) lie in ~ for sy/sg** les/vár vkre/vmre, leskelődik vkre/vmre **2.** *tsz* **waits** *GB régi* **a)** ‹karácsonyesti/szilveszteri utcai énekes/zenész› **b)** városi/helyi zenekar **3.** *szính* felvonásköz
wait about *tni* sokáig vár(akozik) *[egy helyen]*
wait around *US* → **wait about**
wait for *tni* **a) ~ for sy/sg** vár vkre/vmre; **I will ~ for you at the gate** várok rád a kapunál, a kapunál várlak **b)** készenlétben áll, vár; **~ for a signal** jelre/jeladásra vár
wait off *tni sp* tartogatja az erejét
wait on *tni* **1.** felszolgál (vknek), kiszolgál (vkt) **2. a)** tiszteletét teszi, jelentkezik (vknél) **b) ~ on sy for orders** rendelkezésére áll vknek (vk) **3.** *átv* kísér, követ, nyomában van; **may good luck ~ on you** jószerencse kísérjen **4. ~ on** tovább vár, még mindig vár
wait up *tni* **1.** fennmarad, nem fekszik le **2.** megvár, bevár; **~ up!** várj(atok) meg!
wait upon → **wait on**
waiter ['weɪtə ‖ –ər] *fn* **1.** pincér, felszolgáló **2.** váró/várakozó személy **3.** tálalótálca
waiting ['weɪtɪŋ] **I.** *fn* **1.** várás, várakozás; **after two hours' ~** két órai várakozás után; *gk* **no ~** megállni tilos! **2.** szolgálat, kiszolgálás, felszolgálás; **in ~** szolgálatban; **lady in ~** udvarhölgy **II.** *mn* **1.** váró, várakozó, várakozásban levő; **a ~ attitude** várakozó magatartás; **a ~ policy** a várakozás politikája, attentizmus **2.** felszolgáló, kiszolgáló
waiting game *fn* ‹a legkedvezőbb pillanatra várás politikája/stratégiája› kivárás
waiting list *fn* várólista
waiting room *fn* váróterem, városzoba
waitress ['weɪtrəs] *fn* pincérnő, pincérlány
waive [weɪv] *tsi* lemond *[igényről, jogról]*, eláll *[követeléstől]*, felad, félretesz *[elvet]*, nem ragaszkodik *[feltételhez, elvhez]*; **~ a right** jogot felad • *fn* **waiving**
waiver ['weɪvə ‖ –ər] *fn* **1.** *jog* **~ (of a right)** lemondás *[jogról]*, jogfeladás; **~ clause** ügylettől elállás/visszalépés kikötése **2.** lemondó nyilatkozat **3.** *okt* felmentés
wake[1] [weɪk] **I.** *pt* **woke** [wouk], *pp* **woken** ['woukn] **A.** *tsi* **1. a) ~ sy (up)** felébreszt/felkelt vkt *[alvásból, álomból]*; **~ me at seven** keltsen/ébresszen fel hétkor; **~-up call** telefonébresztés; *átv* vészjel, figyelmeztető **b) ~ the dead** feltámasztja (v. életre kelti) a halottakat **2.** felráz, felserkent, sarkall; **the shock seemed to ~ him up** úgy látszott, hogy a megrázkódtatás felrázta/felserkentette **3.** felébreszt, (fel)kelt, támaszt *[érzelmet]*, felidéz *[emléket]*; **~ passions** szenvedélyeket kelt/támaszt (v. ébreszt fel); **~ memories of the past** felidézi a múlt emlékeit **4.** megzavar, megtör *[csendet]* **5.** *[halott mellett]* virraszt **B.** *tni* **1.** virraszt, ébren van/marad, fenn van, fennmarad; **waking or sleeping** ébren vagy álmában, éjjel-nappal **2. a) ~ up** felébred *[alvásból, álomból]* **b)** *átv* felocsúdik, magához tér, tudatára ébred (vmnek); **~ up with a start** (hirtelen) felriad álmából; **he is waking up to the truth** ráébred/rádöbben az igazságra **3.** (fel)ébred, életre kel, (fel)támad, felserken *[érzelem]*; **all nature ~s** az egész természet felébred/megélénkül (v. életre kel) **II.** *fn* **1.** halottvirrasztás *[Írországban]* **2. a)** *vall* templomszentelés (évfordulója), templombúcsú *[melyet éjszakai virrasztás előz meg]* **b)** *GB* **the ~s** évenként megtartott ünnep *[északi ipari városok munkássága körében]* **3.** *régi* ébrenlét • *fn* **waker**
wake[2] [weɪk] *fn* **a)** *hajó* (hajó)sodor, nyomdok(vonal) **b)** *átv* **in the ~ of sg** vm nyomá(ba)n; *biz* **follow in sy's ~, follow in the ~ of sy** vknek a nyomdokait követi, vknek nyomában/nyomdokain jár; **wars bring misery in their ~** a háborúkat nyomor követi
wakeboarding *fn sp* vízdeszkázás
wakeful ['weɪkfl] *mn* **1. a)** felébredt, ébren levő **b)** nem álmos, álmatlan; **~ night** álmatlan éjszaka **2.** éber, körültekintő, gondos, óvatos • *fn* **wakefulness** *hsz* **wakefully**
waken ['weɪkən] **A.** *tsi* **1. a)** felébreszt, felkelt (vkt) **b)** feléleszt, feltámaszt *[halottat]*; *biz* **noise fit to ~ the dead** olyan lárma, hogy a holtat is felkeltené, fülsiketítő zaj **2.** felébreszt, (fel)kelt, támaszt *[érzelmet]*, felidéz *[emléket]* **B.** *tni* **1.** felébred **2.** feléled, felocsúdik, felserken *[tétlenségből stb.]* • *fn* **wakening**
wake-up *mn Ausz biz* éber; **I am a ~ to you** engem nem fogsz becsapni, (ehhez) korábban kell kelned
wakey wakey [ˌweɪki 'weɪki] *isz GB* ébresztő!
waking ['weɪkɪŋ] **I.** *fn* **1.** (fel)ébredés; **on ~** ébredéskor; **sleep the sleep that knows no ~** örök álmát alussza **2.** virrasztás, ébrenlét; **between sleeping and ~** alvás és

ébrenlét között **II.** *mn* **a)** ébredő, felébredt **b)** ébren/fent levő, éber, virrasztó; ~ **hours** ébren töltött órák, az ébrenlét ideje

waking dream *fn* ábrándozás, álmodozás

Walach [ˈwɒlək ‖ ˈwɑ–] *mn/fn tört* vlach • *fn/mn* **Walachian**

Waldenses [wɔːlˈdensiːz] *fn tsz vall* valdensek • *fn/mn* **Waldensian**

Waldo [ˈwɔːldoʊ] *tul* ‹férfinév›

Waldorf salad *fn gaszt* Waldorf saláta

wale [weɪl] **I.** *fn* **1.** ostorcsapás/korbácsütés nyoma/csíkja/hurkái *[bőrön]* **2.** *tex* **a)** hosszsor, bordázat *[kelmén]* **b)** szemoszlop *[kötésnél]* **3.** *épít* fogógerenda, keresztfa **4.** *hajó* oldalpalánk, hullámvető **II.** *tsi* **1.** ostorcsapással/korbácsütéssel csíkokat/hurkákat üt *[bőrön]*, csíkosra ver **2.** *tex* bordáz • *fn* **waling**

wale-knot → **wall-knot**

Wales [weɪlz] *tul földr* Wales; **The Prince of W~** a walesi herceg *[az angol korona várományosa]*

walk [wɔːk] **I. A.** *tsi* **1. a)** jár, sétál (vhova/vhol); ~ **it** (i) gyalog megy, lesétál *[távot]* (ii) könnyűszerrel elér/győz; ~ **one's beat/round** őrjáraton van *[őrszem]*; ~ **tall** magabiztos(an lép fel); büszke (lehet) magára; *biz* ~ **the boards** színpadra lép, színészi pályán van; ~ **the chalk** krétavonalon végighalad *[józansága igazolására]*; **I could ~ it blindfolded** bekötött szemmel is odatalálnék; ~ **the floor to and fro** fel-alá jár(kál) *[idegességében]*; ~ **the wards** orvostanhallgató lesz; ~ **the streets** (i) járja/rója az utcákat (ii) *átv* utcalányként él, strichel **b)** jár, sétál (vmenynyit); ~ **a mile** egy mérföldet megy/jár/sétál **c)** gyalog elkísér (vkt), elmegy (vkvel), (vkt vhova) kísér **2. a)** sétáltat, járat *[beteget, gyereket, kutyát]*; ~ **a man all over the town** végigsétáltat valakit az egész városon; ~ **sy off his/her feet** sétálással kifáraszt vkt **b)** ~ **a horse** jártat lovat; lépésben hajt lovat **3.** *vad* ~ **a puppy** fiatal vadászkutyát betanít(tat) **4.** *sp* sétáltat *[dobó ütőjátékost baseballban]* **B.** *tni* **1.** megy, jár; ~ **lame** sántít, sántikál, húzza a lábát; ~ **on all fours** négykézláb jár; ~ **on his/her hands** kézen jár; ~ **on air** örömmámorban úszik; ~ **in one's sleep** alvajáró, holdkóros; **he ~s in his father's steps** atyja nyomdokait követi **2. a)** gyalog megy, gyalogol; ~ **home** hazagyalogol; *US* ~ indulj! *[gyalogátkelőhely zöld jelzése]*; **don't ~** állj! *[piros jelzés]* **b)** sétál; ~ **half an hour before breakfast** félórát sétál reggeli előtt **3.** *US szl [felmentik, szabadlábra helyezik]* kisétál *[gyanúsított rendőrörsről]* **4.** lépésben megy *[ló]*, lassan megy/halad *[jármű]* **5.** hazajár, visszajár *[kísértet]*; **spirits ~ in the house** kísértetek/szellemek járnak a házban **6. a)** lesétál *[kiesett ütőjátékos a pályáról krikettben]* **b)** sétál *[ütőjátékos az első bázisra baseballban]* **7.** *régi* halad, él, viselkedik; *átv* ~ **uprightly** egyenesben van, jó úton halad **8.** *US szl [megszökik]* meglép, lelép, lelécel **II.** *fn* **1. a)** járás, menés, gyaloglás; **it is half an hour's ~ from here** fél óra járásra van innen **b)** *sp* gyaloglás **2. a)** séta, sétálás; **go for a ~, have/take a ~** sétálni megy, sétál, sétát tesz; **go on a ~** sétát tesz *[pl. városnéző csoport]*; **take a ~!** menj a fenébe!, kopj le4; **take sy for a ~** sétálni visz vkt, (meg)sétáltat vkt **b)** kézbesítő körút *[levélhordóé]* **3. a)** járás(mód), testtartás *[járásnál]*; **a dignified ~** méltóságteljes járás(mód) **b)** lépés, menet; **go/move at a ~** lassan megy/halad, lassú léptekkel megy/halad; **fall into a ~** lépésbe megy át *[ló]* **4. a)** sétány, fasor **b)** járda, gyalogút **c)** gyalogösvény **d)** fedett sétány **e)** (kedvelt) útvonal **f)** *hajó* **stern ~** hátsó fedélzeti sétány **g)** baromfiudvar, baromfikifutó; *átv* **cock of the ~** a helység legtekintélyesebb embere; vezérszellem *[csoporté, társaságé]* **5.** *biz* terület *[irodalomé, tudományé stb.]*; ~ **of life** társadalmi helyzet/állás; életpálya, élethivatás; életkörülmények; **all ~s of life** az élet minden területe • *mn* **walkable**

walk about *tni* fel-alá jár, járkál, sétálgat

walk across *tni* átmegy *[az utcán]*

walk along *tni* **1.** előre megy/halad **2.** végigmegy, végigsétál, megy/sétál vm mentén

walk around *tni* **1.** körbejár **2.** *átv* körbejár, latolgat *[kérdést]* **3.** tapintatosan/óvatosan kezel *[témát]* **4.** *US szl* táncol

walk away A. *tni* **1. a)** elmegy, elsétál **b)** *sp biz* elhúz *[versenyben]*; ~ **away from a competitor** könnyedén elhúz egy (másik) versenyzőtől **c)** ~ **away from an accident** (sérülés nélkül v. kisebb sérüléssel) megússza a balesetet **2.** ~ **away with sg** ellép/meglép vmvel; könnyen/könnyűszerrel győz (v. megnyer vmt) **B.** *tsi* ~ **sy away** elvezet vkt; → **walkaway**

walk back *tni* visszamegy, visszasétál, visszagyalogol

walk down A. *tni* lemegy, lesétál, legyalogol **B.** *tsi* gyaloglással/gyalogoltatással kifáraszt (vkt)

walk in *tsi* bemegy, besétál, belép; **please ~ in!** fáradjon be! *[kopogás nélkül]*; → **walk-in**

walk into *tni* **1.** ~ **into the room** belép/bemegy a szobába **2. a)** *biz* belebotlik (vmbe/vkbe) **b)** *biz* ~ **into sy** megüt, megver, megpofoz (vkt); *átv* nekimegy, nekiesik (vknek); jól megmondja a véleményét (vknek) **c)** *biz* ~ **into one's food** nekiesik az ételnek, mohón eszik; *biz* ~ **into one's stock of money** nyakára hág a pénzének **d)** belebotlik, ölébe pottyan *[pl. állás]*

walk off A. *tsi* **1.** elvezet; ~ **off the prisoner** vádlottat elvezet **2. a)** kifáraszt *[sétával]*; ~ **sy off his/her legs** agyonjárat/agyonsétáltat vkt **b)** ~ **off one's lunch** lejárja az ebédjét; ~ **off one's anger** kiszellőzteti a haragját **B.** *tni* **a)** elmegy, elsétál; ~ **off a job** egy állást otthagy; munkát beszüntet, sztrájkba lép **b)** elmenekül, elillan; *biz* ~ **off with sg** meglép vmvel

walk on *tni* **1.** továbbmegy, továbbsétál **2.** *szính* szerepel *[színpadon]*, statisztál; → **walk-on**

walk out A. *tsi* kivezet, sétálni visz, házon kívülre visz (vkt) **B.** *tni* **1. a)** kimegy, kisétál **b)** ~ **out together** együtt járnak *[férfi és nő]* **2. a)** *US* sztrájkba lép, sztrájkolni kezd **b)** (tüntetőleg) kivonul *[gyűlésről]* **3.** *US szl* ~ **out on sy** *[cserbenhagy/otthagy vkt]* faképnél hagy vkt; → **walkout**

walk over A. *tsi* ~ **one's shoes over** félretapossa a cipőjét **B.** *tni* **1.** átsétál, átmegy (vhova) **2. a)** *sp* versenytárs nélkül indul/nyer **b)** könnyen győz *[versenyben]*; → **walkover 3.** csúnyán/durván bánik vkvel

walk round *tni* **1.** körbejár, körbesétál, körüljár **2.** kerülőt (v. kerülő utat) tesz, kikerül, megkerül

walk through *tni* **a)** átsétál, végigsétál (vmn), bejár, bemegy, besétál *[ajtón]*, átmegy, áthalad, átsétál *[tömegen]* **b)** átmegy, keresztülmegy, átsétál, keresztülsétál (vmn) **c)** *szính* felületesen átvesz *[szerepet, jelenetet]*; → **walkthrough**

walk up A. *tsi* ~ **a horse up and down** fel-alá jártat lovat **B.** *tni* **1. a)** ~ **up and down** fel-alá jár(kál)/sétál **b)** úton végigmegy/végigsétál/végiggyalogol; ~ **up Oxford Street** ha végigmegy az Oxford Streeten **2.** felmegy, felsétál *[lépcsőn stb.]* **3.** ~ **up to sy** vkhez odamegy/odalép; ~ **up!** tessék besétálni! *[vásáron]*; → **walk-up**

walkabout *fn* **a)** *Ausz* vándorlás, gyaloglás; **go ~** vándorol, gyalogol, csavarog **b)** (gyalog)túra

walkathon [ˈwɔːkəθɒn ‖ –θɑn] *fn* (jótékony célú) tömegséta

walkaway *fn US sp biz* könnyen megnyert (futó)verseny, könnyű győzelem

walker [ˈwɔːkə ‖ ˈwɔkər] *fn* **1.** gyalogló, sétáló, gyalogjáró, gyalogos **2.** *áll* lépkedő (v. járó lábú) madár, baromfi **3.** járókeret *[gyógyászati segédeszköz]* **4.** járóka **5.** *biz* ‹jómódú nő fizetett férfi kísérője›

walker-on *fn szính* néma szereplő, néma személy, statiszta

walkie-lookie [ˌwɔːkiˈlʊki] *fn biz* hordozható tévékamera, riporterkamera

walkies [ˈwɔːkiz] **I.** *isz biz* séta! *[kutyának]* **II.** *fn tsz* séta, kutyasétáltatás; **go ~** (i) sétálni megy (ii) eltűnik, lába kel *[dolognak]*

W

walkie-talkie [ˌwɔːkiˈtɔːki] *fn* **1.** *biz US távk* hordozható (rádió) adó-vevő (készülék) **2.** *biz* hírvivő, hírharang
walk-in *mn* **1.** szobaméretű; ~ **refrigerator** hűtőkamra; ~ **closet** gardróbszoba **2.** *átv* könnyű, erőfeszítés nélküli; **a ~ victory** könnyű győzelem
walking [ˈwɔːkɪŋ] **I.** *mn* járó, gyalogló, sétáló, vándor *[utas]*, hazajáró *[kísértet, szellem]*; *orv* ~ **cast** járógipsz; *biz* **a ~ dictionary/encyclopaedia** valóságos/élő lexikon, két lábon járó lexikon **II.** *fn* járás, menés, sétálás, séta, gyaloglás, *sp* távgyaloglás; **within ~ distance** csak pár percnyire van gyalog
walking frame → **walker** 3.
walking-on *mn szính* ~ **part** statisztaszerep, néma szerep, epizódszerep
walking order *fn US* menetparancs; *biz* útilapu; **give sy his ~** kiadja az útját vkinek, útilaput köt vk talpa alá
walking papers *fn tsz biz* → **walking order**
walking stick *fn* **1.** sétabot, sétapálca **2.** *áll* botsáska
walking tour *fn* gyalogtúra
walking wounded *fn* **1.** járóképes sebesült **2.** *biz [lassú/ütődött ember]* gyagyás
Walkman [ˈwɔːkmən] *fn tsz* **~s** walkman, sétálómagnó; **listen to the ~s** walkmanezik
walk-on *fn szính* néma szerep, statisztaszerep; → **walk on**
walkout *fn* **1.** *US* munkabeszüntetés, sztrájk **2.** (tüntető) kivonulás *[gyűlésről]*; → **walk out**
walkover *fn* **1.** *sp* walkover *[verseny, amelyben csak egy ló fut vagy egy versenyző vesz részt]* **2.** *biz* könnyű győzelem; *átv* **it was a ~ for him** simán nyert, ez gyerekjáték volt neki; → **walk over**
walk-through *fn* **1. a)** *szính* próba **b)** felületes játék/előadás **2.** kamera nélküli próba *[tévéstúdióban]*; → **walk through**
walk-up I. *mn US biz* **1.** felvonó/lift nélküli *[ház]* **2.** a közönséget az utcán át kiszolgáló *[ablak]* **II.** *fn US biz* lift nélküli (bér)ház; → **walk up**
walkway *fn* **1.** *US* **a)** járda, gyalogjáró **b)** sétány *[parkban]* **2.** kezelőhíd, járó, futóléc *[gyárban]*
wall [wɔːl] **I.** *fn* **1. a)** fal, közfal; ~ **of partition** válaszfal; **~s have ears** a falaknak is fülük van; **climb the ~(s)** ideges, zaklatott, falra mászik; **take the ~** nagyra tartja magát; nagy tekintélye van; az elsők között van, élen jár; *átv biz* **run/beat one's head against a ~** fejjel megy a falnak; *biz* **he can see through a brick ~** csodálatosan éleslátású ember, átlát a szitán; **drive sy up the ~** megőrjít, az idegeire megy vknek; *átv* **drive/push/force/press sy to the ~** sarokba szorít vkt; *biz átv* **go to the ~** félreállítják, mellőzik; falhoz/sarokba szorítják; engedni kénytelen, elveszíti a játszmát; tönkremegy, elvérzik; *biz* **you might as well talk to a brick ~** akár csak a falnak beszélne; *US szl* **off the ~** (i) nem konvencionális, nem konzervatív (ii) *[bolond, őrült]* lökött, dinka **b)** vastag fal, vár(os)fal; *tört* **the Great W~ of China** a kínai (nagy) fal; *átv* **tariff ~s** vámsorompók; **run into a stone ~** megoldhatatlan nehézségekbe ütközik; **within the ~s** a várfalakon belül, a városban **2.** *kat* védőfal, bástya **3.** fal *[kazané, sejté, mellkasé stb.]*; **stomach ~** hasfal **4.** *átv* fal; ~ **of silence** a hallgatás fala; **a ~ of spears** lándzsaerdő **5. a)** hegyoldal, sziklafal **b)** *geol* elválási sík, vágatoldal **c)** *bány* vágat fala/oldala, munkahely **II.** *tsi* **1.** fallal körülvesz/körülkerít (vmt) **2. a)** fallal megtámaszt **b)** fallal megerősít, kifalaz *[kutat, tárnát]* **3.** fallal elválaszt • *fn* **walling** *mn* **walled**, **wall-less**
wall in *tsi* befalaz (vkt)
wall off *tsi* fallal elválaszt/leválaszt *[from vmtől]*
wall up *tsi* befalaz, elfalaz, fallal elzár *[vkt, nyílást, ablakot stb.]*; ~ **up the windows of a house** ház ablakait befalazza
walla [ˈwɒlə ‖ ˈwɑlə] → **wallah**
wallaby [ˈwɒləbi ‖ ˈwɑ–] *fn Ausz* **1.** *áll* kis/törpe kenguru, wallaby kenguru **2.** *biz* ausztrál(iai) **3.** *sp biz* ‹az ausztráliai nemzeti rögbiválogatott tagja› válogatott (játékos)
wallaby track *fn Ausz* ösvény, gyalogút; *biz* **on the ~** gyalogolva, kutyagolva, csavarogva
wallah [ˈwɒlə ‖ ˈwɑlə] *fn szl* **1.** *[ember, fickó]* fószer, fazon **2.** *[tisztviselő, irodai alkalmazott]* aktakukac, kockafej
wall bars *fn tsz* bordásfal
wallboard *fn* **1.** farostlemez, burkolólemez **2.** falitábla
wallchart *fn* szemléltető ábra *[falon, mint tanítási segédeszköz]*; tájékozató/információs tábla
wall-climbing *fn sp* falmászás
wallcovering *fn* tapéta; falikárpit; falburkolat
wallet [ˈwɒlɪt ‖ ˈwɑ–] *fn* **1.** pénztárca **2.** *régi* útizsák, útitarisznya
walleye *fn* **1.** *orv* szaruhártyafolt *[a szemen]*, leucoma **2. a)** *orv* széttartó kancsalítás; *orv* **have a ~** kancsalít **b)** ‹kancsalság következtében túl sok fehéret mutató szem› • *mn* **walleyed**
wallflower *fn* **1.** *növ* sárgaviola, téli viola **2.** *biz* **be a ~** petrezselymet árul *[bálban]*
wall hanging *fn* faliszőnyeg, falikárpit
wall-knot *fn hajó* hajósbog *[kötélvégen]*
wall-mounted *mn* falra szerelhető/akasztható
Walloon [wɒˈluːn ‖ wɑ–] *mn/fn* vallon *[nép és nyelv]*
wallop [ˈwɒləp ‖ ˈwɑ–] **I.** *tsi* **1.** *[elver vkt]* elnáspángol, elagyabugyál, pofont ken le (vknek) **2.** *[fölényesen legyőz lehengerel vkt]* megtép, megzakóz **3.** *sp* erősen (el)üt *[labdát]* **II.** *fn* **1.** *biz [hatalmas ütés/pofon]* nyakleves, tasli; puffanás; **fall with a ~, go (down) ~** lezuhan, nagy puffanással leesik **2.** *Ausz* **get the ~** kiteszik állásából; **give the ~** elbocsát állásából **3.** *GB [alkoholos ital]* pia • *fn/mn* **walloping**
walloper [ˈwɒləpə ‖ ˈwɑləpər] *fn Ausz szl [rendőr]* zsaru, andris, a jard
wallow [ˈwɒloʊ ‖ ˈwɑ–] **I.** *tni* **a)** dagonyáz, pocsolyában/mocsárban hentereg/hempereg/fetreng *[állat]* **b)** *átv* fetreng, hentereg, gázol, kéjeleg (vmben); *biz* ~ **in blood** vérben gázol *[ember]*; *biz* ~ **in money/wealth** rengeteg pénze van, úszik a pénzben/gazdagságban; *biz* ~ **in vice** bűnbe merül; kicsapongó életet él, erkölcsi fertőben él **II.** *fn* **1.** dagonya, pocsolya, tocsogó *[disznóké]* **2.** dagonyázás • *fn* **wallower**
wall painting *fn* falfestmény
wallpaper I. *fn* **1.** tapéta **2.** *infor* háttér-kép, tapéta **3.** háttérzene **4.** *biz [szórakozóhelyen fal mellett álldogáló fiatalemberek]* majomsziget **II.** *tsi* tapétáz
wallpaper music *fn GB* háttérzene
wall pass *fn sp* kényszerítő (átadás/passz) *[labdarúgásban]*
wall plate *fn* **1.** *épít* **a)** gerendafészek *[falban]* **b)** sárgerenda, alátét **c)** koszorúgerenda *[alagútban]* **2.** járomfa
wall space *fn* (üres) falfelület
Wall Street [ˈwɔːl striːt] *tul* **a)** ‹New York pénznegyede› **b)** ‹a New York-i tőzsde›
wall-to-wall *mn* faltól falig; ~ **carpet** faltól falig szőnyeg, padlószőnyeg; *átv* teljes, kimerítő
walnut [ˈwɔːlnʌt] *fn* **1.** dió; **green ~** zölddióbél **2.** *növ* dió(fa) **3.** diófa *[mint anyag]*; **figure(d) ~** diófaerezet
Walpurgis night [vælˈpʊəgis– ‖ vɑlˈpʊrgəs–] *fn* Walpurgis-éj *[május elseje előestéje]*
walrus [ˈwɔːlrəs] *fn áll* rozmár
walrus moustache *fn biz* harcsabajusz
Walter [ˈwɔːltə ‖ ˈwɔltər] *tul* Valter
waltz [wɔːls ‖ wɔlts] **I.** *fn* **1.** keringő, valcer **2.** *zene* keringődal, valcerdal **II. A.** *tsi* (meg)táncoltat; *Ausz szl* ~ **Matilda** viszi a batyuját/motyóját/cuccát *[csavargó]*; kutyagol, csavargásból él, vándorol **B.** *tni* **1.** keringőzik, valcerezik **2.** könnyedén/lazán mozog **3.** könnyen győz; ~ **off with sg** (i) könnyedén elhódít *[díjat, elsőséget]* (ii) ellop, lelép vmvel
waltzer [ˈwɔːlsə ‖ ˈwɔltsər] *fn* **1.** keringőző, valcerozó, táncoló **2.** körhinta
wally [ˈwɒli ‖ ˈwɑli] *fn GB szl [buta ember]* tökfej, dinnye

wampum [ˈwɒmpəm ‖ ˈwɑm–] *fn* **1.** felfűzött indián kagylópénz *[dísznek is használva]* **2.** *US szl [pénz]* dohány, guba

wan[1] [wɒn ‖ wɑn] *mn* **a)** sápadt, hal(o)vány **b)** *vál* ólomszínű, hamuszínű, színtelen, sápadt • *fn* **wanness** *hsz* **wanly**

wan[2] [wɒn ‖ wɑn], **WAN** *röv fn infor wide-area network* nagyterületű/nagykiterjedésű hálózatok

wand [wɒnd ‖ wɑnd] *fn* **1. a)** pálca, vessző; **magic ~** varázspálca, varázsvessző **b)** parancsnoki bot, vezéri pálca, hivatali jelvény/bot **c)** *biz* karmesteri pálca **2.** (jelző)karó **3.** vonalkódolvasó, árcédulaolvasó

wander [ˈwɒndə ‖ ˈwɑndər] **I. A.** *tsi* bejár, beutaz, bebarangol; **~ the world** bejárja a világot **B.** *tni* **1.** vándorol, barangol, kóborol, kószál; **~ about the streets** az utcákon kóborol/kószál; **his eyes ~ed over the scene** szemeit végigjártatta (v. tekintetét körülhordozta) a színhelyen **2. a)** *átv* letér *[útról]*, elkalandozik, eltéved, tévelyeg; **~ from the right way** letér az egyenes útról; eltéved; **~ from the truth** eltér az igazságtól **b)** *átv* eltér, elkalandozik (vmtől), nem figyel (vmre); **~ (away) from the point/subject** eltér/elkalandozik a tárgytól; **his mind ~s** ábrándozik, gondolatai elkalandoznak, nem figyel oda; **let one's thoughts ~** szabadjára ereszti gondolatait **3.** összefüggéstelenül/összevissza beszél, félrebeszél; **~ in one's mind** félrebeszél, összevissza beszél **II.** *fn* vándorlás, barangolás • *fn* **wanderer**

wandering [ˈwɒndərɪŋ ‖ ˈwɑn–] **I.** *mn* **1. a)** vándorló, kóborló; **~ tribes** nomád törzsek; **~ Jew** (i) bolygó zsidó (ii) *átv* nyughatatlan ember **b)** szórakozott; **~ attention** elkalandozó figyelem **c)** *orv* vándorló *[fájdalom, betegség]*; **~ kidney** vándorvese **2. a)** *orv* félrebeszélő **b)** zavaros, összefüggéstelen *[beszéd]* **II.** *fn* **1.** vándorlás, kóborlás, nomád életmód; **return from his ~s** vándorlásból/vándorútjáról visszatér **2. a)** elkalandozás *[figyelemé]*, elábrándozás, elmerengés, szórakozottság **b)** *orv* félrebeszélés, önkívületi állapot, delírium **3.** eltérés, letérés, elkalandozás *[útról, beszélgetés tárgyától]* • *hsz* **wanderingly**

wanderlust [ˈwɒndəlʌst ‖ ˈwɑndər–] *fn* vándorlási kedv/hajlam, mehetnék

wane [weɪn] **I.** *tni* **1. a)** fogy, csökken, apad, (meg)csappan *[anyag, készlet]* **b)** apad, fogy *[hold, égitest]* **2.** *átv* csökken *[hatalom, népszerűség]*, alábbhagy, (meg)csappan *[lelkesedés, érdeklődés]*, (le)hanyatlik *[birodalom]* **II.** *fn* fogyás, apadás *[holdé]*, csökkenés *[hatalomé]*, hanyatlás *[birodalomé]*; **be on the ~** fogyóban van, apad *[hold]*; hanyatlóban van, elvirágzik *[szépség]*; lefelé ível *[ember pályája]*; csökkenőben/hanyatlóban/múlóban van *[hírnév, hatalom]* • *fn/mn* **waning**

wangle [ˈwæŋgl] **I. A.** *tsi* **1.** fondorlattal/mesterkedéssel/panamával (v. csalárd eszközökkel/módon) megszerez/elér (vmt), kiügyeskedik, kipanamáz, kicsal (vmt), kijár **2.** meghamisít *[elszámolást, jegyzőkönyvet]* **B.** *tni* ügyeskedik, mesterkedik, manipulál **II.** *biz fn* vmnek a megszerzése ügyeskedéssel/mesterkedéssel/panamával (v. csalárd eszközökkel/módon), kipanamázás

wangler [ˈwæŋglə ‖ –ər] *fn biz* panamista, panamázó, csaló, „kijáró", ügyeskedő

wank [wæŋk] *fn szl tabu* **I.** *tni [maszturbál]* ráránt, rejszol, zsebhokizik **II.** *fn GB [önkielégítés]* zsebhoki, rejszolás

wanker [ˈwæŋkə ‖ –ər] *fn GB szl tabu* **1.** *[onanizáló férfi]* reiszmanfréd **2.** *[dilettáns]* hülye, béna **3.** *[ellenszenves ember]* buzi, seggfej

wanna [ˈwɒnə ‖ ˈwɑnə] *röv US (I)want to*→ **want**

wannabe [ˈwɒnəbi ‖ ˈwɑn–] *fn szl* ‹sztárokat utánzó és követő ember› epigon

want [wɒnt ‖ wɑnt] **I. A.** *tsi* **1. a)** akar, kíván, óhajt; **I don't ~ to** nem akarok/akarom; **you are ~ed (on the phone)** önt kérik (a telefonhoz); **he is ~ed by the police** keresi/körözi a rendőrség; **call me if I am ~ed** hívjatok, ha szükség lesz rám; **~ sg off/from sy** vktől akar/kíván vmt; **what does he ~ from/with me?** mit akar velem/tőlem?; *közm* **the more a man gets the more he ~s** evés közben jön meg az étvágy **b)** akar, kíván *[szexuálisan]* **2.** szüksége van (vmre), szükségel, igényel (vm vmt), kell neki (vm); **I ~ your help** szükségem van a segítségedre; **~ed, a good cook** jó szakács kerestetik *[hirdetésben]*; *biz* **your hair ~s cutting** meg kellene nyiratkoznod; **the flowers ~ watering** a virágokat meg kell öntözni; **this work ~s a lot of patience** ez a munka nagy türelmet igényel; **the goods can be supplied as they are ~ed** az áruk a szükséglet szerint/arányában szállíthatók **3.** hiányzik, nincs neki (vmje), híján van (vmnek); **he ~s one arm** hiányzik az egyik karja; **~ patience** nincs türelme, türelmetlen **B.** *tni* **1.** hiányzik, nincs neki, híján van (vmnek); **be ~ing** hiányzik, nincs meg; *biz* gyengeelméjű, hiányzik egy kereke, félcédulás **2.** szűkölködik, szükséget lát, nélkülöz; **he ~s for nothing** semmiben sem szenved hiányt **3.** akar; **the dog ~s out** ki akar menni a kutya **4.** *US szl* **he ~s (to be) in** be akar szállni (a buliba); **he ~s out** ki akar szállni **II.** *fn* **1.** hiány; **~ of care** gondatlanság; **for ~ of sg** vmnek hiányában/híján; **for ~ of sg better** jobb híján; *közm* **for ~ of a nail the shoe was lost, for ~ of a shoe the horse was lost** kis hiba/mulasztás súlyos következményekkel jár **2.** szükséglet, igény; **be in ~ of sg** vmre (nagy) szüksége van **3.** szűkölködés, nélkülözés, ínség, nyomor; *közm* **~ is the mother of industry** a szükség a szorgalom anyja; **be in ~** nyomorban/ínségben van; szűkölködik, nyomorog; **come to ~** nyomorba (v. szűkös viszonyok közé) jut/kerül

want ad *fn US* apróhirdetés *[főleg állás-* v. *lakáskeresőé]*

wanted [ˈwɒntɪd ‖ ˈwɑntəd] *mn* **1.** kívánatos, kívánt, akart, keresett **2.** körözött *[bűnöző]*; → **want**

wanted ad *fn* apróhirdetés *[keres rovatban]*

wanted column *fn* keres-rovat *[hirdetési újságban]*

wanting [ˈwɒntɪŋ ‖ ˈwɑn–] *mn* **1.** hiányzó, hiányos; **be ~** hiányzik; → **want 2.** (vmben) szűkölködő, vmt nélkülöző; **be found ~** nem felel meg, nem állja meg a helyét; **~ in intelligence** nem eszes/értelmes/intelligens

wanton [ˈwɒntən ‖ ˈwɑntn] **I.** *mn* **1. a)** fékezhetetlen, féktelen, zabolátlan, szertelen; **~ pride** szertelen büszkeség **b)** szemérmetlen, buja, kéjvágyó *[személy]* **c)** könnyelmű, felelőtlen, bolondos **2. a)** alaptalan, indokolatlan, ok nélküli, önkényes, öncélú; **~ aggression** indokolatlan támadás **b)** kegyetlen, embertelen **3.** *régi* buja, dús *[növényzet]* **II.** *fn* szemérmetlen/ledér/buja nő/férfi, kéjenc **III.** *tni* **a)** bolondozik, mókázik, hancúrozik **b)** csintalankodik, dévajkodik, pajzánkodik • *fn* **wantonness** *hsz* **wantonly**

wapentake [ˈwɒpənteɪk ‖ ˈwɑ–] *fn GB tört* járás

war [wɔː ‖ wɔr] **I.** *fn* **1.** háború, harc, csata, küzdelem; *tört* **the Great W~, World W~ I, the 1st World W~, the ~ to end all ~s** az első világháború; *tört* **World W~ II, the 2nd World W~** a második világháború; **civil ~** polgárháború; *tört* **cold ~** hidegháború, idegháború; **the holy ~s** a keresztesháborúk; **hot/shooting ~** tényleges háború, fegyveres hadviselés; *tört* **the phoney ~** a furcsa háború; **private ~** két család háborúskodása; **~ of independence** függetlenségi háború, szabadságharc; **art of ~** hadvezetés tudománya, hadművészet, hadászat, stratégia; **declaration of ~** hadüzenet; **prisoner of ~** hadifogoly; **state of ~** hadiállapot; *tört* **the W~ of the Roses** a rózsák háborúja; **~ to the knife** késhegyre menő harc; **declare ~ (on sy)** hadat üzen (vknek); **drift into ~** háborúba sodródik; **go to ~ (against sy)** hadat üzen (vknek), háborúba kezd; **wage ~ on/against sy** háborúskodik vkvel; **at ~** hadiállapotban; **be at ~ with a country** hadiállapotban/háborúban áll/van egy országgal; **powers at ~** hadviselő felek; *közm* **all's fair in love and ~** szerelemben és háborúban mindent szabad; *átv* **carry the ~ into the enemy's camp/country** ellentámadásba lendül **2.** *átv* háború, ellenségeskedés; elkeseredettség, lelki háború(ság); **have a ~ in one's heart** háború dúl a szívében; **a ~ of nerves** idegháború; **a ~ of words** szócsata, szópárbaj; **price ~** árháború **3.** *átv* harc, hadjárat, kampány *[vm ellen]*; **~ on crime** hadjárat a bűnözés ellen;

W

~ **on poverty** harc a szegénység ellen **II.** *tni* **-rr-** *átv* háborúzik, hadat visel, harcol, küzd, hadakozik; ~ **against/with sy/sg** küzd (v. hadat indít) vk/vm ellen; küzd/hadakozik/harcol vkvel/vmvel

war baby *fn* **a)** *biz* hadigyermek *[háborús körülmények között, házasságon kívül született gyerek]* **b)** háborús gyerek, háború alatt született gyerek

warble[1] [ˈwɔːbl ‖ ˈwɔrbl] **I. A.** *tsi* trillázva (el)énekel (vmt) **B.** *tni* **1.** csicsereg, csiripel *[madár]*, énekel, trillázik *[pacsirta]* **2. a)** (trillázva) énekel *[ember]* **b)** éneklő/turbékoló/csicsergő hangon (v. affektálva) beszél **II.** *fn* csicsergés, csiripelés *[madáré]*, éneklés, trillázás *[pacsirtáé]*; **talk in a** ~ éneklő/csicsergő/turbékoló hangon beszél

warble[2] [ˈwɔːbl ‖ ˈwɔrbl] *fn* **1. a)** *állatorv* bőrkeményedés *[ló hátán]* **b)** bögölytályog *[állat bőrén]* **2.** *áll* bögöly

warble fly → **warble**[2] 2.

warbler [ˈwɔːblə ‖ ˈwɔrblər] *fn* **1. a)** *áll* éneklő (madár) **b)** éneklő (ember) **2.** *áll* poszáta **3.** *átv* énekes, költő

war bride *fn* hadifeleség

war cabinet *fn pol* háborús kabinet

war chest *fn* hadipénztár

war cloud *fn biz* háborús veszély

war correspondent *fn* haditudósító, harctéri tudósító

war council *fn* haditanács

warcraft *fn* **1.** katonáskodás, hadművészet, stratégia **2. a)** hadihajó(k), hadiflotta **b)** harci repülőgép

war crime *fn* háborús bűn(tett)

war criminal *fn* háborús bűnös

war cry *fn átv* csatakiáltás, harci kiáltás

ward [wɔːd ‖ wɔrd] **I.** *fn* **1. a)** kórterem, (kórházi) osztály **b)** börtönosztály **2. a)** őrség, őrködés; **keep watch and** ~ őrt áll, őrködik **b)** őrszem **3. a)** *régi* gyámság, gyámkodás; **be in** ~ **to sy** vknek a gyámsága alatt áll **b)** gyámfiú, gyámleány, gyámolt, védenc **4.** városi kerület/negyed; *pol* **electoral** ~ választókerület **5. a)** védőlap *[záré]* **b)** őrkarika *[lakaton, záron]* **c)** kulcsvezető borda, kulcsvágat **6.** *sp* vívóállás, védőállás *[vívásban]* **II.** *tsi* **a)** *régi* őriz, véd, oltalmaz (*from* vmtől/vm ellen) **b)** ~ **off** megakadályoz, elhárít, kivéd; ~ **off a blow** elhárít/kivéd/felfog ütést; ~ **off danger** elhárít veszélyt

-ward [wəd ‖ wərd] *utótag* ‹melléknévképző› -felé tartó; **homeward** hazafelé; **downward** lefelé

war damage *fn* háborús kár

war dance *fn* harci tánc

warden [ˈwɔːdn ‖ ˈwɔrdn] *fn* **a)** igazgató *[intézeté, iskoláé]*, felügyelő, igazgató, vezető *[börtöné]*, gondnok *[intézményé]*, *vall* rendházfőnök(nő) **b)** felügyelő, gondnok *[nemzeti parké]*, parancsnok **c)** kormányzó *[városé]*

war department *fn* honvédelmi minisztérium, hadügyminisztérium

warder [ˈwɔːdə ‖ ˈwɔrdər] *fn* **1.** börtönőr, fogházőr; **chief** ~ börtönfelügyelő **2.** őr

ward heeler *fn US biz pej* pártmunkás

Wardour Street English *fn GB biz* nyelvi régieskedés

wardrobe [ˈwɔːdroʊb ‖ ˈwɔr–] *fn* **1.** ruhaszekrény; **hanging** ~ akasztós szekrény **2. a)** ruhatár, ruhakészlet, gardrób **b)** *szính* jelmeztár

wardrobe trunk *fn* akasztós ruhabőrönd, szekrénykoffer

wardroom *fn hajó* tiszti szállás *[hadihajón]*

-wards [wədz ‖ wərdz] *utótag* ‹határozóképző› -felé, -ra/-re; **northwards** északra; **shorewards** part felé

wardship [ˈwɔːdʃɪp ‖ ˈwɔrd–] *fn* **1.** gyámság, gondnokság; **have the** ~ **of a minor** kiskorú felett gyámkodik; **be under sy's** ~ vknek a gyámsága/gondoksága alatt áll **2.** kiskorúság

ward-walk *fn orv* (nagy)vizit *[orvosé kórházi osztályon]*

ware[1] [weə ‖ wer] *fn* **1. a)** áru, árufélék *[gyűjtőnévként]*, *biz* portéka **b)** fajansz, majolika; **china** ~ porcelánedény, porcelántárgy **2.** *tsz* **wares** áruk, árucikkek **3.** *átv* képesség, ügyesség, tehetség

ware[2] [weə ‖ wer] *mn régi vál* tudomással bíró (vmről), tájékozott, éber, figyelmes; → **aware**

ware[3] [weə ‖ wer] *tsi régi biz* vigyáz; ~ **traps!** vigyázz, csapda!

warehouse I. *fn* [ˈweəhaus ‖ ˈwer–] **1.** *gazd* áruraktár, közraktár; **ex** ~ raktárból; raktár(telep), tárház **2.** *gazd* raktáráruház **3.** nagykereskedés **II.** *tsi* [–hauz] **1.** (köz)raktárba tesz, elraktároz, tárol *[árut]*; *gazd* ~ **one's furniture** beraktározza (v. raktárban elhelyezi) bútorát **2.** *US biz* bedug/bezár vkt vhova *[kórházba, börtönbe]* • *fn* **warehousing**

warfare [ˈwɔːfeə ‖ ˈwɔrfer] *fn* hadviselés, háború(skodás), háborúzás; **aerial** ~ légi háború; **atomic** ~ atomháború; **nuclear** ~ nukleáris hadviselés; **total** ~ totális háború • *fn/mn* **warfaring**

war game *fn* **1.** harcjáték **2.** hadgyakorlat *[játékkatonákkal]*

war grave *fn* katonasír

warhead *fn kat* robbanófej, élesfej, gyújtófej

war hero *fn* háborús hős

warhorse *fn* **1.** *tört* csatamén, harci mén/paripa **2.** *biz* **an old** ~ háborús veterán, hadastyán; vén csataló, *pol* régi harcos

warlike [ˈwɔːlaɪk ‖ ˈwɔr–] *mn* **1. a)** hadi *[hőstett]*, katonás *[magatartás]* **b)** harcias *[nép]*, háborús *[előkészületek]* **2.** háborúval fenyegető, ellenséges

war loan *fn pénz* hadikölcsön

warlock [ˈwɔːlɒk ‖ ˈwɔrlɑk] *fn* boszorkánymester, varázsló

warlord *fn* fővezér, hadvezér, legfőbb hadúr

warm [wɔːm ‖ wɔrm] **I.** *mn* **1. a)** meleg; **keep oneself** ~ melegen tartja magát; **to be kept in a** ~ **place** meleg helyen tartandó *[áru]* **b)** meleg *[öltözet, ruhadarab]*; ~ **blanket** meleg takaró; ~ **bed** melegágy *[kertészetben]* **c)** *vad* ~ **trail/scent** friss nyom/csapa/csapás **2. a)** *átv* meleg, szívélyes *[fogadtatás, barátság]*, élénk *[érdeklődés]*, lelkes *[pártoló]*; ~ **thanks** hálás köszönet; ~ **applause** lelkes/élénk taps; **a** ~ **reception/welcome** szívélyes fogadtatásra talál (v. fogadtatásban részesül) **b)** *átv* meleg(en érző), együttérző, szerető, gyengéd; ~ **heart** meleg szív **c)** heves, hirtelen, lobbanékony *[természet]*, felhevült *[kedély]*; élénk, szenvedélyes, heves *[vita]*; ~ **temper** heves/lobbanékony/hirtelen természet **d)** *biz* kemény, nehéz, fárasztó; **it is a** ~ **work** ez nehéz/fárasztó/izzasztó/veszélyes munka; **make it/things** ~ **for sy** megnehezíti vk életét (v. a dolgokat vk számára) **e)** meleg *[szín, árnyalat]*; ~ **tints** meleg színek/árnyalatok **II. A.** *tsi* **1.** (fel)melegít *[vizet, ételt]*, bemelegít, fűt *[lakást]*; ~ **oneself by/at the fire** melegedik/melegszik a tűznél; ~ **the engine** motort bemelegít **2. a)** felhevít (vkt), pezsgésbe hoz, felforral *[vért]* **b)** felpezsdít, fellelkesít (vkt), lelket önt (vkbe); **news that ~s the heart** lelkesítő hír **3.** *biz* ~ **sy,** ~ **sy's jacket** elpáhol/elnadrágol/elfenekel vkt **B.** *tni* **1.** *átv* (fel)melegedik, (fel)melegszik *[vk, időjárás, levegő]*; ~ **to sy** megkedvel vkt, rokonszenvvel kezd viseltetni vk iránt, összemelegedik vkvel **2.** *biz* megelevenedik, megélénkül, nekilelkesedik, nekihevül (*to sg* vmnek); ~ **to the subject** belemelegedik/belemelegszik a tárgyba; ~ **to one's work** belemelegedik a munkájába, lelkesedni kezd a munkája iránt **III.** *fn* **1.** *biz* (fel)melegedés, (fel)melegítés; **have a good** ~ **by the fire** jól felmelegszik a kályha/tűz mellett; **give sg a** ~ felmelegít, átmelegít *[ételt]* **2.** meleg(ség), ami meleg

warm over *tsi US* felmelegít *[ételt, régi történetet]*; **look like death ~ed over** nagyon rosszul/pocsékul néz ki *[ember]*

warm up A. *tsi* **1. a)** felmelegít, (újra) megmelegít *[vizet, ételt]* **b)** ~ **up the engine** motort bemelegít **2.** (fel)pezsdít, (fel)hevít, (fel)lelkesít (vkt) **B.** *tni* **1. a)** felmelegszik (vk/vm), bemelegszik *[szoba]* **b)** *sp* (be)melegít **c)** *átv* meleggé válik *[helyzet]* **2.** felhevül, (fel)lelkesedik, belemelegszik (vmbe) **3.** összemelegszik *[társaság]*

warm-blooded *mn* **1.** *áll* melegvérű *[állat]* **2. a)** *átv* forrófejű, heves, lobbanékony **b)** forróvérű, szenvedélyes

W

warmed-over [ˈwɔːmd– ‖ˈwɔrmd–] *mn US* → **warmed-up**

warmed-up [ˈwɔːmd– ‖ ˈwɔrmd–] *mn* **1.** felmelegített *[étel]* **2. a)** használt, másodkézből való **b)** állott, nem friss

war memorial *fn* háborús emlékmű

warmer [ˈwɔːmə ‖ ˈwɔrmər] *fn* **1.** melegítő *[edény, eszköz stb.]* **2.** *okt* bemelegítő/ráhangoló feladat *[nyelvóra elején]*

warm front *fn meteo* melegfront

warm-hearted *mn* melegszívű, meleg érzésű, szívélyes, jóságos • *fn* **warm-heartedness** *hsz* **warm-heartedly**

warmhouse *fn kert* melegház, üvegház

warming pan *fn* parazsas ágymelegítő

warming plate *fn* villamos főzőlap/melegítőlap

warmonger *fn* háborús uszító/gyújtogató, háborúpárti • *fn/mn* **warmongering**

warmth [wɔːmθ ‖ wɔrmθ] *fn* **1.** meleg *[napé, tüzé]*, melegség, hő; **the ~ of the body** a test melege **2.** *átv* **a)** melegség *[érzelemé]*, szívélyesség *[fogadtatásé stb.]* **b)** hév, lelkesedés **c)** heveskedés, hevesség, lobbanékonyság; **reply with some ~** hevesen/lobbanékonyan válaszol

warm-up *fn* **1.** *sp* (be)melegítés **2.** *el műsz* (be)melegedés

warn [wɔːn ‖ wɔrn] *tsi* **1. a)** figyelmeztet *[veszélyre]*, jelez *[veszélyt]*, óva int; **~ sy against doing sg** óva int vkt (hogy ne tegyen vmt); **~ sy of sg** vkt vmre figyelmeztet **b)** figyelmeztet, felszólít *[fenyegetőleg]*, felhív (vmre) **2. a)** figyelmeztet, értesít, informál *[vkt, rendőrséget]*; **you have been ~ed** figyelmeztettelek/figyelmeztettünk, én megmondtam **b)** *kat* riaszt • *fn* **warner**

warn away *tsi* **~ sy away** felmond vknek

warn for *tsi kat* **~ sy for duty** szolgálatra kirendel vkt

warn off *tsi* **1.** felszólít vkt távozásra (v. hogy tartsa magát távol) **2.** elriaszt (vkt vhonnan); *sp* versenypályáról kitilt (vkt), versenyzésből kizár

warn out *tsi* **~ sy out** felmond vknek

warn to *tsi* **~ sy to bed** lefekvésre szólít fel vkt

warning [ˈwɔːnɪŋ ‖ ˈwɔr–] **I.** *fn* **1.** figyelmeztetés, jelzés; **let this be a ~ to you** szolgáljon ez önnek figyelmeztetésül; **sound a note of ~** felriaszt; vészjelet ad le; óvatosságra int; **give ~ to** jelez, jelzést ad (vknek) **2. a)** előzetes értesítés/figyelmeztetés; **without a moment's ~** minden előzetes értesítés nélkül; váratlanul **b)** megintés, (meg)dorgálás **3. a)** felszólítás **b) send a ~ to the police** értesíti a rendőrséget **c) ~ to leave** felmondás *[állásé, lakásé]*; **give sy a month's ~** egy hónapi felmondási idővel felmond vknek **II.** *mn* figyelmeztető *[jel, mozdulat]*, riasztó *[lövés]*; *áll* **~ colouration** figyelmeztető szín; *hajó* **~ horn** ködkürt, jelzőkürt; *rep* **~ light** figyelmeztető jelzőlámpa; *gk* **~ sign** figyelmeztető tábla, veszélyt jelző tábla; *átv* figyelmeztető jel(zés), figyelmeztetés; *gk* **~ triangle** elakadásjelző háromszög • *hsz* **warningly**

warp [wɔːp ‖ wɔrp] **I.** *fn* **1. a)** vetemedés *[deszkáé, lemezé]*, elgörbülés *[felületé]* **b)** *csill* tér-idő-görbület **2.** *biz* **~ of the mind** ferde felfogás/megítélés **3.** *tex* lánc(fonal), nyüstfonal **4.** *hajó* vontatókötél, vontatókábel, horgonykötél **5.** *geol* iszaplerakódás, hordalékiszap **II. A.** *tsi* **1.** megvetemít, meggörbít, meghajlít, elgörbít, elhajlít **2.** *biz* befolyásol *[ítélőképességet]*, megront *[erkölcsöt]* **3. a)** *tex* sző *[szövetet]* **b)** kifeszít *[fonalat szövéskor]* **4.** *hajó* (kötélen) vontat *[hajót]* **5.** *mezőg* feliszapol, felsankol *[földet]* **B.** *tni* **1.** megvetemedik, meggörbül, meghajlik, elgörbül **2.** türemlik, megereszkedik *[fa]* • *fn* **warpage**, **warper**, **warping**

warp up *tsi mezőg* feliszapol/felsankol *[területet]*

war paint *fn* **1.** harci festés **2.** *biz* teljes dísz; aprólékos (arc)kikészítés/smink; **put on the ~** felkészül *[támadásra]*

warpath *fn* **1.** hadi ösvény *[indiánoké]* **2.** *átv* ellenségesség *[magatartás]*; **on the ~** harcra készülve/készen; dühösen; **be/go on the ~** harcba száll

warped [wɔːpt ‖ wɔrpt] *mn* **1.** megvetemedett, meggörbült *[fa, lemez]*, elgörbült *[tengely]* **2.** ferde, meghibbant *[ítélőképesség]*, megrontott *[jellem]*, (betegesen) egyoldalú, elfogult *[gondolkodásmód]*

warplane *fn kat* harci repülőgép

warp speed *fn* hiperűr-sebesség *[tudományos-fantasztikus műben]*

warragal [ˈwɔːrəgəl] → **warrigal**

warrant [ˈwɒrənt ‖ ˈwɔ–] **I.** *fn* **1. a)** jótállás, kezesség, szavatosság, biztosíték, garancia **b)** tanúság, igazolás **2.** kezes, jótálló **3. a)** meghatalmazás, felhatalmazás, jogosultság **b)** írásbeli meghatalmazás; *jog* **~ of attorney** ügyvédi meghatalmazás **c)** (hatósági) bizonyítvány, bizonylat, igazolvány; *gazd* **(dock/warehouse) ~** közraktári jegy **d)** oklevél, okirat **4.** *jog* (végrehajtási) parancs, végzés; **~ of apprehension/arrest**, **~ to apprehend the body** elfogatóparancs, elfogatási/elővezetési parancs; **~ of caption** körözés; **~ of distress** foglalási végzés/utasítás; **~ to appear** idézés; **a ~ is out against him** elfogatóparancsot adtak ki ellene; **~ for payment** fizetési meghagyás **II.** *tsi* **1.** jótáll, kezeskedik, szavatosságot/garanciát vállal (vmért), biztosít, garantál (vmt); **I ~ it** ezért kezeskedem, ezt garantálom **2.** igazol, megokol, indokol; **~ an inference** jogos vmlyen következtetés; **nothing can ~ such a conduct** semmi sem igazolhat ilyen magatartást/viselkedést • *fn* **warrantor** *mn* **warranted**

warrantable [ˈwɒrəntəbl ‖ ˈwɔ–] *mn* **a)** igazolható, törvényes, méltányos, jogos **b)** garantálható, szavatolható, biztosítható; **~ by law** törvény szerint engedélyezett/jogos • *hsz* **warrantably**

warrantee [ˌwɒrənˈtiː ‖ ˌwɔ–] *fn jog* ‹aki ellen elővezetési/elfogatási parancsot adtak ki›

warrant officer *fn kat* tiszthelyettes, altiszt

warranty [ˈwɒrənti ‖ ˈwɔ–] *fn* **1.** jótállás, kezesség, szavatosság, biztosíték, garancia; *gazd* **protective ~** kötelező (törvényben előírt) garancia; **~ of title** jogcímszavatosság **2.** igazolás, bizonyítás, bizonyíték **3.** meghatalmazás, felhatalmazás

warren [ˈwɒrən ‖ ˈwɔ–] *fn* **1. a)** nyúltelep, nyúlkert **b)** kotorék(ok) *[üregi nyulaké]* **c)** vadaskert *[apróvad számára]* **2.** *biz* zsúfolt bérház/lakótelep, tömegszállás, nyomornegyed

Warren [ˈwɒrən ‖ ˈwɔ–] *tul* ‹férfinév›

warrigal [ˈwɒrɪgl ‖ ˈwɔrɪgl] **I.** *fn* **1.** dingó (kutya) **2.** vadló **II.** *mn Ausz* vad, megszelídítetlen

warring [ˈwɔːrɪŋ] *mn* hadban/harcban álló, (ellenségesen) szemben álló, ellentétes *[vélemény]*; **~ factions** harcoló felek, *átv* villongó pártok

warrior [ˈwɒrɪə ‖ ˈwɔrɪər] *fn* harcos, katona; **the Unknown W~** az ismeretlen katona

Warsaw [ˈwɔːsɔː ‖ ˈwɔrsɔ] *tul földr* Varsó

Warsaw Pact *fn kat pol tört* Varsói Szerződés; **~ countries** a Varsói Szerződés (tag)országai

warship *fn* hadihajó

wart [wɔːt ‖ wɔrt] *fn* **1. a)** szemölcs, bibircsók; *biz átv* **with ~s and all** nem szépítve (semmit), kendőzetlenül, valósághűen **b)** *áll* dudor, csomó **c)** *növ* kinövés, görcs, bütyök **2.** *szl [ellenszenves ember]* majom • *mn* **warty**

warthog *fn áll* varacskos disznó

wartime **I.** *fn* háborús időszak, háború ideje/időtartama; **in ~** háború idején, háborús időkben **II.** *mn* háborús, hadi

war-torn háború sújtotta, háború által feldúlt/elpusztított, lerombolt *[terület]*

war-weary *mn* háborúba belefáradt, háborúban megviselt *[lakosság]*

war-widow *fn* hadiözvegy

war-worn *mn* **a)** → **war-weary b)** → **war-torn**

wary [ˈweəri ‖ ˈweri] *mn* **a)** óvatos, elővigyázatos, körültekintő **b)** gyanakvó, bizalmatlankodó; **be ~ of sg** nem bízik vmben, bizalmatlan vmvel szemben • *fn* **wariness** *hsz* **warily**

war zone *fn* háborús terület, háború sújtotta vidék, hadszíntér

was [wəz, wɒz ‖ wəz, wʌz] → **be**[1]

wash [wɒʃ ‖ wɑʃ] **I. A.** *tsi* **1.** (meg)mos, lemos, kimos; **~ the dishes** elmosogat; *biz átv* **~ one's hands of sg** mossa a kezét vmely ügyben; **~ oneself** (meg)mosdik, mosakszik; *átv* **~ one's dirty linen in public** kiteregeti a szennyesét mások előtt **2.** (ki)mos *[fehérneműt, ruhát]*; **~ for sy** mos vkre **3.** *ip* osztályoz, dúsít, iszapol *[ásványt]*, mos *[aranytartalmú homokot]*, tisztít *[gázt]* **4. a)** bevon, beken, (be)mázol; **~ the walls** (be)fest falat (with vmvel) **b) ~ a metal with gold** aranyoz (v. aranyréteggel bevon) fémet; plattíroz **c)** *műv* festékkel/tussal színez/árnyékol *[rajzot]*, lavíroz **5.** *vál* nedvesít, áztat; *vál* **flowers ~ed with dew** harmatos virágok **6. a)** mos, áztat *[partot tenger]*, átfolyik *[területen folyó]*, öntöz *[területet folyó]* **b)** kimos, alámos *[partot folyóvíz]* **7. ~ sy/sg ashore** partra vet vkt/vmt *[víz]*; **the waves ~ed the deck** a hullámok átcsaptak a fedélzeten; **~ sy overboard** a fedélzeten átcsapó hullám lesodor vkt **B.** *tni* **1.** (meg)mosdik, mosakszik, tisztálkodik, kezet mos **2.** mos **3. a)** mosódik *[anyag]*, állja a mosást, mosható, színtartó; **material that ~es well** jól mosható anyag; **material that won't ~** nem mosható anyag **b)** *biz átv* kiállja a próbát; **that won't ~** ez nem ér semmit; ez nem lehetséges; ezt nem hiszem el **II.** *fn* **1. a)** mosás, lemosás, megmosás; **give sg a ~** lemos/megmos vmt **b)** mosdás, mosakodás; **have a ~** mosakodik, mosakszik, mosdik; kezet mos; *biz* **have a ~ and brush-up** rendbe hozza magát (v. a toalettjét) **2. a)** mosás, kimosott ruha; *biz* **it will all come out in the ~** minden rendbe jön, minden el fog rendeződni **b)** szennyes **3.** *orv* lemosószer, sebmosó szer **4. a)** víz, szemvíz, szájvíz, hajvíz **b)** kozmetikum, (arc)lemosó **5. a)** meszelés **b)** vékony festékréteg, festés, mázolás *[felületen]* **c)** vékony aranyozás/ezüstözés, plattírozás **6.** *biz [túlságosan híg leves]* lötty, mosogatóvíz, moslék **7. a)** hullámzás, hullámverés **b)** *hajó* hajósodor, nyomdokvíz, nyomdokvonal *[hajóé]* **8.** *geol* folyami hordalék, üledék, alluviális réteg • *mn* **washed**

wash against *tni [hullám]* nekicsapódik (vmnek), nyaldos (vmt)

wash away *tsi* **1.** kimos, áztatással eltávolít *[foltot]* **2. a)** elmos, elhord *[partot víz]*, elhord, kiváj *[folyóágyat folyó]* **b)** elsodor, elvisz, elragad *[víz vmt]*

wash down *tsi* **1.** lemos, letisztít, leöblít; *biz* **~ down one's dinner with a glass of beer** leöblíti a vacsorát egy pohár sörrel **2.** elmos, elsodor *[eső vmt]*

wash into *tni* becsap *[hullám vmbe]*

wash off A. *tsi* kimos, mosással eltávolít *[foltot]*, lemos **B.** *tni* **it will ~ off** ez vízzel kijön; ez kijön a mosással/mosásban

wash out A. *tsi* **a)** kimos, vízzel kivesz *[foltot]*; *vál* **~ out an insult in blood** vérrel mos le sértést; **that ~es him out** ez tisztázza őt a gyanú alól **b)** kimos, kiöblít *[edényt]* **c)** *bány* **~ out the gold** aranyat mos *[homokból]* **d)** elmos *[rendezvényt]*; **be ~ed out** elmossa az eső *[versenyt, szabadtéri előadást stb.]*; *biz átv* **you can ~ that right out** ezzel nem lehet számolni, erről lemondhat(sz) **e)** *műv* tompít/lefokoz/árnyal *[színt, tónust]* **B.** *tni* **a)** kimosódik, kijön, kimegy *[vízben/mosásban folt/szín]* **b)** elmosódik, elhalványul *[szín]*; → **washed-out**

wash up A. *tsi* **1. a)** (el)mosogat *[edényeket]* **b)** felmos *[padlót]* **2.** partra vet *[vkt/vmt víz]* **B.** *tni* **1.** mosogat **2. the water ~ed up on to the bank** a víz felcsapott a partra **3.** *US* megmosakszik

Wash. *röv Washington*

washable [ˈwɒʃəbl ‖ ˈwɑ–] *mn* **a)** mosható **b)** színtartó *[ruha]* • *fn* **washability**

wash-and-wear *mn* mosd-és-hordd *[ruhanemű]*, nem vasalandó

washbag *fn* piperetáska, neszesszer

washbasin *fn* mosdótál, mosdókagyló

washboard *fn* **1.** hullámos mosólap, mosódeszka **2.** *tsz* **washboards** *hajó*, hullámléc

washcloth *fn* **a)** mosogatórongy **b)** *US* mosdókesztyű

washday *fn US* (nagy)mosás (napja)

wash-down *fn* lemosás, felsőmosás *[kocsié]*

washed-out *mn* **1. a)** elhalványult, fakó **b)** mosásban kifakult **2. a)** *biz* (halál)sápadt *[arc]* **b)** legyengült, holtfáradt **3.** esőzéstől felázott (v. járhatatlanná vált) *[út]*; → **wash**

washed-up *US biz* reménytelen, bukott, kudarcot vallott *[elképzelés]*

washer [ˈwɒʃə ‖ ˈwɑʃər] *fn* **1.** mosó(munkás) **2.** *[háztartási]* mosógép **3.** *gk* mosóberendezés **4. a)** mosogatórongy **b)** *Ausz* arctörlő **5.** *műsz* alátétgyűrű, tömítőgyűrű

washer-up *fn GB* mosogatólány, mosogatófiú *[vendéglőben]*

washerwoman *fn tsz* **-women** mosónő, mosóné

washeteria [ˌwɒʃəˈtɪərɪə ‖ ˌwɑʃəˈtɪrɪə] *fn* (automata) mosoda

wash house *fn* mosókonyha, mosóház

washing [ˈwɒʃɪŋ ‖ ˈwɑ–] *fn* **1.** mosás, kimosandó/kimosott ruha **2.** mosás, kimosás **3. a)** *ip* mosás **b)** mosott mennyiség *[ásványból]* **4.** (be)festés, (be)mázolás *[felületé]*

washing machine *fn* mosógép *[háztartási, ipari]*; **coin-operated automatic ~** pénzbedobós automata mosógép

washing powder *fn* mosópor

washing soda *fn* mosószóda, kristályszóda

Washington [ˈwɒʃɪŋtən ‖ ˈwɑ–] *tul földr* **1.** Washington *[az USA fővárosa]* **2.** Washington állam *[az USA tagállama]*

Washington D. C. *tul földr Washington District of Columbia* Washington *[az USA fővárosa]* • *fn/mn* **Washingtonian**

washing-up *fn* **a)** (el)mosogatás; **do the ~** elmosogat **b)** mosogatnivaló

washing-up liquid *fn* mosogatószer

washland *fn földr* árterület

wash-leather *fn* mosóbőr, szarvasbőr *[üvegtisztításra]*

wash-line *fn* ruhaszárító kötél

washout *fn* **1.** kimosás, (ki)öblítés **2.** *bány* (víz okozta) üregesedés; kimosódás *[úton, sínpályán]* **3. a)** *biz [teljes kudarc]* (le)égés, csőd, krach; **it is a complete ~** teljes kudarc **b)** *[hasznavehetetlen/pipogya alak]* tutyi-mutyi

washroom *fn US euf* mosdó(helyiség), mellékhelyiség, toalett

washstand *fn régi* mosdóállvány

washtub *fn* mosóteknő, mosódézsa

washwoman *fn tsz* **washwomen** *US* mosónő

washy [ˈwɒʃi ‖ ˈwɑʃi] *mn* **a)** *biz* unalmas, ízetlen *[étel]*, gyenge, vizezett *[bor]*, híg, gyenge, mosogatólészerű *[kávé]* **b)** vizenyős *[szem]*, nedves, víz színű, fakó, elhalványult, elmosódott *[szín]* **c)** színtelen, sekélyes *[stílus]*, felületes *[érzelem]*, állhatatlan *[ember]* • *fn* **washiness** *hsz* **washily**

wasn't [ˈwɒznt ‖ ˈwʌznt] *röv was not*→ **be**

wasp [wɒsp ‖ wɑsp] *fn áll* darázs; **~s' nest** darázsfészek; *biz* **he has his head full of ~s** mindenféle bogara van

WASP [wɒsp ‖ wɑsp] *fn US biz White Anglo-Saxon Protestant* fehérbőrű angolszász származású protestáns

waspish [ˈwɒspɪʃ ‖ ˈwɑ–] *mn* **1.** darázsderekú **2. a)** *biz* zsémbes, veszekedős, csípős *[hang]* **b)** ingerlékeny • *fn* **waspishness** *hsz* **waspishly**

wasp waist *fn* darázsderék • *mn* **wasp-waisted**

wassail [ˈwɒseɪl ‖ ˈwɑ–] *régi* **I.** *fn* **1.** ivás vknek az egészségére, vk felköszöntése itallal **2.** ízesített sör **3.** ivászat, dáridó, tivornya, dőzsölés; **keep ~** mulatozik, lumpol **II.** *tni* **1.** iszik vk egészségére **2.** ivászaton vesz részt, dőzsöl, dáridózik • *mn* **wassailer**

wassail-bowl *fn régi* serleg, kupa, talpas pohár

Wasserman test [ˈwæsəmən ‖ ˈwɑsər–] *fn orv* Wasserman-teszt/-próba *[szifilisz kimutatására]*

wast [wɒst, wəst] *régi* → **be**

wastage [ˈweɪstɪdʒ] *fn* **1.** *műsz* veszteség, hulladék, hiány **2.** pazarlás, tékozlás **3.** csökkenés *[munkaerőé]*

waste [weɪst] **I. A.** *tsi* **1. a)** (el)pazarol, (el)pocsékol, elfecsérel, (el)veszteget *[pénzt, vagyont, időt]*; **~ words/breath** hiába beszél; üres szalmát csépel, falra borsót hány;

~ money pénzt pazarol; **~ time doing/over/on sg** vmvel elfecsér(e)li/elvesztegeti az idejét; *biz* **you're ~ing your time** kár a gőzért; *közm* **~ not, want not** nyáron gyűjts, hogy télen fűts, ne pazarolj és nem fogsz szűkösködni **b)** elkoptat (vmt) **c)** kidob (vmt) **2. ~ a chance/opportunity** elszalaszt *[alkalmat]* **3.** elsorvaszt, elernyeszt, kimerít, legyengít *[vkt, testet]* **4. a)** *vál* elpusztít, feldúl *[területet, országot]* **b)** *szl [megöl]* kinyír, kicsinál **5.** *jog* megrongál, hagy vmt tönkremenni **B.** *tni* **1. a)** veszendőbe megy, elhasználódik, elfecsérlődik, elpazarlódik **b)** elfogy, csökken **c)** múlik, telik *[idő]* **2. ~ (away)** (fokozatosan) gyengül, (el)sorvad *[élőlény]*; emészti magát *[vm miatt]*, lesoványodik, elgyengül, elernyed (vk); elsenyved, elsorvad *[végtag]*; elhervad *[nő]* **II.** *fn* **1. a)** megműveletlen terület, ugar, parlag **b)** pusztaság, sivatag **2.** pazarlás, (el)pocsékolás *[pénzé, erőé]*, elfecsérelés, elvesztegetés *[időé]*, elkótyavetyélés *[vagyoné]*; **~ of time** időpocsékolás, időpazarlás; **go to ~** elpazarlódik; elvész *[anyag, pénz]*; elpárolog, elfolyik *[folyadék]*; **lay sg to ~, lay ~ to sg** elpusztít/letarol/lerombol vmt; *közm* **wilful ~ makes woeful want** aki a kicsit nem becsüli, a nagyot nem érdemli **3. a)** veszteség, csökkenés **b)** megrongálódás, kopás **4.** selejt, hulladék; **cotton ~** pamuthulladék, hulladékpamut **5.** szennyvíz **6. → waste pipe III.** *mn* **1. a)** puszta, megműveletlen, parlagon hagyott/heverő; **~ land** megműveletlen föld, ugar; **lie ~** parlagon hever *[föld]* **b)** kopár, terméketlen **2. a)** selejt(es), elrontott *[áru, anyag]* **b)** eldobott, értéktelen **c) ~ products** melléktermékek • *fn/mn* **wasting**

wastebasket *fn US* papírkosár

waste bin *fn* szemétvödör, szemetesláda

wasted [ˈweɪstɪd] *mn* **1.** elpusztított, feldúlt *[terület, ország]* **2. a)** legyengült, lesoványodott **b)** elsorvadt, összezsugorodott *[végtag]* **c)** elhasznált, megrongált, tönkretett *[tárgy]* **3.** elpazarolt, elfecsérelt *[pénz, idő]*, elkótyavetyélt *[vagyon]*; **~ talent** elkallódott tehetség **4.** *szl* **a)** *[részeg]* totálkáros, merevrészeg **b)** *[kábítószer hatása alatt van]* be van szívva/állva/lőve

waste disposal *fn* szemét- és hulladékeltakarítás (és hasznosítás); **~ unit** hulladékaprító, konyhamalac

wasteful [ˈweɪstfl] *mn* **1.** pazarló, tékozló, költséges *[életmód]* **2.** szemetelő, sok szemetet termelő **3.** pusztító, tönkretevő

wasteland [ˈweɪstlænd] *fn* **1. a)** megműveletlen v. parlagon hagyott föld, ugar **b)** terméketlen/kopár terület/föld **c)** lakatlan/kietlen terület *[városban]* **2.** kulturálisan terméketlen terület/korszak

waste material *fn* hulladékanyag

waste paper *fn* papírhulladék

waste-paper basket *fn* papírhulladék-gyűjtő, papírkosár

waste pipe *fn műsz* lefolyócső, levezetőcső, túlfolyócső, ürítőcső, vízleeresztő

waste product *fn* **1.** melléktermék **2.** ürülék

waster [ˈweɪstə ‖ –ər] *fn* **1. → wastrel 1. 2. → wastrel 2.**

wastrel [ˈweɪstrəl] *fn* **1.** pazarló/tékozló ember **2.** semmirekellő, senkiházi **3.** utcagyerek, suhanc

watch [wɒtʃ ‖ wɑtʃ] **I. A.** *tsi* **1.** néz, szemlél, tekintetével/szemével követ *[vkt]*; **~ television** nézi a televíziót/tévét, tévézik; **~ sg on television** megnéz vmt a televízióban/tévében **2.** megfigyel, figyelmesen néz, figyelemmel kísér; **~ it!** vigyázz!, óvatosan!; **~ sy like a hawk** árgus szemekkel néz/figyel; **~ sy's movements** figyeli vk lépéseit; **~ your tongue/mouth!** vigyázz a szádra!; **you just ~!** figyeld csak meg!, majd meglátod! **3.** figyel, szemmel tart vkt; **we are being ~ed** figyelnek minket/bennünket; **have sy ~ed** megfigyeltet vkt; megles vkt, leskelődik vk után **4.** szem előtt tart, ügyel (vmre), vigyáz; **we'll have to ~ our expenses** vigyáznunk kell a költségeinkkel; *US biz* **~ your step** vigyázz, hogy hova lépsz (v. el ne ess!); vigyázz, lépcső(fok)!; légy óvatos/résen!; **I had to ~ my step** vigyáznom kellett, hova lépek; *átv* vigyáznom kellett, mit mondok/teszek, óvatosan kellett eljárnom/viselkednem **5.** *régi* virraszt *[halott/beteg mellett]*, őrködik *[vk/vm felett]* **B.** *tni* **1.** vigyáz, ügyel, őrködik **2.** résen van, vigyáz, lesben áll **3.** *régi* virraszt, fenn/ébren van **II.** *fn* **1.** (kar)óra, zsebóra; **by my ~** szerintem (v. az én órám szerint); **set one's ~** beállítja az óráját **2. a)** őrség, őrködés, megfigyelés, felügyelet **b) be on the ~** lesben áll, leselkedik; vigyáz magára, résen van; **keep ~** őrt áll; **keep a close ~ on/over sy** éberen figyel vkt, jól szemmel tart vkt **3. a)** *hajó* őrszolgálat; **be on ~** őrségen van; **keep ~** őrszolgálatot teljesít **b)** őrszemélyzet, ügyeletes legénység *[hajóé]* **c)** *hajó* négyórás szolgálati időszak **4. a)** *régi* virrasztás, ébrenlét; **in the ~es of the night** az álmatlan/átvirrasztott éjszakán át **b)** őr, őrszem, éjjeliőr • *fn* **watcher, watching**

watch after *tni* **~ after sy** tekintetével/szemével követ vkt

watch for *tni* **~ for sy** megles vkt, ráles/leselkedik vkre

watch in *tni* megnéz televíziós adást, belenéz *[műsorba]*

watch out *tni* óvatos, résen van, figyel; **~ out!** vigyázz!; **→ watchout**

watchable [wɒtʃəbl ‖ wɑtʃəbl] *mn* nézhető, elég érdekes *[műsor]*

watchcase *fn* (zseb)óratok, óraház *[fémből]*

watch chain *fn* óralánc

Watch Committee *fn GB* közrendészeti bizottság

watchdog *fn* **1.** házőrző kutya **2.** ellenőrző/felügyelő szerv(ezet)

watcher-in *fn* néző *[televíziós adásé]*

watch fire *fn* őrtűz, tábortűz

watchful [ˈwɒtʃfl ‖ ˈwɑtʃ–] *fn* **1. a)** éber, szemfüles, körültekintő **b)** óvatos; **~ waiting** gyanakvó óvatosság **2. ~ nights** átvirrasztott éjszakák; álmatlan éjszakák • *fn* **watchfulness** *hsz* **watchfully**

watch-glass *fn* **a)** óraüveg **b)** üvegtálka *[laboratóriumban]*

watch hand *fn* óramutató

watchkeeper *fn* őr(szem), *hajó* őrszolgálatot teljesítő tengerész/matróz

watchmaker *fn* órás, óraműves • *fn* **watchmaking**

watchmaking *fn* órakészítés, óragyártás, óraművesség

watchman [ˈwɒtʃmən ‖ ˈwɑtʃ–] *fn tsz* **-men** őrszem, (éjjeli)őr

watch night *fn vall* az év utolsó éjszakája

watch night service *fn vall* újévi éjféli mise

watchout *fn US* **be on the ~** résen van; **→ watch out**

watch strap *fn* (kar)óraszíj

watchtower *fn* őrtorony, megfigyelőtorony

watchword *fn* **a)** *kat* jelszó **b)** jelszó, jelmondat *[párté, mozgalomé]*

water [ˈwɔːtə ‖ ˈwɔtər] **I.** *fn* **1. a)** víz; **as weak as ~** gyenge (jellemű); **fresh ~** friss víz; édesvíz; **hard ~** kemény víz; **salt ~** sós víz; tengervíz; **→ salt water**; **soft ~** lágy víz; **dilute wine with ~** vizez bort; *átv* **hold ~** helytálló, kikezdhetetlen *[gondolkodás, érvelés]*; **it won't hold ~** nem vízálló; *átv* nem hihető/helytálló, nem áll; **take in ~** ivóvizet vesz fel *[hajó]*; *biz átv* **pour/throw cold ~ on sy's enthusiasm** lelohasztja/lehűti vk lelkesedését/reményeit; *biz átv* **throw cold ~ on a scheme** meghiúsít egy tervet; lebeszél egy tervről; *közm* **you may lead a horse to (the) ~ but you cannot make him drink** senkit sem lehet rávenni arra, amit nem akar megtenni; **like a fish out of ~** olyan, mint a partra vetett hal; vergődik; *biz* **like a duck takes to ~** könnyen, gyorsan, természetesen; *biz* **like ~ off a duck's back** mint falra hányt borsó; **spend money like ~** kifolyik a pénz a keze közül; **written in/on ~** hamar feledésbe merült/merülő, könnyen elfelejtett, mulandó; *átv* **~ of life** *bibl* lelki felfrissülés/felüdülés, az élet vize, üdvösség; *biz* szíverősítő, pálinka **b)** kútvíz, csapvíz, ivóvíz; **turn on the ~** kinyitja a vízcsapot **c)** víz(oldat); **mineral ~** ásványvíz; **tonic ~** tonik; **lemon and barley ~** limonádé **d)** *ip* **~ of condition** nedvességtartalom **2. a)** víz *[folyóé, tóé, tengeré]*; **the ~s of the Danube** a Duna vize; **be under ~** víz alatt van/áll; **break the ~** felvetődik *[vízből hal]*; *biz* **fish in troubled ~s** zavarosban halászik; **keep (oneself**

v. **one's head) above ~** úszik (v. fenntartja magát) a víz színén; *átv* nehezen bár, de tartja magát; *biz* **~ under the bridge** régi történet, lezárt eset; **tread ~** tapossa a vizet; *átv* **be in smooth ~(s)** jól megy a sora, jól boldogul **b) on land and ~** szárazon és vizen; *biz* **on this side of the ~** a víz/tenger innenső partján; az óceánon innen; **by ~** vízen, vízi úton; **cross the ~** átkel a tengeren, átkel az óceánon; **be on the ~** vízen/úton van *[hajón, csónakban]* **c)** vízállás, ár; **high ~** dagály; ár; áradás; magas vízállás; **come hell or high ~** jöjjön, aminek jönni kell; **low ~** apály; alacsony vízállás; *biz átv* **he is in low ~** mélyre/alacsonyra süllyedt; nehéz/szorult helyzetben van; összecsaptak feje fölött a hullámok **d) in deep ~** mély vízben; *biz* **he is in deep ~(s)** nyakig van a bajban; **get into hot ~** pácba/bajba kerül; *közm* **still ~s run deep** lassú víz partot mos **3.** *tsz* **waters a)** gyógyvíz; **drink the ~s** gyógyvizet iszik, ivókúrát tart; **take the ~s** gyógyfürdőket vesz; gyógyvizet iszik **b)** vizek, felségvizek *[országé]*; **in American ~s** amerikai (felség)vizeken **4.** *ásv* víz(tisztaság), átlátszóság *[ékkő tiszta csillogása]*; *átv* **of the first ~** elsőrangú, elsőrendű, hamisítatlan; *biz átv* **a liar of the first ~** notórius hazudozó **5.** *biol* **a)** magzatvíz; **break ~** elfolyik a magzatvize **b)** vizelet, húgy **6. strong ~** pálinka, tömény/nehéz szesz **7.** *orv* **~ of the brain** vízfej(űség); **have ~ on the brain** vízfejű **8. bring the ~ to one's eyes** könnyeket csal vk szemébe, megkönynyeztet vkt **9.** *jelzői haszn* vízi, víz- **II. A.** *tsi* **1.** (meg)öntöz, (meg)locsol *[növényt, területet, utat]*, nedvesít (vmt); *vál* **~ sg with one's tears** könnyeivel áztat vmt **2. a)** hígít *[italt]*; **~ a liquid** vizez (v. vízzel hígít/felold) folyadékot; felönt **b)** *pénz biz* **~ the capital** felhígít/felvizez részvénytőkét **3.** (meg)itat *[állatot]*, vízzel betáplál *[gépet]*, itat *[mozdonyt]*; **~ the horses** megitat (v. itatóvályúhoz vezet) lovakat **B.** *tni* **1.** (meg)nedvesedik, könnyezik; **my right eye is ~ing** a jobb szemem könnyezik; **his mouth ~s** folyik a nyála; *átv* **one's mouth ~s for sg** fáj a foga vmre, csorog/folyik a nyála vm után; **it makes my mouth ~** ettől összefut a nyál a szá(ja)mban **2.** ivóvizet vesz fel *[hajó]*, gőzfejlesztéshez való vizet vesz fel *[mozdony]* **3. a)** itató(vályú)hoz megy *[állat]* **b)** iszik *[állat]* • *mn* **watered, waterless**

water down *tsi* **1.** hígít, vizez *[bort]* **2.** enyhít *[kemény kifejezést]*, letompít *[elbeszélést]*, gyengít *[hatást]*; *biz* **~ down an expression** enyhít/szépít egy kifejezést

water bag *fn* **1.** víztömlő **2.** *áll* recésgyomor *[tevéé]*

water bailiff *fn* **1.** halászati felügyelő *[folyón]* **2.** *régi* kikötői vámtiszt/vámfelügyelő

water-based *mn* **1.** víz alapú *[oldat]* **2.** vízi *[sport]*

waterbear *tsi pt* **waterbore**, *pp* **waterborn(e)** vízen (v. vízi úton) szállít/visz

water-bearer *fn* → **water carrier**

waterbed *fn orv* vízágy, vízzel töltött (műanyag) matrac

water bird *fn* vízi madár

water biscuit *fn gaszt* vízzel készült keksz, vizes keksz

water blister *fn orv* vízhólyag

waterborne *mn* **1. a)** *gazd* vízen (v. vízi úton) szállított *[áru]* **b)** vízen úszó/járó **2.** *geol* vízhordta *[talaj]*, vízi, akvatikus *[üledék]* **3.** *orv* (fertőzött) víz által terjesztett, víz eredetű *[járvány, betegség]*

water breaker *fn* hullámtörő gát

water buffalo *fn áll* ázsiai/indiai bivaly

water bug *fn áll* vízi poloska

water bus *fn közl* vízibusz

water butt *fn* esővizes/esővízgyűjtő hordó, vízfogó

water cannon *fn* vízágyú; **the police used ~s to disperse the crowd** a rendőrség vízágyúkkal oszlatta szét a tömeget

water carrier *fn* **1.** vízhordó **2.** *csill* **W~** Vízöntő

water clock *fn* vízóra, klepszidra

water closet *fn* vízöblítéses illemhely, (angol) vécé, *röv* W.C.

water colour *fn* **1.** vízfesték, akvarell(festék) **2. ~ (painting)** vízfestmény, akvarell **3.** *tsz* **water colours** vízfestés, akvarellfestés, akvarellfestészet • *fn* **water-colorist**

water-cooled *mn* vízhűtésű, vízhűtéses

water-cooler *fn* vízhűtő korsó/kanna

watercourse *fn* **1. a)** patak, kis folyó **b)** csatorna **2.** folyómeder, patakmeder, vízmosás

water cracker *US* → **water biscuit**

water cure *fn orv* vízgyógyászat, vízgyógymód, (gyógy)vízkezelés

water diviner *fn* varázsvesszős vízkutató/forráskutató

waterfall *fn* **1.** vízesés **2.** *régi* zúgó, zuhogó

waterfinder *fn* varázsvesszős vízkutató/forráskutató; **~'s wand/fork/rod** vízkutató/forráskutató varázsvesszője

water flea *fn áll* vízi bolha

waterfowl *fn* **a)** vízi madár **b)** vízi madarak/szárnyasok

waterfront *fn* vízpart, (folyam)parti/tengerparti városrész

water gas *fn vegy* vízgáz

watergate *fn* **1.** *vízügy* zsilipkapu, zsiliptábla **2.** vízkapu, vízre nyíló kapu

water gauge *fn* **1.** *vízügy* vízállásmérő, vízszintjelző **2.** *műsz* víznyomásmérő, manométer

water glass *fn* **1.** *vegy* vízüveg **2.** *régi* vízóra, klepszidra **3.** távcső *[víz alatti dolgok vizsgálatára]* **4.** vizespohár

water hammer *fn* **1.** *fiz* vízkalapács **2.** víztorlódás zaja *[csap elzárásakor]*

water heater *fn* vízmelegítő, vízforraló

water hen *fn áll* vízi tyúk

water hole *fn* **a)** *geol* nedves üreg **b)** *Ausz* ‹víztartalmú mélyedés kiszáradt folyómederben›

water ice *fn gaszt* jégkása

watering [ˈwɔːtərɪŋ] **I.** *fn* **1.** (meg)locsolás, (meg)öntözés **2.** (meg)itatás *[állatoké]* **3.** (fel)vizezés, (fel)hígítás *[boré]*; *pénz* **~ of stock** részvénytőke felhígítása **4.** vízellátás *[gépnek]* **5.** *hajó* ivóvíz(készlet) felvétele **6.** *orv* **~ of the eyes** (beteges) könnyezés **II.** *mn* vizet eresztő, nedvező; *orv* **~ eyes** könnyező szem, szemkönnyezés

watering can *fn* öntözőkanna

watering hole *fn* **1.** → **watering place** 1. **2.** *szl* *[kocsma]* gyógygödör

watering place *fn* **1.** itatóhely *[háziállatoké]*, ivóhely *[vadállaté]* **2.** *hajó* ivóvízkészlet felvevőhelye **3.** *GB* **a)** tengeri fürdő(hely), tengerparti üdülőhely **b)** gyógyfürdő(hely)

water jacket *fn műsz* víz(hűtő)köpeny *[motorhengeré]*

water jet *fn* vízsugár, vízoszlop *[szökőkúté]*

water-joint *fn műsz* vízhatlan tömítésű csőkötés

water jug *fn* vizeskancsó; *US* kulacs

water jump *fn sp* vizesárok *[lóversenyen, akadályversenyen]*

water level *fn* **1. a)** vízállás, vízszint, ármagasság **b)** *geol* talajvíz szintje, belvízszint **2.** vízszintező, libella

water lily *fn növ* tündérrózsa, tavirózsa, vízililiom

water line *fn* **1.** *hajó* vízvonal, merülési vonal **2.** vízjel vonala *[papíron]*

waterlogged *mn* **1. a)** vízzel átitat(ód)ott/teleivódott **b)** *hajó* vízzel megtelt **2.** vizenyős, vízállásos *[talaj]*

Waterloo [ˌwɔːtəˈluː ‖ ˌwɔtərˈluː] **I.** *tul földr* Waterloo **II.** *fn átv biz* döntő csata/ütközet; **meet one's ~** végleg elbukik, elveszti a döntő csatát, döntő vereséget szenved

water main *fn* vízvezetéki főcső

waterman [ˈwɔːtəmən ‖ ˈwɔtər–] *fn tsz* **watermen** **1.** csónakos, ladikos, révész **2.** evezős

watermark I. *fn* **a)** vízjel, vízjegy *[papírban]* **b)** *infor* vízjel *[minden oldalon megjelenő szöveg/grafika]* **II.** *tsi* vízjellel ellát *[papírt]*

water meadow *fn földr* vizes/kövér/nedves rét, mélyen fekvő vizenyős rét

watermelon *fn növ* görögdinnye

water meter *fn* vízóra, vízmérő

watermill *fn* vízimalom

water nymph *fn* vízisellő, hableány, najád

water ordeal *fn tört* vízpróba

water pipe *fn* **1.** vízvezetékcső, kifolyócső *[víztartályé, medencéé]* **2.** vízipipa

water pistol *fn* vízipisztoly

water polo *fn sp* vízilabda, vízipóló
water pot *fn* vizesedény, vizeskanna
water power *fn* vízi erő/energia
waterproof I. *mn* vízhatlan, vízálló, impregnált **II.** *fn* **a)** vízhatlan/impregnált esőkabát **b)** vízhatlan/impregnált szövet **III.** *tsi* vízhatlanít, impregnál, víz ellen szigetel
water pump *fn* vízszivattyú; *gk* vízpumpa
water rat *fn áll* vízipatkány, kagylófaló
water rate *fn* vízdíj
water-repellent *fn tex műsz* víztaszító, vízlepergető, vízhatlan
water-resistant *mn* vízálló • *fn* **water-resistance**
watershed *fn* **1.** *földr* vízválasztó (vonal) **2.** *átv* vízválasztó, határvonal
waterside I. *fn* vízpart, folyópart; **at/on the ~** a vízparton, a folyóparton, a víz/folyó mellett/mentén **II.** *mn* (víz)parti, víz menti, vízmelléki
water-skiing *fn sp* vízisí(zés) • *tni* **water-ski** *fn* **water-skier**
water slide *fn* (vizes) óriáscsúszda *[strandon]*
water snake *fn áll* vízisikló
water softener *fn* **a)** vízlágyító (szer) **b)** *ip* vízlágyító berendezés
water-soluble *mn* vízben oldható/oldódó
water sports *fn tsz sp* vízisportok
waterspout *fn* **1.** vízoszlop, (vihar okozta) víztölcsér **2.** felhőszakadás **3.** lefolyócsatorna
water station *fn sp* frissítő állomás *[maratonfutáskor, gyaloglásnál]*
water supply *fn* **1.** vízellátás, vízszolgáltatás **2.** vízellátó/vízszolgáltató berendezés/hálózat; **there is no ~** vízvezeték/folyóvíz nincs
water table *fn* **1.** *épít* vízorr, vízelvezető, vízpárkány, csurgópárkány **2.** *geol* talajvízszint
watertight *mn* **1.** vízhatlan, vízálló **2.** *biz átv* kifogástalan, helytálló *[érv]* • *fn* **watertightness**
water tower *fn vízügy* víztorony
water trench *fn* vizesárok, vízlevezető árok, öntözőcsatorna, öntözőárok
waterway *fn* **1.** (hajózható) vízi út **2.** vízlevezető csatorna, csurgó
water wheel *fn műsz* vízkerék, hidraulikus kerék
water wings *fn tsz* szárny alakú úszóöv, úszószárny
waterworks *fn tsz* **1.** vízművek; *biz* **turn on the ~** sírni/bőgni/pityeregni kezd, itatja az egereket; pisil **2.** *régi* szökőkút
watery [ˈwɔːtəri] *mn* **1.** vizes, víz tartalmú, nedves, vizenyős *[talaj]* **2. a)** vízzel (el)árasztott, vízben úszó **b) ~ eyes** könnyes (v. könnybe lábadt), könnyben úszó szem(ek) **3.** esős, esőre álló *[idő]*; **~ sky** esős ég(bolt) **4. a)** híg, ízetlen, vízízű *[leves, tea]* **b)** erőtlen, bágyadt **c)** színtelen, feleresztett, vizenyős *[stílus]* **5.** vízi, tengeri, vizes, vízből való; **~ grave** hullámsír • *fn* **wateriness**
watt [wɒt ‖ wɑt] *fn vill* watt *[villamos teljesítmény egysége]*; **a 60 ~ light-bulb** 60 wattos égő
wattage [ˈwɒtɪdʒ ‖ ˈwɑtɪdʒ] *fn vill* wattérték, elektromos/valóságos teljesítmény
watt-hour *fn vill* wattóra
wattle[1] [ˈwɒtl ‖ ˈwɑtl] **I.** *fn* **a)** sövényfonadék, fonott (vesszőből) kerítés **b)** (vesszőfonadék-)akadály *[lovassportnál]* **c)** vesszőfonat, gyékényfonat, szárítókas **II.** *tsi* **a)** vesszőből fon *[kerítést]*, sövényfonatból/rőzsefonatból készít/épít **b)** fűz *[favesszőt]*, (sövénnyé) fon, kévéz *[rőzsét]*
wattle[2] [ˈwɒtl ‖ ˈwɑtl] *fn* pötyögő, (bőr)szakáll, bőrlebernyeg *[pulykáé]*, bajusz *[halé]*
wattle and daub *fn* sárral tapasztott vesszőfonat *[kunyhó falának]*, paticsfal
wattmeter [ˈwɒtmiːtə ‖ ˈwɑtmiːtər] *fn vill* wattmérő, teljesítménymérő
wave [weɪv] **I.** *fn* **1. a)** hullám; **the ~s** a habok, az ár, a tenger; **~ of indignation** méltatlankodás/felháborodás hulláma; **shock ~s** sokkhullámok **b) make ~s** (i) nagy port kavar *[esemény]* (ii) bajt hoz **2.** *távk fiz* hullám, hullámforma; **long ~** hosszúhullám; **medium ~** középhullám; **short ~** rövidhullám **3.** *kat* hullám *[embereké, repülőké]*; **first ~** első hullám; **in the second ~** a második hullámban **4.** *meteo* hullám; **heat ~** hőhullám; **cold ~** hideghullám **5. a)** hullám, hullámosság *[hajé]*; **natural ~** természetes hullám(osság) **b)** (haj)hullámosítás, hajsütés, ondolálás **6.** leng(et)és, lendítés, lendülés, intés; **~ of the hand** (kéz)legyintés **7.** hullám(minta), habos minta *[selymen]* **II. A.** *tsi* **1.** lenget, lobogtat, lóbál, ingat; **~ one's hand** legyint, kezével int; kezével integet **2. a)** int **b) ~ sy aside** vkt intéssel félrehív/félreküld; **~ sy away** int vknek, hogy menjen el; intéssel elküld vkt; **~ down** leint *[járművet]* **3.** hullámosít, ondolál *[hajat]* **B.** *tni* **1.** leng, lobog, hullámzik **2.** int(eget) (*to* vknek) **3.** hullámos, hullámokban van *[haj]*; **her hair ~s naturally** haja természetesen hullámos • *fn/mn* **waving** *mn* **waved**, **waveless**, **wavelike**
waveband *fn távk* hullámsáv
wave form *fn fiz* hullámalak
wave function *fn mat* hullámfüggvény
waveguide *fn távk* hullámvezető, hullámcső
wavelength *fn* **1.** *fiz távk* hullámhossz **2.** *átv* hullámhossz; **we are not on the same ~** nem vagyunk ugyanazon a hullámhosszon
wavelet [ˈweɪvlət] *fn* hullámocska, kis hullám
wave machine *fn* hullámgép *[strandon]*
wave mechanics *fn esz fiz* hullámmechanika
wave motion *fn fiz* hullámmozgás
waver [ˈweɪvə ‖ –ər] *tni* **1.** remeg, reszket *[fény]*, bizonytalanul lobog, libeg-lobog *[láng]* **2. a)** ingadozik, habozik, tétovázik *[két álláspont között]* **b)** meginog, megrendül *[elhatározásában]*, meginog *[ütközetben]* • *fn* **waverer** *fn/mn* **wavering** *mn* **wavery**
wave theory *fn fiz* hullámelmélet
wavy [ˈweɪvi] *mn* **1.** hullámos, hullámzó, fodros **2.** lengő, lebegő • *fn* **waviness** *hsz* **wavily**
wax[1] [wæks] **I.** *fn* **1.** viasz, *műv* burkolóviasz, bevonóviasz *[metszetkészítéshez]*; **bleached ~** fehér viasz; **vegetable ~** növényi viasz; *biz átv* **mould sy like ~** tetszése szerint formál vkt (v. vknek a jellemét); *biz* **be ~ in sy's hands** könnyen formálható/alakítható jellem **2.** *orv* fülzsír; → **earwax 3.** *biz* viasz(lemez) *[gramofonra]* **II.** *tsi* **1.** viaszol, viaszoz, viasszal bevon/beken, viasszal fényesít *[padlót, bútort]* **2.** gyantáz *[lábat]* **3.** *biz* viaszra/viaszlemezre felvesz • *fn* **waxer**, **waxing** *mn* **waxed**
wax[2] [wæks] *tni* **1.** nő, növekszik, dagad *[hold]*; **~ and wane** növekszik és csökken, nő és fogy, váltakozik **2.** *vál* megnövekszik, megerősödik **3.** lesz, válik (vmlyenné/vmvé) • *fn/mn* **waxing**
wax[3] [wæks] *fn GB biz* düh(roham), harag; **be in a ~** dühös, haragos, mérges; **get into a ~** dühbe gurul, haragra lobban, méregbe jön
wax cloth *fn* viaszosvászon
wax doll *fn* viaszbaba, viaszbábu
waxen [ˈwæksn] *mn* **1. a)** viaszból való, viaszos, viasz- **b)** viasszerű, viaszszínű; **~ complexion** viaszsárga/viaszfehér arc(szín) **2.** *átv* viaszpuha; **~ character** könnyen formálható/alakítható jellem; **~ heart** vajszív
wax end *fn* szurkozott fonal, cipészfonal
wax light *fn* viaszgyertya, viaszmécs
wax painting *fn műv* viaszfestés, enkausztika
wax paper *fn* viaszpapír, zsírpapír
waxwork *fn* **1.** viaszöntés, viaszmintázás **2. a)** viaszfigura, viaszbáb **b)** *tsz* **waxworks** viaszfiguragyűjtemény, panoptikum
waxy[1] [ˈwæksi] *mn* **1.** viaszos, viasszerű; **~ oil** parafinos olaj **2.** viaszszínű; **~ complexion** viaszsárga arc(szín) **3.** puha, könnyen formálható *[jellem]*, viaszpuha • *fn* **waxiness** *hsz* **waxily**
waxy[2] [ˈwæksi] *mn GB biz szl [dühös]* zabos

way [weɪ] **I.** *fn* **1. a)** út; **public ~** közút; **~ down** lejárat; **~ in** bejárat, bemenet; **~ out** kijárat, kimenet; *átv* kiút; **~ through** átjáró; **~ to the station** az állomáshoz vezető út; **~ up** feljárat; **along the ~** útközben; **ask one's ~** megkérdezi, merre kell menni; **find one's ~ out** kitalál (vhonnan); **find one's ~ to a place** odatalál vhova, eljut vhova; **give ~** enged, hátrál; leszakad, megroggyan, beszakad; eltörik; elszakad; **give ~ to sy** félreáll vknek az útjából; elsőbbséget ad vknek *[közlekedésben]*; *átv* enged vknek; **give ~!** elsőbbségadás kötelező!; **go down the wrong ~** cigányútra megy; *biz* **go one's own ~** a maga útját járja, a maga/saját feje után megy; **mistake the ~, go the wrong ~** eltéved, rossz felé megy; *euf* **go the ~ of all flesh/things** elmegy mindnyájunk útjára, meghal; **know one's ~ about/around** kiismeri magát, járatos (vhol); **lead the ~** elöl megy, mutatja az utat; **lose one's ~** eltéved; **make one's ~ back** visszatér, megteszi az utat visszafelé; **make ~ for sy** utat nyit/ad/enged vknek; utat csinál vknek; **make one's ~ into the flat** behatol/bejut a lakásba; **show sy the ~** (meg)mutatja vknek az utat; **work one's ~ through sg** utat tör magának vmn át, átvágja/keresztülvágja magát vmn; *átv* átrágja magát vmn; **pave the ~ for sg** előkészít vmt, vmnek az előfutára; **work one's ~ up** felküzdi/feltornássza magát *[jobb állásba]*, saját erőfeszítésével emelkedik jobb sorba; **across/over the ~** az út túlsó/másik oldalán, szemközt; **be in a fair ~ to...** jó/legjobb úton van ahhoz, hogy...; **be in sy's ~** út(já)ban (v. lába alatt) van vknek; **be in the ~ of sg** útjában áll vmnek, gátol/akadályoz vmt; **I will do anything that comes in my ~** minden/bármilyen munkát hajlandó vagyok elvégezni; *átv* **stand in sy's ~** útjában áll vknek, elállja vknek az útját; **on the ~** útban, útközben; **on the ~ out** kifelé menet, kimenet, útban kifelé; **on one's ~ home** (útban) hazafelé; **set sy on his ~** vkt útbaigazít; **out of the ~!** utat!, félre az útból!; **get out of the ~!** takarodjék/kotródjék (v. hordja el magát) innen!; **go out of one's ~** kerül(őt csinál), kitérőt tesz; **keep out of sy's ~** kikerül vkt, kitér vk elől; *biz* **put sy out of the ~** vkt eltesz láb alól; **be under ~** úton/útközben van **b)** ösvény, csapás **c)** út(vonal); **what is the shortest ~ to the post office?** mi a legrövidebb út a postára? **d)** *jog* útszolgalom, szolgalmi jog, átjárás joga; **right of ~** *közl* elsőbbség **e) by the ~** az út mentén/szélén; mellesleg, mellékesen, közbevetőleg; **by the ~!** ja igen!, most/erről jut eszembe!, apropó!, igaz is!; **by ~ of sg** vmn keresztül/át; vm útvonalon/útvonalán; vmként, vmképpen, vm gyanánt; **by ~ of introduction** bevezetésként, bevezetőben, elöljáróban; bemutat(koz)ás gyanánt; **by ~ of warning** figyelmeztetésként, figyelmeztetésül **f)** járás, menés; **get under ~** mozgásba/lendületbe jön **2.** távolság, út; **a little/short ~ off** nem messz(ir)e; **you are a long ~ out/from the truth** ön messze jár az igazságtól, ön nagyon téved; **it's a long ~ to London** London jó messze van; *átv* **have a long ~ to go** hosszú/nagy utat kell megtennie, hosszú út áll előtte; *átv* **go a long ~ towards sg** vmt jelentékenyen megközelít; **a little kindness goes a long ~ with them** náluk egy kis kedvességgel sokat lehet elérni; *biz* **he will go a long ~** még sokra fogja vinni; **all the ~** az egész úton, végig; *US biz* **we have suits all the ~ from $50 to $500** öltönyök nálunk 50 és 500 dollár közötti áron kaphatók; **by a long ~** sokkal, jóval; **not by a long ~** cseppet/legkevésbé/távolról sem **3.** irány; **that ~** arra(felé); **this/that ~ out** a kijárat arra/erre van; erre tessék kifáradni; **this ~** erre(felé); **this ~, please** erre tessék; **which ~?** merre?; **which ~ is the wind blowing?** honnan (v. milyen irányból) fúj a szél; *biz* **it cuts both ~s** mindkét oldalra vonatkozik; kétélű; **look the other ~** másfelé néz, *átv* szemet húny (vm felett); **(in) the wrong ~** fordítva, ellenkezőleg; tévesen, helytelenül; **the wrong ~ up** fordítva, fejjel lefelé; **I have nothing to say one ~ or the other** nincs semmi mondanivalóm se pro, se kontra (v. se mellette, se ellene); **each one his own ~** ki erre, ki arra, kiki a maga útján; **come one's ~** feléje jön, útjába akad/kerül; adódik; *biz* **down our ~** (mi)nálunk, mifelénk **4. a)** mód; **~s and means** utak és módok, módozatok és lehetőségek; **~ of life** életforma, életmód; **~ of thinking** gondolkodásmód; **~ of doing sg** vm megtevésének a módja; **~ of walking** járás(mód); **that's not my ~ (of doing things)** én nem így szoktam (csinálni a dolgokat); **that's his ~** ez az ő módszere, ő így szokta; *biz* **that's one ~ of looking at it** így is fel lehet fogni; ebből a szemszögből is meg lehet ítélni; **this is no ~ to treat a lady** egy hölggyel nem szabad így bánni; **is this the ~ to treat an old man?** hát így kell bánni egy öreg emberrel?; **that is always the ~ with him** ő mindig így csinál/tesz (v. szokta csinálni), ez nála állandó; **that's the ~ it goes** így van ez, ilyen az élet; **(that's the) ~ to go!** úgy/jól/rendben van!; helyes!, ez az!; **the ~ things are (going)** ahogy a dolgok állnak/alakulnak, a dolgok jelenlegi állása/alakulása mellett; **it isn't what he says, but the ~ he says it** nem amit mond, hanem ahogy mondja; *biz* **if that's the ~ you feel about it** ha így érzed, ha így fogod fel; *biz* **no ~!** szó sem lehet róla!, kizárt dolog!, Isten ments!; **well, it is this ~** hát így állunk, hát erről van szó; *US* **either ~** akár így, akár úgy; mindenképpen, elkerülhetetlenül; **in this ~** így, ily módon, ilyenformán; *US* **in a big ~** nagy arányokban/méretekben, nagystílűen; fölényesen; **in such a ~ as to...** úgy, hogy; oly(an) módon, hogy...; **without in any ~ wishing to interfere...** anélkül, hogy a legcsekélyebb mértékben be óhajtanék avatkozni; **in no ~** semmiképpen, sehogy, a legkevésbé sem; **in one/some ~ or (an)other** így vagy úgy, valahogy(an), akárhogy(an); **do things in one's own ~** a maga módján (v. feje szerint) cselekszik; **have one's ~** a saját feje után megy, azt csinál, amit akar; az történik, amit akar; **I'll have my own ~ in the end** végül is az én akaratom szerint lesz (v. fog történni); **he is happy in his own ~** boldog a maga módján; **in his (own) ~** a maga módján; a maga nemében; **in a small ~** szerény keretek közt; **he always has his ~** mindig keresztülviszi akaratát; **if I had my ~** ha azt tehetném, amit akarok; **have it your own ~** tegyen úgy, ahogy jónak látja; **find a ~ to do sg** módot talál rá (v. módját ejti), hogy vmt megtegyen; *közm* **where there's a will there's a ~** mindent lehet, csak akarni kell **b)** módszer, eljárás; **there are no two ~s about it** itt más lehetőség/megoldás nincs; **go the right ~ to work** jól/ügyesen fog a munkához **5. a)** szokás; **be in the ~ of doing sg** szokása vmt megtenni; **get/fall into the ~ of doing sg** rászokik vmnek a megtételére; rájön/megtanulja, hogyan kell vmt megtenni **b) ~s and customs** szokások és hagyományok **6.** modor, viselkedés; **he has a ~ with children** tudja, hogyan kell bánni a gyerekekkel; ért a gyerekek nyelvén; **I know his little ~s** ismerem az ő kis bogarait/fogásait/trükkjeit; **mend his ~s** modort tanul, megjavul **7.** szempont, tekintet; **in every ~** minden tekintetben/vonatkozásban; **in many ~s** sok tekintetben/szempontból; sokféleképpen; **in some ~s** bizonyos tekintetben/vonatkozásokban/szempontból; **in one ~** egy bizonyos tekintetben/szempontból; **in a ~ he is right** ha úgy nézzük/veszem, igaza van; bizonyos tekintetben/szempontból igaza is van **8.** állapot; **be in a bad ~** rossz bőrben van; bajban van; *biz* **be in a great ~** fel van izgatva; **be in the family ~** állapotos, terhes, várandós **9.** kör, ág *[foglalkozásé, érdeklődésé]*; **~ of business** üzletág, foglalkozási ág; mesterség; hivatás; **I met him in the ordinary ~ of business** üzleti ügyben/pályámon találkoztam vele **10.** *tsz* **ways** rész, darab; **divide/split sg two ~s** ketté/két részre oszt **II.** *hsz biz* el, messze, távol; **~ back** messze, messzire; régen, jó/hosszú ideje; **~ out in the country** jó messze kinn a vidéken; **~ past six** jóval hat után; **~ up** magasan, odafenn

waybill *fn* **1.** fuvarlevél, (vasúti) szállítólevél, kísérőjegyzék *[tranzitárué]* **2.** utaslista

wayfarer [ˈweɪfeərə ‖ –ferər] *fn* utas(ember), utazó, vándor • *fn/mn* **wayfaring**

waylay [weɪˈleɪ] *tsi pt/pp* **waylaid** [weɪˈleɪd] **1.** úton orvul megles és támad **2.** útközben/úton megállít/feltartóztat • *fn* **waylayer**

way-leave *fn* **a)** útszolgalom, útjog **b)** *rep* átrepülési jog *[idegen terület felett]*
waymark *fn* mérföldkő, kilométerkő, útjelző, útmutató tábla • *mn* **waymarked**
Wayne [weɪn] *tul* ‹férfinév›
way-out *mn* **1.** *biz* különcködő, nem mindennapi, excentrikus **2.** kiváló
waypoint *fn* **1.** állomás *[úton, utazáson]* **2.** megállóhely
ways and means *fn tsz* útja-módja vmnek
wayside **I.** *mn* út menti, útszéli; **he had a nasty ~ experience** kellemetlen kalandja/élménye volt (úton) **II.** *fn* útszél(e); *átv* **fall by the ~** vereséget szenved, kiesik *[küzdelemből]*
wayside inn *fn* autóscsárda, motel
way station *fn* **1.** *US vasút* (feltételes) megálló(hely), állomás **2.** állomás *[folyamatban]*
wayward [ˈweɪwəd ‖ –wərd] *mn* **1.** akaratos, önfejű, csökönyös, makacs **2.** szeszélyes, hóbortos, kiszámíthatatlan; **~ imagination** veszélyes/csapongó képzelet • *fn* **waywardness** *hsz* **waywardly**
wayworn *mn* az úttól kimerült/fáradt/megviselt
WbN *röv west by north*
WbS *röv west by south*
WC *röv* **1.** *water closet* **2.** *West Central*
WCC *röv World Council of Churches* Egyházak Világtanácsa
W/Cdr, **W.Cdr** *röv Wing Commander*
we [wi, wiː] *nm* **a)** mi; **here ~ are** itt vagyunk; **how are ~ this morning?** hogy vagyunk ma reggel? **b)** **as ~ say** mint mondják (v. mondani szokás), ahogy mondani szokták
weak [wiːk] *mn* **1.** gyenge, gyönge *[testileg, lelkileg]*; **~ character** gyenge jellem; **the ~er sex** a gyöngébb nem; **sy's ~ side** vknek a gyenge oldala; **feel as ~ as water** gyengének érzi magát **2.** **a)** gyenge, beteges, erőtlen, (ki)fáradt, vézna, törékeny **b)** gyarló **3.** gyenge, (könnyen) befolyásolható, nem erélyes/határozott döntés **4.** **a)** gyenge, nem meggyőző/logikus *[érvelés]*; **~ argument** gyenge érv **b)** lagymatag, lanyha, szétesó *[stílus]* **5.** gyenge, erőtlen *[állam, politikai hatalom]*; **a ~ coalition** gyenge koalíció **6.** gyenge *[csapat]*, munkaerővel gyengén/rosszul ellátott *[szervezet, cég]*; *sp* **~ in offense** támadásban gyenge, a támadás a gyengéje **7.** gyenge, híg *[oldat]* **8.** *vill* **~ current** gyengeáram; *fiz* **~ interaction** gyenge kölcsönhatás; *műsz* **~ mixture** gázszegény elegy; *fényk* **~ picture** életlen (fény)kép **9.** *nyelv* gyenge; **~ conjugation** gyenge (ige)ragozás; **~ verb** gyenge ige • *mn* **weakish**
weaken [ˈwiːkən] **A.** *tsi* (el)gyengít, legyengít *[vkt, szervezetet]* csökkent *[erőt, képességet]*, halványít, tompít *[színárnyalatot]*, elszegényít *[népet]*, hígít *[oldatot]*, felönt *[teát]*, felfog *[ütés erejét]*, meglazít *[rugót]* **B.** *tni* (el)gyengül, legyengül *[vk, szervezet]*, csökken *[erő,képesség]*, elhalványul *[szín]*, határozottságát elveszti *[ember]*, elhalkul *[hang]*, meglazul *[rugó]*, *gazd* lanyhul *[piac]* • *fn* **weakener** *fn/mn* **weakening**
weak-kneed [ˌwiːkˈniːd] *mn biz átv* gyenge jellemű, ijedős, beijedt, könnyen megfélemlíthető
weakling [ˈwiːklɪŋ] *fn* **1.** gyenge testalkatú ember/állat, vékonydongájú ember, nyápic/vézna ember **2.** határozatlan ember, gyenge jellem, puhány
weakly [ˈwiːkli] **I.** *mn* gyenge, gyönge, beteges, vékonydongájú, vézna **II.** *hsz* gyengén • *fn* **weakliness**
weak-minded *mn* **1.** **a)** gyengeelméjű **b)** gyenge tehetségre valló *[cselekedet]* **2.** határozatlan, erélytelen • *fn* **weak-mindedness** *hsz* **weak-mindedly**
weakness [ˈwiːknəs] *fn* **1.** gyengeség *[testé, jellemé, köteléké]*, gyarlóság *[természeté]*, erőtlenség *[érvelésé]*; **~ of sight** rossz/gyenge látás/látóképesség **2.** gyengéje vknek/vmnek, gyenge oldala/pontja vknek/vmnek; **have a ~ for sg** vm a gyengéje; **she has a ~ for chocolate(s)** a csokoládé a gyengéje, a csokoládénak nem tud ellenállni
weak point *fn* leggyengébb/legsebezhetőbb pontja, gyengéje (vknek/vmnek)

weal[1] [wiːl] *fn vál* jólét, boldogság, boldogulás; **common/general/public ~** közjó, közérdek; jószerencse; **~ and woe** jó- és balsors
weal[2] [wiːl] → **wale**
wealth [welθ] *fn* **1.** **a)** gazdagság, jómód, jólét, vagyon(osság); **achieve ~** vagyont szerez; **come to ~** meggazdagodik **b)** fényűzés; *biz* **he is rolling in ~** úszik a pénzben **2.** *átv* bőség, bővelkedés (vmben), temérdek/rengeteg sok (vmből); **a ~ of donations** rengeteg adomány
wealth tax *fn* vagyonadó, vagyonváltság
wealthy [ˈwelθi] *mn* **1.** gazdag, vagyonos, jómódú; **a ~ family** gazdag/jómódú család **2.** *átv* bőséges, bővelkedő; **~ in friend** bőségesen vannak barátai, sok barátja van • *fn* **wealthiness** *hsz* **wealthily**
wean [wiːn] **I.** *fn skót* gyermek **II.** *tsi* **1.** *átv* **~ sy from his bad habits** leszoktat vkt a rossz szokásairól **2.** elválaszt *[szopós gyermeket/állatot]* • *fn/mn* **weaning**
weaner [ˈwiːnə ‖ –ər] *fn* frissen elválasztott állat
weanling [ˈwiːnlɪŋ] *fn* elválasztott csecsemő/állat
weapon [ˈwepən] *fn* **1.** fegyver; **atomic/nuclear ~s** atomfegyverek, nukleáris fegyverek; **conventional ~s** hagyományos fegyverek; **~s of mass destruction** tömegpusztító fegyverek **2.** *átv* fegyver, eszköz; **his ability to retort is his most important ~** válaszkészsége a legfőbb fegyvere • *mn* **weaponed**, **weaponless**
weaponry [ˈwepənri] *fn* fegyverzet
wear [weə ‖ wer] **I.** *pt* **wore** [wɔː ‖ wɔr], *pp* **worn** [wɔːn ‖ wɔrn] **A.** *tsi* **1.** **a)** hord, visel *[ruhát, ékszert]*; **~ black** feketét hord, feketébe öltözködik; **~ one's hair long** hosszú hajat visel/hord; **what shall I ~?** mit vegyek fel? **b)** hord, visel *[rendszeresen]*; **she ~s red** piros ruhákat hord; **the team ~ing green** a zöldmezes csapat **2.** **a)** *átv* hord(oz), visel, mutat *[arckifejezést, jelleget]*; **she always ~ a smile (on her face)** mindig mosolyog, mosoly van az arcán; **~ one's age well** jól tartja magát *[öregedő ember]*; **~ one's heart on one's sleeve** nem rejti véka alá az érzéseit **b)** *biz* **~ sg in one's heart** szívén visel vmt; *biz* **~ sy in one's heart** szívébe zár vkt; **she ~s the trousers/pants** ő hordja a nadrágot **3.** **a)** (el)hord, (el)koptat, (el)nyű, (el)használ; **~ holes in sg** lyukasra koptat/hord vmt; kilyukaszt *[harisnyát]* **b)** **~ oneself to death** agyondolgozza (v. halálra dolgozza) magát; **~ oneself to a shadow** betegre dolgozza magát **c)** *átv* **~ thin** fogytán van; **my patience is ~ing thin** fogytán van a türelmem **4.** *GB* elfogad, tolerál; **I won't ~ that excuse** ezt a kifogást nem fogadom el **B.** *tni* **1.** **a)** kikopik, kitágul, lekopik; **~ smooth** simára kopik **b)** kopik; **~ to one's feet** kitaposódik *[cipő]*; **~ to holes** kilyukad *[hordásban]* **c)** **~ well** tartós, strapabíró *[ruha, anyag]*; jól tartja magát *[öregedő ember]* **2.** múlik, telik *[idő]*; **the day wore sadly to its close** a nap szomorúan végződött **II.** *fn* **1.** **a)** viselet; **ladies' ~** női ruhák, női ruházati cikkek; **men's ~** férfiruhák, férfi ruházati cikkek; **national ~** nemzeti viselet **b)** használat, tartósság; **there is yet a good year's ~ in it** ezt még egy jó évig lehet hordani/használni **c)** divat; **in ~** használatban; divatban; **clothes not in ~** nem viselt ruhák; nem divatos ruhák **2.** elhasználódás, (el)kopás *[gépé, úté, anyagé stb.]*, rongálódás *[használatban]*, dörzsölődés *[felületé]*; **~ and tear** elhasználódás, elnyűvés, kopás; értékcsökkenés, rongálódás *[ingatlané]*; avulás *[berendezésé]*; *jog* **fair ~ and tear** természetes/szokásos kopás/elhasználódás; **for hard ~** strapabíró; **the worse for ~** (erősen) kopott, megviselt, erősen (el)használt; (betegség után) legyengült • *fn* **wearer** *mn* **wearable**
wear away **A.** *tsi* **1.** **a)** elhasznál, elkoptat, elnyű **b)** *átv* **be worn away** őrlődik; **he is worn away to a shadow** már csak árnyéka saját magának **2.** eltöröl, eltüntet *[felírást idő]* **3.** eltölt *[időt]* **B.** *tni* **1.** elhasználódik, elkopik **2.** elmosódik, lassan eltűnik **3.** enyhül, csökken, szűnik *[fájdalom]* **4.** eleped, elsorvad **5.** telik, múlik *[idő, évszak]*

wear down A. *tsi* **1.** lekoptat, elvékonyít; ~ **one's heels down** ferdére/félre tapossa a (cipője) sarkát **2.** zaklatással kifárasztj; ~ **down the enemy's resistance** lassanként megtöri az ellenség ellenállását **B.** *tni* **1.** elhasználódik, elkopik, lekopik (vm) **2.** (lassanként) csökken/megtörik *[ellenállás stb.]*

wear into *tni* ~ **into years** fokozatosan megöregszik

wear off A. *tsi* **1.** lekoptat *[használatban, dörzsöléssel stb.]* **2.** elhord *[ruhát]* **B.** *tni* **1.** elkopik **2. a)** eltűnik, elmosódik *[használat által]* **b)** elmúlik, csökken *[hatás stb.]* **c)** elenyészik **3.** megszokottá válik

wear on *tni* **1. a)** (lassan) telik, eltelik, elmúlik, telikmúlik *[idő]*; **time wore on** az idő telt, telt-múlt az idő **b)** folytatódik *[cselekmény]*, tovább folyik *[vita]*; **as the evening wore on** amint lassan beesteledett; ahogy az este lassan éjszakába hajlott **2.** idegesít (vkt)

wear out A. *tsi* **1.** lehord, elkoptat, elnyű *[ruhát]*; kifáraszt, kimerít (vkt); ~ **oneself out** agyondolgozza/agyonfárasztja magát; kifárad/kimerül a munkában; **be worn out** agyonhasznált, egészen lehordott/kopott *[ruha]*; kimerült, halálosan fáradt, alig áll a lábán (a fáradtságtól); *biz* minden forrását kimerítette **2.** visszaél *[vk türelmével]*, próbára teszi *[vk türelmét]* **3. he wore out his days in captivity** fogságban töltötte élete hátralevő napjait **B.** *tni* **1.** elhasználódik, elkopik, kikopik, tönkremegy, kiszakad, kilyukad **2.** elcsigázódik, agyonfárad **3. the evening wore out** az este éjszakába hajlott

wear through A. *tsi* **1.** elkoptat, kilyukaszt *[használatban]* **2.** ~ **through a trying day** nehéz napot él át, nehéz napon esik át **B.** *tni* **1.** elkopik, kilyukad *[használatban]* **2.** eltelik, elmúlik *[idő]*

wear-and-tear-proof *mn tex* elpusztíthatatlan, elnyűhetetlen

wearing ['weərɪŋ ‖ 'wer–] **I.** *mn* **1.** fárasztó, fáradalmas, kimerítő **2.** koptató, romboló, pusztító **3.** elhasználódó, elkopó; ~ **parts** terhelt részek, kopásnak/nyomásnak kitett részek *[gépé]*; ~ **quality** kopásállóság **II.** *fn* **1.** hordás, viselés *[ruháé]* **2.** elhasználódás, (el)kopás **3.** koptatás • *hsz* **wearingly**

wearisome ['wɪərisəm ‖ 'wɪr–] *mn* **1.** fárasztó **2.** unalmas, untató, hosszadalmas

wear test *fn* koptatópróba • *mn* **wear-tested**

weary ['wɪəri ‖ 'wɪri] **I.** *mn* **1.** fáradt, kimerült, elcsigázott **2.** ~ **of sg** vmt unó, vmre ráunó, vmbe belefáradó/beleunt; **be ~ of sg** vmbe beleunt, vmre ráunt, vmbe belefáradt; **be ~ of life** megunta az életet, belefáradt az életbe **3.** fárasztó, kimerítő, unalmas, untató, hosszadalmas **II. A.** *tsi* **1.** elfáraszt, kifáraszt, kimerít, elcsigáz **2. a)** untat **b)** zaklat, alkalmatlankodik (vknek) **B.** *tni* **1. a)** elfárad, kifárad, kimerül **b)** ~ **of sy/sg** megun vkt/vmt, ráun vkre/vmre **2.** unatkozik **3.** ~ **for sg** eped/sóvárog/sóhajtoz vm után • *fn* **weariness** *mn* **wearied** *hsz* **wearily**

weasel ['wi:zl] **I.** *fn* **1.** *áll* menyét; *kif* **you can't catch a ~ asleep** ravasz embernek nem lehet túljárni az eszén **2. a)** *US biz* rosszynelvű/rosszmájú ember **b)** *szl [minden hájjal megkent fickó]* firkás pali **II.** *tni US* **1.** (kétértelműséggel) félrevezet **2.** ~ **out** megszeg *[kötelezettséget]*; kibújik *[, kötelezettség, felelősség alól]* • *mn* **weaselly**

weasel-faced *mn* sunyi képű/arcú, ravasz ábrázatú

weasel word *fn US biz* szándékosan kétértelmű szó/kifejezés

W **weather** ['weðə ‖ –ər] **I.** *fn* **1.** idő(járás); **rainy/drizzly ~** esős idő(járás); **(wind and) ~ permitting** ha az időjárás megengedi (v. lehetővé teszi); *hajó* **make good ~** jó ideje/útja van *[hajónak]*; *biz* **make heavy ~ of sg** nehéznek talál vmt; *biz* **feel/be under the ~** szomorú, letört, nem érzi jól magát, beteg; be van rúgva, van benne egy kis nyomás **2. a)** *jelzői haszn* meteorológiai **b)** *hajó* széloldali, szél irányába néző **c) all-~** minden időjárásban használható **II. A.** *tsi* **1. a)** időjárásnak kitesz, atmoszferikus változásoknak kitesz **b)** *geol* szétmállaszt, elszíntelenít **c)** edz **2. a)** *hajó* ~ **sg** elmegy vm mellett baj nélkül **b)** *hajó* ~ **a storm** vihart kiáll; *átv* vihart/kritikus periódust átvészel **c)** *biz átv* kiáll, átvészel, leküzd, kibír, legyűr; ~ **one's difficulties** leküzd nehézségeket, kiáll/átvészel megpróbáltatásokat **B.** *tni* **1.** szétmállik, elszíntelenedik *[szikla]* **2.** patinát kap, megpatinásodik *[rézpénz, bronz, épület]*

weather out *tsi* **1.** *hajó [vihart]* kiáll, *[viharnak]* ellenáll **2.** *biz átv* leküzd *[nehézségeket]*, átvészel, kiáll *[megpróbáltatásokat]*, átvergődik *[nehézségeken]*

weather through *biz* → **weather out**

weather-beaten *mn* **1.** viharvert, viharedzett; ~ **sailor** tapasztalt tengerész **2. a)** viharvert, napbarnított *[arc]*, cserzett arcbőrű *[ember]* **b)** elhasznált, kopott, időjárás által megrongált

weatherboard I. *fn* **1. a)** *épít* viharléc, vihardeszka **b)** vízvezető deszka/léc **2.** *hajó* védőfedél *[nyílásé]* **II.** *tsi* (be)borít, burkol *[deszkával]* • *fn* **weatherboarding**

weather-bound *mn hajó* rossz/kedvezőtlen idő(járás) által feltartóztatott/késleltetett (v. miatt indulni nem tudó v. vesztegelő); **be ~** vesztegel, rostokol *[vm természeti akadály miatt]*

weather chart *fn meteo* időjárási/meteorológiai térkép, időjárás-térkép, klímatérkép

weathercock *fn* szélkakas; **as changeable as a ~** kiszámíthatatlan, szeszélyes, hóbortos; *átv biz* szélkakas, köpönyegforgató *[emberről]*

weather conditions *fn tsz* időjárási viszonyok

weathered ['weðəd ‖ –ərd] *mn* **1.** viharvert, kopott **2.** *geol* szétmállott, széttöredezett **3.** *épít* vízvetős, rézsűs tetejű

weather eye *fn biz* **keep one's ~ open** jól nyitva tartja a szemét, résen van, kettőzött éberséggel ügyel

weather forecast *fn* időjárás-jelentés, (időjárás-)előrejelzés, várható időjárás

weatherglass *fn* (számlapos) barométer, légnyomásmérő, légsúlymérő

weathering ['weðərɪŋ] *fn* **1. a)** *geol* erózió, szétmállás; **physical ~** aprózódás; **chemical ~** mállás **b)** szétbomlás *[időjárás behatására]* **2.** *épít* esővédő ferdetető, eresz

weatherly ['weðəli ‖ 'weðərli] *mn hajó* a hajó széloldalán fekvő; ~ **ship** gyorsjárású vitorláshajó; ferdézve vitorlázó hajó

weatherman *fn tsz* **-men** meteorológus

weather map → **weather chart**

weatherproof I. *mn* (minden) időjárásnak ellenálló, viharálló, vízálló, vízhatlan, szélmentes, szél ellen védett *[öltözet, épület]* **II.** *tsi* időjárásnak ellenállóvá tesz *[öltözetet, épületet]* • *mn* **weatherproofed**

weather report *fn* időjárás-jelentés

weather side *fn* **1.** *hajó* széloldal, luvoldal **2.** szélnek/időjárásnak kitett oldal *[épületé, erdőé stb.]*

weather station *fn* meteorológiai állomás

weatherstrip I. *fn* **1.** tömítőlemez, tömítőfilc *[ajtón, ablakon]* **2.** hézagzáró léc, légszigetelő szalag *[ajtó/ablak záródásánál huzat/hideg ellen]* **II.** *tsi* **-pp-** szigetel *[légelzáró szalaggal]* • *fn* **weatherstripping**

weathertight → **weatherproof**

weather vane *fn* **a)** szélkakas, szélsisak, szélirányműtató **b)** *átv* szélkakas, köpönyegforgató *[ember]*

weather-wise *mn* időjárást megjósolni tudó *[ember]*; *biz átv* **be ~** tudja, honnan fúj a szél; tudja, mitől döglik a légy

weather-worn *mn* időjárás/viharok által megrongált, viharvert

weave [wi:v] **I.** *pt* **wove** [wouv], *pp* **wove, woven** ['wouvn] **A.** *tsi* **1.** *tex* sző *[szövetet]*; *biz átv* ~ **all pieces on the same loom** mindent egy kalap alá vesz, mindent egy kaptafára húz **2.** hálót sző *[pók]* **3.** *átv* sző *[tervet]*, kieszel (vmt); ~ **a plot** összeesküvést sző; mese szálait szövi *[író]* **4.** fon *[füzért, kosarat stb.]*, összefon *[szálakat, virágokat]* **B.** *tni* **1.** *tex* szövődik **2.** hálót sző, gubót sző *[rovar]* **3. a)** *átv* kígyózik, kanyarog **b)** ide-oda mozog/leng; *GB biz* **get ~ing** *[siet]* csipkedi magát **II.** *fn tex* **1.** szövés **2. a)** szövet **b)** szövésmód, szövetminta • *fn* **weaving**

weaver ['wi:və ‖ –ər] *fn* **1.** *tex* takács; **~'s knot** takácscsomó, takácshurok **2.** *áll* szövőmadár
web [web] **I.** *fn* **1. a)** *tex* szövet **b)** háló **c)** *átv* háló(zat), lánc(olat); **~ of lies** hazugságok sorozata/láncolata/szövedéke; **~ of intrigue** intrikák láncolata **2.** *infor* **the W~** háló, világháló, web; → **World-Wide Web 3. (spider's) ~** (pók)háló **4.** *orv* hártya, háló **5.** *áll* úszóhártya **6.** *áll* zászló *[tollé]* **7.** *műsz* kar, tárcsa *[keréken]* **8. a)** vég, göngyöleg *[szöveté]* **b)** *nyomd* nyomópapírhenger, rotációs henger **II. A.** *tsi* **-bb-** (össze)sző **B.** *tni* sző • *mn* **webby**
webbed [webd] *mn* **1.** *tex* bordázott **2.** *áll* úszóhártyás; **~ foot** evezőláb, úszóhártyás láb **3.** hálózott, hálóval borított
webbing ['webɪŋ] *fn* **1.** *tex* **a)** szövet **b)** heveder **c)** szegélyező szövetszalag **2. a)** *orv* hártya **b)** úszóhártya **3.** nádfonás *[bútoron]*
web browser *fn infor* hálóböngésző, böngésző
webcast *fn infor* internetes műsor(sugárzás)
weber ['veɪbə ‖ –ər] *fn fiz* weber *[a mágneses indukció SI egysége]*
web-footed *mn áll* úszólábú, úszóhártyás lábú
webmaster *fn infor* rendszergazda, webmester
web offset *fn nyomd* rotációs ofszetnyomás
web page *fn infor* hálóoldal, weboldal
web site *fn infor* háló-szolgáltatóhely, webhely, web site
web-wheel *fn* telekerék, tárcsáskerék, tömörkerék
webwork *fn* hálózat
wed [wed] **A.** *tsi* **-dd- 1. a)** feleségül vesz (vkt), férjhez megy (vkhez) **b)** feleségül/férjhez ad, hozzáad, megházasít (vkt) **c)** összeházasít, összead, összeesket **2.** *átv* egybeköt, egyesít, párosít *[dolgokat]* **B.** *tni* egybekel, (össze)házasodik • *mn* **wedded**
we'd [wid, wi:d] **1.** *we had*→ **have** I. **2.** *we would*→ **will** III.
Wed. *röv Wednesday* szerda, Sz(e)
wedding ['wedɪŋ] *fn* **1.** esküvő, lakodalom, menyegző, *biz* lagzi **2.** házasodás, házasságkötés, egybekelés, nász **3.** *biz átv* (össze)találkozás, nász
wedding band *fn US* jegygyűrű
wedding ceremony *fn* esküvői szertartás
wedding day *fn* **1.** esküvő/menyegző/lakodalom napja **2.** házassági évforduló
wedding dress *fn* menyasszonyi ruha, nászruha
wedding gift *fn* nászajándék
wedding night *fn* nászéjszaka
wedding party *fn* **a)** násznép, lakodalmas nép **b)** esküvői ebéd v. vacsora
wedding register *fn* házassági anyakönyv
wedding ring *fn* jegygyűrű, karikagyűrű
wedge [wedʒ] **I.** *fn* **1. a)** ék; *átv* **drive a ~ in sg** éket ver (vmbe) **b)** befogópofa **c)** *átv* ék; **emotional ~** érzelmi elkülönülés/elválasztódás **2. a)** ‹ék alakú dolog›; **~ of a tennis racket** teniszütő szíve/közepe **b)** V alak(zat), (háromszögletű) szelet, cikkely *[sajt stb.]*; **a ~ of cheese** sajtszelet, sajtcikkely **II.** *tsi* **1.** (be)ékel, faéket bever, ékkel rögzít **2.** *átv* éket ver (vm közé), kettéválaszt vmt **3. ~ sg open** széthasít/szétfeszít vmt • *fn* **wedging** *mn* **wedged**
wedge apart *tsi* széthasít/szétfeszít vmt
wedge in A. *tsi* **1. ~ sg in sg** beékel/beszorít vmt vmbe, vmt vm közé szorít; **be ~d in (between) sg** vm közé szorul, beékelődik (vm közé) **2. ~ oneself in** bepréselődik, bepréseli magát **B.** *tni* **a)** belefeszül (vmbe) **b)** beékelődik
wedge out *tni* kiékelődik
wedge up *tsi* beékel, kiékel, felékel, ékkel alátámaszt (vmt)
wedge-shaped *mn* **a)** ék alakú **b)** V alakú
wedgie ['wedʒi] *fn biz* teletalpú női cipő
Wedgwood ['wedʒwud] *fn* **a) ~ (ware)** ‹angol porcelánfajta› **b) ~ blue** (szürkés) világoskék (szín)
wedlock ['wedlɒk ‖ –lɑk] *fn* házasság; **born in ~** törvényes gyermek; **born out of ~** házasságon kívül született *[gyermek]*
Wednesday ['wenzdeɪ, –di] **I.** *fn* szerda **II.** *hsz biz* **1.** szerdán; **I'll see you ~** szerdán találkozunk **2.** *tsz* **Wednesdays** szerdánként, minden szerdán; **I play football ~s** szerdánként focizom
Weds. [wedz] *röv Wednesday* szerda, Sz(e)
wee[1] [wi:] *mn skót biz* parányi, apró(cska), pici(ke), piciny, icipici, csöpp(nyi); **a ~ bit** egy kevéssé/kevéskét/kissé; egy icipici(t); valamicske, valamicskét
wee[2] [wi:] *GB biz* **I.** *fn* **a)** pisilés, pipilés **b)** pisi, pipi **II.** pisil, pipil
weed [wi:d] **I.** *fn* **1. a)** *növ* gaz, dudva, gyom; *növ* **garden running to/overgrown with ~s** gyomverte/elgazosodott kert; *átv* **grow like ~s** gyorsan szaporodik/gyarapszik/terjed/nő **b)** *átv* gaz, dudva, kóros jelenség, kártékony elem *[személy, dolog]*; *közm* **~s don't spoil** csalánba nem üt a ménkű; *közm* **ill ~s grow apace** rossz pénz nem vész el **2.** *szl* **a)** dohány **b)** *[marihuána]* fű **3.** *biz átv* **a)** *[cingár ember]* csontváz, gebe **b)** *[göthös ló]* (rozzant) gebe **II.** *tsi* gyomtalanít, kigyomlál *[ágyást, kertet]* • *fn* **weeder, weeding** *mn* **weeded**
weed out *tsi* **1.** gyomtalanít *[kertet]* **2.** *átv* **a)** kigyomlál, eltávolít, kiválogat, kihajigál *[nem kívánt részeket, elemeket]* **b)** kimustrál, kiselejtez
weed-grown *mn* (el)gazos(odott), gazzal benőtt *[kert, terület]*
weedhead *fn US szl [kábítószerélvező]* narkós, füves
weed killer *fn* (vegyszeres) gyomirtó (szer)
weedy ['wi:di] *mn* **1.** (el)gazos(odott), gyomos, gizgazos **2.** *biz átv* **a)** cingár, vékonydongájú *[ember]* **b)** göthös *[ló]*, rozzant *[gebe]* **3.** (akarat)gyenge *[jellem]* • *fn* **weediness**
week [wi:k] *fn* **I. 1.** hét *[hét nap]*; **every ~** minden héten; **Holy W~** húsvét hete, nagyhét; **last ~** a múlt héten; **next ~** a jövő héten; **this ~** ezen a héten; **once a ~** hetente egyszer; **per ~** egy héten, hetente; hetszámra; **what day of the ~ is it?** milyen nap van ma?; **~ in ~ out** hétről hétre; **~ and ~ about** hetenként váltakozva/felváltva; *szl* **knock sy into the middle of next ~** (i) *[nagyot üt]* odaken neki alaposan, egy irtót lehúz vknek (ii) alaposan elképeszt vkt; **a ~ from now** mához egy hétre; **a ~ ago today** ma egy hete; **in a ~ or so** hat-nyolc napon belül; *biz* **a ~ of Sundays** hét hét; egy örökkévalóság; *biz* **a ~ of ~s** hét hét; **what I can't get done in the ~ I do on Sundays** amire hétköznap nem jut időm azt vasárnap csinálom meg **2.** munkahét, hétköznapok, munkanapok, munkaidő; **40-hour ~** heti 40 óra munkaidő **3.** *tsz* **weeks** *biz* hetek, hosszú idő/ideje; **I haven't seen you for ~s** hetek óta nem láttalak, rég láttalak; **that was ~s ago** az rég(en)/hetekkel ezelőtt volt **II.** *hsz GB biz* egy hét múlva/héttel ezelőtt; **today ~** mához egy hétre; ma egy hete; **Tuesday ~** keddhez egy hétre
weekday ['wi:kdeɪ] *fn* hétköznap, munkanap; **on ~s** hétköznapokon, munkanapokon
weekday service *fn* **1.** *közl* hétköznapi járat/menetrend **2.** *vall* hétköznapi istentisztelet
weekend [ˌwi:k'end] **I.** *fn* hétvége, víkend, szombat-vasárnap **II.** *mn* hétvégi; **~ trip** hétvégi kirándulás, víkendezés; *vasút* **~ ticket** hétvégi jegy **III.** *tni* víkendezik
weekender [ˌwi:k'endə ‖ 'wi:kendər] *fn* **1.** hétvégi kiránduló/turista, víkendező *[vendég]* **2.** *Ausz* víkendház **3.** (hobbi)csónak
week-long *mn* egy hétig/egy héten át tartó
weekly ['wi:kli] **I.** *mn* heti, hetenkénti **II.** *hsz* **1.** hetente, hetenként, hétnaponként, minden héten **2.** egyszer egy héten, hetente egyszer **III.** *fn média* hetilap
weeknight *fn* hétköznap este/éjjel
ween [wi:n] *tsi vál* képzel, gondol, vél, hisz
weenie ['wi:ni] *fn US gaszt* virsli
weeny ['wi:ni] *mn biz* icipici, picurka, aprócska
weeny-bopper ['wi:nibɒpə ‖ –bɑpər] *fn GB biz* ‹könnyűzenéért rajongó fiatal lány›
weep [wi:p] **I.** *pp/pt* **wept** [wept] **A.** *tsi* **1. a)** sír, könnyezik, könnyeket hullat (vmért/vkért); **~ one's eyes out** kisírja a szemét **b) weep sg out** sírva/könnyek között mond

vmt **2.** könnyezik, nedvedzik *[seb]*, (át)szivárog *[víz]*, csöpög, gyöngyözik *[nedvesség]* **B.** *tni* **1. a)** sír(-rí), könnyeket ont/hullat, könnyezik; ~ **for joy** örömében sír; **that's nothing to ~ about/over** ezért igazán kár sírni, kár a könnyekért; nem kell törődni vele! **b)** ~ **for/over sy** megsirat vkt, keserű könnyeket ont vk miatt **2.** szivárog, könnyezik, nedvedzik, csurog, gyöngyözik **3.** lekonyul; → **weeping** I. 3. **II.** *fn* könnyek, sírás; **have a good/hearty ~** jól kisírja magát

weeper [ˈwiːpə ‖ –ər] *fn* **1. a)** síró, könnyhullató ember **b)** (halott)sirató **2.** *esz* **weepers a)** ‹kézelőként hordott fehér gyászszalag› **b)** lengő fekete gyászszalag férfikalapon **c)** özvegyi gyászfátyol

weepie [wiːpi] *fn biz* érzelmes/szentimentális film/darab

weeping [ˈwiːpɪŋ] **I.** *mn* **1. a)** síró(-rívó), könnyező **b)** sirató **2.** átszivárgó, csöpögő, nedvedző, könnyező; ~ **wound** nedvedző seb **3.** *növ* ~ **willow** szomorúfűz **II.** *fn* **1. a)** sírás(-rívás), könnyezés, könnyhullatás **b)** (halott)siratás **2.** átnedvesedés, gyöngyözés

weepy [ˈwiːpi] *mn biz* **a)** sírós, siránkozó; **feel ~** közel áll a síráshoz, majdnem elsírja magát; majdnem eltörik a mécses *[gyermekről]* **b)** könnybe lábadt, könnyes, könnybe borult *[szem]*

weevil [ˈwiːvl] *fn áll* zsizsik, ormányos bogár; **(corn/grain) ~** gabonazsizsik, gabonaféreg • *mn* **weevily**

wee-wee [ˈwiːwiː] → **wee**[2]

weeze [wiːz] *tni skót* szivárog, csöpög, gyöngyözik

wef, w.e.f. *röv with effect from*

weft [weft] *fn tex* **a)** vetülék(fonal), felvetőszál **b)** vetülékfonal bevetése **c)** szövet

weigh[1] [weɪ] **A.** *tsi* **1. a)** (meg)mér, lemér, mérlegre tesz (vmt), megállapítja a súlyát (vmnek) **b)** kimér (vmt) **c)** felemel (vmt) **2.** nyom (vk/vm vmennyit); **she ~s 60 kilos** hatvan kilót nyom, hatvan kiló a (test)súlya **3.** *átv* mérlegel, megfontol, latolgat (vmt); ~ **one's words** megfontolja (a) szavait; ~ **sg in one's mind** latolgat/fontolgat vmt; ~ **(up) the facts** mérlegeli a tényeket **4.** *hajó* ~ **anchor** felszedi a horgonyt **B.** *tni* **1.** súlya van, (vm) súlyú **2.** *átv* súlya/befolyása/érvénye van; ~ **heavy** sokat nyom a latban • *fn* **weigher**, **weighing** *mn* **weighable**

weigh against *tsi* ~ **one thing against another** (mérlegelve) szembeállít két dolgot egymással

weigh down *tsi* **1.** lenyom (vm vmt), többet nyom (vm vmnél) **2. a)** súlyánál fogva lehúz **b)** *átv* lenyom (vm vkt), nyomasztólag hat (vm vkre); **~ed down with sorrow** bánattól lesújtva **3.** (vm) javára billenti a mérleget; **one good argument ~s down six bad ones** egy jó érv felér hat rosszal

weigh in *tni* **1. a)** *sp* leméreti magát *[zsoké, sportoló]*; → **weigh-in b)** *biz* részt vesz *[versenyen]*, beáll *[résztvevők közé]* **2.** *biz* ~ **in with an argument** nyomós érvvel hozakodik/áll elő

weigh into *tni Ausz biz átv* ~ **into sy** megtámad vkt *[ököllel, szavakkal]*

weigh on *tni átv* ránehezedik, nyomasztólag hat (vkre), súlyával lenyom, terhel (vkt); **it ~s on my mind** nagy tehernek érzem; nyomaszt, lehangol; **the debt is ~ing on his mind** az adósság nyomja a lelkét

weigh out A. *tsi* kimér, kiméricskél **B.** *tni sp* leméreti magát, súlyát ellenőrzi *[sportoló verseny után]*

weigh up *tsi* **1.** felhúz, felemel *[ellensúllyal]* **2.** *átv* mérlegel, felmér *[helyzetet, következményeket stb.]*

weigh upon → **weigh on**

weigh with A. *tsi* befolyásol (vk vkt), nagy tekintélye van (vknek vk előtt) **B.** *tni* nyom a latban; **the point that ~s with me is...** ami nálam/az én szempontomból legtöbbet nyom a latban az, hogy...

weigh[2] [weɪ] *fn hajó* **under ~** úton van; tengeren jár; **get under ~** elindul, útnak indul; felhúzza a horgonyokat

weighbridge *fn* hídmérleg

weigh-in *fn sp* súlyellenőrzés *[sportolóé verseny/mérkőzés előtt]*; → **weigh in**

weighing machine *fn* mázsáló, mázsa, mérleg

weight [weɪt] **I.** *fn* **1. a)** súly; *gazd* **gross ~** bruttó/teljes súly; *gazd* **net ~** nettó/tiszta súly; **ten pounds in ~** tíz font súlyú; **ten pounds' ~ of coffee** tíz font kávé; **objects of light ~** könnyű (v. kis súlyú) tárgyak; → **lightweight**; **sell by ~** súlyra ad/mér, súly szerint ad/mér **b)** (test)súly; **gain/put on ~** (meg)hízik, növekszik a súlya; **lose ~** fogy, veszít a súlyából; **pull one's ~** *sp* teljes súlyával nekifeszül az evezőnek; *biz átv* nekirugaszkodik, nekifeszül *[feladatnak]*; *biz* **it is worth its ~ in gold** megéri a súlyát aranyban **c)** súly, teher, nyomás, (meg)terhelés; *fiz* **molecular ~** molekulasúly; *fiz* **specific ~** fajsúly; **feel/try the ~ of sg** megemel, megállapítja a súlyát (vmnek); *átv* mérlegel, latolgat **d)** *átv* súly, teher, súlyos/nehéz/nyomasztó volta (vmnek); *biz* **the ~ of years** az évek terhe/súlya; **a ~ fell off my mind** egy kő esett le a szívemről **2. a)** (mérleg)súly; **set of ~s** súlykészlet; **~s and measures** súlymértékrendszer; súlyok és mértékek **b) (unit of) ~** súlymérték **3.** súly, nyomaték, fontosság; **people of ~** befolyásos emberek; **with all one's ~** egész tekintélyével, teljes súlyát latba vetve; **of no ~** jelentéktelen; befolyás nélküli *[személy]*; **the ~ of evidence is against them** a terhelő bizonyíték ellenük szól; **his word carries ~** a szavának súlya van; **carry/have great ~ with sy** nagy befolyása van vkre; *biz átv* **throw one's ~ about/around** fölényeskedik, felvág, nagyképűsködik **4.** nehezék; **~s of a clock** órasúly; *biz átv* **hang a ~ (a)round one's own neck** saját romlását idézi elő, saját nyakába teszi a hurkot **5.** *sp* súly(csoport); **heavy~** nehézsúly **6.** *sp* **a)** súlygolyó **b)** súlyzó **c)** *tsz* **weights** súlyok, súlyzók *[testépítéshez]*; **do ~s** edzi/építi a testét, edz; → **weight training 7.** *átv* súly, súlyozó tényező *[statisztikában]* **8.** erő *[ütésé]* **II.** *tsi* **1.** megrak, megterhel, súlyosabbá tesz; ~ **sy down** megrak, telerak *[vkt csomagokkal]* **2.** *átv* súlyt függeszt (vmre), súllyal/nehezékkel ellát **3. a)** *tex* nehezít *[anyagot]* **b)** *átv* ~ **off** nehezít, akadályoz **4.** súlyoz *[statisztikában]*

weight class *fn sp* súlycsoport

weight control *fn* **1.** súlyellenőrzés **2.** hízást gátló diéta

weighted [ˈweɪtɪd] *mn* **1. a)** súllyal/nehezékkel/ballaszttal megrakott, nehezebbé/súlyosabbá tett **b)** nehezített *[papír, textil]* **2.** *[statisztikában]* súlyozott; ~ **average/mean** súlyozott átlag/közép; ~ **value** súlyozott összeg

weightless [ˈweɪtləs] *mn* **1. a)** súlytalan **b)** könnyű **2.** *átv* súlytalan, jelentéktelen • *hsz* **weightlessly**

weightlessness [ˈweɪtləsnəs] *fn fiz* súlytalanság

weightlifting *fn sp* súlyemelés • *fn* **weightlifter**

weight room *fn sp* konditerem

weight training *fn sp* súlyzózás, súlyemelés *[mint erősítés]*

weight watcher *fn* ‹fölös kilói miatt a súlyára ügyelő személy›

weighty [ˈweɪti] *mn* **1.** nehéz, súlyos **2.** *átv* **a)** súlyos, nyomatékos, nyomós, komoly *[érv]*, nagy horderejű, fontos, kényszerítő *[ok]*, jelentékeny *[üzlet]* **b)** ~ **people** befolyásos emberek, olyan emberek, akiknek szavuk van • *fn* **weightiness** *hsz* **weightily**

weir [wɪə ‖ wɪr] *fn* **1.** duzzasztógát, vízduzzasztó, vízfogó; ~ **with a lock** vízlépcső hajózsilippel **2.** cége, vejsze, varsa

weird [wɪəd ‖ wɪrd] **I.** *mn* **1. a)** furcsa, különös, bizarr, szokatlan, érthetetlen **b)** természetfölötti, hátborzongató, földöntúli, rejtelmes, kísérteties **2.** *régi* sors-, sorssal/végzettel kapcsolatos; **the ~ sisters** a párkák; a végzet istennői; *Sh* a boszorkányok **II.** *fn skót régi* sors, végzet, fátum • *fn* **weirdness** *hsz* **weirdly**

weirdie [ˈwɪədi ‖ ˈwɪrdi] *fn szl* különc

weirdo [ˈwɪədoʊ ‖ ˈwɪrdoʊ] *fn szl [bolondos/különös ember, különc]* elszállt/elvarázsolt fazon

welch [welʃ] → **welsh**

Welch [weltʃ, welʃ] → **Welsh**

welcome [ˈwelkəm] **I.** *mn* **1.** szívesen/örömmel látott, szívesen (v. tárt karokkal) fogadott, kedves *[vendég]*; **you are ~!** örülök, hogy eljött/láthatom!; Isten hozta!, adj Isten!;

make sy ~ szívesen fogad/lát vkt **2.** jókor jött, örvendetes, szerencsés, kellemes, jóleső, szívesen hallott *[hír]*; **~ news** örvendetes hír **3. you are ~ to try** módjában áll megpróbálni, semmi akadálya, hogy megpróbálja; **you are ~ to it** tessék!, parancsolj(on vele)!; csak használja nyugodtan; *tréf* nem irigyellek érte, (nem) sok örömed lesz benne; **you're ~!** szívesen (máskor is)!, kérem!, szót sem érdemel! **II.** *fn* **1. a)** fogadás, üdvözlés; **bid sy ~** (szívesen) üdvözöl/köszönt/fogad vkt; **extend a ~ to sy** vkt szívesen fogad/lát, örömmel üdvözöl **b)** fogadtatás; **meet with a cold ~** hidegen fogadják, hideg fogadtatásban részesítik **2.** szívesen látás, szíveslátás, szíves fogadtatás; **outstay/overstay** (v. **wear out one's**) **~** tovább marad, mint ameddig szívesen látják **III.** *tsi* **1. a)** szívesen/örömmel lát/vesz/fogad (vkt); **~ sy/sg with open arms** tárt karokkal fogad vkt/vmt **b)** boldogan/örömmel fogad/hall *[hírt]*, üdvözöl (vmt); **the government ~d the statement** a kormány üdvözölte a bejelentést **2.** üdvözöl, fogad(tatásban részesít) (vkt) **IV.** *isz hajó* **~ aboard!** üdvözöljük a fedélzeten!; *biz átv* üdvözöljük a cégnél/sorainkban!; **~ home!** Isten hozott idehaza/itthon!; **~ to Hungary!** Isten hozta/örömmel üdvözlöm Magyarországon! • *fn* **welcomer** *mn* **welcomeless** *hsz* **welcomely**

welcoming [ˈwelkəmɪŋ] *mn* üdvözlő, fogadó; **~ committee** fogadóbizottság

weld [weld] **I. A.** *tsi* **1.** hegeszt, meghegeszt, összehegeszt; **~ on** hozzáhegeszt **2.** *biz átv* **~ (together)** összeforraszt, összekovácsol, egyesít **B.** *tni* összeforr(ad) **II.** *fn* **1. a)** hegesztés, forrasztás **b)** hegesztés/forrasztás helye **2.** hegesztővarrat • *fn* **weldability** *mn* **weldable**

welder [ˈweldə ‖ –ər] *fn* **1.** hegesztő(munkás); **~'s goggles** védőszemüveg (hegesztők számára) **2.** hegesztő(készülék)

welding [ˈweldɪŋ] **I.** *fn* hegesztés **II.** *mn* hegesztő; **~ rod** hegesztőpálca; **~ torch** hegesztőpisztoly; **~ wire** hegesztőpálca

welfare [ˈwelfeə ‖ –fer] *fn* **1.** jólét, jóllét, boldogulás **2.** *pol* **a)** népjólét **b)** *US* szociális segély/juttatás(ok); **~ program** szociális segélyprogram; **~ mother** (szociális) segélyből élő anya; **on ~** segélyben részesülő, támogatott, segélyből élő *[személy]*

welfare state *fn közg pol* jóléti állam

welfare work *fn* szociális/közjóléti működés, szociális misszió

welfare worker *fn* **1.** szociális munkás **2.** egészségügyi gondozó

welkin [ˈwelkɪn] *fn vál* ég(bolt), mennybolt

we'll [wil, wiːəl] *röv* **1.** *we will*→ **will III. 2.** *we shall*→ **shall**

well¹ [wel] **I.** *hsz* **1. a)** jól, jó egészségben, kellemesen, szerencsésen, előnyösen; **work ~** jól dolgozik; **be ~ worth seeing** nagyon/igazán érdemes megnézni; **it is ~ worth trying** igazán nem árt kipróbálni; **you would do ~ to...** okosabban/jobban tennéd, ha...; jobb volna, ha...; **come off ~** jól sikerül, szerencsésen üt ki (vm); **go ~ with** illik hozzá; **go ~ together** jól illenek össze; **it speaks ~ of/for him** dicséretére/becsületére válik **b)** jól, kedvezően, pozitívan; **the film was received ~** a filmet kedvezően fogadták **2. a)** jól, helyesen, szépen, ügyesen, hozzáértéssel; **~ done!** szép volt!, jól van!, helyes!, bravó!; → **well-done**; **cannot ~ do** nem igen tehet (meg) vmt **b)** jól, alaposan, rendesen; **~ past sixty** jól benne van a hatvanban, a hatvanas évei derekán jár; **~ on in years** előrehaladott/tisztes korú; **pretty ~ all** csaknem/jóformán/majdnem mind **3.** jól, bőségesen, eleget, kielégítő módon, teljesen, éberen, alaposan, nagyon; **be ~ content(ed) with sg** elégedett vmvel; **be ~ off** jól megy neki, jómódú; **know sg only too ~** nagyon is jól tud vmt, tisztában van vmvel **4.** jól, emberségesen, rendesen, kedvesen; **keep sy ~** jól tart vkt; **they treated me ~** jól bántak velem **5.** jól, határozottan, élesen, szembeszökően **6.** valószínűleg; **you may ~ be right** valószínűleg igazad van, bőven lehet, hogy igazad van **7. as ~** is; szintén; hozzá, azonkívül; valamint, ráadásul; **it is just as ~** nem is baj, jobb is ha; **he accepted, as ~ he might** elfogadta, mi mást/egyebet tehetett volna; **one might as ~ say that** (ugyanígy) azt is lehetne állítani/mondani, hogy; **you may/might (just) as ~ stay** nyugodtan itt maradhatsz, akár maradhatsz is; **as ~ as** valamint, egyaránt, csakúgy mint; éppúgy/ugyanúgy, mint; **I know that as ~ as you** ezt én csakúgy/éppúgy/ugyanúgy tudom, mint te **8.** *szl [nagyon]* tök(re), kegyetlenül; **that was ~ hard** tök nehéz/kemény volt **II.** *mn kfok* **better**, *ffok* **best 1.** jó, előnyös, kedvező; **~ enough** elég jó; elég jól; **all's ~** minden rendben; *kif* **all's ~ that ends ~** minden jó, ha a vége jó **2. a)** egészséges, jó egészségben levő; **be ~** egészséges; jól van, nincs semmi baja; **he's not very ~** nincs nagyon jól, beteg; **get ~** (meg)gyógyul, jobban van; javul *[állapot]*; jobbra fordul *[idő]*; rendbe jön (vm) **b)** *US* **a ~ man** egy egészséges ember **3.** szerencsés, kívánatos; **it is ~ that** szerencse, hogy; **it is ~ to, it would be ~ to** kívánatos/ajánlatos/helyes lenne, hogy **4.** helyes, megfelelő; **it is ~ to...** célszerű, helyénvaló; **that's all very ~ but...** ez mind nagyon szép (és jó), de... **III.** *isz* nos, hát, lássuk csak, hadd halljam!; *biz* **~, ~!** nocsak(-nocsak)!, mit/kit látnak szemeim!; *biz* **~ I never!** no de ilyet!, hihetetlen!; **~, as I said** szóval, ahogy mondtam; **~, as I was telling you** szóval, ahogy már említettem/mondtam; **~ then** nos hát, hát akkor; **~, and what of it?** no és aztán?, hát aztán?; **~, here we are at last** hát itt volnánk végre-valahára; **~, who did it?** nos (v. hadd hallom), ki csinálta?; **very ~!** helyes!, rendben van!, jó!; legyen (ahogy ön akarja)!

well² [wel] **I.** *fn* **1. a)** kút; *átv* **~ of knowledge** a tudás kútfője/eredete; **drive/sink a ~** kutat ás/fúr **b)** vízgyűjtő tartály, ciszterna **c)** lépcsőházakna, liftakna, világítóakna **2. a)** forrás; *geol* **hot ~** hőforrás **b)** *átv* (bőséges) forrás; **~ of happiness** öröm (kiapadhatatlan) forrása; **~ of information** információs forrás **c)** *tsz* **wells** gyógyforrás **3.** üreg(es rész) **4.** *jog* **the ~ of the court** *[tárgyalóteremben bírák részére]* elkerített hely **II.** *tni* ömlik, bugyog, kiárad; **~ forth/out/up** ömlik, dől *[folyadék]*; (fel)fakad, kibuggyan, előtör, feltör *[víz, forrás]*; **~ over** kicsordul, kiárad

well-adjusted *mn* **1.** kiegyensúlyozott **2.** jól beállított

well-advised *mn* **1. a)** okos, bölcs, meggondolt *[ember]*, megfontolt *[cselekedet]*; **he would be ~ to...** okosabban/helyesebben/jobban tenné, ha... **b)** tájékozott **2.** okos/bölcs tanácsokkal ellátott

well-appointed *mn* jól berendezett/felszerelt, kellően ellátott

well-balanced *mn* kiegyensúlyozott; **have a ~ mind** kiegyensúlyozott természetű/gondolkodású/lelkű

well-beaten *mn* jól kitaposott, sokat járt *[út]*

well-being *fn* **1. a)** jólét **b)** kényelem **2.** (jó) egészség **3.** elégedettség

well-beloved [ˌwelbɪˈlʌvɪd] **I.** *mn* igen/féltve/hőn szeretett, imádott **II.** *fn* szeretett/imádott lény

well-bred *mn* **1.** jólnevelt, jó modorú **2. a)** nemes fajtájú, pedigrés *[állat]* **b)** jó családból/házból való

well-built *mn* jó alakú/alkatú/felépítésű; **~ man** jól megtermett v. erős testalkatú ember, jó alakú ember

well-chosen *mn* választékos *[beszéd]*, jól megválasztott, megfelelő, találó, helyénvaló *[szó, kifejezés]*; **in a few ~ words** néhány odaillő szóval

well-conditioned *mn* **1. a)** jó modorú/természetű **b)** jó helyzetben levő **2.** ép, jól karbantartott, jó állapotban/karban levő **3. ~ for sg** vmre kellőképpen kondicionált/előkészített/felkészült

well-connected *mn* **a)** jó összeköttetésekkel rendelkező **b)** befolyásos családból származó/való

well-cut *mn* **a)** jól szabott, jó szabású *[ruha]* **b)** jól vágott *[frizura]* **c)** szépen csiszolt *[gyémánt]*

welldeck *fn hajó* mélyített fedélzet

well-defined *mn* **1.** helyesen/jól értelmezett/definiált *[szó, fogalom stb.]* **2. ~ outlines** élesen kirajzolt körvonalak

well-developed *mn* jól (ki)fejlett

well-disposed *mn* **1.** jóindulatú, szíves, készséges; **be ~ towards sy** jóindulattal van/viseltetik vk iránt; **be ~** jó hangulatban/lelkiállapotban van **2.** jól elrendezett
well-done *mn* **1.** jól/ügyesen elvégzett *[munka]* **2.** erősen kisütött, jól átsütött *[hús]*
well-dressed *mn* jól öltözött, elegáns *[ember]*
well-earned *mn* (jól) megérdemelt, kiérdemelt, megszolgált
well-educated *mn* művelt, iskolázott, képzett
well-endowed *mn* **1. a)** jó képességekkel rendelkező **b)** anyagiakkal/hozománnyal jól/gazdagon ellátott **2.** *biz szl* **a)** nagy nemiszervvel rendelekző *[férfi]* **b)** nagymellű *[nő]*
well-equipped *mn* jól/gazdagon felszerelt, jól berendezett
well-established *mn* jól megalapozott/berendezett; **~ firm** jól bevezetett cég, régi/ismert cég
well-favoured *mn* jó megjelenésű, jóképű, csinos
well-fed *mn* jól táplált
well-formed *mn* **1.** jó alakú, arányos testalkatú, jól formált **2.** *nyelv* jól formált, nyelvtanilag helyes *[alak, szerkezet]*
well-founded *mn* jól megalapozott, alapos, indokolt, jogos
well-groomed *mn* **a)** ápolt, tiszta **b)** jól öltözött, elegáns
wellhead *fn* **1.** forrás eredete/foglalata **2.** *átv* kútfő, forrás; **~ of knowledge** tudás kútfője
well-heeled *mn biz* jómódú, pénzes, gazdag
wellies [ˈweliz] *fn GB biz* → **Wellingtons**
well-in *mn Ausz* jómódú, módos, gazdag, vagyonos, tehetős
well-informed *mn* **a)** jól értesült/tájékozott; **the police are ~ about him** a rendőrség sok mindent tud róla; **be ~ on a subject** nagy szaktudással (v. alapos felkészültséggel) rendelkezik vmben, igen járatos vmben; **in ~ quarters** jól értesült körökben, illetékesek szerint **b)** sok mindenhez értő, sokat olvasott
Wellingtons [ˈwelɪŋtənz] *fn tsz GB* magasszárú gumicsizma
well-intentioned *mn* jó szándékú, jóindulatú
well-judged *mn* **a)** helyesen megítélt/felmért **b)** helyesen kiszámított
well-kept *mn* **1.** jól/szépen ápolt/gondozott, jól (karban)-tartott **2.** jól őrzött *[titok]*, gondosan (el)titkolt *[meglepetés]*
well-knit *mn* **1. a)** erős, izmos, jól megtermett, keménykötésű **b)** erős, biztos, szolid, jól/biztosan épített **2. ~ plot** ügyesen/jól felépített/szerkesztett cselekmény *[darabé, regényé]*
well-known *mn* **a)** közismert, (jól) ismert, neves, nagynevű, híres, nevezetes (*for* vmről) **b)** köztudomású, közismert, ismeretes, nyilvánvaló, tudott; **as is ~** ahogy köztudomású, ahogy mindenki tudja
well-made *mn* **1.** szép termetű, arányos alkatú, szép szál **2.** jól szabott *[ruha]*, szépen/gondosan kivitelezett, jól megszerkesztett/megcsinált
well-mannered *mn* **a)** illedelmes, illemtudó, jól nevelt, udvarias **b) ~ animal** kezes/engedelmes állat
well-marked *mn* jól látható, szembeszökő, feltűnő, nyilvánvaló
well-matched *mn* jól összeillő, egymást jól kiegészítő *[pár]*
well-meaning *mn* jóindulatú, jó szándékú, jóakaratú, jóhiszemű
well-off *mn* gazdag, jómódú, vagyonos, tehetős
well-oiled *mn* **1. a)** jól megolajozott *[gép]* **b)** *átv* olajozott *[gépezet]* **2.** *biz* részeg, betintázott
well-ordered *mn* jól elrendezett/rendszerezett, jól gondozott/ápolt, jó karban/rendben tartott
well-paid *mn* jól fizetett/díjazott, jó fizetésű/keresetű
well-planted *mn* **a ~ blow** jól irányzott/elhelyezett ütés
well-pleasing *mn* kellemes, tetszetős
well-poised *mn* **a)** kiegyensúlyozott **b)** biztos fellépésű
well-prepared *mn* **1.** jól előkészített **2.** jól felkészült
well-preserved *mn* jól konzervált, jó állapotban megmaradt/levő *[műtárgy]*
well-proportioned *mn* arányos, jó arányú, jól felépített
well-read [ˌwelˈred] *mn* olvasott, könyvekben/irodalomban jártas, művelt, tájékozott *[személy]*
well-rounded *mn* **1.** szépen kikerekített, kerek egészet alkotó **2.** kialakult, teljes
well-situated *mn* **1.** jómódú, jól szituált **2. a ~ house** jó fekvésű ház
well-spent *mn* helyesen felhasznált, jól eltöltött *[idő]*, helyes célokra fordított *[összeg]*
well-spoken *mn* **a)** szép/nyájas/sima szavú, finom beszédű **b)** odaillő *[szavak]*, helyesen fogalmazott *[beszéd]* **c)** szépen előadott
wellspring *vál* → **wellhead**
well-thought-of *mn* jó hírű, megbecsült
well-thought-out *mn* (logikailag) jól felépített, jól kigondolt/kitalált, jól átgondolt, logikus
well-timed *mn* jól időzített/kiszámított
well-to-do *mn* jómódú, tehetős, vagyonos, jó sorban élő/levő
well-trained *mn* **a)** jól nevelt/idomított *[állat]* **b)** *kat* jól kiképzett *[katonák/csapatok]*
well-travelled *mn* sokat utazott, sokfelé/világot járt, világlátott
well-tried *mn* kipróbált, bevált
well-trimmed *mn hajó* kecses, szép formájú
well-trodden *mn* **~ path** jól kitaposott ösvény, *biz átv* elcsépelt/elkoptatott módszer
well-turned *mn* **1.** szépen kifejezett/megformált *[frázis]* **2. ~ leg** jó (alakú) láb
well-upholstered *mn* **1.** párnázott, puha **2.** *tréf [kövér]* dagi, pufi
well-wisher *fn* jóakaró, támogató, pártfogó • *fn/mn* **well-wishing**
well-worn *mn* **a)** használt, elnyűtt, viseltes, kopott *[ruha]* **b)** elkoptatott, elcsépelt *[mondás, vicc]*
welsh [welʃ] **A.** *tsi* rászed, becsap, csalással kifoszt **B.** *tni* **a)** megszökik, meglóg, kereket old **b)** nem fizet • *fn* **welsher**
Welsh [welʃ] **I.** *mn* walesi, velszi **II.** *fn* **1. the ~** a walesiek/velsziek, a walesi/velszi nép **2.** a walesi/kymri nyelv • *fn* **Welshman, Welshwoman**
welt [welt] **I.** *fn* **1. a)** varróráma, varró(talp)keret *[cipőé]* **b)** (talp)bélés **c)** szegély, szél *[ruháé]* **2.** hurka, csík *[bőrön ütéstől, szorítástól]* **3.** *biz [hatalmas ütés/pofon]* tasli, maflás **II.** *tsi* **1. a)** rámáz *[cipőtalpat]* **b)** szegéllyel ellát *[kesztyűt]*, szegélyez, beszeg **2.** *biz* eltángál, elpáhol, elnáspángol, elagyabugyál, elver • *fn* **welting** *mn* **welted**
weltanschauung [ˈveltænʃauuŋ ‖ –ɑn–] *fn tsz* **-en** *német* világnézet
welter[1] [ˈweltə ‖ –ər] **I.** *tni* **1.** *átv* vadul hullámzik, zajlik, háborog, viharzik **2. a)** meghemperedik, hempereg, henteréq, fetreng *[sárban stb.]* **b)** vérben gázol/vájkál/úszik/ázik **II.** *fn* **1.** viharzó hullámzás, viharzás, háborgás **2.** *átv* felfordulás, fejetlenség, zűrzavar, kaotikus összevisszaság
welter[2] [ˈweltə ‖ –ər] *mn* **1.** *sp* súlytöbblet **2.** *GB biz* **a)** → **welt** I. 3. **b)** *[tagbaszakadt ember]* szekrény **c)** *[hatalmas darab]* jókora ... *[vmből]*
welterweight *fn sp* **1.** váltósúly; **light ~** kisváltósúly *[ökölvívásban]* **2.** váltósúlyú ökölvívó/birkózó/súlyemelő **3.** súlyos terhelés, weltersúly *[lóversenyben]*
wen[1] [wen] *fn* **1.** *orv* faggyúdaganat, zsírdaganat, kelevény *[tarkón]* **2.** *átv* túlzsúfolt nagyváros, városrengeteg
wen[2] [wen] *fn* ‹runikus th betű jele óangolban›
wench [wentʃ] **I.** *fn biz* **a)** fiatal (falusi) lány/szolgáló/asszony, fiatal parasztlány/parasztasszony **b)** *pej* némber, nőszemély **II.** *tni* bujálkodik, nőzik • *fn* **wencher**
wend [wend] *vál régi* **A.** *tsi* irányít *[lépteit]*; **~ one's way to sg** útját veszi vm felé **B.** *tni* megy
Wend [wend] *fn* vend (ember) • *mn* **Wendic**
Wendish [ˈwendɪʃ] **I.** *mn* vend **II.** *fn* vend (nyelv)
Wendy [ˈwendi] *tul* ‹női név›
went [went] → **go**
wept [wept] → **weep**

W

were [wə, wɜː ‖ wər, wɜr] → **be**

we're [wɪə ‖ wɪr] *röv we are*→ **be**

weren't [wɜːnt ‖ wɜrnt] *röv were not*→ **be**

werewolf ['weəwʊlf ‖ 'wer–] *fn tsz* **werewolves** ['weəwʊlvz ‖ 'wer–] farkasember

werwolf ['weəwʊlf ‖ 'wer–] *tsz* **werwolves** ['weəwʊlvz ‖ 'wer–] → **werewolf**

Wesleyan ['wezlɪən] *fn/mn vall* wesleyánus (metodista) • *fn* **Wesleyanism**

west [west] **I.** *fn* **1.** nyugat *[világtáj]*; **house facing ~** nyugatra néző ház **2. the W~** a Nyugat, a nyugati/demokratikus világ **3. a)** nyugati része/fele *[országnak, városnak stb.]*; **live in the ~ of Germany** Németország nyugati részében él **b)** *US* **the W~** a Nyugat **II.** *mn* **a)** nyugati (fekvésű), nyugatra néző, nyugaton fekvő/elterülő, nyugat-; *földr* **(the) W~ Country** ‹Anglia délnyugati része›; → **west-country**; **W~ End** ‹London előkelő/elegáns nyugati (lakó)negyede›; *átv* elegáns, nagyvilági, előkelő, luxus; *földr* **(the) W~ Indies** Nyugat-India **b)** nyugatra menő/tartó, nyugati irányban haladó **c)** nyugati, nyugatról jövő/való; **~ wind** nyugati szél **III.** *hsz* nyugatra, nyugat felé/felől, nyugaton, nyugatról; **~ by north** nyugat-északnyugat; **~ by south** nyugat-délnyugat; **~ of sg** vmtől nyugatra; **go ~** nyugatra megy/tart; *biz átv [meghal]* oda van, lőttek neki; *szl* kampec, konyec, kész van; *közm* **too far east is ~** a szélsőségek végül is találkoznak

westbound *mn* nyugat felé menő/induló, nyugatra tartó *[vonat]*

west-country *mn GB* az ország nyugati részéből való/származó (v. részére jellemző)

west-ender *fn* előkelő negyedbeli (lakos)

west-endish *mn* az előkelő/elegáns (város)negyedből való (v. negyedre jellemző), előkelő, elegáns

westering ['westərɪŋ] *mn* nyugatra irányuló, nyugati; **~ sun** lenyugvó nap

westerly ['westəli ‖ –stər–] **I.** *mn* nyugati, nyugatra fekvő; **~ wind** nyugati szél **II.** *hsz* **a)** nyugatra, nyugati irányban, nyugat felé **b)** nyugatról, nyugat felől, nyugati irányból *[fújó szél]* **III.** *fn* nyugati szél

western ['westən ‖ 'westərn] **I.** *mn* **a)** nyugati, nyugat-, nyugaton fekvő/elterülő; **the ~ hemisphere** a nyugati félteke; **W~ Europe** Nyugat-Európa **b)** nyugaton lakó/élő, nyugatról való/származó **c)** nyugati beállítottságú, nyugatra (v. nyugati kultúrára) jellemző **d)** nyugati irányú, nyugati irányban haladó **e)** nyugati, nyugatról jövő/fújó *[szél]* **f)** *vall* a nyugati egyházhoz tartozó, (római) katolikus; **W~ Church** a nyugati (v. római katolikus) egyház; nyugati kereszténység **II.** *fn US* western, vadnyugati történet/film

westerner ['westənə ‖ 'westərnər] *fn* nyugati ember, az ország/földrész nyugati részéről való személy, nyugati részeken lakó

westernize ['westənaɪz ‖ –stər–], **-ise A.** *tsi* elnyugatiasít, nyugati civilizációval/kultúrával átitat, nyugati mintára átalakít **B.** *tni* elnyugatiasodik, nyugati szokásokat követ, nyugati mintára átalakul • *fn* **westernization**, **-isation**, **westernizer**, **-iser**

westernmost ['westənmoust ‖ –stərn–] *mn* a legnyugatabbra eső/fekvő, a legnyugatibb

West Indian I. *mn* nyugati-indiai, az Antillákról való **II.** *fn* Nyugat-Indiában élő személy, az Antillák lakója

westing ['westɪŋ] *fn hajó* haladás nyugat felé

Westminster ['westmɪnstə ‖ –ər] *tul* **1.** Westminster *[londoni városnegyed]*; **~ (Abbey)** Westminsteri Apátság **2.** *pol* **a)** ‹az angol parlament› **b)** ‹az angol politikai élet központja/színtere›

west-northwest I. *fn* nyugat-északnyugat **II.** *hsz* nyugat-északnyugatra, nyugat-északnyugat felé/felől

west-southwest I. *fn* nyugat-délnyugat **II.** *hsz* nyugat-délnyugatra, nyugat-délnyugatról, nyugat-délnyugat felé/felől

westward ['westwəd ‖ –wərd] **I.** *mn* nyugati, nyugat felé menő/tartó/irányú/eső **II.** *hsz* nyugatra, nyugat felé, nyugati irányba(n) **III.** *fn* nyugat(i irány/táj/országrész); **to the ~** nyugatra; nyugat felé

westwardly ['westwədli ‖ –wər–] **I.** *mn* **1. a)** nyugatról (v. nyugat felől) jövő/fújó *[szél]* **b)** nyugati, nyugat felé tartó/irányuló **2.** nyugatra néző, nyugati fekvésű **II.** *hsz* nyugat felé, nyugati irányba(n)

westwards ['westwədz ‖ –wər–] → **westward** II.

wet [wet] **I.** *mn* **-tt- 1. a)** nedves, vizes, (át)ázott, átnedvesedett; *biz átv* **~ blanket** kedvrontó/ünneprontó (személy); savanyú ember; *biz átv* **throw a ~ blanket over sy** lehűti vk kedélyét, kedvét szegi vknek; *biz* **~ dream** éjszakai magömlés; **~ floor!** vigyázat, csúszik!, frissen (fel)mosva; **~ pack** dunsztkötés, vizes borogatás; **~ paint!** frissen/vigyázat mázolva!; **~ with tears** könnyáztatta; **be ~ through**, **~ to the skin**, **dripping ~** bőrig ázott; csuromvizes; **get ~** megázik, átnedvesedik, nedves/vizes lesz; **get one's feet ~** átázik a cipője, csupa víz a lába, vizes lesz a lába; **ink still ~** a tinta még meg sem száradt *[iráson]* **b) ~ weather** esős/nedves idő **c)** nem szobatiszta *[csecsemő]* **2.** friss, élő *[hal]* **3.** *biz* tehetetlen, cselekvésképtelen; **~ behind the ears** tapasztalatlan, zöldfülű **4. a)** *US tört biz* szabad alkoholfogyatást engedő, prohibícióellenes **b)** *biz* pityókos, becsiccsentett, spicces **5.** *US szl* **he's all ~** téved, nincs igaza, el van tájolódva **II.** *fn* **1.** nedvesség **2.** eső(s idő), csapadék, páratartalom **3.** *GB biz* ital; **have a ~** iszik egyet, leöblíti a torkát (egy pohárral) **4.** *biz* **the ~s** az alkoholtilalom ellenségei/ellenzői; alkoholkedvelők **III.** *tsi* **-tt- 1. a)** benedvesít, átnedvesít, megnedvesít, (be)áztat, megmárt, bevizez **b)** (be)vizel; **~ the bed** ágyba vizel *[beteg, gyermek]*; **he ~ted himself** bevizelt **2.** *biz* **~ a bargain/deal** (áldomást) iszik vmre; **~ the baby's head** gyerek születésének örömére iszik; **~ one's whistle** megöntözi a torkát • *fn* **wetness**, **wetting** *mn* **wettable**

wetback *fn US pej* ‹Mexikóból az Egyesült Államokba a Rio Grandén keresztül átszökő személy› vizeshátú

wet nurse I. *fn* (szoptatós) dajka **II.** *tsi átv iron* babusgat, agyontámogat, járószalagon vezet

wetsuit *fn sp* búvárruha, melegítő öltözet *[vízisportokhoz]*

wettish ['wetɪʃ] *mn* nedveskés, kissé/enyhén nedves/vizes/átnedvesedett/átázott

WEU *röv pol Western European Union*

we've [wiv, wiːv] *röv we have*→ **have I.**

WFTU *röv World Federation of Trade Unions*

Wg/Cdr., **Wg Comdr** *röv Wing Commander*

whack [wæk ‖ hwæk] **I.** *fn* **1.** *biz* **a)** puffanó botütés, csapás; **give/land sy a ~** rávág vkre **b)** csapkodás, ütögetés, püfölés; **we had a good ~ at the carpet** jól kiporoltuk a szőnyeget **2.** *biz* kísérlet, próbálkozás vmvel; **have a ~ at sg** megpróbálkozik vmvel; nekiesik, nekigyűrkőzik, vmnek **3.** *szl* rész(esedés), adag, nagy darab **4.** *US szl* **out of ~** *[elromlott]* felmondta a szolgálatot, kaput *[használati tárgy]*; *[megőrült]* bedilizett, meghibbant *[ember]* **II.** *tsi biz* **a)** ütlegel, megver, bottal elpüföl/elver **b)** *sp* legyőz, laposra ver *[ellenfelet]*

whack down *tsi biz* megfizet

whack out *tsi US szl [megöl]* kinyír, kicsinál, kinyúvaszt, kifektet

whack up *tni biz* osztozkodik

whacked out [ˌwækt'aut ‖ ˌhwækt–] *mn szl* **1.** *[kimerült]* kidöglött, kipurcant **2.** *[részeg]* ki van ütve/feküdve, be van nyomva **3.** *[kábítószer hatása alatt áll]* be van lőve

whacking ['wækɪŋ ‖ 'hwæ–] *mn GB biz* **~ great** óriási, rengeteg, sok, roppant/szörnyű nagy, eget verő, kolosszális; **~ lie** eget rengető v. elképesztő hazugság

whadya ['wɒdjə ‖ 'hwɑ–] *röv US biz what do you*

whale[1] [weɪl ‖ hweɪl] **I.** *fn* **1.** *áll* bálna, cet **2.** *US biz átv* **a ~ of a lot of sg** rengeteg vmből; **he is a ~ of/on sg** nagyszerűen ért vmhez; **a ~ of a difference** óriási különbség; **we had a ~ of a time** remekül mulattunk/szórakoztunk **II.** *tni* bálnára/cethalra vadászik

whale[2] [weɪl ‖ hweɪl] *tsi US biz [elver]* üt-ver, (el)csépel, eltángál

whaleback I. *fn* **1.** *hajó* domború fedélzet, bálnahátfedélzet **2.** domború tárgy/dolog **II.** *mn* domború

whaleboat *fn* bálnavadászhajó, cethalászcsónak

whalebone *fn* halcsont, bálnaszila

whale calf *fn áll* bálnaborjú, fiatal bálna

whale oil *fn* bálnaolaj, cetolaj

whaler [ˈweɪlə ‖ ˈhweɪlər] *fn* **1.** bálnavadász, cetvadász **2.** bálnahalászhajó, cethalászhajó

whaling [ˈweɪlɪŋ ‖ ˈhweɪ–] **1.** bálnavadászat, cetvadászat **2.** bálnafeldolgozás, cetfeldolgozás

whaling ground *fn* bálnavadászatra/cetvadászatra alkalmas vizek

wham [wæm ‖ hwæm] *biz* **I.** *isz* bumm! **II.** *fn* bumm *[ütődés, csapódás zaja]* **III. A.** *tsi* üt, csap **B.** *tni* ütődik, becsapódik

whammy [ˈwæmi ‖ ˈhwæmi] *fn US szl* **put a ~ on sy** vkt elátkoz/megbabonáz

whang [wæŋ ‖ hwæŋ] *biz* **I. A.** *tsi [erősen/hangosan megüt/megver]* eldönget, eltángál **B.** *tni* puffan **II.** *fn* puffanás, püffenés

whare [ˈwɒri ‖ ˈhwɑri] *fn Ausz ÚjZ* kunyhó, szegényes házikó

wharf [wɔːf ‖ hwɔrf] *hajó* **I.** *fn tsz* **wharfs, wharves** [wɔːvz ‖ wɔrvz] **a)** rakodópart, kirakodóállomás **b)** kikötőhíd, móló, dokk; **shipwright's ~** hajógyár **II. A.** *tsi* **1.** rakparton kirak *[árut]*, kirakodik **2.** kiköt *[hajót kikötőhídnál, kirakodóállomáson]* **B.** *tni* **a)** kiköt, dokkol *[hajó]* **b)** kirakodik, rakodóparton árut lerak *[hajó]* • *fn* **wharfing**

wharfage [ˈwɔːfɪdʒ ‖ ˈhwɔrfɪdʒ] *fn* **1.** rakparthasználat, kikötőhasználat **2.** rakpartilleték, kikötőilleték

wharfie [ˈwɔːfi ‖ ˈhwɔrfi] *fn Ausz ÚjZ biz* dokkmunkás

wharfinger [ˈwɔːfɪndʒə ‖ ˈhwɔrfəndʒər] *fn* **a)** rakparttulajdonos **b)** rakpartfelügyelő

wharves [wɔːvz ‖ hwɔrvz] → **wharf**

what [wɒt ‖ hwʌt] **I.** *nm* **1.** mi?, mit?; **~ is it?** (i) mi az/ez? (ii) mi van?; **~'s... like?** milyen...?; **~'s he like?** milyen ember?; **~'s the matter?** mi a baj?, mi történt?; **~'s his name?** mi a neve?, hogy hívják?; **~ better is there?** tudsz jobbat?, mi másról/egyébről lehet szó?; **~ did you say?** mi?, mit mondott?, hogy mondta?; **~ is that to you ?** (i) mit érdekel ez téged?, mi közöd hozzá? (ii) mit számít ez neked?; **~ is to be done?** most mit csináljunk?; **I don't know ~ to do** nem tudom mitévő legyek?; **~ on earth are you doing here?** mi a csudát v. az ördögöt csinálsz/keresel itt?; **~ do you take me for?** minek nézel engem?, mit képzelsz rólam?; **~ about sg?** (i) mi a véleményed vmről? (ii) nem volna-e kedved vmhez?; **~ about you?** hát te/maga?, na és te/maga?, hát veled/magával mi van?; hát veled mi lesz/legyen?; **~'s it all about?** miről van tulajdonképpen szó?; **~ about a game of chess?** nincs kedved sakkozni?, nem sakkozunk egyet?; **~'s in it for me?** nekem mi hasznom belőle?, miért jó ez nekem?; *biz* **~'s the (big) hurry/rush?** mi ez a nagy sietség?; **~'s the point/use?** mi értelme?, mire jó?, minek?; **~ for?** miért?, mi célból?; *biz* **~ on earth for?** mi az ördögnek/csudának?; *biz* **~ the heck/hell!** mi az isten!; egye fene!, legyen!; **~ next?** és aztán mi lesz?, hát még mit nem?, még csak ez hiányzott!; **~ now?** mi legyen?, most mit tegyünk?, most mihez kezdjünk?; **~'s on?** (i) mi az?, mi történik? (ii) mit adnak?, mi megy ma? *[moziban, színházban, tévében]*; *biz* **~'s up?** mi van?, mi újság?, mi a helyzet/az ábra?; **~ then?** és akkor/azután mi lesz?; *biz* **so ~?** na és?, és aztán?, és akkor mi van?; *biz* **know ~'s ~** tudja, miről van szó, nem esett a feje lágyára, ismeri a dörgést; **I'll tell you ~** mondok neked valamit; hallgass rám...; figyelj ide! **2.** ami, amit, az ami(t), azt amit, amelyet, amelyiket; **~ I like is music** a zene az, amit szeretek; *kif biz* **~'s done is done** ami megtörtént, megtörtént; **that's just ~ I was driving at** ez éppen az, ahová ki akartam lyukadni; **come ~ may** akárhogy is lesz, bármi történjék is, lesz ami lesz; **say ~ he will** mondjon amit akar, bármit mond is; **knives, forks, spoons and ~ not** kés, villa, kanál és miegymás; **or ~ have you** vagy amit akarsz, vagy mit tudom én, vagy ami tetszik **3.** hogyan?, miképp?, milyen szempontból?, milyen részben?; **~ ever for?** de végül is minek/miért? **4.** amennyire csak, amilyen mértékben csak **5.** annyi, amennyi; **~ little...** ami kevéske/csekély...; **(and) ~ is more** sőt ami ennél is több; sőt mi több; **lend me ~ money you can** kölcsönözzön nekem annyi pénzt, amennyit csak tud **6.** milyen?, micsoda?, milyen fajta?, mennyi?, hány?; **~ day of the month is it?** hányadika van ma?; **~ good is this?** mire jó ez?, mi értelme van ennek?; **~('s) news?** mi újság?; **~ size?** (i) milyen méretű? (ii) hányas? *[cipő, méret]*; **~ time is it?** hány óra van? **II.** *isz* **a)** mi(csoda)?, tényleg?, komolyan?; **W~? Do you really mean it?** Jól hallom? Ezt komolyan gondolod? **b) ~ a fool you are!** mekkora szamár vagy!; **~ a nice hotel!** milyen szép szálloda!; **~ an idea!** micsoda ötlet!

whate'er [wɒtˈeə ‖ hwʌtˈer] *vál* → **whatever**

whatever [wɒtˈevə ‖ hwʌtˈevər] **I.** *nm* akármi(t), bármi(t), akármilyen(t), bármilyen(t); **~ happens** akármi történik/lesz (is); *biz* **~ happened to sy/sg?** mi lett vkvel/vmvel/vkből/vmből?; **~ he can give** amit csak adni tud; **~ it may be** bármi legyen is (az); **~ you like** amit csak akarsz, ami tetszik; **~ you do, don't...** akármit csinálsz (is), ne...; **~ you say** akármi, amit (csak) mondasz; mondhatsz amit akarsz **II.** *mn* **at ~ cost** bármi áron; **none ~** a legkisebb/legcsekélyebb sem; egyáltalán semmi; **he has no chance ~** a legkisebb v. semmi esélye sincs **III.** *hsz* mindenesetre, akárhogy legyen is

whatnot [ˈwɒtnɒt ‖ ˈhwʌtnɑt] *fn* **1.** valami, miegymás, amit akarsz **2.** állvány, állópolc

what's [wɒts ‖ hwʌts] *röv what is*

whatshername → **whatshisname**

whatshisname *fn biz* hogyishívják

whatsit [ˈwɒtsɪt‖ˈhwʌtsət] *fn biz* izé, akármi, hogyishívják

whatsitsname → **whatshisname**

whatsoe'er [ˌwɒtsoʊˈeə ‖ ˌhwʌtsoʊˈer] *vál* → **whatsoever**

whatsoever [ˌwɒtsoʊˈevə ‖ ˌhwʌtsoʊˈevər] → **whatever**

wheat [wiːt ‖ hwiːt] *fn növ* búza; **spring ~** tavaszi búza; **winter ~** őszi búza; **grain of ~** búzaszem • *mn* **wheaten**

wheat belt *fn mezőg* búzaterm(el)ő övezet

wheatear *fn* búzakalász

wheat field *fn* búzaföld, búzamező

wheat germ *fn* búzacsíra

wheatmeal *fn* búzadara, durva búzaliszt

wheat pit *fn US* gabonatőzsde, terménytőzsde

whee [wiː ‖ hwiː] *isz* hű!, tyű!, ejha! *[öröm v. izgalom indulatszava]*

wheedle [ˈwiːdl ‖ ˈhwiːdl] *tsi* hízelgéssel/kedveskedéssel rávesz/rábír (vkt vmre), levesz a lábáról vkt; **~ oneself into sy's confidence** bizalmába férkőzik vknek; **~ sy into doing sg** ügyeskedéssel rávesz vkt vmre; **~ money from/out of sy** pénzt hízeleg ki vkből • *fn* **wheedler** *fn/mn* **wheedling**

wheel [wiːl ‖ hwiːl] **I.** *fn* **1. a)** kerék; **~ of fortune** szerencsekerék; *átv* **~s of government** a kormányzat gépezete; **~ of life** az élet körfolyamata; **four-~ drive** négykerékmeghajtás; **run on ~s** (i) kerekeken fut/jár (ii) *biz átv* megy, mint a karikacsapás; *átv* **~s within ~s** komplikált/bonyolult mechanizmus/összefüggések; **grease the ~s** (i) megolajozza a kerekeket (ii) *biz átv* ken, megveszteget; **put/set one's shoulders to the ~** (i) nekifeszíti a vállát a keréknek (ii) *átv* minden erejével nekigyürkőzik/nekifekszik vmnek; *átv* **set the ~s in motion** nekilát vm elintézésének; **set every ~ in motion** mindent elkövet; *biz átv* **put a spoke in sy's ~** meghiúsítja vk tervét; **turn ~s** cigánykereket hány; *US biz* **like hell on ~s** *[nagyon gyorsan]* szélsebesen, mint a sicc **b)** *műsz* korong, tárcsa; **abrasive ~** köszörűkerék; **cutting ~** kivágókerék; **grinding ~** csiszolókerék; köszörűkerék; **potter's ~** fazekaskorong **c)** *tört* **condemn sy to the ~** kerékbetörésre ítél vkt; *átv* **break sy on the ~** kerékbe tör vkt **d)** forgókerék *[tűzijátékban]* **2.** *gk* **(steering) ~** kormánykerék; volán; **be at the ~** (i) a volánnál/kormánynál ül, *hajó* kormányoz (ii) *biz átv* a dolgok élén áll, kezében tartja a gyeplőt, dirigál **3. a)** körforgás, tengely körüli forgás **b)** *kat* átfordulás, fordulat, frontváltoztatás; **left ~** balra át, balra fordulás **4.** *US szl [fontos/befolyásos ember]* főnök, fejes, nagykutya **5.** *esz* **wheels** *US szl [autó]* járgány **II. A.** *tsi* **1.** gördít, görget, tol, gurít *[kerekeken járó dolgot]*; *kat* **~ a gun into line** ágyút lőállásba tol; **~ sg in a barrow** targoncán visz/tol vmt **2.** korongon forgat **3. ~ round one's chair** székestől hátra fordul, székét átfordítja/áttolja máshova **4.** *biz pej* **~ and deal** seftel, alkudozik, ügyeskedik **B.** *tni* **1.** gördül, gurul **2.** körbe jár, forog, kering, kígyózik **3. a)** *kat* kanyarodik; **~ about** átfordul; **~ round** kanyarodik, körbe fordul; **left ~** balra kanyarodj!; **right ~** jobbra kanyarodj! **b) ~ about/round** hirtelen hátrafordul, megfordul, visszafordul; megperdül • *mn* **wheelless**

wheel-back *mn* kerek hátú/támlájú *[szék]*

wheelbarrow *fn* (egykerekű) targonca, talicska, taliga

wheelbase *fn gk* tengelytávolság

wheelchair *fn* tolókocsi *[betegnek, mozgássérültnek]*

wheel clamp *gk* **I.** *fn* kerékbilincs **II.** *tsi* **wheel-clamp** kerékbilincset szerel *[járműre]*

wheeled [wi:ld ‖ hwi:ld] *mn* **a)** kerekes, keréken járó, kerekeken guruló **b)** *összet* kerekű; **three-~** háromkerekű

wheeler [ˈwi:lə ‖ ˈhwi:lər] *fn* **1.** kerékgyártó, bognár **2.** rudas *[ló]*; **off-~** vezetékló, ostorhegyes **3.** kerekes jármű; **three-~** háromkerekű jármű

wheeler-dealer *fn US biz pej* ‹összeköttetéseit kihasználva érvényesülő személy›; seftelő, seftes

wheelhouse *fn hajó* kormányosfülke, kormányház

wheeling-deeling *fn US biz pej* ‹érvényesülés/haszon keresése ravaszkodással v. nem tisztességes eszközökkel›

wheelman [ˈwi:lmən ‖ ˈhwi:l–] *fn tsz* **-men 1.** *hajó* kormányos **2.** *US gk biz [gépkocsivezető]* pilóta

wheelsman [ˈwi:lzmən ‖ ˈhwi:lz–] *fn tsz* **-men** *hajó* kormányos

wheelwright *fn* kerékgyártó, bognár

wheeze [wi:z ‖ hwi:z] **I. A.** *tsi* **~ sg out** nagy nehezen kiliheg v. kinyög vmt **B.** *tni* zihál, liheg, nehezen/kapkodva lélegzik **II.** *fn* **1.** zihálás, lihegés, nehéz/asztmás/kapkodó/sípoló lélegzés **2.** *biz* **a)** ötlet, trükk **b)** elkopott vicc, elcsépelt bemondás/tréfa • *fn* **wheezer**

wheezy [ˈwi:zi ‖ ˈhwi:zi] *mn* lihegő, ziháló, nehezen/kapkodva lélegző, asztmatikus *[személy]*, kehes *[ló]* • *fn* **wheeziness** *hsz* **wheezily**

whelk [welk ‖ hwelk] *fn orv* pattanás

whelm [welm ‖ hwelm] *tsi vál* **a)** elnyel, elborít, eláraszt **b)** → **overwhelm**

whelp [welp ‖ hwelp] **I.** *fn* **1.** állatkölyök, oroszlánkölyök, kutyakölyök, medvebocs **2.** *biz átv* haszontalan kölyök, kópé, gézengúz **II. A.** *tsi* **1. a)** megell, világra hoz *[kölyköt állat]* **b)** *biz pej* megszül *[nő]*, kipottyant **2.** *átv* kifőz, sző *[gonosz tervet]* **B.** *tni* **a)** megkölykezik, megellik *[kutya, farkas]* **b)** *biz pej* szül *[nő]*

when [wen ‖ hwen] **I.** *hsz* **1.** mikor?, milyen időpontban/alkalommal?, mennyi ideje?, mennyi idő elteltével/után?, hánykor?, milyen hamar?; **~ are you coming?**, **~ will you come?** mikor jön/jössz? **2. a)** (a)mikor, (a)midőn, akkor (a)mikor; **~ at school** iskolás korban, mikor iskolába járt; **~ I entered** amikor beléptem; **~ young** ifjúkoromban, amikor még fiatal voltam; **say ~!** szólj(on) ha elég!, mondd meg, mikor elég! *[italtöltésnél]*; **the day ~ I met you** aznap amikor találkoztunk **b)** *gazd* **~ due** esedékességkor; **~ received** *[áru, pénz]* beérkezése után **II.** *nm* mikor?, mikorra?, meddig?; **since ~** mióta?; amióta; **till ~?** meddig? **III.** *ksz* **1.** mialatt, miközben, míg, miután **2.** ha majd, feltéve, majd ha...; **~ I think what I have done for him!** ha arra gondolok, hogy mit/mennyit tettem érte **3.** noha, bár, jóllehet, annak ellenére, hogy... **IV.** *fn* időpontja, ideje vmnek; **the where and ~** a mikor és a hol, a helye és ideje vmnek; **tell me the ~ and the how of it** mondd el, hogyan és mint történt?

whence [wens ‖ hwens] *hsz vál régi* **1. a)** honnan?, honnét?; **~ are they?** honnét jöttek/valók? **b)** ahonnan, ahonnét **2. a)** miből? **b)** miért is, minél fogva, minek következtében, amiből

whenever [wenˈevə ‖ hwenˈevər] *hsz* akármikor, bármikor, hacsak, ahányszor, valahányszor; *biz* **or ~** amikor csak akarsz; **you may come ~ you like** jössz, amikor tetszik/akarsz v. kedved tartja

whensoever [ˌwensouˈevə ‖ ˌhwensouˈevər] → **whenever**

where [weə ‖ hwer] **I.** *hsz* **1. a)** hol?, hova?, merre(felé)?, milyen helyen/tájon/részen?, milyen tekintetben?; **~ am I?** hol vagyok?; **~ are you in your work?** hol tartasz/mennyire jutottál a munkádban?; **~ is the way out?** merre van a kijárat?; *biz* **~ the hell** v. **on earth have you been?** hol az ördögbe/pokolba/csudába voltál eddig? **b) ~ is the use of...?** mi értelme/célja/haszna?, mire jó? **2.** ahol, ahova, amerre, amiben, amiről; **~ he is weakest** ahol/amiben a leggyengébb; *biz* **that's ~ it is** szóval itt van; *átv* ez az igazi ok, itt van a kutya elásva; **that's ~ you are mistaken/wrong** ebben v. ez az, amiben tévedsz; *biz* **~ it's at** ‹hely, ahol fontos/divatos dolgok történnek› **II.** *nm* **1. ~?** honnan?, merről?, mely tájról?; **~ do you come from?** (i) honnan jöttél? (ii) milyen országból való vagy?; **~ are you going?** hova mész? **2.** ahonnan, amerről; **from ~** ahonnan; **the place ~ he comes from** származási helye **III.** *ksz* (ott), ahol, (oda) ahova, (abban) amiben; **the house ~ I was born** a ház, ahol/amelyben születtem, szülőházam; **you can see it from ~ we are standing** látni lehet innen, ahol állunk; **this is ~ we live** itt lakunk **IV.** *fn* vm színhelye vmnek; **the ~ and when** a mikor és a hol, a helye és ideje vmnek

whereabouts [ˈweərəbauts ‖ ˈhwer–] **I.** *hsz* (körülbelül/nagyjából) hol?, merre(felé)?; **~ do you live?** merre(fele) laksz? **II.** *fn tsz* hollét, tartózkodási hely (vké/vmé); **no-one knows his ~** senki sem ismeri a tartózkodási helyét, senki sem tudja, hogy hol van

whereas [weərˈæz ‖ –hwe] *ksz* **1.** miután, minthogy, mivel, tekintettel arra hogy **2. a)** habár, holott, jóllehet, noha **b)** míg ellenben

whereat [weərˈæt ‖ –hwe] *hsz vál régi* amire, amin, amiért

whereby [weəˈbaɪ ‖ hwer–] *hsz* amiből, ami által, amitől, amivel, minélfogva

where'er [weərˈeə ‖ hwerˈer] → **wherever**

wherefore [ˈweəfɔ: ‖ ˈhwerfɔr] **I.** *hsz* **1.** azért, annak okáért, minélfogva **2.** *vál* **~?** miért, mi célból/okból?, minek? **II.** *fn biz* ok; **the whys and ~s** az okok és indokok, vmnek a miértje/oka

wherein [weərˈɪn ‖ hwer–] *hsz* **1.** *vál* **~?** miben?, menynyiben?, milyen tekintetben/szempontból? **2.** *vál* amiben, amelyben

whereof [weərˈɒv ‖ hwerˈʌv] *hsz vál* **1.** miből?; kiről?, miről?; mire? **2.** amiből, amelyekből, amiről, amelyekről, akikről

whereon [weərˈɒn ‖ hwerˈɑn] *hsz vál régi* **1. ~?** min?, mire? **2.** amin, amire, amelyen; **that is ~ we differ** ez az amiben nem értünk egyet **3.** *vál* mire, minekutána

where's [weəz ‖ hwerz] *röv* **1.** *where is* **2.** *where has*

wheresoever [ˌweəsouˈevə‖ˌhwersouˈevər] *vál* → **wherever**

whereto [weəˈtu: ‖ hwer–] *hsz* **1. a) ~?** hova **b) ~?** mire? **2. a)** ahova **b)** amire

W

whereupon [ˌweərəˈpɒn ‖ ˌhweərəˈpɑn] *hsz vál* **1.** min?, mire? **2. a)** erre, akkor, mire, ami után, aminek következtében **b)** amin, amire, amelyre
wherever [weərˈevə ‖ hwerˈevər] *hsz* **1.** ahol/ahova csak, bárhova, bárhol, akárhol, akárhova **2.** bárhonnan, akárhonnan, ahonnan csak; ~ **they come from** bárhonnan/akárhonnan valók/jöttek is; ~ **that is/may be** akárhol legyen is az
wherewith [weəˈwɪð ‖ hwer–] *hsz vál régi* **1.** ~? mivel? **2.** amivel **3.** amire, ami után
wherewithal [ˈweəwɪðɔːl ‖ ˈhwer–] *vál régi fn* a hozzávaló/szükséges eszköz/összeg
wherry [ˈweri ‖ ˈhweri] *fn* **1.** könnyű keskeny csónak **2.** lapos fenekű révészladik, dereglye, komp
wherryman [ˈwerimən ‖ ˈhweri–] *fn tsz* **–men 1.** révész **2.** ladikos, csónakos
whet [wet ‖ hwet] **I.** *tsi* **-tt- 1.** (ki)élesít, fen, megköszörül **2.** *biz átv* gerjeszt, izgat, ingerel, felkelti az étvágyat/vágyat vmre; ~ **sy's appetite** felkelti vk étvágyát; *átv* beleloval vkt vmbe **II.** *fn* **1.** élesítés, fenés, köszörülés **2.** *biz átv* étvágycsináló • *fn* **whetter**
whether [ˈweðə ‖ ˈhweðər] *ksz* **1.** vajon, ... hogy...; **I doubt** ~ kétlem, hogy...; **it is doubtful/uncertain** ~ kétséges, hogy..., kérdés(es), hogy...; **I don't know** ~ ... nem tudom, vajon...; **I want to know** ~ ... **or** ~ ... szeretném tudni, hogy... vagy... **2.** ~ **or no,** ~ **or not** mindenképpen, minden körülmények között; egyaránt; **I'll come** ~ **or no** mindenképpen eljövök **3.** ~ ... **or not** ... ha/akár igen ha/akár nem; ~ **you want it or not** ha akarod, ha nem; ~ **he is here or** ~ **he is in London** akár itt van, akár Londonban
whetstone [ˈwetstoun ‖ ˈhwet–] *fn* köszörűkő, fenőkő, *átv* élesítő *[elméé]*; *kif* **deserve/win the** ~ (i) durván hazudik (ii) nagyon henceg/felvág
whew [fjuː] *isz* **1.** huh!, jaj!, hű!, tyű! *[megkönnyebbüléskor]* **2.** ejha!, tyűh!, hű! *[meglepetéskor]*
whey [weɪ ‖ hweɪ] *fn* tejsavó
wheyey [ˈweɪi ‖ ˈhweɪi] *mn* savószerű, savó színű *[folyadék]*
whey-faced *mn biz* holtsápadt, holtra vált, halvány
which [wɪtʃ ‖ hwɪtʃ] *nm* **a)** melyik?, melyiket?, milyen?; ~ **one?** melyik?; melyiket?; ~ **ones?** melyek?; melyeket?; ~ **way do we go?** merrefelé v. milyen irányba megyünk?; ~ **have you chosen?** melyiket választotta?; ~ **of you knows?** melyikőtök v. közületek ki tudja?; ~ **will you take, milk or lemon?** mit parancsol, tejet vagy citromot; ~ **is** ~? melyik melyik? **b)** (azt) amelyiket, amelyet, (azt) amit, amilyent; **after** ~ ami után, amit követőleg; **all of** ~ amelyek (közül) mind; **at** ~ ahol; **of** ~ amelyekről; **to** ~ amelyekbe; ahova; ~ **I did** amit megtettem; **I don't mind** ~ bánom is én, hogy melyiket; **after** ~ **he went out** azután/majd/ezzel fogta magát és kiment; **the hotels at** ~ **we stayed** a szállodák, amelyekben laktunk; **look at it** ~ **way you will** bármilyen szempontból nézed is; **he had been given a year in** ~ **to build it** egy évet kapott rá, hogy megépítse
whichever [wɪtʃˈevə ‖ hwɪtʃˈevər] *nm* **a)** azt amelyiket, amelyiket csak **b)** akármelyiket, bármelyiket is
whicker [ˈwɪkə ‖ ˈhwɪkər] **I.** *tni* nyihog **II.** *fn* nyihogás
whiff [wɪf ‖ hwɪf] **I.** *fn* **1. a)** fuvallat, gomoly *[füsté]*, foszlány *[felhőé ködé]*; **there wasn't a** ~ **of wind** szellő sem rezdült **b)** halvány/elenyésző illat/szag, könnyű illatfelhő; **get a** ~ **of sg** vmnek a szaga megcsapja az orrát **c)** korty(intásnyi) *[ital]* **d)** *átv* ~ **of hope** röpke/halvány reménysugár; ~ **of temper** futó harag, pillanatnyi fellobbanás **2.** pöfögés, füstölés **3.** rövid/kis szivar **4.** *sp* szkiff *[együléses versenycsónak]* **5.** *biz átv* egy pillanat **II. A.** *tsi* **1.** ~ **away/off** könnyedén elfúj/lefúj **2.** ~ **smoke** pöfékel; füstfelhőt ereget; füstgomolyt ereszt **B.** *tni* **a)** pöfékel, pöfög **b)** füstfelhőt ereget v. ereszt ki **c)** bűzlik, bűzt/szagot áraszt
whiffle [ˈwɪfl ‖ ˈhwɪfl] **I. A.** *tsi* táncoltat, ide-oda fúj *[szél hajót]* **B.** *tni* **1.** fújdogál *[szellő]*, rezdül *[falevél]*, libben *[láng]* **2.** *átv* tétovázik, ingadozik **II.** *fn* rezzenet, rezdülés
whiffy [ˈwɪfi ‖ ˈhwɪfi] *mn biz [rossz szagú]* büdös, szaga van
Whig [wɪg ‖ hwɪg] *tört pol* **I.** *fn* **1.** *GB* ‹az 1688-i forradalom után alakult liberális párt tagja› whig; **the** ~ **Party** a whig/liberális párt **2.** *US* **a)** védővám híve **b)** függetlenségi párti **II.** *mn* whig • *fn* **Whiggery, Whiggism** *mn* **Whiggish**
while [waɪl ‖ hwaɪl] **I.** *ksz* **1. a)** (a)míg, mialatt, az alatt míg, miközben; ~ **I was there** ottlétem alatt; ~ **reading I fell asleep** olvasás közben elaludtam **b)** amíg, mindaddig, amíg csak ...; ~ **there is life there is hope** míg élek remélek **2.** noha, bár, jóllehet; ~ **it is true that** noha igaz az, hogy **3.** míg, ellenben **II.** *fn* **1. a)** rövid időtartam; **a good** ~ jó ideig/ideje/darabig; **after a** ~ egy kis idő múlva, rövid idő múltán/elteltével; **all the** ~ egész idő alatt, mindvégig; **for a long/good/great** ~ jó/hosszú ideig/ideje; **for a short** ~ rövid ideig/időre, valameddig, egy időre/ideig; **in a (little)** ~ nemsokára, rövidesen, csakhamar; **a little** ~ **ago** nemrégen, nem sokkal ezelőtt/azelőtt; egy kis ideje; **(every) once in a** ~ egyszer-egyszer, néha, időnként **b) the** ~ ez alatt az idő alatt; addig, közben **2.** fáradozás; **be worth one's** ~ megéri a fáradtságot; érdemes; **I will make it worth your** ~ a fáradsága nem lesz hiábavaló; → **worthwile III.** *tsi* ~ **away** időt eltölt, időz; ~ **away time** elüti/agyonüti az időt
whilst [waɪlst ‖ hwaɪlst] **I.** *ksz* → **while** I. **II.** *hsz* **the** ~ azalatt, azonközben
whim [wɪm ‖ hwɪm] *fn* **1.** szeszély, hóbort, rigolya; **passing** ~ futó szeszély; **take a** ~ **into one's head** a fejébe vesz vmt; **satisfy one's** ~ **for sg** szeszélyét kielégíti **2.** önfejűség, csökönyösség
whimper [ˈwɪmpə ‖ ˈhwɪmpər] **I. A.** *tsi* pityeregve mond, nyöszörgések közepette mond vmt **B.** *tni* **a)** nyűgösködik, nyafog **b)** pityereg, nyöszörögve/kényeskedve sír; **begin to** ~ elpityeredik **c)** nyüszít, szűköl, vinnyog **II.** *fn* **a)** nyűgösködés, nyafogás **b)** pityergés, panaszló hang/nyöszörgés **c)** nyüszítés, szűkölés, vinnyogás • *fn* **whimperer** *hsz* **whimperingly**
whimsical [ˈwɪmzɪkl ‖ ˈhwɪm–] *mn* **a)** szeszélyes, hóbortos, rigolyás, bogaras, raplis **b)** fur(cs)a, szokatlan *[elképzelés]*, különös, valószínűtlen, képtelen *[helyzet]* **c)** bolondos, mulatságos • *hsz* **whimsically**
whimsicality [ˌwɪmzɪˈkæləti ‖ ˌhwɪmzə–] *fn* **1.** szeszélyesség, bogarasság, hóbort **2.** furcsaság
whimsy [ˈwɪmzi ‖ ˈhwɪmzi] **I.** *fn* **1.** → **whim** 1. **2.** → **whimsicality II.** *mn* → **whimsical**
whimwham [ˈwɪmwæm‖ˈhwɪmhwæm] *fn* **1. a)** → **whim** 1. **b)** szeszély(esség), furcsaság **2. a)** játékosság, gyerekesség **b)** zsuzsu; fityegő
whin [wɪn ‖ hwɪn] → **whinstone**
whine [waɪn ‖ hwaɪn] **I. A.** *tsi* kinyöszörög, siránkozva v. siránkozó hangon kinyög **B.** *tni* **1. a)** nyafog, nyögdécsel, nyöszörög, jajong, panaszosan felsír/feljajdul **b)** nyüszít, szűköl, panaszos hangot hallat, vinnyog **2.** siránkozik, sopánkodik **II.** *fn* **1. a)** panaszkodás, nyafogás, nyögdécselés, jajgatás **b)** nyüszítés, szűkölés, nyöszörgés, vinnyogás **2.** sopánkodás, siránkozás • *fn* **whiner** *mn* **whiny** *hsz* **whiningly**
whinge [wɪndʒ ‖ hwɪndʒ] *GB biz* **I.** *tni* nyafog, panaszkodik, siránkozik **II.** *fn* nyafogás, panaszkodás, siránkozás • *fn* **whinger** *mn* **whingy** *hsz* **whingeingly**
whining [ˈwaɪnɪŋ ‖ ˈhwaɪ–] **I.** *fn* **a)** nyafogás, siránkozás, sopánkodás **b)** nyüszítés, szűkölés **II.** *mn* nyafogó, siránkozó, sopánkodó
whinstone *fn ásv* granulit, bazaltkő
whinny [ˈwɪni ‖ ˈhwɪni] **I.** *fn* örömteli nyerítés, nyihogás *[lóé]* **II.** *tni* örömében felnyerít, nyihog *[ló]*
whip [wɪp ‖ hwɪp] **I.** *fn* **1. a)** ostor, korbács; **a lash of the** ~ korbácsütés; *átv* ~ **and spur** lóhalálában, a legnagyobb sietséggel; **crack/smack a** ~ ostort pattogtat/durrogtat

b) ostorozás, megkorbácsolás **c)** *átv* ostorozás, kárhoztatás **d)** csapkodás, csapódás *[hirtelen elszakadt kötélé/szíjé]* **2. a)** kocsis, hajtó **b)** *biz* **smart as a ~** energikus; öntevékeny **3.** *gaszt* **a)** tojáshab, tejszínhab **b)** habverő *[konyhaeszköz]* **4.** *pol* **a)** ‹politikai párt parlamenti fegyelmi és szervezési vezetője› kb. frakció-vezető **b)** felszólítás párttagokhoz **5.** szegélyöltés *[kézimunkán]* **6.** emelőcsiga **7.** *gk távk* ostorantenna **II. -pp- A.** *tsi* **1. a)** megkorbácsol, megostoroz, ostorcsapásokat/korbácsütéseket mér vkre; **have sy ~ped** megkorbácsoltat vkt **b)** *átv* ostoroz, kárhoztat, kíméletlen/éles kritikával/szavakkal illet **c)** megrak, elfenekel *[gyermeket]* **2. a)** felver *[habot]*, habzásig/keményre ver *[krémet]* **b)** csapdos, ver *[hal farka vizet]* **c)** kézzel csépel **d)** kiver, kiporol *[szőnyeget]* **3.** *US biz* legyőz, laposra ver, csúfosan megver *[ellenfelet]* **4.** *biz* hirtelen gyors mozdulattal tesz vmt; **he ~ped out a gun** fegyvert rántott **5.** *GB szl [ellop]* lenyúl, megfúj **6.** öszszefércel, összevarr **7.** szorosan körülkötöz/körültekercsel/ körülfon **B.** *tni* **1.** *műsz* csapkod *[lánc]*, ver *[gép]* **2.** fürgén mozog, suhan **3.** felverődik *[tejszín]*; **this cream ~s well** ezt a tejszínt könnyű felverni • *fn* **whipper** *mn* **whipless**

whip away A. *tsi* **1.** ostorcsapásokkal/korbácsütésekkel elkerget/kikerget/elűz **2.** hirtelen v. gyors/sebes mozdulattal felkap/megragad **3.** *US* **~ sg away** eldob, félredob vmt **B.** *tni* hirtelen eltűnik/távozik vhova, otthagy csapot papot

whip back A. *tsi* visszakerget *[ostorral]* **B.** *tni* viszszacsapódik

whip in *tni* hirtelen beront, beviharzik (vhova)

whip on A. *tsi* **1.** korbáccsal/ostorral nagyobb gyorsaságra serkent **2.** hirtelen/sebtében magára kap *[ruhát]* **B.** *tni* elsiet

whip out A. *tsi* hirtelen kiránt/előránt; **he ~ped the gun out of his pocket** hirtelen v. gyors mozdulattal előrántotta/ kikapta zsebéből a pisztolyát **B.** *tni* hirtelen elviharzik/ kifordul v. sarkon fordul, otthagy csapot-papot

whip round *tni* hirtelen hátrafordul/megfordul, megperdül

whip up *tsi* **1.** *pol* sürgősen felszólít *[képviselőt szavazáson való megjelenésre]* **2. a)** felkap/felránt, gyorsan felszed/összekap/összeszed **b)** gyorsan/sebtiben csinál vmt, összedob, összeüt *[ételt]* **3.** *átv* felkorbácsol, felkavar *[érzéseket]*

whipcord *fn* **1. a)** ostorvég, csapó **b)** ostorszíj **2.** *tex* (ferde csíkos) fésűsszövet

whip hand *fn* **1.** ostort tartó kéz **2.** *biz átv* **have the ~** ő tartja kezében a gyeplőt, ő dirigál; **have the ~ of sy** felülkerekedik vkn

whiplash *fn* **1.** ostorszíj, ostorzsinór **2.** ostorcsapás

whiplash injury *fn gk* ‹ostorcsapás-hatás okozta baleseti nyaksérülés›

whipped [wɪpt ‖ hwɪpt] *mn* **1.** ostorral/korbáccsal megvert, megkorbácsolt **2.** *gaszt* felvert *[hab]*; **~ cream** tejszínhab

whippersnapper ['wɪpəsnæpə ‖ 'hwɪpərsnæpər] *fn biz* **1.** lurkó, gyerkőc **2. a)** szemtelen kis alak **b)** nagyhangú/ fontoskodó ifjú, ifjú titán

whipping ['wɪpɪŋ ‖ 'hwɪ–] *fn* **1. a)** ostorozás, korbácsolás, verés *[korbáccsal]*; **give sy a ~** korbáccsal elver vkt, megkorbácsol vkt **b)** megkorbácsolás **c)** *biz átv* vereség **2.** felverés *[habé]* **3. a)** átkötözés **b)** körültekercselés, körültekerés **4.** összefércelés, összevarrás

whipping boy *fn biz* bűnbak

whipping cream *fn gaszt* habtejszín

whipping post *fn tört* szégyenfa

whippy ['wɪpi ‖ 'hwɪpi] *mn* suhogó, hajlékony, rugalmas • *fn* **whippiness**

whip-round *fn GB biz* kalapozás; **have a ~ for sy** gyűjtést indít/rendez vk érdekében

whipsaw I. *fn* **1. a)** kanyarítófűrész, nagy kézifűrész **b)** szalagfűrész, rókafarkú fűrész **2.** *US biz* kétélű fegyver **II.** *tsi* **1. a)** kanyarítófűrésszel/kézifűrésszel fűrészel **b)** szalagfűrésszel fűrészel **2.** *US biz átv [becsap]* átver, rászed

whip stitch *fn* **a)** huroköltés, fércöltés **b)** beszegő/endliző öltés

whipstock *fn* ostornyél

whir [wɜː ‖ hwɜr] → **whirr**

whirl [wɜːl ‖ hwɜrl] **I. A.** *tsi* **1.** felkavar *[szél port]*, magával sodor/ragad *[szél falevelet]*, megforgat, megpörget, megperdít **2.** magával ragad, szélsebesen elvisz/elszállít *[vkt jármű]* **B.** *tni* **1. a)** **~ round** kavarog, örvénylik; körbe forog, kering; megperdül, pörög; hirtelen megfordul/ hátrafordul/visszafordul **b)** *átv* kavarog, egymást kergeti *[gondolat]*; **my head ~s** kavarog a fejem, körbe forog velem a világ **2. ~ away** elsiet, elszáguld, szélsebesen elvágtat, vadul elrobog *[jármű]*; **she was ~ed away to safety** gyorsan biztonságos helyre vitték/szállították **II.** *fn* **1.** pergés, forgás, megperdítés, megperdülés **2.** *átv* **a)** örvény, forgatag **b)** örvénylés, kavargás; **my thoughts are in a ~** kavarognak/egymást kergetik a gondolataim **3.** *biz* próbálkozás, kísérlet; **give it a ~!** próbáld meg! • *fn* **whirler** *fn/mn* **whirling** *hsz* **whirlingly**

whirley ['wɜːli ‖ 'hwɜrli] *fn műsz* **~ crane** forgódaru

whirligig ['wɜːlɪgɪg ‖ 'hwɜr–] *fn* **1. a)** pörgettyű, búgócsiga **b)** körhinta, ringlispil **2.** (szédületes) forgás, (örvénylő) kavargás/kavarodás, forgatag, örvény

whirlpool *fn* **1.** örvény, forgó **2.** *átv* → **whirl** II. 2.

whirlpool bath *fn* vízsugármasszázs, sugármasszázs-fürdő

whirlwind *fn* forgószél, förgeteg; *biz átv* **come in like a ~** beviharzik; *közm* **sow wind and reap ~** ki szelet vet, vihart arat

whirlybird ['wɜːlibɜːd ‖ 'hwɜrlibɜrd] *fn biz* helikopter

whirr [wɜː ‖ hwɜr] **I.** *fn* zúgás *[gépé]*, búgás, berregés *[motoré]* **II.** *tsi* zümmög, zúg, búg, berreg *[gép működés közben]*

whish [wɪʃ ‖ hwɪʃ] *biz* **I.** *fn* süvítés, sivítás **II.** *tni* süvít, sivít

whisht [wɪʃt ‖ hwɪʃt] *isz* pszt!, csitt!

whisk [wɪsk ‖ hwɪsk] **I. A.** *tsi* **1. a)** (könnyedén) csapkod, suhant, suhint **b)** gyors mozdulattal csinál/tesz vmt **c)** felver *[habot]*, habzásig/habosra kever, kikever *[krémet]* **2. ~ sg away/off** (i) elhesseget vmt (ii) sebtében/villámgyorsan elkap/elvisz vmt **3. ~ sy away/along** magával ragad vkt, gyorsan elhurcol vkt; **~ sy from a place to a place** villámgyorsan egyik helyről a másikra visz vkt *[járművel]* **B.** *tni* surran, elsuhan, eltűnik; **~ out of the room** kisurran a szobából; **~ past** elsuhan vm mellett **II.** *fn* **1. a)** legyintés, suhintás; **with a ~ of the tail** faroklegyintéssel, farkcsóválással **b)** könnyed/könnyű mozdulattal végzett törlés; *biz átv* **in a ~** egy pillanat alatt, gyorsan **2. a)** légycsapó **b)** tollseprű, kis seprű *[ruha, bútor söpréséhez]* **3.** habverő

whisker ['wɪskə ‖ 'hwɪskər] *fn* **1. a)** bajusz-szál, szőrszál *[ember, állat bajuszában, szakállában]* **b)** *tsz* **whiskers** bajusz, szakáll *[emberé, állaté]*; *átv* **cheek by ~** szorosan egymás mellett **c)** *tsz* **whiskers** pofaszakáll; *biz átv* **it has ~s** szakállas/régi dolog/történet/vicc **2.** *biz [nagyon kis távolság]* (paraszt)hajszál; *átv* **be within a ~ of sg** egy hajszálnyira van vmtől; **he won by a ~** egy hajszállal győzött • *mn* **whiskered**

whiskey ['wɪski ‖ 'hwɪ–] *US Írorsz* → **whisky**

whisky ['wɪski ‖ 'hwɪ–] *fn* gabonapálinka, whisky; **~ and soda** whisky-szóda

whisper ['wɪspə ‖ 'hwɪspər] **I. A.** *tsi* **1.** suttog, susog, (fülbe) súg vmt; **~ a word to sy** vk fülébe súg egy szót, odasúg egy szót vknek **2.** *átv* titokban közöl/terjeszt v. továbbad *[hírt]*; **it is ~ed that** azt rebesgetik, hogy; titkon az a hír járja, hogy **B.** *tni* **1. a)** suttog, sugdos, susog **b)** susog *[erdő, szél]*, zizeg *[falevél]*, csobog, morajlik *[víz]* **2.** *átv* súg-búg, pletykál, titokban rágalmakat terjeszt **II.** *fn* **1. a)** suttogás, súgás, halk hang/beszéd, sugdosás; **speak in a ~, speak in ~s** halkan beszél, suttog **b)** susogás, zizegés *[falevélé]*, csendes mormolás, halk moraj *[forrásé]*; **the ~ of the lapping waves** a nyaldosó hullámok moraja/morajlása **2. a)** suttogó szóbeszéd, suttogás, súgás-búgás, pletyka; **there is a ~ that** azt rebesgetik, hogy, (titkon) azt híresztelik, hogy **b)** ellenőrizhetetlen hír **c)** titokzatos v. titkon ejtett célzás/célozgatás • *fn* **whisperer**

whispering [ˈwɪspərɪŋ ‖ ˈhwɪ–] **I.** *fn* **1. a)** suttogás, súgás **b)** susogás *[erdőé, szélé]*, zizegés *[falevélé]*, csobogás *[vízé]* **2.** *átv* súgás-búgás, sugdosás, pletykálás **II.** *mn* **a)** suttogó, sugdosó **b)** susogó, csobogó, zizegő; **~ breezes** susogó szellők

whispering campaign *fn* pletykahadjárat, suttogó propaganda

whispering gallery *fn* **1.** *épít* hangvető boltozat, suttogókupola **2.** *biz átv* pletykafészek, pletykaközpont

whist[1] [wɪst ‖ hwɪst] *fn ját* whist *[kártyajáték]*

whist[2] [wɪst ‖ hwɪst] *régi* **I. A.** *tsi* elcsitít, lecsendesít, megnyugtat **B.** *tni* elcsitul, lecsendesül, megnyugszik **II.** *isz* pszt!, csitt!

whistle [ˈwɪsl ‖ ˈhwɪsl] **I. A.** *tsi* **1. a)** elfütyül, fütyülget, fütyörészik vmt; **~ a tune** elfütyül egy dallamot **b)** füttyszóval odahív, odafüttyent, füttyel jelez; **~ up a cab/taxi** füttyent egy taxinak **2.** sípol, sípon eljátszik *[dalt]*, síppal jelez vmt **B.** *tni* **1.** fütyül, fütyörészik; *biz* **if you need/want anything, just ~!** ha kell valami, csak szólj!; **the wind ~s through the trees** a szél fütyül/sivít a fák között; **the bullets ~d round our heads** golyók fütyültek a fejünk körül; *közm* **don't ~ before you are out of the wood** nyugtával dicsérd a napot **2.** sivít, sípol, sípjelzést ad **II.** *fn* **1. a)** füttyszó **b)** fütyülés, fütyörészés, süvítés, fütyülés *[szélé, golyóé]* **c)** füttyentés, füttyjel, füttyszóval való hívás **2. a)** síp, fütyülő, hajósíp, jelzősíp; *biz átv* **blow the~ on sy/sg** (i) lefúj vmt, véget vet vmnek (ii) feljelent, elárul vkt; *biz* **clean as a ~** patyolattiszta **b)** sípszó, síphang **c)** sípolás **3.** *biz átv* száj, torok; **wet one's ~** iszik, megöntözi a torkát • *fn* **whistler**

whistle back *tsi* füttyszóval visszahív *[kutyát]*

whistle down *tsi biz* **~ sy/sg down the wind** szélnek ereszt vkt/vmt

whistle for *tni* odafütyül, füttyszóval hív vkt/vmt; **~ for a taxi** taxinak füttyent

whistle off A. *tsi* **1.** síppal lefúj **2.** elenged, szabadjára enged **B.** *tni* otthagy csapot-papot

whistle-blower *fn* **1.** ‹aki lefúj vmt/véget vet vmnek› **2.** *biz* besúgó, spicli

whistle-stop *fn US* **1.** *vasút* feltételes megálló, kis állomás **2.** *pol* rövid megállás/útmegszakítás/tartózkodás *[politikusé kampánykörúton]*

whistle-stop tour *fn US pol* kampánykörút *[sok rövid útmegszakítással]*

whistling [ˈwɪslɪŋ ‖ ˈhwɪ–] **I.** *fn* **a)** fütyülés, fütyörészés **b)** süvítés, sípolás; **the ~ of the wind** a szél fütyülése/süvítése **II.** *mn* **a)** fütyülő, fütyörésző *[hang]* **b)** süvítő, sípoló *[hang]*

whistling kettle *fn* fütyülős/sípolós teáskanna

whit [wɪt ‖ hwɪt] *fn* darabka, fikarcnyi, jottányi, egy csipetnyi/csepp; **not a ~** egy cseppet sem, a legkevésbé sem; **every ~** minden tekintetben

white [waɪt ‖ hwaɪt] **I.** *mn* **1. a)** fehér, fehér színű; *biol* **~ blood cell** fehérvérsejt; **~ bread** fehér kenyér; **~ chocolate** fehér csokoládé; **~ Christmas** fehér karácsony; **~ coffee** tejeskávé; **~ elephant** (i) fehér elefánt (ii) *átv* ‹drága, de haszontalan ajándék- v. vagyontárgy›; **~ flag** fehér zászló; **~ gold** fehérarany; **~ goods** (fehér zománcos) háztartási eszközök/gépek; *US* **W~ House** Fehér Ház; **~ meat** fehérhús, szárnyashús; borjúhús; nyúlhús; **~ paper** (i) fehér papír (ii) *pol* fehér könyv; **~ pepper** fehérbors; **~ sauce** fehér mártás, besamelmártás; *földr* **W~ Sea** Fehér-tenger; *pol* **~ war** gazdasági háború; **~ water** sekély/habzó víz; **black and ~** fekete-fehér; **off ~** fehéres, piszkosfehér; **(as) ~ as snow/chalk/milk** fehér, mint a hó/tej/patyolat/liliom **b)** *sp* fehér *[mez(es csapat)]*, világos *[sakkban]* **c)** színtelen, áttetsző; **~ glass** színtelen/átlátszó üveg, opálüveg; **~ wine** fehérbor **d)** sápadt, halvány; **go/turn ~** elsápad, elfehéredik; **as ~ as a ghost/sheet** holtsápadt, falfehér; **~ with fear** falfehér a félelemtől **e)** fehér hajú, ősz; **he is going ~** kezd őszülni, fehéredik a haja **f)** fehér ruhás, fehérbe öltözött **2.** fehér *[ember]*, fehér emberre jellemző; **~ neighbo(u)rhood** fehér(ek lakta) környék; **~ supremacy** a fehér ember felsőbbrendűsége/uralma **3.** *biz átv* **a)** becsületes, tisztességes, korrekt; **~ man** (i) fehér ember (ii) *US* derék/hűséges/lojális ember **b)** tiszta, szeplőtelen, ártatlan, feddhetetlen *[jellem]* **c)** ártalmatlan, ártatlan, fehér *[történet]*; **(little) ~ lie** ártatlan hazugság, füllentés **II.** *fn* **1. a)** fehér szín, fehérség **b)** fehérítőszer, fehér festék **2. a)** fehér öltözet/ruha; **dressed in ~** fehérruhás **b)** *tsz* **whites** porcelánnadrág, fehér (flanell)nadrág **3.** fehér ember **4. a)** **egg~** tojásfehérje **b)** **~ of the eye** a szeme fehérje; *kif biz* **show/turn up the ~s of one's eyes** az ég felé forgatja a szemét **5.** *sp* **a)** fehér mez(es csapat) **b)** fehér, világos *[játékos, figura sakkban]* **6.** *nyomd* üresen maradt rész, üres sor **III. A.** *tsi régi* **a)** kifehérít; **their faces were ~d by fear** arcuk elfehéredett/fehérré vált az ijedtségtől **b)** kimeszel **B.** *tni* fehérré válik, megfehéredik, megőszül • *mn* **whited** *hsz* **whitely**

white-collar *mn US biz* tisztviselői, alkalmazotti, irodaszemélyzeti, fehérgalléros *[dolgozó, munka]*; **~ job** szellemi/irodai munka; **~ worker** tisztviselő, hivatalnok

white-haired *mn* fehér hajú, ősz (hajú)

Whitehall [ˈwaɪthɔːl ‖ ˈhwaɪthɔl] *tul GB* **a)** ‹minisztériumok és kormányhivatalok utcája Londonban› **b)** *biz* a brit kormány (politikája)

white-knuckle *mn* izgalmas, félelemkeltő

whiten [ˈwaɪtn ‖ ˈhwaɪtn] **A.** *tsi* **1. a)** (ki)fehérít **b)** kimeszel, fehérre fest/mázol **2.** *biz átv* tisztára mos *[erkölcsileg]*, tisztáz *[vád alól]*; **~ sy's reputation** tisztára mossa vk hírnevét **B.** *tni* **a)** kifehéredik *[anyag]* **b)** elfehéredik, elsápad, elhalványul *[arc]* • *fn* **whitener**

whiteness [ˈwaɪtnəs ‖ ˈhwaɪt–] *fn* **a)** fehérség **b)** sápadtság, halványság, színtelenség, fakóság

whitening [ˈwaɪtnˑɪŋ ‖ ˈhwaɪt–] **I.** *fn* **a)** fehérítés, fehérre meszelés *[falé]* **b)** *épít* fehér mészfesték, mész **II.** *mn* **1.** fehérítő **2.** meszelő

White Russia *tul földr* Fehéroroszország, Belarusz

whitesmith *fn* **1.** bádogos **2.** *fémip* galvanizátor, ónozó munkás, ónműves

whitewash [ˈwaɪtwɒʃ ‖ ˈhwaɪtwɑʃ] **I.** *fn* **1. a)** mész **b)** mészfesték, mésztej; **give a wall a coat of ~** kimeszeli/bemeszeli v. fehérre meszeli a falat **2. a)** meszelés, mészvakolás **b)** mészvakolat **3.** *biz átv* vknek tisztára mosása v. tisztázása *[erkölcsileg]*; **give sy a coat of ~** vkt fehérre/tisztára mos, tisztáz **II.** *tsi* **1.** bemeszel, kimeszel, fehérre meszel **2.** *biz átv* fehérre/tisztára mos, tisztáz *[vkt erkölcsileg]* **3.** *US sp biz* fölényes győzelmet arat *[ellenfelén]*, lesöpör, lemos, laposra ver • *fn* **whitewasher**, **whitewashing**

white-water canoeing *fn sp* vadvízi evezés

whitey [ˈwaɪti ‖ ˈhwaɪti] *fn szl pej* **a)** *[fehérember]* sápadtarcú **b)** *[a fehérek]* sápadtarcúak

whither [ˈwɪðə ‖ ˈhwɪðər] *hsz vál régi* **1.** hova?, merre(-felé)?; **~ did they go?** hova/merre(felé) mentek? **2. a)** ahova, amerre **b)** ahonnan, amerről

whithersoever [ˌwɪðəsoʊˈevə ‖ ˌhwɪðərsoʊˈevər] *hsz vál régi* akárhova, akármerre, bárhova, bármerre, ahova/amerre csak

whiting [ˈwaɪtɪŋ ‖ ˈhwaɪtɪŋ] *fn* **1.** iszapolt kréta, mészfesték, mészpor **2.** meszelés **3.** *tex* fehérítés

whitish [ˈwaɪtɪʃ ‖ ˈhwaɪtɪʃ] *mn* fehéres, fehérbe játszó • *fn* **whitishness**

whitleather [ˈwɪtleðə ‖ ˈhwɪtleðər] *fn* kikészített bőr

whitlow [ˈwɪtloʊ ‖ ˈhwɪt–] *fn áll orv* körömméreg, ujjgyulladás

Whit Monday *fn vall* pünkösdhétfő

Whitsun [ˈwɪtsn ‖ ˈhwɪtsn] *fn* pünkösd

Whit Sunday *fn vall* pünkösdvasárnap
Whitsuntide [ˈwɪtsntaɪd ‖ ˈhwɪt–] *fn vall* pünkösdi ünnepek, pünkösd hete
whittle [ˈwɪtl ‖ ˈhwɪtl] **A.** *tsi* **1.** faragcsál, fúr-farag (vmt); ~ **down** lefarigcsál **2.** *átv biz* lefarag *[összegből]* megnyirbál, csökkent *[összeget]*; ~ **down/away sy's salary** megnyirbálja/csökkenti vk fizetését **B.** *tni* farigcsál, fúr-farag • *fn* **whittling**
whity [ˈwaɪti ‖ ˈhwaɪti] **I.** *mn* fehéres, fehérbe játszó, színtelen, fakó **II.** *fn* → **whitey**
whizz [wɪz ‖ hwɪz] **I.** *tni* zúgva/sivítva repül, süvít, fütyül *[golyó]*; **a motorbike ~ed past me** egy motorbicikli suhant/zúgott el mellettem; **the arrows ~ed past our heads** nyilak süvítettek el a fejünk mellett **II.** *fn* **1.** zúgás, suhogás *[repülő testé]*, süvítés, fütyülés *[kilőtt golyóé]* **2.** *US szl* megkötött alku, üzlet; **it's ~!** áll az alku!, kezet rá! **3.** *biz* tehetség, zseni; **be a ~ at sg** menő, profi vmben
whizz-bang I. *fn* **1.** gyorsröptű fütyülő gránát **2.** fütyülő-pukkantó petárda **3.** *szl* hűhó, lárma, (nagy) durranás **II.** *mn biz* **a)** pattogós, pergő **b)** látványos
whizz-kid *fn US szl [csodagyerek]* kisokos, ügyeletes zseni
who [huː] *nm* **1. a)** ki?, kicsoda?, kik?; ~ **are you?** maga kicsoda?; ki vagy te?; ~ **is it/there?** ki az?; **~'s there/speaking?** ki beszél? *[telefonban]*; **W~'s W~** ki kicsoda *[hírességek lexikona]*; ~ **else?** ki más?; *biz* ~ **the hell/on earth?** ki a csuda?, ki az ördög?; ~ **said it/so/that?**, ~ **told you so/that?** ki mondta?; *biz* ~ **does he think he is?** mit gondol, ő kicsoda?, mit képzel magáról?; ~ **would have thought it?** ugyan ki gondolta/hitte volna? **b)** kit?, kicsodát?, kiket?; ~ **did you say?** kicsoda?, hogy mondtad?; ~ **was he speaking to?** kivel beszélt?; ~ **are you waiting for?** kit/kire vár? **2.** aki(k), az(ok) aki(k); **the man ~ was here** az ember, aki itt volt; **the people ~ live next door** a szomszédok; **the speaker ~ spoke yesterday** az a szónok, aki tegnap beszélt; **as ~ should say** mintha azt mondanák, hogy; mint aki azt mondja, hogy
WHO *röv World Health Organization* Egészségügyi Világszervezet
whoa [woʊ ‖ hwoʊ] *isz* **a)** *biz* hé!, halló!, stop!, várjon csak! **b)** hó! *[lóhoz]*
who'd [huːd] *röv* **1.** *who would* **2.** *who had*
whodun(n)it [ˌhuːˈdʌnɪt] *fn biz* krimi
whoever [huːˈevə ‖ –ər] *nm* **1.** akárki, bárki (aki), aki csak; ~ **violates the law** (bárki) aki a törvényt megszegi; ~ **comes first** bárki, aki elsőnek jön/jelentkezik; **give it to ~ you like** add (bárkinek/annak) akinek akarod **2.** akárkit, bárkit, akit csak; ~ **you see** akit csak látsz
whole [hoʊl] **I.** *mn* **1.** egész, teljes, osztatlan; ~ **blood** teljes vér; **the ~ night** egész éjjel; *mat* ~ **number** egész szám; **the ~ truth** a teljes/csorbítatlan igazság; **the ~ week** az egész hét(en); *biz* **the ~ world (and his wife)** az egész világ, boldog-boldogtalan; **through the ~ house** az egész házban; **the ~ country** az egész ország; *biz* **do sg with one's ~ heart**, **go the ~ hog** szívvel-lélekkel csinál vmt, apait-anyait belead; **the ~ lot** az egész pereputty(ot), az egész(et); **feels a ~ lot better** sokkal jobban érzi magát **2.** ép, sértetlen, csorbítatlan, hiánytalan, egészben levő; ~ **coffee** szemes/őröletlen kávé; **not a single cup or saucer was left ~** egyetlen csésze vagy csészealj sem maradt épen **II.** *hsz* **1.** egyben, egészben; **roast an ox ~** egészben megsüt egy ökröt; **he swallowed it ~** egyben/egészben v. egy darabban lenyelte; *biz átv* készpénznek vette, bevette az egészet *[hazugságot]* **2.** épen, épségben, sértetlenül, csorbítatlanul; **come back ~** sértetlenül/épségben visszajön **III.** *fn* **1.** az egész, teljesség, összesség; **the ~ of Hungary** egész Magyarország; **the ~ family** az egész család; **as a ~** (i) egészben, egyben (ii) teljes egészében; **taken as a ~** egészében véve; **on the ~** mindent egybevetve/egybevéve/összevéve; alapjában/egészében véve; nagyjából; általában **2.** összetartozó/oszthatatlan egység • *fn* **wholeness**
wholefood *fn gaszt* természetes élelmiszer, bioélelmiszer
wholegrain *mn gaszt* teljes (ki)örlésű lisztből készült
whole-hearted *mn* **a)** szívből jövő/fakadó, őszinte, szívélyes, készséges; ~ **enthusiasm** őszinte lelkesedés **b)** lelkes, meggyőződéses, odaadó, teljes; ~ **support** teljes mértékű támogatás • *fn* **whole-heartedness** *hsz* **whole-heartedly**
wholemeal *mn* korpás, teljes (ki)őrlésű *[liszt]*; ~ **bread** korpás (lisztből készült) kenyér
wholesale I. *mn* **a)** *gazd* nagybani, nagykereskedelmi, nagykereskedői; ~ **business/trade** nagybani kereskedelem, nagykereskedelem; ~ **dealer** nagykereskedő; ~ **price** nagykereskedelmi ár **b)** *átv* nagybani, nagyarányú, tömeg-, általános **II.** *hsz* **a)** nagyban; **buy ~** nagyban vásárol/vesz; **sell ~** nagyban árul/elad **b)** *átv* nagyban, nagy arányokban/mértékben, tömegesen **III.** *fn gazd* nagybani eladás/kereskedelem **IV. A.** *tni* nagyban kereskedik **B.** *tsi* nagyban elad • *fn* **wholesaler**
wholesome [ˈhoʊlsəm] *mn* **1. a)** egészséges, tápláló; ~ **air** egészséges levegő; ~ **food** egészséges/tápláló étel **b)** *régi* egészséges, erős, életerőtől duzzadó; **a ~ rosy-cheeked boy** életerőtől duzzadó rózsás arcú fiú **2.** épületes, üdvös, hasznos, hatékony • *fn* **wholesomeness** *hsz* **wholesomely**
wholewheat *fn* ~ **bread** korpás búzakenyér
who'll [huːl] *who will/shall*
wholly [ˈhoʊlli] *hsz* **1.** teljesen, egészen, teljes egészében/mértékben; **I don't ~ agree** nem értek teljesen egyet vmvel **2.** teljesen, mindenestől, hiánytalanul
whom [huːm] *nm* **1. a)** kit?, kicsodát?, kiket?; **I don't know ~ you mean** nem tudom, kire gondolsz; **I dont't know ~ to turn to** nem tudom kihez forduljak **b)** kinek?, kicsodának?, kiknek?; ~ **did you give the money to?** kinek adtad a pénzt? **2. a)** akit, akiket; **the friend of ~ I speak** az a barátom, akiről beszélek; **both of ~** akik mindketten ... **b)** akinek, akiknek
whomever [huːmˈevə ‖ –ər] → **whoever** 2.
whomsoever [ˌhuːmsoʊˈevə ‖ –ər] *nm* **a)** akárkit, bárkit, akit csak ... **b)** akárkinek, bárkinek, akinek csak ...
whoop [wuːp ‖ huːp] **I.** *fn* **1. a)** mély/sípoló belélegzés **b)** *orv* hörghurut **2.** kiáltás, kurjantás, csatakiáltás; **~s of joy** örömkiáltások, örömujjongás; **not worth a ~** fabatkát sem ér **II. A.** *tsi* lelkes/gúnyos kiáltásokkal fogad (vkt) **B.** *tni* **1. a)** kiált, ujjong, csatakiáltást v. lelkes kiáltásokat hallat **b)** bagoly módjára huhog **2.** görcsös köhögéssel köhög, szamárhurutja van
whoopee [ˈwʊpiː ‖ ˈhwʊpi] **I.** *isz* tyuhaj!, hurrá! *[örömkiáltás]* **II.** *fn [zajos mulatság]* nagy muri/hejehuja; **make ~** (i) zajosan mulatozik, nagy dáridót csap, kirúg a hámból (ii) kitűnően/remekül mulat
whoopee cushion *fn biz* fingópárna
whooping cough [ˈhuːpɪŋ kɒf ‖ –kɔf] *fn orv* szamárköhögés, szamárhurut
whoops [wʊps ‖ hwʊps] → **oops**
whoosh [wʊʃ ‖ hwuːʃ] **I.** *isz* huss! **II.** *fn* **a)** suhogó hang **b)** suhogás **III. A.** *tsi* suhogtat **B.** *tni* **1.** suhog **2.** elsuhan
whop [wɒp ‖ hwɑp] *biz* **I. -pp- A.** *tsi* **a)** jól elver, elpáhol, elpüföl, eltángál, elagyabugyál **b)** *sp* megver, legyőz *[csapatot]* **B.** *tni US* elvágódik/eldől, mint egy zsák **II.** *fn* puffanás, puffanó ütés, tompa csattanás; **fall with a ~** eldől, mint egy zsák; lepuffan
whopper [ˈwɒpə ‖ ˈhwɑpər] *fn US szl* **1.** nagy (méretű) dolog/tárgy **2.** óriási/irtó/oltári nagy hazugság
whopping [ˈwɒpɪŋ ‖ ˈhwɑ–] *mn szl [igen nagy óriási]* bazinagy; ~ **(great) lie** óriási/szemenszedett hazugság
whore [hɔː ‖ hɔr] *pej* **I.** *fn* prostituált, kurva, szajha, ringyó **II.** *tni* **1.** bordélyházakat látogat, kurvázik, kicsapongó/erkölcstelen életmódot folytat **2.** prostitúcióból él, testét áruba bocsátja, kurválkodik • *fn* **whoredom**, **whorer**
who're [ˈhuːə ‖ ˈhuːər] *who are*
whorehouse *fn pej* bordélyház
whoremonger *fn régi pej* kéjenc, kéjelgő, kurválkodó • *fn* **whoremongery**

whorish [ˈhɔːrɪʃ] *mn szl* kurvás • *fn* **whorishness** *hsz* **whorishly**

whorl [wɜːl ‖ hwɜrl] *fn* **1.** *növ* örv *[növényen levelekből]*, virágtakaró **2. a)** csigafordulat, spirális **b)** *geol* kanyarulat • *mn* **whorled**

whortleberry [ˈwɜːtlberi ‖ ˈhwɜrtl–] *fn növ* feketeáfonya, kékáfonya

whose [huːz] *nm* **1. a)** ki(k)é?, ki(k)nek a(z) ...?; **~ is this?** kié ez?; **~ fault is it?** kinek a hibája? **b)** melyiké?, mié? **2. a)** aki(k)é, aki(k)nek a(z) ...; **the father ~ son has died** az apa, akinek a fia meghalt **b)** aminek a(z) ..., amelynek a(z) ...

whoso [ˈhuːsoʊ] → **whoever** 2.

whosoever [ˌhuːsoʊˈevə ‖ –ər] *nm* **1.** akárki, bárki, aki csak **2.** akárkit, bárkit, akit csak

who've [huːv] *röv who have*

WH-question *fn nyelv* ‹wh-kezdetű és a *how* kérdőszóval kezdődő kérdés› kiegészítendő kérdés

whump [wʌmp ‖ hwʌmp] **I.** *isz* puff! **II.** *fn* (tompa) puffanás **III. A.** *tsi* megüt vmit *[puffanó hanggal]* **B.** *tni* puffan

why [waɪ ‖ hwaɪ] **I.** *hsz* **a)** miért?, mi okból/célból?, minek?; **~ so?** miért?, hogyhogy?; **~ not?** miért nem?; **~ not go there tomorrow?** (miért) ne mehetnénk el oda holnap?; **~ didn't you say so?** miért nem mondtad/szóltál?; *biz* **~ on earth/the hell** ...? mi a csudának/ördögnek?; **~ hurry?** minek sietni? **b) that is the reason ~** ... ezért, emiatt, ez az oka; **this is ~ I came** ezért/emiatt v. ez okból jöttem **II.** *fn tsz* **whys** ok, magyarázat, indok, a miértje vmnek; **the ~s and (the) wherefores** az okok; **I cannot go into the ~s and (the) wherefores now** most nem bocsátkozhatom bővebb magyarázatokba **III.** *isz* **a)** node, de hisz(en), nahát, nohiszen, nocsak, nini, lám; **~ it's Joe!** nézd csak v. hiszen ez a Jóska!; **~ it's quite dark** de hisz(en) egészen sötét van; **~ he told me he was only fifty** de hiszen ő mondta nekem, hogy csak ötven éves; **~ of course**, *US* **~ certainly** hát persze, hogyne, természetesen **b)** no, nos, hát, jó; **~ I really don't know** hát én igazán nem is tudom

why'd [waɪd ‖ hwaɪd] *röv* **1.** *why would* **2.** *why had*

why're [ˈwaɪə ‖ ˈhwaɪər] *röv why are*

why's [waɪz ‖ hwaɪz] *röv* **1.** *why is* **2.** *why has*

why've [waɪv ‖ hwaɪv] *röv why have*

WI *röv* **1.** *West Indian* **2.** *West Indies* **3.** *US Wisconsin* **4.** *GB Women's Institute*

Wicca [ˈwɪkə] *fn vall* ‹modern boszorkánykultusz› • *fn/mn* **Wiccan**

wick¹ [wɪk] *fn* **I. 1.** kanóc, mécsbél, gyertyabél **2.** bélfonalszövet, kanócanyag; *GB biz* **get on sy's ~** az agyára megy vknek, felhúz vkt **3.** *orv* gézcsomó, tupfer *[vér felitatásához]* **II.** *tsi* felitat, elvezet *[vért, nedvességet]*

wick² [wɪk] *fn régi* -falu, -tanya *[helynevekben]*

wicked [ˈwɪkɪd] *mn* **1.** gonosz, bűnös, rossz, erkölcstelen, rosszlelkű, rosszindulatú, ártalmas, káros, kártékony **2.** *biz* rossz, harapós, veszedelmes *[állat, kedv]*, kegyetlen *[hideg]*, rút, csúf, szörnyű *[idő]*, orrfacsaró *[bűz]*, kegyetlen, kínzó, elviselhetetlen *[fájdalom]*, vad, zordon *[éghajlat]* **3. a)** *biz* haszontalan, pajkos, csintalan, huncut **b)** sikamlós, kétértelmű, malac *[történet, tréfa]* **4.** *szl [remek, nagyon jó]* baró, állat, király • *fn* **wickedness** *hsz* **wickedly**

wicker [ˈwɪkə ‖ –ər] *fn* **1.** fűzfavessző, nyírfavessző, fűzfaág, nyírfaág **2.** → **wickerwork**

wickerwork *fn* **1. a)** vesszőfonadék, vesszőfonat, kosárfonat, nádfonat **b)** fűzfavesszőből fonott dolgok/áru, kosáráru(k) **2.** vesszőfonás, kosárfonás

wicket [ˈwɪkɪt] *fn* **1. a)** nagykapuba vágott kis ajtó/kapu **b)** rácsajtó **2.** tolóablak, pénztárablak **3.** *sp* krikettkapu; krokettkapu; **be at the ~** elüt *[játékos]*; **dismiss a ~** kiejt *[játékost]*

wicket-door → **wicket** 1.a.

wicket-gate *fn* → **wicket** 1.a.

wickiup [ˈwɪkiʌp] *fn US* indián kunyhó

W

widdershins [ˈwɪdəʃɪnz ‖ –ər–] *hsz régi* fordított/óramutató járásával ellenkező irányban, fordítva

wide [waɪd] **I.** *mn* **1. a)** széles, vmlyen szélességű, nagy; **an inch ~** egy hüvelyk széles; *távk* **~ band/range** széles frekvenciasáv; *film* **~ screen** széles vászon; → **wide-screen**; **a ~ street** széles utca **b)** széles, kiterjedt, nagy kiterjedésű, szélesen elterülő, terjedelmes; **the ~ world** a nagyvilág, a széles/kerek világ, a világmindenség **c)** széles, tág *[látókör]*, széles körű, messzeható, mindenre kiterjedő *[ismeret]*; **~ knowledge** széles körű tudás; **~ publicity** nagy nyilvánosság, széles körű propaganda/reklámozás; **in a ~r sense** tágabb értelemben; **grow ~r** kiszélesedik, kibővül, kitágul; **make ~r** kiszélesít, kibővít, kitágít; bővebbre/szélesebbre vesz **d)** tág(as), bő, kényelmes *[ruha]*, nagy *[helyiség]*; **~ trousers** bő nadrág **e)** liberális, szabadelvű, előítéletmentes *[nézet]* **2.** széles skálájú, nagy különbségeket mutató; **a ~ difference** ... messzemenő/határozott/nagy különbség **3. a)** eltátott *[száj]*, tágra/kerekre nyitott *[szem]* **b)** *nyelv* szélesen v. széles ajaknyílással ejtett *[hang]* **4.** *GB szl [ravasz, minden hájjal megkent]* dörzsölt, gógyis, fifikás; **~ boy** *[kis kaliberű szélhámos]* csibész/sumák, simlis **5.** távoli, messzi, messze fekvő; *sp* **~ ball** túlszaladt labda *[krikettben]*; **give a ~ berth to sy** vkt messze v. nagy ívben elkerül **II.** *hsz* **1.** messze, messzire, távol; **far and ~** közel s távol; *átv* mindenütt; **~ apart** távol egymástól, egymástól nagy közökre **2.** célt tévesztve, félre, rosszul; **the bullet went ~** a golyó mellé ment/célt tévesztett; **~ of the mark** célt tévesztett **3. a)** szélesen, szélesre, szélesen, széles körökben *[ismert]*; **~ open** szélesre tárt/nyitott/tárva/nyitva; **the door was ~ open** az ajtó tárva-nyitva állt; **~ open eyes** kerekre/tágra nyílt szem **b)** *sp* **leave oneself ~ open** fedetlenül hagyja magát *[ökölvívó]* **III.** *fn sp* túlszaladt/túlütött labda • *fn* **wideness**

wide-angle *mn fényk* nagy látószögű; **~ camera** nagy látószögű/nyílásszögű fényképezőgép; **~ lens** nagy/széles látószögű lencse/objektív

wide awake *mn* **1.** álomból teljes öntudatra ébredt, éber **2.** *biz átv* éber, nyílteszű

wide-eyed *mn* **1.** csodálkozó, ámuló-bámuló, tágra nyílt szemű, nagy szemeket meresztő **2.** naiv

widely [ˈwaɪdli] *hsz* **1.** széles körben *[olvasott, terjesztett]*; **~ read newspaper** nagy olvasóközönséggel rendelkező újság; **be ~ read** (i) nagy olvasóközönséget vonzó, olvasott *[író]* (ii) igen olvasott/művelt, nagy olvasottságú *[személy]*; **~ travelled, travelled ~** sokat utazott, világlátott, világot járt *[ember]* **2.** egymástól széles/nagy közökben v. nagy távolságokban *[elhelyezett, ültetett]* **3.** *biz* nagyon, erősen, messzemenően, rendkívül, szerfelett, nagy mértékben; **~ unlike/different** nagyon különböző, nagy mértékben különböző, merőben más

widen [ˈwaɪdn] **A.** *tsi* **1. a)** kiszélesít, kibővít, bővebbre vesz *[ruhát]*; **~ a ditch** árkot szélesít **b)** kiszélesít, kitágít, kiöblösít *[nyílást]* **2.** szélesbít, növel *[érdeklődést]*, kiterjeszt, megnövel *[befolyást hatáskört]*, elmélyít *[szakadást]*, szélesít *[látókört]*, kiterjeszt *[hatósugarat]* **B.** *tni* **1.** *átv* **~ out** kiszélesedik, kibővül, kitágul; **the breach is ~ing** egyre mélyebb/nagyobb a szakadás köztük **2.** kiterjed, kiterjeszkedik, növekedik, elmélyül *[befolyás]*

wide open *mn* **1.** szélesre nyitott/tárt/tárva/nyitva; **the door was ~** az ajtó tárva-nyitva állt; **~ eyes** tágra nyílt szemek **2.** nyitott, tág(as) *[tér]*; **~ spaces** tágas szabad tér **3.** nyílt, nyitott *[verseny, küzdelem]* **4.** kiszolgáltatott, veszélynek/támadásnak kitett; **leave oneself ~ to attack** támadásnak teszi ki magát

wide-ranging *mn* **a)** kiterjedt *[hatás]*, sokrétű, sokat felölelő, széles körű/skálájú **b)** messzeható, messzire terjedő *[erő]*

wide-screen *mn* szélesvásznú *[film]*

widespread *mn* **1.** általánosan/széles körben elterjedt, messzeható; **a ~ tendency** általános irányzat; **a ~ superstition** széles körben elterjedt babona **2.** szélesre kiterjesztett *[szárny]*, szélesen elterülő, kiterjedt *[síkság]*

widget [ˈwɪdʒɪt] *fn biz* szerkentyű, bigyó, ketyere

widow [ˈwɪdoʊ] **I.** *fn* **a)** özvegy(asszony); **~'s weeds** özvegyi gyászruha **b)** *biz* **golf/fishing/etc. ~** ‹olyan asszony, akinek a férje többet van távol golfozni/horgászni stb., mint otthon› **II.** *tsi* özveggyé tesz, özvegyi sorba juttat vkt • *fn* **widowhood**

widowed [ˈwɪdoʊd] *mn* megözvegyült, özvegységre/özvegyi sorba jutott; **she was ~ early** korán özvegységre jutott/özvegyen maradt

widower [ˈwɪdoʊə ‖ —ər] *fn* özvegyember • *fn* **widowerhood**

width [wɪdθ] *fn* **1. a)** szélesség; *vasút* **~ of gauge** nyomtáv **b)** bőség *[ruháé]* **c)** köz **2.** *mat* szélesség *[mint mérték]*; **the ~ of the river is two miles** a folyó szélessége két mérföld; **of double ~** dupla széles **3.** *biz* liberalizmus, szabadelvűség *[eszméké]*

widthways *hsz* széltében

widthwise → **widthways**

wield [wiːld] *tsi* **1.** kezel, forgat *[eszközt]* bánik vmvel; **~ a sword** kardot forgat; *átv* **~ the pen** tollat forgat, ír **2.** *átv* **~ influence** befolyást gyakorol, befolyása van; **~ power** hatalmat gyakorol; kormányoz

wieldy [ˈwiːldi] *mn* jól kezelhető, jól/könnyen forgatható, kézhez álló

wiener [ˈwiːnə ‖ —ər] *fn* **1.** *US gaszt biz* bécsi virsli, frankfurter **2.** *szl [hímvessző]* dákó, szerkó

Wiener schnitzel [ˌwiːnəˈʃnɪtsl ‖ —ər—] *fn gaszt német* bécsi szelet

wienie [ˈwiːni] *fn US gaszt biz* bécsi virsli

wife [waɪf] *fn tsz* **wives** [waɪvz] **1.** feleség, hitves; **husband and ~** férj és feleség; **his lawful/wedded ~** törvényes felesége; *biz* **the ~** az asszony, a feleségem/nejem/párom; **she will make a good ~** jó asszony/feleség lesz belőle; *régi* **take a ~** megházasodik/megnősül; *régi* **take sy to ~** feleségül vesz vkt **2.** *régi* asszony, nő; **old wives' tale** mesebeszéd, dajkamese; vénasszonyos locsogás • *fn* **wifehood** *mn* **wifeless**, **wifelike**, **wifish**

wifely [ˈwaɪfli] *mn* asszonyhoz/feleséghez illő • *fn* **wifeliness**

wife-swapping *fn biz* feleségcsere, feleségkölcsönzés *[szexuális kalandként]*

wig [wɪg] **I.** *fn* **1.** paróka **2.** *biz* bíró **3.** *tréf biz [frizura]* toll, séró **4.** szidás, fejmosás **II.** *tsi* **-gg- 1.** parókával ellát vkt **2.** *biz* alaposan megmossa vk fejét, lehord, lekap vkt • *mn* **wigged**

wigging [ˈwɪgɪŋ] *fn biz* lehordás, letolás, fejmosás; **he got a good ~** jól leszúrták

wiggle [ˈwɪgl] **I. A.** *tsi* egyik oldalról a másikra rángat, ide-oda mozgat/huzigál **B.** *tni* ide-oda tekergőzik/kígyózik *[féreg]*, előre-hátra leng/lötyög/mozog **II.** *fn* ide-oda/előre-hátra mozgás

wiggle-waggle [ˈwɪglwægl] **A.** *tsi* → **wiggle I. A. B.** *tni* **1.** → **wiggle I. B. 2.** *biz* ingadozik, habozik, tétovázik

wight [waɪt] *fn régi* legény, ember, férfi; **a luckless/wretched ~** szerencsétlen flótás

Wight [waɪt] *tul földr* **Isle of ~** Wight-sziget

wigwag [ˈwɪgwæg] *tni* **-gg- 1.** izeg-mozog, ide-oda mozog **2.** jelzőzászlóval jelez • *fn* **wigwagger**

wigwam [ˈwɪgwæm ‖ —wɑm] *fn* **1.** indián bőrsátor, wigwam **2.** nagy sátor/sátorszerű épület

Wilbur [ˈwɪlbə ‖ —ər] *tul* ‹férfinév›

wilco [ˈwɪlkoʊ] *isz biz will comply* vettem!, rendben!, meglesz!

wild [waɪld] **I.** *mn* **1. a)** vad, vadon termő/tenyésző/élő; **~ roses** vadrózsák; *biz átv* **sow one's ~ oats** kitombolja magát *[fiatalember]*; *növ* **~ strawberry** erdei szamóca **b)** vad, megműveletlen, ápolatlan, gondozatlan; **~ land** megművelésre alkalmatlan föld; parlag föld **c)** vad, meg nem szelídített *[állat]*, ijedős *[ló]*; **~ animal/beast** vadállat **d)** ősi állapotban élő, civilázatlan *[nép]*; **~ man** vadember **2. a)** vad, heves, dühöngő, tomboló *[szélroham, vihar]*, rohanó *[áradat]*, viharos, háborgó *[tenger]*, nehéz, viharos *[időszak]* **b)** felbőszült, megdühödött *[ember, kedélyállapot]*, vad, eszelős *[pillantás]*; **drive sy ~** feldühít/felbőszít/megvadít vkt; **it makes/drives me ~ to think that** majd megőrjít az a gondolat, hogy **c)** vad, zabolátlan, féktelen, erkölcstelen *[személy, életmód]*, elvadult, nekivadult *[játék]*; **a ~ youth** (i) megzabolázhatatlan/vad/szertelen ifjú (ii) tobzódó, kicsapongó ifjúság/fiatalság; *US* **W~ West** vadnyugat *[USA-ban]*; **~ with rage** dühtől tombolva, őrjöngő/féktelen/tomboló dühvel **3.** vad, zilált, rendetlen, rendezetlen; **~ hair** zilált/rendetlen haj; **~ shot** (i) *kat* csatangoló robbanás/becsapódás (ii) *film* hang nélküli filmfelvétel **4. a)** vad, heves, szenvedélyes *[ember, érzelmek]* **b)** lelkes, zajos, tomboló, viharos *[tetszés]*, falrengető, egetverő *[taps]*, veszett, őrült, eszeveszett *[vágtatás]*, harsogó *[kacaj]*, féktelen, zajos *[jókedv]*, rakoncátlan, fékevesztett *[viselkedés]*; **~ applause** viharos/dörgő taps; **~ cheers** lelkes/viharos éljenzés/kiáltozás; **~ with joy** örömujjongó, örömittas, oda van az örömtől; **make a ~ rush at sg** vadul nekirohan/nekiront vmnek, vadul megrohan vmt **5.** vad, zabolátlan, csapongó, szertelen, őrült *[gondolat, képzelet]*, vakmerő, esztelen, kalandos *[terv]*, hihetetlen, valószínűtlen *[feltevés]*, megalapozatlan, fantasztikus *[hír]*, túlzásba vitt, szertelen *[költekezés]*, túlzó, szélsőséges, különcködő *[kijelentés]*; **~ talk** felelőtlen/összevissza/zagyva/üres beszéd, mendemonda; **~ exaggeration** nagyfokú/szertelen túlzás **6.** *US szl [kitűnő, nagyszerű]* állati, baromi **7.** *US szl [különös, furcsa, figyelemreméltó]* elvarázsolt, extrém **II.** *hsz* **1.** vadul; **run ~** (i) elvadul *[növény, kert]* (ii) nekivadul; ellenőrzés/felügyelet nélkül kóborol/mászkál (iii) féktelen/vad/kicsapongó életet él **2.** gondatlanul, megfontolás v. határozott cél nélkül, vaktában; **shoot ~** vaktában/vadul lövöldöz **III.** *fn* **1.** vadon, pusztaság, vad/civilizálatlan v. ősi állapotban élő vidék/terület; **go out into the ~** ember nem járta vad tájakra indul/megy; **in the ~** a vadonban; vad állapotban, vadul; **the call of the ~** a vadon szava, nomád ösztön **2.** *US* **play the ~** garázdálkodik; tombol • *fn* **wildness** *mn* **wildish** *hsz* **wildly**

wild boar *fn* vaddisznó, vadkan

wild card *fn* **1.** *sp* ‹rendezők által soron kívül kibocsátott versenyzési engedély egy játékos v. csapat számára› szabad kártya **2.** *infor* dzsóker, csillag *[bármely karaktert helyettesítő jel]*

wildcat I. *fn* **1.** *áll* vadmacska **2.** *biz átv* veszekedős/forrófejű/erőszakos személy **II.** *mn US* megbízhatatlan, nem tisztességes/biztos, kockázatos *[vállalkozás]*; *pénz* **~ bank** fedezetlen bankjegyet kibocsátó bank, zugbank; **~ finance** kockázatos pénzügylet; *pénz* **~ money** fedezetlen/hamis pénz; **~ scheme/operation** csalárd alapítás; *pol* **~ strike** nem hivatalos sztrájk

wilderness [ˈwɪldənəs ‖ —dər—] *fn* **1.** vadon, pusztaság, sivatag, kietlen/vad táj/vidék; *GB pol biz* **be wandering in the ~** elvesztette hatalmát, nincs hatalmon *[politikai párt]* **2.** park/kert megműveletlen része, őspark **3.** *átv* összevisszaság, dzsungel; **a ~ of people** kusza tömeg

wild-eyed *mn* vad/eszelős tekintetű

wildfire *fn* **a)** futótűz; **spread like ~** futótűzként terjed *[hír]* **b)** görögtűz

wildflower *fn növ* vadvirág

wildfowl *fn* **a)** vadmadár, vadszárnyas, szárnyas vad **b)** vízi vad, vízi szárnyas

wild-goose *fn tsz* **-geese** vadliba, vadlúd

wild-goose chase *fn biz átv* hiábavaló vállalkozás/erőfeszítés, ábrándkergetés

wilding [ˈwaɪldɪŋ] *fn* **1. a)** *növ* vadhajtás *[fán]* **b)** *biz átv* vadóc **2.** *növ* **a)** vadalmafa **b)** vadon termő gyümölcsfa **3.** *US szl* utcai rendbontás/vandalizmus

wildlife *fn* vadvilág, vadon élő állatok világa

wildlife preserve *fn* vadrezervátum
wildlifer *fn* környezetvédő, vadvédő, állatvédő
wildlife warden *fn* vadőr
wildwater *fn* vadvíz
wildwood *fn vál* vadon
wile [waɪl] **I.** *fn* **a)** fortély, trükk **b)** mesterkedés, ravaszság, körmönfont ügyeskedés, csalafintaság, furfangosság **II.** *tsi* **1.** csábít, ámít, csalogat; **~ sy (in)to a place** elcsábít/elcsal vkt egy helyre **2. ~ away the time** kellemesen eltölti az időt v. időz
Wilfred ['wɪlfrɪd] *tul* ‹férfinév›
wilful ['wɪlfl] *mn* **1.** szándékos, előre megfontolt/elhatározott/kitervelt, készakarva/tudatosan/akarattal/szántszándékkal elkövetett; **~ murder** előre megfontolt gyilkosság, szándékos emberölés **2.** akaratos, fejes, önfejű, makacs, nyakas • *fn* **wilfulness** *hsz* **wilfully**
will [wɪl] **I.** *fn* **1. a)** akarat, szabad akarat/választás, akaraterő; **strength of ~** akaraterő; határozottság; **freedom of the ~** szabad akarat; **have/work one's ~** keresztülviszi akaratát; **she has a ~ of her own** tudja, hogy mit akar; a saját feje után megy; **of one's own free ~** saját akaratából/jószántából, önként; **against one's ~** akarata ellenére **b)** szándék, kívánság, akarat; **what is your ~?** mi a kívánsága?; **have one's ~** (i) keresztülviszi az akaratát, az történik, amit ő akar (ii) teljesül a kívánsága; *bibl* **thy ~ be done** legyen meg a te akaratod **c) at ~** (i) tetszés szerint, szabadon (ii) rendelkezésre; **at one's ~ and pleasure** kénye-kedve/tetszése szerint; **she comes and goes at her own ~** jön-megy, ahogy kedve tartja; *kat* **fire at ~** egyestűz, csatártűz **d)** akarás; **the ~ to live** élni akarás, életvágy; *közm* **where there's a ~ there's a way** az erős akarat diadalt arat, mindent lehet, csak akarni kell **2. good ~** → **goodwill**; **ill ~** → **ill-will** **3.** tetterő, lendület, erély, energia; **with a ~** testestül-lelkestül, szívvel-lélekkel **4.** rendelkezés, parancs, határozat, elrendelés **5.** *jog* végrendelet; **the last ~ and testament of sy** vk végakarata, vk utolsó akarata; **make one's ~** elkészíti/megírja a végrendeletét, végrendelkezik; **include sy in one's ~** belevesz vkt a végrendeletébe; **mention sy in one's ~** megemlékezik vkről a végrendeletében **II.** *tsi* **1.** akar, óhajt, kíván *[vmt megtenni]*; *kif* **as we ~ the end we must ~ the means** a cél akarása az eszközök akarását is jelenti **2.** parancsol, meghagy vmt, kényszerít vkt vmre; **~ sy to do sg**, **~ sy into doing sg** vkt vmnek a megtételére kényszerít; rákényszeríti az akaratát vkre **3.** végrendelkezik *[vm felől]* örökül/végrendeletileg hagy, testál vkre vmt; **he ~ed his money (un)to his son** fiára hagyta a pénzét **III.** *si pt* **would** [wʊd] **1.** akar, kíván, óhajt; **do as you ~** tégy, ahogy jónak látod, tégy, amit akarsz; **say what you ~** mondhatsz, amit (csak) akarsz; **he could if he would** tudná ha akarná; **he ~/would have none of it** (i) hallani sem akart róla (ii) semmi pénzért/áron nem kellett neki; **~ you come in?** lesz szíves bejönni?; **won't you sit down?** kérem foglaljon helyet; **~ you help me?** nem segítenél nekem egy kicsit?; **this window won't open** ez az ablak nem akar kinyílni **2.** *[jövő idő]* fog, lesz; **Jones'll come** Jones jönni fog; **I ~ be happy to see you** örülni fogok, ha láthatom; *biz* **we'll be there in no time** mindjárt ott leszünk; **what ~ you do next?** és aztán mit csinálsz?; **you ~ be sorry (for it) later** később sajnálni fogod, később még megbánod; **you ~ write to me won't you?** ugye írsz majd nekem?; **you won't forget ~ you?** ugye biztosan nem feledkezel meg róla? **3. accidents ~ happen** balesetek történnek/megesnek; **occasionally a large rock would roll down into the valley** időnként egy nagy sziklatömb gurul(t) le a völgybe; **boys ~ be boys** a fiúk már csak ilyenek **4. I suppose she would be about forty** úgy gondolom, körülbelül negyven éves lehetett; **this'll be our train** ez lesz a mi vonatunk
Will [wɪl] *tul* ‹*William* becéző alakja›
willed [wɪld] *mn* **1.** szándékos, előre megfontolt **2.** *összet* -akaratú; **strong-~** erős akaratú
willful ['wɪlfl] *US* → **wilful**
William ['wɪlɪəm] *tul* Vilmos; *tört* **~ the Conqueror** Hódító Vilmos
willie ['wɪli] *fn GB szl tréf* kuki, fütykös, fütyi
willies ['wɪliz] *fn tsz US szl* kétségbeesett/ideges szorongó félelem; **have the ~** beijedt, rájött v. rajta van a félsz, parázik, drukkol
willing ['wɪlɪŋ] **I.** *mn* **1.** hajlandó, kész *[vmt megtenni]*, szíves, készséges, szolgálatkész; **be ~ to do sg** hajlandó/kész vmre; szívesen/készségesen megcsinál/megtesz vmt **2.** beleegyező, önkéntes; **God ~** ha Isten is úgy akarja; **I am ~ that you should come** beleegyezem, hogy eljöjj; **~ or not** ha/akár tetszik ha/akár nem **II.** *fn* akarás; **~ and wishing are not the same** az akarathoz erő is kell/kívántatik • *fn* **willingness**
willingly ['wɪlɪŋli] *hsz* **a)** készségesen, szívesen, szolgálatkészen; **I'll do it ~** szívesen megteszem/megcsinálom **b)** önkéntesen
will-o'-the-wisp [ˌwɪləðə'wɪsp] *fn* **1.** lidércfény, bolygótűz *[tengeren]* **2.** *átv* csalfa remény, vak remény **3.** *átv* megbízhatatlan személy
willow ['wɪloʊ] *fn növ* fűzfa; **weeping ~** szomorúfűz
willowy ['wɪloʊi] *mn* **1.** füzekkel beültetett/szegélyezett, füzes **2. a)** hajlékony, nyúlánk, ruganyos **b)** karcsú
willpower *fn* akaraterő; **lack of ~** akaraterő hiánya, ernyedtség, lankadtság
wilt[1] [wɪlt] **I. A.** *tsi* elhervaszt **B.** *tni* **1.** elhervad, fonnyadozik, elsatnyul, elsorvad **2.** *biz átv* hervadozik, lankad, elgyengül, elerőtlenedik, kikészül, elveszti az energiáját (vk) **3.** *biz átv* lekókad, elbátortalanodik, elszontyolodik; **~ down** lekókad, lehorgasztja a fejét; *átv* lógatja az orrát **II.** *fn* hervadás, *növ* szklerotiniás száradás
wilt[2] [wɪlt] *régi táj* → **will**[1]
Wilts. *röv Wiltshire*
wily ['waɪli] *mn* agyafúrt, körmönfont, csalafinta, furfangos, ravasz, fortélyos, trükkös • *fn* **wiliness** *hsz* **wilily**
willy → **willie**
willy-nilly [ˌwɪli'nɪli] **I.** *hsz* kénytelen-kelletlen, akarva-akaratlanul **II.** *mn* határozatlan, ingadozó, megbízhatatlan
willy-willy ['wɪliwɪli] *fn Ausz* ciklon, homokvihar
wimp [wɪmp] *fn szl [gyenge/félénk ember]* nyúl(béla), gizda fazon
wimple ['wɪmpl] **I.** *fn* apácafátyol, fejfátyol, mellfátyol *[apácáé]* **II.** *tsi* **a)** apácafátylat tesz/illeszt a fejére **b)** elfátyoloz, fátyollal eltakar
wimp out *tni szl [kibújik kötelezettség alól, nem mer megtenni vmt]* majrézik (megcsinálni vmt), be van tojva
win [wɪn] **I.** *pt/pp* **won** [wʌn] **A.** *tsi* **1.** (el)nyer, megnyer (vmt), megszerez *[győzelmet]*, elvisz *[díjat]*; **~ the day** győzelmet arat; **~ a prize** díjat nyer; **~ the prize** elnyeri/elviszi a díjat, megszerzi a győzelmet; **~ the toss** nyer *[fej vagy írás játékban, kockázásnál]*; *sp* megnyeri a feldobást *[mérkőzés elején]*; *biz* **heads you ~ tails I lose** mindenképp te nyersz; *biz átv* **you ~ some/a few, you lose some/a few, you can't ~ them all** nem lehet mindig győzni, nem sikerülhet minden **2. a)** szerez *[barátot]*, szert tesz *[népszerűségre]*, megnyer, meghódít *[vk szívét]*, pártjára állít (vkt), megszerez *[jóindulatot]*, leköt *[hallgatóságot]*, elnyer, megkap *[ösztöndíjat]*; *sp* **~ one's cap** bekerül a válogatott csapatba; **~ sy's confidence** megnyeri vk bizalmát; vk bizalmába férkőzik; **~ sy's love** elnyeri vk szeretetét/szerelmét; **~ a reputation** hírnevet szerez, hírnévre tesz szert **b)** kedvezően befolyásol; **her tears won the jury** könnyeivel megnyerte az esküdteket **3. ~ clear** kivágja magát, (ép bőrrel) megmenekül *[bajból]*; megússzik *[veszedelmet]* **4.** *bány* kiaknáz, (ki)nyer, (ki)termel; **~ metal from ore** ércből fémet kivon/kitermel/nyer **B.** *tni* **1. a)** győz; *biz átv* **~ hands down** fényes/teljes győzelmet arat; *sp* **~ by a length** egy hosszal győz **b)** nyer **2.** dicsőséget arat **II.** *fn* **1.** győzelem *[sportban, játékban]*; *sp* **home ~** győzelem hazai pályán; **still without a ~** eddig még nyeretlen *[versenyző, csapat]* **2.** nyeremény **3.** nyereség, haszon, profit • *mn* **winnable**

win away *tsi* maga oldalára hódít (vkt), elhódít (vkt)
win back *tsi* **1.** visszanyer, visszaszerez *[pénzt, bizalmat]* **2.** visszahódít *[országot]*
win out *tni US* győz, diadalmaskodik, sikerrel jár
win over *tsi* meggyőz, a maga oldalára állít, megnyer magának (vkt), megszerez *[jóindulatot]*, leköt *[hallgatóságot]*; **~ sy over to a cause** megnyer egy ügynek vkt; **~ sy over to one's opinion/side** saját álláspontjára térít vkt; **~ over sy with promises** átcsábít vkt, ígéretekkel a maga oldalára állít vkt
win round → **win over**
win through *tni* diadalmaskodik, győz
wince [wɪns] **I.** *tni [testi/lelki kíntól]* megrándul/megvonaglik az arca, fájdalomtól összerázkódik/összerezzen, visszahőköl, meghátrál **II.** *fn* összerezzenés, összerázkódás, arcrándulás, megrándulás *[arcizmoké]*; **without a ~** arcizma sem rándul • *fn* **wincer** *hsz* **wincingly**
winch [wɪntʃ] **I.** *fn* **1.** *műsz* forgattyú, hajtókar *[csörlőé]* **2.** *műsz* (beépített) csörlő, emelődob, emelőcsavar, kocsiemelő **3.** vitla, orsó *[horgászboton]* **II.** *tsi műsz* csörlővel felemel/felgombolyít • *fn* **wincher**
Winchester [ˈwɪntʃɪstə ‖ –tʃestər] *tul* **1.** *földr* Winchester **2. ~ (rifle)** Winchester, ismétlőpuska **3.** *infor el* winchester *[lemezegység/tároló]*, merevlemez, *biz* vincsi, vinyó
wind[1] [wɪnd] **I.** *fn* **1. a)** szél; **~(s) of change** a változás szele/szellője; **high ~(s)** vihar, orkán; viharos/erős szél; *átv* **there's sg in the ~** vm lóg/van a levegőben, vm készül(őben van); **from the four ~s** a szélrózsa minden irányából, mindenfelől, mindenhonnan; *átv* **see/find out how/which way the ~ blows** megvárja, honnan fúj a szél; *biz átv* **get one's second ~** új erőre kap; *biz* **go like the ~** sebes, mint a szél; **have the ~ in one's face** szembe kapja a szelet, ellenszelet kap; *kif* **sow ~ and reap whirlwind** aki szelet vet, vihart arat; *átv* **take the ~ out of sy's sails** kifogja a szelet vk vitorláiból, meghiúsítja vk tervét; **throw caution to the ~** az elővigyázatossággal nem törődik; **before/down the ~** szél irányában, (hát)széllel; **between the ~ and the water** a víz színén; *átv* érzékeny/sebezhető ponton; *átv* két tűz között; **be carried before/down the ~** a szél űzi/kergeti/viszi; hátszéllel megy, a szél irányában halad; **in the ~'s eye** szél ellen, szembe a széllel; **in the teeth of the ~** szél ellen, szélnek **b)** szellő, fuvallat **c)** széljárás **2. a)** szag *[vadé]* **b)** *biz átv* **get ~ of sg** megneszel/kiszimatol vmt, neszét veszi vmnek; tudomást szerez vmről; *biz* **get/have the ~ up** beijed, erőt vesz rajta a félsz; sejt/megneszel/megszagol vmt; **take ~** híre járja/megy, hírlik, szárnyra kap hír **3.** *orv* szél, gázok *[belekben]*, felfúvódás; **break ~** szelet ereszt, szellent **4.** lélegzet, szufla; **get ~** lélegzethez jut; **get/recover one's ~** ismét lélegzethez jut; **lose one's ~** eláll a lélegzete, kifullad, elfúl **5. a)** huzat, szél, levegő *[gépekben]*; szél *[puskagolyóé]* **b)** *zene* fúvós hangszerek **6.** *biz átv* üres szavak, fecsegés **II.** *tsi* **1. a)** szellőztet, levegőn/szélben szárít, szélnek kitesz **b)** messziről felismeri/megérzi vm szagát, felismer szagról **c)** *vad* megszimatol, szagot kap *[vadászkutya]* **d)** kifullaszt; **the climb ~ed him** nem bírta szusszal a mászást **e)** lélegzethez hagy jutni, megpihentet **f)** büfiztet *[babát]* **2.** (meg)fúj, megszólaltat *[kürtöt]*; *hajó* **~ a call** sípjelzést ad, megfújja a jelzősípot
wind[2] [waɪnd] **I.** *pt/pp* **wound** [waʊnd] **A.** *tsi* **1.** (fel)csavar, (fel)teker, tekercsel, gombolyít, göngyölít; *biz átv* **~ sy round one's finger** az ujja köré csavar vkt **2.** megfeszít, meghúz *[rugót, húrt]* **3.** csörlővel felhúz **B.** *tni* **1.** kanyarog, kígyózik, tekereg, elkanyarodik *[folyó]* **2.** csavarodik, tekeredik, felgombolyodik **3.** megvetemedik, elgörbül **II.** *fn* **1.** *műsz* elgörbülés; **out of ~** teljesen egyenes, görbület nélküli **2.** tekervény, tekerület **3.** (csavar)menet **4.** kézicsörlő, kézi tekercselő • *mn* **windable**
wind in *tsi* **1.** tőrbe csal (vkt) **2. ~ in the line** visszatekeri a horgászzsineget
wind into *tsi* **1. ~ the wool into a ball** gyapjúfonalat felgombolyít (v. gombolyogba teker) **2.** észrevétlenül behatol/befurakodik vhova; *átv* **he wound his way into her heart** utat talált a szívéhez, belopta magát a szívébe
wind off A. *tsi* leteker, legombolyít, legöngyölít, lecsavar **B.** *tni* letekeredik, legombolyodik, legöngyölődik
wind on *tsi tex* felteker, felcsévél, motollál *[fonalat orsóra]*, felcsavar (vmt vmre)
wind out *tni* kisiklik (vknek a keze közül), elszökik
wind up A. *tsi* **1. a)** feltekercsel, felgombolyít, felgöngyölít, felcsavar **b)** felhúz, felemel, *bány* felszínre hoz, felvon **c)** *rep* átforgat *[légcsavart]* **2. a)** felhúz *[(ébresztő)órát]* **b)** megfeszít *[rugót]* **c)** *átv* végsőkig feszít, felizgat, felajz; **get easily wound up (about sg)** könnyen/hamar felizgatja magát (vmvel) **d)** *GB szl [gúnyol, ingerel]* (fel)húz, cukkol, cikiz **e)** felhangol *[húros hangszert]* **3.** *átv* befejez *[beszédet stb.]*, felszámol *[vállalatot]*, kifizet, kiegyenlít, lezár *[számlát]*, megszüntet, feloszlat *[üzletet]*, elintéz, lebonyolít *[ügyet]*; **~ up a meeting** (be)zár ülést, véget vet összejövetelnek **4. be wound up with sg** szoros kapcsolatban áll vmvel **B.** *tni* **1.** befejeződik, véget ér, végződik, (le)zárul **2.** feloszlik, megszűnik *[cég, társaság]*
windage [ˈwɪndɪdʒ] *fn* **1.** *kat* **a)** (szél okozta) lövedékeltérítés **b)** kaliberkülönbség **2.** *műsz* játék, hézag **3.** légellenállás
windbag [ˈwɪndbæg] *fn* **1.** *műsz* szélkazán, légzsák, légpárna **2.** fújtató, dudatömlő **3.** *biz* **a)** szószátyár, szélkelep, üres fecsegő, szófosó **b)** szélkakas *[emberről]*
wind band [ˈwɪnd–] *fn zene* fúvós zenekar
wind-blown [ˈwɪnd–] *mn* **1.** szélfújta, szél hajtotta/kergette, széltől felvert/(fel)hajtott **2.** szélnek kitett
windbound [ˈwɪnd–] *mn hajó* (ellen)szél által akadályozott
windbreak [ˈwɪnd–] *fn* erdősáv, sövény, szélfogó/széltörő facsoport/kerítés/fal
windbreaker [ˈwɪnd–] *US* → **windcheater**
windburn [ˈwɪnd–] *fn* szél okozta bőrgyulladás
wind chart [ˈwɪnd–] *fn meteo* uralkodó szélirányok *[térképen feltüntetve]*
windcheater [ˈwɪnd–] *fn GB* orkándzseki, széldzseki, anorák
windchill [ˈwɪnd–] *fn meteo* szél hűtő hatása
wind cone [ˈwɪnd–] → **windsock**
winded [ˈwɪndɪd] *mn* **1.** kifulladt, szusszal nem bíró, gyenge tüdejű **2.** *összet* → **long-winded** → **short-winded**
winder [ˈwaɪndə ‖ –ər] *fn* **1.** *tex* **a)** csévélő, gombolyító (munkás) **b)** csévélőgép, motolla **2.** *film* filmtekercselő **3.** órafelhúzó kulcs **4.** *bány* **a)** csörlő **b)** csörlőkezelő **5.** *tsz* **winders** *épít* csigalépcső(fok), íves lépcső **6.** kúszónövény
wind erosion [ˈwɪnd–] *fn geol* szélerózió, defláció, talajelhordás
windfall [ˈwɪndfɔːl] *fn* **1. a)** széltörte fa, széltörés **b)** hullott (v. szél által levert) gyümölcs **2.** *biz átv* **a)** váratlan (v. nem remélt/várt) szerencse; **we (have) had a ~** nagy szerencse ért bennünket **b)** váratlan (v. nem várt) örökség/szerzemény/nyereség, talált pénz **3. a)** csökkenő szél/légáramlat **b)** *geol* defláció • *mn* **windfallen**
wind farm [ˈwɪnd–] *fn* szélerőmű-telep
wind force [ˈwɪnd–] *fn meteo* szélerősség (foka)
wind-gauge [ˈwɪnd–] *fn* **1.** anemométer, szélsebességmérő, szélerősségmérő **2.** léghuzammérő **3.** *kat* célbeállító csavar
wind gun [ˈwɪnd–] *fn* légpuska
winding [ˈwaɪndɪŋ] **I.** *fn* **1. a)** kanyargás, kanyarodás, kígyózás, tekergés **b)** tekeredés, csavarodás **c)** kanyarulat, tekervény, szerpentin **d)** *tsz* **windings** kanyarulatok *[folyóé]*, kanyargások, tekergések, cikcakkvonal *[úté]*, úthajlatok **e)** *átv* tekervényes észjárás, nyakatekert gondolkodás, nem egyenes utat követő eljárás **2. a)** *tex* (fel)tekerés, felgombolyítás, felcsévélés **b)** *vill* tekercselés, tekercsmenet **3. a)** elgörbülés **b)** görbület **c)** *átv* **in ~** nem a valónak

W

megfelelően, elferdítve **4.** (csörlővel) felhúzás **5. a)** felhúzás *[óráé]* **b)** meghúzás, megfeszítés *[rugóé]* **II.** *mn* kanyargó(s), kígyózó, kacskaringós, tekervényes, tekergő, girbe-görbe *[út]* • *hsz* **windingly**

winding-cable *fn műsz* felvonókötél, szállítókötél, vontatókötél

winding-engine *fn bány* csörlő, emelőgép

winding-key *fn* felhúzókulcs *[óráé]*

winding-sheet *fn* szemfedő, szemfedél, halotti lepel

winding-up [ˌwaɪndɪŋˈʌp] *fn* **1.** *gazd* felszámolás, likvidálás; ~ **sale** (vég)kiárusítás **2.** befejezés *[beszédé]* **3.** felhúzás *[szerkezeté]*

wind instrument [ˈwɪnd–] *fn zene* fúvós hangszer

windjammer [ˈwɪnd–] *fn hajó biz* kereskedelmi vitorlás-hajó

windlass [ˈwɪndləs] **I.** *fn* **a)** csörlő *[kúton]*, motolla **b)** *hajó* horgonyfelvonó, horgonyemelő (csörlő), emelőcsiga, kézi horgonytekerő **II.** *tsi* felvontat, felhúz, felszállít *[csörlővel]*

windless [ˈwɪndləs] *mn* **1.** szélcsendes, szélmentes **2.** kifulladt, zihálό *[ember]* • *hsz* **windlessly**

windlestraw [ˈwɪndlstrɔː] *fn növ* elszáradt növényszár

wind machine [ˈwɪnd–] *fn szính* szélgép

windmill [ˈwɪndmɪl] **I.** *fn* **1. a)** szélmalom; *biz átv* **fight** (v. **tilt at**) **~s** szélmalomharcot folytat/vív; *biz átv* **fling/throw one's cap over the ~s** fittyet hány az illendőségnek; nem elővigyázatos **b)** (vízemelő/vízmerítő) szélkerék **2.** forgó *[játék]* **3.** *biz* helikopter **4.** *gazd biz* pinceváltó **5.** *régi* légvár **II.** *tsi/tni* szélmalomkörzést végez *[karokkal]*

window [ˈwɪndoʊ] *fn* **1. a)** ablak; **blank/blind/false ~** vakablak; **look out (of) the ~** kinéz az ablakon; *biz átv* **out (of) the ~** idejétmúlt, (el)avult; *biz* **the ~s of heaven opened** megeredtek/megnyíltak az ég csatornái **b)** ablak(üveg); **break the ~** betöri az ablakot; **clean the ~s** letisztítja/lemossa az ablakokat **c)** *gk* (gépkocsi)ablak, autóablak; **lower/open the ~** leereszti/kinyitja az ablakot; **raise/close the ~** felhúzza/becsukja az ablakot **d)** → **windowpane e)** *tsz* **windows** ablakzat **f)** ablak(nyílás), tolóablak, kezelőablak, pénztárablak *[bankban, hivatalban stb.]* **2. (shop) ~** kirakat; **put sg in the ~** kirakatba helyez/kirak/kitesz vmt **3.** *infor* **a)** (képernyő)ablak **b)** *tsz* **Windows** windows *[személyi számítógépes programrendszer]* **4.** ablak *[borítékon]* **5.** *átv* ablak, lehetőség *[okulásra, rálátásra]*; **~ on the world** ablak a világra; **provide a ~ of opportunity** (rövid időre) lehetőséget nyújt vknek vmre • *mn* **windowed**, **windowless**

window box *fn* **1.** virágláda, ültetőláda *[ablakban]* **2.** ablaktoküreg *[felgöngyölődő rolónak, tolóablak ellensúlyának]*

window cleaner *fn* **a)** ablakmosó *[ember]* **b)** ablakmosó, ablaktisztító *[szer]*

window display *fn gazd* kirakat(i tárgyak)

window-dress *tsi átv* kedvezően/szépen tálal/csomagol (vmt)

window dressing *fn* **1. a)** kirakatrendezés *[szakma]* **b)** kirakat elrendezése/díszítése **2.** *biz átv pej* adatok tetszetős(en félrevezető) csoportosítása, szemfényvesztés, ámítás • *fn* **window dresser**

window frame *fn* ablakkeret

window interface *fn infor* ablakos kezelőfelület

window ledge → **windowsill**

window lift *fn* **1.** heveder, felhúzófogantyú *[tolóablaké]* **2.** *gk* elektromos ablakemelő

windowpane *fn* ablaktábla, ablaküveg *[keretben]*

window screen *fn* keretes szúnyogháló *[ablakra]*

window seat *fn* ablakülés *[repülőgépen, buszon, vonaton]*, ülőhely ablakmélyedésben/ablakfülkében

window-shopping *fn* kirakatnézegetés *[vásárlás nélkül]* • *tni* **window-shop** *fn* **window-shopper**

windowsill *fn* ablakpárkány, ablakdeszka, könyöklő

windowy [ˈwɪndoʊi] *mn* **a)** ablakszerű **b)** sok ablakkal rendelkező/bíró, sokablakos

windpipe [ˈwɪnd–] *fn orv* légcső, trachea

wind power [ˈwɪnd–] *fn* szélenergia

wind rose [ˈwɪnd–] *fn* szélirány-diagram

windrow [ˈwɪndroʊ] *fn* **1.** *mezőg* gabonarend(ek), szénarend(ek), rendsodrás **2.** szélfújta törmelék/hordalék

wind scale [ˈwɪnd–] *fn meteo* szélerősségi skála

windscreen [ˈwɪnd–] *fn GB gk* szélvédő(üveg)

windscreen wiper *fn gk* ablaktörlő

wind shake [ˈwɪnd–] *fn* gesztváltás, évgyűrűs repedés *[fán]*

windshield [ˈwɪnd–] *US* → **windscreen**

windsock [ˈwɪnd–] *fn* szélzsák, széliránvjelző, széliránymutató

Windsor [ˈwɪnzə ‖ –ər] *tul GB* Windsor *[királyi család (székhelye)]*; **~ Castle** a windsori kastély; **the house of ~** a Windsor-ház

windstorm [ˈwɪnd–] *fn* szélvihar, szélvész, orkán, fergeteg

windsurfing [ˈwɪnd–] *fn sp* szörfözés, széllovaglás • *tni* **windsurf** *fn* **windsurfer**

windswept [ˈwɪnd–] *mn* széljárta, szeles, szélfútta *[terület]*

wind tunnel [ˈwɪnd–] *fn* **1.** *földr* szélcsatorna **2.** *rep gk* szélcsatorna, (aerodinamikai) szélellenállásmérő cső

wind-up [ˈwaɪndʌp] *fn* **a)** vég, befejezés, végződés (vmé) **b)** befejezés, lebonyolítás, felszámolás, likvidálás *[üzleté]*, lezárás, szaldírozás *[számláé]*, befejezés *[vitáé]*

windward [ˈwɪndwəd ‖ –wərd] **I.** *mn* szél felőli, széloldali, szélnek kitett **II.** *hsz* szél irányában/felől/felé, szélnek **III.** *fn* széloldal

windy [ˈwɪndi] *mn* **1. a)** szeles, viharos *[idő]*; **~ crossing** viharos átkelés *[csatornán stb.]* **b)** szeles, széljárta, szélfútta, szélnek kitett, szélverte *[vidék]* **c)** szél felőli **2.** *orv* bélgázokat/szeleket előidéző, (fel)puffasztó **3.** *biz átv* **a)** dagályos, terjengős, pufogó *[stílus]* **b)** nagyokat mondó, hencegő, melldöngető *[személy]* **c)** semmitmondó, hiábavaló, üres, légből kapott *[terv]* **4.** *GB biz [ideges, félős, gyáva]* majrés, be van rezelve • *fn* **windiness** *hsz* **windily**

wine [waɪn] **I.** *fn* bor; **dry ~** száraz bor; **red ~** vörös bor; **sweet ~** édes bor; **white ~** fehér bor; **have a glass of ~ with sy** borozgat/poharaz vkvel, megiszik egy pohár bort vkvel; *közm* **good ~ needs no bush** a jó bornak nem kell cégér **II. A.** *tsi* **~ and dine sy** szórakoztat vkt, minden jóval megetet/megitat vkt, jól tart vkt **B.** *tni* borozgat, iszogat, iddogál

winebibber [ˈwaɪnbɪbə ‖ –ər] *fn régi* borivó, borissza, borzsák, boroskancsó *[ember]* • *fn/mn* **winebibbing**

winebottle *fn* borosüveg, borospalack

wine card → **wine list**

wine cask *fn* boroshordó

wine cellar *fn* borospince

wine-coloured *mn* **a)** borszínű **b)** borvörös, mélyvörös, bordó

wine cooler *fn* (ital)hűtő, hűtővödör

wine country *fn* bortermő vidék, szőlővidék

wineglass *fn* borospohár

wine-grower *fn* szőlőtermelő, bortermelő, szőlősgazda • *fn/mn* **wine-growing**

wine list *fn* borlap, bor(ár)jegyzék *[étteremben]*

winepress *fn* **a)** borsajtó, szőlőprés **b)** taposókád

wine-producing *mn* borterm(el)ő

winery [ˈwaɪnəri] *fn US* borgazdasági/borászati/boripari üzem, pincészet

wineskin *fn* bortömlő

wine-tasting *fn* **a)** borkóstolás **b)** borkóstoló • *fn* **winetaster**

wine vinegar *fn* borecet

wine writer *fn* borkritikus *[újságnál]*

winey [ˈwaɪni] → **winy**

wing [wɪŋ] **I.** *fn* **1.** szárny *[állaté]*; *biz átv* **clip sy's ~s** korlátozza vk lehetőségeit, szárnyát szegi vknek; *átv* **give/lend ~s to sy/sg** szárnyakat ad vknek/vmnek; *átv* **spread/**

W

stretch one's ~s bővíti tudását/képességeit; *biz átv* **take sy under one's ~** pártfogásába/szárnyai alá vesz vkt; *átv biz* **try one's ~s (at sg)** szárnyait próbálgatja, próbálkozik, első próbálgatásait/kísérleteit végzi (vmben) **2.** *rep* **a)** szárny *[repülőgépé]*; **~ area** szárnyfelület **b)** pilótajelvény *[angol légierőnél]*; **get one's ~s** leteszi a pilótavizsgát **c)** *kat* repülőosztály **3.** repülés, szárnyalás; **be on the ~** repül, szárnyal, száll; **shoot a bird on the ~** röptében lő le madarat; **take ~** szárnyat bont, szárnyra kap/kel, (f)elrepül, felröppen **4. a)** ajtószárny **b)** (épület)szárny, oldalépület, toldaléképület **c)** *kat* (oldal)szárny; **the left ~ (of the army)** a hadsereg bal szárnya **d)** *pol* szárny, irányzat, (érdek)csoport, klikk **5.** *sp* szélső *[amerikai futballban, jégkorongban]*; **the ~ halves** szélsőfedezet **6.** *US gk* sárhányó, sárvédő **7.** szárnybőr *[cipőn]* **8.** (szélmalom)vitorla **9.** *tsz* **wings** *szính* színfalak, (oldal)kulisszák; *átv* **in the ~s** a színfalak/kulisszák mögött/mögé **II. A.** *tsi* **1. a)** szárnnyal ellát vmt **b)** *átv* szárnyakat ad vmnek **c)** **~ the air, ~ its flight/way** repül, szárnyal, szárnyra kel/kap **2.** szárnyán/karján megsebesít *[állatot, embert]* **B.** *tni* száll(dos), szárnyal, szeli a levegőt • *mn* **wingless, winglike**

wing beat *fn* szárnycsapás; *átv* **the first ~s** az első szárnypróbálgatások

wing-case *fn áll* szárnyfedél *[bogaraké]*

wing chair *fn* füles karosszék/fotel

wing collar *fn* kihajtott sarkú keménygallér *[férfiingen]*

wing commander *fn kat* repülőalezredes

wingding [ˈwɪŋdɪŋ] *fn US szl* **1.** *[nagy mulatság]* buli, banzáj **2.** (kábítószeres/epileptikus) roham

winged [wɪŋd] *mn* **1.** szárnyas; *kat* **~ bomb** szárnyas bomba **2.** sebesen szálló, gyors szárnyú **3.** szárnyaló, magasröptű; **~ diction** szárnyaló szónoklat **4.** *összet* -szárnyú

winger [ˈwɪŋə ‖ –ər] *fn sp* szélső *[játékos]*

wing forward *fn sp* szélső csatár

winglet [ˈwɪŋlət] *fn* szárnyacska

wingman [ˈwɪŋmən] *fn tsz* **-men** *kat rep* **a)** jobb/bal szélső gép *[formátumban repülők közt]* **b)** alakulatban repülő jobb/bal szélső gép (pilótája)

wing nut *fn* szárnyas/füles (anya)csavar

wingspan a) *rep* fesztáv(olság) *[repülőgépé]* **b)** *áll* (kiterjesztett) szárnyszélesség, fesztáv(olság) *[madáré]*

wing-stroke *fn* szárnycsapás

wing tip *fn rep áll* szárnyhegy, szárnyvég *[repülőgépé, madáré]*

Winifred [ˈwɪnɪfrɪd] *tul* ‹női név›

wink [wɪŋk] **I. A.** *tsi* **a)** kacsin(ga)t, pislog, hunyorog (vkre) **b)** szemével jelez (vmt) **c)** villanó/lobbanó fénnyel (v. zseblámpával) int/jelez (vmt) **B.** *tni* **a)** kacsin(ga)t, pislog, hunyorog, hunyorgat **b)** **~ at sy** rákacsint, kacsingat, hunyorgat vkre **c)** pislog, hunyorog, pislákol, vibrál, reszket, szikrázik *[csillag, fény]* **II.** *fn* **a)** kacsintás, pislogás, pislantás, hunyorítás, hunyorgatás; **I haven't slept a ~** le se hunytam a szemem egész éjjel; **without a ~ (of the eyelid)** szemrebbenés nélkül **b)** *biz átv* szemrebbenés, szempillantás; **in a ~** egy pillanat alatt/múlva **c)** hunyorítás, szemvillantás, szemmel való/adott jelzés/intés • *fn* **winking**

winker [ˈwɪŋkə ‖ –ər] *fn* **1.** kacsin(ga)tó, pislogó *[személy]* **2.** *szl* **a)** *[szem]* kukkoló, pislogó **b)** *[szemüveg]* hemüveg **3.** szemellenző *[lóé]* **4.** *GB* villogó *[járművön]*

winkle [ˈwɪŋkl] *tsi* **~ out** kiszed, kipiszkál (vmt vkből/vmből)

winless [ˈwɪnlɪs] *mn US sp* nyeretlen, győztes meccs nélkül álló *[versenyző, csapat]*

winner [ˈwɪnə ‖ –ər] *fn* **1.** nyertes, győztes *[ló, versenyző, csapat]* **2.** *biz átv* nagy siker, kasszasiker, bombasiker

Winnie [ˈwɪni] *tul* ‹női név›

Winnie-the-Pooh [ˌwɪniðəˈpuː] *tul* Micimackó

winning [ˈwɪnɪŋ] **I.** *mn* **1.** (meg)nyerő, nyertes; **~ stroke** döntő/győztes ütés/csapás **2.** győztes, győző **3.** vonzó, kedves, elbájoló, behízelgő *[mosoly]*; **~ manners** megnyerő modor **II.** *fn* **1.** *sp* győzelem, győzés **2.** megszerzés, elnyerés (*of sg* vmé) **3.** *tsz* **winnings** (pénz)nyeremény(ek), (pénz)díj *[nyertesé]* • *hsz* **winningly**

winning post *fn sp* céloszlop *[lóversenyen]*

winnow [ˈwɪnoʊ] **I. A.** *tsi* **1. a)** szelel, rostál *[gabonát]*, szitál, szétválogat, szétválaszt, kitisztít, kiszemel; *átv* **~ out** (gondosan) kiválogat, különválaszt, szétválogat, osztályoz; **~ away/out the chaff from the grain** elválasztja a konkolyt a búzától; *átv* (ki)selejtez *[értéktelent]*; *átv* **~ (out) the true from the false** különválasztja az igaz(ak)at a hamis(ak)tól **b)** gondosan megvizsgál, szemügyre vesz; **~ the evidence** felülvizsgálja a bizonyítékokat **2.** (szárnnyal) verdes *[levegőt]*, borzol, összekuszál *[hajat szél]*, felkavar, széthord *[leveleket szél]* **B.** *tni* **1.** szelel *[rostával]* **2.** *vál* **a)** szárnyal **b)** repdes **II.** *fn* rostáló gép, gabonarosta • *fn* **winnower, winnowing**

wino [ˈwaɪnoʊ] *fn tsz* **~s** *szl [borivó, iszákos ember]* piás, tintahal, szivacs

winsome [ˈwɪnsəm] *mn* megnyerő, szeretetre méltó, kedves, elbájoló, bájos, magával ragadó, vonzó, megejtő • *fn* **winsomeness** *hsz* **winsomely**

winter [ˈwɪntə ‖ –ər] **I.** *fn* tél; **~ clothes/clothing** téli ruhák/ruházat; **in/during (the) ~** télen, tél idején **II. A.** *tsi* teleltet *[állatot]*, télre eltesz *[növényt]* **B.** *tni* (át)telel, telet (el)tölt (*at* vhol) • *fn* **winterer, wintering** *mn* **winterly**

winter garden *fn* télikert

winterize [ˈwɪntəraɪz], **–ise** *tsi* **a)** téli használatra alkalmassá tesz, téliesít **b)** *gk* téli üzemre átállít/előkészít, fagyállóvá tesz *[gépkocsit]* • *fn* **winterization, -isation**

Winter Olympics *fn esz sp* téli olimpia

winter sleep *fn biol* téli álom, hibernálás

winter solstice *fn csill* téli napforduló

winter sports *fn tsz sp* téli sportok

winter-tide *vál* → **wintertime**

wintertime *fn vál* tél(i évad/idény), télidő, télvíz ideje

wintery [ˈwɪntəri] *mn* **1.** téli(es), zimankós, fagyos, barátságtalan(ul hideg) **2.** *biz átv* **~ smile** fagyos/jeges mosoly

wintry [ˈwɪntri] → **wintery**

winy [ˈwaɪni] *mn* **1.** boros, borszagú, borízű, borszerű **2.** *biz* beborozott, borgőzös, ittas

wipe [waɪp] **I. A.** *tsi* **1.** (le)töröl, megtöröl *[szemet, orrot]*, feltöröl *[padlót]*, (el)törölget *[edényt]*, törölget *[szemet]*; **~ one's boot/shoes** megtörli/letisztítja cipőjét; **~ one's eyes** megtörli a szemét, letörli a könnyeit; *szl átv* **~ sy's eye** *[ügyesen megelőz vkt]* lelő/elhalász vmt vk elől; *biz átv* **~ the floor with sy** (i) *[megver]* tönkrever, ripityára/laposra ver vkt (ii) *[legyőz]* leradíroz, lemos, laposra ver vkt; **~ one's nose** megtörli az orrát **2. a)** bedörzsöl *[tisztítószert]* **b)** lekapar, levakar **3.** letöröl *[felvételt, információt tárolóegységről]* **B.** *tni* töröl(get), dörzsöl **II.** *fn* **1.** (le)törlés, megtörlés, feltörlés; **give sg a ~** letöröl/megtöröl vmt **2.** törlőkendő, *biz* higikendő • *fn/mn* **wiping**

wipe away *tsi* letöröl *[könnyet]*, eltüntet, kivesz *[foltot]*; **~ away your tears** töröld le (v. szárítsd föl) a könnyeidet

wipe down *tsi* letöröl, letisztít

wipe off *tsi* **1.** letöröl, eltávolít, eltüntet *[foltot]* **2.** *átv* **a)** eltüntet, letöröl; **~ the smile off sy's face** letörli a mosolyt vk arcáról **b)** eltüntet *[települést a térképről]*, eltöröl *[vmt a föld felszínéről]*, a földdel tesz egyenlővé, lerombol, elpusztít; **the city was ~d off the map** a várost eltüntették/leradírozták a térképről

wipe out *tsi* **1.** kitöröl *[edényt]* **2. a)** kitöröl *[emlékezetből]*, elfelejt *[sértést]* **b)** felmorzsol, megsemmisít *[hadsereget]*, elpusztít, gyökerestől kiirt *[lakosságot]* **c)** *szl* *[megöl]* hazavág, kicsinál, kifingat, taccsra tesz/vág **3.** *gazd* felél, kimerít *[készletet]*

wipe up *tsi* feltöröl *[folyadékot, padlót]*

wipe-down *fn* letörlés

wipe-out *fn* **1.** kitörlés **2.** kiirtás, elpusztítás **3.** *távk* kioltó interferencia **4.** *szl [esés szörfdeszkáról]* tipli, (le)zúgás

wiper [ˈwaɪpə ‖ –ər] *fn* **1. a)** törlő(rongy), (kenő)rongy **b)** szivacs **c)** kéztörlő **2.** *gk* **(windscreen) ~** ablaktörlő **3.** *vill* (érintkező)kefe, csúszó érintkező

WIPO *röv World Intellectual Property Organization* Szellemi Tulajdonjog-védő Világszervezet

wire [ˈwaɪə ‖ ˈwaɪər] **I.** *fn* **1. a)** drót, huzal, fémszál, sodrony; **barbed ~** szöges drót; **drawn ~** huzal; **live ~** áramra kapcsolt huzal/vezeték; *biz átv* mozgékony/tevékeny/nyughatatlan ember; **stranded ~** drótkötél; sodronykötél; huzalkötél; *biz átv* **get/have one's ~s crossed** összekeveredik, félreért vmt; *biz átv* **pull the ~s** kezében futnak össze a szálak, (a háttérből) rángatja a szálakat/drótokat **b)** kábel, elemi szál, vezeték **c)** *rep* feszítőhuzal; **flying ~s** repülőgép acélváza; légkábelek **2.** távirat, sürgöny; **send sy a ~** sürgönyöz, táviratot küld/felad vknek **3.** *sp régi* célszalag, célvonal; *biz átv* **down to the ~** az utolsó pillanatig **II. A.** *tsi* **1. a)** drótoz, huzaloz **b)** összedrótoz, bedrótoz **2.** megsürgönyöz, megtáviratozik, táviratban megír, sürgönyben közöl (vmt) **3.** *vill* vezetéket szerel, huzaloz, villanyt bevezet **4.** *biz [lehallgatókészüléket helyez el vhol]* poloskát ültet (vhova) **5.** *vad* hurokkal fog *[állatot]* **B.** *tni* táviratozik, sürgönyöz, sürgönyt/táviratot küld • *fn* **wirer**

wire for *tni* **~ for sy/sg** táviratozik/sürgönyöz vkért/vmért

wire in *tni biz* szívvel-lélekkel nekilát/nekiesik *[feladatnak, ételnek]*

wire off *tsi* (drótkerítéssel) körülkerít, elkerít *[területet, épületet]*

wire to *tni* **~ to sy** táviratozik vknek, sürgönyt/táviratot küld vknek

wire up *tsi vill* elektromosan összeköt, összekapcsol

wire brush *fn* drótkefe

wire-cutters *fn tsz* drótvágó, sodronyvágó

wired [ˈwaɪəd ‖ –ərd] *mn* **1.** drótozott, ledrótozott **2.** drótkerítéssel elkerített/körülkerített **3.** *távk* **a) ~ radio** vezetékes rádió **b)** *US* telefonvezetékkel felszerelt *[szoba, lakás]* **4.** *szl [ideges, feszült]* tiszta ideg, parázik

wiredraw *tsi pt* **wiredrew**, *pp* **wiredrawn 1.** drótot húz *[géppel]*, huzalt készít **2.** *biz átv* **a)** a végtelenségig elnyújt vmt **b)** nyakatekertté tesz, csűr-csavar, elferdít vmt **c)** túlfinomít *[stílust]* • *fn* **wiredrawing**

wire entanglement *fn kat* drótakadály

wire gauge *fn* **1.** drótvastagság **2.** huzalmérce, huzalvastagság-mérő

wire gauze *fn* (finom) drótháló

wire-haired *mn* drótszőrű *[kutya]*

wireless [ˈwaɪələs ‖ waɪər–] **I.** *fn* **1.** *GB biz régi* **a)** rádió; **I heard it on the ~** a rádióban hallottam **b)** rádiókészülék **2. a)** drótnélküli távíró, szikratávíró **b)** drótnélküli távirat, szikratávirat **II.** *mn* **a)** drót nélküli; **~ operator** rádiós, rádiótávírász; **~ telegraphy** drótnélküli távíró, szikratávíró **b)** *GB biz régi* rádió-; **~ receiver** rádióvevő (készülék); **~ set** rádiókészülék

wireman [ˈwaɪəmən ‖ –ər–] *fn tsz* **-men a)** vezetékszerelő **b)** villanyszerelő

wire netting *fn* drótháló

wirepuller *fn biz átv pej* ‹a háttérből irányító ember/politikus› • *fn* **wirepulling**

wire rope *fn* drótkötél, kábel

wire stripper *fn* kábelvégtisztító

wiretapping *fn* lehallgatás *[telefoné]* • *tsi* **wiretap** *fn* **wiretapper**

wire-walker *fn* kötéltáncos

wirework *fn* **1.** dróthúzás, huzalgyártás **2.** sodronyszövet, drótháló **3.** *tsz* **wireworks** dróthúzó/sodronyhúzó/huzalgyártó műhely

wirey [ˈwaɪəri] → **wiry**

wiring [ˈwaɪərɪŋ] *fn* **a)** drótozás **b)** *vill* villanyvezeték építése/fektetése, huzalozás, dróthálózat felszerelése, villany bevezetése; **~ diagram** huzalozási rajz **c)** bekapcsolás *[telefoné]*

wiry [ˈwaɪəri] *mn* **1. a)** drótból való/készült, drót- **b)** drótszerű, drótmerev, drótként álló *[haj, szőr]*, drót- **c)** *orv* fonalas, gyengén tapintható *[pulzus]* **2.** fémes csengésű *[hang]* **3.** szívós és izmos (de sovány) • *fn* **wiriness** *hsz* **wirily**

wis [wɪs] *tsi régi* (jól) tud; **I ~** (jól) tudom; gondolom, azt hiszem

Wis. *röv US Wisconsin*

Wisconsin [wɪˈskɒnsɪn ‖ –ˈskɑn–] *tul US földr* Wisconsin • *fn/mn* **Wisconsinite**

wisdom [ˈwɪzdəm] *fn* **1.** bölcsesség, élettapasztalat **2.** okosság, józan belátás, megfontoltság, megfontolt ítélőképesség; *biz iron* **in his/her ~** nagyokosan **3. a)** tudomány, tanítás, filozófia, bölcselet **b)** *tsz* **wisdoms** bölcsességek, bölcs mondások

wisdom tooth *fn tsz* **- teeth** bölcsességfog; *biz átv* **cut one's wisdom-teeth** benő a feje lágya

-wise [waɪz] *hsz összet* **1.** -szerűen, -módra, -képpen; **likewise** hasonlóképpen **2.** -ileg, vm tekintetében, vmvel kapcsolatban; **moneywise** pénzügyileg

wise[1] [waɪz] **I.** *mn* **1. a)** bölcs, okos, megfontolt, belátó *[ember, döntés]*, helyes *[választás]*; *biz* **be ~ after the event** utólag (könnyen) okoskodik; *US biz* **~ guy** *[okoskodó ember]* nagyokos, okostóni **b)** *régi* tudós; **~ man** tudós ember; **~ woman** jósnő **2.** beavatott; **look ~** olyan képet vág, mint aki tudja miről van szó; **I am no ~r than you** én sem tudok többet nálad; **he is none the ~r (for it)** ettől sem lett okosabb, semmivel sem lett okosabb tőle; *US biz* **get ~ to sg** tisztába jön vmvel, tudatára ébred vmnek, rájön vmre **3.** okos, számító, ravasz, óvatos, előrelátó **II. A.** *tsi biz* **~ (up)** kiokosít, kitanít (vkt vmre), beavat (vkt vmbe), felvilágosít (vkt vmről) **B.** *tni biz* rájön vmre, megtud vmt • *hsz* **wisely**

wise[2] [waɪz] *fn régi* mód, szokás; **in no ~** semmiképp, semmiféle formában/módon, sehogyan (se); **in some ~** valamiképpen, valahogyan; **in this ~** így, ilyenképpen

wiseacre [ˈwaɪzeɪkə ‖ –ər] *fn* **a)** tudálékos/okoskodó/félművelt ember **b)** álbölcs, *tréf* tudós, bölcs; **it requires no ~ to see that** nem sok ész kell hozzá, hogy rájöjjünk

wisecrack I. *fn* aranyköpés, élc, sikerült/szellemes bemondás, elmés mondás, találó megjegyzés **II.** *tni* szellemeskedik, jókat mond • *fn* **wisecracker**

wish [wɪʃ] **I. A.** *tsi* **1. a)** kíván, óhajt; **~ to do sg** akar/szeretne csinálni/tenni vmt; *biz* **you ~!** jó lenne, mi?; azt te csak hiszed! **b)** vágyik (vmre), áhít, szeretne (vmt); **all one could ~ for** kívánni sem lehet(ne) jobbat/különbet; **how I ~ I could ...** bárcsak ...; **I ~ I was/were in your place** bárcsak a helyedben lehetnék, szívesen lennék a helyedben; **I ~ I had never seen you** bár sose láttalak/ismertelek volna meg; **I ~ to God (that)** Isten adja (hogy) **2.** akar, kér, követel; **I ~ (for) it to be done** az a kívánságom, hogy így legyen; ennek így kell lennie **3. ~ sy good night** jóéjszakát kíván vknek; **he ~es me well** jót akar nekem; **he ~es nobody ill** senkinek sem akar rosszat/ártani; **~ sy further** fenébe/pokolba kíván vkt **B.** *tni* **~ (for sg)** óhajt, kíván, áhít, szeretne (vmt), vágyódik (vmre) **II.** *fn* **1. a)** kívánság, vágy, óhaj; **make a ~** kíván egyet; **you'll have your ~** kívánságod teljesülni fog; *közm* **the ~ is father to the thought** ki mit óhajt, örömest hiszi; a vágy szüli a gondolatot **b)** kívánás, óhajtás, vágyás **2.** kívánság, kívánt/óhajtott dolog, vk vágyának tárgya **3.** kérés, kérelem, kívánalom, kívánság **4.** *tsz* **wishes** jókívánságok; **best ~es** a legjobbakat • *fn* **wisher**, **wishing**

wishbone *fn* villacsont, húzócsont *[szárnyas mellében]*

wishful [ˈwɪʃfl] *mn* **1.** vágyakozó, esengő, kívánó, sóvár *[pillantás]*, áhító, vágyó, sóvárgó (*of sg* vmre); **~ thinking** vágyálom, ábrándozás; **~ of doing sg** nagyon szeretne megtenni vmt **2.** kívánó, akaró • *fn* **wishfulness** *hsz* **wishfully**

wish fulfilment *fn pszich* álmok/vágyak fantáziált beteljesedése

wish list *fn* kívánságlista

wish-wash ['wɪʃwɒʃ ‖ –wɑʃ] *fn biz* **1.** (híg) lötty **2.** *átv* zagyva beszéd/írás
wishy-washy ['wɪʃiwɒʃi ‖ –wɑʃi] *mn biz* **1.** híg *[lötty]*, ízetlen, se íze se bűze *[étel]* **2.** *átv* üres, kongó, színtelen *[előadás]*, színtelen, fakó *[egyéniség]*; ~ **stuff** limonádé, semmitmondó/lapos/érdektelen dolog **3.** *átv* tutyi-mutyi, teddide-teddoda *[ember]*
wisp [wɪsp] *fn* **1.** szalmacsutak, egy maréknyi/csomó/kis köteg szalma **2.** *átv* **a)** ~ **of smoke** kis füstgomoly, füstfoszlány **b)** ~ **of wind** szélfuvallat, (kisebb) széllökés **c)** ~ **of hair** hajfürt **3.** *biz átv* emberke
wispy ['wɪspi] *mn* **1.** sovány, vékony, keszeg **2.** kicsi és könnyű, leheletnyi • *fn* **wispiness** *hsz* **wispily**
wist [wɪst] → **wit²**
wistful ['wɪstfl] *mn* (reménytelenül) vágyódó, (csendes) vágyódással telített, (szomorkásan) sóvárgó; ~ **smile** bánatos/szomorkás mosoly • *fn* **wistfulness** *hsz* **wistfully**
wit¹ [wɪt] *fn* **1. a)** értelem, ész, eszesség, intelligencia, gyors felfogás/észjárás; **quick ~s** eleven ész, gyors észjárás/felfogás; **a battle of ~s** szellemi párbaj; **be at one's ~'s end** tanácstalan, nem tudja mitévő legyen, végére ér a tudományának; **be out of one's ~s** elment az esze; **collect one's ~s** összeszedi az eszét; **has the ~ to ...** van esze ...-hoz/-hez; **have/keep one's ~s about one** észnél/eszénél van, helyén van az esze; megőrzi a hidegvérét; *biz* **scare/frighten sy out of his/her wits** halálra rémít vkt, nagyon megijeszt vkt; **set one's ~s to work to ...** (azon) töri a fejét, hogy ...; érvel, vitatkozik **b)** szellem(esség), elmésség, sziporkázó ötletesség/ész; **flash of ~** ragyogó ötlet, hirtelen jött/támadt nagyszerű gondolat; **live by one's ~s** ügyeskedésből él; máról holnapra él *[ötleteiből]* **2.** szellemes (v. éles eszű s nagyon művelt) ember/társalgó
wit² [wɪt] *tsi pt* **wist** [wɪst] *régi* **1.** tud; **I wot** tudom; **God wot** Isten tudja, Isten a megmondhatója **2.** *jog* **to ~** azaz
witch [wɪtʃ] **I.** *fn* **1.** boszorkány, boszorka **2.** ‹a modern boszorkánykultusz követője› **3.** *biz* **old ~** vén boszorka/banya/szipirtyó, öreg szatyor **4.** *biz* elbűvölő/elbájoló/igéző teremtés **II.** *tsi* → **bewitch** • *mn* **witching**, **witchlike**
witchcraft *fn* **1. a)** boszorkányság, boszorkánymesterség, varázserő, (fekete) mágia **b)** varázslat, varázslás **2.** *biz átv* igézet, bűvölet, bűbáj, varázserő
witch doctor *fn* gyógyító varázsló, ördögűző, sámán
witchery ['wɪtʃəri] *fn* → **witchcraft 1**
witches'-broom *fn* **1.** seprű(nyél) **2.** *növ* funguszos sarjhajtások fákon
witch-finder *fn* **1.** sámán **2.** boszorkányüldöző
witch-hunt *fn* **1.** *tört* boszorkányüldözés **2.** *átv pol* boszorkányüldözés, hajtóvadászat *[bizonyos nézetű csoportok tagjai után]*
with [wɪð] *elölj* **1.** -val, -vel; **agree ~ sy** egyetért vkvel; **a nurse is ~ him** egy ápolónő van vele; **away ~ him/her!** el vele!; **away ~ you!** tűnj (már) el!; **I'll be ~ you in a moment** egy perc múlva nálad/veled/ott leszek; **he was there (along) ~ his wife** a feleségével együtt volt ott; **I am ~ you there!** ebben egyetértünk!; ezt/eddig értem; *biz* **I'm not ~ you** elvesztettem a fonalat, nem értem; **be patient ~ sy** türelmes vkvel; **~ care** (nagy) gonddal, gondosan, óvatosan, elővigyázattal; **~ difficulty** nehézségek árán, (nagy) nehezen; **~ (all) one's heart** teljes/tiszta szívéből; **~ all due respect** minden tiszteletem az öné/a magáé, de; **~ a few exceptions** néhány kivétellel; **~ your kind permission** szíves engedelmével **2. a)** -nál, -nél; **I have no money ~ me** nincs nálam pénz; **use one~'s influence ~ sy** befolyását érvényesíti vknél **b) he is ~ a bank** egy banknál van állása; **leave a child ~ sy** vk gondjára bíz egy gyermeket, otthagyja a gyereket vknél; **stay/live ~ one's parents** szüleinél lakik **c) it is a habit ~ me** (az a) szokásom, megszoktam; **~ some people** bizonyos emberek esetében, néhány embernél; **~ him, work comes first** nála/számára a munka az első **3.** -tól, -től, miatt; **part ~ sg** megválik vmtől; **stiff ~ cold** a hidegtől meggémberedve/megmerevedve; **tremble ~ rage** remeg a dühtől **4. knife ~ a silver handle** ezüstnyelű kés; **house ~ green shutters** zöld zsalugáteres ház; **~ one's hands in one's pocket** zsebre dugott kézzel; **sleep ~ the windows open** nyitott ablaknál alszik; **girl ~ blue eyes** kék szemű lány **5. ~ child** állapotos, terhes, várandós *[nő]*; **~ young** hasas, vemhes *[állat]* **6.** ellenére, bár, noha; **~ all his faults I like him still** szeretem minden hibája ellenére; **~ all his learning he cannot teach** minden tudása ellenére sem tud tanítani **7. ~ this/that** ezzel, ezután; **~ that, he turned around and left** ezzel megfordult és kiment/elment
withal [wɪð'ɔːl] *vál régi* **I.** *hsz* ráadásul, egyúttal, is, azonkívül, ugyanakkor, amellett, mi több, erre, aztán, és mégis **II.** *elölj* -val, -vel
withdraw [wɪð'drɔː] *pt* **withdrew** [wɪð'druː], *pp* **withdrawn** [wɪð'drɔːn] **A.** *tsi* **1.** visszavon *[ajánlatot]*, megvon *[támogatást]*, visszavesz *[adott szót]*, lemond *[igényről]*, eláll *[követeléstől]*, visszalép *[jelöléstől]*, visszaszív *[ígéretet]*, visszacsinál *[egyezséget]*; *jog* **~ an action** eláll pertől, visszavon keresetet; **~ one's claims** lemond igényeiről; *jog* **~ a charge** vádat visszavon; **his driving licence has been ~n** bevonták a vezetői engedélyét; **~ an order** *gazd* rendelést töröl(tet)/visszavon; visszavon rendeletet **2. a)** kivon, visszavon *[csapatokat]*, levált *[megbízottat]*; **~ sy from an influence** vkt kivon befolyás alól; **~ banknotes from circulation** bankjegyeket forgalomból bevon/kivon **b)** *pénz* **~ a sum of money** felvesz/kivesz pénzösszeget *[bankból]* **3.** félrehúz, elhúz, visszahúz, kihúz *[kezet zsebből]*, elfordít *[tekintetet]* **B.** *tni* **1. a)** visszavonul, elhúzódik, visszahúzódik; **after dinner the ladies ~** ebéd/vacsora után a hölgyek visszavonulnak **b)** *kat* visszavonul, hátrál, hátrább húzódik *[sereg]* **c)** kilép *[szervezetből]*, felmond *[szerződést]*, visszalép, kiválik *[cégből]*; **~ in favour of sy** visszalép vk javára **2. ~ into oneself** magába merül/zárkózik • *fn* **withdrawing** *mn* **withdrawable**
withdrawal [wɪð'drɔːəl] *fn* **1. a)** visszavonás, hatályon kívül helyezés *[rendeleté]*, megvonás *[támogatásé]*, lemondás *[rendelésé]*, elejtés *[vádé]*, elállás *[pertől]*, visszalépés *[egyezségből]*, kilépés *[pártból]*, visszavétel, visszavevés *[szóé]*, visszacsinálás, visszaszívás *[ígéreté]*; *jog* **~ of opposition** tiltakozás elejtése **b)** visszalépés, kilépés *[vállalkozásból]*; **the ~ of a candidate** jelölt visszalépése **c)** megvonás, bevonás, visszavonás **d)** *kat* visszavonulás, hátrálás, elvonulás, kivonulás, kivonás *[csapaté]* **e)** *pénz* kivét; **~ of money from circulation** pénz kivonása a forgalomból **2.** elvonás, leszokás *[függőségről]* **3. (early) ~** (i) *orv* megszakított közösülés (ii) *pénz* idő/lejárat előtti kivét
withdrawal notice *fn pénz* (bank)betétfelmondás
withdrawal reflex *fn orv* védekező reflex
withdrawal symptoms *fn tsz orv* elvonási tünetek
withdrawn [wɪð'drɔːn] *mn* zárkózott, visszahúzódó, magának élő • *fn* **withdrawnness**
withe [wɪθ] *fn* fűzfavessző, (kosárfonó)vessző
wither ['wɪðə ‖ –ər] **A.** *tsi* **a)** elszárít, kiszárít, elhervaszt, megfonnyaszt **b)** (el)sorvaszt, (el)senyveszt, (el)lankaszt, (le)kókaszt **B.** *tni* **a)** elszárad, elhervad, elfonnyad **b)** elsorvad, elsenyved, lankad, kókad • *mn* **withered**
withering ['wɪðərɪŋ] *mn* **1.** száradó, hervadó, fonnyadó **2.** hervasztó, szárító, fonnyasztó, senyvesztő, sorvasztó **3.** *átv* **~ look** megsemmisítő tekintet, lesújtó pillantás; **cast a ~ glance at sy** megsemmisítő/lesújtó pillantást vet vkre • *hsz* **witheringly**
withers ['wɪðəz ‖ –ərz] *fn tsz* mar(j), marja *[lóé]*
withershins ['wɪðəʃɪnz ‖ –ər–] → **widdershins**
withheld [wɪð'held] *mn* **1.** elfojtott, visszatartott *[lélegzet]* **2.** le nem szállított, ki nem adott *[csomag]*, visszatartott, visszafogott *[összeg]*; → **withhold**
withhold [wɪð'hoʊld] *tsi pt/pp* **withheld** [wɪð'held] **1. a)** visszafog (vkt), visszatart (vkt vmtől), megakadályoz vkt vm elkövetésében **b)** elfojt, visszatart *[lélegzetet]* **2. a)** visszatart *[információt]*, nem mond el, kihagy, mellőz

[részletet], elhallgat (vmt); ~ **the truth from sy** eltitkolja/elhallgatja az igazságot vk előtt **b)** megtagad *[segítséget]*, nem ad meg *[beleegyezést]* *(from sy* vknek) **c)** ~ **£100 out of sy's pay** visszatart 100 fontot vk fizetéséből **d)** *jog* ~ **a document** okiratot eltitkol; okirat kiadását megtagadja; ~ **property** tulajdont visszatart • *fn* **withholder**, **withholding**

withholding tax *fn pénz* adóelőleg *[munkáltató által levonva]*

within [wɪð'ɪn] **I.** *elölj* **1.** belül, belsejében (vmnek); ~ **the committee** a bizottságban, a bizottságon belül; *régi* ~ **doors** otthon; a szobában, bent; ~ **four walls** négy fal között; ~ **the borders** a határokon belül, az országban; **a voice** ~ **me said** egy belső hang azt súgta/mondta **2. a)** ~ **one's rights** jogos, jogában áll; **come** ~ **the provisions of the law** a törvény hatálya alá esik **b) task well** ~ **his powers** feladat aminek jól meg tud felelni, képességeihez szabott feladat; ~ **the law** a törvényszabta határokon belül **3.** ~ **earshot** hallótávolságon belül; ~ **a radius of ten miles** tíz mérföldes körzeten belül; ~ **(one's) reach** hozzáférhető, megközelíthető, elérhető (vk számára); ~ **sight** látótávolban, látható; **he was** ~ **a few metres of us** néhány méterre volt tőlünk; **we were** ~ **an inch of death** egy hajszál választott el bennünket a haláltól **4.** belül *[időben]*; ~ **an hour** egy órán belül; ~ **the required time** az előírt határidőn belül; ~ **a short time** rövid idő múlva/múltán; rövid idő alatt; rövid időn belül; ~ **a short time of each other** gyors egymásutánban; ~ **the week** a hét vége előtt, még (ezen) a héten, még e hét folyamán **II.** *hsz* **1. a)** benn, bent, belül, belülről; ~ **and without** kívül-belül; **from** ~ bentről **b)** *átv* belül, szíve mélyén; **raging** ~ forr benne a méreg/düh **2.** *szính* színfalak mögött

without [wɪð'aʊt] **I.** *elölj* **1.** kívül; ~ **doors** házon kívül; szabadban, kint; ~ **the walls** a falakon kívül; **things** ~ **oneself** az emberen kívül álló dolgok **2.** nélkül, híján; ~ **the book** a könyv nélkül, kívülről; ~ **doubt** kétségkívül, bizonyosan; ~ **end** vég nélkül, szakadatlanul; végtelen(ül), örökös(en); ~ **fear** félelem nélkül, bátran; ~ **so much as** anélkül, hogy; ~ **whom** aki nélkül; **I won't go** ~ **you** nélküled nem megyek; **not** ~ **difficulty** nem minden nehézség nélkül, nem (egy)könnyen; **rule not** ~ **exceptions** szabály, mely alól vannak kivételek; **be** ~ **friends** nincsenek barátai; **do/go** ~ **sg** boldogul/elvan vm nélkül, megél vm nélkül; **that goes** ~ **saying** ez magától értetődik, mondanom sem kell; **he passed by** ~ **seeing me** elment mellettem anélkül, hogy meglátott volna; **they left** ~ **saying goodbye** búcsúzás nélkül mentek el **II.** *hsz* kívül, kint, kinn, künn; **from** ~ kívülről; **seen from** ~ kívülről nézve, külsőleg

withstand [wɪð'stænd] *pt/pp* **withstood** [wɪð'stʊd] **A.** *tsi* **1. a)** ellenáll(ást tanúsít), ellenszegül (vknek), szembeszegül, szembeszáll (vkvel); *kat* ~ **an attack** kivéd támadást **b)** útjában áll (vknek), akadályoz (vkt) **c)** ellenáll *[csábításnak]*, (lelkében) leküzd *[kísértést]*, legyűr, legyőz *[kíváncsiságot]*, nem enged *[kívánságnak]*, felülkerekedik, erőt vesz *[kíváncsiságon]* **2.** áll *[hideget]*, bír *[ostromot]*, kiáll *[rohamot]*, elvisel, elszenved *[fájdalmat]*, elbír *[kritikát]*, kibír *[viszontagságot]*; ~ **the heat** hőálló, hőbíró; ~ **pressure** nyomásálló; ~ **wear** tartós, kopásálló, strapabíró **B.** *tni* ellenáll(ást tanúsít), ellenszegül • *fn* **withstander**

withy ['wɪði] *fn* fűzfa

witless ['wɪtləs] *mn* **1.** szellem nélküli, unalmas **2. a)** ostoba, nehézfejű, nehéz felfogású, értetlen **b)** félkegyelmű, gyenge/csökkent szellemi képességű **c)** elhamarkodott, meggondolatlan, esztelen, hebehurgya *[cselekedet]* • *fn* **witlessness** *hsz* **witlessly**

witling ['wɪtlɪŋ] *fn régi pej* képmutató/beképzelt/ostoba ember

witness ['wɪtnəs] **I.** *fn* **1. a)** *jog* (perben szereplő) tanú; ~ **for the prosecution** a vád tanúja; ~ **for the defence** mentőtanú, a védelem tanúja; **deposition of a** ~ (tanú)vallomás(tétel); **(as) God is my** ~ Isten a tanúm; **be a** ~ tanúskodik, tanúvallomást tesz *(for* mellett, *against* ellen); **call sy as a** ~ tanúnak beidéz/hív vkt; **produce a** ~ tanút állít **b)** fültanú, szemtanú; **I was** ~ **of an accident** szemtanúja voltam egy balesetnek; → **eyewitness c)** *átv* tanú; ~ **to/of sy's benevolence** tanúja vk nagylelkűségének **d)** *jog* ~ **to a document/deed** okirati tanú, okiraton szereplő tanú **2. a)** tanú(bizony)ság, bizonyság; **bear** ~ **to/of sg** tanúskodik vm mellett; tanúsít/bizonyít vmt; tanúságot/bizonyságot tesz vmről **b)** *jog* tanúságtétel, tanúskodás, tanúvallomástétel; **call/take sy to** ~ tanúvallomástételre/tanúskodásra szólít fel vkt **II. A.** *tsi* **1.** tanúsít, tanúként igazol/aláír, bizonyít; **call sy to** ~ **sg** tanúságra hív (fel) vkt **2.** tanúsít, mutat, vall, bizonyságul szolgál (vmre) *[dolog]* **3.** szemtanúja, fültanúja, szemlélője (vmnek), jelen/ott van (vmnél), ő maga lát/hall (vmt) **B.** *tni* ~ **to sg** tanúskodik vm mellett; ~ **against sy** tanúvallomást tesz valaki ellen; ~ **for sy** vk mellett tanúskodik

witness box *fn jog* tanúk padja *[bíróságon]*

witness stand *US* → **witness box**

witted ['wɪtɪd] *mn összet* (-)eszű, felfogású, észjárású; **quick-**~ gyors eszű/felfogású; **slow-**~ lassú felfogású

witter ['wɪtə ‖ –ər] *tni GB biz* szót fecsérel, jártatja a száját

witticism ['wɪtɪsɪzm] *fn* szellemes megjegyzés, élc • *tni* **witticize**, **witticise**

witting ['wɪtɪŋ] *mn* **1.** tudatában van (vmnek) **2.** tudatos, szándékos • *hsz* **wittingly**

witty ['wɪti] *mn* **1. a)** szellemes, szellemdús *[ember]* **b)** szellemes, elmés, ötletes *[megjegyzés]* **2.** *régi* értelmes, okos, ravasz • *fn* **wittiness** *hsz* **wittily**

wives [waɪvz] → **wife**

wizard ['wɪzəd ‖ –ərd] **I.** *fn* **1. a)** varázsló, mágus **b)** boszorkánymester **c)** bűvész **d)** *biz átv* zseni **2.** *infor* varázsló *[segédprogram]* **II.** *mn GB biz szl* csodás, nagyszerű, remek, király • *fn* **wizardry** *mn* **wizardly**

wizen ['wɪzn] **A.** *tsi* aszal, összefonnyaszt, kiszárít, összezsugorít **B.** *tni* összeaszik, megfonnyad, kiszárad, összezsugorodik, ráncossá válik *[arc]*, összetöpörödik *[ember]* • *mn* **wizened**

wk *röv week*

wkly *röv weekly*

wl, **WL** *röv* **1.** *waterline* **2.** *wave length*

WNW *röv west-northwest*

w/o, **W/O** *röv without*

wobble ['wɒbl ‖ 'wɑbl] **I. A.** *tsi* imbolyogtat, (ide-oda) hintáztat (vmt) **B.** *tni* **1. a)** inog, lötyög **b)** imbolyog, (ide-oda) támolyog/bukdácsol, tántorog; ~ **away/on** elbiceg **c)** rezegtet *[hangot]* **d)** zötyög, reszket *[szelé]* **2.** *biz átv* ingadozik, tétovázik, habozik **II.** *fn* **1. a)** ingás, lötyögés **b)** imbolygás, támolygás, bicegés **c)** *zene* hangrezegtetés **2.** *biz átv* ingadozás, tétovázás, habozás • *fn/mn* **wobbling**

wobbler ['wɒblə ‖ 'wɑblər] *fn* **1. a)** imbolygó/lötyögő tárgy/dolog **b)** imbolygó/tántorgó személy **2.** *biz átv* határozatlan/tétovázó/ingadozó/bizonytalankodó ember **3.** kanalas villantó *[horgászathoz]*

wobbler shaft *fn műsz* bütykös tengely

wobbly ['wɒbli ‖ 'wɑbli] **I.** *mn* **1. a)** bizonytalan lábakon álló, ingó, ingadozó, roskatag *[bútor]*, reszketeg *[fej]* **b)** *biz* elgyengült, legyengült; **feel** ~ kóválygog a gyomra/feje; alig áll a lábán; rogyadozik *[a térde]* **c)** reszkető *[hang]* **2.** *biz átv* ingadozó, bizonytalan, határozatlan, tétovázó **II.** *fn GB szl* **throw a** ~ *[hirtelen nagyon dühös lesz]* felforr az agyvize • *fn* **wobbliness**

Wodan ['woʊdn] *tul mit* Wotan, Odin

woe [woʊ] **I.** *fn* **1.** (keserű) bánat, szomorúság, lesújtottság, levertség, lelki fájdalom **2.** *tsz* **woes** bajok, csapások, megpróbáltatások, keservek, bántódások; *régi* ~ **betide sy** jaj annak, aki; *tréf* ~ **is me!** jaj nekem, jaj szegény fejemnek!; **tender** ~**s** szerelmi bánat; **a tale of** ~**s** megpróbáltatások/csapások sorozata **II.** *isz* jaj!; ~ **to the vanquished!** jaj a legyőzötteknek!; ~ **unto you!** jaj nektek!

woebegone ['woʊbɪgɒn ‖ –gɔn] *mn vál* levert, (bú)bánatos, csüggedt, szomorú • *fn* **woebegoneness**
woeful ['woʊfl] *mn* **1.** levert, csüggedt, (bú)bánatos, szomorú **2.** szánalmas, szánalomra méltó **3.** szerencsétlen, szörnyűséges, nyomorúságos, siralmas, lesújtó, elszomorító • *fn* **woefulness** *hsz* **woefully**
wog [wɒg ‖ wɑg] *fn szl pej* **1.** *GB* **a)** ‹külföldi› **b)** ‹nem fehér ember› feka, sárga, rizsa **2.** *Ausz* **a)** *[bacilus, baktérium]* baci **b)** *[betegség]* nyavalya, (rák)fene
wok [wɒk] *fn gaszt* wok *[kínai homorú serpenyő]*
woke [woʊk] → **wake**[1]
woken ['woʊkən] → **wake**[1]
wold [woʊld] *fn földr* **a)** hullámos mezőség **b)** fennsík, felföld, plató
wolf [wʊlf] **I.** *fn tsz* **wolves** [wʊlvz] **1.** *áll* farkas; **she-~** nőstény farkas; *biz átv* **a ~ in sheep's clothing** báránybőrbe bújt farkas; *biz* **be as hungry as a ~** éhes, mint a farkas; *biz átv* **cry ~** vaklármát csap; *biz* **have/hold the ~ by the ears** törökot fogott, kínos helyzetben van; *biz* **keep the ~ from the door** (éppen csak) elkerüli az ínséget; *közm* **set a ~ to mind the sheep** kecskére bízza a káposztát; *biz átv* **throw sy to the wolves** oroszlánok elé vet vkt, feláldoz vkt **2.** *biz* nőcsábász, nőfaló, szoknyavadász **3.** *biz* erőszakos/rámenős/kapzsi/mohó ember **4.** *zene* éles diszharmonikus hang **II.** *tsi* mohón lenyel/bezabál/felfal; **~ (down) one's food** ételt mohón befal, behabzsol
wolf cub *fn* farkaskölyök *[cserkészeknél is]*
wolfhound *fn* **1.** farkaskutya, német juhászkutya **2.** farkaskuvasz, ír óriáskutya
wolfish ['wʊlfɪʃ] *mn* **a)** farkasszerű **b)** kapzsi **c)** kegyetlen, vadállati • *fn* **wolfishness**
wolf pack *fn* **1.** farkascsorda **2.** *kat tört* farkascsorda *[csoportosan támadó tengeralattjárók/repülőgépek]*
wolfram ['wʊlfrəm] *fn* **a)** *vegy* volfrám **b)** *ásv* volframit
wolframite ['wʊlfrəmaɪt] *fn ásv* volframit
wolfskin *fn* farkasbőr, farkasprém
wolf whistle *fn biz* (elismerő) füttyentés *[férfié csinos nő láttán]*
wolves [wʊlvz] → **wolf** I.
woman ['wʊmən] *fn tsz* **women** ['wɪmɪn] **a)** nő, asszony, nőszemély; **the new ~** a mai modern nő/asszony(típus); **single ~** magányos/egyedülálló nő; *euf* **~ of pleasure** kurtizán, prostituált; *euf* **~ of the street/town** utcanő, utcalány, prostituált; **~ of the world** nagyvilági/társaságbeli hölgy; **there's a ~ in it** nő van a dologban; **be always (running) after women** nők után szaladgál, nőbolond, szoknyabolond **b)** nő(k), a gyengébb/női nem, fehérnép; **~'s wit** asszonyi ösztön, női megérzés/ész **c)** *tört* udvarhölgy, udvari komorna **d)** női tulajdonság(ok)/jellemvonás, a nőies (vkben); **play the ~** kényeskedik, adja a gyönge nőt **e)** az asszony, életem párja **f)** *biz szl [barátnő, szerető]* nő • *mn* **womanlike**
woman doctor *fn* orvosnő
woman driver *fn* **1.** női (jármű)vezető **2.** sofőrnő; autóbuszvezetőnő
womanhood ['wʊmənhʊd] *fn* **1. a)** asszonyiság, asszonyi állapot/lét, asszonnyá érés; **reach ~** eléri a nemi érettség korát *[nő]* **b)** asszonyi ösztön/megérzés **2.** női nem, a nők, az asszonyok
womanish ['wʊmənɪʃ] *mn* **1.** *pej* nőies, elnőiesedett, férfiatlan **2.** női(es), asszonyi(as) • *fn* **womanishness**
womanize ['wʊmənaɪz] **A.** *tsi* nőiessé/elpuhulttá/férfiatlanná tesz **B.** *tni* nőzik, szoknyák után fut, asszonyok után jár
womanizer ['wʊmənaɪzə ‖ –ər], **-iser** *fn* szoknyavadász, szoknyabolond
womankind ['wʊmənkaɪnd] *fn* a női nem, a nők
womanly ['wʊmənli] *mn* nőies, nőhöz illő, nőkre jellemző, gyengéd; **~ virtues** női erények; **she is so ~** csupa (kedves) nőiesség, árad belőle a női báj/gyengédség • *fn* **womanliness**
womb [wu:m] *fn* **1. a)** (anya)méh; *biz* **from the ~ to the tomb** a bölcsőtől a sírig **b)** *átv* méh, bölcső, kiindulópont; **in the earth's ~** a föld mélyé(be)n/méhében **2. a)** (anya)föld **b)** *régi* has • *mn* **wombed**, **womb-like**
women ['wɪmɪn] → **woman**
womenfolk *fn tsz* **a)** család/háztartás nőtagjai **b)** → **womenkind**
womenkind → **womankind**
women's rights *fn tsz* a nők jogai, női egyenjogúság
women's suffrage *fn* női szavazati jog
womenswear *fn* női ruha/viselet
won [wʌn] → **win**
wonder ['wʌndə ‖ –ər] **I.** *fn* **1. a)** csoda, csodálatos dolog/jelenség **b)** csodatétel, csodatevés, csodálatos esemény; **do/perform/work ~s** csodát tesz/művel (vk); *biz átv* csodás hatása van (v. eredménnyel jár), csodát művel *[termék, eljárás]*; **promise ~s** eget-földet/csodákat ígér **c)** meglepő/elcsodálkoztató dolog; **a nine-days' ~** háromhónapos csoda; **that is no ~** ez nem meglepő/csoda; **no ~ that** ... nem csoda, hogy ...; **for a ~** csodálatosképpen, csodák csodája **2. a)** csodálkozás, meglepődés; **make a ~ of sg** megcsodál/megbámul vmt **b)** ámulat, bámulat, csodálat; **fill sy with ~** csodálattal/ámulattal tölt el vkt **II. A.** *tsi* **1.** csodál, bámul; **I ~ that** ... csodálom, hogy, csodálkozom azon, hogy; **I never cease to ~** nem győzön csodálni, egyre csak csodálkozom **2.** szeretné tudni, (kíváncsi, hogy) vajon ..., azon tűnődik, hogy ... **B.** *tni* ámul, bámul, tűnődik, csodálkozik, meglepődik; *biz* **I shouldn't ~** (egész) biztosan; **sometimes I ~ (at/about you)** néha igazán csodálkozom rajtad, meglep a viselkedésed; **I ~!** erre aztán kíváncsi vagyok!; kétlem! nem tudom/hiszem!, nem tartom valószínűnek!; **I ~ whether** kíváncsi vagyok vajon; **I ~ if he is coming** szeretném tudni, hogy (el)jön-e • *fn* **wonderer** *hsz* **wonderingly**
wonder child *fn* csodagyerek
wonder drug *fn* csodaszer
wonderful ['wʌndəfl ‖ –dər–] *mn* **a)** csodás, nagyszerű, pompás, remek, kiváló, mesés, mesébe illő, minden képzeletet felülmúló **b)** rendkívüli, csodálatra méltó, csodálatos **c)** csodás, csodálatos, hihetetlen, bámulatos, döbbenetes • *fn* **wonderfulness** *hsz* **wonderfully**
wondering ['wʌndərɪŋ] **I.** *mn* **1.** csodálkozó, (el)bámuló **2.** kíváncsi **II.** *fn* **1.** csodálkozás **2.** kíváncsiság
wonderland *fn* tündérország, meseország
wonderment ['wʌndəmənt ‖ –dər–] *fn* **a)** csodálkozás, ámulás, álmélkodás **b)** csodálat, bámulat
wonder-stricken → **wonder-struck**
wonder-struck *mn* ámuló, bámulatba ejtett, bámulattól elnémult, bámulattal eltelt, hüledező
wonderworker *fn* csodatevő • *mn* **wonderworking**
wondrous ['wʌndrəs] *mn vál* **I.** → **wonderful II.** *hsz* csodálatosan, bámulatosan, meglepően • *fn* **wondrousness** *hsz* **wondrously**
wonk [wɒŋk ‖ wɑŋk] *fn szl* **1.** *[ellenszenves ember]* hülye, majom **2.** *[szorgalmával kitűnő diák]* buzgómócsing, stréber, güzü
wonky ['wɒŋki ‖ 'wɑŋki] *mn GB szl* **a)** rozzant, rozoga **b)** nyavalyás, roskatag
wont [woʊnt ‖ wɔnt] *vál régi* **I.** *mn* (meg)szokott; **as he was ~ to do** ahogy szokta tenni; **as he was ~ to say** ahogy sokszor mondta **II.** *fn* szokás, szokott dolog; **according to his ~, as is his ~** szokása szerint **III.** *tni pt* **wont**, *pp* **wont**, **wonted** szokott; **~ to do sg** megszokta (v. az a szokása,) hogy vmt tegyen; **as he ~s to do** ahogy szokott/szokta tenni • *mn* **wonted**
won't [woʊnt] *röv will not*→ **will** III.
woo [wu:] **A.** *tsi* **1. a)** udvarol, teszi a szépet, forgolódik (vk körül), megnyerni igyekszik (vkt), hízeleg (vknek) **b)** megkéri a kezét (vknek), feleségül kér (vkt) **c)** keres, hajszol *[szerencsét]*, el akar nyerni *[hírnevet]*, magára hoz *[vészt]* **2. a)** kér (vmt) vktől **b) ~ sy to do sg** igyekszik rávenni vkt vmre **B.** *tni* **~ for sg** kér vmt • *fn* **wooing**

W

wood [wʊd] **I.** *fn* **1.** fa(anyag), nyersfa, épületfa, tüzelőfa, tűzifa; **dead ~** száraz fa/ágak; *US* **fallen ~** száraz gally; **small ~** aprófa; **chop ~** fát aprít/vág; *biz* **touch ~**! kopogjuk le! nem szabad elkiabálni! **2. ~, ~s** erdő; **young ~** fiatal erdő; *biz* **be out of the ~** túl van a nehezén/veszélyen; *biz átv* **feel oneself out of the ~** biztonságban érzi magát; *kif átv* **not see the ~ for the trees** a fától nem látja az erdőt; a részletekben elvész a lényeg(es) **3. the ~** hordó *[bornak, sörnek]*; **beer (drawn) from the ~** (hordóból) csapolt sör **4. a)** *sp* golfütő *[fából]* **b)** tekebábu, fa **5.** *zene* → **woodwind II. A.** *tsi* **1.** erdősít, fásít **2.** tűzifával ellát **B.** *tni* tűzifát vételez *[hajó, mozdony]* • *mn* **woodless**

wood alcohol *fn vegy* faszesz, metilalkohol

woodblock *fn* fatömb, fatuskó

woodcarving *fn* **a)** *műv* faszobrászat, fafaragás **b)** fafaragás, fafaragvány, fából készült szobor • *fn* **woodcarver**

wood-covered *mn* erdő borította

woodcraft *fn* **1. a)** famegmunkálás **b)** faművészet **2. a)** erdészeti szaktudás/tudomány **b)** erdőismeret, vadászérzék • *fn* **woodcraftsman**

woodcut *fn műv* fametszet

woodcutter 1. favágó **2.** *műv* fametsző

woodcutting 1. favágás **2. a)** *műv* fametszés **b)** fametszet

wooded [ˈwʊdɪd] *fn* erdős, erdő borította, fás, fával borított, fában gazdag, erdősített, befásított

wooden [ˈwʊdn] *mn* **1.** fából készült/való, fa-; **~ bat** faütő; *sp* **~ horse** ló *[tornaszer]*; trójai faló; hintaló *[játék]*; *szl* **~ kimono/overcoat** koporsó; **~ shoes** facipő, klumpa; **~ spoon** fakanál, főzőkanál **2. a)** *biz átv* merev, kifejezéstelen **b)** lélektelen **c)** ügyetlen, esetlen, nehézkes; **~ face** pléhpofa, merev/mozdulatlan arc **d)** nehéz felfogású, nehézfejű • *fn* **woodenness**

wood engraving *fn* **1.** *műv* fametszés **2.** fametszet • *fn* **wood engraver**

woodenhead *fn biz* fafej, fajankó • *mn* **woodenheaded**

wood fibre *fn* farost

wood fungus *fn növ* házigomba, könnyező fagomba

woodland [ˈwʊdlənd] *fn* erdőség, erdős vidék • *fn* **woodlander**

woodman [ˈwʊdmən] *fn tsz* **-men** → **woodsman**

woodnotes *fn tsz* erdei zsongás/hangok, madarak éneke/csicsergése

wood nymph *fn* erdei nimfa/tündér

woodpecker *fn áll* fakopáncs, harkály

woodpile *fn* farakás

wood pulp *fn* fapép, facellulóz

Woodrow [ˈwʊdroʊ] *tul* ‹férfinév›

woodshed *fn* fáskamra; **there's something nasty in the ~** valami bűzlik, valami nem stimmel

woodsman [ˈwʊdzmən] *fn tsz* **-men 1.** erdőlakó, erdei ember **2.** (erdei) favágó **3. a)** *US* (erdei) vadász **b)** trapper, prémvadász

woodsmoke *fn* fa füstje

wood spirit *fn vegy* faszesz, metilalkohol, metanol

woodsy [ˈwʊdzi] *mn US biz* erdei (hangulatú), erdőre emlékeztető, erdő-

woodturning *fn* faesztergályozás • *fn* **woodturner**

woodwind [ˈwʊdwɪnd] *zene* **I.** *fn* **~ (instrument)** fafúvós hangszer; **the ~** a fafúvósok **II.** *mn* fafúvós

woodwork *fn* **1. a)** ácsolás **b)** famegmunkálás, fafeldolgozás **2.** famunka, ácsmunka, asztalosmunka *[épületen]*; *biz* **crawl/come out of the ~** felmerül, felszínre kerül *[probléma]* • *fn* **woodworker, woodworking**

woodworm *fn* famoly, faféreg, szú, farontó bogár

woody [ˈwʊdi] *mn* **1. a)** erdős, fás, erdő borította **b)** erdei **2. a)** fás *[szár stb.]* **b)** faszerű • *fn* **woodiness**

woodyard *fn* fatelep, faraktár *[tűzifáé]*

wooer [ˈwuːə ‖ −ər] *fn* (komoly) udvarló, kérő

woof¹ [wʊf] **I.** *fn* (mély) ugatás *[kutyáé]* **II.** *tni* (mélyen) ugat *[kutya]*

woof² [wuːf ‖ wʊf] *fn* **1.** *tex* vetülék **2.** szövet, szövedék

woofer [ˈwuːfə ‖ ˈwʊfər] *fn távh* mély hangú hangszóró

wool [wʊl] *fn* **1.** *tex* gyapjú; **dead ~** döggyapjú; **raw ~** mosatlan gyapjú, nyersgyapjú; *biz átv* **pull/throw (the) ~ over sy's eyes** port hint vknek a szemébe, becsap/félrevezet vkt **2.** (gyapjú)fonal, kötőfonal; **knitting ~** gyapjú kötőfonal **3.** gyapjúszövet, gyapjúanyag; **all/pure ~** tiszta gyapjú **4.** gyapjú(bunda) *[állaté]* **5. a)** *biz* gyapjas haj *[emberé]* **b)** *szl* haj; **lose one's ~** kijön a sodrából, dühbe gurul; **keep your ~ on!** csak nyugalom/hidegvér!, nyugi! **6.** *fémip* **mineral ~** salakgyapot, salakvatta; üveggyapot • *mn* **woollike**

wooled [wʊld] *US* → **woolled**

woolen [ˈwʊlən] *US* → **woollen**

wooler [ˈwʊlə ‖ −ər] *fn US* gyapjút adó állat

wool fat *fn* **1.** gyapjúzsír **2.** lanolin

woolfell *fn* gyapjas/prémes birkabőr, irha

woolgather *tni* (el)ábrándozik, (el)révedezik; **his wits have gone ~ing** másutt jár az esze, másfelé kalandoznak a gondolatai • *fn/mn* **woolgathering**

woolgrowing *fn* gyapjútermelés • *fn* **woolgrower**

woolled [wʊld] *mn* **a)** gyapjas **b)** *összet* -gyapjújú, gyapjas

woollen [ˈwʊlən] **I.** *mn* gyapjú-; **~ cloth** kártolt gyapjúszövet, posztó; **~ goods** gyapjúáru, gyapjúholmi, gyapjúnemű **II.** *fn* **1.** gyapjúszövet, gyapjúanyag, gyapjúáru **2.** gyapjúnemű, gyapjúholmi

woolliness [ˈwʊlinəs] **1.** gyapjasság **2.** ködösség, elmosódottság *[stílusé]*

woolman [ˈwʊlmən] *fn tsz* **woolmen** gyapjúkereskedő

wool oil *fn* lanolin

woolpack *fn* **1.** gyapjúbála **2.** gyapjúzsák **3. ~ (cloud)** gomolyfelhő

woolshed [ˈwʊlʃed] *fn Ausz* birkanyíró pajta, gyapjúválogató/gyapjúcsomagoló pajta

wool-skin *fn* → **woolfell**

wool-stapler *fn tex* gyapjúosztályozó, gyapjúválogató

wooly [ˈwʊli] *US* → **woolly**

woolly [ˈwʊli] **I.** *mn* **1. a)** gyapjúszerű, gyapjas, bolyhos; **~ hair** gyapjas haj; *US biz* **wild and ~** torzonborz, elvadult/elhanyagolt külsejű **b)** *áll* szőrös, gyapjas, *növ* bolyhos, molyhos, gyapjas **c) ~ clouds** gomolyfelhő **2. a)** elmosódott, ködös, szétfolyó, elkent, határozatlan, erőtlen; **~ mind** ködös/zavaros elme; **~ thinking** zavaros gondolkodás **b)** kásás, puha, lottyadt *[gyümölcs]* **II.** *fn* gyapjú (alsó)ruha; *tsz* **woollies** gyapjúnemű, gyapjúholmi

woomera [ˈwʊmərə] *fn Ausz* hajítófegyver, gerely, hajítórúd

wop [wɒp ‖ wɑp] *fn US szl pej [olasz bevándorolt]* digó, macskaevő

Worcester [ˈwʊstə ‖ −ər] **I.** *tul földr* Worcester **II.** *fn gaszt* **~ sauce** Worcester-mártás

Worcs. *röv Worcestershire*

word [wɜːd ‖ wɜrd] **I.** *fn* **1.** szó; **empty ~s** üres szavak, haszontalan/fölösleges beszéd/frázisok; **last ~** (leg)utolsó szó *[mondaté, haldoklóé stb.]*; utolsó/végső szó *[vitában]*; **have the last ~** övé az utolsó szó/végső döntés; **spoken ~** élőszó, beszéd; **a play on ~s** szójáték, szóvicc; **~s passed between them** összeszólalkoztak, szóváltásra került sor köztük; **no ~s can describe ...** leírhatatlan, szavakkal kifejezhetetlen; **~s fail me** nem találok (rá) szavakat; **be at a loss for ~s** nem talál szavakat; **have a ~ to say** van vm mondanivalója; **have ~s with sy** szóváltása van vkvel; **I want (to have) a ~ with you** volna önhöz néhány szavam; kérem egy szóra; **have a kind/good ~ for everyone** mindenkihez van egy jó szava; **have no ~s for sg** nem talál szavakat vmre; **I can't get a ~ out of him** egyetlen szót sem tudok kihúzni belőle, nem tudom szóra bírni; **put/get a ~ in** közbeszól; **put in a ~ for sy** szól egy (jó) szót vk érdekében; **hang on sy's every ~** minden szavát lesi vknek; *biz* **take the ~s out of sy's mouth** kiveszi a szavakat vknek a szájából; **waste one's ~s** hiába beszél; **it's pointless/useless wasting ~s on it** kár szavakat vesztegetni rá, nem érdemes beszélni róla; **at a ~** egyetlen szóra, az első szóra;

W

beyond ~s elmondhatatlan, kimondhatatlan, nem lehet szavakat találni rá; **mark my ~s!** emlékezz/jegyezd meg, mit mondtam!, meglátod, igazam lesz; **by ~ of mouth** élőszóval, szóbelileg; **~ for ~** szó szerint, szóról szóra; → **word-for-word**; **she is too stupid for ~s** kimondhatatlanul ostoba, nincs rá szó, hogy milyen ostoba; **in a/one ~** (egy)szóval, vagyis; **in ~s** szavakkal, szavakban, szóval, szóban; **in the ~s of sy/sg** vknek/vmnek a szavai szerint, vknek/vmnek a szavait idézve; **in a few ~s** néhány/pár szóval/szóban; röviden (összefoglalva); **in other ~s** másszóval, tehát, vagyis; **in so/as many ~s** kereken, félreérthetetlenül; **mince (one's) ~s** köntörfalaz, magyarázkodik; **put one's thoughts into ~s** gondolatait szavakba önti; **in the full sense of the ~** a szó szoros/teljes értelmében; **man of few ~s** szűkszavú/kevésbeszédű ember; **to a ~** szó szerint, betű szerint; **with/at these ~s** ezekkel a szavakkal, így szólva; **send ~ to sy (about sg)** értesít vkt (vmről), tudat vkvel (vmt); **that's not the ~ for it** az nem kifejezés; **~s to that effect** valami ehhez hasonlót (mondott); **there isn't a ~ of truth in sg** egy szó sem igaz vmből; *biz* **take sy in with fine ~s** vkt szép szavakkal levesz a lábáról; **without a ~** (egyetlen) szó nélkül, egy szót sem szólva, se szó se beszéd; *közm* **a ~ to the wise (is enough)** egy/kevés szóból is ért az okos; **weigh one's ~s** megválogatja a szavait **2.** ígéret, adott szó; **~ of honour** becsületszó; **be so/as good as one's ~** állja/(meg)tartja a szavát; **break one's ~** megszegi a szavát; **eat one's ~(s)**, **go back on one's ~** visszaszívja ígéretét, nem tartja meg amit ígért/mondott; **give sy one's ~ (for sg)** szavát adja vknek (vmre); **keep one's ~** állja/megtartja a szavát; *biz* **take sy's ~ for it** elhiszi, amit vk mond; **take my ~ for it** nekem elhiheti, higgye el nekem; szavamat ad(hat)om rá; **take sy at his ~** szaván fog vkt; **(upon) my ~!** szavamra (mondom); nohát!, no de ilyet **3.** parancs(szó); **~ of command** parancsszó; **give the ~ to do sg** parancsot ad vmnek az elvégzésére; jelt ad vmnek az elvégzésére; **the ~ has gone round** a parancs eljutott mindenüvé; *biz* **mum's the ~!** egy szót se!, hallgass, mint a sír! **4.** üzenet, hír; **~ came that** híre jött, hogy, az a hír járja, hogy, úgy hírlik, hogy; **bring ~ of sg (to sy)** hírt hoz (vknek) vmről; **leave ~ that** üzenetet hagy, hogy; azt üzeni, hogy; **leave ~ with sy** üzenetet hagy vknél; **send sy ~ of sg** vknek megüzen vmt, vknek hírül ad vmt **5.** jelszó **6.** *vall* **the W~** az Ige; a Szentírás; **the W~ of God** az Isten igéje; **preach the W~** hirdeti az igét **7.** *tsz* **words** szöveg *[dalé, szerepé]*; *szính* **book of ~s** szövegkönyv *[operáé stb.]*; **song without ~s** dal szöveg nélkül; **~s by ...** szövegét írta ... **II.** *tsi* **a)** megfogalmaz *[kérdést, iratot]*, megszövegez *[dokumentumot]* **b)** szavakba foglal, kifejez, kifejt *[gondolatot]*

wordage [ˈwɜːdɪdʒ ‖ ˈwɜr–] *fn* **1.** szavak, szóhasználat, megfogalmazás **2.** szószám, terjedelem

word blindness *fn orv* szóvakság, diszlexia, alexia • *mn* **word-blind**

wordbook *fn* **a)** szótár, szószedet **b)** szótárfüzet

word class *fn nyelv* szófaj, szóosztály

word-deafness *fn orv* szósüketség, szenzoros afázia • *mn* **word-deaf**

word division *fn nyelv* elválasztás

worded [ˈwɜːdɪd ‖ ˈwɜrdəd] *mn összet* fogalmazott, kifejezett, szövegezésű; **in well-~ phrases** jól megfogalmazott (v. kerek) mondatokban

word form *fn nyelv* szóalak

word formation *fn nyelv* szóképzés, szóalkotás

word-for-word *mn* szó szerinti *[fordítás]*; → **word I.1.**

word game *fn* szójáték

wording [ˈwɜːdɪŋ ‖ ˈwɜr–] *fn* **1.** (meg)fogalmazás, (meg)szövegezés *[dokumentumé]* **2.** felirat, szöveg *[képen stb.]* **3.** szóhasználat, kifejezés

wordless [ˈwɜːdləs ‖ ˈwɜr–] *mn* **1.** szótlan, hangtalan; **~ grief** néma fájdalom **2.** szavakkal ki nem fejezett, szavakba nem foglalt/öntött **3.** szavakkal ki nem fejezhető, szavakba nem önthető • *fn* **wordlessness** *hsz* **wordlessly**

word of mouth *fn* élőszó

word order *fn nyelv* szórend

word-paint *tsi* szemléletesen/színesen ír le, festői módon ír le (v. ad elő) • *fn* **word-painting**

word-perfect *mn* szerepét betéve/kifogástalanul tudó *[színész]*, leckéjét szó szerint tudó *[diák]*

wordplay *fn* szójáték

word processing *fn infor* szövegszerkesztés

word processor *fn infor* szövegszerkesztő

wordsmith *fn* a szavak embere/mestere

word wrap *fn infor* automatikus sortördelés

wordy [ˈwɜːdi ‖ ˈwɜrdi] *mn* **1. a)** bőbeszédű, szószátyár, szószaporító, *biz* szófosó *[ember]*; **~ warfare/battle** szócsata, szónoki párviadal **b)** terjengős *[stílus]* **2.** szóbeli, szavakba foglalt/öntött • *fn* **wordiness**

wore [wɔː ‖ wɔr] → **wear**

work [wɜːk ‖ wɜrk] **I.** *fn* **1. a)** munka; **hard ~** nehéz/kemény munka; hálátlan/keserves munka; **be at ~** dolgozik, munkában van *[ember]*; dolgozik, működik, jár *[gyár, gép]*; **factory at ~** működő/dolgozó gyár, üzemben levő gyár; **forces at ~** ható/munkálkodó erők; **be out of ~** munka nélkül van, nincs munkája, munkanélküli; **throw sy out of ~** vkt kidob a munkahelyéről; **get back to ~** folytatja a munkát; **good ~!** szép munka (volt)!; **go to ~** munkába/dolgozni megy; nekilát a munkának, munkához kezd; **keep up the good ~!** csak így tovább!; **set to ~** munkához fog/kezd/lát; **set sy to ~** munkába állít vkt, dolgoztat vkt; **set a machine to ~** gépet megindít **b)** *fiz* munka; *fiz* **effective ~** tényleges munkateljesítmény, hasznos munka **2.** (elvégzendő) munka, dolog; **thirsty ~** (meg)izzasztó/fárasztó munka; **a day's ~** egy napi munka; **do a good day's ~** derekas/jó munkát végez; *átv biz* **it's all in a day's ~** megszokott/mindennapi/mindennapos dolog; **piece of ~** (elvégzett/elvégzendő) munka; feladat; mű; **set sy a piece of ~** dolgot/munkát ad vknek; feladatot szab vknek; *szl átv* **nasty piece of ~** kiállhatatlan alak; **have ~ to do** dolga van; **have a lot of ~ to do** sok dolga/munkája van; **I have my ~ cut out (for me)** nehéz munka vár rám, sok a(z) munkám/dolgom/elfoglaltságom; tudom, mit kell tennem; **do one's ~** (el)végzi a munkáját, teszi a dolgát; **do sy's dirty ~** elvégzi vk helyett a piszkos munkát; **the wine had done its ~** a bor megtette hatását; **make quick/short ~ of sg** egykettőre elintéz vmt, gyorsan végez/elkészül vmvel; **get through a lot of ~** sok munkát végez el, sok munkával/dologgal készül el **3. a)** *műv* mű, munka; **~ of art** műalkotás, műtárgy; **~ in progress** készülő mű **b)** *átv* mű(ve vknek/vmnek); **this is the ~ of the enemy** az ellenség műve, az ellenség keze van benne; *biz* **this is some of his ~** ez (már megint) az ő műve/munkája, ebben (már megint) az ő keze van; **it was the ~ of an instant** egy pillanat műve volt **4.** tett, cselekedet; *vall* **good ~** jótett, jó cselekedet **5. a)** kézimunka, hímzés; **needle ~** kézimunka **b) hammered ~** kovácsoltvas munka/tárgy; **wood~** famunka; ácsolás **6.** *tsz* **works** szerkezet, óraszerkezet, óramű, *tréf biz átv* szerkezet, gép, masina *[emberé]* **7.** *esz* **works a)** *műv* műtárgyak, műalkotások *[egy alkotóé]*; **Rodin's ~s** Rodin művei **b)** *kat* véd(ő)mű, erődítmény, erődítés(ek); **advanced ~s** előretolt/külső sánc; **defensive ~s** védelmi berendezések **c)** *hajó* **upper ~s** a hajó vízvonal feletti része **8. works** munkálatok; **building ~s** építési munkálatok, építkezés; **repair ~s** javítási/felújítási munkálatok, felújítás; *biz átv* **be in the ~s** előkészületi stádiumban van **9.** gyár(telep), üzem, művek; **glass ~s** üveggyár; **water ~s** vízművek **10.** *esz* **works** *biz* mindenség; *US* **the whole ~s** az egész mindenség; *szl* **give sy the ~s** (i) leszíd, kioszt (ii) ellátja a baját, ad neki (iii) hazavág, kinyiffant **II. A.** *tsi* **1. a)** (meg)dolgoztat; *átv* **~ sy to death** halálra dolgoztat (v. agyonhajszol) vkt; **~ oneself ill** betegre dolgozza magát, annyit dolgozik, hogy belebetegszik; *biz átv* **~ one's fingers to the bone** majd megszakad a munkában **b)** ledolgoz; **the number of hours ~ed weekly** a heti (ledolgozott) munkaidő/munkaórák **c)** ledolgoz, munkával vált/fizet meg (vmt) **2. a)** működtet, járat *[gépet]*, kezel *[gépet, szivattyút stb.]* **b)** ~ **a process** eljárást gyakorlatban alkalmaz; ~ **a scheme** tervet keresztülvisz, tervet gyakorlatban megvalósít **3. a)** üzemeltet, üzemben tart, művel, kiaknáz **b)** művel *[földet]* **4. a)** dagaszt, gyúr, kikever, kidolgoz *[tésztamasszát]*; ~ **the dough** megdagasztja/kidolgozza a tésztát **b)** megmunkál *[fémet, fát]*, formál *[agyagot]*, kidolgoz/feldolgoz *[anyagot]*; ~ **iron into a horseshoe** a vasból patkót kovácsol; ~ **silver** ezüstöt trébel/kikalapál **5. a)** lassan/nehezen/fokozatosan csinál (vmt); ~ **a nail into the wall** lassan (v. nagy nehezen) bever egy szeget a falba; ~ **one's way to a place** nagy nehezen utat tör vhova; **he ~ed his way through the crowd** nagy nehezen átvágta magát (v. átfurakodott) a tömegen **b)** be(le)dolgoz, belesző vmt vmbe; ~ **an incident into a novel** eseményt beledolgoz/belesző egy regénybe **c) he ~ed himself into a rage** dühbe lovalta magát; *biz* **that's ~ed it** ez használt **6.** tesz, véghezvisz, végbevisz, művel *[csodát]*, előidéz, (létre)hoz *[változást, gyógyulást]*; ~ **a change** változást okoz (v. idéz elő); ~ **havoc** nagy kárt csinál, nagy pusztítást visz véghez; *átv* ~ **a miracle** csodát tesz; ~ **mischief** bajt csinál/kever **7.** kiszámít, megold *[számtanpéldát]*; ~ **a sum** számol, számítást (el)végez **8. a)** (ki)hímez, kivarr; **~ed with silver** ezüstszállal átszőtt/kivarrt **b)** (kézimunkával) készít *[ruhadarabot]* **9.** ügyködik, működik *[területen]*; *biz* ~ **a constituency** bejárja (és megdolgozza) a választókerületet *[képviselőjelölt]*; *US szl* ~ **the streets** strichel, árulja magát *[prostituált]* **10.** (lassanként) befolyásol, indít (vkt vmre); ~ **sy to one's way of thinking** lassanként rákapatja arra, hogy az ő eszejárása szerint gondolkozzék, meggyőzi a saját/maga igazáról **11. a)** *biz* felhasznál, megmozgat, bevet *[protekciót]* **b)** ügyesen/jól kihasznál (vkt) **B.** *tni* **1.** dolgozik; **don't ~ too hard!** aztán vigyázz magadra!; ~ **to rule** előírás szerint végzi a munkáját, lassítja a munkát; ~ **hard** keményen dolgozik; ~ **like a slave/nigger/navvy** (v. **cart-horse)** dolgozik, mint egy kuli/állat/ló/marha; **~ing from the principle that** abból (az elvből) indulva ki, hogy, azon az alapon, hogy **2. a)** működik, dolgozik, jár *[gép]*, forog *[alkatrész]*; **the lift is not ~ing** a felvonó/lift nem jár/működik; **begin ~ing** megindul, járni/működni kezd *[gép]* **b)** működik, hat *[varázs, gyógyszer]*, működik, beválik *[rendszer]*; **his scheme didn't ~** terve nem sikerült (v. kudarcot vallott v. nem vált be) **3.** kézimunkázik, hímez **4.** lassanként/fokozatosan történik (vm); *hajó* ~ **northwards** lassan/nehezen halad észak felé *[vitorlás]*; ~ **loose** apránként/lassanként meglazul *[csavar]*; lassanként eloldódik *[kötél]* **5.** ráng(atózik), vonaglik; **his mouth was ~ing** a szája, görcsösen rángott/remegett **6. a)** forr, dolgozik *[bor]*, erjed *[sör]* **b)** *átv* forr(ong), kavarog *[tömeg, gondolat elmében stb.]* **7. a)** keveredik, keverhető, megdolgozható; **this putty ~s easily** ez a gitt jól/könnyen gyúrható **b) this wood ~s easily** könnyen megmunkálható/feldolgozható fa • *mn* **workless**

work against *tni* ~ **against sy** vk ellen dolgozik/mesterkedik

work at *tni* vmn dolgozik, vmt tanulmányoz; ~ **at music** zenét gyakorol; zenével foglalkozik; ~ **at a question** egy kérdés/probléma megoldásán dolgozik

work away *tni* hosszasan/állandóan dolgozik, szünet/megállás nélkül dolgozik (*at* vmn)

work down A. *tsi* **1.** ~ **one's way down** lassan/elővigyázatosan (v. nagy nehezen) leszáll/leereszkedik **2.** ~ **down a piece to a shape** alkatrészt forma szerint megmunkál **B.** *tni* **1.** fokozatosan/egyre lejjebb kerül; **the root ~ed down between the stones** a gyökér lehatolt a kövek közé **2.** *geol* lesüppped **3.** *vegy* leülepszik

work for *tni* **1.** vknél/vknek dolgozik; ~ **for sy** vknél dolgozik, vknek az alkalmazottja; ~ **for an oil company** egy olajtársaságnál dolgozik **2.** vkért/vmért dolgozik; ~ **for an end** egy célért dolgozik, egy cél érdekében dolgozik; ~ **for a good cause** jó ügy érdekében munkálkodik

work in A. *tsi* lassan bedolgoz, nagy nehezen beilleszt (vmt), be(le)sző *[regénybe stb.]* **B.** *tni* **1.** ~ **in leather** a bőrszakmában dolgozik; bőrrel dolgozik **2.** be(le)illeszkedik; **the incident does not ~ in very well** ezt az eseményt nem lehet jól beleszőni/beleilleszteni

work into *tsi* be(le)dolgoz, belesző

work off *tsi* **1.** ledolgoz; ~ **one's fat off** ledolgozza magáról a hájat; ~ **one's head off** majd megszakad a munkában **2.** megszabadul (vmtől), kiad magából, levezet *[indulatot]*, leráz magáról *[terhes/kellemetlen dolgot]*; ~ **off one's anger on sy** vkn kitölti a mérgét

work on *tni* **1.** tovább dolgozik, folytatja a munkáját **2. a)** ~ **on a book** könyvön dolgozik; **we have no data to ~ on** semmiféle adat nem áll rendelkezésünkre, amiből kiindulhatnánk **b)** dolgozik vmn; **strap that ~s on a wheel** keréken mozgó/járó szíj **3.** hat(ással van) (vkre/vmre); ~ **on sy's mind** nem megy ki vk fejéből, nem hagy nyugtot vknek *[gondolat]*

work out A. *tsi* **1.** összeállít, kidolgoz *[tervet, költségvetést]*; ~ **out the details** a részleteket kidolgozza **2. a)** kiszámít, kiszámol, (ki)kalkulál; *kat* ~ **out the range** lőtávolságot kiszámít **b)** megold, megfejt *[példát, problémát]*; ~ **things out with sy** rendezi a kapcsolatát vkvel **3.** véghezvisz, elvégez, elér, (fáradsággal) kivív; ~ **out one's salvation** *bibl* munkálkodik üdvösségén **4.** kimerít *[bányát, témát]* **B.** *tni* **1. a)** kijön *[számtanpélda]* **b)** (végeredmény) kitesz; **the total ~s out at £100** 100 font a végösszeg, 100 fontra rúg (v. 100 fontot tesz ki) az egész/összeg **2.** alakul, fordul *[dolog, helyzet]*, megvalósul *[terv]*; **it is impossible to tell how the situation will ~ out** nem lehet megmondani, hogy a helyzet hova/mivé fejlődik; **(I'm sure) things will ~ out all right/for the best** (biztos) minden rendben lesz; **things ~ed out like that** a dolgok így alakultak, ez lett a dologból; **however things may ~ out** akárhogy fordul/alakul/végződik is a dolog (v. alakulnak a dolgok) **3.** *sp* edz, erősít

work over *tsi* **1.** átdolgoz, újracsinál **2.** *szl [megver, összever]* megdolgoz, elkalapál, eltángál

work through *tni* ~ **through a list** listát lassan/alaposan átnéz

work up A. *tsi* **1.** kidolgoz *[vázlatot stb.]*; *fényk* ~ **up a negative** negatívot retusál **2.** kialakít, kifejleszt *[helyzetet]*, megír, megfogalmaz, formába önt *[cikket]*; ~ **up an appetite** jól kidolgozza magát, munkában elfárad **3.** előkészít, bevezet *[témát]*, előkészíti a talajt *[vm számára]* **4. a)** felizgat, izgalomba hoz *[fokozatosan]*; ~ **sy up against sy** vkt felingerel/felhergel vk ellen; **be (all) ~ed up (about/over sg)** ideges/izgatott/nyugtalan vm miatt; **get (all) ~ed up (about/over sg)** felizgatja magát, kijön a sodrából (vm miatt) **b)** (fel)szít *[zavargást]* **5.** ~ **oneself up to a post** felküzdi/feltornássza magát egy állásba **B.** *tni* **1.** (egyre) feljebb kerül/jut/emelkedik **2. a)** fokozatosan/lassan közeledik (*to* vm felé) **b)** fokozatosan/lassan kialakul/kifejlődik *[helyzet]*

workable [ˈwɜːkəbl ‖ ˈwɜr–] *mn* **1. a)** megmunkálható *[anyag, talaj]* **b)** művelésre alkalmas, művelhető **2.** keresztülvihető, (gyakorlatban) megvalósítható, végrehajtható *[terv]*, *átv* járható *[út]*, épkézláb *[elmélet, elképzelés]* • *fn* **workability**

workaday [ˈwɜːkədeɪ ‖ ˈwɜr–] *mn* **a)** mindennapi, (hét)köznapi **b)** hétköznapias, mindennapos, egyhangú, sivár *[élet stb.]*

workaholic [ˌwɜːkəˈhɒlɪk ‖ ˌwɜrkəˈhɑlɪk] *fn* munkamániás, munkalkoholista • *fn* **workaholism**

work area *fn infor* munkaterület

workbag *fn* **1.** szerszám(os)táska **2.** varródoboz

workbasket *fn* → **workbag**

workbench *fn* **a)** *műsz* munkapad, munkaasztal **b)** gyalupad, satupad

workbook *fn okt* munkafüzet, gyakorlókönyv

workbox *fn* **1.** varródoboz **2.** szerszám(os)láda

work camp *fn* munkatábor

workday *fn* **1.** hétköznap **2.** munkanap; **eight-hour ~** nyolcórás munkanap
worker [ˈwɜːkə ‖ ˈwɜrkər] *fn* **1. a)** munkás, dolgozó, munkavállaló; **hard ~** szorgalmas/kitartó/jó munkás/munkaerő, nagy munkabírású ember; **be a hard ~** keményen/kitartóan/szorgalmasan dolgozik **b)** ipari/gyári/fizikai munkás, *biz* melós; **the ~s** a munkások/munkásság; **the ~s are out** a munkások sztrájkolnak; **~s' compensation insurance** üzemi balesetbiztosítás **2.** *áll* dolgozó *[méh, hangya]*
work experience → job experience
workforce *fn* **1.** munkaerő **2.** munkáslétszám
work group *fn* munkacsoport
workhorse *fn* **a)** igásló **b)** *biz átv* igásló, igavonó; ‹az, aki a munka nehezét végzi›
workhouse *fn* **1.** *GB tört* szegényház; **~ boy** menhelyi gyermek; **inmate of a ~** szegényházi gondozott **2.** *US* dologház
working [ˈwɜːkɪŋ ‖ ˈwɜrkɪŋ] **I.** *mn* **1.** dolgozó, munkás-, munka-; **the ~ classes** a munkásosztály; **~ dinner/lunch** munkaebéd **2. a)** működő, üzemben levő *[gyár]*, járó *[gép]*; **in ~ order** üzemképes; **be in good ~ order** szabályosan/jól működik, jó műszaki állapotban van; **~ capital** forgótőke, üzemi tőke; **~ knowledge** alapfokú ismeret, minimálisan elegendő tudás; **~ model** működő modell **b)** mozgó; **~ parts of a machine** mozgó gépalkatrészek **c) ~ instructions** használati utasítás; **~ method** üzemmód; **~ paper(s)** jegyzetanyag; a konferencia írásos anyaga; munkavállalási engedély **3.** munkához szükséges, elégséges; **~ agreement** megegyezési alap, egészséges megoldás; **~ hypothesis/theory** munkahipotézis; **~ majority** elegendő/elégséges többség **II.** *fn* **1.** dolgozás, munka **2. a)** működés, járás *[gépé]* **b)** működés, munkálkodás *[agyé stb.]*; **~s of the mind** gondolatmenet, észjárás; agyműködés; **~s of nature** a természet megnyilvánulásai **c)** gyakorlati alkalmazás *[törvényé, módszeré]* **3.** üzemeltetés, üzembentartás *[üzemé]*, művelés *[bányáé, földé]*, kiaknázás *[bányáé]*, kitermelés *[erdőé]* **4.** kezelés *[gépé]*, vezetés, kormányozás *[hajóé]* **5.** *tsz* **workings** *bány* munkahely, vágatok
working class I. *fn* munkásosztály, munkásság **II.** *mn* a munkásosztályból való/származó, munkás(származású); **~ family** munkáscsalád
working conditions *fn tsz* **a)** munkafeltételek, termelési feltételek **b)** munkaviszonyok
working day *fn* **1.** hétköznap **2.** munkanap
working hours *fn tsz* munkaidő
working-out *fn* **1. a)** kidolgozás **b)** részletezés **2.** kiszámítás, megfejtés, megoldás
workload *fn* munkamennyiség
workman [ˈwɜːkmən ‖ ˈwɜrk–] *fn tsz* **workmen a)** (gyári) munkás, szakmunkás; **workmen's compensation insurance** munkásbiztosítás, üzemi balesetbiztosítás **b) a skilled ~** szakképzett munkaerő, jó szakmunkás
workmanlike [ˈwɜːkmənlaɪk ‖ ˈwɜrk–] *mn* szakszerű, szakszerűen/hozzáértéssel végzett *[munka, javítás stb.]*; **do sg in a ~ manner** szakszerűen végez vmt
workmanship [ˈwɜːkmənʃɪp ‖ ˈwɜrk–] *fn* **1.** mesterségbeli/szakmai tudás/felkészültség, szakképzettség **2.** kivitelezés (módja), kidolgozás, kiállítás; **article of fine ~** jól/szépen elkészített cikk **3.** munka, mű, keze munkája/műve (vknek); **the box is my ~** a ládát magam csináltam
workmate *fn GB* munkatárs, kolléga
workout *fn* (erő)edzés, testedzés
workpeople *fn tsz* munkások, munkásság
work permit *fn* munkavállalási engedély
workpiece *fn* munkadarab
workplace *fn* munkahely
workroom *fn* **a)** munkaszoba, munkaterem, műhely **b)** dolgozószoba
worksheet *fn* **1.** munkalap **2.** *okt* feladatlap
workshop *fn* **1.** műhely, üzemrész; **mobile/travelling ~** mozgóműhely, *vasút* műhelykocsi **2.** *átv* műhely *[szakszeminárium]*; **literary ~** irodalmi műhely
workshy *mn biz* munkakerülő, lusta, *biz* lógós
workspace *fn* **1.** munkaterület **2.** *infor* munkaterület
workstation *fn* **1.** munkahely **2.** *infor* munkaállomás
work table *fn* **a)** kézimunkaasztal **b)** munkaasztal
worktop *fn* **a)** munkafelület **b)** pult *[konyhában]*
work-to-rule *fn* szándékos munkalassítás *[mint sztrájkforma]*
workwear *fn* munkaruházat
workwoman *fn tsz* **-women 1.** munkásnő, munkásasszony **2.** varrónő
world [wɜːld ‖ wɜrld] *fn* **1.** világ, föld(kerekség); **the animal ~** az állatvilág; **the financial ~** a pénzvilág, pénzügyi körök; **the sporting ~** a sportvilág; **the literary ~** az irodalmi élet/világ, az irodalom berkei; **the next/other ~** a másvilág/túlvilág; *tört* **the New W~** az Újvilág; *tört* **the Old W~** az Óvilág; **the whole ~** az egész világ/földkerekség; minden teremtett lélek; **the ~ at large** a nagyvilág; **the outside ~** a külvilág; **she is all the ~ to me** ő jelenti számomra az egész világot, ő az én minden(ség)em; *biz* **how's the ~ treating you?** hogy megy a sorod?; **see the ~** világot lát, élettapasztalatot szerez; **for all the ~ like/as if ...** szakasztott/éppen olyan volt, mint ...; **I would not do it for (all) the ~** a világ minden kincséért sem tenném meg; **in the ~** a világon/földön, a föld kerekén; egyáltalán, valaha; **nothing in the ~** a világon semmi; **be alone in the ~** a világon senkije sincs; **make a noise in the ~** nagy port ver fel; *biz* **I don't know what in the ~ to do** nem tudom mi az ördögöt csináljak/tegyek/kezdjek?; *biz* **I have not a penny/cent in the ~** nincs egy (árva) vasam se; **in this ~** itt a földön, ezen a világon; **bring a child into the ~** gyermeket világra hoz; **come into the ~** világra jön; **the end of the ~** a világ vége; **for all the ~ to see** ország-világ előtt, mindenki szeme láttára; **woman of the ~** nagyvilági nő; **man of the ~** világfi; **map of the ~** világtérkép, világatlasz; **be on top of the ~** nem bír a jókedvével, majd kibújik a bőréből; **get the best of both ~s** két helyről/oldalról húz hasznot, kétszeresen jól jár; **not of this ~** nem e világról való; *biz* **out of this ~** egészen rendkívüli/szokatlan, csuda jó/klassz; **all over the ~** világszerte, (szerte) az egész világon, a világ minden táján; **known the ~ over** világszerte ismert, világhírű; **go round the ~** föld/világ körüli utat tesz; *biz* **what's the ~ coming to!?** hát ide jutott a világ?!, mi lesz még itt?!; **live in a ~ of one's own** saját (kis) világában él; *biz átv* **set the ~ on fire** nagy dolgokat művel; *biz* **think the ~ of sy** nagyon nagyra tart vkt **2.** *biz* **a ~ of ...** rengeteg, temérdek, mérhetetlen, töméntelen ...; **a ~ of money** rengeteg/temérdek pénz; **that will do you a ~ of good** jót tesz majd neked
World Bank *fn pénz* Világbank
world-beater *fn* **1.** világbajnok **2.** világsiker
world-class *mn* világszínvonalú
World Court *fn jog* hágai nemzetközi bíróság
World Cup *fn sp* (labdarúgó) világbajnokság
world economy *fn közg* világgazdaság
world fair *fn* világkiállítás
world-famous *mn* világhírű, világhíres
World Heritage *fn* Világörökség
world language *fn* világnyelv
world-leader *fn* a világ vezető hatalma
world-line *fn fiz* világvonal
worldling [ˈwɜːldlɪŋ ‖ ˈwɜrld–] *fn* világias/anyagias gondolkodású ember
worldly [ˈwɜːldli ‖ ˈwɜr–] *mn* **1.** földi, (e)világi; **~ goods/possessions** földi javak; **~ interests** földi gondok; **~ pleasures** világi örömök **2. a)** világias (gondolkozású); **~ wisdom** anyagias életbölcsesség, világi bölcsesség **b)** a világ dolgaiban jártas, kitanult, nagy élettapasztalattal rendelkező • *fn* **worldliness**

worldly-minded *mn* világias/anyagias gondolkodású, világi/földi dolgok felé hajló • *fn* **worldly-mindedness**
worldly-wise → **world-wise**
world music *fn zene* világzene
world order *fn* világrend; **the new ~** az új világrend
world power *fn* világhatalom
world record *fn sp* világcsúcs, világrekord; **break the ~** megdönti/megjavítja a világcsúcsot; **hold a ~** tartja a világcsúcsot
world record-holder *fn sp* világcsúcstartó
World Series *fn sp US* ‹a két hivatásos baseball-liga bajnokainak döntö mérkőzései›
world-shaking *mn* világrengető
world view *fn* világnézet
world war *fn* világháború
world-weary *mn* életunt • *fn* **world-weariness**
worldwide I. *mn* az egész világra kiterjedő, világméretű; **~ crisis** világválság; **~ fame** világhír **II.** *hsz* világszerte, mindenütt az egész világon
World-Wide Web *tul infor* (a) világháló
world-wise *mn* bölcs, a világi dolgokban jártas, nagy élettapasztalattal rendelkező • *fn* **world-wisdom**
worm [wɜːm ‖ wɜrm] **I.** *fn* **1. a)** féreg, giliszta, kukac, pondró, hernyó, nyű; *orv* **have ~s** gilisztás, (bél)gilisztája van; *biz* **food for ~s** *[halott ember]* férgek tápláléka, kukacok eledele **b)** *átv* féreg; **~ (of a man)** hitvány féreg, utolsó rongy alak **2.** *műsz* csavarmenet, csiga(menet) *[csavaron]* **3. a)** *orv* féregnyúlvány **b)** *orv* vermis cerebelli, kisagyféreg **c)** *állatorv* veszettségi féreg, lyssa **II. A.** *tsi* **1. a) ~ one's way in** befurakszik, befurakodik; **~ one's way out of the crowd** furakodva kifelé igyekszik a tömegből; **~ oneself** (v. **one's way**) **through sg** átfurakodik/átvergődik/átnyomakodik vmn **b) ~ oneself into sy's confidence** vknek a bizalmába (be)férkőzik; **~ oneself into sy's favour** vknek a kegyeibe (be)férkőzik **2. ~ sg out of sy** vkből vmt kipiszkál/kicsal; **~ a secret out of sy** titkot kiszed vkből (v. kicsal vktől) **3.** féregtelenít, hernyótlanít *[növényt, virágágyat]*; **~ a tree** fából férgeket kipiszkál **4.** (bél)gilisztától/bélféregtől megszabadít (vkt), (bél)gilisztáit/bélférgeit elhajtja (vknek) **B.** *tni* **1.** tekereg (mint egy giliszta), araszol (mint egy hernyó), csúszik **2. ~ into sg** befurakszik, beférkőzik (vhová); **~ through sg** átfurakodik, átfurakszik (vmn) **3.** gilisztával/kukaccal horgászik • *mn* **wormlike**
worm cast *fn* gilisztatúrás
worm-eaten *mn* **1.** féregrágta, hernyórágta, férges *[gyümölcs]*, szúette *[fa]* **2. a)** elnyűtt, elrongyolódott **b)** ósdi, ócska, elavult, idejétmúlt
worm-fishing *fn* horgászás kukaccal/gilisztával
worm gear *fn műsz* csigahajtású fogaskerék, csigakerekes hajtómű; csiga(kerék)hajtás
wormhole *fn* **a)** giliszta járata, kukacrágás, szújárat **b)** *fiz* féreglyuk
worm's-eye-view *fn* békaperspektíva
worm wheel *fn műsz* csigakerék, csavarkerék
wormy [ˈwɜːmi ‖ ˈwɜrmi] *mn* **1.** féregrágta, férges *[gyümölcs]* **2.** gilisztás, (bél)férges **3. a)** féregszerű **b)** *átv* csúszómászó, alázatoskodó, féregszerű • *fn* **worminess**
worn [wɔːn ‖ wɔrn] *mn* **1. a)** viseltes, kopott, elviselt, elnyűtt, használt *[ruha]* **b)** használatban megkopott, elhasználódott **c)** *geol* letarolt, lekoptatott, elmállott, elporladt *[szikla stb.]* **2.** *átv* elnyűtt, megviselt, elhasznált, kimerült, agyonfáradt; → **wear**[1]
worn-down *mn* (idegileg) kimerült, lerobbant, lestrapált
worn-out 1. elhasznált, elkopott, agyonhasznált *[tárgy]*, viseltes, kopott, elnyűtt *[ruha, cipő stb.]* **2.** → **worn-down** 2. **3.** elcsépelt, elkoptatott *[szólam stb.]*
worried [ˈwʌrid ‖ ˈwɜrid] *mn* gondterhelt, aggodalmas(kodó), aggódó, nyugtalan(kodó); **I am ~ about you** aggódom miattad; **wear a ~ look** gondterheltnek látszik
worriment [ˈwʌrimənt ‖ ˈwɜri–] *fn* **1.** aggodalmaskodás, aggodalom, nyugtalanság, aggódás **2.** gond, baj, nyomasztó/aggasztó/nyugtalanító dolog
worrisome [ˈwʌrisəm ‖ ˈwɜri–] *mn* **1.** aggasztó, nyugtalanító, gyötrő *[dolog]* **2.** aggodalmaskodó, nyugtalankodó *[ember]* **3.** gyötrő, zaklató *[ember]* • *hsz* **worrisomely**
worry [ˈwʌri ‖ ˈwɜri] **I. A.** *tsi* **1. a)** zaklat, gyötör, nem hagy nyugton/békén (vkt); **~ sy with perpetual questions** örökös kérdésekkel zaklat vkt; **~ oneself** folyton gyötri/kínozza/izgatja magát, örökösen aggódik; **she is ~ing herself to death** halálra gyötri/izgatja magát **b)** aggaszt, nyugtalanít, izgat, gyötör, kínoz *[gondolat, fájdalom vkt]*, nem hagy nyugtot/békét *[gondolat vknek]*; **don't let that ~ you** emiatt ne aggódj(on) **c) ~ out a problem** addig nem nyugszik, míg meg nem oldja a kérdést/nehézséget, megbirkózik problémával **2. a)** torkon ragad, torkánál fogva ide-oda rángat/ráncigál *[vmt/vkt állat]*, cibál, tépáz, marcangol **b)** piszkál, tépdes **B.** *tni* aggódik, aggodalmaskodik, nyugtalankodik, emészti magát, gyötrődik (*about* vm miatt); **~ about/over sg** nyugtalankodik/aggódik vm miatt, aggasztja vm; **~ about nothing** ok nélkül emészti/gyötri/izgatja magát; **it's nothing to ~ about** nincs ezen mit/miért nyugtalankodni/izgulni; **don't ~, be happy** ne aggódj, légy boldog; **don't ~ about it,** *biz* **not to worry** ne aggódj(on)/izgulj(on) miatta; **don't (you) ~!** ne aggódj/nyugtalankodj!, ne izgasd magad!; *biz* **we'll ~ along/through somehow** majd csak lesz/elboldogulunk valahogy **II.** *fn* **1.** gond, baj, vesződség, kellemetlenség, bosszúvágy; **what's your ~?** *biz* mi baj (van)?; *orv* mi a panasz? **2.** aggodalmaskodás, aggályoskodás, nyugtalankodás **3.** *vad* cibálás, marcangolás • *fn* **worrier** *fn/mn* **worrying**
worry beads *fn tsz* morzsoló *[idegesség levezetésére]*
worryguts *fn esz biz* idegroncs, ideggörcs
worrywart [ˈwʌriwɔːt ‖ ˈwɜriwɔrt] *US* → **worryguts**
worse [wɜːs ‖ wɜrs] **I. a)** *mn* rosszabb *[helyzet, állapot]*; **this is ~ and ~** ez egyre rosszabb; **what is ~ ...** ami még (ennél is) nagyobb baj (v. rosszabb ...); **it might be ~** rosszabb is lehetne, ez még csak megjárja; **to make matters ~ ...** ráadásul még ..., mindennek a tetejébe; **you are only making things ~** csak ront a dolg(ok)on, csak megnehezíti a helyzetet; **so much the ~ for him** annál rosszabb (v. nagyobb baj) neki; **he escaped with nothing ~ than a fright** ijedtséggel megúszta; **the ~ for wear** erősen viseltes; **he is none the ~ for the accident** nem lett semmi baja sem a balesettől **b)** rosszabb *[beteg állapota]*; **she is getting ~** egyre rosszabb lesz (a viselkedése); egyre rosszabbul lesz, egyre romlik az állapota *[betegnek]* **II.** *hsz* **1.** rosszabbul; **~ still** ami még nagyobb baj/hiba (v. rosszabb); **he is ~ off than before** rosszabbul megy neki, mint régen/azelőtt; **you might do ~** még rosszabb is lehetne a sorod/dolgod; **think ~ of sy** rosszabb véleménnyel van vkről, vkt kevesebbre tart; **none the ~** nem kevésbé; még inkább, annál inkább/jobban; **think none the ~ of sy** vkt még/annál többre tart/becsül; **I like him none the ~ for being outspoken** azért mert őszinte, én éppúgy szeretem **2.** (még) jobban, még inkább; **they fear him ~ than before** (még) jobban (v. még inkább) félnek tőle, mint régen; **they hate him ~ than before** (még) jobban gyűlölik, mint régen; **it is raining ~ than ever** még/egyre jobban/erősebben esik **III.** *fn* (valami) rosszabb *[dolog, helyzet, állapot]*; **change for the ~** hátrányára változik, romlik; **go from bad to ~** egyre rosszabb lesz, egyre romlik; **I have seen** (v. **been through**) **~ than that** már különb/rosszabb dolgokat is megértem
worsen [ˈwɜːsn ‖ ˈwɜrsn] **A.** *tsi* ront (vmn), (még jobban) árt (vmnek) **B.** *tni* rosszabbodik, romlik, rosszabbra fordul, súlyosbodik *[krízis, betegség]*, nehezebbé válik *[helyzet]*, növekszik *[baj]*
worship [ˈwɜːʃɪp ‖ ˈwɜrʃəp] **I.** *fn* **1. a)** imádás, imádat; **object of ~** imádat tárgya **b)** (isten)imádás; **~ of images** bálványimádás, képimádás; **offer ~ to the golden calf** az aranyborjút imádja **2.** istentisztelet; **divine ~** istentisztelet; *US* **public ~** istentisztelet; vallásgyakorlat; **freedom of ~** szabad vallásgyakorlás; **hours of ~** istentisztelet időpontjai, istentiszteletre rendelt órák; **place of ~** istentisztelet helye;

templom; kultikus hely **3. your W~** nagyságod, méltóságod; **his W~** őnagysága, őméltósága; **his W~ the Mayor** a Polgármester őméltósága/úr **4.** *régi* tekintély, kiválóság; **man of great ~** kiváló/nagyérdemű férfiú **II. -pp- A.** *tsi* **a)** (istenként) imád, tisztel *[szentet]*; **~ God** imádja (az) Istent **b)** *átv* imád, bálványoz(ásig szeret)(vkt/vmt) **B.** *tni* imádkozik, istentiszteleten vesz részt, ájtatoskodik; **the church where they ~ped for years** a templom, ahova istentiszteletre/imádkozni jártak éveken át • *fn* **worshipper**

worshipful [ˈwɜːʃɪpfl ‖ ˈwɜrʃəpfl] *mn* **1.** imádásra/imádatra méltó, imádnivaló **2.** imádó, hódoló **3.** nagytekintetű *[tanács stb.]*, nagyságos, méltóságos

worst [wɜːst ‖ wɜrst] **I.** *mn* **1.** legrosszabb **2.** legnagyobb *[kár stb.]*; **my ~ mistake** legnagyobb/legsúlyosabb hibám/tévedésem; **my ~ enemy** legádázabb/legelszántabb ellenségem; *biz* **(in) the ~ way** nagyon rémségesen, a legteljesebb mértékben **II.** *hsz* **1.** legrosszabbul, legkevésbé jól **2. a)** legjobban **b)** leginkább; **that frightened him ~ (of all)** ettől rémült meg (a) legjobban/leginkább **III.** *fn* legrosszabb *[dolog, helyzet, állapot]*; **the ~ of it is that** a legnagyobb baj/hiba az, hogy; a legrosszabb a dologban az, hogy; **the ~ is soon over** a legrosszabbján hamar túlesünk; **the ~ of the storm is over** a vihar kiadta már a mérgét; **if it/the ~ comes to the ~** ha a legrosszabbra kerül(ne) a sor; **the ~ is yet to come** a legrosszabb még hátra van/most következik; **assume/suppose the ~** a legrosszabbat tételezi fel; *biz* **do your ~!** felőlem tehetsz amit akarsz!, bánom is én, hogy mit csinálsz!; **fear the ~** a legrosszabbtól fél/tart; **get the ~ of it** alulmarad, a rövidebbet húzza *[küzdelemben]*; **give sy the ~ of it** legyőz vkt, fölébe kerekedik vknek; **make the ~ of sg** a legsötétebben ítél meg vmt, borúlátóan eltúloz vmt; **at (the) ~** a legrosszabb esetben is; **you saw her at her ~** a legrosszabb/legelőnytelenebb formájában/pillanatában/oldaláról láttad; **when things are at their/the ~** mikor a dolgok a legrosszabbul állnak, mikor a helyzet a legrosszabb; → **bad IV.** *tsi* legyőz (vkt), győzedelmeskedik, diadalmaskodik (vkn); **be ~ed** alulmarad, vereséget szenved

worst-case *mn* a legrosszabb; **(in) the ~ scenario** a legrosszabb eset(ben)

worsted [ˈwʊstɪd] *fn* **1.** *tex* hosszú szálú fésűsgyapjú fonal, fésűsfonal **2.** kamgarn/fésűsgyapjú szövet

wort[1] [wɜːt ‖ wɜrt] *fn növ összet* -fű, -növény

wort[2] [wɜːt ‖ wɜrt] *fn* sörcefre

worth [wɜːθ ‖ wɜrθ] **I.** *mn* **1. be ~ sg** (meg)ér vmt, vmlyen értékű; **be ~ little** keveset ér, kevés/kicsi az értéke; **be ~ nothing** semmit/semennyit sem ér; **be ~ so much** ennyit ér; **be not ~ much** nem sokat ér; **what's it ~?** mennyit/mit ér; **is it ~ while?** megéri?, hát érdemes?, megéri (a fáradságot/időt/pénzt)?; *biz* **is it ~ it?** megéri?, hát érdemes?, megéri (a fáradságot/időt/pénzt)?; **be ~ the money** megéri a pénzt, megéri az árát; **house ~ £200,000** kétszázezer fontot érő ház; **well ~ the money** igazán nem drága; **be not ~ the trouble** nem éri meg a fáradságot; **I tell you this for what it's ~** nem állok jót érte, hogy így van, úgy mondom, ahogy én is hallottam; **contact/deal ~ $2 million** kétmillió dollár értékű megállapodás/üzlet; **it is ~ considering** megfontolandó, meggondolandó; **thing ~ having** értékes dolog; **thing ~ mentioning** említésre méltó dolog; **this book is not ~ reading** ezt a könyvet nem érdemes elolvasni; **it is not ~ talking about** kár szót vesztegetni rá, szóra sem érdemes; **it is ~ thinking about** érdemes rajta (el)gondolkodni **2.** *biz* **for all one is ~** teljes erejéből, minden erejét összeszedve; *US biz* **for all it's ~** a maximális teljesítőképességgel, (kihozva belőle) ami csak benne van **II.** *fn* **1.** érték; **jewel of great ~** sokat érő ékszer, nagyon értékes ékszer **2. have one's money's ~** nem járt rosszul; **want one's money's ~** nem akar ráfizetni (a dologra), nem akar rosszul járni; **two dollars' ~ of sugar** két dollár ára cukor, cukor két dollárért; *US biz* **put in one's two cents ~** véleményt nyilvánít, elmondja a magáét *[vitában]*

worthless [ˈwɜːθləs ‖ ˈwɜrθ–] *mn* **a)** értéktelen, semmit érő; *gazd* **~ bill** értéktelen váltó/címlet; **~ excuse** gyatra kifogás, gyarló mentség **b)** hitvány *[ember]*

worthwhile [ˌwɜːθˈwaɪl ‖ ˌwɜrθˈhwaɪl] *mn* valamirevaló, érdem(leg)es, fáradságot megérő; **~ cause** jó ügy; **it's ~ to ...** érdemes...

worthy [ˈwɜːðɪ ‖ ˈwɜrðɪ] **I.** *mn* **1.** méltó, érdemes (of vmre); **~ adversary** méltó ellenfél; **~ reward** méltó/megérdemelt jutalom; **receive a ~ reward** méltó jutalmat kap, méltó jutalomban részesül; **be ~ of death** halált érdemel; **be ~ of note** említésre méltó, megjegyzendő, érdemes megemlíteni/megjegyezni; **be ~ to do sg** méltó vmnek a megtételére **2.** becsületes, derék, kiváló *[dolog, ember]*; **~ cause** jó ügy, méltó cél, derék dolog; **lead a ~ life** becsületes/tisztességes életet él; *biz* **our ~ friend** derék/kiváló/nagyérdemű barátunk **II.** *fn* **1.** kiváló/derék ember **2.** *tréf* kiválóság, kitűnőség, nagyság; **the village worthies** a falu kiválóságai/nagyságai/fejesei • *fn* **worthiness**

wot [wɒt ‖ wɑt] → **wit**[2]

wotcher [ˈwɒtʃə ‖ ˈwɑtʃər] *isz GB szl* hé!, helló!, hali', csá!

would [wʊd] → **will** III.

would-be [ˈwʊdbiː] *mn* reménybeli, képzeletbeli; **~ candidate** jelöltetésre vágyó/ácsingózó ember, önjelölt; **~ poet** költői babérra pályázó/vágyó ember; **~ poetic phrases** költőinek szánt kifejezések, keresetten költői kifejezések

wouldn't [ˈwʊdnt] *röv would not*→ **will** III.

wound[1] [wuːnd] **I.** *fn* **a)** seb(hely); **gun/pistol ~** lőtt seb **b)** *átv* seb, sérelem, sértés; **inflict a ~ upon sy's honour** megsérti vknek a becsületét, sebet ejt vknek a becsületén **II.** *tsi* **a)** megsebesít, megsebez **b)** *átv* megsebez, megsért; **~ sy in his pride** megsebzi a büszkeségét/önérzetét, önérzetében sért meg vkt • *mn* **woundable**, **woundless**

wound[2] [waʊnd] *mn* → **wind**[2]

wounded [ˈwuːndɪd] **I.** *mn* **a)** (meg)sebesült **b)** *átv* (meg)sebzett; **~ pride** sebzett/sértett önérzet/büszkeség **II. the ~** a sebesültek, a sérültek; **the seriously ~** a súlyos sebesültek; **they lost three dead and twelve ~** három halottjuk és tizenkét sebesültjük volt

wound fever *fn orv* sebláz

wove [woʊv] *mn* → **weave** I.

woven [ˈwoʊvən] *mn tex* szövött, szőtt; **~ fabric** szövött áru; **~ material** szövött kelme; **~ wire** drótszövet, sodronyszövet; → **weave**

wow [waʊ] **I.** *tsi biz* felizgat, izgalomba hoz, elképeszt, lenyűgöz **II.** *fn szl* remek/pompás dolog, nagy siker, bombasiker **III.** *isz biz [nagyon jó]* ejha!, nahát!, tyű!, azta!, remek!, pompás!, a kutyafáját!

wowser [ˈwaʊzə ‖ –ər] *fn Ausz* **1.** túlzó erkölcsbíró/erénycsősz, ünneprontó **2.** anti-alkoholista

WP *röv* **1.** *weather permitting* **2.** *word processing* **3.** *word processor*

wpm, **w.p.m.** *röv words per minute* ‹percenként legépelt szavak száma›

wrack [ræk] *fn* **1.** hajóroncs **2.** *vál régi* pusztulás, romlás, tönkremenés

wraith [reɪθ] *fn* **a)** kísértet, szellem, látomás **b)** képmás, alakmás, hasonmás *[élő emberé halála előtt]* • *mn* **wraithlike**

wrangle [ˈræŋgl] **I.** *fn* hangos szóváltás, összetűzés, civakodás, veszekedés **II.** *tni* **1.** hevesen vitatkozik, civakodik, veszekedik **2.** *US* lovas marhapásztorként dolgozik • *fn* **wrangler** *fn/mn* **wrangling**

wrap [ræp] **I.** *tsi* **-pp- 1. a)** betakar, beborít, befed; **~ a shawl around sy** kendőt borít vk köré, kendővel takar/burkol be vkt **b)** becsomagol, (be)burkol, begöngyöl; **~ sg round sg** begöngyöl/becsavar vmt vmvel; **~ (up) a parcel in paper** papírba csomagol egy csomagot; **~ (oneself) up** beburkolózik, beburkolja/bebugyolálja magát; *biz átv* **keep sg under ~s** titokban tart vmt; *biz átv* **take the~s off sg** felfed vmt **2. be ~ped up in sg** elmerül(t) vmbe, vmnek él (v. szenteli magát); **be ~ped up in his work** belemerül

W

munkájába; **be ~ped up in each other** (csak) egymásnak élnek **3.** palástol, elrejt, eltitkol **II.** *fn* **1. a)** *US* csomagolópapír **b)** burkolat, borítás, csomagolás, csomagolóanyag **2. a)** ~ útitakaró, pokróc, sál **b)** felöltő, útiköpeny, nagykendő; **morning ~** reggeli köntös/pongyola

wrap up *tsi* **1. a)** becsomagol, beburkol **b)** betakar, befed **2. ~ sg up** befejez vmt, elkészül vmvel; **~ up a film/movie** filmet befejez/elkészít; **that ~s it up for today** mára ennyit/vége

wraparound ['ræpəraund] *mn* **I.** *mn* körülfogó, körbefogó, beburkoló *[ruházat, stb.]*; **~ sunglasses** zárt napszemüveg **II.** *fn* **1.** körbefogó/beburkoló dolog/tárgy **2.** *infor* görgetés

wrapover skirt *fn* átlapoló/átcsapós szoknya, lapszoknya

wrappage ['ræpɪdʒ] → **wrapping**

wrapped [ræpt] *mn* **1. a)** (be)burkolt, (be)göngyölt, (be)csomagolt; **~ in paper** papírba csomagolt/burkolt/csavart **b)** betakart, beborított, befedett **2.** (vmbe) belemerült, mélyen elmerült, (vkvel), vmvel elfoglalt; **~ in meditation** gondolatokba merült **3.** (el)rejtett, (el)titkolt, palástolt; **affair wrapt in mystery** homályos/rejtélyes ügy; → **wrap 4.** befejezett, elkészült

wrapped-up *mn* **1.** beburkolózott, jól bebugyolált *[személy]* **2. ~ language** homályos/érthetetlen/bonyolult beszéd

wrapper ['ræpə ‖ –ər] *fn* **1. a)** csomagolás, csomagolópapír *[édességé]* **b)** burkolat, borítás, borítópapír *[könyvre]* **c)** csomagolóvászon, csomagolópapír **d)** borítólap, fedőlap, burkoló *[könyvé]*, keresztkötés *[újságé stb.]* **e)** szivarburkoló dohánylevél **2.** pongyola, slafrok, hálóköntös, háziköntös **3.** csomagoló (munkás)

wrapping ['ræpɪŋ] *fn* **1. a)** csomagolás **b)** csomagolópapír, csomagolóvászon **c)** burkolat, göngyöleg, csomagolás **2.** begöngyölés, (be)burkolás, (be)csomagolás, becsavarás

wrapping paper *fn* **a)** csomagolópapír **b)** papírburkolat

wrap-up *fn média* rövid (hír)összefoglaló

wrath [rɒθ ‖ ræθ] *fn vál* harag, méreg, düh; **bottle up one's ~** elfojtja/visszafojtja a dühét; **quick to ~** könnyen haragvó (v. dühbe guruló)

wrathful ['rɒθfl ‖ 'ræθfl] *mn vál* haragos, mérges, dühös, felbőszült, megdühödött, dühödt

wrathy ['rɒθi ‖ 'ræθi] *US* → **wrathful**

wreak [ri:k] *tsi* **1.** kitölt *[bosszút, haragot]*, szabadjára enged, kiad *[dühöt]*; **~ one's anger on/upon sy** kitölti haragját vkn; **~ one's vengeance upon sy** kitölti bosszúját vkn; **~ havoc** nagy pusztítást visz végbe; nagy zűrzavart okoz **2.** *régi* megbosszul (vmt), bosszút áll (vkn)

wreath [ri:θ] *fn* **1. a)** koszorú *[virág, babér stb.]*, füzér, girland **b)** kanyarulat, tekervény **2.** (gomolygó) füstkarika, füstcsiga • *mn* **wreathed**

wreathe [ri:ð] **A.** *tsi* **1.** (meg)koszorúz, koszorúval övez, koronáz; **mountain ~d with mist** ködbe burkolt hegy **2.** köt, (össze)fon *[koszorút, virágfüzért stb.]*; **~ a garland of flowers** virágfüzért fon/köt **3. a) ~ sg round sg** körülfon/körülcsavar/körülteker/körülövez vmt vmvel **b)** átölel; **~ one's arms about/around sy** vk köré fonja karjait, átölel vkt **B.** *tni* **a)** körben/karikákban gomolyog, kavarog *[füst stb.]* **b)** csavarodik, tekeredik (*round sg* vm körül)

wreck [rek] **I.** *fn* **1. a)** hajóroncs **b)** romos/elpusztult épület/tárgy, rom, roncs; **~ of the sea** hajótörés után partra vetett tárgyak **c)** *átv* elpusztult/megsemmisült remény/terv/vagyon(tárgy) **d)** *biz átv* roncs *[emberről]*; **nervous ~** idegroncs; **she is a perfect ~** emberi roncs, (már csak) hálni jár belé a lélek **2. a)** romlás, pusztulás, tönkremenés, megsemmisülés **b)** hajótörés **c)** (le)rombolódás, elpusztulás *[épületé stb.]* **d)** *átv* bukás, tönkremenés, pusztulás, megsemmisülés *[vagyoné, reményé, tervé stb.]* **II. A.** *tsi* **1. a)** hajótörést okoz, zátonyra futtat *[hajót]*; **be ~ed** hajótörést szenvedett **b)** kisiklat *[vonatot]*, lerombol, öszszerombol *[épületet]*, összetör, összeroncsol, ronccsá zúz, tönkretesz, elront *[tárgyat]*; **~ one's digestion** elrontja/tönkreteszi a gyomrát; **~ sy's nerves** (v. **nervous system**) tönkreteszi az idegeit/idegrendszerét **2.** *átv* tönkretesz, zátonyra juttat, elgáncsol, szabotál *[vállalkozást stb.]*, megsemmisít, meghiúsít, szétfoszlat, összezúz *[reményt stb.]*; **~ a company** céget tönkretesz **B.** *tni* **1. a)** hajótörést szenved, zátonyra fut *[hajó]*, kisiklik *[vonat]*, összetörik, összeroncsolódik, elpusztul, tönkremegy *[tárgy]* **b)** *átv* zátonyra jut, megsemmisül *[terv stb.]*, szétfoszlik, öszszeomlik *[remény stb.]* **2.** roncsmentésben részt vesz, roncsot kirabol • *fn/mn* **wrecking**

wreckage ['rekɪdʒ] *fn* **1.** hajóroncs, törmelék, maradvány, roncs *[rombolás, pusztulás után]* **2.** *átv* összeomlás, megsemmisülés, zátonyra jutás *[reményé, tervé stb.]*

wrecked [rekt] *mn* **a)** hajótörést szenvedett, hajótörött *[hajó, személy]*, lerombolt, romba dőlt *[ház, falu stb.]*; **~ sailor** hajótörést szenvedett tengerész; **~ train** kisiklott vonat **b)** *átv* tönkrement *[ember, cég stb.]*, megsemmisült, meghiúsult *[vállalkozás, terv stb.]*; **~ health** tönkretett/tönkrement/aláásott egészség

wrecker ['rekə ‖ –ər] *fn* **1. a)** zátonyra juttató, hajótörést okozó (ember) **b)** hajóroncsrabló **c)** romboló, pusztító **2.** romeltakarító, házlebontó **3.** *US* **a)** hajóroncskutató, hajóroncsmentő-vállalkozó **b)** autómentő (kocsi), vontató **c)** autómentő szolgálat **d)** autóbontó

wrecking train *fn US vasút* mentőszerelvény, segélyvonat *[vasúti szerencsétlenségnél stb.]*

wreck master *fn US* hajóroncs-felügyelő

wrench [rentʃ] **I.** *tsi* **1.** erősen/hevesen (ki)ránt/(ki)tép/(ki)szakít/(ki)húz; **~ sg from sy** kiránt/kitép vmt vk kezéből; **~ oneself from sy's clutches** kitépi magát vk öleléséből **2.** teker, (el)csavar, elferdít, elgörbít; **~ off** csavarással leszakít; *műsz* túlfeszít, túlhúz *[csavart, anyát]* **3.** *orv* kificamít; **~ one's ankle** kificamítja a bokáját **4.** elferdít, eltorzít, félremagyaráz, értelméből kiforgat *[szöveget stb.]*, csűri-csavarja *[vmnek az értelmét]* **II.** *fn* **1.** erős/heves csavaró mozdulat, erős csavarás/fordítás/rántás, kitépés, kiszakítás; **pull out a tooth with one ~** egy rántással/mozdulattal kihúz egy fogat **2.** *orv* ficamítás, ficam(odás); **she gave her knee a ~** kificamította a térdét **3.** *átv* szívet tépő fájdalom; **the ~ of parting with one's children** a gyermekektől való elválás szívet tépő fájdalma **4.** *fiz* torzióerő **5.** *műsz* csavarkulcs, villáskulcs; **adjustable ~** franciakulcs, állítható csavarkulcs; **open-end ~** villáskulcs • *mn* **wrenched**

wrest [rest] **I.** *tsi* **1. a)** erősen kihúz/kitép/kicsavar/elcsavar/kiránt; **~ sg out of sy's hands** kicsavar/kiránt vmt vk kezéből **b)** *átv* kiragad, kitép, kihúz; **he ~ed victory from their grasp** kiragadta a győzelmet a kezük közül **2.** kiforgat, helytelenül/hibásan értelmez, magyaráz *[szöveget stb.]*, csűr-csavar *[vmnek az értelmét]*, félremagyaráz *[helyzetet stb.]* **II.** *fn régi zene* hangolókulcs • *fn* **wrester**

wrestle ['resl] **I. A.** *tsi* **a)** birkózik (vkvel); **the boys ~d each other** a fiúk birkóztak (egymással); **~ a fall with sy** megbirkózik, birokra kel vkvel **b)** leteper, ledönt, földhöz vág (vkt) **B.** *tni* **a)** birkózik, dulakodik (with vkvel) **b)** *átv* (meg)birkózik, küzd *[problémával]*, küszködik, vívódik *[lelkiismeretével]*, (magában) tusakodik; **~ with difficulties** nehézségekkel küzd/küszködik; **~ with death** a halállal küzd/tusázik, haláltusáját vívja **II.** *fn* **1.** *sp* birkózás **2.** *átv* megbirkózás (vmvel)

wrestler ['reslə ‖ –ər] *fn sp* birkózó

wrestling ['reslɪŋ] *fn* **a)** *sp* birkózás; **free-style ~** szabadfogású birkózás **b)** *átv* (meg)birkózás, küzdés, küszködés, vívódás *[nehéz feladattal stb.]*; **~ with difficulties** nehézségekkel való birkózás/küzdés

wrest-pin *fn zene* feszítőszeg *[zongorahúré]*

wretch [retʃ] *fn* **1.** szerencsétlen/nyomorult ember; **poor ~** szerencsétlen alak, szegény ördög **2.** hitvány/nyomorult/bitang ember, gazember, csirkefogó; **you little ~!** te kis csirkefogó!

W

wretched ['retʃɪd] *mn* **1.** szerencsétlen, boldogtalan, nyomorult *[ember]*; **the ~ man had lost all his money** a szerencsétlen ember minden pénzét elvesztette; **feel ~** szerencsétlen(nek érzi magát), rossz hangulatban van, levert; szégyenkezik, kényelmetlenül érzi magát, szorong; **look ~** szerencsétlennek látszik **2.** rossz, vacak *[minőségű stb.]*, szánalmas, nyomorúságos, nyomorult *[állapotban levő]*; **what ~ weather!** micsoda cudar/pocsék idő!; **a ~ cold** átkozott/pokoli hideg; átkozott megfázás; **~ health** siralmas egészség(i állapot); **the food at this hotel is ~** a koszt vacak ebben a szállodában; **I cannot find that ~ umbrella** nem találom azt a nyomorult esernyőt **3.** rossz, gyenge, szánalmas *[képesség, teljesítmény stb.]*; **~ writer** rossz/gyenge/szánalmas író • *fn* **wretchedness** *hsz* **wretchedly**

wrick [rɪk] **I.** *tsi* megrándít *[izmot]*, kificamít *[testrészt]* **II.** *fn orv* rándulás, ficam; **give oneself a ~** megerőlteti/megrándítja/kificamítja vmely testrészét

wriggle ['rɪgl] **I. A.** *tsi* **1.** csavargat *[testet kígyózó mozdulatokkal]*, kígyószerű mozgást végez (vmvel) **2. ~ one's way** (v. **oneself**) **into** befurakodik, belopakodik, becsempészi magát (vhova) **B.** *tni* **1.** kígyózik, kígyószerűen mozog, tekergőzik, vonaglik, vergődik *[féreg stb.]*, fickándozik, ficánkol *[hal]*, izeg-mozog; **~ into sy's favour** beférkőzik vk kegyébe; **~ out of responsibility** kibújik a felelősség alól; **~ out of a difficulty** kikecmereg a bajból *[ravasz ügyeskedéssel]* **2.** hímez-hámoz, köntörfalaz, csűr-csavar, kibúvót/ürügyet/kifogást keres **II.** *fn* **1. a)** kígyószerű mozgás, csavarodás, vonaglás, tekergőzés **b)** kanyargás, kanyarodás *[úté, folyóé stb.]* **2.** izgés-mozgás • *fn* **wriggler** *fn/mn* **wriggling** *mn* **wriggly**

wright [raɪt] *fn régi* (-)műves, (-)míves, (-)készítő, mesterember; **playwright** drámaíró; **wheelwright** kerékkészítő

wring [rɪŋ] **I.** *tsi pt/pp* **wrung** [rʌŋ] **1.** kicsavar, (ki)facsar *[vizes ruhát stb.]*, erősen szorít, szorongat *[kezet stb.]*; **~ clothes (out)** ruház kicsavar/kifacsar; **~ one's hands** kezeit tördeli *[kétségbeesésében]*; **~ sy's hand** megszorítja/szorongatja vknek a kezét *[barátságból, szívélyesen]*; **~ the neck of sg** kitekeri a nyakát *[csirkének stb.]* **2.** *átv* gyötör, kínoz, sanyargat; **it ~s my heart** szorongatja/összeszorítja szívemet **3.** *átv* kinyom, kisajtol, kiprésel **4.** *átv* kierőszakol, kikényszerít, kicsikar, kizsarol; **~ money out of sy** pénzt csikar ki vkből; **~ a promise** kierőszakol/kicsikar egy ígéretet **5. a)** elgörbít (vmt), elrontja az alakját (vmnek) **b)** elferdít, kiforgat, eltorzít *[értelmet, igazságot stb.]*; **he wrung the law** kiforgatta a törvényt; **~ the truth** elcsavarja/eltorzítja az igazságot/valót **II.** *fn* (meg)szorítás *[kézé stb.]*, (ki)csavarás, facsarás *[vizes ruháé stb.]*; **~ of the hand** erős kézfogás, kézszorítás

wringer ['rɪŋə ‖ –ər] *fn* **1.** facsaró(gép) *[ruha kifacsarására]*; *biz átv* **put sy through the ~** megkínoz/megsanyargat vkt, megkeseríti vk életét **2.** mángorlóhenger

wringing ['rɪŋɪŋ] **I.** *mn* **1.** szívszaggató, szívet tépő *[fájdalom]* **2.** *biz* **~ wet** csuromvizes *[ruha stb.]*; bőrig ázott *[ember]* **II.** *fn* csavarás, facsarás, kinyomás, kisajtolás

wrinkle ['rɪŋkl] **I.** *fn* **1. a)** ránc, redő *[arcon stb.]*; **the ~s on his brow** a ráncok a homlokán **b)** ránc, redő, gyűrődés *[ruhán]*; *biz átv* **without spot or ~** kifogástalan(ul), hibátlan(ul) **c)** egyenetlenség, gyűrődés *[talajon]*, fodor, hullám *[vízen]* **2.** *biz átv* hasznos felvilágosítás/tanács/tudnivaló, tipp *[lóversenyen stb.]*; **give sy a ~**, **put sy up to a ~** jó ötletet/tanácsot/tippet ad vknek **II. A.** *tsi* **a)** ráncol, rendőz *[homlokot]*, ráncokat/barázdákat ró *[kor arcra, harag homlokra]*; **~ one's forehead** ráncolja homlokát **b)** összeráncol, összegyűr *[ruhát stb.]* **B.** *tni* ráncolódik, redőzik, ráncossá/redőssé válik, (meg)ráncosodik • *fn* **wrinkling** *mn* **wrinkled**, **wrinkly**

wrinklie ['rɪŋkli] *fn szl [öreg v. középkorú ember]* múmia, múzeumi példány, (vén) szatyor, trotyli(s)

wrist [rɪst] *fn* **a)** csukló; *orv* **dropped ~** csuklóizombénulás, csuklóbénulás **b)** *orv* kéztő, carpus **c)** kézelő, mandzsetta

wristband *fn* **1.** (ing)kézelő, mandzsetta **2.** *sp* csuklószorító

wrist bone *fn orv* kézfejcsont, csuklócsont(ok)

wrist-drop *fn orv* csuklóizom-bénulás, csuklóbénulás

wrist-hold *fn sp* csuklófogás *[birkózásban]*

wrist joint *fn orv* csukló(ízület)

wristlet ['rɪstlət] *fn* **a)** karperec, karkötő; **woollen ~** érmelegítő; **~ watch** karóra **b)** *orv* csuklókötő

wristpin *fn műsz* csuklócsapszeg, keresztfejcsapszeg, dugattyúcsap(szeg)

wristwatch *fn* karóra

wristwork *fn sp* csuklómunka *[vívásban stb.]*

writ [rɪt] *fn* **1.** *jog* bírói parancs/megkeresés/idézés; **~ of summons** perbeidézés; **serve a ~ on sy**, **issue a ~ against sy**, **have a ~ issued against sy** bíróság elé idéz vkt, idézést bocsát ki vknek; **a ~ is out for his arrest** letartóztatási parancsot adtak ki ellene **2. a)** *régi* hivatalos okirat; **holy/sacred ~** szentírás **b)** *GB* a lordok házát összehívó irat

write [raɪt] *pt* **wrote** [rout], *pp* **written** ['rɪtn] **A.** *tsi* **1.** ír *[kézzel]*; **~ one's name** leírja a nevét; **I wrote two pages** két oldalt (tele)írtam; **he ~s a good hand** szép írása van, szépen ír; **~ shorthand** gyorsírással ír; **he wrote to me** írt nekem; **how is it written?** hogy(an) írják?, hogy(an) kell írni? **2.** leír, megír, írásban közöl (vmt); **~ one's impressions** leírja/megírja benyomásait; **a great scholar has written that** egy nagy tudós (meg)írta, hogy; *bibl* **it is written ...** meg van/vagyon írva ...; *biz átv* **nothing to ~ home about** semmi különös, nem nagy dolog/szenzáció **3.** ír *[könyvet, költeményt stb.]*, (meg)alkot *[írásművet]*; **~ an article** cikket ír; **~ a book on/about sg** könyvet ír vmről; **~ a poem** verset ír **4.** *átv* írja/nevezi/címezi magát; **he ~s himself Colonel** ezredesnek nevezi/címezi magát **5.** *átv* világosan mutat (vmt), nyilvánvaló jelét adja (vmnek); **fear is written on his face** a félelem rá van írva arcára, a félelem lerí az arcáról **B.** *tni* **1.** ír, betű(ke)t vet; **learn to ~** írni tanul; **~ illegibly** olvashatatlanul ír; **he promised to ~** megígérte hogy ír(ni fog) **2. a)** ír, írásban közöl *[gondolatokat/híreket stb.]* **b)** írással foglalkozik, ír *[író, költő stb.]*; **~ for a paper** újságba/újságnak ír, újságíró • *mn* **writable**

write back *tni* visszaír, válaszol *[írásban]*

write down *tsi* **1. a)** leír, beír, felír, feljegyez, írásban lefektet/lerögzít, írásba foglal; **~ down an address** leír/feljegyez egy címet; **~ it down before you forget it** írd le/fel (v. jegyezd fel), mielőtt elfelejted **b)** *átv* leír, ábrázol, lefest **2.** *biz* lekicsinyel, lebecsül, lebecsmérel, ócsárol, lepocskondiáz, lehúz *[írásban]* **3.** *pénz* leír *[követelést stb.]*; → **write-down**

write in *tsi* **1.** beír, betold, beszúr, beilleszt *[szót, javítást stb.]* **2.** *US* (meg)ír *[megjegyzést, kér(d)ést szervezetnek]*, beír, írásbeli panaszt emel, írásban reklamál *[központban stb.]*

write off *tsi* **1.** együltében megír, lefirkant *[cikket stb.]*, letud *[munkát]* **2. a)** leír *[veszteséget stb.]*, elveszettnek tekint (vmt) **b)** elvet, elutasít (vmt) **c)** lemond (vmről); **~ so much off for wear and tear** ennyit és ennyit leszámít kopásra és elhasználódásra; → **write-off** **d)** *GB biz* teljesen összetör, összeroncsol *[járművet, használati tárgyat]*

write out *tsi* **1.** lemásol, letisztáz **2.** teljesen/egészen kiír *[rövidítés/kihagyás stb. nélkül]* **3. a)** *orv* (meg)ír *[receptet]* **b)** kiállít, kitölt *[csekket]* **4. ~ oneself out** kiírja magát *[író]*

write up *tsi* **1. a)** teljesen/részletesen kidolgoz *[írásban]*, megír, megfogalmaz, megszerkeszt *[tudósítást stb.]* **b)** letisztáz *[iromány]* **2.** feldicsér, felmagasztal, agyba-főbe dicsér, előnyösnek igyekszik feltüntetni *[írásban vkt/vmt]* **3.** azsúrba hoz, naprakész állapotba hoz *[üzleti könyvet stb.]*; → **write-up**

writeable ['raɪtəbl] *mn infor* írható; **~ CD** (többször) írható CD

write-down *fn gazd* leírás, leértékelés; → **write down**

write error *fn infor* írási hiba

write-off *fn* **1.** *gazd* leírás, érvénytelenítés (írás útján) **2.** *GB biz [teljesen összetört/használhatatlan tárgy/jármű]* roncs; → **write off**

write protection *fn infor* írásvédelem, írás elleni védelem • *mn* **write-protected**

writer [ˈraɪtə ‖ –ər] *fn* **a)** író, szerző *[irodalmi műé, szövegkönyvé stb.]*, költő *[versé, dalé stb.]*; **the (present) ~** e sorok írója, jelen sorok írója; **be a good ~** jó/szép írása van, szépen ír; jó író, jól ír; **be a ready ~** könnyen/könnyedén ír **b)** írnok, irodai alkalmazott

write time *fn infor* írási idő

write-up *fn* **1.** túlzott feldicsérése (vknek), hangos/túlzott propagálása/hirdetése (vmnek) **2.** *US biz* (kedvező beállítottságú) sajtóbeszámoló, újságcikk **3.** *gazd* felértékelés; → **write up**

writhe [raɪð] **I. A.** *tsi* **~ oneself** vonaglik, kígyózik, csavarodik, tekeredik *[fájdalomtól stb.]* **B.** *tni* **1.** vonaglik, kígyózik, tekeredik, csavarodik; **~ with agony** kínok között vonaglik **2.** *átv* gyötrődik, szenved, lelki kínokat áll ki; **~ under a person's taunts** vk gúnyolódásától/kötekedésétől szenved/gyötrődik; **make sy ~** idegesít/gyötör/bosszant vkt, felborzolja vknek az idegeit **II.** *fn* vonaglás, gyötrődés • *fn* **writher**

writing [ˈraɪtɪŋ] *fn* **1.** írás; **in ~** írásban; *jog* **evidence in ~** írásbeli bizonyíték; *biz* **give me that in ~** add ezt nekem írásban; **commit the facts to ~** írásban lefekteti (v. írásba foglalja) a tényeket **2.** írásmód, kézírás, szépírás; **cuneiform ~** ékírás; **his ~ is bad** rossz írása van; **I know that ~** ismerem azt az írást **3.** írás *[irodalmi műé stb.]*, irodalmi alkotás; **the ~ profession** az írói hivatás; **a fine piece of ~** szép (v. jól megírt) írásmű/könyv/cikk/tanulmány; jó írás; *biz átv* **the ~ on the wall** intő/figyelmeztető szó **4.** *tsz* **writings** (irodalmi) művek; **the ~s of Pope** Pope művei; *bibl* **W~** az Írás; **Hemingway's hitherto unpublished ~s** Hemingway eddig ki nem adott művei/munkái **5.** írásművészet

writing cabinet *fn* kis íróasztal, szekreter

writing desk *fn* íróasztal

writing materials *fn tsz* íróeszközök

writing pad *fn* **1.** írómappa **2.** jegyzettömb

writing paper *fn* írópapír, levélpapír

writing table *fn* íróasztal

written [ˈrɪtn] *mn* **a)** írott; **~ law** írott jog **b)** (meg)írt, leírt, írásba foglalt; **~ consent** írásbeli beleegyezés/hozzájárulás/engedély; → **write**

wrong [rɒŋ ‖ rɔŋ] **I.** *mn* **1. a)** helytelen, hibás, igazságtól eltérő, tévedésen alapuló, téves, rossz *[adat, megállapítás stb.]*; **~ ideas** helytelen/hibás nézetek; **~ use of a word** egy szó rossz/téves/hibás/helytelen használata; **take a word in the ~ sense** félreért (v. rosszul/tévesen/helytelenül értelmez) egy szót; **I don't know if it's right or ~ but** nem tudom, helyes-e vagy sem, de; nem tudom, jól tettem-e vagy sem, de **b)** rossz, téves, hibás, hamis; *zene* **~ note** hibás/hamis/fals hang; **~ number** téves szám *[telefonhívásnál]*; **dial the ~ number** rossz/téves számot tárcsáz; **my watch is ~** rosszul jár/nem pontos az órám; **what's ~ with him?** mi történt vele?, mi a baja?; **I hope there is nothing ~** remélem nem történt semmi baj; **there's nothing ~ with you** semmi/kutya bajod sincs; **he is on the ~ scent/track** rossz nyomon jár/van; *biz* **get the ~ end of the stick** teljesen félreért vmt; **take the ~ road/turning** eltéveszti az utat, eltéved; **it went (down) the ~ way** cigányútra ment *[lenyelt falat, ital]*; **things are going the ~ way** a dolgok rossz irányban haladnak, fejlődnek; **this book is in the ~ place** ez a könyv nincs a helyén **c)** megállapodástól/megegyezéstől eltérő, nem megfelelő, rossz; **I went to the ~ house** eltévesztettem a házat; **you brought me the ~ book** nem azt a könyvet hoztad, amit kellett volna; *biz* **get out of bed on the ~ side** bal lábbal kel fel **2.** rossz, gonosz *[erkölcsi tekintetben]*; **it is ~ to tell lies** hazudni bűn **3.** helytelenül mondó/megállapító/cselekvő, hibát elkövető, tévedő, félreértett, félrevezetett *[személy]*; **be ~** téved, nincs igaza; **he is right but you are ~** neki igaza van, de neked nincs; **you were quite ~ in what you said** egyáltalán nem volt igazad abban, amit mondtál **4.** nem megfelelő/helyénvaló/alkalmas/időszerű, alkalmatlan, helytelen, rossz *[időpont stb.]*; **come at the ~ time** rosszkor jön, alkalmatlan időpontban jön; **laugh in the ~ place** rosszkor nevet, rossz helyen nevet; **these are the ~ clothes for the occasion** ez a ruha nem megfelelő erre az alkalomra; **it's the ~ way around** fordítva van **II.** *hsz* **a)** helytelenül, hibásan, tévesen, rosszul, pontatlanul; **answer ~** hibásan/tévesen/helytelenül/pontatlanul válaszol; **he guessed ~** nem találta el/ki; **you are doing it all ~** (teljesen) rosszul csinálod; **get sg ~** számolásnál elhibáz, félreért; *biz* **don't get me ~** ne érts félre **b)** helytelenül, alaptalanul, igazságtalanul, jogtalanul; **you have done it ~** rosszul csináltad/tetted **c)** helytelenül, nem célravezetően, célszerűtlenül, rosszul, alkalmatlan módon, alkalmatlanul; **go ~** baj éri, bajba kerül; hibázik, hibát követ el, téved; eltéveszti az irányt/utat, eltéved; *átv* letér a helyes útról *[erkölcsileg]*, rossz útra lép/téved; rosszul jár/működik, elromlik, megáll *[szerkezet stb.]* **III.** *fn* **1.** rossz (cselekedet), hiba *[erkölcsi]*; **make a ~ right, right a ~** a rosszat jóra fordítja (v. jóváteszi), visszásságot megszüntet **2. a)** *jog* jogsértő/jogtalan cselekedet, igazságtalanság, megkárosítás; **private ~** egyedi jogsérelem/jogsértés; **public ~** közsérelem; közérdekbe ütköző jogsértő cselekmény; törvénytelenség; **do ~** vét(kezik); **do ~ to sy, do sy ~** igazságtalanul/méltatlanul bánik vkvel, megsért vkt/vmt; **you do him ~ if you say so** igazságtalan vagy vele, ha ezt mondod **b)** sérelem, méltatlanság, hátrány(os helyzet); **he will never forget the ~s he had to suffer** sohasem fogja elfelejteni azt a sok bántalmat, amit el kellett szenvednie **3.** tévedés, hiba; **be (in the) ~** téved, nincs igaza; **you are (in the) ~** nincs igazad, tévedsz **IV.** *tsi* **1. a)** rosszat tesz, sérelmet okoz, vét, árt (vknek), jogtalanságot/igazságtalanságot követ el (vkvel szemben), igazságtalanul/méltatlanul bánik (vkvel); **I ~ed him** igazságtalan voltam vele, vétettem ellene **b) ~ sy of sg** megkárosít/megrövidít vkt vmvel/vmben **2.** megsért, megbánt vkt • *fn* **wrongness**

wrongdoer [ˈrɒŋduːə ‖ ˈrɔŋduːər] *fn* **a)** gonoszság/jogtalanság/rosszcselekedet elkövetője, bajszerző, kártevő **b)** *jog* jogsértő, törvénysértő, bűncselekmény elkövetője • *fn* **wrongdoing**

wrong-foot *tsi* **1.** *sp* egyensúlyából kibillent *[teniszjátékos stb. ellenfelét ütéssel]* **2.** *átv* felborít *[vk lelki egyensúlyát]*, meglep (vkt) • *fn* **wrong-footer** *mn* **wrong-footed**

wrongful [ˈrɒŋfl ‖ ˈrɔŋfl] *mn* **1. a)** *jog* jogtalan, igazságtalan, törvénytelen; **~ act** jogsértő cselekedet; **~ dismissal** jogtalan elbocsátás *[alkalmazásból]* **b)** helytelen, rossz, téves, hibás **2.** káros, hátrányos, sérelmes (vkre/vmre nézve) • *fn* **wrongfulness** *hsz* **wrongfully**

wrongheaded *mn* (téveszméihez) csökönyösen ragaszkodó, fonák gondolkodású, önfejű, makacs • *fn* **wrongheadedness** *hsz* **wrongheadedly**

wrongly [ˈrɒŋli ‖ ˈrɔŋli] *hsz* **1.** helytelenül, tévesen, hibásan; **he has been ~ accused** ártatlanul vádolták; **rightly or ~** jogosan vagy jogtalanul **2.** rosszul, gonoszul

wrongous [ˈrɒŋəs ‖ ˈrɔŋ–] *mn skót jog* jogtalan, igazságtalan, méltánytalan

wrote [rəʊt] → **write**

wroth [rəʊθ ‖ rɔθ] *mn vál régi* dühös, mérges, haragos • *mn* **wrothful**

wrought [rɔːt] *mn vál* **a)** kidolgozott, feldolgozott **b)** *műsz* megmunkált, kidolgozott, kovácsolt; **~ diamond** köszörült/csiszolt gyémánt; **~ gold** vert arany; **~ iron** kovácsolt vas; → **work**

wrung [rʌŋ] → **wring**

wry [raɪ] *mn* **a)** félrecsavart, félrehúzott, ferde, görbe, eltorzult **b)** *átv* elfintorodott, savanyú *[ábrázat stb.]*, fanyar *[humor]*; **make a ~ face** savanyú képet vág; **give a ~ smile** kényszeredetten/erőltetetten mosolyog • *fn* **wryness** *hsz* **wryly**

W

wryneck *fn orv* nyakferdülés, (görcstől) ferde nyak (torticollis) • *mn* **wry-necked**
WSW *röv west-southwest*
wt. *röv weight*
wunderkind [ˈwʌndəkɪnd ‖ –dər–] *fn német* csodagyerek
wurlitzer [ˈwɜːlɪtsə ‖ ˈwɜrlətsər] *fn zene* wurlitzer
wurst [wɜːst ‖ wɜrst] *fn német* kolbász
wuss [wʊs] *fn US szl [bárgyú/hülye ember]* balfasz, balfék, marha • *mn* **wussy**
wussie → **wuss**
wuther [ˈwʌðə ‖ –ər] *tni táj* zúg, süvölt, fütyül *[szél]*
WV, **W.Va.** *röv US West Virginia*
WW I *röv tört World War I* az első világháború
WW II *röv tört World War II* a második világháború
WWW *röv fn infor World Wide Web* világháló, háló
WY *röv US Wyoming*
wynd [waɪnd] *fn skót* utcácska, köz, sikátor
Wyo. *röv US Wyoming*
Wyoming [waɪˈoʊmɪŋ] *tul földr* Wyoming • *fn/mn* **Wyomingite**
WYSIWYG [ˈwɪziwɪg] *röv fn infor what you see is what you get* amit a képernyőn lát, azt kapja nyomtatásban
wyvern [ˈwaɪvən ‖ –vərn] *fn cím* sárkány

X[1], **x** [eks] *fn tsz* **X's I. 1.** X, x (betű); **X for X-ray** X mint Xavér **2.** *mat* x, első ismeretlen *[mennyiség stb.]* **3.** 10 *[mint római szám]* **II.** *tsi pt/pp* **x-ed** → **x out**
x out *tsi* (írógéppel) olvashatatlanná tesz *[gépelt szöveget]*, kiikszel
X[2], **x** *röv* **1.** Christus, *Christ* **2.** *cross*
xanthate [ˈzænθeɪt] *fn vegy* xantát, xantogenát
xanthic [ˈzænθɪk] *mn* sárgába hajló, sárgás; *növ* ~ **flowers** sárgás virágok; *vegy* xantogén *[sav]*
xanthine [ˈzænθiːn, –θɪn] *fn vegy* xantin
Xanthippe [zænˈθɪpi] *tul* **1.** *tört* Xanthippé *[Szókratész felesége]* **2.** *átv biz* házsártos feleség, házisárkány
xanthoma [zænˈθoʊmə] *fn orv* bőr sárga foltossága, xanthoma
xanthophyll [ˈzænθəfɪl] *fn növ vegy* xantofill, lutein • *mn* **xantophyllic**
xanthosis [zænˈθoʊsɪs] *fn orv* sárgás bőr, sárga bőrszín(eződés)
xanthous [ˈzænθəs] *mn* **1.** sárga, mongoloid *[típusú ember]* **2.** *orv* sárga, sárgás *[daganat stb.]*
x-axis *fn mat* x tengely
X-bar theory *fn nyelv* X-vonás elmélet
X chromosome *fn biol* x-kromoszóma
xenogamy [zeˈnɒgəmi || zəˈnɑ–] *fn növ* szomszédos beporzás
xenogenesis [ˌzenəˈdʒenɪsɪs] *fn biol* nemzedékváltás, ivadékcsere
xenolith [ˈzenəlɪθ] *fn geol* zárvány *[más összetételű sziklába bezárt szikla]*
xenomania [ˌzenəˈmeɪnɪə] *fn ritk* idegenimádat
xenon [ˈziːnɒn || –nɑn] *fn vegy* xenon
xenophobia [ˌzenəˈfoʊbɪə] *fn* idegengyűlölet • *mn/fn* **xenophobe** *mn* **xenophobic**
xer- [zɪə, zɪr], **xero-** [zɪərə] *előtag* száraz-, -szárazság
xeric [ˈzɪərɪk || ˈzɪr–] *mn biol* száraz *[élőhely]* • *hsz* **xerically**
xerodermia [ˌzɪərəˈdɜːmɪə || ˌzɪrəˈdɜrmɪə] *fn orv* bőrszárazság, xerodermia
xerography [zɪˈrɒgrəfi || –ˈrɑ–] *fn fényk nyomd* xerográfia *[szárazeljárás]*, szárazmásolás • *mn* **xerographic**
xerophilous [zɪˈrɒfɪləs || –ˈrɑ–] *mn növ* száraz éghajlatot kedvelő, szárazságkedvelő *[növény]*
xerophylic [ˌzɪərəˈfɪlɪk || ˌzɪr–] → **xerophilous**
xerophyte [ˈzɪərəfaɪt || ˈzɪr–] *fn növ* szárazságkedvelő növény
xerotherm [ˌzɪərəˈθɜːm || ˌzɪrəˈθɜrm] *fn növ* xeroterm (növény) *[meleg- és szárazságkedvelő]*
Xerox, **xerox** [ˈzɪərɒks || ˈzɪrɑks] **I.** *fn* **1.** fénymásolat, xerox **2.** fénymásoló(gép) **3.** fénymásolás **II.** *tsi* (le)fénymásol, (le)xeroxozik, sokszorosít
Xhosa [ˈkɔːsə || ˈkoʊsə] *fn/mn* khosza *[nép és nyelv]*
xi [zaɪ, ksaɪ] *fn* kszi *[a görög ábécé tizennegyedik betűje]*
Xing [ˈkrɒsɪŋ || ˈkrɔsɪŋ] *fn röv közl crossing* útkeresztez(ő-d)és, gyalogátkelőhely *[jelzése]*
xiphoid [ˈzɪfɔɪd] *orv* **I.** *fn* kardnyúlvány *[szegycsonton]* **II.** *mn* kard formájú/alakú
XL *röv extra large* extra nagy méretű *[ruha, stb.]*
Xmas [ˈkrɪsməs] *röv Christmas*
x-radiation *fn orv* röntgensugárzás
X-rated *mn* **1.** pornográf **2.** csak felnőtteknek/18 éven felülieknek ajánlott *[film, humor]*
X-ray [ˌeksˈreɪ || ˈeksreɪ] **I.** *fn* **1.** röntgensugarak **2.** röntgenfelvétel **II.** *tsi* **1.** megröntgenez **2.** röntgenfelvételt készít **3.** röntgensugarakkal kezel
X-ray picture *fn orv* röntgenkép
X-ray therapy *fn orv* röntgenkezelés
X-ray treatment *fn orv* röntgenkezelés
X-ray tube *fn műsz* röntgencső, röntgenlámpa
X-reflecting image *orv* felvétel visszaverődő röntgensugarakkal
x-unit *fn fiz* x egység
xyl- [zaɪl–], **xylo-** [zaɪlə–] *előtag* fa-
xylem [ˈzaɪləm] *fn növ* xilem, faanyag
xylene [ˈzaɪliːn] *fn vegy* xilol, dimentilbenzol
xylograph [ˈzaɪləgrɑːf || –græf] *fn műv* fametszet • *fn* **xylographer**, **xylography**
xyloid [ˈzaɪlɔɪd] fa-, fás, fából való/levő
xylol [ˈzaɪlɒl] → **xylene**
xylometer [zaɪˈlɒmɪtə || –ˈlɑmətər] *fn* xilométer *[fafajsúlymérő]*, térfogatmérő
xylonite [ˈzaɪlənaɪt] *fn* celluloid
xylophaga [zaɪˈlɒfəgə || –ˈlɑf–] *fn tsz áll* farágó bogárfélék • *mn* **xylophagous**
xylophone [ˈzaɪləfoʊn] *fn zene* xilofon • *fn* **xylophonist**
xylotomy [zaɪˈlɒtəmi || –ˈlɑt–] *fn növ* xilotómia, fák anatómiája
xyster [ˈzɪstə || –ər] *fn orv* vakarókés, kaparókés *[csontmélyedések kikaparására]*
xystus [ˈzɪstəs] *fn* **1.** oldalt nyitott, fedett folyosó *[görög építészetben]* **2.** fasorokkal szegélyezett út

Y[1], **y** [waɪ] *fn tsz* **Y's 1.** Y, y (betű); **Y for Yankee** ipszilon **2. a)** *mat* második ismeretlen **b)** *mat* ordináta (tengely)

Y[2], **y** *röv* **1.** *yard* **2.** *year(s)* **3.** *yen* **4.** *YMCA* **5.** *yttrium*

-y [i] *utótag* ‹melléknévképző› -os/-es/-ös/-s; **creamy** krémes; **hairy** szőrös; **sandy** homokos

Y2K *röv infor Year 2000* a 2000. év problémája; ~ **compliant** ezredforduló-kompatibilis *[számítógép]*

yabber [ˈjæbə ‖ –ər] **I.** *fn Ausz* locsogás, fecsegés, duma **II.** *tni Ausz* locsog, fecseg, dumál

yacht [jɒt ‖ jɑt] *hajó* **I.** *fn* jacht, versenyvitorlás **II.** *tni* jachtozik, vitorlázik • *fn* **yachtie**, **yachting**

yachtclub *fn hajó* jachtklub

yachtsman [ˈjɒtsmən ‖ ˈjɑts–] *fn tsz* **-men** *hajó* **a)** jachtozó, (verseny)vitorlázó **b)** jachthajós, jachtmatróz • *fn* **yachtsmanship**

yacker [ˈjækə ‖ –ər] *fn Ausz biz [munka]* meló, strapa

yackety-yak [ˌjækətiˈjæk] *fn US szl [semmitmondó beszéd]* süket duma

yahoo [jɑːˈhuː ‖ ˈjɑhuː] *isz* hurrá!

Yahweh [ˈjɑːweɪ, ˈjɑːveɪ] *tul* **Yahveh** *bibl* Jahve • *fn* **Yahwism**, **Yahwist** *mn* **Yahwistic**

yak[1] [jæk] *fn áll* jak

yak[2] [jæk] *szl* **I.** *tni [hosszasan beszél]* dumál, szövegel, zagyvál, tépi a száját, nyomja a rizsát **II.** *fn [hosszas beszéd]* duma, szöveg, szájtépés • *fn* **yakking**

yakety-yak → **yackety-yak**

Yale-lock [ˈjeɪl lɒk ‖ –lɑk] *fn* wertheimzár, cilinderes biztonsági zár

Yalta [ˈjæltə] *tul földr* Jalta; *tört* **the Yalta conference** a jaltai konferencia

yam [jæm] *fn növ* **1.** jamgyökér, jamgumó **2.** *US* édesburgonya

yammer [ˈjæmə ‖ –ər] *tni GB táj* **1.** sóvárog, vágyódik, áhítozik **2.** jajgat, óbégat, siránkozik **3.** kiált, rikolt, szól *[madár]* • *fn* **yammerer**, **yammering**

yang [jæŋ ‖ jɑːŋ] *fn fil* a férfi elv/princípium *[kínai filozófiában]*

Yank [jæŋk] *szl* → **Yankee**

yank [jæŋk] **I. A.** *tsi US* (meg)ránt, rángat,ráncigál; ~ **on the brake** hirtelen fékez; *rep* ~ **the stick back** kormányrudat maga felé rántja **B.** *tni GB* **1.** gyorsan/élénken mozog **2.** gyorsan (v. megállás nélkül) beszél **II.** *fn US* hirtelen rántás/húzás/tépés

Yankee [ˈjæŋki] *fn biz* **1.** *[amerikai ember]* jenki **2.** északkelet-amerikai nyelvjárás • *fn* **Yankeedom**, **Yankeeism**

Yankee Doodle [ˌjæŋki ˈduːdl] *fn* **1.** *US* ‹amerikai nemzeti dal› **2.** *biz* jenki

yap [jæp] **I.** *fn* **1.** *GB táj biz* csaholás, ugatás, kaffogás *[kutyáé]* **2.** *GB táj szl [hosszú, idegesítő beszéd]* szöveg, rizsa **3.** *szl [száj]* pofa **II.** *tni* **-pp- 1.** *GB táj biz* ugat, csahol, kaffog *[kutya]* **2.** *GB táj szl [hosszasan, idegesítően beszél]* szövegel, jár a szája, nyomja a rizsát • *fn* **yapper**, **yapping** *mn* **yappy**

yard[1] [jɑːd ‖ jɑrd] *fn* yard *[angol hosszmértékegység = 3 láb, 36 hüvelyk, 0,914 méter]*

yard[2] [jɑːd ‖ jɑrd] **I.** *fn* **1.** udvar *[házé, iskoláé stb.]* **2.** telep, raktár; *GB biz* **the Y~** → **Scotland Yard** **3. a)** telep, műhely **b)** *vasút* rendező pályaudvar **4.** kifutókarám **5.** *táj* kert **II.** *tsi/tni US* karámban/kifutóban tart *[állatot]*

yardage[1] [ˈjɑːdɪdʒ ‖ ˈjɑr–] *fn* yardmennyiség

yardage[2] [ˈjɑːdɪdʒ ‖ ˈjɑr–] *fn* **1.** (juh)nyáj karámban tartása **2.** karámhasználati díj, karámdíj

yard dog *fn* házőrző kutya

yardgoods *fn tsz* méteráruk

yardman [ˈjɑːdmən ‖ ˈjɑrd–] *fn tsz* **–men 1.** *US vasút* teherpályaudvari munkás **2.** rakodómunkás **3.** lovász, istállófiú **4.** *US* kertész, mindenes

yardmeasure *fn* egyyardos mérőrúd/mérőszalag

yardstick *fn* **a)** egyyardos mérőrúd/mérőléc **b)** *biz átv* rőf *[mint összehasonlítási egység]*; **measure others by one's own** ~ önmagáról ítél (meg) másokat

yarmulke [ˈjɑːməlkə ‖ ˈjɑːr–] *fn vall* ‹zsidó férfiak szertartásos fejfedője› jarmülke, kipa, sábeszdekli

yarn [jɑːn ‖ jɑrn] **I.** *fn* **1.** *tex* fonal, fonál, szál **2.** *biz* **a)** történet, mese, színes/meseszerű/hosszú elbeszélés; **sailor's** ~ Háry János-i história, hihetetlen/fantasztikus történet; **spin a** ~ elmond/elmesél egy történetet; túlzott/koholt/fantasztikus történetet ad elő, háryjánoskodik; **pitch a long** ~ **to sy** nagy dumát vág le vknek, bemesél vknek (vmt) **b)** dumcsizás, csevegés **II.** *tni biz* **a)** történetet elmond/elbeszél, mesél **b)** hosszasan beszél(get)/cseveg

yaw [jɔː] *hajó rep* **I. A.** *tsi* hirtelen eltérít/kitérít/elfordít *[irányából]* **B.** *tni* hirtelen eltér/elfordul *[eredeti irányától]* **II.** *fn* **a)** hirtelen irányváltoztatás **b)** ‹repülőgép függőleges tengelye körüli mozgása› • *fn/mn* **yawing**

yawl [jɔːl] *fn hajó* **a)** kétevezős csónak/sajka **b)** *[hajóhoz tartozó]* kis csónak **c)** jolle, (kétárbocos) vitorlás

yawn [jɔːn] **I. A.** *tsi* **a)** ásít, ásít(oz)va (v. ásítás közben) mond (vmt); *biz* ~ **one's head off** (szünet nélkül) ásítozik **b)** ~ **sg away** végigásítozik/végigunatkozik vmt **B.** *tni* **1.** ásít(ozik) **2.** *átv* tátong *[szakadék, űr]*; **a chasm ~ed at his feet** szakadék tátongott lábainál **II.** *fn* **1.** ásít(oz)ás; **give a** ~ ásít (egyet); **stifle a** ~ elfojtja az ásítását **2.** *átv* hézag, rés, szakadék, tátongó nyílás/űr **3.** *biz* dögunalom • *fn* **yawner** *fn/mn* **yawning**

y-axis *fn mat* y tengely *[koordinátán]*

Y chromosome *fn biol* y-kromoszóma

yd *röv* yard

yds *röv* yards

ye[1] [jiː] *régi* → **the**; *[főként régieskedő cégtáblákon]*

ye[2] [jiː] *nm vál táj* **a)** te, ti; *biz* **how d'~ do?** hogy vagy(tok)?; **look** ~ ide nézz(etek)/figyelj(etek) **b)** téged, titeket, benneteket **c)** neked, nektek; **thank** ~ köszönöm

yea [jeɪ] *régi* **I.** *hsz* **1.** igen **2.** bizony, bizonnyal **3.** sőt, mi több **II.** *fn* **1.** igen; **~s and nays** igen és nem szavazatok **2.** *US* igen szavazat **3.** *US* igennel szavazó

yeah [jeə] *US biz* **I.** *hsz [igen]* ja, aha; **oh ~?** tényleg?; *iron* **~ right** na persze, na ne mondd, ki hiszi ezt el **II.** *isz* igen!, ez az!

yean [jiːn] **A.** *tsi* ellik *[juh, kecske]* **B.** *tni* (meg)ellik *[juh, kecske]* • *fn* **yeanling**

year [jɪə, jɜː ‖ jɪr] *fn* **1.** év, esztendő; *okt* **academic/school** ~ tanév; **calendar/civil/legal** ~ naptári/polgári év; **every** ~ minden év(ben)/esztendő(ben); *gazd* **fiscal** ~ költségvetési év; **last** ~ (a) tavaly(i/múlt év)(ben), a(z el)múlt év(ben)/esztendő(ben); **leap** ~ szökőév; **next** ~ jövőre, a jövő év(ben)/esztendő(ben); **twice a** ~ kétszer egy évben, évente kétszer; **a thousand pounds a** ~ évi/évenként ezer font; **this day next** ~ mához egy évre/esztendőre; **be ten ~s old** tízéves; ~ **after/by** ~, ~ **in (and)** ~ **out** évről évre, minden évben; **a lease by the** ~ évi/éves bérlet; **for many long ~s** hosszú éveken át, hosszú évekig/évekre; **for several ~s** jónéhány/jópár évig; **permit lasting/valid for one** ~ egy évig érvényes engedély; *biz* **I haven't seen him for (donkey's) ~s, it's (donkey's) ~s since I saw him** ezer éve nem láttam; **be young for one's ~s** korához képest fiatal(os); **from ~ to ~** évről évre, egyik évről a másikra; **in a ~('s time)** egy év múlva; egy év alatt; **advance in ~s, be getting on in ~s** öregszik, eljár felette az idő, benne van a korban; **advanced in ~s** koros, idős; **~s ago** évekkel ezelőtt, sok évvel ezelőtt; **all (the) ~ round** az egész évben (v. éven át); *közm* **Christmas comes but once a ~** csak egyszer van egy évben karácsony/vízkereszt; *biz* **not in a thousand ~s!** soha az életben!, ne is álmodj róla!, kizárt dolog! **2.** *okt* évfolyam; **student in his second ~** másodéves hallgató; **he is the first in his ~** ő az évfolyamelső

yearbook *fn* évkönyv

year-end I. *mn* év végi **II.** *fn* év vége

yearling [ˈjɪəlɪŋ, ˈjɜː– ‖ ˈjɪr–] **I.** *fn* **1. a)** *áll* egyéves állat **b)** *növ* egyéves/egynyári növény **2.** *pénz* egyéves (lekötésű) kötvény **II.** *mn* **a)** egyéves *[állat, kötvény]* **b)** egyéves, egynyári *[növény]*

yearlong *mn* egy (teljes) évig tartó

yearly [ˈjɪəli, ˈjɜːli ‖ ˈjɪrli] **I.** *mn* **1.** évi, évenkénti, évenként előforduló **2.** egy évig tartó, egy évre szóló, (egy)éves **II.** *hsz* **a)** évente egyszer, egyszer egy évben **b)** évente, évenként, minden évben

yearn [jɜːn ‖ jɜrn] *tni* sóvárog, vágyódik (*for/after* vm után), áhítozik (vmre); **~ to do sg** ég/eped a vágytól, hogy megtegyen vmt • *fn* **yearner** *fn/mn* **yearning**

year-old *mn* egyéves

year-round *mn* egész éven át tartó

yeast [jiːst] *fn* **1. a)** élesztő **b)** *átv* erjesztő, kovász **2.** élesztőgomba **3.** erjedés

yeastpowder *fn gaszt* sütőpor

yeasty [ˈjiːsti] *mn* **1.** élesztős, élesztőízű **2.** nyugtalan, nyughatatlan; **~ thoughts** csapongó gondolatok **3.** dagályos, fellengzős *[stílus]*, hangzatos, pufogó *[frázisok]*, üres *[szavak]*

yegg [jeg] *fn US szl [betörő, kasszafúró]* mackós

yell [jel] **I. A.** *tsi* **1.** ordít, kiált(ozik), üvölt (vmt) **2.** *US* ütemes kiáltozással buzdít *[sportcsapatot]* **B.** *tni* **1.** ordít, (rá)kiált, üvölt (*at sy* vkre), sikolt; **he ~ed at his boss** ráordított a főnökére, ordított a főnökével; **~ with pain** fájdalmában (fel)üvölt/felsikolt **2. ~ (with laughter)** majd megpukkad a nevetéstől, hahotázik **II.** *fn* **1.** (fel)üvöltés, kiáltás, (fel)sikoltás, sikoly; **a ~ of pain** fájdalomkiáltás, fájdalmas sikoly; **give a ~** felsikolt **2.** *US* csatakiáltás *[diákoké]*, ütemes csapatbuzdító kiáltás *[versenyen]* • *fn* **yeller**

yellow [ˈjeloʊ] **I.** *mn* **1.** sárga; *orv biz* **~ alert** járványkészültség; **~ brass** sárgaréz; *hajó* **~ flag** (karantént jelző) sárga zászló; **~ hair** (arany)szőke haj; **~ man** mulatt; *biz* sárgabőrű; *biz* **~ press/journalism** bulvársajtó; *földr* **Y~ River** Sárga-folyó; *földr* **Y~ Sea** Sárga-tenger; *biz* **~ as a guinea** nagyon sárga, sárga, mint a citrom; **gleam ~** sárgállik, sárgul *[búza stb.]*; **turn/go ~** megsárgul **2.** *biz* **a)** irigy, féltékeny, sárga az irigységtől; **~ looks** gyanakvó tekintet **b)** bánatos, levert, savanyú arcot vágó **3.** *szl* gyáva, hitvány; **turn ~** *[gyáván megfutamodik]* lefekszik **4.** *US* mulatt **II.** *fn* **1. a)** sárga (szín); **golden ~** aranysárga **b)** sárga (festék) **2.** tojássárgája **3.** *sp* a sárga *[bábu, játékos, mez(es csapat)]* **III. A.** *tsi* (meg)sárgít **B.** *tni* (meg)sárgul • *fn* **yellowness** *mn* **yellowish, yellowy**

yellowbird *fn áll* sárgarigó

yellowbook *fn GB* sárga könyv *[a kormány hivatalos jelentése]*

yellow card *fn sp* sárga lap(os figyelmeztetés) *[labdajátékokban]*; **get/receive a ~** sárgalapot kap, *biz* besárgul *[játékos]*

yellow dog *fn US szl* piszok fráter

yellow-dog contract *fn* ‹szerződés melyben munkavállaló kötelezi magát, hogy nem lép be szakszervezetbe›

yellow-green *mn/fn* sárgászöld

yellow fever *fn orv* sárgaláz

yellow line *fn közl* sárga vonal *[parkolási tilalom jelzése útszélen]*

Yellow Pages *fn tsz* arany oldalak, szaknévsor *[cégek telefonkönyve]*

yellow peril *fn pol pej* ‹az ázsiai népek jelentette veszély a nyugati civilizációkra› sárga veszedelem

Yellowstone [ˈjeloustoun] *tul földr* Yellowstone; **~ National Park** Yellowstone Nemzeti Park *[természetvédelmi terület az Egyesült Államokban]*

yelp [jelp] **I.** *fn* **1.** csaholás, ugatás, vakkantás **2.** éles kiáltás, (fel)sikoltás *[fájdalomtól stb.]* **II. A.** *tsi* elüvölt (vmt) **B.** *tni* **1.** csahol, ugat **2.** felsikolt, felüvölt, felkiált • *fn* **yelper**

Yemen [ˈjemən] *tul földr* Jemen • *fn/mn* **Yemeni, Yemenite**

yen[1] [jen] *fn pénz* jen *[japán pénzegység]*

yen[2] [jen] **I.** *fn US biz* vágyakozás, vágyódás, kíván(koz)ás **II.** *tni* vágyakozik, vágyódik

yeoman [ˈjoumən] *fn tsz* **-men 1.** *tört* szabad kisbirtokos, kisgazda; *biz* **do ~('s) service** értékes/felbecsülhetetlen szolgálatot tesz (v. segítséget nyújt) **2.** önkéntes lovas katona **3. Y~ of the Guard** testőr a Towerban **4.** *kat US* írnok/irodista altiszt *[tengerészetnél]*; **~ of signals** jelzászlós • *fn* **yeomanry** *hsz* **yeomanly**

yep [jep] *isz US biz [igen, hogyne, persze]* ja, aha

yer [jɜː ‖ jɜr] *szl* → **you**

Yerevan [ˌjereˈvɑːn] *tul földr* Jereván *[Örményország fővárosa]*

yes [jes] **I.** *hsz* **1.** igen; **~ and no** igen is, nem is; **~ of course** hogyne, hát persze, természetesen; **~, sir** igenis (uram); parancs(ára) (uram); jelen, itt vagyok **2. ~?** igen?, valóban?; nos?, és (aztán)? **II.** *fn* **1.** igen **2.** *US* igen szavazat **3.** *US* igennel szavazó **III.** *tsi/tni* **-ss-** igent mond (vmre)

yes man [ˈjesmæn] *fn tsz* **-men** *biz* fejbólintó János, csacsener

yester [ˈjestə ‖ –ər] **I.** *mn régi* **1.** tegnapi **2.** előző, előbbi, múlt **II.** *összet* tegnap, (az el)múlt; **~day** tegnap; *régi* **~year** múlt év(ben), tavaly

yesterday [ˈjestədi, –deɪ ‖ –stər–] **I.** *fn* tegnap, a tegnapi nap; **~'s paper** a tegnapi újság; **the day before ~** tegnapelőtt; **a week (from) ~** tegnaphoz egy hétre **II.** *mn* tegnapi; **~ evening** tegnap este **III.** *hsz* tegnap; **~ week** tegnap egy hete; *biz* **I need it ~** tegnapra kellene, nagyon sürgős; *biz* **I wasn't born ~** ne nézz hülyének, én se tegnap jöttem le a falvédőről

yet [jet] **I.** *hsz* **1. a)** még; **~ more** még több; **~ again, ~ once more** még egyszer; ismét, újra; **~ another** még egy (másik); **jobs ~ to be done** még elvégzendő feladatok **b) as ~** még eddig, eddig még, mostanáig, a mai napig; **as ~ nothing has happened** még semmi sem történt; **not ~** még nem; **not as ~** eddig még nem; **not just ~** éppen (most) még nem **2.** már; **need you go ~?** már el kell menned?; **has he come ~?** itt van már?, megjött/megérkezett már? **3.** mégis, azért még; **he may surprise you ~!** szerezhet ő még azért/egyszer meglepetést önnek/neked! **4.** sőt még **II.** *ksz* mégis, de azért; **lovely, ~ stupid** szép, de buta; **not good, ~ not bad** nem jó, de (azért) nem is rossz, se jó, se rossz

yeti [ˈjeti] *fn* havasi ember, jeti

yew [juː] *fn* **1. a)** *növ* tiszafa **b)** tiszafa (fája) **2.** *régi* tiszafából készült íj • *fn* **yew-tree**

yid [jɪd] *fn/mn pej tabu [zsidó]* zsidrák

Yiddish [ˈjɪdɪʃ] *fn/mn* jiddis • *fn* **Yiddishism** *fn/mn* **Yiddisher**

yield [jiːld] **I. A.** *tsi* **1. a)** hoz, terem *[termést]*, ad *[tejet tehén]*, ad, szolgáltat *[mézet virág stb.]*; **the land ~s heavy crops** a föld bőven/bőségesen terem, a föld bő termést hoz **b)** hoz *[kamatot, eredményt]*; **~ an 8% dividend** nyolcszázalékos osztalékot hoz *[részvény]*; **~ profit** hasznot hajt **c)** *átv* áraszt *[illatot]*, nyújt, szolgáltat *[látványt]* **2. a)** felad, átad, átenged *[erődítményt ellenségnek]*; **~ ground** területet felad/átad; átengedi a teret/terepet **b)** átenged *[jogot, elsőbbséget]*, *jog* engedményez, cedál; **~ a point to sy** egy ponton/kérdésben enged (vknek); **~ right of way** megadja az (áthaladási) elsőbbséget *[járműnek]* **B.** *tni* **1. a)** enged

Y

(*to* vknek/vmnek), megadja magát (vknek), behódol (vk előtt); ~ **to fate** beletörődik a sorsába/végzetébe; ~ **to force** enged az erőszaknak; ~ **to reason** hallgat/hajlik az okos szóra; ~ **to superior numbers** enged a túlerőnek, meghajlik a túlerő előtt **b)** *gk* elsőbbséget ad; ~**!** elsőbbségadás kötelező! **c)** (utána)enged, megereszkedik *[kötél stb.]*, meghajol, meggörbül *[gerenda]*, beroskad, megsüpped *[föld]*; ~ **under pressure** enged a nyomásnak **2.** terem *[föld]*, (termést) hoz, jövedelmez **II.** *fn* **1.** hozam, *mezőg* termés(hozam), terméseredmény, *bány* kihozatal, kitermelés, *fémip* fémkinyerés, *műsz* teljesítmény *[gépé]*; **net** ~ tiszta hozam; **be in full** ~ teljes termésben van, jól terem *[fa]*; teljes kapacitással termel *[üzem]* **2.** süllyedés *[épületalapozásé stb.]*, süppedés *[talajé]*, megereszkedés, meggörbülés *[gerendáé]* • *mn* **yielding** *hsz* **yieldingly**

yikes [jaɪks] *isz biz* jaj!, juj! *[meglepődve]*

yin [jɪn] *fn fil* a női elv/princípium *[kínai filozófiában]*

yip [jɪp] **I.** *fn biz* csaholás *[kölyökkutyáé]* **II.** *vi* **-pp-** *biz* csahol *[kölyökkutya]*

yippee *isz biz* hurrá!, éljen! *[örömtelien]*

YMCA *röv Young Men's Christian Association* Keresztyén Ifjak Egyesülete, KIE

yo [joʊ] *isz szl* hé!

yob [jɒb ‖ jɑb] *fn GB biz* huligán, rendbontó

yodel [ˈjoʊdl] *zene* **I.** *tsi* **-ll-** jódlizik **II.** *fn* jódli(zás) • *fn* **yodelling**

yoga [ˈjoʊgə] *fn* jóga; **practise** ~ jógázik

yoghurt → **yogurt**

yogi [ˈjoʊgi] *fn* jógi, a jóga gyakorlója • *fn* **yogism**

yogurt [ˈjoʊgət ‖ ˈjoʊgərt] *fn* joghurt; **fruit** ~ gyümölcsjoghurt

yoke [joʊk] **I.** *fn* **1. a)** járom, iga; ~ **oxen** igás/jármos ökrök **b)** *átv* (rab)iga, járom; **throw/cast off the** ~ lerázza magáról az igát **2.** ~ **of oxen** ökörfogat, ökrös fogat, egy pár (igába fogott) ökör; **three** ~ **of oxen** hatökrös fogat, hat (igába fogott) ökör **3.** *épít* szemöldökfa, járomfa **4.** csöbörrúd, (vödör)hordozó rúd, tejhordó iga *[vállra]* **II.** *tsi* **1.** igába/járomba fog *[ökröket]* **2.** párosával összeállít/összekapcsol/összeköt *[alkatrészeket]* **3.** *biz* a házasság igájába fog/hajt • *mn* **yokeless**

yokebone *fn orv* járomcsont

yokefellow *fn* **1.** munkatárs **2.** *biz* házastárs

yokel [ˈjoʊkl] *fn* **a)** paraszt, falusi **b)** *pej* bugris, mucsai

yokemate → **yokefellow**

yolk [joʊk] *fn* **1.** tojássárgája **2.** *biol* pete • *mn* **yolked, yolky**

yolkless [ˈjoʊkləs] *mn* vak *[tojás]*

yonder [ˈjɒndə ‖ ˈjɑndər] *régi* **I.** *nm* ama(z); ~ **oaks** ama tölgyek, ott azok a tölgyek **II.** *hsz* amott; **down** ~ amott/ott lenn, odalent; **over** ~ amott/ott túl; **up** ~ amott/ott fent, odafent

yoo-hoo [ˈjuːˌhuː] *isz biz* hahó!

York [jɔːk ‖ jɔrk] *tul* **1.** *földr* York **2.** *GB tört* **House of** ~ York-ház • *fn* **Yorkist**

yorker [ˈjɔːkə ‖ ˈjɔrkər] *fn* **1. a)** *US biz* New York-i (lakos) **b)** *GB* yorki (lakos) **2.** *sp* ‹egyfajta labdadobás krikettben›

Yorks. *röv* Yorkshire

Yorkshire [ˈjɔːkʃə ‖ ˈjɔrkʃər] **I.** *tul földr* Yorkshire/York grófság/megye **II.** *fn* yorkshire-i sertés

Yorkshire pudding *fn gaszt GB* ‹pecsenyezsírban sült tésztaféleség›

Yorkshire terrier *fn áll* yorkshire terrier

you [juː] *nm* **1. a)** ön, maga, te; **are** ~ **there?** halló!, ott vagy? *[telefonba]*; **how are** ~**?** hogyvan/vagy?; **how about** ~**?** (i) maga mit kér?; te mit kérsz? (ii) és ami önt/magát illeti?, ön/maga mit gondol?; és ami téged illet?, te mit gondolsz?; **it is** ~ ön/maga az; te vagy az; önök/maguk azok; ti vagytok azok; **if I were** ~ ha az ön (v. a maga) helyében lennék...; én a te helyedben...; ~ **and I** (mi ketten) ön/maga/te meg én; *biz* ~ **guys** ti (srácok); **I am older than** ~ idősebb vagyok önnél/magánál/nálad; *biz* **there** ~ **are!** (i) szóval itt vagy!; szóval itt van!; szóval itt vagytok!; szóval itt vannak! (ii) na látod!, nem megmondtam?; na látja!; na látjátok!; na látják! (iii) tessék!; **there** ~ **go!** (i) tessék!, itt van (ii) nézd! (iii) ez az! **b)** önök, maguk, ti; ~ **doctors** maguk/ti orvosok **2. a)** önt, magát, téged **b)** önöket, magukat, titeket, benneteket **c)** *kif* **between** ~ **and me** magunk közt szólva, köztünk maradjon (v. legyen mondva); **three of** ~ hárman önök/maguk közül; hárman közületek, hármatok; **all three of** ~ önök/maguk mindhárman; ti mindhárman, mindhármatok; **all of** ~ önök/maguk mind(nyájan); ti mind(nyájan); **to** ~ önnek, magának; neked; önhöz, magához; hozzád; önöknek, maguknak; nektek; önökhöz, magukhoz; hozzátok; **here's to** ~**!** (koccintsunk/igyunk az ön) egészségére!; egészségedre!; egészségükre!; egészségetekre!; **with** ~ önnel, magával; veled; önnél, magánál; nálad; önökkel, magukkal; veletek; önöknél, maguknál; nálatok; **away with** ~**!** menjen/kotródjon innen!; menj innen!, kotródj!, hordd el magad!; menjenek/kotródjanak innen!; menjetek innen!, kotródjatok!, hordjátok el magatokat! **3. a)** önnek, magának, neked; **for** ~ önnek, magának; neked; a(z) ön/maga számára; számodra; **can I pour** ~ **a cup of tea?** tölthetek önnek/neked egy csésze teát?; **I tell** ~ **what** (hát) idefigyeljen, mondok én valamit **b)** önöknek, maguknak, nektek **4.** az ember *[általános alany kifejezése]*; ~ **never know/can tell** sose/mit lehet tudni, az ember sose tudhatja **5.** *régi* **a)** magát, magadat; **sit** ~ **down** ülj(ön) csak le; üljenek/üljetek le; **get** ~ **gone** menj(en) innen; hordja el magát, hordd el magad; menjetek/menjenek innen **b)** magukat, magatokat

you-all [juːˈɔːl, jɔːl] *nm US biz* ti (mind), önök (mind)

you'd [jʊd, jəd, juːd] *röv* **1.** *you had*→ **have** I. **2.** *you would*→ **will** III.

you-know-what *fn biz* tudod mi *[célzás meg nem nevezett dologra]*

you-know-who *fn biz* tudod ki *[célzás meg nem nevezett személyre]*

you'll [jʊl, jəl, juːl] *röv you will*→ **will** III.

young [jʌŋ] **I.** *mn* **1. a)** fiatal, ifjú; ~ **family** kisgyermekes család; ~ **hopeful** üdvöske; ~ **lady** kisasszony, ifjú hölgy; ~ **man** fiatalember, fiatal férfi; ~ **offender** fiatalkorú bűnöző; ~ **people/folk** fiatalok; fiatalság, ifjúság; ~ **person** fiatal teremtés/valaki; *jog* fiatalkorú *[14–17 éves]*; *pol* **Y~ Turk** ifjú török; *átv* ifjú titán, forrófejű reformer; *pej* erőszakos/kegyetlen gyerek; ~ **woman** fiatal nő/asszony; ~ **Smith** a Smith fiú/gyerek; a kis(ebbik) Smith; ~ **for one's years/age** korához képest fiatal(os); ~**er son** a fiatalabb/kisebb(ik) fia; **in my** ~**er days** fiatal/ifjú koromban, fiatal fejjel; **their** ~**est child** legfiatalabb/legkisebb gyermekük **b)** ~ **grass** új/friss/tavaszi/zsenge fű; ~ **onion** új/gyenge hagyma; ~ **shoot** fiatal/új/friss/zsenge hajtás; ~ **tree** fiatal fa, facsemete; ~ **wine** újbor **c)** ~ **flood** alacsony dagályvíz, dagálykezdet; ~ **moon** újhold; **the night is but/still** ~ még kora (éjszaka van), még fiatal az idő **2.** fiatalos, ifjúi, ifjonti; ~ **ambitions** fiatalos/ifjúi/fiatalkori becsvágy; ~ **blood** ifjú vér; *átv* friss vér, fiatalos lendület/hév; ~ **love** fiatalkori/ifjúi szerelem **3.** kezdő, tapasztalatlan; ~ **in crime** kezdő bűnöző **II.** *fn* **1.** kölyök, kicsinye *[emlősállaté]*, fióka *[madáré]*; **animal and its** ~ állat a kicsinyeivel; **mare with** ~ vemhes/hasas kanca **2. the** ~ a fiatalok/fiatalság; **books for the** ~ ifjúsági könyvek • *fn* **youngling** *mn* **youngish**

youngster [ˈjʌŋstə ‖ –ər] *fn biz* **1. a)** gyerkőc, ifjonc, siheder, kamasz, serdülő, ifjú **b)** gyerek, csemete, kicsi **2.** kölyök *[állaté]*

your [jə, jʊə, jɔː ‖ jər, jʊr] *mn* **1. a)** (az ön v. a maga) -(j)a, -(j)e, -(j)ük, -(j)uk, -(a)i, -(e)i, (a te) -d, -id; ~ **best friend** (a) legjobb barátod; **it's** ~ **turn** ön/maga következik (v. a soros), önön/magán/rajtad a sor, te következel (v. vagy a soros) **b)** (az önök v. a maguk) -a, -e, -ja, -je, -(a)i, -(e)i, (a ti) -(a)tok, -(e)tek, -(a)itok, -(e)itek; ~ **company** a(z) önök/maguk cége **c)** *[címzetes megszólításokban]* ~ **hono(u)r**

Y

bíró úr, bírónő asszony; **Y~ Majesty** Felséged **2.** *[általános alanyként]* az ember; **you cannot change ~ nature** senki sem (v. az ember nem) tudja megváltoztatni a természetét
you're [jə, jʊə, jɔː ‖ jər, jʊr] *röv you are* → **be**
yours [jɔːz ‖ jʊrz] *mn/fn* **1. a)** az öné, a magáé, az önéi, a magáéi, a tied, a tieid; **you and ~** ön/maga és a hozzátartozói/családja, te és a tieid; **what's ~?** (i) a tiéd micsoda?; a magáé micsoda? (ii) te mit iszol?, neked mit rendelhetek?; **a friend of ~** egy(ik) barátod **b)** az önöké, a maguké, az önökéi, a magukéi, a tietek, a tieitek **c)** *[levélzáró formulákban]* **~ affectionately** baráti üdvözlettel; **~ faithfully** igaz híve; **~ sincerely, sincerely ~** őszinte híve/tisztelettel; **~ truly** őszinte tisztelettel/híve **2.** *gazd* (az ön) sorai, levele; **~ of July 16** július 16-án kelt sorai/levele/levelük, július 16-i levele
yourself [jɔːˈself ‖ jʊr–] *nm tsz* **yourselves** [–selvz] **1.** (ön)maga, saját maga, (ön)magad, (te) saját magad; **(all) (by) ~** egymaga(d), magad(tól); **do it ~** csináld magad; *US* **be ~!** szedd össze magad!, légy önmagad! **2.** (ön)magát, saját magát, (ön)magadat, saját magadat
yourselves [jɔːˈselvz ‖ jʊr–] *nm tsz* (ők) maguk, saját maguk, (ti) magatok, saját magatok; **do your homework ~** magatok csináljátok meg a házi feladatot(okat); **you can be proud of ~** büszkék lehettek magatokra; büszkék lehetnek magukra
youth [juːθ] *fn* **1.** ifjúság, fiatalság, ifjúkor, fiatalkor; **from ~ upwards** már ifjúkora óta, ifjúkorától kezdve; **in my early ~** kora ifjúságom idején; **in the first blush of ~** zsenge/hamvas ifjúság(á)ban; **keep one's ~** megőrzi ifjúságát; *közm* **~ will have its way/fling** az ifjúságnak ki kell tombolnia magát **2.** ifjú, fiatalember **3.** ifjúság, fiatalság, fiatalok *[városé stb.]*; **~ club/centre** ifjúsági klub/centrum; **the ~ of the place** a helybeli ifjúság/fiatalság
youthful [ˈjuːθfl] *mn* **1.** ifjú, fiatal(korú) **2.** fiatalos *[arc stb.]* **3.** ifjúkori, fiatalkori *[tévedés stb.]*, ifjúi, ifjonti *[hév]*; **~ ambitions** ifjonti/fiatalos becsvágyak; **~ enthusiasm** fiatalos lelkesedés, ifjonti hév; **~ indiscretions** fiatalkori botlások/baklövések • *fn* **youthfulness** *hsz* **youthfully**
youth hostel *fn* ifjúsági szálló, diákszálló
you've [jəv, juːv] *röv you have*→ **have** II.
yowl [jaʊl] *átv* **I.** *tni* keservesen vonít, szűköl, nyüszít *[kutya]*, nyávog, nyivákol *[macska]* **II.** *fn* (keserves) vonítás, szűkölés, nyüszítés *[kutyáé]*, nyávogás, nyivákolás *[macskáé]* • *fn* **yowler**
yo-yo [ˈjəʊjəʊ] **I.** *fn tsz* **~s** *ját* jojó **II.** *tni* **1.** *ját* jojózik **2.** *átv* (fel-le) ugrál, (ide-oda) mozog, ingázik
yperite [ˈiːpəraɪt] *fn vegy* mustárgáz
Y pipe *fn vízügy* elágazó cső; csőelágazás
yr, yr. *röv* **1.** *year* **2.** *younger* ifjabb, ifj.
yrs *röv* **1.** *years* **2.** *yours*
YTS *röv GB Youth Training Scheme*
ytterbium [ɪˈtɜːbɪəm ‖ ɪˈtɜr–] *fn vegy* itterbium
yttrium [ˈɪtrɪəm] *fn vegy* ittrium • *mn* **yttric, yttriferous**
yuan [juːˈɑːn, ˈjuːən] *fn* jüan *[kínai pénzegység]*
yucca [ˈjʌkə] *fn növ* jukka
yuck [jʌk] *isz biz* fúj; ‹az undor indulatszava›
yucky [ˈjʌki] *mn biz* gusztustalan, undorító
Yugoslavia [ˌjuːgoʊˈslɑːvɪə] *tul földr* Jugoszlávia; **the former ~** az egykori Jugoszlávia • *fn/mn* **Yugoslav, Yugoslavian**
yule [juːl] *fn régi* karácsony
yuletide *fn régi* karácsony(i ünnepek), karácsony ideje/évadja
yummy [ˈjʌmi] *mn biz* finom!, ízletes
yum-yum [ˌjʌmˈjʌm] *isz biz* mmm!, nyam-nyam!, finom!
yup [jʌp] → **yep**
yuppie [ˈjʌpi] *biz* **I.** *fn young urban/upwardly mobile professional* ‹jól kereső fiatal karrierista› juppi, jappi **II.** *mn* juppikra jellemző
yuppify [ˈjʌpiˌfaɪ] *biz* **I.** *tsi* ‹fiatal karrieristák igényeihez idomít (vmt)› **II.** *tni* ‹fiatal karrieristák igényeihez idomul› • *fn* **yuppification**
yuppy [ˈjʌpi] → **yuppie**
yurt [ˈjʊət ‖ ˈjʊrt] *fn tört* jurta *[keleti nemezsátor]*
YWCA *röv Young Women's Christian Association* Fiatal Keresztyén Nők Egyesülete

Z

Z[1], **z** [zed ‖ ziː] *fn tsz* **Z's 1.** z (betű/hang); **Z for Zulu** Z mint Zoltán; **everything from A to ~** ától cettig minden **2. a)** *mat* a harmadik ismeretlen **b)** harmadik tengely *[koordináta-rendszerben]* **3.** *vegy* atomszám
Z[2], **z** *röv* **1.** *zero* **2.** *zone*
Zach [zæk] *tul bec* → **Zachary**
Zachariah [ˌzækəˈraɪə], **Zacharias** [ˌzækəˈraɪəs] *tul bibl* Zakariás (próféta)
Zachary [ˈzækəri] *tul* **1.** Zakariás **2.** → **Zachariah**
Zack [zæk] → **Zach**
zaffer [ˈzæfə ‖ –ər] → **zaffre**
zaffre [ˈzæfə ‖ –ər] *fn vegy* (tisztátlan) kék kobalt-oxid
zag [zæg] **I.** *tni* → **zigzag** I. B. **II.** *fn* → **zigzag** II.
Zagreb [ˈzɑːgreb] *tul földr* Zágráb
Zaire [zaɪˈɪə ‖ zɑˈɪr] *tul földr* **1.** Zaire *[ország, mai hivatalos neve Kongói Demokratikus Köztársaság]* **2.** Zaire *[folyó]* • *fn/mn* **Zairean**
Zambezi [zæmˈbiːzi] *tul földr* Zambezi • *fn/mn* **Zambezian**
Zambia [ˈzæmbɪə] *tul földr* Zambia • *fn/mn* **Zambian**
zany [ˈzeɪni] **I.** *fn biz [komikusan bolondos ember]* őrült, ütődött, fajankó, tökfej **II.** *mn biz [komikusan bolondos]* őrült, ütődött, be van golyózva
Zanzibar [ˈzænzɪbɑː ‖ –bɑr] *tul földr* Zanzibár • *fn/mn* **Zanzibari**
zap [zæp] *szl* **I.** *tsi* **1. a)** *[lelő]* eltrafál, lepuffant, leszed **b)** *[megöl]* kinyír, kinyiffant, kifingat **2.** *[legyőz, jobb mint vk]* letöröl, leradíroz, lemos **3. a)** *[lenyűgöz]* kifektet, kiüt **b)** *[érzelmileg megráz]* kiborít, kibuktat, kiakaszt **4.** *[gyorsan hajt, száguld]* tép, tűz, teper **5.** *[tévécsatornák között gyorsan kapcsolgat]* szörföl **II.** *fn [lendület, energia]* kakaó, svung, bruszt
zapped [zæpt] *mn szl* **1.** *[fáradt, kimerült]* kész van, ki van fingva, le van eresztve **2.** *[részeg]* be van nyomva/piálva, koki, fejlövése van
zapper [ˈzæpə ‖ –ər] *fn szl* **1.** *[csatornák között gyorsan kapcsolgató tévénéző]* szörföző **2.** távirányító, távkapcsoló *[televízióé, videóé]*
zappy [ˈzæpi] *mn szl [energikus, lendületes]* svungos, brusztos
zazzy [ˈzæzi] → **zappy**
zeal [ziːl] *fn* hév, buzgalom, buzgóság, lelkesedés, hevület; **bustling ~** túlbuzgóság, lázas igyekezet, buzgólkodás; **misguided ~** vakbuzgóság; **religious ~** vallási buzgóság; **be full off ~ for sg** hevül/buzog vmért
zealot [ˈzelət] *fn* **a)** türelmetlen rajongó, vakbuzgó/fanatikus ember **b)** *tört* zelóta • *fn* **zealotry** *mn* **zealotic**
zealous [ˈzeləs] *mn* buzgó, lelkes, rajongó, fanatikus; **be ~ in doing sg** lelkesen/lelkesedéssel/buzgón (v. lelkes igyekezettel) csinál vmt • *fn* **zealousness** *hsz* **zealously**
zebra [ˈzebrə ‖ ˈziːbrə] *fn* **1.** zebra **2.** *US szl* fegyenc
zebra crossing *fn közl* zebra, kijelölt gyalogosátkelőhely
zebra markings *fn tsz* csíkozás, csíkok *[bőrön]*
zebrass [ˈziːbræs] *fn* zebmár *[zebracsődör és szamárkanca csikója]*
zebra suit *fn biz* csíkos fegyencruha
zebrine [ˈzebraɪn ‖ ˈziːbraɪn] *mn* zebraféle, zebraszerű, zebra-
zebroid [ˈzebrɔɪd ‖ ˈziː–] **I.** *mn* zebraszerű, zebra **II.** *fn* → **zebrula**
zebrula [ˈziːbrulə] *fn* zebracsődör és lókanca csikója
zebu [ˈziːbuː] *fn áll* zebu, púpos tulok
Zebulon [ˈzebjulən] *tul bibl* Zebulon
zed [zed] *fn GB* a z betű *[kiejtve]*, zé
zed-beam *fn* Z vas, Z alakú rúd
zee [ziː] *fn US* a z betű *[kiejtve]*, zé
Zeelander [ˈziːləndə ‖ –ər] *fn földr* zeelandi (lakos)
zeitgeist [ˈtsaɪtgaɪst] *fn német* korszellem
Zen [zen] *fn vall* zen (buddhizmus) • *fn* **Zenist** *mn* **Zenic**
zenith [ˈzenɪθ ‖ ˈziːnəθ] *fn* csúcspont, tetőpont, zenit; **at the ~ of one's fame** hírnevének tetőpontján; **at the ~ of one's powers** hatalma teljében • *mn* **zenithal**
Zeno [ˈziːnoʊ] *tul* Zénó
zeolite [ˈziːəlaɪt] *fn ásv* zeolit
zephyr [ˈzefə ‖ –ər] *fn* **1.** *meteo* **a)** nyugati szél **b)** enyhe szellő, zefír **2.** *tex* zefír; **~ wool** zefír fonál **3.** *sp* (sport)trikó *[evezősé stb.]*
zepp [zep] *biz* → **Zeppelin**
Zeppelin [ˈzɛpəlɪn] *fn rep* zeppelin, léghajó
zero [ˈzɪəroʊ ‖ ˈzɪ–] *tsz* **-s**, **-es I.** *fn* **1. a)** *mat* nulla, semmi, zéró, zérus, zérushely *[függvényé]* **b)** *fiz* zéruspont, zérusfok, null(a)pont, null(a)fok; **absolute ~** abszolút nullafok; **it's three (degrees) below ~** mínusz három fok van **c)** *átv* nulla, semmi; **his chances are ~** semmi esélye **2.** *biz átv [jelentéktelen ember/esemény]* (nagy) nulla **3.** *rep* gyenge/rossz látási viszonyok **II.** *mn* **a)** nulla **b)** hiányzó, nem látható/érzékelhető/mérhető **c)** *nyelv* elhagyott, zéró **d)** elhanyagolható, jelentéktelen **III.** *tsi* nullára/nullpontra állít, lenulláz *[műszert]*
  zero in A. *tsi US kat* belő *[puskát, ágyút]* **B.** *tni* **~ in on sg** (i) *kat* beállítja magát, rááll vmre *[fegyver]* (ii) *átv* ráközelít vmre, megközelít vkt/vmt
zero hour *fn* **1.** *kat* ‹hadművelet végrehajtására/megkezdésére kitűzött óra/idő› "Cs"-idő **2.** *átv* döntő/kritikus pillanat
zero line *fn* **1.** *fiz mat* alapvonal, nullavonal *[koordinátarendszeré, színképé]* **2.** kezdő/kiinduló vonal
zero option *fn pol* ‹(kölcsönös) teljes leszerelés/kivonás lehetősége fegyverzetcsökkentési tárgyalásokon›
zero point *fn* kezdő pont, null(a)pont
zero-rated *mn gazd GB* áfamentes *[termék]* • *tsi* **zero-rate**
zero-setting *fn műsz* **a)** alapállás *[mérőműszeré]* **b)** nullára állítás
zeroth [ˈzɪəroʊθ ‖ ˈzɪ–] *mn* nulladik, az első előtti
zero-valent *mn vegy* vegyérték nélküli *[nemesgáz]*
zero-zero *fn rep* alacsony felhőzet és rossz látási viszonyok
zero-zero option → **zero option**
zest [zest] **I.** *fn* **1. a)** étvágygerjesztő/pikáns íz **b)** *átv* különlegesség, különös érdekesség, zamat, pikantéria, ingerlő mozzanat; **give ~ to sg** különös vonzóerőt/sajátos színt ad vmnek; **story that lacks ~** lapos/unalmas/érdektelen történet **2.** élvezet, gyönyörűség, lendület; **~ for life** életöröm; életélvezet; **do sg with ~** szívvel-lélekkel csinál vmt; **without ~** lagymatagon **3.** narancs/citrom héja *[ízesítőül]* **II.** *tsi* pikáns ízt/jelleget ad (vmnek) • *mn* **zestful**
zester [ˈzestə ‖ –ər] *fn* narancs/citromhéj-kaparó
zeta [ˈziːtə ‖ ˈzeɪ–] *fn* zéta *[görög betű]*
zetetic [ziːˈtetɪk ‖ zɪ–] **I.** *mn* kutató; **~ phylosophy** az igazságot kutató filozófia **II.** *fn* **1.** kutatás **2.** kutató *[személy]*
Zeus [zjuːs ‖ zuːs] *tul mit* Zeus
zig [zɪg] **I.** *tni* → **zigzag** I. B. **II.** *fn* → **zigzag** II.
zigzag [ˈzɪgzæg] **I. -gg- A.** *tsi* zegzugos vonalban áthalad (vm) **B.** *tni* zegzugos/cikcakkos vonalban halad, cikázik **II.** *fn* tört vonal, cikcakk; **in ~s** cikcakkban, cikcakkosan **III.** *mn* cikcakkos, zegzugos **IV.** *hsz* zegzugosan, tört vonalban, cikcakkban, cikcakkosan • *mn* **zigzaggy** *hsz* **zigzaggedly**

zilch [zɪltʃ] **I.** *fn US szl [nulla, semmi]* nyuszi, nagy semmi/túró/szar **II.** *tsi [legyőz úgy, hogy a másik pontot sem ér el]* simára/kopaszra ver

zillion [ˈzɪlɪən] *fn biz* millió-billió, iszonyú sok/(nagy) mennyiség • *fn/mn* **zillionth**

Zimbabwe [zɪmˈbɑːbwi] *tul földr* Zimbabwe • *fn/mn* **Zimbabwean**

Zimmer frame *fn* járókeret *[gyógyászati segédeszköz]*

zinc [zɪŋk] **I.** *fn vegy* horgany, cink; *ásv* **red ~ ore** cinkit; **coat iron with ~** vasat horganyoz, vasat (horgannyal) galvanizál; **cover a roof with ~** tetőt bádoggal/horganylemezzel fed; **coating/covering with ~** horganyozás, cinkezés **II.** *tsi pt/pp* **zinced** v. **zincked** [zɪŋkt] (be)horganyoz, (be)cinkez, horganylemezzel fed *[tetőt]* • *fn* **zinc(k)ing** *mn* **zincic**, **zinc(k)y**, **zincoid**, **zincous**

zincate [ˈzɪŋkeɪt] *fn vegy* cinkát

Zinfandel [ˈzɪnfənˌdel] *fn US* cinfandel *[szőlő, bor]*

zincite [ˈzɪŋkaɪt] *fn ásv* cinkit

zincograph [ˈzɪŋkəgrɑːf ‖ –græf] *nyomd* **I.** *fn* **1.** cinkográfiai klisé, cinkklisé, cink nyomólemez **2.** cinkográfia **II.** *tsi/tni* cinkografál • *fn* **zincographer**, **zincography**

zinc plate *fn* horganylemez, cinklemez, cinkbádog

zinc white *fn* horganyfehér, cinkfehér

zinc yellow *fn* cinksárga, cinkkromát

zine [ziːn] *fn biz* magazin, újság; **computer ~s** számítógépes újságok

zing [ˈzɪŋ] **I.** *tni* → **zip** II. B. **II.** *fn* **1.** → **zip** I. 2. a. **2.** → **zip** I. 3.

zinky [ˈzɪŋki] *mn* horgany-, cink-

Zion [ˈzaɪən] **I.** *tul* **1.** Sion (hegye) **2.** Jeruzsálem *[Izrael jelképe]* **II.** *fn vall* **1.** mennyország, mennyei város/Jeruzsálem **2.** Isten országlása **3. a)** Izrael (népe), az izraeliták, a zsidók **b)** a keresztény egyház

Zionism [ˈzaɪənɪzm] *fn* cionizmus • *fn/mn* **Zionist** *mn* **Zionistic**

zip [zɪp] **I.** *fn* **1.** → **zipper** I. **2. a)** fütyülés, süvítés *[golyóé]* **b)** reccsenés *[szakadó szöveté]* **3.** *biz* erő, energia, lendület *[emberben]*; **full of ~** energikus, lendületes; rámenős **4.** *infor* zip-tömörítés **II. -pp- A.** *tsi* **~ (up)** becipzároz, behúz/felhúz *[cipzárt]* **B.** *tni* **1.** fütyül, süvít *[golyó]*; **~ past** elfütyül *[golyó vk mellett]*; elzúg, elhúz, elszáguld *[jármű vk mellett]* **2.** reccsen *[szakadó szövet]*

zip code, **Zip code** *röv US zone improvement plan code* (postai) irányítószám

zip fastener *fn* → **zipper** I.

zip-out lining *fn* cipzáras bélés, cipzárral kivehető bélés *[kabátban]*

zipped [zɪpt] *mn* (postai) irányítószámmal ellátott

zipper [ˈzɪpə ‖ –ər] **I.** *fn* cipzár, húzózár, villámzár **II.** *tsi* **~ (up)** becipzároz, behúz/felhúz *[cipzárt]*

zippy [ˈzɪpi] *mn biz* energikus, lendületes

zip-up *mn* cipzáras

zircon [ˈzɜːkɒn ‖ ˈzɜrkɑn] *fn ásv* cirkon

zirconia [zɜːˈkoʊnɪə ‖ zɜr–] *fn vegy* cirkonium (IV)-oxid

zirconium [zɜːˈkoʊnɪəm ‖ zɜr–] *fn vegy* cirkónium • *mn* **zirconic**

zit [zɪt] *fn szl [pattanás]* makesz, ragya

zither [ˈzɪðə ‖ –ər] *fn zene* citera • *fn* **zitherist**

zloty [ˈzlɒti ‖ ˈzlɔti] *fn* zloty *[lengyel pénzegység]*

zodiac [ˈzoʊdiæk] *fn csill* állatöv, zodiákus; **signs of the ~** állatövi/zodiakális jegyek/jelek • *mn* **zodiacal**

Zoe [ˈzoʊi] *tul* ‹női név›

zoetic [zoʊˈetɪk] *mn biol* élő

zoic [ˈzoʊɪk] *mn* **1.** állati **2.** *geol* állati/növényi kövületeket tartalmazó *[kőzet, szikla]*

zombie [ˈzɒmbi ‖ ˈzɑmbi] *fn* **a)** zombi, élőhalott **b)** *biz átv [fásult, közömbös ember]* zombi, robot **c)** *szl [buta ember]* tökfej, fajankó

zone [zoʊn] **I.** *fn* **1. a)** övezet, zóna, sáv, körzet; **time ~** időzóna **b)** *földr* égöv, földöv, zóna; **torrid ~** forró égöv **2. a)** sáv; *növ* **annual ~** évgyűrű *[fán]* **b)** *mat* öv; **spherical ~** gömböv **II.** *tsi* övezetekre/körzetekre/zónákra (fel)oszt • *fn* **zoning** *mn* **zonal**, **zonary**, **zoned**

zonk [zɒŋk ‖ zɑŋk] *szl* **A.** *tsi* **1.** *[megüt, kiüt]* benyom/behúz egyet **2.** *[lerészegít, elaltat]* kiüt **B.** *tni [elalszik]* kidől

zonked [zɒŋkt ‖ zɑŋkt] *mn szl* **1.** *[fáradt, kimerült]* kivan, kész van, padlón van **2. a)** *[részeg]* koki, ki van ütve, be van nyomva **b)** *[kábítószer hatása alatt van]* elszállt, lebeg, be van lőve

zoo [zuː] *fn* **1.** állatkert **2.** *szl [rendetlenség, felfordulás]* bolondokháza, diliház **3.** *US szl [börtön]* dutyi

zoobiology [ˌzoʊəbaɪˈɒlədʒi ‖ –ˈɑlə–] *fn* állatélettan, zoobiológia • *mn* **zoobiological**

zoobiotic [ˌzoʊəbaɪˈɒtɪk] *mn biol* (másik állaton) élősködő

zoochemistry [ˌzoʊəˈkemɪstri] *fn* zookémia, biokémia, fiziológiai kémia • *mn* **zoochemical**

zoodynamics [ˌzoʊədaɪˈnæmɪks] *fn esz* zoodinamika, állatélettan

zoo-ecology [ˌzoʊəɪˈkɒlədʒi ‖ –ˈkɑ–] *fn* állatökológia

zoogenic [ˌzoʊəˈdʒenɪk] *mn geol* állati eredetű

zoogeography [ˌzoʊədʒiˈɒgrəfi ‖ –dʒiˈɑ–] *fn* állatföldrajz • *fn* **zoogeographer** *mn* **zoogeographic** *hsz* **zoogeographically**

zoography [zoʊˈɒgrəfi ‖ –ˈɑgrəfi] *fn* **1.** leíró állattan, állatismeret, zoográfia **2.** állatfestés • *fn* **zoographer** *mn* **zoographic**

zooid [ˈzoʊɔɪd] **I.** *mn* állatszerű, állati szervezethez hasonló **II.** *fn* **1.** rajzó sejt **2.** állati jellegű szervezet

zooks [zuːks] *isz biz* francba!, kutyafáját!

zoolatry [zoʊˈɒlətri ‖ zoʊˈɑ–] *fn* állatimádás, zoolátria • *fn* **zoolater** *mn* **zoolatrous**

zoolite [ˈzoʊəlaɪt] *fn geol* állati kövület, zoolit • *mn* **zoolitic**

zoolith [ˈzoʊəlɪθ] → **zoolite** • *mn* **zoolithic**

zoology [zoʊˈɒlədʒi ‖ –ˈɑlə–] *fn* **1.** állattan, zoológia **2.** állatvilág *[tájegységé]* • *fn* **zoologist** *mn* **zoological**

zoom [zuːm] **I.** *tni* **1.** búg, zúg, berreg *[motor, légcsavar]* **2.** *[sebesen halad]* süvít, (el)húz, kilő, *biz* tűz **3.** hirtelen/meredeken emelkedik *[repülőgép, ár]* **4.** *fényk film* zoomol *[fényképezőgéppel, kamerával]* **II.** *fn* **1.** búgás, zúgás, berregés *[motoré, légcsavaré]* **2.** *fényk film* **a)** közeli felvétel **b)** → **zoom lens**

zoom in *tni fényk film* **~ in on sg** behoz vmt/vkt, ráközelít, (rá)zoomol vkre/vmre *[fényképezőgéppel, kamerával]*

zoom out *tni* **1.** *fényk film* kizoomol, távolít *[fényképezőgéppel, kamerával]* **2.** *szl [elveszti az önuralmát]* bezsong, begurul, bekattan, kiakad, kibukik

zoomancy [ˌzoʊəˈmænsi] *fn* állatjóslás

zoometry [zoʊˈɒmɪtri ‖ –ˈɑmətri] *fn* állatmérés, állatméréstan

zoom lens *fn fényk* állítható gyújtótávolságú lencse, gumilencse, gumiobjektív

zoomorphism [ˌzoʊəˈmɔːfɪzm ‖ –ˈmɔr–] *fn* **1.** ‹istenek elképzelése és ábrázolása állati alakban› **2.** állatalakok ábrázolása *[dekoratív/jelképes célzattal]* • *mn* **zoomorphic**

zoomorphy [ˈzoʊəmɔːfi ‖ –mɔrfi] → **zoomorphism**

zoonomy [zoʊˈɒnəmi ‖ –ˈɑnə–] ‹az állati életjelenségek okainak és törvényszerűségeinek vizsgálata› zoonómia

zoonosology [ˌzoʊənəˈsɒlədʒi ‖ –ˈsɑlədʒi] *fn* állatkórtan

zoophyta [zoʊˈɒfɪtə ‖ –ˈɑfɪtə] *fn tsz áll* növényállatok, zoofiták • *mn* **zoophytal**, **zoophytic**, **zoophytical**

zooplankton [ˌzoʊəˈplæŋktən] *fn áll* állati plankton

zoopsychology [ˌzoʊəsaɪˈkɒlədʒi ‖ –ˈkɑl–] *fn* állatlélektan

zoospore [ˈzoʊəspɔː ‖ –spɔr] *fn biol* rajzó spóra/konidium, zoospóra

zootaxy [ˈzoʊətæksi] *fn* állatrendszertan

zootechny [ˈzoʊətekni] *fn* az állattenyésztés tudománya, állattenyésztéstan, zootechnika • *mn* **zootechnic**

zooter [ˈzuːtə ‖ –ər] *fn biz* jampec, divatbáb, piperkőc

zootheism [ˈzoʊəθiːɪzm] *fn vall* állatimádás *[mint vallás]*

Z

zootomy [zoʊˈɒtəmi ‖ –ˈɑtə–] *fn* állatboncolás, állatbonctan, állatanatómia • *fn* **zootomist** *mn* **zootomical**
zoot suit *fn biz* jampecruha • *fn* **zoot suiter**
zouave [zuːˈɑːv, zwɑːv] *fn* **1.** *kat* zuáv **2.** ‹rövid női kabátfajta› **3.** *tsz* **~s** töröknadrág *[bő szárú, bokánál szűkített]*
zouk [zuːk] *fn zene* ‹karibi zene és popzene keveréke›
zounds [zaʊndz] *isz régi* teremtette!, teringette!
zucchini [zuːˈkiːni] *fn növ* cukkini
Zulu [ˈzuːluː] **I.** *fn* **1.** zulu **2.** hegyes tetejű szalmakalap *[gyermeké]* **II.** *mn* zulu
zwieback [ˈzwiːbæk ‖ ˈzwaɪ–] *fn német* kétszersült
zydeco [ˈzaɪdəkoʊ] *fn zene* ‹louisianai tánczene›
zygodactyl [ˌzaɪgoʊˈdæktɪl] *fn/mn áll* kúszólábú
zygomorphic [ˌzaɪgoʊˈmɔːfɪk ‖ –ˈmɔr–] *mn biol* zigomorf, kétoldalúan szimmetrikus
zygosis [zaɪˈgoʊsɪs, zɪ–] *fn biol* egybekelés, zygosis
zygote [ˈzaɪgoʊt, ˈzɪ–] *fn biol* megtermékenyített petesejt, zigóta • *mn* **zygotic** *hsz* **zygotically**
zyme [zaɪm] *fn biol* enzim
zymogen [ˈzaɪmədʒen] *fn biol vegy* zimogén, előenzim, proenzim
zymology [zaɪˈmɒlədʒi ‖ –ˈmɑ–] *fn vegy* erjedéstan
zymometer [zaɪˈmɒmɪtə ‖ –ˈmɑmətər] *fn* erjedésfokmérő
zymosis [zaɪˈmoʊsɪs] *fn vegy* erjedés • *mn* **zymotic**
zymotechnics [ˌzaɪmoʊˈteknɪks] *fn esz* erjedéstan, erjedéstechnika, erjesztéstechnika • *mn* **zymotechnical**
zymurgy [ˈzaɪmɜːdʒi ‖ –mɜr–] *fn vegy* erjesztéstechnika, erjedéstechnika

Z

FÜGGELÉK – APPENDIX

I.
ANGOL SEGÉDIGÉK RAGOZÁSI TÁBLÁZATA – PARADIGMS OF ENGLISH AUXILIARY VERBS

II.
ANGOL RENDHAGYÓ IGÉK – ENGLISH IRREGULAR VERBS

III.
A LEGGYAKORIBB MÉRTÉKEGYSÉGEK – WEIGHTS AND MEASURES

IV.
PÉNZRENDSZER – MONETARY SYSTEM

I.
ANGOL SEGÉDIGÉK RAGOZÁSI TÁBLÁZATA – PARADIGMS OF ENGLISH AUXILIARY VERBS

BE *(present participle:* being; *past participle:* been)

Present	I am	I am not
	you are	you are not
	régi thou art	*régi* thou art not
	he / she / it } is	he / she / it } is not
	we are	we are not
	you are	you are not
	they are	they are not
Past	I was	I was not
	you were	you were not
	régi thou wast/wert	*régi* thou wast/wert not
	he / she / it } was	he / she / it } was not
	we were	we were not
	you were	you were not
	they were	they were not

HAVE *(present participle:* having; *past participle:* had)

Present	I have	I have not
	you have	you have not
	régi thou hast	*régi* thou hast not
	he / she / it } has (*régi* hath)	he / she / it } has (*régi* hath) not
	we have	we have not
	you have	you have not
	they have	they have not
Past	I had	I had not
	you had	you had not
	régi thou hadst	*régi* thou hadst not
	he / she / it } had	he / she / it } had not
	we had	we had not
	you had	you had not
	they had	they had not

DO *(present participle:* doing; *past participle:* done)

Present	I do	I do not
	you do	you do not
	régi thou dost *(segédige)*	*régi* thou dost not *(segédige)*
	régi thou doest *(főige)*	*régi* thou doest not *(főige)*
	he / she / it } does [*régi* doth *(segédige)* doeth *(főige)*]	he / she / it } does not [*régi* doth not *(segédige)* doeth not *(főige)*]
	we do	we do not
	you do	you do not
	they do	they do not
Past	I did	I did not
	you did	you did not
	régi thou didst	*régi* thou didst not
	he / she / it } did	he / she / it } did not
	we did	we did not
	you did	you did not
	they did	they did not

SHALL

Present	I shall	I shall not
	you shall	you shall not
	régi thou shalt	*régi* thou shalt not
	he / she / it } shall	he / she / it } shall not
	we shall	we shall not
	you shall	you shall not
	they shall	they shall not
Past *or* **Conditional**	I should	I should not
	you should	you should not
	régi thou should(e)st	*régi* thou should(e)st not
	he / she / it } should	he / she / it } should not
	we should	we should not
	you should	you should not
	they should	they should not

WILL

Present	I will	I will not
	you will	you will not
	régi thou wilt	*régi* thou wilt not
	he }	he }
	she } will	she } will not
	it }	it }
	we will	we will not
	you will	you will not
	they will	they will not
Past	I would	I would not
or **Conditional**	you would	you would not
	régi thou would(e)st	*régi* thou would(e)st not
	he }	he }
	she } would	she } would not
	it }	it }
	we would	we would not
	you would	you would not
	they would	they would not

CAN

Present	I can	I cannot
	you can	you cannot
	régi you canst	*régi* thou canst not
	he }	he }
	she } can	she } cannot
	it }	it }
	we can	we cannot
	you can	you cannot
	they can	they cannot
Past	I could	I could not
or **Conditional**	you could	you could not
	régi thou could(e)st	*régi* thou could(e)st not
	he }	he }
	she } could	she } could not
	it }	it }
	we could	we could not
	you could	you could not
	they could	they could not

MAY

Present	I may	I may not
	you may	you may not
	régi thou may(e)st	*régi* thou may(e)st not
	he } she } may it }	he } she } may not it }
	we may	we may not
	you may	you may not
	they may	they may not
Past *or* **Conditional**	I might	I might not
	you might	you might not
	régi thou might(e)st	*régi* thou might(e)st not
	he } she } might it }	he } she } might not it }
	we might	we might not
	you might	you might not
	they might	they might not

II.
ANGOL RENDHAGYÓ IGÉK – ENGLISH IRREGULAR VERBS

Infinitive	**Past Tense**	**Past Participle**	**Jelentés**
abide	abode	abode	tartózkodik, lakik
	abided	abided	elvisel; megmarad vm mellett
arise	arose	arisen	keletkezik, felmerül
awake	awoke	awoken	felébreszt, felébred
be (is, are)	was, were	been	van
bear	bore	borne	hord
bear	bore	born	szül
beat	beat	beaten	üt
beget	begot, *bibl* begat	begot, begotten	nemz
begin	began	begun	kezd
bend	bent	bent	hajlít
beseech	besought, beseeched	besought, beseeched	könyörög
bet	bet, betted	bet, betted	fogad
bid	bid	bid	ajánl
	bade	bidden	megparancsol
bind	bound	bound	köt
bite	bit	bitten	harap
bleed	bled	bled	vérzik
bless	blessed	blessed, blest	áld
blow	blew	blown, blowed	fúj
break	broke	broken	tör
breed	bred	bred	tenyészt
bring	brought	brought	hoz
build	built	built	épít
burn	burnt, burned	burnt, burned	ég
burst	burst	burst	szétreped
buy	bought	bought	vásárol
cast	cast	cast	dob
catch	caught	caught	megfog
chide	chided, chid	chided, chid, chidden	szid
choose	chose	chosen	választ
cleave[1]	cleaved, clove, cleft	cleaved, cloven, cleft	hasít
cleave[2]	cleaved, *régi* clave	cleaved	ragaszkodik
cling	clung	clung	ragaszkodik
come	came	come	jön
cost	cost	cost	vmbe kerül
creep	crept	crept	csúszik
crow	crowed, *régi* crew	crowed	kukorékol
cut	cut	cut	vág
deal	dealt	dealt	ad, oszt, foglalkozik (*with* -val/vel)
dig	dug	dug	ás
dive	dived, *US* dove	dived	lemerül, fejest ugrik
do	did	done	tesz
draw	drew	drawn	húz
dream	dreamt, dreamed	dreamt, dreamed	álmodik
drink	drank	drunk	iszik

drive	drove	driven	hajt, vezet
dwell	dwelt	dwelt	lakik
eat	ate	eaten	eszik
fall	fell	fallen	esik
feed	fed	fed	táplál
feel	felt	felt	érez
fight	fought	fought	harcol
find	found	found	talál
flee	fled	fled	menekül
fling	flung	flung	hajít
fly	flew	flown	repül
forbid	forbade, forbad	forbidden	tilt
forecast	forecast, forecasted	forecast, forecasted	előre jelez
forget	forgot	forgotten	elfelejt
forgive	forgave	forgiven	megbocsát
forsake	forsook	forsaken	elhagy
freeze	froze	frozen	fagy
get	got	got, *US* gotten	kap
gild	gilded, gilt	gilded, gilt	aranyoz
gird	girded, girt	girded, girt	övez
give	gave	given	ad
go	went	gone	megy
grind	ground	ground	őröl
grow	grew	grown	nő
hamstring	hamstrung	hamstrung	térdínt átvág
hang	hung	hung	akaszt, függ
	hanged	hanged	felakaszt
have (has)	had	had	vmje van
hear	heard	heard	hall
heave	heaved, hove	heaved, hove	emel
hew	hewed	hewed, hewn	vág
hide	hid	hidden	rejt
hit	hit	hit	üt
hold	held	held	tart
hurt	hurt	hurt	megsért
input	input, inputted	input, inputted	betáplál
keep	kept	kept	tart
kneel	knelt, kneeled	knelt, kneeled	térdel
knit	knit, knitted	knit, knitted	köt
know	knew	known	tud, ismer
lay	laid	laid	fektet
lead	led	led	vezet
lean	leant, leaned	leant, leaned	hajol
leap	leapt, leaped	leapt, leaped	ugrik
learn	learnt, learned	learnt, learned	tanul
leave	left	left	hagy
lend	lent	lent	kölcsönöz
let	let	let	hagy
lie	lay	lain	fekszik
	lied	lied	hazudik
light	lighted, lit	lighted, lit	meggyújt
lose	lost	lost	elveszít
make	made	made	csinál
mean	meant	meant	jelent

meet	met	met	találkozik
mow	mowed	mown, mowed	lekaszál, nyír
output	output, outputted	output, outputted	kiad
pay	paid	paid	fizet
plead	pleaded, *US* pled	pleaded, *US* pled	kérlel
prove	proved	proved, *US* proven	bizonyít
put	put	put	tesz
quit	quit, quitted	quit, quitted	otthagy, elmegy, abbahagy
read [ri:d]	read [red]	read [red]	olvas
rend	rent	rent	hasít, szaggat
rid	rid	rid	megszabadít, -ul
ride	rode	ridden	lovagol
ring	rang	rung	cseng(et)
rise	rose	risen	felkel
run	ran	run	szalad
saw	sawed	sawn, *US* sawed	fűrészel
say	said	said	mond
see	saw	seen	lát
seek	sought	sought	keres
sell	sold	sold	elad
send	sent	sent	küld
set	set	set	helyez, beállít
sew	sewed	sewn, sewed	varr
shake	shook	shaken	ráz
shear	sheared	shorn, sheared	nyír
shed	shed	shed	elhullat
shine	shone	shone	ragyog
	shined	shined	fényesít
shit	shitted, shat	shitted, shat	szarik
shoe	shod	shod	megpatkol
shoot	shot	shot	lő
show	showed	shown, showed	mutat
shred	shred	shred	darabokra tép
shrink	shrank, shrunk	shrunk	összezsugorodik
shrive	shrived, shrove	shrived, shriven	gyóntat
shut	shut	shut	becsuk
sing	sang	sung	énekel
sink	sank	sunk	süllyed
sit	sat	sat	ül
slay	slew	slain	öl
sleep	slept	slept	alszik
slide	slid	slid	csúszik
sling	slung	slung	hajít
slink	slunk	slunk	lopakodik
slit	slit	slit	felvág
smell	smelt, smelled	smelt, smelled	megszagol
smite	smote	smitten	rásújt
sow	sowed	sown, sowed	vet
speak	spoke	spoken	beszél
speed	sped	sped	száguld
	speeded	speeded	siettet, gyorsan hajt
spell	spelt, spelled	spelt, spelled	betűz
spend	spent	spent	költ

spill	spilt, spilled	spilt, spilled	kiönt
spin	spun, *régi* span	spun	fon
spit	spat, spit	spat, spit	köp
split	split	split	hasít, szakad
spoil	spoilt, spoiled	spoilt, spoiled	elront
spread	spread	spread	kiterjeszt, terjed
spring	sprang	sprung	ugrik
stand	stood	stood	áll
stave	staved, stove	staved, stove	bever (hordót)
steal	stole	stolen	lop
stick	stuck	stuck	ragaszt
sting	stung	stung	szúr
stink	stank, stunk	stunk	bűzlik
strew	strewed	strewed, strewn	hint
stride	strode	stridden	lépked
strike	struck	struck	üt
string	strung	strung	felfűz
strive	strove	striven	igyekszik
swear	swore	sworn	megesküszik
sweep	swept	swept	söpör
swell	swelled	swollen, swelled	dagad
swim	swam	swum	úszik
swing	swung	swung	leng(et)
take	took	taken	fog, vesz
teach	taught	taught	tanít
tear	tore	torn	szakít
tell	told	told	elmond
think	thought	thought	gondol(kodik)
thrive	thrived, throve	thrived, *régi* thriven	boldogul
throw	threw	thrown	dob
thrust	thrust	thrust	döf
tread	trod	trodden, trod	tapos
wake	woke, *régi* waked	woken, *régi* waked	felébred, felébreszt
wear	wore	worn	visel
weave	wove	woven	sző
	weaved	weaved	kanyarog
wed	wedded, wed	wedded, wed	összeházasodik
weep	wept	wept	sír
wet	wet, wetted	wet, wetted	benedvesít
win	won	won	nyer
wind	wound	wound	teker(edik)
	winded, wound	winded, wound	kürtöl
wring	wrung	wrung	kicsavar
write	wrote	written	ír

III.
A LEGGYAKORIBB MÉRTÉKEGYSÉGEK – WEIGHTS AND MEASURES

Súlyok – Weights

1 dram			=	1,77	gramm
1 ounce (oz.)	=	16 *drams*	=	28,35	gramm
1 pound (lb.)	=	16 *ounces*	=	45,36	dkg
1 stone	=	14 *pounds*	=	6,35	kg
1 quarter	=	2 *stone*	=	12,70	kg
1 (GB) hundredweight (cwt.)	=	4 *quarters*	=	50,80	kg
1 (US) hundredweight	=	100 *pounds*	=	45,36	kg
1 ton	=	20 *cwt.*	=	1016,05	kg

Űrmértékek – Measures of Capacity

1 gill			=	0,142	liter
1 pint	=	4 *gills*	=	0,568	liter
1 quart	=	2 *pints*	=	1,136	liter
1 gallon	=	4 *quarts*	=	4,543	liter
1 peck	=	2 *gallons*	=	9,097	liter
1 bushel	=	4 *pecks*	=	36,348	liter
1 quarter	=	8 *bushels*	=	290,789	liter

Hosszmértékek – Linear Measures

1 line			=	2,54	mm
1 inch	=	10 *lines*	=	2,54	cm
1 foot	=	12 *inches*	=	30,48	cm
1 yard	=	3 *feet*	=	91,44	cm
1 fathom	=	2 *yards*	=	1,83	méter
1 pole/perch/rod	=	5½ *yards*	=	5,03	méter
1 furlong	=	40 *poles*	=	201,16	méter
1 statute mile	=	8 *furlongs*	=		
	=	1760 *yards*	=	1609,33	méter
1 nautical mile	=	2026 *yards*	=	1852	méter
1 league	=	3 *stat. miles*	=	4,828	km
	=	3 *naut. miles*	=	5,556	km

Területmértékek – Square Measures

1 square inch			=	6,45	cm^2
1 square foot	=	144 *sq. inches*	=	929,01	cm^2
1 square yard	=	9 *sq. feet*	=	0,836	m^2
1 square	=	100 *sq. feet*	=	9,29	m^2
1 acre	=	4840 *sq. yards*	=	0,41	hektár
			=	0,703	kat. hold
			=	4046,78	m^2
			=	1125	négyszögöl
1 square mile	=	640 *acres*	=	258,99	hektár
			=	2,59	km^2
			=	450	kat. hold

Átszámítási táblázat: lábról méterre – Conversion Table: Feet to Meters

	0	1	2	3	4	5	6	7	8	9
0		0,30480	0,60960	0,91440	1,2192	1,5240	1,8288	2,1336	2,4384	2,7432
10	3,0480	3,3528	3,6576	3,9624	4,2672	4,5720	4,8768	5,1816	5,4864	5,7912
20	6,0960	6,4008	6,7056	7,0104	7,3152	7,6200	7,9248	8,2296	8,5344	8,8392
30	9,1440	9,4488	9,7536	10,058	10,363	10,668	10,973	11,278	11,582	11,887
40	12,192	12,497	12,802	13,106	13,411	13,716	14,021	14,326	14,630	14,935
50	15,240	15,545	15,850	16,154	16,459	16,764	17,069	17,374	17,678	17,983
60	18,288	18,593	18,898	19,202	19,507	19,812	20,117	20,422	20,726	21,031
70	21,336	21,641	21,946	22,250	22,555	22,860	23,165	23,470	23,774	24,079
80	24,384	24,689	24,994	24,298	25,603	25,908	26,213	26,518	26,822	27,127
90	27,432	27,737	28,042	28,346	28,651	28,956	29,261	29,566	29,870	30,175
100	30,480	30,785	31,090	31,394	31,699	32,004	32,309	32,614	32,918	33,223

Köbmértékek – Cubic Measures

1 cubic inch			=	16,38	cm^3
1 cubic foot	= 1728	*c. inches*	=	28316,08	cm^3
1 cubic yard			=	0,764	m^3
1 register ton	= 100	*c. feet*	=	2,831	m^3

Metrikus mértékek angol megfelelői – English Equivalents of Metric Measures

1 méter	= 39,371	*inches*	=	1,094	*yards*
1 kilométer	= 1093,6	*yards*	=	0,621	*mile*
1 négyzetméter	= 1550	*sq. inches*	=	1,196	*sq. yards*
			=	10,764	*sq. feet*
1 kilogramm	= 2,204	*lb*	=	2	*lb* 3¼ *oz*
1 liter			=	1,75	*pints*
1 hektoliter			=	22	*gallons*

Könyvformák – Book Sizes

(4to = quarto = negyedrét; 8vo = octavo = nyolcadrét)

foolscap 8vo	=	17	×	12	cm
crown 8vo	=	19	×	12,7	cm
demy 8vo	=	21,3	×	13,6	cm
royal 8vo	=	25,4	×	15,8	cm
crown 4to	=	25,4	×	19	cm
demy 4to	=	28,6	×	22,2	cm
royal 4to	=	31,7	×	25,4	cm
crown folio	=	38,1	×	25,4	cm
royal folio	=	50,8	×	31,7	cm

Hőmérsékletrendszer – Temperature Equivalents

212°	Fahrenheit	=	+ 100°	Celsius	=	+ 80°	Réaumur
32°	Fahrenheit	=	0°	Celsius	=	0°	Réaumur
0°	Fahrenheit	=	– 18°	Celsius	=	– 14°	Réaumur

Átszámítási képletek – Conversion formulae:

$$+X° \text{ Fahrenheit} = \frac{(X - 32)5}{9} \text{ °Celsius}$$

$$-X° \text{ Fahrenheit} = \frac{(X + 32)5}{9} \text{ °Celsius}$$

$$X° \text{ Celsius} = \frac{9X}{5} + 32 \text{ °Fahrenheit}$$

IV.
PÉNZRENDSZER – MONETARY SYSTEM

Nagy-Britannia – Great Britain

(1971. február 15-ig)

1 *guinea*	=	21 *shillings*
1 *pound sovereign* (£1)	=	20 *shillings*
1 *crown*	=	5 *shillings*
1 *half crown*	=	2 *shillings* 6 *pence*
1 *florin*	=	2 *shillings*
1 *shilling* (1s.)	=	12 *pence*
1 *penny* (1d.)	=	4 *farthings*

(1971. február 15-től)

1 *pound* (£1) = 100 *pence* (100p)

Amerikai Egyesült Államok – United States

1 *dollar* ($1)	=	100 *cents* (100¢)
1 *quarter*	=	25 *cents*
1 *dime*	=	10 *cents*
1 *nickel*	=	5 *cents*